【五十音と索引】

（（　）は現在は用いられないもの）

わ	ら	や	ま	は	な	た	さ	か	あ
					なナ (1145)	たタ (916)	さサ (572)	かカ (223)	あア (1)
（ゐヰ）	りリ (1635)	（い）	みミ (1491)	ひヒ (1294)	にニ (1175)	ちチ (982)	しシ (624)	きキ (337)	いイ (57)
（う）	るル (1656)	ゆユ (1586)	むム (1515)	ふフ (1343)	ぬヌ (1194)	つツ (1018)	すス (794)	くク (412)	うウ (116)
（ゑヱ）	れレ (1660)	（え）	めメ (1528)	へヘ (1402)	ねネ (1199)	てテ (1045)	せセ (829)	けケ (449)	えエ (147)
をヲ (1699)	ろロ (1672)	よヨ (1603)	もモ (1545)	ほホ (1423)	のノ (1210)	とト (1085)	そソ (880)	こコ (489)	おオ (169)

【目次】

あ か さ た な は ま や ら わ

First Edition　1972
Second Edition　1974
Third Edition　1981
Fourth Edition　1989
Fifth Edition　1997
Sixth Edition　2005
Seventh Edition　2012
Eighth Edition　2020

Printed in Japan

装丁　三省堂デザイン室

新明解
SINMEIKAI
国語辞典

山田忠雄　倉持保男　上野善道
山田明雄　井島正博　笹原宏之

第八版

三省堂

日本語の的確な使用のために（第八版　序）

一九四三（昭和一八）年刊行の『明解国語辞典』以来の伝統を有する『新明解国語辞典』は、一九七二（昭和四七）年の初版以降も改訂を重ね、今回その第八版を送り出すこととなった。第八版は、『新明解国語辞典』の初版から編集に関わり、二〇一二年の第七版で編集代表も務めた倉持保男の先導のもとに順調に進んでいたが、いよいよ終盤に入ろうとする二〇一八年八月にその船頭を病で失うという思わぬ事態が生じた。当惑の極みであったが、万やむを得ず、私が取りまとめ役を引き受け、編集委員と三省堂の担当者が一体となって完成に向けて取り組むこととなった。

残された時間から見ても、倉持前代表のときに立てていた基本方針を着実に実現させることがその任務と考えた。すなわち、『新明解国語辞典』の当初からの特徴である、ことばの本質をとらえた鋭い語釈と、それを裏付ける適切な用例を一体化して提示すること、これを本辞典の中核に据えた。辞書としての要だからである。それと同時に、一時期話題になった、あまりにも個性的な語釈は、必要に応じて修正をするという立場も受け継いだ。第七版で新設した［文法］欄は、接続情報を中心に、分かりやすい表現で充実させた。第六版から待遇表現などに設けていた［運用］欄も詳しくした。いずれも、語義・語釈を補完する機能をもつ。語釈と［文法］と［運用］、この三点セットにより、本辞典が日本語の的確な運用に役立つものと信ずる。

本書の特徴の一つは、漢字表記にある。といっても、語義に応じた漢字の使い分けの傾向を細かく示すことは初版以来しておらず、むしろ史的に用いられてきた漢字表記を実証的に提示するという姿勢を取り続けてきた。［表記］欄がそれで、旧表記、代用字や義訓、借字などの情報を中心に、仮名表記についても触れている。第八版でもこれを一層進めた。これらは、やや古い資料を読み解く上でも役立つに違いない。

「一本、二枚、三冊」などの「かぞえ方」欄も第四版以来のものであるが、これも再点検をして拡充した。それと連動して、「一本イッポン、二本ニホン、三本サンボン、四本よんホン、五本ゴホン、六本ロッポン（ロクホン）、七本ななホン（シチホン）、八本ハチホン（ハッポン）、九本キュウホン、十本ジッポン（ジュッポン）」などの「数字の読み方」を付録に加えた。これは代表交代後の新たな試みである。

見出し語にアクセントを付しているのも『明解国語辞典』以来の特徴であるが、今回、第七版の全体を見直し、より時代に合ったアクセントに改めた（付録「アクセント表示について」を参照）。また、たとえば「ざらざら」は、以前はまとめて「[1][0]（副）ーと ーする」と表示して用例を分けていなかったが、「[一][1]（副）ーと ーする…「表面がーした紙」、[二][0]ーな ーに…「手が荒れてーになる」」のように分け、用法に応じたアクセントの違いを示すようにした。さらに、見出し項目以外に、その下位項目にも紙幅と時間の許す限りアクセント情報を補った。その結果、九万語超のアクセント辞典としても使えるものとなったはずである。

時代に即した国語辞典として、新項目も多数採用した。今、正にその渦中においてこの序文を執筆しているのであるが、新型コロナウイルス関連の新語が多くなったのも当然であろう。全員の命に関わる事柄なのに、一部の人にしか意味の分からないカタカナ語が多用されるのは、「ハザードマップ」など、いやそれ以前からの流れがますます加速していることを意味し、敢えて刺激を与えるためという効用を仮に認めたとしても、なお考えるべきものと思うが、辞書の役割としてはそれらを分かりやすく解説するしかない。

この第八版が広く世に受け入れられ、読者の声が第九版への進展に繋がることを願ってやまない。

二〇二〇年六月一日

編集委員会代表　上野善道

［旧版　序］（＊四版以降は編集委員・編集協力者を末尾に付記した）

新たなるものを目指して（初版・第二版　序）

人も知るごとく、本書の前身は「小辞林」の語釈を口語文に書き替えることから出発した。今を去る三十二年前の事である。担当者見坊の熱心は、表音式見出しの実施、少なからぬ新項目の増補、近代的編集方針の創始と相俟ち、当時としては珍しく充実した小型辞書を世に送ったため、学生・読書子の迎える所となり今日に至った。その足跡は、戦時中では指定辞書としての位置を占め、戦後では凡百の類書を簇出せしめ、小型現代語辞書のいわゆる「親亀」に擬せられたことによって容易に理解出来よう。

このたびの脱皮は、執筆陣に新たに柴田を迎えると共に、見坊に事故有り、山田が主幹を代行したことにすべて起因する。言わば、内閣の更迭に伴う諸政の一新であるが、真にこれを変革せしめたものは時運であると言わねばならぬ。群書の輩出によって国語辞書の質は漸を逐うて高まっている面は看取されるものの、なお大所高処に立ってこれを観る時、依然として低迷の境に在ることは否定出来ない事実である。生活に密着した若干の語の語釈に誤りが見られ、見出し語において即時代的ならざる欠陥を有することが指摘されたのは一再にとどまらない。もちろん、かかる指摘は他を待つまでもなく、編者自身が最も痛切に感じていた所。前身の改訂版発刊以来十余年の歳月は、編者をして或は新語採集と見出し語の選定に、或は語釈の根本方針の確立に沈潜せしめ、一日として休む日は無かった。ローマは一日にして成らざるたとえのごとく、一日にして成るは辞書ではない。

思えば、辞書界の低迷は、編者の前近代的な体質と方法論の無自覚に在るのではないか。先行書数冊を机上にひろげ、適宜に取捨選択して一書を成すは、いわゆるパッチワークの最たるもの、所詮、芋（いも）辞書の域を出ない。その語の指す所のものを実際の用例について　よく知り、よく考え、本義を弁えた上に、広義・狭義にわたって語釈を施す以外に王道は無い。辞書は、引き写しの結果ではなく、用例蒐集と思索の産物でなければならぬ。尊厳な人間が一個の人格として扱われるごとく、須らく、一冊の辞書には編者独特の持ち味が　なんらかの意味で滲み出なければならぬものと思う。かような主張のもとに本書は成った。今後の国語辞書すべて、本書の創めた形式・体裁と思索の結果を盲目的に踏襲することを、断じて拒否する。辞書発達のために、あらゆる模倣をお断りする。

しかしながら、一面から言えば、思索の結果は主観に堕しやすい。今回吾人の施した語釈は、それなりに沈潜の結果成ったものではあるが、シャープならんと欲する余り、限定が大に過ぎるという批評を甘受すべき面が或は皆無ではないかもしれない。公器である辞書の語釈として普遍妥当的なものに成長するためには今後万人の実験を期待する。吾人は歓迎する―そのような意味における読者・利用者の声を。それは辞書を育てる上には必要欠くべからざる要素であると思う。

本書が今見るような形で世に送られるについては、編集期間の最後の四年間の或は全期を通じ或は短期間を限り、次の十君の惜しまぬ協力が有ったことを銘記する。

酒井憲二・若杉哲男・阪田雪子・倉持保男

鈴木真喜男・小笠原　一・山田　潔・長尾　勇・遠藤和夫・對馬友治

また、担当編集者三、四子（注）の献身を多とし、併せて歴代辞書課長・出版部長の斡旋の労に謝する。

昭和四十六年十月

（注）二版では「三上幸子君」。

日本語の　より良き使用の為に（第三版序）

本邦における辞書発達の歴史を顧みるに、平安朝期における『篆隷万象名義（テンレイバンショウミョウギ）』と言い、幕末・明初における対訳辞書と言い、どれを取って見ても、海彼・舶来の諸辞書の翻訳・翻案から出発した事は紛れも無い事実である。このような事情に起因し、創始期においては、この国の辞書に必ずしも　創意　は求められなかった。これが猶　尾を曳いて今日の辞書界を毒している事実は蔽うべくも無い。辞書における模倣・追随が　小説におけるよりも　論文におけるよりも甚しい事は、識者全ての認める所。

辞書が、文字習得・確認の為という　より低い目的を超え　言語内省の為の鑑の域にまで進み、以て　より高い社会的評価を克ち得る為には何程かの創意を持つことが必要であろう。

旧『明解国語辞典』は、新語を多数含む豊富な見出しを収めると共に二行主義の明解な語釈の徹底にこれを求め、読書界に空前の滲透を見た。『新明解国語辞典』は、見出し語の安易な多収を避け、寧ろ語釈の、真の意味における充実を専ら心掛け、斯界における革命を図った。その相違は、主幹の好みに基づくと言うよりは、畢竟　時代の要請に帰すべく、又　大所高処に立って判断するならば、小型辞書は一般に、このような二大方針の相克揚棄の上に進展するものと目される。

単なる文字の説明や言換えの若干の提示に終始する古い型の辞書も今日少なからず見受けるが、辞書本来の用途が　語の用法　についての指示に在ることを考える時、この国の辞書は　語結合の型　を示す点において、欧米の辞書に著しく劣る事実は遺憾ながら認めざるを得ない。

抑々　語結合の型　とは、言語使用上　最も必要な　体言と用言との対応の型(一部は　主・述　の照応をも兼ね、また当然、被修飾語と修飾語との限られた結びつきの型をも意味する)に他ならぬ。

誰しも　自分の子供の成育時に観察する如く、幼児が最初に習得し使用するのは　単語文　であり、次の段階では　助辞　が加わる。文節を累ねて短文を成すのは稍々長じてからの事である。言葉が自由に操れるということは、一定の単語と共に何を用いれば可いか、何を用いるとおかしいか　の結合の選択に就いて十分な知識が有り、また同時にその選択を実践することが出来る能力を指す。

辞書は元来そのような　型の選択　に関する能力を涵養し　培う為の枢要な器であるにかかわらず、かかる記述が等閑に付されて久しいものが有る。

右の通弊に鑑み、主幹は、その補充(a)を今次の改訂作業における第一方針と致し、併せて誤植・誤記の完全なる除去と語釈の充実(b)とに努めた。aは今回初めて実施する所であるが、bは初版終了時より夙に始まり今日に及び、また次版刊行の時まで一日も休まず続けられるであろう。

利用者諸賢の旧に倍する愛顧と熱い支援とを冀うと共に、忌憚無き批判を待つこと切。

第三版が現在の規模において成るについては　一に、共著者からの助言及び　次の九氏から寄せられた数多くの意見に依ること言うまでも無いが、その悉くは活かし切れなかった。

酒井憲二・若杉哲男・倉持保男・阪田雪子・鈴木真喜男・遠藤和夫・長尾　勇・山田　潔・小笠原　一

猶、今回も担当者　三上幸子君の惜しみ無き献身を得たことを特記する。

昭和五十五年十二月　　山田忠雄

辞書に求められるもの（第四版　序）

この辞書は、関係者一同の試行錯誤の結果　成ったものである。

朝起きて朝食の膳に新聞を見る、夜の帳(とばり)の下りる頃は夕刊を手にする。その度毎にわれわれは現代社会の進む方向と思潮を各自のアンテナで捉えようと試みる。媒体は言葉である。

本を読む、手紙を書く。事務を執る、連絡を受ける、命令を伝える。旧友と久し振りに会う、会話を楽しむ。テレビを見る。社会生活において欠くべからざるものは言葉である。

生活は言語によって支えられ、われわれの思考と内省は言語によって深まる。

同一言語による意志伝達が支障無く行われるのは、各自の灰白色の脳細胞内に　根幹を同じくする単語帳が存在するからであろう。その単語帳たるや、語釈は有ったり無かったりであるが、多かれ少かれ用例を伴う。書入れの精粗は、使用言語への内省の深浅を　そのまま反映する。個人差は頗る大きい。

この単語帳こそ、いわゆる　語感　の背景となるものであり、また同時に、なり得るものでなければならぬが、自他の　語感　の衝突する時、普通　われわれは、その裁定を任意の辞書に委ねる。〔これは、委ねようとする、という意の一語法である〕しかしながら、辞書後進国の悲しさ、どの辞書を見ても満足を覚えることは　めったに無い。そこに載せる用例は余りにも貧弱であり、当然の結果として語義の分析は十分でない。鋭さなど求むべくもない。語釈は十種一様であり、千篇一律である。付録の多さと本文の組み体裁に僅に自己主張をするのみ。

既に団栗の背比べであって見れば、わが国においては、辞書の比較は無意義に近く、蒐集は多く好事の域を出ない。複数使用の如きも、新聞における二〜三紙併読に類する意義を積極的には持ち得ない。

上述の意味における個別単語帳を有する利用者が市販の辞書に期待して　それを引く最大の目的は、当該の語が　どういう場合に使われるか、という用法の確認でなければならぬ。＋の意味に用いるのか、－の意味に用いるのかは、最大の関心事である。また用法が二義以上に分かれる場合、いずれが主用であるか、本義と転義とは　どのようにかかわるか。それが知りたいからこそ、わざわざ辞書を引くのである。

ところで、普遍妥当を志す辞書の記述も、編者の単語帳を経とし　寓目例を緯として構築する限り、時に万全を保し難いことが有る。その短を矯める捷径は、常用例への飽くなき注視と　異なる言語体験を持つ他者の批判への傾聴とでなければならぬ。幸い『新明解国語辞典』は発刊以来絶えず数多くの有益な意見により触発され発憤を繰返し、脱皮を重ねて来た。第三版において　語結合の型　を示したのは、その顕著な例である。この度　第四版に当っては　最も脆弱であった　副詞　項目に大幅の補充を試みた。

副詞は由来　他の品詞と異なる職能を持ち、専ら文を直接　構成する成分として文脈理会の上に重要な役割を果す。作例などでは到底その用法を蔽い尽くせない。生の用例に語らせる必要が有る。部分を省略すると、肝腎の用法が何処かに飛んでしまう。勢い、引用は長目にならざるを得なかった。大いに努めた積りではあるが、猶、釈尊の掌上で力む孫悟空ではなかったか、という思いが切である。

今次の改訂に際しては、国語学関係者のみによる編輯の視野狭きを念い、百尺竿頭　一歩を進め、自然科学の専攻者中　関心の最も社会万般に向きたるを一人　選び起用し、能う限り多くの項目に就いて　発想の転換　を心掛けた。その試みは未だ　点と線　の段階に止まるが、不日　大きな効を発揮するであろう。

一九八九年十月　　主幹

［編集委員］　柴田　武・山田明雄・山田忠雄（主幹）

［編集協力者］　明石博隆・小笠原　一・倉持保男・今野真二・今野尚子・阪田雪子・佐藤純二・進藤　澄・鈴木真喜男・山田　潔・山田みどり・若杉哲男

二十一世紀を目前にして（第五版　序）

この辞書の前身である『明解国語辞典』は、金田一京助の発案により、見坊豪紀が主幹として編集したものであった。初版の出たのが昭和十八年（一九四三年）、戦時中のことである。

やがて戦後になって、標準的な学習辞書として大いに迎えられた。ついで、昭和四十七年（一九七二年）、主幹が、山田忠雄に代り、新しい時代にふさわしい内容に一新して、『新明解国語辞典』に生まれ変わった。それからでもすでに二十六年たつ。

『明解国語辞典』から数えれば、すでに半世紀を越えた。その間、途切れることなく版を改め、刷を重ねて、今や刊行部数は千七百万に達した。しばしば「国民的辞書」と言われるのはそのためである。

近年、本辞典の個性豊かな内容が一部の識者に注目され、新聞・雑誌などマスコミで取り上げられるようになった。学習辞書の枠をはずして、教養書として「辞書を読む」新しい層をつかみ、その層も厚くしつつある。

本辞典が個性的であると言われる、その個性は、主幹　山田忠雄の資質から生まれたものである。その主幹をわれわれは昨年（一九九六年）二月に失ってしまった。船頭がいなくなった舟の中にとり残されたわれわれは、どうすべきか茫然とした。同年の秋に第五版を出す予定で進めていた編集作業がストップした。しかし、関係者が相寄って態勢の立て直しを図り、ここに第五版を送ることができた。

『明解国語辞典』が新語の採集に努め、語釈は二行主義の簡潔な表現を採ったのに対して、『新明解国語辞典』は、見出し語をむやみに増やさず、語釈の充実と深化に努めた。

『新明解国語辞典』は、こうした語彙的情報のほかに、「語結合の型」と言われてきた統語的情報を加えていることが特色であった。ある語は、必ず、また、好んである語を伴って使われる。そのことを用例のなかで示し、特にゴシックで注意を促してきた。

今回、さらに第二の統語的情報を添えた。これも広い意味での「語結合の型」と言えるものであるが、主な動詞について、共起しうる、いくつもの助詞を示した。「語結合の型」と区別して、これを「基本構文の型」と言う。山田主幹のもとで構想にのぼっていたが、それを今回このような形にまとめた。

われわれ残された者が与えられた短い時間に改めて図ったことは、外来語の充実であった。もともと本書は、世の外来語ラッシュに動ぜず、外来語の採択には慎重な態度をとり続けてきたが、今回この方針を少々見直して、ある程度外来語を追加した。初めて耳にする外来語、あやふやな外来語を確かめるために辞書に当たろうとする人は少なくない。そういう読者の要求にも応えなければならないと考えた。

『明解国語辞典』の時代を第一世代とすれば、『新明解国語辞典』の時代は第二世代である。その世代を背負ってきた主幹が不在になった今、この第五版が第二世代をしめくくる役を果たすことになる。時正に二十世紀の終りである。

二十一世紀は、第三世代の新『新明解国語辞典』を送り出す時である。

一九九七年九月七日　編集委員会代表　柴田　武

[編集委員] 山田忠雄（主幹）・柴田　武（代表）・倉持保男（幹事）・酒井憲二・山田明雄

[編集協力者] 佐藤純二・進藤　澄・山田　潔

さらに多彩な情報を　（第六版　序）

ここに『新明解国語辞典』の第六版を届けることができた。私にとって初版以来の付き合いで、この辞書の性格が一段と明確にとらえられるようになった。

思うに、個個人の持つ言語情報は、ちょうど我が家の食堂にある大きな立ち机の上の景色のようなものではないだろうか。食事の終わった茶碗と皿が一つずつ残っている。今朝の読みかけの新聞も机の端にある。さらに机の隅には電話器も立っている。くしゃくしゃの帽子も無造作に放り投げてある。一見乱雑としか言いようがないのではあるが、いざとなれば欲しいものがどれもこれも手を伸ばせば届くところにある。なまじっかきちんとしまい込まれているよりははるかに使い勝手がよい。

日常使い慣れ聞き慣れている言葉は、漢字表記にせよ、意味・用法にせよ、手近にあって気軽に手にすることができる方が効率がよいに決まっている。しかし、耳慣れない言葉を耳にしたり、改まったあいさつを述べようとしたりすると、そうはいかない。自分がほしい言語情報が机の上にあるのやら食器棚に収められているのやら、探し出すのに一苦労だ。となれば、やはりきちんと分類・整理されて収まっている、区分けされたひきだしが必要だということになる。

こういったニーズに応えるべく、『新明解国語辞典』では、見出し語の語釈や用例のほかに、漢字や仮名遣いなどの表記情報、アクセントなどの語音情報、活用などの語法情報に加え、この辞書新提案の物のかぞえ方まで載せている。さらに、それぞれの動詞と共起する助詞の指示などの文法情報まで盛り込んである。

そして今回第六版では、新たに語の使い方について「運用」欄を設けて解説した。日常会話で用いられる表現について、待遇表現にかかわる表現を中心に、表層的な意味の背後に潜む含意を探り出し、種種の対人関係においてどのような表現効果（プラスの効果にマイナスの効果も含めて）をもたらすかについて、具体的な場面と結び付けて、その特徴を記した。例えば、「あなた」という代名詞について、単に「自分と同等程度の相手を軽い敬意をもって指す言葉」といった語釈からはすぐには導き出せない、「男性が目上の人や初対面の人に用いると、見下したような印象を与えやすい」といったことなどである。こういった語の運用に関する事柄は、近ごろ言語学で「語用論（pragmatics）」として新しく注目され出した分野の課題である。

さて、新しい版を用意するたびに新しい語を補うことになり、今さらのように、言語情報の生産性について考えさせられる。現代社会の実情に即し、今回も一五〇〇語を新たに加えることとなった。

増えた語のおよそ半数は外来語（カタカナ語）である。一般に、意味が分からなくて困ると言われながら、外来語を歓迎する風潮は衰える気配もなく、今後ともさらに増え続けるであろう。そのすべてを採録することは無意味であり、不可能なことでもあるので、定着した、また、定着するだろうと予見されるものに限って載せた。

第五版の序文で、今度出すのは二十一世紀、第三世代の新『新明解国語辞典』であると述べた。そのお約束は果たすことができたと思う。

この第三世代の辞書のめざましい前進ぶりを見届けていただきたい。

二〇〇四年一〇月二二日　　編集委員会代表　柴田　武

[編集委員]　柴田　武(代表)・倉持保男(幹事)・酒井憲二・山田明雄

[編集協力者]　木村義之・進藤　澄・山田　潔

さらに新しさを求めて（第七版　序）

「絆」という言葉を最近よく耳にする。これは、あの三月十一日の東日本大震災で被災された方々の口から発せられるものである。震災後、人と人との結び付きの重要性、換言するなら、一体感、連帯意識の持つ意義を痛感させられたといった文脈で、「絆」の果たす役割が意識されるようになったというのである。悲しみや苦しみを分かち合い、共に手を携え、未来に向かって光を求め、明日へ向けて前進しようとするために欠かせない「絆」意識は、行動を通して確かめ合い、態度や表情で伝え合うことも可能であろうが、言葉の力によって確固たるものになるのではなかろうか。

一方、近年の若い世代にみられる社会的な風潮―少数の言葉に多義的な意味を負わせ、何ごとによらず、「すごい」「ヤバイ」などで済まそうとする―をみると、生活様式が画一化し、行動形態がマニュアル化されたかのような時代になったからだなどと、暖気(のんき)に構えてはいられない衝動に駆られる。このままでは日本語は衰退するばかりではないのかといった不安からである。

こうした危機感を背景に、日本語の可能性を探り、的確な理解を深め、適切な表現を引き出す拠(よ)り所となることを願って、今ここに『新明解国語辞典』の第七版を上梓(じょうし)する運びとなった。

今回の第七版では、情意・感覚を表わす形容詞を中心に、見出し語の語釈に入念な手直しを加え、また、用例をより時代に即したものに改めるなどした。第六版から設けた[運用]欄についても、取り上げる項目を増やし、解説に意を用いて内容の一層の充実を図った。

第七版の特徴として取り上げるべきは、新たに[文法]欄を設けたことである。文法情報は、個個の見出し語の文法的な特質に応じてすでに記載されている―品詞表示、動詞の活用の型や自他の類別、漢語名詞のサ変動詞用法の有無など―が、それらに加えて今回新設した[文法]欄には、助詞・助動詞の接続に関する情報を始め、文法上の問題となる諸事項を煩をいとわずに記載した。中でも特筆すべきは、日常見落とされがちな文法にかかわる事象について、平明な解説を心がけた点である。

例えば、「…かもしれない」という一種の推量判断を表す形式について、外国人に日本語を教える教師の中には、ある事柄の実現する可能性がフィフティフィフティであるなどと説明して事足れりと安易に信じている者もいるが、これを確率が五十パーセントだなどと解したら、とんでもない誤りである。単に、ある事柄の実現する可能性を否定できないと言っているだけで、確率の問題としてみれば、ゼロに近い状態から九九パーセントを超える場合まで、幅広く用いることができる表現形式であるといったことを説明している。

「…なければならない」と「…なければいけない」の違いや、「見える」と「見られる(可能)」、「聞こえる」と「聞ける」の異同などについても適切な説明をほどこした。

ところで、今回も新たに一〇〇〇〇語を増補した。その多くは外来語や和製英語である。カタカナ表記の語が増え続けるのも、日本語の将来像を思い描くと看過できない問題であるが、辞書編集者の立場からは事態をもうしばらくは静観せざるをえないだろう。

何はともあれ、本辞書が江湖の迎えるところとなることを期待してやまない。

二〇一一年一一月一日　　編集委員会代表　倉持保男

[編集委員]　倉持保男(代表)・酒井憲二・山田明雄・上野善道・井島正博・笹原宏之

[編集協力者]　岡部嘉幸・木村義之・進藤　澄・竹内直也・仁科　明

編集方針

この辞典は、現代の言語生活において最も普通に用いられる日本語について、その多岐にわたる用法を種種の角度から分析・検討し、的確な理解の一助となるとともに、適切・効果的な使用が可能であることを念じて編集された。

見出し語

一　**採録方針**　いわゆる自明合成語・擬音語は多く省略に従った。また、動詞とその名詞形との間に大きな用法の違いの無いものや、形容詞およびいわゆる形容動詞に基づく派生形（**─さ・─み・─げ・─がる**）も、ごく一部を除いては、語釈の末尾に派のラベルを付けて示すのみにとどめ、別掲しなかった。

二　**重要語**　三、四三六語に***の印を付けた(⇩一七四〇ページ)。

三　**字音語の造語成分**　(⇩八八七ページ)当該ページの上方一隅に枠で囲み別掲した。

四　**固有名詞**　一般語化した語の造語成分となっているものを除いては原則として採録しなかった。

語　釈　表記される漢字の単なる説明およびいわゆる堂堂めぐりを極力排し、文の形による語義の解明を大方針とした。

一　**語義の分類**　無意義な細分化を避け、大分類に従った。文脈に即した意味は、用例のあとの(=…)の形によって簡潔に示した。

二　**語義の配列**　語義は、現代日本語において通常使用されているものに着目し、頻度の高いものから低いものへ、一般的なものから特殊なものへという方向によることを原則とした。古義・原義で、意味の理解に有効なものは、語源として冒頭に注した。

三　**類義語の弁別**　漢語的表現・和語的表現・古風な表現・口頭語的表現などの術語によって類義語間の用法の相違を記述した。

四　**語義の補足的説明**　語釈に先立って、語源・位相を示すとともに、語の使用場面などについても記述するようにした。外来語のスペリングも語源扱いとした。原語の意味を注記したものも少なくない。

例、**サイダー**①〔cider=りんご酒〕…

本義と異なる広義・狭義の用法および転義などに関する補足的説明を語釈の末尾に施した。

五　**語の運用に関する情報**　運用欄を設け、日常会話に用いられる表現に関する運用上の情報を示した。待遇表現にかかわる用法を中心に、必ずしもその語の一般的な意味とは一致しない側面や含意された意味を取り出し、対人関係にもたらすプラス・マイナス両面の表現効果を、具体的な用法を明示しながら解説した。

六　**語の文法に関する情報**　文法欄を設け、助詞・助動詞に関する情報、受給表現の体系性、表現主体の判断を表わす形式の種種相その他、文法的側面から見て類義的だととらえられる用法の異同などを中心に、文法の理解に効果的だと考えられる事項を重点的に取り上げ、その要点を簡潔に記した。

七　**かぞえ方**　実際の使用例から採集した物のかぞえ方を、かぞえ方欄に示した。助数詞の付く数詞の読み方を、新たに巻末付録「数字の読み方」としてまとめた(⇩一七二一ページ)。

付　録　巻末に、世界の国名一覧・文法関係諸表・数字の読み方・送り仮名の付け方・歴史的かなづかいのほか、アクセント表示についてなどを付載して、利用の便を図った。

細　則

見出しの表記と体裁

1和語・字音語は ひらがなで表記した。

2外来語はカタカナで表記した。ただし、慣用久しきに及ぶ約十語は準和語扱いとした。

なお、1は「現代仮名遣い」(平成二二年一一月三〇日内閣告示)に、2は「外来語の表記」(平成三年六月二八日内閣告示)に従うことを旨とした。

3 **あいきどう**(オ)【合気道】・**ねがわくは**(ワ)【願わくは】 等における右傍のカタカナ小字は、本行(ホンギョウ)の1に対応する表音式表記である。

4一見出しの区分は原則として二区分とした。助詞「の・つ」を介するものは助詞までを上位に扱った。また、促音・撥(ハツ)音が添加された口頭語形は、促音・撥音を含む部分までを上位とし、それ以下を下位として扱った。

例、**けっ とば・す**【蹴っ飛(ば)す】

まん まる【真(ん)丸】

なお、区分は、現代の言語意識に即して行ない、必ずしも語源にまでは さかのぼらない。起源における区分は、語源欄に注した。

5二字の漢字で表わされる見出しでも、動植物名・固有名詞および借字によるもの(仏教語の音訳や万葉がなによる国名の表記を含む)は区分を設けなかったものが多い。

6活用語は原則として終止形で掲げ、語幹と語尾に分けられるものは、その間に「・」を入れた。

字音語の造語成分

7字音語を構成する、延べ約二、七〇〇字の漢字を、その音ごとに枠囲みでまとめ、字義と語例を示した。

8採録にあたっては、常用漢字表の字種二、一三六字はその語例の多寡にかかわらずすべて掲げた。

9本文に掲げた一字漢字の項目と重複するものは相互に参照させた。

見出しの配列

10五十音順による。同一のかなの中では、清音→濁音→半濁音、また促音→直音、拗(ヨウ)音→直音の順序に従った。

11「ー」をもって表わす外来語の長音は、直前の母音がア・イ・ウ・エ・オのいずれであるかによって、それぞれの音を表わす かなに置きかえた位置に配列した。

12同音語は次の順位で配列した。

(1) 記号→造語成分→接辞(接頭語・接尾語)→単純語→複合語〔語の性質・構成〕

(2) 助詞→助動詞→感動詞→接続詞→副詞→連体詞→用言(動詞・形容詞)→名詞(代名詞はその直前)〔品詞の区分〕

(3) かな→漢字〔表記〕

(4) 外来語→字音語(同音の漢字は画数順。同画数のものは、康熙(コウキ)字典の順。右に見えない字体は、同画の最初)→和語〔語の種類〕

(5) ハイシャ　歯医者→ハイシャ　拝謝・配車・敗者

カ・エル(代える・変える)→カエ・ル(反る・返る・孵る)のように、上位の拍数の少ないものから多いものへと配列した。〔同一品詞に属する同拍数の語の区分〕

13共通の成分でくくられる同音語、および語源の異なる同形の外来語などを便宜 ❶❷ で統合し、スペースの倹約を図った。

例、**しゅ せき**⓪❶【主席】……。❷【首席】……。

かわ・く②（自五）[一]【乾く】……。[二]【渇く】……。
あつ・い②（形）[一]【熱い】……。[二]【暑い】……。
ソース①[一]［sauce］……。[二]［source］……。

子見出し

14同根を統合する範囲は、外来語（梵語の音訳を除く）は四拍以上、字音語は複合語見出しに限り、また、和語は三拍以上に限る。

15慣用句・ことわざの類は【　】で囲み、共通部分は―で略示した（活用語の場合は、語幹までを）。

16複合語については共通部分を、かな見出しでは―、【　】内の表記では―で略示した。

例、**こころ**③②【心】……。**―あたたま・る**⑦【―温まる】（自五）……**―ある**④【―有る】（連体）……**―いき**⓪【―意気】……**―えちがい**⑤ーチガヒ【―得違(い)】……**―おきなく**⑥【―置(き)無く】（副）……**―づかい**④ーヅカヒ【―遣(い)】ーする……

しぜん⓪【自然】……**―かい**②【―界】……**―かがく**④ークワー【―科学】……**―はっせいてき**⓪【―発生的】ーにーな……

アクセントの指示

17単語として独立の用法を持つすべての見出し語についてアクセントを示した。見出しの直下、□で囲んで示したアラビア数字がアクセント記号である（⇩付録「アクセント表示について」）。

18単独の見出しを掲げなかった語のアクセントは、言い換えなどをしたその所や、語例において示すことを原則とした。文例・句例や、見出しのある語例には原則として示さなかった。

19「きらきら」「ざらざら」など、本来の副詞として（「と」を伴ったり伴わなかったりして）動詞に続く場合のアクセントは①であるが、形容動詞的に「だ・に・の／な」に続く場合は⓪となる。この時、⓪の用例は必ずしもすべてには入れなかった。また、「ああ」「こう」のように、その語のみでは⓪であるが、用例「―だ」「―は行かない」などでは①になる。このような特例については逐一注記はしなかった。

歴史的かなづかいの指示

20歴史的かなづかいが見出しと異なる場合は、アクセントに続けて、小字・カタカナで歴史的かなづかいを示した。複合語の場合は区分に従って二行に割り、当該部分だけのカナを示して他は―で省記した。

例、**あいだ**⓪アヒダ【間】　**あいちょう**⓪ーテウ【哀調】
そうい⓪サウキ【相違】・ーサウ【相異】

また、表記欄中に示す異字同音の語で、歴史的かなづかいが異なる場合は、それを示した。

例、**かんしょう**⓪ーセフ【干渉】……表記 ―は、「関渉クワンセフ」とも書く。

なお、現代に特有の語について、歴史的かなづかいで書かれた例がないものであっても、歴史的かなづかいを示した。例えば、本来の用字「函数」の代用字「関数」にも歴史的かなづかい「クワンスウ」を示した。

見出し語の表記法

21【　】の中に、「常用漢字表」（平成二二年一一月三〇日内閣告示）を参照しつつその語の「表記法」を示した（ただし、かな表記を普通とするものの場合は省略）。ここで言う「表記法」とは、漢字かな交じり文中における漢字を主体とする表記の、一般に行なわれるものを指す。標準的とされる表記や一般に行なわれている表記が複数あると認められる場合には、それらの程度に従って上下に併記する。

なお、同一の漢字が続けて繰り返す場合、現在一般の表記の慣行

く」「木デ作る」）に限られる。

なお、動作・作用を向ける対象を表わすヲ（「紙ヲ切る」）と移動性の動作の経路や通過点を表わすヲ（「空ヲ飛ぶ」）とを形式的に区別することはしなかった。

（3）格助詞に前接する名詞(句)はその意味の特徴から だれ・なに・どこ・なんだ の四種に区分した。

だれ……人または人に準ずるものを表わす名詞(句)
例、〈だれト―〉〈だれニ―〉（「会う❶」の項）

なに……前記の だれ に該当しない事物・事柄・時などを表わす名詞(句)
例、〈なにデ なにヲ―〉（「暖める❶」の項）

どこ……場所・位置や物の部分などを表わす名詞(句)
例、〈どこニ―〉（「居る」の項）

なんだ…発言・思考・意志・感情などの内容を表わす句
例、〈なにヲ―〉〈なにヲ なんだト―〉（「考える❶」の項）

（4）移動性動作を表わす動詞を述語とする文における移動の方向を表わす「へ」（「北へ向かう」）を必須の要素とする文では、同時に到達点を表わす「ニ」（「北ニ向かう」）も必須の要素となる場合が大多数を占めるので、本辞書ではすべて〈どこニ―〉の形式によって代表させた。

（5）名詞(句)の区分のうち、なんだ はすべて〈なんだト―〉の形式でのみ示した。これによって、動作を向ける相手などを示す〈だれト―〉などの「ト」との文法的機能の違いが判別される。

（6）文脈上の制約などにより、必ずしも必須の要素とはならない用法のあるものについてはそれを（ ）にくくって示した。
例、〈(なにデ)―〉（「沸く❶❷」の項）

位相などの指示

35次の二種のほか
方言〕のごとく具
〔雅〕雅語。日常
歌・俳句などの
〔古〕古語。和文
てしか用いられ
行なわれた字音語

語釈の表記

36常用漢字に収められている漢字はそ
た。
例、㈠文中における動植物名は多くカ
㈡常用漢字表外の字および難読字にはカ
二行で訓ョみを示した。

37取り扱いに問題のある送り仮名について。

史的に見れば、送り仮名は、誤読を避けるため漢字の傍らに随時小書きしたもので、一貫した理法など元来 存しない。

しかしながら、規範を生命とする辞書の場合、全くの無方針を避けるとすると、結局 常識の範囲内で多く送るもの〔a〕と、比較的少なく送るもの〔b〕との別があることを指摘した上で、そのうち、多く送る部分については（ ）を以て示すことが親切であると考えた。

以下、「送り仮名の付け方」〔⇩一七二九ページ〕との関連について示す。

（1）aが「送り仮名の付け方」の本則と一致するものは注記を施さない。

（2）bが本則と一致するものは、語釈の末尾にその旨注記する。
【汚(な)い】… 表記 本表=「汚い」　【下(だ)る】… 表記 本表=「下る」

【行(なう)】… 表記 本表=「行う」 【上(ぼる)】… 表記 本表=「上る」

なお、本表とは、常用漢字表の本表を指す。

(3) aが「送り仮名の付け方」の例外と一致する場合は、その旨注記する。

【幸(い)】… 表記 例外=「幸い」 【幸(せ)】… 表記 例外=「幸せ」

(4) 複合の名詞のうち慣用として送り仮名を付けない、とされている語は、その趣旨を生かしbのみを示した。

【合間】【並木】【巻紙】【字引】【乗組員】

これに基づき、例えば「家並・町並・人並・十人並」などにも「並木」と同じ方法を適用した。

(5) 複合語の上位がかな書きの場合、下位の表記は多くaに従った。

【ずり上(がる)】【どん詰(まり)】

(6) 常用漢字以外を使用する見出しについても上記を準用した。

読み替えのための記号

(1) …△…(…)、△…(…)…

例、**おうれつ**⓪【横列】―する(自サ) 横に△並ぶこと(並んだ列)。…

=横に並ぶこと。横に並んだ列。

****あが・る**【上(がる)】■一⓪(自五)… ❷〈なにカラなにニ〉―〉 程度や段階が今までより高い状態になる。「△成績(地位・人気)が―／…」

=成績が上がる。地位が上がる。人気が上がる。

(2) …(…)

例、**いっぽ**①【一歩】❶歩くため片方の足を一回前へ出すこと(により進む距離)。…

=歩くため片方の足を一回前へ出すこと。歩くため片方の足を一回前へ出すことにより進む距離。

ちかちか①② (副)―と・―する ❶光が(せわしなく)明滅する様子。…

=光が明滅する様子。光がせわしなく明滅する様子。

常用漢字表「付表」

あす	明日
あずき	小豆
あま	海女 / 海士
いおう	硫黄
いくじ	意気地
いなか	田舎
いぶき	息吹
うなばら	海原
うば	乳母
うわき	浮気
うわつく	浮つく
えがお	笑顔
おじ	叔父 / 伯父
おとな	大人
おとめ	乙女
おば	叔母 / 伯母
おまわりさん	お巡りさん
おみき	お神酒
おもや	母屋 / 母家
かあさん	母さん
かぐら	神楽
かし	河岸
かじ	鍛冶
かぜ	風邪
かたず	固唾
かな	仮名
かや	蚊帳
かわせ	為替
かわら	河原 / 川原
きのう	昨日
きょう	今日
くだもの	果物
くろうと	玄人
けさ	今朝
けしき	景色
ここち	心地
こじ	居士
ことし	今年
さおとめ	早乙女
ざこ	雑魚
さじき	桟敷
さしつかえる	差し支える
さつき	五月
さなえ	早苗
さみだれ	五月雨
しぐれ	時雨
しっぽ	尻尾
しない	竹刀
しにせ	老舗
しばふ	芝生
しみず	清水
しゃみせん	三味線
じゃり	砂利
じゅず	数珠
じょうず	上手
しらが	白髪
しろうと	素人
しわす（「しはす」とも言う。）	師走
すきや	数寄屋 / 数奇屋
すもう	相撲
ぞうり	草履
だし	山車
たち	太刀
たちのく	立ち退く
たなばた	七夕
たび	足袋
ちご	稚児
ついたち	一日
つきやま	築山
つゆ	梅雨
でこぼこ	凸凹
てつだう	手伝う
てんません	伝馬船
とあみ	投網
とうさん	父さん
とえはたえ	十重二十重
どきょう	読経
とけい	時計
ともだち	友達
なこうど	仲人
なごり	名残
なだれ	雪崩
にいさん	兄さん
ねえさん	姉さん
のら	野良
ひとり	[illegible]
ひより	[illegible]
ふたり	二人
ふつか	二日
ふぶき	吹雪
へた	下手
へや	部屋
まいご	迷子
まじめ	真面目
まっか	真っ赤
まっさお	真っ青
みやげ	土産
むすこ	息子
めがね	眼鏡
もさ	猛者
もみじ	紅葉
もめん	木綿
もより	最寄り
やおちょう	八百長
やおや	八百屋
やまと	大和
やよい	弥生
ゆかた	浴衣
ゆくえ	行方
よせ	寄席
わこうど	若人

、〔野球で〕〔すもうで〕〔仏教で〕〔数学で〕〔…
的に使用域を示した。
…のくだけた会話や文章には常用されず、短
詩的表現や文語文に多く用いられる和語。
…の古典や漢文訓読系統の古風な文章語とし
はないものや、江戸時代までは日常語として
…など。
…これを用いることを原則とし
…タカナ書きにした。
…カタカナを用い

部首一覧

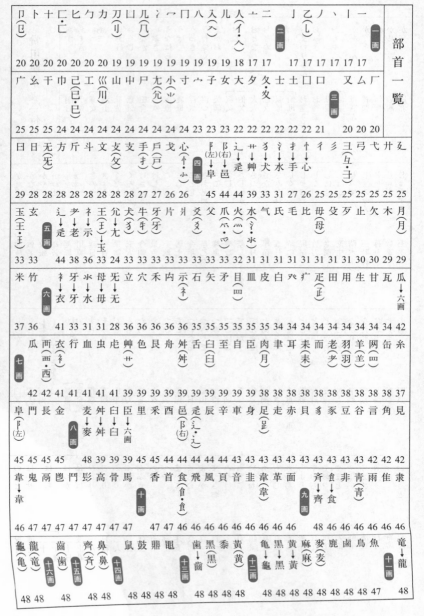

漢字索引——部首引——

一、本辞典の見出しにおける漢字使用の語がこの索引によって読めるように配慮した。すなわち、各字ごとに代表音訓（音は片仮名、訓は平仮名）を掲げ、必要に応じて熟語・熟字及び難読語の訓(ヨ)みを示した。
二、常用漢字は［　］で、それ以外は（　）で示した。各字の下に字を示しているものは、旧字体である。〔《は、常用漢字表にない音訓〕
三、本辞典不載の音訓・用例をも併せ掲げ、幅広い要求に応(タコ)えるように努めた（字音語・外来語は片仮名、和語は平仮名）。
四、配列は、康熙(コウキ)字典の順（部首順・画数順）を宗とした。同一画数の場合は、代表的な音訓または常用音訓の五十音順とした。
五、右に当嵌(アテハマ)らぬ新字体は、最も妥当と考えられる部首から引けるようにし、さらに、部首の紛らわしい字は、空見出しを掲げてその部首を示した。

1【一 部】

0 ［一］イチ・イツ　ひと(つ)
一寸（イッスン・ちょっと）
一日（ついたち）
一昨日（おととい・おとつい）
一昨年（おととし）
一向（イッコウ・ひたすら）
三一（サンピン）

1 ［七］シチ　なな(つ)・なの
七日（なぬか・なのか）
七十(路)（ななそ・ななそじ）
七五三縄（しめなわ）
七月（シチガツ・ふみづき）
七夕（シチセキ・たなばた）

［丁］チョウ・テイ　《ひのと
丁稚（デッチ）
丁髷（ちょんまげ）
丁幾（チンキ）
丁抹（デンマーク）
拉丁（ラテン）

2 ［下］カ・ゲ／した・しも・もと・さげる・さがる・くだる・くだす・くださる・おろす・おりる
下枝（したえだ・しずえ）
下手（へた）
(白)帯下（こしけ）

［三］サン　み(つ)・みっつ
二進(ニッチ)も三進(サッチ)も
三味線（シャミセン・サミセン）
三鞭酒（シャンパン・シャンペン）
三毬打（サギッチョウ）
三郎（サブロウ）
三和土（たたき）

［上］ジョウ・ショウ／うえ・うわ・かみ・あげる・あがる・のぼる・のぼせる・のぼす
上枝（うわえだ・ほつえ）
上手い（うまい）
上気（ジョウキ・おくび）
逆上(のぼ)せる

［丈］ジョウ　たけ
丈夫（ジョウフ・ジョウブ・ますらお）

［万］萬　マン・バン　《よろず
万年青（おもと）
万鍬（まぐわ）

［与］與　ヨ／あたえる　《あずかる
与(くみ)する

才　→手部0画

3 （丑）チュウ　うし
［不］フ・ブ　《ず
不知火（しらぬい）
不如帰（ほととぎす）
不拘（かかわらず）
不見転（みずテン）
不味い（まずい）
不知（いさ）
不知不識（しらずしらず）
不倒翁（おきあがりこぼうし）

4 ［且］《シャ　《ショ　かつ　《しばらく
［丘］キュウ　おか
比丘（ビク）
［世］セイ・セ　よ
世帯（セタイ・ショタイ）
［丙］ヘイ　《ひのえ

5 （丞）ジョウ　すけ
丞相（ジョウショウ・ショウジョウ）
［両］兩　リョウ／《もろ　ふた(つ)
両個（リャンコ）

7 ［並］竝　ヘイ／なみ・ならべる・ならぶ・ならびに

1【丨 部】

3 ［中］チュウ・ジュウ　なか　《うち　《あたる
（丰）ボウ　かたち
4 ［巨］キョ　《コ　《おおきい
6 ［串］《セン　《カン　くし

1【丶 部】

2 ［丸］ガン／まる(い)・まる(める)　《まろ　《たま
（之）シ　の・これ・ゆき
之繞（シンニョウ・シンニュウ）
加之（しかのみならず）

3 ［丹］タン　《に
牡丹餅（ぼたもち）
雲丹（うに）

4 ［主］シュ・ス　《ズ　《シュウ　ぬし・おも　《あるじ
主典（サカン）
法主（ホッス）
坊主（ボウズ）
水主（かこ）
［丼］《タン　《トン　どんぶり・どん
天丼（テンどん）

永　→水部1画

1【丿 部】

1 （乃）ダイ・ナイ　の・すなわち
木乃伊（ミイラ）
九　→乙部1画

2 ［久］キュウ・ク　ひさしい
［及］及　キュウ　《ギュウ　およぶ・および・およぼす　《しく
丸　→丶部2画
千　→十部1画

3 ［乏］ボウ　とぼしい　《ともしい
乏少（ボウショウ・ボクショウ）

4 （乎）コ　か・や
乎古止点（をことテン）
（乍）サ　ながら・たちまち
丘　→一部4画

5 年　→干部3画

7 （乖）カイ　そむく・はなれる
垂　→土部5画

8 ［乗］乘　ジョウ　のる・のせる

1【乙(乚) 部】

0 ［乙］オツ　《きのと
乙夜（イツヤ）
乙姫（おとひめ）
乙女（おとめ）
乙張り（めりはり）
甲乙（めりかり・めりはり）

1 ［九］キュウ・ク　ここの(つ)
九十九折（つづらおり）
九十九髪（つくもがみ）

2 ［乞］《コツ　《キツ　こう
乞食（コツジキ・コジキ）
乞児（かたい）
乞巧奠（キコウデン）
（也）ヤ　なり
丸　→丶部2画

6 ［乱］亂　ラン　みだれる・みだす
乱離骨灰（ラリコッパイ）
胡乱（ウロン）

7 ［乳］ニュウ　ち(ち)
乳母（うば・めのと・おんば）
乳人(女)（めのと）

10 ［乾］カン　《ケン／かわく・かわかす　《ひる　《ほす　《いぬい
乾風（からかぜ）
乾鮭（からざけ）
乾拭き（からぶき）
乾反る（ひぞる）
乾児（こぶん）
乾葉（ひば）
乾酪（チーズ）
乾鰯（ほしか）

1【亅 部】

1 ［了］リョウ　《おわる
3 ［予］豫　ヨ／《あらかじめ　《かねて　《われ
（「われ」以外の正字は「豫」）
予々（かねがね）
5 ［争］爭　ソウ／あらそう　《いかでか
7 ［事］ジ・ズ　《シ　こと　《つかえる

2【二 部】

0 ［二］ニ　《ジ　ふた(つ)
二日（ふつか）
二十歳（はたち・はたとせ）
二十日（はつか）
二合半（こなから）
二進(ニッチ)も三進(サッチ)も
二八（ニッパチ）

2 （云）ウン　いう
云々（ウンヌン・しかじか）
云爾（しかいう）
［五］ゴ　いつ(つ)
五月（ゴガツ・さつき）
五加(木)（うこぎ）
五百（ゴヒャク・おい）
五月蠅い（うるさい）
五月雨（さみだれ）
五十鈴（いすず）
五倍子（ふし）
五十(路)（いそ・いそじ）
［互］ゴ　たがい　《かたみに
［井］セイ・ショウ　い
天井（テンジョウ）

3 丼　→丶部4画
4 （亘）亙　コウ　わたる
弍　→弋部3画
5 ［亜］亞　ア　《つぐ
（些）サ　いささか・すこし(も)

2【亠 部】

1 ［亡］ボウ・モウ　《ブ　ない　《ほろびる
2 （亢）コウ　たかぶる
六　→八部2画
3 市　→巾部2画
4 （亦）エキ・ヤク　また
（亥）ガイ　い

7 [叙] 敍 ジョ《のべる
(叛) ハン・ホン そむく 謀叛(ムホン)
8 (叟) ソウ おきな 北叟笑む(ほくそえむ)
14 (叡) エイ・エ あきらか
16 (叢) ソウ くさむら・むらがる 叢雲(むらくも) 叢雨(むらさめ)

3【口 部】

0 [口] コウ・ク くち 一口(ひとふり) 口伝(クデン・くちづて) 口惜しい(くやしい・くちおしい) 口説く(くどく)
2 [右] ウ・ユウ みぎ 右手(みぎて・めて) 左右(サユウ・ソウ・とにかく・とかく)
[可] カ《べし 可笑しい(おかしい) 可惜(あたら・おしむべし)
(叺) かます
(叶) キョウ かなう
[句] ク 句読(クトウ)
[古] コ/ふるい・ふるす《いにしえ
(叩) コウ たたく
[号] 號 ゴウ《コウ《さけぶ 綽号(あだな)
[司] シ《つかさ 下司(ゲス)
[史] シ/《ふみ《ふびと《さかん
(只) シ ただ 只管(ひたすら)
[叱] シツ しかる
[召] ショウ めす 召人(めしうど)
[台] 臺 ダイ・タイ《うてな 台詞(せりふ)
(叮) テイ 叮嚀(テイネイ)
(叭) ハ 喇叭(ラッパ)

3 (吋) インチ
[各] カク おのおの 各務(かがみ)
[吉] キチ・キツ《よし 吉方(えホウ) 吉備(きび) 住吉(すみのえ・すみよし) 吉利支丹(キリシタン)
(吃) キツ どもる 吃逆(しゃっくり) 吃驚(びっくり)
[吸] 吸 キュウ すう
[叫] キョウ さけぶ 雄叫び(おたけび)
[向] コウ/むく・むける・むかう・むこう 向かっ腹(むかっぱら) 向日葵(ひまわり) 一向(イッコウ・ひたすら) 日向(ひなた・ひゅうが)
[后] コウ《きさき《きさい《のち 午后(ゴゴ)
[合] ゴウ・ガッ・カッ/あう・あわす・あわせる《かなう 合点(ガッテン・ガテン) 合戦(カッセン) 合羽(カッパ) 合歓木(ねむのき) 百合(ゆり) 催合(もやい)
(吊) チョウ つる・つるす
[吐] ト はく《つく 反吐(ヘド)
[同] ドウ おなじ 同士(ドウシ・ドシ・ドチ) 同胞(ドウホウ・ドウボウ・はらから)
[名] メイ・ミョウ な 名残(なごり)
[吏] リ《つかさ

4 (吽) ウン 阿吽(アウン)
(呍) ウン
[含] ガン ふくむ・ふくめる 含羞(ガンシュウ・はじらい・はにかみ) 含羞草(おジギソウ)
[吟] ギン/《うたう《さまよう《うめく
(吼) ク ほえる
[君] クン きみ
[呉] ゴ《くれ
(吾) ゴ わ(が)・あ・われ 吾妹(わぎも) 橐吾(つわぶき)
(吭) コウ のど・ふえ
[告] コク《コウ つげる
[吹] スイ ふく 吹雪(ふぶき) 吹聴(フイチョウ)
[呈] テイ《しめす
(吶) トツ どもる
(呑) ドン のむ 呑気(ノンキ) 雲呑(ワンタン)
[否] ヒ《フ いな《いや 運否天賦(ウンプテンプ)
(呎) フィート
(吻) フン くちさき
(吠) ベイ ほえる 吠陀(ベーダ) 犬吠埼(いぬぼうさき)
(呆) ホウ・ボウ あきれる・ほうける 呆気(あっけ)
(吝) リン やぶさか・しわい 吝ん坊(しわんボウ・ボ)
[呂] ロ《リョ 呂宋(ルソン)
5 (呵) カ しかる
(咎) キュウ とがめる
(呟) ゲン つぶやく

[呼] コ よぶ 嗚呼(ああ)
(呷) コウ あおる
[呪] 呪 ジュ《シュ のろう《まじなう
[周] シュウ/まわり《めぐる《あまねし 周防(スオウ) 周章てる(あわてる)
(呻) シン うめく
(咀) ソ かむ
(呶) ド かまびすしい
(咄) トツ はなし・やあ
(咆) ホウ ほえる
[味] ミ あじ・あじわう《み 気味(キミ・キビ) 美味い(うまい) 美味しい(おいしい) 不味い(まずい)
[命] メイ・ミョウ いのち《みこと
[和] ワ・オ《カ/やわらぐ・やわらげる・なごむ・なごやか《かず《やまと 和尚(オショウ・カショウ・ワジョウ) 和子(オス・わこ) 和毛(にこげ) 和布(わかめ) 和布蕪(めかぶ) 和泉(いずみ) 和物(あえもの) 和蘭(オランダ) (三)和土(たたき) 日和(ひより)
6 [哀] アイ あわれ(む)《かなしい
[咽] イン《のど《むせぶ 嗚咽(オエツ)
(咳) ガイ せき・せく
(呱) コ
(咬) コウ かむ

(哄) コウ
(哉) サイ や・かな 快哉(カイサイ)
[咲] 《ショウ さく《わらう
(咫) シ あた 八咫鏡(やたのかがみ)
(咤) タ しかる
[品] ヒン《ホン しな
7 [員] イン《エン《かず
[唄] 《バイ うた《うたう
(哥) カ《あに 哥兄(あにい) 鸚哥(インコ)
(哮) コウ たける
(哭) コク なく
[唆] サ そそのかす
(哨) ショウ みはり 哨吶(チャルメラ)
[唇] 脣 シン くちびる
(啄) 啄 タク ついばむ 啄木(鳥)(きつつき)
[哲] テツ《あきらか
[唐] トウ から《もろこし 唐棣(はねず) 唐黍(トウきび・もろこし(きび)) 唐土(トウド・もろこし)
[哺] ホ《はぐくむ
(哩) マイル
8 (啞) ア お(う)し
(啀) ガイ いがむ
[喝] 喝 カツ《おどす
[啓] ケイ《ひらく《もうす
[商] ショウ あきなう 商人(ショウニン・あきゅうど・あきんど)
[唱] ショウ となえる
(啜) セツ すする
[唾] ダ つば・つばき 固唾(かたず)
(啖) タン くらう

(唸) テン うなる
[問] モン とう・とい・とん 問屋(といや・とんや)
[唯] ユイ・イ《ただ
(唳) レイ なく
9 [営] 營 エイ いとなむ
(喙) カイ くちばし 交喙(いすか)
(喀) カク はく
[喚] カン/《よぶ《さけぶ《おめく《わめく
(喊) カン さけぶ
[喜] キ よろこぶ
[喫] キツ《のむ 喫驚(キッキョウ・びっくり)
(喬) キョウ たかい
(喧) ケン やかましい
[喉] コウ のど
(喰) サン はむ・くらう 馬喰(ばくろう)
(啻) シ ただ(に)
(啾) シュウ なく
[善] ゼン よい 善知鳥(うとう)
(喘) ゼン あえぐ
[喪] ソウ も《うしなう《なくす
(喞) ソク 喞筒(ソクトウ・ポンプ)
(喋) チョウ しゃべる
(啼) テイ なく
(喃) ナン のう 喃々(ナンナン・のうのう)
[喩] ユ《たとえる《さとす
(喇) ラツ 喇嘛(ラマ) 喇叭(ラッパ)
(喨) リョウ ほがらか
10 (嗚) オ 嗚呼(ああ) 嗚咽(オエツ)
(嘩) カ 喧嘩(ケンカ)
[嗅] キュウ かぐ

(嗟) サ なげく
(嗄) サ かれる・しわがれる 嗄声(しゃがれごえ)
[嗣] シ《つぐ
(嗜) シ たしなむ
(嗤) シ わらう
(嗇) ショク しわい
[嘆] 嘆 タン/なげく・なげかわしい
11 (嘔) オウ はく 空嘔(からえずき)
(嘉) カ よみす(る)
(嘖) サク かまびすしい
(嘗) ショウ かつて・なめる 大嘗祭(ダイジョウサイ) 舌嘗(したなめずり)
(嗾) ソウ けしかける
(嗽) ソウ (くち)すすぐ・うがい
(嘛) マ 喇嘛(ラマ)
鳴 →鳥部3画
12 (噎) エツ むせる・むせぶ 噦噎(しゃっくり)
[器] 器 キ/うつわ《うつわもの 土器(ドキ・かわらけ)
(噓) キョ うそ
(嘴) シ くちばし・はし
[嘱] 囑 ショク《たのむ
(嘶) セイ いななく・いばえる
(噌) ソ 味噌(ミソ)
(噂) ソン うわさ
(噉) タン くらう
[嘲] チョウ あざける《あざわらう 嘲笑(チョウショウ・あざわらい)
(嘸) ブ さぞ
[噴] フン ふく《はく
13 (噯) アイ いき・おくび 噯気(おくび)

4【手(扌)・支・攴(攵)・文・斗・斤・方・无(旡)・日】

(撚) ネン よる・より
(播) ハ・ハン・バン まく 播磨(はりま)
(撥) ハツ ばち・はねる 撥条(ばね)
13 (撫) ブ・ム なでる 撫子(なでしこ)
[撲] ボク 《なぐる 相撲(すもう)
(撩) リョウ みだれる
(撈) ロウ とる 漁撈(ギョロウ)
(撼) カン うごかす
(擒) キン とりこ
(擅) セン ほしいまま
[操] ソウ みさお・あやつる
(撻) タツ むちうつ
(擘) ハク つんざく
[擁] ヨウ 《だきかかえる
(擂) ライ する 擂粉木(すりこぎ)
14 (擱) カク おく・さしおく
[擬] ギ 《なぞらえる 雁擬(ガンもどき)
(擤) コウ (はな)かむ
[擦] サツ/する・すれる 《こする《かする《なする《さする
(擡) タイ もたげる
(擢) テキ ぬきんでる
(擯) ヒン しりぞける
15 (擾) ジョウ みだす
(擲) テキ なぐる・なげうつ 打擲(チョウチャク)
(攀) ハン よじ(のぼ)る
(擽) リャク/くすぐる・こそぐる・こそばゆい
17 (攙) ザン・サン まじる
(攘) ジョウ はらう
19 (攣) レン つる・つれる
20 (攪) カク・コウ みだす・かきまぜる
(攫) カク さらう
21 (攬) ラン とる

4【支部】

0 [支] シ ささえる 《かう 支倉(はせくら) 差支える(さしつかえる) 干支(カンシ・えと)
8 (攲) キ そばだてる

4【攴(攵)部】

3 [改] カイ あらためる・あらたまる
[攻] コウ せめる
4 [放] ホウ/はなす・はなつ・はなれる・ほうる 《ほかす《たれる
5 [故] コ ゆえ 《もと《ことさら 故郷(コキョウ・ふるさと) 何故(なぜ・なにゆえ) 反故(ホゴ・ホウゴ・ホグ・ホウグ)
[政] セイ・ショウ まつりごと 政所(まんどころ)
6 [敏] 敏 ビン 《さとい《とし
致 →至部4画
7 [救] キュウ 《グ すくう
[教] 教 キョウ/おしえる・おそわる
[敗] ハイ やぶれる 《まける
赦 →赤部4画
8 [敢] カン 《あえ(て) 果敢(はか)ない
[敬] ケイ/うやまう 《つつしむ《たか
[散] サン/ちる・ちらす・ちらかす・ちらかる 散楽(サルガク) 散切(ザンぎり)
(敞) ショウ ひらく・たかい
(敦) トン あつし 敦煌(トンコウ)
(敝) ヘイ やぶれる
9 [数] 數 スウ・ス/かず・かぞえる 《あまた 数△寄(奇)(サッキ・スウキ・スキ) 数珠(ジュズ・ズズ) 数多(あまた)
10 (敲) コウ たたく
11 [敵] テキ かたき 《かなう《ふてる 敵娼(あいかた)
[敷] フ しく 折敷(おしき)
12 [整] セイ ととのえる・ととのう
13 [厳] 嚴 ゲン・ゴン/おごそか・きびしい 《いかめしい
(斂) レン おさめる
14 (斃) ヘイ たおれる

4【文部】

0 [文] ブン・モン ふみ 《あや 文字(モジ・モンジ) 文月(ふづき・ふみづき) 文目(あやめ) 文色(あいろ) 文机(ふづくえ) 文箱(ふばこ) 文身(いれずみ) 文旦(ボンタン) 諺文(オンモン・オンムン) 倭文(しず)
3 対 →寸部4画
8 [斑] ハン/《はだら《ぶち《ふ《まだら《むら 斑鳩(いかるが・いかる) 雀斑(そばかす) 石斑魚(うぐい)
(斐) ヒ 甲斐(かい)

4【斗部】

0 [斗] ト《トウ 《ます 熨斗(のし) 漏斗(ロウト・じょうご) (翻)筋斗(もんどり)
6 [料] リョウ 《はかる
7 (斛) コク 〔「石(コク)」と同義〕
[斜] シャ ななめ 斜子(ななこ) 斜交(はすかい)
9 (斟) シン くむ
10 (斡) アツ めぐる

4【斤部】

0 [斤] キン 《おの
1 [斥] セキ 《しりぞける
4 (斧) フ おの 手斧(ておの・ちょうな)
所 →戸部4画
7 [斬] ザン きる
[断] 斷 ダン たつ・ことわる
8 (斯) シ か(く)・かかる・こ(れ) 斯程(かほど・これほど) 如斯(かくのごとく) 瓦斯(ガス) 窒扶斯(チフス)
9 [新] シン/あたらしい・あらた・にい 新地(シンチ・さらち) 新湯(さらゆ)

4【方部】

0 [方] ホウ かた 《まさに《あたる 方舟(はこぶね) 方便(たずき) 方頭魚(かながしら) 蘇方(スオウ) 行方(ゆくえ・ゆきがた) 此方(こちら・こなた・こち) 彼方(かなた・あちら) 四方山話(よもやまばなし)
4 (於) オ おいて・おける
放 →攴部4画
5 [施] シ・セ ほどこす
6 (旆) ハイ はた
(旁) ボウ/つくり・かたがた・かたわら
[旅] リョ たび 旅人(たびびと・たびうど・たびと) 旅籠(はたご)
7 (旌) セイ はた
[旋] セン 《めぐらす 旋毛(つむじ) 旋風(センプウ・つむじかぜ) 旋網(まきあみ) 旋頭歌(セドウカ)
[族] ゾク 《うから《やから
9 (旒) リュウ はた 旗旒(キリュウ)
10 [旗] キ はた

4【无(旡)部】

5 [既] 既 キ すでに

4【日部】

0 [日] ニチ・ジツ ひ・か 日△射(脚)(ひざし) 向日葵(ひまわり) △一(朔)日(ついたち) 明日(ミョウニチ・あす・あした) 明後日(ミョウゴニチ・あさって) 今日(コンニチ・きょう) 昨日(サクジツ・きのう) 一昨日(おとつい・おととい) △終(尽)日(ひねもす) 百日紅(ヒャクジツコウ・さるすべり)
1 [旧] 舊 キュウ《ク 《ふるい《もと
[旦] タン・ダン 《あさ《あした
2 (旭) キョク あさひ・のぼる
[旨] シ むね 《うまい 旨趣(シシュ・シイシュ)
[旬] ジュン・シュン 《とおか
[早] ソウ・サッ/はやい・はやまる・はやめる 《さ 早急(ソウキュウ・サッキュウ) 早△稲(生)(わせ)
亘 →二部4画
3 (旱) カン ひでり
4 [易] エキ・イ やさしい 《あなどる 容易(ヨウイ・たやすい)
[旺] オウ 《さかん
(昂) コウ たかぶる
[昆] コン 昆布(コンブ・コブ・ひろめ)
(昏) コン くらい・くらむ
[昇] ショウ のぼる
(昌) ショウ さかん
[昔] セキ・シャク むかし
[明] メイ・ミョウ 《ミン あかり・あかるい・あかるむ・あからむ・あきらか・あける・あく(る)・あかす 明後日(ミョウゴニチ・あさって) 明日(ミョウニチ・あす・あした) 明太(メンタイ) 松明(たいまつ)
5 [映] エイ うつる・うつす・はえる 映山紅(つつじ) 目映い(まばゆい) 面映い(おもはゆい)
[昨] サク 《きのう 昨夕(サクゆう・ゆうべ) 昨日(サクジツ・きのう) 昨夜(サクヤ・ゆうべ)
(昵) ジツ したしむ
[春] シュン はる 春宮(トウグウ)
[昭] ショウ 《あきらか
[是] ゼ 《これ《ここ《よし
[星] セイ・ショウ ほし 海星(ひとで)
[昼] 晝 チュウ ひる
6 (昴) ボウ すばる
[昧] マイ 《くらい
(晏) アン おそい
(晒) サイ さらす 晒粉(さらしこ)
[時] ジ 《シ とき 時雨(しぐれ) 時計(トケイ) 時化(しけ) 時鳥(ほととぎす) 何時(なんジ・いつ・なんどき)
7 (晦) カイ/くらます・くらい・つごもり・つもごり 晦日(みそか・つごもり)
(晤) ゴ あう
(晨) シン あさ
8 [暁] 曉 ギョウ 《キョウ あかつき
[景] ケイ 《かげ 景色(ケシキ) 景印(エイイン)
[暑] 暑 ショ あつい
[晶] ショウ 《あきらか
[晴] セイ はれる・はらす
(晰) セキ あきらか
(晳) 〔「晰」の異体字〕
(智) チ
[晩] 晩 バン 《おそい 晩稲(おくて) 晩熟(おくて)

4【水(氵・氺)・火(灬)】

(浚) シュン さらう 蔵浚くらざらえ
[消] ショウ きえる・けす 消息ショウソク・ありさま 雪消ゆきげ 魂消たまげる
[浸] シン ひたす・ひたる《つかる 水浸みずづく
(涕) テイ なみだ
(涅) ネ 涅槃ネハン
[浜] ヒン はま 濱
[浮] フ/うく・うかれる・うかぶ・うかべる《うわ 浮塵子うんか 浮子うき 浮腫むくむ
(涌) ユウ・ヨウ・ユ わく・わかす
[浴] ヨク あびる・あびせる 浴衣ゆかた 湯浴ゆあみ
[流] リュウ・ル ながれる・ながす 流石さすが 流行リュウコウ・はやり 流離さすらう 流鏑馬やぶさめ
[涙] ルイ なみだ 淚
[浪] ロウ《なみ 浪花節なにわぶし
8
酒 →酉部3画
[淫] イン みだら
[液] エキ
[涯] ガイ《はて
[渇] カツ かわく 渴 消渇ショウカチ
(涵) カン ひたす
(淦) カン あか 淦垢ゆあか
[渓] ケイ《たに 溪
(涸) コ・カク かれる 干涸ひからびる
(淆) コウ まじる 混淆コンコウ
[混] コン/まじる・まざる・まぜる・こむ
[済] サイ すます・すむ 濟 済崩なしくずし 多士済々タシサイセイ
[渋] ジュウ しぶ(い)・しぶる 澁
(淑) シュク《しとやか《よし
(淳) ジュン あつい
(渚) ショ なぎさ 渚
(渉) ショウ《わたる 涉
[深] シン/ふかい・ふかまる・ふかめる《ふける 深山ザンみやま
[清] セイ・ショウ《シン/きよい・きよまる・きよめる《さやか《すます 清浄セイジョウ・ショウジョウ 清水しみず 清々すがすがしい 清汁すまし
(淙) ソウ そそぐ
(淡) タン あわい 淡竹はチク
[添] テン そえる・そう 添水そうず
[淀] デン よど(む)
(淘) トウ よなげる 淘汰トウタ
[涼] リョウ すずしい・すずむ
(淋) リン さびしい・したむ
(淪) リン しずむ
9
(渥) アク あつい
(湮) イン・エン しずむ
(淵) エン ふち
[温] オン《ウン/あたたか(い)・あたたまる・あたためる《ぬくもり《ぬるい 溫 温泉オンセン・いでゆ 温突オンドル
[渦] カ うず
(渙) カン あきらか
(湲) カン・エン
[渠] キョ かれ・なんぞ
[減] ゲン へる・へらす《へす
[湖] コ みずうみ《うみ
[港] コウ みなと
[渾] コン すべて 渾名あだな
[渣] サ おり
[滋] ジ《しげる《うまい 滋藤しげトウ・しげドウ 滋賀しが
[湿] シツ しめる・しめす 濕 湿気しける
(湑) ショ したむ 湑酒したみざけ
(湘) ショウ
(渫) セツ さらう
(湊) ソウ みなと・あつまる
[測] ソク はかる
[湛] タン たたえる
(湍) タン はやせ
(渟) テイ とどまる 茅渟鯛ちぬだい
[渡] ト わたる・わたす
[湯] トウ ゆ 湯婆タンポ 湯麺タンメン 探湯くかたち・くがたち
(湃) ハイ
(渺) ビョウ はるか
[満] マン みちる・みたす 滿 満天星どうだんつつじ
(湎) メン しずむ 沈湎チンメン
(湧) ユウ わく《ヨウ
(游) ユウ およぐ
[湾] ワン 灣
10
(溢) イツ/こぼれる・あふれる
[滑] カツ・コツ すべる・なめらか 滑革ぬめかわ
[漢] カン《から《おとこ 漢 天漢あまのがわ
[源] ゲン みなもと
[溝] コウ みぞ《どぶ
(溘) コウ たちまち
(溷) コン けがれる
(滓) サイ かす 残滓ザンシ
(溲) シュウ ゆばり 溲瓶シビン・シュビン
[準] ジュン/《なぞらえる《なずらえる 水準スイジュン・みずばかり
(溯) ソ さかのぼる
(滄) ソウ あおい
[滞] タイ とどこおる 滯
[滝] 《ロウ《たき 瀧
(溺) デキ おぼれる
(滔) トウ はびこる
[漠] バク《ひろい
(滂) ボウ
(溟) メイ くらい
[滅] メツ ほろびる・ほろぼす 滅入めいる 滅金メッキ
[溶] ヨウ とける・とかす・とく
(溜) リュウ ためる・たまる
11
[演] エン《のべる 演物だしもの
[漁] ギョ・リョウ《あさる《すなどる 漁火いさりび 漁人あま
(「リョウ」は、もと「獵」の字音)
(滸) コ ほとり 烏滸オコ
(滾) コン たぎる
[漆] シツ うるし
(漿) ショウ こんず 酸漿ほおずき 酢漿草かたばみ 鉄漿かね
(滌) ジョウ・デキ あらう
(滲) シン にじむ・しみる
[漸] ゼン《ようやく《すすむ《ようよう
[漕] ソウ こぐ 阿漕あこぎ
(漱) ソウ すすぐ
(漲) チョウ みなぎる
[漬] 《シ つける・つかる《ひたす
[滴] テキ しずく・したたる《したたる 二滴ニテキ・ふたたらし
[漂] ヒョウ ただよう
[漫] マン《そぞろ《みだりに
(漓) リ したたる
(漣) レン さざなみ
[漏] ロウ《ル《ロ もる・もれる・もらす 漏斗ロウト・じょうご
12
(漉) ロク こす・すく
[潰] カイ つぶす・つぶれる
(漑) ガイ そそぐ 灌漑カンガイ
[潟] 《セキ かた 沢潟おもだか
(澆) ギョウ うすい
[潔] ケツ いさぎよい《きよし
(潸) サン ながれおちる
[潤] ジュン《ニン うるおう・うるおす・うるむ《ほとびる
[潜] セン/ひそむ・もぐる《くぐる 潛
(潺) セン 潺湲センカン
(潭) タン ふち
[潮] チョウ しお《うしお
[澄] チョウ すむ・すます
(潑) ハツ はねこぼれる
(澎) ホウ
(潦) ロウ にわたずみ
13
[激] ゲキ はげしい ▵行(潢)潦にわたずみ
[濁] ダク にごる・にごす 濁世ダクセ・ジョクセ 濁声だみごえ 濁▵酒(醪)どぶろく
(澹) タン うすい・あわい
(澱) デン よどみ・おり
[濃] ノウ こい《ジョウ《こまやか 濃餅ノッペイ 美濃紙みのがみ 裾濃すそご
(濛) モウ そら・くらい
(澪) レイ みお 澪標みおつくし
14
(濠) ゴウ ほり
(濡) ジュ ぬれる・ぬらす
[濯] タク/《すすぐ《そそぐ《あらう 濯
15
(濤) トウ (おお)なみ
(濘) ネイ どろ 泥濘デイネイ・ぬかるみ
(瀉) シャ はく・そそぐ 沢瀉おもだか
16
(瀆) トク けがす
(瀑) バク たき
(濹) ボク
(濫) ラン《みだりに
(瀏) リュウ ほがらか
(濾) ロ こす
(瀚) カン ひろい
(瀟) ショウ 瀟洒ショウシャ
[瀬] 《ライ せ 瀨
(瀞) セイ とろ
(瀕) ヒン せまる
(瀝) レキ したたる
17
(灌) カン そそぐ
(瀰) ビ ひろがる
(瀾) ラン (おお)なみ
19
(灘) ダン なだ・せ

4【火(灬)部】

0
[火] カ《コ ひ・ほ 火傷カショウ・やけど 小火ぼや 不知火しらぬい
2
[灰] カイ はい 石灰セッカイ・いしばい 灰汁あく
[灯] トウ《ともしび《ともす 燈 灯影ほかげ 鬼灯ほおずき 行灯アンドン ▵提(挑)灯チョウチン
3
(灸) キュウ やいと
[災] サイ わざわい
(灼) シャク やく
4
[炎] エン ほのお《ほむら 陽炎かげろう
(炙) シャ あぶる 膾炙カイシャ
(炒) ショウ いためる・いる 炒飯チャーハン
[炊] スイ たく《かしぐ
[炉] ロ《いろり 爐
5
[為] イ《なす《する《ため 爲 為替かわせ 為体ていたらく 為人ひととなり 何為なんすれぞ 以為おもえらく
(炬) キョ・コ たいまつ
(炯) ケイ あきらか

4【爪(⺤・爫)部】

4【父 部】

4【爻(㐅)部】

4【爿 部】

4【片 部】

4【牙(牙)部】

4【牛(牜)部】

4【犬(犭)部】

5【玄 部】

5【玉(王・王)部】

5【玉(王・⺩)・瓦・甘・生・用・田・疋(⺪)・疒・癶・白】

4 玩 ガン《もてあそぶ》 玩具ガング・おもちゃ
玫 マイ 玫瑰マイカイ
5 珈 カ 珈琲コーヒー
珊 サン 珊瑚サンゴ
玳 タイ △玳(瑇)瑁タイマイ
珍 チン/めずらしい《うず》《たから》
玻 ハ ガラス 玻璃ハリ
珀 ハク 琥珀コハク
玲 レイ あきらか
6 珪 ケイ たま
珠 シュ《たま》 数珠ジュズ・ズズ 擬宝珠ギボウシ・ギボウ・ギボシ
班 ハン《わける》
珞 ラク 瓔珞ヨウラク
7 球 キュウ たま
現 ゲン/あらわす・あらわれる《うつつ》 現津御神あきつみかみ 現人神あらひとがみ 現世ゲンセ・うつしよ 現身うつせみ・うつしみ
琢 琢 タク みがく 琢磨タクマ
理 リ《ことわり》 木理モクめ
琅 ロウ 琅玕ロウカン
望 →月部7画
8 琴 キン/こと 琴柱ことじ 和琴ワゴン
琥 コ 琥珀コハク
琶 ハ 琵琶ビワ
琲 ヒ 珈琲コーヒー
琵 ヒ・ビ 琵琶ビワ
琺 ホウ 琺瑯ホウロウ
琳 リン 琳琅リンロウ

斑 →文部8画
9 瑕 カ きず 瑕瑾カキン
瑚 コ 珊瑚礁サンゴショウ
瑟 シツ おおごと
瑞 ズイ めでたい《みず》
瑇 タイ △瑇(玳)瑁タイマイ
瑙 ノウ 瑪瑙メノウ
瑁 マイ △玳(瑇)瑁タイマイ
瑜 ユ
聖 →耳部7画
10 瑰 カイ 玫瑰マイカイ
瑳 サ みがく
瑣 サ ちいさい
瑪 メ 瑪瑙メノウ
瑠 ル 瑠璃ルリ
瑯 ロウ 琺瑯ホウロウ
11 瑾 キン 瑕瑾カキン
璃 リ 瑠璃ルリ
13 環 カン《たまき》《わ》
璧 ヘキ《たま》 完璧カンペキ
14 瓊 ケイ たま 八尺瓊勾玉やさかにのまがたま
璽 ジ《しるし》 御璽ギョジ
16 瓏 ロウ
17 瓔 ヨウ 瓔珞ヨウラク

5【瓦部】

0 瓦 ガ かわら グラム
4 瓲 トン
6 瓶 瓶 ビン/《へい》《びょう》《かめ》 釣瓶つるべ
10 甍 ボウ いらか
11 甌 オウ かめ
12 甑 ソウ こしき
13 甕 オウ かめ

5【甘部】

0 甘 カン/あまい・あまえる・あまやかす《うまい》 甘藷カンショ・さつまいも
4 甚 ジン はなはだ(しい)
6 甜 テン あまい 甜菜テンサイ

5【生部】

0 生 セイ・ショウ/いきる・いかす・いける・うまれる・うむ・おう・はえる・はやす・き・なま《なす》《なる》《むす》 生垣いけがき 生立おいたち 生△業(活)なりわい 生憎あいにく 生△絹(糸)すずし 蓬生よもぎう 壬生みぶ 弥生やよい 埴生はにゅう 芝生しばふ 早生わせ
6 産 産 サン/うむ・うまれる・うぶ《むす》 作麼生ソモサン 産土うぶすな 土産ドサン・みやげ
7 甥 セイ おい
甦 ソ よみがえる

5【用部】

0 用 ヨウ もちいる 入用ニュウヨウ・いり(ヨウ)

5【田部】

0 田 デン た 田圃デンポ・たんぼ 田舎いなか 田鼠もぐら
甲 コウ・カン/《きのえ》《よろい》《かぶと》 甲斐かい 甲矢はや 甲冑カッチュウ 甲板カンパン・コウハン 甲乙めりかり・めりはり
申 シン もうす《さる》
由 ユ・ユウ・ユイ よし《よる》 由緒ユイショ・ユウショ
2 男 ダン・ナン おとこ《おのこ》《お》 貴男あなた
町 チョウ まち
甸 テン 羅甸ラテン
3 画 畫 ガ・カク《え》《えがく》 画家ガカ・えかき 画師えし
4 畏 イ/おそれる《かしこまる》《かしこ(い)》
界 カイ《さかい》 界線カイセン・ケセン
5 畑 はた(け)
畝 うね《せ》《あぜ》《ホ》
畜 チク《キク》《かう》《たくわえる》
畠 ハク はたけ・はた
畔 ハン《ほとり》《くろ》《あぜ》
畚 ホン ふごもっこ
留 リュウ・ル《ルーブル》 とめる・とまる《とどまる》
6 異 イ こと《あやしい》
畦 ケイ あぜ・うね
畢 ヒツ《おわる・おえる・はて(は)》
略 リャク《ほぼ》
累 →糸部5画
7 畳 疊 ジョウ たたむ・たたみ 畳紙たとう
番 バン《つがい》 十八番ジュウハチバン・おはこ
塁 →土部9画
8 畸 キ わりのこり・あまり
畷 テツ なわて
10 畿 キ《みやこ》
14 疇 チュウ たぐい・さきに

5【疋(⺪)部】

0 疋 ヒツ ひき
7 疎 ソ/うとい・うとむ《おろか》《まばら》 疎抜うろぬく
疏 ソ・ショ とおる 「疎」と同字 疏水ソスイ
9 疑 ギ うたがう《うたぐる》

5【疒部】

2 疔 チョウ 面疔メンチョウ
3 疚 キュウ やましい
疝 セン
4 疫 エキ・ヤク
疥 カイ はたけ
疣 ユウ いぼ 汗疣あせも・あせぼ
5 痂 カ かさぶた
疳 カン
痀 ク 痀瘻クル
痃 ゲン
疵 シ きず
疾 シツ/《とし》《はやい》《と(うに)》 疾風シップウ・はやて
症 ショウ
疹 シン はしか 汗疹あせも △麻(隠)疹はしか
疽 ソ かさ 炭疽病タンソビョウ
疸 タン 黄疸オウダン
疼 トウ うずく
疲 ヒ つかれる《つからす》
病 ビョウ・ヘイ/やむ・やまい 病犬やまいぬ 病葉わくらば
疱 ホウ 疱瘡ホウソウ・いも
6 痍 イ きず
痕 コン あと 痘痕あばた・いも
痔 ジ
痒 ヨウ かゆい
7 痙 ケイ ひきつる
痤 サ・ザ にきび
痣 シ あざ
痩 瘦 ソウ やせる
痛 ツウ/いたい・いたむ・いためる
痘 トウ 痘痕あばた・いも
痞 ヒ つかえる
痢 リ
8 痾 ア やまい
瘀 オ はしか
痼 コ
瘁 スイ つかれる
痰 タン
痴 癡 チ《しれる》
痺 ヒ しびれる
9 瘋 フウ きちがい
瘍 ヨウ《かさ》
10 瘧 ギャク おこり・わらわやみ
瘠 セキ やせる
瘡 ソウ かさ・くさ・きず
瘢 ハン きず(あと) 疱瘡ホウソウ・いも
瘤 リュウ こぶ・あざ
11 瘴 ショウ
瘰 ルイ ぐりぐり
瘻 ロウ せむし 痀瘻クル
12 癇 カン
癌 ガン
癈 ハイ かたわ
療 リョウ《いやす》
癘 レイ
癆 ロウ
13 癜 デン なまず
癖 ヘキ くせ
癒 ユ いえる・いやす
15 癤 セツ ねぶと
癢 ヨウ かゆい
16 癪 シャク
癩 ライ かったい
癧 レキ
17 癬 セン たむし
18 癰 ヨウ はれもの
19 癲 テン 瘋癲フウテン

5【癶部】

4 癸 キ みずのと
発 發 ハツ・ホツ/《おこす》《たつ》《あばく》 発条ぜんまい・ばね 新発意シンボチ
7 登 トウ・ト のぼる《みのる》

5【白部】

0 白 ハク・ビャク しろ(い)・しら 白湯さゆ 白馬ハクバ・しろうま・あおうま

5【石・示(ネ)・内・禾・穴・立】6【竹】

[礁]ショウ
13(礒)ギ いそ
[礎]ソ いしずえ
(礙)(「碍」の正字)
14(礦)コウ あらがね
15(礬)ハン・バン 礬△水(石・沙)ドウサ
(礫)レキ・リャク つぶて・こいし 飛礫つぶて

5【示(ネ)部】

0[示]ジ・シ しめす
1[礼]禮 レイ・ライ《おがむ
3[祀]シ まつる
[社]社 シャ やしろ《こそ
4[祈]祈 キ いのる 祈年祭としごいのまつり
(祇)ギ かみ
5[祉]祉 シ《さいわい
(祛)キョ・コ はらう・さる・ちらす
(祠)シ まつる・ほこら
(祗)シ つつしむ
[祝]祝 シュク・シュウ いわう《はふり 祝詞シュク・のりと 酒祝さかほがい
[神]神 シン・ジン かみ・かん・こう 神主かんぬし 神輿シン・みこし 神楽かぐら 神子みこ 神無月かんなづき 神嘗祭かんなめさい 神奈川かながわ 神々こうごうしい 随神かんながら
御神酒おみき 大神おおみわ神社
(祟)スイ たたる
[祖]祖 ソ《おや《はじめ 祖父ソフ・じ 御祖父おじいさん 祖母ソボ・ばば 御祖母おばあさん
(祚)ソ さいわい
(祓)フツ・バツ はらう 修祓シュウバツ・シュウフツ
(祐)祐 ユウ たすける・すけ
6[祭]サイ まつる・まつり
[祥]祥 ショウ《さいわい《しるし 吉祥天キチジョウテン・キッショウテン
[票]ヒョウ
7 視→見部4画
8[禁]キン《いましめる 二禁にきび・にきみ
(禄)祿 ロク さいわい
9(禍)禍 カ《まが《わざわい
(禊)ケイ みそぎ
[禅]禪 ゼン《ゆずる
[福]福 フク《さいわい
11(禦)ギョ ふせぐ
12(禧)キ さいわい
14(禱)トウ いのる
(禰)禰 ネ 禰宜ねぎ

5【内部】

8(禽)キン とりこ・とり
14 離→隹部11画

5【禾部】

0(禾)カ いね・のぎ
2[私]シ/わたくし・わたし《あたくし《あたい《あっし《ひそか(に) 私語シ・ささめごと
[秀]シュウ ひいでる 秀雄ひでお
(禿)トク/かぶろ・かむろ・はげ・ちびる
利→刀部5画
委→女部5画
季→子部5画
和→口部5画
4[科]カ《とが《しな 科白せりふ
[秋]シュウ あき《とき 秋刀魚さんま
[秒]ビョウ
香→香部0画
5[称]稱 ショウ/《たたえる《となえる
[秦]シン はた・はだ 秦皮とねりこ
[租]ソ《みつぎ
[秩]チツ 秩父ちちぶ
[秘]祕 ヒ ひめる
(秤)ショウ はかり 天秤テンビン 扛秤ちぎ・ちぎばかり
6(秣)マツ まぐさ
[移]イ うつる・うつす《うつろう 移徙わたまし
7(稈)カン わら 稈心みご 麦稈むぎわら
[稀]キ まれ 稀有ケウ
[税]ゼイ
[程]テイ ほど 道程ドウテイ・みちのり
8[稚]チ《いとけない《おさない
(稠)チュウ おおい
(稔)ネン みのり
(稗)ハイ ひえ
(稟)ヒン・リン うける・もうす
(稜)リョウ そば (御)稜威みいつ
9(稭)カイ わら 藁稭わらしべ・わらすべ
[穀]穀 コク 穀潰ごくつぶし
[種]シュ たね《くさ 種々シュ・いろいろ・くさぐさ 種子島たねがしま 下種ゲス
[稲]稻 トウ いね・いな 稲荷いなり 稲扱いねこき 稲架はさ 稲熱病いもちビョウ 早稲わせ 陸稲リクトウ・おかぼ 晩稲おくて
10[稼]カ かせぐ
(稽)ケイ《かんがえる
[稿]コウ《わら
(稷)ショク きび 社稷シャショク
[穂]穗 スイ ほ
11(穎)エイ のぎ
[穏]穩 オン おだやか 安穏アンノン
[積]セキ つむ・つもる 安積あさか
(穆)ボク やわらぐ
12(穉)チ おさない
13(穢)アイ・エ/けがれ・けがれる・けがらわしい 汚穢ワイ・オアイ 寝穢いぎたない
[穫]カク《とる 収穫シュウカク・とりいれ
(穣)穰 ジョウ 豊穣ホウジョウ

0【穴部】

0[穴]ケツ あな
2[究]キュウ《ク きわめる 究竟クキョウ・クッキョウ
3(穹)キュウ そら
[空]空 クウ/そら・あく・あける・から《すく《うつろ《うつほ《うつけ《うろ《むなしい 空蝉うつせみ 空穂うつぼ
[突]突 トツ つく 突慳貪つっケンドン
4(穽)セイ おとしあな
[窃]竊 セツ《ぬすむ《ひそか(に)
(穿)セン うがつ・はく
5(窄)サク《せまい・つぼむ・すぼまる・すぼむ・すぼめる 見窄みすぼらしい
(窈)ヨウ たおやか 窈窕ヨウチョウ
[窓]ソウ まど
[窒]チツ《ふさぐ 窒扶斯チフス
(窕)チョウ たおやか 窈窕ヨウチョウ
7(窘)キン たしなめる
8(窠)カ あな 眼窠ガンカ
[窟]クツ《いわや
9(窩)カ・ワ あな 眼窩ガンカ・ガンワ 窩主買けいずかい
(窪)ワ くぼ(む)・くぼまる
10[窮]キュウ きわめる・きわまる 無窮ムキュウ・ムグウ
[窯]ヨウ かま
11(窺)キ うかがう
(窶)ク やつす・やつれる
12(窿)リュウ そら
13(竄)ザン のがれる・かくす
16(竈)ソウ かま(ど)・へっつい

5【立部】

0[立]リツ・リュウ たつ・たてる《たて
5(站)タン
6(竟)キョウ つい(に)・おえる 究竟クキョウ・クッキョウ
[章]ショウ《あきらか《ふみ 章魚たこ 玉章たまずさ 周章あわてる
7(竣)シュン おえる
(竦)ショウ すくむ 抱竦だきすくめる
[童]ドウ/わらべ《わらわ《わらんべ 河童かっぱ 小童わっぱ
8[竪]ジュ たて(もと、「豎」の俗字)
9(竭)カツ つきる
[端]タン/はし・は・はた《はな《つま《はじ 端書はしがき・はがき 端子タンシ 木端こっぱ
15[競]キョウ・ケイ/きそう・せる《くらべる《きおう

6【竹部】

0[竹]チク たけ 竹刀チクトウ・しない 竹篦シッペイ・たけべら 竹筒ささえ
2(竺)ジク 天竺テンジク
3(竿)カン さお 爆竹バクチク・どんど
4(笈)キュウ おい 笈摺おいずる
(笏)コツ しゃく
[笑]ショウ わらう・えむ 微笑ビショウ・ほほえみ 可笑おかしい
(笊)ソウ ざる
5(笧)サク しがらみ
(笹)ささ
(笙)ショウ ふえ
(笥)ス け・はこ 櫛笥くしげ 簞笥タンス
[第]ダイ《テイ《やしき
(笞)チ むち・しもと
[笛]テキ ふえ 横笛よこぶえ・ヨウジョウ
[符]フ《ふだ
(笨)ホン あらい 粗笨ソホン
(笠)リュウ かさ
6(筈)カツ はず 弓筈ゆはず
(筐)キョウ かたみ
[筋]キン すじ (翻)筋斗もんどり
(笄)ケイ こうがい
[策]サク《むち《はかりごと
(筍)ジュン たけのこ
(筬)セイ おさ
(筌)セン うけ
(筅)セン ささら 茶筅チャセン
(筑)チク 筑紫つくし
[答]トウ こたえる・こたえ 加答児カタル
[等]トウ ひとしい《ら《など 等閑トウカン・なおざり
[筒]トウ つつ 筒元ドウもと 喞筒ポンプ
(筏)バツ いかだ △小(竹)筒ささえ

6【竹・米・糸】

6【糸・缶・网(罒)・羊(⺷)・羽(羽)・老(耂)・而・耒(耒)・耳・聿・肉(月)】

6【缶部】

6【网(罒)部】

6【羊(⺷)部】

6【羽(羽)部】

6【老(耂)部】

6【而部】

6【耒(耒)部】

6【耳部】

6【聿部】

6【肉(月)部】

6【肉(月)・臣・自・至・臼(臼)・舌・舛(舛)・舟・艮・色・艸(艹)】

6【艸（艹）】
若干（ジャッカン・そくばく）
若人（わこうど・わかうど）
海若（わたずみ）
般若（ハンニャ）
（苴）ショ つと 家苴（いえづと）
（苫）セン とま
（苒）ゼン 荏苒（ジンゼン）
（苔）タイ こけ・のり 海苔（のり）
（苧）チョ お・からむし 苧環（おだまき）
（苺）バイ いちご
（苹）ヒョウ 苹果（ヒョウカ）
［苗］ビョウ なえ・なわ 苗字（ミョウジ） 苗代（なわしろ）
（苞）ホウ つと
（茅）ボウ ち・かや 茅花（つばな） 茅蜩（ひぐらし） 茅渟鯛（ちぬだい） 浅茅（あさじ）
（茉）マツ 茉莉（マツリ）
［茂］モ《ボ しげる《しげみ
（苜）モク 苜蓿（うまごやし）
6
［茨］《シ いばら《うばら 茨城（いばらき）
（茵）イン しとね
（茴）ウイ 茴香（ウイキョウ）
（荊）ケイ いばら 荊棘（ケイキョク・（い）ばら）
［荒］コウ／あらい・あれる・あらす《すさぶ《すさむ 荒磯（ありそ・あらいそ） 荒屋（あばらや） 益荒男（ますらお）
（茲）シ・ジ ここ（に） 今茲（ことし）
（茱）シュ 茱萸（ぐみ）
（茹）ジョ／△ゆ（う）でる・△ゆ（う）だる

（茸）ジョウ きのこ 松茸（まつたけ・まつだけ）
（荏）ジン え 荏苒（ジンゼン） 荏島（えのしま）
（茜）セン あかね
［草］ソウ くさ 草履（ゾウリ） 草鞋（ソウアイ・わらじ） 草臥（くたびれ） △煙（烟）草（たばこ） 酢漿草（かたばみ） 通草（あけび） 車前草（おおばこ） 海△人（仁）草（まくり）
［荘］荘 ソウ《ショウ《おごそか 荘厳（ソウゴン・ショウゴン）
［茶］チャ・サ 山茶花（サザンカ）
（茫）ボウ
（茗）メイ 茗荷（ミョウガ）
（茘）レイ 茘枝（レイシ）
7
［荷］カ に 蘘荷（ミョウガ） 稲荷（いなり）
［華］カ・ケ／はな《はなやか《はなやぐ 華奢（キャシャ） 香華（コウゲ・コウはな） 朱華（はねず）
（莞）カン 莞爾（カンジ）
（莟）ガン つぼみ
（莢）キョウ さや 皁莢（さいかち）
（莧）ケン ひゆ
（莫）ゴ 莫蓙（ゴザ）
（莎）サ 莎草（かやつり・ぐさ）
（葱）ジン・ニン 葱冬（すいかずら）
（荻）テキ おぎ
（荼）ト 荼毘（ダビ）
（莓）バイ こけ・いちご

（莫）バク・マク なかれ 莫迦（ばか） 莫大小（メリヤス） 遮莫（さもあらばあれ・さばれ）
（莔）ボウ いちび 莔麻（いちび）
（莉）リ 茉莉（マツリ）
（莨）ロウ たばこ
8
［萎］イ／なえる《しおれる《しなびる《しぼむ 毛莨（キンポウゲ・うまのあしがた）
［菓］カ《くだもの《このみ
（菅）カン すげ・すが
［菊］キク
［菌］キン《きのこ《くさびら
（菫）キン すみれ
［菜］サイ な 鹿尾菜（ひじき） 鹿角菜（つのまた） 雪花菜（きらず） 千屈菜（みそはぎ） 沈菜（キムチ）
（菖）ショウ 菖蒲（ショウブ・あやめ）
（萃）スイ あつまる
（菘）スウ すずな
［著］著 チョ／あらわす・いちじるしい《きる《しるけし
（菟）ト・ツ 木菟（みみずく・ずく）
（萄）ドウ 葡萄（ブドウ・えび） 葡萄牙（ポルトガル）
（菠）ハ 菠薐草（ホウレンソウ）
（萍）ヘイ・ヒョウ うきくさ
（菩）ボ 菩提（ボダイ）
（萌）ホウ もえる・きざす 萌△葱（黄）（もえぎ）
（莽）モウ
（莱）ライ 蓬莱（ホウライ）

（菱）リョウ ひし
9
（葭）カ よし △葭（葦）簀（よしず）
（萼）ガク うてな
［葛］カツ くず《つづら《かずら 葛籠（つづら） 葛城（かずらき・かつらぎ）
（葵）キ あおい 向日葵（ひまわり） 山葵（わさび）
（葷）クン 葷酒（クンシュ）
（萱）ケン かや 萱草（わすれぐさ）
（菰）コ こも
（葫）コ にんにく
（萩）シュウ はぎ
（葺）シュウ ふく
［葬］ソウ ほうむる《はふり
（葱）ソウ ねぎ 萌△葱（黄）（もえぎ）
（董）トウ ただす
（葡）ホ・ブ 葡萄茶（えびチャ） 葡萄牙（ポルトガル）
（葯）ヤク
（萸）ユ 茱萸（ぐみ）
［葉］ヨウ は 万葉（マンヨウ・マンニョウ） 柳葉魚（シシャモ） △紅（黄）葉（コウヨウ・もみじ） 迦葉（カショウ）
［落］ラク おちる・おとす 落人（おちうど・おちゅうど） 落葉松（からまつ） 落魄（おちぶれる） 落籍（ひかす） 虎落（もがり） 洒落（シャラク・しゃれ） 瓦落（ガラ）

零落（おちぶれる）
破落戸（ごろつき・ならずもの）
（葎）リツ むぐら
（萵）ワ ちしゃ 萵苣（ちしゃ）
募→力部10画
10
（葦）イ あし 葦切（よしきり） △葦（葭）簀（よしず）
［蓋］ガイ ふた《おおう《けだし
（蒟）コン 蒟蒻（コンニャク）
（蓑）サ みの
（蓙）ザ 莫蓙（ゴザ）
（蒜）サン／ひる・にんにく 大蒜（にんにく）
（蓍）シ めど・めどぎ
（蒔）ジ まく
（蒐）シュウ あつめる
（蓚）シュウ 蓚酸（シュウサン）
［蒸］ジョウ むす・むれる・むらす 蒸籠（セイロウ） 蒸餅（パン） 蒸麦麺（パン）
（蓐）ジョク しとね
（蓆）セキ むしろ
（蒼）ソウ あおい 蒼朮（おけら）
［蓄］チク たくわえる《ためる
（蒻）ニャク 蒟蒻（コンニャク）
（蓖）ヒ 蓖麻子油（ヒマシユ）
（蒲）ホ かば 蒲鉾（かまぼこ） 蒲公英（たんぽぽ） 菖蒲（ショウブ・あやめ）
（蒡）ボウ 牛蒡（ゴボウ）
（蒙）モウ こうむる
（蓉）ヨウ 芙蓉（フヨウ）
（蓮）レン はす・はちす
墓→土部10画
夢→夕部10画

幕→巾部10画
11
（蔭）イン かげ
（蔲）コウ 肉豆蔲（ニクずく）
（蔗）シャ・ショ さとうきび
（蓿）シュク 苜蓿（うまごやし）
（蓴）ジュン ぬなわ 石蓴（あおさ）
（蔟）ゾク・ソク まぶし
（蔕）タイ へた 蔕落（ほぞおち）
（蔦）チョウ つた
［蔑］ベツ さげすむ《ないがしろ
（蓬）ホウ よもぎ
（蔀）ホウ しとみ
（蔓）マン かずら・つる
（蓼）リョウ たで
慕→心部10画
暮→日部10画
12
（蔔）あけび
（蕎）キョウ 蕎麦（そば）
（蕨）ケツ わらび
（蕞）サイ
（蕉）ショウ 芭蕉（バショウ）
（蕁）ジン 蕁麻疹（ジンマシン）
（蕊）ズイ しべ
（蔬）ソ あおもの
［蔵］蔵 ゾウ《ソウ くら《しまう 蔵人（くろうど・くらんど）
（蕩）トウ とろかす・とろける 見蕩（みとれる）
（蕃）バン しげる
（蕪）ブ かぶ（ら）
［蔽］ヘイ《おおう
13
（薗）エン その
（薑）キョウ はじかみ 生薑（ショウガ） 山薑（わさび）

［薫］薫 クン かおる《たきもの 薫物（たきもの）
（薊）ケイ あざみ
（薨）コウ みまかる
（蕭）ショウ
（薔）ショウ 薔薇（ショウビ・ソウビ・うばら・いばら・ばら）
［薪］シン たきぎ《まき
［薦］セン すすめる《こも
（薙）チ なぐ 薙刀（なぎなた）
［薄］ハク／うすい・うすめる・うすまる・うすらぐ・うすれる《すすき《せまる
（薇）ビ ぜんまい 薔薇（ショウビ・ソウビ・うばら・いばら・ばら）
［薬］薬 ヤク くすり 薬罐（ヤカン） 薬研（ヤゲン） 薬玉（くすだま） 釉薬（うわぐすり）
（蕷）ヨ 薯蕷（やまのいも・やまいも・とろろ）
（薏）ヨク 薏苡仁（ヨクイニン）
（蕾）ライ つぼみ
（蕗）ロ ふき 石蕗（つわぶき）
（薐）リョウ 菠薐草（ホウレンソウ）
（薤）ロウ
（薈）ワイ・エ 蘆薈（ロカイ・ロエ）
14
（藁）コウ わら
（薩）サツ
（藉）シャ・セキ かりる・かす・しく
（薯）ショ いも 薯蕷（やまのいも・やまいも・とろろ）
（薺）セイ なずな
（薹）タイ とう

7【車・辛・辰・辵（辶・辶）・邑（阝（右））・酉】

8【阜(阝(左))・隶・隹・雨・青(青)・非】 9【面・革・韋(韋)・韭・音・頁・風・飛・食(飠・食)】

あ…ア

あ〔亜・〈阿・〈唖・〈痾・〈鴉〕↓【字音語の造語成分】

ア（略）㊀アジア。「中央—⑤」㊁アフリカ。「南（ナン）—」㊂（日本）アルプス。「南（ナン）—〔=赤石山脈〕連峰」 表記 ㊀は「亜」、㊁は「〈阿」とも書く。

あ①（感）㊀呼びかけの声。「—君、ちょっと」㊁急に△驚き（思い出し）などした時に出す、思わず発する声。〔㊀㊁とも「ああ」「あっ」とも言う〕

ああ①（感）㊀肯定・承知の意を表わす言葉。「—、そうでしたか」㊁物事に感じた時に発する叫びに似た声。〔感嘆・悲しみ・喜び・嘆きなどを表わす〕 表記 ㊁は、「〈嗚《呼・〈噫」などとも書く。

ああ⓪（副）㊀話し手・聞き手から離れて存在し、両者が共に認め得る事象や状態を指し示す様子。「あの人を見てごらん。—いう〔=あのような〕ヘアスタイルは珍しいね/なるほど—やって砂金を採るのか」㊁すでに話題になるなどして、話し手・聞き手が共に意識している事柄に含まれる事象や状態を指し示す様子。「お互いに年を取り、—〔=あのように〕しろと言われても、今は無理だろう/田中さんは—見えても、意外に頑固だ/あの二人は—なる運命だったのかもしれないね」㊂〔「—…こう…」の形で〕事柄の及ぶ範囲が多方面にわたり、的△がしぼれ（をしぼらせ）ない様子を表わす。〔「—だ」の場合のアクセントは①〕「—だこうだと不満を並べる/—しろこうしろと言われても一度にできるわけがない/—言えばこう言うで、追及をのらりくらりとかわす」⇩こう・そう・どう：こそあど
運用 話し手自身が過去を回想したりする時、経験した出来事などに含まれる事象や状態を指し示す場合にも用いる。例、「ああいう時こそ、もっと慎重に行動すべきだった」

あ

［亜］［一］㊀…に次ぐ。「亜流・亜熱帯」㊁〔無機酸で〕酸素が一原子だけ少ないこと。「亜硫酸」［二］（略）アジア（亜細亜）。⇩（本文）ア㊀

［〈阿］［一］㊀ごきげんをとる。「阿世・阿諛（ユ）」㊁〔本来は中国で〕人を親しんで呼ぶ時の称。〔日本の「お」に当たる〕「阿父（フ）・阿Q」［二］（略）㊀アフリカ（阿弗利加）。⇩（本文）ア㊁ ㊁阿波（アワ）（ノ）国。「阿州」

［〈唖］ことばを話すことが出来ない（人）。「唖者・唖然・盲唖・聾（ロウ）唖」

［〈痾］治りにくい病気。「宿痾・病痾」

［〈鴉］カラス。「鴉鷺（ロ）・晩鴉・群鴉・帰鴉」

アーカイブ①③〔archive〕㊀〔記録として保存すべき〕公文書。㊁公文書などの保管所。アーカイブス③①とも。㊂〔コンピューターで〕複数のファイルを（圧縮して）ひとまとめにしたもの。また、その技術。

アーキテクチャー④①〔architecture〕㊀建築物。建築術。建築学。㊁コンピューター システム全体の設計思想・構成方式。

アークとう⓪【アーク灯】〔arc=弧・弓形〕電流を通じた二本の炭素棒の間に白熱光を出させる電灯。

アーケード①③〔arcade〕［一］㊀「アーチ㊀」のある通路。㊁（商店街で）日よけ・雨よけの屋根を付けた通路。［二］（造語）ゲーム センター。「—ゲーム⑥〔=ゲーム センターに設置されている（ような）ゲーム△機（の種類）〕」

アーサかんど④【アーサ感度】〔ASA=American Standards Association〕アメリカ規格協会が定めた、フィルムや印画紙の感光度の標準規格。現在はイソ感度が一般に用いられている。「アサ感度③」とも。⇩イソ感度

アース①—する（自他サ）〔earth=大地〕㊀電気機器と地面との間に電路を作って、感電を避けたり感度をよくしたりする△こと（装置）。接地。㊁故障のために電路が大地につながること。

アーチ①〔arch=弓形〕㊀洋風建築の回廊などで、内側は壁などを、外側は石柱などを支えとして、弓形の天井に作ったもの。迫持（セリモチ）。㊁骨組をスギ・ヒノキなどの葉で包み飾った門。緑門。㊂〔野球で〕ホームランの俗称。「—をかける〔=ホームランを打つ〕/—攻勢」〔㊂は日本での特用〕

アーチェリー①〔archery〕洋弓（を用いてするスポーツ）。

アーティスティック スイミング⑨〔artistic swimming〕シンクロナイズド スイミングの改称。略称、エー エス③（AS）。

アーティスト①〔artist〕芸術家。アーチストとも。〔音楽家や美術家を指すことが多い〕「ロック—④・海外—⑤・メーキャップ—」 かぞえ方 一人。グループで活動する音楽家などの場合、一組。⇩ユニット

アーティチョーク④〔artichoke〕夏、アザミに似た花をつける多年草。つぼみの一部を食用にする。地中海沿岸原産。和名、ちょうせんあざみ⑤。〔キク科〕

アート①〔art〕美術。芸術。「—デザイナー⑤・モダン—」

アートディレクター⑤〔art director〕演劇の美術的効果や広告のデザインなどについての責任者。

アートペーパー④〔art paper〕コーティング加工した、厚手の印刷用紙。「アート紙③」とも。

アーバン（造語）〔urban〕近代都市としての。都会風の。「近未来型の—ライフ/—デザイン⑥・—リニューアル⑥〔=都市再開発〕」

アーベント①〔ド Abend=夕方〕ある主題で特定の日の夜間に催される集会。「ベートーベン—〔=…の夕べ〕」

アーム〔arm〕［一］①⓪㊀〔建築で〕腕木。㊁腕のかっこうをした△物（部分）。受話器・ミシンの本体の部分など。［二］（造語）腕。「—バッグ④・—チェア」 かぞえ方 ［二］は一本

アーム チェア④〔arm chair〕ひじ掛けの付いた、体を休めるのに適した作りのいす。安楽いす。「—にふんぞり返る」

アームホール④〔armhole〕洋服のそでつけ線。そでつけ。

アーメン⓪①（感）〔ヘブライ āmēn=たしかに〕〔キリスト教で〕祈りの最後に唱える言葉。

アーモンド①③〔almond〕中央アジア原産の落葉高木。種子は平たくて、卵形。食用にするものと薬用にするものとがある。旧称、アメンドー。〔バラ科〕「—チョコレート⑧・—ケーキ⑥」 かぞえ方 一株・一本：一粒

アール①⓪［一］【R・r】英語アルファベットの第十八字。［二］【R】㊀〔←roof〕建物の屋上を表わす記号。㊁元号「令和」の略記号。「—2年」㊂〔←rescue〕ビルの屋上などに設置されたヘリコプター用緊急救助スペースのマーク。⇩エイチ（H）［二］㊃ ㊃〔←route〕国道を表わす記号。「—16〔=国道16号〕」㊄〔←radius=半径〕カーブを表わす記号。「—になる〔=建築で、曲線・曲面になる〕/R=350m〔=半径三五〇メートルの円と同程度の曲がり具合〕」㊅〔←ド röntgen〕「レントゲン㊀」の記号。

アール①〔フ are〕メートル法における面積の単位で、一辺が一〇メートルの正方形の面積〔=一〇〇平方メートル〕。約三〇・二五坪に当たる。〔記号 a〕⇩ヘクタール

アールエイチ いんし⑦【Rh因子】〔Rh=Rhesus Macaque（アカゲザルの英名）〕人間の血液の成分の一つ。Rh－（マイナス）型の母親がRh＋（プラス）型の胎児を妊娠した場合は、死産などを起こすことがあり、Rh－型の人がRh＋型の血液を繰り返し輸血された場合は、アレルギー症状を起こしたり 赤血球が破壊されたりすることがある。

アール エヌ エー⑥【RNA】〔←ribonucleic acid〕リボ核酸。糖成分としてのリボースを含むものをいう。DNAの遺伝情報をもとに蛋白(タンパク)質の合成に関与する。

アール シー④【RC】❶〔←reinforced concrete〕鉄筋コンクリート。「―二階建て」 ❷〔←remote control〕リモート コントロール。❸〔←radio control〕ラジコン。

アール してい④⑤【R指定】〔Rは restricted=制限の意〕〔公開される映画で〕映倫が観覧を年齢により規制すること。対象となる年齢は、十五歳未満はR15＋、十八歳未満はR18＋などと表示される。

アール デコ④〔フ art déco ← arts décoratifs=装飾美術〕単純で直線的なデザインと大胆な色彩による芸術様式。一九一〇年代から三〇年代にかけてフランスで流行し、おもに服飾の分野に影響を与えた。

アール ヌーボー④〔フ art nouveau=新芸術〕植物をモチーフにした軽快な曲線と色彩の芸術様式。十九世紀末から二十世紀初めにかけてフランスを中心にヨーロッパで流行した。

あい（哀・〈埃・挨・愛・〈隘・曖）→【字音語の造語成分】

アイ①❶【I・i】❶英語アルファベットの第九字。「Iターン」❷ローマ数字で「一」を表わす記号。❸【I】〔←iodine〕ヨウ素の元素記号。

アイ（造語）〔eye〕❶目（の働きをするもの）。「―バンク・マジック―」❷見て、ものの本質をつかむ能力。「カメラ―〔=対象の切り取り方〕がいい／バッティング―⑥」

あい【合】（造語）❶Ⓐそれ全体の様子（から受ける総合的印象）。「雲―・柄―⓪・色―・風―」Ⓑその人とつき合っているうちに相互に感じとる好悪の感情。「情―・肌―・性―⓪」❷その言葉によって表わされる要素に、それと深く関連する他の要素がいくぶん付加されることを表わす。「意味―・義理―・気味―⓪」❸何かをするのに適した、その△時（場）の都合やそのものの程度。「潮―・程―・頃―・間―・場―・歩―・割―」

あい【相】（接頭）❶〔名詞に冠して〕双方が互いに同じ関係に立つととらえられることを表わす。「―打ち・―方・―客・―先・―弟子・―乗り・―棒・―星・―持ち・―宿・―嫁」❷〔用言・副詞に冠して〕動作・状態の△積極性（荘重性）を表わす。「療養―かなわず／―いましめる①-④・―済まぬ・―次ぐ・―半ばする・―成るべくは・―俟つ・―互いに①-⓪・―共に①-⓪・―近い①-②」

*__あい__①【愛】個人の立場や利害にとらわれず、広く身のまわりのものすべての存在価値を認め、最大限に尊重していきたいと願う、人間に本来備わっているととらえられる心情。「親子の―〔=子が親を慕い、親が子を自己の分身として慈しむ自然の気持〕／動植物への―〔=生あるものを順当に生育させようとする心〕／自然への―〔=一度失ったら再び取り返すことの出来ない自然をいたずらに損なわないように注意する心構え〕／学問への―〔=学問を価値あるものと認め、自分も何らかの寄与をしたいという願望〕／芸術への―〔=心を高めるものとしてすぐれた作品を鑑賞し、その作者としての芸術家を尊敬する気持〕／人類―③〔=国や民族の異なりを超え、だれとでも平等に接しようとする気持〕・郷土―③〔=自分をはぐくんでくれた郷土を誇りに思い、郷土の発展に役立とうとする思い〕・自己―②〔=自分という存在を無二の使命を持つ者と考え、自重自愛のかたわら研鑽に励む心情〕」【―の結晶】（愛し合う）二人の間に生まれた子供。【―の巣】愛し合っている二人が、誰にも邪魔されることなく二人だけの生活を営む家。【―の〈鞭】愛するがために（涙をこらえて）とるきびしい態度や処置。⇩

あい①【〈間】❶〔雅：西日本方言〕あいだ。❷「間狂言・間服」の略。

あい①【藍】❶畑に栽培する一年草。葉を発酵させて、青色の染料をとる。〔現在の藍色の染料は、多くが人工合成〕〔タデ科〕❷〔←藍色⓪〕濃く深い青色。

アイアール③【IR】❶〔←Integrated Resort〕統合型リゾート。カジノを中心にホテルや多数の文化施設・娯楽施設からなる地域。❷〔←Investor Relations〕投資家向け広報。投資を促すために企業が提供する情報を指す。

あい あい⓪【〈藹々〉】―たる ―と〔その場の人びとの気持が〕一様にうちとけた様子。「和気―」

あいあい がさ⑤④【相合傘】一本の傘を（相愛の）二人が一緒に差すこと。表記「相々傘」とも書く。

アイアン①⓪〔iron=鉄〕〔ゴルフで〕ボールを打つ部分を鉄で作ったクラブ。↕ウッド かぞえ方 一本

あい いく⓪【愛育】―する（他サ）愛情を持って子供を育てること。

あい いれない①-⓪【相《容れない】両立しない。「豊かさと簡便は―概念だ／―〔=敵対関係にあったり 対立感情が優先したりして、協調出来ない〕仲」

あい いん⓪【愛飲】―する（他サ）〔その酒・牛乳・ジュースなどを〕日ごろから好んで飲むこと。「―者③」

あい いん⓪【合印】書類を照らし合わせたしるしに押す印。合判。あいじるし。

あい うち⓪【相打(ち)】Ⓐ〔剣道などの試合で〕向こうが打つと同時に、こちらも打つこと。Ⓑ勝ち負けの判定がつかないこと。あいこ。「―に終わる」 表記「相撃ち・相討ち」とも書く。

あい う・つ①-①【相〈搏つ】（自五）力を尽くして戦う。「いよいよ両雄―時がまいりました」 表記「相打つ・相撃つ」とも書く。

アイエイチ ちょうりき⑧【IH調理器】〔←induction heating〕電磁誘導による加熱を利用した調理器。「アイエッチ調理器」とも。

アイ エス オー⑤【ISO】〔←International Organization for Standardization〕国際標準化機構〔=工業・農業関係などの規格の標準化を目的とする国際機関〕。また、そこで定めた規格。イソ・アイソ①とも。

アイ エス ディー エヌ⑦【ISDN】〔←integrated services digital network=サービスを統合したデジタル通信網〕電話・データ通信・ファクシミリなど、従来別々であった各種の回線を統合して運用する、デジタル方式の通信網。

アイ エス ビー エヌ⑦【ISBN】〔←International Standard Book Number〕国際標準図書番号。書籍の流通業務合理化のため、図書につける国際的な番号。出版国・出版社・書名を示す数字からなる。

アイ エム エフ⑤【IMF】〔←International Monetary Fund〕国際通貨基金⑧⑨。国際為替の安定や平価切下げ競争の防止などのために設けた国際機関。

アイ エル オー⑤【ILO】〔←International Labor Organization〕国際労働機関[9][10]。各国の労働条件の改善を目的とする、国連の専門機関。

あいえんか[0]【愛煙家】たばこが好きな人。

あいえんきえん[5]【合縁奇縁】環境・性格の違う者同士が、ふとした事から親しくなり、あるいは夫婦となり親友となって一生変わらないこと。表記「合縁」は「相縁・愛縁」とも、「奇縁」は「機縁」とも書く。

あいおい[0]【相生(い)】❶同じ根から生え出(ている)ように見え)ること。「一の松」❷〔「相老」に通じて〕夫婦が一緒に長生きすること。

アイオーシー[5]【IOC】〔←International Olympic Committee〕国際オリンピック委員会[12]。

アイオーティー[5]【IoT】〔←Internet of Things=物のインターネット〕従来の情報機器のみならず、日常生活や産業を取り巻くあらゆる物にセンサーと通信機器を取り付け、インターネット経由で結び、その位置や状態を常に把握したり遠隔操作したりすることで、さまざまなサービスを実現すること。

あいか[1]【哀歌】悲しみの気持を述べた歌。

あいかぎ[0]【合鍵】本来の鍵とは別にその錠に合わせて作った鍵。かぞえ方 一本

あいかた[0]【相方】❶Ⓐ相手。Ⓑ漫才をする相棒。

あい

[哀] ❶かなしむ。かなしい。かなしみ。「哀調・悲哀」❷あわれむ。「哀憐・哀恤」❸あわれっぽく。「哀願・哀訴」

[〈埃〉] ❶細かい土。ちり。ほこり。「塵埃」❷(略) エジプト(埃及)。

[挨] おす。せまる。「挨拶」

[愛] ❶かけがえの無いものとして、大事に扱う。「愛児・愛妻・愛犬・愛車・溺愛・自愛」❷有用のものとして、手放すまいとする。「愛惜・割愛」❸自分の好みに合ったものとして、深い興味を持つ。「愛好・愛読」⇩(本文)あい【愛】

[〈隘〉] せまい。せばまった地勢で、通りにくい。「隘路・狭隘」

[曖] 薄暗い。ぼんやりしている。「曖昧・曖昧模糊」

〔一方を「突っこみ」、一方を「ぼけ」という〕Ⓒ自分の配偶者・恋人・親友などを指す言葉。Ⓓ〔くるわで〕遊興の相手の遊女など。❷Ⓐ〔歌舞伎で〕芝居のせりふの間に入れる三味線。Ⓑ能の謡の囃子方。表記❷は「合方」とも書く。また、❶Ⓓは多く、「〈敵〈娼〉」と書く。

あいがも[0]【《間〈鴨】カモとアヒルとの雑種。食用。「一農法[5]」表記「合〈鴨」とも書く。かぞえ方 一羽

あいかわらず[0]【相変(わ)らず】(副) 予測される(目立った)変化が認められず、今までと同じような状態が続いている様子。〔強調形は「あいも△変わらず(変わらぬ)」〕「一忙しそうだね/七十歳を過ぎても一元気だ/一の(=変わりばえのしない)毎日です」運用(1)相手のことに用いる場合には、多くからかい・皮肉がこめられる。(2)手紙などで自分のことについて用いる丁寧表現は「相変わりませず」。例、「本年も相変わりませずご厚誼のほど願い上げます」

あいかん[0]【哀感】悲しみの感じ。物悲しい感じ。

あいかん[0]【哀歓】「悲しみと喜び」の意の漢語的表現。「一を共にする/人生の一」

あいがん[0]【哀願】―する(他サ) 泣かんばかりに窮状などを訴えて、何かを頼むこと。

あいがん[0]【愛玩・愛〈翫】―する(他サ) 身近に置いて大切に取り扱い、慰みとすること。「一〔=ペットとして飼う〕動物[5]」

あいき[1]❷【愛機】その人の使いなれた飛行機・写真機など。❷【愛器】その人の使いなれた楽器。

あいぎ[3][0]【《間着】あいふく。表記「合着」とも書く。かぞえ方 一着

あいきどう[3]【合気道】攻撃を加えて来る相手の動きを察知し、事前に徒手でそれを押さえる護身術。当て身技・関節技〔=相手の肘の関節を攻める技〕などがある。「合気術[3]」。

あいきゃく[0]【相客】❶同じテーブルで飲食することになった、見知らぬ者同士の客。〔狭義では、茶会での正客以外の客を指す〕⇩相席 ❷同室に△泊まり(居)合わせる他人。

アイキュー[3]【IQ】〔←intelligence quotient〕知能指数。

あいきょう[0]【愛郷】自分の生まれた土地を誇りに思い、その良さが失われないようにと願うこと。「一心[3]」

あいきょう[3]【愛〈嬌】・【愛《敬】❶接する人に好感を与え、思わず話しかけたくなるような親しみを誘う物腰。「一をふりまく/一たっぷり」❷〔多く「ごー」の形で〕客や同席者を喜ばせ楽しませるサービス。「ごー(まで)に手品を一番お見せします」運用❷は、人前で失敗した場合の照れ隠しとして「今のはほんのご愛嬌だ」などとも用いられる。

―もの[0]【―者】接する人の心を和ませる何かを持っている人。「クラスの一/リスは森の一だ」

あいきょうげん[3]【《間狂言】一曲の能の中で、狂言方の役者が演じる△役柄(演技)の総称。

あいぎん[0]【愛吟】―する(他サ) 好きな詩や歌(をうたうこと)。

あいくち[0]【合口】❶つばの無い短刀。❷話などがよくあう△こと(間柄)。「一がいい仲間/一が悪い〔=苦手とする〕相手」表記❶は、「〈匕首〉」とも書く。かぞえ方❶は一口・一本

あいくるしい[5]【愛くるしい】(形)〔「くるしい」は、強意の接辞〕子供や仔犬・仔猫などの表情やちょっとしたしぐさが、いかにもあどけなくてかわいらしく感じられる様子だ。「一笑い顔」派 ―さ[5][4] ―げ[5][6][0]

あいけい[0]【愛敬】―する(他サ)「敬愛」の意のやや古風な表現。「一の念を増す」

あいけん[0]【愛犬】犬の性情をよく知り、かわいがること。また、そのかわいがっている(飼い)犬。「一家[0]」

あいこ[1]【愛顧】〔「顧」は、目をかける意〕△上の(強い)立場にある人が、特定の部下や商人・芸人などに好意を持ち、その者が有利になるように計らうこと。〔普通、好意を受ける側が用いる〕「永年御一をいただきまして」

あいこ[3][0]【相子】〔「こ」は「事」の意。「子」は借字〕どちらも優劣の無いこと。勝負無し。「これで一だ」

あいご[1]【愛護】―する(他サ) △いじめないで(よさを損なわずに)保護すること。「国語の一/動物一[5]」

あいご[0]【相碁】〔碁で〕腕前に優劣が無いこと。

あいこう[0]【愛好】―する(他サ) 好ましいものとして、その物事を積極的に受け入れること。「平和を一する/音楽一家・切手一者[6]」

あいこうしん[3]【愛校心】自分の△出た(在学する)学校の名を傷つけないように気をつけ、声価を高めるように努力する気持。

あいこく[0]【愛国】自分の生まれた国を誇りに思い、国のために思って行動すること。「一者[4][3]・一心[4][3]」

あいことな・る[1]-[3]（アヒ）【相異(な)る】(自五) 二つ(以上)の物事の間に、違いが認められる。「─二点間の距離／主義・主張の─二大政党／それぞれ─分野」

あいことば[3]（アヒ）【合(い)言葉】❶〔夜襲・乱戦の時などに〕味方だということを知らせるために使う合図の言葉。❷同志の結束を固め、仲間の主義・主張を自他に確認させるためのモットー。「都政刷新を─にする」

アイコン[1][0]〔icon=肖像〕❶〔コンピューターなどで〕操作の対象であるファイル・ディスク・プログラムなどを、小さな絵で画面上に表示したもの。これを選択し、操作内容をコンピューターに指示する。❷その存在が、ある時代や分野を△代表(象徴)する△もの(人)。「ファッション─[5]」

アイコンタクト[3]〔eye contact〕言葉によらず意思を伝えるために、視線を合わせること。

あいさい[0]【愛妻】妻をかけがえのない伴侶（ハンリョ）として、末永く連れ添えることを願うこと。また、その妻。「─家[0]・─弁当[5]」

**あいさつ[1]【挨拶】─する(自サ)〔「挨」は推す、「拶」は迫る意。もと、禅問答におけるやりとりを指した〕❶〈だれニ─する〉人と会った時や別れる時に、社交的・儀礼的な(動作を伴った)言葉を交わすこと。また、その言葉。「─を交わす／朝おはようと─する／初対面の─／時候の─／そう言われて─〔=返答〕に困った／─語[0]・ご─[2]」❷その場に居る人に対して、来訪の趣旨や開会・閉会を伝えたり 儀礼として祝意や謝意を表わしたり する△こと(言葉)。「新任の─を△する(述べる)／何の─〔=断り〕も無しに入り込む／─回り[5]」

運用「(これは)ご挨拶だね」の形で、「なんというあきれた物の言いようだ」と相手の失礼な応対を非難する気持で皮肉をこめて用いられる。

あいし[1]【哀史】△悲運(逆境)にしいたげられた人(びと)の一生や一族の滅亡などに関する、涙を誘う物語。「平家滅亡の─／女工─[4]」

あいじ[1]【愛児】かわいい(自分の)子供。

アイシー[3]【IC】❶〔←integrated circuit〕集積回路。「─カード[5]」❷〔←interchange〕インターチェンジ。

─タグ[5]〔IC tag〕記憶装置と無線通信の機能をもつタグ(付け札)。在庫管理や盗難防止などの目的で用いる。

─チップ[5]〔IC tip〕クレジットカードなどに埋め込まれている「IC❶」。

─レコーダー[6]〔IC recorder〕内蔵もしくは外付けのフラッシュ メモリーを媒体とし、音声を録音・再生する装置。

アイシービーエム[7]【ICBM】〔←intercontinental ballistic missile〕大陸間弾道弾。射程が約一万キロの、超長距離用戦略ミサイル。かぞえ方 一基：一発

アイシーユー[5]【ICU】〔←intensive care unit〕集中治療室。重態の患者や手術後の患者を収容し、心電計など種々の計器を使って、病状を常時看視し、不意の悪化状態に備える病室。強化看護室[6]。

アイシェード[3]〔eyeshade〕光線をよけるために使う、目庇（マビサシ）。多く、プラスチック製。

あいしゃ[0]【愛車】日ごろ自分が運転している車(を大事にすること)。「─を駆って」かぞえ方 車は一台

あいじゃく[0]（ヂヤク）【愛着】─する(自サ)「あいちゃく」の古風な表現。

アイシャドー[3]〔eye shadow〕まぶたに塗る、青・灰色などの化粧品。アイシャード[3]とも。「きらめく─」

あいしゅう[0]（シウ）【哀愁】せつない別れなどによっていだく、悲しみの感情。「─に満ちた歌声」

あいしゅう[0]（シフ）【愛執】愛情を断ち切れないこと。

あいじゅつ[0]【哀〈恤】─する(他サ) 弱い立場にある者などに、思いやりの気持をいだいて接すること。「貧民を─する」

あいしょ[0][1]【愛書】❶本(を集めること)が好きなこと。「─家（カ）[0]」❷愛読書。

あいしょう[0]（シヤウ）【哀傷】─する(他サ)〔詩や歌の形で〕人の死を悲しむこと。「─歌[3]」

あいしょう[0]（オ）【愛称】❶親しい間柄同士で言う、△姓(名前)の、一種の略称。例、山本△さん(君)→山さん・山ちゃん・山。❷〔正式の列車番号以外に〕個々の特急列車などにつける、親しみやすい名称。例、のぞみ・ひかり・とき。❸あだな。例、女の子につける「ちゃこ」など。

あいしょう[0]（シヤウ）─する(他サ) ❶【愛唱】好きで、折につけて歌うこと。「─歌[3]」❷【愛〈誦】好きで、折につけて声に出して言ってみること。「─する古典」

あいしょう[3]（アヒシヤウ）【相性】❶〔古くは陰陽（インヨウ）五行説などから見て〕男女などの性格がうまく合っている(かどうかということ)こと。「─を占う」❷人と人、人と物などの関係がしっくり合っているかどうかということ。「はもとまつたけは─がいい／…とは─がいい／日本酒と─のいいつまみ」表記「合性」とも書く。

***あいじょう**[0]（ジヤウ）【愛情】〔夫婦・親子・恋人などが〕相手を自分にとってかけがえの無い存在としていとおしく思い、また相手からもそのように思われたいと願う、本能的な心情。〔広義では、生あるものを大切にかわいがる気持も含む〕「─が△あふれる(わく・冷める)／─を△いだく(注ぐ・求める)」

あいじょう[0]（ジヤウ）【愛嬢】その人のかわいい娘。

あいじるし[3]（アヒ）【合印】❶味方だということを知らせるための目印。❷二枚の布を正しく縫い合わせるためにつける印。❸あいいん。表記 ❷は、「合《標」とも書く。

あいじん[0]【愛人】❶愛している人。また、「情婦・情夫」の婉曲（エンキョク）な表現。❷人を愛すること。「敬天（ケイテン）─」

アイス〔ice=氷〕❶(造語) 氷などで冷たくしたものであることを表わす。「─コーヒー[6][4]・─ウオーター[5]」❷[1]アイスクリーム・アイス キャンディーの略。「あずき─[4]・─もなか[4]」〔明治時代、俗に「氷菓子」と同音なので、高利貸（シガ）の意にも用いられた〕

***あいず**[1]（アヒヅ）【合図】─する(自他サ)〈だれニ(なにヲ)─する〉当事者同士の約束として決めた伝達・確認の方法(によって知らせること)。〔目・手まね・信号・楽器・のろしなどを使う〕「─を送る」

アイス キャンディー[4]〔和製英語 ←ice + candy〕甘みをつけた水を棒状に堅く凍らせた菓子。略してキャンディー。かぞえ方 一本

アイスクリーム[5]〔ice cream〕牛乳に砂糖・卵の黄身などを交ぜ合わせて凍らせた食品。〔牛乳の脂肪分八パーセント以上のものと定められている〕

アイス スケート[5]〔ice skate〕氷上でするスケート。

アイス ダンス[4]〔ice dance〕フィギュア スケート競技の一種目。男女が対になって氷上を音楽に合わせて踊るように滑るもの。

アイスバーン[4]〔ド Eisbahn〕雪の表面が固まって氷のようになった状態(の山の斜面・スキー場・道路など)。

アイス ピック[4]〔ice pick〕氷の塊を細かく砕くのに用いる、握りの太い錐（キリ）。

アイス ペール[4]〔ice pail, pail=手おけ〕砕いた氷を入れておくおけ状の卓上容器。

あいすべき[4]【愛すべき】(連体) ❶かわいらしい。「─少女」❷見どころがあり、出来るなら自分がめんどうを見てやりたい気持だ。「─青年」

アイスボックス[4]〔icebox〕氷を使う(手軽な)冷蔵庫。

アイス ホッケー[4]〔ice hockey〕アイスリンクでスケート

をはいてするホッケー。

あいすまぬ①-②、④【相済まぬ】❶許しがたいことで、そのままにしておけない。「そんなことでは―」❷申しわけない。「どうも―ことをいたしました」

アイスリンク④〔ice rink〕スケートが出来る、氷が張った場所。スケートリンクとも。かぞえ方 一面

＊**あい・する**③【愛する】（他サ）〈だれ・なにヲ―〉❶（特定の相手に対して）愛情をいだく。「―人のために／動物を―〔=かわいがる〕／子供を―」❷好きで、いつもそれに親しむ。「詩を―／コーヒーをこよなく―」❸かけがえの無いものと思って、大切にする。「真理を―／学問を―／自然を―」愛す①（五）。

あいせき⓪【哀惜】―する（他サ）〔人の死などを〕惜しみ悲しむこと。「―の念に堪えない」

あいせき⓪【愛惜】―する（他サ）△失い（別れ）たくないという気持を強くいだくこと。

あいせき⓪【相席】―する（自サ）他の客と同じテーブルにつくこと。「―でお願いします」表記「合席」とも書く。

あいせつ⓪【哀切】―に ―な 非常にあわれで、身につまされる様子。「―な物語／―な調べ」派 **―さ**⓪

あいせっ・する①-⓪【相接する】（自他サ）ほかのものを間に置かないで、直接に隣り合う。「領土(を)―両国」

あいせん⓪【相先】〔碁や将棋などで〕交互に先番となって勝敗を競うこと。互先。

アイゼン①〔ド Eisen=鉄〕登山靴の底に着用する、滑り止めの鉄製のつめ。かぞえ方 一枚

あいぜん⓪【愛染】愛欲の煩悩から逃れられないこと。**―みょうおう**⑦⑤【―明王】〔真言宗で〕三つの目・六本の手を持ち常に怒りの相を表わす、愛欲の神。もと仏法守護の神。近世では恋愛の神・遊女の守り神としても信仰された。かぞえ方 一体

あいそ①【哀訴】―する（他サ）「哀願」の強調表現。

あいそ③【愛想】〔「あいそう」の短呼〕❶客に心からサービスしようとする、応対の仕方や顔つき。「―がいい／―を振りまく／何のお―もございませんで〔=おかまいも出来ませんで〕」❷好意を持って、相手になってやる気持。「―が尽きる〔=あまりのばからしさにあきれて相手をするのがすっかりいやになる〕／―もこそも尽きる〔=『あいそが尽きる』の強調表現〕／サラリーマン稼業に―を尽かす〔=…を続ける気持が無くなる〕」❸⇩おあいそ **―づかし**④【―尽かし】相手をするのがいやになって、とりあわないこと。**―わらい**④【―笑(い)】相手に取り入るための笑い。

あいそう③【愛想】⇩あいそ

あいぞう⓪【愛憎】特定の個人にいだく愛情とそれに反する憎しみの気持。

あいぞう⓪【愛蔵】―する（他サ）愛着をいだき、大切に保存すること。「―版」

あいそく⓪【愛息】かわいがっているむすこ。

アイソトープ④〔isotope=同じ位置〕原子番号が同じで、原子量の違う元素。訳語は、同位体・同位元素。イソトープ③とも。

＊＊**あいだ**⓪【間】〔「だ」は接辞か〕❶Ⓐ直接続かない二つの△点(物)の非連続部分に存在する空間・時間など。「木立の―〔=すきま〕から空がのぞく／―〔=絶え間〕を置いて痛む」Ⓑ問題や関係などのある双方に属さないもの。あい。「―〔=中間〕を取る／―に入って〔=仲裁者として〕丸く収める／―に立つ〔=仲介する〕」❷Ⓐ一続きの時間・空間。「休みの―も研究を続ける／私が生きている―〔=限り〕はそんな事はしないでほしい／昔尾張美濃の―〔=地方一帯〕を流浪していたころ」Ⓑ仲間うちとしての人間関係。「夫婦の―には三人の子がある／遠慮の無い―〔=仲〕／われわれの―〔=仲間同士〕の問題／生徒の―〔=大多数〕で人気がある／数学者の―〔=社会〕では常識となっている」 **―がら**⓪【―柄】❶血族・親類などの関係。「親子の―」❷〔交際などで生じる〕人間関係。「麗しい師弟の―」 **―ぐい**⓪【―食(い)】「かんしょく」の和語的表現。

アイターン③【Iターン】―する（自サ）〔和製英語 ←I＋turn〕もともと都市部に住んでいた人が、地方に移住し定職に就くこと。⇩ユーターン

あいたい⓪【相対】余人を交えず、一対一の関係で何かをすること。「―死⓪〔=江戸時代、情死の称〕／―ずく⓪〔=当事者同士の話合いで何かを取り決めること。また、その結果〕」

あいたい・する①-③【相対する】（自サ）両者が△向かい合う(対立する)。

あいたしゅぎ④【愛他主義】利他主義。

あいたずさ・える①-④【相携える】（自下一）何かを強力に進めるために、関係者が協力する。

あいちゃく⓪【愛着】―する（自サ）〔「あいぢゃく」の変化〕今まで慣れ親しんだものを捨て去りがたく思う心。「古い町名に―を感じる／―を覚える」

あいちょう⓪【哀調】物悲しい調子。「―を帯びた歌声」

あいちょう⓪【愛鳥】❶野鳥を大切に保護しようとする△こと(気持)。「―週間⑤〔=五月十日からの一週間〕」❷その人が大事に飼っている小鳥。

あいつ⓪【《彼《奴】（代）〔「彼奴⓪②」の変化〕「あの人・あれ」の意の、ぞんざいな言い方。〔憎悪・侮蔑などの気持を込めた場合にも、親しみの気持を込めた場合にも使われる〕「今度ばかりは―にいいようにしてやられた／―〔=ⓐあの人。ⓑあの事〕が気になる」⇩そいつ・こいつ・どいつ：こそあど

あいつ・ぐ（自五）❶①【相次ぐ】同じような好ましくないことが引き続いて起こる。「△抗議(故障)が―／強豪相次いで敗れる」❷①-⓪【相継ぐ】「引き継ぐ」の改まった表現。

あいづち⓪③【相《槌・相《鎚】刀を鍛える時などに、打ち合わせる槌。「―を打つ〔=人の話に調子を合わせたりうなずいたりする〕」

＊＊**あいて**③【相手】❶自分と△一緒(組)になって何かをする人。「結婚の―／ダンスの―をする／相談―⑤・遊び―④」❷自分と相対して争う人。「―にしない〔=とりあわない〕／―にされない／―の立場を尊重する／―が悪い／けんか―」 **―かた**⓪【―方】△事件に関係する(行為を向ける)、相手の人。 **―こく**③【―国】貿易や外交の対象としての外国。 **―ど・る**④【―取る】（他五）その人や組織などを相手と△する(して争う)。〔狭義では、訴訟の相手として訴えることを指す。例、「△国(県)を―」〕

＊**アイデア**③①〔idea=考え・理念・観念〕何かを実現するための方法や手段として、こうしたらよいのではと思い巡らせた考え。アイディアとも。「いい―〔=思いつき〕だ／―マン④」

アイティー③【IT】〔←information technology=情報技術〕コンピューターを用いて情報を処理したり他のコンピューターと通信したりする技術。「―産業⑤」

アイディーカード⑤【IDカード】〔ID card ID=identity, identification の略〕身分証明書。

あいでし⓪【相弟子】同じ師匠・先生に就いて、一緒に△学ぶ(学んだことのある)弟子。〔狭義では、同格の弟子を指す〕⇩同門

アイテム①〔item=(個々の)項目〕❶(衣料品などの)

＊＊ ＊は重要語，⓪①… はアクセント記号，品詞の指示の無いものは名詞および いわゆる連語。

個々の品目。「ファッション—[5]」❷〔コンピューターゲームなどで〕ストーリーの中に出てくる武器や道具など。

あいてら・す[1]-[2]【相照(ら)す】(他五) ⇩肝胆

アイデンティティー[3]〔identity=自己同一性〕自分という存在の独自性についての自覚。

あいとう[0]【哀悼】—する(他サ) 人の死を心から悲しんだり惜しんだりすること。「—の意を△表する(ささげる)」

あいどく[0]【愛読】—する(他サ)〔その書物や新聞などを〕好きで△よく(いつも)読むこと。「—者[3]・—書[5][0]」

あいともな・う[1]-[3]【相伴(な)う】(自五) ❶だれかを一緒に連れる。❷両立しがたいものが共に備わる。「名実—」

アイドリング[0][1]—する(他サ)〔idling〕△機械を作動させ(エンジンを低速で回転し)て、動力を伝えること無く、空回りさせること。 **—ストップ**[8]〔和製英語 ←idling + stop〕(自動車で)二酸化炭素排出の削減などのために、駐停車の間エンジンを完全に停止させること。

アイドル[1]〔idol=偶像〕 限り無き△崇拝(憧れ・寵愛)の対象となるもの。「—歌手」

あいなかば・する[1]-[0]、[1]-[3]、[1]-[2]【相半(ば)する】(自サ)〔対照的な関係にある物事の度合が〕ほぼ同じである。「△功罪(収支)—」

あいなめ[0] からだは細長く、緑を帯びた茶色の近海魚。長さは三〇センチくらいで、食用。「あぶらめ」とも。〔アイナメ科〕 表記「△鮎《並・△鮎《魚女」と書く。 かぞえ方 一尾・一匹

あいな・る[1]-[1]【相成る】(自五) 「成る」の改まった言い方。「お世話に相成りました」

あいなるべくは[1]-[3]、[1]-[4]、[5]【相成るべくは】「出来ることなら」の改まった言い方。

***あいにく**[0]【《生憎》】(副)—な—の 〔「あやにく[0][3]」の変化〕肝腎なところで物事の進行・成就を妨げるような事態が起こってしまう様子。「—な(=都合の悪い)事に みな留守だった/—(と)病気で行かれない/お—さまですがただ今品切れです」 運用 「おあいにくさま[0]」の形で、相手の期待がはずれたことを皮肉るのにも用いられる。例、「おあいにくさま、そうは、思い通りにはなりませんよ」

アイヌ[1]〔アイヌ Ainu=人間〕 東北地方以北を中心に居住した、日本列島の先住民族。現在は、おもに北海道に住む。〔昔、「えみし」「えぞ」と呼ばれたのは、このアイヌ民族を指すという〕「—コタン[4](=アイヌ村)」

あいのこ[0]【《間の子》】〔侮蔑の意を含意することもある〕❶「混血児」の俗称。〔雑種の意〕❷異なる種との交配によって生じた動物。「イノブタはイノシシとブタの—だ」❸種類・性質の異なる二つの物を組み合わせて一体化させたもの。「—弁当[5](=明治末から大正期に、米飯にフライ・カツなどを添えた弁当)」 表記「合の子」とも書く。

あいのて[3][4]【合の手】❶〔邦楽で〕唄と唄との間に入れる、三味線だけの短い演奏。❷歌や踊りの間に△入れる(入る)掛け声や手拍子。❸当事者間の会話などに横から△入れる(入る)賛同を示す言葉。「—を入れる」 表記「《間の手・相の手」とも書く。

あいのり[0]【相乗(り)】—する(自サ) ❶〔見知らぬ者同士が〕同じタクシーなどに乗ること。❷共同でチャンスを利用すること。「—番組[5](=複数のスポンサーによる番組)・—候補[5](=選挙で 複数の政党が支持する候補者)」

あいば[1]【愛馬】❶自分がいつも乗る、大切にしている馬。❷馬をかわいがること。「—精神[4]」

あいはん[0]【合判】❶合印。❷連帯して責任を持つしるしに押す印。 表記「相判」とも書く。

あいばん[0]【相判】 普通のノートの大きさで、週刊誌よりー回り小さいサイズの、紙の寸法。縦約二一センチ、横約一五センチ。〔写真乾板では、縦一三センチ弱、横一〇センチ強のものを指す〕 表記「《間判・合判」とも書く。

アイバンク[3]〔eye bank=目の銀行〕 死後、自分の角膜を移植希望者に提供する制度。また、角膜の提供者の登録、移植の仲介などを行なう機関。

あいはん・する[1]-[3]、[1]-[1]【相反する】(自サ) 比較する両者の間に、対照的な関係が認められる。相反す[1]-[1](五)。「利害の—国家」

アイビー[1][3]〔ivy〕 観葉植物の一つ。ツタの栽培種で、常緑。〔ウコギ科〕 かぞえ方 一株・一本 **—リーグ**[5]〔Ivy League〕 米国東部の八つの名門私立大学。また、そのスポーツリーグの名。 **—ルック**[5]〔和製英語 ←ivy + look〕 アイビーリーグに属する大学生に流行した服装。

アイピー[3]【IP】〔←internet protocol〕 コンピューターネットワークにおける、通信規約(=プロトコル)の一つ。ネットワークに接続する個々のコンピューターにアドレスを割り振り、データ転送における伝送経路の確定方法を定めている。 **—アドレス**[5][7]〔IP address〕 インターネットでデータを送受信する際、発信元と宛先を特定するのに用いられる番号。 **—でんわ**[5]【—電話】 インターネットを利用した電話。音声を圧縮したデジタル信号に変え、ブロードバンド回線を通してやりとりするもの。

アイピーエス さいぼう[7]【iPS細胞】〔← induced pluripotent stem cells〕 人工的に合成した細胞。受精卵や胚ではなく、体細胞に遺伝子を導入し、生体のさまざまな組織に分化する能力をもたせたもの。「誘導多能性幹細胞・人工多能性幹細胞」とも。

あいびき[0]【合〈挽(き)】 牛肉と豚肉を、交ぜてひいたもの。

あいびき[0]【〈逢(い)引(き)】—する(自サ) 恋し合う二人が人目を忍んで会うこと。 表記「〈媾曳〉」とも書く。

あいひとし・い[1]-[3]【相等しい】(形) 双方を比べたとき、長さ・形・大きさなどが互いに全く同じだ。

あいびょう[0]【愛猫】(ペットとして)かわいがっている猫。また、猫の性情を理解し、かわいがること。「—家[0]」

あいふ[0]【合(い)符】 昔、駅で手荷物を預かったしるしに渡した札。 かぞえ方 一枚

あいぶ[1]【愛〈撫】—する(他サ) ❶常に自分のそばに置いてかわいがること。❷愛情の表現として、なでたりさすったりすること。

あいふく[0]【《間服】 春・秋に着る洋服。あいぎ。⇩冬服・夏服 表記「合服」とも書く。 かぞえ方 一着

あいふだ[0]【合(い)札】 品物を預かったしるしに渡す△札(半券)。〔もとは、割符を使った〕 かぞえ方 一枚

あいべつりく[5]【愛別離苦】〔仏教で〕八苦の一つ。愛する人と別れわかれになる苦しみ。 表記 俗に、「哀別離苦」とも書く。

あいべや[0]【相《部屋】〔宿屋などで〕見知らぬ者同士が同じ部屋に寝泊まりすること。 表記 ⇩付表「部屋」

あいぼ[1]【愛慕】—する(他サ) 特定の相手に対して深く心を寄せ、できることなら いつもそば近くにいたいと思うこと。

あいぼう[0][3]【相棒】〔「駕籠を一緒にかつぐ相手」の意から〕上下の意識なく一緒に仕事をする仲間。

あいぼし[0]【相星】〔すもうで〕対戦する両者の、その場所での勝敗の数が全く同じである状態。「五勝三敗の—」

アイボリー[1]〔ivory=象牙〕 象牙色(の厚い西洋紙)。

あいま[0][3]【合間】 次の事が△行なわれる(起こる)までの、短い時間。「仕事の—/梅雨の—」

【 】の中の教科書体は学習用の漢字，〈 は常用漢字外の漢字，《 は常用漢字の音訓以外のよみ。

*あいまい⓪【曖昧】ーな ーに（「曖」も「味」も暗い意）❶言動や態度などに不明確な点があり、的確に判断しがたい様子だ。〔自分の有利な立場を失いたくない、また、責任を取らされることを避けたいなどの理由で意図的に自分の意志を明確に表示しないことを表わす場合に言うこともある〕「ーな表現／思惑があってーな態度を取る／ーに返事をしておいた／ー模糊⑤」↔明確・明瞭 ❷隣接するものとの境界に明確さを欠く様子だ。「記憶がーだ／ーな判定規準」❸〔明治・大正期の用語〕風紀上、いかがわしい点が認められる状態。「ー屋⓪・ー宿⑤」派ーさ⓪

あいま・つ①-①【相〈俟つ】（自五）〔「俟つ」は期待する意〕二つ以上の事が重なって働く。「両々相俟って〔=二つの要素が重なって、プラスと成り〕」

あいみたがい①-⓪【相身互（い）】同じ困った境遇にある人同士が互いに同情し、助け合うこと。「武士はー」表記 俗に、「相見互い」とも書く。

あい・みる①-①【相見る】（自上一）「会見する・見合う」の改まった表現。「ー両雄」

アイモ①〔Eyemo=商標名〕手さげの三五ミリ撮影機。ニュース映画用。かぞえ方 一台

あいもかわらぬ①-⓪【相も変（わ）らぬ】相変わらず以前と同じままの（好ましくない）状態である。「ー愚痴の繰返し」

あいもち⓪-ー【相持（ち）】❶代わりあって（一緒に）荷物などを持つこと。❷（費用などを）等分に負担すること。

あいやど⓪-ー【相宿】〔見知らぬ者同士が〕同じ宿（部屋）に泊まり合わせること。

あいよう⓪【愛用】ーする（他サ）（強い愛着があって）いつもそれを使うこと。「ー者③・ー品⓪・ー車③」

あいよく⓪【愛欲・愛〈慾】特定の相手に対する強い性愛の欲望。〔道徳的見地からの表現〕

あいよめ⓪-ー【相嫁】兄弟の妻（が互いに相手を呼ぶ称）。

アイライン③〔eye-line〕〔化粧で〕目を大きく見せるために、目のまわりをふちどった線。

あいらく⓪①【哀楽】悲しみと楽しみ。「喜怒ー」

あいらし・い④【愛らしい】（形）〔幼児や小さな動物の表情やちょっとしたしぐさ、可憐な草花などを見て〕いかにもかわいらしいという印象を受ける様子だ。「ー花」派ーさ③

アイリス①〔iris〕西洋種のアヤメ。花弁が少し細く、色彩に富む。生け花などによく使われる。〔アヤメ科〕かぞえ方 一株・一本

あいれん⓪【哀〈憐】「あわれみ」の意の漢語的表現。「ーの情」

あいれん⓪【愛〈憐】弱い立場の者に思いやりの気持をいだき、できるかぎりのことをしてやろうと思うこと。

あいろ⓪【〈文色】〔雅〕（「あやいろ」の変化）模様。「物のー〔=区別〕も見え分かず〔=分からない〕」

あいろ①【〈隘路】❶狭く（て、けわし）い道。❷物事を順調に進める上で障害となることがら。「販売のー／ーを切り開く」

アイロニー①〔irony〕〔文芸用語で〕表現技法として用いる、事実に反する言い方。イロニーとも。〔狭義では、皮肉・あてこすりなどを指す〕⇩反語

アイロニカル③ーな〔ironical〕「皮肉❶❷」を含んだ。

アイロン⓪〔iron=鉄〕❶衣服や布のしわを伸ばしたり折り目をつけたりするために、加熱して用いる器具。〔普通は、電気アイロンを指す〕「ズボンにーをかける／スチームー⑤」❷髪の毛の癖を直したり形を整えたりするために使うこて（をかけること）。かぞえ方 ❶は一台

あいわ⓪①【哀話】あわれな（身の上）話。

**あ・う【合う】㊀①（自五）❶〈なに・だれトー〉接近して一体化したり 両者の間に食い違いが認められなかったりする。「どこまで行ってもーことの無い二つの線／帳尻がー／二人の証言は合っている／つじつまがー／ぴたりと（阿吽の）呼吸がー／意見（そり）が合わない／話（性・馬）がー／落ちー」❷〈なにニー〉基準と比べてみて、矛盾・不一致・不都合が無い状態だ。「趣味（体質）にー／基準（実情・実態）に合わない／時計が合っていない〔=正しくない〕／今度の靴はよく足にー〔=ぴったりで、具合の悪い所が少しも無い〕／ピントがー／間にー〔=⇩間に合う〕」❸〈なにニー〉二つの物を組み合わせてみて、違和感が無く見られる様子だ。「服にーネクタイ／壁紙によくーカーテン」❹〈なにニー〉それだけ労力（元手）をかけても、ある程度の利益が見込まれる状態だ。「百円では合わない〔=損だ〕／採算がー／割に合わない」㊁〔「動詞連用形＋ー」の形で、接尾語的に〕同じ動作を、向こうもし こちらもする。「愛しー④・ほめー③・殴りー④」

**あ・う①【会う】（自五）❶〈だれトー／だれニー〉ある場所を決めて（で偶然に）人と一緒になり、互いに相手を認めたり話をしたり などする。「いつもの場所でー」❷〈なにニー〉（偶然に）好ましくない事態を経験する。「夕立（交通事故・こわい目・火災・伏兵・袋だたき・反対・抵抗）にー」名 会い①「短いーの ひととき」表記 ❶は「逢う」、❷は「遭う・遇う」とも書く。

アウェー②〔away〕〔サッカーなどで〕相手チームの本拠地。アウエー③・アウェイとも。「ーでのゲーム」

アウター⓪①〔←outerwear〕アウターウエアの略。↔インナー

ーウエア⑥〔outerwear〕コート・セーター・カーディガンなどの（外出用の）上着類。アウト ウエアとも。略してアウター。↔インナーウエア

アウタルキー③〔ド Autarkie〕自給自足。

アウト〔out〕㊀① ❶〔テニスなどで〕ボールをその範囲内に打つように規定している境界線の外側。また、そこにボールが出ること。↔イン ❷〔野球で〕その回の打者・走者としての資格を失うこと。（表示板では）オー「O」で表示される。〔俗にアウツとも言い、広義では失格・失敗・だめの意にも用いられる〕↔セーフ・フェア ❸〔ゴルフで〕コースの前半。↔イン ❹アウトボード エンジンの略。↔イン ㊁（造語）外。「ーポケット④⑤〔=上着の外側から布を当てて縫いつけたポケット〕」↔イン

アウトウエア⑤〔和製英語 ←out + wear〕⇩アウターウエア

アウトカーブ④〔outcurve〕〔野球で〕打者の反対側へ（落ちながら）曲がる投球。↔インカーブ

アウトコース④〔和製英語 ←out + course〕↔インコース ❶〔陸上競技やスケート競技で〕曲線になっているコースの外回りの走路。❷〔野球で〕本塁上の、打者から遠い方を通る、投球の道筋。

アウトコーナー④〔和製英語 ←out + corner〕〔野球で〕外角。↔イン コーナー

アウトサイダー④〔outsider〕↔インサイダー ❶局外者。〔自分たちがその社会の主流だと思っている人からみて、仲間に入ろうとしない、また、入れたくない人〕❷労働組合法の規定にはずれた組合。法外組合⑤⑥。❸〔経済で〕協定に加入しないもの。非加盟者（団体）。

アウトサイド④〔outside〕↔インサイド ❶外側。「ーキック⑦」❷〔テニスなどで〕打ち込む範囲を規定したラインの外側（にボールが落ちること）。

アウトシュート④〔outshoot〕〔野球で〕打者の反対側へ

** * は重要語, ⓪ ①… はアクセント記号, 品詞の指示の無いものは名詞および いわゆる連語。

反るように曲がる投球。↕インシュート

アウトソーシング④〔outsourcing〕外部委託。業務の一部や事務処理などを外部に発注すること。

アウトドア④〔outdoor〕建物の外。野外。「―スポーツ⑦」↕インドア

アウトドロップ⑤〔out drop〕〔野球で〕打者の反対側へ急に曲がり落ちる投球。略してアウドロ⓪。↕インドロップ

アウトバーン④〔ド Autobahn=自動車専用道路〕ドイツの高速道路。〔速度無制限区間がある〕

アウトバウンド④〔outbound=内側から外側へ〕海外への旅行・旅客や商品販売、データ送信・発信など。↕インバウンド

アウトプット④〔output〕㊀↕インプット ❶―する(他サ)〔コンピューターなど、電気製品の〕出力。❷企業の売り出す資材。産出。㊁音楽プレーヤーや録音機を拡声器につなぐ装置。

アウトブレーク⑤〔outbreak〕〔医学で〕悪疫や感染症の突発的な発生。アウトブレイクとも。「観光立国と感染症の―は表裏一体である」

アウトボード エンジン⑦〔outboard engine〕モーターボートなどのエンジンが、船体の外側に付いているもの。船外機。略してアウト。↕インボード エンジン

アウトライン④〔outline=輪郭〕事柄の大体の内容。

アウトリーチ④〔outreach=手を伸ばす〕❶介護や援助の必要な人への訪問支援。❷〔芸術や研究分野で〕普及のために、人を呼び集める場を設けて興味・関心を広げるために行なう活動。

アウトロー④③〔outlaw〕無法(者)。

アウフヘーベン④―する(他サ)〔ド aufheben〕止揚。

あうん⓪【〈阿吽〉・〈阿呍〉】出す息と吸う息。「―の呼吸が合う〔=すもうの仕切りなどで、双方の立ち上がろうとする気合が一致する〕」

あえか①―なる〔雅〕かよわく、美しい。

あえ・ぐ②【〈喘ぐ〉】(自五) ❶苦しそうに息を切らしながら呼吸する。「喘ぎ喘ぎ進む」❷困難な状態にあって苦しむ。「△重荷(物価高・貧困・不振)に―」

あえず【《敢(え)ず》】〔「動詞連用形＋(も)＋―」の形で、接尾語的に〕十分にはそうすることが出来ない(で)。「取るものも取り―/涙せき―〔=涙をこらえきれないで〕/言いも―〔=言い終わらないうちに〕」

あえて①【《敢(え)て》】(副) 自分の置かれた立場や状況から見て、損失や危険を伴うことを承知の上で、成功した際の効果を期待して、思い切ってその事を実行する様子。「反対意見を押し切って、―決行した/―言わせてもらえば、君は辞任した方がいい/人権問題にかかわること故、―再考を求める/そんなぜいたくな物は―〔=無理してまでも〕食べたいとは思わない」

あえな・い③②【《敢(え)無い》】(形) 予測に反したもろい結末を迎える様子だ。「―最期を遂げる/敢え無くも敗れた」文法 助動詞「そうだ(様態)」に続くときは「あえなさそうだ」の形になる。また「すぎる」と結びついて複合動詞をつくるときは「あえなさすぎる」の形になる。

あえもの②③⓪【《和(え)物》】酢・みそなどで和えた食品。表記「〈韲物」とも書く。

あ・える②【《和える》】(他下一) 生の野菜・魚・貝などに、みそ・酢・ごま・豆腐などを交ぜ合わせて味をつける。名 和え②「酢みそ―⓪」表記「〈韲える」とも書く。

あえん⓪①【亜鉛】❶金属元素の一つ〔記号 Zn 原子番号30〕。青白い色で、展性があって、トタン板・電極などに用いる。❷トタン。「―ぶきの屋根」 **―か**⓪【―華】亜鉛を酸化させて作る白い粉〔=酸化亜鉛④〕。顔料・医薬用。〔化学式 ZnO〕「―軟膏⑤」⇩チンク油

***あお**【青】㊀① ❶よく澄んだ空の色に代表される色。〔濃い「青」は三原色の一つ。植物学では、花の色の二大区分として赤と対比させる〕「秋晴れの―一色の空/海の―に白いカモメ」❷草木の新芽や若葉の明るい薄緑色。「―葉・―物」❸〔馬の〕つやのある黒い毛色。また、その馬。⇩青馬・青毛 ㊁(造語) 年が若くて、経験が不足していることを表わす。「―二才」

あおあお③【青々】(副)―と ―する まさに青一色であるという感じを与える様子。「―と茂った草」

あおあざ⓪【青〈痣】皮膚の一部に出来る青(黒)い痣。〔黒い色素の増殖や打身による内出血が原因〕「けんかばかりして―が絶えない〔=よくけがをする〕」⇩あかあざ

あおあらし③【青嵐】〔短歌・俳句などで〕初夏、青葉のころに吹く、さわやかな風。

****あお・い**②【青い】(形)↕赤い ❶青の色が認められる状態だ。「―秋の空/―目〔=西洋人〕の見た日本」❷顔色が青ざめた様子だ。「―顔をしている」❸〔実などが〕まだ熟さない状態だ。「―ミカン」派―さ① 表記❶は「〈碧い」、❷は「〈蒼い」とも書く。 **―とり**②【―鳥】幸福の象徴とされる(想像上の)鳥。〔メーテルリンクの童話劇から〕

あおい⓪【〈葵】❶アオイ科に属する、タチアオイ・モミジアオイなどの植物の総称。多く、園芸種として栽培される。〔広義では、他の科に属するテンジクアオイ・フタバアオイなどアオイの名のつく植物をも指す〕❷紋所の名。〔狭義では、ミツバアオイにかたどった、徳川氏の紋所を指す〕かぞえ方❶は一株・一本 **―まつり**④【―祭】京都の賀茂神社の祭り。「賀茂祭③」の通称。〔昔は四月の中の酉の日に行なったが、今は五月十五日〕

あおいき⓪【青息】苦しんだり悩んだりしてつくため息。 **―といき**⑤、⓪-⓪【―吐息】困難を乗りこえたり心配事を解消したりすることが出来そうもなく、苦しみ悩む様子。

あおいろ⓪【青色】青い色。 **―しんこく**⑤【―申告】〔事業所得者が青色の申告用紙で行なう〕所得税・法人税の申告方式。税額算定の基礎として、所定の帳簿への記帳を条件として、専従者控除や損金算入などが認められる。

あおうなばら④③【青《海原》】〔雅〕無限とも思えるほどの広大な海。表記⇩付表「海原」

あおうま⓪ ㊀【青馬】つやのある黒い毛色の馬。略して「あお」。㊁【《白馬》】〔雅〕白い毛色の馬。「―の節会」

あおうみがめ④③【青海亀】暖かい海にすむ大亀。四足はひれ状。背中の甲は、べっこうの代用。正覚坊。かぞえ方 一匹

あおうめ②⓪【青梅】未熟で青いウメの実。

あおえんどう③【青〈豌豆】グリーンピース。

あおがい②⓪【青貝】❶真珠のような光沢を持つ貝。❷アワビの貝の裏を磨いたもの。ボタンなどに使う。螺鈿用。かぞえ方❶❷とも一枚

あおがえる③【青〈蛙】アマガエルに似た大形で背中は一面緑色のカエルの総称。〔アオガエル科〕〔広義では、トノサマガエル・アマガエルなど、緑色のカエルを指す〕かぞえ方 一匹

あおかび⓪【青〈黴】もち・のりなどに生える緑色のカビ。このうちの一種はペニシリンの原料。

あおがり⓪【青刈(り)】〔家畜の飼料や緑肥とするため

に〕実が熟さないうちに刈り取ること。「―大豆[5]」

あおき[0] アヲ【青木】 山野に自生し、また庭木とする常緑低木。春に紫がかった緑色・小粒の花を開く。雌雄異株。幹は緑色。〔ガリア科(旧ミズキ科)〕 かぞえ方 一株・一本

あおぎなこ[3] アヲ【青《黄粉》】 薄緑色の上等なきなこ。青大豆を煎ってひいたもの。かぞえ方 小売の単位は一袋

あおぎ・みる[4] アフギ【仰(ぎ)見る】(他上一) ❶顔を上げて、上の方(のもの)を見る。「雪の富士を―」 ❷高い存在として、畏敬の念をもって見る。「―我が師」

あおぎり[0][2] アヲ【青〈桐〉】 庭木・街路樹に用いる落葉高木。葉はキリに似て、幹は緑色。〔アオイ科(旧アオギリ科)〕 表記 古来の用字は、「〈梧桐〉」。かぞえ方 一株・一本

*__あお・ぐ__[2] アフグ【仰ぐ】(他五) ❶〈なに・どこヲ―〉顔を上げて、上の方を見る。「天を仰ぎ、地に伏す」 ❷〈だれヲなんだト―〉自分の手本とすべき人として尊敬し、その生き方や考えを見習う。「…を指導者と―/師として―/武人の鑑と仰がれる」 ❸〈だれニなにヲ―〉△資格や権限を有する(信頼できる)人に頼んで、何かをしてもらう。「△裁可(支持・判断・批判)を―/寛大な処分を―/原料を外地に―(=外地から入手する)」 ❹〈だれヲなにニ―〉しかるべき人に頼んで、最高の地位に就いてもらう。「総裁に―」 【毒を―】⇩毒❶

あお・ぐ[2] アフグ【《扇ぐ》】(他五) 〔うちわ・扇などを動かして〕風をおこす。表記 「〈煽ぐ〉」とも書く。

あおくさ[0] アヲ【青草】 青あおとした草。

あおくさ・い[4] アヲ【青臭い】(形) ❶青菜や未熟なトマトなどを切ったときににおいがする感じだ。❷経験が乏しいなどして、いかにも未熟だという印象を与える様子だ。「―議論に閉口した」 派 ―さ[4]

あおげ[0] アヲ【青毛】 馬の毛色の名。青みを帯びた黒色。略して「あお」。

あおこ[0][3] アヲ【青粉】 ❶青のりを粉にしたもの。❷タカナの葉を粉にして、食品の色づけに使うもの。❸堀・池・金魚鉢などに発生し、水を緑色にする、微細な藍藻類や緑藻類の総称。〔増えすぎると有害となる〕

あおさ[0] アヲサ【〈石〈蓴〉〉】 緑藻類の海藻。浅い海の岩に付き、薄く、平たい。食用。「ちさのり[0][2]」とも。〔アオサ科〕

あおざかな[3] アヲ【青魚】 背中の青い魚。例、イワシ・サンマ・サバなど。「青背魚アオセザカナ[4]」とも。

あおざむらい[3] アヲザムラヒ【青侍】 〔官位の低い者、特に六位の侍が青色の袍を着ていたことから〕年が若くて、頼りがいのなさそうな侍。

あおざ・める[4] アヲ【青《褪める》】(自下一) 〔病気や恐怖心などのために〕血の気を失って、顔が青白くなる。「青ざめた顔」 表記 「〈蒼褪〉める」とも書く。

あおじ[0] ❶ ⇩せいじ(青磁) ❷ アヲヂ【青地】 織物などの地の青いもの。

あおしお[0] アヲシホ【青潮】 海底の有機物が腐敗して酸素をほとんど奪われた状態の水塊が、海面に上昇し、青白く見える現象。貧酸素水塊。⇩赤潮

あおじそ[0] アヲ【青紫〈蘇〉】 シソの一種。葉は緑色。夏から秋にかけて白い花をつける。香りが強く、刺身のつま、一夜漬などに使う。食品名は「おおば」。〔シソ科〕 かぞえ方 一本。葉は一枚

あおじゃしん[3] アヲ【青写真】 ❶青地に白く設計図・文字などを焼き付けた複写写真。「―を△描く(示す)」 ❷新規事業などについて立てたおおよその構想。「街の中心部の再開発はまだ―の段階だ」

あおじろ・い[4] アヲ【青白い・〈蒼白い〉】(形) ❶白色の中にかすかに青みを含んでいる様子だ。「月の―光」 ❷〔恐怖や病気などで〕青ざめた様子だ。「―顔」 派 ―さ[3]

あおしんごう[3] アヲ—ガウ【青信号】↕赤信号 ❶進行可能などを知らせる(青または緑色の)信号。❷危険があるなどして一時的に停止していたものの安全が確認されて、△着手(続行)可能な状態になること。また、その知らせ。「補修が終わり、工事再開の―が出た」

あおすじ[0] アヲスヂ【青筋】 皮膚の上から青く透いて見える静脈。「―を立てて怒る」 かぞえ方 一本

あおせん[0] アヲ【青線】 ❶青い色の線。❷〔↑青線地帯[5][6]〕赤線地帯の周辺にあって、営業許可を得ずに売春を行なっていた飲食店街。

あおぞら アヲ【青空】 ❶[3] 青く晴れた空。❷(造語) 戸外で行なうこと。「―教室[5]・―市場[5]・―駐車[5](=道路を車庫代りにする違法駐車)」

あおた[0] アヲ【青田】 稲の青あおしている田。〔十分に実らない田の意にも用いられる〕 **―がい**[0] ガヒ【―買(い)】 ❶稲のとりいれ前に、収穫高を見越して前もって(安く)買うこと。〔戦前、米穀商などが、金に困った米作農家を相手に行なった〕 ❷〔俗に〕最終学年に△なって間も無い(いたる前の)学生と入社契約を結ぶこと。〔誤って、「青田刈り[0]」とも言う〕

あおだいしょう[3] アヲ—シヤウ【青大将】 ヘビの一種。からだは緑色を帯び、長さ二メートル近くなる。無毒。かぞえ方 一匹

あおだけ[0][2] アヲ【青竹】 幹の(まだ)青い竹。

あおだたみ[3] アヲ【青畳】 新しくて表が青みを帯びた畳。

あおだち[0] アヲ【青立(ち)】 〔成熟の時期が来ているのに〕天候不良などのために、稲が未熟のままであること。また、その稲。

あおっぱな[0][4] アヲ【青っ〈洟〉】 子供などが垂らす、青い鼻汁。

あおてんじょう[3] アヲ—ジヤウ【青天井】 ❶青空を天井に見立てて言う言葉。野天。❷株式相場などで、際限なく、値上がりを続けること。「青空」とも。「株価は―」

あおどうしん[3] アヲダウ—【青道心】 仏門に入り、僧になったばかりで、十分に修行を積んでいない人。

あおな[0][1][2] アヲ【青菜】 コマツナ・ホウレンソウ・白菜など、葉の部分を食べる野菜。 【―に塩】 元気が無く、しおれている様子の形容。

あおにさい[3] アヲ【青二才】 〔「二才」は、二歳魚の意〕成人に△達する(達した)年ごろなのに、社会的な経験の乏しい男。〔接する人に生意気だという印象を与える者に対して用いる〕 運用 自分に関しては、未熟者と謙遜して言う。例、「私のような青二才が」

あおの・く[3] アフ【《仰のく》】(自五) 「あおむく」の変化。他動 仰のける[4](下一)

あおのり[2][0] アヲ【青〈海〈苔〉〉】 緑藻類の海藻。浅い海の岩などに付き、筒状で細長い。干して食用とする。かおりがよい。〔アオサ科〕 かぞえ方 小売の単位は一瓶・一袋

あおば[1] アヲ【青葉】 (初夏の)緑色の(若)葉。

あおばえ[0][2] アヲバヘ【青〈蠅・〈蒼蠅〉〉】 青黒い、大形のハエの俗称。〔人にしつこくつきまとう者のたとえにも用いられる〕 かぞえ方 一匹

あおびかり[3][0] アヲ【青光(り)】―する(自サ) 青緑色△の光(に光ること)。

あおひとぐさ[4] アヲ【青人草】 〔雅〕国民。〔人がふえるのを草の生長にたとえた語〕

あおびょうたん[3] アヲベウ—【青〈瓢簞〉】 未熟で青いヒョウタン。〔俗に、顔が長く、やせて顔色の悪い人の意。軽い侮蔑

** *は重要語，[0] [1]… はアクセント記号，品詞の指示の無いものは名詞および いわゆる連語。

ベツを含意して用いられる〕

あおぶくれ[0]【青膨れ】—する（自サ） 顔色が悪くて、むくんだように見える△こと（人）。〔表記〕「青〈脹れ〉」とも書く。

あおぶさ[0]【青房】〔すもうで〕土俵の上方から吊ッり下げた屋根の北東部から垂らした青い房。もと「青柱[3]」のあった位置。⇩赤房・白房・黒房 〔かぞえ方〕一本

あおまめ[0][2]【青豆】❶緑色で大粒のダイズ。「青大豆[3]」とも。❷グリーンピース。青えんどう。❸枝豆。〔かぞえ方〕❶の小売の単位は一袋

あおみ[0][3] ㊀【青み・青味】❶青いと感じられる△状態（度合）。「—を帯びる」❷青い色。❸青くさい△こと（味やにおい）。㊁【青み・青味】〔料理で〕吸い物などに入れる、緑色の野菜。㊂【青身】サバ・イワシなど、青魚の身。⇩白身・赤身 〔表記〕「味」は、借字。

あおみどり[3]【青緑】❶緑色がかった青色。❷⇩あおみどろ

あおみどろ[3]【青《緑・〈水綿〉・青味泥】 緑藻類の水草。トロロコンブを溶かしたような状態で緑色。水田・池・沼など淡水に生じる。「あおみどり」とも。〔ホシミドロ科〕

あお・む[2]【青む】（自五） 青い色になる。「青み渡る」

あおむ・く[3][0]【《仰向く】（自五）（首を後方に傾けて）上を向く。↕うつむく 〔名〕仰向き[0]「—加減」

あおむけ[0]【《仰向（け）】〔人が〕顔や横たえたからだを上に向けた状態。「—に横たわる」↕うつむけ 〔動〕仰向ける[4][0]（他下一）

あおむし[2]【青虫】チョウ・ガの幼虫の中で、長い毛やとげが無いものの俗称。比較的小形。〔かぞえ方〕一匹

あおもの[2]【青物】❶野菜類の総称。「—市場[5]」❷青魚。

あおやか[2]【青やか】—な・—に 青い色が鮮やかに感じられる様子だ。

あおやき[0]【青焼（き）】「青写真」の俗称。

あおやぎ[0]【青《柳】❶青あおと茂ったヤナギ。❷バカガイ（のむき身）。すしなどに使う。

あおり[3]【〈障泥〉】馬具の名。鐙アブミと馬のわき腹との間に下げる、泥よけの△皮（毛皮）。〔表記〕古来の用字は「〈障泥〉・〈泥障〉」。〔かぞえ方〕一枚

あおり[3][0] ㊀【〈煽（り）】❶あおること。「風の—が蒸し暑い/世界的な穀物不足の—を〔=影響をまともに〕受ける」❷〔写真で〕〔レンズのゆがみを修正するために〕撮影・焼付けの時に、フィルムや印画紙の面を△上下（左右）に少し曲げて、フィルムに映った像を変化させること。〔転じて、特殊効果をねらい、被写体をゆがんだ状態に写すことをも指す〕

【—を食う】❶強風や、通過列車などで引き起こされた風圧をまともに受けるなどして、転んだり倒れたりする。❷激しい変動の影響を受けて、好ましくない事態を招く。〔表記〕「〈煽りを〈喰う」とも書く。

㊁（造語） 動詞「煽る」の連用形。「—行為[4]・—どめ[0]」

—うんてん[4]【—運転】 道路を走行する自動車や自動二輪車などに対し、後方から高速で迫り、異常接近したり前方に急に割り込んだり、また、パッシングしたりするなどして、相手を威嚇し恐怖を与えて、重大な事故を引き起こしかねない悪質・危険な行為。

—た・てる[5]【—立てる】（他下一） 勢いがつくように、さかんに力を加える。また、そそのかすなどして、さかんに働かせる。「△不信感（反目）を—」

あお・る[2]【〈煽る】㊀（他五）❶風を起こして、火の勢いを強める。「火を—」❷強い風が吹いて、物を上下左右などに激しく揺り動かす。「強風に煽られる」❸〔馬をむち打ったり 前を行く車に迫ったりして〕早く進むように強制する。無理に急がせる。❹そのかすなどの手段によって、そのような気持を起こさせ、ある状態が生じるように仕向ける。「△民衆（競争心・景気・危機感・世論）を—」❺〔相場を自分に有利になるように操作する手段として〕一度に大量の買い付けをする。❻〔酒などを〕〔あおむいて〕一気に飲む。❼〔カメラを〕広角レンズで、下から上に向けて写す。〔表記〕❻は普通、「〈呷る」と書く。㊁（自五） 風を受けて揺れ動く。「風で戸があおっている」〔⇩煽り㊁〕

あか ㊀[1][2]【〈閼伽〉】〔梵ボン語で、もと仏に供える器の意〕△仏（お墓）に供える水。「—桶オケ[0][3]・—棚[0]・—井[0]」㊁[2]【〈淦】舟の底にたまった（汚ない）水。〔㊁は、㊀に基づく忌み言葉とも、垢アカの意とも言う〕

*__あか__[1]【赤】❶人間の血や、燃える火に代表される明るい色。〔三原色の一つ。植物学では、花の色の二大区分として青と対比させる〕「—が似合う人/—鬼[0]・—御飯[3]〔=せきはん。あずき飯〕」❷紅色・桃色・濃いだいだい色・明るい茶色など、「赤❶」に近いと感じられる色。「—犬[0]・—花[0]・—毛」❸停止・危険を知らせる信号の色。「—信号」❹校正・簿記などに用いる赤色の字。「ゲラ刷りに—を入れる」❺〔赤い色を旗印にしたことから〕共産主義（者）。「かってはマルクスの『資本論』を持っているだけで—と言われた」❻〔多く接頭語的に〕それ以外の何物でもないことを表わす。「—〔=全く〕の他人/—恥・—裸」〔かぞえ方〕㊀は一桶ヒトオケ。㊁は一杯

*__あか__[2]【〈垢】❶洗ったり 拭フき清めたりしない皮膚に、汗・脂・ほこりが交じって出来る汚れ。「旅の—を流す/つめの—〔=ほんのわずか〕ほども分けてやらない/—付ック[3]〔=垢で汚れる〕」❷水あか。〔表記〕❷は、「〈淦」とも書く。

あか[1]【《銅】「赤金アカガネ〔=銅〕」の略。「—のなべ」

あかあか[3]【赤々】（副）—と まさに赤一色だという印象を与える様子。「—と燃える炭火」

あかあか[3]【明々】（副）—と 光の明るさがきわだって感じられる様子。「—と灯ヒをともす」

あかあざ[0]【赤〈痣】❶打身のために皮膚の下に血がにじんで出来る、赤い痣。❷血管がはれて、皮膚が赤い痣のようになるもの。〔医学的には「血管腫ユシ[3]」を指す〕⇩あおあざ

あか・い[0][2]【赤い】（形） 赤の色が認められる状態だ。「—夕日が沈む/恥ずかしくて顔が赤くなる」↕青い 〔派〕—さ[0] 〔表記〕「《紅い」とも書く。

—はね[0]-[0]【—羽根】 共同募金に協力したしるしとして渡される、赤く染めた鳥の羽根。〔かぞえ方〕一本

あかいわし[3]【赤〈鰯】〔イワシを塩漬けにすると赤みを帯びるので〕塩漬けのイワシ。〔赤くさびた刀や病的に赤い目の意にも用いられる〕

アカウンタビリティー[6]〔accountability=責任ある〕 社会の了解や合意を取りつけるために、行政機関や企業が情報公開をする責任。説明責任。

アカウント[0][2]〔account〕❶銀行預金口座。〔簿記での〕勘定。❷コンピューターやネットワークシステムを利用するための固有のＩＤナンバーやその権利。ユーザーの識別や、個別の情報の管理のために用いられる。

あかえい[2][0]【赤〈鱏・赤〈鱝】 四国などの海にすむ菱ヒシ形の魚。背中は薄黄色で、腹は白色。食用。〔アカエイ科〕〔かぞえ方〕一尾・一匹

あかがい[2]【赤貝】 海でとれる二枚貝の一種。貝殻は心臓形、肉は赤くて美味。〔フネガイ科〕〔かぞえ方〕一枚

あかがえる[3]【赤〈蛙】 背中は赤茶色で、斑点ハンテンのあるカエルの総称。〔アカガエル科〕〔かぞえ方〕一匹

あかがし[0][2]【赤〈樫】 高さ一〇メートルに達する常緑高木。木材は赤色で、堅くて用途が広い。〔ブナ科〕〔かぞえ方〕

一株・一本

あかがね[0]【《銅】〔「赤金(アカガネ)」の意〕「銅(ドウ)」の和語的表現。略して「あか」。「—色[0]」

あかかぶ[0]【赤〈蕪】根の表皮(から内部まで)が赤紫色をしたカブ。漬物・酢の物・サラダなどに用いる。

あかがみ[0]【赤紙】赤色の紙。〔差押えの封印証書やかつての軍隊の召集令状の俗称〕 かぞえ方 一枚

あかぎ[0]【赤木】❶皮をはいだままの材木。↔黒木 ❷赤い色の木材。カリン・シタン・ウメなど。

あがき[3]【《足〈掻ⓚ】〔動詞「あがく」の連用形の名詞用法〕△足掻く(足掻こうとする)こと。「—が取れない〔=ⓐ動こうとしても、自由に動けない。ⓑ打つ手が無くどうしようもない〕/最後の—を試みる/悪(ワル)—」

あかぎれ[0]【〈皹・〈皸】〔赤く腫(ハ)れて切れる意〕〔寒さや労働のため〕冬、寒風にさらされたり 冷水に浸されたりして、手足の皮膚に出来る、ひどい ひび。

あが・く[2]【《足〈掻く】(自五) ❶〔馬などが前に進もうとして〕前足で地面をかく。❷〔押さえられたり 縛られたりした人などが〕自由になろうとして、やたらにからだ(の部分)を動かす。〔「局面を打開しようとして、むだな努力をする」意にも用いられる〕

あかげ[0]【赤毛】❶赤みを帯びた△毛(毛髪)。「—のアン」❷〔劇で〕西洋人を表わす、赤い毛のかつら。

あかゲット[3]【赤ゲット】赤い毛布(を羽織って東京見物をした、明治時代の いなか者)。〔西洋の習俗に慣れない洋行者をも指す。例、「(とんだ)—ぶりを発揮する」〕⇩ケット 表記「赤〔毛布〕」は、借字。

あかご[0]【赤子】〔皮膚が赤みを帯びていることから〕生まれて間(マ)も無い乳児。「—の手を△ひねる(ねじる)よう〔=ⓐ無力の者に暴力をふるう形容。ⓑさほど力を用いないで容易に出来る形容〕」 表記「赤《児」とも書く。

あかこうのう[3]【赤行〈嚢】(カウナウ)〔郵便局で〕書留などの重要な郵便物を搬送するのに用いた赤色の袋。〔今は「赤郵袋[3]」と言う〕 かぞえ方 一袋

あかざ[0]【〈藜】畑・荒れ地に自生する一年草。若葉は食用、茎はつえにする。〔ヒユ科(旧アカザ科)〕「—の羹(アツモノ)〔=粗末な食事〕」 かぞえ方 一本

あかざとう[3]【赤砂糖】(タウ) 十分に精製しないままの、赤茶色の砂糖。⇩黒砂糖・白砂糖

あかさび[0]【赤〈錆】鉄などに生じる、赤色の錆。「—色[0]」 動 赤さびる[4](自上一)

あかし[0]【《灯・明ⓚし】「ともしび・あかり」のやや古風な表現。「み—〔=灯明(トウミョウ)〕」

あかし[0]【《証ⓢ】❶証拠。証明。「福音(フクイン)の—をする/友情の—として」❷後ろ暗くないことの証明。「—を示す/身の—を立てる」

あかし[1]【明《石】〔↑あかしちぢみ[4]〕女性が夏に着る、ちぢみの絹織物。

あかじ[0]【赤地】(チ) ❶織物の地(ジ)の赤いもの。❷赤い地色。

***あかじ**[0]【赤字】❶収入よりも支出の方が多いこと。また、その数値を示す赤で書いた数字。「—になる/—を△出す(解消する・埋める)/—がふくらむ/—に悩む/—財政[4]」⇩黒字 ❷校正で誤りを直した字。〔赤色で記すところから〕 —**こうさい**[4]【—公債】国や地方公共団体が赤字を補うために発行する公債。〔前者を国債、後者を地方債という〕

アカシア[0]〔acacia〕❶熱帯産の常緑高木。ギンヨウアカシア〔=ミモザ〕・アラビアゴムノキなど、種類が多い。〔マメ科〕❷街路樹とするハリエンジュの俗称。「—の花の咲くころ」 かぞえ方 ❶❷とも一株・一本

あかしお[0]【赤潮】(シホ) 海面の一部が赤(に近い)色に見える現象。〔プランクトンの異常繁殖によって生じ、魚介類に大きな被害を与える〕⇩青潮

あかしくら・す[5][0]【明ⓚし暮ⓡす】(自他五) 同じような生活△様式(態度)で日びを過ごす。

あかじそ[0]【赤紫〈蘇】シソの一種。葉の色は赤紫。夏から秋にかけて赤紫色の花をつける。葉を梅干やショウガの色づけなどに使う。〔シソ科〕 かぞえ方 一本。葉は一枚

あかじ・みる[4]【〈垢染みる】(自上一) 衣服などに垢が染みて、不潔な感じになる。「垢じみたシャツ」

あかしんごう[3]【赤信号】(ガウ) ↔青信号 ❶交通上の危険や停止を示す、赤色の信号。❷危険や危機的状態の△しるし(知らせ)。「△会社存続(水不足)の—がつく」

あかしんぶん[3]【赤新聞】〔もと、薄赤色の用紙を使ったことから〕興味本位の暴露記事を主とする、低俗な新聞。

あか・す[0]【明ⓚす】(他五) ❶それまで隠していた事を相手に知らせる。「△名前(手の内)を—/秘密を—」❷相手の知らない自分に関することなどを、間違いなくそうだと説明する。「身の潔白を—〔=証明する〕」❸通常とは異なる状況で(眠ることなく)夜を過ごして、朝を迎える。「△飲んで(友と語らって)夜(ヨ)を—/道に迷い、山中で一夜を明かした」 表記 ❸は、「《証す」とも書く。

あか・す[2]【飽ⓚす】(他五) 飽きさせる。「飽かせる[3](下一)」とも。「一時間は人を飽かさないでしゃべる」 【△金(かね)(時間・暇)に飽かして】普通の人にはそれだけの余裕が持てない△お金(時間・暇)をふんだんに使って。

あかず[2][0]【飽かず】(副) ❶「飽きることなく」の意のやや古風な表現。「—〔=じっと〕眺める」❷「(期待に反して)不満が残る様子」の意のやや古風な表現。「なお—思う」

あかずの[0]【開かずの】(連体) 閉ざされたままの。「—間(マ)〔=開いたことが無い部屋〕/—〔=一度遮断機が下りて閉まるとなかなか開かない〕踏切(フミキリ)」 表記「明かずの」とも書く。

あかせん[0]【赤線】❶赤い色の線。❷〔↑赤線地帯[5][6]〕営業許可を得た売春目的の特殊飲食店が集まっていた地域。一九五七年以降廃止された。

あかだし[0]【赤出ⓢ・赤〔出汁〕】赤みそを用いた関西風のみそ汁。〔魚のあら汁で赤みそを溶かし、魚肉を入れるのが本来の調理法。また、広義では、八丁(ハッチョウ)みそを用いたものを含めることもある〕

あかちゃ・ける[4]【赤茶ける】(自下一) 〔日に焼けたりして〕くすんだ茶色になる。〔強調形は「赤っ茶ける[5]」〕「赤茶けた畳」

あかちゃん[1]【赤ちゃん】「赤ん坊」の親しみを込めた呼称。

あかちょうちん[3]【赤《提《灯】(チャウ) 〔日につきやすいように店頭に赤い提灯をぶら下げることから〕「居酒屋」の俗称。「あかぢょうちん」とも。

あかチン[0]【赤チン】〔「チン」はヨードチンキの意〕マーキュロクロムの水溶液の俗称。〔ヨードチンキとは化学的組成が全く異なる。二〇二〇年生産終了〕

あかつき[0]【暁】〔「明時(アカトキ)」の意〕❶「夜があけるかどうかのころ」の意の古風な表現。❷(そうなる保証はないが)将来ある事が実現した、その時。「石油にかわるエネルギー源が実用化された—には、人間の生活は大きく変わるだろう」 —**やみ**[4][0]【—闇】明け方近くになっても月が出ておらず、あたりが暗いこと。〔陰暦十四日ころまで〕

あがったり[4]【上ⓖったり】〔「あがる」は、だめになる意〕事業がうまくいかず、どうしようも無い状態。「商売—だ」

あか つち⓪【赤土】 赤茶色で、粘り気のある土。〔鉄分を多く含む〕

アカデミー②③〔フ académie〕❶〔欧米諸国で〕学問・芸術を総合的に指導する立場にある、権威のある機関。訳語は「翰林(カンリン)院・学士院」。❷権威のある大学・研究所の称。 **―しょう**(ショウ)④【―賞】 アメリカで映画・映画人に与えられる賞の中で、最も権威のあるもの。一九二七年創設。

アカデミズム④〔academism〕 官学における講壇的な学風や芸術活動における伝統的・高踏的な作風。

アカデミック④―な〔フ académique〕 ものの見方や言動などが、△学問的(学究的)な様子だ。〔非実用的というニュアンスを込めて用いることもある〕「―な立場からの情勢分析」 **―ハラスメント**⑧〔和製英語 ←academic + harassment〕 大学や研究機関で、指導的な立場にある人が学生や所員に対し、権力を悪用して(性的な)嫌がらせや差別的な扱いなどをすること。略してアカハラ。

あか てん⓪【赤点】「落第点」の俗称。〔赤字で書くところから〕

あか でんしゃ③【赤電車】〔路面電車の〕終電車。方向標識に赤い電灯をつける。略して「赤電⓪」。〔その一つ前は「青電車③」。バスについても「赤バス・青バス」と言う〕

あか とんぼ③【赤〈蜻蛉〉】 小形で赤いトンボの総称。夏から初秋にかけて群れをなして飛ぶ。アキアカネは代表的な種。

あがな・う③(アガナフ)(他五)〔「なう」は接辞〕❶《購う》「買う」意のやや古風な表現。「残りのお金で書籍を―ことができた」❷【〈贖う〉】 相応の代償を払って、△罪や失敗を償う(本来の望ましい状態を獲得する)こと。「△命(血)で―」 名 贖い⓪③

あか ぬ・ける④【〈垢抜ける〉】(自下一)〔言動・人に接する態度や髪型・服装などが〕都会風に洗練されている。名 垢抜け⓪「―した女性」

あかね⓪【〈茜〉】〔赤根の意〕山野に生える多年生のつる草。根から、黒みを帯びた赤い染料をとる。また、薬用。〔アカネ科〕「―色⓪」 かぞえ方 一本

あかの まんま④【赤の《飯》】〔赤飯(セキハン)の意〕植物のイヌタデの異称。「あかまんま③」とも。〔つぼみが赤飯に似ている〕

あか はじ⓪(―ハヂ)【赤恥】〔「恥」の強調表現〕(人前でかき)耐えがたい屈辱感にさいなまれる恥。「あかっぱじ⓪」とも。「―をかく」

あか はた⓪【赤旗】❶〔紅白、二組に分かれた〕赤組の旗。〔昔は、平氏の旗〕❷危険・停止信号の赤い旗。❸共産党・労働組合などの旗。〔❶❷の対義語は、白旗(シラハタ)〕

あか はだ⓪【赤肌・赤《膚》】 皮のむけた、赤い肌。「―の山〔=木や草が全くない山〕」

あか はだか③【赤裸】❶身に衣類(に類するもの)を何もつけていない状態。❷鳥や獣が、毛を全部むしられた状態。

あか ばな⓪【赤鼻】〔酒飲みや病気の人の〕一般の人に比べて赤く見える鼻。「あかはな」、また「ざくろばな」とも。〔軽い侮蔑(ブベツ)を含意して用いられることがある〕

アカ ハラ⓪ アカデミック ハラスメントの略。

あか はら⓪【赤腹】❶腹の赤い小鳥。〔ヒタキ科〕❷魚のウグイの異称。〔産卵期に腹が赤くなる〕❸イモリの俗称。 かぞえ方 ❶は一羽。❷は一尾・一匹。❸は一匹

あか びかり③【〈垢光(り)〉】―する(自サ)〔着物などが〕垢や手ずれで光って見えること。「―のする袖口(ソデグチ)」

あか ぶさ⓪【赤房】〔すもうで〕土俵の上方から吊ッり下げた屋根の南東部から垂らした赤い房。もと「赤柱③」のあった位置。⇩青房・白房・黒房 かぞえ方 一本

あか ふだ⓪【赤札】❶特価品や見切り品(につける値札)。❷売約済みの札。 かぞえ方 ❶は一枚

あか ぶどうしゅ④(―ダウ―)【赤〈葡萄〉酒】 赤ワイン。

アガペー①⓪〔ギ agapē〕〔キリスト教的な〕神の愛。アガペ①⓪とも。↕エロス

アカペラ⓪②〔イ a cappella=礼拝堂風に〕 無伴奏の合唱(曲)。

あか ぼう(ボウ)⓪【赤帽】❶〔運動会などの時かぶる〕赤い色の帽子。❷〔駅で〕手荷物を運んだ職業の人。ポーター。

あか ほん⓪【赤本】❶明治期に流行した、赤い表紙をつけた絵入りの読み物。とくに、落語・講談本中、子供向けのものを指す。〔広義では、縁日などで売られた、大衆向けの俗悪・低級な小説などをも指す〕❷〔俗に〕大学別に編集した、過去の入試問題集。

あかま いし③【赤間石】〔赤間は地名〕山口県南西部の旧厚狭(サア)郡産の、あずき色のすずり石。〔庭石としても使う〕

あか まつ⓪②【赤松】 山野に生える常緑高木。木の皮は赤色で、材は建築用。「めまつ」とも。〔マツ科〕 かぞえ方 一株・一本

あか み⓪ ❶【赤み・赤味】 赤いと感じられる状態。また、その度合。「―がさす〔=現われる〕」 ❷【赤身】❶牛や馬の肉などのうちで、脂の極めて少ない、赤い部分。↕あぶらみ・白身 ❷マグロ・カツオなどのように、赤い魚肉。⇩白身・青身 ❸材木の中心にある、赤い部分。心材。↕白身 ❹・白太(シラタ) ❷ 表記「み」を「味」と書くのは、借字。

あか みそ⓪【赤味〈噌〉】 麦こうじで造った、色の赤黒い味噌。塩けが強い。⇩白味噌 かぞえ方 小売の単位は一袋・一パック;一樽(ヒトタル)

あか むけ⓪【赤《剝け》】 皮膚がすりむけて、赤肌が見える状態。

あか め⓪【赤目】❶病気や疲れのために赤く充血した目。❷フラッシュを使って写真撮影をするときに、目が赤く光って写る現象。❸眼底の血管が赤く透けて見える、白ウサギのような目。❹魚のメナダの異称。

あかめ がしわ④(―ガシハ)【赤芽〈柏〉】 若芽が鮮紅色で美しい落葉高木。材は床柱・げたの歯などに用いる。〔トウダイグサ科〕 かぞえ方 一株・一本

あか・める③【赤める】(他下一) 赤くする。「顔を―」

あが・める③【《崇める》】(他下一) この上もなく尊いものと思って敬う。「神と(まで)―」

あか もん⓪【赤門】 朱塗りの門。〔朱塗りの門があるので東京大学の異称としても用いられる〕

あから がお(ガホ)⓪【赤ら顔】〔日に焼けたり 酒を飲んだりして〕赤みを帯びた顔。 表記「〈赭ら顔〉」とも書く。

あから さま⓪―に ―な 心中に思っている事をはっきりとわかるように言動や表情に表わす様子だ。「―に〔=はっきり〕言えば/―〔=露骨〕な挑発行為/不満を―にする〔=表明する〕」 表記「〈偸閑〉・〈白地〉」とも書く。

あから・む③【赤らむ】(自五) 赤みを帯びる。「顔が―」 他動 赤らめる④⓪(下一)

あから・む③【明らむ】(自五) 夜が明けるにつれて、空が明るくなる。「東の空が―」

***あかり**⓪【明(か)り】❶電灯・灯火など、あたりを明るくするもの。「―がつく」❷〔どこからともなく光が差し〕一面に明るい状態。「―がさす/星―」❸「証(アカシ)」の意の古風な表現。「―が立つ」 かぞえ方 ❶は一点 **―さき**⓪【―先】 光のさしてくる方。 **―しょうじ**(シャウ―)④【―障子】 ⇩障子 **―とり**③⓪【―取(り)】 光を取り入れる窓。

あがり【上(が)り】 ❶⓪ ❶位置や程度が上がること。「階段の―降り/物価の―下がりが激しい/小学校は六つ―〔=入

学」だ／湯―」 ❷得られた収入や利益。「アパート経営で毎月八十万の―がある／―の多い仕事」 ❸物事が△完結(完成)した状態になること。「今日は五時で―〔=仕事の終り〕にしよう／〔すごろくで〕三が出れば―だ／これで一丁―〔=出来上がった〕／色の―〔=仕上がり〕がいいポスター」 ❹〔↔上がり花(ハナ)[0]〕〔すし屋などで〕(食後に出す)お茶。
■二(造語) ❶続いてきた(好ましくない)ことが終わったばかりの状態であることを表わす。「雨―の庭／病み―だから無理はできない」 ❷現在の△身分(境遇)を獲得する前の職業を、一段低く評価して指し示すことを表わす。「軍人―／芸者―の女将(オカミ)」
■三(造語) 動詞「上がる」の連用形。「―高(ダカ)[3][0]」 **―がまち**[4]【―〈框】 家の上がり口に設けた框。 **―ぐち**[0][3]【―口】 △部屋(階段)に上がる所。 **―こ・む**[4]【―込む】(自五) 勧められたわけでないのに、人の家に上がって〔座について〕しまう。 **―だん**[0]【―段】 △室内(高い所)へ上がる階段。 **―はな**[0]【―《端】 ❶〔家のはしにある〕上がり口。入口。 ❷上がり始め(の時期)。「―を買う」 **―め**[0]【―目】↔下がり目 ❶目じりの方がつり上がった目。「つりめ」とも。 ❷物価の上がり始めの時。 **―もの**[0]【―物】 ❶神仏への供え物。 ❷田畑の収穫。 ❸〔お礼の意味でもらう〕もらい物。 **―ゆ**[0][3]【―湯】 入浴後、浴室から出る前にからだにかけるのに使う湯。「おかゆ・かかりゆ」とも。

あがりや[0]【揚(ガ)り屋】 江戸時代、御目見得(オメミエ)以下、士分の者を入れた牢屋(ロウヤ)。

****あが・る**【上(ガ)る】■一[0](自五) ❶〈(どこ)カラ)どこニ―／どこヲ―〉 △低い位置(下の方)から△高い位置(上の方)へ移った状態になる。〔(上の立場の)相手の△部屋に入る(家を訪問する)意にも用いられる〕「水位が―／エレベーターで屋上に―／階段を―〔=のぼる〕／ふろから―〔=出る〕／おかに―〔=ⓐ上陸する。ⓑ水中にすんでいたものや水上生活者が陸上の生活に移る〕／どうぞお上がりください／宮中に―〔=参内する〕／奉公に―／こちらの方から上がらせて〔=参上させて〕いただきます／飛び―」
❷〈(なにカラなにニ)―〉 程度や段階が今までより高い状態になる。「△成績(地位・人気)が―／△物価(給料)が―／熱が―／小学校に―〔=入学する〕／株が―〔=⇩株〕／風采(フウサイ)が―〔=前よりりっぱに見える〕／気勢が―／手が―〔=ⓐ技芸や技能が前より上手になる。ⓑ酒が強くなる〕／テンションが―〔=気分が盛り上がる〕／あがって〔=頭に血がのぼって〕失敗した／馬が―〔=棒立ちになってあばれる〕」
❸〈どこニ―〉 それとはっきり分かる△形(行為)として認められる状態になる。「旗が―／火の手が―〔=⇩火の手〕／夜空に花火が―／喚声が―〔=わき起こる〕／△平和を求める(非難の・不満の・反対の)声が―」
❹〈(なにニ)―〉 何らかの条件に適(カナ)ったものとして、具体的に示される。「証拠が―／次期総裁の候補に名が―／犯人が―〔=逮捕される〕／槍玉(ヤリダマ)に―〔=⇩槍玉〕／賛成に手が―」
❺予想した通りの好ましい結果が得られる。「△能率(成果)が―／アパート経営で月づき一定の金額が―」
❻物事が決着のついた状態になる。「千円で―〔=まかなえる〕／雨が―〔=降りやむ〕／この仕事は今日中に―〔済ませられる〕だろう／書き―・出来―・仕―」
❼物事が本来の機能を失った状態になる。「バッテリーが―／目が―〔=老年になり、視力が落ちる〕／月経が―」
❽〈なにニ―〉 神仏に供えられる。「神棚に灯明(トウミョウ)が―」
〔❶❷の大部分の対義語は、下がる〕
■二[0](他五)〈なにヲ―〉 「食べる・飲む・たばこを吸う」の尊敬語。〔「食べる・飲む」の更に敬意の高い言い方は「召し上がる」〕「何もありませんが、お上がりください」
■三〔「動詞連用形＋―」の形で、接尾語的に〕極限的な状態に達する意を表わす。「のぼせ―・震え―・晴れ―」 表記 ■一❷の物価の場合は「《騰がる」、■一❸は「揚がる」、■一❹は「挙がる」とも書く。〔⇩上がり■三〕
文法 (1)■一❶の「あがる」は低い位置から高い位置に移動した結果に着目する表現に多く用いられる。これに対する逆方向の移動は一般に「おりる」が用いられる。また、同じく低い位置から高い位置への移動を表わす「のぼる」は、多くの場合順路・経路に沿って移動するという移動のしかたにも着目した表現である。これに対する逆方向の移動は一般に「くだる」が用いられる。これらのことから、「階段をのぼって屋上にあがる」では「階段」はのぼる行為の経路を表わし、「屋上に」は到達点であることを表わす。一方、「階段をあがって屋上にのぼる」という表現も成り立ち、日常の談話では低い位置から高い位置へ移動する具体的行為を表わす場合には「あがる」と「のぼる」が必ずしも明確には使い分けられていない。逆方向の移動の行為を表わすときは、「階段をくだって一階におりる」という。(2)■一❶で人を含む物体・物質の移動については「あがる」も「のぼる」も用いられる(逆方向の移動は「さがる」「おりる」「くだる」)が、抽象的なもの、つまり、程度の変化については一般に「あがる」(逆方向の場合は「さがる」)しか用いられない。(3)相対的な高低差を表わす場合には、「〔水平を保つべきものについて〕右の方が少し△あがっている(さがっている)」と「あがる」「さがる」を用いる。

あが・る[0]【揚(ガ)る】(自五) 〔てんぷらなどの揚げ物が〕ほどよく熱が通って食べるのに適した状態になる。

****あかる・い**[0][3]【明(カ)るい】(形)↔暗い ❶(そこで何かをするのに必要な)光が十分な状態だ。「天窓を通して―光が差し込む／部屋を明るくする／―空／―戸外」 ❷Ⓐ〔黒・白以外の〕同系統の色の中で濃さの度合が少ない方だ。「―黄色」 Ⓑ各種の色の中で、黄色・オレンジ色など、目につきやすい方だ。 ❸そこから受ける印象から前途に期待をいだくことが出来ると感じとれる状態だ。「―展望が開ける／前途は―／―〔=希望に満ちた〕未来／―〔=いい結果が期待される〕見通し／―〔=周囲に対して気がねをしたり ひねくれたりせず、おおらかにふるまうことが出来る〕性格／―表情／―光を投げかける」 ❹〈なにニ―〉 その方面の細かい事情によく通じていて、必要に応じて適切な判断が下せる様子だ。「△経済(この辺の地理)に―」 派 **―さ**[0]「―を△加える(増す・取り戻す)」 表記 本表=「明るい」

あかるみ[0]【明(カ)るみ】 明るい所。「縁側の―に出る／不祥事が―に出る〔=外部には知られたくない事柄が世間に広まる〕」

あかる・む[3]【明(カ)るむ】(自五) ❶明るくなる。「東の空が―」 ❷晴れやかになる。「心が―」 表記 本表=「明るむ」

あかワイン[3]【赤ワイン】 黒色のブドウ品種から造る(濃い)赤い色をしたワイン。果皮ごとつぶし発酵させて造る。赤葡萄(ブドウ)酒。 かぞえ方 小売の単位は一本

あかん[2] 〔関西方言〕〔「埒(ラチ)が明かぬ」の圧縮表現の変化〕 ❶手の打ちようが無くて、どうしようも無い。 ❷いけない。〔❶❷とも丁寧表現は、「あきまへん[4]」〕

アカンサス[2]〔acanthus ← ギ akantha〕 縁(ヘリ)に出入りの多い葉を持つ地中海沿岸原産の野生の多年草の総称。葉の形は、古代ギリシャやローマ建築の装飾文様として広く用いられた。〔キツネノマゴ科〕 かぞえ方 一本

あかんたい[0]【亜寒帯】 地理学的には温帯に属するが、気候学的には寒帯的様相を呈する地域。「―植物[7]」

あかんべえ①、①-① 〔赤目の転〕おどかし・軽蔑(ケイベツ)・断りなどの気持を表わすために、下まぶたの裏の赤い所を出して見せる動作。「あっかんべえ①」とも。〔古くは、あかめ〕

***あかんぼう**⓪(バウ)【赤ん坊】❶「赤子(アカゴ)」の口頭語的表現。〔胎児の意にも用いられる〕❷社会経験に乏しい者。「まだ―(も同然)だ」〔❶❷とも「あかんぼ⓪」とも〕

あき【空(き)】❶⓪空いている△こと(所・もの・時間)。「箱の―〔=すきま〕にパッキングを入れる/地所の―/席の―〔=ⓐ空席。ⓑ欠員〕が無い/忙しくて―〔=暇〕が無い/がら―」❷〔造語〕動詞「空く」の連用形。「―部屋(ベヤ)⓪・―缶⓪・―瓶⓪・―箱(バコ)⓪」 表記「明き」とも書く。

****あき**①【秋】〔温帯で〕暑い夏が終わり寒い冬になるまでの間の、さわやかな気候の季節。木の実が生(ナ)り、台風が来る、九・十・十一の三か月。「忍びよる―の気配/―が深まる/―たけなわ」

あき②【飽(き)】 飽きたと思う気持。「―が来る〔=もうこれ以上△ほしく(したく)ないという気持になる〕」 表記「〈厭き」とも書く。

あきあき③【飽(き)飽(き)】(副)―する 長く続きすぎたり単調な繰返しであったりして、これ以上はとても耐えられないという気持をいだく様子。「話の長いのには―した」 表記「〈厭き〈厭き」とも書く。

あきあじ②(アヂ)【秋味】〔北海道方言〕秋に産卵のために川をのぼって来るサケ。美味。〔広義では、マスも含む〕

あきうえ⓪(ウヱ)【秋植(え)】〔草花の苗や球根を〕秋に植えること。また、その品種。

あきおち⓪【秋落(ち)】❶秋になって、収穫が思ったより少なくなること。❷豊作のため、秋に米価が下がること。⇩秋高

あきかぜ②③【秋風】秋に吹く、肌寒い風。「―が△吹く(立つ)〔=ⓐ二人の間の愛情がさめる。ⓑ何かの流行が下火になる〕」

あきがら⓪【空(き)殻】中身の入っていない入れ物。 表記「明き殻」とも書く。

あきくさ⓪②【秋草】秋に花が咲く草。

あきぐち②【秋口】朝夕の涼しさが実感される、秋の初めの何日か。

あきご⓪【秋《蚕】七月下旬から晩秋にかけて飼うカイコ。「しゅうさん」とも。⇩はるご・なつご

あきさく⓪【秋作】秋に△栽培(成熟)する作物。↕春作

あきさむ⓪【秋寒】秋になって朝夕に感じられる冷気。「あきざむ」とも。

あきさめ⓪【秋雨】秋の季節に降り続くことの多い、冷たい雨。 ―ぜんせん⑤【―前線】⇩前線

あきしょう③(シヤウ)【飽(き)性】何をやってもすぐに飽きて、長続きしない性質。⇩凝り性・こらえ性 表記「〈厭き性」とも書く。

あきす⓪【空(き)巣】❶その巣を作った鳥が△今そこに居ない(すんでいる形跡の無い)巣。〔広義では、留守の家をも指す〕❷〔←あきすねらい④〕もっぱら留守の家を稼ぎ場所とする泥棒。 表記「明き巣」とも書く。

あきぞら③【秋空】秋の澄み渡った空(の様子)。

あきたいぬ③【秋田犬】秋田県産の大形の日本犬。勇猛で忍耐強い。「あきたけん⓪」とも。

あきだか②【秋高】❶秋になって、収穫が思ったより多くなること。❷「秋落ち❶」のため米価が高くなること。⇩秋落ち

あきた・つ③、①-①【秋立つ】(自四)〔雅〕秋になる。

あきたりない⓪⑤【飽(き)足りない】それで十分だと△思う(認める)ことが出来ない。飽き足らぬ④。「現状に―」 表記「〈慊りない」とも書く。

あきち⓪【空(き)地】何にも使われていない土地。〔狭義では、建物の建っていない土地を指す〕 表記「明き地」とも書く。

あきつしま③【秋津島】「日本国」の古代の異称。「秋津島根④」とも。 表記「〈蜻蛉〉〈洲」とも書く。

あきっぽ・い④【飽(き)っぽい】(形)「飽きやすい」の意の口頭語的表現。 派―さ④ 表記「〈厭きっぽい」とも書く。

あきつみかみ④【《現津《御神】〔雅〕この世に生きている神。「現津神③」とも。〔もと、天皇の尊称〕

あぎと⓪【《顎・〈腭】〔「あぎ」は「あご」の意。「と」は「門」「所」の意〕❶〔雅〕あご。❷魚のえら。 表記「《顎《門・〈腮・〈鰓」とも書く。

あきない②(アキナヒ)【商(い)】❶品物を売る職業。商売。❷品物の売買。「―が少ない/―中(チュウ)⓪〔=営業中〕」

あきな・う③(アキナフ)【商う】(他五)職業として品物を売買する。

あきなす⓪【秋〈茄子】秋の末に取れる、種の少ないナス。「秋なすび③」とも。〔うまい物とされる〕「―は嫁に食わすな」

あきのそら①-①【秋の空】秋のころの、変わりやすい天気。〔変わりやすい心の意にも用いられる〕「△男心(女心)と―」

あきのななくさ①-②【秋の七草】⇩七草

あきばれ⓪【秋晴(れ)】空高く晴れ渡った、秋のよい天気。

あきびより③【秋日《和】風が無く、日差しもやや強い秋の晴天。 表記⇩付表「日和」

あきま⓪【空(き)間】❶物と物の間のそこを満たしているものが何もない状態のところ。❷空いている部屋。「あきべや⓪」とも。 表記「明き間」とも書く。 かぞえ方❷は一室・一間(ヒトマ)

あきまき⓪【秋〈蒔(き)】〔草花や野菜・穀類などの種を〕秋に蒔くこと。↕春蒔き

あきまつり③【秋祭(り)】秋に行なう、神社の祭り。

あきむし②【秋虫】秋に鳴く虫。スズムシ・マツムシなど。

あきめ・く③【秋めく】(自五)秋らしくなる。

あきめくら③【明(き)《盲】❶外見からは目に異常が認められないのに物の見えない人。❷教育が無くて、文字の読めない人。〔❶❷とも、侮蔑(ブベツ)を含意して用いられることもある〕

あきや⓪【空(き)家】人の住んでいない家。 表記「明き家」とも書く。 かぞえ方一軒

あきやす・い④【飽(き)《易い】(形)すぐに飽きてしまって、一つのことに集中出来ない様子だ。

あきやすみ③【秋休(み)】〔二期制の学校で〕前期と後期の間の、九月から十月ごろにある休み。

あきやま⓪【秋山】〔登ったり眺めたりする対象としての〕秋の山。

あきゅうど②(アキウド)【《商《人】「あきんど」の古風な表現。

***あきらか**②【明らか】―な ―に ❶疑う余地が無いものとして受け取られたり紛らわしい点が全く無いものとして何かが認められたりする様子だ。「―な証拠を示す/記憶が―でない/△見解(態度)を―にする〔=表明する〕/責任の所在を―にする〔=△どこに(どういうもので)あるかをはっきり指摘する〕/事件の真相が―になる/これは―にあやまりだ」❷〔雅〕明るい様子だ。「月―に星まれに」 派―さ④③

あきら・める④【明らめる】(他下一)〔雅〕明らかに△する(さとる)。「理由を―」

***あきら・める**④【諦める】(他下一)〈なにヲ―〉望んでいることが実現出来ないと判断して、それ以上努力することをやめ

る。「家庭の事情で海外留学を—／諦め切れない」名諦め⓪「—が△いい(つく・悪い)／—ムードに包まれる」

*あ・きる②【飽きる】(自上一)〈なにニ—〉同じことが長く続くなどして興味や関心が失われたり積極的に取り組もうとする意欲がなくなったりする。「お祭り騒ぎには飽きた／—ほど食べる／単調な作業に—／食べ—・聞き—」表記「〈厭きる・〈倦きる」とも書く。運用 結婚などの祝宴の場では避けるべき言葉とされる。

あきれかえ・る④カヘル【〈呆れ返る】(自五) すっかり呆れる。

アキレス①②〔オ Achilles〕ギリシャ神話の英雄。不死身だとされていたが、かかとに弱点があり、そこを射られて死んだ。 —けん④③⓪【—〈腱】かかとの骨の上についている、歩行に必要な筋。〔他からは強大と見られるものが、体質的に備えている唯一の弱点の意にも用いられる〕「—を切る」

あきれは・てる⑤【〈呆れ果てる】(自下一) 相手の言動などにすっかり呆れて、あえて忠告めいたことなどを言おうとする気持を失う。

*あき・れる⓪【〈呆れる】(自下一)〈なに・だれニ—〉日常の経験や常識などからは予想できないような言動に接するなどして、そのようなことがあり得るのかと驚きとともに理解しがたいことだといった感をいだく。「毎回の遅刻に—〔=まともに注意する気も起きない〕／自信過剰な発言に—〔=よくそこまで言い切れるものだと驚くばかりだ〕／彼の頭の良さには呆れた〔=並の人間には想像しがたいと感じた〕／聞いて—〔=あまりにもばかげていて、まともに聞く気になれない〕」表記「〈惘れる」とも書く。

あきんど②【《商《人】〔「あきびと」の変化〕商人ショウニン。

あく(悪・握)→〔字音語の造語成分〕

**あ・く⓪(自五)㊀【開く】間を遮っていたものが取り除かれて、人や物が自由に△出入り(出し入れ)出来る状態になる。「九時に正門が—／ふたが—／窓が南に開いて〔=面して設けられて〕いる／どの鍵ガでも—〔=開けられる〕／銀行は三時まで開いている〔=営業している〕／開いた口がふさがらない〔=⇩口㊁❶〕／戸が—／店が—〔=ⓐ開店する。ⓑ営業を始める〕」↔閉まる ㊁【空く】今まで△そこを占めていた物(それを使えなくしていた原因)が取り除かれて、自由に使えるようになる。「コピー機が—〔=使い終わる〕のを待つ／手が—〔=⇩手㊁五Ⓐ〕／席が—〔=空席が出来る〕／部長のポストが—〔=欠員になる〕」表記「明く」とも書く。
【穴が開く】⇩穴【年季が明く】⇩年季 【〈埒らちが明かない】⇩らち(埒)〔⇩空き㊁〕

あく
【悪】 ❶品質が劣っている。「悪貨アッカ・悪筆・悪文・粗悪・劣悪」❷相手を快く思わない。「悪意・悪口アッコウ/アック」❸〔古〕武勇がすぐれている。「悪僧・悪源太」⇩(本文)あく【悪】
【握】 にぎる。「握手・握力・一握・掌握・把握」

あ・く①【飽く】(自四)〔雅:西日本方言〕❶十分満足する。「労して—ことを知らない」❷飽きる。「—無き〔=それで満足したということの無い〕野望／菜の葉に飽いたら桜にとまれ」表記「〈厭く・〈倦く」とも書く。

あく①【悪】❶悪いこと。よくないこと。悪事。「—に強い者は善にも強い／—に染まる／—人」↔善 ❷好ましくないこと。弊害。「—習慣③・社会—・必要—」❸悪いやつ。「大変な—だ」⇩【造語成分】あく・お

あく⓪②【〈灰汁】❶灰を水に浸した時の上澄み。物を洗ったり染色したりするのに用いる。❷Ⓐ食用にする植物に含まれる、えぐい成分。「ワラビの—を抜く」Ⓑ魚や肉などを煮た時に浮かんでくる濁った成分で、料理の味を損なうもの。「—を取る」❸接する人によっては不快感をいだく、自己を押し出そうとする個性。「—が強い(人)」

あくあらい③アラヒ【〈灰汁洗(い)】—する(他サ)〔柱・天井・縁側・塀などの汚れを〕△あく(洗剤)で洗い落とすこと。

アクアラング④〔Aqua-Lung=水の肺。商標名〕水中呼吸器。潜水時に背負う、呼吸用の圧縮空気をつめた道具。⇩スキューバ かぞえ方 一本

アクアリウム④〔aquarium〕❶水生動物を飼育したり水草を育てたりするための水槽。また、それを使って飼育・生育を行なうこと。❷水族館。

あくい①【悪意】❶意図的に相手に不幸をもたらしたり苦痛を与えたりしようとする気持。「—の無い冗談／—をいだく」⇩好意 ❷相手の言動について、殊更に欠点だと判断される点ばかりを取り上げた見方。「—に解釈する」❸ある言動についての是非が法的に問題となる事を知っていること。〔❶❸の対義語は、善意〕

あくいん⓪【悪因】悪い結果を生じる原因。 —あっか⑤アククワ【—悪果】〔仏教で〕悪い行為が原因となって悪い結果が生じること。

あくうん⓪【悪運】❶悪い事をしても、悪い結果とはならない運命。「—が強い」❷運が悪いこと。「—続き⑤」↔幸運

あくえいきょう③キャウ【悪影響】(予期しなかった)悪い影響。「—を△与える(及ぼす・もたらす)／—が出始める」

あくえき⓪【悪疫】多くの死者を出す恐れのある伝染病。

あくえん⓪【悪縁】❶〔仏教で〕悪い結果をもたらす外的条件。❷思うようにならない男女の間柄。特に離れたくても離れられない二人の関係。〔やや古い表現〕

あくか⓪クヮ【悪化】①【悪貨】⇩あっか

あくがた⓪【悪形・悪方】〔歌舞伎カブキで〕悪人の役(を演じる俳優)。

あくかん⓪【悪感】【悪漢】⇩あっかん

あくかんじょう③ジャウ【悪感情】相手の言動・存在を不快に思う心持。「あっかんじょう」とも。

あくき①【悪鬼】⇩あっき

あくぎゃく⓪【悪逆】人の道に背いた、悪い行い。「—無道⓪-⓪⑤」派—さ⓪

あくぎょう⓪②ギャウ【悪行】仏教的倫理観から見た、悪い行い。

あくけい⓪【悪計】⇩あっけい

あくごう⓪ゴフ【悪業】〔仏教で〕その人がこの世で不運や不幸に見舞われる原因となったと考えられる、前世の悪事。↔善業

あくさい⓪【悪才】悪事を次つぎと考えては行なう才能。

あくさい⓪【悪妻】第三者から「わるいつま」と目される女性。〔当の夫は案外気にしないことが多い〕↔良妻

あくじ①【悪事】倫理的な観点からみて容認することの出来ない行い。「—を働く／—千里を走る〔=よい事はなかなか人に知られないものだが、悪い事に限って、隠してもすぐ世間に知れ渡るものだ〕」

あくじき⓪【悪食】一般の人はあえて食べようとしないものをも選エり好みせずに食べること。「—家カ⓪」

あくしつ⓪【悪疾】〔その時代の医学では〕完治させにくい病気。

*あくしつ⓪【悪質】—に・な ❶故意に△反社会的(違法)なことを行なう様子だ。「—な嫌がらせ／—な〔=人の困るのを見て愉快がるような〕いたずら／—な商法／言論の自由に対する—な挑戦」❷素材が粗悪であるなどして、製品として欠陥

が認められる様子だ。「―な建材」↔良質 派―さ[0]

アクシデント[1]〔accident〕 思わぬ△事故(事件)。

あくしゅ[0][1]【悪手】〔碁・将棋や「双六スゴロク㊀」・チェスなどの勝負で〕まずい△うち方(さし方)。

あくしゅ[1]【握手】―する(自サ) 親愛の情を表わすために、また、単に挨拶アイサツとして手を握りあうこと。〔広義では、仲直りの意にも用いられる〕

あくしゅう[0]【悪臭】気持が悪くなるような、いやなにおい。「(強い)―を放つ/―芬々フンプン[0]-[0]」

あくしゅう[0]【悪習】(その人の)悪い習慣。

あくしゅみ[3]【悪趣味】―な ㊀△下品な(洗練されていない)趣味。㊁人の嫌う事を好んでし、いやがらせて喜ぶこと。「わざわざ電話をかけてデマを飛ばすのは―だ」

あくじゅんかん[3]【悪循環】 密接な関係にあって好ましくない事態を生じさせている二つ(以上)の事柄が、とどまるところ無く互いに悪い影響を与え合うこと。「―に陥る/―を△招く(重ねる・断ち切る)」

あくしょ[1]【悪所】㊀道の、危険な所。㊁「遊郭」の婉曲エンキョクな表現。「―通ガヨい[4]」

あくしょ[1]【悪書】子供も読者対象にしているが、悪影響を及ぼす恐れのある本。「―追放[1]-[0]」↔良書

あくじょ[1]【悪女】㊀醜女。㊁男を色香で迷わしかねない女。〔反語的に、親しみやすい女性を指すこともある〕 【―の深情け】 顔形の醜い女性に限って愛情がこまやかであったり嫉妬シット深かったりして、男の方でいい加減いやになってもなかなか縁を切る機会が得られないものだ。〔俗に、ありがた迷惑の意にも用いられる〕

あくしょう[3][0]【悪性】―な 身持ちのよくない△こと(様子)。「―女オンナ[5](=浮気な女)」

あくじょうけん[3]【悪条件】〔事態の円滑な推移を妨げる〕悪い条件。「―が重なる/―を克服する」

アクション[1]〔action〕(人目を引く)動作。〔狭義では、俳優の演技を指す〕「―が大きい(=大げさな身ぶりをする)/―ドラマ[5](=はでに殴ったり追っかけたりなどする動作を見せ場とするドラマ)・ボディー―[4](=意思表示のための身ぶり)」 **―プログラム**[7][6]〔action program〕 催し物などの企画を実行に移す際の具体的な手順・方法。行動計画。

あくしん[0][3]【悪心】(実行計画まで立てられた)△人を害しよう(不当な利益を得よう)などとたくらむ、道義的に許されない考え。〔(計画的な)行動と結びつくことが多い〕

あくせい[0]【悪声】㊀響きが悪く、いやな感じの声。↔美声 ㊁「悪い評判、また悪口」の意の古風な表現。「―を放つ(=相手の悪口を言う)」

あくせい[0]【悪性】疾患に対する根本的な治療法が得られない状態にあること。〔広義では、社会現象などについても用いる。例、「―インフレ[5]」〕「―のインフルエンザ/―腫瘍シュヨウ」↔良性

あくせい[0]【悪政】人民の△幸福(平和)な生活を妨げる、悪い政治。↔善政・仁政

あくぜい[0]【悪税】 納税者にとって不当だと感じられる(高額の)税金。

あくせく[1]【齷齪】・〈偓促〉(副)―と―する 〔「あくさく」の変化。もと、気が小さくて細かい事まで自分でやらなければ気が済まない形容〕何かに追われてでもいるかのように、精神的なゆとりも無く、働き続ける様子。〔多く、軽い批判や自嘲ジチョウを伴う文脈で用いられる〕「―(と)働く」

アクセサリー[1][3]〔accessory〕 本体に付属させて用いるもの。アクセサリ[1][3]とも。Ⓐ見た目をよくするために、からだや衣服に付ける物。ブローチ・イヤリング・ネックレスなど。Ⓑ機械・器具などの付属品。「カメラの―」 かぞえ方 商品は一点・一本

アクセス[1][3]〔access〕 ㊀―する(自サ)〔コンピューターで〕記憶装置などに情報を入れたり出したりすること。㊁―する(自サ)〔インターネットなどで〕求める情報に接すること。「一日に五十件からの―があった」㊂目的地に達するまでの交通手段。「―の良い立地条件/空港への交通―」 **―ポイント**[5]〔access point〕 主に無線の通信機器の設置により、インターネットに接続できるようにしている場所。また、その機器。

アクセル[1]〔←accelerator〕(自動車で)足で踏み込むとエンジンの回転数が上がって速度が速くなる装置。加速機。「―を踏み過ぎる」

あくせん[0]【悪戦】―する(自サ) 自軍に不利な戦い。 **―くとう**[0]-[0]【―苦闘】―する(自サ) 不利な状況に立たされながらも果敢に戦うこと。〔苦しみながら困難を克服する意にも用いられる〕

あくせん[0]【悪銭】 勤労以外のもうけ仕事や、ばくちなどで得たお金。「―身につかず」

アクセント[1]〔accent〕 ㊀語ごとに、△強く(高く)発音するところが決まっている社会習慣的な型。〔同一言語においても、使用地域によって異なることがある〕「東京と大阪では―が違う」 ㊁そこを特に強調する点。特に、服装などのデザインにおける強調(点)を指す。「襟の形に―を置く/隠し味として入れたユズのしぼり汁が―になっている」

あくそう[3][0]【悪相】㊀△醜い(恐ろしい)顔かたち。㊁縁起の悪い様子。

あくそう[0]【悪僧】㊀戒律を守らない僧。〔俗語的表現は「なまぐさ坊主」〕 ㊁古く、武芸にもすぐれた僧。

あくた[1][0]【〈芥】「ごみ」の意の古風な表現。

あくたい[0]【悪態】〔多く「―をつく」の形で〕どうでもいいような短所をあげつらって悪口を言うことを表わす。

あくだま[0]【悪玉】↔善玉 ㊀性格の悪い人。㊁悪い働きをする存在。〔㊀は、草双紙などで、悪役の顔を㊟と示したことから〕

あくたれ[0]【悪たれ】㊀ひどいいたずら(っ子)。「―小僧[6]」 ㊁〔↑悪たれ口[4]〕 憎まれ口。「―をたたく(=人の悪口を言う)」〔㊁の動詞形は「悪たれる[4](自下一)」〕

あくたろう[3]【悪太郎】「いたずらっ子」の擬人化した表現。

アクティブ[1] ㊀―な―に〔active〕 当面する事態に積極的に対応する様子だ。↔パッシブ ㊁〔ロ aktiv〕 労働組合などの活動家。 **―ラーニング**[5]〔active learning〕 学習者主体の学習手法。講義形式による教師からの一方的な知識伝達だけではなく、児童・生徒・学生同士の協働や対話を通じて能動的に深い学びを目指す取組み。

あくてん[0]【悪天】〔↑悪天候[3]〕 悪い天気。「―をついて出発」

あくど・い[3](形)〔「あ」は接辞〕 ㊀許容できる限度を超えて△けばけばしく(しつこく)て、不快に感じられる様子だ。「―色」 ㊁△利益を得る(欲望を満たす)ために、道義を無視したことを平気でする様子だ。「―△手口(商売)」 派―さ[3] 表記「悪どい」と書くこともある。

あくとう[0]【悪投】―する(自サ) 〔野球で〕味方の野手が受け止めることの出来ないようなボールを他の野手が投げること。「悪送球」とも。⇩暴投

あくとう[3]【悪党】 悪人。〔一人についても、おおぜいについても言う〕

あくどう[0]【悪童】 何かにつけていたずら半分の悪事を働いたり△けんかをしたり(けんかを売ったり)する幼少年期の

子供。〔広義では、いたずらをして喜ぶおとなをも指す〕

あくどう【悪道】(ダウ) ❶[0]「悪路」の意のやや古風な表現。❷[2]〔仏教で〕地獄のように、この世で悪い事をした人が、あの世で苦しみを経験すると言われる所。悪趣[1]。

あくとく[0]【悪徳】道徳に反した、悪い行い。不道徳。「―〔=不当、また、不正に利益を得る〕業者[5]・―商法[5]・―〔=人をおどして金をゆすったりする〕新聞[5]」↕美徳

あくにち[0]【悪日】運の悪い日。「凶日(キョウジツ)」とも。

あくにん[0]【悪人】心根のよくない者。また、悪事を企(タク)らむ者。「―ほどよく眠る/―を懲らしめる」↕善人

あくぬき[0][3]【〈灰汁〉抜(き)】―する(他サ)〔野菜などの〕しぶみやえぐい味を取り去ること。「ゼンマイの―」

あくぬけ[0][4][3]【〈灰汁〉抜(け)】―する(自サ) ❶野菜類のあくがすっかりとれること。❷すっきりと洗練された様子になること。「あかぬけ」とも。「―した顔」

あぐ・ねる[3][0]【〈倦ねる〉】(自下一)〔「動詞連用形＋―」の形で、接尾語的に〕いくらその行為を続けても目的を達することが出来ないでいる。「捜し―[6]・考え―[7]」

あくねん[0]【悪念】人としていだいてはならない悪い考え。「―がきざす」

あくば[1]【悪罵】―する(他サ) ひどい悪口(を言うこと)。「―を浴びせる」

あくば[0]【悪場】〔登山で〕足場が悪く通過に危険を伴う場所。⇩難所

あくび[0]【〈欠伸〉・《欠》】❶疲労や退屈などのため、口が自然に大きく開いてする、一種の深呼吸。「―(を)する」❷漢字の部首名の一つ。「欲・歌・欧」などの、右側の「欠」の部分。「けんづくり」とも。〔「欠」は漢音ケン、口を大きく開ける意〕 表記 ❶の今日の普通の用字「〈欠伸〉」は、もとアクビノビスと訓ョんだ。

あくひつ[0]【悪筆】当人は丁寧に書いたつもりでも、へたとしか言いようの無い字。↕能筆

あくひょう(オ)[0]【悪評】〔その人にはね返ってくる〕悪い△評判(批評)。「―を受ける/―が立つ」↕好評

あくびょう(オ)[0]【悪病】それにかかると、死の危険が大きい病気。

あくびょうどう(オオ)[3]【悪平等】―に ―な 形の上では平等であるが、実際には公平を欠いた扱いがされている△様子(こと)。

あくふう[0]【悪風】その仲間に広まっている、悪い習慣。

あくどう―アクロバッ

「通行人のくわえたばこは―の一つだ」↕良風

あくぶん[0]【悪文】△分かりにくい(へたな)文章。↕名文

あくへい[0]【悪弊】よくないことだから何とかしてやめなければと多くの人が思っていても、現実には個人の力ではやめることの出来ない社会習慣。

あくへき[0]【悪癖】直さなければならない、悪いくせ。

あくへん[0]【悪変】―する(自サ) 悪い方に変わること。「病状が―する」

あくほう(オ)[0]【悪法】(ハフ) 人民の幸福な生活を妨げる悪い法律。「言論の自由を妨げる―」

あくほう(オ)[0]【悪報】❶〔仏教で〕以前その人が悪事をしたために受ける、悪い結果。❷悪い知らせ。「凶報」とも。

あくま[1]【悪魔】人を善に導こうとする神や仏の教えのじゃまをする魔物。〔極悪人の意にも用いられる〕「―につかれたような/―のしわざ」 かぞえ方 一匹 **―しゅぎ**[4]【―主義】人生の暗い面を描き、悪そのものの中に一種の美を見いだそうとする、文芸上の一傾向。ポー、ボードレールらがその代表。

あくまで[1][2]【飽(く)〈迄〉】(副) ❶一度こうしようと思って始めたことを、途中で止ャめることなくやり抜こうという意志をいだく様子。「―(も)△戦う(反対する)」❷その性質や状態が、あらゆる所に例外無く及んでいる様子。「―(も)正直な人/―(も)澄み切った秋の空」

あくむ[1]【悪夢】凶と判断される夢。ⓑ悪魔に魅入られたとしか言いようの無いような夢を見る。「―を見る〔=ⓐ不吉な夢を見る。ⓑ悪魔に魅入られたとしか言いようの無いあってはならない所業を実際に見聞きしたり 一時 行なったりする〕/―のような出来事/―にうなされる/―から目が覚める〔=ⓐそれまで見ていた恐ろしい夢から覚める。ⓑそれまで悪い事をしていた人が、本心に立ち返る〕」

あぐ・む[2]【〈倦む〉】(自五)〔「動詞連用形＋―」の形で、接尾語的に〕うまく出来なかったり 思った通りの結果にならなかったりして△困りぬく(それ以上続けるのがいやになる)。「書き―・待ち―・攻め―」

アクメ[1]〔フ acmé〕快感の絶頂。

あくめい[0]【悪名】〔みんなの間に広がっている〕そのものに対する、悪い評判。「あくみょう」とも。「―(が)高い」

あくやく[0]【悪役】❶〔映画の〕悪漢などの役。❷悪形(アクガタ)。〔損な役回りの意にも用いられる〕

あくゆう[0]【悪友】(イウ) 相手を悪い方へ誘い込む、好ましくない友達。〔反語的に、親友を指すこともある〕↕良友

あくよう(オ)[0]【悪用】―する(他サ) 本来の目的以外の悪い事に使うこと。↕善用

あぐら[0]【〈胡座〉】〔もと、「胡床」と書いて、椅子(スイ)・床几(ショウギ)などの座具を指した〕足を前に組んで、楽にすわること。「―を組む/△既得権(古い のれん)に―をかく〔=そこに安住して、本来なすべき努力を怠る〕」⇩正座 表記「〈胡床〉・〈胡坐〉・〈扶座〉・〈寛居〉・〈箕居〉」などとも書く。 **―ばな**[0][3]【―鼻】あぐらをかいたように、鼻の両わきが広がった状態の鼻。

あくらつ[0]【悪辣】―な ―に 常識のある人なら到底出来ない恥知らずな事を構わずやって、自分の利益をはかる様子。「―な行為」 派 **―さ**[0]

あぐりあみ[3][0]【《網繰(り)網》】巻網の一種。長方形にまわして魚を囲み、網の下方から繰りあげる。略して「あぐり[0]」。表記「揚繰り網」とも書く。

あくりょう(オ)[0]【悪霊】(リヤウ) たたりをする、死人の魂。「あくれい」とも。⇩もののけ

あくりょく[2]【握力】物を握りしめる力。〔生命力の一つの象徴とされる〕「―計[0]」

アクリル[0][1]〔acryl〕「アクリル樹脂・アクリル繊維」の略。 **―じゅし**[5]【―樹脂】飛行機の風よけなどに使う、透き通ったプラスチック。「アクリル酸樹脂[7]」とも。 **―せんい**[5]【―繊維】アクリル樹脂で作った繊維。洗ってもしわにならず、衣類のほか、毛布・カーテン・カーペットなどに広く用いられる。

あくる[0]【明くる】(連体)〔特定の△日(月・年)などの〕次の。「―五日/―朝[4]」 **―とし**[5]【―年】翌年。〔副詞的にも用いられ、アクセントは[0]〕 **―ひ**[4]【―日】翌日。〔副詞的にも用いられ、アクセントは[0]〕

あくれい[0]【悪例】悪い(先)例。「―を残す」

アグレッシブ[3]―な ―に〔aggressive〕❶言動が積極的な様子だ。❷攻撃的な様子だ。「―な生き方をする」「―にゴールをねらう」

アグレマン[3]〔フ agrément=同意〕大使・公使を派遣するに先立って得る、先方の国の同意。

あくろ[1]【悪路】凹凸があったり ぬかるんでいたりして、通行に苦労する道。

アクロバチック[5][4]―な〔acrobatic〕曲芸的。また、軽わざのような。アクロバティックとも。「―ダンス」

アクロバット[4]〔acrobat=軽業(カルワザ)師〕曲芸。

アクロマチック⑤④〔achromatic〕色収差を起こさない（こと）。「—レンズ（=色消しレンズ）」

あけ⓪【《朱け》】〔雅〕朱。「—（=血）に染まって倒れる」[表記]「〈緋け」とも書く。

あけ⓪【明（け）】㊀夜明け。「—（六つ）の鐘／—の明星」㊁前の年月日や季節が終わり、新しい年月日・季節を△迎えること（迎えた状態）。「—の年／—四歳馬（=数えで、四歳の馬）・週—・年—」㊂特定の期間が終わること。「休暇—⓪・宿直—⓪・年季—⓪・忌—・磯—」

あげ⓪【上（げ）】㊀上げること。「賃—」↕さげ ㊁長過ぎる着物の肩・腰の部分を縫い上げて作るひだ。「縫いあげ」とも。「肩—」

あげ⓪【揚（げ）】㊀〔油で〕揚げたもの。「精進—」㊁「あぶら（あ）げ」の略。「—の煮物／なま—」[表記]「揚げ」とも書く。

あげ あし⓪ ㊀【揚（げ）足】〔柔道などで〕技をかけようとして、地面から離れた足。「—を取る（=人の言った言葉じりや、ちょっとした言いまちがいをとらえて、大げさに批評したりする）」㊁【上（げ）足】相場が高くなる動き。↕下げ足 [表記]㊀は、「挙げ足」とも書く。

あげ あぶら③【揚（げ）油】揚げ物に使う油。サラダ油・ごま油・ラードなど。

あげ いた⓪【上（げ）板】㊀釘付けしないで、自由に取りはずせるようにした板。「台所の—」㊁流し場に敷く簀子板。[表記]「揚げ板」とも書く。[かぞえ方]㊀㊁とも一枚

アゲインスト②〔against〕⇩アゲンスト

あげ えん⓪②【揚（げ）縁】昔、商店の店先などに、つり上げるように作った縁側。夜は立てて戸の代りに用いた。

あげ おろし⓪【上（げ）下（ろ）し】—する（他サ）手に持った物や荷物などを上げることと下ろすこと。「荷物の—（=積みおろし）に手間取る／箸の—にまでとやかく言う」[表記]「上げ降ろし・揚げ卸し」とも書く。

あげ かじ⓪【上（げ）〈舵〉】航空機を上昇させるための、舵のとり方。↕下げ舵

あけ がた⓪【明（け）方】夜が明けるまぎわの、まだ暗い時分。〔夜明けは、少し明るくなった時分〕↕暮れ方

あけ がらす③【明（け）〈烏〉】夜明けに鳴くカラス。

あげ く⓪【挙（げ）句】〔連歌・連句で、第一句を発句と言ったのに対して、最後の句の意〕いろいろな事をした最後に行き着いた（好ましくない）結果。「迷った—／長いこと交渉した—（=末に）妥協した／—のはてに（=『あげく』と『はて』と、類義語を重ね用いた強調表現）」[表記]「揚げ句」とも書く。

あけ くれ②⓪【明（け）暮（れ）】〔夜明けと夕暮れの意から〕その日の朝が始まってから、一日が終わるまでの間（ずっと）。「ひとり暮らしの—／—子供の事を心配している」

あけ く・れる④⓪【明（け）暮れる】（自下一）㊀夜が明け、日が暮れる。月日が過ぎる。㊁△昼夜の区別（飽きる事）無く、その事を第一義と考えて行なう。「△内部抗争（読書）に—（=没頭する）」

あげ さげ②【上（げ）下（げ）】—する（自他サ）㊀軽い物を上げることと下げること。「箸の—」㊁人をほめたかと思うと、一方ではけなすこと。㊂物価が騰貴したり下落したりすること。

あげ しお⓪【上（げ）潮】㊃潮の満ちてくることと引くこと。Ⓐ△さし（満ち）てくる潮。「みちしお」とも。↕下げ潮・引き潮・落ち潮 Ⓑ物事の勢いが増してくる時期。「—に乗って事業が成功した」

あけ すけ⓪【明（け）透（け）】—な —に あけっぱなしである上に、当然持つべき思慮を欠き、聞き苦しい、また、聞くに堪えないという感じを与える様子だ。「—な△しゃべり方（態度）／—にものを言う」

あげ ぜん②⓪【上（げ）膳】客などに食事の膳を出すこと。「—据膳」

あげ ぞこ⓪【上（げ）底】箱などの底が高くなって△いる（いて、見かけより内容が少ない）こと。[表記]「揚げ底」とも書く。

あげ だい⓪②【揚（げ）代】芸者・娼妓などを呼んで遊ぶときに払うお金。「玉代」とも。

あげ だし⓪【揚（げ）出（し）】豆腐や野菜を、（ほとんど）衣をつけず、そのまま軽く油で揚げたもの。「—豆腐⑤」

あけ たて②【開（け）《閉（て）》】—する（他サ）〔人が〕戸・障子などを開けることとしめること。〔主として、引き戸について言う〕

あげ だま⓪【揚（げ）玉】てんぷらを揚げた時に出る、衣のくず。「あげかす⓪・天滓」とも。

あげ ちょう⓪【揚（げ）超】〔←引揚げ超過⑤〕政府が財政資金を民間から引き揚げること。↕散超・払い超

あけっ ぱなし⓪【開（け）っ放（し）】—な —の〔「開け放し」の強調形〕㊀〔窓・戸・ふたなどを〕開けたままの状態にすること。㊁秘密にしないで△何でも人に打ち明ける（ありのままを見せる）こと。「—な性格」[表記]「明けっ放し」とも書く。

あけっ ぴろげ⓪【開（け）っ広（げ）】—な —に〔「開け広げ」の強調形〕普通ならもったいぶって言わなかったり飾って大げさに言ったりするところを、何でも包み隠さずに率直に言う様子。「—な性格」[表記]「明けっ広げ」とも書く。

あげつら・う④【《論う》】（他五）「是非・可否などについてあれこれ論じる」意の古風な表現。〔非難の気持を込めて枝葉末節な事柄を述べ立てる〕[名]あげつらい⓪

あけ て⓪【明（けて）】（副）新年になって（からかぞえて）。「—おととしの春／—三十六歳」

あげ て⓪【挙（げて）】（副）関係するすべてがその事に結集する様子。「組合は—反対した／—当局の努力に待つ」⇩あげる㊁㊆

あげ ど②⓪【揚（げ）戸】上に押し上げて開ける戸。[かぞえ方]一枚

あげ どまり⓪【上（げ）止（まり）】株価や為替の上昇が一定の所で落ち着き、さらに上昇する様子がないこと。

あげ なべ⓪【揚（げ）鍋】揚げ物をするための、底が浅くて平たい鉄鍋。「てんぷらなべ⑤」とも。

あけ に⓪【明（け）荷】十両以上の力士が、まわしや化粧まわしなどを入れるために使う、普通よりやや長めの行李。ふたに、四股名が書いてある。[表記]「開け荷」とも書く。

あけ のこ・る④【明（け）残る】（自五）夜が明けてもまだ月・星が空に残っている。⇩暮れ残る

あけの みょうじょう⓪-⓪【明（け）の明星】東の空に明け残る金星。↕宵の明星

あげは ちょう③⓪【揚（げ）羽〈蝶〉】緑がかった黄色の羽に黒い筋・まだらがある大形のチョウ。略して「あげは⓪」。〔アゲハチョウ科〕[表記]「〈鳳蝶〉」とも書く。[かぞえ方]一羽・一匹・一頭

あけ はな・す④【開（け）放す】（他五）㊀〔戸を〕最後の一枚まで、全部開ける。㊁〔窓を〕開けられる限り、広く開ける。㊂〔窓・戸・ふたなどを〕開けたままにしておく。〔㊀㊁とも「開け放つ」とも。また、口頭語形は「開けっぱなす⑤」〕[名]開け放し⓪ [表記]「明け放す」とも書く。

あけ はな・つ④【開（け）放つ】（他五）開け放す。「窓を開け放って風通しをよくする」[表記]「明け放つ」とも書く。

あけ はな・れる⑤【明（け）離れる】（自下一）早朝、地平線がまず明るく白くなり、段々暗さが薄らいでいく。

あけ はら・う④【開（け）払う】（他五）㊀〔見通し・風通しをよくするために〕戸・障子を全部開けて、どこかに片づける。㊁他人に譲ったり 所有者に返したりするために、今まで使っていた部屋などの家財道具の類をきれいに片づけ

る。[名]開け払い[0] 表記「明け払う」とも書く。

あけばん[0]【明(け)番】❶徹夜の勤務から解放される△こと(人)。また、その次の日の休み。❷(半夜交替の勤務で)明け方の番(の人)。

あけび[0]【{通草}・{山女}】〔↑アケビカズラ[4]〕山野に生じる、つる性の落葉低木。春、薄紫色の花を開き、秋、長卵形の実がなる。種子を多く含んだ白い果肉は食用。〔アケビ科〕 表記 古くは「〈蔛・{通草}・{山女}」。また、「{木通}」とも書いた。 かぞえ方 一株・一本

あげ ひばり[3]【揚(げ){雲雀}】空に高く飛びあがるヒバリ。

あけ ひろ・げる[5]【開(け)広げる】(他下一)❶戸・障子・窓などを大きく開ける。❷包みなどを解いて、中の物を広げる。〔口頭語的な強調形は「あけっぴろげる[6]」〕 [名]開け広げ[0] 表記「明け広げる」とも書く。

あげ ぶた[0]【上(げ)蓋・揚(げ)蓋】上げ板。

あけぼの[0]【〈曙】〔「ぼの」は「ほのぼの」と同根〕「明け方」の意の古風な表現。「文明の―は〔＝文明がまず開かれたのは〕ナイル川に始まる」

あげ まき[0][2]【揚巻】❶ひもの結び方や、昔の子供の髪の結い方の一つ。二本の角のように見えるもの。❷マテガイに似た二枚貝の一つ。円筒形で、食用。〔マテガイ科〕 表記 ❶の古来の用字は「{総角}」。

あげ まく[0]【揚(げ)幕】橋懸(ハシガカリ)や花道の出入口の幕。↕引き幕 かぞえ方 一枚

あけ むつ[0]【明(け)六(つ)】〔江戸時代の時法で〕明け方の六つ時〔＝今の午前六時ごろ〕(を知らせる鐘)。↕暮六つ

あげ もの[0]【揚(げ)物】油で揚げた食品。てんぷら・からあげ・フライなど。

あげ や[0]【揚(げ)屋】江戸時代、客が上級の遊女を呼んで遊興した店。

あけやら ぬ[4]【明(け)やらぬ】(連体)夜がまだ十分に明けきっていない。「いまだ―空」

****あ・ける**[0] ■一【明ける】(自下一)一定の期間(の拘束された状態)が終わって、新しい状態が展開する。「夜が―〔＝朝になる〕/年(トシ)が―〔＝新しい年になる〕/寒(カン)が―/年季が―〔＝奉公の契約期限が切れて、自由の身となる〕/夜も日も明けぬ〔＝⇩夜(ヨ)〕/休暇が―」〔年の場合の対義語は、暮れる〕【明けても暮れても】〔副詞的に〕毎日毎日同じ状態を続ける様子。「―机に向かっている」

■二(他下一)〈なに・どこヲ―〉❶【開ける】内と外などをさえぎっている物を取り除いて、開口部や通路の△流通(交通)をはかる。「△戸(店・穴・間・道)を―/幕を開けて〔＝実際その場になって〕みると/ふたを―〔＝⇩ふた❶〕」↕閉める ■・塞(フサ)ぐ■三❶ ❷【明ける】そこを満たしていたものを、ほかへ移して空(カラ)にする。「部屋を―〔＝ⓐ不在にする。ⓑ明け渡す〕/水を―〔＝ⓐ外へ出す。ⓑ外の入れ物に移す。ⓒ競争相手を引き離す〕/△たらい(バケツ)を―〔＝入っている水を外へ流し出す〕/△コップ(杯・ウイスキー一本)を―〔＝容器一杯の液体を全部飲んでしまう〕/手を明けて仕事を待っている/日曜日は明けて〔＝予定を組まずに〕おく」 表記 ■二の一部の用法は、「空ける」とも書く。

****あ・げる**【上げる】■一[0](他下一) ❶〈どこカラどこニなにヲ―〉△低い位置(下の方)から△高い位置(上の方)へ何かを移す。〔客などを部屋に入れる意にも用いる〕「荷物を棚に―/船の荷を陸に―/(応答や降参の意思表示として)手を―〔＝⇩手〕/(重い)腰を―〔＝⇩腰■二〕/△軍配(幕)を―/客を座敷に―/芸者を―〔＝座敷に呼んで遊興する〕/娘をお屋敷に奉公に―/食べた物を―〔＝吐く〕/押し―」 ❷〈(なにカラ)(なにニ)なにヲ―〉程度や段階を今までより高い状態にする。「△温度(スピード)を―/△ピッチ(能率・効果)を―/△地位(給料)を―/娘を大学に―〔＝進学させる〕/△名(男)を―/△血道(熱)を―/上げたり下げたり〔＝ほめたりけなしたり〕する」 ❸〈(どこニ)なにヲ―〉それとはっきり分かる△形(行為)にして示す。「△花火(波しぶき・のろし)を―/結婚式を―/兵を―〔＝起こす〕/悲鳴を―/△声(名乗り)を―/おだを―〔＝⇩おだ〕」 ❹〈(なにニ)なにヲ―〉何らかの条件に適(カナ)ったものとして、具体的に示す。「△実例(難点)を―/該当者の名を―/理由をあげて説明する/多くの問題点があげられる/筆頭に―〔＝掲げる〕/証拠を―〔＝実際に示す〕/犯人を―〔＝逮捕する〕/槍玉(ヤリダマ)に―〔＝⇩槍玉〕/取り―・並べ―」 ❺〈なにヲ―〉結果として期待通りの状態を得る。「△成果(業績・利益)を―/一男一女を―〔＝もうける〕」 ❻〈なにヲ―〉物事を決着のついた状態にする。「食費を千円で―〔＝済むようにする〕/英語のテキストを一日で―〔＝勉強し終える〕/書き―」 ❼〔「…をあげて」の形で〕その組織・集団に属する人のすべてが目的達成のために行動を起こす様子を表わす。「国をあげて祝う/一家をあげて移住する」⇩あげて ❽〈なにヲ―〉神仏に△ささげる(供える)。「仏壇に花を―/お経を―」 ❾〈だれニなにヲ―〉「与える・やる・送る・とどける」などの丁寧語。「誕生日のお祝いを―」

■二[0](自下一)満ち潮になる。「潮が―」

■三〔「動詞連用形+―」の形で、接尾語的に〕❶もうこれで十分だという状態に達するまで何かをする意を表わす。「練り―・きたえ―・縛り―・でっち―・おだて―」 ❷相手への動作をへりくだって言うのに用いる語。「願いあげます・申し―」

■四(補動・下一型)「やる■二」の△謙譲(丁寧)語。「教えて―・持って―・さがして―」 表記 ■一❶、および❸の一部は「揚げる」、■一❶❸❹、❺の一部、および❼は「挙げる」とも書く。

文法 ■一は、「くれる」「もらう」と組になって、受給表現を表わす。「…てあげる」と補助動詞として用いる場合も同様。

運用 ■一❾、および■四は、本来謙譲語であったが、現在では下の立場の者や動物にも「やる」の意で用いられる。例、「子供におこづかいをあげる/犬にえさをあげる」。上位の人に対しては一般に「差し上げる」を用いる。例、「贈り物を差し上げる/かばんを持って差し上げる」

あげず[0]【上げず】同じことを何度も繰り返す際に、次の回までの間に、それだけの隔たりを置かない様子。「三日に―〔＝ほとんど毎日のように〕やって来る」

あ・げる[0]【揚げる】(他下一)熱い油に入れて火を通し、食べられるようにする。「山菜を―/△てんぷら(フライ)を―」

あけ わた・す[4]【明(け)渡す】(他五)住みなれた家・部屋・城などから立ちのいて、他人へ渡す。〔所有権の譲渡を意味する〕 [名]明け渡し[0]

あけ わた・る[4]【明(け)渡る】(自五)どこを見ても一面に空が明るくなり、夜が終わる。

アゲンスト[2]〔against＝…に逆らって〕〔ゴルフなどで〕向かい風が吹いている状態。アゲインストとも。

あこ[1]【〈吾子】〔雅〕我が子。〔現代語の「坊や」のように、広義では他人の子を指したり自称・人名にも用いられた〕「万緑の中や―の歯生えそむる」

あご[2]【顎】❶口の上下の、歯の生えている堅い部分。〔ものを話し、また、かむのに役立つ〕「上(ウワ)―・下―」 ❷下唇の下の部分。おとがい。「―で使う〔＝自分は何もしないでいて、いばって人を使う〕」 ❸〔釣り針の〕かかり。 ❹〔機械・道具などで〕物をつかんだり引っ張ったりする開閉部分。⇩

モンキー■二 ㊄食料。また、食費。「―足つき(=食事と交通費を相手方が用意すること)で招待」(㊄は俗用) 表記 ■二は「〈頤」とも書く。【―が落ちる】この上なく美味である。「おとがいが落ちる」「△頰(ほっぺた)が落ちる」とも言う。【―が干上がる】生活が出来なくなる。【―を出す】❶疲れきる。❷手に負えなくなって、困る。【―を外す】大笑いをする。

あこう①⓪【〈榕】南国産の高木。春一度落葉するが、すぐに新芽を出す。ガジュマルに似て枝から気根が垂れ下がり、葉・実は大きい。〔クワ科〕 かぞえ方 一株・一本

あこうだい②【《赤《魚〈鯛】タイに似た深海魚。頭は大きく顔はいかつい。粕漬・味噌漬などに加工される。〔カサゴ科〕 かぞえ方 一尾・一匹：一枚

アコースティック②⑤〔acoustic〕〔電気ギターなどに対して〕楽器に電子装置を用いていないこと。「―サウンド⑧・―ジャズ⑧・―ギター⑧」

アコーデオン④②〔accordion〕❶蛇腹を伸縮させながら、右側の鍵盤と左側のボタンを押して鳴らす楽器。「手風琴」とも。「―弾き⑤」❷伸縮させることが出来るように襞状になっている物。「―カーテン⑦・―プリーツ⑧・―ドア⑦」 かぞえ方 ❶は一台

あこがれ⓪【憧れ・《憬れ】あこがれること。「―の△人(的)／―をいだく」

***あこが・れる**⓪【憧れる・《憬れる】(自下一)〔「あくがる」の変化〕❶〈だれ・なにニ―〉理想的な存在とする人や職業に心が強く惹かれ、△会って見たい、近づきになりたい(出来ることなら自分もそうなりたい)と切に望む。「△女優(宇宙飛行士)に―」❷〈どこ・なにニ―〉理想的な生活環境を実現しているものとして△自分も早くそれにあやかりたい(そこに行って見たい)と思う。「海の生活に―／空に―(=空を自由に飛んでみたいと思う)／まだ見ぬ異郷に―」 文法「あこがれる」対象を「～に」で表わすのが伝統的な用法であるが、近年は「～を」も多く用いられる。両者に明確な差異を求めることは困難であるが、「～に」は対象とする人やものへの限りない接近を含意し、「～を」は対象とする世界への到達を含意する傾向がある。前者の例、「演歌歌手に―〔演歌歌手=他人〕」、後者の例、「演歌歌手をあこがれて上京する〔演歌歌手=自ら〕」

あこぎ①⓪【〈阿漕〉】―な〔歌・伝説に出た、三重県津市の阿漕が浦の地名から〕あくどいやり方で、ぼろいもうけをねらう様子だ。「―なやり方」

あごひげ②⓪【顎〈髭】顎の部分に生える髭。「ヤギのように長く伸びた―」 表記「顎〈鬚・〈鬚」とも書く。

あごひも②⓪【顎〈紐】帽子が風に飛ばされたりしないように、かぶる時に顎にかける紐。

あこやがい③【〈阿古屋貝】形はホタテガイに似ていて、中に真珠が出来る二枚貝。〔ウグイスガイ科〕 かぞえ方 一枚

あさ【浅】(接頭) それほど程度が甚だしくはないことや色の薄い意を表わす。「―黒い・―手・―知恵」

あさ②⓪【麻】❶古代から栽培された、中央アジア原産の一年草。茎の内側の皮の繊維から糸を作る。実は鳥の飼料などにする。〔アサ科〕❷「麻糸⓪・麻布⓪」の略。「―織物③④」 かぞえ方 ❶は一本 【―の《如し】アサの一本一本の繊維は、糸に縒る以前は繊細で、一手間違うと、もつれて収拾がつかなくなるものだ。「英雄の心緒乱れて―」【―の中の〈蓬】それ自体直立し難い野草のヨモギも、アサに寄り添うように生長すると、自然直立することを得る。そのように悪人も善人と交わるうちに、感化を受けることが多い。

****あさ**①【朝】日の出からの数時間。〔広義では、日の出から正午までを指す〕「―から晩まで／―(=△朝が来る(朝早く起きる)こと)がつらい／―が早い(=朝早く△起きる習慣がある(起きなければならない用事がある))」

あざ①【字】町・村の中の一区画の名。〔大字・小字がある〕

あざ②【〈痣】皮膚に生じる、△赤(青・黒)色の広がり。外傷によるものや内科的原因によるものなど、種類が多い。 表記「〈黶」とも書く。

あさあけ⓪【朝明(け)】「夜明け・明け方」の意の古風な表現。

****あさ・い**⓪②【浅い】(形) ❶〔表面・外から〕△比較の対象とする(一般に予測される)ものと比べ、底・奥までの距離が短い様子だ。「(…の)根が―」❷△比較の対象とする(一般に予測される)状態と比べ、深さの度合が少ない様子だ。「△理解(経験)が―／―(=薄い色の)緑／眠りが―(=熟睡出来ない状態だ)／―(=あさはかな)考え／底が―(=十分に考え尽くされていない)議論」❸始まってから長くたっていない様子だ。「△日(歴史)が―」〔❶と、❷の一部の用法の対義語は、深い〕 派 ―さ⓪ 文法「縁」や「因縁」など宿命的な関わりが深い、つまり浅くないととらえた場合に「浅からぬ△縁(因縁)」「浅からざる△縁(因縁)」などと文語の残存形式を用いて表わすことが多い。

あさいち②【朝市】朝に開く、野菜・魚などの市。

アサイン②―する(他サ)〔assign〕割り当てること。割り振ること。代入すること。

あさうら⓪【麻裏】❶麻の裏地。❷〔←麻裏草履⑤〕平たく編んだ麻を裏につけた草履。

あさお⓪【麻〈苧】〔雅〕麻(糸)。

あさおき②③【朝起(き)】朝早く起きること。「―は三文の徳／―(=朝起きた時の機嫌や体調)が悪い」↕朝寝

あさがえり③【朝帰(り)】―する(自サ) 前の日外出したまま、次の日の朝になって自分の家に帰ること。〔古くは、遊郭からの帰りを指した〕⇩午前様

あさがお②【朝顔】❶夏の朝、じょうご形の美しい花を開く一年生のつる草。観賞用として広く栽培され、品種が多い。古くはキキョウを指した。〔ヒルガオ科〕 かぞえ方 ❶は一本 ❷〔便所で〕男の小便を受ける、じょうご形の陶器。

あさがけ⓪【朝駆(け)】―する(自サ) 朝早く敵陣を攻めたこと。〔新聞記者などが朝早く取材先に押しかける意にも用いられる〕↕夜討ち 表記「朝〈駈け」とも書く。

あさかぜ②【朝風】朝吹く(さわやかな)風。↕夕風

あさがた⓪【朝方】早朝。

あさぎ⓪ ■一【浅〈葱】緑がかった薄いあい色 または水色。■二【浅黄】淡い黄色。 表記 ■一は、「浅黄」とも書く。

あさくさがみ④【浅草紙】すき返しの紙をもとにして作った、粗末な紙。〔江戸時代、浅草の山谷で産した〕 かぞえ方 一枚。小売の単位は一帖

あさくさのり④【浅草〈海〈苔〉】紅藻類の海藻。内海に産し、また養殖する。薄い木の葉の形をしていて、縁にしわがある。干して食用にする。「あまのり②」とも。〔ウシケノリ科〕〔昔、隅田川口の浅草で養殖した〕 かぞえ方 一枚。小売の単位は一帖

あさぐもり⓪【朝曇(り)】朝の間一時空が曇っていること。

あさぐろ・い④⓪【浅黒い】(形)〔肌の色が〕やや黒みを帯びている様子だ。「顔が―」

あさげ⓪【朝〈餉・朝《食】〔「け」は食事の意〕「朝飯」の意のやや古風な表現。

あざけり ■二【嘲り】■一⓪④③「嘲る」こと。「―を買う(=受ける)」■二(造語) 動詞「嘲る」の連用形。「―笑う」

あざけ・る③【嘲る】(他五) 面と向かって軽蔑する言

動・態度を見せる。〔⇩嘲り❷〕

あさざけ[0]【朝酒】 朝のうちから飲む酒。「朝湯—」

あささむ[0]【朝寒】 十月ごろの、朝起きた時の肌寒い感じ。「あさざむ」とも。

あさじ[0]【浅〈茅】 〔雅〕背の低いチガヤ。「—が原[4]〔=浅茅が一面に生えている荒れた野原〕/—生[0]〔=浅茅が生えている所〕」

あさしお[0]【朝潮】 朝方の△満潮(干潮)。↕夕潮

あさす[0]【浅〈洲】 (海岸などの近くで)船が航行出来ないくらい水の浅い所。[表記]「〈洲」の代用字「州」は、もと「国」の意。

あさすず[0][2]【朝涼】 五月ごろの、朝起きた時の涼しい感じ。

あさせ[0]【浅瀬】 海や川の、浅い所。

あさだち[0]【朝立(ち)】—する(自サ) 朝早く出発すること。↕夜立ち

あさぢえ[0]【浅知恵・浅〈智慧〉】 なまじっかあるためにかえって事を誤るような あさはかな知恵。「しろうとの—」

あさつき[2][0]【浅〈葱】 〔「浅つ葱」の意。「つ」は「の」の意の文語の助詞、「き」はネギの意の古語〕鱗茎を食用にする多年草。葉はネギに似て細く、ネギほど臭みが強くない。「せんぼんわけぎ[5][6]」とも。〔ヒガンバナ科(旧ユリ科)〕[かぞえ方] 一本。小売の単位は一把・一束

あさづけ[0]【浅漬(け)】 ❶ダイコン・ナス・キュウリなどを、短時日 塩やぬかであっさり△漬けること(漬けたもの)。早漬け。❷べったらづけ。[かぞえ方] ❶❷とも一本

あさって[2]【〈明後日〉】 〔「あさて」の変化〕あすの次の日。「みょうごにち」とも。〔副詞的にも用いられる〕「しー・やの—」[運用]「あさっての方」の形で、予測した、また、意図した方角とは全く見当違いの方であることを表わす。例、「何を思い違いしたのかあさっての方を見ている」

あさっぱら[0]【朝っ腹】 〔「朝腹」の変化。朝食前の空腹の意〕朝起きて、まだ間もないころ。「—から」

あさつゆ[2][0]【朝露】 朝、草などにおりている露。

あさで[0]【浅手】 軽い傷。「うすで」とも。↕深手 [表記]「浅《傷」とも書く。

あざと・い[3](形) 〔関西方言〕〔「あ」は接辞〕❶△浅はか(小利口)な点が目につく様子だ。「—逃げ口上」❷あくどいところがあって、悪い印象を与える様子だ。「—手立てで金を巻き上げる/—商売」[派]—さ[3]

あさどり[0]【朝取(り)】—する(他サ) 〔野菜・果物などを〕その日の朝に収穫すること。また、その日の朝に収穫したもの。「あさどれ」とも。「—トマト[5]」[表記]「朝採り」とも書く。

あざな[0]【《字》】 ❶昔、「士❷」と言われた人たちが、実名以外につけた通称。❷あだな。

あさな あさな[1]-[1]、[0]-[0]、[4]【朝な朝な】(副) 〔雅〕毎朝。⇩よなよな

あざな・う[3]【《糾う》】(他五) 〔「あざふ」の変化〕〔縄を〕なう。「禍福は糾える縄の如し〔=⇩禍福〕」

あさなぎ[0]【朝〈凪】 朝の間、一時的に風が静まり、海岸(に近い所の海面)がしばらく穏やかになること。〔夏は、暑い〕↕夕凪

あさな ゆうな[1]-[0]、[4]【朝な夕な】(副) 〔雅〕朝晩。毎日の生活の中で、折に触れてその事が繰り返される様子。「—(に)思い出す」

あさなわ[0]【麻縄】 麻糸をよりあわせて作った縄。丈夫で切れにくい。

あさね[2][3][0]【朝寝】—する(自サ) 朝、目が覚めず、つい寝過ごすこと。↕朝起き —ぼう[3]【—坊】 朝寝をする△こと(人)。「宵っぱりの—」

あさのは[0]【麻の葉】 ❶「麻❶」の葉。❷麻の葉を組み合わせたような模様。二等辺三角形を組み合わせた、正六角形の連続構成の模様。

あさはか[2]【浅はか】—な/—に 〔「はか」は「はかなし」の語根、愚かの意〕考えが浅くて、信頼するには足りないと思われる様子。「—なはかりごと」[派]—さ[4][3] [表記]「浅墓」は、借字。

あさはん[0]【朝飯】 朝の食事。〔丁寧表現は、「朝御飯[3]」〕

あさばん[1]【朝晩】 ❶朝と晩。また、あさゆう。「—の冷えこみ」❷(副) 朝と晩に、また、朝となく晩となく、毎日決まって繰り返される様子。「言われた事を—実行している/老いた母のことを—考えない日は無い」

あさひ[1]【朝日】 朝、東からのぼってくる太陽(の光)。↕夕日 [表記]「〈旭・朝《陽」とも書く。 —かげ[3][4]【—影】 朝日の光。↕夕日影

あさぶろ[0]【朝風呂】 「あさゆ」の口頭語的表現。

あさぼらけ[0]【朝ぼらけ】 「夜明け」の意の古風な表現。

あさまいり[3]【朝参(り)】 (日課として)朝早く、神社や寺にお参りすること。

あさまし・い[4]【浅ましい】(形) ❶あまりにもみじめな状態で、見るに堪えない様子だ。「—姿」❷△品性(性行)が下劣で、とても行動を共にする気にはなれない感じだ。「—行為」[派]—さ[3] —げ[4][5][0] —が・る[5]

あさまだき[3]【朝《未だき》】 〔雅〕夜の明けきらないころ。つまり、朝早く。

あさみ[0]【浅み】 水の浅い所。↕深み

あざみ[0]【〈薊】 山野に生じる多年草。葉のふちにとげがある。春・秋に、紅(紫)色の花を開く。オニアザミ・ノアザミ[2]など種類が多い。〔キク科〕[かぞえ方] 一本

あさみどり[3]【浅緑】 薄い緑色。↕深緑

あざむ・く[3]【欺く】(他五) ❶上手にうそを言って、聞く相手に本当だと思わせる。だます。「欺かざる〔=偽らぬ〕告白/目を—〔=明るくて、昼ではないかと思わせる〕ネオンの光」❷〔「…を—」の形で〕代表的な存在として挙げられるそのものも問題にならないほどの資質や能力を備えている。「昼を—〔=昼の光のように明るい〕光/花を—〔=花のように美しい〕美人/鬼を—〔=鬼のように背が高くて、こわい感じのする〕大男」

あさめし[0]【朝飯】 「朝はん」の少しぞんざいな言い方。 —まえ[5]【—前】 朝の食事をする前の力の出ない時。「そんな事は—だ〔=朝食前にも出来るほど、簡単だ〕」

***あざやか**[2]【鮮やか】—な/—に ❶色などがはっきりしていて、見た目に強い印象を受ける様子だ。「—な赤/墨痕—」❷動きに むだが無く、きわだって上手だという印象を与える様子だ。「—〔=見事〕なプレー」[派]—さ[4]

あさやけ[0]【朝焼(け)】 〔日光の反射で〕日の出前に東の空が赤くなって見えること。↕夕焼け

あさゆ[2]【朝湯】 朝立てる湯。また、朝の入浴。「—を焚く/—に入る/—を日課とする」

あさゆう[1]【朝夕】 ❶朝と夕方。「—の日課」❷(副) あさばん❷。「—〔=毎日〕考えていたこと」

あざらし[2]【〈海〈豹〉】 北極海や南極海などにすむ大形の海獣。毛皮・脂肪が利用される。〔アザラシ科〕[表記] 古来の用字は「〈水〈豹〉」。「〈海〈豹〉」は、近世の用字。[かぞえ方] 一頭 —しょう[0][5]【—肢症】 手足が短く生まれる疾患。〔妊娠初期における母体のサリドマイド服用の副作用もその一因といわれる〕

あさり[0]【浅〈蜊】 〔「漁り」の意〕砂地の海浜に産する、小形の二枚貝。肉は食用。〔マルスダレガイ科〕[表記]「浅〈蜊」は、借字。

** * は重要語, [0] [1]… はアクセント記号, 品詞の指示の無いものは名詞および いわゆる連語。

あさり【《漁り》】❶[0] あさること。「バーゲン―[5]」❷(造語) 動詞「あさる」の連用形。「―歩く」

あさ・る[0][2]【《漁る》】(他五) ほしいものを(なんとかして)手に入れようとして、ありそうな所を貪欲(ドンヨク)に捜し回る。〔⇩あさり❷〕

あざわら・う[4]【《嘲笑う・《嘲う》】(他五) ばかにして笑う。〔古くは、それはおもしろい事だ・意外だ・それ見た事かなどの意を含めて顔を見合わすことや、大笑いの意にも用いられた〕[名]あざわらい[0]

あ・し[1]【《悪し》】(形シク) 「悪い」の文語形。「善きにつけ悪しき(=悪い事)につけ/善し―/良くも悪しくも」↔よし

あし[2]【足】❶Ⓐ動物の胴体の下部から左右に分かれて伸びている部分で、からだを支えたり 移動の際に交互に動かしたりする用を果たす部位。「すらりとした長い―の女性/転んで―の骨を折る/―が地に着いた(=着実で、けれんみやはったりが無い)/―の踏み場も無い(=乱雑に散らかっていて足を踏み入れる余地が無い)/―を入れる(=その場に入り込む)/―を滑らせる/―を取られる(=ⓐ道が ぬかるんでいたり酒を飲み過ぎたり などして、うまく歩けない。ⓑ何かで自由な行動が妨げられる)/―に任せて(=気の向くままに)歩く/―を踏み込む/…へ―を運ぶ」⇩ひとあし Ⓑ人について は、特に足首から先の地面を踏みしめる部分を指す。「―の甲/―の裏/―を踏み抜く/―に慣れた靴」❷台を支える(棒状の)部分。「机の―/垂線の―(=幾何学で、△直線(平面)外の一点からその△直線(平面)におろした垂線と、その△直線(平面)の交点)/猫―・蝶(チョウ)―」❸歩くこと。「―(=ⓐ歩き方。走り方。ⓑ食べ物の腐りぐあい。ⓒ商品の売れ行き)が速い/―に自信がある/―の続く限り歩く/秋の午後は、日の―(=移り行く速さ)がめっぽう速い/―を止める(=しばらく立ち止まる)」❹どこかに出かけること。「―が遠のく(=しばらく行かなくなる)/その―で(=出かけたついでに)/―を奪われる(=ストなどで交通機関が止まる)/―の便(=利用出来る交通手段)が悪い」❺(こねた時の粉やもちの)粘り。弾力。「―が△強い(弱い)」❻旅費。「あご―つきの招待旅行(=⇩あご❺)」❻は俗用。 [表記]❶❷❸の一部は、「脚」とも書く。[かぞえ方]❶は一本 【―が有る】(野球で)足が速くて、走塁・盗塁が思うように出来る。【―が付く】❶逃げた者の行くえが分かる。❷何かが手がかりとなって、犯人が分かる。【―が出る】計算してみて、不足額が生じる。損をする。⇩足を出す 【―が乱れる】統一行動が取れなくなる。【―を洗う】今までの(よくない)仕事を、きっぱりとやめる。〔「足を抜く」とも言う〕【―を(掬(すく)う)】❶相手の足を下から上へ急に持ち上げて倒す。❷思いがけない手段で、相手を△失敗(敗北)させる。【―を出す】⇩足を伸ばす。【―を(擂粉木(すりこぎ)にする)】⇩足を棒にする【―を出す】❶(すわっている人が)足を伸ばす。⇩足が出る ❷費用を使いすぎて会計に不足を生じさせる。【―を使って】❶あちこち歩き回って。「―△犯人(特だね・安い物)を捜す」❷(スポーツなどで)駿足(シュンソク)を利用して。「―攻める」【―を引っ張る】❶円滑な進行を妨げる(力が加わる)。「景気回復の―」❷他の成功や昇進のじゃまをする。「与野党の足の引っ張り合い」【―を棒にする】何かを捜し求めるなどして、あちこち歩き回り、足がひどく疲れる。足をすりこぎにする。【―を向ける】❶そちらへ向かって行く。❷(「―を向けて寝られない」の形で)恩人に対する感謝の気持を表わすたとえ。

あし[1]【(葦)】水辺に生える、ススキに似た多年草。茎は編んですだれを作る。〔イネ科〕〔「悪(ア)し」と同音を忌んで、ヨシとも言う〕[表記]「(蘆・(葭)」とも書く。また、「(芦)」は蘆の略字。[かぞえ方]単数は一本(イッポン)。複数は一むら

アジ[1] アジテーションの略。「―びら[0]・―演説[3]」

あじ[0]【味】(アヂ)❶舌が飲食物に触れた時に起こる感じ。〔甘い・辛い・しょっぱい・えぐい・渋いなど。ただし、冷温の感じは除く〕「―を見る(=うまく食べられるように出来たか、出来ぐあいを調べる)/酸っぱいような―がする/―加減[3]・薄―」❷体験しなければ分からない、そのものの感じ。「初恋の―」❸ほかの何物でも置きかえることの出来ない、その物事のおもしろみ。「読書の―/縁は異なもの―なもの(=⇩縁)」【―な】気の利いた。ちょっとしゃれた。「―ことをやる/―店」【―も素っ気も無い】なんの△おもしろみ(味わい)も無い。【―を占める】一度うまい目にあって、その良さが忘れられず、次も良い結果を期待して同じ事を繰り返す(気になる)。【―をやる】(「味な事をする」の意)△思いがけず小器用な(ちょっと気の利いた)事をする。

あじ[1]【(鯵)】(アヂ) 魚のマアジ・ムロアジなどの総称。背中は青く腹は銀色。尾に近い側面に「ぜいご」という堅い鱗(ウロコ)のようなものが並ぶ。食用。〔アジ科〕[かぞえ方]一尾・一匹:一枚

あじあ・う[3]【味あう】(アヂアフ)(他五) 「味わう」の、誤った回帰形。

あしあと[3]【足跡】❶歩いた跡に残る、足の形。「容疑者の―を追う」❷その人の、過去の業績。「偉大な―(=行いの跡)」⇩そくせき

あしいれこん[4][0]【足入(れ)婚】〔一部地方の風習で〕正式の結婚前にする試験的な結婚。

アジェンダ[2]〔agenda〕加盟諸国・政府・公共団体などが取り組むべき検討課題。

あしおと[3]【足音】❶歩いたり 走ったりする時に、足が地面や床にあたって出る音。〔そのものの近づいて来る音や、遠ざかって行く音の意にも用いられる〕❷そのものが確実に迫って来ると感じられる気配。「春の―/世界的な不況の―」[表記]「(跫音」とも書く。

あしか[0]【(海(驢)】オットセイに似て、やや小形の海獣。中部太平洋にすむ。からだは黒茶色で、四足は ひれの形。毛皮・肉・脂肪が利用される。〔アシカ科〕[表記]古くは「(葦鹿・(海馬)」と書いた。「(海(驢)」は、新しい用字。[かぞえ方]一頭

あしがかり[3]【足掛(かり)】❶(岩登りなどで)そこに足を置いて、体を支えたり バランスを保てるようにしたりする所。❷それをきっかけとして、問題の解決に向かうことが予測されるよりどころ。「解決への―とする」

あしかけ【足掛(け)】❶[0]〔年・月・日の計算で〕最初と最後の端数を一とするかぞえ方。〔副詞的用法〕「一昨年の十月から本年の四月まで―三年」↔満 ❷[0][4]〔柔道や器械体操で〕△相手の足(鉄棒)に自分の足をかけること。

あしかせ[0][3]【足(枷)】❶(罰として)足にはめる刑具。❷物事を推進させる上でさまたげとなる事柄。「法的規制が―となり、工事を一時中止せざるを得なかった/―を△はめられる(外す)」〔古くは「あしがせ」〕[表記]もとの用字は、「(桎」。

あしがた[0]【足形】❶歩いた跡に残る、足の形。❷(靴・足袋(タビ)などを作る時に使う)木などで作った、足の型。[表記]❷は、「足型」とも書く。

あしがため[3]【足固(め)】〔もと、登山などのための足ならしの意〕❶将来に備えるための準備。❷柔道・レスリングの固めわざの一種。

あしからず[3]【《悪しからず》】(副)〔手紙などで〕相手の意向に添えない事情などを説明した上で、どうか悪く取らないでほしいという気持を表わす。「行けそうもないので、どうか―(御了承ください)」

あしがらみ[3]【足(搦(み)】〔レスリングなどで〕投げわざを防

いだり 寝わざで押さえこんだり する場合に、相手の足に自分の足をからませること。

あしがる[0]【足軽】 ふだんは雑役に従い、合戦時は歩兵として働いた最下級の武士。「—大将(ダイショウ)[5]〔=足軽の長〕」

アしきしゅうきゅう[4]、[0]-[0](シウキウ)-【ア式蹴球】〔Association football の第一語をA(ア)と略して圧縮した訳語〕 サッカーの古い言い方。

あしきり[0]【足切(り)】〔俗〕〔大学の入学試験などで〕成績が一定の水準に達しない者を△第一次(予備)審査でふるい落とすこと。

あしくせ[0]【足癖】 ❶座り方や、履物を履いて歩く時の(好ましくない)癖。❷〔すもうで〕足わざ。

あしくび[3][2]【足首】 足の臑(ネス)と地面を踏みしめる部分をつなぐ、関節を中心にした、屈曲自在の部分。⇩手首

あしげ[3][0]【足蹴】 足で蹴(ケ)ること。「恩人を—にする〔=恩人に対して、ひどい仕打ちをする〕」

あしげ[0]【〈葦毛・〈芦毛】 馬の毛色の一つ。白い毛に、黒などの差し毛がある△もの(馬)。

あしげい[0]【足芸】 あおむけになってする たらい回しなど、足だけで演じる曲芸。

あじけな・い[4]-(アヂ)【味気無い】(形) おもしろみや、張りあいが無くて、それ以上続けていくのがいやな感じだ。「あじきない[4]」とも。派 —さ[4] —げ[0] —が・る[5]

文法 助動詞「そうだ(様態)」に続くときは「あじけなさそうだ」の形になる。また「すぎる」と結びついて複合動詞をつくるときは「あじけなさすぎる」の形になる。

あしこし[3][2]【足腰】〔立ったり 動いたりするのに中心的な働きをする〕足と腰。「—を鍛える/—の弱さ/—が立たない〔=自力ではうまく歩けない〕病人」

あしごしらえ[3]-(ゴシラヘ)【足〈拵(え)】—する(自サ)〔徒歩で長距離を歩く時〕楽に歩けるように、履物などの準備を十分にすること。「—も厳重に、出発した」

あじさい[0][2](アヂサキ)【〈紫陽花〉】 庭に植える落葉低木。初夏、球状に大きく集まった花を開き、咲いているうちに青白色・紫色・淡紅色と色が変わる。種類が多い。〔アジサイ科(旧ユキノシタ科)〕 表記「紫陽花」は、中国では異なる花を指した。 かぞえ方 一株・一本

あしざま[0]【《悪(し)様】〔悪意を持って〕事実よりも悪く言うこと。「人を—に言う」

あししげく[3][4]【足《繁く】(副) 同一人が、あまり間隔を空けずに繰り返し その場所へ通う様子。

アシスタント[2]〔assistant〕 助手。補助役[0][2]。「—ディレクター[8]」

アシスト[2]—する(他サ)〔assist〕 ❶人の仕事を手伝うこと。「電動—自転車」 ❷〔アイス ホッケー・サッカーなどで〕自らは得点しないが、得点につながるパスを送るなどしてシュートを助けること。また、そのプレー。

あしずり[0]【足〈摺(り)】—する(自サ)〔自分の思う通りにならないので〕身をもがき、足を踏みならすこと。

あしぞろえ[3][0]-(ソロヘ)【足〈揃(え)】 関係者がその会合に一人残らず顔を揃える(ように計らう)こと。

アジソンびょう[0]-(ビヤウ)【アジソン病】〔Addison=人名〕 副腎(フクジン)のホルモン不足によって起こる慢性疾患。皮膚が黒変し、血圧が下がったり 食欲が無くなったりする。

あした[3] ❶【〈明日〉】「あす」の口頭語的表現。〔副詞的にも用いられる。アクセントは[0]〕 ❷【《朝】〔雅〕あさ。「雪の—」 ↕ゆうべ —ば[0]【—葉】 伊豆(ズイ)七島などの暖地に生える多年草。発育がはやく、葉を摘んだ翌日には新しい葉が出るというのでこの名がある。若葉は食用。〔セリ科〕 かぞえ方 小売の単位は一束・一把(ワイチ)・一袋

あしだ[0]【足駄】〔雨降りなど、道の悪い時に履く〕高い歯のげた。「高足駄[3]・高げた」とも。 かぞえ方 一足

アジタート[3]〔イ agitato〕〔音楽で〕激情的に。「—アレグロ」

あしだい[0]【足代】「交通費」の通称。

あしだまり[0][3]【足〈溜(まり)】 ❶ある期間 使用する根拠地。❷足場。

あしついで[3]【足《序(で)】 ある所まで行くついで。

あしつき【足付(き)】 ❶[0][2] 器物の下部に、それを支える「足❷」がついている△こと(もの)。 ❷[0][4] 歩く時の足の運びの様子。「妙な—」

あしつぎ[4][0]【足継(ぎ)】 ❶〔机などの〕高さを補うためにつける△もの(こと)。❷踏み台。

あじつけ[0]-(アヂ)【味付(け)】—する(自他サ) 味を△つけること(つけたもの)。「塩・胡椒(コショウ)で—をする/—のり[4]」

あしで[0]【〈葦手】〔↑葦手書き[0]〕 流れのそばにアシが乱れ生えているような感じに、和歌などの文字を絵画風に散らして書いたもの。

アジテーション[3]〔agitation〕 心情に訴えかける演説などを行ない、人びとを目的の(政治的)行動に駆り立てること。訳語は、扇動。略してアジ。

アジテーター[3]〔agitator〕 アジテーションを行なう人。訳語は、扇動者。

あしてまとい[4]-(マトヒ)【足手〈纏(い)】—な —に その人にしょっちゅうつきまとって、仕事・活動のじゃまになる△こと(者)。「あしでまとい」とも。手足まとい。「—になる」

アジト[1]〔↑agitpunkt=もとロシア語で、扇動指令部の意〕 ❶(左翼運動の)秘密本部。❷(非合法活動家の)隠れ家(ガ)。

あしどめ[0]【足留(め)・足止(め)】—する(他サ) ❶一定の期間、外出・通行をとめること。「—を食(ら)う」 ❷染色のむらを防ぐこと。

あしとり[0]【足取(り)】 足をかかえて倒す、すもうの手。

あしどり[0][4]【足取(り)】 ❶その時の足の運び方。「—も軽く/—が重い」 ❷その人の歩いた道筋。「—をたどる/被疑者の—がつかめない〔=逃走経路がたどれない〕」 ❸相場の高低(の動き)。

あしなえ[0]-(アシナヘ)【〈蹇・〈跛】〔「足萎(ナ)え」の意〕足が悪くて、歩行の自由を△失うこと(失った人)。

あしながばち[4]【足長蜂】 木の枝・軒下など明るい所に、ハスの実のような巣を作るハチ。長い足を下げたまま飛ぶ。〔スズメバチ科〕 かぞえ方 一匹

あしなみ[0]【足並】 一緒に歩く時の、足の運び方。歩調。「—がそろう/—を乱す/—の乱れ」 【—をそろえる】 統一的行動をとる。

あしならし[3]【足慣(ら)し】—する(自サ) ❶〔弱った足の機能を回復させたり 競技に備えたりして〕歩く練習をすること。❷うまくやれるかどうか、試してみること。 表記「足〈馴らし」とも書く。

*__あしば__[3]【足場】 ❶高い場所へ上ったりそこで仕事をするために足を掛けたり する場所。〔後者は普通、丸太や鉄パイプなどを組んで作る〕 ❷〔楽に立ち、歩く時の〕足もとのぐあい。「ぬかるんで、—が悪い」 ❸何かをするための立脚地。「企業内に—を持つ/—を△築く(置く・固める・失う)/—が崩れる」 ❹〔どこかへ行く時の〕交通の便。「—が△いい(悪い)」

あしばや[0]【足速】—な —に 歩く速度が速い様子だ。「—に立ち去る」 表記「足早」とも書く。

あしはら[0]【〈葦原】 一面にアシの生えている所。「豊(ヨト)—」 —のみずほのくに[0]-[1]-(ミヅ)【—の〈瑞穂の国】〔アシ

** * は重要語, [0] [1]… はアクセント記号, 品詞の指示の無いものは名詞および いわゆる連語。

が茂り、穀物が豊かに実る国の意〕日本の古称。

あしび [0]【〈馬酔木〉】山地に自生する常緑低木。春、スズランに似た花を開く。葉は有毒。「あせび」とも。〔ツツジ科〕 かぞえ方 一株・一本

あしびょうし [3]【足拍子(アシビヤウシ)】（強い）足踏みで取る拍子。⇩手拍子

あしぶえ [0]【〈葦笛〉】アシの葉を丸めたり 茎を切ったりして作った笛。 かぞえ方 一本

あしぶみ [3][4][0]【足踏(み)】―する（自サ）❶足で踏んでその物を動かすこと。❷足を上げ下げするだけで、その場を動かないこと。❸物事がはかどらない状態にあること。「―(状態)を続ける／生産が―する」

あしべ [0]【〈葦辺・〈蘆辺】〔雅〕アシの生えている、水のほとり。

あしへん [0]【足偏】漢字の部首名の一つ。「路・跡・踏」などの、左側の「⻊」の部分。〔足での動作や歩行を表わす〕

あしまかせ [3]【足任(せ)】❶行く先を決めず、気の向くままに歩くこと。❷歩ける限り歩くこと。

あじまし・い [4](アヂマシイ)（形）〔北海道・東北方言〕気分がしっくり合ったりして、気持がよい。「あずましい」とも。

あしまめ [0]【足〈忠実〉】―な ―に めんどうがらずに出向き、用事をたす△こと(人)。「―に通う」

あしまわり [3](アシマハリ)【足回(り)】❶足ごしらえ。❷外出の際などの交通の便。「駅に近く―のいいマンション」❸〔自動車などで〕車輪、また、車輪を支える部分全体。「―のよい乗用車」

あじみ [0](アヂミ)【味見】―する（他サ）少し食べたり飲んだりして、味の加減を確かめること。

あしもと [3]【足下】立っている足の△くるぶしから下の部分〔地面に接しているあたり〕。「―が暗いうちから歩き出す／(自分の)―を固める(=置かれた立場の安定を図る)／―を△見つめる(見直す・見られる)／―が ぐらつく／―(=身近な所)を捜せ／―がふらつく(=足どりが不安定だ)／相手の―にひれ伏す」 表記 「足元・足《許」とも書く。【―から鳥が立つ】自分の近くに意外な出来事が起こる。〔急に思い立って、何かをやり始める意にも用いられる〕【―が悪い】雨や雪などにより歩きづらい。〔雨天での催し物などの挨拶(アイサツ)として用いられる〕「お―中お集まりいただきありがとうございます」【―に付け込む】相手の弱みにつけこむ。【―に火がつく】危険が身辺に近づく。【―にも及ばない】比べる相手があまりにすぐれていて、とてもかなわない。その人の足もとにも寄りつけない。【―の明るいうち】❶日が落ちて足もとが暗くならないうち。❷自分に不利な事が暴露されたりして、のっぴきならない立場にならぬうち。「―にさっさとうせろ」

あしや [1]【〈唖者〉】身体的または精神的要因によって、正常に音声を発して言葉を伝達することが△著しく困難な（不可能な）人。

あじゃり [1]【〈阿闍〉《梨】〔弟子の行いを正す規範の意の梵(ボン)語の音訳〕〔天台宗・真言宗で〕特定の条件を満たした僧に与えられる高い位。

あしゅ [1]【亜種】生物の分類上の単位。広い意味では同じ種に含めるが、同じ種に属する他のものとはやや隔たりが認められるもの。

あしゆ [0]【足湯】ひざから下を湯にひたすこと。また、その施設。脚湯(キャクトウ)[0]。「―を使う」 表記 「脚湯」とも書く。

あしゅう [1](アシウ)【〈阿州】「阿波(アワ)ノ国」の漢語的表現。今の徳島県全体にあたる。

あしゅら [1]【〈阿修羅】〔もと、天・竜・夜叉(ヤシャ)等と共に釈尊の親衛隊に任じた鬼神の一つ〕帝釈(タイシャク)天と戦うことが運命づけられている、インドの悪神。略して「修羅」。「―のごとき形相(ギョウソウ)」

あしよわ [0]【足弱】―な ―に 〔老人・子供などの〕歩く力の弱い様子だ。また、そのような人。

あしら・う [3](アシラフ)（他五）〔「あへしらふ[4]」の変化〕❶相手にふさわしい応対をする。〔口語では、対等の相手ではないので適当に扱う意に使うことが多い〕「△冷たく(軽く)―／鼻で―(=相手の存在を軽視して、冷淡な対応をする)」❷〔美的見地から〕上手に取り合わせて、趣を添える。「桜の花をあしらった柄」 名 あしらい[0][3]

アジ・る [2]（他五）〔アジを動詞化したもの〕扇動する。

あじろ [0]【《網代】❶冬、川の瀬に網を引くように竹・木を組み合わせて魚を捕らえる仕掛け。❷薄く削ったヒノキ・竹などを斜めに組み合わせ、むしろのように編んだもの。「―駕籠(カゴ)[3]・―車(グルマ)[4]」 **―ぎ** [3]【―木】〔雅〕「網代❶」に使うくい。

あじわい [0](アヂハヒ)【味(わ)い】❶その飲み物・食べ物の持つ、独特のよい味。❷他の どんな物をもってしても代えることの出来ない、そのもの独特の△おもしろさ(よさ)。

***あじわ・う** [3][0](アヂハフ)【味(わ)う】（他五）〈なにヲ―〉〔「わう」は接辞、「にぎわう」の「わう」と同じ〕❶その飲み物・食べ物の味を試してみたり 味のよさを感じ取ったりする。❷そのものの持つ深い意味をよく考えたり 醍醐味(ダイゴミ)を感じ取ったりする。「△解放感(満足感)を―」❸苦楽・辛酸などを、自分自身で体験する。「苦痛を―／骨身にしみて―」

あしわざ [0]【足技】〔柔道・すもうなどで〕足を使って相手を倒す技。 表記 「足業」とも書く。

あす [2]【〈明日〉】❶きょうの次の日。〔副詞的にも用いられ、アクセントは[0]〕「―は雨のようだ／―は我が身／―ヨーロッパへ旅立つ」❷将来。「―の時代を切り開く／―を担う若者」 表記 ⇩付表

あすかじだい [4]【〈飛鳥〉時代】都がおもに奈良の飛鳥地方にあった時代。六世紀後半から七世紀。

あずかり [0][4](アヅカリ)【預(か)り】❶[0][4]❶他人のものを預かること。「―証[0]」❷何かを任された人。〔狭義では、留守番〕❸〔すもうなどで〕勝負の判定が しにくい時、どちらの勝ちとも決めないでおくこと。「―にする」❷〔造語〕動詞「預かる」の連用形。「―人[0]・―物[0]」

あずか・る [3](アヅカル)【《与(か)る】（自五）❶〔仲間の一人として〕その事に関係する。「相談に―／お裾分(スソワケ)に―／与り知らないところ／与って力がある(=外の事と共に、それも有力に役立つ)／…も大きく―／…の力が大いに―」❷〔相手の好意の結果として〕ある行為を受ける。「おほめに―(=人からほめられる)／ごちそうに―」

****あずか・る** [3](アヅカル)【預(か)る】（他五）❶〈だれカラなに・だれヲ―〉他人から頼まれたものを責任をもって△保管(保護)する。「隣の子供を―／患者の生命を―」❷〈なにヲ―〉事務の処理や めんどうな出来事の始末を任される。「家計を―／けんかを―(=仲裁する)／勝負を―(=保留する)／氏名はしばらく預かって(=公表を保留して)おく」〔⇩預かり❸〕

あずき [3][0](アヅキ)【〈小豆〉】❶夏、黄色で蝶(チョウ)形の花を開く一年草。細長いさやの中に黒みを帯びた赤色の、小形の種を結ぶ。❷豆の一種とされる、「あずき❶」の種。赤飯やあんなどに使う。〔マメ科〕「白―[3]・ゆで―」 表記 ⇩付表。古くは「〈赤豆〉・〈赤小豆〉」とも書いた。 かぞえ方 ❶は一株・一本。❷は一粒 **―いろ** [0]【―色】黒みを帯びた赤色。 **―がゆ** [4][3][0]【―〈粥】アズキの入った粥。小正月などに食べる習慣がある。「十五日がゆ[5][6]」とも。

アスキー [1]【ASCII】〔←American Standard Code for Information Interchange〕米国規格協会情報

交換標準コード。コンピューターの標準コードとして設定され、数字・アルファベット・制御文字を7ビットで表わす。アスキー コード[5]とも。

あずけい・れる[5]【預(け)入れる】(他下一) 銀行などの自分の口座に新たにお金を預ける。[名]預け入れ[0]

***あず・ける**[3]【預ける】(他下一) ❶〈だれ・どこニなに・だれヲ―〉自分で管理出来ない事情にあるものの△保管(保護)を、一時期他人に任せる。「保育所に子供を―」 ❷〈だれニなにヲ―〉自分の責任で処理しかねる事の収拾を他人に任せる。「会計は一切Aに預けた/△けんか(勝負)を―」 ❸〈どこニなにヲ―〉今まで直立していた者が、上半身を傾けて何かに寄りかかるような姿勢を取る。「壁に身を―/左四つにつかまえるとガブリ寄り立て、体を預けた」 [名]預け[3] ⇩お預け

あすこ[0](代) 「あそこ」のやや俗語的な口頭語的表現。

アスコット タイ[5][6]〔ascot tie〕〔英国のアスコット競馬場で流行したことに由来〕スカーフのように首に結ぶ、幅の広いネクタイ。

あずさ[1]【〈梓】 昔から歌などによく詠まれた木。弓を作ったり 版木に使ったりした。〔キササゲ・アカメガシワとする説もあったが、今ではヨグソミネバリとする説が有力〕「―に上せる〔=出版する。⇩上梓〕」 [かぞえ方] 一株・一本 **―ゆみ**[3]【―弓】 アズサの木で作った弓。

アスター[1]〔aster〕 シオン・ノギク・エゾギクなどの総称。〔狭義では、エゾギクを指す〕

アスタチン[3]〔astatine=もとギリシャ語で、「不安定な」の意〕 ハロゲン族元素の一つ〔記号At 原子番号85〕。放射性をもつ。一九四〇年セグレ (E. Segrè) らが発見した。

アステリスク[4]〔asterisk〕〔印刷で〕注などを参照させるための記号。星印。「*」。略してアステ[1]。

アステロイド[4]〔asteroid=「星のような物」の意のギリシャ語に由来〕 小惑星。

アストラカン[4]〔astrakhan=もと、カスピ海の近くの地名〕子ヒツジの、巻き毛の黒皮。〔広義では、輪が飛び出したように作った織物や毛糸をも指す〕

アストリンゼント[4]〔astringent〕 肌をひきしめるための、酸性の化粧水。アストリンゼン[4]とも。「―ローション[9]」

あすなろ[0]【〈翌〈檜}】〔「あすはヒノキになろう」の意という〕深山に自生する常緑高木。ヒノキに似ていて、材質は密で、ヒノキにつぐ良材。「あすなろう[4][0]」とも。〔ヒノキ科〕

[かぞえ方] 一株・一本

アスパラガス[4]〔asparagus〕 若い芽を食用とする西洋野菜。多年草。日光を当てて生育させるグリーンアスパラガスや、日光を当てずに白い状態で取り入れたホワイトアスパラガスなどがある。葉を生け花に使う種類もある。略してアスパラ。〔キジカクシ科(旧ユリ科)〕 [かぞえ方] 一本。小売の単位は一束・一把

アスピリン[0]〔ド Aspirin〕〔「アセチルサリチル酸[0][8]」の商品名〕熱を下げ 痛みを止める、白い粉薬。シロヤナギ[3]などの成分から抽出される。

アスファルト[3]〔asphalt〕 道路の舗装などに使う、あぶらびかりのする黒いかたまり。古い訳語は、土瀝青[3]。

アスペクト[1][3]〔aspect=相〕〔文法用語で〕主として動詞によって表わされる動作がどのような時間的過程にあるかを記述する文法形式。始発・継続・完了・結果・存続など。

アスベスト[3]〔オ asbest〕 鉱物の、いしわた。

あずま[1]【《東】 関東(を中心とした地方)の古称。「―男に京女」 [表記] 日本武尊の伝説から、「〈吾妻・〈吾嬬〉」とも書く。 **―うた**[3]【―歌】 万葉集巻十四・古今集巻二十にある、東国方言で詠んだ和歌。 **―えびす**[4]【―〈夷】〔伝統文化を誇る京都人から見た〕東国地方の武士。〔生活水準が低く、言語も違うものとして軽蔑された〕 **―げた**[3]【―下《駄・〈吾妻下《駄】 女性用の下駄。畳表のついた、歯の薄いもの。 **―コート**[4]【〈吾妻コート】 外出の時、女性が和服の上に着る丈の長いコート。地は毛・絹・ベルベットなど。 **―じ**[3][0]【―路】 京都から関東へ行く道の古称。〔広義では、関東地方をも指す〕 **―や**[3][0]【〈四〈阿}・〈四〈阿}屋・《東屋】 屋根をふいただけで、壁の無い小屋。庭園などの休息所。亭。 [かぞえ方] 一宇

アスリート[3]〔athlete=運動競技者〕〔スポーツで〕競技会や試合に出場し、身体能力や技能を競う人。「―ファースト[6]〔=選手第一(の方針・姿勢)〕・トップ―[6]」 ⇩選手

アスレチック[4]〔athletic〕 ❶運動。体育。 ❷公園などにある、雲梯や滑り台などの複合遊具を配置した運動施設。また、その遊具。アスレチックスとも。⇩フィールドアスレチック **―クラブ**[7]〔athletic club〕 各種のトレーニング器具やプールなどを設備し、健康増進や美容を目的とした、会員制のクラブ。

***あせ**[1]【汗】 ❶暑さを感じたり 運動したり 精神的に緊張したりする時に動物の皮膚から知らず知らずのうちに出る分泌物。塩分を主とし、尿酸などを交える。額を主とした顔や、腋の下などに多出する。「―をかく/―〔=労苦〕の結晶/―染みたシャツ/―押え[3]・―かき[2]・―殺し[3]・―止め[0]・脂―・冷や―・大―」 ❷温度差のため空気中の水蒸気が液化して 器物の表面や船倉の積み荷などに生じる、小粒の水滴。「ビール瓶が―をかく」 【―を流す】 ❶かいた汗を洗い落とす。 ❷骨身を惜しまず、一生懸命働く形容。「汗を流して家業を営む」 ❸運動をする。 【手に―を握る】 ⇩手

あぜ[2][1]【〈畦】 ❶水田の境として土を細長く盛り上げた所。〔広義では、畑についても言う〕 ❷△敷居(かもい)の溝の間にある仕切り。 [表記] ❶は、「《畔」とも書く。 [かぞえ方] ❶❷とも一本

あぜ あみ[0]【〈畦編(み)】 表編みと裏編みを交互に使って、編み目を畦のように一列に並ばせる編み方。「ゴム編み」とも。

アセアン[2][1]【ASEAN】〔← Association of Southeast Asian Nations〕 東南アジア諸国連合。タイ・マレーシア・フィリピン・インドネシア・シンガポールなど十か国から成る地域協力機構。一九六七年結成。

あせい[1]【亜聖】 聖人に次ぐ大賢人。〔狭義では、孔子に対して、孟子を指す〕

あせいそうけん[4]【亜成層圏】 成層圏の下で、高さ七、八千メートルの高空。

あぜ おり[0]【〈畦織(り)】 ⇩うねおり [表記] 「〈畔織り」とも書く。

あせくさ・い[4]【汗臭い】(形) 汗でからだや衣服から不快なにおいが発散される様子だ。「―タオルを首に巻く」 [派]―さ[4]

あぜくら[0][2]【《校倉】 面取りをした三角柱の横材を組み上げて作った倉。例、正倉院。「―造り[5]」

あせじ・みる[4]【汗染みる】(自上一) 〔衣服などが〕汗がついて汚れる。

あせしらず[3]【汗知らず】 汗を吸いとらせるために皮膚にはたく天花粉。

アセスメント[2]〔assessment〕 物事の是非などを決めるために行なう、調査(に基づいた評価)。「環境―〔=⇩環境アセスメント〕」

あせ・する[1]【汗する】(自サ) 汗を出す。「ひたいに汗して

** * は重要語, [0] [1]… はアクセント記号, 品詞の指示の無いものは名詞および いわゆる連語。

〔＝一生懸命に〕働く」

あせだく⓪【汗だく】暑かったり体を激しく動かしたりして、汗がだくだく流れる様子。「―になる」

アセチルコリン⑤〔acetylcholine〕〔医〕動植物中に含まれる興奮伝達物質。動物では主として神経組織に存在し、副交感神経や末端の神経から筋肉に作用する。

アセチレン⓪〔acetylene〕夜店の灯火や溶接などに使ったりする有毒ガス。無色で、燃えやすい。工業原料にも使う。アセチリン⓪とも。〔化学式 C_2H_2〕「―灯⓪」

アセテート③〔acetate〕人造繊維の一種。服地・下着などに用いられる。

アセトアルデヒド⑥〔acetaldehyde〕刺激臭のある無色の液体。アセチレンまたはエチルアルコールから製造され、酢酸の原料となるほか、プラスチック・合成染料・合成ゴムなどの中間原料として利用される。二日酔の原因物質。

あせとり③⓪【汗取り】❶汗が上着に通るのを防ぐために着る肌着。〔ガーゼじゅばんや網じゅばんの総称〕❷汗を拭き取るための紙やガーゼ。かぞえ方 ❶❷とも一枚

アセトン②〔acetone〕アセチレンからとれる無色の液体。特異なにおいがあり、ヨードホルムなどの原料。

あせばむ③【汗ばむ】（自五）汗が△にじむ（にじみ出る）。「汗ばんだ肌」

あせび⓪【〈馬酔木〉】植物のアシビ。

あせまみれ③【汗《塗れ》】△からだ（顔）中が汗にまみれている状態。

あせみず①②[ミヅ]【汗水】流れ出る汗。「―垂らして働く」

あせみずく③⓪[ミヅク]【汗みずく】水につかったように汗にぬれた様子。表記「汗《水漬く》」とも書く。

あぜみち②【〈畦道】田と田の間に作った人（や車）が通るための、農作業用の細い道。かぞえ方 一本

あせみどろ③⓪【汗《塗ろ》】からだ中が汗でべとつくこと。

あせも③【汗〈疹〉】汗のため皮膚に出来る、赤い小さな吹き出物。「あせぼ③」とも。表記「汗〈疣〉」とも書く。

あせり③【焦り】焦ること。「―の色が見える／―を△誘う（覚える・感じる）／―が△高まる（うかがわれる・消える・つのる・濃くなる）」表記「〈焦燥〉り」とも書く。

あせる②【〈褪せる】（自下一）時間の経過とともに、本来備えていた好ましい色合い・つやが、日光や熱・湿気などのために失われて、見映えがしなくなる。「色褪せた服／色褪せた栄光」運用 結婚などの祝宴の場では避けるべき言葉とされる。

***あせる**②【焦る】（自五）〈なにヲ―〉〔思うように事が運ばない時〕急がなければいけないと思うあまり、ふだんの落ち着きを失う。「△事（功）を―／焦って自滅した／攻め―④」表記「〈焦燥〉る」とも書く。

アセロラ⓪〔ス acerola〕サクランボに似た、トロピカル フルーツの一つ。ビタミンCを多量に含み、すっぱい。生食のほか、ジャム・ジュースの原料とする。西インド諸島周辺に分布。〔キントラノオ科〕

あぜん⓪【〈唖然】―たる ―と あきれて言葉が出ない様子。「一同―とする」

あそこ⓪【《彼《処・《彼《所】（代）❶話し手・聞き手から離れて存在し、両者が共に認め得る場所・場面や箇所を指す語。「―に見えるのが大山ダイセンだ／ここから―までどれくらいあるかな」❷すでに話題になるなどして、話し手・聞き手が共に意識している事柄のある箇所を指す語。「機会があったら―にまた行こうよ／―〔＝あの段階〕でやめておけばよかったんだ／―の所〔＝あの箇所〕をもう一度聞かせてくれ」❸〔「―…ここ…」の形で〕場所や場面が一つに限定されないことを表わす。「―でもここでも話題になっている」⇨ここ・そこ・どこ：こそあど 運用 話し手自身が過去を回想したりする時、経験のある場所・場面・箇所などを指し示す場合にも用いる。例、「あそこへもしばらく行っていないな」

―いら③（代）「あのあたり」の意の口頭語的表現。

アソシエーション④〔association〕❶組合。協会。連合。❷連想（作用）。

あそばす⓪【遊ばす】（他五）❶「遊ぶ」の使役形。遊ぶようにさせる。遊ばせる⓪（下一）。「子供を戸外で―ようにしている」❷「（…）する」の尊敬語。運用 ❷は、「（…）なさる」より高い敬意を表わす。また、「お＋動詞連用形＋遊ばす」などの形で、「お…なさる」より高い敬意を表わし、多く女性が用いる。例、「お帰り遊ばす／ご旅行遊ばす／ご免遊ばせ」。更に敬意を高めると「（…）遊ばされる」。例、「閣下にはいかが遊ばされましたか」

あそばせことば⑤【遊ばせ言葉】「遊ばせ」をつけて特別丁寧に言う、多く女性が用いる言葉。例、ご免遊ばせ。

***あそび**⓪【遊び】■一⓪❶遊ぶこと。「子供の―／水―」❷酒色やばくちにふけること。「女―」❸機械の連動して動く部分に設ける、運動をゆるやかに起こさせるための余裕。「ハンドルの―〔＝ハンドルを切っても、すぐには、タイヤの向きが変わらないようになっていること〕」運用 ❶は、「お遊び②」の形で、単なる暇つぶしにやっていることだという意味で、自分のことに関しては謙遜ケンソン、他の人のことに関しては皮肉をこめて表わす。例、「天体観測といってもほんのお遊びです／あいつのやっていることはお遊びに過ぎない」

■二（造語）動詞「遊ぶ」の連用形。「―場所を奪われる／―相手④」

―あるく⑤【―歩く】（自五）娯楽・買物などのために外出し、あちこちと歩き回る。

―ぎ③【―着】〔制服・よそ行きと違って〕子供がふだん着として着る衣服。

―くらす⑤【―暮（ら）す】（自五）何も△仕事をせず（職業を持たず）に、その日その日を過ごす。

―ごころ④【―心】仕事や生活の中に、実用的な目的を離れて、それ自体を楽しむ要素を取り込もうとする精神的なゆとり。「―にあふれた創作料理／大人の―をくすぐる日用雑貨」

―ごと⓪【―事】❶趣味や娯楽としてする事柄。「―でも賭カけ事はするな」❷事の成否や収益の有無などは度外視して、楽しめればよいという気持ですする仕事。「―で始めた焼き物作りが本業になってしまった」

―たわむれる⑦[タハムレル]【―戯れる】（自下一）〔仕事のことなどを忘れて〕遊ぶことに夢中になって時間を過ごす。

―にん⓪【―人】❶何も職を持たずに暮らしている人。〔狭義では、ばくち打ちを指す〕❷遊ぶことが好きな人。

―ば⓪【―場】子供が遊ぶのに適した場所。

―はんぶん④【―半分】―な ―に 仕事や勝負に取り組む姿勢に真剣味が欠けている△こと（様子）。「―でやると思わぬ怪我ケガをすることがあるから気をつけなさい」

―ほうける⑥[ホオ]【―〈惚ける・―〈呆ける】（自下一）遊ぶことに夢中になって、すべての事を忘れてしまう。

―まわる⑤[マハル]【―回る】（自五）一か所に落ち着いていずに、次から次へと場所を変えて遊ぶ。

―め⓪【―女】〔雅〕遊女。「うかれめ」とも。

****あそぶ**⓪【遊ぶ】（自五）❶〈なにデ（なにヲ）―〉〔生活の手段としてではなく〕自分のしたいと思う事をして、楽しみながら時間を過ごす。「無心に―子供／夜な夜な繁華街で―〔＝遊興する〕」❷仕事をしていない状態にある。「今遊んで〔＝職が無く、ぶらぶらして〕います／機械が遊んで〔＝利用されないで〕いる」❸〈（どこ）ニ―〉学芸を修めたり見聞を広めたりするために、他郷へ行く。「鎌倉に―／漱石ソウセキの門に―〔＝学ぶ〕」〔⇨遊び■一〕

あそん①【〈朝臣〉】〔雅〕〔姓カバネの第二位「あそみ」の変化〕五位以上の人を（他より）尊敬していう言い方。古くは、「あ

っそん[1]」とも。〔三位(サンミ)以上は「藤原(フジワラ)ー」と言って姓を呼ばず、四位は「信隆(ノブタカ)ー」と言って姓を呼ばず、五位は「在原業平(アリワラノナリヒラ)ー」と呼んだという〕

あた(接頭) あくが強くて好ましくない意を表わす。〔近世の用語〕「ー塩(ジオ)っからい[7]」

あだ[2]【〈仇】〔侵入する敵兵の意の「寇(アタ)」の変化という〕❶仕返しをしてやろうと思う、憎い相手。「ーを討つ〔=かたきを殺して、恨みを晴らす〕/ー〔=恨み〕に思う」❷悪意を持っての仕返し。「恩をーで返す/親切のつもりがーとなる〔=悪い結果となって、自分にはね返って来る〕/油断が身のー〔=破滅〕となる」 表記「〈寇・《敵」とも書く。【ーを成す】❶恨みに△思う(思って仕返しをする)。❷動物がいたずらをする。

あだ[2]【《徒】ーな ーに (相手のために)せっかくそうしても、それだけの効果が無い様子。「せっかくの好意がー〔=むだ〕になる/ーやおろ(そ)か〔=いいかげん〕に出来ない/ー情(ナサケ)・ー花(バナ)・ー〔=はかない〕夢[0]」

あだ[0][2]【〈婀娜〉】ーな 〔「婀」も「娜」も美しい意〕(女性が)性的魅力をからだ全体から発散する様子。「ーっぽい[4]」

アダージョ[2]〔イ adagio〕〔楽譜で〕ゆっくり。緩徐調[0]。アダジオとも。

あたい[0]【《私】(代)〔「あたし」の変化〕「わたし」の口頭語的表現。〔かつて、東京下町や花柳界などで用いられた〕

あたい[0]【値(アタイ)】❶「ねだん・ねうち」の意のやや改まった表現。「一読のー〔=価値〕がある」❷(数学で)文字や「式❸Ⓐ」などが表わす数。「未知数 x のーを求める/比のー」❸数値。「測定したー」 表記❶は、「価」とも書く。 **ー・する**[0]-[0](自サ) そうしてみるだけの△意義(価値)がある。「△一見(考慮・検討・同情)にーする/選良の名に値しない〔=評判倒れだ〕」 **ーせんきん**[0]-[0]【ー千金】「千金」に相当するほどの高い価値があること。「春宵(シュンショウ)一刻ー〔=⇩春宵〕/ーの満塁ホームラン」

あた・う[0]【《能(アタ)う】(自五) 何かの実現が可能な状態にある。〔「不能」の訓読「あたわず」を肯定の形で用いたもの〕「ー限り〔=精一杯〕の誠意を尽くす」 文法 肯定の形は「あたう限りの…」、また、「あたう限り援助を惜しまないつもりだ」などと用いられる。ほかは、否定の形で「何ら評価するにあたわず」「感嘆おくあたわず〔=感嘆せずにはいられない〕」などと用いる。

あだうち[0]【〈仇討(ち)】ーする(他サ) 〔武家社会で〕殺された本人の恨みをはらすために、その関係者が(逃亡した)殺害者を見つけ出し討ち取ったこと。〔討つ当事者は目下の者に限られ、かつ一定の手続きを取ることが求められた。仇討ちを果たさなければ主家に帰参がかなわなかった〕

あたえ[0]【与え】 与えた△こと(もの)。「天のー」

あた・える[0]【与(アタ)える】(他下一)〈だれニなにヲー〉❶その人自身の意志では得ることの出来ない、△役に立つことの期待される(欲しいと願っている)事物や条件を得させる。「子供に△本(小遣い)をー/旅行中の注意をー/ノーベル賞が与えられる/△弁明の機会(重要な任務)をー/社員に育児休暇をー/天、二物を与えず」❷好むと好まざるとにかかわらず、他からの働きかけによる影響を△受け(感じ)させる。「△損害(衝撃・ショック・ダメージ)をー/△信頼感(安心感・脅威・苦痛)をー」

あだおろそか に[0]-[2]、[4]【《徒《疎(か)に】(副) 〔否定表現と呼応して〕△相手から受けた恩恵(そのことの大切さ)を身にしみて感じている様子。「あだやおろかに」とも。「ー出来ない/ご恩のほど、ー〔=尋常一様のことと〕は思いません」

あたかも[1]【〈恰(か)も・《宛(か)も】(副) ❶そのものから受ける印象を端的に描写するために、適切なたとえを用いる様子。「不気味に静まりかえった街の雰囲気は、ー嵐(アラシ)の前のように感じられた/その噂(ウワサ)が広がると、群衆はー潮の引くように去って行った」❷ちょうど問題のその△時点(時期)に該当することから、その事のあった事情が納得されると判断する様子。「時ー幕末であった/ー日曜日、紅葉が見ごろの観光地には見物客が殺到した」【ー《好(よ)し】 ちょうどよいことには。

あたくし[0]【《私】(代) 「あたし」より丁寧で、「わたくし」のややくだけた言い方。主として女性が用いる。

あだざくら[3]【《徒桜】〔雅〕はかなく散る桜。

あたし[0]【《私】(代) 「わたし」の口頭語的表現。〔主として女性が用いる〕

あだし(造語)〔雅〕❶【《他し】 ほかの。別の。「ー男[4]」❷【《徒し】 変わりやすく頼ることの出来ない。「ー〔=浮気〕心(ゴコロ)[4]・ー〔=はかない〕世[0]」

アダジオ[2]〔イ adagio〕⇩アダージョ

あたじけな・い[5](形) いやにけちだ。

あたたか[3][2]【暖か】ーな ーに 暖かい様子だ。〔口頭語では「あったか[3]」とも〕「今日は朝からとてもーだ/ーな季節/ーな心遣い/ーなもてなし」 表記「温か」とも書く。

あたたか・い[4]【暖かい】(形) ❶適度の温度があって、寒さ・冷たさなどによる不快感を受けることがない様子だ。「朝からとてもー/ー天気/ー御飯」❷親身の心遣いなどが感じられて、違和感を感じない様子だ。「遠来の客を暖かく迎え入れる/ー家庭」❸苦境に立たされた人などに対する思いやりの気持が感じられる様子だ。「ー目で見守る」〔❶〜❸とも口頭語では「あったかい[4]」とも〕 表記「温かい」とも書く。 派 **ーさ**[3][4] **ーみ**[0] **ーげ**[0][4][5]

【懐(ふところ)がー】⇩懐

あたたま・る[4]【暖(ま)る】(自五) からだが暖かくなると共に、気持が△安まる(なごむ)。〔口頭語では「あったまる[4]」とも〕「心ー△物語(思い)/懐(フトコロ)がー〔=持ち合せのお金が多くなる〕/席のーいとまが無い〔=忙し過ぎる形容〕」 名 暖まり[0] 表記「温まる」とも書く。

*__あたた・める__[4]【暖める】(他下一) ❶〈なにヲー〉暖かく△する(しておく)。「スープをー/卵をー〔=かえるまで、大事にかかえる〕/構想をー〔=もっとよくするために、発表しないでおく〕/旧交をー〔=友達と久しぶりに会って、親しく時を過ごす〕/ベンチをー〔=控えの選手として、試合に出ないでベンチに居る〕」❷〈なにヲー〉こっそり自分のものにする。「落し物をー」〔❶❷とも口頭語では「あっためる[4]」とも。❷は俗用〕 表記「温める」とも書く。

アタッカー[2]〔attacker〕バレーボールでスパイクを打ち込む(役をになった)選手。スパイカーとも。

アタック[2]〔attack〕❶ーする(自他サ) 攻撃(を加える)。「ーゾーン[5]」❷〔音楽で〕出だし。❸ーする(自サ)〔登山で〕山頂を目指すこと。

アタッシェ[2]〔フ attaché〕〔大使館・公使館付きの〕専門職員。おもに陸海空軍の武官・情報担当官など。 **ーケース**[5]〔attaché case〕B4判程度の書類が入れられる、角型で平たいかばん。アタッシュ ケースとも。

アタッチメント[2]〔attachment〕 機器の付属装置。〔狭義では、写真機の接写用補助レンズ、電気掃除機などの付属品や洋装のアクセサリーなどを指す〕

あだな[0] ❶【〈諢名】 その人の性行・特徴などをとらえて、他の人が多少からかいぎみに付けた呼び名。「互いにーで呼び合っている仲」❷【〈仇名】 異性関係についてのうわさ。浮き名。〔古風な表現〕 表記 ❶は「〈渾名・〈綽名・〈綽《号」、❷は「《徒名」とも書く。

あだ なさけ[3]【《徒情(け)】 ❶かりそめの、はかない恋。❷一時だけの、ちょっとした親切。表記「〈仇情け」とも書く。

あだなみ⓪【《徒《浪・《徒波】〔雅〕わけも無く立ち騒ぐ波。〔人心の変わりやすい意にも用いられる〕「浅き瀬にこそ―は立て」表記「〈仇《浪」とも書く。

あだばな⓪【《徒花】咲くだけで、実を結ばない花。〔ナスの雄花の異称〕〔見かけだけで実質を伴わない意にも用いられる〕

あたふた①（副）―と・―する 予想外の事態に出くわすなどして、対応にとまどいながら、慌てて行動する様子。「―と帰宅を急ぐ／急の来客があって―する」

アダプター②⓪〔adapter〕カメラ・ビデオ・録音機などの機械器具類を多目的に使用するときに取り付ける付属装置（を接続するための器具）。

あたぼう⓪〔「あたりめえだ、べらぼうめ」を縮約した近世語〕「（そんなことは）当然だ」の意の粗野な言い方。「―よ、俺だって江戸っ子よ」

****あたま【頭】** ■一③② ❶動物のからだの中で最も△上（前）にある部分。前面に目（・鼻）・口があり、内部に脳を収める。〔狭義では、人の顔の上部、毛の生えている所を指す〕「転んで―を打つ／―を刈る〔＝散髪する〕／―〔＝頭髪〕が白くなる／―を丸める〔＝髪をそ（って出家す）る〕／風邪をひいて―が痛む／―の痛い〔＝対処に苦労する〕問題／献身的な看護に―が下がる〔＝心から敬服する気持になる〕／難問に―を抱える／―に△浮かぶ（描く）／―を占めて〔＝大きな関心事となって〕いる／―に来る〔＝腹が立ってかっとなる〕／―〔＝頭かず〕をそろえる／―を冷やす〔＝ⓐ熱を下げるために冷たくする。ⓑ興奮を冷ます〕」❷〔脳の機能ととらえられることから〕外界の事物を認知する働きや物事について思考したり判断したりする働き。「―が△いい（悪い）／―が切れる〔＝とっさの判断や洞察力にすぐれる〕／疲れて―が働かない／どうするのがよいか、―を△使い（働かせ）なさい／―を切り替える〔＝発想を転換する〕／進学の問題で―を悩ます」❸△物の上端（物事の始まり）の部分。「△くぎ（鼻）の―／会長の挨拶を会報の―に載せる／辞書を―から見直す／改憲論が―をもたげる〔＝活発になりそうな兆候を見せてきた〕／―出し」❹組織などの中で最上位に位置する人。「政界の長老を福祉団体の―に据える／組織の―をすげかえる」■二（造語）人を単位とすることを表わす。「とりあえず、一人―一万円〔＝一人につき一万円ずつ〕を支給した」【―が上がらない】負い目があったり弱みをにぎられたりして、とても対等にふるまえない。【―が固い】△先入（固定）観念にとらわれていて、そこから離れた考えが出来ない様子だ。【―の黒い〈鼠】こそこそと家の物をくすねる者のたとえ。【―の体操】論理的に正解を導けるやや難解なパズルやクイズなどを解くことで、頭脳に適度な負荷をかけること。脳の体操。「このゲームは―になります」【―一つ抜ける】横並びだった状態から、△一つ（一人）が他よりも明らかに優位になる。「同期の出世争いでは彼女が頭一つ抜けている」【―を痛める】難題をどうにか解決しようとして、苦心する。【―を押さえる】台頭しようとする勢力を力で抑圧する。【―を下げる】❶お辞儀する。❷依頼・謝罪などの意を含めて、挨拶する。【―を出す】目立たなかった実力が認められるようになる。【―を〈撥ねる】うわまえを撥ねる。

―うち⓪【―打(ち)】❶相場などが、それ以上あがらなくなること。「ずうち」とも。「―の△状態（傾向）」❷勢いや階級などが、それ以上△強くなら（あがら）ないこと。「給与の―」

―かず④⓪【―数】何かをするのに必要な人数。「―をそろえる」

―かぶ③【―株】❶おもだった人。❷⇩まえかぶ

―から③（副）〔もと、最尖端・最上端の意から転じて〕それまでのいきさつなどをすべて無視して、最初の段階から一方的な態度に出る様子。「―問題にしない／―否定する／―犯人扱いをされ、実に不愉快だった」

―きん⓪【―金】❶契約時に、まとめて払うお金。❷分割払いの最初に払うお金。〔第二回目以降より額が多いのが普通〕

―ごし⓪【―越(し)】その人の頭の上を経由して、何かをすること。〔当事者の存在を無視し、双方のトップだけで行なう交渉の意にも用いられる〕

―ごなし④〔この場合の「こなす」は、けなす意〕相手の言い分を聞かず、はじめから決めつけること。「―にしかりつける」

―だし⓪【―出(し)】〔録音・録画テープやCDなどで〕そこから再生したい始まりの箇所を△設定する（捜し出す）こと。「―が可能だ」

―でっかち④―な ❶からだのほかの部分に比べて頭が非常に大きい△様子（人）。❷〔建物・組織などで〕上の方が不釣合に大きい△様子（もの）。❸△理屈ばかり言って〔知識だけが豊かで〕行動の伴わない△様子（人）。

―わり⓪【―割(り)】頭かずで平等に割り当てること。

アダム①〔Adam〕〔旧約聖書で〕ヤハウェの神が最初に作ったという、男性の名。イブの夫。

あたら⓪【〈可惜〉】（副）せっかくの才能・機会がありながら、生かし切れないままに終わってしまうのは、他人事ながらいかにも惜しまれるという心情をいだく様子。「―好機を逸した／―若い命を絶つ」

****あたらし・い**④【新しい】（形）↔古い ❶何かが△行なわれて（始まって）からあまり時間がたっていない状態だ。「―本／―政党／―〔＝新鮮な〕野菜／…は記憶に―」❷そのものに、今まで他のものには見られなかった性格・面が認められる様子だ。「―デザインの靴／政局は―段階に入る／―△思想（試み）」派 ―さ③④ ―み⓪④ ―げ⓪④⑤ ―が・る⑤

あたらしがりや⓪【新しがり屋】新しい流行などを好んで取り入れる人。

あたらず さわらず⓪-⓪、⑧【当(たら)ず障らず】どこにも摩擦や抵抗が起こらないように気を付けて何かをする様子。「―の返事をする」

***あたり【辺り】** ■一① 話し手や問題にしている人や事物を中心として、その周囲の比較的狭い範囲をばくぜんと指し示す語。「この―に郵便局ありませんか／威風―を払う〔＝そばのものを寄せつけないくらい堂々としている〕」表記 例外＝「辺り」【―構わず】周りの人や場所柄をわきまえず無神経に振る舞う様子。「―泣きさけぶ」■二（造語）問題とする時・所・事物などを…だとはっきり限定しないことを表わす。「来年―／進行役には山本君―〔＝なんか〕はいかがでしょうか」

あたり【当(たり)】 ■一⓪ ❶（勢いよく）何かにあたること。特に野球で、打撃。「激しい―／強い―でぶちかます／いい―だ／―が止まる」❷△接触（応対）した時の感じ。「―〔＝舌ざわり〕のやわらかい酒／―〔＝応対のしかた〕のいい人／―がある〔＝釣りで、魚がえさに食いつく感じがする〕」❸命中・的中すること。また、その率。「―を取る〔＝見込み通り、成功する〕／―はずれが大きい／まぐれ―・大―」↔はずれ ❹見当。「―をつける／―がつく／心―がある」❺〔碁で〕相手にもう一手打たれれば取られてしまう一連の石の状態。■二（造語）❶それを基準単位とすることを表わす。「一日―一万円を支給する」❷それが原因で、からだに異状をきたすこと。「食―・暑さ―」表記 ■二❷は「《中り」とも書く。

―さわり⓪【―障(り)】そうすることによって、関係方面との間柄が自然にまずくなること。「―の無い話をする」

■三（造語）動詞「当たる」の連用形。「―芸③⓪・―くじ③⓪」 **―きょうげん**④【―狂言】評判がよく、入りの多い狂言。 **―ちら・す**⑤【―散(ら)す】（自五）そばに

△居る(来た)者に対して、だれかれの区別無しに、むしゃくしゃした気持を発散させる。 **―どし**⓪③【―年】 利益・収穫の多い年。〔幸運な年の意にも用いられる〕 **―ばこ**⓪③【―箱】〔東京の商家での忌み言葉〕すずり箱。⇩あたる 運用 **―ばち**③⓪【―鉢】「すりばち」の忌み言葉。⇩あたる 運用 **―め**⓪【―目】〔東京の商家などで〕イカの「するめ」の忌み言葉。〔金・財産などをする『=すりへらす』ことを嫌っていう〕⇩あたる 運用 **―や**⓪【―屋】 ❶「理髪店」の忌み言葉。⇩あたる 運用 ❷波に乗り人気を得た人や、大もうけをした店。 ❸〔野球で〕安打を多く打っている人。 ❹走っている車にわざとぶつかって、見舞金や賠償金などを要求することを常習とする者の俗称。 **―やく**⓪【―役】 その俳優のレパートリーのうち、何度演じても評判が良いもの。

あたり まえ⓪マヘ【当(た)り前】―な ―に 〔「当然」の借字「当前」を訓読みにしたものという〕 ❶そうあるべきこと。当然。 ❷変わったところが無く、普通である様子。

アダリン②⓪①〔ド Adalin=商品名〕 臭素・尿素を含む催眠剤。白色・無臭の結晶性粉末。

あたる⓪【当(た)る】(連体)〔劇場・寄席などで〕「来たる」が腐るを意味するので、その代りに言う語。「―七月十八日」 ⇩北山❷Ⓑ

** **あた・る**⓪【当(た)る】■一(自五) ❶〈なに・だれ・どこニ―/なにニ―〉 Ⓐ光・熱や風などが対象に達し、その作用や影響を△対象に及ぼした(対象が受けた)状態になる。「日がよく―部屋/ドアに風が当たってばたばたとうるさい/雨が当たらないようにカバーで覆う/陽ヒに―/ストーブに当たって暖をとる/風に当たって酔いをさます/文明の風に―〔=接して影響を受ける〕/罰バチが―〔=⇩罰〕」 Ⓑ(勢いよく)進んで来たものと何かがぶつかり、衝撃を△対象に与えた(対象が受けた)状態になる。「飛球がフェンスに―/滝のしぶきが顔に―/流れ弾△に(が)当たって死ぬ/―を幸い〔=触れるものは何でも薙ナぎ倒す〕」
❷Ⓐ〈なに・どこニ―〉 何かと接触して、違和感を覚えたり不都合が生じたりする。「靴の先が足に―/寝転がると背中に何かが当たった/角が柱に当たって、机が部屋に入らない/手当たり次第/行き当たりばったり/突き―」 Ⓑ〈なにニ―〉激しい温度差や飲食物などが原因で、からだに異状が生じる。「△暑さ(温泉の湯)に―/△フグ(サバ・生水ナマミズ)に―」
❸〈なにニ―〉 好結果を意図して行なったことがうまくいき、目的が達せられる。「△砲弾(矢)が的に―〔=命中する〕/〔野球で〕よく当たっている〔=打撃が好調な状態にある〕/宝くじ△が(に)―/△ねらい(勘・クイズの答え)が―/当たらずといえども遠からず」
❹Ⓐ〈(だれニ)―/(なにニ)―〉 事の成り行きで、たまたまある△役割を負わされる(事態に身を置く)。「思わぬ大役が―/今夜は夜間勤務△が(に)当たっていて、家に帰れない/いい看護師に―〔=めぐりあう〕/学校で毎時間―〔=指名される〕」 Ⓑ〈なにニ―〉 何かに△対応(相当)すると認められる。「中国語の汽車は日本語の自動車に―/商店街は駅の南に―/一個百円に―/そんなことを言っては失礼に―/△驚く(向きになる)には当たらない〔=…のほどのことではない〕」 Ⓒ〔「…に当たって」「…に当たり」の形で〕気持を新たにしなければならないような時期や事態にめぐりあったということを、ことさらに意識することを表わす。「引き受けるに当たっては、一つだけ条件がある/会社を去るに当たり、感慨深いものがある/△実施(年頭・出発)に当たって」
❺Ⓐ〈だれ・なにニ―〉 自分の果たすべき役割として、そのことに△取り組む(立ち向かう)。「緒戦で優勝候補に―〔=対戦する〕/日夜警戒に―/△誠意を以ツモて(一致して)事に―/対策本部長の任に―/一夫関に当たれば〔=関門を守れば〕万夫も開くなし/―べからざる〔=だれも対抗できないほどの〕勢い/当たって砕けろ〔=失敗は覚悟の上で、ともかくやるだけは△やってみよう(やってみる)〕」 Ⓑ〈だれ・なにニ―〉 △必要な情報(問題解決の手がかり)を得るために、その人や物に直接接する。「うわさの真偽を関係者に当たって確かめる/辞書に―〔=辞書を引いてみる〕/△原本(原著)に―〔=…と照合する〕/小当たりに―〔=⇩小当たり〕」 Ⓒ〈だれニ―〉 相手に△攻撃的(意地悪)な態度で接する。「つらく―/朝から機嫌が悪く、だれ彼となく当たってばかりいる/一つ当たって〔=いじめて〕やれ」
❻〔「つぎが―」の形で〕衣服などのいたんだ部分が補修され、継続して使用できる状態になる。「つぎの当たった△シャツ(ズボン・靴下)」
❼勝負事で決着の付く状態になる。〔囲碁では、あと一手で相手の石が取れる形になること、マージャンでは、だれかが捨てたパイで上がりになることを指す〕
■二(他五)〔忌み言葉〕〈なにヲ―〉 ❶する。「ゴマを―/墨を―」 ❷剃ソる。「ひげを―/一つ顔を当たってくれ」〔⇩当たり目〕 表記 ■一❷Ⓑは「《中る」とも書く。
運用 ■二は、「する」や「剃る」の、減らしたり切ったりする意味のマイナスのイメージを避けて言う。「当たり箱」などの「当たり」も同じ。

アダルト②〔adult=おとな〕〔服飾・映画などで〕成人(向き)。「―のための雑誌/―ファッション⑤」 **―チルドレン**⑤〔adult children〕 何らかの問題を抱えた親のもとで育つなどして、心理的に不安定な状態の続く成人。また、親との依存関係が強く、年齢相応の自立心に欠ける成人。略称は、エー シー③(AC)。

あたん①⓪【亜炭】 まだ十分に炭化していない、品質の劣る石炭。

アチーブメント②〔achievement=達成〕 アチーブメントテストの略。 **―テスト**⑧〔achievement test〕 学習活動の結果をためす(客観)テスト。学力テストや進学適性検査などを指す。略してアチーブ②・アテスト②。

あちこち③② ❶問題となる事が、いくつもの箇所に及ぶこと。あっちこっち。あちらこちら。「―に誤字が目立つレポート」 ❷くい違う様子。「事が―になる」 表記 ❶は「《彼《方〈此《方」とも書く。

アチドージス③〔ド Azidosis〕 新陳代謝機能の障害により、バランスが失われ、血液が酸性に△傾くこと(傾いた時の症状)。アシドージスとも。↔アルカロージス

あちゃらか⓪ 取って付けたようなふざけた演技やせりふで観客を笑わせるだけで、あとに感動・余韻・すがすがしさなどを残さない俗な芝居。俗に、「どたばた喜劇⑤」とも。「―芝居⑤」

アチャラづけ⓪【アチャラ漬(け)】〔アチャラは、ペルシャ語 achar に由来するポ achar『=野菜・果物の漬物』の日本語形〕ダイコン・カブなどにトウガラシを加えて、酒・酢・しょうゆを交ぜた汁に漬けたもの。 表記 アチャラを「〈阿茶羅」と書くのは、音訳。

あちら⓪【《彼《方】〔「ら」は接辞〕「あっち」の、やや改まった言い方。「―を御覧ください/―〔=行った先の場所〕にお着きになったら、ご一報ください/―〔=先方〕から言ってきたことだから/―〔=向こうの方にある品物〕にします/―〔=どこにでも〕にもこちらにもある物とは品が違う/―こちら④・―側」 ⇩こちら・そちら・どちら：こそあど
運用 (1)日本を「こちら」ととらえた場合に、外国を指す。例、「あちらの生活/あちら好み」 (2)「あの人」を丁寧に言う場合にも用いられる。例、「あちら(さん)〔=あの方〕はどなたで

すか」

あっ①(感) ひどく△驚いた(感心した)時や、思わず何かに気がついた時などに出す、言葉とも言えない声。「—と驚く」【—と言う間に】 非常に短い間に。一瞬間に。「—成立する/—見失った」【—と言わせる】 意外な事で人を△びっくり(感心)させる。

あつ(圧)→【字音語の造語成分】

あつ①【圧】「圧力」の略。「—が高い/—をかける/タイヤの空気—/水—・血—」⇩【造語成分】

あつあげ⓪【厚揚(げ)】〔←厚揚げ豆腐⑤〕なまあげ。

あつあつ⓪【熱々】—な ❶熱くて、舌がやけどするばかりであること。「—の鍋焼きうどん」 ❷〔大変熱くて、余人が近寄りがたい意〕△結婚したてで(恋愛中で)お互いに熱中している様子。「大—だ」

**あつ・い⓪(形) [一]【厚い】↕薄い ❶△比較の対象とする(一般に予測される)状態と比べ、表層と下底の間に幅があり、その部分が何かによって満たされている(ととらえられる)様子だ。「月は—雲に隠れたままとうとう出て来なかった/—胸板に頭を預ける/—壁が立ちはだかる/層が—/—本」 ❷〈なにニ—〉 その△こと(人)に対して、うそ偽りの無い私利私欲を捨てた気持をいだく様子だ。「—△信頼(人情)/信仰が—/友情に—男/礼を厚くして(=十分礼儀を尽くして)/厚く(=心から)お礼申しあげます/厚く(=十分に)報いる」 派—さ⓪「壁の—」 [二]【《篤い》】 病状が進行しており、楽観を許さない状態だ。「病篤くなるや、三子を枕頭に呼んで一策を授けた」 表記 [一]❷は「《篤い》」とも書く。

**あつ・い②(形) [一]【熱い】 ❶物が高い熱をもっていて、接触したり近づいたりする△とからだに強い刺激を受ける(のが危険だと感じられる)状態だ。「—砂の上をはだしで駆け回る/—食べ物や飲み物は苦手だ/燗を熱くする」〔湯の場合の対義語はぬるい、その他の場合は冷たい〕 ❷何かの事情がきっかけとなって、感情が平常より高ぶりやすくなっている状態だ。「まぶたが熱くなる/—もの(=涙)がこみ上げる/—視線/彼女は田中君にだいぶ熱くなって(=恋心をいだいて)いるようだ/—血が流れる」 [二]【暑い】 気温が高くて、快適に過ごすことが出来ない状態だ。〔赤道やそれに近い地帯のように、年間を通して気温が高く暑く感じられるところを指すのにも用いられる〕↕寒い 派—さ① —が・る③ 運用 [一]❷は、「お熱い⓪(仲)」などの形で、恋愛中の間柄である、の意を、多少からかい気味に表わす。

あついた⓪【厚板】 厚みのある板。〔狭義では、造船・車両・鉄橋などに使う厚さ三・二ミリ以上の鋼板を指す〕

あつえん⓪【圧延】—する(他サ) 金属の塊を、ローラーの間を通しておしつけ、板・棒を作ること。「—機③・—鋼⓪」

あっか⓪【悪化】—する(自サ) 状態が悪くなること。「△病気(事態・情勢・関係)が—する/—の一途をたどる」↕好転

あっか①【悪貨】 品質が悪く、実質価値が法定価格よりも劣る金・銀・銅の貨幣。「あくか」とも。「『—は良貨を駆逐する』はグレシャムの法則」↕良貨

あつかい⓪③【扱(い)】 ❶操作の仕方。「機械の—が悪い」 ❷〔…として〕取り扱うこと。「懲戒免職となるところを、退職—にしてやった/新品—・秘密—」 ❸〔…として〕待遇すること。「子供—をする/△老人(悪者・厄介者)—を受ける/まるで罪人—だ/客—・恩人—⑤」 ❹「仲裁」の意の古風な表現。「けんかの—」

**あつか・う⓪③【扱う】(他五) ❶〈なにヲ—〉 手で持ったり動かしたりして使う。「書物を大切に—」 ❷〈なに・だれヲ—〉 自分の仕事の範囲として、必要な処理や管理をしたり売買をしたりする。「会計事務を—/その品は当店では扱っておりません/病人を—(=世話する)のが看護師の仕事だ/けんかを—(=仲裁する、意の古風な表現)」 ❸〈だれヲ—〉 何らかの判断に基づいて待遇する。「客を大切に—(=もてなす)/冷たく扱われる(=△誠意の無い(情のこもらない)応対をされる)/△出席(部長・客)として—」

あつかまし・い⑤【厚かましい】(形) 自分の置かれた状況や立場からみて礼を失すると考え、遠慮すべきだと思うようなことを、少しも気にかけていないかのように平然とする様子だ。「さんざん不義理をしておいて借金に来るとは—奴だ/—お願いですが、ここに荷物を置かせてください」 派—さ④⑤ —げ⓪⑤⑥

あつがみ⓪【厚紙】 厚い紙。特にボール紙。かぞえ方 一枚

あつがり③④【暑がり】 普通の人以上に暑さを感じて、がまん出来ないと思う△こと(人)。「—屋⓪」↕寒がり 動 暑がる③(自五)

あっかん⓪【圧巻】〔その書物・催し物などの中で〕見る人すべてがすばらしいと感心する部分。

あっかん⓪【悪感】 他人に与える、また、他人から受ける不快な感情。「あくかん」とも。悪感情。「—をいだく」

あっかん⓪【悪漢】(及ぼす影響の大きい)悪事を働く男。「あくかん」とも。

あつかん⓪【熱《燗》】 熱くして飲む酒の燗。また、その酒。⇩ぬるかん かぞえ方 一本

あっかんじょう③【悪感情】⇩あくかんじょう

あっき①【悪鬼】 たたりをする恐ろしい鬼。「あくき」とも。

あつぎ⓪【厚着】—する(自サ)〔寒さを防ぐため〕衣服を普通(の人)以上に重ねて着ること。↕薄着

あつぎり⓪【厚切(り)】〔パン・ハム・野菜などを〕厚めに切ること。また厚めに切ったもの。「—の食パン」↕薄切り

あっく①⓪【悪口】〔仏教で〕十悪の一つ。他人をそしること。また、その罪。

あつくるし・い⑤【暑苦しい】(形) 温度・湿度が高い上に、空気の流通が悪くて、耐えがたい。 表記「熱苦しい」とも書く。 派—さ④ —げ⑤⑥⓪ —が・る⑥

あっけ⓪③〔「明け」の強調形か〕事の意外さに、大きな口を開けて驚きあきれること。「—に取られて目をぱちくりさせている」 表記「《呆気・飽気》」は、借字。 —な・い④(形)〔「ない」は形容詞を形作る接辞、「無」の意味は無い〕〔予想していたよりも簡単で〕物足りない。「—死に方だ」 派—さ④ 文法「すぎる」と結びついて複合動詞をつくるときは「あっけなさすぎる」の形になる。

あっけい⓪【悪計】 悪いたくらみ。「あくけい」とも。

あつげしょう③【厚化粧】—する(自サ) 地肌を覆い隠した、けばけばしい化粧(をすること)。↕薄化粧

あっけらかんと⑤④(副)—する ❶事の意外さに驚いている意の「あけらかん」の強調形〕〔何もすることがなくぼんやりしている意の「あけらかん」の強調形〕 ❶事の意外さに驚いて、口を開けてただぼんやりしている様子。「—そこに座っていた」 ❷何らかの対応が必要なのに、傍の者があきれるほど、平然としている様子。「自分の失策なのに、当の本人は他人事のように—している」〔❷は、誤用に基づく〕

あっこう⓪③【悪口】—する(自サ) わるくち(を言うこと)。「—雑言を浴びせる」

あつさ①【暑さ】 暑いこと(に抵抗を感じる度合)。「—寒さも彼岸まで/ひどい—だ/—(=夏の季節)に向かう/—に△弱い(強い)/—中り・—よけ」↕寒さ —あたり④【—《中(り)》】 暑さのために具合が悪くなること。「暑気あたり」とも。 —しのぎ④【—《凌(ぎ)》】 暑さをまぎらすために何かをすること。

アッサイ①〔イ assai〕〔楽譜で〕非常に。「アレグロ—」

あっさい[0]【圧砕】—する(他サ)〔岩石などを〕押しつけて砕くこと。

あっさく[0]【圧搾】—する(他サ)〔気体などを〕強い力でじわじわと押し縮めること。〔狭義では、機械により気体・固体を押し縮めることを指す〕 **—くうき**[5]【—空気】圧縮空気。

あっさつ[0]【圧殺】—する(他サ) 何かに押しつけて殺すこと。「—された〔=権力者側から非合法的に奪われた〕△自由(人権)」

あっさり[3](副)—と—する ❶普通の人なら執着するものに、いっこうこだわらない様子。「社長の地位を—捨てた/財産を—譲ってくれた」 ❷思ったほどの抵抗感が感じられない様子。「—した〔=しつこくない〕味つけの料理/司会を—引き受けてくれた/—白状した」

あっし[0]【《私》】(代)「わたし」の意の職人語。

あっし[0]【圧死】—する(自サ) 押しつぶされて死ぬこと。

アッシ[0] ❶〔アイヌ attus〕アイヌ民族が使う、オヒョウ〔=ニレ科の落葉高木〕の繊維で織った布。 ❷厚い丈夫な綿織物の名前。半纏・前掛け・仕事着にする。 表記「厚司・厚子」とも書く。

あつじ[0]【厚地】厚めに織った布地。↕薄地

あっしゅく[0]【圧縮】—する(他サ) ❶圧力をかけて体積を小さくすること。 ❷原稿などに手を入れて、分量を少なくしながら趣旨の徹底をはかること。 **—き**[4]【—機】気体を圧縮して圧力比二・〇以上にする機械。コンプレッサー。圧縮ポンプ。 **—くうき**[5]【—空気】密閉した器物の中で強く押しつけて、体積を小さくした空気。制動機・リベット打ち機用など。圧搾空気。 **—さんそ**[5]【—酸素】酸素を圧縮してボンベに蓄えたもの。溶接・人工呼吸などに用いられる。

あっしょう[0]【圧勝】—する(自サ) 圧倒的な勝利をおさめること。↕辛勝

あっ・する[0][3]【圧する】(他サ)(強い力で)抑え(つけ)る。「場〔=その会場の聴衆〕を—演説/文名、一世を—/経済力で他の国を—/他を—勢力」

あっせい[0]【圧制】—する(他サ) 権力で無理に抑えつけること。

あっせい[0]【圧政】権力で抑えつける政治。

あっせつ[0]【圧雪】降った雪を固めること。または固められた状態。「ゲレンデに積もった新雪を—する/—車」

***あっせん**[0]【《斡旋》】—する(他サ)〈だれニなにヲ—する〉〔「斡」も「旋」と同じく、めぐる意〕間に入って、関係する双方がうまく行くように取りはからうこと。とりもち。「就職を—〔=世話〕する/中労委が職権—に乗り出す/—〔=斡旋案〕が出される」

あったら[0]【〈可惜〉】(副)「あたら」の強調形。 **—もの**[0][6]【—物】△惜しい(惜しむべき)物。

あっち[3]【《彼《方》】(代)〔「あち」の変化〕 ❶話し手・聞き手のどちらからも遠く離れ、両者が共に認め得る方向・方角や、その方向にある場所や人・事物などを指す語。「—に富士山が見える/—から来るのは/日本は涼しくなったが、—〔=あの土地〕はまだ真夏だ/—〔=先方〕の都合で、開催が中止になった」 ❷〔「—…こっち…」の形で〕△一方向(一か所)に限ることなく、いろいろの方向や場所に及ぶことを表わす。「絶えず—を見たり こっちを見たり 落ち着きのないことおびただしい/—へ行けこっちへ行けと、休む暇もなく働かされる/—でもこっちでも引っぱりだこだ」⇩あちこち・こっち・そっち・どっち:こそあど

運用 過去を回想したりする時、話し手に経験のある方向・方角や、その方向にある場所や人・事物などを指すのにも用いる。例、「私の方から先にあっち〔=先方〕へ挨拶に行くべきだった」

あづちももやまじだい[1]-[5]【《安土桃山時代》】〔織田信長の居城安土城と、豊臣秀吉の居城桃山城〔『=伏見城』から〕戦国時代末期〔=十六世紀後半〕の織田信長と豊臣秀吉が政権を握っていた時代。織豊時代。〔アクセント[1]-[5]は、「あづち ももやまじだい」と区切って言うとき〕

あっちゃく[0]【圧着】—する(自他サ) 木板・金属板・布などに強い圧力や熱などを加えて△何か(互い)に接合すること。「熱—[3]」

あつで[0]【厚手】〔紙・布・陶器などの〕地の厚い△もの(こと)。↕薄手

あってん[0]【圧点】圧力を感じる、皮膚の感覚点。〔指先・舌などに多い〕

***あっとう**[0]【圧倒】—する(他サ)〈だれ・なにヲ—する〉 問題にならない強い力で相手を負かすこと。「今や他社を—する勢いだ/—的に〔=比べ物にならないほど〕多い」

アットバット[4]〔at bat〕〔野球で〕打席に立つこと。

アットホーム[4]—な—に〔at home〕〔家庭にいる時のように〕くつろげる様子だ。〔古くはアト ホーム[3]とも〕「—な雰囲気」

アットマーク[4]〔at mark〕 ❶商品の単価を示す記号。「@」 ❷電子メールのアドレスに用いる、所属などを示す記号。「@」

アッパーカット[5]—する(他サ)〔uppercut〕〔ボクシングで〕相手のあごを下から突き上げる攻撃法。略してアッパー[1]。

***あっぱく**[0]【圧迫】—する(他サ) ❶〈なにデなにヲ—する〉強く締めつける力や のしかかる重さによって、自由な運動や呼吸が出来ないようにすること。「重い夜具で胸を—される/死因は首を—された窒息死/半年前から心臓に—感を覚える」 ❷〈なにデだれ・なにヲ—する〉心理的・精神的に威圧感を与えたり 強い経済力・軍事力によって行動の自由を「制約」したり 打撃を与えたりすること。「利払い費の負担増が財政を—する/国債費が急増して他の支出を—した/林立する高層ビルが—感を与える街並」

あっぱれ[3]〔「あはれ」の強調形〕 ❶(感) 非力な人が実力以上の努力をした時に、「ああ、よくやった」と言って、ほめる言葉。 ❷—な「あっぱれだ」と評価できる様子だ。「—なふるまい/—な健闘ぶり」 表記「《天《晴・〈適」などと書く。

アッピール[3]—する(自他サ)〔appeal〕⇩アピール

アップ[1]—する(自他サ)〔up=上へ〕 ❶上がること。上げること。「人件費の—/賃金—[5]」↕ダウン ❷髪型の一つ。後ろの髪を上へあげたもの。「—スタイル[5]」 ❸クローズアップの略。 ❹クランク アップの略。「一か月で—する」 ❺アップロードの略。「ネットに—する」

あっぷあっぷ(副) Ⓐ[4][1]、[1]-[1]—する 水におぼれかけてもがき苦しむ様子。Ⓑ[4] ひどく困難な状況に陥って持ちこたえられそうもない様子。「経営が—の状態だ」

あっぷく[0]【圧伏】—する(他サ) 力、特に武力で抑えつけて従わせること。 表記「圧服」とも書く。

アップグレード[5]—する(他サ)〔upgrade〕 等級や性能を上げること。「パソコンを—する」

アップダウン[4]—する(自サ)〔和製英語 ← up + down〕 地形の起伏。また、そこでの上り下り。「—の激しいコース」

アップデート[4]—する(他サ)〔update〕〔コンピューターで〕プログラムやデータを最新にすること。

あつ
[圧] ❶おす。おさえる。「圧力・圧迫・制圧」 ❷しずめる。「鎮圧」 ⇩(本文)あつ【圧】

アップトゥーデート[6]―な〔up-to-date〕最新の△ものの(様式)である様子。「―な知識/―ファッション[9]」

アップライト[4]〔←upright piano〕弦を垂直に張り、後部にふくらみのない箱型のピアノ。おもに、練習用・家庭用。たて型ピアノ。⇩グランド ピアノ

アップリケ[4][3]―する(他サ)〔フ appliqué〕布の上に、模様を切り抜いた布を縫いつける手芸(による作品)。アプリケとも。

アップル(造語)〔apple〕果物のリンゴ。「―ジュース[5]・―パイ[4][5](=パイの皮の間に砂糖で煮たリンゴを入れ、蒸焼きにした洋菓子)」

アップロード[4]―する(他サ)〔upload〕自分の使っているコンピューター内のプログラムやデータを、ネットワーク上のコンピューター(=サーバーなど)に転送すること。↔ダウンロード

あつぼった・い[5][0]【厚ぼったい】(形) 厚くて、重たいような感じだ。「―洋服の生地」 派 **―さ**[5]

あつまり[3][4]【集(ま)り】❶集まること。また、集まりぐあい。「町内の―/客の―が悪い」❷集まったもの。「互いに関連を持ったものの―を系と呼ぶ/寄り―[0]」

****あつま・る**[3]【集(ま)る】(自五)❶〈(どこ・だれ カラ)どこ ニ―〉本来離れた場所に△ある(居る)二つ以上のものが一か所に移動して△行く(来る)。「一堂に―/寄付金がかなり集まった」❷〈どこニ―〉互いにくっつきあう状態に位置する。「花びらが―」❸〈だれ・なにニ―〉〔期せずして〕特定の場所に向けられる。「△同情(関心・人気)が―」

あつみ[0]【厚み】ほかの物より厚いと感じられること。また、その度合。「―がある/―を増す/―(=厚さ)三ミリの板」

***あつ・める**[3]【集める】(他下一)〈(どこ・だれ カラ)どこニ なに・だれヲ―〉集まるようにする。「一堂に―/△材料(データ・衆知)を―/△注目(耳目(ジモク))を―(=ひく)/△支持(期待・信望・過半数の票)を―(=得る)」

あつもの[0]【〈羹】〔雅〕〔熱物の意〕吸い物。「―に懲りて膾(ナマス)を吹く(=度の過ぎた用心をするたとえ)」

あつやき[0]【厚焼(き)】厚く焼き上げた食品。「―のせんべい/―卵[5][6]」↔薄焼き

あつゆ[0]【熱湯】熱く沸かしたふろの湯。「―好き」↔ぬる湯

あつよう(オ)[0](ヤウ)【厚様】鳥の子紙(ガミ)。「雁皮(ガンピ)―」↔薄様 表記「厚葉(アツエフ)」とも書く。

あつらえ(アツラヘ)【〈誂(え)】❶[3][0] 注文△すること(した品)。「別―[3]」↔出来合(デキアイ) ❷(造語)動詞「誂える」の連用形。「―物[0]」 **―むき**[0]【―向(き)】―な ―に〔一般に「お―[0]」の形で〕まるで注文したように、希望や要求にぴったり合っている様子。「体育祭にはお―の天気だ」

***あつら・える**[4][3](アツラヘル)【〈誂える】(他下一)〈なにヲ―〉好みや希望などを言って、その通りに作ってもらう(ように注文する)。「晴れ着を―/すしを二人前―」〔⇩誂え❷〕

****あつりょく**[2]【圧力】❶ある物が他の物を押す力。〔物理学では、単位面積あたりの押す力を言う〕「―をかけて油を搾り出す/上から―を加える/接地―[5][4]・燃焼―[6][5]」❷自由な精神活動や恣意(イシ)的な行動を抑えつけようとする、強い力による働きかけ。「司法当局が捜査に―をかけたということは断じてない/経営者側が組合に―を加える/工事発注に関して政治家から―があったのではないか、と追及した/無言の―におびえる/△インフレ(外交的)―・経済―・国際的―・政治―」 **―がま**[4]【―釜】ふたをねじで締めて密閉した釜。沸点が百度以上になるので、堅い物でも早く、やわらかく煮える。高山での煮炊きにも適する。〔最近では、「圧力鍋(ナベ)」とも呼ぶ〕 かぞえ方 一台・一点 **―けい**[0]【―計】気体や液体の圧力を測定する計器。「気圧計[0]・水圧計[0]」など。 **―だんたい**[5]【―団体】本来の政党組織ではないが、自分たちの特殊利益を実現するために政府・議会・政党などに働きかける団体。

あつれき[0]【〈軋〈轢】〔「軋」も「轢」も、車輪がきしる意〕△内部の(隣り合って共存しなければならない)者同士が争いあうこと。「社内の―(=不和)がひどい/―を生じる」

あて【充(て)】(造語)❶割り当てること。あたり。「一人―[0]」❷名あて。「学校―に送る」 表記「宛」とも書く。

あて[0]【当(て)】❶からだや布の上に当てて、それらを△保護(補強)するもの。「腹―・肩―」❷どう△するか(なるか)の見当。「―が外れる/―(=めあて)も無くさまよう/就職の―(=見込み)」❸頼りにすること。「他人の懐を―にする/彼の口約束は―にならない(=信用出来ない)」

アディショナル タイム[6]〔additional time〕〔サッカーで〕ロスタイム。

あてうま[0]【当(て)馬】❶雌馬に対して発情の有無を確かめるために、種馬が来るまで、仮にあてがわれる雄馬。❷〔選挙などで〕有力な候補者を不利にするために立てられる候補者。

あてがいぶち[0](ガヒ)【宛《行扶《持】〔相手の希望によらず〕こちらの見積りで適当に与えるお金や物。略して「あてがい[0]」。

あてが・う[3][0](アテガフ)【宛(て)がう】(他五)❶何かをその場所にぴったりと当てる。「受話器を耳に―」❷〔適当に見つくろって〕与える。「子供に絵本を―」 表記「宛《行う・充て《行う」とも書く。

あてがき[0]【当(て)書(き)】―する(自他サ) 脚本を書く際に、演じる人を事前に想定した上で、その個性に合った人物として役柄を作り上げること。

あてこす・る[4]【当(て)《擦る】(自五) 遠回しに悪口や皮肉を言う。 名 あてこすり[0]「―を言う」

あてごと[0]【当(て)事】❶当てにして期待すること。「―は外れやすい」❷⇩あてもの❷

あてこ・む[3]【当(て)込む】(他五)❶よい結果を期待して、何かをする。「お天気を当て込んでハイキングを計画する」❷うまく機会をつかもうと、待ちかまえる。「祭りを―門前の商店街」

あてさき[0]【宛(て)先】〔郵便物などの〕あて名(の場所)。「―不明[0]-[0]」

あてじ[0]【当(て)字】↔正字❷ ❶「借字(シャクジ)」の通称。❷でたらめな用字。 表記「宛字」とも書く。

あてしょ[0]【宛(て)所】名あての場所。「受取人―に尋ね当たらず」

あてずいりょう(オ)[3](リヤウ)【当(て)推量】確かな根拠も無いのに、自分かってにおしはかること。

あですがた[3]【《艶姿】〔主として女性の〕あでやかな姿。

あてずっぽう(オ)[0]【当(て)ずっぽう】―な ―の「当て推量」の意の口頭語的表現。

あてつ・ける[4]【当(て)付ける】(他下一) 怒りや恨みの気持を、直接相手に言わないで、他の事にかこつけたりそばの人に話したりして、聞こえよがしに言う。 名 当て付け[0]「―がましい[7]」

あてっこ[0]【当(て)っこ】―する(他サ) 仲間同士で、クイズの答えを推測したり事の成行きを予想したりして楽しみ合うこと。

あてど[0]【当(て)《所】目当て(にして進む所)。「―(も)無く/―無いことを言う」

あてな[0]【宛名】手紙・書類に書く先方の名(と住所)。「名宛」とも。 表記「当て名」とも書く。

あてにげ[0]【当(て)逃(げ)】―する(自サ)〔自動車・船などが〕ほ

かの自動車・船などに衝突して、損傷を与えたまま逃げること。

アデノイド③〔ド Adenoid〕 扁桃腺(ヘントウセン)がはれて難聴・鼻炎・慢性中耳炎などを起こしがちな病気。子供に多い。

アデノウイルス⑤④〔ド Adenovirus〕 扁桃腺(ヘントウセン)などにつくウイルス。風邪の病原体とされる。

あてはずれ③(ハヅレ)【当て外れ】 予想・見込みなどが外れること。

*__あてはま・る__④【当て嵌まる】(自五)〈なにニー〉 そのことが、問題にするものの場合についても必要な条件を満たしていて成り立つ。「地下鉄は地震に強いという考えはどの程度日本にーのだろうか」

あては・める④【当て嵌める】(他下一) ❶どれがそのもの(場所)にうまく合うか、一つひとつ試しに入れてみる。「どれを当て嵌めてもうまくいかない部分がたくさん残っている、未完成のジグソーパズル」 ❷△推測(推論)するに際し、既知の事柄と、問題にする事柄との間に、近似した対応関係が認められるという前提に立って、対応させる。「首都圏に大地震が起きた際の被害状況を、阪神大震災に当て嵌めて推測する/加賀百万石は、現在の米価をーと何と年収三百億円」

あてみ⓪【当て身】〔柔術で〕相手のみずおちなどを強く突いて気絶させること。「ーをくらわす」

あてもの⓪【当て物】 ❶水などが漏れないように上から当てる物。 ❷〔クイズなどのように〕人に当てさせるもの。「あてごと」とも。

あでやか②【《艶やか》】(ーな ーに) 〔高貴の意の「あてやか」の変化〕〔主として女性が〕人の注意を集めるほどきれいな様子だ。〔上品さを失わない場合に言う〕「ーな黒髪/ーな振袖姿」 派ーさ④③

アデュー②(感)〔フ adieu〕 さよ(う)なら。〔長い別れを告げる時に言う〕

あてられる⓪【当てられる】 ❶ただあきれるばかりで、反論したりする気力を失う。「毒気にー〔=⇩毒気❷〕」 ❷こちらが気恥ずかしくなるばかりに、仲のいいところを見せつけられる。「あの二人には当てられっぱなしだ」

**__あ・てる__⓪【当てる】(他下一) ❶〈なに・だれ・どこニなにヲー〉 Ⓐ光・熱や風などの作用が直接対象に及ぶようにする。「布団に陽(ヒ)をー/舞台に照明をー/主役にスポットをー/風△を(に)当ててよく湿気を取る/雨に当てないようにして苗を育てる/鋭い視線をー/目も当てられない〔=⇩目〕」 Ⓑねらい通りの所に打撃が及ぶようにする。「馬の尻(シリ)に鞭(ムチ)をー/脾腹(ヒバラ)に一発当てたら〔=打撃を加えたら〕あっけなくダウンした」 ❷〈なに・どこニなにヲー〉 効果を期待して、あるものを何かに接触させる。「胸に手を当てて考える/傷口にガーゼをー/物差しをー〔=物差しで測る〕/座布団をー〔=尻に敷く〕/△ブラシ(アイロン・こて)をー/ズボンにつぎをー〔=いたんだ部分を他の布などで補修する〕」 ❸〈(なにデ)なにヲー〉 好結果を意図して行なったことがうまくいき、目的を達する。「うまく的に当てた〔=命中させた〕/〔野球で〕どんどん当てて〔=積極的に打って〕いこう/△一等賞(大穴)をー/試験で山をー/株でー〔=もうける〕/十問中八問当てれば〔=正解を得れば〕合格」 ❹〈なにニなにヲー〉 何かに△対応(相当)するものとする。「アメリカの"メ"に中国では"美"をー」 ❺〈なに・だれニなに・だれヲー〉 その事柄にふさわしいものとして、役割を課したり相応させたりする。「課長の後任に課長補佐をーことにした/授業中に何回も当てられた〔=指名され、質問に答えさせられたりした〕/日曜は読書にー/ボーナスの半分を住宅ローンの返済にー/会社に当てて〔=…を届け先にして〕お送りください」 ❻〔囲碁で〕あと一手で相手の石が取れる形になる手を打つ。 表記 ❹❺は、「宛てる・充てる」とも書く。

あてレコ⓪【当てレコ】〔アフレコのもじり〕〔テレビの〕吹替え。 表記 普通、「アテレコ」と書く。

アテンダント②〔attendant〕 付添人。随行員。接客係。「△フライト(キャビン)ー」

アテンポ②〔←イ a tempo primo〕〔楽譜で〕もとの速さで演奏せよ。

**__あと__①【後】 ■一 ❶順に続くものの、終り(に近い順番)。「列のー〔=後方〕につく/ー〔=次〕の列車/ーに尾を引く/ーが続かない〔=次に言うべき言葉が分からない〕/ー〔=失敗・失点を取り返すべき次のチャンス〕が無い/ーになり先になり」⇕さき・前■一❹ ❷前任者の次に、その位置にすわる人。後継者。「…のーを承(ウ)けて就任する/源氏のー〔=末裔(エ)〕/ー〔=子孫〕が絶える」⇩跡❹ ❸(ある方向に向かっているものの)背中の向いている方向(にある場所)。「故郷をーにする〔=離れる〕/ーに引けない〔=譲歩出来ない〕立場」⇕前■一❶ ❹話題として取り上げた事柄が起きた時点に引き続く時。また、その時に起きると予測される事柄。「半年ー〔=のち〕に控えている/ーに回す/ー〔=死んだあとのこと〕は引き受けた/ー〔=あとのこと〕を頼む/ー〔=以後の展開〕は想像に任せる」⇕前■一❸

■二(副) その物事が完成するまでに、更に加えてそれだけの時間や数量が必要であることを表わす。「ー五分で着く/完成までー十年はかかる/ー五ピース送ってくれ」 文法 ⇩さき(先) 文法

運用 ■一❹は、「△じゃ(また)あとで」などの形で、軽い気持で用いる別れの挨拶(アイサツ)の言葉となる。

【ーからーから】 いつになったら終わるのかと思われるほど、同じことが引き続き繰り返され(て、あきれ)る様子。「ごちそうがー出てくる」 【ーは野となれ山となれ】 当面の事さえ済めば、後はどうなろうとかまうことではない。 【ーを引く】 ❶何かが済んでからも、その影響が残る。「後遺症が長くー」 ❷それを△食べ(飲み)終わってから、また同じ類のものを△食べ(飲み)たいと感じる。

*__あと__①【跡】 ❶以前に何かが△行なわれた(存在した)ことが確かめられたりうかがわれたりする場所。「△古戦場(大名屋敷)のー/兵(ツワモノ)どもが夢のー」 ❷そのことが行なわれたことを裏付けるしるしと、そこに残されたもの。「△種痘(手術)のー/進歩のー/水茎のー〔=筆跡〕/傷ー」 ❸人や車の通ったことを証拠づける、そこに残された形など。「車輪のー/ー〔=足跡〕をたどる/容疑者のーを追う/ーをつける/ー〔=行くえ〕をくらます/父のーを追うように母もすぐ死んだ/捜査のー〔=捜査の展開から収束に至る過程〕を振り返る/△事故(犯罪)がーを絶たない〔=引き続き、起こる〕/足ー」 ❹家督。「ーを継ぐ」 表記 ❶は「〈址」、❷❸は「〈迹」とも書く。また、❸で皮膚に残されたものは「痕」とも書く。

アド① ❶〔←advertisement〕 広告。「ーバルーン」 ❷アドレスの略。「メルー⓪」

あど①〔狂言の〕わき役。⇕シテ 表記 普通、「アド」と書く。

あとあし②【後足】 四足で歩く動物の、後ろの足。「ーで砂をかける〔=去りぎわに迷惑をかける〕」⇕前足 表記「後脚・後《肢》」とも書く。

あとあじ⓪②(アヂ)【後味】 ❶食べたあとに舌に残る感じ。「ーが△いい(悪い)」 ❷何かが済んだあとに、当事者・関係者に与える感じ。〔よくない事について言うことが多い〕「ーの

悪い幕切れ／―の悪さを残す」

あとあと⓪【後々】「あと」の強調表現。「―までたたる」

あとおい⓪【後追(い)】㊀その人を慕って、離れまいと後からついて行くこと。「いくつになっても母親の―をする子供」㊁死んだ人を慕って自殺すること。「―自殺⑤・―心中⑤」㊂△他人(他社)がしたことを追いかけるかたちで、同じことをすること。「―の企画／―商品⑤」 表記 ㊀は、古くは「跡追い」とも書いた。

あとおさえ③【後押(さ)え】〔敵の追撃を防ぐ任に当たる〕最後尾の部隊。「しんがり」とも。

あとおし②【後押(し)】―する(他サ) ㊀(坂を上る)荷車などを後ろから押す△こと(人)。㊁事がうまく進むように何かと助力してくれる△こと(人)。「選挙を一生懸命―する」

あとがえり③【後返(り)】今まで来た道を逆に戻ること。動 後返る③(自五)

あとがき⓪【後書(き)】㊀書物・論文などの最後に書き添える文章。〔漢語では「跋・跋文」とも〕↔はし書き・前書き ㊁追って書き。

あとかた⓪【跡形】以前何かがそこ△にあった(で行なわれた)ことを証拠立てる、なんらかの物。「―も無い／―も無く崩れ去る」

あとかたづけ③④【後片付(け)】―する(他サ) 何かが△済んで(行なわれて)散らかっている所を(元通りに)きちんと整理すること。表記「跡片付け」とも書く。

あとかぶ⓪【後株】⇒うしろかぶ

あとがま⓪【後釜】後任(の人)。「―に△すわる(据える)／―をねらう／妻に死なれて―(=後妻)をもらう」

あときん⓪【後金】㊀払い残りのお金。残金㊁。㊁あと払い。↔前金

あとくされ⓪【後腐(れ)】事後処理がうまく行かず、あとまでごたごたや悪影響が残ること。「あとぐされ」とも。「―が無い(=後にしこりが残らない)」

あとくち⓪②【後口】㊀飲んだり食べたりしたあとで、その物の味が口の中に(いつまでも)残ること。「―が良い／―(=口直し)に…を食べる」㊁〔一般に「―が悪い」の形で〕相手に不快感を与えたのではないかと思われる言動を取ったあとの嫌な気分になる様子だ。「―が悪い別れ方をした」㊂あとの△順番(申込み)。↔先口・前口

あとげつ②【後月】先月。前月。

あどけな・い④(形)〔「あどなし」の変化〕〔子供が〕無邪気な本心をそのまま言動や表情に表わしていて、△愛らしい(憎めない)様子だ。派 ―さ④ 文法 助動詞「そうだ(様態)」に続くときは「あどけなさそうだ」の形になる。また「すぎる」と結びついて複合動詞をつくるときは「あどけなさすぎる」の形になる。

あとさき①②【後先】㊀(その物が位置する場所の)前と後ろ(の関係)。「―を見回す／―から(文の)意味を考える」㊁どれを先、どれをあとにするかの順序。「―を誤る／話が―になって(=話の順序が入れ代わって)しまったが」㊂それをすれば、あとにどういう結果が起きるかということ。「―見ずに／―の考えも無く／―を考えずに」

あとさく⓪【後作】ある作物の収穫後、その跡地に栽培する△こと(もの)。

あとざん②【後産】出産後間もなく出る胎盤など。「のちざん」とも。

あとしき⓪②【跡式】「家督(相続)」の意の古風な表現。表記「跡敷」とも書く。

あとじさり③【後《退(り)》】―する(自サ) あとずさり。動 あとじさる④(自五)

あとじまい③【後仕舞】業務が済んだあとを、きれいに整頓すること。

あとしまつ③【後始末】―する(他サ) 何かをした後にしなければならない△会場などのかたづけ(手続き上の必要な処理)。「―をつける」表記「跡始末」とも書く。

あとしらなみ①-⓪【後白波】〔雅〕行くえの分からないこと。〔「知らない」と「白波」とをかけて言う〕「―と立ち去った」表記「跡白波・跡白《浪》」とも書く。

あとずさり③【後《退(り)》】―する(自サ) 前を向いたまま後ろへ下がること。「あとじさり」とも。動 あとずさる④(自五)

あとずり⓪【後刷(り)】〔木版本で〕残っている版木を利用して再び刷ること。また、その印刷物。「のちずり⓪」とも。↔初刷り

あとぜめ⓪【後攻(め)】「後攻」の和語的表現。「じゃんけんで―を取る」↔先攻め

あとぞなえ③【後備(え)】行軍する部隊の最後尾に在り、敵の追撃に備える部隊。「しんがり」とも。↔先備え

あとぞめ⓪【後染(め)】織り上げたあとで布地を染めること。「―の毛織物」↔先染め

あとだしじゃんけん⑤⑦【後出(し)じゃん拳】じゃんけんで、手を出すタイミングを故意に遅らせる反則行為。〔容易に勝てることから、非難の対象となる。情報を小出しにするなどして事態を有利に進めることにも言う〕「―で議論を有利に進める」

あとち⓪②【跡地】㊀〔輪作で〕ある作物を収穫したあとの耕作地。㊁ある建物・施設などを撤去したあとの土地。「―利用④」

あとつぎ②③【跡継(ぎ)】家督を継ぐ△こと(人)。あととり。〔広義では、前任者や師匠の仕事を受け継いでする△こと(人)を指す〕表記「後継ぎ」とも書く。

あとづけ⓪【後付(け)】書物の本文の後に付ける、あとがき・付録・索引など。↔前付け

あとづ・ける④【跡付ける】(他下一) 跡をたど(って確かめ)る。「歴史を―」名 跡付け⓪

あととり②【跡取(り)】あとつぎ。「―むすこ⑤」

アトニー①〔ド Atonie〕筋組織などの弛緩によっておこる症状。「無力症」とも。「胃―」

あとのまつり①-⓪【後の祭(り)】〔祭礼の翌日では間に合わない意〕(せっかく用意をしても)時機が遅れてしまい、用をなさないこと。

アドバイザー③〔adviser〕㊀(職業として)特定の領域の事柄について指導・助言をする人。「投資―」㊁顧問。

アドバイス①③―する(自他サ)〔advice〕私的な助言。「―を受ける」

あとばら⓪【後腹】㊀〔出産後の腹痛の意〕何かが済んだあとで起きる故障。〔出費などの苦痛を言う〕㊁後妻△の生んだ子(から生まれること)。

あとばらい③【後払(い)】―する(他サ) 代金・料金や借り賃などをあとで払うこと。「ごばらい」とも。↔前払い・先払い

アドバルーン④〔和製英語 ←ad＋balloon〕広告のためにあげる気球。「―を上げる(=大いに宣伝に努める)」

アドバンテージ③⑤〔advantage=有利(な状況)〕〔テニスで〕ジュースのあとで、一点を得ること。

アトピーせいひふえん⑧【アトピー性皮膚炎】〔←atopic dermatitis〕環境に過敏な体質の人に起こる、激しいかゆみを伴う慢性皮膚炎。ほとんどが乳児期に発病し、成人になると和らぐが完治しにくい。

あとひき②⓪【後引(き)】〔与えられた量(予定量)だけで満足せずに、もっと〕△食べ(飲み)たくなること。「―上戸⑤」

アドベンチャー③〔adventure〕冒険。「―小説⑦」

あとぼう[0]【後棒】駕籠（ゴカ）などの後ろの方を担ぐ者。「―を担ぐ〔＝首謀者の計画に荷担する〕」↕先棒

アドホック[3]〔ラ ad hoc〕そのことに限って特別に行なう△こと(様子)。「―リサーチ[7]」

あとまわし[3]【後回(し)】先にすべきものを、順序を変えてあとにすること。表記「後〈廻し」とも書く。

アトミック(造語)〔atomic〕原子力の。「―エージ[6]〔＝原子力時代〕」

アドミラル[3]〔admiral〕海軍大将。また、提督。「―東郷」

アトム[1]〔atom＝それ以上分割出来ないもの〕原子。

あとめ[3][0]【跡目】〔ばくち打ち・政党の総裁・芸道の家元などの〕次代の後継者。「―を継ぐ/―相続」

アトモスフィア[5][1]〔atmosphere＝大気〕その場の雰囲気。アトモスフェアとも。

あともどり[3]【後戻(り)】―する(自サ) ❶もと来た△方角(所)へ戻ること。❷退歩。

あとやく[0]【後厄】厄年（ヤクドシ）の次の年。〔厄年に次いで慎むべき年齢とされる〕↕前厄

あとやま[0]【後山】〔鉱山・炭坑で〕運搬を分担する、経験の少ない鉱夫。〔先山と一組になって仕事をする人。昔は女性を使うことが多かった〕↕先山

あとようじょう[3]【後養生（ヤウジヤウ）】病気やけがが治癒した後もすぐに社会復帰せずに、しばらく養生したり 訓練したりして体力や運動機能の回復を待つこと。⇩養生

アトラクション[3]〔attraction〕客寄せのために、主要な催しのほかに添える出し物。〔映画の休憩時間を利用した俳優の挨拶（アイサツ）・実演など〕

アトラス[1]〔atlas〕世界地図(帳)。

アトランダム[3]―な/―に〔at random〕❶手当り次第。❷〔統計のサンプルを抽出する時に〕無作為にする様子。

アトリウム[3]〔ラ atrium〕❶古代ローマの都市住宅の中央広間。❷ビルなどの建物内部に設けられた広い空間。

アトリエ[0]〔フ atelier〕美術家・デザイナーなどが、特に設計して作った仕事場。訳語は、画室・工房、など。

アドリブ[0]〔ad lib＝ラテン語で「随意に」の意〕即興のせりふや演奏。

アドレス〔address〕❶[1][0] 郵便物の届け先のあて名や住所。「―帳[0]」❷[0][1]〔コンピューターで〕(主)記憶装置を構成する一つひとつの基本単位につけた一連の通し番号。番地。「―を指定して記憶内容を読み出す」❸[0] メールアドレス。

アドレナリン[0]〔ド Adrenalin〕副腎（フクジン）髄質から出るホルモン。止血剤・強心剤として利用される。

あな[1](感)〔雅〕感嘆の声。ああ。あら。「―恐ろし」

アナ[1] アナーキスト・アナーキズム・アナウンサーの略。

****あな**[2]【穴】❶周囲の面よりくぼんだ状態の所(に生じた空間)。〔自然にそうなったものと人為的に掘ったものとがある〕「―を掘って、ごみを埋める/―のあくほど見る〔＝相手の心中まで見通すように、じっと顔を見詰める〕/鼻の―/―があったら入りたい〔＝恥ずかしくてたまらない形容〕/同じ―の狢（ムジナ）〔＝⇩おなじ[二]〕/△たて(横)―・洞（ホラ）―・落し―・巣―・―籠（ゴモ）り・―蔵・岩―[0]」❷物の一方の面から反対側の面まで貫かれた空所。〔そこに何かを通したり 出入りをする通路になったり する〕「錐（キリ）で―をあける/紐（ヒモ）を―に通す/ネズミが壁に―をあける/小さな―から水が漏れる/抜け―を塞（フサ）ぐ/ボタン―をかがる/のぞき―」❸⇩あなば❶ ❹競馬・競輪で、番狂わせの勝負。また、穴馬。「―をねらう」❺あるべき物が欠けていて、そこだけ空白になっている部分。「妻に死なれて心に大きな―があく/けがをした主力選手の―を埋める」表記 ❶❷の一部は、「《孔」とも書く。かぞえ方 ❶は一本・一つ 【―が開（ア）く】❶何かの原因で、穴が出来る。❷そこを埋めていた物が無くなって△不自由する(困る)。「ぽっかり大きな―」表記「穴が空く」とも書く。

アナーキー[2]〔anarchy〕既成の社会秩序や権威にとらわれない△こと(考え)。〔狭義では無政府状態の意を表わす〕

アナーキスト[4]〔anarchist〕無政府主義者。

アナーキズム[4]〔anarchism〕無政府主義。

あない[0]―な/―に〔関西方言〕あのよう。⇩こない・そない・どない

あなうま[0]【穴馬】〔競馬予想で〕優勝候補には上がっていないが、ひそかに大穴の期待がかけられている馬。ダークホース。略して「あな」。

あなうめ[0]【穴埋(め)】―する(他サ) ❶穴を埋めること。❷足りないところや欠損を補うこと。「穴ふさぎ[3]」とも。「―をする/―記事・―問題」

アナウンサー[3]〔announcer〕ラジオやテレビで、ニュースの音読や実況放送・司会などを職とする人。

アナウンス[3][2]―する(他サ)〔announce＝「知らせる」意の動詞〕(ニュース・情報などを)マイクを通じて知らせること。

アナウンスメント[3][2]〔announcement＝放送〕❶〔ラジオ・テレビなどの〕放送内容。❷〔テレビで〕画面に対する解説。

あなかがり[3]【穴〈縢(り)】―する(他サ) ボタン・ひもなどを通す穴のまわりを糸でかがり、丈夫にすること。

あながち[0]【《強ち】(副)〔否定表現と呼応して〕一方的にそうとばかりは言い切れないと判断する様子。「―君ばかりが悪いわけではない/―偶然とは言えない」

あなかんむり[3]【穴冠】漢字の部首名の一つ。「空・窓・窮」などの、上部の「穴」の部分。〔多く、洞窟（ドウクツ）や空間に関係のある漢字がこれに属する〕

あなぐま[0]【穴熊】❶林や野原の穴にすむタヌキに似た哺乳動物。地方によってはムジナとも言う。アナホリ[4][3]。〔イタチ科〕❷穴の中で越冬するクマ。表記 ❶は、「〈貛」とも書く。かぞえ方 ❶は一匹。❷は一匹・一頭

あなぐら[0]【穴蔵】地中に穴を掘って、物をしまったり ウドの軟化栽培などをしたりする所。表記「〈窖」とも書く。

アナグラム[3][1]〔anagram〕文字や語句をつづり換えて別の意味にすること。たとえば lime → mile、かようび(火曜日)→びようか(美容家)。

アナクロニズム[5]〔anachronism〕時代錯誤。時代おくれ。略してアナクロ[0]。

あなご[0]【穴子】ウナギに似た硬骨魚。近海の底の砂地にすむ。食用。〔アナゴ科〕かぞえ方 一尾・一匹

あなじ[0][2]【穴〈痔（ヂ）】⇩じろう(痔瘻)

あなた(代)〔「な」は「の」と同義の文語の助詞〕[一][1]【《彼《方】〔雅〕向こう。「山の―の空遠く」[二][2]【《貴《方】自分と同等程度の相手を軽い敬意をもって指す言葉。「―の番です/―様[2]・―方（ガタ）[4][0]」〔[二]の口頭語形は「あんた」〕表記 [二]は、男性では「〈貴男〉」、女性では「〈貴女〉」とも書く。運用 [二]は、古くは高い敬意を表わした。現在では敬意が下落し、同等以下の相手にも用いられる。特に男性が、目上の人や初対面の人に用いると、見下したような印象を与えやすい。また、友人同士でも相手と一定の距離を置いて接する場合に用いられることもある。夫婦間では、妻から夫への呼称として用いられる。

―まかせ[4]【《貴《方任(せ)】本来自分がすべき事柄について、他人の力をあてにして何もしようとしないこと。⇩他力❷

あなづり[0]【穴釣(り)】❶湖などに張った氷に穴をあけ、釣り糸を垂らして魚を釣る、釣り方。「ワカサギの―」❷岩や

あ

** * は重要語，[0] [1]… はアクセント記号，品詞の指示の無いものは名詞および いわゆる連語。

護岸用ブロックのすき間にいる魚を釣る釣り方。

*あなど・る③【侮る】(他五)〈だれ・なにヲ―〉相手を軽く見て、ばかにする。「侮りがたい相手」名侮り⓪④

あなば⓪【穴場】❶他の人がまだ着目していない、良い釣り場所。穴。〔広義では、おもしろい観光地・娯楽場や、安上がりで味の良い飲食店や、掘り出し物の多い古本屋などで、人のあまり知らない所を指す〕❷〔ギャンブルで〕馬券・車券の売り場。❸〔演劇で〕出演予定者の事故のため急に生じた空白。

アナフィラキシー④〔ド Anaphylaxie〕アレルギーの強い症状。時に死ぬことがある。「―ショック⑧・ペニシリン―」

あなぼこ③⓪【穴ぼこ】〔「ぼこ」は凹の意。⇩でこぼこ〕「穴❶」の口頭語的表現。

アナリスト③〔analyst〕△実態(事実)がとらえにくい問題について分析する専門家。〔狭義では、証券分析家・精神分析家を指す〕「証券―⑦」

アナログ⓪〔analog(ue)=相似の〕数や量を連続的な物理量(=長さ・角度・電流など)で表現する方式(の)。相似型(の)。〔数や量の大小関係と、それに対応する物理量の大小関係とが、相似するようにくふうする〕「―量④(=連続量。↔デジタル量)・―データ⑤(=アナログ方式で表現されたデータ)」↔デジタル 運用 電子機器を連想させる「デジタル」と対比的に用いることがある。人間の思考力や機器の取扱い能力について言う「アナログ」は、電子機器に頼る仕事が苦手であったり思考パターンが前時代的であったりすることを自嘲気味に指して言う。例、「わたしはアナログ人間だから、パソコンを使った作業は苦手だ」

―けいさんき⑦【―計算機】数を連続的な物理量(=アナログ量)で表現し、(機械的・電気的な)物理現象を直接に利用して計算を行なう△機械(装置)。「アナログ式計算機⑨」とも。〔計算尺はアナログ式計算器具〕 ―どけい⑤【―《時計》】文字盤上を回転する針の位置によって時刻を示す方式の時計。「アナログ式時計⑦」とも。〔針の回転する向きは、日本で地面に置いた日時計の指針の影が回転する向きと同じ。十二時間で一回転する短針〖=時針〗と一時間で一回転する長針〖=分針〗とを備える。さらに、一分で一回転する秒針の付いたものもある〕

アナロジー②〔analogy〕類推。「―が△利く(成り立つ)」 表記 ⇩付表「時計」

あに①【〈豈〉】(副)〔「何」と同源〕「どうしてそんな事が△あろう(出来るだろう)か」という反語の意を表わす。「―現代の青年のみならんや」【―図らんや】一体、だれがそうなることを予期しただろうか。意外にも。

**あに①【兄】(自分と)親が同じ、年上の男性。〔広義では、義兄をも指す〕↔弟

あにい②【《兄》】〔兄貴の変化〕勇み肌の若者。「魚河岸の―」 表記「〈哥兄〉」とも書く。

あにき①【兄貴】〔兄君の意〕❶兄の、(親しみの気持をこめた)敬称。❷〔若者、特に、やくざの仲間で〕年長・先輩の男。 表記「貴」は、借字。

アニサキス③〔ラ Anisakis〕回虫目アニサキス属の線虫の総称。成虫はクジラ類の胃中に、幼虫はサバやイカなどに寄生する。生食により人体に入ると、胃壁や腸壁を食い破ろうとするため激しい痛みや嘔吐を起こす。

あにでし⓪②【兄弟子】自分より先に同じ師に△就いた(就いている)弟子。↔弟弟子

アニマル①〔animal〕動物。〔比喩的に〕本能のなすがままに理性的でない行動をする人。

アニミズム③〔animism〕あらゆる現象・事物に霊魂の存在を認める考え方。「精霊崇拝⑤」とも。

アニメ①⓪ アニメーションの略。「人形―⑤」

アニメーション③〔animation〕動きに少しずつ変化を与えた手がきの絵や人形などを一こま一こま撮影して作った映画(作品)。略してアニメ。「コンピューター―」

あによめ②【兄嫁】兄の妻。 表記「〈嫂〉」とも書く。

アニリン②⓪〔ド Anilin〕無色で油状の液体。人造染料の重要原料。

**あね⓪【姉】(自分と)親が同じ、年上の女性。〔広義では、義姉をも指す〕↔妹

あねき①【姉貴】〔姉君の意〕姉の、(親しみの気持をこめた)敬称。

あねご⓪【姉御】〔古くは姉の敬称〕❶ばくち打ちなどの親分の妻。❷女親分。 表記「〈姐御〉」とも書く。

あねさまにんぎょう⑤【姉様人形】千代紙を折って花嫁の形に作ったもの。

あねさんかぶり⑤【姉さん《被》り】食事の支度や掃除などの時毛が落ちたりほこりがついたりしないよう、頭をおおう手ぬぐいの被り方。左右にかどが立って見える。「ねえさんかぶり」とも。

アネックス②〔annex=付加物〕主屋の機能を補足するための建物。別館。

あねったい②【亜熱帯】地理学的には温帯に属するが、気候学的には熱帯的様相を呈する地域。「―植物⑦」

あねにょうぼう③【姉女房】夫より年上の妻。「姉さん女房⑤」とも。

アネモネ⓪〔anemone〕南ヨーロッパ原産の、栽培多年草。四、五月ごろ、赤・紫などの花を開く。葉は羽状に細かく裂けている。〔キンポウゲ科〕 かぞえ方 一本

あの⓪ ■【《彼の》】(連体)❶話し手・聞き手から離れて存在し、両者が共に認め得る事物を指し示すことを表わす。「―人、林さんじゃない/―山の向こうが私の故郷だ/―建物が国立劇場だ」〔「―人」のアクセントは②〕❷すでに話題になるなどして、話し手・聞き手が共に意識している事柄を、「例の」という気持で指し示すことを表わす。「―件、その後どうなった/―時はお互いに困ったね/―本、やっと読み終わったよ」⇩この・その・どの:こそあど 運用 話し手自身が過去を回想したりする時、経験した出来事などを指し示すのにも用いられる。例、「あの日のことは忘れようにも忘れられない/昔住んだあの家が懐かしい」

■(感) 言葉がつかえたりする時に、つなぎ・呼びかけとして使われる語。「―、実はお話があるのですが/―ね」〔「あのう」と長呼しても言う〕

あのこ②【《彼の子》】(代) 三人称で、年少の子や若い女性などを指して言う語。 表記 若い女性の場合は「《彼の娘》」とも書く。

あのてこのて③-③、⑥【あの手この手】いろいろ目先を変えた方法。「―で迫る/―の売り込み」 表記「《彼の手》〈此の手〉」とも書く。

あのよ③⓪【《彼の世》】死後に行くといわれる世界。「来世」とも。↔この世

あのよう③【《彼の様》】―な ―に ❶話し手・聞き手から離れて存在し、両者が共に認め得る事物や状態を、それと同様だと考えられる事物・状態を含めて、例示的に指し示すことを表わす。「―な看板は目障りだね/子供なのに―に踊れるとは驚きだ」❷すでに話題になるなどして、話し手・聞き手が共に意識している事柄を、それと同様だと考えられる事柄を含めて、例示的に指し示すことを表わす。「先日はどうもお互いに―な日には二度とあいたくないね/―に話は進んでいますか」〔❶❷とも、「あの・ああ」の婉曲な言い方としても用いられる〕⇩このよう・そのよう・どのよう:こそあど

運用 話し手自身が過去を回想したりする時、経験した出来事などを、それと同様の状況を含めて、例示的に指し示す場合にも用いられる。例、「あの様な忌まわしい出来事は思い出したくもない/あの様に思い切ったことができたのも若さの故か」

アノラック③〔イヌイット anorak〕⇩ウインドヤッケ

*__アパート__②〔←米 apartment house〕(共通の出入口がある)現代風の(二階以上ある)棟割長屋。かぞえ方 一棟・一軒

アバウト②─な〔about〕細かな点は問題にせず、およそのところで物事を△済ませる(とらえる)様子だ。〔日本での特用〕「─な性格/─に考える」

あば・く②【暴く】(他五) 意図的に隠そうとしている他人の悪徳・非行や、ともすれば多くの人が見逃しがちな欠陥などを、遠慮なく人びとの前にそれと示す。「墓を─/△本質(正体・真相・陰謀・悪事・罪・不正)を─/暴き出す」

アパシー①〔apathy〕無関心。〔特に政治・思想問題で〕無関心・無感動の状態。

あばずれ⓪ 人ずれしていてずうずうしい△こと(女)。表記「《阿婆擦れ」の「阿婆」は、借字。

あばた⓪【〈痘痕〉】〔←あばた面⓪。あばたは、もと梵語から言われる。また、天然痘にかかった人の顔に残る跡を指した〕人の顔に見られる、小さな穴がぶつぶつとあいたような状態。じゃんこ。「─もえくぼ〔=愛している人については、欠点でも美点に見えるものだ〕」

アバター⓪①〔avatar=もとサンスクリット語で、「顕現する神」の意〕❶分身。❷コンピューター ゲームやインターネットの交流サイトなどで、そこに参加する人を表わすものとして造形され使われる、人物の姿形をした画像。

あばよ①(感)「さよ(う)なら」の意の俗語的表現。〔もとは幼児語〕

あばら ぼね⓪③【〈肋骨〉】ろっこつ。略して「あばら⓪」。かぞえ方 一本・一片

あばらや③【あばら屋】住む人が無く、壊れかかった家。表記「《荒屋・《荒家」などとも書く。かぞえ方 一軒
運用 廃屋同然の意で、自宅の謙称にも用いられる。

アパルトヘイト⑤〔アフリカーンス apartheid〕南アフリカ共和国でかつて行なわれた、黒人に対する白人(社会)との接触にきびしい制約を課した政策。〔人種差別意識によるものとされる。一九九一年に廃止〕

アパルトマン②④〔フ appartement〕アパート(の各階で、他と仕切られた、その家族の住宅部分)。

あばれ【暴(れ)】[一]⓪ 暴れること。「─ひとする」[二](造語) 動詞「暴れる」の連用形。 **─まわ・る**⑤【─回る】(自五) 勢いにまかせて、あちこちであたりをはばからず暴れる。〔大胆不敵な活躍をして、注目される存在になる意にも用いられる〕 **─がわ**③【─川】すぐ氾濫する川。

*__あば・れる__⓪【暴れる】(自下一) ❶社会の秩序を無視して、むやみに暴力をふるったりする。「町のまん中で─〔=乱暴をする〕」❷何ものにも縛られずに、自由にふるまう。「新天地で大いに─」〔⇩暴れ[二]〕

アパレル⓪〔apparel〕衣料(品)。特に、既製服(産業)。「─産業⑤・─メーカー⑤」

あばれんぼう⓪【暴れん坊】❶じっとしてはいられず、けんかをしたり いたずらをしたり する活発な子供。❷青春のはけ口を活発な行動に求め、時には世人のひんしゅくを買いかねない人。

アバンギャルド④〔フ avant-garde=前衛〕前衛(芸術派)。

アバン ゲール④〔フ avant-guerre=戦前〕第二次世界大戦前の思想・生活態度を保つ人。訳語は、戦前派⓪。↕アプレ ゲール

アバンチュール④〔フ aventure〕冒険(的な恋愛)。

あび①【〈阿比〉】潜水の巧みな冬鳥。瀬戸内地方でこの鳥を利用した伝統的な漁法がある。〔アビ科〕かぞえ方 一羽

あび①【〈阿鼻〉】〔救いの無い意の梵語の音訳。無間とも訳するのは、絶え間なしに苦しむから〕ひっきりなしに猛火で焼かれ苦しむという地獄。阿鼻地獄③。「─叫喚」

アピール②─する(自他サ)〔appeal〕❶何かを主張して、世論や大衆・当局者に呼びかけること。また、その訴え。「原水爆禁止の─」❷(スポーツなどで)審判に抗議すること。❸相手を動かす魅力を持っていること。「大衆に─する〔=受ける〕/セックス─⑥〔=性的魅力〕」〔❶～❸とも、アッピール③とも〕

あび きょうかん①-⓪【〈阿鼻叫喚〉】(阿鼻地獄の)苦しみに堪えきれず、わめき叫ぶこと。

あひさん⓪②【亜〈砒酸〉】「無水亜砒酸」の通称。白色透明の劇薬で、医薬・工業に使う。〔化学式 H_3AsO_3〕

あびせ か・ける⑤【浴(び)せ掛ける】(他下一) ❶上から掛ける。「頭から水を─」❷(上の方から)大きな声を掛ける。「こら、と一声─」

あびせ たおし⓪【浴(び)せ倒(し)】〔すもうで〕自分のからだを相手のからだに乗せかけるようにして、相手を倒すわざ。

あび・せる⓪【浴びせる】(他下一) ❶(相手をひるませるために)湯水などを、少し離れた所からまともに掛ける。「△冷水(冷や水)を─」❷相手が避けることの出来ない何かを集中的にしかける。「集中砲火を─〔=集中的・連続的に、相手に攻撃を加える〕/一太刀─〔=さっと斬りつける〕/△非難(批判)を─〔=手ひどく与える〕」

あひる⓪【〈家〈鴨〉】マガモの変種。飼い鳥で、肉・卵は食用。〔カモ科〕かぞえ方 一羽

*__あ・びる__⓪【浴びる】(他上一) ❶〈どこニなにヲ─〉湯・水や日光をからだに受け、その影響を被る。「冷水を頭から浴びた/一風呂─〔=入浴する〕/さんさんたる日光を─〔=日光に身をさらす〕/酒を─ほど飲む」❷〈なにヲ─〉避けることの出来ない何かを集中的に身に受ける。「ほこりを─/一斉攻撃を─/脚光を─/拍手喝采を─」

あぶ①【〈虻〉】ハエより大きい昆虫。大抵 雌は人畜を刺して血を吸う。種類が多い。〔アブ科〕かぞえ方 一匹

アフィリエート②④〔affiliate〕△加入(提携)すること。 **─こうこく**⑦【─広告】企業など広告主が、インターネット上のウェブサイトと提携して掲載する広告。商品の購入金額に応じて手数料がサイト運営者に支払われる。

アフォリズム③〔aphorism〕警句。金言。

あぶく③【《泡】〔「あわぶく」の変化〕「あわ」の意の口頭語的表現。 **─ぜに**④③【─銭】まともな労働によらないで得たお金。

アブサン①〔フ absinthe の日本語形〕リキュールの一種。緑色で苦みがあり、アルコール分が強い。ニガヨモギ③で香りをつける。アブサント①③とも。かぞえ方 小売の単位は一本・一瓶

アブストラクト⑤〔abstract〕[一]─な 抽象(的)。↕コンクリート[一] [二]❶摘要。「外国文献の─」❷〔←abstract art〕抽象絵画。

アフタ①〔aphtha〕体力の衰えた時に唇の内側に生じる、小さな発疹。アフター①とも。「─性口内炎⑧」

アフターケア⑤〔aftercare〕❶病気が治ったあとの患者の健康を管理し、社会復帰を目指す△こと(施設)。〔広義

** * は重要語，⓪①… はアクセント記号，品詞の指示の無いものは名詞および いわゆる連語。

では、刑期を終え、出所した人の保護や生活指導についても言い、転じてあとしまつの意にも用いられる〕 ❷アフターサービス。

アフターサービス[5]〔和製英語 ←after＋service〕品物を売ったあとも、責任を持って、手入れや修理をして客に奉仕すること。アフターケアとも。「—が行き届く」

アフタヌーン[4]〔afternoon〕❶午後。❷〔←afternoon dress〕昼間のパーティー用のドレス。形はワンピース。

アプトしき[0]【アプト式】〔←Abt system スイス人R.Abtの考案〕複数枚の歯車とラックレールとをかみ合わせて急勾配を上る駆動方式の一つ。

**あぶな・い[0][3]【危ない】(形) ❶生命や身体の安全が保てないおそれがある様子だ。「—横断は止(ヤ)めましょう／—おもちゃ／狭い道でスピードを出すのは—／—橋を渡る〔=俗に、危険は承知の上で、違法行為などをする〕／—目にあう」❷よい結果に至るとは期待できない様子だ。「—〔=雨が降るかもしれない〕空模様だ／成功は—ものだ／一万円では—〔=間に合いそうもない〕」❸危機的状況が迫り、今にも最悪の結果を招くおそれがある様子だ。「きょうあすにも—〔=死を迎えるかもしれない〕ということだ／会社が—〔=倒産寸前だ〕／危なく轢(ヒ)かれそうになった」 派 —さ[3] —げ[0][3][4] —が・る[4]

あぶなえ[0]【危な絵】扇情的な浮世絵。

あぶなげな・い[5]【危な気無い】(形) 安定していて少しも不安を感じさせない。「—勝ち方」 文法 助動詞「そうだ(様態)」に続くときは「危なげなさそうだ」の形になる。また「すぎる」と結びついて複合動詞をつくるときは「危なげなさすぎる」の形になる。

あぶなっかし・い[6][0]【危なっかしい】(形) 良くない結果になりそうで見ていてはらはらさせられる感じだ。「—手つきで皿を拭(フ)いている」 派 —さ[5][6] —げ[0][6]

アブノーマル[3]—な〔abnormal〕△病的(変態的)な異常が認められる様子。「—な性癖」↕ノーマル

あぶはちとらず[5]【〈虻蜂取らず】欲張って二つのものを求めようとして、結局どちらも得ることなく終わること。

あぶみ[0]【〈鐙】〔足を踏みかける物の意〕くらの両わきに垂らす馬具。 かぞえ方 一具(イチグ／ヒトソナエ)・一足・一掛(ヒトカケ)

**あぶら[0]『総記』動物では皮下・筋肉・骨髄(コツズイ)などに蓄えられる乳白色または卵黄色の△どろどろした(ねばねばした)状態のもの、植物では種子の中の乳白色のものに含まれており、いずれも生命維持に重要な物質。これを精製すると、飴(アメ)色で半透明・可燃性の液体がとれ、灯火用・食用・燃料・薬用として広く用いられる。他に鉱物からとれる石油は燃料および近代化学工業には不可欠。「油脂(ユシ)」という時は、動物性の「脂肪」と植物性の「脂肪油」の総称。また一方において「油」は常温で液体のもの、「脂」は常温で固体のものを指す。 表記 肉のアブラは「〈膏」とも書く。

㊀【油】❶△植物質(鉱物質)のあぶら。「—をしぼる〔=ⓐしめ木などで強くしめて、油をとる。ⓑあれこれと言葉を尽くして注意を与え、将来をいましめる〕／—で揚げる／—を売る〔=仕事の途中でむだ話などをして怠ける〕／—いため・胡麻(ゴマ)—」❷髪油。〔広義では、ポマード・チックの類をも含む〕 かぞえ方 ❶は一滴(テキ)。小売の単位は一缶・一瓶

—あげ[3]【—揚(げ)】❶あぶらげ。❷油で△揚げること(揚げた物)。

—いろ[0]【—色】赤みを帯びてつやのある茶色。深い入れ物に入ったごま油の色。

—え[3]【—絵】油絵の具でかいた絵。 かぞえ方 一枚

—えのぐ[4]【—絵(の)具】鉱物質などの顔料を練ってチューブに入れた、洋画用の絵の具。

—かす[4]【—〈粕・—〈糟】菜種・大豆などから、油をしぼりとったあとに残る粕。肥料や家畜の飼料として用いられる。

—がみ[3]【—紙】桐油(トウユ)などを塗った防水用の紙。

—け[0]【—気】油を成分として含んでいる性質。〔口頭語では「油っけ[0]」とも〕

—げ[3]【—《揚】〔「あぶらあげ」の変化〕豆腐を薄く切って油で揚げたもの。「あげ」とも。「とんびに—をさらわれる〔=横合いからじゃまが入り、手中に収めた大事なものを他に取られる〕」 かぞえ方 一枚

—さし[3][4]【—差(し)】機械などに油をさす△道具(人)。

—じ・みる[5]【—染みる】(自上一) 油がついて汚れる。

—ぜみ[3]【—〈蟬】夏、普通に見られるセミ。暗赤褐色で不透明な羽を持つ。大形でジージーと鳴く。あぶら[0]。 かぞえ方 一匹

—でり[0]【—照(り)】夏、薄曇り・無風で、じりじりと蒸し暑い状態。

—な[3][0]【—菜】春、黄色の十字形の花を開く一、二年草。若葉は食用。種から菜種(ナタネ)油をとる。花は「なのはな」という。〔アブラナ科〕 かぞえ方 一本

—ねんど[4]【—粘土】粘土を細かい粉にし、油を交ぜて練り上げたもの。工作の材料。

—むし[3]【—虫】❶広く、農作物に付いて口の針で茎などから汁を吸う害虫。ありまき。❷〔西日本の方言〕ゴキブリ。 表記 ❶は、「〈蚜虫」とも書く。 かぞえ方 ❶❷とも一匹

—やさん[0]【—屋さん】そでの無い、子供の前掛け。

㊁【脂】❶動物質のあぶら。「牛の—〔=ヘット〕／豚の—〔=ラード〕／—が乗る〔=(動物の脂肪がふえ、活力が増進したり肉の味がよくなったりする意から)仕事などに調子が出る〕」❷人や動物のからだの表面からにじみ出る、脂肪を含んだ分泌物。「鼻の—／—取り(紙)〔=顔に浮き出た脂肪をぬぐい取る紙〕」

—あし[3]【—足】あぶら分の汗を多く出す性質の足。

—あせ[4][3]【—汗】〔精神的に苦しい時や衰弱した時などに出る〕ねばねばした汗。

—ぎ・る[4](自五) 脂肪分が多く、表面が△ぎらぎら(つやつや)して見える。「脂ぎった顔」

—け[0]【—気】〔含まれる量の多寡から見た〕脂の成分。〔口頭語では「脂っ気[0]」とも〕

—しょう[0]【—性】顔や皮膚などの表面に脂肪が分泌しがちな体質。⇩荒れ性

—っこ・い[5]【—っこい・油っこい】(形) ❶あぶらけが強い。「—肉料理」❷(性質などが)あっさりしていなくて、しつこい。「あの人は—」 派 —さ[5]

—で[0]【—手】あぶら分の汗を多く出す性質の手。

—ぶとり[4]【—太(り)】からだの脂肪分が多すぎる△こと(人)。

—み[0][3]【—身】脂肪の多い肉。↕赤身 ⇩白身

表記「脂《肉》」とも書く。

あぶらめ[0][3]【油女・油《魚】魚のアイナメの異称。

アプリ[1] アプリケーションの略。特に、スマートフォンやタブレット端末などのものを指す。「無料—[4]」

アプリオリ[3][2]〔ラ a priori=先天的〕物事に対する認識が、いっさいの経験に依存しないことを表わす。訳語は、先験的。↕アポステリオリ

アプリケ[3][2]〔フ appliqué〕⇩アップリケ

アプリケーション[4]〔←application software=応用ソフトウエア〕〔コンピューター自体を制御する基本ソフトウエアと違って〕文書の作成や画像処理など、個別の作業への応用を目的として作られたソフトウエア。

アプリコット[4]〔apricot〕❶植物のアンズ。「—ジャム[7]」❷アンズ色。やや黒みを帯びたオレンジ色。

あぶりだし[0]【〈炙(り)出し】紙に薬液などで字や絵を書き、火にあぶると見えてくるようにしたもの。

あぶりもの[0]【〈炙(り)物】焼き肴(ザカナ)。

あふ・る[2]【〈煽る】(他五) あおる。

あぶ・る[2]【〈炙る】(他五) 炎が触れるか触れない程度に火に近づけたり 満遍無く熱が加わるように位置を動かしたりしながら、全体の内部にまで均等に熱が通るようにする。「酒のつまみにスルメを—」 表記「〈焙る」とも書く。

アプレ① アプレゲールの略。「—娘④〔=生活態度が虚無的・頽廃(タイハイ)的な若い女性の戦後一時期の俗称〕」

あふれ かえ・る④【〈溢れ返る】(自五) ❶次つぎあふれる。「あふれる」を強調する語。「側溝から泥水が—」 ❷器や場の許容量を超えるほど集まる。いっぱいになる。「集めた虫がかごに—/神社が人で—/世の中には雑多な情報が溢れ返っている」

アプレ ゲール④〔フ après-guerre=戦後〕 第二次世界大戦後、従来の考え方・習慣などを無視しようとする傾向(の若い人びと)。訳語は、戦後派⓪。↕アバン ゲール

アフレコ⓪〔和製英語 ←after + recording〕〔映画やテレビで〕画面を撮影した後、せりふや音楽だけを録音すること。↕プリレコ

あふれ だ・す④【〈溢れ出す】(自五) 収まりきらなかったものがあふれて次つぎと外に出る。「アイデアが—/負の感情が—」

*__あふ・れる__③【〈溢れる】(自下一) ❶〈どこニ—/なにデ—〉 そこに収まりきらなくなって、一部が外に出てしまう。「溢れ落ちる涙/川〔=川の水〕が—/広場に—〔=広場狭しとばかり集まった〕群衆」 ❷〈どこニ—〉 包み隠すことの出来ないものが感得される。「街に—師走景気/活気が—/滋味—文章/喜びに胸が—」

あぶ・れる③【〈溢れる】(自下一) 〔「あふれる」の口頭語的な強調形〕 ❶仕事にありつけないでいる。 ❷〔釣りなどで〕えものが無い状態でいる。名 あぶれ③「—者(モノ)⓪」

アフロ①〔Afro〕 ❶アフリカの。アフリカ人の。 ❷黒人に多い縮れた髪で、丸い輪郭の量感のある髪型。アフロ ヘア④とも。

アプローチ③〔approach〕 ❶—する(自サ) 研究・学習の目標に近づくこと。接近。「社会学的な—」 ❷〔スキーのジャンプで〕スタートから踏切りまでの間。 ❸—する(自サ)〔ゴルフで〕ホールの近くへ、たまを寄せること。 ❹〔西洋風の建築で〕門から玄関までの通路。

あべかわ もち④【《安《倍川餅】 焼いた餅をきなこにまぶしたもの。もと、静岡県の安倍川の名物。略して「あべかわ⓪」。

あべ こべ⓪ —な/—に 順序・位置・関係などが、△本来あるべき状態(今まで)とは逆である△こと(様子)。「話が—だ」

アベック②〔フ avec=と一緒に〕 (男女などの)二人連れ。「—パトロール/労使の—闘争〔=△共同(なれあい)の闘争〕」

アヘッド②〔ahead〕 〔得点をきそうスポーツで〕その時点で相手チームよりも得点が多い状態。「二点の—」

アベニュー①〔avenue〕 大通り。また、並木道。

アベ マリア③〔ラ Ave Maria=マリアに幸いあれ〕 〔カトリック教会で〕聖母マリアにささげる祈りの言葉。

アペリティフ④〔フ apéritif〕 〔洋食で〕食前に、食欲増進のために飲む酒。

アベレージ①〔average=平均〕 平均値。野球では通算打率を、ボウリングでは一〇ゲーム以上の得点の平均を指す。

あへん①⓪【〈阿片】 〔opium の中国での音訳に基づく文字読み〕未熟なケシの実の乳液を干して作った、茶色の粉。モルヒネを成分とする麻薬。表記「〈鴉片」とも書く。 —くつ②【—窟】 阿片を吸わせる、秘密の場所。

アペンディックス④②〔appendix〕 付録。追加。

アポ① アポイントメントの略。

アポイントメント②〔appointment=指定〕 ビジネスマンが人と会う日時の約束をしたり 患者が診察の予約をしたりすること。略してアポイント②・アポ。「—を取る/—を入れる」

あほう②(アハウ) —な ばか(な者)。〔関西方言では「あほ②」と言う〕 派 —さ②⓪ 表記「〈阿呆〉・〈阿《房」は、いずれも借字。 —ばらい④(バラヒ)【—払(い)】 江戸時代、武士の資格を奪って追放した刑罰。

あほう どり②(—ハウ) 大形で、大部分白色の海鳥。人が近づいても逃げない。現在、伊豆諸島の鳥島と尖閣諸島に少数いるだけ。特別天然記念物。〔アホウドリ科〕 表記「〈信天翁〉・〈阿《房鳥」とも書く。 かぞえ方 一羽

アボカド⓪〔avocado〕 熱帯アメリカ原産の果樹、またその果実。果実の形は洋ナシに似て、色は緑色、褐色など。果肉は脂肪分が多く味は濃厚。アボガド。〔クスノキ科〕

ア ポステリオリ⑤〔ラ a posteriori=後天的〕 物事に対する認識が経験に依存していることを表わす。↕ア プリオリ

アポストロフィー②④〔apostrophe〕 〔英語などで〕省略・所有を表わしたり 日本語のローマ字書きで誤読を避けたりするのに用いる符号。「 ' 」。例、tan'i (単位)。

あほだら きょう⓪(キヤウ)【〈阿呆陀〉羅経】 〔訓読経文をまねて作った〕時事風刺の、こっけいな俗謡。

アポトーシス③〔apoptosis〕 〔生物学で〕あらかじめ決まったしくみで、細胞が自然に死ぬこと。

あほらし・い④【〈阿呆〉らしい】(形) ばからしい。〔「あほくさい④」とも言う〕 派 —さ③ —げ④⑤

アポロ てき⓪【〔アポロ的】 —な 〔アポロ=ラ Apollo、ギリシャ神話の中心となる太陽の神。ギリシャ語形はアポロン①〕文化や芸術活動が理知的・静的傾向を持つ様子だ。↕ディオニソス的

アマ① アマチュアの略。↕プロ❷

アマ①〔ポ ama=阿媽〕 東洋に在住する外国人に雇われる、現地人のメード。

あま①【亜麻】 北海道で栽培する一年草。夏、紫青色の小さい花を開く。繊維から糸・織物を作り、種から亜麻仁油(ニアマニユ)をとる。〔アマ科〕

あま①⓪【尼】 ❶仏門に入った女性。「比丘尼(ビクニ)・尼僧(ニソウ)」とも。 ❷修道院に入り、修道する女性。「修道尼(ニ)・修道女」とも。 ❸女性をののしって言う言葉。表記 ❸は、「〈阿魔」とも書く。

あま① ❶【〈蜑】 〔雅〕生活の手段として海に入って魚をとっていた人。 ❷【〈海女〉】 海に潜ってアワビやエビ・海藻などを取ることを仕事としている女性。表記 ⇩付表「海女・海士」。❶は古くは「〈漁人〉・〈海人〉・〈海士〉」、また「〈白水郎〉」とも書いた。

あま あい⓪(アヒ)【雨《間】 雨が一時やんでいるあいだ。「あまま」とも。

あま あし⓪【雨脚】 ❶降り続ける雨が他の地点へと移って行く時の速さ。「—が速い」 ❷降り注ぐ雨が細い筋のように見えるもの。「—が白く見える」 「あめあし」とも。表記「雨足」とも書く。

**__あま・い__⓪②【甘い】(形) ❶↕からい Ⓐ砂糖や蜜(ミツ)のように、舌に△快く感じられる(抵抗感を与えない)味だ。〔広義では、かいだり 聞いたりして、いい感じが得られることにも言う〕「—菓子/—メロディー/—〔=相手を喜ばせるような〕言葉をかける/—マスク〔=性格のやさしさが現われ出たと感じられるような顔立ち〕で人気のある男優」 Ⓑ煮物や汁物の塩けが△薄い(薄くて、物足りない)感じだ。「まだ、出しが—/—みそ」 ❷〈(だれ・なに)ニ—〉 きびしさ・鋭さが足りない感じだ。「△基準(処分・評価・情勢判断)が—/そんなわがままを許すほど世間は甘くない/子供に—/—〔=楽観的△な(に過ぎる)〕考え方/甘く見る〔=簡単に処理出来るものと思って、軽視する〕/ねじが—〔=ゆるい〕/ピントが—〔=少し合わな

** * は重要語，⓪ ①… はアクセント記号，品詞の指示の無いものは名詞および いわゆる連語。

い)」 ㊂相場がいくらか下がり気味だ。↕しっかり 派―さ⓪「△判断(認識・見通し・読み・詰め)の―」 ―み⓪ 【―汁を吸う】 自分は苦労せず人を巧みに使って利益を得る。

あまいろ⓪【亜麻色】 黄色みを帯びた褐色。「―の髪」

あまえきる④【甘え切る】(自五) 自分の身をすっかり相手にゆだね、何かにつけて際限も無く甘える。

*__あまえる__⓪【甘える】(自下一)〈だれ・なにニ―〉 相手が許してくれるだろうということを期待して、節度を超えた行動をとる。「お言葉に甘えまして/母親に―〔=母親の愛を独占したくて、まつわりついたり 何かをねだったりする〕」 名甘え⓪

あまえんぼう⓪【甘えん坊】 だれにでも甘える癖のある子供。「甘えんぼ⓪」とも。

あまおおい③【雨覆(い)】 雨を防ぐ覆い。「あまよけ」とも。

あまおち⓪④【雨落(ち)】 ㊀雨垂れの落ちる所。 ㊁かぶりつき。

あまがえる③【雨〈蛙】 おもに木の上にすむ小形のカエル。からだは元来緑色だが、あたりの様子に応じて変わる。雨が近づくと、鳴きたてる。〔アマガエル科〕 かぞえ方 一匹

あまがき②⓪【甘柿】 木で熟する間に渋が抜けて甘くなり、そのまま食べられる柿。富有柿・次郎柿・御所柿など。 ⇩渋柿

あまがける④【天〈翔る】(自四)〔雅〕(神・人の霊などが)大空を飛ぶ。「あまかける④、①-②」とも。

あまがさ③⓪【雨傘】 雨が降る時に使う(から)傘。 ⇩日傘 かぞえ方 一本

あまガッパ③【雨ガッパ】〔ポ capa=荷物をおおう桐油紙〕雨降りに着るマント。 表記 「雨合羽」の「合羽」は、字義を考慮した音訳。 かぞえ方 一枚

あまから⓪【甘辛】 甘い味と辛い味。「―両刀使い〔=菓子など甘い物と、酒の両方が好きなこと〕/―せんべい⑤・―煮⓪」 ―い④⓪(形) 砂糖の味と、しょうゆや香辛料の味がたっぷり感じられる様子だ。 派―さ③

あまかわ⓪【甘皮】 ㊀△幹(果実)の外皮の内側にある、薄い皮。「甘はだ⓪」とも。 ↕粗皮 ㊁つめの根元を包む、薄い柔らかな皮膚の部分。

あまき⓪【甘き】〔文語形容詞「甘し」の連体形〕甘い△もの(状態)。「裁量が―に流れる〔=甘過ぎる〕/蟻の―に就くごとく〔=甘い物を求めるように利に群がるたとえ〕」

あまぎ③②⓪【雨着】 衣服の上に着て雨を防ぐもの。

あまぎみ②【尼君】 尼になった、身分の高い女性の敬称。

あまぐ②【雨具】 雨の日に身につける、雨を防ぐための衣類や道具。レインコート・かさの類。

あまくだり⓪【天《降り》】―する(自サ)〔天上の神の世界から地上の人間の世界に下る意〕 ㊀退職した高級官僚が、関連のある民間△企業(団体)に転職すること。 ㊁上からの強制的△命令(指示)。 動天降る④(自五) 表記 「天下り」とも書く。

あまくち⓪【甘口】―な ㊀みその塩けや酒の辛みが少ない方。「―の酒」 ↕辛口 ㊁〔どちらかと言うと〕甘い物の方が好きな△こと(人)。甘党。 ↕辛口 ㊂「甘言」の古風な表現。

あまぐつ②⓪【雨靴】 雨の日に履く、防水のためにビニールやゴムで造った深めの靴。レインシューズ④とも。

あまぐも⓪【雨雲】 「乱層雲」の俗称。空一面におおう黒く厚い雲。

あまぐもり⓪【雨曇(り)】 雨が今にも降りそうな曇り方。

あまぐり②【甘〈栗】 熱い小石と共にかきまわして焼き、甘みを加えたクリ。一般に、小粒でふくらみのある中国産を使う。 かぞえ方 一粒・小売の単位は一袋・一箱

あまけ⓪③【雨気】 雲が低く垂れ込めたり 風が湿りけを帯びたり などして感じられる、雨の降り出しそうな気配。

あまご⓪【甘子】 渓流に住む、サツキマスの陸封種。幼魚の時に海に下らず、川にとどまって成長したもの。全長三〇センチほど。ヤマメに似るが、側面に赤色の斑点がある。美味。アメゴとも。〔サケ科〕 表記 「雨子・雨《魚・天《魚」とも書く。 かぞえ方 一尾・一匹

あまごい⓪【雨乞(い)】―する(自サ) ひでりの続いた時に、神仏に雨が降るように祈ること。「―の祭り」 表記 「雨請い」とも書く。

あまざけ⓪【甘酒】 もち米のかゆに、こうじを交ぜて発酵させて作った甘い飲み物。熱くして飲む。〔広義では、酒かすから作る物をも指す〕 表記 「〈醴」とも書く。

あまざらし③⓪【雨〈曝(し)】 雨にぬれるままに△しておく(なっている)こと。

あまじお⓪【甘塩】 塩けが薄いこと。特に、塩漬けの魚などに言う。「うすじお」とも。「―のシャケ」

あまじたく③【雨支度】 雨が降った時の用意。

あましょく⓪【甘食】 平たい円錐形をした、小形の甘いパン。 かぞえ方 小売の単位は一袋

あます②【余す】(他五) 必要を満たした後に、一部分をどうするというあてもなく、そのままにしておく。「食べられないわけでもないのに―悪いくせがある」 ―ところ②-③【―所】 必要を満たした後の、まだ何かに当てることの出来る部分。〔副詞的にも用いられる。アクセントは②-⓪〕「―たった十円だ/試験まで―〔=あと。もう〕一日となった/事件の経緯を―無く〔=すっかり〕語る/彼の真骨頂を物語って―が無い〔=彼の本来の姿が過不足なく述べられている〕」

あまず⓪【甘酢】 普通の三杯酢よりも甘みを利かしたもの。

あまずっぱい⑤⓪【甘酸っぱい】(形) 甘みと酸っぱみとが交じった味だ。 派―さ⑤

あまぞら③⓪【雨空】 雨が△降り出しそうな(降っている)空。

あまた①【〈数多〉】(副)「たくさん」の意の古風な表現。〔古くは、「幾つか」の意〕 表記 もとは「《数》」、現在は「〈数多〉」と書く。

あまだい⓪②【甘〈鯛】 マダイに似た海産硬骨魚。頭部が大きく、肉はうまい。〔アマダイ科〕 かぞえ方 一尾・一匹

あまだれ⓪【雨垂(れ)】 軒からしたたり落ちる、雨のしずく。「―〔=単調な〕拍子」 かぞえ方 一滴

あまちゃ⓪【甘茶】 灌仏会に用いる、甘みのある黄色の汁。 ―のき⑤、⓪-①【―の木】 アジサイに似た落葉低木。葉をかわかして湯に浸し、甘茶を作る。〔アジサイ科(旧ユキノシタ科)〕 かぞえ方 一株・一本

あまちゃん⓪【甘ちゃん】〔考え方などが甘い人の意〕物事に対する考え方や取組み方に厳しさが足りない人を擬人化した表現。

アマチュア⓪〔amateur〕〔職業としてではなく〕趣味としてそのことを行なっている人。略してアマ。「―スポーツ⑥」 ↕プロフェッショナル

あまつ⓪①【天津】(連体)〔雅〕〔「つ」は「の」の意〕天の。また、そらの。「―乙女⑤、①-②・―日①-⓪〔=太陽〕・―日嗣ぎ①-⓪〔=神の直系である天皇の位〕」 表記 「津」は、借字。

あまっこ②⓪【尼っ子】 女性、また、女の子。ののしって言う語としても用いられる。「あまっちょ⓪」とも。

あまつさえ①③②【《剰え》】(副)〔「余りさへ」の変化。古くは「あまっさへ」〕許容の限界を超えていることの上に、さらに好ましくないことが付け加わったと判断する様子。「暴

【 】の中の教科書体は学習用の漢字，〈 は常用漢字外の漢字，《 は常用漢字の音訓以外のよみ。

言を吐き、―殴りかかってくる始末だ」

あまっ たる・い ⑤⓪【甘ったるい】(形) 甘すぎて、いつまでもその味が舌に残る感じだ。「―お菓子/―(=甘えるような)声」 派 ―さ④⑤⓪

あまっ たれ ⓪【甘ったれ】 親や身近な保護者に頼り過ぎたり好意を期待し過ぎたりする、子供(同様の人)。「―の三男坊」

あまっ た・れる ⓪【甘ったれる】(自下一) 自分のおかれた立場や状況をわきまえずに、甘えた態度をとる。「甘ったれた口をきくな」

あまっ ちょろ・い ⑤⓪【甘っちょろい】(形) 〔「甘ちょろい」の強調形に基づく口頭語〕考えなどが安易で、実際の役に立たない様子だ。

あま つぶ ③⓪【雨粒】 雨の、一つひとつの粒。

あま でら ②【尼寺】 尼の住む寺。〔広義では、キリスト教の女子修道院をも指す〕

あま てら・す ①【天照(ら)す】(自四)〔雅〕 ❶「天照る」の敬語。「―大御(ミ)神①-③」 ❷天下をお治めになる。

あま ど ②【雨戸】 障子・ガラス戸の外側にたてる板戸。風雨や寒さを防ぎ、また夜の用心のために閉める。日中は戸袋の中へしまっておく。「―を繰る」 かぞえ方 一枚

あま どい ②⓪(ドヒ)【雨〈樋】 屋根などの雨水を受けて流す樋(イト)。 かぞえ方 一本

あま とう ⓪(タウ)【甘党】 酒△よりも(が飲めず)、甘いものを好む人。↕辛党

あま なつかん ⓪【甘夏〈柑】 夏ミカンの改良種。夏ミカンより酸っぱくない。略して「甘夏⓪」。 かぞえ方 一玉(ヒトタマ)

あま なっとう ③【甘納豆】 糖蜜(ツミ)で煮つめた豆類に、砂糖をまぶした菓子。 かぞえ方 一粒(ヒトツブ)

あま に ⓪【亜麻仁】 アマの種。 **―ゆ** ⓪③【―油】 亜麻の種から取れる油。食用のほか塗料などに使われる。化学薬品の原料として用いられる。

あま に ⓪【甘煮】 普通の味付けよりも△砂糖(みりん)を利かせて煮ること。また、その煮物。↕辛煮

あまねく ③【《普く・《遍く】(副)〔文語形容詞「あまねし」の連用形〕関係する範囲全体に漏れるところ無く行き渡る様子。「―天下に知らせる」 表記 「《周く・〈洽く」とも書く。

あまの がわ ③(ガハ)【天の川】 晴れた夜に、白くて川のように見える星の群れ。〔漢語的表現は「銀河」〕 表記 「天の河・〔銀河〕・〔天漢〕」とも書く。

あまの じゃく ③【天の邪《鬼】 ❶他人の言うこと、することにわざと逆らう人。つむじまがり。「あまんじゃく②」とも。 ❷仁王の像が足の下に踏みつけている、小さな悪鬼。

あまの はら ③【天の原】〔雅〕大空。

あま ほうし ③(ホフ)【尼法師】 尼の異称。

あま ぼし ⓪【甘干(し)】 ❶〔←甘干し柿〕皮をむいて干したカキ。 ❷〔魚の〕なまぼし。

あま ま ⓪③【雨間】 ⇩あまあい

あま み ⓪【甘味】 ❶食物の中に含まれている甘い味。「―が少し足りない」↕辛味 ❷しるこ・あんみつやあんこをつけた団子など、伝統的な甘さを味わわせる食品。 表記 ❶の本来の表記は「甘み」。

あま みず ②(ミヅ)【雨水】 (何かに利用するための)降った雨の水。「天水(テンスイ)」とも。

あま みそ ⓪【甘味〈噌】 塩けを薄くして作った味噌。↕辛味噌

あま もよい ③(モヨヒ)【雨《催(い)】 「あまもよう」の意の古風な表現。

あま もよう ③(ヤウ)【雨模様】 今にも雨の降りそうな様子。「あめもよう」とも。

あま もり ②【雨漏(り)】―する(自サ) 雨が△屋根(天井)から漏ること。

あまやか・す ④⓪【甘やかす】(他五)〔子供・目下の者などを〕度を超して、甘えさせる。〔狭義では、きびしくしつけず、わがままに育てることを指す〕「子供をすっかり―」 名 甘やかし⓪

あま やどり ③【雨宿(り)】―する(自サ)〔通行人や、外で働く人などが〕雨がやむまで軒下・木かげなどに避難して休むこと。「軒先を借りて―する」

あま やみ ⓪【雨《止(み)】 雨が止む(のを待つ)こと。「―を待つ/―をする」

あま よ ②【雨夜】 雨の降っている夜。「あめよ」とも。「―の月〔=あっても見えないものにたとえる〕」

あま よけ ⓪【雨《避(け)】 ❶あまおおい。 ❷あまやどり。 表記 「雨《除け」とも書く。

***あまり** 【余り】 ━❶③ 余ること。また、余ったもの。「―〔=端数〕が出る/―の野菜でスープを作る/―は私がいただきます」 ❷⓪① 〔多く「…の―」の形で副詞的に用いる〕その気持や感情が高ぶって抑えることが出来ない状態になって、の意を表わす。「恐怖の―その場に釘(ギク)付けになってしまった/悲しさの―」 文法 「激怒した余り相手を殴ってしまった」「勝ちを急ぐ余りつまらないミスをした」などと接続助詞的にも用いられる。

━③(=な・=に) 度を超えた(ひどい)様子だ。〔強調表現は「あんまり」〕「―な仕打ちだ/―に漠然としている/その作品は―にも〔=改めて紹介する必要がないほど〕有名だ/―の寒さにふるえ上がる」

━⓪(副) ❶普通だと思われる程度をはるかに超えている様子。「―勉強し過ぎると体をこわす/―食べると体に悪いよ」 ❷〔否定表現と呼応して〕それほどでもないことを表わす。「―違わない/―面白くない」

四(造語) ❶動詞「余る」の連用形。「―物(ノモ)⓪④⑤」 ❷それよりちょっと多いことを表わす。「三十名―のクラス/五日―」

運用 ━❶は、「お余り②」の形で、他人、特に上の立場の人が残したものを指し、謙遜(ケンソン)の気持をこめて「お余りを頂戴(チョウダイ)します」などと言う。

【―有る】 ❶十分に余裕がある。「失敗を補ってなお―〔=十分に補うことが出来るという以上に評価出来る〕」 ❷まだ足りないところがある。「悲嘆にくれる彼の心中は察するに―〔=察しきれるものではない〕」 【―と言えば】 言語を絶して ひどいことを表わす。「―余りな〔=どんなにひどい、と言っても言い過ぎることの無いほど、ひど過ぎる〕仕打ち」

アマリリス ③〔amaryllis〕 春、ユリに似た、大きな花を開く多年草。花の色は紅・赤・橙(ダイダイ)・白など。葉は長い舌形。種類が多い。〔ヒガンバナ科〕 かぞえ方 一本

****あま・る** ②【余る】(自五) ❶条件を満たすものを除いたあとに、当面は必要ないものとしてなおそこに存在する。「人が余っている役所/仕事が早く済んで一日余った/旅費が一万円余った/三で割って二―〔=端数が出る〕/有り―」 ❷〈なにニ―〉△能力(器(ウツワ)・枠)を超えるものとして、そこに存在する。「十指に―〔=⇩じっし〕/身に―光栄〔=⇩身〕/力に―〔=自分の力以上の〕仕事/手に―〔=自分の力で処理できる能力の限界を超えている〕/目に―〔=⇩目━❸〕/言葉に―」〔⇩余り四❶〕

アマルガム ③②〔amalgam〕 水銀と他の金属との合金。〔狭義では、虫歯に詰める銀・すず・水銀の合金を指す〕

あまん・じる ④⓪【甘んじる】(自上一) 与えられた△もの

** * は重要語, ⓪ ①… はアクセント記号, 品詞の指示の無いものは名詞および いわゆる連語。

(程度・環境)以上に多くを望まず おとなしく受け入れる。甘んずる[4][0](サ変)。「△現状(批判)に—〔=我慢する〕/屈辱を甘んじて受ける」

アミ[1]〔フ ami, 女性形は amie〕友人。愛人。

あみ[2] 小エビに似た、〇・五〜一センチぐらいの小動物。佃煮(ツクダニ)にしたり 魚の えさにしたりする。〔甲殻(コウカク)類〕 表記 普通、「〈醤蝦〉」・「〈糠蝦〉」などと書く。 かぞえ方 一匹。小売の単位は一袋

***あみ**[2]【網】〔動詞「編む」の連用形の名詞用法〕❶糸・縄・針金などで目をあらく編んで作った道具。鳥を捕らえたり魚など水中の物をすくったり などする。❷餅(モチ)・魚などを焼くための金網。❸何かを捕らえたり 規制したり するために、張りめぐらしたもの。「法の—にかかる/規制の—をかける/警戒の—の目からもれる/—を張る〔=手はずを整えて、待ち構える〕」 かぞえ方 ❶は一本。❷は一枚

あみあげぐつ[4]【編(み)上(げ)靴】足の甲の部分にある孔(アナ)に紐(ヒモ)を通し、編みからげて履く、深い靴。「あみあげ[0]」とも。 かぞえ方 一足

あみあ・げる[4][0]【編(み)上げる】(他下一) ❶下から上へ編んでいく。❷編み終わる。

アミーバ[2]〔ameba〕⇩アメーバ

あみうち[0]【網打(ち)】❶網を投げて、魚をとる△こと(人)。❷すもうのわざの一つ。相手の腕を押さえ、自分の後方に投げること。

あみがさ[3][0]【編(み)〈笠〉】スゲやイや藁(ワラ)で編み、頭にかぶる笠。日よけや顔を隠すのに用いられた。「—姿[5]」

あみがしら[3]【網頭】漢字の部首名の一つ。「羅・署・罫」などの、上部の「罒」の部分。「よこめ(横目)」・よんかしら(四頭)」とも。〔「罒」は「罔(ミア)」の古形。「罪・罰」などは人を捕らえる網の意による〕

あみき[2]【編(み)機】編物をする機械。 かぞえ方 一機・一台

あみじゃくし[3]【網〈杓子〉】ゆでたものをすくう時などに使う、(網の目のような)穴のあいた杓子。

あみシャツ[0]【網シャツ】網の目のように、あらく織った布で作ったシャツ。

あみじゅばん[3]【網〈襦袢〉】❶レースなどで網の目に作った、夏向きのじゅばん。❷筒そでの上に網をかけたじゅばん。武士・盗賊に扮装(フンソウ)する役者が着る。

あみすき[0][4]【網《結(き)》】網を作る△こと(人)。

あみだ[0]【〈阿《弥〈陀】❶〔無量寿・無量光の意の梵(ボン)語の音訳〕西方(サイホウ)浄土に住み、すべての人間を救おうという誓いを立てている仏。「—仏[3]・—如来(ニョライ)[4]」❷「あみだくじ・あみだかぶり」の略。 かぞえ方 ❶は一体(イッタイ)・一尊 **—かぶり**[4]【—《被(り)】〔阿弥陀仏が光背(コウハイ)を負う形にたとえて〕帽子などを後頭部に傾けて被ること。 **—くじ**[3][4]【—〈籤〉】〔阿弥陀仏の光背のように、放射状に線を引いたところから〕参加者数に応じた平行な縦線に、それを結ぶ横線を、段違いの梯子(ハシゴ)を並べたように配し、縦線の一方の端に△金額(当たり)を記入して隠し、他方の端から、横線の所で折れ曲がりながら進ませて引き当てさせるくじ。〔くじに記入した、まちまちの金額を出し合って菓子などを買ったり 価値の違う賞品などを分配したり する時に行なう〕

あみだ・す[3]【編(み)出す】(他五) ❶編み始める。❷考えて作り出す。「独特の△技術(方法)を—」

あみだな[0]【網棚】鉄道などの座席の上、窓に沿って横に張り渡した、手荷物の置き場。「荷棚[0]」とも。〔もとは丈夫な網を用いたが、現在はスチール製のパイプが普通〕

あみど[2] ❶【網戸】家の中に虫が入るのを防ぎ、通風も図れる、目の細かい網を張った戸。 かぞえ方 一枚 ❷【編(み)戸】竹や へぎ板を編んで作った戸。

アミノさん[0]【アミノ酸】〔アミノ=amino〕たんぱく質の加水分解によって生じる有機化合物の総称。生物のからだの維持・成長に絶対必要な成分。動植物界に広く存在するほか、人工的にも合成される。

あみのめ[4][0]【網の目】網の糸と糸とのすきま。「あみめ」とも。「防犯システムが—のように〔=漏れの無いように〕張り巡らされている/法の—をくぐる」

あみばり[2][3]【編(み)針】編み棒と かぎ針との総称。

あみはん[0]【網版】〔印刷で〕点の集合の粗密によって濃淡を表わす写真版。

あみぼう[2]【編(み)棒】編物に使う(竹製の)棒。両端が細くなったものと、片端に丸い玉のついたものとがある。 かぞえ方 一本:普通、二本で一組

あみめ[3][0]【網目】網の目。 **—ばん**[0]【—版】あみはん。

あみめ[3][0]【編(み)目】編んだ物や網の、糸・毛糸・針金などが囲んで形作る、不整の方形や円形。

あみもと[0]【網元】漁船や網を持っていて、多くの漁師を使っている人。

あみもの[3][2]【編(み)物】毛糸・糸などを△編むこと(編んで作った物)。

あみやき[0]【網焼(き)】〔西洋料理で〕肉などを炭火の上に金網をかけて△焼くこと(焼いた料理)。「炭焼き」また「グリル」とも。

アミューズメント[2]〔amusement〕娯楽。「—センター[8]・—パーク[8]」

アミラーゼ[3]〔ド Amylase〕でんぷんを分解する酵素の総称。

***あ・む**[1]【編む】(他五) ❶〈なにデなにヲ—〉糸・竹・髪など細くて長い物を互い違いに組み合わせていって、まとまりのある形の物△にする(を製作する)。「長い髪を三つ編みに—/草で編んだ筵(ムシロ)」❷〈なにヲ—〉多くの材料を集めて、本を作る。❸〈なにヲ—〉関係各方面の事情を調べて、計画を立てる。「一週間の番組を—〔=編成する〕」 文法 編む材料を「毛糸を編む」と表わすことも、編んで仕上げたものを「セーターを編む」と表わすこともある。また、両者を一文で表わすと「毛糸でセーターを編む」となる。

アムネスティ[3]〔amnesty〕大赦。恩赦。 **—インターナショナル**[10]〔Amnesty International〕国際人権救援機構。国際的な政治犯救援組織。

****あめ**[1]【雨】空間的・時間的にある範囲にわたって、空から水滴が降ってくる現象。また、その水滴。〔気象学的には、空気中の水蒸気が気温の下がったために、液体となったもの〕「—が△降る(やむ・上がる)/きょうも—〔=雨天〕だ/涙の—」 かぞえ方 一滴(イッテキ)・一粒(ヒトツブ) 【—が降ろうと〈槍(ヤリ)が降ろうと】どんな困難や障害があっても必ず為(ナ)し遂げる決意だということを表わす。

あめ[0]【〈飴】口に入れてしゃぶる、甘い菓子。米・いもなどのでんぷん質を糖化させたもので、よく粘る。〔狭義では、水飴や棒状のものを指す〕「千歳(チトセ)—」 かぞえ方 球状のものは一粒(ヒトツブ)・一丸(イチガン) 【—と〈鞭(ムチ)〉】相手の機嫌をとる一方で、きびしいノルマを課すなどして、思い通りに操ること。【—をなめさせる】❶相手の好きな物を与えて、機嫌をとる。❷うまい事を言って、人をだます。❸わざと負けて、相手を油断させる。〔「あめをしゃぶらせる」とも言う〕

あめあがり[3]【雨上(がり)】雨のやんだあと(のしばらくの間)。「あま上がり[3]」とも。

あめあし[0]【雨脚・雨足】⇩あまあし

あめあられ[1]-[0]【雨〈霰〉】〔弾丸・礫(ツブテ)・批判など好ましくないものが〕そのもの目がけて集中的に降り注ぐ形容。「銃

弾が—と降りかかる」

あめ いろ[0]【〈飴色】 水飴のように 透き通った△黄(赤茶)色。

あめ うし[0]【《黄牛】 ❶昔、上等な牛とされた、飴色の和牛。❷昔、雌牛の異称。

アメーバ[2]〔ド Amöbe〕 単細胞の微生物の一つ。定まった形がなく、虚足によって移動する。アミーバとも。

あめ おとこ[3]【雨男】 その人が出かけたり 来たりすると、雨が降ると言われる男性。〔軽いからかいの気持を込めて用いる〕 ↕雨女

あめ おんな[3]【雨女】 その人が出かけたり 来たりすると、雨が降ると言われる女性。〔軽いからかいの気持を込めて用いる〕 ↕雨男

あめがした[1]【天が下】 〔空におおわれた所、つまり地上の意〕世界中。〔古くは、多く「日本国中」の意に用いられた〕「—に隠れも無い〔=よく知られている〕」

あめ かぜ[1][2]【雨風】 ❶雨と風。「—をしのぐ〔=社会に出て受ける苦しみや屈辱に堪えるの意にも用いられる〕」 ❷〔関西方言〕酒と甘い菓子の両方好きな△こと(人)の称。

あめ がち[0]【雨がち】—な 雨降りの△日(時間)が多い状態。 [表記] 「雨勝ち」とも書く。

あめ かんむり[3]【雨冠】 漢字の部首名の一つ。「雪・霜・雷」などの、上部の「⻗」の部分。「あまかんむり」とも。〔多く、天候や気象に関係のある漢字がこれに属する〕

あめ ざいく[3]【〈飴細工】 飴で人形など、いろいろな物の形を作ったもの。〔見かけだけ美しく内容の伴わないものや、任意に形を変えられるものの意にも用いられる〕

アメシスト[3]〔amethyst〕 紫水晶。アメジストとも。

アメ しょん[0] 〔「アメ」はアメリカ、「しょん」は「小便」の俗語形「しょんべん」の略〕わざわざアメリカまで出掛けて行きながら小便をしただけで帰ってくる、の意。外国への短期渡航者を揶揄した表現。

あめ たいふう[3][5]【雨台風】 風よりも雨による被害が大きい台風。 ↕風台風

アメダス[1]【AMeDAS】〔**A**utomated **Me**teorological **D**ata **A**cquisition **S**ystem=地域気象観測システムの略〕遠隔地域の降水量・風向・風速・気温・日照時間を自動的に観測・集計する大規模なシステム。毎正時、全国約一三〇〇の観測所での観測データを集計する。

あめ だま[0]【〈飴玉】 玉のように丸く作った飴。「—をしゃぶらせる〔=好きな物を与えて、機嫌をとる〕」

あめ つち[1]【天《地】 〔雅〕天地。全世界。

あめ つゆ[1][2]【雨露】 〔「雨露」の訓読みによって生じた語か〕(万物をうるおす)雨と露。「—をしのぐ〔=防ぐ〕」

あめ に[0]【〈飴煮】 魚・イモなどに水飴や砂糖などを加えて、糸を引くようになるまで煮ること。

アメニティー[2]〔amenity〕 住居内の器具や設備などを、便利さ・快適さを宗として くふうし整えること。

あめの うお[3]【〈鯇・〈鯇魚】 琵琶湖に産する、ヤマメに似た魚。たいへん美味とされ刺身・煮付け・塩焼きなどにして食べる。別名ビワマス。〔産卵期には大雨の日に群れをなして遡上することから言う〕〔サケ科〕 [かぞえ方] 一尾・一匹

あめ もよう[3]【雨模様】 ⇩あまもよう

あめ ゆき[2]【雨雪】 〔北海道・東北・北陸と九州の方言〕みぞれ。「あまゆき[2]」とも。

アメリカ[0]〔America=地名〕 ⇩付録「世界の国名一覧」 [表記] 「亜米利加」は、音訳。 **—インディアン**[5]〔American Indian の日本語形〕 ネイティブアメリカンの旧称。アメリカン インディアン[6]とも。〔コロンブスがアメリカ大陸に到達した際にインドの一部と誤認したことに基づく命名〕 **—ざりがに**[5] 北アメリカ原産の淡水にすむエビ。大きなはさみを持つ。食用。エビガニ。〔アメリカザリガニ科〕 [かぞえ方] 一匹 **—しろひとり**[7]【—白火取(り)】 まっ白い色をした、ガの一種。幼虫は毛が少なくて、木や農作物を食いあらす。日本には戦後、北アメリカから入って来た。〔ヒトリガ科〕 [かぞえ方] 一匹 **—せんじゅうみん**[7]【—先住民】 ⇩ネイティブアメリカン

アメリカナイズ[5]—する(自他サ)〔Americanize〕 米国的に△なる(する)こと。米国化すること。

アメリカニズム[5]〔Americanism〕 米国的△文化(生活)様式。米国人特有の気風。

アメリカン[2]〔American〕 ❶米国(人)の。 ❷浅くいった豆で薄くいれたコーヒー。アメリカン コーヒー。 **—ドリーム**[7]〔American dream〕 民主主義・自由・平等などの米国建国以来の理想。また、その中で、誰でも努力すれば実現の可能性があるとされる社会的・経済的な成功。 **—フットボール**[9]〔American football〕 一チーム十一人から成る、ラグビーに似た球技。防具を着け、激しい攻防をする。略してアメフト[0]・アメフット[3]・アメラグ[0]。米式蹴球。

アメンドー[0][2]〔ポ amendoa〕 ⇩アーモンド

あめんぼ[0] 足が細長く、水面をすばやく滑走する昆虫。「あめんぼう[0]」とも。〔アメンボ科〕 [表記] 「《水馬》・《水〈黽》」などと書く。 [かぞえ方] 一匹

あや[2]【〈綾】 ❶さりげ無く織り成してある何かの形や彩りで、少し離れて見ると美しさが分かって来るもの。〔狭義では、斜線の交錯による模様を指す〕 ❷表面を形式的に見る限りは分からないが、たどっていくと了解出来る、入り組んだ構成。「△言葉(事件)の—/文章の—〔=書き手が特に苦心した言い回し。含蓄のある表現や微妙なニュアンスなど〕/勝負の—〔=勝敗を決する微妙な作戦やかけひきなど〕」 [表記] ❷は、「《文」とも書く。

あやう・い[3][0]【危うい】(形) 滅亡・崩壊など、最悪の事態に至るおそれが目前に迫っている状態だ。「現体制維持が危うくなる/—〔=もう少しで命を失う〕ところを助かった/今や会社の存立そのものが—/君子危うき〔=文語の連体形〕に近寄らず/△基盤(立場)を危うくする」 [派] **—さ**[3][0] **—げ**[0][3] **あやうく**[0]【危うく】(副) 無事に逃れたものの、取り返しのつかない結果に至る事態がさし迫っていたことを認識する様子。「—間に合った/—〔=間一髪〕セーフ/—正面衝突するところだった」

あや おり[0][3]【〈綾織(り)】 「綾❶」を織り出した美しい(絹)織物。「綾織物[3][4]」とも。

あやかし[0] 航海中の船に取りついて、難破させたり 動かなくさせたり するという、原因不明のもの。

あやかり もの[0]【《肖(り)者】 それを見聞きする人自身もそうなってみたいと思うような、しあわせの頂点に居る人。

あやか・る[3]【《肖る】(自五) 理想的状態にある人と何らかのかかわりを持って、自分もそうなりたいと思う。

あや・し[2][0]【怪し】(形シク) 「怪しい」の文語形。「—の〔=ⓐ身なりが粗末な。ⓑ身分が低い。ⓒ挙動不審の〕男」 [表記] 「《異し・《奇し」とも書く。

あや じ[0]【〈綾地】 地質が綾織物であるもの。

****あやし・い**[0][3]【怪しい】(形) ❶今までに△見た(聞いた)ことがなく、不気味に感じられて、警戒心を起こさせる様子だ。また、不思議に感じられて、引きつけられる様子だ。「門の前を—男がうろつく/あやしく光る夜の海/—物音」 ❷△不確かな(疑わしい)点があって、先行きが気にかかる様子だ。「九時に来ると言ったが—ものだ/—〔=急変するおそれのある〕空模様/△雲行き(動き)が—」 ❸実体や中身がはっき

りとせず、疑わずにはいられない感じだ。「被疑者の中でいちばん―のは彼だ／あの二人はどうも―〔＝ⓐ秘密の関係を持っている。ⓑ人知れず、恋愛関係にあるようだ〕」❹習得した技術や知識が△不十分で(当てにならず)、信用できない感じだ。「あの人のフランス語はかなり―／―手つきでパソコンを操作する」 派 ―さ⓪③ ―げ⓪④ ―が・る④ 表記 ❶の一部は、「妖しい」とも書く。

*__あやし・む__③【怪しむ】(他五)〈なにヲ―〉怪しいと思う。「人から怪しまれる〔＝疑われる〕ような事はするな／―に足りない〔＝よくあることで驚くほどの事ではない〕」

あや・す②(他五)〔「愛す」の変化〕小さな子供の機嫌を、うまく取る。

あやつりにんぎょう⑤【操(り)人形】文楽などの人形劇に用いる人形。直接手を触れて操るものと、人形に張った糸を操るものとがある。〔陰で操られて、その意のままに行動する人のたとえとしても用いられる〕

*__あやつ・る__③【操る】(他五)❶〈(なにデ)なにヲ―〉習得した技術を駆使して、道具や乗り物などを意図どおりに△使いこなす(動かす)。「楽器を―／抜群のテクニックで△車(ヨット)を―／時間を自由に操れるとしたらすばらしい／自在に七か国語を―人」❷〈(なにデ)なに・だれヲ―〉〔内部に仕掛けた糸を使って、陰から人形を動かす意から〕自分は表に立たず、人を思い通りに行動させる。「組織の背後で―／ヤミ金融を―／部下を意のままに―／操り人形〔＝⇩操り人形〕」

あやとり③【綾取(り)】指先に斜めや輪形にして掛けたひもを、相手と互いに取り合っては次つぎに別の形に変えていく遊び。

あやど・る③【綾取る】(他五)(たすきなどをうまく)斜め十文字に結ぶ。

あやな・す③【綾なす】(他五)美しい模様を作る。「機知と風刺の―小品」

あやに①❶【《奇に》】〔雅〕〔「あや」は「ああ」の意〕表現の限度を超えて。「―畏(カシコ)き〔＝ああ恐れ多い〕」❷【《文に》】目を奪われるほど美しい様子。「目も―〔＝⇩目〕」

あやにしき③【綾錦】綾と錦。〔美しい着物や、秋の紅葉の形容としても用いられる〕

*__あやぶ・む__③【危ぶむ】(他五)〈なにヲ―〉よくない結果になりはしないかと恐れる。「実現を―／開催が危ぶまれる」

あやふや⓪―な ―に 一貫性・確実性・正確性などに欠けるところがあり、信用し難いと感じられる様子。「―な△記憶(供述・証言・意見・態度・将来・やり方)」 派 ―さ⓪

あやまち③④【過(ち)】「まちがい❷」の意のやや改まった表現。「―に陥る／(同じ)―を犯す」

あやま・つ③【過つ】(他五)❶やりそこなう。「過たず命中した／ああ我、過てり〔＝とんだ失敗をした〕」❷まちがう。「道〔＝方針〕を―／選んで過たぬ目」

あやまり③④【誤(り)】〔動詞「誤る」の連用形の名詞用法〕まちがい。「―を△犯す(指摘する)／△作戦(計画)に―無きを期する」

あやまり⓪③④【謝(り)】〔動詞「謝る」の連用形の名詞用法〕あやまること。「―を入れる〔＝相手に対して謝罪の意を表する〕／―を言う／―の手紙／―証文(ジョウモン)⑤」

__あやま・る__③【誤る】(他五)〈なにヲ―／なに・だれヲなに・だれト―〉正しい△判断(処理)をしそこなう。「△見通し(選択・処理・対応)を―／人選を―／道を―〔＝ⓐ正しい道から外れる。ⓑ人生を踏み外す〕／後進を―〔＝まちがった方向に導く〕／操作を―」 表記 「〈謬る」とも書く。 **あやまれる④【誤れる】〔連体詞的に〕まちがった。「―民主主義」

*__あやま・る__③【謝る】(他五)〈だれニ(なにヲ)―〉自分が悪かったということを表明し、相手に許しを求める。「謝れば済む問題ではない／彼の厚かましさには―〔＝参る〕な／その仕事なら―〔＝断わる〕よ」

あやめ⓪【〈〈菖蒲〉〉】❶山野に生じる葉の細長い多年草。初夏、青紫色・白色の花を開く。ハナショウブに似て、小形で花弁のもとに黄と紫の虎斑(トラフ)がある。観賞用。「はなあやめ」とも。〔アヤメ科〕 かぞえ方 一本(イッポン／ヒトモト) ❷ショウブの古名。「―の節句〔＝⇩端午の節句〕」

あやめ⓪【《文目》】〔雅〕模様。彩り。「―も分かぬ〔＝物の区別もはっきりしない〕闇夜(ヤミヨ)」

あや・める③【《危める》】(他下一)〔「危うい」から派生した動詞形〕人を傷つけたり殺したりする。 表記 「《殺める」とも書く。

あゆ①【〈鮎】日本各地の清流にすむ淡水魚。一種の香気がある。背中は青黒くて腹は黄白色。食用。〔アユ科〕 表記 「〈年魚〉・〈細〈鱗魚〉・〈銀口魚〉・〈香魚〉」とも書く。 かぞえ方 一尾・一匹

あゆ①【〈阿諛〉】―する(自サ) 人の機嫌を見ながら、それに合わせた言動をすること。「―追従(ツイショウ)①-⓪」

あゆみ【歩(み)】❶③ 歩むこと。「―を進める／―は遅々たるもの／月日の―〔＝移り進むこと〕／―〔＝足なみ〕をそろえる／牛の―〔＝遅いことのたとえ〕／羊の―〔＝殺される運命にあることを知っているので、元気無く歩くことのたとえ〕」❸(造語) 動詞「歩む」の連用形。 ―あい⓪ ―(アヒ)【―合(い)】互いに譲りあって△一致点(解決点)を見いだすこと。 ―いた④③【―板】❶歩くために物の上に渡す板。〔狭義では、足場上の作業員の通路(板)を指す〕❷芝居小屋の「ますがた」の枠木の上面を幅広く作ったもの。略して「歩み」。 かぞえ方 ❶は一枚 ―よ・る④⓪【―寄る】(自五) ❶歩いて近寄る。❷〔条件などを〕譲りあって、主張を一致させるようにする。「原告の主張に一歩―」 名 歩み寄り⓪「―が見られる」

あゆ・む②【歩む】(自五)❶〔雅〕歩く。❷△自分の意志に基づいて(その時どきの置かれた状況に従って)日びの営みを行なう。「△苦難(多難・いばら)の道を―〔＝進む〕／長い道程を―」〔⇩歩み❸〕

あら【荒】(造語)❶よく荒れる。「―馬⓪・―海⓪・―波」❷勢いが激しくて、制御しがたい。「―瀬⓪・―鷲(シワ)⓪」❸乱暴で、思いやりに欠ける。「―療治・―武者」❹太くて、がさつな。「―物・―縄」❺荒れはてた。「―小田(ダオ)⓪〔＝耕す人が居なくて、荒れた田〕」

あら【粗】(造語)❶(まだあまり)人手を加えない。「―木・―皮」❷ざっと手を入れただけで、細部の仕上げをしていない。「―刻み③・―削り」❸まばらな。「―めに塗る」

あら【新】(造語)❶新しい。「―身の刀／―手・―仏(ボトケ)・―盆・―墓⓪」❷まだ使わない。「―湯⓪」

あら①(感) 感心したり 驚いたりした時などに出す、言葉とも言えない声。「―まあ」〔長呼して「ああら」とも言う〕

あら②❶【〈鯇】北海道からフィリピンまでの海域の沖合にすむ魚。体形はスズキに似て細長く、一メートル以上にもなる。えらぶたには強大なとげが発達。冬期 美味で、鍋物(ナベモノ)として珍重される。〔スズキ科〕❷❶【《骨》】料理に使ったあとに残る、魚肉の少し付いた骨や内臓部分。〔鶏(トリ)のガラに当たる〕「―煮⓪・―汁(ジル)」❷〔長所・美点に目をつぶって見た〕そのものの欠点。「―が目立つ論文／―捜し③」

アラー①〔Allah〕イスラム教徒が信仰する、唯一・最高の神。アッラー①とも。

アラート②〔alert＝警報(を出す)〕警告するための音やメッセージなど。

アラーム②〔alarm〕❶(自動)警報装置。❷目覚し時計。〔❶❷ともに、その音も指す〕

あら あら⓪【粗々】（副）詳しくはないが、大筋のところはそうである様子。「事情を―〔=ざっと〕知らせる」 **―かしこ** じられる様子だ。「足音も荒く立ち去った／鼻息が―〔=自信ありげに気負いこむ様子だ〕／―波」❷自分の置かれた立場をわきまえなかったり 相手に対する心遣いなどを欠いたりして、とかく極端に走りやすい様子だ。「気性が―／金遣いが―／人使いが―〔=手加減せず、次から次へとこき使う様子だ〕」［二］【粗い】↔こまかい ❶粒が大きかったり△織った（編んだ）ものの目が大きかったりして、すきまの目立つ状態だ。「△粒（きめ）が―ほうが質が劣る／目が―網／―手ざわりの布」❷細部にまで必要な神経が行き届いていない様子だ。「細工が―〔=ぞんざいだ〕／―計画」［派］ **―さ**⓪

あらい【洗い】［一］⓪❶洗うこと。「下―・つかみ―」❷魚の刺身を冷水で冷やし、縮らせたもの。「コイの―」［二］（造語）動詞「洗う」の連用形。 **―あ・げる**⑤【―上げる】（他下一）❶洗い終わる。❷十分に洗う。〔すっかり調べ上げる意にも使う〕［自動］洗い上がる⑤（五） **―がみ**⓪【―髪】洗ったまま△の（でまだ結わない）女性の髪。 **―ぐま**③②【―熊】外見はタヌキに似た小動物。水に入り、木にも登り、食べ物を洗って食べるという。〔アライグマ科〕［表記］「〈浣熊」とも書く。［かぞえ方］一匹・一頭 **―こ**⓪【―粉】〔皮膚・髪・食器などを〕洗う時に使うこな。 **―ざらい**④⓪【―〈浚い】（副）そこにあるものを何から何まで隠すところなく△見せる（聞かせる）様子。「心中を―ぶちまける」 **―ざらし**⓪【―〈晒し】何度も洗って染色が△あせること（あせたもの）。「―の着物」 **―しゅ**⓪【―朱】黄色がかった紅色。〔朱よりじみで落ち着いた感じの色〕 **―だし**⓪【―出し】❶れんが・人造石の生地を塗らないでおくこと。❷壁やたたきの表面を、乾かないうちに水で洗って、生地の小石を浮き出させたもの。❸杉板をこすって洗い、板目を目立たせたもの。❹調べて、表面に表われていない事柄を探し出すこと。「問題点の―に努める」 **―だ・す**④【―出す】（他五）❶洗い始める。❷表面を水 **―もの**⓪【―物】❶△洗うべき（洗った）着物や食器類。「―がたまる」❷洗うこと。「―をする」

アライアンス②〔alliance〕❶同盟。縁組。❷企業同士の提携。特に、航空産業での国際的な企業連合。

あら いそ⓪【荒〈磯】❶波の荒い浜べ。❷岩の多い浜べ。

**あら・う⓪【洗う】（他五）〈（なにデ）なにヲ―〉水・湯や薬品をそそいだり それらの中ですすいだり などして、汚れやあぶらなどを落とす。「顔を―／波が岸を―〔=岸に寄せては返す〕／芋（の子）を―ような混雑／時代の流れで、過疎の波に洗われる〔=過疎の影響をもろに受ける〕／身元を―〔=すっかり調べる〕／足を―〔=良くない仕事をやめて、正業につく〕／血で血を―〔=⇩血〕／新緑の山を歩き、久しぶりに心が洗われる〔=俗事を忘れ、本来のあるべき自分を取り戻したような〕思いがした」〔⇩洗い［二］〕［文法］汚れを取り除く対象を「（シャツについた）しみを洗う」、汚れを取り除く対象の全体を「（しみのついた）シャツを洗う」ともいう。

あら えびす③【荒〈夷】都の優雅な生活になじみの無いいなか者。〔狭義では、東国在住の武士を指した〕

あらが・う③【《抗う】（自五）（最後まで）反抗する。「権勢に―」

あらかじめ⓪【《予め】（副）「前もって」の改まった表現。

あら かせぎ③⓪【荒稼ぎ】―する（自サ）❶投機などの手段により、一時に大もうけをすること。❷手段を選ばずに稼ぐこと。〔すり・強盗などの犯罪行為を指すことがある〕

あら かた⓪【粗方】（副）一部には適用されないが、十中八九までそう言える様子。「―〔=大部分〕完成した」

あら がね⓪【粗金】掘り出したままで精錬していない金属。［表記］「《鉱」とも書く。

あら かべ⓪【粗壁】練った土を塗って作る壁の下塗り（をしただけの壁）。［表記］「荒壁」とも書く。

アラ カルト③〔フ à la carte〕一品料理。

あら ぎも⓪【荒肝】きもだま。【―を抜く】意想外の手段で、強敵をすっかり参らせる。「荒肝を拉ぐ」とも。

あら ぎょう⓪【荒行】〔僧や山伏が〕肉体の苦しみをこらえてする修行。

あらくれ た③⓪【荒くれた】（連体）乱暴で、手のつけられない。「―男」

あらくれ もの⓪【荒くれ者】すぐけんかなどばかりする乱暴な男。

あら けずり⓪③【粗削り】―な ❶ざっと削っただけで、細かい仕上げをしていない状態。「―な〔=まだあまり手入れのされていない〕文章」❷大きなところを押さえるだけで、細かいところには注意が及ばない様子だ。「―な性格」［表記］「荒削り」とも書く。

あら・げる③【荒げる】（他下一）⇩あららげる

あら ごと⓪【荒事】〔歌舞伎で〕豪傑など超人的な役柄に用いられる、様式的で荒あらしい演技・演出。「―師④」⇩わごと・じつごと

あら ごなし⓪③【粗ごなし】本格的に仕事にかかる前に、大体の手はずを整えておくこと。〔狭義では彫刻で、大体の形を彫り出すことを指す〕［表記］「荒ごなし」とも書く。

あらし【荒（ら）し】［一］〔接尾語的に〕荒らす△こと（人）。「学校―・古本屋―・道場―」［二］（造語）動詞「荒らす」の連用形。 **―まわ・る**⑤【―回る】（自五）次から次へと、あちこちに損害や迷惑をかけるようなことをする。「あたり一帯を荒し回った盗賊一味」

*あらし①【嵐】❶〔荒い風の意〕（強い雨を伴って）激しく吹き荒れる風。「―が△吹き荒れる（収まる）／―の前の静けさ／―のような拍手」❷組織の人びとを一時に巻き込むもめごとや、関係者に危機をいだかせるような社会変動。また、激しい感情の揺れ。「コップの中の―／構造改革の―に押し流

される企業／激情の―が去る」

あらじお⓪【粗塩】 精製されていない、粒子のあらい食塩。

あらしごと③【荒仕事】 激しい肉体労働。力仕事。〔強盗・殺人などの不法行為を指すこともある〕

あらし・める④【有らしめる・在らしめる】（他下一） ある△形（様相）をもって存在させる。「子供を持つことが自分たちを意義―ものにしてくれると考えている人もある」

あらじょたい③【新所帯】 新しく構えた所帯。「しんじょたい」とも。〔主として、新婚の家庭を指す〕 表記「新《世帯」とも書く。

あらじる⓪③【あら汁】 魚のあらを△煮出した（実とした）汁。

*__あら・す__⓪【荒らす】（他五） ❶〈なに・どこヲ（なにデ）―〉 荒れた状態にする。「なまけて畑を―一方だ」 ❷〈なに・どこヲ―〉 乱暴や盗みを働いたりして、損害を与える。〔⇩荒し㊁〕

あらず① ㊀【有らず】 …が無い。「戦い、利―〔＝不利だ〕」 ㊁【《非ず】 …ではない。「雲か、―〔＝雲だろうか、いや、違う〕／さに―〔＝そうではない〕」 **―もがな**④⑤⓪【有らずもがな】 いっそ無い方がいい。「―のお世辞」

あらすじ⓪【粗筋】〔計画・話・小説などの〕大体の筋（道）。〔漢語的表現は梗概〕 表記「荒筋」とも書く。

あらせいとう⓪ 植物のストックの和名。

あらそい【争い】 ㊀⓪③ 争うこと。〔狭義では、けんかを指す〕「主導権―に巻き込まれる／―の絶えぬ現状／言い―・水―③」 ㊁（造語） 動詞「争う」の連用形。 **―ごと**⓪【―事】 けんか・訴訟など、双方が争っている事件。

**__あらそ・う__③【争う】（他五）〈だれトなにヲ〔なにデ〕―〉 ❶相手より先に、自分が△そうなろう（その物を得よう）とする。「△勝ち負け（首位・政権・トップ・利害）を―／先を―〔＝自分が先になろうとして、急ぐ〕／兄弟が―〔＝けんかをする〕／労使が相―〔＝闘争する〕／決勝で彼と―〔＝対戦する〕ことになった」 ❷どちらの言い分が正しいかを公の場所で決めても

あらそわれない⑤【争われない】 あらそえない。「―事実」 文法 文章語的な表現では「争われぬ」とも用いられる。例、「争われぬ証拠／争われぬ事実」

あらた①【新た】―な・なる ―に ❶過去にこだわらず、今までには無かった状況が出現したという気持で事態をとらえる様子だ。「―な対応を迫られる／―な緊張を呼び起こす／―な局面を迎える／人生の―な出発／―なる歓△び／装いも―に／△決意（誓い・認識）を―にする〔＝△原点に立ち返って（改めて）…する〕」 ❷生なましい形容。「思い出も―な」 ❸新しい様子だ。「―に出来た道」

あらたか②【《灼か】―な ―に 神仏の霊験が、はっきりあらわれる様子だ。「霊験―な〔＝願をかければ、すぐかなえてくださる〕神」

あらだ・つ③【荒立つ】（自五） ❶〔波風や言葉・気分などが〕荒くなる。 ❷くすぶっていたごたごたが表面化し、荒くなる。穏便で済まなくなる。

あらだ・てる④【荒立てる】（他下一） 事態をもつれさせる。「事を―」

あらたま⓪【粗玉】 掘り出したままで、みがいていない玉。 表記「〈璞・荒玉・新玉」とも書く。

**__あらたま・る__④【改まる】（自五） ❶古い状態が終わり、新しくなる。「△年（体質）が―〔＝変わる〕／気風が―〔＝よくなる〕」 ❷ふだんとは違って、（伝統を踏まえた）格式張った態度になる。「改まった〔＝きちんとした服装・態度でいなければいけない、正式の〕場所／改まった〔＝正式だが少し堅苦しい〕表現／改まった〔＝しかつめらしい〕顔」 ❸病状が悪化し、重態になる。 表記 ❸は、「《革まる」とも書く。

あらため【改め】 ㊀③ 歌舞伎役者などの旧称と改称とをつなぐ、一種の接続詞。「（市川）海老蔵―団十郎」 ㊁（造語） ❶何かの疑いがあるので、関係者を一斉に取り調べること。「宗門―」 ❷動詞「改める」の連用形。 **―ぐち**④【―口】（天井裏や床下の）点検口。

あらためて③【改めて】（副） ❶その事の実行を次の機会に譲る、の意を表す。「[illegible]ま―お知らせします／お忙しそ

やりなおす。「△規則（体質・態度・考え方）を―／日を改めて〔＝出直して、また別の日に〕伺います／行いを―〔＝良い方に変える〕／書き―」 ❷〈なにヲ―〉 △公認の（正しい）ものかどうかを調べる。「切符を―／枚数をお改めください」 表記 ❶は「《革める」、❷は「《検める」とも書く。〔⇩改め㊁❶〕

あらづくり③【粗造り】 ざっと造って、仕上げを（まだ）していないこと。「―の建物」

あらっぽ・い④【荒っぽい】（形） 同類と比べて、いかにも荒いという感じを与える状態だ。「荒っぽく扱う／―言動」 派 **―さ**④ 表記「粗っぽい」とも書く。

あらて⓪【新手】 ❶これから戦闘に投入される精鋭。 ❷新しくその△グループ（組織）に入って来た人。 ❸新しい手段・方法。「―を考え出す」

あらと⓪【粗〈砥】 初めにざっととぐ時の砥石。〔質の粗い砂岩で出来ている〕 表記「荒〈砥」とも書く。

あらなみ⓪【荒波】 強い大きな波。「―が押し寄せる／―に△洗われる（もまれる）／世の―を乗り切る」

あらなわ⓪【荒縄・粗縄】 わらをより合わせて作った太い縄。 かぞえ方 一本

あらぬ②【有らぬ】〔雅〕 ㊀（連体） とんでもない。「―目で見られる／―方〔＝見当違いの方角〕／―〔＝そう言われる覚えの全く無い〕うわさ」 ㊁無い。「身も世も―〔＝生きていてもしようが無いと思い詰めるほどの、深い〕悲しみ」

あらぬか⓪【粗〈糠】 もみぬか（籾糠）。

あらぬり⓪【粗塗り】―する（他サ） 初めにざっと△塗ること（塗ったもの）。下塗り。↔上塗り 表記「荒塗り」とも書く。

あらね⓪【荒根】 簡単に抜いたりむしり取ったりすることの出来ない、芯の強い根。↔柔根

あらの⓪【荒野】〔雅〕 あれの。 表記「〈曠野」とも書く。

あらばこそ①、①-①【有らばこそ】 どこを探してみてもあるはずは無い。「遠慮会釈も―〔＝遠慮などは全く無い〕」

アラビア⓪〔Arabia＝地名〕 ⇩付録「世界の国名一覧」 **―うま**④【―馬】〔アラビ

表記「亜〈刺比亜」は、音訳。

字。〔今日、計算に普通用いられる〕

あらびき[0]【粗〈挽(き)・粗〈碾(き)】 穀類・コーヒー豆や牛肉・豚肉などの食肉を器械にかけ細かくくだくこと。また、そのくだいたもの。「―のウインナソーセージ」

あらひとがみ[4][5]【現人神】 人の姿となってこの世に現われた神。「あきつかみ[3][4]・あきつみかみ」とも。〔もと、天皇の尊称〕 表記 「荒人神」とも書く。

アラブ[1]〔Arab〕 ❶中東および北アフリカに住み、「アラビア語[0]」を話す人たちの総称。アラビア人[4]。❷アラビア馬。

あらぶる[3]【荒ぶる】(連体) ❶超自然的なものが周囲に危害を加えようと荒れ狂っている。「―神がみ」 ❷乱暴で荒あらしい。「―調べ」 ❸高揚している。「―魂」〔「あまり荒ぶるな」のように動詞として使用するのは誤り〕

あらぶ・れる[4]【荒ぶれる】(自下一) 精神のいらだちや粗暴な性格が、荒あらしい態度や行動にはっきりと現われて見える。「荒ぶれた男/荒ぶれた〔=すさんだ世相を如実に示す凶暴な〕事件」

アラベスク[3]〔フ arabesque〕 ❶アラビア風の唐草(カラクサ)模様。❷アラビア風の、装飾が多くて華やかな楽曲。

あらほうし[3]-(ホフー)【荒法師】 ❶荒行(アラギョウ)をする僧。❷武芸を鼻にかけて乱暴をする僧。「南都の―」

あらぼとけ[3]【新仏】 死後初めての お盆に 祭られる故人(の霊)。「しんぼとけ」とも。

あらぼん[0]【新盆】 ⇩にいぼん

あらまき[0] ■一【荒巻】 運びやすいように、わらなどで魚・鳥などを巻き包んだもの。■二【新巻】 秋とれたサケの内臓を除いて軽く塩をふったもの。多く、年末・年始の贈答用。 かぞえ方 ■一■二とも一本:一隻(イッセキ|イッシャク)

あらまし[0] ■一(事件・話などの)一応の経過。あらすじ。■二(副) 全部とまでは行かないが、十中八九までは そうであると判断する様子。「仕事は―〔=大体〕済んだ」

あらまほ・し[4](形シク) 〔雅〕そうあることが望ましい。

あらむしゃ[0]【荒武者】 武勇はすぐれているが、礼儀や風流を知らない△武士(僧兵)。〔俗に、乱暴者や、無礼な者を指す〕

あらむしろ[3]【粗〈筵】 編み目の粗い、粗末な筵。 表記 「荒〈筵」とも書く。

あらめ[0][2]【荒《布】 〔「め」は、海藻の意〕褐藻類の海藻。暖かい海に産し、二またに分かれた茎にたくさんの葉がつく。食用。肥料・ヨードの原料。〔コンブ科〕 かぞえ方 一枚

アラモード[3]〔フ à la mode〕 最新流行の(型)。「秋の―」

あらもの[0]【荒物】 ほうき・ざる・ボウルなどの日常の家庭生活用品。「―屋[0][4]」 ↕小間物

あらゆる[3](連体) ⇩いわゆる〔「あり」の未然形+文語助動詞「ゆ」の連体形。〕△ある(考えられる)限りの、すべての。「―角度から検討し直す/―機会を通じて/―手段を尽くす/―分野にわたる」 ⇩有りとあらゆる

あららか[2]【荒らか】―な 〔雅〕荒あらしい様子。

あららぎ[0] イチイ・ノビルの古名。 表記 後者は、「〈蘭」と書く。

あらら・げる[4]【荒らげる】(他下一) 相手の(不快な)言動に刺激されたり 状況のやりきれなさにいらだちを覚えたりなどして、反発的な態度に出る。「荒げる」とも。「声を―〔=声を必要以上に高くする〕」

あらりえき[3]【粗利益】 売上金からその原価を差し引いた利益。略して「粗利(アラリ)[0]」。 表記 「荒利益」とも書く。

あらりょうじ[3]-(レウヂ)【荒療治】―する(他サ) 患者の苦痛やおもわくなどを考えず、思い切った方法で根本的になおすこと。〔大胆な改革の意としても用いられる〕

あられ[0]【〈霰】 ❶空から降る、雪に似た白い小形のかたまり。水蒸気が急に氷結して出来る。「弾丸が雨―と降る」 ❷細かく切ったもちを、いって味をつけた菓子。❸〔「霰切り」の略〕料理で、さいの目に△切ること(切ったもの)。

あられもな・い[5]【有られもない】(形) あってはならない。〔多く、女性の他人の目に映るかっこうについて用いる〕「―姿〔=ひどくだらしなく乱れた姿〕」 文法 助動詞「そうだ(様態)」に続くときは「あられもなさそうだ」の形になる。また「すぎる」と結びついて複合動詞をつくるときは「あられもなさすぎる」の形になる。

あらわ[1]-(アラハ)【《露・《顕】―な|―に ❶隠れていた物事が現われる様子だ。「△対立(真相)が―になる/△矛盾(不快・不信の念)を―にする/肌も―に」 ❷(普通なら人の前に示さないものを)隠さない様子。「―に〔=公然と〕言う/―〔=露骨〕に反対する」

あらわざ[0] ■一【荒技】 〔武道・スポーツなどで〕思い切った、強烈なわざ。「△命知らずの(超人的な)―/―師[4]」 ■二【荒業】 力仕事。 表記 ■一は、「荒業」とも書く。

**あらわ・す[3]-(アラハス)(他五) ■一【現(わ)す】〈(どこニ)なにヲ―〉 人の前に 姿を見せる。「△正体(姿・効果)を―/頭角を―〔=⇩頭角〕」 ■二【表(わ)す】〈なにヲ―〉 心の中に思っている事や偽りの無いところを示す。「名は体を―〔=象徴する〕/彼の賢明さを―〔=証明する〕」 ■三【《顕(わ)す】〈(どこニ)なにヲ―〉「善行を―/名を―〔=高名になる〕」 ■四【著(わ)す】〈なにヲ―〉 自分の思想・経験・研究などを世間に知ってもらうために、本を書いて出す。 表記 本表=■一は「現す」、■二は「表す」、■四は「著す」。また■三は「《彰わす」とも書く。

あらわれ(アラハレ)【現(わ)れ】 ■一[0][4] あらわれること。あらわれたもの。「端的な―/意欲の―〔=表明〕/努力の―〔=結果〕/軽薄な流行の―〔=現象〕」 ■二(造語) 動詞「現われる」の連用形。 表記 本表=「現れ」

**あらわ・れる[4]-(アラハレル)【現(わ)れる】(自下一)〈(どこ)ニ―〉 ❶隠れていたり 知られなかったり したものが、見えたり 知られたりするようになる。「月が雲間から―/英雄が―〔=出現する〕/△真価(新味・兆候・兆し・効果)が―/端的に―/悪事が―〔=露見する〕/世に―〔=ⓐ出現する。ⓑ目立つようになる〕」 ❷心の中に思っている事や飾らぬところが示される。「態度に―/『平家物語』に現われた〔=見られる〕仏教思想」 表記 本表=「現れる・表れる」。また「《顕われる」とも書く。〔⇩現れ■二〕

―・でる[5]【―出る】(自下一) おおぜいの前に姿を現わす。登場する。

あらんかぎり[2][4]、[2]-[1]【有らん限り】 出せるだけ、全部。「―〔=ありったけ〕の力」

あり[1][0](感) 「あれ」「ありゃ[2][1][0]」の変化。〔多く若い人の間で使われる〕

あ・り[1]【有り】(自ラ) 「ある」の文語形。「山―川―〔=山もあるし川もある(といったぐあいで)〕/何でも―だ〔=種々の異質のものが無原則に存在する様子だ〕」 表記 「在り」とも書く。

あり[0]【〈蟻】 地中などで、女王アリを中心に社会生活を営む昆虫。働きアリは地上を歩いて食物を集め、勤勉なものの典型とされる。種類が多い。〔アリ科〕 かぞえ方 一匹:一羽

【―の〈這(は)い出る隙(すき)も無い】 警戒が厳重で出入が不可能であることのたとえ。

アリア[1]〔イ aria〕 ❶△歌劇(オラトリオ・カンタータ)などの、叙情的なメロディーを主とした独唱部分。詠唱。⇩レシタティーブ ❷叙情的な歌曲。

ありあけ[0]【有明(け)】 空に月が残ったままで夜が明ける、陰暦十六日以後の夜明け。また、その月。「―の月」

** * は重要語，[0][1]… はアクセント記号，品詞の指示の無いものは名詞および いわゆる連語。

ありあま・る④【有(り)余る】(自五) 差し当たっては使い道がないほど、たくさんある。「―ほどの才能を持ちながら無為に過ごす」

ありあり③(副)―と ❶そうであることが第三者の目にもはっきりと認められる様子。「ヘリコプターからも地滑りの跡が―と見えた」 ❷過去の出来事などが、今眼前に見えるごとく記憶の上にはっきりと現われる様子。「きのうの事のように―と覚えている」

ありあわせ⓪―アハセ【有(り)合(わ)せ】ちょうどその場にある△こと(もの)。「―の〔=買い置きの材料で手っ取り早く作った〕料理」 動有り合わせる⑤⓪(自下一)・有り合わす④⓪(自五)

アリーナ〔arena=(砂を敷いた)闘技場〕〔古代ローマで、円形劇場内の闘技場に砂をまいたことから〕周囲に観客席のある競技場・演技場。また、その観客席。「アイス―⑤〔=観客席付きのスケートリンク〕」

ありうべき④【有(り)得べき】〔連体詞的に〕今は存在していないが、△過去にあったかもしれない(理論的には将来予測し得る)。

ありうべからざる⑦【有(り)得べからざる】〔連体詞的に〕❶理屈から言って、存在するとは到底考えられない。❷あってはならない。

ありう・る③【有(り)得る】(自下二)〔文語形「ありう」と、その口語形「ありえる」との混交〕理屈や公算の上からは、あるものと考えられる。〔否定形は、「あり得ない」〕

ありか①【在(り)《処】❶物のある場所。「盗まれた絵の―をつきとめる」❷人の居る場所。

ありかた③【在(り)方】❶現実にどのような形・状態で存在するかということ。❷当然こうでなくてはならないという、物事の望ましい状態。「△大学(政治)の―が根幹から問われる／…の―を探る」

***ありがた・い**④【有(り)難い】(形)〔もと「めったに無い」の意〕❶めったに受けることの出来ない恩恵・好意・配慮に接して、身の幸せをしみじみと感じる様子だ。❷かけがえの無い経験をして、心から良かったと思う気持だ。❸物事が自分にとって好都合に運ばれ、うれしい気持だ。「雨が降ってくれたことは―／ありがたくないお客様だ／―、助かった」❹めったに無い啓示・加護を与えてくれ、自然に手を合わせたくなる気持だ。とうとい。「―教え／―仏様」 派―さ③④ ―げ④⑤⓪ ―が・る⑤ 運用 ❷❸❹は、「社長はいい気なもんだよ。我々の迷惑も知らずに事業拡大なんてありがたいご託宣をのたまっているのだから」などと、反語・皮肉の意を含めて用いられることがあり、まれには軽蔑ケイベツのニュアンスが込められることもある。

ありがたなみだ⑤【有難涙】ありがたさに感激してこぼす涙。

ありがたみ⓪④⑤【有難味】ありがたいと思って、それに感謝する気持。「親の―」 表記「味」は、借字。

ありがためいわく⑤【有難迷惑】―な 相手が好意的にやってくれている事でも、当人にはかえって迷惑に感じられる様子。

ありがち⓪【有(り)がち】―な それによく似た例が、その場合以外にもしばしば見られる様子。「若者に―な冒険心」 表記「有り勝ち」とも書く。

ありがとう②アリガタウ【有(り)《難う】(感) 感謝・お礼の気持を表わす言葉。〔関西では「大きに」とも言う〕

ありがね⓪【有(り)金】その時、手もとにある現金(全部)。「―をはたいて買う」

ありきたり⓪【在(り)来(た)り】△昔から(どこにでも)ある物と少しも変わらず、珍しくないこと。「―のデザイン」

ありぎれ⓪【有(り)切(れ)】△売れ残り(ありあわせ)の切れ。 表記「有り《布」とも書く。

ありくい⓪②―クヒ【〈蟻食】中南米の森にすむ哺乳動物。頭部が筒状で口が突き出ている。歯は無く、長い舌でシロアリの類をなめて食う。種類が多い。〔アリクイ科〕

アリゲーター③〔alligator〕アリゲーター科のワニの総称。口は幅広く、先端が丸い。ミシシッピワニ・ヨウスコウワニなどがある。

ありさま②⓪【有様】動かしがたい事実としてとらえられた、物事の状態。〔多く、ひどい事態だととらえた場合に使われる〕「今の―ではおぼつかない／なんという―だ／どんな―か／その戦争の―〔=惨状〕を物語った」

ありし①【在りし】(連体)〔「あり」の未然形＋過去の文語助動詞「き」の連体形〕以前の。「―日①〔=ⓐ過ぎ去った昔。ⓑ故人が在世していた当時〕」

ありじごく③―ヂ―【〈蟻地獄】ウスバカゲロウの幼虫。地面にすりばち形の穴を掘り、小さい虫が落ちるのを待って食う。 かぞえ方 一匹

アリストクラシー⑤〔aristocracy〕貴族政治。

ありそ⓪【《荒〈磯】〔雅〕あらいそ(荒磯)。「―海③」

ありだか②⓪【有(り)高】現在の△総量(総額)。「現在高」とも。 表記「在り高」とも書く。

ありたやき⓪【有田焼】佐賀県有田町およびその付近で産する堅牢ケンロウな磁器。⇩伊万里イマリ

ありづか⓪【〈蟻塚】(シロ)アリが作った△柱状(円錐イス状)の巣。

ありつ・く③⓪【有(り)付く・在(り)付く】(自五)〔有り付く意〕待望久しい物が△やっと(偶然)手に入る。「△仕事(夕飯)に―」

ありったけ⓪【有りったけ】(副)〔「有りたけ⓪」の強調表現〕何かのために手持ちの財産や持っている能力のすべてを注ぐ様子。「―の知恵を絞る／―の力を振り絞る／―の金をはたいても足りない」

ありてい⓪【有(り)体】ありのまま。「―に申し述べよ」

ありとあらゆる①―③【有りとあらゆる】(連体)「あらゆる」の強調表現。〔古くは、「ありとある①―①」〕

ありのとう④―タフ【〈蟻の塔】「ありづか」の異称。

ありのとわたり⑤【〈蟻の《門渡(り)】〔アリの行列の意〕❶山の尾根筋で、両側が切り立った崖ガケになっていて通過に危険を伴う所。❷会陰エインの通称。

ありのまま⑤⓪【有(り)の〈儘】何の粉飾もせず、実情のままであること。「事件の―を記事にする／―を見ていただく／思ったことを―に〔=正直に〕話してごらん」

ありのみ⓪③【有(り)の実】梨ナシの忌み言葉。〔「梨」と「無し」が同音なので、避けて言う〕

アリバイ⓪〔alibi=「他の場所に」の意のラテン語に由来〕その人が、その時犯行の現場には居なかったということの証明。訳語は、現場不在証明⑦。「―を崩す」

ありふ・れる⓪④【有(り)触れる】(自下一) どこにでも有って、珍しくない。「ありふれた顔ぶれ／ありふれている」

ありまき⓪【〈蟻巻】あぶらむし(油虫)❶。

ありゅう⓪―リウ【亜流】背伸びして第一流のまねをしようとしているもの。エピゴーネン。

ありゅうさん⓪②リウ―【亜硫酸】亜硫酸ガスの水溶液。漂白・殺菌剤などに用いられる。〔化学式 H_2SO_3〕 **―ガス**⑥ 硫黄を燃やす時に出る無色の気体。鼻をさすように臭い。硫酸の原料や漂白剤として使う。〔化学式 SO_2〕

ありよう③⓪―ヤウ【有(り)様】❶〔あまりおおっぴらに言いたくない〕実情。「―を言えば」❷理想的なあり方。「研究所の―」❸あるはず。「―が無い」 表記「在り様」とも書く。

ある①【〈或】(連体) 特定△できない(するに及ばない)物事

を指して言う語。「—時—ところに/—程度の自由/—条件のもとで/—人・—日」

あ・る ① (自五) ［一］【有る】 ↕無い 〈どこ・なに・だれニ—〉 ❶見聞きしたり 感じたり 考えたり などすることによって、その物事が認められる(状態を保つ)。「改善の余地が—/別人の観が—/洪水のおそれが—/程度の差こそあれ/実力に大きな開きが—/異論のあろうはずがない/△問題(可能性・分ブ・定評)が—/とかく論議する向きも—/責任の一半が—/察するに余り—/折—ごとに/事もあろうに/あってなきがごときもの/おもしろい話が—/—(=本当の)事ない事言い触らす/—(=お金のある)所には—もんだ/一度行ったことが—/どれだけ—(=重さ・広さ・高さ・距離などがある)か/チャンスさえあれば(=到来すれば)/数奇な一生を—がままに(=何ら手を加えることなく事実通りに)描く」 ❷備わっていることが認められる(状態を保つ)。「△教養(説得力・人間味)が—/実ミの—もの/理解—態度/妻が—(=妻を持つ)/広い庭が—/ガスが—(=引いてある)/必修課目の中にフランス語が—(=含まれている)」 ❸行なわれる(はずだ)。「試験が—/学校が(=学校の授業が)—/事故のあった(=起こった)日/きょうは風呂ロが—(=立つ)/近く地震が起こるという噂サウワが—(=立っている)」 ［二］【在る】〈どこ・なにニ—〉 ❶居る。「昔むかしおじいさんとおばあさんがありました/賛成する人が—/政権の座に—/何分 相手の—ことだから」 ❷世に生きている。「在りし日の面影/世に—(=ⓐ生活している。ⓑ成功し、りっぱに暮らしている)人」 ❸そういう△位置(状況・環境条件)において存立することが認められる。「東京の西南に—(=位置する)/増加の傾向に—/△目と鼻の先(念頭)に—」 ❹帰属する。「責任は彼に—」 ❺帰着する。「問題は向こうの出方に—(=左右される)」 ［三］〈なんだト—〉 ❶下に述べる帰結を導き出すに十分な前提が成立していることを表わす。「どうしてもだめだとあれば(=ということなら)/折から日曜日とあって(=であった関係上)/前の打者が安打した事もあって(=も影響して)/チーム打率三割五分二厘を誇るだけあって(=に ふさわしく)」 ❷…と△言われ(書かれ・伝えられ)る。「君命とあれば致タイしかたない/遺書には…とあった/右へ行け、と—」 ［四］(補動・五型) ❶前にした行為の結果が現在まで続いていることを表わす。「木が植えて—/立入禁止と書いて—」 ❷動作の完了を表わす。「もう読んで—が」 ❸⇩である ［文法］ (1) ［二］［三］［四］及び［三］の一部の否定の用法は敬体では「ありません」。常体では文語の残存形式「あらず」はあるが、「あらない」の形式はなく、一般に非存在の意を表わす形容詞「ない」が用いられる。 (2) ［二］で、「ある」は一般に非生物の存在を表わし、生物の存在には「いる」が用いられる。しかし、生物、とくに人の存在を表わす場合に「ある」が用いられることもある。「そんな悪いことばかりしていていいのか。お前にも親はあるだろう」「私には兄弟が三人ある」「よい友人がある」などと、ある人から見て親・兄弟・友人などととらえられる場合である。これらの「ある」の用法は存在する場所、つまり居場所を捨象される傾向がある。居場所も表わして述べる場合には「私には兄と姉がある。今兄はアメリカにいて、姉は中国にいる」と「いる」を用いるのが一般である。昔話の語り口として「昔むかし、おじいさんとおばあさんがありました」の「ある」は「昔男ありけり」などといった文語文の流れを汲クむものととらえられる。 (3) ［四］は客観的には全く同じ状態をとらえて表わすのに「窓が開いている」と「窓が開けてある」の二つの表現形式が成り立つ。前者に対し後者は背後にある「誰かが何かのために窓を開けた」という意図を念頭に置いた表現だと解される。「電気がついている」「電気がつけてある」「かぎがかかっている」「かぎがかけてある」も同様に解される。

【有ろうことか】 (「あってよいことか」の意) 信じられないほど意外なことに。とんでもないことに。 **【…に在っては】** …の関する方面においては。「自然科学部門—(=…では)」

あるい は ②【(或いは】 〔文語動詞「あり」の連体形+上代語の助詞「い」+助詞「は」〕 ［一］(接) ❶…か、そうでなければ…のどちらか。「ペン—(=または)筆」 ❷一連のグループの△行動(状態)が必ずしも一様でないことを並べあげる。「—(=ある者は)海へ—山へ/—(=ある時は)強く—弱く」 ［二］(副) 一方においてその可能性も否定できないととらえる様子。「—そうかもしれない/夜になって—(=もしかすると)一雨あるかもしれません」 ［表記］ 許容かなづかいは、「あるひは」。

アルカイック ④③—な 〔フ archaïque〕 (古代ギリシャに見られる特徴で) 技術的には未完成の点が認められるが、おおらかな人間性が感じられる様子だ。古拙。「古代彫刻の—なほほ笑み」

ある かぎり ①-②、③【有る限り】 (副) あるだけのもの全部に関することを表わす。

あるか なきか ①-①【有るか無きか】 ❶その気になれば、やっとあることが認められる程度。「—の△ひげ(風)」 ❷存在理由があまり認められない様子。「—の存在」

あるか なし ①-①【有るか無し】 無いと言ってもいいくらい、わずか。「—の分量」

アルカリ ⓪ 〔オ alkali=もとアラビア語で、al (定冠詞) + kali (灰)〕 水に溶ける塩基性物質の総称。 ［表記］ 「亜〈爾加里」は、音訳。 **—きんぞく ⑤【—金属】** リチウム・ナトリウム・カリウム・ルビジウム③・セシウム・フランシウム④の六つの金属元素の総称。銀白色でやわらかくて軽い。常温で水と激しく反応し、強塩基性の水酸化物を生じる。 **—せい ⓪【—性】** 赤色のリトマスを青くし、酸を中和して塩ンェを生じる、アルカリの性質。 ↕酸性 **—せいしょくひん ⑦【—性食品】** 野菜・果物・牛乳など、ナトリウム・カリウム・カルシウムを多く含む食品。 **—せん ⓪【—泉】** アルカリを含む温泉。痔ジ・胃腸病・婦人病にきく。

アルカロイド ④ 〔alkaloid〕 植物中に存在し、窒素を含む物質。大部分は劇毒。例、モルヒネ・ニコチン・カフェイン。

アルカロージス ④ 〔alkalosis とド Alkalose との 混 交〕 新陳代謝機能の障害により、バランスが失われ、血液がアルカリ性に△傾くこと(傾いた時の症状)。 ↕アチドージス

あるき【歩き】 ［一］③ 乗り物を利用せず徒歩で行くこと。「帰りは—だ/外—・食べ—」 ［二］(造語) 動詞「歩く」の連用形。 **—スマホ ④** 歩きながらスマートフォンの画面を注視すること。「歩きスマフォ」とも。「—は事故の原因となり大変危険かつ身勝手な行為だ」 **—つづ・ける ⑥【—続ける】** (自下一) 歩くという動作を続ける。 **—つ・める ⑤【—詰める】** (他下一) 長い距離を休まずに歩き続ける。 ［名］歩きづめ ⓪ **—とお・す ④トホ—【—通す】** (他五) 途中乗り物に乗ったりせず徒歩で目的地まで行く。 ［名］歩きどおし ⓪ **—まわ・る ⑤マハル—【—回る】** (自五) その辺一帯を歩く。「室内を—/国中を—(=国内を移動し続ける)」

アルギン さん ⓪【アルギン酸】 〔ド Alginsäure〕 かわいた海藻からとる、ねばりけの強い物質。接着剤・乳化剤・フィルムなどの製造に使う。

ある・く【歩く】 ［一］② (自五) ❶〈どこヲ—〉 Ⓐ(常に、左右いずれかの踵カカトを地に着けた状態で)足を交互に前へ出して、進む。「駅から歩いて三分の距離/犬も歩けば棒に当たる(=⇩犬)/歩き回る」 Ⓑ遠くに、また、各地に出掛ける。「世界を股タマにかけて—」 ❷(「歩かせる」の形で)〔野球で〕強打者などを(敬遠して)、四球で一塁に進ませることを表わす。 ［二］(「動詞連用形+—」の形で、接尾語的に) 各地

** * は重要語，⓪ ①… はアクセント記号，品詞の指示の無いものは名詞および いわゆる連語。

に出掛けて行く。「食べ―・尋ね―・持ち―」〔⇩歩き❸〕

***アルコール**[0]〔オ alcohol〕炭化水素の水素を、水酸基で置き換えた化合物の総称。〔狭義では、エチル アルコールを指し、また酒の俗称としても使われる〕 **―いそんしょう**[0]-[0]、[7](シャウ)【―依存症】長期にわたる飲酒などが原因で、絶えずアルコール飲料を摂取していないと、精神的な安定が保てなくなり、身体的にも種々の障害が生じる状態。慢性アルコール中毒。「アルコールいぞんしょう」とも。 **―ちゅうどく**[6]【―中毒】❶多量の飲酒のため、酒に含まれるアルコールに中毒すること。「急性―[0]-[6]」 ❷⇩アルコール依存症〔❶❷とも略して「アル中」〕

アルゴリズム[4]〔algorithm←Al Khwārizmī (アル フワリズミ)=中世、アラビアで活躍した数学者〕❶問題の答えを計算によって求めるための手順。❷〔コンピューターで〕プログラムにおける処理手順。

アルゴン[1]〔ギ argon=なまけもの〕希ガス類に属する元素の一つ〔記号 Ar 原子番号18〕。無色・無味・無臭で電球の中に詰める。

あるじ[1]【《主》】❶△一家(店)の主人。〔狭義では、その資格を持つ男性を指した〕 ❷持ち主。所有者。「車の―」

アルチザン[3]〔フ artisan〕職人(的な芸術家)。⇩アルチスト

アルチスト[3]〔フ artiste〕芸術家。アーティスト。⇩アルチザン

アル ちゅう[0]【アル中】「アルコール中毒(患者)」の略。

アルツハイマー びょう[0]【アルツハイマー病】〔Alzheimer=この病気を初めて報告したドイツ人医師〕認知症に分類される病気の一つ。脳の細胞が繊維だけになって萎縮(イシュク)し、脳全般に障害が起こる。略してアルツハイマー[4]。「若年性―」

アル デンテ[3]〔イ al dente=歯ごたえのある〕〔主としてパスタで〕芯(シン)を残した歯ごたえのあるゆで加減のこと。

アルト[1]〔イ alto〕〔音楽で〕❶女声の低音域(の歌手)。❷中音部を受け持つ管楽器。「―サックス[4](=中音部の音を出すサキソホーン)」

あるとき ばらい[5](バラヒ)【有る時払(い)】前もって期限を決めずに、金のある時に払う、前近代的な支払い方法。「―の催促無し」

あるは[1]【《或は》】(接・副)〔雅〕あるいは。

アルバイター[3]〔ド Arbeiter〕「アルバイト❶」をする人。

アルバイト[3]〔ド Arbeit〕❶―する(自サ)収入を得るためにする、△学業(本務)以外の仕事。〔もと、学生語〕 ❷学問上の研究・業績。〔狭義では、博士論文を指す〕 ❸アルバイター。「―が足りない」〔❶❸は、略してバイト〕

アルパカ[0]〔alpaca〕❶南米アンデス山中にすむ家畜。体長一メートルほど。〔ラクダ科〕 ❷アルパカの毛を主材料にした毛織物。丈夫で、すべりがいい。

アルバム[0]〔album〕❶(記念のための)写真帳。❷〔特定のテーマによる〕数曲を収めたレコード・CDなど。〔インターネット配信によるものについても言う〕「ファースト―」 かぞえ方 ❶は一冊。❷は一枚

アルピニスト[4]〔ド Alpinist〕(アルプス)登山家。

アルビノ[0]〔albino〕生まれつきメラニンが欠乏する遺伝子疾患。また、そのために皮膚や毛が白い人や動物。先天性白皮症。白子(シラコ|シロコ)。白化個体。

アルファ[1]〔alpha. A・α=ギリシャ字母の最初の字。ローマ字のaに当たる〕❶最初(のもの)。「―にしてオメガ(=最終)なるもの」↕オメガ ❷〔付加される〕何ほどか。「基本給プラス―/一メートル九〇A(=高跳(ビ)トで、もっと跳べるのを何かの都合で中止した時の記号)/5α対3(=野球で、九回目の表までで勝負が決まった時の記号。xを筆写体に書いたのが起源であるという。現在は、xを使う)」

アルファ せん[0]【α線】放射性元素が出す、ヘリウムの原子核の放射線。

アルファ は[3]【α波】脳波の一種。安静時に表われる。

アルファベット[4]〔alphabet=ギリシャ字母の第一字アルファと第二字ベータ〕一定の順で並べられた、ローマ字の字母(表)。普通、二十六字。〔狭義では、ローマ字の第一、二字を指し、日本語におけるイロハと同様、すべての文字を代表して表わす〕「―順[0]」

アルプス[1]〔Alps〕スイスを中心にオーストリア・イタリア・フランスの国境にまたがる、高い山脈。「日本―」

アルヘイ とう[0](タウ)【アルヘイ糖】〔ポ alféloa(=砂糖菓子)の変化〕砂糖にあめを加えて煮つめ、棒状にした菓子。 表記 「有平糖」は、音訳。 かぞえ方 一本

ある べき[1][3]【有るべき】(連体)当然△そう(そこに)あっていい はずの。「―姿」

アルペン〔ド Alpen=アルプスから〕❶(造語)アルプスの。「―ルート[5]」 ❷[1]〔←アルペン競技[5]〕〔スキーで〕滑降・回転・大回転・スーパー大回転の四種目、及びその複合競技。⇩ノルディック **―シュトック**[6]〔ド Alpenstock〕〔とびぐち状の金具のついた〕登山づえ。

アルボース[3]〔ド Arbos〕薄黄色の消毒剤。「―せっけん[6]」

アルマイト[3]〔和製英語 Alumite=もと、商標名〕アルミニウムの表面を酸化アルミニウムの膜でおおったもの。腐食に強く、弁当箱ややかんなど台所用品に多く用いられる。

ある まじき[3]【有るまじき】(連体)そうあってはならない。「学生として―(=不都合な)行為」

アルマジロ[3]〔ス armadillo=武装したもの〕からだはセンザンコウに似た、夜行性の小動物の総称。中南米にすむ。背中には骨質の甲らをつけ、危険を感じると、からだを丸める種類のものも知られている。〔アルマジロ科〕 かぞえ方 一匹

アルミ[0] ❶アルミニウムの略。「―サッシ[4]・―箔(ハク)[3]・―ホイル[4]」 ❷〔←アルミ銅[3]〕アルミニウムが五~一二パーセント以下の銅合金。黄金色で空気中でも変色しない。〔古くはアルミ金(キン)[0]〕

アルミナ[0]〔alumina〕アルミニウムを強く熱して得る△白色の粉(無色結晶体)。研磨剤・耐火材料。酸化アルミニウム。礬土(バンド)。〔化学式 Al_2O_3〕

アルミニウム[4]〔aluminium〕金属元素の一つ〔記号 Al 原子番号13〕。銀白色で軽く、展性・延性に富み容易に酸化しない。建築・車両資材や日用品など、用途が広い。略してアルミ。

あれ(感)〔代名詞「あれ」の変化〕❶[0] 意外な事に気づいた時に思わず出す声。〔「あれっ」とも言う〕「―カバンに財布がない」 ❷[1] 助けを求めたりする時に思わず出す声。〔長呼して「あれえ」とも言う〕

あれ[0]【《彼(れ)》】(代) ❶話し手・聞き手から離れて存在し、両者が共に認め得る事物自体を指す語。「―は何だろう/―を見てごらん/―(=あそこに見えるの)が国立劇場だ/―(=あそこ)に見えるは」 ❷すでに話題になるなどして、話し手・聞き手が共に意識している事柄を指す語。「―(=あの件)はその後どうなりましたか/―(=あの問題)を先に片づけてしまおう/山田君は―(=君も知っている通りの状態)で意外にしっかりしているんだよ」⇩これ・それ・どれ:こそあど ❸はっきり口にしたくないこと、ちょっと忘れたこと、うまく言えないことなどの代りに用いる語。「今ごろ申し上げるなんて―(=ⓐ恥ずかしい。ⓑ申し訳ない)ですが/代金は―でしたら(=都合が悪かったら)後でも構いません」 ❹〔「―…これ

…」の形で〕一つに限ることなく、いろいろの物や事柄に及ぶことを表わす。「―が欲しいこれが欲しいと、だだをこねる/―もしなければ、これもしなければと考えるだけで頭が痛くなる」⇩あれこれ・あれやこれや

運用 (1)話し手自身が過去を回想したりする時、経験した出来事などを指す場合にも用いられる。例、「あれは雪の降る寒い晩のことだった」(2)❶は、話し手が目下扱いをしている第三者を指すこともある。例、「あれの言うのももっともだ」

あれ[0]【荒(れ)】 荒れること。「肌の―〔=脂けが無く、かさかさすること〕/山はひどい―〔=暴風雨〕だ」⇩おおあれ

あれい[1][0]【亜鈴・〈啞鈴〉】 体操用具の一つ。鉄や木の棒の両端にたまの付いたもので、二つで一組。〔ダンベル(dumbbell)の訳語〕 表記 「亜」は、代用字。

あれかし[3][1]【有れかし】 ぜひそうあってもらいたいと望む意を表わす。「事―〔=⇩事〕/幸―と祈る」

あれくる・う[4]【荒(れ)狂う】(自五)(押さえることが出来ず)狂ったように暴れる。「領主の横暴に怒った民衆が、暴徒と化して荒れ狂った/△海(山・波)が―」

アレグレット[4]〔イ allegretto〕〔楽譜で〕少し速く。

アレグロ[0][2]〔イ allegro〕〔楽譜で〕速く。

アレゴリー[2]〔allegory〕 比喩。また、たとえ話。

あれこれ[2]【《彼《是】(副)―と ある△人(物事)などについて、いろいろな観点・立場から問題にする様子。「―(と)考える/―言うわりには何もやらない/―言われる筋合は無い」

あれしき[0]【《彼(れ)式】「あれぐらい」の意の口頭語的表現。〔多くは、否定的表現に用いられる〕「―のこと何だい」

あれしょう[0]【荒(れ)性】〔脂肪が少ないため〕皮膚がすぐに乾いて、かさかさになる体質。⇩脂性

あれち[0]【荒(れ)地】 ❶耕作に適しない不毛の地。「山間の―」 ❷利用されないでうち捨ててある、荒れた土地。

あれの[0]【荒(れ)野】「荒野」の和語的表現。

あれはだ[0]【荒(れ)肌・荒(れ)《膚】 脂肪分が少なくて、かさかさした肌。

あれは・てる[4]【荒(れ)果てる】(自下一) ❶すっかり荒れる。「荒れ果てた庭」 ❷元のよさを失って、救いようの無い状態になる。「荒れ果てた人の心」

あれほど[0]【《彼程】 あのように、あの程度。〔副詞的にも用いられる〕「―忠告したのに/―熱中したことはない/―の人物はいない」

あれもよう[3]【荒(れ)模様】(天気が)荒れそうな様子。

あれや これや[2]-[2]【《彼や《是や】 思考・判断の対象や行動をする必要のある事柄が多岐にわたることを表わす。

あれよ あれよ[1]-[1] 事の意外な成行きに、対処する行動をなんら取りえないことを表わす。「―といううちに視界の外に去った」

***あ・れる**[0]【荒れる】(自下一)〈(なにデ)―〉 ❶本来の△静かで落ち着いた(整った)状態が失われる。「海が―〔=波が高くなる〕/天気が―〔=風雨が強まる〕/肌が―〔=かさかさになる〕/舌が―〔=ざらざらになる〕/筆が―〔=表現がずさんになる〕/契約を取りそこなって彼は今朝から荒れている〔=粗暴な言動をしている〕」 ❷〔畑・庭・家などが〕手入れが行き届かなかったり 乱暴に使ったり などして、本来の機能を失った状態になる。 ❸ふだんの秩序が失われるような何かが原因となって、そのものの進行・規律などが乱れる。「会議が―/荒れた生活」 ❹乱暴な事を言ったり したりする。

アレルギー[2][3]〔ド Allergie〕 注射や、特定の飲食物・薬の摂取によって、体質上、正常者とは異なる過敏な反応を示すこと。ペニシリンショックやじんましんなど。〔広義では、特定の人・物事に対する拒絶反応を指す〕「―症状を起こす/―性体質[8]」

アレルゲン[2][3]〔ド Allergen〕 アレルギー反応を起こす原因となる物質。花粉やハウスダストなどの吸入性のもの、魚肉や牛乳などの食物性のもの、金属やウルシなどの接触性のものなど。

アレンジ[2]―する(他サ)〔arrange〕 ❶デザイン・生け花・編曲など、要素をうまく取り合わせること。アレンジメント[2]とも。 ❷手はずを整えること。取りきめ。

アロイ[0][2]〔alloy〕 合金(用の卑金属)。「アルミニウム―[7]」

アロエ[0][1]〔オ aloë〕 熱帯に産し、剣状で多肉質の葉を持ち、橙赤色の花を開く常緑多年草の総称。葉は下剤・健胃薬として用いられる。〔漢方では「蘆薈」とも〕〔ユリ科〕 かぞえ方 一本

アロケーション[3]〔allocation〕 割り当て。配分。

アロハ〔ハワイ aloha=愛情の意〕[一](感)[2]「ようこそ」「さようなら」に当たる、ハワイの挨拶語。[二][1][2]〔←アロハシャツ[4]〕上着として着る、色や模様の はでなシャツ。すそをズボンの上に出して着る。

アロマ オイル[4]〔aroma oil〕 香りのよい油。ろうそくの火であたためたり霧状にしたりして、部屋に香りを漂わせて楽しむ。

アロマセラピー[4]〔aromatherapy〕 花や薬草、香料などの芳香性の物質を、特に精神的なストレス解消に利用する△健康(治療)法。アロマテラピーとも。

***あわ**[2]【泡】 ❶液体が空気などの気体を含んで丸くふくれたもの。〔すぐ消えるところから、はかないものの意によく用いられる〕 ❷口のはしに出る、つばの小さい玉。「―を吹く/口角―を飛ばす〔=⇩口角〕」〔❶❷は、口頭語では「あぶく」とも〕 表記 「〈沫」とも書く。 【―を食う】 驚きあわてる。〔「あわ」は、動詞「あわてる」の語根〕

あわ[1]【〈粟】 九月ごろ穂状の花を開く一年草。実は小粒・黄色で、五穀の一つ。〔イネ科〕「一読肌に―を生じる〔=怖くて、鳥はだが立つ〕」

アワー(造語)〔hour=時間〕 時間帯。「ラッシュ―」 かぞえ方 一本

あわあわし・い[5]【淡々しい】(形) 全体に色が薄くて、輪郭などがはっきりしない様子だ。

あわ・い[2]【淡い】(形) ❶色や味が濃くなく、受ける刺激が少ない感じだ。「―ピンク色/薄雲に覆われ、淡く光る月/―甘さが感じられる」 ❷その存在があまり目立たない様子だ。「春の―雪/刷毛ではいたような―雲」 ❸いだいた心情がそれほど強くない様子だ。「―△恋心(情け・期待)」 派 ―さ[1]

あわい[0]【《間】〔雅:東北から中国・四国までの方言〕 ❶境界(の地帯)。 ❷あいだ。

あわ おどり[3]【〈阿《波踊り】 徳島市の盆踊り。「連」と呼ばれる団体が、はやしに乗って「エライヤッチャ」「ヤットサー」と掛け声を出しながら、通りを踊り歩く。

あわさ・る[3]【合(わ)さる】(自五) 別々の物と物とが△うまく(自然に)接して、すきまのない状態になる。「桐箱のふたがぴったり―/仏像の前でおのずと手が―」

あわ・す[2]【〈醂す】(他五)(湯・焼酎などを用いて)カキの渋を抜く。「さわす」とも。

あわせ【合(わ)せ】[一][3] ❶合わせること。「両力士を―にかかる/時報―」 ❷同類の二つの物を比べ合わせて、優劣を決めること。「歌―」 [二](造語) 動詞「合わせる」の連用形。 ―いと[4]【―糸】 より合わせた糸。 ―かがみ[4]【―鏡】 後ろ姿を見るために、後ろからも別の鏡で映して見ること。 ―ず[3]【―酢】 酢に他の調味料を加えたもの。二杯酢・三杯酢など。 ―ど[3]【―〈砥】 ❶仕上げに使う、堅い砥石。 ❷かみそり用の砥石を滑らかにするために

使う、小さな石。かぞえ方 ■一■二とも一本 ─みそ④【─味噌】種類の異なる味噌を混ぜ合わせた味噌。また、種類の異なるこうじを混ぜ合わせて造った味噌。調合味噌。「米味噌と麦味噌の─」 ─も・つ④【併せ持つ・─持つ】(他五)同時に備えることがむずかしいとされる二つ(以上)のものを△どちら(どれ)も持っている。「強さと優しさを─」 ─わざ⓪【─技】〔柔道の試合で〕「技あり」を二つ取った場合、それを一本と見なして勝ちと判定すること。

あわせ③アハセ【△袷】裏をつけた着物。⇩ひとえ(単)・綿入れ かぞえ方 一枚

あわせて②アハセテ【併せて】(副)二つ(以上)の事柄を同時に取り上げる、の意を表わす。「一連の発言を─考えると/心からお祝いを申し上げ、─〔=それと共に〕今後の御発展を祈り上げます」

**あわ・せる③アハセル【合(わ)せる】(他下一) ㊀〈なに(ニ)なにヲ─〉別々の物と物とが合うようにする。「△焦点(符節・つじつま)を─/△時間(時期)を─/手を─〔=両掌テノヒラをぴったり付けて、拝む(かっこうをする)〕/力を─〔=何かをするために、二人以上の人が協力する〕/薬を─〔=調合する〕/△歩調(タイミング・口)を─〔=そろえる〕/襟を─〔=きちんと整える〕/時計を─〔=正しい時刻に直す〕/答えを─〔=ⓐ正解と比べてみる。ⓑ幾人かの答えを比較する〕」 ㊁〈なにトなにヲ─〉同種の二つ以上の物を一まとめにする。「知恵を─/隣国を─〔=自分の領地とする〕/琴と尺八を─〔=合奏する〕/男女合わせて〔=合計して〕二十人/支払いは先月分と─と一万円になる」 ㊂〈だれヲ─〉〔規定に従って〕競技者を向かい合わせて、競技させる。「─行司ギョウジは」 合わす②(五)。表記 ㊁の一部は、「併せる」とも書く。【─顔が無い】弁解の出来ない事をし出かして、相手と会うのがつらい。〔⇩合わせ■二〕

*あわただし・い⑤アワタダ【慌(ただ)しい】(形)△短い時間内にいろいろな事が重なり合って(次から次へといろいろな事が起こってきて)、落ち着かない状態だ。「─旅行/─政局」 派 ─さ⑤ ─げ⑤⑥⓪ 表記「△遽しい」とも書く。

あわだ・つ③(自五) ■一【泡立つ】泡が出来る。名 泡立ち⓪ ■二アハ【△粟立つ】〔恐ろしさ・寒さなどのため〕ぞっとし、皮膚にぶつぶつが出来る。

あわだてき④【泡立(て)器】〔卵白・生クリームなどを〕かきまわして泡をつくるための台所道具。かぞえ方 一本

あわだ・てる④【泡立てる】(他下一)泡がたくさん出来るようにする。「洗剤を─/卵の白身をよく─」

あわつぶ③ ■一【泡粒】泡立って丸く粒状になったもの。■二アハ【△粟粒】アワの実の非常に小さい一粒一粒。「顔に─のようなにきびが吹き出た」

あわてふため・く⑥【慌てふためく】(自五)すっかり慌てて、何をどうすべきか分からない状態になる。

あわてもの⓪【慌て者】何かというとすぐ△慌てる(慌てて、失敗をしがちな)人。

*あわ・てる⓪【慌てる】(自下一)〈なにニ─〉㊀突然の事に出あって、ふだんの落ち着きを失う。㊁びっくりして急ぐ。「時計を見て慌てて出かけた」 表記「△周章てる」は、古来の用字。

あわてんぼう⓪バウ【慌てん坊】「慌て者」の意の口頭語的表現。

あわび①アハビ【△鮑・△鰒】岩礁にすむ巻貝。貝殻は耳形で、二枚貝の片側のように見える。美味。〔ミミガイ科〕「磯ソイの─の片思い〔=アワビの貝殻が片方しかないことと片思いをかけた表現〕」 表記「△鰒」とも書く。かぞえ方 一枚

あわぶく④【泡ぶく】「泡」の意の古風な表現。あぶく。

あわもり②⓪【泡盛】沖縄特産の、焼酎ショウチュウの一種。砕け米などから作る。

あわや①アハ ■一(副)そのまま事が進めば、たちまち決定的な事態が展開することが必至の状況にある様子。「─〔=もう少しで〕血の雨が降るところだった/─、というところで電車が止まり助かりました/─ホームランかという当たりだった」 ■二(感)驚いたときや何かが起こりそうなときに思わず発する語。「─〔=大変だ、あぶない〕、と思う間もなく」

あわゆき②【泡雪】㊀泡のように柔らかく消えやすい雪。㊁卵の白身の泡だてたものを使った菓子。「─羹カン④⓪」 表記「△沫雪」とも書く。

あわゆき②アハ【淡雪】うすく降りつもった雪。

あわよくば③アハ(副)幸運が手伝って、思い通りに事が進むかもしれないとひそかに期待する気持をいだく様子。「─ひともうけしようとして」

*あわれ①アハレ【哀れ】■一 ㊀相手の境遇などに同情を寄せ、かわいそうに思う気持。㊁〔日常的な△物事(行動)から離れた時に〕しみじみと心の奥底に感じられる感動。「旅の─〔=ⓐ旅に出て、ああよかったとつくづく思う気持。ⓑ旅人特有の孤独感。ⓒ宿屋などに泊まって、家に残してきた人びとをしみじみと思う気持〕」 ■二─な ─に ㊀気の毒に感じられる様子だ。㊁人なみでなくて、情けないと思う様子だ。「─な〔=見さげはてた〕奴ヤツだ/─〔=みじめ〕な姿」 ■三(感)〔雅〕心から感動する気持を表わす。「─〔=なんと〕ゆかしき歌の調べよ/─〔=かわいそうに〕海底のもくずと消えたのであった」 派 ─さ③ ─げ⓪④ ─が・る④ 表記 ■一㊀・■二㊀は、「△憐れ」とも書く。 ─っぽ・い⑤ 接する人に相手の言動がいかにも哀れに感じられる様子だ。「─声」

あわれみ⓪③アハレミ【哀れみ】㊀同情。「─を乞コう」㊁哀れな感じ。「─を感じさせる」 表記「△憐れみ」とも書く。

あわれ・む③アハレム【哀れむ】(他五)㊀△同情(軽蔑ケイベツ)に値すると思う。「─べき小市民根性」㊁〔雅〕そのものの持つよさを味わう。「月を─〔=愛メでる〕」 表記 ㊀は、「△憐れむ」とも書く。

あん(安・行・△按・案・暗・△鞍・《闇)→【字音語の造語成分】

*あん①【案】㊀いいくふうが無いか、あれこれと考えること。また、その考え。〔狭義では、提案・考案・意見を指す〕「─〔=計画〕を練る/思い切った─を打ち出す/△再建(具体)─が練られる/─出・名─・新─・腹─・思─」㊁原案。「─を立てる〔=原案を作る〕/まだ─〔=下書き〕として書いたに過ぎない/予算─が通る/草─・改訂─③」㊂前もってそうなるだろうと思うこと。「─〔=予想〕に相違して/─外」【─に《違たがわず】予想していた通りに何かが実現することを表わす。⇩【造語成分】

あん①【△庵】世を捨てた人が住む、草ぶきの小さな家。「─を結ぶ/草─・僧─」〔文人・茶人の住居の雅号、料理屋・そば屋などの屋号にも用いられる。相当する和語は「いおり」〕 かぞえ方 一軒・一宇

あん①【暗】くらい状態(が認められるところ)。「勝負を分ける明と─/─中・─夜・明─」↕明 ⇩【造語成分】

あん①【△餡】㊀アズキ・インゲンなどを煮てつぶし、砂糖を加えた食品。〔口頭語では「あんこ(ろ)」とも〕「小倉オグラ─・さらし─」㊁野菜・果物などを煮て、「餡㊀」のようにしたもの。㊂煮たりいためたりした野菜などに掛けるもの。くずを溶かした汁でどろりとさせる。「くずあん」とも。

あんあん⓪【暗々】㊀くらいこと。「黒コク─〔=まっくろ。まっくら〕」㊁まわりに知れわたっていないこと。「─のうちに〔=皆に知られては困るので、少数の人だけで事を運ぶ形容。『暗々裏に』とも言う〕」

*あんい①【安易】─な ─に ㊀たいして骨を折らないでも済む様子

だ。「—な道」❷見通しが甘い様子だ。「—に手を出してはいけない/—な△考え(計画)」❸一筋に何かを思いつめたり懸命に努力したりするところが無い様子だ。「—な態度/—(=のんき)な生活」派—さ[0][3]

あんい[1]【安慰】心の安らぎ(を得ること)。

あんいつ[0]【安逸・安〈佚】—な —に〔「逸」は楽しむ意。もと、何もしないで気楽に過ごす意〕向上の目標とか、高い(大きな)人生計画を持たずに毎日を過ごす様子。〔仕事を持たないで、ぶらぶら暮らすことにも言う〕「—な生活/—をむさぼる」

あんうつ[0]【暗鬱】—な —に 明るい△所(見通し)が無くて、ゆううつな△様子(こと)。「—な色調」

あんうん[0]【暗雲】❶今にも雨や雪が降って来そうな、黒い雲。❷何か悪い事が起こりそうな形勢、特に戦争の起こりそうな、あわただしい情勢。「円高で輸出産業に—が漂う/—に包まれる/世界経済全体に—を招く/—低迷」かぞえ方 一片

あんえい[0]【暗影・暗〈翳】❶「影」の意の漢語的表現。❷やがて悪い結果になりそうな前兆。「将来に—を投じる/—が漂う/—を落とす」

あん

[安] ■❶危険が無い。やすらか。「安楽・安静・安泰・平安」❷やすめる。やすんじる。「安心・慰安」❸手軽な。たやすい。「安易・安直」❹値段がやすい。「安価」■(略)アンモニウム。「硫安」

[行]〔「あん」は「行」の唐音〕❶旅に行く。「行脚・行宮」❷持ち運ぶ。「行灯・行火」

[〈按] ❶おさえる。なでさする。「按摩・按腹」❷考える。調べる。「按分」

[案] つくえ。「案下・玉案」⇩(本文)あん【案】

[暗] ❶くろずんだ。「暗赤色」↕明 ❷おろか。「暗君・暗愚」❸△人に知られないように(表向きは教えないで)何かをする。「暗殺・暗示」❹△書いたりしないで(書いた物を見ないで)何かをする。「暗記・暗算」表記 ❹は、「〈諳」とも書く。⇩(本文)あん【暗】

[〈鞍] 馬の背に載せるくら。「鞍上・鞍馬」

[《闇] やみ。くらい。「闇黒・暁闇・諒闇」表記「暗」にも書き換えられる。

あんか[1]【安価】—な —に ❶値段の安い様子だ。❷表面的にそう見えるだけで、本当の意味では決してそうではない様子だ。「—(=いいかげん)な同情は受けたくない」

あんか[0]【行火】〔「あん」は、「行」の唐音〕布団の中に入れて、足を暖める道具。「電気—[4]」かぞえ方 一台

あんか[1]【案下】〔「机の下」の意〕手紙の脇付として用いる語。「机下」とも。

あんが[1]【安〈臥】—する(自サ) 楽な姿勢で(=横になって)寝ること。

アンカー[1]〔anchor=錨〕❶〔リレーで〕最終の△走者(泳者)。❷〔←anchor bolt〕建物などの土台になる部分と基礎になる部分とをつなぎ合わせる、U字形の金具。アンカー ボルト[5]とも。**—マン**[3]〔anchorman〕❶〔雑誌で〕最終稿の執筆者。❷〔放送で〕ニュースショーなどの中心になるキャスター。

***あんがい**[1][0]【案外】(副)—な —と 現実が△自分が思っていた(一般に思われている)のと食い違っていることを実感する気持をいだく様子。「東京にも—昔ながらのよい旅館がある/フランス人は—迷信深い/大きな誤りは—見落とされがちだ」派—さ[0]

あんかいしょく[3]【暗灰色】暗いはいいろ。

あんかけ[0]【〈餡掛(け)】くずなどのあんをかけた料理。「—豆腐[5]」

アンカット[3]〔uncut〕❶小口を△切って(切りそろえて)ない本(のページ)。〔ペーパーナイフで切りながら読む〕フランス装。❷検閲前の△印刷物(映画)。

あんかん[0]【安閑】—たる —と △人が忙しそうにしている(大事件が起こった)のに、構わずのんきな生活態度を続ける様子。

あんき[1]【安危】安全を保つことが出来るか、危機が来るか。「国の—にかかわる問題」

あんき[0][1]【安気】—な —に「安心・気楽」の意の古風な表現。

あんき[0]【暗記・〈諳記】—する(他サ) △読んだ(聞いた)話の内容を努力して覚えておき、いつでも再現出来るようにすること。「『平家物語』の巻頭の章を—する/—してしまうほど繰り返して読んだ・—物[0]・—力[3]/△棒(丸)—」

あんき[1]【暗鬼】⇩疑心暗鬼

あんきも[0]【〈鮟肝】アンコウの肝。鍋料理などに用いたり加熱したものをポン酢で食べたりする。美味。

あんぎゃ[1]【行脚】—する(自サ)〔「あん」も「ぎゃ」も、それぞれの漢字の唐音〕❶僧が諸方を巡り歩き修行すること。「—僧[3]」❷宣伝活動などの目的で諸方を旅行すること。「布教のために全国を—する/講演—[5]」

あんきょ[1]【暗〈渠】地下に設けた(下)水路。**—はいすい**[4]【—排水】雨水・下水などを暗渠で排水すること。都市の下水排除や農村の湿田の改良(=乾田化)に使われている。

あんぐ[1]【暗愚】—な —に 判断力に欠け、物分かりが悪い様子だ。「—な性質」

あんぐう[3][0]【行宮】〔「あん」は、「行」の唐音〕「行在所」の意の軽い敬意をこめた表現。

アングラ[0]〔←underground=地下〕❶商業性に重きを置かない前衛芸術・実験芸術の類。「—劇場[5]・—芸術」❷△非合法(非公然)であること。「—マネー・—経済」

あんぐり[3](副)—と —する 口を大きくあける形容。〔あきれたり驚いたりした時の描写にも、大きく開いた傷口などの描写にも用いられる〕

アンクル[1]〔フ ancre=アンカーのダブレット〕時計の歯車の回り方を調節する、いかり形の金具。

アングル[1]〔angle=かど。すみ〕❶角(度)。「カメラ—」❷材木や鋼材を組み立てる時、それが交わる部分に取り付けて固定させる金具。

アングロ サクソン[5]〔Anglo-Saxon〕もとゲルマン民族の一派で、現在の英国国民の主流を成す北方系の民族。

あんくん[0]【暗君】愚かな君主。↕明君

アンケート[1]〔フ enquête〕多くの人に同じ内容について質問して、意見の大勢を知るためにする(通信)調査。

あんけん[0]【案件】❶問題になっている事柄。「—を審議する」❷訴訟事件。

あんけんさつ[3]【暗剣殺】九星の方位の中で、一番不吉だという方位。〔これを犯すと、命を失うと言われる〕

あんこ[1] ❶〔姉子の変化〕〔伊豆大島方言〕娘。❷〔東北方言〕日雇い労働者。❸〔魚のアンコウを連想させるところから〕〔関東から中国・四国方言〕力士で、太った体型の者。「—型」↕そっぷ

あんこ[1]【〈餡子】❶⇩あん(餡) ❷全体をふくらませるために何かの中に詰めるもの。「ミットの—/布団の—」

あんご[1]【安《居】〔(見習い中の)僧が〕夏の三か月を室内に閉じこもって修行すること。「夏安居」とも。

あんこう[0]【安康】世の中が平安に治まり争いごとが

無いこと。「国家━[1]-[0]」

あんこう[1]カウ【〈鮟鱇〉】 からだと頭は平たく、口がきわめて大きい深海魚。食用。〔アンコウ科〕「━なべ[5]」 かぞえ方 一尾・一匹

あんごう[0]ガウ【暗号】 通信の内容が、当事者以外には解読出来ないように、普通の文字・記号を一定の約束で他の記号に置き換えたもの。「━を解く/━文[3][0]・━表[0]・━電報[5]・━解読[5]、[0]-[0]」 **━しさん**[5]【━資産】 インターネット上で送金や決済に使われる電子データ。暗号化された取引情報を分散して管理するブロックチェーンという技術を用いて安全性を確保する。法定通貨との交換もできるが、法定通貨とは別物。「仮想通貨」とも。

あんごう[0]ガフ【暗合】━する(自サ) 偶然とは思えないほどに、ぴったりと一致すること。

あんこうしょく[3]【暗紅色】 黒みを帯びた紅色。

アンコール[3]━する(自サ)〔encore=もう一度。もと、フランス語〕 演奏・演技を終えた出演者が、聴衆・観衆の称賛に応じて再び出演すること(を望む拍手・掛け声)。「━にこたえる」〔現在、フランス語・ポルトガル語などで、この意味の場合はビス (bis) と言う〕

あんこく[0]【暗黒・《闇黒》】━な ━に (くら)やみであること。〔社会の秩序が乱れたり 極端に人命が軽視されたり 文明が遅れまた文化が衰えたりする意にも用いられる〕「━街[4]」 **━じだい**[5]【━時代】 独裁政治などにより、人格の尊厳・言論の自由が奪われ、文化が衰えた時代。「━を△招来する(迎える)」 **━せいうん**[5]【━星雲】 微粒子が密に集まった星雲。自らは光を発せず、その向こうの星の光を遮断することで存在が認められる。 **━たいりく**[5]【━大陸】 アフリカ大陸の、ヨーロッパ人による かつての異称。 **━ぶっしつ**[5]【━物質】 宇宙に存在すると 理論上 想定される未知の物質。質量はあっても光を放出しないために直接観測ができない。ダーク マター[4]。 **━めん**[4]【━面】〔社会(生活)の〕△醜い(悲惨な)面。

アンゴラ[0]〔Angora=トルコの首都アンカラの旧称〕 アンゴラウサギ[5]の△毛皮(毛で作った織物)。

あんころ[3]【〈餡ころ〉】 ❶餡を丸めたもの。 ❷〔↑あんころもち[4]〕 丸めたもちを餡で包んだもの。

あんざ[0][1]【安座・安〈坐〉】━する(自サ) 「あぐら」の意の漢語的表現。

あんざいしょ[5][0]【行在所】〔「あん」は、「行」の唐音〕 昔、天皇が京都を離れた場所に一時滞在した時の宿泊所。略して「行在[0]」。

あんさつ[0]【暗殺】━する(他サ)〔おもに政治上・思想上の対立から〕(無防備の)反対派の人を、すきをねらって殺すこと。「━者[4][3]」

あんざん[1]【安産】━する(他サ) 無事に出産すること。「━を祈願する」 ↕難産

あんざん[0]【暗算】━する(他サ) 指や計算用具を使ったり紙に書いたり しないで、頭の中で計算すること。

あんざんがん[3]【安山岩】 火成岩の一種。灰色に黒または白のまだらな模様がある。日本の火山は大部分この岩から成り、建築材料などにする。

アンサンブル[3]〔フ ensemble=まとまり。一そろい〕 ❶同じ生地ジキで作った、一そろいの婦人服。 ❷〔音楽・演劇などで〕全体にわたって調和のとれた効果。 ❸合唱・合奏(の団体)。 かぞえ方 ❶は一着

あんし[0]【暗視】━する(他サ) 暗い所や霧の中などの、肉眼では見えない対象を、赤外線を利用して画像化すること。「夜間用━装置・━カメラ[4]」

あんじ[0]【暗示】━する(他サ) ❶△問題解決への(起こるべき事柄を予測しうる)手がかりを、それとなく示すこと。「━を与える」 ❷相手が信じこむような雰囲気をつくっておいた後、事実ではない事柄をも事実だと思いこませるように言うこと。「(自己)━をかける」

あんじがお[0]ガホ【案じ顔】 何かを心配している様子がありありと表情に出ている顔。

アンシクロペディスト[7]〔フ encyclopédiste〕 十八世紀末フランスで活躍した百科全書△派(執筆グループ)。

あんしじゅつ[3]【安死術】 安楽死。

あんしつ[0]【〈庵室〉】 一部屋だけの粗末な、僧の住まい。「いおり」とも。〔古くは「あんじつ」「あんじち」〕 かぞえ方 一宇

あんしつ[0]【暗室】 光線が入らないように密閉した部屋。写真の現像や理科の実験などに使う。

あんしゃちず[4]ヅ【暗射地図】 「白ハク地図」の古称。

アンシャンレジーム[6]〔フ ancien régime〕(フランス革命以前の)旧制度。旧体制。

あんしゅ[1]【〈庵主〉】 庵室の主人。〔古くは、「あんじゅ」〕

あんしゅ[1]【暗主】 愚かな君主。 ↕名主メイシュ

あんじゅう[0]ヂユウ【安住】━する(自サ) ❶心を煩わされることもなく、そこに落ち着いて住むこと。「━の地を△得る(求める)」 ❷深い反省も無く、その境地に とどまること。

あんしゅつ[0]【案出】━する(他サ) いろいろくふうして、新しいものを考え出すこと。

あんしょう[0]シヤウ【暗唱】・【暗〈誦〉】━する(他サ) 暗記している原典の文言や文章を、間違えずに声に出して言うこと。「詩を━する」

あんしょう[0]【暗証】 「暗証△記号(番号)」の略。 **━きごう**[5]ガウ【━記号】 キャッシュ カードやパソコン・インターネット サービスなどを、本人以外の者が勝手に使うことを防ぐために、本人であるあかしとして 使用の際に入力する記号の列。パスワードとも。〔数字の列の時は「暗証番号[5]」と言う〕

あんしょう[0]セウ【暗礁】 Ⓐ水面下に隠れていて、航行のじゃまになる岩。 Ⓑ物事の順調な進行をさまたげる、思いがけない障害や困難。「交渉が━に乗り上げる」

あんじょう[3]ヨウ(副)〔「味良アンヂく」の変化〕「細かいことはとやかく言わないで、結果としてうまく」の意の関西方言。「━やっとくれやす」

あんじょう[0]ジヤウ【〈鞍上〉】 鞍ラクの上。馬上。「━人無く、鞍下カ馬無し〔=上手に馬を乗りこなし、人馬一体となって見える形容〕」

あんしょく[0]【暗色】 暗い感じを与える色。 ↕明色

*__あん・じる__[0][3]【案じる】(他上一) ❶〈なにヲ━〉 どうするのが最善の△策(選択)かと、よく考える。「一計を━/我が身の進退を案じた結果」 ❷〈なに・だれヲ━〉 好ましくない事態になるのではないかと、心配する。「三日も帰宅しないので案じていた/裁判の行くえを━/容体を━/母親の身を━」

__あんしん__[0]【安心】━な ━する(自サ)〈(なにニ)━する〉 心配が無くなって気持が落ち着く△こと(様子)。「もう━だ/━して眠る/━感[3]」 表記 「安神」とも書く。 **━りつめい[0]-[0]【━立命】━する(自サ) 天命を知って、いい意味でのあきらめの境地に達し、めったな事に心を動かさないこと。仏教では「あんじんりゅうめい[0]-[0]」とも。

あんず[0]【〈杏・〈杏子〉】 畑に栽培する、中国原産の落葉小高木。実はウメより大きく、あまずっぱい。生食のほか、干して食べ、また、ジャムなどにする。〔バラ科〕 かぞえ方 一株・一本イッポン/ヒトモト

あん・ずる[0][3]【〈按ずる〉】(他サ) ❶手をそえる。「剣を━〔=剣に手をかける〕」 ❷推察する。「足音から━に/地図を

—〔=地図をよりどころにして調べる〕」

あん・ずる[0][3]【案ずる】(他サ) ❶当面する問題の意味を△根本にさかのぼって(種々の観点から併せ)考える。「—に」 ❷案じる❶。 【—より産むが《易ゃすし》】 実際やって見ると、事前に心配したほどの事は無いものだ。

あんせい[0]【安静】—に/—な 〔病気の人が〕からだを静かにしておき、よけいな事に体力や神経を使わないようにすること。「絶対—を命じられた」

あんせきしょく[4][3]【暗赤色】 黒みを帯びた赤色。

あんせん[0]【暗線】 スペクトル中に現われる、気体元素に起因する暗黒な線。「黒線」とも。↔輝線 かぞえ方 一本

****あんぜん**[0]【安全】—に/—な 災害や事故などによって、生命をおびやかされたり 損傷・損失を被ったりするおそれが無い△状態(様子)。〔古くは、「あんせん」〕「一国の—を脅かす/乗客の—を確保する/—な場所/—地帯[5][6]・—保障[5]」↔危険 派 **—さ**[0] **—かみそり**[5]【—〈剃《刀》】 横に使わない限り皮膚を傷つけないようにくふうした西洋かみそり。 **—き**[3]【—器】 家庭の電線引込み口などに取り付けてある装置。ふたを開けば電流を切ることが出来、一定以上の電流が流れると自然にヒューズが切れて火事になるのを防ぐ。 かぞえ方 一台 **—せい**[0]【—性】 安全△である(が保てる)こと。また、その度合。「—の高い/日本の空の—を高める/—の確保」 **—そうち**[5]【—装置】 危険防止のために機器に取り付ける装置。〔狭義では、銃砲類の暴発予防装置やブレーカー・ヒューズを指す〕「—を外す」 **—とう**[0]【—灯】 炭坑内で使われる、金網張りのランプ。 かぞえ方 一灯 **—ピン**[3] 留め針の先を、おおいのような物で押さえるようにしたもの。〔全体の形はクリップに似る〕 かぞえ方 一本 **—べん**[3]【—弁】 ボイラーなどの破裂を防ぐための弁。一定の圧力を超えると、水蒸気が自動的に出るように作ってある。〔一般に危険を前もって防ぐ働きをするものの意にも用いられる〕 表記 「弁」の旧字体は「〈瓣」。

あんぜん[0]【暗然・〈黯然】—たる/—と 不幸な出来事のために、悲しみで胸が一杯になる様子。「—たる思い」

あんそく[0]【安息】—する(自サ) 仕事などのために心身を労することも無く、静かに休むこと。「一日の—を得る」 **—こう**[0]【—香】 ❶マレー半島・タイに産する落葉高木。〔エゴノキ科〕 ❷アンソクコウの樹皮から採れる、いいかおりのする樹脂。薬用・香料の原料。 **—び**[4]【—日】 ユダヤ教徒・キリスト教徒が仕事を休んでお祈りなどをする日。ユダヤ教では土曜日、キリスト教では日曜日。〔前者はヤハウェの神が天地を造り終えて一日休んだことを、後者はキリストの復活した日を記念するため。前者は「安息にち[4]」、後者は「安息じつ[4]」と言っていた〕

アンソロジー[3]〔anthology〕 詩や文章の選集。「詞華集」とも。

あんた[1](代) 「あなた❷」の口頭語形。

あんだ[1][0]【安打】—する(自サ) 〔野球で〕打者が塁に進める権利を得る打球。(シングル)ヒット。「四打数で二—」 かぞえ方 一本

アンダー(造語)〔under〕 下の。下の方。 **—ウエア**[6]〔underwear〕 下着。 **—カット**[5]〔undercut〕〔テニス・卓球などで〕下から上向きにボールを切ること。 **—シャツ**[5]〔undershirt〕 下着として、ワイシャツやセーターなどの下に着用するシャツ。 **—スロー**[6][5]〔←米 underhand throw〕〔野球で〕下手テシタ投げ。⇩オーバー スロー・サイド スロー **—バー**[5]〔underbar〕 ファイル名やメール アドレスなど空白を使えない状況で文字と文字を区切る記号。下線符号[4]。「名字と名前の間に—を入れてください」 **—パー**[5]〔under par〕〔ゴルフで〕打数が基準打数よりも少ないこと。 **—ライン**[5]〔underline〕 横書きの文章で、注意すべき字句の下などに線を引くこと。また、その線。下線。⇩傍線

あんたい[0]【安泰】—に/—な 〔国家や主君の身の上が〕危機を乗り越えて、無事であること。「お家の—を願う」 派 **—さ**[0]

アンタッチャブル[3]〔untouchable〕 ❶—な さわることができない。また、さわってはいけないこと。 ❷〔さわるのもいやな、の意〕もと、インドの最下層の人びと。 運用 ❷は、人を疎外するのに、侮蔑ブベツを含意して言うことがある。

あんたん[0]【暗〈澹】—たる/—と 〔「澹」は、静かの意〕 ❶「どんより」の意の漢語的表現。「—とした空」 ❷見通しが暗く、前途に希望が持てない様子だ。「—たる思い」

アンダンテ[3]〔イ andante〕〔楽譜で〕ゆるやか△に(な楽章)。アレグロとアダージョとの中間の速さ。

アンチ(接頭)〔anti〕 …に反対する。反。「—巨人」

あんち[1][0]【安置】—する(他サ) 〔「安」も、置く意〕神仏の像や宝物・遺体などを、鄭重テイチョウに定めの場所に置くこと。

アンチ エージング[4]〔anti-aging〕 加齢による老化防止。多くの場合、若返りを目的にした医療・美容・整形などに対して言われる。

アンチック[3]〔antique〕 ゴシックに似て、ふくらみのある肉太の活字。例、アンチック。

アンチテーゼ[4]〔ド Antithese〕 ある命題・主張に対立する命題・主張。訳語は、「反対命題・反定立」。↔テーゼ

アンチノック ざい[6][0]【アンチノック剤】〔antiknock〕 ガソリン機関のノッキングを防ぐために、ガソリンに交ぜるもの。

アンチモン[3]〔ド Antimon〕 銀白色のもろい半金属元素〔記号Sb原子番号51〕。それ自体は有毒だが、メッキ・活字合金・軸受け合金・半導体・医薬品などに広く用いられる。アンチモニー[4]とも。

あんちゃく[0]【安着】—する(自サ) 無事に到着すること。

あんちゃん[1]【《兄ちゃん】 自分の兄や若い男を、親しんで呼びかける言葉。〔口頭語的表現〕

あんちゅう[0][1]【暗中】 くらやみの中。「—に模索モサクす」 **—ひやく**[0]-[0]、[5]【—飛躍】—する(自サ) ひそかに工作し活動すること。略して「暗躍」。 **—もさく**[0]-[0]【—模索・—〈摸索】—する(自他サ) 手がかりも無いままに夢中であれこれ捜し求めること。 表記 「模」は、代用字。

あんちょく[0]【安直】—に/—な 〔値段が安い意〕真剣に考えたり労力を費やしたりしたとは見られない様子だ。「—な△考え方(仕事ぶり)」 派 **—さ**[0]

あんちょこ[0]〔安直の変化〕〔辞書を引いたりする手間を必要としない意〕教科書に即した自習用参考書。「とらの巻」とも。

アンチョビー[3][1]〔anchovy〕 油漬けにした、欧州原産のカタクチイワシ。塩漬けにしたものはカナッペ・酒のさかななどにするほか、調味料をも作る。 かぞえ方 一瓶・一缶

アンツーカー[3]〔フ en tout cas=「どんな場合でも」の意から転じた、「晴雨兼用傘」の意〕 水はけをよくするために、赤れんがの粉のような土を敷いた、全天候型の競技場やテニスコート。また、その土。

****あんてい**[0]【安定】—する(自サ) ❶ほとんど変動が認められず、いつも決まった状態に△ある(なる)こと。「物価の—を図る/—を取り戻す/政権の—を図る/—した実力/生活の—/—感[3]・—性[0]」 ❷物体・物質に少々の力を与えても、もとの状態△に戻る(を保つ)ような性質を示すこと。「—したすわり」 **—ざい**[3][0]【—剤】 ❶「精神安定剤」の略。不安・緊張・いら立ちなどを和らげる薬。抗不安薬[4]。 ❷物を安定させるための製剤や化学物質。「入れ歯—[6]・熱

―⑤」・―しょ⑤⓪【―所】「公共職業安定所」の略。

アンティーク③〔antique〕（ギリシャ・ローマの）古代△文化（美術）。〔古物・骨董トウ品の意にも用いられる〕

アンテナ⓪〔antenna〕❶（空中に張って）電波を出したり受けたりする、金属の線や棒。「パラボラ―」❷的確な情報を得るための手段（となるもの）。「―を張る／―に引っ掛かる／―ショップ」 かぞえ方 ❶は一本

アンデパンダン④〔フ Indépendants＝独立派〕〔美術で〕保守・伝統に反対する一派。「―展⑥」

あんてん⓪【暗転】―する（自サ）〔演劇で〕場面の転換の時、幕をおろさず、舞台を暗くしている間に場面を変えること。〔状況が思わしくない方向へ移行する意にも用いられる〕

あんど①【安〈堵】―する（自他サ）〔「堵」は垣、その土地に安心して住む意〕❶封建時代、将軍や領主が、家人ニンの領地の所有権を認めたこと。「本領―⑤」❷それまでの不安が無くなって、落ち着きを取り戻すこと。「―の胸をなでおろす」

あんとう⓪【暗闘】❶―する（自サ）裏面でひそかに争うこと。「反対派と―する」❷〔歌舞伎カブキで〕だんまり。

アントニム①〔antonym〕対義語。↔シノニム

アントレ①⓪〔フ entrée〕〔西洋料理のコースで〕中心となる料理として最もくふうを凝らす肉料理。アントレー①④とも。

アントレプレナー⑥〔entrepreneur〕起業家。

アンドロイド④〔android＝人間のような〕❶人間型ロボット。SFに登場する進化した人造人間ロボット。❷スマートフォンなどの基本ソフトウエアの一つ。商標名。

あんどん⓪【行《灯》】〔「あん」も「とん」も、それぞれの漢字の唐音〕❶四角な木の枠に紙を張り、中に油受けを置いて火をともしたもの。「丸―③・昼―」❷鉢植えのアサガオのつるをからませる、丸い枠。 かぞえ方 ❶は一基・一灯 ―ばかま⑤【―〈袴】襠マチの無い袴。「袋ばかま④」とも。

あんな⓪（連体）「あのような③」の口頭語的表現。「人前でよく―ことが言えるね／―（＝あんな△ひどい（情けない）状態）では困る／―に（＝あれほどまでに）ほしいと言ったのに」⇩こんな・そんな・どんな：こそあど

**あんない③【案内】〔文案の内容の意から、内部の事情の意に変化〕❶〔内容・事情などを〕知らせる△こと（文書）。「ご―（＝招待）を頂きましたが／入学―⑤・営業―⑤・―広告⑤・―状⓪・―板バン⓪」❷―する（他サ）〈どこニ だれヲ―する〉〈だれニ どこヲ―する〉行くべき道やその△土地（施設）などの事情などを教える△こと（人・本）。「校長室へ―する（＝導く）／学校内を―する（＝見せたり紹介したりして歩く）／道―を頼む／―に立つ／―（＝断り）無しに入る／―者③（＝ⓐその場所の地理や内部の事情に通じている人。ⓑ案内人）・―人⓪（＝『案内❷』を（業と）する人）・―所⑤⓪・―書⑤⓪・―図③・旅行―④」❸取次ぎ。「―を請う」【御ご―でしょうが】「ご承知でしょうが」の古風な表現。〔「御―」のアクセントは⓪〕

あんに①【暗に】（副）心中の意向を言動や態度によってそれとなく示す様子。「賛成していないということを―匂ニオわせる発言だ」

アンニュイ⓪③―な〔フ ennui〕人生について感じる倦怠ケンタイ感。また、けだるさを感じる様子。

あんにんどうふ⑤【〈杏《仁豆腐】〔「杏仁」は、アンズの種〕中華料理の点心の一つ。すりつぶした杏仁に水を加え、寒天で固めたもの。シロップに入れて食する。「きょうにん豆腐⑤」とも。

あんねい⓪【安寧】〔「寧」も「安」と同義〕社会の秩序が保たれ、平和なこと。

あんのじょう③【案の定】ジャウ（副）予想通りの事が実現するのを確認する様子。「―渋滞に巻き込まれて、にっちもさっちもゆかなくなった」

あんのん⓪【安穏】ノン―に―な（世の中の生活が）平和で穏やかな△様子（こと）。「―に暮らす／無事―⓪―⓪」 派 ―さ⓪

あんば⓪【〈鞍馬】❶人が乗るために、くらをおいた馬。あんま。❷革でおおった馬の背の形の台に、取っ手と足がついている体操用具（を使って行なう男子体操競技の種目）。 かぞえ方 ❷は一台・一基

アンバー①❶〔umber〕絵の具や塗料の原料となる、天然産の茶色の顔料。「黄土オウド❷」にマンガンを含んだもの。❷〔amber〕琥珀コハク。また、琥珀色。交通信号の「黄」のような色。

あんばい③⓪❶【〈塩梅】〔「えんばい（＝調味料に使う塩と梅酢）」の意と「按排アンバイ」の語形とが結びついた語。料理の味加減の意〕物事のぐあい。「いい―に晴れて来た／彼が来てくれて、いい―だ（＝いいぐあいだ）／―（＝からだのぐあい）が悪くて寝ている」❷【〈按排】―する（他サ）他との折合いを考えながら、（順序立てて）事をうまく運ぶようにすること。 表記 ❶は「〈按配」、❷は「案配」とも書く。

アンパイア③⓪〔umpire〕（野球などの）審判員。

あんばこ⓪【暗箱】組立て式写真機の主要部で、前後に伸び縮みする、暗い箱形の部分。

アンバランス③④―な―に〔unbalance〕不均衡。「―が目立つ」

あんパン③【〈餡パン】中に餡を入れて焼いた、日本に独特の菓子パン。 表記 「〈餡〈麺〈麭」・「〈餡〈麺〈麹」とも書く。

あんぴ①【安否】❶〔事件が起きた時に〕無事であるかどうか。「―を気づかう」❷〔しばらく連絡が絶えている人について〕無事に暮らしているかどうか。「―を問う」

アンビエント①〔ambient〕周囲の。大気の。環境の。「―ミュージック」

アンビシャス③―な〔ambitious〕大望を持っている様子。「ボーイズ ビー―（＝少年よ、大志をいだけ）」

アンビバレンス③〔ambivalence〕同一の対象に対して作用する全く相反する感情の併存と、両者の間の激しい揺れ。例、父親に対する愛と憎しみなど。

アンビュランス①〔ambulance〕救急車。

あんぶ①【〈按舞】〔舞踊の〕ふりつけ。

あんぶ①【暗部】表からはうかがうことの出来ない、物事の隠された（醜い）部分。「政界の―」

あんぶ①【〈鞍部】山の尾根が中くぼみになっている所。コル。

アンプ⓪①〔←amplifier〕増幅ゾウフク器。 かぞえ方 一台

あんぷ⓪【暗譜】―する（他サ）楽譜をそらで覚え（てい）ること。「―で演奏する」

アンフェア③―な〔unfair〕扱い・やり方などが△公正（公平）でないと判断される様子。「―な△プレー（ジャッジ）」

アンプル①〔フ ampoule〕注射液などを封じこんだ、ガラス・プラスチック製の小形の容器。アンプレ①⓪〔ド Ampulle〕とも。 かぞえ方 一本

あんぶん⓪【案分・〈按分】―する（他サ）基準になる数量に比例した割合で物を分けること。「按分比例⑤」

あんぶん⓪【案文】下書き（の文章）。

アンペア③〔ampère ←A. M. Ampère（アンペール）＝フランスの物理学者〕国際単位系における電流の強さの基本単位で、無限に長い二本の直線状導線を一メートル離して平行に置き電流を流した時、導線の長さ一メートルにつき2×10^{-7}ニュートンの力を及ぼし合う際の電流の強さを

表わす〔記号A〕。アンペヤとも。〔二〇一八年、電気素量〖=電子一個の電荷〗が1.602176634×10⁻¹⁹As（sは秒）と表わされるようなAの大きさ、という定義への変更が決議され、翌年施行〕「ミリー」

アンペラ⓪〔ポ amparo の変化〕「アンペラ草⓪〔=カヤツリグサ科の多年草〕」の茎で編んだむしろ。表面は滑らかだが堅い。「アンペラむしろ⑤」とも。かぞえ方 一枚

あんぽ①【安保】❶「安全保障」の略。「国連ー理⓪-③〔=安全保障理事会〕」❷「日米安全保障条約」の略。「ー闘争④」

あんぽう⓪【〈罨法】ーする（他サ）〔「罨」は、おおう意〕炎症や充血を取り除くために患部を温める（冷やす）療法。「冷ー」

あんぽんたん③ーな 間が抜けていて、愚かな人の俗称。あほう。〔侮蔑を含意して用いられる〕

あんま⓪【〈按摩】ーする（他サ） からだをたたいたりもんだりして、肩の凝りや痛い所を治すやり方（人）。「はり師、きゅう師、ーマッサージ指圧師の資格試験」

あんまく⓪【暗幕】 映画を映す時など、部屋を暗くするために引く、黒い幕。

あんまり [一]④ーな ーに 「余り[三]」の口頭語的強調表現。「子供をだますなんてーだ」 [二]⓪（副）「余り[一]」の口頭語的強調表現。「ー笑いすぎて涙が出た／ー好きじゃない」

あんまん⓪【〈餡饅〉】〔←餡饅頭③〕 餡入りの中華饅頭。⇩肉まん

あんみつ⓪【〈餡蜜】 みつまめに餡をのせた食品。

あんみん⓪【安眠】ーする（自サ） ぐっすり、よく眠ること。「ー妨害」

あんめん⓪③【暗面】❶光の当たらない（人の目の及ばない）暗い面。❷物事の醜悪な面。「ー描写⑤」

あんもく⓪【暗黙】〔分かっている、承知したということを口に出しては言わないこと。「ーのうちに／ーの了解」〕

アンモナイト④〔ammonite〕 化石として発見される、オウムガイの類縁種。最大直径二メートルに及ぶものがある。異称、菊石②・カボチャ石③。アンモン貝③。

アンモニア⓪〔ammonia〕❶刺すようなにおいの無色の気体。窒素と水素とを化合させて作る。薬用・冷却用。〔化学式 NH₃〕「ー水⑤」❷アンモニウム。「硫酸ー」表記「安母尼亜」は、音訳。

アンモニウム④〔ammonium〕 窒素一原子と水素四原子とからなる原子の集団。酸と化合して塩を生じる。かぞえ方 ❶の小売の単位は一袋

あんや①【暗夜・《闇夜》】「やみよ」の意の漢語的表現。

あんやく⓪【暗躍】ーする（自サ）「暗中飛躍」の略。

あんゆ⓪①【暗喩】⇩いんゆ（隠喩）

あんよ① ❶「歩くこと」の意の幼児語。「ーは上手、転ぶはお下手」❷「足」の意の幼児語。

あんらく⓪【安楽】ーな ーに 平和を妨げる事情や、お金に困ったりすることが無く、落ち着いた気持でいられる様子。「余生をーに暮らす」派 **ーさ**⓪ **ーいす**④【ー椅子】 スプリングのよくきいた、大形のひじかけ椅子。かぞえ方 一脚 **ーし**④③【ー死】 植物状態になる以前の患者の意志により患者の生命維持装置をはずしたり激しい痛みに苦しむ患者に劇薬を投与したりすることによって患者が死ぬこと。普通前者を「尊厳死」、後者を狭義の安楽死として区別するが、後者は未だ多くの国で合法とは認められていない。ユータナジー。 **ーじょうど**⑤【ー浄土】 極楽浄土。

アンラッキー③ーな〔unlucky〕 予測に反して、意外なきっかけで不利な展開となる様子だ。「ーな失点」⇩ラッキー

あんりゅう⓪【暗流】 表面に現われない流れ（動き）。「政界のー」

あんるい⓪【暗涙】 不幸・不運に際して、思わず流す涙。「ーにむせぶ」

い…イ

い〈〈已・以・〈伊・衣・位・医・囲・依・委・易・威・為・畏・胃・唯・尉・異・移・萎・偉・椅・彙・意・違・維・慰・遺・緯〉→【字音語の造語成分】

い（終助）〔主として男性が、同等以下の者に対して用いる〕❶親しい間柄にある相手に気楽な気持で質問するのに用いる。〔「ね」よりはぞんざいな言い方〕「元気かー／それは何だー／どうしたー」❷心外だとか、そうしてくれなくては困るとかいう気持を表わす。〔「よ」よりは相手を責める気持が強い〕「何言ってんだー／僕がやったとでも言うのかー／うそだー／おどかすなー／早くしろー」❸念を押したり語気を強めたりする気持を表わす。「大変だー／いけない、まちがえちゃったー」文法 肯定表現、命令・禁止表現、疑問表現の文末に用いる。助動詞「た・だ・じゃ」、形容動詞の終止形、動詞の命令形、終助詞「な（禁止）・か・や・わ」などに接続する。

い【〈矣】（終助）〔雅〕漢文訓読調の文の末につけて、強い断定を表わす。「我勝てりー〔=おれは勝ったぞ〕」

い①【イ】❶〔音楽で〕長音階の六調のラにあたる音名。A音。❷〔書誌学で〕「異本」の略号。

い①【〈夷】〔古代中国人から見た〕異文化の人。「ーをもってーを征す／東ー西戎南蛮北狄・攘ー」⇩夷狄

い①【医】 患者に適切な指示を与え、適薬を与えたり必要な手術を施したりして病気を治すこと（技術）。「ーは仁術／ー者・名ー・外科ー②」

い①【易】 手軽に、すぐ出来ること。「ーより難に進む／ー・難ー・簡ー」↕難 ⇩【造語成分】

い①【威】 人がそれに接しただけで恐れ従うような鋭さ（勢い）。「近隣諸国にーを振るう〔=権勢や威力を見せつける〕／ー有って猛からず／虎のーを借る狐〔=⇩虎〕／ー光・権ー」⇩【造語成分】

い⓪【胃】 消化器の主要部で、袋状の内臓。食道と腸の間にあり、蠕動により胃液とかきまぜて食物を分解する。いぶくろ。「ーが痛い／ーの内視鏡検査を受ける／ーの腑」

い①【異】❶他と違っている点（考え）。「ー〔=異議〕を立てる（唱える）／ー論・ー見」❷普通のもの（場合）とは違って変わっていること（様子）。「縁はーな〔=おもしろい〕もの〔=⇩縁〕／ーな〔=変な〕ことを聞いた／ーとするに足りない〔=ちっとも不思議ではない〕／ー才・奇ー・怪ー」⇩【造語成分】

い①【意】❶気持。また、考え。「ーに沿う〔=相手の希望・要求に応える〕／我がーを得た〔=相手の考えが、自分の思うところと一致していて満足を覚えた〕／ーを決する〔=それしか方法が無いと思い切る〕／ーに満たない〔=他人はどうあれ、自分自身は満足出来ない〕作品／ーのある所〔=言葉では十分に伝えられなかったかもしれない誠意〕をおくみとりください／ーのままにふるまう／ーに介しない〔=（少しも）気にかけない〕／上司のーを受ける〔=指示に従って、行動する〕／ーを迎える〔=他人の気に入るようにする〕／ーを致す〔=自分の考えや気持が相手に十分伝わるようにする〕／ーを汲む／ーを通じる〔=（ひそかに）自分の気持を相手に伝える〕／ーを強くする〔=支持や激励を得て、自分の考えややり方に自信を持つ〕／ー志・ー見・好ー・留ー」❷その言葉や文が指し示す内容。「『慰』は、なぐさめるー／ー義・ー味・文

―・大―」

い①【緯】 織物の横糸。「…を―とする〔＝文学作品などの、一つの重要なテーマとする〕／経―」↕経 ⇩【造語成分】

い①【井】〔雅〕❶井戸。「―を掘る／―の中の蛙(カワズ)〔＝⇩井の中〕」❷〔川や泉で〕生活用の水をくむ所。「―の頭(カシラ)／山の―」

い①⓪【〈亥〉】 十二支の第十二。猪(イノシシ)を表わす。〔昔、方位では北から三〇度西寄りを、時法では午後九時ごろからの約二時間を指した〕

い①【《寝》】〔雅〕ねること。「―もねられず／安(ヤス)―②・熟(ウマ)―」

い①【〈藺〉】 イグサの意の古語。「ふと―」

いあい⓪【遺愛】 故人が生前△大事に(いつも)使っていた物。「―の品」

いあい⓪【居合(い)】〔剣術で〕(片ひざをついたまま)すばやく刀を抜き、ひと打ちで敵を斬(キ)って刀をさやに戻すわざ。いあいぬき。「―術②」 **―ごし**⓪【―腰】 居合をする時の腰の構え。右ひざを立てて腰を浮かす。 **―ぬき**⓪【―抜(き)】❶居合。「―の稽古(ケイコ)」❷薬などを売る目的で、道ばたで客を集め、居合の型を演じて見せた△芸(人)。

いあつ⓪【威圧】―する(他サ) 実力や権力などで相手を恐れさせて抑えつけること。「―感を与える／―的⓪」

いあ・てる③【射当てる】(他下一) ❶ねらった物に、うまく矢・弾丸などを当てる。❷ねらった物を、うまく自分の物にする。

いアトニー②【胃アトニー】 胃のアトニー。胃の筋肉がたるんで消化活動が衰える症状。

いあわ・せる④【居合(わ)せる】(自下一) ちょうどうまいぐあいに、そこに居る。居合わす③(五)。「現場に―」

いあん⓪【慰安】―する(他サ) △日常(それまで)の苦労を慰めるために、楽しい思いをさせること。「―旅行④」

イー① ❶【E・e】 英語アルファベットの第五字。❷【E】❶〔←east〕東を表わす記号。❷〔音楽で〕ホの英語音名。ドイツ語音名のエー。イタリア語音名のミ。❸靴のサイズで、足の幅を表わす記号。Eの数が多いほど幅が広い。❹既製の紳士服で、太めの体型を表わす記号。「―体⓪・B―体⓪」 ❸【E・e】(造語)〔←electronic〕 電子の。インターネットの。「Eメール・Eコマース」

い・い①【《良い》】(形) 「よい」の口頭語的表現。〔ただし、終止・連体形の用法しか無い〕「△歯切れ(質・口あたり・タイミング)が―／支社長に昇任と言えば聞こえは―が、本社から追い出されたようなものだ／虫の―考え／誓っても―のですが／頭痛を―こと〔＝口実〕にして会社を休んだ／―気味だ〔＝自分が好意を持っていない者の失敗や不幸などを、いい気持だとあざける言葉〕／―たま〔＝打者にとって打ちにくいボール〕を投げるピッチャー／―年をして〔＝しようとすることの是非について、当然分別があると判断される年齢なのに〕ばかげたことをしたものだ／―〔＝好きな〕ようにしてくれ／もう―〔＝ⓐ新たな行動を起こす必要が無い〕／あんまり―図じゃない〔＝体裁がよくない〕／―線行ってる〔＝相当いいところまで達している。もう少しで合格だ〕／ぜいたくも―とこだ〔＝程度が過ぎる〕／―目が出る〔＝自分に好都合なさいの目が出ることから、自分にとって好都合な事態になる〕」 文法 終止形と連体形が用いられるのみで、それ以外には「よい」の活用形が用いられる。 表記 「《善い・《好い」とも書く。 運用 (1)反語的に、「(自分にとって)△恥さらし(ひどく迷惑)なことだ」と自嘲(ジチョウ)したり 嘆いたりする気持や、「(相手自身にとって)恥ずべきことだ」と侮蔑(ブベツ)する気持を表わすのに用いられることがある。前者の例、「とんだいいかっこうをお見せして恥ずかしい／政府の発表を真(マ)に受けた我われこそいい面(ツラ)の皮であった／ぼやを出した当人はともかく隣に住むこちらこそいい迷惑だ」後者の例、「絶対当選だと豪語していたあいつが落選したとはいいざまだ」 (2)口頭語では、「…てもいい(か)」の形で、相手に許可を求めたり 相手に許可を与えたりする言い方となる。例、「『そろそろ休んでもいいでしょうか』『十五分くらいなら休んでもいいよ』」〔これらの用法には一般に「よい」は用いられない〕 (3)「…もいいとこだ」で、程度が過ぎたことに対して、あきれ返った気持や非難の気持を表わす。例、「毎日タクシーで帰宅するなんて、ぜいたくもいいとこだ」 (4)口頭語で、「…がいいとこだ」の形で、期待できる達成の度合がその程度で限界だ、という気持を表わす。例、「どんなにがんばっても月の売上げは百万円がいいとこだ」

いい①【《飯》】〔雅〕めし。「―蛸(タコ)・干し―」

いい①⓪【〈謂〉】〔文語の動詞「いふ」の連用形の名詞用法〕…という意味。「民主主義とは何の―ぞや〔＝どういうことか？〕／幸福とは心の平和の―に外(ホカ)ならず〔＝結局、心の平和のことなのだ〕」

いい①【易々】―たる ―と するのに やさしい様子。「―たるものだ」

いい①【唯々】―と 善悪にかかわらず、少しも逆らわないで他人の言うことに従う様子。「―として／―諾々として従う〔＝自らの主体性を全く持たず、相手の言いなりに行動する形容〕」

いいあ・う③【言(い)合う】(自他五) ❶おおぜいの人が互いに同じ事を言う。「口ぐちに―」❷互いに相手をなじったりののしったりする。「悪口を―」 名 言い合い⓪

いいあ・てる④【言(い)当てる】(他下一) 〔いろいろと言ってみて〕△事実を正確に指摘する(正確な答えを言う)。「ずばり〔＝一言で〕―」

いいあやまり⓪【言(い)誤(り)】 まちがって言うこと。また、そのまちがって言った語句。 動 言い誤る⑤(他五)

いいあらそい⓪【言(い)争(い)】〔言葉で争う意〕口論。 動 言い争う⑤(他五)

いいあらわ・す⑤【言(い)表(わ)す】(他五) 自分の考えなどを言葉で表わす。「言葉では言い表わせないほどの感激」

いいあわ・せる⑤【言(い)合(わ)せる】(他下一) 互いに話し合って△意見を統一する(約束する)。言い合わす④(五)。「出世しようと―／言い合わせたように全員が反対する」

イーイー③【EE】〔←electric eye (camera)〕 フィルムの感度とシャッターの速度が決まれば、自動的に絞りが決まるカメラ。「―カメラ⑤」

いいえ③(感) 相手が問いかけた事柄について打ち消すことを表わす。「『お好きですか』『―嫌いです』／『つまらなくはなかった？』『―そんなことはありません』」↕はい 文法 「君は昨日は会社に来なかったか」と否定の形式の問いかけを受けた際に、聞き手が「来なかった」ことを予測した上での問いかけととらえれば「はい、来ませんでした」となる。また、聞き手が「来たこと」を予測した上での問いかけだととらえれば「いいえ、来ました」となる。

イーエル⓪③【EL】❶〔←electric locomotive〕 電気機関車。❷〔←electroluminescence〕 蛍光体に電圧を加えると電子による刺激で発光する現象。コンピューターの画面などに応用される。電界発光⑤。

いいお・く③【言(い)置く】(他五) そこから居なくなる人が、残る人に用件などを伝えておく。「帰りは遅いから夕飯はいらないと家人に言い置いて出掛けた」 名 言い置き⓪

いいおく・る④【言(い)送る】(他五) ❶〔手紙などで〕

特に、あることを直接言ってやる。「自愛せよと―」❷仲間うちで、次から次へとあることを伝える。

いい おく・れる [5][0]【言(い)遅れる】(他下一) △最初(先)に言うべき事柄が後回しになる。「言い遅れましたが、私が…です」 表記 「言い後れる」とも書く。

いい おと・す [4]【言(い)落(と)す】(他五) うっかりして、一部分を言い忘れる。 名 言い落とし[0]

いい がい [0]【言(い)《甲〈斐〉》】 そのことを言った△価値(効果)。「―のある(=言って(やって)よかったと思う)/―の無い(=ⓐせっかく言っても、むだな。ⓑしようが無い。ⓒ情けない)事」

いい かえ・す [3]【言(い)返す】(自他五) ❶繰り返して言う。❷人の言葉に対して、こちらからも ふさわしい返事をする。「機嫌よく―/こうも考えられると―(=応酬する)/負けずに―(=ⓐ口答えする。ⓑ抗弁する)」 名 言い返し[0]

いい か・える [4][3]【言(い)替える】(他下一) ❶同じ内容を、別の言葉で説明する。「言い替えれば」❷前とは別の事を言う。 名 言い替え[0] 表記 ❶は「言い換える」、❷は「言い変える」とも書く。

いい かお [1]【《良い顔》】❶その世界で広い人間関係を持ち、多少の無理は押し通せる立場。「あの人は業界では―で、安く売ってくれる店を紹介してくれた」❷△好意的な態度の表われている(機嫌の良い)顔。「よその人間には―ばかりしている/その計画には会社の上部が―をしない(=難色を示す)」

いい がかり [0]【言(い)掛(か)り】 理由にもならないことを無理に理由にして、相手にくってかかること。「―をつける」

いい か・ける [4]【言(い)掛ける】(他下一) ❶話し始める。また、途中まで言う。❷(和歌などの技巧として)懸詞を使う。 名 言い掛け[0]

いい かげん [0]【《好い加減》】〖一〗―な/―に 一貫性や明確さを欠いていて、それに接する人に、うそ・ごまかし・でまかせだという印象を与える様子だ。「―な(=きちんとしていない)仕事/―な(=あいまいな)返事でごまかす/―(=無責任)な答弁/―な男/―に(=本気にならず、軽く)あしらう」〖二〗(副) 許容できる限界に近いと感じられる様子。「―いやになる/―分かりそうなものだ/―(=かなり)年をとっている」〖三〗許容できる範囲内におさまっていると とらえられる状態。「いたずらも―にしろ/今日中で終わる仕事ではないので―のところでやめておこう」 派 ―さ[0]

いい かた [0]【言い方】❶口のきき方。「ものの―が丁寧だ」❷言い表わし方。「もっといい―があるかしら」

いい か・ねる [4]【言(い)兼ねる】(他下一) 言うべき立場に立たされても言いたくないと思う。「そんな失礼なことはわたしの口からは言い兼ねます」

いい かわ・す [4]【言(い)交(わ)す】(他五) ❶返礼として、相手と同じ挨拶を言う。❷(本人同士が)結婚の約束をする。

いい き [1]【異域】「異郷」の意の古風な表現。「―の鬼となる(=外国で死ぬ)」

いい き [1]【《好い気》】―な/―に (他人の迷惑や おもわくを考えず)自分勝手な事をして得意がっている人を、軽くたしなめたり

い

【〈已〉】 ❶すでに。「已然形」❷⇩以❷

【以】 ❶…をもって。「以心伝心」❷…から。「以前・以後・以上」

【〈伊〉】 (略) ❶イタリア(伊太利)。「日独伊」❷伊賀国。「伊州」

【衣】 着る物。着物。「衣服・衣装・衣糧・衣食住・着衣・脱衣」

【位】ヰ ❶その場所に置く。「位置・方位」❷その人や物が置かれるべき△場所(等級)。くらい。「各位階・学位・順位・第一位」❸Ⓐ「人」の敬称。「各位」Ⓑ死者の霊。「位牌・霊位」❹物をかぞえたり計ったりする時の基準。「水位・単位」

【医】 ⇩(本文)い【医】

【囲】ヰ ❶かこむ。かこみ。「囲繞・包囲」❷(かこまれた)まわり。「周囲・胸囲・範囲」

【依】 ❶たよる。「依頼・依嘱」❷根拠にする。「依拠・依願」❸もとのまま。「依然」

【委】ヰ 〖一〗❶任せる。ゆだねる。「委任・委員」❷くわしい。「委細・委曲」〖二〗(略) 委員(会)。「中労委・特別委」

【易】 …しやすい。「易損品」⇩(本文)い【易】

【威】ヰ おどす。「威圧・威嚇・脅威」⇩(本文)い【威】

【為】ヰ ❶行なう。する。「為政・行為・所為・無為・有為」❷作る。「人為・作為」

【畏】ヰ ❶おそれかしこまる。「畏縮・畏怖」❷敬う。「畏友・畏敬」

【胃】 ⇩(本文)い【胃】

【唯】ヰ (返事の声)はい。「唯々諾々」⇩ゆい

【尉】ヰ (自衛隊で)将校の最下位の階級。「陸尉・海尉・空尉」

【異】 ❶同じでない。「異国・異同・異性・異民族・差異」❷正統でない。「異教・異学・異端」⇩(本文)い【異】

【移】 うつる。変わる。「移転・移管・移動・移植・移行・推移・転移・遷移」

【萎】ヰ 生気を失う。しおれる。「萎縮・萎靡・萎黄病・陰萎」

【偉】ヰ ❶並はずれていて、珍しい。「偉効・魁偉」❷りっぱな。すぐれている。「偉大・偉業・偉丈夫・偉観・偉功・偉人・偉容・雄偉」

【椅】 何かに体をあずける。よる。もたれる。「椅子」

【彙】ヰ 同類のもの△の集まり(を集める)。「彙報・語彙・字彙」

【意】 ⇩(本文)い【意】

【違】ヰ ❶ちがう。「違和・相違・差違」❷そむく。「違約・違憲・違背」❸よこしま。「非違」

【維】ヰ ❶つなぎとめる。「維持」❷綱。「維管束・繊維」❸これ。「維新」

【慰】ヰ なぐさめる。「慰安・慰撫・慰藉・慰問・慰留・慰労・弔慰」

【遺】ヰ ❶(気がつかずに)落とす。漏らす。「遺漏・遺精・拾遺・補遺」❷忘れる。「遺失・遺賢」❸△あと(死後)にのこす。「遺留・遺骨・遺風・遺産・遺書・遺族・遺愛・遺影・遺憾・遺業・遺恨・遺作・遺志・遺児・遺体・遺品・遺物」❹捨てる。「遺棄」

【緯】ヰ ❶東西の方向。「緯度・緯線」↕経 ❷「緯度」の略。「南緯・北緯」⇩(本文)い【緯】

軽蔑(ケイベツ)したりする意の語。「—になる/—なもんだ」

いいきか・せる⑤【言(い)聞(か)せる】(他下一) よく分かるように教え聞かせる。言い聞かす④(五)。

いいき・る③【言(い)切る】(他五) ❶〔自信や決意をもって〕はっきり言う。❷言い終わる。名言い切り⓪

いいぐさ⓪【言(い)《種】 だれかがある事柄について言った言葉。〔多く、望ましくない内容を指す〕「古い—(=言葉)だが/あいつの—(=言った耳ざわりな言葉)が気にくわない/—がいいじゃないか(=かってな言い分が憎らしい)/いまさら—(=不平)も無いもんだ」 表記「言い草」の「草」は、借字。

いいくら・す④【言(い)暮(ら)す】(他五) 毎日その事ばかり言って過ごす。

いいくる・める⑤【言(い)《包める】(他下一) 〔言葉たくみに話しかけて〕初めは信用しなかった相手を自分の考えに引っぱりこむ。「黒を白と—」

いいけらく③⓪【言(い)けらく】〔「言ひけり」の未然形+接辞「く」〕「言うことに(は)」の意の古語的表現。「古人—」

いいこな・す④【言(い)こなす】(他五) 相手によく理解出来るように自分なりのやさしい表現で言い表わす。

イーコマース③④【E-コマース・e-コマース】〔e-commerce〕 電子商取引。

いいこ・める④【言(い)込める】(他下一) 口論して、相手を(負かし)黙らせる。「言い込められて黙ってしまう」 表記「言い籠める」とも書く。

いいさ・す③【言(い)《止す】(他五) 途中まで△言いかける(言いかけて、やめる)。名言い止し⓪

いいさと・す④【言(い)諭す】(他五) 本当にそうだと納得するまで、幼い者や目下の者などに物事の道理や教訓を筋道を立ててかんで含めるように説いて聞かせる。

イージー①—な〔easy〕 △簡易(手軽・安易)な様子。「—な考え」 **—オーダー**⑤〔和製英語 ←easy + order〕 採寸した後、店に用意してある型のどれかを基にして、細部だけを客の寸法に合わせて、仮縫いなしで仕上げてもらう△こと(方法)。イージーメードとも。 **—ゴーイング**⑤—な〔easy-going〕〔生活態度・物の考え方などが〕△安易な(努力しない)様子。 **—ペイメント**⑤〔easy-payment〕 分割払い。 **—メード**⑤〔イージーオーダーとレディーメードの混交〕⇨イージー オーダー **—リスニング**⑤〔easy listening〕 気楽に聞ける軽い音楽。

イージスかん⓪【イージス艦】〔←Aegis=ギリシャ神話でゼウスの盾〕 高性能のレーダー・コンピューターとミサイルを組み合わせ、多方面からの攻撃に対処できる軍艦。「エイジス艦⓪」とも。

いいしぶ・る④【言(い)渋る】(他五) 言えない事情があって、言うのをためらう。

いいじょう⓪【言(い)条】〔「言ふ定(ヂャウ)」の変化という〕〔「…とは—」の形で〕とは言うものの。

いいしれぬ⓪④【言(い)知れぬ】 言おうとしても適切な言葉が無い。〔口頭語では「言い知れない⓪④」とも〕「—もどかしさを感じる」

いいす・ぎる④【言(い)過ぎる】(他上一) △必要以上の(不適当な)ことまで言う。名言い過ぎ⓪「…と言っても—ではない」

イースター①〔Easter〕 復活祭。

いいすて⓪【言(い)捨(て)】 ❶言うだけで、効果・反応を期待しないこと。「単なる—に終わる」 ❷〔連歌(レンガ)などで〕紙にしるさない、即興の作。

いいす・てる④【言(い)捨てる】(他下一) ❶相手の答えを待たず、自分だけ言って話をやめる。❷むぞうさに言う。

イースト⓪〔yeast〕〔パンをふくらます〕酵母。

イーゼル①⓪〔easel〕 画架。かぞえ方 一基・一台

いいそ・える④【言(い)添える】(他下一) ❶ひと通り話した後につけたして言う。❷贈り物などを手渡す際に、ひとこと△挨拶(アイサツ)を加える(言葉を添える)。

いいそこな・う⑤【言(い)損(な)う】(他五) ❶まちがった言い方をする。言い誤る。❷不適当なことや言うべきでないことを言う。失言する。❸〔忘れたり 遠慮したりして〕言うべきことを言わないでしまう。名言い損ない⓪

いいそび・れる⑤【言(い)そびれる】(他下一) 言おうとしながら、言い出す機会を失う。

いいだこ⓪【《飯《蛸】 米粒のような卵が一杯入っている、小さなタコ。食用。〔マダコ科〕 かぞえ方 一匹

いいだしっぺ④【言(い)出しっ《屁】〔臭いと言い出した人が、実はおならをした(責めを負うべき)当人である、という意から〕何かをしようと最初に提案した以上、当然自ら率先して行なう責任のある当人の意の俗称。「—から始めるべきだ」

いいだ・す③【言(い)出す】(他五) ❶言い始める。❷口に出して言う。名言い出し⓪

いいた・てる④【言(い)立てる】(他下一) 〔理由などを〕一つひとつ並べあげて、強く言う。「盛んに—(=主張する)/欠点を—(=強調して言う)/賛成の根拠を—(=列挙する)/とやかく—(=ⓐうわさする。ⓑ批評する)」 名言い立て⓪

いいちがい⓪【言(い)違(い)】 実際に口に出した言葉が言おうとした事柄と違うこと。言い違え⓪。動言い違う④(他五)

いいちら・す④【言(い)散(ら)す】(他五) △言うべきでない(好きかってな)ことを言う。

いいつか・る④【言(い)付かる】(他五) 〔立場の上の人から〕言い付けられる。命令される。

いいつ・ぐ③【言(い)継ぐ】(他五) 次つぎと言い伝える。名言い継ぎ⓪

いいつく・す④【言(い)尽(く)す】(他五) 言おうと思ったことを全部残らず言ってしまう。↔言い残す

いいつくろ・う⑤【言(い)繕う】(他五) 失敗や欠点・矛盾などを執りなしたり 隠したりするために、うまく話す。

いいつ・ける④【言(い)付ける】(他下一) ❶〔立場の下の者に〕ある事を△しろ(するな)と言う。❷告げ口をする。❸いつも言っている。名言い付け⓪「親の—を守る」

いいつたえ⓪【言(い)伝え】 ❶先祖から口づてに伝わってきたこと。❷昔から多くの人びとが口づてに伝えてきた話。

いいつた・える⑤【言(い)伝える】(他下一) ❶言葉で、多くの人や次代の人に伝える。❷ことづけをする。

いいつの・る④【言(い)募る】(他五) △調子に乗り(勢いづいて)、ますます言いはる。

イーティーシー⑤【ETC】〔←electronic toll collection〕 電子料金徴収システム。高速道路で自動で料金精算を行なう。

イートイン④〔eat-in〕 飲食店で買ったお弁当などの食料品をその店内で食べること。コンビニエンス ストアやデパートの食料品売場などで主に使われる。〔日本での特用〕「—スペース⑦・—コーナー⑤」 ↔テイク アウト

いいと・く③【言(い)解く】(他五) 複雑で微妙な感情や込み入った立場・事情などを、出来る限り詳しく分析し、適切な言葉で説明△する(して当事者を納得させる)。

いいなお・す④【言(い)直す】(他五) ❶〔前に言った

事の誤りを訂正して〕もう一度言う。❷ほかのもっと△適当な(やさしい)言葉で言う。[名]言い直し[0]

いいなか[1]-[1]【《好い仲》】 恋愛関係・同棲関係の婉曲な表現。

いいな・す[3]-【言(い)〈做す】(他五) ❶事実らしく言う。❷執りなして言う。「二人の仲をうまく—」「巧みに—」

いいなずけ[0]【〈許婚〉・〈許嫁〉】〔婚約者として指名し、相許す意の文語動詞「言ひ名付く」の連用形の名詞用法〕婚約者。フィアンセとも。〔古くは、小さい時から両方の親が決めた婚約(の相手)を指した〕

いいならわ・す[5]【言(い)《慣わす》】(他五) ❶昔から世間の習慣として、言う。❷口癖(のよう)に言う。[名]言い慣わし[0]　[表記]「言い習わす」とも書く。

いいなり[0]-【言(い)なり】 主体性が無いまま、相手から言われる通りに行動すること。「言うなり[0]」とも。「親の—になる」　**—ほうだい**[5]-【—放題】 相手の言う通りに自由にさせて、構わないこと。

いいぬけ[0]-【言(い)抜(け)】 うまい口実を作って、追及された責任などを回避すること。[動]言い抜ける[4](他下一)

いいね[0]-【言(い)値】 売り手の言う通りの値段。↕付け値

いいのが・れる[5]-【言(い)逃れる】(他下一)〔いろいろな口実をつくって〕自分だけは、罪や責任などを負わされることを回避する。[名]言い逃れ[0]

いいのこ・す[4]-【言(い)残す】(他五) ❶言おうとしていたことを全部は言わないで一部分残す。↕言い尽くす ❷△別れて二度と会えないと思われる時(死に際)に、あとの事に関する自分の意思や頼みごとなどを、残される人に伝える。

いいはな・つ[4]-【言(い)放つ】(他五) ❶きっぱりと言い切る。❷わきまえも無く無責任なことを言う。

いいはや・す[4]-【言(い)〈囃す】(他五)〔批評やうわさを〕口ぐちに言う。

いいは・る[3]-【言(い)張る】(他五) 自分の主張を通そうと、どこまでも言う。

イーピーばん[0]【EP盤】〔←extended playing (record)〕 一分間に四十五回転する小型のレコード。ドーナツ盤。略してイーピー[3](EP)。[かぞえ方]一枚

いいひと[1]、[1]-[2]【《好い人》】 ❶人柄のいい人。〔好人物の意にも用いられる〕 ❷恋人。愛人。[運用]❷は、相手の恋人だと分かっている人を、名前を言う代りに「君のいい人が来たよ」などと相手を冷やかして言うことがある。

いいなか——**いう**

いいひらき[0]-【言(い)開(き)】-する(自他サ) 疑いを解くために理由や事情などを言うこと。[動]言い開く[4](他五)

イーブイ[3]【EV】❸〔←electric vehicle〕 電気自動車。❹〔←exposure value〕〔写真で〕露光値。

いいふく・める[5]-【言(い)含める】(他下一) よく△分かる(分かってその通りに実行する)ように言い聞かせる。

いいふ・せる[4]-【言(い)伏せる】(他下一)〔議論などで〕相手の反対を抑え、自分の言うことに従わせる。

いいふら・す[4]-【言(い)触らす】(他五)〔人の悪事・欠点・失敗などを〕無責任に言い広める。

いいふる・す[4]-【言(い)古す】(他五) 何回も言ったために、珍しくなくなる。「既に言い古された事だが」[表記]「言い《旧す》」とも書く。

イーブン[1]〔even=高低・起伏の差が無い〕 むらが無く、規則正しい。「—ペース[5]・—パー[5]〔=ゴルフで、ボールを基準打数でホールに入れること〕」

いいぶん[0]-【言(い)分】〔それぞれの立場に基づく〕主張。〔狭義では、不平・文句の意に用いられる〕「—が通る」

いいまか・す[4]-【言(い)負(か)す】(他五) 透徹した理論とすぐれた弁舌で相手を負かす。

いいまぎら・す[5]-【言(い)紛(ら)す】(他五)〔都合の悪い話になった時など〕話題を、関係の無いほかの事に変えて、ごまかす。言い紛らわす。

いいまく・る[4]-【言(い)〈捲る】(他五)〔相手の話を聞かず〕自分だけ、勢いよく次つぎとしゃべる。

いいまわし[0]-【言(い)回(し)】 同一の表現素材に対してそれをどんな言葉を用いて言い表わすかの方法。「凝った—」

イーメール[3]【Eメール】〔E-mail〕 ⇩電子メール

いいもら・す[4]-【言(い)漏(ら)す】(他五) 言おうとしていたこと(の一部)を言い忘れる。[名]言い漏らし[0]　[表記]「言い〈洩らす」とも書く。

いいやぶ・る[4]-【言(い)破る】(他五) 議論で相手を負かす。

いいや・る[3]-【言(い)《遣る》】(他五) 手紙・電話・伝言などで用件を先方に伝える。言い送る。

イーユー[3]【EU】〔←European Union〕 ヨーロッパ連合。欧州連合。ヨーロッパの政治的・経済的統合を推進する地域統合。一九九三年に発足。

いいよう[0]【言(い)様】 言い表わす方法。「無残ともみじめとも—が無い/ものも—で角が立つ」

いいよど・む[4]-【言(い)〈淀む】(他五) 言おうとしてためらったり 話の途中でちょっと言葉に詰まったりする。

いいよ・る[3]-【言(い)寄る】(自五) ❶言葉をかけながらそばに近づく。「仲間に加えてくれと彼は僕に言い寄って来た」 ❷特定の相手に求愛する。

いいわけ[0]-—する(自他サ) ❸【言(い)訳】 自分のした失敗・過失などについて、客観的に見てそうならざるを得なかった事情があったのだと説明して、相手の了解を得ようとすること(言葉)。「—が立つ/—を△考える(捜す・述べ立てる)」 ❹【言(い)分(け)】 言葉の使い分け。

いいわたし[0]-【言(い)渡(し)】 裁判官が判決などを口で告げること。

いいわた・す[4]-【言(い)渡す】(他五) それに従うよう、決定したことを告げる。「被告人に△実刑(無罪)を—」

いいん[1]-【医院】 個人の開業医が経営する診療所(に付ける名称)。〔ベッド数二十以上は「病院」、十九以下もしくは零は「診療所」と言う〕[かぞえ方]一軒

****いいん**[1]【委員】 ❶組織・団体の構成員を代表して、特定の仕事に当たる、何人かの人。〔多くは選挙による〕「執行—・クラス—[4]」 ❷組織体、特に官庁の扱う特定事項に関して審議・調査を依頼された、何人かの人。〔多くは推薦による〕「専門—[5]」　**—かい**[2][0]-【—会】 委員で構成され、その組織や団体の特定の△仕事(事項)について審議や調査を実質的に行なう機関。　**—ちょう**[2]-【—長】 委員会を代表し、委員を統轄し、運営を行なう人。

****い・う**[0]【言う】(他五) ❶〈(だれニ)なにヲ—/(だれニ)なんだト—〉 思ったこと・感じたことや他に伝えたいことなどを言葉で表わす。「率直に言って/△一言で(平たく)言えば/口で—ほど簡単ではない/更に欲を言えば〔=望むならば〕/苦情を—〔=述べる〕/顧みて他を—〔=あげつらう〕/本音を—/口癖のように—/何かと—と〔=何かにつけて〕すぐこうだ/何のかのと言っても始まらない/泣き言を—〔=訴える〕/頭痛がすると—〔=表明する〕/彼は何も言わなかった〔=△発言(批評)しなかった〕/何かと—〔=あれこれうわさをする〕/あいつがどろぼうをしたと—〔=ⓐ告げ口をする。ⓑ密告する。ⓒ証言する〕/お礼を—〔=述べる〕/私が言って〔=口をきいて〕あげよう/君のことを言って〔=話題にして〕いたんだ/

人の―こと〔=ⓐ発表。発言。ⓑ命令〕をよく聞く／―ことを聞かなくなった〔=正常に作用・機能しなくなった〕足／―こと無し〔=申し分が無い〕／君の―こと〔=主張〕は分かるが／何がつらいと言っ(たっ)て〔=つらいことはたくさんある中で〕／―もおろか〔=そんなことは当然のことであり、取り立てて言う必要も無いことだが〕／言わぬが花〔=あんまり あからさまに言ってしまったのでは身も蓋(タフ)も無い〕／…と言えなくもない〔=…と言うことも不可能ではない〕／―を待たない〔=言うまでもない〕／―に及ばず〔=もちろんのこと〕／…と―〔=…に言及する〕からには／…と言ったところである〔=ⓐ批評することが出来る。ⓑすぐ考えつくものをあげると、大体以上のような次第だ〕／…と言ってしまえばそれまでだ／言ってみれば〔=ⓐ卑近な例をあげると。ⓑたとえば〕／謂(イ)うところの〔=いわゆる〕民主化という言葉／…と言って差し支え無い〔=そう考えても、ひどい見当違いでは無いようだ〕／―に言われぬ〔=ⓐ言葉ではうまく表現出来ない。ⓑ言いたくても言うことが出来ない事情△に(が)ある〕／言われる〔=他から指摘されるまでも無く〕／言わざるを得ない〔=⇩得ない〕」 ❷〈なにヲ〉なんだト―〉 あるものを…と呼ぶ言葉で表現する。「彼のような男を『目から鼻へ抜ける』と―〔=世間で称する〕／特にこれと―〔=取り立てるほどの〕長所も無い／道楽と―ほどのもの〔=道楽らしい道楽〕は無い／何千人と―〔=何千人にも及ぶ程度の〕人／花と―花〔=およそ花と称されるもの〕は／足と言わず手と言わず〔=足・手の至るところに〕引っかき傷を作った」

【―は《易(やす)く行なうは難(かた)し》】 口で言うのは簡単でも、いざ実行に移そうとすると難しい。「目標は立派だが言うは易くだ」のようにも使われる。⇩有言実行

■二(自五)〈なんだト―〉 ❶そう表現出来る音が聞こえ(て来)る。「鉄瓶がちんちん―〔=ちんちんという音を出す〕／がん(と)―〔=響く〕音がする」 ❷その言葉で表現されるにふさわしい内容を備える。「いやと―ほど〔=⇩いや〕△頭をぶつけた(見せつけられる)／嫌いと―ことは無いが〔=格別嫌いなわけでもないが〕食べたいとは思わない／それは無理難題と―ものだ／学者といえば〔=およそ、学者には〕貧乏はつきものだった／どうと―ことも無い〔=特に取り上げるほどのことでは無い〕／これ(ぞ)と―〔=⇩これ〕代案が無い」 ❸指示されるものと一致することを表わす。「こう―〔=この種の〕問題なら得意だ／そう―〔=そのような〕事実は無い／どう―〔=どのようなタイプの〕人が好きなの?／一体どう―つもりかわからない」

表記 ■二は「〈云う・〈謂う」とも書く。 文法 (1)■二❶は、一般に、音声を発する、また、文字に書き表わすという言語行為そのものを表わすが、■二❷は必ずしも具体的な言語行為は伴わない。(2)話題にする事柄が聞き手にとって未知の事柄だと予測される場合には、「昨日山田さんという人が来ましたよ」「後楽園という庭園を見てきたよ」などと「…という」の形を用いてその事柄を表わすことがある。

運用 ■二❶で、(1)後に終助詞を伴った「言うねえ」「言うなあ」などの形で、発言内容の過激さや、発言態度の威勢のよさなどに感心したり あきれたり する気持を表わすことがある。例、「『今の取締役は会社経営の基本がわかっていないと思う』『君も言うねえ』」 (2)「言われる」などの形で、批判を受ける可能性があるとの気持を含意することがある。例、「挨拶(アイサツ)をしないと隣近所からいろいろ言われる」また、「言われてしまった」などの形で、苦言を呈されたりやり込められたりすることを含意することがある。例、「毎晩帰りが遅かったので、夕べは女房に言われてしまった」 (3)「よく言うよ」などの形で、相手の無責任な言動や自信に満ちた態度についてあきれたという気持を表わすことがある。例、「『私は以前から彼のことを高く評価していました』『よく言うよ。よく知りもしないくせに』」

いうならく ③(イフナラク)【言うならく】〔「言ふなり」の未然形+接辞「く」〕〔世間一般の人が〕言うことには。 表記 もとの用字は「〈説道〉・〈従道〉」。

いうなれば ③(イフナレバ)【言うなれば】 言葉をかえて端的に言えば。

いうに およばず ⓪-③(イフ)【言うに及ばず】 わざわざ言うまでもない。おろか。「毛虫は―芋虫でも毒に気を付ける」

いうまでも ない ③-①(イフ)【言うまでもない】 わざわざ言う必要もないくらい、自明の事だ。「―〔=当然の〕事だが、他言は無用だ」

いえ ②(感)「いいえ」の短呼。〔相手をやや突き放した言い方〕

いえ(ヘイ)【言え】 ⇩と■二(子見出し【とはいえ】)

**いえ ②(イヘ)【家】 ❶私的な生活を営む場として、〔家族と共に〕そこで寝起きし、自由に使える時を過ごす△所(ための建物)。「―〔=自宅〕にまで仕事を持ち込む／住む―が無い／―を持つ〔=生活の場を定めて独立した家計を営む〕／―を出る〔=ⓐ外出する。ⓑ家族から独立し、また、縁を切って、別の所に移り住む〕」 ❷親子・兄弟などの関係で結ばれている人びとの集まり。また、その系統。「―の宝とする／―を継ぐ〔=民法の旧規定で、家督を相続する〕／古い―〔=何代も前から△その地方で知られている(の歴史が明らかな)家〕」 かぞえ方 ❶は一軒・一棟 【―を外にする】 外出・外泊が続きがちで家族との団欒(ダンラン)や家庭内の用向きなどがおろそかになる。「家(ウチ)を外にする」とも。

いえい ⓪(イヰ)【遺詠】 ❶故人が、生前に作った詩や和歌で、未発表のもの。❷辞世の詩や和歌。 かぞえ方 ❶❷とも一首(シュ)

いえい ⓪(イヰ)【遺影】〔仰ぎ見る対象としての〕故人の写真や肖像画。 かぞえ方 一枚

いえい ②⓪(イヘヰ)【家居】〔外出せず〕自分の家に居ること。「―を楽しむ」

いえがまえ ③(イヘガマヘ)【家構(え)】 外観からとらえた、家の造りぐあい。「△豪壮(粗末)な―」

いえがら ⓪(イヘ)【家柄】 Ⓐ先祖以来の一族の社会的地位などから見た、その家の格式。Ⓑよい家柄。「さすが―だ／―の出」

いえき ⓪(ヰ)【胃液】 胃の中に分泌される、酸性の消化液。ペプシンと塩酸が主成分。たんぱく質を分解して、ペプトンに変えたり 病原菌の殺菌を行なったり する。

いえじ ⓪(イヘヂ)【家路】 自分の家へ帰る道。「―につく／―を急ぐ」

イエス ②〔yes〕 相手の言う事をその通り△認める(受け入れる)という意志をはっきりと示すことを表わす。〔多くの場合、「はい」がこれに相当する〕↕ノー

イエス ②①〔ラ Jesus〕 キリスト。⇩救世主

いえすじ ⓪(イヘスヂ)【家筋】 その家の血筋、つまり、家系。

イエス マン ②〔yes-man〕 △はっきりとした自分の考えを持たず(へつらうために)他人の言う事に無批判に従う人。

いえだに ⓪(イヘ)【家〈蟎・家〈蜱】 人に取り付いて血を吸う、小形〔=〇・七ミリぐらい〕のダニ。ネズミに寄生してふえ、感染症のなかだちもする。〔サシダニ科〕 かぞえ方 一匹

いえつき ⓪(イヘ)【家付(き)】 ❶生家から離れられず、婿をもらう事情にある△こと(娘)。❷売買される土地などに、建物が建っていること。「―の土地」

いえづと ⓪(イヘ)【家〈苞】〔和歌などで〕自分の家へ持って帰る みやげ。 表記 「家〈苴」とも書く。

いえで ⓪(イヘ)【家出】―する(自サ) 帰らないつもりで自分の家をそっと出て、どこかへ行ってしまうこと。

いえども②【〈雖も〉】(接助)〔漢文訓読に由来する〕「(たとえ)…で△あっても(あるにしても)」の意を表わす。「小なりと―/小児と―(=どんな)子供でも)知っている/老いたりと―(=たとえ年をとっていても)」 文法 格助詞「と■一❶」と接続し、「…といえども」の形で用いられる。

いえなみ⓪【家並】〔道路や高い所から見て〕建ち並んだ家いえ(の状態)。「やなみ」とも。「通りに面した静かな―/古い―が続く城下町」

いえねずみ③【家〈鼠〉】人家(の周辺)にすみ、台所などに出没するネズミ。 かぞえ方 一匹

いえのこ⓪【家の子】〔良家の子弟の意から〕一族の出身で、本家の家来となった者。〔広義では、家来一般や、政党や暴力団などの子分を指すこともある。例、「―郎等」〕

いえばえ⓪②【家〈蠅〉】最も普通のハエ。からだは黒茶色。感染症のなかだちをする害虫。〔イエバエ科〕

いえばと⓪【家〈鳩〉】首が短くて、胸が高く、神社・寺や駅など棟の高い建物に巣くうハト。多く藍紫色。土鳩。 かぞえ方 一羽

いえもち⓪③【家持(ち)】❶自分の家を持っている△こと(人)。❷家計のやり方。❸〔一家の主人として〕所帯・家族を持っている人。

いえもと⓪【家元】その流派の本家として、代々の芸道を受け継いでいる家(の当主)。「―制度」

いえやしき③【家屋敷】その人の所有している家屋と、その庭や敷地。「―を抵当に入れる」

いえらく②⓪【言えらく】〔「言へり」の未然形＋接辞「く」〕言ったことには。「古人―」

い・える⓪【言える】(自下一)〔「言う」の可能動詞形。多く「言えない」の形で用いられる〕言うことが出来る。「そうも―/あきれて物が言えない/一概にそうとばかりも言えない(=断言は出来ない)/うかつな事は言えない/何とも言えない(=ⓐどう△なる(する)か、はっきり断言は出来ない。ⓑどう表現したらいいか分からない)」 運用 「言えない」の形で、人間関係に配慮したり それがタブーとなったりしていることが原因で、忠告したり 話題に出したり できないことを言うことがある。例、「いくら親しくても、彼にもっといい服を着た方がいいなんて、とても言えない」

い・える②【癒える】(自下一)「病気や傷などが治る」意の古風な表現。「傷口が―/病癒えて/心の傷も癒えて」

いえる【言える】〔文語「言へり」の連体形〕言っている。「カントも―ごとく」

イエロー②〔yellow〕黄(色)。 **―カード**⑤〔yellow card〕❶Ⓐサッカーなどで、悪質な反則をしたり スポーツマンらしからぬ行為をしたりした選手に対して、審判が警告するために本人に見せる黄色のカード。⇩レッドカード Ⓑ最悪の事態を招かぬための警告。「医者から酒を控えろと―が出された」 ❷出入国に際して旅券とともに見せなければならない「予防接種に関する国際証明書」の通称。イエローブック⑤。〔用紙が黄色であるところから〕

いえん【以遠】(造語) その地点よりも遠い△こと(所)。〔鉄道関係の用語としては、その地点をも含めて言う〕「浜松―」 **―けん**②【―権】航空会社の飛行機が相手国の空港を経由して、別の国へ乗り入れる権利。

いえん⓪【胃炎】〔飲みすぎ・食べすぎなどのため〕胃の粘膜が炎症を起こす病気。〔胃カタルの改称〕「慢性―⑤」

いお①【《五《百》】〔雅〕五百。また、数のきわめて多いこと。「―年②」

いおう①【以往】「以後・以降」の意の古風な表現。「明治―百年」〔古くは「以前」の意にも用いられた〕

いおう⓪【《硫黄》】黄色くてもろい非金属元素〔記号S 原子番号16〕。樹脂に似て、無臭。火をつけると、青い炎を出して燃え、二酸化硫黄(=亜硫酸ガス)を生じる。医薬品・殺菌剤のほか、パルプ・火薬・マッチ・ゴムなどの製造に使う。「ゆおう⓪」とも。〔古くは「ゆわう・ゆわ」〕 表記 ⇩付表「硫黄」 **―せん**⓪【―泉】硫黄(化合物)を多量に含む鉱泉または温泉。白濁し独特の臭いがする。日本では、那須・登別・草津などに多く見られる。

いおうびょう⓪【萎黄病】❶おもに青春期の女子に起こる、一種の貧血病。全身が血の気の失せた色になる。❷植物の葉が黄白色となる病気。

いおと・す③【射落(と)す】(他五) ❶飛ぶ鳥を矢で射て、落とす。❷前まえから狙っていたものを見事な手腕で手中に収める。「首相の座を―」

いおり⓪【〈庵・〈廬〉】世を捨てた人などが住む、粗末で小さな家。いお①⓪。「―を結ぶ」⇩あん(庵) かぞえ方 一軒 **―かんばん**④【―看板】〔歌舞伎などで〕俳優の名などを書いて劇場の外に掲げる看板。上の方が へ形になっている。 かぞえ方 一枚 **―てん**⓪③【―点】「〽・〽」などの注意や確認済みの点。歌い物の歌詞や芝居の せりふなどにもつける。

イオン①〔ギ ion=(電極に引かれて)行くものの意〕電気を帯びた原子〔=Na^+やCl^-など〕や、原子団〔=CO_3^{2-}など〕。前者は電気的に中性である食塩を、後者は同じく炭酸ナトリウムなどを、それぞれ水に溶かした時などに得られる。

いん―③【陰―】イオンの例におけるCl^-〔=塩素イオン〕・CO_3^{2-}〔=炭酸イオン〕のように負の電荷を帯びているもの。

よう―③【陽―】イオンの例におけるNa^+〔=ナトリウムイオン〕のように正の電荷を帯びているもの。

いおん⓪【異音】❶機械などに生じる、本来発することがない異常な音。❷〔言語学で〕話者は同一の音声を発音していると意識しているが、客観的には異なるさまざまな音。

イオンこうかんじゅし⑧【イオン交換樹脂】水に溶けた塩や酸やアルカリを吸い取る合成樹脂。海水からの真水製造、硬水の軟水化、糖類・医薬品の精製、化学分析などに広く用いられる。

いおんびん②【い音便】音便の一つ。例、文語の「咲きて」を口語で「咲いて」、同じく「脱ぎて」を「脱いで」、また「白き花」を「白い花」と言うなど。 表記 「イ音便」とも書く。

いか⓪【〈凧・〔紙〈鳶〕〉】〔雅:東北から中国・四国までの方言〕〔↑いかのぼり〕凧。

いか⓪【〔〈烏賊〕〉】海にすむ軟体動物の一つ。十本の足が口のまわりにある。敵に会うと、腹の中の墨をふき出して逃げる。食用。〔十腕目〕 かぞえ方 一杯・一匹:一本、また二匹で一荷とも言った。

いか【以下】■一①これよりあと(に述べる事)。「―省略・―同文・―同断」↕以上■一 ■二(造語) ❶△数量がそのものより少ない(程度や段階がそのものより下である)ことを表わす。〔数量に関する表現としては厳密には その数量を含むが、一般には必ずしもそうではない〕「あいつの力はおれ―だ」↕以上■一 ❷代表するものを含め、その下にあるもの全部。「引率者―十名の一行」

いか①【医科】❶医学に関する学科。「―大学③」 ❷医学部。

いか①【医家】代々続く医者を職業とする家系。

いか①【異化】―する(自他サ)〔生物が〕外界から取り入れた物質を、化学的により簡単な組成の物質に分解すること。「―作用③」↕同化❶

いが②【〈毬〉】クリなどの実を包む外皮。とげが密生している。 表記 「《刺・〔〈栗刺〕〉・〈毬〉」とも書く。

** * は重要語，⓪①… はアクセント記号，品詞の指示の無いものは名詞および いわゆる連語。

い

いかい⓪ー【位階】功績があったとされる公務員や、一定の年限勤めた公務員などに与えられる栄典の一つ。
いかい⓪ー【遺戒・遺〈誡〉】❶故人が、これだけは守るようにと言い残したいましめ。❷いましめの遺言。〔「ゆいかい⓪」とも〕
いがい①ー【以外】〔造語〕…を除いてほか。「バスーの乗り物は無い／読書ーに楽しみが無い／そうするーに手段は無い／失望ーの何物でもない〔＝失望するばかりだ〕」⇩以内
*__いがい__⓪【意外】ーな 当面する事態や実際の結果が予想とは全くかけ離れたものであって驚きを感じる様子だ。〔口頭語では「ーに」を「ーと」とも言う。例、「ーと安く買えた」〕「ーな結末に驚く／親友のーな面を発見した／内情はーに深刻なのかもしれない／ーや―〔＝全く予想出来なかったことに〕、最下位まちがいなしと思われていたチームが優勝してしまった／ー性⓪」 派ーさ⓪
いがい⓪ー【遺骸】なくなった人のからだ。〔最近は、遺体と言うことが多い〕 かぞえ方 一体タイ
いがい①ー【〈貽貝〉】〔「い」は貽の字音という〕海でとれる二枚貝。黒茶色の貝殻に黒い毛のようなものがあり、岩に付く。肉は美味。〔イガイ科〕 かぞえ方 一枚
いがいちょう⓪②ーチャウ【居開帳】その寺で厨子ズを開き、いつもは見せない本尊を拝ませること。↔出開帳
いかいよう②クワイヤウ【胃潰瘍】胃壁、ことに幽門のあたりに出来る潰瘍。
いかが②(副)ーに・ーな〔「いかにか」の変化「いかんが」の変化〕「どう」の意の改まった表現。「ーいたしましょうか／一つーですか／おやりになったらー〔＝どうですか〕／ーでしょう、お任せくださいませんか？」 表記 普通、「〈如何〉」と書く。
運用「いかがなものか」などの形で、提示された事柄に、不賛成・不賛同の気持を表わす婉曲エンキョク表現として用いられることがある。例、「お言葉ですが、この時期に事業を拡大するというのはいかがなものでしょうか」⇩どう 運用(1)
いかがわし・い⑤イカガハシイ(形) ❶相手の言うことなどをそのまま信用することがためらわれる感じだ。「ー儲モウけ話には乗らないことだ」 ❷公序良俗に反する点が認められる様子だ。「ー〔＝怪しげな〕風体フウの男／ー〔＝風紀上よくない〕場所／ー〔＝わいせつな〕写真」 派ーさ④ ーげ⑤⑥⓪ 表記「〈如何〉わしい」とも書く。
いかく⓪ー【威嚇】ーする(他サ) 「おどす」の意の漢語的表現。「ー的な態度／ー射撃④」
いがく①【医学】病気の原因やその治療・予防の方法を研究する学問。「ー的にはまだ証明されていない／ー者③②・ー博士④・ー生③②・基礎ー③・臨床ー・予防ー④」 **ーしょ**④⓪【ー書】医学〔医術〕について書いた書物。
いがく①【異学】江戸時代、朱子学以外の儒学の称。〔朱子学のみ公認され、他は異端視されたので、こう言う〕
いかくちょう②キクワクチャウ【胃拡張】胃の内部が異常に広がってしまう病気。
いがぐり②⓪【〈毬栗〉・〈梂栗〉】❶いがに包まれたままのクリ。❷髪の毛を短く丸刈りにした(男子の)頭。「いがぐりあたま⑤」とも。
いかけ⓪【鋳掛(け)】なべ・かまのこわれた所にハンダを流し込んで修理すること。「ー屋⓪」
いか・ける③⓪【射掛ける】(他下一) 敵に向かって矢を射る。
いかさま (如何様の意) ❶②⓪(副)「いかにも・なるほど」の意の古風な表現。「ーさもありなん」 ❷⓪(本当らしく見せかけた)いんちき。「ーにひっかかる／ー賭博トバク⑤・ー師④〔＝ぺてん師〕」 表記「〈如何〉様」とも書く。
*__いか・す__②(他五) ❶【生かす】〈だれ・なにヲー〉 生き長らえさせる。「この日まで父を生かしておきたかった／もう生かして〔＝生きていることを許して〕おけない／ーも殺すも君次第だ」 ❷【《活かす》】〈なにヲ(なにニ)ー〉 ❶そのものにひそむ△よさ(能力)を十分に引き出して使う。「廃物を活かして〔＝くふうして、もう一度〕使う／△才能(長所・個性)をー〔＝発揮△する(させる)〕／味をー〔＝引き立たせる〕」 ❷△他から与えられた(他と接触して得た)ものを咀嚼ソシャクして、自分自身の実行の中に汲くみ入れる。「△体験(チャンス)をー」
いか・す⓪(自五) 〔「行かす」の意〕 ❶【行かす】 行かせる。「子供を弔問に行かした」 ❷〔もと、合体の際、男が女にエクスタシーを与える意〕「そのもののよさが自分をひきつける」の意の俗語的表現。「あの人の帽子、ちょっとーわね／ー男」
いかすい②ー【胃下垂】胃が異常に垂れさがって、重苦しさを感じる病気。
いかずち⓪ヅチ【《雷》】〔雅〕かみなり。
いかすみ⓪【〈烏賊〉墨】イカの墨。敵から逃げるときにふき出す黒い液。セピアの原料。料理にも使われる。「ースパゲッティ⑦」
いかぞく②ー【遺家族】一家の中心であった人が死んだあとに残された家族。〔狭義では、故人の妻や遺児を指す〕⇩遺族
いかだ⓪【〈筏〉】材木を水上に浮かべ、何本も並べて結び合わせたもの。〔舟の代用にすることもある〕「ー流し④」 **ーし**③【ー師】筏に乗りながら材木を下流へ運ぶ人。 **ーやき**⓪【ー焼(き)】小さな魚を(背中から開き)、くしに並べて刺して焼いたもの。「ワカサギのー」
いがた⓪【鋳型】鋳物を作るために溶かした金属を流し込む型。
いカタル②ー【胃カタル】胃のカタル。「胃炎」の旧称。「慢性ー⑥」
いかつ⓪ー【威喝】ーする(他サ) 〔大声を出して〕人をおどかすこと。
いかつ・い⓪③【《厳つい》】(形) 角ばった顔つきであったりがっしりした体型であったりして、接する人に威圧感を与える様子だ。「ー肩／ー顔」 派ーさ② ーげ⓪③
いかで②【《争で》・〈如何〉で】(副) 〔雅〕〔「いかにて」の変化〕 ❶何かの実現に強い願望をいだく様子。なんとかして。「ー試みむ」 ❷どんな方法をもって。「ー(か)知るべき〔＝どんなにしても、知ることは出来ない〕／ー忘れ得ゥべき〔＝どうして忘れることが出来ようか〕」
いかな②【〈如何〉な】(連体) 〔もと、「いかなる」の口頭語形〕「どんな」の意のやや改まった表現。「一気に土俵際に押し寄られ、ー〔＝さすがの〕横綱もこらえきれなかった／ー意気地ジク無しでも自尊心は失っていまい」
いかなご⓪【〈玉筋魚〉】砂の中にすむ近海魚。薄い銀青色で、細長い。春、幼魚を煮干し・佃煮ツクダニにする。こうなご。〔イカナゴ科〕 かぞえ方 一匹
いかなる②【〈如何〉なる】(連体) 「どの」の意の改まった表現。「ー星のもとに生まれたか／犬を飼い始めた時、いつ、ー命令にも従うように訓練するつもりであった／ー圧力にも屈せず、初志を貫く／交渉にー前提条件をもつけない」
いかに②【〈如何〉に】(副) ❶〔判断を下す際に〕依ヨって立つ観点や方法がどのようなものであるかを問題にする様子。「高齢化社会に向かって、我われはー生きるべきか／ー〔して〕市民運動を発展させるかを話し合う」 ❷これこれの程度だというふうに、限定を設けることができない様子。「人の健康には自然がー大切かということを実感する／ー〔＝どんなに〕急いでも間に合うまい」 ❸どのような展開になるか、予断を許さないという気持をこめて疑問を投げかける様子。

「彼の運命や果たして―／前半戦は一方的な勝利を得たものの、後半戦は―」 ❹どのような理由によるものかと驚きの気持をこめて、疑問を投げかける様子。「一枚でもせんべいとはこれ―〔=どういうわけだろうか〕／こはそも―〔=どうしたことか〕」 【―もして】 なんとか方法を尽くして。 **―も**[2] （副） その場の状況や雰囲気などから受ける印象が、そのような言葉で表わすのにふさわしい条件を備えていると実感される様子。〔相手の言葉に相槌を打つ時のやや古風な表現としても用いられる〕「―さわやかな感じを与える好青年／小学生の遠足の一団が―楽しそうに通り過ぎる／―ひなびた山奥の温泉郷／あの若さで引退とは―〔=どう考えても〕惜しまれる」

いかのぼり[0][3]【〈凧】〔雅：関西方言〕いか。⇩たこ（凧）
表記 「〈紙〈鳶〉」とも書く。

いがばかま[3]【〈伊賀〈袴】⇩たっつけ

いかばかり[3][2]【〈如何〉《許】（副）「どれほど」の意の改まった表現。「突然の訃報に、お悲しみは―か〔=どんなに深いことか〕とお察しします／喜びは―〔=どんなに大きい〕だろう／実用化に当たっては、―の労苦を重ねたことか」

いかほど[0]【〈如何〉程】（副） 数量・程度が限定出来ない様子。〔やや改まった表現〕「―〔=どのくらい〕差しあげましょうか／お代は―〔=いくら〕ですか／―の〔=たいした〕こともあるまい／―〔=どんなに〕勧められても承知できない」

いがみあ・う[4]【〈啀み合う】（自五）〔近い関係にあるものが〕何かにつけて衝突し、相手を△倒そう（に勝とう）と思う。 名 啀み合い[0]

いかめし・い[4]【《厳めしい】（形） ❶△りっぱ（きびしそう）で、近寄りにくい感じだ。「―△門構え（顔つき・肩書き）／―風をする」 ❷きびしくて、つけ入る隙が無い様子だ。「―警備態勢」 派 **―さ**[3][4] **―げ**[0][4]

いカメラ[2]【胃カメラ】 胃の内壁を検査するために口や鼻から入れる、超小型のカメラ。ガストロ カメラ。「―を飲む」

いかもの[0]【〈如何〉物】〔どうかと思われる物、の意〕 ❶とんでもないにせもの。「―をつかまされる」 ❷普通の人なら見向きもしない、変わった物。「―あさり[5]」 **―ぐい**[0][4]

> いき
> ［域］
> ❶ある限られた（空間的）範囲。「区域・地域・海域・空域・領域」 ❷特定の地方。「異域・西域」 ⇩（本文）いき【域】

【―食（い）】 普通の人が△気味悪がって（避けて）食べない物を好んで食べる△こと（人）。

いかよう[0]【〈如何〉様】―な ―に 「どのよう」の意のやや改まった表現。「あとは―にもして下さい」

いからか・す[4]【怒らかす】（他五） ❶おこって、目を大きく開く。 ❷いからせる。「肩を―」

いから・せる[4]【怒らせる】（他下一）〔「怒る」の使役形〕 ❶おこらせる。 ❷（力を入れて）かどだたせる。「肩ひじ―」 怒らす[3]（五）。

いがらっぽ・い[5]（形） えがらっぽい。 派 **―さ**[5]

いかり【怒（り）】 ■一[3] 怒らずにはいられなくなる△こと（気持）。「国民の―を呼ぶ／―、心頭に発する」 ■二（造語） 動詞「怒る」の連用形。「―叫ぶ」 **―がた**[3][4]【―肩】 かどばって見える肩。↔なで肩 **―くる・う**[5]【―狂う】（自五） 怒りのあまり、手のつけられないほど乱暴なことをしたり言ったりする。 **―じょうご**[4]【―上戸】⇩上戸

いかり[0]【〈錨・〈碇】 船が流されないように海に投げ入れる、鉄製のおもり。四方に長い爪を延ばした形の物が多い。「―を△おろす（あげる）／―を巻く〔=あげる〕」 かぞえ方 一台・一基 **―そう**[0]【―草】 山地に生じる多年草。春、薄い紫色の いかりに似た形の花を開く。茎・葉は強壮薬。〔メギ科〕 かぞえ方 一本

いか・る[2]【怒る】（自五） ❶許しがたい事柄に接し、不快感を抑えきれず、いらだった状態になる。〔口頭語では多く「おこる」〕 ❷四角に、張って見える。「怒った肩」〔⇩怒り■二〕

いかる[0]【〈鵤】 くちばしの大きい渡り鳥。キーコキー、キキョキーと鳴く。マメマワシ[3]。〔アトリ科〕〔雅名は「いかるが[0]」〕 表記 「〈斑〈鳩〉」とも書く。 かぞえ方 一羽

いか・れる[0]（自下一）〔「行かれる」の意〕 ❶〔計略にかかるなどして〕相手の思い通りにされる。 ❷古くなって、機能が衰える。「いかれたテレビ」 ❸思考の状態が正常でなくなる。「いかれた〔=頭の少し変な〕やつ／いかれた〔=常軌を逸した〕かっこう／彼女にすっかりいかれた〔=心を奪われた〕」〔❶～❸ともやや俗語的〕

いかん[2]【〈如何〉】〔「いかに」の変化〕どうであるか。「国籍の―を問わず／今後の努力―に係る／理由の―によって／情勢―で与野党の政権交替もありうる／大学の将来―〔=大学の将来はどうなるだろうか〕」 【―ともしがたい】[2]-[0]、[2]-[3] 表記 「〈奈何〉」とも書く。〔事情が△急で（ひどくて）〕どうすることも出来ない。 **―せん**[2] 〔「いかにせむ」の変化〕どうにかしたいと思うのだが（残念なことに）どうすることもできないことを表わす。「―金が無い」

いかん[1]【衣冠】 平安時代中期以後、貴族の男子が宮中で着用した略式の服装。頭に冠をいただき指貫を身につける。

いかん[1]【尉官】 佐官の下の位。陸海空軍の将校を、大きく三つに分けた中の最下級のもの。

いかん[0]【異観】 めったに見られない、珍しい△ながめ（光景）。「一―だ」

いかん[0]【移管】―する（他サ） 管理や管轄（の権限・責任）を他の役所や係へ移すこと。

いかん[0]【移監】―する（他サ） 被告人・受刑者などを、他の拘置所・刑務所に移すこと。

いかん[0]【偉観】〔思わず、嘆声を発するほどの〕すばらしい眺め。

いかん[0]【遺憾】―な ―に 十分な結果が得られず、心残りである様子だ。残念だ。「―に存じます〔=相手の期待にそむいた時の言い方〕／万―無きを期されたい〔=一つも手落ちが無いように注意してほしい〕／―〔=釈明〕の意を表明する／―千万[4]」 運用 公的な立場にある者が「遺憾に思う」「遺憾だ」また、「遺憾の意を表明する」などと言うときには、話題として取り上げた相手に対する強い非難の表明となる。 **―なく**[4]【―無く】（副） 後になって悔やまれるような点を何一つ残すことなくなされる様子。「実力が―〔=余すところ無く〕発揮された」

いかん[2] 「いけない」の、ぞんざいな言い方。「黙って入っては―」

いがん[1]【依願】〔命令・強制でなく〕本人の願いによる（形を取る）こと。「―退職[4]、[1]-[0]・―免官[1]-[0]」

いがん[0]【胃〈癌】 胃の粘膜に出来る癌。

いかんそく[2]【維管束】 種子植物・シダ植物の根・茎・葉にあって、水分や養分の通路となっている、束状の細胞組織。

いき（域）→【字音語の造語成分】

いき[1]【域】〔客観的に見て、そうとらえられる〕範囲・程度。「△推測（中途半端・模索）の―を出ない〔=単に…の程度にとどまる〕／構想の―を出るものではない／精神運動の―を出ていない／…の―にとどまる／物まねの―を脱する／名人の―〔=境地〕に達する」⇩【造語成分】

いき①【〈閾〉】〔門の戸の内外を区切る物の意〕〔心理学で〕ある事が意識されるか否かの境目。「識—・刺激—③・弁別—④・—値チ」

いき【生㋖】■一❶⓪生きていること。「—死にをともにする／長—をする」↕死に ❷②⓪〔碁で〕一連の石に「目■二❶」が二つ以上あって敵に取られないこと。❸⓪①②〔校正で〕一度消した字を復活させるための記号「イキ」。【—がい】⓪-①、④ ❶とれたばかりで、魚肉がまだ新しい。❷元気溌剌ハツラツとしていて、期待が持てそうだ。「—若者」■二（造語）動詞「生きる」の連用形。生きている。「—馬の目を抜く〔=⇩生き馬〕／—証人③・—字引」表記■一❶は、「《活き」とも書く。

いき【行㋖】■一⓪行く△こと（時・道）。↕帰り ■二（造語）動詞「行く」の連用形。「—当たり・—当たる・—交う・—帰り・—掛ガかり・—掛かる・—掛ガけ・—方・—来キ・—先・—過ぎ・—倒れ・—違い・—違う・—着く・—詰まる・—止まり・—悩み・—悩む・—場・—渡る」⇩ゆき

****いき**①【息】〔動物が〕生きる必要上、空気を吸い込んだり吐き出したりすること。また、その時の空気。「深く—を吸う／はずんだ—を整える／—を引き取る〔=死ぬ〕／—〔=何かを一緒にする時の調子〕が合う／商社の—がかかる〔=世話になったりして、つながりがある〕／—もつかせぬ〔=息をするひまも与えないほど△速い（緊張させる）〕／—を凝らす〔=恐怖・注視などのために、しばらくじっとして息をとめている〕／—を殺す〔=恐怖感や緊張感のために呼吸さえも抑える〕／—を抜く〔=一休みして△緊張をゆるめる（気を許す）〕／—をのむ〔=驚いて息をとめる〕／—の長い〔=長期にわたる〕話合い」【—が通う】❶呼吸するのが認められる。❷精神の充実や意気込みが感じられる。【—が弾む】気持の高ぶりや極度の緊張、また、激しい運動のあとなどで、ふだんより強く短い息がしばらく出る。【—を入れる】仕事などの途中で、一休みする。【—をつく】❶息づかいが周囲の者に聞こえるような呼吸のしかたをする。「苦しそうに—」❷一安心する。「ボーナスをもらってやっと息をついたところだ」【—を詰める】警戒・緊張などのために、しばらく息をつかずにじっとしている。「息を詰めて決定的瞬間を見守る」【—を潜める】❶存在を悟られないようにする。「敵が去るまで動かず—」❷機が熟すまで存在感を消し、目立った行動をとらないようにする。「ほとぼりが冷めるまで—」【—を吹き返す】❶一度止まった呼吸が再び始まる。❷一度は

だめになったかに見えたものが、再び勢いを盛り返す。「壊滅的な打撃に屈することなく、—」

いき⓪【粋】-ナ -ニ〔身につけている衣服やその人のしぐさが〕気がきいて見える様子。すい（粋）。〔副次的には、遊びなれていることや花柳界の事情に通じていることをも表わす〕「—な身なり／—な計らい〔=さりげないやり方の中に、思いやりの感じられる処置〕／—筋⓪②〔=花柳界〕の女性」↕やぼ 派—さ⓪ —が・る③

いき①-ヰ【位記】位階を授ける時、そのことを書いて本人に交付する文書。

いき①-ヰ【委棄】-スル（他サ）△構わないで（始末しないで）ほうっておくこと。〔法律では、権利の放棄を指す〕

いき①【意気】（積極的に何かをしようとする）気持。「大いに—が上がる／—投合する〔=人生観や趣味などが一致して、気が合う〕／人生—に感ず〔=⇩人生❶〕／—盛んだ／—軒昂ケンコウ・—消沈①-⓪・—沮喪ソソウ・—揚々ヨウヨウ①-⓪、①-③〔=得意気にふるまう様子の形容〕・心ココロ—」

いき①-ヰ【遺棄】-スル（他サ）△適切に処理（保護）すべきなのに、それを怠って、捨てたままの状態にしておくこと。「死体—④」

いぎ①-ヰ【威儀】公オオヤケの席に臨む人が備えるべき、作法にかなった重おもしい態度や、整った身なり。「—を正す」

いぎ①【異義】意味が違うこと。「同音—⑤」

いぎ①【異議】不賛成・反対の意見。〔狭義では、不服の意志表明〕「—を△唱える（さしはさむ）／—申し立て・—無し」

いぎ①【意義】❶そのものでなければ△果たす（担う）ことの出来ないという意味での、存在理由。「△歴史的な（大きな）—を見いだす／—を認める／—が大きい／—〔=そうするだけの価値〕のある人生」❷その言葉に固有のものとしてとらえられる内容・概念。⇩意味 —づ・ける④【—付ける】（他下一） そのものに意義を与える。名意義づけ⓪④ —ふ②【—符】偏と旁ツクリなどの二つの部分から構成される漢字において意義を分担する方。人偏ニンベン・三水サンズイ・しんにゅうなど。↕音符❶

いきあ・う③-アフ【行㋖会う】（自五）「ゆきあう」の口頭語的表現。

いきあたりばったり⑥⑧【行㋖当㋟りばったり】-ナ -ニ「ゆきあたりばったり」の口頭語的表現。

いきあた・る④【行㋖当㋟る】（自五）「ゆきあたる」の口頭語的表現。

いきあわ・せる⑤-アハセル【行㋖合㋻せる】（自下一）「ゆきあわせる」の口頭語的表現。「旅先で上司と—」

いきいき③【生き生き】（副）-ト -スル 見るからに、生命力・活力がみなぎっていると感じられる様子。「—とした顔つき／久しぶりの雨に庭木が—とする／目が—する／—した〔=描写が真に迫った、現実感のある〕表現」表記「《活き《活き」とも書く。

いきうお②-ウヲ【《活㋖魚・生㋖魚】活イけ魚。活魚カツギョ❶。

いきうつし⓪【生㋖写㋛】〔顔つきや、からだのかっこう・身振りなどが〕話し手の知っているだれかに、そっくりと言っていいほど似ていること。

いきうま⓪【生㋖馬】生きている馬。「—の目を抜く〔=すばしこく、どちらかと言えば、ずるくて、油断がならないことのたとえ〕」

いきうめ⓪【生㋖埋㋱】生きたまま土砂や雪の中にうまること。「土石流が発生し、—になる」

いきえ⓪②-ヱ【生㋖餌】動物をとらえたり飼育したりするためのえさとする、生きたままの魚や虫など。〔広義では、生肉をも指す〕

****いきおい**イキホヒ【勢㋑】■一③❶進行が速まり運動が強まるにつれて自然に加わる、抵抗を排除する力。〔限度を超すと自力では抑えきれない〕「緒戦の勝利に—を得る／—を△増す（盛り返す・失う）／—に押される／—に乗る／放水の—が弱る／—〔=相手を倒そうとする力が〕余って土俵の外へ飛び出した／走った—〔=はずみ〕で植木鉢を割った／—よく〔=強い勢いで〕…する」❷他を圧して何かを△行なう（行なわせる）力。「—鋭く攻めたてる／今晩は大変な—〔=元気〕だ／えらい—〔=調子〕でまくしたてる／—〔=勢力〕を振るう／時の—〔=権力〕に付く」❸時勢（の動向）。「—のおもむく所／自然の—〔=成行き〕」■二③⓪（副）事の成行きから言って、そういう結論に至ることは当然だと考えられる様子。「—〔=ⓐ自然。ⓑ当然〕慎重にならざるを得ない」表記例外=「勢い」 —こ・む⑤【—込む】（自五）〔何か大きな事をしてやろうと〕張り切る。 —づ・く⑤【—付く】（自五）何かの刺激を受けて張り切ったり意気が上がったりするあまり、当初予想もしなかった△成果を得る（不結果になる）。「優勝候補を破って—／酒で勢いづきけんかになる」

いきがい②キキグワイ【域外】区域の外。「—〔=例えば、アメリカの行なう、対外援助物資の国外からの〕買付け」↕域内

いきがい⓪③ガヒ【生き《甲斐》】生きていることに意義・喜びを見いだして感じる、心の張りあい。「―(=生きていくための心の支え(目標))を見いだす(求める)/―を感じる(=ⓐ生きていてよかったと思う。ⓑもっと強く、長く生きなければと思う)」

いきか・う③カフ【行き交う】(自五)「ゆきかう」の口頭語的表現。

いきかえり⓪②カヘリ【行き帰り】「ゆきかえり」の口頭語的表現。

いきかえ・る③⓪カヘル【生き返る】(自五)生命力を失ったものが、生命を取り戻す。〔敗れるかと思われた者が奇跡的に復活して活躍する意にも用いられる〕「死人が―(=よみがえる)/久しぶりの雨に庭の木ぎが―」名生き返り⓪

いきがかり⓪【行き掛かり】「ゆきがかり」の口頭語的表現。

いきがけ⓪【行き掛け】「ゆきがけ」の口頭語的表現。

いきかた③【生き方】㊀生活のやり方。「安易な―」㊁その人の人生観に基づく、生活・行動の方法。

いきかた⓪【行き方】「ゆきかた」の口頭語的表現。

いきがね③【生き金】使っただけの値うちが出るお金。↔死に金

いきがみさま③【生き神様】人の姿をした神様。〔徳の高い人の意にも用いられる〕

いきき②⓪【行き来・《往き来》】―する(自サ)「ゆきき」の口頭語的表現。

いきぎも⓪【生き肝】生きている動物・人間から取った肝。表記「生き《胆》」とも書く。

いきぎれ⓪④【息切れ】―する(自サ)㊀呼吸が苦しくなって、はあはあと息をすること。㊁長時間にわたる運動や労働の途中で疲れが出たりして、今までのスピードや能率・上昇率が持続出来なくなること。「完成まぢかになって―(が)した」

いきぐるし・い⑤【息苦しい】(形)㊀息をするのが苦しい。「四千メートルを超える高地では、ちょっと歩くだけで息苦しくなる」㊁緊張した空気が漂って、軽がるしい言動が出来ない状態だ。「―雰囲気」派**―さ**④⑤「―を覚える」**―げ**⑤⑥ **―が・る**⑥

いきごみ⓪③【意気込み】意気込んで何かをしようとすること(気持)。「―(=張り切っていること)がくみ取れる(感じられる・うかがわれる)/企業の体質改善に掛ける―(=熱意)/大変な―(=元気)だ」

いきご・む③【意気込む】(自五)何かをしてやろうと、張り切る。「意気込んで答える」

いきさつ⓪【《経緯》】〔語源未詳〕結果的に現状を引き起こすに至った複雑な内部事情。「この―から見ても/これまでの―にとらわれず/条約の締結に至るまでには、いわく言いがたい―(=言葉では説明しおおせない、複雑な交渉の過程)があった」

いきざま⓪【生き様】その人の、人間性をまざまざと示した生活態度。〔「ざま」は、「様」の連濁現象によるもので、元来濁音の「ざまを見ろ」の「ざま」とは意味が違い、悪い寓意は全く無い〕

いきじ①⓪ヂ【意気地】自尊心・プライドから、自分の主義・主張をあくまで引っこめたくない気持。⇩いくじ(意気地)

いきじごく③ヂ【生き地獄】この世に生きていながら見る(味わう)、悲惨な状態や経験。

いきしな⓪【行きしな】「ゆきがけ」の意のやや古風な表現。

いきしに②⓪【生き死に】人が生きるか死ぬかということ。また、生きることと死ぬこと。「―に関する問題」

いきじびき③【生き字引】その社会で経験を積み、過去の出来事やしきたりを詳しく知っている人。〔知っているだけで応用のきかない人の意にも用いられる〕

いきす・ぎる④【行き過ぎる】(自上一)「ゆきすぎる」の口頭語的表現。

いきせきき・る①-①【息《急き》切る】(自五)急いで走るなどして、ひどく荒い呼吸をする。「息急き切って走る(逃げる・駆けつける)」

いきたい⓪【生き体】〔すもうで〕相手に攻められてほとんど負けそうな状態でありながら、まだ逆転してピンチを脱する可能性が少しでもある場合の体勢。↔死に体

いきだおれ⓪ダフレ【行き倒れ】「ゆきだおれ」の口頭語的表現。

いきた・つ③【行き立つ】(自五)そのものがそのものとして成り立つ。〔多く、生計が成り立つことについて言う〕

いぎたな・い④【《寝汚》ない・《寝穢い》】(形)㊀〔目をさましていい時になっても〕眠りこんでいて、なかなか起きない様子だ。↔いざとい ㊁寝ているかっこうがだらしない様子だ。派**―さ**④③ 文法 助動詞「そうだ(様態)」に続くときは「いぎたなさそうだ」の形になる。また「すぎる」と結びついて複合動詞をつくるときは「いぎたなすぎる」の形になる。

いきち②①⓪キ【《閾値》】㊀反応や変化を起こさせるために必要な最小のエネルギーの値。㊁生体を興奮させるための刺激の最小の強さの値。

いきち⓪【生き血】生きている人や動物の血(と同様の状態を保った血)。〔狭義では、薬用とするものを指す〕「人の―を好むといわれるドラキュラ/鯉(スッポン)の―」【―を絞る(吸う・すする)】無慈悲なやり方で底辺の人たちを苦しめて私腹を肥やす。

いきちがい⓪チガヒ【行き違い】「ゆきちがい」の口頭語的表現。動いき違う④(自五)

いきづかい③ヅカヒ【息遣い】―する(自サ)呼吸のしかた(調子)。

いきつぎ⓪③【息継ぎ】㊀歌う途中などで、息を吸い込むこと。㊁仕事の途中で、しばらく休むこと。息休め。

いきつ・く③【行き着く】(自五)「ゆきつく」の口頭語的表現。

いきづ・く③【息《衝く》】(自五)㊀息を吐く(する)。「身を寄せ合ってひっそりと―(=生きている)」㊁息をはずませる。

いきづくり③【生き作り】⇩いけづくり

いきつけ⓪【行き付け】「ゆきつけ」の口頭語的表現。「―の飲み屋」

いきづま・る④【行き詰まる】(自五)「ゆきづまる」の口頭語的表現。

いきづま・る④【息詰まる】(自五)緊張して、息が詰まるように感じる。「―ようなシーン」

いきどおり⓪イキドホリ【憤り】世の中のひどい状態に対して、こんなであってはいけないと怒りを感じること。「私利私欲に走りがちな政党に対して―の念を禁じえない」

いきどお・る③イキドホル【憤る】(自五)心のうちにいだいている不満・不平を抑えきれなくなって言動に表わす。「税制の不公正に―」

いきとど・く④【行き届く】(自五)「ゆきとどく」の口頭語的表現。

いきどまり⓪【行き止まり】「ゆきどまり」の口頭語的表現。

いきない②ヰキ【域内】その区域の中。「―(=例えば、ヨーロッパ連合内の)関税の撤廃」↔域外

いきながら・える⑥⑤(ーナガラヘル)【生(き)長らえる】(自下一) ❶寿命が尽きるまで この世に生き続ける。〔多く、長生きした際に用いられる〕 ❷△行動を共にした同僚が死んだ(死んでも当然だと考えられる状況であった)のに生き残る。 表記「生き《存える」とも書く。

いきなり⓪(副)〔「行き成り」の意〕△段階を踏まないで(それらしい前触れも無しに)、決定的な事態が展開する様子。「ー人の家に上がりこんできたと思ったら突然泣き出すのだから/ー本題に入る/幕が開くとー乱闘シーンが始まった/八月に入るとー気温は三十度を超えた」

いきにんぎょう③(ーギヤウ)【生(き)人形】 等身大の人形。〔色白の美しい女性の意にも用いられる〕

いきぬき③⓪【息抜(き)】 ❶ーする(自サ) 緊張をゆるめて、しばらく休むこと。 ❷空気の流通を図るための窓や通気孔。

いきぬ・く③⓪【生(き)抜く】(自五) ❶苦しいことをがまんし、困難を切り抜けて生きていく。 ❷正しい生活を、どこまでも続けていく。

いきのお①ー①(ーヲ)【息の緒】〔雅〕命。呼吸。

いきのこり⓪【生(き)残(り)】 同一の条件におかれたほかの人が皆死んだ中で、まだ生きている△こと(人)。 動生き残る④⓪(自五)

いきのね①【息の根】〔呼吸の根元の意〕いのち。「ーをとめる(=ⓐ首を絞めたり のど・心臓などを突いたり して、殺す。ⓑ相手の活動を停止させる)」

いきの・びる④⓪【生(き)延びる】(自上一) ❶ほかの人が死んだあとに、さらに生き続ける。 ❷ほかの人に比べて長生きをする。

いきば⓪【行(き)場】「ゆきば」の口頭語的表現。

いきはじ⓪(ーハヂ)【生(き)恥】 なまじ生きているために受ける恥。「ーをさらす」↕死に恥❷

いきぼとけ③【生(き)仏】 生きているうちに、仏と変わらないといって崇(アガ)められるようになった人。

いきま・く③【息巻く】(自五) ❶怒って、大変な勢いを示す。「ただでは置かぬとー」 ❷いばって見せる。「相手にならないとー」

いきみ②③【生(き)身】 ❶生きている からだ。なまみ。↕死に身❶ ❷とりたての、生きのいい魚肉。

いき・む②【息む】(自五) 息をつめて、腹に力を入れる。

***いきもの**③②【生き物】 ❶生きているもの。生物。〔狭義では動物を指し、広義では植物をも含める〕 ❷人間の作り出したものではあるが、時に人間の力ではどうにもならない働きをするもの。「言葉はーだ」

いきやすめ③【息休め】 ⇩いきつぎ❷

いきょ①【依拠】ーする(自サ) 書物を著わしたり 規則を定めたり する時などに、その根本主張を支持するよりどころとなるもの。「泰西辞書にーして(=ⓐ基づいて。ⓑならって)新たに本邦独自の辞書を創始せり」

いきょう⓪(ーケウ)【異教】 その△国(時代)において公認されない宗教や学問。〔狭義では、キリスト者から見た、キリスト教以外の宗教を指す〕 **ーと**②【ー徒】 異教を信じる者。

いきょう⓪(ーキヤウ)【異郷】 故郷から離れた、別の土地。〔狭義では、外国・仙境を指す〕「ーに病む」

いきょう⓪(ーキヤウ)【異境】「他国・外国」の意の美化した表現。「ーの空/ーの鬼となる(=外国で死ぬ意の文学的表現)」

いぎょう⓪(ーギヤウ)【異形】ーな ーに 得体の知れない生き物で、接する人に不気味だという印象を与える様子。また、そのもの。〔狭義では、人間以外の化け物の形容〕「ーの僧」

いぎょう⓪(ーゲフ)【偉業】 ほかの人には△出来ない(企て及ばない)大事業。「五場所連続優勝のーを為(ナ)し遂げる」

いぎょう⓪(ーゲフ)【遺業】 故人が道を切り開いた仕事・事業。〔完成したものも、やりかけのものも共に指す〕

いぎょうどう②(ーギヤウダウ)【易行道】〔仏教で〕南無阿弥陀仏(ナムアミダブツ)と念仏を唱えていさえすれば、極楽浄土に往生(オウジョウ)出来るという、浄土門・念仏宗の教え。↕難行道

いきょく⓪【医局】〔薬局・事務局と違って〕(大学)病院などで医師が△詰めている(診療・治療をする)所。

いきょく⓪(ーキ)【委曲】〔「曲」も「委」と同じく、細かい訳(ワケ)の意〕詳しい事情。「ーを尽くす」

いきょくどうこう①ー⓪【異曲同工】 ⇩同工異曲

いきりた・つ④【《熱(り)立つ】(自五) 相手の無礼・理不尽に対して興奮△する(し、自分の行動を制御出来なくなる)。「いきり立って、いきなり手を上げた/馬がー」

いきりょう⓪(ーリヤウ)【生(き)霊】 ひどく恨んでいる相手に取りついて災いを与えるという、その人の魂。↕死霊(シリョウ)

****い・きる**②【生きる】(自上一) ❶〈(なにニ)ー/(なにデ)ー〉そのもの自身の自律的な営みとして、休むことなく生命体としての活動を続けながら、この世に存在を保つ。「奇跡的に一命を取りとめ、ーことの喜びをしみじみと感じた/虫とはいえ、生きているものをむやみに殺すものではない/ーことの尊さを身をもって教える/彼の一言が私にー(=前向きに人生を歩む)力を与えてくださった/ただ生きている(=朝起きて飯を食い、夜になれば寝る)というだけの無為な毎日/ーか死ぬかの△大恋愛(大立回り)/多年草は、冬、茎や葉が枯れても根は生きている/この神経はまだ生きている(=機能を失っていない)/土にー農民/△芸(恋・仕事)にー(=生きがいを見いだす)/ペン一本でー(=暮らしを立てる)/生きんがため(=生活)の手段/芸道一筋に生きた(=打ち込んだ)五十年/思い出にー(=思い出に△すがって生きる(生活の張りを見いだす))」↕死ぬ ❷〈(なにデ)ー〉そのものに備わっている機能・効用が一段と発揮される。「実用化の道が開け、これまでの苦労がやっと生きた/塩加減ひとつで味がー(=引き立つ)/その一語で文章が生きた(=一段とよくなった)/農民運動に一生をささげた翁(ヲウ)の精神は今日なお生きている(=社会の各方面に現実に影響を与えている)」 ❸死ぬことを免れる。Ⓐ〔野球で〕「一塁にー(=一塁でセーフになる)」 Ⓑ〔碁で〕「大石(タイセキ)をー(=相手に取られないような形に打つ)」 表記❷と、❸Ⓑの碁の例は、「《活きる」とも書く。

いきた①【生きた】 ❶生きている。「ー人に言うように話す/ー心地がしない/ー化石(=オウムガイ・シーラカンスなど)」 ❷実生活ですぐ役立つ。「ー△手本(教訓・情報)/ー金を(=お金を有効に)使う」〔⇩生き❸〕

いきれ【《熱(れ)】(造語) おおぜいの人の息・体温から発したり 生(オ)い茂った夏草から蒸散したり する熱気のために、暑くて むっとする状態。また、その熱気。「人ー・草ー」

いきわかれ⓪【生(き)別(れ)】〔△血縁(夫婦)関係にある者どうしが〕何らかの事情で別れわかれになったままの状態にあること。↕死に別れ 動生き別れる⑤(自下一)

いきわた・る④【行(き)渡る】(自五)「ゆきわたる」の口頭語的表現。

いく(育) →【字音語の造語成分】

いく【幾】(接頭)〔疑問表現に用いて〕数量の不定なことを表わす。どれほどの。〔幾つも重ねることから、「多くの」の意にも用いられる〕「ー人(ニン)①・ー人(リタ)①・ー度(ド)①・ー度(ビタ)①・ー年(ネン)①・ー年(トセ)①・ー日(ニチ)①・ー日(カ)①・ー遍①・ー程(ホド)①・ー世(ヨ)①・ー代(ヨ)①・ー夜(ヨ)①・ー千代(チヨ)①」

い・く①【生く】(自上二)「生きる」の文語形。「人生いかに〔=どう〕ーべきか」

い・く⓪【行く】(自五)「ゆく」の口頭語形。〔⇩行(イ)き❸〕

い・く⓪【逝く】(自五)「ゆく」の口頭語形。

イグアナ⓪〔ス iguana〕イグアナ科のトカゲ類の総称。おもにアメリカ大陸にすみ、約七百種が知られる。〔狭義では、背中にたてがみ状の突起が並ぶグリーン イグアナを指す〕

いぐい⓪【居食(い)】―する(自サ) 新たに収入を得る見込みがなく、持っている財産で(先細りの)生活をすること。

いくいく⓪【〈郁々〉】―たる ―と 〔香気が盛んな意〕文化が盛んな様子。

いくえ①【幾重】 幾つ△か(も)の重なり。「傷の上から包帯を―にも巻く」 **―にも**①、①-①、④(副) 心からの謝罪や感謝、また、相手に切に願う気持を込める様子。「―お詫び申し上げます」

いくえい⓪【育英】 将来性のある青少年を教育すること。〔狭義では、学資の援助を指す〕「―資金⑤⑥」

いくきゅう⓪【育休】〔「育児休業」の略〕育児のために、労働者が法律に基づいて取得する休暇。

いくさ⓪③【《軍・戦》】〔軍隊・兵士の意〕「戦争・戦い」の意の古風な表現。「―の庭(=戦場)/勝ち―」

いぐさ⓪①【〈藺草〉】〔「藺(イ)」の草の意〕たんぼに作る多年草。茎は糸のように細く、畳表や灯心などにする。トウシングサ。〔イグサ科〕 かぞえ方 一本

***いくじ**①【育児】 乳幼児を育てること。「―法⓪・―書④」

いくじ①【意〈気地〉】〔「いきじ」の変化〕△困難に打ち勝つ(他に負けまいとする)気力。 表記 ⇩付表「意気地」 【**―が無い**】 まともに△相手(局面)に立ち向かおうとする気力が無い。 **―なし**③【―無し】 覇気の無い人。

いくしゅ⓪【育種】 動植物の改良種を作り育てること。

いくせい⓪【育成】―する(他サ) りっぱに育て上げること。「△事業(後継者)を―する」

いくそばく③【〈幾何〉・〈幾多〉】(副) 「どれくらい(多く)」の意の漢文訓読語的表現。〔「数限り無く多く」の意にも用いることがある〕

いくた①【幾多】(副) 〔古語「幾多(イクソバク)」の文字読み〕限り無く多い様子。「―の困難を乗り越える/―(の)辛苦を重ねる」

いくたり①【《幾人》】 何人(も何人も)。いくにん。やや古風な言い方。「兵隊さんが―となく揃って」

いく
【育】 ㊀そだてる。「育成・育英・養育」 ㊁そだつ。「生育・発育」

イグアナ――いけがき

い

いぐち① 口唇裂。〔侮蔑(ベツ)を含意して用いられる〕 表記 古来の用字は「〈兎欠〉・〈欠唇〉」。「〈兎唇〉」は、江戸時代に入ってからの用字。

いくつ①【幾つ】〔「つ」は、「はたち」の「ち」と同義〕数え上げられる数をどれほどだと限定しないことを表わす。〔個数や年齢を問うのにも用いられる〕「もう―寝るとお正月/―になっても悪い癖はなおらないものだ/―かの誤りがある/忙しくて手が―あっても足りない/お宅の坊やはお―(=何歳)ですか」

いくどうおん①-⓪【異口同音】 多くの人が、一致して同じ意見を言うこと。「―に発する」

イグニッション③〔ignition〕点火(装置)。イグニションとも。 **―キー**⑦〔ignition key〕エンジンの点火装置。エンジンキー⑤。

イグノーベルしょう⑥①-④【イグノーベル賞】〔←Ig Nobel Prize〕人びとを笑わせ、そして考えさせる研究や業績をたたえる賞。〔「ノーベル賞」のパロディー。Ig Nobel[=ノーベルではない]と ignoble[=高尚ではない]をかけた語〕

いくばく⓪(副)〔雅〕どれほど。「もはや余命―も無い」 表記 「《幾・幾何》・〈幾許〉」などと書く。

いくび①【〈猪首〉】 イノシシの首のように、太くて短い首(の人)。 表記 「〈猪頸〉」とも書く。

いくひさしく①-②【幾久しく】(副)〔「幾久しく栄えあれ」の意の圧縮表現〕相手の身の上に、いつまでも幸福が続くことを願う主体の気持を表わす。「―お幸せに/―(と)お祝い申し上げます」

いくびょう⓪【育苗】 作物や草木の苗を育てること。

いくぶん⓪【幾分】 ㊀幾つかに△分けること(分けた一部分)。「―の幾つか?/収入の―かを分ける」 ㊁(副) 何かと比べてわずかではあるが程度の違いが認められる様子。「このところ―暖かくなった/室温を―高めに設定する」

いくメン⓪【育メン】〔「いけメン」のもじり〕育児に積極的に関わる男性。 表記 普通、「イクメン」と書く。

いくもう⓪【育毛】―する(自サ) 毛根に働きかけて、毛髪の発育をうながすこと。「―剤③⓪」

イクラ⓪〔ロ ikra〕筋子(スジコ)を、一粒ずつ離した食品。

いくら①【幾《等》】〔「ら」は接辞〕㊀(計算したり 計量したりした結果の)数値をどれほどだと限定しないことを表わす。多く、金銭について言う。〔値段を問うのにも用いられる〕「まとめて買うと―になるか/費用を―と決めておく/お金は―(=どんなにたくさん)あってもいいものだ/そんな例は―△でも(も)(=数多く)ある/歳(トシ)は彼と―も違わない(=ほとんど同じだ)/損失は―でもない(=ほんのわずかだ)」 ㊁(副) 物事の程度をどれほどだと限定しないで表わす様子。多く「ても」「でも」などを伴って、極限的な状況を想定するのに用いられる。「こちらの方が―いいかわかりゃしない/―謝っても許してもらえない/―天才でも出来ないものは出来ない/―年上だからって、そういばるな」 表記 例外=「幾ら」 **―か**①⓪(副) その量・程度などがそれほど多くない様子。「連休は道路を走る車も減るので、空気も―(=少しは)きれいになる/―でも(=たとえ少しでも)お役に立てばと思って、応援にやってまいりました」 **―なんでも**①-①【―何でも】 ひど過ぎる△仕打ち(状態)に対して、それが許せないという感情を表わす。「―こんな物 食えるかい」

いくん⓪【偉勲】 りっぱな手柄。

いくん⓪【遺訓】 今は亡き△父祖(師と仰ぐ人など)が、これだけは守るようにと言い残した教え。

いくん⓪【遺勲】 後のちまで語り伝えられる功労・功績。

いけ(接頭) 憎むべき相手の行動を見るにつけ憎悪の念を増す意を表わす。「―しゃあしゃあ⑤、①-③(=憎らしいほど厚かましい様子)・―(=憎らしいほど)ずうずうしい⑦・―好かない⓪(=感じが悪くて、見るのもいやだ)・―ぞんざい⓪⑤(=お話にならないほど、丁寧でない様子)」

***いけ**②【池】 ㊀川の水を引いたり 雨水を集めたりして、養魚・灌漑(カンガイ)・上水などにあてるくぼ地。〔広義では、自然に出来たものも含み、その際は沼とほとんど同義。湖よりは小さく、沼よりは水が澄んでいるものを指すことが多い〕 ㊁景観を増すために、庭の一部に水をたたえた所。 ㊂硯(スズリ)の、水を入れるくぼみ。「硯の―」↔陸(オカ) ㊀㊁ かぞえ方 ㊀は一泓(イチオウ)

いけい⓪【畏敬】―する(他サ) 相手をすぐれた人物と思い、敬服すること。「―の念(を起こさせる)」

いけい⓪【異形】 普通と変わった形。「―鉄筋」

いけいれん②【胃〈痙攣〉】 急に起こる、激しい胃の痛み。〔「さしこみ・しゃく」もこれを指すことがある〕

いけうお⓪②【《活け魚・生け魚》】 食用のため いけすなどに生かしてある魚。活魚(カツギョ)㊀。〔最近は、「活き魚・生き魚」とも言う〕

いけがき⓪【生け垣】 ヒバ・ヒイラギ・カナメモチなどの常緑樹を植えめぐらして作った垣根。 表記 「生け〈籬〉」とも書

く。

いけこ・む[3]【《埋け込む》】(他五) ❶土や灰などの中に何かを深く埋める。「火種を火鉢の灰に―」 ❷花器に生けた花をきちんと整える。

いけす[0]【生(け)〈簀〉】とった魚を生かして飼っておく所。〔竹などで囲ったり 箱を沈めたりする〕 表記 最近は、「生け州」とも書く。

いけず[0]〔関西方言〕いじわる(な人)。

いげた[0]【井桁】❶木で「井」の字形に組んだ、井戸のふち。❷「井桁❶」の形。「―に積む」

いけづくり[3]【生(け)作(り)】生きのいいタイ・カレイなどを三枚におろして刺身にしたものを、もとの骨の上にきれいに並べて出す料理。生き作り。表記「《活け作り・生け造り・《活け造り」とも書く。

いけてる[0]〔「行く」の可能動詞形「いける」に「ている」がついたものから〕〔俗に〕見た目がよかったり センスがみがかれていたり する。「―男」 表記「イケてる」とも書く。

いけどり[0]【生(け)捕(り)】❶人・動物を、生きたまままつかまえること。❷捕虜。生きたままの獲物。動 生け捕る[3][0](他五)

***いけな・い**[0](形)〔「行けない」の意から〕❶その状況や事態をそのまま容認することはできないと判断する様子だ。「―事だらけだ/―〔=いたずらなどをする、悪い〕子/肝臓が悪いって、それは―ね/病人はもう―〔=絶望状態だ〕/この傘はもう―〔=使いものにならない〕/それで―〔=だめな〕場合にはやめだ/あの男はずるくって―/さらに―ことには無免許運転だった/どこも―〔=故障・欠点のある〕所は無い」 ❷〔「動詞連用形 + ては―」の形で〕相手にそうしないようにと命じる(注意を促す)ことを表わす。「ここに入っては―/無断で使っては―」 ❸〔「動詞未然形 + なければ―」という二重否定の形で〕そうすることが必要(最善の選択)だということを表わす。「明日は早く起きなければ―/成人病の予防のためにはもっとやせなければ―」 ⇩なければいけない

いけにえ[0]【生(け)〈贄〉】❶生きたまま神に供えるけだもの(人間)。「―をささげる」 ❷他の目的のための犠牲となるもの。「―となる」 表記 もとの用字は、「〈贄・《牲・〈犠牲〉」。

いけばな[2]【生(け)花】〔鑑賞のために〕草・木の枝・葉や花を形や色のバランスを考えて、花器にさすこと(技術)。〔狭義では「華道」を指す〕 表記「《活け花」とも書く。

いけメン[0]〔「いけてる〔=かっこいい〕 + men (または「面」)」からとされる〕容姿端麗な男性。「―俳優[5]」 表記 普通、「イケメン」と書く。

い・ける[2]【生ける】(他下一) ❶〔鑑賞のために〕草・木の枝や花を花器にさす。❷「生かす」意の古風な表現。「生けておけぬ奴(ヤツ)」 表記 ❶は、「《活ける」とも書く。

い・ける[0]【行ける】(自下一)〔「いく」の可能動詞形〕相当な水準にまで達している。「英語もちょっと―〔=話せる〕/この店の料理は―〔=食べるに値する〕/あの新人は―〔=見所があって使いものになる〕/―〔=かなり飲める〕口だ」

い・ける[2]【《埋ける》】(他下一) 〔生けておく意〕 ❶〔長持ちするように〕炭火を灰の中に埋める。❷〔野菜などを保存するため〕軽く、土の中に埋める。

いける[2]【生ける】〔「る」は、文語の助動詞「り」の連体形。連体詞的に〕生きている。「死せる孔明(コウメイ)、―仲達(チュウタツ)を走らす/―屍(シカバネ)〔=ⓐ生きる意欲を失い、ただ惰性的に命を長らえている人。ⓑ正常な心身作用を失った状態で生きている人〕/―がごとき面持/生きとし―〔=およそ生きている、すべての〕もの」

いけん[0]【異見】すでに提出された案・考えなどに反対の意見。

****いけん**[1]【意見】❶ある問題についての、個人の考え。「活発な―が出される/―を述べる(主張する)/早期実現(と)の―が大勢を占める(強まる)/―が一致する/―がまとまる/―を求める/―が食い違う/―書[4][0]・―広告[4]〔=新聞・放送に代金を払って出す、個人・団体の主張〕」 ❷―する(自他サ)〈だれニ(なんだト)―する〉 好ましくない行為を思いとどまるように、教えさとすこと。「少し息子に―してやってくれ/たばこはやめろと医者に―された/ご―番[0]」

いけん[0]【違憲】憲法に違反すること。「―の瑕疵(シカ)を帯びる/―性が強い」 ↕合憲

いけん[0]【遺賢】要路に就いてりっぱにやっていける才能を持ちながら、民間にうずもれている人。「野(ヤ)に―無し」

いげん[0]【威厳】〔指導的な立場の人などに見られる〕言動や表情に風格があって、接する人を威圧しないではおかない感じ。「年を取ってもいざという時には親の―を見せる」

いこ[1]【遺孤】「遺児」の意の古風な表現。

いご【以後】❶[1] これから先(ずっと)。今後。「―の見せしめに/―〔=将来は〕慎むように」 ❷〔接尾語的に〕何かあった時から あと(ずっと今日まで)。「例の事件―顔を見せない」 ↕以前

いご[1]【囲碁】「碁」の意の漢語的表現。

いこい[0]【憩(い)】しばらくの間、仕事などから解放されて、心身を休めたり、自由な時間を楽しむこと。「―の場を求める/―の一時(ヒトトキ)/しばしの―〔=休息〕」 動 憩う[2](自五)

いこう[1]【以降】「以後❶」の意の漢語的表現。

いこう[0]【衣《桁】着物を掛けるために、部屋のすみなどに置くもの。〔大体のかっこうは、屏風(ビョウブ)の骨だけに似る〕

いこう[0]【威光】❶権威に基づき(権力のあるに任せ)、普通には出来ないような事を強行させる力。「人の―を笠(カサ)に着る/親父(オヤジ)の―」 ❷威力。「お金の―」

いこう[0]【移行】―する(自サ)〔制度・管轄などが〕他の状態に移り変わること。 ―そち[4]【―措置】旧制度から新制度に移り変わる途中の暫定的なやり方。

いこう[0]【移項】―する(他サ)〔数学で〕(不)等式の一方の辺にある一つの項を、符号を変えてもう一方の辺に移すこと。

いこう[0]【偉功】りっぱな手柄。偉勲。

いこう[0]【偉効】目立った効果(効能)。

***いこう**[0]【意向】どうしたいか(するつもりか)についての、個人や当局の考え。「―を打診する(反映する・ほのめかす・固める)/反対の―が強い/…の―に反する/―を無視する」 表記「意〈嚮」とも書く。

いこう[0]【遺構】昔の建造物などの跡。

いこう[0]【遺稿】未発表の、故人の原稿。

イコール[2]〔equal〕 ❶〔数学で〕等号。「＝」〔横書きの場合〕「A―B〔=AはBに等しい〕/国際語―〔=と言えば、一概に〕英語と思い込む」 ❷―な ―に 等しい。「aはbと―だ(になる)」

いこく[0]【異国】〔風俗・習慣などが違うという観点から見た〕外国。「―情緒[4]・―的[0]」

いごこち[0]【居《心地】すわって(住んで・あるポストに就任して)みた時の感じ。「―がいい(悪い)」 表記 ⇩付表「心地」

いこじ[0]【意固地・依〈怙地】―な ―に 〔頑固になる意の上二段の動詞「いこづ」の、連用形の名詞用法〕普通の人ならいいかげんに妥協するところを、どこまでも意地を張って自分の主張を通そうとする様子。「えこじ」とも。「頑固だと言われてますます―になる/―なまでに」 派 ―さ[0][3]

いこつ[0]【遺骨】 火葬などにした、死者の骨。〔狭義では、戦死者の遺骨を指す〕

いごっそう[2]〔高知の方言〕がんこで気骨がある様子。[かぞえ方] 一片・一体

いこぼ・れる[4]【居〈溢れる】(自下一) その場所からあふれるほど、おおぜいの人が集まっている。

いこ・む[2]【鋳込む】(他五) 金属を溶かして鋳型に流しこむ。

イコン[1]〔ド Ikon ← ギ eikon=形象〕 聖画像。図像。〔狭義では、ギリシャ正教で礼拝の対象とされるキリスト・マリアなどの「板絵[2][0]」を指す〕

いこん[0][1]【遺恨】 いつまでも忘れられない恨み。

いごん[0]【遺言】―する(自他サ)「ゆいごん」の法律用語。

いさ[1](副)〔雅〕さあ、どんなものかと強い疑問を表わす。「余人は―知らず〔=どうか分からないが、自分だけは〕」

いざ[1](感) ❶さて改まって。「―△一本化となると(現実に暮らすことになれば)」 ❷一緒にやろうじゃないか、と誘いかけ、また、さあ立ち上がるべき時だと意気ごむ気持を表わす。「―鎌倉〔=重大事件が起こって、自分が立ち上がるべき時〕/―という時〔=万一の時〕△には(のために)」 表記 もとは「〈不知〉」と書いた。

いさい[1]【委細】 詳しい事情。「―〔=万事〕承知しました/―構わず〔=事情がどうあっても〕/―面談[1]-[0]」

いさい[0]【異彩】〔ほかのものとは違った色合の意〕きわだった特色。「―を放つ〔=それだけが△特別目立って(すぐれて)見える〕」

いさい[0]【偉才】 特別すぐれた才能(を持つ人物)。 表記「異才」とも書く。

いざい[0]【偉材】 特別すぐれた人物。 表記「異材」とも書く。

いざいそく[2]【居催促】―する(他サ) その場にすわりこんで、相手が承知するまでしつこく催促すること。

いさお[0]【《勲》】〔雅〕手柄。〔古くは、「いさおし[0][3]」と も〕 表記「《功」とも書く。

いさかい[0]【〈諍い〉】 日常茶飯事のように繰り返される、ちょっとしたけんか。〔多く、口げんかを指す〕 [動]諍う[3](自五)

いざかや[0]【居酒屋】 庶民に安上がりで酒を飲ませる店。大衆酒場。飲み屋。[かぞえ方] 一軒・一店

いさき[0] セイゴに似て小さい海産魚。からだは黄緑色。白身で、塩焼きにして珍重される。〔イサキ科〕 [かぞえ方] 一尾・一匹

いさぎよ・い[4]【潔い】(形)〔古くは、きれいで、さっぱりした意〕未練がましく我が身の保身にとらわれたりすることなく、事に臨む心構えをいだく様子だ。「―最期/潔く謝る」 [派]―さ[4]

いさぎよ・し[4]【潔し】(形ク)〔雅〕〔「潔い」の文語形〕それをもって何らやましさを感じたり 恥じ入るところがなかったりする様子だ。「政府の方針に従うのを―とせず〔=信念に反するものとして従うことを拒み〕、官を辞する」 表記「〈屑し・《清し」とも書く。

いさく[0]【遺作】 故人の、未発表作品および著作物(で、死後に公表された物)。

いさご[0]【《砂》】〔雅〕すな。「―長じて巌となる」 表記「《沙・《砂子」とも書く。

いざこざ[0] ちょっとした言葉のやり取りや感情的な行き違いなどが原因で起こる争い事。「夫婦の―/隣人との―〔=もめ事〕/地元住民と原子力発電所建設をめぐる―〔=トラブル〕」

いささ(接頭)〔雅〕ちっぽけな。少しばかりの。「―小川」

いささか[0][2]【〈些か・〈聊か】(副)〔「か」は接辞〕たいした程度ではないが、無視しきれないものであると判断する様子。「その点が―心配だ/―もって恐れ入る/―ならず〔=とても〕驚かされた/―も〔=少しも〕ゆるがせにしない」

いざしらず[1]-[0]【いざ知らず】〔「いさ知らず」の変化〕前件については一応 別問題として触れないことにし、今後件に限ってだけ言うならば、の意を表わす。「若い者でもあるなら―〔=あるいは許される事かもしれないが〕分別盛りの君がこんな不始末をしでかすなんて」

いざと・い[3]【《寝〈聡い】(形)「眠っていても、すぐ目がさめる様子だ」の意のやや古風な表現。↔いぎたない [派]―さ[3]

いさな[0]【勇《魚》】〔雅〕クジラ。

いざな・う[3]【《誘う】(他五) おのずとある世界に気持が向くように仕向ける。「自宅に―〔=来いと勧める〕/悪の道へ―〔=誘惑する〕」 [名]誘い[0]

***いさまし・い**[4]【勇ましい】(形) ❶〔戦場で〕最悪の場合には死ぬことも辞さない覚悟で、敵に立ち向かおうとする気持を△いだく(いだかせる)様子だ。「―兵士/勇ましく戦う/―らっぱの音」 ❷予測される困難に屈することなく目的を達成しようと意気込む様子だ。「上役を前に―発言をする」 [派]―さ[3] ―げ[5][4][0] ―が・る[5] 運用 ❷は、自分の能力不足を自覚していない人の発言や行動を皮肉って言うこともある。例、「なかなか勇ましい考えだ」

いさみあし[3]【勇(み)足】〔すもうで〕相手を土俵際に追い詰めた時などに、相手より先に、うっかり足を土俵の外に出すこと。〔負けになることから、調子づいて思わぬ失敗をする意にも用いられる〕

いさみた・つ[4]【勇(み)立つ】(自五) △どんな困難にもくじけず(だれにも負けずに)がんばろうという気持が、からだじゅうにみなぎる。

いさみはだ[3]【勇(み)肌】 男気があって、威勢がいい気風(の男)。

いさ・む[2]【勇む】(自五) 人に負けずに大いにやってやろうという気持になって、張り切る。「喜び勇んで出かけて行く」 [名]勇み[0]

いさ・める[3]【〈諫める】(他下一) 正しい道のあり方を示して、悪い行いをやめさせたり 欠点を改めさせたりする。「△親(主人)を―」 [名]諫め[3][0]

いざよい[0]【〈十六夜〉】〔ためらう意の文語の動詞「いさよふ」の連用形の名詞用法〕陰暦十六日の夜(の月)。

いさり[0]【《漁り》】〔雅〕海で魚類をとること。すなどり。 ―び[0][3]【―火】 夜間、魚をとるためにたく火。

いざり[0]【〈躄】〔もと、動詞「居去る」の連用形の名詞用法〕足に障害があって、ひざやしりを床などにつけたままでしか移動できない人。〔侮蔑を含意して用いられる〕

いざりよ・る[4][0]【〈躄(り)寄る】(自五) 座ったままの姿勢で、その△人(物)のそばまで近づく。

いざ・る[2]【〈躄る】(自五)〔「居去る」すなわち、座ったまま、ほかの場所に移る意〕 ❶立たないで、膝頭を使って、移動する。〔広義では、しりを床などにつけたままで移動することをも言う〕 ❷置かれた場所から、自然にずれ動く。

いさん[0]【胃散】 胃病に使う粉薬。

いさん[0]【胃酸】 胃液の中に含まれる酸。〔主成分は塩酸〕「―過多症[5][0]」

いさん[0]【違算】「見込み違い」の意の古風な表現。

いさん[0]【遺産】 ❶遺家族が相続出来る、故人の財産。〔法律上は、債務をも含む〕「―を食いつぶす/―相続[4]」 ❷先人の遺した業績や文化財。「文化―・世界―」

****いし**[2]【石】 ❶Ⓐ岩の小さな かけらが風化したり 流水で角が取れたり したもの。〔砂より大きく、普通、持ち運び得る

大きさの物を指す。また、広義では砕石を含む〕「—を投げつける／—につまずく／—のように黙りこむ」Ⓑ堅い物、無価値の物。また、相手に対する冷酷な態度や思いやりのなさ。「—のように冷たい視線」❷建材・鑑賞用△の（に加工される）岩石や鉱物の総称。「—を磨く／—を切り出す／—の△橋（像）／敷—・置き—」❸特定の鉱物加工品・宝石の称。〔コンピューターのCPUやトランジスタの俗称としても用いられる〕「時計の—／ライターの—〔=発火合金〕／—を打つ〔=碁石を持ち、勝負する〕」❹〔じゃんけんで〕にぎりこぶしの称。「はさみ」に勝ち、「紙」に負ける。ぐう。❺臓器に生じる結石。かぞえ方 ❶～❸は一枚・一個 【—が流れて木の葉が沈む】物事が逆になることのたとえ。【—に〈齧りついても】どんな苦しいことがあっても。【—に枕し流れに〈漱ぐ】山野に隠れ住み、自在な境地を楽しむ。【—に矢が立つ】信念を持ってすれば、出来ないことは無いということのたとえ。【—の上にも三年】つらい事でも長い間辛抱すれば、むくわれるものだということ。

いし①【医師】職業としての国家資格を得ている、医者の正称。「—法⓪②・歯科—③」

****いし**①【意志】困難や反対があっても、△最後までやり抜こう（絶対にすまい）という、積極的な心の持ち方。「—が弱い／住民の—を尊重する／—の疎通を図る／—の統一を図る／留任の—を明らかにする／—薄弱①-⓪・自由—」表記「意思」とも書く。 **—てき**⓪【—的】—に —な 接する人に意志の強さを感じさせる様子だ。「—な口許」

****いし**①【意思】❶物事に対する認識や考え。また、何かをしようという思い。「おのおのの—を明白にする」❷〔法律で〕そう△したい（したくない）という本人の気持・考え。「—表示③〔=契約の申込み・解除や遺産相続など、権利・義務についての法的効果を生じさせるために なんらかの方法で外部に本人の意思を表明すること〕」

いし①【遺子】「遺児」の古風な表現。

いし①【遺〈址】昔、建物などのあったあと。

いし①【遺志】故人が、生前このようにしておきたいと思った意向。「創業者の—を継ぐ」

いし①【〈縊死】—する（自サ） 首をくくって死ぬこと。

いし①【〈頤使】—する（他サ）〔あごで人をさしずする意〕相手を低く見て、言葉を使わず、あごと目つきで指示すること。〔相手を一人前の人間とは思わないことを表わす〕表記 もとの用字は、「〈頤指」。

いじ①【医事】医療・医学に関する事柄。「—評論③」

***いじ**②【意地】❶一度やろうと思った事を、無理にでもやり通そうとする気持。「—を通す〔=その人なりの信念を貫く〕／あまり—〔=我意〕を張ると、人に嫌われる／—でも〔=どんな無理を押してでも〕」❷人間が生きていく上の欲望。特に、食欲・金銭欲・性欲など。【—が汚い】❶食い意地が張っている。❷物欲や性欲がはなはだしく旺盛である。【—が悪い】わざと人を困らせるようなことばかりする様子だ。【—の悪いことには】ちょうど都合悪く。あいにく。 **—きたな・い**⑤【—汚い】（形）❶食い意地が張っていて、時や所をわきまえず、食べ物を見れば食べたがる様子だ。❷物欲・金銭欲が強く、なりふりかまわず欲しがる様子だ。文法 助動詞「そうだ（様態）」に続くときは「意地汚なさそうだ」の形になる。また「すぎる」と結びついて複合動詞をつくるときは「意地汚なさすぎる」の形になる。 **—ずく**⓪【—《尽く】無理に意地を通そうとすること。「—でも連れて帰る」 **—っぱり**④【—っ張り】—な 強情な△様子（人）。「—な子」 **—わる**②③【—悪】—に —な 意地が悪くて、人に嫌われる△様子（行為）。また、その人。「〔新入りに〕—をする」

いじ①【意字】表意文字。↔音字

***いじ**①【維持】—する（他サ）〈なにヲ—する〉〔家の暮らしや組織体の運営を〕今までと同様に一定の水準を保って続けていくこと。「政権を—する／平和が—される／—会員③・現状—・体力—」

いじ①【遺児】両親の死後に残された「子供❷」。〔広義では、父親の死後に生まれた子供、または生計の中心にあった親を失った子供をも指す〕「交通—⑤」

いしあたま③【石頭】石のように堅い頭。〔教えてもなかなか分からない人や、融通のきかない人の意にも用いられる〕

いじいじ①（副）—する ためらってばかりいて、当面する事態に積極的に立ち向かおうとしない様子。「あなたのような—した人はきらいよ」

いしうす⓪【石臼】石で作った臼。ひきうす。かぞえ方 一基

いしおと⓪④【石音】碁石を打つ音。

いしがき⓪【石垣】❶大きな石や岩を壁のように積み重ねたもの。石崖⓪。「城の—／土手の—」❷石で作った塀。石塀⓪。 **—いちご**⑤【—〈苺】石垣で築いた段々畑に植えて作るイチゴ。石の反射熱により早くとれる。静岡県久能山のものが有名。

いしがみ⓪【石神】〔民間信仰で〕石の棒や石剣などを神体として祭ったもの。かぞえ方 一体

いしがめ⓪【石亀】淡水産のカメ。背中の甲は黒ずんだ茶色で、中央の線は少し隆起する。〔ゼニガメはこれの子。甲に緑藻の生えたものは、ミノガメと呼ばれる〕かぞえ方 一匹

いしがれい③【石〈鰈】からだの右側が茶褐色で、白色の斑点があるカレイ。美味。かぞえ方 一尾・一匹：一枚

****いしき**①【意識】❶自分が今何をしているか、どういう状況に置かれているのかが、自分ではっきり分かる心の状態。「—を△回復させる（失う）／—の流れ／—不明①-⓪」❷—する（他サ）〈なにヲ（なんだト）—する〉その事についてはっきりそうだと認識すること。また、その認識。「危機—を高める／防災—が高まる／連帯の—が薄い／—のずれが見られる／環境問題に対する—が低い／高齢者を—して作られた製品／罪の—／政治—④」 **—てき**⓪【—的】—に —な そうすればどういう結果△になるか（が自分にはね返るか）を知りながら、構わずそれをする様子だ。

いしき⓪【違式】—の —な 決まった形式・手続きに従っていない様子。

いしきあて③【居敷当て】〔ひとえの着物で〕補強のために尻の部分に裏側から当てた布。

いしきり⓪③④【石切り】❶石をある大きさに切り出すこと。「—場⓪」❷石△を刻んで形を整える（の表面を刻む）こと。「—夫④」

いしく⓪【石工】石材の切出し・加工・細工などをする職人。

いしぐみ⓪【石組(み)】❶庭石を程よく組み合わせて趣を添える日本独特の造園法。❷大きな石をうまく積んで石垣を作ること。また、その方法。

いしくも①【《美しくも】（副）〔雅〕〔よい意の文語形容詞「いし」の連用形＋助詞「も」〕よくも。けなげにも。「あっぱれ、—〔=感心にも〕申したり」

いじく・る③【《弄くる】（他五）「いじる」の口頭語的表現。

いしけり③【石蹴り】地面に書いた仕切りの中に、順番に石を投げ入れ、とびはねながらその石を蹴っていき、早く上がりの仕切りに着いた者を勝ちとする、子供の遊戯。

いじ・ける⓪（自下一）❶〔寒さや恐ろしさなどのために〕すっかり元気が無くなる。「いじけた（=勢いの無い）筆跡」❷〔自信を失ったために〕積極的な行動が出来ない状態にある。

いしけん⓪【石拳】じゃんけん。

いじげんくうかん⑤【異次元空間】〔SFで〕われわれの住んでいる現実の空間とは別の所にあり、異なった△構造（次元）を持つとされる空間。〔多くは四次元以上のものを想像するが、広義では、われわれの住む三次元空間と平行して存在するもの（=平行世界）や、ある出来事を境目として創作された歴史が史実とは異なる方向に進展したものなども含む〕

いしこ⓪③【石粉】陶器などの材料に使う、長石（チョウセキ）の粉。

いしこづめ⓪【石子詰め】〔「石子」は、小石の意〕昔、罪人を生きたまま穴に入れ、上から小石を詰めて押し殺した刑罰。

いしころ③④【石ころ】〔「石子」+接尾辞の「ろ」〕〔価値の無いものとしての〕小石。「いしっころ④⑤」とも。

いしずえ⓪【礎】〔「石据（ス）え」の意〕〔建物の腐朽を防ぎ堅牢（ケンロウ）にする目的で〕柱を受け、土台を置くための石。〔それが無いと物事の基礎が固まらない、大事な事柄の意にも用いられる〕

いしずり⓪【石〈摺り〉】石碑・石仏などの拓本。

いしだい⓪【石〈鯛〉】南日本に多い硬骨魚。黒灰色で味がよい。若い時には、泳いでいる姿から見て縦に黒色のしまが認められるので、シマダイと言う。〔イシダイ科〕 [かぞえ方] 一尾・一匹・一枚：一本

いしだかみち④【石高道】石が多くてでこぼこのある道。

いしだたみ③【石畳】❶平たい石を敷きつめた所。また、その石。❷〔雅〕石段。❸市松模様。

いしだん⓪【石段】切り石を積み重ねて作った階段。 [かぞえ方] 一級・一段

いしつ⓪【異質】―な 他と性質が違う様子。「―的⓪・―性⓪」↔同質 [派]―さ⓪

いしつ⓪【遺失】―する（他サ）忘れたり落としたりして、無くすこと。「―物（ブツ）③」

いしづき⓪【石突（き）】❶槍（ヤリ）・なぎなた・こうもり傘の柄や杖（ツエ）などの先端を包む金具など。❷キノコの柄の根元のほうの堅い部分。

いじどうくん①-⓪【異字同訓】異なる漢字であるが、同じ訓を有するもの。「つくる（作・造）」「かげ（陰・影）」など。「同訓異字」とも。

いしなぎ⓪【石〈投〉】スズキに似て大きい深海魚。幼魚はからだの前後方向に茶色と水色のしまがある。夏期が最もうまい。肝臓から肝油をとる。〔ハタ科〕 [かぞえ方] 一尾・一匹

いしにわ⓪【石庭】⇨せきてい

いしばい⓪【石灰】「せっかい」の和語的表現。

いしばし⓪【石橋】❶〔土（ド）橋・板橋・鉄橋などと違って〕石で作った橋。「―を叩（タタ）いて渡る（=慎重過ぎるほど注意をし、絶対まちがえないようにする形容）」❷川の瀬を渡るために置かれた踏み石。

いしはだ⓪【石肌】石の（加工していない）表面。

いしびや⓪③【石火矢】現在の大砲に当たる、昔の火器。〔火薬の力で小石や鉄片を飛ばせる〕

いしぶみ⓪【〈碑〉】〔雅〕〔「石文」の意〕石碑。

いしべきんきち①-⓪、⓪-⓪【石〈部金吉〉】ひどくきまじめで融通がきかない堅物（カタブツ）の擬人名的表現。

いしへん⓪【石偏】漢字の部首名の一つ。「砂・破・確」などの、左側の「石」の部分。〔多く、石や岩に関係のある漢字がこれに属する〕

いしぼとけ③【石仏】石で作った仏像。〔いつも黙ってばかりいる人や、無感動の人の意にも用いられる〕

いじまし・い④（形）〔関西方言〕△小さい（ささいな）事にけちけちしたりして、哀れむべき状態だ。〔誤って、「いじらしい」と同義に使う向きもある〕「なんとも―話だ」

いしむろ⓪【石室】石を積んで作った、登山者用の小屋。

いじめ⓪【〈苛め〉】いじめること。「―にあう／―をなくす教育／弱い者―」 [表記]「〈虐め〉」とも書く。 **―っこ**⓪【―っ子】何かにつけて弱い子供を苛める、仲間内（ウチ）でも恐れられている子。 [表記]「〈虐めっ子」とも書く。

***いじ・める**⓪【〈苛める〉】（他下一）（だれ・なにヲ―）❶〔弱い立場にある者に〕わざと苦痛を与えて、快感を味わう。「下級生を―」❷限度を超えて、ひどい扱いをする。「イチゴも寒冷地に移して―と早く実る」 [表記]「〈虐める〉」とも書く。

いしもち⓪【〈鯼〉】〔「石持ち」の意。頭に堅い骨があるところから〕沿岸のやや深い砂底にすむ、タイに似た形の硬骨魚。からだは灰色で、銀色のつやがある。鰾（フエ）を動かして高い音を発する。〔関東ではグチと言う〕〔ニベ科〕 [表記]「〈鮸・石首魚〉」とも書く。 [かぞえ方] 一尾・一匹

***いしゃ**⓪【医者】病人やけが人の診断をして、適切な治療をほどこして、もとの健康なからだに戻すことを職業とする人。「―にかかる」 [かぞえ方] 一人・一名：施設は一軒

いしゃ①【慰謝・慰〈藉〉】―する（他サ）〔「藉」は、沈んだ心に元気を与える意〕寂しさで満たされない心や逆境にある人に、安らぎとなるものを与えること。 [表記]「謝」は、代用字。 **―りょう**②【―料】危険な目にあったり損害を受けたりした苦痛に対する賠償金。

いしや⓪【石屋】石材を切り出したり加工したりする職業（の人）。 [かぞえ方] 一人：一軒

いしやきいも④【石焼（き）芋】よく焼けたたくさんの丸い小石の間に入れて焼いたサツマイモ。

いじゃく⓪【胃弱】胃の消化力が弱る症状。

いしやま⓪【石山】❶石・岩の多い山。❷石材を切り出す山。

いしゅ①【異種】種類が違っていること。また、その違った種類。↔同種

いしゅ①【意趣】❶人からひどい目にあわされたことに対する恨み。「―返（ガエ）し③（=しかえし）」❷〔古〕その人（たち）が心の中で考えているところ。「―卓逸」

いしゅ①【遺珠】〔拾われないで残っている、きれいな玉の意〕世人に全容のまだ知られない、すぐれた詩歌や筆跡。

イシュー①〔issue〕❶発行。発行物。発行部数。❷論点。争点。

いしゅう①【〈伊州〉】「伊賀（イガ）国」の漢語的表現。今の三重県西部にあたる。

いしゅう①【〈壱州〉】⇨いっしゅう

いしゅう⓪【異臭】△変（いや）なにおい。

いしゅう⓪【〈蝟集〉】―する（自サ）〔「蝟」は、ハリネズミの意。その針状の無数の毛が放射状に逆立った形状から〕四方八方から多くのものが一時に△集まる（集まってくる）こと。「群衆が―する」

いじゅう⓪【移住】―する（自サ）△よその土地（海外）へ移り住むこと。「―地②・―者②（=移民の改称）」

いしゅく⓪【畏縮】―する（自サ）畏（オソ）れや不安などのために極度に緊張し、思うような言動が出来なくなること。

いしゅく⓪【萎縮】―する（自サ）恐れや寒さなどのために体が縮こまったり動きがにぶくなったりすること。 [表記]「委縮」の「委」は、代用字。

いしゅつ⓪【移出】―する（他サ）△その国から植民地や外国

（県内から県外）へ物や人を送ったり持って行ったりすること。〔法令用語としては、酒類などの課税物件を製造場より搬出することを指す〕↔移入

いじゅつ①【医術】医者が患者を的確に診断して治療を施す技術。

いしゆみ⓪【〈弩・石弓】〔石弓の意〕❶石や矢をはじき出した、古代の兵器。クロスボー②③。❷石に綱をつけ、敵が来た時、城壁などの上から切って落とすもの。

いしょ①【医書】「医学書」の古風な表現。

いしょ①【遺書】遺言を書きしるした書きつけ。遺言状。「一一つ残さなかった」かぞえ方 一通・一本

いしょう①【衣装・衣〈裳】❶〔外出・儀式用の〕着物。「一持ち②・花嫁一⑤・貸し一③」❷〔演劇芸術で〕出演者が扮装に用いる衣服。「一合せ④・一係」かぞえ方 一着・一点 **一かた**⓪【一方】〔演劇で〕出演者の衣装の調達・保管・修繕をする係の人。

いしょう⓪【異称】ほかの△観点から見て（状態にある）そのものに付けた、本名以外の呼び名。〔広義では、方言による異なる命名をも指す〕

いしょう⓪①【意匠】〔うまいくふうは無いかと考える意〕❶趣向。「一を凝らす」❷〔デザインの訳語〕買う人の注意を引くためにする、製品や美術工芸品などの形・色・模様などについての新しい考案。「一登録④」

いじょう【以上】■一① それまで（に述べたこと）。「一が本件の提案理由です/一の通り/一申し上げましたこと/〔=これ〕で終わります〔=『以上終り・以上』とも言う〕」↔以下■一 ■二〔造語〕基準とするものよりも△数量が多い（程度や段階が上である）ことを表わす。〔数量に関する表現としては厳密にはその数量を含むが、一般には必ずしもそうでないことがある〕「一万円一は出せない/これ一入りきれない/予想一の被害だった/言った通りでそれ一でも以下でもない」↔以下■二 ■三〔接続助詞的に〕ある段階に到達△した（する）ものとしては当然そう△なる（する）べきだということを表わす。「卒業した一〔=からには〕親のやっかいにもなっていられない/こうなった一もう取返しはつかない」表記「〈已上」とも書く。

いじょう⓪【囲〈繞】一する（他サ）「いにょう」の新しい言い方。

いじょう⓪【委譲】一する（他サ）〔権限などを〕他の機関や人に譲り渡すこと。

＊＊いじょう⓪ ■一【異状】ふだんと違って、どこか具合の悪い点があると感じられる状態。「からだの一を訴える/一無し」■二【異常】一な（に） 普通では△ない（なくて、どこか変わったところがある）様子だ。「エンジンに一が生じる/一な空気がみなぎる/精神に一を来す/一に神経質になる/一寒波④・一事態④・一性⓪」↔正常 派 一さ⓪

いじょう⓪【移乗】一する（自サ）他の乗り物に乗り移ること。

いじょうふ②【偉丈夫】体格がりっぱで、背も高い男子。

いしょく①【衣食】〔人が生きていく上で最も大切だとされる〕着る△こと（物）と食べる△こと（物）。「一の道〔=生活の方法〕/一足りて礼節を知る/一住③②」

いしょく⓪【委嘱】一する（他サ）特定の仕事を、部外の人に頼んでしてもらうこと。表記「依嘱」とも書く。

いしょく⓪【異色】一な 同類の他の物に見られない特色（を持っていること）。派 一さ⓪

いしょく⓪【移植】一する（他サ）❶〔植物を丈夫に育てるために〕ほかの場所に植え換えること。〔外国で生まれ育った文物を、その国にもたらす意にも用いられる〕「一鏝③」❷〔医学で〕健全な部分の組織（や、死んで間もない他人の臓器）を切り取って、病人の患部に植えること。「角膜一手術⑧」❸〔医学で〕接種。

いしょく⓪【居職】「座職」のやや古い言い方。↔出職

いしょくどうげん①-⓪【医食同源】医療も食事も、その本来の目的はいずれもからだの健康維持にあるのだから、同じ源から出発しているものだとする、漢方の考え方。

いじらし・い④（形）〔逆境に置かれた子供が〕△非力にかかわらず精一杯努力（つらい立場にあるにもかかわらず無邪気に）している様子を見たり聞いたりして、思わずほろりとする感じだ。派 一さ③

いじ・る②【《弄る】（他五）❶その必要も無いのに、（やたらに）手でさわったりなでまわしたりする。「ハンカチを一」❷〔本格的な研究とは違って〕△興味本位に（道楽で）物を集めたり調べたりする。「盆栽を一/最近は少しばかり鷗外をいじってますよ」❸〔その任にあるという、ただそれだけの理由から〕制度・機構を、どうでもいい程度に部分的に改変する。❹〔俗に〕おもしろ半分に、相手をいじめたりからかったりする。「新入社員を一」

いしわた⓪【石綿】蛇紋石または角閃石が糸や綿のように柔らかく変化したもの。耐火・保温用材として用いられたが、現在では公害の発生源として使用が禁止されている。「せきめん」とも。アスベスト。

いしん⓪【威信】権威と、それに伴う信頼感。「国際的一が懸かっている/国家の一を懸ける/一に拘わる/一を高める/一が失墜する」

いしん⓪【異心】「ふたごころ」の意の漢語的表現。「一をいだく」

いしん①【維新】〔「維」は、「これ」の意〕政権の交替に伴い、政治上の諸制度がすべて改革されること。〔狭義では、明治初年の政治改革を指す。「御一新②」とも言う〕

いしん①⓪【遺臣】主家・王朝が滅びた後も生き長らえている家来（のおもな者）。「豊臣家の一」

いじん⓪【異人】❶別人。違う人。「同名一」❷〔自分たちとは風貌の異なる〕外国人。「一さん⓪・一館②」

いじん⓪【偉人】りっぱな仕事をした、尊敬すべき人。

いしんでんしん①-⓪【以心伝心】〔禅宗で〕言葉では説明出来ない深遠・微妙な教理を無言のうちに弟子に伝えること。〔俗に、無言のうちに相手に分からせる意にも用いられる〕

＊いす⓪【椅子】〔「倚子」の変化。「す」は、「子」の唐音。「倚」は、よりかかる意〕❶腰を掛け（てよりかか）るための家具。「一にかける/補助一まで出す盛況/一席⓪②・長一・安楽一・座一」❷皆がつきたがるような要職の地位。「首相の一に座る」かぞえ方 ❶は一脚・一本

いすう②⓪【異数】△出来ばえがよくて（進み方が速くて）、他に例がめったに無い様子。「一の出世」

いすか⓪【〈鶍】スズメより少し大きい渡り鳥。雄は紅色、雌は黄緑色。上下のくちばしが左右に食い違い、先端で交差していて、松かさの種などをついばむのに都合よく出来ている。〔アトリ科〕「一の嘴〔=物事が食い違って、思うようにならないたとえ〕」表記「《交〈喙」とも書く。かぞえ方 一羽

いずかた②⓪【《何方】（代）〔雅〕どちら。

いずく⓪①【《何《処】（代）〔雅〕どこ。

いすくま・る④【居〈竦まる】（自五）〔恐ろしさなどのために〕（すわったまま）その場から動けなくなる。居竦む③（五）。

いすく・める④【射〈竦める】（他下一）❶矢を射て、敵をその場から動けないようにする。❷強い眼光で相手を見据

え、すっかり威圧する。「強い視線に射竦められる」

いずくんぞ③【〈焉んぞ】(副)〔漢文訓読に由来する語〕どうして。「―知らん〔=ⓐだれがその事を知っているだろうか? だれも知っている人は居ないはずだ。ⓑところが、どうだろう〕」 表記 「《安んぞ」とも書く。

いずこ①⓪【《何《処】(代)〔雅〕〔「いずく」の変化〕どこ。「―とも無く立ち去った/―も同じ/昔の光今―」

いずち①(代)〔雅〕〔何方の意〕どちら。

いずまい②【居住(ま)い】すわっている姿勢。「―を正す」

いずみ⓪【泉】〔「出ツ水ミ」の意〕自然に地中からわき出る水(がたまっている場所)。「知識の―〔=源泉〕/話の―〔=材料。種〕」 **―ねつ**③【―熱】〔泉仙助が報告したことから〕猩紅熱に似て、それより軽い感染症。合併症は少ない。

イズム①〔ism〕主義。また、説。〔広義では、「…式の方針」の意にも用いられる〕

いずもの かみ①-①【《出《雲の神】男女の縁を結ぶと言われる神。

いずら①⓪(代)〔雅〕〔「ら」は接辞〕どこ(か)。

イスラム①⓪〔アラビア islām=服従〕イスラム教。 **―きょうぎ**⓪【―教】七世紀の初めに創始され、中東・北アフリカ・インドネシア・中央アジアなどに広く行なわれている宗教。唯一の神アラーを信仰する。開祖はムハンマド〔=マホメット〕。マホメット教。回教。回回教。 **―げんりしゅぎ**⑧【―原理主義】その後の社会変化や現状などにかかわりなく、イスラム教本来の信仰形態(に付随する生活形態)に従うべきだとする復古主義的な考え。

い・する②【医する】(他サ)「病気・傷や渇きを治す」意の古風な表現。

い・する②【委する】(他サ)「任せる・構わないでほうっておく」意の古風な表現。

い・する②【慰する】(他サ)「なぐさめる」意の古風な表現。

いずれ⓪ ■一【《何れ】(代)「どれ・何・どこ・どちら」の意のやや改まった表現。「―か一つを選ぶ/―劣らぬ猛者揃い/真偽―にもせよ〔=本当であっても、無くても〕/―アヤメかカキツバタ〔=ⓐ二つの物がよく似ていて、区別しにくい形容。ⓑ二人の女性の美しさが甲乙つけがたい形容〕/―も〔=どれもみな〕みごとな出来だ」 ■二(副)〔どういう経過をたどるにしても、の意〕❶遅い・早いの違いはあるが、同じ結果になると確信する様子。「幾ら隠したって―〔=いつかは〕分かることだ」 ❷あまり遠くない将来に実現すると判断する様子。「詳しいことは―お目にかかって申し上げます/―雨もあがろう」 ⇩いつか・そのうち 表記 ■二は、「〈孰れ」とも書く。 運用 ■二❷で、積極的にかかわる意志のないことや、あえて先延ばしにする意を述べて、断りの気持を含意することがある。例、「その話はいずれということにしておきましょう」 **【―にしても】** ⇩いずれにせよ **【―にせよ】**〔副詞的に〕△二つの場合のどちらを選ぶにしても(たとえどういう経過をたどるにしても)導かれる結論は変わらないと判断する様子。いずれにしても。 **―もさま**⓪③【―も様】「△おとくい(お近づき)の皆様」の意の古風な表現。

いすわ・る③【居座る・居〈坐る】(自五)❶他人の所に座りこんで、動かないでいる。❷(周囲の批判・反発などを無視して)引き続いて、元のままの地位にいる。「権力の座に―」 名 居座り⓪ 表記 「居据わる」とも書く。

いせい①【以西】その地点・地域を含み、それより西。↕以東

いせい⓪【医聖】名医中の名医と仰がれる人。

いせい⓪【威勢】❶軍勢が多かったり新鋭の武器をそろえていたりして、相手に負けないだけの力。❷その調子がそのまま続けば、何かしでかしそうな元気。勢い。「―がいい」

いせい⓪【異姓】みょうじが違うこと。また、そのみょうじ。↕同姓

いせい①⓪【異性】↕同性 ❶同種の生物の間で、男女・雌雄の性の違う△こと(もの)。❷男性から女性を、女性から男性を指して言う言葉。「―との交際」 ❸性質が異なること。「―体⓪」

いせい⓪【遺制】昔の制度・慣行が、大体そのままの形で今日に残っているもの。「封建時代の―」

いせい⓪【遺精】―する(自サ)△排尿(排便)の際などに反射的に精液を漏らすこと。

いせいしゃ②【為政者】政治の要路にあって、一国の政治を思うがままに動かすことの出来る人。

いせいじん②【異星人】〔SF△小説(映画)で〕地球以外の天体に住み、文明を持つとされる生物。〔地球に住む人類や生物に類似のものを想像する場合が多い〕

いせ えび②【〈伊《勢〈海老〉・〈伊《勢〈蝦】食用として珍重されるエビ。からだが大きくて、煮ると、まっかになる。祝い事の料理としても好んで用いられる。別名、「かまくらえび」とも。〔イセエビ科〕 かぞえ方 一尾・一匹

いせき⓪【移籍】―する(自他サ)❶結婚・養子縁組などにより、他の戸籍に△移る(移す)こと。❷トレード。

いせき⓪【遺跡】人間の行為が営まれた場所として歴史上特記すべき場所。〔建造物の所在地、古戦場、古代人の住居の跡、貝塚・古墳などを広く指す〕 表記 「遺〈蹟・遺〈迹」とも書く。

いせこみ⓪【いせ込(み)】〔裁縫で〕布を細かく縫い縮めて、ふくらみや丸みを出す縫い方。 動 いせ込む③(自五)

いせざき おり⓪【〈伊《勢崎織】群馬県伊勢崎名産の銘仙。実用品として珍重される。伊勢崎②。

いせじんぐう⑤【〈伊《勢神宮】三重県伊勢市にある皇室の先祖を祭る神社。内宮と外宮との総称。(伊勢大)神宮。親しみをこめて「おいせさん②」とも。

いせつ⓪【異説】通説・定説と違った説。

いせつ⓪【移設】―する(他サ)そこにあった施設・設備などをほかの場所にそっくり移すこと。「発電所の―」

いせ まいり③【〈伊《勢参(り)】伊勢神宮への参拝。「お―④」

い・せる②⓪(他下一)〔足袋の爪先などを〕縫い縮める。

いせん①⓪【緯線】地球の赤道面に平行な平面と地球表面との交線。↕経線

いぜん【以前】■一① 今より△大分(ずっと)前。昔。■二〔接尾語的に〕❶それより前。「十月一日―〔=十月一日を含んで、それより前〕」↕以後 ❷△それに関係のある(その範囲内の)事柄として取り上げる前の段階に属することを表わす。「常識―のことだ」

いぜん⓪【依然】―たる ―と 元の通りであり、少しも前と変わらないこと。「旧態―として」

いぜんけい⓪【〈已然形】〔日本語文法で〕文語の活用語の語形の一つ。助詞「ば・ども」が接続して確定条件を表わし、また、係助詞「こそ」の結びとなるときの形。口語では「仮定形」が形の上でこれに対応する。

イソ①【ISO】❶⇩アイエスオー ❷「イソ感度」の略。

いそ⓪【〈磯】❶海岸の、特に岩の多い場所。「―遊び③」 ❷和琴・琴の胴の側面。 表記 「〈礒」とも書く。

いそあけ⓪【〈磯明(け)】解禁になり、海釣りなどが正式に出来るようになる△こと(時期)。

いそいそ①(副)―と ―する 期待感に満ちあふれ、いかにもうれしそ

** * は重要語，⓪ ①… はアクセント記号，品詞の指示の無いものは名詞および いわゆる連語。

うに行動する様子。「着飾って—とデートに出掛ける」

いそう⓪【位相】㊀Ⓐ〔周期運動の中で〕どういう状態・位置にあるかということ。「—差」Ⓑ天体の、時の相違に応じた現われ方。相。「月の—」Ⓒ〔言語学で〕地域・年齢・職業などによる使用者の違いに応じて、言葉が違った様相を呈すること。また、その違った様相。㊁〔数学で〕「近付く」「つながっている」「境界」などの概念を抽象化して統一的に扱う理論的枠組。「—空間・—幾何学」〔㊀のⒶⒷは phase の訳語、ⒸはⒶⒷに示唆されて日本で創成された用語。㊁は topology の訳語〕

いそう⓪【異相】普通の人とは違った△人相(骨相)。

いそう⓪【移送】—する(他サ)〔人や物を〕△ある場所から他の場所へ(ある人の手から他の人の手へ)移し送ること。「患者を—する/—手段④」

いぞう⓪【遺贈】—する(他サ) 遺言によって相続人以外の人に財産を与えること。

いそうお⓪②【〈磯魚】海岸で釣れる魚。↕沖魚

いそうがい②【意想外】—な/—に 思いがけない様子。意外。「—の出来事」

いそうろう⓪④【居候】—する(自サ)「食客」の意の和語的表現。「—を決め込む/—三杯目にはそっと出し」

**いそがし・い④【忙しい】(形)〈なにニ—〉急を要する仕事に追われるなどして、くつろぐひまも無い状態だ。「年の瀬は何となく—/挨拶回りに—/忙しくあちこち飛び回る/遊ぶのに—」 派 —さ③④「—に取り紛れる」 —げ④⑤⓪ —が・る⑤ 表記「《急しい」とも書く。 運用 口頭語で、「(今)忙しい△から(ので)」などの形で、相手の依頼や勧誘などを迷惑だと思って断わるときの表現としても用いられる。

いそが・せる④【急がせる】(他下一)〔「急ぐ」の使役形〕早く何かをするように、言葉をかける。せきたてる。急がす③(五)。「手続きを急がせた」

いそがわし・い⑤【忙わしい】(形)〔そばから見ていて〕忙しそうに見える様子だ。 派 —さ⑤④ —げ⑤⑥⓪

イソかんど③【イソ感度】〔ISO=⇩アイエスオー〕国際標準化機構が定めた、フィルム・印画紙などの感光度の標準規格。略してイソ。〔デジタル カメラでもこの数値を用いる〕⇩アーサ感度

いそぎ【急ぎ】㊀⓪③ 急ぐこと。「—の用/大—」㊁⓪(副) 切迫した事態に直面し、一刻を争って行動する様子。「事故発生の知らせを受けて—帰国した」㊂(造語) 動詞「急ぐ」の連用形。「—物⓪」 —あし③【—足】 急いで歩くこと。速い歩調。「—で二十分かかる」

いそきょう⓪【〈磯況】海岸での釣りの様子。

いそぎんちゃく③【〈磯巾着】磯の岩にくっついてすむ、筒形の腔腸動物の総称。キクの花びらのように出ている多くの触手をひろげて、餌を捕らえる。

**いそ・ぐ②【急ぐ】㊀(自五)〈どこニ—/どこヲ—〉目的の△時間内に早く仕上げよう(場所まで早く到着しよう)として、行動の速さを増す。「急いで出掛ける準備をする/道を—/勝ちを急いで〔=早く勝とうと、あせって〕失敗する/ゆっくり急げ/急がば回れ/善は急げ/死に—」㊁(他五)〈なにヲ—〉それを第一の仕事として、遅れないように努める。「△検討(対応・完成・収拾・結論)を—/事を—〔=早く仕事を終えようとする〕/功を—余り〔=早く成功させようと思った結果〕/解決が急がれる」〔⇩急ぎ㊂〕 文法 ㊀㊁とも「列車に乗り遅れないように急いで駅に行く」「会議に間に合うよう急いで資料を作成する」のように「急いで」の形で副詞的に用いられることが多い。

いぞく①【遺族】㊀故人の「身内㊁」。「—扶助料⑤」㊁遺家族。

いそくさ・い④⓪【〈磯臭い】(形) 干した魚や海藻などから発せられる、海岸独特のにおいが感じられる様子だ。

いそじ⓪【《五《十】〔雅〕〔「じ」は、「はたち」の「ち」と同源か〕㊀五十。㊁【《五《十路】五十歳。

いそし・む③【《勤しむ】(自五)(日びおこたることなく)勉学や職務などにはげむ。「学業に—」

いそづり⓪【〈磯釣り】海岸の岩の上や波打ちぎわなどで釣りをすること。↕沖釣り ⇩陸釣り

いそな⓪【〈磯菜】海岸に生える草で、食用になるもの。例、ボウフウなど。

イソフラボン④③〔isoflavone〕ダイズなどのマメ科の植物に含まれる物質。化学構造が女性ホルモンのエストロゲンに似ているため、エストロゲンに替わる効果を示すとされる。

いそべ⓪【〈磯辺】〔雅〕海岸の波打ちぎわ。「—焼き⓪」 —あげ⓪【—揚げ】のりを使った揚げ物。材料をのりで巻いたり、のりを混ぜた衣をつけたりして揚げる。「ちくわの—」

いそめ⓪【〈磯め】〔「め」は、ミミズの俚言「めめず」の略〕海岸の岩・砂の中にすむ、ミミズに似た小動物。釣りのえさに使う。〔イソメ科〕 かぞえ方 一匹

いそん⓪【依存】—する(自サ) 力のある他の人や物によりかかることによって、△生活(存在)が成り立つこと。「いぞん」とも。「…への—を強める/—心が強い/相互—度が高い」 —しょう⓪【—症】習慣的に行なっていた特定の事物や行為が自分の意志では止められなくなり、他のものをなげうってでも続けたいと思うようになる状態。「アルコール—・薬物—・ギャンブル—」

いぞん⓪【異存】提示された事柄に対する不平不満や反対意見。「年内に内閣改造に踏み切る点では—は無いとみられる/使途不明金として処理されても—ありません」

いそんひん⓪【易損品】〔運送の時に〕こわれやすい品物。

**いた①【板】㊀木材・石などを薄く平たくひき切ったり金属を伸ばしたりしたもの。〔建築では、厚さが八センチ未満で幅が厚さの三倍以上の材を指す〕㊁「まないた・板前」の略。「いい—さんをそろえた料理屋/—場/—長②」㊂「板付きかまぼこ」の略。「—わさ」㊃〔←板の間〕舞台。 かぞえ方 ㊀は一枚 【—に付く】㊀〔俳優の芸が〕出演に慣れて、ぎこちなさを感じさせない状態になる。㊁経験を積んだ結果、職業・任務などがその人にぴったり合った感じになる。

**いた・い②【痛い】(形)㊀打たれたり 切られたり 体内に故障があったりして、その部分に意識せずにいられない不快な刺激を感じて、つらく思う様子だ。「△おなか(腰)が—/—目にあわせる/お気持は—ほど〔=我が身のことのように〕分かります」㊁それから受ける打撃がひどくて、△本来の力が発揮出来ない(事態の順調な進展が望めない)状態だ。「主力選手が欠場とは—」㊂弱点・急所を指摘されたり ねらわれたりして、対処に苦しむ様子だ。「この案には予算の裏付けがない点が—/—ところを衝く/痛くもない腹を探られる/頭の—△季節(問題)/耳の—話」 派 —さ① —げ③②⓪ —が・る③ 【痛くも〈痒くもない】そのことによって何の影響を受けるものでもなく、全く気にならない。

いたい⓪【異体】㊀普通と違った△様子(姿)。「いてい⓪」とも。㊁同一でないからだ。「—同心⓪-⓪」㊂〔↑異体字⓪②〕標準的な字体とは異なるが、各時代 一般の人びとにより広く使用された漢字の字体。当用漢字の新字体や、常用漢字の字体と一致するものも多いが、達を逹とするなど今日 誤字とされるものも交じっている。異を吴、靈を灵・炅、徳を徳、歳を㞢、執を执、年を秊、國を囻とするなど、著しい例であり、その他に動用字も多く用いられる。⇩正体 —がな⓪【—仮名】片仮名の発達途上 用い

られた、現行使用のそれとは異なる字体。例、イ・イ＝マ、セ＝セ、七＝サ、丶＝キなど。[表記] ⇩付表「仮名」

いたい[0]【遺体】死んで葬られるべき人のからだ。遺骸。〔人格を主とした言い方〕「―を収容する」[かぞえ方] 一体：一人

いだい[0]【医大】「医科大学」の略。

いだい[0]【偉大】―な/―に 大きくて(価値・能力があって)りっぱだ。[派]―さ[0]

いたいいたいびょう[0]【痛い痛い病】主として妊婦や経産婦が、腰・ひざに神経痛のような痛みを感じたり骨がもろくなって骨折しやすくなったりする病気。工場の廃液中に含まれるカドミウムによる公害。略して「イ病[0]」。[表記] 普通、「イタイイタイ病」と書く。

いたいけ[0]【《幼気》】―な ❶幼くて、罪が無い。「―な子供たち」❷いじらしい。「さびしさに耐えている―な姿」〔❶❷とも、「いたいけない[5]」とも言う〕[派]―さ[4][0]

いたいたし・い[5]【痛々しい】(形) 肉体的・精神的な打撃を受け、落ち込んだように見える様子に、心から同情を覚える状態だ。[派]―さ[5][4] ―げ[5][6][0]

いたがね[0]【板金】「板金(バンキン)」の和語的表現。

いたがみ[0]【板紙】ボール紙などの厚くて堅い紙や、はり合わせによって作った紙の総称。

いたガラス[3]【板ガラス】窓・鏡などに使う、薄くて平らなガラス。[表記]「板〈硝子〉」とも書く。[かぞえ方] 一枚

いたく[1]【《甚く・痛く》】(副)〔文語の形容詞「痛し」の連用形〕接する人の心に訴えるものが非常に強い様子。「―△気に入る(感心する・心配する・後悔している)」

いたく[0]【依託】―する(他サ) ❶物にもたせかけること。「―射撃[4]」❷委託❷。

*__いたく__[0]【委託】―する(他サ)〈だれニなにヲ―する〉❶特定の仕事を、部外の△人(機関)にすっかり任せて頼むこと。「―販売[4]」❷客から取引所の取引員に、売買・注文を頼むこと。[表記]「依託」とも書く。

いたく[0]【遺沢】故人の残した恩恵。

いだ・く[2]【抱く】(他五) ❶〔雅〕だく。「我が子を―母親」❷当面の事態に対する反応として、ある種の思い詰めた気持を持つ。「不信感を―/危惧の念を―/△恐れ(興味・感慨・自信)を―」[表記]「《懐く》」とも書く。

いたけだか[0][3]【居丈高】―な/―に 〔座高が高い意〕相手を抑えつけるような態度。「―になる」[表記]「威《猛高・威丈高」と書くこともある。

いたこ[0]〔東北地方で〕巫女。

いたご[0]【板子】❶(断面が長方形の)木材の古称。「引割り―[5]」❷和船の底に敷く、揚げ板。「―一枚下は地獄」[かぞえ方] ❶❷とも一枚

いたごと[0]【痛事】「費用がかかったりして苦しい事柄」の意の古風な表現。

いたざい[0][2]【板材】板に切った木材。[かぞえ方] 一枚

いたしかた[0]【致(し)方】〔「しかた」の、やや改まった言い方〕〔一般に否定表現と呼応して〕「やむをえない」の意を表わす。「―ございません」

いたしかゆし[4]、[1]-[1]【痛し〈痒し】両方とも同じ程度の長短があって、どちらか一つを取るのに△迷う(困る)こと。

いたじき[0]【板敷(き)】板が張ってある床。〔狭義では、板の間を指す〕

いたじめ[0][4]【板締(め)】模様を彫った凹凸二枚の板で△布(糸)を締めつけて、模様を白く染め出す染め方。

いた・す[2]【致す】(他五) ❶「する■一」の△謙譲(丁寧)語。「わたしが致します/そうは致しかねます/私と致しましては/帰ることに致します」❷先方まで届くようにする。「書を―〔＝送る〕/思いを―〔＝そこまで、深く考える〕/反省の思いを―〔＝深く反省する〕/力を―〔＝努力する〕/人を死に―〔＝結果として、死なせる〕/富を―〔＝築く〕/私の不徳の―ところ〔＝自分が至らないため、このような不結果をひきおこした〕」❸〔「お＋動詞連用形＋いたします/ご…いたします」などの形で、接尾語的に〕「する■一㊄」の相手に対する敬意が一段と高くなった謙譲表現。「お荷物をお持ちいたしましょう/こちらからお電話いたします/その件についてご説明いたします」[文法] 日常の談話では一般に「いたします」と敬体で用いられる。

いだ・す[2]【《出だす》】(他四)「だす」の文語形。

いたずら[0]【〈悪戯〉】―な/―に ❶好奇心にかられるなどして、悪いことだという意識も無く、人の迷惑になるようなことをする△こと(様子)。「―な子/―半分に〔＝半ば道楽として〕竹細工を習う/冗談にしても―が過ぎる/―っ子[4]」❷年少者に対して性的な行為をすることの婉曲表現。「少女に―をした疑いで逮捕される」❸〔必ずしも合理的には説明できない現象などが〕思わぬ影響・作用を人間(界)に及ぼして、常識では考えられない事態をひきおこすこと。「遺伝子の―によって発生する癌のメカニズム/別れた二人が再会したのは運命の―だった/視覚の―」 **―がき**[0]【―書(き)】❶遊びや退屈しのぎに、これといった目的も無く文字や絵を書くこと。また、その書いたもの。❷落書き。 **―こぞう**[6]【―小僧】よくいたずらをしてまわりの人を困らせる子供。いたずらっこ[4]。いたずらぼうず[5]。 **―むすめ**[5]【―娘】「ふしだらな娘」の意の古風な言い方。

*__いたずらに__[0]【《徒に》】(副) どんな結果になるかと見通しも立てずに事を行なう様子。「―〔＝後世の人に評価されるような事を何もしないで〕一生を送る/―〔＝打つべき手も打たず、ただ(むやみに)〕騒ぎ立てる/―〔＝ただ暇つぶしに〕雑書を乱読する」

いたぞうり[3]【板《草履】裏に小さな板切れを並べてつけた、草履。「板裏草履[5]」とも。[表記] ⇩付表「草履」 [かぞえ方] 一足

いただき[0]【頂】〔動詞「いただく」の連用形の名詞用法〕「最上部・頂上」の意の和語的表現。

いただき【《戴き・頂き】■一[0] ❶いただくこと。また、勝手にもらう意から、他の作品からヒントなどを無断借用すること。❷〔スポーツ・勝負で〕勝利をえることが確実だと判断されること。「この勝負は―だ」■二(造語) 動詞「いただく」の連用形。 **―だち**[0]【―立(ち)】食事が終わってすぐ退席・辞去すること。〔申し訳無いという気持を含めて言う言葉〕 **―もの**[0]【―物】「もらいもの」の丁寧語。

いただ・く【《戴く・頂く】■一[0](他五) ❶頭の上にのせる。「頭に霜を―〔＝年をとったりして、白髪になる〕/雪を―〔＝白雪が頂上に積もっている〕富士/星を戴いて〔＝ⓐ夜明け前に。ⓑ日没後に〕/倶に天を戴かず〔＝その人と同時に生きることをいさぎよしとしないの意で、相手の存在を抹殺したいという決意を示す場合に多く用いられる。⇩不倶戴天〕」❷〔目の高さ以上にささげ持つ意から〕枉げて、自分たちの△長(代表)となってもらう。「…先生を会長に―」❸「もらう■一」の△謙譲(丁寧)語。「ご褒美を―/お先にお風呂をいただきます/お暇を―/ご挨拶を―」❹「飲む・食べる」の△謙譲(丁寧)語。「お酒も食事も、もう十分戴きました」❺〔「お＋動詞連用形＋―/ご…―」などの形で、接尾語的に〕立場の上の人に自分△から願って(のために)そうしてもらうことを表わす。「枉げてお引き受けいただきたい/お世話―/館長にご案内―」■二(補動・五型)「もらう■二」の△謙譲(丁寧)語。「教えて―/そろそろ失礼させていただきます」⇩せる[運用]〔⇩戴き■二〕

文法 ［一］❸は、「あげる」または「さしあげる」、「くださる」と組になって受給表現を表わす。「…ていただく」と補助動詞として用いる場合も同様。

運用 (1)［一］❹は、「いただきます」の形で、飲食をする前に述べる挨拶(アイサツ)の言葉としても用いられる。(2)［一］は、「…ていただきたい」などの形で、相手に対して要望を述べるときに「…てもらいたい」よりも形式的には丁寧に伝える言い方となる。ただし、敬意はそれほど高くなく、使用場面によっては高圧的な印象を与え、指示・命令に近い表現となることもある。例、「早急に改善していただきたい」⇩もらう 運用

いただ・ける⓪【《戴ける】(自下一) ❶相当の評価をもって受け入れることが出来る。「この酒は―〔=相当うまい〕/この芝居はなかなか―〔=見る価値がある〕/彼の態度はどうもいただけない〔=感心出来ない〕」〔「戴く」の可能動詞形〕 ❷「食べられる」の鄭重(テイチョウ)語。「このスパイスを使えばおいしくいただけます」 表記 「頂ける」とも書く。

いただたみ③【板畳】 ❶板を芯(シン)として、上に薄縁(ウスベリ)を張った畳。床の間(マ)などに使う。 ❷畳と同じ高さに入れた化粧板。 ❸板の間。

いたたまれない⑤⓪【居た《堪れない】(キタタマレ―) 〔気の毒な光景に出くわしたりして〕それ以上がまんして〔その場所に〕居ることが出来ない。「いたたまらない」とも。「―雰囲気」

いたち⓪【︿鼬】 赤茶色で尾の太い小動物。夜、他の小動物を捕らえて食い、敵に追われると悪臭を放つ。〔イタチ科〕 かぞえ方 一匹 【―の最後っ︿屁(ペ)】 苦しまぎれに取る非常手段のたとえ。 【―の道】〔イタチは同じ道を二度通らないというところから〕往来・交際が絶えること。「いたちのみちきり」とも。 ―ごっこ④〔江戸時代後期にはやった子供の遊戯〔=向かい合った二人(以上の人)が「鼬ごっこ鼠(ネズミ)ごっこ」と唱えながら互いに相手の手の甲をつまんでは順次その手を重ねていくことを際限無く繰り返す遊び〕に基づく〕利害などの対立する立場にあるものどうしの間で、一方が他方を抑えて優位に立とうとするが、相手に対抗措置をとられて失敗に終わるということを交互に繰り返し、果てしなく攻防が続くこと。また、その攻防。「麻薬密輸業者と取締官との―が続く/新しい農薬を開発しても、じきに害虫に耐性ができ、更に新薬を開発しなければならないという―が繰り返される」

いたつき⓪【《労】〔雅〕病気。「いたづき」とも。

いたつき⓪②【板付(き)】 ❶開幕の時、舞台に役者が出ていること。 ❷〔↑板付きかまぼこ⑤〕〔竹串(グシ)に刺して焼く古来のかまぼこと違って〕長方形の小さな板に弓なりに魚肉を塗りつけ、蒸したものの称。略して「板」。⇩板わさ かぞえ方 ❷は一枚

いたって②⓪【至って】(副) その程度が普通の水準を超えてきわめて進んだ段階にある様子。「―元気です/―質素な暮らしぶりだ/―物静かな紳士だ/私は―まじめだ」

いたで⓪【痛手】 ❶敵と戦って受けた重い傷。「―を負う」 ❷〔再起不能の〕ひどい△打撃(損害)。「―は大きい/大きな―を受ける」⇩深手 表記 「傷手」とも書く。

いだてん⓪【︿韋駄天】(キダ―) 仏舎利を奪って逃げた鬼を追いかけて捕らえ、また、僧の急難を走って行って救ったと言われる神。 ―ばしり⑤【―走(り)】 非常に速く走ること。

いたどこ⓪【板床】 ❶板で張った床の間(マ)。 ❷板畳の芯(シン)。

いたどり⓪②【︿虎︿杖】 至る所に自生する多年草。茎は中空で節(フシ)がある。夏、多数の白色の小さな花を開く。若い茎は食べられ、根は薬用。〔タデ科〕 かぞえ方 一本

いたのま⓪【板の間】 床(ユカ)が板張りの部屋。 ―かせぎ⑤【―稼(ぎ)】〔銭湯の脱衣所などで〕入浴客の持ち物・衣類を盗みとる△こと(人)。

いたば⓪【板場】〔料理屋などの〕俎(マナイタ)を置き、調理をする所(で働く人)。⇩洗い場

いたばさみ③【板挟(み)】 両立しない二者の間に立って、どちらにつくことも出来ず困ること。「義理と人情(と)の―」

いたばり⓪【板張(り)】 ❶板を△張ること(張った場所)。 ❷洗濯した布をのりづけして板に張りつけて干し、しわを伸ばし、つやを出すこと。

いたび⓪②【板碑】 石の板で造った卒塔婆(ソトバ)。鎌倉時代から室町時代にかけて、関東一円でつくられた。 かぞえ方 一枚

いたびさし③【板︿庇】 軒先の、板で作った簡単な庇。「人住まぬ不破(フワ)の関屋の―」

いたぶき⓪【板︿葺(き)】 屋根を板で葺くこと。また、その屋根。

いたぶね⓪【板舟】 ❶〔魚市場で〕店先に小魚・貝などを並べて売る板。 ❷〔丸木舟・くり舟と違って〕板を張り合わせて作った舟。 かぞえ方 ❶は一枚

いたぶ・る③(他五)〔いたく振る意〕 ❶「激しく揺り動かす」意の古風な表現。「風にいたぶられる木の葉」 ❷〔金品を奪い取ることなどを目的として〕相手をいじめるなどして苦痛を与える。

いたべい⓪【板塀】 板で作った塀。

いたまえ⓪【板前】(―マへ) 〔俎(マナイタ)の前、の意〕日本料理の、専門の料理人。

いたまし・い④【痛ましい】(形) 気の毒で、△見て(聞いて)いて堪え難いと思う気持をいだく様子だ。「―ニュース」 派 ―さ③ ―げ⓪⑤

いたみ【痛(み)】［一］③ ❶痛むこと。「目やのどの―を訴える/後頭部に―を感じる/心の―〔=ⓐ悲しみ。ⓑ悩み〕」 ❷一部分がこわれること。「荷物の―/袖口(ソデグチ)の―がひどい」 ❸〔果物などが〕おしきずなど(が原因)で、腐りかけること。「―が早い」 表記 「傷み」とも書く。 ―どめ⓪【―止(め)】 傷や病気などで起こる痛みを止める△こと(薬)。
［二］(造語) 動詞「痛む」の連用形。 ―い・る④【―入る】(自五) ❶迷惑をかけて、本当に申し訳ないと思う(様子を見せる)。 ❷過分の好意を受けて、恐縮する。 ―わけ⓪【―分(け)】 ❶〔すもうの取組中〕一方が負傷したため引分けになること。 ❷争い事などをした結果、互いに痛手を被りながらも勝ち負けの決着をつけないこと。 表記 「傷み分け」とも書く。

*いた・む②［一］【痛む】(自五)〈(なにデ)―〉 ❶痛いと感じる(状態が続く)。「―足をひきずって歩く/歯が―/寒くなると古傷が―」 ❷打撃を受けた状態になる。「懐が―〔=出費がかさむ〕/いつまでも心が―〔=苦しみを感じる〕」 ❸何らかの原因により、その物の機能が損なわれる。「荷が―〔=こわれる〕/ミカンが―〔=腐る〕」［二］【悼む】(他五)〈(なにヲ)―〉人の死を悲しみ惜しむ。 表記 ［一］❷❸、［二］は、「傷む」とも書く。

いため【︿炒め】［一］③⓪ 炒めること、また炒めた物。「バター―・野菜―」［二］(造語) 動詞「炒める」の連用形。「―御飯④〔=肉・野菜と米飯とを炒め、塩などで味を付けた家庭料理〕/―物(モノ)⓪⑤」 表記 「︿煠め」とも書く。 ⇩痛み［二］

いため⓪【板目】 ❶板と板との合わせ目。 ❷板の木目が縦にまっすぐに通らず、山形や不規則な波形のもの。↕柾目(マサメ) ―がみ③⓪【―紙】 和紙を何枚か厚くはり合わせた紙。〔和本の表紙などに使う〕

いためがわ⓪③【︿撓(め)革】(―ガハ) 膠(ニカワ)を溶いた水に漬けたのち、たたいて堅くした革。⇩なめしがわ かぞえ方 一枚

いためつ・ける⑤【痛(め)付ける】(他下一) ひどい目にあ

わせる。「少し思い上がっているようだから一度痛め付けてやろう」

いた・める③【〈炒める】（他下一）肉・野菜・米飯などを油をひいたなべなどの上で、（短時間に）よく交ぜながら火を通す。表記「〈煠める」とも書く。［⇩炒め㊂］

いた・める③【痛める】（他下一）㊀（からだの部位に）痛みを伴うような異状や故障を生じさせる。「腹を痛めた（=自分が生んだ）子供／△心（頭）を—（=難題をどうにか解決しようとして、苦心する）／懐を—（=他人のために自分で何かの費用を出す）」㊁（何かの一部分または全体に）損害を与える。「冷蔵庫に入れたまま肉を痛めてしまった／花弁を痛めないようにバラを扱う」表記㊁は、「傷める」とも書く。

いた・める③【〈撓める】（他下一）膠ニカワを薄く溶いた水に漬けておいた革をかなづちで打ち固める。

いたや②【板屋】板ぶきの△家（屋根）。

いたらぬ⓪③【至らぬ】（連体）思慮が不十分で、行き届かない。至らない⓪。

いたり③⓪【至り】㊀ある状態が必然的にもたらした結果。「若気の—とは言いながら恥ずかしい極みだった」㊁（相手の言動によって引き起こされた主体の心理的反応が）極限に達すること。「△感心（笑止）の—（=極み）」

イタリック③②〔italic〕少し右に傾かせた欧文活字の字体。例、*italic.*「—体の活字」⇩斜体

いた・る②【至る】（自五）段々進んで、必然的に△目的の所（その状態）にまで達する。「△現在（今日・今）に—／足跡至らざる無し（=どんな所へでも行かない所は無い）／乱行至らざるは無い（=乱行という乱行をすべてする）／福島を経て仙台に—（=達する）／今に—（=なる）まで／事ここに至った（=こんなひどい△状態（結果）になった）以上／中止のやむ無きに—／△実現（大事）に至らない／悲喜こもごも—（=やって来る）／好機—（=チャンスが訪れる）／死に至らしめる（=死なせる結果になる）／三月より六月に—（までの）（=三月から始まり、末は六月を含む）四か月間／至らぬ（=行き届かない）者ですが」表記「《到る》」とも書く。 **—ところ**②⑥【—《処・—所》】㊀行く所のすべて。㊁問題にするところのすべて。どこもかしこも。表記「《到る所》」とも書く。

いち

【一】 ■一㊀どれも同じ。「一様・一概」㊁そのグループ全体。「一族・一座」㊂他をまぜない。「一途ズ・一意専心」■二㊀ある（或）。「一人ニン・一日ジツ・一官吏」㊁わずかの。「一助」⇩（本文）いち【一】

【壱】 ■一数字「一」の大字。■二（略）壱岐イキノ国。「壱イッ州」

いたれりつくせり③-③、⑦【至れり尽くせり】行き届いていて、申し分の無い様子。「—のもてなし」

いたわさ⓪【板わさ】〔「板」は板付き（かまぼこ）、「わさ」はわさびの意〕薄く切ったかまぼこにわさびを添えた料理。

いたわし・い④イタハシイ【《労しい》】（形）逆境に置かれた人などの苦労を思い、同情に堪えない感じだ。「両親を同時に失った子供の今後を思うと、—限りだ」派 **—さ**③

***いたわ・る**③イタハル【《労る》】（他五）〈だれヲ—〉△疲れて（落ち込んで・年をとって）いる人や△衰えて（病んで）いる部位の、速やかな回復を願って、やさしい対応を心掛ける。「お年寄りを—／がんと闘う妻を—夫／他者を—思いやりとしてのユーモア／△肝臓（病む部分・からだ）を—／愛車を—／暴投に泣いたエースを—（=ⓐ慰めの言葉を掛ける。ⓑしばらく、そっと独りにして置いてやる）／労り合い」名労り⓪

いたん⓪【異端】〔もと、聖人の道ではなく、別に一端をなすものの意〕その△社会（時代）において正統と考えられているものと（正）反対の学説・信仰。「—視される／—児②」

いち（一・壱）→【字音語の造語成分】

いち②【一（つ）】■一最小の自然数を表わす数詞。〔和語では、ひと（つ）〕㊀〔基数詞としての用法〕最初のかず。「—を聞いて十を知る（=頭の回転が速いたとえ）／—対—・—二度・—円硬貨・—枚・—名・—キロ・万マン—・逐—」㊁〔序数詞としての用法。⇩第一〕Ⓐ順を追って行なわれる物事の最初。「—から十まで（=何から何まで）反対する／—から出直す／—の宮／—番・—次調査」Ⓑ序列の上で、△最上（最高）に位置づけられること。また、その位置。「—と言って二と下クダらない（=あとに続くものがないほど群を抜いて優れている）大金持／—富士二鷹タカ三茄子ナスビ（=初夢に見ると、縁起がいいと言われる三つのもの）／—に看病二に薬／—番・日本—」⇩二ニ ■二㊀（↑一の糸②）三味線の糸のうち、調子の最も低いもの。㊁（野球で）「一塁（手）」の略表記。表記■一の大字は「壱」。 **【—か《八ばち》か】** うまくいくかどうか分からないが、出たとこ勝負でやってみる様子。 **【—も二もなく】** あれこれ言うまでもなく、△即座に（無条件で）同意したり対応したりする様子。⇩【造語成分】

いち①【市】㊀一定の日に、町中の広場やデパートの催事場などを利用して、各種の物品を売る△こと（場所）。「四の日に—が立つ／朝—・青物—④・だるま—③」㊁人がおおぜい集まる所。「門前—を成す（=⇩門前）／—（=市街）に虎トラを放つ（=非常に危険なことをするたとえ）」

いち①ヰ—【位地】「地位」の意の漢語的表現。

****いち**①ヰ—【位置】—する（自サ）㊀〈どこニ—する〉そのものが、問題とする空間において一定の所に存在すること。また、その存在する所。〔一般に、点としてとらえられる所を指す〕「船の—を確かめる／日本の南に—する国」㊁〈なに・どこニ—する〉その人が、その△組織（社会）の中で、ある△立場（境遇）に置かれていること。また、その△立場（境遇）。「重要な—を占める」 **—かんけい**③クワン—【—関係】その△人（物）と、比較される他の△人（物）との位置や立場がどのような状態であるかということ。「後輩に先に部長になられ、—が逆転した」 **—づ・ける**④【—付ける】（他下一）そのものが置かれるべき正当な場所△に置く（を示す）。名位置付け⓪

いちあく⓪【一握】「ひとにぎり」の漢語的表現。「—の砂」

いちあん⓪【一案】一つの（もっともな）案。「それも—だ」

いちい⓪②ヰイチ【一位】〔一位の意ともいう〕深山に生える常緑高木。材は建築・器具用。また、昔、笏シャクを作った。〔イチイ科〕かぞえ方 一株・一本

いちい②ヰ—【一位】㊀第一の位階。「正ショウ—④・従ジュ—③」㊁第一の地位。首位。㊂十進位取り記数法における、一の「位クライ㊁」。「—数（=一桁ケタの数。一から九まで）」

いちい②①【一意】㊀ただ一つの事にだけ心を注ぐこと。「—専心②-⓪、①-⓪（=他を顧みず一生懸命にそのことをすること）」㊁（たった）一つの意味。「—性⓪」㊂〔数学で〕方程式の解などが、ただ一つであること。「一次方程式 $2x=3$ の解は—的に定まる／微分方程式の解の存在と—性とを論じる」

いちいたいすい②-⓪【一衣帯水】〔一本の衣帯〔=帯〕のように見える水の意〕遠くから見ると、そこにあるとも思えないほど狭い△川（海峡）。「—を隔てて」〔アクセント②-⓪は、「いちい たいすい」と区切って言う時〕

いちいち②【一々】（副）関係するすべてを、事の大小を問わず一つひとつ取り上げて問題にする様子。「人の事に—うるさい人／おっしゃる事は—ごもっともです／—数えてはいられない」

いちいん⓪【一因】一つの原因。

いちいん⓪ヰン—【一員】〔団体を構成する〕ひとり。「クラブの

ー〔=仲間〕となる」

いちいん⓪②【一院】❶〔院政時代などで、新院に対して〕もとから上皇であった方。一の院。本院。❷寺院・議院・医院など、院と称する一つのもの。 **ーせい**⓪【ー制】国会が一つの議院しか持たない制度。

いちえん【一円】❶〔副助詞的に〕その地域全体。「関東ーを襲った暴風雨」❷⓪(副)「少しも」の意の漢語的表現。「ー合点致さず」

＊**いちおう**⓪【一応】(副)〔もと、一往〕❶全体にわたって、最低限必要な形式を整えたり手順を踏んだりする様子。「論文をー書き上げたものの、まだ推敲の余地がある/ーは調べてみたが、該当者はいなかった」❷△決定的(全面的)とは言えないが、その場に関しては取りあえず容認できる様子。「断わる理由もなかったのでー承諾した/ー(の)挨拶があって然るべきだ」 運用 口頭語では、相手の言を積極的に受け入れる気持がないことを表わすのに用いられることがある。例、「お話、一応承っておきましょう」 【ーも二応も】一度ならず、繰り返して。「一応も再応も」とも。

いちがいに⓪②【一概に】(副) 個々の条件・場合を考慮に入れないで、どれも同様にみなして扱う様子。〔否定(的な意を表わす)表現を伴って用いられる〕「そうー〔=概括的に〕(悪いとのみ)は言えないが/ー信じるわけにはいかないが/ーけなすのはおかしい」

いちかた⓪④【一方】❶〔↑一番方③⓪〕〔鉱山で〕交替制で作業する際、一番目に坑内で作業する人。❷入坑の回数が一回であることを表わす。

いちがつ④【一月】一年の第一の月。〔副詞的にも用いられ、アクセントは⓪。雅名は、むつき〕

いちがん⓪【一丸】「ひとまとまりのものとして一体化した状態」の意の漢語的表現。「…をーとする/全校、ーとなって取り組む/打ってーとなす〔=すっかり一つにまとめる〕」

いちがん⓪【一眼】❶「片方の目」の意の漢語的表現。❷〔レフレックス カメラで〕レンズが一つであること。「ーレフ⑤」

いちぎ②【一義】❶その語によって表わされる意味△が一つ(の一つ)であること。「学術用語では一語ーが理想」❷一理。「若者の言うことにもーある」❸そのものにとって、いちばん大切な事柄。「誠実さこそ人生のーと心得る」 **ーてき**⓪【ー的】ーな ❶一つの意味にしか解釈が出来ない様子だ。「そのことは法規があってーに決まる」❷まず初めに取り上げるべき事柄である様子だ。「どちらがーな問題か、それから議論しよう」

いちぎ②【一儀】あの事。〔「性行為」の意の古風な婉曲表現〕「ーに及ぶ」

いちぎ②【一議】ただ一度の相談。「ーに及ばず〔=あれこれ言うまでもない〕」

いちく⓪【移築】ーする(他サ) ある建物をこわし、その材料を使って他の場所に原形通りに建てること。「明治村にーされた」

いちぐう⓪【一隅】「かたすみ」の意の漢語的表現。

いちぐん⓪【一軍】❶(ひとまとまりのものとしてとらえた)全軍。「ーの志気にかかわる」❷〔↑第一軍①-⓪〕〔プロ野球で〕レギュラーの選手によるチーム。↕二軍

いちぐん⓪【一群】「ひとむれ」の漢語的表現。

いちげい⓪【一芸】一つの技術・芸能。「ーに秀でる」

いちケー③【1K】〔Kは、キッチンの略〕〔アパート・マンションで〕一世帯の住居部分が、部屋一つと台所の組合せになっていること。また、その住居。

いちげき⓪【一撃】ーする(他サ) 「ひとうち」の漢語的表現。「ーを△食らう(加える)/△後頭部(背中・脳天)をーする」

いちげん⓪【一元】❶元が一つであること。「ー的⓪」❷一つの元号。「一代ー⑥」❸〔数学で〕未知数が一つであること。「ー二次方程式」 **ーか**⓪【ー化】ーする(他サ) ばらばらにあった組織や機構などを、ある目的のために統合すること。 **ーろん**③【ー論】物事を一つの原因・原理で説明しようとする説。

いちげん⓪【一《見》】〔「見」は、見参の意〕〔料理屋などで、馴染の客と違って〕紹介もなしに初めて来た客の意の通語。「ーさん⓪」

いちげん⓪【一言】ーする(自サ) 「ひとこと」の漢語的表現。「ゲン」は漢音。「ー一行⓪-⓪〔=ちょっとした言動〕を慎む」 **ーこじ**⑤【ー《居》《士》】何にでも自分の意見を一つ言ってみなくては気の済まないたちの人。 表記 ⇩付表「居士」

いちげんきん③⓪【一弦琴・一〈絃琴〉】糸を一本はった琴。須磨琴。 かぞえ方 一挺・一丁

いちけんしき③【一見識】△ひとかど(相当)の見識。

いちこ⓪①【市子】死者の霊を自分に乗り移らせ、その意中を語る職業の女性。あずさみこ④③。口寄せ。

いちご⓪①【〈苺〉】❶クサイチゴ・キイチゴなどの総称。〔バラ科〕❷畑に栽培する、南米原産の多年草。つるのような茎を伸ばして広がり、春、白い花を開く。赤い実は美味で、品種が多い。オランダイチゴ⑤・ストロベリーとも。〔バラ科〕 表記 「〈莓〉」とも書く。 かぞえ方 ❶❷とも一株・一本

いちご②【一期】一生涯(に一度)。「ーの思い出」 **ーいちえ**⑤、②-②【ー一会】〔茶の湯で〕いついかなる時も、客を、一生に一度しか出会いの無いものとして、悔いの無いようにもてなせ、という教え。

いちご②【一語】「ひとこと」の漢語的表現。「ーーかみしめるように言う/貧弱のーに尽きる」

いちごう⓪【一〈毫〉】〔「毫」は「極細い毛」の意〕「ほんのわずか」の意の漢語的表現。「ーの隙も無い」

いちこじん③【一個人】⇩いっこじん

いちころ⓪【一ころ】〔「一」は一度、「ころ」は「ころっと」の意〕「いっぺんで簡単に△参る(負ける)こと」の意の俗語的表現。

いちごん⓪【一言】ーする(自サ) どんな観点から見てもそれ以外の表現はないと判断されることば。唯一のことば。「常時三千点の毛皮を取りそろえ、〝豪華〟のーにつきる店」 **ーはんく**⑤【ー半句】わずかの言葉。「国会は大切な国の政治の場。ーもおろそかにせず討議してほしい」

いちざ②【一座】ーする(自サ) ❶同じ場所に居合わす△こと(人)。「ーを笑わせる」❷同じ興行の団体(に属する人)。「ーのスター」 表記 ❶のもとの用字は、「一〈坐〉」。

いちじ②【一字】一つの文字。「ー違い④」 **ーさんらい**②-⓪【ー三礼】昔の人が写経をする時に、一字を書くたびに三回仏像を拝んだこと。 **ーせんきん**②-⓪【ー千金】りっぱな文章・文字のたとえ。 **ーのし**②-①【ーの師】〔一字を直したために、見違えるようにりっぱな詩となった故事から〕自分の漢詩を添削してくれた恩師。

いちじ②【一次】❶〔一回行なっただけでは結論が出せないと予測される事柄について〕まず、第一回目として何かを行なうこと。「入学試験はーと二次がある/ー試験④⑤」❷もとのままで手が加えられず、価値の高いこと。「ー史料④」❸〔代数学で〕その式が、変数として着目している文字の定数倍と定数との和で表わされていること。例、$2x+3$ は x の一次(多項)式。〔次数が一であることと同義。変数として着目する文字が二つ以上のこともある。例、「連立ー方程式」〕 **ーさんぎょう**④【ー産業】第一次産業。⇩

産業 ―さんぴん④【―産品】加工しないで、生産したままの形で取引されるもの。例、農産物・水産物。一次品⓪。 ―せいちょう④【―性徴】⇩性徴

いちじ②【一事】一つの事。「この―でも分かるように/―が万事(＝一つの事がそうだと他の事も大体同じ調子だ)」 ―ふさいり②-②【―不再理】〔刑事訴訟法で〕一度判決が確定した事件については、それ以上公訴を起こすことが出来ない、という原則。

いちじ②【一時】❶過去の、ある時。「―はどうなる事かと心配した」❷その時だけ。「―の出来心/―逃れ④・―(＝当座)しのぎ④」❸短時間。「晴れ、―曇り/運転を―見合わせる/―預け④」❹何回にも分けることなく、一度で済ませること。「―払い④」 ―きん⓪【―金】退職時など、その時だけに限って支給するまとまった金額のお金。 ―てき⓪【―的】―な その時だけに限られる様子だ。「―な措置」 ―に②(副) 同じときにいくつかのことが行なわれる状態にある様子。「借金を―まとめて返済する」

いちじき③【一時期】〔しばらく続く〕ある時期。一時代。「―を画する」

いちじく②【〈無花果〉】〔もとペルシャ語の anjir が中国語の映日果を経て入ったと言う〕庭に植える落葉小高木。夏の末から秋にかけて生ナる鶏卵大の実は、生食用・ジャム用。また、液汁や干した茎・葉・実は薬用。「いちじゅく」とも。〔クワ科〕 かぞえ方 一株・一本

いちじだい③【一時代】❶一つの時代。「電灯の発明はもう―あとの話だ」❷ある人物や事物が特定の分野で功績を上げて多大な影響力を持っていた期間。「あのギャグでお笑いの世界に―を築いた」

いちしちにち④【一七日】人の死後七日目の日(に行なう法事)。「いっしちにち」とも。しょなのか。ひとなのか。〔仏教的な言い方〕

いちじつ④⓪【一日】❶月の最初の日。ついたち。❷ある日。いちにち。「―千秋(＝⇩いちにちせんしゅう)」〔副詞的にも用いられ、アクセントは⓪〕 【―の長】他の人よりも経験・技能がちょっとばかりすぐれていること。

いちじゅ②【一樹】一本の樹木。「―の蔭カゲ、一河イチガの流れ(＝見知らぬ旅人どうしが同じ木蔭カゲに宿り、同じ川の水を汲クむのも皆前の世からの深い因縁による、という仏教の教理)」

いちじゅう⓪ジフ【一汁】一品のしる。「―一菜⓪-⓪、⑤

〔＝質素な食事のたとえ〕」

いちじゅん⓪【一旬】「十日間」の意の漢語的表現。

いちじゅん⓪【一巡】―する(自サ) ❶一回り△する(して、また自分の番になる)こと。❷一通り行き渡ること。「国内需要も―したと見られる」

いちじょ②ヂョ【一女】❶ひとりのむすめ。「一男―をもうける」❷長女。

いちじょ②【一助】何かの△たすけ(足し)。「…への―となる/…の―に」

いちじょう②デウ【一条】❶細長い物の単数を表わす語。「―(＝一本)の煙/箇条書の―(＝一行)」❷話題として取り上げるに値する事物。「もう―(＝一件)被告人のために有益な事実があった」

いちじょう⓪ヂヤウ【一定】[一]「確定的な状態にあること」の意の漢語的表現。[二]「きっと」の意の漢語的表現。

いちじょう⓪②ジヤウ【一城】一つの△城(根拠地)。「―の主アル(＝たとえ小さい団体であっても、そこの長たる人)」

いちじょう⓪ヂヤウ【一場】❶その場で披露されるものが、完結した内容を備えていること。「―の講演を行なった」❷その場限りのこと。「―の夢」

*いちじるし・い⑤【著しい】(形)〔「いち」は、程度を強める接辞〕その傾向・状態がだれの目にもはっきりと認められ、否定出来ない様子だ。「△進境(変化)が―/基礎訓練の不足が―/著しく不足する」 派 ―さ④⑤

いちじん⓪ヂン【一陣】先陣。 【―の風】さあっと一しきり吹いて来る、強い風。

いちじんぶつ③【一人物】見識ある、ひとかどの人物。

いちず②ヅ【一〈途〉】―な 〔ただ一つの方針・事柄の意〕他のことには全く心を向けず、こうすべきだと信じたことのみを追求する様子。「―に思い詰める/仕事―」 派 ―さ⓪③

表記 「一図」は、借字。

いちせいめん③【一生面】新しく開拓された△方面(部門)。「いっせいめん」とも。「―を開く」

いちぜんめし③【一膳飯】❶各自に割り当てられた、どんぶりに盛り切りの飯。「―屋⑥」❷死者に供する飯。枕飯マクラメシ。〔箸ハシを立てることが多い〕

いちぞく②【一族】❶同じ血筋を受けた者。本家・分家を含めた親族全体。「―郎等ドウ①-⓪」❷自分の家族全部。

いちぞん⓪【一存】〔ある決定を下したり 結論を出したりするためなどの〕その人の個人的な判断。「私の―では許可するわけにはいかない」

いちだ②【一打】〔野球などで〕一回(安打を)打つこと。「―逆転のチャンス/一投―⑥」

いちだい②【一大】(造語) 非常に大きな意味をもった。「―転機を迎える/―発見⑤」

いちだい②【一代】❶人ひとりの一生。「人は―、名は末代/―の(＝一生で最高の)名誉」❷君主・当主・家元などが、責任者としてその地位にいる間。「―で産を成す/―で絶える」❸〔「―の…」の形で〕その時代を代表するものとして、後世に名を残すものであることを表わす。「―の碩学セキガク(＝大学者)」 ―き③【―記】〔問題になる〕個人の生涯の事跡を記録したもの。 ―ざっしゅ⑤【―雑種】異なった純粋の品種どうしを交配して作った雑種。もとの品種よりもすぐれた特徴を示すことが多い。「ラバはウマとロバの―だ/メロンの―」

いちだい②【一台】動かして使う物、生活の用に供する物の単数を表わす語。例、「車・ポンプ・起重機・梯子ハシゴ・担架・屋台・自動販売機・ロボット・スキー・ラジオ・テレビ・カメラ・コンピューター・エンジン・焜炉コンロ・望遠鏡・タイプライター・ミシン・トースター・扇風機・ミキサー・石油ストーブ」。

いちたいいち③-②【一対一】❶一つのものが、他の一つのものだけに対応すること。「―(の)対応」❷マンツーマン。「―で話し合う」「いったいいち」とも。

いちだいじ③【一大事】〔ほうっておけない〕重大な事件。「お家の―」

いちだん⓪【一団】〔ある△同類(団体)の〕ひとかたまり。「―となって会場になだれ込む」

いちだん【一段】[一]②❶一つの△階(段階)。「階段を―おきにかけ上がる/―上のランク/―高い所に立つ」❷(文章・語り物などの)一くぎり。[二]⓪(副)―と それまでも著しかった事態の程度が、その段階でさらに顕著なものになる様子。「雨は―と激しくなった/―声を張り上げて歌う/きょうは―と(＝いつにも増して)美しい」

いちだんらく③【一段落】―する(自サ) (仕事)全体を幾つかに分けた時の、一つの区切りまでが片づくこと。「仕事が―する/―つく」

いちてっこく③テキ―【一敵国】侮ることの出来ない、有力な相手国。

*いちど【一度】[一]③〔繰り返し△起こる(行なわれる)可能

性のある事柄について〕その度数が単数であることを表わす語。その時だけで終わって繰り返されることがない事柄にも、繰り返される事柄の最初の場合についても用いられる。〔副詞的にも用いられ、アクセントは⓪〕「誰でも―は経験する／―あることは二度ある／―の失敗ぐらいで諦^(アキラ)めてはだめだ／ここへは前に―来たことがある／一生に―でいいから行ってみたい」■二⓪(副) 元の状態には戻せないようなことが実際に△起きた(行なわれた)場合を想定する様子。「―国を出たからには、おめおめと帰れない／フィルムは―感光させたらそれでおしまいだ」 ―ならず④ 一度だけでなく、二度も三度も。「―お世話になった」 ―に③(副) ❶その人にとって無視できない二つ(以上)の事が同じ時に重なったり 多くの人が一斉に同じ△事を行なったり(状況に立たされたり) する様子。「盆と正月が―来たようなものだ／―何人もの客が押し掛ける」 ❷一般に、時間を要したり 何回かに分けて行なわれたり する事が、意外なほど短時間になされる様子。「おおぜいの敵を―やっつけた／―酔いがまわった」

いちどう②③【一同】 △そこに居る(それに関係する)者全員。「卒業生―が恩師に記念品を贈る」

いちどう⓪②③ダウ【一堂】 関係する△人が集まる(物を集める)ための場所(としての建物や部屋)。「関係者が―に会する／―に△集まる(集める)」

いちどう⓪②ダウ【一道】 ❶一筋(の道)。「忠勤の―に生きる」 ❷一つの専門の方面、特に芸道。「―に長ずる」 ―の②⓪ 細く続く一本の。ひとすじの。「―△光明(冷気・電流・流れ)」

いちどきに③【一時に】(副) (ほとんど)同時にいくつかのことが起こる様子。「一度に」とも。

いちどく⓪【一読】―する(他サ) 一通り△読む(読んでみる)こと。「―〔=ちょっと読んでみるだけの〕価値がある／―〔=とにかく読んでみるだけの〕価値がある／―を勧める」

いちとんざ③【一頓挫】―する(自サ) 今まで順調に進んで来たものが、そこで勢いがくじけて△弱る(力を発揮しなくなる)こと。「事業は―をきたした」

いちなん②【一男】 ❶ひとりのむすこ。「―一女」 ❷長男。

いちなん②【一難】 一つの△困難(災難)。「―去って又―」

いちに①②【一二】 ❶(全体の中の)一つか二つ。ほんのわずか。「―そういう例もあるが／心当たりを―〔=ひとりかふたりについて〕尋ねる／―回⓪・―例⓪・―人⓪・―度⓪」 ❷第一位と第二位。「―を争う〔=優劣が付けがたい〕」

いちにち【一日】■一④ ❶朝太陽が出てから夜暗くなるまでの間をまとめて言う呼び方。「―が暮れた／充実した―だった／―一善⓪-②」 ❷地球の自転を基準とする時間の長さの単位〔=日^(ニチ)〕の単数を表わす語。〔二十四時間に等しい〕「昨晩九時からまる―眠った／冷蔵庫に入れれば―はもつ」 ❸午前零時から次の午前零時までをまとめて言う呼び方。「今日―で今年も終りだ」 ❹記憶に残るような、特定の日。「春の―〔=ある日〕をピクニックに過ごす」〔副詞的にも用いられ、アクセントは⓪〕 ■二(造語) その日一日だけに限られることを表わす。「―駅長・―内閣」 ―せんしゅう⓪-⓪シウ【―千秋】「千秋」は、千年の意。「いちじつせんしゅう」とも。「―の思い〔=ⓐ親友どうしが、一日会わないと長い間会わないように感じること。ⓑ早く実現すればいいと、待ち遠しく思うたとえ〕」 ―のばし⑤【―延(ば)し】 決められた日が来ても、理由をつけて一日一日と△決定(実行)を延ばすこと。「―に延ばす」 ―ましに⓪⑥【―増(し)に】 日がたつにつれて、段々程度を増して。

いちにょ②①【一如】〔「如」は違わない意〕 ❶〔仏教で〕現われ方はそれぞれ違うが、真実の教えは ただ一つであること。 ❷現象としては違うが、根源においては一つであること。「物心^(ブッシン)―⓪-②、⓪-①、①-②、①-⓪」

いちにん②【一人】「ひとり」の漢語的表現。「―一党・―区③」 ―まえ⓪マヘ【―前】 ❶おとなひとりが一回に食べると考えた分量。 ❷子供が成長し、社会人としての権利・義務を持つ段階に達した状態。「二十歳^(ハタチ)を過ぎれば―のおとなだ／未成年のくせに―に〔=おとなと同じように〕酒をのむ／―の〔=おとなと同じ〕料金を取られる」 ❸その世界の人間として必要とされる能力・技芸などを十分に身に付けた状態。「はやく―の料理人になりたい／口だけは―だ〔=りっぱな事を言う〕」

いちにん⓪【一任】―する(他サ) 〔仕事や後の事などを〕すっかり任せること。「権限を代表幹事に―する」

いちにんしょう③【一人称】〔文法で〕表現の中に現われた語(句)が話し手自身であることを示す言語形式。「第一人称」とも。自称。例、私・僕。

いちねん②【一年】 ❶一月一日から十二月三十一日までの間をまとめて言う呼び方。「―の計は元旦^(ガンタン)にあり」 ❷「年^(ネン)❶」の単数を表わす語。〔十二か月に等しい〕「あと―以内には多分完成するだろう／―間・―前」 ❸一学年。また、一年生。 ―き③【―忌】 一周忌。一回忌。 ―せい③【―生】 ❶学校に入って一年目の生徒・学生。⇩一回生 ❷その社会に入って一年目の人。「―社員⑦・―議員⑦」 ―そう⓪サウ【―草】 一年生草本。⇩年生 ―ぼうず⑤バウー【―坊主】(男の)一年生をからかって言う言い方。

いちねん⓪②【一念】 何かをし△よう(てやろう)と一筋に思いつめた心。「―岩をも通す／―天に通ず／―こめた作品／子を思う母の―」 ―ほっき⑤【―発起】―する(自サ) 急に思い立って△仏道に志す(何かを始めようとする)こと。 ―まんねん⓪-⓪、②-⓪、⑤【―万年】 一万年という長い間も不変の決心をしたり 一筋に思いつめたりしていること。

いちねんせい⓪【一年生】 ⇩年生

いちのう⓪②【一能】 一つの技能・才能。⇩一芸

いちのうで②【一の腕】 腕のうち、肩から肘^(ジヒ)までの部分。⇩二の腕

いちのぜん②③【一の膳】〔正式の日本料理で〕最初に出す膳。本膳。⇩二の膳・三の膳

いちのとり②③【一の酉】 十一月の第一の酉の日。酉の市^(チイ)がある。「初酉^(ハットリ)」とも。

いちば①【市場】 ❶△毎日(定期的に)生産物を持ち寄って業者が競売・競買する所。「青物―・魚^(ウオ)―」 ❷各種の日用品・食料品の小売店が何軒か一か所に集まって消費者に売る所。常設市場⑤。マーケット。⇩しじょう(市場)

いちばい⓪【一倍】 ❶その数自身。 ❷「二倍」の意の古風な表現。「人―〔=人の(二)倍ほど〕きかん気だ」

いちはつ⓪【一《八》】 アヤメに似た多年草。葉は幅が広く白っぽい。紫・白などの大きな花はハナショウブに似るが、表面にとさか状の突起が見える。〔アヤメ科〕 表記「〈鳶尾〉」(漢語表記)とも書く。 かぞえ方 一本

いちばつ ひゃっかい②-⓪、⓪-⓪ヒヤクー【一罰百戒】 比較的軽いと見られる犯罪を あえて重く罰するのは、同類の犯罪が多発するのを未然に防ぐことを目的とするものであること。

いちはやく③【《逸速く》】(副) 〔「いち」は、「いちじるしい」の「いち」と同源〕他よりもずば抜けて速く機敏に対処する様子。「若者の飛びつきそうな商品に―目をつけた」 表記「《逸早く》」とも書く。

***いちばん**【一番】■一② ❶〔その系列に属するものに〕何らかの順序に従って番号を付けた時に、「一」に当たること。「―

の下足札(ゲソクフダ)/いの一〔=真っ先〕に駆けつける/一列車⑤・一茶③・一星(シボ)③」 ❷同じ△種類に属する(特徴を有する)ものの中で、他のどれよりもすぐれていると評価されるものであること。「泳ぎにかけてはクラスで一だ/疲労回復には寝るのが一だ/一弟子③」 ❸謡曲・狂言などの、一つの演目。❹碁・将棋やすもうなどの、一回の勝負。「一お手合わせを願いたい/結びの一/一勝負⑤」 〘二〙(副) ❶⓪序列・等級などで第一に位置づけられる様子。「一年で一暑い月/一△左(下)の列/それが一心配だ」 ❷②△決意を新たにして(思い切って)事にのぞもうとする様子。「むずかしいが一やってみるか/奮起一・緊褌(キンコン)一」 **ーかん**③【一館(クワン)】最初に封切りをした映画館。ファーストラン。 **ーて**③【一手】〔幾つかのもののうちで〕一番初めに行動を開始するもの。〔部隊についても、競馬の出走馬についても言う〕「三大関の中で横綱をねらう一〔=最有力候補〕」 **ーどり**③【一《鶏》】夜明け前に、最初〔=午前二時ごろ〕に鳴くニワトリ(の声)。 **ーのり**③【一乗(り)】ーする(自サ) 第一番に敵陣や敵城に馬を乗り入れる△こと(人)。〔広義では、最初にその場所へ着いたり入ったりする△こと(人)を指す〕 **ーやり**③【一〈槍〉】〔昔、戦場で〕真っ先に敵陣に槍を突き入れる△こと(人)。

いちび⓪【〈茴〉】夏、黄色で小さな花を開く一年草。茎の繊維は縄や粗い布の製造用。〔アオイ科〕 表記「〈茴麻〉」とも書く。 かぞえ方 一本

いちひめ にたろう②-⓪【一姫二太郎】一番目に女、二番目に男が生まれること(が育てやすいとされるので、子を持つ親の理想である、ということ)。〔俗に、女ひとり、男ふたりの子持ちであることをも指す〕

いちびょう②⓪【一病(ビヤウ)】からだのどこかに病気を持つこと。 **ーそくさい**②-⓪、⓪-⓪【一息災】無病で健康に自信を持ち過ぎる人よりも、一つぐらい病気を持っている人の方が、からだに気をつけるので、かえって長生きする、というたとえ。

いちぶ②【一分】❶全体の十分の一。〔狭義では、一寸の十分の一を指す。例、「一試(ダメ)し④『=試し斬りにあって、からだ全体が細かく切り刻まれること』」〕 ❷全体の中のごくわずかな部分。「一の隙(スキ)も無く/一厘〔=ほんのわずか〕の狂いも無い」

***いちぶ**②【一部】❶一部分。「一の例外を除けば」⇔全部 ❷〔書物・印刷物などの〕一まとまり。〔一部一冊の場合と、数十冊・数百冊で一部を成す叢書(ソウショ)の場合がある〕 **ーしじゅう**④【一始終】(初めから終りまでの)物事の詳しい事情。「一を話す」

いちぶぶん③【一部分】全体のうちの△少し(小さい範囲)。

いちぶん②⓪【一分】一人前の存在として傷つけられてはならない、最小限の威厳。「男の一が立たない」

いちぶん⓪【一文】ちょっとした文章。「一を草(ソウ)する」

いちべつ⓪【一〈瞥〉】ーする(他サ)〔さほど重視しないで〕ちょっと見ること。「一をくれる/一を与えただけで気にもとめなかった」

いちべつ いらい⑤【一別以来】あの時別れてから今までそのことが無かったこと。「一の対面」

いちぼう⓪ 〘一〙【一望(バウ)】ーする(他サ)「ひとめ❶」で見渡すこと。「一千里⑤」 〘二〙【一〈眸〉】〔「眸」は、「ひとみ」の意〕目を向けて自然に見渡せる範囲。「一の中に収める〔=全体が一目で見られる〕」

いちぼく⓪【一木】一本の木。「一一草⓪-⓪」 **ーづくり**⑤【一造(り)】木彫仏の造り方の一つで、腕や足を除いた頭や胴体など主要な部分を一本の木で造るもの。〔本来、一本の木で全身を彫ることを指した〕⇩寄せ木造

いちまい②【一枚】〔「枚」は、古代語では「個」と同義。⇩枚挙〕 〘一〙❶〔必要な役の担い手としての〕人間ひとり。「彼を一加えた方がいい/その計画には彼が一嚙(カ)んでいる〔=一役買っている〕」 ❷〔番付面・庵(イオリ)看板で、右を上位として順に、一枚一人ずつ一行(ギョウ)に名を書いたことから〕役の重さから見た一人分。「役者が一上だ〔=能力の点ですぐれている〕」⇩二枚目・三枚目 〘二〙平たい△形状を備えた(面の部分を問題にする)物の単数を表わす語。例、「紙・布・絵・コイン・草木の葉・皿・底の浅いざる(に盛ったそば)・田・薄く切った食パンや肉」など。 **ーいわ**③【一岩(イハ)】一続きになっている、丈夫な岩。〔広義では、組織などの結束が強く、いざというとき一致団結して事にあたることが出来る状態にあることの意にも用いられる。例、「一の団結を誇る/政権与党とはいえ決して一ではない」〕 **ーかんばん**⑤【一看板】〔庵看板に名を出しうる地位の役者の意〕❶一つの団体の中の中心人物。❷他に取りえになるものが無く、ただそれ一つが宣伝効果を持つもの。〔俗に、たった一枚しかない衣服の意にも用いられる〕 **ーずり**⓪【一刷(り)】冊子でなく、一枚の紙に印刷△すること(したもの)。カレンダー・ちらし・番付表など。

いちまつ⓪【一抹】画筆でちょっとなすった程度の分量。ほんのわずか。「一〔=一筋〕の煙/一の雲/一の不安」 表記「一〈沫〉」と書くのは、誤り。

いちまつ もよう⑤【市松模様(ヤウ)】〔江戸時代の歌舞伎(カブキ)役者佐野川市松が用いた袴(ハカマ)の模様から〕黒と白との四角形を互い違いに並べた模様。略して「市松⓪」。〔広義では、二つの色が交互に現われる、四角な模様をも指す〕

いちみ②【一味】❶〔幾種類かを調合して作る漢方薬の〕一種類の材料。「一とうがらし⑥」 ❷感じられる度合があまり強くないこと。「一の清風〔=どこからか吹いて来る、すがすがしい風〕/一の〔=なんとなく感じられる〕清新さ」 ❸ーする(自サ)〔もとの用字は、「一身」〕反体制の仲間(に加わること)。「一徒党②-⓪」

いちみゃく⓪【一脈】❶大所高所に立ち、遠くから眺めると、そのつながりが認められる程度に続いていること。「一急に空を支えるは御嶽山(オンタケサン)/一相通じるものがある〔=一見何のつながりもないように見えるものの間に、何らかの共通点が認められる〕/一の煙/一の沈香(ジンコウ)」 ❷「脈」と言われるもの、一つ。「葉脈の一一本を余すところなく写した精密画」

いちみん⓪【一眠】カイコが第一回の皮をぬぐ間の眠り。

いちめい【一名】❶⓪正式の名称以外についている名。「馬肉は一さくら肉と呼ばれる」 ❷②人、ひとり。⇩【造語成分】めい(名)㊃

いちめい⓪【一命】〔危急存亡に臨んだ時の〕その人の命。「一を△拾った(取り止める・落とす)/一にかかわる」

いちめん【一面】❶⓪特定の方向から見た、物の表面。〔他の面は隠れて見えないので、「反面・他面」の意にも用いられる〕「ロマンチストの一を遺憾無く発揮する/一〔=その面から見た限りで〕の真理」 ❷⓪そのあたり一帯。「一火の海だった/畑一の菜の花/一が霖雨(リンウ)に煙っている/一に〔=そのあたりすべてに〕咲いている」 ❸⓪②「面㊃」を持った(と見られる)物の単数を表わす語。例、「琴・琵琶(ビワ)・碁(将棋)盤・硯(スズリ)・仮面・額・鏡・壁・テニスコート・サッカー場・野球場・グラウンド」など。 ❹⓪新聞の第一ページ。「一トップの記事」 ❺⓪〔副詞的に用いて〕別の面から見た様子。「ずっとひなたを歩(アユ)んで来た彼には一〔=欠点も多い反面〕よいところもある」 **ーかん**③【一観(クワン)】一面からだけの(かたよった)観察。 **ーてき**⓪【一的】ーな 〔観察・

主張などが〕ある一つの(方)面だけにかたよっている様子だ。「―な△評価(考え方)」

いちめんしき③【一面識】一度会って顔を知っている程度の間柄であること。「…と―がある/―もない人」

いちもうさく③【一毛作】同じ土地で一年に一回、主要な穀物、特に水稲を栽培すること。⇩二毛作・三毛作

いちもうだじん⓪-⓪、③-⓪【一網打尽】一度打った網によりそこに居る多くの魚を捕らえること。〔悪者を根こそぎ捕らえる意にも用いられる〕

いちもく⓪②【一目】㊀―する(他サ) ひと目で見ること。「―(にして)瞭然リョウゼン(=ひと目見ただけで、まちがい無く分かること)」㊁(碁で) Ⓐ一つの碁石。「K氏に―置く(=ⓐK氏の方が少し強いので、先に石を一つ置かせてもらう。すなわち、K氏に後手になってもらう。ⓑ自分よりすぐれた者として、K氏に敬意を払う)」Ⓑ碁盤上の一つの点(=縦線と横線の交点)。「―の地ジ/黒の―勝ち」⇩【造語成分】もく(目)㊃ **―さんに**③【―散に】(副)〔「散」は、「一散」の意か〕わき目もふらずに一生懸命に走る形容。「―△逃げる(駆け出す)」

いちもつ⓪【一物】㊀持っている品物の一つ。「―も無い」㊁心の中に隠し持っている、(悪い)考え。「△腹(胸)に―ある」㊂「持っているが、見せられない物」の意で、陰茎の婉曲エンキョク表現。

いちもつ⓪【〈逸物】同類の生き物の中で、特にすぐれた存在。〔昔は、多く馬について言った。人については、「いちぶつ」と言った〕

いちもん②【一文】〔昔の貨幣単位で、一貫文の千分の一の意〕㊀ごくわずかのお金。㊁一つの文字。「―不通(=文字を一字も読むことが出来ないほど)の男」 **―おしみ**⑤【―惜しみ】ひどくけちな△こと(人)。「―の百知らず(=目前のわずかな出費を惜しむことが将来の大きな損失を招くのを知らないこと)」 **―きなか**⑤〔「きなか」は、半銭の意〕わずかなお金。 **―なし**③【―無(し)】全くお金が無い△こと(人)。

いちもん②⓪【一門】㊀(名の通った)一族。「平家―」㊁同じ宗派に属する人。㊂同じ先生に学芸を習う人。

いちもん②【一問】一つの質問。「―一答②-⓪、⓪-⓪(=Aが質問し、Bが答える、ということを繰り返すこと)」

いちもんじ⓪③【一文字】㊀一つの文字。㊁「一」の字(の形)。「腹―にかき切る」㊂掛け軸の上下を押さえるように横に長く「一」の字の形に付ける、装飾的な細い布。多く、錦ニシキまたは綾アヤ。㊃劇場の舞台の正面の上方に垂れる、黒くて横に長い幕。

いちや②【一夜】㊀日暮れから翌朝までの間。一晩ヒトバン。「―にして(=たった一晩のうちに)白髪となる/―明くれば/―の宿を乞コう」㊁ある日の△晩(夜)。 **―づくり**④【―作(り)】㊀一晩の間に急いで作ってしまうこと。「―の論文」㊁間に合せにぞんざいに作ること。「―の甘酒」 **―づけ**⓪【―漬(け)】一晩だけ漬けてすぐ次の日食べる漬物。〔急に準備して間に合わせた芝居や著述・勉強などの意にも用いられる〕

いちやく⓪【一躍】(副)―する 何かをきっかけとして、一足イッソク飛びに△社会的地位(名声)が高まる様子。「賞をもらって―その名が知れわたった」

いちゃつ・く⓪(自五) 恋人同士や夫婦などが、仲よさそうに、なれなれしくからだを寄せ合うようにして、話し合ったり睦ツムび合ったりなどする。

いちゃもん⓪「言いがかり」の意の俗語的表現。「ならず者に―をつけられる」

いちゅう⓪【移駐】―する(自サ)〔軍隊などが〕駐屯の場所を他に移すこと。

いちゅう⓪①【意中】〔その人の〕心の中にいだいている意志や感情。「―察するに余りある」 **―の ひと**⓪-②、①-②【―の人】あの人以外には自分のめがねにかなう人はいないと思っている対象。〔狭義では、結婚相手として心中ひそかに決めている人、もしくは恋人を指す〕

いちゆう⓪【一揖】―する(自サ)〔「揖」は敬う意〕軽くおじぎをすること。

いちょ①【遺著】死後に出版された、故人の著述。

いちょう⓪【〈公孫樹〉・〈銀〈杏〉】〔中国・鴨脚〕㊀並木などに植える落葉高木。葉は扇形でカモの水掻カききに似、秋黄葉する。雌雄異株で、防火樹とされる。実は球状・黄白色で、果肉は臭い。種は「銀杏ギンナン」と言い、食用。〔イチョウ科〕㊁(料理で、「たんざく・せん」などと違って)イチョウの葉の形。「―に切る」 表記「〈銀〈杏〉」と書くのは、もと、種を指したのに基づく。なお、江戸時代通行のかなづかいは「イテフ」。 かぞえ方 一株・一本 **―がえし**④【〈銀〈杏〉返(し)】日本髪の一つ。束ねた髪の毛を分けて二つの輪をつくり、まげとしたもの。桃割モモワレに似る。 **―がた**⓪【―形】イチョウの葉の形。半円を二等分した形。

いちょう①【イ調】〔音楽で〕イの音を主音とする音階(による調子)。

いちょう①【医長】〔大きな病院で〕各科の、首席の医師。

いちょう⓪【胃腸】胃や腸などの消化器。「―病⓪・―薬②」

いちょう⓪【異朝】〔本朝に対して〕「外国」の称。↕本朝

いちょう⓪【移〈牒】―する(他サ) 管轄の違う他の役所へ文書で通知すること。

いちょう⓪【移調】―する(他サ)〔音楽で〕メロディーを変えないで、ほかの調子に移すこと。「ハ調から二調へ―する」

いちよう②⓪【一葉】(木の葉などの)一枚。「―落ちて天下の秋を知る(=ちょっとしたことから大勢を察知することのたとえ)/―の扁舟ヘンシュウ(=一そうの小舟)」

いちよう⓪【一様】―に・―な〔比較・観察の対象になる〕一群の人やものが〕どれを取ってもほとんど変りがないと認められる様子だ。「―に黒っぽい背広を着たサラリーマンの群れ/全員は―に反対した/尋常―の(=どこにでもいる平凡な)人物ではない」

いちようらいふく⓪-⓪【一陽来復】陰暦十一月の冬至トウジの日。〔俗に、冬が終わって春になる意や、逆境・不運などよくない事が続いた後ようやく幸運が向いて来る意にも用いられる〕

いちょく⓪【違勅】―する(自サ) 天子の命令にそむくこと。

いちょく⓪【遺勅】亡くなった天皇の命令。

いちよく⓪【一翼】〔一つのつばさの意〕㊀一方の助け。片腕。㊁〔大きな仕事、団体の仕事の中の〕一つの役割。「春闘共闘委の―を担う」

いちらん⓪【一覧】㊀―する(他サ) ひと通りざっと目を通すこと。㊁ひと目で見て内容が分かるように、簡単に表にまとめたもの。「―表⓪・項目―」

いちらんせい そうせいじ⑨【一卵性双生児】⇩双生児

いちり②【一利】一つの利益。「百害有って―無し」 **―いちがい**②-②、②-⓪【―一害】利益もある代りに害もあること。

いちり②【一理】それなりの△道理(理由)。「君の話にも―あるが…」

いちりつ⓪【一律】㊀△どれもこれも(いつも)同じ調子で、

変化が無いこと。「千篇―」❷すべての△同類(関係者)に対して、同じ規準で何かを行なうこと。「―には論じられない／―昇給」派―さ[0]

いちりつ[0]【市立】その市が設立管理する△こと(施設)。〔同音語「私立」との混同を避けるための表現〕「―△高校(大学)」

いちりづか[3]【一里塚】江戸時代、全国の諸街道に一里〔=約四キロ〕ごとに設けた里程標。エノキなどを植え、土を盛って作った。「門松は冥途の旅の―」

***いちりゅう**[0]【一流】❶その社会でのランクが最高で、押しも押されもしない地位(を占めているもの)。⇩二流・三流 ❷〔遊芸・武芸などの〕一つの流派。「彼―〔=独特〕のやり方」

いちりゅう[0]【一粒】薬・米つぶなどの単数を表わす語。「―万倍[0]-[0]〔=わずかな元手で大きな利益をあげるたとえ〕」

いちりょう【一両】(造語)〔「両」は二の意〕一、ないしは二。「―日中[0]〔=今日か明日かのうち〕に必ずこちらからお伺いします／―年[3]-[0]〔=今年か来年か〕・―人[3]-[0]〔=ひとりかふたりか〕」

いちりん[2]【一輪】〔車輪、花など〕輪郭が円形の物の単数を表わす語。「バラ―／―の寒月／―車[3]」 **―ざし**[0]【―挿(し)】花を一、二輪さす、小さな花瓶。

いちる[2]【一〈縷】〔「一本の細糸」の意〕ごくわずかなつながりが感じられる程度の状態。「―の希みに縋っていた／―の冷風が袖口を潜った様な気分になる／―の明るい光がさすように思われた」

いつ

【一】❶数詞。Ⓐ基数詞。△単位量(その物)が一つ。「一個・一尺・一辺」Ⓑ序数詞。「一級品・一等・一着」❷その範囲全部にわたって。「一家・一国・一帯」❸一まとまりとなっているもの。「統一・全一」❹わずか。「一瞬・一顧・一端」⇩(本文)いつ【一】

【逸】❶(手に取り得る)範囲外に出る。「逸出・逸脱・後逸・放逸」❷世間一般に知られないでいる。「逸書・逸話・逸名・散逸・亡逸・隠逸」❸水準からかけ離れている。「逸材・逸品・秀逸」表記❸の一部は、「〈佚」とも書く。⇩(本文)いつ【逸】

【〈溢】あふれて、外に出る。「溢水・溢美・横溢・充溢・脳溢血」

いちるい[2]-[0]【一塁】〔野球で〕Ⓐバッターがボールを打ったりしたあと、最初に向かう塁。ファースト(ベース)。Ⓑ「一塁手」の略。ファースト。 **―しゅ**[3]【―手】〔野球で〕一塁を守備する野手。ファースト。

いちるい[2]-[0]【一類】それと同じ仲間。〔狭義では、同族を指す〕

いちれい[0]【一礼】―する(自サ) 一度(軽く)おじぎをすること。

いちれい[0]【一例】△何かを説明するために用いられる(そのものの全体の性格を代表するに足る)一つの例。「―を挙げれば／―に過ぎない」

いちれつ[2]【一列】❶多くのものが、△前後(左右)などに並んで帯状になった△もの(状態)。「選手の―が行進する／駒を―に並べる」❷第一の列。❸同類(の者)。「―の門徒／―一体」

いちれん ■【一連】❶[0]関係のあるひとつながり。「―の事件」❷[2]-[0]干した魚〔カツオブシやシシャモ・サンマ・イワシなど〕や野菜などを細い縄で幾つか編みつらねた物の単数を表わす語。❸[2]-[0]洋紙の全紙千枚の称。❹[0]「スクリーン㊃」の折り曲げ部分の一つひとつ。❺[2]-[0]ネックレス用のパール・チェーンや数珠の単位をなす一本一本。❻[2]-[0]タカ一羽・凧の単数を表わす語。表記❸は、「一〈嗹」とも書いた。 **―ばんごう**[5]【―番号】途中で、いかなる区分をもせずに、初めから順番に続けて付けた番号。■[0]【一〈聯・一連】❶詩の一節。❷〔律詩で〕一対の句。

いちれんたくしょう[0]-[0]【一〈蓮託生・一〈蓮托生】〔死後、極楽の同じレンゲの上に一緒に生まれるという仏教の教え〕不結果になることがあっても、行動・運命を共にすること。

いちろ[2]【一路】❶一筋の道。「―の沙はほのぐらき松の林に入りつ」❷〔多く、副詞的に〕自分の△守る(目標とする)一筋の路を、ひたすら進む△こと(様子)。「―帰国の途につく／―邁進する〔=信念をまげたり障害に屈したりしないでつき進む〕」❸道中の全区間。「―平安を祈る」

いちろう[0]【一浪】―する(自サ)〔大学受験などの際〕一年間浪人する△こと(人)。また、そうした△こと(人)。

いちろく[0]【一六】❶〔双六やばくちでよいとされる〕さいころの目の一と六。❷一か月の中で、一と六のつく日。〔昔、集会日・休日・けいこ日などに当てられた〕 **―ぎんこう**[5]【―銀行】〔一プラス六で七、つまり質になるところから〕「質屋」の俗称。ななつや。 **―しょうぶ**[5]【―勝負】❶ばくち。❷運任せの冒険をやってみること。

いつ〔一・逸・〈溢〕→【字音語の造語成分】

いつ【五(つ)】(造語)「五」の意の和語的表現。かぞえ上げる個数・人数などが五であることを表わす。〔個数などを順を追ってかぞえるのに用いる時には「い」とも〕「―通りの方法がある／―日・―箱」⇩む(六)

いつ[1]【何時】(代) ある△事が行なわれる(事象が認められる)時点・時期について、はっきりと特定できないことを表わす。〔疑問の意にも用いられる〕「―どこで起こらないとも限らない／―会っても元気だね／―の間に〔=いつか知らない間に〕／―とはなく〔=いつの間にか〕秋になった／払いは―でもよい／―からそんな癖がついたかしら／―になく〔=ふだんと違って珍しく〕元気が無い」

いつ[1][2]【一】〔「一つ(のもの)」の意の漢語的表現〕❶〔その物事の数が〕一つ。「―をもって他をはかる／単―・唯―・同―・帰―・二者択―・専―」❷比較の対象とする物事が実質において同じであること。「心を―にして〔=合わせて〕／時期を―にする〔=時期が同じだ〕／軌を―にする〔=⇩軌〕／志を―にする〔=同じ志をいだく〕／画―的・均―」【―は…他は…】一方は…、また他方は…。⇩【造語成分】

いつ[1]【逸・〈佚】楽にしていること。「―を以て労を待つ〔=自分の根拠地で英気を養いながら、疲れた敵兵がやってくるのを待つ〕／―楽・―民・安―」⇩【造語成分】

いついつまで[1]-[1]【〈何時〈何時まで】❶「いつまで」の強調表現。❷何月の何日まで。「―に出来るか分かりませんが」 **―も**[1]-[1](副)「いつまでも」の強調表現。「―お幸せに」

いつう[0]【胃痛】胃の痛み。

いっか[1]【一下】―する(自サ)〔ひとたび〕くだること。「槌の―をもって日々の業に始む／命令―、直ちに出動／号令―」

いっか[1]【一家】❶一つの所帯。「―の柱を失う／―でピクニックに出かける」❷団結の堅い、排他的な組織(体)。〔狭義では、親分・子分の関係で結ばれたばくち打ちの仲間を指す〕❸〔学芸の世界で〕独自の芸風・学風などを持つと認められた存在。「―を成す〔=一方の権威と認められる〕」 **―げん**③【―言】❶その人独特の主張・論説。「―を吐く」「―たるを失わない」 ❷一つの見識を持った意見。

いっか①【一過】―する(自サ) さっと通り過ぎる△こと(時だけ痛めつけられ、あとは何事も無かったように収まること)。「台風―」 **―せい**⓪【―性】❶〔医学で〕その症状が一時的なものであり、後遺症を伴わずに完全に治癒し得る種類のものであること。「―脳虚血発作/―の高血圧症/―の貧血」 ❷その現象がその場限りのものであって、後に影響をほとんど残さないものであること。「―の円高現象/論争が―の空騒ぎに終わる」

いっか①【一《個・一箇》】(かぞえることができる数の)ひとつ。「―三分の一/―月③・―年③・―所③」 表記「一ケ・一ヶ」は、慣用の久しい略表記。「一か・一ヵ・一カ」などとも書く。

いつか①(副) ❶そういう事が△あった(予想される)時点をいつのことだと限定せずに表わす様子。「―〔=以前〕お目にかかりましたね/こんな調子だと―失敗するだろう」 ❷どの時点においてのことか知らないうちに、事態が変化している様子。「東の空が―明るくなっていた」 表記 普通、「〈何時〉か」と書く。 運用 ❶で、同等以下の相手からの依頼や勧誘、指示などに対して、婉曲エンキョクに断わるときの口実として用いることがある。例、「その仕事はいつかやっておくよ」 **―しら** ㊀⓪①(副) いつであったか気が付かないうちに。「―足首の腫れは引いていた」 ㊁① いつだろうか。「彼と最後に会ったのは―」 表記 普通、「〈何時〉かしら」と書く。

いつか⓪【五日】❶月の第五の日。❷日の数が五つあること。また、その日数。〔副詞的にも用いられる〕

いっかい⓪【一介】〔「介」は、「〈个〉」と同じく、個の意〕〔権力の庇護ゴヒを受けることもなければ、また、こびることもない、名声を博することもなければ、また求めることもない〕独立した存在として見た、個人。「―の浪人の身でありながら、王政復古に大きな貢献をした/権力の座を捨てて―の市民として一生を終えた」

いっかいクヮイ【一回】㊀③⓪〔繰り返し△起こる(行なわれる)ことが予測される事柄について〕その回数が単数であることを表わす語。その時だけで終わって繰り返されることがない事柄にも、繰り返される事柄の最初の場合についても用いられる。〔副詞的にも用いられ、アクセントは⓪〕「―二回と交渉を重ねる/―読んだだけではわからない難解な文章/〔野球で〕―の表テオモ」 ㊁(造語) その時から一年が経過することを表わす語。「―忌」 **―き**③【―忌】一周忌。 **―せい**③【―生】❶〔京都大学を中心に西日本各地で〕大学の一年生。❷第一年度の卒業生。一期生。 **―せい**⓪【―性】一回起こったきりで、繰り返すことが〔出来〕ない性質。「―の出来事/演奏の―」

いっかい⓪【一階】〔建物の地上部分で〕地表面に最も近い階。

いっかい⓪クヮイ【一塊】(小さな)ひとかたまり。「―の土/―の肉片」

いっかい⓪【一《蓋》】かぶる笠カサが単数であることを表わす語。

いっかいてん③クヮイ―【一回転】―する(自他サ) ❶物体が一回円運動をすること。ひとまわり。 ❷〔何回か繰り返して作業をする仕事の〕一回分だけを済ますこと。

いっかく⓪④【一角】㊀❶一本の角ツノ。❷一角獣❷。㊁❶△一定の範囲(全体)の中の(中心から外れた)△一区画(一部分)。「天の―を見つめる/都心の―を占める官庁街/庭の―〔=片隅〕にお稲荷イナリさんを祭る/氷山の―〔=⇩氷山〕」 ❷その△組織(陣営)などを構成する一員として何らかの役割を担う存在。「三横綱の―が崩れた〔=一人に土がついた〕/小国たりとはいえ、自由主義陣営の―を占めている/先発投手の―を担う」 **―じゅう**④ジウ【―獣】❶西洋の伝説上の動物。馬に似て、額に一本の大きな角がある。ユニコーン。❷イルカの一種。北氷洋にすみ、雄は右の牙キバが長く伸びている。牙は薬用、油は良質。「一角」とも。〔イッカク科〕 かぞえ方 ❶は一匹。❷は一頭

いっかく④⓪クヮク【一画・一〈劃〉】❶漢字を形づくる線のうち、一筆で書く線。「一点―」 ❷土地の一区切り。

いっかく④⓪クヮク【一郭・一〈廓〉】❶一つの囲いの中(の地域)。❷同じ地続きの一部。

いっかく⓪【一《鶴》】「一羽のツル」の意の漢語的表現。〔たった一人のすぐれた存在の意に多く用いられる〕 ⇩鶏群ケイグン

いっかくせんきん⓪-⓪|クヮク【一〈攫千金〉】ちょっとした△仕事(投資)で、一時に大きな利益を得ること。「―を夢見る」 表記「一獲千金」は、代用表記。

いっかつ⓪クヮツ【一括】―する(他サ) ❶一つに△くくること(くくった物)。「蔵を整理したら古い書類が―出て来た」 ❷ひとまとめにして扱うこと。「―して処理する/―上程⑤」

いっかつ⓪【一喝】―する(他サ) びっくりするような大きな声できつくしかりつけること。

いっかど⓪【一《廉》】「ひとかど」の古風な表現。 表記「一角」とも書く。

いっかな⓪(副) 〔もと、「いかな」の強調形。どんな事があっても、の意〕 ❶どのような。❷いっこうに。「夜が明けても攻撃は―止ヤみそうもない/選挙公約であったはずなのに、何かのと言って、―実現されそうもない」〔❶❷とも古風な表現〕

いっかんクヮン【一巻】❶③〔糸で綴トじた本を一冊、折本オリホンを一帖ジョウなどと言うのに対し〕巻物になっている本、一つ。〔広義では、綴本トジホンや折本、すなわち書物一般をも指す〕 ❷③① △何巻(何冊)かで一部を構成する本の最初の△巻(冊)。 **―の おわり**⓪-⓪オハリ【―の終(わ)り】〔昔、活弁が無声映画の終わりにそう言ったことから〕続いて来た事柄や話がそこで終わること。おしまい。〔狭義では、「一生の終わり」の意にも用いられる〕

いっかんクヮン【一貫】㊀⓪―する(自他サ) 初めから終わりまで、一つのしかた・考え方を曲げないで通すこと。〔副詞的にも用いられる〕「―した政策/―性を欠く/―作業⑤・終始―・中高―教育」 ㊁❶③ 尺貫法で一千匁メモン〔=約三・七五キログラム〕。❷③⓪ 昔の通貨一千文モン。❸① 一般ににぎりずしの単数を表わす語。ほかには何もないことを表わす。「裸―」 ㊂(造語) それだけで〔貫〕 ⇩【造語成分】かん

いっかん⓪クヮン【一環】❶くさりなどの一つの輪。❷より大きな△問題(構想)に包み込まれる一部分。〔狭義では、貢献度の高い一部分を指す〕「自衛隊の海外派遣を憲法問題の―としてとらえる/税制改革の―に組み込まれる」

いっかんばり⓪【一閑張(り)】器物に紙を張って△朱色の漆塗り(春慶塗)にしたもの。

いっき①【一気】「ひといき」の意の漢語的表現。 **―かせい**①-⓪【―〈呵成〉】〔文章などを、ひといきに書き上げる意〕調子が出た勢いで、仕事を最後まで休まずに済ましてしまうこと。「―に仕上げる」 **―に**①(副) ❶途中で休むことなく、勢いに乗って最後までやってしまう様子。「一升びんを―飲み干す/この夏『戦争と平和』を―読み上げた」 ❷ある事がきっかけとなって、瞬時に、新たな局面が開ける様子。「彼のアドバイスで難問も―解決した/機会をとらえて―スパートした」 **―のみ**⓪【―飲(み)】コップなどになみなみとついだ酒類を息も継がず飲み干すこと。宴会などで無理

強いされて、急性アルコール中毒を引き起こすことがある。

いっき[1]【一季】❶春夏秋冬のうちの、どれか一つの季節。❷〔江戸時代に〕一年ごとに交替する奉公人の勤務期間。〔交替の時期は、古くは二月五日、後には三月五日〕

いっき[1]【一基】△基底(根幹)部が固定してあるものの単数を表わす語。例、「墓・古墳・塚・塔・石塔・鉄塔・鳥居・ガス灯・街路灯・『鉾❸』・ベッド・棺・窯・篝火・井戸・波止場・ガスタンク・サイロ・高炉・原発・ミサイル発射台[2]-[0]・大型電子計算機・浄水機・リフト・エスカレーター・エレベーター・コンベヤー・仏壇・水槽・救命筏[5]・行灯・イーゼル・『ろくろ❸』・エンジン・ミサイル・ライト・ランプ」など。

いっき[1]【一揆】〔「揆」は、はかるの意〕〔代官や守護など土地の支配者の横暴に対して〕土民が団結して自己防衛に立ち上がったこと。「百姓―」

いっき[1]【一期】❶継続的に行なわれる物事の一区切り。❷連続的に繰り返し行なわれる物事の一回目。「―生[3]」

いっき[1]【一簣】一つのもっこに一杯(の土)。⇩九仞

いっき[1]【一騎】馬に乗った、ひとりの戦士。 **―うち**[3]【―討(ち)・―打(ち)】敵味方が馬上で一対一の勝負をすること。〔広義では、選挙などで、有力な二人の候補者が激しく当選を争うことをも指す〕 **―とうせん**[1]-[0]【―当千】ひとりで千人を相手に戦えるほど強いこと。「―の兵」〔古くは、「いっきとうぜん」〕

いっき[1][0]【逸機】―する(自サ)〔スポーツなどで〕せっかくのチャンスを逃がすこと。「惜しくも―」

いっきいちゆう[1]-[0]【一喜一憂】―する(自サ) 状況が変わるたびに、喜んだり、心配したりすること。

いっきく[0]【一掬】〔「掬」は、両手の意〕両手に一杯。〔文脈により、わずかの意にも、多くの意にもなる。「―の同情/―の涙」は共に、もと、「あふれるばかり」の意であったが、現在一般には「わずか」の意に用いられる〕

いっきゅう[0]【一級】❶⇩級❶「―品[0]」 ❷Ⓐ〔そろばんで〕最上級。Ⓑ〔柔剣道や碁・将棋などで〕「段」になる前の初歩の段階での最上級。

いっきゅう[0]【逸球】―する(他サ)〔野球で〕取れるはずのボールを取りにがすこと。エラーの一種。パスボール。

いっきょ[1]【一挙】〔「挙」は挙動の意〕一つの動作。「―一動[1]-[0]〔=一つひとつの動作〕」 **―に**[1](副) 万全の態勢を整えて行動を起こし、間を置かずに事を決する様子。「敵の正面と背後を衝いて―攻め滅ぼした/六部作を―上映」 **―りょうとく**[1]-[0]【―両得】一つの事をして、同時に二つの利益を得ること。

いっきょう[0]【一興】〔そうやってみるのも〕ちょっとおもしろいこと。

いっきょう[0]【一驚】―する(自サ) びっくりすること。「―を喫する〔=全くびっくりする〕」

いっきょう[0]【逸興】〔古〕特別おもしろいこと。

いっきょしゅ いっとうそく[3]-[3]【一挙手一投足】〔一回手をあげ、一回足を動かす意〕❶細かい、一つひとつの動作。「―に注意(注目)する」 ❷わずかの努力。「―の労を惜しむ」

いつ・く[2]【居着く】(自五) ❶そこに住むようになり、他へ行こうとしないでいる。❷落ち着いて、そこに居る。「家(店)に居着かない子(店員)」

いつくし・む[4]【慈しむ】(他五) 弱い立場に置かれた者を大切に守る。「民を―」 名 慈しみ[0]

いっけ[1]【一家】❶「いっか」の古風な表現。❷親族。

いっけい[0]【一系】〔その家に昔から続く〕同じ血筋。

いっけい[0]【一計】あきらめることなく考え出した、成算のある計画。「―を案じる」

いっけつ[0][4]【一穴】❶大便器で小便器を兼ねるもの。❷妻以外の異性を知らない男性をからかって言う表現。「―主義[5]」

いっけつ[0]【一決】―する(自他サ) ❶〔議論・相談などが〕うまくまとまること。「衆議―」 ❷こうしようとためらわずに決めること。

いっけつ[0]【溢血】―する(自サ) 血管の内側の壁の部分の変化、血液の性質の変化などのために、血管の外側の組織に血液がにじみ出ること。「脳―」

いっけん[0]【一犬】一匹の犬。「―虚に吠えて、万犬実を伝ふ〔=だれかが間違った事を言い出すと、多くの人がそれに追随して他に伝えひろめるものだ〕」

いっけん【一件】❶[1] 一つの事件(事柄)。「―記録[5]〔=ある事件に関する一切を記録した書類〕」 ❷[0] 何らかの対処を必要とする件。「―落着〔=決着がついた〕」

いっけん[0]【一見】❸―する(他サ) ❶〔実際に〕一度見ること。〔広義では初対面の意でも用いられる。例、「―旧の如し」〕⇩百聞 ❷ちょっと見ること。「―して〔=ちょっと見ただけで〕彼のしわざだと分かる」 ❸(副) ちょっと見たところでは、そのように(さして問題の無いように)思われる様子。「―紳士風の男/―些細なことだが(実は…)」

いっけん[1]【一軒】❸❶母屋を中心とした、一まとまりの家。❷棟でつながっている、一続きの建物。❸一戸。❹民家・住宅・アパート・別荘、店舗〔公衆浴場・露店を含む〕や医院・産院・寺院・会社、銀行また家庭教師の口や親類・名家などの単数を表わす語。 **―や**[3]【―家】❶広い地域に一軒だけ建っている家。「野中の―」 ❷アパートなどではなく、一戸建ての家。表記「一軒屋」とも書く。

いっこ[1]【一己】「一個人」の意のやや古風な表現。「私―の考え」 表記 俗に、「一個」とも書く。

いっこ[1]【一戸】一世帯が住むための一軒の家や集合住宅の一部屋。また、そこで暮らす一世帯の家族。「―を構える〔=所帯を持つ〕」 **―だて**[0]【―建(て)】〔一世帯の住む〕独立した一軒の家。「いっこだち」とも。戸建て。〔二戸建ては、二世帯で一軒の家〕「土地付き―の家」

いっこ[1]【一個・一箇】❶物一つ。また、ひとり。「―の社会人/―口[3][0]・―売り[0]」⇩個 ❷〔一時代前の隠語で〕百円。「大―[3]〔=千円〕」⇩にこよん 表記 俗に「一ケ」とも書く。

いっこ[1]【一顧】―する(他サ)〔どういう様子かと〕ちょっと目をとめて見ること。「―だにしなかった/―〔=ちょっと考えてみるだけ〕の価値も無い」 文法 一般にあとに否定表現を伴って全面的否定を表わす。

いっこう[0]【一向】❸(副)―に〔多く否定表現と呼応して〕△予測や期待に反して(事態の推移にかかわりなく)以前からの状態が持続する様子。「―(に)雨が降らない/―(に)返事が来ない/何と言われようと―平気だ/―〔=すっかり〕御無沙汰しています」 ❷〔その事だけに心を集中する意〕「一向宗」の略。「―一揆[5]」 **―しゅう**[3]【―宗】他宗よりつけられた「浄土真宗」の異称。

いっこう[0]【一考】―する(他サ) よく考えてみること。「―〔=考慮〕を要する/―に値する」

いっこう[0]【一行】❶一緒に行動している人びと。〔狭義では、旅行の仲間を指す〕「―のリーダー格」 ❷一つの行い。「一言―」 ❸⇩【造語成分】こう(行)❹❺❻

いっこう[0]【一更】初更。

いっこう【一校】❶[0][1] 一つの学校。❷[1][0] その学

校全体。全校。❸⓪一回△め(だけ)の校正。⇩こう(校)

いっこうい いってい⓪-⓪【一高一低】高くなったり低くなったりする様子。でこぼこしていること。

いっこく④⓪【一国】一つの国。「一一城の主(＝小さくとも、国・城を持って、家来から主君と仰がれる人。尊厳を強調しての表現。⇩一城)／一の首相たる者(＝現実に総理大臣として内閣を統率する人)」

いっこく④【一刻】〔昔の時法で、三十分の意〕■一 わずかの時間。「一の猶予も許されない／手術は一を争う(＝緊急を要する)／一も早く／刻一・一千金⓪-⓪」■二 ❶がんこで、人の言うことを聞き入れない様子。❷何かというと、すぐ怒る様子。「一者⓪」派 一さ⓪ 表記 ■二は、「一国」とも書く。

いっこじん③【一個人】❶〔大臣とか委員長とかの〕責任あるポストを離れた、団体の中のひとり。〔ひとりの議員・委員・メンバーとしての立場を指す〕❷公の立場を一切離れた、一私人。「いちこじん」とも。〔民間人と同等の立場を指す〕

いっこん⓪【一献】〔もと、貴人・高官に酒肴を饗すする意。酒は三度勧めるのが建前。⇩三三九度〕❶小規模の酒盛り。「一差し上げたい」❷〔宴席などで相手に勧める〕さかずき一杯の酒。「一お受けください」

＊いっさい①【一切】■一 それに関係するすべての事柄。「店の一を長男に任せて隠退する／宴会の一の費用は当方持ち」■二(副)〔否定表現と呼応して〕関係のあるすべてについて全面的に否定する様子。「アルコール類は一飲まない／賭事は一やらない」一がっさい⑤【一合切】〔「合切」は、語調を整えるために添えた語〕「一切■一」の強調表現。〔やや俗な表現〕「一を処分する」表記「一切合財」とも書く。

一きょう⓪【一経】「大蔵経」の異称。

一しゅじょう①-⓪、⑤【一衆生】〔仏教で〕この世に生存する、すべての生き物。〔狭義では、人間を指す〕

いっさい⓪【一再】一度や二度。「一ならず(＝二度も三度も四度も)／一にとどまらない」

いつざい⓪【逸材】すぐれた才能(の持ち主)。「漱石門下の一」

いっさい たふ⑤【一妻多夫】ひとりの妻にふたり以上の夫があること。↔一夫多妻

いっさく【一昨】■一〔造語〕前の前の△年(月・日)であることを表わす。「一日④(＝おととい)・一年⓪④(＝おととし)・一晩④・一夜④」■二⓪(連体)おとといに当たる。「一十八日」⇩【造語成分】さく(昨)

いっさく⓪④【一策】一つのはかりごと。「一(＝取るべき一つの手段)を案じる」

いっさく さく【一昨々】〔造語〕一昨の前の△年(月・日)であることを表わす。「一日⑥⓪(＝さきおととい)・一年⓪⑥(＝さきおととし)」

いっさつ⓪④【一札】❶一通の公の△文書(手紙)。一通の証文や手形、また証拠になる写真。❷△たしかにそういう約束があった(これから二度とそういう事をしないと約束した)ということを、のちの証拠のために書きつけた書類。〔副詞的にも用いられ、アクセントは⓪〕「一△入れる(取られる)」

いっさつ たしょう⓪-⓪【一殺多生】⇩いっせつたしょう

いっさん①【一山】〔広い敷地、幾つかの坊を含めての〕大きな寺全体。「一の大衆(＝『多くの僧』の意の古語)／一をあげて反対する」

いっさん⓪【一盞】さかずき一杯の酒。「一を傾ける」

いっさん⓪【一粲】〔「粲」は、白い歯を見せて笑う形容〕笑うこと。「一を博する(＝お笑い草に、拙い私の詩文をお目にかけます)」

いっさん⓪【一算】一する(他サ)〔そろばんで〕その計算を一回通しですること。「一願います」

いっさんか たんそ⑥-⓪【一酸化炭素】木炭などが不完全に燃える時に出る有毒ガス。色・におい・味は無い。〔化学式CO〕「一中毒」

いっさんに③【一散に】(副)早く何か△に近付こう(から遠ざかろう)として、懸命に走る様子。「一駆け出す」表記「逸散に」とも書く。

いっさん ばしり⑤【一散走(り)】あとも振り返らず、まっしぐらに走(り続け)ること。表記「逸散走り」とも書く。

いっし①【一子】❶ひとりの子供。「一相伝①-⓪(＝自分の子ひとりだけに奥義を伝えること)」❷〔碁で〕一つの碁石。

いっし①【一矢】一本の矢。「一を報いる(＝相手の猛攻に対し、こちらも及ばずながら反撃に出て、意地を見せる)」

いっし①【一死】❶〔大義のために〕自分の命を捨てること。「一以て国恩に報いん」❷〔野球で〕アウトが一つであること。ワンダン。

いっし①【一糸】一筋の糸。「一乱れず(＝順序・隊形などが、少しも乱れず、きちんとしている様子)／一(も)まとわず(＝何も衣類を身につけていない形容)」

いっし①【一指】一本の指。「一も触れ(させ)ない」

いっし⓪【逸史】正史に書き漏らされた史実。

いつじ①⓪【逸事】世に知られていない(知れば興味がわく)事実。

いつしか①【〈何時〉しか】(副)❶「いつのまにか」の意の古風な表現。「一東の空が明るくなっていた」❷〔雅〕早くそうならないかと何かの実現を期待する様子。「一逢わなん」

いっしき⓪④【一式】〔それに関係のある道具・器具・用具など〕全部。ひとそろい。〔副詞的にも用いられ、アクセントは⓪〕「一を支給する／家具一」

いっしちにち④【一七日】⇩いちしちにち

いっしつ⓪【一失】一つの失策。「終盤に重大な一(＝失着)／千慮の一」

いっしつ⓪④【一室】❶一つの部屋。❷同じ部屋。❸ある部屋。〔副詞的にも用いられ、アクセントは⓪〕

いっしつ りえき⑤【逸失利益】事故、または、債務不履行などにあわずに順調だったら、得たであろうと推定される収入。「得べかりし利益」とも。

いっしどうじん①-⓪【一視同仁】相手の身分・国籍などに関係無く、すべての人を平等に待遇すること。

いっし はんせん①-⓪【一紙半銭】〔紙一枚と、最小の貨幣単位の半分ほどのお金、の意〕わずかな分量の物のたとえ。

いっしゃ せんり①-①【一〈瀉千里】〔急流を小舟がすごい勢いで下る意〕少しも休まずに、滞ることなく行なわれる形容。

いっしゅ①【一首】和歌や漢詩一つ。

いっしゅ①【一種】❶一つの種類。「見本一お送りします／クジラは哺乳類の一だ(＝外見は違うようだが、基本的特徴から言って、哺乳類と言われるものの中に含まれる)」❷〔「一の…」の形で〕一般にはそうはとらえられないが、一部の特徴に着目すればその部類に入ると認められることを表わす。「彼は一の天才だ」❸何に基づくと、はっきり分析は出来ないが、何かそういう感じがすること。「一(＝何か)独特のかおり」文法 ❸は多く副詞的に用いられる。

いっしゅう⓪【一周】一する(自サ)❶何かの△まわりを(内部をくまなく)一回ぐるりと回ること。「万博会場を一するに

は二、三日かかる」 ❷広く各地を旅行すること。「世界―」

―き[3]【―忌】 人が死んで満一年目にする法事。一回忌。一年忌。 **―ねん**[3]【―年】 何かが行なわれてから一年目。「開店―[0]-[3]」

いっしゅう[0]【一週】(シウ) ❶日曜日に始まり土曜日に至るまでの七日間をまとめて呼ぶ呼び方。〔月曜日に始まり日曜日に至るまでとする見方もある〕 ❷七日間。一週間[3]。「木曜日には―おきに会議がある」

いっしゅう[0]【一蹴】(シウ) ―する(他サ) 問題にせず△相手の申し出などを断わる(相手を簡単に負かす)こと。

いっしゅう[1]【壱州】(シウ) 「壱岐(イキ)ノ国」の漢語的表現。今の長崎県壱岐全島にあたる。「いしゅう」とも。「―鬼凧(オンダコ)[5]・―豆腐[5]・―盆唄[5]」

いっしゅく[0]【一宿】 ―する(自サ) 一晩泊まること。「―一飯(パイッパン)[0]-[0]〔=旅の途中、一晩泊めてもらい、一度食事の世話になること〕」

いっしゅつ[0]【逸出】 ―する(自サ) ❶そこから△抜け(逃れ)出ること。 ❷ずば抜けて優れていること。「他に―した作品」

いっしゅん[0]【一瞬】 〔「瞬」は、またたきの意〕まばたきを一回するかしないかの短い時間。〔副詞的にも用いられる〕「古代ローマの地方都市ポンペイは、火山の爆発により―のうちに地上から姿を消した／感激の―を伝える写真速報展／人はこのような―〔=一時〕があって生きていけるのであろう／これが現実の世界の出来事かと―我が目を疑った」

いっしょ[1]【一所】 ❶ひとところ。一か所。 ❷同じ所。「―不住[1]-[0]〔=同じ場所に定住しないこと〕」 **―けんめい**[4]【―懸命】―な ―に 〔昔、武士がただ一か所の領地を死守して生活の頼りとしたこと。例、「―の地」〕 ⇩一生懸命

いっしょ[1]【一書】 ❶「一通の手紙」の意の漢語的表現。「―を呈す」 ❷「別の本」の意の漢語的表現。〔狭義では、その本の異本を指す〕「―に曰(ワイ)く」

*__いっしょ__[0]【一緒】 〔多く「―に」の形で、副詞として用いられる〕 ❶二人以上の人が△同じ(連れだって)行動をする△こと(様子)。「別々に出かけ、途中で―になる〔=落ち合う〕／よかったらご―しましょう〔=お供いたします〕／親子―に食事することが一年に一日も無い」 ❷発着などの時点が同時である△こと(様子)。「盆と正月が―にやって来る／彼とは中学が―でした／そう二人―に言われても困るよ」 ❸同一△である(に扱う)△こと(様子)。「君の意見も僕と―だ〔=変りが無い〕／いい事も悪い事も―にする〔=無差別に扱う〕」 ❹別々のものを△合わせる(合わせて扱う)△こと(様子)。「手紙と―に〔=手紙を添えて〕送る／三か月分の手当を―に〔=一まとめにして〕受け取る／全部―で〔=合計して〕お幾らですか／―になる〔=結婚する〕／―盛(リモ)[0]」 表記 古くは「一所」と書いた。 **―くた**[0] 異質なものの間に区別△がつかない(をつけない)こと。〔多く、価値のあるものもないものも同列に扱う場合に用いられる〕「何もかも―にする」

いっしょ[1][0]【逸書・佚書】 内容の一部または書名だけが他の文献に引用されて知られるだけで、まとまった書物としては伝わっていない書物。 ⇩逸文

いっしょう[0]【一生】(シャウ) ❶その人が生まれてから死ぬまでの全時期(を通じて)。〔副詞としても用いられる〕「教育に―をささげる／―のお願いです／―不犯(フボン)〔=⇩不犯〕／―海外に出たことはなかった」 ❷ようやく命が助かること。「九死に―を得る〔=⇩九死〕」 **―けんめい**[5]【―懸命】―な ―に 〔「一所懸命」の長呼〕「懸命」の強調表現。「―に働く」

いっしょう[0]【一将】(シャウ) 一人の将軍。「―功成りて万骨枯る〔=一人の将軍の戦功のかげには、多くの兵士が戦死したまま報いられずにいる。成功者のかげには犠牲者が居るたとえ〕」

いっしょう[0]【一称】 本名以外の、もう一つの△名前(言い方)。別称。

いっしょう[0]【一笑】(セウ) ―する(自サ) 笑うこと。「―に付する〔=問題にしないで、笑って済ませる〕／―を買う〔=おろかしいことなどをして笑い者になる〕」 ⇩破顔

いっしょうがい[3]【一生涯】(シャウ) その人が生まれてから死ぬまでの間。〔狭義では、物心がついてから後の全時期を指す〕「―独身を貫き通した」

いっしょうさんたん[0]-[0]【一唱三嘆・一唱三歎】(シャウ) 〔ひとりが読んで、三人が唱和することから〕すぐれた詩文を読んで、何度となく称賛すること。

いっしょく[4]【一色】 色がただ一種類だけであること。〔何かが一つの傾向で占められている意にも用いられる。例、「不況―に包まれる」〕〔副詞的にも用いられ、アクセントは[0]〕

いっしょくそくはつ[0]-[0]【一触即発】 ちょっとさわれば、すぐ爆発しそうな危機に直面していること。

いっしん[3]【一心】 ❶ふたり以上の人の気持がぴたりと一致すること。「夫婦は―△同体(一体)」 ❷一つの事に心を集中すること。「―に△頼む(祈る・働く)／遊びたい―で勉強を終えた」 **―ふらん**[3]-[0]【―不乱】―な ―に 一つの事に集中して、雑念が起こらないこと。「―に稽古(ケイコ)をする」

いっしん[3]【一身】 〔当人だけに関係する問題に直面している〕その人自身。「寵(チョウ)を―に集める／△責(罪)を―に背負う／―上の〔=全く個人的な〕都合により退職する」

いっしん[0]【一新】 ―する(自他サ) すっかり新しく△する(なる)こと。「面目―」

いっしん[0]【一審】 〔訴訟で〕第一次に受ける審判。「第一審」とも。

いっしんいったい[3]-[0]、[0]-[0]【一進一退】 ―する(自サ) 〔情勢が〕よくなったかと思うと、すぐ悪くなること。「―を繰り返す」

いっしんきげん[5]【一新紀元】 そこから新たな紀元が起こされる、ととらえられる、始まりの時点。新紀元。「―を画(カク)する〔=その時から新しい時代が始まるような、意義のある大きな仕事をしでかす〕」

いっしんきょう[0]【一神教】(ケウ) 唯一神(ユイイツシン)を信じる宗教。例、ユダヤ教・キリスト教・イスラム教など。↔多神教

いっしんとう[3]【一親等】 本人または配偶者を中心とした親族関係の、最も近いもの。例、父・母と子。一等親。 ⇩親等

いっすいのゆめ[0]-[2]【一炊の夢】 ⇩かんたんのゆめ

いっすい[0]【一睡】 ―する(自サ) ちょっと眠ること。ひとねむり。「―の暇も無い」

いっすい[0]【溢水】 ―する(自他サ) 水があふれること。水をあふれさせること。

いっ・する[0][3]【逸する】(他サ) ❶手にしそこなう。「あたら好機を―／三塁手の送球を―〔=そらす〕」 ❷(かけがえのない物が)失われる。「古書多く逸したこの兵乱のさ中に」 ❸規準からはずれた行動をする。「常軌を―」 逸す[0](五)。

いっすん[3]【一寸】 ❶一尺の十分の一。〔曲尺(カネジャク)で三・〇三センチ、鯨尺(クジラジャク)で約三・七九センチ〕 ❷ちょっとした△長さ(距離・時間)。「―刻みに進む／―足(シア)[3]〔=滑ったりつまずいたりなどしないように、小刻みに歩くこと〕／―試(メダ)し[5]〔=一分試し〕」〔副詞的にも用いられ、アクセントは[0]〕 【―先は闇(ヤミ)】 人間の運命はあすの事さえ全く予測出来ないものだということ。 【―の光陰軽(カロ)んずべからず】 わずかな時間も惜しんで有効に使うべきだということ。 【―の虫にも五分(ブ)の魂】 小さい、弱いものにも、それなりの意地はあるものだということ。 **―のがれ**[5]【―逃(れ)】 徹

底的な対策は立てず、その場だけ取り繕って責任を免れること。一時(イットキ)のがれ。 ―ぼうし⑤【―法師】 現実の世界には見られないほど、背の低い人。〔御伽草子(オトギゾウシ)の主人公の名に基づく〕

いっせ①【一世】❶〔仏教で〕過去・現在・未来の三世(サンゼ)の中の一つ。「親子は―」 ❷一生涯。 ―いちだい①-②、⑤【―一代】〔歌舞伎(カブキ)や能の役者が〕引退の際に、仕納めとして得意の芸を演じること。〔広義では、一生に一度の晴れがましい△演技(行為)を指す〕

*いっせい⓪【一斉】〔多く、「―に」の形で副詞的に〕関連する多くのものが同時に、同じ行動をとったり同一の状態を呈したりする様子を表わす。「客が―に立ち上がった/つゆが明け―に夏の服装になった/―射撃⑤」 ―とりしまり⓪-⓪【―取(り)締(ま)り】 スピード違反や飲酒運転や無免許運転などを取り締まるために、ある日時を期して何か所かで、運転手を検問すること。

いっせい【一世】❶⓪その人が生きていて活躍した時代。「―の名人と仰がれる/―を風靡(フウビ)する/―を曠(ムナ)しゅうする碩学(セキガク)〔=その時代に比べるものも無いほどの大学者〕」 ❷①⓪一代。「―一元⑥」 ❸①同名の君主・教皇の中で最初に即位した人。〔広義では、戸主・移民などの第一代の人をも指す〕「エリザベス―」

いっせい⓪【一声】「ひとこえ」の漢語的表現。「汽笛―」

いっせいめん③【一生面】⇩いちせいめん

いっせき④【一石】❶Ⓐ一個のいし。「一木―に至るまで予を歓迎するものの如(ゴト)し/演劇界に―を投じる〔=静かな所に石を投げて、波紋を起こす。新たな問題を投げかける〕」 Ⓑ〔碁で〕一個の石。「何卒(ナニトゾ)もう―〔=一勝負〕願います」 ❷腕時計の軸受けや、指輪などにちりばめてある宝石の粒の単数を表わす語。 ❸電気製品において、トランジスター・ダイオードなどの単数を表わす語。〔副詞的にも用いられ、アクセントは⓪〕 ―にちょう⓪-⓪、⑤【―二鳥】 一つの事をして同時に二つの△利益を得(効果をあげ)ること。

いっせき④⓪【一席】❶〔かぞえる時にも用いられる〕ひとりの人が演じる、落語・講談や演説の一回分。「―うかがいます/―ぶつ〔=一場の演説を行なう〕」 ❷居酒屋や大衆食堂などで飲食するのではなく、相応の場所で正客を定めてする供応。「―設ける〔=表向きの酒宴・茶会などに、正客として招待する〕」 ❸〔↔第一席①-④〕その時、同じ資格で比べられる人たちの中で、最もすぐれた存在。首席。〔副詞的にも用いられ、アクセントは⓪〕

いっせき④【一隻】❶船の単数を表わす語。〔古くは、「いっしゃく」と言って、魚・玉・杯などをも広くかぞえた〕 ❷一対のものの片方。「―の眼孔〔=一隻眼(ガン)〕」〔副詞的にも用いられ、アクセントは⓪〕 ―がん④⓪【―眼】〔「隻」は、「個」と同義の助数詞〕 ❶片方だけの目。 ❷凡庸な人では持ち得ない、独特の△見識(批評眼)。「―を備える」

いっせつ⓪④【一説】❶一つの説。「―には西鶴(サイカク)の作とする」 ❷ある△説(意見・うわさ)。 ❸異説。

いっせつ たしょう⓪-⓪【一殺多生】〔仏教で〕ひとりの生命を奪うことによって多くの人を助けるという、大乗的な考え方。「いっさつたしょう」とも。

いっせつな③【一刹那】 ほんのわずかな間。一瞬間。

いっせん⓪【一閃】―する(自サ) 目を射るように、ぴかりと光ること。また、その光。「電光―・白刃―」

いっせん⓪【一戦】―する(自サ) 一回の戦闘。ひといくさ。「―を交える/―を辞さない/皇国の興廃この―に在り〔=…は重大な決戦に各自がどう働くかによって決まる〕」

いっせん⓪【一線】❶そのものを、他と区別する一本の線。「越えてはならぬ―/最後の―を守る/―を画(カク)する〔=はっきりと区別する〕」 ❷「第一線」の略。「―の記者/―投手⑤・―級⓪」 ❸〔競馬で〕横に一直線に並ぶこと。

いっそ⓪(副) 現状のままでは△事がうまく運ばない(不満が残る)以上は、思いきった手段をとるほうがいいと判断する様子。「こんなに苦労ばかりするなら―死んだほうがましだ/飛び飛びの休日なら―のこと連休にしてしまおう」

*いっそう⓪【一層】(副) それまでにもある段階に達していたところに、その条件が加わることでより程度の進んだ状態になる様子。「ご同伴願えれば―都合がよい/髪が黒いので―〔=いちだんと〕美人に見える/末っ子だから―かわいい」

いっそう⓪【一双】 二つ備わって完全な用をなすものの一組を表わす語。「炬(キョ)〔=たいまつ〕の如(ゴト)き―の眼〔=両眼・双眼〕/―〔=一対(イッツイ)〕の蝶(チョウ)/六曲〔=六枚折り〕―の屏風(ビョウブ)/―〔=一足〕の草鞋(ワラジ)/手袋―」

いっそう⓪【一掃】―する(他サ) たまっていて△目ざわりになる(もやもやした)ものを、根本的に処理して全部取り除くこと。「△疑惑(疑念・不安)を―する/不信感が―される」

いっそう①⓪【一槍】 槍(ヤリ)で一回相手を突くこと。「―の下(モト)に縫いつける〔=たった一突きで相手を仕留める〕」

いっそう①⓪【一叢】「ひとむら・ひとかたまり」の意の漢語的表現。「―の藪(ヤブ)」

いっそう⓪【逸走】―する(自サ) 逃げて走ること。

いっそく⓪【逸足】〔速く走る意〕すぐれた△人材(門人)。

いっそくとび④⓪【一足飛(び)】❶両足をそろえて飛ぶこと。 ❷普通の順序を踏まずに、先へ進むこと。「小学校の先生から―に大学教授になる/冬枯れから―に春になる」 [表記]「一足跳び」とも書く。

いつぞや①【何時ぞや】(副) 幾日か前の日を△思い出して(不確定に)言う場合の、改まった表現。「―〔=先日〕は失礼しました/―のお話ですが、お断わりします」

*いったい【一体】■⓪❶いくつかのものがまとまって一つの組織となっていること。また、その状態。「夫婦―となって働く/―感を欠く/―化⓪・―性⓪」⇩体■❶ ❷一つのスタイル。「漢字の―/和歌の―」 ■⓪(副) ❶―に 個々の差異を無視して、全体を一つとして述べる様子。「ことしは―に寒い/南の地方の家は―に開口部が大きい」 ❷―に おおもとにさかのぼって事を説き起こす様子。「―△に(が)〔=もと〕丈夫な人ではなかった」 ❸強い疑問を表明したり相手を厳しくたしなめたりする気持をいだく様子。「―何人いるのだろう/―ここをどこと心得ているんだ?」 ■①❶神仏・聖人の像や人形、また遺体の単数を表わす語。 ❷遺骨・人骨、また広く動物の骨および、それらの標本の単数を表わす語。 ―ぜんたい⓪-⓪【―全体】(副)「一体■❸」の強調表現。

いったい⓪【一帯】❶帯状に長く続いていると認められること。「―〔=一続き〕の△中洲(ス)(山脈)」 ❷その場所や地方の全域。「―の湿地に高山植物が花咲き乱れ/北海道―に弱震/あたり―」

いったいいち③-②【一対一】⇩いちたいいち

いつだつ⓪【逸脱】―する(自他サ) 本筋や決まった範囲からそれること。「極端な―が起こる/―行為」

いったん⓪【一旦】(副)〔もと、一朝の意〕❶その事態が一時的なものに過ぎない様子。「―消えたはずの計画がまた持ち出された/―引き下がって一から出直そう」 ❷そういう事態になれば、もう元には戻らない局面に至ると判断される様子。「―中断したら完成の日は永遠に来ないだろう/―引き受けたからには、最後までやってほしい/フィルムは―感光させてしまったらそれまでだ/―緩急有れば〔=大事が起こった時には(いつでも)〕命を捨てる覚悟だ」

いったん⓪③【一端】❶〔細長い物の〕一方の端。 ❷全体の一部分。「…の—に触れる/—を△のぞかせる(漏らす)」

**いっち[0]【一致】—する(自サ)〔「致」は、理路の意〕❶〈だれトーする〉本来立場の異なる者どうしが、共通の目的を達成するために力を合わせること。「労使が—して不況を乗り切った/—した(=同一の)方向/△満場(全会)—/—△協力(団結)」❷〈なにトーする/なにニーする〉本来別々のものの間で、比較対照する点のすべてにわたって、△矛盾(食い違い)が認められないこと。「△指紋(血液型)が犯人のものと—する/双方の意見が—する/珍しく理想と現実が—した/言行不—・言文—」

いっちはんかい[1]-[0]【一知半解】通り一遍の知識はあるように見えても、その物事の本質までは正しく理解していないこと。

いっちゃく[4]【一着】❶〔競走などで〕一等。❷衣類の単数を表わす語。〔主として洋服およびその生地について言う〕❸—する(他サ) 服を身につけること。「新しい背広を—に及ぶ(=(さっそうと)着る)」❹〔碁・将棋の〕△打つ(指す)手。「次の—がむずかしい」❺本格的な行動に先立って、小手調べとして打つ手段。〔副詞的にも用いられ、アクセントは[0]〕

いっちゅう[0]【一〈籌】〔「籌」は、ばくちに使う計算用具〕一つの籌。一つのはかりごと。「—を輸ュする(=『輸』は、相手に渡す意で、負ける)」

いっちゅうぶし[0]【一中節】上方浄瑠璃カミガタジョウルリの一派。江戸中期、都太夫一中ミヤコダユウイッチュウが始めた。

いっちゅうや[3]【一昼夜】まる一日。二十四時間。「昔は東京から博多ハカタまで—かかった」

いっちょ[1]【一著】一つの著作。「—を世に問うごとに声名が上がる」

いっちょう[1] ■一【一丁・一〈挺】手に持つ細長い道具の単数を表わす語。例、「銃砲類・刀剣類・金具類〔金槌カナヅチ・ピッケル・鍬クワ・斧オノ・スパナ〕・駕籠カゴ・人力車・櫓ロ・楽器〔三味線・一弦琴・バイオリン・チェロ・鼓など〕・銅鑼ドラ・払子ホッス・鳥かご・提灯チョウチン・弓・豆腐・墨」など。■二【一丁】❶〔飲食店で〕注文したもの、一つ。❷「ひとまとまりの行為」の口頭語的表現。「碁を—(=一勝負)やるか」 —**まえ**[0]【—前】「一人前」の俗語的な言い方。「—の顔をするな」

いっちょう[0]【一朝】■一ある朝。〔わずかな期間の意にも用いられる。例、「—にして滅ぶ」〕■二(副)「一旦タン」の意の古風な表現。「—事ある秋トキは」 —**いっせき**[0]-[0]、[3]-[0]【—一夕】わずかの時日。「—に出来る相談ではない/—には無くならない/—では出来ない」

いっちょう[0]【一聴】〔「一見」からの類推〕❶一度試しに聞いてみること。「—の価値あり」❷一回だけ聞くこと。「—して理解する」

いっちょういっし[5]、[0]-[1]【一張一〈弛】〔一度は張り、一度はゆるめる意〕しめたり ゆるめたりすること。

いっちょういったん[0]-[0]、[3]-[0]【一長一短】具体的存在の宿命として、長所もある一方において必ず短所もそれに伴っていること。

いっちょうら[3]【一張羅】〔「羅」は、夏に着る薄絹の意〕たった一枚しか無い△晴れ着(衣服)。

いっちょくせん[4][3]【一直線】❶一本の直線。❷脇キワにそれたりすることなく、まっすぐ進む状態。「業界のトップへと—に駆け上がる/ゴール目掛けて—」

いつつ[2]【五つ】〔「つ」は、二つとも接尾辞。⇩いつ(五)〕■一❶ものの(個)数をかぞえるとき、数が五ゴであることを表わす。また、△五歳(第五)を指す。「六つの案件のうち、—が承認された/—のお祝い/一つ、…のこと。…—、…のこと/—星ボシのホテル」❷昔の時法において、今の△午前(午後)八時ごろ。「いつつどき」とも。■二(副) 対象とするものが五つである様子。「問題点を—数えあげる」⇩むつ(六) —**もん**[3]【—紋】△羽織(着物)に五か所〔=背中に一つ、両胸と両そでの後ろ側とに一つずつ〕家の紋を染め出した公式の礼服。

いづつ[1]【井筒】井戸に落ちないように、地上に木・石・土管などでこしらえた囲い。〔広義では、井戸側や紋所をも指す〕〔本来は、円形を井筒、角形を井桁ゲタという〕

いっつい[0]【一対】二つで一組となる△こと(もの)。「—の夫婦茶碗メオトヂャワン/好—」

いつづけ[0]【居続(け)】—する(自サ) 家に帰らずに、娼家ショウカや待合に泊まり続けること。［表記］「〔流連〕」(漢語表記)とも書く。

いって[1]【一手】❶他のものを交えずに△それ(自分)だけで何かをすること。「群がる敵を—に(=自分だけで)引き受ける/—(=独占)販売[4]」❷格にかなっていると同時に、他日応用が利くところの基本的な武術の型。「剣術の—を教えることによって生計を支えているわけです/押しの—(=押しの一点張り)で勝つ」❸〔碁・将棋で〕石や駒コマを一つ△打つ(動かす)こと。

いってい[0]【一定】—する(自他サ) 置かれた状況や個々の事情にかかわりなく、いつもきまった状態や様式△を保つ(が保たれる)こと。「大きさが—した三角形/寝る時間は—していない(=規則的ではない)/—の△温度(間隔)を保つ/—の書式/—の(=決まったある)時期にだけ売り出される商品」［運用］「一定の△理解(評価)」などの形で、十分満足できるとは言えないが、肯定的に受け入れられるものであるという評価の程度を示す表現として用いられる。例、「米国は日本政府の対応に一定の理解を示した」

いっていじ[3]【一丁字】〔「丁」は、箇カの意の个を誤ったものという〕一つの文字。〔誤って「いっちょうじ」とも〕「目に—も無い(=読み書きが全く出来ない)」

いってき[0]【一滴】❶たくさんある液体の中から取り出すことの出来る、ごくわずかな分量。ひとしずく。「大海の—/酒は—も口にしなかった」❷△落ちて(こぼれて)くる ひとしずく。〔副詞的にも用いられる〕

いってき[0]【一〈擲】—する(他サ) 思い切って投げ捨てること。「消極姿勢を—する(=思い切って、やめる)/乾坤ケンコン—(=⇩乾坤一擲)」

いってつ[4][0]【一徹】—に/—な 外力などに屈することなく、自分の主義主張を貫き通すこと。「老いの—/—者モノ[0]・頑固—」［派］—さ[4][0]

いってん[0][3]【一天】❶空全体。「—にわかにかき曇る」❷天下。「—万乗の君(=全世界を治める位、つまり天子)/—四海[5]、[3]-[1](=全世界)」

いってん[3]【一点】■一❶一つの点。「この—に係る/—(=少し)の△雲も無い(疑惑も残さない)/—一画・紅—」〔「—の」のアクセントは[0]〕❷〔昔の時法で〕一時ヒトトキを四つに分けた、最初の区切り。「寅トラの—」❸〔得点数が〕一つ。■二それ自身まとまった、一つひとつの物品の単数を表わす語。例、「食料品・文書・作品〔写真・絵画・陶器・彫刻・ガラス器など〕・出土品・収蔵品・布製品・貴金属・家具・服飾品・遺品・拾得物」など。〔副詞的にも用いられ、アクセントは[0]〕 —**ばり**[0]【—張(り)】〔ばくちで、一か所にだけ賭カけることから〕どんな場合にでも一つの事だけで押し通してしまうこと。「強気—・規則—」

いってん[0]【一転】—する(自他サ) ❶それ自身が一回まわること。❷がらりと△変わる(変える)こと。「舞台は—して/態度を—させる/心機—[1]-[0]」

** * は重要語，[0] [1]… はアクセント記号，品詞の指示の無いものは名詞および いわゆる連語。

いってんき③【一転機】〔そこから人生の行路が変わるような〕一つの大事な変わり目。「いちてんき」とも。「―を画する」

いっと①【一〈兎〉】「一羽のウサギ」の意の漢語的表現。「―をも得ずに〔＝一つの目的も果たさないで〕／二兎(ニト)を逐(オ)う者は―をも得ず」

いっと①【一途】物事が一つの方向に向かって進むこと。「△拡大(激化・荒廃・衰退・過熱)の―をたどる〔＝専ら、その方向に傾く〕」

いっとう⓪ー(タウ)【一刀】❶一本の(小)刀。❷相手を斬(キ)るために一太刀(ヒトタチ)浴びせること。「敵を―のもとに斬りふせる」 **―ぼり**⓪【―彫(り)】一本の小刀でする、簡単・素朴な木彫り。 **―りょうだん**⓪-⓪、③-⓪ー(リヤウー)【―両断】一太刀で、まっ二つに斬(キ)ること。〔物事を思い切って処理する意にも用いられる〕

いっとう⓪ー(タウ)【一党】❶なかま。「夜叉(ヤシャ)の―」❷一つの政党。「―一派を立てる／―独裁」

いっとう(オ)【一等】■一❶③⓪ 最も上の等級。「そうするのが―だ〔＝最もいい〕／―席③・―地③〔＝立地条件がよく、評価額の最も高い土地〕」❷③⓪〔競走などで順位をつける時の〕第一。一着。「―賞③」❸⓪③ 一つの段階。「死―を減ずる〔＝本来ならば死刑の判決を受けるべき罪人に対し、情状酌量して死刑を免ずる〕」■二⓪（副）等級・程度の最たるものである様子。「―すぐれた研究／―目立つ子」 **―こく**③【―国】経済力や軍事力にすぐれ、生活水準なども高く、他の国ぐにへの影響力の大きな国。 **―せい**③【―星】恒星の中で、比較的明るく見えるもの。例、乙女(オトメ)座のスピカ〔＝乙女座の中の最も明るい星に付けられた固有名〕。⇩等星 **―へい**③【―兵】〔もと陸軍で〕兵の階級の一つ。上等兵の下、二等兵の上。

いっとう(オ)⓪【一統】❶所属などを同じくする人びとの集まり。「御―様⓪」❷―する(他サ)「統一」の意の古風な表現。「天下を―する志」

いっとうしん(オ)③【一等親】一親等(の関係にある親族)。

いっとうち(オ)③【一頭地】頭一つ持ち上げた分だけの△高さ(差)。「―を抜く〔＝ほかのだれよりも一段すぐれている〕」

いっとき④【一時】❶昔の時法において、今の二時間。ひととき。❷ちょっとの時間。しばらく。「茶腹(チャバラ)も―〔＝⇩茶腹〕／―たりとも忘れることが無い／―に〔＝一息に〕片づける」❸〔「―に」の形で副詞的に用いられる〕同時にいくつかのことが起きる様子。「―に集まる」❹ある一時期。「―のような隆盛は見られない」〔❸❹は副詞的にも用いられ、アクセントは⓪〕 **―のがれ**⑤【―逃(れ)】根本的な解決ではなく、△そのとき(しばらくの間)だけ問題になっている事案からのがれること。一寸のがれ。

いっとく⓪【一得】一つの利得。「これも―だ／―一失⓪-⓪〔＝利もあれば害もある〕」

いつなんどき①-⓪【〈何時〉何時】（副）〔同義の語を重ねたもの〕「いつ」の強調表現。何かが△起こる(行なわれる)時について、いつだと限定を加えることが出来ない様子。「戦争は―起きるかもしれない」

いつに①【一に】（副）❶その事柄の成立条件としては、それ以外に無いと判断する様子。「社の再建は―社員一人ひとりの努力にかかっている」❷ある事柄に関して、別の言い方のひとつとして挙げる様子。「比叡(ヒエイ)山、―天台山、―鷲山(ワシノヤマ)とも言う」

いっぱ①【一波】❶一つの△波(波紋)。「―、万波を呼ぶ」❷〔何回か行なわれる攻撃・ストなどの〕一回。

いっぱ①【一派】❶一つの流派。❷〔組織体の中の〕小さなグループ。「第二組合―のしわざに違いない／一党―」

****いっぱい**【一杯】■一①❶その容器に満ちる分量。「もう―下さい／―だけいただきます／―で結構です」❷一つの杯(サカズキ)に満ちる酒の量。「―やる〔＝酒を飲む〕／―入っている〔＝酒気を帯びている〕」■二（副）❶⓪ 容量の限度までそこに何かが入っている様子。「会場は人で―だ／若さ―の〔＝全身に満ちあふれている〕二人／もうおなかは―だ」❷⓪① 可能な限度△まで使う(にまで関する)様子。〔造語成分としても用いられる〕「精―やってみよう／力―戦う／あす―(は)忙しい／時間―〔＝ぎりぎりまで〕待つ／アウト コーナー―に球が決まる」❸⓪ △実現(処理)しきれないほどたくさんにある様子。「仕事が―ある／△夢(不安)が―だ」 【―食う】うまくだまされる。 【―食わす】うまく人をだます。 **―いっぱい**⑤【―一杯】支払い・許容などの限度に来ている形容。「銀行からも―に借りている／これで―ですから、お引き出来ません」 **―きげん**⑤【―機嫌】酒を飲んで適当に酔ったいい気分。

いっぱい⓪【一敗】―する(自サ)❶負けた回数が一回。「九勝―」❷大変な失敗をすること。「―地にまみれる〔＝再起不能になるほど大敗する〕」

いっぱく⓪④【一白】❶馬の一本の足の下端が白いこと。〔二本なら「二白」、四本なら「四白」と言う〕❷九星の一つ。水星に配当し、方位は北。方位・婚姻などで吉という。

いっぱく④【一拍】―する(自サ)❶一度手をうち鳴らすこと。❷一回の拍子。〔拗音(ヨウオン)の場合を除く仮名一字によって表わされる等時的な長さの音をも指す〕〔副詞的にも用いられ、アクセントは⓪〕

いっぱく④⓪【一泊】―する(自サ)一晩(よそに)泊まること。〔副詞的にも用いられ、アクセントは⓪〕「―旅行⑤」

いっぱし⓪【一端】（副）〔資格・能力が十分でないのに〕一人前にふるまう様子。「―(の)おとなのつもりでいる／―の板前を気取る」

いっぱつ④【一発】❶銃砲の弾丸一個(を用いた一回の発射)。❷この好機を逃すまいと思って、思い切って何かをすることを表わす。〔副詞的にも用いられ、アクセントは⓪〕「―やってみよう／―勝負だ」 **―かいとう**(オ)⑤ー(クワイタフ)【―回答】〔労使の賃金交渉などで〕一回限りの回答。

いっぱつ⓪【一髪】一本の髪の毛。「―の〔＝わずかに残された〕活路を見いだそうとする捨て身の戦法／間(カン)―・危機―〔＝⇩危機一髪〕」

いっぱん⓪③【一半】全体の半分。または、一部分。「―の責任を負う」

****いっぱん**⓪【一般】❶△特殊(一部)の事例に限らず、多くの事や場合に△わたる(広く認められる)こと。「―〔＝普通〕の会社／―論として／―性⓪・―化⓪」↔特殊 ❷特に相違が認められないこと。「過激な点では極左も極右も―〔＝同様〕だ」 **―しょく**③【―職】❶特別職以外の△国家(地方)公務員のすべての職。❷企業で、対外折衝に当たったり特に専門的な知識・技能を必要としたりしない一般事務に当たる職。⇩総合職 **―じん**③【―人】❶特別の身分や地位を持たない、世間の普通の人。❷問題とする事柄に関係していない人。 **―てき**⓪【―的】―な ―に △特殊(一部)の事例だけに限らず、類似の対象全般にわたる様子だ。 **―に**⓪（副）少数の例外を除き、同種の大部分の事例に共通してそのような傾向が認められる様子。「―昔の人は結婚が早かった」 **―むけ**⓪【―向(け)】世間の普通の人を対象とすること。「―の国語辞典」

いっぱん⓪③【一斑】〔猛獣のヒョウの毛のまだらの一部分の意〕全体の一部分。「―を述べる」↔全豹(ゼンピョウ)

いっぱん⓪【一飯】〔旅人が他人から与えられる〕一回の

食事。「一宿ーの恩義」

いつび[1]【〈溢美〉】実際以上にほめること。「ーの言(ゲン)〔=ほめすぎ〕ではない」

いっぴ[1]【一〈臂〉】かたうで。「ーの力をかす〔=助力する〕/ーの労を惜しまない〔=喜んで助力しよう〕」

いっぴき[4]【一匹】■一広く動物一般の単数を表わす語。〔副詞的にも用いられ、アクセントは[0]〕 表記 ■一で、魚の場合は、「一尾」とも。 ■二一己(コイッ)の独立した存在(である男性)。「男ー」〔副詞的にも用いられ、アクセントは[0]〕 **ーおおかみ**[5](オホカミ)【ー〈狼〉】△組織の力に頼らず(集団の力を借りず)、独力で行動する人。「業界のー」

いっぴつ[0][4]【一筆】❶同じ(人の)筆跡。「全巻ー」❷簡単な文言(ゴモン)の手紙。〔副詞的にも用いられ、アクセントは[0]〕「ーしたためる/ー啓上」❸墨つぎをしないで一気に書くこと。❹〔土地台帳の上の〕土地の一区画。 **ーせん**[0]【ー箋】短い文章を書くための短冊形の便箋。「絵柄の入ったー」

いっぴょう[1](ペウ)【一票】投票用紙一枚。得票数一つ。「ーを行使する/ーの差に泣く/ーの重み/清きー」

いっぴょう[0](ペウ)【一〈瓢〉】〔酒の入った〕ひょうたん一つ。「ーを携えて」

いっぴん[0]【一品】❶ひとしな。 かぞえ方 一枚。とじたものは一冊 ❷最上の品。「天下ー」 **ーりょうり**[5](レウー)【ー料理】〔ホテル・料理店などで〕客の好みに応じて、一品ずつ選択させて出す料理。⇩定食

いっぴん[0]【逸品】〔美術品・骨董(コットウ)品などの〕すぐれた品(物)。

いっぴんいっしょう[0]-[0](セウ)【一〈顰一笑〉】顔をしかめたり笑ったりすること。また、そのときの機嫌。「人のーをうかがう〔=何かをしてもらう含みで、上の人のご機嫌を取る〕」

いっぷ[1]【一夫】ひとりの△夫(男)。 **ーいっぷ**[4]【ー一婦】夫ひとりに対して、ひとりの妻だけを認める婚姻△形態(制度)。「ー制[0]」 **ーたさい**[1]-[0]【ー多妻】ひとりの夫に対して、ふたり以上の妻を認める婚姻△形態(制度)。↕一妻多夫

いっぷ[1]【一婦】ひとりの妻。「一夫ー」

いっぷう[0]【一風】同類のものと変わった所が見られること。「ー〔=△何か(どこか)普通の人とは〕変わっている」

いっぷく[1]【一服】❶[0]ーする(自サ)（お茶・たばこをのんだりして）一休みすること。❷[4]一回分の薬。〔副詞的にも用いられ、アクセントは[0]〕「ーの清涼剤〔=それに接する人の気持をすがすがしくさせるような行為〕/ー盛(モ)る〔=ⓐ病気治療のための、薬を調合する。ⓑ毒薬を飲ませる〕」

いっぷく[4]【一幅】〔一枚の意の「一鋪(ブイッ)」の変化〕書画を表装した掛け物の単数を表わす語。「ーの絵」

いっぷく[0]【一腹】同じ母から生まれたこと。同腹。「ーの兄弟」↕異腹

いつぶ・す[3][0]【鋳潰す】(他五) 金属の製品を溶かして地金(ジガネ)に戻す。

いつぶん[0]【逸文・〈佚文〉】逸書の一部分が、他の本に引用されて今日残っているもの。

いつぶん[0]【逸聞】世間一般に知られていない話。

いっぺい[0]【一兵】戦意を持つ、ひとりの戦士。「最後のーに至るまで/ーも損なわない」

いっぺき[0]【一〈碧〉】一面に青い色が広がって見えること。「ーの海/天空ー[0]-[0]・水天ー[0]-[0]」

いっぺん[3][0]【一片】❶ひときれ。また、ひとかけら。「ーの△肉(骨)/空に浮かぶーの雲」❷薄くて小さな物の単数を表わす。〔多く、取るに足らない、の意を含意する〕「ーの花びら/ーの葉書が彼の運命を決した/ーの紙切れに過ぎない」❸〔「ーの…」の形で〕それが△ほんのわずかばかりの(取るに足らない)ものであることを表わす。「ーのこころざしある者は我がもとへ来たれ/ーの同情すらわかない」

いっぺん[3][1]【一辺】多角形(の物)の一つの辺。「ーが十センチの正方形」 **ーとう**[3](タウ)【ー倒】何か一つのものにだけ△かたよる(心を寄せる)こと。「親米ーの政策」

いっぺん[0]【一変】ーする(自他サ) 今までと全く違った様相を呈すること。「△態度(情勢)がーする/形勢をーする」

いっぺん【一遍】■一[3]一回。〔副詞的にも用いられ、アクセントは[0]〕「こんないやな事はーでたくさんだ/彼があやまったのはあとにも先にもこのーだ/ー下書きをしてから」■二〔副助詞的に〕その傾向だけが際立ってすべてに優先する様子。「正直ーの男/通りーの挨拶(アイサツ)」 **ーに**[3](副)❶「一度に・一時に」の意の口頭語的表現。「何もかもー片付ける/ごちそうをー平らげる」❷何かがきっかけとなって、たちまち新たな局面が展開する様子。「ニュースを聞いてー酔いがさめた」

いっぽ[1]【一歩】❶歩くため片方の足を一回前へ出すこと(により進む距離)。一足(ヒトアシ)。「ーーー山道を登る/ー距離を置く/ー先んずる/十年前よりーも出ていない/ーも〔=自分の主張をわずかでも〕譲らない態度/ーも引かずに渡り合う/ー譲って〔=議論を先に進めるために、仮に相手の主張を認め〕…としても/崩壊のー手前にある〔=寸前だ〕/歩(ホ)ー〔=一足ずつ着実に前進すること〕」❷何かに向かって、一足進めること。「民主政治への第ー〔=第一段階〕だ」 **【ー抜け出る】** 競争関係で横並びにあった状態から目に見える形で先んじる。「頭一つ抜ける」とも。「顧客の新規開拓に成功して営業成績でー」

いっぽう[3](パウ)【一方】■一❶幾つかあるうちの一つの方向(に当たる位置)。「天のー〔=一角〕をにらんで/ー通行」❷△自分やその物が面している(全行動のうちの)一つの側面。「ー〔=他の観点〕から見れば当たっているとも言える」❸関係する幾つかのもののうち、どれか一つ。〔多くは、二つのうち、どっちか一つ〕「事故でー〔=片方〕の目が視力を失った/ーの言い分だけではよく分からない」❹〔接続助詞的に〕あることと並行しつつ、他に別のものがあること。「ほめるー(で)〔=かと思うと、逆に〕悪口を言う/まじめに働いている者が居るーで、働いているふりだけしている者も居る/自作を発表するー、外国作品の紹介にも努めた」■二〔副助詞的に〕その傾向ばかりが顕著に認められる様子。〔いい意味ではあまり使わない〕「若者人口は減るーだ/食うーで、おもしろみの無い男」■三[3](接) 話の筋に関係のあるもう一つのがわは どうかと言えば。 **ーつうこう**[5](カウ)【ー通行】〔道路が狭かったりする場合〕車両の通り抜けを、一方向に限って許可すること。一方交通。〔伝達が一方的にしか行なわれない意にも用いられる〕 **ーてき**[0]【ー的】ーな ーに ❶一方だけにかたよる様子だ。❷相手の言い分を聞かず、自分の都合だけで決める様子だ。「ーに通告する」「ーな勝利」

いっぽう[0]【一法】試みる価値があると考えられる一つの方法・手段。「それもーだ」

いっぽう[0](パフ)【一報】ーする(自他サ) (急を要する事などについて)取りあえず知らせること。また、その知らせ。「帰国なさったらごーください/当選のーが入る」

いっぽん【一本】■一❶[0][1]Ⓐ△一冊(一部)の本。「謹んでーを呈す」Ⓑ(一つの)異本。❷[1]〔柔剣道で〕たしかに相手に勝ったと認められる技(ワザ)一つ。「お面ー/合わせてー〔=⇩あわせわざ〕/ーまいった/彼にー取られた〔=やりこめられた〕」❸[0]他に依存することなく自立していると認められる存在。〔狭義では、一人前の芸妓(ゲイギ)を指す。↕半玉〕❹[1]Ⓐ△一万円(一千円)の、符丁としての表現。Ⓑ「銚

子一本」の略。「ーつける/ーくれ」❷①〔副助詞的に〕他の要素をまじえず、それだけに徹する様子。「受験校を理科系ーに絞る/正直ーで世の中を渡る/生ー」❸①〔多く、細長い物、一続きの物について〕独立した存在と認められる物の単数を表わす語。例、「鉛筆・柱・パイプ・煙突・刀剣類・バット・ヒット・ホームラン・フリーキック・植物の△根(茎・枝)・橋・トンネル・道・川・乗り物の運行・タイヤ・踏切・フィルム・テープ・番組・映画・手紙・電話・記事・原稿・乾電池・(宝)くじ・針・注射(器)」など。 ーか⓪【ー化】ーする(他サ) ❶利用者の便や作業の効率化を図るために、複雑な機構・工程などを△簡略(単純)化すること。❷組織の強化を図るために、部内の意見統一を図ったり候補者の乱立を防ぐよう調整を行なったりすること。 ーがち⓪【ー勝ち】 柔道や剣道などで、ひとつの技を確実に決めて、勝負を決すること。 ーぎ③⓪【ー気】ーな ーに 純粋な動機で何かを思い立ち、それをあくまで貫こうとする様子。「ーな性格」 ーしょうぶ⑤【ー勝負】〔柔道・剣道などの試合で〕(決められた時間内に)先に技を一本とった方を勝ちとするルール。〔広義では、一回しかないチャンスに事の成否をかけることを指す〕 ーだち⓪【ー立ち】ーする(自サ) ⇩ひとりだち ーちょうし⑤【ー調子】ーな ーに ❶歌い方や話し方がめりはりを欠き、おもしろみがない様子だ。❷物事のやり方が旧来通りの型にはまっていて、新鮮味に欠ける様子だ。「ーの文章/ーの対応」 ーづり⓪【ー釣り】 一本の釣りざおで一匹ずつ魚を釣り上げる漁法。〔広義ではこれぞという人を一人ずつ口説き落とすことにも言う〕 ーばし③【ー橋】 まるきばし。 ーやり③【ー《槍】〔槍一突きで勝負を決める意〕ただ一つの△わざで勝負を決めよう(方針で交渉などを進めよう)とする態度や考え。「反対ーから条件付き賛成に方針を変える」

いっぽん⓪【一《品】 昔、親王の位の第一位。

いつまで①(副) ある状態が終わる時について限定しない様子。〔疑問の意にも用いられる〕「ー待っても来ない/ーに提出せよという期限は定めない」 ーも①(副) その状態が無期限に続く様子。「ーお達者で/ーお待ちしております/御恩はー忘れません」

いつみん⓪【逸民】 勤めを持たず、なるべく世間との交渉を避け、隠者同様に暮らしている人。「泰平のー」

いつめい⓪【逸名・《佚名】 何という名前であったか分からないこと。「ー氏③・ー詩集」

いつも①【《何時》も】(副) ❶どの時・場合でもそうであって変わることが無い様子。「ーにこにこしている人/ーお元気そうで何よりです/ーうまい事ばかりは無い」❷それが特別の事ではなく、ごく日常的に繰り返されている様子。「毎朝ー散歩する/休みが終わってーの生活に戻る/緊張せずにー通りやりなさい/ーの伝(=やり方)でいこう」

いつや⓪①【《乙夜】 昔の時法において、夜を五分した第二。今の午後九時ごろから十一時ごろまでに当たる。「ーの覧(=天子の書見。昼間は政務に多忙なため、毎日この時間を書見に当てた)」 ⇩五夜

いつゆう⓪【逸遊】ーする(自サ) 「好き勝手な事をして、時間を過ごす」意の漢語的表現。

いつらく⓪【逸楽・《佚楽】 ともすれば追い求めたくなる不健全な快楽。「ーにふける」

いつわ⓪【逸話】 その人の伝記の本筋に直接は関係しないが、その人間味を物語る材料とするに足る裏話。エピソード。〔狭義では、謹厳で評判な偉人のそれを指す〕

***いつわ・る**③【偽る】(他五)〈だれニ なにヲ(なんだト)ー〉 事実とくいちがう事を、わざと言ったり 相手をだますようなことをしたりする。「△身分(年齢・名前・己れ・過去)をー/大学生とー/人を偽って金を出させる/偽らざる事実」 名 偽り⓪ 表記「《詐る」とも書く。

いて②①【射手】 弓を射る人。〔多く「弓の名手」を言う〕

いで①(感)〔雅〕さあ、と勇み立つ気持を表わす。「ー行かん」

イデア①〔ギ idea〕 プラトン哲学の中心概念。そのものをそのものたらしめる根拠になる真の実在。

イディオム①〔idiom〕 慣用句。

イデー①〔ド Idee〕〔哲学で〕観念。また、理念。

イデオロギー③④〔ド Ideologie〕 人間の行動を決定する、根本的な物の考え方の体系。〔狭義では、それぞれの社会階級に独特な政治思想・社会思想を指す〕

いてき⓪【《夷狄》】〔古代中国人から見て、「夷」は東方の未開人、「狄」は北方の野蛮人の意〕中国人以外の野蛮な人。〔古代中国人は、自国を最も文化の進んだ「中華」とし、外国人をすべて野蛮人と見た〕

いてぐも⓪【《凍て雲】 こおりついたように動かない、冬の雲。また、今にも雪が降り出しそうな雲。

いでたち⓪【《出で立ち】 (旅行の)身じたく。

いでた・つ③【《出で立つ】(自四)〔雅〕どこかへ△出掛ける(飛び立つ)。また、人前に出るための身なりをする。

いてつ・く③⓪【《凍て付く】(自五) こおりつく。

いでまし⓪〔雅〕〔出御・出坐の意〕身分の高い人が△どこかへお出かけになる(そこにいらっしゃる)こと。 動 いでます③(自四) 表記 もと「《行」と書いた。

いでゆ⓪【《出で湯】〔雅〕温泉。 表記「《温泉》」とも書く。

い・てる②【《凍てる】(自下一) 物すべてがこおる(ように寒く感じられる)。

いてん⓪【移転】ーする(自他サ) ❶備えつけられた物の位置や住んでいる場所を 離れた他の所に移すこと。また、移ること。「都心から郊外にーした大学/ー(=引っこしの)通知」❷権利などが他に移る(ようにする)こと。

いでん⓪【遺伝】ーする(自サ) 〔heredity の訳語〕△親(先祖)の形質が、子孫に一定の様相をとって伝わる現象。染色体上の遺伝子がこの働きをつかさどるものとされる。メンデルが科学的解明を初めて行なった。「ー的⓪・ー性⓪・隔世ー⑤(=⇩隔世❷)」 ーし②【ー子】 染色体上に一定の順序で配列されて、遺伝形質を決定する因子。本体はDNA。「遺伝因子④」とも。「ー工学⑤」 ーしくみかえ②-⓪【ー子組み換え】 遺伝子の特定部位を取り出して他の遺伝子に組み入れる△こと(技術)。「ー作物②-⑥・ー食品②-⑤」

いと①(副)〔雅〕接する人に強い印象を与えるほど、程度が普通とはかけ離れている様子。「ーおもしろし/ー見苦し」

****いと**①【糸】 ❶Ⓐ織物・編物の直接の材料となり、また衣服を縫うのに用いる、細長い物。〔魚を釣るために、釣りざおの先につけて水中に垂らすものをも指す〕「△繭(綿)を紡いでーを作る/絹ー・縫ー・釣りー」Ⓑ三味線・琴などの楽器に張る細長い物。「二のー」Ⓒ細く長く続くもの。「クモのー/納豆のー/ーみみず/青柳のー(=若芽)」Ⓓ一筋に続くもの。「△記憶(思い出)のーをたどる/三つの事が一本のーにつながる」❷琴・三味線。「ーが入って(=宴席に三味線が入って)座が一段とにぎやかになる」 かぞえ方 ❶は一本・一束・一巻・一枚 【ーの切れた《凧】 ❶空に揚げている時に糸が切れてどこに飛んでいくか分からない凧。❷常識の制御が無く気ままで何をしでかすか分からない人。「今の彼はーだ」❸何物にも束縛されない自由な状態。「会社を辞めてようやくーになれた」 【ーを垂れる】 釣りをする。 【ーを引く】 ❶△煮汁などが煮つまって(食

品がいたんで来て)ねばるようになる。❷煮たダイズが納豆菌の繁殖によってねばりけを出す。❸あとまで続いて、長く絶えない状態になる。

いと[1]【意図】❶―する(他サ) 何か目的があって、積極的にそうしようと考えること。「早期実現を―する/―的なごまかし」❷その事の背後に察知されるもくろみ・考え。「関係改善の―が うかがわれる/真の―がどこにあるのか全く分からない」

いど[1]【異土】「異郷」の意の古風な表現。

いど[1]―(ヰ)【緯度】〔地球の表面上で〕その地点が赤道から南北どちらの方向にどれだけ隔たっているかの度合。〔赤道からの隔たりの度合は、その地点における鉛直線が赤道面となす角度で表わし、単位は度分秒を用いる。従って、赤道は零度、両極は九〇度。北半球の場合は「北緯」を、南半球の場合は「南緯」を、それぞれ角度の数値に冠する〕「東京の―は北緯三五度三九分/高―地方」↔経度

***いど**[1]―(ヰ)【井戸】〔「と」は所の意〕底流する地下水を汲(ク)み上げて生活に利用する設備。⇩井「―水(ミズ)[2]・空(カラ)―[0][3]・深―[0][3]」 かぞえ方 一基・一本

いとあやつり[3]【糸操(り)】人形のからだの部分に糸をつけ、その糸を客席からは見えない舞台の上の高い所から操りながら動かす仕掛け。

いといり[0]【糸入(り)】❶〔糸は絹糸の意〕もめん糸の中に絹糸を交ぜて織った織物。「―紬(ツムギ)[5]」❷糸の入っている丈夫な ふすま紙。

いと・う[2](イトフ)【〈厭う】(他五) ❶いやがる。「世を〔=世間とのめんどうな交渉を〕―/苦労を厭わない/遠路を厭わず」❷いたわる。「寒さの折からおいといください〔=からだを大事にしてください〕」

いとう[1](オ)【以東】その地点・地域を含み、それより東。↔以西

いどう[0](オ)【異同】〔意味の実質は「異」にある。⇩帯説〕〔かなり似ているものどうしの間での〕違い。違った点。〔どこ△で(から)違ってくるかが考察の対象になる〕「旧版と新版の―を調べる」⇩相違

いどう[0](オ)【異動】勤務先・住所などが、それまでと変わること。〔狭義では、官庁・会社などで、地位や勤務の配置が変わること。例、「定期―[4]・―通知書[7][0]」〕

***いどう**(オ)【移動】❶[0]―する(自他サ)〈(どこ カラ)どこ ニ―する〉△居住(活動)する場所を(一時的に)他に移したり 存在する位置を変えたりすること。また、そのようになること。「冷蔵庫を―しただけでずいぶん使い勝手がよくなった/道路工事でバス停が臨時に―した/―開始」❷(造語) 一か所にとどまらず、随時△動く(動かす)ことがあること。「―図書館[5]・―診療所[0][8]」 ―せいこうきあつ[8]―(カウー)【―性高気圧】 春・秋のころ、低気圧の通ったあとに西から移動してくる高気圧。これに覆われている間の天候は安定する。

いとおし・い[4](イトホシイ)【《愛おしい】(形) 自分より年下の者や自分を信頼してくれている者をかけがえのない存在として、大切に守ってやりたいと思う気持をいだく様子だ。「戦場で死んだ老臣をいとおしく思う/いとおしや、泣いて馬謖(バショク)を切る」 派 ―さ[4][3] ―げ[4][5][0] ―が・る[5] 表記 古くは「〈最愛〉しい」とも書いた。

いとおし・む[4](イトホシム)【《愛おしむ】(他五) ❶いとおしく思って、かわいがる。「我が子を―」❷二度と帰らぬものと考え、大事にする。「行く春を―〔=惜しむ〕/我が身を―〔=けがや病気のないように気をつける〕」 表記 古くは「〈最愛〉しむ」とも書いた。

いとお・す[3][2][0]―(トホス)【射通す】(他五) 射た矢で、目的のものを貫く。

いとおり[0]【糸織(り)】 絹の縒(ヨ)り糸で織った織物。「―姫[4]〔=たなばたひめ〕」

いどがえ[0](ヰドガヘ)【井戸替(え)】―する(自サ) 井戸の水をすっかり汲(ク)み出して、掃除すること。いどさらえ。

いどがわ[0](ヰドガハ)【井戸側】 井戸を掘ったあと、周囲の土や石が崩れ落ちないように、木・石などで囲い固めたもの。

いときりば[4][3]【糸切(り)歯】 人間の、犬歯(ケンシ)。

いとく[0][1]―(ヰ)【威徳】 みだりに近寄りがたい威光と、人から慕われるような徳の両方を持っていること。「―兼ね備わる」

いとく[0]―(ヰ)【遺徳】 故人が持っていた徳で、後のちまでしのばれるもの。

いとくず[3][0]―(クヅ)【糸〈屑】 使い古しで、もう役に立たない糸(の切れ端)。

いとぐち[2]【糸口・《緒】〔巻いてあったりする糸の先の意〕〔物事が進行し、解決するための〕手がかり。「打開の―を見いだす」

いとくり[2][0]【糸繰(り)】❶繭や綿花から糸を取り、また、より合わせる△こと(人)。「いとり[2][3]・いとひき[2]」とも。「―車(グルマ)[5]」❷⇩いとわく

いとぐるま[3]【糸車】 糸を紡ぐための車。

いどぐるま[3]―(ヰド)【井戸車】 つるべ縄をかけて つるべを上げおろしする滑車。

いとけな・い[4]【《稚い】(形)〔雅〕〔「ない」は形容詞を作る接辞〕幼い。 表記 「《幼けない」とも書く。 文法 助動詞「そうだ(様態)」に続くときは「いとけなさそうだ」の形になる。また「すぎる」と結びついて複合動詞をつくるときは「いとけなさすぎる」の形になる。

いとこ[2][1]【〈従兄弟〉・〈従姉妹〉】(その人の)父母の兄弟・姉妹の子供。「―はとこ」 表記 一般的には「〈従父兄弟〉・〈従父姉妹〉」・「〈従母兄弟〉・〈従母姉妹〉」、略して「〈従兄弟〉」・「〈従姉妹〉」と書いた。個々の間柄は普通、「〈従兄〉・〈従弟〉・〈従姉〉・〈従妹〉」と書く。古くは「〈従子〉」も用いられた。 ―ちがい[4]―(チガヒ)【―違(い)】 その人の父母のいとこに当たる人。 ―に[0]【―煮】 アズキまたはダイズに、ゴボウ・ダイコン・サトイモなどの野菜を順次煮えにくいものから入れて、みそで煮込んだ煮物。

いどころ[0]―(ヰ)【居所】 その人がその時点において△身を置いて(住んで)いる場所。いばしょ。「―〔=住所〕を知らせる」【虫の―が悪い】⇩虫❷

いとごんにゃく[3]【糸〈蒟蒻〉】 糸のように細長い、煮物用のこんにゃく。「いとこんにゃく」とも。⇩しらたき かぞえ方 小売の単位は一束・一丁・一袋

いとさばき[3]【糸〈捌(き)】❶(からみがちな)糸の扱い方。❷〔琴・三味線などの〕糸の調子を合わせること。「巧みな―」

いどさらえ[3](ヰドサラヘ)【井戸〈浚(え)】 いどがえ。「いどさらい」とも。

いとし・い[3]【《愛しい】(形) 肉親や愛する人に対して、いつも身近に接していたいと思う気持をいだく様子だ。「―我が子」 派 ―さ[2][3] ―げ[0][3][4] ―が・る[4]

いとしご[3]【《愛し子】 かわいい(自分の)子供。愛児。

いとじり[0]【糸尻】 ⇩いとぞこ

いとじるし[3]【糸印】 衣類などの△縫い目(汚れている部分)をはっきりさせるために、糸を縫い付けて目印としたもの。

いとすぎ[2][0]【糸杉】「コノテガシワ[4]〔=ヒノキ科〕」の変種。幹はまっすぐで枝葉が細かい。サイプレス。

いとすすき[3]【糸《薄】 ススキの変種で、葉・茎が非常に細いもの。観賞用として栽培される。〔イネ科〕 かぞえ方 一本

いとぞこ[0]【糸底】 茶わんなどの底のせばまりに続いて、下に突き出ている部分。いとじり。〔ろくろから糸でくくり取った

いとたけ ①②【糸竹】 琴・笛の類の総称。「—の道〔=音楽(の技術)〕」

いとづくり ③【糸作(り)】 糸のように細く切った、イカやサヨリなどの刺身。〔酢の物についても言う〕

いとど ①⓪(副) 〔雅〕〔「いと」の強調形〕別の事情が加わって、ますます はなはだしく感じられる様子。「宿に着くころは—雨がしげくなった」

いとなみ ⓪【営(み)】 いとなむこと。「日びの—〔=仕事〕/冬の—〔=準備〕を急ぐ/性の—〔=性行為〕」

***いとな・む** ③【営む】(他五)〈なにヲ—〉 予定を立てたり 計画を練ったり などして、不都合が生じないように、日びの活動を行なう。「社会生活を—〔=社会人として生活する〕/事業を—/法事を—〔=行なう〕/大邸宅を—〔=作って、そこに住む〕/理髪店を—〔=経営する〕」

いとのこ ⓪【糸〈鋸】〔↑糸のこぎり③〕 板の中をくりぬく時に使う、薄刃で細身の のこぎり。刃は弦状に張る。 かぞえ方 一本

いどばた ⓪【井戸端】 井戸 のまわり。 **—かいぎ** ⑤【—会議】 共同井戸のまわりに集まった主婦が、水汲みや洗濯などをしながらする世間話。

いとはん ②⓪①【《嬢はん】〔関西方言〕良家の おじょうさん。

いとびん ⓪②【糸〈鬢】 江戸中期に流行した、男子の髪型。鬢の部分を細く残して他をそるもの。「—奴⑤」

いとふけ ⓪②【糸ふけ】〔釣りで〕針にかかった魚の動きや風・波・水流などのために、道糸が弛むこと。

いどべい ⓪②【井戸塀】 政治活動、特に、選挙などに資産を使い果たし、あとに井戸と塀しか残らないこと。政治(家)はお金がかかるものだということのたとえ。「—議員⑤」

いとへん ⓪【糸偏】 ❶漢字の部首名の一つ。「紀・経・総」などの、左側の「糸」の部分。〔多く、繊維・織物に関係のある漢字がこれに属する〕 ❷繊維(製品)の俗称。「—景気⑤」 ⇩金偏

いとま ⓪③【《暇】 ❶職務や社交儀礼上かかせない用向きなどを離れて個人的に自由に使うことができる時間。「客の応接に追われ食事をする—がない/一週間の—〔=休暇〕を乞う/育児に追われて読書の—がない」 ❷訪問先から去ること。「—を告げる〔=別れの挨拶をする〕」 表記 「〈遑」とも書く。 運用 「おいとまする」の形で「辞去する・帰る」の意を相手に伝えるのに用いる。例、「△そろそろ(すぐに)おいとまいたしますので、どうぞお構いなく」 **【—が無い】** そのことに追われつづけて他のことをする余裕がない。 ⇩応接・枚挙 **—ごい** ⓪【—乞(い)】—する(自サ) ❶別れの挨拶をすること。 ❷休暇を与えてくれるように願うこと。

いとまき ②③⓪【糸巻(き)】 ❶糸を巻くこと。また、糸を巻きつけておく、小さな道具。〔ミシンではボビンを指す〕 ❷三味線などの上部にあって糸をしめあげるもの。 ❸糸巻に似せた、女の髪の結い方。 かぞえ方 ❶❷は一本

いとまさ ⓪【糸〈柾】〔板・柱などで〕木目が細かくまっすぐに通った柾目。

いとみち ②【糸道】 三味線を多くひいたために、左の人さし指の爪の先に出来たくぼみ。「—が明く〔=人並に三味線がひけるようになる〕」

いど・む ②【挑む】(自他五) 負けてなるものか という気概をいだいて、△自分より強い者に戦いを仕掛ける(大きな困難を伴うことに取り組む)。「△決戦(論争)を—/△強敵(難関)に—/冬山に—〔=危険の多い冬山に登ろうとする〕/世界記録に—〔=…を破ろうと、懸命に努力する〕/高嶺の花に—」

いとめ ■【糸目】 ❶③⓪ 凧につけて、揚げる時に釣合を取るための糸。 ❷③② 陶器などに細く刻みつけた筋。 ❸⓪ 釣りのえさに使うミミズに似た小動物。〔ゴカイ科〕 かぞえ方 ❶❷は一本。❸は一匹 ■③⓪【糸目・〈厭目】「糸目■❶」の意から。「金に—を付けない〔=目的を実現するためにお金を惜しげもなく使う〕」

いと・める ③【射止める】(他下一) ❶うまくねらって射殺す。 ❷(ねらったものを)うまく自分のものにする。「総裁の座を—/彼女のハートを—」

いとも ①(副)〔「いと」の強調表現から〕驚くほど、程度が普通とは違っている様子。「—おごそかな儀式/—たやすい/—簡単にやっつけた」

いとやなぎ ③【糸柳】 シダレヤナギの異称。

いとゆう ②⓪【〈遊糸】〔雅〕かげろう(陽炎)。遊糸①。 表記 「〈遊糸」(漢語表記)とも書く。「糸遊」は、新しい用字。

いとわく ⓪【糸枠】(紡いだ)糸を巻きつけておく枠。いとくり。 かぞえ方 一台

いとわし・い ④【〈厭わしい】(形) 不快で、接していることに耐えられない気持だ。「—思い出」 派 **—さ** ③④ **—げ**

いな ④⓪⑤

いな ①【否】(感) 違う・そうではない・不同意だという気持を表わす言葉。「…であるか—かを問わず/—〔=そうではない。違う〕と答える/財産があると—〔=無い〕とにかかわらず」

いな ⓪【〈鯔】 ボラの幼魚。 ⇩出世魚

いな ①【異な】(連体) どうしてそのようなことになるのか何とも納得出来ないと感じることを表わす。「—ことを仰せられる/縁は—もの、味なもの〔=⇩縁〕」

いない 【以内】(造語) ❶その境界線の内側。「この柵—立入禁止」 ❷〔個数・順位・距離・時間などが〕その数量と等しいか△小さい(少ない)ことを表わす。〔順位の場合、「三位以内」は一位から三位までを、「三位以下」は三位・四位・五位…を表わす〕「都心から一時間—/取締役は二十五名—におさえる/十キロ—の至近距離」 ⇩以外

いなおりごうとう ⑤【居直り強盗】 空巣やこそどろが、家人に見つけられて急にすごんで強盗になること。

いなお・る ③【居直る】(自五) ❶すわり直して姿勢を正す。 ❷〔不利な立場にある者が〕ぎりぎりのところまで追い詰められた結果、突然攻撃的態度に出る。

***いなか** ⓪【〈田舎〉】〔「田居中」の意という〕 ❶田畑が多く、人家が少ない所。「—道③」↕都会 ❷大都会から離れた地方(の都市)。「—育ち④・—回り④」 ❸大都会から離れた地方にある生まれ故郷。出身地。「—へ帰る」 表記 ⇩付表 **—じるこ** ④【—汁粉】 つぶしあんの汁粉。〔関西では、ぜんざい〕 **—っぺい** ⑤⓪ 「いなか者」を軽蔑して言う語。「いなかっぺ⑤⓪」とも。 表記 「〈田舎〉っ〈兵衛〉」とも書く。 **—・びる** ④(自上一) 都会を離れた静かさや野趣が感じられる。いなかじみる⑤。 **—ま** ③【—間】 柱の中心間の距離を曲尺の六尺〔=約一・八メートル〕およびその倍数にした△住宅(畳)。主として関東地方の住宅に見られる。 ⇩京間 **—みそ** ④【—味〈噌〉】 麦のこうじで作った、赤色の鹹い味噌。赤味噌。 **—もの** ⓪【—者】 ❶地方△出身で(に住んでいて)、都会の事情に暗い人。 ❷立ち居ふるまいが洗練されていない人。 **—や** ③【—家】 多く農村に残っている、わらぶきなどの家。

いなかけ ⓪②③【稲架(け)】 刈り取ったイネの穂をかけて、かわかす道具。柱を建て、何段かに横木や縄を渡す。「いなか⓪・いねかけ」とも。〔「はさ・はせ」など地方名が多い〕 表記 「稲掛け」とも書く。 かぞえ方 一架

いながら ⓪【稲《幹】 (葉のついたままの)イネの茎。

いながらに⓪【居〈乍ら〉に】(副)〔「すわったままで」の意〕わざわざその場所に出向いたりあちこちを走り回ったりしないで、必要な情報や物品を手に入れる様子。「歌人は―名所を知る、と言われる／株の操作だけで―して巨万の富を得た」 表記 古くは、「〈坐に」と書いた。

いなが・れる④【居流れる】(自下一) 人びとがおおぜい、定められた順にすわっている。

いなご⓪【〈蝗】〔稲子の意〕からだが△緑色(茶色)で、たんぼや畑などにすみイネの害虫となる昆虫の総称。後肢が発達し、よく跳ぶ。食用にもなる。〔バッタ科〕 かぞえ方 一匹

いなさく⓪【稲作】❶イネの栽培。❷〔その年の〕イネの出来ぐあい。

いなじ・む③【居〈馴染む】(自五) その家や場所に住んでいるうちに、親近感・安心感をいだくようになる。

いな・す②⓪【《往なす】(他五)〔もと、「行かせる・帰らせる」の意〕〔すもうで〕攻勢をかわして、相手の体勢を崩す。〔相手の鋭い攻撃や追及を軽くかわす意にも用いられる〕 表記 「《去なす」とも書く。

いなずま⓪【稲妻】〔古代農民の間では稲光によって穂が孕むものと信じられていたところからという〕「稲光」の別称。「―形⓪」

いなせ⓪〔若い男性が〕いきで、勇み肌な様子。「―な兄い」 表記 「〈鯔背」とも書く。

いなだ⓪ ブリの成魚になる前の名。⇩出世魚 かぞえ方 一尾・一匹

いなだ⓪【稲田】イネが植えてある田。

いなな・く③⓪【〈嘶く】(自五)〔「い」は馬の鳴き声。現代語のヒンに当たる〕馬が声高く鳴く。 名 嘶き⓪

いなにわうどん⑤【稲庭〈饂飩〉】 秋田県名産の手延べの干しうどん。麺は平たく透明感があり、のどごしがなめらか。

いなびかり③【稲光】 夏の夕方など、厚い雲の中から、多く雷鳴を伴って、空中に発する(筋状の)光。直線が折れ曲がったように見えるものが多い。

いなほ⓪【稲穂】 イネの穂。

いな・む②【否む】(他五) いやだと△言う(言って断わる)。 表記 「《辞む」とも書く。

いなめない③【否めない】 否定することは出来ない。「…の△感(印象)が―／―事実」

いなむら⓪【稲〈叢】「堆」の古称。

いなや①【否や】❶〔多く「…や―」の形で〕問いかけた事柄について、あるいはそうではないのかと、否定の疑問を添えて、肯定・否定のどちらであるかを問うことを表わす。「ありや―〔=ある(の)かどうか〕」❷〔△否定(反語)表現と呼応して〕「そうでないことはありえない」などと二重否定の形にして、当然のこととして肯定の返事を期待することを表わす。「彼に―は無いはず／―があろうか」❸〔「動詞終止形＋や―」の形で、副詞的に〕その動作が終わるとすぐに次の動作に移る様子を表わす。「聞くや―飛び出した」

いならぶ③【居並ぶ】(自五) おおぜいの人が定められた順にすわって並ぶ。

いなり①【稲《荷】〔イネナリの意といわれる〕もと、穀物の神を祭った社。後世は、多く△邸内(地域内)の守護神とされる、赤い鳥居のある社。〔キツネは、その使わしめ〕「お―さん〔=ⓐ稲荷神社④。ⓑいなりずし〕／―祭り」 **―ずし**③【―《寿司】二つに切ったあぶらげを甘く煮て、開いた中にすし飯をつめたもの。しのだずし。

いなわら⓪【稲〈藁】 籾を取ったあとの稲を干したもの。「いねわら」とも。「―を束ねる」 かぞえ方 一本・一筋：一束・一把

いなん①【以南】 その地点・地域を含み、それより南。↕以北

イニシアチブ④③②〔initiative=率先〕 主導権。イニシャチブとも。「―を取る〔=会議や組織の中で、特定の人がある事の必要を唱え、全体をリードする〕」

イニシアル①②〔initial〕❶〔ローマ字で姓名などを書く時の〕頭文字。❷〔条約の〕仮調印。イニシャルとも。

いにしえ⓪【《古】〔「往にし方へ」の意〕〔自分の生まれる以前の〕(大)昔。「―の奈良の都の八重桜」 **―ぶり**⓪【―《風】 大昔の△風習(様式)。

いにゅう⓪【移入】―する(他サ) ❶△外国や植民地からその国に(県外から県内に)物や人を送って来たり持って来たりすること。「―文物・―思想」〔法令用語としては、酒類などの課税物件を製造場へ搬入することを指す〕↕移出 ❷⇩感情移入

いにょう⓪【囲〈繞】―する(他サ)〔「繞」も囲と同義〕まわりをすっかり取り囲むこと。「いじょう」とも。

いにょう⓪【遺尿】―する(自サ) 夜寝ている間などに小便を漏らすこと。「―症⓪」

いにん⓪【委任】―する(他サ) 関係のある△人(機関)に何かを代行させること。「全権を―する」 **―じょう**⓪【―状】 委任の意思をしるした書きつけ。 **―とうち**④【―統治】「信託統治」の旧称。

イニング①〔inning〕〔野球などの〕回。インニングとも。「ラストー④」

い・ぬ①【《往ぬ・《去ぬ】(自ナ)〔遠くへ行ってしまう〕[一]〔関西方言〕❶帰る。「そろそろ いのか」❷行く。[二]〔雅〕死ぬ。

いぬ【犬】[一]② 大昔から人間に飼育されてきた家畜。柔順なので家・ヒツジなどの番をしたり 嗅覚が鋭いので狩猟・犯人の捜査に協力したり 目や耳の不自由な人を導いたりする。〔イヌ科〕「―を飼う／夫婦げんかは―も食わない／警察の―〔=スパイ〕／権力の―〔=自分の立身出世と地位の安定を願い、上司の命令を忠実に聞く人〕／煩悩の―となる〔=修行が至らぬため、欲望のとりことなる〕」[二]〔造語〕❶役に立つ特定の植物に形態上は似ているが、多くは人間生活に直接有用ではないものであることを表わす。にせ。「―タデ・―ツゲ」❷〔主人や主家の家族によく懐き、時に生命を保護してくれたりする意味では有用だが、牛馬に比べてからだも小さく生産性が少ないと見られたり相手構わず交尾したりするところから〕「役に立たない」「恥を知らない」という意を表わす。「―死に・―侍」 表記 [二]は、「〈狗」とも書く。 かぞえ方 [一]は一匹・一頭

【―と猿の仲】 仲のきわめて悪いたとえ。⇩けんえん(犬猿)

【―の遠〈吠え】 臆病者が虚勢を張ることのたとえ。

【―も歩けば棒に当たる】❶△何かしようとすると(出しゃばると)よく災いに会うものだ。❷何かすれば、時には思わぬ幸運に出会うものだ。

いぬ②【〈戌】 十二支の第十一。犬を表わす。〔昔、方位では西から三〇度北寄りを、時法では午後七時ごろからの約二時間を指した〕

いぬい⓪②【《乾・〈戌亥〉】〔「戌と亥との中間の方位」の意〕「北西」の意の古風な表現。

イヌイット③①〔Inuit=東エスキモー語で「人びと」の意〕「エスキモー」の、カナダにおける称。

いぬおうもの③【犬追物】 鎌倉時代に起こった武芸。馬場の中に土俵に似た囲いを三重に作り、三十六騎が三手に分かれ、百五十匹の犬を射る。

いぬかき③④【犬〈搔き】 犬が泳ぐように、頭を水から出したまま両手で水をかく、初歩の泳ぎ方。犬泳ぎ③。

いぬき⓪【居抜き】 商店・工場・住宅などで、設備・什

器や商品はそのままで、△所有者（使用者）が居なくなった状態。「—で売る／—のまま借りる」

いぬ・く[2]【射抜く・射《貫く》】（他五） 射た矢で、目的のものを貫き通す。

いぬくぎ[2]【犬〈釘】 ❶鉄道のレールをまくら木に固定させるために打つ、大きな釘。❷電柱に よじ登るために打ちつけた、太い釘。

いぬくぐり[3]【犬《潜り》】 垣根・塀などに開けてある、犬の出入口。

いぬころ[3][4]【犬子ろ】〔「ろ」は接辞〕犬の子。小犬。

いぬ ざむらい[3]【犬侍】 役に立たず、恥知らずの侍。

いぬ じに[0]【犬死（に）】—する（自サ） 犬が死ぬのと変わらない、結果として何の役にも立たない死に方。むだじに[0]。

いぬ たで[0][2]【犬〈蓼】 道ばたや野原に生える一年草。葉はヤナギに似、夏から秋にかけて紅色の穂になった花をつける。アカノマンマ。〔タデ科〕 かぞえ方 一本

いぬ ちくしょう[5]【犬畜生】 犬や畜生同然のやつ。〔恥・恩を知らない者や、人倫にもとる者などの称〕

いぬ つげ[2]【犬〈黄〈楊】 庭木などにする常緑低木。ツゲに似るが、材は、はんこなどに出来ない。〔モチノキ科〕 かぞえ方 一株・一本

いぬの ふぐり[4]【犬の〈陰〈嚢】 道ばたなどに自生する二年草。春に淡紅紫色の花をつける。果実の形が犬の陰嚢に似ているので、この名がある。イヌフグリ[3]とも。〔オオバコ科（旧ゴマノハグサ科）〕

いぬ はしり[0][3]【犬走（り）】 ❶〔京都市内の町屋などで〕建物の外壁と、その外側にある道や溝との間に設けた狭く、細長い場所。❷堤防の△浸食を防ぐためにその内側に（水圧に対して強化するためにその外側に）作る小さな段。「いぬばしり」とも。

いぬ はりこ[3]【犬張（り）子】 魔よけのための土製の「犬箱[2]」〔＝頭は人、からだは犬の寝た形の箱〕に似せて作った、犬の立ち姿の張り子。昔は宮参りの贈り物に、現在は単なるおもちゃとされ、顔も犬に作る。〔犬は古来魔よけとされた〕

いぬ ふせぎ[3]【犬防ぎ】 ❶仏壇の前に立てる、低い格子。❷〔神社・寺で〕内陣と外陣の境に設ける、低い柵。もと、馬が駆け入るのを防ぐためのもの。

いぬ やらい[3]【犬矢来】〔京都の町屋などで〕建物の壁に、割り竹を弓形に曲げて並べた背の低い囲い。犬防ぎ。〔人や動物が建物に近づくのを防ぐため〕

***いね**[1]【稲】 その実から米を取る、日本で一番大切な農作物。一年草。春、苗代に種もみをまき、つゆのころ田に植えかえる。初秋、花が咲き、十月ごろ実る。種類が多い。〔畑で作るものは「おかぼ」と言う〕〔イネ科〕「—刈り[2]」 かぞえ方 一株・一本

いね こき[3][2]【稲《扱き》】 ❶実ったイネの穂を引っかけて実をしごくようにして取ること。❷もみを取り去ること。〔広義では、❶❷を行なう道具をも指す〕

いねむり[3]【居眠（り）】—する（自サ） 〔座ったまま眠る意〕何かをしている途中そのまま眠ってしまうこと。「バスの中で—（を）する／—運転[5]」 表記 「居《睡り》」とも書く。

いの いちばん[1]-[2]、[4]【いの一番】〔「い」がいろは順の一番目であることから。また、「いの一番、いの二番…ろの一番…」といろは順の各項にさらに順番を設けるときの一番目であることからか〕先を争って行なうことの、最初。「—〔＝真っ先〕に申し込む」

いのう[0]【異能】 ほかの人には見られない、特別の△才能（能力）。「—力士[4]」

いのこ[1][2][0] [一]【〈猪の子】 イノシシ。[二]【〈豕】 ブタ。[三]【〈亥子】 陰暦十月の亥の日の亥の刻に、「亥子の祝い」と称して、餅を食べて万病を除くまじないとしたこと。

いのこ・る[3]【居残る】（自五） ❶仲間が帰った後もそのままそこに居続ける。❷勤務時間後も残って仕事をする。 名 居残り[0]

いのしし[3][2]【〈猪】 各地の山林に生息する夜行性の野獣。からだは筒形で羊ぐらいの大きさ。牙がある。毛は黒褐色で粗い。首が短く、鼻は突き出て先が平たい。突進すると方向転換が出来ないという。肉は、「山鯨」「ぼたん」などと称せられる。〔カノシシと言われる鹿と共に、古代から日本人が食用とした〕〔イノシシ科〕 かぞえ方 一頭・一匹 —**むしゃ**[5]【—武者】 むやみに敵を目がけて突進するだけで、ころあいを見て引き上げることの出来ない武士。

イノシン さん[0]【イノシン酸】〔ド Inosinsäure の訳語〕かつおぶしなどに含まれるうまみの成分。化学調味料の原料として用いられる。

****いのち**[1]【命】 ❶生物が生きている限り持続している肉体や精神の活動を支える根源の包括的な呼称。〔一瞬一瞬生きることの繰返しとして とらえられる緊張の持続であり、客観的には有限であるものが、主体的には無限の連続として受け取られるところに、その特徴がある〕「—を△懸けて守る（奪う・落とす・絶つ）／—を擲って〔＝決死の覚悟で〕戦う／商人は信用が—〔＝一番の資本〕だ／—を削る〔＝寿命を縮めるほどの労苦を重ねる〕／—を捧げる〔＝大きな目的のために命を犠牲にする〕／—の恩人」 ❷「命❶」の続く間。「—長ければ恥多し／—を全うする」 表記 「〈生命〉」とも書く。【—あっての物種】 何事も命があってこそだ。【—の親】 死（の危険）から自分を救ってくれた人。【—の洗濯】 気晴らしをして、日ごろの苦労やうっぷんを一時忘れること。【—の綱】 唯一のよりどころ。 —**がけ**[0]【—懸（け）】 命を捨てる覚悟で、思い切ってすること。 —**からがら**[1]-[0]【—辛々】（副） 危険な目にあって、死の恐怖に襲われながら、やっとのことでその場から逃れる様子。 —**げ**[3]【—毛】 筆の穂先の、最も長い毛。 —**ごい**[0][4]【—乞（い）】—する（自サ） ❶少しでも長生きがしたいと神仏に祈ること。❷殺されるはずの命を、助けてくれと頼むこと。 —**しらず**[4]【—知らず】—な 死ぬことを恐れないで何かをする△様子（人）。「—の〔＝無鉄砲な〕乱暴者」 —**づな**[3][4]【—綱】 高い所や海の△上（中）などで仕事をする時に、用心のためにからだにつける綱。 —**とり**[3]【—取（り）】 ❶それがもとで命を奪われるおそれのある△ことで（もの）。「あの腫物が—だった」 ❷取り返しのつかない大失敗・失脚のもと。「それが内閣の—になった」 —**びろい**[4]【—拾（い）】—する（自サ） 置かれた状況から考えると死んでもおかしくなかったのに、運よく助かること。「援軍が来てくれたので危うく—した」 —**みょうが**[4]【—冥加】—な・—に 〔神仏に守られて〕命が不思議に助かる様子。「—な奴だ／—にも助かる」

いの なか[1]-[1]【井の中】 井戸の中。【—の〈蛙】 〔広い海を知らない蛙のように〕自分が持っている狭い知識だけで何でも推しはかって済ます浅はかさのたとえ。

いの ふ[0]【胃の〈腑】 「胃袋」の意の古風な表現。

いの ぶた[0]【〈猪豚】 イノシシとブタとの交配による一代雑種。食肉用。

イノベーション[3]〔innovation＝革新〕〔経済発展の基本動因となる〕技術の革新。

イノベーター[3]〔innovator〕 その世界に△新しい領域を切り開いた（新風を吹き込んだ）人。「二十一世紀産業の—たち」

いのり【祈り】 [一][3] 祈ること。祈禱。「—を捧げる」

表記「〈禱り」とも書く。㊁(造語) 動詞「祈る」の連用形。―あ・げる⑤【―上げる】(他下一)〔多く手紙で〕「祈る」の謙譲語。「御健勝を祈り上げます」

*いの・る②【祈る】(他五) ㊀〈だれニ なにヲー〉〔自分の力ではどうしようも無い時に〕神仏の力にすがって、よい事が起こるように、願う。〔自分の身の上にはよい事が、他人には悪い事が起こることを欲したのが原義〕「―ような気持で見守る」㊁〈なにヲー〉他人の上によい事が起こるように、心から望む。「△ご成功(回復・冥福メイフク)を―」 表記 ㊀は、「〈禱る」とも書く。〔⇩祈り㊁〕 運用 ㊁は、手紙・挨拶アイサツなどで「…をお祈り△申し上げます(致します)」の形で使われることが多い。

いはい⓪【位〈牌】〔仏教で〕死者の法名を書いた木のふだ。〔神道シントウでは「霊位」と言う〕 かぞえ方 一柱ハシラ

いはい⓪【違背】―する(自サ)〔命令・規則・法律などに〕そむくこと。

いはい⓪【遺灰】遺体を焼いて灰にしたもの。「いかい⓪」とも。「―を海に撒マく」

いばく⓪【〈帷幕】〔何かのまわりをめぐらした幕〕「本陣㊀」の古風な表現。〔広義では、戦略・機密を相談した所を指す〕

いばしょ⓪【居場所】㊀その人が身を落ち着けていられる場所。「自分の家なのに―が無い」㊁⇩いどころ

いばしんえん①-⓪【意馬心猿】〔走り狂う馬や騒ぎ立てる猿は制しがたいものであることから〕欲情が猛然と起こって、自分でどうにも抑えきれないこと。

いはつ⓪【衣鉢】〔奥許しの象徴として師の僧から弟子に伝える袈裟ケサと鉢ハチの意〕師から弟子に伝える△仏道(それぞれの専門)の奥義。「えはつ」とも。「―を継ぐ」

いはつ⓪【遺髪】何よりの形見として残される、故人の髪の毛。「亡き戦友の―を残された家族に渡す」

いばら⓪ 植物のバラの古称。

いばら⓪【茨・〈荊・〈棘】㊀〔雅〕とげのある低木の総称。うばら。㊁〔岐阜ギフから近畿キンキ地方にかけての方言〕植物のとげ。 ―のみち⓪-⓪【―の道】苦難の多い事業や人生行路。「―を歩む」

いばり⓪【〈尿】〔雅〕小便。「ゆばり」とも。

いばりかえ・る④【威張(り)返る】(自五) 周囲に対して極めて威圧的にふるまう。威張りちらす。「ワンマン社長が威張り返っている」

いば・る②【威張る】(自五) 必要以上に、△えらそう(強そう)な様子をして見せる。「えばる」とも。「その品なら威張った(=だれにもけちをつけられない。りっぱな)ものです/あれくらい勉強すれば、だれだって威張って(=△恥ずかしくない(りっぱな)成績で)合格出来るさ」 名 威張り③「大―・空カラ―」

いはん⓪【異版】同一の本文を持ちながら、刊行時期などの相違により、版式が全面的に異なる出版物。 表記「異板」とも書く。

*いはん⓪【違反】―する(自サ)〈なにニ―する〉決められた約束・規則を破ったり法令などに従わなかったりすること。「選挙―/…の精神に―する」 表記「違犯」とも書く。古くは「いぼん」と読んだ。

いび①【萎〈靡】―する(自サ) 元気が無くなり、活動出来なくなること。「―沈滞①-⓪」

いびき③【〈鼾】眠っている時に、呼吸と共に鼻・口から出す、うるさい音。「高―をかく/人の―は気になるものだ」⇩寝息

イヒチオール④〔ド Ichthyol=商標名〕黒茶色の濃い液体。炎症を散らしたり、鎮痛・殺菌剤として使う。

いひつ⓪【遺筆】故人が、生前に書いておいた、未発表の文章。

いびつ⓪【〈歪】―に ―な 〔「飯〈櫃ビイツ」の変化。もと、楕円ダエン形の意から、円形のゆがんだものを指した〕㊀元来求められる整った形が崩れて、ゆがんでいる様子。「―な茶碗チャワン」㊁元来求められる正常な状態が失われ、△ねじけて(不健全に)見える様子。「―な心」 派 ―さ⓪

いひょう⓪【意表】そのやり方などが全く考えもしなかったものであること。「人の―△に出る(を衝ツく)〔=突拍子もない事をやって、あっと言わせる〕/―外の」

いひょう⓪【遺票】〔総選挙などで〕候補者が急死した時など、その後をついだ候補者に集まる投票。

いびょう⓪【胃病】胃に関する病気。

いびりだ・す④【いびり出す】(他五) いびって追い出す。

いび・る②(他五) 弱い立場にある人をいじめて、居たたまれないように仕向ける。 名 いびり③

いひん⓪【遺品】故人が生前に使っていた品物(で、形見となったもの)。〔特に、身につけていた物を指す〕 かぞえ方 一点

いふ①【畏怖】―する(自他サ) 常人を超える力が感じられて、うっかりそばに近づけないこと。「―の念をいだく」

いふ①【異父】兄弟姉妹の中で、母親は同じで父親が異なること。「―兄②・―弟②」⇩異母

イブ① ㊀❶〔Eve〕クリスマスイブの略。聖夜。❷〔eve〕前夜(祭)。「記念祭―」㊁〔Eve〕旧約聖書にある、人類最初の女性。アダムの妻で、彼の肋骨ロッコツから造られたという。 表記「イヴ」とも書く。

いぶ①【威武】武力に優れ、見るからに勇ましいこと。「―中外を圧倒する」

いぶ①【慰〈撫】―する(他サ) △苦しさ(不平)に堪えきれない人に優しい言葉をかけ、慰めてやること。

いふう①【威風】威厳があって、りっぱに見える様子。「―堂々①-③、①-⓪」

いふう⓪【異風】㊀普通の人の目には触れにくい、変わった風習。㊁あまり見なれない△かっこう(様子)。

いふう⓪【遺風】㊀昔からの風習で、今は一部にしか伝わらないもの。「封建時代の―」㊁死後ずっと長く影響力を持っている、故人の感化・やり方。「―を今に仰ぐ」

いぶかし・い④【〈訝しい】(形) △事実に反する(理解に苦しむ)ところがあって、そのまま信じることは出来ないと思う気持だ。「―△素振り(儲け話)」 派 ―さ④③ ―げ⓪④⑤「―なまなざし」 ―が・る⑤

いぶかし・む④【〈訝しむ】(他五) いぶかしく思う。

いぶか・る③【〈訝る】(他五) いぶかしいと思う(態度を見せる)。

いぶき①【〈息吹(き)】〔雅〕息をすること。また、その息。「春の―(=ⓐ春になったしるし。ⓑ春がもうすぐ来るというきざし)」 表記⇩付表「息吹」

いふく①【衣服】「着物」の意の漢語的表現。

いふく⓪①【威服】―する(自他サ) 威光・威勢をもって従わせること。また、従うこと。 表記「威伏」とも書く。

いふく⓪【畏服】―する(自他サ) 恐れて従うこと。また、恐れさせて従わせること。

いふく⓪【異腹】「腹違い」の意の古風な表現。⇔同腹・一腹イップク

いぶくろ②【胃袋】「胃」の日常語としての表現。

いぶし【〈燻し】㊀⓪ いぶすこと。「蚊―」㊁(造語) 動詞「燻す」の連用形。「―出す」 ―ぎん⓪【―銀】くすんで渋みがある銀色。〔目立った華やかさこそ無いが、長年培った技の冴サえを底にたたえる芸や作品を形容する場合にも用いられる。例、「―の演技」〕

いぶ・す[2]【〈燻す】(他五) ❶煙がたくさん出るように何かを(ような物を)燃やす。「蚊を―〔=蚊やり火をたいて蚊を追い払う〕」 ❷何かを燃やした煙で黒くする。「銀の器具を―〔=硫黄を燃やして、すす色をつける〕」〔⇩燻し❷〕

いぶせ・し[3](形ク)〔雅〕 ❶心の中のもやもやがふっきれず憂鬱な感じだ。❷むさくるしい。「いぶせきあばら屋」

いぶつ[1][0]【異物】 何かの中にまじっている好ましくない異質なもの。特に、飲み込んだ食物以外のものや、体内に発生する異常な組織。後者の例は、癌・結石など。

いぶつ[0]【遺物】〔同時代の他のものは大体滅びたが、そのものだけ何かの関係で今日に伝え残された〕大昔からの制度や器物など。例、土器・石器・青銅器など。〔広義では、「遺品」の意にも用いられる。例、「前世紀の―〔=すでに過去のものとなって、今では何の役にも立たないもの〕」〕

イブニング[1]〔←evening dress〕 婦人用の夜会服。たけが長く、上体を多く露出する。「―コート[6]」 かぞえ方 一着

いぶ・る[2]【〈燻る】(自五)〔火のついた物が〕一気に燃えずに、煙が多量に出る。「焚火が―」

いぶん[0]【異文】 異本の本文で、そこだけ他の多くの本と違っているもの。

いぶん[0]【異聞】 何かの事件に関する、普通は伝えられない話。

いぶん[0]【遺文】 ❶故人が生前に書いた文章で、未発表のもの。❷広く知られずに残っていた、古い時代の文献。「古京―」

いぶんか[2]【異文化】 その社会と、言語をはじめ思考様式・風俗習慣など、種々の面で違いの認められる、他の社会の文化。「―間コミュニケーション」

いぶんし[2]【異分子】 その団体の中で、他の多くの者と思想・行動・出身などが違っている者。

いへき[0]【胃壁】 胃袋の内がわ。筋肉・粘膜などから成る。

イペリット[3]〔フ ypérite〕 毒ガスの一種。微量で皮膚や粘膜をただれさせる。第一次世界大戦でドイツ軍が用いた。〔マスタード〔=からし〕臭があることから、マスタード ガス[6]ともいう〕

いへん[0]【易変】 変わりやすいこと。「気分の―性」

いへん[1]【〈韋編】〔「韋」は、なめしがわの意〕〔竹簡をなめしがわで編んだことから〕書物。【―三たび絶つ】 本の綴糸が三度も切れるほど、その本を繰り返し読むたとえ。「韋編三絶[1]-[0]」とも。

いへん[0]【異変】 ❶何か変わった出来事。「一大―[5]」 ❷―する(自サ) 目立った変化(が生じること)。「病状に―が起きる」

イベント[0]〔event=出来事〕 催し物。行事。「本年音楽界最大の―/本日のメイン―」

いぼ[1]【〈疣】 皮膚の一部が病的に肥大して、丸く小さく突き出ているもの。〔広義では、物の表面の、小さな出っ張りを指す。「いぼいぼ[0]」とも言う〕「―蛙[3]・―痔」

いぼ[1]【異母】 兄弟姉妹の中で、父親は同じで母親が異なること。「―兄弟[3]」↕同母 ⇩異父

いほう[0]【医方】「医術」の意の古風な表現。

いほう[0]【移封】―する(他サ) ⇩国替え❷

いほう[0]【彙報】 ❶種類別に分類し編集した報告。❷〔雑誌などの〕雑報。「―欄[2]」

いほう[0]【違法】 法(律)にそむくこと。「―行為[4]・―性[0]」↕適法

いほう[0]【遺芳】 ❶後世に残る名誉や業績。❷後世に残るすぐれた筆跡。

いぼう[0]【威望】 上に立つ人の威厳と、下じもの人たちがその人に寄せる信望。

いほうじん[2]【異邦人】「外国の人」の意の美化した表現。〔狭義では、欧米人を指す〕

いほく[1]【以北】 その地点・地域を含み、それより北。↕以南

いぼく[0]【遺墨】 故人の筆跡(による書)。

いぼじ[2]【〈疣痔〉】「痔核」の通俗的表現。

いぼた[0]【〈水〈蝋〉】 イボタロウムシ・イボタノキの略。**―のき**[5]、[0]-[1]【―の木】 春、白い小花をつける落葉低木。材は器具の柄や楊枝にする。幹にイボタロウムシが寄生し、〔モクセイ科〕 かぞえ方 一株・一本 **―のむし**[0]、[0]-[0]【―の虫】「イボタガ[3]〔=イボタガ科〕」の幼虫。イモムシに似て、モクセイなどの葉を食う害虫。疳・肺結核の薬と言われる。 かぞえ方 一匹 **―ろう**[3]【―〈蝋】 イボタロウムシの幼虫が分泌した蝋のようなもの。加工して、いぼ取りや、血止め・痛み止めに使ったりするほか、丸薬の外装やつや出し、ろうそくの製造などに使う。 **―ろうむし**[4]【―〈蝋虫】 イボタノキ・トネリコなどに寄生する昆虫の俗称。蝋のような物を分泌する。〔カタカイガラムシ科〕 かぞえ方 一匹

いほん[0]【異本】 同じ筋を持ちながら、伝写事情の相違により字句・組織の違った部分が見られる本。

いま[1]【今】 ❶❶その話し手や書き手が何かをしている(何かの状態にある)瞬間を静止的にとらえたもの。現在の時点。「―が正午だと思った瞬間に、正午は過ぎていた」 ❷現在の時点に、多少の幅を加えたもの。〔副詞的にも用いられる〕「―〔=現在を中心とした前後の幾(十)分間か〕が一番こむ時間(帯)だ/―〔=たった今〕来たばかりだ/―すぐ〔=即刻〕ここへ来い/―〔=今すぐ〕でなければ間に合わない/―に〔=もうすぐ〕夕立が来る/―〔=現代〕の子供は科学的だ/―からでも遅くはない/―からではもう遅い/―にして思えば/―に始まった事ではない/―までの努力は水の泡だ/―太閤と呼ばれて一時栄華を極めたが…」↕昔 ❷(副) ❶現状のままでは十分とは言えず、さらに何かを多少加える必要がある様子。「―しばらくのご猶予を/―一度やってみたい/―一歩の盛り上がりを欠く」 ❷〔後に何かを仮定する表現を伴って〕話を展開させるために、その時点で便宜的にそうすることを表わす。「―〔=当面の問題として〕かりにこの点をPと表わそう」【―が―】 ほかならぬ今という時。「その金は―必要というわけではないが」【―か―かと】 早くその事が実現するのを待ち望む形容。【―に始めぬ】〔連体詞的に〕今度が最初というわけではない、前にもあったことである。「―事ながら」【―の―まで】 まさに今ととらえられる時点に至るまで。「―元気だったのに、あっけないことだった/―気が付かなかった」【―は昔】〔もと、説話や昔話の冒頭の句〕それは昔のことで、今となっては全く様変わりしている、ということを表わす。「この辺が野原だったなんて―の話だ」

いま[2]【居間】 家族が集まって、くつろぐ部屋。

いまいち[2]【今一】(副)「今一つ」の口頭語的表現。

いまいまし・い[5]【忌(ま)忌(ま)しい】(形) 自分に手ひどい打撃を与えた人・物事や、取り返しのつかない自分の失敗を思い出しては、相手(自分)を恨みたく思う気持だ。「大津波の―思い出」 派 **―さ**[4][5] **―げ**[5][6][0] **―が・る**[6]

いまがわやき[0]【今川焼】 水に溶いた小麦粉を、平たい楕円形の焼き型に流し、あんを入れて焼いた菓子。〔広義では、円形の「太鼓焼[0]」と称するものをも含む〕

いまげんざい[3]【今現在】 ❶今を基準とした(ある程度の時間的幅を持ち得る)その時点。〔副詞的に用いられる〕「―法案を作成中だ」 ❷今を強調した表現。まさに今ちょ

うど。「―の為替相場は／―の車の流れは順調です」

いまごろ[0]【今頃】❶〔時期△はずれである（を失している）〕この△時間（時期）。「―どこへ行くんだ？」 ❷現在。今時分。〔直接観察し得ない他人の行動について推測したり過去や将来の同一月日・時刻における状態をあるいは思い出しあるいは推測したりする場合に用いられる〕「―はもう着いているだろう」

いまさら[0]【今更】（副） ❶その事を、今の時点において改めて問題にする様子。「―のように経験の不足を痛感した／―言うまでもない」 ❷もはや決定的な事態に立ち至った現時点において、初めてその事を取り上げて問題とする様子。「―〔＝今になって〕どうしようもない／何を―」 ―ながら[5][0]（副） 前まえもそうであったが、現時点で改めてその感を深くしたという気持をいだく様子。「彼女の献身には―感心させられる」 ―め・く[5]（自五） 今になって、わざわざ取り上げたように見える。 ―らし・い[6]（形）〔前まえから承知しているのに〕今（になって）はじめて知ったという様子をするようだ。 [派]―さ[5]

いましがた[0][3]【今し方】（副）〔「し」は強意の助詞〕その事のあったのが、現在よりほんの少し前のことである様子。「―帰ったところだ／―まで居たんですが」

イマジネーション[4]〔imagination〕 想像力。

いまじぶん[0]【今時分】 今を含めて漠然とした時間。

いましめ[0] ■一【戒め】 戒める△こと（内容）。「親の―〔＝戒める言葉。言いつけ〕をよく守る／前車のくつがえるは後車の―〔＝前を進む人の失敗は、あとから行く人の戒めになる。⇩覆轍(フクテツ)〕」 ■二【《縛め】 本人の自由を拘束しておく物。「―を解く〔＝からだを縛ってある縄をほどいて自由にしてやる〕」 [表記]■一は、「〈誡め・《警め」とも書く。

*いまし・める[4] ■一【戒める】（他下一） ❶〈だれニなにヲ―／だれニなんだト―〉（再び同じ）過ちを犯すことが無いように、注意する。「自らを―言葉／子供のいたずらを―〔＝ⓐしかる。ⓑこらしめる〕」 ❷賊・敵が侵入しないように、警戒・防備を固める。 ■二【《縛める】〔雅〕逃げることがないように、捕らえた者を縛る。 [表記]■一の❶❷は、「《警める」とも書く。また、❶は「〈誡める」、■二は「《禁める」とも書く。

いましも[1]【今しも】（副）〔△期待（注目）されていた事柄が〕ちょうど今行なわれ（ようとし）ている様子。「野山は―花の盛りで／式は―始まろうとしていた」

いま・す[2]【《在す】（自五） 「いらっしゃる」の古風な表現。

いまだ[0]【《未だ】（副）〔否定的表現と呼応して〕 ❶「まだ」の意の古風な表現。「―志を得ず」 ❷今もなお。これまでに経験した中で最も程度がはなはだしいということを強調する様子。「そのような事は―見たことも聞いたことも無い／私は―かって〔＝今までに一度も〕あれほど純な人に接したことは無い」 ―し[3]〔もと、シク活用形容詞の終止形〕まだ△十分（その時期）でない。「―の感」 ―に[0]（副） 予測に反して、現在に至ってもこれまでの状態のままである様子。「―行くえが分からない／工業廃水による水質汚染は―続いている」 [表記]否定の意ではない場合は、「今だに」と書く。

いまちづき[3]【居待(ち)月】〔「居待ち」は、座って待つ意〕陰暦十八日の月。〔「居待ちの月[6]」という言い方もある〕 ⇩立ち待ち月・寝待ち月

いまでき[0]【今出来】 このごろ出来た（粗悪な）もの。

いまどき[0]【今時】 現在という時点。〔多く、現実の事態への対応の甘さや、判断力の欠如への批判を、時勢の推移と結びつけて言う場合に用いられる〕「―の若い者は／―〔＝現代としては珍しく〕素朴に過ぎる」

いまに[1]【今に】（副） ❶現在はその時期でないが、近い将来必ず実現する時が来ると判断したり決意したりする様子。「―分かると思うよ／―見ていろ〔＝いつかきっと見返してやるぞ〕」 ❷現在まで連綿と絶えること無く引きつがれている様子。「古代の製法を―伝える醸造法」 ―して[1]「今になって」の意の古風な表現。「―思えば」 ―も[1]（副） 今すぐそうなってしまいそうな情勢にある様子。「―降り出しそうな空／―消え入りそうな風情(フゼイ)で」

いまのところ【今の所】 ❶[6][0] 今の段階。「―をもう一度読む／そういう症状は―ではありません」 ❷[0]〔副詞的に〕今の段階で判断される様子。「―無事だ」

いまは【今は】 ■一[0] もう少しで死ぬという時点。「―の際(ワキ)[6]〔＝最期。臨終〕」 ■二[1]（今さらどうすることも出来ない）今となっては。「―これまで」 [表記]■一は、「現代かなづかい」では「いまわ」。「今《際」とも書く。

いまひとつ[4]【今一つ】（副）〔もう一つの意〕期待通りではないために、当事者に対して何ほどかの不満が残る様子。〔口頭語形は「いまいち」〕「―努力が足りない／―△説得力（盛り上がり）を欠く／―積極さに欠ける」

いまふう[0]【今風】―な ―に その時代時代の新しい風俗・流行にかなっている様子。

いまめかし・い[5]【今めかしい】（形） 現代風である。 [派]―さ[5][4]

いまもって[3]【今《以(て)】（副） 期待に反して今も同じ事態が続いている様子。「どうしてこうなったのか―不思議でならない／突如蒸発した彼の消息は―不明だ」

いまや[1]【今や】（副） ❶今まさにその時を△迎えて（迎えようとして）いる様子。「―風前の灯(トモシビ)だ／彼女も―お年頃(ゴロ)だ」 ❷昔の状態が信じられないほど、現在はすっかり様子が変わっている様子。「―昔日の面影(オモカゲ)は無い／あの使い走りが―大スターだ」 【―遅(オソ)しと】 早くその時が来ないかと待ち望む形容。

いまよう[0]【今様】 ❶平安朝当時の流行歌。和讃(ワサン)から起こったもので、普通七五調の四句から成る。今様歌[3]。 ❷現代風。「―に言えば」

いまり[1]【〈伊《万里】〔もと、佐賀県伊万里港から出荷したことから〕有田焼・唐津(カラツ)焼などの総称。「古(コ)―[2]」

いまわ[0]【今《際】 ⇩今は■一

いまわし・い[4]【忌(ま)わしい】（形） 不快感や恐怖心をいだかせたり 不吉な予感がしたりして、思い起こすのもいやだと意識される様子だ。「―戦争の記憶」 [派]―さ[3] ―げ[4][5][0] ―が・る[5]

いまわり[0]【居回(り)】 自分が居る所のまわり。

**いみ[1]【意味】 ❶〔言語行為を成り立たせる上で不可欠なものとしての〕音声と結び付けて、話し手が聞き手に伝えようとする内容。「今日の講演は―の分からない言葉が多くてひどくむずかしかった／辞書で英語の単語の発音と―を調べる」 ❷その時その文脈において、その言葉が具体的に指示す内容。「君の言っている『あの件』と僕の考えていた『あの件』とは―が違うようだ／―の無い言葉を羅列しただけの空疎な演説」 ❸その人が何かをした時の動機・意図。「彼の引退にどういう―〔＝わけ〕があったのか分からない／―も無く笑っている／―ありげな」 ❹意義❶。「△大きな（歴史的）―を持つ／およそ―が無い仕事／無―」 ❺〔今まで述べて来た〕趣旨。「この―において」 ―あい[0][3]【―合】〔前後の事情も含めた〕意味。わけがら。「象徴的な―を帯びる／―が薄れる」 ―しん[0]【―深】「意味深長」を下略したくだけた表現。 ―しんちょう[1]―[0]【―深長】―な ―に 表面上の意味のほかに、隠された特別なニュアンスが含まれていること。略して「いみしん」。「―な発言」 ―・する[1]

（他サ）❶そういう内容を表わす。❷そう判断することに十分妥当性があるととらえられる。「冬山での無謀な行動は死を―」 ―づ・ける④【―付ける】（他下一）意義づける。

いみあけ⓪【忌(み)明(け)】 一定の喪の期間が終わって、普通の生活形態に戻ること。きあけ。

いみきら・う①①-⓪【忌(み)嫌う】（他五） いやがってそれに近づいたり触れたりすることを避ける。

いみことば③【忌(み)言葉】 縁起がよくないとして、使用を避ける言葉(の代りに使う他の表現)。植物のアシ(a)が「悪ア[し]」と通じ、果物のナシ(b)が「無し」に通じるので縁起がよくないとされ、「死ぬ」(c)はその状態自身が望ましくないため、これらの語の使用を避けるなど。また、a・b・cの代りにそれぞれ用いられる「ヨシ・アリノミ・ナオル」など。 表記「忌み《詞》」とも書く。

いみじくも③（副） 意図したとおりにうまくやりおおせたものだと感嘆させられる様子。「―喝破カッパした/―勝利を得た」

イミテーション③〔imitation=まね〕 ❶模倣。❷本物▵に似せて作った(といつわった)物。模造品。にせもの。

いみな⓪【《諱》】 〔「忌み名」の意。もと、生前には口にすることを避けた、その人の実名〕 ❶貴人の死後、敬慕の意で贈る称号。おくりな。❷（士分以上の人の）実名。

いみょう⓪【異名】 そのものを美化した表現として、実名・本名以外に付けられた呼び名。あだな・愛称・美称など。「鉄人の―を取る」

いみん⓪【移民】―する（自サ） 新しい生活や仕事の場を求めて▵故郷(故国)を離れて移住する▵人(こと)。移住者。

い・む①【忌む】（他五） ❶▵縁起が悪い(きたない)ものとして避ける。❷煙たい存在として、遠ざける。「―べき風習〔=やめなければいけない悪習〕」 表記「《斎む》・《諱む》」とも書く。

いむしつ②【医務室】 〔学校・会社・公共施設などで〕健康管理の仕事をしたり 急病人やけが人の応急治療をしたりする部屋。

いめい⓪①【依命】 〔官庁で〕命令によること。「―通達④」

いめい⓪【異名】 「いみょう」の新しい語形。

いめい⓪①【遺命】 故人▵の(が死に際ギワに言い残した)命令。「創業者の―により」

*__イメージ__②①〔image〕 ❶―する（他サ）〔なに・だれヲ―する〕 その言葉から▵実際の経験(人から聞いた話や書物から得た知識など)を基にして、何らかの姿・形を思い浮かべること。また、その姿・形。「バラの花を―してデザインした衣装/実際に見るとだいぶ―が違う/―にぴったりの人」 ❷(好ましいか好ましくないかという観点から見た)そのものの全体的な印象。「―アップ⑤・―ダウン⑤・―チェンジ⑤」 ―ソング⑤〔和製英語 ←image + song〕 企業・商品・イベントなどを広く知らせ、親しんでもらうための歌。「大会の―」

いも② 人に物を贈る時、上包みの表面に平がなで墨書する「いも」の二文字。〔のしあわびの形に似せたもの〕

いも②【〈痘痕〉】 あばた。「―づら⓪」 表記 当初は「〈疱瘡〉」。

*__いも__②【芋】 ❶草の根で主食の代用となるもの。丸みを帯びたものが多い。サツマイモ・ジャガイモ・サトイモ・ヤマノイモなど。〔広義では、ダリアなど草花の根をも指す〕 ❷かっこうがあまりよくない人をあざけって言う言葉。 表記「〈薯〉・〈藷〉」とも書く。 【―の煮えたも御存じない】 世間の普通の人ならだれでも知っているようなことも知らないたとえ。 【―を洗うよう】 〔サトイモは桶ヲケにたくさん入れてかきまぜて、外皮を取り除くことから〕おおぜいの人が集まって混雑している形容。「芋の子を洗うよう」とも。

いも①【《妹》】（雅）男性から、親しい関係にある女性を呼んだ語。恋人。〔狭義では、妻・いもうとを指した〕 ↔せ・せこ

**__いもうと__④【妹】 〔妹人の意〕 ❶(自分と)親が同じ、年下の女性。〔古くは姉をも指した。広義では、義妹や自分より年下の女性をも指す〕 ↔姉 ―ご④⓪【―御】 他人の妹の敬称。

いもがしら③【芋頭】 サトイモの根のうちで一番大きい、頭のような部分。おやいも。〔まわりに子芋がつく〕

いもがゆ⓪【芋〈粥〉】 ❶薄くそいだヤマノイモにアマズラ〔=つる草の一種で、茎から液をとって煎じて甘味料を作った〕を混ぜた粥。❷サツマイモを入れた粥。

いもがら⓪【芋《幹》】 サトイモの茎を干したもの。食用。ずいき。

いもざし⓪【芋刺(し)】 サトイモを竹のくしで刺し通すように、人を槍ヤリで突き刺すこと。

いもじ⓪③②【鋳《物師》】（雅）「いものし」の古風な表現。

いもせ⓪①【《妹背》】（雅）親しい関係にある男女。〔狭義では、夫婦を指す〕「―の誓い」

いもちびょう⓪【〈稲熱〉病】 多湿の年などに発生して、イネの苗を黄変、茎・葉を黒変し、発育を止める病害。いもち⓪。「とうねつびょう」とも。

いもづる⓪【芋〈蔓〉】 サツマイモ・ヤマノイモのつる。 ―しき⓪【―式】 芋蔓をたぐると次つぎに芋が出て来るように、一つの事がきっかけになり、関係のある新しい物事が次つぎに得られること。

いもに⓪【芋煮】 東北地方の名物。サトイモ・コンニャク・肉・野菜などを煮た鍋料理。「―会③」

いもの⓪【鋳物】 溶かした金属を型に流しこんで作った器物。⇩打ち物❶ ―し③【―師】 鋳物を作ることを職業とする人。

いものこ⓪【芋の子】 ❶親芋につく、小さな芋。こいも。❷サトイモ。「―を洗うよう〔=⇩芋〕」

いもばん⓪【芋版】 サツマイモを輪切りにし、文字・図案などを彫りつけたもの(で押した図版)。

いもむし②【芋虫】 チョウ・ガの幼虫の中で、アオムシ・ケムシ以外の俗称。比較的大形。 かぞえ方 一匹

いもめいげつ③【芋名月】 陰暦八月十五夜の月。⇩くり名月・まめ名月

いもようかん③【芋羊〈羹〉】 サツマイモを原料とした蒸し羊羹。

いもり①【井守】 池・沼・井戸などにすむ、トカゲに似た両生類。背中は黒みがかった茶色。腹は赤くて、黒色の斑紋ハンモンがある。黒焼きは古来ほれぐすり〔=相手に飲まして欲情をかきたてる薬〕と言われる。 表記「〈守宮〉・〈蠑螈〉」とも書く〔「守宮」は一説に、やもり〕。 かぞえ方 一匹

いもん⓪①【慰問】―する（他サ） 戦場にいる兵士などを見舞うこと。「―品⓪・―袋ブクロ④」

いや⓪①（感） 心から感動したことを表わす。〔長呼して「いやあ」とも言う〕「―〔=本当に〕、参った/―〔=全く〕、すばらしいな/―、驚いたのなんの/―、すごいのすごくないの」

**__いや__ ㊀【《否》】（感） ❶②⓪ 不承知を表わす。「―でも応でも〔=同意しようとしまいと、それにはかかわらず。どうしても〕」 ❷⓪②① 肯定・否定の判断が未分の状態、また何か決定的な事を言いかけて結局は中途でやめたことを表わす。「―、何でもないんですがね/―〔=それでは〕、また参ります」 ㊁②⓪①【《否》】（接） すぐ前に言った数量や範囲などを打ち消し、本当は次のように言いたいのだという気持を表わす。「日本、―〔=そればかりでなく〕世界の名作だ/五人―〔=じゃない、より正確に言えば〕六人だった」 ㊂②【〈厭〉】―に/な それを

△受け入れる(続ける)ことに不快感を覚え、(出来れば)そうしなくて済むようにしたいと思う気持。「仕事が―になる/―な奴(ヤツ)」 派 ―さ② 「―加減④」 ―が・る③ 表記 [三]は、「嫌」とも書く。【―というほど】これ以上は受け入れることが出来ないほど。「よろけた途端に―(=泣きたいくらいに)柱に頭をぶつけた/貧乏の味は小さい時から―(=骨身にしみるくらい)知っている/仲の良いところを―(=がまんが出来ないくらい、ひどく)見せつけられた」

いやいや [一]①⓪【《否《々》】(感) 「いや」の強調表現。「―、それは違う/―(=決して)、そんなわけではない」 [二]⓪【〈厭々〉】(副) 気が進まないけれども、周囲の状況に押されて仕方無くそうする様子。「―やってみた/―ながら従う/―出掛けて行った/―引き受けた」 [三]④⓪【〈厭々〉】(幼児が)いやだという意味で、首を横に振ること。「―をする」 表記 [二][三]は「嫌々」とも書く。

いやおう(オ)⓪③【《否応》】〔「応」は、もと和語の感動詞で承諾の意を表わす「オ」の長呼。従って、借字〕「いやだ」という返事と「よろしい」という返事。「―を言わせない/―も無い(=異存が無い)/―無しに(=むりやりに)」

いやがうえにも⑤、②-②(ウヘー)【《弥が上にも》】(副) そうでなくても十分その傾向が認められていたところに、さらにその傾向が強められる様子。「雪明かりに梅の花の白さが―冴(サ)える/酒が入り、宴会は―盛(モ)り上がった」

いやがらせ⓪【〈厭がらせ・嫌がらせ〉】 人がいやだと思うことを、わざとしたり言ったりすること。「―をする/―ばかり言う」

いやき⓪【嫌気】 ❶いやけ。 ❷相場が思い通りにならないので、人気が落ちること。 表記 「〈厭気〉」とも書く。

いやく①【医薬】 ❶病気を治す薬。 ❷医術と、薬品(を調合すること)。「―分離①-⓪、④」 ―ひん⓪【―品】〔日本薬局方に載っている薬の意〕病気や怪我の治療に用いる薬品。 ―ぶがいひん⓪(グワイー)【―部外品】 ベビーパウダー・染毛剤・消毒剤・駆虫剤・脱毛剤・歯みがきや薬品や物質のうち、人体に対する作用が弱いので狭義の医薬品とは区別されるもの。〔化粧品は含まれない〕

いやく⓪【意訳】―する(他サ) 原文の一つひとつの語句に必ずしもこだわらず、全体の意味が確実に取れるように訳すこと。また、その訳。↕直訳・逐語訳

いやく⓪-(キ)【違約】―する(自サ) 約束に背くこと。「―金⓪」

いやけ⓪③【嫌気】 いやだと思う気持。「いやき」とも。「―がさす(=ちょっとした事が原因になって、その状態を続けることがいやになる)/―を起こす」

いやさか⓪②【《弥栄》】 これまで以上にさらに栄えること。「御一家の―を祈っております」

いやし⓪③【癒(や)し】 精神的な不安やいらだちなどをしずめて、平安な気分にさせること。ヒーリング。「―の音楽」

いやし・い③⓪【卑しい】(形) ❶社会的地位が低い。「―(=下劣な)心/人品卑しからぬ紳士/―笑い」 ❷見るからに下品な感じがする様子だ。「―生まれ」 ❸恥ずかしげもなく、欲望をむき出しにしていることが言動から感じられる様子だ。「―目つき/食べ物に―/金(カネ)に―」 派 ―さ②③ ―げ⓪③④ 表記 「〈賤しい・〈鄙しい〉」とも書く。

いやしくも③②【〈苟(も)〉】(副) ❶とかくの批判はあっても、一応それなりに社会的に認められた存在であるととらえる様子。「―年寄りに向かってでたらめとは何だ/―教育家たるもの(=仮にも教育家と言われる人)のすべき事ではない」 ❷〔否定・禁止の表現と呼応して〕最低限容認できないことだと否定する様子。「―(=どんな事情があるにしても)人を陥れるような事だけはするな」 【―しない】 おろそかにしない。「一言一句―」

いやし・める④【卑しめる】(他下一) 卑しい者として△軽蔑(ケイベツ)(差別待遇)する。卑しむ③(五)。 表記 「〈賤しめる」とも書く。

いやしんぼう(オ)③⓪(バウ)【卑しん坊】 食べ物をむさぼる△人(こと)。くいしんぼう。

いや・す②【癒(や)す】(他五) ❶病気をなおす。「湯治場で傷を―」 ❷苦痛などをなおす。「いやされる」 ⇩癒し 表記 「《医す」とも書く。

いやち⓪②【〈厭地】 連作をしたために、作物の出来が悪くなること。「―病⓪」 表記 「《忌地」とも書く。

いやちこ⓪-なる/-に 〔雅〕〔神仏の霊験(ゲン)などが〕非常に明らかで、疑う余地が無い様子。あらたかなこと。

いやに②(副) 当面する事態の程度が普通とは違っていて、いぶかしく思われる様子。「―今日は親切だね/―(=ばかに)早起きだね」 表記 「嫌に・〈厭に」とも書く。

いやはや①(感) 言うべき言葉が無いほど驚きあきれたり対処すべき方法が分からないほど困り果てたりする気持を表わす。「―お気の毒な有様だ/―全く驚き入った次第だ」

イヤホーン③〔earphone〕 ❶△耳に差しこんで(頭からかけて両耳にあてて)ラジオや録音された音声・音楽などを聞く受話器。 ❷補聴器。イヤホン②③とも。

いやまさ・る④【《弥増さる】(自五) 前よりも一層程度が進んだ状態になる。

いやま・す⓪③【《弥増す】(自五) ますます程度が進む。「栄え弥増さんことを」

いやみ③⓪【嫌み・嫌味・〈厭味〉】〔「み」は接辞〕 ❶―な 自分を目立たせようとする言動が目につき、接する人に不快感を与えがちな様子だ。「傲慢(ゴウマン)で―な男」 ❷相手の弱みなどを衝(ツ)くようなことを遠回しに言ったりしたりして、引け目を感じさせようとすること。また、その言動。「―を言う/―を並べる/―に聞こえる/―たっぷり」 表記 「味」は、借字。 ―たらし・い⑥(形) いやみでそうしているのだとしかとれないような言動や態度を見せる様子だ。〔強調形は「いやみったらしい⑦」〕「―ばか丁寧な挨拶(アイサツ)」

いやらし・い④【嫌らしい・〈厭らしい〉】(形) 言動に清潔さや異性などに対するマナーが欠けており、接する人に不快感を与える様子だ。「上役におべっかばかり使う―奴(ヤツ)/女性に向かって―(=セックスに関して露骨な)事を言う/―目つき」 派 ―さ③④ ―げ④⑤⓪ ―が・る⑤

イヤリング①〔earring〕 耳飾り。 かぞえ方 一点・一本

いゆう⓪(イウ)(キ)【畏友】 尊敬にあたいする友人。

*__いよいよ__②【〈愈】(副) ❶ますますその程度が進んで△いく(最高潮に達することを予感させる)様子。「終盤になって試合は―おもしろくなってきた」 ❷そうなるかもしれないと今まで考えられていた事が、△十中八九(最終的に)そうだと考えられる段階に至った様子。「ここまでくれば彼も―本物だ/彼は―(=とうとう)有罪に決定した」 ❸△期待(心配)していた事がついに始まろうとする段階に至った様子。「―僕の番だ/―本降りだ/話は―佳境に入(イ)る/―あすから大学生だ」 ❹極限の状態。「―となれば本でも何でも売り飛ばすよ/―(=期限ぎりぎり)にならないと原稿を書かない」 表記 「〈愈〻」と書くのは、語の内部に繰返しがあることを、視覚の上から知らせる用字。 文法 (1)「ついに」「とうとう」「ようやく」「やっと」などとともに、予測される事態が実現するに至ったことを表わす点では共通する。(2)「いよいよ」「ついに」「とうとう」は実現した事態が望ましいことにも望ましくないことにも用いられる。前者の例、「いよいよ晴れの舞台に立つ日がやってきた」「ついに実験に成功した」「とうとう宿願の優勝を果たした」、後者

の例、「いよいよ破滅の時を迎えた」「ついに資金が底をついた」「とうとう病に倒れた」(3)「やっと」「ようやく」は一般に望ましい事態の実現にいたることを表わす。例、「やっと研究が完成した」「ようやく和平交渉にこぎつけた」

いよう②（感） ほめたり ひやかしたり 強い感動をもって呼びかけたりする時の声。〔短呼して「いよ②」とも言う〕「—、大統領〔=⇩大統領 運用〕／—、これは珍しい／—、ご両人」

いよう⓪【医用】 医療用。「—電子工学⑦」

いよう⓪【威容】 堂々としていて、だれが見てもりっぱだと思う姿。「六尺豊かな—に圧倒される／富士山が雲間からその—を現わした／七十階の—を誇るホテル」 表記「偉容」とも書く。

いよう⓪【異様】—な —に 他とあまりにも違っていて、変に思われる様子だ。「—な空気に包まれる／一種—な〔=言いようの無い〕親近感／彼の目は—に輝いた」 派—さ⓪

いよう⓪【移用】—する（他サ） 〔国会の議決を得て〕定められた項目から他の項目に、予算を振り替えて使うこと。

*__いよく__①【意欲・意〈慾】 積極的に何かをやってやろうとする気持。「—が薄れる／—を△燃やす（失う・見せる）／—的な姿勢を示す／労働—を高める／学習—に欠ける／—作③・生産—⑤」

いよよ①【〈愈々〉】（副）〔雅〕いよいよ。

いらい①【以来】 ➊その時から今まで。「生まれて—一度も医者にかかったことが無い」 ➋この後。「—〔=今後〕は慎みなさい／—ますます」

__いらい__⓪【依頼】—する（他サ）〈だれニなにヲ—する〉 何かをしてもらうように、人に頼むこと。「—人⓪・—者②」 **—しん②【—心】 自分自身はやらないで、人にやってもらおうとばかり思う気持。「—が強い」

いらいら【《苛《々】 【一】⓪〔事が思い通りに運ばないために〕神経が高ぶって、冷静さを失っている状態。「—が高じる／—を抑える」 【二】①（副）—する ➊事が思い通りに運ばなくて、今にも癇癪（カンシャク）を起こしそうな精神状態にある様子。「遅れた電車を—して待つ」 ➋とげ状の物が皮膚にさわった時のような、不快な刺激を感じる様子。「のどが—する」

いら・う②（他五） 〔愛知以西、近畿（キンキ）・中国・四国の方言〕いじる。「いろう」とも。 表記「《弄う」とも書く。

いらえ⓪③〔雅〕返事。 表記「《答え・《応え」とも書く。

いらか⓪【〈甍】 かわらぶきの屋根。また、その屋根がわら。「—の波」

いらくさ⓪②【《刺草・〈蕁麻〉】 茎・葉にとげがある多年草。夏・秋のころ、薄い緑白色の小さい花が咲く。茎の繊維は糸・織物の原料。〔イラクサ科〕 かぞえ方 一本

イラスト⓪ イラストレーションの略。「—入りの入門書」

イラストレーション⑤〔illustration〕 広告や書物などに使われる、挿絵や説明図。略してイラスト。

イラストレーター⑤〔illustrator〕 イラストレーションを描くことを職業としている人。

いらせら・れる⑤⓪【入らせられる】（自下一） 「いらっしゃる」の原形で、最も丁寧な言い方。

いらだたし・い⑤【《苛立たしい】（形） 事が思い通りに運ばなくて、腹立たしい思いに駆られる様子だ。 派—さ⑤④ —げ⑤⓪

いらだち⓪【《苛立(ち)】 いらだつ△こと（気持）。「—を抑える」

いらだ・つ③【《苛立つ】（自五） 事が思い通りに運ばなくて、冷静さを失い、じっとしていられない気持になる。「神経を苛立たせる」 他動 苛立てる④（下一）

いらつ・く⓪③【《苛つく】（自五） どうしようもなくいらいらする。「にえきらない返事に—」

いらつこ⓪【《郎子】〔雅〕若い男性を親しんで言う語。 ↕いらつめ

いらっしゃい④ 【一】〔「いらっしゃりませ」の変化「いらっしゃいませ」の略〕おいでください。「こちらへ—／よろしければあなたも—よ」 【二】（感）〔「いらっしゃいました」の略〕「よくおいでくださいました」の意で、歓迎を表わす言葉。「やあ—」 運用【一】は、「いらっしゃい いらっしゃい」の形で、商店などで客の呼び込みの言葉としても用いられる。【二】は、より丁寧な言い方としては「いらっしゃいませ」が用いられる。

いらっしゃ・る 〔「入らせられる」の変化〕 【一】④（自五） 「来る・行く・居る」の尊敬語。 【二】（補動・五型） 「ている・である」の尊敬語。「見て—／お元気で—」〔「いらっしゃった・いらっしゃって」は口頭語では「いらした・いらして」「いらしった・いらしって」の形でも用いられる〕 運用【二】で、「…先生のお宅でいらっしゃいますか」の「いらっしゃいますか」は「ございますか」と同じく丁寧語の用法である。

いらつめ⓪【《郎女】〔雅〕若い女性を親しんで言う語。 ↕いらつこ

いらはい いらはい③-③ 〔「いらっしゃい」の意の関西方言の連呼〕興行師が客呼びに使う語。

いらむし②【《刺虫】 「イラガ⓪②〔=イラガ科〕」の幼虫。からだは短くて大きく、頭部と尾部に毒を含むとげがあり、カキの木などの葉を食う。 かぞえ方 一匹

いり⓪【入(り)】 ➊はいる△こと（程度）。「客の—が悪い／日の—〔=西の山に沈むこと〕／△土用（彼岸（ガン））の—〔=その期間になる、最初の日〕／一・八リットル—のボトル／鳴り物—・仲間—」 ➋収入。「—が多い／実（ミ）—」 ➌費用。「—〔=かかり〕がかさむ」 表記 ➌は、「要り：〈入用〉・〈入費〉」とも書く。

いりあい⓪【入会】 一定地域の住民が一定の山林・原野・池・沼などに立ち入って、木材・たきぎ・まぐさや魚などを共同で採取すること。「—権③・—地③」

いりあい⓪【入(り)相】 ➊〔雅〕夕暮れ。暮れ方。 ➋〔←入相の鐘⓪-⓪〕夕暮れにつく鐘。晩鐘。

いりうみ⓪【入(り)海】 陸地にはいりこんだ海。〔湾・潟（カタ）・入り江・内海などの総称〕

いりえ⓪【入(り)江】 海・湖などが陸地に食い込んだようになっている地形。

いりがた⓪【入(り)方】 日や月などが西へ沈もうとするころ。

いりがわ⓪【入(り)側】 〔昔風の屋敷で〕縁側と座敷の間にある畳敷きの廊下。

いりかわり⓪【入(り)代(わ)り・入(り)替(わ)り】 ⇩いれかわり **—たちかわり**⓪-⓪【—立(ち)代(わ)り】（副） ⇩いれかわりたちかわり

いりぐち⓪【入(り)口】 そこから中へ はいるように設けられた所。〔何かをする最初の段階の意にも用いられる。例、「—でつまずく」〕 ↕出口

いりく・む③【入(り)組む】（自五） 物事がからみあったり複雑に構成されていたりする。「複雑に入り組んだ事件／入り組んだ海岸線」

いりこ⓪③ 【一】きんこ。 【二】【煎(り)粉・〈炒(り)粉】 米の粉を煎ったもので、菓子の材料。 【三】【〈熬(り)子】 煮干し。 表記【一】は普通、「〈海参〉」と書く。【二】は「〈熬り粉」、【三】は「〈炒り子」とも書く。

いりこさく③【入(り)小作】 他村からはいって来て小作する△こと（人）。 ↕出小作

いりこ・む③【入(り)込む】（自五） △困難（抵抗）を排除して、中にはいる。「敵の陣に—〔=もぐりこむ〕」

いりごめ⓪②【煎(り)米・〈炒(り)米】 〔非常食糧としての〕煎った米。焼き米。

イリジウム③〔iridium〕 白金族元素〔記号Ir原子番号77〕。銀白色で極めて堅いので、オスミウムとの合金にして万年筆のペン先などに使われる。

いりしお⓪(シホ)【入(り)潮】 ❶引き潮。↕出潮 ❷満ち潮。
表記「入り〈汐〉」とも書く。

いりたまご③【煎(り)卵・〈炒(り)〉卵】 しょうゆ・砂糖などで味をつけた卵を煎りつけた食品。

いりちが・う④(チガフ)【入(り)違う】(自五) ⇩いれちがう

いりつ・ける④⓪【煎(り)付ける・〈炒(り)〉付ける】(他下一) 水分が無くなるまで、火にかけてよく煎る。

いりどうふ③【煎(り)豆腐・〈炒(り)〉豆腐】 しょうゆ・砂糖などで味をつけた豆腐を煎りつけた食品。

いりひ⓪【入(り)日】 夕方沈みかけている太陽。夕日。落日。

いりびた・る④【入(り)浸る】(自五) ❶水の中にずっとつかっている。❷〔遊びなどの目的で〕よその家・場所に毎日行ったりずっと寝泊まりしたりする。名 入り浸り⓪

いりふね⓪【入(り)船】 港にはいって来る船。↕出船

いりほが⓪ 〔雅〕うがち過ぎ。

いりぼし⓪【〈熬(り)〉干(し)・〈炒(り)〉干(し)】 熬って干した小さな魚。いりこ。

いりまじ・る④【入(り)交(じ)る・入(り)混(じ)る】(自五) ❶中にはいって、他のものと一緒になる。❷いろいろな要素が一緒に含まれる。「和洋入りまじった献立」

いりまめ⓪②【煎(り)豆・〈炒(り)〉豆】 ❶煎ったダイズ。「―に花が咲く〔=起こり得ない事が起こる意に用いられる〕」 ❷「煎豆❶」と煎米とに砂糖をまぶしたもの。

いりみだ・れる⑤【入(り)乱れる】(自下一) 多くのものが入りまじって、どれがどれだか区別が出来ないようになる。「敵味方入り乱れて戦う」

いりむこ⓪【入(り)婿】 女性の家に迎えられて婿となる△こと(人)。入夫(ニュウフ)。

いりめ⓪【入(り)目】 何かをするのに必要な費用。入費(ニュウヒ)。

いりもや⓪【入《母屋》】 切妻(キリヅマ)の下の方にひさし状にはり出した、屋根の作り方。

いりゅう⓪(ヰリウ)【慰留】―する(他サ) 〔辞意を表明した人を〕なだめて、今までの職や地位に引き止めること。

いりゅう⓪(ヰリウ)【遺留】―する(他サ) ❶死後に残すこと。❷置き忘れること。「―品⓪」 **―ぶん**②⓪【―分】 法律の定めによりそれぞれの相続人が必ず受け取ることが出来る最低限度の遺産の分け前。

イリュージョン②〔illusion〕 幻影。幻想。

いりょう①(レウ)【衣料】 衣服(の材料)。「―品⓪」

いりょう①(リヤウ)【衣糧】 生活に不可欠な衣服と食糧。「被災地に―を送る」

いりょう①(レウ)【医療】 専門の医師が、健康診断や病気の予防対策を行なったり 患者の診察・治療に当たったりすること。「質の高い―や快適な―の供給促進のために―分野に競争原理を導入することなどが提言された/―機関・―器具④・―行政・―サービス・―センター・移植―・延命―・救急―・在宅―・終末期―・新生児―・先端―・地域―・保険―・老人―」

いりよう⓪【入(り)用】―な/―に さしあたって必要だと思われる△こと(様子)。また、それだけのお金。「何か―な物があったら言ってください/―に困る」

*__いりょく__①(ヰ)【威力】 ❶相手を恐れさせる、強い△力(勢い)。「大国の―を見せつける/―業務妨害①-④」 ❷すばらしい効果をあげる△力(働き)。「―を発揮する」 表記❷は、「偉力」とも書く。

いりょく①【意力】 △精神(意志)の力。⇩知力・体力

*__い・る__【入る】■一⓪(自五)〈なに・どこニ―〉〔多く慣用的な形で〕はいる。「夜に入って〔=なって〕寒さが加わる/気に―〔=好きになる〕/手に―〔=ⓐその人のものになる。ⓑ技芸を十分にマスターする〕/堂に―〔=⇩堂〕/佳境に―〔=いよいよおもしろくなる〕/技(ギ)、神(シン)に―〔=ほかの人が絶対まね出来ないほどすぐれた腕前だ〕/ひびが―〔=ⓐひび割れが出来る。ⓑこれまで親しかった者どうしが何かの拍子で仲たがいする〕/実が―〔=豆・クリなどが十分に熟して、ふくれる〕/身が―〔=興味が起こって、その事に熱心になる〕/念の入った〔=大変丁寧な〕話だ」 ■二〔「動詞連用形+―」の形で、接尾語的に〕すっかりその状態になる。「泣き―・わび―・恐れ―・痛み―・寝―・恥じ―」

**__いる__(ヰル) 〔もと、(動かずに、じっとその所に)すわる意〕 ■一⓪【居る】(自上一)〈どこニ―〉〔人・動物が〕ある時間その場所を占める状態が認められる。「ずっと東京に―〔=ⓐ居住する。ⓑ滞在する〕/父は居ません〔=ⓐ外出中です。ⓑ以前に亡くなりました〕/アフリカにはライオンや象が―〔=生息する〕/あの家には猛犬が―〔=飼われている〕/バスが―〔=バスが一時的にとまっている〕」 ■二(補動・上一型) ❶動作・作用が、継続・進行して、その時点に至ることを表わす。「今手紙を書いて―ところだ/泣いて―のか笑って―のか分からない」 ❷動作・作用が反復的に行なわれることを表わす。「毎朝パンを食べて―/欠かさず日記を付けて―」 ❸動作・作用が完了したままの状態であることを表わす。「ドアが開いて―/あの人とはどこかで会って―/仕事でとても疲れて―」 ❹何らかの変化を受けた結果だととらえられるような状態や様子を表わす。「北に高い山がそびえて―/道が曲がって―」 ❺同様のことが以前にも既にあり、事新しく取り上げる事柄ではないことを表わす。「浅間山は江戸時代に噴火して―」 文法 ■二について。(1)口頭語では「ている」の「い」が省略されて「てる・てた・てない・てれば」などとなることが多い。(2)「…ている」は、人の行動や状態の種々の局面を表わすのに用いられる。(a)「今源氏物語を読んでいる」→(b)「源氏物語を読んだ」→(c)「もう源氏物語を読んでいる」 (a)は動作・作用の継続・進行を、(b)の動作・作用の完了を介して (c)は動作・作用の完了したままの状態を表わしている。一般に「歩く」「着る」「食べる」などその動作を完了するのに多少なりとも時間を要する、つまり始まりがあって終わりがある動作を表わす動詞は(a)(b)(c)という流れに沿った形で状況の変化を表わすことができる。一方、(b)「徳川家康は一六一六年に死んだ」(c)「徳川家康は今から約四百年前に死んでいる」などと、その動作に時間的な経過を要さないととらえられる「死ぬ」「割れる」「つかむ」などの動詞は、(a)に相当する表現形式を欠き、(b)(c)と状況の変化に応じた表わし方をすることができる。(3)■二❸ ⇩ある 文法(3)

【居ても立ってもいられない】 何か気にかかる事があって、落ち着いていることが出来ない。〔座っていることも立っていることも出来ないの意〕

*__いる__①【射る】(他上一)〈なにデ〉だれ・なにヲ―/なにヲだれ・なにニ―〉〔ねらったものを目がけて〕引きしぼった弓から矢を飛ばす。「弓を―〔=矢を放つ〕/毒矢を―/敵の大将を―〔=…を目がけて弓を射る〕/眼光炯々(ケイケイ)として人を―〔=相手が見返すことが出来ないような鋭い目つきで見る〕/的(マト)を射た〔=⇩的❶Ⓐ〕質問/△心(胸)を―」〔「弓を射った」と五段活用のように使う向きもある〕

【将を射んと欲すれば《先(ま)ず馬を射よ》】 ⇩将(ショウ)

いる①【鋳る】(他上一) 溶かした金属を型に流しこんで器物を作る。鋳造する。

**__い・る__⓪【要る】(自五)〈なにニ―〉 必要△である(とする)。

「要らぬ〔=余計な〕お世話／返事は要らない／要らない本があったら譲ってください」表記「入る」とも書いた。

い・る①【煎る】(他五) ❶豆・ギンナン・ゴマ・米など粒状の食品を器に入れて火にかけ、焦げ過ぎないように動かしながら、食べられる状態にする。「豆を—ような機関銃の音」❷卵・豆腐・茶などを器に入れて火にかけ、からからになるまで動かしながらほぐす。表記「〈炒る・〈熬る」とも書く。

***いるい**①【衣類】からだにつけて着たり はいたり する物の総称。〔靴・下駄(ゲタ)などは含まない〕

いるい①【異類】〔仏教で〕人間以外の動物。

いるか⓪【〈海豚〉】主として近海にすむ、クジラの一類。体長は五、六メートル以下。知能が高く、人に馴(ナ)れやすい。肉・脂肪・皮ともに有用。表記古くは「〈江豚〉」。

いるす⓪②(ヰ)【居留守】留守をしているふりをすること。「—を使う〔=家に居ながら、居ないと、うそを言う〕」

かぞえ方 一頭・一匹

イルミネーション④〔illumination〕電灯やネオンなどによる、建物・船などの装飾。電飾。かぞえ方 一本

いれ【入れ】(造語) ■一それを中に入れるための物。「名刺—・筆—・おかず—③」■二動詞「入れる」の連用形。「—代わる／—歯(バ)・—物」

いれ②【煎れ】〔関西方言〕相場が下がると見越して株をから売りしたところ、相場が上がったために損を承知で買い戻すこと。〔関東方言では、踏み〕

いれあ・げる④【入れ揚げる】(自他下一) 愛人や好きな遊びなどに夢中になって、自分の持っているお金などをその事ばかりに使う。

いれあわ・せる⑤(アハセル)【入れ合わせる】(他下一) 二種類以上の物を取り合わせて入れる。名入れ合わせ⓪

いれい⓪(ヰ)【威令】絶対的な権力者などから出される、否応(イヤオウ)無く従わざるを得ない命令。「—が行き渡る」

いれい⓪【異例】❶前例の(全く)無いこと。珍しいこと。〔「—に属する／—の△昇進(抜擢(バッテキ))」の場合は「異数」とほとんど同義〕「—な事態／—ずくめ」❷不例。派—さ⓪

いれい⓪(ヰ)【違令】—する(自サ) 法令や命令にそむくこと。表記❷は、「違例(ヰレイ)」とも書く。

いれい⓪(ヰ)【慰霊】死者の霊を慰めること。〔広義では、動物の場合にも使う〕「—祭②」

いれい⓪(ヰ)【遺例】昔たくさんあった同類のうちの一部が残ったもの。

いれかえ⓪(カヘ)【入れ替え】—する(他サ) ❶それまではいっていた客や物などをそこから出し、代りに別の客や物を入れること。「映画館の—の時間に間に合う」❷入れ場所を取りかえること。「よく使う物とあまり使わない物の—をする」❸互い違い。「—模様⑤〔=市松模様など〕」❹貨物列車の個々の貨車を編成しなおすこと。「—線⓪・—作業⑤」動入れ替える④③(他下一)「心を—〔=改心する〕」表記「入れ換え」とも書く。

いれかけ⓪【入れ掛け】〔雨や事故などのために〕その日の興行を中止して、客を帰すこと。

いれがみ⓪【入れ髪】〔地髪と違って〕入れ毛。

いれかわり⓪(カハリ)【入れ代わり】■一⓪入れ代わること。交替。「いりかわり」とも。■二(造語) 動詞「入れ代わる」の連用形。表記「入れ替わり・入れ換わり」とも書く。**—たちかわり**⓪-⓪(カハリ)【—立ち代わり】(副) 次から次へと人が来ては帰りして、△応接にいとま(客の絶えること)が無い形容。「いりかわりたちかわり」とも。

いれかわ・る④(カハル)【入れ代わる】(自五) そのものが今まではいっていた△場所(地位)に、他のものが代わってはいる。「入りかわる」とも。「順序が—／宮殿の衛兵は一時間ごとに—」表記「入れ替わる・入れ換わる」とも書く。〔⇩入れ代わり■二〕

イレギュラー②(ーな/ーに)〔irregular〕不規則な様子。「—バウンド⑥」

いれぐい⓪(グヒ)【入れ食い】釣り針を入れるとすぐ魚が食いついてきて、どんどん釣れること。

いれげ⓪【入れ毛】日本髪の中に入れて、髪の形を整える△こと(ために、毛を丸く束ねたもの)。⇩かもじ

いれこ⓪【入れ子】❶形が同じで大きさの違ういくつかの箱などを 大きさの順に重ねて中へ入れるようにしたもの。⇩かけご ❷自分の子供の死後に迎えた養子。

いれこみ⓪【入れ込み】飲食店などで、別々に来たお客をいっしょの大部屋に入れること。また、その大部屋。「入れごみ・入り込み」とも。

いれこ・む③【入れ込む】(自五) 〔「入れ上げる」+「つぎこむ」の混交か〕何か一つの事に夢中になってのめり込む。「大変な入れ込みよう」

いれずみ⓪【〈刺青〉・入れ墨】—する(自他サ) 〔「入れ墨」の意〕皮膚を針などで傷つけ、墨・朱などを入れて、色鮮やかな模様などを△かくこと(かいたもの)。ほりもの❷。〔江戸時代は前科者の目印とし、現在は香具師(シャ)などがする〕表記「〈文身〉・〈黥〉」とも書く。

いれぢえ⓪(エ)【入れ知恵・入れ〈智慧〉】—する(自他サ) ある目的のために、他人に自分の考えや策略などを教えること。また、その考えや策略。

いれちが・う④(チガフ)【入れ違う】(自五) 一方がそこに来た時に他方が そこから出て行き、会わないでしまう。行き違う。「いりちがう」とも。名入れ違い⓪ 他動入れ違える⑤④(下一)

いれば⓪【入れ歯】抜けたり 悪くなったり した歯の代りに人造の歯を△入れること(入れたもの)。義歯。「総—一枚」

いれふだ⓪【入れ札】「にゅうさつ・投票」の古風な表現。

イレブン②〔eleven〕〔十一人(eleven)でプレーするところから〕サッカーの一チームを構成する選手全員を指す称。

いれぼくろ③【入れ〈黒子〉】❶墨で書いたり などして付けたほくろ。つけぼくろ。❷「いれずみ」の意の古風な表現。

いれめ⓪【入れ目】「義眼」の意の和語的表現。

***いれもの**⓪【入れ物】何かを入れる物。容器。「かごなり何なり—を持って買物に行く」

****い・れる**⓪【入れる】(他下一) ❶〈なに・どこニ なにヲ—〉はいるようにする。「手に—〔=自分の所有とする〕／△計算(勘定・考慮)に—／△抵当(質・担保)に—／スイッチを—〔=オンにして、電気を通じさせたり 機械を作動させたり する〕／そろばんを—〔=置く。…で計算する〕／△メス(横槍(ヤリ))を—／疑いを入れない〔=疑う余地が無い〕／力(こぶ)を—／△熱(本腰・活・嘴(クチバシ))を—／一息—／新しく人を—〔=採用する。雇う〕／一票を—〔=投票する〕／手を—〔=不十分なところに必要な手当てをして、満足出来るようにする〕」❷〈なに・どこニ なにヲ—〉相手に届くようにする。「新たに軍隊を—〔=移動させる〕／原稿を本社に—／明日工場に入れます／九州へ電話を—〔=かける〕」❸〈なにヲ—〉他人の主張を聞き、その意見に理のあることを認める。「△要求(希望)を—／人を—〔=自分と立場の違う人の意見に耳を傾け、よいものはよいとして認める〕雅量／世にいれられない〔=⇩世(ヨ)〕」❹〈なにヲ—〉湯を注いだり 湯で煮立てたり して、飲めるようにする。「△お茶(コーヒー)を—」表記❸は「《容れる」、❹は「〈淹れる」とも書く。〔⇩入れ■二〕

****いろ**【色】■一② ❶Ⓐ目に見える物一般がその特徴として持っていて、われわれが明るい所で見た時すぐ美醜・明暗・快不快を感じ取るもの。〔種類は極めて豊富だが、多くは程度

の差であり、物理学では光の波長分布の異なりとして示される。⇨三原色・スペクトル」「ー(=ⓐ色の調子。色合。ⓑ顔色)が悪い/ー見本③・ーとりどり(=種類が豊富)」Ⓑ物理学的には色のうちには含めない白・黒および透明を除いた「色」❶Ⓐ。「ーの無い(=透き通った)レンズ/ー物・ー(=白以外の)チョーク③」❷顔色。「ーの白い人/ーを失う(=恐怖や意外な事に出会って、青くなる)/ーを成す(=怒って、表情を変える)/ーを正す(=重大な話を切り出すために ふさわしい、まじめな表情をする)」❸絵の具・化粧など、そのものの外貌(ガイボウ)を飾り整えるもの。「ーを塗る/あくどいー(=ⓐ彩色。ⓑ化粧)だ/ーを作る(=顔を化粧する)/ーを付ける(=売買・譲渡などの交渉の時に、値を引いたり 景品を付けたり 条件を幾分か有利にしたりする)」❹相手に心を引かれる感情や肉体的な関係に対する欲望、相思の関係にある相手や情事一般を指す。「ーに溺れる/ーに迷う/ー事(ゴト)・ー好み・ー仕掛(ジカ)け」❺外から見てすぐ分かる程度に顕著な、そのものの現在の内的状態。「譲歩のーは見せない/困惑とあせりのーを深める/疲労のー(=様子)が濃い/秋のー(=けはい)深い渓谷」❻(造語) 種類。「二(フタ)ーの言い回し」

いろあい⓪(ーアヒ)【色合】❶(調和が取れているかどうかという観点から見た)色のぐあい。色調。❷性格・傾向などのぐあい。「混乱のーを濃くする」 表記「色相」とも書く。

いろあがり③【色揚(が)り】 染め物の色があざやかに仕上がること。

いろあく⓪【色悪】(歌舞伎(カブキ)で)顔・姿の美しい敵役(カタキヤク)。↔実悪(ジツアク)

いろあげ④【色揚(げ)】❶色のあせた布・着物を染め直して美しくすること。❷染め直しの色の出来ぐあい。

いろあ・せる④【色(褪せる)】(自下一) ❶日光や空気にさらされて、もとの色が薄くなる。「色褪せた写真」❷時の経過とともに、当初の新鮮な印象が失われる。「色褪せた思い出」

いろいと⓪【色糸】 染めた糸。

*__いろいろ__⓪【色々】ーに(ーな) (もと、違った色が数多くある意)そのものの状態・性質が一通りでなかったり 関係するところが多面にわたっていたり あれこれと方法を尽くしていたりする△こと(様子)。「ー(と)変わった品物が取り揃(ソロ)えてある/手紙を書いたりー(=そのほか、幾つかの)やる事がある/世間はーだ(=やさしい、親切な人も居れば、だましてばかりいる悪い人も居る。人の心はさまざまで、一概には言えないものだ)」 表記「《種《々」とも書く。

いろう⓪(ーヰ)【胃(瘻)】(手術で)患者の胃に直接、栄養を送るために、腹部の外側から腹壁を通して胃まで管を貫通させるための穴。

いろう⓪(ーラウ)【慰労】ーする(他サ) 一生懸命△働いて(奔走して)くれた人たちに対して、経営者や依頼者が、感謝の気持を表わすこと。「ー会②⓪・ー金⓪」

いろう⓪(ーヰ)【遺漏】 注意がすみずみまでに行き渡らず、どこか抜けている点があること。「万(バン)ー無きを期する」

いろえ⓪②(ーヱ)【色絵】❶色を塗った絵。↔墨絵 ❷一度うわぐすりをつけて焼いた陶磁器に、絵をかいて仕上げること。↔染めつけ

いろえんぴつ③【色鉛筆】 朱書きや彩色に用いる、種々の色の鉛筆。筆記用の黒色の鉛筆より軟らかい。蝋(ロウ)・粘土などに絵の具を混ぜたものを芯(シン)にする。

いろおち⓪【色落(ち)】ーする(自サ) 洗った時に、布や糸の色が消えたり 薄くなったりすること。「このTシャツはー(が)する」

いろおとこ③(ーヲトコ)【色男】❶(女性から好かれる)美男子。❷情夫。「いろ」とも。

いろおんど③(ーヲン)【色温度】 光の色を、その光を出している物体の絶対温度で表わしたもの。青空の状態の太陽光線の色は約六千K。(K=絶対温度の記号、ケルビン)

いろおんな③(ーヲンナ)【色女】❶色気の多い女性。❷情婦。「いろ」とも。

いろか②【色香】(もと、美しい花の色と、そのかおりの意)離れて見た女性の顔かたちの美しさと、近寄って感じる香料と体臭の交じった、なんとも言えない魅力。(男性を魅了するに十分なもの)「ーにおぼれる/ーに迷う」

いろがみ②【色紙】(折り紙などに使う)種々の色に染めた紙。

いろがら⓪【色柄】 生地(ジ)などの色のついた、柄。

いろがわり③(ーガハリ)【色変(わ)り】❶ーする(自サ) もとの色が△変わること(変わったもの)。変色。❷布地などの模様・形が同じで、色だけ違うもの。(広義では、同種類に属する風変りなものを指す)

いろきちがい③④(ーチガヒ)【色気違(い)】❶性欲の不満が高じて起こる、異常な精神状態。❷ひどく好色な△こと(人)。表記「色《狂」とも書く。

いろぐろ⓪【色黒】ーな 顔や肌の色が黒いこと。

いろけ③【色気】❶性や恋愛への△関心(欲望)。色欲。「ーが付く(=子供がおとなになるに伴い、『色❹』を感じ始める。性に目ざめる)/ーより食い気(=『色❹』よりも食欲の方が勝つこと。見た目よりも、なかみを重視すること)」❷人を引きつける性的な魅力。「ーが漂う/なんともーの無い(=無粋(ブスイ)な)話だ/ー(=あいきょう)のない返事」❸女性が持っているはなやかで好ましい雰囲気。「ーのない(=参加者に女性がいない)飲み会」❹物事に対する積極的な△気持(関心)。「新事業にーを示す(=誘われれば何かをしてもいいという積極的な関心を見せる)」

いろけし⓪④③【色消(し)】❶ーな せっかくそれまで感じていたおもしろみ・情趣・色気をゼロにする△こと(ような言動)。❷色収差を無くすこと。「ーレンズ⑤」

いろこ⓪(鱗)「うろこ」の古語の形・各地の方言形。

いろこ・い③【色濃い】(形) その様子が顕著で、否定出来ない状態だ。「△…の様相(不安)がー」

いろこい②(ーコヒ)【色恋】 異性などと親しくすることや、恋愛すること。「今ごろー沙汰(ザタ)でもあるまい」

いろごと②⓪③【色事】❶男女などの恋愛。情事。「ーに深入りする」❷芝居での情事のしぐさ。ぬれごと。 **ーし**④【ー師】❶芝居で情事の場面を(上手に)演じる役者。❷「女たらし」の異称。

いろごのみ③【色好(み)】「色❹」が好きな△こと(人)。好色。

いろざかり③【色盛(り)】 女性が最も美しく見え、人を引きつける年ごろ。

いろじかけ③【色仕掛(け)】(大金をまき上げたり 情報を得たりするために)「色❹」を利用して、対象となる人に積極的に行動をしかけること。

いろしゅうさ③(ーシウー)【色収差】 レンズの作る像の輪郭に△赤(紫)の色がつくこと。

いろじろ⓪【色白】ーな 顔や肌の色が白いこと。

いろずり⓪【色刷(り)】ーする(他サ) 普通の黒色だけでなく、各種の色で印刷したもの。「ーの漫画」 表記「色(摺り)」とも書く。

いろづ・く③【色付く】(自五) 草木の葉や実が、時期が来て目立つ色になる。「ミカンの実がー(=熟して、黄色になる)/カキの実がー(=熟して、赤くなる)/もみじがー」

いろづけ⓪④【色付(け)】ーする(自他サ) ❶陶磁器などに着

色したり色模様を加えたりすること。㊁薬品を用いて金属などに美しい色を出すこと。動色付ける④(他下一)

いろっぽ・い④【色っぽい】(形) あでやかで、なまめかしい魅力がある様子だ。派―さ④

いろつや②【色艶】(顔色や)皮膚の色とつや。「還暦を過ぎたとは思えない―/―(=おもしろみ。味わい)のある話」

いろどめ⓪④【色止め】 染め物をする時に、薬を入れて色が落ちないようにすること。

いろどり⓪④【彩り】㊀いろどること。彩色。㊁色の配合。㊂いろいろな物を取り合わせて美しさやおもしろみを増すこと。「趣向を凝らした余興が祝賀会に―を添えた」表記「色取り」とも書く。

いろどり②【色鳥】(俳句で)秋の小鳥。

いろど・る③【彩る】(他五)(色取る意)その物にふさわしい色を塗る。〔化粧・めかし・装飾の意にも、配合の美の意にも用いられる。例、「昭和初頭を―社会的事件」〕表記「色取る」とも書く。

いろなおし③【色直し】㊀(結婚式の披露宴などで)新郎・新婦が式服を色物など披露宴用の衣服に着替えること。「お―④」㊁染め直し。

イロニー①〔ド Ironie〕⇨アイロニー

いろぬき⓪④【色抜き】―する(他サ) 染め返しの時に、もとの色を取り去ること。

いろは②【伊呂波】〔いろは歌の最初の三字の意。ローマ字のアルファベット、ABCに相当〕㊀いろは歌の配列。「―順」㊁〔いろは歌で代表される〕四十七字の かなの称。〔末尾に「ん」を加えることもある〕㊂学問・芸事の初歩。「取材の―を教え込んだ」表記「以呂波・〈伊呂葉・色葉」とも書く。―うた③【―歌】 平安時代中期、ひらがな四十七字を各一回だけ使って作った七五調の手習い歌〔=いろはにほへとちりぬるをわかよたれそつねならむうゐのおくやまけふこえてあさきゆめみしゑひもせす〕。―がるた④ いろは四十七字と「京」のそれぞれをかしら字とすることわざ、合計四十八を一枚ごとに書いたかるた。―じゅん⓪【―順】 言葉や人・物の名前などを、その最初の音に従って、いろは歌に詠み込まれた仮名の順に配列すること。また、その配列。

いろまち②【色町】 遊郭や料亭・待合・芸者屋などが集まっている所。いろざと⓪。表記「色街」とも書く。

いろむら⓪【色むら】〔全体が同じ色であるはずの物の〕一部が変わった色になっているもの。「色ずれや―の無いディスプレー」

いろめ⓪【色目】㊀③⓪〔着物などの〕色合い。㊁③②⓪ 気がある様子をして相手を見やる目つき。「―を使う(=相手に少なからぬ関心を持っている態度をして見せる)」

いろめがね③【色《眼》鏡】㊀色ガラスで作った眼鏡。〔サングラスはその一種〕㊁偏見や先入観にとらわれた、物の見方。「―で人を見る」表記 ⇨付表「眼鏡」

いろめきた・つ⑤【色めき立つ】(自五) 緊張した様子が現われる。活気づく。

いろめ・く③【色めく】(自五)㊀時期が来て美しい△色(顔形)になり始める。㊁△緊張(動揺)した状態になる。

いろもの⓪【色物】㊀②⓪〔衣服や織物で〕染料で染めた布地。↔白物 ㊁②⓪〔女性の式服で〕黒地でない、色模様のあるもの。㊂②〔寄席演芸のうちで、義太夫・講談・落語と違って〕音曲・曲芸・奇術などの称。

いろもよう③【色模様】㊀布などを色で染めた模様。㊁〔歌舞伎などで〕色事を演じる場面。

いろやけ⓪【色焼け】―する(自サ)㊀顔・からだが日に焼けて黒茶色になること。㊁衣服などが日に焼けたり 汚れたりして変色すること。㊂化粧品などの常用によって皮膚の色が黒みを帯びること。

いろよい③【色《好》い】(連体) 相手の返事が望んだとおりである。「―(=こちらの希望に添うような)返事がもらえない」

いろり⓪【囲炉裏】〔「ゆるり」の変化〕部屋の床を大きく四角に切って防寒や煮炊きのために粗朶などをたくようにした所。「―端⓪」表記 もとは、「〈炉〉」と書いた。かぞえ方 一基

いろわけ⓪【色分け】―する(他サ)㊀〔区別がすぐ分かるように〕種類の違う物ごとに違った色をつけること。㊁種類によって区別すること。分類すること。

いろん⓪【異論】 ほかの人と違った△意見(論)。「彼の見解に強い―が出る/計画案に―を唱える/―のあろうはずが無い」

いろんな⓪【色んな】(連体)「いろいろな」の口頭語形。

**いわ②【岩】〔根が生えたように動かせない〕堅い大きな石。〔地中にあるものについても言う〕表記「〈磐・《石」とも書く。かぞえ方 一枚

いわ①【違和】㊀からだの調子がいつもと違って、どこかぐあいが悪いこと。「からだに―を感じる/聴診的―」㊁対象をすなおに受け入れたり環境に自然になじんだりするのに抵抗を感じること。「―を覚える/感情の―が表面化して、はっきりした対立にまで進む」表記 ㊁は「異和」とも書く。―かん②【―感】㊀△生理的(心理的)にしっくり来ないという感覚や、周囲の雰囲気や人間関係とどことなくそぐわないという判断。「―を与える」㊁その人の理想像や価値観から見て、どこかしら食い違っているという印象。表記「異和感」とも書く。運用 いつもと変わっていたり 今までいだいていたイメージや価値観と合わない点があったりして、△その場(その事物)をそのまま受け入れることがためらわれる感じ。「胃に―を覚える/―を△与える(受ける)/景気の悪いこの時期に政府が増税することには―がある」

*いわい【祝(い)】▬②⓪③㊀祝う△こと(気持)。祝賀。「―(=祝意)を述べる」㊁祝うための行事・贈り物。「お―⓪・誕生―⑤・入学―⑤・卒業―⑤・結婚―⑤・快気―④」▬(造語) 動詞「祝う」の連用形。「―事⓪・―歌③」―がえし④【―返(し)】 祝いのために もらった品物のお礼として、相手に贈り物をすること。―ざけ③【―酒】 めでたい事を祝って△飲む(贈る)酒。―ばし④【―箸】 中ほどが少し太めに作られた、丸い箸。祝儀の時に使う。かぞえ方 一膳

*いわ・う②【祝う】(他五)〈なに・だれヲ―〉〔もと、よい事があるように祈る意〕㊀めでたい事があった時、喜びの気持を言葉や行為に表わす。「雑煮を―(=食べて、共に正月を無事に迎えたことを喜ぶ)」㊁幸福・幸運であるように祈る。「門出を―/友人の結婚に鏡台を―(=贈る)」〔⇨祝い▬〕

いわえ⓪【岩絵】 原始人が洞窟の壁などの岩肌にかきつけた絵。

いわえのぐ③【岩絵(の)具】 東洋画に用いる絵の具。鉱物を粉末にするなどして作ったもの。

いわ・える③【《結わえる】(他下一)「ゆわえる」の口頭語的表現。

いわお⓪【〈巌】〔「お(ほ)」は、外に出ていて、だれにでも見える意の接辞〕〔人の通行を妨げるかのように〕地表から突き出た、大きな岩。かぞえ方 一枚

いわき⓪【岩木】「木石」の意の古風な表現。〔非情なもの、意志感情のない者の意にも用いられる〕表記 もとの用字は、「《石木」。

いわく【〈曰く】〔「いふ」の未然形＋接辞「く」〕㊀①

その人が…と言ったということを表わす。「古人―〔=…が言うには(…のように言った)〕」 ❷①〔公然と言うことが出来ない〕そうするだけの事情。「―言い難し〔=△複雑(デリケート)な事情があり簡単には言えない〕/―因縁〔=(以前からの)いろいろな事情〕がある」 ❸⓪ 何かこみいった事情やわけ。「―ありげな様子/―ありげな〔=いかにもこみいった事情がありそうな〕壺/―付きの〔=前に問題を起こしたことのある〕品物/―付きの〔=かんばしくない前歴のある〕男」

いわぐみ⓪【岩組(み)】❶庭の石組。❷芝居などで使う張り子の岩。

いわけな・い④(形)〔雅〕〔「ない」は、形容詞を形作る接辞〕幼い。 文法 助動詞「そうだ(様態)」に続くときは「いわけなさそうだ」の形になる。また「すぎる」と結びついて複合動詞をつくるときは「いわけなさすぎる」の形になる。

いわし⓪【〈鰯・〈鰮】 各地の沿岸でとれる代表的な大衆魚。マイワシ②・ウルメイワシ・カタクチイワシなど。からだは細長く、背中は青緑色で腹は銀白色。食用。また、肥料用。「―の頭も信心から〔=どんなつまらない物でも、信心するとありがたく思われる〕」 かぞえ方 一尾・一匹 ―ぐも④【―雲】「巻積雲」の俗称。イワシの取れる夏・秋の午後から夕方にかけて上空に見えるので、この名がある。

いわしみず③【岩《清水】 岩の間からわき出る、冷たくてきれいな水。 表記 ⇩付表「清水」。もとは、「《石清水」と書いた。

いわず⓪【言わず】 △あえて(何も)言おうとしないこと。「―して〔=言わないでも〕明らかだ/―と〔=言わなくても〕知れた弁天小僧/AとBと―〔=ABの区別無く、すべて〕」 ⇩ず ―かたらず⓪-⓪【―語らず】 何も言葉に出して言わないこと。 ―もがな⓪④⑤③〔「もがな」は、願望の終助詞〕言う△べきでない(までもない)ということを表わす。「―の〔=言わない方がいいと思われる〕こと/子供は―〔=言うまでもなく〕おとなまでも」

いわ・せる⓪【言わせる】(他下一)「言う」の使役形。言わす⓪(五)。「言いたいだけ言わせておけ/彼に―と何を言い出すか分からない/彼に―と〔=彼が言うのを受け入れると〕世の中には悪人は一人も居ないということになる/金にものを―〔=金の力で強引に物事を解決しようとする〕」

いわたおび④【岩田帯】 妊婦が五か月目(の戌の日)から腹に巻く帯。

いわだな⓪【岩棚】 がけなどの途中で、岩が棚のように張り出した部分。

いわつつじ③④【岩〈躑躅〉】 岩の間に生えているツツジ。

いわつばめ③【岩〈燕】 絶壁などに巣を作るツバメ。普通のツバメより小形で、尾・羽は短い。〔ツバメ科〕 かぞえ方 一羽

いわでも③②⓪【言わでも】〔「で」は「…ないで」に相当する接続助詞〕言う△必要がない(に及ばない)ということを表わす。「―の〔=言わなくてもいい〕事/―がなの〔=あえて言うには及ばない〕お節介」

いわと⓪【岩戸】❶岩で出来ている、堅固な戸。「天の―」 ❷石室の入口にある石造りの戸。

いわな⓪【岩《魚】 山間部の清流にすむ淡水魚。からだは細長く、背中は青みがかった黒色で、腹は白地に小さな薄赤い点がある。川釣りの代表的な魚。〔サケ科〕 かぞえ方 一匹

いわね⓪【岩根】〔雅〕〔大地に根を張ったように広がっている岩の意〕大きな岩。「岩が根⓪」とも。

いわのぼり③【岩登(り)】 ⇩ロック クライミング

いわのり②【岩〔海〈苔〕】 紅藻類の海藻。海岸の岩に生える。食用。〔ウシケノリ科〕「―のつくだ煮」

いわば①②⓪【言わば】(副) 何かについて、端的な比喩や別の観点からの簡潔な表現に置きかえて説明する様子。「それは―〔=言って見れば〕子供の喧嘩に親が出ていくようなものさ/彼の苦悩、―現代版ハムレットの心情に思いを馳せる」 表記「〈謂わば」とも書く。

いわば⓪【岩場】❶〔登山のルートで〕ごつごつした岩がむき出しになっている所。〔狭義では、ロック クライミングの対象としてのそれを指す〕 ❷〔海岸で〕ごつごつした岩の多い所。

いわはだ⓪【岩肌】 あらわに見える岩の表面。 表記「岩《膚」とも書く。

いわぶすま③【岩〈襖】 高く広がってそびえ立つ岩を、襖にたとえて言う言葉。

いわぶろ⓪【岩風呂】 岩の間のくぼみを利用して作った風呂。岩湯⓪。

いわま⓪【岩間】 岩と岩との間。「谷川の―にすむカニ」

いわみぎんざん④【《石見銀山】〔島根県の〕石見銀山で産する砒素を含む鉱物で作ったネズミ殺しの薬品。

いわみね⓪【岩峰】 岩肌の露出した、高い山の峰。

いわむら⓪【岩群】 たくさんの岩が集まっている所。

いわむろ⓪【岩室】 岩の間に△自然に出来た(掘って作った)穴。〔仮の住居とすることが出来る〕いしむろ。

いわや⓪【岩屋】「いわむろ」の意の古風な表現。 表記「《窟」とも書く。

いわやま⓪【岩山】 岩の多い山。

いわゆる③②【〈所〈謂〉〉】(連体)〔「ゆる」は「れる」に当たる文語の助動詞「ゆ」の連体形。⇩あらゆる〕世間で普通に言っている。

いわれ⓪【〈謂(れ)】❶そう△言われる(される)正当な理由。「―の無い非難を受ける」 ❷起原・歴史についての言い伝え。「―因縁、故事来歴」

いわん⓪【言わん】〔「言わぬ」の変化〕言わない。 ―ばかり④ 実際口に出して言わないだけで、そう言いたいことがありありと感じとれる様子。「さっさと出ていけと―の態度だった」

いわん②【言わん】〔「言わむ」の変化〕言おう。「人の気も知らないで何をか―やだ〔=見当違いのことを言っていて論外だ〕」 【―とする事】 その人の言いたい趣旨。「―が分からない」 ―かたな・し⑥【―方無し】(形ク)〔雅〕〔「方」は方法の意〕△形容(表現)のしようが無い。「言わん方無く美しき眺め」 ―や②【《況や】(副)〔「言わむや」の変化〕△普通の場合を例に挙げ、それより程度のはなはだしい場合を例に挙げ、普通の場合は改めて言うまでも無い、ということを表わす。「おとなでさえむずかしい、―〔=まして〕子供においてをや/これくらいのことは子供にもわかる、まして―おとながわからないはずがない」 ⇩おいてをや

いん(引・印・因・咽・姻・〈胤・音・員・〈殷・院・淫・陰・飲・隠・韻) →【字音語の造語成分】

イン〔in〕↕アウト ■一①―する(自他サ) ❶〔テニスや卓球などで〕打球が規定線内に入ること。 ❷〔ゴルフで〕十八ホールの後半九ホール。 ❸〔シャツなどを〕中に入れること。「シャツの裾をボトムに―する」 ■二(造語) 内(側)。「―ドア スポーツ・―コース」

***いん**①【印】❶その文書の内容を認める意味で、当事者や担当者がサインの代りに押す、決まったしるし。「会長の―を押す/認め―・実―・職―・公―」 ❷〔仏教で〕悟りや誓願の内容を示すため、手の指で作る、いろいろな形。「―を結

ぶ(=転じて、忍術使いが術を行なう時に、一種のまじないをする)」⇩【造語成分】

いん①【因】❶何かが起こるもと。原因。「…の—を成す／—由・原—・近—・勝—・敗—」❷(仏教で)縁・果に対し、何かの結果を起こす、直接の原因。「—果(インガ)・—縁(インネン)」⇩【造語成分】

いん①【員】何かをする目的で構成された人の集まりの中のひとり。「—に備わる」⇩【造語成分】

いん①【院】〔垣根をめぐらした、大きな建物の意〕昔、上皇・法皇・女院(ニョウイン)の御殿の称。〔尊称や固有名詞の接辞としても用いた〕「—宣(インゼン)・—政・本—・新—」⇩【造語成分】

いん①【淫】(夫婦ではない者どうしの)性的関係。「—にふける／—を△好む(深める)／—婦・—蕩(イントウ)・邪—・荒—」⇩【造語成分】

いん①【陰】↔陽 ❶相対して△存在する(考えられる)もののうち、消極的な方。「—性・—極・—画」❷表面からは見えない所。「—に陽に(=かげになりひなたになり、あらゆる機会に)／—にこもる(=外に発散しない状態だ)／—謀」⇩【造語成分】

いん①【飲】「飲み物」の意の漢語的表現。「一瓢(イッピョウ)の—」⇩【造語成分】

いん⓪【韻】❶詩歌の句・行の末や初めに繰り返し置く、△同一(類似)の発音。「頭—・脚—・—文」❷漢字音を、頭子音(トウシイン)を除いた部分の類似によって分類したもの。〔古くは二〇六、現在は一〇六種〕【—を踏む】〔詩や文章で〕「韻❶」を一定の位置に繰り返し用いる。⇩【造語成分】

いんあつ⓪【陰圧】〔「負の圧力」の意〕物体内部の圧力が外部の圧力より低い時に、両者の差として内部が外部から受ける正味の圧力。また、そのような状態。〔負の数値によって表わす。逆の場合は、「陽圧」と言う〕「—室④③(=病原体などが外に出ないように、内部の気圧を外部より低くした病室)／たばこの煙が漏れ出さないためには、喫煙場所を—にする必要がある／…に—を掛ける(=真空ポンプなど陰圧の器具を用いて、吸引する)」

いんい①【陰萎】インポテンツ。

いんイオン③【陰イオン】⇩イオン

いんいつ⓪【淫(佚・淫逸)】—な〔「淫」も「佚」も、みだらの意〕性道徳が乱れて、だらしがない様子。

いんいつ⓪【隠逸】志が高く、俗世間のめんどうな△勤め(交際)をしないで済むような環境に積極的に身を置くこと(人)。

いんいん⓪【殷々】—たる 大砲の発射音などが大地を揺るがすように鳴り響く様子。「—たる砲声」

いんいん⓪【陰々】—と ❶(うす暗く)ものさびしい様子。❷陰気な様子。「—滅々(=陰気で、気がめいる様子)」

いんう① [一]【淫雨】〔作物に害を与えるような〕長雨。[二]【陰雨】毎日毎日じめじめと降り続く雨。

いんうつ⓪【陰鬱】—な 陰気で、明るさや快活さを全く感じさせない様子。「—な表情／雲が低く垂れた—な天候／何かと—になりがちな梅雨(ツユ)の季節／全編をおおう—な気分を綿密に描出している」派—さ⓪

いんえい⓪【印影】(紙などに)押された印の形。

いんえい⓪【陰影・陰翳】❶光の当たらない、暗い部分。かげ。❷深く味わって初めて分かる、含みと変化。「—に富む文章」

いんおうごぞく⑤【印欧語族】⇩インドヨーロッパ語族

いんか①【允可】—する(他サ)〔「允」は許す意〕「許可」の意の古風な表現。

いんか⓪【引火】—する(自サ)〔燃えやすい物が〕他の火や熱によって燃え出すこと。「—性⓪」**—てん**③【—点】水素・ガソリンなど可燃性の液体や気体が、他の火や熱のために発火する時の温度。

いんか①【印可】—する(他サ)❶〔芸道で〕師匠が進歩の著しい弟子に免許を与えること。❷〔仏道で〕弟子が修行・知識共に水準以上に達したことを師の僧が証明すること。

いんか①【陰火】「鬼火❶」の意の漢語的表現。

いんが⓪【印画】陰画を感光紙に焼き付け、普通の写真にしたもの。**—し**③【—紙】写真の焼付けや引伸ばしに使う紙。銀など感光しやすい化合物が塗ってある。かぞえ方 一枚

いんが①【因果】[一]❶原因と結果。「—関係④」❷〔仏教で〕前世の悪業(アクゴウ)の必然的な結果として現在の不幸があるという考え方。「—を含める(=どうしてもそうなるよりしかたが無いんだと、事情を説明して、あきらめさせる)／これも—とあきらめる」[二]—な 好ましくないことだとわかっていながら、どうすることもできない状態だ。「—な話だ／—(=不幸。不運)な身の上／—な性分」**—おうほう**①-⓪【—応報】〔仏教で〕過去・前世の行いの善悪に応じて、(悪い)報いがあること。**—と**①(副)「因果なことに」の意の古風な表現。「—思い切ることが出来ない」**—りつ**③【—律】原因と結果との間には、一定の関係があるという法則。

いんが⓪【陰画】被写体と明暗や黒白が反対に現われる写真の△原板(フィルム)。ネガ。ネガティブ。↔陽画 かぞえ方 一枚

インカーブ③〔incurve〕(野球で)打者の側へ(落ちながら)曲がる投球。↔アウトカーブ

いんがい①⓪【員外】定員のほか。「—教授⑤」

いんがい①【院外】院と呼ばれるものの外部。〔特に衆議院・参議院の外部の意に用いられることもある〕「—処分⑤」↔院内 **—だん**③【—団】国会議員以外の、政党員の集団。〔おもに保守党について言う〕

いんかく⓪【陰核】女子外陰部の小突起。さね。クリトリス。

いんかしょくぶつ⑤【隠花植物】花が咲かず、胞子で繁殖する植物。例、シダ植物。↔顕花植物

いんかん③⓪【印鑑】❶「印❶」の意の△公的(法律上の)表現。❷確かに自分の印であることを証明するため、地方公共団体や取引先に届け出ておく特定の印。「—証明⑤」

いんかん⓪【殷鑑】戒めとすべき失敗の例。【—遠からず】殷の紂(チュウ)王は、前代の夏(カ)の滅亡に鑑(カンガ)み暴虐の行いを慎めばよかったのに、それをしなかったために桀(ケツ)王と同じように国を滅ぼしてしまった。手近な失敗の例は、よく見ておくべきものだ、の意。

インキ⓪〔オ inkt の日本語形〕⇩インク

いんき⓪【陰気】—な〔天候・雰囲気・気質などが〕(鬱屈したところがあって)△接する人に暗いという印象を与える(接する人を暗い気分にさせる)様子だ。また、そのような性格だ。「—な△男(声)／どことなく湿っぽくて—な部屋」↔陽気[一] 派—さ⓪ **—くさ・い**⑤【—臭い】(形)どちらかと言えば陰気だと感じられる様子だ。

いんきゃく⓪【韻脚】❶(漢詩で)句の終りに使う、同類の韻字。❷(ヨーロッパの)詩の韻律。

インキュベーション④〔incubation〕国や公共団体などが起業家の育成や新規事業の支援に積極的に取り組むこと。起業支援。

いんきょ①【允許】—する(他サ)「許可」の意の古風な表現。

いんきょ①【殷墟】殷の都の遺跡と考えられる土地。今

の中国河南省、安陽市の近傍。都があったのは、約三千五百年ほど前。「―出土品」

いんきょ⓪【隠居】―する(自サ) 仕事や生計の責任者であることをやめ、好きな事をして暮らす△こと(人)。〔狭義では、(定年後の)老人を指す〕「楽―・―仕事④・―所⓪」

いんぎょう③⓪【印形】「印」の、やや古風な言い方。

いんきょく⓪【陰極】↕陽極 ❶電位の低い電極。マイナス。❷磁石の南極。 **―かん**④③⓪【―管】 陰極線を出させる真空管。ガイスラー管・ブラウン管の類。シーアールティー(CRT)。 **―せん**⓪【―線】〔真空管内で〕放電する際、陰極から出る電子の流れ。

いんきん⓪【印金】 絹の地の上に、漆・のりで紋をつけ、その上に金を張ったもの。

いんきん⓪【陰金】〔←陰金田虫⑤〕またぐら・陰部に生じる、紅色の湿疹。

いんぎん⓪【〈慇懃〉】[一]―な/―に 礼儀正しくて、丁寧な様子。「―な挨拶をする/―にもてなす」[二]親しい交際。「―を通じる〔=情交する〕」 派 **―さ**⓪ **―ぶれい**⑤⑥【―無礼】―な/―に うわべは丁寧過ぎるほどだが、実は相手を見下していること。 派 **―さ**⓪

***インク**⓪〔ink〕 筆記・印刷用の、色のついている液体。または、クリーム状のもの。インキ。「―消し③」

インクスタンド⑤〔inkstand〕〔机上用の〕ペン差しと一組になったインク入れ。 かぞえ方 一台

インクライン④〔incline=斜面〕 斜面にレールを敷き、動力で船や荷物などを運ぶ装置。〔広義では、斜坑をも指す〕

いんくんし③【隠君子】❶世間のわずらわしさを避けて隠れ住む、学徳の高い人。高士。❷キクの異称。

いんげ①【院家】❶出家して門跡に属する寺の住職になった、公卿の子弟の称。❷門跡寺の別院にいて、本寺の諸事務を補佐する僧。

いんけい⓪【陰茎】 男子の生殖器の一部で、さおのようになっている部分。伸びたり縮んだりする。男根。

いんけつ⓪【引決】―する(自サ) 責任を取って自殺すること。

いんけん⓪【引見】―する(他サ)〔身分・地位の高い人が〕人を自分の所へ呼び入れて対面すること。

いんけん⓪【陰険】―な/―に ❶表面はよく見せかけて、陰でこっそりあくどいことをする様子。「やり方が―だ/―な手を用いる」❷見るからに△意地悪そう(邪悪)な感じを与える様子。「―な目つき」 派 **―さ**⓪

いんけん⓪【隠見】―する(自サ) 隠れたかと思うと、また見えるようになること。隠現。 表記 「隠顕」とも書く。

いんげん①【隠元】〔←隠元豆③〕関東ではゴガツササゲ④を、関西ではフジマメ⓪を指す。どちらも、種と若いさやは食用。〔マメ科〕 かぞえ方 一本。豆の小売の単位は一袋

いんこ①【〈鸚哥〉】 羽の色がきれいで、オウムに似て少し小さい、熱帯産の鳥の総称。よく人の言葉・物音をまねる。種類が多い。〔オウム科〕 表記 「音呼」とも書く。 かぞえ方 一羽

いんご⓪【隠語】〔盗人・犯罪者・香具師などの仲間および刑事の社会で〕❶仲間以外の人には分からないように考案した通語。例、ノビ〔=窃盗〕、タタキ〔=強盗〕、ムスメ〔=土蔵〕や、バクロウ〔=取引〕、お通夜〔=張込み〕、ボケ〔=偽名〕、ナグリ〔=捕物〕、トバ〔=服装〕、カタ〔=足取り〕など。❷〔僧侶の間で〕「俗人❷」に知られては都合の悪い内容を言うのに用いた通語。般若湯〔=酒〕など。

いんこう⓪【引航】―する(他サ) 「曳航」の改称。

いんこう⓪【印行】―する(他サ) 「(書物などを)印刷して発行する」意の漢語的表現。

いんこう⓪【咽喉】❶咽頭と喉頭。のど。❷幅の狭い地形で、どこかへ行く者が必ず通らねばならぬ要所。「補給路の―を扼する〔=重要な場所を確保する〕」

いんこう⓪【淫行】 性的に無軌道な行い。

いんごう【因業】[一]①〔仏教で〕報いの原因となる悪い行い。[二]③⓪―な/―に 自分の都合ばかりを主にし、がんこで思

いん

[引] ❶ひっぱる。「引力・引致・牽引・勾引」❷連れて行く。「引率・誘引」❸証明に、他の力を借りる。「引例・引用・援引」❹ひきのばす。「延引」

[印] [一]❶しるしを付ける。しるす。「印象」❷版で刷る。「印刷・印行・影印」[二](略) インド(印度)。「印綿・日印」⇩(本文)いん【印】

[因] [一]今まであるものに従って、変えないようにする。「因習・因循」[二](略) 因幡国。「因州」⇩(本文)いん【因】

[咽] のど。「咽喉・咽頭」

[姻] 結婚。「姻戚・婚姻」

[〈胤〉] 血筋(を受けた者)。あとつぎ。「後胤・落胤」

[音] ❶こえ。「玉音・子音・母音」❷たより。「音信・福音・疎音・訃音・無音」

[員] ❶決められた数。〔定員をかぞえる場合にも用いられる。「一員・十四員」〕「員外・員数・人員・満員・定員」❷会のメンバー。「委員・会員・議員・欠員」❸ある組織に属して、それぞれの仕事を分担する人。「職員・教員・各員・公務員・事務員・作業員」⇩(本文)いん【員】

[〈殷〉] ❶さかん。「殷盛・殷賑」❷音の とどろく形容。「殷々」

[院] ❶〔身分ある人の〕戒名を表わす。❷寺院(をかぞえる語)。❸国費でまかなわれる、特定の施設・官庁・機関であることを表わす。「人事院・参議院・学士院」❹Ⓐ学問にかかわる施設であることを表わす。「書院・大学院」Ⓑ△物理的(精神的)な病気を治す施設であることを表わす。〔広義では、美容院・理容院をも指す〕「病院・医院・僧院・修道院・養老院・少年院・感化院」⇩(本文)いん【院】

[淫] ❶度が過ぎて、弊害が起こる。「淫雨・書淫」❷それに従うと、弊害が起こる。邪。「淫祠」⇩(本文)いん【淫】

[陰] ❶日かげ。「樹陰・緑陰」❷山の北側。〔川については南側を指す〕「山陰」↕陽 ❸くもる。「陰晴・陰雨」❹移り行く日影。時間。「寸陰・分陰」❺生殖器。「陰部」 表記 ❶の樹陰・緑陰は、「樹〈蔭〉・緑〈蔭〉」とも書く。⇩(本文)いん【陰】

[飲] のむ。「飲食・飲料水・牛飲馬食・鯨飲」⇩(本文)いん【飲】

[隠] [一]❶かくれる。かくれて何か△をする(がある)。「隠見・隠謀・隠花植物」❷かくす。「隠語・隠匿・隠忍」❸社会活動から離れる。「隠士・隠者・隠居」[二](略) 隠岐国。「隠州」

[韻] ❶楽器を鳴らしたあとまで続けて耳に聞こえて来る、音の部分。(美しい)ひびき。「余韻・神韻」❷風流(な詩歌)。「韻事・風韻」❸〔もと、韻を踏んだ句の意〕句。「百韻連歌」⇩(本文)いん【韻】

** * は重要語, ⓪ ①… はアクセント記号, 品詞の指示の無いものは名詞および いわゆる連語。

いやりに欠ける、全く人情味の無い様子。「—な人/—な仕打ち」[派]—さ[0][3]

いんごう[3][0]【院号(イン ガウ)】❶昔、上皇・皇太后などの尊号。❷戒名に「…院」とついたもの。

インコース[3]〔和製英語 ←in＋course〕↔アウトコース ❶〔陸上競技などで〕内側の走路。❷〔野球で〕本塁上の、打者に近い側を通る球の道筋。

インコーナー[3]〔和製英語 ←in＋corner〕〔野球で〕内角。↔アウトコーナー

いんこく[0]【印刻】—する(他サ) 印材に印を彫ること。篆刻(テンコク)。

いんこく[0]【陰刻】—する(他サ) 印を押したときに文字などの形が白く出るように、印される文字などをくぼませて彫ること。↔陽刻

インゴット[3]〔ingot〕 溶かした金属を型に流しこんで固めた、地金の塊(カタマリ)。

いんざい[0]【印材】 印を彫る材料。

インサイダー[3]〔insider〕↔アウトサイダー ❶部内者。局内者。「—としての批判/—取引」 ❷労働法で定められている、正規の組合。法内組合。

インサイド[1][3]〔inside〕↔アウトサイド ❶内側。内部。❷〔テニスなどで〕ラインの内側(にボールが落ちること)。—ワーク[6]〔inside work〕いろいろな競技での頭脳的なプレー。

***いんさつ**[0]【印刷】—する(他サ)〈(なにニ)なにヲ—する〉 文字・絵・写真などから成る版を利用して、紙・布などに同一物をたくさん刷ること。「—機[4][3]・—物(ブツ)[4]:活版—[5]・凸版—[5]」⇩手書き —きょく[4][3]【—局】〔←国立印刷局[8]〕日本銀行券・郵便切手や政府刊行物などの印刷を扱う所。

インザホール[4]〔in the hole〕〔野球で〕打者にとってボールカウントが悪くなった状態。「バッター——」

いんさん[0]【陰惨】—な —に むごたらしくて、思わず目をおおいたくなる様子。[派]—さ[0]

いんし[0]【印紙】 税・手数料などを直接現金で支払う代りに、証書などにはりつける、政府発行の一定の金額証票。「収入—・農産物検査—[3]-[4]」[かぞえ方]一枚

いんし[1]【因子】❶ある結果を成り立たせる元になる要素。原因となる要素。ファクター。「遺伝—[4]」❷〔数学で〕「因数」の改まった言い方。—ぶんせき[4]【—分析】いろいろ違った方面から計測される事柄を、それぞれの方面の因子を統計して調べること。

いんし[1]【淫〈祠〉】 俗信によって邪神を祭ったほこら。「—邪教[1]-[0]」

いんし[1]【隠士】(高い志をいだいた)隠者。

いんじ[0]【印字】—する(他サ) タイプライター・プリンター・電信受信機などの機械を用いて、文字・符号をしるすこと。「—機[3]」

いんじ[1]【印璽】 日本国の印と天皇の印との総称。

いんじ[1]【淫事】(夫婦ではない者どうしの)性的関係。

いんじ[0]—【韻字(キン)】〔漢詩や韻文で〕韻をふむために句の末に置かれる字。

いんじ[1]—【韻事(キン)】〔詩歌や文章を作るなどの〕風流な行い。「風流—[5]」

インジゴ[0][1]〔indigo〕 藍(アイ)色(の絵の具)。インディゴとも。

いんしつ[0]【陰湿】—な —に ❶暗くて、じめじめしている様子。❷陰険で、ねちっこい様子。[派]—さ[0]

インシデント[1]〔incident〕 大事故や大惨事に至りかねない出来事。

いんじゃ[1]【隠者】 俗世間とのかかわりを避け、山奥などにひとり住む人。

いんしゅ[1]—【院主(キン)】 寺のあるじである僧。〔古くは「いんじゅ[0][1]」〕

いんしゅ[0]【飲酒】—する(自サ) 酒を飲むこと。「—家[0]」

いんじゅ[1]【印〈綬〉】 昔、中国の官吏がいつも身に着けていた官印と、それを結び下げたひも。「首相の—を帯びる〔=の重職に就任する〕/—を解く〔=官職を辞任する〕」

いんしゅう[1]—【因州(シウ)】「因幡(イナバ)ノ国」の漢語的表現。今の鳥取県東部にあたる。「—和紙[5]」

いんしゅう[0]—【因習(シフ)】 昔からの習慣のうち、今は弊害を与える以外の何物でもないもの。「—的[0]」[表記]古くは、「因襲」と書き、「因襲す」と動詞としても用いた。

いんしゅう[1]—【隠州(シウ)】「隠岐(オキ)ノ国」の漢語的表現。今の島根県隠岐諸島にあたる。「おんしゅう」とも。

インシュート[3]〔inshoot〕〔野球で〕打者の方へ反るように曲がる球。↔アウトシュート

いんじゅん[0]【因循】—な ❶古くからの習慣・方法を守っているだけで、積極的に改めようとしない様子。「—姑息(コソク)[0]-[0]」❷ぐずぐずしていて、決断がつかない様子。「—な心」[派]—さ[0]

いんしょ[0]【印書】❶〔古〕印刷された本。❷タイプで印刷△すること(した字形)。

いんしょう[0]【引証】—する(他サ) 証拠となる(他の)事実をあげ示すこと。事実を示して証拠とすること。

いんしょう[0]—【印章(シヤウ)】「印」の、やや改まった表現。

****いんしょう**[0]—【印象(シヤウ)】〔何かを見たり聞いたりした時に〕その人なりに受け止めて、しっかりと心に刻みつけておいた感じや全体像。「—に残る/割り切れない—を受ける/—深い(ブカイ)[6]・第一—」 —しゅぎ[5]【—主義】 事物の外形を丁寧に写すよりも、主体が受け止めた印象を特に強調して表現しようとする、芸術上の主義。 —づ・ける[6]【—付ける】(他下一) 強い印象を与える。 —てき[0]【—的】—な —に 強い印象をはっきり与えるような性質を持つ様子だ。 —は[0]【—派】 印象主義の芸術家(のグループ)。例、モネ・ルノワール・シスレー。 —ひひょう[5]—【—批評(ヒヤウ)】 芸術作品に対して、自分の受けた印象に基づいて直観的に行なう批評。

いんしょう[0]—【院賞(キンシヤウ)】〔新聞記事で〕「学士院賞[4]・芸術院賞[5]」の略。

いんじょう[0]—【引〈接〉(ゼフ)】〔仏教で〕阿弥陀仏(アミダブツ)が迎えにきて、極楽に導くこと。「いんせつ」とも。

いんしょく[0][1]【飲食】—する(自他サ)〔人が食事として〕飲んだり食べたりすること。「—店[4][3]・—物[4]・無銭—」〔古語では、名詞の場合は「いんしい」〕

いんしん[0]【音信】「おんしん」の古語的表現。

いんしん[0]【〈殷賑〉】—な —に 人の往来が激しく、商売などが活気のある様子。「—をきわめる/—産業[5]」

いんしん[0]【陰唇】 女性の外陰部の一部。「大—[3]・小—[3]」

いんすう[3]【因数】〔数学で〕幾つかの△整数(多項式)の積の形に表わされている△整数(多項式)において、その構成要素である個々の△整数(多項式)の称。因子。「素—〔=素数である因数〕/—(に)分解する〔=積の形に表わす〕/共通—をくくり出す」⇩約数 —ぶんかい[5]【—分解】—する(他サ) その△整数(多項式)を、幾つかの因数の積の形に表わすこと。〔狭義では、多項式の場合を指す〕

いんずう[3]—【員数(キン)】 その団体全体で、常備しておくべきだと定められた物や人の数。「—をそろえる〔=質の相違は問題外にして、数だけ所定のものに要領よく合わせる〕/—外(ガイ)〔=正式の員数には数えないこと。また、そのもの〕」

インスタグラム⑤〔Instagram=商標名〕写真共有のSNSの一つ。略してインスタ⓪。

インスタレーション⑤〔installation=取り付け〕〔現代美術で〕絵画・彫刻といった枠を超えて、それらを複合的に組み合わせたものを総体として観客に呈示する作品。

インスタント④①―な〔instant=即席の〕ちょっと手を加えるだけで、すぐ△食べられる(使える)こと。「―なやり方/―食品⑦・―コーヒー⑦⑨・―ラーメン⑦」

インストール④―する(他サ)〔install=据え付ける〕ソフトウエアなどを、自分の使うコンピューターに新しく組み込んで、使用できる状態に設定すること。

インストラクター⑤〔instructor〕㊀〔会社・工場などで〕社員や作業員などを指導・訓練する人。㊁〔スポーツ界・芸能界などで〕技術を指導する人。㊂〔通信教育などの〕指導員。

インスピレーション⑤〔inspiration〕神から教えられでもしたように、突然飛躍的に名案などを思いつく心の働き。霊感。

インスリン⓪〔insulin〕膵臓(スイゾウ)から分泌されるホルモン。糖尿病の治療に用いられる。インシュリンとも。「―注射」

いん・する③【印する】(他サ)〔書類などに〕印を押す。印す①(五)。「足跡を―〔=実際に、その土地に行く〕/上陸第一歩を―〔=初めて、その土地に降り立つ〕」

いん・する③【淫する】(自サ)㊀何かにふけって、悪い結果を生じる。「書に―〔=本好きの程度が過ぎて、日常生活に支障をきたす〕/酒色に―〔=おぼれる〕」㊁まどわす。「富貴も―能(アタ)わず〔=惑わすことが出来ないほど、意志が強い〕」

いんせい⓪【殷盛】物事の勢いが盛んで、活気にあふれていること。「かつては―を△極めた(誇った)都市」

いんせい⓪―キン【院生】その大学院の学生。

いんせい⓪―キン【院政】平安時代から江戸時代にかけて、天皇に代わって△上皇(法皇)がその御所で政治を行なったこと。また、その政治(形態)。〔広義では、組織体の最高責任者が、その地位を公式には退いた後も、なお実権をふるうことをも指す〕「―を布(シ)く」

いんせい⓪【陰性】―な ↔陽性 ㊀△陰気(消極的)な性質。㊁〔医学で〕その検査に対する反応が無いこと。

いんせい⓪【陰晴】「曇りと晴れ」の意の漢語的表現。「―定まらず」

いんせい⓪【隠〈棲・隠〈栖】―する(自サ) 俗世間から△離れ(隠れ)て、静かに暮らすこと。

いんぜい⓪【印税】発行者が、その書物やCDの発行部数・配信回数・定価などに応じて支払う著作権の使用料。

いんせき⓪【引責】―する(自サ) 責任を取ること。「―辞職⑤」

いんせき⓪【姻戚】結婚したことによって出来た、直接血のつながりの無い親類。姻族。

いんせき①⓪―キン【隕石】〔「隕」は、高い所から落下する意〕天体の破片が落下して地面に達したもの。⇩流星

インセスト①③〔incest〕近親相姦(ソウカン)。⇩相姦

いんせつ⓪【引接】―する(他サ) ㊀「引見・接見」の意の古風な表現。㊁⇩いんじょう

いんせん⓪【飲泉】医療のために飲む温泉の湯。

いんぜん⓪―キン【院宣】上皇・法皇の宣旨(センジ)。

いんぜん⓪【隠然】―たる/―と 表面に出て行動はしないが、強い支配力を持っている様子。「―たる勢力を持つ」

インセンティブ③〔incentive〕報酬を提示することによって物事に取り組む意欲を高める作用。意欲刺激。

いんそう⓪―サウ【印相】〔「印㊀」の形の意〕㊀インド舞踊の一つ。㊁印の形・色・字形などに現われる、吉凶の相。㊂仏の顔つき。〔㊁㊂は、古くは「いんぞう」〕

いんぞく①⓪【姻族】いんせき(姻戚)。

いんそつ⓪【引率】―する(他サ) 多くの人を連れて、どこかへ行くこと。「―者④③」

インター ■①㊀Ⓐ〔←International〕社会主義運動の国際組織。「第三―」Ⓑ〔←Internationale〕共産主義者や労働者が歌う革命歌。インタナショナル④。㊁インターチェンジの略。■(造語)〔inter〕間。相互。 ―カレッジ⑤〔←intercollegiate game〕大学間の対抗△試合(競技大会)。略してインカレ⓪。 ―セプト⑤―する(他サ)〔intercept〕〔サッカーなどで〕相手のパスの途中でボールを横取りすること。 ―チェンジ⑤〔interchange=交換〕高速自動車道路と△高速自動車(一般)道路をつなぐ出入口。インタチェンジ④とも。略称、アイシー(IC)。⇩ジャンクション ―ナショナリズム⑧〔internationalism〕国際主義。 ―ナショナル⑤―な〔international〕国際間の。国際的の。万国の。 ―ネット⑤〔internet=ネットワーク間の(ネットワーク)〕世界じゅうのコンピューターをつないで加入者の間で情報交換が出来るようにした国際的な通信情報サービス組織。 ―ハイ③〔和製英語 ←inter + high school〕全国高等学校総合体育大会。夏季と冬季の二期に分けて開催。高校総体⑤。 ―バル③〔interval=間隔〕㊀〔劇場などの〕休憩時間。㊁〔スポーツの練習などの〕中休み。㊂〔野球で〕投手が投球してから次の投球をするまでの時間。㊃音程。 ―フェア⑤―する(他サ)〔interfere〕〔競技で〕相手のプレーを故意にじゃますること。妨害。 ―フェース⑤〔interface=境界面〕Ⓐコンピューターが、周辺装置・測定器または他の計算機との間でデータをやりとりする△こと(方式)。また、それらの接続部にあってデータのやりとりをつかさどる電子回路。インタフェイス④とも。「コンピューターとプリンターの間の―」Ⓑ人と計算機の間のやりとり、すなわち入出力。「ユーザー―」 ―フェロン⑤〔interferon〕ウイルス感染細胞で作られるたんぱく質。ウイルスの増殖を抑制する作用があり、ウイルス性肝炎などの治療に応用される。略称、アイエフ③(IF)・アイエフエヌ⑤(IFN)。 ―プリター③⑥⑤〔interpreter=通訳者〕〔コンピューターで〕高水準のプログラム言語で書かれたプログラムを一行ずつ読み取っては機械語に直してただちに実行していく作業を自動的に行なうプログラム。通訳系⓪。解釈系⓪。「ベーシックの―」 ―ポール⑤〔Interpol〕〔←International Criminal Police Organization〕国際刑事警察機構の通称。刑事犯罪の防止を目的に結成された各国警察の国際的な協力機構。略称、アイシーピーオー⑦(ICPO)。 ―ホン③〔interphone〕受話器を取り、ボタンを押すだけで接続する屋内有線電話機。

インターン③〔intern〕理容師・美容師・医師になろうとする人が、学校卒業後、国家試験の受験資格を得るために課された実習。また、その実習生。〔現在は廃止されている〕 ―シップ⑥〔internship〕学生が就職にあたって行なう企業などでの実習体験(制度)。「―制⓪」

いんたい⓪【引退】―する(自他サ) 仕事の第一線から退くこと。「―の花道を飾る/政界を―する/―興行⑤・―声明⑤」

いんたい⓪【隠退】―する(自サ) 社会的活動をやめて、悠々自適の生活に入ること。退隠。

いんたいぞう③―ザウ【隠退蔵】〔←隠匿+退蔵〕わざと隠したり使わずにしまっておいたりすること。「―物資⑦」

いんたく⓪【隠宅】隠居したり人目を避けたりして住むと

ころ。

インダストリアル（造語）〔industrial〕 産業の。工業の。「—エンジニアリング⑫（＝生産技術（の合理化のための管理））」「—デザイナー⑩」

インタビュー①③—する（自サ）〔interview〕 ❶会見。❷ジャーナリストが取材するために人に面会すること。また、その記事・放送。

インタラクティブ④—な〔interactive〕 送り手と受け手とが相互に情報などを交換できる様子。双方向的。

インタレスト①〔interest〕 ❶利害（関係）。❷利益。「パブリック—⑥（＝公益）・ナショナル—⑤（＝国益）」

インタロゲーションマーク⑨〔interrogation mark〕 疑問符。「?」。クエスチョンマーク。

インチ①〔inch〕 ヤードポンド法における長さの単位で、十二分の一フィート（＝二・五四センチメートル）を表わす〔記号″、略号in.〕。「二六—の自転車／五・二五—のフロッピーディスク」 表記「〈吋〉」とも書く。

いんち①⓪【引致】—する（他サ） 逮捕状・勾引(コウイン)状によって被疑者・現行犯などを強制的に裁判所や警察署などに連れていくこと。

いんち①【印池】 印肉を入れる器物。

いんち①—【韻致】 「（絵画・彫刻などに見られる）なんとも言えない上品な趣」の意の漢語的表現。

いんちき①—な 〔「ちき」は、「とんちき」の「ちき」と同義の造語成分。「いん」の「い」は、「いかさま」の意という〕 ❶不正。ごまかし。❷にせ物。「—くさい」

いんちょう①【院長】 病院・修道院などの長。

インディアペーパー⑤〔India paper〕 辞書などに使う、きめが細かく薄くて破れにくい西洋紙。インデアペーパー⑤とも。 かぞえ方 一枚

インディアン①③〔Indian〕 アメリカインディアンの略。インデアン①③とも。

インディーズ①⓪〔indies ←independent＝独立した〕 ❶特定の系列に属しない番組制作会社や放送局、音楽制作会社。❷映画やレコードなどの独立プロ。❸大手の制作会社に所属しない音楽家や芸術家。

インディオ①〔ス Indio〕 ラテンアメリカの先住民。

インディカまい⓪【インディカ米】〔indica〕 熱帯や亜熱帯でおもに作られている米。ジャポニカ米に比べて粒が細長く、粘りけが少ない。

インディゴ⓪①〔indigo〕 ⇨インジゴ

いんてつ⓪—【隕鉄】 鉄とニッケルの合金が主成分を成す隕石の一種。

インデックス③〔index〕 ❶索引。見出し。❷中身がそれによってすぐ分かるもの。指標。「顔は心の—」

インデペンデント④〔independent〕 独立していること。自主的なさま。

インテリ⓪ インテリゲンチアの略。

インテリア③〔←interior decoration〕 室内装飾と室内調度品。「—に凝る／—デザイン」 ↔エクステリア

インテリゲンチア⑤〔ロ intelligentsiya〕 知識階級（に属するとされる人）。知識人。略してインテリ。

インテリジェンス③〔intelligence〕 知性。理知。

インテリジェント③〔intelligent〕 ❶高い知能を持っている様子。「—ビル⑧（＝コンピューターによる自動制御装置などが随所に用いられている近代的なビル）」 ❷コンピューターの端末装置などがデータ処理の能力を持っていること。

インテル⓪〔←interlining〕 活字の行間を開けるためにはさむ、合金製の薄板。

いんでん⓪【印伝】 〔インドから伝来した意〕 ヒツジ・シカのなめし革に漆(ウルシ)で模様を描いたもの。袋物に使う。種類が多い。印伝革(ガワ)③⓪

いんでん⓪①—【院殿】 戒名で、院の字の下に殿の字を加えたもの。〔武家時代、将軍や大名に用いられたのが最初で、後には社会的に高名な人物などにも用いられた〕

いんでんき③【陰電気】 「負❸」の電気。〔ガラス棒などを絹でこすった時、絹の方に生じる電気の類〕 ↔陽電気

いんでんし③【陰電子】 電子が陰電気を帯びていることを強調する時の呼び名。〔陽電子の発見後の命名〕 ↔陽電子

インドア③⓪〔indoor〕 室内。屋内。「—ゴルフ⑤・—スポーツ⑥」 ↔アウトドア

いんとう⓪【咽頭】 鼻腔(ビコウ)・口腔(コウコウ)の後方の下になる部分。喉頭(コウトウ)の上部に当たる。

いんとう⓪—【淫〈蕩〉】—な 酒色にすっかり心を奪われ、生活が乱れきっている様子。 派—さ⓪

いんどう⓪③—【引導】 〔人を導いて仏門に入れる意〕 葬式の時、死者の霊が迷わず浄土へ行けるように、導師の僧が唱える言葉（経文）。「…に—を渡す（＝最終的な結論を言い渡して、あきらめさせる意にも用いられる）」

いんとく⓪【陰徳】 人に知られないようにしてする、よい行い。「—陽報（＝⇨陽報）」 ↔陽徳

いんとく⓪【隠匿】—する（他サ） 隠しておいてはいけない物や人を、隠しておくこと。「犯人を—する／—物資⑤」

インドゲルマンごぞく①-⑤、⑧【インドゲルマン語族】〔ド Indogermanische〕 インド ヨーロッパ語族。印欧語族。〔①-⑤は、「インド ゲルマン語族」と区切って言う時〕

イントネーション④〔intonation〕 話す時、おもに息の切れ目や文末に現われる声の上がり下がりの調子。文の音調。抑揚。 ⇨プロミネンス

インドヨーロッパごぞく①-⑥、⑨【インドヨーロッパ語族】〔Indo-European〕 中央アジア・インドからヨーロッパのほとんど全部、さらに広がってアメリカ大陸に、過去・現在にわたり用いられている、同じ祖先から分かれた互いに親族関係にある言語。英語・フランス語・ロシア語・ギリシャ語・サンスクリット・イラン語など。「屈折❸」をするのが特徴。インドゲルマン語族。印欧語族。〔①-⑥は、「インド ヨーロッパ語族」と区切って言う時〕

イントロダクション⑤〔introduction〕 ❶序論。序説。❷入門。❸序奏。略してイントロ⓪。

インドロップ④〔in drop〕 〔野球で〕打者の側へ曲がりながら落ちる球。略してインドロ⓪。 ↔アウトドロップ

いんとん⓪【隠〈遁〉】—する（自サ） 俗世間との交渉を絶った状態で生活すること。「山奥の—生活」

インナー〔inner＝内部の〕 ❶⓪① インナーウエアの略。↔アウター ❷①〔サッカーで〕両ウイングの内側に居て、攻撃を受け持つ二名の選手。 **—ウエア**⑥〔innerwear〕 内側に着る衣服の総称。下着・シャツや部屋着など。略してインナー。↔アウターウエア かぞえ方 一枚・一着 **—キャビネット**⑤〔inner cabinet〕 政府の方針を実質的にリードする、少数の実力閣僚。閣内内閣。

いんない①—【院内】 ↔院外 ❶「…院」と称される施設の内部。「—（＝病院内）携帯電話使用禁止」 ❷衆議院・参議院の内部。「—交渉団体」 **—かんせん**⑤【—感染】 病院内部の人、特に入院中の感染者から病院内に病気が広まること。

いんにく⓪【印肉】 印を押す時に使う絵の具をしみこませたもの。〔印の場合は、もぐさに植物油・松やに・ろうなどを混ぜて練ったものを主成分とする。今はスポンジをも使用〕

いんにん⓪【隠忍】—する（自サ） がまんしにくいところをじっと

がまんして、おこったり暴力を振るったりしないこと。「―自重⓪-⓪」

インニング①〔inning〕⇨イニング

いんねん⓪【因縁】〔「いんえん」の変化〕〔「因」は直接の原因、「縁」は間接の原因の意。一切の事象は、この因・縁が相合して成る、というのが仏教の基本的な考え方〕❶宿命による、動かせない環境や関係。「前世からの―と〔=運命と思って〕あきらめる／浅からぬ―〔=ゆかり〕／お前なんかに―をつけられる〔=言いがかりを言われる〕覚えは無い」❷そうなった（深い）わけ。「いわれ―、故事来歴」

いんのう⓪①【陰〈嚢〉】睾丸を包んでいる、袋状で皮下脂肪の無い皮膚。「―水腫⑤」

インバーター③〔inverter=逆にするもの〕直流を交流に変換する装置。家庭用電気器具の周波数制御〔=インバーター制御〕にも用いられる。⇨コンバーター

いんばい⓪【淫売】「売笑（婦）」の異称。

インバウンド③〔inbound=外側から内側へ〕海外からの旅行・旅客、受注・受信など。↔アウトバウンド

インパクト①〔impact〕接する人に与える強烈な△印象（衝撃）。「強い―／―が高まる」

インバネス③①〔inverness=もと、スコットランドの地名。元来は燕尾服の上に着る外套を指した〕昭和の初めまで用いられた、男子の和服用のコート。二重回し。

インバランス③〔imbalance=不釣合〕国内経済の需給や収支などの不均衡な状態。

いんばん⓪【印判】「印」の古風な言い方。

いんび①【淫〈靡〉】―な 性道徳が乱れていて、だらしがない様子。

いんび①【隠微】―な ❶△表面（外面）からは容易にうかがいにくい何かの事情がある様子。❷△陰に隠れて（人前を避けて）こそこそと何かをする様子。「小判を壺に入れて床下に隠し、夜中に枚数をかぞえるような―なイメージ」

いんぴ①【隠避】―する（他サ）逃走△資金（の便宜）を与えたりして、犯人の発見や逮捕を妨げること。「―罪③」

いんぶ①【陰部】人間の生殖器（の、外から見える部分）。かくしどころ。

いんぷ⓪【印譜】（その人の）印影を集めて配列した本。

いんぷ①【淫婦】多くの人に身を許す、多情な女性。

インファイト③―する（自サ）〔←infighting〕〔ボクシングでの〕接近戦。

いんぷう⓪【淫風】性道徳の混乱をよしとする社会全般の風潮。

インフェリオリティー コンプレックス⑫〔inferiority complex〕劣等感。コンプレックス。

インフォーマル③―な〔informal〕↔フォーマル ❶非公式。略式。❷形式にとらわれない様子。「―な会合」

インフォームド コンセント⑦〔informed consent〕医師が患者に病状やその治療方法を説明してどの治療法をとるか選択させたり医師がとる治療法に同意を求めたりすること。

インフォメーション④〔information〕❶情報。知らせ。❷〔インフォメーション センターまたはインフォメーション ビューローの略〕情報の得られるところ。受付。案内所。インフォメーション⑤とも。

インプット③①〔input〕↔アウトプット〓 ❶―する（他サ）〔電気・コンピューターの〕入力。❷企業が買い入れる資材。

インフラ⓪〔←infrastructure〕インフラストラクチャーの略。「―の整備を進める」

インフラストラクチャー⑦〔infrastructure=下部構造〕その地域の経済発展について重要な、生産や生活の基盤になるもの。ダム・道路・港湾・鉄道・通信施設などの産業基盤、学校・病院・公園などの社会福祉や環境の施設をいう。略してインフラ。

インプラント④〔implant〕人工的に作られた器官・組織の代替物。人工関節や人工歯根など。

インフルエンザ⑤〔influenza〕インフルエンザ ウイルスによる急性の感染症。高熱を発し、肺炎・脳炎などの合併症を起こすことがある。流行性感冒。

***インフレ**⓪ インフレーションの略。「―を抑え込む／―が再燃する／―の波を食い止める」↔デフレ

インプレー④〔in play〕〔球技で〕ボールが生きている〔=試合が中断されることの無い〕状態。競技中。試合中。

インフレーション④〔inflation=膨張〕通貨の価値が下がり、物価が上がり続ける現象。訳語は、通貨膨張。略してインフレ。↔デフレーション

インプレッション④〔impression〕印象。感銘。「ファースト―⑧」

いんぶん⓪【陰文】陰刻の△文字（文章）。

いんぶん⓪【韻文】↔散文 ❶〔漢詩や賦など〕韻をふんだ文。❷〔詩や和歌・俳句など〕韻律を持った文。

いんぺい⓪【隠蔽】―する（他サ）見られたり知られたりしては困る物や事を、意図的に隠しておくこと。「真相を―する／―工作」

インベーダー③〔invader〕〔特に、SFで、異星人の〕侵入者。侵略者。

インベストメント③〔investment〕投資。

インボイス①③〔invoice〕〔商品の〕送り状。納品書。 かぞえ方 一通

いんぼう⓪【陰謀】人に知られないようにこっそり企てた、よくない計画。〔法律では、二人以上でする犯罪計画を指す〕「―を△企てる（たくらむ）／―家⓪」 表記 「隠謀」とも書く。

インポート③―する（他サ）〔import〕↔エクスポート ❶輸入すること。輸入品。「―ブランド」❷コンピューターにおいて、あるアプリケーション ソフトウェアが、別のソフトウェアで作成されたデータを取り込む作業のこと。

インボード エンジン⑥〔inboard engine〕モーターボートなどのエンジンが船体の内側に付いているもの。船内機。略してイン。↔アウトボード エンジン

いんぼつ⓪【〈湮〉没】―する（自サ）水に沈んで無くなること。

インポテンツ④①〔ドImpotenz〕男子の生殖器が萎縮したままで、性行為がうまく出来ない状態。陰萎。略してインポ①。

いんぽん⓪【院本】「丸本❸」の意の古風な表現。

いんぽん⓪【淫奔】―な 性的に無軌道に発展する様子。 派 ―さ⓪

いんみょう⓪【因明】古代インドに発達した論理学。〔「りっぱ」の語源「立破」は、その術語の一つ〕

いんめつ⓪【隠滅・〈湮滅〉】―する（自他サ）〔「湮」は埋没の意〕あとかたもなく△無くなる（無くす）こと。「証拠の―」 表記 「堙滅」とも書く。「隠」は、代用字。

いんめん⓪③【印面】❶印の、文字を彫ってある面。❷切手の、図案が印刷してある部分。

いんめん⓪【印綿・印〈棉〉】インド産の△綿花（綿糸）。

いんもう⓪【陰毛】陰部に生える毛。恥毛。

いんもつ⓪【音物】「贈り物」の意の漢語的表現。

いんもん⓪【陰門】女子の外部生殖器。玉門⓪。

いんやく⓪【隠約】表現が露骨でなく、ちょっと△見た（聞いた）だけでは、真意がそのように受け取れないこと。「―の間

カンに」

いんゆ⓪①【引喩】（有名な）詩歌・語句・故事などを引用して、言いたい事を表現すること。「—法⓪」

いんゆ①【因由】—する（自サ） 何かが原因となって、その事が起こること。

いんゆ⓪①【隠喩】「…のようだ」「…よりも…だ」といった対比形式でたとえることをせず、「雪の肌・文は人なり」のような暗示に訴える表現を用いて、そのものの特徴を説明する方法。暗喩。メタファー。↕直喩

いんよう⓪【引用】—する（他サ） ❶自分の話の間に他人の言葉を、地の文の間に会話文を交えること。〔現代において、その区分を明らかにする必要がある場合には、前後に邦文では「 」〃 〃を用い、英文では、" "（横書き）を用いたりする。これらの記号を「引用符③」という〕 ❷自分の説や論を有利に△説明（証明）するために、他人の説や事例を持ってきて使うこと。「—文③⓪・—文献⑤」

いんよう①【陰陽】❶〔古代中国の易学の考え方で〕すべての具体的な存在の根源を成す、相反する二つのもの。万物は、この両者の調和から成っているとし、その積極的な方を「陽」、消極的な方を「陰」と名づける。男・日・春・奇数などは陽に、女・月・秋・偶数などは陰に属し、すべての変化は、この二つのものの消長の過程によるものと説明される。❷〔磁気・電気などの〕陰極と陽極。マイナスとプラス。 **—ごぎょうせつ**⑥【—五行説】陰陽と相生（ソウジョウ）・相剋（ソウコク）とで自然現象や人事の吉凶などのすべてを説明しようとする古代中国の考え方。日本の中世の生活・思想にも深い影響を与えた。

いんよう⓪【飲用】—する（他サ） 人が飲む（のに使う）こと。「—水③」

いんよく⓪①【淫欲・淫〈慾】相手の肉体を求める、激しい欲望。

いんらく⓪【淫楽】「〔夫婦ではない者どうしの〕性的な欲望への充足感」の意の漢語的表現。

いんらん⓪【淫乱】—な 性的に無軌道であって、全く手がつけられない様子。派 —さ⓪

いんりつ⓪【韻律】音声の長短・強弱・高低の組合せや、母音・子音の配列、音節数の形式などによる、韻文の音楽的な調子。リズム。

いんりょう③【飲料】人の飲みもの。「—水③」

いんりょく①【引力】物体が互いに引き合う力。「万有（バンユウ）—」↕斥力

いんれい⓪【引例】—する（他サ） 例として引用すること。また、引用してある例。

インレー①〔inlay〕歯の欠けた所を△うめる（つなぐ）ための金（キン）などの合金。また、それを使う治療法。

いんれき⓪【陰暦】〔←太陰（タイイン）暦〕月の満ち欠けを基準として作った暦。↕陽暦

いんろう⓪③【印籠】〔もと、印・印肉を入れた容器の意〕武士が帯にはさんで腰に下げた、携帯用の丸薬入れ。多くは平たい円筒形。薬籠。

いんわい⓪【淫〈猥】—な ことさら性欲をそそるような事を、人前で公言したり おおっぴらにして見せたりする様子。派 —さ⓪

う…ウ

う（右・宇・有・羽・〈迂・雨・〈烏）→【字音語の造語成分】

う①【ウ】〔文献学などで〕書物の丁付（チョウヅケ）で、裏の略号。↕オ 表記 普通、「ウ」と書く。

う（助動・特殊型） ■〔主体の意志にかかわる用法〕❶主体の意志を表わす。「今日こそ返事を書こ—／一つ上げましょ—／金が無くて買お—にも買えない／何を言っても聞こ—としない」 ❷相手に対する勧誘を表わす。「君もいっしょに行こ—よ／さあ、出かけましょ—」 ❸〔「—とする」の形で〕その△行動を始める（事態に変化する）寸前の状態にあることを表わす。「帰ろ—としたところを呼びとめられた／夏休みも終わろ—とするころだった」⇩よう ■■〔主体の推量判断にかかわる用法〕❶△実現していない（事実かどうかわからない）事柄について推量することを表わす。〔断定を避けた婉曲（エンキョク）表現に用いられることもある〕「あすもいい天気だろ—／毎日お忙しいことでしょ—／雨もまもなく上がろ—／そうも言えましょ—／安かろ—悪かろ—〔⇩安い〕」 ❷〔「—（か）」の形で〕「…だろう」と推量し、それを反語的に否定することを表わす。「果たしてそうすべきであろ—か／あんな話を聞いて何が楽しかろ—」 ❸△同種の（対照的な）事柄の一つとしてその事態を想定することを表わし、それにかかわりなく成り立つ後件と結び付ける。「雨が降ろ—が槍（ヤリ）が降ろ—が出掛けて行く／金があろ—と無かろ—と容赦なく返済を迫る／行こ—が行くまいが君の勝手だ」

文法 ■■■とも、五段動詞、形容詞、形容動詞、助動詞（「れる／られる・せる／させる」を除く）の未然形（五段型の活用語はオ段で終わる形）に接続する。後に他の助動詞を伴うことがない。■■で、「う」が動詞に直結して推量を表わすのは「君が行こうと行くまいと…」「雨が降ろうと槍が降ろうと…」、また、形容詞に直結して推量を表わすのは「北国の冬はさぞ寒かろう」などと用法が限られる。日常の談話では一般に「…だろう」「…でしょう」の形で表わされる。

運用 ■■❶は、相手にかかわりのあることを直接その相手に向かって言うときには、要求・提案などの気持を含意することがある。例、「今日のところはひとまずお引き取り願おう／わたしが怪しいと言うのなら証拠を見せてもらおう／君の言い分を聞こうじゃないか」

う①【得】（他下二）「得ェる」の文語形。

う⓪【〈卯】十二支の第四。兎（ウサギ）を表わす。〔昔、方位では東を、時法では午前五時ごろからの約二時間を指した〕

う①【〈鵜】海岸・湖沼にすむ、中・大形で黒色の鳥。水にもぐって魚を捕らえ、のどの奥にたくわえる。ウミウ・カワウなど。ウミウは鵜飼いに使う。〔ウ科〕「—のまねをする烏（カラス）〔=自分の能力を考えずに、やたらに人のまねをして失敗するたとえ〕／—の目鷹（タカ）の目①-⓪、①-④〔=何かを捜そうとして、鋭い目であたりを見回すたとえ〕」 かぞえ方 一羽

ヴァ〜 →バ〜

うい【初】（造語） 初めて（の）。「—産（ザン）・—陣・—孫（ゴマ）」

ウイ②①（感）〔フ oui=肯定の返事〕はい。イエス。↕ノン

うい①（連体） 昔、目下の者をほめる時に使った語。「—〔=よく働いた、感心な〕やつ」 表記「《愛い》」とも書く。

う・い①【憂い】（形）〔雅〕不本意なことが多く心が満たされない。「旅は—もの、つらいもの」派 —さ①

うい①【有為】〔仏教で〕因縁によって生じたこの世の一切の現象。「—転変①-⓪〔=この世の物事は移り変わり・浮き沈みが激しくて、恒常的なものは一つも無いという仏教の考え方〕」↕無為

ヴィ〜 →ビ〜

ウイーク（造語）〔week=週〕何かの行事の行なわれる週であることを表わす。「バード—〔=愛鳥週間〕・ゴールデン—・シルバー—」 **—エンド**⑤〔weekend〕週末（休暇）。 **—デー**④②〔weekday〕週日。平日。

ウイークポイント⑤〔weak point〕弱点。

ウイークリー②〔weekly〕週刊の△新聞(雑誌)。

ウィービング①⓪ —する(自サ)〔weaving〕〔ボクシングで〕前かがみになり、頭を左右に振って敵の攻撃を避けること。

ういういし・い⑤【初々しい】(形) ❶世間ずれがしていなくて、いかにも純真な様子だ。❷〔成熟した後もなお〕若さや新鮮さが感じられて、好感が持てる様子だ。派 —さ⑤④ —げ⑤⑥⓪

ういき①【雨域】雨の降(ってい)る地域。

ういきょう⓪【〈茴香】畑で栽培する多年草。芳香があり、実の油は香味料・薬用。フェンネル。〔セリ科〕 かぞえ方 一本

ういご⓪【初子】はつご。

ウィザード②〔wizard=(男の)魔法使い〕〔コンピューターで〕複雑なプログラムの取り扱いを簡単にする支援機能。

ういざん①②【初産】はつざん。⇩しょさん

ういじん⓪【初陣】初めて△戦場(試合)に出ること。

ウイスキー③②〔whisky〕オオムギから作る蒸留酒。よいかおりとこくがあり、代表的な洋酒とされる。英国スコットランド産のもの〔=スコッチウイスキー〕が有名。かぞえ方 小売の単位は一本・一瓶;一樽 ←whisky+フ bonbon〕ウイスキーの入ったボンボン。—ボンボン⑥〔和製洋語

ウイッグ②〔wig〕洋髪のかつらや付け毛。

ウイット②〔wit〕気まずさや相手の無神経な言動、攻撃的な態度などをやんわりとかわして、その場の空気を和らげたり自分に有利な情勢をもたらしたりする、気のきいた言葉やしゃれがとっさに出せる才知。機知。「—に富んだ話」

ウイドー(造語)〔widow〕未亡人。寡婦。〔夫が何かと留守がちなため、ひとりぼっちにされることの多い妻の意にも用いられる。例、「ゴルフ—④」〕

ウイニング(造語)〔winning〕勝利を得る(決め手となる)。—ショット⑥〔和製英語 ←winning+shot〕❶〔テニスで〕それによって必ず勝つという、得意の打ち方。決め球。❷〔野球で〕その投手が打者を打ち取るのに最も得意とするたま。決め球。—ボール⑥〔winning ball〕〔野球で〕それを捕球することによって試合が終わり、守備側のチームの勝ちになった時のボール。「—をスタンドに投げ込む」—ラン⑥〔winning run〕❶〔野球で〕決勝点。❷〔陸上競技などで〕勝者が観客の賞賛に応えるため場内を一周すること。〔❷は日本語用法。英語では victory lap という〕

ういまご⓪【初孫】〔その人にとって〕初めての孫。はつまご。

ウイルス②①〔ラ virus=毒〕❶他の生物に寄生して増殖する、普通の顕微鏡では見えないほどの病原体。核酸とたんぱく質から成る。インフルエンザ・天然痘などの病因となる。ビールスとも。濾過性病原体。❷コンピューター ウイルスの略。〔ウィルス①とも〕

ういろう⓪【《外郎】〔中国、元からの帰化人、陳外郎の名から〕❶小田原名産の痰の薬。透頂香③⓪。「—売り③」❷△ワラビ(米)の粉に砂糖を加えて蒸した菓子。「ういろ⓪・ういろうもち」とも。山口・名古屋の名産。

ウインウイン⑤〔win-win〕お互いの利害が一致し、どちらも得をする関係。ウィン ウィン③とも。「—の契約」

ウインカー②⓪〔winker〕〔自動車で〕車体の前後の左右両端に取り付けられた、左折・右折・車線変更を知らせるために小刻みに点滅する、小さいランプ。フラッシャー。

ウインク② —する(自サ)〔wink〕片目の まばたきでする△合図(色目)。

ウイング②⓪〔wing=つばさ〕❶舞台の左右の△書割り(空間)。袖。❷〔建物で〕中央の主要部分から左右に伸びた部分。「空港の南—」❸〔サッカー・ハンドボールなどで〕前衛の左右両端の位置(に着く人)。

ウインタースポーツ⑦〔winter sports〕冬季に行なわれるスポーツ。スキー・スケートなど。

ウインチ②〔winch〕〔ろくろや歯車などを使って〕重い物や深い穴の中の物などを持ち上げる巻上げ機。

ウインド(造語)〔wind〕風。—サーフィン⑤〔windsurfing〕サーフボードの上に三角帆を張り、風を利用して水上を走るスポーツ。一九七〇年に米国で考案された。ウインド セーリング⑤。ボード セーリング。—ブレーカー⑥〔windbreaker=商品名〕スポーツをする際に着用する防風・防寒用のジャンパー。かぞえ方 一着 —ヤッケ⑤〔ド Windjacke〕登山・スキー用などのフード付きの防風着。アノラック。略してヤッケ。かぞえ方 一着

ウインドー⓪ ■一〔window〕❶窓。❷コンピューターのモニター画面で、種々の情報が示された窓のような四角い枠。■二〔←show window〕店先などの商品陳列窓。「—ショッピング⑥〔=買うつもりはなく、ただ(ウインドーの)品物を見ながら歩くこと〕」⇩ショー ウインドー

ウインナ(造語)〔Vienna=オーストリアの首都、ウィーン(Wien)の英語名〕ウィーン(風)の。ウインナーとも。「—コーヒー⑤⑦〔=生クリームをたっぷり混ぜたコーヒー〕・—ワルツ⑤」—ソーセージ⑤⑦〔vienna sausage〕指のように細いソーセージ。〔普通、数個ずつ つながっている〕

ウースターソース⑥〔←Worcester(shire) sauce〕⇩ウスター ソース

ウーステッド④①〔worsted〕長い羊毛によりをかけた梳毛糸で織った毛織物。サージ・ギャバジンなど。背広地用。

ウーマン(造語)〔woman〕女性。婦人。「—パワー⑤・—リブ⑤〔=一九六〇年代後半にアメリカで始まった、女性の解放運動〕」

ウーリーナイロン⑤〔woolly nylon〕毛織物のような肌ざわりに加工したナイロン(の織物)。

ウール①〔wool〕羊毛を原料とした繊維製品。毛織物。「—地③⓪」

ウーロンちゃ③【〈烏《竜茶】〔ウーロンは、「烏竜」の中国音。色が烏のように黒く、葉が竜のように曲がっているところから〕独特な香気がある、茶の一種。中国本土・台湾産。表記「〈烏龍〉茶」と書くことが多い。かぞえ方 小売

う

［右］ ↕左 ■一❶みぎ。「右岸・右翼」❷右翼。「右派・右傾」■二(略)〔野球で〕右翼手。

［宇］ ❶〔軒の下の意〕建物。〔かぞえる時にも用いられる〕「一宇の堂/殿宇」❷ひろがり。天地四方。「宇宙・宇内」❸〔からだなどの〕一部分。「気宇・眉宇」

［有］ ❶何かがある。存在する。「有無・有象無象・希有」❷〔仏教で〕因果を離れぬ世界。「中有」⇩ゆう

［羽］ ■一鳥のはね。「羽毛・羽化」■二(略) 出羽国。〔後には、羽前・羽後の二国に分かれた〕「羽州・奥羽・陸羽」

［〈迂］ ❶道が遠回りだ。「迂遠・迂回」❷頭の回転がおそく、要領が悪い。「迂愚・迂生」

［雨］ あめ。あめふり。「雨域・雨季・雨天・雨量・晴雨・雷雨・白雨・風雨」

［〈烏］ カラス。「烏合・烏鷺・烏兎匆々」

の単位は一袋・一缶・一本

**うえ【上】㊀⓪② ❶高い（方にある）△こと（所）。「玄関から一〔＝室内〕へ上がる」❷〔地位・能力・数量などの程度が〕高いこと。まさっていること。「一に立つ者／一の人〔＝上司〕に話す／腕前が一だ〔＝すぐれている〕／三つ一〔＝年上〕の兄」❸外に現われている所。表面。「湖の一を照らす月／紙の一に現われない〔＝言外の〕意味」〔❶❷の対義語は、下（タシ）〕〔アクセント②は、前に修飾語が来るとき〕㊁❶天皇・将軍などきわめて身分の高い人に対する敬称。「一様」❷〔接尾語的に〕Ⓐ平安時代、貴人の妻の呼び名に添えた敬称。「紫の一」Ⓑ長上の親族の名称に付けて用いる敬称。「父一・姉一②」㊂②〔形式名詞的に〕❶…に関することを表わす。「形の一では共著になっているが／気持の一の圧迫感／二人の遺児の一を思って暗然たる気持になった／身の一話」❷すでに実現している（ことが求められる）事柄であり、△新たな事態が展開する（意志や態度を決める）前提となるものであることを表わす。「もとより覚悟の一です／見た一で決める／酒の一〔＝飲酒が過ぎた結果〕の失敗／見られた一はしかたが無い」❸〔「……に一」の形で〕すでに実現している事態の傾向をさらに強めるような要素△が加わる（を加える）ことを表わす。「しかられた一に罰金まで取られた／慎重△な（の）一にも慎重を期する」【一を下への大騒ぎ】〔あわてふためき、上に置くべきものを下にし、下に置くべきものを上にする意〕収拾がつかないほどの大騒ぎ。

うえ②【飢（え）】食物が△無くなり（不足し）ひどい空腹にがまんが出来ないこと。「一に苦しむ」 表記 「《餓え」とも書く。

ヴェ～ →ベ～

ウエア（造語）〔wear〕着るもの。服。…着（ギ）。ウェアとも。「アンダー一⑥〔＝下着〕・スポーツ一⑥・ホーム一⑤」

ウェアラブル①一な〔wearable＝（衣類が）着やすい〕〔コンピューターなどが〕（服のように）△装着（着用）できる様子だ。

ウエー（造語）〔way〕❶道路。「ハイ一」❷（…）方面（の使い道）。「スリー一スピーカー⑧」〔ウエイとも〕

ウエーター②⓪〔waiter〕〔食堂・喫茶店などで〕客の注文に応じたり飲食物を運んだりする男性。ウエイターとも。↕ウエートレス

ウエート⓪〔weight〕❶〔ボクシング・レスリングなどの選手の階級を決める〕体重。❷重点。「…に一を置く〔＝重要なものとして扱う〕／一を掛ける／一は△低い（小さい）」 **一リフティング**⑤〔weight lifting〕重量あげ。

ウエートレス②〔waitress〕〔食堂・喫茶店などで〕客の注文に応じたり飲食物を運んだりする女性。ウエイトレスとも。↕ウエーター

ウエーブ②〔wave〕❶波。「ビッグ一⑤」❷電波。「マイクロ一」❸一する（自他サ）髪の毛を波打たせること。また、その波形。「一をかけた髪」❹〔競技場や球場で〕声援を送るために、多数の観衆が手を上げながら順番に立っては座ることで、波が生じたような動きを見せること。

うえか・える④③【植（え）替える】（他下一）今まで植えてあった草木を△他の所に移し（培養土を替えるなどし）てもう一度植える。

うえから めせん⑤一【上から目線】（時に勘違いに基づき）相手よりも優位な立場にあることを見せつける態度。「一でものを言う」

うえき⓪一【植木】❶〔庭などに〕移し△植えた（植えるための）木。❷鉢植えの木。「一市③・一鉢③」 表記 古くは「《樹」と書いて、生命ある樹木一般を指した。

うえこみ⓪一【植（え）込（み）】建物の周辺に木・草を集めて植えた庭風の所。

うえこ・む③一【植（え）込む】（他五）❶草木や種芋を土の中に植える。❷ある物の中に、他の物を深くはめ込む。

ウエザー オール⑤〔和製英語 weather all coat の意。日本の商品名〕晴雨兼用の外套（ガイトウ）。男子用。

うえさま一【上様】❶①天皇・将軍など、身分の高い人の尊称。❷①②〔領収書などで〕「じょうさま」の俗称。

うえした②一【上下】上と下。「一〔＝さかさま〕に△する（なる）」

うえじに⓪一【飢（え）死（に）】一する（自サ）飢えて死ぬこと。 表記 「《餓え死に」とも書く。

ウエス②⓪〔waste の変化〕（油をしみこませた）ぼろきれ。

ウエスタン②〔Western〕❶〔アメリカの〕西部（の音楽）。❷西部劇。ウエスターン②④とも。「マカロニ一〔＝⇩マカロニ〕」

ウエスト⓪〔waist〕胸と腰の間の一番細くくびれた所（の太さ）。〔狭義では、婦人服のその部分を指す〕「一ライン⑤」 **一ニッパー**⑤〔waist nipper〕女性の下着の一種。腰まわりを締めつけて、スタイルをよく見せるためのもの。 かぞえ方 一枚

ウエスト ボール⑤〔和製英語 ←waste＋ball〕〔野球で〕投手が、相手方の盗塁やバントを見越して、わざとストライク ゾーンをはずして投げるボール。

うえつ がた⓪③一【上つ方】〔「つ」は、「の」と同意の文語の助詞〕〔雅〕身分の高い人。「うえつかた」とも。

うえつけ⓪一【植（え）付（け）】一する（他サ）〔苗や苗木を〕移し植えて育てること。〔狭義では、田植えを指す〕

うえつ・ける④一【植（え）付ける】（他下一）❶〔草木を〕移し植えて根づかせる。❷思想・印象などを人の心に強く刻みつけ、その人の心から離れないようにする。「△イメージ（固定観念・疑惑・不信感）を一」

ウエット②一に一な〔wet＝湿った〕物事に感じやすく、情にもろい性質だ。↕ドライ **一スーツ**⑤〔wet suit〕〔潜水やサーフィンなどで〕からだの保温・保護のために着用する合成ゴムなどで出来た服。

ウエディング②〔wedding〕結婚（式）。ウェディング①とも。「一ドレス⑥・一ケーキ⑥・一マーチ⑥」

ウエハース②〔wafers＝複数形〕幼児・病人用の、軽くて甘い洋菓子。小麦粉・砂糖・卵などを材料として薄く焼いてある。また、アイスクリームに添えて出す。ウエファース②とも。 かぞえ方 一枚

ウェブ⓪①〔Web＝web はクモの巣〕〔インターネット上の〕情報通信網（＝**world wide web**）。

ウェブ サイト③〔Web site＝ワールドワイドウェブの場所〕インターネット上で、一まとまりの情報が置かれている場所。〔URLで指定する〕⇩ホームページ

ウェブログ⓪〔weblog〕⇩ブログ

うえぼうそう③【植（え）〈疱瘡〉】「種痘」の意の古風な表現。

*__う・える__②【飢える】（自下一）〈なにニ一〉❶食べる物が満足に得られず、空腹のあまり絶えず食べ物を求めずにいられない状態が続く。❷ほしいものが得られず、それを強く求める状態が長く続く。「母親の愛情に一／活字に一／情報に一」 表記 「《餓える」とも書く。

*__う・える__⓪【植える】（他下一）〈どこニなにヲ一〉❶〔草木を育てるために〕土に埋めて、根付かせる。〔思想などを頭に強く刻み込んで、離れないようにさせる意にも用いられる。例、「道徳観念を一」〕❷〔病原体や組織を〕他から移して、育つようにする。「菌を培養基に一」❸〔細い物を〕はめ込む。「活字を一」

ウエルカム②〔welcome〕〔その地を訪れる人を迎える人

口や歓迎会場などで」「歓迎」の意を表わすのに用いられる語。〔英語の表記をそのままに記すことが多く、口頭語としてはめったに使われることがない〕「―パーティー⑥」

ウエルター きゅう⓪【ウエルター級】〔welter〕〔ボクシングなどで〕体重で決めた選手の階級の一つ。ライト級の上、ミドル級の下。プロボクシングでは、約六三・五キログラムから六六・七キログラムまでの体重。

ウエルダン②〔well-done〕ステーキの、中まで十分に火を通す焼き方。⇩ミディアム・レア

うえん⓪【有縁】両者の間になんらかの関係が認められること。「―の衆生〔=過去の世において ある仏と因縁を結び善行を積んだ人びと〕」↕無縁

うえん⓪【〈迂遠】―な ―に 回りくどくて、すぐには目標に達しかねる様子。〔△実際(直接)の用には立ちかねる意にも用いられる〕「〃戦争のない世界〃の建設が―ではあれ、国連が創られたときの理想の一つだった/―な物言い」派―さ⓪

うお⓪②【魚】水中にすみ、ひれとうろこがあって、よく泳ぐ脊椎動物。食用になるものが多い。さかな。「―が水を得たように〔=ⓐ今までの苦しい境地から脱して、伸び伸びと活躍出来るように。ⓑ離れて生きていくことが出来ないほど仲良く〕/―河岸・川―・海―②」かぞえ方 一尾・一匹・一枚・一本

ヴォ～ →ボ～

うお いちば③【魚市場】産地から送って来た魚・貝などを、業者の間で せり売りする市場。〔朝ごとに開かれる〕

うおう さおう④、②-②【右往左往】―する(自サ)〔多くの人がうろたえて〕どうしてよいかもわからず、秩序も無くあちこちへ動き回り、混乱した状態になること。〔古くは「うおうざおう」〕

ウォーキー トーキー⑤〔walkie-talkie〕携帯用の無線電話機。ハンディートーキーより大型。⇩トーキー

ウォーキング⓪①〔walking〕健康作りを目的とした歩行運動。ウオーキング⓪②とも。「―を楽しむ」

ウォーク ラリー④〔walk rally〕指定されたコース通りに一定の地域を歩いて得点を競うグループ対抗のゲーム。チェックポイントで出される課題の得点と所要時間とで順位を決める。

ウオーター②〔water〕水。ウォーター①とも。〔特に、飲料として用意されたものを指す〕「アイス―⑤・ミネラル―」 **―シュート**⑥〔waterchute〕高い所からボートに乗って水上へ滑りおりる遊戯設備。 **―プルーフ**⑦〔waterproof〕水を通さない△もの(性質)。防水(性)。耐水(性)。 **―フロント**⑦〔water front〕〔水辺の意〕都市の、海や川に面した地域。「―開発⑩」 **―ポロ**⑥〔water polo〕水球。

ウォーミング アップ⑥〔warming-up〕❶―する(自サ)〔試合や競技の開始前に行なう〕からだをならすための軽い準備運動や練習。❷〔自動車などの〕アイドリング。

ウォール がい③【ウォール街】〔Wall=ニューヨーク市の町の名〕ニューヨークの株式取引所のある街区(を中心とする米国の金融界)。

ウォールナット④〔walnut〕クルミ(材)。オールナット④とも。

うおがし⓪【魚〈河岸〉】魚市場(のある河岸)。表記 ⇩付表「河岸」

うおかす⓪【魚〈滓】魚の油を取り去ったあとの残り。頭・骨・尾・はらわたなど。肥料にする。「ぎょかす⓪」とも。

うおぐし⓪【魚串】魚を刺し通して焼くときに使う、竹や鉄などでできた串。「いおぐし」とも。かぞえ方 一本

うおごころ③【魚心】〔「魚心あれば水心」から〕相手に応じようとすること。「―あれば水心〔=対人関係で、一方の意向次第で、他方もそれに応じようとすること〕」

ウオッカ②〔ロシア vodka (発音は ヴォトカ)の日本語形〕ロシア特産の、アルコール分の強い蒸留酒。原料は、ライムギ・トウモロコシ。ウオツカ②とも。

ウオッチャー②〔watcher〕❶観察者。「バードー⑤」❷長期間にわたり問題とする事柄の動向を見届けてきた、その方面の専門家。「経済―」〔ウォッチャー①とも〕

ウオッチング②〔watching〕動物の生態や社会の動態を観察すること。ウォッチング①とも。「バードー・ホエール〔=鯨〕―⑥」

うおのめ⓪④【魚の目】足の△裏(側面)や掌などに出来る、噴火口のような いぼ。根が深く、押すと痛い。

うお へん⓪【魚偏】漢字の部首名の一つ。「鯛・鯨・鯖」などの、左側の「魚」の部分。〔多く、魚類や水中の生物に関係のある漢字がこれに属する〕

ウォレット①〔wallet〕札入れ。財布。ワレット①とも。

ウォン①〔朝鮮 won (圜〖=円〗)〕大韓民国と朝鮮民主主義人民共和国の通貨単位。

うおんびん②【う音便】文語「問ひて」「疾く」などが、中世語および関西地方の口語で「問うて」「とう」の形を取るなどの現象。「有難う」「お早う」なども、同じ現象によって生じた形。〔広義では、「神がみし」が「かうがうし」、「かぐはし」が「かうばし」となる現象をも指す〕表記「ウ音便」とも書く。

うか①【羽化】―する(自サ)❶サナギが成虫になって羽が生えること。❷〔↑羽化登仙〕〔古代中国の信仰で〕人間に羽が生え、仙人になって天に上るという言い伝え。

うか①【雨下】―する(自サ)雨のように絶え間なく降りそそぐこと。「弾丸―〔=弾丸が雨のように激しく落ちて来る〕」

*__うかい__⓪【〈迂回】―する(自サ)〈どこヲ―する/どこカラ)どこニ―する〉本来の順路△が通れなくて(を避けて)遠回りすること。「山裾を―する/―道路④」

うかい⓪【〈鵜飼(い)】ウを飼いならして、アユなどの川魚を捕らえさせること(を職業とする人)。

うがい⓪【〈嗽】―する(自サ)〔口中や のどをきれいにするため〕水や薬液を口に含んで、すすいで吐き出すこと。「―薬④」

うかうか①(副)―と ―する 目的をもって積極的に行動しようとせず、ぼんやりと過ごしてしまう様子。「―と日を暮らす/弟に負けそうで―できない/―していると乗り遅れるぞ」

うかがい⓪【伺(い)】うかがうこと。「御機嫌―・進退―」【(お)―を立てる】❶神仏の託宣を願う。❷相手の意向を確かめる。❸上級の官庁や上役からの指示や説明を願う。

うかがい しる⑤⓪【〈窺(い)知る】(他五)推測にとどまらず、そのものの内部事情・実態などを把握する。「ふだん外からは―ことが出来ない祇園の魅力を紹介する/当事者以外には―ことの出来ない事情があったに違いない」

**__うかが・う__⓪ ㊀【伺う】(自他五)「聞く・問う・尋ねる・訪れる」の謙譲語。「その話は以前にも伺った/何かとお世話をかけたお宅にお礼に―ことに」 ㊁【〈窺う】(他五)〈なにヲ―〉❶ちょっとした変化も見逃すまいと、注意深く観察して、その実情や事態の推移を知ろうとする。「相手の△顔色(鼻息・様子)を―/各大名の動きを慎重に―」❷機会あらば△優位を占めよう(より良きものを入手しよう)と おもむろに待つ。「△逆転(上位・トップ・政権・出番)を―/△進出(解散)の機を―/大関昇進を―〔=ねらう〕/並の強さの台風は近畿を―〔=目指す〕コースを取った」【〈窺わせる】〔「うかがう」の使役形〕様子をそ

れとなく察知させる。「彼の芸術家としての一面を―エピソード」【〈窺われる】〔「うかがう」の受身形〕様子がそれとなく察せられる。「柔軟な態度が―〔＝見られる〕／努力の跡が―／意気込みが―〔＝察知される〕」

うかさ・れる⓪【浮(か)される】（自下一）❶何かに心を奪われて、落ち着かない状態になる。❷高熱などで意識がはっきりしなくなる。「熱に―」

うか・す⓪【浮(か)す】（他五）〔「浮く」の使役動詞形〕浮くようにする。浮かせる⓪（下一）。「△腰（出張旅費）を―」

うがちすぎ⓪【〈穿(ち)過ぎ】もっともらしい推測を交え過ぎて、かえって真相とは異なる判断をすること。

うかつ⓪【〈迂闊〈】―な ―に 〔「闊」は粗略の意〕△不注意のため（物事の事情にうといため）、不結果を招きがちである様子。「―な〔＝うっかりした〕事は言えない」 派 ―さ⓪

うが・つ②【〈穿つ】■一（他五）❶「穴を開ける」意のやや古風な表現。❷人情の機微や事の真相などを的確に指摘する。「穿った事を言う」 ■二（自五）「衣類やはきものを身につける」意の古風な表現。「袴を―／靴を―」 名 穿ち⓪③

うかと①（副）「うっかり（と）」の、やや改まった表現。

うかとうせん①-⓪【羽化登仙】⇩うか❷

うかば・れる⓪【浮(か)ばれる】（自下一）❶死者の魂が慰められて、成仏出来る。「仏が―」 ❷面目が立つ。「汚名をそそがなければ、浮かばれない」

うかびあが・る⑤【浮(か)び上(が)る】（自五）❶その物の姿が空中や水面に現われ出る。❷表面化して、人に知られるようになる。「問題点が―」 ❸不遇から抜け出して、よい状態や地位になる。「最下位から―」

うかび・でる④【浮(か)び出る】（自下一） 浮かび上がる。

***うか・ぶ**⓪【浮(か)ぶ】（自五）〈どこ・なにニ―〉 一面の広がりを持つ地を背景として、何かはっきりした形を取ったものが見える。「空に―雲／瀬戸内海に―島じま／闇に―ホタル／沖に―白帆／瞼に―母の面影／疑問が―〔＝意識にのぼる〕／名案が―〔＝…を思いつく〕／…の名が―〔＝ⓐ思い出される。ⓑ表面化する〕」 ―せ④⓪【―瀬】境遇・立場などのよくなる機会。「―が無い」

***うか・べる**⓪【浮(か)べる】（他下一）〈どこ・なにニ なにヲ―〉❶〔水面・空中などに〕浮かぶようにする。「舟を―」 ❷外面に表わす。「涙を―／故郷の風景を心に―〔＝意識にのぼらせる。思い出す〕」

うから⓪【《族・〈親族〈】〔雅〕家族。親族。

うか・る②【受かる】（自五） 試験などに合格する。

うかれ【浮(か)れ】■一⓪うかれること。■二（造語）動詞「浮かれる」の連用形。「―歩く⑤・―出す④」 ―ちょうし④【―調子】心の浮きたつ調子。 ―・でる④【―出る】（自下一） 心が落ち着かなくなって、△その場（外）へ出る。「花見に―」 ―め⓪③【―女】「遊女」の別称。

うか・れる⓪【浮(か)れる】（自下一） 心が浮き浮きして、じっと腰を落ち着けていることが出来なくなり、何か一騒ぎしてみたいという気持になる。〔⇩浮かれ■二〕

うがん⓪【右岸】川の上流から下流へ向かって右の岸。↕左岸

うかんむり②【ウ冠】漢字の部首名の一つ。「守・家・富」などの「宀」の部分。片仮名の「ウ」に形が近いので言う。〔「宀」は家の象形、多く、家屋や住むことに関係のある漢字がこれに属する〕

うき【浮(き)】■一⓪❶浮くこと。❷△釣り糸（網）につけて水面に浮かべるもの。木・プラスチック・羽などで作る。❸浮き袋。■二（造語）動詞「浮く」の連用形。「―上がる／―橋・―船・―彫り」 表記 ■一❷は、「〈浮木〈・〈浮子〈」などとも書く。

うき①【右記】〔縦書きの文章で〕すでに前に記していること。⇩左記

うき①【雨季】〔特定の地域で〕一年のうち、特に雨が集中的に降り続く△季節（時季）。↕乾季 表記 「雨期」とも書く。

うきあが・る④【浮(き)上(が)る】（自五）❶〔水中・地上などにあった物が〕水面・空中に浮く。「急に増水して 川底のごみやどろが―」 ❷Ⓐ本来密着していなければならない△本体（基盤）から離れて、すきまが生じる。「柱が土台から―」 Ⓑ組織などで他の多くのメンバーから離れて孤立した存在となる。「一般組合員から浮き上がった執行部」 ❸他から離れてそれだけがはっきりと現われて見える。「人物が背景から―」

うきあし⓪【浮(き)足】❶かかとを上げ、次の行動に移ろうとしている足。「―〔＝逃げ腰〕になる」 ❷〔すもうで〕つま先だけが地についており、かかとの上がった状態。「―を払う」 ―だ・つ⑤【―立つ】（自五） 不安や恐怖にかられて逃げ腰になり、冷静な△行動（判断）が出来なくなる。「浮き足立った守備／これくらいの劣勢で浮き足立っては〔＝逃げ腰になっては〕困る」

うきいし⓪【浮(き)石】❶軽石。❷不安定な状態で積み重なっていて、風や雨の力でくずれたり 人が乗った時にぐらついたりする岩石。

うきうお⓪②【浮(き)魚】 海面近くを群れをなして泳ぐ魚類。例、イワシ・サバなど。↕沈み魚

うきうき①【浮き浮き】（副）―と ―する うれしいことなどがあって、身も心も弾むように感じられる様子。「お祭りで、子供たちは―している」

うきおり⓪【浮(き)織(り)】 模様を布地に浮かして△織ること（織った織物）。

うきがし⓪【浮(き)貸(し)】〔銀行などで〕預金を、正式の手続きを取らずに、帳簿をごまかして貸しつけること。

うきかわたけ⓪④【浮(き)河竹】〔「浮き」は「憂き」の意を兼ねる。河竹はネンジュ藻の意と言う〕表面は華やかだが、暗い生活を脱することの出来ない遊女の身の上。 表記 「憂き河竹」とも書く。

うきぎ⓪【浮(き)木】❶「船・いかだ」の異名。❷水に浮かんでいる木。「―の亀〔＝盲亀の浮木〕 ⇩盲亀」

うきくさ⓪【浮(き)草】田・沼・池などの水面に一枚の葉のように浮かんでいる多年草。〔サトイモ科（旧ウキクサ科）〕〔広義では、水面に浮かんでいる草の総称。またよりどころの無い不安定なさまの意にも用いられる〕 表記 「〈萍」とも書く。

うきぐも⓪【浮(き)雲】 空に浮かぶ雲。〔落ち着きの無い不安定な身の上や生活の意にも用いられる。例、「―の身の上」〕

うきごし【浮(き)腰】❶⓪〔すもうなどで〕重心が上に上がり、力の入っていない腰。❷⓪②〔柔道で〕相手の腰に力が入っていない時、自分の腰を入れて投げるわざ。【―になる】❶方針が決まらないで落ち着かない状態になる。❷浮足立つ。

うきしずみ⓪②【浮(き)沈(み)】―する（自サ） 浮いたり沈んだりすること。〔栄えたり 衰えたり して、移り変わる意にも用いられる。例、「―の多い人生」〕

うきしま⓪【浮(き)島】❶湖や沼の水面に浮いて島のように見える水草の群れ。❷蜃気楼のため、海上の島が浮き上がって見えるもの。

うきす⓪【浮(き)巣】 枯れ葉・アシなどで作った水上に浮かぶ鳥の巣。ニオの巣が代表的。〔水の高低により上下する〕

うきだ・す③【浮(き)出す】(自五) ❶△水面(表面)に浮いて出る。❷〔模様・形・姿などが〕背景から抜け出したように、はっきり見える。名浮き出し⓪

うきた・つ③【浮(き)立つ】(自五) ❶何かの拍子で表面化して見える。「あでやかな色がくっきりと浮き立った」 ❷楽しくて、陽気になる。

うき・でる③【浮(き)出る】(自下一) ❶〔それまで隠れていたものが〕そのものの表面にはっきりと現われる。「あぶり出しの絵が―/額に汗が―」 ❷〔模様・形・姿などが〕背景から抜け出したように、そのものの輪郭がはっきり見える。「黒地に金銀の図柄が浮き出て見える蒔絵(マキエ)」

うきドック③【浮(き)ドック】 海上にU字形の大きな箱を浮かばせ、船をその上で修理出来る装置のドック。↔乾ドック

うきな⓪①【浮(き)名】 情事についての(ありもしない)うわさ。「―を流す」

うきに⓪【浮(き)荷】 ❶〔海に投げ込まれたり 波にさらわれたりして〕海上に漂う、船の積み荷。❷引取人が決まらないうちに、荷主が船積みして売り出す品物。

うきね⓪【浮(き)寝】 ❶〔魚や鳥が〕水面に浮いたまま寝ること。❷船中で寝ること。❸心が落ち着かない状態で寝ること。「―の旅」

うきはし⓪②【浮(き)橋】 水上に船や いかだなどを並べて作った(仮の)橋。

うきぶくろ③【浮(き)袋】 ❶溺(オボ)れないように△身につける(つかまる)ための、ゴムなどに空気を入れた袋。浮き。ふえ。❷魚のからだの中にあって、浮き沈みを調節する器官。ふえ。表記 ❶は「浮き〈嚢」とも書く。また❷は「〈鰾」とも書く。かぞえ方 ❶は一点・一本

うきふし⓪①【憂き節】〔雅〕△つらい(悲しい)こと。

うきふね⓪【浮(き)舟】「(漕ぎ手もいないのに)水に浮いている舟」の古風な表現。

うきぼり⓪【浮(き)彫(り)】 ❶まわりを削って、そこだけを高く彫った彫刻。レリーフ。❷物事をはっきり分かるように周辺から浮き出させること。「問題のむずかしさを―にする」 かぞえ方 ❶は一幅(プク)

うきみ⓪ ■一【浮(き)身】 からだの力を抜いてあお向けになり、水面に浮かぶ△こと(ようにして泳ぐ泳ぎ方)。■二【浮(き)実】 お吸い物やスープの中に浮かべるもの。前者は麩(フ)、後者はクルトンなど。表記 ■二は、「浮き味」とも書く。

うきみ⓪【憂き身】 △つらい事(苦労)の多い身の上。「―をやつす〔=なりふりかまわず道楽などに熱中する〕」

うきめ⓪③【憂き目】 失敗などした、つらい経験。「落選の―を見る/年を取って、とんだ―にあう」

うきよ ■一②⓪【浮(き)世】〔もと、「憂き世」の意〕(思うようにならない、また、つらい事の多い)この世の中。「―の義理」 ■二【浮世】(造語)〔江戸時代〕現代風の。当世流行の。「―笠(ガサ)④」【―の風】 世間に出て経験する、現実の世界の厳しさや冷たさを風にたとえた語。【―の〈絆(キズナ)】 親子の情愛や義理人情など、人を俗世間につなぎとめるもの。【―の情け】 同じ世間に生きる人間として互いに助け合っていこうとする情愛。【―の波】 世を渡る中で、思うままにならず味わうさまざまの困難や辛苦を波にたとえた語。「―にもまれる」【―の習い】 好ましくはないが従わざるをえない世の中の習わし。「これも―で、下げたくない頭を下げないわけにはいかなかった」 **―え**⓪【浮世絵】 江戸時代に起こった風俗画で、遊女や芝居の俳優(の似顔)などを題材にしたもの。かぞえ方 一点・一枚 **―ぞうし**④【浮世草子】 江戸時代に起こった風俗小説。 **―ばなれ**④【―離(れ)】―する(自サ) 実社会に生きる人にとっては逃れられない(利害のからんだ)俗事に、まったく△わずらわされない(無関心な)状態にあること。「―した学者/―した山里の暮らし」

うきょく⓪【〈迂曲】―する(自サ) うねり曲が(って遠回りす)ること。表記 「〈紆曲」とも書く。

う・く⓪【浮く】(自五) ❶〈どこカラ〉どこ・なにニー〉 何かに支えられることなく、空中・水面に漂ったり 空中に停止したりする。「突き飛ばされて一瞬からだが宙に―/死んだ魚が水面に―/水草が浮いている川面(カワモ)」↔沈む ❷〈どこ・なにニ―〉 その成分が、物の表面に一面に広がっていたり にじみ出ていたりするのが見える。「額(ヒタイ)に△脂(汗)が―/刀にさびが―」 ❸〈どこ・なにカラ―〉 △本体(基盤)と密着し一体化していなければならない物が、遊離した状態になる。「土台が礎石から―/歯が―/歯の―ようなお世辞/付き合いが悪く彼一人だけ仲間から浮いて〔=孤立して〕いる」 ❹〈どこ・なにニ―〉 一様な面に、そのものの輪郭がはっきり現われる。「黒地に花柄が浮いて見える帯/手の甲に静脈が―」 ❺〔やりくり・金利低下や当初予定されていた用件の減少などから〕経費・時間などの余裕が生じる。「五千二百五十万円もの予算が―/宿代が―」 ❻〔野球で〕ストライクをねらったボールが決まらずに、高目にそれる。「△球が(高目に)―」【浮いた〈噂(ウワサ)】 恋愛関係があるらしいといううわさ。「―一つ無い」【浮かぬ顔】 心配事でもありそうな、物思わしげな顔つき。〔⇩浮き■三〕

うぐ①【〈迂愚】―な ―に ぼんやりしていて、世事にうといこと。

うぐい⓪【〈鯎・〈石斑魚〉】 清流にすむ魚。産卵期には雌(ヒ)の腹に赤い縦線が現われる。あかはら。食用。〔コイ科〕〔上流にすむハヤと川口にすむマルタの総称〕 かぞえ方 一尾・一匹

うぐいす②【〈鶯(ウグイス)】 日本全国に居る、背がオリーブ色の野鳥。春の初め、人家の近くにも来て、美しい声でさえずる。飼い鳥としても珍重される。鳴き声は「ホーホケキョ」と聞こえる。「春告げ鳥」など異名が多い。〔ウグイス科〕「昔は―(を)鳴かせたこともある〔=ⓐ今は見る影も無いが、昔は全盛だったこともある。ⓑ今はすっかり年をとったが、娘ざかりの昔はとても華やかだったものだ〕」 かぞえ方 一羽：一匹 **―いろ**⓪【―色】 染め色の一つ。緑に黒茶の混じった色。「鶯茶④⓪」とも。 **―じょう**④【―嬢】 きれいな声で場内や選挙カーのアナウンスをする女性の異称。 **―ばり**⓪【―張(り)】 踏むとウグイスの鳴き声に似た音を出すように廊下の板を△張ること(張ったもの)。 **―まめ**④【―豆】 青エンドウを軟らかく煮た、甘い煮豆。 **―もち**④【―餅】 餅・求肥(ギュウヒ)で餡(アン)を包み、青きなこをまぶした餅菓子。

ウクレレ⓪〔ハワイ ukulele〕 ギターに似た四弦楽器。小型で、軽く抱えて、ひく。かぞえ方 一台・一本

うけ② ■一【受け】 ❶受け(取)ること。「―の〔=相手の積極的な攻撃に対して攻め手をなくそうと、あえて受ける(型の)〕将棋/一月十日―の書類」 ❷まわりの人が、その△人(物)から受ける感じ。「―〔=評判〕がいい」 ❸引き受けること。「お―〔=承諾〕する」〔「お受け」のアクセントは⓪〕 ❹それを△受け(ささえ)る物。「棚の―/郵便―③・軸―」 ■二【請け】「請け人」の略。

うけ②【〈筌】 魚を取る道具。割った竹を筒やとっくりのような形に編み、横にして置き、魚が入ると、出られない仕掛けにした物。うえ②。

うけ②⓪【有〈卦】〔陰陽(オンミョウ)道で〕幸運(の年まわり)。「―に入(イ)る〔=幸運にめぐりあう〕」

うけあい⓪【請(け)合(い)】 ❶書面を交わして保証できるほど、確かにそうなるという自信を持っていること。「この事業は成功すること―です」 ❷人にものを勧める際に表現効果

を高める決まり文句。「このサプリメントは痩せることーだ、買った買った」

うけあ・う③ アフ【請(け)合う】(他五) 責任をもって△確かであることを保証する(引き受ける)。表記「受け合う」とも書く。

うけい⓪【右傾】ーする(自サ) ↔左傾 ❶右に傾くこと。❷保守・国粋的思想を持つ(ようになる)こと。

うけいれ【受(け)入(れ)】■一⓪ 受け入れること。「ーを拒否する」■二(造語) 動詞「受け入れる」の連用形。「ー態勢・ー準備」

*__うけい・れる__④⓪【受(け)入れる】(他下一) ❶〈なにヲー〉認めて、取り入れる。「反対意見をー/勧告をー/言い分が受け入れられる」❷受け取って収める。❸〈どこニだれヲー〉引き取って(そこの一員として)迎え入れる。「難民をー施設」表記「受け《容れる」とも書く。[⇩受入れ■二]

うけうり⓪【受(け)売り】ーする(他サ) 〔自家の製品ではなく、製造元・問屋から仕入れた品を他に売る意〕人の説・意見や人から得た知識を、そのまま自分の説・意見や知識であるかのように述べること。「これはAさんの考えのーだが」表記「請け売り」とも書く。

うけおい オヒ【請負】■一⓪ 請け△負うこと(負ってする仕事)。■二(造語) 動詞「請け負う」の連用形。「ー人⓪・ー業③・ー仕事⑤・ー契約⑤・ー工事⑤」 ーし③④【ー師】請負の仕事を職業とする人。

*__うけお・う__③⓪ オフ【請(け)負う】(他五)〈なにヲー〉❶自分の責任において完成させる約束で仕事を引き受ける。❷〔土木・建築工事などで〕期日までに完成させ、前もって定めた金額を受け取る約束で、全責任を負って仕事を引き受ける。[⇩請負■二]

うけが・う③ ガフ【《肯う】(他五) 〔接辞「がう」は、「あらがう」のそれと同根〕「承知する・引き受ける」意の古風な表現。

うけぐち②⓪【受(け)口】❶〔郵便物などを〕受け入れる口。❷上あごよりも下あごが前に出ている口。「うけくち②⓪」とも。❸木を切り倒す時、縦に裂けるのを防ぐために、倒す側のやや下の部分に前もって刻む切り口。

うけごし②⓪【受(け)腰】物を受け止める時の△腰つき(姿勢)。「ーの姿勢(=消極的な態度)で臨む」

うけこたえ⓪ コタヘ【受(け)答(え)】ーする(自サ) 人の言う事や尋ねる事に応じて、答えること。「うけごたえ」とも。

うけざら②【受(け)皿】熱した物や液体を入れた容器を置くための皿。〔ある役割を引き継いだり計画したことを実現したりするための態勢の意にも用いられる。例、「留学生受入れ倍増計画は立てたものの、ーが整わない」〕

うけしょ②⓪③【請(け)書】引き受けたしるしに書いて相手に差し出す文書。かぞえ方 一通

うけだ・す③⓪【請(け)出す】(他五) 質種 シチグサ や遊女などを借金を払って引き取る。

うけだち⓪【受(け)太刀】❶〔剣術で〕相手の攻撃を受け止めて守る太刀(の使い方)。❷〔論争などで〕相手の攻撃を防いでばかりいる△こと(立場)。「うけたち」とも。「鋭い反論にーになる」表記 ⇩付表「太刀」

うけたまわ・る⑤⓪ タマハル【承る】(他五) 「(伝え)聞く」「(引き)受ける」「承諾する」の謙譲語。運用「ご意見として承っておきます」などの形で、要望を聞くだけで積極的な対応をする意志はないことを含意することがある。例、「組合からのご要望は、ご意見として承っておきます」

うけつ・ぐ⓪③【受(け)継ぐ】(他五) 前からの物事・状態などを、代わって△行なう(維持する)。「代々 ダイダイ 受け継がれ△遺産(家督)をー」名受け継ぎ⓪

*__うけつけ__⓪【受付】❶ーする(自他サ) 申込みや願書などを受け付けること。「ー開始⓪-⓪」❷来訪者の用件などを取り次ぐ係の人(が居る所)。

*__うけつ・ける__⓪④【受(け)付ける】(他下一)〈なにヲー〉❶他からの依頼・要求・質問・願望などを△受け(聞い)て、それぞれに応じた適切な取扱いをする。「質問はいつでも受け付けています」❷与えられた動作・作用に応じたプラスの反応を示す。「一切栄養を受け付けない状態だ/他からの忠告を全く受け付けない頑迷ぶり」

うけて⓪③【受(け)手】↔送り手 ❶受ける方の人。❷情報を受ける側の人。

うけと・める⓪④【受(け)止める】(他下一) こちらに向かって来るものに対して、ある態度で対処する。〔狭義では、攻撃に対する防御を指す〕「△前向きに(真っ向から)ー/事実を厳しくー/事態を△深刻に(重く)ー」

うけとり⓪【受取】■一❶受け取ること。❷受け取ったしるしの書きつけ。領収書。❸〔↔受取勘定⑤〕出来高払いの△請負仕事(賃金)。表記 ❷は、「請取」とも書く。■二(造語) 動詞「受け取る」の連用形。「ー人⓪(↔差出人)」

**__うけと・る__⓪③【受(け)取る】(他五) ❶〈(だれ・どこカラ)なにヲー〉Ⓐ△送られて来た(渡された)ものを、自分の手にする。「△旅券(採用通知書)をー/片手でー/一人ひとり卒業証書をー(=もらう)」Ⓑ△送られてきた(渡された)金品を確かに自分のものとする。「△配当金(ボーナス)をー/賄賂 ワイロ をー(=もらう)」❷〈なにヲなんだトー〉それぞれの判断力・洞察力によって情勢を分析し、自分なりに解釈する。「私としてはほめたつもりなんだが、どうも逆に受け取られたらしい/親の葬 トム いにあの服装はちょっと受け取り兼ねるね(=常識では理解出来ないね)」[⇩受取■二]

うけなが・す④⓪【受(け)流す】(他五) ❶〔剣術で〕相手の太刀 タチ を受けて軽くかわす。❷まともに請け合わず、ほどほどに受け答えする。「柳に風とー」

うけにん⓪【請(け)人】〔貸借・雇用契約などで〕(身元)保証人。請け。

うけばこ②⓪【受(け)箱】郵便物や牛乳などを受ける、門などに取り付けた箱。

うけばらい⓪ バラヒ【受(け)払(い)】金銭の受け取りと支払い。

うけみ⓪③【受(け)身】❶自分から積極的に出ないで、他から動作や攻撃を受けること(立場)。「ーに回る/ーになる」❷〔柔道で〕けがをせずに倒れる法。❸〔文法で〕主体が他から動作を受けることを表わす言い方。受動態。

*__うけも・つ__⓪③【受(け)持つ】(他五)〈なにヲー〉〔自分の責任範囲として〕引き受ける。「損な役回りをー/一年生をー(=学級を担任する)」名受け持ち⓪

うけもどし⓪【請(け)戻(し)】代金を払って△質物 シチモツ (抵当物)を取り戻すこと。動請け戻す④(他五)

**__う・ける__②【受ける】■一(他下一) ❶〈(だれカラ)なにヲー〉〔他から向かって来るもの、出されたものを〕取(って収め)る。「△手当(歓迎・援助)をー/学位をー(=与えられる)」❷〈(だれカラ)なにヲー〉他から向かって来るものに応じられる構えを取る。「友人から相談をー/注文をー(=引き受ける)/挑戦を受けて立つ/質問をー/△試験(健康診断)をー/杯をー」❸〈なにヲー〉前の者の影響の下に存在・活動する。「先代の事業を受けて、発展させる/助動詞〝ない〟は動詞の未然形を受けて否定する意を表わす」❹〈(なに・だれカラ)なにヲー〉他からの働きかけが、そのものに及ぶ。「△影響(ショック・被害・感化・教え・おしか

り)を―(=こうむる)/制約を―(=制約される)/南を受けた(=南に向いた)部屋」 ❺〈なにヲ―〉受け止める。「▵もろ(まとも・真(ま))に―」 ❻〈なに・だれカラ〉なにヲ―〉与えられる。「強烈な印象を―(=持つ)/生(せ)を―」 ▬(自下一)〈だれニ―〉(芝居などで)▵人気(好評)を得る。「若者に―ギャグ/今の―」 表記 ━❸は《承ける》とも、❻の「生をうける」は《享ける》とも書く。

う・ける②【請ける】(他下一) 代金を払って取り戻す。

うけわたし⓪【受け渡し】―する(他サ) ❶品物を受け取ることと渡すこと。❷(取引で)代金と引きかえに約束の品物を渡すこと。 動 受け渡す⑤⓪(他五)

うげん⓪①【右舷】 ▵船(艦)の進行方向に向かって右側のふなばた。 ↔左舷

うげん⓪【迂言】 ❶時世や事情に疎い言葉。〔自分の言葉を謙遜(ケンソン)するときにも用いられる〕❷回りくどく遠まわしな言い方。婉曲(エンキョク)的な表現。「失語症には―が観察されるものがある」 ❸〔文法用語で〕二単語以上で一つの意味を表わす言い方。「助動詞を使って―的に未来を表わす英語と違い、フランス語では一語から成る未来形がある」

うご①【雨後】 雨の降ったあと。「―の たけのこ(=似たような物が続々と現われ出ることのたとえ)」

うごう⓪(ガフ)【烏合】 〔カラスの集まりを無統制の典型と見立てたことから〕おおぜいがただ集まったというだけの状態。「―の衆⑤(=人びとの、規律・団結力の無い寄り集まり)」

うごか・す③【動かす】(他五) ❶〈なにデどこカラどこニ〉なにヲ―〉動くようにする。「車を―/機械を―/机を―(=位置を変える)/大金を―(=事業などのために使う)/食指を―(=⇩しょくし)」 ❷〈(なにニ)なにヲ―〉今までと違った状態に持って行かせる。「心を―(=感動させる)/動かしがたい(=否定出来ない)事実」

うこぎ⓪【〈五茄〉・〈五加〉(木)】 庭木や垣根として植えられる落葉低木。枝に細いとげがある。初夏、黄緑色の花が咲く。若葉は食用。根の皮を干したものは五加皮(ゴカヒ)と言って強壮薬とする。〔ウコギ科〕 かぞえ方 一株・一本

***うごき③【動き】** ❶動くこと。「犯人の―を封じ込める/―が取れない(=ⓐ動こうとしても、動くことが出来ない。ⓑ進退きわまる)」 ❷それまでの状態に飽き足らず、何か新たなものに向かって変わり始めること。「…する―が目立つ/値上げ申請の―(=運動)に出る/物価の―(=変動)が激しい/心の―(=揺れ。変化)」

****うご・く②【動く】**(自五) ❶〈(なにデ)どこニ〉時の経過に従って、基準としたところからその物の位置が変わる。「風で枝が―(=揺れる)/助けが来るまでそこを―(=離れる)な/世の中が―(=移り変わる)/金▵で(が)―/▵気持(機運)が―/動かぬ(=動かない)証拠」 ❷目的を持って行動する。「友人のために―」 ❸機能を発揮した働きをする。「機械が―」

うこさべん①-⓪【右顧左〈眄〉】―する(自サ) ⇩さこうべん

うこっけい②【〈烏骨鶏〉】 ニワトリの一種。羽毛は白いが、皮膚・肉・骨・内臓が黒い。卵や肉は高級食材。天然記念物。〔キジ科〕 かぞえ方 一羽

うごめか・す④【〈蠢かす〉】(他五) ひくひく動かす。「得意そうに鼻を―」

うごめ・く③【〈蠢く〉】(自五) 〔「むぐめく③」と「動く」との混交〕 ❶〔たくさん発生した足の無い小さいうじ虫などの全体が〕ちょっとの間も休まずに、ぴくぴく動く。❷何か醜い、本能的なものの動きが見られる。「思惑が―」

うこん⓪①【《鬱金》】 ❶カンナに似た多年草。夏秋の交、薄い黄白色の花を開く。根茎は、薬用・着色用。〔ショウガ科〕 ❷〔↑うこん色⓪〕 鮮やかな黄色。ウコンの根茎で染める。 かぞえ方 ❶は一本

うこんのたちばな①-②、⑥【右《近の〈橘〉】 御所の紫宸殿(シシンデン)の正面階段の向かって左側に植えたタチバナ。平安時代、右近衛府(ウコンエフ)が管理した。⇩左近の桜

うさ①【憂さ】 思い通りにならず、気がめいるような状態。「―を晴らす/―つらさ・―晴(バ)らし」

うさいかく②【〈烏犀〉角】 サイの角(ツノ)で、色の黒いもの。漢方で、解熱剤とする。

うさぎ⓪【〈兎〉】 多く耳と後ろ足が長く、よく跳ねる小形の哺乳動物の総称。日本で多く飼われる白色在来種は、目が赤い。毛皮を取り、肉は食用。また、医学実験用・愛玩(ガン)用。 かぞえ方 一羽・一匹 **―うま③【―馬】** ロバの異称。 **―とび⓪③【―跳び】** 両手を後ろにして かがんだ姿勢で跳躍を続ける運動。

うざった・い④(形) ❶うっとうしくて目障りな様子だ。「前髪が―」 ❷たまらなく不快な感じがして、そばに近寄るのも嫌な様子だ。「―中年男」 (❶❷とも俗語的。また、「うざい②」とも)

うさばらし③【憂さ晴らし】―する(自サ) 憂さを無くしたり忘れたりする▵こと(手段)。「―に酒を飲む」

うさん⓪【〈胡散〉】―な 〔「う」は「胡」の唐音〕全体から受ける印象や態度が不自然で、疑わしい様子。 **―くさ・い⑤【―臭い】**(形) その人の態度や言行に納得できない点があり、信用できないという印象を受ける様子だ。「胡散臭そうに見られる」 派 ―さ④⓪ ―げ⑤⑥⓪

うし①【〈大人〉】 〔「大人(タイジン)」の意〕江戸時代、国学者が自分の先生を指した称。「鈴屋(スズノヤ)の―(=本居宣長(モトオリノリナガ))」

うし⓪【牛】 耕作などに使われる、重要な家畜。からだが肥大して力が強い。頭に角を二本持つ。乳・肉は食用。皮・角・骨で種々の物を作る。〔ウシ科〕 かぞえ方 一匹・一頭 **【―に引かれて善光寺参り】**〔布を角に引っかけて逃げた牛を追いながら善光寺に行ったのがきっかけになって、信仰心が起こるようになったことから〕最初は自分の意志によらずに し始めたことだが、次第に熱心になり、しまいには本腰を入れてやるようになること。 **【―の歩み】** 進み方のきわめて遅いことのたとえ。牛歩(ギュウホ)。 **【―を馬に乗り替える】** 形勢を見ていて、旗色のいい方に替わる。

うし⓪【丑】 十二支の第二。牛を表わす。〔昔、方位では北から三〇度東寄りを、時法では午前一時ごろからの約二時間を指した〕

うし①【〈齲歯〉】 〔本来の字音はクシ。「うし」は類推読み〕「むしば」の意の漢語的表現。

うじ①(ウヂ)【氏】 家系を表わす名。〔その人の姓につけて敬称としても用いられた〕「―より育ち(=人間形成に大事なのは、家柄よりも育った環境の方だ)」

うじ②【〈蛆〉】 円筒形で足が無く、白っぽい小さな虫。ハエ・ハチなどの幼虫。「うじ虫②」とも。「男やもめに―が涌(ワ)く(=男だけの所帯は、ろくに掃除などしないので、とかく不潔になりやすいものだ)/―虫め 等(ラ)(=つまらない者ども)」 かぞえ方 一匹

うじうじ①(ウヂ)(副)―と―する つまらぬことを気にしたりためらってばかりいたりして、思い切った行動ができないでいる様子。「いつまでも―とするな/めそめそ―泣き言ばかり言っている」

うしお⓪(ウシホ)【《潮》】 ❶(雅)海水。しお。「―のように流れ込む/―の花(=波がしら)」 ❷「うしおじる・うしお煮」の略。 **―じる④【―汁】** 塩だけで味を付けた、魚の清(スマ)し汁。 **―に⓪【―煮】** 骨つきの白身の魚肉を塩味で煮たもの。白煮(シラニ)。

うしおい⓪(ウシオヒ)【牛追(い)】 荷物をつけた牛を追って歩かせる

人。

うしかい⓪【牛飼（い）】牛を△飼う（使う）ことを職業とする人。牛方⓪。

うしかいめんじょうのうしょう⑨⓪【牛海綿状脳症】⇩狂牛病

うしがえる③【牛〈蛙】「食用蛙」の異称。

うじがみ⓪②③【氏神】〔もと、氏の先祖として祭る神の意〕住んでいる土地の守り神。産土神。

うじこ⓪【氏子】〔もと、氏神の子孫の意〕同じ氏神を祭る土地に△生まれた（住む）人びと。「―総代⓪-⓪」 **―じゅう**③【―中】氏子の仲間。

うじすじょう①-⓪【氏素姓・氏素性】〔その人の〕家柄（や経歴）。

うじでら⓪②【氏寺】王朝時代、権勢のある諸家が、一族の冥福を祈願するために建てた寺。常に帰依し、現世の利益をも祈った。藤原氏における興福寺の類。

うしとら⓪【〈艮・〈丑寅〉】〔「丑と寅との中間の方位」の意〕「北東」の意の古風な表現。鬼門に当たる。

うしな・う⓪【失う】（他五） ❶〈（なにデ）なに・だれヲ―〉そこにあってほしいものを、どこかにやってしまう。「△地位（自信・面目・逃げ場・理性・戦意・力）を―／△生命（機能・バランス）が失われる／意欲を失わせる／色を―〔＝⇩色■一❶〕／度を―〔＝⇩度■一❶〕／気を―〔＝⇩気〕」 ❷〈（なにデ）だれヲ―〉（自分の力が及ばず）深いかかわりのある人が死ぬ。「交通事故で我が子を失った」 ❸〈なにヲ―〉〔求めていたものを〕手に入れそこなう。「機会を―〔＝取り逃がす〕／道を―〔＝道に迷う〕」 【…たるを失わない】十分にその△資格（能力）がある。「偉人―」

うしのこくまいり⑥【〈丑の刻参（り）】丑の刻〔＝午前二時ごろ〕に人知れず神社に参拝し、相手をかたどった藁人形を鳥居や神木に打ちつけて人をのろう行い。「うしのときまいり」とも。

うしのひ④【〈丑の日】土用の丑に当たる日。夏はウナギのかば焼きを食べたり灸をすえたりする。また、寒には、女性は口紅を付けた。

うしへん⓪【牛偏】漢字の部首名の一つ。「物・牧・特」などの、左側の「牛」の部分。〔多く、牧畜に関係のある漢字がこれに属する〕

うしみつどき⓪【〈丑三つ時】〔昔の時法で、丑の刻を四分した、その第三（の始まりの時刻）〕現在の午前二時ごろ。〔真夜中の意にも用いられる。例、「草木も眠る―」〕

うじゃうじゃ①（副）―と 不快な感じのものや、取るに足らぬ小さなものが、処理に困るほどたくさん存在する様子。「小虫が―とわいていた／昔 荒川には魚が―いた」

表記「〈丑《満時」は、借字。

うじゃ・ける③（自下一）〔各地の方言〕 ❶△熟しきって（腐って）形が崩れる。 ❷〔態度が〕だらしなく、崩れる。〔強調形は、「うじゃじゃける④」〕

うしゅう①【羽州】「出羽国」の漢語的表現。今の山形・秋田県の大部分にあたる。〔明治元年〘＝一八六八〙、羽前と羽後に分割〕「―街道④」

うじょう⓪【有情】 ❶〔仏教的な考え方で〕〔木や石などと違って〕感情を持つ一切の動物。〔狭義では、人間を指す〕 ❷〔愛憎などの〕人間の心情が分かる△こと（もの）。

うしょう⓪【〈鵜匠】鵜飼いを職業とする人。「うしょう」とも。

うしろ⓪【後（ろ）】↕前 ❶△正面（顔の向いている方・進む方）と反対の△側（方向）。背面。「―〔＝後ろ姿〕を見送る」 ❷並んだもののうち、正面に対する方から見て、その背面に位置する△方（もの）。「―の列」 ❸前にあるものにさえぎられて、見えない△部分（所）。「びょうぶの―」 表記 例外＝「後ろ」 **―あき**⓪【―明（き）】衣服のボタンやファスナーなどが背中側についていること。 **―あし**③⓪【―足】↕前足 ❶〔四足で歩く動物の〕あとの方の足。 ❷一歩踏み出した時、あとに残っている足。 **―あわせ**④【―合（わ）せ】背中合わせ。〔広義では、反対を指す〕 **―おし**⓪③【―押（し）】あとおし。 **―かげ**③④【―影】後ろ（向きの）姿。 **―かぶ**③【―株】会社の名称の後に「株式会社」または（株）を付けること。「あとかぶ」とも。↕前株 **―がみ**⓪【―髪】頭の後ろの方の髪の毛。「―を引かれる思い〔＝あとに心残りがして、思い切れない気持〕」 **―きず**③【―傷】逃げる時、敵に斬り付けられた傷。↕向こう傷 **―ぐら・い**⑤【―暗い】（形）人に知られたくない、やましいところがある様子だ。派 **―さ**④⑤ **―すがた**④【―姿】後ろから見た姿。後ろ手。 **―だて**⓪【―盾・―〈楯】〔後ろを防ぐ物の意〕陰で助けてくれる△こと（人）。後援者。 **―つき**⓪③【―付（き）】後ろから見たからだつき。 **―で**⓪【―手】 ❶後ろの方。後ろ姿。 ❷腰などの後ろに手を回した状態。「―に縛る／手を―にし見て回る」 **―はちまき**⑤【―鉢巻（き）】頭の後ろで結んだ鉢巻。↕向こう鉢巻 **―はば**③【―幅】〔和裁で〕背の縫い目から脇の縫い目までの幅。 **―まえ**③【―前】〔衣服などの〕後ろと前が反対になること。 **―み**③【―見】陰に居て助ける△こと（人）。後見。〔摂関政治の摂政・関白、武家時代の執権は、それぞれ天皇・将軍の後ろ見〕 **―みごろ**④【―身頃】着物の身ごろの後ろの部分。略して「後ろ身③」。↕前身頃 **―むき**⓪【―向（き）】↕前向き ❶後ろをこちらに向けていること。 ❷考え方などが△望ましい（発展的・進歩的な）方向に積極的に向かう様子が認められず、△消極的な（それと逆の）方向に向かう傾向を見せること。 **―めた・い**⑤（形）良心にやましいところや他人に知られたくない過去があったりして、気がとがめる様子だ。派 **―さ**④ **―げ**⓪⑤⑥ **―ゆび**③⓪【―指】人を背後から指さすこと。「―を指される〔＝陰で非難される〕」

うしん⓪【有心】〔思慮・分別がある意〕 ❶〔中世の歌論で〕情意のこもった風体。 ❷〔連歌で〕普通の歌語を使い、よみ方がオーソドックスなもの。

うす【薄】■一（造語） ❶〔複合語の前の要素として〕物の厚さが薄い。「―地・―氷③⓪」 ❷〔複合語の前の要素として〕色・味などの程度が弱い。「―紫④・―紅④⓪・―味⓪・―明り」 ❸〔複合語の後の要素として〕…がしない。あまり…が無い。「気乗り―⓪・見込み―⓪」 ■二（接頭）全体的にその感じが漂うことを表わす。「―気味が悪い／―汚ない⑤⓪」

うす①【臼】 ❶穀物や餅を杵でつくのに使う道具。円筒形の木または石の一方の面を、椀の形にえぐってあるもので、その中に穀物などを入れてつく。 ❷ひきうす。かぞえ方 一基

***うず**①【渦】 ❶らせんのように回って、中心部に引き込む、強い水の流れ。 ❷その中に一度入ったらなかなか脱出出来ないものや、起伏が激しく情勢が流動的であるもの。「△対立感情（不安と不満）が―を巻く」 ❸渦の形の模様。

うすあかり③⓪【薄明（か）り】 ❶かすかな光。 ❷〔日の出前・日没後など〕空がかすかに明るいこと。薄明。

****うす・い**⓪②【薄い】（形） ❶△比較の対象とする（一般に予測される）状態と比べ、厚みが少ない様子だ。「―△紙（壁）」↕厚い ❷〔その色・味・濃度・密度などの〕感覚を刺激する度合が△比較の対象とする（一般に予測される）状態より弱い様子だ。「―〔＝中に含まれる成分の少ない〕塩水／影が

―〔=ⓐ衰弱している感じだ。ⓑ一群の中で、存在が目立たない〕/頭〔=頭髪〕が薄くなる」↕濃い ❸△比較の対象とする〔一般に予測される〕状態ほどは、その程度が高くない様子だ。「△効果(現実性・可能性・かかわり・関心)が―」 派―さ[0]「△関心(自覚)の―」

うすい[1]【雨水】❶「あまみず(をたくわえて飲用する)」意の漢語的表現。❷二十四(節)気の一つ。太陽暦二月十九日ごろ。雨水の肌に与える冷たさが和らぎ、草木が芽ぐみ始める時分の意。

うすいた[0]【薄板】厚みの薄い板。〔狭義では、三・二ミリ以下の鋼板を指す〕 かぞえ方 一枚

うすうす[0]【薄々】(副) 物事の事情や真相について、明確にではないが何となく感じとして分かっている様子。「癌じゃないかと―感付いていた」

うずうず[1](副)―と―する 何かを実現する機会を今か今かと待ち望み、じっとしていられない様子。「早く中を見たくて―する」

うすがた[0]【薄型】厚みや奥行きの薄い型。「―ノートパソコン[8]・―冷蔵庫[7]」

うすがみ[0]【薄紙】薄い紙。「―をはぐように〔=少しずつ〕病気がよくなる」

うすかわ[0]【薄皮】薄い△皮(膜)。「卵のからの内側に―がある/―のむけたような〔=肌がきめこまかくて、色が白い〕女性/―饅頭[5]」

うすぎ[0]【薄着】(寒い時でも)衣類を何枚も重ねて着ないこと。↕厚着

うすぎぬ[0]【薄絹】薄い絹の布。

うすぎり[0]【薄切(り)】〔パン・ハム・野菜などを〕薄く切ること。また薄く切ったもの。「レモンの―」↕厚切り

うず・く[2]【△疼く】(自五) 傷(口)などがずきずき痛む。「△古傷(傷痕)が―〔=過去の過ちなどが思い出されて、いたたまれない気持だ〕」 名 疼き[3]「良心の―」

うすくち[0]【薄口】〔厚さ・色・味などの〕薄い△こと(もの)。「―のしょうゆ」

うずくま・る[4]【△蹲る・△踞る】(自五) ❶しゃがんで、からだ全体を丸く小さくする。❷〔獣などが〕後ろ足を曲げて、尻を落とし、低い姿勢を取る。 表記 江戸時代通行のかなづかいは、「ウヅクマル」。

うすぐも[0]【薄雲】空に薄くかかった雲。

うすぐもり[0]【薄曇(り)】空一面に薄い雲がかかっていること。また、その天気。 動 薄曇る[4][0](自五)

うすぐら・い[4][0]【薄暗い】(形) あたり全体にわたって、手仕事などをするには適さないと感じられる程度に暗い感じだ。「冬至が近づき、四時を過ぎると薄暗くなる」 派―さ[0][4]

うすくらがり[0][4]【薄暗がり】光があまり届かず物の形が見えにくいこと。また、その場所。

うすげ[0]【薄毛】生えてくる髪の毛が細くなったり少なくなったりして、地肌が透けて見えるようになること。

うすげしょう[3]【薄化粧】―する(自サ) あまり目立たない、あっさりした化粧(をすること)。「―の清楚な身なりの女性/富士山が―する〔=雪が降って、わずかに白く見える〕」↕厚化粧

うすじ[0]【薄地】薄めに織った布地。↕厚地

うずしお[0]【渦潮】渦を巻いて流れる海水。

うすじお[0]【薄塩】⇩あまじお

うすずみ[0]【薄墨】薄い、墨の色。「―をはいたような〔=まゆずみを、はけで薄く書いたような〕/―色[0]」

ウスターソース[5]〔←Worcester(shire)〔=イングランドの州名〕 sauce〕野菜や果実のピューレなどに、食塩・砂糖・酢・香辛料などを加えて熟成させた(粘度の低い)液体の調味料。ウースターソースとも。

うずたか・い[4]【《堆い》】(形) 〔何かが積み重なって〕高く盛り上がった状態だ。「机の上に書類を堆く積み上げる」 表記「うず高い」とも書く。

うすちゃ[0]【薄茶】❶比較的樹齢の若い茶の木の若芽から製したひき茶。また、それを使ってする茶のたて方。薄めにして、泡がたつようにたてる。お薄。❷薄い茶色。薄茶色[0]。⇩濃い茶

うすづ・く[3]【臼〈搗く・〈舂く】(自五)〔雅〕〔臼に入れてつく意〕夕日が西に隠れようとする。

うすっぺら[0]【薄っぺら】―な―に ❶見るからに薄くて、安っぽく感じられる様子だ。「―な△肉(かまぼこ)」❷〔内容・実質などの〕充実していない様子だ。浅薄。「―な思想」

うすで[0]【薄手】❶―な〔紙・布地・陶器・板などの製品で〕薄く作られている△こと(もの)。「―なベニヤのドア」↕厚手 ❷―な―に 薄っぺら。❸浅い傷。浅手。「―を負う」↕痛手・深手

うすなさけ[3]【薄情(け)】中途半端な軽い愛情。「―ならかけない方がましだ」↕深情け

うすにく[0]【薄肉】❶薄い肉色。薄赤色。❷〔←薄肉彫[0]〕貨幣の面にある模様のように、板面からわずかだけ浮き上がらせたもの。

うすのろ[0]【薄《鈍》】―な―に 何をやってものろい点が目立つ△様子(人)。 表記「薄野呂」は、借字。

うすば[0]【薄刃】刃の薄い△こと(包丁)。「―タイプ」

うすばか[0]【薄馬鹿】―な―に 言動の全体にわたって、動きや反応が鈍い△様子(人)。

うすばかげろう[5]【薄羽〈〈蜉蝣〉〉】トンボに似て細長く、弱よわしく見える昆虫。夕方から活動を始める。〔ウスバカゲロウ科〕〔幼虫はアリジゴク〕 かぞえ方 一匹

うすばた[0]【薄端】伝統的な生け花の金属製花器の一種。中央に生け口の筒を持つ広口の上皿を胴と組み合わせたもの。

うすび[0]【薄日・薄《陽》】弱くさす日の光。「―がさす/景気回復といっても―がさした〔=一部をわずかにうるおす〕程度だ」

うすべに[0]【薄紅】❶薄い紅色。うすくれない。「―色の桜の花びら」❷それと分かるぐらいに薄くつけた口紅・頬紅。「―をさす」

うすべり[0]【薄《縁》】へりをつけたござ。 かぞえ方 一枚

うずまき[2]【渦巻(き)】❶渦を巻く△こと(水流)。❷渦を巻いている形や模様。「―パン[4][0]・―デモ[5]」

うずま・く[3]【渦巻く】(自五) ❶〔水の流れなどが〕ぐるぐる回って、渦になる。「気流が―/雑事に追われ、頭の中が渦巻いている〔=混乱している〕」❷〔抽象的なものについて〕各種の要素が次から次へと沸き起こって、とどまるところを知らないようにもつれる。「△不満(賛否両論)が―」

うすま・る[0][3]【薄まる】(自五) 濃度が薄くなる。

うずま・る[0]【《埋まる》】(自五) ❶〈なに・どこニ―〉何かですっかりおおわれて、そのものの存在が分からなくなる。「線路が土砂に―」❷〈なにデ―〉その空間が何かですきまなく一杯になる。「スタンドが満員の観客で―」

うずみひ[3]【《埋(み)樋》】地中に埋めて、他から水を引くとい。↕かけひ(筧)

うずみび[3]【《埋(み)火》】灰に埋めた炭火。

うすめ[0]【薄目】❶どちらかというと普通より薄い傾向にあること。↕濃い目 ❷細くわずかに開いた目。「―を開ける」

うす・める[0]【薄める】(他下一)〔その成分や要素などを〕少なくする。「水で―/△対決色(色彩・傾向・懸念)を―/

責任が薄められる」

*うず・める⓪【埋める】(他下一) ❶〔なに・どこニなにヲ―〕その物の存在が全く分からなくなるように、何かですっかり△おおう(みたす)。「骨を―(=ⓐその土地で死ぬ。ⓑ定年になるまでその勤め場所で働く)/灰をかけて炭を埋めておく/布団の中にすっぽりからだを―/卒業を記念して校庭の隅にタイムカプセルを―/紅葉が庭の面を真っ赤に―(=うめる)」❷〔なにデなにヲ―〕その空間を何かですきまなく一杯にする。「ノートを乱暴な字で―」

うすもの⓪【薄物】 紗・絽など、厚さの薄い織物(で作った衣服)。

うすもや⓪【薄〈靄】 かすかに立ちこめたもや。「―に包まれる」

うすもよう③【薄模様】 ❶薄紫に染めた模様。❷〔取引で〕品薄の状態。

うずも・れる⓪【《埋もれる】(自下一) ❶物の下、あるいは中に埋まって、見えなくなる。「砂山に埋もれた楼蘭遺跡/本に埋もれて生活している」❷価値のある物事が人に知られないでいる。うもれる。「埋もれた△人材(作品)」

うすやき⓪【薄焼(き)】 (せんべいなど)薄く焼き上げた食品。「―卵⑤⑥」↔厚焼き

うすゆき⓪【薄雪】 少し降り積もった雪。 ―そう⓪【―草】(高い)山に生える小さな草。茎・葉に白い綿毛がある。夏、茎の上にある星形の葉の上に小さい白い花が群がって咲く。〔キク科〕(一般に、ミヤマウスユキソウ⓪⑦を指すことが多い) かぞえ方 一本

うすよう⓪【薄様】 ❶薄くすいた△鳥の子紙(雁皮紙)。↔厚様 ❷上から下に段々薄くぼかした染め方。 表記 「薄葉」とも書く。

うすよご・れる⓪⑤【薄汚れる】(自下一) 全体的に汚れた感じになる。

うすら【薄ら】(造語) ❶(物の厚さや色などが)薄そうに見えるさま。❷動きなどがかすかなさま。❸何となくそう感じられるさま。 ―あかり④【―明(か)り】「薄あかり」の口頭語的表現。 ―い③⓪【―《氷】〔雅〕薄ごおり。「うすらひ」とも。 ―さむ・い⑤【―寒い】(形) 何となく肌寒く感じられる様子だ。 派 ―さ④ ―ひ③⓪【―氷】⇨うすらい ―わらい④【―笑(い)】 薄笑い。

うずら⓪【〈鶉】 ❶ニワトリに似て、首と尾の短い小鳥。からだは茶色で、黒・白のまだらがある。肉・卵は食用。〔キジ科〕❷〔昔の劇場で〕上下二段の桟敷の下の段。 かぞえ方 ❶は一羽 ―ふ③【―《斑】 茶色に黒白のまだらがある△こと(もの)。 ―まめ③【―豆】 インゲンマメの一種。色・模様がウズラに似る。煮豆用。 ―もく③【―木】 ウズラの羽のような模様の木目。 表記 「〈鶉杢」とも書く。

うすら・ぐ③【薄らぐ】(自五) 最盛時に比べて、その要素が少なくなる。「△悲しみ(意味・期待・関心・警戒・不安感)が―/△寒さ(緊張)が―」

うす・れる③⓪【薄れる】(自下一) ❶今までと比べて、その△傾向(程度)が弱まる。「△苦しみ(関心・意欲・信頼関係)が―」❷そのものを支えていた性能・機能が衰えたり必要とする度合が少なくなったりする。「視力が―/記憶△が(から)―/△存在理由(必要性)が―」❸少なくなり、次第にゼロに近づく。「△伝統(公私のけじめ)が―」

うずわ⓪【渦輪】 ❶渦を巻いたような丸い形。❷〔↑渦輪鰹④〕ソウダガツオの異称。

うすわらい③【薄笑(い)】―する(自サ) 相手をばかにしたように、声も出さずに、かすかに笑うこと。うすら笑い。「―を浮かべる」

うせい①【〈迂生】(のろまな人間の意) 自分のことを指す謙称。 運用 一般に、手紙・文書などで用いられる。

うせい①⓪【雨声】「雨の降る音」の意の漢語的表現。

うせつ⓪【右折】―する(自サ) 右へ曲がること。「―禁止⓪―⓪・―レーン④」↔左折

うせもの⓪【《失(せ)物】 なくして見つからなくなっている物。「―探し・―判断⑤」

う・せる②【《失せる】(自下一) ❶無くなる。〔「死ぬ」意の婉曲表現としても用いられる〕「△血の気(機能・やる気)が―/地元の失業率ははね上がり、町の活気は失せた」❷〔見えなくなる、の意〕「行く・去る」の口頭語的表現。「とっと失せろ」

うそ(接頭)〔うす(薄)の変化〕なんとなく。「―寒い」

*うそ①【〈嘘】 ❶Ⓐ有利な立場に立ったり話を面白くしたりするために、事実△に反する(かどうか分からない)ことをあたかも事実であるかのように言うこと。また、その言葉。〔聞き手の立場からそのように思われることについても言う〕「巧みな―で、責任を逃れる/―をつく(=嘘を言う)/真っ赤な―/―を見破る/―のような本当の話/―ついたら、針千本飲ます/―八百を並べる(=辻褄を合わせるために、いくつも嘘をつく)/―を―で固める(=一つの嘘を隠すために、多くの嘘を重ねる)/―から出た実」Ⓑ以前は事実であると信じられていたことが間違いであると判断された事柄。「サンタクロースの存在を―ではないと信じている/従来の定説が―だと判明した/先日した話は僕の勘違いで全くの―だった」❷〔「―のよう」などの形で〕以前の状態が現実の状況とあまりにも対照的にかけ離れていて、事実であったとは信じられないという気持にさせられること。「前日の豪雨が―のような青空が広がっていた/先程までの苦しみようが―かと思われるほど、病人は静かな寝息を立てていた」❸そうすることが必ずしも正しい選択であるとは言えないと判断すること。「あすこで強硬に出なかったのは―だ/今、これを買わないのは―だ/今にして思えば、彼を信用したのは―だった」

運用 (1)「ほんと」よりも強い調子で、ⓐ聞き手にとって意外だと感じられたことに対して驚き・喜び・同情や疑いなどの気持を込めて感動詞的に用いられる。ⓑまた、多く下降調のイントネーションで、信じられない、また、信じたくないといった気持を表わすときにも感動詞的に用いられる。例、「『残念だが、今回も君の作品は最終選考まで残らなかったよ』『うそ、あれだけがんばったのに』」⇨ほんとう 運用 (2)「…と△言ったら(言えば)うそになる」などの形で、婉曲に本心を述べる言い方として用いられる。例、「死など恐れていないと言ったらうそになる」

【―を《吐っけ】 嘘をつきたいならついてみろ、それが嘘であることなど、こちらにはすっかり分かっているのだぞ、の意味で、嘘をついた相手を非難するのに用いる表現。

うそ①【〈鷽】 スズメに似た、青灰色の小鳥。雄はほおから腹にかけて淡紅色。鳴き声が口笛に似ている。〔アトリ科〕 かぞえ方 一羽

うそうそ①(副)―と ―する あたりをきょろきょろ見回すなど、いかにも落ち着きのない感じのする様子。

うぞうむぞう⓪―⓪、②―⓪【有象無象】〔仏教で〕この世にある有形無形のすべての物。〔たくさん集まった、価値の無い物や人の意にも用いられる〕

うそさむ・い④⓪【うそ寒い】(形) 我慢できないほどではないが、寒さが気になる感じだ。「うそざむい」とも。 派 ―さ③

うそじ⓪【〈嘘字】 ❶正体を志しながら、知識が不正確なためその通りに書かれなかった不完全な字体。❷(個人的な)借字。

うそつき②【〈嘘《吐き】 (人をだますために)嘘を言う△こと

(人)。〔狭義では常習的に嘘を言う人を指し、広義では商品の誇大広告をも指す〕「―の名人〔=半ば習慣的に嘘をつく人〕/―は泥棒の始まり」

うそっぱち④⓪【〈嘘っぱち】〔「ぱち」は、静岡県の方言で、ウソの意〕「嘘」の口頭語的強調表現。

うそなき⓪【〈嘘泣(き)】―する(自サ) △含むところがあって(意図的に)泣いて見せること。「―をする」

うそのかわ①-②【〈嘘の皮】「嘘」の強調表現。「―がはがされる〔=嘘がすっかり見破られる〕」

うそはっけんき①-③【〈嘘発見機】被疑者の供述の真偽を確かめるための装置。供述に伴って変化する種々の生理的変化を同時に記録する。ポリグラフ。

うそはっぴゃく①-④【〈嘘八百】(その事柄について述べたことが)何から何まで嘘であること。「―を並べ立てる」

うそぶ・く③【〈嘯く】(自五) ❶とぼけて、知らん顔をする。❷偉そうに、大げさなことを言う。❸〔雅〕(物事に感じて)詩歌を口ずさむ。❹〔雅〕動物がほえる。

***うた**②【歌】❶感情の起伏を伴いながら、口を衝いて出て来る、リズムやメロディーを持つ言葉。〔狭義では、芸術・演芸の一つとして、職業的な歌手によって歌われるものを指す〕「言葉がひとりでに―になっている/―を歌う」❷和歌。特に、短歌。「―は苦手だ/―をたしなむ/―の△道(心)」❸俗謡。「―は世につれ、世は―につれ」 表記 ❸は「唄」とも書く。

うたあわせ③【歌合(わ)せ】平安時代、二組に分かれて、和歌を比べ合わせて優劣を争った遊び。

うたい【歌(い)】■一⓪❶歌うこと。「歌―」❷能楽の詞章(をうたうこと)。謡曲。「素―」 表記 ❷は普通「謡」と書く。 **―こう**⓪【謡講】謡曲を披露したり稽古したりする同好の集まり。■二(造語) 動詞「歌う」の連用形。 **―あ・げる**⑤【―上げる】(他下一) ❶声を張り上げて歌う。❷(感動したことなどを)詩や歌などに心を込めて表わす。「情感を―」❸そのものの特徴を強調し宣伝につとめる。「新製品の良さを―」 表記 ❸は、「〈謳い上げる」とも書く。 **―て**⓪【―手】❶(職業として)歌を歌う人。❷歌を歌うのが上手な人。 **―もの**⓪【―物】〔日本文学で〕節をつけて歌うもの。〔狭義では、語り物に対して、筋の無い物を指した〕 表記「謡物」とも書く。 **―もんく**④【〈謳(い)文句】〔人の注意をひくために〕特徴・長所などを特に強調して言う言葉。キャッチ フレーズ。「広告の―」

うだい①【宇内】広大な△世界(宇宙)。

うだいじん②【右大臣】〔律令制で〕太政官の長官。左大臣の次の位。右府。

***うた・う**⓪(他五) ■一【歌う】〈なにヲ―〉❶節をつけて声を出す。「―ような調子でしゃべる/鳥が―〔=さえずる〕」❷詩や歌に作る。「恋人を失った悲しみを歌った詩」 ■二【〈謳う】❶〈なにデなにヲ―/なにニなにヲ―〉一連の文章・演説の中で、そのことをはっきりとりあげる。「法律で―〔=成文化する〕/条約に―〔=明文化する〕/年金制度の一本化を―〔=主張する〕」❷〈なにヲ―〉何人かの人が、口をそろえてそう言う。「天子の徳を―〔=盛んにほめたたえる〕」 ⇩うたわれる 表記 ■一は「謡う・唄う」、■一❷や■二は「《詠う」とも書く。〔⇩歌い■二〕

うだうだ①(副)―と ❶〔北陸・関西方言〕言ってもしようがないことをいつまでもくどくど言う形容。❷何もしないで日びを怠惰に過ごす様子。

うたうたい③【歌歌い】❶職業として歌をうたう人。歌手。❷歌舞伎で長唄をうたう人。❸謡を専門にする人。 表記 ❸は「謡〈謳い」とも書く。

うたがい⓪【疑(い)】❶確かでないと△思うこと(思われる点)。「―の余地が無い/君なら成功―無しだ」❷〔多く、悪い事柄を予想して〕はっきり断定は出来ないが、そうだろうと思われる点。「―を△深める(晴らす)/収賄の―がかけられる」 **―なく**⑤【―無く】(副)〔その事の実現・正否などについて〕どの点から見ても疑う余地が全く無いと判断する様子。「―〔=確実に〕成功するだろう」 **―ぶか・い**⑥【―深い】(形) 容易に信じようとせず、どこまでも疑う△様子(性質)だ。うたぐり深い。 派 ―さ⑤

うたかいはじめ⑤【歌会始(め)】毎年一月中旬に宮中で行なわれる、年の始めの歌会。

****うたが・う**⓪【疑う】(他五)〈なに・だれヲ(なんだト)―〉❶事実ではない、また、そういう事は△存在しない(信じられない)と思う。「―余地が無い/信じて疑わない/良心を―〔=もしかすると良心が無いのではないかと思う〕/良識が疑われる〔=良識など持ち合わせないのではないかと思われる〕/目を疑わせる〔=見まちがえたかという錯覚を与える〕/耳を―」❷特定の存在が悪につながるのではないかと思う。「いつも私ばかりが疑われるのです/―らくは これ地上の霜かと〔=もしかしたら霜ではないかと思う〕」

うたかた⓪【〈泡〈沫〉】〔雅〕水の上に浮かぶあわ。〔はかなく消えやすい△もの(こと)の意にも用いられる。例、「―の恋」〕 表記 古くは「〈沫雨〉」と書いた。

うたがら⓪【歌柄】歌の品格。

うたがるた③【歌がるた】小倉百人一首を書いたかるた(でする遊び)。全歌を読み札に、下の句を取り札に書く。

うたがわし・い⑤⓪【疑(わ)しい】(形) ❶本当に△事実(そうなる)かどうか、確かでない。「△効果(真偽)の程は―」❷他人の言動などについて、不審に感じられる点があり、悪事に絡んでいるのではないかと疑われる様子だ。「彼の△素振り(証言)が―/△有効性(効果・存在)が―/疑わしきは罰せず〔=『疑わしき』は、文語『疑わし』の連体形。確たる犯行の証拠のない者を疑わしいというだけでは処罰出来ない〕」 派 ―さ④⑤ ―げ⓪⑤⑥

うたぎれ⓪④【歌切(れ)】和歌を書いた古筆切。

うたぐち⓪②【歌口】❶笛・尺八などの、口を当てて吹く部分。❷和歌の詠みぶり。

うたぐりぶか・い⑥【《疑り深い】(形)「疑い深い」の口頭語的表現。

うたぐ・る⓪【《疑る】(他五)〔「疑う」と「勘繰る」の混交〕何か普通でない事情があるのではないかと想像する。〔口頭語的表現〕

うたげ⓪【《宴】〔雅〕酒宴。宴会。

うたごえ⓪【歌声】歌を歌う(時の)声。〔狭義では、大衆参加の合唱を指す。例、「―運動⑤・―喫茶⑤」〕

うたごころ③【歌心】❶和歌の意味。❷和歌を作ったり鑑賞したりする△素養(気持)。

うたざいもん③【歌祭文】江戸時代に起こった俗曲の一つ。初め、山伏が神仏の霊験を歌ったのが、後に、世間の出来事などをおもしろい節をつけて語るようになった。

うたざわ⓪【歌沢】〔←歌沢節⓪〕江戸末期に起こった、端唄の一種。 表記 寅派では「歌沢」、芝派では「〈哥沢」と書き、一般には「うた沢」と書くことが多い。

うたた⓪①【《転た】(副)〔雅〕より一層そのような思いが△募る(募り極限に達する)様子。「山川草木―荒涼/愛国の情、―切なるを覚ゆ/―今昔の感に堪えない〔=昔と大変変わったなあと、抑えきれない感慨に打たれる〕」

うたたね⓪【《転(た)寝】―する(自サ)〔副詞「うたた」と同源か〕正式に床に入らず、しばらく寝ること。

うだつ⓪ ■一【〈梲】梁の上に立てて、棟木を受ける、短い柱。［二］〔「卯ゥ建つ」の意という〕民家の屋根の両端を屋根より一段高くし、その上に小屋根をつけた土壁。元来、防火用であるが、町衆の自主・自立の精神を示すものといわれる。「―があがらない〔=いつも上を押さえられていて、よい境遇になれない〕」 表記「〈卯建」とも書く。

うたびと⓪②【歌人】「歌人カジン」の和語的表現。

うたひめ②【歌姫】❶女流声楽家の美称。❷女性歌手の異称。

うたまくら③【歌枕】古来、和歌の題材になっている、諸国の名所（を書き集めた本）。

うたものがたり⑤【歌物語】和歌を中心とする短い説話から成る、物語の一様式。平安時代の「伊勢物語」など。

うたよみ⓪③④【歌詠(み)】和歌を（上手に）作る人。〔狭義では、和歌を詠むことを職業とする人を指す。例、「―として後世に名を残した」〕

うだ・る②【〈茹(だ)る】（自五）❶ひどい暑さで、からだがぐったりする。「―ような暑さ」❷ゆだる。

うたわれる⓪ウタハレル【〈謳われる】〔「謳う」の受身形〕❶世間で（よい）評判となる。「強豪と―」❷明文化されている。「思想の自由は憲法に謳われている／相互の理解と信頼が共同声明に―」

うたん①【右端】いちばん右のはし。↔左端

うち【打(ち)】［一］（接頭）動詞の上に冠して、「ちょっと・すっかり・よく」などの意を表わす。「―見る・―明ける・―沈む・―興ずる・―砕く」［二］（造語）棒などで打つ回数や、矢を射る回数をかぞえる語。

****うち**［一］⓪【内】❶何かで区切られた中（側）。「寒いから―〔=家の中〕で遊ぶ／これも仕事の―〔=範囲内〕だ／腹も身の―〔=食べすぎるな、との教え〕／激しい情熱を―〔=心の中〕に秘める／―に重大な非行の芽を宿す」↔外 ❷〔時間・数量の〕一定の限度内。「三日の―〔=以内〕に終わる／若い―〔=あいだ〕に勉強せよ／千人より―〔=千人以下〕とは思えない人数／暗くならない―〔=暗くなる前〕に帰る」❸自分の△仲間（属する組織・団体など）。「その計画は―〔=自分たちの仲間〕で立てよう／―〔=私たち〕の学校」↔よそ ❹昔、宮中、また、天皇の尊称。❺〔仏教で〕〔世俗や儒者の側に対比して〕仏教（の経典）。［二］⓪【《家】❶〔家族の集まりとしての〕その人の家（の人）。「―じゅうで大騒ぎをする／―を持つ〔=結婚して所帯を持つ〕／―の人〔=自分の夫〕／―の者〔=家族（や使用人のうちのだれか）〕。狭義では妻を指す〕」↔よそ ❷〔家族の生活の場としての〕自分の住む家。「退職金で―を建てる／―の中で犬や猫を飼う」〔［一］［二］とも修飾語の後ではアクセント②〕［三］①（代）〔関西以西の方言。おもに女性や子供の用語〕わたし。

表記［一］❶❷は「《中」とも書き、［三］は「内」とも書いた。

うちあい⓪ウチアヒ【打(ち)合(い)】〔スポーツなどで〕相手が打つのに対して、こちらも△同じ程度（同時）に打ち返すこと。動打ち合う③⓪（自他五）

うちあい⓪ウチアヒ【撃(ち)合(い)】互いにピストルや、鉄砲を発射すること。動撃ち合う③⓪（自他五）

うちあげ【打(ち)上(げ)】［一］⓪❶推進力を付けて、空中に高く上げること。「ロケットの―」❷興行の終り。〔広義では、仕事じまいの宴会や碁の勝負を終えることをも指す〕［二］（造語）動詞「打ち上げる」の連用形。―はなび⑤【―花火】筒にこめて高く打ち上げ、空中で開くように作った花火。かぞえ方 一発・一本

うちあけばなし⑤【打(ち)明(け)話】何かについて、打ち明けた話。

うちあ・ける⓪④【打(ち)明ける】（他下一）〔他人に知らせなかった物事の内情や心のうちを〕隠さずに話す。「悩みを友人に―」

うちあ・げる⓪④【打(ち)上げる】［一］（他下一）❶推進力を付けて、空中に高く上げる。「初めて観測衛星を―／花火を―」❷波が物を岸に運び上げる。「打ち上げられたワカメ」❸〔太鼓を打ち終わる意〕〔芝居・すもうなどで〕一興行を終える。❹〔碁で〕Ⓐ死んだ相手の石を盤面から取り上げる。Ⓑ勝負を終える。［二］（自下一）波が寄せて岸などに上がる。表記［一］❶は、「打ち揚げる」とも書く。〔⇩打上げ［三］〕

*うちあわ・せる**⑤⓪アハセル【打(ち)合(わ)せる】（他下一）❶〈なにトなにヲ―〉互いにぶつけ合わせる。❷〈だれトなにヲ―〉〔事の進行・手順などについて〕前もって相談する。打ち合わす④⓪（五）。名打ち合わせ⓪

うちいり⓪【討(ち)入(り)】―する（自サ）〔敵陣に〕攻め入ること。「赤穂アコウ義士の―」動討ち入る③⓪（自五）

うちいわい③イハヒ【内祝(い)】❶△親しい（親族の）者だけでする祝い事。❷〔結婚・誕生・床上げなど〕自分の家の祝い事を記念して贈り物をすること。また、その品物。

うちうち⓪【内々】表立てず、関係のある内輪の者だけで、それをすること。「―で結婚式を済ませる」

うちうみ⓪【内海】❶「ないかい」の和語的表現。↔外海ソトウミ ❷みずうみ。

うちお⓪②ヲ【打(ち)緒】「組みひも」の意の古風な表現。

うちおと・す④⓪【打(ち)落(と)す】（他五）❶たたいて、あるいは切って落とす。❷鉄砲の玉や石を目的物に当てて落とす。表記❷は、「撃ち落とす」とも書く。

うちおとり⓪③【内劣り】外見はりっぱだが、内容が劣っていること。

うちおろ・す④【打(ち)下(ろ)す】（他五）刀や槌ツチなどを上方にふりかざして、勢いよく振り下ろす。

うちかえし⓪カヘシ【打(ち)返(し)】❶打ち返すこと。「ボールの―／剣道の―」❷古綿を再生△すること（したもの）。打直し。❸〔劇場で〕舞台の背景を裏返しにして、他の背景とすること。

うちかえ・す③⓪カヘス【打(ち)返す】［一］（他五）❶相手の攻撃に対して、こちらからも打つ（動作を何回も繰り返す）。❷田畑をすき返す。❸古綿を再生する。打ち直す。［二］（自五）一度引いた波が、また寄せて来る。表記［一］❶は、「撃ち返す」とも書く。

うちかぎ⓪【内鍵】〔建物などで〕内側からだけかけることのできる鍵。

うちかくし⓪③【内隠(し)】「内ポケット④③」の古風な表現。

うちかけ⓪【打(ち)掛(け)】❶武家の婦人の礼服。帯をしめた上から掛ける、すその長い衣服。今は、結婚式などに使う。かいどり⓪。❷〔碁で〕勝負を途中で一時中断すること。表記❶の古来の用字は「〈〈裲襠リョウトウ〉〉」。かぞえ方❶は一領

うちがけ⓪【内掛(け)】〔すもうで〕組んだまま相手の△右足（左足）に自分の△左足（右足）を内側から掛けて倒すわざ。↔外掛け

うちかさな・る⓪⑤【打(ち)重なる】（自五）〔幾重にも〕重なる。「―不幸」

うちがし⓪【内貸(し)】―する（他サ）賃金や報酬の一部を支払い日より前に払うこと。

うちかた【打(ち)方】❶③打つ仕方。❷③⓪〔銃砲を〕打つこと。「―やめ」表記❷は「撃ち方」とも書く。

うちか・つ③⓪【打(ち)勝つ】（自五）❶〔強い相手に〕勝つ。❷困難や苦しみに堪えて、それを乗り越える。克服する。

【】の中の教科書体は学習用の漢字，〈 は常用漢字外の漢字，《 は常用漢字の音訓以外の よみ。

る。❸〔野球などで〕△打ち方(打力)の点で敵にまさる。↕打ち負ける ❹特定の投手と打者との対決で、打者がうまくヒットを打つ。↕投げ勝つ [表記]❷は、「打ち《克つ》」とも書く。

うちかぶと③【内〈兜】❶兜の内側。❷うちぶところ❷。

うちがま⓪【内釜・内〈罐】❶炊飯器で米を入れる容器。❷湯ぶねの一部分としてかまが取りつけられている構造のふろ。⇩外罐 [表記]「内《缶」とも書く。

うちがり⓪【内借(り)】―する(他サ) 給料などの一部を前借りすること。

うちがわ⓪【内側】〔物の〕内の方の側。↕外側

うちき⓪【内気】―な 気が弱く、人前で思うようにふるまえない△性質(様子)。シャイ。「―でおとなしい子」

うちき⓪【打(ち)気】〔野球で〕ピッチャーのたまを打とうとする、積極的な気持。「―にはやる」

うちぎ⓪【〈袿】〔「内着」の意〕❶平安時代以降、貴婦人が唐衣の下に着た衣服。のち、重の上着。❷平安時代以降、公卿が直衣・狩衣の下に着た衣服。

うちきず③⓪【打(ち)傷】△打ちつけ(打たれ)て出来た傷。[かぞえ方]❶❷とも一着 ⇩切り傷・突き傷

*__うちき・る__③【打(ち)切る】(他五)〈なにヲ―〉❶強く打って切る。❷〔継続している△動作(状態)を〕途中でやめて、終りにする。「△交渉(援助)を―/△支援(追及)が打ち切られる」❸〔碁などで〕最後まで打つ。[名]打ち切り⓪

うちきん⓪【内金】売買・契約などの契約金として支払う代金の一部。⇩前金

うちくず・す④⓪【打(ち)崩す】(他五)❶打って、相手の勢いを崩す。「ピッチャーを―」❷攻めて行って負かす。「敵陣を―」

うちくだ・く④【打(ち)砕く】(他五)❶強く打って砕く。「彼の野心を―〔=野心が成立しないように打撃を与える〕」❷よく砕く。「打ち砕いて〔=分かりやすくして〕話す」

うちくつろ・ぐ⑤⓪【打(ち)《寛ぐ】(自五) 緊張をすっかり解いて、寛ぐ。

うちくび②③⓪【打(ち)首】昔、刀で首をきり落とした刑。

うちげいこ③【内稽古】師匠が△自宅(自分の道場・稽古場)でする稽古。↕出稽古

うちけし⓪【打(ち)消(し)】❶打ち消すこと。「うわさの―に必死になる」❷〔文法で〕ある動作・存在・状態などが成立しないことを表わす言い方。〔❶❷とも「否定」とも〕

*__うちけ・す__⓪③【打(ち)消す】(他五)〈なにヲ―〉△そうは判断しない(そういう事実はない)と言う。「△心配(疑惑)を―」

うちゲバ⓪【内ゲバ】〔「ゲバ」は「ゲバルト(ド Gewalt)」の略〕政治目的を持った組織の内部や分派どうしの間などで行なわれる、主導権争いをめぐる暴力的な闘争。

うちけはい③【内気配】〔取引で〕次の立会の相場の予想。

うちげんかん③【内玄関】「ないげんかん」の口語的表現。

うちこ③【打(ち)粉】❶刀の手入れに使う砥の粉。❷汗取りに使う粉。汗知らず。❸そば・うどんを打つ時や餅をのばす時などにべたつかないように振る粉。

うちこ・む⓪③【打(ち)込む】■(他五)❶たたいて中の方へ入れる。「くさびを―/夜も杭を―騒音で眠れない」❷コンクリートを必要な箇所に流し込む。❸打ちのめさんばかりに攻撃を加える。「エースが打ち込まれて〔=めためたに打たれて〕大敗した」❹〔碁で〕相手の陣形の中に石を打つ。❺〔野球・テニスなどで〕〔△自信を持って(確実に)打てるように〕基本に忠実に、何度も打撃練習を重ねる。■(自五) そうすることに意義があると信じ、全身全霊を傾けて行なう。「△創作(作曲)に―」[名]打ち込み⓪

うちこ・む⓪③【撃(ち)込む】(他五) 目標物に当たるように銃砲を撃つ。「ピストルを―」

うちごろ⓪【打(ち)頃】〔野球で〕投げられたボールが打者にとって打ちやすい程度であること。「―のたま」

うちころ・す④⓪【打(ち)殺す】(他五)❶棒などでたたいて殺す。❷たまを命中させて殺す。[表記]❷は、「撃ち殺す」とも書く。

うちこわし⓪【打(ち)壊(し)】❶たたき壊すこと。〔口語的表現は「ぶち壊し⓪」〕❷江戸時代、飢饉の時、貧民が金持の家を打ち壊して略奪をした暴動。[動]打ち壊す④(他五)

うちしお・れる⑤⓪【打(ち)《萎れる】(自下一) 挫折感などで、すっかりしょげる。[表記]「打ち《毀し」とも書く。

うちしず・む④⓪【打(ち)沈む】(自五)△不幸(不運)な出来事にあたりして、すっかり元気が無くなる。

うちじに⓪【討(ち)死(に)】―する(自サ)〔戦場で〕敵と戦って死ぬこと。

うちすう③【内数】合計数のうち、ある条件に当てはまるものの数。「合格者のうち、女子の―は十名」↕外数

うちす・える⓪④【打(ち)据える】(他下一)❶そこにしっかりと据える。「大地に杭を―」❷(立てなくなるほど)強くたたく。「罪人を―百叩きの刑」

うちす・ぎる④【打(ち)過ぎる】(自上一)❶打つ△回数(程度)が過ぎる。❷「過ぎる」の強調表現。[運用]❷は、多く、改まった文章や、手紙文の挨拶などで用いられる。例、「はや箱根の坂を打ち過ぎて/日ごろはごぶさたに打ち過ぎ〔=心ならずもごぶさたの状態を続け〕」

うちす・てる④⓪【打(ち)捨てる】(他下一)△捨てて(すべきことをしないで)そのままにしておく。「仕事を―」

うちぜい⓪②【内税】商品の表示価格の中に、消費税も組み込まれていること。また、その消費税。↕外税

うちそろ・う④⓪【打(ち)《揃う】(自五) そこにいるべき人がもれなく全員集まる。「家族打ち揃って正月を祝う」

うちたお・す④【打(ち)倒す】(他五)❶打って倒す。❷〔強いものを〕△倒す(負かす)。「敵を―」

うちだか⓪【内高】〔江戸時代〕武家の実際の収入。↕表高

うちだし⓪【打(ち)出(し)】❶打ち出すこと。❷〔終りに太鼓を打つことから〕〔すもう・芝居などの〕一日の興行の終り。打止め。「―は六時」

うちだ・す③⓪【打(ち)出す】(他五)❶打って出す。❷紙や金属板を裏から打って模様を表へ出す。❸前向きの主義・主張などを△強く(はっきりと)示す。「解決策を―/前向きの姿勢を―/厳しい態度を―」

うちた・てる④⓪【打(ち)立てる】(他下一)△新しく(りっぱに・しっかりと)作り上げる。「新国家を―/基礎を―〔=確立する〕」[表記]「打ち《樹てる」とも書く。

うちちがい⓪【打(ち)違(い)】❶まちがえて打つこと。❷十字形(になること)。[動]打ち違える⑤⓪(他下一)

うちつけに⓪【打(ち)付(け)に】(副)「直接に・だしぬけに・露骨に」の意の古風な表現。

うちつ・ける④⓪【打(ち)付ける】(他下一)❶打って(しっかりと)固定させる。❷強くぶつける。「頭を柱に―」

うちつづ・く④⓪【打(ち)続く】(自五)△ひっきりなしに(ずっと)続く。

うちつど・う④⓪【打(ち)集う】(自五) 何かをするためにおおぜいの人が一緒に集まる。

うちづら⓪【内面】家族や内輪の人に対する態度。「―が

△いい(悪い)」↕外面ソトヅラ

うちつ・れる④⓪【打(ち)連れる】(自下一) 一緒に連れ立つ。

うちて③⓪【打(ち)手】 打つ(役の)人。[表記]「討ち手」とも書く。また、射撃の場合は、「《射ち手・撃ち手》」とも書く。

うちでし⓪【内弟子】 師匠の家に住み込んで、家事の手伝いなどをしながら芸事などを学ぶ弟子。

うちでのこづち⑤【打(ち)出の小〈槌〉】 ほしい物の名を唱えながら打ち振ると、なんでも即座にその物が出るという、伝説上の小さな槌。

うちと⓪【内《外》】㊀内と外。自国と外国、内典と外典ゲテンなど。㊁〔↑内外の宮〕伊勢セイ神宮の、内宮ナイクウと外宮ゲクウ。

うちと・ける⓪④【打(ち)解ける】(自下一)〔警戒心や遠慮が無くなり〕心から親しんだりくつろいだ気分になったりする。「打ち解けた会話」

うちどころ⓪【打(ち)所】㊀〔からだなどの〕物に打ちつけた部分。「—が悪かった」㊁問題があるとして、印をつけるべき所。「非の—が無い〔=欠点を見いだすことが出来ない〕」

うちどめ⓪【打(ち)止め】㊀〔すもうや芝居などの興行の〕終わり。打出し。㊁〔ぱちんこで〕機器の使用停止。「—無し」㊂コンクリート打ちの△完了(終了)。[表記]「打ち留め」とも書く。

うちと・める⓪④【打(ち)止める】(他下一)㊀斬キり殺す。㊁〔鉄砲などで〕うって殺す。しとめる。[表記]㊀は「討ち止める」、㊁は「撃ち止める」とも書く。

うちと・る③⓪【討(ち)取る】(他五)㊀〔敵を〕武器を使って殺す。㊁〔試合で〕〔強い〕相手を負かす。[表記]「打ち取る・撃ち取る」とも書く。

うちなお・す④ナホス【打(ち)直す】(他五)㊀誤って打った△点(部分)を改めて打つ。「△くぎ(ワープロ)を—」㊁⇩うちかえす[二]㊁ [名]打ち直し⓪

うちなら・す④⓪【打(ち)鳴らす】(他五) 鐘や太鼓などを打って鳴らす。「触れ太鼓を—」

うちに⓪②【〈裡に〉】 その要素が、初めから終わりまで持続していることを表わす。「貧苦の—〔=幼い時から貧乏の味をさんざんなめ尽くして〕成人する/オペラは成功の—終わった〔=結果的に大成功だった〕」

うちに⓪③【打(ち)荷】 難破を防ぐため、船の重量を軽くし、積み荷の一部を海に捨てること。

うちにわ⓪ニハ【内庭】㊀中庭。㊁土間。

うちぬ・く③【打(ち)抜く】(他五)[一]㊀穴をあけて貫く。㊁〔厚紙や板金イタガネに〕型の通りに穴をあける。㊂掘抜き井戸を掘る。[名]打ち抜き⓪ [二]〔ストライキ・興行を〕予定通りに最後まで続ける。「ストライキを—」[表記][一]は、「打ち《貫く》」とも書く。

うちぬ・く③⓪【撃(ち)抜く】(他五)㊀小銃などを撃って、穴をあける。㊁△敵が降参する(最後の一発が無くなる)まで、徹底的に撃つ。

うちのめ・す④【打(ち)のめす】(他五) 二度と立ち上がれなくなるほどひどく△殴る(損害や打撃を与える)。「無力感に打ちのめされる」

うちのり⓪【内《法》】〔管・升マスなどの〕内側で計った△寸法(直径)。↕外法ソトノリ

うちはた・す④⓪【討(ち)果(た)す】(他五)㊀〔かたきなどを〕斬キり殺す。㊁〔敵を〕完全に負かす。[表記]「打ち果たす」とも書く。

うちばらい③バラヒ【内払(い)】 代金や借金の一部を前もって支払うこと。

うちはら・う④ハラフ【打(ち)払う】(他五)㊀たたいて払う。「ほこりを—」㊁追い散らす。「山賊を—」㊂大砲などを撃って追い払う。[名]打ち払い⓪ [表記]㊂は、「撃ち払う」とも書く。

うちひし・ぐ④⓪【打(ち)《拉ぐ》】(他五) 強いショックを与え、意欲・気力を失わせる。「相次ぐ不幸に打ち拉がれる〔=生きる意欲を失ってしまうほど絶望感に襲われる〕」

うちひも②【打(ち)〈紐〉】⇩くみひも

うちびらき⓪③【内開(き)】 部屋・建物の△内側から手前に引いて(外側から向こうへ押して)あける、ドアや窓の構造。↕外開き

うちぶ⓪②【打(ち)歩】 外国為替・株などの価格のうち、通常価格に対する割増し分。プレミアム。

うちぶところ③【内懐】㊀和服の襟を合わせて着た時の、肌に近い懐。㊁〔人に知られたくない〕△内情(内心)。うちかぶと。「—を見すかされる」

うちぶろ⓪【内風呂】 住宅・旅館などの建物の中に据えつけてある風呂。「—完備」↕外風呂

うちべり⓪【内減(り)】 減った量の、元の量に対する比率。〔狭義では、穀物を臼ウスなどでつく前と後の量に関して言う〕↕外減り [表記]「内《耗り》」とも書く。

うちべんけい③【内弁慶】 家の中でばかり強がっていて、外では一向に意気地の無い△こと(人)。かげ弁慶。[表記]「弁」の旧字体は「〈辨〉」。

うちぼり⓪【内堀】 城の内部にある堀。↕外堀 [表記]「内〈濠〉」とも書く。

うちほろぼ・す⑤【討(ち)滅(ぼ)す】(他五) 攻め入って相手を全滅させる。

うちまか・す④⓪【打(ち)負(か)す】(他五)㊀徹底的に「打つ㊄」ことによって、再起不能の打撃を相手に与える。㊁大差をつけて相手を負かす。

うちまき⓪【打(ち)〈撒(き)〉】㊀昔、邪悪を払うために撒いた米。散米サンマイ。㊁神前に供える米。㊂〔女房詞コトバで〕米。

うちまく⓪【内幕】〔もと、陣中で外幕トマクの内側に張った幕の意〕外からは見えない、内部の事情。「—を探る」

うちまく・る④⓪【打(ち)〈捲る〉】(他五) 続けて△激しく(たまを遠くまで)打つ。

うちま・ける⓪④【打(ち)負ける】(自下一)〔野球などで〕△打ち方(打力)の点で敵に負ける。↕打ち勝つ

うちまご⓪【内孫】 家の跡取りの夫婦の間に出来た自分の孫。↕外孫ソトマゴ

うちまた⓪【内股】㊀股の内側。㊁足先を内側にして歩く△歩き方(癖)。↕外股 ㊂〔柔道などで〕足を相手の内股にかけて投げるわざ。 **—ごうやく**⑤ガウ—【—〈膏薬〉】 その人自身に一定の意見や主張も無く その時どきの実力者につき従う△こと(人)。

うちまわり③マハリ【内回(り)】↕外回り ㊀〔同心円の〕内側を回ること。㊁家庭内。「—の仕事」㊂〔環状線の電車で〕複線の内側を回る線。時計の針と逆の方向に回る。「山手ヤマノテ線の—」

うちみ⓪【打(ち)見】 ちょっと△見ること(見た様子)。「—には」

うちみ③⓪【打(ち)身】「打撲傷」の意の和語的表現。

うちみず②⓪ミヅ【打(ち)水】—する(自サ)〔ほこりをしずめたり涼しくしたりするために〕庭や道などに水をまくこと。また、その水。

うち・みる③【打(ち)見る】(他上一)〔うわべだけを〕ちょっと見る。「打ち見た所」

うちむき⓪【内向(き)】㊀内側に向いていること。㊁家庭内、または内部の関係者だけにかかわること。「—のこと〔=家事〕/—の発言」

うちもの②【打(ち)物】❶〔鋳物(イモノ)と違って〕打って鍛えた金属器具。〔狭義では、刀・槍(ヤリ)などの武器を指す〕❷鐘・鼓・太鼓など、打楽器の総称。❸型に打ち込んで作った落雁(ラクガン)などの干菓子。❹砧(キヌタ)で打って、つやを出した絹布。 **―わざ**④【―業】槍(ヤリ)・刀などによる武術。

うちもも⓪【内《股》】ももの内側。

うちやぶ・る④【打(ち)破る】(他五) ❶完全に破る。❷〔敵を〕攻めて負かす。表記 ❷は、「撃ち破る」とも書く。

うちゆ⓪【内湯】❶その建物の中にある浴場。〔旅館などで言うことが多い〕❷自分の家に引き入れた温泉。

****うちゅう**①(ーチウ)【宇宙】❶われわれの周りに果てしなく広がっている空間。〔あらゆる天体を含む。狭義では地球を除外する〕「―旅行④・―兵器④・―時代④」❷それだけで秩序ある統一を持った世界。「小―」 **―かいはつ**④【―開発】宇宙空間にある資源とエネルギーを人間に役立たせること。 **―くうかん**④【―空間】❶天体と天体との間の空間。❷普通の飛行機が飛べる限度以遠の空間。高度約一〇〇キロ以上を指すとされる。 **―じん**②【―人】地球以外の天体に存在し、高度な知能を持つとされる想像上の生物。 **―じん**②(ーヂン)【―〈塵】天体と天体との間に無数に漂う、細かい粒子状の物質。 **―せん**⓪【―船】人間を乗せて宇宙を飛行する乗り物。 **―せん**⓪【―線】絶えず地球外から降り注ぐ、高エネルギーの放射線。 **―つうしん**④【―通信】宇宙空間を利用した無線通信。人工衛星・宇宙ロケットや宇宙船と地上との通信や、人工衛星を中継所とする遠隔地への通信など。 **―ひこうし**⑤(ーカウー)【―飛行士】宇宙船で大気圏外を飛ぶ飛行士。 **―ふく**②【―服】月面や宇宙空間など真空状態のもとで活動するために着用する衣服。服の内側への酸素の供給、湿度・温度の調整、放射線からの防御などの機能を有する。 **―ゆうえい**④(ーイウー)【―遊泳】宇宙飛行士が宇宙船の外に出て宇宙空間を移動し種々の活動を行なうこと。 **―ロケット**⑤④ 宇宙空間へ発進させるロケット。月ロケットなど。かぞえ方 一基

うちゅう①【雨中】雨の降っている中。「―の行軍」

> **うつ**
> **【鬱】** 木が茂って空が見えず、草が茂ってむんむんする形容。「鬱然・鬱蒼(ウッソウ)・鬱勃(ウツボツ)」⇩(本文)うつ【鬱】

うちょうてん②(ーチャウー)【有頂天】ーな 〔仏教で、色界(シキカイ)・欲界の最高所の意〕大得意になり、夢中になっている様子だ。

うちよ・せる④⓪【打(ち)寄せる】■(自下一)❶寄せて来る。「波が―」❷〔馬などで〕近寄る。■(他下一) 寄せて来る勢いで何かを運ぶ。「波が海草や木片を海岸に―」

うちわ②(ウチハ)〔従者が貴人の顔を隠す長柄の翳(サシバ)と対比して、自分でも使える羽(ハ)の意〕❶手に持ってあおいで風を起こす道具。普通、細い竹の骨に紙・布を張って柄をつけ、円形または卵形。「―太鼓(ダイコ)④」❷〔←軍配うちわ⑥⑤〕軍配。表記 古来の用字は「〈団扇〉」。江戸時代は、「《団》」とも書いた。かぞえ方 ❶❷とも一本

うちわ⓪(ーハ)【内輪】〔「は(わ)」は、「片輪〔=端〕」の「は」と同じ意の接辞〕❶内部または家族とごく近い親類の者(どうしの範囲にしかその事実を知らせていないこと)。❷実際より△小さ(少な)めなこと。「―に見積もる」 **―げんか**④(ークワー)【―〈喧嘩〉】⇩内輪揉(モ)め **―ばなし**④【―話】内部の者だけの私的な話。〔他聞をはばかる内緒話の意にも用いられる〕 **―もめ**⓪【―〈揉め〉】ーする(自サ)〔家族・仲間・味方の者など〕内部の者どうしの争い。うちわげんか。

うちわく⓪【内枠】↕外枠 ❶〔競馬で〕内側の枠。❷割り当てられた数量の範囲内。

うちわけ⓪【内訳】〔金銭や物品の〕総額や総量の△小分け(明細)。「―書⓪⑤」

うちわた②⓪【打(ち)綿】❶打ち返した古綿。❷綿弓で打った繰り綿。

うちわたし⓪③【内渡(し)】ーする(他サ) 内金(ウチキン)を渡すこと。「―の請求/―金(キン)」

うちわに⓪【内〈鰐〉】両ひざが不自然に左右に開き、足先が内に向く歩き方。↕外鰐

うちわ・る③⓪【打(ち)割る】(他五) 強く打って割る。

うつ〈鬱〉→【字音語の造語成分】

****う・つ**①【打つ】(他五)❶〈(なにデ)なにヲ―〉少し離れた所から、はずみをつけて力を加え、△破壊的な効果を与える(その物の位置・状態を変えたり振動を起こさせたりする)。「ヒットを―/滝に打たれる/手を打って〔=たたいて〕人を呼ぶ/手を―〔=ⓐ妥結△する(のしるしに拍手をする)。ⓑ情勢に応じた処置をする〕/太鼓を―〔=鳴らす〕/時計が十時を―/倒れて頭を―〔=ぶつける〕/胸を―〔=感動させる〕/驚きの感に打たれる/打てば響く〔=すぐ反応がある〕」❷〈(なに・どこニ)なにヲ―〉「打つ❶」ことによって、ある動作・仕事をする。「そばを―〔=そば粉をこね、よく伸ばしてそばきりを作る〕/箔(ハク)を―〔=槌(ツチ)で打って、平たく伸ばす〕/刀を―〔=鉄をきたえて、刀を作る〕/衣(コロモ)を―〔=きぬたで打って、つやを出す〕/能面を―〔=のみで彫って作る〕/田を―〔=くわで耕す〕/幕を―〔=張る〕/水を―〔=まく〕/網を―〔=魚を取る目的で、投網(トアミ)を投げおろす〕/碁を―〔=碁石を次つぎに盤上に配置して、勝負する〕/金(キン)を―〔=将棋で、金を新たにある場所に置く〕/裏を―〔=糊(ノリ)で、別の紙を裏に貼(ハ)りつける〕/土地を―〔=測量する〕/終止符を―/つぶてを―」❸〈(なにニ)なにヲ―〉「打つ❶」ことによって、固定させる。「銘を―〔=つける〕/くぎを―〔=たたいて、板などを固定させる〕/高札を―〔=掲げる〕/△緒(オ)(綱(ツナ))を―〔=組み合わせて、よる〕/縄を―〔=かける〕/コンクリートを―〔=型に流し込む〕」❹〈(なにデ)なにヲ―〉銃砲などを発射△する(して、目的物に当てる)。「△鳥(鉄砲)を―/敵陣めがけて―」❺〈なにヲ―〉武器で、敵を攻撃△する(して滅ぼす)。「賊を―/不意を―〔=突然襲う〕/首を―〔=斬(キ)って殺す〕」❻〈(だれニ)なにヲ―〉ある行為をする。「芝居を―〔=もと、芝居小屋を設けるために、杭(クイ)を打つ意から、ⓐ興行する。ⓑ人をだますために作り事をする〕/電報を―〔=出す〕/小手投げを―〔=相手にしかける〕/ゼネストを―〔=決行する〕/手金を―〔=支払う〕/注射を―/△もんどり(なだれ・逃げ・先手)を―/新聞に全面広告を―〔=出す〕」❼〈なにヲ―〉衝撃を与えるような動きを周期的に繰り返す。「△うねり(波)を―/心臓はなお力強く打ち続けた」❽〔「打って①」の形で副詞的に〕Ⓐ意欲的・積極的な態度で、事にのぞもうとすることを表わす。「全社員打って一丸(イチガン)となって社の再建に取り組むつもりだ/市民グループの支援を受け、市長選に打って出る決意を固める」Ⓑ際立つ様子を表わす。「昨日と打って変わり雲一つ無い秋晴れだ」表記 ❹は「撃つ」、❺は「討つ」、❼の心臓の場合は「〈搏つ〉」とも書く。
【非を―】⇩非

うつ①【鬱】❶心配などを紛らすものが無く、心が晴ればれしない状態。「―を散ずる/気―・憂―」❷「鬱病」の略。「ストレスが原因で―になった」↕躁(ソウ) ⇩【造語成分】

うつうつ①(副)ーと/ーする 半ば目ざめ半ば眠っているような状態にある様子。「病人はしばらく―としていた」

うつうつ⓪【鬱々】ーたる/ーと ❶心が晴ればれしない様子。「―として楽しまない」❷草木の茂っている様子。「―と松がしげ

っている」

*うっかり③(副)―と―する 注意が行き届かなくて、忘れたり気がつかなかったりする様子。「―約束を忘れた/―しゃべってしまう/つい―/―者(モノ)⓪」

うっき⓪【鬱気】〔心配などで〕気が晴れないこと。

うつぎ⓪【〈卯木】〔空木の意〕生け垣などにする落葉低木。幹は中空(チュウクウ)。初夏、白色の花〔=卯の花〕を開く。木釘(クギ)の材料。〔アジサイ科(旧ユキノシタ科)〕 かぞえ方 一株・一本

うづき①【〈卯月】(陰暦)四月の異称。

**うつくし・い④【美しい】(形)↕醜い ❶いつまでも△見て(聞いて)いたいと思うほどその色・形や声・音などが、接する人に快く感じられる様子だ。「―〔=きれいな〕△人(声)」 ❷〔だれもが△そうしたい(そうありたい)と思うほど〕その場の様子や行い・性質が好ましくていい感じだ。「―〔=うるわしい〕友情」 派 ―さ④③

うっくつ⓪【鬱屈】―する(自サ) くしゃくしゃした気分の晴らし場が無くて、もやもやが支配すること。

うつけ⓪【《空】〔「け」は接辞。中がからっぽの意〕ぼんやり(していること)。「―者(モノ)⓪」 表記「《虚・〈躻」とも書く。

うっけつ⓪【鬱血】―する(自サ) からだの一か所に静脈の血が異常に集まること。⇩充血

うつし【写(し)】[一]③〔控えなどとして〕写しとった文書や原物に似せて描(カ)いた絵。コピー。「許可書の―〔=副本〕を取る」 [二](造語) 動詞「写す」の連用形。 ―え③⓪エ【―絵】 筆で描(カ)いた絵。〔狭義では、肖像画を指す〕 ―だ・す④【―出す】(他五) 現実の姿や心に描いた情景などを絵や文章によって表わす。 ―と・る④⓪【―取る】(他五) ❶物の形や姿を忠実に描く。❷絵や文字をそのまま真似(ネマ)て写す。❸原文通りに書き取る。 ―もの⓪⑤【―物】文書を書き写△すこと(したもの)。

うつし【映(し)】[一]③映すこと。[二](造語) 動詞「映す」の連用形。 ―え③⓪エ【―絵】❶影絵。❷「幻灯」の古称。 ―だ・す④⓪【―出す】(他五)(レンズを通して)光をあてて、物の姿・形・影などが、何かの上にはっきり現われるようにする。

うつし【移(し)】[一]③移すこと。「口―」 [二](造語) 動詞「移す」の連用形。 ―え③⓪エ【―絵】水に溶けやすい糊を台紙に塗り、その上に模様・絵を裏返しにカラーで印刷したもの。水にぬらして何かに貼(ハ)り、そっとはがすと、印刷した部分だけが残る。金属・ガラス・陶器などの模様の印刷に用い、また、子供の遊びとしては皮膚に貼ったりする。

うつしよ⓪③【《現(し)世】〔雅〕この世。現世。

**うつ・す②(他五)〈なに・どこニなにヲ―〉[一]【写す】〔「移す」と同源〕❶もとの文書・絵の姿がそのまま現われるように書いたり描いたりする。コピーする。「原本通りに忠実に―/原画を手本にひたすら写し続けた」 ❷見聞した印象・影像を絵や文章などによって表現する。「車窓から見た風景をスケッチブックに―/写真を―〔=とる。撮影する〕」〔⇩写し[二]〕 [二]【映す】〔「移す」と同源〕鏡・水面・スクリーンなどに物の姿・形・影が現われるようにする。〔⇩映し[二]〕

**うつ・す②【移す】(他五)〈なに・どこカラなに・どこニなにヲ―〉 物事の位置・状態を、他の位置・状態に変える。「△居(キョ)(目)を―/△舞台(力点)を―/心を―〔=関心を他へ向ける〕/病気を―〔=伝染させる〕/時を―〔=過ごす〕/時を移さず〔=⇩時❷〕/△実行(行動)に―〔=取りかかる段取りを整える〕/実施に移される〔=取りかかる〕/色を―〔=しみ込ませる〕」 表記「都(ミヤコ)をうつす」場合には、「《遷す」とも書く。〔⇩移し[二]〕

うっすら③(副)―と―する〔形容詞「薄い」の語幹の強調形+接辞「ら」〕その状態がかすかながら認められる様子。うっすり。「―紅がさす/―と雪が積もる/―した影が見える/―覚えている/―と目を開く」

うっ・する⓪③【鬱する】(自サ) 心配などを紛らすものが無く、心が晴れない状態である。「気が―」

うっせき⓪【鬱積】―する(自サ) 不平・不満などが心に一杯積もること。

うつせみ⓪【《空〈蟬】〔雅〕セミ(のぬけ殻)。〔虚脱した状態の意にも用いられる〕

うつせみ⓪【《現身・《空〈蟬】〔雅〕〔「現(ウツ)し臣(オミ)」から来た「うつそみ」の変化という〕この世(に生きている身)。 表記「《空〈蟬」は、借字。

うつぜん⓪【鬱然】―たる―と ❶木が茂り空が見えない形容。❷△学殖が豊かで(勢力が強くて)、奥底が知れない形容。「―たる〔=押しも押されもせぬ〕大家/―たる〔=無視することが出来ない〕勢力」

うっそう⓪サウ【鬱〈蒼】―たる―と たくさんの木が茂って、薄暗くひんやりとする形容。

うっそり③(副)―する ❶〔近世上方語で〕うっかり(者)。❷〔中部・近畿方言〕不注意なことを表わす。ぼんやり。

うったえ(タウッヘ)【訴(え)】[一]③⓪訴えること。訴訟。「―を△取り上げる(退ける)」 [二](造語) 動詞「訴える」の連用形。 ―・でる⑤【―出る】(他下一) 物事の理非曲直を判断してもらおうと、公的な機関などに当事者が申し出る。「いじめにあったことを、担任の教師に―」

**うった・える④③(ウッタヘル)【訴える】(他下一) ❶〈だれ・どこニなにヲ―〉〔他人の悪事などについて〕権威のあるところに申し出て、事の理非・正邪の判定を請う。〔狭義では、裁判所に申し出て判決を求めることを指す〕 ❷〈だれニなにヲ―〉〔不満・悩み・苦しみなどについて〕適切な処置や同情の得られることを期待して、他人に告げ知らせる。「△苦痛(無実)を―」 ❸〈なにニ―〉〔事の解決を図るために〕その力をたよりにする。「△武力(世論)に―/非常手段に―」 ❹〈なにニ―〉働きかけ(て、感動を求め)る。「理性に―/視覚に―芸術」〔⇩訴え[二]〕

うっちゃ・る③【打っ《遣る】(他五)〔「打ち遣(ヤ)る」意の口頭語的表現〕❶投げ捨てる。「紙くずを窓から―」 ❷〔処理すべき事柄を〕手をつけずに、そのままにしておく。〔強調形は「うっちゃらかす⑤」〕「仕事を―」 ❸〔すもうで〕土俵ぎわまで寄って来た相手のからだを持ち上げるようにして、背後の土俵の外へ出す。〔最後のどたん場で、勝敗や形勢を逆転させる意にも用いられる〕 名 うっちゃり⓪「―を食う〔=うっちゃられる〕」

うつつ⓪【《現】❶現実にあること。「夢か―か」↕夢 ❷正気(ショウキ)。本心。「―を抜かす〔=夢中になって本心を失う〕/夢―〔=夢・幻と現実との境の状態〕」

うって⓪【討手】賊などを攻め滅ぼすために追いかける△人(軍勢)。

うつて①、①-①【打つ手】情勢に応じて取るべき△手段(方法)。「―が無い」

うってつけ⓪【打って付(け)】―な〔くぎで打ち付けたようにぴったり合う意から〕注文して誂(アツラ)えたかのように、その人や物などが目的に合った条件を備えている状態。「この仕事は君に―だ/親子三人が住むのに―の家が見付かる」 文法 表現主体の判断を表わす語として、「うってつけだ」の形で述語として用いられるか、「うってつけの」「うってつけな」の形で連体修飾語として用いられる。

ウッド①⓪〔wood〕❶木材。「―パルプ④〔=製造原料となる木材パルプ〕」 ❷〔ゴルフで〕先を木で作ったクラブ。↕アイアン かぞえ方 ❷は一本

うっとうし・い[5]ー(ウッタウ)【鬱陶しい】(形) ❶何かが覆いかぶさったり何かに抑えつけられたりしているようで、暗く沈んだ気分になる様子だ。「―天気/顔の包帯が―」 ❷邪魔なものにつきまとわれているようで、出来ることなら払いのけたいと感じる様子だ。「客引きに鬱陶しくつきまとわれる/追い払っても追い払っても寄ってくる虻(ブァ)が―」 [派]**―さ**[5][4] **―げ**[5][0][6] **―が・る**[6]

うっとり[3](副)ーと・ーする そのものの魅力に心を奪われ、我を忘れて、夢の世界にでもいるような気分に浸っている様子。「見事な出来栄えの彫刻に―目を細めて見入る/名曲に―と聴きほれる」

うつばり[0]【△梁】〔雅〕はり。「―の塵(チリ)を動かす〔＝歌や音楽が上手である意に用いられる〕」

うつびょう[0]ー(ビヤウ)【鬱病】 極端に内向的になり、何事にも意欲を示さなくなる鬱状態を特徴とする精神障害。憂鬱症。略して「うつ」。

うつぶ・せる[4][0]【△俯せる】[一](自下一) 顔や腹を床や地面につけてからだを伸ばす。うつぶす[3][0](五)。[二](他下一)〔逆さにして〕入れ物の口を下に向けて置く。「バケツを―」 [名]俯せ[0]

うっぷん[0]【鬱憤】 長い間抑えて来て、がまんしきれなくなった△怒り(不満)。「―を晴らす」

うつぼ[0]【《空》】〔雅〕〔「うつほ」の変化〕うつろ❶。 [表記]「《空穂》」は、借字。

うつぼ[0]【△靫】〔中空の意〕昔、武士などが背中につけた、太い筒形の矢を入れる武具。 **―かずら**[4]ー(カヅラ)【―〈蔓・―《葛》】 熱帯産の多年草。葉の先につぼ形の袋があり、落ち込んだ虫を消化する。〔ウツボカズラ科〕 [かぞえ方]一本

うつぼ[0]【△鱓】 ウナギに似て平たく、口のとがった魚。体長は六〇センチに達する。黄色と茶色のだんだら模様の皮は丈夫なので、なめし革にする。〔ウツボ科〕 [かぞえ方]一匹

うつぼつ[0]【鬱勃】ーたる・ーと やる気が体内にわき起こり、止めようとしても止めることが出来ない様子。「―たる闘志」

うつむ・く[3]【△俯く】(自五)↔あおむく ❶〔首を少し折って〕頭を垂れる。下を向く。❷〔直立したものの先端が〕曲がって下を向く。「花が―」 [名]俯き[0]

うつむけ[0]【△俯け】 顔を下に向けること。「―に寝る」↔あおむけ [動]俯ける[4](他下一)

うつらうつら[4]、[1]-[1](副)ーと・ーする 浅い眠りの中にあって、眠るともなく覚めるともない状態にある様子。「気持良さそうに―舟をこいでいる」

うつり[3]【映(り)】[一]❶形状や輪郭が、結像面に映っている状態。「△鏡(写真・テレビ)の―がいい/写真―がいい」 ❷色の△配合(取合せ)。[二](造語) 動詞「映る」の連用形。 [表記][一]❷[二]は、「写り」とも書く。 **―こ・む**[4]【―込む】(自五) ❶水やガラスなどのなめらかな面に風景が反射して見える。「美しい連峰が湖面に―/街路樹の緑が玄関の窓に―」 ❷撮影者の意図に反して写る。「余計なものが―/いたずらで他人の写真に―」 [表記]❷は「写り込む」とも書く。

うつり【移(り)】[一][3]❶移ること。転居。❷⇩お移り [二](造語) 動詞「移る」の連用形。 **―が**[0][3]【―香】 衣服などにしみついてあとにまで残る、自分と交渉のあった人のよい香(ウコ)・香水のかおり。 **―かわ・る**[5][0]ー(カハル)【―変(わ)る】(自五) 時がたつのと共に変わっていく。「―世の中」 [名]移り変わり[0]「四季の―」 **―ぎ**[0][3]【―気】ーな・ーに 一つの物事に集中出来ず、次から次へとその時どきの関心が移っていく軽薄な性格。また、そのように浮気な様子だ。「―の女」 **―す・む**[4]【―住む】(自五) 他の場所から移って来て、そこに住む。 **―ばし**[4][3]【―箸】〔和風の食事で〕一つのおかずを食べてから飯を食べずに、すぐ続いて、他のおかずを食べること。無作法とされる。 **―み**[0][3]【―身】 情勢によって主張や立場を次つぎと変え、それに応じた行動をとること。「―の速さには驚かされる」 **―ゆき**[0]【―行(き)】 状態が少しずつ変わりながら移っていくこと。「世の―」 [動]移り行く[4](自五)

****うつ・る**[2](自五)[一]【映る】〈なに・どこニー〉〔「移る」と同源〕❶他の物の表面に、物の形や影などが(反射して)現われ出る。「目に―〔＝ⓐ見える。ⓑ印象を与える〕/彼(の意識)には危険が大きく映った〔＝感じられた〕」 ❷(色などの)配合がよく、調和する。[二]【写る】〈なにニー〉〔「移る」と同源〕❶裏側にある物が透き通って見える。❷元の形が、他の物の表面にそのまま現われ出る。「よく―カメラ」 [表記][二]❷は、「映る」とも書く。〔⇩映り[二]〕

****うつ・る**[2]【移る】(自五)〈(なに・どこカラ)なに・どこニー〉〔物事の位置・状態が、他の位置・状態に〕変わる。「予定した行動に―/焦点が参議院に―/△重点(関心)が―/心が―〔＝関心が他へ向く〕/情(ジョウ)が―〔＝そのものに親しみと愛情を覚えるようになる〕/時が―〔＝ⓐ時間がたつ。ⓑ時代が変わる〕/色が―〔＝ⓐ他の物にしみつく。ⓑ容色が衰える〕/病気が―〔＝伝染する〕」 [表記]場所や地位が移る場合には、「《遷る》」とも書く。〔⇩移り[二]〕 [文法]何らかの意図があって結果として今までの位置・場所などから他の位置・場所にかえることを表わす他動詞的用法がある。例、「田中君の隣に席を移る/駅の近くにアパートを移る」

うつろ[0]【《虚(ろ)》】ーな・ーに 〔空洞の意〕❶期待される中身が、何も認められない様子。❷集中力を欠いていて、まともに反応しているとは思えない様子。「―な△目(声)」 [表記]「《空ろ》」とも書く。また中世では「《洞》」と書いて、「内輪❶」の意にも使った。

うつろ・う[3]ー(ロフ)【移ろう】(自五) ❶〔次第に〕移って行く。「四季折おり移ろい行く森の美しさ」 ❷推移して、やがて△終り(衰滅)に近づく。「―ものを見て、はかなさを思う」 [名]移ろい[0]「季節の―/心の―」

うつわ[0]ー(ハッ)【器】〔古くは、「うつわもの」〕❶入れ物。〔広義では、器具の総称。例、「―物(ノモ)[0]」〕 ❷その地位で仕事をやっていけるだけの能力(のある人)。「総理大臣の―としてはちょっと不足だ」

****うで**[2]【腕】❶〔人間やサルの〕胴体から分かれた、肩から先の細長い部分全体。〔狭義では、△肩(肘(ジヒ))と手首との間の部分を指す。例、「事務用の―カバー」〕 ❷その方面の仕事が出来る技術や能力。技量。「―の見せ所/―がある〔＝他人(トヒ)に誇れるだけの技術・能力を持つ〕/―が上がる〔＝飲酒量がふえる意にも用いられる〕/―に覚えがある〔＝人前に見せて誇れるだけの技芸がある〕」 ❸物をつかんだり人を殴ったりする際に発揮される力。腕力。「この―にかけて奪ってみせる/―ずく」 ❹腕木。 [かぞえ方]❶❹は一本 **【―が利く】** 何かに優れた技術や才能を発揮する力がある。〔特に建築や工芸の分野で用いる〕 **【―が立つ】** 技芸にすぐれた才能を示す。〔特に武芸について言う〕 **【―が鳴る】** 自分の腕前を示したくて、機会が来るのをしきりに待つ。 **【―に〈縒(りょ)をかける】** 存分に腕前を示そうと、勢いこむ。 **【―を組む】** ❶左右の腕を胸の前で組む。〔一つの目標に向かって、団結する意にも用いられる〕 ❷隣の人と互いに腕を組み合わせる。 **【―を〈拱(こまぬ)く】** 傍観するだけで、自分は行動に出ないでいる。 **【―をさする】** 時機来たらば存分に腕前を示そうとして、自分の出番を待つ。 **【―を振るう】** 自分の持っているだけの腕前を発揮する。 **【―を磨く】** 自分の技能の向上をはかり、習練を積む。

うでがね②⓪【腕金】金属製の腕木。

うてき⓪①【雨滴】雨の一粒一粒。

うでぎ⓪【腕木】柱(のような物)に取り付け(て、他の部分から加わる重みを支え)る横木。「—信号機⑥」 かぞえ方 一本

うできき⓪【腕利(き)】—な 腕前のすぐれた△様子(人)。「—の編集者」

うでくび②【腕首】手首。

うでぐみ③④⓪【腕組(み)】—する(自サ) どのような△行動(判断)をすべきか考え込んだり悩んだりして両腕を胸の前で組み合わせること。

うでくらべ③【腕比(べ)】—する(自サ) △腕前(腕力)を比べあうこと。表記「腕《競べ」とも書く。

うでじまん③【腕自慢】自分の腕力や技量に自信があり、人前に誇ること。また、その人。

うでずく⓪(—ヅク)【腕《尽(く)】〔事を解決するのに〕もっぱら腕力に依存すること。「—で奪い返す」

うでずもう③(—ズマフ)【腕〈相撲〉】相対する二人が、何か台となる物の上に肘(ヒジ)をつけ腕を立て、掌(テノヒラ)を握り合い、相手の腕を押し倒す遊び。腕押し⓪④③。アームレスリング④。表記 ⇩付表「相撲」

うでぞろい③(—ゾロヒ)【腕〈揃(い)〉】△腕前(腕力)のすぐれた人ばかり(集まること)。

うでっしゃ③【腕達者】—な ❶腕力の強い△こと(人)。❷技能がすぐれている△こと(人)。

うでだて⓪【腕立(て)】腕力をたのんで人と争うこと。

うでたてふせ④⑥【腕立(て)伏せ】〔体操で〕両手を床に突き、両足をまっすぐに伸ばした姿勢で、腹を床につけないようにして腕を曲げたり伸ばしたりする運動(を繰り返すこと)。「八十歳にして—が出来るすごさよ」

うでだめし③【腕試(し)】—する(自サ) 自分の実力を確かめるために、ちょっとやってみること。「—に模擬(モギ)試験を受ける」

うでっこき⓪④【腕っ《扱(き)】〔「腕こき⓪④」の強調形〕特別の腕きき。「—の記者」

うでっぷし⓪【腕っ節】〔「腕節⓪④」の強調形〕❶腕力(の強さ)。❷腕の関節。

うでどけい③【腕《時計】手首にはめて使う、小型の時計。ウオッチ。⇩懐中時計・置き時計・掛け時計 表記 ⇩付表「時計」

うてな⓪①【《台》】〔雅〕❶(屋根が無くて)見晴らしのいい、高い建物。❷物を載せる台。「蓮(ハス)の—」

***うでまえ**⓪③(—マヘ)【腕前】その方面の仕事ぶりに関して、後ろ指をさされることが無いかどうかという観点から総合的に判断した評価。また、それに値する能力。「めきめき—を上げる/たいした—だ」

うでまくら③【腕枕】ちょっと横になった時などに、曲げた腕に自分の頭を載せて枕の代りにすること。「—で寝る」

うでまくり③【腕〈捲(り)〉】—する(自サ) 衣服のそで口を捲り上げて、腕を外に出すこと。〔意気込んだ様子の意にも用いられる。例、「—して議長に詰め寄る」〕

う・でる②【〈茹でる〉】(他下一) ゆでる。

うでわ⓪【腕輪】腕にはめる(金属製の)輪。装飾用。ブレスレット。かぞえ方 一本

うてん①【雨天】雨の降る△天気(日)。⇩晴天・曇天

—じゅんえん①-⓪【—順延】予定の日が雨ならばその翌日に行事の実施を延ばすこと。

うと①【〈烏兎〉】〔太陽の異名「金烏(キンウ)」、月の異名「玉兎(ギョクト)」の結合〕太陽と月。「—匆々(ソウソウ)①-⓪〔=月日のたつのが早いこと〕」

うど①【〈独活〉】山地に自生し、また室(ムロ)の中で栽培される多年草。春、白い若い茎を食べる。〔ウコギ科〕「—の大木〔=大きいだけで役に立たない者のたとえ〕/山—⓪③」 かぞえ方 一本

うと・い②【疎い】(形) ❶接する機会がなくなるなどして、親密な間柄とは言えない様子だ。「年と共に学生時代の友人とも疎くなった/去る者は日びに疎し〔=『疎い』の文語形〕」❷(的確な判断を下したり適切に対処したりすることが出来ないほど)その物事についての知識や経験を欠く様子だ。「日本史に疎く、恥をかいてばかりいる/世事に—〔=若過ぎたり世間的な苦労が少なかったりして、実社会の裏面がよく分かっていない〕」

うとう⓪①【〈善知鳥〉】〔アイヌ語の、突起の意からという〕海鳥の名。背中と胸は黒く、腹は白い。うとうやすかた⑤①。〔ウミスズメ科〕 かぞえ方 一羽

うとう⓪(—タウ)【右党】↕左党 ❶野党に対する与党の意の別称。❷「酒が飲めず、甘い物が好きな人」の異称。下戸(ゲコ)。

うとうと①(副)—と —する 目を覚ましているつもりなのに、気付かぬうちに浅い眠りに入っている様子。「退屈な講演につい—(と)する」

うとく⓪①【有徳】「富裕」の古称。

うとまし・い④【疎ましい】(形) 不快感をもよおすことが予測され、その△人(物事)に接するのがいやでたまらない感じだ。「見るのも—」 派 —さ③ —げ⑤④ —が・る⑤

うと・む②【疎む】(他五) 〔いやなものとして〕遠ざける。うとんじる。〔多く「疎まれる」の形で用いられる〕「上司に疎まれる」

うどん⓪【〈饂飩〉】〔「うんどん」の変化〕小麦粉に薄い食塩水を加えて作っためん類。「—鋤(スキ)②・釜(カマ)上げ—⑤・きつね—」 かぞえ方 ゆでめんは一玉(ヒトタマ)・一袋。乾めんは一束・一把(イチワ)・一箱

—こ⓪【—粉】小麦粉。「—病⓪〔=植物の葉や茎が、うどん粉をまぶしたようになる病気。一種のカビによって起こる〕」

うどんげ⓪②【《優曇華》】❶イチジクに似た落葉小高木。インド周辺に分布し、果実は食用、葉は家畜のえさとなる。小形・壺(ツボ)状の花は外からは見にくいので、仏教では三千年に一度咲くものとし、理想的な王者転輪聖王(テンリンジョウオウ)出現の瑞兆(ズイチョウ)とされた。〔クワ科〕「—の花〔=めったに無いもののたとえ〕」❷草木の枝葉や天井などにクサカゲロウが卵を生みつけたもの。花のように見え、何かの前兆とされる。 かぞえ方 ❶は一株・一本

うとん・じる④【疎んじる】(他上一) うとむ。疎んずる④(サ変)。

ウナ①〔urgent(=至急)の「u」を表わすモールス符号がかなの「ウ」を表わし、「r」のそれは「ナ」を表わすところから〕「至急電報④」の略号。「—電⓪〔=一九七六年廃止〕」

***うなが・す**③⓪【促す】(他五)〈だれニなにヲ—〉❶△迅速(積極的)に実行に移してほしいと、要請する。「家に戻って来るよう促した/△自覚(自重・注意・猛省)を—/早期解決を促した/△出馬(脱退・積極財政への転換)を—/日本側の市場開放を—」❷早い時期に所期の効果を実現させるように働きかける。「若者の海外移住を促そうという試み/日本の政策金利引下げを—材料となろう/植物の生長を—薬」

うなぎ⓪【〈鰻〉】深海で産卵し、春、川に上りすむ、細長い魚。ぬるぬるして、つかまえにくい。脂(アブラ)が強く、栄養価が高い。多くかば焼きなどにして食べる。〔ウナギ科〕 かぞえ方 一尾・一匹。小売の単位は一本・一枚・一串(ヒトクシ)

—のねどこ⓪-⓪【—の寝床】間口が狭く奥行きが長い家などのたとえ。

—のぼり④【—登(り)】〔物事の程度・段階が〕

驚くほど急激な勢いで上がること。「物価が—に上がる」

うなさ・れる⓪④【《魘される】(自下一) 睡眠中、恐ろしい夢を見たりして、苦しそうな声を出す。「悪夢に—」

うなじ⓪【《項】「首筋・えり・えりくび」の意の古風な表現。「—を垂れる」

うなじゅう②【《鰻重】〔「うな」はウナギ、「重」は「重箱」の略〕かば焼きを上の重に、飯を下の重に別々に入れて供する料理。〔一つの重箱で、飯の上にかば焼きを載せた物をも指す〕 かぞえ方 一枚・一本

うなず・く③⓪【《頷く】(自五) 承知した、その通りだ、などの意を表わすために首をたてに振る。 表記 「《点頭》く・《肯く・《首肯》く」とも書く。

うなず・ける④⓪【《頷ける】(自下一)〔「頷く」の可能動詞形〕納得が行く。「すなおに—事ではない」

うなだ・れる⓪④【《項垂れる】(自下一)〔失望・悲しみ・恥ずかしさなどのために〕首を前へ垂れる。

うなどん⓪【《鰻丼】〔←うなぎどんぶり④〕熱い飯の上にウナギのかば焼きを載せ たれをかけた丼。

うなばら⓪【《海原】△広びろとした(果てしなく広がる)海。「大—④③・青—」 表記 ⇩付表「海原」

うなり③【《唸り】❶唸る△こと(音)。「—をあげる」❷周波数のわずかに違う音波・電波を合成した時、周期的に振幅が変わる現象。〔音波の場合、唸るように聞こえる〕❸凧につけて風に唸らせるもの。

うな・る②【《唸る】(自五) ❶(苦しそうに)長く引いた、低い声を出す。❷内にたくわえられた力が、発揮する場所を求めている。「腕が—(=腕前をためしたくて むずむずする)/金が—ほど(=非常にたくさん)ある」❸「唸る❶」ような音を出す。「モーターが—」❹「唸る❶」ように△歌う(語る)。〔多く、へたな場合に言う〕「義太夫を—」❺(感心して)低い声を出す。「聴衆を唸らせる名演奏」

うに①【《雲《丹・《海胆】❶海にすむ棘皮動物の総称。形は球形。殻はクリの いがに似たとげで一面におおわれる。❷「うに❶」の卵巣と精巣(を塩で練り合わせた食品)。 表記 ❶は「《海胆」(漢語表記)・「《海《栗」とも書く。❷は普通、「《雲《丹」と書く。 かぞえ方 ❶は一匹。❷の製品は一瓶

うぬ①(代) きさま。〔自分を指すこともある〕

うぬぼ・れる⓪【《自《惚れる・《己《惚れる】(自下一) 実力以上に自分の事をすぐれていると思い込む。 名 自惚

れ⓪「—が強い」

うね②①【畝】❶(畑で)作物を作るために、間隔をおいて細長く幾筋も土を盛り上げた所。❷高低が線状をなして見えるもの。「—編み⓪・—織り」 表記 ❶は、「《畦」とも書く。 かぞえ方 一本

うねうね①(副)—と —する ❶山や波が高く低くどこまでも続いている様子。❷道や川の流れなどが曲がりくねって遠くまで続いている様子。

うねおり⓪【畝織(り)】太糸と細糸とを交ぜて高低の模様を織り出した織物。畦織り。

うねめ⓪①【《采女】〔主として飛鳥・奈良時代、後宮で〕天皇の食事の世話をした女官。

うねり③ ❶うねること。〔とどめがたい勢いで攻め寄せて来るものの意にも用いられる。例、「感情の—/業界再編の—の中で」〕❷高くうねる大波。「—が巻き起こる」

うね・る②(自五) ❶大きくゆるやかに曲がりくねる。「道が—」❷大きくゆるやかに上がったり下がったりする。「台風が近づき波が—」

うのう⓪①【右脳】大脳の右半分。人間については、音楽や図形などの認識・処理を行なうとされている部分。⇩左脳

うのけ①【《兎の毛】〔ウサギの毛の意〕とても小さな物事のたとえ。「—(で突いた)ほどの(=わずかな)隙も無い」

うのはな①【《卯の花】❶初夏、雪のように見える、ウツギの花。「—色(=白)」❷「豆腐がら」の異称。「—あえ⓪」

うのみ③⓪【《鵜呑(み)】〔鵜が魚を丸呑みにすることから〕食物の丸呑みや、人の言葉の真偽などをよく考えず、そのまま受け入れる意などを表わす。「—にする」

うは①【右派】右翼の党派。保守的な派(の人)。↕左派

うば① ❶【《乳母】(乳の出ない)その子の母に代わって乳を与え、育てる女性。❷【《姥】(能楽で)老女。⇩尉 表記 ❶は、⇩付表

うばいあ・う④【奪(い)合う】(他五) 限られたものを手に入れようとして争う。 名 奪い合い

うばいかえ・す④【奪(い)返す】(他五) いったん相手の手に渡ったものを強引に取り戻す。

うばいさ・る④【奪(い)去る】(他五) 相手から△強引に(不意に)取り上げて、そこを去る。

うばいと・る④【奪(い)取る】(他五) 相手から強引に取り上げる。「戦争は私から家族をうばいとりました」

うば・う②⓪【奪う】(他五) ❶〈だれ・なにカラ だれ・なにヲ—〉他に所属するものを、権力・武力などに任せて取り上げる。「ポケットから金を—/△職(武器・客足・個性)を—/自由を奪われる/雪で足が奪われる(=ⓐふだん使用している交通機関が利用出来なくなる。ⓑ外出出来なくなる)/主君の命を—(=殺す)/お株を—(=⇩お株)/熱を—(=取り去る)」❷〈だれ・なにカラ だれ・なにヲ—〉〔対抗試合で〕決定的なポイントを挙げて、優勢に立つ。「打者十二人の攻撃で7点を奪った/決勝ゴールを奪った/ダウンを奪いKO勝ち/前半から3トライを—などして快勝/3バーディーを奪い首位をキープ/中間集計でラップタイムを—/リードを—」❸〈なにヲ—〉対戦相手を抑えて、勝利を得る。「日本人として初めてタイトルを奪った/うっちゃりで金星を—/三連勝で棋聖位を—」❹〈なにヲ—〉しばらくの間他のものに注意が向くこと無く、そのものだけに集中させる。「たくまざるユーモアが審査員全員の目を奪った/魔のささやきに耳を奪われる/日本人の心を—マツタケ/金閣寺の美に魂を奪われた若い僧が寺に火を放った」

うはうは ❶①(副)—と —する 予想以上に事がうまくいって、こみ上げてくる笑いを押さえきれない様子。「依頼が殺到して—と喜ぶ/ぼろ儲けに—する」❷⓪—に —な 「うはうは❶」に同じ。「何もかもうまく行って—だ」〔口頭語的表現〕

うばぐるま③【《乳母《車】幼児を乗せて後ろから押して歩く(箱形の)車。〔近年は、ベビーカーと称することが多い〕 表記 ⇩付表「乳母」 かぞえ方 一台

うばざくら③【《姥桜】かなりの年増ではあるが、なまめかしさを漂わせている女性。

うばすてやま⓪【《姥捨山】⇩おばすてやま

うはつ⓪【有髪】髪の毛をそらないでいること。「—の僧」⇩僧形

うばら⓪〔雅〕❶【《茨】⇩いばら❶ ❷【〈《薔薇〉】バラ。

うひ①【雨飛】—する(自サ) 雨のように多く飛んで来ること。「弾丸—の中」

うひょう⓪【雨氷】雨が木・地面などに触れた瞬間、氷となったもの。

うふ①【右府】「右大臣」の異称。↕左府

うぶ①【《初】—に —な 〔「生まれた時の(ままの)」の意の「産」と同源〕❶世間ずれがしていなくて、純真な様子だ。ういういしい様子だ。❷まだ、情事を経験していない△こと(人)。

** *は重要語，⓪①… はアクセント記号，品詞の指示の無いものは名詞および いわゆる連語。

[表記]「〔初心〕」とも書く。

うぶぎ⓪③【産着】生まれた赤ん坊に初めて着せる着物。うぶぎぬ⓪③。[表記]「産《衣》」とも書く。[かぞえ方] 一枚

うぶげ⓪ 一【産毛】生まれた時から生えている髪の毛。わたげ。 二【《生毛》】人間の頬(ホオ)・襟首などや桃の実などに生えている、ごく短いにこ毛。採光の具合で、白く光って見える。

うぶごえ⓪③(ゴエ)【産声】赤ん坊が、生まれた時に初めて出す声。【—を上げる】新たな生命が誕生する。生まれる。〔新しい組織・団体などが作られ、活動を始める意にも用いられる〕

うぶすな⓪【産《土》】❶その人の生まれた土地。❷〔←うぶすながみ④〕その人の生まれた土地を守護する神。氏神。「—参り⑤」

うぶや⓪②【産屋】❶昔、出産のたびごとに、汚(ケガ)れを忌(イ)んで建てた、専用の家。❷産室。

うぶゆ⓪【産湯】生まれたばかりの赤ん坊に入浴させる△こと(湯)。「—を使わせる」

うべ①【《宜》】(副) むべ。「—なるかな」

うべかりし③【得べかりし】(連体) 手に入れることが出来たはずの。「—利益〔=⇩逸失(シイッ/シツ)利益〕」

うべな・う③(ウベ/ナフ)【《諾う》】(他五)〔「なう」は接辞〕「承諾する・同意する」意の古風な表現。

うへん①【右辺】↕左辺 ❶〔数学で〕(不)等号の右側に書かれた△数(式㊂Ⓐ)。❷〔碁で〕碁盤の中央部分のすぐ右側に続く部分。

うま②【《午》】十二支の第七。馬を表わす。〔昔、方位では南を、時法では午前十一時ごろからの約二時間を指した。⇩【造語成分】ご(午)〕

うま【馬】 一② ❶耕作・運搬・乗用に使う重要な家畜。からだが大きく、首・顔が長くて、たてがみがある。〔ウマ科〕「馬車(バシャ)—・競馬—③」 ❷Ⓐ「きゃたつ」の異称。Ⓑ〔工事現場などで〕危険防止のために並べておく低い柵(サク)。立入り禁止を示すもので、きゃたつ形。❸〔体操で〕跳馬(の用具)。❹〔将棋で〕角(カク)の成ったもの〔=成り角⓪〕。竜馬(リュウメ)。〔昔は桂馬(ケイマ)をも指した〕 ❺「つけうま」の略。【(…と)—が合う】(一緒に何かをする)相手と気持がしっくり合う。【—の耳に念仏】せっかくの忠告や教えを少しも聞き入れようとせず、全く効果がないこと。 二(造語) 同類の動植物の中で、大きい方。〔植物の場合は、人間生活に有用でない物をも指す〕「—ゼリ⓪」 [かぞえ方] 二❶は一匹・一頭

うま・い②【《旨い》】(形) ❶味が好ましいので、△もっと(また機会を見つけて)飲み食いしたい感じだ。おいしい。「久しぶりに—酒を味わった/—汁を吸う〔=自分の地位を利用したり他人の手柄に便乗したりして、利益を得る〕」↕まずい❶ ❷△技術(やり方)がすぐれていて好ましい結果が得られる様子だ。「なかなかスキーが—〔=上手だ〕/—考えが浮かぶ/—ぞ〔=よくやった〕、その調子!/—事行けば〔=成功すれば〕一年遊べる」↕まずい❷ ❸得することが見込まれて、つい喜んで飛びつきたくなる感じだ。「—話には気を付けよう」 [派]—さ① —が・る③ [表記]❶は「《甘い・〔美味〕い」、❷は「《巧い・〔上手〕い」とも書く。

うまく ない①-①、④【《旨くない》】❶味がよくない。❷上手でない。❸都合が悪い。「他人(ヒト)に聞かれると—〔=まずい〕」⇩うまく

うまい⓪【《熟《寝》】〔雅〕熟睡。

うまいかだ③【馬〈筏】急流や深い川を軍隊が馬を用いて渡る方法。乗馬をつなぎ並べ、馬で流れをせき止めるようにしたり 馬上の者が手を貸したりして渡河させること。「—を組む」

うまいち②③【馬市】馬を売買する市。

うまうま① 一(副)—と 巧妙なやり方で相手との駆引きに成功し、意図した通りの成果をおさめる様子。「—(と)出し抜いた/—(と)生き延びる/—(と)乗せられる/—(と)やってのける」⇩まんまと 二「(おいしい)食べ物」の意の幼児語。

うまおい⓪(オヒ)【馬追(い)】❶客や荷物を馬を使って運ぶことを職業とした人。❷放牧の馬を追って、柵(サク)の中へ入れる△こと(人)。❸〔←馬追い虫③〕秋にスイッチョと鳴く昆虫。からだは ほとんど全部緑色で、触角が長い。〔キリギリス科〕 [かぞえ方] ❸は一匹

うまがえし③(ガヘシ)【馬返(し)】山道がけわしくなって、それ以上馬に乗っては進めなくなった所。〔地名として残っている所もある〕

うまかた⓪【馬方】荷馬を引く職業の人。まご。

うまく①【《旨く》】(副) △意図(期待)したとおりに事が運ぶ様子。「就職が—行かない/—〔=上手に〕だます/後任が—〔=都合よく〕見付かる/—行く/—〔=相手の計画通り〕してやられた」

うまごやし③〔「馬肥やし」の意〕 ❶【〔〈苜蓿〉〕】原野に生じるヨーロッパ原産の二年草。春、黄色の小さな花を開く。肥料・牧草用。〔マメ科〕 ❷クローバー。[表記]「馬肥」とも書く。[かぞえ方] ❶は一本

うまざけ⓪【《美酒》】〔雅〕おいしい酒。

うま・し①【《美し》】(形ク)〔雅〕いい。すばらしい。「—夢見つ/—国ぞ〔=すばらしい国だなあ〕秋津島(アキツシマ)大和の国は」

うまじるし③【馬印】〔昔、戦場で〕大将の居場所を明らかにするために、その馬のそばに立てて、目印としたもの。[表記]「馬《標》」とも書いた。

うまずめ⓪【〔石女〕】〔「産まず女(メ)」の意〕何らかの事情で子供が出来ない女性。〔侮蔑(ブベツ)を含意して用いられた〕 [表記]「〔石女〕」は漢語表記。

うまづら⓪【馬面】長い顔(の人)をあざけって言う語。

うまとび③【馬跳(び)】前かがみの姿勢をとった人の背中に手を突いて(次つぎに)跳び越える遊び。

うまなり⓪【馬なり】〔競馬で〕馬の走りたいままに走らせること。「—で余力があった」

うまに⓪【《旨煮》】肉と野菜とを、甘く濃い味で煮つけた料理。[表記]「《甘煮」とも書く。

うまのあし⑤【馬の足・馬の脚】〔芝居で〕作り物の馬の足になる役者。〔△下級の(芸のへたな)役者の意にも用いられる〕

うまのす⓪【馬のす】〔細工に使う〕馬の尾の毛。馬尾(バビ)①。

うまのせ⓪④【馬の背】山の尾根(づたいに付けられた細道)。【—を分ける】夕立などが山の稜線(リョウセン)を境とし片方には降り、もう片方には降らないくらい、極端に地域的に降ること。

うまのほね⑤【馬の骨】素性(スジョウ)が分からず、つきあうに値しない人間。〔侮蔑(ブベツ)を含意して用いられる〕「どこの—とも分からない」

うまのり⓪④【馬乗(り)】❶馬に乗る△こと(人)。❷馬に乗った時のように、人や物が上からまたがった状態。「—になる」

うまばえ②(バヘ)【馬〈蝿】馬にたかる大形のハエ。からだに毛が密生し、馬の皮膚に卵をうむ。〔ウマバエ科〕 [かぞえ方] 一匹

うまぶね⓪③【馬《槽】まぐさを入れた桶(オケ)。

うまへん⓪【馬偏】漢字の部首名の一つ。「駅・験・騒」などの、左側の「馬」の部分。〔多く、馬に関係のある漢字がこれに属する〕

うまみ⓪③【《旨味》】❶Ⓐ飲食して感じるその物の味の良さ。「素材の―を引き出す調理法/肉本来の―を味わう」Ⓑ鰹節（カツオブシ）・昆布などに含まれる成分によって感じる味。「―成分」❷上手だと思う感じ。「何とも―のある演技」❸かけた元手や労力の割に、他と比べて利益が大きいこと。「―のある商売」表記❶の本来の表記は、「《旨み》」。

うまや⓪【《駅》】〔「馬屋」の意〕昔、（おもに公用の）旅行者に馬・人足・宿泊の世話をするために、街道筋に設けられた施設。宿場。宿（シュク）。

うまや⓪【馬屋】馬を飼っておく小屋。表記「《厩》」とも書く。

*__うま・る__⓪【埋（ま）る】（自五）❶〈なに・どこニ―〉（掘られた）穴やくぼみに何かが入れられ、上がすっかり元のようにおおわれる。「地雷が埋まったままの危険地帯/線路が土砂に―」❷〈なにデ―〉あいていた所が何かで満たされたり欠けた部分が補われて元通りになったりする。「穴が―〔=ふさがる〕/広場が人で―〔=一杯になる〕/赤字が―/欠員が―」

うまれ【生（ま）れ】[一]⓪❶生まれること。「戦後の―」❷生まれた土地。「―も育ちも神田です」❸生まれた家柄。生んだ親の身分。素性（スジョウ）。[二]（造語）動詞「生まれる」の連用形。 **―あわ・せる**⑥【―合（アハ）せる】（他下一）そのことのあった同じ時代や時期にたまたま生まれる。「激動の時代に―」 **―お・ちる**⑤【―落ちる】（自上一）〔親のからだを離れて〕生まれ出る。 **―かわ・る**⑤【―変（カハ）わる】（自五）❶〔死後に〕再びほかのものになって生まれる。「生まれ変わったつもりでがんばる」❷性格などが見違えるように良くなる。名生まれ変わり⓪ **―こきょう**④【―故郷（コキャウ）】生まれた土地。ふるさと。 **―そこない**⓪【―損（ソコナ）い】「生まれつき人並以下の能力しかないんだ」という気持を含意して、人をののしるのに用いる言葉。 **―たて**⓪ 生まれて間もないこと。生まれたばかり。 **―つき**⓪ その性質・能力が、生まれた時からその人の身に備わっていたものである△こと（様子）。「ひねくれた性格は―だから仕方がない/声の悪いのは―だ/―頭がいい」動生まれつく④（自五） **―でる**④【―出る】（自下一）この世に誕生し、生命体として生きる。 **―ながら**⓪④（副）人が生まれた時から、その性質・資質・能力などを身に備えている様子。「―の貴族とは彼のことだ/―の殺人鬼はいない」

**__うま・れる__⓪【生（ま）れる】（自下一）〈だれ・なにカラ―〉❶動物の子が母体や卵から離れ出て、個体としての生命活動を始めるようになる。「生まれてはじめての海外旅行」❷それまで無かったものが作り出される。「△新しい国（傑作）が―/△合意（不信感・疑問）が―」表記「産まれる」とも書く。〔⇩生まれ[二]〕

**__うみ__①【海】地球の表面の、広く一面に水をたたえた部分。〔昔は淡水の湖も含めたが、今は塩水に限る〕「―と親しむ/―に出る/―を隔てる/―のものとも山のものとも分からない〔=⇩山[一]❶〕/一面火の―になる〔=あたり一帯に火が広がる〕/すずりの―〔=水をたたえるくぼみ ⇩池❸〕」↕陸

うみ②【膿】〔できものや傷などで〕血液の中の白血球がばい菌にこわされて出来る、黄白色の臭いどろどろした液。「―を出す〔=抜本的な改革を行なって、組織の害になるものを取り除く意にも用いられる〕」

うみうし②⓪【海牛】ナメクジに似た軟体動物。背面前方に一対（ツイ）の触角を持つ。浅い海にすみ、種類が多い。かぞえ方 一匹

うみおと・す④【生（み）落（と）す】（他五）〔子・卵を〕からだの外へ生んで出す。表記「産み落とす」とも書く。

うみがめ⓪【海亀】海にすむカメ類の総称。アオウミガメ・アカウミガメ・タイマイなど。

うみさち⓪【海幸】うみのさち。↕山さち

うみじ⓪【海路（ヂ）】〔雅〕船の通る海の道。⇩かいろ

うみせんやません⓪-⓪【海千山千】〔海に千年、山に千年の意〕あらゆる経験を積み、社会の表裏に通じていて、したたかな△こと（人）。

うみそだ・てる⑤【産（み）育てる】（他下一）子を産み、責任をもってその子を育てていく。「安心して産み育てられる社会へ」

うみだ・す③【生（み）出す】（他五）❶生む。❷新しく作り出す。「財源を―〔=もたらす〕/△活力（欠陥）を―」表記「産み出す」とも書く。

うみつか・れる⑤【倦（み）疲れる】（自下一）単調なことの繰り返しなどに疲れ、それ以上続けるのがいやになる。

うみづき②⓪【産（み）月】「臨月（リンゲツ）」の意の和語的表現。

うみつ・ける④【生（み）付ける】（他下一）❶〔卵を〕生んで物にくっつける。❷そういう性質を与えて、生む。表記「産み付ける」とも書く。

うみづり⓪【海釣（り）】海に出て魚を釣ること。↕陸釣（オカヅ）り ⇩沖釣り・いそ釣り

うみて⓪【海手】〔海に面した市街地などで〕海の方。浜手。↕山手

うみな・す③【生（み）成す】（他五）「生み出す❶」の改まった表現。「日本の風土が生み成した〔=作り出した〕名作」

うみなり⓪【海鳴（り）】〔台風の時などに〕海の沖の方から伝わって聞こえてくる、△遠雷（風の音）のような響き。

うみねこ⓪【海猫】カモメに似た海鳥。背中・羽は青灰色で、他は白色。鳴き声はネコに似る。〔カモメ科〕かぞえ方 一羽

うみの⓪【生（み）の】（連体）❶その人を生んだ。「―親より育ての親/自動織機の―親〔=初めて作り出した人〕」❷自分が腹を痛めて生んだ。「―子」❸子を生む時の。「―苦しみ〔=多く、子を生んだ者でなければ真の意味では分からぬ、という文脈で用いられる〕/―悩み〔=新たに物事を作り出す時の苦心〕」表記「産みの」とも書く。

うみのさち①-①【海の幸】海でとれる魚・貝・海藻などの美称。⇩山の幸

うみのひ①①-①【海の日】「国民の祝日」の一つ。二〇〇三年から七月の第三月曜日。〔もと、七月二十日〕

うみばた⓪【海端】「海辺（ウミベ）」の口頭語的表現。

うみびらき③【海開（き）】夏になって、海水浴場の設備が整えられ海水浴が出来るようになること。⇩山開き・川開き

うみぶどう③【海《葡萄（ブダウ）》】ぶどうの房のような形をした緑色の海藻。はじけるような食感で、三杯酢などにつけて食べる。沖縄県の名物。くびれづた③。〔イワヅタ科〕

うみべ⓪③【海辺】陸地の、海に接しているあたり。⇩山辺

うみへび⓪【海蛇】❶暖海にすむ、ヘビに似て非常に長い硬骨魚の総称。背中は薄茶色、腹は白色。〔ウミヘビ科〕❷ウツボの異称。❸熱帯の海にすむ毒ヘビ。〔コブラ科〕

うみぼうず③【海坊主（バウ）】海上に現われるという、頭の丸い化け物。船がこれに会うと凶事が起こるという。

うみほおずき③【海《酸漿（ホホヅキ）》】テングニシ③という巻貝の卵の袋。孔（アナ）を開け、ホオズキのようにして鳴らして、子供が遊ぶ。昔、縁日には決まって見かけた。アカニシ②の卵の袋を「なぎなたほおずき」という。

うみほたる③【海蛍】海産の節足動物。体長約三ミリメートル。発光物質を分泌し、青白く光る。日本の太平洋沿岸に分布。〔ウミホタル科〕

うみ やま①【海山】 海と山。〔海のように深く、山のように高い、親・師の恩の意にも用いられる〕「―のシーズン〔＝海水浴・登山などに適した夏の季節〕」

＊＊う・む⓪【生む】（他五） ❶〈だれ・なにヲ―〉 母体が子や卵を体外に排出し、新たな個体としての生命活動を始めさせる。 ❷〈なにヲ―〉 それまで無かったものを（土台となるものが）作り出す。「傑作を―/利益を―〔＝生じる〕/時代の生んだ〔＝その時代の社会環境が必然的に現出したと考えられる〕英雄」 ❸〈なにヲ―〉 何かが原因で、そういう事態が△関係者間（一般）に認められるようになる。「△誤解（摩擦）を―」 表記 ❶は、「産む」とも書く。

う・む①■一【〈倦む】（自五）〔同じ状態が長く続いて〕△飽きる（疲れる）。「倦まずたゆまず〔＝飽きたり 怠けたり せず〕」

う・む①■二【《熟む】（自五） 〔果実などが〕熟(ウ)れる。■三【〈膿む】（自五） 〔傷や できものが〕しばらくたって、うみを持つ。化膿(カノウ)する。

う・む①【《績む】（他五） 麻・苧(オ)などの繊維を細く裂いて、長く縒(ヨ)り合わせる。

う・む①■二【有無】 ❶有るか無いか。「回答の―にかかわらず」 ❷有るもの（の方）と無いもの（の方）。「―相通じる〔＝有り余る方から無い方へ、物を回して、互いにうまく行くようにする〕」■三うんと言うか、いやと言うか。「―を言わさず〔＝承知でも不承知でも、本人の意向に関係無く〕」 表記 ■三を「有無」と書くのは、借字。

ウムラウト①〔ド Umlaut〕〔ドイツ語で〕母音a・o・uからそれぞれ少し変わった音。また、それを示すためにa・o・uの上につける符号。例、ä・ö・ü。

うめ⓪【梅】 ❶中国原産の落葉高木。早春、葉に先立って、かおりの高い△白色（紅色）の花を開く。実は酸っぱく、梅干用・薬用。観賞用としても植えられる。梅の木④③。〔バラ科〕 ❷「梅❶」の実。 ❸同種のものに三段階の等級をつける時の松・竹に次ぐ最下位。 かぞえ方 ❶は一株・一本・一木(クボク)・一樹(ユジ)。花は一輪

うめ あわ・せる⑤―【埋め合わせる】（他下一） △不足（損失）部分やそれまで十分に出来なかったところなどを他のもので補う。埋め合わす④（五）。「お金で―」 名 埋め合わせ⓪「遅刻の―に私が やりましょう」

うめがえ⓪【梅が《枝】 〔雅〕梅の枝(ダエ)。

うめがか⓪【梅が香】 〔雅〕梅の花のかおり。

うめ き⓪【埋め木】 ❶木材の穴や割れ目に△木を詰めること（詰める木）。 ❷〔↑埋め木細工(ザイク)④〕色・木目などの違う木を継ぎ合わせ、埋め木をして種々の形を作った△もの（細工）。寄せ木細工。

うめ・く②【〈呻く】（自五） ❶苦しくて、うんうんと苦しそうな声を出す。 ❷苦心して詩歌を作る。 名 呻き③「―声(ゴエ)④」

うめくさ⓪【埋め草】 〔雑誌などの〕余白を埋めるための短い記事。

うめ こ・む③【埋め込む】（他五） 埋めて、中に収める。

うめ しゅ⓪【梅酒】 梅の実を焼酎(ショウチュウ)・氷砂糖に漬けて作った酒。夏、暑気あたりを防ぐために飲む。

うめ ず⓪【梅酢】 梅の実を塩漬けにした汁。〔多くは、シソで赤い色をつける〕

うめ たて【埋め立て】■一⓪ 埋め立てること。■二（造語） 動詞「埋め立てる」の連用形。「―地④・―事業」

うめ た・てる④【埋め立てる】（他下一） 川・沼・海などを土で埋めて、陸地にする。〔⇩埋立て■二〕

うめ づけ⓪【梅漬け】 ❶梅の実を△塩（アルコール）に漬けたもの。 ❷梅酢にショウガ・ダイコンなどを漬けたもの。

うめ びしお③⓪―【梅〈醤】 梅干の肉に砂糖を交ぜてすって作った食品。

うめ ぼし⓪【梅干し】 梅の実を数日間塩に漬けた後、土用の日に干し、シソの葉を加えたりして、改めて漬けた食品。「以前は御飯に―の日の丸弁当を、よく食べた/―あめ④」

うめ み⓪③【梅見】 梅の花を見て楽しむこと。

うめ もどき③【梅《擬き】 庭に植える落葉低木。葉が梅に似る。赤い丸い実は、冬、葉が落ちても長く残る。〔モチノキ科〕 かぞえ方 一株・一本

＊う・める⓪【埋める】（他下一） ❶〈なにヲなに・どこニ―〉（掘った）穴やくぼみに何かを入れ、上を元のようにおおう。〔広義では、「うずめる」と同義にも用いられる〕「壺(ツボ)を庭に―/電線を地中に―」 ❷〈なにヲ（なにデ）―〉 あいていた所を満たしたり 欠けた部分を補ったりして元の望ましい状態にする。「△穴（溝(ミゾ)）を―/余白を―/△赤字（欠員）を―/△スケジュール（広場・時間・寂しさ・ギャップ）を―」 ❸〈なにヲ―〉 熱い湯などに水を加えて、ほどよい状態にする。

うめ わり⓪【梅割り】 焼酎(ショウチュウ)を梅エキスで割ったもの。〔現在は△湯（水）割りの焼酎に梅干を入れたものを言う〕

うもう⓪【羽毛】 鳥の羽、または柔らかな綿毛。 かぞえ方 一片・一枚

うもれ ぎ⓪③【埋もれ木】 土中に埋もれて炭化した樹木の化石。細工物や燃料に使われる。仙台付近のメタセコイアが有名。〔世間から捨てられて顧みられない境遇の意にも用いられる〕「―細工(ザイク)⑤」⇩メタセコイア

うも・れる⓪【埋もれる】（自下一） 何かでおおわれたり 何かに隠れたりして、その存在が人の目につかなくなる。「各地に埋もれた昔話を発掘する/すぐれた才能を埋もれさせるにしのびない」

うやうや し・い⑤【恭しい】（形） 〔相手を敬って〕礼儀正しくふるまう様子だ。「賞状を恭しくささげ持つ」 派 ―さ④ ―げ⑤⑥⓪ 表記 「《恭《々しい」とも書く。

＊うやま・う③(ウヤマフ)【敬う】（他五）〈だれヲ―〉 自分より△偉い（立場の上の）人に対して、それにつき従い、大切にしようとする気持を△持つ（行動や態度に表わす）。 名 敬い⓪

うや むや⓪【有〈耶無〈耶】―に ―な 〔「う」か「む」か、すなわちそうであるのか、そうでないのかの意で、「うむを言わさず」の「う・む」と同じ〕〔事の成行きなどについて〕はっきりしないままにしておく様子だ。「―△な（の）形となる/―（のうち）に△終わる（葬られる）/責任を―〔＝あいまい〕にする」 表記 「有〈耶無〈耶」は、借字。

うゆう⓪―(イウ)【〈烏有】 〔「烏(イズクン)ぞ有らんや」の意〕何も無いこと。「―に帰する〔＝火事で何もかも失う〕」

うよ うよ①（副）―と ―する たくさんの小さな生き物が ひしめき合っている様子。「△ぼうふら（ばい菌）が―している水/―と集まってくる」

うよ きょくせつ①―⓪【〈紆余曲折】―する（自サ） ❶曲がり道が多くて、まっすぐに行けないこと。 ❷〔いきさつなどが〕あれこれ込み入っている△こと（状態）。「―を経て結論が出る」

うよく①【右翼】 〔右の つばさの意〕↕左翼 ❶軍隊・艦隊・席順などの右端（に並んだもの）。 ❷〔フランス革命時、フランス国民議会で、保守派が議長席から見て右側の席を占めたことから〕極端に保守的・国粋的な思想傾向（の団体や分子）。 ❸〔野球で〕本塁から見て外野の右方（を守備する選手）。ライト。

うよく⓪【羽翼】 「つばさ」の意の漢語的表現。〔献身的な支援をしてくれる人の意にも用いられる。例、「―の恃(タノ)むべきを持たぬ」〕

うら【《心】（接頭） 形容詞・動詞の上に冠して、「心△の中で（から）」の意を表わす。「―悲しい・―寂しい」

うら②⓪【《末】 （植物の）先端。「―枯れる」

うら[2]【浦】㊀△海(湖)が陸地に入りこんで、波の静かな所。「田子の—[3]」㊁〔雅〕海岸。「—の苫屋(トマヤ)」

**うら[2]【裏】㊀△表(正面)と反対になる△側(面)。「紙の—」㊁「裏㊀」に面している△所(もの)。「—の畑/着物に—〔=裏地〕をつける」㊂隠されていて、表から△見えない(分からない)所や事柄。「—を返せば/事件の—に潜む真実/—には—がある〔=内情が複雑で真相がつかめない様子〕」㊃表面に現われているのと反対の(予想もつかない)事柄。「—をかく〔=予想外の事をして、相手を出し抜く〕」㊄〔野球で〕先攻のチームが守備にまわる番。㊅〔論理学や数学で〕仮設と終結を持つ型の命題に対し、仮設と終結を共にその否定で置きかえた命題の称。裏命題[3]。〔「PならばQ」の裏は、「PでないならばQでない」〕⇩逆・対偶(㊀~㊄の対義語は、表)【—の—を行く】相手が意表に出ることを予想して、さらにその逆の手を用意する。【—を返す】㊀〔もと、初回の遊女を再び呼ぶ意〕同じことをもう一度する。㊁立場をかえて見る。「裏を返せば〔=逆の見方で言えば〕」【—を取る】〔警察や報道などで〕実際の証拠によって、供述・情報などの真偽を確かめる。

うらあみ[0]【裏編(み)】編物の基礎編みの一種。メリヤスの裏と同じ編み目が出る。↔表編み

うらうち[0]【裏打(ち)】—する(他サ)㊀〔補強のために〕衣服・紙・革の裏に、別の布・紙を付けたり貼(ハ)ったりすること。「表紙を—する/危機感に—される〔=その背後に、のっぴきならぬ危機感がある〕」㊁裏付け㊂。「具体的な数字を示すことで—された主張」

うらうつり[3]【裏移(り)】—する(自サ)㊀他の紙や輪転機に付いたインクが紙の裏に付着すること。㊁インクがにじんだり紙が薄かったりするために表の内容が裏からも見えること。裏抜け[0]。「—を起こした/—が激しい」[表記]㊁は「裏写り」とも書く。

うらうら[1](副)—と —する 日の光が明るく、のどかに照っている様子。

うらえり[0]【裏襟】あわせに仕立てる着物の、裏布の襟。[表記]「裏〈衿」とも書く。

うらおもて[0]【裏表】[一]㊀裏と表と(の関係)。「—で色が違う/—が逆だ」㊁Ⓐ表と裏とが通常とは反対の状態であること。本当は裏であるのに、表であるかのように扱うこと。「シャツを—に着る」Ⓑ言行などに表向きと内実とで一致しない点があること。「あの人は—のある人だ」[二]〔意味の実質は「裏」にある。⇩帯説〕裏面の事情。「政治の—に通じた/世間の—を知る」

うらかいどう[3]【裏街道】正規の街道のようには整備されていないが、人目を避けたりするのに都合のいい道路。〔まともでない生き方や日の当たらない人生のたとえとしても用いられる〕

うらがえ・す[3]【裏返す】(他五) 普通とは反対に、裏を表にする。ひっくり返す。「畳表を—/裏返して言えば」[名]裏返し[3]

うらがえ・る[3]【裏返る】(自五)㊀裏が表になる。ひっくり返る。「シャツが—/声が—」㊁敵に内通する。裏切る。[表記]「裏《反る」とも書く。

うらがき[0]【裏書(き)】—する(自他サ)㊀文書の裏に、氏名や証明・説明の言葉など必要な事柄を△書くこと(書いたもの)。裏付け。〔巻物になった本では本文に出てくる重要語句の注釈や補遺などを、軸物の書画では鑑定の結果を、手紙や小切手では差出人や支払いを受ける人の氏名・住所を、手形・証券などでは譲渡者の署名を、それぞれ書く〕「この—は偽物(ニセモノ)だ」㊁他の面から、ある事実を確実なものとして保証すること。「犯行を—する証拠」

うらかぜ[2]【浦風】「海辺を吹く風」の古風な表現。

うらかた[0]【裏方】㊀身分の高い人の妻。〔狭義では、本願寺門主の妻を指す〕㊁〔劇場などで〕舞台裏で衣装・大道具・小道具などの用意をする人。〔表立たず、実質的な準備や運営に当たる人の意にも用いられる〕「—を務める/—に徹する」↔表方

うらがなし・い[5][0]【《心悲しい】(形) これといった理由もないのに、悲しい感じがわきおこる△気持(状態)だ。[派]—さ[5]

うらがね[0]【裏《曲】〔尺貫法で〕曲尺(カネジャク)の裏につけた目盛り。表の一尺を一辺とする正方形の対角線の長さ$\sqrt{2}$〔=約一・四一四〕尺が、裏の一尺に当たる。「うらじゃく・うらめ」とも。[表記]「裏〈矩」とも書く。

うらがね[0]【裏金】㊀靴の裏などに打ちつける鉄の板。㊁〔取引で〕表に出さないで、やりとりする金。

うらが・れる[4][0]【《末枯れる】(自下一) 草木の枝先や葉先が枯れる。[名]末枯れ[0]

うらがわ[0]【裏側】両面ある物の、普通は隠れて見えない方の側。〔物事の背後にひそむ(意外に)醜悪な事情を指す〕↔表側

うらき[0]【《末木】〔雅〕こずえ。↔本木(モトキ)

うらきど[0]【裏木戸】㊀家の勝手口に通じる木戸。㊁芝居小屋の出入口で裏の方。

うらきもん[3]【裏鬼門】鬼門と反対の方角。南西。坤(ヒツジサル)の方角。家相で、鬼門と共に不吉とされる。

うらぎり[0]【裏切(り)】[一][0]裏切る△こと(行為)。内通。内応。[二](造語)動詞「裏切る」の連用形。「—者(モノ)[0]・—行為」

*うらぎ・る[3]【裏切る】(他五)〈だれ・なにヲ—〉㊀〔約束・信義を破って〕味方にそむき、敵につく。内通する。裏返る。「仲間を—」㊁予期した事態と反対の結果になる。「△信頼(予想・公約)を—/期待が裏切られる」〔⇩裏切り[二]〕

うらぐち[0]【裏口】家の裏側にある出入口。「—〔=こっそり隠れてやる〕営業[5]・—〔=縁故・わいろなどによる〕入学[5]」↔表口

うらけい[0]【裏〈罫】印刷組版に使う罫線の裏の方を使った太い線。↔表罫

うらげい[0]【裏芸】芸人が、表芸のほかに身につけていて、特別の場合以外はやらない芸。⇩隠し芸・表芸

うらこうさく[3]【裏工作】物事の進捗(シンチョク)や解決を図るために、表立たないところで、関係者にあれこれと画策すること。裏面工作。

うらごえ[0]【裏声】㊀自然の発声よりも技巧的に高く出す声。↔地声 ㊁三味線の調子より低く歌う声。

うらごし[0]【裏〈漉(し)】—する(他サ) 曲物(マゲモノ)などの底に目の細かい網を張って、裏からあんやイモなどを押し出してこす△こと(道具)。「—にかける」

うらさく[0]【裏作】おもな作物を収穫したあとに△他の作物を作ること(作る他の作物)。↔表作

うらざと[0][2]【浦里】海辺の人里。〔多く、漁村を指す〕

うらさびし・い[5]【《心寂しい・《心〈淋しい】(形) これといった理由も無いのに、寂しい感じがわきおこる△気持(状態)だ。[派]—さ[4][5] —げ[0][5]

うらじ[0]【裏地】着物・洋服の裏に縫い付けてある布。

うらじゃく[0]【裏尺】⇩裏曲(ウラガネ)

うらじょうめん[3]【裏正面】〔すもうで〕土俵をはさんで正面〔=北〕座席の反対側。向こう正面。

うらじろ[0]【裏白】㊀〔紙や布(で作った物)の〕△裏(内側・底)が白いこと。㊁常緑多年生のシダ植物。大形で、葉の裏が白い。正月の飾りに使う。〔ウラジロ科〕[かぞえ方]

❷は一本

うら だな[0]【裏《店】 裏通りや路地の奥に建てた(みすぼらしい)貸家。

うら づけ[0]【裏付(け)】―する(他サ) ❶裏打ち❶。❷裏書❶。❸それが成立するために必要な、経済的基盤や、強力な人脈。裏打ち。「―に欠ける/資金の―〔=保証〕を欠く」 ❹それが事実であることを客観的に証明する、別面からの証拠。「―調査を急ぐ」 動 裏付ける[4](下一)「△証言(予測・妥当性)を―」

うら て[0]【裏手】〔家や町並の〕裏の方。「敵の―〔=背後〕に回る」

うら どおり[3]【裏通(り)】 表通りにほぼ平行して設けられている、(何本かの)狭い通り。↕表通り

うら どし[0]【裏年】 その果物がよく実らない年。↕なり年

うら とりひき[3][4]【裏取引】 裏面で行なわれる不正な△取引(交渉)。「法案を通すために、与野党の間に―があったとうわさされる」

うら ない[0][3]【占(い)】 占うこと(を職業とする人)。「―者[3]・―師[3][4]」 表記「〈卜」とも書く。

*__うらな・う__[3]【占う】(他五)〈なにデ〉なにヲ―〉〔「なう」は接辞〕 ❶人の将来(の運勢)や事の吉凶などを、自然の兆候や物に現われた形象によって予想する。「結婚運を占ってもらう」 ❷将来の動向・展開を、それによって判断△させる(する)。「今後(の動向)を―鍵/△将来(成否)を―」 表記「〈トう」とも書く。

うら ながや[3]【裏長屋】 △人家の裏の方(裏通り)に建てた(みすぼらしい)長屋。

うら なみ[0]【浦波】〔雅〕その海岸に打ち寄せる波。

うら なり[0]【《末《生(り)】 ❶〔ウリ類などの実が〕時季遅れにつるの末になる△こと(もの)。↕本生り ❷顔色が青白くて、弱よわしく見える△こと(人)。 表記 ❶は、「《末成り」とも書く。

ウラニウム[3]〔uranium〕 ⇩ウラン

うら にほん[4]【裏日本】 本州のうち日本海側の地域の旧称。〔現在は日本海沿岸地域という〕 ↕表日本

うら ぬの[0]【裏布】 衣類・加工品の裏を補強・装飾したりするための布。

うら はずかし・い[6]【《心恥(ず)かしい】(形) 何かにつけて恥ずかしいと感じてしまう状態だ。 派 ―さ[6][5] ―げ[0][7][6]

うら ばなし[3]【裏話】 あまり多くの人に知られていない、陰の事情に関する話。

うら はら[0]【裏腹】―な/―に 言行などが一致しない△こと(様子)。「言う事とする事が―だ〔=矛盾している〕/口先とは―にすることが汚ない」

うら ばんぐみ[3]【裏番組】(人気のある)一つの番組と同じ時間帯に組み込まれた、他の放送局の番組。

うら ぶ・れる[0][4](自下一) おちぶれたり不幸な目にあったりして、みじめなありさまになる。

うらぼん[0]【〈盂蘭〉盆】〔←盂蘭盆会[3]。「盂蘭」は、地獄でさかさまにぶら下げられる苦しみを解く意の梵語の音訳という〕(陰暦)七月十五日を中心に行なわれる仏教の行事。いろいろの食べ物を仏壇に供えて、死者の冥福を祈るもの。(お)ぼん。精霊会。

うら まち[0]【裏町】 裏通りの(みすぼらしい)町。

うらみ【恨(み)・《怨(み)】 ■一[3] 恨む△こと(心)。「―が△くすぶる(積もる・にじむ)/食べ物の―は恐ろしい/―を買う〔=恨まれることをする〕/―に思う/―を飲む〔=人に対する恨みの気持をこらえる〕/―を晴らす/逆―」 **―つらみ**[6][0]〔「つらみ」は語調を整えるために添えた語〕(数多くの)恨み。 ■二(造語) 動詞「恨む」の連用形。 **―がまし・い**[6](形) 恨みに思う気持が言動や態度などに現われている様子だ。「―まなざし」 **―ごと**[0]【―言】 恨みの気持を述べる言葉。 **―じに**[0]【―死(に)】 恨みを晴らす機会も無いまま死ぬこと。 **―っこ**[3] 互いに恨むこと。「―無し」 **―ぶし**[0]【―節】 ❶恨みについて表現した歌。❷自分の責任を棚に上げて他人への恨み言をくどくど述べること。「彼は会社を首になって以降、誰に対しても―だ」

うらみ[3]【《憾(み)】〔事が済んだ後〕もう少し事態を冷静に分析・判断した上で対応すれば何とかなったのではないかと、△批判(反省)される点。「やや結論を急ぎ過ぎた―がある〔=点が△惜しまれる(悔まれる)〕/公平を欠いた処分の―がある〔=ではないかと客観的には見られる〕/いささか手遅れの―〔=傾向〕がある/△千秋(終生)の―〔=痛恨事〕」

うら みち[0]【裏道】 ❶△裏口から(裏側を)通る道。❷本道以外の道。〔不正な手段(による収入)の意にも用いられる〕 ❸日の当たらない△苦労の多い(うらぶれた)生活。「人生の―」

*__うら・む__[2]【恨む】(他五) ❶〈だれ・なにヲ―〉 ひどい仕打ちをした人に対して機会あらば仕返しをしてやろうと思う気持を、いつまでも忘れずに持ち続ける。「天をも人をも恨まずという心境」 ❷〈なにヲ―〉〔望み通りにならなくて〕残念に思う。「逸機が恨まれる/―らくは[4][3]〔=残念な(惜しい)事には〕」 表記 ❶は「《怨む」、❷は「《憾む」とも書く。〔⇩恨み■二〕

【一太刀―】 ⇩一太刀

うら め[0][3]【裏目】 ❶⇩裏曲 ❷さいころの一つの面に対して、ちょうど反対側に当たるところの面。例、一の面に対する六の面。「―に出る〔=よかれかしと思ってやった事が△予想(期待)とは逆の、思わしくない結果になる〕」

うらめし・い[4]【恨めしい・《怨めしい】(形) ❶恨みたくなる気持だ。「貧乏を恨めしく思う」 ❷望みがかなわなかったりして、未練が残る状態だ。「考えが甘かったことが―」 派 ―さ[3][4] ―げ[0][5] ―が・る[5]

うら めん[0]【裏面】 ❶(特に両面印刷された)紙の裏に当たる側。⇩りめん ❷〔コンピューターゲームなどで〕正規の手順とは異なる方法によって入ることができる場面。

うら もり[0]【裏漏(り)】〔末漏りの意〕やかんや急須から湯や茶をつぐ時に、つぎ口の下の方を伝って湯や水が、垂れること。

うら もん[0]【裏門】 表門を通ることにさしさわりがある△時(人)などに利用される、裏側に設けた門。寺社・公共建造物や屋敷について言う。↕表門

うら もん[2][0]【裏紋】 定紋の代りに使う紋。かえ紋。↕表紋

うら やま[0]【裏山】 ❶その家の裏近くの雑木林。❷その家の裏近く、控えるように位置する山。❸山の、日当たりが悪い方の側。

*__うらやまし・い__[5]【羨(ま)しい】(形)〔「うら」は、心の意〕自分より△好ましい(有利な)立場や状況にある人を見聞きして、できることなら自分もそうなりたいと思ったりその人をねたみたくなる気持をいだいたりする様子だ。「才能に恵まれた人が―/一戸建ての家に住めるとは―話だ」 派 ―さ[4][5] ―げ[5][6][0] ―が・る[6]

*__うらや・む__[3]【羨む】(他五)〈だれ・なにヲ―〉 望ましい相手の状態を見て自分もそうなりたいと思う(が、そうなれなくて不満に思う)。 名 羨み[0]

うらら[0]【《麗ら】―な/―に〔雅〕うららか。「春―」 **―か**[2]―な/―に ❶空がよく晴れて、暑くも寒くもなく、穏やかな様子だ。❷明るく晴ればれとして、わだかまりや心配事も無さそうな様

子だ。[派]―さ[4]

ウラルアルタイ ごぞく[1]-[5]、[8]【ウラルアルタイ語族】〔ド Ural-Altaische〕 歴史的に源が同じと推定された、ウラル語族[4]〔=フィンランド語・ハンガリー語・サモエード語など〕とアルタイ語族[5]〔=チュルク語・モンゴル語・ツングース語など〕。現在は否定されている。〔アクセントの[1]-[5]は、「ウラル アルタイ語族」と区切って言う時〕

うら わ[0]【浦《曲》】〔雅〕海が陸地に深く入り込んだ所。

うら わか・い[4]【うら若い】(形)〔「うら」は末。もと、萌え出たばかりの木の葉が みずみずしい意〕まだ若くて、心の純真さを失っていない反面、世間の荒波にもまれていないもろさが感じられる状態だ。〔多く女性について言う〕[派]―さ[3]

うら わざ[0]【裏技】 その方面に熟達した一部の人だけが知っているような、△事を有利に運べる(すぐれた効果を期待できる)巧妙な手段や方法。〔狭義では、コンピューター ゲームなどで、それを使うと有利な展開に持ち込める、正式ではない操作方法〕

ウラン[1]〔ド Uran〕 放射性元素の一つ〔記号U原子番号92〕。外観は鉄に似る。放射性が強く、原子力の発生に利用される。崩壊後はラジウムを経て、ついには鉛となる。ウラニウムとも。

うらん かな[2]【売らん〈哉】 「ぜひとも売ろう」の意の昔風の表現。「―の△競争(姿勢)」

うり[1]【〈瓜】 シロウリ・キュウリ・マクワウリなど、ウリ科の栽培植物の総称。〔狭義では、マクワウリなどの実で、なまのまま食べられるものを指す〕「―二つ〔=縦に二つに割った瓜のように、顔つきなどがよく似ているたとえ〕/―の蔓に茄子は生らぬ〔=平凡な親からすぐれた子供は生まれないということわざ〕」

うり[0]【売(り)】❶売ること。〔狭義では、相場の値下がりを予想して、売ることを指す〕「―に出る〔=ⓐその物を大量に売ろうとする手段をとる。ⓑ相場で、売り手になって行動する〕」↕買い ❷売り物❷。「デザインの斬新さが―だ」

うり あげ[0]【売上】〔一定期間に〕商品などを売った金(の総額)。売上金[0]。「―高[4]」[動]売り上げる[4](他下一)

うり ある・く[4]【売(り)歩く】(他五) 商品を売るために個々の家や地域を回る。

うり いえ[0]【売(り)家】 売りに出した家。「うりや」とも。「―と唐様で書く三代目〔=⇩唐様❶〕」[かぞえ方]一軒

うり いそ・ぐ[4]【売(り)急ぐ】(他五) 〔相場の下落を予想したり 金が急に必要になったり して〕売ることを急ぐ。「株を―」[名]売り急ぎ[0]

うり おしみ[0]【売(り)惜しみ】―する(他サ) 〔値上がりなどを予想して〕売りたがらないこと。[動]売り惜しむ[4](他五)

うり かい[2]【売(り)買(い)】―する(他サ) 売ったり買ったりすること。あきない。

うり かけ[0]【売(り)掛(け)】―する(他サ) あと払いで△売ること(売った代金)。

うり かた[0]【売(り)方】↕買い方 ❶売る方法。❷売る方の人。売り手。

うり き[0]【売(り)気】 商品・株式を売ろうとする気構え。↕買い気

うり き・る[3]【売(り)切る】(他五) 全部売ってしまう。

うり き・れる[4]【売(り)切れる】(自下一) 全部売れて無くなる。[名]売り切れ[0]

うり ぐい[0]【売(り)食(い)】―する(自他サ) 〔他からの収入が無く〕土地・株券や家財を少しずつ売って生活費にあてること。

うり くち[0]【売(り)口】 売りこむ相手。売り先[0]。販路。

うり こ[0]【売(り)子】❶〔駅・車内などで〕品物を売り歩く人。❷△店頭(売り場)に買いに来る客に品物を売る仕事をする人。〔狭義では、デパートなどの女店員を指す〕

うり こうじょう[3]【売(り)口上】 業者が通行人や見物客に対して商品を売るために行なう口上。「―に乗せられてつい買ってしまう」

うり ごえ[0][3]【売(り)声】〔行商人などが〕品物を売るために、人に呼びかける声。「最近は金魚売りの―もあまり聞けなくなった」

うり ことば[3]【売(り)言葉】〔けんかをしかけるために〕相手を怒らせようとして言う言葉。「―に買い言葉〔=相手の暴言に対して、こちらも暴言で言い返すこと〕」

うり こ・む[3]【売(り)込む】(他五) ❶〔宣伝したり 勧めたりして〕相手に買う気を起こさせて、売(ろうとす)る。❷〔宣伝したり 相手にうまく取り入ったり して〕名前や信用を広め、有利な立場にする。「△人柄(イメージ)を―」❸〔利益になることを予想して〕情報などを進んで△知らせる(提供する)。「敵の秘密を―」[名]売り込み[0]「―合戦[5]」

うりざね がお[0]【〈瓜《実顔】 瓜の種に似て、色白・中高で やや細長い顔。美人の顔の一典型とされる。

うり さば・く[4]【売(り)〈捌く】(他五) 〔売れ残りの無いように〕△上手に(広く)売る。

うり しぶ・る[4]【売(り)渋る】(他五) 品薄であったり 値上がりをあてこんだり して、売るのを控える。

うり だ・す[3]【売(り)出す】(他五) ❶売り始める。❷〔広く宣伝し、また、値を引いたり 景品を付けたり して〕大いに売る。❸〔今まで知られていなかったものを〕広く知られるようにする。[名]売り出し[0]「―中の歌手」

うり たた・く[4]【売(り)〈叩く】(他五) ❶〔金がほしいために〕ひどく安い値段で売る。❷〔相場を下落させるために〕安い値段で、盛んに売る。

うり たて[0]【売(り)立(て)】 〔所蔵品などを〕期日を決めて、(せり売りや入札によって)一時に売り払うこと。「―場[0]」

うり ち[0]【売(り)地】 売る予定の土地。

うり つく・す[4]【売(り)尽(く)す】(他五) 売れる物を残りなく売る。「家財を売り尽くしてしまった」

うり つ・ける[4]【売(り)付ける】(他下一) 無理に押し付けて、売(ろうとす)る。

うり つなぎ[0]【売(り)〈繋(ぎ)】❶〔株式の取引で〕相場の下落を予想して、市場へ売りに出しておくこと。↕買い繋ぎ ❷家財などを売って、生活を繋ぐこと。[動]売り繋ぐ[4](他五)

うり て[0]【売(り)手】 売る(方の側の)人。↕買い手 ―しじょう[4]【―市場】 需要が供給より多かったり 品不足であったりして、売手の側が有利な立場にあること。↕買い手市場

うり どき[0]【売(り)時】 売るのにちょうどよい時機。↕買い時

うり とば・す[4]【売(り)飛(ば)す】(他五) 〔本当は売ってはいけないものを〕△やけくそになって安い値段で(無慈悲にも)売ってしまう。

うり にげ[0]【売(り)逃(げ)】⇩売り抜け

うり ぬけ[0]【売(り)抜(け)】〔取引で〕手持ちの株や商品を相場が下がらないうちに売り尽くしてしまうこと。売り逃げ。

うり ぬし[2][0]【売(り)主】 その品物の売り手。↕買い主

うり ね[0]【売値】 売り△渡す(渡した)時の値段。↕買値・元値

うり ば[0]【売(り)場】❶〔品物・切符などを〕売る場所。❷売るのによい時機。

うりばえ②⓪【〈瓜蠅〉】堅い殻のある昆虫。ウリ類の害虫。小形で、だいだい色・卵形。〔ハムシ科〕 表記 「〈守瓜〉」(漢語表記)とも書く。 かぞえ方 一匹

うりはら・う④【売(り)払う】(他五) 思い切りよく(全部)売ってしまう。〔口頭語的表現は「うっぱらう」〕

うりひろ・める⑤【売(り)広める】(他下一) 販路を広げて、商品を行きわたらせる。〔マスコミなどを利用して、名前などを世間に広める意にも用いられる〕

うりぼう②【〈瓜坊〉】「イノシシの子」の異称。〔背の斑紋が「銀まくわうり⑤」の縞に似ているところからの命名〕

うりまわ・る④【売(り)回る】(他五) 販路の拡張をねらって、買ってくれそうなところに商品を持って回る。

うりもの⓪【売(り)物】❶売る品物。商品。❷人の興味・関心を集めるもとになる、最も△人目を引く(得意な)もの。略して「うり」。「手堅さが―の会社」❸〔俳優・芸人などの〕客を引く得意の芸。

うりや⓪【売(り)家】売りに出した家。「売りいえ」とも。

うりょ・う②【《憂う・《愁う】(自他下二)「憂える」の文語形の発音に忠実な表記。

うりょう①【雨量】単位時間内に、△雨(雪など)の地表に降った量。〔雨以外のものも、水に換算して言う〕

うりわた・す④【売(り)渡す】(他五) ❶売って先方に渡す。↔買い受ける ❷自分の利益のために裏切って、仲間などの身柄を敵対する側に渡す。 名 売り渡し⓪

****う・る**⓪【売る】(他五) ❶〈だれニなにヲ―〉〔求めに応じて〕代金と引換えに(物や権利などを)人に渡す。↔買う ❷〈(なにデどこニ)なにヲ―〉〔名声などを〕広く知られるようにする。「名を―」 ❸〈だれニなにヲ―〉〔利益に目がくらんで〕自分と行動を共にしたものを不利な立場に陥れる。「上官を敵に―/友を―」 ❹〈だれニなにヲ―〉〔相手をそれに応じさせようとして〕しかける。「けんかを―/議論を―/媚を―〔=⇩媚〕」

うる【得る】(他下二型〔エ・エ・ウル・ウル・ウレ・エヨ〕) ━①「える」の新しい文語形。「―所が大きい」 ━〔「動詞連用形+―」の形で、接尾語的に〕〔…が〕出来る。「考え―〔=考えられる〕/あり―」

うる①【〈粳】イネ・アワ・キビなどの中で、炊いた時 粘りけの少ない種類。「―アワ⓪②・―ごめ⓪」 ↔糯

うるう②【〈閏】❶暦と実際の季節との ずれを調節するために、平年より一つだけ多く設けた△月(日)。〔原則として、太陽暦では四年に一度、二月を一日多くし、太陰暦では五年に二度の割合で、ある月を二度繰り返す〕 ❷「閏❶」の△年(月)。 ―どし②【―年】閏のある年。↔平年 ―びょう②【―秒】天文学的に計測した時刻と、標準時刻の基準としているセシウム原子時計との ずれを正すために、一年間に一秒だけ△加える(減らす)秒。一月一日か七月一日のある時刻に調整する。

うるおい⓪【潤(い)】❶(ほどよい)湿り(け)。「―のある肌」 ❷金銭的な意味でのプラス。「わずかな金でも家計の―〔=足し〕になる」 ❸生きていることの楽しさをしみじみと感じさせるような、精神的な充足感。「―のある〔=△堅いばかり(論理一辺倒)でなく、しみじみとした情感の感じられる〕文章/―のある〔=精神的にゆとりが感じられ、人間的な情趣を味わう状態にある〕生活」

***うるお・う**③【潤う】(自五)〈(なにデ)―〉 ❶〔雨が降るなどして、木・地面などに〕待望していた水が与えられる。「台風で首都圏の水がめが―/あたたかい友情ですさんだ心が―〔=なぐさめられる〕」 ❷思わぬことでかなりの利益が得られる。「臨時収入でふところが―/競馬の収益で市の台所が―」

***うるお・す**③【潤す】(他五) ❶〈(どこヲ)―〉〔雨が降るなどして〕大地やそこに生息する動植物などに望まれる水を与える。「梅雨の雨が△乾ききった水田(干上がった池)を―/乾いた心を―〔=いやしてくれる〕歌の調べ」 ❷〈(なに・どこヲ)―〉予想外の、また予想以上の利益を得させる。「輸出産業の進展が国家経済を―/鉱脈の発見が町を潤した」

うるか⓪【〈鱁】アユなどの卵やはらわたの塩漬け。 表記 「〈鱁鮧〉」とも書く。

****うるさ・い**③【《煩い・〈五月〈蠅〉い】(形) ❶不快なものにつきまとわれ、うんざりさせられる状態だ。「―ハエ/髪の毛が伸び過ぎて、うるさくて仕方が無い/物売りがうるさくつきまとう」 ❷不快な声や音が耳について離れず、いらいらした気分になる様子だ。「うるさくて、落ち着いて本が読めない/一日中―繁華街」 ❸〈なにニ―〉自分にとってはどうでもいい事に わずらわしいまでに固執したり 必要以上に厳しかったりするので、出来るならその相手から逃避したい気持だ。「―おやじ/あいつはなかなか―〔=主張の強い。食い下がって離れぬ〕奴だ/あの先生は―人〔=一言居士〕だ/手続きがやたらと―〔=めんどうだ〕/世間の目が―〔=何かと批判的な態度で見る〕」 ❹(他人から見れば取るに足りないような物事にこだわりがあって、自分の気がすむようにしなければ満足しない様子だ。「味に―/身だしなみに―」 派 ―さ③ ―げ⓪ ―が・る④

うるさがた⓪【うるさ型】何事にも口を出し、よく文句を言いたがる性質(の人)。やかまし屋。

うるし⓪【漆】❶山野に自生する落葉高木。葉はフジに似て大きく、秋、美しく紅葉する。さわると、かぶれる。〔ウルシ科〕 ❷傷をつけた「漆❶」の幹の樹皮から採った汁。耐食性が強く、塗り物に使う。 かぞえ方 ❶は一株・一本 ―かき③【―〈掻(き)】ウルシの木からウルシの汁を採取する△こと(人)。 ―ぬり⓪【―塗(り)】ウルシを器物に塗る△こと(人)。また、ウルシを塗った器物。 ―まけ⓪【―負(け)】ウルシにかぶれること。

ウルシオール④〔urushiol, 日本語の「うるし」に由来する語〕漆の主成分。かぶれをおこさせる。

うるち⓪【〈粳】〔もち米ではなく〕うるの米。常食・酒造用にする、普通の米。

ウルトラ(接頭)〔ultra の文字読み〕その傾向の一番進んだ。極端な。超…。「―モダン⑤・―マリン⑤〔=群青色〕・―C⑤〔=もと体操競技で、最高難度を超えたわざ。今は、比喩的に『離れ技』の意にいう〕」

うる・む②【潤む】(自五) 水けを帯びて、曇ったようになる。「目が―〔=涙がにじむ〕/声が―〔=涙声になる〕/星が―〔=ぼんやりかすんで見える〕」 名 潤み③ 他動 潤ませる④(下一)「目を―」

うるめいわし④【潤目〈鰯】イワシの一種。少し大形で、目が大きくうるんで見える。主として干物にする。「うるめ⓪」とも。

うるもち⓪【〈粳餅】もち米に うるちを交ぜてついた、粒のある餅。おもに かきもち用。

うるわし・い④【麗しい】(形) ❶美しさの中に、人の心を引きつける気品が感じられる様子だ。「―女性/見目―/―声〔=柔らかく上品な声〕/麗しの乙女」 ❷気分などが晴れやかで、くったくが無い様子だ。「御機嫌―」 ❸〔見たり聞いたりして〕心のあたたまる状態だ。「―情景/―友情」 派 ―さ③ ―げ⓪④⑤ 表記 古くは、「《美しい」とも書いた。

うれあし⓪【売れ足】商品のさばけぐあい。「―が△速い(遅い)」

うれい③②【憂い】〔「憂え」の変化〕❶〔予想される悪い状態に対する〕心配。「凶作の―がある／後顧の―も無く」❷△悲しみ(悩み)で心が閉ざされ、ゆううつなこと。「―を帯びた顔／―に沈む」表記 ❷は、「愁い」とも書く。
運用 結婚などの祝宴に際して避けるべき言葉とされる。

うれ・える③【憂える・愁える】(自他下一)〔悪い状況(が予想されること)について〕△心配する(嘆き悲しむ)。「△前途(事態)を―」名 憂え③②

うれくち⓪【売れ口】売れて行く先。販路。〔俗に嫁入り先を指した〕

**うれし・い③【嬉しい】(形) 自分の欲求が満足されたと感じて、その状態を積極的に受け入れようとする気持だ。「あの人に会えて嬉しかった／あしたは休みだ、―な／四月から自分も大学生かと思うと、何となく―気持になる／―ね、君のその一言を待っていたよ／―悲鳴」↔悲しい 派 ―さ② ―げ⓪ ―がる④

うれしがらせ⓪【嬉しがらせ】嬉しく思わせる△こと(言葉・態度)。「―を言う」動 嬉しがらせる⑥(他下一)

うれしなき⓪【嬉し泣き】―する(自サ) 嬉しさのあまり泣くこと。「―に泣く」

うれしなみだ④【嬉し涙】嬉しさのあまり流す涙。

うれすじ⓪【売れ筋】同類の商品の中で人気があり、よく売れているもの。

うれだか⓪【売れ高】〔商品の〕売れた△数量(金額)。

うれだ・す③【売れ出す】(自五) ❶売れ始める。❷商品・芸人・職業選手としての知名度が高まり始める。

ウレタン⓪〔ド Urethan←Polyurethan〕人造ゴムの一種。油に溶けず、あまりすり減らない。接着剤・吸音材に使われる。ポリウレタン。「―フォーム⑤(=いす・寝台・マットレスなどのクッションに使われる、人造ゴムの一種)」

うれっこ⓪【売れっ子】あちらからもこちらからも△お座敷のかかる芸者(出演交渉のある芸人)。〔現在では人気があり、もてはやされている人にも言う〕「―の作家」表記 芸者は、「売れっ△妓」とも書く。

うれのこり⓪【売れ残り】売れないで△残ること(残った品)。〔俗に、婚期を過ぎても独身でいる△こと(女性)を指した〕動 売れ残る④(自五)

うれゆき⓪【売れ行き】〔品物の〕売れて行く△こと(様子)。「―が思わしくない」

う・れる⓪【売れる】(自下一) ❶(よく)買われて△行く(無くなる)。「飛ぶように―」❷広く知られる。「名が―」

う・れる②【熟れる】(自下一)〔果実などが〕熟す。実る。「野苺の実が、真っ赤に熟れている」

うろ⓪【《空・《虚・《洞】中がからになっている△もの(所)。「△大木(虫歯)の―(=穴)」

うろ①【有《漏】〔「漏」は煩悩の意〕〔仏教で〕煩悩の多い、俗世間の人。↔無漏

うろ①【《迂路】「回り道」の意の漢語的表現。

うろ①【雨露】「雨と露」の意の漢語的表現。「―をしのぐ(=ⓐ雨が降り露がおりてもなんとか防げるだけの屋根の下で寝ることが出来る。ⓑ十分ではないにしてもなんとか生活出来る)／―の恩(=計り知れぬ、大きな恵み)」

うろ①【〈烏鷺〉】〔碁石の黒をカラスの、白をサギの羽の色になぞらえた言い方〕「碁」の異称。「―の争い」

うろうろ①(副)―と ―する ❶その一帯を、あてもなく、あっちに行ったりこっちに来たりする様子。「知らない街を―する／さっきから怪しい男が―している」❷どう対応したらよいか分からないまま落ち着きなく動き回る様子。「こわれた機械を前にして―するばかりだ」

うろおぼえ⓪③【うろ覚え】確かでない記憶。

うろくず⓪〔雅〕〔「いろくず③⓪」の変化。「いろ」は鱗と同源〕うろこ。また、魚。

うろこ③⓪【《鱗】❶魚類・爬虫類の表皮を瓦のように重なっておおっている薄片。からだを保護するためのもの。❷〔↑鱗形⓪〕〔着物などの〕三角の模様。「▲」の形。
―ぐも④【―雲】「巻積雲」の俗称。

うろた・える④⓪(自下一)〔不測の事態に遭遇し、的確な判断力を失って〕どうしてよいか分からず、まごつく。表記「〈狼狽〉える」とも書く。

うろちょろ①(副)―と ―する うるさく感じられるほど、〔目の前を〕あちこち動き回ることを表わす。

うろつ・く⓪(自五) ある範囲内をぶらついていて、立ち去らずにいる。〔違和感・不審感をもって見られることが多い〕

うろぬ・く③【《疎抜く】(他五) ⇩まびく❶ 名 疎抜き⓪

うろん⓪【《胡《乱】―な 〔「う」も「ろん」も、それぞれの漢字の唐音〕怪しげで信用出来ない様子。〔狭義では、挙動不審の意に用いられる〕

うわ【上】(造語)「上・表面」の意味を表わす。「―書き・―皮・―荷」

うわあご⓪【上顎】上の方の顎。↔下顎

うわえ⓪【上絵】❶白く染め抜いた所に絵の具で描いた絵や模様。❷釉薬をかけて焼いた陶磁器の表面に更に描いた絵や模様。

うわおき⓪【上置(き)】❶たんす・食器棚・机などの上に置いて小物を整理するための、小型の箱・戸棚。❷飯や、かけうどん・かけそばや、雑煮餅の上に載せて食べる野菜・魚・肉など。❸体裁を整えるために看板としてかつぐ著名人。辞書・全集の監修者や、旅芝居の立役者など。かぞえ方 ❶は一枚

うわおち⓪【上落(ち)】染料で濃く染めたものが、洗ったためちょっと色がさめること。

うわがき⓪【上書(き)】―する(自他サ) ❶〔郵便物・書物・箱などの〕表面に文字やあて名を書くこと。また、その文字やあて名。❷〔コンピューターで〕既存のデータ ファイルの上に別のデータを記録すること。「―禁止」

うわがけ⓪【上掛(け)】❶衣服の上に掛けて着るもの。〔具体的には、うわっぱり・外套の類を指す〕❷掛け布団・こたつ布団などが汚れないようにかぶせるおおい。❸荷物の一番△上(外)側に掛ける紙やひもなど。かぞえ方 ❶～❸とも一枚

うわがみ⓪【上紙】体裁を良く見せるためなどに、商品や贈り物の表面を包む紙。

うわがり⓪【上借(り)】―する(他サ) 借金をした相手からさらに金を借りること。

うわかわ⓪【上皮】❶表面の皮。❷うわづつみ。うわおおい③。

うわかわ⓪【上側】上の方の側。「うわがわ」とも。〔強調形は「うわっかわ⓪」〕

うわき⓪【《浮気】―な ―する(自サ) 〔上気の意〕❶一つの物事だけに精神が集中出来ず、他の物事に興味が変わりやすいこと。❷定まった相手を愛するだけでは足りず、他の人とも一時的に愛欲関係を持つこと。表記 ⇩付表「浮気」

*__うわぎ__⓪【上着】❶人前に出る時の服装で、下着の外側に重ねて着るもの。洋装では、スーツなど。❷上下に分かれた洋服の、上半身に着る方のもの。表記 ❶は「《表着」、❷は「上《衣」とも書く。

うわぐすり③【〈釉薬・〈釉】〔上薬の意〕「ゆうやく」の口頭語的表現。「―をかける」表記「上薬」とも書く。

うわくちびる④③【上唇】上側の唇。↔下唇

うわぐつ⓪【上靴】上ばき用の靴。

** * は重要語，⓪①… はアクセント記号，品詞の指示の無いものは名詞およびいわゆる連語。

うわごと⓪【譫言】（高熱などで）意識のはっきりしない時に、無意識に発する言葉。表記「〈囈《語」とも書く。

***うわさ**⓪【噂】―する（自他サ）〈なにヲ―する・なんだト―する〉そこに居ない人のことや事実かどうか疑わしい事柄について、△興味本位に（無責任に）あれこれ言う△こと（話）。「二人の関係を―する／―に△のぼる（なる）／―が△立つ（流れる・広まる）／次期総理の―が高い／―をすれば影とやら（＝その人の噂をする時に限って、不思議と本人がそこへ現われるものだ）」―話④

うわじき⓪【上敷（き）】（畳の）上に敷く△こと（もの）。普通、薄べり・ござをいう。「うわしき」とも。かぞえ方 一枚

うわすべり⓪③【上滑り】■―する（自サ）表面がつるつるして滑ること。「議論が―する（＝空転するだけで、実りが無いようだ）」■―な 物事の表面だけを見て、軽がるしく△判断（行動）する様子。表記「上〈辷り」とも書く。

うわずみ⓪【上澄（み）】液体の中に△溶けて（混じって）いる物が底の方に沈んで、上の方に出来る澄んだ部分。

うわずる③【上擦る】（自五）（興奮したり緊張し過ぎたりして）△動作や声に落ち着きが無くなる（うわついたような調子になる）。

うわぜい⓪【上背】立ったときの背丈。「―がある（＝せいが高い）」

うわつく⓪③【《浮つく】（自五）〔＝上付く〕意）気分や態度などが落ち着きを失った状態になる。「うわついた（＝上滑りにとどまり、徹底するところが無い）考え」表記 ⇩付表「浮つく」

うわつち⓪【上土】（その土地の）地表をおおっている土。↔底土

うわっちょうし④【上っ調子】―な〔「うわちょうし③」の強調形〕気分に落ち着きが無く、言葉や動作に慎重さを欠く様子だ。「―な男」

うわづつみ③【上包（み）】中の物を保護するために、物の表面を包む△こと（もの）。うわかわ。「―をかける」

うわっつら⓪【上っ面】〔「うわつら⓪」の強調形〕■物の表面。うわべ。■物事の外面に現われている、本質から離れた部分。

うわっぱり⓪【上っ張（り）】（汚れを防ぐために）衣服の上に着る、△事務（労働）用などの服。かぞえ方 一枚

うわづみ⓪【上積（み）】―する（他サ）■上の方に△積むこと（積んだ荷物）。↔底積み ■基本的な金額の上にさらに受ける側への△サービスとして（謝礼の気持を込めて）何ほどかの金額を加えること。

うわて⓪【上手】↔下手 ■（雅）△川上（風上）の方。かみて。■―な（技芸・能力などが）人よりさらにすぐれている△こと（人）。〔狭義では、碁や将棋で△段位の高い（強い）方の人を指す〕「二枚―だ」■（すもうで）相手の差し手の上から、まわしをつかむこと。また、その手。「―を取る」【―に出る】威圧的な態度を取る。【―を行く】■力量・性格などが、相手よりも強烈である。■対抗する相手がとろうとする手段よりも更に優れた手段を用いる。**―なげ**⓪【―投（げ）】↔下手投げ ■（すもうで）「上手■」で相手を投げ倒すわざ。■（野球で）手を肩の上へ振り上げて、上から投げおろすようにしてボールを投げる方法。オーバースロー。**―まわし**④【―回（し）】（すもうで）四つに組んだ時、相手の差し（た）手の上からつかんだ、相手のまわし。↔下手回し

うわなり⓪【〈後妻】（雅）後妻。また、女のねたみ。「―打ち⓪④（＝新たに迎えた後妻の家を前妻が人を語らって襲った、昔の風習）」表記 歌舞伎十八番では「〈嫐」。

うわに⓪【上荷】■車や船などに積んだ荷物。■上の方に積んである荷物。

うわぬり⓪【上塗（り）】―する（他サ）（△壁（漆）塗りや塗装などで）△下塗り（中塗り）の上に、さらに塗ること。仕上げ塗り⓪。「恥の―（＝恥をかいた上に、さらに恥をかくこと）」↔粗塗り・下塗り

うわね⓪②【上値】（今までの相場よりも）高い値段（になること）。高値。↔下値

うわのせ⓪【上乗せ】―する（他サ）基本的な数量の上に、そう多くない数量をいくらか加えること。「本体価格に消費税を―する」

うわのそら④【上の空】―に・―な 他の物事に心を奪われていて、△落ち着かない（注意がそこに向かない）様子だ。「―で聞き流す」

うわのり⓪【上乗（り）】―する（自サ）積み荷と共に、乗って行く△こと（人）。〔江戸時代には船に、現代ではトラックなどに乗って行くことを指す〕

うわば⓪【上葉】草木の上の方の葉。↔下葉

うわば⓪【上歯】上の歯ぐきから生えた歯。↔下歯

うわばき⓪【上履（き）】家・建物の中ではく履物。↔下履き かぞえ方 一足

うわばみ⓪【〈蟒】（雅）大蛇。〔俗に、大酒飲みの意にも用いられる〕表記「〈蟒蛇」とも書く。

うわばり⓪【上張（り）】下張りの紙を張った上に、仕上げとして張るふすま紙や壁紙など。表記「上貼り」とも書く。

うわび⓪【上火】（料理で）上から当てる△火（火力）。↔下火

うわべ⓪【上辺】（うかがい知れない内部に対し）外部から見られる限りの表面。うわっつら。〔しばしば、内実とは違うという文脈で用いられる〕「―を飾る／―をつくろう／―だけの鄭重さ」

うわまえ⓪【上前】■着物の前を合わせた時、上になって表へ出る部分。↔下前 ■〔「上分」の米の意の「上米」の変化〕人の取り分の一部。「―をはねる（＝取り次ぐ△代金（品物など）の一部分を（黙って）自分のものにする）」

うわまわる④【上回る・上〈廻る】（自五）（数量や出来ばえが）予想された程度よりも高い状態になる。「△水準（平均・目標・予想）を―」↔下回る

うわみ⓪【上身】料理しようとする魚を横にした時、上側になった方の身。↔下身

うわむき⓪【上向（き）】↔下向き ■上を向くこと。■（相場・物価・景気などが）大局的に見て△上がる（良くなる）傾向にあること。動 上向く③⓪（自五）「景気が―」

うわめ⓪【上目】■顔は上に向けないで目だけを上に向けること。「―を使う」↔下目 ■（数量の）超過。余分。■荷物を風袋と一緒に計ること。**―づかい**④【―使い】顔は上に向けないで目だけを上に向けて見ること。〔人の様子・機嫌などをうかがう形容〕「―に見る」表記「上目遣い」とも書く。

うわや⓪【上屋】■（停車場・波止場・工事場など）雨露を防ぐために設けた簡単な屋根（だけの建物）。■貨物の置き場。■その敷地の上に建てられた家屋。表記「上家」とも書く。

うわやく⓪【上役】（官庁・会社などで）（自分より）地位が上の人。〔狭義では、同じ部署の上司を指す〕↔下役

うわる⓪【植わる】（自五）「植えられる」意の口頭語的表現。

うわん①【右腕】右の方のうで。↔左腕

うん（〈云・運・雲）→【字音語の造語成分】

うん①(感)〔呼びかけ・質問などに対する〕肯定・承諾の意味を表わす返事の言葉。〔「はい」のぞんざいな言い方〕「━そうだ」⇩うんうん 【━ともすんとも】①-①〔否定表現と呼応して〕全然返事をしない様子。「━言ってこない」【━もすうも無く】①-①-① いいとか悪いとかいう判断を超えて。いやもおうも無く。

***うん**①【運】▵物事を成就させるか成就させないかの(命が全うされるか全うされないかの)、巡り合せ。「━が良い〔=いい事が(続けて)起こる条件が備わり環境が整っていて、何をやってもうまく行くようだ〕/━が悪い〔=よくない事が(何度も)起こる条件が備わっていて、何をやってもうまく行かないようだ〕/━が開(ヒラ)く/━が向いてくる/━が尽きる〔=続いていた幸運が終わり、見込みのない状態になる〕/━を天に任せる/何事も━だ、やってみよう/━良く〔=好運にめぐまれて〕命拾いした/━勢・━命・幸━・不━」⇩【造語成分】

うんい①(イ)【〈云為】━する(自他サ)「言うことや行なうこと」の意の漢語的表現。「人の━〔=言行〕をいちいち非難する」

うんうん [一]①、①-①(感)「うん」の強調表現。「━わかったよ/━、とうなずく」 [二]①(副) 苦しさに堪えかねて、思わずうなり声を上げる様子。また、その声の形容。「頭が痛くて━うなる/━言って難問に取り組んでいる」

***うんえい**⓪【運営】━する(他サ)〈なにヲ━する〉事業をするために、組織・機構などを動かして、その機能を発揮させること。「━を誤る/━上の実務」

うんえん⓪【雲煙・雲〈烟】❶〔煙をかすみにたとえて〕雲とかすみ。❷書画の鮮やかな▵墨色(筆跡)。❸山水画の一技法(によって描かれた名画)。 **━かがん**⑤(クワ)【━過眼】〔雲やかすみがたちまちに眼前を通り過ぎるように〕ちょっと見るだけで、深く心に止めないこと。

うんか①【〈浮〈塵子〉】形はセミに似て、ずっと小形の昆虫。緑色で、群れをなして飛ぶ。イネの大害虫。〔ウンカ科〕

うん

[〈云]　言う。「云々(ウンヌン)・云為(イ)」

[運]　❶移動する。「運行・運動」❷動かす。働かせる。「運転・運用・運筆(ピツ)」❸はこぶ。移す。「運送・運搬(パン)・海運」⇩(本文)うん【運】

[雲]　[一]くも。「雲霧・雲海・青雲・密雲・乱雲」[二](略) 出雲(イズモノ)国。「雲州」

表記 「〈浮〈塵子〉」は漢語表記。 かぞえ方 一匹

うんか①【雲〈霞】「雲とかすみ」の漢語的表現。〔人が非常に多数集まる様子の意にも用いられる。例、「━の如(ゴト)き大軍」〕

うんが①【運河】〔通航・灌漑(カンガイ)などのために〕陸地を掘って作った水路。

うんかい⓪【雲海】〔高山・航空機上などから見おろして〕一面に海のように広がって見える雲。

うんき①【《温気】むっとするような▵暖かさ(暑さ)。

うんき①【運気】自然現象から人間の運命を判断したもの。「━は根気〔=運があるかどうかは根気次第だ〕」

うんき①【雲気】▵吉兆(凶兆)としてとらえられた、その時どきによってかわる形や色合を示す雲。

うんきゅう⓪(キウ)【運休】━する(他サ)〔←▵運転(運航)休止〕〔交通機関やエレベーターなどが〕▵運転(運航)を休むこと。

うんきゅう⓪(キフ)【雲級】雲の形を、その高度と発達の仕方により分類したもの。巻(ケン)雲・巻積雲・巻層雲・高積雲・高層雲〔以上、上層雲〕、層積雲・層雲・乱層雲〔以上、中層雲〕、積雲・積乱雲〔以上、下層雲〕。

うんげん⓪【〈繧〈繝】〔もと「〈暈〈繝」と書き、くまどりの意〕同色を三重(以上)に次第に濃く段をつけて彩色するもの。 **━にしき**⑤【━錦】赤地の縦じまの間に、花形や菱(ヒシ)形の色模様を織り出した織物。 **━べり**⓪【━《縁】繧繝錦を縁にした畳。

うんこ①〔「うん」は子供に大便を促す時の擬音語、「こ」は名詞を形作る接辞〕「大便」のやや俗語的表現。うんち。「金魚の━みたいに」

うんこう⓪(カウ)【運行】━する(自他サ)❶天体が一定の軌道を進むこと。❷陸上の交通機関が客・貨物を乗せて一定の道筋・時刻表に従って走ること。

うんこう⓪(カウ)【運航】━する(自他サ)船や航空機が客・貨物を乗せて航路を予定通りに進むこと。

うんこう⓪(カウ)【雲高】(雲の種類によって異なる)地上から雲底までの高さ。

うんこんどん①-①-①【運根鈍】⇩運鈍根

うんざ⓪【運座】多くの人が集まり▵各自に(全員に一定の)題を定めて、俳句をよみ、すぐれた句を互選する会。

うんさい①【雲斎】〔←雲斎織り⓪〕斜線をあらく織り出した綿布。足袋の底地・小倉服地用。

うんざり③(副)━と━する いや気がさして、もうたくさんだという気持をいだく様子。「その話にはいい加減━している」

うんさん⓪【雲散】━する(自サ) 雲が散って消えるように、散りぢりに消えて無くなること。 **━むしょう**⓪-⓪(セウ)【━霧消】━する(自サ) 心を占めていた悩み・疑問、期待感などが、跡形も無く消えて無くなること。

うんざん⓪【運算】━する(他サ)「計算・演算」の、やや古い言い方。

うんし⓪①【運指】ピアノなどの楽器を演奏する時の、指の使い方。どの指で、どの音を出すかという決まり。指づかい。「━法⓪」

うんしゅう①(シウ)【雲州】「出雲(イズモノ)国」の漢語的表現。今の島根県東部にあたる。「━街道⑤・━そろばん⑤・━人参(ニンジン)⑤」

うんしゅう⓪(シフ)【雲集】━する(自サ)〔雲のように〕たくさん集まること。

うんしゅうみかん⑤(シウ)【《温州《蜜〈柑】日本で新たにつくられた、代表的なミカンの品種。外皮は薄く、汁が多くて甘い。種は無い。〔呼称は、かつてミカンの名産地であった中国浙江(セッコウ)省の温州に由来〕 表記 「雲州《蜜〈柑」とも書く。

うんじょう⓪(ジヤウ)【運上】江戸時代、各種の営業に課した税。「━金⓪」

うんじょう⓪(ジヤウ)【雲上】「雲の上❷」の漢語的表現。「━人(ビト)③〔=宮中に▵出入り(奉仕)する貴族〕」

うんじょう⓪(ジヤウ)【〈醞〈醸】━する(自他サ)❶酒を造ること。❷時間をかけ、手を尽くして、徐々にある状態になること。また、すること。

うんしん⓪【運針】〔和裁で〕針の運び方。 **━ぬい**⓪(ヌヒ)【━縫(い)】ぐしぬい。

うん・ず⓪①【〈倦ず】(自サ)「疲れる・飽きていやになる」意の古風な表現。

うんすい①【雲水】❶〔行く雲と流れる水の意〕修行のため諸国をめぐり歩く僧。行脚(アンギャ)僧。❷(僧堂で)修行中の僧。

うんせい①【運勢】その人に備わっていて、変えることの出来ない、将来の運。「━を見る〔=占う〕」

うんそう⓪ ━する(他サ) [一]【運送】営業として荷物を目的地まで運ぶこと。〔法律では、客を運ぶことも含む〕「━店③・━業③・━屋⓪」 [二]⓪(サウ)【運〈漕】営業として貨物を

船で運ぶこと。

うんだい⓪【雲台】 三脚の上につけて、カメラを載せて固定するための台。

うんだめし③【運試し】 運命の吉凶を試すために勝負事などを実際にやってみること。

うんち①「大便」の意の幼児語。⇩うんこ

うんちく⓪【〈蘊蓄】〔「〈蘊」も、たくわえの意〕十分研究を積んでたくわえた、学問・技芸上の深い知識。「ーを傾ける」

うんちょう⓪（ーチャウ）【雲頂】〔積乱雲などの〕雲の最も高い所。

うんちん①【運賃】〔旅客・貨物の〕運送の料金。「ーが上がる/最低ー⑤・初乗りー⑤」

うんてい⓪【雲底】〔積乱雲などの〕雲の最も低い所。

うんてい⓪【雲〈梯】❶昔、城を攻める時などに使った、長いはしご。❷器械体操の用具の一つ。△水平(山形)にしたはしご状の鉄棒などの枠に、ぶら下がりながら運動するもの。

うんでい⓪【雲泥】「(天にある)雲と(地にある)どろ」の意。「ーの〔=大変な〕差」

**うんてん⓪【運転】ーする(自他サ)〈なにヲーする〉❶電車・自動車などを操作して走らせること。「ー手③・安全ー⑤」❷〔機械について〕動力△を操作して動かす(が操作されて動く)こと。「原子炉のーが再開される」❸組織が、目的に沿って事業を展開すること。「ー資金⑤」

うんと⓪①(副)「たくさん・ひどく」の意のくだけた口頭語的表現。

**うんどう⓪（ーオ）【運動】ーする(自サ)❶物が時間の経過と共に位置を変えること。「分子のー/天体のー」↔静止 ❷からだを鍛え、健康を保つためにからだを動かすこと。〔狭義では、スポーツを指す〕「適度なーを心がける/ー帽③・ー靴(グツ)③・ー部(ブ)③・ー選手⑤」❸〈(だれニ)ーする〉目的を達するために、いろいろな△人(方面)に働きかけたりして、積極的に行動すること。「共同募金ーが繰り広げられる/大規模なーを展開する/選挙ー・ー員③」 ーか⓪【ー家】❶(市民の立場で)△政治的(社会的)な活動を行なう人。❷運動競技の△選手(愛好家)。スポーツマン。 ーかい③（ークワイ）【ー会】ある団体に属する多くの人が集まっていろいろの運動競技をする会。 ーき③【ー器】運動に関係する器官の総称で、具体的には骨・関節・筋(キン)を指す。「ー症候群⑧〔=⇩ロコモティブシンドローム〕」 ーじょう⓪（ージャウ）【ー場】〔学校などで〕運動・遊戯のために設けた広場。 かぞえ方 一面 ーしんけい⑤【ー神経】〔感覚神経と違って〕中枢の運動命令を筋(キン)の末梢(マッショウ)に伝える神経。「ーが発達している〔=どんなスポーツでもやれば上達する能力が備わっている〕」 ーせい⓪【ー性】物の動き・操作という点から見たそのものの機能の良さ。物体のスピードや到達距離、音楽(演奏)のテンポの良さやリズムの軽快さ、初動時間の速さや動きの敏捷(ビンショウ)さ、器具の持ち運びやすさ、着衣時の動きやすさなど。「ーにすぐれた衣服」 ーのほうそく⓪-⓪（ーハフー）【ーの法則】ニュートンが確立した、物体の運動に関する基本的な法則。慣性の法則=第一、加速度の法則=第二、作用反作用の法則=第三。 ーひ③【ー費】「運動❸」に要する費用。

うんとこしょ①(感) 力をこめて何かをするときの掛け声。うんとこしょい①-①。うんとこどっこい①-③。

うんどんこん①-①-①【運鈍根】 幸運を待つ事、あまり才気に走らない事、根気強くねばる事、この三つが世渡りの秘訣(ヒケツ)だ、という考え方。「運根鈍」とも。

うんぬん⓪③（ーウン）【〈云々】❶人の言った事の中心部分だけを引用し、あとを省略する時に使う語。「この問題は後に述べるー、と言った」❷話の主題だけを取り上げ、あとを省略する時に使う語。「会の運営ーの事はあと回しにして」❸ーする(自他サ) その事についてあれこれ△口に出して言う(批評する)こと。〔具体的な表現内容を明示するのを避けた言い方〕「効能をーする」

うんのう⓪（ーアウ）【〈蘊奥】〔「うんおう」の変化。「蘊」も奥の意〕普通の人ではきわめることが出来ない、学問・技芸などの最も奥深いところ。「芸のーを究める」

うんぱん⓪【雲版】❶雲の形を模様化した、△銅(鉄)製の楽器。〔寺で合図としてたたき鳴らすのにも用いられる〕❷色紙(シキシ)を入れて飾る額。 かぞえ方 ❶❷とも一枚

*うんぱん⓪【運搬】ーする(他サ)〈(どこカラどこニ)なにヲーする〉物品を、目的地へ運ぶこと。

うんぴつ⓪【運筆】〔字を書く時の〕筆の動かし方。筆遣い。

うんぴょう⓪（ーペウ）【雲表】「雲の上」の意の漢語的表現。「山頂をーに突き出す高峰」

うんぷてんぷ④【運《否天賦】〔「ふ(否)」は、中世における通行音。「天賦」はこの場合、ほとんど実質的意味を持たない〕成功するかどうかは運次第であること。運任せ。「勝ち負けはー」

うんまかせ③【運任せ】 事の成否を運命に任せること。

うんむ①【雲霧】「雲と霧」の漢語的表現。

**うんめい①【運命】❶生前から既に定まっていて、人知の及ばないものと考えられている、その人の生死や身の上に起きる幸・不幸、苦楽などの巡り合せ。「不遇な一生を送ったのもーだと諦(アキラ)める/ーに従う/ーに逆らおうと、もがき苦しむ/高波を受け、護岸の内外が二人のー〔=生と死〕を分けた/激変した自分のーに茫然(ボウゼン)自失たる思いだ/数奇なー〔=⇩すうき〕」❷〔「ーの…」の形で〕その人にとって、その後の人生(その時どきの幸・不幸)を左右する上で決定的な役割を果たしたととらえられるものであることを表わす。「あの大震災の日、まさにーの一日が始まろうとしていた/勝敗を決したーのシュート」⇩宿命 ーきょうどうたい①-⓪、⓪（ーキャウー）【ー共同体】 緊密な連帯関係にあり、存亡の危機に直面した際などには運命を共にする宿命を負わされているととらえられる、家族や国家などの組織体。 ーてき⓪【ー的】ーな そのような結果に至ったのは、まさしく運命としかとらえようのない様子だ。「ーな出会い」 ーろん③【ー論】 宿命論。「ー者(ジャ)⑤」

うんも①【雲《母】 花崗(カコウ)岩の中に含まれている珪酸塩(ケイサンエン)鉱物。六角・板状の結晶で、はがすと薄片になる。電気の絶縁材料用。きらら。マイカ。

うんゆ①【運輸】 人や荷物を目的地まで運ぶ△こと(ための交通機関)。〔現代では、航空機によるものをも含む〕 ーあんぜんいいんかい⑨、①-⑥（ーヰヰンクワイ）【ー安全委員会】 国土交通省の外局で、航空・鉄道・船舶の事故の原因究明や、その再発防止・被害軽減に必要な施策や措置の勧告をする組織。 ーしょう③（ーシャウ）【ー省】 陸海空の運輸、海上保安、気象業務などの行政事務をとった中央官庁。〔長官は、運輸大臣④。二〇〇一年「国土交通省」に吸収〕

うんよう⓪（ーオ）【運用】ーする(他サ) 資金や規則などをうまく使って、最大限に活用すること。「資金を有利にーする/法の適正なーに当たって」

うんりょう⓪③（ーリヤウ）【雲量】〔気象学で〕空全体の面積の何割が雲に覆われているかを示す、零から十までの整数値。〔一以下を快晴、二から八までを晴れ、九以上で降水の無い時を曇りとする。ただし、現在の天気予報では目視観測の終了にともない、快晴は用いない〕

え…エ

え（会・回・依・恵・絵）→【字音語の造語成分】

え【江】（造語）〔もと、川・海の意〕入り江。「難波ナニワ—③」

え【《枝》】（造語）〔雅〕えだ。「松が—・梅が—」

えへ【重】（造語）〔数を表わす和語について〕幾つか重なっている構造であることを表わす。「一ヒト—・二フタ—・三ミ—①・八ヤ—・十トー・二十ハタ—」

えェ【餌】（造語）えさ。〔古くは単独でも用いられた〕「—付ツけ・撒マき—」

え 一①（感）❶強い感動・驚き・疑問などを表わす語。〔「えっ①」「ええっ②」とも言う〕「—、なんですって/—、それは一大事だ」❷「ええ❶」の、ぞんざいな言い方。「—、そうです」 二（終助）親しい間柄にある相手に、軽い疑いを含み問い掛ける語。「謙さんか—（=い）/なんだ—」 文法 終助詞「か」に接続する。 運用 二は、東京下町出身の高年の女性に用いられる傾向があった、やや古風な表現。

え①（副）〔雅〕〔文語動詞「う（得）」の連用形から〕〔否定辞「ず・じ・まじ・で」と呼応して〕到底そうΔすることは出来ない（いうことはあり得ない）という意を表わす。「—取らず（=取ることが出来ない）」

***え①ェ【絵】**「絵画ガ」の口頭語的表現。「—を描カく/—に描カいた餅モチ（=⇒がべい）」だ/—（=テレビなどの画面）がはっきりしない/気の毒を—に描カいたよう（=見るからにかわいそうだという気持を起こさせる様子）/—になる（=一枚の絵として見てよいような印象を与える）横綱の土俵入り/—入りの小説/—日記」 表記「《画》」とも書く。 かぞえ方 一枚・一幅プク

***え⓪【柄】** 握って持ちやすいように器物に取りつけた、棒状の部分。「—の長いΔ帚ホウキ（雨がさ）」

エア〔air〕 一① ❶空気。「タイヤに—を入れる/—カーテン・—ブレーキ」❷フリースタイル スキーの空中演技。❸〔俗に〕そのものがあるかのごとく振りをするパントマイム。「—ギター③・—バンド③」 二（造語）航空機（が飛ぶ空中）。「—ターミナル・—ポート・—メール」〔一二ともエアー①とも〕

エア カーテン③〔air curtain〕冷暖房装置のある建物の出入口に、上から下へ空気を流し、外気が入るのを防ぐようにした装置。

エア ガン②〔air gun〕❶空気銃。❷〔ゲームなどに用いる〕空気圧を使ってたまを発射する仕掛けの銃。

エア コンディショニング⑤〔air conditioning〕〔自動的に〕室内の温度や湿度や換気を調節するΔこと（装置）。空調。略してエア コン⓪。

エア コンプレッサー⑥〔air compressor〕空気を圧縮し、気圧の高い圧縮空気をつくる機械。空気圧縮機。

エア シュート③〔air chute〕建物の中で、書類をパイプの中に入れ、圧縮空気の力で速く送る装置。

エアゾール③〔aerosol〕微粒子となった固体・液体が空気やガスの中に浮遊・分散した状態。また、そのような状態にして容器から噴霧するようにした薬品。化粧品・殺虫剤・塗料などに使用。

エア ターミナル③〔和製英語 ←air + terminal〕空港内の、乗降客が必要な手続きをし、また、送迎にも使用される建物。「東京シティー—⑩」

エアデール テリア⑥〔Airedale terrier〕イギリスのエアデール地方原産のテリア。番犬・軍用犬の改良種。 かぞえ方 一匹

エアバス⓪〔airbus〕❶低運賃・大量輸送により、バスのように乗れるジェット旅客機の称。❷ヨーロッパのエアバス社製のジェット旅客機。商標名。 かぞえ方 ❶❷とも一機

エア バッグ③〔air bag〕自動車が衝突したとき、運転者や同乗者の前で自動的に空気が入ってふくらみ、人体を衝撃から守る袋。

エア ブレーキ④〔air brake〕〔電車などで〕圧縮空気の力で、車を止める装置。空気制動機⑥。

エアポート③〔airport〕空港。

エア ポケット③④〔air pocket〕気流や風向の関係で、航空機がそこで一時的に失速しがちな飛行空間。

エアメール③〔airmail〕航空郵便。

エアライン③〔airline(s)〕定期航空路線（を持っている航空会社）。

エアログラム④〔aerogram〕航空便による、均一料金制の封緘フウカン葉書。航空書簡。エーログラムとも。

エアロゾル②③〔aerosol〕気体中に微小な液体または固体が分散している混合体。例、霧や煙など。エーロゾルとも。

エアロビクス④〔aerobics〕できるだけ多く酸素を取り入れて心臓や肺の力を強め、持久力をつけるための運動（による健康法）。ジャズダンス・ジョギング・水泳・サイクリングなど。有酸素運動⑥。〔狭義では、ジャズダンス的な手法のエアロビクスダンス⑦を指す〕

えあわせ②エアハセ【絵合（わ）せ】 平安時代以降、左右に分かれ、（和歌を添えた）絵を出し合って、その優劣を競った遊戯。

えい（永・泳・英・映・栄・〈盈・営・詠・影・鋭・〈叡・〈穎・衛・〈嬰）→【字音語の造語成分】

えい①（感）❶Δ力を入れ（気合をかけ）る時などに発する声。「—おう、と雄叫タケびを上げる/—、とばかりに斬キりつける」❷いまいましさやいらだたしさなどを感じて思わず発する声。「—しくじった/—くやしい/—くそ」

えい①【栄】 名誉。ほまれ。「一身の—/同席の—を賜わる/—冠・—転・光—」⇩【造語成分】

えい①【詠】 だれかの作った詩歌。「…の—」⇩【造語成分】

えい①【〈裔】 子孫。「平氏の—/後—・末—」

えい①【〈嬰】〔邦楽で、半音高いものの称〕〔音楽で〕半音高くすること。「—記号（=シャープ三）・—ハ短調④」↕変 ⇩【造語成分】

えい①【〈纓】〔もと、冠をあごの下で結ぶためのひもの意〕冠の後ろに付ける、細長い装飾用の堅いリボンのようなもの。

えい①②ヒエ【《酔い》】〔雅〕よい（酔い）。「—に乗じて」

えい①ヒエ【〈鱏・〈鱝】 海産の軟骨魚。アカエイなどの類の総称。からだは菱ヒシ形で平たく、尾が糸のように細長い。多くの種は卵胎生で、食べられる。 かぞえ方 一尾・一匹

えいい①【鋭意】（副）事の実現を目指して、ひたすら努力を続ける様子。「明春刊行を目指し—編集を進めています」 運用 多く、第三者に対する決意の表明として用いられる。

えいい①キー【栄位】 名誉ある地位。

えいい①キー【営為】（目的を達成しようとして）人が意識的にいとなむこと。いとなみ。「国を支えたのは樹キを植えることに取り組んだ人の—だった」

えいいん⓪【影印】—する（他サ） 古典の善本などを、写真にとって複製印刷Δすること（したもの）。「—本ボン⓪」 表記「《景印》」とも書く。

えいえい⓪【営々】—たる —と 日び怠ることなく仕事に打ち込み励む様子。「—と築いてきた社会的信用を一気に失うはめになった/—と努力する」

えいえん⓪エーン【永遠】（過去・現在から）未来に至るまで、

時間を超越して、無限に続くこと。無窮(ムキュウ)。「―性⓪/―の別れ」

えいか①(クヮ)【英華】❶すぐれた才能。❷すぐれた詩や文章。

えいか①(クヮ)【詠歌】❶和歌(を作ること)。「―大概④」❷〔仏教で〕御詠歌。

***えいが**①⓪(グヮ)【映画】高速度(=一秒間に二四こま程度)で連続撮影した画像を、映写幕に同速度で連続投影して、被写体の形や動きを再現するもの。無声・モノクロから出発し、現在ではトーキー・天然色が普通。シネマ。「―館③・記録―・劇―・文化―・芸術―⑤・ポルノ―④」［かぞえ方］一本 **―か**⓪(クヮ)【―化】―する(他サ)〔小説や事件などを〕映画にすること。

えいが①(グヮ)【栄華】大きな権力や財力を握って、意のままにふるまい、はでな生活をすること。「栄耀(エイヨウ)―⑤」［表記］「栄花」とも書く。

えいかく①⓪【鋭角】直角より小さい角。「―三角形⑦(=三つの角がすべて鋭角の三角形)/―的な(=鋭い)才能」↔鈍角

えいがく⓪【英学】〔幕末から明治初期にかけて〕英語についての実用語学や、英語を通じて摂取・吸収した先進国の文明や情報。

えいかん⓪(クヮン)【栄冠】〔勝利を得た者に与えられる名誉の冠の意〕名誉。栄誉。「入賞の―を得る/勝利の―に輝く」

えいき①❶【英気】すぐれた才気。「―を養う(=能力が十分発揮出来るように、事に備えて休養を取る)」❷【鋭気】物事を判断する力などが鋭く、敏速・活発に行動する性質。「―を蓄える/―に満ちた行動」

えいきごう③(ガウ)【嬰記号】↔変記号 ⇨シャープ❷

***えいきゅう**⓪(キウ)【永久】〔動作・状態などが〕(ある時点から)無限に続くこと。永世。「―運動⑤・―不変⓪-⓪・―保存⑤」**―し**③【―歯】乳歯の抜けたあとに生えて、死ぬまで生え変わらない歯。［かぞえ方］一本 **―じしゃく**⑤【―磁石】いつまでも磁力を持ち続ける磁石。天然の磁鉄鉱、ニッケル鉱・KS鋼⓪③・MK鋼⓪③など。**―とうど**⑤【―凍土】地中の温度が常に氷点下で、一年中凍っている土地。

****えいきょ**①【盈虚】「月の満ち欠け」の意の漢語的表現。

えいきょう⓪(キャウ)【影響】―する(自サ)〈だれ・なにニ―する〉〔影が形に従い、響きが音に応じる意〕力や作用が△大きく〔強く〕て、関係する他のものにまで変化が及ぶこと。また、その結果。〔狭義では、感化の意にも用いられる〕「大きな―を△与える(受ける)/不況の―を被る/総選挙の結果が、今後の政局に大きく―する/心理的に悪―を及ぼす」**―りょく**③【―力】他に影響を与える力。「強い―を及ぼす/―を行使する/大きな―を持つ」

***えいぎょう**⓪(ゲフ)【営業】―する(他サ)〈なにヲ―する〉商業活動(を行なうこと)。〔法律では、利益を得るための事業を行なうことを指す〕「―停止処分を受ける/―案内・―時間・―中(=店を開けて商売をしている状態。↔準備中)・風俗―」

えいきょく⓪【郢曲】〔中国の春秋時代(=前七七〇～前四〇三)、楚(ソ)の都の郢で歌われた俗曲の意〕神楽(カグラ)歌・催馬楽(サイバラ)・風俗(フゾク)歌・今様(イマヨウ)・朗詠などの総称。

えいぎん⓪【詠吟】―する(他サ)詩歌を声を出してうたうこと。また、その詩歌。

えいぐ①【影供】神仏・故人などの肖像に、何かを供えてまつったこと。また、その供え物。「御(ミ)―②(古くは「えいく」)」

えいけつ⓪【永訣】―する(自サ)「死別」を美化した表現。

えいけつ⓪【英傑】〔社会の変動時などに〕時勢の動向を見極め、余人の為(ナ)し得ぬ大事業を成功させた人。

えいこ①【栄枯】〔草木の盛んに茂ることと、枯れることの意〕〔国家・家・人などが〕一時期盛んであった後、衰滅に向かうこと。「―盛衰①-⓪」

えいご⓪【英語】英国・アメリカ合衆国・オーストラリア・カナダなどの公用語。

えいご①【穎悟】「非常に賢くて、物分かりの速い」意の漢語的表現。「資性―」

えいこう⓪(カウ)【曳行】―する(他サ)〔特に水上以外を〕引っ張って進むこと。「山車(ダシ)を―する/グライダーを―する」

えいこう⓪(カウ)【曳航】―する(他サ)自力で走れない船を引っ張って航行すること。引航。「港内ではタグボートがタンカーを―する」

えいこう⓪(クヮウ)【栄光】困難を克服して大事業を為(ナ)し遂げた時の、金では買えない喜び・誇らしさや、高揚した心の状態。「プロは実力を失えば忘れ去られてしまうが、アマチュアで得た―は終生ついて回る」

えいごう⓪(ゴフ)【永劫】△非常〔無限〕に長い年月。「―不変⓪-⓪・未来―」

えいこうだん③(クヮウ)【曳光弾】弾道が分かるように火を噴きながら飛ぶようにしたたま。

えいこく⓪【英国】イギリス。

えいこん⓪【英魂】「死者の魂」の美称。

えいさい⓪【英才・〈穎才】すぐれた才能(のある人)。「―教育⑤」↔鈍才

えいさくぶん③【英作文】〔英語教育で〕与えられた日本文を英文に△訳すこと(訳したもの)。「英作⓪」とも。

えいし①【英姿】「(男の)りっぱな姿」の意の漢語的表現。

えいし①【英資】生まれつき持ち合わせているすぐれた素質。

えいし⓪【詠史】歴史上の事件や人物などを詩歌に△よむこと(よんだもの)。

えいし①(エイ)【衛視】国会の警護・監視に当たる職員。〔守衛の改称〕

えいじ⓪【英字】英語を書き表わす文字(=ローマ字)。「―新聞④(=英語で書かれた新聞)・―(=ローマ字の大文字の形に作った)ビスケット⑥」

えいじ①【嬰児】❶生まれたばかりの子。「―遺棄事件」❷「一、二歳の赤ん坊」の意の漢語的表現。

えいじつ⓪【永日】〔昼間の長い〕春の日。

えいじはっぽう④(パフ)【永字八法】「永」の一字を書く運筆に、すべての漢字を書く時の八種の基本的な筆づかいが含まれているということ。また、その八種の筆づかい。

えいしゃ①【泳者】〔順番に泳ぐ、一(ヒト)組の〕競泳の選手。「第一―⑤」

えいしゃ⓪【映写】―する(他サ)映画・スライドなどをスクリーンに映し出すこと。「―機③・―幕③」

えいしゃ①【営舎】軍隊の駐屯地にある、軍人・兵士の住む建物(と付帯建造物)。

えいしゃ⓪【影写】―する(他サ)薄紙を上に置いて、敷き写しに模写すること。「―本(ボン)⓪」

えいしゃく⓪【栄爵】〔普通の人民とは別扱いをされる〕爵位。

えいしゅ①【英主】〔その国を発展△させる(させた)〕すぐれた君主。

えいじゅ①(エイ)【衛戍】〔「戍」は守る意〕陸軍の軍隊が一定の広汎(ハン)な地域を分担・警備するために常駐したこと。「―地③・―病院④」

えいじゅう⓪(ヂュウ)【永住】―する(自サ)〔その土地に〕△長く

(死ぬまで)住むこと。「―権[3]」

えいしゅん[0]【英俊】 普通の人の及ばぬ才能を持ち合わせている人。

えいしょう[0]【栄称】〔ナイトとか旧制度下の学位とかの〕名誉ある称号。

えいしょう[0]【詠唱】❶―する(他サ) △おおぜいの人が節をつけて(声を出して)歌うこと。❷〔音楽で〕アリア。

えいしょく[0]【栄職】 社会的に高いとされる△地位(役職)。

えいじょく[0]【栄辱】「名誉と恥」の意の漢語的表現。

えい・じる[0]【映じる】(自上一)(光・物の影などが反射して)何かに映って見える。映ずる[0][3](サ変)。「湖上に―夕日/目に―〔=ⓐ見える。ⓑ印象を与える〕」

えい・じる[0][3]【詠じる】(他上一) 詩歌を△作る(声に出してうたう)。詠ずる(サ変)。

えいしん[0]【栄進】―する(自サ) 上級の△地位(職務)に進むこと。

えいしん[0]【詠進】―する(他サ)〔皇室・神社の公募に応じて〕一定の題で作った歌を提出すること。「―歌[3]」

エイズ[1]【AIDS】〔←acquired immune deficiency syndrome〕 後天性免疫不全症候群。悪質のウイルス〔=HIV〕の血液や精液などを介しての感染によって、免疫系の細胞が冒され、免疫力が低下する病気。各種の症状が生じて死に至ることが多い。

えいせい[0] ■一【永世】「永久」の意の古風な表現。「―中立国[8][7]〔=国際間で、永久に中立の立場を取る権利・義務を持つ国。例、スイス・オーストリア〕」 ■二【永生】〔長生きの意〕個体の生命は一代で滅びても、その属する種族の生命は永遠に続いてほしいとする願望。

えいせい[0]【永逝】「(人が)死ぬこと」の意の美化した表現。

えいせい[0]【衛生(エイ)】 清潔に留意し、何事も過度に陥らぬよう慎み、規則的な睡眠・食事を心がけること。「―思想[5]・公衆―・環境―」 **―てき**[0]【―的】―に/―な 清潔な様子だ。「非―な環境」 **―へい**[3]【―兵】 戦場で、傷病兵の手当てや衛生管理に従事する兵士。

えいせい[0]【衛星(エイ)】❶惑星のまわりを公転する、小さな天体。地球に対する月など。❷中心となるものの周囲にあって、それに従属し、また、それを守る関係にあるもの。「―国[3]・―都市[5]」❸「人工衛星」の略。 **―せん**[0]【―船】 人間などを乗せて、地球から打ち上げられ、地球の周囲を回る人工衛星。〔かぞえ方〕一機 **―つうしん**[5]【―通信】 通信用の人工衛星を中継局として、遠隔地の間で行なう無線通信。 **―ほうそう**[5](ハウ)【―放送】 地上局からの放送電波を静止軌道上の放送衛星・通信衛星がいったん受信した後に増幅・再発信して視聴者に送り届ける方式の放送。

えいせん[0]【〈曳船】 引き船。

えいぜん[0]【営繕】〔組織・団体で〕建造物の新築と修繕(の係)。「―課[0]・―費[3]」

えいそう[0](サウ)【営倉】〔もと、軍隊で〕罪を犯した兵隊を監禁・独居させた建物。また、そこに入れられる罰。「重―・軽―[3]」

えいそう[0](サウ)【営巣】―する(自サ) 動物、特に鳥が自分の巣を作ること。

えいそう[0](サウ)【詠草】 作った和歌(の下書き)。

えいぞう[0](ザウ)【映像】❶他の物の表面に映し出された物の形・姿。「鏡の―・テレビの―」❷イメージ。「父の―」

えいぞう[0](ザウ)【営造】―する(他サ) 大きな建物などを造ること。 **―ぶつ**[3]【―物】 建造物。〔狭義では、△国家(公共団体)が、公共の使用のために作った学校・病院・鉄道・道路などを指す〕

えいぞう[0](ザウ)【影像】❶絵画・彫刻・写真などに表わされた神仏や人の姿。❷物の「影❸」。

えいぞく[0]【永続】―する(自サ) ある状態が長期間続くこと。長続き。「―性[0]・―的[0]」

えいたい[0]【永代】 ある時以来ずっと続く状態。「墓地の―使用料/―供養料(クヨウリョウ)[6]〔=毎年の忌日・彼岸などに供

え

【会】(エ) ❶人とあう。「会者定離(エシャジョウリ)」 ❷(仏教上の)行事や祭りなどのための、人びとの集まり。「お会式・法会・万灯(マンドウ)会」 ❸さとる。理解する。「会得・会釈・図会」

【回】(エ) めぐらす。「回向」⇩かい

【依】(エ) たよる。「依怙(コ)・帰依」⇩い

【恵】(エ) めぐみ。めぐむ。めぐまれる。「恵方(ホウ)・恵灯(トウ)・知恵」

【絵】⇩(本文)え【絵】

えい

【永】 時間がながい。ながく続く。「永日・永久・永住・永続・永眠・永遠・永代(タイ)」

【泳】〔人間が〕およぐ。「泳法・泳者・水泳・競泳・遠泳・背泳・力泳」

【英】 ■一❶はな。はなぶさ。「英華・石英」❷才能が他よりすぐれている(人)。「英才・英雄・俊英」 ■二(略) ❶イギリス(英吉利)。「英領・英語・英京〔=ロンドン〕・英国・日英」 ❷英語。「英和辞典・英会話」

【映】 うつる。うつす。「映写・映像・映画・反映・投映・放映」

【栄】 ❶草木が盛んに茂る。「栄枯・繁栄」 ❷勢力の強いことが世間に知られる。「栄華(ガ)・栄耀(ヨウ)」 ❸血。「栄養」⇩(本文)えい【栄】

【〈盈】〔もと、器に一杯になる意〕満ちる。「盈満・盈虚」

【営】 ❶〔建物などを〕作る。「営繕・造営」 ❷〔計画に従って〕事業などをする。「営業・経営」 ❸…による経営。「国営・村営・公営」 ❹軍隊の泊まる所。「陣営・兵営・野営」

【詠】 ❶詩や歌を作る。「詠歌・題詠・即詠」 ❷〔詩歌に〕ふしをつけて歌う。「詠吟・朗詠・吟詠」 ❸〔感動などを〕声に出す。「詠嘆」⇩(本文)えい【詠】

【影】 ❶かげ。「影響・陰影」 ❷〔絵や写真などによる〕すがた。「影像・投影・撮影」

【鋭】 するどい。「鋭利・鋭角・鋭敏・気鋭」

【〈叡】 事物の本質を見抜く。かしこい。「叡知・叡聞・叡覧」〔上の意味で、天子の行為・状態に関して用いることが多い〕

【〈穎】〔もと、芒(ノギ)の意〕同類中ですぐれていること。「穎悟・穎才」

【衛】(エ) 〔外からの侵入などに備えて〕まもる。まもる人。「衛生・自衛・防衛・守衛・門衛」

【〈嬰】 ❶生まれたばかりの子。みどりご。「嬰児」 ❷守ること。「退嬰」⇩(本文)えい【嬰】

養をしてもらうために、寺に納めておくお金」〕

えいたつ⓪【栄達】―する(自サ) 一般人の理想としての高い身分・地位に上ること。

えいだつ⓪【〈穎脱〉】―する(自サ)〔袋に入れた錐キリの先が突き出る意〕他の者より特別才能がすぐれて見えること。

えいたん⓪【詠嘆・詠〈歎〉】―する(自サ) 感動を声や言葉に△表わすこと(表わしたもの)。

えいだん⓪【英断】すぐれた判断に立って、思い切りよく物事を決めること。「大―③」

えいだん⓪【営団】〔←経営財団⑤〕第二次世界大戦中、国策事業を行なうために設けられた半官半民の特殊財団。〔戦後多くは、「公団」と改称し、残った「帝都高速度交通営団」も「東京地下鉄株式会社」に変わって、今は「営団」と称する法人はない〕

エイチ① ㊀【H・h】英語アルファベットの第八字。㊁【H】㊀〔←hard〕鉛筆の芯シンの硬さを表わす記号。「―B④・2ニ―②(=HHとも書く)」↔ビー(B) ㊁〔←hip〕腰回りの寸法を表わす記号。㊂元号「平成」の略記号。「―2年」㊃〔←heliport〕ビルの屋上などに設置されたヘリコプターの緊急離着陸場のマーク。⇩アール(R) ㊁㊂ ㊄〔←hydrogen〕水素の元素記号。㊂【h】㊀〔←height〕〔物の寸法で〕高さを表わす記号。㊁〔←hour〕時間を表わす記号。「24―(=二十四時間)」〔㊁～㊂ともエッチ①とも〕

えいち①【〈叡知〉・英知・〈叡智〉】物事の本質を見通す、深くすぐれた知性。「―が顕現する／―を△集める(結集する・絞る)／―に富む」

エイチアイブイ⑥【HIV】〔←human immunodeficiency virus〕エイズの病原体であるウイルス。ヒト免疫不全ウイルス⑪、⓪-⓪-②。エッチアイブイとも。

えいてい⓪【営庭】兵営内の広場。

えいてん⓪【栄典】㊀何かを祝して行なわれる国家的な儀式。㊁〔天皇の国事行為によって〕名誉のしるしとして与えられる位階・勲章など。「―制度⑤」

えいてん⓪【栄転】―する(自サ) 今までよりも△いい(高い)役職に転任すること。〔他人の転任を祝う意味でも使われる〕

エイト①【eight】㊀八。㊁八人でこぐ競漕キョウソウ用ボート(の選手)。㊂〔ラグビーで〕八人制のスクラム。

えいトン⓪【英トン】⇩トン 表記「英〈噸〉」は、音訳。

えいねん⓪【永年】長い年月にわたって ある状態を持続すること。「―勤続者⑧⑦」

えいのう⓪【営農】―する(自サ) 農業を営むこと。

えいはつ⓪【映発】―する(自サ) 光や色の対照がよく、きれいに映り合うこと。

えいびん⓪【鋭敏】―な/―に ㊀感覚が鋭い様子。㊁頭の回転が速い様子。↔遅鈍 派―さ⓪

えいぶん⓪【英文】㊀英語で書いた文章。「―解釈⑤」㊁「英文学・英文学科」の略。「―専攻⓪-⓪、⑤」

えいぶん⓪【〈叡聞〉】天皇がお聞きになること。「―に達する」

えいぶんがく③【英文学】イギリス文学(を研究する学問)。〔広義では、アメリカ文学を含む〕「―科⑤・―者⑤」

えいへい⓪エイ【衛兵】営門などの警備を任務とする兵。「―に立つ」

えいべい⓪①【英米】言語と文化を共有するイギリスとアメリカ。〔「米」は国家としてのアメリカではなく、イギリス系移民の流れを受けるアメリカ△人(文化)を指す〕「―文学⑤」

えいべつ⓪【永別】―する(自サ) 再び会うことが期待されない別れ。〔狭義では、死別を指す〕

えいほう⓪ハフ【泳法】泳ぎ△方(の型)。「古式―」

えいほう⓪①ハフ【英法】㊀英国の法律。イギリス法学⑤。㊁〔旧制高校の文科で〕第一外国語が英語であるクラスの称。

えいほう⓪【鋭峰】鋭くそびえる山頂。

えいほう⓪【鋭〈鋒〉】〔攻撃の際の〕鋭いほこ先。〔言葉などで、鋭く人を攻め立てることの形容にも用いられる〕

えいまい⓪【英〈邁〉】―な 君主などの才知が特別すぐれている様子。派―さ⓪③

えいまん⓪【〈盈満〉】―する(自サ) 富や権力をきわめ、これ以上望むものが無いこと。「―の咎トガめ(=事があまりにうまくいっているときには、とかく災いが生じやすいものであること)」

えいみん⓪【永眠】―する(自サ)「人の死」を美化した表現。「―の地」

えいめい⓪【英名】〔特別〕すぐれているという評判・名声。

えいめい⓪【英明】―な 〔政治的〕判断力が特別すぐれている様子。派―さ⓪

えいもん⓪【営門】兵営の門。

えいやく⓪【英訳】―する(他サ) 英語に翻訳△すること(したもの)。「―聖書・和文―」

***えいゆう**⓪【英雄】㊀危険や困難に屈することなく、すぐれた判断力・行動力を発揮して、民族・国家や組織の命運にかかわる事業を為ナし遂げ(ようとし)、時代を超えて多くの人から畏敬ケイの念をいだかれている人物。「△民族独立(救国)の―／フランスの―ナポレオン／戦国時代の―織田信長ノブナガ」㊁困難や障害を乗り越え、だれもがそうありたいと思うことを実践して、多くの人に感動を与えるとともに、その存在が誇りだと思われている人物。「生死を賭カけて孤立した司令官を救出し、―として迎えられる／オリンピックで金メダルを取り、一躍国民的―となる／若者から―視されている歌手／被災地での彼の奮闘ぶりは―的行為とたたえられた」

えいよ①【栄誉】△りっぱだ(すぐれている)と認められて、ほめられること。「―に浴する」 **―れい**③【―礼】軍隊および軍隊類似の組織が貴賓を送迎する時行なう一定の儀礼。隊伍ゴを整えて、観閲を受けたりする。

****えいよう**⓪ヤウ【栄養】〔「栄」は血の意〕生物が成長・活動するのに必要な成分や食物(を体外から取り入れ、血を造り体力を保っていく働き)。〔広義では生物全般に言い、狭義では人間にのみ言う〕「―を取る／―がいい(=栄養の摂取状態がいい。皮膚につや・張りがあるなど)／―(=栄養分)が無い／―物③」表記もと、「営養」とも書いた。 **―か**③【―価】食品に含まれる栄養成分の価値。熱量(=カロリー)やビタミン含有量などで表わす。 **―し**③【―士】都道府県知事の免許を受けて、公共施設等に勤務し、栄養の指導に当たる人。 **―しっちょう**⑤テウ【―失調】栄養分、特にたんぱく質の不足から来る、からだの障害。だるく感じ、顔・下半身がむくみ、ひどい場合は、死ぬ。 **―しょうがい**⑤シャウ【―障害】栄養素の摂取が質的・量的にバランスを欠くことによって生じる身体上の障害。 **―しょく**③【―食】栄養のバランスに気を配った△食事(食品)。 **―そ**③【―素】人体の栄養となる、おもな成分。例、たんぱく質・炭水化物・脂肪・ビタミンなど。 **―ぶん**③【―分】栄養となる成分。

えいよう⓪エウ【栄〈耀〉】高い社会的地位を得て、ぜいたくざんまいに暮らすこと。「えよう」とも。「―栄華」

えいらん⓪【〈叡覧〉】天子が、ごらんになること。

えいり⓪エ【絵入り】文章の中に挿絵の入っている△こと(書物)。また、説明の補助手段として絵を用いている△こと(書物)。

えいり①【営利】金銭的な利益を得る(ために行なう)こ

と。金もうけ。「―事業[4]・―的[0]」

えいり[1]【鋭利】―な ―に ❶刃物などが鋭くて、よく切れる様子。❷頭がよくて、物事に対する判断・反応などの速い様子。[派]―さ[3][0]

エイリアン[1]〔alien=異邦人〕❶〔SFで〕宇宙人。異星人。❷その集団や組織の中で、きわだって異質な存在と見られる人。

えいりえいたつ[1]-[0]【栄利栄達】「栄達」の強調表現。「―を求めず」

えいりょ[1]【〈叡慮】天子のお考え。

えいりん[0]【映倫】「映画倫理規程(管理委員会)〔=現在は映画倫理機構〕」の略。上映される映画を自主的に検閲規制するための規定、また、その機関。社会的・倫理的に問題のある箇所の削除や変更を勧告する。

えいりん[0]【営林】森林の保護・育成や伐採などの事業をすること。 **―しょ**[5][0]【―署】「営林局[3]」のもとで、国有・公有林の管理や経営、民有林の指導などに関する実務を取り扱った役所。一九九九年廃止され「森林管理署」に改組された。

えいれい[0]【英霊】「死者(の霊)」の美称。〔狭義では、戦死者(の霊)を指す〕[かぞえ方] 一柱(ヒト ハシラ)

えいわ[0]【英和】〔←英和辞典[4]〕英語の意味・用法を日本語で説明した対訳辞書。

えいん[0]ェ【会陰】陰部と肛門(コウモン)との間。

エー[1] [一]【A・a】英語アルファベットの第一字。[二]【A】❶〔段階・等級・分類・順序などの〕一番目。「―級ライセンス[5]・―面[0]・―タイプ[3]・一年―組[2]-[0]」〔「S」の下の場合もある。例、「―席[1]」〕❷具体名の代りに用いる仮称。「―高校[3]・少年―」❸血液型の一つ。「―型[0]」❹〔←answer〕答え。↕キュー(Q) ❺〔←ace〕トランプのエース。❻⇩エー(A)判「―4(ヨン)[0]」❼〔音楽で〕イの英語音名。ドイツ語音名のアー。イタリア語音名のラ。❽〔←ampere〕電流の単位アンペアの記号。❾既製の紳士服で、標準の体型を表わす記号。「―体型[3]」[三]【a】〔←フ are〕面積の単位アールの記号。〔[一]～[三]ともエイ[1]とも〕

ええ(感) ❶[1] 相手の言に対して、肯定・承諾などの意を表わす語。「―、そうです」❷[0] 言うのをためらったり 次の言葉がすぐ出なかったりしている時に発する語。「あの人は、―、ちょっと名前が思い出せません」

エーアール[3]【AR】〔←augmented reality〕⇩拡張現実

エーアイ[3]【AI】〔←artificial intelligence〕人工知能。

エーイーディー[5]【AED】〔←automated external defibrillator〕自動体外式除細動器。⇩除細動器

エーエー[3]【AA】〔←Asian-African (Conference)〕アジアとアフリカ。「―諸国[5]・―グループ[6]」

エーエスディー[5]【ASD】〔←Autism Spectrum Disorders〕自閉症スペクトラム。⇩発達障害

エーエム【AM】[一][0][3]〔←ラ ante meridiem〕「午前」の略。「8:30 a.m.・開店 10 A.M.」⇩ピーエム [二][0]〔←amplitude modulation=振幅変調〕〔ラジオ放送で〕周波数は一定で、音波の形に応じて電波の振幅だけが変わる方式(の電波)。↕エフエム [表記] [一]は「A.M.・a.m.」とも書く。

エーカー[1]〔acre〕ヤードポンド法における面積の単位で、四八四〇平方ヤード〔=約四〇四六・九平方メートル〕を表わす。

エークラス[3]【Aクラス】第一級。A級[0]。

エージェンシー[1]〔agency〕代理店[3][0]。代理業[3]。

エージェント[1]〔agent〕代理△人(店)。エーゼントとも。

エージレス[1]〔ageless〕年齢に関係のないさま。年齢を超越していること。 **―ライフ**[6]〔ageless life〕年齢にこだわらず、能力・経験を生かし、自立して生きようとする生き方。

エージング[0][1]〔aging=年をとること〕❶加齢。老化。「―ケア[6]・アンチ―」❷酒やチーズなどの熟成。ねかし。「―ビーフ[6]」エイジングとも。

エース[1]〔ace〕❶〔さいころ・トランプの〕一の△目(ふだ)。❷〔テニスやバレーボールなどで〕△サーブ(レシーブ)側による第一回の攻撃で得る一点。「ノータッチ―」❸その世界の第一人者。ぴか一。〔狭義では、野球の主戦投手を指す〕

エーディー[3] [一]【A.D.】〔←ラ Anno Domini=主(ユシ)の年で、の意〕西暦紀元。〔キリスト生誕の年をもって元年と定めたもの。実際は、四年遅れているものという〕⇩ビーシー(B.C.) [二]【AD】❶アートディレクター。❷アシスタントディレクター。

エーディーエイチディー[8]【ADHD】〔←Attention-deficit hyperactivity disorder〕注意欠陥多動性障害。⇩発達障害

エーティーエス[5]【ATS】〔←Automatic Train Stop〕自動列車停止装置。〔制御装置はエーティーシー(ATC)〕

エーディーエスエル[7]【ADSL】〔←asymmetric digital subscriber(s) line=非対称デジタル加入者線〕在来の電話回線を利用して行なう高速データ通信。〔「非対称」は、電話局から加入者方向への通信が その逆方向より高速であることによる命名〕

エーティーエム[5]【ATM】〔←automated teller machine〕現金自動預入れ支払い機。預貯金通帳やキャッシュカードを使って、現金の預入れ・払戻し・振込みなどが出来る装置。

エーティーシー[5]【ATC】〔←automatic train control〕自動列車制御装置。

エーティーしゃ[3]【AT車】〔←automatic transmission=自動変速装置[8]〕走行に合わせて、適切なギヤが自動的に選ばれる装置の付いた自動車。オートマチック車。

エーテル[0]〔オ ether〕❶もと、光や電磁波を媒介すると考えられた物質。❷アルコールに硫酸を加えて作った液体。溶媒・麻酔用。

エーデルワイス[5]〔ド Edelweiss〕アルプスの代表的な高山植物とされる多年草。全体に白い綿毛が密生し、夏、茎の先に白色の小さな花をつける。スイスの国花。セイヨウウスユキソウ[0]。〔キク科〕[かぞえ方] 一本

ええと[0](感) すぐに言葉や考えが出ないで、少し考える時に出す言葉。「えっと」とも。「きょうは、―、たしか水曜日ですね」

エード(造語)〔ade〕〔複合語の後の要素として〕果物の汁に甘みを加え、水で薄めたもの。「オレンジ―[5]」

エートス[1]〔ギ ēthos=性格・習慣〕❶同じ行為を何度も繰り返すことによって獲得した、一定の習慣・性格。〔広義では、その民族・国家に特有の習俗や精神をも指す〕❷芸術作品の内包する精神的価値。エトス[1]とも。⇩パトス

エーばん[0]【A判】ジス(JIS)による、本・紙などの仕上げ寸法の一系列。A0判は、一一八九ミリ × 八四一ミリの大きさ。〔普通の月刊雑誌はA5判、文庫本はA6判〕⇩ビー(B)判

エービーシー[5]【ABC】❶英語の字母(の最初の三つ)。アルファベット。「―順[0]」❷(これから習得すべき)物

** * は重要語，[0] [1]… はアクセント記号，品詞の指示の無いものは名詞および いわゆる連語。

事の初歩。〔日本語の「いろは」に当たる〕

エーブイ③【AV】㊀〔←audio visual〕音響・映像にかかわること。「―機器・―教育」㊁〔和製英語 ←adult＋video〕成人向けビデオ。

エープリル フール⑥〔April fool〕〔西洋の習慣で〕公然とうそをつき、人をかついでいいとされる日〔=四月一日〕。四月馬鹿(バカ)。

エール①〔ale〕英国産のビールの一種。常温で発酵(ハッコウ)する酵母を使い醸造したもの。豊かな香りと深い味わいがある。⇩ラガー ビール

エール①⓪〔yell=叫び声〕㊀応援団の声援。㊁試合後、相手チームの健闘を称(タタ)えて儀礼的に交換するあいさつ。大抵、「フレーフレー」と言って、相手のチーム名をとなえる。「―を送る〔=△同情(好意)のこもった言葉を寄せ、激励する意を表わす〕/―を交わす/―の交換」

エーログラム④〔aerogram〕⇩エアログラム

エーロゾル④〔aerosol〕⇩エアロゾル

ええん①【会(エ)厭】喉頭(コウトウ)の入口にあって食物が気管に入るのを防ぐ、舌状の器官。喉頭蓋(コウトウガイ)③。

えがい⓪【餌飼(い)】鳥や獣などを餌付けして養い育てること。また、そのような鳥や獣。

えがお①【《笑顔》】(うれしそうに)笑っている顔。表記 ⇩付表「笑顔」

えかき③⓪【絵描(き)】職業として絵をかく人。「一介の―で一生を終えた」表記「《画描き・〈画家〉」とも書く。

えがきだ・す④【描(き)出す】(他五) 絵やその他の方法で、その人の考えや見た物を表現する。

***えが・く**②【描く】(他五)〈なに・どこニなにヲ〉㊀(事物の形・様子などを)絵にかく。「△風景(ばら色の未来像)を―/青写真が描かれる/夢を―/まぶたに―/弧を描いて飛ぶ/心に―(=思い浮かべる)」㊁(事物の形・様子、気持などを)文章・音楽などで表わす。描写する。「心象風景を描いた音楽」表記 ㊀は、「《画く」とも書く。

えがた・い③【得難い】(形) なかなか手に入れにくい。「―(=貴重な)品・―人材」派―さ③

エカフェ②【ECAFE】〔←Economic Commission for Asia and the Far East〕エスカップの旧称。

えがら⓪【絵柄】工芸品などの絵・模様。

えがらっぽ・い⑤(形)「えぐい」の意の口頭語的表現。「いがらっぽい」とも。派―さ⑤

えき(役・易・疫・益・液・駅)→【字音語の造語成分】

えき①【役】(局地的な)戦争。「慶長の―⑥」⇩【造語成分】

えき⓪【易】すべての事物は陰陽二つの消長によるという考え方に基づき、算木と筮竹(ゼイチク)で吉凶・禍福を判断する法。「―者・―学」【―を立てる】易の書物を見たり算木や筮竹を用いたりして占う。⇩【造語成分】

えき①【益】㊀何かのためになること。「世の―になる人間/―虫・有―」↔害 ㊁もうけ。「純―・利―」↔損 ⇩【造語成分】

えき①【液】(固体をその中に溶かした)水のような状態のもの。「塩酸の―/血―・水溶―」⇩液体

****えき**①【駅】〔「うまや」の意〕汽車・電車などが発着し、客の乗り降りや貨物の積みおろしなどを扱う施設。「―で人と待ち合わせる/―長・―員・東京―③④・終着―」

えきいん②⓪【駅員】〔鉄道機関の職員で〕駅で特定の仕事をする係の人。

えきうり⓪【駅売(り)】許可を得て、駅内や駅頭で物を売る△こと(人)。

えきおん⓪【液温】液体の温度。「―計⓪」

えきか⓪【液化】―する(自他サ) 気体や固体△が液体になる(を液体にする)こと。「―石油ガス⑦(=エル ピー〈LP〉ガス⇩ガス)・―天然ガス⑧(=⇩エル エヌ ジー〈LNG〉)」⇩気化・凝固

えきか①【液果】ミカン・ブドウ・スイカなど、果皮が肉質で果汁の多い果実の総称。多肉果。↔乾果

えきか⓪①【《腋窩》】わきの下のくぼんだ所。

えきが⓪②【《腋芽》】茎や枝の葉の付け根に出る芽。↔頂芽

えきがく⓪②【易学】易や、それを用いて行なう占いについて研究する学問。

えきがく②⓪【疫学】人間集団を対象として、病気や事故などの発生の原因や社会的傾向・影響などを包括的に調査・研究する学問。

えきぎゅう⓪【役牛】耕作・運搬などの力仕事に使う牛。⇩乳牛・肉牛

えききん⓪②【益金】もうかった金。利益金。↔損金

えきざい⓪②【液剤】液状の薬剤。⇩散剤・錠剤

エキサイティング③〔exciting〕―な はらはらさせる様子。エクサイティング③とも。「―な情景」

エキサイト③①―する(自サ)〔excite〕興奮△する(させる)こと。エクサイトとも。「―ゲーム⑥」

えきさく⓪【易簀】―する(自サ)〔「簀」は、もと、「すのこ」の意。孔子の門人、曽子(ソウシ)が死の直前、それまで使っていたベッドを粗末なものに取り替えて死んだ故事に基づく〕「死去」の意の古風な婉曲(エンキョク)表現。〔狭義では、世間から仰がれる人の死を指す〕

エキジビション④〔exhibition の日本語形〕〔展覧会・展示会・模範試合など〕公開することを目的とした催し。エキシビションとも。―**ゲーム**⑦〔exhibition game〕公開競技⑤。模範競技④。

えきしゃ⓪【易者】依頼者の運勢を、易を立てて判断したり人相・手相によって占ったりすることを職業とする人。占い(者)。

えきしゃ①⓪【駅舎】駅の建物。〔主として、本屋(ホンオク)について言う〕

えきじゅう⓪【液汁】〔草木・果実などの〕しる。

えきしょう⓪【液晶】〔「液状結晶」の略〕流動性を持つ点では液体に、複屈折を示すなど光学的な点では結晶に似る、新しい有機物質。コンピューターや時計の表示画面などに利用。「―テレビ⑤」

えきじょう⓪【液状】液体の状態。「―化現象⑥」

エキス①〔←オ extract=抽出物〕㊀薬や食物の△有効(滋養)成分から抽出した濃縮液。精。「果実の―」㊁その本質と見られる、物事の最も大切なところ。精粋。粋(イキ)。表記「越幾(斯)」は、音訳。

エキストラ②③〔extra〕㊀規定外の△臨時(特別・余分)のもの。㊁臨時雇いの端役(ハヤク)の俳優。〔㊀㊁ともエクストラとも〕

エキスパート④〔expert〕その専門について特にすぐれた才能・技術を持ち、かつ発揮出来る人。

エキスパンダー④〔expander〕準備運動やボディービルなどで使用する△ゴム(鋼)製の体操用具。△両手(手と足)でばねを引っ張り伸ばす運動を繰り返し、筋肉を調整しかつ鍛える。

エキスプレッション⑤〔expression〕〔言語による〕表現。言いまわし。

エキスポ⓪〔expo←exposition〕博覧会。見本市。エクスポとも。〔狭義では、「万国博覧会(万博)」を言う〕

えき・する③【役する】(他サ)(公用のために)人を使う。

「多くの人を役して新田を拓く/心を―(=気を遣う)」

えき・する[3]【益する】(他サ) 利益を与える。ためになる。益す[2](五)。↕毒する

えきせい かくめい[5]【易姓革命】〔「易」はかえるの意〕中国古来の政治思想を表わす言葉。天命によって徳のある人が無い者にかわって位につき、新しく王者となること。

エキセントリック[6]―な〔eccentric〕普通の人と極端に変わっている様子。エクセントリックとも。

エキゾチシズム[5]〔exoticism〕珍しい外国の風物などによって起こされる情調。異国趣味。エキゾチズム[4]とも。

エキゾチック[4]―な―に〔exotic〕いかにも外国らしい情調のある様子だ。異国的[0]。「―な景色」

えき たい[0]【液体】物質の三態の一つ。〔水・油などのように〕一定の体積はあるが一定の形は無く、容器の形に従って流動変形する状態(の物質)。熱すると気体になり、冷やすと固体になる。「―アンモニア[0]」⇩気体・固体 **―さんそ[5]【―酸素】圧力を加えて液体にした酸素。酸素吸入や溶接などに使う。液化酸素[4]。

えき だれ[0]【液垂れ】―する(自サ) ❶ペンキなど粘性の高い液体を塗った際にしずく状に垂れ、むらができること。❷醤油(ショウユ)などの液状のものが容器の注ぎ口から表面を伝って垂れてくること。

えき だん[0]【易断】人の運命の吉凶を易で判断すること。

えき ちく[0]【役畜】耕作や運搬に△使う家畜(家畜を使うこと)。

えき

【役】❶他人を働かせる。「雑役・使役」❷人民を強制的に働かせる。「役務・懲役・服役・兵役」⇩(本文)えき【役】

【易】❶かわる。「不易・変易」❷商品を交換する。「貿易・交易」⇩(本文)えき【易】

【疫】悪性の伝染病。「疫病・疫痢(リ)・疫癘(イレ)・検疫・悪疫・防疫・免疫」

【益】数量・内容がふえる。「増益・広益」⇩(本文)えき【益】

【液】⇩(本文)えき【液】

【駅】⇩(本文)えき【駅】

えき ちゅう[0]【益虫】害虫を食べたり花粉を媒介したりして、人間生活に有益な昆虫。ハチ・カマキリなど。↕害虫

えき ちょう(オ)[0]―(テウ)【益鳥】農作物・森林・人畜に有害な虫などを食べ、人間生活に有益な鳥。ツバメなど。↕害鳥

えき ちょう(オ)[0]―(チヤウ)【駅長】〔もと、「宿場の長」の意〕鉄道の駅の長。

えき てい[0]【駅逓】❶昔、荷物などを宿場から宿場へ送ったこと。❷明治時代の郵便の称。

えき でん[0]【駅伝】〔「宿(シュク)継ぎの車馬(の制度)」の意から〕道路で行なわれる、長距離のリレー競走。駅伝競走[5]。

えき とう(オ)[0]【駅頭】駅(の出入口)のあたり。〔狭義では、駅前を指す〕

えき どめ[0]【駅留(め)】鉄道小荷物のうち、着駅で受け渡しをする△こと(仕組み)。表記「駅止め」とも書く。

えき なか[0]【駅中】駅構内にある(大規模)商業施設の通称。表記 多く、「駅ナカ」と書く。

え ぎぬ[2][0]―(ヱ)【絵絹】日本画をかくための生絹(キヌ)。

えき ば[1]【役馬】田畑を耕すのに使う馬。

えき ばしゃ[0]【駅馬車】〔「ステージコーチ[5](stage-coach)」の訳語〕汽車の開発以前、欧米で主要な交通機関であった乗合馬車。

えき ひ[0][1]【液肥】〔「液体肥料[5]」の略〕水溶液にして与える肥料。

えき びょう(オ)[0]―(ビヤウ)【疫病】悪性の伝染性の病気。⇩やくびょう

えき ビル[0]【駅ビル】一部を駅舎として用い、他の部分をデパート・食堂・商店・ホテルなどとして用いるビル。ステーションビル。

えき べん[0]【液便】〔下痢の時の〕液状の大便。

えき べん[0]【駅弁】「駅売り弁当[5]」の略。鉄道の駅で、業者が乗客に売る弁当。「―大学[5](=駅弁を売る駅には必ずといってよいほどある意で、旧制の師範学校や高校・高専・医専・薬専などが昇格した、地方の新制大学の俗称)」表記「弁」の旧字体は「〈辨」。

えき まえ[0][3]―(マヘ)【駅前】駅の正面に向き合う△こと(場所)。「―広場[5]」

えき む[1]【役務】労務・工事・技術などの、サービス。「―賠償[4]・―費[3]」

えき めん[0]【液面】(容器に入った)液体の表面。「―計[0](=タンク内の液体の量を示す計器)」

えき ゆう[0]―(イウ)【益友】つきあってためになる友達。

えき り[1]【疫痢】赤痢に似た急性の感染症。夏、多く子供がかかった。

えき りょう(オ)[2][0]―(リヤウ)【液量】そこ△にたまっている(を流れる)液体の分量。**―けい**[0]【―計】液体の量を計る透明なガラス管や瓶などの器具。メスシリンダー。

えき れい[0]【疫〈癘】「疫病」の意の古風な表現。

えき ろ[1]【駅路】宿場から宿場へ通じる道。

えぐ[2][1]―(グヱ) 田・池に生える多年草。地下茎はクワイに似て食用。くろぐわい[3]。古名は、えご。〔カヤツリグサ科〕

えぐ・い[2]―(エグ)(イ)(形) あくが強くて、のどがひりひり刺激される感じだ。〔人の言動が残酷な場合にも用いられる。例、「―やつ」〕「えごい」とも。派 **―み**[3][0] 表記「〈蘞い」とも書く。

エクササイズ[1]〔exercise〕❶運動。❷練習。課題。

エグジット[3][1]〔exit〕建物の出口。↕エントランス

エクスキューズ[4]〔excuse〕弁解。いいわけ。口実。

エクスクラメーション マーク[10]〔exclamation mark〕〔文章で〕感嘆を表わす符号。「!」。感嘆符。

エクスタシー[2][3]〔ecstasy〕快感が最高潮に達し、我を忘れた状態になること。恍惚(コウコツ)。

エクステリア[4]〔exterior〕門柱・塀・フェンスなど、建物の外構え。↕インテリア

エクステンション[4]〔extension=拡張・伸張〕❶社会人に提供する大学などの公開講座やその付属機関。❷アクセサリー的に装着するつけ毛。略してエクステ[0]。

エクストラ(造語)〔extra〕余分な。外部の。極上の。「―バージン[6](=オリーブオイルの中で上質なもの)」

エクスプレス[4]〔express〕急行列車。急行便。

エクスポート[4]―する(他サ)〔export=輸出〕コンピューターにおいて、アプリケーション ソフトウェアが、データを書き出す作業のこと。↕インポート

エクス リブリス[4]〔ラ ex libris=(…の)蔵書から〕本の所有者の氏名や、図案化した紋章などを、見返しに貼(ハ)りつけるもの。蔵書票[0]。かぞえ方 一枚

エグゼクティブ[3]〔executive〕〔行政的な手腕家の意〕上級管理職(にある人)。たとえば、重役など。

エクセレント[1]―な―に〔excellent〕優秀であるさま。一流であるさま。

えくぼ[1]―(ヱ)【〈靨・笑〈窪】〔笑窪(ヱクボ)の意〕笑う時、ほおに出来る、小さいくぼみ。「あばたも―(=⇩あばた)」

えグラフ②【絵グラフ】⇩グラフ

えぐり【〈抉り〉】■一③⓪ えぐること。「―（ヒ）」 ■二（造語）動詞「抉る」の連用形。 **―だ・す**④【―出す】（他五）刃物の先などでくりぬくようにして中のものを取り出す。〔隠されていた事実などを探り出し、実態を明らかにする意にも用いられる。例、「事件の真相を―」〕 **―と・る**④【―取る】（他五）刃物の先などでえぐるようにして取り除く。「腐った部分を―」

***えぐ・る**②【〈抉る〉】（他五）〈（なにデ）なにヲ―〉刃物などを差し込んで円を描くように回し、そこの部分をそっくり取り去（り穴をあけ）る。「穴を―／肺腑を―〔=それを見聞く人に強い衝撃を与える〕／問題の核心を―〔=明らかにする〕」〔⇩えぐり■二〕

エクレア⓪〔フ éclair の日本語形〕上面にチョコレートを塗った、細長いシュークリーム。エクレール③とも。

えぐ・れる③【〈抉れる〉】（自下一）抉ったように切込みが出来ていたり穴があいていたりする。

えげ①【会下】〔禅宗・浄土宗で〕自分の寺を持たず、学寮に居て、師僧について修行する僧（の居る所）。

えげつな・い④（形）△下品で（利益に貪欲で）言動が露骨であったり思いやりの気持を欠いていたりして、相手に堪え難い思いを与える様子だ。派 **―さ**④ 文法 助動詞「そうだ（様態）」に続くときは「えげつなさそうだ」の形になる。また「すぎる」と結びついて複合動詞をつくるときは「えげつなさすぎる」の形になる。

エコ①〔eco ←ecology〕エコロジーの略。「―マーク」

えこ①【依〈怙】〔「怙」も、たよる意〕一方にひいきすること。「―の沙汰」 **―ひいき**③【―〈贔屓〉】―する（自他サ）自分の好きな人や関係のある人だけを特にひいきにすること。

エゴ①〔ラ ego〕❶自己。自我。❷エゴイズムの略。「―に走る／―丸出し／利害にからんだ国家―／住民―⑤」

えご① ❶山林に見られる落葉高木。初夏のころ、白い花を一面につける。材は傘のろくろや細工物、また、床柱・天井などに用い、種からとった油は有毒で魚取りなどに使う。〔エゴノキ科〕 ❷「えぐ」の古名。 かぞえ方 ❶は一株・一本

エゴイスティック⑤③―な〔egoistic〕利己主義的⓪。

エゴイスト③〔egoist〕利己主義者④。

エゴイズム③〔egoism〕利己主義。「―がむき出しになる」

えこう①【回向・〈廻向〉】―する（自サ）〔自分が積んだ善徳を他人に振り向け、共に仏果を得ようとする意〕死者のために仏事を営み、冥福を祈ること。

エコー①〔echo=もとギリシャ神話の山林の精で、長話を好む癖が祟り、他人の語尾をまねる以外に言語能力を失う羽目になったという〕❶山びこ・こだまなど、反響する声や音。❷〔放送などで〕効果音として残響を入れる△こと（装置）。「―をつけた声」 ❸「超音波診断」の俗称。

エコカー②③〔和製英語 ←eco + car〕二酸化炭素排出量が少なく、燃費のいい自動車。環境対応車⑦。「―減税⑤」〔「eco」は ecology〖=自然環境〗と economy〖=経済〗両方の意〕

えごころ②【絵心】❶絵をかこうとする気持。「―がわく」 ❷絵を△かく（鑑賞する）能力。「―がある」

えこじ⓪②―な・―に「いこじ」の変化。 表記「依〈怙地」は、借字。

エゴチスト③〔egotist〕エゴチズム的な考え方をする人。

エゴチズム③〔egotism=もと、自分の事ばかり語る意〕自分の存在を過大評価する立場からした、物の考え方。

えことば②【絵《詞》】絵巻物の、説明の言葉や文章。また、その絵巻物。

エコノミー②〔economy〕❶経済的なこと。「―クラス⑥〔=旅客機などの二等席〕」 ❷エコノミークラスの略。「―に乗る」

エコノミスト④〔economist〕経済△家（学者）。

えごのり②⓪ 紅藻類の海藻。ホンダワラ類につき、赤色のひものような形で不規則に枝分かれする。食用・寒天の原料。〔イギス科〕⇩おきうと 表記「恵〈胡〈海〈苔」とも書く。 かぞえ方 一本

えごま⓪【〈荏胡〉麻】シソに似て、臭気のある一年草。種から「荏の油」を取る。〔シソ科〕 かぞえ方 一本

えごよみ②【絵暦】〔文字が読めない人にも分かるように〕絵で年中行事を示した、昔の暦。めくらごよみ。〔旧南部藩のものが有名〕

エコロジー②〔ecology〕生物と環境との関係を研究する学問。生態学。略してエコ。〔狭義では、人間と自然環境・社会環境との関係を研究し、自然環境の保護を図ることを指す〕

***えさ**②【餌】〔「さ」は接辞〕❶動物が生命を保つために食べる物。特に、捕らえたり飼育したりするために、人が与える物を指す。〔人をおびき寄せるための手段として利用するものの意にも用いられる。例、「甘い―で釣る」〕 ❷「人間の食料」の俗称。「―が悪い」

えさがし②【絵捜（し）】絵の中に、一目では分からないようにかいてある、他の絵や文字を捜し出させる遊び。また、その絵。 表記「絵探し」とも書く。

えさば⓪【餌場】野生の動物などが、餌にありつこうとして集まってくる場所。「新しい―を捜す」

えし①【絵師】昔、宮中や幕府のお抱えの絵かき。 表記「《画師」とも書く。

えし①【《壊死》】―する（自サ）からだの組織の一部分が死ぬこと。⇩壊疽

えじ①【《衛士》】奈良時代以降、宮中の警固に当たった役の兵士。

えしき①【会式】〔仏教で〕法会の儀式。〔狭義では、日蓮宗の「お会式」を指す〕

えじき①【餌食】〔仏教語「衣食」の変化という〕他の生き物のえさとして食われるもの。〔他の欲望・利益などの犠牲になる者の意にも用いられる。例、「悪者の―となる」〕

えしゃく①【会釈】❶―する（自サ）相手に対するあいさつとして、軽く頭を下げること。 ❷「思いやり」の意の古風な表現。「遠慮―も無く」

えしゃ じょうり①―①【会者定離】〔仏教で〕会った者は必ずいつか離れる運命を持つという考え方。

エシャロット③②〔フ échalote=パレスチナの古都 Ascalon の変化〕❶ラッキョウの一種でアサツキの球根のような多年生の西洋野菜。突き出しなどに使われる。シャロット①②とも。〔ヒガンバナ科（旧ユリ科）〕 ❷若採りのラッキョウ。 かぞえ方 ❶❷とも一本：一束・一把

えしん⓪【回心・〈廻心〉】―する（自サ）〔仏教で〕改心し、仏道に帰依すること。

エス① ■一【S・s】英語アルファベットの第十九字。「―字カーブ④」 ■二【S】❶〔←small〕物のサイズで、小型。「―サイズの△服（コーヒー）」 ❷〔←superior, super, special など〕段階・等級の最上。「―席②・―クラス③・―級ライセンス⑤」 ❸〔←south〕南を表わす記号。↔エム（M） ❹〔←sadist〕サディスト。 ❺〔←和製英語 service + room〕間取りで、サービスルーム〔=窓のない小部屋〕を表わす記号。「2DK＋―」 ❻〔←spy〕スパイ。「某国の―を拘束した」 ❼元号「昭和」の略記号。「―20年」 ❽〔←sister〕女学生の同性愛（の対象）。〔かつての女学生語〕 ❾〔←sulfur〕硫黄の元素記号。 ■三

エス【s】〔←second〕時間の単位「秒」を表わす記号。「2h-34min10—〔=二時間三四分一〇秒〕」

エス①エスペラント・エスケープの略。

えず①ヅエ【絵図】❶Ⓐ「画像」の意の古風な表現。Ⓑ言葉による説明の補いとなる絵。「教材—・写実的—」❷土地・建造物・庭園などの平面図。絵図面。「—には無い掘割の遺構／街道—」[かぞえ方]❶は一図。❷は一枚・一図

エスアールシー⑥【SRC】〔←steel frame reinforced concrete〕鉄骨鉄筋コンクリート。「—三階建て」

エスアイたんい⑤ヰ【SI単位】〔フ Système International d'unités〕国際単位系。⇩単位系

エスイー③【SE】㊀〔←systems engineer〕システムエンジニア。㊁〔←systems engineering〕システム工学。㊂〔←sound effects〕音響効果❶。サウンド エフェクト⑥。

エスエヌエス⑤【SNS】〔←social networking service〕インターネット上の登録会員向けの情報交換・交流サイト。また、そのサービス。ソーシャル ネットワーキング サービス。

エスエフ⓪【SF】〔←science fiction〕科学が限りなく発達するという前提に立って、未来に実現させる世界を仮想して描いた小説。空想科学小説⑧。「—作家」

エスエム⓪【SM】〔←sadomasochism〕サディズムとマゾヒズム。サドマゾ⓪③。

エスエル⓪【SL】〔←steam locomotive〕蒸気機関車。

エスオーエス③【SOS】Ⓐ船などが遭難した時に、救助を求める無線信号〔=モールス符号は「…———…」〕。「—を発する」Ⓑ危機的な状況に陥り、緊急に△援助(対応策)が必要とされる事態。「日照り続きで水がめが—だ」

えすがた②ヱ【絵姿】絵にかいた人の姿。「—女房の昔話」

エスカップ③【ESCAP】〔←Economic and Social Commission for Asia and the Pacific〕国連アジア太平洋経済社会委員会。国際連合の中の地域経済委員会の一つ。アジア・極東地域の経済的発展を期するためのもの。一九七四年、エカフェを改組して、太平洋地域も加えて発足した。

エスカルゴ③〔フ escargot〕フランス料理で使う、食用カタツムリ。

エスカレーション④〔escalation〕段階的な拡大。↕デスカレーション

*エスカレーター④〔escalator=もと、商標名。escalade(はしご)とelevatorとの混合語〕乗った人を上階・下階に運ぶための、動力によって連続的に動く階段状の装置。自動階段④。[かぞえ方]一基

エスカレート④—する(自サ)〔escalate〕〔紛争などが〕段階的に拡大していくこと。

エスカロープ④〔フ escalope〕薄切りの肉。

エスキモー③〔Eskimo=エスキモー語で「かんじきに張る網を編む人」が「生肉を食う人」の意に誤解されたと言われる〕アジア大陸北東端からアメリカ大陸北端・グリーンランドにかけての地域に住む、モンゴロイド系の民族。⇩イヌイット

エスケープ③—する(自他サ)〔escape=逃げる〕嫌いな学科の授業の時、教室から抜け出してサボること。略してエス。

エスご⓪【エス語】エスペラントの俗称。

エスコート③〔escort〕❶—する(他サ)〔儀礼として△要人(大切な客)などの〕付添いや護衛をすること。〔特に、男性が女性に対してするものを指す〕❷〔団体旅行などの〕添乗員。

エスタブリッシュメント③〔establishment=設立〕権力機構を備えた支配△階級(体制)。

エスディージーズ⑤【SDGs】〔←Sustainable Development Goals〕持続可能な開発目標。国際社会が達成すべきものとして、貧困の撲滅・男女平等の達成・気候変動への対応など十数項目を目標として国連が採択。

エステティック④〔フ esthétique=美学〕全身美容。略してエステ①。「—サロン⑦」

エステル①〔ester〕酸とアルコールの化合物。いいにおいがする。食料品の香料用。

エスニック③〔ethnic〕民族(特有)の。「—料理⑥〔=アフリカ大陸やアジアの各民族特有の料理〕」

エスノロジー③〔ethnology〕民族学。

エスは②【S波】〔secondary wave〕地震波のうち、P波に遅れて到達する主要な波動。地震波の進行方向に対して直角の方向に振動する振幅の大きい横波。⇩ピーは

エスばん⓪【S判】〔←small size〕「エス㊂❶」に同じ。Sサイズ③。⇩エム判・エル判

エスピー③【SP】〔←security police〕重要人物の身辺を常時護衛する、私服の警官。

エスピーアイ⑤【SPI】〔←synthetic personality inventory〕入社試験で使われる能力・性格・適性検査。

エスピーばん⓪【SP盤】〔←standard playing (record)〕一分間に七十八回転する旧式のレコード。略してエスピー③(SP)。〔演奏時間は五分程度で、現在はほとんど市販されていない〕[かぞえ方]一枚

エスプリ⓪〔フ esprit〕(機知に富んだ)精神(の働き)。

エスプレッソ④〔イ espresso〕蒸気圧を使って短時間でコーヒーを抽出する器具(でいれた濃厚なコーヒー)。「—マシン⑧・—コーヒー⑦⑨」

エスペランチスト⑥〔Esperantist〕エスペラントを使用する人。また、その普及・宣伝をする人。

エスペラント④【Esperanto】ポーランドの医者ザメンホフ(Zamenhof)が考え出した、人工的な国際語。「エス語」とも。

えずめん②ヅエ【絵図面】⇩絵図❷

えせ(接頭)〔もと、悪い・劣悪の意〕うわべは似ているが、実質はあらゆる点で本物に劣ることを表わす。「—学者③」[表記]「〈似〈而非〉・〈似非〉」は、江戸時代後期以降の用字。

えそ①ヱ【《壊〈疽】からだの組織の一部分が死んだ状態になること。⇩壊死シエ

えぞ①【〈蝦夷〉】〔アイヌ語 enchiw(=人)の変化という〕❶古代日本で、関東以北に住み、朝廷の支配に服さなかった人びと。「えみし」とも。❷北海道の古称。「—地」

えぞう⓪ヱザウ【《画像】絵にかいた肖像。[表記]「絵像」とも書く。

えぞうし②ヱザウー【絵双紙】❶江戸時代の絵入りの草双紙。青本・黄表紙など。❷江戸時代、ニュースを絵入りで説明した一、二枚の冊子シッ。かわらばん。❸錦絵ニシキエ。[表記]「絵草紙」とも書く。

えぞぎく②【〈蝦夷〉菊】園芸用の一年草。背が低くて、夏、赤・白・紫などの、キクに似た大形の花を開く。アスター。〔キク科〕[かぞえ方]一本

えぞまつ②【〈蝦夷〉松】北海道などの寒い地方に多く産する常緑高木。建築・器具・製紙原料用。〔マツ科〕[かぞえ方]一株・一本

えそらごと⓪③ヱ【絵空事】〔絵かきが事実を離れることによって、実在以上の美を創造するところから〕現実にはあ

り得ないようなきれいごと。〔△真実味の無い（実際の用に立たない）物の意にも用いられる〕

えた⓪エ【穢多】〔「餌取(エトリ)⓪③」の変化という〕昔、社会の最下層に置かれた人。特に江戸時代、非人と共に四民の下の民とされ不当な差別を受けてきた階層（の人）。〔現代に至るまで侮蔑(ブベツ)を含意して用いられた〕「―非人」

****えだ**【枝】㊀⓪ ❶草木の幹・茎から分かれ出た部分。「嫁菜の花の―」⇩幹 ❷〔雅：九州・東北をはじめ各地の方言〕人の△手（腕）や動物の足。 かぞえ方 ❶は一本・一枝(ヒトエダ) ㊁（造語）❶幾つかに枝分かれしている物の、枝の数をかぞえる語。「七―の燭(ショク)台」 ❷なぎなた・おうぎなどをかぞえる語。

えたい⓪【得体】出自(シュツジ)・素性(スジョウ)などを含めた、ものの正体(ショウタイ)。「―が知れない」

えだうち⓪【枝打(ち)】〔節の無い良材を得るために〕スギ・ヒノキなどの下枝を切り落とすこと。

えだがわり③ガハリ【枝変(わ)り】突然変異により、植物の枝・葉・花などが母体と全く違う形質を表わす現象。

えだげ⓪【枝毛】毛髪の先端が傷んで、枝分かれしたように裂けているもの。

えだずみ⓪【枝炭】茶の湯で使う炭。ツツジ、またはクヌギの小枝を焼いて作る。 かぞえ方 一本

えだにく⓪【枝肉】屠殺(トサツ)したあと、皮・血・内臓などを取り除いた後の骨付きの肉。

エタニットパイプ⑥〔eternit pipe. eternit は、もと会社名〕セメントと石綿とを原料として作った管。排水管・ガス管・煙突などに使用された。 かぞえ方 一本

エタノール③〔ド Äthanol〕⇩エチルアルコール

えだは⓪【枝葉】木の枝と葉。しよう。〔物事の大切でない事柄や部分の意にも用いられる。例、「事実に―をつける」〕

えだはり⓪【枝張(り)】〔大樹の〕幹と直角をなす方向に伸びた枝の広がりぐあい。

えだぶり⓪【枝振(り)】〔観賞や評価の対象としての〕枝の△出ぐあい（かっこう）。

えだまめ⓪【枝豆】枝が付いたままの、熟す前のダイズ。塩ゆでにして、ビールのおつまみなどにして食べる。青豆。 かぞえ方 小売の単位は一束・一把(ワ)・一袋

えだみち⓪【枝道】本道から分かれた道。〔物事の本筋からそれたものの意にも用いられる〕 かぞえ方 一本

えだもの⓪【枝物】生け花の素材で、松・梅・桜など枝のある木の総称。

えたり①【得たり】〔感動詞的に〕自分の思う通りに、うまくいった。「―とばかり」 **―かしこし**①-③【―賢し】 うまくいった。〔思う通りに事が運んだ時に発する語〕

えだわかれ③⓪【枝分(か)れ】―する（自サ）一つの元から発して、別個の二つの存在になること。また、ある所から二つ以上に分かれ（てい）ること。 表記 「《肢分かれ」とも書く。

エタン①〔ド Äthan〕メタン系の無色・無臭のガス。〔化学式 C_2H_6〕

***エチケット**①〔etiquette〕その時その場面において、そうすべき△だ（ではない）とされる社交上の決まり。 **―ぶくろ**⑥【―袋】乗り物酔いなどで気分が悪くなったとき、吐いたものを入れる不透明の袋。 かぞえ方 一枚

えちごじし④-エチ【《越後〈獅子】〔新潟県から出た獅子舞で、正月などの門付(カドヅケ)として〕少年が獅子頭(ガシラ)をつけて、逆立ちなどの芸をするもの。角兵衛(カクベエ)獅子。

エチモロジー③〔etymology〕語源（学）。

エチュード①②〔フ étude〕❶〔音楽で〕主として器楽練習用に作った楽曲。 ❷〔絵画などで〕習作。 ↕タブロー

エチル①〔ド Äthyl〕炭素二原子・水素五原子から成る、一価の原子団。〔化学式 C_2H_5-〕

エチルアルコール④〔ド Äthylalkohol〕普通のアルコール。酒類の主成分。エタノール。〔化学式 C_2H_5OH〕⇩メチルアルコール

エチレン①②〔ド Äthylen〕石油などを分解して得られる、炭素・水素の化合した無色の気体。合成物質の原料。〔化学式 C_2H_4〕

えつ（悦・越・謁・閲）→【字音語の造語成分】

えつ①⓪【悦】自分の思う通りになったとして、喜ぶこと。「ひとり―に入(イ)る〔=ひとりでうれしがる〕／―楽・喜―・法―」

えつ①【謁】手続きを経て、身分の高い人に面会を求めること。「―を賜(タマワ)る／―見・拝―」

えつ①【閲】どういう内容であるか、一通り見ること。「―を乞(コ)う／―兵・校―・検―」⇩【造語成分】

えっきょう⓪エッキャウ【越境】―する（自サ）〔国境・学区などの〕（越えてはいけないとされている）境界の外へ出ること。「文化の―／―入学⑤・―〔=国境を越えた〕汚染⑤」

エッグ（造語）〔egg〕〔食品として加工された〕（ニワトリの）卵。「ハム―（ズ）・スクランブル―」

えづく②エ【餌付く】（自五）新しく飼った鳥・獣などが馴(ナ)れて、えさを食べるようになる。 名 餌付き③

エックス① ㊀【X・x】❶英語アルファベットの第二十四字。 ❷ローマ数字で「十」を表わす記号。 ❸〔数学の記号から〕△未知の（不確定な）数や事物。「謎の物体―」 ㊁【X】〔←extra〕物のサイズで、さらに△小型（大型）であることを表わす記号。「―S⑤〔=Sより一段階小さいサイズ〕・――L⑤〔=Lより二段階大きいサイズ〕」 ㊂【x】〔数学で〕未知数を表わすために最もよく用いる記号。 **―きゃく**④【X脚】直立して、膝(ヒザ)をそろえた時、膝から下が両側に開いてX字のように見える脚(アシ)の形。 ↕オー（O）脚 **―せん**⓪【X線】〔もと、未知の光線の意〕ドイツ人レントゲン（Röntgen）が発見した、電磁波の一種。普通の光線を通さない物でも透過する力がある。医学・工学上重要。レントゲン（線）。「エキス線⓪」とも。 **―デー**④③〔和製英語 ←X + day〕何月何日と特定はできないが、重大事件が起こると想定される日。

えづけ⓪エ【餌付け】―する（他サ）野生動物にえさを与えて、人間に馴(ナ)れ親しませること。 動 餌付ける③（他下一）

えっけん⓪エッ【越権】定められた権限を越え（て出過ぎたことをす）ること。〔古くは「おっけん」とも〕「―行為⑤」

えっけん⓪【謁見】―する（自サ）手続きを経て、身分の高い人に会うこと。「―式③」

えっさえっさ①-①（感）〔二人以上で〕物を担いで走る時の掛け声。えっさっさ①。

エッジ①⓪〔edge〕❶はし。ふち。「―ボール」 ❷〔スキーで〕滑走面の端に付ける金属板。 ❸〔スケートで〕靴の下に付ける滑走用の金具。 ❹鋭さ。明瞭さ。「―が利いた意匠」

えっしゅう①エッシウ【越州】「越前(エチゼン)・越中(エッチュウ)・越後(エチゴ)」の総称。「越前」は今の福井県中部・北部、「越中」は富山県全域、「越後」は佐渡島(サドガシマ)を除く新潟県全域。

エッジング⓪〔edging〕スキーの横すべりを防ぐため、斜面に接する方の側に力を加えてスキーの底面が水平になるようにすること。「―をきかす」

えっすい⓪エッ【越水】―する（自サ）川などの水が増水し、堤防を越えて流れ出すこと。また、その水。

えっする⓪③【謁する】（自サ）身分の高い人にお会いする。お目にかかる。

えっする⓪③【閲する】（他サ） ❶内容を一通り見る。 ❷経る。けみする。「多くの年月を―」

エッセイスト④③〔essayist〕エッセーを書く（ことを職業

としている)人。随筆家。

エッセー①〔essay〕 随筆。随想。エッセイとも。

エッセンシャル③〔essential〕 本質的。根本的。必須であるさま。「ーオイル⑦〔=精油〕・ーワーカー⑦〔=医療・流通など社会生活を営むために必須の労働に従事する人〕」

エッセンス①〔essence〕 ❶〔蒸留などによって得た〕植物の純粋な成分。食品・香料などに使う。「バニラー④」 ❷物の本質(を成す部分)。神髄。「美のーを語る」

えっそ①【越訴】ーする(他サ) 手続きを踏まず直接に(上)官に訴えること。〔古くは「おっそ」とも〕

エッチ①【H】〔エイチの俗な発音〕 ■一⇩エイチ ■二ーな〔Hentai(変態)の頭文字で、もと女学生の用語という〕性的な事柄に興味を示す様子だ。「ーな話/ーする〔=(軽い気持で)性行為を行なう〕」

エッチ アイ ブイ⑥【HIV】⇩エイチ アイ ブイ

えっちゅうふんどし⑤【越中〈褌〉】 長さ三尺〔=約一メートル〕ほどの小幅の布にひもを付けた褌。略して「越中①③」。三尺。⇩六尺褌 かぞえ方 一本

えっちら おっちら①-①(副) 〔疲れたり重荷を背負ったりして〕非力の者が力を振りしぼって、やっとのことで歩き続ける様子。「ー(と)山道を登る」

エッチング⓪〔etching〕 ろう引きの銅板に描いた線描画を、酸で腐食させて得る印刷原版(によって刷った物)。腐食銅版画⓪。

えっとう⓪【越冬】ーする(自サ) 冬(の寒さ)を越すこと。「ー資金⑤・南極ー隊⓪」

えつどく⓪【閲読】ーする(他サ) 内容などに気をつけて読むこと。

えつ

【悦】 ⇩(本文)えつ【悦】

【越】 ■一❶△限界(水準)をこえている。「越権・激越・卓越・超越」 ❷ある境目をこす。「越境・越冬」 ■二(略) ❶越前国・越中国・越後国。「越州・信越」 ❷ベトナム(越南)。

【謁】 ⇩(本文)えつ【謁】

【閲】 ❶経過する。「閲歴・閲年」 ❷調べる。「閲覧・閲兵・検閲」 ⇩(本文)えつ【閲】

えつねん⓪【越年】ーする(自サ) 年を△越す(越して新年を迎える)こと。「ー資金⑤」〔古くは「おつねん」とも〕 **ーそう**⓪【ー草】 越年生草本。⇩年生

えつねんせい⓪【越年生】⇩年生

えっぺい⓪【閲兵】ーする(他サ) 〔司令官・元首などが〕整列した陸軍の軍隊を儀礼的に視察して士気を鼓舞すること。「儀仗兵をーする」

えつぼ①【笑〈壺〉】 満足して笑うこと。【ーに入る】〔もと、笑いの止まらない形容〕思い通りになったという顔つきをして、笑う。

えつらく⓪【悦楽】ーする(自サ) 感覚を満足させて、楽しむ△こと(状態)。

えつらん⓪【閲覧】ーする(他サ) 〔図書館などで〕書物・新聞などを調べたり見たりすること。「ー室③・ー者③」

えつれき⓪【閲歴】 (波乱に満ちた)経歴。

えて①(副) 〔文語動詞「得ウ」の連用形に助詞「て」が付いたもの〕 ❶えてして。「行くと言った以上はきっと行くといらざるところに力んで見せた。愚人はーこんなところに意地を張るものだ」 ❷〔否定表現と呼応して〕到底不可能である様子を表わす。「ー目的を達せざらん」〔❶❷とも古風な表現〕 表記「得て」とも書く。

えて②【得手】 ❶ーな ーに (最も)得意な△わざ(こと)。「ーに帆をあげる〔=真価を発揮する機会とばかり張り切る〕」 ❷⇩えてこう

エディション(造語)〔edition=出版。刊行〕 版。「ファーストー⑥〔=第一版〕」

エディター〔editor〕 ❶①編集(責任)者。 ❷⓪〔コンピューターで〕編集作業をするプログラム。

エディプス コンプレックス⑧〔ド Ödipuskomplex=ギリシャ神話のオイディプス(Oidipous)王にちなむ〕〔精神分析学で〕男の子が母親を慕い、父親に反感を持つ気持。 ↕エレクトラ コンプレックス ⇩マザー コンプレックス

えてかって③【得手勝手】ーな ーに 他人の迷惑などは構わず、自分の勝手ばかり考えて行動する様子だ。「ーな連中」 派ーさ②⓪

えてこう③【えて公】 〔「えて」は、サルが「去る」に通じるのを忌んで「え(得)てもの」と言ったことから〕猿を擬人化して言う称。えてきち⓪。 表記「《猿公」とも書く。

えてして①【得てして】(副) 〔意図や期待に反して〕ともすると、そうなる傾向に陥りやすい様子。「あまり張り切ると

ー失敗するものだ」

エデン①〔ヘブライ Eden=快楽〕 〔旧約聖書の創世記で〕アダムとイブが住んでいたという楽園。「ーの園」

えと⓪【〈干支〉】 〔「兄弟」の意〕 ❶〔陰暦で〕十干と十二支を順次組み合わせて年月日に当てたもの。年の場合、同一の組合せは六十年ごとに再現。⇩本卦還り・還暦・華甲 ❷俗に、十二支の称。「来年のーは寅」

えど⓪【江戸】 もと江戸氏の所領で、今の平河町・九段を中心とした江戸川流域の一帯。後、太田道灌がここに築城し、やがて徳川家康が襲い、明治以後は「東京」と改称し、皇居が置かれた。山の手〔=芝・麻布・赤坂・四谷・麴町・牛込・小石川・本郷の各区。いずれも旧制。以下同様〕と下町〔=日本橋・神田・下谷・浅草・京橋の各区〕と川向い〔=本所・深川の二区〕とに分かれる。三百余町から出発したが、大火の度に発展した。「ーの仇を長崎で討つ〔=意外な所、また筋違いな事で仕返しをする意のことわざ〕」

えど①【〈穢土〉】〔仏教で〕けがれている環境としての、現世。「厭離ー〔=穢土をきらって、離れ(ようとす)ること〕」 ↕浄土

えど おもて③【江戸表】 (国許から見た)江戸(のほう)。

えとき⓪③【絵解(き)】ーする(他サ) ❶絵や写真の意味の説明をする△人(文章)。 ❷絵でする、説明の補い。

えとく⓪【会得】ーする(他サ) 〔内容・知識を〕十分に理解して、自分のものとすること。

えど じだい③【江戸時代】 徳川家康が江戸に幕府を開いた一六〇三年から、徳川慶喜が大政奉還を行なった一八六七年までの二六五年間の時代。徳川時代⑤。

エトセトラ③〔et cetera, etc., &c.〕 …や、その他。…など。

えどっこ⓪【江戸っ子】 △江戸(東京)で生まれ(育っ)た人。〔厳密には、三代以上住み続けている人を言う由〕

えどづま⓪【江戸〈褄〉】 前身頃からおくみにかけて、裾模様を染め出した着物。女性の晴れ着の一種。

えどづめ⓪【江戸詰(め)】 江戸時代、大名の藩士が江戸の藩邸に勤務して、幕府や他藩との渉外事務や国許との連絡事務に当たったこと。

えどまえ⓪【江戸前】 〔江戸の前の海、の意。西は品

川から羽田、東は深川の海を指した〕❶東京湾産の（新鮮な）魚介類。「—のハゼ（すし）」❷〔人の気風や食物の風味などについて〕かつての江戸っ子の持っていた、いなせな気っぷや、特有の粋な好みが端的にうかがわれるやり方。

えど むらさき④【江戸紫】濃い赤みのある、スミレの花のような紫の色。江戸時代、江戸の染め物に使われたことから、この名があるという。⇩古代紫

エトランゼ③〔フ étranger=見知らぬ人〕（旅行中の）外国人。

えな⓪①胎児を包む膜や胎盤の総称。表記 古来の用字は「《胞・〈胞衣〉」。

えない①【得ない】〔「…を—」の形で〕（心ならずも）そうすることができない。「已むを—〔=⇩已むを得ない〕事情／非常識と言わざるを—〔=言わないわけには いかない〕／せざるを—〔=しないわけには いかない〕」

エナメル⓪〔enamel〕❶〔金属や陶器に塗る〕ガラス質の塗料。琺瑯。❷〔電線などに塗る〕絶縁・さび止め用のワニス塗料。❸ワニスと顔料を交ぜて作った塗料。エナメルペイント⑤。❹「エナメル革⓪・エナメル靴④」の略。—しつ④【—質】歯の外側をおおう硬い部分。琺瑯質。

え ならず①-①、①-②〔雅〕なんともいえないほど△だ（すぐれている）。

えにし①【《縁】〔「えに」は縁の日本化した字音、「し」は強意の助詞〕以前からの宿命でそうなった、人と△人（物）との結びつき。〔狭義では、男女間の縁を指す〕

エニシダ⓪②〔ス hiniesta から〕夏の初めに黄色い蝶形の花をつける観賞用落葉低木。枝は濃い緑色。ヨーロッパ原産。〔マメ科〕表記「〈金雀児〉」（漢語表記）・「〈金雀枝〉」とも書く。かぞえ方 一株・一本

エヌ① ■【N・n】英語アルファベットの第十四字。■【N】❶〔←north〕北を表わす記号。❷〔←newton〕力の単位ニュートンの記号。❸〔←nitrogen〕窒素の元素記号。■【n】〔数学で〕任意の自然数を表わす記号。「3の倍数は3nと表わす」〔やや古くはエン①とも〕

エヌ エス シー⑤【NSC】〔←National Security Council〕アメリカ国家安全保障会議。アメリカの安全保障と外交政策について戦略を決定する機関。大統領への助言や各省庁への調整も行なう。

エヌ オー シー⑤【NOC】〔←National Olympic Committee〕国内オリンピック委員会。日本ではJOCがこれに相当する。⇩アイオーシー

エヌ ジー③【NG】〔no good=不良〕❶〔映画で〕撮影の失敗で出来た、役に立たないフィルム。❷〔放送などで〕失敗して、もう一度やり直すこと。やりそこない。「—を出す」❸何かのために不向きとされるもの。「面接—集」

エヌ ジー オー⑤【NGO】〔← nongovernmental organization〕非政府組織。政府間の協定によらずに民間で設立される国際協力機構。

エヌ ピー オー⑤【NPO】〔←nonprofit organization〕非営利組織。政府・自治体や企業とは別に社会的活動を行なう非営利の民間△組織（団体）。「—法人⑦」

****エネルギー**②③〔ド Energie〕❶〔物理学で〕物体が持っている、仕事をする能力の量。「熱—・運動—⑥⑦・高—④⑤・—源④」❷仕事などをするのに必要な心身の元気。精力。「—を△生む（集中する・蓄積する）」

エネルギッシュ④〔ド energisch〕精力がある様子だ。精力的。

えの あぶら③【〈荏の油】エゴマの実からとった油。食用のほか、油紙やからかさに塗る。「荏胡麻油」とも。

えの き⓪①【〈榎】暖かい所に自生する落葉高木。ケヤキに似て、葉の先の方に切れ目がある。一里塚によく植えられた。〔アサ科（旧ニレ科）〕かぞえ方 一株・一本 —だけ③【—〈茸】エノキ・ヤナギなどの幹に生え、また栽培もされるキノコ。かさは黄茶色で、柄は細い。食用。「えのきたけ」とも。〔タマバリタケ科〕かぞえ方 小売の単位は一把・一束

えの ぐ⓪【絵の具】絵に色を着けるために、水などで溶いて使う材料。「水彩—」

えのころ ぐさ④【えのころ草】〔「えのこ（ろ）」は、犬の子の意〕低地の草むらなどに生える一年草。夏から秋にかけて、茎の先に穂のような形の緑の花が咲く。数種類ある。ねこじゃらし。〔イネ科〕かぞえ方 一本

えば①【絵羽】〔←絵羽織②〕絵羽模様を表わした羽織。絵羽羽織③。—もよう③【—模様】〔和服で〕仕立てた時に、全体が連続した一つの絵になるようにした模様。

エバー（造語）〔ever〕いつまでも。常に。「—グリーン⑤〔=常緑樹〕」

え はがき②【絵葉書】裏面に絵や写真のある郵便葉書。かぞえ方 一枚

え はだ①【絵肌】その画面（の材質）から受ける感じ。マチエール。「ざらざらした—がいい」表記「《画肌」とも書く。

え はつ⓪【《衣鉢】⇩いはつ

えば・る②（自五）「いばる」の口頭語的表現。表記「《威張る」とも書く。

えび⓪【〈蝦・〈海老〉】❶水中にすみ、足が十本ある甲殻類の動物。堅い殻でおおわれ、からだを曲げ伸ばしして進む。頭に二対の長い触角がある。食用になるものが多い。「—で鯛を釣る〔=わずかの△物を与えて（労力で）、大きな利益を得るたとえ。この文脈のエビは、『飯粒』の変化ともいう〕」❷「えび錠」の略。表記 ❶は、「〈蛯」とも書く。かぞえ方 ❶は一尾・一匹；一本

えび がため③【〈蝦固め・〈海老〉固め】〔レスリングで〕相手の首と足を巻いてフォールするわざ。

えび がに⓪【〈蝦蟹〉・〈海老〉〈蟹〉】川にすむエビの一種で、ザリガニ類の俗称。一対の太い はさみがある。特に、アメリカザリガニを指す。かぞえ方 一匹

エピキュリアン③〔epicurean=もと、消極的・精神的快楽主義者〕享楽主義者。

エピグラム③〔epigram=もと、墓碑・記念碑などに彫り込まれた詩〕警句。風刺詩③。

エピゴーネン③〔ド Epigonen（=複数形）〕ある人の思想・学説などの流れを受け、それを単に模倣しているだけの人（たち）。追随者。亜流。

えび ごし⓪【〈蝦腰】エビのように曲がった、老人の腰。表記「〈海老〉腰」とも書く。

えび じょう⓪【〈蝦錠】❶かんぬきに差す、エビ形の錠。❷南京錠。表記「〈海老〉錠」とも書く。

えびす①⓪【〈夷】〔「えみし」の変化〕❶えぞ。❷未開の人民。野蛮人。❸（関東の）荒あらしい武士。表記「〈戎・《蛮・〈狄」とも書く。—め⓪〔北海道で取れる〕コンブの古名。

えびす⓪【恵比須】〔イザナギの命の子で、足が弱いという蛭子の称という〕七福神のひとり。風折烏帽子に狩衣・指貫の姿でタイを釣り上げた像に作る。商家で守護神として信仰する。表記「恵比《寿・〈戎」とも書く。—がお⓪③【—顔・恵比《寿顔】〔恵比須が笑っているような〕にこにこした顔つき。⇩えんまがお —こう⓪【—講・恵比《寿講】陰暦の十月二十日に商家などで、商売繁盛を祈って、恵比須を祭る行事。

エピソード①③〔episode〕❶問題になっている人や物事に

関する、ちょっとした話(で、世間に紹介しておきたいもの)。逸話。❷〔小説・物語などで〕作品の本筋には直接関係の無い内容の話。挿話。

えびぞめ⓪【{〈葡萄〉}染め】 浅い紫色。〔織物ではブドウ色、つまり縦糸が紅、横糸が紫のものを指す〕

えびたい⓪‐(タヒ)【〈蝦鯛〉】「エビでタイを釣る」の略。「これでは―で申しわけない」⇩えび 表記「{海老}〈鯛〉」とも書く。

えびちゃ⓪【{〈葡萄〉}茶】〔「えび」は山ぶどうの意〕黒みがかった赤茶色。「―袴(バカマ)④」 表記「{海老}茶」は、借字。 **―しきぶ**⑤④【―式部】〔多く、えび茶色の袴(ハカマ)をつけたことから〕明治後期、女学生の異称。

エピック①②〔epic〕 叙事詩。↕リリック

エピデミック④③〔epidemic〕 感染症が、ある地域で急増し、流行すること。

エビデンス①〔evidence〕〔特に医学上の〕科学的根拠。裏づけのある証拠。「―を示す/―を残す」

えびら⓪①【〈箙〉】 矢を入れて背中に負う武具。〔古くは「やなぐい」〕

エピローグ③〔epilogue〕 音楽・戯曲などの終末にあって、その作品の締めくくりを表わす内容を持つ部分。〔事件などの結末の意にも用いられる〕↕プロローグ

エフ① ■【F・f】 英語アルファベットの第六字。 ■【F】❶〔←focal length number〕〔写真で〕レンズの明るさを表わす記号。〔開放にした時のしぼりの数値で示す。例、「F 1.8」〕 ❷鉛筆の芯(シ)の硬さを表わす記号。HBより硬く、Hより軟らかい。 ❸〔←floor〕 建物の地上階を表わす記号。「32F〔=地上三十二階〕」 ❹〔←和製英語 free＋size〕 フリーサイズを表わす記号。 ❺〔音楽で〕への英語音名・ドイツ語音名。イタリア語音名のファ。 ❻〔←female〕 女性(的要素)。↕エム(M) ❼〔←ドFahrenheit〕 カ氏温度〔記号°F〕。 ❽〔←fluorine〕 フッ素の元素記号。 ■【f】❶〔楽譜で〕フォルテの略記号。 ❷〔←focal length〕〔写真で〕レンズの焦点距離。「f=45mm」

えふ①‐(エ)【会符】 小荷物に付ける名札。 表記「絵符」とも書く。 かぞえ方 一枚

えふ①‐(エ)【《衛府》】 奈良時代以降、宮中を守った六つの役所の総称。また、そこに仕えた武士。

エフエー③【FA】〔←free agent〕 自由契約選手。⇩フリー エージェント **―せい**⓪【―制】 ⇩フリー エージェント制

エフエーキュー⑤【FAQ】〔← frequently asked question=よくある質問〕〔インターネットのウェブなどで〕よくある質問と回答をまとめた文書。

エフェクト②〔effect〕 効果。〔特に、放送・映画で、擬音などの音響効果〕

エフエフ⓪【FF】〔←front-engine, front-drive〕〔自動車で〕車体前部にエンジンがあり、前輪を駆動する方式。

エフエム⓪【FM】〔←frequency modulation=周波数変調〕〔ラジオ放送で〕音波の形に応じて電波の周波数を変化させる方式(の電波)。雑音の混入が少ない。「―放送⑤」↕エーエム

えふだ①‐(エ)【絵札】〔トランプで〕キング・クイーン・ジャックの総称。〔全部で十二枚ある。広義では、エースをも含める〕

えふで①‐(エ)【絵筆】 絵をかくのに使う筆。画筆(ガヒツ)。「―を△握る(走らせる)」 かぞえ方 一本:一管(カン)・一茎(ケイ)

エフビーアイ⑤【FBI】〔←Federal Bureau of Investigation〕 連邦捜査局。アメリカ合衆国の司法省に属する捜査機関。

えぶみ⓪‐(エ)【絵踏(み)】 ⇩踏み絵

エプロン①〔apron=ナプキンを意味するラテン語に由来〕 ❶(西洋風の)前掛け。 ❷〔飛行場で〕格納庫やターミナルの前の舗装された広がり。乗客の乗り降り、貨物の積み下ろし、給油などが行なわれる。スポット。 ❸〔ゴルフ場で〕グリーン周辺の傾斜。 ❹〔←エプロン ステージ⑥〕 観客席の方へ突き出ている、舞台の一部。 かぞえ方 ❶は一枚

エフワン⓪【F1】〔←Formula One〕 国際自動車連盟の規定する最上級のレーシング カー(のレース)。〔F1グランプリレースは、世界各国で年間二十数戦を開催〕

エペ①〔フ épée〕 フェンシングの種目の一つ。全身を対象として、突きを用いる。また、その種目に用いる剣。⇩サーブル・フルーレ

えへらえへら④②、②‐②(副)―と (声を出さずに)しまりなく笑い続ける様子。「―(と)笑っているあの男の顔を見るとよけい腹が立つ」

えへん②(感) 〔いばったり得意になっている時、また、人の注意を引く時などに〕せきばらいのまねをして出す声。

えほう⓪‐(エハウ)【恵方】〔陰陽(オンミョウ)道で〕その年の干支(エト)に基づいて、よいと定められた方角。⇩方位 表記「《兄方(エハウ)》・《吉方(エハウ)》」とも書く。 **―まいり**④‐(マヰリ)【―参(り)】 正月元日に、恵方に当たる神社にお参りして、一年じゅうの幸運を祈ること。 **―まき**⓪【―巻(き)】 節分の日に、その年の恵方を向いて食べると縁起がよいとされる太巻き寿司。一本を切り分けずに丸ごと食べる。丸かぶりずし。 かぞえ方 一本

えぼし⓪①【〈烏《帽子》】 明治時代以前、成年男子が日常用いたかぶり物。今は、神主などが使う。「赤―③・風折(カザオリ)―⑤」

エポック②①〔epoch〕 時代。「―を画する〔=新しい時代を開く〕」 **―メーキング**⑤―な〔epoch-making〕 画期的。新しい時代を開いたことの形容。

エボナイト③〔ebonite〕 なまゴムに硫黄を加えて作った、黒く硬い物質。万年筆・電気器具などの部品の材料。

エホバ①〔ラ Jehovah〕〔旧約聖書で〕ユダヤ人が崇拝した唯一最高の神ヤハウェの伝統的な読み方。ヤーベ①。〔ヘブライ語の表記は YHWH〕

エボラしゅっけつねつ⑦【エボラ出血熱】〔Ebora=コンゴ民主共和国の川の名〕 高熱と内出血をひき起こす熱帯地方の感染症。かかると、死亡率が非常に高い。

えほん②‐(エ)【絵本】 ❶〔←絵本番付④〕 芝居の内容を絵で示し、そばに役名と俳優名とをしるした本。 ❷(子供に見せるための)絵を主とした本。 かぞえ方 ❶❷とも一冊

えま①‐(エ)【絵馬】〔願掛けやお礼参りのために〕神社・寺に奉納する(馬の絵の)額。〔上代に神馬(ジンメ)を奉献した遺制が、木馬・土馬・紙の馬などを経て絵に描(カ)いた馬で代用されたもの。後には馬以外の絵も描くようになった〕⇩算額

えまき⓪①‐(エ)【絵巻】〔←絵巻物⓪③〕 物語の内容を、「詞書(コトバガキ)❷」と絵を交互に書きつづって読者にわかりやすく説明した巻物。 かぞえ方 一巻(カン) かぞえ方 一枚:一点

えみ①(ヱミ)【笑(み)】 ほほえみ。微笑。「満面に―をたたえる」

えみこぼ・れる⑤‐(ヱミ)【笑(み)《零れる》】(自下一) うれしさがほほえみとなって顔いっぱいにあふれる。

えみし①【〈蝦夷〉】「蝦夷(ソエ)❶」の古称。

えみわ・れる④‐(ヱミ)【笑(み)割れる】(自下一) クリのいがやザクロの実などが熟して、自然に割れる。

え・む①(ヱム)【笑む】(自五) ❶微笑する。 ❷花が咲く。 ❸クリなどの実が熟して裂ける。

エム① ■【M・m】 英語アルファベットの第十三字。 ■【M】❶〔←male・man〕 男性(的要素)。↕エフ(F)・

ダブリュー（W）㊁〔←ド masochist〕マゾヒスト。↔エス（S）。㊂〔←medium〕物のサイズで中型。「―サイズ③」㊃元号「明治」の略記号。「―10年」㊄〔←magnitude〕マグニチュードの記号。「―5の地震」㊅〔←mega〕メガの記号。「MB（＝メガバイト）」㊆〔←money〕〔以前、学生の間で〕お金。ゲル。㊇〔←サンスクリット māra〕陰茎。▣【m】㊀〔←フ milli〕ミリの記号。「mg（＝ミリグラム）」㊁〔←フ mètre〕メートルの記号。「cm（＝センチメートル）」

エムアール③【MR】〔←medical representative〕自社の製品（特に医薬品）を宣伝・販売する担当者。

エムアール アイ⑥【MRI】〔←magnetic resonance imaging〕核磁気共鳴映像法。

エムアンド エー⑥【M&A】〔←merger and acquisition〕企業の合併・買収。

エムケーエスエー たんいけい⓪、⑦-⓪ー【MKSA単位系】⇩単位系

エムシー③【MC】〔←master of ceremonies〕司会者。式場係。マスターオブ セレモニー。

エムディー プレーヤー⑥【MDプレーヤー】〔←Mini Disc player〕光磁気ディスクにミニディスクの規格で記録されている音楽・音声を再生する機器。

エムばん⓪【M判】〔←middle size〕「エム㊁㊂」に同じ。Mサイズ③。⇩エス判・エル判

エムピー③【MP】〔←military police(man)〕〔米国の〕憲兵（隊）。

エムブイピー⑤【MVP】〔←most valuable player〕〔プロ野球の〕最優秀選手。

エムボタン③【Mボタン】男のズボンの前ボタン。

エメラルド③〔emerald〕㊀緑色の宝石。緑玉石。翠玉(スイギョク)。㊁エメラルドの色。

えもいわれぬ①-⓪【えも言われぬ】（連体）〔副詞「え」＋副助詞「も」㊁㊂〕なんとも言えない（ほど、いい）。えもいえぬ。「―美しさ」

エモーション②〔emotion〕喜怒哀楽などの強い感情。情動。

えもじ②⓪【絵文字】㊀言葉を簡略な絵で表わした文字。原始的な象形(ショウケイ)文字や、ヒエログリフ。㊁事柄を簡単な絵で表わし、言葉による説明の代用とするもの。指差す手の印が目標の所在を示したり 駅やデパートで男・女の姿の輪郭を象徴的にかたどった絵がトイレを示したりするなど。㊂文字の代り、あるいは感情などを表わすために絵を遊戯的に入れたもの。㊃コンピューターやスマートフォンなどの電子機器で使われるフォントのうち、文字ではなく絵で表示するもの。

えもの⓪【得物】手に持つ武器。〔もと、その人が得意とする武器・芸などを指した〕

えもの⓪【獲物】漁や猟で▵取った（取る）動物。〔戦争や勝負事に勝って手に入れた物の意にも用いられる〕「―を追う猟犬」

えもん⓪【《衣紋》】〔もと、法式にかなった装束(ソウゾク)の着方の意〕着物の襟（を胸の所で合わせること）。「―を繕う（＝衣服の乱れを整える）／抜き―」 表記「《衣文》」とも書く。 **―かけ**②【―掛け】㊀短い棒に和服など▵を（のそでを通して）掛け、中央のひもなどでつるしておくもの。㊁衣桁(イコウ)。 かぞえ方 ㊀は一本 **―だけ**②【―竹】竹製の「衣紋掛け㊀」。

えよう⓪ー【《栄▵耀》】「えいよう」の古語的表現。「―栄華」

えら⓪②【《鰓》】水生動物の呼吸器。水から酸素をとる。〔俗に、人の下あごの左右のあたりを指す。例、「―の張った顔」〕 かぞえ方 一枚

エラー①〔error＝誤り〕㊀失敗。「この間違いはコンピューターの―だ／ヒューマン―（＝人為的ミス）」㊁誤差。㊂〔野球で〕▵捕球（送球）しそこなうこと。「ワンヒットワン―で一点入る」

＊**えらい**②【偉い】（形）㊀人格・言動などが他よりすぐれていて、りっぱだ。「ずばり言ってのけた君は―よ（＝ⓐ勇気があって尊敬に値するよ。ⓑ元気があってうらやましいよ）」㊁その社会・組織などの中で、比較の対象とするものと比べ、地位・身分などが高い様子だ。「三十歳で教授とは、彼も偉くなったものだ／名ばかりの会長で偉くも何ともない」㊂〔予想も出来なかったほど〕はなはだしい様子だ。「―（＝重大な）事件／―（＝ひどい）寒さ／えらく（＝ひどく）▵暑い（小さい）／えらく（＝非常に）混んでいる」 派 **―さ**① **―が・る**③ 表記「《豪い》」とも書く。また、㊂はふつう仮名で書く。 文法 ㊂は、おもに口頭語で「えらい」が「えらく」に代わって副詞的に用いられることがある。例、「今日はえらい暑いね／この店の料理はえらいうまいね」 **―さん**⓪②〔西日本の方言〕「偉い様」の変化〕おえら方。

えらがた⓪【偉方】⇩おえらがた

えらそう③【偉そう】（ーに）▵実体（内実）はそれに値しないのに、あたかも自分が偉い存在であるかのようにふるまう様子だ。「―な態度／―に説明する」

えらび【選び】（造語）㊀同類の多くの中からえらぶことを表わす。「お妃(キサキ)―の最中／化粧品―のポイント」㊁動詞「選ぶ」の連用形。 **―だ・す**④【―出す】（他五）多くの中から目的や条件に合うものを取り出す。 **―と・る**④【―取る】（他五）条件に合うもの、気に入ったものなどを自分のものとして選ぶ。

＊＊**えら・ぶ**②【選ぶ】（他五）㊀〈なに・だれカラなに・だれヲ〉条件を備える最も好ましいものとして、幾つかの中からそれ▵を取り出す（に決める）。「候補者の中から代表を―／死を―（＝生きていることをやめ、死のうと思う）／目的のためには手段を選ばない（＝どんな手段でも構わず取る）」㊁〈なにヲ〉目的にかなう材料を集めて、書物を作る。「歌集を―」㊂仕分けする。区別する。「…と―所が無い（＝評価の低い…と少しも違わない）」 表記 ㊀は「《択ぶ》」、㊁㊂は「《撰ぶ》」とも書く。（㊁㊂は文章語的表現）〔⇩選び㊁〕

えらぶつ⓪【偉物】その社会で、高い地位にあたり実力者とみなされている人。 表記「《豪物》」とも書く。 運用 肩書だけは立派だが実質の伴わない人に対して、からかいの気持で用いられることがある。

えらぶ・る③【偉ぶる】（自五）偉そうにふるまう。

えり②【《魞》】魚の通り道に袋のような形に竹の簀(ス)を立て、入った魚が出られなくなるようにした仕掛け。

＊**えり**②【襟・《衿》】㊀衣類・布団の、首に直接当たる部分。〔和服では、前で交わる細長い部分（に付ける布）を指す〕「ワイシャツの―（＝カラー）／―が汚れている／―を立てる／―をかき合わせる」㊁首の後ろの部分。うなじ。「―足」 **【―に付く】** 金持や権力者にこびへつらう。 **【―を正す】**〔衣服の乱れを整える意から〕気持を引きしめる。

エリア①〔area〕区域。「サービス―・パーキング―⑥」

えり あか⓪【襟《垢》】「襟㊀」についた垢。

えり あし⓪【襟足】耳の後ろから「襟㊁」に至る、髪の毛の生え際。

エリート②〔フ élite〕選ばれた、少数のすぐれた人びと。「―意識／高学歴の―集団」

エリカ①〔ラ erica〕ヨーロッパ・アフリカの原野に自生する常緑低木。葉は針状、花はつりがね形で小さく、色は白・

淡紅・濃紅などの種類がある。ヒース。〔ツツジ科〕 [かぞえ方] 一株・一本

えりかざり[3]【襟飾(り)】❶ネクタイ。〔明治時代の表現〕 ❷襟もとを飾るネックレス・ブローチ・ペンダントなどの総称。

えりがみ[0]【襟髪】「襟❷」の髪の毛。[表記]「襟上」とも書く。

えりぎらい[0][3]【《選(り)嫌(い)》】えり好み。

えりくび[2]【襟首】「襟❷」のうち、「襟❶」の当たる部分。首すじ。うなじ。「—をつかむなどの乱暴を働いた」

えりぐり[0]【襟〈刳(り)〉】洋服の、首の後ろから胸元にかけての「襟❶」の線。ネックライン[4]。「—の深いブラウス」

えりごのみ[0][3]【《選(り)好み》】—する(自他サ)〔多くのものの中から〕好きなものだけを選びとること。より好み。「—せずに」

えりさき[0][4]【襟先】洋服やシャツの襟の先端。また、和服の襟の下端。

えりしょう[0]【襟章】洋式制服の「襟❶」の前部に付ける記章。

えりしん[0]【襟芯】〔形が崩れないように〕衣類の「襟❶」の中に入れる布など。[かぞえ方] 一本

えりすぐ・る[4]【《選りすぐる》】(他五) 特にいいものだけを選び出す。よりすぐる。 [名]選りすぐり[0]

えりにえって[2]-[1]、[1]-[1]【《選りに《選って》】「よりによって」の古風な表現。

えりぬき[0]【《選(り)抜(き)》】〔多くのものの中から、目的に合うものとして〕選んで抜くこと(抜かれたもの)。粒より。より抜き。「—の人物」 [動]選り抜く[3][0](他五)

えりぬの[0]【襟布】衣類・布団の汚れを防ぐために「襟❶」に付ける布。

えりまき[2]【襟巻(き)】防寒(装飾)のために首の部分を巻くように覆う布(毛皮)。マフラー。[かぞえ方] 一本

エリミネーター[4]〔eliminator〕〔ラジオ・プレーヤーで〕電灯線の交流電気を直流に変え、電源として使えるようにする装置。

えりもと[0]【襟元】衣服の襟のあたり。「こがらしに思わず—をかきあわせる」

えりわ・ける[4]【《選(り)分ける》】(他下一)〔目的に応じて〕選んで分ける。より分ける。 [名]選り分け[0]

エリンギ[2][0]〔イ eryngi〕南ヨーロッパ原産のキノコ。食用。白く太い柄の部分は歯ごたえがある。〔ヒラタケ科〕 [かぞえ方] 一本

エル[1] 〖一〗【L・l】❶英語アルファベットの第十二字。❷〔←フ litre〕リットルの記号。〔l・ℓも用いられたが、今はおもにLを使う〕「二—のペットボトル」 〖二〗【L】❶〔←large〕物のサイズで、大型。「—判」 ❷〔←living room〕間取りで居間を表わす記号。「3—DK[5]〔=三つの部屋と居間とダイニング キッチン〕」 〖三〗【l】〔←length〕〔物の寸法で〕長さを表わす記号。

**えるぇる【得る】〖一〗[1](他下一) ❶〈(だれ・なにカラ)なにヲ—〉自分の物にする(手に入れる)。「成案(勢い・力・教訓・承認)を—/理解(支持)が得られる/時宜(当)を得た処置/所を—〔=その人の希望通りの(にふさわしい)仕事や地位につく〕/病を—〔=病気にかかる〕/志を—〔=所を得て、自分の抱負を実行することが出来る〕/信頼(信任)を—〔=受ける〕/貴意を得たい〔=ご承知いただきたい〕/ご出席を—〔=出席していただく〕ことが出来ましたことは…/その意を得ない〔=意味がよく分からない〕」 ❷そういう状態を保つことが出来る。「間一髪気がついてあやうく事無きを得た〔=無事で済んだ〕」 〖二〗〔「動詞連用形+—」の形で、接尾語的に〕…出来る。〔連体形・終止形は「うる」になることが多い〕「知りうる限りの情報/ひとりでは為しえない/ありえない〔=あるはずが無い〕」 [表記] ❶は「獲る」とも書く。

え・る[1]【《彫る》】(他五)〔雅〕ほ(りつけ)る。

え・る[1]【《選る》】(他五) 多くの中から(目的に合うものとして)取り出す。〔「よる」のやや古風な言い方〕「形の良いものだけを—/選り分ける〔=⇩えりわける〕」

エル イーディー[5]【LED】〔←light-emitting diode〕発光ダイオード。電流の変化をただちに光の強弱の変化に変えられるダイオード。「—信号機・—電球」

エル エス アイ[5]【LSI】〔←large scale integration〕大規模集積回路。⇩集積回路

エル エス ディー[5]【LSD】〔ド Lyserg(in) säure diäthylamid の略〕和名、リゼルギン酸ジエチルアミド。ライ麦に生じる麦角から作った、強力な幻覚剤。

エル エヌ ジー[5]【LNG】〔←liquefied natural gas〕液化天然ガス。天然ガスを冷却・加圧して液化したもの。都市ガスや発電などに使用。

エル エル[0]【LL】❶〔←language laboratory〕⇩ランゲージ ラボラトリー ❷〔和製英語←large + large〕物のサイズで、特大。

エルグ[1]〔erg〕〔←ギ érgon=仕事〕CGS単位系におけるエネルギー(熱量・仕事)の単位で、一ダインの力がその方向に一センチメートルだけ物体を動かす時のエネルギーを表わす。〔千万分の一ジュールに等しい〕

エル ケー[3]【LK】〔←living kitchen〕〔マンションなどで〕居間と台所とを合わせた部屋。「3—〔=三室+LKの間取り〕」

エルゴステリン[5]〔ド Ergosterin〕酵母・キノコなどに含まれるリポイドの一種。紫外線を当てると、ビタミンDになる。

エル シー シー[5]【LCC】⇩ロー コスト キャリア

エル ジー ビー ティー[7]【LGBT】〔←Lesbian, Gay, Bisexual, Transgender〕レズビアン・ゲイ・バイセクシュアル・トランスジェンダーの頭文字。性的マイノリティーの総称。

エル ジー ビー ティー キュー[9]【LGBTQ】〔←Lesbian, Gay, Bisexual, Transgender, Questioning〕レズビアン・ゲイ・バイセクシュアル・トランスジェンダー・クエスチョニング〔=性的自認や性的指向が定まっていない〕の頭文字。性的マイノリティーの総称。

エルじこう[0]【L字溝】道路のふちに長くつなげて作った排水装置。断面がL字形になっており、たまった雨水などを受け、所どころでマンホールに流し込む。

エル ディー[3]【LD】〖一〗〔←laser disk〕レーザー ディスクの略語。⇩ディスク 〖二〗〔←learning disability〕学習障害。⇩発達障害

エル ディー ケー[5]【LDK】〔←living, dining, kitchen〕〔マンションなどで〕居間と台所と食堂とを合わせた部屋。「3—〔=三室+LDKの間取り〕」

エル ニーニョ[3]〔ス El Niño=神の子、イエスキリスト〕ふだんは寒流の流れるペルーとエクアドルの沖合の東太平洋において、海面の水温がクリスマスのころ異常に高くなる現象。北米大陸・インド・日本などの、気象や漁業によくない影響があるといわれる。⇩ラ ニーニャ

エル ばん[0]【L判】〔←large size〕「エル〖二〗❶」に同じ。Lサイズ[3]。⇩エス判・エム判

エルピー ガス[5]【LPガス】⇩ガス

エルピー スタンド[6]【LPスタンド】自動車などの燃料としてのプロパン ガスを供給する店。エルピー ジー(LPG)スタンド[8]とも。

** *は重要語，[0] [1]… はアクセント記号，品詞の指示の無いものは名詞およびいわゆる連語。

え

エルピーばん⓪【LP盤】〔←long playing (record)〕一分間に三十三と三分の一回転する、長時間演奏のレコード。略してエル ピー③(LP)。〔演奏時間は片面約三十分〕

エルフ①〔elf〕妖精ヨウセイの中でも特に小さいもの。

エルム①〔elm〕ニレの木。

エレガンス①〔elegance〕上品さ。優雅さ。

エレガント①〔―な・―に〕〔elegant〕上品な様子だ。優雅な様子だ。「動作がとても―だ/―な服装」

エレキ① ㊀〔←エレキテル〕電気。「―仕掛け④」 ㊁エレキギターの略。 表記「越列機」は、音訳。

エレキ ギター④〔←electric guitar〕電気ギターの一種。胴の部分が薄い一枚の板で出来ているので、弦の振動が直接マイクに入るため、強い音が出る。略してエレキ。かぞえ方 一台・一本

エレキテル②③〔←オ electriciteit〕電気。エレキトル②③とも。〔明治初期までの言い方〕

エレクトーン④〔Electone=商標名〕日本で開発された電子オルガン。ピアノ・パイプオルガン・打楽器などを模した音色が出る。

エレクトラ コンプレックス⑨〔ド Elektrokomplex=ギリシャ神話の Elektra という女性にちなむ〕〔精神分析学で〕女の子が父親を慕い、母親に反感を持つ気持。↔エディプス コンプレックス

エレクトロニクス⑥〔electronics〕電子工学。

エレクトロン④②〔electron〕㊀電子。㊁マグネシウムを主とした合金。航空機・自動車などの材料用。

エレジー①〔elegy〕悲しみの気持を表わした曲。「湯の町―⑤」

***エレベーター**③〔elevator〕動力で箱型のものを垂直方向に上下させ、そこに入れた人や貨物を高所・低所に運搬する機械。昇降機。「―ガール⑦・―〔=上下に動かせる〕三脚⑦」かぞえ方 一基・一台

エレメント①〔element=元素〕㊀要素。成分。㊁自分の活動領域。「自己の―〔=本領内〕に居る」

エロ①〔―な・―に〕〔←erotic〕エロチック・エロチシズムの略。性的興奮や興味を起こさせる△事(様子)。「―な話/―本ホン⓪・―映画③・―グロ ナンセンス⑤・―グロ映画⑤」

エロキューション③〔elocution〕会話(術)。発声法。

エロス① ㊀〔ギ Eros〕ギリシャ神話で、愛の神。〔ローマ神話の、キューピッドに当たる〕㊁〔eros〕〔性的の〕愛。㊂〔eros〕〔理想的なものへの〕愛。自分を高め努力することによって実現される。〔㊁㊂の対義語は、アガペー〕

エロチシズム④〔eroticism〕㊀愛欲(に関すること)。〔もとは精神的な愛〕㊁〔芸術作品で〕△恋愛(愛欲)描写が中心になった作品。エロティシズム④とも。

エロチック③〔―な・―に〕〔erotic〕性的な△興奮(関心)を起こさせる様子。エロティックとも。

えん〔円・延・沿・炎・怨・〈衍・宴・〈掩・媛・援・〈淵・園・塩・煙・猿・遠・鉛・演・縁・〈嚥・艶〉→【字音語の造語成分】

えん①【〈焉】〔終助詞的に〕漢文訓読調の文の末に置いて、言切りの意を強める語。「我レワ関せず―という〔=自分は全く関知しないんだという態度を取る〕人ばかりだ」

***えん**①ヱン【円】㊀コンパスを使って描いた図形のように、どの部分も同一の曲がり具合だと認められる曲線(を輪郭とする形)。満月・車輪などがその代表。〔くだけた表現では「丸マル」と言う〕「鳥が―を描いて飛ぶ/―盤投げ・―卓」㊁〔幾何学で〕Ⓐ一平面内で、定点から等距離にある点全体の成す閉曲線。〔この定点を「円の中心」と呼ぶ〕「コンパスで―を描く/―の方程式/―運動・同心―・外接―④・楕ダ―」Ⓑ一平面内で、「円㊁Ⓐ」に囲まれた部分。「―の面積/―周・半―」㊂明治以降の通貨の単位。銭の百倍。〔記号¥〕「―が△高ダカ(安ヤス)」⇩【造語成分】

えん①ヱン【〈冤】無実の罪。「―をそそぐ/―罪・―枉オウ」

えん①【宴】人が集まって、酒食を共にして楽しむこと。さかもり。「花の―/―会・酒―」表記「〈筵」とも書く。

えん①【塩】酸の水素原子を金属原子で置き換えた化合物。「中和して―を生じる/硫酸―」⇩【造語成分】

***えん**①【縁】㊀〔仏教の思想から〕ある運命になる巡り合わせ。「前世ゼンの―/妙な―で彼に出会った/因イン―ネン・奇―」㊁〔婚姻・肉親・師弟の関係など〕その人の生活と切り離すことが出来ない(人間どうしの)結びつき。また、その結びつきのきっかけ。「―につながる〔=血縁関係などのつながりがある〕/彼とは―もゆかりもない/―を切る〔=関係を絶つ〕/学問には―が無い/―語・内―・良―」㊂縁側。ぬれ縁。「―の下/―台」表記㊂は、「〈椽」とも書く。運用㊁について。(1)「これをご縁に」の形で、初対面の人に対して、今後長くお付合い願いたいという気持をこめた挨拶アイサツの言葉として用いられる。例、「これをご縁によろしく(お願いします)」(2)「ご縁がなかった」の形で、相手の申し出などに対する拒否の意志表明をする言葉として用いられる。例、「残念ながら、ご縁がなかったようです」

【―は異なもの、味なもの】夫婦の関係は不思議な巡り合わせによって成立するもので、それまで全く無縁であった両人がにわかに結び付いたり第三者の目から見ると到底気の合いそうもない者どうしが一生を添い遂げたりして、天の配剤としか言いようのないことだ。

えんいん⓪【延引】―する(自サ) 予定より遅くなること。「えんにん」とも。

えんいん⓪エン【援引】―する(他サ)〔自説を補強するために〕証拠として引用すること。

えんいん⓪エン【遠因】△遠い(間接の)原因。↔近因

えんう①【煙雨】「きりさめ」の意の漢語的表現。

えんえい⓪エン【遠泳】―する(自サ)〔耐久力を養うため〕長い距離を泳ぐこと。〔多く、海で行なう〕

えんえき⓪【演〈繹】―する(他サ) 一般的な原理から、論理の手続きを踏んで個々の事実や命題を推論する△こと(考え方)。↔帰納

えんえん⓪【〈奄々〉】―たる ―と〔「奄」は、やむ意〕息が今にも絶えそうな様子。「気息―」

えんえん⓪【延々】―たる ―と〔人の話・仕事や、列をつくったものが〕いつ果てるという気配も無く、長く続く様子だ。「会議は長引いて―三時間に及んだ」

えんえん⓪【炎々】―たる ―と 火が盛んに燃え上がる様子だ。表記「〈燄々〉」とも書く。

えんえん⓪エン【〈蜿蜒〉】―たる ―と〔「蜿蜒」は、ヘビの蛇行ダコウの形容〕〔道・行列などが〕うねり曲がって長く続く様子だ。「―長蛇の列」表記「〈蜿々〉・〈蜒々〉」とも書く。

えんお①ヲ【〈厭悪】―する(他サ)「きらい憎む」意の漢語的表現。

えんおう⓪ヱンワウ【〈冤枉〉】〔「枉」は、事実を曲げる意〕「無実の罪」の意の漢語的表現。

えんおう⓪エンアウ【〈鴛鴦〉】〔「鴛」は雄の、「鴦」は雌のオシドリの意〕おしどり。〔雌雄が常に一緒に居るので、夫婦の仲むつまじい意にも用いられる〕「―〔=夫婦〕の契り」

えんか①エン【円価】為替相場によって決まる、通貨の円の国際的な相場。

えんか①クワ【円貨】〔日本の〕円単位の通貨。

えんか⓪【塩化】塩素と化合すること。「—物③〔=塩素の化合物〕」 **—アンモニウム**⑦ アンモニアと塩化水素の化合物で、白色・塩状の結晶体。水に溶けやすい。乾電池の製造、肥料の原料に用いるほか、メッキ・はんだ付け・分析試薬・染色用・医薬用など用途が広い。〔化学式 NH_4Cl〕 **—すいそ**④【—水素】食塩に硫酸をそそぐとすぐ出来る気体。無色で、刺激性のにおいがあり、空気よりも重い。〔化学式 HCl〕〔塩酸は、これの水溶液〕 **—ナトリウム**⑥「しお（塩）」の化学的な名称。〔化学式 NaCl〕 **—ビニール**⑤ アセチレンと塩化水素が化合して出来る気体（を重合させて加工したもの）。「塩化ビニル④」とも。略して「塩ビ」。〔化学式 CH_2=CHCl〕 **—ビニリデン**⑥ 塩化ビニールを基として合成される物質。合成繊維の成分で、テント・地引き網などを作るのに使われる。

えんか①【煙〈霞】〔煙やかすみがかかったように見える遠景の意〕自然の△景色（趣）。「—癖（ヘキ）③〔=景色が良いなどという話を聞くと、矢も盾もたまらず、そこに行ってみたいという衝動を抑えることの出来ない性分〕」

えん

［円］（エン）❶角（カド）が無いこと。「円滑・円熟」 ❷〔もと、完全の意〕欠ける所が無いこと。「円満・一円〔=すべて〕」 ⇩（本文）えん【円】

［延］（エン）❶長くのびる。のばす。ひろがる。「延引・延焼・延長・延命」 ❷おくれる。おくらせる。「延期・延滞・遅延・順延」

［沿］（エン）〔川・海・鉄道など〕長く続いているものにそう。「沿海・沿岸・沿線・沿道・沿革」

［炎］（エン）❶ほのお（を出して燃える）。「炎上・火炎」 ❷熱気がはげしい。「炎暑・炎天・炎熱」 ❸その部分に熱・痛みなどを起こす病気。「炎症・肺炎」 表記 ❶の名詞的用法は、「〈焔」とも書く。例、「火焔・光焔」。

［怨］（エン）うらむ。うらみ。「怨恨・怨言・怨嗟（サ）・怨色・宿怨・私怨」

［〈衍］（エン）❶よけいな文字。「衍字・衍文」 ❷ひろげる。「敷（フ）衍」〔もと、あふれる意〕

［宴］（エン）⇩（本文）えん【宴】

［〈掩］（エン）さえぎる。「掩蓋（ガイ）・掩護・掩蔽（ペイ）」

［媛］（エン）容姿のすぐれた女性。ひめ。「才媛」

［援］（エン）たすける。救う。「援軍・援護・援助・援用・応援・救援・後援・支援・声援・無援」

［〈淵］（エン）ふち。「深淵・青淵」

［園］（エン）❶草花・果樹・野菜などを栽培する所。「園芸・農園・田園・薬園・果樹園」 ❷△人に見せる（人を楽しませる）ための庭や場所。〔遊園地や料亭（テイ）・茶店などの名前につけても用いられる〕「園長・園丁・庭園・公園・動物園・植物園」 ❸（子供を預かって）教育・保護をする機関。「園児・学園・幼稚園・保育園」 表記 ❷の一部は、「〈苑」とも書く。

［塩］（エン）❶しお。「塩田・塩分・食塩」 ❷塩素。「塩化・塩酸」 ⇩（本文）えん【塩】

［煙］（エン）❶けむり（のようにぼんやりと空中に漂うもの）。「煙突・煙害・煙雨・煙霧・硝煙・水煙・煤（バイ）煙」 ❷たばこ。「喫煙・禁煙・嫌煙・分煙・節煙」

［猿］（エン）さる。ましら。「猿猴（コウ）・犬猿・野猿・類人猿」

［遠］（エン）〓❶とおい。「遠因・遠近・遠隔・遠足・遠距離・永遠・高遠・疎遠・望遠」↔近 ❷とおざかる。とおざける。「遠心力・敬遠」 〓（略）遠江（トオトウミノ）国。「遠州」

［鉛］（エン）なまり。「鉛筆・鉛版（バン）・鉛毒・黒鉛・亜鉛・酸化鉛」

［演］（エン）❶（おおぜいの人に）のべて説く。「演説・講演」 ❷〔劇・音楽などを〕おおぜいの人の前で実際にして△見せる（聞かせる）。「演劇・演技・演奏・公演・再演・実演・出演・独演」 ❸実地にあてはめて行なう。「演習・演算（ザン）」

［縁］（エン）⇩（本文）えん【縁】

［〈嚥］（エン）のみこむ。のむ。「嚥下（エンカ・エンゲ）」

［艶］（エン）❶〔女性の容色などが〕あでやかだ。「艶美・豊艶・幽艶」 ❷性的な△興奮（興味）をさそう。「妖（ヨウ）艶」 ❸情事に関すること。「艶書・艶聞・艶福（プク）家」

えんか①【演歌】浪花節（ナニワブシ）に通じる哀愁を帯びた日本的な流行歌。「—師③〔=明治末期から昭和初期まで、街頭で人を集め、バイオリンをひきながら新作の流行歌を歌い、歌の本を売った流し芸人〕・—調⓪」 表記「艶歌」とも書く。

えんか①【縁家】親類の関係にある家。

えんか①⓪【〈嚥下】—する（他サ）〔「嚥」は飲む意〕〔口中の飲食物を〕のどから食道・胃に送ること。飲み下すこと。⇩えんげ

えんかい⓪【延会】—する（他サ）〔国会などで〕予定された議事日程を中止して次の会議まで延ばすこと。

えんかい⓪【沿海】❶陸のうち、海岸に沿った部分。「—都市⑤・—州③」 ❷陸に沿った海域。「—漁業⑤」

えんかい⓪【宴会】飲食を共にする懇親会。うたげ。「—の席で奇術を披露する」

えんかい⓪【遠海】陸地から遠く離れた海域。遠洋。「—魚③・—漁業⑤」↔近海

えんがい⓪【円蓋】❶まるい ふた。❷まるい屋根。ドーム。

えんがい⓪【〈掩蓋】❶〔物の上にかぶせる〕おおい。❷〔軍隊で〕敵弾を防ぐために、陣地・ざんごうなどに作る屋根。

えんがい⓪【塩害】海水の浸入、または塩分の多い潮風によって受ける、農作物・電線などの害。

えんがい⓪【煙害】〔人畜・農作物・森林などの〕鉱山・工場の煙や火山の煙によって受ける害。

えんかいしょく③【鉛灰色】鉛の色に似た灰色。

えんかく⓪【沿革】〔学校・会社・社寺などの組織や、人間の作った万般の事物などが〕今日まで変貌（ボウ）・推移を重ねて来た、その歴史。

えんかく⓪【遠隔】遠く離れていること。「—の地／—操作⑤〔=リモート コントロール〕」

えんかつ⓪【円滑】—な／—に 物事が滞らず、順調に進行する様子。「会の運営が—に行く」 派 —さ⓪「—を欠く」

えんがわ⓪【縁側】❶家の座敷の外側に付い（て、庭に面し）た細長い板敷。縁。❷〔すし屋での通語で〕魚のひれやえらなどの付近の肉。うまいものとして珍重される。「ヒラメの—」

えんかわせ③【円〈為替〉】日本の円通貨の外国通貨に対する比較価値。「えんがわせ」とも。表記 ⇩付表「為替」

えんか——えんかわせ

え

えんかん⓪【円環】まるくつながった輪（の形のもの）。「―状⓪」

えんかん⓪【塩干】なまの魚を塩に漬けたり干したりすること。「―加工品⓪・―魚③」表記「塩乾」とも書く。

えんかん⓪【鉛管】〔水道やガスなどの〕鉛のくだ。

*__えんがん__⓪【沿岸】㊀その川・海・湖などに沿った、陸地の部分。「瀬戸内海―地方③-⑤」㊁その川・海・湖の、陸地に近い部分。「―漁業⑤・―流③」

えんがん⓪【遠眼】遠視。遠視眼。「―鏡⓪」

*__えんき__⓪【延期】―する（他サ）〈なにヲ―する〉〔ある事を行なう場合に〕予定の期日や時刻を遅らせる（長く延ばす）こと。

えんき①【塩基】水酸基（化学式OH）を有する化合物。酸と反応して塩を生じる。

えんき①⓪【遠忌】⇨おんき

*__えんぎ__①【演技】―する（自他サ）〈なにヲ―する〉俳優・芸人などが一定の演出に従って見物人に芸をして見せること。また、その芸。〔広義では、特別な目的を持って、わざと人前でして見せる動作を指す。⇨パフォーマンス〕「―力③・―派⓪」

えんぎ①【演義】中国の宋・元時代（＝九六〇～一三六八）の通俗的な歴史小説。「三国志―・―文③」

えんぎ⓪【縁起】〔仏教で、すべての事柄は因縁によって起こるとされる、その始まりの意〕㊀物事の起こり。〔狭義では、お寺や神社の創立の由来や、それを書いた本を指す。〕㊁〔何かをし始める際に経験する〕ちょっとした出来事で、いい結果になるかどうかを判断する材料となるもの。「―が悪い（＝その物事のせいで、何か悪い事が起こりそうな感じがする）／―をかつぐ（＝何をする場合にも、縁起のいい・悪いを気にする）／―を祝う（＝それにあやかっていい結果になるように祈る）／―でもない（＝そんな縁起の悪いことを言うな）」 **―だな**③⓪【―棚】〔芸人や水商売の家などで〕縁起を祝うために設けた神棚。 **―なおし**④【―直し】縁起の悪いのをよくなるように祝い直すこと。 **―もの**⓪【―物】㊀「縁起㊀」を書いたもの（本）。㊁縁起を祝うための品物。はま矢・だるま・招き猫など。

えんきょく⓪【婉曲】―な〔「婉」は、曲・柔・めぐる・飾る意〕表現が直接的（露骨）でなく、遠回しな様子。「―に断わる／―な言いまわし」

えんきょり③【遠距離】距離が遠く離れていること。「―切符・―通勤・―通話」↔近距離

えんきり⓪④【縁切り】―する（自サ）夫婦・親子・兄弟・主従などの関係を絶って、他人になること。〔狭義では、夫婦の離縁を指す〕「―寺⓪」

えんきん⓪①【遠近】遠い所と近い所。「―感③」 **―ほう**⓪【―法】〔絵画で〕遠近の距離の感じを画面に描き出す方法。

えんぐみ⓪【縁組】―する（自サ）㊀結婚（して夫婦となること）。㊁〔血統上親子でない者が〕養子・養女などの親子の関係を結ぶこと。「養子―」〔法律用語では㊁を指す〕

えんグラフ③【円グラフ】⇨グラフ

えんぐん⓪【援軍】㊀〔味方の〕応援（救助）のための軍勢。「―を待つ」㊁加勢の仲間。「―を頼む」

えんげ①⓪【嚥下】―する（自サ）〔医学で〕舌と喉の働きで飲食物を飲みこむこと。「えんか」とも。「―障害④」

えんけい⓪【円形】まるい形。「―劇場⑤・―動物⑤」

えんけい⓪【遠景】↔近景 ㊀遠くに見える景色。㊁〔絵や写真などで〕画面に見える遠方のもの。バック。

*__えんげい__⓪【園芸】野菜・草花・果樹などの栽培および（趣味としての）造園技術の総称。「―家⓪・―店③・―種③・―作物・―植物」

*__えんげい__⓪【演芸】大衆的な演劇・音楽・舞踊・講談・落語・漫才などの芸（を人前で見せること）。「―会③・―場⓪」⇨エンターテインメント

エンゲージ③―する（自サ）〔engage〕婚約。「―リング⑥」

*__えんげき__⓪【演劇】それぞれの役に扮装した俳優が、脚本に従い仕種と言葉のやりとりを通じて社会の現実の姿や願望としてのあり方、人生の悲喜・哀楽などを描き出し、観衆に何らかの感懐をいだかせることを目的とする舞台芸術。「―部に所属している／軽―」

えんげつとう⓪【偃月刀】〔「偃」は半月の意〕半月のように大きく曲がった刀。かぞえ方 一口・一本

エンゲルけいすう⑦⑤【エンゲル係数】〔Engel＝ドイツの統計学者の名〕生活費の中で食費の占める割合を表わす数値。この係数が高いほど生活水準が低いとされる。

えんげん⓪【怨言】「恨み言」の意の漢語的表現。

えんげん⓪【淵源】〔「淵」は深い意〕その物事の成立以来、それを支えている、本質的なもの。「教育の―」

えんこ①―する（自サ）㊀「（しりをつき、足を前に投げ出して）すわること」の意の幼児語。㊁「電車・自動車などが故障して動かなくなる」意のやや俗語的な口頭語的表現。

えんこ①【円弧】連続した、円周の一部分。弧。

えんこ①【縁故】㊀親類・友人など、お互いどうし無視することのできない人間関係。〔広義では、人と人（物）を結びつける何らかのかかりあいをも指す〕「―を頼る／―採用④」㊁原因。理由。〔古風な表現〕

えんご①―する（他サ）㊀【掩護】〔敵の攻撃から〕味方を守ること。「―射撃④」㊁【援護】〔困っている人を〕助けて窮状を救うこと。「被災者を―する／―資金④」

えんご⓪【縁語】〔和歌などで〕主材料と関連のある幾つかの語詞を多用して、重層効果をねらう技法。懸詞・序詞も、その一つ。

えんこう⓪【円光】仏や菩薩の頭の後ろから出る光。後光。

えんこう⓪【猿猴】〔もと、テナガザルの意〕「サル（類）」の意の古風な表現。

えんこういた③【縁甲板】床を張る時などに使う、薄い小幅の板。かぞえ方 一枚

えんこうきんこう⓪-⓪【遠交近攻】遠い国と親しくし連合して、近い国を攻め取ろうとする政策。

えんごく⓪【遠国】↔近国 ㊀その国から遠くにある国。㊁昔、都から遠く隔たった国ぐに。「おんごく」とも。

えんこん⓪【怨恨】「うらみ」の意の漢語的表現。「犯行の動機は―か」

えんさ①【怨嗟】―する（自他サ）〔「嗟」は嘆く意〕抑え切れない恨み（の気持を言葉に表わすこと）。「―の的となる／―の声」

えんざ⓪【円座・円坐】㊀〔わら・いぐさなどで〕まるく編んだ敷物。わろうだ②。㊁―する（自サ）〔多くの人が〕まるく、輪の形になってすわること。車座。表記 ㊁の本来の用字は、「円坐」。

えんざ①⓪【縁座・縁坐】―する（自サ）「連座」の意の古語的表現。

えんざい⓪【冤罪】無実の罪。「―を被る／―に泣く」

エンサイクロペディア⑦〔encyclopedia〕百科事典（全書）。古くはエンサイクロペジア⑦とも。

えんさき⓪③【縁先】縁側の端。運用「お縁先で失礼します」の形で、訪問先でその家に上がることを遠慮する時の挨拶の言葉として用いられる。

えんさだめ③【縁定め】夫婦などの縁組を決めること。

えんさん⓪【塩酸】塩化水素が水に溶けたもの。工業上の用途が多い。〔化学式HCl〕

えんざん⓪【鉛〈槧〉】〔「槧」は木板、「鉛」は胡粉ゴフンとも鉛板ともいう〕「文章を書く・詩文を草する」意の古風な表現。「―(=印刷)に付する」

えんざん⓪【演算】―する(他サ) 与えられた(幾つかの)数・関数などから、(目的とする)もう一つの数・関数などを求める数学的操作。〔計算機用語では、数値どうしの比較や論理操作なども演算の中に含める〕「四則―は二項―である/乗法と除法は互いに他の逆―である/微分―・論理―・―速度」 **―し**③【―子】与えられた(幾つかの)数・関数などに、もう一つの数・関数などを対応させる規則。「微分―」

えんし⓪【遠視】〔←遠視眼⓪〕眼球の状態が正常でないため、近くの細かい字などをはっきりと見ることが出来ない目。遠眼。↔近視

えんじ⓪【衍字】〔「衍」は、「余分の」の意〕△書かれた(印刷された)語句の中にまちがって入った、不要の字。

えんじ①【園児】その幼稚園・保育園などの子供。

えんじ①【遠寺】遠くにかすんで見える寺。

えんじ⓪【臙脂】〔古代中国 燕エンの国原産の紅色の化粧料の意といわれる〕黒みを帯びた赤色。「―色ロイ⓪」 表記「燕脂」とも書く。

エンジェル①〔angel〕⇨エンゼル

えんしき⓪【演式】能の演出のしかた。「華麗な―」

えんじつてん④③【遠日点】太陽を中心に楕円ダエン運動をしている惑星や彗星スイセイの、太陽から最も遠い軌道点。↔近日点

エンジニア③〔engineer〕〔機械・土木・電気などの〕技師。技術者。「システム―」

エンジニアリング④〔engineering〕工学。「ヒューマン―⑧(=人間工学)」

えんしゃ⓪【遠写】遠くから写すこと。↔近写

えんじゃ①【縁者】親類だととらえられる人。〔姻戚関係によって結ばれた間柄を指すこともある〕「親類―」

えんじゃ①【演者】㊀多くの人の前で演説する人。㊁多くの人が見たり聞いたりしているところで演技をする人。出演者。「えんしゃ」とも。

えんじゃく①【〈燕雀〉】タカやワシと比べて、ツバメやスズメのような小さい鳥。〔小人物の意にも用いられる〕「―いずくんぞ鴻鵠コウコクの志を知らんや(=小人物には、大人物の心中は到底分かるはずが無い)」⇨鴻鵠

えんじゅ⓪【〈槐〉】〔「エニス」の変化〕街路樹などにする落葉高木。アカシアに似て、葉は小形。材は建築・器具用、花・実は漢方薬とする。〔マメ科〕 かぞえ方 一株・一本

えんしゅう⓪【円周】〔幾何学で〕「円㊀Ⓑ」の周囲を形作る曲線の、元の「円㊀Ⓑ」に対する称。〔図形としては結果的に「円㊀Ⓐ」と一致するが、概念上は差がある。例えば、「円周を描く」とは普通言わない〕 **―りつ**③【―率】円周の長さの、直径に対する比の値。円の大きさにかかわらず一定で、その値は約三・一四一六。〔記号 π パイ〕

えんしゅう①【遠州】「遠江トオトウミノ国」の漢語的表現。今の静岡県西部にあたる。「―鬼瓦⑦・―織物⑤・―灘ダナ③・―焼⓪」

えんしゅう⓪【演習】㊀―する(自他サ) △実際(実戦)の状況を設定して行なう訓練。「予行―・軍事―④」㊁〔大学で、講義・講読などに対して〕小課題について学生に自主的に調査・研究させ、その結果を発表させて、その学問の研究法を体得させる訓練。ゼミナール。セミナー。ゼミ。〔理系では、練習問題を解かせる訓練を指すことが多い〕

えんじゅく⓪【円熟】―する(自サ) ㊀〔芸・技術などが〕十分に上達し、内容が豊かになり、欠点の見られなくなること。「―味を増す」㊁〔人柄などが〕むやみに感情的になることがなく、穏やかで、人間味に富むようになること。

えんしゅつ⓪【演出】―する(他サ) ㊀〔劇・テレビ・放送などで〕脚本に基づいて、俳優の演技や装置・衣装・照明・音楽などを指示し、上演・撮影を効果的に行なうこと。また、それを行なう人。「―家⓪・―効果⑤」㊁〔会などで〕あらかじめ決めた順序・筋書などの通りに事が運ぶようにさせること。〔文脈により、特別な趣向を凝らして思い通りに事を運ぶ意にも用いられる〕

えんしょ①【炎暑】〔真夏の〕きびしい暑さ。

えんしょ⓪【艶書】「恋文コイブミ」の古風な表現。「えんじょ」とも。 かぞえ方 一通

えんじょ①【援助】―する(他サ)〈だれヲ―する〉〈だれニなにヲ―する〉〔じり貧状態にあったり挫折ザセツしかかっていたりする当事者に対して〕プラスの方向に向かうように力を貸すこと。「―を受ける/―の手を差しのべる/精神的―・経済的―・軍事―④・技術―④」

エンジョイ③―する(他サ)〔enjoy〕思う存分楽しむこと。「△休日(生活)を―する」

えんしょう⓪【延焼】―する(自サ) 火事が火元から他に燃え広がること。「―を防ぐ/―速度⑤」

えんしょう⓪【炎症】〔細菌などの刺激で〕からだの一部に熱・赤み・はれ・痛み・機能障害などが起こる症状。「―を起こして、歯茎がはれあがる」

えんしょう⓪【煙硝・〈焔硝〉】発火すると煙が出る火薬。

えんしょう⓪【遠称】〔文法で〕話し手・聞き手のどちらからも遠く離れた事物・場所・方角を表わす代名詞。例、あれ・あそこ・あっち。⇨近称・中称

えんしょう⓪【艶笑】〔話などが〕色気イロケがある中に、こっけいさを含んでいること。「―小咄コバナシ⑥・―文学⑤」

えんじょう⓪【炎上】―する(自サ) ㊀〔大きな建築物が〕火事で燃え上がること。㊁〔ブログなどで〕その内容について大量の批判が書きこまれる状態になること。

えんしょく⓪【炎色】ほのおの色。 **―はんのう**⑤【―反応】アルカリ金属やアルカリ土類金属の塩類をほのおの中で熱すると金属固有の色を発する反応。

えんしょく⓪【怨色】「恨んでいるような顔つき」の意の漢語的表現。

えんしょく⓪【艶色】あふれるばかりの、色っぽい顔つき。

えんしょくせい⓪【演色性】光源となる物の特性が、色の見え方に及ぼす効果。〔太陽光線に近い効果を与えるほど、演色性がよいと言う〕

えん・じる⓪③【怨じる】(他上一) 恨みごとを言う。怨ずる(サ変)。

*__えん・じる__⓪【演じる】(他上一)〈なにヲ―〉㊀〔舞台・映画などで〕ある△役(芸)を務める。「主人公を―」㊁〔人目につくような事を〕行なう。「醜態を―」 演ずる⓪③(サ変)。

エンシレージ④〔ensilage の日本語形〕家畜のえさとして保存した、なまの草や野菜など。

えんしん⓪【延伸】―する(他サ) 既存の路線などの距離や既定の期間などをさらに延ばすこと。「モノレールの路線を―する/昇給の―」

えんしん⓪【遠心】中心から遠ざかること。↔求心 **―ぶんりき**⑦【―分離機】遠心力を利用して、△比重の異なる二つの液体(液体の中に交じっている固体)を分離させる装置。分離・分析・定量のほか、濾過ロカ・脱水・濃縮・精製などに広く用いられる。 **―りょく**③【―力】円運動をする物体が、中心から遠ざかろうとする力。〔中心的な勢力から離れることを指向する意にも用いられる〕「―が

働く」↕求心力・向心力

***エンジン**①〔engine〕発動機。原動機。「―がかかる(=ⓐ仕事を始める(気になる)。ⓑ調子がつく)」 かぞえ方 一基・一台

えんじん⓪【円陣】円形に陣取る△こと(戦闘隊形)。「―を組む(=何人かの人が円形に並ぶ)」

えんじん⓪【猿人】初めて直立二足歩行した、約七百万年から百万年前の化石人類の総称。脳の大きさは、推定約三五〇から五〇〇ミリリットル。例、アウストラロピテクス⑧。⇩原人・旧人・新人

えんじん⓪【厭人】〔△思想上(性格的に)〕他と交際することを嫌うこと。「―癖③・―者③」

えんず⓪【燕巣】ツバメの巣。また、アナツバメ(=熱帯にすむツバメに似た鳥)の巣を煮て作った食品。寒天のようなもので、中華料理で珍重される。えんそう⓪。燕窩①。つばめのす。

えんすい⓪【円錐】〔幾何学で〕底面が円をなす錐体。例、とんがり帽。〔頂点から底面におろした垂線の足が底面の中心と一致する時、「直円錐③」と言い、狭義ではこれを単に「円錐」と呼ぶ〕 **―きょくせん**⑤【―曲線】円錐面を、その頂点を通らない平面で切った時に切り口として生じる曲線。円・楕円・抛物線・双曲線の三つのグループに分かれる。二次曲線と一致。 **―めん**③【―面】一本の直線のまわりに、これと交わるが直交はしないもう一本の直線を回転させた時に出来る曲面。〔二直線の交点を円錐面の頂点と呼ぶ〕

えんすい⓪【塩水】食塩の溶けている水。しおみず。⇩汽水・淡水 **―こ**③【―湖】塩分を含んだ湖。塩湖。鹹水湖。 **―せん**⓪【―選】イネのたねもみを塩水に入れて選び分けること。浮いたものは捨て、沈んだものを使う。

えんずい①【延髄】中枢神経の一部。脳髄の下端にあって、脊髄に続く部分。呼吸・心臓拍動を受け持ち、また、脳からの命令を伝達する。

エンスト⓪―する(自サ)〔和製英語 ←engine＋stop (エンジンストップ)の省略形〕運転中の自動車のエンジンが(故障して)止まること。

えんせい⓪【延性】〔金・銀など金属の〕張力を受けて細長く引きのばされる性質。⇩展性

えんせい⓪【遠征】―する(自サ)〔「征」は、他の場所へ行く意〕征伐・試合・探検・旅行などのために遠くへ出かけること。

えんせい⓪【厭世】生きることを△つらい(いやだ)と思うこと。「―主義⑤・―思想⑤・―的⓪」 **―か**⓪【―家】ペシミスト。 **―かん**③【―観】人生には生きていくだけの価値・喜びが無いという、消極的な考え。

えんせき⓪【宴席】宴会の△席(場所)。「―を設ける」

えんせき⓪ ㊀【遠戚】遠い間柄にある親戚。 ㊁【縁戚】結婚から生じた親戚関係。

えんせき⓪【縁石】車道と、段差のある歩道との境界として歩道の縁に敷かれる石の称。多く、コンクリート製。〔段差の無い場合には、堤防のように高く盛り上げる〕

えんせきがいせん①-⓪【遠赤外線】赤外線(=波長が〇・七二マイクロメートルから一ミリメートルまでの電磁波)のうち、波長が二五マイクロメートル以上のもの。高分子物質に吸収されやすいので、調理・暖房などに利用される。

***えんぜつ**⓪【演説】―する(自サ)〈だれニ―する〉公衆の前で自分から進んで意見・主張を述べること。〔狭義では、政見演説を指す〕「―を△行なう(ぶつ)/立会―・街頭―・―会⑧」 表記 古くは「演舌」とも書いた。

エンゼル①〔angel〕天使(のような人)。エンジェルとも。 **―フィッシュ**⑤〔angelfish〕アマゾン川原産の観賞用熱帯魚。からだは平たい円形で、銀白色に黒の横筋が数本ある。 かぞえ方 一匹

えんせん⓪【沿線】その線路に沿った△所(地域)。

えんせん⓪【厭戦】(それ以上長く)戦争するのをいやがること。「―気分⑤」

えんぜん⓪【宛然】―たる ―と 「そっくり㊁」の意の古風な表現。

えんぜん⓪―たる ―と ㊀【婉然】しとやかで美しい様子。 ㊁【嫣然】〔(若い)女性が〕色っぽく、にっこりと笑う様子。 表記 ㊁は、「艶然」とも書く。

えんそ①【塩素】ハロゲン族元素の一つ〔記号Cl 原子番号17〕。黄緑色の気体で、悪臭を放ち有害。漂白剤・消毒剤・毒ガスの原料。

えんそ①【遠祖】系図の上でさかのぼることが出来るか出来ないかの境の、遠い先祖。

えんそう⓪【淵叢】・【淵藪】〔魚や鳥獣の集まる所の意〕〔文人・芸術家の多く集まる〕学芸活動の中心地。

***えんそう**⓪【演奏】―する(他サ)〈なにヲ―する〉人の前で器楽を奏すること。「△フルート(ピアノソナタ)を―する/―会③⓪・―家⓪」

えんぞう⓪【塩蔵】―する(他サ)〔食品を〕塩漬けにして保存すること。「―わかめ⑤⑥」

えんそく⓪【遠足】―する(自サ)〔見学・運動などのため〕教員が児童・生徒を引率して、交通機関をなるべく利用しないで遠くへ行くこと。

エンターテイナー⑤〔entertainer〕金を払って見に来る大衆を楽しませる方法を知っている芸能人。〔俗受けをねらった行動で世間を聳動させる作家などをも指す〕

エンターテインメント⑤〔entertainment〕客を楽しませることにねらいをおいた、大衆的な芸術活動。エンターテイメントとも。略してエンタメ。〔狭義では、大衆的な演芸を指す〕

えんたい⓪【延滞】―する(自他サ)〔税金・家賃などの支払いが〕予定の期日より遅れて、処理されずにたまること。「―利子⑤」

えんだい⓪【遠大】―な ―に 〔志・計画などが〕遠い先の事まで見通しを立てて、規模の大きい様子だ。 派 ―さ⓪③

えんだい⓪【演台】講演者や演説者の前に置く台。

えんだい⓪【演題】演説・講演などの題目。

えんだい⓪【縁台】数人の人が腰掛けられるように、木や竹で作った細長い台。屋外で、夕涼みなどの時に使う。「―将棋⑤」 かぞえ方 一脚

エンダイブ③〔endive〕葉を生食する西洋野菜。葉に独特の苦味があり、サラダにして食べる。キクヂシャとも。〔キク科〕 かぞえ方 一株・一本

えんだか⓪【円高】〔為替相場で〕日本の円の相場が、外国の通貨の相場に対してそれまでより高くなること。↕円安

えんたく⓪【円卓】まるいテーブル。「―会議⑤(=席順などを定めず円卓を囲んで、自由に意見を出し合う会議)」

エンタシス①③〔entasis〕〔ギリシャ・ローマなどの〕〔古代建築に多く見られる〕柱のほぼ中央につけたふくらみ。

えんだて⓪【円建(て)】〔対外為替相場や輸出入契約などで〕日本の円を基準にして、対応する外国通貨を算出すること。

エンタメ⓪ エンターテインメントの略。「―情報⑤」

えんだん⓪【演壇】演説者・講演者の立つ壇。

えんだん⓪【縁談】その人との結婚を勧めるための話。

えんち[1] ■一【園地】 公園・庭園などの地域。 ■二【園池】 庭園と、そこにある池。

えんちゃく[0]【延着】―する(自サ) 〔列車などが〕予定の時刻より遅れて着くこと。↕早着

えんちゅう[0]【円柱】❶切り口が円形になっている柱。まるばしら。❷Ⓐ茶筒・竹筒のように、上下の面が円形で横から見るとすべての側面が長方形に見えるもの。Ⓑ幾何学では、円を底面として持つ柱体。長方形をその一辺を軸として一回転させることによっても得られる。普通は中身の詰まった立体を指し、中身が詰まっていない時は、「円筒・円壔」と言うことが多い。また、底面と平行な方向に、一つの底面からの距離に比例してずらした立体を指すこともあり、この時は「斜円柱[2]」と称する。これに対し、ずらす前のもとの立体を「直円柱[3]」と言う。 かぞえ方 ❶は一本

えんちゅう[0]【炎昼】 太陽の光線が照りつける、夏の暑い昼。「―の静けさ」

***えんちょう**[0]【延長】❶―する(自他サ) 〈なにヲ(なにカラなにマデ)―する〉 区間・期間・時間・線分などが先に延びること。また、延ばすこと。「会期を△月末まで(三日間)―する/―戦[0]」 ❷幾つかの線(状のもの)を仮に一つの線につないで考えた時の、全体の長さ。「路線の総―三千キロ」 ❸〔形を変えた〕一続きの行為。「遠足も教室の―だ/外交も国民の常識の―(線)上でやるべきもの」

えんちょう[1]【園長】 幼稚園・動物園などの長。

えんちょうこくい[5]【円頂黒衣】 〔髪の毛をそり落としたまるい頭と墨染めの衣の意〕僧の姿。

えんちょく[0]【鉛直】―な 地球の表面において、先端に鉛などのおもりをつり下げて静止した時の糸と方向が同じであること。垂直❶。〔水平面と直角をなす〕「―線[0][3][4]・―面」↕水平

えんづ・く[3]【縁付く】(自五) △嫁(婿)に行く。 他動 縁付ける[4](下一)

えんつづき[3]【縁続き】 血縁や婚姻によって、関係がつながっていること。

えんてい[0]【〈堰堤】 〔「堰」は、せきとめる意〕ダムや、川・谷の土砂をせきとめるための堤防。

えんてい[0]【園丁】 雇われて、庭園の手入れなどをする人。庭師。

エンディング[0]〔ending=結末〕 小説や映画・演劇などの締めくくりの部分。「―に工夫を凝らす」↕オープニング

―ノート[6]〔和製英語 ←ending＋note〕 死後に備えて、周囲の人に伝えたいことを書いておくノート。

えんてん[0]【円転】 なめらかに回ること。 ―かつだつ[0]-[0]、[5]【―滑脱】―な・―に 人と衝突しないで、うまく物事を進行させる様子。 派 ―さ[0][8] ―じざい[0]-[0]、[5]【―自在】―な・―に 言動が意のままに行なわれる様子。

えんてん[0]【炎天】 夏の太陽の激しく照りつける暑い△空(天気)。「―下の作業」

えんでん[0]【塩田】 海水から塩をとるために砂浜を仕切って、海水を引き入れるようにした所。塩浜。

エンド[1]〔end=端・終り〕❶結末。「―レステープ[6]・ジー・テールー・ハッピー―」 ❷〔卓球・サッカーなどで〕自分の方のコート。「チェンジ―」

エンド(造語)〔and, &〕〔野球などで〕…の一方では…だということを表わす。アンドとも。「ツー―ワン〔=野球で、ツーボールワンストライク〕・―ラン[4][3]〔=野球で、ヒット エンドランの略〕」

えんとう[0] ■一【円筒】❶「つつ(筒)❶」の意の漢語的表現。❷⇩円柱❷Ⓑ ■二【円〈壔】⇩円柱❷Ⓑ

えんとう[0]【遠投】―する(他サ) ボールや釣り糸を、遠くへ投げること。

えんとう[0]【遠島】❶陸地から遠く離れた島。❷江戸時代、犯罪者を「遠島❶」に送った刑罰。島流し。

えんどう[0]【沿道】 その道に沿った所。「―でマラソン選手を応援する」

えんどう[0]【煙道】❶〔蒸気ボイラーで〕排出された燃焼ガスが煙突に至るまでの通路。❷〔ストーブなどで〕煙突に連結される筒状の部分。

えんどう[0]【〈筵道】 昔、貴人のために、むしろを敷いた専用の道路。

えんどう[0]【《羨道】 〔「羨」は、墓道の意〕〔古墳で〕入口から棺を置く石室に至るまでの道。

えんどう[1]【〈豌豆】 畑に作る越年草。ダイズに似てまんまるい小粒の豆は食用。若い時はさやごと食べられる。品種が多い。〔マメ科〕「さや―・塩―[3]・―豆[3]」 かぞえ方 一本:一袋・一升

えんどお・い[3][4]【縁遠い】(形)❶結婚の機会に恵まれない。「―娘・―息子」 ❷関係が薄い。「大衆に―学問の話」 派 ―さ[3]

えんどく[0][1] ■一【煙毒】 銅の精錬所・工場などから吐き出される煙に含まれている毒。 ■二【鉛毒】❶鉛の成分に含まれる毒。❷「鉛毒■二❶」による中毒。

えんとして[1]【《宛として】(副) 「さながら」の意の古風な表現。

***えんとつ**[0]【煙突】 煙を外に出すための装置。通風・排気をも兼ねる。長い筒を立てた形のものが多い。 かぞえ方 一本

エンドライン[4]〔end line〕〔テニス・バレーボールなどで〕コートに引かれる、ネットに平行な両端の線。

エントランス[1]〔entrance〕 建物の入り口。特に正面玄関を指す。「―ホール[7]」↕エグジット

エントリー[1]―する(自サ)〔entry〕 競技会や国際会議・就職活動などへの参加登録。「―ナンバー[6]」

エンドルフィン[3][0]〔endorphin〕 脳や脳脊髄液に含まれる神経分泌ペプチドの総称。痛覚を抑制する作用をもつ。

エンドレス[1]〔endless〕❶―な いつ終わるか果てしない様子。「―な戦い」 ❷一つのことがいつまでも繰り返される△こと(状態)。「―テープ[6]」

エンドロール[4]〔end roll〕 映画・テレビ番組の終りに流れる、出演者や制作者・協力者の名前などの字幕。エンディング ロール[6]。

エントロピー[3][4]〔entropy〕〔物理学で〕物質の系の熱力学的状態を表わす量で、その系の乱雑さの度合。エントロピーが増大すると〔=物体の機械的利用価値が減ってエネルギーが熱に変わっていくと〕すべての現象は死滅に近づくと考えられている。

えんにち[1]【縁日】〔有縁の日・結縁の日の意〕神仏の降誕・成仏など、何かの縁があって、その神仏の供養や祭りを行なう日。「―商人[5]〔=参詣人目当ての露店・屋台店などを開く商人〕」

えんにょう[0]【延〈繞】 漢字の部首名の一つ。「廷・廻・建」などの、左下の「廴」の部分。「延」に代表させて言う。「廴繞」とも。〔「廴」は道を行く意を表わす〕

えんねつ[0]【炎熱】❶〔↑炎熱地獄[5]〕⇩焦熱❶ ❷夏のきびしい暑さ。「―下のマラソン」

えんのう[0]【延納】―する(他サ) 〔税金・授業料などを〕期限が過ぎてから納めること。

えんのう[0]【演能】―する(自他サ) 能を上演すること。「―会[3]」

えんのした[3]【縁の下】 家の縁側の下。「―の力持ち

〔=人目につかないところで努力する△こと(人)〕」

えんぱ①【煙波】〔広い川・湖・海などで〕遠くの水面がもやがかかったようにかすんで見えるもの。「―縹渺(ヒョウビョウ)」

えんばく⓪①【(燕)麦】畑に作る麦の一種。家畜のえさとしたりオートミールとして食べたりする。〔「カラスムギ㊀」の改良種〕〔イネ科〕 かぞえ方 一本
えんぱつ⓪【延発】―する(自他サ)〔列車・電車・飛行機などの〕出発の予定期日・時刻が延びること。また、延ばすこと。

エンパワーメント③〔empowerment〕上に立つ者が下の者に権限を委譲することにより、従業員などの潜在能力を引き出し組織を活性化すること。

えんばん⓪【円盤】㊀平たくてまるい板。〔特に、円盤投げに用いる、ふちとまん中に金属を用いた木製の盤をいう〕「空飛ぶ―」㊁〔蓄音機の〕レコード。 表記 「円板」とも書く。 かぞえ方 ㊀㊁とも一枚 ―なげ⓪【―投げ】フィールド競技の一つ。円盤を、直径二・五メートルのサークルの中から投げて、その到達距離を競う競技。

えんばん⓪【鉛版】㊀〔印刷で〕紙型(シケイ)に鉛などの合金を流し込んで作る印刷版。㊁活版。

えんビ⓪【塩ビ】「塩化ビニール」の略。

えんび①【艶美】―に 絵から抜け出たようにあでやかで美しい様子だ。

えんぴ①【(猿)(臂)】サルのように長いひじ。「―を伸ばす〔=腕を長く伸ばす〕」

*えんぴつ⓪【鉛筆】筆記用具の一つ。細長い木の軸に、粘土を交ぜた黒鉛の芯(シン)を入れたもの。絵をかくのにも用いられる。「―画⓪・―削り⑤・色―」 かぞえ方 一本
えんびふく③【(燕)尾服】洋装の男子礼服の一つ。上着は、ウエストのあたりから前すそが無く、後ろがツバメの尾のように割れて長い。 かぞえ方 一着
えんぶ①【円舞】㊀円陣を作って踊るダンス。㊁ワルツ・ポルカなどのように二人一組で、まるく回りながら踊る社交ダンス。 ―きょく③【―曲】ワルツ。

えんぶ①【演武】―する(自他サ)武術の練習を行なうこと。

えんぶ①【演舞】―する(自他サ)㊀舞踊の稽古(ケイコ)をすること。㊁〔多くの人の前で〕舞や踊りなどの芸を見せること。「―場(ジョウ)⓪」

えんぷ①【怨府】恨みを一身に受けること。「民(タミ)の―となる〔=庶民の恨みを買うようなことをする〕」


エンフォースメント③〔enforcement〕適切な具体的措置を講じることによって法律の実効性を確保すること。法執行。「知的財産権の―」

えんぷくか⓪【艶福家】多くの女性に愛される男性。

エンブレム①〔emblem=記章〕㊀ブレザーの胸につける紋章・ワッペン。とくに、校章。㊁自動車のボンネットの前などにつける、製造会社名や車名を示す紋章や記号。㊂シンボルマーク。

えんぶん⓪【(衍)文】衍字(と、余計な文句)。

えんぶん①【塩分】海水や食品などに含まれている塩類(の量)。「高血圧予防のため、―を控え目にする」

えんぶん①【鉛分】鉛の成分。

えんぶん⓪【艶文】「恋文(コイブミ)」の古風な表現。

えんぶん⓪【艶聞】男女間の(恋愛)関係があるといううわさ。

えんぷん⓪【円墳】土を丸く盛り上げた古墳。古墳の中で最も多い。「前方後―(エン)」

えんぺい⓪【(掩)(蔽)】―する(他サ)おおい隠すこと。〔特に、月が運行中に他の星をさえぎり地球上の観測者に対して見えなくすること〕「罪を―する」

えんぺい⓪【援兵】助けに来る軍勢。援軍。

えんぺん⓪【縁辺】縁故のある△人(家)。〔狭義では、姻戚(セキ)関係を指す〕

えんぼう⓪【遠望】―する(他サ)遠くを見渡すこと。

えんぼう⓪【遠謀】遠い将来の事まで考えに入れた計画や計略。「深慮―①-⓪」

えんぽう⓪【遠方】遠くの△方(場所)。

エンボス①〔emboss〕布や紙に型を押し付けて凹凸模様を作ること。また、その模様。キャッシュカードなどに、浮彫りに刻まれた文字もその一例。

えんぽん⓪【円本】〔昭和初期に流行した〕一円均一の全集・叢書(ソウショ)本。

えんま①【(閻)魔】〔梵(ボン)語 Yama の音訳。縛・双生・平等王と漢訳される〕地獄に落ちた死者の生前の行いをさばくという、地獄の王。閻魔羅(マラ)。閻羅。 表記 「炎摩」・「(琰)魔」とも書く。 ―がお⓪【―顔】〔怒った時の〕閻魔のように恐ろしい顔。「借りる時のえびす顔、返す時の―」 ―こおろぎ④【―(蟋)(蟀)】・―(蛼)】コオロギの一種。大形。からだは全部黒茶色で油のようなつやを持つ。コロコロリンリーンと鳴く。 かぞえ方 一匹 ―ちょう⓪【―帳】㊀閻魔が、死者生前の行状を書きしるしているという帳面。悪の多い者は地獄に、善の多い者は極楽にと振り分けるとされる。㊁「教務手帳④」の学生語。教師が、学生・生徒の試験の成績や品行などを記入する。

えんまく①【煙幕】〔戦争で〕敵軍の目をくらますために空中に広げる、△白(黒)色の濃い煙。「―を張る〔=ⓐ煙幕を用いて味方を敵の目から隠す。ⓑ真意を隠すために、巧みに言いのがれる〕」

*えんまん⓪【円満】―に 関係するどの方面にも不満が無く、△風波の立たない(衝突が起こらない)様子だ。「―な人柄/―に解決する/心身共に―に〔=どこにも欠点が無く、均等に。調和して〕発達する/―な〔=にこにこしていて、穏やかな〕相好(ソウゴウ)/―退社⑤」 派 ―さ⓪ ―ぐそく⓪-⓪【―具足】人格が円満で欠点が少しもないこと。

えんむ①【煙霧】㊀煙と霧。㊁空中に浮遊する砂・ほこり・煤煙(バイエン)などによる空気の濁り。〔濃いものがスモッグ〕

えんむすび③【縁結び】㊀縁組。結婚。㊁思う人の名を書いたこよりを社寺の格子や樹木に結んでおくと、縁が結ばれるという俗信(による願かけ)。

えんめい⓪【延命】―する(他サ)〔有効な手段をあれこれ講じて〕命を延ばすこと。長生きさせること。「内閣の―を△図る(策する)/―治療⑤・息災―」

えんもく⓪【演目】△上演(演奏)する出し物。

えんや①【艶冶】―に 〔「冶」は美しい意〕美しい女性が性的魅力を発散する様子。「切れ長で―な目」 派 ―さ⓪③
えんやこら①③(感)地形(ジギョウ)の時に、大きな槌(ツチ)を上げる綱を何人かで引くために調子を合わせる掛け声。えんやこりや①③。〔広義では、△大きな努力(犠牲)を払って何かをする形容にも用いられる〕

えんやす⓪【円安】〔為替相場で〕日本の円の相場が、外国の通貨の相場に対してそれまでより安くなること。↕円高
えんやら①(感)重い物を引き上げたり引っ張ったりする時の掛け声。「―や①・―やっと①-①」

えんゆう⓪【縁由】「ゆかり・関係」の意の漢語的表現。「えんゆ①」とも。〔法律では「動機」の意味に用いる〕

えんゆうかい③【園遊会】多くの客を招き、庭園で立食(リッショク)・余興などをする会合。

えんよう⓪【援用】―する(他サ)㊀自説の妥当性を証明する拠(ヨ)りどころとして、客観性を持つ資料を引用したり

理論・学説などに依存したりすること。「進化論が疑問視されると共にそれを―した仮説も支持されなくなった／〃年々歳々花相似たり歳々年々人同じからず〃の詩句を―し〔＝踏まえ〕つつ」❷〔法律で〕自己の利益のためにある事実を主張すること。「時効の―」

えんよう[0]【遠洋】△その国(陸地)から遠く離れた海域。遠海。「―漁業[5]・―航海[5]」↔近海

えんよう[0]【艶容】「なまめかしく美しい△姿(容貌)」の意の漢語的表現。

えんらい[0]【遠来】遠方から来ること。「―の客」

えんらい[0]【遠雷】遠くで鳴るかみなり。

えんりえど[1]-[1]【〈厭離〈穢土】⇩穢土

エンリッチ[3]〔enrich〕〔食物に〕ビタミンやミネラルを入れて、栄養価を高めること。「―食品[6]〔＝⇩強化食品〕」

***えんりょ**[0]【遠慮】❶[0]―する(自他サ)〈だれニ―する／なにヲ―する〉他人に対し、言葉や行動を控えめにすること。「先輩に―して口を出さない／同じ過ちをしないよう、―無く言わせてもらう／どうぞご―なくお取りください／―〔＝つつしみ〕深い」❷[1]遠い先ざきの事まで見通した考え。「深謀―[5]、[0]-[1]」運用❶について。(1)「遠慮△いたします(させていただきます)」などの形で、相手からの勧めや誘いを婉曲に断わる意に用いられる。(2)「遠慮してほしい／ご遠慮ください」などの形で、相手に対して退出や辞退を求める婉曲な言い方としても用いられる。また、「…をご遠慮ください」などの形で、婉曲な禁止としても用いられる。例、「△喫煙を(たばこは)ご遠慮ください」

えんるい[1]【塩類】塩を含む化合物の総称。　**―せん**[3]【―泉】塩を含む△温(鉱)泉。胃腸病にきく。

えんれい[0]【艶麗】―な／―に あでやかで美しく、人の注目の的となる様子だ。「湖に山の雪が映えるという―な景色／―な文体」派―さ[0]

お

[汚]ヲ ❶きたない。よごれた。「汚水・汚泥・汚物・汚穢」❷よごす。けがす。けがれる。「汚職・汚染・汚名」

[和]ヲ 梵語の音訳字。「和尚」⇩わ

[悪]ヲ ❶にくむ。いやがる。「憎悪・嫌悪」❷いやな。わるい。「悪寒・悪血・悪阻」⇩あく

えんれん[0]【演練】―する(他サ) 実際にその事をやってみたり訓練したりして、身につけること。「―を積む」

えんろ[1]【遠路】遠い道(のり)。「―わざわざおいで下さり有難うございました」

お…オ

お(汚・和・悪)→【字音語の造語成分】

お[1]【オ】〔文献学などで〕書物の丁付で、表の略号。↔ウ 表記 普通、「オ」と書く。

おヲ【小】(接頭) ❶小さい。「―川」❷ちょっと(の間も)。「―暗い／―止み無く」❸〔雅〕調子を整え、表現を美化するために添える語。「―田」

お【《御】(接頭)〔「おん」の変化〕❶相手・第三者(やその人に関係する話し手自身)の状態・行動や関連する事物を示す語につけて、相手・第三者に対する敬意を表わす。「―元気で何よりに存じます／―帰りは何日ごろでしょうか／―荷物はここに置いてください／こちらから―電話をいたします」❷話題に上った語につけて、その語を美化するとともに、表現全体に丁寧さを添えるのに用いられる。「―静かですこと／―暑いこと／―茶・―かたづけ[2]・―三時[2]」運用❶について。(1)「お＋動詞連用形＋になる」の形で尊敬表現、「お＋動詞連用形＋する」の形で謙譲表現として用いられる。前者の例、「お帰りになる／お見えになる」、後者の例、「お待ちする／お迎えする」(2)「お＋動詞連用形＋なさい」の形で穏やかな命令表現として用いられる。例、「お読みなさい」ぞんざいな表現では「お読み」の形でも用いられる。(3)「お…様」の形で、相手に対する同情やねぎらいの気持を表わすのに用いられる。〔親しい相手などに対しては「お…さん」とも〕例、「お疲れ△様(さん)／お気の毒様／お待ち遠△様(さん)」また、相手に対する謙遜の気持を込めて「お粗末様」のようにも用いられる。(4)取り上げた語に非難・皮肉・自嘲の気持を込めるのに用いられる。例、「杓子定規なお役所仕事／お義理にもうまいとは言えない／我ながらお粗末きわまりない」(5)軽い敬意や親しみを込めて、女性の名前〔＝多くは二拍〕に添えられた。例、「お花(さん)・唐人お吉」❷について。主として女性に好んで使われる傾向があり、語によっては「お茶・お米」などのようにほとんど敬語としての意識を伴わずに用いられるものもある。固定表現として、「おしろい・おやつ」などのように「お」をつけない形では用いられないもの、また、「おご馳走・おみおつけ・おみくじ・おみこし」などのように「お・ご・み」を重ね用いたものもある。⇩ご(御)・み(御)

***お**[1]ヲ【尾】❶動物のしりから後方に細長く伸び出たもの。しっぽ。〔広義では、それに似たものをも指す。例、「彗星の―」〕❷〔雅〕山のすその伸びた所。「峰にも―にも」↔峰 かぞえ方 ❶❷とも一本 【―を引く】何かが済んだあとまでも、その影響が残る。「△長く(今後も・後あとまで)―」【―を振る】犬が飼い主や犬好きの人に尾を振って見せるように、人が権力者に媚びるような言動をする。

おヲ ❶[1]【《男】〔雅〕おとこ。夫。「―のこ・しずの―・ますら―」❷(造語) ❶【《男】相対する物のうち、勢いの強い方を表わす。「―滝・―波」↔女 ❷【雄】おすであることを表わす。「―牛[0]・―鹿[0][1]」↔雌 表記 ❷❷のうち馬・牛などの場合は、「〈牡」とも書く。

お[1]ヲ【《麻】〔「緒」と同源〕❶〔雅〕アサ・カラムシなど、糸を取る草。❷アサ・カラムシの茎の繊維から取った糸。表記「〈苧」とも書く。

お[1]ヲ【緒】ひも・糸など細くて長いもの。「下駄の―をすげる／琴の―〔＝弦〕／へその―／玉の―」かぞえ方 一本

おあいそ[0]【《御愛想】〔「あいそ」の丁寧語〕❶〔料理屋などで〕勘定。〔店の側が客に向かって勘定書を渡す際に「お愛想尽かしなことですが」の気持で言ったことからの変化〕❷人をもてなす、サービスの△言葉(もの)。「―〔＝お世辞〕を言う／何の―もございませんで〔＝おかまいも出来ませんで〕」

おあし[0]【《御足】〔使い始めると、足が生えたようにどこかに行ってしまうことから〕「お金」の意の古風な口頭語的表現。

オアシス[1]〔oasis〕砂漠の中で、そこだけ水が湧き、緑地になっている所。〔生活の疲れなどをいやすために時どき行く場所の意にも用いられる〕

おあずけ[0]【《御預け】❶飼い犬などを訓練して、その前に食物を置いても主人が許すまでは食べさせないこと。❷そうするという約束だけで、実現しないでいること。「―を食う／結婚は当分―だ」

おい[1](感) 親しい間柄や目下の者に対して呼びかける声。

お

おい②⓪①【老(い)】❶△老いること(老いた状態)。「—が目につく/—の身/—(=自分が年をとっていること)を忘れる」❷年寄り。「—の一徹/—の繰り言(ゴト)/—も若きも」

おい①【〈笈〉】修験者(シュゲンジャ)などが衣類・食器などを入れて背負う、足の付いた箱。

おい⓪【〈甥〉】その人の兄弟や姉妹がもうけた男の子。↕姪(メイ) ⇩おいご

おいあ・げる④【追(い)上げる】(他下一)❶そこから上へは行けないところまで追い△詰める(詰めて、困らせる)。❷速く、激しく追う。❸もう少しで追い越そうとするところまで、激しく迫る。「若手が追い上げてくる」名追い上げ⓪

おいうち⓪【追(い)討(ち)】〔もと、逃げて行く者を追いかけて討つ意〕それまでの攻撃により少なからぬ打撃を受けている者に、さらに決定的な一撃を加えること。「失業に病魔が—をかける」

おいえ⓪【《御家》】❶△主君(大名)の家。「—の大事」❷〔紛争当事者としての〕それぞれの家。「—の事情がからむ」 **—げい**③【—芸】❶その人の家に伝わる独特の芸。❷その人の得意とする独特の△芸(やり方)。おはこ。十八番。 **—さま**⓪④【—様】〔近世上方で〕「おかみさん❶」の敬称。 **—そうどう**④【—騒動】〔大名や旧華族などで〕家督相続争いなどを主原因とした内紛。〔広義では、組織内での派閥抗争の意にも用いられる〕 **—りゅう**⓪【—流(リュウ)】江戸時代の公文書に使われた書体。尊円(ソンエン)法親王の筆法を伝えたもの。

おいおい(感)❶①(いばって)呼びかける時の語。❷①、①-①大声をあげて泣き続ける時の声。

おいおい⓪【追い追い】(副)—に —と 時がたつにつれて徐々にその傾向が顕著になる様子。「—明らかになっていく」

おいおと・す④【追(い)落(と)す】(他五)❶攻撃をしかけて、敵の△拠点(財宝)を奪う。❷〔下の地位から上がっていった者が〕先任者の地位を奪う。名追い落とし⓪

おいかえ・す③【追(い)返す】(他五)❶追って来たものを、逆に追ってもと来た方へ戻す。❷来た者△に会わないで(の言うことを聞かないで)返す。

おいか・ける④【追(い)掛ける】(他下一)❶先に進んでいるものを、あとから追う。❷一つの事のあとに、またすぐ何かが起こる。「父が死んだあと、—ように母も死んだ」

おいかぜ⓪【追(い)風】進んで行く方向に後ろから吹いて来る風。おいて。順風。「—に乗る」↕向かい風

おいかわ⓪【追河】〔追川の意〕ウグイより少し小さい川魚。浅瀬を速く泳ぐ。ハヤ。〔コイ科〕〔東京付近でヤマベ、関西でハエなど異称が多い〕 かぞえ方 一匹

おいかんむり③【老冠】漢字の部首名の一つ。「耄・耆・孝・考」などの、上部の「老・耂」の部分。「おいがしら③」とも。〔多く、老人に関係のある漢字であることを表わす〕

おいき⓪【老(い)木】年数のたった木。老樹。↕若木

おいく・ちる④【老(い)朽ちる】(自上一)❶人が年をとって役に立たなくなる。❷木などが古くなって、すっかり腐る。

おいご⓪【〈甥御〉】〔一般に「—さん」の形で〕他人の甥の敬称。

おいごえ⓪【追(い)肥】「追肥(ツイヒ)」の和語的表現。

おいこし⓪【追(い)越(し)】—する(他サ) 車両が他の車両等に追いついた場合に、進路を変えて、追いついた車両等の側方を通過し、先に出ること。「—禁止⓪-⓪・—車線⑤」

おいこ・す③【追(い)越す】(他五)追い越しをする。

おいこみ⓪【追(い)込(み)】❶追い込むこと。「—をかける〔=最終段階に入って、残っている力を全部出してがんばる。『最後の—に入る』とも言う〕/—(=工程の最終)の段階/—の子見出し」❷〔↑追込み場(バ)⓪〕〔劇場・料理店などで〕個々の座席を設けず、詰められるだけ人を入れる所。

おいこ・む③⓪【老(い)込む】(自五)年をとって見るからに老人だという印象を与える状態になる。

おいこ・む③【追(い)込む】(他五)❶追いつめて、そこから脱(ヌ)け出せない状態にする。「接戦に—/危機に追い込まれる」❷〔競走などで〕ゴール近くなって、ラストスパートをかける。〔仕事の最終段階で、それまで以上の努力をする意にも用いられる〕❸〔印刷で〕改行にしないで、前の行(ギョウ)の余白に繰り入れる。

おいさき⓪ [一]【生(い)先】成長していく将来。ゆくすえ。「—が楽しみだ」[二]【老(い)先】〔「生い先」の変化〕年をとっている人の、心細い(これからの)命。「—短い老人の身」

おいさらば・える⑥【老いさらばえる】(自下一)年をとって、みすぼらしい姿になる。老いさらぼう⑤(五)。

＊**おいし・い**⓪③【〈美味〉しい】(形)〔接頭語「お」+美味の意の文語の形容詞「いし」の変化〕「うまい❶」の意のやや上品な表現。「甘くて—リンゴ/土壇場で裏切られ、—〔=利益や手柄になる〕ところを仲間に独り占めにされる」↕まずい 派—さ③ —げ⓪③④ —が・る④

おいしげ・る④【生(い)茂る】(自五)〔草木が〕大きくなって茂る。「雑草の生い茂った庭」

おいすが・る④【追(い)〈縋る〉】(自五)追いついて縋りつく。

オイスター①〔oyster〕牡蠣(カキ)。「—ホワイト⑦〔=クリームがかった白色〕・—ソース⑥」

おいずる⓪①③【〈笈摺〉】〔「おいずり」の変化〕巡礼が衣服の上に着る、一種のそで無し羽織。〔笈が当たってすれるのを防ぐために着るものという〕

おいせん⓪【追(い)銭】一度払った上にさらに余分に払う金。おいがね⓪。「盗人(ヌスット)に—〔=⇩ぬすっと〕」

おいそだ・つ④【生(い)育つ】(自五)育って大きくなる。

おいそれと①(副)〔「おい」は応答の語「はい」で、「はい、それでは」と応じる意〕その場で簡単に相手の依頼や要求に応じる様子。〔否定表現を伴って用いられる〕「—(は)出来ない/こうなると私には—返事が出来なくなります」

おいた②①〔「お」は丁寧さを添える接頭語〕「いたずら」の丁寧な表現で、主に子供に向かって用いられる。

おいだき⓪ —する(自他サ) [一]【追(い)炊(き)】炊いた御飯が足りない時に、もう一度炊くこと。[二]【追(い)〈焚(き)〉】冷めた風呂(フロ)の湯を、もう一度わかすこと。

おいだし⓪【追(い)出(し)】❶追い出すこと。「—コンパ⑤」❷興行が終わった合図の太鼓。

おいだ・す③【追(い)出す】(他五)❶追って外へ出す。❷家庭や仲間からしめ出して関係を切る。

おいたち⓪【生(い)立(ち)】❶成長すること。「子供の—のさまを書き留める」❷どこでどのように育ったか(の経歴)。動生い立つ③(自五)

おいた・てる④【追(い)立てる】(他下一)△追い払うようにして(強制的に)そこを立ち去らせる。〔口頭語的表現は「追っ立てる」〕「ニワトリを小屋の方に—/居住地から—/追い立てられて〔=せっかれて〕仕事をする」名追い立て⓪「—を食う」

おいちら・す④【追(い)散(ら)す】(他五)集まっている人や獣を追い立てて、散り散りにする。「やじ馬を—」

おいつか・う④【追(い)使う】(他五)〔牛や馬に対するかのように〕休む暇も与えず、人を思いやりなく使う。

おいつ・く③【追(い)付く】(自五)❶あとから出た者が、先に進んだ者のところまで行き着く。❷目標となるものに達する。「成績が—/追い付き追い越せ」表記「追い着く」とも書く。

おいっこ[0]（ヲヒ）【〈甥っ子】〔東京方言〕その人の甥に当たる人。

おいつ・める[4]（オヒ）【追(い)詰める】（他下一）逃げる所が無くなるまで追う。「袋小路に―」

おいて[0]（オヒ）【追(い)手】⇩おって

おいて[0]（オヒ）【追(い)《風】〔「て」は風の意〕〔雅〕おいかぜ。

おいて[1][3]【〈於(い)て】〔「…に―」の形で〕❶…という場所で。「日本に―開催」❷…という△時（場合）に。「この非常時に―何事だ」❸…に関して。…について。「規模に―第一等だ／大筋に―賛成だ」❹…のもとで。「神の名に―ここに誓う」〔❶～❸の丁寧な表現は、「おきまして[3]」〕 ―を(オ)や[1]-[1]〔「いわんや…に―」の形で用いる漢文訓読語〕「まして…の場合は改めて言うまでもない」の意を表わす。「鳥獣なほ礼あり、いはんや人に―」⇩いわんや

おいで【《御《出(で)】❶[0]「行くこと・来ること・居ること」の尊敬語。「―を願う／―になる／だまされているとも知らず、やっこさん―なすったな」❷[3]〔↑おいでなさい〕「来い」の意の、軽い敬語表現。「ここまで―」 ―おいで[6]【―《御《出(で)】子供などを手招きして呼び寄せる△こと（ときの言葉）。「『―』するようにススキの穂が揺れる」

おいてきぼり[0]【置いてきぼり】おきざり。「おいてけぼり[0]」とも。「―をくう」

おいど[2]（ヰド）【《御居《処】〔「いど」は居所の意〕〔富山県以西、大分県に至る地方の方言〕尻(シリ)。

おいどん[0][1]〔「おい」は「俺(オレ)」の、「どん」は「共(ドモ)」の変化〕〔鹿児島・大分方言〕おれ。我が輩。

おいぬき[0]（オヒ）【追(い)抜(き)】追い抜くこと。〔道路交通法では、左右に並んで走行する車両の一方が進路を変えないで他方の車両等の前方に出ること〕

おいぬ・く[3]（オヒ）【追(い)抜く】（他五）❶追いついて先になる。追抜きをする。「前のランナーを―」❷ほかの人より力や能力などが上になる。

おいはぎ[0]（オヒ）【追(い)剝(ぎ)】（夜道・山道などを）通行する人をおびやかして衣類や持ち物などを奪う者。「―に遭う」

おいばね[0]（オヒ）【追(い)羽根】正月の女の子の遊び。二人で一つの羽根を突きあう。羽根突き。〔古くは「追いはご[0]」〕

おいばら[0]（オヒ）【追(い)腹】昔、家来が主君の死を追って切腹したこと。「―を切る」

おいばらい[3]（オヒバラヒ）【追(い)払(い)】一度支払ったあとで、さらに追加して支払うこと。

おいはら・う[4]（オヒハラフ）【追(い)払う】（他五）△じゃまな（うるさく寄って来る）ものを追って、そこをどかせる。〔口頭語的表現は「おっぱらう」〕

おいぼれ[0]【老(い)〈耄(れ)】役に立たない老人。〔侮蔑(ブベツ)を含意して用いられる〕 運用 老人が自分を謙遜(ケンソン)して言うこともある。

おいぼ・れる[4][0]【老(い)〈耄れる】（自下一）年をとって、頭やからだの働きが鈍くなる。

おいまく・る[4]（オヒ）【追(い)〈捲る】（他五）逃げる敵をどこまでも激しく追う。「いつも仕事に追い捲られている〔=追い掛けられて、心の休まる暇も無い〕」

おいまわ・す[4]（オヒマハス）【追(い)回す】（他五）❶（嫌がって逃げるものを）あちこちと追いかける。❷休む暇無く働かせる。

おいめ[0]（オヒ）【負(い)目】〔もと、負債の意〕世話になった人などに対し、いつか報いなければいけないという思い。〔文脈により、引け目の意にも用いられる〕「―を△持つ（いだく）」

おいもと・める[5]（オヒ）【追(い)求める】（他下一）それが手に入るまで、どこまでも求め続ける。「理想を―」

おいや・る[3]（オヒ）【追(い)《遣る】（他五）その人の欲しない△環境（状況）に身を置かざるをえないようにさせる。「△辞任（絶望の淵(フチ)・不利な立場）に―／片隅に追い遣られる」

おいゆ・く[3]【老(い)行く】（自五）次第に年をとって行く。

おいら[1]【《俺《等】（代）〔「おれら[2]」の変化〕「おれ（たち）」の意の口頭語的表現。 表記 「《己《等」とも書く。

おいらく[0]【老いらく】〔雅〕〔「老ゆらく」の変化〕老年。「―の恋」

おいらん[0]【〈花〈魁〕】〔「おいらの（姉さん）」の変化という〕江戸時代、遊郭で、（上位の）遊女。「―道中[5]」 ―そう(オ)[0]（サウ）【―草】夏、△紅紫（白）色の花が円錐(エンスイ)形に集まり咲く多年草。葉は楕円(ダエン)形で対生。クサキョウチクトウ[0]。〔ハナシノブ科〕 かぞえ方 一本

お・いる[2]【老いる】（自上一）その人の年齢が多くなり、その積んだ経験が社会に有用とされる一方、生理的な衰えが見え始める段階に達する。「老いてますます壮(サカ)ン」

オイル[1]〔oil〕❶油。「―シャンプー[4]・サラダ―」❷油絵（の具）。❸石油。「―ダラー[4]・―ショック[4]」❹自動車エンジンの潤滑油。「―漏れ[0]」

オイルクロース[5]〔oilcloth〕綿ネルなどの厚手の布に油性の膜をかけて、模様をかいたもの。テーブル掛けなどに使う。

オイル シェール[4]〔oil shale〕石油を含んだ岩石。油母頁岩(ユボケツガン)。

オイルスキン[5]〔oilskin〕油をしみこませて防水した布。

オイル フェンス[4]〔oil fence〕事故で海面に流れ出た石油などが他の海域に広がらないようにするための囲い。浮きの下に幕を下げたもの。

オイル やき[0]【オイル焼(き)】油を引いた鉄板などの上で、肉やネギ・ピーマンなどの野菜を焼くこと。また、その料理。

おいわけ[0]（オヒ）【追分】❶道が左右に分かれる所。❷〔↑追分節(ブシ)[0]〕民謡の一種。馬子唄(マゴウタ)から出たもので、声をふるわせながら長く引いて歌う、哀調を帯びた節が特徴。

おう〈王・凹・央・応・往・押・〈泓・旺・欧・殴・皇・桜・翁・黄・奥・横・〈墺〉→【字音語の造語成分】

おう[1]（感）〔「お」の長呼〕❶（対等以下の）相手の言葉に積極的に応じて発する声。「―、ここに居るぞ！／―それはよかった」❷期待通りの結果が得られるなどして、感動して発する声。「―、我ながらうまくいった／得たりや―」❸外界からの刺激などに対して、驚きを感じて発する声。「―寒い／―こわ〔=怖い〕」 表記 「おお」とも書く。

*お・う[0]（フォ）【負う】[一]（他五）❶〈（どこ）ニ（なに・だれ）ヲ―／だれニなにヲ―〉何かを背中に載せて、支える。「負うた子に〔=自分よりはるかに年下の子供や後輩に〕教えられる／夕焼け小焼けの赤とんぼ、負われて見たのはいつの日か／…に―〔=…の大きな働きによる〕ところが大きい」❷〈（どこ）ニなにヲ―〉〔ほかならぬ〕自分のからだが、それを受ける。「傷を―」❸〈なにニなにヲ―〉自分で△処理（対処）すべきものとして、持つ。「△十字架（心の重荷・義務・責任の一半・責め）を―／△罪（責任）を他人に負わせる」[二]（自五）名として持つ。「名に（し）―〔=そう言われる評判にふさわしい内容を持つ〕」

**お・う[0]（フォ）【追う】（他五）❶〈（どこ）ニだれ・なにヲ―〉Ⓐ歓迎出来ない者を、強制的に他へ行かせる。「自分の頭の上の蠅(ハエ)を追え／追っても追ってもついて来る」Ⓑ目的地に誘導するために強制的に進ませる。「声を掛けて牛を―」❷〈だれ・なにヲ―〉Ⓐ跡△に従って（を慕って）進む。「夫の跡を―ようにして三か月後に亡くなった／犬がどこまでも追って来る〔=後についてくる〕」Ⓑ（先に進んだ）目標をつかまえようと、努力する。「△見果てぬ夢（先人の跡・理想）を―〔=追いつこうとする／どこまでも求める〕／前車を―〔=追いつこうとする〕／流行を―〔=自分を流行の型にあてはめようとする〕／目先の利益を―」❸〈なにヲ―〉何かの順に従う。「順を追って／一字一字追って読む／回を―〔=回が進む〕／△月（年）を―ごとに／日を追って

〔＝一日ましに〕改善される/流れを―〔＝あとづける〕」 表記「《逐う」とも書く。 運用「死者の後を追う」ことの連想から、弔辞やお悔みには避けるべき言葉とされる。

おわれる[0]【追われる】〔「追う」の受身形〕❶不要な者として強制的に他の地に行かされる。「国を―〔＝国外に追放される〕」 ❷他のことを顧みる余裕もなく、その問題の解決・処理に当たらなければならない状況に陥る。「△苦しいやりくり(金ぐり)に―/△宿題(原稿の締切)に―」

おう[1]【王】❶絶対主義体制の国家における統治者の称号の一つ。〔狭義では、男性の君主、つまりキングを指す〕「国―」 ❷もと、親王のランクには属さない、皇族の男子。王子。〔現在は、天皇から三親等以下の嫡男系嫡出の男性を指す〕 ❸その方面での第一人者の称。「百獣の―/発明―[3]・三冠―」 ❹〔将棋で〕王将のこま。

おう[1]【凹】くぼんだ状態であること。「―と凸」⇩【造語成分】

おう[1]【応】承知すること。「いやも―もない」⇩いやおう ⇩【造語成分】

おう[1]【翁】高年の男性に軽い敬意を込めた表現。〔「福沢諭吉―[7][8]」のように敬称としても用い、「―の業績は」のように代名詞としても使う〕「沙―〔＝シェークスピア〕・奈―[1]〔＝ナポレオン〕・蕉―〔＝松尾芭蕉〕」

おうあ[1]【〈媼】「老女」の意の漢語的表現。

おうあ[1]【欧亜】ヨーロッパとアジア。亜欧[1]。

おうい[1]【王位】王の位。「―に即っく」

おういつ[0]【横〈溢】―する(自サ)〔盛んな〕その気分がだれの目にも疑いなく見えること。「活気―[0]-[0]」

おういん[0]【押印】―する(自サ)〔印〕判を押すこと。捺印。

おういん[0]【押韻】―する(自サ)〔詩で〕句や行の△末(初め)に韻を踏むこと。

おうう[1]【奥羽】〔陸奥国と出羽国〕東北六県の称。「―山脈」

おうえん[0]【応援】―する(他サ)〈だれヲ―する〉❶〔単独では所期の目的の速やかな達成が必ずしも期待しがたい者に対して〕仕事の肩代りをして能率の上がるようにしたり 物心両面にわたって激励を与えたりして、目的を成就させようとすること。「―にかけつける/―演説[5]」 ❷△観客席に居て〔味方が居るということを示して〕当事者を元気づけること。「盛んな―/―団[3]」

おうおう[0]【往々】(副) そうなる傾向がありがちだと認められる様子。「素人がやると―(にして)失敗する」

おうおう[0]【〈怏々〉】―と 不平・不満を解消する術が無く、いらいらを禁じ得ないことを表わす。「―として楽しまず」

おうか[1]【王化】王者の徳によって政治が理想的に行なわれること。「―あまねし」

おうか[0][1]【欧化】―する(自他サ) ヨーロッパ風に△なる(する)こと。「―思想[4]・―主義[4]」

おうか[1]【桜花】「サクラの花」の漢語的表現。「―爛漫[1]-[0]」

おうか[1]【〈謳歌】―する(他サ)〔もと、讃歌の意〕おかれた状況に十分に満足して楽しんでいると察せられること。「平和を―する/青春を―する」

おうが[1]【〈枉駕〉】―する(自サ)〔わざわざ おいでいただく意〕「相手の来訪」の意の敬意を込めた表現。

おうが[1]【横〈臥】―する(自サ) 横になって寝ること。〔病床にある意にも用いられる。例、「―の身とて思うにまかせぬ」〕

おうかくまく[4][3]【横隔膜】胸腔と腹腔との境にある筋肉の膜。弓状になっている。隔膜[0]。「―呼吸[7]」

おうかん[0]【王冠】❶君主のかぶる冠。❷名誉のしるしの冠。❸瓶の口がね。

おうかん[0]【往還】❶―する(自サ)「行き来する」意の漢語的表現。❷街道などを行き来すること。また、その街道。「秩父―[4]」

おうぎ[3][0]【扇】携帯用の、折りたためるうちわ。儀式・舞などにも手に持つ。扇子。すえひろ。 かぞえ方 一枚・一本・一枝

おうぎ[1]【奥義】「おくぎ」の漢語的表現。

おうきゅう[0]【王宮】王の住む宮殿。王城。

おうきゅう[0]【応急】急場のまにあわせ。「―(の)処置/―策[3]・―手当て[5]」

おうぎょく[0]【黄玉】柱状結晶をなす宝石。透明または半透明。黄色のものが喜ばれる。「こうぎょく[0]」とも。トパーズ。 かぞえ方 一顆

おうけ[1]【王家】王の血統(に連なる一族)。

おうけん[0]【王権】王の権力。「―神授説[7]」

おうこ[1]【往古】「大昔」の意の古風な表現。

おうご[1]【〈枌】「てんびん棒など、物をかつぐ時に使う棒。また、枝」の古風な表現。「おうこ」とも。

おうご[1]【応護】―する(他サ)〔「擁護」の変化〕神仏の加護。

おうこう[0] ❶【王侯】国王と諸侯。「―貴族の暮らし〔＝特権階級にのみ許される非常にぜいたくで優雅な生活〕」 ❷【王公】国王と、その政治を輔佐する首相級の有力な大臣。〔ともに、権力者の代表〕

おうこう[0]【往航】行きの△航海(航空)。↔帰航

おうこう[0]【横行】―する(自サ)❶秩序を無視して、無遠慮に歩くこと。「―闊歩[5]」 ❷社会正義に反することが平然と行なわれること。「テロの―/△天下り(収賄)が―する」

おうこく[0]【王国】王を元首とする国。〔強大な組織の意にも用いられる。例、「歌舞伎―[4]」〕

おうごん[0]【黄金】❶(権力や財力の象徴としての)金。「―の茶室」 ❷〔「―の…」の形で〕称賛に値する、すぐれた能力・価値を備えていることを表わす。「―の△腕(足)」 ❸〔富・経済力の象徴としての〕お金。「―万能[0]-[0]」 **―じだい**[5]【―時代】〔その△文化(国家・組織体・人)の〕最も盛んな時代。ゴールデン エージ。「ハリウッド映画の―を築いた」 **―しゅうかん**[5]【―週間】⇩ゴールデンウイーク **―ひ**[3]【―比】長さが一対約一・六一八の比率。最も安定していて美しい比率とされる。黄金分割。〔多くの歴史的建造物や美術品などが取り入れている〕 **―ぶんかつ**[5]【―分割】⇩黄金比 **―りつ**[3]【―律】〔golden rule の訳語〕新約聖書にあるイエスの山上の垂訓の一節「すべて人にせられんと思うことは人にもまたそのごとくせよ」を指す。

おうざ[1]【王座】王の座席。玉座。〔その社会での第一人者の地位の意にも用いられる〕「…に―を譲る」

おうさつ[0]【応札】―する(自サ) 入札に参加すること。

おうさつ[0]【殴殺】―する(他サ) なぐり殺すこと。

おうさつ[0]【〈鏖殺】―する(他サ)〔「鏖」は、苦戦して多く殺す意〕皆殺しにすること。

おうさま[0]【王様】❶「王」の称号を持った人を(やや親しみを込めて)指す尊敬表現。〔一般に男性の「王」を指す〕「―に拝謁する/裸の―」 ❷同類のうちで、最高位を占める(ととらえられる)ものの称。「ドリアンはトロピカルフルーツの―」 ❸最も強い立場にあ(り、自分の好きなように出来)る人。「消費者は―だ」

おうし[0]【〈啞】「おし」の古風な表現・各地の方言形。
おうし[0]【雄牛・〈牡牛】雄の牛。「牡牛座」↕雌牛
[かぞえ方]一匹・一頭
おうし[1]【王師】❶国王が親しく統率する軍隊。❷国王の先生。[表記]❶は、「皇師」とも書く。
おうし[0]【横死】—する(自サ) まだ十分余命があるのに、殺されたり不慮の災難にあったりして、死ぬこと。
おうじ[1]【王子】↕王女 ❶王の男児。❷王❸。
おうじ[1]■【皇子】天皇の男児。↕皇女
おうじ[1]【王事】国王に関する事柄。「—(=国王のため)に尽くす/—もろい事無し(=ⓐ堅牢であって、決して失敗することは無い。ⓑ多端であって、休む暇が無い)」
■【往時】「昔」の意の古風な表現。↕近時
■【往事】昔の出来事。「—を追想する」
おうしいつくつく[3] ツクツクボウシの異称。
おうしつ[0]【王室】その王と家系のつながる一族。「イギリスの—行事」
おうじつ[0]【往日】(華やかであった)昔。「往年—の元気は無い」

おうしゃ[0]【応射】—する(自サ) 敵の射撃に対して、こちらからも撃ち返すこと。
おうじゃ[1]【王者】❶国王である人。〔狭義では、王道をもって国を治める人を指す。↕覇者〕❷その社会で一番実力が△ある(あり、優勝などをした)人。「—の貫禄」〔古くは「おうしゃ」〕
おうじゃく[0]【〈尫弱・〈尩弱】—な—に 〔「尫」は、からだが弱い意〕弱くて、すぐ病気にかかりやすい様子。
おうしゅ[1][0]【応手】〔碁・将棋で〕相手の打った手に応じて打つ手。〔広義では、対(抗)策の意にも用いられる〕
おうじゅ[1]【応需】〔「需」は求める意〕〔広告などで〕要求に応じる用意があること。「入院—[5](=入院の設備があること)」
おうしゅう[0]【応酬】—する(自サ) ❶向こうが△言った(した)のに対して、こちらも負けずにやり返すこと。❷宴会での杯のやりとり。
おうしゅう[0]【押収】—する(他サ) 裁判所・検察官・税務署員などが、証拠物件などを差し押さえて取り上げること。

おうしゅう[1]【欧州】ヨーロッパの国ぐに。「—連合〔=EU〕」
おうしゅう[1]【奥州】「陸奥国」の漢語的表現。今の宮城・福島・岩手・青森の四県全体と秋田県の一部にあたる。みちのく。〔広義では、東北地方全体を指す〕「—踊[5]・—街道[5]・—菊[3]・—仙台[1]-[1]」
おうじゅく[0]【黄熟】—する(自サ) イネ・ムギなどの穂が実って黄色になること。
おうじゅほうしょう[4]【黄〈綬褒章】⇩褒章
おうじょ[1]■【王女】↕王子 ❶王の女児。❷皇族の女児で、内親王でない者の称。
■【皇女】天皇の女児。「こうじょ」とも。↕皇子
おうしょう[0]【王将】〔将棋で〕それが詰むと負けになるこま。主将に当たる。前後・左右と斜めとに一格ずつ進める。
おうしょう[0]【応召】—する(自サ) 召集されて兵になること。「—兵[3]」
おうしょう[0]【〈鞅掌】—する(自サ) 〔「鞅」はになう意、「掌」はささげる意〕「休む暇が無いほど忙しく働く」意の漢語的表現。「職事に—し」
おうじょう[0]【王城】❶国王の住む城。王宮。❷「都」の意の漢語的表現。
おうじょう[1]【往生】—する(自サ) ❶〔仏教で〕極楽に生まれること。「極楽—・大—」❷Ⓐ死ぬこと。「さっさと—しろ/—際(=思い切り)が悪い」Ⓑあきらめて、じたばたしないこと。「とうとう—させた/—際が悪い」Ⓒ処置に困ること。閉口。「あれにはしした/立ち—」
おうしょく[0]【黄色】「きいろ」の漢語的表現。こうしょく。
—じんしゅ[5]【—人種】〔白色人種・黒色人種に対して〕皮膚が黄色の人種。頭髪は黒い。日本人はこれに属する。
*__おう・じる__[0]【応じる】(自上一)〈なにニー〉❶相手の行動を受けて、こちらも立つ。「挑戦に—/質問に—(=答える)」❷誘いを受けて、それを承諾する。「△募集(呼びかけ)に—」❸相手の求めを受けて、その期待通りにする。「△需要(希望)に—」❹何かが違ったり変化したりするにつれて、それに見合った現われ方をする。「気体は圧力に応じて体積が変化する/能力に応じた役割/△実情(時と場合)に応じて対処する」応ずる[0][3](サ変)。
おうしん[0]【応診】—する(自サ) 医者が診察の要求に応じ

おう
【王】⇩(本文)おう【王】

【凹】くぼむ。物の表面が、内がわにへこんでいる。「凹凸・凹面鏡」↕凸 ⇩(本文)おう【凹】

【央】まん中。「中央・月央・震央」

【応】❶呼びかけや問いに対して、ふさわしい答えをする。「応答・応対・呼応」❷外界や他の△変化(状態)に見合うだけの変化をこちらもする。「応変・応分・相応・適応・反応」⇩(本文)おう【応】

【往】❶いく。ゆく。「往生・往診・往復・往来・来往」❷昔。時が過ぎさること。「往古・往年・往時・往昔・既往」❸時どき。おりおり。「往々」

【押】❶印をおす。「押印・花押」❷とりおさえる。おさえつける。「押収」❸韻をふむ。「押韻」

【〈泓】❶水が深い。❷池をかぞえる語。

【旺】勢いが活発な様子。さかん。「旺盛」

【欧】(略)ヨーロッパ(欧羅巴)。「欧州・欧米・欧文・西欧・北欧・渡欧:欧化」

【殴】なぐる。たたく。「殴殺・殴打」

【皇】天皇。みかど。「皇子・皇女・法皇」

【桜】サクラ。「桜花・桜樹・桜桃・巨桜・観桜会」

【翁】⇩(本文)おう【翁】

【黄】きいろ。きいろいもの。「黄金・黄銅・黄緑色・卵黄」

【奥】■おく。おく深い。「奥義・深奥・蘊奥」■(略) 陸奥国。東北地方の古称。「奥州・奥羽」

【横】❶よこ。「横断・横臥・縦横」❷かってに。わがまま。「横暴・横領・専横」❸普通でない。「横死」❹満ちあふれる。「横溢」

【〈墺】(略) オーストリア(墺太利)。「独墺」

** * は重要語, [0] [1]… はアクセント記号, 品詞の指示の無いものは名詞および いわゆる連語。

ること。

おうしん[0]【往信】返事を求めて出す通信。↕返信

おうしん[0]【往診】―する(自サ) 医者が患者の家に行って診察すること。↕宅診・内診

おうす[2]《御薄》「薄茶」の丁寧語。

おうすい[0]【王水】塩酸三、硝酸一の割合の混合液。金・白金などを溶かすのに使う。

おうすい[0]【黄水】胃から吐きもどす、黄色い液。

おうせ[1]【〈逢瀬】恋愛関係にある二人が人目を忍んで会う△時(機会)。

おうせい[0]【王制】国王が主権者である政治体制。王政。

おうせい[0]【王政】❶国王が自ら行なう政治。❷王制。―ふっこ[5]【―復古】共和政治などが廃止されて、昔のような君主親政にもどること。〔日本では、武家政治を廃止し、天皇親政にもどした大政奉還を指す〕

おうせい[0]【旺盛】―な・―に 〔「旺」も「盛」と同義〕気力や意欲が盛んで、限界が見えない様子。「―な探求心/食欲が―な年頃」 派 ―さ[0]

おうせき[0][1]【往昔】過ぎ去った昔。

おうせつ[0]【応接】―する(自サ) やって来るものを迎えて、いちいち相手をすること。「―に遑が無い(=ⓐ物事が次から次へと起こって、いちいち取りあっていられない。ⓑ面会客が次から次へと来て、休む暇が無い)/―間[0]・―室[4]」

おうせん[0]【応戦】―する(自サ) 敵の攻撃に対抗して戦うこと。

おうせん[0]【横線】横の△線(筋)。↕縦線 ―こぎって[6]【―小切手】⇩線引き小切手

おうそ[1]【応訴】―する(自サ) 相手の起こした訴訟に応じ、被告となって争うこと。

おうそう[0]【押送】―する(他サ) 「護送❷」の旧称。

おうぞく[0]【王族】国王の一族。

おうた[0]《御歌》皇族の作歌。〔狭義では、御製を除く〕 ―どころ[4]【―所】もと、宮内省に属し、御製・御歌や、御歌会に関する事務を扱った所。

おうだ[1]【殴打】―する(他サ) 「なぐる」意の漢語的表現。

おうたい[0][1]【応対】―する(自サ) 相手の話をよく聞き、その内容に応じた△返事(事)をすること。「心のこもった―/電話の―」

おうたい[0]【黄体】脊椎動物の卵巣の中で、黄体ホルモンを分泌する所。「―期[3](=女性が黄体ホルモンを分泌する時期。受精卵が着床できる状態になり、体温が高くなる)・―ホルモン[5](=排卵後分泌され、受胎を可能にする作用を持つホルモン)」

おうたい[0]【横隊】横に並ぶ隊形。「一列―[5]」↕縦隊

おうだく[0]【応諾】―する(他サ) 〔頼み・申込みを〕承知すること。受諾。「保証を―する/退職勧奨を―」

おうだく[0]【黄濁】―する(自サ) ⇩こうだく

おうだん[0]【黄〈疸】肝臓の機能障害で胆汁が血液中に流れこみ、皮膚・からだの組織が黄色になる病気。

*おうだん[0]【横断】―する(自他サ) 〈(どこカラどこマデ)どこヲ―する〉 ↕縦断 ❶切り口が面としてとらえられるものについて、横の方向に断ち切ること。「―面[3]」 ❷細長い面としてとらえられる所を横の方向に断ち切るように(最短距離で)一方の側から他方の側へ渡ること。「道路を―する/台風が本州を―する」 ❸〔大陸・大洋などを〕東西の方向(=地図で左右の方向)に端から端まで通って行くこと。「太平洋をヨットで―する/大陸―鉄道[9]、[1]-[5]」 ―きょう[0]【―橋】〔←横断歩道橋[0]〕線路や自動車の往来の激しい大通りをまたいで作った橋。人が安全に渡ることが出来るようにしたもの。 ―ほどう[5]【―歩道】交通の激しい道路で、歩行者が横断する所として特に決められた区域。 ―まく[3]【―幕】横に長い幕に標語や主張などを書き、道路を横断するような形に△掲げる(持って示しながら進む)もの。 かぞえ方 一枚

おうち[0]【〈楝】センダンの雅名。

おうちゃく[3][4]【横着】―な・―する(自サ) 仕事は積極的にしないで、分け前だけは一人前に主張する様子。「―な(=なまけてばかりいる)奴/―(=ずる)を決めこむ/―者[0]」 派 ―さ[0][3]

表記 「〈樗」とも書く。

おうちょう[0]【王朝】❶国王親政の朝廷。❷同じ王家に属する帝王の系列(の君臨する時期)。❸「王朝時代」の略。「―文学[5]」 ―じだい[5]【―時代】〔武家時代に対して〕天皇を中心とする政治が行われた時代。奈良時代と平安時代。〔狭義には平安時代だけを指す〕

おうつり[2]《御移り》もらった贈り物の入れ物に、お礼のしるしとして入れて返す、ちょっとした品。以前は、半紙・マッチなどがよく用いられた。うつり。

おうて[1]【王手】〔将棋で〕直接王将を取ろうとする手。「―を掛ける(=もう一手で勝利に迫る)」

おうてっこう[3]【黄鉄鉱】硫黄・鉄を含む、真鍮色の鉱物。硫黄・硫酸の製造用。「こうてっこう[3]」とも。

おうてん[0]【横転】―する(自サ) ❶横倒しにころぶこと。❷左右へ回転すること。

おうと[1]【王都】△王宮(皇居)のある都市。

おうと[1]【〈嘔吐】―する(他サ) 「食べた物を吐く」意の漢語的表現。「―を△催す(覚える)(=吐き気がする(ほど、いやな感じだ))/―物[3]・―感[3]」

おうど[1]【王土】国王の領地。「普天の下―に非ざるは無し」

おうど[1]【黄土】❶粘土にまぜて顔料・塗料にする、粉末状の酸化鉄。リノリウム・製紙の原料にもする。「―色[0]」 ❷砂漠などから風で半乾燥地帯に運ばれて堆積した、黄褐色の土。石英・長石・雲母を含む細かい砂・粘土から成る。〔❶❷とも「こうど」とも〕

おうとう[0]【応答】―する(自サ) ❶△質問(呼び掛け)に対して答えること。「―を待つ/―無しだ/質疑―」 ❷入力に対して出力すること。「―時間」 ⇩レスポンス

おうとう[0]【桜桃】実が食べられるサクラの一品種。例、セイヨウミザクラ[6]・シナミザクラ[4]など。初夏に小形で赤い実をつける。実は、丸くて柄が長く、味は甘ずっぱくて「さくらんぼ」と言う。〔バラ科〕

おうとう[0]【黄桃】実の肉が黄色いモモ。普通、缶詰用。

おうどう[0]【王道】❶権力・武力によらず、仁徳を基として国を治める方法。↕覇道 ❷事をするに当たって、そうするのが最も正当だととらえられる方法。「奇をてらわず日本料理の―を行く料理人」 ❸〔royal road の訳語〕らくな△道(方法)。「学問に―無し」

おうどう[0]【黄道】⇩こうどう(黄道)

おうどう[0]【黄銅】真鍮の別名。 ―こう[3]【―鉱】きれいな黄色の結晶をなす天然産の銅。

おうどう[0]【横道】❶―な・―に 不正と知りながら行なう様子。❷道にそむいたこと。「鬼神に―無し」

おうとつ[0]【凹凸】「でこぼこ・たかひく」の意の漢語的表現。「―レンズ[5]」

おうな[1]【〈嫗】〔雅〕老女。↕翁 表記 「〈媼」とも書く。

おうなつ⓪【押〈捺〉】―する(自他サ) 印を押すこと。「指紋(の)―」⇩押印

おうねつびょう⓪【黄熱病】熱帯地方に流行する急性の感染症。その経過中、黄疸を起こす。

おうねん⓪【往年】今となっては一昔前だと捉えられる過去。「―の美少年」

おうのう⓪【応能】所得や支払い能力に応じて変動すること。「―家賃⑤・―課税⑤・―負担⑤」

おうのう⓪【〈懊悩〉】―する(自サ)〔「懊」は恨む意〕「悩みもだえる」意の漢語的表現。「―の極み」

おうばい⓪【黄梅】庭に植える落葉小低木。早春、葉に先立って黄色で先が六つに分かれた花を開く。中国原産。観賞用。〔モクセイ科〕⇩紅梅・白梅 かぞえ方 一株・一本

おうばくしゅう④③【黄〈檗宗〉】臨済宗・曹洞宗と共に、日本の三禅宗の一つ。開祖は隠元。

おうはん⓪【凹版】インクの付着する部分が版面よりくぼんでいる、精密な印刷版。地図・紙幣などの印刷に使う。⇩凸版・平版

おうばんぶるまい⑤【〈椀飯振〉(る)舞(い)】⇩おおばんぶるまい

おうひ①【王妃】△国王(王❶)の妻。

おうひ①【奥秘】「奥義」の古風な表現。

おうふう⓪【欧風】ヨーロッパ風。「―建築⑤・―銘菓⑤」

おうふう①【横風】―な〔「大風」の変化という〕△偉ぶって(権力を笠に着て)人を人とも思わない尊大な様子が、言葉づかい・顔つき・態度などに現われている様子。

****おうふく**⓪【往復】❶―する(自サ)〈どこヲ―する〉Ⓐそこまで行ってまたもとの場所にもどること。「車で東京大阪間を―する/郵便局まで二(度)―する」Ⓑ手紙のやりとり。また、人の行き来。「人の―が絶えない大通り/―書簡⑤」❷行きと帰り。「―の乗車賃」↔片道 ❸「往復切符」の略。 **―きっぷ**⑤【―切符】その一枚で、指定された区間を一往復できる乗車券。「往復乗車券⑦」とも。かぞえ方 一枚 **―はがき**⑤【―葉書】往信用と返信用とが一続きになっている葉書。二つ折りにして出し、返事の際は返信用を切り離して使う。かぞえ方 一枚

おうぶん⓪【応分】身分・能力にふさわしいこと。「―の△寄付(負担)」

おうぶん⓪【欧文】アルファベットを用いて書かれたヨーロッパの言語による文章。〔日本語をローマ字で書いた文を指すこともある〕「―タイプ⑤」⇩和文・邦文

おうへい①【横柄】―な〔横行権柄の意。「押柄」を語源とする説もある〕偉そうな態度をし、無礼な様子。「―な口をきく」派 ―さ⓪③ 表記「大柄」とも書く。

おうべい⓪【欧米】ヨーロッパとアメリカ。「―諸国⑤」

おうへん⓪【応変】―する(自サ) 不意の出来事に対し、適切に対応すること。「―の処置/臨機―」

おうへん⓪【往〈反〉】―する(自サ)〔行きと帰りの意〕往復(すること)。表記「往返」とも書く。

おうへん⓪【黄変】―する(自サ) 黄色に変わること。「―米⓪」

おうぼ⓪【応募】―する(自サ) 募集に応じること。「求人に―する/―原稿④」

おうほう⓪【応報】〔その人のした(悪い)事に対する〕むくい。「因果―」 **―けいしゅぎ**⑦【―刑主義】刑罰は受刑者に対する見せしめ・懲罰のためだとする考え方(をとる刑法上の学説)。↔教育刑主義

おうほう⓪【往訪】―する(自他サ) 自分から相手を訪ねてゆくこと。↔来訪

おうぼう⓪【王法】〔仏教徒から見た〕国王の政治・法令。↔仏法

おうぼう⓪【横暴】―な〔権力者が〕人の困るのも構わず、不合理な事やわがままをする様子。「―をきわめる」派 ―さ⓪

おうま①【黄麻】畑に植える一年草。茎の繊維(=ジュート)でズック・敷物などを作る。つなそ⓪。〔シナノキ科〕かぞえ方 一本

おうまがとき④【〈逢魔が時〉】〔雅〕〔「大〈禍時〉」の変化〕夕方の薄暗くなった時分。

おうむ⓪【〈鸚鵡〉】熱帯原産の飼い鳥。くちばしは曲がり、人の言葉をよくまねる。〔オウム科〕かぞえ方 一羽 **―がい**③【―貝】「生きた化石」と呼ばれる、海にすむ軟体動物。自分で作った巻貝のような殻に胴を入れる。殻は真珠のような光沢があり、側面から見ると、感じがオウムの頭部に似る。 **―がえし**④【―返(し)】〔もと、人からもらった和歌を、一部分の語句だけを変えてすぐ相手に返してやる意〕相手が言った言葉をそっくりそのまま言い返すこと。「―に言う」

おうめわた③【〈青〈梅綿〉】衣服に入れやすいように、長く伸ばした綿。〔もと、東京都青梅市の特産〕

おうめん⓪【凹面】中央がへこんでいる面。↔凸面 **―きょう**⓪【―鏡】凹面の鏡。反射望遠鏡や集光器・投光器などに用いられる。↔凸面鏡 かぞえ方 一面

おうもんきん⓪③【横紋筋】細かい横縞のある筋肉で、心筋を除いては随意筋。収縮が速く、すばやい運動が可能。↔平滑筋

****おうよう**⓪【応用】―する(他サ)〈なにニなにヲ―する〉❶△考えた結果(教えられた知識)や理論・技術などを実際にあてはめて使うこと。「梃の原理を―する/―問題⑤・―化学⑤」❷身につけた知識や理論・技術などを活用して臨機応変の処置をすること。「―がきかない/―の才」

おうよう⓪【〈鷹揚〉】⇩おおよう(大様)

おうら①(感) はやる馬の気持を静めるためにかける掛け声。

おうらい⓪【往来】❶―する(自サ) ゆきき。「人の―が激しい」❷道路。通り。「―で遊ぶな」❸生活に必要な物の名を手紙文の中で列挙した、昔の教科書。「―物⓪・庭訓―⑤」

おうらさま④②【〈御裏様〉】「裏方❶」の敬称。

おうりつ⓪【王立】王室が資金を出して設立△する(した)ものであること。「―図書館⑥」

おうりょう⓪【横領】―する(他サ) 他人・公共の物を不法に自分の物とすること。「公金を―する」

おうりょく①【応力】外力が加わった時、物体内に生じる反作用の力。

おうりん⓪【黄〈燐〉】黄色を帯びた、有毒な燐。マッチ・ねこいらずの原料。⇩赤燐

おうれつ⓪【横列】―する(自サ) 横に△並ぶこと(並んだ列)。↔縦列

おうレンズ③【凹レンズ】中央部が△薄い(へこんだ)レンズ。近眼鏡に用いる。↔凸レンズ

おうろ①【往路】行く時に通る道。「―ではトップ集団にいたマラソン選手が、折返し点を過ぎると遅れだした」↔復路

オウンゴール④〔own goal〕〔サッカーで〕自陣ゴールに誤ってボールを入れて、相手にあたえた得点。自殺点③。

おえしき⓪②【〈御会式〉】〔日蓮宗で〕宗祖日蓮の忌日(=十月十三日)に行なう法会。お命講。

おえつ⓪【〈嗚〈咽〉】―する(自サ)〔「咽」は、声が詰まって出ない意〕こらえきれずにしゃくりあげて泣くこと。「―の声」

おえらがた⓪【《御偉方》】組織体の上層部におさまりかえっている人たち。〔多少からかいの気持を含意して用いられる〕

お・える⓪【負える】(自下一)〔「負う」の可能動詞形。後に否定表現を伴って用いられる〕引き受けられる。「手に負えない(=自分の力では処理しかねる)/手に—相手ではない」

***お・える**⓪【終える】❶(他下一)〈なにヲ—〉最後まで済ませる。終わらせる。「△日程(学校・生涯)を—」↔始める ❷(自下一)(やっと)おしまいになる。「宿題が終えた」 ❸〔「動詞連用形+—」の形で、接尾語的に〕そのことを完了した状態にする。「書き—・作り—」〔❸は、もと誤用に基づく〕 表記「《了える》」とも書く。

オー① ❶【O・o】英語アルファベットの第十五字。❷【O】❶血液型の一つ。「—型」❷〔←oxygen〕酸素の元素記号。

おお【大】(造語)❶形・広さが大きい。「—男・—石⓪・—空」❷程度や分量が普通以上の。「—声・—けが③(=ひどいけが)・—騒ぎ」❸〔同じような身分関係の人の中で〕△親(序列が上)の方の。「—旦那③・—奥様③・—先生⑤・—にいさん③」⇩若 ❹「大体のところを」の意を表わす。「—づかみ・—づもり③」❺「大いに・大変(な)・たくさん」の意を表わす。「—あわてする/—いばりする/—助かり③・—負け⓪・—損⓪③」❻それが極限であることを表わす。「—みそか・—詰め」

おお①(感)⇩おう

おお あきない④③【大商い】❶〔株式で〕その日の△出来高(商売高)が大変に多いこと。❷数多くの、また、高額の商品を売ることにより、多額の利益を△得る(得ようとする)こと。

おお あざ①【大字】町・村の中の大きな区画。〔この中に複数の小字がある〕

おお あし【大足】❶①⓪大きな足。❷⓪大きな歩幅。「—(=大また)に歩く」❸⓪深い泥田に入る時に使う、下駄のかっこうをした板。かぞえ方 ❸は一足

おお あじ⓪【大味】—な ❶(形が大きいばかりで)そのものに期待されるうまさが感じられない様子。〔主として、食物の味について言う〕❷きめの細かさが見られない様子。❸〔相場で〕変動の幅が大きく、おもしろみに富むこと。

おお あたり③【大当(た)り】—する(自サ)(予想通り)見事に当たること。「—でハワイ旅行が当たった/—する(=ⓐぴたりと当たる。ⓑ見事に当籤する。ⓒ大成功する)/—をとる」

おお あな⓪【大穴】❶大きな穴。❷多額の欠損。「—をあける」❸〔競馬・競輪などで〕予想されなかった番狂わせ(による高配当)。「—をねらう」

おお あばれ③【大暴(れ)】—する(自サ)手の付けようがないほど暴れる様子。

おお あめ③【大雨】激しく降る雨。↔小雨

おお あり⓪【大有(り)】何かが「有る」ことを強調した言い方。「もちろん—だとも/—のこんこんちき」

おお あれ⓪【大荒(れ)】❶ひどく△荒れる(あばれる)こと。「—の国会」❷ひどい暴風雨。

おお あわて③【大慌(て)】突然の出来事などでひどくあわてる様子。

おおい①(感)離れた所にいる人を呼ぶ声。「—、中村君」

****おお・い**①【多い】(形)↔少ない ❶同種の他のものや従前に比べて△数量や割合が大きい(傾向が著しい)と認められる様子だ。〔比較対象になる他のものと等しい数量を取り去っても、まだ余りがある状態を指す〕「人間のまばたきは、動物の中でも—方だ/ふだんよりも数倍—警備員」❷無視出来ないほどの数量であったり△見聞(経験)することがしばしばであったりする様子だ。「休日も練習のため登校することが—/足の力で磨り減らされて凹みの多く(=目立つように)なった石段/子供と食事を共にすることが多くない父親」派—さ①

おおい【覆い】❶⓪おおう△こと(もの)。「—を△掛ける(取る)/雨—」❷(造語)動詞「覆う」の連用形。表記「《被い》」とも書く。 **—かく・す**⑤【—隠す】(他五)❶物をかぶせて隠す。「ハンカチで顔を—」❷物事が他人に知れないようにつとめる。「事実をあくまで—」 **—かぶさ・る**⑥【—《被さる》】(自五)❶上から何かを被せるような形で取りつく。「背中に—」❷不可抗力とも言える重いものが、その人の処理すべきものとして負わされる。「責任が—」〔口頭語では「おいかぶさる」〕 **—かぶ・せる**⑥【—《被せる》】(他下一)上からおおうように何かを被せる。「発言がまだ終わらないうちに—ように反論する」

オーイーシーディー⑦【OECD】〔←Organisation for Economic Co-operation and Development〕経済協力開発機構。国際的な視野に立って、国家間の経済政策の調整や通商拡大をはかり、また、発展途上国の援助をすることなどを目的とする国際機構。

おお いき③⓪【大息】大きく△息を吸ったり吐いたりする(ため息をつく)こと。また、その息。「—をつく」

おお いさ③⓪【大いさ】〔数学などで〕分量・程度などが、どれほどあるか。

おお いそがし③【大忙し】—な/—に とても忙しい△こと(状態)。「部活に塾に—で過ごした/連休も引越し準備で—の毎日だった」

おお いそぎ で③【大急ぎで】(副)何よりもその事を優先させる必要があると思って、急いで行動する様子。「—駆けつけた」

オー いちごなな①-③-①【O-157】病原性大腸菌の一つのタイプ。腹痛・下痢・血便を引き起こす。〔Oはドイツ語の ohne (無い)の頭文字。培養するときシャーレに曇りが「無い」の意。一般にオーイチゴーナナと発音する〕

おお いちばん④【大一番】〔すもうで〕優勝に直接関係する、大事な取組。

おお いちょう③【大《銀杏》】❶(樹齢を経た)大きなイチョウの木。❷〔すもうで〕十両以上の力士が結う髪型。髷の先を大きくイチョウの葉の形に広げたもの。

おおい なる①、①-①【大いなる】(連体)〔文語の「大いなり」の連体形から〕〔情感を込めて〕大きい、偉大だ、などの意を表わす。「—業績」

おおい に①【大いに】(副)〔「大きに」の変化〕❶普通の程度をはるかに超している様子。「今夜は—飲もう/その考えは—結構だ。しっかりやってくれ/—反省している」❷その可能性が十分に認められる様子。「そういう事も—あり得る」

おお いばり③【大威張り】—する(自サ)△何のやましいことも無く(人に誇れるようなことがあって)だれはばかることなく堂々とふるまうこと。「難工事が無事故で完了したのは、我われ技術陣の勝利だと、—で竣功式に臨んだ」

おお いり⓪【大入(り)】〔興行場などで〕(予想した以上に)入場者が多いこと。「—満員⓪-⓪」↔不入り **—ぶくろ**⑤【—袋】〔興行場などで〕大入りで売上げ増が確実な時に、慰労の気持を表わすために、全従業員に同額の現金を入れて渡す袋。

****おお・う**⓪【覆う】(他五)❶〈なにデなに・どこヲ—〉〔何かを△保護する(隠す)ために〕薄くて広がりのある物を△表面

全体に行き渡らせて（間に置いて）外部から遮断する。「苗床をビニールで―〔=苗床にビニールをかぶせる〕／トタンで屋根を―〔=トタンを屋根にかぶせる〕／ハンカチで顔を―〔=隠す〕／目を覆わしめる〔=まともに見てはおられないほど、ひどい〕惨状／非を―〔=人に知られないように、包み隠す〕／耳を覆って△鈴（鐘）を盗む〔=自分の犯した悪事を姑息な手段で隠そうとする（が、世間では皆 知っている）形容〕／―べからざる〔=隠すことの出来ない〕事実」 ❷〈どこヲ―〉 幕のようなものが一面に広がって、そのあたり一帯をすっぽり包む。「△秘密のベール（悲観ムード）に覆われる／会場を―〔=会場一杯に広がりみなぎる〕熱気」 ❸〈なにヲ―〉 全体の内容を△言い表わす（その中に含み持つ）。「AとBとは相―ものではない〔=全面的には一致しない〕／一言もってこれを覆えば〔=ひとことで言うならば〕」 表記 ❶❷❸とも、「《蔽う・〈掩う」とも書く。また、❶の一部は「《被う・《蓋う」とも書く。〔⇩覆い[二]〕

おおうちがり [0]【大内刈】〔柔道で〕相手の体勢をくずしながら、重心のかかっている片足を内側から払って、あおむけに倒す投げわざ。

おおうちやま [0]【大内山】〔雅〕御所。皇居。大内[0]。

おおうつし [3]【大写し】〔映画で〕カメラを近づけて大きく写すこと。クローズアップ。

オーエイチシー [6]【OHC】〔← overhead camera〕 ⇩書画カメラ

オーエイチピー [6]【OHP】〔← overhead projector〕 文字や図表を記したシートに下方から光を当て、説明者の後ろのスクリーンに映し出す装置。オーバーヘッド プロジェクター。

オーエー [3]【OA】〔← office automation〕 会社内の事務作業の自動化。コンピューター・ファクシミリなどを導入し、能率の向上を図る。「―化[0]・―機器[5]」

オーエス [1]-[1]（感）〔フ ho! hisse! =よいしょ〕〔東京地方で〕綱引きなどをする時の掛け声。

オーエス [0]【OS】 オペレーティング システムの略。

おおえど [0]【大江戸】 江戸の美称。

オーエル [0][3]【OL】〔和製英語 ← office + lady〕 女性事務員。〔もとのBG、オフィスガールに相当〕

おおおかさばき [5]【大岡裁き】 江戸時代の名奉行、大岡越前守の裁判（を題材とした講談・浪曲の類）。〔人情味のある、りっぱな裁判の典型とされる〕

おおおく [1]【大奥】 ❶〔江戸城で〕将軍の夫人・側室・女中などの居た所。〔将軍以外、男子禁制であった〕 ❷皇居の奥深い所。宮中。

おおおじ [3][1]【大おじ】 親のおじ。 表記 祖父母の兄は「大｛伯父｝」、弟は「大｛叔父｝」と書く。

おおおとこ [3]【大男】 並はずれて体の大きい男。「―総身に知恵が回りかね」

おおおば [3][1]【大おば】 親のおば。 表記 祖父母の姉は「大｛伯母｝」、妹は「大｛叔母｝」と書く。

おおおんな [3]【大女】 並はずれて体の大きい女。

おおがい [0][1] [一]【大貝】 大きな貝。 [二]【〈頁】 漢字の部首名の一つ。「顔・頂・類」などの、右側の「頁」の部分。〔人の頭部を表わすので、多く、頭にかかわる漢字がこれに属する〕 ⇩かいへん

おおがかり [3]【大掛（か）り】（―な・―に） 規模が大きくて人手・費用などが多くかかる様子。「―な工事」

おおかぜ [0][3][4]【大風】 激しく吹く風。

おおかた [0]【大方】 [一]❶大部分。「株の失敗で彼女は財産の―を失った／―の国は、芸術作品の国外持ち出しを規制しています」 ❷〔漢語「大方」の和語による文字読み〕世間一般。「―の読者の見方はきびしい／―の予想どおりになりましたが」 [二]（副） 事態の推移や展開について、細部については異なる点があっても全体としてはそうとらえてまちがいないだろうと判断する様子。「―そんな事だろうと思っていた／―大丈夫だろう／新社屋は―〔=あらかた〕完成した」

おおがた [0]（―な） ↔こがた [一]【大型】 同じ名称を与えられている物のうちで、大きいタイプに属する方のもの。「―の台風／―バス[5]・―新人[5]・―連休[5]」 [二]【大形】 同種の普通の大きさのものに比べて、形が大きいこと。「セントバーナードのような―の犬がほしい」

オーガナイザー [4]〔organizer〕 組織者。世話役。幹事。

オーガニック [1][4][3]〔organic=有機の〕〔農業で〕有機栽培の（農産物）。「―食品[7]・―コットン[7]」

おおかみ [1]【〈狼】〔大神の意。古代人にとっては最大の脅威だった〕形は日本犬に似て、性質はどうもうだとされた野獣。かつて、日本にもすんでいた。〔イヌ科〕〔広義では、山犬をも指す〕「街の―〔=女性をつけねらったりする、危険な男〕／送り―〔=⇩送り狼〕」 かぞえ方 一匹・一頭 **―しょうねん** [5]【―少年】 ❶人間社会から隔絶し狼の乳で育てられ、人語を解さなくなった少年。 ❷〔イソップの寓話で〕狼が出たと騒いで人をだまし愉快がったために、最後はおとなたちの不信を買った少年。

おおがら [0]【大柄】（―な・―に） ↔小柄 ❶からだが全体的に普通の人より大きい様子だ。「―な女性」 ❷模様やしまが、普通よりも大きめである様子だ。「―のゆかた」

おおかれ [1][3]【多かれ】〔「多かり」の命令形〕多くあることを望む主体の気持を表わす。「若きふたりの未来に幸―」 **―すくなかれ** [7]、[3]-[4]、[1]-[3]【―少なかれ】（副） その点に関しては、程度の差こそあれ共通するところが見られる様子。「六十を過ぎれば―体にがたが来るものだ」

おおかわ [1]【大川】 大きな川。〔東京では隅田川の下流、大阪では淀川下流の特称。例、「―端[3][4]」〕

おおかわ [0]【大〈鼓】〔大革の意〕能楽などで用いられるつづみの一種。左の ひざの上に置いて、手で打ちながら拍子を取る。大つづみ。 ↔小鼓 ⇩鳴り物

オーガンジー [3]〔organdy〕 薄手の、軽くて透明な△絹（綿）織物。夏の婦人服用。

おおき [1]【多き】「多いこと」の意の文語形。「…の―にのぼる／金額の―を望まない」

おおき・い [3]【大きい】（形）〔「大きなり」の語幹の形容詞化〕 ↔小さい ❶〔目に見える形を備えていて、互いに比較することができるものについて〕問題となるものが比較される他方を包み込んだ（とみなされる）状態になり、なおかつ余りがあると想定できる様子だ。「クジラはイルカよりも体が―／地平線に近い太陽や月は天空にあるよりも大きく見える／この靴はわたしの足には大きすぎる」 ❷数量や程度・規模が△比較の対象とする（一般に予測される）ものを上回っている様子だ。「△漁獲高（金額）が―／△音（声）が―／―会社／△被害（格差・比重）が―／二位以下を大きく引き離す／僕より―〔=年齢が上の〕子／大きく〔=おとなに〕なったら、何になりたいか／話が―〔=大げさだ〕／人物が―／気が大きくなる〔=怖いものや自分に出来ないものは何もないのだというような気分になる〕」 ❸事柄の重要さや他への影響などが一般に予測される程度を超えていて、無視できない様子だ。「△不安（ショック・得るところ）が―／△影響（責任・波紋）が―／―問題を抱えて苦慮する／有望な新人を獲得したことはチームの将来にとって―／語学力の有無が大きく物を言う／頭から大きく〔=居丈高な態度に〕出る／態度が―〔=⇩態度❶〕」 派 **―さ [0]「期待の―」

オーキシン③〔auxin〕植物の生長、特に細胞の伸長を速める物質。植物生長ホルモン。アウキシン③とも。

おおきど⓪③【大木戸】㊀表門の木戸。㊁江戸時代、都市の出入口に設けた関。表記「大《城戸》」とも書く。

おおきな①【大きな】(連体)〔「大きなる」の変化〕大きい。「—意味を持つ/—問題が横たわる/—山場を迎える/—顔をする〔=自分(ひとり)が偉い者であるような様子をする〕/—お世話だ〔=よけいなおせっかいだ〕/—〔=おおげさな〕事を言う/—口をたたく〔=⇒大口(グチ)㊁〕」

おおきに①【大きに】㊀(副)「大いに」の文語形。「—迷惑だ」㊁(感)〔各地の方言。特に関西で好んで使う〕ありがとう。

おおきみ③⓪【大君】〔雅〕「天皇」の意の敬称。「おおぎみ」とも。〔広義では、親王・王子・王女の敬称にも用いる〕

おおきやか③【大きやか】—な/—に いかにも大きい様子。

オーきゃく⓪【O脚】直立した時、膝(ヒザ)をそろえようとしてもそろわず、全体がO字に似た脚(シア)の形。〔程度のひどいのが、がにまた〕↔X脚

おおぎょう⓪①【大形・大仰】—な/—に やる事が大げさで、わざとらしく見える様子。「—なしぐさ」

おおぎり⓪【大切り】㊀大きめに△切ること(切ったもの)。㊁〔芝居で〕その日の演目の最後のもの。表記㊁は「大喜利」とも当てる。

オーク①〔oak〕カシ・ナラ・カシワなどの木や木材。造船・工具・家具用。「—の樽(タル)」

*__おおく__①【多く】〔文語形容詞「多し」の連用形〕㊀数量の多いこと。「国民の—〔=大多数〕は反対している/—を語らなかった/—を望まない〔=そうりっぱに出来ることを期待しない〕」㊁(副)全体の中で大きな割合を占めている様子。「運動会は、昔は—秋に行なわれたものだ/犬に—見られる病気」

おおぐい⓪①【大食い】普通の人よりも(一度に)たくさん食べる△こと(人)。大食(タイショク)。「痩(ヤ)せの—」

おおくくり⓪③【大《括り》】—な/—に 複数の異なるものを何らかの基準でより大きい区分にまとめること。「おおぐくり」とも。「これまでの意見を—にすると、三つにまとまる/—の分類」

オークション①〔auction〕競売。せり売り。「切手の—」

オークス①〔Oaks〕イギリスで毎年行なわれる、三歳牝馬(ヒンバ)による競馬。〔広義では、日本で行なわれる同趣のものをも指す〕

おおぐち⓪【大口】㊀口を大きく開けること。「—をあける」㊁大げさな言葉。「—をたたく〔=大げさなことを言う。『大きな口をたたく』とも〕」㊂取り扱うものの金額や量の多いこと。「—の寄付」↔小口

おおぐみ⓪【大組(み)】〔新聞の印刷で〕校正の終わった一部分ずつの組版や写真・図版などを紙面に配置して、一ページごとにまとめること。また、その組版。

おおくらしょう④【大蔵省】国の財政を取り扱った、中央の行政官庁。〔長官は「大蔵大臣⑤」で、俗に、家計の責任者である主婦の称としても用いられた。二〇〇一年「財務省」に改称〕

オークル①〔フ ocre〕〔「黄土(オウド)」の意〕小麦色。

オーケー①〔OK〕〔O.K. 語源未詳〕㊀(感)承知した。よろしい。オーライ。㊁—する(他サ)承諾。「—を与える」

おおげさ⓪【大《袈裟》】—な/—に〔もと、袈裟がけに一刀のもとに斬(キ)る意〕相手に強く印象づけようとして、その程度などを、△実際(実質)以上に強調して示す様子だ。「—な△装飾(身振り)/—に△言う(痛がる)」

オーケストラ③〔orchestra=劇場の舞台前の平土間〕㊀管弦楽(団)。㊁〔←orchestra box〕〔劇場で〕舞台のすぐ前にある楽団員席。

おおけない④(形)〔「ない」は、文語形容詞を形作る接辞「なし」の口語形〕自分の身分には ふさわしくなく、とてもそんなだいそれた事は出来ない。「庶民の分際ではおおけなくも皇室の問題に立ち入る気は毛頭ない」

おおごえ③【大声】(必要以上に)大きな声。「—で話す/—をあげる」

おおごしょ⓪③【大御所】㊀隠居した将軍(の居所)。㊁その道の大家として、隠然たる勢力を持っている人。「文壇の—」

おおごと⓪【大事】そのまま放っておくわけにはゆかず、何らかの対応や対処を必要とされる出来事。「△そいつは(やりそこなったら)—〔=大変〕だ」

おおさかずし④【大阪《鮓》・大阪《鮨》】押しずし。

おおざけ⓪【大酒】多量の酒。「—を食(ク)らう/—を飲む/—飲み④」

おおざっぱ③【大雑把】—な/—に ㊀注意が細かなところまで行き届かない様子。「—な考え方」㊁細かな点は無視して、全体を大きくつかむ様子。「ごく—な言い方をすれば/—に言うならば/—な見つもり」派—さ⑤

おおざつま③【大《薩摩》】〔←大薩摩節(ブシ)⓪〕浄瑠璃(ジョウルリ)の一派。曲節は豪快。後、長唄(ナガウタ)の一部門。

おおざと⓪【《邑》・《阝》】漢字の部首名の一つ。「邪・邦・都」などの、右側の「阝」の部分。もと「邑」、「阝」は旁(ツクリ)になるときの字体。〔居住する場所の意を表わす〕⇒こざとへん

おおさわぎ③【大騒(ぎ)】—する(自サ)度外れて騒ぐこと。「勝った負けたなどと—する」

おおじ①【大路】都(ミヤコ)などの町中を貫く大通り。〔古くは「おおち」〕「都—④」↔小路(コウジ)

おおしい③【雄々しい】(形)普通なら避けたいと思う危険や困難に、勇気をもって立ち向かう様子だ。〔男性の理想的な姿を形容する語〕↔女々(メメ)しい 派—さ③② —げ③⓪ 表記「《男々しい》」とも書く。

オージー③〔OG〕㊀〔←office girl〕女子事務員。㊁〔和製英語 ←old + girl〕〔OBからの類推〕その学校の女子の△先輩(卒業生)。

オーシーアール⑤〔OCR〕〔← optical character reader〕印刷された文字を光学的に読み取り、解析をし、電子テキストデータにする△装置(プログラム)。

おおしお①⓪【大潮】潮の干満の差の最も大きくなる△こと(時)。新月・満月の時に起こる。↔小潮

おおじかけ③【大仕掛(け)】—な/—に 仕掛け・組立てなどの大きい様子。「—な計画」

おおしきあみ④【大敷(き)網】漁具の一つ。沿岸の魚の通り道に、海岸から沖へ向かって垣根のように網を張り、魚が沖の方へ出るところを袋のような網で捕らえるもの。

おおしごと③【大仕事】その人の処理に任された△おびただしい分量の仕事(重要な任務)。

おおじしん③【大地震】震度が大きく、被害が広範囲にわたる地震。

おおじだい③【大時代】—な ひどく古めかしい△様子(もの)。〔時代遅れで、内容上見るべきものが無い場合に使う〕「—な言い方」

おおしま①【大島】〔←大島紬(ツムギ)⑤〕鹿児島県奄美(アマミ)大島で作る、かすり織りの紬。

おおすじ⓪【大筋】△大きくつかんだ(大体の)筋。「—

△で(において)一致する/―を△決める(誤らない)」

おおずもう③【大〈相撲〉】❶日本相撲協会が興行する、職業力士によるすもう。「―初場所」❷〔すもうで〕なかなか勝負のつかない、力の入った取組。表記⇩付表「相撲」

おおせ【仰せ】□⓪❶立場の上の人からの言いつけ。「―に従う」❷お言葉。「ありがたい―」□〔造語〕〔文語動詞「仰す①②」の連用形〕目上の人の言うこと。また、その言葉。「―言⓪」 **―つか・る**⑤【―付かる】(他五)「言いつかる」の尊敬語。 **―つ・ける**⑤【―付ける】(他下一)「言いつける」の尊敬語。 **―ら・れる**⑤(他下一)「おっしゃる」の改まった表現。

***おおぜい**③【大勢】△何かする(そこに居る)人数が一般に予測されるよりも多いこと。〔副詞的にも用いられ、アクセントは⓪〕「―で出掛ける/―の△客(人)/―訪ねてきた」↔小勢

おおぜき①【大関】〔すもうで〕力士の階級の一つ。三役の最上位(の人)。横綱の次。〔昔は、力士の最高位だったので、今でも、同類のうちで実力の最もすぐれたものの意にも用いられる〕

おお・せる(他下一)〔「動詞連用形+―」の形で、接尾語的に〕目的通り、なしとげる。…し終える。「いつまでも隠し―〔=きれる〕ものではない/書き―⑤」表記「《果せる・《遂せる」などと書く。

オーセンティック⑤③―な〔authentic〕真正であるさま。正統的。

おおそうじ③【大掃除】―する(他サ)ふだんしない所まで特別念入りにする掃除。〔組織内のじゃま者・反対者などをすっかり無くす意にも用いられる〕

おおそとがり⓪【大外刈】〔柔道で〕相手のからだを後ろにくずしておいて、その支柱になる足に外側から払い足をかけて倒す投げわざ。

オーソドックス④―な〔orthodox〕正統的。「―な方法/―〔=正統派〕のキリスト教徒」↔ヘテロドックス

おおぞら③【大空】晴れの日に野外で上を仰ぎ見た時、無限に続いて見える、広い空間。

オーソライズ④①―する(他サ)〔authorize〕権威を与えること。正当と認めること。「都市計画を―する」

オーソリティー③〔authority〕その方面の権威(者)。大家。

オーダー①⓪〔order〕❶順序。秩序。❷〔↑バッティングオーダー⑥〕〔野球で〕打順。❸―する(他サ)注文(すること)。「ラスト―」❹〔自然科学で〕数値の大きさの程度。「十の八乗の―」 **―ストップ**⑥―する(自サ)〔和製英語 ←order+stop〕料理店で、閉店時刻をみはからい、ある時刻で客からの注文を締め切ること。 **―メード**⑤〔和製英語 ←order+made〕あつらえて△作ったもの(作ること)。オーダーメイドとも。テーラーメード。↔レディーメード

おおだい⓪【大台】❶〔規模の大小や評価の高低などを判断する上で〕大きな境目となる数値。「―を割る/ついに二百勝の―を突破」❷〔かつての株式・相場で〕十円単位で相場を示す「台」に対して、百円を単位とする、値段の範囲。〔穀物や生糸などは千円が単位〕「五百円の―に乗せる」

おおだいこ③【大太鼓】神社の祭礼や芝居の囃子などで用いる、大きな太鼓。〔洋楽のそれはバスドラム③とも言う〕↔小太鼓

おおたちまわり⑤【大立(ち)回り】〔演劇で〕激しい△取っ組合い(斬り合い)を演じること。〔広義では、大勢が腕力に物を言わせて演じるはでなけんかをも指す〕

おおだてもの⓪④【大立(て)者】一座の中で一番すぐれた俳優。〔その社会で一番の実力者の意にも用いられる。例、「政界の―」〕

おおだな⓪【大《店】大きな構えの店。

おおつえ③⓪【大津絵】江戸時代中ごろから、近江の国大津で売り出した、仏・菩薩や民間信仰・伝説などに登場するものを描いた絵。

おおづかみ③【大〈摑み】〔手の指を広げて一度にたくさんつかむことの意から〕物事の大体をとらえ、理解すること。「―に言えば」

おおつごもり④③【大〈晦】〔雅〕「おおみそか」の古来の称。

おおづつ⓪【大筒】昔、大砲を指して言った言葉。

おおつづみ③【大鼓】おおかわ。

おおっぴら⓪【大っぴら】―に―な〔「大開き③⓪」の意の強調形〕言いわけをしたり人に遠慮したりしないで、何かをする様子。「―に〔=公然と〕休む」

おおつぶ⓪【大粒】普通よりも粒が大きいこと。また、その粒。「―の雨/―の涙」

おおづめ⓪【大詰(め)】❶〔芝居で〕一番終りの場面。❷〔展開してきた物事の〕終りの△段階(場面)。「―を迎える/―の段階に入る/審議が―になる」

おおて①【大手】❶その城の正面。「―門③・―町③」❷敵の主力部隊と正面衝突する部隊。❸〔↑大手筋③〕一度に多額の売買をする、有力会社や相場師。↔まばら ❹同業の中で、大規模な会社。「私鉄の―はスト中止/業界の最―」〔❶❷の対義語は、からめて〕

おおで⓪【大手】腕の付け根から指の先まで。「―を広げる〔=両手を横に広く広げる〕/―を振って〔=両手を大きく振って。遠慮しないで歩く形容〕まかり通る」

おおてあい③【大手合(い)】〔碁で〕棋士の昇段を決める公式戦。

オーディーエー⑤【ODA】〔←Official Development Assistance〕政府開発援助。先進国の政府機関から発展途上国や国際機関になされる援助。無償援助、借款・技術協力など。

オーディオ⓪①〔audio〕❶〔ラジオ・テレビなどの〕音声に関する部分。「―ビジュアル・―メーター⑤・―テープ⑤〔=録音テープ〕」⇩ビデオ ❷〔ステレオやFM放送などを〕自分で再生・受信装置を組み合わせたり作ったりして、良質の音響効果を選んで聞くこと(装置)。「―マニア⑤」

オーディション③①〔audition〕レコード会社・劇団などが〔専属〕契約を結ぶかどうか決めるために、△歌手(俳優)の力をテストすること。試聴。

おおでき⓪【大出来】りっぱな出来ばえ。「―に通る」

オーデコロン④〔フ eau de Cologne=ケルンの(香)水〕顔やからだをふく時に使う、香水の入った化粧水。主成分はアルコール。

おおてぼう③【大手亡】「手無しインゲン④〔=つるの出ないインゲン〕」の商品名。てぼう⓪。

オート①❶〔auto←automobile〕自動車。❷オートバイ・オート三輪・オートレースの略。

おおど⓪【大戸】〔商店などの表口の〕大きな引き戸。「―をおろす」

おおどうぐ③【大道具】舞台の場景を形作る建物・岩・立ち木・書割りなど。「―方⓪」↔小道具

おおどおり③【大通(り)】〔町なかの〕幅の広い道路。

おおどか②―に―な わずらわしい事・細かい事に関心を払わず、のんびりしている様子。「昔の―な寮生活」

オートクチュール⑤〔フ haute couture=パリにある高級

衣装店〕 最新流行の仕立て(をした服)。オートクーチュール⑥とも。

おおどころ③⓪【大所】❶大きな構えの家。資産家。❷その社会で、有力な会社や人など。「繊維業の━／この道の━」「おおどこ⓪」とも。

オートさんりん④【オート三輪】荷物運搬用の三輪自動車。略してオート。かぞえ方 一台

おおとし⓪【大年】「おおみそか」の古風な表現。表記「大《歳」とも書く。

おおどしま③【大年《増】年増をとうに過ぎた女性の称。〔江戸時代は三十代、昭和に入ってからは四十代を指したが、現在では花柳界以外ではあまり用いられない〕

オートチャージ④━する(自他サ)〔和製英語 ←auto＋charge〕電子マネーの残金が一定の金額以下になると、自動的に入金されること。「━機能⑦」かぞえ方 一回

オードトワレ④〔フ eau de toilette＝化粧水〕香水の一つ。香水より軽く、香りの弱い化粧水。

おおとの⓪③【大殿】〔もと、(宮殿の)正殿の意〕貴人の当主(の父)の敬称。

オートバイ③〔和製英語 ←auto＋bicycle(オートバイシクル)の省略形〕小型ガソリンエンジンを取り付けた二輪車。モーターサイクル。自動二輪車。単車。略してオート。かぞえ方 一台

オートファジー④〔autophagy〕細胞がその細胞内の不要なたんぱく質を分解する仕組み。自食作用。細胞内の浄化、分解した成分の再利用などをする。

オートフォーカス④〔auto-focus〕〔カメラ・撮影機で〕被写体にレンズを向けると電子装置により自動的に焦点の合う仕組み。「━カメラ⑧」

オードブル①〔フ hors-d'œuvre（＝オルドーブル③）の日本語形〕〔西洋料理のコースで〕スープの前に出る、軽い食べ物。前菜。

オートマチック〔automatic〕■一⑤④自動拳銃(ケンジュウ)④。■二(造語) 自動(式)。「━ドア⑧・━プレーヤー⑨〔＝レコードの自動演奏装置〕・━〔＝自動変速装置付きの〕車⑦〔＝AT車・オートマ車④とも〕」

オートマット④ ■一〔Automat＝商品名〕フィルム自動巻取り装置(のカメラ)。■二〔automat〕自動販売機。

オートミール④〔oatmeal〕ひき割りにしたエンバク(のかゆ)。牛乳や砂糖で味付けをする。

オートメ⓪ オートメーションの略。

オートメーション④〔automation〕自動的に動かしたり作ったり 調整したりする仕掛け。自動制御装置⑦。

おおとり⓪【大鳥】ツル・コウノトリのような大形の鳥。表記「《鵬・《鳳・《鴻」とも書く。

オートレース④〔和製英語 ←auto＋race〕△オートバイ(自動車)の競走。略してオート。〔ギャンブルの対象として行なわれるものもある〕

オートロック④〔和製英語 ←auto＋lock〕扉を閉めると自動的に鍵が掛かる仕組みの錠(ジョウ)。自動ロック。

オーナー①〔owner〕(球団・船・自動車などの)持主。所有者。 **━シェフ**⑤〔和製洋語 ←owner＋フ chef〕料理長を兼ねるレストランの経営者。 **━ドライバー**⑥〔owner-driver〕自家用車を持っていて、自分で運転する人。自家用車族⑤。

おおなた⓪【大《鉈】大きななた。「━を振るう〔＝思い切って規模を縮小して、△事業(組織)の整理をはかる〕」

おおなみ⓪【大波】大きな波。「経済変動の━に見舞われる」

オーナメント①〔ornament〕装身具・装飾品などの総称。

おおにぎわい③【大《賑(わ)い】大勢の人が押しかけて混雑していること。「海も山も━だ」

おおにゅうどう③【大入道】ずばぬけて大きい、坊主頭の男(の形の化け物)。

おおにんずう③【大人数】△通常考えられる(予想していた)よりもきわだって人数が多いこと。

おおね⓪①【大根】❶「だいこん」の古称。❷〔雅〕物事の根本。

おおの⓪【大野】〔雅〕広い野原。

おおば⓪【大場】〔碁で〕大きな利益を得るために、必ず石を置くべき場所。

おおば⓪【大葉】〔食品として売買される〕青ジソ。かぞえ方 一枚：一束・一把(イチワ)

オーバー①〔over〕■一━する(自他サ)〔定められた〕限度や限界を△超える(越す)こと。「予算を━する」■二オーバーコートの略。■三━な 大げさな様子。「━な表現」 **━アクション**⑤〔overaction〕演技や身振りが過剰で大げさな△さま(こと)。 **━ウエート**⑥〔overweight〕〔ボクシング・レスリングで〕選手の体重が規定の重量を超過すること。 **━オール**⑤〔overalls〕❶自動車修理工などが着る、上下続いた作業服。オーバーロール⑤とも。❷足まですっぽり包む、上下一続きになった、赤ん坊の衣服。かぞえ方 一着 **━コート**⑤〔overcoat〕外套(ガイトウ)。かぞえ方 一着 **━シューズ**⑤〔overshoes〕〔雨天などの際の〕靴おおい。かぞえ方 一足 **━シュート**⑤〔overshoot＝行き過ぎる〕❶相場が極端に変動すること。❷感染症が爆発的に拡大すること。感染爆発。 **━ステイ**⑥━する(自サ)〔over-stay＝長居する〕外国人が、そのビザの在留期限を越えて不法長期滞在すること。 **━スライド**⑥〔overslide〕〔野球で〕走者が滑り過ぎて塁を越してしまうこと。 **━スロー**⑥⑤〔←overhand throw〕〔野球で〕上手投げ。オーバーハンド。⇩アンダースロー・サイドスロー **━ドクター**⑤〔和製英語 ←over＋doctor〕大学院の博士課程を修了しても就職出来ないでいる人(たち)。 **━ネット**⑤〔←over the net〕〔バレーボールやテニスで〕相手コートの上にある球に、ネットを越えてさわること。反則とされる。 **━ハング**⑤〔overhang〕〔登山で〕突き出た岩。張り出した岩。「すばらしく発達した━」 **━ハンド**⑤〔overhand〕❶〔球技で〕球を△投げる(打つ)瞬間に、腕が肩より上にあがっていること。❷⇩オーバースロー **━ヒート**⑤━する(自サ)〔overheat〕エンジン・モーターなどが過熱△すること(して正常な機能を失うこと)。〔ある傾向が過度に強まり、常軌を逸しているとしか思えない状態になることも指す。例、「━した財テクブーム」〕 **━フロー**⑥⑤━する(自サ)〔over-flow〕❶容器などから液体があふれ出ること。❷〔コンピューターで〕計算結果の絶対値が、その計算機の扱いうる最大の数値を超えてしまうこと。〔上位〕桁(ケタ)あふれ。 **━ヘッドキック**⑧〔overhead kick〕〔サッカーで〕空中にあるボールを、仰向けに倒れながら頭越しに蹴るもの。 **━ヘッドプロジェクター**⑩〔overhead projector〕⇩オーエイチピー **━ホール**⑤━する(他サ)〔overhaul〕〔航空機・自動車・機械類の〕分解手入れ。 **━ラップ**⑤━する(自サ)〔overlap〕〔映画で〕前の画面が消えないうちに次の画面が現われて来るようにした手法。時間の経過を表わす時などに使う。〔過去の思い出(の情景)が眼前の事に重なる意にも用いる〕 **━ラン**⑤━する(自サ)〔overrun〕❶△航空機が滑走路の限界線(野球の走者がベース)を、勢い余って走り越すこと。❷機械の運転が、設計で予定された限界を超えること。 **━ローン**⑤〔overloan〕銀行が預

金高以上の貸出しをすること。貸出し超過。 **ーワーク**⑤〔overwork〕規定以外の仕事。過重労働④。

おおばけ⓪【大化(け)】ーする(自サ) 芸能人や投機的な商品などが何かをきっかけに意外なほどに人気が高まること。「去年までとは別人のようにーしたタレント」

おおばこ⓪【{車前草}・大葉子】〔大葉子の意という〕山野・道ばたに生える多年草。種や卵形の葉は薬用。「おんばこ⓪・おばこ⓪」とも。〔オオバコ科〕 かぞえ方 一本

オーバチュア①③〔overture=開始・開幕〕オペラ開幕前の前奏曲。序曲。

おおはば⓪【大幅・大《巾》】❶普通より幅の広い布。〔和服地では約七〇センチ、洋服地では約一四〇センチ〕❷ーな ーに 数量・価格・規模の変動の大きい様子。「ーな値上げ」⇩中幅・小幅

おおはらい③【大〈祓(い)〉】〔「大はらえ」の変化形〕人びとの罪・けがれをはらい清める神事。六月・十二月の末日に行なう。

おおばん⓪【大判】❶紙面の広いもの。❷安土桃山時代・江戸時代に通用した、楕円形の大形の金貨。↕小判

おおばん⓪【大番】❶平安末期から鎌倉時代にかけて、宮中の守護のため京都に駐在した諸国の武士。❷〔←大番組⓪〕江戸時代、江戸・大坂・京都の城を、交替で守護した職名。

おおばん⓪【大〈鷭〉】からだの大きくて黒い水鳥。頭には短い白い毛があり、足は青黒い。〔クイナ科〕 かぞえ方 一羽

おおばんぶるまい⑤【大盤振(る)舞(い)】ーする(自サ) 〔「〈椀飯〉振舞」の変化。昔、正月初めに親類を呼んで宴会を催したこと〕盛んなもてなし。「おうばん振舞」とも。〔広義では、要求する側の言うままに予算などを配分することをも指す〕 表記 「大盤」は、借字。

オービー③【OB】〔←old boy〕⇩オールド ボーイ❶

おおびき⓪【大引】束の上に渡して、直接、根太を直角にささえる、太い横木。

おおびけ⓪【大引(け)】〔取引で〕その日の最終回の△売買(時の相場)。↕寄り付き

おおひろま③【大広間】〔会合などのための〕非常に広い部屋。

おおふう①【大風】ーな ーに 「おうへい」の意の古風な表現。

おおぶたい③【大舞台】❶広く大きな舞台。とくに役者にとって一度はそこに立ってみたいあこがれの舞台をさす。❷世間から注目されるような活躍の場。「甲子園は高校球児たちのーだ」

オープニング⓪〔opening〕❶(初めての)公開。「ーショー⑥⑦」❷始まり。開始。 **ーナンバー**⑦〔opening number〕〔ジャズの演奏会や番組などで〕最初の曲。

おおぶね⓪【大船】大きな船。「ーに乗ったような気持〔=信じきって安心している気持〕」

おおぶり⓪【大振(り)】↕小振り ❶ーする(他サ) 〔野球でバットを〕大きく振ること。❷ーな 〔同類に比べて〕幾分大形な様子。「ーの茶碗」

おおぶり⓪【大降(り)】ーする(自サ) 雨や雪がひどく降ること。↕小降り

おおぶろしき③【大風呂敷】大きな荷物が包める、大形の風呂敷。「ーを広げる〔=出来そうにもない大げさな話や、ほら話をする〕」

オーブン①〔oven〕西洋料理用の蒸焼き器。内部に棚を設け、下と上から火力が加わる、鉄製・方形の箱。天火。 かぞえ方 一台 **ートースター**⑤〔oven toaster〕小型のオーブンとしても使えるトースター。 **ーレンジ**⑤〔和製英語 ←oven＋range〕オーブントースターと電子レンジの機能を併せ持った電気調理器。 かぞえ方 一台

オープン①〔open〕❶❶ーする(自他サ) 開場・開館・開店など、営業を開始すること。「結婚式場がーする」❷オープンカーの略。❸オープンゲームの略。「全英ー(テニス)」❹「オープン投信」の略。❷ーな ーに 開いた。開放的。「ーな態度」 **ーカー**③⑤〔open car〕屋根があけられる自動車。 かぞえ方 一台 **ーかかく**⑤【ー価格】商品の販売価格をメーカーが決めるのではなく、小売店が自由に決める△こと(価格)。 **ーカフェ**⑤〔和製洋語 ←open＋フ café〕歩道や広場に面した壁や窓を開放し、戸外にも席を配置した喫茶店やレストラン。 **ーキャンパス**⑤〔和製英語 ←open＋campus〕入学希望者を対象に、大学が行なう説明会や学校見学会。 **ーゲーム**⑤〔open game〕❶プロかアマかを問わずに参加できる競技会。公開競技会。❷「オープン戦」に同じ。 **ーコース**⑤〔open course〕〔陸上競技の長・中距離競走やスピードスケートレースで〕一人ひとりの走路が区分されていないもの。↕セパレート コース **ーサイド**⑤〔open side〕〔ラグビーなどで〕△スクラム(ボール)の位置から見て、タッチラインまでの幅が広い方の側。↕ブラインドサイド **ーシャツ**⑤〔open shirt〕襟元のボタンを止めないで着る、前開きのシャツ。 かぞえ方 一枚 **ーショップ**⑤〔open shop〕雇用条件として、労働者が労働組合員であるかないかは関係の無い制度。↕クローズドショップ **ースペース**⑥〔open space〕❶敷地内の空き地。建物内でさえぎるものを取り払った空間。❷〔サッカーで〕相手選手のより少ない地域・空間。 **ーセット**⑤〔和製英語 ←open＋set〕撮影所内の、戸外撮影用の施設。 **ーせん**⓪【ー戦】〔プロ野球で〕シーズンオフに行なわれる非公式試合。オープンゲーム。↕公式戦 **ーソース**⑤〔open source〕複製・修正・再配布を一定の条件のもとに自由に行なうことができるコンピューター プログラム。 **ーとうしん**⑤【ー投信】〔←オープン型投資信託⑩〕投資信託のうちで、運用開始後も時価に手数料を加えた金額で買うことが出来るもの。

おおべや⓪【大《部屋》】❶大きな部屋。❷下級の俳優たちが一緒に居る部屋。また、その俳優。「ー女優」❸〔病院などで個室と違って〕何人かの人が、起居などを共用する部屋。 表記 ⇩付表「部屋」

オーボエ①⓪〔イ oboe〕高音の木管楽器。リードが二枚あり、落ち着いた繊細な音を出す。主としてオーケストラ用。 かぞえ方 一本

おおぼね⓪【大骨】これ以上は出せないと思うほどの労力。「ーを折る〔=大変な苦労をする〕」

おおまか⓪【大まか】ーな ーに 大体のところを押さえるだけで、細かいところまでは及ばない様子。「ーな〔=大体の〕印象では／ーな〔=細かいところにこだわらない〕人／ーな区別／ーに分ける」 派 ーさ⓪③④

おおまじめ③【大〈真面〉目】ーな ーに 〔普通の人ならばからしく思って、考えたりやったりしない事を〕当人だけは至ってまじめに考えたりやったりする様子。 表記 ⇩付表「真面目」

おおまた⓪【大股】△前後(左右)に開いた股の開きが広いこと。〔狭義では、歩幅の大きいことを指す〕「ーに歩く」↕小股

おおまわり③【大回(り)・大〈廻(り)〉】ーする(自サ) ❶遠い回り道。❷大きな円を描いて回ること。「右ー左小回り」↕小回り

おおまんどころ⑤【大《政所》】△摂政(関白)の母の敬称。

おおみ―【大《御》】(接頭) 昔、神や天皇に関する語に添えて、尊敬を表わす。〔「おおん・おん」は、これの変化〕「―心④・―宝⓪(=天皇から見た人民の称)・―代③」

おおみえ⓪―【大見え】せいいっぱいの見え。【―を切る】㊀芝居で、役者が特に目立つ「みえ㊁」を演じる。㊁人前で、自己を過大に評価したようなことを言う。「大見えを切った手前、やらざるをえない」 表記「大見得」とも書く。

おおみず③①⓪【大水】雨などのため、川の水があふれること。洪水。〔広義では、こぼれた水などであたり一面が水びたしになることをもいう〕「―が出る」

おおみそか③―【大《晦日》】十二月三十一日の称。おおつごもり。

おおみだし③―【大見出(し)】(新聞などで)△何段にもわたって(目立つように)大きい活字で示した表題や語句。

おおみや⓪―【大宮】㊀△皇居(神宮)の雅称。㊁皇太后の敬称。「―御所⑤」 **―びと**④【―人】(雅)役人として宮中に仕えた公卿。

オーム①〔ohm ←G. S. Ohm=ドイツの物理学者〕国際単位系における電気抵抗の単位で、一アンペアの電流を流すためにその両端に一ボルトの電圧をかけねばならない時の電気抵抗を表わす〔記号Ω〕。「キロ―③」

おおむかし③―【大昔】非常に遠い昔。上世。

おおむぎ⓪③―【大麦】麦の一種で、畑に作る一年草。実は小麦より大きく、のぎがある。平たくつぶして麦飯にしたりビールやみそ・しょうゆの原料にしたりする。また、わらは帽子などの細工に使ったりする。〔イネ科〕

おおむこう③―【大向(こう)】〔芝居で〕もと、二階にあった立ち見の席。また、そこで見物する(芝居通の多い)観客。「―をうならせる(=大衆の喜ぶような事をして、人気を得る)」

おおむね⓪―【《概(ね)・大《概・大旨》】(副) 多少の例外はあるにしても、全体として見るとそう言えると判断する様子。「昔の小説家は―貧乏だった/景気は―横ばいだ」

おおむらさき④―【大紫】黒褐色の羽に白と黄のまだらがある大形のチョウ。雄の羽は光沢のある紫色。日本の国蝶。〔タテハチョウ科〕 かぞえ方 一羽・一匹・一頭

おおめ⓪―【大目】〔「目」は、「目㊃㊀Ⓑ」の意か〕寛大な基準。「―に見る(=少しくらいの△欠点(不足)をあまりとがめず、見逃してやる)」

おおめ⓪―【多目】やや多いくらいの程度。「多い目」とも。「―に計る」↔少な目

おおめだま③―【大目玉】目を大きく見開いて怒ること。「―をくう(=ひどくしかられる)」

おおめつけ③―【大目付】〔江戸幕府で〕老中の下にあり、大名および幕府の政務を監督した役。

おおもじ⓪―【大文字】↔小文字 ㊀ローマ字などの字体の一つ。aに対するAなどの類。キャピタル。〔狭義では、文の初めや△固有名詞(ドイツ語の名詞)の語頭などに用いるそれを指す。⇩頭文字〕 ㊁(見出しなどに使う)本文より大きな字形の文字。

おおもて⓪―【大持(て)】非常にもてること。「―にもてる」

おおもと⓪―【大本】物事の根本。「教育の―」 **―きょう**⓪―【―教】神道教派の一つ。開祖、出口なお。

おおもの⓪―【大物】↔小物 ㊀同類の中で、大きな物。「―を△釣り上げる(がかかる)」 ㊁その△社会(組織)での幹部や、実力者と見られている人。「―食い⓪④(=勝負の世界で、自分より上位の人を、よく負かすことがある人)」 表記 ㊁は、「大者」とも書く。

おおもり⓪―【大盛(り)】御飯・そばなどを茶わんなどの容器に普通より多く入れること。また、そのもの。

おおもん①⓪―【大門】㊀(大名屋敷・城などの)表門。㊁遊郭の入口の門。

おおや①―【大家】貸家の持主。やぬし。 表記「大屋」とも書く。

おおやいし③―【大《谷石》】〔「大谷」は、宇都宮市在の、この石の産地〕火山灰などで出来た、やわらかな岩石。薄△黄(緑)色。石塀・土台石用。

***おおやけ**⓪【公】〔「大宅」で、もと天子・朝廷の意〕 ㊀〔個人と違って〕官庁または組織体。「―(=公共)の物」 ㊁一個人としてではなく、その属する機関・組織の構成員のひとりとしてかかわること。「―の立場/―の席での発言/―事」↔私 ㊂世間一般にかかわること。「事件が―になる(=一般に知られる)/内容を―にする(=声明書や本の形で公表する)」 **―ざた**⓪【―沙汰】㊀争いごとの処置を裁判所などの公的機関に持ち込むこと。㊁当事者だけの秘密にしていたことが世間に知れること。

おおやしま③―【大八《洲》】日本列島の雅称。やしま①。「―国⑤(=日本国の美称)」

おおやまと③―【大〈大和〉・大〈倭〉】△大和国(日本国)の美称。 表記 ⇩付表「大和」

おおゆき⓪―【大雪】↔小雪 ㊀雪がやまずにひどく降ること。「きょうも―だ/―注意報⑦」 ㊁いつもよりたくさん積もった雪。

おおよう⓪―【大様】―な/―に すべてに寛容で、相手を疑う気持や競争心などをおよそ持っていない様子。「―にうなずく」 派 **―さ**⓪ 表記「〈鷹揚〉」は、タカが大空を飛翔して下界を睥睨する意で、もと本語とは無縁。

おおよそ⓪―【大《凡・《凡そ》】(副)〔「凡」「総」「諸」「大都」の訓として行なわれた〕多少は欠けている点や誤っている点があるかもしれないので完全だとは言えないが、主要な部分を含めた大部分については的確にとらえていると判断する様子。「―一か月で仕上がるだろう/彼の発想は―短絡的で説得力に欠ける/新企画の―のところはわかった」〔名詞としても用いられる。例、「事件の―を説明する」〕

おおよろこび③―【大喜(び)】―する(自他サ)(表情や態度にはっきりと現われるほど)非常に喜ぶこと。

おおよわり③―【大弱(り)】難題を言いかけられたりして、すっかり困ること。

オーラ①〔aura〕(その世界で一流だとされている人物などについて)その人から発散されていると感じられる、並の人には無い、独特の雰囲気。「さすが重鎮と言われるだけの―が感じられる歌舞伎役者だ」

オーライ①(感)〔all right を耳で聞いたまま写した語形〕そうして差しつかえ無い。「発車―・バック―」

おおらか②③―【大らか】―な/―に 他人に接する態度などが寛容で、細かい事にこだわらない様子。「―な心の持主」 派 **―さ**④③

オーラス⓪〔和製英語 ←all＋last〕〔マージャンで〕ゲームの最後となる勝負。〔広義では、催し物の最後の演目をさす〕

オーラミン⓪〔ド Auramin〕毒ガスのホスゲンから作った黄色染料。たくあんなどの着色に使われたが、有毒。

オーラル〔造語〕〔oral〕文字によらず、口頭で伝えることを表わす。「―メソッド⑤(=外国語の口頭教授法)・―コミュニケーション⑧(=外国語による口頭伝達)」 **―ヒストリー**⑤〔oral history〕〔歴史学・社会学などで〕口述による伝承や証言の記録。

オール〔造語〕〔all〕すべての。全。「―オアナッシング⑥(=すべてかまたは無か)/―日本⑥・―ウエーブ・―ナイト」

オール⓪〔oar〕ボートの櫂(カイ)。「―をとる〔=ボートを漕(コ)ぐ〕」 かぞえ方 一本

オール ウエーブ⑤〔all-wave〕全波(受信機)。

オール ウェザー④〔all-weather〕全天候向きの。晴雨兼用の。

オールスター キャスト⑦〔all-star cast〕人気俳優の総出演。

オールスター せん⓪【オールスター戦】〔all-star〕〔プロ野球で〕ファンの投票などで決めた人気選手によって一チームを構成し、それぞれ所属のリーグを代表して戦う試合。

オールスパイス⑤〔allspice〕香辛料の一つ。シナモン・クローブ・ナツメグの三種を合わせたような かおりがする。

オールド(造語)〔old〕古い。「―ファッション⑤・―ジェネレーション⑦〔=老年層〕」⇔ニュー **―タイマー**⑤〔old-timer〕一時代前に活躍した人。 **―ボーイ**⑤〔old boy=校友〕❶卒業生のチーム。略してオービー(ＯＢ)。❷老選手。 **―ミス**⑤〔和製英語 ←old＋miss〕婚期をすぎても結婚しないでいる女性。老嬢。

オール ナイト④〔all-night〕終夜(営業)。

オール バック④〔和製英語 ←all＋back〕髪を分けずに全部うしろへすき上げること。

オールマイティー④〔almighty〕㊀❶全知全能(の神)。❷〔トランプで〕最も強い札〔=スペードのエース(Ａ)〕。㊁―な 万能であること。

オール ラウンダー④〔all-rounder〕❶いくつもの競技種目、またあらゆるポジションをこなす選手。万能選手。オールラウンド プレーヤー⑨。❷多方面で高い能力を発揮する人。

オール ラウンド④〔all-round〕多方面にわたる能力がある。「―プレーヤー⑨」

おお るり⓪(オホ)【大瑠璃】山林にすむ小鳥。背中と羽が瑠璃色で、鳴き声が美しい。〔ヒタキ科〕 かぞえ方 一羽

オーレオマイシン⑤〔Aureomycin=商標名〕抗生物質の一種。一般名はクロルテトラサイクリン。

オーロラ⓪〔aurora=ローマ神話で、暁の女神〕〔高緯度の地方で〕一一〇キロ前後の上空にカーテン状・アーチ状などの薄いいろいろの光が現われる放電現象。極光。

おお わく⓪(オホ)【大枠】計画の大まかな構想や、予算・費用などのだいたいの見積り。「―を決める」

おお わざ⓪(オホ)【大技】〔すもう・柔道などで〕動きの激しい、思い切った技。「―を△振るう(掛ける)」⇔小技 表記「大業」とも書く。 **―もの**⓪④【大業物】切れ味のよいことで定評のある刀。

おお わらい③(オホワラヒ)【大笑(い)】―する(自他サ) 大きな声で(あざけり)笑うこと。

おお わらわ③(オホワラハ)【大《童】―な ―に〔戦闘に備え、兜(カブト)を着ける場合の髪型。もとどりをといた乱れ髪の意〕❶髪を振り乱して奮戦したりする形容。❷なりふり構わず仕事に打ち込む様子。「開店の準備に―だ」

***おか**⓪(カヲ)【丘】見る人に威圧感を与えることもなく、散歩がてら のぼることが出来る程度の高さの、ゆるやかに隆起した土地。「小高い―/愁ひつつ―にのぼれば花茨(ライバ)」⇩山 表記「岡」とも書く。 かぞえ方 一丘(イッキュウ)・一座

おか(カ)㊀⓪【《陸】⇔海・池㊁ ❶陸地。陸上。⇔海 ❷すずりの、墨をする部分。⇔海・池 ❸ふろの流し場。【―へ上がった《河《童(かっぱ)】もと居た環境から離れて、本来の力が発揮出来ないでいる者の形容。㊁【岡・《傍】(造語) 第三者の立場から何かをすることを表わす。「―惚(ボ)れ・―目(メ)八目(クモ)・―焼(ヤキ)」

おかあさま②【御《母様】「お母さん」の上品な言い方。〔相手の母親を指すのにも用いられる〕⇔お父(ト)様

おかあさん②【御《母さん】〔もと、「母」の意の幼児語「かか」に基づく「御(オ)かか様」の変化「御かあ様」の口語形。口頭語形は、「おかあちゃん②・おっかさん③」〕「母」の尊敬語。自分の母親△に呼びかける(を指して言う)語。また、相手や話題にしている第三者の母親を指して言う。⇔お父(ト)さん 表記 ⇩付表「母さん」

運用 (1)他人に対して自分の母親を言う場合は「はは」が普通だが、親しい間柄では「うちのお母さん」のように言うこともある。(2)子供のある夫婦の間で、夫が妻に呼びかけるのにも用いられる。(3)母親の立場にある女性△に呼びかける(を指して言う)のにも用いられる。例、「そこのお母さん/全国のお母さんがたの願い」〔(1)(2)は「母さん」とも〕

おかいこ②(カヒコ)【《御蚕】❶「蚕」を ありがたい存在と思っていう語。「―さん」❷絹糸、または絹織物。 **―ぐるみ**⑤【―《包(み)】日常着ている物が(高価な)絹織物ばかりであること。「―で〔=裕福な環境で〕育てられた」

おかえし⓪(カヘシ)【《御返(し)】❶お礼として、贈り物をすること。返礼。「お祝いの―の品」❷仕返し。報復。「このーは必ずしてやる」❸店の者が客に出す おつり。「二百円の―です」

おかえり⓪(カヘリ)【《御帰(り)】㊀「帰ること」の意の尊敬語。「―はいつごろですか/お代は見ての―」㊁(感)「お帰りなさい」の省略表現。 **―なさい**⑥(感) 帰宅した人を迎える挨拶(アイサツ)の言葉。〔同輩以下には「お帰り」とも言う〕

おかか㊀⓪ かつおぶし。〔もと女房詞(ニョウボウコトバ)〕㊁②〔各地の方言〕母または人の妻。

おかかえ⓪(カカヘ)【《御抱(え)】その人の生活を保証して、△個人的に(組織の専従者として)専門的な技能を持つ人を雇うこと。また、その雇われた人。「―の運転手/会社―の弁護士」

おかがみ⓪【《御鏡】「鏡もち」の丁寧語。

おかき②「かきもち」の丁寧語。〔もと、女性語〕 表記「《御欠き」とも書く。

おがくず③(クヅ)【《大〈鋸屑〉】〔「おが」は、大きな のこぎりの意〕のこぎりで挽(ヒ)き切る時に出る、細かい木屑。

おかぐら②【《御《神《楽】❶「神楽」の尊敬語。❷平屋に二階を増築△すること(したもの)の意の俗称。❸灰(ハイ)神楽。 表記 ⇩付表「神楽」

おかくれ⓪【《御隠(れ)】〔一般に「―になる」の形で〕身分の高い人が死ぬ意の婉曲(エンキョク)表現。

***おかげ**⓪【《御〈蔭・《御陰】〔「お」は丁寧さを添える接頭語〕❶神仏や善意ある人から受けた恩恵(によって得られた幸運)。「―をこうむる/今日の成功はひとえに先輩の―だ/一人前の社会人になれたのはだれの―だと思っているのだ」❷△偶然の出来事(本来、それを意図して行なったものではないこと)によってもたらされた幸運。「事故に遭わずに済んだのは電車が遅れた―だ」❸〔「―で」の形で、接続詞的に〕前件の有形・無形の効果として、後件の△好ましい(幸運な)状態がもたらされたととらえることを表わす。「ご協力ありがとう。―で万事うまく運んだ/今年の夏は天候が順調だった。―で豊作疑いなしだ」 文法 ❶❷とも「おかげで」の形で接続助詞的に用いられる。❶の例、「君がいてくれたおかげで恥をかかずに済んだ」、❷の例、「若いころサッカーできたえたおかげで、六十を過ぎても足が丈夫だ」

運用 ❶～❸とも、多く「おかげで」の形で、自分がひどい目にあう原因となった事柄を皮肉を込めて言うことがある。その点では「せいで」と類義的になる。例、「あいつのおかげで人前で大恥をかかされた/人身事故があったおかげで会社に遅刻してしまった/主賓はついに現われなかった。おかげで祝賀会

** *は重要語，⓪①… はアクセント記号，品詞の指示の無いものは名詞および いわゆる連語。

はしらけきってしまった」 —さま[0]【—様】他人から受けた支援や親切に対して謝意を表わす言葉。「—にて愉快な旅が出来ました」 —まいり[4](マヰリ)【—参(り)】〔沿道の富豪などの接待に支えられてお参りができたことから〕江戸時代、約六十年ごとに数回流行した、伊勢神宮への集団参拝。

おかざり[2]【《御飾(り)】❶神仏の前の△飾りつけ(供え物)。❷正月のしめ飾り。❸⇩かざり[二]❸ [かぞえ方] ❷は一本

おがさわらりゅう[0](ヲガサハラリウ)【小〈笠原流】室町時代に小笠原長秀が定めた、武家の礼儀作法の流派。〔(堅苦しい)礼儀作法の典型とされる〕

*おかし・い[3](ヲカシイ)(形) ❶その場にふさわしくない言動などに接して、思わず笑いたくなるような気持だ。「いつも—事を言って人を笑わせる/おもしろくも おかしくもない〔=⇩おもしろい❷〕」 ❷正常な機能が失われたり 予想外の展開を見せたりして、△納得できない(何らかの対応が必要だと思われる)状態だ。「△胃(機械)の調子が—/そぶりが—/三時間待っても来ないのは—」 ❸△論理的に考えて(社会通念に照らして)正しいものとは認められない状態だ。「義務も果たさず権利を主張するのは—/自分から言うのも—〔=筋違いだ〕が」 [派] —さ[2][3] —げ[0][3][4] —み[0][4] —が・る[4]

おかし な[2](ヲカシ)(連体) おかしい。「—事だ/—人」 [表記]「〈可笑〉しい」などとも書く。

おかじょうき[3](ヲカ)【《陸蒸気】〔蒸気船に対し、陸を走ることから〕明治初期の、汽車の通称。

おかしらつき[0](ヲ)【尾頭付(き)】祝い事用の、尾も頭も付けたままの焼き魚。普通、タイを用いる。尾頭[0]。

*おか・す[0][2](ヲカス)(他五) [一]【犯す】❶〈なにヲ—〉そうすれば当然罰せられる事をする。「禁を—/法を—〔=法律にそむいた行為をする〕/罪を—〔=罪に問われるような悪い事をする〕/面(オモテ)を—〔=⇩面❶〕」 ❷〈なにヲ—〉知らず知らずのうちに、好ましくない結果に至るような事をしてしまう。「△過ち(誤り・愚)を—」 ❸〈だれヲ—〉性的な暴行を加える。「力ずくで—」 [二]【侵す】❶〈どこヲ—〉他人の領域に無断で入ったりなどして、損害を与える。「国境を—」 ❷〈なにヲ—〉他人が持っている権利・権益や、権限に圧迫を加えて、自由な存在や社会活動にダメージを与える。「自由を—/△所有権(プライバシー)を—〔=無視して、相手に損害を与える〕」 ❸〈なにヲ—〉人の上に立つ存在に不当な侮蔑(ブベツ)を加え、その神聖や権威を汚す。「—べからざる威厳」 ❹〈なにヲ—〉マイナスの△自然現象(生理状態・心理状況)がそのものを痛撃して、自由な活動をうばう。「不治の病に侵される〔=…にからだが蝕(ムシバ)まれる〕/△肺(神経・骨)を侵される」 [三]【冒す】〈なにヲ—〉❶危険をかえりみず、障害・困難にたじろがず、果敢に目的の事をしようとする。「嵐(アラシ)を冒して〔=嵐に構わず〕進む/危険を—」 ❷今までの姓をやめて、他人の姓を新たに名乗る。「田中の姓を—」 [表記] [二]は、「犯す・冒す」とも書く。

*おかず[0]〔「御数(オカズ)」の意。もと女房詞(コトバ)。膳(ゼン)に幾種類かの副食物をそろえることから〕副食物。おさい。「ご飯の—」 [表記]「《御数》」とも書く。

おかた[0]【《御方】❶他人の敬称。お人。「あの—」 ❷〔雅〕貴人の妻の敬称。〔後には、一般に他人の妻の敬称〕

おがたまの き[6](ヲガタマ)【小賀玉の木】春、基部に紅紫色の彩りがある白色の小さな花を開く常緑高木。葉は厚くてつやがあり、よく神社の境内に植える。〔モクレン科〕 [かぞえ方] 一株・一本

おかちめんこ[4] 顔の醜い女性の俗称。〔侮蔑(ブベツ)を含意する〕

おかっぱ[0]【《御《河《童】前髪はまゆの上で、横・後ろは首筋のところで切りそろえた髪の形。「—頭[5]」

おかっぴき[0](ヲカ)【岡っ引(き)】江戸時代、犯罪捜査や犯人の逮捕の役に当たった町人。目明かし。御用聞き❷。

おかづり[0](ヲカ)【《陸釣(り)】陸上から魚を釣ること。↔海釣り ⇩磯釣り

おかどちがい[4](チガヒ)【《御門違(い)】〔△自分の(尋ねる)家かと思い、まちがって他の家に入る意〕目指す対象からはずれ、まちがってねらいをつけること。「—もはなはだしい」

おかね[0]【《御金】日びの生活を営む上で不可欠のものとしてとらえた「かね❸」。「何かと—がかかる」

おかばしょ[0](ヲカ)【岡場所】江戸時代、江戸の未公認の遊女屋の称。

おかぶ[1](ヲ)【雄株】植物の中で雄花だけをつける株。↔雌株

おかぶ[0]【《御株】「株[二]❷」の丁寧語。「—を奪う〔=相手の得意とする領域の事を自分が取って代わってする〕」

おかぼ[0](ヲカ)【《陸《稲】〔陸の穂の意〕畑に植えるイネ。りくとう。

おかぼれ[0](ヲカ)【岡〈惚(れ)】—する(自サ) ❶他人の恋人である人に横合いから惚れて、熱を上げること。❷相手の気持にかかわりなく、自分だけが好きになり夢中になること。 [表記]「《傍〈惚れ」とも書く。

おかま[0]【《御釜】❶「釜」の丁寧語。「—を起こす〔=財産を作る〕」 ❷火山の噴火口。❸「尻(シリ)・男色・かげま」の意の俗称。〔侮蔑(ブベツ)を含意して用いられる〕

おかまい[0](カマヒ)【《御構(い)】❶〔江戸時代に〕Ⓐ〔「—無し」の形で〕無罪になることを表わす。Ⓑ〔「…—」などの形で〕その土地からの追放刑を表わす。「江戸—[3]」 ❷〔多く、「—(も)△無く(無しに)」の形で〕△その人(その場)の状況に何ら配慮もせずに振る舞う様子を表わす。「人の事は—無しに言いたいことを言う/—も無くちらかし放題だ」 [運用] (1)「どうぞお構いなく」の形で、たいした客ではないのだから気を使わないようにと、訪問客が挨拶(アイサツ)の言葉として言う。(2)「何のお構いも いたしませんで」などの形で、辞去する客に対して もてなしが不十分だったと謙遜(ケンソン)していう挨拶として用いられる。

おかみ[2]【〈女将〉】〔「御上(オカミ)」と同源〕〔料亭・旅館などの〕女主人。 —さん[0] ❶「おかみ」の軽い敬意をこめた呼称。❷「他人の妻」のややくだけた呼称。〔多く商店などの店主の妻を指して言う〕 ⇩かみさん [表記]「〈内儀〉さん・《御神さん」とも書く。

おかみ[2]【《御上】❶〔雅〕朝廷・天皇の敬称。❷役所・政府・官憲の称。〔反発や嫌悪感を含意して用いられることが多い〕「—の△仰せ(通達)/—ににらまれる」

おがみうち[0][3](ヲガミ)【拝(み)撃(ち)】両手で刀を握り、拝むような形で真上から斬(キ)りおろすこと。 [表記]「拝み打ち」とも書く。

*おがみたお・す[5](ヲガミタフス)【拝(み)倒す】(他五) しきりに頼みこんで、無理に承知させる。

おが・む[2](ヲガム)【拝む】(他五) ❶〔雅〕からだをかがめて おじぎをする。❷掌(テノヒラ)を合わせて礼をする。「一肌(ヒトハダ)脱いでくれ、—から〔=こうやって頼んでいるんだから〕」 ❸貴人△に会わせ(の姿を見せ)てもらう。また、貴重な物を見せてもらう。「お顔を一目拝ませてもらいたい/宝物を拝ませていただく」 [運用] ❸は、皮肉・尊大な言い方で用いられることもある。例、「ちょっとつらでも拝んでやるか」

おかめ[2]【〈阿亀】ほおが高くて鼻の低い女性(の面)。おたふく。〔醜女の代表とされる〕 ⇩ひょっとこ —そば[4]【—〈蕎麦〉】湯葉・かまぼこや、シイタケ〔古くはマツタケ〕など

を入れたかけそば。

おかめ⓪【岡目】 第三者の立場からの見方。 **―はちもく**⑤,②-⓪,②-②【―八目】〔碁を、冷静にわきで見ていると、対局者と比べて八目分の得をする手が見えたりすることから〕局外者の方が、かえって事柄のよしあしがよく分かること。〔「八手先まで見える」とするのが通説であるが、「目」は「地」をかぞえる時の語で、手をかぞえる時には用いない〕 表記「《傍目八目」とも書く。

おかもち⓪【岡持ち】 すし屋などが使う出前箱。手を付けふたをはめた浅いおけ。

おかやき⓪【岡焼き】―する(自サ) 直接は関係の無い人に対して、やきもちを焼くこと。「―半分で悪口を言う」 表記「《傍焼き」とも書く。

おかゆ⓪【《陸湯】 あがりゆ。

おから⓪ 「豆腐殻」の美称。おかずにしたり家畜のえさにしたりする。うのはな。 表記「《御殻」とも書く。

おがら⓪【《麻《幹・〈苧殻】 皮をはいだアサの茎。盆の迎え火・送り火などに燃やす。 かぞえ方 一本

オカリナ⓪〔イ ocarina=小さなガチョウ〕△土(陶)器で作った、ハト形の楽器。口に当てて吹く。 かぞえ方 一本

オカルト⓪②〔occult=神秘的な〕 念力または超能力によって感知出来るという超自然の世界。〔その世界の存在を信じない人には、不安と恐怖を与えることがある〕「―映画⑤・―ブーム⑤」

おかわ②【《御〈厠】〔↑おかわや⓪〕「おまる」の意の女性語。

おがわ⓪【小川】 小さい川。 かぞえ方 一本・一筋・一流

おかわり②【《御代わり】―する(他サ) いま飲み食いしたものと同じ物を続けて△二杯(二皿)以上飲み食いすること。また、そのもの。「―をどうぞ/コーヒーを―する」

おかん⓪【悪寒】 熱が出たための寒け。「―がする」

おかんむり⓪【《御冠】 機嫌が悪い状態。〔口頭語的表現〕

おき⓪【置き】(造語) 一定の間隔を置いて何かが規則的に繰り返されることを表わす。「一行―に書く/一週間―に(=間に一週間を隔てて)病院に通う/一日―に(=間を一日あけて)ジョギングをする」

***おき**⓪【沖】㊀岸から遠い△海上(水面)。「舟を―へこぎ出す」 ㊁〔中部・中国の方言〕広びろとした田畑・原野。 表記「〈澳」とも書いた。

おき⓪【〈熾・〈燠】〔もと、赤く熱した炭火の意〕㊀炭火がよくおきて表面が白い灰のようになったもの。 ㊁まきが燃えて炭のようになったもの。

おぎ①【〈荻】 水辺・湿地に生える多年草。秋、ススキに似て銀白色の穂を出すが、たけが高く、穂が大きい。〔イネ科〕 かぞえ方 一本

おきあい⓪【沖合】㊀沖の方。「―漁業⑤」 ㊁漁船の船頭。

おきあがりこぼし⑥【起き上がり小《法師】〔「こぼし」は「小法師」の短呼〕底におもりをつけた、達磨の人形。倒しても、すぐに起き上がる。不倒翁。

おきあが・る④⓪【起き上がる】(自五) 寝ていたからだを起こす。「寝床の上に―」

おきいし⓪【置き石】㊀眺めるために庭にすえておく石。 ㊁軒下の敷石。 ㊂〔碁で〕弱い方の人が対戦しやすいように前もって石を幾つか盤上に置くこと。また、その石。 ㊃鉄道線路などの上に故意に石を置くこと。また、その石。「―事故」

おきうお⓪【沖魚】 沖で取れる魚。↔いそうお

おきうと⓪ エゴノリを煮て固めた食品。ところてんに似ている。福岡地方の名産。「おきゅうと」とも。

おきか・える③④【置き換える】(他下一) ㊀今置いてある所から他の所へ移す。 ㊁その物をどかして、そこにほかの物を置く。 名置き換え⓪ 自動 置き換わる④(五)

おきがけ⓪【起き掛け】 寝床から起き出したばかりの状態。

おきがさ⓪【置き傘】㊀不時の降雨に備えて、勤め先や学校などにいつも置いておく傘。 ㊁客に貸すための、備え付け用の傘。 かぞえ方 ㊀㊁とも一本

おきぐすり③【置き薬】 使った分の代金をあとから集めに来る約束で行商人が置いて行く家庭薬。

おきご⓪【置き碁】〔碁で〕対局者に大きな腕前の差がある時、下手が置き石を幾つか置いて打つ碁。

おきごたつ③【置き《火〈燵】 動かしてどこにでも置けるこたつ。⇩切りごたつ 表記「置き《炬燵」とも書く。

おきざり⓪【置き去り】 特定の者だけをそこに置き、他は△どこかへ行ってしまう(別の行動を取る)こと。おいてきぼり。「―にする」

おきじ⓪【置き字】 漢文の助字。例、焉・矣・乎・也など。〔文意の強調を助けるが、訓読の時は読まないことが多い〕

オキシダント①〔oxidant〕 大気汚染物質の一つ。排気ガスが強い日光に当たった時に出す、オゾンなど強酸化性物質の総称。目に刺激を与えたり呼吸困難を起こさせたりする。大気中の濃度は、光化学スモッグの指標とされる。

オキシドール④〔和製洋語←oxydol〕 過酸化水素を含む液体の日本薬局方での名称。殺菌・消毒に使う。

オキシフル③〔Oxyfull〕 オキシドールの商標名。

おきつ⓪【沖つ】(連体)〔雅〕〔「つ」は「の」に当たる文語の助詞〕沖の。「―(白)波」 表記「沖津」とも書く。

おきつち⓪【置き土】 きゃくど(客土)。

おきづり⓪【沖釣り】 沖に出てする釣り。↔磯釣り

おきて⓪【〈掟】㊀所属する社会や組織の中で△そうするように(そうしてはいけない)と定められているきまり。「―を△守る(破る)」 ㊁生まれる前の世からそうなることになっている運命。宿命。

おきてがみ③【置き手紙】―する(自サ) ㊀留守の時に△外出する(訪問した)人が用件を伝えるために置いて行く手紙。 ㊁家出する人が家人や友人などに、別れの言葉や居なくなったあとの必要な処置などを書いて残しておく手紙。 かぞえ方 ㊀㊁とも一本・一通

おきどけい③【置き《時計】 机などの上に載せておいて使う時計。⇩掛け時計・腕時計・懐中時計 表記 ⇩付表「時計」 かぞえ方 一台

おきどこ⓪【置き床】 壁ぎわなど、適当な所に置いて床の間の代りに用いる、簡単な台や板。

おきどころ⓪【置き所】㊀置くべき場所。「身の―も無い」 ㊁置いた場所。「―を忘れる」 表記「置き《処」とも書く。

おきな①⓪【《翁】㊀〔雅〕年老いた男性。「竹取の―」↔△媼 ㊁「翁㊀」をかたどった面(をつけて幕開きに行なう、祝言の能楽の曲)。 **―ぐさ**③【―草】㊀全体が白い毛におおわれている多年草。春、黒みを帯びた赤紫色の花を開いた後、めしべが伸びて銀白色の髪のようになる。〔キンポウゲ科〕 ㊁キクの異称。 かぞえ方 ㊀㊁とも一本

***おぎな・う**③【補う】(他五)〈なに・だれヲ―〉 足りなくなった部分を、代りとなる他のもので満たす。「△欠員(損失・欠落・不備)を―/補ってなお余り(が)ある」 名補い⓪③

おきなお・る④【起き直る】(自五) 起き上がって姿

** * は重要語, ⓪ ①… はアクセント記号, 品詞の指示の無いものは名詞およびいわゆる連語。

勢を正してすわる。

おきなかし④【沖仲仕】「港湾労働者(=本船とはしけの間で、荷物の積みおろしをする労働者)」の古い呼称。〔侮蔑ブベツを含意した〕

おきにいり⓪【《御気に入(り)】いつも身近に接していたいと思うほど、その人の好みに合っている△こと(人・物)。「—の店/先生の—」

おきぬけ⓪【起(き)抜(け)】起きてすぐの時。「—に水を飲む」

おきば⓪【置(き)場】△置くべき(置いた)場所。「身の—が無い思い」

おきび⓪【〈熾火・〈燠火】炭・まきなどが燃えきって、上に白いものが見え始めた状態。おき。

おきびき⓪【置(き)引(き)】—する(他サ) 車中や待合室などに置いてある、他人の荷物を盗んで持ち去る△こと(人)。

おきふし②①【起(き)伏(し)・起(き)〈臥(し)】■一起きることと寝ること。「—も儘ママならない(=自分ひとりでは、身のまわりの始末もつけられない)」■二(副)〔雅〕寝てもさめてもそうする様子。

おきまり⓪【《御決(ま)り】❶⓪② 一般的な傾向として、一定の条件が整えば必ずそのような結果になることが認められること。「—の△出世(転落)コースをたどる」❷② その人の癖として、同じ状況に置かれると必ずそう△する(なる)傾向があること。おさだまり。「そら、—の泣き落しが始まった/すし屋で—を頼む」

おきみやげ③【置(き)〈土産〉】立ち去る時に、記念のためにあとの人に残して行く品。〔広義では、前任者または直前の自然現象がはからずももたらした、後人への恩恵やありがたくない結果も指す。例、「台風の—」〕 表記 ⇩付表「土産」

おきもの⓪【置物】床の間などに置く飾り物。〔名前や肩書きだけ聞けばりっぱだが実際は何もしない人をたとえる場合にも用いられる〕

おきや⓪【置(き)屋】芸者・娼妓ショウギをかかえておく家。

おぎゃあ②(感) 赤ん坊の、甲高い泣き声。「この世に—と生まれた時から」

おきゃくさん⓪【《御客さん】❶「客」の尊敬語。❷その組織・団体などに属してはいるものの、積極的に役割を果たすことはほとんど期待できない人の俗称。「—扱いする(=よくも悪くも特別扱いする)」

おきゃん②【《御〈侠】—な 〔「きゃん」は、「侠」の唐音〕おてんば(な若い女)。「—な口をきく」

おぎょう⓪ギャウ【《御形】春の七草のゴギョウ。

お・きる②【起きる】(自上一) ❶△横になって(倒れて)いたものの頭部が上を向き、体や根幹部が立った状態になる。「ころんでもただは起きぬ(=⇩ころぶ❶)/倒れかかっていたイネが—(=まっすぐに立つ)」❷眠りから△覚める(覚めて、活動をする)。「もう起きたか、随分早いね/毎朝、—とまず水を一杯飲む/赤ん坊が—から、静かに/遅くまで起きている」❸⇩起こる

おきわす・れる⑤【置(き)忘れる】(他下一) そこに置いたまま、それを△置いたこと(持ち帰ること)を忘れる。「電車に傘を—」 名 置き忘れ⓪

おく(屋・億・憶・臆) →【字音語の造語成分】

お・く⓪【《措く】(他五) ❶〔△そこ(途中)で〕何かするのをやめる。「筆を—(=ⓐ文章を書き終える。ⓑ文筆家が書くのをやめる)/その問題はしばらく—ことにして/垂涎スイゼン—能わず(=ほしいという気持を、抑えることが出来ない)/感嘆—能わず(=いくら感嘆しても、感嘆し過ぎることは無い)」❷除く。「彼を措いて(=彼以外に)適任者は無い」 表記 「筆をおく」は、「筆を〈擱く」と書くことが多い。

お・く⓪【置く】■一(他五) ❶〈どこニなにヲ—〉人や物を、支えとなる物の上に移し、その場所にある状態を保たせる。「いつも辞書をわきに—/手をひざの上に—/ここに荷物を—べからず/家族を置いて(=家に残して)旅に出る/留守番を置いて(=頼んで)出かける/いつも書生を二人か三人は置いて(=寄食させて)いた/家政婦を—(=雇う)/下宿人を—(=下宿人に部屋を貸す)/金箔パクを—(=付ける)/事務所を—(=設ける)/質シチに—(=預ける)/一目イチモク—(=⇩一目❷Ⓐ)」❷〈なに・どこニなに・だれヲ—〉ある状況下に位置させる。「△管理下(支配下)に—/監視の下モトに—/劣勢に置かれる/念頭に—(=心にとめる)/重きを—(=⇩重き)/信頼の置けない人間/二大国に挟まれ、緊張状態に置かれる」❸〈なに・どこニなにヲ—〉特定の箇所に集約し、他に力を分散しないようにする。「…に△主力(比重・ウエート)を—/△中心(力点・眼目・重点)が置かれる/△目標(目安)に—」❹〈(なに・どこ)ニなにヲ—〉時間的・空間的な間隔を保たせる。「一行置いて(=飛ばして)/△一歩距離(猶予期間・時間)を—/時をおかず/心を—(=ⓐ留意する。ⓑ相手に隔てがましくする)/気の置けない人(=⇩気【気が置けない】)」❺〈なにヲ—〉計算の道具を操作して、かぞえたり占ったりする。「そろばんを—/算木サンギを—(=算木で占う)/八卦ハッケを—」❻〈なにヲ—〉そのものには△手を付けない(変更を加えない)状態を保たせる。「ただでは置かんぞ(=必ず何か仕返しをしてやるぞ)/仕事をやらずに—/何はおいても/箸ハシを—(=食事をそこで△中断する(おしまいにする))」■二(自他五) 大気中に生じた露や霜や雪が、消えないでその場所にある状態を続ける。「葉に露を—/霜が—」■三(補動・五型) 後あとの必要△に備えて(を想定して)前もってあることをする。「朝寝坊しないように目覚し時計をかけて—/老後に備えて貯金をして—」 文法 ■一❻や■三で、「…ておく」「…でおく」は口頭語では「値上がりする前に買っとく」「机の上に本を積んどく」などのように「…とく」「…どく」となることがある。

おく①ヲク【屋】❶建物。また、家。すみか。❷やね。「屋上—を架す(=すでに同類の物がある上にまた同じ物を作る むだの意にも用いられる。正しくは、『屋下に屋を架す』)」⇩【造語成分】

おく①【億】一万の一万倍を表わす数詞。〔十の八乗に等しい〕「日本の人口は約一—を超えている/一—円〔この場合の『一』は、千円・百円・十円の場合と異なり、省略できない〕」⇩兆 ⇩【造語成分】

おく①【奥】❶内へ深く入った所。「穴の—/—多摩⓪」❷〔家の中で〕表の入口から内へ深く入った(家長などの生活の場となっている)所。「—にお通りください/事情は—には通じてある」↕表オモテ ❸容易に人に知られたり見えたりしない部分。「心の—/芸術は—が深い」❹〔もと、めったに他人に会ったりしない、士分以上の人の妻の意〕〔身分ある人が〕自分の妻を言う語。⇩奥様・奥さん

おくがい②ヲクグワイ【屋外】家屋・建物の外。戸外。「—広告」↕屋内

おくがき⓪【奥書】❶〔出版事業の発達しなかった昔〕本を写した人の名や写した事情・日付などを本の最後に書いたもの。〔広義では、戸籍謄本などの終りに、記載事項に誤りの無いことをしるした文面をも指す〕❷あとがき❶。

おくがた⓪②【奥方】昔、身分の高い人の妻の敬称。

おくぎ①【奥義】それを会得すれば、その技芸・武術などをきわめ尽くしたとされる、大事な秘密。「おうぎ」とも。「—に達する」

おくざしき③【奥座敷】〔大きな家の〕入口から遠い所にある、〔その家の主人の居間としての〕座敷。↕表座敷

おくさま①【奥様】〔もと公家や大名など、上流階級の妻の敬称〕「おくさん」の上品な言い方。

おくさん①【奥さん】 他人の妻△に呼びかける(を指し示す)のに用いられる語。「―、お久しぶりです/隣の―はよく働く」 運用 既婚だととらえられる女性△に呼びかける(を指し示す)のにも用いられる。例、「この服は奥さんによくお似合いです」「奥様」の方がより丁寧な言い方。

おぐし⓪【《御《髪】 「髪」の丁寧な表現。女性語。 **―あげ**⓪③【―上(げ)】 他人の髪を結うこと。

オクシデンタル④〔Occidental〕 西洋(人)の。⇩オリエンタル

オクシデント①〔Occident=日の沈む所〕 西洋。西欧。⇩オリエント

おくしゃ①【屋舎】 住居以外の用途にあてられる建物。

おくじょう⓪【屋上】 ❶屋根の上。「―屋を架す〔=⇩屋❸〕」 ❷建物の最上部に人が出られるように作った、平らな所。「―庭園」

おくじょちゅう③【奥女中】 △将軍(大名)やその奥方に仕え、奥向きの用を足した女中。上女中。↕下女中

おく・する③【臆する】(自サ) 相手に威圧されるなどして、気おくれする。臆す②(五)。「―色も無く」

おくせつ⓪【臆説・憶説】 事実に立脚しない、一方的な意見。

おくそく⓪【臆測・憶測】―する(他サ) 想像に基づく、いいかげんな推測。「―が△流れる(乱れ飛ぶ)/―を逞しゅうする」

おくそこ⓪【奥底】 深い穴のいちばん奥の、外部からは到底見えない所。「―の知れない博識〔=どれだけ知っているのか、並の人間には見当もつかないほど豊富な知識〕/人には知らせ(たく)ない―〔=本心〕」

おく

【屋】 家。すまい。「屋内・屋外・屋舎・家屋・社屋・廃屋」⇩(本文)おく【屋】

【億】 数が桁はずれに多いことのたとえ。「億万長者・億千・億兆」⇩(本文)おく【億】

【憶】 ❶おもう。「憶念・追憶」 ❷おぼえる。「記憶」

【臆】 ❶胸。「胸臆」 ❷自分かってな。「臆測・臆説・臆断」 ❸気おくれする。「臆病・臆面」

オクターブ③〔フ octave=八番目の意のラテン語に由来〕〔音階で〕一つの音から八度隔たっている音。または、その隔たり。もとの音に対し、その振動数が、二倍または二分の一になる。オクテーブとも。〔誤って、音程の意や一オクターブの意にも用いられる。また、広義では調子の意にも用いられる〕

おくだん⓪【臆断・憶断】―する(他サ) しっかりした根拠も無く、勝手にそうだと決めこむこと。

オクタンか③【オクタン価】〔octane=炭化水素の一種〕 ガソリンがノッキングを起こしにくい度合を表わす数値。数値が大きいほど優秀で、「ハイオクタン ガソリン⑦」と言う。⇩レギュラー ガソリン

おくち①【奥地】 都市や海岸から遠く離れた、内陸の地域。

おくちょう【億兆】 ❶①、①-① 大きな数。 ❷①〔君主を中心として見た〕人民。「―心を一にして」

おくつき⓪②【奥津《城】〔雅〕〔「つ」は「の」に当たる文語の助詞〕墓所。 表記 「奥《城」とも書いた。「津」は、借字。

おくづけ⓪【奥付】 本の終りにある、書名や著者・発行者の姓名・発行年月日などを印刷したページや紙片。

おくて⓪【《後・{晩稲}・{晩熟}・奥手】〔奥手の意〕遅く成熟する△稲(果実・野菜)。〔成熟の遅い人の意にも用いられる〕↕わせ

おくでん⓪【奥伝】 「奥許し」のやや改まった表現。⇩初伝・中伝・皆伝

おくない②【屋内】 家屋・建物の中。「―練習場・―プール」↕屋外

おくに⓪【《御国】 ❶〔もと、大名の領地の意〕(他の人の)郷里。「―はどちらですか」 ❷中央から見た地方の土地。「―言葉・―自慢④・―ぶり〔=⇩国ぶり〕」 ❸その人が所属する国を美化した語。「―のために尽くす」 **―いり**⓪【―入(り)】〔もと、参勤交代で江戸へ出た領主が領国に帰ること〕世俗的な意味で成功した人が、誇らしい思いで一時故郷へ帰ること。 **―ことば**④【―言葉】 特定の地方で話される言葉。方言。また、郷里のことば。「―の聞こえて来る店」

おくねん⓪【憶念】 深く思い込み、いつまでも忘れない考え。

おくのいん③【奥の院】 本堂より奥にあり、霊像を祭ってある堂。〔普通、人に見せない大事なところや、普通の人の到達しがたい奥深い境地の意にも用いられる。例、「科学の―」〕

おくのて④③【奥の手】 ❶奥義。 ❷ふだんは人に見せない、秘密の技芸。「―を出す〔=とっておきの手段を用いる〕」

おくば①【奥歯】 「臼歯」の、日常語としての称。「―に物のはさまった〔=相手に対して警戒心が働き、はっきりとした意見の表明を差し控えている〕ような言い方」↕前歯 かぞえ方 一枚・一本

おくび⓪【〈噯】 げっぷ。「―をする/―にも出さぬ〔=すっかり秘密にして、そぶりにも見せないようにする〕」 表記 「{〈噯気}・〈噫」とも書く。古代の用字は「{上気}」。

おくびょう③【臆病・憶病】―な ―に 〔気が小さかったり心配性であったりするために〕必要以上に用心深くなり、△十分に事態に対処(大事が決行)出来ない様子。また、そのような性質。「―者⓪」 派 ―さ③ 表記 「憶」は、代用字。 **―かぜ**③【―風】 ⇩かぜ❷❶

おくふか・い④【奥深い】(形) ❶△表(入口)から遠い。「森の―所」 ❷△外面(部外者)からは容易にうかがい知れないほど、深い意味があるととらえられる様子だ。「―哲理/―△芸(剣)の真髄を究める」〔❶❷とも「おくぶかい」とも〕 派 ―さ④③

おくま・る③【奥まる】(自五) 奥深くなる。「奥まった座敷」

おくまん③【億万】 数がとてつもなく多いこと。「―長者⑤〔=大金持〕」

おくみ⓪③【〈衽・〈袵】 和服の前幅を広くとる目的で、前身ごろに縫いつける、細長い布。それに襟がつけられる。

おくむき⓪【奥向(き)】 ❶〔玄関・座敷などと違って〕居間・台所のある方。 ❷〔上流家庭などで〕家事の切り盛りのほか、対外交渉や行事への配慮など家庭の運営に関するすべて。「大奥の―については深入りすることは許されないが」

おくめん⓪【臆面】 気おくれした様子。「―も無く〔=ずうずうしくも〕」

おくやま⓪②【奥山】 里から遠く離れた山。

おくやみ⓪【《御悔(や)み】 遺族に申し述べる哀悼の言葉。

おくゆかし・い⑤【奥床しい】(形) 相手の言語・動作が洗練されていたり 深い知識・考えがあるように見受けられたり慎み深かったりして、心が惹かれる感じだ。 派 ―さ④⑤ 表記 「床」は、借字。

*おくゆき⓪【奥行(き)】〔家・地面などの〕表から奥までの長さ。〔知識・考えなどの奥深さの意にも用いられる〕↔間口

おくゆるし③【奥許(し)】師匠から奥義を伝授されること。「奥伝」とも。

オクラ⓪〔okra〕畑に作る一年草。若いさやは食用。切り口はぬるぬるしていて、生食したりスープに入れて食べたりする。〔アオイ科〕[かぞえ方]一本

おくら⓪【《御蔵》】〔「蔵に保管されたままになる」意で〕作品の発表を取りやめることの俗称。「―になる(=作品の発表や新企画の実施などが取りやめになる)/―にする/―入りする」[表記]「《御倉」とも書く。

おぐら⓪【小倉】「おぐらあん・おぐらじるこ」の略。―あん⓪③【―餡】練りあんに、蜜(ミツ)につけた大納言小豆(ダイナゴンアズキ)をまるのまま交ぜたもの。―じるこ④【―汁粉】小倉あんで作ったしるこ。―ひゃくにんいっしゅ⑧、⓪-⑤【―百人一首】天智(テンヂ)天皇から順徳天皇の時代に至る百人の歌人の歌を一首ずつ選んだもの。歌がるたに用いられる。「ひゃくにんしゅ③」とも。

おぐらい③⓪【小暗い】(形)〔雅〕薄ぐらい。

おくらせる⓪【遅らせる】(他下一)遅れるようにする。遅らす⓪(五)。「テンポを―/卒業を一年―」[表記]「後らせる」とも書く。

おくり【送(り)】[一]⓪❶送ること。「野辺(ノベ)の―(=葬送)/一字―が出る」❷届けること。❸「送り状」の略。―むかえ④⓪【―迎(え)】―する(他サ)〔△儀礼(サービス)として〕だれかが出かけたり帰ったりするのを送り、やって来たり帰って来たりするのを迎えること。

[二]〔造語〕動詞「送る」の連用形。「―主(ヌシ)③・―先」―おおかみ④【―狼】〔「山中などで、人のあとをつけねらうオオカミ」の意から〕〔女性を〕送って行くふりをして悪さをする男。―かえす④【―返す】(他五)送られてきたものを△再び(そのまま)先方に戻す。―がな⓪【―仮名】和語を漢字で書く時、漢字では△書き表わせない(読み方が特定出来ない)語の末尾を書き表わすため、後にそえて書く仮名。〔漢文訓読の場合は、漢字の右下に小さく添える〕[表記]⇩付表「仮名」―こむ④【―込む】(他五)❶保護して、目的地まで送って行く。「降りた客をシャトルバスで空港ターミナルへ―」❷目的を達するために必要な△物を届ける(人を派遣する)。「被災地に救援物資を―/遺跡発掘現場に調査団を―/敵国にスパイを―」[名]送り込み⓪ ―さき⓪【―先】荷物などを送り届ける△場所(相手)。―じょう⓪【―状】物品運送の時に、荷送り人から荷受け人に送る内容明細書。納品書。[かぞえ方]一通 ―たおす⑤【―倒す】(他五)〔すもうで〕相手を後ろから押したり突いたりして倒す。[名]送り倒し⓪ ―だす④【―出す】(他五)❶出かける人を玄関や門まで送り、無事帰宅することを心中に願う。〔広義では、完成したものを世に出すことをも指す。例、「△卒業生(第一回の製品)を―」〕❷先方に届くように何かを送る。❸〔すもうで〕相手を後ろから押したり突いたりして、土俵の外に出す。[名]送り出し⓪ ―つける⑤【―付ける】(他下一)先方の都合などを無視して一方的に送る。―て⓪【―手】↔受け手 ❶送る人。「小包の―」❷放送・通信などの情報を提供する人。―とどける⑥【―届ける】(他下一)目的の所まで確かに△送って行く(届ける)。―バント④〔野球で、セーフティーバントと違って〕自らはアウトになってもランナーを次の塁に進ませるためのバント。―び③⓪【―火】盂蘭盆(ウラボン)が終わって、祖先の霊魂や死者の魂を送るために、門前でたく火。↔迎え火 ―ぼん③⓪【―盆】盂蘭盆(ウラボン)の間、家に帰っていたとされる祖先の霊や死者の魂を送り出す日。↔迎え盆

おくりな⓪③【諡】〔贈り名の意〕〔徳行のすぐれた人や身分の高い人に対して〕死後に贈る称号。諡号(シゴウ)。[表記]「贈り名」とも書く。

おくりもの⓪【贈(り)物】相手に対する祝福・感謝などの気持をこめて人に贈る品物。プレゼント。進物(シンモツ)。

**おくる⓪(他五)[一]【送る】❶〈どこ・だれ ニ なに ヲ―〉物を移して、△先方(目的の場所)に届くようにする。「△祝電(信号・荷)を―/毎月五万円―」❷〈(どこニ)だれヲ―〉去って行く人につき従って、ある所まで一緒に行く。「車で―/卒業生を―(=ⓐ(任地に)派遣する。ⓑ…との別れを惜しみ、(新しい)門出(カドデ)を励ます)」↔迎える ❸〈なにヲ―〉過ぎて行くものを、過ぎ行くままに任せる。「悔いの無い一生を―/充実した毎日を―(=暮らし方をする)」❹〈(どこニ)なに・だれヲ―〉順々に、次の場所に移して行く。「バケツを手で―(=リレーする)/前行へ一字―(=移す)/ひざを―(=⇩ひざ送り)/バントで二塁へ―(=一塁の走者を進塁させる)」❺〈なにヲ―〉送りがなをつける。〔『向かう』は『か』から―〕[⇩送り[二]][二]【贈る】〈だれ ニ なに ヲ―〉❶故人の徳・業績を称(タタ)える意味で、官位・称号を与える。❷無償で与える。❸健闘・善行を称える意味の行為を相手に対してする。「△拍手(かっさい・声援)を―/讃辞(サンジ)を―(=与える)」[表記][二]❸は、「送る」とも書く。

おくるみ②【《御《包(み)】〔「お」は丁寧さを添える接頭語〕赤ん坊の衣服の上からくるむ防寒衣。

おくれ【後(れ)・遅(れ)】[一]⓪おくれていること。「―をとり戻す/ひと月―⑤・気―」【―を取る】❶気おくれ△する(して、出おくれる)。❷競争場裡(リ)において劣者の位置に立つ。〔誤って、競走において後れる意に用いる向きが多い〕

[二]〔造語〕動詞「おくれる」の連用形。―げ⓪【―毛】〔女性の〕両鬢(リョウビン)や襟足(エリアシ)に、短くて結い上げきれずに残って垂れている髪の毛。―ばせ⓪【―〈馳せ〉】〔おくれてかけつける意〕本来すべき時機を逸した後になってから、何かをしようとすること。「―ながら/―の感」

**おくれる⓪【遅れる】(自下一)❶〈なに・だれ ニ―〉同類の他のものが先に進んだのに、そのものがあとになる。「一メートル遅れてターン/ひとりだけ返事が―/流行に―(=取り残される)/妻に―(=早く死なれる)」❷進み方が、標準よりおそい状態になる。「△開発(タイミング)が―/時計が五分―/サービス産業への転換が先進国に―」❸〈なにニ―〉△予定の(決まった)時刻よりおそくなる。「発車が―/返事が遅れて失礼しました/バスに―(=発車の時刻よりおそく到着して、乗れなくなる)」[表記]「後れる」とも書く。〔❷の一部の対義語は、進む〕[⇩後れ[二]]

*おけ①【〈桶】食品などを一時入れておき運んだりする、円筒形・木製の入れ物。「すし―③⓪・つけもの―⑤④・みそ―③⓪・洗い―④⓪・水―・天水―・手―・風呂(フロ)―③・肥(コエ)―③⓪・棺―」[かぞえ方]一本

おけさ⓪ 越後地方発祥の民謡。「おけさぶし⓪」とも。「佐渡―③④」

おけつ⓪【悪血】病毒などが交じった血。

おけつ⓪【〈瘀血】血の流れが悪くなっている血。

おけら⓪【〈朮・〈蒼朮〉・〈白〈朮〉】山野に生える多年草。秋、白または淡紅色の頭状花をつける。白毛に包まれた若芽は食べられる。根を干して屠蘇散(トソサン)に入れたり健胃剤としたり 蚊いぶしに使ったりする。「うけら⓪」とも。〔キク科〕[かぞえ方]一本

おけら⓪ ❶【〈螻蛄〉】虫のケラ。❷「文無(モンナ)し❶」の俗称。

おける⓪②【〈於ける】〔「おく」の已然(イゼン)形+完了の助

動詞「り」の連体形)〔「…に―」の形で〕❶その場所や時に何かが△行なわれる(認められる)ということを表わす。「日本に―(=…の場合での。…に関する)人口問題」❷問題とする事柄がかかわる対象をそれに限定することを表わす。「読書の精神に―(=に対する関係)は、食物の身体に―が如(ゴト)し(=に対する関係と同じように、欠かすことの出来ないものだ)」

おこ①【《痴》】「おろかな△こと(人)」の古風な表現。「―の沙汰(サタ)」 表記「(烏滸)・尾籠」は、借字。

おご①【〈海髪〉】海藻のオゴノリ。

おこう⓪【汚行】不道徳な行い。

おこえがかり④【《御声掛(か)り》】立場の上の人からの取りもち・紹介。「社長の―で新事業を始める」

おこがまし・い⑤(形) 身の程知らずに思い上がってふるまっているようで、気恥ずかしい。「問われて名乗るも―が」 派―さ④⑤

おこげ②【《御焦(げ)》】炊いた釜(カマ)の底の方にできた、御飯の焦げた部分。「―でお握りを作る」

おこし②①〔←おこしごめ③⓪〕蒸して乾かした糯米(モチゴメ)などを炒(イ)って(ゴマ・豆などを入れ、)水あめ入りの砂糖水で固めた菓子。 表記「(粔籹)」とも書く。

おこし⓪【《御越(し)》】「行くこと・来ること」の尊敬語。「おいで」よりも敬意が強い。「当地へ―の節は/ようこそ―くださいました」

おこし【《御腰》】❶⓪「腰」の丁寧な表現。❷②「腰巻」の女性語。

おこじょ② イタチに似た小動物。夏は背が褐色で腹が白く、冬は全身が白くなる。ただし、尾の先端は一年を通じて黒い。イタチより小形で、動作は敏捷(ビンショウ)、ネズミ・小鳥などを捕食する。北半球の中緯度地方以北(日本では本州中部以北)に生息する。〔イタチ科〕 かぞえ方 一匹

** **おこ・す**②【起(こ)す】(他五) ❶〈なにヲ―〉△横になった(倒れた)状態のものを立てる。「からだを―」❷〈だれヲ―〉目を覚ますようにさせる。「朝早く―/寝入りばなを起こされる/寝た子を―」(⇔寝る) ❸〈なにヲ―〉下を向いている△顔(表面)を、正面に向かせる。「札(フダ)を―/面(オモテ)を―(=顔を上げて、△正面(相手)をきっと見る)」❹〈どこ・なにヲ―〉△上を覆っているものを取り除く(掘り返す)などして、それまで隠れていた△部分(面)が外に現われるようにする。「畑(=畑の土)を―/岩を―(=土中に隠れたりしている岩を掘り出して、動かす)/コンクリートの蓋(フタ)を―(=持ち上げる)」❺〈(どこニ)なにヲ―〉△何かをきっかけとして(そうなる条件をととのえて)それまで目立たなかった事象を一気に目立たせる。「△消化不良(貧血)を―/火山が噴火を―/サッカーブームを―/反対運動を―/やる気を―」❻〈(どこ)ニ なにヲ―〉△社会を騒がす(個人の生活を乱す)ような事故・事件などを生じさせる。「爆発事故を―/△混乱(騒動・問題)を―」❼〈なにヲ―〉新たに出現させた事態や事象の勢いを盛んにし、はっきりと認められるようにする。「△国(事業・会社)を―/△火(電気)を―」❽〈なにヲ―〉今まで△無かった(どこかに潜在していた)ものが、文字などの形をとって現われるようにする。「伝票を―/筆を―/テープを―」 表記 ❼は「国を興す」、「火を熾す」、❽は「《発す》」とも書く。

おこぜ②【《鰧》・《虎魚》】でこぼこな頭で、背びれに毒のとげがある近海魚の総称。美味。〔オニオコゼ科〕 かぞえ方 一尾・一匹

おごそか②【厳か】(ダナ) ❶改まった態度をしていて、近寄りにくい様子。❷儀式が静けさの中で、昔からの行儀作法通りに執り行なわれる様子。「―な雰囲気」 派―さ④③

おこそずきん④【《御高祖頭巾》】昔、女性が外出の時などにかぶった、目のほかの顔の大部分をおおう頭巾。

おこた②「こたつ」の女性語。

* **おこた・る**⓪③【怠る】(自他五) ❶〈なにヲ―〉すべき事をしない状態でいる。なまける。「△義務(注意・準備・対策・努力)を―」❷〔雅〕(病気が)よくなる。 名 怠り⓪

おこと②【《御事》】(代)〔雅〕あなた。

* **おこない**【行(な)い】■⓪❶△考える(計画する)だけでなく、実際の行動に移すこと。「口先ばかりで―(=実行)が伴わない」❷(倫理・常識にかなっているかどうかという観点から見た)行動のあり方。「日ごろの―」 表記 本表=「行い」 ■(造語) 動詞「行う」の連用形。 ―すま・す⑥【―澄(ま)す】(自五) ❶よく規則を守って仏道を修める。❷殊勝らしくする。 表記「行い済ます」とも書く。

** **おこな・う**⓪【行(な)う】(他五)〈なにヲ―〉❶あるルールに従って、何かをする。〔古くは、仏道修行をする意にも用いられた〕「△卒業式(討議・立入り調査)を―」❷△合目的的(有意的)に、何かをする。「△意思表示(意見調整)を―/言うは易(ヤス)く―(=実行)は難い」 表記 本表=「行う」〔⇨行い■〕

おこなわ・れる⓪【行(な)われる】(自下一)〔「行なう」の受身形から〕❶実施される。「調査が―/法が適正に―/話合いが―」❷広く世間に通用する。「世間に―」

おこのみ⓪【《御好(み)》】相手が好む△こと(もの)。「―に応じて」 ―やき⓪【―焼(き)】水で溶いた小麦粉に好みの材料を交ぜ、鉄板の上に流して焼いたもの。

おごのり② 紅藻類の一つ。細い円柱状をなし、不規則に枝分かれする。なまの時は赤いが、石灰水につけると緑色になり、刺身のつまなどに使う。おご。うご①。〔オゴノリ科〕 表記「海髪海苔」とも書く。 かぞえ方 一株・一本

おこぼれ②【《御零れ》】〔「こぼれ」は、容器からこぼれたものの意〕立場の上の人が必要としなくなった物。「―頂戴(チョウダイ)(=宴会の時などに、立場の上の人から杯を頂戴する意)」【―にあずかる】〔立場の上の人が食べたごちそうの余りを頂戴する意〕巨大な利益を得たり 一人では処理しきれないほど何かをたくさん入手したりした人の周囲に居る者が、そばに居たという理由だけでその一部の分け前にあずかる。

おこも⓪【《御薦》】〔「こも」は、「こもかぶり❷」の意〕「こじき」の女性語。「―さん」

おこもり⓪【《御籠(も)り》】―する(自サ)「参籠(サンロウ)」の意の和語的表現。

おこり③【起(こ)り】始まり。もと。「事の―」

おこり③【《瘧》】「間歇熱(カンケツネツ)」の意の古風な表現。

おごり⓪【《奢(り)》】❶ぜいたく。「―をきわめる」❷人にごちそうすること。「きょうはわたしの―です」

おごり⓪【《驕(り)》】自分の能力や権勢・優位を過信し、謙虚さを△失う(失った)言動をとること。「神を恐れぬ人間の―/最近の日本人には、経済的成功のあまり、―が見られるようになった/彼らを見ていると、日本こそ一番いい国という―のようなものがある/大リーグ一〇一勝のプライドは胸に秘め、―は見せない」 表記「《傲り》」とも書く。

おこりじょうご④【怒(り)上戸】⇩上戸

おこりっぽ・い⑤【怒りっぽい】(形) 何かにつけて、すぐ怒る△様子(性質)だ。 派―さ⑤

おこりんぼう③⓪【怒りん坊】何かにつけてすぐ怒る性格の人。

* **おこ・る**②【怒る】(自他五) ❶〈なにニ―〉がまん出来なくて、不快な気持が言動に表われた状態になる。〔古風な表現は「いかる」〕「まっかになって―」❷〈だれヲ―〉目下の者などのやり方が悪いと言って、強い言葉でしかる。

**おこ・る②【起(こ)る】(自五) ❶〈(どこニ)―〉△何かがきっかけとなって(そうなる条件がととのって)それまで目立たなかった事象が一気に目立った状態になる。「予期せぬ事が起こった/持病が―/△火山の爆発(地震)が―/△学生運動(暴動・紛争)が―/写真ブームが―/喚声が沸き―」❷〈(どこニ)―〉△社会を騒がす(個人の生活を乱す)ような無視することのできない事件・事故などが生じる。「大雨による土砂災害が―/△殺人事件(原発事故)が―/△問題(不測の事態)が―」❸新たに現われた事態や事象が、その勢いを増し、はっきり認められるようになる。「△国(家・産業)が―/△炭(石炭)の火が―〔=煮炊きや暖を取るために適した状態になる〕」〔❶～❸の大部分は、「起きる」とも言う〕 表記 ❸は、「国が興る」、「火が熾る」とも書く。

おご・る⓪【奢る】[一](自五) 過度に、ぜいたくな状態になる。「口が―/身に着ける物だけは奢ろうと思っています」[二](他五) 自分の負担で、同席者の飲食代を支払う。「先輩にビールを奢ってもらう」 表記 [一]は、「侈る」とも書く。

おご・る⓪【驕る】〔権勢を得て、優位な立場にあることに安住し、また、それを過信した結果〕謙虚な心を失い、他を無視した行動に出る。「政府与党は圧倒的多数に―ことなく、少数意見にも耳を傾けるべきだ/驕れる者久しからず/今好調だといって驕りたかぶると、またとがめが来る」 表記 「傲る」とも書く。

おこわ⓪【御強】「こわめし」の丁寧な表現。〔もと、女房詞(ニョウボウコトバ)〕 表記 「御強」とも書く。

おさ①【長】〔雅〕かしらとして、その集団を統率する人。「村の―/船(フナ)―」

おさ①【筬】織機の付属具。△金属(竹)の細い板を平行に並べて、枠に収めたもの。織物の縦糸をそろえ、横糸を押しつけては織り目を整える。かぞえ方 一台

おさい⓪【御菜】「菜」の丁寧語。おかず。

おさえ【押(さ)え】[一]③②❶押さえる△こと(もの)。「石を―〔=おもし〕に置く/―がきかない〔=ⓐ部下を十分に掌握出来ない。ⓑ交渉の相手に睨(ニラ)みがきかない〕/関八州の―〔=鎮圧する役〕」❷しんがり。 表記 「抑え」とも書く。[二](造語) 動詞「押さえる」の連用形。 **―こ・む**④【―込む】(他五) ❶〔柔道で〕相手を押さえつけて動けなくさせる。❷ある範囲の中に押さえる。「インフレを―/権力で―」 名 押さえ込み⓪ **―つ・ける**⑤【―付ける】(他下一) ❶動けないように、しっかり押さえる。❷相手の活動をすっかり封じる。「反対△意見(勢力)を―」

*おさ・える③②【押(さ)える】(他下一) ❶〈(なにデ)なに・だれヲ―〉△動いて(逃げられて)は困るものを、なんらかの方法でそこから離れないようにする。「バッタを帽子で〔=帽子でおおって〕―/紙の飛ぶのを石で〔=石を載せて〕―」❷〈(なに・どこヲ―)〉△入って来たら(出て行ったら)困るものを、なんらかの方法で食いとめる。「侵入軍を―〔=防ぐ〕」❸〈(なに・どこヲ―)〉それを重要な問題として、十分配慮する。「要点を―」❹〈(なに・どこヲ―)〉ほうっておけば困った事態が起こりそうなのを、起こらないようにする。「△価格(出費・要求)を―/目標を低く―/怒りを―」❺〈(なに・どこヲ―)〉自由に△行動(処理)させないように、なんらかの手を打つ。「身柄(ミガラ)を―/三人分は押さえて〔=確保して〕おく」❻〈(なにデ)なに・どこヲ―〉△痛い(ぐあいの悪い)所をかばうように、手を当てる。「腹を―/すそを―/傷口を―〔=傷口が広がらないようにガーゼなどを当てる〕」 表記 「抑える」とも書く。〔⇩押え[二]〕

おさおさ①⓪(副)〔否定的な内容の語句を伴い〕どんな点から見ても、そのような状態であると判断される様子。「警戒―怠り無く〔=万端ぬかり無く〕/―劣らぬ〔=少しもひけをとらぬ〕実力」

おさがり②【御下(が)り】❶供え物を取り下げたもの。❷△立場の上(年上)の人からもらった、使い古しの物。「父の―」❸客に出したごちそうの残り。

おさき⓪【御先】❶「さき」の尊敬語・丁寧語。「―の方(カタ)からご順に」❷これから先。「―真暗(マックラ)⑥、⓪-③〔=将来の見通しが全く立たないこと〕」 運用 ❶について。(1)「お先にどうぞ」などの形で、相手に対する譲歩を示すのに用いられる。(2)「お先に」「お先に失礼(いたします)」などの形で、相手よりも先に事を行なったり 同僚より先に帰宅したりする際の、ことわりの挨拶(アイサツ)として用いられる。 **―ばしり**④【―走(り)】 気をきかせたつもりで、先走った行動をする△こと(人)。 **―ぼう**⓪-【―棒】⇩先棒

おさげ②【御下(げ)】❶少女の髪の結い方。編んで肩のあたりに垂らす。「―髪(ガミ)」❷女の帯の結び方。両端を垂らす。

おざしき⓪【御座敷】❶「座敷❶」の丁寧語。❷芸人・芸者などが客に呼ばれて酒宴などの席に出ること。また、その宴席。「年末は―が多い/―を勧める」 **【―が掛かる】** ❶芸者・芸人などが、客に呼ばれる。❷(必ずしもその立場にない人が)宴席に招かれる。〔広義では、新たな事業・勤め先などから誘われる意をも指す〕

おさだまり⓪【御定(ま)り】 いつも決まっていること。〔皮肉を込めて用いられることもある〕「―の△ケース(自慢話)」

おさつ[一]⓪【御札】 紙幣の丁寧語。「―に羽が生えて飛んで行く」[二]②〔御薩の意〕「さつまいも」の女性語。

おざつき⓪【御座付(き)】 芸者が宴席に呼ばれて最初に三味線をひいて歌う△こと(唄(ウタ))。

おさと⓪【御里】 嫁の実家。「―帰(ガエ)り④」⇩里 **【―が知れる】** ちょっとした言行により、その人の育ちや経歴などが分かる。〔(見かけによらず)好ましくない(家庭)環境で育ったことが分かる場合に用いられる〕

おさな【幼】(造語)〔「幼い」の語幹〕❶幼い時の。「―姿④・―友達④」❷幼い子供の。「―遊び④」 **―がお**⓪【―顔】❶いかにも子供っぽく見える顔。❷その人の幼い時の顔。「兄の―に似た子」「彼女はいまだに―だから」 **―ご**③【―児】 幼い子供。 表記 「幼子」とも書く。 **―ごころ**④【―心】 子供心。 **―なじみ**④【―馴染(み)】 幼い時に親しくしていた間柄、また、その人。「彼とは―だ/―と結婚する」

おさな・い③【幼い】(形) ❶年端(トシハ)が行かず、自分だけの力では行動出来ない状態だ。「―ころから音楽に親しんでいた」❷その方面の経験が不足で、まだまだ修行が必要な状態だ。「―思想」 派 **―さ**③ **―げ**⓪

おざなり⓪【御座なり】―な/―に その場限りのまにあわせで事を済ませようとする様子だ。「―な謝罪で済む問題ではない」

おさまり⓪【収(ま)り】 収まること。「―が付く〔=問題が解決する〕/―が付かない〔=△すぐ(うまく)かたづかない〕」 表記 「納まり・治まり」とも書く。

**おさま・る③(自五) [一]【収まる】〈(どこニ)―〉元通りの望ましい状態に戻ったり 都合よく受け入れられたりする。「△混乱(戦火)が―/元の鞘(サヤ)に―/風が―〔=静かになる〕/汗が―〔=引く〕/箱の中にうまく―〔=(全部きちんと)入る〕/社長に―/腹の虫が収まらない〔=⇩腹の虫❷〕」[二]【治まる】 しばらく安穏・無事な状態を保つ。「国が―〔=平和な状態を保つ〕/痛みが―〔=止まる〕」[三]【修まる】 個人の行いが、しばらく良好な状態を保つ。「身持ちが―/素行が―/身修まって家安し」[四]【納まる】 △無事に(満足して)その場所にとどまる。「そう―なよ〔=現在の地位に安住するのを皮肉る言い方〕」 表記 [一]の「腹の虫」の

例は、「納まる」とも書く。

おさむ・い⓪③【《御寒い》】(形)〔「お」は丁寧さを添える接頭語〕規模が不十分だったり 内容が△貧弱(粗雑)だったりして、感心出来ない様子だ。「—計画だ」

おさめ【納め】［一］③「おさめる［五］」こと。(その期の)終り。しまい。「—の稽古/この世の見—/ばかの言い—」 表記「収め」とも書く。［二］(造語) 動詞「おさめる」の連用形。「—会③」

****おさ・める**(他下一) ［一］③【収める】〈なにヲ—〉❶その物を△本来あるべき(ふさわしい)場所に入れて望ましい状態にする。「金を△金庫(懐)に—/矛を—〔=戦いが終わって、武器をしまう〕/言いたいことを胸に—/遺体を棺に—」❷望ましい状態のものとして手に入れる。「△勝利(成功)を—/薬が効果を—」［二］③【納める】〈どこニなにヲ—〉決められた期限に、決められただけのものを渡す。「△税金(月謝)を—/製品を月末までに—」［三］③【治める】〈なにヲ—〉(再び)混乱や災害などが起こらないように、必要な手段を講じて△処理する(運営する)。「紛争を—/国を—〔=統治する〕/家を—〔=家事のきりもりをする〕/水を—〔=水害を防ぐ〕/その場を—」［四］③【修める】〈なにヲ—〉自分を高めるための努力をする。「身を—〔=修養する〕/学を—〔=学問を習って、身につける〕」［五］【納める】〔「動詞連用形＋—」の形で、接尾語的に〕今まで続けて来たものを、それでおしまいにする。「歌い—」 表記［一］の一部は「納める」、［二］［五］は「収める」とも書く。〔⇩おさめ［二］〕

運用［二］❶は、「(どうぞ)お収めください」などの形で、進物を相手に差し出すときの挨拶の言葉として用いられる。例、「心ばかりの品ですが、どうぞお収めください」

おさらい⓪〔先へ進んだり 予習したりするのでなく〕既に習った事を十分納得ゆくまで理解したり 自分ひとりで出来るように練習したりすること。復習。〔狭義では、芸事の温習会を指す〕「毎日ピアノの—をする」 表記「《御〈浚い》・《御〈復習〉い》」とも書く。

おさらば② ［一］(感)「さらば」の丁寧語。さようなら。［二］—する(自サ)〔何らかの感慨をこめて〕今まで なじんで来た環境とは異なる世界に移ること。「これで東京とも—〔=お別れ〕だ/その時分には、私は—だよ〔=もう死んでいるだろう〕」

おさんどん②(台所働きの)女中。「日曜日は妻に代わって—だ〔=台所仕事をする〕」

おし ［一］⓪【押し】❶おし△つける(出す)こと。「〔すもうで〕—に徹する」❷おもし。「つけものの—を強くする」❸人を押さえつける力。「—が利く〔=他を威圧し思い通りに事を運ぶ〕」「—が強い/—の一手/ごり—」❹我意(を通すこと)。［二］【押(し)】(接頭)❶自分がそうしたいと思う事を△強力に(すべての点にわたって)することを表わす。「—隠す・—通す・—包む・—拭う・—広げる」❷抗し難い△力(勢い)があることを表わす。「—迫る・—詰まる」【—も押されもせぬ】他人が何とかして動かそうとしても、動かすことが出来ない。すなわち、他の追随を許さぬ すぐれた内容を備えており、少しくらいの働きかけでは びくともしない意。「押しも押されもしない」とも。「—不動の地位を確立する/—経済大国となる」 表記［一］は「《圧し》」とも書く。

おし⓪【〈啞】聴覚に障害があるなどして、生まれつき音声活動が順調に出来ない人。「おうし」とも。〔侮蔑を含意して用いられることがある〕

おじ⓪〔小父の意〕❶【〈伯父〉】△父(母)の兄。❷【〈叔父〉】△父(母)の弟。〔❶❷とも広義では、おばの夫をも指す。呼びかけなどに用いる口語形は「おじさん」、口頭語形は「おじちゃん」、より丁寧には「おじ様⓪」⇩おじさん〕 表記 ⇩付表

おしあい へしあい⓪-⓪、③-③【押(し)合(い)《圧(し)合(い)》】—する(自サ) 狭い所に多くの人がはいり込んで△押しあう(混雑する)こと。

おしあ・う③【押(し)合う】(自五) 両方向から互いに押す。名 押し合い⓪

おしあけ⓪【押(し)明(け)】〔「押し明け方」の略〕「夜明け」の意の古語的表現。

おしあ・げる④【押(し)上げる】(他下一) ❶押して高い所へ上げてやる。❷止めることの出来ない要因が次から次へと働いて、そのものを高い△地位(状態)へ動かす。「トップの座に—」

***おし・い**②【惜しい】(形) ❶〔かけがえが無いので〕むだに失いたくない感じだ。「時間が—/—人を亡くした」❷〔まだあまり使ってなかったり ほかにもっと使い道があると思うので〕そのままほうっておくに忍びない感じだ。「Aには—〔=もったいない〕くらいの細君だ」❸〔才能・能力があるのに、報いられないでいるので〕機会を見つけて なんとかして(てやり)たい感じだ。「平社員には—」❹〔もう少し続けたいと思うのに〕そこで打ち切らねばならず、残念だ。「なごりが—/惜しくも〔=もう少しで勝てるところだったのに〕敗れた」 派—さ① —げ③⓪ —が・る③

おじいさん②〔幼児語「じじ」「じい」に基づく「おじい様」の口語形。口頭語形は「おじいちゃん②」〕↕おばあさん ［一］【《御〈祖父〉さん》】「祖父」の尊敬語。自分の祖父△に呼びかける(を指して言う)語。また、相手や、話題にしている第三者の祖父を指して言う。［二］【《御〈爺さん》】親族関係にない年取った男性△に呼びかける(を指して言う)語。「昔むかし、あるところに—とおばあさんがいました」

運用 (1)［一］は、他人に対して自分の祖父を言う場合「そふ」が普通だが、親しい間柄では「うちのおじいさん」のように言うこともある。(2)［二］は、年取った夫婦の間で、妻が夫に呼びかけるのにも用いられる。(3)［二］は、もう年寄りだと謙遜・自嘲を込めて用いることもある。例、「こんなおじいさんに声をかけていただいて」

おしいただ・く⑤⓪【押(し)《戴く》】(他五)(うやうやしく)ささげて持つ。「卒業証書を—」 表記「押し頂く」とも書く。

おしい・る③【押(し)入る】(自五) ❶他人の家に△無断で(強引に)はいり込む。❷すでに他の人が居る場所に、どやどやとはいり込む。

おしいれ⓪【押(し)入(れ)】〔日本間で〕布団・道具のほか、こまごました物を入れておく、ふすま・戸の付いた収納場所。

おしうつ・る④【推(し)移る】(自五) 自然の成行きとして、年月・時勢・様相などが移り変わる。

おしうり⓪【押(し)売(り)】❶不要の物を無理に売りつけて歩く△こと(人)。❷押し付けること。「親切の—〔=強要〕/助言の—をする」

***おしえ**【教(え)】［一］⓪こう△せよ(である)と、△教える(教えた)こと。「親の—〔=言いつけ〕を守る/中学で—〔=授業〕を受けた先生/師に—〔=教授〕を請う/いい—〔=教訓〕になる/孔孟の—〔=説いた実践道徳〕/キリストの—を説く/—を曲げる」 **—のにわ**⓪-⓪【—の庭】(雅)学校。［二］(造語) 動詞「教える」の連用形。 **—ご**⓪③【—子】その人が教えた生徒や学生。 **—こ・む**④【—込む】(他五) 相手が十分に△分かる(身に付ける)まで△徹底的に(繰り返し)教える。

おしえ⓪【押(し)絵】綿を包んだ布地を、花・鳥・人物に象り、羽子板などに張りつけたもの。

****おし・える**⓪【教える】(他下一)〈だれニなにヲ—〉❶〔相手の知らない知識・技術を〕分かりやすく説明し、それを身

に付けさせる。〔狭義では、学校の授業における知識・技術の教授を指す〕「犬に芸を━〔=仕込む〕/悪い事を━」❷〔相手相手の知らない情報を提供する。「道(順)を━」❸〔相手が十分に心得ていないと判断して〕論理的なものの考え方や規範的な行動などを納得できるように説いて聞かせ、物事に対する認識を深めようとする。「歴史の━所/負うた子に教えられる/身を以て━/人の生きる道を━」〔⇩教え■〕文法 教える内容が明示される場合には、教える内容を「~を」で表わし、教える相手を「~に」で表わす。例、「花子に英語を教える」。教える内容が明示されない場合には教える相手を「~を」で表わす。例、「花子を教える」

おしおよぼ・す⑤【押(し)及ぼす】(他五) 関係のある△その(他の)事にも行きわたるようにする。表記「推し及ぼす」とも書く。

おしかえ・す③【押(し)返す】(他五) 相手が押して来るのを、逆にこちらからも押す。

おしかく・す④【押(し)隠す】(他五) 〔知られたくない事を〕なんとか隠そうとする。

おしか・ける④【押(し)掛ける】(自下一) 招かれないのに行く。「新居にみんなで━/押し掛け女房⑤」

おしがみ⓪【押(し)紙】❶疑問・注意事項などを書いて、本などのそのページに付けた紙。❷吸い取り紙。かぞえ方 ❶❷とも一枚

おしき⓪【《折敷》】細い板を何か所か折って、ふちにした角盆。昔、食器を載せるために一般に使われた。かぞえ方 一枚

***おじぎ**⓪【《御辞儀》】〔もと、時候の挨拶の意の「時儀」が変化した、「辞儀」の丁寧語〕❶━する(自サ)〈だれニ━する〉相手への△挨拶(敬意の表現)として、頭を下げること。「畳に手をついて━する」❷「遠慮」の意の古風な表現。「━無しにいただきます」 ━そう⓪【━草】夏、淡紅色の小花を開く、南米原産の一年草。何かがさわると葉をたたみ、強く触れると葉の付け根から垂れ下がる。ねむりぐさ。〔マメ科〕表記 普通、「〈含羞〉草」と書く。かぞえ方 一本

おしきせ⓪【《御仕着せ》】奉公人や従業員に△制服を与えること(与える制服)。〔当事者の主体性が発揮されず、上で決められた通りに従うことの意にも用いられる。例、「━の福祉活動」〕表記「《御四季施》」は、借字。

おしきり【押(し)切(り)】■一⓪ ❶押しつけて切ること。❷すさ・まぐさ・紙などを切る道具。■二(造語) 動詞「押し切る」の連用形。 ━ちょう⓪【━帳】金銭を渡して、受取の証印を押させる帳面。

おしき・る③【押(し)切る】(他五) 自分がしようと思った事を、抵抗を排除して行なう。「△多数決(数・力)で━/△反対(抵抗)を━/常識に押し切られる〔=負ける〕」〔⇩押切り■二〕

おしくら⓪【押(し)《競》】〔「おしくらべ③」の変化〕一か所に集まって、からだを押しあう遊戯。「おしっくら⓪・おしくらまんじゅう⑤」とも。

おしげ③⓪【惜(し)気】惜しいと思う気持。「━も無く与えた」

おじけ⓪【《怖(じ)気》】こわがる気持。「━が付く/━を振るう〔=こわがってしりごみする〕」動 怖じける⓪(自下一) ━づ・く④【━付く】(自五) こわいという気持になる。おじけだつ④(五)。

おしこみ⓪【押(し)込(み)】❶押入れ。❷〔↑押込み強盗⑤〕強盗。❸尻押し。

おしこ・む③【押(し)込む】■一(自五) ❶無理に入り込む。押しいる。❷強盗に入る。■二(他五) 〔狭い所に〕無理に詰め込む。「ポケットにハンカチを━」

おしこ・める④【押(し)込める】(他下一) ❶押し込む■二。❷閉じ込めて外へ出られないようにする。

おしころ・す④【押(し)殺す】(他五) 高まる感情を懸命にこらえる。「怒りを━/笑いを━/押し殺した声」表記「《圧し殺す》」とも書く。

おじさん⓪【〈小父〉さん】親族関係にない中年の男性△に呼びかける(を指して言う)語。〔より丁寧な形は「おじさま⓪」、口頭語形は「おじちゃん⓪」。侮蔑の気持をこめて「おじん」とも〕「知らない━に付いていってはだめ」↕おばさん 運用 もう若くはない という、相手に対する皮肉や自嘲を込めて用いることもある。例、「若ぶってもうおじさんだ/おじさんじみた服装」

おしずし②⓪【押(し)〈鮨〉・押(し)〈鮓〉・押(し)《寿司》】重箱形の木型にすし飯を詰め、味を付けた魚肉などを上に載せ、押しぶたで押し、ようかん形に切ったもの。大阪ずし。箱ずし②⓪。表記「《圧し〈鮨〉》」などとも書く。かぞえ方 一本

おしすす・める⑤(他下一) ■一【押(し)進める】押して前へ進める。■二【推(し)進める】どんどん行なう。「△政策(考え方・計画)を━」

おしずもう③【押(し)〈相撲〉】押して攻め合う相撲。〔狭義では、押して攻めるのを得意とする力士を指す〕表記 ⇩付表「相撲」

おしせま・る④【押(し)迫る】(自五) まぢかに来る。「選挙の期日が━/年の瀬も━」

おじぞうさま⑤⓪【《御地蔵様》】「地蔵」の丁寧な言い方。⇩地蔵

おしたおし⓪【押(し)倒(し)】〔すもうで〕相手のわきの下や胸に手を当て、押し上げるようにして相手を倒すわざ。

おしたお・す④【押(し)倒す】(他五) △立ててある(立っている)ものを力で押して倒す。「棒を━」

おしたじ③⓪【《御下地》】「下地❹」の丁寧語。しょうゆ。

おしだし⓪【押(し)出(し)】❶押して△出すこと(出した物)。「鬼━③〔=噴火の際 流出した溶岩・泥流が固まったものの名称。群馬県浅間山の熔岩流〕」❷〔すもうで〕相手が土俵ぎわで踏みこたえようとするのを、押して出す わざ。❸人なかへ出た時の見映えのする態度・風采。「━がりっぱだ」❹〔野球で〕満塁の時、打者が△四(死)球で一塁に進み、走者が順次 進塁した結果、三塁のランナーがホームインして一点取ること。

おしだ・す③【押(し)出す】(自他五) ❶押して、△中から(ある範囲の外へ)出るようにする。「チューブから歯磨を━」❷人なかへ積極的に出て△行く(行って、自分を売り込む)。「街へ説教に━/五十過ぎて海外に━」❸積極的に人の前に出す。「前面に━/反対の立場を━」❹気勢を上げて、おおぜいの人が出かける。

おした・てる④【押(し)立てる】(他下一) ❶風などに逆らって、強い勢いで立てる。「のぼりを━」❷盛んに強く押す。「土俵ぎわまで━」❸強く主張する。「大義名分を━」

おしだま・る④【押(し)黙る】(自五) 〔意地を張るかのように〕全く物を言わないでいる。

おしちや⓪③【《御七夜》】「七夜」の丁寧語。子供が生まれて七日目の夜(の祝い)。

おしつけがまし・い⑦【押(し)付けがましい】(形) 相手の立場や意向などを無視して、何かを無理に押し付けるように感じられる様子だ。「━態度」派 ━さ⑦⑥

おしつ・ける④【押(し)付ける】(他下一) ❶動けないように、力を込めて押す。❷反発出来ないほど強引に、こちらの意向を相手に強要する。「仕事を━」❸専らこちらの都合で、相手が望まないものを与える。「損な役割を押し付けられる/責任を人に━〔=無理に持たせる〕」名 押し付け⓪

「善意の—」

おしっこ② 〔「しっこ」の「しっ」は子供に小便を促す時の擬音語、「こ」は名詞を形作る接辞。「しいしい①」ともいう〕「小便」のやや俗語的表現。

おしつぶ・す④【押(し)潰す】(他五) ❶押して潰す。❷強い力で潰す。〔巨大な力や権力などで相手の△戦う(立ち直る)力を失わせる意にも用いられる〕

おしつま・る④【押(し)詰(ま)る】(自五) ❶事態が切迫する。❷Ⓐ時期が迫る。「会期が—」Ⓑ年の暮れが近づく。「今年もいよいよ—」

おしつ・める④【押(し)詰める】(他下一) ❶押して入れる。❷これ以上は出来ないというところまで縮める。要約する。「論旨を—」❸あとの無いところまで持って行く。「土俵ぎわまで—」

おして⓪(副) ❶【押して】無理を承知の上で、そうする様子。「—お願い申しあげます」❷【推して】「推しはかって」の意の文語的表現。 —し**るべし**⓪-③【—知るべし】〔どう△なるかは(いうことであるか)〕考えてみれば、だれでも自明のこととして分かるだろう。「こんな簡単なことさえできないのだから、結果は—だ」

おしとお・す③【押(し)通す】(他五) ❶無理に通す。「知らぬ存ぜぬで—/△絶対反対(主張)を—」❷〔主義・主張などを〕最後まで変えないで、続ける。

おしとど・める⑤【押(し)《止める】(他下一) 思い切った行動に出ようとする人を、行く手をはばんだり 説得したりして、やめさせる。「家を出て行こうとするのを—」

おしどり②【〈鴛鴦〉】 カモに似た水鳥。小形で色が非常に美しい。雌雄 常に一緒に居ると信じられている。〔いつも一緒に居たり はた目にも仲が良いと見えたり する夫婦の意にも用いられる。例、「—入選⑤・—弁護士⑦」〕おし①。〔カモ科〕⇩えんおう かぞえ方 一羽

おしなが・す④【押(し)流す】(他五) 水の力で押して、流れるようにする。〔強い勢いが何かを動かし、人の力では反抗出来ない意にも用いられる。例、「△時代の波(大勢)・不況の嵐)に押し流される」〕

おしなべて③【押(し)《並べて】(副) 関連するもののすべてにわたって一様にその傾向が見られる様子。「—緑の天地になった/人—自由を叫ぶ/—〔=ⓐどの学科も平均して。ⓑその関係者はすべて〕成績がいい」

おしの・ける④【押(し)《退ける】(他下一) ❶人を押して、そこにいられなくする。「他人を—/反対を押し退けてまで」❷人と争い、自分が△先に出よう(勝とう)とする。

おしのび⓪【《御忍(び)】〔「忍び」の丁寧語。「忍び」は、忍び歩きの意〕身分のある人や役所の長官などが、△身分を隠し(前触れ無しで)ごく気楽に外出すること。「—で△散歩する(芝居を見に行く・すし屋に行く)」

おしば①⓪【押(し)葉】 ❶本などの間にはさんで押さえた葉。❷植物の葉などを押して乾燥させた標本。腊葉。〔花を押したものは「押し花②」〕

おしはか・る④【推(し)量る】(他五) 〔それまでに得た知識・情報を基にして〕物事の真相・全体像などについて、こうな(る)のではないかとその人なりに考える。「人の心を—」 表記「推し測る」とも書く。

おしひろ・める⑤【押(し)広める】(他下一) 「広める」を強めた表現。❶強引だととられかねないやり方で行きわたらせる。「製品を—」❷範囲を広げる。押し及ぼす。「考え方を—」 表記「推し〈弘める」とも書く。

おしピン⓪【押(し)ピン】〔西日本方言〕画びょう。

おしべ①【雄〈蕊】 雌蕊のまわりにあって、雌蕊に花粉を与えるしべ。ゆうずい。↔雌蕊

おしボタン③【押(し)ボタン】 押すと、△電流が通じる(装置が作動する)仕掛けのボタン。呼びりんのボタンなど。 表記「押し〈釦」とも書く。

おしぼり②【《御絞(り)】 (客へのサービスとして出す)手ぬぐいやタオルを△湯(冷水)でしめして、絞ったもの。 かぞえ方 一本

おしまい⓪【《御仕舞】「しまい」の丁寧語。❶今までしてきたことが、そこで終りになること。「おやつはこれで—よ/—〔=最後〕に帰る人は戸を閉めてください」❷将来に期待するものがすべて失われた状態になること。「人間もああなってはーだ」 表記「《御《終い」とも書く。

おしまく・る④【押(し)〈捲る】(他五) 押しに押して、相手を圧倒し去る。「△力の論理(力・多数決)で—」

おしみな・い④【惜しみ無い】(形) 何ら惜しいと思う点がない様子だ。「—声援を送る/惜しみ無くほめたたえる/愛は惜しみなく奪う」 文法 助動詞「そうだ(様態)」に続くときは「惜しみなさそうだ」の形になる。また「すぎる」と結びついて複合動詞をつくるときは「惜しみなさすぎる」の形になる。

*__おし・む__②【惜しむ】(他五)〈なにヲ—〉 ❶十分に出さないで済ませようと思う。「△労(費用)を—/△努力(協力)を惜しまない〔=十分に…する〕/名を—〔=名をけがされることをいやと思う〕/才能を出し—」❷失うことを残念に思う。「別れを—〔=このままずっと別れたきりになりたくはないと思う〕/A氏の死を—」

おしむぎ⓪③【押(し)麦】 蒸した大麦を、平たく押しつぶして乾燥したもの。押割り。

おしむらくは③②④【惜しむらくは】 惜しいことに(は)。残念なことに(は)。

おしめ②【〈襁褓〉】〔「しめ」は「湿し」の意〕赤ん坊の股から尻に当てて、大・小便を受けるきれ。「おむつ・むつき」とも。〔広義では病人や高齢者用のものをも指す〕「—を当てる/—をかえる」

おしめ⓪【押(し)目】 毎日上がっていた相場が、一時急に下がること。「—を待つ/—買い⓪」

おじめ⓪③【緒締(め)】 袋の口紐を通して締める、穴のある玉。

おしめり②⓪【《御湿(り)】 しばらく晴天が続いたあとの、ありがたい、ちょっとした降雨。「いい—ですね」

おしもど・す④【押(し)戻す】(他五) 押して、もとのところまでもどす。

おしもんどう③【押(し)問答】—する(自サ) 互いに、言いあってあとへ引かないこと。「係員と—する」

おじや②〔各地の方言〕(味噌などで味をつけた)雑炊。〔もと、女性語〕

おしゃか⓪【《御《釈〈迦】〔博奕に負けて裸になった状態を、灌仏会の釈迦像に掛けて言った洒落から〕「出来そこないの製品」の意の、業界の通語。不良(品)。「—が出る/—になる」

おしゃく⓪【《御酌】 ❶—する(自サ)「酌」の丁寧語。❷酌婦。❸半玉。舞子。

おしゃぶり② 赤ん坊にしゃぶらせる おもちゃ。

おしゃぶ・る④【押(し)破る】(他五) その先に進むために障害となるものを強引にこわす。

おしゃべり②【《御〈喋(り)】 ❶—する(自サ) (肩の凝らない話題で)人と雑談をすること。また、その雑談。❷—な △よく(言ってはいけない事まで)しゃべること(女の子)。また、その人。「—な少女」

おしゃま②—な —に ませている△こと(女の子)。「—な少女」

おじゃまむし③【《御邪魔虫】 その場の雰囲気を壊すなどするため、同席することを歓迎されない人。

おしや・る③【押(し)《遣る】（他五）❶押して向こうへ動かす。❷押しのけて、取り上げないようにする。「隅の方に押し遣られた〔=不本意ながらも移された〕」

おじゃ・る（オヂヤル）〔「お出ィである」の変化で、室町時代から江戸中期にかけて使用された語〕[一]②（自四）❶「ある・居る・行く・来る」の尊敬語。❷「ある」の丁寧語。[二]（補動・四型）「だ・である」の丁寧語。「何事でーやら」

おしゃれ②【《御《洒《落】ーな ーする（自サ）人前に出るために、気のきいた物を着たり 化粧したり する△こと（人）。

おじゃん②（ヂヤン）〔鎮火の際に、それまで連打していた半鐘を二つ打っておしまいにしたことから〕せっかくの計画が だめになること。〔俗語的表現〕「ーだ／計画がーになる」

おしゅう⓪（ヲシウ）【汚臭】汚ないものから発するいやな におい。悪臭。

おじゅう②（ヂユウ）【《御重】「重箱」の丁寧語。

おしょう①（ヲシヤウ）【和尚】〔親教師の意の梵（ボン）語の音訳〕弟子から師の僧を呼ぶ語。〔狭義では、高僧・寺の住職を指す。もと禅宗での称。天台宗では「かしょう」、真言宗では「わじょう」と言った〕

おじょうさま②（ージヤウ）【《御嬢様】立場の上の人の娘△に呼びかける（を指して言う）語。〔広義では未婚の女性に対する呼びかけにも用いられ、狭義では主家の娘を指す。口語形は「お嬢さん」、口頭語形は「お嬢ちゃん」〕「ー育ち⑥〔=苦労を知らずに育った女性〕」 運用 世間知らずだ、人の気持がわからない人だ、という皮肉をこめて用いることがある。

おしょく⓪（ヲー）【汚職】〔役人などが〕職権を乱用し、わいろを取ったりなどして特定の人に不当な利益を与えること。〔瀆職（トクシヨク）の言いかえ〕「ー事件④」

おしょく⓪【《御職】江戸時代、同輩中で上席の△人（遊女）。

おじょく⓪（ヲー）【汚辱】一生さいなまれるような、はずかしめ。「ーに満ちた一生」

おじょく⓪（ヲヂヨク）【汚《濁】〔仏教的な考え方で〕末の世になり、悪や不正が横行すること。

おしよ・せる④【押(し)寄せる】[一]（自下一）押さえきれない勢力がこちらを圧倒するように、やって来る。「△荒波（変化の波）がー／洪水のようにー／ー敵の大軍／どっとー」[二]（他下一）押して、その方に近づける。「道具を片すみへー」

お・じる②（オヂル）【《怖じる】（自上一）〔「こわがる」意の文語「おづ」の変化〕こわがる。「怖じず臆（オク）せず」⇩おずおず

おしろい⓪【〈白粉〉】〔「しろい」は「白い物」の意〕化粧のために、顔に付けたり 塗ったり する白い粉（を練り合わせたものなど）。　**ーした**⓪【ー下】おしろいのつきをよくするために肌につける△クリーム（化粧水）。化粧下。　**ーばな**③【ー花】夏の夕方、赤・黄・白などの花をつける、南米原産の多年草。白い粉の詰まった実を結ぶ。「夕化粧（ゲシヨウ）③」とも。〔オシロイバナ科〕 かぞえ方 一本　**ーやけ**⓪【ー焼(け)】ーする（自サ）〔俳優・芸者などが〕おしろいをつけることが多いために、皮膚に出来る薄黒いしみ。　**こなー**③【粉ー】粉末状の普通のおしろい。　**ねりー**③【練(り)ー・〈煉(り)ー】材料を練って作った、どろどろしたおしろい。　**みずー**③（ミツ）【水ー】液体になっている おしろい。

オシログラフ④〔oscillograph. oscillo- は「振動する」意のラテン語に由来〕電圧の変化など振動現象を波の形にして表示して見せたり 記録したり する装置。地震計はその一種。心電図・脳波測定・音声信号の波形観測などにも利用される。〔記録された図形は「オシログラム④」〕

オシロスコープ⑤〔oscilloscope〕電圧などの強さの変化を、波の形に表わして見せる観測用装置。

おしわ・ける④【押(し)分ける】（他下一）△積極的に（力ずくで）分けるようにする。「人ごみをー」

おしわり⓪【押(し)割(り)】〔↑おしわり麦⑤〕押しつけて割った麦。押し麦。↕碾（ヒ）き割り[二]❶

おしん⓪（ヲー）【悪〈心〉】いまにも吐きそうなむかむかした気分。

おじん②（ヲヂ）考えや好みなどが相容（イ）れない、△年上（年配）の男性。〔多く、軽い侮蔑（ブベツ）を含意する俗語的表現〕「ーくさい格好」↕おばん

おしんこ⓪【《御新《香】「しんこ」の丁寧語。

おす①【〈押忍〉】（感）〔「おはようございます」の省略表現によるものか〕「おはよう」のぞんざいな言い方。〔一般に、男子（学生）の挨拶（アイサツ）に用いられる〕

お・す⓪【押す】（他五）❶〈（どこ）ニ（なに・どこ）ヲー〉弾みをつけて、対象を向こうへ△動かす（動かそうとする）。「△背中（胸）をぐいとー／△呼び鈴（プッシュ ホン）のボタンをー／櫓（ロ）をー〔=櫓で舟を進める〕」↕引く ❷〈なにヲー〉抗し難い△力（勢い）で、対象を「押さえ付ける❶」。「強気でー／勢いに押される／じりじりと押し気味だ／世間の非難に押される〔=圧力を受ける。無理に従わされる〕／病を押して〔=病気であるのにあえて〕出席する／反対を押してまで」❸〈（なに）ニ（なに）ヲー〉確実な方法で、「跡❸」に印になる物をそこに置く。「花をー〔=押し花を作る〕／判をー〔=つく〕／箔（ハク）をー〔=はりつける〕／念をー〔=確かめるために、繰り返して言う〕／だめをー〔=駄目押しする〕／烙（ラク）印を押される／判で押したように」 表記 ❶は、「推す」とも書く。❷❸の一部は、「《圧す」とも書く。❸の「判を押す」は、「〈捺す」とも書く。

お・す①（ヲス）【《食す】（他四）〔雅〕「統治する」「飲食する」「着る」意の尊敬語。

お・す⓪【推す】（他五）❶有力な根拠を土台にして考える。「経験から推せば〔=推測すると〕困難が予想される」⇩推して ❷その△立場（役割）に適したものとして、その△人（物）を採るように勧める。「彼を会長にー／この本を推薦図書にー」

おす②（ヲス）【雄】動物のうち、精子を持ち、子・卵を生ませる性を有するもの。お。おん。↕雌（メス） 表記「〈牡」とも書く。

おす①（ヲー）【和子】〔↑禅和子③〕和尚（オシヨウ）。「ーさん①」

おす⓪【《御《酢】「酢」の丁寧語。〔もと女性語〕

おすい⓪（ヲー）【汚水】住宅・工場などから排出される、汚れた水。「ー処理場⓪」↕上水

おずおず①（オヅオヅ）【《怖ず《怖ず】（副）ーと ーする 相手や雰囲気に威圧されたり 失敗を恐れたり して、ためらいながら、事をする様子。「恥ずかしそうにーと申し出る／ーと試験官の前に出る」

オスカー①〔Oscar=人名〕米国映画アカデミー賞（の受賞者に贈られる、オスカーと呼ばれる金色の彫像）。

おすそわけ⓪【《御裾分(け)】ーする（他サ）よそからもらった物や利益などの（ごく）一部を、知合いに分けて上げること。「ーにあずかる」

オストメイト④〔ostomate〕人工肛門（コウモン）や人工膀胱（ボウコウ）を付けている人。⇩ストーマ

オストリッチ④〔ostrich〕〔ハンドバッグや時計のバンドの革材料としての〕ダチョウ。

おすな おすな②ー②【押すな押すな】〔「押してはいけない」と繰り返し叫ぶ意〕その場所に大勢の人が一時に集まって来て、収拾がつかないほど混雑する様子。「ーの盛況」

おすべらかし⓪④〔「お」は丁寧さを添える接頭語〕十二単（ヒトエ）を着た宮廷婦人の下げ髪。前髪を横に張り、もとどりを背後にすべらせて長く下げる。

おすまし②【《御澄(ま)し】❶△とりますこと（とりすました人）。❷「すましじる」の女性語。❸〔愛媛・鹿児島方言〕しょうゆ。

オスミウム[3]〔osmium〕白金族元素の一つ〔記号Os原子番号76〕。物質中最大の密度を持ち、硬く融点も高いがもろい。合金材料・触媒などに用いられる。

おすみつき[0]【《御墨付(き)】室町・江戸時代、幕府・大名が与えた許可書。文書の奥に、将軍や大名が墨で自分の名乗りを書き、書判(カキハン)をしたので言う。〔権威者からもらった保証の意にも用いられる。例、「—を取りつける/—が与えられる」〕

おすもじ[2] ❶【《御酢文字】すし。❷〔「す」は「推(スイ)」の意〕推察。〔❶❷とも、もと女房詞(ニョウボウコトバ)〕

おすわり[2]【《御座(り)】❶「すわること」の意の丁寧語。「生後半年で—が上手にできるようになった」❷犬が、しりを下ろしてじっとしていること。「—を覚えさせる」

おせいぼ[0]【《御歳暮】年末に、△日ごろ(かつて)世話になった相手に、ふだんの無沙汰(ブサタ)をわびると共に、謝意を忘れない意味の贈り物をすること。また、その品。

おせおせ[0]【押せ押せ】❶一つの事に時間がかかり過ぎたことが、次に予定されていたことに波及し、次つぎに遅れていくこと。「雨が続き、競技のスケジュールが—になった」❷味方の気勢が上がっていて、相手を圧倒するような状態。「—ムード」

おせじ[0]【《御世辞】〔相手に取り入ろうとしたり好意的に見てもらおうとしたりするために〕相手自身や相手に関係のある事について△必要(実質)以上にほめて言う言葉。「そんな事は—にも言えない/心にも無い—/—笑い[4]・から—[3]・—たらたら[4]、[0]-[0]」

おせち[2][0]【《御節】正月・五節句などに使う料理。おせち料理[4]。〔狭義では、正月料理を指す〕

おせっかい[2]【《御節介】—な 〔「せっかい」は「狭匙(セッカヒ)・切匙(セッカヒ)」の意という〕よけいな世話(をやくこと)。

おせわ[2]【《御世話】「世話」の丁寧語。「滞在中は彼の—になった/お客様の—をする」 運用 (1)「お世話になりました」の形で、他人の家を辞去する際の挨拶(アイサツ)として用いられる。(2)「お世話様(でした)」の形で、相手の労に対する感謝の気持をこめた言葉として用いられる。(3)「△いらぬ(余計な)お世話」「大きなお世話」などの形で、自分にとってはわずらわしい相手の親切を非難したり皮肉ったりするのに用いられる。(4)「お世話に与(アズ)かります」などの形で、これから御厄介をおかけすることになるという気持で、目上の人に対する挨拶として用いられる。

***おせん**[0]【汚染】—する(他サ)〈(なに・どこヲ)—する〉〔細菌・ガス・放射性物質などの毒が〕ついたりしみこんだりして、空気・水・食物などが人体などに有害な状態になること。〔広義では、何かの原因でひどくよごれている意にも用いられる〕「大気の—/—度が△高い(低い)/悪い考えに—される(=感化される)/環境—」

おせん[2]【《御煎】〔「せん」は「せんべい」の略。もと女性語〕「煎餅(センベイ)」の丁寧な表現。売り声にも用いられた。

おぜんだて[0]【《御膳立(て)】—する(自他サ) 食膳(ショクゼン)を取りそろえること。〔すぐ何かに取りかかれるように準備する意や、準備そのものの意にも用いられる。例、「会議の—をする」〕

おそ[1]【悪阻】病的なつわり。「妊娠—[5]」

****おそ・い**[0][2]【遅い】(形)❶△比較の対象とする(一般に予測される)ものと比べて時間がかかる様子だ。「年をとって歩くのが遅くなる/△テンポ(出足)が—/仕事は—が、仕上げの丁寧な職人」↔はやい ❷△比較の対象とする(一般に予測される)ものに比べて時間的にあとになる様子だ。「秋になって日の出が遅くなる/帰宅が—/夜遅くまで(=夜更けまで)起きている」❸〔△期待(許容)される時刻より〕あとになる様子だ。「今からではもう—(=まにあわない)」 派—さ[0] 表記 ❷は、「《晩い」とも書く。

おそいかか・る[5]【襲(い)掛(か)る】(自五) 急に相手に近づき、害を加えようとする。「△野犬(波・暴風)が—/ライオンが子鹿に—」

***おそ・う**[0][2]【襲う】(他五)❶〈だれ・なにヲ—〉〔油断しているところをねらって〕攻めかかる。「国籍不明の潜水艦に襲われる(=攻撃を加えられる)/交番を—(=襲撃する)/△あらし(異常寒波・経済危機)に襲われる(=が突然やって来る)/悪寒に襲われる」❷〈なにヲ—〉〔地位・家系などを〕受け継ぐ。〔❶❷とも、もと訓読語といわれる〕

おそうまれ[3]【遅生(ま)れ】四月二日から十二月末日までに生まれた△こと(人)。〔同年に生まれても、遅生まれの子は小学校入学の時期が一年遅い〕↔早生まれ

おそかれはやかれ[5][6]【遅かれ早かれ】(副) 遅い早いの違いはあっても、いつか必ずそのような事態に立ち至ることだけは疑い無いと判断する様子。「人は—いつかは死ぬのだ/—電子辞書の時代になる」

おそき[2][3]【遅き】〔文語形容詞「遅し」の連体形〕遅れた。「—に△失した(=遅すぎた)感がある(過ぎた)」

おそく[0]【遅く】(副) 何かが行なわれたり認められたりするのが、△比較の対象とされる(一般に予測される)場合より遅い時刻や時期である様子。「—着く便(ビン)で帰る/夜—電話がかかってくる」 文法 形容詞「おそい」の連用形であるが、名詞としても用いられる。例、「夜遅くまで営業する店/遅くから勉強を始める」

—**とも**[2](副) どんなに長い時間がかかるにしても、その時期より後にはならないだろうと、およその見当をつける様子。「遅くも[2]」とも。〔口頭語形は、多く「遅くても」〕「—今週の終りには出来るだろう」

おぞけ[0]【《怖気】こわかったり気味が悪かったりなどして、思わずぞっとする気持。「—を振(フ)るう(=こわがり、びくびくする)/—でからだがぞくぞくする」⇩おじけ

おそざき[0]【遅咲(き)】❶同類のほかの花より遅い時期に咲くこと。また、その(ような品種の)花。「—の梅」↔早咲き ❷△比較の対象とされる(一般に予測される)場合より、おくれて世に知られること。「—の俳優さん」

おそ・し[2][0]【遅し】(形ク)「遅い」の文語形。「今や—と待ち構える」

おそじも[0]【遅霜】四月ごろから八十八夜(=五月上旬)までの間におりる霜。晩霜(バンソウ)。

おそぢえ[0]【遅知恵・遅〈智慧〉】❶知恵の発達が、ほかの子供よりおくれていること。❷何かが済んだあとで、やっと出る知恵。あとぢえ[0]。「ばかの—」

おそで[0]【遅出】—する(自サ)〔企業体などの業務形態で〕遅く出勤する△こと(順番)。⇩早出

おそなえ[0]【《御供(え)】❶—する(他サ)「神仏に供え物をすること」の意の丁寧語。❷〔↑御供え餅(モチ)[4][3]〕かがみもち。

おそなわ・る[4]【遅なわる】(自五)〔雅:中国・四国方言〕遅くなる。

おそば[2]【《御《側】主君などのそば(に仕える人)。〔狭義では、近臣を指す〕「—去らず[4](=君寵(クンチョウ)のあつい臣下)・—付き[0](=侍臣)」

おそば[0]【遅場】稲の成熟の遅い場所。「—米(マイ)[0]」↔早場

おそばん[0]【遅番】〔交替制で〕遅く出勤したり登校したりする番(の人)。↔早番

おそまき[0]【遅《蒔(き)】❶時節におくれて種を蒔くこと。❷時機におくれて事をすること。「—ながら[5][0]」

おぞまし・い[4]【〈悍ましい・《鈍ましい】(形)❶憎悪感

や恐怖心が先立ち、出来るなら△話題にしたく(見たく)ないという思いで一杯だ。「密告、なんという—〔=いとうべき〕制度であろう/—〔=恐ろしい〕悪鬼のごとき形相の死に顔/—〔=気味悪い〕光景」 ㊁にぶい。〔やや古風な表現〕 派—さ③ —げ⓪④⑤

おそまつ②【《御粗末》】—な/—に 〔皮肉や自嘲を込めて〕事態を、決して満足できるものではないととらえる様子。「—な出来ばえ/財布を持たずに買物に行くなどという—な〔=間の抜けた〕話でしてね」 運用「お粗末でした」「お粗末様(でした)」の形で、自分のしたことについて、意に満たない内容であると謙遜の気持をこめた挨拶の言葉として用いられる。特に、「ご馳走様」に対する返礼として多く用いられる。

おそらく②【恐らく】(副) 〔文語の四段活用の動詞「恐る」の未然形＋接辞の「く」〕そうならないかもしれないという、幾分かの疑念・ためらいの気持をいだきながらも、その実現を推測する様子。「—不可能だろう/この分では—雨になるだろう」

おそ・る②【恐る】(他下二) 「恐れる」の文語的表現。「恐るるに足らず」 —**おそる**④【—恐る】(副) 予測される不結果を心配しながら、なかば逃げ腰で実行に踏み切る様子。「どんな味がするのか—食べてみた/—社長におうかがいを立てる」 —**べき**④ 〔「恐るべし④」の連体形〕「恐ろしい」の漢文訓読語的表現。「—〔=恐ろしい実力を持っていて、警戒を要する〕人/—〔=たとえようが無いほどの ひどい〕暑さ」

おそれ【恐れ】 ㊀③ 恐れること。恐れこわがる気持。「—が△生じる(消える・広がる)/—をいだく/—を知らぬ者たち/—をなす〔=こわがる〕」 表記「畏れ・《怖れ》」とも書く。 —**おお・い**④⑤【—多い】(形) ㊀神仏の罰を受けるのではないかと恐れ、はばかられる心境だ。「観音の境内を血で汚しては—」 ㊁身分不相応と考えられるので、辞退したい心境だ。「私共には—〔=有難過ぎる。もったいない〕話でございます」 派—さ④ 表記「畏れ多い」とも書く。

㊁(造語) 動詞「恐れる」の連用形。 —**いります**②-③【—入ります】「恐れ入る」の丁寧語。 —**い・る**②-⓪【—入る】(自五) ㊀相手から受けた厚意などに対して自分には過分の事だと思って、かえって恥ずかしく思う気持をいだく。「わざわざお出でいただき、恐れ入ります」 ㊁相手に予期した以上に能力があることがわかって、自分の判断の甘さを思い知る。「彼の料理の腕前には恐れ入った」 ㊂あまりにも常識とかけ離れているので、まともに対応する気になれない気持をいだく。「毎度の長話には—〔=参る〕よ/恐れ入った〔=あきれた〕話だ」 表記「畏れ入る」とも書く。

おのの・く⑥、②-②【《戦く》】(自五) 何かを恐れ、絶えず不安がっている。「—も無く進み出る」 —**げ**⓪【—気】 —**ながら**⓪④【—ながら】(副) 「こう言うのも口幅ったい事ですが」という気持を表わす。「—申し上げます」

おそれ③【恐れ・虞】 〔いやな事が起こるのではないかという〕心配。「二位転落の—が強まる/流出の—を秘める/豪雨の—がある」

***おそ・れる**③【恐れる】(他下一)〈なに・だれヲ—〉「恐ろしい㊀」という状態でいる(思う)。「死を—/彼は人に恐れられている/失敗を—」 表記「畏れる・《怖れる》」とも書く。〔⇩恐れ㊁〕

****おそろし・い**④【恐ろしい】(形) ㊀危険や災害が自分の身に△及んで(及ぶことが予測され)、極度の不安に駆られる様子だ。「大雨で堤防が決壊し、川沿いの住民が—目に遭う/円高が長引けば、輸出産業は—ことになる/彼は紳士の仮面をかぶった—人だ」 ㊁〔一般に「恐ろしく」の形で、副詞的に〕△通常の(一般に予測される)程度をひどく超えている状態だ。「今年の夏は恐ろしく暑い」 ㊂理屈では考えられない、不思議な力が認められる様子だ。「熱心というものは—もので、たったの半年で二か国語をマスターした」 派—さ③ —げ④⓪ —が・る⑤

おそわ・る⓪【教わる】(他五) 「教える」の受動形「教えられる」の口語形。「△先輩(この本)から多くのことを教わった」

おそわ・れる⓪④【《魘われる》】(自下一) 〔「魘う」の受動形。もと、「夢の中で襲われる」の意〕こわい夢を見て、苦しめられる。「悪夢に—」

おそん⓪【汚損】—する(他サ) ㊀よごしたり 傷つけたりすること。「貴重本を—する」 ㊁よごれたり 傷ついたりすること。「—防止」

オゾン①〔ozone〕 △空気(酸素)中の放電によって生じる、特有の においをもつ気体。防腐・殺菌・漂白用。〔化学式 O_3〕「—で除菌する」

オゾン そう②【オゾン層】 成層圏において、オゾンが濃く存在し層を成している部分。地上約二十~三十キロの所にあり、太陽からの有害な紫外線を吸収して地上の生物を保護する役割を果たす。「—の破壊」

オゾン ホール④〔ozone hole〕 〔オゾン層で〕オゾンの濃度が周囲より著しく低くなり、穴のあいたような様相を呈している所。フロンガスの使用などが原因とされる。

おだ① 〔「おだいもく」の略〕これといった論拠もないことをさも得意気に主張すること。また、その主張。〔俗語的表現〕「—〔=勝手な気炎〕を上げる」

おだ⓪【小田】〔雅〕田。

おたあ さま②【《御たあ様》】 〔家族が ふだん住む「対屋③」にお住みになる方の意〕宮中で、母上の意の敬称。おたたさま②。 ↕おもうさま

おだい⓪【《御代》】 「代金」の丁寧語。「—は見てのお帰り」

おたいこ⓪【《御太鼓》】〔←おたいこむすび⑤〕 女性の帯の結び方。太鼓の胴のように ふくらませて結ぶ。また、そのふくらんだ部分。

おだいもく⓪【《御題目》】 ㊀〔日蓮宗で〕南無妙法蓮華経の七字のこと。 ㊁〔必ずしも実行力や実質的内容を伴わない〕主張。「—に掲げる/—を並べる/—を唱える/—だけはりっぱだ」

おたいら⓪【《御平ら》】 〔「—に」の形で〕正座していた足をくずして楽な姿勢をとるように勧める時の語。「どうぞ—に」

おたおた①(副)—と/—する 意外な事態に直面して、あわててうろうろするばかりで、これといった有効な対処をなしえないでいる様子。

おたか・い⓪③【《御高い》】(形) 〔「お」は丁寧を表わす接頭語〕気位が高い様子だ。「御高くとまる〔=つんとすまして人を見くだした態度を取る〕」

おたがい⓪【《御互(い)》】 ㊀「互い㊁」の丁寧語。「—の幸せを願って乾杯する/苦労をしたのは—だ」 ㊁Ⓐ「互い㊂Ⓐ」の丁寧語。「—に席を譲り合う」 Ⓑ「互い㊂Ⓑ」の丁寧語。「加害者も被害者も—に辛い立場に立たされる」 運用㊁は、「お互い様⓪」の形で、こちらも同じ立場なのだから、そんなに自分に感謝したり 謝罪したり する必要は無い、という気持を表わすのに用いられる。例、「御無沙汰はお互い様です」

おたから⓪【《御宝》】 ㊀「大切な宝」の意の△尊敬(丁寧)語。〔古くは、「お金」の意にも用いた〕 ㊁印刷して売り歩いた、宝船の絵。

おだき[1]【雄滝】近くにある二本の滝のうちで、勢いが強く大きい方。↕雌滝 表記「《男滝」とも書く。

おたく[0]【《御宅】❶相手の家の敬称。「旦那様は―〔=ご在宅〕ですか」❷〔代名詞的用法〕あなた(の所)。〔より丁寧には「お宅さん」「お宅様」〕「―〔=あなたの会社〕の景気はどうですか?」❸〔俗に〕趣味などに病的に凝って、ひとり楽しんでいる若者。〔同一の趣味を持っていても、親しい間柄ではないので、相手に対して「おたく」と呼びかけるところから〕「アニメ―[4]・―族[3]」 運用 ❷は、それほど親しくない相手に軽い敬意をこめて呼びかけるのに用いられる。

おだく[0]【汚濁】―する(自他サ)〔元来きれいであった水などが〕よごれた状態になること。また、すること。〔仏教語では「おじょく」〕

おだけ[1]【雄竹】マダケ・ハチク・モウソウチクなど、大形の竹の俗称。

おたけび[0][2]【雄《叫(び)】〔敵と戦う時などの〕勇ましい叫び声。

おたずねもの[0]【《御尋(ね)者】警察で捜し求めている被疑者や犯人。

おたち[0]【《御立(ち)】「出立」の意の尊敬語。 **―だい**[0]【―台】催し物などで、挨拶をしたりインタビューに応じたりする人が立つために設けた、一段高い台。

おたっし[0]【《御達し】役所や立場の上の人からの知らせや言いつけ。表記「《御達示」とも書いた。

おだ・てる[0]【〈煽てる】(他下一)〔何かをやらせる下心もあって〕しきりにほめる。名 煽て[0]「―に乗る」

おたな[0]【《御《店】〔商店の奉公人にとって〕主家。 **―もの**[0]【―者】商店の番頭・手代。

おたふく[2]【お多福】おかめ。表記「〈阿多福・〈於多福」とも書く。 **―かぜ**[4]【―〈風邪〉】両側の耳下腺がはれるために、顔がふくれて見える感染症。幼児・学童に多い。流行性耳下腺炎[9]、[0]-[3]。表記 ⇩付表「風邪」 **―まめ**[4]【―豆】大粒のソラマメを甘く煮たもの。

おだぶつ[2]【《御〈陀仏】「死ぬ」意の俗語的な婉曲表現。「―になる〔=死ぬ〕」

おたま[2]【《御玉】❶「おたまじゃくし❶」の略。❷「鶏卵」の女性語。 **―じゃくし**[4]【―〈杓子】❶みそ汁などをすくう、まるい杓子。❷カエルの卵のかえったもの。頭部にすぐしっぽが付いているように見える。〔形が似ていることから、音符(「♪」など)の俗称としても用いられる〕

おだまき[0][2] ❶[2]つむいだ麻糸を巻いて玉にしたもの。❷[2] 春、筒のついた紫色または白色の五弁の花を下向きに開く多年草。〔キンポウゲ科〕❸[2][0]〔↑おだまき蒸し[0]〕底にうどんを入れた茶わん蒸し。表記 ❶❷は、「〈苧《環」と書く。また❸は、「小田巻」と書く。 かぞえ方 ❷は一本

おたまや[0]【《御霊屋】貴人が祖霊をまつっておく建物。「みたまや」とも。

おため ごかし[4]【《御《為ごかし】相手のためにするように見せかけて、実は自分自身の利益をはかること。

***おだやか**[2]【穏やか】―な ―に ❶心の平静や、それまで無事に過ごしてきた毎日の生活のリズムが乱されるような事が無い様子。「―な〔=風も無く雨も降らない、静かで暖かい〕天気/―な〔=苦悩や苦痛のあとが全く見られない〕死に顔」❷何事も無く、事がおさまる様子だ。「君からは何も言わない方が―だろう/―でない〔=聞き捨てに出来ない〕/―に(言葉で)注意する」❸たとえ心の中では承服しかねる事があってもそれを表面に出さず、他と事を構えることはしない様子。「―な人柄」派 ―さ[4]

おだわら[0]【小田原】「小田原ぢょうちん・小田原評定」の略。 **―ぢょうちん**[5]【―《提《灯】伸び縮みする、細長い提灯。 **―ひょうじょう**[5]【―評定】〔豊臣秀吉が小田原城を攻めた時、城中で和戦の評定がなかなか決まらなかったことから〕いつまでも結論の出ない相談。

おたんこ なす[5]〔変な形のナスの意〕のろまな(失敗の多い)人をののしって言う語。

おたんじょうび[0]【《御誕生】「誕生(日)」の丁寧語。

おたんちん[4][2] まぬけな人をののしって言う語。「おったんちん」とも。「この―め」

おち【落(ち)】■[2]❶(不注意による)脱落や手抜かり。「名簿に―がある」❷予測される、よくない結末。「ひとりで力んでそんな事したって失敗するのが―さ」❸〔落語などで〕話の結末としての効果的なしゃれ。下げ。「この話にはちゃんと―がある」■(造語)❶首都での生活に見切りをつけて(が出来なくなって)地方へ行って居住すること。「都―・いなか―[0]」❷〔将棋で〕強い人が、その駒を盤面からはずして戦うこと。「角―」⇩落とす❸Ⓐ

おちあ・う[3][0]【落(ち)合う】(自五)〔同類のものが〕動いて行って、そこで一緒になる。「約束して六時に―〔=出会う〕/二つの川が―〔=合流する〕」名 落ち合い[0]

おちあゆ[0][3]【落(ち)〈鮎】秋、産卵のために川を下るアユ。さびあゆ。下り鮎。

おちい・る[3][0]【陥る】(自五)〔落ち入る意〕❶落ち込んで、すぐには上がれなくなる。「穴に―」❷救いの無い状況下に入ってしまい、すぐには脱することが出来なくなる。「△ピンチ(破局・混乱・財政難)に―/△パニック(膠着・足踏み)状態に―/△半身不随(睡眠不足・ジレンマ・自信喪失・悪循環)に―/相手の計略に―〔=かかる〕」❸〔城が〕攻め落とされ(て、敵の物とな)る。

おちうお[2]【落(ち)魚】❶落ちアユ。❷川・海などで、上層の低温を避けて、深い所へ移る魚。❸死んだ魚。

おちうど[2]【落《人】「おちゅうど」の歴史的かなづかいによる表記。

おちえん[0][2]【落(ち)縁】座敷の床よりも一段低く作った縁側。

おち おち[1]【落ち落ち】(副)―と〔否定表現と呼応して〕△落ち着いて(安心して)何かに専念できない意を表わす。「―出来ない/心配で夜も―眠れない」

おちくぼ・む[0][4]【落(ち)〈窪む】(自五)その部分(一帯)が窪んだ状態になっている。「落ち窪んだ目」

おちこち[3][2]【《遠《近】〔雅〕あちらこちら。表記「《彼《方〈此《方」とも書く。

おちこぼれ[0]【落(ち)《零(れ)】❶脱穀・俵詰め・運搬などの作業時に零れたまま捨て置かれた穀物。❷収容しきれずに取り残された物。❸〔俗に〕学習不十分で授業についていけなくなった生徒や、他力本願的な利益・余得。動 落ち零れる[5][0](自下一)

おちこ・む[0][3]【落(ち)込む】(自五)❶穴や水の中などに△落ちる(落ちて出られなくなる)。❷まわりと比べて、その部分だけが著しくくぼむ。「過労のために急に目が―」❸何かがきっかけとなって、無気力な状態になる。❹〔それまで順調に伸びていた業績などが〕急に下がる。「貿易が―/赤字経営に―」名 落ち込み[0]「△税収(景気)の―」

おちしお[0]【落(ち)潮】ひきしお。↕上げ潮・満ち潮・差し潮

おちつき【落(ち)着(き)】■[0]❶落ち着いた△態度(様子)。「―を△失う(取り戻す)/―のない子供」❷器物のすわりぐあい。「―〔=安定〕が悪い」表記「落ち付き」とも書く。■(造語)動詞「落ち着く」の連用形。 **―はら・う**[6]【―払う】(自五)他の人ではまねが出来ないほど落

ち着いた様子を見せる。

*おちつ・く⓪【落ち着く】(自五) ❶〈(どこニ)—〉出入・変化・移動・動揺・混乱・無秩序などがおさまり、望ましい状態▵になる(が保たれる)。「▵事件(地価)が—/天候が—/痛みが—〔=おさまった状態が続く〕/いつも何か音楽が聞こえて来なければ落ち着かない〔=ⓐ心のどこかに空洞を感じる。ⓑ安んじて仕事をする気になれない〕/尻が落ち着かない〔=そわそわして、ゆっくりその場にとどまっていることが出来ない〕/ようやく落ち着いた〔=ⓐこれまで転居ばかりしていた人が、家を見付けそこに定住する気持になった。ⓑそれまで結婚話に耳を傾けなかった人が、所帯を持つ(決心をする)ようになった。ⓒ事件などがおさまり、▵平静(平和)に戻った〕/兄の家に落ち着いた〔=ⓐ到着した。ⓑ滞在した。ⓒ同居した〕」 ❷〈なにニ—〉揺れ動いていた議論・相談などがまとまり、ある結論に達する。「条件付き賛成の線に—」 ❸環境の変化や外界の雑音や他人の▵栄達(批評)などに心を動かされず、マイペースを保つ。「落ち着いて〔=あわてたり興奮したりしないで、静かに〕話す/落ち着かない〔=しょっちゅう動き回っていたずらなどをし、しばらくの間もじっとしていない〕子/落ち着かない態度/落ち着いた〔=軽薄な点が見られない〕良い娘さん」 ❹けばけばしいところが無かったりして、周囲との違和感が無い状態だ。「落ち着いた雰囲気の喫茶店/落ち着いた色」 他動 落ち着ける⓪(下一)「腰を—〔=ずっとそこに居て、動かない〕」 表記 「落ち付く」とも書く。〔⇩落ち着き❷〕

おちど①【落ち度】〔「越度(ヲチド)」の変化〕 ❶行き過ぎ・不注意とかし損じなどのような、人の叱責(シッセキ)・とがめに値する不結果。「—の無いように気をつける/自分の—〔=責任〕を認める/人の—を拾う〔=あらを探す〕」 ❷▵道徳(宗教・法律)に照らしてみて、とがめられるべきいわれ。「彼に—〔=罪〕は無い」

おちの ひと②【《御乳の人】〔雅〕身分の高い人の子のうば。

おちの・びる④⓪【落ち延びる】(自上一)(無事に)遠方へ逃げる。「都から九州へ—」

おちば①【落ち葉】 ❶(枯れて)地に落ちた木の葉。「—焚(タ)き」 ❷〔↑落葉色⓪〕赤みを帯びた黄茶色。 かぞえ方 ❶は一枚

おちふだ②【落ち札】「落札(ラクサツ)」または、「富くじ当たり札」の古風な表現。

おちぶ・れる⓪④【落ちぶれる】(自下一) 身分が下がり貧乏になって、みじめな状態になる。なりさがる。「こじきにまで—」 表記 「〈落〈魄〉れる・〈零落〉れる」などとも書く。

おちぼ①⓪【落ち穂】 稲などを刈り取ったあとに落ち散っている穂。「—拾い④〔=先人がやり残した細かいことをする意にも用いられる〕」

おちむしゃ⓪【落ち武者】 いくさに負けて戦場を離脱する武士。

おちめ③⓪【落ち目】 それまで盛んだった勢いが次第に衰えてきて、再び元に戻れない状態。「人気が—になる」

おちゃ⓪【《御茶】 ❶「茶」の丁寧語。「—の会〔=お菓子とちょっとした飲み物程度の会合〕/—〔=簡単な食事〕に招く」 ❷茶の湯。「—の先生」 【—にする】 仕事の途中で、ちょっと休む。 【—を濁(ニゴ)す】 いいかげんなことを言ったりしたりして、その場をごまかす。 【—を〈挽(ヒ)く】 芸者などが、客が無くてひまでいる。

おちゃうけ⓪【《御茶請け】 お茶を飲む時に食べる菓子など。茶菓子。

おちゃくみ⓪【《御茶〈汲み】 役所や会社などで、お茶をいれて出す程度の責任の軽い仕事をする▵こと(人)。

おちゃっぴい④②〔—な〕〔—に〕 おしゃべりで、ちゃめ▵であること(な少女)。

おちゃのこ⓪【《御茶の子】 ❶お茶うけ。 ❷朝飯として食べる茶がゆ。〔腹にたまらず負担とならないことから、物事が容易に出来る意にも用いられる。例、「—さいさい⓪-⓪、③-⓪」〕

おちゃらか・す④(他五)〔「おひゃらかす」の変化という〕からかう。ひやかす。〔「ちゃかす」は、これの変化という〕

おちゅうど②【《落《人(オチウド)】〔「おちびと⓪②」の変化〕いくさに負けて、追ってくる敵から逃げる人。「平家の—」

おちゆ・く③⓪【落ち行く】(自五) ❶(都などから)逃げて行く。「—先は奥州平泉」 ❷結局、そこに帰着する。落ち着く。

おちょう①【雄(ヲ)〈蝶(テフ)】 おすのチョウ。 —めちょう①-①【—雌〈蝶(メテフ)】 婚礼の時、雄蝶雌蝶を象(カタド)った紅白の折り紙の付いた銚子(チョウシ)や ひさげで、新郎・新婦に酒をつぐ役(の人)。

おちょうしもの⓪〔—テウ—〕【《御調子者】 ❶調子に乗りやすい、軽率な人間。おっちょこちょい。 ❷調子をうまく合わせるだけで、実際は信用出来ないような人。

おちょく・る③(他五)〔関西方言〕からかう。

おちょこ②【《御〈猪《口】「ちょこ」の丁寧語。「—になる〔=さしていた傘が、風のあおりを受けて、逆の方向に開く〕」

おちょぼぐち③【《御ちょぼ口】 小さくつぼめた形の(かわいらしい)口。おつぼぐち。

**お・ちる②【落ちる】(自上一) ❶〈(どこカラ)どこニ—〉高い位置である状態を保っていた物が、▵支えとなる物(それ自体を支える力)を失って下方に移動する。〔その結果、好ましくない事態に至ることを含意することがある〕「階段から—/川の増水で橋が—/相手の術策に—/木の葉が—/日が—〔=沈む〕/雨が落ちて〔=降って〕くる/観光客が増えて地元に金が—ようになる/腑(フ)に落ちない」 ❷〈(なにカラ)—〉▵今まであった(あることが期待される)ものが、そこに認められない状態になる。「▵色(汚れ)が—/頰(ホオ)の肉が—/名簿から名前が—/一字落ちて〔=ぬけて〕いたので単語の意味が分からなかった/▵キツネ(つきもの)が落ちて正気を取り戻した」 ❸〈(なに・どこカラなに・どこニ)—〉▵それまでの(期待される)程度を維持することが出来ず、(急激に)悪い状態になる。「▵売れ行き(生産・成績・腕)が—/▵人気(評判)が—/古くなって冷凍食品の味が—/話が—〔=下品になる〕」 ❹〈なにニ—〉▵必要とされる基準(期待される程度・段階)に達していない(ので資格が得られない)状態にある。「(国家)試験に—/選挙に—/国産品に比べて品質が—」 ❺〈(なにニ)—〉それまでの事態が▵持続できず(持続することなく)新たな事態に変わる。「城が—/検察の厳しい追及に被疑者がついに落ちた〔=自白した〕/都から—〔=敵に追われるなどして都に居られなくなり逃げ出す〕/百万円で—〔=落札される〕/手形が—〔=約束の日に現金になる〕/問うに落ちず語るに—〔=⇩問う〕/▵恋(眠りの淵(フチ)・錯覚・深み)に—」 表記 「《墜ちる・《堕ちる」とも書く。 運用 受験、新築・開店、妊娠出産などに際しては避けるべき言葉とされる。

おっ(接頭)〔東部方言〕 ❶〔「押し」の変化〕▵勢いよく(いきなり)何かをする意を表わす。「警棒—とって/—取り囲む/—ぴらく④・—ぺしょる④・—ぽる③・—ぽり出す」 ❷程度が一通りでないことを表わす。「—たまげる⑤」

おつ(乙)→【字音語の造語成分】

お・つ①【《墜つ】(自上二)「落ちる」の文語的表現。「巨星—〔=大きな業績を持つ人が死んだ〕」

おつ【乙】 ❶① ❶十干(ジッカン)の第二で、甲の次、丙の前。きの

おつ
【乙】 ⇩（本文）おつ【乙】

と。❷幾つかある物事のうち、第二位に取り上げるものの称。「甲(コウ)ー」⇩甲[二]❶ ❸〔邦楽で〕一オクターブ低い調子。↕甲(カン) [二][0]ーな・ーに ^それなりの趣(何がしかの取りえ)が見られる様子。「^オーソドックス(普通)ではないが、ーな味〔=他のものには見られない独特の味わい〕/ーな〔=ちょっと心をくすぐられるような〕気分になって」⇩乙に

おっかあ[3]【おっ《母》】「母・妻」の意の古風な口頭語的表現。表記 付表には「母さん」のみ例示。

おっかけ[0]【追(っ)掛(け)】〔「追い掛け[0]」の強調表現〕❶〔副詞的に〕何かのあと、間隔を置かずに引き続き何かが行なわれること。「休みが終わるとー〔=すぐ〕試験が始まる」❷〔映画で〕追跡の場面。❸事あるごとに人気スターの後を追いかけ回す熱狂的なファン。動 追っ掛ける[4]（他下一）

おっかな・い[4]（形）「こわい・恐ろしい」意のやや俗語的な口頭語。派 ーさ[4][3] ーが・る[5]

おっかなびっくり[5]（副）「びくびくしながら」の意の口頭語的表現。

おっかぶ・せる[5]【押っ《被せる》】（他下一）〔「押しかぶせる[5]」の強調表現〕❶おおいかぶせる。❷高圧的な態度に出る。「ーような態度」❸なすりつける❶。「責任を他人にー」自動 おっかぶさる[5]（五）

おつかれ[0]【《御疲れ》】「（相手が）疲れていること」の意の尊敬表現。「ーのご様子」運用 「お疲れ様[0]」の形で、同輩以下に対するねぎらいの言葉として用いられる。例、「遅くまでお疲れ様でした」

おつき[0] [一]【《御付(き)》】「（貴人の）付き人」の尊敬語。おとも。「ーの者」[二]【《御着き》】貴人の到着。

おつぎ[0][2]【《御次》】❶「次（の人）」の敬称。「ーの番だよ」❷「次の間（に仕える奥女中）」の丁寧語。

おっくう[3]【億(オク)〈劫(クフ)〉】ーな・ーに 〔「おくこう」の変化。もと、長い時間がかかり、すぐには出来ない意〕手足や頭を働かせることがめんどうな様子。何もやりたくない気持。派 ーさ[0][3] ーが・る[5]

おつくり[0][2]【《御作(り)》】❶「刺身」の丁寧語。〔もと女房詞(コトバ)〕❷「女性の化粧」の丁寧語。

おつけ[0]【《御付(け)》】〔御飯につけて出すものの意〕みそしる。〔もとは、すましじるをも指した〕

おつげ[0]【《御告(げ)》】神仏が人間に知らせる言葉。託宣。「神のー」 ーぶみ[0]【ー文】天皇が、神に申し上げる言葉。⇩告文(コウモン)

おっけん[0]ー【臆(オク)見】勝手に推測して得た意見。

おっこ・ちる[4]【落っこちる】（自上一）〔関東方言〕落ちる。他動 おっことす[4]（五）

おっさん[0]〔関西方言〕〔「おじさん」の変化〕中年の男性を親しんで呼ぶ語。

おっしゃ・る[3]【《仰る・〈仰有〉る》】（他五）〔「仰せある」の変化〕「言う」の尊敬語。「先生がおっしゃったことです/『社員の意識を高めるべきだ』『ー通りです』/うそおっしゃい〔=『うそつけ』の丁寧な言い方〕/佐藤様とー方」文法 連用形「おっしゃり」は「ます」に続くときは「おっしゃい」となる。例、「今何とおっしゃいましたか」。命令形は口頭語では「おっしゃれ」ではなく、「おっしゃい」の形で用いられる。例、「言いたいことは何でもおっしゃい」運用 「ます」を続けた「おっしゃいます」を「おっしゃられます」と言うのは過剰敬語とされる。

オッズ[1]〔odds〕競輪・競馬の配当予想。配当率。

おった・てる[4]【押っ立てる】（他下一）勢いよく立てる。自動 おっ立つ[3]（五）

おっちょこちょい[5]ーな 慎重さを欠くなどして、とかく失敗しがちな様子（の人）。〔軽い侮蔑(ブベツ)を含意して用いられる〕

おっつかっつ[4]ーな・ーに〔「打っつ搗(カ)っつ」の変化という〕両者の間に能力・技量などの差がほとんど無い様子だ。「先生と言っても作品の出来は弟子とーだ」

おっつ・く[3]【追っ付く】（自五）「追いつく」意の口頭語的表現。

おっつけ[0]（副）それほど長い時間待つこともなく、事が実現するだろうと推測する様子。「ー来るだろう」表記 「追っ付け」とも書く。

おっつ・ける[4]【押っ付ける】（他下一）❶「押し付ける」の強調表現。❷〔すもうで〕自分の腕を わきに ぴたりとつけて、相手に差させないようにする。名 おっつけ[0]

おって[0]【追って】[一]（副）当面の問題が処理された後にその事が行なわれる様子。「結果はー通知する」[二]（接）「以下の事を書き添えます」の意。表記 「《逐って》」とも書く。[二]は、「追〈而〉」とも書いた。 ーがき[0]【ー書(き)】「追伸」の和語的表現。なおなおがき。

おって[0]【追(っ)手】〔「追い手」の変化〕〔敵や犯人など〕逃げて行く者を追いかける人。「ーが^かかる(をかける)」

おっと[1]（感）何かに気付いたり 驚いたり したときに発する声。「ー、合点(ガッテン)/ー待った/ーしくじった」 ーどっこい[1]-[3]（感）何かをしくじりそうになった時に、戒めと安堵(アンド)の気持を込めて発する掛け声。

****おっと**[0]【夫(ヲット)】〔妻に対して〕その人と結婚している男性。↕妻 表記 「〈良人〉」とも書く。

おっとう[3]【おっ《父》】「父・夫」の意の古風な口頭語的表現。表記 付表には「父さん」のみ例示。

オットセイ[3]【〈膃肭臍〉】〔アイヌ onnep＋臍(ヘソ)。雄の陰部を臍として採った精力剤の名〕北太平洋などにすむ大形の海獣。背中は黒く、腹は灰色で、四足は ひれの形。毛皮・肉が利用される。〔アシカ科〕かぞえ方 一匹・一頭

おつとめ[0]【《御勤(め)》】ーする（自サ）「勤め」の丁寧語。「ーご苦労さま/朝夕のー〔=僧の修行としての読経(ドキョウ)・看経(カンキン)〕」運用 (1)あまり気の進まない仕事などを^形式的に(やむをえず)することを、皮肉や自嘲(ジチョウ)を込めていう。例、「おつとめでしていることだから恨まないでくれ」(2)「どちらにお勤めですか」の形で勤務先を問う表現として用いられる。 ーひん[0]【お《勉(め)》品・ー品】特別に、その日値引きして売る品物。

おっとり[3]（副）ーと・ーする 何事にも寛大で、人と争ったり人を疑ったりしようとしない性格である様子。「ー（と）構える」

おっとりがたな[5]【押(っ)取(り)刀】非常の場合、刀を手に持ったまま腰に差さないで、現場に駆けつけること。〔取る物も取りあえず、大急ぎで駆けつける形容に用いられる〕

おつに[0]【乙に】（副）ふだんの様子と違っていて、妙に気取っている感じがする様子。「ーすます/ー構える」

おっぱい[1]〔「一杯」の意という〕「乳・乳房」の幼児語。

おっぱじ・める[5]【押っ始める】（他下一）〔東京方言〕〔「押し始める[5]」の強調表現〕^もう（いきなり）始める。「けんかをー」

おっぱら・う[4]【追っ払(パラフ)う】（他五）「追い払う」意の口頭語的表現。

おっぽ[3]ー【尾っぽ(ヲ)】〔「尾」と「しっぽ」の混交〕「尾・しっぽ」の意のややくだけた口頭語的表現。

おつぼぐち[3]【《御〈壺口〉》】おちょぼぐち。

おっぽりだ・す[5]【押っ《放り出す》】（他五）「ほうり出す」意の口頭語的表現。〔狭義では、家から追い出すことを

おつまみ②【《御《摘(まみ)】〔↑おつまみもの⓪〕「つまみもの」の丁寧語。

おつむ②〔「お」は丁寧さを添える接頭語。「つむ」は「つむり」の意〕「頭」の幼児語。「―がいい/―てんてん②-⓪(=幼児が両手で軽く自分の頭をたたくしぐさ)」

おつめ⓪【《御詰(め)】〔茶会で〕最末席の客。「亭主❷」を助けて茶碗ワンを主客ショウキャクに取り次ぐなど、正客に次ぐ役柄を果たす。⇩正客

おつもり⓪【《御積(り)】十分に酒を飲んだところで、それでおしまいになるという、最後の酌。おしまい。「もう―だ/―にする」

おつゆ②【《御《汁】「つゆ」の丁寧語。〔狭義では、すましじるを指し、広義では、みそしるをも含む〕

おつり⓪【《御釣(り)】「釣銭」の丁寧語。「買物をして―をもらう」【―が来る】❶支払った分に対して、つり銭が戻って来る。「家計費を十分賄って―/千円で―昼食」❷負の側面を差し引いても十分すぎるほどである。「実際、勉強はしなかったのだから、この成績でも―」

おつりき⓪【乙りき】―な―に〔江戸語〕ちょっと変わっていて、いい様子。

おてあげ⓪【《御手上(げ)】対処の方法が無くなって、困りきること。〔狭義では、破産を指す〕「もし、嵐アラシにでもなれば―だ/―の状態」

おでい⓪―ヲ【汚泥】川底などに堆積したどろ。

おでかけ⓪【《御出掛(け)】「(他人が)出掛けること」の意の丁寧な表現。「どちらへ―ですか/近くに―の節はお寄りください/―用の服」

おでき②【《御出来】〔「でき」は「できもの」の略〕皮膚がはれあがってうみを持ったもの。はれもの。

おでこ②〔「でこ」はでっぱった意でひたいを指す〕❶「ひたい」の俗称。「―が広い/蜂にさされて―が腫れ上がる」❷ひたいが高く出ている△こと(人)の俗称。「あの―に頼もう」

表記「《御《凸」とも書く。

おてしょ②【《御手《塩】「手塩皿テシオザラ」の女性語。

おてだま②【《御手玉】❶小さな布の袋にアズキなどを入れてくるんだもの。(子供が)数個手に持ち、空中に投げ上げては受けて遊ぶ。❷俗に、〔野球で〕野手がボールをしっかり受けられず、グローブに当てて一、二度はねあげること。

おてつき【《御手付(き)】❶②歌がるたを取る時、まちがって別の札に手をつけること。おてつけ②。❷⓪「主人が召使の女性などと関係すること」の意の婉曲エンキョク表現。また、その女性。

おてつだい②―テツダヒ【《御手《伝(い)】〔「てつだい」の丁寧語〕❶何かを手伝う△こと(人)。「準備の―を頼む」❷〔「―さん」の形で〕「女中」の改称。「―さん求む」

おてて⓪②【《御手々】「手」の意の幼児語。

おてなみ⓪【《御手並】〔「お」は丁寧さを添える接頭語〕相手の技術の程度。「―拝見」⇩てなみ 運用

おてのうち⓪③【《御手の内・《御手の《中】❶あなたが(手に入れて)持っている物。❷あなたの腕前。「―拝見」

おてのすじ④―スヂ【《御手の筋】〔手相が当たること、の意〕相手△の(に関する)想像がうまく当たること。

おてのもの⑤⓪【《御手の物】得意(のわざ)。「翻訳は―だ」

おてまえ―テマヘ【《御手前】〔「お」は丁寧さを添える接頭語〕❶②⓪❶茶の湯をたてる作法。❷お手なみ。「―拝見」❷(代)武士が同等の相手を呼んだ語。貴公。

表記❶❶は、「《御《点前」とも書く。

おでまし⓪【《御出《座(し)】「出て△行く(来る)こと」の尊敬語。「社長自ら―とのこと」運用 それほどの実質はそなわっていないのに、いかにも△もったいぶった(気取った)様子でその場に現われることを揶揄ヤユして言うこともある。

おてもと⓪【《御手《許・《御手元】〔「お」は丁寧さを添える接頭語〕❶てもと。「―の資料をごらんください」❷〔飲食店で〕客の使う箸ハシ。

おてもり⓪【《御手盛(り)】〔支配的な立場にある者が〕自分たちの仲間うちに都合のいいように取り決めること。〔もと、自分で好きなだけ食物をよそう意から〕「―予算⑤」

おてやわらかに⓪―オテヤハラカ【《御手柔らかに】〔「御手柔らかに願います」の略〕あまりきびしく△攻撃(追及)しないでほしい、の意を表わす。「どうぞ―」運用 試合の始まる前などに、こちらは弱い者だからと下手シタテに出て言うのに用いられる。

おてらさん⓪【お寺さん】寺の△住職(僧)の敬称。

おてん⓪―ヲ【汚点】〔そのものの評価を著しく落とすことになりかねない〕不名誉な点。「歴史上に―を残した/政治倫理の面で―続きの印象を一段と深めている」

おでん②〔「でん」は「田楽デンガク」の意〕野菜・こんにゃくなどに薄い味を付けて(長い時間)煮たもの。煮込みおでん。表記「《御田」とも書いた。

おてんき②【《御天気】❶「天気❶」の意の丁寧語。「―が△いい(悪い)」❷〔特に悪い場合〕「社長の―次第だ/―をうかがう」 ―や⓪【―屋】機嫌の変わりやすい人。

おてんとさま②【《御天《道様】〔天地を支配する神の意〕「太陽」の親しみをこめた口頭語的表現。

おてんば⓪【《御転婆】―な―に 女児や(若い)女性が、周囲に気兼ねすることなく活発に行動する△こと(様子)。また、その女児や女性。おきゃん。〔まわりの人はもう少したしなみを持って欲しいと思っている場合が多い〕

****おと**②【音】❶物がすれあったり何かをしたりした時に、空中・水中などを通じて我われの耳に感じられるもの。〔物理学的には、空中・水中などを伝わる波動の一種〕「鐘の―(=ひびき)/―がする(=聞こえる)/―も無く(=なんの音も立てずに)消える/―を立てて崩れる」❷評判。「―に聞く」

おとあわせ③―アハセ【音合(わ)せ】❶〔合唱・合奏で〕本番前に、演奏者の間で楽器や声の調子を合わせること。❷〔テレビ番組などの編集で〕画面に合わせて音楽・音声を入れること。

おとうさま②【《御《父様】「お父さん」の上品な言い方。〔相手の父親を指すのにも用いられる〕↕お母アカ様

おとうさん②【《御《父さん】〔もと「父」の意の幼児語「とと」に基づく「御ォとと様」の変化「御とう様」の口語形。口頭語形は、「おとうちゃん②・おとっつぁん②」〕「父」の尊敬語。自分の父親△に呼びかける(を指して言う)語。また、相手や話題にしている第三者の父親を指して言う。↕お母アカさん 表記⇩付表「父さん」

運用(1)他人に対して自分の父親を言う場合は「ちち」が普通だが、親しい間柄では「うちのお父さん」のように言うこともある。(2)子供のある夫婦の間で、妻が夫に呼びかけるのにも用いられる。(3)父親の立場にある男性△に呼びかける(を指して言う)のにも用いられる。例、「会場のお父さんたち」〔(1)(2)は「父さん」とも〕

****おとうと**④【弟】〔「おとひと〖=若い方の人〗」の意〕(自分と)親が同じ、年下の男性。〔古くは、妹をも指した。広義では、義弟や年下の男をも指す〕↕兄 ―ご④【―御】他人の「弟」に対する敬称。―でし④【―弟子】同じ先生のところへあとから来た(男の)弟子。↕兄弟子

おとおし⓪―トホシ【《御通(し)】〔↑お通し物⓪〕〔日本料理

店で〕客の注文した料理の出来る前に出す、簡単なつまみもの。

おどおど①(副)—と—する 自信を無くしたり ひどくこわがったりして、落ち着きの無い態度を見せる様子。「知らない家庭を次つぎと回され、—しているペット」

おとがい⓪(オトガヒ)【〈頤〉】〔雅〕したあご。**【—が落ちる】**⇩あご❷

おどか・す⓪【脅かす・《嚇かす・《威かす】(他五) ❶奇想天外な事を見せつけたり怖い話をしたりして、驚かす。「暗がりから突然現われたのにはおどかされた」 ❷強い言葉を浴びせたり 刃物をちらつかせたり などして、ある行為の実行を迫ったり 示唆したり する。「悪い友人にどんなにおどかされても、僕は非行の仲間には入らなかった」 名 おどかし⓪

おとぎ⓪②【《御〈伽】❶「伽」の丁寧語。❷「御伽噺(シバナ)」の略。「—の国/—列車」 **—ばなし**④【—〈噺】子供に聞かせる昔話や、動植物が人間と会話をし 一緒に行動する空想的な話など。メルヘン。〔もと、退屈しのぎに人に聞かせる話〕 表記「《御〈伽話」とも書く。

おどく⓪(ヲ)【汚毒】❶けがれや毒になるもの。❷けがし毒する△こと(もの)。

おどけ【《戯け】[一]⓪ わざとふざけたまねをすること。「—〔=冗談を言ってる場合〕じゃない」 [二](造語) 動詞「おどける」の連用形。「—顔(ガオ)⓪・—者(モノ)⓪」

おど・ける⓪【《戯ける】(自下一) 人を笑わせようとして、こっけいな事を言ったりしたりする。「おどけたしぐさ」 表記「お《道化る」は、借字。〔⇩おどけ[二]〕

おとこ③(ヲトコ)【男】↕女 ❶人間のうち、雄としての性器官・性機能を持つ方。〔広義では、動物の雄をも指す〕 ❷一人前に成熟した男性。〔狭義では、弱い者をかばう一方で、積極的な行動性を持つなどの、伝統的・文化的価値観から評価される特質を備えた男性を指す。また、△いい(悪い)意味で、「奴(ヤツ)」とほとんど同義に使うこともある〕「—を上げる/—がすたる/—と見て頼む/いい〔=男ぶりがいい〕—/たより無い—」 ❸愛人。情夫。「—を作る」 ❹男の召使。下男。 表記「《漢」と書くことがある。【—が立つ】**男としての面目が保てる。「ここでやめては男が立たない」 **【—を上げる】**立派なことをするなどして、男としての面目を施す。↕男を下げる **【—を売る】**義侠(ギキョウ)心に富んだ行動により、一躍(その世界で)有名になる。**【—を下げる】**男として不名誉なことをし、評判をおとす。↕男を上げる

—いっぴき⑦、③-④【—一匹】△自覚があり(実力を備えていて)どこに出しても恥ずかしくない男。〔副詞的にも用いられる。アクセントは⓪、③-⓪〕 **—おび**④【—帯】男子用の幅の狭い帯。 **—おや**⓪【—親】男性の親。父親。特に男性であることに着目した表現。 **—おんな**④(ヲンナ)【—女】△男性でありながら女性のような(女性でありながら男性のような)性質を持つ人。〔やや古風な表現〕 **—ぎ**⓪【—気・〈侠気〉】弱い立場に置かれた者が苦しんでいることを知りながら、黙って見のがすことのできない気性。侠気(キョウキ)。 **—くさ・い**⑤【—臭い】(形) ❶男性の体臭がする様子だ。❷いかにも男性らしい。派—さ⑤④ **—ぐるい**④(グルヒ)【—狂(い)】—する(自サ) 女が男に夢中になって理性を失うこと。 **—ごころ**④【—心】伝統的・文化的価値観で、より男性に特有とされる性格・心理。〔強くたくましい存在でありたい、義侠心に富む、好色・浮気っぽい傾向があるなど、種々の意味合で用いられる〕「—と秋の空」 **—ざか**⓪【—坂】〔神社・寺などの参道で〕二つある坂のうちで、急な方。↕女坂 **—ざかり**④【—盛(り)】男性として一番気力が充実し、働き盛りの時期。 **—しゅ**⓪③【—衆】❶男の人(たち)。〔主として女性から男性を呼んで言う語〕 ❷下働きの男性。❸役者の付き人。「おとこしゅう⓪③・おとこし③⓪」とも。 **—じょたい**④【—所帯】男ばかりの(あじけない)所帯。 **—ずき**⓪【—好(き)】❶男性の好みに合うこと。「—のする女」 ❷絶えず男性と交渉を持っていなければいられない性質である△こと(人)。 **—だて**⓪【—〈伊達〉】男気があることを、行いで見せる△こと(人)。 **—っぷり**⓪【—っ振(り)】「おとこぶり」の強調表現。 **—っぽ・い**⑤(形) ❶言動にめりはりがあったり 力強さと小気味よさとが感じられたりして、男性としての魅力にあふれている様子だ。❷女性であるとは思われないような活発さと小気味よさとを持ち合わせていて、見た目にもすがすがしく感じられる様子だ。ボーイッシュ。 **—で**⓪【—手】❶労働力としての男性(のはたらき)。❷男の筆跡。❸「漢字」の古称。 **—なき**⓪【—泣(き)】—する(自サ) めったに泣かないはずの男が、たまりかねて泣くこと。「—に泣く」 **—のこ**③【—の子】↕女の子 ❶男の子供。❷若い男。〔(若い)女性が用いる〕 **—の せっく**⓪-⓪【—の節句】〔三月三日の雛(ヒナ)祭りに対し〕五月五日の端午の節句。 **—の ひと**⑥、⓪-②【—の人】「男」と露骨に言うのを避けた言い方。〔「男の方(カタ)」のほうが丁寧〕 **—ばしら**④【—柱】橋や欄干などの両端にある、他より高く大きい柱。 **—ひでり**④【—〈旱〉】△結婚(遊び)の相手になる男性が少なくて不自由する状態。〔ややくだけた表現〕 **—ぶり**⓪【—振(り)】男性として好ましい、ふうさい・顔つき。おとこまえ。 **—まえ**⓪(マヘ)【—前】男の中の男だと、振り返って見られるようなふうさい。「彼は なかなか(の)—だ」 **—まさり**④【—勝(り)】女性が男性以上に気持がしっかりしていること。また、そのような女性。 **—みょうり**④(ミヤウ)【—冥利】男に生まれたという△しあわせ(喜び)。「—に尽きる〔=男として非常にしあわせだ〕」 **—むすび**④【—結(び)】ひもの結び方の一つ。右端を左の下に回して返した輪に、左の端を通して結ぶ。垣根を結う時などに使う。↕女結び **—めかけ**④【—〈妾〉】情夫として女に養われている男。ジゴロ。 **—もじ**④【—文字】↕女文字 ❶〔平安時代、仮名を女文字と言うのに対し、主として男性が使ったことから〕漢字。真名(マナ)。❷男が書いた(とみられる力のこもった)筆跡。 **—もち**⓪【—持(ち)】男性用の持ち物として作られたもの。「—の財布」 **—やもめ**④【—〈鰥〉】妻と△死別(生別)して、独りで暮らす男。単に「やもめ」とも。〔年をとっても妻帯しない男の意にも用いられる〕「—にうじがわき女やもめに花が咲く」 **—らし・い**⑤(形) 強さ・いさぎよさなど、そうあってほしいと男性に望まれる性質を持っている様子だ。「男らしく引き下がる」↕女らしい 派—さ④

おとさた⓪【音沙汰】「たより」という意の同義語を二つ重ねて、強調した表現。「—(が)無い」

おとし【落(と)し】[一]③ ❶(下へ)落とすこと。「厄—・泣き—・見—」 ❷〔↑おとしがけ⓪〕〔木製の火鉢で〕落とし込むようにはめた、灰の容器。銅・ブリキ製。❸雨戸などの、「猿❷」。くるる。❹話の落ち。❺落とし穴。わな。[二](造語) 動詞「落とす」の連用形。 **—あな**③【—穴】❶敵や獣をおびきよせて落とし入れる穴。❷他人をおとしいれる悪い計略。 **—がみ**③⓪【—紙】便所で便を拭(フ)き取るために使う紙。トイレットペーパー⑥。 **—ご**③【—子】落としだね。「占領政策の—〔=途上生じた、予期しなかった結果〕」 **—こ・む**④【—込む】(他五) ❶何かの中に物を落とし入れ、そのまま沈めたり埋めたりする。「水中に釣りの仕掛けを—」 ❷人を混乱や苦しい状況に追いやる。陥れる。「破滅的な事故が住民をひどい状態に落とし込んだ原因にほかならない」 ❸抽象的な情報・発想などを具体的な形にしてゆく。「経営目標を数字に—/事業アイデアを中期

計画に━」 ━ざし⓪【━差(し)】こじりを真下に向けて刀を差したこと。 ━だね④【━〈胤〉】貴人の私生子。落胤(ラクイン)。 ━どころ⓪【━所】物事の交渉などで、相手が納得・譲歩するようにあらかじめ用意しておく結論。「━をさぐる／━を心得ている」 ━ばなし④【━話・━〈噺〉】「落語(ラクゴ)」の古風な表現。 ━ぶた③⓪【━蓋】❶〔料理で〕煮物をする時、なべの中の材料の形がくずれないように、その上に直接のせて押さえるようにする蓋。❷けんどんや出前箱などのように、縦溝に沿って上げ下げする仕組みの蓋。 ━ぶみ③⓪④【━文】公然と言うことがはばかられる事柄を、自然に人が読んでくれることを期待して、道路などに落としておく匿名の文書。らくしょ。 ━まえ⓪【━前】〔よた者などの社会で〕けんかなどのあと始末(としてやり取りする金銭)。「━を付ける」 ━もの⓪【━物】気がつかずに落とした物。

おどし【脅(し)・《嚇(し)・《威(し)】❶⓪「おどかす❶」こと。「━に乗る／━がきかない／━をかける／━に屈する／鹿(シシ)━」❷(造語) 動詞「おどす」の連用形。 ━つ・ける⑤【━付ける】(他下一) 相手が完全に参るまで、徹底的におどす。「さんざん━」 ━と・る④【━取る】(他五) 脅迫して相手の持ち物を取り上げる。 ━もんく④【━文句】人をおどすための言葉。

おどし⓪【〈縅・《威】鎧(ヨロイ)の札(サネ)を糸や革で△つづること(つづって出来た色合)。「黒糸━⑤・もえぎ━④・緋(ヒ)━」

おとしい・れる⑤【陥れる・落(と)し入れる】(他下一) ❶どうにもならない ひどい状態にさせる。「△危機(不安・恐怖・大混乱)に━」❷計略にかける。「人を術中に陥れた」❸城を攻め落とす。

おとしだま⓪【《御年玉】新年のお祝いの贈り物。

おとし・める④【〈貶める】(他下一) 意図的に低い評価を与える。「よそのものを━ことで自己の優越性を示そうとする」

***おと・す**②【落(と)す】(他五) ❶〈(どこカラどこニ)なにヲ━〉Ⓐ高い位置で ある状態を保っていた物を、支えとする△物を無くして(力を無くさせて)下方へ移動させる。「枝を揺すって木の実を━／飛ぶ鳥を━／ご飯の上に卵を━〔=割ってご飯にかける〕／風呂(フロ)の湯を━／暖炉の火を━〔=消す〕／腰を━〔=ⓐ腰高を避けて、低い位置で構える。ⓑしゃがむ〕／肩を━〔=⇩肩〕／射━・打ち━」Ⓑ意図的ではないのに「おとす❶Ⓐ」と同じ結果になることをする。「皿を落として割ってしまった／財布を落とした」❷〈(なに・どこカラ)なに・だれヲ━〉Ⓐ今まであった物を、そこに認められない状態にする。「下枝を━／△汚れ(垢(アカ))を━／贅(ゼイ)肉を━／飛車と角を━〔=将棋で、強い人が、その駒(コマ)を抜かして戦う〕／端を切り━」Ⓑ意図的ではないのに、そこにあることが期待される物を無くす結果になるようなことをする。「△大事な試合(命・信用・単位)を━／聞き━・見━」❸〈(なにカラなにニ)なにヲ━〉Ⓐそれまでの状態を維持しようとせず程度を下げる。「カーブにさしかかってスピードを━／ダイエットをして体重を━／周囲をはばかり声を━／活字のポイントを━／在庫調整のため生産を━／話を━〔=下品な話題にする〕」Ⓑ意図的ではないのに結果として程度を下げるようなことをする。「隣国との交渉で評判を落とした外相」❹〈(なにニ)なにヲ━〉それまでの事態を持続させることなく、新たな事態に変える。「城を━〔=攻略する〕／手形を━〔=約束の日に現金に換える〕／きびしい尋問で被疑者を━〔=自白させる〕／罪に━／柔道で━〔=気絶させる〕／くどき━・泣き━」〔⇩落とし❸〕

おど・す⓪【〈縅す・《威す】〔もと、「緒(ヲ)を通す」意〕鎧(ヨロイ)の札(サネ)を色いろの糸・革の緒でつづり、美観を競う。

おど・す⓪(他五) ❶【脅す】〔もと、「怖(オ)づ」の他動詞形で、怖がらせて、屈服させる意〕自分の言うことを聞かないと△不利益に見舞われる(危害を加える)ぞ、と言って強圧的態度に出る。「元締の座を譲れと━／主人を脅し、金を取ろうとする／資金を脅し取る」〔⇩おどし❶〕❷【《威す】おどかす❶。 表記「《嚇す」とも書く。

おとずれ⓪④【訪れ】「訪問・たより」の意の改まった表現。「△春(平和)の━〔=…が再び めぐって来ること〕」

おとず・れる④【訪れる】(自下一)「たずねる・たよりをする・季節が来る・ある時期や状態などになる」意の改まった表現。「△たそがれ(平和・絶好のチャンス・転機・危機・突然の死)が━／不意に沈黙が訪れた」

おとつい③【〈一昨〉《日】〔「をち(彼方)つ日」の変化〕「おととい」の古風で、今日ではやや俗語的・方言的な表現。〔副詞的にも用いられ、アクセントは⓪〕

おとど②⓪【〈大臣〉】〔大殿(オオトノ)の変化という〕〔雅〕大臣(ダイジン)の敬称。 表記「〈大殿〉」とも書く。

おととい③【〈一昨〉《日】〔「おとつい」の変化〕きのうの前日。〔副詞的にも用いられ、アクセントは⓪〕 運用「おととい△来い(おいで・来やがれ)」などの形で、二度と来るなの意で、相手を追い返すときの ののしりの言葉となる。

おととし②【〈一昨〉年】昨年の前の年。〔副詞的にも用いられる〕

****おとな** ❶⓪【〈大人〉】❶一人前に成人した人。〔自分の置かれている立場の自覚や自活能力を持ち、社会の裏表も少しずつ分かりかけて来た意味で言う〕❷その場の感情や目先の利害などにとらわれず、後のちまで見すえた対処が出来る様子だ。「彼は年の割に━だ」❷⓪②━に〔子供などが〕事情を聞き分けて、静かにしている様子。 表記❶は⇩付表。もとは、「《長」とも書いた。 ━げ な・い⑤【━気無い】(形) 思慮分別をわきまえているはずの大人なのに、自制心を失って、感情をむき出しにするなどの見苦しい言動をする様子だ。 文法 助動詞「そうだ(様態)」に続くときは「大人げなさそうだ」の形になる。また「すぎる」と結びついて複合動詞をつくるときは「大人げなさすぎる」の形になる。 ━し・い④(形) ❶〔子供などが〕いたずらをしたり騒いだりなどしないで静かにしている様子だ。「おとなしく絵本を読んでいる子」❷〔性質が〕穏やかで、言動が控えめな様子だ。「日頃は━彼がその時ばかりは烈火のごとく怒った」❸接する人に強い刺激を与えることがない様子だ。「━柄の△ネクタイ(ワンピース)」 派━さ③ ━げ⓪⑤ 表記「音無しい」は、借字。 ━・びる④(自上一) おとならしくなる。

おとな・う③【《訪う】(自五)〔雅〕〔「おと」は音の意、「なう」は接辞〕おとずれる。

おとひめ②【《乙姫】〔△年若い(妹の)姫の意〕〔浦島伝説で〕竜宮に住むという、若くて美しい女性。

おとめ②【《乙女・《少女】〔「小(ヲ)つ女」の意という〕年の若い娘。 表記⇩付表「乙女」 ━ご③【━子】〔雅〕女の子。

おとも②【《御供】❶━する(自サ) 供をする△こと(人)。「━いたします」❷〔客のための〕迎えの自動車。「━が参りました」 表記「《御《伴」とも書く。

おともれ⓪【音漏れ】━する(自サ)〔ヘッドホンなどの〕音が外に漏れて聞こえること。「イヤホンの━」

おとや②【《乙矢】〔二本持った矢のうち〕あとで射る矢。↕甲矢(ハヤ)

おどら・す⓪(他五)〔「おどる」の使役形〕❶【躍らす】躍らずにはいられないような気持にさせる。「胸を━〔=驚き・喜び・期待などで胸をわくわくさせる〕」❷【踊らす】人をあやつって、行動させる。「人気に踊らされる／黒幕

「…に踊らされる」

おどら・せる[0]【躍らせる】(他下一)〔「躍る」の使役形〕(自分の身を)躍るようにさせる。おどらす(五)。「身を―〔=ある場所から勢いよく飛び下りる〕」

おとり[0]【〈囮】〔同類を招き寄せるための鳥、の意〕❶ほかの鳥や魚・獣を誘い寄せるためにつないでおく、同類の鳥や魚・獣。❷人を誘い寄せるために利用する△人(物)。 **―そうさ**[4]【―捜査】現行犯逮捕を目的として、捜査機関の関係者や協力者が、△容疑者の一味(被害者)になったふりをして、犯罪の実行をうながす捜査方法。

***おどり**【踊り】■一[0]❶音楽や歌に合わせなどして手足やからだを(速いテンポで)衝動的に動かし、喜怒哀楽の感情を表わすこと。〔様式の固定化したものの中には、実質的には「舞」といってよいものもある。例、「―の師匠」〕⇩舞 ❷〔↑踊り歩[0]〕借金の証書を書き替える時に支払う、二重の利子。❸「踊り字」の略。■二(造語) 動詞「踊る」の連用形。 **―あが・る**[5]【―上(が)る】(自五)〔驚いたり 喜んだりして〕△飛び(はね)上がる。表記「躍り上がる」とも書く。 **―かか・る**[5]【―懸(か)る】(自五) 勢いよく、飛びかかる。表記「躍り懸かる・躍り掛かる・踊り掛かる」とも書く。 **―ぐい**[0]【―食(い)】白魚などの小魚やエビを生きたままの状態でポン酢などにつけて食べること。 **―くる・う**[5]【―狂う】(自五) 夢中になって踊る。 **―こ**[0]【―子】❶〔盆踊りなどの〕踊りを踊る人。❷〔宴席・酒場・遊興施設などで〕踊りを職業とする(若い)女性。ダンサー。〔古風な表現〕❸〔近畿以西の方言〕ひよめき。 **―こ・える**[5][4]【―越える】(自下一) はずみをつけて飛びこえる。表記「躍り越える」とも書く。 **―こ・む**[4]【―込む】(自五) 勢いよく、中へ入る。表記「躍り込む」とも書く。 **―じ**[0][3]【―字】畳語の下の部分を書く時に、上の字の反復であることを示すための符号。送り字[0][3]。例、「々〔=同の字点〕・ヽ〔=一つ点〕・〱〔=くの字点〕」など。 **―だ・す**[4]【―出す】(自五)❶踊り始める。❷踊りながら、その場所に現われる。例、「表舞台に―」 **―・でる**[4]【―出る】(自下一)❶踊りながら、その場に出る。❷△勢いに乗って(不意に)、人目につく所に現われる。〔すばらしい勢いで他を抜き、その位置につく意にも用いられる。例、「一躍、トップに―」〕表記❷は、「躍り出る」とも書く。 **―ば**[0]【―場】❶踊る場所。❷階段の途中に、足を休めたり 方向を転換したり するために設けた、少し広い場所。 **―まわ・る**[5]【―回る】(自五) はしゃいであたりをとびまわる。

おとり さま[4]【《御〈酉様】「鷲神社[5]・酉の市」の意の丁寧語。

おとりぜん[3]【《御取(り)膳】男女ふたりが差し向かいになって食べる△こと(膳)。

***おと・る**[0][2]【劣る】(自五)〈なにニ―〉〔価値・能力・数量などが〕他に比べて、△悪い(少ない)状態にある。及ばない。「△栄養価(性能・実力・学力)が―/まさるとも劣らぬ/夏山でも冬山に劣らず危険だ」↕まさる 名劣り[0][3]

***おど・る**[0]【踊る】(自他五)❶〈なにヲ―〉音楽に合わせて勢いよく足を上げ下げしたり 前後左右に動かしたり 何かを軸に回転させたり また、それに伴って手や腰の動きを加えたりする。「ワルツを―」❷勢いよく跳んだり はねたり△する(して揺れ動く)。「言葉だけが踊っている〔=表現だけが現実から遊離して、無意味に用いられている〕/ビラには勇ましいスローガンの見出しが踊っている〔=強い力で見る人に訴える〕」❸驚きや緊張などで心臓の鼓動が激しくなり落ち着かなくなる。「胸が―/心が―」表記❷の一部と❸は、「躍る」とも書く。[⇩踊り■二]

おどろ[0]【〈棘】草木の乱れ△茂ること(茂った所)。〔垣根・髪の毛などの乱れた様子の意にも用いられる〕

おとろえ[0]【衰え】■一[0][3][4] おとろえること。「△依然(今のところ)―を見せていない」■二(造語) 動詞「衰える」の連用形。 **―は・てる**[6]【―果てる】(自下一) 見る影もなく衰える。

***おとろ・える**[4][3]【衰える】(自下一)〔勢い・力などが〕弱くなる。「△体力(機能・足腰)が―」[⇩衰え■二]

おどろ おどろ[4][0](副)―と ―する 接する人に恐怖心をいだかせるほどの物すごさを与える様子。「―と鳴る雷/―した極彩色の地獄絵」 **―し・い**[7](形)❶接する人にひどく不気味だという印象を与える様子だ。「―印象の絵画」❷〔表現法などが〕そこまでする必要があるのかと思われるほど△おおげさな(思わせぶりな)様子だ。「―表現で読者の興味をそそる」派―さ[6][0]

***おどろか・す**[4]【驚かす】(他五)〔「驚く」の使役動詞形〕〈だれ・なにヲ―〉意外な目にあわせて、人をあっと言わせる。驚かせる[5](下一)。〔古くは、注意する・目をさまさせるの意に用いられた〕「世間を―」

おどろき【驚(き)】■一[0]❶驚くこと。「―のあまり、声も出ない/―の感に打たれる/―を新たにする」❷(ことの意外さなどにひどく)驚くこと。「阪神が優勝するとは、これは―だ/桃の木山椒の木〔=驚いたという気持を表わす語呂合せ〕」表記「〈愕き・〈駭き」とも書く。■二(造語) 動詞「驚く」の連用形。 **―い・る**[5]【―入る】(自五) 非常に△驚く(驚いて、あきれる)。

****おどろ・く**[3]【驚く】(自五)〈なにニ―〉❶意外な事を見聞きして、心が強く動揺する。また、その結果 平静を失ったりどう判断すべきかとまどったりする。「昨日まであんなに元気だった同僚が ぽっくり逝くなんて全く―なあ/これが一万円もするとは―ね/ワッと言ったら飛び上がって驚いた/警笛に驚いて馬が走り出してしまった/あれで大学出かい、―〔=あきれる〕ね」❷すばらしい事物に接し、高揚した気分になる。「見る物聞く物唯々―〔=感心する〕外はありません/自分の目で見、今更ながら万里の長城の壮大さに驚いた」❸事態の異常なことを察知して、とっさに対応しようとする。「異常な高温を示す針の動きに驚き、急いでスイッチを切った」〔古くは、「目が覚める」「気がつく」の意にも使った〕表記「〈愕く・〈駭く」とも書く。【―〈勿れ】[3]-[2] [3]-[1]「事実は意外にも次のように展開した」の意。【―ほど】普通に予測しうる程度をはるかに超えている様子だ。「―よく似ている/―に無知な一面が見える/―の広さだ」[⇩驚き■二]

おないどし[2]【同い年】〔「同じ年」の音便形〕その人と同年齢。

おなおり[0]【《御直(り)】〔料理屋などで〕客が上級の△席(部屋)に移ること。

おなか[0]【お《腹・《御《腹・《御中】腹。また、胃腸。〔もと、女房詞〕「―が痛い/―をこわす」

おなが[0]【尾長】人家近くすむ、中形の鳥。尾が長く、青色で美しい。〔カラス科〕かぞえ方 一羽 **―どり**[3]【―《鶏】 ながおどり。

おながれ[2]【《御流(れ)】❶立場の上の人から△杯に差してもらう(もらう、飲み残しの杯の)酒。「―頂戴」❷予定していた事が中止になること。「雨で運動会が―になる」

おなぐさみ[0]【《御慰(み)】その場の人を楽しませるために演じてみせる、ちょっとしたこと。「―までに」運用「うまくいったらおなぐさみ」などの形で、手品・曲芸などを披露するときの口上に使われる。

おなご⓪【《女子》】「女の子供」の意の古風な表現。〔広義では、女性一般を指す〕「一昔前なら、ーのくせに山登りするなんてと非難されたものだ」 **ーしゅ**⓪③【ー衆】〔一団の〕女の人たち。「おなごしゅう⓪③・おなごし⓪③」とも。

ーむすび④【ー結(び)】 女結び。

****おなじ**⓪【同じ】 ■一〔形容動詞型活用の語だが、連体形は「同じ」を使用〕二つ(以上)のものについて、比較しようとする問題の点に関して少しの違いも認められず、別のものだととらえる△必要(理由)が無いと判断される様子だ。「ダイヤモンドと石墨は一元素、つまり炭素から成る/出掛ける時間は毎日ーだ/学歴にかかわらずーように〔=平等に〕扱う/ー釜の飯を食う〔=一緒に寝起きして、苦楽を共にする〕/根はー所から出ている/好みがーだ/右にー」 **【ー穴の〈狢〉】** お互いにそ知らぬ顔をしているが、みんなよくない者ばかりだ。「一つ穴の狢」とも。 ■二(副)〔「ー…なら」の形で〕その事をしなければならないことに変わりが無いのなら、の意を表わす。「ー行くなら早い方がいい」

おなじ・い③⓪【同じい】(形)「同じ」を形容詞化した古風な表現。

おなじく②【同じく】〔文語形容詞「同じ」の連用形〕 ■一(副) 他と比べて違う点が認められない様子。「彼もわたしとー北海道の出身だ/サクラもウメもーバラ科の植物だ」 ■二(接) 前に言ったのと同じ言葉を省略して言う語。同。「卒業生田中一郎、ー中村春男」 **ーは**②(副) 他に変える余地のない条件におかれる以上、思い切った選択をする方がよいと判断する様子。「ー日本一の役者になれ」

おなじく・する②-⓪【同じくする】(他サ)〔「…をー」の形で〕その観点から見れば、同じだ、と言える。〔音便形は「同じゅうする」〕「志をー仲間たち/時を同じくして蜂起する/△故郷(席)をー」

おなじみ⓪【《御〈馴染(み)》】「なじんでいる△こと(人)」の意の△尊敬(丁寧)語。「ー忠臣蔵/ーさん」

オナニー①〔ド Onanie〕 手などで自分の性器を刺激して、快感を味わう行為。自慰。手淫。マスターベーション。

おなべ②【《御鍋》】〔江戸時代、小説などで、女中の名前としてよく使われたことから〕女中の称。〔表記〕「〈阿鍋・〈於鍋」などとも書く。

おなみ①【《男波》】〔打ちよせる波の中で〕高い方の波。片男波。↔女波 〔表記〕「《男《浪」とも書く。

おなみだ②【《御涙》】 ❶「涙」の丁寧語。「ー頂戴⓪-⓪〔=客を泣かせることを目的とする△こと(作品)〕」 ❷ほんのわずかな△こと(物)。「ー程度の減税」

おなら⓪〔「おならし」からで、「なら」は鳴らすこと。もと、「屁〈へ〉」の女房詞〕「屁」の口頭語。

おなり⓪【《御成(り)》】 宮家・摂家・将軍など、貴人の外出や訪問の意の尊敬語。「ーになる/ー門③」

おなんど⓪②【《御納戸》】 ❶「なんど」の丁寧語。 ❷「おなんど色・おなんど役」の略。 **ーいろ**⓪【ー色】 ねずみ色を帯びたあい色。〔納戸の壁の色から出たという〕 **ーやく**⓪④【ー役】 江戸時代、将軍や諸大名の家中で衣服・道具類の出納などを取り扱った役人。

おに【鬼】 ■一② ❶想像上の怪物。人の形をし、角ときばがあり、人を捕らえ食うと言われる。「ーの首でも取ったよう〔=予想外の好結果をあげ、有頂天になって喜ぶ形容〕/ーも十八番茶も出花〔=⇩番茶〕/赤ー⓪・青ー⓪」 ❷△敵対する(意に従わない)者に対して、勇猛に立ち向かったり容赦ない態度で臨んだりして、恐ろしがられている△こと(人)。「ーの目にも涙/心をーにする〔=下にある者に対して〕思うところがあって、わざと冷酷にふるまう〕/仕事のー/ー監督③・ー将軍③・ー婆」 ❸〔鬼ごっこなどの遊びで〕人をつかまえる役(の人)。 ❹死者の霊魂。「護国のー〔=国の発展を願いつつ大義に死んだ人の英霊〕」 **【ーに《鉄棒》】** ただでさえ強い者が、(強力な武器などを手に入れて)無敵となる形容。〔表記〕「鬼に金棒」とも書く。 **【ーの〈霍乱〉】** 病気しそうにも思われない、ふだん丈夫な人が珍しく病気をすること。 ■二(接頭) 同類の中では大形に属することを表わす。「ーシダ②⓪・ーアザミ」 〔かぞえ方〕 ■一❶は一匹・一人

おにあざみ③【鬼〈薊〉】 アザミの一種。大形で、葉のふちにぎざぎざがある多年草。夏から秋に紫色の頭状花をつける。〔キク科〕 〔かぞえ方〕一本

おにいさん②【《御《兄さん》】「兄」の尊敬語。自分の兄△に呼びかける(を指して言う)語。また、相手や話題にしている第三者の兄を指して言う。〔より丁寧な表現は「おにいさま②」。口頭語形は「おにいちゃん②」〕 〔表記〕⇩付表「兄さん」 〔運用〕(1)他人に対して自分の兄を言う場合「あに」が普通だが、親しい間柄では「うちのお兄さん」のように言うこともある。(2)親が、自分の上の男の子△に呼びかける(を指して言う)のにも用いられる。(3)若い男△に呼びかける(を指して言う)のにも用いられる。例、「ちょっとお兄さん/あの店のお兄さんに聞いてみよう」〔(1)(3)は「兄さん」とも〕

オニオン①〔onion〕 タマネギ。「ースープ⑤」

おにがしま③【鬼が島】 昔、鬼が住んでいると言われた島。〔鬼は、南方諸島の異民族を指したものらしい〕 〔表記〕「鬼ケ島」とも書く。

おにがみ②⓪【鬼神】「きじん」の和語的表現。荒あらしく恐ろしい神。

おにがわら③【鬼瓦】 屋根の棟の端に飾る大きな瓦。もと、鬼の顔を象って、魔よけとした。 〔かぞえ方〕一枚

おにぎり②【《御握(り)》】「握り飯」の丁寧語。「ー屋⓪」

おにご⓪【鬼子】 普通の姿ではなく生まれて来た子。特に、歯が生えて生まれた子。「鬼っ子⓪」とも。〔俗信の中で言われたもの〕「親に似ぬ子はー〔=子供の悪い行いをたしなめる時に言うことわざ〕」

おにごっこ③【鬼ごっこ】 子供の遊びの一つ。鬼となった一人が他のおおぜいを追いかけ、つかまった者が代わって次の鬼となることを繰り返して遊ぶ。

おにば②【鬼歯】 きばのように、外に向かって生えた八重歯。 〔かぞえ方〕一枚・一本

おにばば②③【鬼《婆》】 △無慈悲(残忍)な老女。「おにばばあ④」とも。

おにび⓪②【鬼火】 ❶夜、墓地や湿地で燃える、青色の火。 ❷〔葬式で〕出棺の時、門前でたく火。

おにまし⓪【《御似まし》】「親などに似ている」意の女性語。「ーでいらっしゃる」

おにもつ②【《御荷物》】〔「荷物」の△尊敬(丁寧)語〕〔その組織・団体などで〕役に立つことが無いため、どちらかと言えばやっかいな存在だと思われている者の俗称。〔自分自身を謙遜して言うのにも用いる〕「チームのーになる」

おにやらい③【鬼《遣(い)》】〔「やらひ」は追い払う意。昔、大晦日の夜、宮中や社寺で行なった疫病神の鬼を追い払う儀式〕節分の夜に、災いを除くため「福は内、鬼は外」と言いながら、豆をまく行事。ついな。

おにゆり②【鬼〈百合〉】 ユリの一種。夏、黒い点のある赤黄色の花を開く多年草。根は食用。花は観賞用。〔ユリ科〕

おぬし②【《御主》】(代)〔関東・中部、中国・四国の方言〕おまえ。〔対等(以下)の者に使う〕

おね①②【尾根】 △山頂と山頂を結んで(山麓から山頂にかけて)馬の背のように帯状につらなっている、一番高い

部分。「―を越えて、向かい側の谷に下りる/―筋[2]」

おねえ[2]【《御《姉】〔「おねえさん」の略〕**一**自分より年上の女性を親しんで呼ぶ語。〔くだけた呼称〕**二**俗に、女性の特徴とされる言葉遣い・髪型・化粧・服装などを過度に強調して身に付ける△男性(人)。「―言葉[4]〔=文末に『わ(よ)(ね)』を過度に付するなどする言葉遣い〕」

おねえさん[2]【《御《姉さん】「姉」の尊敬語。自分の姉△に呼びかける(を指して言う)語。また、相手や話題にしている第三者の姉を指して言う。〔より丁寧な表現は「おねえさま[2]」、口頭語形は「おねえちゃん[2]」〕 表記 ⇩付表「姉さん」 運用 (1)他人に対して自分の姉を言う場合は「あね」が普通だが、親しい間柄では「うちのお姉さん」のように言うこともある。(2)親が、自分の上の女の子△に呼びかける(を指して言う)のにも用いられる。(3)若い女性△に呼びかける(を指して言う)のにも用いられる。例、「ちょっとお姉さん/あのお姉さんに聞いてみよう」〔(1)(3)は「姉さん」とも〕

おねがい[0]【《御《願い】―する(自他サ)〔「お」は丁寧さを添える接頭語〕相手に対して何かを依頼すること。また、その事柄。「―があります/―(だから)教えて」 ⇩願う

おねじ[0][2]【雄〈螺子〉】丸い棒のまわりに、螺旋状に溝がつけられていて、はめ込むのに使う方のねじ。↕雌ねじ かぞえ方 一本

おねしょ[2]〔「ねしょ」は「寝小便」の意〕「寝小便」の幼児語・女性語。

おねづたい[3]【尾根伝い】麓まで下りずに、尾根を通って次の山に行くこと。「赤石山脈を―に南下する」

おねつづき[3]【尾根続き】二つ(以上)の山が、谷で分断されることなく、尾根で結ばれていること。

おねば[2]【《御粘】〔女性語〕飯の炊けた時に出来る、ねばねばした汁。煮抜き。

おねり[0]【《御練(り)】大名や祭礼の行列などがゆっくり進むこと。また、その行列。 表記 「《御〈邌り〉」とも書く。

おの[1][0]【《己】〔雅〕自分。おのれ。「―が〔=自分の〕罪/―がじし[4][3]〔=めいめい(の思うままに)〕」

おの[1]【〈斧】丈夫な刃の有るくさび形の鉄に、柄を付けたもの。立ち木の伐採や木を割るのに使う。よき[1]。 かぞえ方 一挺・一丁

おのえ[0]【尾の《上】〔雅〕山の頂。

おのおの[2]【各】❶「あなたがた・諸君」の意の、武家社会での用語。「―は手をお引き下さい/―がたにはここに逃げ込んでいられたか」❷「関係者の一人ひとり」の意の、やや改まった表現。「来賓と来賓との間に久闊の挨拶なぞがあった。そして―〔=それぞれ〕落ち着く席へ落ち着くと、ふと話の口がとぎれた/警固の士卒が二十人のものに馳走を した時、―〔=めいめいが〕相談して取り極めたのである」 表記 「各々・各々」とも書く。

おのこ[1]【《男・《男の子】〔雅〕〔おとこの子の意〕おとこ。「上の―〔=宮中の殿上の間に奉仕した公家〕」↕おみな

おのずから[0]【《自(ず)(か)ら】(副)当然の帰結として、そのような△結論(状態)に至る様子。「今度の事件の責任は―彼にあると言わねばならない/これとそれとは―別だ」

おのずと[0]【《自(ず)と】(副)自分からそうしようと思わなくても、△事柄の性質上(物事の進展上)必然的にそうなる様子。「世の中の物事は、長い年月のうちに―丸く納まっていくものだと悟った/コンピューターにも―限界がある」

おのづくり[3]【《斤〈旁】漢字の部首名の一つ。「新・斯・断」などの、右側の「斤」の部分。〔多く、おのや切ることを表わす漢字がこれに属する〕

おののく[3]【《戦く】(自五)〔恐ろしさや寒さなどで〕ぶるぶる震える。「不安に―一夜を明かした」 名 戦き[0][4]

おのぼりさん[2]【《御上りさん】首都見物などのために上京する地方人。物珍しそうにいろいろな物を目移りしながら見て歩くのを からかって言う語。 運用 自分を、都会に不慣れな者だと謙遜して言うこともある。

オノマトペ[3][5]〔フ onomatopée〕「声喩・擬音語」の総称。

おのれ[0]【己(れ)】**一**その人自身。自分(自身)。【―を《空しくする】自分の利害などを度外視して公共・他人のために尽くす。 表記 「己れを《虚しくする」とも書く。**二**(代)❶私。❷おまえ。なんじ。**三**(感)怒った時に相手に向かって発する声。 表記 本表=「己」

おは[1][0]【尾羽】❶鳥の尾と翼と。「おば」とも。「―打ち枯らす〔=おちぶれて、みすぼらしい姿になる〕」❷〔雄のクジャクの〕尾の基部にある羽毛が著しく発達して「羽❷」のように見えるもの。「扇形に時どき広げる―が紫・金・緑色に輝く」

おば[0]【〈叔母〉】△父(母)の妹。❶【〈伯母〉】△父(母)の姉。❷〔❶❷とも、広義では、おじの妻をも指す。呼びかけなどに用いる口語形は「おばさん」、口頭語形は「おばちゃん」。より丁寧には「おば様」〕 表記 ⇩付表

おばあさん[2]〔幼児語「ばば」に基づく「おばば様」の変化「おばあ様」の口語形。口頭語形は「おばあちゃん[2]」〕↕おじいさん **一**【《御〈祖母〉さん】「祖母」の尊敬語。自分の祖母△に呼びかける(を指して言う)語。また、相手や話題にしている第三者の祖母を指して言う。**二**【《御《婆さん】親族関係にない年取った女性△に呼びかける(を指して言う)語。「昔むかし、ある所におじいさんと―がいました」 運用 (1)**一**は、他人に対して自分の祖母を言う場合は「そぼ」が普通だが、親しい間柄では「うちのおばあさん」のように言うこともある。(2)**二**は、年取った夫婦の間で、夫が妻に呼びかけるのにも用いられる。(3)**二**は、もう年寄りだと謙遜・自嘲を込めて用いることもある。例、「わたしのようなおばあさんをからかうんじゃあない」

オパール[2]〔opal〕乳白色・淡黄色などに見える、不定形の宝石。石英と同質。蛋白石。

おばいけ[0]〔尾羽雪の変化〕薄く切ってさらした、クジラの尾と身との間の あぶらみ。さらしくじら。おばけ[0]。

おはぎ[2]【《御〈萩】〔「萩」は「萩のもち[3]」の意〕うるちともちごめを交ぜて炊き、軽くついてまるめ、あんこ・きなこなどをまぶしたもの。ぼたもち。

おはぐろ[0]【《御歯黒】❶〔「歯黒め」の女房詞〕江戸時代、既婚女性が歯を黒く染めたこと。かねつけ[0]。〔中世には、公家・武家などの間にも行なわれた〕❷歯を黒く染める、濃い茶色の液。鉄片を酢にひたして作る。鉄漿。

―とんぼ[5]【〈鉄〈漿〉〈蜻蛉〉】トンボの一種。とまる時、黒い羽を合わせて直立させる。かねつけとんぼ[5]。〔カワトンボ科〕

おばけ[2]【《御化(け)】「化け物」の畏れと親しみ(好奇心)を織り交ぜた呼称。「―屋敷」

おはこ[0]【〈十八番〉】〔御箱の意〕得意(の芸)。御家芸。

おはこび【《御運(び)】❶[2]何かを「運ぶこと」の丁寧語。「―さん募集」❷[0]〔「―いただく」などの形で〕自分のためにその人が「来ること・行くこと」の尊敬語。「わざわざ―をいただきまして」

おばさん[0]【〈小母〉さん】親族関係にない中年(以上)の女性△に呼びかける(を指して言う)語。〔より丁寧な形は「おばさま[0]」、口頭語形は「おばちゃん[0]」。軽い侮蔑の気持を込めて「おばん」とも〕↕おじさん 運用 もう若くはないという、相手に対する皮肉や自嘲

を込めて用いることもある。例、「二十(ハタチ)過ぎるともうおばさんよ/おばさん趣味の洋服」

おはじき②【《御《弾(き)】 貝殻・ガラスなどで作った平たい玉をばらまき、指先で弾いては取り合う子供の遊び。また、それに使う平たい玉。

おばしま⓪【《欄】〔雅〕手すり。欄干。

おばすてやま⓪(ヲバ)【〈姨捨山・〈姥捨山】 長野県の山の名。年取ったおばに親のように仕えていた善良な男が、結婚後、妻の言葉に従い、この山におばを捨てたが、悲しみに堪えず、連れもどして元通り仕えたという伝説がある。うばすてやま。〔老人や定年になった人△を遠ざけて連れて行く場所(に与える、楽な仕事)の意にも用いられる〕

おはち⓪【《御鉢】 ❶飯びつ。「—が回る(=順番が回って来る)」 ❷(富士山の)火口の周囲。「—巡り」

おはつ⓪【《御初】 ❶はじめて(であること)。「—にお目にかかります」 ❷おろしたての△衣服(持ち物)。〔「御初❷」や散髪したばかりの頭をからかってたたく時にも使った〕

おはづけ⓪【《御葉漬(け)】 「白菜の漬物」の女性語、また、丁寧語。

おばな①(ヲ)【尾花】 秋の七草の一つ。ススキ(の穂)。

おばな①(ヲ)【雄花】 おしべだけあって、めしべの無い花。雄性花。雌花と同じ株につくもの(マツ・クリ)と別の株につくもの(イチョウ・サンショウ)がある。↕雌花

おはなし⓪【《御話】 「話」の尊敬語・丁寧語。「ためになる—でした/—として承っておきます/全く—にならない(=⇩話)」

おはなばたけ④【《御花畑・《御花〈畠】 ❶「花畑」の丁寧語。❷(高山などで)高山植物が一面に咲いている所。

おはね②【《御跳(ね)】 〔「はね」は「はねかえり」の略〕おてんば(娘)。「—さん②」

おばね①(ヲ)【尾羽】 鳥の尾骨を取り巻く皮膚から生えている羽毛。尾。

おはよう⓪(オハヤウ)【《御早う】(感) 「おはようございます」の省略表現。 **—ございます**⑧(感) △朝(午前中)、人に会った時の挨拶(アイサツ)の言葉。 運用 (1)同輩以下には「おはよう」とも言う。 (2)芸能・放送の世界で、夜昼問わず、その日はじめて会ったときの挨拶として使われる。

おはらい⓪(ハラヒ)【《御払(い)】—する(他サ) ❶「(支)払い」の尊敬語・丁寧語。 ❷不要の物を廃品回収業者に売ること。

おはらい⓪(ハラヒ)【《御〈祓(い)】 ❶神社で行なう祓いの神事(に出す、厄よけのおふだ)。〔狭義では、大祓(オオハライ)の神事を指す〕 ❷「大麻(タイマ)❶」の旧称。 **—ばこ**⓪③④【—箱】 ❶「御祓い箱❶」 ❷【お払(い)箱】〔「御祓い箱❶」が毎年新しく取り替えられることから〕使用人をやめさせること。また、不要の物を捨てること。「会社を—(=くび)になる」

おはらめ⓪【《大原女】 京都府大原の里から京都市中へ物売りに来る女性。たきぎ・花などを頭上にのせて歩く。

おはり⓪②【《御針】 ❶「針仕事」の意の女性語。「—を習う」 ❷雇われて針仕事をする女性。お針子⓪。

おばん②(ヲバン)〔考えや好みなどが相容(イ)れない、△年上(年配)の女性。〔多く、軽い侮蔑(ブベツ)を含意する俗語的表現〕「—扱いされる」↕おじん

*__おび__①【帯】 ❶(和装で)下腹部を保護したり(=下帯)着衣を整えるために腰の上に巻いて結んだり(=上帯(ウワオビ))する、幅の細い布。「—に短し襷(タスキ)に長し(=中途はんぱだ)」 ❷「帯紙❶・帯番組」の略。 かぞえ方 ❶は一本・一枚

おびあげ⓪④【帯揚(げ)】 (女性の和装で)「帯枕(オビマクラ)③(=おたいこの形を整えるために背に当てる、楕円(ダエン)形で厚みのあるもの)」にかぶせて、前で軽く結んだり帯にはさんだりする、絞りなどの布。しょいあげ。 かぞえ方 一本

おひいさま②【《御《姫様】 「おひめさま②」の変化した語。

おびいわい③(イハヒ)【帯祝(い)】 安産を祈って、岩田帯をする時の祝い。

おび・える⓪【《脅える】(自下一) こわがって、びくびくする。「△フクロウの声(不安)に—」 名 脅え⓪ 表記 「〈怯える」とも書く。

おびがね⓪【帯金】 ❶箱・たるなどに巻きつける薄く細い△鉄(金属)の帯。 ❷刀のさやにつけたひも通しの環(カン)。

おびがみ⓪【帯紙】 ❶雑誌・本などに巻く、広告・宣伝用の細い紙。帯。 ❷帯封に使う紙。

おびかわ⓪(カハ)【帯革】 ❶(ズボンが下がるのを防ぐ)革製の帯。バンド。ベルト。 ❷(機械用の)ベルト。調べ革(ガワ)。 表記 「帯皮」とも書く。

おびがわ⓪(ガハ)【帯側】 女帯の表側に用いる厚地の織物。帯地。

おびき【《誘(き)】 「だます」意の四段活用の文語動詞「おびく」の連用形。 **—だ・す**④【—出す】(他五) だまして、外へ△さそい(連れ)出す。 **—よ・せる**⑤【—寄せる】(他下一) だまして、近くへ来させる。

おひきずり③【《御引(き)〈摺(り)】 〔「お」は丁寧さを添える接頭語〕衣服のすそを長く引きずること。 運用 着飾ってばかりいて、働かない女性を皮肉って言うのにも用いられる。

おびグラフ③【帯グラフ】 ⇩グラフ

おひさま⓪【《御日様】 「太陽」を親しみを込めて言う語。

おひざもと⓪【《御膝下・《御膝元】 〔もと、貴人の居所(の側)の意〕 ❶統治者や行政府の本拠地(としての首都)。「△将軍家(藩主)の—/臨時政府の—で反乱が起きた/麻薬犯罪の激増が—東京とあっては、検察当局も手をこまぬいているわけにはいかない」 ❷問題となっている物事の△活動(生産)の中心となる地域。「高校球児たちのメッカ甲子園の—兵庫県/地場のマツバガニは都会の高級料亭へ出荷され、—ではよそもののカニがひしめき合っている」 ❸政治家などの活動を支える支持基盤の存在する地域。「党幹事長として他の候補者の応援演説に回っているうちに—(=当人の選挙区)での支持を失うはめになった」

おびざん⓪【帯桟】 戸の中ほどに取り付けた横桟。

おびじ⓪(ヂ)【帯地】 帯にする布地。

おびじめ⓪【帯締(め)】 (女性の和装で)帯を押さえるために、おたいこの中を通して、帯の前面で結ぶひも。 かぞえ方 一本

おびじょう⓪(ジヤウ)【帯状】 帯のように細くて長い△形(状態)。「たいじょう」とも。「—の雲が広く日本を覆っている」

おびしろはだか⑤【帯代裸】 〔「帯代」は帯のかわりにしめる細いひも〕和服を着た女性の、細帯だけの(だらしない)姿。

おびしん⓪【帯芯】 ❶帯の中に入れて芯にする堅い布。 ❷帯を締めた時、帯の前面が折れないように間にはさむ物。帯板⓪。

おひたし③【《御浸(し)】 〔「ひたし」は「ひたしもの」の意〕ホウレンソウなどの青菜をさっとゆでてしょうゆ・かつおぶしなどをかけた料理。〔東京方言では、「おしたし」とも言った〕

おびただし・い⑤【〈夥しい】(形) ❶(数量が)非常に多い。 ❷(程度が)はなはだしい。「無礼な(る)こと—」 派 —さ④⑤

おひつ⓪【《御〈櫃】 「ひつ❷」の丁寧語。

おびてつ⓪【帯鉄】 箱やたるなどに巻きつける、細い鋼鉄の帯。

おびどめ⓪③④【帯止(め)】 (女性の和装で)ひもの両端に、

止めるための金具の付いた帯締め。また、帯締めに通して、帯の正面に付ける装飾品。［表記］「帯留め」とも書く。

おひとよし [0]【《御人《好(し)】―に・―な 気がよくて、人の言いなりに△なる(なって、だまされやすい)様子。また、その人。

おびな [1]【《男〈雛】―ヲ 内裏雛(ダイリビナ)のうち、天皇をかたどったもの。⇩女雛(メビナ)

オピニオン [2]〔opinion〕意見。「セカンド―」 **―リーダー** [6]〔opinion leader〕❶そのグループの理論的指導者。❷世論指導者(としての文筆家・学者・ジャーナリストなど)。

おひねり [2]【《御《捻(り)】〔神仏に供えるため、また、祝儀(シュウギ)として与えるために〕お金を紙に包んで捻ったもの。

おびのこ [0]【帯〈鋸】〔↑おびのこぎり[3]〕刃のついた鋼鉄の帯を回転させて物を切る のこぎり。［かぞえ方］一挺(チョウ)・一丁

おびばんぐみ [3]【帯番組】〔ラジオやテレビで〕連日同じ時間帯に設けられている連続番組。⇩帯❷

おびふう [0]【帯封】新聞・雑誌などを郵送する時、途中で広がったり 抜けたり などしないように周囲を ぐるりと堅く幅の狭い紙で巻くこと。また、その紙。

おひや [2]【《御冷(や)】〔もと、女性語〕人から供せられるものとしての、つめたい飲み水。

***おびやか・す** [4]【脅かす】(他五) ❶〈だれ・なにヲ―〉危害を加える様子を見せて△恐れさせ(意に従わせ)る。❷〈なにヲ―〉平穏無事に暮らしている人たちの環境を害し損なうような好ましくない影響を与えて、生活をかき乱す。「△安全(庶民の生活)を―/民主主義の基盤を―/自由が脅かされる/不況に脅かされる/社長の地位が脅かされる〔=危うくさせられる〕」

おひゃくど [0]【《御百度】〔↑お百度参り[5]〕△病気が治る(願いがかなう)ように 社寺に行き、一定の場所を百回往復して拝むこと。「―を踏む〔=ⓐ社寺で、お百度参りをする。ⓑ同じ所へ何度も行って頼む〕」

おひゃらか・す [4](他五)「ひやかす・からかう」意の口頭語。

おひょう [0]【《大〈鮃】北太平洋にすむヒラメに似た魚。長さは二メートルほどにもなり、大味。肝油の材料にもする。〔カレイ科〕［かぞえ方］一尾・一匹

おひら [2]【《御平】〔↑平わん〕底が浅くて平たい(ふた付きの)わん。煮しめなどを盛る。

おひらき [2]【《御開(き)】〔祝い事・宴会などの〕終り。〔もと、「去る・帰る」の忌み言葉として使われた〕「本日はこれで―にしたいと思います」

***お・びる** [2][0]【帯びる】(他上一) ❶〈(どこ・なに ニ)なに ヲ―〉△からだ(腰)につけて持つ。「△刀(勲章)を―/重い任務を―〔=身に引き受ける〕」❷〈(どこ・なに ニ)なに ヲ―〉その気味のあることが、看取される。「△保守色(政治臭)を―/△赤み(酒気)を―〔=含む〕」❸〈なに ヲ―〉そういう性質を内部に持つ。「…の△様相(性格)を―/△現実み(熱気)を―」❹〈なに ヲ―〉△周囲(そば)に持つ。「東に川を帯びた丘」［表記］❶の一部は、「〈佩びる」とも書く。

おひれ [1]―ヲ【尾〈鰭】〔生きた魚に不可欠なものとしての〕尾と鰭。「うわさが広まるうちに、話に―がついた〔=実際にないことまで付け加えられて、誇張された〕」

おびれ [1]―ヲ【尾〈鰭】魚の尾の先についている ひれ。

おひろめ [0]〔「ひろめ」は「広め」の意〕❶「披露」の丁寧語。❷芸者などがその地で初めて客の前に出る△こと(時に して回る挨拶(アイサツ))。［表記］「《御披露目」は、借字。

オフ [1]〔off〕❶〔電灯・機械などに〕スイッチが入っていないこと。↕オン ❷シーズン オフ・オフ タイムの略。

オフィシャル [1][2]―に・―な〔official〕公式(の)。「―ゲーム[5]・―レコード[6]〔=公式記録〕」

オフィス [1]〔office〕〔会社・役所などの〕事務△所(室)。

オフィス ガール [4]〔office girl〕〔会社・役所の〕女性事務員。⇩オー エル(ＯＬ)

オフィス コンピューター [6]〔office computer〕⇩コンピューター

おぶい ひも [3]―(オブヒ)【《負ぶい〈紐】赤ん坊を背負って、背中に固定するためのひも。

おぶ・う [2](オフ)【《負ぶう】(他五)「子供を背負う」意の幼児語。「子供をおぶった上に荷物をかかえる」

おぶう [2]〔「お」は丁寧さを添える接頭語。「ぶう」は熱湯を意味する擬態語〕「湯・お茶・ふろ」の幼児語・女性語。「おぶ[2]」とも。

オフェンス [2]〔offense〕〔競技で〕攻撃。↕ディフェンス

おふくろ [0]【《御袋】〔おもに成年男子がくつろいだ場面で〕親しい相手に対して自分の母親を指して言うときの称。↕おやじ ［運用］軽い敬意をこめて他人の母親を「おふくろさん[0]」と言うこともある。また、「おふくろ(さん)」の形で、自分の母親に呼びかけるのに用いることもある。

おふくわけ [0]【《御福分(け)】―する(他サ) 他から受けた恩恵を分かち合おうという気持で、「おすそわけ」を言う語。

オフ コン [0] オフィス コンピューターの略。

オブザーバー [3]〔observer〕会議に出席はするが、正式の参加者でないため採決には加わらない人。

オフサイド [1]〔offside〕〔サッカー・ラグビー・ホッケーなどで〕競技者がプレーすることが出来ないと定められた位置(でプレーすること)。反則となる。↕オンサイド

おぶさ・る [3]【《負ぶさる】(自五) ❶おぶってもらう。「父に―」❷自分の力で何かをせず、他の力・働きなどにたよる。

オブジェ [1]〔フ objet=物体〕❶〔前衛美術で〕幻想的・象徴的な効果を出すために、絵画・彫刻などに用いる種々の物体(による作品)。❷〔前衛的な華道で〕生け花に用いる、花以外の材料(による作品)。

オブジェクト [1]〔object〕↕サブジェクト ❶〔哲学で〕客観。対象。❷〔文法で〕目的語。

オフショア [3]〔offshore=沖に〕❶〔陸から海に向かう〕陸風(リクフウ)。❷〔海釣りで〕沖合。❸海外の。域外の。「―金融[5]・―市場[5]」

オプショナル [1]〔optional〕選択が随意であったり 参加が任意であったりする様子。 **―ツアー** [6]〔optional tour〕団体旅行コースの中で、参加者の選択にゆだねられる(別料金の)小旅行コース。

オプション [1]〔option〕〔機器類の売買や旅行社のツアーなどで〕客による自由選択(に属するもの)。 **―とりひき** [6][5]【―取引】デリバティブの一つ。一定期間内に指定の価格で通貨や国債、株式などを(売買する権利を)売買すること。

オブセッション [3]〔obsession〕〔心理的に〕何かに取りつかれること。強迫観念。妄想。

オフセット [3]〔offset〕いったんゴムローラー面に転写してから紙などに印刷する方法。ポスター・雑誌の表紙などの印刷に多く使う。オフセット印刷[6]。

おふだ [0]【《御札】神社や寺で出す守り札。お守り。護符。［かぞえ方］一枚

オフ タイム [3]〔和製英語 ←off＋time〕〔サラリーマンなどにとって〕その日の勤務時間外や休日。略してオフ。

オプチカル [1]〔optical〕光学上の。光学式。視覚の。オプティカルとも。

オプチミスティック [6][4]〔optimistic〕楽天的。↕ペシミスティック

お

オプチミスト④〔optimist〕楽天家。↕ペシミスト

オプチミズム④〔optimism〕楽天主義。↕ペシミズム

おぶつ⓪①【汚物】〔はいせつ物など〕きたないもの。「―処理④」

おぶね⓪【小舟】〔雅〕こぶね。表記「小船」とも書く。

オブラート③〔オ oblaat〕でんぷんで作った、パラフィン紙に似て薄い物質。飲みにくい粉薬などを包むのに使う。「甘い―〔=表現〕で全体を包む」かぞえ方 一枚。小売の単位は一箱

オフライン③〔off-line〕〔コンピューターで〕△端末(周辺)装置が中央の計算機と接続されていないためその制御下にない状態。また、インターネットなどのネットワークにつながっていない状態。↕オンライン

オフリミット③〔off-limits〕立入禁止(になっていること)。オフリミッツとも。「ここから先は―だ」

おふる②【《御古》】年上の人などが何度か使って古くなったもの。「兄さんの―の服/―を押しつけられる」

おふれ⓪【《御触れ》】〔←お触れ書(ガキ)⓪〕江戸時代、幕府・大名などから一般人民に通達した文書。〔広義では、役所から出る通達を言う〕かぞえ方 一枚・一葉(ヨウ)・一片

オフレコ⓪〔←off the record〕〔記者会見などで〕その部分の記録・報道をさし控えてもらうこと。「ここからは―に願います」↕オンレコ

オフロードしゃ⑤【オフロード車】〔off-road〕舗装されていない道でも走行出来るように作られた△自動車(オートバイ)。

オペ①㊀〔←operation〕オペレーションの略。「買い―」㊁〔←ド Operation〕〔医者の間の通語で〕手術。㊂⇩ワンオペ

おべっか②〔自分の利益をはかるために〕上の人の御機嫌をとる△こと(ための言葉)。「―を使う/―使い⑤」

オペック①②【ＯＰＥＣ】〔←Organization of the Petroleum Exporting Countries〕石油輸出国機構。主要な産油国から構成され、原油の価格調査など石油政策を協議する。

おへやさま⓪⑤【《御《部屋様》】江戸時代、大名など身分の高い人の妾(メカケ)の称。表記 ⇩付表「部屋」

オペラ①〔opera〕歌劇。

オペラグラス④〔opera glasses〕観劇用の小型双眼鏡。かぞえ方 一台

オペラ コミック④〔フ opéra-comique〕歌に、語るせりふをまじえた歌劇。

オベリスク③〔フ obélisque〕〔古代エジプトで〕神殿の門前の左右に建てた白い石柱。下部は方形で、先がとがり二〇メートルを超えるものもある。王の事績などが記してある。方尖柱(ホウセンチュウ)。

オペレーション③⓪〔operation〕㊀機械の操作や運転。㊁手術。略してオペ。㊂〔株式市場で〕投機売買。市場の操作。略してオペ。㊃軍事作戦。

オペレーションズ リサーチ⑨〔operations research =作戦研究〕経営を合理的・計画的に行なうための、計量的な方法による調査・研究。略称、オーアール(ＯＲ)。

オペレーター③⓪〔operator〕㊀〔機械・装置の〕△操作(運転)をする役の人。電話交換手・無線通信士など。㊁オーナーでない海運業者。

オペレーティング システム⑧〔operating system〕コンピューターを用いて作業をする上で最も基本となる入出力の管理・作業順序の調整・実行状況の監視・記憶領域の割当て・データの保存管理などを行ない、周辺装置まで含めた全体を効率よく総合的に運用・制御するためのソフトウェア(の集合体)。基本ソフト。略称、オーエス(ＯＳ)。

オペレッタ③〔イ operetta〕歌に対話をまじえた、喜劇的な音楽劇。オペレット③とも。⇩喜歌劇

おべんちゃら⓪〔相手に取り入るために言う〕口先ばかりで、△誠意(実質)を伴わない言葉。「―を言う/―ばかり」

おぼえ【覚え】[一]㊀②③経験した事や習得した事などを、忘れずに心にとどめたり身につけたりしておくこと。また、その事柄。「―が早い/―〔=記憶〕が無い/身に―〔=ⓐ心当たり。ⓑ自覚。ⓒ経験〕がある/―〔=心当たり〕の無い小包を受け取る/腕に―がある〔=以前身につけ、自信がある〕/―が悪い」㊁③②「覚え書」の略。「たしか、あの時―が取っておいてあるはずだ」㊂③⓪②〔「思われる」意の文語動詞「思(オボ)ゆ」の連用形の名詞用法〕上の人から思われること。「社長の―がめでたい〔=信用が絶大だ〕」[二]〔造語〕動詞「覚える」の連用形。 **―がき**⓪【―書】㊀備忘のための記録(の形を取った文書)。メモ。〔総論風の評論の標題としても用いられる〕㊁△意向伝達(双方の合意確認)のために交換する、略式の文書。〔狭義では外交上のそれを指し、広義の「条約」に準ずるものとされる〕表記 ㊀は普通、「覚書」と書く。かぞえ方 一通 **―こ・む**④【―込む】(他五) 知識や技能を、完全に覚えたり身につけたりする。

おぼえず②③【覚えず】(副) 何かがきっかけとなって、そうしようという気持はないのに、何かをしてしまう様子。「合格の報に接し、―歓声を上げた」

＊＊**おぼ・える**③【覚える】(他下一)〈なに・どこニ なにヲ―〉㊀経験した事や習得した事を、忘れられないものとして心にとどめる。〔「おぼえている」の形で用いられる〕「子供のころ姉と行ったのを覚えている/四十年前に習ったフランス語をからだが覚えていた」㊁〔経験した事や教わった事を反復練習して〕無難に再現出来るようになる。「△仕事(得点)のコツを―/覚えた将棋(ショウギ)を息子に教える/八十一歳で初めて水泳を覚え、今では八十五～八十九歳クラスの全米チャンピオン/大学の先輩に誘われて、お酒を覚えた」㊂何かがきっかけとなって、ある△感覚(感情)を強く意識する。「△愛着(憤り・感動・共感・興味・不安・安らぎ・違和感)を―」㊃〈なんだトー〉〔「おぼえぬ」などの形で〕(その場の状況などから)「…だとは思えない」という判断を表わす。「お言葉とも覚えませぬ」【覚えていろ(よ)】今受けたひどい仕打ちに対しては、後で必ず仕返しをするぞ、という意。〔けんかに負けた時の捨てぜりふにも、再起を誓う時の決意表明にも用いられる〕表記 ㊀は、「《憶える》」とも書く。〔⇩覚え[二]〕

おぼこ⓪ [一]㊀まだ世間を知らず、すれていない△こと(女性)。「―育ち」㊁【←未通女】まだ男性と性的関係を持たない△こと(女性)。[二]㊀〔東北・関東・四国方言〕赤ん坊。子供。㊁〔東京・浜名湖方面で〕ボラの幼魚。

おぼし・い③【《思しい》】(形) 種々の点から、そう△思われる(見える)様子だ。「犯人と―男/出口と―方向」文法 多く、連体形が「おぼしい＋体言」の形で用いられるほかは、「後ろめたいことがあるとおぼしく、おずおずしている」のように連用形が用いられる程度で、他の活用形はあまり用いられない。また、文語の連体形「おぼしき」の形でも用いられる。

おぼしめし⓪【《思し召し》】㊀「考え・気持」の意の尊敬語。「神の―に従う/寄付の金額は―〔=あなたの好意が分かる程度〕で結構」㊁異性などへの個人的な関心。〔やや、からかい気味に言う語〕「だいぶ彼女に―のようだね」

おぼしめ・す④【《思し召す》】(他四)〔雅〕「思う」の尊敬語「思(オボ)す」の敬意をいちだんと高めた語。運用 (1)現代語

で「おぼす」はほとんど使われないため、「お思いになる」よりも敬意の高い表現として用いられる。(2)命令形「おぼしめせ」の形で、相手にばかげたことを想定させようとするのに用いられる。例、「日が西から上ったとおぼしめせ」

オポチュニスト④〔opportunist〕△便宜(ご都合)主義者。

オポチュニズム④〔opportunism〕△便宜(ご都合)主義。

おぼつかな・い⓪⑤【《覚《束無い】(形) 好ましくない△条件があって(状況に置かれて)、先行き不安を感じさせる様子だ。「三勝はおろか、一勝も—〔=疑わしい〕/成功は到底—〔=困難だ〕/酒に酔って足下が—〔=しっかりと歩けない〕」 派 —さ⑤ —げ⓪⑤⑥ —が・る⑥ 表記 「《覚《束無い」は借字。 文法 助動詞「そうだ(様態)」に続くときは「おぼつかなさそうだ」の形になる。また「すぎる」と結びついて複合動詞をつくるときは「おぼつかなさすぎる」の形になる。

おぼっちゃん②【《御坊ちゃん】⇩ぼっちゃん

おぼめか・す④(他五) 態度や遠まわしの言葉などでそれを表わす。

***おぼ・れる**⓪【溺れる】(自下一)〈どこ・なにニ—〉❶〔水の中で〕泳げずに△死ぬ(死にそうになる)。❷その事にどっぷりつかって、正常な判断が出来なくなる。「酒色に—〔=ふける〕/世評に溺れて本質を見失う」

おぼろ⓪【〈朧】❶—な —に 〔輪郭などが〕ぼんやりとかすんでいる様子。「月が—にかすむ/記憶が—になる」❷❶そぼろ❷。❷「おぼろこんぶ」の略。 —げ⓪【—気】—な —に 全体像はなんとなく分かるようだが、核心や細部は明確に把握出来ない様子。「—ながら理解出来る」 —こんぶ④【—昆布】 薄く帯状に削ったコンブ。「おぼろこぶ④」とも。 —づき③【—月】〔春の夜の〕ぼんやりかすんだ月。「—夜⑤④」 —よ③【—夜】〔春の〕月がぼんやりかすんで見える夜。

おぼん②【《御盆】⇩うらぼん(盂蘭盆)

オマージュ②〔フ hommage〕その△人(事)に対して深い尊敬や称賛の念を表わす言葉。「—をささげる」

おまいり⓪【《御参り】—する(自サ) 神仏を拝みに行くこと。 表記 「《御《詣り」とも書く。

おまえ⓪【《御前】(代)〔もとは、同等以上の相手に対する表現〕同等、または目下の相手を指す語で、二人称のぞんざいな言い方。「おまい」とも。「—の知ったことではない」

運用 (1)男性が近い関係にある相手に用いる場合は、親しみの気持がこめられる。(2)「おまえさん⓪」の形で、丁寧さをよそおって相手に呼びかけるのに用いられる。例、「おまえさんそれでも大学を出たと言えるのかね」

おまけ⓪【《御負(け)】—する(他サ) ❶値段を割り引くこと。❷商品の景品や何かの付録としてつけ加える△こと(もの)。〔一般に、その上にさらにつけ加える△こと(もの)の意にも用いられる。例、「—がつく」〕 —に⓪(接) 条件が十分に満たされているところに、予想外の同種の条件が加わる様子。「ヨーロッパを回り、—エジプトにまで足を伸ばすという、欲ばりなコース」

おまじり②【《御交(じ)り】 飯粒の交じった重湯。

おま・す②【《御《座す】(自五)〔長野・岐阜以西、近畿・中国方言〕ございます。「よろしゅう—⑥」

おまちどおさま⓪【《御待(ち)遠様】 自分を待っていた相手に対して、長く待たせて申し訳ないという気持で用いる言葉。「—でした」

おまつ①【雄松】 クロマツの異称。↕雌松

おまつり⓪【《御祭(り)】❶「祭り」の丁寧語。❷〔魚釣りで〕釣り糸が(他人の糸と)からみ合うこと。 —さわぎ⑤【—騒(ぎ)】❶祭礼で騒ぎ立てること。〔まわりが騒ぎ立てるだけで、内容の伴わない意にも用いられる〕❷非常ににぎやかに騒ぎ立てること。

おまはん⓪(代)〔もと、大阪方言〕お前さん。

おまもり⓪【《御守(り)】 それを持っていれば、神仏が災難から守ってくれるという△札(物)。〔社寺が発行する〕「—入れ④・—袋⑤」 かぞえ方 一枚

おまる②⓪〔「まる」は大小便をする意の動詞「まる」から〕室内で用いる、携帯用の便器。 表記 「{虎子}」(漢語表記)・「《御{虎子}」とも書く。

おまわり②【《御《巡(り)】「巡査・警官」の俗称。〔「おまわりさん②」は愛称〕 表記 ⇩付表「お巡りさん」

おまんま②【《御《飯】「めし・ごはん」の口頭語的表現。

おみ【《御《御】(接頭)〔「大御」の変化という〕尊敬・丁寧さを表わす。「—足⓪・—大きい⑤」

おみ①【《臣】〔「大身」の変化で、君主に直接仕える人の意〕姓の名。上代では「大臣〔=臣の最有力者〕」を選び出す上流貴族、大化の改新以後は八姓の第六。

おみ①【《御身】(代)〔雅〕二人称の丁寧な言い方。あなた。⇩おんみ

おみおつけ③〔「お付け」に丁寧の接頭語「お・み」の付いたもの、また、「おみ」は味噌の女性語ともいう〕「みそしる」の丁寧語。 表記 「《御《御《御付け・《御味《御付け」とも書く。

おみき⓪【《御《神《酒】❶神に供える酒。しんしゅ。「みき」とも。❷酒の俗称。「—が少し入っている」 表記 ⇩付表「お神酒」 かぞえ方 ❶は一本 —どくり④【—徳利】❶おみきを入れて神前に供える、一対同型のとっくり。❷いつもおそろいの服装をして行動を共にする二人連れや仲の良い恋人同士・おしどり夫婦を、からかって言う語。「おみきどっくり④」とも。

おみくじ⓪【《御《神〈籤・《御《神〈鬮】〔社寺で〕参詣人に引かせて、吉凶を占わせるくじ。 かぞえ方 ❶は一本

おみこし②【《御《神〈輿】❶「みこし」の敬称。❷重い腰を「輿」に掛けて言った表現。「—をあげる〔=やっと△立ち上がる(とりかかる)〕」 かぞえ方 一本

おみずとり⓪③【《御水取り】 奈良、東大寺の二月堂で三月十三日にする行事。午前二時ごろ、堂のそばの井戸から一年間使う香水用の水をくみ、大きな松明をともして堂廊を回る。

おみそれ⓪【《御見《逸(れ)】—する(自他サ)「みそれる」の連用形の丁寧な表現。❶「見ていながら△その人に気がつかない(だれであるか分からない)こと」の意の謙譲語。「すっかりおとなになられて、—してしまいました」❷〔相手の能力などが〕思っていたよりもすぐれているのに驚いて、自分の誤った判断を恥じいる気持を表わす。「お見事な腕前、—いたしました」

オミット②—する(他サ)〔omit〕省略。除外。無視。

おみな①⓪【《女】〔雅〕おんな。↕おのこ

おみなえし③【{女郎花}】 秋の七草の一つ。秋、分かれた枝の先に、黄色の小花を多数、傘を広げたようにつける。〔スイカズラ科(旧オミナエシ科)〕 かぞえ方 一本

おみや⓪【《御宮】❶「神社」の丁寧語。「—参り④・—さん⓪」❷〔警察で〕「迷宮入り」の通語。

おむすび②【《御結び】「むすび〔=にぎりめし〕」の丁寧語。

おむつ②【《御{〈襁褓〉}】〔「むつ」は「むつき」の略〕おしめ。 かぞえ方 一枚

オムニバス③①〔omnibus=乗り合い馬車〕それぞれ独立した幾つかの短編をまとめ、全体として一つの作品にしたもの。「—映画⑥」

オムライス③〔オム(レツ)+ライス〕チキンライスを薄焼き

にした卵で包み、トマト ケチャップをかけた料理。

オムレツ⓪〔フ omelette〕フランス風の卵焼。〔卵だけで焼いたもの〖＝プレーンオムレツ〗、ひき肉・刻んだタマネギなどを卵でくるむように焼いたものなどがある〕 かぞえ方 一枚：一丁

おめ⓪【《御目】〔「お」は丁寧さを添える接頭語〕（立場の上の人の）目。「―にかなう／―に止まる」【―が高い】埋没しているものや一見類似しているものから良品を選りすぐる力がある。客が偶然手にした商品を手放さないようにする売り手の口上としても使われる。「さすが、その本を手に取るとは―」【―に掛かる】「会う」の謙譲表現。【―に掛ける】「見せる」の謙譲表現。

おめい⓪【汚名】△不名誉な（悪い）評判。「政治的後進国の―に甘んじる／―を着せられる／―をすすぐ／―返上」

おめいこう⓪【《御命講】お会式(エシキ)。

おめおめ①（副）―と ❶辱めを受けながら、それを腑甲斐(フガイ)ないとも思わず甘んじている様子。「このまま―と引き下がれますか／門前払いを食わされたといって―帰るわけにはいかない」 ❷恥を知るべきなのに平然としている様子。「―（と）よく来られたものだ」

オメガ①〔Ω・ω＝ギリシャ字母の最終の字〕最終。「アルファにして―なるもの」↔アルファ

おめかし②―する（自サ）化粧をし、飾り立てること。おしゃれをすること。

おめがね②⓪【《御《眼《鏡】〔「お」は丁寧さを添える接頭語〕（立場の上の人の）鑑識眼をそなえた目。「―にかなう〔＝判定の結果、よいと△認められる（認められて、気に入られる）〕」 表記 ⇩付表「眼鏡」

おめ・く②【《喚く】（自他五）「さけぶ・わめく」意の古風な表現。

おめざ②【お目ざ】〔「目覚め」の幼児語〕目をさました時、子供に与える菓子。目覚まし。

おめし【《御召〔し〕】❶⓪「△呼ぶ（招く・乗る・着る）こと」などの尊敬語。「―にあずかる／今日―のお洋服」❷②「お召し物」の略。❸②〔↑おめしちりめん④〕ちりめんの一つ。ねり糸で織り、「しぼ」を寄せた布。 表記 ❸は、「《御召」と書くことが多い。 **―かえ**⓪②【―替〔え〕】「着替え・乗換」の尊敬語。 **―もの**③⓪【―物】他人の「着物」の尊敬語。 **―れっしゃ**④【―列車】天皇の地方行幸などのために仕立てた特別列車。

おめずおくせず①-③【《怖めず臆せず】少しも気おくれしないで（堂々と）。

おめだま②【《御目玉】〔上位にあると考えられる人や親から〕しかられること。「―を食う〔＝しかられる〕」

おめでた⓪〔結婚・妊娠・出産など〕めでたいこと。 表記 「《御目出《度」は、借字。

おめでた・い④⓪（形）〔「お」は丁寧さを添える接頭語〕めでたいととらえられる様子だ。「結婚の―席で」 派 ―さ④⓪ 表記 「《御目出《度い・《御芽出《度い」は、借字。 運用 当人は意味があると思って大まじめにやっていることを、はたから見てばかげたことだと、皮肉・からかいの気持を込めて用いることもある。また、自分のしたことを自嘲(ジチョウ)しても用いられる。例、「あやしげな事業に財産をつぎ込むなんておめでたいかぎりだ」

おめでとう⓪（感）〔↑おめでとうございます⑨〕△喜びごと（新年）や、成功したこと、また勝利を得たことを祝う言葉。 表記 「《御目出《度う・《御芽出《度う」は、借字。

おめみえ⓪【《御目見得】―する（自サ）❶「△身分の高い（立場の上の）人に初めて会うこと」の謙譲語。❷奉公人が正式に雇われる前、しばらく試みに勤めること。〔新製品などが新しく市場に出る意にも用いられる。例、「新型携帯電話―」〕❸新しくその土地に来た俳優の初舞台。「―興行⑤」❹江戸時代、将軍に直接会うことが出来た△身分（格式）。「―以上〔＝旗本〕／―以下〔＝御家人(ゴケニン)〕」 表記 もと「《御目《見」とも書いた。

おめもじ⓪【《御目文字】「お目にかかること」の女房詞(コトバ)。

おめよごし⓪【《御目汚〔し〕】ひどいものを見せてしまうこと。自分の作品・書類・踊りなどを披露した際に謙遜(ケンソン)して言う言葉。「これで私の手品を終わります。―、失礼いたしました」

おも【面】■一（造語）顔。「―長・―差(ザ)し・―映(ハユ)い」■二①〔雅〕表面。「水の―」

***おも**①【主】―な〔多くの中で〕中心となっていて、大切な△事柄（様子）。「―な登場人物」 表記 「重」とも書く。

****おも・い**⓪②【重い】（形）↔軽い ❶△比較の対象とする〔一般に予測される〕状態と比べ、その物を支え持ったり動かしたりするのに、大きさから受けた感じ以上の大きな力を必要とする状態だ。「―荷物を背負う／漬物樽(ダル)に―石を載せる」❷強い力で抑えつけられているような感じで、消極的な気分をいだかざるを得ない様子だ。「△足取り（気持）が―／頭上に重くのしかかる／―腰を上げる〔＝やっと△立ち上がる（仕事などにとりかかる）〕／腰が―〔＝ⓐ動きが鈍い。ⓑだるい。ⓒ〖すもうで〗重心が下にあって、押されたり投げを打たれたりしても、よく堪えられる様子だ〕／頭が―／気が―〔＝ゆううつだ〕／口が―〔＝気軽に物を言わない〕」❸普通の程度を超えていて、軽視することが出来ない様子だ。「―病気／△罪（責任・処分）が―／事態を重く△見る（受け止める）／―意味を持つ／―〔＝もたれる〕食事を避ける／党の―役に就く」 派 ―さ⓪「責任の―」 ―げ⓪ ―が・る③

****おもい**【思い】■一②△思う（思った）こと。「―を△新たに（強く）する／―〔＝ⓐ考え。ⓑ回想。追想〕にふける／―〔＝計画〕通りに運ぶ／―〔＝願望〕がかなう／―〔＝心配。不安〕に沈む／身を切られる―〔＝気持。感じ〕／楽しい―〔＝経験〕をする／―〔＝想像。推量〕をはせる／―〔＝恨み〕を晴らす／―〔＝愛情。好意〕を寄せる／―を遂げる／―がつのる／―半ばに過ぎよう〔＝ここまで言えば、あとは自然に△分かるだろう（思い当たるところがあるだろう）〕／親―の孝行息子／片―」 表記 空想・恋慕などの意味では、「《想い」とも書く。【―も掛けない】事前にはそのような事態を全く予想することが出来なかった様子だ。「ここで彼に会うとは―ことであった」【―も寄らず】事前には全く予想出来なかった事態が生じる様子。「―捜査が難航した」【―も寄らない】今まで得た知識や経験から推論して、そういう事実があるだろうとは全く考えることが出来ない様子だ。「―事件が発生した／彼が犯人なんて―」【―を致す】ふだんは疎(オロソ)かにしがちな問題や存在について、原点に立ち戻って考えてみたりしみじみと思いめぐらしたりする。〔やや堅い表現〕「その背景に―」【―を成す】そのように思う。「不思議の―〔＝だと思う〕」 **―のたけ**⑥、②-②【―の丈】〔おもに恋する相手に対して〕思うことのすべて。「―を書き送る」 **―のほか**⓪、②-⓪、③-⓪【―の外】（副）事柄の程度や物事の進展のぐあいが、当初予想もしていなかったものである様子。「駅までは―に遠かった／始めてから三日目にしては―の上達ぶりだった」 ■二（造語）動詞「思う」の連用形。 **―あが・る**⑤【―上〔が〕る】（自五）実際より自分をえらいものと思う。うぬぼれる。〔以下の複合動詞は、強調形で、アクセント②を持つものもある〕 名 思い上がり⓪ **―あた・る**⑤⓪【―当〔た〕る】（自五）〔問題の所在・核心などについて〕なるほどと気がつ

く。「ー節がある」 ーあなど・る⑥【ー侮る】（他五） 心の中で相手を軽く見る。 ーあま・る⑤【ー余る】（自五） 〔難問や悩み事などについて〕自分ひとりで解決すること（にがまん）が出来なくなる。「思い余って親に打ち明ける」 ーあやま・る⑥【ー誤る】（自他五） 先入観にとらわれるなどして、間違った判断をする。 ーあわ・せる⑥【ー合（わ）せる】（他下一） 何かほかの事と比べたりつなげたりして考える。 ーいた・る⑤⓪【ー至る】（自五） いろいろ考えた末に、そこまで考えが及ぶ。 表記「《想い《到る》」とも書く。 ーいれ⓪【ー入（れ）】 ❶心をこめて、深く△思う（考える）こと。 ❷〔芝居で〕物を言わずに心の中を表わす身振り。 ーうか・ぶ⑤⓪【ー浮（か）ぶ】（自五） 記憶されていた事柄や新しい考えなどが意識された状態になる。 ーうか・べる⑥⓪【ー浮（か）べる】（他下一） 心の中に描く。 ーえが・く⑤【ー描く】（他五） △近く経験するはずの（人に聞いたり本で読んだりした）事について、その情景を想像する。 ーおこ・す⑤【ー起（こ）す】（他五） 時間の経過をたどって、思い出す。 ーおもい④【ー思い】（副）ーに めいめい自分の思い通りにする様子。「ーに着飾る／ーの道を進む」 ーかえ・す④【ー返す】（他五） ❶〔一度決めた考えを〕考え直して変える。思い直す。 ❷過去の事実を思い出す。 ーがけず⑤④【ー掛けず】（副） 全く予期していなかったことが不意に実現する様子。「ー吉報が舞い込んできた」 ーがけな・い⑤⑥【ー掛けない】（形） 事前には全く予期していなかった事態が生じる様子だ。「ー出会い／ー災難」 派ーさ⑥⑤ 表記「思い懸けない」とも書く。 文法 助動詞「そうだ（様態）」に続くときは「思いがけなさそうだ」の形になる。また「すぎる」と結びついて複合動詞をつくるときは「思いがけなさすぎる」の形になる。 ーきった④【ー切った】（連体） 普通では考えられない、大胆な。「ー手を打つ」 ーきや② ❶「実に意外な事が起こったものだ」という驚きの気持を表わすやや古風な表現。 ❷…と思ったところが、意外にも。「行ったとー」 ーきり⓪【ー切（り）】 [一] 迷いやためらいを断ち切ること。「ーがいい」 [二]（副） ためらったり加減したりせずに、力の限りそうする様子。〔強調形は「思いっ切り⓪」〕「この夏休みはー遊ぼう」 ーき・る④【ー切る】（他五） ❶迷いやためらいを捨てて、こうしようと決める。「思い切って旅に出る」 ❷未練を捨てて、あきらめる。「大学進学をー」 ーくっ・する⑥【ー屈する】（自サ） 挫折感や虚脱感にとらわれて、気分がふさぎ込む。

思い屈す⓪、②-⓪（五）。 ーこが・れる⑥⓪【ー焦（が）れる】（自他下一） せつないほど恋しく思う。 ーこ・む④⓪【ー込む】（他五） ❶〔事実・真実でないことを、予断や偏見で〕堅く信じ込んで疑わなくなる。 ❷深く心に思って、その思い通りにしようとする。 名思い込み⓪ ーざし⓪【ー差（し）】 その人にと思う心があって杯をさすこと。 ーさだ・める⑥⓪【ー定める】（他下一） よくよく考えた末に、こうしようと心に堅く決める。 ーじに⓪【ー死（に）】ーする（自サ） 恋いこがれながら死ぬこと。 ーしら・せる⑥⓪【ー知らせる】（他下一） 自分を無視・蔑視してきた相手に決定的な打撃を与え、状況認識の甘さを痛いほど分からせる。 ーし・る④【ー知る】（他五） 〔事実・経験などを通して〕身にしみて分かる。深く心にさとる。 ーすご・す⑤【ー過（ご）す】（他五） 〔必要の無い事まで〕考え過ぎ（て心配す）る。 名思い過ごし⓪ ーだしわらい⑥【ー出し笑（い）】 以前体験したおかしいこと・楽しいことをふと思い出して、ひとりでに笑い出すこと。また、その笑い。 ーだ・す④【ー出す】（他五） ❶忘れていた事を何かの機会に思い浮かべる。「彼は思い出したように時どきやって来る」 ❷何かがきっかけになって、以前にそういう△出来事があった（経験をした）なあと、（感慨を込めて）回顧する。「ーことどもを語る」 ーた・つ④【ー立つ】（他五） 〔何かしようと〕突然思い△つく（ついて実行しようと決心する）。 ーた・つ④【ー断つ】（他五） 状況を見定めた上で、断念する。 ーちがい⓪【ー違（い）】ーする（他サ） 事実と違った事を事実と思い込むこと。勘違い。 ーつき⓪【ー付（き）】 ❶ふと心に思い浮かんだ事柄。 ❷何かがきっかけとなって思い付いた、ことによるとうまくいくかもしれないといった程度のちょっとした着想。 ーつ・く④【ー付く】（他五） ❶考えが浮かぶ。「名案をー」 ❷〔忘れたことを〕思い出す。 ーつづ・ける⑥【ー続ける】（他下一） 忘れたりあきらめたりすることなく、そのことをいつも心にとどめておく。 ーづま④【ー妻】 いとしい存在としていつも心から離れることのない妻。 ーつ・める⑤⓪【ー詰める】（自下一） それ以外の解決策は無いと思う気持になって△くよくよ考える（悩む）。 ーで⓪【ー出】 〔経験した出来事などについて〕深く心に残っていて、何かにつけて（なつかしく）思い出される△こと（事柄）。 表記「《想い出》」とも書く。 ーでばなし⑤【ー出話】 いつまでも忘れることが出来ない事柄（として話すこと）。 表記「《想い出話》」とも書く。 ーどおり④【ー通（り）】

自分が期待していたように物事が△実現（進展）することを表わす。 ーとどま・る⑥⓪【ー《止まる》】（他五） 〔しようと思った事を〕よく考えた結果、やめにする。断念する。「思いとまる⑤⓪」とも。 ーなお・す⑤【ー直す】（他五） 〔一度こうだと思った事について〕もう一度考え（て改め）る。 ーなし⓪【ー〈做（し）〉】 深い理由も無く、そう思うこと。「ーか顔色がよくない」 ーなや・む⑤【ー悩む】（自五） よい△解決（対応）策が得られず、どうしたものかと頭を悩ませる。 ーのこ・す⑤【ー残す】（他五） 〔したいと思った事が十分に出来ず〕あとになっても気になり、△心配（残念）に思う。 ーまよ・う⑤【ー迷う】（自他五） どうしたらよいか決心がつかず、迷い続ける。 ーまわ・す⑤⓪【ー回す】（他五） これから実際に起こりうるような事柄をいろいろ考えてみたり過去の出来事などについて回想したりする。 ーみだ・れる⑥【ー乱れる】（自下一） あれこれと考えて心を悩ます。〔とくに、意中の人を欲する気持が断ち切れず、切ない思いをいだき続ける意を表わす〕 ーめぐら・す⑥⓪【ー巡らす】（他五） 「思い回す」のやや改まった表現。 ーもう（ォ）・ける⑥【ー設ける】（他下一） そのような事は十分にありうることだと、心構えして待つ。 ーもの⓪⑤【ー者】 「妾」の婉曲表現。 ーやり⓪【ー《遣（り）》】 相手の気持になって考えてやる△こと（気持）。同情する△こと（気持）。 ーや・る④⓪【ー《遣る》】（他五） 相手の置かれた立場に立って、その心中などを同情的に考える。〔現在および将来・過去にわたって言う〕「△先（国の行く末）が思いやられる／北国の冬の厳しさをー」 ーわずら・う⑥【ー煩う】（自他五） （いろいろと）考えて△苦しむ（悩む）。

おも・う②【思う】（他五） ❶〈なんだトー〉 外界からの刺激を受けてなんらかの感覚が生じたり情意をいだいたりする。「これぞとー相手／よかれと思ってやった事だ／結果を不満にー／痛いとー〔=感じる〕／二度と行くまいとー〔=決心する〕／手に入れたいとー〔=願う〕品」 ❷〈なんだトー〉 経験や感覚に頼ったり状況を分析したりして、現状や今後の成り行きについて判断する。「あすは雨だとー／大丈夫だとー／ーに任せぬ／ーに、彼はまだ子供なんだよ／あれを思い〔=心配し〕、これをー〔=心配する〕と夜もろくに眠れなかった／被害は思った〔=想像した〕より△軽い（ひどい）／国家の将来をー〔=憂慮する〕」 ❸〈なにヲー〉 そのものに絶えず心が惹かれる。「故国をー〔=異郷にあって母国の事を始終念頭に置く」/親を━〔=慕う〕子/━〔=恋い慕う〕人」 表記「《想う・〈惟う・《懐う・《意う」などとも書く。 運用 ❶で、希望・意志を表わす語に続けて、「…たいと思う」「…うと思う」の形になると、話し手の意志を聞き手に押しつけるような印象を緩和することがある。例、「ここでわたしの考えを述べたいと思います/ここから本題に入ろうと思う」【…かと━と】…すると△すぐ(まもなく)。「帰って来た━また出かけた/立っている━すわる」 **━さま②【━様】(副) これだけやれば気が済むと言わんばかりに存分に何かをする様子。「━悪態をついていった/━羽を伸ばして遊びたい」 **━ぞんぶん**②-⓪、②-③【━存分】(副) 自分の力や意欲のありったけを何からもさまたげられることなく注ぎ込む様子。「それぞれの力量を━発揮できる職場/会社をやめて━研究に打ち込みたい」 **━つぼ**②【━〈壺】 相手をうまく陥れようとするたくらみ。「〈敵の〉━にはまる」 **━に**② 考えてみるに。 表記「〈惟うに」とも書く。 **━まま**②-②【━〈儘】 その人の思う通りに事△が運ぶ(を進める)ことを表わす。〔副詞的にも用いられ、アクセントは②-⓪〕「━を書いた/一日━遊んだ」〔⇩思い❸〕

おもうさま②【《御もう様】〔母屋(オモヤ)に居る人の意〕〔宮中で〕「父」の敬称。↔おたあさま

おもえば②【思えば】〔副詞的に〕思い起こせば。あらためて考えてみると。

おもえらく③【思えらく】〔雅〕〔「おもへり」の未然形+接尾語「く」〕思ったことには。思うに。 表記 古来の表記は「〈以為〉」。

おも・える③【思える】(自下一) 自然にそう思われる。

おもおもし・い⑤【重々しい】(形) ❶静かで落ち着いた雰囲気の中にあって、その場にいる人に威厳や厳粛さを感じさせずにはおかない様子だ。「━口調/━雰囲気」↔軽々しい ❷いつまでも続きそうな暗い感じが、全体にわたってみなぎっている様子だ。「━足どり/━空気」 派 **━さ**⑤④ **━げ**⑤⑥⓪

おもがい⓪②【面〈繋】〔「おもがき」の変化〕馬の頭の上からくつわにかける飾りのひも。⇩むながい・しりがい

***おもかげ**⓪【面影・〈俤】 ❶今もなお(それとなく)記憶に残っている、△ある人の昔の顔かたち(ある場所の景観)などの様子。「顔に子供のころの━を残す/話し方に母親の━がある娘/今は年を取って昔の━〔=盛んであった時代の━を思わせるもの〕は無い/江戸時代の━を残す町なみ」 ❷それによって昔の遺風が想像されるもの。「彼は古武士の━がある〔=…の遺風を伝えている〕」【━に立つ】目の前に実在するかのように姿や光景が浮かんで見える。

おもかじ⓪【面〈舵】 ❶船首を右へ向けるために回す舵(のとり方)。↔取舵(トリカジ) ❷右舷(ウゲン)。

おもがわり③【面変(わ)り】━する(自サ)〔年を取ったり病気をしたりして〕顔つきが変わること。

おもき③⓪①【重き】〔文語形容詞「重し」の連体形から〕重要であるととらえられること。「安全に━を置く〔=重視する〕/△学会(楽壇)に━を成す〔=その社会で重んじられる〕」

おもくるし・い⑤【重苦しい】(形) 重いものに押さえつけられているようで、堪え難い苦痛を感じさせる様子だ。「━沈黙が訪れた」 派 **━さ**④ **━げ**⑤⑥

おもくろ・い④(形)〔「おもしろい」のもじり〕「おもしろい、おもしろくない」意の近世の口頭語。 表記「面黒い」などと書く。

***おもさ**⓪【重さ】 ❶重いこと。「━は重し/責任の━」 ❷〔物理学で〕その物体に作用する重力〔=地球の引力〕の大きさ。〔その物体の質量に重力の加速度を掛けたものに等しい。一般には、質量のことを「重さ」とも言う〕「━を増す」

おもざし⓪【面差(し)】 顔から受ける感じ。顔つき。

おもし⓪【重し】 ❶重みによって、物を押さえておくためのもの。おし。〔狭義では、漬物の上に載せて押しつける石を指す〕 ❷〔はかりの〕おもり。 ❸人を抑える力。貫禄(カンロク)。 表記 漬物の重しは、「重《石」とも書く。

おもしろ【面白】(造語)「おもしろい」の語幹。「━グッズ」 表記「面白」は、借字。 **━おかし・い**⑦(形)〔多く「おもしろおかしく」の形で〕接すれば接するほど興味をそそられて、飽きることがない様子だ。「体験をおもしろおかしく話して聞かせる/どうせならおもしろおかしく世の中を暮らしたい」 **━ずく**⓪⑥【━《尽(く)】 おもしろいので(いい気になって)すること。 **━はんぶん**⑤【━半分】 その事をおもしろがる気持が加わっていることを否定できないことを表わす。「━に応募する」

****おもしろ・い**④【面白い】(形) ❶何かに心が惹(ヒ)かれ、△続けて(進んで)してみたり見たり聞いたりしたい様子だ。「学校が━〔=学校へ行くのが楽しい〕/ゲートボールもやってみると意外に━」 ❷普通とは変わったところがあり、△続けて(進んで)味わったりつきあったりしてもっと内容を知りたい感じだ。「━〔=見所がある〕男だ/ちょっと━〔=妙な〕事を聞いたんだが/おもしろくもおかしくもない〔=特に興味をそそられる点がない〕話」 ❸こっけいな事やうれしい事があって、笑いが止まらない状態だ。「いつも━事を言って人を笑わせる/━ように〔=次から次へ、どんどん〕釣れた」 表記「面白い」は、借字。 派 **━さ**③④ **━げ**⓪⑤ **━み**⓪④ **━が・る**⑤

おもしろくな・い③-①【面白くない】(形) 満足できるような結果が得られず△不愉快(心外)に思う様子だ。「━顔ばかりしている/━〔=かんばしくない〕評判/手術の結果が━〔=思わしくない〕」 表記「面白」は、借字。 文法 助動詞「そうだ(様態)」に続くときは「おもしろくなさそうだ」の形になる。また「すぎる」と結びついて複合動詞をつくるときは「おもしろくなさすぎる」の形になる。

おもた・い⓪③【重たい】(形) △実際に持ってみて(持っている人の様子を見て)重く感じられる様子だ、の意のやや口頭語的な表現。「まぶたが━〔=眠い〕」 派 **━さ**⓪③ **━げ**⓪④ **━が・る**⓪④

おもだか⓪【〈沢〈瀉】〔葉の表面に隆起がある意〕池などに生える多年草。葉の形はクワイに似て、夏、花びらが三枚の白い花を開く。〔オモダカ科〕 かぞえ方 一本

おもたせ②⓪【《御持(た)せ】 客が持って来てくれたみやげ物を、すぐお茶菓子にしてその客に出す時に使う言葉。「━で失礼ですが」

おもだち⓪②【面立(ち)】(整った)顔の作り。「りっぱな━」

おもだった③【重立った】(連体) 関係するものの中で、中心になっている。 表記「主立った」とも書く。

***おもちゃ**②【〈玩具】 子供の遊び道具。〔広義では、おとながもてあそぶ物をも指す〕「━をかたづける/━〔=にせもの〕のピストル/パソコンなんて僕には━〔=暇つぶしの道具〕だよ」【━にする】 ❶かっこうの手なぐさみだというように取り扱う。 ❷人をなぐさみものにしたり人の心をもてあそんだりする。「人の気持を━」

****おもて**③【表】↔裏 ❶対蹠(タイショ)的な二つの面のうち、その物を代表する面。〔前・外側・正式・正面などの意に用いられることが多い〕「貨幣の━〔=日本の硬貨では、『日本国』と書かれている面〕/紙の━〔=すべすべして、書きやすい方の面〕/着物の━〔=表地〕/━参道④・━通り」 ❷人に見える所。「━に出る〔=表面化する〕/━に出す/━〔=うわべ〕を飾る/裏も━も無い人」 ❸家の(正面の)外。「━で遊ぶ」↔奥 ❹〔野球で〕各回の、先攻が攻める番。 ❺〔ページづけをしない昔の本で〕奇数ページに当たる方の面。〔二つに折

った連俳の懐紙では、上方の第一面。共に、略号は、オ〕 —あみ[0]【—編(み)】 基礎的な編み方の一つ。メリヤスの表と同じ編み目が出る。メリヤス編み。↕裏編み —うら[0]【—裏】❶表と裏。❷表面に表われた言動や態度とそれに全く相反する内心。「—の無い人」 —がえ[0]【—替(え)】—する(自他サ) 畳の表を取り替えること。表記「表換え・表《更え》」とも書く。 —がき[0]【—書】 手紙の表に相手の住所・氏名を書くこと。また、その書いた文字。上書き。 —かた[0]【—方】〔劇場などで〕見物人を案内したり会計・営業の事務を執ったりする係の人。↕裏方 —がまえ[4]【—構(え)】 家の正面の作り方。 —がわ[0]【—側】「表❶❷」の方(の面)。↕裏側 —かんばん[4]【—看板】 劇場の正面に掲げる、俳優・上演内容に関する看板。〔世間に示す、表面の名目の意にも用いられる〕 —ぐち[0][3]【—口】❶建造物の正面の出入口。↕裏口 ❷登山道・参道などで、本道とされる方の道。 —けい[0]【—〈罫〉】 印刷に用いる罫のうち、細い方。細罫[0]。↕裏罫 —げい[3]【—芸】❶〔特技・道楽などと違って〕武士における馬術・剣術、商人における算盤など、その階層に属する人として当然熟達が要求される技芸。❷教養の一つとして正式に習得しておくべき芸事。〔誤って、専門家がそれで身を立てている芸能を指す〕⇩裏芸 —ごてん[4]【—御殿】 天皇が執務したり 公の行事のため出席したりする御殿。正殿。 —さく[0]【—作】〔「裏作」に対して〕一年間に同じ土地に作る作物のうち、最も重要な作物。 —ざしき[4]【—座敷】〔大きな家の〕入口に近い所にある、客間としての座敷。↕奥座敷 —ざた[0]【—沙汰】 世間に公然と知れ渡ること。〔狭義では、訴訟を指す〕「—になる」 —だか[0]【—高】〔江戸時代〕武家の表向きの石高。↕内高 —だ・つ[4]【—立つ】(自五) 〔行動などが〕はっきりそれと分かるほど、人目につくようになる。「表だった動きはない」 —どおり[4]【—通(り)】 市街を構成する主要な通り。大通り。前通り。↕裏通り —にほん[5]【—日本】 本州の太平洋側の地域の旧称。↕裏日本 —ぶたい[4]【—舞台】〔楽屋裏・縁の下などと違って〕△正式(公式)の代表演者として人に顔を見せ、活動し演技する場所。「政治の—に躍り出す」 —むき[0]【—向(き)】❶△正式(公式)の取扱いにおいてそうであること。「—許可されたわけではないが、黙許されている」 ❷事実はそうでないが、表面上はそうなっていること。「—の理由」 —もん[0]【—門】(昼間はあけておく)正面の門。↕裏門

おもて[3]【面】〔表と同源〕❶〔前から見た時の〕顔。「—を△上げる(伏せる)/—を犯す〔=罰せられることを覚悟の上で、直言・諫言をあえてする〕」 ❷〔能楽などで〕「仮面」の意の古称。めん。「—作り[4]」 ❸表面。「△海(水)の—」

おもで[0]【重手】 ひどい傷。ふかで。表記「重《傷》」とも書く。

おもと[0][2]【〈万年青〉】 細長くて厚い葉を観賞する常緑多年草。春、薄黄色の花穂をつけ、後に赤く熟する。〔キジカクシ科(旧ユリ科)〕かぞえ方 一本・一株

おもと[2]【《御《許》】〔女性(あて)の手紙で〕あて名に書き添える語。おんもと。「—に」

おもなが[0]【面長】—な —に 顔が こころもち上下に長い様子だ。

⇩丸顔

*おもに[1]【主に】(副) 大きな割合を占める様子。「—若い人が集まる」

おもに[0]【重荷】❶重い荷物。❷堪えがたいほどの△重い負担(つらい事柄)。「—にあえぐ/—を△負う(下ろす)/—がおりる」

おもね・る[3]【〈阿る〉】(自五) 〔「おも」は「面」の意〕人の喜ぶようなことをしたり 言ったりして、気に入られるようにする。へつらう。「△世論(出版社)に—学者」

おもばば[0]【重馬場】〔競馬で〕雨で湿り、かなり走りにくくなった馬場。

おもはゆ・い[4]【面《映い》】(形) 〔ほめられすぎたりなどして〕照れくさい。派—さ[3] —げ[4][5][0] —が・る[5]

おもほ・ゆ[3]【思ほゆ】(自下二) 〔雅〕〔「ゆ」は「る」に当たる自発の意を表わす文語の助動詞〕思われる。

おもみ[0]【重み】❶ずっしりと重たい△こと(感じ)。「詰めかけた見物人の—〔=基準以上の重さ〕で、床が抜ける」 ❷態度・言行が落ち着いていたり 自信・威信に満ちていたりする様子で、信頼出来るという感じを与えること。「△歴史(事実・存在・一票)の—/—のある発言」 ❸無視することの出来ない重要さを持っていること。表記「重味」と書くのは、借字。

おもむき[0]【趣】〔心を向ける意を表わす文語「おもむく」の連用形の名詞用法〕❶その人が その時言おうと思った事の△主旨(要点)。「お手紙の—承知しました」 ❷だれかから聞いて知っている△内容(知識)。「承ればお怪我の—〔=けがをされたそうですが〕」 ❸そのものの持っている、いい意味での特徴。趣致。「—を添える/訳文は原文の—をよく伝えている/哀れにも—〔=味わいの〕深い話/冬枯れの景色にも—〔=他の物では感じられぬ〕おもしろみ〕がある/深山幽谷の—〔=山奥や深い谷に分け入ったような感じ〕を与える/—を異にする〔=全体の様子がなんとなく違う〕」

*おもむ・く[3]【赴く】(自五) 〔面向くの意。↕背向く〕❶〈どこニー〉 のっぴきならない用事などでどこかへ向かう。「遭難現場に直ちに—」 ❷〈なにニー〉 ある傾向・状態に向かう。「快方に—」 表記「《趣く》」とも書く。

おもむろに[0]【《徐に》】(副) あわてず、ゆっくり何かをすることを表わす。「—腰を上げる」

おももち[0]【面持(ち)】〔不安・不満・心配・ためらいなどの気持の現われた〕顔つき。

おもや[1]【《母屋・《母家》】❶〔もと、寝殿造で〕家の中央にあるおもな部分の称。もや。⇩庇 ❷〔物置・離れなどの建物と違って〕その家の主人などの住む、主要な建物。❸〔分家と違って〕本家。本店。表記 ⇩付表「母屋・母家」

おもやつれ[3]【面〈窶(れ)〉】—する(自サ) 〔病気や心労で〕顔がやせ衰え(て見え)ること。おもやせ[0]。

おもゆ[0]【重湯】 米に水をたくさん入れて、煮て作った、糊状の濃い汁。乳児や病人の食事用。

おもらい[2]【《御《貰(い)》】「こじき」の異称。

おもらし[2]【《御漏(らし)》】〔子供などが〕しくじって大小便で△着衣(布団)をよごすこと。

おもり[2][0]【《御守(り)》】Ⓐ「守り」の丁寧語。「赤ん坊の—/—役」 Ⓑ世話の焼ける人の相手になってやること。「今度の海外出張は社長の—が大変だ」

おもり[0]【重り】 重さを増すために加えるもの。はかりの分銅や、釣り糸につけて針を沈めるための小さい鉛のかたまりなど。表記「〈錘〉」とも書く。

おも・る[0]【重る】(自五) 〔日方・病気が〕重くなる。

おもろ[0]〔「思い」の変化という〕沖縄古代の叙事詩。

おもろ・い[3](形) 〔京阪方言〕(変わっていて)おもしろい。

おもわ[0]【面輪】〔雅〕正対した顔面。

おもわく[0]【思惑】〔「く」は、もと「曰く」「恐らく」の「く」と同じく、未然形接続の接尾語〕❶局面の展開についての、自己中心的な△期待(見込み)。「政治的な—が絡む/各人各様の—が働く/—が食い違う/世間の—〔=評判〕をはばかる」 ❷〔相場で〕将来の騰貴を予想すること。

表記「惑」は、借字。 ―がい⓪【―買(い)】〔相場で〕将来の騰貴を予想して買っておくこと。 ―し④③【―師】思惑買をする人。相場師。

おもわし・い④【思わしい】(形) ❶望む通りで、好ましい様子だ。〔多く、打消しを伴って用いられる〕「病状が思わしくない」 ❷周囲の状況から、そのように思われる様子だ。「三時と―ころ」

***おもわず**②【思わず】(副) そうしようとは思わないのに、無意識にそうなる様子。「―笑い出す/―知らず(の)」

おもわすれ③⓪【面忘(れ)】―する(自サ) 他人の顔を見忘れること。

おもわせぶり⓪【思わせ振り】―な/―に 相手に期待を持たせるような言動をする様子だ。

おもわぬ③【思わぬ】(連体) まったく予想さえしなかったほど意外な。「―災難/―誤算」

おもわれる④【思われる】〔「思う」の未然形＋自発の助動詞「れる」〕(だれでも)当然のこととしてそう思う。「年内の実現は不可能と―」

おもん・じる④⓪【重んじる】(他上一) 〔大切に△思う(扱う)意の訓読語「重みす」の変化〕重要視する。重んずる④⓪(サ変)。「△信義(格式・体面)を―」↔軽んじる

おもんぱか・る⑤【《慮る】(他五) 〔「思いはかる⑤」の変化〕〔何かを△計画(決行)する時に〕後への影響、周囲との関係や先例など、すべてのケース・可能性を考え合わせる。「おもんばかる」とも。「万一の場合をおもんぱかって本当のことは言わなかった」 名慮り⓪

おもん・みる④【〈惟る】(他上一) 〔「思い見る④」の意〕「根本的に考えてみる」意の古風な表現。「つらつら―に」 表記「《以る」とも書く。

おや①②(感) 意外な△現状(事実)に出あって我が△目(耳)を疑う主体の気持を表わす。〔強調表現は、「おやおや①、①-①、⓪」〕「―不思議な事があったものだ/―ついさっきまでそこにあったのに」

****おや**【親】■一② ❶その人を生んだ(と変わらぬ情愛を持って養い育ててくれた)人。〔広義では、祖先・元祖を指す〕「最も尊敬するのは―だ/―を△見捨てる(ばかにする)/生みの―より育ての―/―兄弟③・二―・父―・母―」 ❷〔遊戯などで〕進行の中心となる人。 【―の顔が見たい】〔主に若い人に対して〕とんでもないことをした人を罵り、責めるために言う言葉。〔文字通りに本当に見たいわけではない〕「平気で道にごみを捨てるなんて―」 【―の〈臑を〈嚙る】 独立出来ず、親がかりである。 表記「親の〈臑を〈齧る」とも書く。 【―の七光】 親の威光が広く及んでいて、そのおかげを受けること。「親の光は七光」とも。 ■二(造語) 大もとの。中心の。「―見出し・―会社・―機②」

おやいも⓪【親芋】 いもがしら。⇩こいも

おやおもい③【親思(い)】 親を大事に思い、常に、その健康や平安を心がける△こと(人)。

おやがいしゃ③【親会社】 資本を出して設立した会社に対し、業務内容・人事などの面で支配権を握っているほうの会社。↕子会社

おやがかり③【親掛(かり)】 まだ独立せず、子が親に養われていること。

おやかた③④【親方】〔親の△所(家)の意〕職人の頭・芸事の主人・すもうの年寄など、その社会の有識経験者で、後輩を指導・養成する責任を持つ人。「―日の丸⓪-⓪、③-⓪〔=いくら予算を使っても、政府が払ってくれるからという、金に対する安易な考え方〕」

おやかぶ⓪②【親株】↕子株 ❶根を分けて、苗木をとる時、とられるもとになるもの。 ❷〔取引で〕増資の前に発行した株券。旧株(券)。 かぞえ方 ❶は一株・一本

おやがわり③【親代(わり)】 親の代りになって世話をしたり養育したりする△こと(人)。

おやき②【《御焼(き)】〔もと、女房詞〕焼いた餅。特に、小麦粉・蕎麦粉・トウモロコシ粉などを練り、餡を入れて焼いたもの。〔焼豆腐や今川焼を指す地方もある〕

おやき⓪【親木】 ❶接ぎ木の台になる木。 ❷〔古い根から新たに伸びた「若木」と違って〕もとから生えていた方の樹木。 表記 ❷は、「《母木」とも書く。 かぞえ方 ❶❷とも一株・一本

おやきょく⓪②【親局】 ネットワークの参加局のうちで、番組を制作して放送する、中心となる放送局。キー局。キーステーション④。マスター ステーション⑥。

おやこ①【親子】 ❶親と子。「―は争われないものだ/―ほど年が違う」 ❷元になるものと、それから分かれ出たもの。「―電話④」 ❸〔↑親子丼④〕煮た鶏肉の上に卵を溶き落として載せた丼物。親子丼⓪。 表記 ❶は個々のケースにより、「《父《娘・《母《娘、《父子・《母子」なども書く。 **―だか**③【―〈鷹】 親子が目標に向かって努力し優れた成果をあげる様子。〔子母澤寛の小説「父子鷹」に由来する〕「父をコーチに―で一流のプロ野球選手になった」 表記「《父子〈鷹」とも書く。

おやご⓪【親御】〔一般に「―さん」の形で〕他人の親の敬称。

おやこうこう③【親孝行】↕親不孝 ⇩孝行

おやごころ③【親心】 ❶〔無事に育つように、他に負けぬようになどと〕親が子を思う心。 ❷〔親が子を思うような〕目下の者に対する親切心。

おやじ⓪【親《父】〔「親ぢゃ人③」の変化かという〕 ❶〔成年男子がくつろいだ場面で〕親しい相手に対して自分の父親を指して言う時の称。「うちの―はまだ現役で働いている/子供のころはよく―にしかられた」↕おふくろ ❷話中の他人の父親や中年以上の男性を〔畏敬の念や親愛の気持を込めて〕指すときの称。〔丁寧な形は「おやじさん⓪」〕「大学を出て三十年たち、みんないい―になった/おれも―〔=人の子の親〕になったかと思うと感無量だ/隣の家の―さんはいくつになっても元気だ」 ❸〔多く「―さん⓪」の形で〕商店の主人や職場の責任者、また、組織体の長を敬愛の気持を込めて呼ぶ称。「―さんの機嫌を損ねる」 表記 ❷❸は、「親《仁・親〈爺」とも書く。また、❶の一部は、「〈老〈爺」とも書く。 運用 ❶は、「おやじ」の形で、自分の父親に呼びかけるのに用いることもある。❷は、発想・趣味・好みなどに若さが感じられないという意を含意して用いられることがある。例、「盆栽なんてひと昔前はおやじのすることだったね/おやじギャグ」 **―がた**⓪【―方】〔歌舞伎で〕年とった男性の役を専門とする役者。 表記 普通、「親《仁方」と書く。 **―ギャグ**④【親〈爺ギャグ】〔おもに中年男性が〕気の利いたことを言おうとして発する言葉遊び。多くの場合かえって顰蹙を買う。「許してちょうだい」を「許してちょんまげ」という類。「部長が強烈な―を放った」

おやじ⓪【親字】〔漢和辞典で〕「親出し❶」の漢字。

おやしお⓪【親潮】 千島・北海道・本州の東岸を南へ下る寒流。⇩黒潮

おやしらず③【親知らず】〔死別などして、生みの親の顔を知らない△こと(子)の意〕 ❶〔波が荒い断崖などで〕親が子の、子が親の生命を助けることも出来ないほどの、通行に危険な所。「―子知らず」 ❷最もおそく生える、四枚の奥歯。知恵歯。知歯。 かぞえ方 ❷は一枚・一本

おやす・い⓪(形) ■一【《御安い】「安い」の丁寧な表現。「―品をそろえています」 ■二【《御《易い】「易い」の丁寧な

表現。「―ご用だ〔=頼まれたところで訳もないことだ〕」

運用 [一]は、「お安くない」の形で、二人が恋愛関係にあることをからかい気味に言うことがある。例、「あの二人はお安くない仲だ」

おやすみ⓪【《御休(み)》】[一]「寝ること・休むこと」の△尊敬(丁寧)語。「もう―のご様子です/今日は―〔=ⓐ欠勤。ⓑ休業。ⓒ休日〕だ」[二](感)「お休みなさい」の省略表現。 **―なさい**⑥(感) 寝るときの挨拶(アイサツ)の言葉。〔同輩以下には「お休み」とも言う〕

おやだし⓪【親出(し)】❶〔漢字の辞書で〕同一の文字を有する熟語を、引きやすいようにまとめて掲げる基準として出す大見出し(の漢字)。〔現在は普通、熟語の上の字によることが多い〕❷〔辞書で〕ほとんど同義の一組の語のうち、説明のついている方の見出し。親項目③。

おやだま⓪【親玉】❶「中心になる人物」の意の口頭語的表現。❷じゅずの中心になる、大きな玉。

おやつ②【《御八つ》】〔昔の八つ時、今の午後二時から三時ごろに食べたことから〕間食。〔「お三時②」は、これの今風の表現〕

おやどり②【親鳥】〔卵や雛(ヒナ)に対して〕卵を抱いたり 雛を育てたり 若鳥を保護したり する鳥。

おやばか⓪【親馬鹿】我が子かわいさのあまりに、やたらに自慢をしたり 過保護にふるまったり して、他人からは どうかと思われる行動に出ること。

おやばしら③【親柱】欄干などの端の太い柱。

おやばなれ③【親離(れ)】子供が成長して、精神的、経済的に親から独立すること。⇩子離れ

おやばね⓪【親羽】ハチ・セミなどの羽のうち、前の方の大きい一対。〔生物学では「前翅(ゼンシ)」と言う〕↕子羽

おやふこう(オ)③④(カウ)【親不孝】↕親孝行 ⇩不孝

おやぶね⓪【親船】❶大きな和船。本船(モトブネ)。〔昔は沖にとまったまま、陸との連絡は艀(ハシケ)がした〕「―に乗ったよう〔=安心・心丈夫なたとえ〕」❷「母船」の意の口頭語的表現。

おやぶん【親分】↕子分 ❶①部下の生殺与奪の権を握る、グループ・閥などの長。ボス。「―肌③・―気取り」❷⓪仮の親子関係の親。

おやぼね⓪【親骨】〔扇の骨のうち〕両端にある太い骨。

おやま①(ヲヤマ)【〈女形〉】〔人形遣いの名、「小山(ヲヤマ)」から来たという〕〔歌舞伎(カブキ)で〕おもに女性の役をする、男性の役者。おんながた。

おや まさり③【親勝(り)】―に ―な すぐれた才能・器量の持主として評価の高い親よりも なおすぐれている△こと(子)。

おやまの たいしょう(オ)⑤、⓪-①(シヤウ)【《御山の大将》】❶子供の遊び。低い盛り土などの上に立って、のぼってくる者を突き落としあう。❷小さな集団の中で自分が最も△えらい(すぐれている)と思っている人を、はたから からかって言う言葉。

おやみ⓪(ヲ)【小《止(み)》】少しの間中断すること。「―無く〔=雨や雪や虫の音(ネ)などが、少しの間も止むことが無く〕」

おや みだし③【親見出(し)】辞書の見出し語の中で、そこで詳しい語釈が施されていたり 熟語統合の指標となっていたり する、重要なもの。↕子見出し ⇩見出し語

おや もじ⓪【親文字】❶〔活字の〕字母。❷親見出しの文字。

おや もと⓪【親《許・親元》】親の居る所。「△遠く(郷里の)―を離れる」

おや ゆずり③(ユヅリ)【親譲(り)】親から(そのまま)受け継いだ△こと(もの)。

おや ゆび⓪【親指】手・足の一番太い指。拇指(ボシ)。

およが・せる④【泳がせる】(他下一)〔「泳ぐ」の使役形〕〔犯罪の被疑者などから、さらに証拠を集めるなどのために〕(警戒心を起こさせないようにして)自由に行動させる。泳がす③(五)。

およぎ【泳(ぎ)】[一]③およぐこと。また、およぎ方。「―がうまい/平―・背―」[二](造語)動詞「泳ぐ」の連用形。 **―つ・く**④【―付く】(自五) 泳いで岸に到着する。 **―まわ・る**⑤(マハル)【―回る】(自五) 泳いであちこちへ行く。〔巧みに世間を渡り歩く意にも用いられる〕

***およ・ぐ**②【泳ぐ】(自五)❶〈どこヲ―/どこマデ―〉〔人や魚などが〕からだを△水面(水中)に浮かせ、△手足(ひれ)を動かして進む。「海で―/人ごみの中を泳いで〔=人をうまくよけながら〕進む/政界を巧みに―〔=うまく立ち回る〕」❷〔すもうなどで〕前のめりによろけて、「泳ぐ❶」ような手つきをする。

表記 「〈游ぐ〉」とも書く。〔⇩泳ぎ[二]〕

およそ⓪【《凡そ》】(副)「おおよそ」の短呼に基づく口語的表現。❶「おおよそ」に同じ。「―三時間かかった/事件の―のところは聞いてきた」❷そのことを、全体に共通する一般原理としてとらえる様子。「―人間は一人では生きていけない/そんな話は―聞いたことがない」

およばず ながら⓪⑤【及ばずながら】(副)〔人に力を貸す時に〕力が無くて、十分な事は出来ない(かもしれない)がという、謙遜(ケンソン)の意を表わす。

およばれ②【《御呼(ば)れ》】―する(自サ)〔食事などに〕招待されること。 表記 「《御《招ばれ」とも書く。

およ び【及(び)】[一]⓪①(接)〔「及ぶ」の連用形に基づく〕上に述べた物事に、同じ条件にあるものを さらに付け加えることを表わす。「過去と現在、―近い将来において」[二]⓪及ぶこと。及んだ状態。「―もつかない〔=やろうとしても出来ない〕」 **―ごし**⓪【―腰】中腰になって、手を前へつき出す不安定な姿勢。〔確信などが無くて、どうしたらよいか分からずにいる様子の意にも用いられる。例、「―で応接する」〕

およ び⓪【《御呼(び)》】「呼ぶこと・招待」の尊敬語。「社長が―です/先輩から―がかかる〔=何かの用事で呼ばれる〕」

運用 口頭語「お呼びじゃない」の形で、その場に必要とされていない人、相手にするに及ばない人だとしてその人を排除する意を表わすのに用いられる。例、「あんな口先だけの男はお呼びじゃない」

およびたて⓪【《御呼(び)立(て)》】―する(他サ)〔「―する」の形で〕自分のためにその人に来てもらう意の謙譲表現。「およびだて」とも。「―して、すみません」

***およ・ぶ**⓪②【及ぶ】(自五)❶〈どこ・なにニ―〉予想される範囲以上に△伸びて(広がって)とうとうそのような極端な状態にまで行きつく。「△余波(影響・捜査の手・疑惑)が―/被害が全国に―〔=行き渡る〕/△会議が深更(数度)に―/実力行使に―」❷〈なにニ―〉最終的な段階に至る。「この△期(ゴ)(場)に及んで何をじたばたするか/長ずるに△及び(及んで)」❸〔「及ばない」の形で、また、否定的な内容を表わす表現を後に伴って〕Ⓐあまりにも能力などが劣っていたりして、同列に評価することができない状態にあることを表わす。「力及ばない/遠く及ばない/思いも及ばない/彼の実力は私などの―所ではない/凡人の―所ではない〔=凡人には、とても出来ないことだ〕/後悔しても及ばない〔=取り返しのつく事ではない〕/及ばぬ〔=実現させることの出来ない〕恋/過ぎたるは及ばざるがごとし」Ⓑそのようなことをする必要性が全く認められない状態にあることを表わす。「今さら言うに及ばない/君のしたことは恥じるに及ばない」

***およぼ・す**③⓪【及ぼす】(他五)〈だれ・なにニなにヲ―〉周辺に働きかけて、一定の効果や影響を与えるように仕向ける。「…に△とばっちり(迷惑・被害・危害)を―」

おら①（代）「おいら」の圧縮形。「―の話を聞いてくんろ」

オラトリオ③〔イ oratorio=祈禱場〕主として聖書に題材を取った、大規模な宗教音楽。独唱・合唱・管弦楽から成る。聖譚曲。

オランウータン④〔マレー orang-utan=森の人〕カリマンタン〔=ボルネオ〕・スマトラ産の類人猿。しょうじょう（猩々）。〔ショウジョウ科〕[かぞえ方] 一匹・一頭

おり [一]②【折(り)】 折ること。折ったもの。「―襟⓪・―帖⓪・―手本③・―かばん③・二つ―⓪」 ❷折り丁。❸折箱（に詰めたもの）。「―菓子③・―詰め」 [二]②【折】 ❶だれかが何らかの行動に出る瞬間や自然の移り変りを、一つの静態としてとらえる語。「その―〔=時〕私も到着したところだった／―に触れて〔=何かの場合ごとに〕／金の無い―〔=時〕には家で本でも読んでいるに限る」 ❷何かをするのに、よい機会。チャンス。「又と無い―だ／この―に上京してみたい／―を見てお話しします」 [四]【折】（造語） ❶折箱に入れた菓子・すし・卵焼・肴などをかぞえる語。❷かつおぶし一本の称。❸つづら・行李などをかぞえる語。❹屏風の折り畳む数をかぞえる語。❺〔製本で〕印刷すべき全紙一枚の称。一六ページ・三二ページに折って製本するゆえに言う。

おり⓪【澱】 液体中に沈んだ、かす。

＊おり②【檻】 けだもの・罪人などを入れて逃げ出さないようにした箱（室）。「―から逃げ出す」

おり②【織(り)】 布に織る（織り出す）こと。また、織られた布の感じ。「―が粗い（細かい）／手―・綾―・透き―」

おり①【汚吏】 汚職や不正な事をする役人。「貪官―」

おりあい⓪【折(り)合(い)】 ❶うまくいくかどうかという観点から見た、人間関係のよさ悪さ。「夫婦の―〔=仲〕」 ❷妥協。「―がつく（つかぬ）／―を見いだす」

おりあ・う③⓪【折(り)合う】（自五） 対立している者が譲りあって、妥協する。「値段の点で折り合わなかった」

おりあしく③【折《悪しく》】（副） 何かを予定していた矢先に、たまたまそれを妨げるような事が生じたことを表わす。「―留守だった」

おりいって⓪③【折(り)入って】（副）〔特別な頼みごとをするときに〕相手を心から信頼してそうするのだという気持を表わす。「―お願いしたい事があります」

オリーブ②〔olive〕 地中海沿岸地方原産、実から油を採る常緑高木。〔ヨーロッパでは、枝は平和の象徴とされる。橄欖と訳すのは誤り〕〔モクセイ科〕[かぞえ方] 一株・一本 **―いろ**⓪【―色】 黄色を帯びた緑色。 **―ゆ**④【―油】 オリーブの実から採った、良質の油。食用・薬用にしたりせっけんを作ったりする。オリーブ オイル⑤。

おりえぼし③【折(り)烏《帽子》】 上を横に折りまげた烏帽子。

オリエンタル③〔Oriental〕 東洋の。「―な雰囲気のお店」 ⇩オクシデンタル

オリエンテーション⑤〔orientation=環境への適合〕 新入生や新入社員が新しい環境に適応出来るように指導すること（ための催し）。

オリエンテーリング⑤〔orienteering〕 山野に設定したコースを、地図と磁石を使って、指定地点〔=ポイント〕を発見・通過しながら、出来るだけ短時間で走破する競技。略称、オー エル（ＯＬ〔=ドイツ語 Orientierungslauf から で、Lauf は競走の意〕）。

オリエント①③〔Orient〕 ❶〔古代史で〕西アジアとエジプト。❷ヨーロッパから見た東方。東洋。⇩オクシデント

おりおり [一]⓪②【折々】 その時どき。「国内旅行の―に詠んだ歌をまとめて一冊の歌集を編む／一写真家の目に映った―の人／―の山／結婚生活の―〔=その時、あの時の思い出〕をつづる／四季―の伝統行事（歌）／四季―に変化を見せる山の表情」 [二]⓪（副） 決して数多いとは言えないが、何かの機会にそういう言動・事象が見聞きされる様子。「和服姿の男性も―見かけられる／庭でも―耳にするウグイスの声」

オリオン①〔Orion=ギリシャ神話に登場する巨人の名〕 星座の名。冬の夜空を飾る、三つ星を中心とした美しい星座。

おりかえし⓪【折(り)返(し)】 [一]折り返すこと。折り返したもの（部分）。「ズボンの―がすり切れる／まだ―がきく／マラソンの―点／―運転⑥」 [二]（副） こちらからの連絡・通信などに対し、相手側からの反応が間を置かずにある様子。「―ご返事をください／こちらから―お電話します」

おりかえ・す③⓪【折(り)返す】 [一]（他五） 折って二重にする。「すそを―」 [二]（自五） 来た道をもどる。引き返す。

おりかさな・る⑤⓪【折(り)重なる】（自五） たくさんのものが次つぎに重なりあう。[他動] 折り重ねる⑤⓪（下一）

おりがみ【折(り)紙】 ❶②⓪ 目録や公式文書を書くのに用いる、二つ折りにした奉書など。❷⓪② 刀剣・美術品などの鑑定書。❸⓪ 保証すること。「おりかみ⓪」とも。「―を付ける／―付き⓪」 ❹②（色）紙を折っていろいろな形を作ること（遊び）。また、その（色）紙。「―で鶴を折る」 [かぞえ方] ❶❷❹は一枚

おりから②【折から】 [一]（副） ❶〔直前の叙述をうけて〕ちょうどその時（次の瞬間）新たな状況が展開される、ということを表わす。❷〔直前の叙述とは一応無関係に〕現在、そのような状況下にある、という主体の判断を表わす。 [二]〔接続助詞的に〕…の時であるから（のに）。「気候不順の―／お寒い―」 [表記] 手紙などで[二]を「折《柄》」と書くのは、借字。

おりくち②【降(り)口・下(り)口】 プラットホームや会場から、そこを降りれば外へ出たり 乗換えが出来たりする通路。「おりぐち②」とも。

オリゴとう⓪【オリゴ糖】〔oligo=少ない〕 ぶどう糖・果糖などが二個ないし十個結合したもの。砂糖よりも低カロリーで、ビフィズス菌を増殖する働きがあり、健康食品に用いられる。例、蔗糖・麦芽糖。

おりこみ⓪【折(り)込(み)】 配達する新聞などの中に、広告や付録などを入れること。また、その広告や付録など。[動] 折り込む③⓪（他五）

おりこみずみ⓪【織(り)込(み)済(み)】 予算や計画などを検討する際に、起こり得る事態が繰り込まれていること。「ある程度のトラブルは―だ」

おりこ・む③⓪【織(り)込む】（他五） ❶違う糸などを交ぜて織り、模様を織り入れる。❷ある一つの物事の中に他の事も繰り入れる。「コストに―」

おりしき⓪【折(り)敷(き)】〔もと、軍隊で〕右足を折り曲げてしりの下に敷き、左ひざを立てて座ること（姿勢）。

おりし・く③⓪【折(り)敷く】 [一]（自五） 折敷の姿勢で座る。 [二]（他五） 草・木の枝を折って敷く。

オリジナリティー④〔originality〕 独創（力）。独創性。

オリジナル②⓪〔original〕 [一] 独創的な。目新しい。 [二]❶〔演劇などで〕〔原作のあるものと違って〕創作（脚本）。❷複製・翻訳などに対して、そのもとになったもの。模造品・写真に対して原物、翻訳に対して原作、模写に対して原画など。❸〔音楽で〕原曲。

おりしも②【折しも】（副） 直前の話柄とまさにタイミングを合わせるかのように、関連（影響）する事柄が起こっ

たり行なわれていたりする様子。「蹴った石が―通りかかった人にぶつかった」

おりじゃく ⓪ 【折(り)尺】〔巻尺と違って〕使わない時は折りたたんでしまっておけるものさし。「おれじゃく」とも。

オリジン ②①〔origin〕起源。

おりすけ ② 【折助】武家に、ただ金銭上の契約関係で雇われている男。 **―こんじょう** ⑤ 【―根性】主人が見ていない所では仕事をなまけたり自分の仕事をうまく他人に押しつけたりする、雇い人特有のずるい根性。

おりだ・す ③⓪ 【織(り)出す】(他五) 幾つかの要素△が効果的に組み合わさって(を組み合わせて)、一つの見るに足る模様を作る。

おりたた・む ④⓪ 【折(り)畳む】(他五)〔紙・布など大きく広がっている物を〕折り重ねて、小さくする。名 折り畳み ⓪「―式 ⓪」

おりた・つ ③⓪ 【降(り)立つ】(自五) 乗り物や高い所から降りて△行く(行ってその場に立つ)。

おりちょう ⓪ 【折(り)丁】製本のため折り畳まれた刷り本。本の中身を構成する一単位。普通は、一六ページまたは三二ページが基準。「―を切る(=扉・本文・付録・別丁など、本を構成する要素を一覧表にして、明示すること)」 かぞえ方 一折

おりづめ ⓪ 【折詰(め)】〔携帯出来るように〕食べ物を折箱に△詰めること(詰めたもの)。「―のすし」 かぞえ方 一折

おりづる ②⓪③ 【折(り)鶴】紙を折ってツルの形にしたもの。 かぞえ方 一羽

おりど ② 【折(り)戸】左右に余裕の無い間口の広い所に作る開き戸の一つ。開く時にそれぞれの戸が折り畳めるようにしたもの。仏壇や講堂の入口や門などに使われる。

おりな・す ③ 【織(り)成す】(他五) 織る工程を次つぎに重ねていって、(複雑な)模様や絵を作り出す。「さまざまな登場人物の―物語」

おりばこ ⓪③ 【折箱】薄くはいだ板・ボール紙などを折り曲げて作った箱。 かぞえ方 一箱・一本

おりひめ ②⓪ 【織(り)姫】❶機を織る女性を美化した称。❷〔「織り姫星 ④」の略〕織女星。

おりふし ② 【折節】[一]❶その時どき。その場合その場合。❷「季節」の意の古風な表現。「―の移り変り」 [二](副) ❶ちょうどその時、そういう△機会(場面)に際会したことを表わす。「出掛けようとした―旧友が通りかかった」 ❷しかるべき時期や機会のある折にそうすることを表わす。 ❸何かの拍子に、そうなることを表わす。「嫌になることが―ある」

おりべ ① 【織《部》】〔↑古田織部=人名〕「織部焼」の略。 **―やき** ⓪ 【―焼】桃山時代に瀬戸で作られた茶器。大胆な文様で知られる。

おりほん ⓪ 【折(り)本】和本の装丁の一つ。横に長く継ぎ合わせた紙を端から折り畳んで作った、とじ目の無い本。習字の手本やお経の本などに多い。⇩綴本・巻子本 かぞえ方 一帖

おりま・げる ④⓪ 【折(り)曲げる】(他下一)「折る❶」ように(して)曲げる。

おりま・ぜる ④⓪ 【織(り)交ぜる】(他下一) ❶模様をあしらったりいろいろの糸を加えたりして織る。❷単調にならないように、△本筋(基本)となるものに他の要素を適当に取り入れる。「冗談を織り交ぜて語る」

おりめ ③⓪ 【折(り)目】❶折った時に出来る、二つの面の境目。❷物事のけじめ。「―〔=行儀作法が〕正しい」 かぞえ方 ❶は一本

おりめ ③⓪ 【織(り)目】〔織物の〕糸と糸とのすきま。「―の粗い生地」

おりもと ⓪④ 【織(り)元】織物の製造元。

おりもの ②③⓪ 【下(り)物】膣・子宮から分泌される粘液。〔広義では、「あとざん」や「月経」をも指す〕⇩こしけ

*__おりもの__ ②③⓪ 【織物】〔塗物・彫物・焼物・練物・編物等と違って〕糸や繊維状のものを組み合わせて、きれ・ぬのなどを作ること。また、作ったもの。「―業 ④・毛―・綿―」

おりやま ⓪ 【折(り)山】布や紙などを折って出来た折り目の、外側の部分。

おりゃ・る 〔室町時代から江戸中期にかけて使用された語。「お入り有る」の変化〕[一]②(自四)「行く・来る・ある・居る」の尊敬語。いらっしゃる。「雨の日におりゃれ」 [二](補動・四型)「ある」の丁寧語。「なんで―か/息災で―」

おりよく ③② 【折《好く・折良く》】(副) 丁度その時の状況が期待通りで△ある(あった)様子。

**お・りる ② 【降りる】(自上一) ❶〈どこカラどこニ―/どこヲ―〉下の方へ向かって移動し、低い位置に到達する。「山を―/鍵が―〔=かかる〕/幕が―〔=ⓐ閉じられる。ⓑ一続きの劇・事件などが、そこで終わる〕/肩の荷が―/△露(霜)が―〔=地面などに生じる〕」❷〈なにヲ―/なにカラ―〉〔中に入っているものが〕外へ出る。「電車△を(から)―/回虫が―〔=体外へ出る〕」❸〈(だれ)ニ―〉〔役所や立場の上の人から〕与えられる。「△許可(年金)が―」❹〈なにヲ―〉位を退く。職・役目をやめる。「政権の座を―」❺〈なにヲ―〉〔勝負事で、大負けを恐れて〕(対等に)勝負に加わるのをやめる。〔広義では、それまで関係していた仕事などを途中で放棄することを指す〕〔❹❺は、他動詞的〕〔❶❷の一部の対義語は、上る・乗る〕 表記「下りる」とも書く。 文法 ⇩あがる 文法

オリンピアード ⑤〔Olympiad〕国際オリンピック大会 ⑪。

オリンピアン ②〔Olympian〕オリンピック出場経験のある人。「未来の―を目指せ」

オリンピック ④〔Olympic=オリンピアの〕〔↑オリンピック競技 ⑦〕古代ギリシャのオリンピアで主神ゼウスの大祭の時行なった競技会にならって四年ごとに開かれる国際スポーツ大会。〔古代オリンピックの出場者は、品行方正のギリシャ男子に限られた〕

**お・る ① 【折る】(他五) ❶〈なに・どこヲ―〉△棒(面)状の物を、ある△点で(線に沿って)、その部分だけを鋭く曲げ(て重なるようにす)る。「指を折ってかぞえる/腰を―〔=かがめる〕/折り紙を―〔=曲げたりたたんだりして、何かの形を作る〕/角を―」❷〈(なにデ)なにヲ―〉〔細長くて固い物に〕急に「折る❶」のような強い力を加えて、△その部分を本体から遊離(二つ以上に分離)させる。〔結果として、機能がそこなわれた状態になることがある〕「木の枝を―/鉛筆の芯を―/筆を―〔=外部からの圧力がかかるなどして、執筆活動をやめる〕/骨を―〔=ⓐ外から加わった力で痛める。ⓑ大きな労力を払う〕/我を―〔=ⓐ他の力に屈して、自説を通すことをあきらめる。ⓑ相手の力量にすっかり感心する〕」

お・る [一]①【《居る》】(自五) ❶〔西日本方言〕いる。❷「いる」のやや古風な言い方。「だれか―か?/夜はほとんど家に―」 [二]〔「動詞の連用形+―」の形で接尾語的に〕相手に対し許しがたいととらえる気持を表わす。「うそをぬかしおった」 [三](補動・五型)「…△て(で)いる」のやや古風な言い方。「木の下で休んで―/ただ今調べさせております」 運用 [一]❷と[三]は、(1)「ます」を伴わずに用いると、相手をみくだしたような印象を与えることがある。例、「こんな時間までどこにおったのだ/なにをぐずぐずしておる」(2)「おります」の形で話し手自身にかかわる動作を述べるのに用いると、「います」の謙譲表現的な気持の含意されることが多い。例、「先

生がお帰りになるまで、ここにおります／その件についてはわたしが承っております」(3)「おる＋尊敬の助動詞『れる』」の「おられる」は、「おる」の謙譲語的な性格にもかかわらず、現在では尊敬語として一般に容認されている。例、「社長はどちらにおられますか／先生は風邪で休んでおられる」

***お・る**①【織る】(他五)〈なにデ なにヲ―〉❶糸やわらを(機械にかけて)縦・横に組み合わせて布やむしろなどを作る。「機ハタを―／絹糸(布・帯)を―」❷〔多く比喩的に〕いろいろな材料を効果的に組み合わせて一つのまとまった物を作る。「人生の劇(勝手な理屈・夢)を―」

オルガズム③〔orgasm〕〔性交時における〕性的興奮(の極点)。オルガスムス④③・オーガズム①③とも。

オルガン⓪〔ポ órgão〕ペダルを踏んだりモーターで風を送って鳴らしたりする鍵盤ケンバン楽器。リードオルガン④。〔ヨーロッパでは、パイプオルガンを指す〕「電子―・ハモンド―」 かぞえ方 一台

オルグ①〔←organizer〕大衆や労働者の中に入って、政党や組合の組織を作ったりその強化や拡大をはかったりする△こと(人)。〔狭義では、共産主義のそれを指した〕

オルケスタティピカ⑥〔ス orquesta típica＝典型的楽団〕バイオリン・ピアノ・コントラバス・バンドネオンを必要不可欠の楽器とする、ポルテニア音楽のための楽団。七人から十二、三人で編成される。

オルゴール③〔オ orgel〕ぜんまい仕掛けにより、自動的に音楽を奏する装置。かぞえ方 一台

オルニチン⓪〔ornitine〕アミノ酸の一つ。シジミやキノコに多く含まれる。

おれ⓪【俺】(代)主に男性が同輩・目下の者(や身内)に対して使うくだけた自称。「―が育った家だ」運用 公の発言をする際には用いない。

おれあ・う③⓪ヲレアフ【折れ合う】(自五) 主張の一部を取りさげてお互いが譲りあう。折り合う。

おれい⓪【《御礼】感謝の気持を表わす△こと(挨拶アイサツ・贈り物)。**―がえし**④ガヘシ【―返し】人から受けた贈り物や世話に対するお礼の贈り物(を贈ること)。**―ぼうこう**オ④【―奉公】長年世話になったお礼に、給料をもらわず奉公したこと。〔狭義では、奉公人が奉公の約束の期限後も、感謝の意味で、しばらく働いたことを指す〕**―まいり**④マヰリ【―参(り)】―する(自サ)❶神仏にかけた願いがかなった時、その神仏にお礼のお参りをすること。❷やくざ者などが釈放されたのち、自分の悪事を△告発した(証言した)人などに、いやがらせ・暴行などをすること。〔❷は俗用〕

おれおれさぎ⑤【俺々詐欺】振り込め詐欺の一つ。電話で名前を名乗らずに「俺だよ俺」と連呼して親族であると錯誤させた上で、お金をだまし取る行為。表記 一般に、「オレオレ詐欺」と書くことが多い。

オレガノ⓪〔ス orégano〕地中海沿岸地方原産の多年草。葉はイタリア料理などの香辛料として使われる。ハナハッカ。〔シソ科〕

おれきれき⓪【《御歴々】⇩れきれき[二]

おれくぎ②ヲレ【折(れ)釘】❶折れ(曲がっ)て使えない釘。❷直角に曲げてある釘。何かを掛けるのに使う。「おりくぎ②」とも。

おれさま⓪【俺様】(代)「俺」の意の尊大な表現。〔他に対して自分の力をひけらかす時などに使う〕

おれせんグラフ⑤ヲレ【折(れ)線グラフ】⇩グラフ

おれまが・る④ヲレ【折(れ)曲(が)る】(自五)❶まっすぐなものや平たいものが、途中で折れ△て(たように)曲がる。「折れ曲がったくぎ」❷直進せず、進路を右または左に変える。「この先で道が左に―」

おれめ③ヲレ【折(れ)目】折れた所や境目(に出来る線)。

***お・れる**②ヲレル【折れる】(自下一)〈どこニ―〉折った状態になる。「道が―(＝急に曲がる)／十字路を左に―(＝曲がって進む)／説得を受け入れ、ついに彼は折れた(＝自分の意見・主張を無理に通そうとせず、相手に妥協した)／骨が―(＝ⓐ折れて傷つく。ⓑ大きな労力を払わされる)」

オレンジ②〔orange〕❶ミカン類の一群の総称。「サワー―⑤(＝レモンなど、料理・菓子用、油・酒・清涼飲料水の製造用)・スイート―⑥(＝生食のほか、料理・菓子・清涼飲料水用)」❷西洋産の大形のミカン。甘味・水分が多い。ネーブルは、この一種。「―スカッシュ⑥・―エード⑤・―シロップ⑤・―ジュース⑤」❸〔←オレンジ色⓪〕赤色の△勝った(交じった)黄色。

おろおろ①(副)―と ―する〔突然の災難や、状況の変化による不安・悲しみなどで〕心の安定を失い、どうしてよいか分からずにあわてる様子。

おろか①【《疎か】―に ―な [一]〔雅〕おろそか。いいかげん。[二]〔「愚か」と同源〕〔「…は(言うも)―」の形で〕言うまでもなく。「財産は―、命までも失う」

おろか①【愚か】―に ―な ❶知能の働きが鈍く、的確な判断力に欠ける様子だ。「―者ノモ⓪」❷認識が不十分で劣っているととらえられる様子だ。「―な△考え(行為)」派 **―さ**③ **―し・い**④(形) あまりにもばかげていることが明白で、まともに取り上げるに値しない様子だ。派 **―さ**③ **―げ**⓪④③

おろが・む③ヲロガム【《拝む】(他五)〔雅〕おがむ。

おろし【下(ろ)し】[一]③ ❶おろすこと。「積み―⓪」❷「おろしがね・おろしだいこん」の略。❸新しい品物を使い始めること。「仕立て―」**―あえ**⓪アヘ【―《和(え)】何かを、おろし大根で和えた料理。「ナメコの―／イクラの―」[二](造語) 山から吹きおろす風。「赤城―④・六甲―⑤」表記「降ろし」とも書く。また、[一]❷は「卸し」、[二]は「〈颪」とも書く。[三](造語) 動詞「下ろす」の連用形。**―がね**⓪③【―金】ダイコン・ワサビなどをすりおろす、とげのたくさんついた金属の器具。表記「卸し金」とも書く。かぞえ方 一枚 **―だいこん**④【―大根】だいこんおろし。表記「卸し大根」とも書く。**―たて**⓪【―立(て)】その新しい品物を使い始めたばかりであること。また、その品物。

おろし【卸】[一]③① 卸売をすること。**―しょう**オ③シャウ【―商】卸売を専門とする商人。[二](造語) 動詞「卸す」の連用形。**―うり**⓪③【―売】〔問屋が〕製造元や輸入業者から多量の商品を買い入れて小売商人に売り渡すこと。↔小売

****おろ・す**②【下(ろ)す】(他五)❶〈どこカラ どこニ なにヲ―〉高い所から下の方へ移す。「なべを火から―／錨イカリを―／腰を―(＝すわる)／大戸を―(＝閉じて、店をしまう)／幕を―(＝ⓐ閉じる。ⓑ終りとする)／髪を―(＝そり落とす)／看板を―(＝取りはずす。⇩看板)／校旗を―／お供えを―(＝下げる)／木が根を―(＝⇩根)／錠を―(＝かける)／主役△から(を)下ろされる(＝やめさせられる)」〔大部分の対義語は、あげる〕❷〈(どこカラ どこニ) なにヲ―〉〔中に入っている物を〕外へ出す(ようにする)。「積み荷を―／客を―(＝下りさせる)／子を―(＝堕胎する)／通帳から金を―(＝引き出す)／新しい洋服を―(＝新品を着始める)」❸〈(なにデ) なにヲ(なにニ)―〉原形に手を加えて、小さな部分に分ける。「アジを三枚に―(＝包丁を入れて、半身を二枚と、中落ちを得る)／大根を―(＝おろし金ガネで、する)／下枝を―」表記「降ろす」とも書く。また、❷の「子を―」は「《堕ろす」とも、❸の「大根を―」は、「卸す」とも書く。〔⇩おろし[三]〕

おろ・す②【卸す】(他五)〔「下ろす」と同源〕卸売をする。「メーカーの製造が追いつかず、―(＝小売に売り渡す)品物

が底をついた」〔⇩卸❸〕

おろそか[2]【《疎か》】ーな ーに　そのことの意味・価値など△を認めず（に気付かないで）、まじめに対応しようとしない様子だ。「彼の好意をーにはできない」

おろち[1]【〔大蛇〕】「大蛇（ダイジャ）」の古名。「八岐（ヤマタ）のー」 表記 古くは、「《蛇》」一字のみ。

おろ ぬき[0]【《疎抜(き)》】〔「うろぬき」の変化〕まびき。「ー大根[5]」 動 おろ抜く[3]（他五）

おわい[0]【汚〈穢〉】〔けがれた△こと（物）の意〕汲（ク）み取り式便所にたまった大小便。「おあい」とも。「ー屋[0]」

おわし ま・す[4]【《御《座す》】（自四）「おわす」より、一段と敬意の強い表現。

おわ・す[2]【《御す》】（自サ）〔雅〕高貴な人や尊敬に値する人が「ある・居る・行く・来る」意の尊敬表現。〔四段・下二段の混合活用とする説もある〕 表記 「《御《座す・《在す」とも書く。

おわらい[0]【《御笑(い)》】❶〔これから演じるものとしての〕落語。「一席ーを申しあげます」 ❷「御笑い草」の略。❸観客を笑わせて楽しませる演芸をまとめて言う呼び方。「ー芸人・ー大賞」 **ーぐさ**[0][3]【ー草・ー《種》】〔「草」は、もと「種（サグ）」の意〕物笑いの種となるような△出来事（話）。「こいつは とんだーだ」 運用 自分の芸・作品・著作を謙遜（ケンソン）して言うのにも用いられる。

おん

【怨】（ヲン）　うらむ。うらみ。「怨敵・怨念・怨霊（ヲンリョウ）」 ⇩えん

【音】　たより。知らせ。「音信」 ⇩（本文）おん【音】

【恩】　⇩（本文）おん【恩】

【温】（ヲン）　❶あたたかい。「温暖・温室・温度」 ❷温度。「気温・体温・低温」 ❸おだやか。おとなしい。「温和・温厚・温顔」 ❹復習する。「温習・温故知新」 ❺大切にする。「温存（ゾン）」

【遠】（ヲン）　とおい。「遠国（ゴク）・遠流（ル）・久（ク）遠」 ⇩えん

【《隠》】　かくれる。「隠密」 ⇩いん

【穏】（ヲン）　おだやかで、はげしいところが無い。「穏和・穏健・穏当・平穏・不穏」

***おわり**【終(わ)り】 ❶[0] 連続している物事の、もうこれから先（はすること）が無いという△状態（部分）。「ーを告げる〔＝△そこ（それ）でおしまいになる〕／一巻のー／一まずーとする」 ↕初め ❷（造語） 動詞「終わる」の連用形。 **ーね**[3][0]【終(わ)り値】 取引所でその日の午後の最後の立会いに成立した値段。〔広義では、午前の最後についても言う〕 **ーはつもの**[0]-[0]、[4]【ー初物】 時季の末に成熟し、初物と同じように珍重される野菜や果物。〔誤って、「最初にして最後のもの」の意にも用いられる〕

****おわ・る**[0]【終(わ)る】 ❶（自五）↕始まる ❶連続していた物事が、もうこれから先は（することが）無いという状態になる。「△会期（生涯）がー／事がー／我が事終われり」 ❷〈なにニー〉その△事態になって（状態のまま）、先が続かなくなる。「△失敗（机上の空論・むだ骨・きれいごと・物別れ）にー／△夢（最下位）でー／事件をうやむやに終わらせる／△平穏無事（杞憂（キユウ）・勝利）にー」 ❷（他五）〈なにヲー〉 終えることにする。「これで現地からの中継を終わります」 ↕始める ❸〔「動詞連用形＋ー」の形で、接尾語的に〕そのことが完了した状態になる。「食べー[4]・読みー[4]」〔⇩終り❸〕 運用 結婚などの祝宴では避けるべき言葉とされる。名詞「終り」についても同様。

おわ れる[0]【追われる】 ⇩おう（追う）

おん（怨・音・恩・温・遠・《隠・穏） ↓【字音語の造語成分】

おん【御】（接頭）〔「大御（ミ）」の変化形「おおん」の変化〕尊敬・丁寧さを表わす。〔「お」より尊敬・丁寧の意が強く、また、やや改まった表現〕「ー礼・ー年三十歳」

オン[1]〔on〕〔電灯・機械などに〕スイッチが入れてあること。↕オフ

おん[0]【音】 ❶Ⓐおと。「ーの感じがいい／ー波・ー量・騒ー」 Ⓑ〔音楽で〕楽曲の単位となる、一つひとつのおと。「一オクターブ異なるー／ー曲（ギョク）・ー階・ー符・和ー」 ❷言語に使う、口から発するおと。音声。「lのーとrのー〔＝発音〕の区別／ー韻・ー読（ドク）・発ー・濁ー」 ❸漢字の読み方の一つで、昔の中国の発音が日本に伝えられたもの。「山のーはサンとセン／ー読み・字ー・漢ー・呉ー・慣用ー・中国語ー[5]」 ↕訓 ⇩音読み ⇩【造語成分】

****おん**[1]【恩】 立場の上の人が相手のためを思って純な気持でする、情け深い言動（と、それに見合う物質的な充足）。「親のー／ーに着せる〔＝恩を受け、ありがたいと思う〕／ーに着せる〔＝ちょっとした事を、その人のためにしたとして、ありがたがらせる〕／ーを売る〔＝他日それが自分に有利にはね返ることを期して、恩恵を施しておく〕／ーを受ける／ー愛・ー恵・ー師」 **ーを〈仇（あだ）で返す〉** 恩返しをするどころか、かえって相手に不利益を与えたり危害を加えたりする。

おん[1][0]【《雄》】「おす」の古風な口頭語的表現。「ー鶏（ドリ）」 ↕雌（メン）

おんあい[0]【恩愛】 親子・夫婦などの間の愛情。〔連声（レンジョウ）で「おんない」とも言う〕

おんあつ[0]【音圧】〔音が伝わるとき〕音波によって生じる、媒質中の圧力変化。音波の強さを表わす。単位はパスカル。「ーが△上がる（下がる）／ー計[0]」

おんあんぽう[3]【温〈罨法〉】 温かい湿布をしたりして患部をあたため、炎症や痛みを止める治療法。↕冷罨法

おんい[1]【恩威】 人に感謝される情け深さと、人を自分の意に従わせる威光。

おんいき[0]【音域】 その△楽器（人）が出すことの出来る△楽器の音（声）の高低の範囲。

おんいん[0]【音韻】 言語によって異なる特徴を有する、意味の区別を示す弁別性を持った音声（の種類とその体系）。 **ーろん**[3]【ー論】 言語学の一部門。弁別されて用いられる単位的な音声やアクセントの体系について研究する学問。

おんうち[1]【御内】〔手紙で〕あて名の下に添える語。〔相手の家族全体にあてて出す時などに使う〕

オン エア[3]ーする（他サ）〔on air＝無線放送中で〕〔放送局などで〕放送中（であること）を示す標語）。オンジエア[4]（on the air）とも。

オン オフ[1]-[1]〔on-off〕 ❶スイッチのオンとオフ。「こまめのーで省エネに努める」 ❷仕事と、それ以外（の時間）。公私の別にも言う。「ーのバランスを大事にする働き方が問われる／言葉遣いを含めてーのけじめはしっかりつけよう」

おんが[1][0]【温雅】ーな ーに　穏やかで上品な様子だ。「ーな性格」 派 **ーさ**[0][3]

おんかい[0]【音階】 一オクターブ中の楽音を高低の順に一定の方式で配列したもの。邦楽では五音、洋楽では七音で構成される。「長ー・短ー」

おんがえし[3]【恩返(し)】 人から受けた恩に報いること。「鶴（ツル）のー」

おんかく⓪【温覚】温度の高い物に触れた時に熱いと感じとる皮膚感覚。熱覚。

****おんがく**①【音楽】心の高揚・自然の風物などを音に託し、その強弱・長短・高低や音色の組合せによって聴者の感動を求める芸術。ミュージック。「好きな―を聴きながら紅茶を味わう／―会④・―祭④・映画―④・教会―⑤・クラシック―⑥・現代―⑤・宗教―⑤・ラテン―・テーマ―④・伝統―⑤・民族―⑤」 **―か**⓪【―家】歌をうたったり器楽を奏したりすることを職業とする芸術家。〔広義では、作曲家をも含む〕〔口頭語では、「おんがっか」とも〕 **―てき**⓪【―的】ーな 音楽という観点から見た様子だ。「ヒット曲を紹介、彼の―な歩みを振り返る／―な能づくりを目指す」 **―プレーヤー**⑥ 録音した音楽を再生して、拡声装置やイヤホンなどへ送る機器。 かぞえ方 一台

おんかた①【御方】〔雅〕貴人(の居所)の敬称。

おんかん⓪【音感】楽音の高低・音色などを聞き分ける感覚。「―を養う／―教育⑤・絶対―」

おんかん⓪【温感】❶温かく感じること。「―湿布⑤〔=肩こりや腰痛などを緩和させるための治療用湿布〕」↔冷感 ❷「温度感覚」の略。熱さや冷たさなどを感じとる皮膚感覚。

おんがん⓪【温顔】やさしく穏やかな顔つき。いつもにこにこしている顔。

おんき①【遠忌】〔仏教で〕宗祖などの五十年忌以後に、五十年ごとにする法会。⇨えんき

おんぎ①【音義】漢字の発音と意義(とを説明した、辞書風の本)。「法華経―⑤」 **―せつ**③【―説】一つひとつの音(節)のすべてにそれぞれ意味があるとする考え方。

おんぎ①【恩義・恩〈誼〉】人から受けた感謝すべき行為で、報いて返さなければならないと感じるもの。

おんきせがまし・い⑦【恩着せがましい】(形) いかにも恩を着せるかのようにふるまう様子だ。「―態度／―言い方」 派**―さ**⑦⑥

おんきゅう⓪【恩給】〔恩給法で〕一定年数以上勤めた公務員が△退職(死亡)後、本人または遺族に国が支給する金。〔一九五六年以降、各共済年金に移行したことに伴って、新たな適用者はいない〕「―生活者・軍人―⑤」

おんきゅう⓪【温〈灸〉】円筒の中にもぐさを入れて火をつけ、間接に熱する灸。

おんきょう⓪【音響】(ひびきわたる)音。「火薬庫は大―とともに爆発した／―設備」 **―こうか**⑤【―効果】❶〔放送・映画・演劇などで〕擬音などを使って現実感を出すなど、演出効果を高める△こと(装置)。サウンドエフェクト⑥(略号SE)。❷〔演奏会場などで〕建物の構造・材質などによって影響される、演奏の効果。「―のよいホール」

おんぎょく⓪【音曲】近世日本の楽器による音楽・うたいものの総称。〔狭義では、三味線などに合わせてうたう俗曲を指す〕「歌舞―①-⓪」

オングストローム⑥〔ångström←A. J. Ångström=スウェーデンの物理学者〕国際単位系と併用される長さの単位で、一万分の一マイクロメートル〔=十のマイナス十乗メートル〕を表わす〔記号Å〕。〔おもに光の波長を表わす時などに用いる。国際単位系の〇・一ナノメートルに等しい〕

おんくん⓪【音訓】その漢字の、音と訓。

***おんけい**⓪【恩恵】自然や他人から受け、その人を豊かにし、幸福をもたらす△物事(行為)。「豊かな大地の―を△受ける(こうむる)／△減税(戦後民主主義)の―に浴する」

おんけつどうぶつ⑤【温血動物】「定温動物」の旧称。↔冷血動物

おんけん⓪【穏健】ーな 〔思想や言動が〕極端に走らず、しかもしっかりしている様子。「―な人物／―派⓪・思想―⓪-⓪」 派**―さ**⓪

おんげん⓪【音源】その音を発する本体。

おんこ①【恩顧】〔好意をもってする〕立場の上の人からの援助。「ご―をこうむる／―に酬いる」

おんこう⓪【温厚】ーな 穏やかで、めったに人と争ったり羽目をはずした行動をしたりすることがない△様子(性格)。「―な君子人」 派**―さ**⓪

おんこちしん①-⓪【温故知新】〔古きをたずねて新しきを知る意〕昔の事をよく調べ、新しい物事に適応すべき知識・方法を得ること。

オンコロジー③〔oncology〕主に癌などの腫瘍について研究する学問分野。腫瘍学②。

おんさ①【音〈叉〉】U字形の鋼鉄で作った発音体(を共鳴箱に取り付けたもの)。先端をたたくと、基本振動が起こる。音の実験的研究や楽器の調律に利用。

オンサイド③〔onside〕〔サッカー・ラグビー・ホッケーなどで〕競技者がプレーすることが許された位置にいること。また、ボールの位置よりも自陣側にいること。↔オフサイド

オンザジョブトレーニング⑦〔on-the-job training〕実際に現場で仕事を経験させることで、業務に必要な知識や技術を習得させる方法。略称、オージェーティー⑤(OJT)。

オンザマーク④〔on your mark の変化か〕競走の出発の時の号令。位置に△つけ(ついて)。

オンザロック④〔on the rocks の日本語形〕氷のかたまりを岩と見立て、これにウイスキーなどを注いだ飲み物。

おんし①【恩師】教わった先生(のうちで、その人の生涯を決定するような影響・感化を与えた人)。

おんし①【恩賜】天皇からいただく△こと(もの)。「―の時計／東京都―上野動物園」

おんじ⓪【音字】表音文字。↔意字

おんしつ⓪【音質】人の声や音響機器の音の性質。また、そのよしあし。

おんしつ⓪【温室】〔熱帯植物や季節はずれの植物を栽培するために〕ガラス張りにしたり加温設備を備えたりして、外気温より高温を保てるようにした構造物。「―育ち⑤〔=大事に育てられて、世の中の苦労を知らない△こと(人)〕」 かぞえ方 一棟 **―こうか**⑤【―効果】大気中の二酸化炭素などが地表からの赤外線を吸収し、地球外に熱を逃がさない働きをする現象。〔温室の保温効果にたとえた表現〕「―ガス⑧〔=二酸化炭素・メタン・フロンガスなど〕」

おんしゃ①【恩赦】国家的慶事・弔事の際、政府が大赦・特赦および刑の執行の免除や、減刑・復権を行なうこと。「―に浴する」

おんしゃく⓪【恩借】―する(他サ) 相手の厚意によりその人から何かを借り受けること。また、その金品。

おんじゅ①【《飲酒》】〔仏教で〕酒を飲むこと。「―戒③」

おんしゅう⓪【恩〈讐〉】❶人から受けた恩とうらみ。❷〔意味の実質は「讐」にある。⇨帯説〕忘れられないかつての敵対関係や、恨みの念い。「―の彼方／―越え五十年ぶり握手」

おんしゅう⓪【温習】〔「温」も復習の意〕〔踊りなどの芸事を〕繰り返し習うこと。おさらい。 **―かい**③【―会】〔踊りなどの芸事の〕練習の成果を発表する会。

おんしゅう①【《隠州》】⇨いんしゅう

おんじゅう⓪【温柔】ーな ❶穏やかですなおな様子。「―な人柄」 ❷あたたかで肌ざわりのよい様子。

おんじゅん⓪【温順】—な ❶〔性質などが〕おとなしく、すなおな様子。❷〔気候が〕穏やかで、暑さ寒さの激しい変化の無い様子。派—さ⓪

おんしょう⓪【恩賞】〔主君などが〕部下の手柄をほめて金銭・地位などを与えること。また、そのもの。

おんしょう⓪【温床】温熱を加えて促成栽培をする苗床。〔悪事の起こる原因となる環境や事柄の意にも用いられる。例、「悪の—としてのギャンブル」〕⇔冷床

おんじょう⓪【恩情】下の者に対する、立場の上の人の情け深い心。いつくしみ。

おんじょう⓪【温情】思いやりのある、やさしい心。「—主義の教育」

おんしょく⓪【音色】その楽器に独特の音の感じ。ねいろ。

おんしょく⓪【温色】❶穏やかな顔色。❷⇔寒色 ⇩暖色

おんしらず③【恩知らず】—な 受けた恩をありがたいと思わず、それに報いようともしない△こと(人)。

おんしん⓪【音信】手紙などによる△知らせ(連絡)。「いんしん」とも。「—不通⓪-⓪」

おんじん⓪③【恩人】危難から救ってくれたり 物心両面にわたる支援の手を伸べてくれたり 発奮の機会を与えてくれたり などして、その人がその後無事・安穏に暮らしていく上に与って力のあった人。「命の—」

オンス①〔オ ons〕ヤードポンド法における質量の単位で、一六分の一ポンド〔=約二八・三五グラム〕を表わす〔記号 oz〕。〔貴金属については、約三一・一〇グラムを指す。英語のつづりは ounce。四三七・五グレーンに等しい〕

おんず⓪【音図】一言語の音韻体系を図表にまとめたもの。〔狭義では、五十音図を指す〕

おんすい⓪【温水】あたたかい水、すなわち、湯。「—プール⑤・—暖房⑤」

おんすうりつ③【音数律】音・音節や拍などの数で組み立てる韻律。例、五七調。

オンステージ④〔on stage=上演中〕舞台で観客を前にして歌唱・演奏・演芸などを行なうこと。〔興行名などとして用いられる〕

おんせい①【音声】人の発音器官から出て、言語を形作る音。こえ。「—学③・—記号⑤〔=⇩発音記号〕」 **—げんご**⑤【—言語】〔文字言語に対して〕音声によって伝達される言語。 **—たじゅうほうそう**①-④【—多重放送】同時に複数の音声を送り出すテレビの放送形式。二か国語放送やステレオ放送など。

おんせつ⓪【音節】〔音声学で〕その単語を構成する音のうち、切れ目なく一気に発音され 一まとまりとして聞き取られる、単音の連続〔単音一つで一音節のこともある〕。英語 Christmas は二音節、日本語クリスマスは五音節。英語 pencil は二音節、日本語ペンシルは三音節。シラブル。「—文字⑤・開—・閉—」

*__おんせん__⓪【温泉】地熱のため熱されて地中からわき出る湯(を利用した浴場のある土地・設備・旅館など)。いでゆ。「—卵・—場⓪」 **—たまご**⑤⑥【—卵】黄身が固まり、白身は固まりはじめた状態のゆで卵。略して「温玉」⓪。「牛丼に—をのせる」 かぞえ方 一玉

おんそ①【音素】〔phoneme の訳語〕〔言語学で〕その言語の音声を分析・考察して得られた音韻論上の最小単位。

おんぞう⓪【音像】マイクやスピーカーを通じて聞く、音から受ける印象。

おんぞうし③【御《曹司》】❶公家の部屋住みの子。❷源氏の嫡流の部屋住みの子。❸名門の子息。特に、長男。表記「御《曹子》」とも書く。

おんそく⓪【音速】その媒質中を音波が伝わる速さ。海面上のセ氏一五度の空気中で秒速 約三四〇メートル〔=時速約一二二五キロメートル〕、成層圏で秒速 約二九四メートル、セ氏二〇度の海水中で秒速 約一五一三メートル。「超—・亜—②」⇩マッハ

おんぞん⓪【温存】—する(他サ) ❶手をつけずに大切にしまっておくこと。「余力を—する/—治療⑤」❷良くない事を改めずに、そのままにしておくこと。「悪習を—する」❸〔△高温の(あたたかい)状態を〕冷めないようにある時間 持たせること。

おんたい⓪【温帯】熱帯と寒帯との間の地帯。温暖で、四季の変化がある。 **—ていきあつ**⑦【—低気圧】⇩低気圧

おんたい⓪①【御大】〔←御大将③〕集団や閥の首領を(親しんで)呼ぶ言葉。

オンタイム③〔on time〕❶時間通りに。定刻に。同時に。❷勤務時間中。⇔オフタイム

おんたく⓪【恩沢】弱い立場の人に恵みを与えたり 情けをかけたり すること。また、その恵みや情け。「—を施す」

おんだ・す③【追ん出す】(他五)「追い出す」の口頭語的表現。

おんだん⓪【温暖】—な 気候が穏やかで暖かな様子。「地球—化現象」 **—ぜんせん**⑤【—前線】⇩前線

おんち①【御地】〔手紙文などで〕「(あなたの)住んでいる土地」の意の尊敬語。貴地。

おんち①【音痴】❶音の感覚が鈍く、歌を正確に歌えない△こと(人)。❷特定の方面に関する感覚が鈍い△こと(人)。「味に—だ/方向—⑤・におい—④」〔❷は、自嘲や侮蔑を含意して用いられる〕

おんちゅう①⓪【御中】〔郵便物で〕団体・会社などのあて名の下に添える語。「株式会社…経理部会計課—」

おんちょう⓪【音調】❶音楽の曲節。ふし。❷詩語の韻律。❸言葉の高低。アクセントやイントネーション。

おんちょう⓪【恩《寵》】神や君主の恵み。

おんつう⓪【音通】同じ漢字音をもつ いくつかの漢字が共通の意味で用いられること。例、「念五日=廿五日〔=⇩【造語成分】ねん(念)❸〕」。

おんてい⓪【音程】〔音楽で〕二つの音の高さの差(がどれだけあるかということ)。インターバル。「—がはずれた歌い方」

おんてい⓪【温低】「温帯低気圧」の略。⇩熱低

おんてき①⓪【怨敵】うらみのある敵。〔古くは、「おんでき」〕

オンデマンド④〔on demand〕利用者の注文に即時に対応してサービスを提供すること。注文対応。「—出版・—配信」

おん・でる③【追ん出る】(自下一)〔「追ん出す」の自動詞形〕(追い出される前に)自分のほうからさっさとよそへ出て行く。

おんてん⓪【恩典】その人の立場などを思いやった、特別な△処置(扱い)。「授業料免除の—に浴する」

おんてん①⓪【温点】皮膚に分布している、あたたかさや熱さを感じる一定の所。⇔冷点

おんと①【音吐】声(の出し方)。「—朗々〔=声量が豊かですみずみまでよく通る様子〕」

おんど①【音頭】❶多人数で歌う時など、まず(ひとりで)歌って、みんなの調子を取ること。〔広義では、人の先に立って何かをすることを指す〕「—を取る/—取り③〔=リーダーの意にも用いられる〕」❷多くの人が歌や はやしにつれて踊ること。また、その△曲(踊り)。「花笠—⑤」

*おんど①【温度】熱さや冷たさの(感じの)度合。「―を計る/絶対―・体感―」 ―けい⓪【―計】体温や気温をはじめ、様ざまな温度を測定する計器。 ―さ③【―差】❶温度の差。「―発電⑤」❷同じ問題に対して、立場の異なる者に見られる、関心の度合や対応のしかたの違い。

おんとう⓪【温湯】あたたかい湯。

おんとう⓪【穏当】―な 穏やかで無理が無い様子。

おんどく⓪【音読】―する(他サ)❶個々の漢字や漢文を字音で読むこと。↔訓読 ❷書いてあることを声を出して読むこと。↔黙読

おんどり⓪【《雄鳥》】おすの鳥。↔めんどり 表記 ニワトリの場合は、「《雄《鶏》」とも書く。

オンドル⓪①〔朝鮮 ondol(温突)〕〔朝鮮・中国東北部など〕たいた火の煙などを床下に通して室内を暖める装置。

**おんな③【女】↔男 ❶人間のうち、雌としての性器官・性機能を持つ方。〔広義では、動物の雌をも指す〕❷一人前に成熟した女性。〔狭義では、心根がやさしくて決断力に欠ける面がある一方で、強い粘りと包容力を持つなどの、伝統的・文化的価値観から評価される特質を備えた女性を指す〕「いい―」❸愛人。情婦・めかけなど。「―をこしらえる」❹女性の召使。【―になる】❶一人前の女性に成長する。〔狭義では、初潮を迎えることを指す〕❷男性と初めて性的関係を持つ。【―を〈拵〉える】愛人関係のある女ができる。

―おや⓪【―親】女性の親。母親。特に女性であることに着目した表現。 ―がた⓪【―方】おやま。表記「女形」とも書く。 ―ぎらい④【―嫌い】性格的に女性が嫌いな△こと(人)。 ―ぐせ⓪【―癖】女性とみれば見境なく関係を持ちたがる性癖。「―が△悪い(なおらない)」 ―ぐるい④【―狂(い)】男が、(妻以外の)女性との情事にふけり、生活の軌道が狂うこと。 ―け⓪【―気】その場の雰囲気からそれとなく分かる、女性の存在を感じさせるもの。「おんなっけ」とも。「男ばかりの所帯で、―がまるでない」 ―ごころ④【―心】❶伝統的・文化的価値観で、より女性に特有とされる性格・心理。〔やさしい、繊細だ、依頼心が強い、母性本能に富む、など種々の意味合いで用いられる〕❷女性が男性を恋い慕う気持。 ―こども④、③-⓪【―子供】女性と子供。多く、弱い者のたとえとして、また能力の劣った者として侮蔑を含意して用いられる。「人質は―から解放する/―となめてかかる」 ―ごろし④【―殺(し)】女を迷わせるほど魅力的な男。 ―ざか⓪【―坂】〔神社・寺などの参道で〕二つある坂のうちで、ゆるい方。↔男坂 ―ざかり④【―盛(り)】成熟した女性美の見られる年ごろ。 ―じょたい④【―所帯】女性だけで男性のいない所帯。 ―ずき⓪【―好(き)】❶女性から好きこのまれるタイプであること。「―のする顔立ち」❷絶えず女性との交渉が無ければ生きがいを感じない性質(の男性)。 ―だてらに④(副)〔「だて」は「男だて」の後要素と同性質。「ら」は接辞〕〔男性から見て〕控えめな態度・行動を要求された女性が、男性も顔負けの振舞いをすることを、批判と驚嘆の気持を交えながら取り上げる意を表わす。女性の身でありながら。〔差別を含意することがある〕 ―たらし④【―〈誑〉(し)】美貌と巧言とで次つぎに女性を誘惑し、遍歴することに生きがいを感じる不徳の男。⇨ドンファン ―で⓪【―手】❶△家事(労働)のにない手である女性(のはたらき)。「家の中に―が無くて困っている/残された子供を―一つで育て上げた」❷女性の筆跡。❸「ひらがな」の古称。 ―でんか④【―天下】女性が支配的な力を発揮している一家や集団。 ―のこ③【―の子】↔男の子 ❶女の子供。❷若い女性。娘。少女。「会社の―(=若い女子社員)」 ―のせっく⓪-⓪【―の節句】〔五月五日の端午の節句を「男の節句」というのに対し〕三月三日の雛祭り。 ―の ひと⑥、⓪-②【―の人】「女」と露骨に言うのを避けた言い方。〔「女の方」のほうがより丁寧な言い方〕 ―ひでり④【―〈旱〉】恋愛・結婚などの対象になる女性が少なく、若い独身男性が不自由する状態。〔ややくだけた表現〕 ―へん⓪【―偏】漢字の部首名の一つ。「好・妙・婦」などの、左側の「女」の部分。〔多く、女性に関係のある漢字がこれに属する〕 ―むすび④【―結(び)】ひもの結び方の一つ。男結びの結び方を左から始めたもの。↔男結び ―もじ④【―文字】↔おとこもじ ❶「ひらがな」の古称。❷女性が書いたとみられる筆跡。丸みを帯びて繊細な筆跡をいう。⇨女手 ―もち⓪【―持(ち)】女性用の持ち物として作られたもの。 ―やもめ④【―〈寡婦〉・―《寡》】夫を亡くした後、再婚しないでいる女性。後家。 ―らし・い⑤(形) やさしさ・ねばり強さなど、伝統的・文化的価値観から、そうあってほしいと女性に望まれる性質を持っている様子だ。↔男らしい 派―さ④

おんなじ⓪【《同じ》】―な ―に 「おなじ■」の口頭語的表現。「おんなし」とも。

おんねん⓪③【怨念】うらみ(の思い)。

おんのじ③【御の字】〔「御」の字をつけたいほど、の意〕△予期以上(十分)であり、ありがたいこと。「半日で五千円なら―ですよ」

おんば①【〈乳母〉】〔「おうば」の変化〕うば。めのと。 ―ひがさ⑤、①-②【―日傘】〔=幼児を、うばに付ききりで世話をさせたり、ちょっと日が差せばすぐ日傘を差しかけたりなど△して大切に育てること(する過保護な育て方)〕

おんぱ①【音波】物が振動することにより生じて、空気中・水中を伝わり、音として知覚される波動。

オンパレード④③〔on parade〕❶大行進。❷〔演劇など〕関係する役者が全員顔をそろえたかと思われるほど、大勢が出演すること。〔広義では、これでもかこれでもかというほど、同じ傾向の現象が現われることを指す。例、「倒産・リストラ・賃金カットなど暗い話題の―だ」〕

おんばん⓪【音盤】〔蓄音機の〕レコード。表記「音板」とも書く。

おんびき⓪【音引(き)】❶言葉や漢字をその発音や字音によって引く△こと(ようにした辞書)。↔画引き ❷〔校正で〕長音符号(としての「ー」)。

おんぴょうもじ⑤【音標文字】音声を表わす記号として作られた文字。ローマ字・ハングルなど。

おんびん⓪【音便】国語の単語・文節の一部分に起こった発音の変化。い音便・う音便・撥音便・促音便の四種がある。

おんびん⓪【穏便】―な ―に 犠牲者を出したりなどしないように、穏やかな対応で事を済ませる様子。「―に話をつける」

おんぶ①【負んぶ】―する(他サ)❶「(子供を)おぶうこと」の意の口頭語的表現。〔「おぶって△もらう(ほしい)」意の幼児語としても用いられる〕❷「自分で負担・出費すべきところを、すっかり人に頼ること」の意の口頭語的表現。「昼食代を先輩に―する」【―に抱っこ】何から何まで他人の世話になって、自分では積極的な行動を一つもしないこと。

おんぷ⓪【音符】❶〔形声による〕漢字の構成部分で、音を表わす部分。例、河における「可」。↔意義符 ❷〔楽譜で〕音の長短を表わす記号。五線譜における位置により、高低をも表わす。「全―・四分―」

おんぷ⓪【音譜】楽譜。

おんぷう⓪【温風】❶(春の)温かい風。❷暖房器具の送り出す温かい空気。「―機」

おんぷきごう④【音部記号】〔楽譜で〕主として五線譜の左側にしるす記号で、その楽譜が高音部・中音部・低音部のどれであるかを示すもの。

おんぷく⓪【温服】―する(他サ) 薬をあたためて飲むこと。

オンブズマン①④〔スウェーデン ombudsman=代理人〕政府の施政や公務員に対する国民の苦情を処理する監察委員。「―制度」

おんぼう⓪【《隠坊】〔もと、墓を守る人の意〕〔火葬場で〕死体を火葬する職業の人。〔侮蔑を含意して用いられた〕 表記「《隠亡・御亡」とも書く。

おんぼろ⓪〔「御ぼろ」の意〕もう使用に堪えない状態(にあるもの)。衣服・家具・家屋・乗り物など。

おんみ①【御身】㊀あなたの御からだ。㊁(代)〔雅〕二人称の丁寧な言い方。あなた様。おみ。表記 男性の場合は「卿」とも書く。運用㊁は、一般に手紙で「おんみご大切に」の形で、相手の健康を気遣う言葉として用いられる。

おんみつ⓪【《隠密】㊀江戸時代における幕府や藩の密偵の称。「公儀の―」㊁―に 物事を人に気付かれないように、ひそかにする様子。「―の計画／―裏に事を運ぶ」

おんみょう⓪①【《陰《陽】〔「おんよう」の連声〕いんよう。 ―じ③【―師】陰陽道を職業とする占い師。 ―どう③【―道】陰陽五行説による占卜の体系的な〔説明〕方法。

オンムン⓪①〔朝鮮 eonmun (諺文)〕ハングル。⇩オンモン

おんめい⓪【音名】〔音楽で〕音の絶対的な高さにつけた名。日本名ではハ・ニ・ホ・ヘ・ト・イ・ロを言う。↔階名

おんめい⓪①【恩命】△情けある(ありがたい)お言葉。「―に浴する」

おんもと①,①-②【御《許】〔手紙で〕「おもと」の改まった言い方。「―に」

オンモン⓪①〔←朝鮮 eonmun (諺文)〕〔「諺文」の朝鮮音の変化。漢字を「真書」と言うのに対し、「通俗的な文字」の意〕ハングルの旧称。⇩訓民正音

おんやく⓪【音訳】―する(他サ) ❶借字。❷耳で聞いたまま適宜に、漢字やかたかなで、仮に書きしるすこと。「梵語の―」❸目の不自由な人のために、文字情報を音声に変換すること。音声訳③。

おんやさい③【温野菜】〔料理で、生野菜に対して〕ゆでたり いためたりした野菜。

オン ユア マーク⑤〔on your mark〕オンザマーク。

おんよう⓪【音容】声と姿。「亡き人の―を追慕する」

おんよう⓪①【《陰《陽】⇩おんみょう

おんよう⓪【温容】穏やかであたたかみのある△顔つき〔様子〕。「―に接する」

おんよく⓪【温浴】―する(自サ) 湯に入ること。

おんよみ⓪【音読(み)】―する(他サ) 漢字をその音で読むこと。↔訓読み

オンライン③〔on-line〕❶〔コンピューターで〕△端末(周辺)装置が中央の計算機と回線で接続されていてその制御下にあり、データのやりとりが即座に行なえる状態。また、インターネットなどのネットワークにつながっている状態。「―端末・―化」↔オフライン ❷〔on the line の略〕〔テニスで〕ボールがコートの区画線のちょうど上に落ちること。〔有効と判定される〕 ―システム⑥〔on-line system〕各△窓口(部署)にある端末装置が中央の電子計算機とオンラインで結ばれていて、入出力が直ちに行なえるようになっているシステム。

オンリー①〔only=ただ一つ(の)〕〔副助詞的に〕専らその事にだけ重きが置かれていて、他の事は問題にされない状態を表わす。「仕事―の男／学歴―の社会」

おんりえど①-①【《厭離《穢土】⇩穢土

おんりつ⓪【音律】〔音楽で〕音の調子。〔メロディー・リズムなど〕

おんりょう⓪【怨霊】うらみを持って死んだ人の霊。

おんりょう⓪【音量】楽器・拡声器の音や人の声の大きさ。ボリューム。「ラジオの―を△絞る(上げる)」

おんりょう⓪【温良】―に〔人の性質などが〕穏やかで、むやみに人に逆らったりなどしない様子。派―さ⓪

おんる①【遠流】昔、罪人を刑罰として、遠方の土地や島に追放したこと。

おんれい⓪【御礼】「お礼」の改まった言い方。〔公的な場における挨拶などで用いられる〕「厚く―申し上げます／満員―⑤,⓪-⓪・当選―⑤・会葬―」

オンレコ⓪〔←on the record〕〔速記録・記者会見などで〕記事にしてさしつかえないこと。↔オフレコ

おんわ⓪【温和】―に ❶〔気候が〕暖かく穏やかで、暑さ寒さにあまり激しい変化の無い様子。❷〔性質などが〕穏やかで、おとなしい様子。派―さ⓪ 表記❷は、「穏和」とも書く。

か…カ

か〔下・化・火・加・可・仮・何・花・価・佳・果・河・苛・架・科・夏・家・荷・華・菓・〈訛・貨・渦・過・嫁・暇・禍・靴・〈嘉・寡・歌・箇・稼・課・〈霞・〈顆〕→【字音語の造語成分】

か【日】(造語) 基準の日から何日△たったか(日か)を表わす和語。「三―・八―」

か【《処】(造語) そういう場所であることを表わす和語。「あり―・住み―・隠れ―」

か(接頭) ちょっと見聞きしただけでそういう印象を強く与える意を表わす。「―弱い・―細い・―黒い・―やすい③」

か ㊀(副助) ❶特定の事物に限定しないことを表わす。〔何・だれ・いつ・どこなどと結びついた形で、不特定の物や人や時や場所を表わす〕「だれ―来たようだ／何―飲み物がほしい／どこ―で会った／どこから―飛んで来た／なぜ―おもしろくない／いつ―の約束／何年―前の出来事」❷〔注釈的に〕文内容の背景に関する推定を表わす。「風邪をひいたの―寒気がする／気のせい―この方が大きく見える／誰がやったの―教室のドアが壊れている」❸二者択一の意を表わす。「賛成―反対―はっきりしなさい／行ける―どう―分からない／食う―食われる―の死闘／映画―芝居を見よう」❹「…とすぐ」の意を表わす。「試合が始まる―始まらない―に雨が降りだした」文法 体言(名詞、またそれに準ずる句)、代名詞、副詞、活用語の終止・連体形に接続する。ただし、形容動詞には一般に語幹に接続する。また、助動詞では助動詞(「だ」を除く)の終止・連体形、格助詞、副助詞に接続する。ただし、終助詞「が・を」、副助詞「は・し」などには接続しない。また、「から」など一部の接続助詞に接続することがある。❶の用法では疑問の意を表わす名詞・副詞に接続する。「まで・から・より・のみ・ばかり」などとは「助詞＋か」になる。

㊁(終助) ❶質問・疑問の意を表わす。「これは君のです―／何です―／どうすればよいの―／果たしてそうなるだろう―／さてどうしたもの―」❷反語の意を表わす。「そんなことがありえよう―／そんなことをしてだれが喜ぼう―」❸難詰の気持を表わす。「まだ分からないの―／だめじゃない―」❹勧

誘・依頼の意を表わす。「そろそろ出かけようー／君も行かないー／貸してくれませんー」❺事の意外に驚く気持を表わす。「なんだ君ー／また交通事故ー／ああ、そうー／しまった、きょうは休みだったのー／ブルータス、お前もー／まだー、遅いなあ／なんたる事ー／もう十二時ー、お暇(イトマ)しよう」❻人の言葉や諺(コトワザ)や歌の文句などを反芻(ハンスウ)しながら、その意味や事実をひとりで確かめる意を表わす。「泣き虫ー、けだし適評だ／火の無い所に煙は立たぬー、それもそうだ」 文法 文や文節の末尾に用いられる。ただし、「だろう・う／よう」を除く推量の助動詞には一般には接続しない。終助詞「な・ね・い」などの前につく。

か

［下］■一❶〔基準となるものから〕△した(しも)の方。「下流・下弦・以下・机下・天下」❷〔順序・段階が〕したの方。低い方。「下僚・下位・下等」■二❶表面に現われない部分。「地下・意識下」❷…のもと。…に属すること。「インフレ下の日本経済／支配下」■三上からしたへ△動く(移動させる)。「下命・下降・下付・落下・沈下」

［化］(ワク) ■一今までと違った状態になる。「化石・化合・変化・文化：同化・異化・合理化・民主化」■二(略) 化学。「化繊」⇩(本文)か【化】

［火］(ワク) ■一❶ひ。「火事・火山」❷かじ。「大火・不審火(フシンカ)・(フシンビ)」❸あかり。ともしび。「灯火・漁(ギョ)火」❹銃砲などの兵器。「火器・火薬・兵火」❺急を要する。「火急」■二(略) 火曜日。

［加］■一❶足す。ふやす。くわえる。「加害・加工・加筆・付加・追加・増加・添加・倍加・累加」❷仲間にはいる。くわわる。「加盟・加入・参加」❸足し算をする。「加法・加減乗除」■二(略) ❶カナダ(加奈陀)。「日加貿易」❷カリフォルニア。「加州」❸加賀(カガ)ノ国。「加州」

［可］❶出来る。「可能・可動橋・可燃性・可溶性」❷何かに値(アタイ)する。「可憐(レン)」⇩(本文)か【可】

［仮］❶一時的の。臨時の。「仮設・仮泊・仮寓(グウ)」❷本物でない。本当でない。「仮面・仮死・仮定・仮作・仮説」❸かりる。ゆるす。「仮借(シャク)(カシャ)」

［何］❶なに。いずれ。どの。どう。「誰何(スイカ)」❷ラテン語の音訳字。「幾何」

［花］(ワク) はな。「花弁・花壇・開花・造花・桜花・棉(メン)花」〔もと、華の俗字〕

［価］❶値段。価格。「高価・物価・時価・売価・代価・予価」❷ねうち。「価値・声価・評価」

［佳］すぐれた△内容(外貌(ボウ))を持つ。よい。「佳局・佳句・佳作・佳節・佳品」⇩(本文)か【佳】

［果］(ワク) ❶くだもの。木の実。「果実・果樹・青果・珍果・結果」❷思いきってしとげる。「果敢・果断」❸はたして。「果然」⇩(本文)か【果】

［河］■一かわ。「河岸・河川・河口・運河(ガ)・大河(ガ)・銀河(ガ)・氷河(ガ)」■二(略) 河内(カワチ)ノ国。「河州」

［苛］❶むごい。ひどい。「苛酷・苛政・苛斂誅求(カレンチュウキュウ)」❷皮膚を刺激する。「苛性」

［架］❶物をかけておくもの。かけ台。「画架・担架・十字架」❷たな。「書架・開架式」❸空中にかけわたす。「架空・架橋・架設・高架線」❹大きめの画幅・詩幅や書架をかぞえる語。

［科］(ワク) ❶筋道を立てて深く調べる。「科学」❷きまり。「金科玉条」❸つみ。とが。「科料・罪科」❹〔生物の分類で〕原則として、いくつかの「属」をあわせたもの。「ウシ科」⇩目(モク) ⇩(本文)か【科】

［夏］なつ。「夏日・夏季・初夏・盛夏・晩夏・立夏・春夏秋冬」

［家］❶人の住む建物。「家屋・農家・隣家」❷その人の、うち。「家庭・家族・家父」❸一門。一族。「家臣・実家」❹何かの点で世に知られている人。「大家・作家・専門家・敏腕家・百家争鳴」❺すぐれた専門的△知識(技術)や卓抜な着想をもって世人に知ら

運用 ■二のそれぞれの用法は連続的で、明確に区別できない場合もある。❶の疑問は、❷の反語、❹の勧誘と関連が深い。❷は話し手が問いに対してすでに否定的回答を用意していること、❹は話し手の発話意図が勧誘・依頼であっても相手に選択権を与えて回答を待つ形式をとること、によって質問・疑問と根底で共通する部分がある。これらはイントネーションがしばしば上昇調となる。❸❺❻は、意外なことを発見し、それを確認したり驚いたりする気持が現われる点に共通点を見いだせる。❸は、話し手が相手の言動に納得できない点を発見することから詰問する気持が現われる。❺❻は話し手がそれまで気付かなかったこと、意外なことを発見し、納得する気持となって現われる。これらは通常イントネーションが下降調となる。

か①【《彼》】(代) ❶〔雅〕あれ。〔古くは、「お前はだれか」と尋ねる場合にも用いられた。⇩かわたれどき〕❷〔「何」と対に用いて〕対象となるものを曖昧(アイマイ)に指し示す言葉。「何もーも〔=みんな〕／なんのーの〔=あれこれ〕／なんでもーでも／何やーや」

か①(ワク)【化】「教化・徳化」の意の簡略表現。「聖人のー／ーに誇る／感ー・王ー」⇩【造語成分】か・け

か①【可】❶〔許容される程度において〕よいと認められること。「ーも無く不ーも無し〔=特によくもなければ、また特に悪くもない。まあまあのところだ〕／分売もー〔=差しつかえない〕／ー決・ー否・許ー・認ー」↔不可 ❷〔四段階の成績評価で〕「良」に次ぐもの。最低限の要求は満たしており、まあまあ及第と認められる程度。アルファベットによる評価のCに当たる。「優、良、ー、不可」⇩【造語成分】

か①【佳】すばらしいこと。「風光すこぶるー／ー境・ー人・絶ー」⇩【造語成分】

か①(ワク)【果】❶結果。「因となりーとなる」❷〔仏教で〕一定の修行を経た後の、悟り。「ーを得る」⇩【造語成分】

か①(ワク)【科】❶専門や学科の小分け。「文ー・内ー・国語ー」❷生物分類上の一段階を成す区分で、共通の特徴を持つ幾つかの「属❷」を合わせたもの。〔目(モク)の下位区分〕「分類上、キツネとタヌキは同じー〔=イヌ科〕に属する」⇩【造語成分】

か①(ワク)【華】〔表面が〕美しいこと。はなやか。「ーを去り、実に就(ツ)く／ー麗・ー美・豪ー・栄ー(ガ)」⇩【造語成分】か・け

か①(ワク)【寡】(数の)少ないこと。「ー〔=小人数〕をもって衆に当たる／ー徳⓪・ー少・ー聞・ー欲・衆ー・多ー」⇩【造語成分】

か①(ワク)【課】❶事務の区分。部の下、係の上。「ー長・会計ー」❷〔教科書などで〕学習△内容(方法)上の一区切り。「前のーの復習／第一ー」⇩【造語成分】

か①⓪【香】いいにおい。かおり。「磯(イソ)のー／木のーも新しい座敷／移りー(ガ)」

か⓪【蚊】多く夏に出る、小形の昆虫。雌は人畜の血を吸う。種類が多く、日本脳炎やマラリアなどを媒介するものもある。〔ボウフラは、その幼虫〕〔カ科〕 かぞえ方 一匹 【ーの鳴くような声】きわめて小さく、ほとんど分からないくらいの声。【ーの涙】きわめてわずかで、何の足しにもならない

れている人たちをかぞえる語。「歴代の詩人四百余家の詩文を採録」

【荷】❶にもつ。「出荷・入荷・電荷」〔肩にかつぐ荷物や、肩でになえる程度の器物をかぞえる時にも使われる〕❷になう。かつぐ。「荷担・負荷」❸ハス。「荷風・荷葉」❹軟体動物のイカ二匹を一まとめにしてかぞえる語。

【華】ワク ■一❶「花」の本字。「華道」❷昇華したもの。「亜鉛華」■二(略) 中華民国と中華人民共和国の称。「華北・華南・華中・華語・華字・華僑(キョウ)」⇩(本文)か【華】

【菓】ワク ❶おかし。「菓子・茶(サ)菓・製菓」❷〔古〕木の実。くだもの。「水菓子(ミズガシ)」表記 ❷は、「果」とも書く。

【〈訛】ワク ❶なまる。なまり。「訛音・訛語・転訛」❷まちがう。あやまり。「訛伝・訛言」表記「〈譌」とも書く。

【貨】ワク 〔もと、たからものの意〕❶お金。「貨幣・財貨・金貨・白銅貨」❷品物。荷物。「貨物・貨車・雑貨・滞貨」

【渦】ワク うず。うずまき。「渦中・渦動・渦紋」

【過】ワク ❶通って行く。通りすぎる。「過客(カク)・過渡的・通過」❷時がたつ。日時がすぎる。「過去・過日・経過」❸度を超える。ゆきすぎ。「過度・過大・過労・過飽和」❹〔化学で〕その成分の割合が△特に多い(最大限である)ことを示す。「過燐酸(リンサン)石灰」❺あやまち。まちがい。「過失・大過」❻つみ。とが。「過料・罪過」❼〔仏教で〕過去。⇩現・未

【嫁】❶よめいりする。「降嫁・再嫁」❷〔罪や責任を〕ほかにうつす。「転嫁」

【暇】❶ひま。「小暇・寸暇・余暇」❷休み。「休暇・賜暇・請暇」

【禍】ワク わざわい。災難。「禍福・禍根・水禍・筆禍・交通禍・舌禍・戦禍」

【靴】ワク 革(カワ)のくつ。「軍靴・長靴・製靴・隔靴掻痒(ソウヨウ)」

【〈嘉】❶よい。うまい。「嘉言(ゲン)・嘉肴(コウ)・嘉味」❷めでたい。よろこぶ。「嘉納・嘉賞・嘉例」

【寡】ワク 夫に死なれた女。やもめ。「寡婦・鰥(カン)寡」⇩(本文)か【寡】

【歌】❶うた。歌謡。「歌曲・歌詞・唱歌・校歌・流行歌」❷和歌。「歌集・歌人・短歌・長歌・名歌」❸うたう。「歌手・歌劇・放歌・謳(オウ)歌」

【箇】物事をかぞえたり一つ一つ指し示したりする時に用いられる語。「箇所・箇条書・六箇月」表記「《個・ケ・カ・か」とも書く。

【稼】〔もと、穀類を植える意〕仕事にはげむ。かせぐ。「稼業・稼働」

【課】ワク 仕事などを割りあて△る(たもの)。「課税・課業・課題・賦課・日課」⇩(本文)か【課】

【〈霞】気・かすみ。「雲霞・煙霞」

【〈顆】ワク ❶宝石および真珠状の玉やその一類をかぞえる語。❷ミカン・リンゴ・キンカンなど丸い形をした、比較的小粒の果実をかぞえる語。

もの(のたとえ)。「—ほどの退職金」⇩雀(スズメ)の涙

が(牙・瓦・我・画・芽・〈臥・賀・雅・餓・〈駕)→【字音語の造語成分】

が ■一(格助)❶その動作・作用を行なう主体や、その性質・状態を有する主体を表わす。「鳥—鳴く/雨—降る/私—やったのではない/机の上に本—ある/桜—きれいだ/負ける—勝ち」❷〔受身、「もらう」「…てもらう」の文で〕動作の対象となったり動きから影響を被ったりする人や物を表わす。「試験—行なわれる/太郎—雨に降られる/花子—子供をけなされた/子供—花子にお菓子をもらった/二郎—太郎に勉強を見てもらった」❸自発・可能・希望・好悪・巧拙などの対象や感情のきっかけを表わす。「故郷—思い出される/語学—出来る/住所—分からない/金—ほしい/水—飲みたい/映画—好きだ/猫—嫌いだ/私は水泳—得意だ/父の死—悲しい/母—恋しい」❹上の語が下の語を修飾する機能を負うことを表わす。〔慣用的な言い方として使われる〕「わ—国/わ—ことのように喜ぶ/眠る—ごとく死んでいった/それ—ために/かかる—ゆえに」❺〔何を△言うか(言いたいのか)の意で〕ののしる気持を表わす。「ばか者め—/なんだ、この若造—」文法 体言(名詞、またそれに準ずる句)、格助詞「から・まで」、および副助詞「だけ・ばかり」などに接続する。活用語に直接接続することはなく、一般に「…のが」の形になるのが原則だが、文語の残存形式では、「負けるが勝ち/言わぬが花」などと活用語の連体形に接続して用いられることがある。

■二(接助)❶前置きや補足的な説明として示し、あとの叙述に結びつけることを表わす。「この間の話です—、あれはその後どうなりましたか/いいにおいがする—、今晩のごちそうは何だろう」❷関連のある二つの事柄を結びつけることを表わす。「値段も安い—、品もよくない/子供も子供だ—、親も親だ」❸前件にかかわらず、それと対比的な後件が事実として存することを表わす。「いい天気だ—、風が冷たい/父親は秀才だった—、子供の方はだめだ/しかってみた—、ききめが無い/出かけようと思った—、雨が降りだしたのでやめたよ」❹前件のいかんにかかわらず、それと無関係に後件が行なわれることを表わす。「たとえ親に反対されよう—、僕はやるよ/行こう—行くまい—私の知ったことじゃない/注意されよう—されまい—していけない事はいけない」文法 活用語の終止形に接続する。ただし、助動詞「う/よう・まい」の意志用法には接続しない。

■三(終助)〔■二の前件に続く後件を言いさしにした、婉曲(エンキョク)用法〕❶願った通りにそのことが実現するかどうか危ぶむ気持を表わす。「あした晴れてくれるといい—/もっと勉強してほしいんだ—な」❷何らかの応答が期待される事柄を、聞き手に明示することを回避したいという気持を表わす。「ちょっとおうかがいいたします—/都合がつかないかもしれません—」文法 接続は■二に準ずる。さらに、あとに他の終助詞「な・ね・よ」などを伴う場合がある。

■四(接)■二❸の転。「私はそれを見のがし、知らぬふりをした。—〔=だが〕、果たしてそれが正しい態度であったろうか/私は彼を信じていた。—〔=しかし〕、彼は私の期待を裏切った」

運用 ■三の、言いさしに含意される話し手の心情は多様であるが、相手に応答の選択の可能性を残し、必ずしもその場での決定的な答えを要求しないことで相手の心理的負担を最小にしようとする点では一貫している。例えば、「この間の件でご相談したいのですが/お伺いしたいことがあるのですが」などは、相手の応じる意志の有無を確認する表現、「こちらからご連絡いたしますが/部長がお呼びですが」などは、相手の意向を問う表現である。また、「お願いしたいことがあるのですが/休暇を取らせていただきたいのですが」などは、相手に依頼したり許可を求めたりする表現、「おっしゃることはごもっともですが/やれと言われればやりますが」などは、相手の

提示した内容に対する不同意やためらいを表わす表現、「わたしは何もうかがっておりませんが／今すぐには答えかねますが」などは、相手の申し出を拒絶しようとする表現である。このことは、「けれども」「けど」についても同様である。

が⓪【我】❶他から明確に区分された自分自身。「―の意識／自―・彼―・忘―」❷自分自身を主張する意識。「―を折る／―を通す〔=どこまでも自分の考えや気持に従って行動しようとする〕／―が強い／―意・―執・―利」

が①【賀】長寿・新年など、めでたい出来事をその節目節目に関係者が集まって祝うこと。「七十の―／―正・―状・祝―・参―・年―・慶―」⇩【造語成分】

が⓪【〈蛾】チョウに似た昆虫で おもに夜活動するもの。止まった時に羽を開くものが多い。〔毛虫・イモムシ・ズイムシなど、幼虫の多くは害虫〕 かぞえ方 一匹

が①【〈駕】「乗り物」の意の漢語的表現。「―を枉マげる〔=わざわざ おいでになる〕／来―・枉ウォ―」⇩【造語成分】

カー（造語）〔car=車〕Ⓐ自動車。「マイ―・オープン―・―ポート③・―フェリー」Ⓑ電車・自動車・自転車などの総称。「ケーブル―・ベビー―」

カーキ いろ⓪【カーキ色】〔土ぼこりの意のヒンディー語khaki から〕茶色がかった黄色。枯れ草やボール紙の色で、もと、日本の軍服の色でもあった。

カーゴ パンツ④〔cargo pants〕太ももの脇部分に、ひだ付きのポケットが付いた作業着風のズボン。〔貨物船の乗組員がはいていたことから〕

かあ さん①【《母さん】「母(親)」の意の口頭語的表現。自分の母△に呼びかける(を指して言う)語。〔親しみをこめて「かあちゃん」とも〕↔父トウさん ⇩おかあさん 表記 ⇩付表「母さん」 運用 (1)子供のある夫婦の間で、夫が妻に呼びかけるのにも用いられる。(2)母親の立場にある女性を指して言うのに用いられることがある。例、「肝っ玉母さん」

カーシェアリング③〔car sharing〕一台の自動車を共同で使用すること。特に、登録している会員同士で特定の車を使う仕組み。カーシェア⓪とも。

カースト①⓪〔caste=ポ casta (血統)から〕インド古来の世襲的な階級制度。バラモン〔=僧〕・クシャトリヤ〔=王族・武士〕・バイシャ〔=平民〕・シュドラ〔=奴隷〕の四つ。上層は下層を蔑視ベッシし、異なる階級の間の結婚を認めない。カスト①とも。〔一九五〇年、憲法で禁止された〕

ガーゼ①〔ド Gaze〕あらく織った、柔らかい綿布。消毒して、医療に使う。 かぞえ方 一枚

カーソル⓪①〔cursor (「走るもの」の意)の日本語形〕❶計算尺の本体に かぶせてある、透明で四角な板。左右に動かして、目盛りを合わせたり 読んだりするのに使う。〔測量器械の目盛りを合わせるための同様の物も指す〕❷〔コンピューターで〕表示装置の画面において、次に入力する△文字(数字)の表示されるべき位置を示すための特別のマーク。〔下線や長方形などで示され、注意を喚起するために、点滅することも多い〕

ガーター①〔garter〕靴下どめ。 **―あみ**⓪【―編(み)】二本の編み棒を使って、表からも裏からも表編みで編むこと。

カーチェイス③〔car chase〕〔警察のパトロール カーやタンク ローリーなどが〕車を激しく追いかけること。また、その追跡劇。

かあちゃん①【《母ちゃん】❶子供が母親を親しんで呼ぶ語。「おー」❷親しい者同士の間で、自分の妻を指して言う語。「うちの―たら」

かあつ⓪【加圧】―する(自他サ) その物質に必要に応じた圧力を加えること。また、圧力が加わること。「蒸気を―する／金属に―して板状に伸ばす」↔減圧

かあっと⓪(副)「かっと」の口頭語的な強調表現。

カーディガン①③〔cardigan=もと、人名〕前があいている、くつろぎ用の上着。毛糸編みが多い。カーデガンとも。 かぞえ方 一枚・一着・一点

ガーデニング⓪〔gardening〕庭作りの一環としての園芸。〔特に、イギリス式庭園をモデルとしたものを言う〕

***カーテン**①〔curtain〕Ⓐ室内の間仕切りや、装飾・日よけなどのためにつるす布。「―を引く／―レール⑤・遮光―④」 かぞえ方 一枚・一点 Ⓑ△内部(内情)を隠すために外部と隔てるもの。「鉄の―／秘密の―を閉ざす」 **―ウォール**⑤〔curtain wall〕〔ビル建築などで〕建造物に加えられる力は柱・梁ハリでささえ、単に外囲いの役を果たすだけの、軽量の材質で作った外壁。 **―コール**⑤〔curtain call〕〔演劇・音楽会などで〕演技・演奏後に観客が称賛の気持を込めた拍手をすることによって、出演者を△幕(カーテン)の前または幕のあいた舞台に呼び出すこと。「拍手が鳴りやまず―が繰り返された」

ガーデン①〔garden〕庭園。「―ウエディング⑥〔=庭園で行なう結婚式〕・―パーティー⑤〔=園遊会〕・ビヤ―③〔=庭園やビルの屋上など、屋外でビールを飲ませる店〕」

カート⓪①〔cart〕❶運搬用の手押し車。❷エンジンを付けて人を乗せる、簡単な車。「ゴー―」

***カード**①〔card=かるた・カルテと同語源〕❶Ⓐ何かをするために適当な大きさに切りそろえた紙。「出入国―⑦・バースデー―⑥・クリスマス―」Ⓑトランプの札。「―を△切る(配る)」Ⓒ相手とのかけひきで自分に有利な状況を作るために使う手段。〔トランプの手札にたとえた表現〕「―をちらつかせる」❷〔米語〕試合・競技の組合せや番組。「好―」❸クレジット カード・プリペイド カードなどの略。「―で支払いを済ませる」 かぞえ方 ❶❸は一枚

ガード①⓪〔girder (bridge) の変化〕道路をまたいでかけられた鉄橋。また、高架線の下部。「―下の一杯飲み屋」

ガード〔guard〕❶①⓪―する(他サ) 警備 (に当たる人)。「―を固める／―マン①・ボディー―」❷⓪①〔ボクシングで〕防ぐ構えをとること。「―が△甘い(かたい)」❸⓪①〔バスケットボールなどで〕後衛。

ガードフェンス④〔guard fence〕車道と歩道との境や、高速道路の中央分離帯に設けた防護用の金網など。

カートリッジ①〔cartridge=弾薬筒〕❶さし込んですぐ補充出来るようにした容器。「―式万年筆／トナー―」❷レコード プレーヤーのピック アップの先端部分が取りはずし可能なもの。❸録音・録画、データ記録などに用いる△テープ(ディスク)を収めた容器。

ガードル⓪〔girdle〕女性用の下着の一種。腹部から腰部にかけての体形を整えるためのもの。 かぞえ方 一枚

ガードレール④〔guardrail〕自動車の事故防止のために、道路に沿って、その路肩や歩道との境界に設けたさく。

カートン①〔carton=厚紙〕❶水もれを防ぐために、ろうを引いた厚紙で作った容器。「―入り△牛乳(ジュース)」⇩紙パック ❷現金受け渡しに用いるプラスチック製などの盆。❸巻きたばこ十箱を一包みにしたもの。カルトンとも。❹ビール・ジュースなどを何本かまとめて運ぶ時に用いる、プラスチック製の大きな箱。 かぞえ方 一本

カーナビゲーション システム⑨〔car navigation system〕走行中の車の現在位置や進行方向などの情報を、音声や画面で運転者に知らせる装置。略してカーナビ⓪。

カーニバル①〔carnival〕謝肉祭。〔広義では、仮装行列などのお祭り騒ぎをして楽しむ催しをも指す〕

カーネーション③〔carnation〕春から夏にかけてナデシコ

に似て八重咲きの花をつける多年草。ヨーロッパ原産。赤い花を母の日の贈り物に使う。オランダセキチク⑥⑤。〔ナデシコ科〕 かぞえ方 一本

ガーネット①〔garnet〕 ざくろ石。

カーバイド③〔carbide〕 アセチレンガスや肥料に使う炭化カルシウム。カーバイトとも。〔炭化物の総称としても用いられる〕

カービング⓪①〔carving〕 木彫りで彫刻すること。

カービンじゅう③【カービン銃】〔carbine=騎兵銃〕 射程の短い、連発式の小銃。

カーブ①―する（自サ）〔curve〕 ❶曲がること。曲がった所。曲線。「―を切る〔=曲がる〕/道は左へと―している/―線⓪・急―」 ❷〔野球・卓球で〕相手の手もとで急速に（落ちながら）曲がるボール。「アウト―」

ガーファ①【GAFA】〔← Google, Amazon, Facebook, Apple〕 世界の経済・流通産業に大きな影響力を持つ巨大IT企業である、グーグル社・アマゾン社・フェイスブック社・アップル社の総称。⇩プラットフォーマー

カーフェリー③〔car ferry〕 ⇩フェリーボート

カーペット①〔carpet〕 じゅうたん（風の敷物）。「真紅の―」 かぞえ方 一枚・一本

ガーベラ⓪〔ラ Gerbera=もと、人名〕 五月ごろ、タンポポに似た形で、赤色・黄色などの花を開く多年草。切り花用。〔キク科〕 かぞえ方 一本

カーボン①〔carbon=炭素〕 ❶〔←carbon paper〕 複写紙の一つで、油煙・脂肪・パラフィンなどの混合物を雁皮紙にしみこませたもの。カーボン紙③。炭酸紙。❷電極に使う炭素棒。 **―ファイバー**⑤〔carbon fiber〕 炭素製の繊維。軽くて強いことから、スポーツ用品やロケットなど広い分野で利用される。

カーマイン レッド⑥〔carmine red〕 あざやかな紅色の染料（絵の具）。洋紅。カーミン①とも。

カーラー①〔curler〕 それに頭髪を巻きつけてカールさせるための道具。カール クリップ⑤④。

ガーリー①―な〔girly〕 服装やアクセサリーが少女らしい様子。また、そのスタイル。「―な服」

カーリー ヘア⑤〔curly hair=縮れた髪〕 全体を軽くカールさせた髪型。

ガーリック①〔garlic〕 香味料としてのニンニク。「―トースト⑥」

カーリット③〔Carlit=商標名〕 発破などに使う灰色の爆薬。

カーリング⓪〔curling〕 スコットランドで始まった氷上スポーツの一つ。四人一組のチームが取っ手のついた重い円盤状の石を滑らせて円の中に入れて得点を争う。滑りをよくするため、進む石の直前をほうきで掃いたりする。

カール①―する（自他サ）〔curl〕 頭髪が巻き毛になっていること。また、そのようにすること。「すその方で―した髪/額の髪を―する/―人形④」

カール①〔ド Kar〕 氷河の浸食によって山腹に出来た、半球形のくぼ地。日高山脈・木曽山脈などに見られる。圏谷。

が

［牙］ ❶とがった歯。きば。「歯牙・爪牙・毒牙」 ❷象牙をさおの先につけた、王や大将の旗じるし。「牙城」

［瓦］ かわら。「瓦礫・瓦解・瓦全・煉瓦」

［我］ ⇩（本文）が【我】

［画］ ■❶え。「画室・画題・画用紙・絵画・漫画・日本画」 ❷えがく。絵をかく。「画家・画伯・画餅・彩画」 ■（略）映画。「洋画・邦画・名画」

［芽］ ❶草木のめ。「発芽・肉芽・麦芽」 ❷物事のはじまり。きざし。「萌芽」

［〈臥〕 横になってねる。ふす。「臥床・臥竜・臥薪嘗胆・仰臥・病臥・横臥・起臥・帰臥・静臥」

［賀］ ■⇩（本文）が【賀】 ■（略） 加賀の国・伊賀の国の略。「賀州」

［雅］ ❶正しく上品だ。「雅語・雅楽・高雅」 ❷（余裕があって）品がいい。「雅趣・雅懐・風雅・典雅・優雅」

［餓］ うえ。うえる。「餓鬼・餓死・飢餓」

［〈駕〕 ❶馬を車につけて、引かせる。「繋駕」 ❷乗り物。「来駕・枉駕」 ❸おいこす。しのぐ。「凌駕」⇩（本文）が【駕】

ガール（造語）〔girl〕 女の子。少女。「―ハント④・キャンペーンー・マスコットー・モダンー④」 ↔ボーイ

ガール スカウト⑤ ↔ボーイ スカウト ■〔Girl Scouts〕 少女の心身の訓練・ボランティア活動などを通じての社会参加を目的に設立された団体。■〔girl scout〕 「ガールスカウト■」の団員。

ガール フレンド⑤〔girl friend〕 （若い）交際相手としての女性。または、ごく親しい女友達。↔ボーイ フレンド

かい（介・会・回・灰・快・戒・改・怪・拐・悔・海・界・皆・〈偕・〈晦・械・絵・街・開・階・塊・楷・解・〈魁・潰・壊・懐・諧）→【字音語の造語成分】

かい①【会】 ❶何かの目的で、関係する者がある場所に集まること。また、その集まり。「―を催す/…を激励する―/送別―・謝恩―」 ❷何かの目的で、何人かの人たちが作った組織。「―を設立する/県人―・学―」 ⇩【造語成分】

かい①【回】 ❶Ⓐ〔同じような事が繰り返される（可能性のある）物事について〕ある物事が始まってから終わるまでの連続した一まとまり。「―を重ねる（追う）/毎―当選・今―・次―・前―」 Ⓑ繰り返し行なわれる物事をかぞえる語。「懸垂を十五―する」 ❷〔野球などで〕試合の一くぎり。イニング。〔表と裏で、攻守の立場を代える〕「最終―③・毎―安打」 ⇩【造語成分】

かい①【快】 気持のよいこと。「―、言うべからず/―をむさぼる〔=思い切り、愉快な気分を味わう〕/―感・明―・壮―」 ⇩【造語成分】

かい①【戒・〈誡】 〔仏教で〕六波羅蜜の一つで、在家・出家の人が守るべき大小の戒律を指す。「―を授ける/―を破る/殺生―③」 ⇩【造語成分】

かい①【怪】 ❶あやしいこと。不思議。「―中の―/―談・奇―」 ❷化け物。「狐狸の―/妖―変化」 ⇩【造語成分】

かい①【界】 伝統的方式で生物を分類する時の最上位の区分で、共通の特徴を持つ幾つかの「門❸」を合わせたもの。「生物全体を動物―・植物―・菌―など合計五つの―に分ける説が有力であったが、近年はもっと多くの―を認める説が提唱されている」 ⇩【造語成分】

かい①【階】 建物の、床の重なり（をかぞえる語）。「すべての―に防火扉を設置する/煙が上の―に流れる/二―から目薬〔=⇩二階❶〕」 かぞえ方 三階（サンカイ）・四階・八階

かい・十階・何階(カイ(カイ))⇩【造語成分】

かい①【楷】「楷書」の略。「―行草」

かい①【解】❶(与えられた問題に対する)答えや解き方。❷(数学で)「根■一Ⓐ」の改称。❸解釈。「―を待たずして句意明らか」⇩【造語成分】

かい①【〈隗】古代中国、燕の人、郭隗の名。【―より始めよ】郭隗が燕の昭王に、「本当に賢人を招聘するつもりなら、自分のような凡才を重用することから始めた方がいい。そうすれば、よりすぐれた人材が次つぎと集まるだろう」と言ったことから、手近な所から始めよ、の意。転じて、言い出した当人から始めるのが最も上策だ、の意。

かい⓪【《甲〈斐】〔替える意の文語動詞「かふ」の連用形に基づくという〕何かを△した(することによって得られる)好ましい結果や充足感。「努力した―(=せっかくそうしただけの効果)が無い/生き―を感じる/世話のし―が無い」 表記「《効」とも書く。

*かい①【貝】■一①❶水中にすむ軟体動物のうちで、外側が堅い殻でおおわれているものの総称。「―のつくだ煮/―(=ほらがい)を吹く/―のように口を閉ざす/―塚」❷「陰核・女陰」の卑俗な異称。■二(造語) 貝殻に詰めたりした膏薬をかぞえる語。「十六文の膏薬を百―つけても」

かい①【《峡】(雅)山と山とが迫っている所。「山―」

かい①【〈匙】(雅)さじ状の物。表記「〈匕」とも書く。

かい⓪【買(い)】相場で、買い手となって行動すること。「―に出る/思惑―」⇔売り

かい①【〈櫂】〔「掻き」の変化という〕船の上から水中に入れて、水をかいて船を進める細長くて平たい板。オール。「―をとる/(ボートレースで)―上げ(=こぎ方やめ)」 かぞえ方 一本・一挺・一丁

かい①【下位】序列が低い(方にある)こと。「―に置かれる/―区分③・―力士」⇩上位・中位

かい①【下意】△しもじも(人民)の考え。「―上達(=官庁・会社その他の団体で、下の立場にある人の意見を上役などによく通じさせること)」⇔上意

がい(外・劾・〈咳・害・崖・涯・〈凱・街・慨・〈碍・蓋・該・概・骸)→【字音語の造語成分】

がい①【該】(連体) 問題になっている事物を指す語。「―(=この)問題・―(=その)人物」⇩【造語成分】

がい①【〈垓】一京の一万倍を表わす数詞。〔十の二十乗に等しい〕⇩大数❸

*がい①【害】そのものの存立を危うくするような悪い△結果(影響)。「喫煙は健康に―あり/有―無益/―悪・水―・公―・薬―」⇔益 ⇩【造語成分】

がい①【概】その人の顔かたち・言行からすぐに知られる、積極的な精神状態。〔広義では、そのような様子一般を指す〕「古武士の―がある(=古武士と言うにふさわしい風格・気魄を備えている)/気―」⇩【造語成分】

がい①【我意】自分の思った事を(何でも正しいものとして、それを)変えようとしない気持。「―を押し通す」

がい①【賀意】祝う心。祝意。

かいあく⓪【改悪】―する(他サ) △本人(当事者)は悪い点を改めたつもりだが、結果的にはかえって悪くなること。〔「改善・改正・改良」のもじり〕

がいあく①【害悪】そのもののために害となる、悪い事。「社会に―を流す」

かいあげ【買(い)上(げ)】■一⓪買い△上げること(上げた物)。「お―の品」■二(造語) 動詞「買い上げる」の連用形。「―米⓪・お―品⓪(=客が買った品)」

かい

［介］❶間に△ある(立つ)。「介在・紹介・仲介」❷助ける。「介護・介助」❸Ⓐ武具の甲。「介士」Ⓑ堅い殻を持つ動物。エビ・カニ・貝など。「魚介」❹「〈个」と通じて、個体をかぞえる語。「一介」

［会］❶人とあう。出あう。「会見・会合・会戦・面会・再会・集会」❷ぴったりする。「会心」❸さとる。「理会」❹計算する。かぞえる。「会計」⇩(本文)かい【会】

［回］❶まわる。めぐる。まわす。「回転・回路・回覧・回遊・転回」❷もどる。かえる。「回復・回生・回春・回想」❸避ける。「回避・迂回」 表記 ❶の、もとの用字は、「〈廻」。⇩(本文)かい【回】

［灰］❶はい。もえがら。「灰塵・灰燼・灰分・骨灰・死灰・石灰・木灰」❷はい色の。「灰黒色・灰白色」

［快］❶すばらしい。「快速・快走・快男児」❷病気がよくなる。「快方・快気・快癒・全快」⇩(本文)かい【快】

［戒］❶いましめる。さとす。「戒告・自戒・訓戒」❷敵にそなえて守る。用心する。「戒厳・警戒」⇩(本文)かい【戒】

［改］新しいものに変える。あらためる。「改革・改新・改築・変改・更改」

［怪］めっぽう強い。「怪力・怪腕・怪童」⇩(本文)かい【怪】

［拐］だまして連れていく。かどわかす。「拐帯・誘拐」

［悔］くいる。くやむ。「悔悟・悔恨・悔悛・後悔」

［海］❶うみ。「海陸・海洋・海水・公海・航海・四海・大海・領海・日本海」❷人や物が多く集まっているところ。「雲海・学海・樹海」❸広く大きい形容。「海容」

［界］❶さかい目。しきり。「界線・境界・限界」❷場所。範囲。「世界・下界・視界・生物界」❸(限られた)社会。「学界・財界・社交界」❹地層の成層年代を表わす、最上位の区分。「古生界」〔地質時代区分の「代」に対応する〕❺(生物の分類で)原則として、いくつかの「門」をあわせたもの。「動物界」

［皆］みな。すっかり。全部。「皆勤・皆無・皆既食・悉皆」

［〈偕］ともに。いっしょに。「偕老同穴」

［〈晦］❶陰暦のひと月の最終日。みそか。「晦日・晦朔」❷暗い。はっきりしない。「晦渋・晦冥・韜晦」

［械］道具。器具。「器械・機械」

［絵］墨の濃淡、色彩などを用いて表現した作品。絵。「絵画」

［街］まち。大通り。「街道」⇩がい

［開］⇔閉 ❶ひらく。あける。「開閉・開放・開花・公開・全開・満開」❷きりひらく。「開墾・開拓」❸はじめる。「開会・開始・開店・開幕」❹ひらける。「開化・新開地」

［階］❶階段。「階上・階下・階梯」❷建物の、床の重なり(をかぞえる語)。「二階建て」❸等級。順序。くらい。「階級・階層・位階・段階」❹地層の成

層年代区分で「統」の次の区分。〔地質時代区分の「期」に対応する〕⇩（本文）かい【階】

［塊］（クワイ） かたまり。「塊根・塊茎・金塊・血塊・土塊・肉塊」

［楷］ ⇩（本文）かい【楷】

［解］ ❶ばらばらに△わける（なる）。「解剖・解体・解散・解析・分解」 ❷わかる。わからせる。「解釈・解明・解説・理解・諒（リヨウ）解・了解・難解」 ❸ときはなす。ほどく。「解放・解除・解禁・解雇」 ⇩（本文）かい【解】

［〈魁］（クワイ） ❶かしら。「首魁」 ❷大きくてすぐれている。「魁偉」

［潰］（クワイ） ❶つぶれる。「潰瘍（ヨウ）」 ❷みだれる。「潰走・潰滅・潰乱」

［壊］（クワイ） やぶれる。こわれる。「壊乱・壊血病・破壊・倒壊・自壊・損壊・半壊」

［懐］（クワイ） ❶なつかしむ。「懐古・懐旧」 ❷心に思う。思い。「懐疑・本懐・所懐・述懐」 ❸ふところ。「懐中・懐紙・懐剣」 ❹ふところに入れて持つ。「懐抱・懐妊・懐炉」 ❺やさしくして従わせる。なつける。「懐柔」

［諧］ ❶しっくり調和する。「諧和」 ❷おどける。ユーモア。「諧謔（ギヤク）・俳諧」

がい

［外］（グワイ） ❶表面。うわべ。「外形・外面・外観」 ❷そと。ほか。「外界・外気・外国・市外・国外」 ❸はずす。のけものにする。「除外・疎外」 ❹外国の。「外人・外貨・外地・外務省」 ❺本すじでないこと。わきすじ。「外史・外伝・外戚（セキ）・外祖父」〔❶～❹の対義語は、内〕

［劾］ 罪状をあばく。告発する。「弾劾」

［〈咳］ せき。「咳嗽（ソウ）・労咳・謦（ケイ）咳」

［害］ 人を傷つける。「危害・殺害・自害・生害・傷害」 ⇩（本文）がい【害】

［崖］ がけ。「懸崖・断崖」

［涯］ ❶水ぎわ。きし。「涯岸・水涯」 ❷行きつくはて。かぎり。「際涯・天涯・一生涯」

［〈凱］ 戦いのかちどき。勝ちいくさ。「凱歌・凱旋・凱陣」

［街］ まち。まちすじ。大通り。「街区・街商・街路・街頭・街灯・街談巷（コウ）説・市街・商店街・歓楽街」

［慨］ なげきかなしむ。「慨然・慨世・慨嘆・感慨・憤慨・悲憤慷（コウ）慨」

［〈碍］ さまたげる。「碍子・障碍・妨碍」 表記「〈礙」とも書く。

［蓋］ ❶おおう。ふた。「蓋世・天蓋・無蓋」 ❷たぶん。けだし。「蓋然性」

［該］ ❶あたる。あてはまる。「該当・当該」 ❷すべてにゆきわたる。「該博」 ⇩（本文）がい【該】

［概］ 大体。あらまし。おおむね。「概数・概況・概見・概念・概論・大概・一概・梗（コウ）概」 ⇩（本文）がい【概】

［骸］ ほね。ほねぐみ。死者のほね。むくろ。「骸骨・骸炭・死骸・遺骸・形骸」

かいあ・げる[4]（カヒ）【買（い）上げる】（他下一） 上の立場の人が、恩恵を与えるような気持で下の立場の者から物を（残らず）買う。〔狭義では、政府が民間から買うことを指す。例、「米を―」〕〔⇩買い上げ❷〕

かいあさ・る[4]（カヒ）【買（い）《漁る】（他五） ありそうな所をあちこち捜し回って買い集める。「古本（フルホン）を―」

かいあた・える[0][5][4]（カヒアタヘル）【買（い）与える】（他下一） 相手が△欲しがる（必要とする）物を代りに買い求めて与える。

がいあつ[0]（グワイ）【外圧】 外部からの圧力。「―が△高まる（強まる）」

かいい[1]【介意】―する（他サ）〔「介」は、はさむ・かける意〕大事な事（になる）と思って、意識の中にとどめること。「さらに―しない〔=少しも気にかけない〕」

かいい[1]（クワイ）【会意】 漢字の構成法の一つ。構成部分のそれぞれが意味を持っている種類のもの。例、人の言葉は正しいもの、信用すべきもの、という理念を示すことから「信」の字が出来たことなど。⇩六書（リクショ）

かいい[1]（クワイ）【怪異】 ❶―な その時代の科学知識では説明の出来ない、不思議（なこと）。「―な△事件（現象）」 ❷化け物。

かいい[1]（クワイキ）【〈魁偉・怪偉】―な 顔かたちがいかつくて、一目見て忘れられない印象を与える形容。「―な容貌（ヨウボウ）」 派―さ[3] 表記「怪」は、代用字。

がいい[1]【害意】 相手に危害を加えようとする心。

かいいき[0]（キキ）【海域】 何らかの観点から他と区別される一続きの海面。「赤道―」

かいいそ・ぐ[4]（カヒ）【買（い）急ぐ】（他五） ❶無くなることを恐れて急いで買い求める。 ❷物が良いかどうか、必要かどうかなどをよく考えずに、衝動にかられて買う。

かいいぬ[0][1]（カヒ）【飼（い）犬】 人に飼われている犬。「―に手をかまれる〔=世話をした相手にそむかれて害を受ける〕」

かいい・れる[4]（カヒ）【買（い）入れる】（他下一） ❶〔商人が〕ほかへ回すとか 何かの材料にするとかの 目的で買う。「冬物を―〔=仕入れる〕／小麦を―〔=輸入する〕」 ❷〔消費者が〕ある分量以上をまとめて買う。 名買い入れ[0]

かいいん[0]（クワイキン）【会員】 その会を組織している人びと。「―制[0]・―組織[5]・△維持（賛助）―」 かぞえ方 一人（リヒト）・一員

かいいん[0]【改印】―する（自サ） 届けてあった印を別のものに変えること。「―届[5]」

かいいん[0]（キン）【海員】〔船長を除く〕船の乗組員。船員。「―組合[5]」

かいいん[0]（キン）【開院】―する（自他サ）↕閉院 ❶病院・医院・美容院などを開設すること。 ❷病院・医院などが（その日の）事務を始めること。「―時刻[5]」

かいいん[0]（クワイ）【〈誨淫】（何かにかこつけて）セックスに関する事を教え勧めること。「―の書」

がいいん[0]（グワイ）【外因】 その物事自体にではなく、外部にあると考えられる原因。「―性精神病[0]」↕内因

がいいんぶ[3]（グワイ）【外陰部】 生殖器の外部に現われている部分。

かいう[1]【海《芋】 ⇩カラー（calla）

かいう・ける[4]（カヒ）【買（い）受ける】（他下一） 人が売ろうとする物を買って自分のものにする。↕売り渡す

かいうん[0]【海運】 船による、海上の輸送。↕陸運

かいうん[0]【開運】〔不運だった人が〕幸運に向かうこと。「―のお守り」

かいえい[0]【開映】―する（自サ）〔映画館で〕その日の映写

** ＊は重要語，[0] [1]… はアクセント記号，品詞の指示の無いものは名詞および いわゆる連語。

が始まること。↕終映

かいえき[0]【改易】—する（他サ）〔身分を改めかえる意〕江戸時代、武士に科した罰。平民に落とし、領地・家屋敷を取り上げた。

かいえん[0]【海〈淵】海溝中の一番深い所。例、マリアナ海溝中にあるチャレンジャー海淵など。⇩海溝

かいえん[0]【開宴】—する（自他サ）宴会△が始まる（を始める）こと。「—の辞/—時間[5]」

かいえん[0]【開園】—する（自他サ）↕閉園 ❶遊園地や幼稚園などを開設すること。❷遊園地・動物園などが、門をあけて客を入場させ（てい）ること。「—時間、八時三十分～四時三十分」

かいえん[0]【開演】—する（自他サ）〔その△日（劇）の〕上演△が始まる（を始める）こと。↕終演

がいえん[0]【外延】〔哲学で〕その概念が適用される事物の範囲。例、「動物」という概念の外延は「人・けもの・鳥・魚・昆虫」など。↕内包

がいえん[0]【外〈苑】その御所・神宮に属する広い庭で、外周または隣接地にあるもの。↕内苑

がいえん[0]【外縁】外郭を取り囲む一帯の部分。

かいおうせい[0][3]【海王星】太陽系の惑星で、太陽からの距離が八番目で最も遠いもの。判明しているだけでも十四個の衛星を持つ。約一六四・八年で太陽を回る。

かいおき[0]【買（い）置（き）】—する（他サ）不時の用に備えて買って△おくこと（あるもの）。動買い置く[3]（他五）

かいおけ[3]【飼（い）〈桶】家畜に食わせるための かいばを入れる桶。

かいおん[0]【快音】❶〔エンジンの〕調子のいい音。❷〔野球で〕バットの真っ芯で球を捕らえ、ヒットを打った時の音。

かいおんせつ[3]【開音節】母音で終わる音節。日本語では、撥音・促音終りを除く音節が、これ。↕閉音節

かいか[1]【会歌】その会の（設立の）精神を表わし、行事の時に歌う歌。会員相互の連帯感を高めるためのもの。

かいか[1][0]【怪火】何が原因で燃えるのか分からない火。〔新聞などでは多く、不審火の意に用いられる〕

かいか[1]【開化】—する（自サ）発展途上国が先進国の文化・文明に接して、そのまねをしたり 追いついたり しようとすること。「文明—」 **—どんぶり**[4]【—丼】〔明治時代、文明開化のころにできたことから〕どんぶり物の一つ。甘辛く煮た牛肉・タマネギの上に溶いた卵を流し入れ、ご飯の上にのせたもの。他人どんぶり。略して「かいかどん[0]」。かぞえ方 一杯

かいか[1][0]【開花】—する（自サ）❶花が開くこと。「—期[3]」❷成果となって現われること。「努力が—する」

かいか[0][1]【開架】〔図書館で〕利用者が図書を書架から自由に出して利用出来るようになっていること。接架式。「—式[0]」↕閉架

かいか[1]【階下】二階・三階などの高い階から見て、それより下の階の称。

かいが[1]【怪〈訝】—する（自他サ）〔「怪訝」の漢音読み〕そんな事はありえないことだと、限り無く疑わしく思うこと。⇩けげん

かいが[1]【絵画】「絵」の意の漢語的表現。「—文字[4]・—館[3]・抽象—[5]」かぞえ方 一点

がいか[1]【外貨】❶外国の貨幣。〔広義では貿易などによって得られる、外国からの収入をさす。例、「—の獲得」〕↕邦貨 ❷〔輸入の対象として考えられた〕外国の品物。「—の排斥」

がいか[1]【〈凱歌】戦勝を祝う歌。「—をあげる〔=かちどきの声をあげる。勝って喜ぶ〕/—を奏する」

がいが[0]【外画】〔←外国映画[5]〕外国で製作された映画。⇩洋画

ガイガーけいすうかん[0]【ガイガー計数管】〔ドGeiger=人名〕放射線の粒子や宇宙線に含まれる粒子を、一つひとつかぞえる装置。「ガイガーミュラー計数管[0]」とも。ガイガー カウンター[6]。

かいかい[0]【開会】—する（自他サ）会や議会など△が始まる（を始める）こと。〔狭義では、国会の会期が始まることを指す〕「—の準備に追われる/—の辞を述べる/—式[3]・—中」↕閉会

***かいがい**[1]【海外】〔四面 海に囲まれている日本にとって〕「外国」の異称。「資源を—に仰ぐ/—旅行[5]」

がいかい[0]【外海】❶陸地に囲まれていない海域。そとうみ。↕内海 ❷陸地から遠く離れた海。沖合。外洋。遠海。↕近海

がいかい[0]【外界】自分を取りまく 一切のもの。環境。「—との遮断」↕内界

がいがい[0]【〈皚々】—たる —と 〔雪が〕一面に積もって白い様子。「白—たる銀世界」

かいがいし・い[5]【《甲〈斐《甲〈斐しい】（形）怠けたり 手を抜いたり せずに、自分がすべき仕事をきびきびとこなす様子だ。「—いでたち/かいがいしく看護に当たる」派 —さ[5][4] —げ[5][6][0] 表記 「《甲〈斐」は、借字。

かいかえ[0]【買（い）替（え）】車や家電製品などの耐久消費財を新しく買って、それまでのものと取り替えること。「テレビもそろそろ—の時期だ」動買い替える[3][4]（他下一）

***かいかく**[0]【改革】—する（他サ）〈なにヲ—する〉△古くなった（不都合な）制度や機構を、新しい時代に適応するものに改めること。「—を△唱える（進める）/組織の根本的な—を迫る/—に乗り出す/—案[4]・△政治（意識）—」

かいがく[0]【開学】その大学としての活動を開始すること。「—記念日[6]」

がいかく[0]【外角】❶〔幾何学で〕多角形の一辺と、隣の辺の延長とが成す角。〔内角が平角より小さい場合にのみ考える〕「内角と—は互いに他の補角になっている」⇩内角❶ ❷〔野球で〕ホーム ベースの中心から、打者に遠い方（の部分）。アウト コーナー。↕内角❷

がいかく[0]【外郭・外〈廓】❶建物を保護するための、周囲のかこい。❷そのものの外形を形作る輪郭。「—環状道路[9]」 **—だんたい**[5]【—団体】官庁・公共企業体と不即不離の関係を保って事業をする付属的団体。

かいかた[0]【買（い）方】↕売り方 ❶買う方法。❷買う方の人。買い手。

***かいかつ**[0]【快活・快〈闊】—な —に 言動が きびきびしていて、接する人に好感を与える様子だ。「—な足取り/—な性格/—な少女/—にふるまう」派 —さ[0]

かいかつ[0]【開〈豁】—な —に 〔「豁」は、ひろい意〕❶態度が開けっぴろげで、おおらかな様子。「—な気性」❷前が広くひらけていて、眺めがよい様子。「—な高原」

がいかつ[0]【概括】—する（他サ）△内容の大体（多くのものの共通点）を一つにまとめること。「—的[0]」

かいかぶ・る[4]【買（い）《被る】（他五）実質以上に高く△買う（評価する）。〔多く、甘い判断をすることについて言う〕名買い被り[0]

かいがら[3]【貝殻】貝の外側をおおう、堅いもの。かぞえ方 一片・一枚 **—ぼね**[0]【—骨】「肩胛骨」の意の和語的表現。 **—むし**[4]【—虫】植物に寄生して養分を吸い取って枯らす、小さな昆虫。分泌物が固まって貝殻状になる。〔カイガラムシ科〕

かいかん⓪（クワイクワン）【会館】〔その団体の〕宿泊・集会・事務所などのために設けた建物。「市民—④・学士—④」

かいかん⓪—（クワイ）【快感】何かをし終えたりすばらしい物に接したりした時などに感じる、満ち足りた感じ。「—を得る」

かいかん⓪—（クワイ）【快漢】さっぱりとした気性で、接する人に好感を与える男。好漢。

かいかん⓪—（クワイ）【怪漢】何を△するか(されるか)分からなくて、警戒を要する男。

かいかん⓪—（クワン）【開巻】書物の初めの部分。書出し。「—第一に」

かいかん⓪—（クワン）【開館】—する(自他サ) ↕閉館 ❶図書館・映画館などを開設すること。❷図書館・映画館などをあけて、利用者や観客を入れること。

*__かいがん__⓪【海岸】陸と海が接している所。海辺。「遠浅の—/—砂丘⑤・—段丘⑤」 **—せん**⓪【—線】❶陸と海との境界線。❷海岸に沿って走る鉄道。また、その線路。

かいがん⓪【開眼】❶—する(自サ) 目の見えない人の目が見えるようになること。〔「眠った状態でいた者の目が覚めること」の意にも用いられる。例、「演技に—する」〕「—手術」 ❷「かいげん」の変化。

がいかん⓪（グワイクワン）【外患】△他人(外国)との接触から起こるトラブル。「内憂—⓪-⓪」 ↕内憂

がいかん⓪（グワイクワン）【外観】内情についての価値判断とは別個の、(外部から見た)全体的印象。

がいかん⓪—（クワン）【概観】—する(他サ) 物事の様子の全体をおおざっぱに見ること。

かいき①—（クワイ）【会規】会員が互いに取り決めた内規。会則。

かいき①—（クワイ）【会期】その会の行なわれる△期間(時期)。「—を延長する/八週間の—を終える/—が押しつまる/—〔=国会開催〕中の議員の逮捕」

かいき①—（クワイ）【回忌】年ごとにめぐってくる命日。「一—〔=満一年目の命日。これを『一回忌』とは言わない〕/三—〔=満二年目の命日〕」

かいき①—（クワイ）【回帰】—する(自サ) (一まわりして)元へ戻ること。「サケやマスは生まれた川へ—する習性がある」 **—けい**⓪【—形】一度発音の変わった言葉がなんらかの理由で、再び元の形に戻ったもの。例、「はは(母)」が中世他の同類の語と同じく「はわ」となり、江戸時代の中期以降は再び「はは」となったなど。 **—せん**⓪【—線】夏至(ゲシ)に太陽が真上に来る地点を連ねた線すなわち北緯二三度二七分の緯線〔=北回帰線〕と、冬至(トウジ)に太陽が真上に来る地点を連ねた線すなわち南緯二三度二七分〔=南回帰線〕との総称。〔△夏至(冬至)が過ぎると、太陽が真上に来る地点は赤道の方へと回帰していく〕 **—ねつ**③【—熱】シラミ・ダニの媒介でスピロヘータが体内に侵入して起こる感染症。高熱・頭痛・嘔吐(オウト)などが約一週間ごとに起こったりやんだりする。再帰熱。

かいき①—（クワイ）【快気】—する(自サ) 病気がよくなること。「—祝い④〔=内祝いとして行なう時に言う〕」

かいき①—（クワイ）【怪奇】—な —に ❶常人の知識では説明が出来ない(ような不思議さが感じられる)様子。「複雑—」 ❷グロテスク。 派 **—さ**③

かいき【海気】❶⓪練り糸で織った絹布。❷①△海(海岸)の空気。 表記 ❶は、多く甲斐(カイ)ノ国で産したので「《甲〈斐《絹」とも書く。

かいき【皆既】(造語) 全面的におおわれる現象の意。 **—げっしょく**④【—月食・—月〈蝕】⇩月食 **—しょく**③【—食・—〈蝕】日食で太陽が、また月食で月が、それぞれ全部おおわれて見えなくなること。↕部分食 **—にっしょく**④【—日食・—日〈蝕】⇩日食

かいき①【開基】—する(他サ) 〔その事業を△始めること(始めた人)の意〕その寺を新しく△作ること(作った人)。〔広義では、国や都市などを興す礎となる意にも用いられる〕

かいき⓪—（カヒ）【買い気】買おうとする気持。〔狭義では、商品・株式を買おうとする気構えを指す〕↕売り気

かいぎ①—（クワイ）【会議】—する(自サ) 何人かの関係者が寄り集まって、一定の題目について何らかの判断や決定を下すために話し合うこと。また、その集まり。「—に△臨む(かける)/—が難航する/—室③・職員—⑤・初—・国際—⑤」

かいぎ①—（クワイ）【回議】—する(他サ) 係の人が立案し、関係者に順々にまわして意見を聞いたり承認を求めたりすること。「—案③」

かいぎ①—（クワイ）【懐疑】—する(自他サ) △なんでも(いつまでも)疑って、決定的な考えを持つことが出来ないこと。「—的⓪」 **—ろん**③【—論】人間の認識や判断を不確実なものとして、事物の実在や客観的真理の存在をすべて疑問視する考え方。⇩決定論

がいき①—（グワイ）【外気】〔人の息で濁ったり暖房で暖められたりなどしていない〕(新鮮な)外の空気。「—に当たって頭を冷やす」

かいきゃく⓪【開脚】〔体操競技などで〕両脚を前後または左右に開くこと。「—前転」

かいぎゃく⓪【諧〈謔】〔「諧」も「謔」も、たわいもないことを言って人を笑わせる意〕相手を楽しませ、その場の雰囲気を和らげるのに役立つ、気のきいた言葉。「—を弄(ロウ)する〔=いい気持でしゃれのめす〕」

がいきゃく⓪—（グワイ）【外客】❶外国からの観光客。「—誘致⑤」 ❷外国人のバイヤー。

__かいきゅう⓪—（キフ）【階級】❶〔軍隊・警察など、地位の上下関係が問題となる組織で〕位❶。「二—特進」 ❷社会的な地位・身分や生活程度が同じと見なされる集団(の種類分け)。「—制⓪・—的⓪」 ❸〔ボクシング・柔道などで〕体重で決めた区分け。 **—いしき⑤【—意識】自己の属する階級と他の階級との差異に関するとらえ方や、それに対していだく心情。〔狭義では、勤労者が自己の階級の解放・向上を目指そうとする意識を指す。例、「—が低い」〕 **—とうそう**⑤—（タウサウ）【—闘争】△政治的(経済的)に対立する階級間の争い。広義では支配階級と被支配階級との間の、狭義ではブルジョア階級とプロレタリア階級との間の、争い。

かいきゅう⓪（クワイキウ）【懐旧】みんながまだ若かった昔をなつかしく思い起こすこと。「—談③」

かいきょ①—（クワイ）【快挙】夢で終わらせることなくよくぞ実現してくれたと、多くの人から称賛を受けるような、すばらしい行為。「世界で初めて時速五〇〇キロメートルを記録したのは、鉄道史上の—といえる/六場所連続優勝の—を成し遂げる/重油で汚染された海を短期間でよみがえらせたのは、まさにボランティアの力による—だ」

かいぎょ①【海魚】海で生まれ、海で育つ魚。

かいきょう①（クワイケウ）【回教】〔回紇(フイグル)族の宗教の意〕イスラム教の別名。回回(フイフイ)教。「—徒③」

かいきょう⓪—（ケフ）【海峡】両側から陸地によって細長くせばめられている海域。「津軽—④」

かいきょう⓪（クワイキヤウ）【懐郷】〔現在満たされない心の安らぎを得るものとして〕故郷をなつかしく思うこと。「—の念」 **—びょう**⓪—（ビヤウ）【—病】ホームシック。

かいぎょう①⓪—（ギヤウ）【戒行】〔仏教で〕戒律に従った、正しい行いをすること。

かいぎょう⓪—（ギヤウ）【改行】—する(自サ) 長い文章の途中で、今までと少し違った事を述べようとする時に、文を続けない

** * は重要語，⓪ ①… はアクセント記号，品詞の指示の無いものは名詞および いわゆる連語。

で次の行のあたまから(一字さげて)書き始めること。行替え。

かいぎょう⓪ゲフ【開業】―する(自他サ) ❶新たに営業や事業を始めること。オープン。❷営業をしていること。「―中⓪」 ―い③【―医】 病院・官庁などに属さないで、個人で診療をしている医者。

がいきょう⓪キャウ【概況】 細かいところは切り捨てた、全体にわたる大体の様子。「天気―④」

かいぎょうそう①-①-①、③ギャウサウ【楷行草】 漢字の書体の三種類。楷書・行書・草書。

かいきょく⓪【開局】―する(自他サ) 郵便局・放送局などを開設し、業務を始めること。

がいきょく⓪グワイ【外局】 その中央官庁に直属はするが、その長官が独自の権限を持つ機関。文化庁が文部科学省の、公正取引委員会が内閣府の外局であるなど。↕内局

かいきり⓪カヒ【買(い)切(り)】 ❶買い切ること。「―の舟で花見見物をする」 ❷(小売店が)返品しない約束で問屋などから商品を仕入れること。

かいき・る③カヒ【買(い)切る】(他五) ❶店の商品を全部まとめて買う。「在庫品を―」 ❷場所・座席・乗り物などを使用料を払って一定時間占有する。借り切る。「バスを―」

かいきん⓪【皆勤】―する(自サ) 一日も休まず出勤・出席すること。「―賞③」

かいきん⓪【開襟・開衿】 ❶折りえりにして開いた形のえり。❷(↑開襟シャツ⑤) ネクタイ無しで着る、前えりの開いたシャツ。オープンシャツ。

かいきん⓪【解禁】―する(他サ) 禁止の命令を解き、扱いを自由にすること。「アユの―/狩猟を―する」

がいきん⓪グワイ【外勤】―する(自サ) 集金・注文取り・配達など、客の家を訪問することを仕事とする△こと(人)。↕内勤

かいく①⓪クワ【化育】―する(他サ) 天地自然が万物を育てること。

かいく①【海区】 海面に設定された区画。

がいく①【街区】 番地を整理するために小さく分けた市街地の区画。ブロック。

がいく①【街衢】 (商店などが立ち並ぶ)にぎやかな町並。

かいぐい⓪カヒグヒ【買(い)食(い)】―する(他サ) 子供がおやつの菓子などを自分で買って食べること。

かいくぐ・る④【掻(い)《潜る》】(自五) 軽く、すばやく潜る。「監視の目を掻い潜って」

かいぐさ⓪①②カヒ【飼(い)草】 かいばにする草。

かいぐすり③カヒ【買(い)薬】 医者の処方箋(セン)によらず、薬屋から買った薬。

かいく・る③【掻(い)繰る】(他五) (手綱などを)左右の手でたぐる。「かいぐる」とも。

かいくれ⓪【掻(い)暮(れ)】(副) (「掻(カ)き暮れる」の連用形の変化)「全く・かいもく」の意の古風な表現。(下に打消表現を伴って用いられる)「―分からない」

かいくん⓪クワイ【回訓】―する(自サ) 在外の大公使や使節などに対して回答する、本国政府の訓令。↕請訓

かいぐん①【海軍】 海上の国防を主として受け持つ△軍備(軍隊)。⇩陸軍・空軍

**かいけい⓪クワイ【会計】―する(他サ)〈(なにヲ)―する〉 ❶(官庁・企業体・会社などで)金銭(や物品)の出入などを管理すること。また、その担当の人。「伝票を―(課)に回す/一般―⑤・特別―⑤(=予算)」 ❷飲食店・旅館などで、客が支払いをすること。「―を済ます/そろそろ―してくれ/お―はレジでお願いします」 ―けんさいん⑦キン【―検査院】 国の収入・支出の適否や法律に定める会計の検査を行なう行政機関。 ―し③【―士】 企業など組織体の財務書類の監査や証明をする職業の人。(正式には、「公認会計士⑦」と言う) ―ねんど⑤【―年度】 組織体の会計処理の便宜上設けた一年間。(四月一日から翌年の三月三十一日までとする所が多い)

かいけい⓪クワイ【塊茎】 その植物の養分をたくわえている地下茎。例、ジャガイモ。

がいけい⓪グワイ【外形】 外から見た様子。「―図③」 ―ひょうじゅんかぜい⑨ヘウ クワ【―標準課税】 法人事業税について、資本金・人件費・売上高などの外部から客観的に判断できる事業規模を基準に課税する方式。

がいけい⓪グワイ【外径】 円筒形のものの外側の直径。↕内径

かいけいのはじ⓪クワイ ハヂ【会稽の恥】 人から受けた、決して忘れることの出来ない ひどい恥。(古代中国の春秋時代〖=前七七〇～前四〇三〗、越(ツエ)王の勾践(コウセン)が呉(ゴ)王の夫差(サフ)と会稽山で戦って敗れ、捕らえられて恥を受けた故事に基づく)「―を雪(スス/ソソ)ぐ」

**かいけつ⓪【解決】―する(自他サ)〈なにヲ―する〉 ❶事件・紛争・トラブルなどについて、(当面は)関係者が納得できるような形で処理をすること。また、その処理。「紛争の―に当たる/事件―の緒(グチ/イト)をつかむ/一応の―を見る/―を迫られる/―策を打ち出す」 ❷△結論(好ましい結果)が得られていない研究課題について、筋道を立てて問題点を明らかにし、その段階で最もよいと考えられる答えを導き出すこと。また、その答え。「数学上の難問を―する」

かいけつ⓪クワイ ■一【魁傑】 すぐれた能力を持つ、非凡な人物。■二【怪傑】 不思議な力を持っているようだが、正体不明の人物。

かいけつびょう⓪クワイビヤウ【壊血病】 ビタミンCの欠乏によって起こる病気。出血・貧血などを伴う。

かいけん⓪クワイ【会見】―する(自サ) (挨拶(アイサツ)・相談・発表などをするために)公式に人に会うこと。「政府特使は外相と―した/記者―③」

かいけん⓪【改憲】―する(自他サ) 憲法を改め(ようとす)ること。「―案③」

かいけん⓪クワイ【懐剣】 昔、身分のある人が、ふところに入れて持って歩いた、護身用の短刀。ふところ刀。〔かぞえ方〕一本・一口(ヒトフリ)

かいげん⓪【戒厳】 (きびしく警戒する意)非常事態に際し、一切の法律の効力を停止して軍隊が一定地域に出動し、行政権・司法権を持ち、治安の維持に当たること。「―令が布(シ)かれる」

かいげん⓪【改元】―する(自他サ) 天皇の代が替わったために元号を改めること。また、元号が改まること。(かつては、人心を一新するために、代が替わらなくとも行なわれた)

かいげん⓪【開眼】 ❶―する(自サ) (仏道の真理を悟る意)何かの機会に、学芸・技能の大事なやり方やこつを悟ること。「打撃―⓪-⓪」 ❷仏像・仏画が完成した時の供養の式。

がいけん⓪グワイ【外見】 外部から見る人に与える印象。「―だけではうかがい得ない/―を気にする/―にだまされる/―△上(は)」

がいけん⓪【概見】―する(他サ) 詳しいことまでには及ばないが、その場の様子をざっと見て取ること。

がいげん⓪【概言】―する(他サ) 細かい点は切り捨てて、一番大事なところだけを言うこと。

かいこ①カヒコ【蚕】 (飼い子の意)「カイコガ③(=カイコガ科)」の幼虫。普通、四回の脱皮後、白色・俵形の繭を作る。繭

から生糸がとれる。おかいこ。[かぞえ方] 一匹・一頭

かいこ ①(クワイ)【回顧】—する(他サ) ああいう事もあったこういう事もあったと、いろいろ昔を思い出すこと。「往時を—する/—録③・—展③」

かいこ ①【解雇】—する(他サ) 雇主の都合で、雇人をやめさせること。首切り。「—者③〔=やめさせられた人〕」

かいこ ①(クワイ)【懐古】—する(自サ) 現在失われている昔の情緒や風俗などを理想的なものとして復古の策などを考えたりすること。「—趣味④」

かいご ①【介護】—する(他サ) 〔←介抱看護⑤〕病人・けが人や身体障害者、また高齢者などに医療・看護の支援を行なったり日常生活の面倒を見たりすること。「—保険④・在宅—⑤・老人—⑤」 **—ふくしし**⑥【—福祉士】高齢者や身体障害者など日常生活に支障のある人の介護や、介護にあたる人への指導にたずさわる専門家。社会福祉士及び介護福祉士法に基づく国家資格。

かいご ①【改悟】—する(自他サ) 犯した罪や失敗を認め、心を入れ替えようと堅く決意すること。

かいご ①(クワイ)【悔悟】—する(自他サ) 自分のした事は悪かった、今後二度とすまいと心に堅く誓うこと。「—の情著しい」

かいご ①⓪【解語】 動植物などが人間の言葉を理解すること。「—の花〔=玄宗皇帝が楊(ヨウ)貴妃を指して言ったことから、美人の称〕」

がいご ⓪(グワイ)【外語】「外国語」の略。「—大⓪〔=外国語大学〕」

かいこう ⓪(クワイカウ)【回航・〈廻航】—する(自他サ) ❶客や貨物を乗せないで、船をある場所に航行させること。❷巡航。

かいこう ⓪(カウ)【改稿】—する(自他サ) 原稿の内容を書き改めること。〔広義では、既刊のものについても用いられる〕

かいこう ⓪(カウ)【海港】 海岸にある港。↕河港

かいこう ⓪【海溝】 海底がみぞのようにその一帯だけ非常に深くなっている所。「日本—④」⇩海淵(カイエン)

かいこう ⓪【開口】—する(自サ) ❶口が開いていること。「—部③」❷〔口を開いて物を言う意〕冒頭。「—一番⑥〔=言い始めに特にその事を取り上げて言うこと〕」

かいこう ⓪(カウ)【開校】—する(自他サ) 学校を新設して授業△が始まる(を始める)こと。「—記念日⑥」↕閉校

かいこう ⓪(カウ)【開港】—する(自他サ) ❶外国との貿易のために港を開くこと。また、その港。「ペリー提督は浦賀に来航し幕府に—を迫った」❷空港を開設して業務を始めること。 **—じょう**⓪(ヂヤウ)【—場】 開港された港。外国との貿易のための港。

かいこう ⓪(カウ)【開講】—する(自他サ) 講義や講習会など△が始まる(を始める)こと。「—式③」↕閉講

かいこう ⓪【〈邂逅〉】—する(自サ) ❶〔しばらく会わない人に〕思いがけない△所で(機会に)会うこと。めぐり会い。❷〔人生の途上において重要な機縁となる〕出会い。

***かいごう** ⓪(クワイガフ)【会合】—する(自サ) 何かの相談のため、多くの人が集まること。また、その集まり。「初—を開く/—を重ねる」

かいごう ⓪(ガウ)【改号】—する(自他サ) 何かの都合で、今までの呼び名△が改まる(を改める)こと。また、その名。

****がいこう** ⓪(グワイカウ)【外交】 ❶外国との△交際(交渉)。「—を進める/—関係を結ぶ/—交渉・—政策」❷店売りでなく、社外に出て行ってする取引。❸「外交員」の略。 **—いん**③(ヰン)【—員】〔商店・会社などで〕家庭や得意先を回って、勧誘・宣伝・販売などをする人。「保険の—」 **—か**⓪【—家】 つきあいのうまい人の称。⇩政治家 **—かん**③(クワン)【—官】 外国の大公使館や領事館などに△駐在し(派遣されて)外交の事務をとる公務員。 **—じれい**⑤【—辞令】〔本心とはうらはらに〕相手が喜びそうな事を調子よく言う言葉。 **—だん**③【—団】 その国に駐在する各国の外交官。 **—てき**⓪【—的】—な —に 社交性に富み、対人関係を無難にこなす様子だ。

がいこう ⓪(グワイクワウ)【外光】 戸外の太陽光線。「窓から—を取り入れて絵を描く/マネ、モネの—派」

がいこう ⓪(グワイカウ)【外向】 性格が、社交的・行動的・積極的な傾向。「—性⓪・—型(ガタ)⓪」↕内向

がいこう ⓪(グワイ)【外〈寇】 外国から敵が攻めて来ること。また、その敵。

がいこう ⓪(グワイカウ)【外港】 ❶船が入港する前に一時とまる、港の防波堤の外側。❷大都市の近くにあって、その都市の必要物資をまかなう港。

がいこうせん ⓪(グワイカウ)【外航船】 外海を航行する大きな船。普通、三千トン以上。

かいこく ⓪(クワイ)【回国】—する(自サ) 昔何かの必要があって諸国を次つぎに回って歩いたこと。〔狭義では、巡礼行脚(アンギャ)を指す〕

かいこく ⓪【戒告・〈誡告】—する(他サ) 〔命令・規則にそむかないように〕いましめ注意すること。〔狭義では、懲戒処分の一つ。△直接口頭で(書面をもって)将来再び同じあやまちを犯さないように注意することを指す〕

かいこく ⓪【海国】 海に囲まれ、生活が海と関係の深い国。「—日本(ニッポン)⓪-③」

かいこく ⓪【開国】—する(自サ) (今まで禁じていた)外国との交通・通商を認めること。↕鎖国

***がいこく** ⓪(グワイ)【外国】 自分の国以外の国。↕内国 **—ご**⓪【—語】 外国の言語。「最近は街中で—を耳にすることも珍しくなくなった/五十を過ぎて—を学ぶのは大変だ」 **—じん**④【—人】 言語・習俗など文化を異にする、よその国の人。〔法的には、日本以外の国籍を持つ人を指す〕

かいこくしょく ③④(クワイ)【灰黒色】 灰色に近い黒色。

がいこつ ①【骸骨】 死後放置されて、骨ばかりになった死骸。「—を乞(コ)う〔=在任中、主君に捧(ササ)げた身の残骸をもらい受ける意で、高官が辞職を願い出ること〕」[かぞえ方] 一体(タイ)

かいことば ③(カヒ)【買(い)言葉】 ⇩売り言葉

かいこ・む ③(カヒ)【買(い)込む】(他五) (将来を見越して)多量に買い入れる。[名]買い込み⓪

かいこ・む ③【〈搔(い)込む】(他五) 〔「搔き込む」の変化〕❶かかえこむ。「槍(ヤリ)を—」❷すくい入れる。「水を—」

かいごろし ⓪(カヒ)【飼(い)殺(し)】 今まで飼っていた動物を、老いぼれて役に立たなくなった後も見捨てずに飼っておくこと。〔広義では、使用人についても言う。また転じて、経済的な意味でのめんどうは見るが、その人の才能を十分に発揮する機会を与えずに、一生を送らせる意にも用いられる〕

かいこん ⓪(クワイ)【悔恨】 あやまちを後悔し、あんな事をしなければよかったのにと自省すること。「—の念にかられる」

かいこん ⓪【開墾】—する(他サ) 山林・原野を切り開いて、新しく田畑を作ること。「—地③」

かいこん ⓪(クワイ)【塊根】 養分をたくわえて かたまりのようになった根。例、サツマイモ・ダリアなど。

かいこん ⓪【解〈梱】—する(他サ) 製造元などから段ボールや木枠などで梱包されてきた製品を中から取り出すこと。「—、組み立て、設置はお客様の方でお願いします」[表記]「開〈梱」とも書く。

かいさい ⓪(クワイ)【快〈哉】〔=「快なるかな」の意〕「よくやった」など、心から喜ぶ気持を表わす語。「—を叫ぶ」

かいさい ⓪【皆済】—する(他サ) 〔返金・納入などを〕残らず

済ますこと。

*かいさい⓪【開催】―する(他サ)〈なにヲ―する〉会合や催し物などを開くこと。「本会議―にこぎつける/―が危ぶまれる」

かいざい⓪【介在】―する(自サ) 両者の直接の交渉や事態の進展を妨げるような何かが、そこにあること。

がいさい⓪―グワイ【外債】〔↑外国債④③〕△外国で募集する(国内で外国法人が発行する)公債・社債など。↕内債

がいざい⓪―グワイ【外在】―する(自サ) 今問題にしているものと直接かかわりの無いところにそれがあること。「―的な基準/―批評⑤〔=社会的文化的立場から行なう作品批評〕」↕内在

がいざい⓪―グワイ【外材】外国から輸入される木材。

かいさく⓪―クワイ【快作】すばらしい出来ばえの作品。

かいさく⓪【改作】―する(他サ) 文学作品・音楽・絵画などを作り△変えること(変えたもの)。「小説の―」

かいさく⓪―クワイ【〈晦朔〉】月のみそかとついたち。「朝菌〔=朝生えて夕方には枯れるキノコ〕―を知らず〔=はかないことのたとえ〕」

かいさく⓪【開〈鑿・開削〉】―する(他サ) 土木工事をして、新たに道路や運河を通すこと。表記「削」は、代用字。

かいささ・える⑤④カヒササヘル【買(い)支える】(他下一) 〔取引で〕相場の下落を防ぐ目的で買いの注文を出す。

かいさつ⓪【改札】❶―する(他サ) プラットホームなどへの入口で、切符を調べ(てはさみを入れたりスタンプを押したりす)ること。「自動―機⑦⑥・―掛ガカリ⑤」 ❷〔↑改札口チグ④⓪〕プラットホームの入口の、「改札❶」をする所。

かいさつ⓪【開札】―する(自サ) 入札の際に金額を記入した札を入れた箱を開いて中身を調べること。

かいさん⓪【海産】海からとれる△こと(物)。「―物ブツ③〔=魚・貝・のりなど〕」↕陸産

かいさん①⓪【開山】寺院を建立コンリュウすること。また、その寺院の創立者。開祖❸。〔広義では、事物の創始者・宗祖や、芸能界などの第一人者を指す。例、「日の下シタ―」〕

*かいさん⓪【解散】―する(自他サ)〈だれガ(なにヲ)―する〉❶〔会合・団体行動などが済んで〕集まっていた人びとの行動△が自由になる(を自由にする)こと。「集会は五時に―した/現地―」 ❷会社や団体などが構成員を制約する条件を無くし、組織ではない状態にすること。「△会社(歌手のグループ)が―する」 ❸議会において全議員の資格を解除すること。〔狭義では、衆議院のそれを指す〕

かいざん⓪【改〈竄〉】―する(他サ) 〔「竄」は文字を改める意〕そこに書いてある文字を、自分に有利な字面に書き直すこと。「小切手の―」

がいさん⓪【概算】―する(他サ) 細かい所は無視した、大体の計算。「―払バライ⑤」↕精算 ―ようきゅう⑤―エウキウ【―要求】国の予算編成に先立ち、各省庁が毎年八月末日までに財務省に提出する次年度の予算要求。

かいし①【介士】〔よろいを着けた武士の意〕気骨に富み、節義を重んじる人物。

かいし⓪―クワイ【怪死】―する(自サ) 原因の分からない死に方(で死ぬこと)。「―体⓪」

かいし①【海市】〔海上に街並が浮かんで見えることから〕蜃気楼シンキロウの別称。

*かいし⓪【開始】―する(自他サ)〈なにヲ―する〉その時から何かが始まること。また、何かを始めること。「作戦△が(を)―する」

かいし⓪―クワイ【懐紙】❶外出の折など、たしなみとして、たたんで懐中に入れて持ち歩く白紙。❷和歌・連歌レンガを書きしるすのに使った折り紙。かぞえ方❶❷とも一枚

かいじ①―クワイ【快事】多くの人の称賛を浴びる、すばらしい出来事。「近来の―」

かいじ①【海事】船の安全な運航に関する△事柄(いろいろな管理事務)。「―思想④・―公法④」

かいじ⓪①【開示】―する(他サ) ❶〔真理・方針・情報などを〕教え示すこと。「情報公開条例を定め、市民の情報―の請求に応じるようにした」 ❷公開の法廷で示すこと。「拘留理由の―」

がいし①―グワイ【外史】〔正史と違って〕民間人が書いた歴史。野史。「日本―④〔=頼山陽ライサンヨウが著わした、私撰シセンの通史〕」

がいし①―グワイ【外紙】「外国の新聞紙」の意の圧縮表現。

がいし①―グワイ【外資】外国からの資金。「―導入①-⓪・―系企業⓪-①」

*がいし①【〈碍子〉】電柱などの電線をささえ、絶縁するために使う、陶磁器などで作った器具。

がいじ⓪―グワイ【外字】❶決められた枠以外の文字。表外字。JISの漢字コード体系にない字を指すことが多い。〔狭義では、常用漢字表(および人名用漢字別表)に無い漢字を指す。また、広義では、ワードプロセッサーなどに搭載されていない文字をも指す〕 ❷外国の文字。「―新聞④〔=外国語で書いてある、国内発行の新聞〕」

がいじ①―グワイ【外耳】聴覚器の外部。音を受け入れて鼓膜に伝える部分。耳殻・外聴道などの総称。「―炎③」⇩内耳・中耳

がいじ①―グワイ【外事】その国に△来た(来る)外国人に関する事柄。「―係ガカリ④・警察庁警備局―課③-③-⓪」

がいじ①【〈孩児〉】(あどけない)幼児。

がいじかく③グワイヂ―【外〈痔核〉】肛門コウモンの外部に出来る痔核。↕内痔核

かいしき⓪【開式】式を始めること。「―の辞」↕閉式

かいしつ⓪【開室】❶〔組織体において〕(部外者に何らかのサービスを提供するために)資料室・相談室など「室」を開設すること。❷施設内のそれぞれの部屋を開けて、利用者が入れる状態にすること。「閲覧室の―時間」

がいして①【概して】(副) 少数の例外は無視して全体的な傾向としてとらえる様子。「関東より関西の方が―味が薄い」

かいし・める④―カヒ【買(い)占める】(他下一) 〔△品薄(値上がり)を見越して〕△当面の必要以上に(全部)買い集める。名買い占め⓪

**かいしゃ⓪―クワイ【会社】営利事業を共同の目的として作った社団法人。「―を興す/―員③・トンネル―ガイシャ⑤」 ―こうせいほう⓪―カウセイハフ【―更生法】会社の経営・資金繰りが行き詰まった時、破産にせず、債権者・株主の利害を調整しながら事業を継続させて、下請けや融資銀行など関連各方面の損害を少なくさせるための法律。 ―ほう⓪③―ハフ【―法】会社の種類や設立・解散、組織・運営・資金調達などについて定めた法律。

かぶしき―がいしゃ⑤―グワイ―【株式―】出資者と経営者・社員とが建前上分離されている有限責任の会社。 ごうし―がいしゃ④ガフ―グワイ―【合資―】無限責任社員と有限責任社員とから成る会社。前者が事業経営に、後者が資本の提供にあたる。 ごうどう―がいしゃ⑤ガフ―グワイ―【合同―】出資者全員が「社員❸」として有限責任を負う形態の会社。 ごうめい―がいしゃ⑤ガフ―グワイ―【合名―】無限責任社員だけで組織した会社。 しょうじ―がいしゃ④シヤウ―グワイ―【商事―】商行為を業務とする、営利社団法人。〔法改正により現在は使われない〕 ゆうげん―がいしゃ⑤イウ―グワイ―【有限―】有限責任の社員だけで組織する会社。中小企業に多く見られる。社員

総数は五十人以下、資本金総額は三百万円以上。監査役は不要。〔二〇〇六年法律で廃止され、新たには設立できなくなった〕

かいしゃ①（クワイ—）【《膾《炙】—する（自サ）〔「膾」は、なます、「炙」は、あぶり肉の意。美味の代表〕広く人びとに知れ渡ること。〔多く「人口に—する」で用いられる〕⇩人口

がいしゃ⓪（グワイ—）【外車】〔国産車に対して〕（高級感のある）外国製の自動車。「—を乗り回す」

がいしゃ⓪【害者】〔警察関係の通語で〕殺人事件などの被害者。

かいしゃく①【介《錯】—する（他サ）〔婚儀の世話役の意の「介妁（カイシャク）」から〕昔、切腹する人の最期を見届け、首を刎（ハ）ねる▵こと（役の人）。「—人⓪」 表記 「《錯」は、「《借」と同様に借字。

***かいしゃく**①【解釈】—する（他サ）他人の言動や古人の書き残した文章や歴史的事蹟などがどのような意味を持つものかなどについて可能な限り論理的に理解しようとすること。「—を加える／そうとしか—のしようが無い／—が分かれる所だ／それは—の相違だ」

かいじゃくし③（カヒ）【貝《杓子】ホタテガイなどの貝殻で作った杓子。〔昔、汁物などをすくうのに使った〕

がいじゅ①⓪（グワイ）【外需】外国からの需要。↔内需

かいしゅう⓪（クワイシウ）【会衆】会合に寄り集まった人びと。

かいしゅう⓪（クワイシウ）【回収】—する（他サ）配った物などを寄せ▵集める（集めてもとに戻す）こと。「アンケート用紙の—／投下資金を—する／廃品—⑤⓪-⓪」

かいしゅう⓪【改宗】—する（自サ）今まで信奉していた▵宗教（宗派）を別のものに変えること。「キリスト教に—した人びとは禁教令以後、隠れキリシタンとして苦難の道を歩んだ」

かいしゅう⓪（シウ）【改修】—する（他サ）いたんだ所や不具合の所に手を加えて、▵よりよいものに（元通りに）作り直すこと。「—工事⑤」

かいじゅう⓪（クワイジウ）【怪獣】㊀正体不明の、恐ろしげな獣。㊁化石時代の爬虫（ハチュウ）類などにヒントを得て漫画・映画・テレビなどで創作された、不気味で大きな動物。「—映画⑤」 かぞえ方 ㊀㊁とも一匹・一頭

かいじゅう⓪（ジウ）【海獣】海にすむ哺乳動物。例、クジラ・オットセイなど。

かいじゅう⓪（クワイジフ）【《晦渋】—な 表現がむずかしくて、何を言おうとしているのか、よく分からない様子。 派 —さ⓪

かいじゅう⓪（クワイジウ）【懐柔】—する（他サ）うまい事を言って、自分の陣営に引き込むこと。「—政策⑤」

がいしゅう⓪（グワイシウ）【外周】↔内周 ㊀外側で計った、周囲（の長さ）。㊁二重に取り巻いた線などの、外側の部分。

がいじゅう⓪（ジウ）【害獣】人畜に危害を加えたり 田畑などを荒らしたりする獣。

がいしゅう いっしょく⓪-⓪（シウ）【《鎧袖一触】—する（他サ）〔よろいの そでで軽くさわる意から〕相手を簡単にやっつけること。

がいじゅう ないごう⓪-⓪（グワイジウ—ガウ）【外柔内剛】外見はおとなしそうに見えるが、▵意志（内実）は人一倍強いこと。

がいしゅつ⓪（グワイ）【外出】—する（自サ）何かの用事のためよそへ出かけること。「—着④・—先⓪」

かいしゅん⓪（クワイ）【回春】—する（自サ）〔再び春になる意〕病気が治り、心身共に元気になること。〔狭義では、老人が肉体的に若返ることを指す〕「—の喜び」

かいしゅん⓪【改《悛】—する（自サ）〔「悛」は、あやまちを改める意〕自分の犯した▵罪（非行）を悪かったと悟って、まじめになること。「—の情が著しい」 表記 「悔《悛（クワイシュン）」とも書く。

かいしゅん⓪（カヒ）【買春】—する（自サ）⇩ばいしゅん（買春）

かいしょ⓪③（クワイ）【会所】㊀「集会所」の圧縮表現。「碁—⓪④」㊁江戸時代、取引所の称。

かいしょ⓪【開所】—する（自他サ）事務所・営業所・研究所などを新たに設けて業務を始めること。「—式③」

かいしょ⓪【楷書】漢字の書体の一つ。点画を略したり続けたりしないで書くもの。⇩行書・草書

かいじょ①【介助】—する（他サ）〔「介」も助ける意〕病人・高齢者・身体障害者に付き添い、起居や日常生活の手助けをすること。「—犬⓪」

***かいじょ**①（ヂヨ）【解除】—する（他サ）〔なにヲ—する〕禁止や制限などの処置や契約関係を取りやめて▵自由な行動を許す（もとの状態に戻す）こと。「避難命令を—する」

かいしょう⓪（クワイシヤウ）【会商】—する（自サ）〔会合して相談する意〕「外交交渉」の古風な表現。

かいしょう⓪（クワイシヤウ）【回章・《廻章】㊀同一の文言を内容とする、公式の通達文書。「在京各国公館の代表を外務省に招き、儀典長らが同趣旨の内容を伝える—を手渡した」㊁「回覧状・返書」の意の古風な表現。

かいしょう⓪（クワイ）【快勝】—する（自サ）すばらしい勝利（をおさめること）。

かいしょう⓪（クワイシヤウ）【快《翔】—する（自サ）すばらしく▵高く（速く）飛ぶこと。

かいしょう⓪【改称】—する（自他サ）今まで使っていた呼び名▵が改まること（を改めること）。また、その名。「エスキモー語をイヌイット語に（と）—する」

かいしょう⓪（シヤウ）【海相】「海軍大臣⑤」の別称。

かいしょう⓪（シヤウ）【海将】海上自衛官の階級のうちで最上のもの。

かいしょう⓪（セウ）【海《嘯】満潮時に遠浅の海岸や特殊な河口部に起こる高波。中国の銭塘江（セントウコウ）などに見られる。〔誤って、「つなみ」の意にも用いられる。また、南米のアマゾン川のポロロッカ③も、この一種〕

かいしょう⓪（セウ）【解消】—する（自他サ）今まで続いて来た▵望ましくない関係や状態（ものが望ましくなくなったので、それ）を、無くす（結果になる）こと。「▵ストレス（疑問・不満）が—する／▵しこり（対立・不安）を—する／▵婚約（コンビ・関係）を—する／発展的—」

かいしょう③（カヒシヤウ）【《甲《斐性】積極的に仕事をしようとする気力。〔多く、それによって生計を立てることについて言う〕「年をとって—（=意気地）が無くなる」 表記 「《甲《斐」は、借字。

かいじょう⓪（クワイヂヤウ）【会場】その会のために人びとが集まる場所。「—係（ガカリ）⑤・—芸術⑤（=展覧会用作品）」

かいじょう⓪（クワイジヤウ）【回状・《廻状】回覧する書類。

かいじょう⓪（ヂヤウ）【戒《杖】山伏（ブシ）が護身用に持って歩いたつえ。錫杖（シャクジョウ）。

***かいじょう**⓪（ジヤウ）【海上】海の表面（の上の空間）。「—（=海）で起こった事件／—（=航海中の事故に対する）保険⑤・—交通・—封鎖⑤」↔陸上 **—けん**③【—権】たくさんの船や強力な軍艦を持って、海上交通を支配する実力。制海権。 **—ほあんちょう**⑥（チヤウ）【—保安庁】日本の周辺海上の安全を守り、法律の違反を防ぐための機関。国土交通省の外局。

かいじょう⓪（ジヤウ）【開城】—する（自サ）降参して、敵に城を明け渡すこと。

かいじょう⓪（ヂヤウ）【開場】—する（自他サ）↔閉場 ㊀入口をあけて、会場に人を入れること。㊁建物や設備を作って、業務を始めること。

か

** ＊は重要語，⓪①…はアクセント記号，品詞の指示の無いものは名詞および いわゆる連語。

かいじょう[0]（ジヤウ）【階上】〔階段の上の意。最下階を「一階」と言うのに対して〕二階・三階など(の部屋)。

かいじょう[0]（ジヤウ）【階乗】〔数学で〕一からその自然数までのすべての自然数の相乗積。例、四の階乗は、1×2×3×4＝24〔自然数 n の階乗を $n!$ で表わす〕

かいじょう[0]（クワイジヤウ）【塊状】つぶれたり縮んだりして細部の形の整っていないかたまりの状態。

かいじょう[0]（ヂヤウ）【解錠】―する(自他サ) かけてあった鍵（カギ）を開けること。↕施錠 表記「開錠」とも書く。

がいしょう[0]（グワイシヤウ）【外相】「外務大臣」の別称。「―会議[5]」

がいしょう[0]（グワイシヤウ）【外商】❶外国の商人・商社。❷〔店売りを建前とするデパートなどが〕店に来ない客や会社などから注文を受けて売ること。「―部[3]」

がいしょう[0]（グワイシヤウ）【外傷】皮膚の外から受けた傷。「―を負わせる」↕内傷

がいしょう[0]（シヤウ）【街商】露天商。「―組合[5]」

がいしょう[0]（シヤウ）【街（娼）】駅などの近所に出没し、売春する女。

がいじょう[0]（ジヤウ）【街上】人びとが往来する町の中。「―〔=たまたま町で見かけた〕風景[5]」

かいしょく[0]（クワイ）【会食】―する(自サ)〔懇親・感謝やねぎらいなどのために〕ふだん食事を共にしない何人かの人が一緒に食事をすること。

かいしょく[0]【海食・海（蝕）】―する(自サ) 潮流や波が陸地を段々けずり取っていく作用。「―崖（ガイ）[4]・―洞[4]」

かいしょく[0]【解職】―する(他サ)〔任命権者の判断により〕それまでの職務をやめさせること。「―処分[5]・―請求[5]〔=リコール〕」

がいしょく[0]（グワイ）【外食】―する(自サ) 家庭で食事をせず、食堂・料理屋などで食事をすること。また、その食事。⇩内食・中食（ナカショク）

かいしん[0]（クワイ）【会（心）】思った通りの出来ばえだとして本人も満足すること。「―の作／―の笑み」

かいしん[0]（クワイ）【回（心）】―する(自サ)〔キリスト教で〕従来の不信の態度を改めて、信仰者としての生活に入ること。

かいしん[0]（クワイ）【回診】―する(他サ)〔病院で〕患者の診断に責任のある立場の医者が定期的に各病室を診察して回ること。

かいしん[0]【戒（心）】―する(自サ) 警戒心。「―の要あり」

かいしん[0]【戒慎】―する(自サ) それまでの自分の行為をよく反省し、足りないところや出過ぎたところや誤りがあれば、将来再び同じあやまちを繰り返さないように厳重に気を付けること。

かいしん[1]【改（心）】―する(自サ) 今までの悪い心がけを改めること。

かいしん[0]【改進】―する(自他サ) 古いものを改めて進歩・向上をはかること。古いものが改まって、進歩・向上すること。

かいしん[0]【改新】―する(他サ) 旧来の制度をやめて新しいものに改めること。「大化の―」

かいじん[0]（クワイ）【灰（燼）】物が焼けたあとに残された灰と燃え残り。「―に帰する〔=火事で跡形もなく焼けてしまう〕」

かいじん[0]（クワイ）【怪人】神出鬼没で、次にどんな行動を取るか予想のつかない人。「―二十面相」

かいじん[0]【海神】海の神。「かいしん」とも。

がいしん[0]（グワイ）【外信】外国からの電信。「―部[3]」

がいしん[0]【害（心）】「害意」の古風な表現。

がいじん[0]（グワイ）【外人】外国人。「―部隊[5]」↕邦人 運用 外国人を自分たちとは相容れない人間と見る排他的な差別意識が含意され、当の外国人にも不快感を与えることがある。例、「変な外人」

がいじん[0]（グワイヂン）【外陣】⇩げじん(外陣)

がいじん[0]（ヂン）【（凱）陣】―する(自サ)「凱旋」の意の古風な表現。

かいず[0]（ヅ）【海図】海の深浅、潮流の方向、岩礁・灯台の所在など、航海者に必要な事柄をしるした図。チャート。

かいすい[0]【海水】海の塩辛い水。 **―ぎ**[3]【―着】海水浴・水泳の時に着る衣類。水着（ミズギ）。かぞえ方 一枚：一着 **―よく**[3]【―浴】夏の盛りに海で泳ぎ遊ぶこと。〔欧米人の避暑の習慣が輸入されたもの〕「―場（ジョウ）[5]」

かいすう[3]（クワイ）【回数】〔ある期間に〕何回△起こるか(起こったか)の数。「―を重ねる」⇩度数 **―けん**[3]【―券】そのつど買う手間を省くために何枚かの乗車券・入場券・飲食券などが一つづりにしてあるもの。〔大抵は、幾分か割引になっている〕かぞえ方 一枚・一冊

がいすう[3]【概数】細かいところは無視した、おおざっぱな数。

かい・する[3]【介する】(他サ) ❶問題となるものの間に、何かを置く。「人を介して〔=直接に予約を取るのでなく、知人を間に立てて〕面会を申し込む／仲人を介して〔=双方の橋渡し役として〕話を進める」❷意識にのぼせる。「意に―〔=気にかける〕」 介す[1](五)。

かい・する[3]（クワイスル）【会する】(自他サ) 何らかの目的で関係者がある所に集まること。また、集めること。会す[1](五)。「一堂に―」

かい・する[3]【解する】(他サ) 奥に秘められているものや、△発せられた言葉の意味(出された問題の答え)を正しく△判断する(求める)。解す[1](五)。「人語を―／字句通りに―〔=解釈する〕と…」

がい・する[3]【害する】(他サ) ❶そのものに悪い影響を与える。「感情を―／健康を―」❷殺す。「人を―」 害す[1](五)。

がい・する[3]【慨する】(他サ) 堕落した現状を憂えて、感情が高ぶる。「世を―〔=⇩慨世〕」

がいすん[0]（グワイ）【外寸】箱や器などの入れ物の外側の寸法。↕内寸

かいせい[0]（クワイ）【回生】―する(自他サ) 一度△死に(衰え)かけた者が、もう一度元気を取り戻すこと。「起死―」

かいせい[0]（クワイ）【快晴】空がすばらしく晴れ渡ること。好晴。〔気象学では、雲量一以下の状態を指す〕⇩雲量

*__かいせい__[0]【改正】―する(他サ)〈なにヲ(なにニ)―する〉〔法令・条約・規則などの〕不十分な点や行き過ぎに手を入れて、円滑な運営を図る上でよりよい状態にすること。「△憲法(教育制度)を―する」

かいせい[0]【改姓】―する(自サ) 別の姓に△変える(変わる)こと。また、その姓。「―届[5]」

がいせい[0]（グワイ）【外征】―する(自サ) 外国へ遠征して戦うこと。

がいせい[0]（グワイ）【外政】外国との諸関係に関する政治。↕内政

がいせい[0]【慨世】こんな堕落したままではいけないと、世の中のありさまを嘆くこと。「―の言」

がいせい[0]【蓋世】気力が盛んで、その人のした大事業に比べるとほかの者の存在が一切かすんで見えること。「抜山―〔=⇩抜山〕の勇」

かいせき[0]（クワイ）【会席】❶〔連歌（レンガ）・俳諧（ハイカイ）などのために〕何人かが集まる席。❷〔↑会席料理[5]〕酒宴に集まった人ごとにあらかじめそろえた品数を膳（ゼン）に載せて出す日本料理。 **―ぜん**[4]【―膳】会席料理を載せて出す、大

型で足のついていない△黒(朱)塗りの膳。

かいせき⓪(クワイ)【怪石】何かのかっこうによく似た岩。「奇岩―」

かいせき【解析】■一⓪❶―する(他サ) 複雑な構造を持つ△もの(現象)の仕組みを解明するために、細かく分析すること。「△観測データ(計算機のプログラム)を―する/構文―・応力―・遺伝子―」❷(←解析学④)関数を無限個の項の和に分解して研究したことに由来〕極限の概念に立脚する無限級数・微積分などを駆使して、種々の関数の性質や相互の関係を体系的に研究する数学の一部門。数学解析。「ベクトル―〔=ベクトルの値をとる関数の解析学〕」■二(造語)〔数学・物理学などで〕「解析■一❷」の手法を用いる△こと(分野)を表わす。「―幾何学⑥〔=座標を用いて図形の問題を代数的に解く幾何学〕・数値―・統計―・次元―・X線―・―力学⑥」

かいせき⓪(クワイ)【懐石】〔茶の湯で〕茶を出す前に食べる、簡素な料理。茶懐石(ガイセキ)②。 **―りょうり**⑤(レウ)【―料理】作った順に一つずつ客に出す、高級な懐石風の日本料理。

がいせき⓪(グワイ)【外戚】母方の親類。〔母の、父母・祖父母・兄弟姉妹・いとこなどを指す〕↕内戚(ナイセキ)

かいせつ⓪(クワイ)【回折】―する(自サ) 光・音などが障害物の後方にも伝わる現象。物かげに居ても、向こうの音が聞こえるなど。

かいせつ⓪【開設】―する(他サ) 新しい機能を持つ施設や設備などをそこに作ること。「幼稚園が―される/銀行に口座を―する」

***かいせつ**⓪【解説】―する(他サ)〈なにヲ―する〉 一見難解そうな物事について、専門家△が(の立場に立って)しろうとや初心者にも分かるように説明すること。「ニュース―・―書⑤⓪・―者④③」

がいせつ⓪【〈剴切】―な 〔ぴたりとあてはまる意〕たとえや説明が、その物にちょうどうまく合う形容。

がいせつ⓪【概説】―する(他サ) 全般にわたっての、大体の△解説(説明)。「哲学―⑤」↕各説❷

カイゼル ひげ④【カイゼル〈髭】〔ド Kaiser=ドイツ皇帝、特に、ウィルヘルム二世の称〕先をぴんとはねあげた口髭。

かいせん⓪(クワイ)【会戦】―する(自サ) 大兵団の激突による陸戦。「ワーテルローの―」

かいせん⓪(クワイ)【回船・〈廻船】海上の運送に使う船。「―問屋(ドンヤ)⑤」

かいせん⓪(クワイ)【回線】電信や電話など、通信に用いられる電線。「通信―⑤」 かぞえ方 一本

かいせん⓪【改選】―する(他サ) 議員・役員などの任期が満了し、選挙しなおすこと。

かいせん⓪【海戦】海上で行なわれる戦闘。⇩空中戦・陸戦

かいせん⓪【海鮮】〔食材となる〕(とれたての)新鮮な海産物。「―料理⑤・―どんぶり⑤」 **―どん**⓪【―丼】どんぶり物の一つ。生の魚や貝などを薄く切って、ご飯の上に盛りつけたもの。 かぞえ方 一杯

かいせん⓪【界線】△境(しきり)の線。〔和本では行の境の線を指し、投影図では平面図と△正面(側面)図との境界線を指す〕

かいせん⓪【〈疥癬〉】ひどくかゆい、伝染性の皮膚病。ダニに似た「疥癬虫⓪」の寄生によって起こる。皮癬(ヒゼン)。「かいぜん」とも。「頑固な―に悩まされる」

かいせん⓪【開栓】❶びんなどの栓を開けること。❷使用できるように、ガスや水道の元栓を開けること。

かいせん⓪【開戦】―する(自サ) 戦争を始めること。↕終戦

***かいぜん**⓪【改善】―する Ⓐ(自他サ) 悪いところをかえて、よりよくすること。「―を図る/―の跡が見られる/―の余地がある/収支が―する/―措置を講ずる/待遇―⓪-⓪、⑤」Ⓑ(自サ) 症状などが よくなること。「体は―に向かっている」

がいせん⓪(グワイ)【外線】↕内線 ❶屋外の電線。❷官庁や会社などから外部へ通じる電話。 **―さくせん**⑤【―作戦】敵を外側から囲むようにする作戦。↕内線作戦

がいせん⓪【崖線】海や川の浸食で台地が削られ、崖となった地形が長く続くもの。豊かな植生や湧き水を伴うことが多い。はけ②。「府中―④」

がいせん⓪【〈凱旋】―する(自サ) 戦いに勝ち、〔かちどきをあげて〕帰ること。「―門③・―将軍⑤」

がいせん⓪【街宣】―する(自サ) 〔←街頭宣伝〕街頭に立って、通行人を相手に自分たち(の団体)の主義・主張などを宣伝すること。「―車③」

がいぜん⓪【概然】―たる ―と 国家の現状・将来などについて憂え、興奮を抑え切れない様子。

がいぜんせい⓪【蓋然性】いろいろの点から見て、そうなることが十分に予測出来る△こと(度合)。

かいそ①【改組】―する(他サ) 〔団体などの〕組織を改めること。

かいそ①【開祖】❶一流派の基(モトイ)を開いた人。「浄土真宗の―親鸞(シンラン)」❷その寺院の創立者。開山(カイサン)。

かいそう⓪(クワイサウ)【会葬】―する(自サ) 葬式に参列すること。「―者③・―御礼(オンレイ)」

かいそう⓪(クワイ)【回送・〈廻送】―する(他サ) ❶間違って配達された郵便物を、本来の あて先へ回すこと。❷△客を迎え(貨物を積み)に行ったり 車庫へ戻ったり するために、からのまま車や車両を走らせること。「―車の通過」

かいそう⓪(クワイサウ)【回想】―する(他サ) 自分が経験した過去(の出来事)をなつかしい事として思い出すこと。「―録③」

かいそう⓪(クワイサウ)【回〈漕・〈廻漕〉】―する(他サ) 物資などを運送するために、船を港から目的地に向かわせること。「―業③」

かいそう⓪(クワイ)【快走】―する(自サ) すばらしいスピードで走ること。

かいそう⓪(サウ)【改装】―する(他サ) 使用目的に合うように外装・内装などを改めること。「店内を―〔=模様替え〕する/―本⓪〔=前の版の装丁を改めて出版した本〕」

かいそう⓪(サウ)【改葬】―する(他サ) 一度葬った△遺体(遺骨)を、何かの事情でよそに葬り直すこと。

かいそう⓪(クワイ)【怪僧】素性(スジョウ)が怪しく、常識を超えた行動で人を驚かしたり 不思議な術を使ったり する僧。「―ラスプーチン」

かいそう⓪(サウ) ■一【海草】海中に生じる種子植物。アマモなどの類。■二【海藻】海中に生じる藻類。胞子でふえ、食用になる物が多い。「―サラダ⑤」⇩藻類 かぞえ方 ■一■二とも一本・一房(ヒトフサ)

かいそう⓪(サウ)【開創】―する(他サ) 新たにその寺を建て、宗教活動を始めること。「―八百年記念行事」

かいそう⓪【階層】〔建物の階の重なりの意〕人間社会を一定の特質・規定に基づいて分類した場合の、社会的位置付けのほぼ等しい人から成る集合体(のそれぞれ)。〔職業別・学歴別・年齢別など、分析のしかたはいろいろある〕⇩階級❷ 表記「界層」とも書く。

かいそう⓪(クワイ)【壊走・潰走】―する(自サ) 大負けに負けて逃げること。 表記「壊」は、代用字。

かいぞう⓪(ザウ)【改造】―する(他サ) 古くなってきた建物や不都合な部分の目立ってきた組織などに手を入れて、新しい

ものにすること。「内閣―(人事)」

かいぞう⓪【解像】―する(自サ) レンズが、ごく細かい部分まで分解してはっきり形を写すこと。「―力③・―度③」

がいそう⓪【外装】㊀商品・荷物などの、外側の包み。「―を施す」㊁建物などの、外側の設備・飾り。また、その工事。↔内装

がいそう⓪【外層】何層かになっているものの最も外側の層。↔内層

がいそう⓪【〈咳嗽〉】「せき」の意の漢語的表現。

かいぞえ⓪ ―する(自他サ)〔「かきそえ」の変化〕㊀【〈搔副〉】貴人の扈従コジュウ。㊁【介添(え)】主人公と共に晴れの場所に臨み、その世話を引き受ける△こと(役の人)。「花嫁の―役」 表記「介」は借字。

かいそく⓪【会則】その会の規則。会規。「―変更⑤、⓪-⓪」

かいそく⓪【快足】走り方がすばらしく速いこと。すばらしく速い足。

かいそく⓪【快速】㊀―に 乗り物が気持のいいほど速い様子。「―船⓪・―艇⓪・―力④」㊁〔「快速電車⑤」の省略形〕〔鉄道で〕停車駅を少なくして速く走ること。また、その列車。⇩緩行

かいぞく⓪【海賊】船を利用して、商船や沿岸地方を襲い略奪をほしいままにする者。〔室町時代には、水軍を指した〕↔山賊 **―ばん**⓪【―版】〔外国の〕著作権者に無断で複製・頒布される出版物やソフトウエアなど。 表記 CDなど△円盤状の〔音楽にかかわる〕ものは「海賊盤」とも書く。

がいそく⓪【概則】細かいところは切り捨てた、おおざっぱな規則。↔細則

がいそふ③【外祖父】母方の祖父。

がいそぼ③【外祖母】母方の祖母。

かいぞめ⓪【買(い)初め】一月二日にその年になって最初の買物をすること。

かいそん⓪【海損】航海中の事故によって生じた船舶・積み荷の損害。

がいそん⓪【外孫】他家に嫁いだ娘が生んだ子。↔内孫ナイソン

かいだ①【快打】―する(自他サ)〔野球で〕胸がすくようなヒットを打つこと。クリーンヒット。

がいだ①【〈咳唾〉】せきとつば。「―珠タマを成す〔=何げなく言った一つひとつの言葉がそのまりっぱな文章になっている〕」

かいたい⓪【拐帯】―する(他サ)「持ち逃げ」の意の漢語的表現。「公金―⓪-⓪」

かいたい⓪【楷体】楷書の書体。⇩行体・草体

かいたい⓪【解体】―する(自他サ)㊀〔作りかえるために〕建造物や機械・器具などをこわしてばらばらにすること。「古い農家を―して移築する/寺の本堂の―修理/自動車の―作業/社内の機構を一度―して再編成する」㊁組織体が統率力を失って崩壊する(ようにさせる)こと。「△ソ連〔党組織〕の―/財閥を―する」㊂Ⓐ家畜などを殺して、そのからだを利用目的などに応じて各部分に切り分けること。「△豚(ニワトリ)を―する」Ⓑ〔人体〕解剖。〔幕末に用いられた語〕「―新書⑤」

かいたい⓪【懐胎】―する(自サ)「懐妊」の改まった表現。

かいだい⓪【改題】―する(他サ)〔本・映画などの〕内容は元のままにしておき、題だけを改めること。「―本ボン⓪」

かいだい①【海内】〔古〕四面海に囲まれた日本国のうち。「―無双/―〔=天下〕統一」

かいだい⓪【開題】―する(他サ)㊀そのお経にはどんな事が書いてあるかの大体を解説△すること(したもの)。㊁「解題」に同じ。

かいだい⓪【解題】―する(他サ) 問題になる本の著者・成立事情・体裁や内容の大体などについての解説。「開題」とも。「名著―」

***かいたく**⓪【開拓】―する(他サ)㊀〈どこヲ―する〉荒れ地や山林を開いて耕地にしたり、その周辺に道路・水道・住宅その他利用価値を高める施設を建設したりすること。「―地③④」㊁〈なにヲ―する〉まだ誰も手をつけていない領域に、新しい分野や進路を切り開くこと。「市場シジョウを―する」

かいだく⓪【快諾】―する(他サ) 相手の△申し出(申込み)を、「はい、承知しました」と言って、その場で引き受けること。

かいだし⓪【買(い)出し】市場・問屋・生産地に直接行って、商品を買うこと。

かいだす③【〈搔(い)〉出す】(他五)〔「搔き出す」の変化〕くみ出す。「船中の水を―」

かいたたく④【買(い)叩く】(他五) ひどく値切って買う。

かいだめ⓪【買(い)溜め】―する(他サ) 品不足や値上がりなどに備えて、必要以上に買っておくこと。 動 買い溜める④(他下一)

がいため⓪【外為】「外国為替」の略。

かいたん⓪【塊炭】大きなかたまりの石炭。

***かいだん**⓪【会談】―する(自サ)〈だれトーする〉組織の代表者などが公的な立場で話し合うこと。また、その話合い。「首相と―する/党首―を開く/首脳―④」

かいだん⓪【快談】―する(自サ)〔気が合うなどして〕話がはずむこと。「―数刻」

かいだん⓪【戒壇】戒律を授けるために設けた△式場(道場)。 **―いん**③【―院】戒壇のある建物。

かいだん⓪【怪談】化け物・幽霊などの出てくる気味の悪い話。「四谷―・―物モノ⓪」

***かいだん**⓪【階段】㊀高さの違う床面をつなぐ、段を設けた通路。「―教室⑤〔=座席が、階段のように、後方になるほど高くなっている教室〕・螺旋ラセン―④」㊁順を追って進むことが求められる地位。「権力の―を昇る」 かぞえ方 ㊀は一段

かいだん⓪【解団】―する(他サ) 予定の行動が終わったりして、その団体の組織を解散すること。「―式③」↔結団

がいたん⓪【慨嘆・慨歎】―する(自サ) ひどい状態になった、今のうちになんとかしなければならぬ、と言って、憤慨すること。

がいたん⓪【骸炭】コークス。

がいだんこうせつ⓪-⓪【街談巷説】あてにならない、世間のうわさ。

かいだんし③【快男子】思った事を遠慮無く言ったりやってのけたりする、さっぱりした気性の男。快男児③。

ガイダンス①〔guidance=指導〕個々の学生・生徒に対し、その学習・進路・生活について、助言・指導すること。〔狭義では、入学時の学内事情の説明(会)を指す〕

がいち①【外地】㊀その国の人が行動する、外国の土地。㊁敗戦前、日本の領土であった朝鮮半島・台湾・南樺太カラフトなどの称。↔内地

かいちく⓪【改築】―する(他サ) 手狭になったり傷みの目立ってきたりした建物の一部または全部を建て直すこと。

かいちゅう⓪【回虫・蛔虫】人間や家畜の小腸に寄生する、形がミミズに似た害虫の総称。色は黄白色や淡桃色。〔カイチュウ科〕 かぞえ方 一匹

かいちゅう⓪(チウ)【改鋳】―する(他サ) 鋳ィなおすこと。鋳なおして全く別の物を作ること。「古銭を―する(=新銭に作りかえる)/鐘を大砲に―する」

かいちゅう⓪【海中】❶海面の下。「―撮影⑤」❷陸から離れた、大洋の真ん中。「―に島あり」

かいちゅう⓪(クワイ)【懐中】―する(他サ) ふところやポケットの中(に入れて持っていること)。〔狭義では、財布を指す。例、「―無一物/―が乏しい」〕 **―でんとう**⑤【―電灯】乾電池を使った、携帯用の小型電灯。 **―どけい**⑤【―《時計》】〔鎖やひもをつけて〕ふところやポケットに入れて携帯する、小型の時計。⇩腕時計・掛け時計・置き時計 表記 ⇩付表「時計」 **―もの**⓪【―物】懐中に入れて持ち歩く財布など。「―ご用心」

がいちゅう⓪(グワイ)【外注】―する(他サ)〔会社・工場などで〕自分の所でまかなえない品物や仕事をよそへ発注すること。

がいちゅう⓪【害虫】人間の生活に直接・間接に害を与える昆虫。例、カ・シロアリ・ゴキブリ・ウンカなど。↔益虫

かいちょう⓪(クワイチヤウ)【会長】❶その会を代表し、仕事を統括する人。「―選挙⑤」❷〔株式会社などで〕任意に設けられる役職。退任した社長が(名誉職的な役職として)任じられることが多い。代表権の有無については企業体によってそれぞれ異なる。

かいちょう①(クワイチヤウ)【回腸】曲がりくねって大腸に続く、小腸の後半部。⇩空腸

かいちょう⓪(クワイテウ)【快調】―な ―に すばらしく調子がいい△こと(様子)。「気分は―そのものだ/エンジンは目下―/―な滑り出し」派 ―さ⓪

かいちょう⓪(クワイテウ)【怪鳥】ふだん見かけたことの無い、不気味なかっこうの鳥。

かいちょう⓪(テウ)【海鳥】海岸や海上の島などにすむ鳥。例、カモメ・アホウドリなど。

かいちょう⓪(チヤウ)【開帳】―する(他サ) ❶厨子シズを開いて秘仏を信者に見せること。〔俗に、ふだん秘して見せないものを衆目にさらすことにも言う〕❷賭場バトを開くこと。表記 ❷は、法律用語としては、「開張」。

かいちょう⓪(テウ)【階調】⇩グラデーション

かいちょう⓪(テウ)【諧調】〔「諧」は、よくそろう意〕音楽の調子よさ。〔ハーモニー・メロディーを意味することもある〕

がいちょう⓪(テウ)【害鳥】農作物などに害を与える鳥。例、スズメ・カラス・ゴイサギなど。↔益鳥

かいちょく⓪【戒〈飭〉】―する(自他サ)〔「飭」は整え慎む意〕公務員などの不始末に対して、将来を戒め謹慎の意を表させること。〔自分自身を戒めることについても言う〕

かいちん⓪【開陳】―する(他サ) 自分の意見をみんなの前で発表すること。

かいつう⓪【開通】―する(自サ) 鉄道・道路・電話などの設備が完成して、使われ始めること。通じること。

かいづか⓪①(カヒ)【貝塚】古代人が食べ捨てた貝の殻などが、地中にうずまって出来た遺跡。彼らの使用した土器・石器などがこの中に交じっている。

かいつけ⓪(カヒ)【買(い)付(け)】❶いつもその店で買っていること。「―の書店」❷〔業者が生産地へ行って多量に〕買いとること。「綿花の―」動 買い付ける④(他下一)

かいつなぎ⓪(カヒ)【買(い)〈繋(ぎ)〉】(何らかの理由で売る一方)相場の上昇を見越して買うこと。↔売り繋ぎ

かいつぶり③【{〈鸊鷉〉}】池や沼にすみ、よく水にもぐる小形の鳥。巣は水面に浮かぶ。「かいつむり」とも。〔カイツブリ科〕〔古名は「にお」〕表記「{〈鸊鷉〉}」は漢語表記。 かぞえ方 一羽

かいつま・む④⓪【〈掻(い)摘まむ〉】(他五)〔「掻カきつまむ」の変化〕全体の中で、細かいところは切り捨て、重要な点だけをおおざっぱにとらえる。「要点をかいつまんで話す」

かいて⓪(カヒ)【買(い)手】その商品を買う人。↔売り手 **―しじょう**④(ヂヤウ)【―市場】需要が供給より少なかったり品がだぶついていたりして、買手の側が有利な立場にあること。↔売り手市場

かいてい⓪ ―する(他サ) ❶【改定】新たに取り決めること。「料金の―(=値上げ。値下げを指すことはほとんどない)」❷【改訂】〔書物の内容などを〕改め直すこと。「―版⓪」

かいてい⓪【海底】海の底。「―の藻屑クズモ(=⇩藻屑)/―火山⑤・―ケーブル⑤・―油田⑤・―トンネル⑤・深―③」

かいてい⓪【開廷】―する(自他サ)〔法廷で〕その日の審理を始めること。また、審理が始まること。↔閉廷

かいてい⓪【階〈梯〉】〔(初歩の)段階の意〕「入門書」の古風な表現。

***かいてき**⓪(クワイ)【快適】―な ―に 文句のつけようが無いほど△調子がよくて(うまく進行して)、気分が晴ればれする様子。「―な船旅/連休を―に過ごす/―性⓪」派 ―さ⓪③

がいてき⓪(グワイ)【外的】―な ―に ↔内的 ❶そのものを取り巻く外部にかかわる様子だ。「―条件」❷〔精神と違って〕肉体や物質にかかわる様子だ。「―欲求・―生活」

がいてき⓪(グワイ)【外敵】△外部(外国)から攻めて来る敵。

かいてん⓪(クワイ)【回天・〈廻天〉】〔天の運行を変える意〕どうしようもないほど衰えた(国の)勢いを、もう一度元に戻すこと。

***かいてん**⓪(クワイ)【回転・〈廻転〉】―する(自他サ) ❶ある軸を中心としてくるくる回ること。また、回すこと。「車輪が―する/―ドア⑤・―運動⑤」❷必要に応じてすばやく方向を転換すること。「頭の―(=働き)が速い/―(=スキーで、旗門の間を右へ左へ曲がりながら通過して滑り降りる)競技⑤」❸滞ったり切れたりすることなく交替が行なわれること。「客の―(=入れ代り)がいいレストラン/―率が△いい(悪い)」❹仕入れた商品や投資した金で生産した品物が売れて、利益が上がること。「―資金」 **―し**③【―子】〔回転する機械の〕回転する部分。 **―しきん**⑤⑥【―資金】事業を順調に続けていくために必要な資金。運転資金。 **―じく**③(ヂク)【―軸】回転の中心になる軸。 **―もくば**⑤【―木馬】⇩メリーゴーラウンド **―よく**③【―翼】〔ヘリコプターで〕垂直の回転軸に取り付けられ、回転することで揚力と推力を生じるプロペラ状の翼。

かいてん⓪【開店】―する(自他サ)↔閉店 ❶初めて店を開いて、営業を始めること。店びらき。「―披露⑤」❷店をあけて、その日の営業を始めること。 **―きゅうぎょう**⓪-⓪(キウゲフ)【―休業】開店していながら客が来なかったりして、営業を休んだも同然のこと。

かいでん⓪【皆伝】〔武道・芸道で〕師から奥義をすべて伝えられ、弟子を取ってもいいと認められること。「免許―」⇩初伝・中伝・奥伝

がいでん⓪(グワイ)【外伝】本伝に漏れた伝記・逸話。「義士―」

がいでん⓪(グワイ)【外電】〔←外国電報〕外国通信社からのニュース。

カイト①〔kite〕洋凧ダコ。かぞえ方 一枚

ガイド①〔guide〕❶指針。「―ゾーン④・―ライン」❷―する(他サ) 観光・登山などの道案内(をする職業の人)。「ツアー―④・バス―」❸〔←guide book〕案内書。手引き。「教科書―⑤」

かいとう⓪(クワイ)【会頭】〔商工会議所など、いくつかの団体の連合組織で〕その組織の代表者。〔会長と同義にも、

** * は重要語，⓪①… はアクセント記号，品詞の指示の無いものは名詞および いわゆる連語。

会長の上の名誉職の意にも用いられる」

*かいとう⓪【回答】―する(自サ)〈なにニ(なんだト)―する〉 他から寄せられた質問に、(文書などで正式に)返事をすること。また、その返事。「―を△求める(渋る)/アンケートに―する/△有額(ゼロ)―」

かいとう⓪【快刀】 すばらしく切れる刀。「―乱麻を断つ[=むずかしい事件や問題をあざやかに解決するたとえ]」

かいとう⓪【快投】―する(自サ)〔野球で〕ピッチャーがすばらしい調子でボールを投げること。

かいとう⓪【怪盗】 神出鬼没であったり手口が巧妙であったりして、胸がすくような感じを与える盗賊。「―ルパン」

かいとう⓪【開湯】―する(他サ) 温泉が発見されて、利用されるようになること。また、温泉施設を始めること。「奈良時代の―/―伝説⑤」

かいとう⓪【開頭】―する(自サ)〔医学で〕手術のために頭の骨を開くこと。「―手術⑤」

かいとう⓪【解党】―する(自他サ) 政党・党派などが解散すること。↔結党

かいとう⓪【解凍】―する(他サ) 冷凍した食品を、冷凍する前の状態に戻し、調理出来るようにすること。

かいとう⓪【解答】―する(自サ) 課せられた問題を解決して、答えを出すこと。また、その答え。「―を求める/模範―④」

かいどう⓪【会同】―する(自サ) 会議のため寄り集まること。「検事長―」

かいどう⓪【会堂】㊀集会のために設けた建物。「公―」㊁〔←教会堂〕キリスト教の教会。

かいどう⓪【怪童】〔普通の子供と違って〕からだが大きく、力の強い子供。

かいどう①⓪【海棠】 庭木として植える落葉低木。春、リンゴの花の形に似た、赤くてあざやかな花を開く。はなかいどう③。〔バラ科〕 かぞえ方 一株・一本

かいどう⓪ ㊀【海道】 海に沿った街道。〔狭義では、東海道を指した。例、「―下り⑤/―一の大親分」〕

㊁【街道】Ⓐ人や車馬の往来の激しい(幹線)道路。「―筋③・日光―⑤[=江戸から日光へ行く街道]・甲州―・川越―」Ⓑ大きな目的に向かってひたすら進む道筋。「優勝―を驀進する/出世―④」

ご―②【五―】 江戸を起点とする主要な五つの幹線道路[=東海道・中山道・甲州街道・日光街道・奥州街道]。 表記 甲州街道・日光街道も、もとは「海道」と書かれた。

がいとう⓪【外灯】 出入りの便宜や警戒などのために屋外に付けた電灯。 かぞえ方 一本・一灯

がいとう⓪【外套】 △防寒(儀礼)用に洋服の上に着る衣服。オーバーコート。 かぞえ方 一着

がいとう⓪【街灯】 通行者の便宜のために、道ばたなどに取りつけた電灯。 かぞえ方 一基・一本・一灯

がいとう⓪【街頭】 町の、人びとの往来の激しい所。「―演説⑤・―録音⑤」 ―ぼきん⑤【―募金】 災害救助などのために緊急に必要とする資金を、駅前や繁華街などで一般の人から集めること。

がいとう⓪【該当】―する(自サ)〔「該」は「その」の意〕その条件にあてはまること。「―者③」

かいどき⓪【買(い)時】 買うのにちょうどよい時機。↔売り時

かいどく⓪【会読】―する(他サ) 人びとが集まって、一緒に書物を読み、研究しあうこと。

かいどく⓪【回読】―する(他サ) 一冊の本を何人かで持ちまわって読むこと。回し読み。

かいどく⓪【解読】―する(他サ) 暗号や普通の人が読めない文字などを読み解くこと。〔広義では、分かりにくい文章を読むことをも指す〕「フランスの言語学者シャンポリオンは、古代エジプトの象形文字を―した/暗号―」⇨判読

かいどく⓪【買(い)得】 ほかで買うよりも安く、買っておいて損にならないこと。「お―の品」 表記 「買い徳」とも書く。

がいどく①【害毒】 広い範囲に波及して、その社会の健全さを損なう、悪い影響。「社会に―を流す」

ガイドライン④〔guideline〕 政府の打ち出す防衛政策・経済政策などについての基本方針。「―を△示す(設ける・見直す)/―に添った法の整備」

かいどり②①【飼(い)鳥】 家で飼う(小)鳥。↔野鳥

かいと・る③【買(い)取る】(他五)〔人が手放しかけているものを〕買って、自分のものにする。 名 買い取り⓪

かいな①【〈腕〉】「うで」のやや古風な表現。「―を返す/―ひねり④[=すもうの技の一つ]」

かいなで⓪【〈掻い撫で〉】〔「掻き撫で」の変化〕皮相の知識を持っているだけで、必ずしも深くないし、本質をきわめてもいないこと。「―の[=世間一般の凡庸な]学者」

かいなら・す④【飼(い)慣らす・飼(い)〈馴らす〉】(他五) ㊀野生の動物に餌づけをして人に馴れさせる。㊁下の者などを手なずけて、何でも自分の言うとおりに従わせる。「部下を―」

かいなん⓪【海難】 航海中に起こる(人命にかかわる)事故や災害。「―事故⑤・―救助⑤・―審判」 ―しんぱんしょ⓪⑨【―審判所】 海難の原因を明らかにし、責任の有無を審理する機関。国土交通省の特別の機関の一つ。

かいなんぷう③⓪【海軟風】 昼間、海から陸上へ向かって吹く風。海風。↔陸軟風

かいにゅう⓪【介入】―する(自サ) 第三者が事件にかかわること。「武力―④」

かいにん⓪【解任】―する(他サ) 任務をやめさせること。

かいにん⓪【懐妊】―する(自サ)「妊娠」のやや改まった表現。

かいにんそう⓪【海人草】 マクリの薬品としての称。

かいぬし⓪②【買(い)主】 その品物の買い手。↔売り主

かいぬし②①【飼(い)主】 その動物を飼っている人。

かいね⓪【買値】 ㊀買い入れのもとね。↔売値 ㊁その品物を買い△取る(取った)時の値段。

かいねこ⓪【飼(い)猫】 家で飼っている猫。

*がいねん①【概念】「…とは何か」ということについての受取り方(を表わす考え)。「日本人のいだく平和の―/所得の―/基本―④・抽象―・上位―④」 ―ず③【―図】 構築物や機械の構造や地形などの全体の様子がとらえられるように描かれた簡単な図。 ―てき⓪【―的】 ㊀個々の事物の特殊性を問題にしないで、共通性だけを取り出して扱う様子だ。㊁実証的(実際的)でなくて、経験的知識などをもとにした△推測(推論)に依存している様子だ。

がいねんきかん⑤【外燃機関】 機関の本体とは別に燃焼室を設け、そこで生じたエネルギーを利用する機関。蒸気機関など。↔内燃機関

かいのう⓪【皆納】―する(他サ) 納めるべき金などを△全額(予定者が全員)納めること。

かいのくち③⓪【貝の口】 角帯や女物の半幅帯の結び方。

かいは①【会派】 主義主張を同じくする者が結成した政治グループ。

かいば①【海馬】 ㊀㊀タツノオトシゴの異称。㊁セイウチの異称。㊁大脳半球の内側にあり、本能・情動および記憶

に関する中枢がある部位。「—体[0]」

かいば[0] (カヒ)【飼(い)葉】 牛や馬に食べさせる、草や わらなど。まぐさ。「—桶(ケオ)[4][3]」

かいはい[0]【改廃】—する(他サ) 〔時勢にあわなくなった制度・法律などを〕改めることと やめること。

かいばい[0] (カヒ)(バヒ)【貝灰】 カキなどの貝殻を焼いて作った灰。

がいはいよう[3] (グワイ)(エフ)【外〈胚葉】 胚葉のうち、後に主に表皮や感覚器官などに発達するもの。

がいはく[0] (グワイ)【外泊】—する(自サ) いつも寝る宿所、特に自分の家以外の場所に泊まること。

がいはく[0]【該博】—な 学問・知識が広く、知らない事は何も無い(ように見える)様子。「—な知識」 派—さ[0]

かいはくしょく[3][4] (クワイ)【灰白色】 灰色がかった白色。灰白。

かいばしら[3] (カヒ)【貝柱】 ❶二枚貝の貝殻を開いたり閉じたりする筋肉。 ❷ホタテガイなどの貝柱を煮て干した食品。はしら。

*__かいはつ__[0]【開発】—する(他サ) ❶〈どこヲ—する〉 山林や原野を切り開いて、宅地・道路・空港・工場やリゾート施設など、人間生活に直接役立つ用途に当てること。「過度の—/沿線を—する/乱—」 ❷〈なにヲ—する〉〔研究などを進めて〕実用化すること。「—が△進む(遅れる)/新薬を—する」 ❸〈なにヲ—する〉 潜在的に備わっている可能性がある能力などを うまく引き出すこと。「才能を—する」 **—きょういく**[5] (ケウ)【—教育】 個性・自主性を伸長することを重視した教育法。 **—とじょうこく**[6] (ジヤウ)【—途上国】 ⇩発展途上国

かいばつ[0]【海抜】 平均海水面からの高さ。〔日本では東京湾のそれを、ゼロメートルとする〕陸地の高さや飛行高度を示す際に用いる。標高。「—の低い土地/—ゼロメートル地帯」

がいはつてき[0] (グワイ)【外発的】—な/—に そのものの自発的欲求に基づかず、もっぱら他からの影響や啓発を受けて そうなる様子。「—な日本の開化」 ↕内発的

かいはん[0]【改版】—する(他サ) 出版物の内容に手を入れ、版を新しくして出すこと。また、その出版物。

かいはん[0]【開板】—する(他サ) 〔木版本の〕出版。

かいはん[0]【解版】—する(自サ) 一度組んだ活字版をばらばらにして、一つひとつの活字に戻すこと。

がいはんぼし[5] (グワイ)【外反母〈趾・外反〈拇趾〉】 足の親指が第二指の方に曲がった状態。先の細いハイ ヒールを長時間履き続ける女性に多く見られる。

かいひ[0] (クワイ)【会費】 その会を成り立たせるための費用(で、会員が出す金額)。「生徒会の—」

*__かいひ__[1] (クワイ)【回避】—する(他サ)〈なにヲ—する〉 それから生じる不結果を恐れて、避けようとすること。「△危機(混乱)を—する/責任—」

かいひ[1]【海彼】 先進文明国としての外国。〔狭義では、日本にとって隋(イズ)・唐・宋(ソウ)などを指した〕

かいひ[1]【開披】—する(他サ) 封書を開けること。

かいひ[1]【開扉】—する(自他サ) とびら・ドア△が開く(を開ける)こと。〔狭義では、秘仏の開帳の意として用いられる〕

かいび[1] (クワイ)【快美】—な うっとりするほどの 快さを誘う様子。

がいひ[1] (グワイ)【外皮】 その組織の外側を包む皮。〔狭義では、皮膚を指す〕

かいびかえ[0] (カヒ)(ビカヘ)【買(い)控(え)】—する(自他サ) むだな支出を避けるために、耐久消費財や不要不急の品物の購入を一時見合わせること。「不景気による—」 動買い控える[5][0](自他下一)

かいびゃく[0]【開〈闢】 〔「闢」も開く意〕万物の生成の初期、混沌(コントン)未分のものから天と地とが分かれ出て来た△こと(初め)。「—以来[5](=歴史が始まってから今まで)」

かいひょう[0] (ヘウ)【海〈豹】 アザラシの異称。

かいひょう[0] (ヘウ)【開票】—する(自他サ) 投票箱を開いて、投票の結果を調べること。「即日—[5]」

かいひょう[0]【解氷】—する(自他サ) ❶春になって、海・湖・川などの氷が溶けること。 ❷解凍(すること)。

がいひょう[0] (ヒヤウ)【概評】—する(他サ) 細かいところは切り捨て、大体のところを おおざっぱに批評すること。また、その批評。

かいひん[0]【海浜】 海に沿って帯状に延びる、平坦(ヘイタン)な土地。「—公園[5]」

がいひん[0] (グワイ)【外賓】 外国から来ている公の客。

かいふ[1][0] (クワイ)【回付・〈廻附】—する(他サ) 書類を正式に送り届けること。〔国会法では、一方の議院から送付されたものを修正議決して、再びその議院に送付することを指す〕

かいふ[1]【開府】 役所を設けること。「江戸—(=江戸に幕府が置かれ、城下町としての江戸が起こったこと)」

がいぶ[1] (グワイ)【外侮】 △外部(外国)から軽蔑(ケイベツ)されること。「—を受けるほどの軟弱外交」

がいぶ[1] (グワイ)【外部】 建物や組織の外(側)。「—に漏らす/—の者(=自分たちの仲間以外の人びと)」 ↕内部

かいふう[0]【海風】 ❶海上を吹く風。 ❷「海軟風」の異称。 ↕陸風

かいふう[0]【開封】 ❶—する(他サ) 手紙などの封を開くこと。 ❷ひらきふう。

がいふう[0]【〈凱風】 〔「凱」は「やわらかい」意〕初夏に吹くおだやかな南風。「—快晴」

**__かいふく__[0] (クワイ)【回復・〈恢復】—する(自他サ) ❶病人やけが人が、力が付いたり手当てが行なわれたりして、もとの健康な状態に戻ること。「—期の患者」 ❷一度失われた事態から立ち直る機会を得て、元通りの、よかった状態を取り返すこと。「△信用(主権)の—を図る/景気が—する/国同士の関係を—する/意識を—させる」 表記 ❶は、「快復」とも書く。

かいふく[0]【開腹】—する(自サ) 手術のために腹を切り開くこと。「—手術[5]」

かいぶし[0][2]【蚊〈燻(し)】 蚊を追い出すために、おがくずなどをいぶすこと。また、その火や煙。かやり(火)。

かいぶつ[0] (クワイ)【怪物】 正体の分からない生き物や化け物。〔常識からは予想されないような大胆なことを平然とやってのける実力者の意にも用いられる〕「—退治[5]」

がいぶつ[0] (グワイ)【外物】 自分に対する、外界のすべての物。

かいぶん[0] (クワイ)【回文・〈廻文】 ❶〔仮名三字以上で綴(ツヅ)られる言葉で〕逆に終りから読んでも、もとと同じ△言葉(綴り)になるもの。例、「逆さ・田植え歌・たけやぶやけた」。 ❷「回覧状」の意の古風な表現。

かいぶん[1] (クワイ)【灰分】 その物の成分としての灰。

かいぶん[0] (クワイ)【怪聞】 真偽のほどが疑わしいうわさ。

がいぶん[0] (グワイ)【外聞】 ❶ほかの人に知られること。「—をはばかる」 ❷世間に聞こえたり 知られたりした時の体裁。「—が悪い」

かいぶんしょ[3] (クワイ)【怪文書】 個人や団体の機密を暴露したり 中傷したり した、出所の分からない文書。

がいぶんぴつ[3] (グワイ)【外分泌】 分泌物が皮膚の外側などに出ること。例、汗・つば。「がいぶんぴ[3]」とも。 ↕内分泌

かいへい[0]【海兵】 ❶海軍の兵・下士官。 ❷陸戦隊の兵。 ❸「海軍兵学校[1]-[3]、[7]」の略。 **—たい**[0]【—隊】 海軍で、上陸作戦において、地上戦にあたる部隊。〔アメリ

カでは陸海空軍と並び独立した軍隊〕

かいへい[0]【皆兵】その国籍を有する男子全部が兵役に服する義務を持つこと。「国民━[0]-[0]」⇩徴兵

かいへい[0]【開平】─する(他サ)〔平方に開く意〕〔数学で〕正数の平方根を求めること。「━法〔=開平の計算法。かつては、『開平方』とも書いた〕／64を━すると±8」

かいへい[0]【開閉】─する(自他サ) 開くことと閉じること。あけたて。 **━き**[3]【━器】電気回路を切ったりつないだりする器具。スイッチ。 かぞえ方 一台 **━き**[3]【━機】遮断機。

がいへき[0]【外壁】(グワイ) ↕内壁 ❶△外側の(外に向いた)壁。 ❷火口壁の外側。

かいへん[0]【改変】─する(他サ) 内容を改めること。「制度の━」

かいへん[0]【改編】─する(他サ) ❶一度作った組織をもう一度作り直すこと。❷再編集。

かいへん[0]【海辺】「うみべ」の漢語的表現。「━の小村」

かいへん[0]【貝偏】(カヒ) 漢字の部首名の一つ。「財・貯・賜」などの、左側の「貝」の部分。〔古代中国で、貨幣として用いられた貝が貨幣や財産にかかわる漢字となった〕

かいべん[0]【快弁】(クワイ) とめどもない雄弁。「━をふるう」 表記「弁」の旧字体は「辯」。

かいべん[0]【快便】(クワイ) 便通が滞らず、排泄(ハイセツ)したあと、さっぱりした気分になれること。「快食快眠━」

がいへん[0]【外編・外篇】(グワイ) 〔本の〕内編・本編以後に書き足された部分。↕内編

かいほう[1]【介抱】(ハウ)─する(他サ) 〔女をだく意の古語「懐抱」からという〕病人・けが人や高齢者など、弱者の身辺の世話をすること。

かいほう[0]【会報】(クワイ) 会員に知らせるべき報告事項(を記事とした雑誌や印刷物)。

かいほう[0]【回報・廻報】(クワイ) ❶正式の文書による返事。❷(定期的に)関係者に回覧する文書。

かいほう[0]【快方】(クワイハウ) 病気・負傷が治りかける状態。「━に向かう」

かいほう[0]【快報】(クワイ) (予期していなかった)すばらしい知らせ。「━に接する」

かいほう[0]【海堡】 海上に構築した砲台。「かいほ[1]」とも。

＊**かいほう**[0]【開放】(ハウ)─する(他サ) ↕閉鎖 ❶〈なにヲ━する〉(戸などを)あけはなすこと。「ドアを━したままにしないこと／━感／━的な〔=ⓐあけっぴろげな。ⓑあけっぱなしな〕性格／━感のある居住空間」 ❷〈だれニなに・どこヲ━する〉Ⓐ施設を部外者にも広く利用出来るようにすること。「△大学の(広く)門戸を━する」 Ⓑ禁止や制約をなくし、活動・行動を自由にできるようにすること。「市場━」 **━せいけっかく**[7]【━性結核】つばやたんなどに結核菌が認められて、他人にうつる危険性のある症状の結核。

かいほう[0]【開法】(ハフ) 〔数学で〕開平法・開立法など、累乗根を求める計算法の総称。 表記「開方(カイハウ)」とも書く。

かいほう[0]【解放】(ハウ)─する(他サ) 有形・無形の束縛や部外者に対する制限を無くして、自由な行動を許すこと。「奴隷(ドレイ)を━する／しばらく家庭を離れて━感を味わう／━区[3]」

かいほう[0]【懐抱】(クワイハウ)─する(他サ) いつか実行しようと思う考えや計画などを心の中に持つこと。〔古語では、女を抱く意〕

かいぼう[0]【海防】(バウ) 〔鎖国時代の語で〕船で来寇(ライコウ)する敵に対する防備。「━艦[0]」

かいぼう[0]【解剖】─する(他サ) ❶〔「剖」は開き分ける意〕病原・死因を探ったり 部分の構造・作用などを調べたりするために、(死んだ)生物のからだを切り開くこと。「━学[3]」 ❷〔「剖」は分析の意〕事情を細かく分析して調べること。

がいほう[0]【外邦】(グワイハウ) 外国。

がいほう[0]【外報】(グワイ) 外国からの通信・電報。「━部[3]」

がいぼう[0]【外貌】(グワイバウ) 外から見た様子。〔狭義では、美醜の基準としての顔かたちを指す〕

かいほうせき[3]【海泡石】(ハウ) なめらかできめが細かい、粘土状の石。(灰)白色。パイプに使う。

かいぼり[0]【搔い掘り】─する(他サ) 堀や池などの水をよそへ出して、中の魚や植物を取ること。〔広義では、井戸ざらえにも言う〕 表記「搔い堀」とも書く。

かいまい[0]【回米】(クワイ) 生産地で消費せず、そこから送られて来た米。〔江戸時代では、江戸・大坂への回米の特称〕

がいまい[0]【外米】(グワイ) 〔国産のを内地米と言うのに対して〕△外国から輸入する(外国産の)米。

かいまき[0]【搔い巻き】〔「搔き巻」の変化〕綿(ワタ)を薄く入れた、そでの付いた夜着(ヨギ)。肌に直接掛けて寝る。 かぞえ方 一枚

かいまく[0]【開幕】─する(自他サ) 幕をあけて演劇・映画などを始める(が始まる)こと。〔広義では、催し物などが始まる意にも用いられる。例、「プロ野球公式戦の━」〕↕閉幕・終幕

かいま・みる[4]【《垣間見る》】(他上一)〔「垣(カキ)間見る」の変化〕❶すきまから、ちらりと見る。❷△関係者(専門家)以外には容易に知ることのできない事柄について、ちょっとした機会を得てその一端を見てとる。「今回の一連の不祥事を通して政界の裏面を━思いがした／電子ビームを使いミクロの世界を━」 自動 かいま見える[5](下一)

かいみょう[1]【戒名】(ミヤウ) 〔出家する人に戒を授ける時に付ける名、の意から〕僧が死者に付ける名。↕俗名(ゾクミョウ)

かいみん[0]【快眠】(クワイ)─する(自サ) すばらしくよく眠ること。また、その眠り。

かいむ[1]【会務】(クワイ) その会の事務。

かいむ[1]【海霧】 海上にたつ霧。

かいむ[1]【皆無】 △該当例(可能性)が全然無いこと。「━に△近い(等しい)」

がいむ[1]【外務】(グワイ) ❶外国に関する政務。❷外勤。 **━いん**[3]【━員】(キン)「外勤社員」の意の婉曲(エンキョク)表現。 **━しょう**[3]【━省】(シヤウ) 外交官・領事の派遣、条約の締結、通商貿易の保護、海外渡航などに関する行政事務を処理する中央官庁。〔長官は、外務大臣[4]。別称は外相・外務相[3]〕

かいめい[0]【改名】─する(自他サ) 名を変えること。また、改めた名前。「━届[5]」⇩原名

かいめい[0]【晦冥】(クワイ) (厚い雲におおわれるなどして)空がまっくらになること。また、そのくらい空。「天地━[1]-[0]」

かいめい[0]【開明】 ❶─する(他サ) 未開・未知の部面を明らかにし、新しい知見を獲得すること。「宇宙の神秘を━する」 ❷新しい世界の情勢に対応出来る知識や判断力を持っていること。〔古くは開化と同義に用いられた〕「━派[0]・━的[0]」〔❶❷とも、古語的〕

かいめい[0]【階名】 〔音楽で〕音階の中の、一つひとつの音の名前。例、ド・レ・ミ・ファ・ソ・ラ・シの七音。↕音名

かいめい[0]【解明】─する(他サ) 〔不明な点を〕調べたり 研究したりして、はっきりさせること。「事件の━に当たる／━に努める／真相を━する」

かいめつ[0]【壊滅・潰滅】(クワイ)─する(自サ) 組織がめちゃめちゃになって、滅びること。「━の危機に瀕(ヒン)する／━的打

撃」

かいめん[0][3]【海面】 海の表面。「―下」

かいめん[0]【海綿】❶「海綿動物」の略。❷海綿動物の骨格。細かな穴がたくさん開き、ワタのように柔らかで、水分を吸う。化粧・事務・医療用。 **―たい**[0]【―体】 陰茎・陰核にある海綿状の組織。 **―どうぶつ**[5]【―動物】 岩・海藻などに付着したりして生きる下等動物。死後、ヘチマの繊維に似た骨格を事務用品などとして使う。

がいめん[0][3]【外面】↔内面 ❶その物の外側を構成している面。❷人や組織体の、△内心(内実)とは必ずしも一致しない、外からとらえられる様子。「―は平静をよそおう/―をとりつくろう」 **―てき**[0]【―的】 外部からとらえられる面だけを問題とする様子だ。「―な特徴/―なものの見方」↔内面的

かいめんかっせいざい[7]【界面活性剤】 他の異質の物質との境界面にある液体の表面張力を低下させる働きをする物質。水に対するせっけん・油・アルコールなどのように、多く洗剤として利用される。表面活性剤[7]。

かいもく[0]【皆目】(副)〔否定表現と呼応して〕知識・情報が全く得られず判断のしようがないことを表わす。「行くえが―分からない/今後の動向は、―見当が付かない」

かいもど・す[4]【買(い)戻す】(他五) 一度売ったものを、また買い取る。「土地を―」 名買い戻し[0]

かいもの[3][2]【《支(い)物》】 すき間をふさぐための詰め物。

かいもの[0]【買(い)物】❶―する(自サ) 物を買うこと。「デパートに―に行く/下情に通じる近道としての―/―客[4]・―上手[5]・―好き[0]」❷買う予定の物。また、買った物。「―〔=買うべき物〕のリスト/山のような―〔=買って来た物〕/それは―〔=有利な買物〕だ」

かいもん[0]【開門】―する(自サ) 門を開くこと。↔閉門

がいや[0]【外野】↔内野 〔野球で〕Ⓐ内野の後方の地帯。〔やじ馬的な立場に立って興味本位に事の進展を見守っている傍観者の意にも用いられる〕Ⓑ外野手。 **―しゅ**[3]【―手】 外野を守る選手。レフト・センター・ライト。外野。↔内野手

かいやき[0]【貝焼(き)】❶貝殻のついたまま貝を焼くこと。❷なべなどの代りに貝殻に入れて食物を焼くこと。

かいやく[0]【改訳】―する(他サ) 訳し△直すこと(直したもの)。

かいやく[0]【解約】―する(他サ) 契約を取り消すこと。キャンセル。

かいゆ[1]【快癒】―する(自サ) 病気やけがが、完全に治ること。

かいゆう[0]【会友】❶その会の△会員(仲間)。❷会員以外で、その会と深い関係のある人(に与える称号)。

かいゆう[0]【回遊・〈廻遊〉】―する(自サ) ❶あちこちをまわりながら楽しむこと。「―式庭園・―券[3]」 ❷【回〈游〉】魚群が季節的に移動すること。「―魚[3]」

がいゆう[0]【外遊】―する(自サ) 外国に旅行すること。

かいよう[0]【海洋】「海」の総称的な呼称。「―漁業[5]・―気象台[0]・―深層水〔⇩深層水〕」 **―せいきこう**[7]、[0]-[0]【―性気候】 雨量が多く、湿度が高く、気温の変化が少ない気候。↔大陸性気候

かいよう[0]【海容】―する(他サ) 〔海がなんでも広く受け入れる意〕大きな度量で相手の失敗を許すこと。 運用 多く手紙文や改まった場の挨拶で、「(なにとぞ)ご海容くださいい/ご海容のほど(お願い申し上げます)」などの形で、相手に許しや了解を請うのに用いられる。

かいよう[0]【潰瘍】 皮膚や粘膜の組織が深部まで△そこなわれること(そこなわれたもの)。「胃―」

がいよう[0]【外用】―する(他サ) 皮膚や粘膜などに薬をつけること。「―薬[3]」↔内用・内服

がいよう[0]【外洋】「そとうみ」の意の漢語的表現。陸から遠く離れた海域。外海。↔内洋

がいよう[0]【外容】 内容・精神の(美しい)発現として見られる外形。

がいよう[0] ❶【概容】 そのものの内容の概要。❷【概要】 細かい点は切り捨てた、おおざっぱなところ。あらまし。

かいらい[0]【界雷】 前線の境に生じた上昇気流によって発生する雷。

かいらい[0]【〈傀儡〉】〔「操り人形」の意〕黒幕に操られ、舞台の表面で踊らされる人。「―政権[5]」 **―し**[3]【―師】「人形遣い」の意の漢語的表現。〔広義では、陰で人を操る策士をも指す〕

がいらい[0]【外来】❶△よそ(外国)から来ること。「―思想[5]」 ❷〔←外来患者[5]〕〔入院患者に対して〕その人自身が病院に行って診療を受ける患者。 **―ご**[0]【―語】 もと、外国語だったものが、国語の中に取り入れられた言葉。「借用語[0]」の一種。〔狭義では、欧米語からのそれを指す。例、ガラス・パン・ピアノなど〕 **―しゅ**[3]【―種】 元来ある地域に存在しなかったが、他所から移入されて生息するようになった動植物の種。↔固有種

かいらく[0][1]【快楽】 生きていることの楽しさを感じさせる感覚の満足感。「人生の―」

かいらん[0]【回覧・〈廻覧〉】―する(他サ) ❶雑誌・書類などを人から人へと順にまわして見ること。「社内通達を―する/町内会の―板」 ❷次から次へと△各所(各地)を見てまわること。 **―じょう**[0]【―状】 関係者に回覧する文書。

かいらん[0]【解〈纜〉】―する(自サ) 〔「纜」は、ともづなの意〕停泊していた船が出航すること。

かいらん[0]【壊乱・潰乱】―する(自他サ) ❶戦闘に負けた軍隊が隊列を乱して逃げること。❷秩序を乱して、収拾のつかないほどひどい状態にすること。「風俗―[1]-[0]」

かいり[1]【〈乖離〉】―する(自サ) そのものとの結びつきがしっくりせず離れ離れになること。「―が大きい/人心の―〔=すっかり離れること〕」

かいり[1]【海里】 海上における長さの単位で、一・八五二キロメートルを表わす。〔地球表面上で経度が等しく緯度が一分だけ異なる二点間の距離に相当する〕「沿岸から二百―以内の排他的経済水域」 表記「〈浬〉」とも書く。新聞などでは「カイリ」と書かれることが多い。

かいり[1]【海〈狸〉】⇩ビーバー

かいり[0][1]【解離】―する(自他サ) 分子や結晶が、より小さな原子や原子団やイオンに分解すること。

かいりき[0]【戒力】〔仏教で〕戒律を保って得る功力。

かいりき[0]【怪力】 すばらしい大力。「―無双の男」

かいりく[1]【海陸】❶海と陸。❷海軍と陸軍。 **―ふう**[0][4]【―風】 海と陸の気温の差により、昼は海から陸へ、夜は陸から海へ吹く風。

かいりつ[0]【戒律】〔仏教などで〕俗世から離れて生活する僧の守るべき規律。〔「戒」は自発的に規律を守ろうとする心のはたらき、「律」は他律的な規範〕「―と勤行に明け暮れる毎日」

がいりゃく[0]【概略】 細かい所は省いた、大体の事情。

かいりゅう[0]【海流】 常に一定の方向へ移動する海水の流れ。暖流・寒流など。「日本―」 **―はつでん**[5]【―発電】 海流のエネルギーを動力とする発電。海流による水車や羽根の回転を利用して電気を起こす。潮力発電。

かいりゅう[0]【開立】―する(他サ)〔立方に開く、の意〕〔数学で〕数の立方根を求めること。「かいりつ」とも。「―法〔=開立の計算法。かつては、『開立方』とも書いた〕」

かいりょう[0]【改良】―する(他サ) 欠陥のある物をくふうして、よりよい物にすること。「―を加える/―の余地が大きい」 **―しゅ**[3]【―種】 改良した品種。⇩原種

かいりょう[2][1][3]【飼(い)料】 家畜を養うための△食料(費用)。

かいりょく[0]【怪力】 人知を超えていて、人を迷わしやすい不思議な現象と、道理を無視して行使されやすい野蛮な力。「―乱神[0]-[0]〔=『乱』は世間の風俗・秩序を乱すもの、『神』は『怪』とほぼ同義。以上の四つは、孔子が無視するものの代表とされた〕」

がいりょく[1]【外力】 外部からそのものに働きかける力。また、そのものが外部のものから受ける力。

がいりん[0]【外輪】❶外側の輪。❷車輪の外側に取り付けた鉄鋼製のおおい。 **―ざん**[3]【―山】 二重火山の、古く噴火した、外側の火口壁。例、箱根の金時山のある山稜など。↔内輪山 **―せん**[0]【―船】 △中央部の両側(船尾)に取り付けた水車風の推進車を蒸気機関などで回転させて動く旧式の船。現在でも、底の浅い河川や湖水では使用される。

かいれい[0]【回礼】―する(自サ) 方々をまわって礼を述べること。〔狭義では、年賀にまわることを指す〕

かいれい[0]【海〈嶺】 大洋の底にある海底山脈。急傾斜の側面を持つ。「大西洋中央―[3]-[5]」

かいれき[0]【改暦】❶こよみ・暦法を改めること。❷〔年が改まる意〕新年。

かいろ[1]【回路】〔circuit の訳語〕物質やエネルギーの循環する道筋。「―が閉じている/電子―[4]・集積―〔=⇩集積回路〕」

かいろ[1]【海路】 海上の航路。〔交通機関として船を利用する意にも用いられる〕「待てば―の日和あり〔=ⓐその日はしけで船が出せなくとも、何日か気長に待っているうちに、必ず海上の荒れも収まるものだ。ⓑ長い目で待っているうちに、良い事があるものだ〕」⇩陸路・空路

かいろ[1]【懐炉】 衣服の内側に入れてからだを暖めるための道具。「―灰[3]・白金―[5]・使い捨て―」〔かぞえ方〕一枚・一袋

がいろ[1]【街路】〔計画的につくった〕町の道路。「―灯[0]」 **―じゅ**[3]【―樹】 市街に美観を添え、また環境の整備・保全のために、植えてある並木。プラタナス・マロニエ・アカシア・イチョウなどで落葉樹が多い。〔かぞえ方〕一本

かいろう[0]【回廊・〈廻廊】 建物をぐるりと囲み、折れ曲がって長く続く廊下。「―地帯[5]〔=第一次世界大戦後、ドイツ領の東プロシアがドイツ本土から切りはなされた結果、バルト海沿岸まで延びた細長いポーランドの領土。ポーランド回廊[6]〕」

かいろうどうけつ【〈偕老同穴】❶[0]-[0]〔詩経に出ている語で〕夫婦が仲よく長生きをし、死んでからも一緒に葬られること。❷[5] 深海の底にすむ、円筒形の海綿動物。かご状の骨格の中に、一対のエビが入っていることがある。〔カイロウドウケツ科〕

かいろく[0][1]【回〈禄】〔伝説中の火の神の意〕「火事」の意の改まった表現。「―の災いにあう〔=火事になって、家が焼ける〕」

カイロプラクティック[5][7]〔chiropractic. chiro- =もとギリシャ語で、手の意〕背骨や骨盤のゆがみを徒手によって矯正する治療法。カイロプラクチック[5][7]とも。〔広義では、薬物や手術による方法を除く体操・食餌療法・物理療法を含む治療法を指す〕

がいろん[0]【概論】―する(他サ) その学問の輪郭と研究法の大体を△説くこと(説いたもの)。

かいわ[0]【会話】―する(自サ)〔日常生活において〕意志の疎通を図ったり用を足したりするための話のやりとり。「ぽんぽんとはずむ知的―/ほとんど―も無い生活に耐えられないので、とうとう別れることになった/―が成立しない/―文[3][0]〔=小説などで、登場人物が会話をかわしている部分。↔地の文〕・―録[3]・日常―・英―[3]」

かいわ[0]【諧和】❶ほかの人と親しく交わること。❷音楽の調子などがよく整って美しいこと。

かいわい[1]【界〈隈】 問題になっている場所とその周辺の地域。「銀座―[4]」

かいわれな[4]【貝割(れ)菜】〔二葉の形を二枚貝の開いた形に見たてたもの〕ダイコンなどの二葉を摘んだもの。つみ菜。「貝割れ[0]・貝割り(菜)」とも。

かいわん[0]【怪腕】 目を見張るほどのすぐれた腕前。「―を振るう」

カイン[1]〔kine〕 地震の揺れの強さを速度で表わした単位〔記号 kine〕。一カインは、一秒間に一センチメートル動くことを表わす。

かいん[0]【下院】〔二院制度の国で〕直接選挙によって公選された議員で組織する議院。〔日本の衆議院に当たる〕↔上院

がいん[0]【画因】 絵のモチーフ。

か・う[1]【《支う】(他五) 動きやすかったり不安定であったりするのを防ぐために、ささえとしてあてがう。「しんばり棒を―」

****か・う**[0]【買う】(他五) ❶〈(だれカラ・だれニ)なにヲ―〉△ほしい(価値があると認められる)物を、代金を払って自分の物とする。「△土地(家)を―/子供におもちゃを―/芸者を―〔=呼んで遊ぶ〕/歓心を―〔=⇩歓心〕」↔売る ❷〈なにヲ―〉(高く)評価する。「熱意を―/才能を―〔=才能があることを認める〕」 ❸〈なにヲ―〉自分が犠牲になってもかまわないという気持で、何かを引き受ける。「一役―/調停役を買って出る」 ❹〈(だれカラ)なにヲ―〉自分の言動が原因になって、不結果を身に受ける。「恨みを―〔=結果的に、人から恨まれるようになる〕/囲りの人の顰蹙を―言動/△反感(失笑・不興)を―」〔「買った」に当たる形は、関西では「買うた」〕

か・う[1]【飼う】(他五) 動物にえさを△与える(与えて養う)。名 飼い[0]「放し―・子―」

ガウチョ[1]〔ス gaucho〕 南米のパンパ草原のカウボーイ。「―パンツ[4]〔=ガウチョが着用していたすそ幅の広いズボンに似た、女性用のズボン〕」

カウボーイ[3]〔cowboy〕 アメリカ西部などの牧場で働く、牛飼いの男。牧童。

かうん[0][1]【家運】 一家の運命。「―が傾く」

ガウン[1]〔gown〕❶〔欧米の僧・裁判官・大学教授などが正装として着る〕長くてゆったりした職服。❷長くてゆったりした室内着。「ナイト―[4]」〔かぞえ方〕❶❷とも一枚

カウンセリング[2][0]〔counseling〕 学校生活・社会生活の中で、悩みを持つ人に対し、それを解決するための助言を与えること。〔その任に当たる人はカウンセラー[2][4]〕

カウンター[0]〔counter〕[一]❶帳場や勘定台(で用いる計算器)。❷ボタンを押すと数字が出る、小型の計数器。数取り器[4]。❸〔バーや飲み屋などで〕調理場のすぐ前に腰かけて、酒を飲ませるように長く作った台。❹商品を陳列する棚。店台。[二]〔反対の意〕〔ボクシングで〕相手の出ばなを打つこと。「―ブロー[7]」 **―テナー**[6]〔countertenor〕

テノールより高い男声で、男声の最高音域(の歌手)。

カウント[0] —する(他サ)〔count〕❶数をかぞえること。「乗客数を—する」❷〔球技で〕投球数や得点などをかぞえること。「—をとる/ボール—」❸〔ボクシングで〕一方が倒れたあとの秒数をかぞえること。❹放射能を持った粒子をガイガー計数管で計った数。 **—アウト**[5]〔countout〕〔ボクシングで〕カウントをかぞえつくして、ノックアウトを宣告すること。 **—ダウン**[5]〔countdown〕❶将来の、ある決まった時刻や期日をゼロとして、それまでの時間が刻々と減っていくととらえて、その、日・時・分・秒などの数を大きい方から小さい方へとかぞえていくこと。〔特に、秒読みを指す。例、「大晦日から新年に向けての—」〕❷順位を低い方から最高位へと向かって順に取り上げていくこと。

かえ[0]【代(え)】❶かわり(のもの)。「電球の—〔=予備〕/—〔=代理〕が居ないので休めない」❷〔交換の〕割合。「一台千円—で買う」 表記 「替え・換え」とも書く。

かえうた[0]【替(え)歌】ある歌の節に、違う歌詞を付けたもの。こっけいで品の無いものが多い。

かえぎ[0]【替(え)着】着替えの着物。

かえし【返(し)】■一[3]❶返すこと。返し与えるもの。「図書館から借りた本を—に行く/お—に私からも一つ/お祝いの—/二百円のお—〔=おつり〕です/おうむ—」❷〔雅〕相手から贈られた歌に対する返しの歌。返し歌。❸波・風・地震が一度やんでまたおこること。「揺り—」■二(造語) 動詞「返す」の連用形。 **—うた**[3]【—歌】〔雅〕❶贈られた歌に答えて詠んだ歌。「返歌」とも。❷長歌のあとに添える短歌。「反歌」とも。 **—ぬい**[0]【—縫(い)】—する(自サ) 縫い目をしっかりさせたい時に、一針ごとに少しあとへ返して縫い進む縫い方。

****かえ・す**[1](他五) ■一【返す】❶〈どこ・だれニ なにヲ—〉(一時的に)他の△所(人の手)に移動していたものを、再びもとあった所や本来の所有者の所に移動させる。「読み終わった本をもとの棚に—/借りた△お金(かさ)を—/借りを—/きびすを—〔=⇨きびす〕/問題を白紙に—〔=⇨白紙❶〕/取り—・奪い—」❷〈だれニ なにヲ—〉相手から受けた行為に対して、こちらからも得失が釣り合うような対応をする。「△挨拶(返事)を—/恩をあだで—/お言葉を—〔=逆らった物言いをする〕ようですが/言い—・打ち—・にらみ—・切り—」❸〔自動詞的用法〕それまでと逆の方向に移動するようになる。「寄せては—波/途中から△取って(引き)—/熱がぶり—」❹〔「動詞連用形＋—」の形で、接尾語的に〕一度行なったことを改めてやり直す。「もう一度△読み(聞き)—/済んだ事をほじくり—」〔⇨返し■二〕 ■二【帰す】〈だれヲ(どこカラ)どこニ—〉(一時的に)他の場所にいる人を△出発した(本来身を置くべき)所に行くようにさせる。「生徒を早めに家に—/妻子を実家に—/ランナーを—〔=ホームベースを踏ませて得点する〕/海外支社から本社に(呼び)—」 表記 「《還す」とも書く。 ■三【《反す】〈なにヲ—〉上下や表裏などの位置関係を、それまでと逆になるようにする。「裏をかえして使う/田を—〔=耕す〕/掌を—〔=⇨てのひら・たなごころ〕/ひっくり—・ごった—」 **【—刀で】** 一方へ切りつけた刀を手元に引き戻すや否やすかさずもう一方の相手へ切りつけること。〔一つの攻撃のあと休む暇無く他方を攻撃する意にも用いられる〕 ■四【《孵す】〈なにヲ—〉卵が「かえる■四」ようにする。 表記 「返す」とも書く。 運用 ■一■二の意味から、結婚に関係する祝宴などの場では避けるべき言葉とされる。「かえし」「かえすがえす」などそれにつながる一類の言葉も同様。

かえすがえす[4]【返す返す】(副)❶何度同じその行動を繰り返しても足りないという気持である様子。「—〔=くれぐれも〕お頼みします」❷何度考えても同じその結論に達することが悔やまれるという気持である様子。「—(も)残念でならない」

かえズボン[3]【替(え)ズボン】❶色・柄が上着と同一でないズボン。❷交替用の同型・同色・同質のズボン。

かえだま[0]【替(え)玉】人目をごまかすために使うにせもの。代りの人。「—を使う/—受験[5]」

かえち[0]【替(え)地】❶土地を取り替えること。また、その土地。❷代りに与える土地。代替え地[3][4]。

かえって[1]【《却って】(副)〔「かえりて」の変化〕何らかの効果を期待して行なったことが、反対の結果を招いてしまう様子。「あまりきびしく注意すると生徒は—反抗的になる/私が行くと—御迷惑になるかも知れません」 表記 「返って・《反って・《却〈而」とも書く。

かえで[0]【〈楓】〔↑蛙手[0]〕葉は掌の形で、秋の紅葉が美しい落葉高木の総称。木材は建築・器具用。もみじ。〔ムクロジ科(旧カエデ科)〕〔狭義では、イロハカエデ[4]〔=タカオモミジ〕を指す〕 かぞえ方 一株・一本

かえで[0]【替(え)手】〔日本の伝統音楽で〕主旋律に対し、それとは違った旋律で和して奏する△方法(旋律)。「かえて」とも。↔本手

かえな[0]【替(え)名】❶何かの事情で、本名を避けて用いる呼称。❷〔芝居で〕役者の演じる役の名。

かえば[0]【替(え)刃】かみそり・カッター・電気鉋などの、取替え用の刃。 かぞえ方 一枚

かえもん[0]【替(え)紋】定紋の代りに使う紋。裏紋。

かえり【《回り】(造語)「回・度」の意の古風な表現。「三—」

かえり【返(り)】■一[3]もとの状態に返ること。「先祖—・本卦—」■二(造語) 動詞「返る」の連用形。 **—うち**[3][0]【—討(ち)】かたき討ちに失敗して自分のほうが討たれてしまうこと。 **—ざき**[0]【—咲(き)】一度花の咲いた草木が、本来の開花時期を過ぎたのち再び花を咲かせること。〔広義では、不振であったり 引退したりした者が、再びもとのように盛んに活動するようになる意にも用いられる〕 動 返り咲く[4](自五) **—しょにち**[4]【—初日】一度中止した芝居などを再び開いた時の初日。 **—ち**[3][0]【—血】切りつけた相手のからだからほとばしって、自分にかかった血。「—を浴びる」 **—ちゅう**[3]【—忠】もとの主君と敵対関係にある新しい主君に忠誠を尽くすこと。 **—てん**[3]【—点】漢文の返り読みのために、漢字の左下につける記号。例、「レ、一・二、上・下、甲・乙」など。 **—ばな**[0][3]【—花・帰(り)花】返り咲きの花。 **—よみ**[0]【—読(み)】漢文を訓読する時に、日本語の語序に合わせて下の字から上の字へ返って訓むこと。〔狭義では、下にある客語・補語を先に、述語をあとから読むことを指す〕 表記 「《反り読み」とも書く。

***かえり**【帰(り)】↔行き ■一[3]❶帰る△こと(時間)。「部署がかわり—が早くなった/子供の—を待つ/今夜のお—は?」❷帰る途中の状態にあること。「勤めの—に飲み屋に立ち寄る」■二(造語) 動詞「帰る」の連用形。 **—がけ**[0]【—掛(け)】⇨がけ❶ **—ぐるま**[4]【—車】客を△乗せて(送って)行った帰りの、客を乗せていないタクシーやハイヤーなど。 **—しな**[0] ⇨しな **—しんざん**[4]【—新参】またもとの所に戻って働く△こと(人)。

かえりなん[4]【帰りなん】あじけない他郷での生活を切り上げ、なつかしい故郷に帰ることにしよう。「—いざ」

***かえり・みる**[4]【顧みる】(他上一)〈なにヲ—〉〔返り見

る意〕❶通り過ぎたあとを振り返って見る。「別れを告げて一度も━ことなく旅立った／昔を━〔=昔どんな事△があったか(をしたか)をもう一度考えてみる〕／我が身を━〔=自分がしてきた事のよしあしを思い返してみる〕」❷配慮が十分であったかどうかを、(ゆっくり)考える。「家庭を━暇が無い／捨てて顧みない／危険を顧みないで」〔表記〕❷は、「省みる」とも書く。〔文法〕❷は、多く否定形や否定的な内容を伴った形で用いられる。【顧みて他(た)を言う】△まともに(うまく)答えられない時に、さりげなく話題を外して別の事を言う。「孟子」にある斉の宣王の故事から。

**か・える(カヘル)(他下一) [一]0【代える】❶〈なに・だれヲなに・だれニ━／なに・だれヲなに・だれト━〉何かを得た代りに、それと等価なほかの何かを与える。「相続した△土地(骨董(コットウ)品)を金に━」❷〈なにヲなにニ━〉古いものを使うのをやめて、新しいものにする。「花瓶の水を━／手を代え品を代え」❸〈なに・だれヲなに・だれニ━／(なに・だれト)なに・だれヲ━〉ほかのものの△役割(位置・場所)に自分がなったり行ったりし、逆に相手が自分のもとの△役割(位置・場所)になったり行ったりする。「命には代えられない／背に腹は代えられぬ／攻守所を━」〔表記〕「替える・換える」とも書く。
[二]0【変える】〈(なにカラ)なにニなにヲ━〉状態・位置を前と違ったものにする。「ベッドのシーツを毎日━／△形(目先・見方・方針・顔色・目の色・血相)を━」
[三]〔「動詞連用形＋━」の形で、接尾語的に〕今までしていたのをやめて、新たに何かをする。「書き━・作り━」〔表記〕[三]は、「替える・換える・変える」と書く。

**かえ・る[1](カヘル)(自五) [一]【返る】❶〈どこ・だれニ━〉(一時的に)他の△所(人の手)に移動していたものが、再びもとあった所や本来の所有者の所に移動する。「遺失物が落とし主に━／△貸した金(納めすぎた税金)が━／出した手紙が返って来た／覆水盆に返らず〔=⇩覆水〕」❷〈だれニ━〉こちらからの行為に対して、相手からもそれと得失の点で釣り合った対応がなされる。「こだまが━／無愛想な返事が返ってきた／この報いがいつ我が身に返ってこないとも限らない／はね━」❸〈(なにカラ)なにニ━〉(一時的に)おちいっていた好ましくない状態から、再びもとの本来あるべき状態になる。「△正気(我)に━／初心に━／童心に返って〔=童心を取り戻したような気持になって〕遊ぶ」❹〔「動詞連用形＋━」の形で、接尾語的に〕極限的な状態になる意を表わす。「静まり━・あきれ━・しょげ━・そっくり━・収まり━[5]〔=そのポストにあるのが当然だと言わんばかりの自信が言動や態度に認められる〕」〔表記〕❶❸は「《還る」、❹は「《反る」とも書く。〔⇩返り[三]〕
[二]【帰る】〈(どこカラ)どこニ━〉(一時的に)他の場所にいる人が△出発した(本来身を置くべき)所に向かって行く。「そろそろ会社から家に━〔=ⓐ会社を出る。ⓑ家に行き着く〕時間だ／━べき家がない／船が港に帰ってきた／嘆いても帰らぬ年月／帰らぬ人となる〔=『死ぬ』の婉曲(エンキョク)表現〕／帰らぬ旅に出る〔=『死ぬ』の婉曲表現〕」〔表記〕「《還る」とも書く。 ━さ[3]「帰り道・帰る時」の意の古風な表現。〔⇩帰り[三]〕
[三]【《反る】何らかの力が加えられるなどして、上下や表裏などの位置関係がそれまでと逆になる。「△そで(軍配)が━／煮え━・沸き━・でんぐり(ガエル)━」〔表記〕「返る」とも書く。
[四]【《孵る】〈(なにカラなにニ)━〉時期が来て、卵の殻が割れて△ひな(仔(コ))が生まれる。「△卵(ひな)が━」
〔運用〕[一][二]の意味から、結婚に関係する祝宴などの場では避けるべき言葉とされる。また、「かえる」を含む語や「かえり(…)」、さらに意味は異なっても同音の語も同様。

かえる[0](カヘル)【《蛙】両生類の一種。よく跳ね、よく泳ぐ。種類はたくさんあり、鳴くものが多い。幼生はオタマジャクシ。〔かぞえ方〕一匹 ━およぎ[4]【━泳(ぎ)】「平泳ぎ」の別称。 ━とび[0][3]【━跳(び)】上体をかがめ頭を垂れて立つ人の△背(肩)に両手をつき、両足を開いて飛び越える遊び。かわず跳び[0]。馬跳び。 ━また[0]【━股】❶カエルが股を広げたような形のもの。❷棟の破風(ハフ)の上に飾る「蛙股❶」の形のもの。❸前開きの幼児用のズボン。

かえん[0](クワエン)【火炎・火《焰】(勢いよく立ちのぼる)ほのお。「━放射器[6]・━太鼓(ダイコ)[4]」 ━びん[2]【━瓶】ガラス瓶に△ガソリン(石油)を入れ、投げつけると発火するようにしたもの。〔かぞえ方〕一本

がえん[0]【賀宴】喜び事を祝うための宴会。

がえん・じる[4](ガヘンジル)【《肯んじる】(他上一)「承知した」と言って、引き受ける。がえんずる[4](サ変)。〔漢文訓読語的表現〕

**かお[0](カホ)【顔】❶動物の頭の、目・口・鼻などの存する方の面。個々の人を識別する上で最も重要な役割を負うとされる。「━を洗う／四十を過ぎれば自分の━に責任を持つべきだ／魚が水面に━を△出す(のぞかせる)／━を△並べる(見せる・向ける)／きれいな━〔=顔だち〕／近所で見かけない━だ／━を合わせられない〔=期待を裏切ったり恥ずかしい事をしたりして、相手に会う気持になれない〕／━から火が出る〔=恥ずかしい思いをして、顔がまっかになる〕／━に紅葉(モミジ)を散らす〔=(世慣れぬ)若い女性が、ちょっとした事にも鋭敏に恥ずかしさを感じて顔を赤くする〕／━を染める〔=恥ずかしさのために、一時(イットキ)まっ赤になる〕／━を直す〔=ⓐ化粧のくずれを直す。ⓑ泣き顔をとりつくろう〕／いやな━〔=顔つき。様子〕をする／うそをついても ちゃんと━に書いてある〔=目つきや表情・態度などで、はっきりそれと分かる〕／━を洗って〔=今までの不十分な態度をすっかり改めて〕出直して来い／主人━(ガオ)〔=△主人であるかのような(いかにも主人だぞというような)様子〕・人待ち━(ガオ)・得意━(ガオ)」❷顔に象徴されるその△人自身(人格)。「━〔=面目〕が立つ／━〔=人数〕がそろう／━を貸す〔=ⓐ自分の名前を利用させる。ⓑ対決を求められて、その場に出る〕／━がつぶれる〔=名誉が傷つけられる〕／━に泥を塗る〔=今までは世間で通りが良かった存在の評判を一ぺんに落とすような事を関係者の一人がする〕」❸その地域や社会でよく知られた△名前(名声)。「━が売れる〔=それ相応の実質を持っていることで、世間に名が知られる〕／━が きく〔=顔が売れていて、無理が きく〕／━が広い〔=交際範囲が広く知り合いが多い〕」
【━が見える】生産者や関係者が判明している。そのため、より身近に感じられる。「━農作物／━対応をする」
【━に出る】気持や感情が表情に表われる。【━に《拘(カカワ)る】面目や体面に関係が及ぶ。【━を赤らめる】△恥ずかしさで(興奮したり怒ったりして)顔を赤くする。【━を合わせる】お互いに出会って相手の存在に気づく。〔共演したり対戦相手になったりする意にも用いる〕【━を曇らせる】暗い表情を見せる。【━を立てる】面目や体面が保たれるようにする。「上役の━」【━を突き合わせる】だれかとごく接近して向かい合う。〔多く、あまりそれを好まない場合に用いる〕【━を《繋(ツナ)ぐ】時折顔出しをするなどして、関係が切れないようにする。

かおあわせ[0][3](カホアハセ)【顔合(わ)せ】❶(初めての)会合。顔寄せ。❷共演。「羽左衛門(ウザエモン)と梅幸(バイコウ)の━」❸〔すもうなどの〕取組。「初(ハツ)━」

かおいろ[0](カホ—)【顔色】❶〔健康状態を表わす〕顔の色つや。「━が△いい(悪い)」❷相手の顔つきに表われた、機嫌のよしあし。「━を見る〔=機嫌をうかがう〕／━を変える〔=今

までの平静な表情がすっかり変わって、怒った様子を見せる〕/―が変わる〔=予期しない出来事や恐い目に急にあったりなどして、緊張した表情になる〕」

かおう[0][1]（クワアフ）【花押】〔古文書で〕右筆（ユウヒツ）が代書した書類の最後に、発行名義者である高官が自分の名前の下に書く、様式化した自署。〔印判は、これを効率化したもの〕

かおかたち[0][3]（カホ）【顔形】❶〔美醜の観点から見た〕目鼻立ち。「―の整った」 ❷顔つきと姿。 表記 もとの用字は、「顔《貌》」。

＊**かおく**[1]（ヲク）【家屋】人が住むために用いられている建物。〔課税対象となる財産と考えられた場合に言う〕「日本―[4]・倒壊―[5]・流失―[5]」 かぞえ方 一戸（イッコ）・一棟

かおじゃしん[3]（カホ）【顔写真】〔その人の顔かたちを知らせる役に立つ〕顔を写した写真。

カオス[1]〔ギ khaos〕秩序の認められない世界。混沌（コントン）（状態）。 ↕コスモス

かおそり[0]（カホ）【顔〈剃り】顔にかみそりをあて、△ひげ（生毛（ウブゲ））を剃ること。また、そのためのかみそりなど。

かおぞろい[3]（カホゾロヒ）【顔〈揃い】❶集まるべき人が出揃ったこと。❷メンバーにすぐれた人が揃っていること。

かおだし[0]（カホ）【顔出し】―する（自サ）❶挨拶（アイサツ）に行くこと。御機嫌うかがい。❷（少しの間の）出席。

かおだち[0]（カホ）【顔立ち】生まれつきの顔かたち。「整った―」

かおつき[0]（カホ）【顔付き】〔心情を表わすものとしての〕顔の様子。「△引きしまった（だらしない）―/びくびくした―」

かおつなぎ[0][3]（カホ）【顔〈繋ぎ】―する（自サ）縁が切れたりなどしないように、そこへ△行く（行って人に会う）こと。

かおなじみ[0][3]（カホ）【顔〈馴染み】❶何度も見たことがあって、その人の顔を覚えていること。❷互いに顔を知っている（親しい）仲。

かおパス[0]（カホ）【顔パス】俗に、顔がきいていて、切符無しで入場出来たりすることの称。

かおぶれ[0]（カホ）【顔触れ】（会や事業などに）名前を出す人びと。メンバー。「証人の―も多彩/出そろった―」

かおまけ[0]（カホ）【顔負け】見くびっていた相手のうまさや、思ってもみなかったずうずうしさに△あきれ（恥ずかしくな）ること。「おとなも―だ」

かおみしり[0]（カホ）【顔見知り】以前会って、顔を知っている△こと（人）。

かおみせ[0]（カホ）【顔見せ】❶多くの人に顔を見せること。❷【顔見世】一座の役者がそろって見物人に顔を見せること。「―狂言[5]・―興行[5]」

かおむけ[0]（カホ）【顔向け】他人に顔を合わせること。「―が出来ない〔=面目が無くて、その人に顔を合わせられない。『顔向けがならない』とも〕/―がなる」

かおもじ[0]（カホ）【顔文字】電子メールで、書き手の感情を伝えるマークとして、文字や記号を組み合わせて顔の表情を表わしたもの。

かおやく[0]（カホ）【顔役】〔その土地や社会で〕名前がよく知られ、勢力・実力のある人。「あの人はこの商店街の―だ」

かおよごし[3][0]（カホ）【顔汚し】その人の体面を傷つけること。面汚（ツラヨゴ）し。

＊**かおり**[0]（カヲリ）【香り・薫り】━接する人に好ましく感じられる、いいにおい。「―が△高い（濃い）/―を△聞く（楽しむ）」 ━（造語）動詞「かおる」の連用形。 **―た・つ**[4]【―立つ】（自五）くっきりと感じられるほど良い香りがする。「―コーヒー」

＊**かお・る**[0]（カヲル）【香る・薫る】（自五）〈（どこニ）―〉いいにおいが、あたり一面にただよっている。「菊花が―/風―五月」 表記 「〈馨る」とも書く。

かおん[1]（クワ）【〈訛音】標準の発音から少しずれた発音。方言のなまりのある音声。

かか[1]【《母】「はは」の幼児語。「―さま[1]」 ↕とと（父）

かか[1]【〈呵々】（副）―と 〔笑い声を表わす擬音語〕大声を上げて笑う様子。「―大笑[1]-[0]」

がか[0][1]（グワ）【画架】油絵などをかくためのカンバスを立てかける三脚。イーゼル。 かぞえ方 一基・一台

がか[0]（グワ）【画家】芸術としての絵をかく人。「風景―・静物―・日本―・西洋―・挿絵―・日曜―[5]」

がが[1]【〈峨々】―たる ―と 〔山や岩が〕けわしくそびえ立つ形容。

かかあ[2]【〈嚊・〈嬶】「愚妻」の意をこめた自分の妻を指す口頭語的表現。 ↕亭主 **―でんか**[4]【―天下】その家庭で、妻の方に発言権があること。 ↕亭主関白

かかい[0]【下階】〔高層建築で〕その階より下の階。 ↕上階

かかい[0]【加階】〔古〕上の位階にのぼること。

かかい[0]（クワイ）【歌会】何人かの人が集まって、歌を作り批評をする会。うたかい。

かがい[0]【加害】他人に危害をくわえること。 ↕被害 **―しゃ**[2]【―者】△傷害（損害）をくわえた人。 ↕被害者

かがい[1]（クワ）【花街】「遊郭」の婉曲（エンキョク）表現。はなまち。

かがい[1]（クワ）【禍害】思いがけない わざわい。

かがい[1][0]（クワグワイ）【課外】学校から履修するようにと与えられた学科・課業のほか（のもの）。「―活動[4]」

がかい[0]（グワ）【瓦解】―する（自サ）〔瓦（カワラ）が一枚落ちた勢いで、ほかの物も がらがらと落ちる意〕全体の組織が、めちゃめちゃにこわれること。

がかい[0]（グワクワイ）【画会】❶画家が自作の絵を展覧し、希望者に即売する会。❷集まって絵をかき、批評しあう会。

がかい[0]（クワイ）【雅懐】「月・雪・花などを愛でたりそれに触発されて詩歌を作ったりする風流な心」の意の漢語的表現。

かかえ（カカヘ）【抱え】━[0]❶⇩おかかえ ❷年季を決めて抱えておく芸者・遊女。 ↕自前 ━（造語）❶丸くて大きい物の胴回りを計りかぞえる語。「一（ヒト）―[2][3]〔=両手で抱えるほどの太さ〕」 ❷書類などの分量の多さを表わす語。「一―〔=両手で、やっと持てる程度の多さ〕」 ━（造語）動詞「抱える」の連用形。 **―こ・む**[4]【―込む】（他五）❶持ちきれないほど（の物を）抱える。❷処理しきれないほど（のものを）引き受ける。「問題を―」

＊**かか・える**[0]（カカヘル）【抱える】（他下一）❶〈（どこニ）なにヲ―〉（両）腕で囲む（ようにして持つ）。「小わきにふろしき包みを―/頭を―〔=心配事があって、じっと考えこむ〕/腹を抱えて〔=あまりのおかしさに おなかを押さえて〕笑う/すき腹を―〔=空腹でたまらない状態にある〕」 ❷〈なにヲ―〉〔責任をもって処理しなければならないものとして〕身辺に持つ。「△仕事（三人の子供・負債）を―/運転手を―〔=自家用車の専任として、雇う〕」 ❸〈（どこニ）なにヲ―〉個人として処理しかねるものを身辺に持つ。「△爆弾（危険・悩み）を―」〔⇩抱え━〕

カカオ[1]〔ス cacao〕熱帯アメリカ原産の常緑高木。種を粉にして、ココア・チョコレートを作る。〔アオイ科（旧アオギリ科）〕 表記 「加々〈阿」は、音訳。 かぞえ方 一株・一本

＊**かかく**[0]【価格】「商品の売り値」の意のやや改まった表現。「―が△急騰（急落）する/増税後も―を△据え置く（抑える）/販売―[5]・適正―[5]」

かかく[0]【家格】家柄などにもとづくその家の社会的位置付け。「―が立つ」

かかく[0][1]（クワ）【過客】〔もとは、来客の意〕「道を往来する

** ＊は重要語，[0] [1]… はアクセント記号，品詞の指示の無いものは名詞および いわゆる連語。

旅人」の意の漢語的表現。「月日は百代の―にして」

かがく①(クヮ)【化学】 自然科学の一部門で、物質の構造・性質や物質間の変化を研究する学問。「―的な名称/―者③②・応用―⑤」〔耳で聞いた時に「科学」とまぎらわしいので、特に「バケ学」と言うこともある〕 **―きごう**④(ガウ)【―記号】 元素の名を表わす記号。例、O=酸素、H=水素など。 **―けつごう**④(ガフ)【―結合】 分子や結晶を作る際の原子間の結び付き。 **―こうぎょう**④(ゲフ)【―工業】 石油・薬品・合成繊維・合成樹脂・肥料・セメントなど、化学反応を利用して製品を製造する工業。 **―ごうせい**④(ガフ)【―合成】 化学反応によって目的の物質を作り出すこと。 **―しき**③【―式】 化学記号を組み合わせて化合物の構造などを表わすもの。〔実験式・分子式・構造式などがある〕 **―せん**⓪【―戦】 化学兵器を使う戦争。 **―せんい**④(ヰ)【―繊維】 天然のものではなく、化学的方法で作った繊維。人造繊維と合成繊維の総称。 **―ちょうみりょう**⑥(テウーレウ)【―調味料】 化学的に合成して作った調味料。グルタミン酸ソーダ・イノシン酸など。うまみ調味料。 **―てき**⓪【―的】(―な ―に) その現象が化学変化によるものととらえられる様子だ。 **―とうりょう**④(タウリヤウ)【―当量】 二つ(以上)の元素が化合その他の化学反応を起こす時の元素間の質量の比。酸素原子や水素原子を基準にして、それとの比で表わされる。 **―ひりょう**④(レウ)【―肥料】 窒素・燐酸(リンサン)・カリなどを化学的方法で処理し、工業的に生産される人造肥料。 **―ぶっしつ**④【―物質】 化学的に構造の確認された物質。とくに薬品類のように生理作用の大きい物質について、化学構造の知られたものという意味で使われることが多い。「工場で使われる―の有害性を調べる」 **―へいき**④【―兵器】 毒ガス・焼夷(ショウイ)弾など、直接化学反応を利用した兵器。 **―へんか**④(クワ)【―変化】 物が燃えたり 腐ったり 米が酒になるなど、物質が何かの刺激を受けて、性質の異なる他の物質に変わること。↔物理変化 **―りょうほう**④(レウハフ)【―療法】 〔結核や癌(ガン)などの治療に際して〕手術を避け、抗生物質や薬品を用いる方法。↔物理療法

かがく⓪①【価額】 その物の評価に相当する金額。〔法律では、特定した物・財産に対する金銭的価値を指す。例、「相続される土地の―が決定される」〕

****かがく**①(クヮ)【科学】 特定の対象を独自の目的・方法で体系的に研究する学問。雑然たる知識の集成ではなく、同じ条件を満足する幾つかの例から帰納した普遍妥当な知識やそれに基づく理論から成る。〔広義では社会科学・人文科学を含み、狭義では自然科学を指す〕「―技術④・―性⓪」 **―ぎじゅつちょう**⑥⑤(チヤウ)【―技術庁】 科学技術振興に関する行政を扱った機関。総理府の外局。〔二〇〇一年「文部科学省」に吸収〕 **―きょういく**④(ケウー)【―教育】 自然科学の知識や思考法などの意義やその基礎を養う教育。理科教育。自然科学教育。 **―しゃ**③②【―者】 (自然)科学に属する特定の事物を研究対象とする人。 **―てき**⓪【―的】(―な ―に) ❶実証的・合理的・体系的に物事を考える様子だ。「非―⓪、①-⓪」 ❷自然科学の方法・手段を応用する様子だ。「―捜査⑥」

かがく①【家学】 祖父から父、さらに子や孫へと、その家に代々伝わる学問。

かがく①【歌学】 作歌の心得、和歌の修辞などを説いた、日本中世の学問。

ががく①(グヮ)【画学】 絵画についての技術や理論・知識を教える学問。「―生②」

ががく①【雅楽】 日本の平安時代に栄えた、宮廷の合奏音楽。

***かか・げる**⓪③【掲げる】(他下一)〈どこ・なにニ なにヲ―〉〔人の目につくように〕高く上げたり △太く(大きく)書いたり 箇条書にしたりして、見せる。「毎朝朝礼の時に国旗を―/△理想(記事)を―/△旗印(お題目・要求)に―/△公約(目標)として―」

かかし⓪【案山子】 〔悪臭を嗅(カ)がせる意の動詞「かがす」の連用形「かがし」の変化〕田畑に立てて鳥獣をおどす人形。〔見かけだけは一人前だが、無能な人の意にも用いられる〕 表記 古くは「鹿驚」とも。

かか・す⓪【欠かす】(他五) 無しですます。欠く。「欠かさず出席する/生活に―事が出来ない」

かかずら・う④(カカヅラフ)【《拘う】(自五) 自分としてはどうでもいい事に関係して、離れられなくなる。かかずらわる⑤。「裁判に―/小事に―」

かがすり②【蚊絣・蚊飛白】 蚊が群がって飛んでいるような、細かい模様を染めた絣。

かか・せる③【〈搔かせる】(他下一) 〔「〈搔く」の使役形〕搔くようにしむける。「かゆい所を―/恥を―(=恥ずかしい目にあわせる)」

かが・せる⓪【嗅がせる】(他下一) 〔「嗅ぐ」の使役形〕においを鼻で感じ取らせる。「鼻薬(ハナグスリ)を―(=⇩鼻薬)/においだけ―」

かかでも①【書かでも】 あえて書くには及ばないととらえること、の意を表わす。「―の事」⇩言わでも

かかと⓪【〈踵】 足の裏の後ろ。「かがと」とも。〔広義では、靴などの裏の後部をも指す〕

かがま・る⓪【《屈まる】(自五) かがんだ状態になる。

***かがみ**③②【鏡】 ❶光線の反射の原理を利用して、姿・形を映して見る道具。昔は金属製、今は多くガラス製。 ❷酒だるのふた。 かぞえ方 ❶は一面・一枚 **―いし**③【―石】 ❶つくばいの水を使う時に乗る石。 **―いた**④③【―板】 ❶戸・天井などにはめこむ、平滑で大きな(一枚)板。 ❷能舞台の、正面の後ろの板。松を描く。〔これを模した芝居の舞台では、松竹梅を描く〕 **―びらき**④【―開(き)】 〔「開く」は割る意〕一月十一日に鏡もちをおろして食べること。今は多く、汁粉に入れる。〔武道・スポーツなどの初練習を指すこともある〕〔昔は、二十日に行なった〕 **―もじ**④【―文字】 印に刻まれた文字など、鏡に映った文字のように、左右がまったく逆に書かれた文字。鏡映文字⑤。左(ヒダリ)文字④。 **―もち**③【―餅】 正月や祭礼の時に重ねて供える、丸くて平たい大小ひと重ねの餅。おそなえ。「おかがみ」とも。 かぞえ方 一枚・一重(ヒトカサネ)

かがみ③【《鑑】 その社会に属する人が見て行為の規範とすべきもの。「△武士(サラリーマン・親孝行)の―/先輩の生き様(ザマ)を自らの人生の―とする」

かがみこ・む④【《屈(み)込む】(自五) からだを前に曲げ、そのままうずくまる。

かが・む⓪【《屈む】(自五) ❶〔腰・足や手の指が〕まっすぐ伸ばせない状態に△ある(なる)。「腰の屈んだ老人/寒さで手が―(=かじかむ)」 ❷しゃがむ。〔物陰に隠れている意にも用いられる〕「道ばたに―」

かが・める⓪【《屈める】(他下一) 腰や足を折り曲げたり 頭をすくめたり などして低い姿勢を取る。「腰を―」

***かがやかし・い**⑤【輝かしい】(形) ❶光り輝いているととらえられる様子だ。「舞台を輝かしく照らす照明」 ❷すばらしい業績を上げるなどして、その世界や世間の称賛や羨望(センボウ)の的になる様子だ。「―△成果(成功)」 ❸△活気に満ち(華やかで)、前途に希望・光明が感じられる様子だ。「―時代/―将来/輝かしく生きる」 派 **―さ**⑤④ 表記「〈耀かしい・〈赫かしい」とも書く。

かがやか・す④【輝かす】(他五)〔「輝く」の使役動詞形〕❶おのずと輝くようにさせる。〔目と表情にしか使わない〕「(好奇の)目を—」 ❷りっぱなものを広く示す。「国威を—」 輝かせる⑤(下一)。 表記「〈耀かす・〈赫かす」とも書く。

＊**かがや・く**③【輝く】(自五) ❶〈(どこニ)—〉まぶしい光が連続的にその物から出て、△美しく(あたりが明るく)見える。「陽光を受けて—山の頂」 ❷〈(なにニ)—〉その状態が△すばらしく(晴れがましく)見える。「UFOなどの話をすると目が—〔=生き生きしてきて熱を帯びる〕/若さと無邪気な喜びに—〔=明るさがあふれて見える〕顔/希望に—未来/連続優勝の栄誉に—」〔古くは「かかやく」〕 名 輝き⓪「—を△増す(失う)」 表記「〈耀く・〈赫く」とも書く。

かがよ・う③(カガヨフ)【〈耀う】(自五)〔雅〕輝く。きらめく。 名 耀い⓪

＊**かかり** 〓一❶①③ 釣り針の先にあって、釣った魚がはずれるのを防ぐための突起。あご。 ❷①【係】〔組織体で〕Ⓐ特定の仕事を分担する(正規の)職員。「警備の—を呼んで来い/出納(スイトウ)—⑤・旅客—(ガカリ)」 Ⓑ臨時に、特定の仕事を受け持つ役(の人)。「貴方(アナタ)は受付—(ガカリ)になってください/照明—(ガカリ)」 ❸【掛(か)り】Ⓐ①何かに要△する(した)費用。「—がかさむ」 Ⓑ③機械・装置が起動すること。「エンジンの—が悪い」 ❹①【掛】〔鉄道関係などで〕係。「出札—(ガカリ)⑤」 表記 ❸は、「掛」とも書く。 **—いん**③【係員】〔その組織体で〕事務的な面の業務を受け持つ人。 表記「掛員」とも書く。 **—かん**③(クワン)【係官】〔国家機関で〕その事務を受け持つ公務員。 **—ちょう**③(チヤウ)【係長】その課や係などで取り扱う分掌事務の長。
〓二【掛(か)り】(造語) 動詞「かかる」の連用形。 **—あい**⓪(アヒ)【掛(か)り合(い)】〔巻添えをくうような迷惑な〕関係。「—になるのを恐れてか、目撃者は口をつぐんだままだ」 動 掛かり合う④(自五) **—きり**⓪【掛(か)り切(り)】ほかの事はせず、その事ばかりに△関係(従事)すること。かかりっきり⓪。「子供の事に—だ」 **—じょし**④【係(り)助詞】文末の述語を除く種々の語について、強調や疑問・反語などの機能を表わす助詞。「は・も・こそ」〔以上、口語・雅語共通〕および「ぞ・なむ・や・か」〔文語〕「さえ・でも・しか・だって」〔口語〕など。一部の助詞は文末の陳述に影響を及ぼす。文語の「ぞ・なむ・や・か」は連体形、「こそ」は已(イ)然形になる。「けいじょし③」とも。 **—つけ**⓪【掛(か)り付(け)】いつもその△医師の診察・治療(薬剤師の調剤)を受けること。「—△医(薬局)」 動 掛かり付ける⑤(下一) **—むすび**④【係(り)結(び)】〔文語文法で〕上に助詞「ぞ・なむ・や・か・こそ」や疑問詞「いかが・なんぞ」が来た時に、文の述部をそれぞれ特定の活用形で結ぶこと。 **—ゆ**③【掛(か)り湯】あがり湯。

かがり⓪【〈篝】❶かがり火をたく鉄のかご。 ❷かがり火。 **—び**③【—火】夜、警護・照明・漁猟のためにたく火。かがり。 かぞえ方 一基

がかり【掛(か)り】(造語) それだけの規模で何かが行なわれること。「三日—の〔=三日間にわたる〕旅行/三人—で〔=その仕事に三人が同時に関係して〕五日の仕事/十人—〔=武道の試合で、ずば抜けて強い一人に対して十人で攻めかかること〕でもかなわない/総—・大—」

かかる②【〈斯(か)る】(連体)〔「かくある」の変化〕「こういう・こんな」の意の古風な表現。〔多くは、「大変な・ひどい」の意で用いられる〕「—ありさまでは」

＊＊**かか・る**【掛(か)る】〓一②(自五) ❶〈(なに・だれ・どこニ)—〉掛けられた状態になる。「魚が網に—/所得税が—/△圧力(プレッシャー・電話)が—/低所得者の保護に予算配分のウエートが—〔=重点を置く〕/ブレーキが—〔=動きを止めようとする力が加わる〕/撒(マ)いた水が歩行者のズボンに—/月が中天に—〔=のぼった状態になる〕/△霧(もや)が—〔=あたり一面に漂う〕/赤みが—〔=幾分か加わる〕」 ❷〈(なに・だれ・どこニ)—〉ある範囲内に届く。「汽車が鉄橋に—/偶然そこを通り—/鼻に掛かった声/時効に—〔=なる〕」 ❸〈(なに・だれ・どこニ)—〉その△人(もの)と何らかの交渉を保つ。「あの人に掛かってはたまらない/上役に食って—〔=攻撃的な態度を取る〕/仕事に—〔=仕事を始めた状態になる〕/かさに—〔=⇩嵩(カサ)〕/犯人は彼だと(頭から)決めて—〔=それ以外ではあり得ないと初めから先入主をもって臨む〕/新任者の肩に—〔=責任をもって処理すべきものとされる〕/気に—〔=⇩気に掛かる〕」 ❹〈(なに・どこニ)—〉そのものが働く。また、そのことによって何かの作用が伝わる。「エンジンが—/好きな曲が—/会社から家に電話が—」 ❺〈(なに・だれ・どこニ)—〉何かに依存する。「名医に—〔=診(ミ)てもらう〕/武力行使に及ぶかどうかは相手の出方一つに—〔=出方次第による〕/寄り—・もたれ—」 ❻〈(なに・だれニ)—〉よくないかかわり合いを持つ。「肺炎に—/盗難に—/人手に—〔=その人に殺される〕」 ❼〈(なにニ)—〉それだけの△時間(費用・手間)が必要とされる。「△金(負担・手)が—/思ったより掛かった」
〓二〔「動詞連用形＋—」の形で、接尾語的に〕(今にも)その事が実現しそうな状態にある。「死に—④・倒れ—⑤」 表記 〓一❶❷は「懸かる」、❸は「係る・〈繫る」、❻は「〈罹る」とも書く。〔⇩かかり〓二〕 文法 〓一❸で、「先輩にお目にかかる」などと「お目にかかる」の形で上の立場の人に会う意の謙譲表現として用いられる。同種の謙譲表現に「お会いする」がある。

かが・る⓪【〈縢る】(他五) ❶一続きの織物の切断されている部分がほつれないように、糸をからげる。「穴を—」 ❷もとの布と縫いつけた布とが離れないように、しっかりと縫う。 名 かがり⓪「すそ—③〔=すそを糸で綴(ト)じること〕」

がか・る(造語・五型) ❶何かに似せた行動をする。「芝居—」 ❷純粋にその色ではないが、全体的に何となくその色の感じがする。「あい色がかった生地/△赤み(青み)—」〔❶の 名 は、がかり〕

かかわらず③(カカハラ)【《拘(わ)らず】その△事態(状況)に関係なく。「△好むと好まざると(理由のいかん・あるなし・事の善悪)に—/晴雨に—決行/雨にも—〔=雨降りであるのに〕多数の参会を得(エ)た/勉強したにも—〔=そのかいが無く〕不成績だった」 表記「関わらず」とも書く。古くは「〈不拘〉」と書いて、返り読みをした。

かかわり(カカハリ)【関(わ)り・《拘(わ)り】〓一⓪かかわること。「深い—を持つ/彼がどうなろうと私には—がないことだ」 表記 本表=「関わり」 〓二(造語) 動詞「かかわる」の連用形。 **—あ・う**⑤(アフ)【—合う】(自五) その人や物事に何らかの関係のある立場に身を置く。「そんな事にかかわり合っている暇はない」 名 かかわりあい⓪

＊**かかわ・る**③(カカハル)【関(わ)る・《拘(わ)る】(自五)〈(なに・だれニ)—/(なに・だれト)—〉(決定的な)関係を持つ。〔望ましくない事柄に関係する意にも、しばしば用いられる〕「基本に—問題/△命(信用・体面・面目)に—/犯行に—」 表記 本表=「関わる」。「《係わる」とも書く。〔⇩関り〓二〕

かかん⓪(クワクワン)【花冠】❶花弁の集まったもの。「頭状—・十字形—」 ❷花で△作った(飾った)冠。「彼女に—をかぶせる」

かかん⓪(クワ)【果敢】—な/—に 〔自分の命や将来の情勢がどうなるかなどは構わず〕やろうと思う事を思い切ってする様子。「—な態度/—に戦う」 派 **—さ**⓪

かがん①【河岸】「かわぎし」の意の漢語的表現。「—工事④・—整備④」

ががんぼ[0]【〈大蚊〉】 ガガンボ科に属する昆虫の総称。蚊を大きくしたような形だが、人を刺すことはない。

かき【〈掻〉(き)】 ■一(造語)…を掻くこと(人)。また、掻いたもの。「雪―・そば―・落ち葉―・汗―・恥(っ)―・べそ―」 ■二(接頭) ❶手を使って何かをすることを表わす。手で。「―分ける・―合わせる」 ❷ずっと何かをすることを表わす。「―くどく」 ❸短期間に何か△をする(の状態になる)ことを表わす。「―集める・―消す・―曇る」

かき[1]【〈〈牡蠣〉〉】 浅い海の岩に付く二枚貝。貝殻は白い灰色で、長い卵形。肉は美味で、多く養殖される。オイスター。〔イタボガキ科〕「―のように押し黙った/―フライ[3]」 表記 古くは「〈蠣・〈石花〉」とも。 かぞえ方 一枚

かき[2]【垣】 垣根。「―を作る(=分け隔てをする)/生け―・竹―」 表記 「〈牆」とも書く。

かき[0]【柿】 庭に植える落葉高木。赤みがかって黄色い実は、秋の代表的な果物の一つ。材は器具用。品種が多い。〔カキノキ科〕 表記 「柿」は、もと「〈柹」の俗字。 かぞえ方 一株・一本

かき[1]【下記】 何かの△次(あと)に書きしるすこと。↕上記

かき[1]【火気】 ❶火のけ。「―厳禁[1]-[0]」 ❷火の勢い。「―が強い」

かき[1]【火器】 ❶火を入れる容器。火入れ。 ❷銃砲類の総称。「重―」

かき[1]【花〈卉】 〔「卉」は草の総称〕観賞の対象とされる草花。「―園芸[3]」

かき[1]【花期】 その花の咲いている期間。

かき[1]【花器】 花入れ。花いけ。

かき[1] ■一【夏季】 夏の季節。 ■二【夏期】 夏の期間。「―休暇[3]・―大学[3](=(学術上の)夏期講座)」

****かぎ**[2] ■一【鍵】 〔「鉤」と同源〕 ❶錠の開口部にさし入れて開ける金属製の道具。〔誤って、錠の意にも用いられる〕「机のひきだしに―をかける」 ❷Ⓐ当面の問題を解く緒となる手がかり。「事件の真相解明の―となる解剖報告/経済成長の秘密を解く―として世界の注目を集めるボイスレコーダー/離陸失敗の原因解明の重要な―となるボイスレコーダ書/経済分析のメス/事件(=事件解決)の―を握る」 Ⓑ物事の成否・展開を左右する、微妙なポイント。「エースの出来が―(=勝敗を分けることになろう)/投手力をいかに充実させるかが―(=問題点)/△成否(内政・浮沈)の―を握る/今後の政局の―(=決定権)を持つ浮動層/企業成長の―になる電力の効率化/大容量ファイバー通信の―となる半導体レーザーの開発」 かぞえ方 ❶は一本
■二【〈鉤】 ❶先の曲がった金属製の道具。ひっかけて物を△止める(引く)時に使う。「―になれ、さおになれ(=雁の渡りに対して子供たちが、くの形になれ、次は一の形になれと、呼びかける言葉)/―裂き・―針・自在―」 ❷直接話法であることを示したり 引用語句を包んだりする、鉤の形の記号。「鉤括弧」とも。「 」

がき【餓鬼】 〔「鬼」は、亡者の意〕 ❶[2][1] 〔仏教で〕餓鬼道に落ち、飢えと渇きに苦しむ亡者。〔広義では、無縁の亡者をも言う。例、「施―」〕 ❷[2] 〔「餓鬼❶」がいつもがつがつしているところから〕(育ち盛りの)子供の卑称。「町中の悪―」 運用 ❷は、いたずらで手に負えない子をののしったり 自分の子供の謙称としたりして用いられることがある。例、「からだだけは大きいがいくつになってもまだ餓鬼だ」
―**だいしょう**[3]【―大将】 遊び仲間のうちで、腕力が強く、一番いばっている者。
―**どう**[2]【―道】 〔仏教で〕六道の一つ。生前、施しをしなかった人が死後行って苦しむ所。水を飲もうとすると火に変じ、のどは針のように細くなり食物を通さないという。

かきあげ[0]【〈掻〉(き)揚(げ)】 てんぷらの一種。貝柱・小さいエビや細かく切った野菜を、衣でつないで油で揚げたもの。

かきあ・げる[4]【書(き)上げる】(他下一) ❶すっかり書き終える。「論文を―」 ❷かぞえ立てるように一つひとつ書いて示す。「罪状を―」

かきあ・げる[4]【〈掻〉(き)上げる】(他下一) 〔△乱れた(垂れた)髪を〕くしの代りに手を使って、上げる。

かきあじ[2]【書(き)味】 書く時の、△ペン(用紙)などの滑りぐあい。「すばらしい―」

かきあつ・める[5]【〈掻〉(き)集める】(他下一) あちらからもこちらからも(短期間に)集める。「建築資金を二、三の銀行から―」

かぎあ・てる[4]【嗅(ぎ)当てる】(他下一) ❶物のにおいを嗅いで、その正体や存在する場所を当てる。 ❷探り当てる。「犯人の隠れ家を―」

かぎあな[0]【鍵穴】 戸や箱などを開けるために鍵を差し込む穴。〔直接には、錠に付いている〕

かぎあみ[0]【〈鉤編(み)】 鉤針を使って編むこと。また、編んだもの。かぎ針編み[0]。⇩棒編み

かきあらた・める[6]【書(き)改める】(他下一) もとの物を土台にしてよりよい形にして書く。

かきあらわ・す[5]【書(き)表(わ)す】(他五) ■一【書(き)表(わ)す】 書くことによって主体の気持・感想などを表現する。 ■二【書(き)著(わ)す】 著述を世に公にする。本を出す。

かきあわ・せる[5]【〈掻〉(き)合(わ)せる】(他下一) だらしなく広がった襟などを寄せてきちんと合わせる。「襟を―」

かきいれ[0]【書(き)入(れ)】 ❶(あとから)書き加えること。また、その文字。 ❷〔帳簿に書き入れるのに忙しいことから〕確実に売れることが期待されること。「今日―の大一番」 動 書き入れる[4][0](他下一)
―**どき**[0]【―時】 商店などで、客からの注文が多く、もうけが見込まれる△時間帯(時期)。「△夕方(盆暮)はいちばんの―だ」

かきいろ[0]【柿色】 ❶カキの実の色。赤みがかった黄色。 ❷カキのしぶの色。暗褐色。

かきうつ・す[4]【書(き)写す】(他五) 文字・文章などを別の紙にそのとおりに書く。

かきおき[0]【書(き)置(き)】―する(自他サ) 連絡△が取れ(を取ら)ないで家などを出る時に、家人などに連絡事項を書いておく△こと(手紙)。〔遺書の意にも用いられる〕 かぞえ方 一通・一枚

かきおく・る[4][0]【書(き)送る】(他五) 〔手紙などを〕書いて人に送る。

かきおこ・す[4][0]【書(き)起(こ)す】(他五) そこから書き△出す(始める)。「事件の発端から―」 名 書き起こし[0]

かきおと・す[4][0]【書(き)落(と)す】(他五) 不注意で、その部分の語句を書かないでしまう。 名 書き落とし[0]

かきおと・す[4]【〈掻〉(き)落(と)す】(他五) 〔付着物を〕勢いよくこすって落とす。「鍋の汚れをタワシで―」

かきおろし[0]【書(き)下(ろ)し】 新たに出す本のために用意された、完結した新しい原稿。また、それを刊行した著作物。 動 書き下ろす[4][0](他五)

かきかえ[0]【書(き)替(え)】 ❶書き直すこと。 ❷〔証書などの記載事項を〕新しい事態に即応させるように書き改めること。「△名義(証書・運転免許証)の―」 表記 「書き換え」とも書く。

かきか・える[4][3][0]【書(き)替える】(他下一) ❶違う目的や相手からの要求に応じて、今までと違った△文字(言葉)で、もう一度書く。 ❷(無効になった文書を)新しい事態に適応させるように、改めて書く。「遺言書を―/日本記録を―」 ❸変化を求めるために、違った△書風(字体・文

字)で書く。表記「書き換える・書き変える」とも書く。

かきかた[3]【書(き)方】❶文字による表現の仕方。「手紙の—も知らない奴(ヤツ)/申請書の—(=書式)」 ❷筆の運び方。❸〔小学校の教育課程で〕「書写・習字」の旧称。

かぎがた[0]【〈鉤形】鉤のように先端が(直角に)曲がった形。表記「鍵形」とも書く。

かぎかっこ[3](クヮツー)【〈鉤括弧】会話や引用などを示す鉤の形の記号。略して「鉤」。「　」

かきき・える[4][0]【〈掻(き)消える】(自下一) 今まで見えていたものが、いっぺんに消える。

かきき・る[3][0]【〈掻(き)切る】(他五) 〔普通の人にはなかなか切れない腹・のどなどを〕一思いに切る。〔強調形は「かっきる[3][0]」〕

かきくだ・す[4][0]【書(き)下(だ)す】(他五) ❶上から順に下の方へ書く。❷調子に乗って、一気に書く。❸もと漢文であったものを、訓読する通りに かなまじりで書く。名書き下し[0]「—文[0][5]」

かきくど・く[4]【〈掻(き)口説く】(他五) 相手が自分の言うことを聞き入れるまで(繰り返し)くどく。

かきくも・る[4]【〈掻(き)曇る】(自五) 今まで晴れていたものが、さっと曇る。「一天 にわかに—」

かきく・れる[0][4]【〈掻(き)暮れる】(自下一) ❶すっかり暗くなる。❷すっかり目が曇って見えなくなる。「涙に—」 表記❶は「〈掻き《暗れる」、❷は「〈掻き〈昏れる」とも書く。

かきけ・す[3][0]【〈掻(き)消す】(他五) 今まであったものを、急に消滅させる。「—ように見えなくなった/騒音でこちらの声が掻き消された(=全く聞こえなくなった)」

かきごおり[3](ゴホリ)【欠(き)氷】❶氷を かんな などで粒状に削ったもの。氷水(コオリミズ)。みぞれ。❷氷を細かく割り砕いたもの。〔関西では、「かちわり」、東部方言では「ぶっかき」〕

かきことば[3]【書(き)言葉】論(説)文や手紙を書いたり文学作品を創作したりする時に一般に用いられる言葉。〔会話を交えることもあるが、地(ジ)の文は性格としては よそ行きであり、改まった表現であることが多い〕↔話し言葉

かきこみ[0]【書(き)込(み)】本や書類などの余白や行間を利用して小さな字で△書くこと(書いた文字)。「行間の—」

かきこ・む[3][0]【書(き)込む】(他五) ❶その場所に小さな字で書く。「手帳に予定を—」 ❷細かなところまで手を抜かずに書く。❸〔コンピューターで〕データを記憶媒体に入れる。↔読み出す❷

かきこ・む[0][3]【〈掻(き)込む】(他五) ❶手もとにかき集める。❷急いで食べる。〔強調形は「かっこむ」〕「飯を—」

かぎざき[0]【〈鉤裂(き)】衣服などをくぎなどにひっかけて鉤の形に裂くこと。また、そうして出来た裂け目。

かきさ・す[3][0]【書(き)《止す】(他五) 書くのを中途でやめる。名書き止し[0]

かきさら・う[4][0](サラフ)【〈掻(き)〈攫う】(他五) すきを見て横からさっと奪い取る。〔強調形は「かっさらう」〕

かきしぶ[0]【柿渋】渋ガキの実をしぼって取った汁。防腐剤として、紙・布などに塗る。

かぎじゅうじ[3](ジフー)【〈鉤十字】卐の形。また、それを象(カタド)った紋章など。ハーケンクロイツ[6]。〔狭義では、ナチの党章や一九三五～一九四五年ドイツの国旗として用いられた卐を指す〕

かきじゅん[0]【書(き)順】すべての文字について社会的にそれが標準だとされている、起筆から終筆までの順序。「横の線を先に引くのが正しい—だ」

かきしる・す[4]【書(き)記(る)す】(他五) 「書く」意の改まった表現。

かきすて[0]【〈掻(き)捨(て)】恥などをかいたままにして、気にとめないこと。「旅の恥は—(=顔見知りが居ないという理由で、ふだんは恥ずかしくて出来ない事も旅先では しがちなものだ)」

かきす・てる[4]【書(き)捨てる】(他下一) ❶書いたものを、取っておかずにすぐ捨てる。❷計画的にではなく、気分本位に書く。書きなぐる。名書き捨て[0]

かきそ・える[4](ソヘル)【書(き)添える】(他下一) 絵や既に書き上がった文章に一言、言葉を加える。

かきぞめ[0]【書(き)初(め)】新年の行事として、一月二日に初めて(毛筆で)字を書くこと。

かきそんじ[0]【書(き)損(じ)】字や語句を書き誤ったため、そのままでは使い物にならなくなった物。動書き損じる[5](他上一)

かきだし[0]【書(き)出(し)】❶書きはじめ(の文句)。冒頭。「小説の—」 ❷勘定書。「大みそかの—」

かきた・す[0][3]【書(き)足す】(他五) 不十分な箇所を書いて補う。名書き足し[0]

かきだ・す[3][0]【書(き)出す】(他五) ❶書いて出す。「勘定を—」 ❷書き始める。❸△必要な(重要な)事柄を抜き出して書く。「問題点を—」

かきだ・す[3][0]【〈掻(き)出す】(他五) 手などで掻くようにして外に出す。かい出す。「水を—」

かぎだ・す[3]【嗅(ぎ)出す】(他五) △鼻で嗅いで(秘密の事などを)探り出す。

かきた・てる[4]【書(き)立てる】(他下一) ❶個々の項目を列挙して書く。「細かい事まで、いちいち—」 ❷ことさら問題として取り上げて書く。「新聞に—」

かきた・てる[0][4]【〈掻(き)立てる】(他下一) ❶燃えて短くなった灯心を出して光を強めたり 炭の位置を動かすなどして衰えかけた火勢を強くしたりする。❷泡が立つほど勢いよく掻きまぜる。「△卵(薬)を—」 ❸(強い)刺激を与えて、その気持をいちだんと高めるようにする。「△意欲(競争心・不安)を—」

かぎたばこ[3]【嗅(ぎ)〈煙草〉】鼻の穴にすりつけて かおりを味わう粉たばこ。

かきたま[0]【〈掻(き)玉】かきまぜた鶏卵を、流しこんだすましじる。「かきたまじる[5]」とも。

かきちら・す[4][0]【書(き)散(ら)す】(他五) ❶むぞうさにどんどん書く。❷(注文のあるままに)気軽に あちこちに書く。

かきつけ[0]【書(き)付(け)】❶書きつけた文書。❷証文。勘定書。かぞえ方❶❷とも一葉(イチヨウ)・一枚・一本・一通

かきつ・ける[4][0]【書(き)付ける】(他下一) ❶必要な事柄を△備忘のために(求められて)そこに書く。❷書き慣れる。

かぎつ・ける[4]【嗅(ぎ)付ける】(他下一) ❶においを嗅いでいって△何が(どこに)あるかを探り当てる。❷秘密にしていた事を、ちょっとした手掛りをもとに(勘を働かせて)探り当てる。

かぎっこ[0]【鍵っ子】家族が働きに出かけて留守なので、その子が帰宅した時自分で家に入れるように鍵を持たされている子供。

かきつばた[3]【〈杜若〉】アヤメに似て、全体が大形の多年草。水辺に生え、五月ごろ、△紫(白)色の花を開く。観賞用。〔アヤメ科〕 表記「〈燕子花〉」(漢語表記)とも書く。かぞえ方一本(イッポン/ヒトモト)

かぎづめ[0]【〈鉤爪】鉤のように内側に曲がった鋭い爪。霊長類・有蹄(テイユウ)類を除く哺乳動物や鳥類などに見られる。

かきつら・ねる[5]【書(き)連ねる】(他下一) ❶事の大小にかかわりなく、思いつくままに長ながと書く。❷条件に該当する事柄を列挙して書く。「賛同者の氏名を—」

かきて③⓪【書き手】❶書く人。また、書いた人。⇩読み手 ❷上手に文字(文章)を書く人。書家。文章家。「なかなかの—だ」

かきどなり③【垣隣】 垣根を隔てて隣り合うこと(家)。

かきとば・す④⓪【書き飛ばす】(他五) ❶推敲(スイコウ)などに意を用いず、勢いに乗って休みなく書く。❷書くべきことの一部をうっかり抜かして書く。

かきとめ⓪【書留】〔←書留郵便⑤〕確実に送り届けたり不着の場合は賠償したりするため、特別料金を取り、発送人・受信人などを記録しておく郵便物。

かきと・める④⓪【書き留める】(他下一) 〔忘れないように〕書いて残す(おく)。「ノートに—」

かきとり⓪【書き取り】❶書き写すこと。❷言われた言葉や文章を文字に書くこと(試験)。「漢字の—」

かきと・る③⓪【書き取る】(他五) 言った(聞いた)事や字句・文章などを残らず書く。

かぎと・る③⓪【嗅ぎ取る】(他五) においを感じ取って、何から発せられるかに気づく。〔その場の雰囲気などから、秘密を察知する意にも用いられる。例、「陰謀のにおいを—」〕

かきなお・す④⓪【書き直す】(他五) 一度書いたものをきれいに(誤りを正した上で)もう一度書く。[名]書き直し⓪

かきなが・す④【書き流す】(他五) あまり気負ったり注意・苦心したりせず、楽な気分ですらすらと書く。[名]書き流し⓪

かきなぐ・る④⓪【書きなぐる】(他五) 乱暴に書く。「へたな字で—」

かきなら・す⓪④【〈搔き鳴らす】(他五) 三味線(シャミセン)や琴、ギターなどをひいて鳴らす。「ギターを—」

かきなら・べる⑤⓪【書き並べる】(他下一) 順を追って並べて書く。

かぎなり⓪【〈鉤《状】 鉤のように先が(直角に)曲がった形。

かきな・れる④⓪【書き慣れる】(自下一) ❶(筆・ペンなどについて)いつもそれを使って書いていて、よく慣れている。❷いつも書いていて字(文章)が上手である。[表記]「書き〈馴れる」とも書く。

かぎなわ⓪【〈鉤縄】 先端に鉤を取りつけた縄。

かきぬき⓪【書き抜き】—する(他サ) 要点や必要な部分を写し取ること(取ったもの)。〔狭義では、演劇の台本からその俳優のせりふだけを書き抜いたものを指す〕[動]書き抜く③⓪(他五)

かきね②③【垣根】〔「ね」は接辞〕自分の家(の庭)と、それ以外の土地とを隔てる囲いや仕切り。〔他との隔ての意にも用いられる〕「—を取り払う/高い—を張りめぐらす」 **—ごし**⓪【—越し】〔「垣越し」の新しい表現〕垣根を隔てて(の上を越して)一方から他方に何かをすること。「—に声をかける/荷物を—に運び入れる」

かきの・ける⓪④【〈搔き《退ける】(他下一) 手などで押したり払ったりして、のける。「人を搔きのけて前に出る」

かきのこ・す④⓪【書き残す】(他五) ❶書いてあとに残す。「遺言を—」❷書き落とす。書き漏らす。❸書き終わらずに残す。[名]書き残し⓪

かきのし②【書き〈熨斗】 贈り物の包み紙・引き幕などに「のし」と書いて、のし紙代りの意を含ませたもの。

かきのぞき③【垣〈覗き】 垣根のすきまから覗き見をすること。〔視野が至って狭い意にも、ほとんど(何も)見えていない意にも用いられる〕「—をしたぐらいで、実態などわかるものか」

かぎのて③④【〈鉤の手】〔「手」は形の意〕曲尺(カネジャク)や鉤の形に曲がっていること(もの)。

かぎばな⓪【〈鉤鼻】 横から見ると、鼻の先がL字形に鋭く曲がった鼻。わしばな。「引目(ヒキメ)—」

かぎばり②③【〈鉤針】 先が鉤の形になった針。

かきはん⓪②【書き判】「花押(カオウ)」の通称。

かきぶり⓪【書き振り】❶書く時の様子。❷書いた字・文章の様子。筆跡や文体など。〔❶❷とも、口頭語的な強調形は「書きっぷり⓪」〕

かきま・ぜる④⓪【〈搔き交ぜる】(他下一) 手や箸(ハシ)などを動かして、中のものを交ぜる。[名]搔き交ぜ⓪

かきまわ・す⓪④【〈搔き回す】(他五) ❶手や箸(ハシ)などを回して、中のものを動かす。「さじで—/火(=炭火)を—」❷団体や会合などの秩序を混乱させる。

かきみだ・す④【〈搔き乱す】(他五) あちらこちらを搔き交ぜるようにして、混乱を起こさせる。「静けさ(気持)を—/秩序(魂)がかきみだされる」

かきむし・る④⓪【〈搔き〈毟る】(他五) ❶ひっかいて毟る。❷ひっかくようにして毟ったり傷つけたりする。「髪の毛(苦しさで胸)を—」

かきもち②【〈搔き餅・欠き餅】〔欠き餅の意。もと、鏡餅を砕いたものを指した〕❶餅を薄く切って干したもの。焼いて食べる。❷「かきもち❶」に似て、軽く焼いた、しょうゆ味の菓子。「おかき」とも。[かぞえ方]❶❷とも一枚

かきもの②③【書き物】❶文字・文章を書くこと。「—をする」❷書いたもの。書類。文書。[かぞえ方]❷は一枚

かきもら・す④⓪【書き漏らす】(他五) 何かの事情で、そこだけ書かずじまいになる。[名]書き漏らし⓪

かきもん②【書き紋】〔縫い紋・染め紋と違って〕筆で書いた紋。〔広義では、筆で書いた模様をも指す〕

かぎゃく⓪【加虐】〔快感を得るために〕他人に苦痛や屈辱を与えること。

かぎゃく⓪【可逆】〔化学で〕逆向きの反応も可能なこと。「—性⓪・—反応④」↕不可逆

かきゃくせん⓪【貨客船】 本体は貨物船で、一部に旅客を乗せることが出来るもの。「かかくせん⓪」とも。

かきゅう⓪【下級】 等級・段階が低いこと。「—生②・—裁判所⑧⓪」⇩上級・中級

かきゅう⓪【火急】—に/—な 〔火が燃え広がるように差し迫っている意〕〔対応・処理などを〕急いでしなければならない様子。「—の用」

かぎゅう⓪【〈蝸牛】 カタツムリの漢語的表現。 **—かくじょう**⓪【—角上】 カタツムリの角(ツノ)の上。「—の争い〔=小さな世界における争い。ほかの人にとってはどうでもいいような、つまらない争いのたとえ〕」 **—のあゆみ**⓪-③【—の歩み】 物事の進行がきわめて遅いことのたとえ。

かきゅうてき⓪【可及的】(副)「出来るだけ・なるべく」の意の漢語的表現。〔多く公文書に用いられる〕「—すみやかに改善されるべきだ」

かきょ①【科挙】〔科目ごとに合格者を選び挙(ア)げる意〕中国で清(シン)代末期まで行なわれた、高級官吏の採用試験。

かきょ①【家居】—する(自サ) 〔公務などにつかず〕家にこもっていること。

かきょう⓪【佳境】 物事が進行して興趣がそそられるようになったところ。「話が—に入(イ)る」

かきょう⓪【架橋】—する(自サ) 橋をかけること。「—作業」

かきょう①【家郷】「故郷」の別称。

かきょう①【華〈僑】〔「僑」は旅住まいの意〕外国に定住〔して商業に従事〕する中国人。

【】の中の教科書体は学習用の漢字，〈 は常用漢字外の漢字，《 は常用漢字の音訓以外のよみ。

かきょう[0]【歌境】❶その歌△に詠み込まれている情景（を詠んだ時の作者の心象風景）。❷歌のうまさの段階。「―頓トミに進む」

かぎょう[1]❶【家業】その家の（世襲的な）職業や商売。❷【稼業】収入源としての職業。「―に精を出す」運用 ❷は、「△サラリーマン（作家・役者）稼業」などの形で、生活のために心ならずもその職業についているのだと自嘲ジチョウ的に用いられることがある。

かぎょう[1]【課業】その△日（時間）に割り当てられた学科・業務。

がきょう[0]【画境】❶その絵△に描カき込まれている情景（を描いた時の作者の心象風景）。「余人に模倣出来ない―」❷絵のうまさの段階。

がぎょう[1][0]【画業】絵の上での△仕事（業績）。

がぎょうびおん[4]、[1]-[0]【ガ行鼻音】⇩鼻濁音

かきょく[0]【佳局】❶佳境。❷〔碁・将棋などで〕好手が続いた、すぐれた勝負。

かきょく[1]【歌曲】❶歌（の節）。❷〔西洋音楽で〕クラシック系統の声楽曲。リート。「シューベルトの―/ドイツ―」

かきよ・せる[4][0]【〈掻(き)寄せる】（他下一）手などで掻いて（自分の方に）寄せ集める。「落ち葉を―」

かぎり【限(り)】❶[1][3]その人にとって△それ以上望むことの出来ない（その範囲にとどめざるを得ない）ところまで達した段階。「△力（心）強い―だ/今を―〔＝最後〕と戦う/声を―に叫ぶ/ぜいたくの―を尽くす〔＝成し得るだけのぜいたくをする〕/あらん―/予断の―ではない〔＝予断通りになるかどうかは、必ずしも保証されない〕」❷[1]限った△もの（こと）。限られた範囲内。「この場―〔＝だけ〕の話/―ある命」文法 ❷で、「謝らない限り〔＝謝らないあいだは〕私はあの男を許さないつもりだ」「私の知る限り〔＝知識の及ぶ範囲内で〕こんな事故は初めてだ」などと、接続助詞的に用いられることがある。〔❷の「―が△ある（ない）」の時のアクセントは[3]〕 **―な・い**[4]【―無い】（形）❶（次から次へと続き）どこで終わるか全く予測出来ない様子だ。「限り無く続く道」❷この上ない。「―喜び」文法 助動詞「そうだ（様態）」に続くときは「限りなさそうだ」の形になる。また「すぎる」と結びついて複合動詞をつくるときは「限りなさすぎる」の形になる。

***かぎ・る**[2]【限る】（他五）❶〈なに・だれヲなに・だれニ―〉△相連なる（相接する）物の間に一線を引いて、そこを越せばその物ではなくなる、と決める。「△時期（日）を―/限られた予算で組織を運営する」❷〈なに・だれニ―〉他を認めずに、同類の中で特定のものだけを問題にする。「今日に限って〔＝今日だけ特に〕早く来た/あの人に限って〔＝あの人だけは〕うそをつくはずは無い/旅行は秋に―〔＝秋が最もよい〕/雨が降らないとも限らない〔＝降る（ことがある）かもしれない〕/何事に限らず〔＝どんな事でも〕相応の資金を要する」

かぎろい[0]【〔陽炎〕】〔雅〕❶かげろう（陽炎）。❷かがやく日の光。

かきわ・ける[4][0]【書(き)分ける】（他下一）〔文体や登場人物の性格などを〕区別して書く。名 書き分け[0]

かきわ・ける[4][0]【〈掻(き)分ける】（他下一）手の先で左右へ押し分けるようにして、道を開く。「人ごみを―」

かぎわ・ける[4]【嗅(ぎ)分ける】（他下一）においからその物と他の物との違いを判別する。〔鋭敏な感覚で物事の微妙な差異に気づく意にも用いられる〕

かきわす・れる[5][0]【書(き)忘れる】（他下一）書こうと思っていて、忘れる。名 書き忘れ[0]

かきわり[0]【欠(き)割(り)】ニシンの背中の肉を干した食品。⇩身欠きニシン

かきわり[0]【書(き)割(り)】舞台の背景として、自然の風景や座敷などを板や布に描いたもの。

かきん[0]【家〈禽】肉や卵などを利用する目的や愛玩ガン用に家で飼う鳥類。例、ニワトリ。↕野禽ヤキン

かきん[0]【〈瑕瑾〉・〈瑕釁〉】惜しむべき△欠点（短所）。表記「瑕」は玉のきず、「瑾」は美しい玉の意。「釁」は、きずの意。

かきん[0]【課金】貸借料・使用料などの料金を課すこと。また、その料金。「―方式」

かく〈各・角・拡・画・客・革・格・核・殻・郭・覚・較・隔・〈赫・閣・確・獲・嚇・穫・《鶴〉↓【字音語の造語成分】

かく[1]【〈斯(く)】（副）「このように・こう」の意の古風な表現。〔多く改まった挨拶サツアイなどで用いられる〕「―なる上は〔＝こうなったからには〕/―も盛大な会を催していただき/万事につけて―のごとし」⇩かくかく・かくして・かくて・とかく・とにかく・こう

か・く[1]（他五）❶何かを組み合わせて、ある形を作る。「△あぐら（やぐら・床ユカ）を―/ふんどしを―〔＝着ける〕」❷【〈舁く】二人以上で肩にかつぐ。「かごを―」

***か・く**[0]【欠く】（他五）❶〈なにヲ―〉堅い物（の一部）がこわれた状態になる。「茶碗チャワンのふちを―」❷〈なに・だれヲ―〉必要だととらえられるものを備えていない状態にある。「△きめ手（リーダーシップ・判断力・バランス・見通し・配慮・良識・誠実さ・迫力・精彩）を―/衣食住は人間が生きるために必要―べからざるものである/義理を―〔＝怠る〕」

****か・く**[1]（他五）〔「掻カく」と同源〕❶【書く】〈（なにデなに・どこニ）なにヲ―/（なにヲ）なんだト―〉（あとに残すために）表わそうとする何かを物の表面に、目に見える形で示す。「拠金者名簿に名前を―〔＝しるす〕/文章を―〔＝作る〕/本を―〔＝著わす〕/小説を―」❷【描く】〈（なにデなに・どこニ）なにヲ―〉えがく。「絵に描いた餅モチに終わる」表記 ❷は、「《画く」とも書く。

***か・く**[1]【〈掻く】（他五）❶〈（なにデ）なにヲ―〉△あっては困る（無い方がいい）物や状態を取り除くために、物の表面に何かを当てて勢いよく押したり引いたりする。「かゆい所を―/頭を―〔＝失敗して恥ずかしかったりなんとなくきまり悪かったりするときや、単なる習性としてよく行なわれるしぐさ〕/首を―〔＝かき切る〕/雪を―/氷を―/敵の裏を―」❷〈（なにデ）なにヲ―〉どろどろした物をすばやく交ぜて、利用できる状態にする。「△からし（漆ウルシ）を―/掻き玉タマ―」❸〈なにヲ―〉望ましくない状態を呈する。「△汗（べそ・恥・いびき）を―/瘡カサを―〔＝ⓐおできが出来る。ⓑ梅毒症状を呈する〕/欲を―〔＝いやが上にも欲ばる〕」

かく【角】❶[2][0]四角。「―に切る/―材・―柱・―煮・―切ギリ」❷[1]〔幾何学で〕Ⓐ同一の点〔＝頂点〕から出る二本の半直線〔＝辺〕によって平面が二つに区切られている時の一方。「二直線の成す―/直線と平面の成す―〔＝直線と、その直線の平面への正射影の成す角〕/鋭―・直―・鈍―・―速度」Ⓑ頂点の近く、しかも二本の半直線の開き具合〔＝角の大きさ〕に重点のある概念で、端点を共有する二本の線分の成す図形。「三―形・四―形」Ⓒ半直線で二つに区切られたうち、開きの小さい方を「劣角[0]」、大きい方を「優角[1]」と称し、狭義では、前者を単に「角」と言う。また、同一の直線を共通の境界として持つ二つの半平面の成す空間図形をも指す。この場合は「二面角[2]」と称する。❸[0][2]〔↑角行カクギョウ〕将棋の駒コマの一つ。斜めにどこまでも動ける。成ると「馬❶㊃」になる。⇩【造語成分】

かく[0][2]【画】漢字を分析して見た時の、一続きに書かれる線。〔広義では点を含み、狭義では除く〕「画の字は八―/点―」表記「〈劃」とも書く。⇩【造語成分】

かく①【核】❶果実の種子を包んでいる堅いもの。たね。さね。〔物事の中心にあるものの意にも用いられる。例、「―心・中―」〕❷細胞内にあって新陳代謝・遺伝をうけもつ、にかわ質の器官。❸「核兵器」の略。「米国の―の傘の下にある〔=⇩傘〕/本土への―持込み/反―」⇩【造語成分】

かく⓪【格】〔もと、正しい意〕❶その社会における資格・地位・等級などの順位。「彼の方がずっと―〔=ランク〕は上だ」❷（その社会でよしとされる）決まったやり方。「―に合わない/合―」❸〔文法で〕その言葉が、文中で他の言葉、特に、述語に対して持つ△統語的（意味的）な関係。「―助詞・主―・目的―④③・連体―」⇩【造語成分】

かく①【佳句】❶幾つかある詩や歌の中で、目立ってすぐれたもの。佳什(カジユウ)。❷すぐれた俳句。

***か・ぐ**⓪【嗅ぐ】（他五）〈なにヲ―〉においを鼻で感じ取る。

かぐ①【下愚】〔古〕まともに相手に出来ないほどの愚か者。「―は移るべからず〔=直しようがない〕」

***かぐ**①【家具】日常生活に必要な物として、部屋の一隅などに常時備えておく道具。机・たんすや棚など。

がく（学・岳・〈愕・楽・額・顎）→【字音語の造語成分】

がく【学】❶❶①学問。科学。「―の―たる所以(ユエン)は…/経済―・医―」❷⓪①知識。「―のある人/博―」❷①学校。「―制・―窓・大―・入―・在―」⇩【造語成分】

がく②⓪①【〈萼】その花の中で最外部に位置し、花びらをささえるもの。多くは緑色。うてな。

がく①【楽】音楽。「―の音(ネ)/―器(ガッキ)・―譜・管弦―」

がく【額】❶①一定の金額。〔「年間の産額は五十万トンに及ぶ」における「産額」は、生産量・産出量の意〕「予算の―/金―・総―」❷⓪②門の名を記してその上に掲げるもの。また、書画をかいたり写真や賞状などを入れたりなどして壁に、掲げるもの。「―に入れて飾る/―縁(ブチ)」かぞえ方❷は一枚・一面・一架 ⇩【造語成分】

かくあげ⓪【格上(げ)】―する（他サ）資格・地位・等級などを、それまでより高くすること。↕格下げ

かくい①(キ―)【各位】〔複数の関係者を対象とする通達文で〕地位・職階などの区別無く、敬意を込めて「皆様がた」と呼びかける語。「読者―・会員―」運用「…各位殿」とする向きもあるが、「各位」自体に敬意が含まれているので「殿」は不要。

かくい①【隔意】わだかまりなどがあって、相手にうちとけることができない気持。「―無く話す」

がくい①(キ―)【学位】一定の学術を修めて論文を提出し、審査に合格した者に与えられる称号。修士と博士とがある。〔狭義には博士をさす〕「―論文④」

かくいし⓪【角石】建物や塀などの素材として用いられる、四角い石材。

かくいつ⓪(クワク―)【画一・〈劃一】△特殊事情を考慮せず（規格に従って）すべてを一様にすること。「誤れる―主義/―的⓪・―化⓪・―性⓪」

かくいん①(キン―)【各員】自分の配下にある一人ひとり。「―一層奮励努力せよ」

かくいん⓪【角印】会社などの組織体で社名や部署名を彫った公印。一般に正方形。

かくいん⓪(キン―)【客員】⇩きゃくいん

かくいん⓪(キン―)【閣員】「閣僚」の意の漢語的表現。

がくいん⓪(キン―)【学院】「学校」の異称。〔宗教関係者の設立した学校や各種学校の名に多く用いられる〕

がくいん⓪(キン―)【楽員】その楽団で音楽を演奏する人。

かくう⓪【架空】❶空中にかけ渡すこと。「―ケーブル④」❷―な 実際にあるのではなく、頭の中ででっちあげること。「―〔=でたらめ〕の話/―〔=想像上〕の人物」

かぐう⓪【仮〈寓】「かりずまい」の意の漢語的表現。

がくえん⓪(エン―)【学園】❶全人格的な精神教育を目指して設立された私立学校の称。〔初中等教育から高等教育までの一貫した教育を実施する所が多い〕❷校舎その他の付帯施設を含んだ学校の構内全体。「―都市⑤」

かくおち⓪【角落(ち)】〔将棋で〕二段の差がある時に、高段者が初めに角を置かないというハンディキャップを持って対局すること。

かくおび⓪【角帯】二つ折りにした、堅くて幅の狭い男用の帯。かぞえ方 一本

がくおん⓪【学恩】師と仰ぐ人から受けた学問上の恩。「亡き先生の―に報いる研究成果を上げた」

がくおん⓪【楽音】人間の耳に快感を与え一定の高さのものとして認識される、弦楽器・管楽器などの音。音響物理学的には、基本になる振動数の音〔=基音〕とそのいくつかの倍音とから成る。↕騒音

かくかい①⓪【各界】⓪【角界】⇩かっかい

かくがい②⓪(グワイ―)【格外】❶規格品外であること。「―の品」❷普通の程度をはるかに超えていること。「―の増加率」

かくがい②(クワク グワイ)【郭外】城郭や遊郭などの、かこいの外。

かくがい②(グワイ―)【閣外】内閣の外部。〔多くは、入閣しない人（としての立場）を指す〕↕閣内

がくがい②(グワイ―)【学外】その学校組織の外部。〔狭義では、大学について言う〕↕学内

かくがいでんし⑤(―グワイ―)【核外電子】原子核のまわりを運動している電子。原子核とともに原子を構成する。

かくかく①【〈斯〈く〈斯〈く】（副）〔「これこれ」の意〕第三者に対して△すでに述べたことを繰り返す（他人の言の内容を具体的に述べる）ことを避けるのに用いる語。「聞いたところは―しかじか〔=これこれ、この通り（の内容）〕だ/―〔=以上〕の次第だ」⇩かく

がくがく❶①（副）―と ―する ❶本来そこに固定されているべきものがゆるんで動きやすい状態になっている様子。「△歯（テーブルの脚）が―する」❷からだの一部分などが小刻みに震える様子。「ひざが―（と）震える」❷⓪―な ―に ❶「がくがく❶❶」に同じ。「入れ歯が―になる」❷「がくがく❶❷」に同じ。「山下りでひざが―になる」

がくがく⓪【〈諤々】―たる ―と 正しいことを遠慮せずに言う様子。「侃々(カンカン)―」

かくかくさん③、①-⓪(クワク―)【核拡散】〔↑核兵器拡散〕核兵器の製造や移転などで、核兵器（の保有国）が増えること。「―防止条約①-⓪-④、①-⑧」

かくかぞく③【核家族】〔文化人類学で〕父母と未婚の子供から成る家族構成。家族形態の基礎的単位とされる。〔人口統計では、夫婦（のどちらか）と、その子供（たち）だけで一世帯を構成するものを指す〕

かくがり⓪【角刈(り)】頭全体を四角に見せる、男子の髪の毛の刈り方。

かくぎ①【格技・〈挌技】一対一で、からだをぶつけあってする競技。例、すもう・柔道・レスリングや剣道など。格闘技。「―場(ジョウ)⓪」表記 もとの用字は、「〈挌技」。

かくぎ①【閣議】内閣の大臣による会議。「定例―・持回り―・臨時―④」

かくぎょう⓪(―ギヤウ)【角行】将棋の駒(コマ)の一つ、「角」の正式名称。「かっこう」とも。

がくぎょう②⓪(―ゲフ)【学業】学生・生徒の本分として、それに励むことが要求される学校の授業。「―に身が入らない/―を終える/―に励む/―〔=学校の成績が〕優秀」

かくきょり③【角距離】観測者から二つの点に至る二

本の半直線が作る角の大きさ。

かくぎり⓪【角切り】物を立方体(=サイコロの形)に切ること。また、切ったもの。「大根を―にする／―の牛肉」

かくぐう⓪【客〈寓】❶客となって身を寄せる△こと(家)。❷旅先でのかりずまい。

かくけい⓪【角形】四角の形。「―封筒⑤」

がくけい⓪【学系】法学系・経済学系・理学系・工学系など、分野別に区分した学問の系統。

かく

[各] それぞれ(の)。「各人・各自・各種・各国・各地・各団体・各人各説」

[角] ❶つの。「頭角」❷かど。「外角・内角・三角・圭角・稜角」❸すみ。「方角・一角」❹くらべる。競争する。「角逐・角力」❺すもう。「角道・角界」⇩(本文)かく【角】

[拡] ひろくする。ひろげる。「拡大・拡充・拡声器・拡張・拡散」

[画] ❶しきる。くぎる。線を引く。「画定・画期的・区画」❷はっきり。「画然」❸はかりごと(を立てる)。「画策・計画・企画・参画」表記 ❶❷のもとの用字は、「〈劃」。⇩(本文)かく【画】

[客] ❶たびびと。「客死・客舎・旅客」❷ある状態にある人。「墨客・剣客」❸「先の・前の・過去の」の意。「客月・客年」⇩きゃく

[革] ❶動物の皮の毛を取り除いたもの。「革質・皮革・牛革」❷新しくする。改まる。改める。「革新・革命・改革・変革」

[格] ❶縦横の線で仕切られた一囲み。升[一]❶。「空格・半格あき」❷他のものと比較して、高いとされる程度。「格式・格調・人格」表記 ❶の代用字は、「角」。⇩(本文)かく【格】

[核] (略) 原子核。「核実験・核兵器・核分裂・核融合」⇩(本文)かく【核】

[殻] 生物のからだなどをおおっている堅いから。外皮。「甲殻・卵殻」

[郭] ❶外まわり。「郭外・輪郭・外郭・城郭・遊郭」❷広びろとした様子。「郭大・郭寥」表記「〈廓」とも書く。

[覚] ❶さとる。感じる。「覚悟・感覚・知覚・自覚」❷さとった人。知恵のある人。「才覚・先覚」❸あらわれる。「発覚」

[較] ❶くらべる。「比較」❷違い。「較差」

[隔] ❶遠く離れている。へだたる。へだてる。「隔世・隔絶・隔意・間隔・遠隔」❷一つおいて次の。「隔日・隔月・隔年・隔世遺伝」

[〈赫] おこる。かっとする。「赫怒」

[閣] [一]高い建物。たかどの。「台閣・高閣・仏閣・楼閣・天守閣」〔いわれのある建物・料理屋などの名前にも用いられる〕[二](略) 内閣。「閣僚・閣議・閣外・入閣・組閣・倒閣」

[確] ❶かたい。しっかりして動かない。「確守・確立・確固・確信」❷たしか。まちがいのない。「確実・確証・確答・正確・的確」

[獲] 動物をつかまえる。獲物にする。「獲得・漁獲・捕獲・乱獲」

[嚇] おどかす。「威嚇」

[穫] 穀物をかりとる。とりいれ。「収穫・多穫」

[《鶴] ツル。「孤鶴・白鶴・鶴首」

がく

[学] ❶教えを受ける。研究する。まなぶ。「学習・好学・独学・遊学・留学」❷学者。「篤学・後学・宿学」⇩(本文)がく【学】

[岳] ❶高くて大きい山。「山岳・富岳」❷妻の父を言うのに添える語。「岳父」

[〈愕] おどろく。「愕然・驚愕」

[楽] ⇩(本文)がく【楽】

[額] ひたい。「前額部」⇩(本文)がく【額】

[顎] あご。あぎと。おとがい。「下顎・上顎・顎骨」

がくげい⓪【学芸】❶学問と芸術。❷新聞の記事の区分で、文学・芸術・科学などを扱うもの。「―部③・―欄③」
―いん③【―員】展示資料の収集・整理保管・調査研究などに従事する、博物館・美術館や都道府県などの文化面担当の、博物館法に定められた国家資格を有する専門職員。 **―かい**③【―会】〔小学校などで〕学習の成果を、劇・歌などの形で発表する会。

がくげき⓪【楽劇】管弦楽が劇の内容や進行に重要な位置を占め、声楽と一体化した劇。

かくげつ⓪【隔月】「一月おき」の意の漢語的表現。「―刊」

かくげん⓪【格言】〔「格」は法式の意〕人間の生き方を端的に言い表わした古人の言葉。「時は金なり」など。

かくげん⓪【確言】―する(自他サ) はっきり、そうだと言い切ること。また、その言葉。「―を避ける」

かくご⓪【客語】〔文法で〕他動詞の動作・作用を向ける対象となる物や事を表わす言葉。目的語。「きゃくご」とも。⇩主語・述語

かくご①【覚後】△眠りから(夢が)さめたあと。

*__かくご__①【覚悟】―する(自他サ)〈なにヲ―する／なんだト―する〉事に臨んで、どんなに△危険や困難(不利な立場に立たされるようなこと)があったとしても取り乱したり、逃げ出すような行動はするまいと心を決めること。また、そのはりつめた心。「―を固める／非難は―の上だ／すべて(を)―の前」

かくさ① [一]【格差】平等が期待される同種のものの間に現実に存する、高低・上下・多寡の開き。「△一票(男女間・業種間)の―／昼夜による需要の―／△企業(賃金)―を是正する」[二]【較差】同じ基準をもって比較されるものの、両極間の隔たり。「こうさ」とも。「最高最低気温の―／年間を通しての日照時間の―」

かくざ①【〈擱座・〈擱坐〉】―する(自サ)〔「擱」は物の行動が止ャむ意〕❶船が浅瀬に乗り上げること。座礁。❷戦車などがこわれて動けなくなること。

かくざい⓪②【角材】横断面が四角い木材。かぞえ方 一本

がくさい⓪【学才】学問上の才能。⇩商才・世才

がくさい⓪【学債】私立大学などの学校法人が発行する債券。

がくさい⓪【学際】〔interdisciplinary の訳語〕いくつかの学問の領域にまたがること。「―的研究〔=いくつかの学問

分野にまたがる△現象(問題)を究明し解決するために要請される、関係諸科学による協同的・総合的研究〕」

がくさい⓪【楽才】音楽上の才能。

かくさく⓪(クワク)【画策】—する(他サ) 計画を△立てる(立てて、立ち回る)こと。〔悪い意味に使う事が多い〕「舞台裏で—する/—家⓪」

かくさげ⓪【格下(げ)】—する(他サ) 資格・地位・等級などを、それまでより低くすること。↔格上げ

かくざとう③(タウ)【角砂糖】さいころの形に作った白砂糖。〔紅白に着色したものや、花に象(カタド)ったものなどもある〕 かぞえ方 小売の単位は一袋・一箱

がくざら⓪【額皿】立てかけたり 下げたり などして飾る絵皿。 かぞえ方 一枚

かくさん⓪(クワク)【拡散】—する(自他サ) ❶広がり散ること。また、散らすこと。「大気中に—したオキシダント/核兵器の—を防止する」 ❷〔物理学で〕気体や液体が、どの部分も同じ割合で混じり広がること。

かくさん⓪【核酸】細胞の核や原形質の中に含まれる高分子化合物。燐酸(リンサン)・塩基・糖から成り、生物の健康の維持や遺伝に重要な関係がある。

がくさん⓪【学参】「学習参考書⑨⓪」の略。

かくし【隠(し)】㊀③ ❶隠す△こと(もの)。「真相—・照れ—・目—」 ❷ポケットの意の古風な表現。「内—③」 ㊁(造語) 動詞「隠す」の連用形。「—マイク④」 **—あじ**③(アヂ)【—味】全体の味を引き立たせるように、特定の調味料をごくわずか加えること。また、その調味料。例、おしるこに足す塩など。 **—おとこ**④(ヲトコ)【—男】その女性と愛人関係にありながら、他人には秘密にされている男性。 **—おんな**④(ヲンナ)【—女】その男性と愛人関係にありながら、他人には秘密にされている女性。 **—がまえ**④(ガマヘ)【〈匚〉構(え)】漢字の部首名の一つ。「匹・匿・區」などの「匸」の部分。〔当用漢字以降、正式に「はこがまえ(匚)」と同じ形になった〕⇩はこがまえ **—くぎ**③【—〈釘〉】そこに打ってあることが一見分からないようにして打った釘。 **—げい**③【—芸】宴会の席などで初めて みんなの前で見せたり 聞かせたりして、あっと言わせる芸。⇩裏芸 **—ご**③【—子】〔親が正式の夫婦ではないなどの理由で〕世間には公表しないでいる子供。 **—ごと**⓪【—事】〔好ましくない事態を招くことを恐れ〕人に秘密にしている事柄。 **—だ**⓪③【—田】税を取られたりしないように、届け出をしないでおく田。 **—だて**⓪【—立(て)】—する(自サ) △どこまでも(必要以上に)隠そうとすること。 **—だま**⓪【—球】❶野球のトリック プレーの一つ。投手以外の野手が球を持っていることを知らずに気を許して塁を離れた走者をタッチアウトにすること。高校野球では禁じられている。❷交渉の際など、不利な局面を有利に転換するための切り札として秘かに用意しておく策。 **—どころ**⓪④【—所】「陰部」の意の婉曲(エンキョク)表現。 **—どり**⓪【—撮(り)】—する(他サ) 相手に気付かれないようにして撮影すること。 **—も・つ**④【—持つ】(他五) 他人に気づかれないようにして△身に付ける(所有する)。

かくし⓪【客死】—する(自サ) △外国(旅先)で病死したり事故死したりすること。

かくじ①【各自】その△団体(組織)を構成する、一人ひとり。めいめい。

がくし①【学士】(四年制)大学の学部卒業者の称号。「文—」 **—いん**③(キン)【—院】〔←日本学士院②-③、⑥〕学術上の功績の顕著な学者を優遇するための機関。定員は一五〇名で、学界の長老や古参の大学教授が多い。

がくし⓪【学資】学業を続けるための費用。〔生活費をも含む〕⇩学費

がくし① ㊀【楽士】(劇場などに専属して)音楽を演奏する人。㊁【楽師】雅楽の楽人(ガクニン)。

がくじ①【学事】教育・研究の実践や学校の運営に関する△事務(事柄)。「—課⓪・—報告④・—振興」

かくしき⓪【格式】❶自己の家柄を高しとすることに基づく、形式主義的な付き合い方。❷社会通念上の序列や地位にふさわしい何ものか。「—を整える」 **—ば・る**⑤【—張る】(自五) 昔通りの格式を守らなければと、やかましい事を言ったり 堅苦しくふるまったり する。

がくしき⓪【学識】学問上の深い研鑽(ケンサン)を通じて得た、高い識見。「—経験者」

かくじだいてき⓪(クワク)【画時代的・〈劃時代的〉】—な —に それによって新しい時代が始まる様子だ。エポック メーキング。

かくしつ⓪【角質】❶角(ツノ)・ひづめ・羽・つめ・髪の毛などの主成分。「—層④・—化⓪」❷角のように堅い(性)質。

かくしつ⓪【確執】—する(自サ) 互いに自説を強く主張して譲らない事から起こる不和。

かくじつ⓪【隔日】「一日おき」の意の漢語的表現。

***かくじつ**⓪【確実】—な —に 変更・まちがい・失敗などの無い様子。「熟達の職人の手になる—な〔=十分に信頼できる〕品/—な〔=堅実な〕商売/当選は—だ/行くかどうかまだ—でない〔=決まっていない〕/—性⓪」 派—さ⓪

かくじっけん③【核実験】核分裂・核融合の実験。〔狭義では、核兵器の実験を指す。例、「—探知」〕

かくして①【〈斯(く)して〉】(接) その結果。こうして。

かくしゃ①【客舎】「旅先の宿」の意の漢語的表現。「きゃくしゃ」とも。

がくしゃ①【学舎】「校舎」の意の古風な表現。〔狭義では、私立学校の校舎を指す〕

がくしゃ⓪【学者】❶普通の人より知識の深い人。「なかなかの—だ」❷実利を離れ、学問研究に従事している人。

かくしゃく⓪(クワク)【〈矍鑠〉】—たる —と 年をとっても丈夫で元気のいい様子。「—たる老作家」

かくしゅ①【各種】いろいろの種類。 **—がっこう**④(ガクカウ)【—学校】⇩学校

かくしゅ①【確守】—する(他サ) △決めた(命じられた)事を何があっても守り抜くこと。「命令を—する」

かくしゅ①(クワク)【〈馘首〉】—する(他サ) 〔「馘」は、もと首を取った印に耳を切る意〕雇主が一方的に使用人を解雇すること。首切り。

かくしゅ①【《鶴首》】—する(自サ) 〔ツルのように首を長く伸ばして待つ意〕何か(よい事)が実現するのを、今か今かと待つこと。

かくしゅう⓪(シウ)【隔週】「一週間おき」の意の漢語的表現。「—刊」

かくじゅう⓪(クワク)【拡充】—する(他サ) 規模を拡張し充実させること。「経済援助の—を図る」

がくしゅう⓪(シウ)【学修】—する(他サ) 一定の課程に従って、知識を自分のものとして学び取ること。

***がくしゅう**⓪(シフ)【学習】—する(他サ)〈なにヲ—する〉〔学校などで〕繰り返しながら(段階的に)基礎的知識を学ぶこと。「—者③・生涯—」 **—かんじ**⑤【—漢字】学習用の漢字。⇩漢字 **—しどうようりょう**⑧(ダウエウリヤウ)【—指導要領】小学校・中学校・高等学校の、学習目標・教科内容・指導法などの基準を示したもの。文部科学大臣が公示する。 **—しょうがい**⑤(シヤウ)【—障害】全般的な知能発達に遅れは見られないが、読み書き・計算などの特定の技能習得に見られる障害。エルディー(LD)。

がくじゅつ⓪②【学術】専門の学問。「—書⑤⓪・—雑誌⑤・—語⓪・—用語・—講演⑤・—的⓪」 **—かいぎ**⑤

—クヮイ—【—会議】〔↑日本学術会議〕国内の学術研究者の内外に対する代表機関。学術会議会員の推薦に基づき、内閣総理大臣が任命した二一〇名の会員で組織される。学術研究に関する重要事項を審議し、重要方策を政府に勧告することが出来る。 —ようご⑤【—用語】学術上の専門語として、意味のあいまいさや一般的な用法との紛らわしさを無くすために、定義を与えて用いられる語。〔学問の各領域にそれぞれ固有の用法をもつ場合がある。また、広義では法律用語をも含む〕

かくしょう⓪シャウ【客将】客分として待遇されている大将。

かくしょう⓪【確証】〔だれもが納得出来るような〕確かな証拠。「その男が犯人であるという—を得た」

がくしょう⓪シャウ【学匠】〔世間から仰がれる〕大学者。

がくしょう⓪シャウ【楽匠】後世まで高く評価される音楽家・作曲家・指揮者など。

がくしょう⓪シャウ【楽章】ソナタ・交響曲・協奏曲などの楽曲の大きな一くぎり。「第一—」

かくしょうたい③シャウ—【核小体】細胞の核の中にある、RNAとたんぱく質を含む丸い形のもの。核仁⓪。仁ジ①。

がくしょく⓪【学殖】その学問に関する事は何でも知っており、どんな事でも答えられるような、深い知識。

かくじょし③【格助詞】文中の体言(相当句)が他の言葉とかかわり合う△統語的(意味的)な関係を示す助詞。「の・が・を・に・と・へ・より・から」〔以上は口語・文語共通〕および「にて」〔文語〕「で」〔口語〕。

***かくしん**⓪【革新】—する(他サ)〈なにヲ—する〉△因習的な(古い)体制をやめて、その時代に適合し、また次の時代を先取りするような新しいものに変えること。「—政党⑤・—性⓪・技術—〔⇩技術革新〕」↔保守 —てき⓪【—的】—な 方針として体制打破を志向する様子だ。「—な変革」↔保守的

かくしん⓪【核心】物事の中心(となっている、大事な部分)。「この事件の—をなす/—を衝ツく」

かくしん⓪【隔心】相手を隔てる気持。〔古くは、「きゃくしん」〕

***かくしん**⓪【確信】—する(他サ)〈なにヲ—する〉〈なにヲ〉なんだト—する〉確かにそう△である(なるに違いない)と、自分の予測・判断を信じていること。また、その予測や判断。「強い—を持つ/—を得る/—に満ちた調子で」 —はん③【—犯】㊀自己の信念に基づき正当な行為と信じて行なう犯罪。〔特に、宗教的・政治的な義務感・使命感に基づくものを指す〕㊁悪いことであると分かっていながらなされる行為・犯罪。〔㊁は近年の用法で、本来は誤用〕

かくじん①【各人】〔その組織に関係し、その社会に生きている〕一人ひとり。「—各説①-①〔=人によって、それぞれ説や意見が違うこと〕/—各様①-⓪、①-①〔=たくさんの人の△やり方(状態)がそれぞれまちまちなこと〕」

がくじん⓪【岳人】山登りに生きがいを求め、それを△誇り(楽しみ)にしている人。

がくじん⓪【楽人】⇩がくにん(楽人)

****かく・す**②【隠す】(他五)〈(どこニ)なにヲ—/なにデなにヲ—〉他人に見られたり知られたりしないよう△にする(な位置に、その物を置く)。「△押入れ(たんす・座布団の下)に—/△姿(本心)を—/真相が隠される/軽蔑ベツの色を隠さない/不安を隠し切れない」表記「《匿す》」とも書く。〔⇩隠し㊁〕

かくすい⓪【角錐】底面が多角形をなす錐体。「三—・五—②」

かくすう③クヮク—【画数】漢字を形づくる、一続きに書かれる線や点の数。「—順⓪」

かく・する③クヮク スル【画する・〈劃する〉】(他サ)㊀線を△引く(引いて、他との境を明らかにする)。「一線を—/△一時代(一時期)を—〔=その発明・発見や導入・開発などにより、今まで考えられなかった新しい世界が展開する〕」㊁計画する。「倒閣を—」 画す②(五)。

かくせい⓪【覚醒】—する(自サ)㊀目がさめること。㊁迷い△からさめる(をさます)こと。自分のまちがいに気づくこと。「当局者の—を促す」 —ざい③⓪【—剤】中枢神経を興奮させ、一時的に眠気や疲労感を抑える薬。興奮剤。例、ヒロポン。

かくせい⓪【隔世】㊀比較の対象とするものとの間に大きな時代の隔たりがあること。「—の感〔=時代がすっかり違ってしまったという感慨〕」㊁一世代(以上)の間を隔てること。「—遺伝⑤〔=ⓐ△祖父(祖母)に似る劣性遺伝。ⓑ先祖返り〕」

かくせい⓪クヮク—【〈廓清・郭清〉】—する(他サ)〔「廓」は、開き払う意〕不正・不法なものをすっかり取り除くこと。表記「郭」は、代用字。

****がくせい**⓪【学生】大学などに在籍して、教育を受ける人。「—時代⑤・—運動⑤〔=学生が自ら組織し、社会改良や政治体制の変革などを目的として行なう活動〕・—街③」⇩生徒・児童 —ふく③【—服】〔制服として〕男子の学生や生徒が着用する服。〔一般に黒または霜降の無地で詰め襟が主流であった〕

がくせい⓪【学制】学校・教育に関する制度。「—改革」

がくせい⓪【楽聖】すぐれた音楽家。「—ベートーベン」

かくせいき③クヮク—【拡声器】〔loudspeaker の訳語〕㊀スピーカー㊀。㊁音や声を大きくして遠くまで聞こえるようにした電動装置。かぞえ方㊀㊁とも一台

がくせき⓪【学績】㊀学問上の業績。㊁学業の成績。

がくせき⓪【学籍】その学校の学生・生徒としての籍。「—簿④〔=『指導要録』の旧称〕」

かくせつ⓪【各説】㊀①それぞれ自分の考えるところ。「各人—」㊁①⓪それぞれの細かい項目についての論説。↔総説・概説

かくせつ⓪【確説】確かな説。まちがいの無い意見。

かくぜつ⓪【隔絶】—する(自サ)他との連絡・関係が絶たれること。「陸の孤島として—されてきた/古今に—した業績」

がくせつ⓪【学説】周到な実験や長い間の思索の結果まとめられた、研究上の仮説やまとまった考え方。

がくせつ⓪【楽節】楽章を構成する楽曲の単位で、一つのまとまった楽想を表現するもの。 **しょう—**③セウ—【小—】四小節から成る、楽曲の単位。 **だい—**③【大—】小楽節が二つまとまったもの。大楽節の中には、△一つ(二つ)のモチーフを含む。

かくぜん⓪クヮク—【画然・〈劃然〉】—たる —と そこではっきりと区別がつく様子。

かくぜん⓪【確然】—たる —と 確かで動かすことの出来ない様子。「—たる証拠」

がくぜん⓪【〈愕然〉】—たる —と 意外な△知らせを受けて(事実を知って)、ひどく驚く様子。「—とする」

かくそう①【各層】〔社会・団体の中の〕それぞれの階層。「国民—の意見/各界—⓪-①、①-①」

がくそう⓪サウ—【学窓】ともに机を並べて学んだ学校。「同じ—を巣立つ」

がくそう⓪【学僧】㊀深い知識のある僧。㊁仏教学を修行中の僧。

がくそう⓪サウ—【楽想】楽曲構成上の一つのまとまり。⇩モチーフ㊀

がくそう⓪サウ—【額装】絵画や書などの作品を額に入れて

飾れる状態にすること。

がくそく⓪【学則】その学校の内部機構や教育課程・管理運営などを定めた規則。「―の改正」

がくそつ⓪【学卒】「学校卒業者」の略。〔狭義では、大学の学部卒業生を指す〕

かくそで⓪【角袖】㊀和服の たもとの先が四角な袖。㊁〔明治時代の語で〕「私服刑事」の異称。

かくたい⓪【客体】⇩きゃくたい

*__かくだい__⓪【拡大】―する（自他サ）〈なにカラなにニ〉なにヲ―する〉形・規模を大きくすること。また、大きくなること。「消費の―を図る／勢力（枠）を―する／規模が―する／―鏡⓪・―解釈⑤・―図③」↔縮小 表記 同音の形容動詞は、「廓大・郭大」。**―きんこう**⑤【―均衡】生産・所得・雇用・貿易など、経済のすべての面を拡大させ、しかも収支を均衡させること。↔縮小均衡

がくたい⓪【楽隊】器楽を合奏する一団の人びと。

かくたる①【確たる】（連体）どんなことがあっても変わることの無い。確かな。「―〈=不動の〉信念」

かくたん⓪【喀痰】痰を吐き出すこと。また、その吐き出された痰。「―禁止⓪-⓪」

かくだん⓪【格段】普通の場合やありきたりのものとは比べものにならないほど程度の違いが認められる様子。「―の相違は無い／―にすぐれている／両者の実力には―の差がある」

がくだん⓪【楽団】音楽の演奏をする団体。「管弦―⑤・交響―」

がくだん⓪【楽壇】音楽関係者の社会。音楽家・音楽評論家などの諸種のつながり。

かくだんとう③【核弾頭】ミサイルなどに爆弾として取り付ける、核爆発式の物質。かぞえ方 一発

かくち①【各地】それぞれの土地（地方）。「全国―の名産品を集めた物産展」

かくち⓪【画地】建物敷地としての一単位の区画。「―の奥行（間口）」

かくち①⓪【客地】本国を離れた旅先や他国の称。

かくちく⓪【角逐】―する（自サ）〔「角」は争う意〕互いに相手を蹴落とそうと、競争すること。

かくちゅう⓪【角柱】㊀四角な柱。「角ばしら③」とも。㊁〔幾何学で〕多角形を底面として持つ柱体。角壔。〔狭義では、四角柱を指す〕「三―・六―」

かくちょう⓪【拡張】―する（自他サ）規模を広げて大きくする（が広がって大きくなる）こと。「領土を―する／道路の―工事／胃―」↔縮小 **―げんじつ**⑤【―現実】実際に人間を取り巻く環境に対して、コンピューター技術によって音・画像等を重ね合わせて、新たな知覚や情報が付与され、拡張された環境。エーアール（AR）。〔現実の目の前の風景に仮想のキャラクターが現れるゲームや、スマートフォンのアプリを使っての観光案内など、用途は広い〕**―し**③【―子】〔コンピューターで〕ファイルの種類を識別するための文字列。ファイル名の最後にピリオドに続けてアルファベット三文字で表わすことが多い。

かくちょう⓪【格調】文芸作品などの表現に作者の品性のよさや感覚の鋭さが感じられ、読者に訴える崇高なものを持っていること。「―高い文章（うたい文句）」

がくちょう⓪【学長】大学の長。⇩総長・校長

がくちょう⓪【楽長】楽隊（楽団）の長。

かくつう⓪【各通】㊀①それぞれの書類。㊁⓪〔辞令などを〕各人へ通達すること。

かくつう⓪【角通】すもう（界）に詳しい人。

かくづけ⓪【格付（け）】―する（他サ）資格・価値・品質に応じて分類し、その段階を決めること。

がくっと②（副）㊀まっすぐな状態を保っていたものが、突然大きく折れ曲がる様子。「石につまずいて―片ひざを折る」㊁何かがきっかけとなって、それまでの勢いや力が急激に衰える様子。「急な坂道にさしかかってスピードが―落ちる／六十を過ぎて―体力が落ちる」

かくて①【斯くて】（接）そういうわけで。こうして。

かくてい⓪【画定・劃定】―する（他サ）境界（線）をはっきりと定めること。「国境―⓪-⓪」

*__かくてい__⓪【確定】―する（自他サ）〈なにヲ―する〉あいまいなところや不確かなところを残すところなく、そのように決定すること。「方向を―する／―的な情報／無実が―する／―申告⑤」

がくてき⓪【学的】―な 「学問的」の圧縮表現。「―根拠⓪-①・―良心⓪-①」

カクテル①〔cocktail〕㊀〔数種の〕洋酒に果汁・香料・甘味料などを交ぜて出す〔食前の〕飲み物。㊁なまガキ・カニなどにソースをかけたオードブル。〔ガラスの容器に盛って出す〕「オイスター―⑥」㊂食前に出すフルーツカクテル。㊃異種のものの混合した状態。「―光線⑤」〔㊀㊁はコクテールとも〕**―ドレス**⑤〔cocktail dress〕略式のイブニングドレスやアフタヌーンドレス。かぞえ方 一着 **―パーティー**⑤〔cocktail party〕カクテルを飲み軽食を食べる、略式の宴会。〔定席が無く、立食〕

がくてん⓪【楽典】楽曲の基礎的な規則を扱った、西洋音楽の教科書。

*__かくど__①【角度】㊀「角㊁」の大きさ〔開きぐあい〕。〔「度・分・秒」や、「ラジアン」などの単位で表わされる〕「―を調節する／―を測る／急―③」㊁見る立場。「いろいろな―から考える／―をかえて見れば」

かくど①【客土】⇩きゃくど

かくど①【赫怒】―する（自サ）かっとなって怒ること。表記「嚇怒」とも書く。

かくど①【確度】確実さの度合。「たしからしさ④」とも。「―の高い情報を入手する」

がくと①【学徒】㊀勉学中の学生・生徒。㊁「学者」の意の古風な表現。学問を研究している専門家。**―しゅつじん**①-⓪【―出陣】第二次世界大戦中、大学生や専門学校の学生が修業年限を切り上げて（在籍のまま）兵役に繰り入れられたこと。**―どういん**①-⓪、④【―動員】第二次世界大戦中、生徒・学生が、授業を受ける代りに工場等に出向き、軍事力の増強のために働いたこと。**―へい**③【―兵】学徒出陣による兵。

がくと①【学都】有名な学校・研究機関などがあることによってその存在が知られている都市。

がくと①【楽都】音楽の盛んな都市。「―ウィーン」

かくとう⓪【角灯】手にさげる、ガラス張りの四角なランプ。ランタン。かぞえ方 一灯・一基

かくとう⓪【格闘・挌闘】―する（自サ）相手を負かそうと、激しく組み合うこと。とっくみあい。〔真剣に対象と取り組む意にも用いられる。例、「博士論文を書くために、山のような資料と―している」〕**―ぎ**③【―技】柔道・レスリングなど、一対一で組み合って行なう競技。

かくとう⓪【確答】―する（自サ）はっきりした返事。「―を避ける」

がくとう⓪【学統】学問上の伝統・流派。

がくどう⓪【学童】小学校で学ぶ児童。「―服③」**―ほいく**⑤【―保育】共働きなどで保護者が家にいない小学生を、放課後や長期休暇中に指導員が学童保育所で保育すること。

*__かくとく__⓪【獲得】―する（他サ）〈なにヲ―する〉〔苦心や

努力をして)自分の物とすること。「△賞(市民権・学歴・支持)を―する」 **―けいしつ**⑤【―形質】 生物が△生後(発生過程)に後天的に得た形質。環境の影響や個体の選択が主因。

がくとく⓪【学徳】 学問が深いことと行いが道にかなっていること。「―共にすぐれた高僧」

かくとした①【確とした】(連体) 「確たる」の意のやや堅い表現。「―証拠」

かくない②【閣内】 その内閣の内部。「―(=各大臣の間が)不一致」↔閣外

がくない②【学内】 その学校組織の内部。〔狭義では、大学について言う〕↔学外

かくに⓪【角煮】 豚のばら肉やカツオ・マグロなどの身を角切りにして煮込んだ料理。

***かくにん**⓪【確認】―する(他サ)〈なにヲ―する〉 確かにそうであることを認めること。「担当者に作業内容の―を△取る(求める)/―を得ておきたい/左右(の安全)を―する/―許可書⑦⓪」

がくにん⓪【楽人】 雅楽を演奏する人。「がくじん」とも。「宮内庁の―」

かくねん⓪【客年】 「去年」の意の古風な表現。

かくねん⓪【隔年】 「一年おき」の意の漢語的表現。「―結実⑤」

がくねん⓪【学年】 ❶学校で定めた一か年の修学期間。「―(末)試験・―担任」 ❷修学期間で区別した学級。

かくねんりょう③⑤【核燃料】 〔原子炉などで〕核分裂によりエネルギーを放出する物質。 **―サイクル**⑦ 〔原子力発電で〕使用済みの核燃料を再処理して新しい燃料に加工し、再び核燃料として利用すること。〔ウラン資源の最大限の活用を目指したが、実用化にいたっていない〕

かくのう⓪【格納】―する(他サ) 〔「格」は、棚の意〕物を決まった場所に入れておくこと。「武器を―した建物/計算機のメモリー(=記憶装置)にデータを―する」 **―こ**③【―庫】 航空機などをしまっておく建物。

かくのごとく④【〈斯〈く〉の《如く》】(副) 〔漢文訓読に基づく語「かくのごとし」の連用形〕このように。「未(マイ)だ―愚なる人を見ず」 表記 古くは「如〈斯〉」と書いて、返り読みをした。

がくは①⓪【学派】 学問上の△主張(傾向)を同じくする人たちの間で形作られる(排他的な)グループ。

かくばい⓪【拡売】―する(他サ) ⇩拡販

かくばくはつ③【核爆発】 核兵器を爆発させること。「―実験⑦」 かぞえ方 一発

がくばつ⓪【学閥】 同じ学校の出身者によって作られた、排他的な党派。「―の弊を除く」

かくば・る③【角張る】(自五) ❶〔普通は丸いものが〕四角い形である。「角張った顔」 ❷⇩四角張る❷

かくはん①⓪【各般】 関連するそれぞれ。「―の事情」

かくはん⓪【拡販】―する(他サ) 〔「拡大販売」の略〕商品の販売量を伸ばすこと。「拡売」とも。「―戦略⑤」

かくはん⓪【〈攪拌〉】―する(他サ) 〔「こうはん」の類推読みに基づく新語形〕中に入れてある物がよく交ざるようにかき△回す(交ぜる)こと。「―機③」

かくはんのう③【核反応】 〔↑原子核反応⑥〕原子核の分裂や融合を起こす反応。

がくひ⓪【学費】 Ⓐ学校の授業料や教科書代その他、勉学に必要な費用の総称。「医学部は―がかかる」 Ⓑ「学費Ⓐ」の中で学校に納入する費用。「―改定」⇩学資

かくびき⓪【画引(き)】 〔漢字(で表記してある語)を〕漢字の画数から引けるように△すること(したもの)。「―索引⑤」↔音引き

かくひつ⓪【〈擱筆〉】―する(自サ) 〔筆をおく意〕そこで文章を書き終えること。↔起筆

がくふ①【学府】 学問を志す者の中心であるべき大学などの教育機関。「最高―(=⇩最高学府)」

がくふ①【岳父】 その人の妻の父。しゅうと。

がくふ⓪【楽譜】 楽曲を一定の記号で書き表わしたもの。音譜。 かぞえ方 一枚・一部・一冊

がくぶ⓪【学部】 ❶専攻学科などにより大きく分けた大学内部の組織(の区分)。「医―③・文理―④⑤」〔大学院へ進学する者は、学部を卒業していることが必要条件となる〕 ❷旧制大学では、「予科」に対して本科の称。

がくぶ①⓪【楽舞】 音楽を伴う舞。

がくふう⓪【学風】 学問研究上の傾向。〔広義では、大学の校風をも指す〕「堅実な―」

かくふく⓪【拡幅】―する(他サ) 道路・走路・通路などの幅を今までよりも広くすること。「―工事⑤」

かくぶそう③【核武装】―する(自サ) 核兵器を備え、配置すること。「―禁止③-⓪」

がくぶち⓪【額縁】 額の周囲の枠。単に「額」とも。〔広義では、長方形の物の周囲を、ある幅で取り囲む部分を指す〕「―舞台⑤」 かぞえ方 一枚・一面

かくぶっしつ③【核物質】 核燃料の原料となる物質。ウラン・プルトニウム・トリウムなど。

かくぶつちち⑤【格物致知】 〔「大学❷」に出ている言葉で、物に格(イタ)り知を致(イタ)す意〕具体的な事物に対する観察と沈潜とによって知見を深めること。

かくぶん⓪【確聞】―する(他サ) 確かな情報を聞くこと。

かくぶんれつ③【核分裂】―する(自サ) 〔↑原子核分裂⑥〕ウランなどの重い原子核が、それぞれ同じくらいの大きさの二つの原子核に分かれること。その際、非常に大きなエネルギーを放出する。↔核融合

かくへいき③【核兵器】 核反応の時に出るエネルギーを利用した兵器。核分裂による原子爆弾、核融合による水素爆弾など。「―を廃絶する」

かくべえじし⑤【角〈兵衛〉〈獅子〉】 〔名工 角兵衛が創作した獅子の面の意〕「越後(エチゴ)獅子」の異称。

かくへき⓪【隔壁】 何かの仕切りになっている壁。間仕切り壁④。

かくべつ⓪【格別】(副)「―に」〈な〉 他の場合と同列に扱うわけにはいかない事情がある様子。「初めて優勝した時の感激は―だ/風呂(フロ)上がりに飲むビールは―にうまい/―の御配慮ありがとうございます」〔「それぞれ違う」意の「各別」に由来する語。「格」は借字で、格が違うという意は全く無い〕

***かくほ**①【確保】―する(他サ)〈なに・どこヲ―する〉 必要欠くべからざる(と、とらえられる)ものを、手に入れて△いつでもその機能が発揮できる状態にしておく(失うことがないようにしっかりと守る)こと。「△人材(食糧・権利・前進基地・攻撃の拠点)を―する」

かくほう⓪【確報】 確かな知らせ。「―を待つ」

かくぼう⓪【角帽】 大学生の制帽で、上部が角形になっている物。「―(=大学生の)生活⑤」

がくほう⓪【学報】 ❶その大学の学術研究報告のための雑誌。 ❷その学校の規則改廃・人事異動・行事などを知らせる広報紙。

がくぼう⓪【学帽】 その学校の制帽。

がくぼく⓪【学僕】 〔明治のころ〕学校や先生の家の雑務をして働きながら、その学校や先生の生徒として勉強した人。

かくぼん⓪【角盆】 四角な盆。↔丸盆

かくま・う[3]【《匿う》(カクマフ)】(他五) 人に見つからないようにと願っている人を、人目に触れない所に保護する。「△犯人(亡命者)を―」〔「囲む」の変化形「かくむ」の未然形＋継続の意の「ふ」〕

かくまき[0]【角巻(き)】 東北地方の女性などが外出の時使う、毛布の肩かけ。防寒用。かぞえ方 一枚

かくまく[0]【角膜】 眼球の前部にある、透明な膜。円形で、皿状。「―移植手術[8]」

がくむ[1]【学務】〔県庁・府庁などの事務区分で〕学校・教育に関する行政事務。「―課[0]」

*__かくめい__[0]【革命】〔王朝が代わる意〕❶国家・社会の組織の急激な変革。「―が起きる/―的な△思想傾向(発想・出来事)/―家[0]・フランス―・反―軍」❷大きな△改革(変革)。「産業―・技術―[4]」 **―じ**[3]【―児】 革命を起こし、既成の体制をくつがえす人。「彼は絵画界の―だ」

がくめい[0]【学名】❶学術研究上、統一的にラテン語(化させた形式)で付けられた動植物の名称。↔和名 ❷学者としての名声・評判。「―大いに上がる」

がくめん[0]【額面】 債券・証券・貨幣などの表面にしるされた金額。 **―どおり**[5]【―通り】(ドホリ) うそがあったり 言外に込められた意味があったりすることのない、言葉に表わされた通りの意味。「―に受け取る/―には受け取れない〔=今までの経歴が経歴なので、文字通りには受け取ること が出来ない〕」 **―われ**[0]【―割(れ)】 その証券・公社債の相場が額面の金額より安くなること。

かくも[1]【〈斯(く)も】(副) 現実の事態を目^{マ}のあたりにして、強い感動に打たれる気持を表わす。「―うるわしい光景があっただろうか/同じ人間なのになぜ―違うのか」

*__がくもん__[2]【学問】❶―する(自サ) (学校で)今まで知らなかった知識を教わり覚えること。「実社会に役立たない―/―を修める〔=本を広く読んだり 先生に就いたりして、知識を広める〕/机上の―/地に足のついた〔=実地に役立つ〕―/―の自由/―の神様〔=江戸時代までの考え方で、菅原道真(スガワラノミチザネ)の称〕/耳―」❷基礎から積み重ねられた、体系的な専門知識。〔狭義では、科学・哲学などの専門分野を指す〕「―のきびしさ」 表記 古くは「学文」とも書いた。 **―てき**[0]【―的】―な ―に ❶学問に関係がある(ように見える)様子だ。「―な話」 ❷〔常識的・政治的判断や、経験に基づいた判断などによるのでなく〕学理的△な方法による(水準に達している)様子だ。

かくや[1]【〈斯(く)や】〔↑斯くやあらん〕 その様子をこうだろうと想像することを表わす。「極楽も―〔=こうでもあろうか〕と思われる別世界」

がくや[0]【楽屋】〔音楽を演奏する一角の意〕舞台の裏側にあって、出演者が化粧・着付けや休息をする部屋。〔外部に知られては困る内情の意にも用いられる。例、「―話(バナシ)[4]」〕 **―うら**[0]【―裏】 (一般の観客を立ち入らせない)楽屋の内部。〔部外者には容易にはうかがい知れない物事の内部事情の意にも用いられる〕 **―おち**[0]【―落(ち)】 前から事情を知っている一部の関係者だけにしか分からないこと。 **―すずめ**[4]【―〈雀】 その劇団の楽屋にしょっちゅう出入りして内部の事情に通じている人。芝居通。

かくやく[0]【確約】―する(他サ) 将来 必ず実行するという約束(をすること)。「―書を取る」

かくやす[0]【格安】―な ―に 商品の値段が、普通(の店)より安いこと。 派 ―さ[0]

がくゆう[0]【学友】(イウ) 同じ学校で学ぶ友達。「皇太子のご―」

かくゆうごう[3]【核融合】(ガフ)―する(自サ) 〔↑原子核融合[6]〕 水素などの軽い原子核が二つ以上結びついて、安定した一つの原子核になること。その際、非常に大きなエネルギーを放出する。「―反応[7]・常温―[7]〔=常温、あるいは低温でも出来る核融合〕」↔核分裂

かくよう[0][1]【各様】(ヤウ) △人(物)により、事情や状態がそれぞれ違っていること。「各人―」

がくよう[0]【学用】 学習用。また、研究用。 **―かんじゃ**[5]【―患者】(クワン) 医学研究に自分のからだを提供することを承諾した患者。 **―ひん**[0]【―品】 学校の授業などに必要な文房具。

かくよく[0]【《鶴翼》】 戦場での陣形の一つ。ツルが翼を広げたような 開いたV字形に兵を配置して、中に敵勢を取り籠(コ)めて攻撃しようとするもの。↔魚鱗(ギョリン)

かぐら[1]【《神《楽》】 神前で奏する舞楽。〔広義では、「さとかぐら」をも指す〕「―太鼓(ダイコ)[4]・―歌(タウタ)[3]・太々(ダイダイ)―」 表記 ⇩付表「神楽」 **―でん**[3]【―殿】 神社の境内にある、神楽を奏するための建物。

かくらん[0]【〈霍乱】(クワク) 熱中症・急性腸炎など、夏起こしやすい急性の症状。「鬼の―〔=⇩鬼〕」

かくらん[0]【〈攪乱】―する(他サ) 〔「こうらん」の慣用読み〕(混乱させる目的で)人びとが平穏無事に過ごしているところに刺激を与え、騒ぎを起こさせること。

がくらん[0]【学ラン】 詰め襟の学生服。特に、応援団員などが着用する、上着の丈が長く、ズボンの幅広なものの通称。

かくり[0][1]【隔離】―する(他サ) ❶他人との連絡や交渉が(すぐには)出来ない状態にすること。「世間から―した生活」 ❷感染症の患者などを一定の病室に別置し、外部との接触を遮断すること。「―病棟[4]」 ❸アパルトヘイト。

がくり[1]【学理】 学問上の理論・原理。「―的[0]」

かくりつ[0]【格率】〔倫理学で〕みんなが それに従うことが求められる、行為の規準。

*__かくりつ__[0]【確立】―する(自他サ)〈なにヲ―する〉 期待通りの効果を発揮させる上で、めったな事ではぐらつかない制度・組織などを作ること。また、しっかりと定まって動かないこと。「…の―を△急ぐ(図る)/主体性の―/△自主性(主導権・覇権・ルール・原則)を―する/体制が―する」

かくりつ[0]【確率】 ある条件の下(モト)でその事が起こると予測される度合(を数量化して表わしたもの)。「―予報[5]」

がくりと[2](副) ⇩がくんと

かくりょう[0]【〈廓寥】(クワクレウ)―たる ―と 天空など、その広さだけが(むなしく)感じられる様子。寥廓。

かくりょう[0]【閣僚】(レウ) 総理大臣に統率され、内閣を構成する各国務大臣。

がくりょう[0]【学寮】(レウ) ❶寄宿舎を同じ△棟(地域内)に持つ私塾・私立学校。 ❷その寺院付設の学問所。

かくりょく[2]【核力】 原子核を形作る陽子や中性子の間に働く、強い引力。

*__がくりょく__[2][0]【学力】❶身についた学習の成果。「―が高まる/―をつける教育/―低下[2]-[0]、[5]・―テスト[5]・基礎―[4][3]」 ❷その人の修める学問についての、すぐれた△判断力(洞察力)。「彼は素人だが本草学については専門家をしのぐ―がある」

がくりん[0]【学林】(僧侶(ソウリョ)などが)学問を学んだ所。〔校名・塾名にも用いられる〕

かくれ【隠(れ)】 ❶[0][3] 隠れること。「逃げも―もしない/雲―・見え―(ガクレ)」 運用 「お隠れになる」の形で、貴人が死ぬ意の婉曲(エンキョク)表現となる。 【―も無い】 だれにでもよく知られている。「―事実」 ❷(造語) 動詞「隠れる」の連用形。 **―が**[3]【―家】 人目を避けて住む△所(家)。 表記

古くは「隠れ《処》」とも書いた。 **―キリシタン**[5]【―切支丹】 江戸幕府のキリシタン禁制下に、ひそかに信仰を守り続けたキリスト教徒。〔広義では、明治以後も旧来の「かくれキリシタン」の信仰形態を守り続けた人びとをも言う。世界遺産の名称は「潜伏キリシタン[6]」〕 表記 「切支丹」は、音訳。 運用 何かの熱狂的ファンでありながら公然と言わない人のことを、「隠れ…ファン」とからかって言うことがある。 **―ざと**[3]【―里】 〔交通が不便で〕世間から隔てられている村里。 **―みの**[4]【―〈蓑】 〔それを着るとからだが見えなくなると言い伝えられている蓑の意〕本心・本質を見破られないようにするための手段。「審議会を―にする政府」

がくれい[0]【学齢】 子供が義務教育を受ける期間。六歳から十五歳まで。〔狭義では、小学校に初めて入るべき年齢、すなわち満六歳を指す〕「―期[3]」

がくれき[0]【学歴】 その人が、どういう学校を卒業したかという経歴。「―を詐称する/―社会[5]・高―」

**かく・れる[3]【隠れる】(自下一)〈どこニ―〉 ❶外から見えない状態になる。「月が雲間に―/物かげに―」 ❷人目につかない状態に身を置く。〔世間の喧騒を避けて侘び暮らす意にも、官職に就かずに民間に居る意にも、貴人が死ぬ意にも用いられる〕 表記 「《匿れる」とも書く。 [⇩隠れ[三]]

かくれんぼう[3]【隠れん坊】 数人が物かげに隠れ、鬼になった一人がそれを捜し出す、子供の遊び。「かくれんぼ[3]」とも。

かぐろ・い[3]【か黒い】(形) 〔「か」は接辞〕顔やからだが浅黒くて、△たくましい(頼もしい)感じだ。

かくろう[0]【客〈臘】 「昨年十二月」の意の古風な表現。旧臘。

かくろう[0]【閣老】 江戸時代の、老中の別称。

がくろく[0]【岳麓】 「山のふもと」の意の漢語的表現。

かくろん[0]【各論】 いちいちの項目についての議論・論説。「―(の段階)に入る/総論 賛成、―反対」 ↕総論

かぐわし・い[4]【《芳しい・《香しい・〈馨しい】(形) 〔美しいものが〕いいにおいを発する様子だ。「―花/―〔=りっぱな〕名声」 派 ―さ[3]

がくわり[0]【学割】 〔↑学生割引[5]〕 鉄道の運賃や映画館の入場料などを、学生に限って割り引くこと。「―がきく」

かくん[0]【家訓】 その家の信条として(代々)子供に伝える処世上の戒めなど。

がくんと[2](副) ❶何かが突然動いたり 揺れたりして、衝撃を感じる様子。「列車は―走り出した/車輪が溝に―落ちた」 ❷からだの一部を、突然折るように曲げる様子。「首を―うなだれる/―膝をつく」 ❸ある時点を境として程度が目に見えて低下する様子。がくっと。「体力が―弱る/成績が―落ちる」

かけ[0]【欠け】 ❶「かけら」のやや古風な表現。「窓ガラスの―/―の泥のかたまり」 ❷一片。「ニンニク一―、豚ひき肉二百グラム」 ❸かけること。また、かけた状態。「月の満ち―」〔❶❷は、かぞえる時にも用いられる〕

かけ【掛け】 [一][2] ❶「掛売り・掛買い・掛け値」の略。 ❷〔↑掛け金〕掛売りの代金。 ❸「かけそば・かけうどん」の略。 ↕もり [二](造語) ❶掛けること。「アイロン―・内―」 ❷何かを掛けるためのもの。「帽子―[3]・腰―・衣紋―」 ❸〔「動詞連用形+―」の形で、接尾語的に〕その事をし始めた途中でまだ終わっていない状態にあること。「書き―[0]・食べ―[0]」

かけ[2]【賭け】 勝負事や当て事に何かを賭けること。また、その金品。「―が当たる/―に出る/―碁[2]・―金[0][2]」

**かげ[1]【陰】 ❶その物のために光や風などが さえぎられて届かない部分。「戸の―に隠れる/草葉の―〔=『あの世』の婉曲表現〕/島―」 ❷△本人(他人)が見たり 聞いたりしない所。「―で不平を言う/―になり日向になり〔=ある時は裏に回り、ある時は表に立つというふうに何かと〕助ける/―の立役者」 表記 「〈蔭・〈翳」などとも書く。 【―で糸を引く】 人形遣いが人形を操るように、人目につかないところで△指図(策動)して自分の思い通りに他を動かす。

**かげ[1]【影】 ❶光が何かに さえぎられて、光が当たっている物の裏側に黒く現われるもの。「夕日を受けた人の―が長く伸びる」 ❷水面・鏡・金属面などに映って見えるもの。〔実体の無いものの意にも用いられる〕「水面の―」 ❸〔実像を予測させる〕姿。「見る―も無い〔=前とは違って落ちぶれている〕/―が薄い〔=印象が弱い〕/―をひそめる〔=表立っては見えなくなる〕/―も形も無い〔=そのものの存在を△思わせる(しのばせる)ものが、そこに何も無い〕/うわさをすれば―とやら〔=⇩噂〕」 ❹ぬぐうことの出来ない暗い印象や、好ましくない△影響(兆候)を思わせる何ものか。「不安な―を投げかける/戦争の―が遠のく/不気味な―を落とす〔=感じさせる〕」 ❺光。「月(の)―がさす/星―」

かげ[1]【鹿毛】 シカの毛のように茶色の、馬の毛色。〔たてがみ・足の下部・尾は黒い〕

がけ【掛け】(造語) ❶〔「動詞連用形+―」の形で、接尾語的に〕その動作を始めてから終わるまでの 途中の段階にあることを表わす。「出―に〔=出ようとしていた時に〕客が来た/来―に〔=来る途中で〕買ってきた/行き―の駄賃〔=⇩ゆきがけ〕/帰り―〔=帰る途中〕」 ❷それだけの人数で腰かけることを表わす。「三人―」 ❸もとの数量に対して、ある比率を「掛ける[二]❻」ことを表わす。「二つ―〔=二倍〕の大きさ/定価の八―〔=八割〕」 ❹それを身につけていることを表わす。「ゆかた―[0]・たすき―」

*__がけ__[0]【崖】 山・岸が切り立ったようにけわしくなっている所。〔古くは「きりぎし」とも〕「―の上に立つ/大雨で―崩れが起こる」

かけあい[0]【掛け合い】 ❶むずかしい要求についての△話合い(交渉)。 ❷〔演芸で〕二人(以上)の人が、交互にせりふを言ったり 歌ったり すること。「―漫才[5]」

かけあ・う[3][0]【掛け合う】 [一](自五) すぐには聞き入れてくれないかもしれない要求△を出して(について)、相手と話し合う。「ごみ焼却場建設の撤回を求めて、役所と―」 [二](他五) お互いに掛ける。「優勝祝賀会でビールを―/暗闇で声を―」

かけあが・る[4][0]【駆け上がる】(自五) ↕駆け降りる ❶走ってあがる。「階段を―」 ❷役職・段位・スターの座などについて、下積みから(最)上位へ向かって驚くべき速さで進んでいく。「プロ入りして一年で七段にまで―」 表記 「〈駈け上がる」とも書く。

かけあし[2]【駆け足】―する(自サ) 速足よりも少し速く走ること。〔馬の場合はギャロップと言う〕「冬が―でやって来る〔=きのうまでの暖かな日びが うそであったかのように、急に冬を迎える〕」 表記 「〈駈け足」とも書く。

かけあわ・せる[5][0]【掛け合わせる】(他下一) ❶〔単位を問題にせず〕数値だけの掛け算をする。〔この場合、被乗数と乗数は対等〕「五と三を―」 ❷動植物などを交配させる。掛け合わす[4](五)。 名 掛け合わせ[0]

かけい[0]【〈筧】 かけひ。

かけい[0]【火刑】 火あぶりに処した刑罰。「―台[0]」

かけい[0]【花茎】 そこから花だけが出て来る茎。

かけい[0]【佳景】 「いい△景色(ながめ)」の意の漢語的表現。

かけい[0]【河系】 河川の系統。本流・支流の総称。

かけい[0]【家兄】 他人に対して自分の兄を指す時の称。

⇨舎弟

かけい⓪【家系】先祖から始まって現在の子孫に至る、その家の系譜。「―が絶える／―図②」

かけい⓪【家計】その家がどれだけの△定期(臨時)収入があり、どれだけ支出して生活しているかの状態。「―を△預かる(圧迫する)」 **―ぼ**②【―簿】(家庭で)毎月の収入や毎日の支出の内容を書き付ける帳簿。かぞえ方 一冊

かけい⓪クヮ【〈訛形〉】標準形から訛ナマったものと見た語形。

がけい①【雅兄】(代)(手紙などで)相手の男性を、「あなた」という意で呼びかける語。

かけうどん③【掛(け)〈饂飩〉】熱い汁を掛けたうどん。略して「かけ」。

かけうり⓪【掛(け)売(り)】―する(他サ) あとから代金をもらう約束で品物を先に売り渡す取引の形態。貸売り。略して「かけ」。

かけえ②エ【掛(け)絵】絵をかいた掛け物。⇨掛け字

かげえ②エ【影絵】㊀物の形をまねた影を映し出したもの。両手の指を組み合わせて、動物などの形を障子に映したものなど。映し絵。㊁⇨シルエット㊀ 表記「影《画》」とも書く。

かけえり⓪②【掛(け)襟】着物や布団の襟が汚れないように、その部分をおおう布。〔共布または白や黒の布を使う〕 表記「掛け〈衿〉」とも書く。かぞえ方 一枚

かけおち⓪【駆(け)落(ち)】―する(自サ) (結婚を許されない)恋人同士がその土地からよそへ逃げること。表記「〈駈け落ち〉」とも書く。

かけおり・る④【駆(け)降りる】(自上一) 走っておりる。「階段を―」↔駆け上がる 表記「駆け下りる・〈駈け降りる〉」とも書く。

かけがい⓪ガヒ【掛(け)買(い)】―する(他サ) あとから代金を払う約束で品物を先に手もとに買い取る取引の形態。略して「かけ」。

かけがえ⓪ガヘ【掛(け)替(え)】それが無くなった時に代りになるべきもの。「―の無い(=大切な)物」

かけがね⓪【掛(け)金】戸・箱などに付けて開かないようにする金具。〔錠ジョウまたは鍵カギの古称〕

かけがみ⓪②【懸(け)紙・掛(け)紙】㊀贈り物の上包みに使う紙。のし・水引などが印刷してある。㊁本の帯紙。かぞえ方 ㊀㊁とも一枚

かげき⓪クヮ【過激】ニな △やり方(考え方)が激し過ぎて、普通の人が付いていけない様子だ。「―派⓪」 派 ―さ⓪

かげき①【歌劇】声楽のあらゆる編成・表現法を使い、管弦楽の伴奏によって編成された、劇としての構成を持つ舞台芸術。オペラ。「―団③・軽―③」

かけきん②⓪【掛(け)金】㊀日掛け・月掛けなどで積み立てたり支払ったりするお金。㊁掛売りの代金。

かけくだ・る④【駆(け)下る】(自五) 坂や山道などを走って降りる。↔駆け登る 表記「〈駈け下る〉」とも書く。

かげぐち②【陰口】その人の居ない所で言う悪口。「―を△きく(たたく・たたかれる)」

かけくらべ③【駆(け)《競べ》】―する(自サ) どちらが速いか、一緒に競走すること。表記「〈駈け《競べ》〉」とも書く。

かけご②【懸(け)子】〔「こ」は「〈筥ハコ〉」の意〕(二重構造の容器で)内箱の上部が中ぶたのようになっていて、外箱のふちに引っかかる仕組みになっているもの。⇨入れ子 表記「掛け子」とも書く。

かけごえ③ゴエ【掛(け)声】㊀△芝居でひいきの者に(競技で味方の者に)呼びかけて応援する声。「―を掛ける」㊁ひょうしをとり、また勢いをつけるために出す声。「どっこいしょ」など。「―ばかりで、はかどらない／―だけ(倒れ)に終わる」

かけごと②【賭(け)事】お金・品物を賭けてする勝負事。

かげごと②【陰言】「陰口」の意の古風な表現。

かけことば③【懸(け)《詞》・掛(け)《詞》】和歌や、日常の言語生活でのしゃれとして用いられる修辞法。例、「恐れ入谷イリヤの鬼子母神キシモジン」のように、動詞「恐れ入る」の連用形と「入谷」という町名を表裏に同時に含ませる技巧的表現。

かけこみ【駆(け)込(み)】㊀⓪駆け込むこと。「値上がりする前に―で買う」㊁(造語) 動詞「かけこむ」の連用形。「―寺デラ⓪・―訴訟⑤・―乗車⑤・―申請⑤」 表記「〈駈け込み〉」とも書く。 **―じゅよう**⑤エウ【―需要】税率が引き上げられたり販売が中止されたりする直前になって、商品・サービスへの需要が増えること。「増税前の―が見込まれる」

かけこ・む③⓪【駆(け)込む】(自五) ㊀△困って(大急ぎで)難儀を避けられそうな場所に走り入る。「にわか雨にあって、軒下に―／知らない人にあとをつけられ交番に―」㊁決まった時刻や日限に遅れないように、△大急ぎで(あわてて)行動する。「遅刻しそうになり、大あわてで教室に―」 表記「〈駈け込む〉」とも書く。[⇨駆込み㊁]

かけざん②【掛(け)算】ある△数(式)にもう一つの△数(式)を掛けること。乗算。乗法。「―の九九クク」↔割り算

かけじ②【掛(け)字】(文字を書いた)掛け物。⇨掛け絵

かけじく②ヂク【掛(け)軸】書や絵を表装し、床の間などに掛けて鑑賞するもの。かぞえ方 一本・一軸・一幅プク

かけす⓪【懸巣】山林にすみ、よくほかの鳥の鳴き声をまねる鳥。ハトより少し小さく、ドングリを好んで食べる。体色は薄いブドウ色に黒・白が交じる。〔カラス科〕かぞえ方 一羽

かけず②ヅ【掛(け)図】壁などに掛けて見るようにした、教材用の地図・図表など。

かけすて⓪【掛(け)捨(て)】㊀保険などを短期間で解約して、それまでの掛金をむだにすること。㊁(保険などで)契約期間内に保険金の支払いを受ける事態が生じなかった際、満期時に払い戻しが一切ない△こと(形の契約)。

かけずりまわ・る⑥カケヅリマハル【駆(け)ずり回る】(自五) 休む暇も無く、あちこちを走り回る。「募金に―(=奔走する)」 表記「〈駈けずり回る〉」とも書く。

かげぜん②【陰膳】家を長く離れている人の無事を祈って、家人が毎日食事のたびに供える膳部。

かけそば⓪【掛(け)〈蕎麦〉】熱い汁を掛けたそば。かけ。↔もりそば

かけだおれ⓪ダフレ【掛(け)倒(れ)】㊀「掛金㊁」が回収出来ず損失となること。㊁「掛金㊀」を掛けただけで損失となること。㊂費用ばかりかかって利益の無いこと。

かけだし⓪【駆(け)出(し)】その仕事についたばかりの△人(状態)。「―の編集者」 表記「〈駈け出し〉」とも書く。

かけだ・す③⓪【駆(け)出す】(自五) ㊀駆けて、外へ出る。「庭へ―」㊁駆け始める。「急に―」 表記「〈駈け出す〉」とも書く。

かげち②【陰地】日の当たらない土地。表記「〈蔭地〉」とも書く。

かけちが・う④⓪チガフ【掛(け)違う】㊀(自五) ㊀行き違う。「掛け違って会えない」㊁食い違う。「話が―」㊁(他五) 間違ってかける。「ボタンを―」 名 掛け違い⓪

かけぢゃや②③【掛(け)茶屋】通行人や行楽客が休めるようにした、簡単なこしらえの店。

かけつ⓪【可決】―する(他サ) 上程されたその議案をよいと認めて通すこと。「全会一致で―する」↔否決

かげつ【箇月】(造語) 月の数をかぞえるのに用いる語。「三―③」 表記「か月・カ月・ヵ月・ケ月」とも書く。

かけっくら②【駆(け)っ《競》】―する(自サ) 〔「かけくらべ」の略

「かけくら」の変化〕「かけくらべ」の意のやや古風な口頭語的表現。表記「〈駈けっ《競」とも書く。

かけつ・ける⓪④【駆⒧付ける】(自下一) 大急ぎで、目的地に到着する。名 駆け付け⓪「—(=遅刻者に対する罰杯)三杯」表記「〈駈け付ける」とも書く。

かけっこ②【駆⒧っこ】—する(自サ)「かけっくら」の幼児語。表記「〈駈けっこ」とも書く。

がけっぷち⓪【崖っ縁】❶崖の上端の、そこから先は垂直に落ち込んだ地形になっている所。❷もうあとが無い絶体絶命の境地。「—に立たされる」

かけて① ❶ある△地域(時間)から引き続き、次の地域や時間にまで、ずっと。「東京から横浜に—」❷それに関して。「法律に—は/自信に—は」❸⇩かける(賭ける)Ⓑ

かけどけい③【掛⒧《時計】△柱(壁)に掛けておく大型の時計。⇩腕時計・置き時計・懐中時計 表記 ⇩付表「時計」かぞえ方 一点

かけとり⓪③【掛⒧取⒭】 掛売りの代金を受け取って歩く△こと(人)。

かけながし⓪【掛⒧流⒧】〔「使い捨て」の意〕〔温泉などで〕浴槽に入れた源泉の湯をそのままあふれさせ、循環して使用しないこと。「源泉—の温泉宿」

かげながら⓪③【陰ながら】(副) 当人にはわからない所で、その人のために心を尽くす様子。「—応援しています」

かけぬ・ける④⓪【駆⒧抜ける】(自下一) ❶走って通り過ぎる。❷走って追い越す。表記「〈駈け抜ける」とも書く。

かけね②⓪【掛⒧値】 正価より高く吹っ掛けた値段。かけ。「—の無いところを言う(=取りつくろったりせず、ありのままを言う)/—無し(=文字通り)の正念場」

かげのこえ①-①(コエ)【陰の声】❶〔テレビ・ラジオのクイズ番組などで〕出演(している解答)者には聞こえず、視聴者にだけ聞こえるように答えなどを教えるもの。❷その人(たち)だけには聞こえたと感じられる、何らかの指示などを与える声。「—に導かれてここまでやって来た」

かけのぼ・る④⓪【駆⒧登る】(自五) 坂や山道などを走って登る。↕駆け下る 表記「〈駈け登る」とも書く。

かけはぎ⓪【掛⒧《接⒢】 布の破れた所や短い所を、目立たないように はぎ合わせること。

かけはし②【架⒧橋】❶〔雅〕Ⓐ仮橋。Ⓑけわしい がけなどに板を渡して作った橋。Ⓒはしご。❷隔たる島の間に架け渡した橋。「夢の—が現実のものとなった今/島から—を見上げれば」❸〔仲を取り持つ働きをするものの意から〕橋渡し的存在。「西洋と東洋の—であったシルクロード/日本と朝鮮半島の—となった、古代対馬/平和への—」表記「懸け橋・掛け橋」とも書く。古くは❶を「《桟・〈梯」と書いた。

かけはな・れる⑤【掛⒧離れる】(自下一) 遠く離れ(て、連絡が取れなくな)る。〔両者が全く違う意にも用いられる。例、「△実態(生活実感)と掛け離れた、政府の景気見通し」〕

かけひ⓪【〈筧・懸⒧〈樋】〔「懸け樋(ヒ)」の意〕水を引いてくるために、地上にかけ渡したとい。「かけい」とも。

かけひき②【駆⒧引⒦】—する(自サ)〔戦場で機を見て兵を進退させる意〕商売・交渉などで相手の出方を見て強く出たり 弱く出たり などして、話を有利に仕向けること。「—の多い人/—が演じられる」表記「〈駈け引き」とも書く。

かげひなた①、①-⓪【陰日《向】〔日の当たらない所と日の当たる所の意〕人の見ている所と見ていない所とで言行が違うこと。「—無く働く/—になり(=陰になり日向になり ⇩陰)助ける」

かけぶとん③【掛⒧布団】 寝る人が、からだの上に掛ける布団。↕敷きぶとん かぞえ方 一枚

かげふみ②【影踏⒨】 相手の影を踏み合う子供の遊び。先に踏んだ方が勝ちとなる。

かけへだ・てる⑤⓪【懸⒧隔てる】(他下一) 間を遠く置いて隔てる。名 懸け隔て⓪ 自動 懸け隔たる⑤⓪(五)

かけべり⓪【掛⒧減⒭】 前に計った時より目方が減ること。目べり。

かげべんけい③【陰弁慶】 内弁慶(ウチ)。

かげぼうし③(ボフー)【影法師】 光が当たって地面や障子などに出来る、人などの影。

かげぼし⓪【陰干⒧】—する(他サ) 直射日光が当たらないようにして、かわかすこと。素干し。表記「陰《乾し」とも書く。

かげま⓪【陰間】〔まだ舞台に出ない少年役者の意〕江戸時代、男色を売った少年。

かけまくも③【掛⒧まくも・懸⒧まくも】〔雅〕言葉に出して言うことさえも。「—かしこき(=おそれ多い)」

かげまつり③【陰祭⒭】 本祭りの無い年に行なう、簡単な祭り。↕本祭り

かけまわ・る⓪④(マハル)【駆⒧回る】(自五) ❶あちこち走る。「運動場を—」❷慌ただしく方々を訪れる。奔走する。「資金集めに—」表記「〈駈け回る」とも書く。

かげみ①【影身】 影のように寄り添って、絶えず離れない△こと(人)。

がけみち⓪【崖道】 崖の上を通っている道。

かげむしゃ⓪【影武者】❶Ⓐいざという時に敵をだますために、ふだんから大将や重要人物と同じ服装をさせておき、その身代りとなるように用意した武士。Ⓑ身代り(としての存在)。「観光用の名木については、早くから万一に備えて—づくりが行なわれている」❷世間的にもてはやされているものを陰で支える、日の当たらぬ存在。「日本産業の—といわれる中小企業は、製造事業所の九九・七パーセントを占めている」❸陰でさしずする人。黒幕。

かけめ⓪【欠⒧目】❶不足した目方。❷欠けて不完全な部分。❸〔碁で〕自分の石によって囲んだ、ただ一点から成る空所で、囲みが相手の石によって△切断され(つぶされ)る可能性のあるもの。〔広義では、一見して「目❶❷」が確保出来ているように見えながら、実際には最善を尽くしても「目❶❷」が確保出来ない石の配置をも指す〕表記 ❸は「欠け《眼」と書くことが多い。

かけめ②【掛⒧目】❶はかりにかけた目方。量目。❷生糸一貫(=三・七五キロ)をとるのに必要な原料の繭の値段の単位。略して「かけ」。〔一万かけ=一万円〕❸〔編み物で〕目数をふやす方法の一つ。表編みや裏編みの掛け目がある。

かけめぐ・る④⓪【駆⒧巡る】(自五) 走り回る。かけ回る。「野原を—」表記「〈駈け巡る」とも書く。

かけもち⓪【掛⒧持⒥】—する(他サ) ❶〔元来、二人の人がやるべき〕二つ以上の仕事を一人で受け持つこと。❷本務△をそれと特に定めず(に割くのと同じくらいの時間を割いて)二つまたはそれ以上の場所で勤務すること。「二つの学校を—で教える」動 掛け持つ③⓪(他五)

かけもど・る④⓪【駆⒧戻る】(自五) △走って(急いで)戻る。表記「〈駈け戻る」とも書く。

かけもの②【掛⒧物】❶「掛け軸」の俗称。❷寝る時からだに掛けるもの。掛け布団・毛布など。かぞえ方 ❶は一本・一幅。❷は一枚

かげもん②【陰紋】 籠写しの手法により輪郭だけをかいた紋。

かけや②【掛⒧矢】〔くいを打ちこんだりするのに鳶職など

が使う」大型の木づち。かぞえ方 一本

かけよ・る⓪③【駆け寄る】(自五) 走って近寄る。表記「〈駈け寄る」とも書く。

かけら⓪【欠けら】「「ら」は接辞」❶こわれたり取れたりした、何かの一部分。❷「「…の―も無い」の形で」あってほしいと望まれるものがまったく認められないことを表わす。「良心の―も無い」表記「欠《片・〈破片」とも書く。

かげり③【陰り】Ⓐ雲などにより、陽光・月光が一時的にさえぎられて光が差さなくなる状態。「雲の動きにつれて―が移っていく」Ⓑ「一時的に」どちらかと言えば暗い印象を与える状態。「景気に―が見え始める／いつも明るい彼女が時折り―のある表情を見せる／―のある顔」表記「〈蔭り・〈翳り」とも書く。

*__か・ける__⓪【欠ける】(自下一)〈なにニ―〉一部分が△失われて(不足して)、完全でなくなる。「月が―「=満月を過ぎて、形が小さくなっていく」／義理に―「=義理の点で、不適切だと評価される」／△気力(意欲・積極性・迫力)に―／△説得力(盛り上がり)が―／欠けた茶碗ワンにそろわぬ箸ハシ」↔満ちる

**__か・ける__【掛ける】[一]②(他下一)❶〈どこ・なにニなにヲ―〉△何かで支え(一部分を固定するようにして)、高所から落ちないようにする。「肩に手ぬぐいを掛けて歩く／エプロンを―「=身に着ける」／眼鏡を―／荷物にひもを―／帽子を―／看板を―「=掲げる」／帆を―「=高く上げる」／鼻に―「=⇩鼻」／気に―「=⇩気」／歯牙ガに(も)掛けない「=⇩歯牙」／ベンチに腰を―「=おろす」／はかりに―「=重さを計る」／天秤テンビンに―「=⇩天秤❶」」
❷〈どこ・なにニなにヲ―〉人目・ほこり・雨などから防ぐように、外から何かでおおう。「△布団(カバー・メッキ)を―」
❸〈どこ・なにニなにヲ―〉ある点を支えとして、(空間に)何かを設ける。「クモが巣を―／小屋を―「=作る」／崖に橋を―「=渡す」／はしごを―」
❹〈だれ・なにニなに・だれヲ―〉何かをするために、そのものを効果的に働かせる。「△ブラシ(アイロン・エンジン・手錠)を―／鎌カマを―「=⇩鎌」／山田さんに声を―「=ⓐ呼び止める。ⓑ誘う」／生徒に号令を―「=大声で指示して、その通り行動させる」／なぞを―「=出して相手に解かせる」／彼女に思いを―「=恋心をいだく」／旧友に誘いを―「=誘う」／攻撃を―「=攻撃する」／足払いを―／ストを―「=ストライキを敢行する」／招集を―「=招集する」／願ガンを―「=神仏に何かの実現を祈り願う」／合格に望みを―「=実現を期待する」／新人に目を―「=ⓐ注意して見る。ⓑかわいがる」／口を―「=ⓐ相手に対して、物を言う。ⓑ依頼・勧誘などの話を持ち込む」／手を―「=ⓐさわる。ⓑ念入りに何かをする」／手に―「=ⓐ自分で扱う。ⓑ自分の手で殺す」／手塩に掛けて「=よく世話をして」育てる／医者に―「=診てもらう」／口に―「=言葉で言う」／ぺてんに―／火を―「=火をどこかに付けて、全体を燃やそうとする」／火に―「=なべなどを火の上にのせる」／時間を―「=十分使う」／鍵カギを―「=使って、戸や箱などを開閉が出来ないようにする」／ふるいに―「=より分ける」／会議に―「=議題とする」／わなに―「=ⓐわなで鳥獣を捕らえる。ⓑ人をだまして陥れる」／能力にみがきを―／期待と信頼を―／電話を―「=電話機で、他者と話す」」
❺〈なに・だれニなにヲ―〉ある物をそこに加えて、その影響を(強く)受けさせる。「豆腐にくずあんを―／頭に水を―／心配を―／賞金を―「=提供する約束をする」／保険を―「=契約する」／五千万円掛けて「=出費して」建てた家／手間隙ヒマを―「=費やす」／気合を―「=入れる」／馬力を―「=加える」／インフレに拍車を―「=加える」／税金を―「=課する」／青に赤を―「=交ぜ合わせる」／テリアを―「=交配させる」」
❻〈なにニなにヲ―／なにトなにヲ―〉「数学で」単位あたりの数量と、全体を構成する単位数とから、未知の全体の数量を求める。乗じる。「複素数どうし、さらに「式❸Ⓐ」どうしの演算にまで拡張される」「五に三を―と十五になる」↔割る❻
❼〈なにニなにヲ―〉懸詞カケコトバにする。「『松』に『待つ』を―」
[二]「動詞連用形+―」の形で、接尾語的に」❶その動作を始め、(途中まで)進行している状態にある。「財布を出しかけてやめる／建てかけた家／隣の人に話し―」❷その事の実現が十分に予測される状態にある。「消え―」表記「懸ける・《係ける」とも書く。「橋をかける」「はしごをかける」は、「架ける」とも書く。
文法 [一]❹で、「旅行中にとった写真をお目に掛ける」など「お目に掛ける」の形で上の立場の人に何かを見せる意の謙譲表現として用いられる。同種の謙譲表現として「ご覧に入れる」の形もある。

*__か・ける__②【駆ける】(自下一)〈どこヲ―／どこマデ―〉「はずみをつけるようにして足を動かし」△目的地まで(他より)速く行こうとする。「野を―馬」表記「〈駈ける」とも書く。

*__か・ける__②【賭ける】(他下一)〈なにニ―〉〈なにニなにヲ―〉Ⓐその勝負に勝った人がそれをもらう約束で、それぞれ応分の金品を出す。「ポーカーに金を―」Ⓑ利益を得るために、大事なものを、失うことを覚悟して差し出す。「神(に)かけて「=神に誓って」／命にかけて「=それが失敗したら自分の命を失うことを覚悟の上で」／△命(首)をかけて「=失うかもしれないことを覚悟して」戦う／社運を―／名誉にかけて／優勝をかけて「=それに勝てば優勝する大事な戦いを」戦う」表記Ⓑの多くは「懸ける」とも書く。

かけ・る②【翔る】(自四)〔雅〕高い空を速く飛ぶ。

かげ・る②【陰る】(自五) 今までさしていた光が(何かにさえぎられて)暗くなる。表記「〈翳る」とも書く。

かげろう②⓪【《蜉蝣》】形はトンボに似て、羽・からだが細くて小さい昆虫。成虫は水辺を飛び、産卵後数時間で死ぬので、短命・はかないことのたとえとしてよく引かれる。(カゲロウ目) 表記「《蜻蛉》」「トンボの意」とも書く。かぞえ方 一匹

かげろう②⓪【《陽炎》】「春や夏など」透き通った炎のように地面からゆらゆら立ちのぼるもの。「密度が不均一な空気による、光の異常屈折現象」表記 古来の用字は「《炎・《野馬》」。

かけわた・す④⓪【掛(け)渡す】(他五) こちら側から向こう側に渡して掛ける。「橋を―」表記「架け渡す」とも書く。

かけん⓪【家憲】家人や従業員が毎日の仕事・生活の上で守るように決められた事柄。

かげん⓪【下弦】満月から次の新月に至る、ちょうど中間の、左半分が光る半月ハンゲツ(の状態)。陰暦二十二、三日ころの月。「月の入りには弦が下方に見えるから言う」↔上弦

かげん⓪【下限】↔上限 ❶「数量や値段などの」下の方の限界。「―(価格)を割る」❷「時代の」新しい方の限界。

**__かげん__【加減】[一]⓪―する(他サ)「加えることと減らすことの意」❶(数学で、加法と減法」「―乗除④・読み上げ―算」❷〈なにヲ―する〉熱・水・調味料や力などの加え方を多めにしたり少なめにしたりして、ほどよく調節された状態が保てるよう調節すること。また、そのほどよく調節された状態。「塩の量を―する／弱い相手だから少し―して「=多少手を抜いて」勝負しよう／おふろの―を見る／ちょうどいい―の塩味だ／飲み―の湯」❸「好ましい状態かどうかという観点から見た」暑さ寒さのぐあいや健康状態。「陽気の―で体調がすぐれない／風邪カゼ気

味で―が悪そうだ」 ㊁(造語) ❶その状態がどのくらいの程度かを表わす。「ばかさ―/糸の張り―」 ❷どちらかと言えばその傾向を帯びていることを表わす。「うつむき―[5]」

運用 ㊀❷は、「お加減はいかがですか」の形で、相手(の関係者)の病状について問うのにも用いられる。

かげん[1][0]【〈訛言】⇩訛語

かげん[0]【過言】言いまちがい。

かげん[1]【〈嘉言】処世訓・人生訓や真理を喝破(カッパ)した言葉。「―善行」

かげん[0]【寡言】口かずが少ないこと。

がけん[0]【我見】❶自分だけの狭い意見。❷〔仏教で〕我執(ガシュウ)。

がげん[1]【雅言】雅語。〔狭義では、平安時代の、主として和語によって書かれた文学作品に用いられた語〕 ↕俚言(リゲン)

かげんみ[2]【過現未】〔仏教で〕過去・現在・未来。三世(サンゼ)。

かこ[1]【〈水手〉・〈水主〉・〈水夫〉】〔雅〕船乗り。

かこ[1]【過去】 Ⓐ現在より前の時点。〔仏教では、生まれる前(の世)を指す。⇩三世(サンゼ)〕「―の記録をたどる/―にとらわれない/―を顧みる/彼はすでに―の人だった/―形[0]」 Ⓑその人のこれまでの人生の中で、△隠しておきたい(表立って言えない)出来事。「―のある人/重い―を受けとめる」 ⇩現在・未来 **―ちょう[0]【―帳】その寺に葬った人の法名・俗名、死没年月日などを書いておく帳面。

かご[0]【〈駕籠〉】〔「籠(カゴ)」と同源〕一人の客を乗せた箱状の座を棒で吊(ツ)り、二人(以上)の人夫が前後からかついで運んだ乗り物。「戻り―」 かぞえ方 一挺(チョウ)・一丁

*かご[0]【籠】持ち運びやすさ・動かしやすさを考えて、裂いた竹・つる・針金・ビニールなど、線状の材料を編んで作った入れ物。〔「ざる」よりは目の粗い物があり、伏せたりふたを作ったりすると、鳥を囲うことも出来る〕「―の鳥〔=自由を束縛されている人のたとえ〕/買物―[4]・衣装―・脱衣―・鳥―・虫―・揺り―・くず―・唐丸(トウマル)―」

かご[1]【加護】―する(他サ) 神仏が、その人を守り、危難から救うこと。

かご[1]【華語】〔華は中華の華〕「中国語」の意の異称。

かご[1]【〈訛語〉】標準的な発音からはずれた言葉。なまった言葉。訛言(カゲン)。

かご[1]【過誤】「誤り・あやまち」の意の漢語的表現。

かご[1]【歌語】和歌の中でよく使われ、普通の文章や口頭語では使われない言葉。

がご[1]【雅語】古代・中世の詩歌や物語・日記の中に用いられた和語。(また)和語化した字音語をも含む。現代でも和歌・俳句などの世界では用いられる。

かこい[0]【囲(い)】㊀[0] ❶囲う△こと(ための物)。「―〔=貯蔵〕がきく/雪―(ガコイ)」 ❷独立した建物でなく、母屋(オモヤ)の続きに造った茶室。数寄屋(スキヤ)。 ㊁(造語) 動詞「囲う」の連用形。 **―もの**[0]【―者】本宅以外の所に住まわせておくめかけ。かこいめ[0]。 **―もの**[0]【―物】収穫後、季節はずれまで囲っておいた野菜など。

かこ・う[0]【囲う】(他五) 外部との△交通(流通)を妨げるために、何かでまわりをおおう(ようにする)。「野菜を―〔=貯蔵する〕/犯人を―〔=かくまう〕/女を―〔=めかけを持つ〕」 ⇩囲い㊁

かこう[0]【下向】―する(自サ) 〔景気が〕下がること。

かこう[0]【下降】―する(自サ) △下(程度の低い方)へ移行すること。「△成績(人気)が―する/―線をたどる」 **―きりゅう**[4]【―気流】下向きの気流。一般に気温が上昇し、好天となる。 ↕上昇気流

かこう[0]【火口】❶火山の噴火口。❷罐(カマ)の焚(タ)き口。 **―きゅう**[2]【―丘】火口の中に新しく出来た小火山。中央火口丘。 **―げん**[2]【―原】火口丘と外輪山との間にある平地。 **―こ**[2]【―湖】火口に水がたまって出来たみずうみ。 **―へき**[2]【―壁】火山の、火口を囲んだ部分。内側は急で、外側はゆるやかに傾斜している。

*かこう[0]【加工】―する(他サ)〈なにヲ(なにニ)―する〉 △原材料(他の製品)に手を加えて、元のものと違ったものを作ること。「―品[0]・―牛乳[4]・―紙(シ)[2]」

かこう[0]【可耕】耕作が可能なこと。「―地[2]」

かこう[0]【仮構】現実には無い事を何かの都合から仮にあるものとして扱うこと。虚構。

かこう[0]【花梗】枝や茎から分かれ出て、花を直接ささえる小さな柄。花柄(カヘイ)[0]。

かこう[0]【河口】川の、海や湖に流れこむ所。かわぐち。

かこう[0]【河港】△川口(河岸)にある港。 ↕海港

かこう[1]【華甲】〔「甲」は十干(ジッカン)の第一、「華」の字の正楷(セイカイ)体「華」を分解すると「十」が六つと一になるところから〕「還暦」の異称。

かこう[0][1]【〈嘉肴〉・佳〈肴〉】(客などに饗する)うまい料理。「珍味―[1]-[0]」

かこう[0]【歌稿】歌を書きつづった原稿。

かごう[0]【化合】―する(自サ) 二つ以上の物質が触れ合い、それらの原子の結合状態が変化して、全く別の性質を持った物質になること。 **―ぶつ**[2]【―物】二つ以上の物質が化合して出来た、全く別の物質。

がこう[0]【画工】職人としての絵かき。

がこう[0]【画稿】(発表された)絵の下書き。

がごう[1][0]【雅号】〔書家・画家・文筆家などが〕本名のほかにつける、風流な別名。

かこうがん[2]【花〈崗岩〉】石英・長石・雲母(ウンモ)などから成る灰白色で黒い点のある、堅くて美しい火成岩。土木・建築用。御影石(ミカゲイシ)。

がこうそう[2]【〈鵞口〈瘡〉】乳児の口やのどの中に出来る、白い発疹(ハッシン)。

かごうつし[3]【籠写(し)】字や物の輪郭だけを一つの線で囲んで写すこと。〔漢語では「双鉤(ソウコウ)[0]」という〕

かごかき[4][3]【〈駕籠〉〈舁(き)〉】駕籠に人を乗せて運ぶ職業の人。かごや[0]。

かこく[0][1]【河谷】河の流れによって出来た、広い谷。

かこく[0]―な ―に ㊀【苛酷】弱い者に対して同情心が無く、いやが上にもいじめ苦しめる様子。「―〔=無慈悲〕な要求/―な〔=きびしい〕条件」 ㊁【過酷】普通よりもきびしい様子。「―な取扱い」 派 ―さ[0]

かこ・つ[2]【《託つ》】(他五) 自分の置かれた不幸な環境や不満な現状に対して、不平を言う。「無聊(ブリョウ)を―」

かこつ・ける[0][4]【《託(つ)ける》】(自下一) おおっぴらに何かをするために、関係の無い他の事を表面の理由にする。「仕事にかこつけて家庭を顧みない/就職活動にかこつけて授業をサボる大学生」

かごぬけ[0]【籠《脱(け)・籠抜(け)》】〔もと、籠をくぐりぬける曲芸の意〕その△店(会社など)の部内者のような顔をして金品を受け取り、別の出口からぬけ出す詐欺(の方法)。

かごのとり[0]【籠の鳥】籠の中に飼われる鳥。〔自由を束縛された人、特に遊女の意にも用いられる〕

かこみ[0]【囲み】❶包囲。「―を解く」 ❷〔←囲み記事[4]〕新聞などで罫(ケイ)で囲んだ記事や読み物。

かごみみ[0]【籠耳】聞いた片端から忘れること。ざる耳。 ↕袋耳

**かこ・む[0]【囲む】(他五)〈(なにデ)なに・だれヲ―〉 人などが、何

** * は重要語，[0] [1]… はアクセント記号，品詞の指示の無いものは名詞および いわゆる連語。

かのまわりを、輪を作るようにしてすきまなく埋める。「首相を囲んだ人垣／一緒に食卓を―〔＝食事をする〕／碁を二局―〔＝二番対局する〕／△四囲を海に(なごやかな雰囲気に)囲まれる」

かごめ[0][3]【籠目】〔もと、「囲む」の変化した「かごむ」の命令形〕目隠しをした者を他の者が囲んで何回か回り、止まった時後ろに居る者がだれかを当てさせる、子供の遊び。「かごめかごめ[0][6]」とも。

かごめ[0]【籠目】❶籠の(編み)目。❷竹籠の目のような△模様(編み方)。

かこん[0]【禍根】わざわいの起こるもと。「―を△絶つ(残す)」

かごん[0]【過言】(相手によっては非礼に当たるような度を過ぎた発言。「…と言っても―ではない」

かさ[1]【〈毬】マツ・トチなどの実の殻。「松―」

***かさ**[1] ■一【〈笠】❶雨・雪・日光などを防ぐために、頭の上に載せる、△半球面状(山形)の(大きな)かぶり物。「―をかぶる／電灯の―〔＝おおい〕／マツタケの―」❷塀など、屋外に設けるものの上端にかぶせるもの。「灯籠の―石／戸袋の―板」【―に着る】自分に有力な後ろ楯(テダ)があるのをいいことにして、大きな態度をとる。【―の台が飛ぶ】❶首を斬(キ)られる。❷免職になる。■二【傘】雨・雪・日光などを防ぐために、柄(エ)を手で持って頭の上にかざすもの。開けば半球面状になり、用の無い時はたたむ。からかさ・こうもりがさ・日がさなど。「―を差す／米国の核の―〔＝核兵器の威力による安全保障〕の下にある」〔■一は「かぶりがさ[4]」、■二は「差しがさ[3]」と言って区別した〕 かぞえ方 ■一は一枚・一蓋(イッカイ)。■二は一本

かさ[2]【〈嵩】(見た目の)物の量やその大きさ。「―のある荷物／水(の)―〔＝量〕が増す／―が張る」【―にかかる】❶優勢に乗じて攻撃に出る。❷頭から抑えつけるような態度をとる。

かさ[1]【〈暈】時どき△太陽(月)のまわりに見えるドーナツ形の光。ハロ。〔半円形のものもある〕

かさ[0]【〈瘡】皮膚に出来るおでき・腫物(ハレモノ)の総称。〔狭義では、梅毒の意の(軽い侮蔑(ブベツ)を含意した)俗称。例、「―掻(カ)き」〕⇩かさぶた

がさ[2]〔「探す」の語幹「さが」の倒語〕警察による強制家宅捜索。「―を△入れる(かける)／―入れ[0]」〔通語〕

かさあげ[0]【〈嵩上(げ)】―する(他サ)❶堤防などを今までよりも高くすること。「―工事[5]」❷〔比喩的に〕金額を上げること。

かざあし[0]【風脚】風の速さ。表記「風足」とも書く。

かざあな[0]【風穴】❶風が出入りする△すきま(穴)。❷通風のために壁などに開けておく穴。「―が開(ア)く」❸山腹などにある、奥深くて冷たい風の吹いて来る穴。ふうけつ。【―を開ける】槍(ヤリ)や鉄砲で胴体の真ん中に穴を開ける。〔転じて、その組織体にとって根本的な危機感を与える意や、伝統・独占に慣れた世界の現場に新風を吹き入れる意にも用いられる〕

***かさい**[0]【火災】「火事」のやや改まった表現。「△明け方(デパート)の―／―報知機[6]」 **―ほけん**[4]【―保険】火災による損害を補う目的の保険。

かさい[0]【花菜】花の部分を食べる野菜。ブロッコリー・カリフラワーなど。「―類[2]」⇩根菜・葉菜

かさい[0]【果菜】❶果物と野菜。❷果実の部分を食べる野菜。キュウリ・ナス・トマトなど。「実物(ミモノ)」とも。「―類[2]」⇩根菜・葉菜

かさい[0]【家裁】「家庭裁判所」の略。「―送り[4]」

かさい[0]【歌才】和歌を(上手に)作る才能。

かざい[1]【家財】家にある一切の△持ち物(財産)。「―道具[4]」

かざい[1]【貨財】貨幣と財物。財貨。

がさい[0]【画才】(上手に)絵をかく才能。

がざい[0]【画材】❶絵になる題材。❷絵をかく道具。

かさいりゅう[2]【火砕流】火口から噴出した大小の岩のかけらが、熱いどろどろの状態のまま里近くまで流れ下るもの。

かざおれ[0]【風折(れ)】木などが、強い風で折れること。「柳に―無し〔＝柔らかいものの方が堅いものより かえって折れにくいことがあるものだ〕」

かさかき[0][2][4]【〈瘡掻〉(き)】「梅毒患者」の俗称。〔侮蔑(ブベツ)を含意して用いられることがある〕

かさかさ ■一[1](副)―と―する ❶乾いた物△に何かが(どうしが)軽く触れた時にかすかな音を立てる様子。「枯れ葉が―と音を立てて舞っている」❷あぶら気や水気が不足し、全体にうるおいが感じられない様子。「肌が荒れて―する／―した人間関係」■二[0]―な―に 「かさかさ■一❷」に同じ。「冬は乾燥して手が―になる／―に干からびる」

がさがさ ■一[1](副)―と―する ❶乾いた物どうしがこすれ合って耳障りな音を立てる様子。「やぶの奥で何かが―(と)動く／紙袋の中を―とかきまわして捜す」❷「かさかさ■一❶」の強調形。「―した〔＝奥ゆかしさや物静かなところが無くて、いつも駆け足で行動しているように見える〕人間」■二[0]―な―に 「がさがさ■一❶」に同じ。「―に乾いた声／手が荒れて―になる」

かざかみ[0]【風上】風がどちらから吹いて来るかという、その方角。↕風下(カザシモ) 【―に(も)置けない】〔風上に置くと悪臭が鼻について我慢がならない、の意から。「…の―」の形で〕その社会に生きる同じ仲間として扱うわけにはいかない、品性の劣った人間だと、侮蔑(ブベツ)を含意して言うのに用いる。「他人の論文を盗用するとは学者の―奴(ヤツ)だ」

かさぎ[0]【〈笠木】鳥居(トリイ)・門・塀などの上に渡す横木。冠木(カブキ)。

かざきり[0]【風切(り)】❶船の上に立てて風の方向を見る旗。❷〔←風切り羽(バ)[3][4]〕鳥のつばさの下にある、長い羽。❸〔←風切り瓦(ガワラ)[5]〕屋根の端近く、縦に一、二列の丸がわら。

かさく[0]【仮作】―する(他サ)❶仮に△作ること(作ったもの)。❷虚構すること。また、虚構。フィクション。

かさく[0]【佳作】他に比べて出来のいい作品。〔狭義では、「選外佳作[5]」を指す〕

かさく[0]【家作】❶家を作ること。❷人に貸すために作った家。「―持ち」 かぞえ方 ❷は一軒

かさく[0]【寡作】―な 芸術作品を少ししか作らない様子。〔主として丹念な作風を持ち、自分の気に入った物しか作らないことを指す〕↕多作

かざくち[0]【風口】〔ストーブ・ふろの たき口などの〕風の吹きこむ口。「かざぐち」とも。

かざぐるま[3]【風車】❶風の力を受けて回る仕掛けの車。米つきや水くみなどに使われた。ふうしゃ。❷軸に羽根が三、四枚付いていて、持って走ると回転する仕掛けのおもちゃ。 かぞえ方 ❶は一基。❷は一本

かさけ[0]【〈瘡気】梅毒。また、梅毒にかかった気味。「うぬぼれと―の無い者は無い」

かざけ[0]【〈風邪〉気】かぜを引いたような からだの調子。かざっけ[0]。

かさご[0]【〈笠子】頭・目・口が大きく、紅色または黒褐(コッカツ)色で黄色のまだらがある近海魚。種類が多い。卵胎生。食用。〔メバル科・フサカサゴ科〕 かぞえ方 一尾・一匹

かざごえ[0]【〈風邪〉声】かぜを引いた時の△かすれた

（鼻の詰まった）声。「かぜごえ」とも。

かさこそ[1]（副）ーと 枯れ葉を踏んだり 薄い紙などが軽く触れ合ったりする時に、かすかな乾いた音を立てる様子。

がさごそ[1]（副）ーと 容器の中の物を取り出そうとしたりするとき、表面の堅い物どうしが触れ合って耳障りな音を立てる様子。また、その音の形容。「ーと引出しの中をかき回す／袂(タモト)の底をーと探して」

かささぎ[0]【〈鵲】 カラスより少し小さく、尾の長い鳥。背中は黒く、肩・腹・腰は白い。〔カラス科〕 かぞえ方 一羽

かざし[0]〔「かんざし」と同源〕昔、髪や冠に飾りとしてさした花・枝。 表記 現在は、「〈挿頭花〉」と書くことがあるが、古くは「〈頭花〉」が一般的。

かざしも[0]【風下】 風がどちらに吹いて行くかという、その方角。「ーにまわって獲物をねらう」↕風上(カザカミ)

かざ・す[0][2]（他五） [一]【〈翳す】 ❶何かの目的で、手に持った物を頭上に構える。「刀をかざして突進する／△旗（法理論）をー／陽光にかざして〔＝透かすようにして〕古文書を見る」 ❷直射光や他の視線をさえぎる目的で、何かで顔の前をおおうようにする。「△扇（小手）をー」 [二]【手をー】 ⇩手 [三]花などを冠・髪にさす。 表記 [三]は、「〈挿頭〉す」と書く。

かさだか[0]【〈嵩高】ーな ーに ❶目方の割に、体積が大きくて、かさばる様子。「ーな荷物」 ❷相手を見くだした おうへいな様子。「ーな物の言い方」

がさつ[0]ーな ーに 細かいところにまで気を配ろうとする態度が欠けている様子。「ーな性格／ー者(モノ)[0]」↕繊細 派 ーさ[0]

がさつ・く[0]（自五） ❶（音が）がさがさする。 ❷性格ががさつで、言動に落ち着きが無い状態である。

かざとおし[0]ートホシ【風通し】 ⇩かぜとおし

かさなりあ・う[5]ーアフ【重なり合う】（自五） △互いに（幾重にも）重なる。

***かさな・る**[0]【重なる】（自五）〈なにニー／なにトー〉 ❶すでにある物の上に、他の物が覆いかぶさるように位置する。「両力士は土俵下に重なって倒れ落ちた／幾重にも重なって見える武甲(ブコウ)の山並／親を失って泣く子の姿に、父の死への悲しい記憶がー〔＝二重写しになったように思い出される〕／折りー」 ❷別々のものの間で何らかの点で一致する要素が認められる。「前の事件とー点があるにしろ、医者の社会的責任はまぬかれない」 ❸それほど間をおかないうちに同じ傾向の事柄が繰り返し起こる。「過剰投資や営業不振の負担が重なったための倒産／交通違反が重なり、免許取消しになった／おめでたがー」 ❹それでなくてもその傾向が見られるところに、それをさらに助長する要因が加わる。「快晴、日曜と重なった選手権大会会場は観客で超満員／事故がラッシュアワーとー〔＝同一時間帯に起きる〕」 ❺複数の事態が同時に起こる。「息子の結婚式と友人の葬儀とがー」 名 重なり[0] 運用 「その事が繰り返し起こる」ことの連想から、結婚式や葬儀の場では避けるべき言葉とされる。「かさねる」「かさねがさね」なども同様。

かさね【重(ね)】 [一][0] ❶重ねること。また、重ねたもの。〔かぞえる時にも用いられる〕 ❷上着と下着とそろった衣服。「ーの羽織」 表記 ❷は、「《襲」とも書く。 [二]（造語） 動詞「重ねる」の連用形。 **ーあわ・せる**[6]ーアハセル【ー合(わ)せる】（他下一） ❶紙・板・皿など、同じ種類の平たいものどうしを、すきまの無い状態に△重ねる（重ねて一つにまとめる）。「掌(テノヒラ)をー／何枚もの画像をー」 ❷ある事柄に、類似する別の事柄を関連づけて考える。「現代の世相を百年前の社会に重ね合わせてみると、危機的な状況がいっそう見えてくる」 **ーがさね**[4]【ー重ね】（副） 同じ△状態（行為）がその上さらに繰り返される様子。「ーの〔＝続いて起こる〕不幸／ー（のご親切）かたじけない／ー〔＝何度おわびしても足りないほど〕おわび申し上げます」 **ーぎ**[0]【ー着】ーする（自サ） 防寒や盛装などのために、ふだん着る以上に重ねて着ること。 **ーて**[0]（副） 同じ行為をさらにもう一度繰り返す様子。「ー△言う（問う）、今までやってきたことは何だったのかと」 **ーもち**[3]【ー餅】 鏡餅を二つ重ねたもの。〔すもうなどで、組み合ったまま、折り重なって倒れる意にも用いられる〕

***かさ・ねる**[0]【重ねる】（他下一）〈なにニなにヲー／なにトなにヲー〉 ❶何かの上にさらに△乗せる（加える）。「もう一枚重ねて着る／△杯（回・嘘）をー」 ❷煩をいとわず、その状態を続ける。「△無理（交渉）をー／用心に用心をー」〔⇩重ね[二]〕

かざばな[0]【風花】 ❶風上(カザカミ)から、風に吹かれて飛んで来る粉雪。 ❷晴れた日、風の吹き出す前などに、舞うように降る粉雪。「かざはな」とも。〔北国で、本格的な冬の到来の前触れとされる〕 ❸熱のための発疹(ハッシン)。かざほろし[3]。

かさば・る[3]【〈嵩張る】（自五） △それほど重く（値うちのあるものでは）ないのに、かさが大きい状態である。かさむ。

かざびえ[0]【風冷(え)】 風が強く吹いて寒いこと。また、その寒さ。「ーのする朝」

かさぶた[0]【〈痂・〈瘡蓋】〔「瘡蓋(カサブタ)」の意〕できもの・傷が治りかけた時に上に出来る皮。

かざまち[0]【風待(ち)】ーする（自サ） 帆船が出発しようとして、順風を待つこと。「かぜまち」とも。

かざまど[0]【風窓】 ❶風を通すために作った窓。 ❷家の床下に、通風のために開けた穴。

かざみ[0]【風見】 屋根や船などに取りつけて風の方向を知る、矢やニワトリの形をした道具。風信器。「ー鶏(ドリ)[3]〔＝その時どきの情勢に応じて自分にとって有利な側につこうとする人の意にも用いられる〕」

がざみ[0]【〈〈蝤蛑〉〉】 カニの一種。甲羅はひし形で、左右に長いとげを持ち、はさみ足は強大。浅い海の砂底にすむ。食用。ワタリガニ。〔ワタリガニ科〕 かぞえ方 一本

かさ・む[0][2]【〈嵩む】（自五） ❶その面の出費が予定よりも多くなる。「△学費（コスト・金利）がー」 ❷かさばる。

かざむき[0]【風向(き)】 風が吹いて来る方向。〔その時どきの事態の進展する方向や、個人の機嫌のよしあしの意にも用いられる。例、「会議のー〔＝形勢〕が変わる／社長のー〔＝機嫌〕が悪い」〕「かぜむき」とも。

かざよけ[0]【風《除(け)】 風を防ぐ△こと（もの）。「かぜよけ」とも。

***かざり**【飾(り)】 [一][0] ❶飾ること。 ❷△飾る（飾った）物。「客間のー〔＝飾り物〕に使う／文章にー〔＝飾った所〕が無い」 ❸これといった実質的な役割や機能はなく、飾るためだけにあるもの。「会長といってもーにすぎない／受付係といってもこれという仕事もなくおー〔＝単に形式を整えるために設けたもの〕のようなものだ」 ❹「しめかざり・松かざり」の略。 [二]（造語） 動詞「飾る」の連用形。「ーボタン[4]」 **ーけ**[0]【ー気】 自分を飾って、人によく見せようとする心。「ーの無い△言葉（態度）」 **ーしょく**[3]【ー職】 金属△で（に）細かい飾りものを細工する職。 表記 「〈錺り職」とも書く。 **ーた・てる**[5]【ー立てる】（他下一） 人目を引くように、はでに飾る。 **ーつ・ける**[5]【ー付ける】（他下一）〔商店などで〕飾りになる物や商品などを、効果的に店内に配置する。 名 飾り付け[0] **ーぼうちょう**[4]ーバウチヤウ【ー包丁】 さかなや厚みのある野菜の表面などに軽く包丁で切れ目を入れること。火の通りや味のしみこみ、また、見栄えもよくする。 表記 「飾り〈庖丁」とも書く。 **ーまど**[4]【ー窓】〔商店で〕商品が陳列してある窓。ショーウインドー。 **ーもの**[0]【ー物】 見た目がりっぱに見えるように飾り付けること。

** * は重要語，[0] [1]… はアクセント記号，品詞の指示の無いものは名詞および いわゆる連語。

また、その物。〔見かけはりっぱだが役に立たない△人(物)の意にも用いられる〕

*かざ・る⓪【飾る】(他五) ❶〈(なにデ)なに・どこヲ―/どこニなにヲ―〉きれいに見せるために、効果を考えて配置する。「食卓に花を―/言葉を―/うわべを―/巻頭を―Ａ氏の論文」 ❷〈なにヲ―〉それをりっぱにやりとげることによって、全体を意義あるものにする。「有終の美を―/引退の花道を―/人類の歴史を―壮挙」〔⇩飾り❸〕

かさん⓪【加算】❶―する(他サ) 本体となる物に、何かを加えること。合算。「―税②」 ❷足し算。〔「加法」に比し、珠算や計算機の分野でよく用いられる〕「―器②」⇔減算

かさん⓪【加〈餐〉】―する(自サ)〔食を加える意〕栄養あるものを摂(ト)って養生に努めること。「―専一にと念じ上げます/ご―ください」

かさん⓪【夏蚕】「なつご」の農家での称。⇩春蚕・秋蚕

かさん⓪【家産】その家の財産。「―を傾ける〔=その家の財産全部を何かに使って無くす〕」

かざん①(クワ)【火山】深層のマグマが、地殻の割れ目や弱い部分に沿って地表に噴出して出来た山。〔現在の火山学では、活火山とそれ以外の火山とに分類する〕「―帯⓪・―脈②・―ガス④・―活動④・活―・休―・死―・海底―・複式―」 かぞえ方 一座・一峰(イッポウ)・一山(イチザン)・一岳(イチガク) ―がん②【―岩】地表に噴出したマグマが冷えて固まった岩。玄武岩・安山岩・流紋岩など。 ―だん②【―弾】火口から噴出し、飛び散った溶岩が空中で砲弾状に固まったもの。 ―ばい②【―灰】火山からふき出た、灰のようなもの。「―地④」 ―れき②【―〈礫〉】火山の爆発によって噴出した岩石で、小石程度の大きさのもの。

がさん⓪(グワ)【画賛・画〈讃〉】同一画面にかき入れた、絵の説明としての文句・文章。 表記 「賛」は、代用字。

かさんかすいそ⑤(クワークワ)【過酸化水素】無色・透明の液体。酸化力が強い。三パーセントの水溶液は消毒・殺菌などに使われる。〔化学式 H_2O_2〕⇩オキシドール

かし(終助)〔雅〕⇩あれかし

かし⓪【〈河岸〉】❶川岸。 ❷〔←魚がし〕川岸に立つ魚の市場。 ❸何かをする場所。「―を変える」 表記 ⇩付表

かし⓪【貸(し)】⇔借り ❶貸すこと。貸した金品。 ❷〔簿記で〕貸し方。

かし①【〈樫〉】暖地に自生する常緑高木、アカガシ・シラカシ・ウバメガシ④③などの総称。木は堅く、器具を作るのに使う。実はクヌギに似て、小粒。〔狭義では、アカガシを指す〕〔ブナ科〕 かぞえ方 一株・一本

カし①【カ氏】「華氏」の新表記。⇔セ氏

かし①【下肢】〔「肢」は、足の意〕足。脚部。⇔上肢

かし①【下賜】―する(他サ) 天皇・皇族などが何かを下さること。「御―品⓪」

かし①【可視】目に見えること。「被疑者取調べの―化」⇔不可視 ―うちゅう③(チウ)【―宇宙】肉眼で見える範囲内の宇宙。 ―こうせん③(クワウ)【―光線】肉眼で見える、普通の光線。可視線⓪②。

かし①【仮死】人事不省のひどい様子で、呼吸も止まり、死と区別出来ないような状態。

かし①(クワ)【華氏】〔「華」は、ド Fahrenheit の、中国での音訳の第一字〕華氏温度の略。〔カ氏の旧表記〕 ―おんど③【―温度】ファーレンハイト氏の考案した温度目盛り。水の氷点を三二度、沸点を二一二度とする〔記号°F〕。⇩摂氏温度

*かし①(クワ)【菓子】〔もと、果物の意〕間食として食べる、ちょっとした食べ物。〔多く、甘味を指す〕「和―(ガシ)・洋―(ガシ)・水―(ガシ)〔=果物〕」 ―おり⓪②(ヲリ)【―折】(贈答用の)菓子を入れた折箱。「―の一つも持って挨拶(アイサツ)に行くか」 ―つかさ③【―《司》】〔もと、宮中などに納品する、格式の高い菓子店〕和菓子の(製造)販売をする店。〔多く、店名に冠して用いられる〕 ―パン⓪ 甘い味などを付けた、(間食用の)パン。あんパン・クリームパンなど。⇩食パン 表記 「菓子〈麺包〉・菓子〈麺〈麭〉〉」とも書く。

かし①【〈瑕疵〉】そのものの評価を落とすような欠点。

かし①【歌詞】歌謡などの、ふしをつけて歌うための言葉。

かし①【歌誌】短歌の作品や批評などを集めて載せた雑誌。短歌雑誌。

かじ①(ヂカ)【〈梶〉】山野に自生する落葉高木。和紙の原料となり、昔、七夕(タナバタ)の時にこの木の葉に歌を書いて願い事をした。〔クワ科〕 かぞえ方 一株・一本

*かじ①(ヂカ) ❶【〈舵〉】船の後ろに付けて方向を変えるのに用いる装置。〔広義では、飛行機の操縦桿(カン)をも指す〕「―をとる〔=ⓐ舵を操作して乗り物を動かす。ⓑ進むべき方針を定め、誤り無く導く〕/面(オモ)―」 かぞえ方 一本 ❷【〈楫〉】「舟の櫓(ロ)や櫂(カイ)」の意の古風な表現。 ❸【〈梶〉】「梶棒」の略。「―が重い〔=大八車(ダイハチグルマ)などの重心が前の方にかかり過ぎる〕」 表記 ❶は、「〈梶〉」とも書く。 【〈舵を切る】❶舵を大きく動かし船の進路を変える。「入江で大きく―」 ❷従来の方針や慣習を大きく変える。「社内格差撤廃に向けて―」

かじ①(ヂカ)【〈鍛冶〉】〔「金打(カナウチ)」の圧縮形カヌチの変化〕金属を打ちたたいて刀や農具などを作る△こと(職人)。「―屋・刀―・鉄砲―③」 表記 ⇩付表

*かじ①(クワ)【火事】建物・山林などが焼けて損害を受けること。「―を△呼ぶ(出す・起こす)/大―が発生する/対岸の―/山―」 ―どろ⓪【―泥】「火事場どろぼう」の圧縮表現。 ―ば⓪③【―場】火事の起こった場所。「―の馬鹿力〔=この用例の場合、アクセントは⓪〕」 ―ばどろぼう④(バウ)【―場泥棒】火事場の混乱につけこむどろぼう。略して「火事どろ」。〔混雑・混乱につけこんで利益を得る人の意にも用いられる〕

かじ①(ヂ)【加持】―する(自サ)〔仏の大悲(ダイヒ)の力が衆生(シュジョウ)に加わり、衆生の信心に仏が応じる意〕人に災いをもたらす根源を断つために仏に祈ること。「―祈禱(キトウ)」

*かじ①【家事】各家庭が日常の生活を保つ上で欠かせないととらえられる、家庭内の実務。来客との応対・清掃・洗濯・ごみ出しや炊事・育児など。「―に追われる/家族全員が―に参加/―の分担/―が△得意(苦手・不得意)/―を手伝う/(たまった)―をてきぱきと片づける/仕事と―を両立させる/―手伝い①-③・―評論家①-⓪」

かじ①(クワ)【華字】〔外国に居住する中国人が使用するものとしての〕中国の文字。「―紙②」

がし(接尾)〔助詞「かし」の変化〕あてつけがましく望む言葉。「出て行け―に/聞こえよ―〔=…と言わんばかり〕」

がし①【賀詞】祝賀の行事の時に述べる、祝いの言葉。祝詞。

がし①【餓死】―する(自サ)「うえじに」の漢語的表現。「―に直面する/―者②」

かしうり⓪【貸(し)売(り)】―する(他サ) かけうり。

カシオペアざ⓪【カシオペア座】〔ラ Cassiopeia〕星座の名。北極星をはさんで北斗七星と対する、W字形をした五つの星が中心。秋、北の方の空に見える。

かじか⓪ ❶【〈鰍〉】清流の砂の間にすみ、形がハゼに似て、背中は暗灰色で腹は白い淡水魚の総称。食用。〔カジカ科〕 ❷【〈河鹿〉】カエルの一種。川の瀬にすみ、背中は暗灰色、腹は白色でやせている。夏のころ、雄は美しい声で鳴く。かじかがえる④。〔アオガエル科〕 表記 ❶は「〈杜父魚〉」・

〈鮎〉」とも書く。［かぞえ方］一匹

かしかた[0]【貸(し)方】↕借り方 ㊀物を貸す方の人。貸し手。㊁〔複式簿記で〕右側の記入欄の称。収入の発生、資産の減少、負債の増加などを記入する。

かしがまし・い[5]【〈囂しい】（形）△音（声）がやかましい。［派］**ーさ**[4][5]

かじか・む[0]【〈悴む】（自五）手などが寒さでこごえて、思うように動かなくなる。「指がー」

かしかり[2][3]【貸(し)借(り)】ーする（他サ）金銭を貸すことと借りること。たいしゃく。〔広義では、恩義についても言う〕「ー無し」

かしかん[2][3]【下士官(クワン)】「准士官[3]〔=陸軍では『准尉』、海軍では『兵曹長[3]』〕」と兵との間の武官。

かじき[1]【〈梶木(カヂキ)】〔舵木の意という〕剣状の長い上あごで他の魚を突き刺す海産魚。肉は薄赤で、背は青い。熱帯や温帯の外洋にすむ。刺身などにして食べる。カジキマグロ[4]。「マー[2]・メー[2]」［かぞえ方］一尾・一匹

かしきり[0]【貸(し)切(り)】乗り物や劇場などの席の△全部（一部分）をその団体や人などのために貸すこと。

かしき・る[3]【貸(し)切る】（他五）㊀約束した期間、特定の人にだけ使用を許す。㊁残らず貸す。

かしきん[0][2][3]【貸(し)金】貸したお金。

かしきんこ[3]【貸(し)金庫】銀行などの金融機関が、金庫室内に設けた鍵(カギ)付きの保管箱を顧客に貸すもの。

かし・ぐ[2]【《炊ぐ》】（他五）〔雅〕（飯を）たく。〔古くは、「かしく」〕［表記］「〈爨ぐ」とも書く。

かし・ぐ[2]【《傾ぐ》】（自五）（船・家・塔などが）かたむく。

かじく[0][1]【花軸(クワヂク)】〔イネ・ススキなど〕花穂(カスイ)の軸をなす茎。

かし・げる[3]【《傾げる》】（他下一）（首・頭などを）かたむける。「△首（頭）をー〔=変だと思って、ちょっと考える〕」

かじ・ける[3][0]（自下一）こごえ縮む。「寒くて手がー」

かしこ[1]〔恐れ多い意の文語形容詞「畏(カシコ)し」の語幹〕〔手紙文で〕女性が手紙の結語として用いる言葉。かしく。「（あらあら）ー」

かしこ[1]【《彼《処》】（代）〔雅〕あそこ。「ここー/どこもーも〔=皆〕」

かしこ・い[3]【賢い】（形）頭の働きがすぐれ、物事に的確な判断を下したり最善の対処をしたりすることが出来る様子だ。〔反語的に「抜け目が無い」意味で使うこともある〕「ー子だ/ずるー(ガシコイ)」［派］**ーさ**[3] **ーげ**[3][4][0]

かしこくも[3]【《畏くも》】（副）〔「恐れ多い事に」の意〕天皇を初めとする皇族の行為に関して云々(ウンヌン)する場合に用いられる語。「恐れ多くもー」〔敗戦以後は用いられることが少なくなった〕

かしこし[0]【貸(し)越(し)】前もって定めた限度額以上に金を貸すこと。特に、銀行が当座預金の残高以上の小切手の振り出し分を貸すこと。［動］貸し越す[3]（自五）

かしこだて[0]【賢立(て)】無理をして賢い振りをすること。さかしら。

かしこどころ[4]【賢所】宮中で、八咫鏡(ヤタノカガミ)を祭ってある所。けんしょ。〔狭義では、八咫鏡を指す。ただし、本物は伊勢神宮にある〕

かしこま・る[4]【《畏まる》】（自五）恐れ入って、慎んだ態度・姿勢になる。〔狭義では、きちんと座ることを指す〕［運用］「かしこまりました」の形で、立場が上の人の指示や命令を承諾したという意思表示の言葉として用いられることがある。例、「『この仕事を頼むよ』『（はい）かしこまりました』」

かしさ・げる[4]【貸(し)下げる】（他下一）官庁から民間に貸し与える。［名］貸し下げ[0]

かしざしき[3]【貸(し)座敷】貸し賃を取って会合などのために貸す座敷。

かししつ[0]【貸(し)室】部屋代を取って貸す部屋。

かししぶり[0]【貸(し)渋(り)】金融機関が融資基準や条件を厳しくして、企業などへの融資を控えること。

カシス[1]〔フ cassis〕㊀おもにヨーロッパで栽培される落葉低木。実は熟すと黒くなり酸味が強い。ジャム・ゼリーなどに加工する。クロスグリ[3]。〔スグリ科（旧ユキノシタ科）〕㊁「カシス㊀」の実で作るリキュール。

かしず・く[3]【〈傅く(カシヅク)】（自五）人に仕えて世話をする。〔古くは、後見する意にも使った〕

かしせき[0]【貸(し)席】貸し座敷（を職業とする家）。〔狭義では、待合を指す〕

かしだおれ[0]【貸(し)倒(れ)(ダフレ)】貸した金が取り戻せなくなること。

かしだ・す[3]【貸(し)出す】（他五）公共機関が何かを貸す。「図書をー」［名］貸し出し[0]

かしち[0]【貸(し)地】地代を取って貸す土地。

かしちん[2][3]【貸(し)賃】物を貸して取る料金。損料。↕借り賃

かしつ[0]【加湿】ーする（自サ）人の呼吸器や器物などを乾燥の害から守るために、水蒸気を立てるなどして室内を適当な湿度の保てる状態にすること。「ー器[3]」

***かしつ**[0]【過失(クワ)】そう△するつもりは全く無かった（なるとは予測もしなかった）のに、不結果をもたらすこと。「重大なーを犯す」 **ーちし**[4]【ー致死】自分の過失が原因で、人を死なせること。「ー罪[5]」

かじつ[1]【佳日・〈嘉日】結婚式などの行なわれる△縁起のいい（めでたい）日。

かじつ[1]【果実(クワ)】㊀実(ミ)とそれを包む皮、その中にある種を含んだものの称。例、イネ・エンドウ・ドングリ・トマト・ウメ・リンゴなど。㊁△精神的（肉体的）営為の結実。㊂ある物品から生み出される経済的収益物。 **ーしゅ**[3]【ー酒】果実などを原料として作った酒。果汁を発酵させたブドウ酒・リンゴ酒などと、焼酎(ショウチュウ)などに浸出した液を熟成させた梅酒・カリン酒などとがある。

てんねんー[5]【天然ー】その物を商品として扱うことによって生じる収益物。果物・牛乳・鉱物など。↕法定果実

ほうていー[5]【法定(ハフ)ー】その物を人に使用させる対価として受け取る金銭その他。賃貸料・利子など。↕天然果実

かじつ[1]【夏日】暑い夏の日。

かじつ[1]【過日(クワ)】〔「過ぎ去った日」の意〕「この間」の意の漢語的表現。

がしつ[0]【画室(グワ)】アトリエ。

がしつ[0]【画質(グワ)】〔テレビなどの〕画像の鮮明度や色調。「高ー」

かしつけ[0]【貸付】ーする（他サ）利子や期限を定め、返してもらう約束で金銭・品物を貸すこと。ローン。「ー金[0]」［動］貸し付ける[4]（他下一） **ーしんたく**[5]【ー信託】信託銀行が、証券を発行して集めた資金を貸付・手形割引に運用し、その利益を、証券を買った人に分ける仕組み。〔二〇〇九年に新規取扱いを終了〕

かして[0]【貸(し)手】金銭・品物を貸す方の立場にある人。↕借り手

かしどり[2]【〈橿鳥】カケスの異称。［表記］「〈樫鳥」とも書く。

かじとり[2][3][0]【〈舵取(り)(カヂ)】ーする（自他サ）㊀舵を操縦して船の方向を定めること。また、その人。㊁その集団の実質的な指導者（となること）。「政治のーをもって任じる」

かしぬし②⓪【貸(し)主】自分の所有する金銭・品物を貸した人。↕借り主

カジノ①〔フ casino=もと、イタリア語〕賭博バク場を中心とした娯楽設備。

かしビル⓪【貸(し)ビル】△全体を〔区切って〕、団体や個人の事務所・営業所などに貸すように作ったビル。

かじぼう⓪【〈梶棒〉】人力車・荷車などの、引っぱる時に握る長柄。かじ。かぞえ方 一本

かしほん⓪【貸(し)本】貸し賃を取って一定期間貸す雑誌・書物。「―屋⓪」

かしま⓪【貸(し)間】賃料を取って貸す住宅用の部屋。

かしまし・い④【〈姦しい〉】(形) なんにんかのしゃべり声がして、うるさい。派―さ③ 表記「〈囂しい〉」とも書く。

かしまだち⓪【鹿島立(ち)】―する(自サ)〔鹿島の神に安全を祈って出発した事から〕任務を持って遠い所に旅立つこと。「総軍の―」

カシミア⓪〔cashmere〕「カシミアヤギ⑤〔=インドのカシミール(Kashmir)に産するヤギ〕」の毛から作った織物。高級な服地の材料。カシミヤとも。

かしみせ⓪【貸(し)店】貸し賃を取って貸す店。

かじめ⓪【〈搗《布》】〔「め」は海藻の意〕褐藻類の一つ。やや深い所に生える。長さ一、二メートルの茎の先に、てのひら形の平たい葉を多数つける。焼いてヨードを採る。〔コンブ科〕表記 古来の用字は「〈未滑海藻〉」。かぞえ方 一本

かし・める③(他下一)〔ねじの無い金具などの接着部分を〕がたつきが無いように、まわりから力を加えて固定する。

かしもと⓪【貸(し)元】ばくち打ちの親分。

かしゃ①【仮《借】㊀漢字の運用法の一つ。もと、口ひげの意の「而ジ」を、「しかして」の意に新たに使うように、漢字を同音の他の語を表わすために用いる用法。㊁漢字を表音的に使う用法。例、「也末(=山ヤマ)/亜細亜アジア」など。⇩六書リクショ

かしゃ①―クワ【貨車】貨物を運送するための鉄道車両。↕客車 かぞえ方 一両・一車シャ

かしや⓪【貸家】家賃を取って貸す家。

かじゃ①―クワ【《冠者】〔狂言で〕大名が召し使う若い男。「太郎―、あるか(=居るか)やい」⇩かんじゃ

かじや⓪―カヂ【〈鍛冶〉屋】㊀鍛冶を職業とする人。㊁一端がL字形になっている、細長い鉄製の大工道具。打ち込んだくぎを抜いたり 箱をこじあけたりするのに使う。〔両端がL字形になったものは「エス形⓪」と言う〕⇩かなてこ 表記 ⇩付表「鍛冶」

かしゃがた⓪―クワ【花車方】〔歌舞伎カブキで〕老女や年増トシマ役を専門とする役者。

かしゃく⓪【仮借】㊀―する(他サ) 見のがすこと。「―なく責めたてる」㊁かしゃ(仮借)。

かしゃく⓪【呵《責】責め苦しめること。きびしくとがめること。「良心の―に悩む」

かしゅ①―クワ【火手】蒸気機関車・汽船に乗って、火をたいたり 機関の手入れなどをしたりする人。〔火夫の改称〕

かしゅ①―クワ【火酒】火をつけると燃えるほどアルコール分の多い酒。例、ウイスキー・焼酎ショウチュウ・ラムなど。〔狭義では、ウオッカを指す〕

かしゅ①【歌手】(職業として)歌を歌う人。歌い手。歌うたい。「流行―⑤・オペラ―④」

かじゅ①―クワ【果樹】果物がなる木の総称。 ―えん②―エン【―園】果樹を栽培する農園。

がしゅ①―グワ【画趣】それを素材にして美しい絵のかけそうな△風景(物の様子)。

がしゅ①【雅趣】それを見ていると俗事を忘れさせるようなおもしろみ。「―に富んだ庭」

カジュアル①―な〔casual〕気軽に着られる△様子(こと)。 ―ウエア⑥〔casual wear〕家庭着・散歩着・運動着など、くつろいだ時に着る衣服。カジュアル ウエア⑤とも。↕フォーマル ウエア かぞえ方 一着

カシュー①〔cashew〕熱帯アメリカ原産の、漆に似た植物。樹脂は塗料、種は食用〔=カシューナッツ〕。〔ウルシ科〕かぞえ方 一株・一本

かしゅう①【何首〈烏】「ツルドクダミ③〔=中国原産のタデ科の多年生植物〕」の根。強壮剤・緩下剤カンゲザイ。〔「う」は「しゅ」の長音でないことに注意〕

かしゅう①―シウ【加州】㊀「加賀カガノ国」の漢語的表現。今の石川県南部にあたる。㊁アメリカ合衆国の「カリフォルニア州」の漢語的表現。

かしゅう①―シウ【河州】「河内カワチノ国」の漢語的表現。今の大阪府東部にあたる。

かしゅう⓪―シフ【家集】個人の歌集。

かしゅう⓪―シフ【歌集】㊀和歌を集めた本。㊁歌曲を集めた本。「青年―⑤」

かじゅう⓪―ヂユウ【加重】―する(自他サ) 本来の重さに さらに別のものの重さ△が(を)増すこと。 ―へいきん④【―平均】⇩平均

かじゅう⓪―ジフ【佳〈什】〔「什」は詩十編の意〕詩歌の、りっぱな作品。

かじゅう⓪―クワジフ【果汁】果物をしぼった汁シル。

かじゅう⓪―ヂユウ【荷重】構造物の△全体(部分)に外から加えられる力(に堪え得る限界)。貨車・トラックの積載量など。「△橋(クレーン)の―」

かじゅう⓪―クワヂユウ【過重】―に 負担がその△人(物)にとって重過ぎる様子。「―な勤務/―労働④〔=オーバーワーク〕」

がしゅう⓪―シフ【我執】〔もと仏教で、常住不滅の実体があるものと思い込む意〕自己中心的な見方から離れることが出来ないこと。

がしゅう⓪―グワシフ【画集】絵を集めた本。

がしゅう①―シウ【賀州】㊀「伊賀イガノ国」の漢語的表現。今の三重県西部にあたる。㊁「加賀カガノ国」の漢語的表現。今の石川県南部にあたる。

カシューナッツ④〔cashew nut〕カシューの実。煎イって食べる。ピーナッツよりやや大きくて平たく、一端が細くて、釣り針のように曲がっている。

がじゅまる⓪ 熱帯地方に生える常緑高木。幹は多く分かれ、気根を垂れる。材は細工用。榕樹ヨウジュ。〔沖縄方言ではガジマル⓪〕〔クワ科〕表記 多く「ガジュマル」と書く。かぞえ方 一株・一本

がしゅん⓪【賀春】新年を祝うこと。賀正。〔年賀状などに書く言葉〕

がじゅん⓪【雅〈馴】―な〔「馴」は、よい意〕用語・表現などが△伝統に合致してい(上品な印象を与え)て、人前で使うのに値する様子。

かしょ①―クワ【華〈胥】古代中国の黄帝が昼寝の夢の中で遊んだという、よく治まった理想の国の名。「―の国に遊ぶ〔=午睡を楽しむ〕」

かしょ①【佳所】その物の評価を高める、他の物には容易に見られない、すぐれた△箇所(点)。

かしょ①【歌書】和歌集・歌学書の総称。

かしょ①【箇所・《個所】何か問題になっている△場所(部分)。〔かぞえるのにも用いられる〕表記 古くから「(数字)ケ所」と書き、最近では「か所・カ所」とも書く。

かじょ①―ヂョ【加除】―する(他サ) 加えることと取り除くこと。「―式〔=ルーズリーフ〕の帳簿」

かじょ①【花序】 花の配列状態の特徴から見た、花を付けた茎の形・状態。

かしょう⓪【火傷】―する(自サ) 「やけど」の意の漢語的表現。

かしょう⓪【仮称】―する(他サ) △正式(適切)な呼び名が(まだ)無い場合に、一時的にそう呼んでおくこと。また、その呼び名。

かしょう⓪【仮象】 ❶鬼神・霊魂などこの世ならざるもの・目に見えないものがかりに現わしている姿や、それらが宿っていると考えられる場所。❷〔ド Schein=「見せかけ」の訳語〕〔哲学で〕それ自身あたかも存在しているように見えて本当は実在していないもの。

かしょう⓪【河床】 川の底の地盤。かわどこ。

かしょう①【華商】 かきょう(華僑)。

かしょう⓪―な ❶【過小】 △実際(必要)以上に小さく見積もる様子。「―評価④」↔過大 派―さ⓪ ❷【過少】 少な過ぎて、必要△額(量)に達しない様子。「―資本④」↔過多 派―さ⓪ **―しんこく**④【―申告】 所得税などの確定申告の際に、実際の額よりも少なく申告すること。

かしょう⓪【過賞】―する(他サ) 実質以上にほめること。表記「過称」とも書く。

かしょう⓪【〈嘉賞】―する(他サ) 下の人のやった事を上の人がほめること。

かしょう⓪【寡少】―な いかにも少ない様子。派―さ⓪

かしょう⓪【歌唱】―する(自他サ) 歌を歌うこと。また、その歌。「―力②」

かじょう⓪【下情】〔庶民でない者から見た〕庶民の生活事情。「―に通じる」

かじょう⓪【火定】―する(自サ) 仏道の修行者が、自ら火の中に身を投げて死ぬこと。

かじょう⓪【渦状】(幾重にも)うずを巻いているような形。「―星雲④」

かじょう⓪【過剰】―な 必要な程度を超えている△こと(様子)。「―生産・―防衛・人口―・自意識―」派―さ⓪ **―けいご**④【―敬語】 そこまで言うのは不必要とされる敬語。「おっしゃる」+「れる」の「おっしゃられる」など。

かじょう⓪【箇条】 改行して書き並べた独立項目の一つひとつ。〔かぞえる時にも用いられる〕「―ごとに審議する/五―の御誓文」表記「か条・ケ条・《個条」とも書く。

―がき⓪【―書(き)】 独立項目を、見やすいように改行して書き△並べること(並べたもの)。「―にする」

がしょう⓪【画商】 絵かきに(生活費を与えて)かかせた絵を金持などに売ることを商売とする人。また、その商売。

がしょう⓪【〈臥床】―する(自サ) 寝床(に寝ていること)。〔狭義では、病気の場合を指す〕

がしょう⓪【賀正】 新しい年の正月を祝うこと。「がせい」とも。〔年賀状などに書く言葉〕

がしょう⓪【雅称】 ❶雅号。❷本名に代わる、美化した表現。富士山を「芙蓉峰」と言うなど。

がじょう⓪【牙城】〔城の中心・本陣の意〕容易に攻め落とすことの出来ない(敵将の)根拠地。「敵の―に迫る」

がじょう⓪【画〈帖】 ❶かいた絵をとじ合わせて一冊の本にしたもの。〔多くは、折り本〕❷スケッチブック。画帳。かぞえ方 ❶❷とも一冊

がじょう⓪【賀状】 ❶年賀状。「新年の―を書く」❷祝いの手紙。かぞえ方 ❶❷とも一枚

かじょうさはん④【家常茶飯】〔家庭の毎日の食事の意〕日常茶飯。「社会的矛盾も単なる矛盾の一種と思われかねないほど、われわれの―はありとあらゆる矛盾のなかに繰り返される/―事⑤」

かしょく⓪【火食】―する(他サ) 煮たり焼いたりして、食べること。↔生食

かしょく⓪【仮植】―する(他サ) 苗・植木などを、定植する前、一時どこかに植えておくこと。↔定植

かしょく⓪【河食・河〈蝕】 川の浸食作用。

かしょく⓪①【家職】 ❶親から受け継いでいる、その人の職業。❷家令・家扶の総称。

かしょく⓪【華〈燭】 はなやかなともしび。「―の典(=他人の結婚式を祝って言う言葉)」

かしょく⓪①【貨殖】 財産をふやすこと。「―の道に長じる」

かしょく⓪【過食】―する(自他サ) 「食べすぎ」の意の漢語的表現。「過飲―」 **―しょう**⓪【―症】 太らないようにと食べる量を減らしているうちに、その反動で食べても食べても満足できなくなる病的な状態。多く、思春期から青年期にかけての女子に見られる。多食症。

かしょぶんしょとく⑤【可処分所得】 個人所得のうちから直接税や地方税などを除いたもの。

かしら(終助)〔「か知らぬ」の変化「かしらん」の変化〕〔主として女性が使う〕❶疑いの気持を表わす。「あの人は本当に来る―/この水、飲める―/あら、雨―」❷希望・依頼を表わす。「早く夏休みが来ない―/だれかやってくれない―/少しお金を貸していただけない―」文法 体言(名詞、またそれに準ずる句)および活用語の終止・連体形に接続する。ただし、形容動詞は語幹に接続する。

かしら③【頭】 ❶あたま。「―を下ォろす(=髪をそって出家する)/人形の―」❷何かの一番上位にある△こと(人)。「この子を―に三人居る」❸団体の統率者。〔狭義では、職人の親方を指す〕 **―がき**⓪【―書(き)】〔書物で〕本文の上欄に書く注や付録など。 **―じ**③【―字】 ❶五十音順に分類をする時の、最初の見出し字。❷頭文字だけの略語。例、PTAなど。 **―だ・つ**④【―立つ】(自五) 人の長として、ある。 **―ぶん**③【―分】「かしら❸」である人。親分。首領。 **―もじ**④③【―文字】〔欧文で〕文の初めの語や姓名に代表される固有名詞の、最初の文字に使う大文字。

かじりつ・く④【〈齧(り)付く】(自五) ❶何とかかみくだこうとして懸命に齧る。❷それから離れまいとして、精神を集中する。「机に―(=一生懸命勉強する)/字引に―(=夢中になって引く)」

***かじ・る**②【〈齧る】(他五)〈なにヲ―〉❶堅い物(の一部)を、切ったりむしったりしないで、直接歯を当ててかみ取る。「蚕が桑の葉を―/リンゴを―/親の臑を―(=⇨親の臑をかじる)」❷(❶が多く物の一部分をかみ取ることから)必要な知識や技能の、それだけでは役に立たない一部分を身につける。「ちょっとかじった程度のフランス語ではないか」運用「少々かじっただけです」などの形で、自分の知識や技能を中途半端なものだと謙遜して言うのにも用いられる。

かしわ⓪〔もと、薄茶色の毛のニワトリの意〕鶏肉。

かしわ⓪【〈柏】 山地に自生する落葉高木。五月ごろ、黄茶色の花穂をつける。葉は広く大きく、ふちは波状で、かしわもちに使われる。木の皮は染料・なめし革用、木は堅く弾性があり、建築・器具・造船・薪炭用。〔ブナ科〕表記「〈槲・〈檞」とも書く。かぞえ方 一株・一本 **―もち**③【―餅】 カシワの葉で包んだあん入りのしんこ餅。五月の節句前後に食べる。〔俗に、布団が足りなくて一枚の布団を二つに折って中に寝ることをも言う〕

かしわで⓪【〈柏手】〔語源未詳〕神社や神棚などに向かい、神を拝むとき、両手を打ち合わせて鳴らすこと。「—を打つ」〔葬式の時に打ち合わせるだけで鳴らさないのを「しのびで⓪」と言う〕 表記「《拍手」とも書く。

かしん⓪【花心・花芯】花の中心。おしべ・めしべのある所。

かしん⓪【花信】その季節や地域を代表するような花が咲いたという知らせ。

かしん⓪【佳〈辰】めでたい行事がある日。表記「〈嘉辰〉」とも書く。

かしん①【家臣】大名などの家に仕える武士。家来。家人(ケニン)。

かしん⓪【家信】自宅から届いた手紙。

かしん⓪【過信】—する(他サ) △信用(信頼)して高く評価し過ぎること。「体力を—した結果、二年も入院した」

かじん⓪①【佳人】容貌が美しくて、気品を備えた女性。「—薄命〔=⇩薄命〕」

かじん①【家人】自分の家族(の一員)。〔多く、(主人の)代理人の意で用いられる〕

かじん⓪①【華人】〔華は中華の華〕❶中国人の別称。❷海外に移り住んだ中国人移民。特に中国籍を保ったままの華僑(カキョウ)に対して中国籍を離れた場合に用いることがある。

かじん①⓪【歌人】作歌をライフワークとする人。うたびと。

がじん⓪【画人】「画家」の意の古風な表現。

がしんしょうたん①-⓪【〈臥薪〈嘗胆】—する(自サ) 一度味わった屈辱を晴らしてやろうとして、苦心・苦労を重ねチャンスの到来を待つこと。〔「臥薪」=古代中国の春秋時代〔=前七七〇～前四〇三〕、越王の勾践(コウセン)との戦いに敗北した父王の仇(アダ)を忘れないように呉王の夫差(フサ)が、彼と戦い捕虜にするまでは寝床に休むことをせず毎夜堅い薪(タキギ)の上に寝て志を励ましたこと。「嘗胆」=一命を助けられた勾践は、敗戦の辱(ハズカシメ)を毎日苦い肝(キモ)を嘗(ナ)めることによって思い忘れること無く、遂に夫差を大敗せしめ、滅ぼしたこと〕⇨会稽(カイケイ)の恥

**か・す⓪【貸す】(他五)〈だれニなにヲ—〉❶(返してもらう約束で)自分の物を一時的に使わせる。「たばこの火を—/△部屋(本)を—/貸したお金を返してもらう/顔を—〔=⇩顔❷〕/耳を—〔=ⓐ聞く。ⓑ聞こうとする態度を示す〕」❷相手の非力をみかねて、必要とする協力・援助を行なう。「力を—〔=その人がやろうと思った仕事がうまく成就するように、自分も力を添えてやる〕/手を—〔=協力を惜しまず後押しをする〕」

か・す⓪【〈藉す】(他五) 相手の求めに応じて一時的に提供する。「時を—」表記「仮す」とも書く。

かす①【〈粕】酒のもろみを漉(コ)して残ったもの。酒かす。「—漬け/—を食う〔=小言を言われる〕/—汁(ジル)」表記「〈糟」とも書く。

*__かす__①【〈滓】❶液体を収めた容器などの底にたまる不用な物。❷全体からよい所を取った残り。「残り—/人間の—〔=言動が卑しくて、軽蔑(ケイベツ)すべき人間〕」

**かず①【数】❶個々に分離した存在として識別できる物(の集まり)について、多い少ないの程度を客観的に表わす基準となるもの。また、それによって表わされた多い少ないの程度。〔並んでいるうちの何番目であるかを表わす機能もある。記号によって表わしたものが数字〕「この家は部屋の—が多い/—の大小を問わず/この種の犯罪は、かなりの—にのぼる/景品は—に限りがある/その恩恵にあずかった人は—知れない/言葉—が少ない人」⇩自然数 ❷予測される程度を超えて多数であること。「—ある(作品の)中で/—で押し切る/—を△頼む(誇る)/—をこなす〔=多数の物を処理する〕」❸かぞえるだけの価値があると認められる△こと(範囲)。〔多く否定表現を伴う〕。「物の—にも入らない/—のほか〔=特に取り上げるだけの価値が無いこと〕/—の内〔=同類と認められる範囲内の存在〕/物の—ではない〔=取るに足りない(存在だ)〕」【—を尽くして】ある限りすべてそう△する(なる)様子。

かず①【下図】〔書物などの説明で〕「下図」とことわった下の方に置かれる図。↕上図

**ガス①〔オ gas〕何かから生じて空中に漂っている気体。〔狭義では、石炭ガス・毒ガス・濃霧や、電球に詰める窒素・アルゴンなどを指す。俗に、おならの意にも用いられる〕「—が漏れている/台所に—を引く/—をつける〔=ガス器具に点火する〕/地震の際は—漏れに注意/炭酸—・メタン—・亜硫酸—」表記「瓦〈斯」は、音訳。

エルピー—⑤【LP—】〔LP←liquefied petroleum〕❶油田地帯で石油をとる時、原油と一緒に出てくる天然ガスを液化したものの総称。「液化石油ガス⑦」とも。❷❶のうち、プロパンを主成分とするもの。エルピージー⑤(LPG)とも。

とし—⓪【都市—】燃料としてガス会社から輸送管によって広地域の各家庭・消費者に供給されるガス。**プロパン—**⑤〔propane gas〕天然ガス・石油から採れるガスの一種。燃料に使う。「LPガス」とも。また、略してプロパン⓪②。

かすい⓪【下垂】—する(自サ) 正常な位置より下に△行く(向かう)こと。「胃—」

かすい⓪【仮睡】—する(自サ) ❶うたたね。❷すぐ起きるつもりで、ちょっと寝ること。

かすい⓪【花穂】穂(ホ)のような形に群がって咲く花。例、カンナ・ガマ。

かすい①【河水】その川を流れている水。

ガスいと⓪【ガス糸】ガスの炎で表面の細い毛を焼き、つやを出した綿糸。

かすいぶんかい④【加水分解】—する(自他サ) 水△が加わると(を加えて)、化学反応によって分解すること。

かすう②【仮数】❶〔数学で〕その正数の常用対数の値から「指標❷」を引いた差の値。〔ちなみに、元の正数を「真数(シンスウ)③」と呼ぶ〕「小数点の位置のみが異なる二数の—は等しい」❷〔コンピューターで〕浮動小数点記法において、「基数❷〔=十進法の場合、十〕」の累乗と掛け合わせる形に表わした時の有効数字の部分。例、6.022 × 10²³ における6.022「指数部(分)と—部(分)」

ガスえそ③【ガス《壊〈疽】傷口にガスが発生して、ひどくはれ、毒素のために心臓が弱る壊疽。

ガスおり⓪【ガス織(り)】ガス糸の織物。

*__かすか__①【《微か】—な/—に (感覚の鋭い人に)そのものが△そこにある(そうである)ことが わずかながら感じとれる様子だ。「—な香り/—に見える一本の道/—な尾を引いたハレー彗星(スイセイ)/前途に—な光〔=希望〕を見いだす/両国関係に—な改善の兆しが出てきた/—ながら挑戦権獲得の可能性はある/—な記憶を手掛かりに肉親を捜す/—に〔=弱よわしく〕息づく」派—さ③ 表記「《幽か」とも書く。

かすがい⓪【〈鎹】土台のつなぎ目や、梁(ハリ)と梁をつなぐためなどに打つ金具。両端を直角に曲げ、その尖端(センタン)をとがらせてある。〔二つのものをつなぎとめる役目をなすものの意にも用いられる。例、「子は(夫婦の)—」〕かぞえ方 一本

かずかぎりな・い①-④、⑥【数限り無い】(形) 数えきれないほど数が多い。文法 助動詞「そうだ(様態)」に続くときは「数限りなさそうだ」の形になる。また「すぎる」と結びついて複合動詞をつくるときは「数限りなさすぎる」の形になる。

かすかす⓪〔副〕❶「限度にどうにか達する状態」の意の口頭語的表現。「―〔=ぎりぎり〕で間に合った」❷食物に水分が少なく、味の無い繊維ばかりが感じられる様子。「ひからびて―のミカン」

かずかず①【数々】㊀それぞれが数え上げるに足る、数多くの物。「すぐれた作品の―を一堂に集める/この地を舞台に―の名作が生まれた」㊁〔副〕あれこれ多岐にわたる様子。「珍品を―とりそろえる/言いたいことは―ある」

ガスがま⓪【ガス釜】ガスを熱源とする△炊飯器（風呂(フロ)の湯沸かし器）。

かずき①⓪【《被き》】(カツキ) 公家(ゲク)の女性などが、外出の際、顔を隠すために、頭からかぶった衣服。かつぎ①⓪。きぬかずき。 表記「〈被衣〉・〈衣被〉」とも書く。

かず・く②【《被く》】(カツク)（他五）〔雅〕かぶる。

かすげ②⓪【《糟毛》】馬の毛色の一つ。全身に白い毛が散在するもの。

ガスけつ⓪【ガス欠】〔ガスはガソリンの意〕（走行中に）自動車の燃料が無くなること。

かず・ける③【《被ける》】(カツケル)（自他下一）全部ほかのもののせいにする。「罪を人に―〔=かぶせる〕/病気に被けて〔=病気を表向きの理由として〕休む」

かすじる⓪③【〈粕汁〉】酒の粕を入れたみそしる。 表記「〈糟汁〉」とも書く。

カスター①〔castor〕〔テーブルの上の〕薬味入れ。キャスターとも。

カスタード③〔custard〕牛乳・卵・砂糖をまぜ、香料を加えたもの。 **―クリーム**⑦〔custard cream〕カスタードに小麦粉などを加えて煮つめ、クリーム状にした食品。「―入りのシュークリーム」 **―プディング**⑥〔custard pudding〕カスタードを型に入れてオーブンで蒸焼きにした、柔らかい菓子。キャラメル ソース⑤で色と風味をつける。カスタード プリン⑥。

カスタネット④〔castanet=小さなクリの実を意味するスペイン語に基づく〕貝殻を二つ合わせた形の打楽器。柄のついたものは振り、指先にはさむものは打って、歌や踊りのリズムを取る。

カスタマー①〔customer〕その店にとっての大切な常連客。お得意。「―リスト⑥」

カスタマイズ④①―する（他サ）〔customize〕〔自動車・機械・コンピューターなどを〕各使用者の好み・目的に応じて仕様変更すること。

カスタム（造語）〔custom〕注文の。特別製の。「―カー④⑤」

ガスタンク③〔gas tank〕燃料としてのガスを貯蔵し、かつ圧力を与えるための、鉄製、△円筒形（球形）の大きな建造物。 かぞえ方 一基

かすづけ⓪【〈粕漬〈け〉】野菜や魚類などを△酒粕（みりん粕）に漬けた保存食品。 表記「〈糟漬け〉」とも書く。

カステラ⓪〔←ポ pão de Castella=スペインのパン〕小麦粉・砂糖・鶏卵などを交ぜてオーブンで蒸焼きにした、黄色のパン状の菓子。 かぞえ方 小売の単位は一本・一箱

カスト①〔caste〕⇨カースト

ガスとう⓪【ガス灯】石炭ガスを使った照明。〔狭義では、街灯を指す〕 かぞえ方 一基：一灯

かすとり⓪【〈粕取〈り〉】〔←粕取り焼酎(ショウチュウ)⑤〕酒の粕をしぼりとって作った、下等な焼酎。アルコール度が高い。「―雑誌⑤〔=三合飲めば つぶれるということから、三号で廃刊になるような粗悪な雑誌〕」 表記「〈糟取り〉」とも書く。

かずとり③②【数取〈り〉】❶数をかぞえること。また、かぞえる△道具（人）。❷何かをたくさん取りあう遊び。

ガストロ カメラ⑤〔gastrocamera〕⇨胃カメラ

かずならぬ①-②、④【数ならぬ】（連体）「特に かぞえあげるほどの値うちの無い」意の古風な表現。「―〔=ふつつかな〕身」

ガスぬき⓪【ガス抜〈き〉】❶炭坑内部などで発生したガスを除去すること。❷組織や集団内の一部の人たちがつのらせた不平・不満を、暴発する前に、何らかの手立てを講じて発散させること。

かずのこ⓪【数の子】〔「〈鯑(カド)〉の子」の意〕ニシンの卵を干したもの。正月用の食品。

ガスパチョ⓪③〔ス gazpacho〕スペイン料理の一つ。水・ワイン ビネガー・オリーブ油などを混ぜたものに、野菜を細かく刻んで浮かせた冷たい野菜スープ。ガスパッチョ③とも。

ガスボンベ③〔ド Gasbombe〕プロパン ガスなどを入れたボンベ。

ガス マスク③〔gas mask〕目や呼吸器を有毒ガス・煙などから守るために、顔につける器具。防毒マスク⑤。

かすみ⓪ ㊀【〈霞〉】春の△朝方（昼間）、遠方にある山などの前面に帯状にかかって雲のように見えるもの。「―網③⓪〔=小鳥を捕らえるため横に張る、目の細かい網。現在、使用禁止〕」㊁【〈翳み〉】目が かすんだ状態になること。「―目⓪③〔=かすんでよく見えない、目の△状態（病気）〕」

***かす・む**⓪（自五）㊀【〈霞む〉】〈なにデ〉― ❶かすみのようなものがかかった感じで、その物がはっきり見えなくなる。「沖を行く船がかすんで見える」❷ほかのもっと秀でた△存在（活動）のために、そのものが目立たなくなる。「どんな歌手も圧倒的な名人の歌唱の前では―」㊁【〈翳む〉】目に故障があり、△ものがはっきり見えない（白いものがかかったような）状態になる。「目が―」

かすめと・る④【〈掠め取る〉】（他五）❶手当り次第に奪い取る。❷相手が油断しているすきに盗み取る。

かす・める③⓪【〈掠める〉】（他下一）〔「霞(カス)む」の他動形〕❶注意を他に向けさせておいて、盗む。「人の賃金を―〔=ごまかす〕/人の目を―〔=すきを窺(ウカガ)う〕」❷もう ほんの少しで触れるほど△近づく（近い所を通って、さっと行ってしまう）。「台風は関東・東海地方をかすめた」

かずもの②【数物】❶わずかのお金で たくさん買うことが出来る品。下等品。❷ある数以上がそろって初めて△役立つ（意味がある）もの。❸数の△多い（少ない）物。

かずら⓪【〈葛〉】(カツラ) つる草の総称。「つた―」

かずら⓪【〈鬘〉】(カツラ)〔雅〕つる草を頭に飾ったもの。

かすり【〈掠り〉】㊀③掠ること。「―を取る〔=上前をはねる〕」㊁（造語）動詞「掠る」の連用形。 **―きず**③【―傷】表面を何かが掠ったためにできた程度の、軽い傷。 表記「〈擦り傷〉」とも書く。

かすり⓪③【〈絣・〈飛白〉】一端がかすれたような感じを与える模様を細かに全体に配した織物。

か・する②【化する】(クワスル)（自他サ）❶前の状態と全く違ったもの△となる（にする）。「△戦場（焦土・暴徒）と―」❷感化する。「徳をもって人を―」化す①（五）。

か・する②【〈呵する〉】（他サ）❶「相手の落度などを叱責する」意の古風な表現。❷〔「△筆（硯(スズリ)）を―」などの形で〕寒中に、凍っている筆や硯に息を吹きかけて文字を書くことを表わす。「禿筆(トクヒツ)を―〔=『へたな文章を書く』意の謙譲語〕」

か・する②【科する】(クワスル)（他サ）刑罰として罰金を払わせたり労働をさせたりなどする。科す①（五）。「被告人に懲役八年の刑を―」

か・する②【架する】（他サ）❶かけ渡す。「橋を―」❷作る。「屋下に屋を―〔=不必要なことをするたとえ。後世、同

じ意味で『屋上屋を架する』とも言う)」 架す①(五)。

か・する②【嫁する】㊀(自他サ) 嫁に△行く(行かせる)。㊁(他サ) 責任などを他に転じる。「人に責任を—」 嫁す①(五)。

か・する②(クワスル)【課する】(他サ) △分担す(負う)べきものとして、一方的に押し付ける。課す①(五)。「△宿題(関税・余分の負担)を—/△義務(ノルマ)を課せられる」

かす・る②【掠る】(他五) ㊀その物の表面を薄く削り取るようにさわって通り過ぎる。㊁上前をはねる。表記「《擦る》とも書く。[⇩掠り㊁]

が・する②【賀する】(他サ) 慶事の際に祝いの言葉を述べる。賀す①(五)。「新年を—」

が・する②【駕する】(自サ) 外出のために、馬や車など乗り物に乗る。「雲に—(=空に上る)」

かす・れる⓪③【掠れる】(自下一) 途切れたりはっきりしなかったりする部分が多くて、よく△見えない(聞こえない)状態にある。「字が—(=墨の付きなどが十分でなく、一部分間があいて、薄く見える)/声が—(=一部分低くて、不明瞭(フメイリョウ)な状態になったり聞こえなくなったりする)」 表記「《擦れる》とも書く。

かせ①②【枷】 行動の自由を奪うために首や手足にはめる、昔の刑罰の道具。[行動の自由を妨げる物の意にも用いられる] 表記 もとの用字は、「《械》」。

かせ【《桛》・《綛》】㊀①(機織りで)つむに取った糸を巻く道具。㊁一つむに巻ける糸の長さ。綿糸では八四〇ヤード、毛糸では五六〇ヤードが一桛(ヒトカセ)。 かぞえ方 ㊀は一台

**かぜ【風】㊀⓪ 接する人間に知覚される程度の速さを持った空気の流れ。「さわやかな—が吹く/—で落ち葉が舞い上がる/—を切る(=勢いよく進む)/—の神(=ⓐ風を吹かせるという神。ⓑ風邪(カゼ)をはやらせるという神)/子供は—の子(=子供は寒い風に吹かれても平気なものだ)/—を食(ク)って(=悪事がばれたことに気がついて大あわてで)逃げる/—の便(タヨ)り(=どこからともなく伝わって来たうわさ)/柳に—と(受け流す)(⇩柳㊀)/—が吹けば桶屋(オケヤ)が儲(モウ)かる(=意外なことが原因となって、めぐりめぐって好結果がもたらされることになる、ということのたとえ)/南—・北—」 ㊁[接尾語的に] 接する人にそういう印象を与えることを表わす。㊀[「…—を△吹かせる(吹かす)」の形で]自分はそういう立場にあるのだから偉いのだといった、いかにも尊大な言動や態度をとることを表わす。「△役人(局長)—を吹かせる」 ㊁[「臆病(オクビョウ)—に吹かれる」などの形で]何かのきっかけでおじけづき、逃げ腰な態度を示すことを表わす。[—の前の〈塵(チリ)〉]物事のもろくはかないことのたとえ。【—光る】[俳句で、春の季語]風のために若葉が動いて、光るように見える。【—を入れる】㊀(換気などのために)風が入るようにする。㊁沈滞した状況に刺激を与えようと、新風を吹き込む。
[どういう—の吹き回しか] ⇩吹き回し

*かぜ⓪【《風邪》】[前項「風」と同源]ライノウイルス⑤・アデノウイルス⑤などによる感染症。(発熱を伴って)むやみに鼻水・くしゃみ・せきが出たり のどが痛くなったりする。風邪症候群⑤。普通感冒④。「—を引く/—は万病の基/—を引いた(=漬けてから時間がたち過ぎて、うま味がほとんど無くなった)たくあん/鼻—」 表記 ⇩付表。「邪」は社会生活の妨げになる意味で添えたもの。

かぜ あたり⓪【風当たり】㊀そこに当たる風が強いかどうかの度合。「かざあたり」とも。㊁その人の行動に対する周囲の非難・攻撃。「—が△厳しい(激しい)/強い—をかわす」

かせい⓪(クワ)【化成】—する(自他サ) 化合して他の物質になること。「—品⓪・—炉②」

かせい⓪(クワ)【化政】「文化・文政」時代の略。「—文化④」

かせい⓪(クワ)【火星】 太陽系の惑星で、四番目に太陽に近いもの。二つの衛星を持つ。地球の公転軌道の外側にあり、赤い色に光って見える。約一・九年で太陽を回る。

かせい⓪(クワ)【火勢】 火の燃える勢い。「—を抑える」

かせい⓪【加勢】—する(自サ) △非力(無力)のために何かをしあぐんでいる相手に力を貸してその事を成就させてやること。また、その人。

かせい⓪【仮性】 その病気の症状が真性のそれに非常によく似ていること。「—コレラ④」↔真性 —きんし④【—近視】 小学校の児童などがテレビの見過ぎなどの原因で一時的に近視と同じような症状を呈すること。遠くを見る練習をすると、よくなる。偽(ニセ)近視③。学校近視⑤。

かせい①⓪【河清】 いつも濁っている黄河の流れが澄むこと。転じて、出来る見込みのない話のたとえ。「百年—を待つ」

かせい①(クワ)【《和声》】 ⇩わせい(和声)

かせい⓪【苛性】 皮膚その他の組織をただれさせる性質。 —カリ④「水酸化カリウム」の俗称。 —ソーダ④「水酸化ナトリウム」の俗称。

かせい⓪【苛政】 税金をたくさん取り立て、人民の生活を脅かすような、血も涙も無い政治。「—、虎(トラ)よりも猛(タケ)し」

かせい⓪【家政】(使用人を指図して)いかにうまく家事の段取りを付けるか、限りある予算の範囲内で生活費・交際費をいかに抑えていくかなどの実際的手腕。[狭義では、家事を処理する技術・能力を指す]「発病後二年を過ぎた彼女は、炊事、洗濯、買物、—一般を夫と二人の息子に頼り、人手なしでは起立困難だという/—(=一家の財布)を預かる/—科⓪・—学部④(=生活科学部)」 —ふ②【—婦】 その家に通って、家事を手伝うことを職業とする女性。

かせい⓪【歌聖】 すぐれた和歌を作り、古今に匹敵する者が無いとされる人。「—柿本人麿(カキノモトノヒトマロ)」

かぜい⓪【苛税】 情容赦なく課せられる、重い税金。酷税。

かぜい⓪(クワ)【課税】—する(自サ) 税金を割り当てて払わせること。また、割り当てた税金。「—が重い/—対象④・非—」

がせい⓪(グワ)【画聖】 すぐれた絵をかき、古今に匹敵する者が無いとされる人。

がせい①【賀正】 ⇩がしょう(賀正)

かせいがん②(クワ)【火成岩】 岩漿(ガンショウ)が固まって出来た岩石。花崗岩(カコウガン)・安山岩など。

かせいと⓪③【《桛糸》】 桛に巻いてから はずした糸。かせ。 表記「《綛糸》」とも書く。

カゼイン②[ド Kasein] 牛乳などに含まれる主要なたんぱく質で、栄養価が高い。チーズの原料。

かせき⓪(クワ)【化石】 ㊀太古の動植物の全体もしくは一部分(の跡)が水成岩などの岩石中に残ったもの。「—人類④」 ㊁—する(自サ) 石になること。「—したような表情」 かぞえ方 ㊀は一点 運用 ものの考え方などが時代遅れで若い世代の人と共存しにくい存在の人に対して、皮肉や軽い侮蔑(ブベツ)をこめたり自嘲(ジチョウ)気味に用いることがある。例、「私のような化石人間には今の若い人たちのやることについてゆけない」 —じだい④【—時代】 人類の歴史以前の遠い過去で、現在その様子がわずかに化石化した動植物などを通してのみ知ることが出来る時代。

かせぎ【稼ぎ】㊀①③ ㊀働いて収入を得る△こと(能力)。「—の無いくせに/共—・出—」 ㊁稼いで得た収入。㊂収入源としての仕事。「荒—・その日—」 ㊁(造語) 動詞「稼ぐ」の連用形。「—高(ダカ)③⓪・—頭(ガシラ)④・—口(グチ)③⓪」 —だ・す④⓪【—出す】(他五) 働いて、その額の収入を

得る。「アルバイトで海外旅行の費用を稼ぎ出した」

***かせ・ぐ**②【稼ぐ】㊀(自五) その稼業などに精を出して励む。〔やや古風な言い方〕「―に追い付く貧乏無し」㊁(他五)〈なにヲ―〉よりよい収入や利益を得るために精出して働く。「お金を―／生活費を―／点数を―〔=ⓐいい点数を取る。ⓑ自分が有利になるような行動をとる。ⓒむずかしい仕事などを成功させて、評価を高める〕／時を―〔=有利な状態になるのを待っているかのように事の進行を長引かせる〕／視聴率を―」〔⇨稼ぎ㊁〕

かぜくさ⓪【風草】 路傍にむらがり生える多年草。大きな株になる。初秋、紫を帯びた緑色の花穂を付ける。かぜしりぐさ。〔イネ科〕 かぞえ方 一本

かぜぐすり③【〈風邪〉薬】 風邪を治すための薬。かざぐすり③。 表記 ⇨付表「風邪」

かぜけ⓪【〈風邪〉気】 風邪を引いたのか、少し頭痛などがする、からだの調子。かざけ。 表記 ⇨付表「風邪」

かぜごこち③【〈風邪〉〈心〉地】「かぜけ」の意の古風な表現。 表記 ⇨付表「風邪」「心地」

かぜしりぐさ④【風知草】 カゼクサの異称。

かぜたいふう③⑤【風台風】 雨よりも風による被害が大きい台風。 ↔雨台風

かせつ⓪【仮設】㊀―する(他サ) 何かの必要のために一時的にそこに設けること。「―住宅④・―電話④」㊁〔論理学や数学で〕その命題が仮に成立しているものとして、そこから推論を進めていく出発点となる命題。仮定。前提。〔「PならばQ」という型の命題におけるPの称〕↔終結

かせつ⓪【仮説】 まだ実験や観察を通して、その正しさが裏づけられていない△仮定(前提)。「―を立てる」

かせつ⓪【佳節】 節句や国民的慶事を祝うめでたい日。 表記「〈嘉節〉」とも書く。

かせつ⓪【架設】―する(他サ) 線状の物を△引き(架け)渡しなどして、通信や交通の設備を整えること。「電話を―する／橋梁の―工事」

カセット②〔cassette=小箱〕㊀大きさなどが統一され交換可能なケース。㊁機械への着脱が簡便に出来るようにした△録音(録画)テープや写真フィルム。〔前者の場合は、それのためのレコーダーをも指す〕 かぞえ方 ㊀㊁とも一本 **―こんろ**⑤【―〈焜炉〉】 カセットボンベ〔=ガスの入った小さなボンベ〕を取りつけて使う、卓上用のこんろ。 かぞえ方 一台

かぜとおし⓪【風通し】 〔じゃまする物が無く〕風がそこを吹いて通る△こと(ぐあい)。通風。「かざとおし」とも。「窓をあけて―をよくする／―が悪い／社内の―をよくする〔=現状打開を願う社員の機運が上層部によく通じ、全体に前向きの気分が漂うようにする〕」

がせねた⓪ 〔「がせ」は「にせもの」の意。「ねた」は「たね(種)」の倒語〕信頼するに足るだけの裏付けが得られなかった情報の俗称。略して「がせ」。

かぜひき⓪【〈風邪〉引(き)】 風邪を引いた△状態(人)。かぜっぴき⓪。 表記 ⇨付表「風邪」

かぜまち⓪【風待(ち)】―する(自サ) かざまち。

かぜむき⓪【風向(き)】 かざむき。

かせん⓪【下線】 ⇨アンダーライン

かせん⓪【化繊】「化学繊維」の略。

かせん⓪【火線】〔戦闘で〕敵を直接射撃する最前線。

かせん①【河川】「かわ」の意の総称的な呼称。「一級―」 **―しき**②【―敷】 川の両岸に築かれた堤防によって挟まれている区域。「かせんじき」とも。〔狭義では、ふだん水が流れていない部分を指す。例、「―のグラウンド」。河川法⓪②では「河川区域」〕⇨河原

かせん①【河船】 川を主として航行する汽船。かわぶね。

かせん⓪【架線】㊀―する(自サ) 送電線・電話線などを空中に掛け渡すこと。㊁鉄道線路の上に掛け渡された送電線。〔工事関係者は「がせん」と言う〕「―工事④」

かせん⓪【寡占】 ある商品市場の大部分を少数の会社で占めてしまうこと。「―化が進む／―経済・―価格④」

かせん①⓪【歌仙】㊀和歌にすぐれた人。「六―」㊁連歌・俳諧の一体。三十六句から成る。

かぜん⓪【果然】(副) 結果が予想した通りだったと、改めて認識する様子。「―〔=はたして〕偽りだった」

がせん⓪【画仙】 尊敬されあがめられている画家。画聖。 **―し**②【―紙】 字や絵をかく時に使う、にじみやすい大判の紙。製法は、もと中国から伝わった。 表記「画箋紙」などとも書く。

がぜん⓪【〈俄然〉】(副) 何かをきっかけに、それまでとは全く違った事態が展開する様子。「―攻勢に出る」

がぜん⓪【瓦全】 生きているというだけでたいした事もしないこと。↔玉砕

かそ①【可塑】〔「塑」は、こねて何かの形を作る意〕可塑性のある△こと(もの)。 **―ざい**②【―剤】 合成樹脂の原料に交ぜ、練って性状を整えるためのもの。 **―せい**⓪【―性】〔粘土・プラスチックなどのように〕強い力が加わった時に、形が変わってしまい、そのまま元に戻らない性質。 **―ぶつ**②【―物】〔↑可塑性物質⑤〕普通、合成樹脂を指す。

かそ①【過疎】―な その地域の人口が他に流出して異常に少ない様子。「―の波に洗われる／―地帯③・―化⓪」↔過密

がそ①【画素】〔「ピクセル(pixel)」の訳語〕〔デジタルカメラ・ファクシミリ・テレビなどの〕画像を構成する最小単位である、個々の小さな△点(素子)。〔この数が多いほど解像度が高く、鮮明な画像が得られる〕

かそう⓪【下層】㊀重なったものの下の方。「―にある雲／―雲②〔=積雲・積乱雲の総称。⇨雲級〕」⇨上層・中層 ㊁下の階級。「―の人びと／―社会」↔上層

かそう⓪【火葬】―する(他サ) 葬るために遺体を一定の場所で焼くこと。「―にする／―場⓪」⇨土葬・水葬・風葬

かそう⓪【仮葬】―する(他サ)〔本葬が出来ないので〕とりあえず、一時的に葬ること。「遭難現場で―する」

かそう⓪【仮装】―する(自サ) ㊀その場の遊びとして、奇抜な扮装を凝らすこと。〔法令用語としては、第三者を欺くための虚偽の意思表示の意〕「―行列④・―舞踏会⑤」㊁応急の装備であること。「―巡洋艦⓪」

かそう⓪【仮想】―する(自他サ) ㊀仮にそうなった場合のことを考えること。「―的な存在／―敵国④」㊁現実や実体そのものではないが、それと同等の機能・効果・体験を提供すること。バーチャル。「―空間④／―マシン⑤〔=あるコンピューター システムの中で、メモリー上の環境で動作させる、もう一つのシステム〕」 **―きおく**④【―記憶】〔コンピューターで〕補助記憶装置をあたかも主記憶装置の一部であるかのように利用して、大規模なプログラムを実行する方式。大量にしかも安価にプログラムを実行が出来る。 **―げんじつ**④【―現実】⇨バーチャル リアリティー **―つうか**④【―通貨】インターネットの電子商取引などで、通貨の代りに用いる電子的記録。バーチャル マネーとも。〔狭義では「暗号資産」〕

かそう⓪②【家相】 その人の運勢に影響するとされる、家の構造・位置・方角などの特色。「―が悪い」

かぞう⓪【加増】―する(自他サ) 領地・禄高を増すこと。

かぞう⓪【家蔵】―する(他サ) 本などを自分の△家(所)に

持っていること。表記「架蔵」と書くこともある。

がぞう⓪【画像】平面にうつし出された、何かの姿・形。〔狭義では画工の筆による制作物を指し、広義ではテレビ・スクリーン・ファクシミリなどにうつる映像をも指す〕

かぞえ【数え】■一[2][3]「数えどし」の略。■二（造語）動詞「数える」の連用形。表記「《算え」とも書く。

—あ・げる[5]【—上げる】（他下一）（順番に）かぞえていく。「人の欠点を—／レフェリーはカウント一〇までかぞえ上げて、彼の勝ちを宣した」 **—うた**[3]【—歌】数の順に頭韻を踏んだりかぞえたりしながら、関連のある事柄を読み込んで歌う歌。 **—た・てる**[5]【—立てる】（他下一）個々の（よくない）ものを一つひとつ取り立てて言う。「罪状を—」 **—どし**[3]【—年】その人の生まれた年の十二月までを一歳とし、年が改まるたびに一歳を加えてかぞえる年齢。↕満年齢 **—び**[3]【—日】その日の来るのを指折りかぞえて待つ数日間。〔狭義では、正月を控えた年末の それを指す〕

かぞ・える＊＊[3]【数える】（他下一）❶〈なにヲ—〉Ⓐ〔全体で幾つあるか、全体のうちで何番目であるかを知るために〕数詞を口で唱えたり 指を折ったり などして、自分の知っている数の体系に順に対応させる。「参加者数を—／死んだ子の歳を—／かぞえきれないほどの星／—ほどしかない（＝すぐにかぞえ終わってしまえるほど少ない）」Ⓑ既知の数詞を順に唱えること。「十—間じっとしていろ」❷〈なにヲ—〉「計算する」意のやや古い表現。「全体の八割を—」❸〈なにヲなにニ—〉そういう性格を持つものとして扱う。「△難問（美徳・悪徳・七不思議）の一つにかぞえられる」表記「《算える」とも書く。〔⇩数え■二〕

かそく⓪【加速】❶—する（自他サ）力を加えて速度を速めること。「—性⓪・—器[2][3]」↕減速 ❷加えられた速度。

かぞく＊＊[1]【家族】（同じ家に住み、生計を共にする）夫婦・親子・兄弟など、近い血縁の人びと。「—五人の暮らし」

—あわせ[4]【—合わせ】十家族分、五十枚の札を分け、一家族分を多くそろえた方を勝ちとする室内遊戯。 **—けいかく**[4]【—計画】「産児制限」の改称。 **—せいど**[4]【—制度】ある社会・歴史的状況下における、制度としての家族のあり方。旧民法の「家父長制度[5]」は、その一つ。

かぞく[1]【華族】爵位を持つ人とその家族。〔明治政府によって始められ、第二次世界大戦後廃止〕 **—くげ—**[3]【《公家—】江戸時代の公家で、明治維新後、華族になったもの。 **だいみょう—**[5]【大名—】江戸時代の大名で、明治維新後、華族になったもの。

がぞく[1]【雅俗】❶上品なことと通俗的なこと。❷雅語と日常の談話にごく普通に用いられる語。「—折衷[1]-[0]」

かそくど[3][2]【加速度】❶単位時間に速度の増加する割合。❷ますます速力が加わる様子。「—がつく」 **—てき**⓪【—的】—に・—な 次第次第に速度などが大きくなる様子。 **—のほうそく**[3]-[0]、[2]-[0]【—の法則】物体の加速度は、加わる力の大きさに比例し、物体の質量に反比例すること。運動の法則の第二。

かそけ・し[3]【《幽けし】（形ク）〔雅〕△聴覚（視覚）印象がかすかだ。

カソリック[3]〔Catholic〕カトリック。

ガソリン＊⓪〔gasoline〕内燃機関の燃料として広く用いられる油。セ氏二百度までの間で原油から分溜される揮発性の液体。「—を食う（＝使用量が多い）／レギュラー—・ハイオクタン—[7]」 **—エンジン**[5]〔gasoline engine〕ガソリンを燃料とする内燃機関。交通機関に広く用いられる。 **—カー**[3][5]〔gasoline car〕ガソリン エンジンにより軌道を走る車。気動車。 **—スタンド**[6]（和製英語 ↑gasoline + stand）その場で直接自動車に給油出来る、ガソリン販売所。かぞえ方 一店・一軒

かた【片】（造語）❶対であること（ことが望まれる）ものの一方（だけ）。「—えくぼ[3]・—思い・—手」❷本来のあり方から見て不完全だととらえられる状態にあること。「—言・—時・—仮名」❸中央部から外れた端の方の部分であること。「—すみ・—いなか」

かた【堅】（造語）「堅い状態だ」の意を表わす。「—パン・—気・—物・—練り・—ぶとり」表記「固」とも書く。

かた【方】■一[2]（もと、方角・方向の意）❶「人」の尊敬表現。「あの—・お二—（＝お二人）・お三—（＝お三人）」⇩おかた ❷その物が最終的に落ち着くべき場所。「—が付く（＝収まるべき場所にうまく収まる）／—を付ける（＝決着を付ける）」表記❷は、「片」とも書く。文法 助数詞として人数を表わす場合は、「おひとかた（一人）」「おふたかた（二人）」「おさんかた（三人）」が用いられるが、一般に四人以上には用いられず、「四名様」などのように言う。■二（造語）❶その人の寄宿先を示す語。「三浦—」❷もう一方の関係者が必ずあると考えられる、その片方の者。「父—・母—・売り—・買い—」❸ある組織内での担当者。「幕府の天文—／会計—（＝係）」❹その時にすべき仕事を表わす。「うち—やめ／調査—を命じられる」❺方法（に基づいて行なった程度）。「せん—無い／言わん—無し／△作り（やり・読み）—を習う／鍛え—が足りない」

かた[2]【形】❶本来その物としてあるべきかたち。「洋服の—が崩れる／卵—⓪」❷昔の銭の表で、文字のある方。↕なめ ❸抵当。「家屋を—に置く」【—の《如く】本来あるべきやり方に従ってその事をやる様子。

かた＊＊[1]【肩】❶（人や哺乳動物で）首の下の部分で、人間の場合 腕が分かれ出る所。物を直接担う、重要な部位。〔動物の場合は前肢が分かれ出る所に当たる〕「—が凝る／—を叩く（＝⇩かたたたき）／祖父の—をもむ／—にかかる（＝重責を負う）／—を怒らせる／上着の—（＝肩に当たる部分）」❷Ⓐ上の部分が平らになっている△物（場所）の上端。「山の—（＝頂上近くの平らになっている所）／路—」Ⓑ上部の平らなものの左右の上端。「書類の右—に印を押す」【—がいい】（野球で）キャッチャーや野手が、正確に遠くまで投げる力がある。「肩が強い」とも。〔対義語は、「肩が弱い」〕【—が怒る】両肩が上がって角張った状態になる。【—が軽くなる】肩の凝りが取れて、楽になる。〔重い責任・負担から解放されて、楽になる意にも用いられる〕【—が凝る】肩の筋肉が圧迫を受けているようになり、何かがのしかかったように感じられる。〔堅苦しさを感じる意にも用いられる。例、「肩が凝らない話」〕【—で息をする】苦しそうに息をする。【—で風を切る】威勢がいいたとえ。【—の荷が下りる】気にしていた事や責任から解放されて、ほっとする。【—の荷を下ろす】責任や義務を果たして、解放された気分になる。【—を入れる】〔肌脱ぎになっていた着物に腕を通す意〕すっかり本気になって応援や助力をする。「新人歌手の売り込みに—」【—を落とす】失望・落胆を抑えきれず、肩もすぼまり、前かがみの姿勢になる。「失敗の報告に、がっくりと—」【—を貸す】❶重い荷物を一緒にかついでやる。❷そうすることの意義を認めて、積極的に援助する。「友人の事業に—」【—を《竦める】相手に対する不信感・不満や、意外性に気付いたという気持を表わした動作をする。【—を《聳やかす】△歩き方（態度）が、他を威圧するような様子だ。【—を並べる】❶遅れたり 先に行ったり しないで、並んで歩く。❷競争者と同じ程度の力・勢いを持つ。

「先進国と—ほどの経済成長を遂げる」【—を張る】気力充実の結果、臆することなく、あたりを見据えるような姿勢になる。【—を持つ】〔この「持つ」は、「自分の責任で引き受ける」の意〕弁護や賛成などをして、味方する。「恋人の—」

*かた【型】[一][2] ❶同種類の物を幾つも作ることが出来る基にする一定の形を備えたもの。「粘土で—を取る/—にはまった〔=特徴・独自性が無い〕見解/鋳—(ガタ)・—紙(ガミ)」❷〔スポーツ・武道・芸道などで〕それに従ってやることが要求されるやり方。「空手の—/基本の—を見せる/—が決まる/—〔=伝統的な△形式(やり方)〕を破る」❸いくつかの種類に分けられるものの、それぞれの弁別性を示す、特徴。「古い—のダイヤル式電話」[二]〔造語〕〔「がた」の形で〕❶同種だととらえられる物に共通するかたち。「扇—に開けた土地/山—の屋根/セダン—の乗用車/髪—」❷共通の性質や形式が認められる状態。「冬—の気圧配置/うるさ—の部長/血液—・新—ウイルス」

かた[2]【潟】❶〔海岸で〕洲(ス)などによって外海からほとんど切り放されて出来た水域。ラグーン。例、北海道のサロマ湖など。❷〔雅〕ひがた。

かた[1]【過多】(クワ)—な 不必要なほど多過ぎること。「情報—・胃酸—症[5][0]」↔過少

かた[1]【△夥多】(クワ)—な (予想されるより)多過ぎること。

がた【方】[一]〔接尾〕尊敬すべき人に関して複数であることを表わす。「あなた—・先生—・ご婦人—・皆様—」[二]〔造語〕❶ほぼその△割合(時分)であることを表わす。「二割—減収/明け—・夕—」❷それに属することを表わす。「敵—」

がた[1]〔一般に「—が来る」の形で〕「人や機械などが、使われ過ぎるなどして(あちこちに)調子の悪い所が出る」意の口頭語的表現。「誰でも六十歳を過ぎると—が来るものだ」

ガター[1]〔gutter=溝〕〔ボウリングで〕ボールの通路の両側にある溝。また、そこへボールが落ちること。ガーター[1]とも。

かたあげ[2][3]【肩上(げ)】—する(自サ) 子供の着物のゆきの長さを調節するために、肩によせて縫い△上げること(上げた部分)。[表記]「肩揚げ」とも書く。

かたあし[0]【片足】一方の足。「—跳び[0][3]〔=一方の足だけで何回か跳び続けること〕」

かたあて[2][0][3]【肩当(て)】❶〔ひとえの着物などで〕補強のために肩の部分に裏側から当てた布。❷寝る時、すきま風が当たらないように肩のあたりをおおう布。❸物をかつぐ時に、肩にあてがう布など。

**かた・い[0]【堅い】(形) ❶〔固形物が〕外部から加えられた力に対して、耐える度合いが強く、容易には形を変えたりせず元のままの状態を保ち続ける様子だ。「—△金属(石材)/—卵を堅くゆでる」❷よくしまっていて、離れにくい。「—肉/地盤が—/ひもを堅く〔=すぐにほどけたりしないように〕結ぶ/—〔=力を込めて握りあった〕握手を交わす/財布のひもが—〔=無駄に金を使わない〕/口が—〔=⇩口[二]❶〕」❸精神力が強く、困難な状況や危険な事態にさらされたりしても、屈することなく自分の意志を貫き通そうとする様子だ。「立候補する意志が—/—△信念(決意)/—〔=どんなことがあっても裏切らないと誓い合った〕約束」❹思い込みが強く、その場の状況などに応じた適切な対応ができない様子だ。「頭が固い〔=⇩頭〕」〔❶〜❹対義語の多くは、「やわらかい」〕❺緊張して、思いつめたような表情になったり 言動がぎくしゃくしたりする様子だ。「社長の前で堅くなる/当選の知らせを受け、—表情がやっとくずれる」❻〔演技や文章で〕表現力が未熟でぎこちなさやむだな力みが感じられ、接する人に訴えかけるものが乏しい様子だ。「役者としてはまだ身のこなしが—/—文章」❼〔その人の性格や生活信条として〕節度をわきまえ、危険を冒したり 他から非難されるようなことをしたりするのを避ける様子だ。「—職業/—〔=事業内容などが安定している〕会社/—〔=かたくるしい〕話は抜きにして楽しくやろう/まじめ一方の—人物」❽どんな点から考えても予測通りの結果になるのは疑いないと自信を持って判断する様子だ。「△優勝(当選)は—/年収一千万は—だろう」[派]—さ[0] [表記]「固い」とも書く。❶〜❻は、「硬い」とも書く。

かた・い【難い】[一][0](形)「むずかしい」意のやや改まった表現。「△想像(推察)に難くない/口に言うは易(ヤス)く、行なうは難し〔=『難い』の文語〕/守るに易く、攻めるに—城だ」[二]〔造語〕〔「動詞連用形+—(ガタイ)」の形で、接尾語的に〕(仮に)そう△したい(しよう)と思っても、それを妨げる何らかの要因があって、思うようにならない状態だ。「彼が落選したとは信じ—/堪え—屈辱/忘れ—思い出」⇩にくい [派]—さ[0] [文法][二]の「…がたい」の形で表わされる複合形容詞と類似した意味を表わすものに「…にくい」「…づらい」がある。これらはともに何らかの原因で実行するのに困難を伴う状態を表わす。「…にくい」「…づらい」は、その原因が対象とする事物の側にある。それに対して「…がたい」は、その実行が困難だと思う人の心理的な面に原因がある。

かたい[0](カタヰ)〔雅〕路傍に座って物を乞(コ)う者。[表記]古来の用字は「{乞児}」。江戸時代以降は「{乞食}」とも。

かたい[0]【下△腿】足の、ひざから下の部分。「—部[2]」↔上腿

かたい[0]【過怠】(クワ)❶あやまち。❷義務違反を罰したり懲戒処分の一種として課したりする、金銭・品物による償い。「—金[0]」

かたい[0]【歌体】構成要素としての句の音節数や句の数・組合せなどから見た和歌の形態。例、短歌・長歌・旋頭歌(セドウカ)など。

かだい[0]【仮題】〔正式には未定・不明なので〕かりに付けた題名。

かだい[0]【架台】❶足場として作ったもの。❷鉄道・橋などをささえる構造物。

かだい[0]【過大】(クワ)—な △実際(必要)以上に大きく見積もる様子。「—な期待/—評価[4]・—視[2]」↔過小 [派]—さ[0]

かだい[0]【歌題】和歌の題。

かだい[0]【課題】(クワ)❶それをやるようにと与えられた題目や問題。「—曲[2]」❷解決を求められている問題。「困難な—に直面する/—に△掲げる(のぼる)/緊急—に取り組む/—を△掲げる(抱える)/—が山積する/検討—とする」

がたい[0]〔「がかい〔=外見の大きさの意か〕」と「図体」の混交によるものか〕「見てすぐわかる体の大きさ」の意の俗語的表現。「—がいい/—の大きい男」

がだい[0]【画題】(グワ)❶絵につけられた題目。❷絵の題材。

かたいき[3][0]【片息】今にも絶えそうで、苦しそうな息。[表記]「肩息」は、民間語源説による用字。

かたいじ[0]【片意地】(ヂ)—な—に〔「片」は、一面的の意〕他の△意見(事情)は構わず、頑固に自分の考えだけを通す△こと(様子)。「—を張る」[派]—さ[0][4]

かたいっぽう[3]【片一方】(バウ)「かたほう」の口頭語的表現。

かたいなか[3]【片田舎】(ヰナカ)(中央から離れた)交通不便な村里。[表記]⇩付表「田舎」

かたいれ[0][4]【肩入(れ)】—する(自サ) そのものをひいきにして力を貸すこと。

かたうで[0]【片腕】一方の腕。〔一番頼みとする手助けの人の意にも用いられる〕

かたうらみ[0][3]【片恨(み)】—する(他サ) 恨む理由の無い相手を恨むこと。

かたえ[0][2]ヘ—【片《方】 そばの、じゃまにならない所。表記「《傍え」とも書く。

かたおか[0]ヲカ—【片丘】 丘としての特徴がはっきり見られない高所。表記「片岡」とも書く。

かたおき[0]【型置(き)】 型紙を置いて模様を染めること。

かたおち[0]【型落(ち)】 最新の機種と比べて、少し型が古くなった製品。多く、電子機器や家電製品などについていう。

がたおち[0]【がた落(ち)】—する(自サ) 〔成績・業績・評価などが〕前と比べて、ひどく落ちること。〔口頭語的表現〕「信用(が)—」

かたおなみ[3]ヲー【片《男波】〔文語「潟(カタ)を無み」の誤解、またはもじりに基づく語とされる〕おなみ。

かたおもい[3]オモヒ—【片思(い)】 一方的であって、相手に通じない思慕。

かたおや[0]【片親】↕二親(フタオヤ) ❶両親のうち、どちらか一方。「—を早く亡くした/—はアメリカ人だ」 ❷(子供から見て)何かの事情で、残っている一方の親。「—で育った子」

かたがき[0]【肩書(き)】 ❶縦書きにしたその言葉の右上に注釈的に書き添えること。また、その語。 ❷〔もと縦書きの名刺・書類などから〕その人の氏名の(右)上に書く官職・学位など。「—(=(いい)社会的地位)がものを言う/いくつもの—を持つ」

かたかけ[2]【肩掛(け)】〔女性が〕外出の時、肩に掛けておおう布。防寒用、また装飾用。ショール。かぞえ方 一枚

かたかげ[3][0]【片陰】 何かのちょっとした陰。

かたかた[0](副) 堅い物どうしが触れ合って連続的に音を立てる様子。また、その音の形容。「ランドセルが—鳴る」

かたかた[2]【片々】 「かたほう」の意の古風な表現。表記「片方」とも書く。

かたがた[2]【〈旁】(接尾) 一つの事をするついでに、ほかの事をすることを表わす。「散歩—(=がてら)買物をする」

かたがた[2]【方々】 「人たち」の尊敬語。〔多く「…の—」の形で用いられる〕「ご来場の—(=皆様)に申し上げます」

がたがた ■一[1](副)—と —する ❶何かが小刻みに震動し、他の物にぶつかって音を立てる様子。また、その音の形容。「風が吹いて戸が—鳴る/おそろしくて—(と)ふるえていた/道路が悪くてトラックが—揺れる」 ❷つまらないことをあれこれと口うるさく言う様子。「—言うな/—文句を言う」 ■二[0]—な —に 構造物や組織のあちこちにゆるみや欠陥が生じて、全体が今にもこわれそうな様子。「年月がたって家が—になる/—のおんぼろバス/六十にもなるともう△体(歯)が—だ/今ではこの会社は—だ」

かたかな[3]【片仮名】〔「片」は、不完全の意〕仮名の一つ。外来語・擬音語・擬態語の表記や表音的な特徴を明示しようとする時などに用いられるもの。大部分は漢字の偏旁(ヘンボウ)の△一方(一部分)を取って出来たもの。「振り仮名は—で書くこと/—職業(=スタイリストやコーディネーターなど職名が片仮名で表わされる業種)」↕平仮名 表記 ⇩付表「仮名」

かたかまやり[4]【片鎌〈槍】 穂の左右のどちらかに枝のある槍。

かたがみ[0]【型紙】 布などの上にのせて同じ形を取ることが出来るように、その形に切り抜いた紙。洋裁・染色などに使う。かぞえ方 一枚

かたがわ[0]ガハ—【片側】 一方の側。「—通行[5]・—店(ミセ)[4]」↕両側 **—まち**[4]【—町】 立地の関係で、道の片側にだけ家いえが立ち並んだ町。片町[0][2]。

かたがわり[3]ガハリ—【肩代(わ)り】—する(他サ) 〔もと、かごかきの交替(者)の意〕負担などを別の者がそっくり引き受けること。表記「肩替わり」とも書く。

かたき(造語)〔雅：各地の方言〕〔「片食(カタケ)」の変化〕 ❶一日に食べる食事の回数をかぞえる語。 ❷一回分の食事の量。「一(ヒト)—[2][3]」

かたき[2][3][0]【難き】〔文語の形容詞「難し」の連体形〕 ❶むずかしい事。「易きを捨てて—に就(ツ)く」↕易(ヤス)き ❷むずかしい。「何の—事かこれあらん」

かたき[3]【敵】 ❶競争し合う、当の相手。「商売—(ガタキ)・碁—(ガタキ)・恋—(ガタキ)」 ❷ひどい仕打ちを受けたことなどがあって、機会があれば滅ぼしたいと思う、憎い相手。「親の—を討つ/目の—にする(=仇敵視(キュウテキシ)して、機会があればやっつけてやろうとする)/江戸の—を長崎で討つ(=⇩江戸〔〕)」 表記 ❷は、「〈仇」とも書く。 **—うち**[3]【—討(ち)】—する(自サ) ❶自分を負かした相手に仕返しをすること。 ❷あだ討ち。 **—やく**[0]【—役】 ❶〔歌舞伎(カブキ)で〕お家騒動の謀叛(ムホン)を起こす側の役。 ❷悪人の役。

かたぎ[0]【〈気質〉】〔型として受けとれた気質、の意〕その職業・階層の人たちに共通に見られる、思考の型や心理的傾向。「昔—の老人/学者—[4]・職人—」 表記 古くは「形儀」「形気」などを用いたが、現在は多く「〈気質〉」。

かたぎ[0]【形木】 染色などの型になる模様を彫りこんだ板。〔昔は、版木(ハンギ)・型紙の意や手本・基準の意にも用いられた〕 表記 もとの用字は、「〈楷模〉・《模・《規」。

かたぎ[0]【堅木】 ナラ・クヌギなどのように、堅くて丈夫な木。薪炭や家具として用いる。〔狭義では、カシの特称〕

かたぎ[0]【堅気】—な 〔水商売・やくざなどと違って〕遊興・投機などをしたりしないで、地道な職業についていること。また、その職業。「—な仕事」

かたぎぬ[2]【肩《衣】 武士が、小袖(コソデ)の上に着た上衣。肩が一直線に張って見える。

かたく[0]クワ—【火宅】〔火事にあって燃え盛る邸宅の意〕〔仏教で〕煩悩(ボンノウ)の止(ヤ)む時が無く、安らぎを得ない三界(サンガイ)。

かたく[0]【仮託】—する(自他サ) 「かこつける」意の漢語的表現。「病気に—して面会を謝絶した」

かたく[0]【家宅】〔法律で〕他人の住む家。「—侵入罪[6]・—捜索[4]」

かたくち[0][2]【片口】 ❶一方にだけつぎ口のある鉢やちょうし。 ❷「対立関係にある人の一方だけの言い分」の意の古風な表現。 **—いわし**[5]【—〈鰯】 稚魚を煮干し・しらす干しにし、幼魚はごまめにする近海産の海魚。カツオ釣りの生き餌としても重要。〔カタクチイワシ科〕 かぞえ方 一匹

かたぐち[2]【肩口】 肩の、腕の付け根の部分。「—を斬(キ)られる」

かたくな[0]【《頑(な)】—な —に 〔「固」+接辞「くな」〕自分の考えや態度を守って、いくら他人が説得しても、それに従おうとしない様子。「—な態度/—に口を閉ざす」 派 **—さ**[4][0]

かたくり[2]【片〈栗】 山野に生じる多年草。早春、紫色の花を開く。地下茎は、もとかたくり粉の原料。〔ユリ科〕 かぞえ方 一本 **—こ**[4][3][0]【—粉】 料理・らくがんなどに使うでんぷん。〔今は、多くジャガイモから作る〕

かたくるし・い[5]【堅苦しい】(形) 〔「くるしい」は接辞。⇩愛くるしい〕 ❶まじめな態度をくずさない様子だ。「—挨拶(アイサツ)は抜きにして」 ❷接する人を楽しませるような要素が認められない様子だ。「形式にこだわった—儀式/—恋愛論」〔❶❷とも口頭語形は「かたっくるしい[6]」〕 派 **—さ**[5][4] **—げ**[5][6][0]

かたぐるま[3]【肩車】❶子供などを自分の両肩の上にまたがらせるように載せること。❷〔柔道で〕人を肩にかけて投げるわざ。

かた・げる[3]【《担げる》】(他下一)「肩に載せてかつぐ」意の古風な表現。

かた・げる[3]【《傾げる》】(他下一)〔東北から関西までの方言〕かたむける。「首を―」

かたこい[0](コヒ)【片恋】一方的な恋。

かたこう[0](カウ)【形鋼・型鋼】切り口が特定の形になるように作った、棒の形の鋼材。

かたごし[0]【肩越(し)】前の人の肩を越えてその向こうに何かをしたりすること。「―にのぞき込む/―に声を返す」

かたこと[0]【片言】〔言語習得が不十分で〕その言語の標準的な表現としては整っていない物の言い方。「―でしゃべり出す/―のフランス語を話す」

かたこり[2]【肩凝(り)】〔疲労などのために〕肩の筋肉が張ること。

かたさき[0]【肩先】腕の付け根に近い、肩の上部。

かたしき[0]【型式】量産される自動車・航空機・機械器具などの内部構造や外形を特徴づける一つひとつの型。「けいしき」とも。モデル。

かたし・く[0][3]【片敷く】(他四)〔雅〕片そでを下に敷いて、ひとり寝をする。

かたじけな・い[5]【《忝(な)い》】(形)〔「ない」は形容詞を形作る接辞〕期待以上の好意を受けて、感謝に堪えない気持だ。「ご愛顧を忝なくする〔=格別私どもをひいきにしていただいて、ありがたく思っています。『忝のうする』はこれの変化形〕/忝なくも〔=ありがたいことに〕、過分のおほめにあずかった」 派 **―さ**[5] **―が・る**[6] 表記「《辱ない》」とも書く。 文法 助動詞「そうだ(様態)」に続くときは「かたじけなさそうだ」の形になる。また「すぎる」と結びついて複合動詞をつくるときは「かたじけなさすぎる」の形になる。

かたしろ[0][2]【形代】❶祭りの時、神の代りとして拝むもの。❷△みそぎ(祈禱(キトウ))に使う人形(ヒトガタ)。❸身代りのもの。

かたじん[0]【堅人】「堅物(カタブツ)」の意の古風な表現。

かた・す[2]【片す】(他五)〔東北・関東方言〕かたづける。しまう。

かたず[0](ヅ)【固《唾》】〔「固」は「緊張して」の意の副詞、「つ」は「つばき」の意〕口中にたまったつばき。「―をのむ〔=どうなることかと緊張して、一心に成行きを見守る形容〕」 表記 ⇩付表「固唾」

かたすかし[3]【肩透(か)し】〔すもうで〕出て来る相手を、身をかわして相手の肩口に手をかけて倒すわざ。「―を食う〔=相手に意表に出られて、事が△計画(予定)通りに運ばなくなる〕」

カタストロフィー[5][2][4]〔catastrophe〕〔劇や小説などの〕悲劇的な結末。破局。カタストロフ[4][2]・キャタストロフィーとも。

かたすみ[0][3]【片隅】中央から離れた、目立たない隅。一隅(イチグウ)。「部屋の―/行政の―に追いやられる」

かたずみ[0]【堅炭】ナラ・カシで作った、堅くて火力の強い炭。 かぞえ方 一本

かたぞう[0](ザウ)【堅蔵】〔「蔵」は、人名化する接辞〕堅い一方で、付き合いかねる人。 表記「堅造」とも書く。

かたそで[0]【片袖】❶片方の袖。「―を△脱ぐ(引っ張る)」❷〔机で〕床(ユカ)近くまで付けられた引出しが片側にだけあること。「―机[5]」⇩両袖

かたぞめ[0]【型染(め)】型紙で模様をおして染めたもの。

かただい[0][2]【肩台】洋服の肩にアイロンを掛ける時などに使うための台。

かたたたき[3]【肩《叩》(き)】―する(自サ)❶肩の凝りをほぐすために、肩を叩く△こと(道具)。❷強制的にならないようなかたちを取り、退職の勧告などをすること。勧奨退職。

かただより[3]【片便(り)】出した手紙に対して、期待する返信が来ないこと。

かたち[0]【形】〔「ち」は、接辞〕❶目で見、手で押さえることによって他の物と区別して、それの範囲・大きさの感じられる物の、全体の様子。「同じような―の小石の中から、ひすいを選び取る/―の良い壺/水には決まった―が無い/影も―も〔=姿が全く〕見えない/顔―〔=容貌(ヨウボウ)〕」❷概念・観念・思考などの中での、あるまとまりや形式。「近代国家の―〔=形式〕を整える/支社も二つ作り、会社として―がついた」❸物事の表に現われている様子。「―の上では/欠勤の―〔=表向きは欠勤という体裁〕を取る/―ばかりの物ですが、ご笑納ください/わびを入れた―〔=という体裁〕だ」 表記「《容・《貌」とも書く。 **―づく・る**[5]【―作る】(他五)(要素となる)部分部分を組み合わせて、まとまった形をそなえた物にする。「理論を―〔=構成する〕」

かたちんば[3]【片ちんば】❶片足のぐあいが悪く、正常に歩けない△こと(状態)。〔侮蔑(ブベツ)を含意して用いられることがある〕❷対(ツイ)であるものの、片方の種類が異なっていたりして、ぐあいが悪い△こと(状態)。 表記「片《跛」とも書く。

かたつ[0]【下達】―する(他サ)上の人の意志・命令を下の者に伝えて、その趣旨を徹底させること。「上意―[1]-[0]」

かたつき[2]【肩付(き)】肩のあたりの様子。いかついとか、なで肩など。

かたつき[2][0]【型付(き)】〔衣類などで〕型紙を用いて染めた模様のある△もの(こと)。

かたづ・く[3]【片付く】(自五)〔もと、方付くの意〕❶その物が収まるべき場所に収まる。「机の上が―〔=整理されて、きれいになる〕/立つとも座るとも片付かない〔=立つでもなければ座るでもない、中途はんぱな〕かっこう」❷解決する。「事件が―/宿題が―〔=すっかり終わる〕」❸〔娘が〕嫁に行く。 表記 ❸は「《嫁く」とも書く。

がたつ・く[0](自五)❶〔物が触れあって〕がたがたと音がする。❷ものごとが起こったり 調子が悪くなったりして、だめになりかかる。「会社(の経営)が―」

かたつけ[0]【型付(け)】型染め(の職人)。 名 がたつき[0]

かたづ・ける[4]【片付ける】(他下一)〔もと、方付けるの意〕❶〈どこ・なにヲ―/なにヲどこニ―〉その物を収めるべき場所に収めたり 不用な物を捨てたり などして、きちんとした状態にする。「△部屋(机の上・食器)を―」❷〈なにヲ―〉そのままにはしておけない物事について、その内容に応じた処理をする。「たまった△仕事(懸案の問題・宿題)を―/邪魔者を―〔=俗に、殺す〕/…の一言で―〔=すべて解決されたものと見なす〕」❸〔娘を〕嫁に行かせる。 名 片付け[4]「会場を―がてら見回る」 表記 ❸は「《嫁ける」とも書く。

がたっと[2](副)〔「がたりと」の強調表現〕❶何かが動いたりぶつかったり落ちたりして立てる大きな音の形容。❷物事の状態が一気に思わしくない方に転じる様子。がたんと。「夏に入って客足が―減る/スコアが―落ちる」

かたっぱし[0]【片っ端】「かたはし」の強調表現。「―から〔=手当り次第に〕見始める」

かたっぽう[2](パウ)【片っ方】「かたほう」の口頭語形。

かたつむり[3]【《蝸牛》】うずまき状の貝殻を持ち、木の葉などを食べて陸上で生活する巻貝。種類が多い。頭に長短二対の触角を持つ。「かたつぶり」とも。でんでんむし。まいまい(つぶろ)。〔オナジマイマイ科・ナンバンマイマイ科など〕 かぞえ方 一匹

かたて⓪【片手】❶一方の手。↕両手 ❷指五本の称。〔秘密を要する金銭取引の際に、千円・一万円・十万円などの五倍として用いられる〕 **―おけ**④【―〈桶】側面に取っ手が一つだけある桶。 **―わざ**⓪【―業】本業のひまを盗んでする程度の(あまり重要でない)仕事・作業。

かたておち⓪【片手落(ち)】―な 〔片は、対であるものの一方だけの意〕利害などの対立する一方だけに有利になるような判断を下し、他方の立場が全く無視されている様子だ。

かたてま⓪【片手間】本業の余暇(にする他の事)。「かたでま」とも。「―にフランス語を独習する/―仕事」

かたどおり③【型通り】「慣行❶」に従い、特に変化を求めない様子。「―の挨拶」

かたとき⓪④③【片時】ちょっとの間。「―も忘れない」

かたど・る③【《象る】(自他五)〔形取る意〕何か元になるものの形に似せて作る。「松島に象った盆栽/生の歓びを―〔=端的に表現する〕群像」 表記「形どる」とも書く。

***かたな**③②【刀】❶斬り刺す武器のうちで、片刃のもの。〔狭義では、大刀を指した〕❷刀剣類の総称。⇩けん(剣)・つるぎ かぞえ方 一口・一本 **【―折れ矢尽きる】** 窮状を打破するために試みた手段・方策が実を結ばず、絶望的な状態になる。 **―かじ**③【―〈鍛冶】刀を鍛えて作ることを業とする職人。 表記 ⇩付表「鍛冶」

がたな・い(接尾・形型)〔「ない」は、形容詞を形作る接辞。動詞の連用形に付いて〕△ちっとやそっと(普通の意味)ではそうすることが出来ない。「忘れ―/のがれ―」

かたながれ③【片流れ】〔普通は二方にある〕屋根の傾斜が一方にだけあるもの。「―造⑥」↕両流れ

かたなし⓪【形無(し)】本来の姿がそこなわれて、すっかりだめになること。「雨で晴れ着が―になった/雨で遠足も―〔=台無し〕だ/失敗続きで彼も―〔=面目丸つぶれ〕だ」

かたならし③【肩慣(ら)し】―する(自サ) ピッチャーなどが、軽く投球練習をして肩の調子を慣らすこと。

かたねり⓪【固練(り)】❶何度も練って腰を強く△すること(した物)。❷水分を少なめにして△練ること(練った物)。 表記 ❶は、「固〈煉り」とも書く。

かたは⓪【片刃】刃物の片側にだけ刃が付いている△こと(物)。「かたば」とも。↕両刃

かたはい⓪【片肺】片方△の(しか機能してない)肺。 **―ひこう**⑤【―飛行】両翼に取り付けられたエンジンのうち、一方が故障して機能せず、残りの一方だけで飛行すること。

かたばかり③②【形ばかり】〔多く儀礼的に行なうことについて〕一応の形を整えているだけで実質が伴っていないこと。「―の挨拶/―の御礼の品」

かたはく⓪【片白】白い米と黒い麹とを使って醸造した酒。↕諸白

かたはし⓪③【片端】❶一方の端。〔強調表現は「かたっぱし⓪④」〕❷わずかの部分。「聞いた―から忘れる」

かたはだ⓪【片肌】〔「片」は「片方だけ」の意〕着物の片方を脱いであらわした肌。「―(を)脱ぐ〔=ⓐ片方だけ肌脱ぎになる。ⓑだれかを助けるために手を貸す〕」↕もろ肌

かたはば②【肩幅】肩先から他方の肩先までの長さ。

かたばみ⓪【〈酢〈漿草〉・〈酢〈醬草〉・〈〈鳩酸草〉・〈酢母草〉】庭や道ばたに自生する多年草。葉は、心臓形を三枚合わせた形で、赤みを帯びている。茎・葉はすっぱい。南アメリカ原産のムラサキカタバミ⑤⑥は、関東地方以西に広くふえ、やっかいな雑草となっている。〔カタバミ科〕

かたはら⓪【片腹】腹の片一方。⇩わきばら❶ かぞえ方 一本 **―いた・い**⑥【―痛い】(形)〔「傍痛い」の文字読みに基づく語〕かたわらいたい。 表記「片腹」は、借字。

カタパルト③〔catapult〕〔軍艦から〕短距離で飛行機を発進させるための装置。

かたパン⓪【堅パン】乾かしてから堅く焼いた、ビスケット風の菓子。〔ミルクや砂糖はあまり入っていない〕 表記「堅〈麺包〉・堅〈麺〈麭〉」とも書く。

かたひざ⓪【片膝】一方の膝。「―を立てて座る」

かたびさし③【片〈庇】片流れの庇。

かたひじ②⓪【肩肘】〔対人態度の現われとしての〕肩や肘(を張ること)。「―(を)いからせる〔=おれは偉いんだぞという態度をことさらに示す〕/―張る〔=負けないぞという態度を露骨に示す〕」

がたぴし①(副)―と ―する 建具などのたてつけが悪く、スムーズに開閉できない様子。〔組織内に対立や抗争が生じてうまく機能しない状態の意にも用いられる。例、「運営が―する」〕

かたひも②【肩〈紐】❶バッグなどを肩からつりさげるためのひも。「ショルダー バッグの―」❷下着などの、肩に掛けるひも。「キャミソールの―」〔❶❷とも、ストラップとも〕

かたびら⓪③❶【〈〈帷子〉】〔「袷」の一面の意〕麻のひとえもの。❷【〈帷】昔、とばりに使った薄い絹の布。 かぞえ方 ❶は一枚。❷は一枚・一張

かたびらき⓪③【片開(き)】一枚だけの開き戸。左右どちらかに付けた蝶番によって、その反対の側が前後に開く。⇩観音開き

かたぶつ⓪【堅物】❶まわりから見て、やぼったいと思われるくらい生まじめな人。

かたぶとり⓪③【堅太(り)】―する(自サ) ❷堅実な生き方をモットーとする人。太っているが、肉がしまっている△こと(人)。⇩脂肪太り 表記「固太り」とも書く。

がたべり⓪【がた減(り)】―する(自サ)「目立って急に減ること」の口頭語的表現。「原材料が不足し、生産が―だ」

かたへん⓪【方偏】漢字の部首名の一つ。「旅・族・旗」などの、左側の「方」の部分。音をとって「ほうへん」とも。

かたへん⓪【片偏】漢字の部首名の一つ。「版・牒・牌」などの、左側の「片」の部分。木の片割れを表わす。

かたほ⓪【片帆】〔雅〕帆を一方に傾けてあげること。また、その状態。⇩真帆

かたほう②【片方】二つあるもののうちの一つ。〔口頭語形は「かたっぽう②」〕「手袋を―なくしてしまった」↕両方

かたぼう⓪【片棒】駕籠をかつぐ二人のうちの一方。「…の―をかつぐ〔=相手と組んで何か(良からぬ事)をする〕」

かたぼうえき③【片貿易】△輸入(輸出)の一方に偏った貿易。

かたほとり③【片《辺】〔雅〕片いなか。また、片すみ。

かたまえ⓪【片前】男物の洋服で、上着の前合せが浅く、ボタンが一列になっているもの。シングル。↕両前

***かたまり**【塊】■⓪❶〔「固まり」の意〕Ⓐ元来△粒状(粉状・液状)だった物がそれだけで一つの形をなして全体として固定したもの。「△砂糖(脂肪・土)の―」Ⓑ同一条件にある他のものと比べて、ある傾向が際立っているととらえられる状態。「△欲(不平不満)の―/彼は好奇心の―だ〔=きわめて好奇心がおうせいだ〕」❷全体から切り取られた一部分で、ある程度の大きさと形を有するもの。「肉の―/△石炭(鉄くず・化石化した貝殻)の―」■〔一般に「かたまり」の形で〕とぎれないで一体を成している一定分量のものや、小さなものの一時的結合を一つのまとまりとしてかぞえる語。「一―の外国人観光客」

****かたま・る**⓪【固まる】(自五)❶やわらかいものや、不定形

のものが固くなる。「木枠に流しこんだコンクリートが―/雨降って地(ジ)―/傷口の血が―」 ❷〈(なにニ)―〉△議論・思案の対象となる(未熟な)段階を脱して、一定の形を取(っ)て、変わらなくな)る。「△態度(方針・構想・計画・大勢(タイセイ)・意見・基礎・体制・証拠・気持)が―/チームとして―〔=結束する〕」 ❸〈どこニ―〉ある場所に集まる。「子供が固まって〔=一か所に群がって〕遊んでいる」 ❹それまで動いていたものが、急に動かなくなる。「恐怖のあまり体が―/コンピューターが―〔=『フリーズ❸』する〕」

かたみ[0]【〈筐】〔雅〕目の細かい竹かご。「花―(ガタミ)」

かたみ[0]【片身】❶魚を三枚に下(オロ)した時の、片方の肉。❷衣服の身ごろの半分。

かたみ[0]【形見】死別や別離の後、当人を思い出すよすがとなる(ようにと残して置いた)もの。「―の品/忘れ―(ガタミ)/若い日の―〔=若い時の事を思い出させる材料となるもの〕」 表記「形見」と書くのは、借字。「〔記念〕」とも書く。 **―わけ**[0]【―分(け)】―する(他サ) 死んだ人の遺品を、親族・友人などが分けること。

かた み[1]【肩身】〔他人に対して胸を張って対することが出来るかどうかという点から見た、肩や体の意〕世間に対する面目。「―が広い〔=世間に対して、誇らしい感じだ〕/―が狭い〔=世間に対して、ひけめを感じる状態だ〕」

かたみ がわり[4](―ガハリ)【《互替(わ)り】「かわるがわる」の意の古風な表現。

かた みち[0]【片道】〔往復の〕どちらか一方。「―貿易[5]・―乗車券[7]」↕往復 **―きっぷ**[5]【―切符】Ⓐある地点から異なる地点までの往路のみの切符。「東京から青森までーを買う」↕往復切符 Ⓑ後戻りの手立てや余地がない状況。「賭け事は破滅への―」

かたみ に[0]【《互に】(副)〔雅〕互いに。「―袖(ソデ)をしぼりつつ」

かたむき[0]【傾(き)】❶傾く△こと(程度)。「―加減[5]」 ❷特定の方向に進むこと。「…の―を示す/物価は下落の―〔=傾向〕がある」

**かたむ・く[3]【傾く】(自五)〔片向く意〕❶水平また垂直方向に伸びることの期待されるものが、何かの事情で斜めになる。「地盤沈下で建物が―/家運が―〔=衰える〕/日が―〔=西に沈もうとする〕」 ❷〈なにニ―〉〔考えや性質などが〕特定のものの方に引きつけられて行く。「…の考え方に―/賛成に―/気持が―〔=ⓐ次第に、その気になる。ⓑ恋心を抱く〕」 運用❶の意から、新築・開店などを祝う席では避けるべき言葉とされる。

*かたむ・ける[4]【傾ける】(他下一)〈(なにニ)なにヲ―〉〔片向ける意〕❶本来望まれる水平または垂直方向に伸びる状態を保つことができず、斜めにする。「雨がかからないよう傘を―/国を―〔=衰えさせる〕/首を―〔=かしげる〕」 ❷Ⓐ〔器を斜めにして〕中の物を全部何かの中に収め入れる。「杯を―〔=杯を口の所へ持って行って、入っている酒を全部飲む〕」 Ⓑ特定のものに強い関心を持って、集中して行なう。「耳を―〔=人の話をよく聞こうという意志を態度に示す〕/蘊蓄(ウンチク)を―〔=惜しみ無く、示す〕/△力(全力・全知全能・精力・愛情・精魂)を―〔=その事だけにそそぐ〕」

かたむすび[3]【片結(び)】帯やひもの結び方の一つ。輪をつくった一方に他方をからめるように回して結ぶもの。解きやすい。⇩こまむすび

かため[0]【固(め)】❶約束。誓い。「夫婦―の杯」 ❷警備。備え。「城の―」 **―うち**[0]【―打(ち)】〔野球で〕ひとりの選手が一試合で何本ものヒットを打つこと。また、その結果、評価される通算打率を残すこと。 **―わざ**[0]【―技】〔柔道で〕押さえこんで相手の動きを封じる技。⇩がため

かため[0]【片目】❶一方の目。「―が明く〔=ずっと負け続けていた力士などがやっと一回だけ勝つ〕」⇩両目 ❷何らかの障害があって、一方しか見えない△こと(人)。

かため[0]【固目】どちらかと言うと、固い傾向にあること。「御飯を―に炊く」↕やわらかめ 表記「堅目」とも書く。

がため【固(め)】(造語)❶しっかりと固めること。「△足(態勢・証拠・地(ジ))―」 ❷〔レスリングや柔道の技で〕相手のからだを押さえこんで動きを封じること。「えび―・けさ―[3]」

**かた・める[0]【固める】(他下一)〈なにヲ―〉❶力を加えたり凝結させたりして、固い状態にする。「ジュースをゼラチンで―/雪を踏み―/こぶしを―〔=握ったこぶしに力を入れる〕」 ❷離れたりくずれたりしないように(不動の)態勢を構える。「△方針(覚悟・決意・守り・足場・陣容)を―/基礎を―〔=しっかりと築く〕/役員を一族で―〔=構成する〕/うそで―〔=うそばかりで話を作り上げる〕/身を―〔=⇩身〕」 ❸ばらばらだった物を一か所に集める。「荷物を一角に固めて置く/休みを固めて取る」

かためん[0]【片面】〔表裏の関係を持つものの〕一方の面。↕両面

かたや[1][2]【片や】(接) それと対比的に、一方では。

かたやき[0]【堅焼(き)】せんべい・パン・ビスケット類を、かんで歯ごたえがあるように堅く△焼くこと(焼いたもの)。⇩軽焼

かたやすめ[3]【肩休(め)】働いていた人がしばらく手を休めること。

かたやぶり[3]【型破(り)】―な ❶今までの人がやれなかった(ような大胆な)やり方をする△こと(様子)。❷態度や行動が、常人と著しく違う△こと(様子)。「―な人物」

かたやま[0]【肩山】衣服の、肩を入れる部分の、盛り上がった所。

かたやまざと[4]【片山里】〔雅〕へんぴな山里。

かたゆで[0]【固(茹で)】麺(メン)類などや卵を固めにゆでること。〔麺類などは熱の通し方を少なく、卵は中まで十分に熱が通るようにする〕

かたよ・せる[4]【片寄せる】(他下一)〔整理のため〕一方へ寄せる。

*かたよ・る[3]【偏る・片寄る】(自五)〔片寄る意〕❶〈どこニ―〉目標とする方向からそれて、予定外の方向へ傾く。「強風を受け進路が西に―」 ❷〈なにニ―〉特定の△場所(物)にだけ集中して、全体の均衡を欠いた状態になる。「党利党略に―」 ❸〈なにニ―〉不公平だと言わざるをえない状態になる。「偏った△評価(営業方針)」 名偏り[0]

かたら・う[3](カタラフ)【語らう】(他五) ❶打ちとけて話し合う。「―べき一人の友も無かった/公園のベンチで愛を―若者の姿」 ❷事情を説明して、行動を共にしないかと誘う。「休暇になるや彼を語らって東北地方への旅に出た」 名語らい[0] ⇩相(ソウ)❸Ⓐ

かたり[0]【語(り)】■❶語ること。話。「長の―を終える/物―(ガタリ)・昔―(ガタリ)・問わず―(ガタリ)」 ❷〔能や狂言などで〕謡(ウタイ)と違って、節をつけずに語る△こと(文句)。■(造語) 動詞「語る」の連用形。 **―あか・す**[5]【―明(か)す】(他五) 一晩じゅう話をして夜を明かす。「友と―」 **―か・ける**[5]【―掛ける】(他下一) 何かを伝えようとして、今まで話をしていなかった人に向かって話を始める。名語り掛け[0] **―ぐさ**[0][3]【―草・―《種】〔もと、「種(サグ)」の意〕後のちまでも人の話の種になるような出来事や事柄。「人びとの―になる」 **―くち**[0][3]【―口】❶話し出すいとぐち。❷〔落語や浄瑠璃(ジョウルリ)や民話などを〕語る時の、調子や態度。「巧みな―」 **―つ・ぐ**[4]【―継ぐ】(他五) 次の世代へ順々に語って伝える。名語り継ぎ[0] **―つた・える**[6](―ツタヘル)【―伝える】(他下一) その事柄を世間の

** *は重要語，[0][1]… はアクセント記号，品詞の指示の無いものは名詞および いわゆる連語。

人びとや次の世代の人に順々に話して伝える。「彼の豪傑ぶりは、後の世に語り伝えられた」 名 語り伝え⓪ **―て**⓪【―手】❶話をする人。❷劇などの進んでゆく途中で、筋の運びなどを話す人。ナレーター。 **―ふる・す**⑤【―古す】（他五）その事柄が以前から多くの人が話題としていて、今更聞いても新鮮味が感じられなくなる。「語り古された武勇伝」 **―べ**⓪【―《部】❶歴史書が無かった上代に、その部族の古い伝承を暗誦(アンショウ)して語り伝えることを職とした氏族（に属する人）。❷〔「かたりべ❶」から〕自ら体験・伝聞したことを、後世に語り伝える人。「△東京大空襲（沖縄戦）の―」 **―もの**⓪【―物】節をつけ楽器に合わせて物語を語るもの。例、平曲・浄瑠璃・浪曲など。⇩歌い物

かたり⓪【〈騙り〉】人をだまして、金や物を巻き上げる△こと（人）。「―を働く」

＊**かた・る**⓪【語る】（他五）〈だれニなにヲ―／だれニなんだト―〉❶一つの筋のある話として、相手に伝える。「原爆の話を修学旅行生に語って聞かせる／声高に語られる」❷ある事柄についての自分の△意志（見解・思想・解釈）を相手に伝える。「決意の程を―／ひざつき合わせて語り合う」❸ある事実が、そのことを端的に示す。「失業者の急増が―不況／震災の恐ろしさを如実に―瓦礫(ガレキ)の山」❹節をつけて、（物語を）朗誦(ロウショウ)する。「浄瑠璃(ジョウルリ)を―」 運用 自分の得意領域にかかわることを嬉々(キキ)として述べ立てる相手のことを、感心したり揶揄(ヤユ)したりする気持を込めて、「語るねえ」「語るなあ」などと、感動詞的に用いることがある。例、「なかなか語るねえ。君は本当に鉄道が好きなんだなあ」 【―に足(た)る】ふだんの言行から推して、話をしてわかってもらえる。「―友人」【問うに落ちず―に落ちる】⇩問う〔⇩語り❸〕

かた・る⓪【〈騙る〉】（他五）❶いかにももっともらしい理由を述べて金や物を巻き上げる。「金を騙り取られる」❷悪事をたくらんで、他人の名を利用する。「人の名前を―」

カタル①〔オ catarre〕粘膜の炎症。「大腸―・咽喉(インコウ)―」 表記「加答児」は、音訳。

カタルシス②③〔ギ katharsis=浄化〕❶劇、特に悲劇を見ることによって日ごろのストレスを解消し、さっぱりした感じになること。❷自己の直面する苦悩などを表出することによってコンプレックスを解消すること。

カタログ⓪〔catalogue〕商品の目録と営業案内書。 表記「型録」は、字義を考慮した音訳。

かたわ②【片輪】〔不完全の意。「は」は接辞、「輪」は借字〕表から見えるからだの部位に障害があって、不自由な△こと（人）を指す差別的な表現。〔不均衡な物事の意にも用いられる〕

かたわき⓪【片脇】その人の居る左または右。 表記「片《端」とも書く。

かたわく⓪【型枠】コンクリートを所定の形に成形するために設ける外枠。仮枠⓪。

かたわら⓪④【傍ら】何か中心になる物事のそば。わき。「道の―に立つ地蔵／―に人無きがごとくにふるまう〔=⇩傍若無人(ボウジャクブジン)〕／親が稼ぐ―〔=その一方において〕子供が使ってしまう／家事の―〔=ひまに〕小説を書く」 表記 例外=「旁ら」 **―いた・い**⑥【―痛い】（形）〔たいした人間でないことを知っている自分から見て〕その人があんなえらぶった言動をしたり態度を示したりするのが何とも滑稽(コッケイ)で、見ていられない感じだ。「かたはらいたい」とも。

かたわれ⓪【片割れ】❶こわれた物の一かけら。❷仲間の中の、あまり重要でない一人。〔多く、好ましからざる集団のメンバーについて言う〕「盗賊の―」

かたん⓪【下端】下の方のはし。↕上端

かたん⓪【荷担】―する（自サ）〔「荷」も「担」も、になう意〕人のする事に自分も一枚加わること。「陰謀に―する」 表記「加担」とも書く。

かだん⓪【下段】△二段（三段）あるもののうちで、下の段。「げだん」とも。⇩上段・中段

かだん①【花壇】庭や公園などの一部で、草花を植えた一区画。

かだん⓪【果断】―な 思い切った事をする様子。「―に富む〔=すぐれた決断力がある〕」

かだん⓪①【歌壇】短歌関係者の社会（の結社・師弟関係などによるつながり）。

がだん⓪【画壇】絵画関係者の社会（の師弟関係・派閥などのつながり）。

カタンいと④②【カタン糸】〔cotton と同源のポ catão の発音をそのまま写したもの〕堅くより合わせのりづけにしたもめん糸。表面がすべすべし、光沢がある。主にミシン用。

かたんちゅうてつ④【可鍛鋳鉄】銑鉄(センテツ)を熱処理して、含まれる炭素を抜くようにした鋳鉄。

がたんと②（副）⇩がたっと❶

かち①【《徒】❶〔雅〕徒歩。「―渡り③〔=川などを歩いて渡ること〕」❷〔←徒侍(カチザムライ)③〕江戸時代、乗馬を許されなかった下級武士。 表記❶は「《歩・《脚・〔歩行〕」、❷は「〔徒士〕」とも書く。

かち②【勝(ち)】勝つこと。勝利。「―に乗じる／―を収める／さよなら―(ガチ)」↕負け

＊＊**かち**①【価値】❶人間の生活において、それを△好ましい（有用な）ものとして受け入れ、精神的・物質的に充足を感じさせる程度。〔狭義では、値打ちを指す〕「後世に残る―のある研究／見る―のない映画／低調な議論の中で、唯一―ある発言／付加―③」❷〔経済で〕財貨が人びとの欲望を満たす上に持つ重要度。〔直接的効用としての「使用価値④」と、生産・流通に関連し他財や貨幣に対する交換比率で計られる「交換価値⑤」とに分けられる〕「円安でドルの―が△高まる（見直される）／海外投資の―を問う」 **―かん**②③【―観】そのものにどういう△価値（意義）を認めるかについての、それぞれの人の考え方。「互いの―の相違による離婚」 **―づ・ける**④【―付ける】（他下一）そのものにふさわしい評価を与える。 **―はんだん**③【―判断】何かの価値について、それぞれの基準からなされる判断。

がち（造語）―な〔勝ちの意〕そのようになったりそのような事をしたりする割合が普通より多い様子。〔多く、好ましくない事について言う〕「遅れ―の時計／病気―⓪・曇り―・休み―・遠慮―⓪」 表記「勝ち」とも書く。

がち①〔←がちんこ。主に若者が使う俗語的表現〕㊀―な ❶真剣に行なう△こと（様子）。「期末試験には―で臨む」❷本格的でごまかしのきかない△こと（様子）。「この映画の怖さは―だ」㊁（副）とても。ものすごく。〔単なる強調を表わす〕「―うまい／―疲れた」

がち①【雅致】風流な趣。雅趣。「―に富む」

かちあ・う③⓪【〈搗(ち)合う】（自五）別々であってほしい事柄が、何らかの事情で同時に起きてしまう。〔一般に、そのため不都合が生じる場合に用いられる〕「来客が―／見たい番組が―〔=重なり合う〕」

かちあが・る④⓪【勝(ち)上(が)る】（自五）〔トーナメント方式の競技で〕試合・勝負などに勝って、次の段階に進む。「二回戦に―」

かちあ・げる④⓪【〈搗(ち)上げる】（他下一）〔すもうで〕腕を曲げ、ひじの所で相手ののどのあたりを下から強く突き上げる。名 搗ち上げ⓪

かちいくさ③【勝(ち)《軍・勝(ち)戦・〈捷《軍】戦いに勝ったこと。また、その戦い。↕負けいくさ

かちうま⓪②【勝(ち)馬】競馬で優勝した馬。 **―とうひょうけん**⑦【―投票券】〔競馬で〕「馬券」の正式名称。

かち・える③【勝(ち)得る】（他下一）〔努力の結果〕自分のものとする。「△成功（信頼・愛）を―」 表記「〈贏ち得る」とも書く。

かちかち（副） ㊀①―と 堅い物どうしが連続的にぶつかり合って立てる、鋭い音の形容。こちこち。「―と時を刻む時計の音」「―という拍子木の音」 ㊁⓪―に ちっとやそっとではくだけないほど、堅くなった状態にある様子。かちんかちん。「―に凍る」「―のパン」「緊張して―になる」

がちがち（副） ㊀①―と 堅い物どうしが連続的にぶつかって立てる、鈍い音の形容。「歯を―（と）鳴らして震えていた」 ㊁⓪―に 「かちかち㊁」の強調形。「―の〔=全く柔軟性の無い〕石頭」「初舞台では―に〔=思い通りの演技が出来ないほど〕あがってしまった」

かちき⓪③【勝(ち)気】―な 積極的で行動性に富み、苦境に追い込まれても決して弱音を吐くまいとする性質。〔女性の形容として用いられることが多い〕「―な娘」 派―さ⓪

＊**かちく**⓪【家畜】家で飼って、人間の生活に直接役立てる動物。ウシ・ウマ・ニワトリ・イヌなど。「―小屋⓪」 **―ほうていでんせんびょう**⓪-⓪【―法定伝染病】牛・馬・豚などがかかる感染症のうち、特に強い伝染力を持つ二八種の称。例、牛疫・狂犬病など。「家畜伝染病⓪」とも。

かちぐり②【勝(ち)栗・搗(ち)栗】〔「搗ヵ栗」の意〕干してうすでつき、皮・渋皮を取り除いたクリ。縁起がよいものとされる。

かちこ・す⓪③【勝(ち)越す】（自五） 勝った数が△相手（負けた数）より多くなる。↔負け越す 名勝ち越し⓪

かちすす・む⓪④【勝(ち)進む】（自五） その試合・勝負に勝って、次の段階へ進む。

かちだち⓪【《徒立(ち)》】〔雅〕歩いて出かけること。

かちっと②（副） ㊀堅い物どうしが鋭い音を立ててぶつかる様子。「―ドアの閉まる音がした」 ㊁かっちり。「チームを―まとめる」

がちっと②（副） ㊀堅い物どうしが鈍い音を立てて激しくぶつかる様子。「シャベルが―石に当たる」 ㊁がっちり。「―四つに組む」

かちっぱなし⓪【勝(ち)っ放(し)】〔「勝ち放し」の強調形〕それまでの勝負にずっと勝ち続けること。

かちてん③②⓪【勝(ち)点】〔リーグ戦形式のスポーツ競技で〕順位を決定するため、試合結果や勝ち方などによってそのチームに与えられる点数。

かちどき⓪②【勝(ち)〈鬨】勝った時にあげる喜びの声。鬨の声。凱歌。「―をあげる」 表記「〈関」とも書く。

かちと・る⓪③【勝(ち)取る】（他五） 自分の努力で、思い通りの成果を得る。「△優勝（栄光）を―」 表記「《克ち取る」とも書く。

かちなのり③【勝(ち)名乗(り)】〔すもうで〕勝った力士の名を行司が呼んで、軍配で指し示すこと。

かちにげ⓪【勝(ち)逃(げ)】勝負・試合に勝った者が、〔負けた者の再挑戦を受けずに〕すぐその場から立ち去ること。

かちぬき⓪【勝(ち)抜(き)】その人が負けるまで、次つぎと相手を変えて試合を続けること。

かちぬ・く③⓪【勝(ち)抜く】（自五） ずっと負けないで、次つぎと相手を変えて試合を勝ち進む。〔徹底的に勝つ意にも用いられる。例、「反ファシズムを勝ち抜いたイギリス」〕

かちのこ・る④⓪【勝(ち)残る】（自五） 試合・勝負などに勝って、次の段階の試合・勝負に出る権利を得る。名勝ち残り⓪

かちはだし③【《徒〈跣》】はだしで往来を歩くこと。

かちほこ・る④【勝(ち)誇る】（自五） 勝って△得意になる（意気が上がる）。

かちぼし②【勝(ち)星】〔すもうの星取り表で〕勝った方の力士の名の上に付ける白丸。白星。「―をあげる〔=勝つ〕」「―を拾う〔=危うく勝つ〕」 ↔負け星

かちまけ②①【勝(ち)負(け)】勝つことと負けること。「―〔=勝つこと〕を争う」

かちみ③【勝(ち)味】勝てる見込み。「―が無い」

かちめ③【勝(ち)目】㊀その時の情勢では勝っているように見えること。 ㊁勝ち味。

がちゃがちゃ⓪ クツワムシの俗称。

がちゃめ⓪【がちゃ目】左右の視力に著しい違いがあるように見える目。〔侮蔑を含意して用いられることがある〕

かちゅう⓪①【火中】火の中〔に入れて焼くこと〕。「―の栗を拾う〔=〔他人の利益のために〕あぶない事をする〕」

かちゅう⓪【花柱】めしべの柱頭と子房とをつなぐ柱状の部分。

かちゅう①【家中】㊀〔屋外ではなく〕家の内部。「―を捜したが見つからなかった」 ㊁生活を共にしている家族。「私は出かけていますので―の者にお渡しください」 ㊂〔古〕藩士。「松平家の―」

かちゅう①【華〈冑】〔「冑」は、あとつぎの意〕名のある家柄〔に属する人〕。「―界②〔=華族〕」

かちゅう①⓪【渦中】〔うずまきの中の意〕事件・もめごとなどで大騒ぎをしているところ。「…の―に巻き込まれる」

かちょう①⓪【花鳥】花と鳥。 **―ふうげつ**④、①-①【―風月】風流の対象としてながめられる自然界の景観〔の代表的なもの〕。「―〔=風流〕を楽しむ」

かちょう①⓪【家長】〔民法の旧規定で〕一家の主人。戸主。

かちょう⓪【課長】〔官庁や会社などで〕上司の命を受けて、その課の事務処理に責任を負う役（の人）。 **―ほさ**④【―補佐】課長を補佐し、その課の事務を円滑に進める役（の人）。

かちょう⓪【蚊帳】〔蚊を防ぐための御帳の意〕古代から近世にいたるまで用いられた、「かや」の意の口頭語的表現。

がちょう⓪【画帳】・【画〈帖】絵をかくための帳面。

がちょう⓪【画調】〔写真や絵などの〕画面全体に感じられる特色。

がちょう⓪【〈鵞鳥】公園などで飼う大形の水鳥。野生のハイイロガン④やサカツラガン④を家禽としたもので、多くは白く、首が長い。くちばしの根もとにこぶがある。〔カモ科〕 かぞえ方 一羽

かちょうきん⓪【課徴金】〔課徴←賦課税徴収〕〔所得税・住民税などを除き〕税として課せられる金額。「輸入―⓪」

かちわり⓪【〈搗(ち)割(り)】〔関西で〕かき氷㊀。〔夏の甲子園の高校野球のスタンドで売られる名物〕

かちん②〔もと、「餅」の女房詞〕餅。〔主として、高年の女性が用いる〕「お―②」

かちんかちん⓪（副）―に 「かちかち㊁」の強調形。「―に凍りついた池」

かちんこ⓪〔映画撮影で〕同時録音で撮影を行なう時、録画と録音とを同調させる目印とするために、撮影を開始する時に打ち鳴らす拍子木。小さな黒板が付いていて、撮影シーンの番号を記す。 表記 多く「カチンコ」と書く。

がちんこ⓪〔すもうで〕真剣勝負。

かちんと②(副) 堅い物どうしが強くぶつかった時に(火花を散らしながら)音を立てる様子。また、その澄んだ音の形容。「シャベルの先が何かに―当たった/―来る(=相手の△無神経(不用意)な言動が、癇にさわる)」

かっ(合)→【字音語の造語成分】

かっ(接頭) ❶【〈掻っ〉】接頭語「掻き」の強調形。「―さらう・―こむ」 ❷勢いよく何かをする様子。「―とばす」

かつ(括・活・喝・渇・割・葛・滑・褐・轄・〈闊〉)→【字音語の造語成分】

かつ①【喝】(感)〔禅宗で〕その人の考えがまちがっていることや迷いを悟らせるために老師が出す、大きな声。⇩【造語成分】

かつ①【且つ】(副・接) 同一の△物事(人)について二つの状態が同時に見られることを表わす。「―飲み―食う(=飲んだり食べたりする)/―驚き―喜ぶ(=驚くと共に一方では喜びもする)/必要―十分(=必要であると同時に十分でもある)/尚―(=さらに)/―又(=その上に又)」

か・つ①【勝つ】(自五) ❶〈だれ・なにニ―〉対抗する相手に、実力の点で自分の方がまさっていることを認めさせ、それ以上優劣を競うことを断念させる。「テニスの試合に―/いつも強い者が―とは限らない/議論では彼に勝てない/善は悪に―/勝てば官軍(=戦いに勝った方が結果的には善い者とされる)」 ❷〈なに・だれニ―〉自慢・怠惰に流れがちな気持や誘惑・欲望にくじけがちな気持を強く抑えて、望ましい方向に進む。「己に―」 ❸全体の中で、その傾向が他よりも目立つ。「赤みが勝った絵/感情よりも理性が勝った人/唐辛子が勝った料理」 ❹〈なにニ―〉その人の負担能力を超えた状態である。「荷が―(=重過ぎる)」〔❶❷の対義語は「負ける」〕 表記 ❷は、「《克つ」とも書く。

カツ① カツレツの略。「―丼⓪・豚―・ヒレ―⓪・串―」

かつ①【活】 ❶生き(てい)ること。「死中に―を求める/―社会・生―・死―・自―」 ❷気絶した人の意識を取り戻させること。また、元気の無い人に元気をつけること。「―を入れる」⇩【造語成分】

かつ①【渇】 ❶のどのかわき。「―をおぼえる/飢―」 ❷激しく望むこと。切望。「―望・―仰」【―を癒やす】 ❶水などを飲んで、のどのかわきを止める。 ❷長い間ほしくてたまらなかったものを△与えて満足させる(手に入れて満足する)。「多年の―」⇩【造語成分】

がっ(合)→【字音語の造語成分】

がつ(月)→【字音語の造語成分】

ガツ①〔←gut=内臓・臓物〕〔食材で〕豚の胃。また、牛の第一胃。「―刺し⓪」

かつあい⓪【割愛】―する(他サ) 手放すには惜しいものや人を手放すこと。〔広義では、余裕が無いので文章や演説などの一部を省略する意にも用いられる〕

かつあげ⓪【喝上(げ)】―する(他サ)「手ひどい恐喝をする」意の俗語的表現。

かつえき②⓪【滑液】 関節の運動をなめらかにする粘液。関節を包む滑液膜から分泌する。

かつえじに⓪【《餓(え)死(に)】「うえじに」の古風な表現。 表記「《飢え死に」とも書く。

かつ・える③【《餓える】(自下一) それの無い状態が続いて、ひどくほしがる。 表記「《飢える」とも書く。

かつお⓪【〈鰹】〔「堅魚」の変化〕中形の海産魚。肉は赤黒く、初夏に初鰹、秋に戻り鰹として味わう。また、かつお節・なまり節を作る。〔サバ科〕 表記「〈松魚〉」とも書く。 かぞえ方 一尾・一匹・一本 ―ぎ③【―木】 神社・宮殿の棟木の上に飾る、横に並べた丸太。 かぞえ方 一本 ―ぶし⓪【―節】 カツオの身を煮て干したもの。削って、出し汁などに使う。かつぶし。 かぞえ方 一本

かっか①(副)―と・―する ❶炭火などが盛んにおこる様子。「―と燃える」 ❷熱くて堪えられない感じがする様子。「顔が―と火照る」 ❸自制心を失いそうになるほど興奮する様子。「―来る/そう―するな」

かっか①【核果】 ウメ・モモなどの実。

かっか①【閣下】〔もと、高殿の下、高貴な身分の人のそばの意〕もと、勅任官・将官などに対する敬称。〔代名詞としても用いられた〕

がっか⓪【学科】 ❶Ⓐ大学の一学部内の専門別の小分け(の一つひとつ)。「心理―④・経営―⑤」Ⓑ高等学校・中学校・小学校などの個々の教科。「理科系の―が得意だ」 ❷学課。「―試験④⑤」 ❸【学課】〔実技と違って〕法規・理論。「超軽量飛行機を操縦するにはまず、―と技量の講習を受けなければならない」

かっかい⓪①【各界】 政界・官界・財界・業界・学界・芸能界などのそれぞれ。「かくかい」とも。「―の名士」

かっかい⓪【角界】 すもうとりとその関係者が形作る社会。「かくかい」とも。

がっかい⓪【学会】 同じ分野の学術上の研究団体。〔研究団体が行なう研究発表会・講演会なども指す〕

がっかい⓪【学界】 学問研究に携わる人びとの社会。「―代表・―消息(=研究活動や研究者に関する情報)」

がっかい⓪【楽界】 音楽関係者の社会。

かっかく⓪【〈赫々〉】―たる・―と すばらしい業績をあげたことがだれの目にも明らかな様子。「―たる成果をあげる」

かつかざん③【活火山】 過去一万年の間に噴火活動があった(と推定される)火山。「かっかざん③」とも。⇩休火山・死火山

かっかそうよう①―⓪【隔靴〈掻痒〉】〔くつの上からかゆい所をかく意〕物事の核心に触れる一歩手前でとどまって、もどかしく感じられる様子。「―の感がある」

かつかつ⓪(副)―に 条件が最低限 満たされるか満たされないかの状態に置かれる様子。「締切―に間に合った/二十人―/自分一人でも―の食べていけるかどうかの生活だ」

かつがつ⓪【且つ且つ】(副) 必要な最低限の条件をかろうじて満たしている様子。「毎日食べていくのが―だった/びりに近い成績で―合格した」

がつがつ①(副)―と・―する ❶空腹を満たそうと、絶えず食べ物を探し求めたり 手に入れた食べ物を時・所も構わずむさぼるように食ったり する様子。 ❷何としても欲望を満たそうと異常に執着する様子。「金に―する/―勉強する」

***がっかり**③(副)―と・―する 失望したり ひどく疲れたり して、それまでの気持の張りが一気にゆるんで、何をする元気も無くなる様子。「―していないでもう一度やり直せ/彼の期待外れの成績にはまったく―だ」

かっかん⓪【客観】―する(他サ) ⇩きゃっかん

かつがん⓪【活眼】 鋭く物事の本質を見通す目。「―を開く」

がっかん⓪【学監】 学部長を補佐し、事務局と教員との間に立ってパイプの役をした職。〔以前、一部の私立大学の各学部に置かれた〕

かっき⓪【火っ気】「火勢」の意の古風な口頭語的表現。「火鉢の―」

かっき⓪①【画期・〈劃期〉】 著しい進歩・発展・飛躍が見られること。 ―てき⓪【―的】―な・―に 全くの△新発見(新発明)であったり その物の出来ばえが すばらしかったり 規模が大きかったり して、新しい時代に入ったという印象を人びとに与える様子だ。画時代的。エポック メーキング。

かっき⓪【客気】〔「客」は、本来的でないものの意〕物の理非をわきまえずに出す、その時だけの勇気。「―に逸る」

かっき⓪【活気】積極性があって熱っぽい雰囲気。「―が見られる／―を△帯びる(呈する)／市場が―を取り戻す／―づく④・―立つ④〔=その場の人びとの心に張りがあり、生き生きとした雰囲気がみなぎるのがうかがわれる〕」

がっき⓪【学期】〔学校で〕学年を△二つ(三つ)に分けた、それぞれの期間。

*がっき⓪【楽器】音楽を演奏するのに用いる器具の総称。「―を△弾く(習う)／弦―・管―・打―・鍵盤―⑤・民族―⑤・伝統―⑤」

かつぎ【担ぎ】㊀③担ぐこと。「―の魚屋〔=江戸時代、天秤棒の両端に魚を入れた容器をつりさげて売り歩いた商人〕」㊁(造語)動詞「担ぐ」の連用形。 ―あ・げる⑤【―上げる】(他下一)㊀物を持ち上げて担ぐ。また、そのようにして高い所に運ぶ。㊁当人をその気にさせて、立候補させたり役職につけたりする。 ―こ・む④【―込む】(自五)担いで運び入れる。「急病人を診療所に―」 ―だ・す④【―出す】(他五)㊀担いで外へ出す。㊁頼んで、候補者や代表になってもらう。「会長を知事に―」名担ぎ出し⓪ ―や⓪【―屋】㊀何をするにつけても縁起のいい・悪いを気にする人。御幣かつぎ。㊁人をだましておもしろがる者。㊂産地から直接に米・野菜などの食品を運んで来て売ることを業とする人。

がっきゅう⓪【学究】他事を構わず、学問一途に打ちこむ人。「―肌の人／―生活に入る」

がっきゅう⓪【学級】授業単位として、児童・生徒を一定の人数にまとめたもの。クラス。組。「―日記⑤・―文庫⑤・―閉鎖」 ―いいん⑤【―委員】その学級のまとめ役として△児童(生徒)の中から選ばれた者。

かっきょ①【割拠】―する(自サ)何人かの人がそれぞれ大将となって、自分の勢力圏で活動すること。「群雄―」

かつぎょ①【活魚】㊀料理する直前まで生かしておいた魚。いけうお。「―料理④」㊁鮮魚。「―店③」

かっきょう⓪【活況】商取引などが盛んで、人や物資の動きが目立って見える様子。「かってない―を呈する」

がっきょく⓪【楽曲】声楽曲・器楽曲・管弦楽曲などの総称。

かっきり③(副)㊀△必要とされる(定められた)数値と一致して過不足が無い様子。「一時―に着いた／三万円―渡す」㊁―と 他との境界などが紛れもなく明快に見分けられる様子。「青い空に山の尾根筋が―と浮かび上がる」

かっ

【合】交戦する。刀・槍などを交える。「合戦」⇩がっ

かつ

【括】くくる。ひとまとめにする。「括弧・括約筋・包括・総括・一括」

【活】㊀いきいきしている。「活発・活況・活動・快活」㊁固定していない。「活字・活版」⇩(本文)かつ【活】

【喝】大声を出す。「喝破・大喝・恐喝」⇩(本文)かつ【喝】

【渇】水が無くなる。かわく。「渇水・枯渇」⇩(本文)かつ【渇】

【割】わる。分ける。さく。切る。「割愛・割拠・割譲・割腹・分割」

【葛】㊀くず。「葛根湯」㊁つづら。「葛藤」

【滑】㊀なめらか。「円滑・潤滑油」㊁すべる。「滑空・滑車・滑走」

【褐】黒ずんだ茶色。「褐色・褐炭・茶褐色」

【轄】取りしまる。取りまとめる。「管轄・所轄・直轄・統轄」

〈闊〉㊀広い。大きい。「闊達・闊歩・闊葉樹〔=広葉樹〕・快闊・広闊」㊁間が遠い。「久闊」

がっ

【合】〔「がふ」の変化〕あう。あわせる。「合致・合併・合算・合作・合冊・合宿・合唱・合体・合点・合衆国」⇩ごう

がつ

【月】一年を十二に分けた一つ一つの期間。「一月・六月・十二月・年月日」⇩げつ

かっきん⓪【恪勤】〔「恪」は、まじめに事を処理する意〕ほかの人が休むところも休まずに自分の仕事をすること。「精励―⓪-⓪」〔古くは「かくご(ん)」〕

かつ・ぐ②【担ぐ】(他五)㊀肩に掛けて になう。「△片棒(お先棒)を―／肩に担いで運ぶ」㊁〔神輿を担ぐところから〕上に立つ人として戴く。㊂(いたずらして)だます。「うまく担がれた」〔⇩担ぎ㊁〕 【縁起を―】〔「御幣を担ぐ」所から〕⇩縁起㊀ 【御幣を―】⇩御幣

がっく⓪①【学区】同一の市・区・町・村などに複数の公立学校がある際に、児童・生徒の居住地域によって定めた通学区域。〔関西以西では「校区」という。名古屋などでは「聯〔=連〕区」と言った〕「―制⓪」

かっくう⓪【滑空】―する(自サ)△発動機を使わずに(羽ばたかずに)高度差や上昇気流などを利用して空を飛ぶこと。「大空を―するハヤブサ／―飛行⑤」 ―き③【―機】グライダー。

がっくり③(副)―と ―する 〔「がくり②」の強調形〕㊀体の部位の力が急に抜けて、それまでのまっすぐな姿勢が一気にくずれる様子。「疲労困憊して膝を―とつく／―首を垂れる／―肩を落とす〔=落胆する〕」㊁充実していたものが目に見えて衰えた状態になる様子。「頬の肉が―と落ちる／―と気力が低下する」㊂二度と立ち直れないほどの決定的な痛手を受ける様子。「二度目の倒産の時は、さすがに―しました／妻に先立たれて―きた」

かっけ③【脚気】ビタミンB_1の欠乏のために足がしびれたり むくんだりする病気。 ―しょうしん④【―衝心】脚気のため心臓が冒される急病。死ぬことが多い。

かっけい⓪【活計】「生計」の意の古語的表現。

がっけい⓪【学兄】(代)〔手紙などで〕「学問上の先輩」の意で、同輩・後輩を呼ぶ語。〔男性どうしの用語。「兄」にひかれて先輩を呼ぶのに用いるのは誤り〕

かつげき⓪【活劇】芝居や映画などで演じる格闘。また、そういう種類の演劇。

かっけつ⓪【喀血】―する(自サ)せきと共に肺から血を吐き出すこと。⇩吐血

かっこ①【各個】幾つかあるものの一つひとつ。それぞれ。「―撃破④」

かっこ①【括弧】―する(他サ)ある約束で△数式(句)を囲んでそれが一まとまりであることを示す記号としての、

（　）「　」など。「―に△入れる（括ククる）」 **―つき**⓪【―付き】その言葉の本来の意味で解釈してよいかどうか疑問があり、「俗に言う」の意で引用する語。「―の正義」

かっこ①【確固・確（乎）】―たる〔態度・方針などが〕しっかりしていて、ぐらついたりしない様子。「―たる信念／―とした地位／―不動①-⓪」

かっこ①【羯鼓】㊀雅楽で使う太鼓。台に載せ、二本のばちで両側からたたく。㊁〔能で〕胸の下につりさげ、両側からばちでたたく鼓。

かっこう⓪【角行】⇩かくぎょう

*__かっこう__⓪【格好】・【△恰好】〔ちょうど頃合ココロアイの形・様子の意〕㊀⓪接する人に何らかの印象を与えるという点から見た外見・姿。「―を△つける（整える）／―のいい（＝進んで聞かせようとする）話ではないが／―よく生きる／―はついているがなかみはない（＝形式ばかりが整っている）論文」㊁⓪―な 何か（をするの）にちょうどいいと判断される様子。「―な（＝ⓐ大きさ・形・色などがちょうどいい。ⓑ割安な）品物／―の舞台」㊂（造語） 主として中年以上の人の年齢を大体その見当だととらえていうこと。「五十―の男」

【―が付く】一応形式が整い、何とか恥ずかしい思いをしないで済む。「横綱が三連敗もしていては、格好が付かない（＝なんとも体裁が悪い）」 **―い・い**⑤【―《良い》】（形）〔口頭語では「かっこいい④」とも〕㊀姿・形や身のこなしなどがその時代の人の感覚や趣味に合うなどして好感を抱かせる様子だ。「―スタイルの女性／―スポーツカー」㊁処世態度に潔さがあり、好感をもって受け入れられる様子。「―引き際ギワ」 **―つける**⑥ 内容面はともかく、形式だけを整え、人前に出しても恥ずかしくない状態にする。〔口頭語では「かっこつける⑤」とも〕 **―わる・い**⑥【―悪い】（形）〔口頭語では「かっこ悪い⑤」とも〕㊀姿・形や身のこなしなどがその時代の人の感覚や趣味に合わず、全く評価されない様子だ。㊁処世態度が見苦しく、共感を得ることができない様子だ。「祝辞の途中で絶句し、かっこう悪かった」

かっこう①【郭公】 初夏に日本に渡来し、カッコーという鳴き声を続けて聞かせる中形の鳥。托卵タクランする。よぶこどり。閑古鳥カンコドリ。〔カッコウ科〕 かぞえ方 一羽

かっこう⓪【滑降】㊀―する（自サ）〔スキーやグライダーで〕斜面や空を）すべりおりること。「直―・急―③」㊁（↑滑降競技⑤）〔スキー競技で〕麓フモトまで高度差一一〇〇メートル（女子は八〇〇）までのむずかしい斜面を織り交ぜたコースを一気にすべりおりて、そのスピードを争うもの。

かつごう⓪【渇仰】―する（他サ） 心のよりどころとして、△絶対的に信仰する（強くあこがれ求める）こと。

__がっこう__⓪【学校】 一定の条件に合う人を対象として、何人かの教師が組織的方法でそれぞれの目的に応じた教育をする所。また、そのための組織や施設。「―に通う／苦学して―を終える（＝目的の学校を卒業する）／―に出ている（＝勤務先の学校で、何らかの業務に携わっている）／―らしい―を出ていないが、りっぱな人だ／―教育⑤・成人―⑤」 かぞえ方 一校 **―い③【―医】 学校の依頼により、保健衛生管理上の指導や身体検査などを行なう医師。略して「校医」。 **―ほうじん**⑤【―法人】 私立学校の設置・運営を目的として設立される法人。

かくしゅ―④【各種―】 小中高校・大学・高専・特別支援学校（＝旧称、盲学校・聾ロウ学校・養護学校）・幼稚園・専修学校以外で、各種の技術教育を行なう教育施設。和洋裁・助産師・看護師・美容・料理・自動車・語学など種類が多い。 **せんしゅう―**⑤【専修―】 △職業（実生活）上必要な技能の養成などを図るための専門教育を行なう施設。修業年限は一年以上で、教育内容や教育施設に関する規制が、従来の各種学校より厳しい。

せんもん―⑤【専門―】㊀もと、高等の学術・技芸を教えた学校。㊁専修学校のうち、高校卒業以上の者を対象に、高度の専門教育を行なう学校。

かっこく①【各国】〔関係する〕それぞれの国。「参加―④」

かっこ・む⓪③【△搔っ込む】（他五）〔「搔き込む」の強調形〕箸ハシを続けざまに動かして、口の中に流し込むようにして食べる。

かっこんとう⓪【葛根湯】 クズの根を主成分とする漢方薬。初期のかぜや軽い頭痛、肩こりにきく。

かっさい⓪【喝采】―する（自サ）〔もと、「やっ」という掛け声を出して采を振る意〕大きな声で「いいぞ、いいぞ」と言ってほめること。「―を送る／―を博す（＝好評を得る）／拍手―」

かつざい⓪【滑剤】 機械のすべりをよくするために使う油・滑石など。

がっさいぶくろ⑤【合切袋】 携帯品などをなんでも入れておく袋。信玄袋。 表記 「合財袋」は、借字。

がっさく⓪【合作】―する（他サ） 複数の主体が協力して△単一の作品を作る（共通の目標を達成する）こと。また、そうして出来上がったもの。

かっさつ⓪【活殺】 生かしておくことと殺すこと。生殺セイサツ。「―自在⓪-⓪」 **―しゃ**④③【―社】〔中国で〕「人民公社」に吸収される以前の経済協同体。

がっさつ⓪【合冊】―する（他サ） 何冊かの本を、それぞれのもとの体裁を残しながら便宜上一冊にとじ合わせたり製本したりすること。また、そのもの。

かっさら・う④【△搔っ△攫う】⇩かきさらう

がっさん⓪【合算】―する（他サ） 個々の項目について計算したものを、さらに合計すること。

かっし①【《甲子》】㊀⇩きのえね㊁㊀十干十二支。えと。

*__かつじ__⓪【活字】㊀活版印刷用の金属で作った文字の型。㊁「活字㊀」によって印刷された書物。「若い世代の―離れ（＝本を読まなくなる傾向）」 **―たい**⓪【―体】〔和文では、明朝ミンチョウ・清朝セイチョウ・宋朝ソウチョウなど〕筆写体と違って活字に用いる書体。 **―ぼん**⓪【―本】〔写本・木版本に対し〕活字版の書物。

かっしゃ⓪①【活写】―する（他サ） いきいきと△写す（表現する）こと。「世相を―する」

かっしゃ⓪【滑車】 重い物を引き上げたりする時に使う道具。周囲に溝のある円板に綱などをかけて動かす。

かっしゃかい③【活社会】〔学校で習ったり本で読んだりしただけでは分からない〕実際に活動している現実の社会。「かつしゃかい」とも。

ガッシュ①〔フ gouache〕 アラビアゴム・蜂蜜ハチミツなどで練った、不透明な水彩絵の具（を使ってかいた重厚な絵や画法）。グワッシュ②。

がっしゅうこく③【合衆国】 自治権を持ったいくつかの州の連合体として構成されている国家の称。〔狭義ではアメリカ合衆国の特称〕「メキシコ―」

がっしゅく⓪【合宿】―する（自サ） スポーツや研究などをする人たちが一定期間一緒に泊まりがけで△強化を図る（仕事の能率を上げる）こと。また、その宿舎。

かっしょう⓪【滑翔】―する（自サ）〔鳥が羽を動かさず〕空をすべるように、水平にまたは上昇などして飛ぶこと。「グライダーの―」

かつじょう⓪【割譲】―する（他サ）〔一部分を譲り与える意〕〔戦争に負けた結果〕一国がその領土の一部を他国に与えること。

がっしょう⓪【合従】〔この場合の「従」は、縦タテすなわち南

北方向の意〕中国の戦国時代〔=前四〇三〜前二二一〕に、六か国が南北に連合して強国の秦(シン)に対抗した攻守同盟の政策。「—連衡 [0]-[0]〔=権力などをめぐる各派勢力の連合の種々相の意にも用いられる〕」⇨れんこう(連衡)

がっしょう [0]【合唱】(ガッシヤウ) —する(他サ) ❶多くの人が一緒に歌うこと。↔独唱 ❷多くの人が二部・三部・四部などに分かれ、互いに異なった旋律を一緒に歌うこと。「—曲 [3]・—隊 [0]」⇨斉唱(セイショウ)

がっしょう [0]【合掌】(ガッシヤウ) ❶—する(自サ) 両方の掌(テノヒラ)を顔・胸の前で合わせて立てながら(仏を)拝むこと。❷〔建築で〕〔屋根を支えるために〕木材を ∧ 形に組み合わせること。また、その構造。「—造(ヅク)り [5]」

かっしょく [0]【褐色】 黒っぽい茶色。「—の大地/暗— [3]・黒(コッ)— [3]・灰(ハイ)— [3]・赤(セキ)—」

がっしり [3](副)—と —する 組立てががんじょうで、容易には壊れそうにも見えない様子。「—(と)したからだつき」

かつじんが [0]【活人画】(クワツジングワ) 〔明治時代の用語で〕扮装(フンソウ)した人が、適当な背景の前で、あるポーズを取って観客に見せること。

かっすい [0]【渇水】 —する(自サ) 晴天が続き、水がかれること。「—期 [3]・異常— [4]」

かっ・する [0][3]【渇する】(自サ) のどがかわき、水が飲みたくてたまらない状態になる。〔広義では、何かが不足して、ひどくほしがることを指す〕「渇しても盗泉の水を飲まず〔=正義の人は、どんなに困っても△不正不義の財はほしがらない(自分の誇りを傷つけるような行為はしない)〕」

がっ・する [0][3]【合する】(自他サ) 別々なものを一つに合わせる。また別々のものが一つに合う。「二つの流れが—〔=一つになる〕/全部を—〔=一つにする〕」

かっせい [0]【活性】(クワッセイ) 物質が化学反応を起こしやすくなっていること。「—ビタミン剤 [7]」 **—か** [0]【—化】(クワ) —する(自他サ) 停滞している物事や組織に刺激を与え、その働き・反応を活発にすること。 **—さんそ** [5]【—酸素】〔通常の酸素と違って〕化学的に不安定で、著しく反応を起こしやすい酸素。生体内では、細胞を傷つけるので老化や発癌(ハツガン)の原因になる。 **—たん** [0]【—炭】 吸着力が強く、脱色・浄化・下痢止め・防毒面などに使われる炭素。

かっせき [0]【滑石】(クワッセキ) 結晶片岩〔=結晶質の、変成岩の一種〕の中にある、ろうのような感じの鉱物。石筆・化粧品・電気絶縁材・滑剤などに使う。タルク。

かつぜつ [0]【滑舌】(クワツゼツ) 〔演劇や放送などで〕出演者やアナウンサーに求められる、明瞭(メイリョウ)でよどみない発音による話し方。「—が△いい(悪い)」

かっせん [0]【合戦】 —する(自サ) Ⓐ敵味方が死力を尽くして戦うこと。「〔源氏・平家の〕屋島の—/とむらい—(ガッセン)」 Ⓑ利害を異にする対立者が自分が有利な立場に立とうとして争うこと。「マスコミの△報道(取材)—(ガッセン)」

かっせん [0]【活栓】(クワッセン) ❶管などに取りつけ、水の流れを自由に調節する栓。❷ピストン。

かっせん [0][1]【割線】 〔幾何学で〕円周または曲線を二つ以上の点で切る直線。

かつぜん [0]【〈豁然】(クワツゼン) —たる —と 今までふさがっていた眼界が急に開ける様子。〔景色が展開することにも、突然悟りを開くことにも言う〕

かっそう [0]【滑走】(クワッソウ) —する(自サ) 〔地面・水・氷などの表面を〕△すべって(すべるように)走ること。「飛行場の—路」

かっそう [0]【褐藻】(カッサウ) 茶色の海藻類の総称。コンブ・ワカメなど。「—類 [3]」

がっそう [0]【合奏】 —する(他サ) 二つ以上の楽器を合わせながら同じ曲を演奏すること。「—曲 [3]」↔独奏

がっそう [0]【合葬】(ガッサウ) —する(他サ) 一つの墓に二体以上の遺骨・遺体を埋葬すること。「夫婦— [1]-[0]」

カッター [1]〔cutter〕 ❶(汽船に備え付けの)後ろが四角の形をしたボート。❷〔←cutter shoes〕かかとが低くて底の平らな婦人靴。❸フライス盤。❹切(り取)る△もの(道具)。「—ナイフ [5]」 かぞえ方 ❶は一艘(イッソウ)・一艇(イッテイ)。❷は一足。❸は一基。❹は一本

カッターシャツ [5]〔和製英語。もと、「勝った」の意味で付けたという商品名〕 ワイシャツに似て襟があり、カフスが無いシャツ。

かったい [1][0]【〈癩】(カッタイ) 〔乞食(コジキ)の意の古語「かたゐ」の変化〕もと、ハンセン病(患者)を指した語。〔侮蔑(ブベツ)を含意した〕「—の瘡(カサ)うらみ〔=自分より少しでもましな同類をうらやみたくなる人の心理状態〕」

がったい [0]【合体】 —する(自他サ) ❶起源・由来の違うものが新しい理念の下(モト)に一体となって何かを運営すること。「公武—」 ❷〔有性生殖で〕雄性・雌性の生殖細胞が融合して一個の細胞になること。〔「性交」の、婉曲(エンキョク)表現としても用いられる〕

かったつ [0]【〈闊達】(クワッタツ) —な 性格が明るくて、こだわりが無く人の意見などをよく受け入れる様子。「自由— [2]-[0]」 派 **—さ** [0][4] 表記 「〈豁達」とも書く。

かつだつ [0]【滑脱】(クワツダツ) —な 局面の変化に対応して、機転のきいた行動ができる様子だ。「円転—」

かったる・い [4](形) 〔主として関東地方の方言〕 ❶疲れてだるい。❷大儀で気が進まない。❸のろのろしていて、じれったい。「—野郎だ」 派 **—さ** [3]

かったん [0]【褐炭】 茶色を帯びた、質の悪い石炭。

かつだんそう [3]【活断層】(クワツダンソウ) 現在活動している、また、最も新しい地質時代〔=新生代第四紀〕に活動し、将来も活動するおそれのある断層。一九九五年一月の兵庫県南部地震のような直下型地震を起こすことがある。

がっち [0]【合致】 —する(自サ) 何か△決まって(問題になって)いるものに、ちょうどうまく合うこと。「趣旨に—する/希望と—する/一般の傾向に—する」

かっちゃく [0]【活着】(クワッチャク) —する(自サ) 〔移植・挿木などした植物が〕枯れずに根がつくこと。

かっちゅう [0]【《甲〈冑】(カッチウ) いくさに備えて身につけたよろいとかぶと。 かぞえ方 一点・一領(イチリョウ)

かっちり [3](副)—と —する むだなすきまやたるみがどこにも認められない様子。「蓋(フタ)を—(と)閉める」

がっちり [3](副)—と —する ❶「がっしり」の強調形。「—した体型」 ❷「かっちり」の強調形。「—(と)腕を組む/腰を落として—と捕球/客の心を—つかむ」 ❸少しのむだも損も無いように気持を引き締めて行動する様子。「財布の紐(ヒモ)を—締める/—した〔=締まり屋の〕男」〔❶〜❸は口頭語的表現〕 派 **—さ** [4][0]

ガッツ [1]〔guts〕〔ガットと同源。元気の意〕根性。〔試合中の選手に対し「気合を入れて」の意の掛け声としても用いられる〕「—のある奴(ヤツ)/—ポーズ [4]」

がっつ・く [0](自五) ❶がつがつする。❷「遊ぶことを全くしないで勉強すること」をけなした学生語。

***かって** [0]【勝手】 [一]❶〔調理に便利な所の意〕台所。「—〔=生計〕が苦しい/—の流し台/お— [0]」 ❷そこでいつもそうすることになっている事情。「—〔=予測していたのと事情〕が違う/—がわからない/—〔=使い心地〕の悪い部屋」 [二] —な —に 〔一般には必要とされる断りを省略したり 許可を得なかったりなどして〕自分だけの判断で行動する様子だ。〔当人以外の者が、それを好ましくない行動ととらえて言うことが多い〕「あいつはいつも—な事を言う/—に〔=無断で〕人の

家に上がりこむ／―〔=利己的〕な奴(ヤツ)／人のものを―に使う な／―が過ぎる／身―(ガッテ)・―気まま」 派 ―さ[0] 運用 ■二は、「お前のような奴は勝手にしろ」などの形で、もうめんどうを見てやらないと相手を見捨てる気持をほのめかすことがある。また、「そうするのは君の勝手だ／どうぞご勝手に」などの形で、結果についてはこちらは責任を持たないと、相手を突き放した気持を表わすことがある。

―ぐち[3][0]【―口】 台所の出入口。 ―しだい[4]【―次第】―な・―に 他人がどう思おうと、自分の好きな通りにする様子だ。 ―むき[0]【―向(き)】 ❶台所に関した事。 ❷暮らし向き。 ―もと[0]【―元】 暮らし向きに関する面。「―が苦しい」 表記 「勝手《許」とも書く。

かつて[1]【《曽(て)】(副) ❶「以前」の意のやや改まった表現。「―少年の日に仰ぎ見た大学生と現在のそれとのあまりにも対照的な相違」 ❷〔否定表現を伴って〕昔から今まで一度も。「そんな話は未(マ)だ(イ)―聞いたことが無い／―無い興奮を味わった」〔口頭語では「かって」と言う向きもあるが本来は誤り〕 表記 「〈嘗て」とも書く。

カッティング[0]―する(他サ)〔cutting=切ること〕 ❶映画のフィルム(や脚本)のある部分を切り取って編集すること。 ❷洋服の裁断。 ❸〔テニス・卓球で〕カット。 ❹謄写版の原紙に鉄筆で字などを書くこと。

がってん[3]【合点】―する(自サ) 〔もと、自分が△たしかにその文書を見た(いい作品だと認めた)というしるしに〈という記号をしるす意〕相手の発言の趣旨を理解(して、了解の意を表明)すること。「その話だった、とAはようやく―する／〝さあ行くぞ〟〝おお―だ〟／おっと―承知の助」⇩がてん

カット〔cut=切る〕 ■一[1]―する(他サ) ❶省くこと。〔狭義では、切り捨てる意にも用いられる。例、「賃金―」〕 ❷〔テニス・卓球で〕ボールを逆回転させるために刀で切るようなかっこうで打ち返す△こと(技術)。 ❸〔球技で〕ある選手への送球を、他の選手が途中で奪ったり中継ぎしたりすること。 ❹〔野球で〕〔三振を避けるためなどに〕打者が、積極的に打ちたくないボールなどに軽くバットを当ててファウルにすること。 ❺髪の毛を鋏(ハサミ)で切り整えること。また、その仕上がった形。 ■二[1] ❶Ⓐ映画の個々の場面。Ⓑ小形の挿絵。 ❷アンプルなどを切る、小形のやすり。 ■三(造語) 適当な大きさに切断された物をかぞえる語。 かぞえ方 ■二❶は一枚

かっと(副) ❶[1] 日差しや火の勢いが瞬間的に激しくなる様子。「―照りつける太陽」 ❷[0] 怒りにかられて思わず興奮する様子。「―なって手を出す／―してののしりはじめた」 ❸[0][1] 目や口などを一気に大きく開く様子。「―目を見開いて森羅万象を追う」 ❹[1] 突然急激な動作がなされる様子。「痰(タン)を―吐く／首を―はねる」

ガット[1]【GATT】〔←General Agreement on Tariffs and Trade〕 関税・貿易に関する一般協定。関税の差別撤廃を目的とする。〔「世界貿易機関」の前身〕

ガット[1][0]〔gut=腸〕 ラケットの網や楽器の糸に張ったりする、丈夫な糸。〔もと、ヒツジの腸などで作った〕

かっとう[0]【葛藤】〔からみあったカズラやフジの意〕愛憎や人を殺すか助けるかなど対蹠(タイショ)的な心理状態が、その時どきにしのぎを削って表面に出ようとしてせめぎ合うこと。「両家の間の―〔=いがみあい〕／心の―」

**かつどう(クワツドウ)[0]【活動】■一―する(自サ) ❶そのものの本来の働きとして、積極的な△動きを見せる(行動をとる)こと。また、その動きや行動。「梅雨前線の―が活発になり、大雨の降る恐れがある／夜―する動物／火山―に変化が見られる」 ❷△目的(使命)に応じた積極的な行動や運動をすること。また、その行動や運動(によってあげた成果)。「販路拡大を図って、―の拠点を東京に移す／人権擁護を旗印に―する若手弁護士／コンサート中心の―を続けている歌手／環境保全のための―に情熱を燃やす／―方針[5]・クラブ―[4]」 ■二❶〔「活動写真」の略〕「映画」の意の古風な表現。「―屋[0]・―小屋(ゴヤ)[0]」 ❷〔「活動写真館[6]」の略〕「映画館」の意の古風な表現。 ―か[0]【―家】 自分の信念や信条に基づいて、△政治的(社会的)な主義・主張を積極的に行動に移す人。「NGOの熱心な―として知られている／労働組合の―」 ―しゃしん[5]【―写真】 映画、特にトーキー以前の称。 ―りょく[3]【―力】 活動を支える上で根源的だととらえられる不可欠な力。

カット グラス[4]〔cut glass〕 彫刻・切込み細工をしたガラス(器具)。

かっとば・す[4][0]【かっ飛ばす】(他五) 〔バットで打って〕遠くまで飛ばす。

カットバック[4]〔cutback〕〔映画やテレビで〕関連のある二つの場面を交互に対照させながら展開を図る作画法。

カットワーク[4]〔cutwork〕 ししゅうの一種。模様の輪郭をししゅうしてから、模様の間を切り取る。テーブル センター・ブラウス・ハンカチなどに使う。

かつは[1]【且(つ)は】(副) 〔漢文訓読語〕一つの事が同時に二つの面にかかわりを持つことを表わす。「―国のため―家のため」

カッパ[0]〔ポ capa〕 「雨ガッパ」の略。 表記 「合羽」は、字義を考慮した音訳。

かっぱ[0]【《河《童】〔カワワラワの変化〕 ❶子供の大きさで、頭の上の皿に水をたくわえるという、想像上の動物。〔俗に、水泳ぎをしている子供や、水泳の上手な人の意にも用いられる〕「おかへ上がった―／―の川流れ〔=どんな名人でも、時には失敗することがあるものだ〕」 ❷〔キュウリはかっぱの好物であることから〕〔すし屋で〕すし種に使うキュウリの特称。「―巻(マキ)[0]」

かっぱ[1]【喝破】―する(自他サ) 〔声を大きくして真理を説く意〕〔誤りを退けて〕何が真実であるかを鋭く指摘すること。「〝人間とは欲に手足のついたものだ〟と―したのは井原西鶴(サイカク)だった／日本美術の優秀性を―したブルーノ タウト」

*かっぱつ(クワッパツ)[0]【活発・活〈潑】―な・―に 目立った活動や、それを支援する動きなどが、休むこと無く次から次へと展開される様子。「―な子／政界再編の動きが―になる／火山の噴火が―になり出した／―化[0]・不―[2]」 派 ―さ[0][4]

かっぱと[1](副) 「がばと」の口頭語的な強調形。

かっぱらい(パラヒ)[0]【〈搔(っ)払(い)】〔「搔き払い」の変化〕ゆだん・すきをねらって、人の持ち物を盗み去ること。また、その者。 動 搔っ払う[4][0](他五)

かっぱん(クワッ)[0]【活版】 活字を組み合わせて作る印刷版(で作ったもの)。「―屋[0]」 ―ぼん[0]【―本】 活字を組んで印刷した本。活字本。

がっぴ(グワッ)[0]【月日】 何かに記入する対象としての日付。

がっぴつ[0]【合筆】 土地登記簿の上で何区画かに分かれている土地を一区画〔=一筆〕にまとめること。

がっぴょう(ビヤウ)[0]【合評】―する(他サ) 取り上げた作品や書物などについて何人かがそれぞれの立場から批評すること。また、その批評。「―会[3][0]」

カップ[1]〔cup〕 ❶取っ手のある茶わん。「コーヒー―」 ❷賞杯。「優勝―[5]」 ❸〔←measure cup〕 水・粉などの分量を計る目盛りの付いたコップ。「小麦粉二―」 ❹ブラジャーの、乳房をおさめる部分。 かぞえ方 ❶の一人の使用分は一客(イッキャク)

かっぷ[0]【割賦】 買物の代金を二か月以上の期間内に三回以上に分割して払う△こと(方式)。年賦・月賦などがある。「わっぷ」とも。「―販売[4]」

かっぷく⓪【〈恰幅〉】〔主として中年の男性の〕福々しく、どっしりとした体格。「―がいい」

かっぷく⓪【割腹】―する（自サ）責めを負ったり生きながらえることはできないと覚悟を決めたりして、腹を切って死ぬこと。

カップケーキ④〔cupcake〕カップの型に入れて焼きあげる洋菓子。

かつぶし⓪【〈鰹節〉】「かつおぶし」の口頭語的表現。

かつぶつ⓪【活仏】❶いきぼとけ。❷仏や高僧などの化身と考えられている、チベット仏教の僧。例、ダライラマ。

カップめん③【カップ麺】インスタント食品の一つ。カップ〔=容器〕にフリーズドライの麺類・具とスープの素とが入っているもの。熱湯を注いでしばらく置くだけで食べられる。

がっぷり③（副）―と〔すもうで〕互いにしっかりと組み合った体勢になる様子。「―右四つ」

カップリング⓪①〔coupling〕❶二つのものを結びつけること。❷一つの軸から他の軸へ動力を伝える連結装置。

カップル①〔couple=一対〕一組の夫婦・恋人どうしなど。

*がっぺい⓪【合併】―する（自他サ）〈なにトーする〉同類のものが合わさって一つの組織になること。また、同類のものが一つに合わさること。「二大銀行が―する／複数の疾患を―する／―症⓪〔=その病気にかかったことによって発症しやすくなる他の病気〕・町村―⑤」

かつべん⓪【活弁】〔←活動写真の弁士〕無声映画時代に、映画の筋などの説明をし、せりふもしゃべった人。表記「弁」の旧字体は「辯」。

がつへん⓪【歹偏】漢字の部首名の一つ。「残・殊・歿」などの、左側の「歹」の部分。「一」+「夕」の形から「いちたへん」とも。〔「歹」は漢音ガツ、骨の意。多く、死や障害に関係のある漢字がこれに属する〕

かっぽ①【〈闊歩〉】―する（自サ）△遠慮する（やましい）ところが無く、大手を振って歩くこと。〔いばって歩く意にも用いられる〕「狭い通りを我が物顔で―する若者たち」

かつぼう⓪【渇望】―する（他サ）〔のどがかわいた時に水を欲するように〕心からそのものの△実現（入手）を望むこと。「平和への―／援助の手を―する」

かっぽう⓪【割〈烹〉】〔「割」は切る、「烹」は煮る意〕（本格的な）日本料理（店）。「―着③〔=胸から掛ける、袖のある前掛け〕・板前―⑤・大衆―⑤」

がっぽう⓪【合邦】二つ以上の国家を合併△すること（した国）。

がっぽり③（副）―と 手に入れたり失ったりした金品の多さが普通ではないと感じられる様子。「株で―（と）儲けた／相続税に―（と）持って行かれた」

がっぽん⓪【合本】―する（他サ）❶なんらかの意味で関連のある本を合わせて一部の本として出版すること。また、その本。あわせ本⓪。❷合冊。

かつもく⓪【〈刮目〉】―する（自サ）〔「刮」は、こする意〕強い関心を持って、見ること。「―して待つ／―に値する」

*かつやく⓪【活躍】―する（自サ）業績や成果を上げ、その存在が、注目を浴びるようになること。「女性の―が目立つ／今後の―が期待される／―ぶりが注目される／大―③」

かつやくきん⓪【括約筋】瞳孔の虹彩・胃の幽門部や肛門・尿道などの周囲にあって、生体の部位を開閉する輪状の筋肉。

かつゆ①⓪【活喩】⇩擬人

*かつよう⓪【活用】―する ❶（他サ）〈なにヲーする〉そのものが本来持っている働きが積極的に活かされるように使うこと。「△人材（資料・空間・休暇）を―する」❷（自サ）〔文法で〕個々の単語が、意味・用法に応じて形を変えたり接辞を添えたりすること。日本語では、用言・助動詞の語形が文中での用法に応じて変化すること。〔古くは「働き」とも言った〕「五段―の動詞／クーの文語形容詞／―形⓪・―表⓪」 ―ご⓪【―語】〔日本語文法で〕活用のある言葉。用言・助動詞の総称。

かつようじゅ③【〈闊葉樹〉】「広葉樹」の旧称。

かつら⓪【桂】山地に生じる落葉高木。ポプラに似た葉に先立って、紅色の小さい花を開く。材質はよく、用途が広い。〔カツラ科〕 かぞえ方 一株・一本 ―むき⓪【―〈剥き〉】〔料理で〕ダイコン・キュウリなどを五、六センチの長さに切り、皮を剝くようなやり方で薄く剝くこと。また、その剝いたダイコンなど。それを繊切りにして、刺身のつまなどにする。

かつら⓪【〈鬘〉】〔「かずら」の変化〕〔頭髪の量や長さを補うために添えた髪の意〕△俳優の扮装用に（おしゃれや変装用に）人間の髪の毛や合成繊維でいろいろな髪型を作って、必要に応じて頭にかぶるようにしたもの。「日本髪の―をつける／―と付けひげで変装する」

かつらく⓪【滑落】―する（自サ）登山で、足を踏みはずしたりして、氷雪の斜面などをすべりおちること。「バランスを失って雪渓に―する」

かつりょく②【活力】活動の源泉としての生命力。バイタリティー。「…に―を与える／―を取り戻す／あすへの―を蓄える／―に富む」

かつれい⓪【割礼】〔ユダヤ教・イスラム教で〕通過儀礼の一つとして、子供のとき男子の陰茎の包皮を切り取ること。「―を△施す（受ける）」

カツレツ⓪〔cutlet〕ブタ・ウシ・トリなどの肉を平たく切り、パン粉をつけて揚げたもの。カツ。かぞえ方 一枚

かつろ①【活路】何もしなければ滅亡する状態を切り開いて生き延びる△方向（方法）。「―を△開く（求める）／―を見いだす」

がつんと②（副）❶堅い物どうしがぶつかって強い衝撃が感じられる様子。「舟が―岩にぶつかる」❷威嚇するような強い調子で相手に接する様子。「相手が文句を言ったら―一発かましてやれ」

かて②【〈糅〉】主食の分量をふやすために、一緒に加えて煮たきする△こと（もの）。「―飯⓪・―物⓪」

かて②①【糧】〔もと、携行食糧としての糒の意〕生きるために必要なものとしての食糧。〔広義では、何かをささえ養う物を指す。例、「心の―」〕

かてい⓪【下底】物の下部や底部。〔狭義では、台形の平行する二辺のうち下部の方を指す〕「最―③」

*かてい⓪【仮定】―する（他サ）❶〈なにヲ（なにト）ーする〉論理的に考えを進める上で、必要とされる要素を仮にそうだと決めてそれを前提とすること。また、その決めたこと。「―を置く／―が立てられる」❷⇩仮設❶ ―けい⓪【―形】〔日本語文法で〕仮定条件を表わすのに用いられる表現形式。⇩付録「活用表」 ―ほう⓪【―法】〔言語学で〕仮想した事柄や事実に反する事柄を想定して述べるための表現形式。

**かてい⓪【家庭】〔「庭」は、家の内部の意〕〔同一の家屋に住み〕生活を共にする、家族の集まり（の場所）。「―を△作る（築く）／―菜園④・―教育・―用・―用品」 ―か⓪【―科】小学校・中学校・高等学校の教科の一つ。衣食住を初め、家庭生活に関する知識・技能・態度の習得を目的とする。 ―ぎ②⓪【―着】自宅に居る時に着る簡単な衣服。ホームウエア⑤とも。 ―きょうし④【―教師】よその家に招かれて、そこの子供を個人的に教える人。かぞえ方 人は一人・一名。勤め口としては一軒 ―さ

いばんしょ[8][0]【―裁判所】 家庭内と少年に関する事件を扱う裁判所。都道府県ごとに庁の所在地に置かれるほか、函館・旭川・釧路にも設けられる。略して「家裁」。 ―**そうぎ**[4]【―争議】〔「労働争議」になぞらえて〕悪化すれば家庭をこわすような家族間のいざこざ。〔狭義では、夫婦げんかを指す〕 ―**てき**[0]【―的】―な ―に ❶家庭の円満や家族の健康などを何よりも大事にする様子だ。「―な△夫(女性)」 ❷格式張ったり飾り立てたりしたところが無くて、自分の家にいるかのようなくつろいだ気分になれる様子だ。「―な△レストラン(サービス)」 ❸その事柄が、生まれ育った環境や現在の家庭の状況と関わりがあるととらえられる様子だ。「―な事情で中退した/―に恵まれなかった」

*かてい[0]【過程】 時の流れに従って進行していく物事の順序。また、その途中の経過。プロセスとも。「研究の―にあり、結論が出るのはまた先だ/△さまざまな(回復の)―をたどる/発泡スチロールは原油精製―に生じた副産物が原料だ」

かてい[0]【課程】 その△学校(学課)の学習内容の範囲と、その指導順序。

カテーテル[2]〔オ katheter〕 心臓・尿道・膀胱(ボウコウ)などの治療に使う、管状の器具。かぞえ方 一本

カテキン[0][2]〔catechin〕 緑茶に含まれる成分でタンニンの一種。苦み・渋みの本体。〔抗ガン作用・血圧降下作用など、医学的効用があると言われている〕

カテゴリー[2]〔ド Kategorie〕 範疇(ハンチュウ)。部門。範囲。

かててくわえて[1]-[0]【〈糅てて加えて】(副) すでに挙げた事柄だけでもかなりなものなのに、その上さらに(程度のはなはだしい)別の事柄が加わる様子。〔多く、よくない事が続いて起こる場合に用いられる〕「年金の支給額が減らされたと思ったら―税金まで払わされる始末だ」

カテドラル[2]〔フ cathédrale〕〔カトリック教会の司教区で〕司教の説教する座を特別に設けてある聖堂。大聖堂[3]。

がてら(造語) ある事をしに出かけた時などに、それをよい機会として、何かをすることを表わす。「散歩―〔=(の)ついでに〕/花見―帰ろう」 文法 二つの行為を並行して行なうことを表わす点では「ながら」と共通する。「がてら」と「ながら」の違いは以下のとおりである。(1)「がてら」は、「散歩がてら買い物をしてくる」のように、目的があってどこかへ行く際にその機会を逃さずに副次的にあることを行なうことを表わす。(2)「ながら」は、「辞書を引きながら原書を読む」「鏡を見ながらひげをそる」のように、「…ながら」が主たる行為を実現するための手段であると明確にとらえられる場合がある。一方、「たばこを吸いながら歩く」「歩きながらたばこを吸う」のように行為の主体にとっては主たる行為と従である行為の区別が意識されていたとしても表現形式の上からはその違いが判別しがたい場合がある。

か・てる[2]【勝てる】(自下一)〔「勝つ」の可能動詞形〕障害や困難に打ちかつことが出来る状態にある。「さすがの豪傑も病気には勝てなかった〔=その病気を完全に治すことは出来なかった〕/年には勝てない〔=年をとると、いくら元気でも若い時と違って無理はきかないものだ〕/財政難には勝てない〔=財政難を乗り越えることが出来ない〕」

かてん[0]【火点】 ❶自動火器を主体とする陣地。❷その時の火事で、火が出た場所。

かてん[0]【加点】―する(自他サ) ❶〔試合や試験で〕点数を追加すること。❷漢文で書かれた文献に訓読のための記号を書き入れること。

かでん[0]【〈瓜田】「ウリ畑」の意の漢語的表現。 ―**のくつ**[0]-[2]【―の《履】〔ウリ畑でくつをはき直そうとすると、ウリを盗んでいるように疑われる意から〕疑われやすい行いはするな、という教え。⇩李下(リカ)の冠(カンムリ)

かでん[0][1]【家伝】 その家に代々伝わって来たこと。「―の妙薬」

かでん[0]【家電】 テレビや掃除機・炊飯器など、家庭で使う電気器具。「―メーカー[4]・白物(シロモノ)―」

かでん[0]【荷電】―する(自他サ) 電気を帯び(させ)ること。「―粒子[4]〔=電気を帯びた粒子〕」

かでん[0]【架電】〔ビジネスの社会で〕電話をかけること。

かでん[0]【〈訛伝】―する(自サ) 誤り伝わること。まちがった風説。

がてん[0][2]【合点】―する(自サ)〔「合点(ガッテン)」の変化〕❶相手の発言に対して、了解の意を表明すること。「―する〔=うなずく〕」 ❷相手の言った事の意味がよく分かること。「早―(ガテン)・ひとり―(ガテン)」 【―が行く】 どうしてそう△いうことになったのか(決められるに至ったのか)についての疑念が晴れ、納得する気持になる。「なるほど、沖縄よりソウルの方が近いというのも、地図を見ると―/うちの学校の校則は厳しく、男子は坊主、女子はおかっぱ、ほかにも合点のいかない〔=理解に苦しむ〕規則がたくさんある」

がてん[0]【画展】 絵の展覧会。

がでんいんすい[1]-[0]、[0]-[0]【我田引水】―する(自サ)〔我が田に水を引く意〕強引に自分の都合のいいように計らうこと。

カデンツァ[2]〔イ cadenza〕 楽曲の終りのはなやかな技巧的な部分。〔多く、独△唱(奏)。ドイツ語ではカデンツ[0]〕

かと[1]【過渡】 変化が起こっている、その途中。「―的[0]」 ―**き**[2]【―期】 物事の移り変りの最中で、これでいいというものが定まらない混乱の時期。

**かど[1]【角】 ❶〔線や面で〕特にほかの所よりも目立って折れ曲がっている部分。「△本(机)の―/―が立つ〔=人間関係の上に妨げとなるような偏狭な点が目立つ〕/―が取れる〔=年をとったり苦労を積んだりして、昔と違って対人態度がおだやかになる〕」 ❷道がそこで他の道と交差している所。「―の△たばこ屋(空地)」

かど[1]【門】 ❶〔東北・関東・南九州・沖縄以外の地方で〕農家の建物の前の(農作業用の)広場。「―に豆を干す」 ❷(雅)もん(の奥にある家)。「―〔=△もん(家)の前〕で待つ/笑う―に福来(キタ)る/―ごとに祝う」

かど[1]【《廉】〔「角」と同源で、もと、目立つ箇所の意〕その事を取り上げる、表向きの理由。趣旨。「軍国主義批判の―で大学を追われた/スパイ行為の―で国外追放すると発表された/無頼行為の―で起訴された/国家への反逆罪の―で処刑された悲劇の政治家だ」

かど[1]【〈鰊】〔北海道・東北方言〕ニシン。

かど[1]【過度】―な ―に 望ましい程度を越すこと。「―の緊張/―の飲酒を慎む」

かといって[1]、[1]-[0]【かと言って】 前の事柄も一応認めざるをえないが、それに相反する次の事柄も無視するわけにはいかず、最終的な判断に迷う様子。「資金不足も事実だが、―、中止もできない」

かとう[0]【下等】―な ❶品質が劣る様子。↕上等 ❷同種のものの中で下の段階に属する様子。「―動物[4]・―植物[5]」 ↕高等 派 ―さ[0]

かとう[2][0]【果糖】 果実・蜂蜜(ハチミツ)などに含まれている糖類の一つ。

かとう[0]【過当】―な 適正である限度を△超える(越す)様子。「―競争[4]」

かどう[0]【可動】 動かすことができること。「―域[2]・―式[0]」 ―**きょう**[0]【―橋】 一定の時に限って船が通れ

【 】の中の教科書体は学習用の漢字，〈 は常用漢字外の漢字，《 は常用漢字の音訓以外の よみ。

るように、一部(全部)が開くようにした橋。

かどう[1]【華道】生け花の技術習得を通じて人間形成をはかること。表記「花道」とも書く。

かどう[0]【渦動】うずまき形の運動状態。

かどう[1]【歌道】和歌の実作を通じて人間形成をはかること。

かどう[0]【稼働・稼動】―する(自サ) ❶かせぐために働くこと。「―人口[4]」 ❷機械を働かして、仕事をすること。「―時間[4]・フル―[3]」

かとうせいじ[4]【寡頭政治】少数の権力者だけで行なう、独裁的な政治。

かどかどし・い[5]【角々しい】(形) 人と安易に妥協すまいとする性格で、相手をあからさまに責めるようなものの言い方が目立つ様子だ。

かどがまえ[3]【門構(え)】その家の財力・格式を象徴するものとしての、門の大きさ(作りぐあい)。もんがまえ。

かとく[0]【家督】❶〔民法の旧規定で〕代々の戸主に受け継がれて行く権利・義務。「―相続[4]」 ❷その家の跡を継ぐ人。また、その地位。〔狭義では、長男を指す〕

かどぐち[2]【門口】家の出入口(と、その付近)。「―に立つ」

かどだ・つ[3]【角立つ】(自五) かどが立つ。「話が―〔=順調な進展が妨げられる〕/角立った石」 他動 角立てる[4](下一)

かどち[2][0]【角地】道の曲がり角にある土地。

かどづけ[0]【門付(け)】―する(自サ) 〔正月などに〕人の家の門口で歌を歌うなどの芸をし、お金や食べ物をもらって歩くこと(芸人)。

かどで[0]【門出】―する(自サ) その人にとって節目となる第二の人生に向かって一歩を歩み始めること。「―を祝う/人生の―〔=今までの環境を巣立って独立すること〕/新婚生活の―に当たって」 表記「〈首途〉」とも書く。

かどなみ[0]【門並】街路に沿って並んでいる家。「―に提灯をつるす」

かどば・る[3]【角張る】(自五) 角がはっきりと見える状態になる。「話が―〔=妥協しない点が目立って、話が円滑に進まない状態になる〕」

かどばん[0]【角番】〔何回戦かの結果によって最終的な勝敗を決める勝負で〕その勝負に勝てなければ、負けが決定する試合。〔すもうなどで、その力士の地位が確保出来るかどうかの場合にも言う〕「人生の―に立つ〔=その成否が以後の運命を決する事態に至る〕」

かどび[2]【門火】❶お盆にたく、迎え火と送り火。❷〔嫁入りの時〕嫁が実家を出発する際に門前でたく火。❸〔葬式の時〕出棺に際し、門前でたく火。

かどべや[0]【角《部屋》】アパートやマンションなどで、各階の廊下の端(廊下の曲がり角)にある部屋。妻側住戸。「二階の東南―」

かどまつ[2][0]【門松】新年に、その年の無事を祝うために門口に飾る松。松飾り。〔本式の物は竹を添え、略式は一本の枝にしめを付けたもので済ます〕 かぞえ方 一対

カドミウム[3]〔cadmium〕亜鉛に似た、青白色のやわらかな金属元素〔記号Cd原子番号48〕。メッキ・合金・電極などに用いられる。鉱山の廃液などに含まれ、人体に害を及ぼす。「―汚染[6]」

かどみせ[0]【角店】道の曲がり角にある店。

かどやしき[3]【角屋敷】道の曲がり角に敷地のある大きな家。

カトラリー[2][1]〔cutlery〕ナイフ・フォーク・スプーンなど食卓用の刃物類の総称。

カドリール[3]〔quadrille〕四人ずつ組んで踊るフランスの舞踊(の曲)。〔アメリカのスクエアダンスの型にもある〕

かとりせんこう[4]【蚊取線香】蚊を殺すために、うずまきなどの形に作った線香。古くは主材料として除虫菊が用いられた。かやり線香。かぞえ方 一本・一巻

カトリック[3]〔オ katholiek〕カトリック教会。また、その信徒。カソリックとも。⇩プロテスタント 表記「加特力」は、音訳。 **―きょうかい**[6]【―教会】ローマ教皇の支配を受けるキリスト教会(と、ローマ教皇の支配を受けないギリシャ正教会)。旧教。天主教。

カトレア[0]〔cattleya=もと、人名〕南米原産のランの一種。ランの中で花が最も大きく美しい。種類が多い。カトレヤとも。〔ラン科〕 かぞえ方 一本

かどわか・す[4]【〈勾引〉かす・《拐かす》】(他五)〔甘言をもって連れ出す意の文語「勾ふ」の強調形〕抵抗する力の無い人を営利などの目的で(事情を知らない相手をだまして)どこかへ連れて行く。

かとん[0]【火〈遁〉】火を利用して姿を隠す忍術。⇩水遁

かとんぼ[2]【蚊〈〈蜻蛉〉〉】蚊に似て、大形の昆虫。足が長くて細い。かのうば。〔ガガンボ科〕〔俗に、やせて弱よわしく見える人のたとえにも用いられる〕 かぞえ方 一匹

かな【金】(造語) ❶かね〔=金属〕の。「―気・―棒」 ❷「―だらい・―物」 表記 ❷は「《鉄》」とも書く。

かな(終助) ❶【〈哉〉】〔雅〕主体の感動の気持を表わす。「すばらしき―我が青春/ああ壮なる―/果たせる―/むべなる―/悲しい―、私にはどうすることもできない」 文法 体言(名詞、またそれに準ずる句)および活用語の終止・連体形に接続する。ただし、形容動詞は語幹に接続する。 ❷〔終助詞「か」+「な」の複合から〕 ❶情報として提供されていることがらに対し、(何らかの根拠にもとづいて)疑いをいだく気持を表わす。「天気予報通り雨が降る―」 ❷〔多く「…ない―」の形で〕期待する事柄の実現を願うことを表わす。「何かいいことない―」 ❸軽いためらいの気持を込めながら自分の意向や願望を実現しようとすることを表わす。「疲れたから明日は休もう―」 文法 体言(名詞、またそれに準ずる句)、形容動詞型活用語の語幹、副詞、形容動詞型活用語を除く活用語の語幹に接続する。

***かな**[0]【仮名】〔「真名」の対、「仮名」の変化「かんな」の変化形という〕漢字から脱化して日本語の音節を表わすようになった表音文字。「―書き[0]・―交じり[3][0]・―文字[0]・片―・平―」 表記 ⇩付表

がな ⇩もがな・何がな

かなあみ[0]【金網】針金を編んで作った網。

かない[1]【家内】その家で生活する人たち(全員)。〔狭義では、主人の妻(の謙称)〕「―工業[4]〔=個人の家で、家族を初め少数の人を動員して行なう手工業〕・―安全[1]-[0]」

***かな・う**[2](自五) ❶【《適う》】〈なにニ―〉その言動や態度などが望まれる条件にうまく合う。「目的(趣旨)に―人材を集める/礼儀に適った処遇」 ❷【〈叶う〉】願望が実現する。「望み(宿願)が―/私に―〔=出来る〕事ならお引受けします」 ❸【《敵う》】〈だれ・なにニ―〉(まともに対抗することが困難だと予測される)相手に勝つことが出来る。「プロの棋士でも敵わないと言われるアマチュアの名人/こう暑くては敵わない〔=やりきれない〕」 文法 ❸は、おもに否定形や否定的な内容を表わす表現として用いられる。

かなえ[0]【〈鼎〉】〔「釜」の古称〕三本足の鉄のかま。「―の沸くような〔=収拾のつかない〕騒ぎ/―の軽重を問う〔=世間で言われるほどすばらしい能力(価値)があるのかど

うか、改めて試す)」⇩九鼎大呂(キュウテイタイリョ)

かな・える③(カナヘル)(他下一) ❶【《適える】「かなう❶」ようにする。「採用条件を十分に適えた男」 ❷【〈叶える】「かなう❷」ようにする。「願い(ごと)を—/やっと長年の希望が叶えられた」

かながしら③⓪【金頭】 近海にすむ、ホウボウに似た中形の赤い魚。頭は大きくて骨ばっている。食用。〔ホウボウ科〕 [かぞえ方] 一尾・一匹

かなかな⓪【〈蜩】 ヒグラシの異称。

かなかんじへんかん⑥(クヮン)【仮名漢字変換】 ワープロ・パソコンのように、キーボードの操作によって、平仮名またはローマ字で入力した語句や文を漢字かな交じりの形で出力すること。多くの場合、日本語入力ソフトという独立したソフトウェアがある。 [表記] ⇩付表「仮名」

かなきりごえ⑤(ゴエ)【金切(り)声】 頭のてっぺんから出るような甲高(カンダカ)い声。〔女性のあげる悲鳴の意にも用いられる〕「—でさけぶ/—をあげる」

カナキン②⓪〔ポ canequim〕 堅く縒(ヨ)った細い糸で織った、薄い綿布。カネキンとも。 [表記] 「金巾」は、音訳。

***かなぐ**⓪【金具】 木製の器具などに取りつける、金属製の付属品。

かなくぎ⓪【金〈釘】 金属で作った釘。⇩木釘・竹釘 **—りゅう**⓪(リウ)【—流】 筆法もおかしいが、ぎくしゃくしていて、義理にも上手とは言えない文字の書き方(を軽蔑(ケイベツ)して言う語)。 [運用] 自分の書いた字を悪筆だと謙遜(ケンソン)して言うこともある。

かなくさ・い④【金臭い】(形) 〔水などが〕鉄分を含んでいて、いやなにおいがする様子だ。

かなぐし⓪【金串】 魚などを焼く時に使う、金属製の串。

かなくず③⓪(クヅ)【金〈屑】 金属製品を作る時に出る屑。

かなくそ⓪【金〈屎】 ❶水の中に沈んだ、鉄のさび。 ❷鉱石を溶かした時に出来るかす。からみ(〈鍰)。

かなぐつわ③【金〈轡】 鉄で作ったくつわ。「—をはめる〔=口止めなどのために、わいろを贈る〕」

かなぐりす・てる⑥【かなぐり捨てる】(他下一) 〔「かなぐる」は、荒あらしく手で何かをする意〕ぴったり身についている物などを投げるように乱暴に脱ぎ捨てる。「恥も外聞も—〔=恥の意識や外聞が悪いなどの考え方を一切捨てて、当面自分の△やりたい(やらねばならぬ)事をやる〕」

かなけ⓪【金気】 ❶水の中に含まれている鉄分。 ❷鉄製の新しいなべ・かまを火にかけた時浮かび出る赤黒い物。 [表記] 「《鉄気」とも書く。

かな・し②【《愛し】(形シク) 〔雅〕しみじみと いとしい感じがする。

****かなし・い**⓪③【悲しい】(形) ❶〔不幸に会った時など〕取り返しのつかない事どもを思い続けて△泣きたくなる気持(絶望的な感じ)だ。↕うれしい ❷不幸な状況に置かれる第三者の気持に共感せずにはいられない様子だ。「—歌」 [派] **—さ**③⓪ **—げ**③④⓪ **—が・る**④ [表記] ❷は、「《哀しい」とも書く。

かなしき⓪【《鉄敷(き)】 金属を鍛えるのに使う、鉄製の台。かなとこ。 [表記] 「金敷き」とも書く。

かなしばり⓪③【金縛(り)】 ❶逃げられないように、くさり・針金などで強く縛りつけること。 ❷金の力で人の自由を束縛し、いやと言わせないこと。 ❸身動きが出来なくなる(ように感じる)こと。「—に遭う/不動—の法」

かなしぶ⓪【金渋】 鉄のさびの交じった水。 [表記] 「《鉄渋」とも書く。

***かなし・む**③【悲しむ】(他五)〈なにヲ—〉 悲しいと感じる。↕喜ぶ [名]悲しみ⓪「深い—に包まれる」 [表記] 「《哀しむ」とも書く。

かなた①【《彼《方】(代) 〔「な」は「の」と同義の文語の助詞〕話し手・聞き手のどちらからも(間に何かを隔てた)遠くの方。「—こなた/山のはるか—〔=山を越えた向こう側〕・雲煙万里の—」

かなだらい③(ダラヒ)【金〈盥】 金属製の洗面用の盥。

かなちがい③(チガヒ)【仮名違(い)】 (仮名)文字の書き方に間違いがあること。また、その文字。〔狭義では、かなづかいの誤りを指す〕 [表記] ⇩付表「仮名」

かなづかい③(ヅカヒ)【仮名遣(い)】 平仮名や片仮名を用いて言葉を書き表わす際の、(その時代時代の)書き方(の規範)。〔狭義では同音の語における いろはの仮名の使い分けを指し、広義では行頭・語頭や行末・語中・語末などの場所による使い分けなどを指す〕「棒引—⑦〔=『学校』を『ガッコー』、『ああ』を『あー』と、長音を符号『ー』で表わすかなづかい〕」 [表記] ⇩付表「仮名」

きょよう(オ)—⑥【許容—】 「用ひる」「或(アル)ひは」のように、歴史的かなづかいと一致はしないが、慣用久しいために一般に使用されていたかなづかい。〔「用ひる」「或ひは」の歴史的かなづかいは、「用ゐる」「或いは」〕

げんだい—⑦【現代—】 昭和二十一年十一月、内閣告示によって定められた、現代語音を仮名で書き表わす場合の準則。助詞の「は・へ・を」、二語連合の場合および「つづく」「つづる」・「ちぢみ」などが歴史的かなづかいによる以外、大部分は表音式。昭和六十一年七月改定。

れきしてき—⑧【歴史的—】 主として平安時代中期以前の文献に標準をおいたかなづかい。「古典かなづかい⑥」とも言う。旧かなづかい。

かなづち③【金〈槌・金〈鎚】 (頭が)金属製の槌。〔俗に、少しも泳げない意にも用いられる〕 **—あたま**⑤【—頭】 △堅い(融通のきかない)頭。石頭。

カナッペ②〔フ canapé=長いす〕 一口大に切ったパンを軽く焼いて、その上に、調理した肉・魚・卵・チーズ・イクラ・キャビアなどをのせた食べ物。オードブルに用いる。カナペ①とも。

かなつぼ⓪【金〈壺】 金属製の壺。銅壺(ドウコ)など。 **—まなこ**⑤【—眼】 落ちくぼんだ丸い目。〔不安・不信などをたたえたものと受け取られる〕

かなつんぼ③【金〈聾】 耳が全く聞こえない△こと(人)の差別的表現。

かなてこ⓪【《鉄〈梃・金〈梃】 保線作業員などが使う、大きな鉄製の梃。⇩かじや❷ [かぞえ方] 一本・一挺(チョウ)

かな・でる③【奏でる】(他下一) 楽器を弾いたり吹いたりして、旋律のある音を出す。「△琴(笛・バイオリン)を—/見事な調べを奏で(てい)る/舞を—〔=音楽に合わせて舞う〕」

かなとこ⓪【《鉄床・金床】 かなしき。 [表記] 「《鉄〈砧」とも書く。

かなばさみ③【金〈鋏】 ❶金属を切るための鋏。 ❷火に焼けたものや炭などをはさむ、金属製の用具。かなばし③。

かなひばし③【金火箸】 金属製の火箸。〔非常にやせたからだの意にも用いられる〕

かなぶつ⓪【金仏】 金属製の仏像。〔俗に、感情が無いと思われるほど冷たい人の意にも用いられる〕

かなぶん①【金〈蚉】 〔↑カナブンブン③〕楕円(ダエン)形で背中も丸い昆虫。主に青銅色でつやがあり、飛ぶ時にうなりを出す。〔コガネムシ科〕 [かぞえ方] 一匹

かなへび⓪【金蛇】 トカゲの一種。背中は茶色、腹は黄茶色で、やせて尾が長い。〔カナヘビ科〕 [かぞえ方] 一匹

かなぼう⓪(バウ)【《鉄棒】 ❶(いぼのある)鉄製の棒。人を倒す武器や破壊用の道具として用いられた。「鬼に—〔=⇩鬼〕」 ❷頭部に鉄の輪をつけた鉄製の棒。夜番などが持つ。 ❸てつぼう(鉄棒)。 [表記] 「金棒」とも書く。 **—ひき**

③【―引き】〔夜番が「かなぼう㊀」を突き鳴らして回る騒がしさの意〕自分では創造的な仕事をしないで、他人のうわさなどばかりを話題にして歩く人。 表記「金棒引き」とも書く。

カナマイシン③〔和製洋語←kanamycin〕日本で最初に発見された抗生物質の一種。肺炎・赤痢などにきく。

かなめ⓪【要】㊀扇の骨をとじ合わせるためにはめる小さなくぎ。㊁そのものを支える上で最も大事な役割を果たす部分や人。「肝心―の所/チームの―」㊂カナメモチの略。 **―いし**③【―石】㊀〔建築で〕アーチ状の建物を支える中心の役割を果たす石。キーストーン④。㊁一見地味だが、物事の中心となる人物。「彼がこのプロジェクトの―だ」 **―がき**③【―垣】カナメモチを植えた生け垣。 **―もち**③【―〈黐〉】生け垣などにする常緑小高木。葉は楕円(ダエン)形。若葉は赤みを帯び、初夏、白色の小花が群がり咲く。あかめもち③。〔バラ科〕 かぞえ方 一株・一本

***かなもの**⓪【金物】鍋・釜など持ち運びができる程度の△大きさ(重さ)の金属製器具の総称。「―屋⓪」

かなやま⓪【金山】「鉱山」の意の古風な表現。

****かならず**⓪【必ず】(副)ある状態について、何らかの(客観性の高い)根拠に基づいて、それ以外の事が起こる可能性が全く無いと確信に満ちた判断をすることを表わす。「彼と出掛けると―雨が降る/―やりとげます/うまい話には―裏がある」 文法 一般に肯定的な形式の述語と照応して用いられる。 **―しも**④(副)〔否定表現と呼応して〕ある状態について、それが絶対だと保証されてはいないことを表わす。「―成功するとは限らない」 **―や**④(副)そうなることが絶対確実で、例外はあり得ないと確信を抱いている様子。「―成功するに違いない」

***かなり**㊀①-①【可なり】〔「可」は、「よろしい・満足できる」の意〕(…)してもよろしい。「あしたに道を聞かば夕べに死すとも―(=その時までに本当にしたいことが出来たなら、たとえ死ぬことがあっても満足だ)」
㊁①(副)-に 経験などを通して予測される程度との差が、無視できないほどあるととらえられる様子。「今夜は―冷えるね/今まで―無理をしてきた/病状は―良くなってきた/当日は―の混雑が予想される/―な人材を輩出した名門校」 表記「可成・可〈也〉」は、借字。 文法 ㊁は、程度の大きさを表わす「とても」「たいへん」「非常に」などの副詞と比べて、比較の基準として予測した状態との隔たりの大きさを表わすことに主眼がある。

カナリア⓪【金糸〈雀〉】〔ス canaria〕カナリア諸島原産の小鳥。多くは黄色い。鳴き声が美しい。愛玩(アイガン)用。カナリヤとも。〔アトリ科〕「炭鉱の―」 かぞえ方 一羽

がな・る②(自他五)〔があがあどなる意〕わめくように大声を出して言う。〔口頭語的表現〕「部下にがなり立ててばかりいる上役」

かなわ⓪【金輪・《鉄輪》】㊀金属製の輪。㊁ごとく(五徳)。

かなん⓪-(クワ)【火難】火事に遭って苦しむこと。「―除(ヨ)け」

かに⓪【〈蟹〉】水中・水辺にすむ甲殻類。十本の足のうち、頭部の二本は発達しはさみとなり、えさの捕食に役立つ。ガザミ・シオマネキ・ズワイガニ・ケガニ・サワガニなど種類が多く、大部分は食用。「ヘイケ―(ガニ)・タカアシ―(ガニ)④」 かぞえ方 一匹・一杯。足だけは二肩(フタカタ)・三肩(ミカタ) 【―は甲羅(コウラ)に似せて穴を掘る】人は、その器(ウツワ)相応の言動しかしないものだ。思考の範囲が限定されている意。

がに〔雅〕(終助詞的に)〔もと「…してくれるように」という願望の意〕(和歌で)…するかのごとく。「待ちて居る―」

かにかくに①-①(副)〔雅〕あの事につけこの事につけ、いかなる場合にもそうである意を表わす。「―祇園(ギオン)は恋し」

かにく⓪①-(クヮ)【果肉】果実の皮と種の間にある、柔らかい部分。

かにたま⓪【〈蟹〉玉】中華料理の一つ。カニと野菜を入れた、大形の一種の卵焼。芙蓉蟹(フヨウハイ)②。

かにばば⓪【〈蟹〉屎】生まれた赤ん坊が初めてする大便。黒くて、ねばねばしている。かにくそ。胎便。

がにまた⓪【〈蟹〉股】足が、ひざの所で外側に曲がっている△こと(人)。⇩O脚(オーキャク)

かにゅう⓪-(ニフ)【加入】-する(自サ)㊀団体の一員となり、責任の一部を負担すること。「組合に―する」㊁金を出して、その恩恵を受けるような契約を結ぶこと。「保険に―する/―電話④」

カニューレ②〔ド Kanüle〕〔医学で〕からだの中の液体を抜いたり薬を入れたりするために、からだに差し込む管。

カヌー①〔canoe〕丸木舟。〔競漕(キョウソウ)用にも用いる〕 かぞえ方 一艘(イッソウ)

かね⓪「おはぐろ」の意の古称。 表記「〈黒歯〉」・「〈鉄〉〈漿〉」などと書く。

かね⓪【《印》】「やきいん・烙印(ラクイン)」の意の古風な表現。

****かね**⓪【金】㊀金属。〔狭義では、鉄を指す〕「―の茶わん/―のわらじで捜す(=しんぼう強く何かを捜し回る)」㊁金属を取り出す鉱石。「―山(ヤマ)⓪」㊂金銭。貨幣。「すぐ―の事を言う/―のかからない選挙/―を△出す(使う)/巨額の―をばらまく/―に物を言わせる/―が△動く(流れる)/―で動く/―に換える/―が懐に入る/―をためる(=財産を作る)/―を食う(=費用がかかる)/―になる(=かなりの収益が見込まれる)」【―が物を言う】世の中のことは何事によらず金銭で解決がつく(という偏った考え)。【―で面(ツラ)を張る】金力で相手を屈服させようとする。【―に飽かす】金に糸目を付けない(=⇩糸目㊁)。【―の切れ目が縁の切れ目】金銭上の利益だけで親密な間柄を保っているように見える相手は、それがとだえると途端に大抵は遠ざかるものだ。【―のなる木】金が結実するという、想像上の木。〔ほうっておいても次つぎに利潤を生み出す財源の意にも用いられる。なお、ベンケイソウ科の観葉植物の中に、俗にこの名で呼ばれるものがある〕【―は天下の回り物】金は常に流通するもので、今たくさん持つ者もやがては失い、今少しも持たぬ者もいつたくさん手にするようになるか分からない、という教え。【―を寝かす】㊀金銭を有効に使わないで、ただしまっておく。㊁投資してから実効が上がらないまま、むなしく時間がたつ。

かね⓪【〈矩〉】「曲尺(カネジャク)」の略。⇩くじら㊀

***かね**⓪㊀【鐘】〔寺などで〕宗教上の行為として、ついて鳴らすもの。主材料は銅。〔特に、「つりがね」を指す〕「入相(イリアイ)の―(=鐘の音)」㊁【〈鉦〉】小さなかなだらい状の楽器。撞木(シュモク)でたたく。たたきがね。「―や太鼓で(=やっきになって)捜す」 かぞえ方 ㊀㊁とも一口(コウ)

かねあい⓪-(アヒ)【兼(ね)合(い)】釣合をうまく保つこと。「予算との―で決める/千番に一番の―(=困難な事のたとえ)」

かねいれ③④【金入(れ)】㊀当座の金を入れて持ち歩くためのもの。財布・がま口など。㊁お金を入れてしまっておく△物(場所)。

かねうり⓪【金売(り)】昔、砂金などを売買した商人。「―吉次(キチジ)⑥」

かねかし⓪③【金貸(し)】金銭を貸して利息をとる△営業(人)。「―を△開業(廃業)する/強欲な―」

かねがね②(副)そのような△言動をする(意識をいだく)ことが今回初めてのものではなく、これまでにも機会あるごとになされていたものである意を表わす。「御高名は―伺っており

ました/―面白くないと思っていたらしい。ついに家を出て行った/―言っていたことであった」 表記「《予・《予《々・兼ね」などと書く。

かねくいむし③④【金食(い)虫】 部外者から見たら浪費としか見えない金の使い方をする人や、施設や事業などを運営していく上で、費用がかかる一方で一向に採算の取れる見込みのない部門。〔侮蔑を含意して用いられる〕

かねぐら⓪【金蔵・金倉】 貨幣や宝物をしまっておく蔵。〔俗に、金銭上の援助をしてくれる人を指す〕

かねぐり⓪【金繰り】 (生活)資金のやりくり。資金繰り。

かねけ⓪【金気】 鉄分(の味)。かなけ。〔俗に、お金の意にも用いられる〕

かねざし⓪【〈矩差(し)】 〔「差し」はものさしの意〕「曲尺」の意のやや古風な表現。表記「〈曲尺〉」とも書く。

かねじゃく⓪【《曲尺】 大工が使う、直角に曲がった金属製のものさし(による計り方)。一方の面には、鯨尺の八寸を一尺〔=約三〇・三センチ〕とする目盛りが、もう一方の面には、その$\sqrt{2}$倍と$1/\pi$倍の目盛りが付いている。かね(ざし)。きょくしゃく。曲がり金。⇩鯨尺 表記「〈矩尺」とも書く。

かねずく⓪【金《尽(く)】 お金だけにたよ(って決めようとす)ること。「―で解決する」

かねそな・える⑤【〈兼ね備える】(他下一) 二つ以上のすぐれた性質や要素を同時に持っている。「知恵と勇気を―」 自動 兼ね備わる⑤(五)

かねだか⓪【金高】「金額」の意のやや古風な表現。

かねたたき③【〈鉦叩(き)】 ❶鉦を叩く△こと(人)。〔狭義では、経文などを唱え鉦を叩いて歩く乞食を指す〕 ❷しゆもく(撞木)。 ❸鳴き声が美しい小形の昆虫。頭胸部は茶色、腹部は灰茶色。〔カネタタキ科〕 かぞえ方 ❸は一匹

かねつ⓪【火熱】 火が△それ自体持つ(他の物に加える時の)熱。

かねつ⓪【加熱】―する(他サ) ある有効な結果を得るために、熱を使って加工したり 処理したりすること。「―殺菌④・―処理④・―器③②・非―製剤」

かねつ⓪【過熱】―する(自他サ) ❶必要以上の温度に上昇させること。また、そのままほうっておくこと。〔転じて、度を過ぎた熱中が興奮状態を惹き起こし、パニック(寸前)に陥ることをも指す。例「―気味の取材合戦/株式相場が―/△投資(健康)ブームが―した」〕 ❷〔空気を十分に除去したりして〕沸騰点以上になっても、液体が元のままの状態にある(ようにする)こと。「―器③②・―蒸気④」

かねづかい③【金遣い】 〔個人としての〕お金の使い方。「―が荒い」

かねづまり⓪【金詰(まり)】 金繰りがうまくいかなくなること。「―を解消する/―で倒産する」

かねづる⓪【金〈蔓】 お金を手に入れる手づる。〔狭義では、金を貸してくれたり 出してくれたりする人を指す〕

かねて①【《予て】(副) そのことが、現在こうなる以前に△考えて(見聞きして)いたものである意を表わす。「―ご承知のことだと思いますが/―覚悟していた通りの事態となった/―聞く富士にまさる山無しと」 表記「兼ねて」とも書く。

【―から】 現在こうなる以前からずっとそうであったことを表わす。「―彼の不審な行動に注意していた」

かねない② 〔「かねる㊁」の未然形に助動詞「ない」の付いた二重否定形〕〔「動詞連用形＋―」の形で、接尾語的に〕(客観的な情勢から見て)そういう事態に立ち至ってもおかしくない様子だ。〔多く、好ましくない事態の出現を予測する場合に用いられる〕「よほどショックが大きかったようで、自殺し―/まかり間違えば大事故につながり―/今の調子では優勝し―〔=意外なことに優勝してしまいそうな勢いだ〕」 ⇩兼ねる㊁ 表記「兼ねない」などと書く。

かねのこ⓪【金〈鋸】〔↑かねのこぎり〕 金属を挽く鋸。

かねばこ⓪【金箱】 お金を入れておく箱。〔狭義では、ドル箱を指す〕

かねばなれ③⓪【金離(れ)】 出すべきものに惜しまずにお金を出すこと。「―がいい」

かねへん⓪【金偏】 ❶漢字の部首名の一つ。「鉄・銅・録」などの、左側の「金」の部分。〔多く、金属に関係する漢字がこれに属する〕 ❷鉱山・製鉄業など、金属に関係のある産業。「―景気⑤」 ⇩糸偏

かねまじい④ 〔「動詞連用形＋―」の形で、接尾語的に〕ほうっておけばそういう事態に立ち至ってもおかしくはないと思われる様子だ。「裏切り者とののしり―勢い」

かねまわり⓪③【金回(り)】 ❶〔世間で〕お金が動くこと。「―がいい」 ❷収入のぐあい。財政状態。

かねめ⓪【金目】 お金に換算して、高い値になること。「―のものを盗む」

かねもうけ③⓪【金〈儲け】 勤労所得に依存するだけではなく、お金をうまく運用したり 効率のよい仕事をしたりして利益をあげること。「―の上手な人」

かねもち③④【金持(ち)】 お金や財産を多く持っている人。「大―④③」

***か・ねる**【兼ねる】 ㊀②(他下一)〈(なにト)なにヲ―〉〔併せる意〕本来の役割の外に、他の役割をも果たす△べき態勢を取る(ことが出来る)。「大は小を―/首相が外相を―/趣味と実益を―」 ㊁〔「動詞連用形＋―」の形で、接尾語的に〕そうしたくてもそうすることが出来ない事情にある。「言い出し―/見るに見―〔=黙って見ていることが出来ない〕/お引き受けいたし兼ねます/君が来るのを待ちかねて〔=今か今かと待って〕いたよ」 ⇩かねない

かねん⓪【可燃】 火をつけると、(よく)燃えること。「―性⓪・―物②」 ↕不燃

かねんど②【過年度】 去年までの年度。「―卒②-①」

かの①【《彼の】(連体) だれでもよく知っているはずの、あの。

かのう⓪【化〈膿】―する(自サ) 膿を持つこと。「―菌⓪②」

***かのう**⓪【可能】―な ―に そうすることが出来ること。「―な限り協力する/実行―」 ↕不能・不可能 **―せい**⓪【―性】未知の事柄の実現について、(絶対に不可能だと判断するだけの根拠を欠き)△ある程度(十分に)可能だと予測される状態にあるととらえられること。「動物にも心的体験が存在し得るか どうかの―について種々の実験を試みる/予見の―があった〔=危険が起こることを予測出来たはずであった〕/子供の―を啓く教育/無限の―を秘めたまま夭逝した天才/―が△(も)ある/彼が犯人である―は否定出来ない/実用化の―が△大きい(高い・少ない・薄い)/―を△はらむ(秘める)/未来社会の―を占う/生存の―が残っている」 **―どうし**④【―動詞】「読む・跳ぶ」に対して「読める・跳べる」のように、五段動詞を下一段動詞にした、動作・作用が可能な状態にあることを表わす動詞。

かのう⓪【〈嘉納】―する(他サ) 〔天皇・将軍などが〕臣下の献上品などを快く受け取ること。

がのう⓪【画〈嚢】 〔「詩嚢」の類推に基づく語。絵の道具を入れる袋の意から〕(良い)絵を画くもとになる題材。「―を肥やす〔=絵を画く上での着想を豊かにする〕」

かのえ⓪【〈庚】 〔「金の兄」の意〕十干の第七。己の次、辛の前。

かのこ①⓪【鹿(の)子】 〔シカ(の子)の意〕「かのこまだら・か

のこしぼり・かのこもち」の略。 **―しぼり**④【―絞り】絞り染めの模様に白いまだらを染め出したもの。 **―まだら**④【―《斑》】シカの毛のように、茶褐色などの地に白いまだらのあるもの。 **―もち**③【―餅】餅・求肥(ギュウヒ)・ようかんなどをあんでくるみ、外側に甘く煮たアズキをつけた和菓子。

かのしし③⓪【《鹿》】〔雅〕〔「しし」は、その肉を人間が食用にする獣類の総称。「か」は、シカの古称〕❶シカの異称。❷シカの肉。

かのじょ①【彼女】㊀(代) 話し手・相手以外の(若い)女性を指す言葉。↕彼 ㊁恋人・婚約者などを指す婉曲(エンキョク)表現。〔広義では、交友関係のある女性を指す〕↕彼(氏) 運用 ㊁は、見知らぬ女性に対する卑俗な呼びかけの語として用いられることもある。

かのと②⓪【《辛》】〔「金(カ)ネの弟(ト)」の意〕十干(ジッカン)の第八。庚(カノエ)の次、壬(ミズノエ)の前。

カノン①【canon=聖典】〔音楽で〕追復曲。キャノンとも。

カノン①【オ kanon】砲身が長くて弾丸が遠くまで飛ぶ大砲。「―砲②⓪」 表記「加農」は、音訳。

かば① ㊀【《樺》】❶高山地方に多い落葉高木、シラカバ・ダケカンバ③などの総称。外皮は白みを帯びた灰色。材・皮は用途が広い。〔カバノキ科〕❷サクラの木の外皮。「―巻(マキ)⓪・―細工(ザイク)③」❸「樺色」の略。㊁【《蒲》】植物のガマの変化。 かぞえ方 ㊀❶は一株・一本

かば①【河馬】アフリカ特産の大形の哺乳動物で、泥水にすむ。口が大きく、胴が丸く、四足は太くて短い。〔カバ科〕 かぞえ方 一頭

*__カバー__①【cover】㊀❶保護のために何かの表面をおおう物。「布団の―/本に―をかける」❷⇩初日(ショニチ)カバー ㊁―する(他サ) ❶〈どこヲ―する〉〔野球で〕内野手や捕手がそれぞれの塁を離れている時、他の選手が代わってその塁を守備すること。❷〈なにヲ―する〉〔歌手やミュージシャンが〕別の歌手やミュージシャンの△持ち歌(曲)を△歌う(演奏する・レコーディングする)こと。❸〈なにヲ―する〉〔ボクシングで〕相手の打撃をグローブで防ぐこと。❹〈なにヲ―する〉損失を埋めたり不足の点を補ったりして、全体を一様に整えること。「赤字を―する/日本全国を―する防災システム」

カバーガール④【cover girl】雑誌の表紙を飾ったりテレビの番組の合間に顔を見せたりする女性。

カバーグラス④【cover glass】顕微鏡のスライドの上の標本をおおうガラスの薄片。

かはい⓪【加配】―する(他サ) △配給(配当)を普通よりふやすこと。「―米(マイ)⓪」

かばいだて⓪【《庇(い)立(て)》】―する(他サ) 弱い立場にある者を必要以上に庇うこと。

かばいろ⓪ ㊀【《樺色》】カバの外皮を一皮むいた肌の色。ベージュに近い。㊁【《蒲色》】ガマの穂のような色。褐色。

*__かばう__②【《庇う》】(他五) ❶〈だれヲ―〉Ⓐ自分と深い絆(キズナ)で結ばれている人の危難を、一身を犠牲にして助けようとする。「目の不自由な主人を庇って〔=主人の身代りとなって〕車にはねられ、左足を失った盲導犬」Ⓑ知り合いが不利な立場にあるのを極力弁護したり苦難な目にあおうとするのを未然に防ごうとしたりする。「責任を明らかにしようという気配が感じられないどころか、仲間を庇おうという空気があるばかり」❷〈なにヲ―〉特定の部位にある傷・痛みを、それ以上悪化させないような△動作(身のこなし)をする。「△肩(右ひざ・指の傷)を―」

がばがば ㊀①(副) ―と ―する ❶身につけたり何かにかぶせたりした物が大きすぎて、本体との間にすきまが多く、不都合が生じやすい様子。「カバーが―してほこりが入りやすい」❷お金などがどんどん入ってくる様子。「―もうかる」㊁⓪ ―な ―に 「がばがば㊀❶」に同じ。「―な靴/靴が―で脱げそうだ/やせたので服がみな―になった」

かばかり②①【《斯ばかり》】(副)〔雅〕❶当面する物事について、程度がこのようなところにまで達していると強調する意を表わす。「道を知らざらん人、―〔=これほどまで〕恐れなんや/―〔=これぐらい〕になりては、飛び降るとも降りなん」❷当面する物事について、程度がそれぐらいだと限定する意を表わす。「極楽寺・高良などを拝みて、―と心得て帰りにけり」

かはく⓪①【下《膊》】ひじと手首の間。↕上膊

かはく⓪【仮泊】―する(自サ) ❶船が一時停泊すること。❷〔旅行客や登山者などが〕十分な宿泊設備の無い所で、短時間寝て夜を明かすこと。

かはく⓪①【科白】〔科はしぐさ、白はせりふ〕(しぐさと)せりふ。

がはく①⓪【画伯】〔「伯」は長の意〕画家に対する敬称。〔名前の下に付けても言う〕

かばしら②⓪【蚊柱】たくさんの蚊が群がり集まって飛んでいる様子を柱に見立てたもの。「―が立つ」

カバディ①【ヒンディー kabaddi】一チーム七人で、攻撃と守備を交互に行なうインド発祥のスポーツ。攻撃側は「カバディ、カバディ」と連呼しながら息の続く間に守備側の選手にタッチし、自陣に戻れば得点になる。

がばと①(副) (静止していた姿勢から)急に△伏す(起きあがる)様子。「―とび起きた」

ガバナー①【governor】エンジン・モーターの速度や、ガス・蒸気・水の圧力を調整する装置。

ガバナンス①【governance】統治。管理。また、そのための機構や方法。「環境―」

かばね⓪【《姓》】上代、氏族の、家筋などによって分けた階級的な称号。臣(オミ)・連(ムラジ)など。

かばね⓪【《屍》】〔雅〕遺体。 表記「《尸》」とも書く。

ガバメント①【government】政府。統治。「―パーティー⑥〔=与党〕」

かばやき⓪【《蒲焼(き)》】〔今の焼き方になる前は、形が昔のかまぼこに似ていたので言う〕ウナギ・ハモなどをさき、たれをつけて串(クシ)焼きにした料理。 かぞえ方 一串(ヒトクシ)

かばらい②【過払(い)】代金・給料・借金の利息などを(支)払い過ぎること。

かばり⓪【蚊《鉤》】蚊の形に似せて作った釣り針。アユ釣りなどに使う。かがしら②。

かはん⓪【河畔】「川ばた」の意の漢語的表現。

かはん⓪【過半】全体の半分を超える△こと(状態)。おおかた。 **―すう**②④【―数】半分より多い数。マジョリティー。「―を△占める(制する・割る)/―に達する」

かはん①【過般】〔多く手紙文で〕この間。さきごろ。「―来(イライ)②」⇩今般(コンパン)・先般

*__かばん__⓪【《鞄》】〔「鞄」はもと、革をなめす意で、かばんの意は明治以降の日本的用法〕書類その他を入れて持ち歩くのに使う袋状の用具。革・ズックなどで作る。 **―もち**②【―持(ち)】❶主人・上役に付き従って荷物を持ったり身の回りの世話をしたりする役(の人)。❷しょっちゅうその人のそばで世話をし、機嫌を取り結ぶ人(をあざける言葉)。

かばん⓪【下番】交替制の勤務が終わること。↕上番

がばん⓪【画板】❶絵をかく時、画用紙をはりつけて台にする板。❷油絵をかきつける板。

かはんしん②【下半身】からだの、腰から下の部分。「しも半身」とも。↕上半身

かひ①【下《婢》】下級の使用人として、雑多な家事に従事した女性。

かひ①【可否】❶よしあし。「共学の―を考える」❷賛成と反対。賛否。「―同数」

かひ①クワ【花被】〔植物で〕萼(ガク)と花弁の区別の無い花で、両者を一括して呼ぶ称。

かひ①クワ【果皮】❶果実の外皮。❷果実の種子を包む部分。内果皮・中果皮(=リンゴやナシなどの食べる部分)・外果皮(=外皮)がある。

かひ①【歌碑】和歌を彫りこんだ碑。かぞえ方 一基

***かび**⓪【〈黴】動植物・衣類・食物などに寄生する小さな生物。胞子で増える。「パンに―が生える/―の生えた(=頭が古くなって、お世辞にも現代向きとはいえない)存在/青―・赤―⓪」

かび①クワ【華美】―な ―に ぜいたくではでな様子。「―な服装」派―さ②

がび①【〈蛾眉】〔三日月形の美しいまゆの意〕「まゆの美しい女性」の形容。

カビア①〔caviar〕⇩キャビア

かびくさ・い④⓪【〈黴臭い】(形) カビのにおいがする様子だ。〔古くさくて役に立たなくなった状態の意にも用いられる〕派―さ④③

カピタン①〔ポ capitão=キャプテンと同源〕〔江戸時代〕オランダ商館長。〔広義では、外国船の船長も指した〕表記「加比丹・加必丹・甲比丹」は、音訳。

かひつ⓪【加筆】―する(自他サ) 文章や絵に手を入れて直すこと。

がひつ⓪グワ【画筆】絵をかくのに使う筆。えふで。「―をふるう」

カビネ①⓪〔フ cabinet〕⇩キャビネ

カピバラ⓪〔capybara〕現存する最大の齧歯(ゲッシ)類。尾はなく、水辺の森林にすみ、足に水かきを持ち巧みに泳ぐ。南米に分布する。

がひょう⓪ヘウ【賀表】お祝いの気持を書いて、皇室にさし上げる書面。「―提出⓪-⓪」

がびょう⓪グワビヤウ【画〈鋲】紙などを板や壁などにとめる鋲。

か・びる⓪【〈黴びる】(自上一) ❶カビが生える。「白壁が黴びて黒ずむ」❷古くなってものの役に立たなくなる。「今となってはマルクスの唯物論も黴びた思想だ」

かひん⓪【佳品】すぐれた作品。〔広義では、料理をも含む〕

かびん⓪クワ【花瓶】花をさすための器。多く、瓶(カメ)形・壺(ツボ)形。「ワインの空き瓶を―代りに使う」かぞえ方 一本

かびん⓪クワ【過敏】―な ―に △ふだん(普通の人)よりも、非常に感じ方が強い様子。「―な反応を示す/神経―①-⓪・化学物質―症④-⓪」派―さ⓪

かふ①【下付】―する(他サ) 政府・役所などから書類をその人に渡すこと。

かふ①クワ【火夫】「火手(カシュ)」の旧称。

かふ①クワ【花譜】いろいろな花の絵を、種類ごとに一定の順序で載せた本。

かふ①【家父】〔手紙文などで〕「自分の父」の改まった言い方。

かふ①【家扶】〔もと、皇族・華族の家で〕会計や家の事務を見た専任者。家令の次。

かふ①【家譜】その家の系譜。家系図。

かふ①クワ【寡夫】「男やもめ」の意の漢語的表現。⇩寡夫

かふ①クワ【寡婦】「女やもめ」の意の漢語的表現。⇩寡婦

***かぶ**【株】━⓪ ❶Ⓐ根が付いていて、植えかえなどがきく、草木の一まとまり。〔狭義では、切り株を指す〕「―を分ける」Ⓑ培養の履歴が同じ系統に属する菌類などの集まり。「乳酸菌の新しい―/変異―③」❷一定の事業・仕事の中でその人が占める権利の持ち分。出資の割合などに応じて決まり、一定の枠で制限される。⇩お株 ❸身分・地位を得るための権利で、売買の対象となるもの。「すもうの年寄―/御家人(ゴケニン)の―」❹「株式・株券」の略。【―が上がる】何かの結果として、そのものへの社会的評価が高まる。【―を守る】昔どおりの習慣・様式に執着し、△進歩が見られない(臨機応変の処置が出来ない)状態にある。⇩守株(シュシュ) ━(造語) ❶その人の経歴・実力などによって決まる、その社会での位置。「姉さん―③・古(フル)―」❷「株━」をかぞえる語。

かぶ⓪【〈蕪】〔←かぶら〕畑に植える越年草。根は平たい球形で肉が多い。多くは白色。根や葉を食用・漬物用とし、品種が多い。〔アブラナ科〕「赤―」かぞえ方 一本:一束・一把(イチワ)

かぶ①【下部】↕上部 Ⓐ物の下の方の部分。「絵の―にサインする」Ⓑ権威・権限などの点で下だと認められるもの。「―組織③・―機関③」**―こうぞう**③オザウ【―構造】〔史的唯物論で〕宗教・思想・文化や政治機構・法律体系などを上部構造と言うのに対し、一定の歴史的社会の経済的構造の称。↕上部構造

かぶ①【歌舞】―する(自サ) 歌ったり舞ったりすること。「―音曲(オンギョク)①-⓪(=音楽や、踊りに関する集会や催し物)・―団②」

がふ①⓪グワ【画布】油絵をかくための布。カンバス。

がふ①グワ【画譜】同類の絵を集めた本。「花鳥―④」

かふう⓪【下風】人の下位。かざしも。「―に立つ」

かふう①⓪【家風】〔日常生活での〕その家独特の気風・習慣・おきて。「―に合わない」

かふう⓪【荷風】〔荷はハスの意〕蓮(ハス)の葉をそよがして吹きわたる、快い風。

かふう⓪【歌風】歌の作り方の特色。

がふう⓪グワ【画風】絵のかき方の特色。

カフェ①〔フ café=コーヒー〕❶コーヒー等のお茶を飲ませる飲食店。喫茶店。「インターネット―⑧・オープン―」❷〔日本で〕昭和初期、女給を置き、洋酒類を飲ませた飲食店。カフェー①とも。かぞえ方 ❶❷とも一軒

カフェイン②〔ド Kaffein〕紅茶・緑茶・コーヒーなどに含まれる成分。興奮剤・利尿剤として用いられる。

カフェ オレ⓪③〔フ café au lait〕コーヒーにほぼ同量の温めた牛乳を入れた飲み物。

カフェ テラス③〔和製洋語 ←フ café+フ terrasse〕喫茶店などで、店先の庭や歩道に椅子(イス)・テーブルを出してある所。

カフェテリア③〔cafeteria〕セルフサービス方式の手軽に利用出来る飲食店。

カフェ ラッテ③〔イ caffellatte〕温めたミルクを入れたエスプレッソ コーヒー。カフェ ラテ⓪③とも。⇩カフェ オレ

かぶか②⓪【株価】株式の相場の値段。「―が急伸する/平均―⑥」

がぶがぶ━①(副)―と ―する 酒・水などを勢いよく続けざまに飲む様子。━⓪―な ―に 水などを飲み過ぎて、腹の中で揺れ動く感じがする様子。「コーヒーの飲み続けでおなかが―になる」

かぶき⓪【歌舞伎】〔華美・軽薄な風俗やふるまいをする意の文語動詞「かぶく」の連用形の名詞用法〕江戸時代に発達・完成した、日本特有の演劇。〔町人社会にもてはやされた〕表記「歌舞〈妓」とも書いた。**―じゅうはちばん**⑦、⓪-④ジフ―【―十八番】市川家に伝わる、当り狂言十八種。

かぶきもん③【《冠木門】二本の門柱の上(部)に横木を

渡した門。

かふきゅう[2][3]【過不及】 多過ぎることと足りないこと。「—なく(=適度に)」

かぶきん[0]【株金】 株式の出資金。

かふく[1]【禍福】 災難と幸福。「—は糾(あざな)える縄の如(ごと)し(=人生は、わざわいとしあわせとを縄のようにより合わせて出来ているものだというたとえ)」

がふく[0]【画幅】 絵を軸物に仕立てたもの。

かふくぶ[3]【下腹部】 ❶したはらのあたり。❷「陰部」の婉曲(えんきょく)表現。

かぶけん[0][2]【株券】 出資者に発行する株式の金額を記載した券。［かぞえ方］一枚

カプサイシン[3]〔capsaicin〕 トウガラシに含まれる辛味成分。食欲増進・肥満予防・血行促進などの効果があると言われる。

かぶさ・る[3]【《被さる】(自五) ❶全体を△おおう(おおって包む)。❷本来受けるいわれの無い責任・負担などが、自分にかかって来る。「負担が—」

かぶしき[2]【株式】〔もと、△官許の(規約上認められた)有限の営業権の意〕 ❶株式会社の資本を平等に分けた一つひとつ。❷株券。「—指数[6](=株式相場の変動状況を、定めた方法にしたがって、数値によって表わしたもの)」

—がいしゃ[5]【—会社】 ⇩会社

カフス[1]〔cuffs〕 ❶ワイシャツ・婦人服のそで先(の折り返し)。❷カフスボタンの略。

カフス ボタン[4]〔和製洋語 ←英 cuffs + ポ botão〕 カフスに付けるボタン。装飾を兼ねる。略してカフス。

かぶせぶた[3]【《被(せ)蓋】 容器のふちに合わせて、おおうように作った蓋。

かぶ・せる[3]【《被せる】(他下一) ❶Ⓐその物の表面や上をおおうように、薄い物をすっぽり懸ける。「△風呂敷(ふろしき)(ベール・帽子・かさ・土)を—/一定の規制の枠を—」Ⓑ何かの上に、おおいとなる物を加える。「歯に金(きん)を—/青のフィルターを—/皮肉をかぶせた(=たっぷり利かせた)ほめ言葉」Ⓒ本体の上に、限定詞を添える。冠する。「原作者の名をかぶせたドラマは多いが、脚本家の名をつけるのは珍しい」❷Ⓐ漏れるところが無いように、全体に隈(くま)無く懸ける。「△砂(水・あがり湯)を—」Ⓑ受けるいわれの無い人に、責任や負担などが行くように仕向ける。「罪を部下に—」

カプセル[1]〔ド Kapsel〕 ❶〔オブラートの改良品で〕ゼラチンで作った小さな円筒。その中に薬を入れたまま飲むと、胃腸で溶ける。「タイム—・—ホテル[5]」❷内部を外気から遮断出来るようにした容器。［かぞえ方］❶は一錠(いちじょう)

かふそく[2][3]【過不足】 多過ぎたり足りなかったりすること。「—無し」

かぶだち[0]【株立(ち)】 一つの株から分かれて伸びた草木。

カプチーノ[3]〔イ cappuccino〕 イタリア風のコーヒーの一つ。コーヒーにクリームを加え、シナモンなどの香料を添えたもの。また、エスプレッソに泡立てた牛乳を加えたもの。

かふちょうせい[0]【家父長制】「父系❷」の家族制度で、家長がその家族全員に対して支配権を持つもの。

かぶと[1]【〈兜】 昔、合戦の時 頭を保護するためにかぶったもの。多く、鉄製。「—を脱ぐ(=降参する)」［表記］「〈冑・《甲」とも書く。「甲」は本来よろいの意。［かぞえ方］一刎(ひとはね)

—がに[3]【—〈蟹】 青黒く硬い甲羅をかぶり、細長い尾をもつ海中生物。生きた化石と言われる。［かぞえ方］一匹

—くび[3]【—首】 兜をつけた、身分のある武士の首。〔多く、討ち取った場合について言う〕

—のお[1]-[1]【—の緒】 兜をあごに締めつけるひも。「勝って—を締めよ(=戦い・試合などに勝っても、いい気になって油断するな)」

—むし[3]【—虫・《甲虫】 大形の黒い昆虫。雄は頭に角を持つ。サイカチムシ[4]。〔コガネムシ科〕［かぞえ方］一匹

かぶぬし[2]【株主】 その株式会社の出資者。株式の所有者。「—総会[5]」

がぶのみ[0]【がぶ飲(み)】—する(他サ) がぶがぶ飲むこと。

かぶま[0]【株間】 植えつけた作物の株と株との間。

かぶら[0]【〈蕪】〔関西・中国方言〕〔←カブラナ[0]〕 カブの古称。

かぶら[0]【〈鏑】〔カブの根に似ているところから〕 矢が飛ぶ時ブウーンと鳴るように作ったカブの形のもの。中空で、穴が数個あいている。

—や[3]【—矢】 敵を威嚇したり注意を喚起するために射込む矢。二またになっている鏃(やじり)と竹との間に鏑をつける。鳴鏑(なりかぶら)。嚆矢(こうし)。［かぞえ方］一本・一筋(ひとすじ)

かぶり【《被り】 ■一[3][0] かぶること。かぶっている物。また、あるかぶり方をした状態。「—を取る/こも—・姉(ねえ)さん—・ほっ—[3]・盗人(ぬすっと)—[5]・猫—」 ■二(造語) 動詞「被る」の連用形。

—もの[0][5][4]【—物】 頭にかぶる物。帽子・笠(かさ)・手ぬぐいや面など。［表記］「《冠り物」とも書く。

かぶり[0][3]【《頭】 あたま。「かたくなに—を振る(=不承知の気持を示す)」

がぶり[2](副)—と 大きく口を開いて、一気に△食いつく(飲みこむ)様子。

カプリチオ[3]〔イ capriccio=気まぐれ〕〔音楽で〕奇想曲。カプリッチオ[3]。

かぶりつき[0]【〈齧り付き・〈噛り付き】〔劇場で〕舞台ぎわの土間。また、最前列の客席。雨(あま)落ち。

かぶりつ・く[4]【〈齧り付く・〈噛り付く】(自五) 一口で食べようとするかのように、勢いよく食いつく。かじりつく。

かぶ・る[2](自五)〔雅：中部から中国・四国までの方言〕 ❶かじる。❷腹が激しく痛む。

***かぶ・る**[2]【《被る】〔「かがふる」の変化形「かうぶる」の変化した語。「こうむる」と同源〕 ■一(他五) ❶〈なに・どこニなにヲ—〉〔笠(かさ)・帽子・面(めん)などで〕顔・頭をおおう。「仮面をかぶって踊る/工事現場ではヘルメットを—こと/頂に雪をかぶった(=冠雪した)国立公園の国際スキー場/マスクを—(=野球でキャッチャーをつとめる)」❷〈なに・どこニなにヲ—〉 粉末状・液状のものを、上部や表面がすっぽりおおわれるように受ける。「自宅に積まれたままほこりをかぶっている本/水をかぶりながらの力走/対岸の火事だと傍観していたら、火の粉を—(=⇩火の粉)はめになった/海が荒れると、波を—(=もろに受ける)ので注意が必要/ボートが波をかぶって転覆」❸〈なにヲ—〉 本来受けるいわれの無い責任・負担などを身に受ける。「自分が罪を—ことで彼女を立ち直らせようとしたのだ/損失を自分で—(=負担する)決意だ/君一人が泥を—(=⇩泥■二❶)ことはない」 ■二(自五) ❶〔露出が過ぎて〕乾板・フィルムが曇る。❷〔波のために〕船が揺れる。❸材料が水の中に完全にかくれる。「—くらいの水を入れる」❹〔俗に〕かさなる。ダブる。「声が—/会議の時間が—」〔⇩被り■二〕

がぶ・る[2](自五) ❶〔波のために〕舟が大きく揺れる。❷〔すもうなどで〕四つに組んで相手をしゃにむに△揺する(あおる)ようにして寄って行こうとする。

かぶれ[0] ❶かぶれて起こった皮膚病。❷かぶれること。また、その人。「西洋—[5]」

かぶ・れる[0](自下一)〔「気触れる」の意〕 ❶漆・薬品などの成分から強い刺激を受けて、皮膚がただれたりしてかゆくなる。まける。❷〔何かの影響を強く受けて〕第三者から見て望ましくない状態になる。「無頼派の文学に—」［表記］古くは「蚊触れる」とも書いた。

かぶろ⓪【〈禿〉】㊀〔雅〕頭に毛が、山に木が生えていない状態。㊁〔雅〕おかっぱ。㊂〔江戸時代、遊郭で〕太夫タユウなどの傍近くで下働きをつとめたおかっぱ髪の少女。「かむろ」とも。

かぶわけ⓪【株分(け)】―する(他サ) 一つの根を幾つかに分けて移植すること。

かふん⓪【花粉】雄しべの葯ヤクの中に出来る、黄色の粉末。雌しべに付いて、実を結ばせる。 **―しょう**⓪【―症】空中に飛散したスギ・ヒノキ・ブタクサなどの花粉が粘膜を刺激して起こるアレルギー性炎症。目のかゆみ・鼻水・くしゃみや、のどの痛みなどを伴う。

かぶん⓪【過分】―な 自分の立場や能力から期待される以上の様子。「―の好意を受ける」 派―さ⓪

運用 へりくだった態度でお礼を述べる言葉としても用いられる。例、「過分のお誉ホめにあずかり汗顔のいたりです」

かぶん⓪【寡聞】知識・見聞が少ないこと。⇩管見

運用「寡聞にして知らない」などの形で、謙遜ケンソンした表現として用いられる。また、容認しがたい言説に対する皮肉として用いることもある。例、「神代文字の存在が実証されたとは、寡聞にして存じませんでした」

がぶん⓪【雅文】〔後代から見て典雅とされる文章の意〕主として平安時代の仮名文。〔広義では、擬古文を指す〕

かぶんすう②【仮分数】自然数の分母と分子とから成る分数のうちで、分子が分母△より大きい(に等しい)ものの称。例、3/2、2/2。↔真分数

***かべ**⓪【壁】㊀外部との接触を絶つように家のまわりを囲い、また独立を確保するために部屋を仕切ったもの。昔は多く、土を練って作った。「塗ヌリ―⓪・板―⓪②」㊁それを突き破らないと先へ進むことが出来ない障害。「法律の―は厚い/大きな―が立ちはだかる/―にぶつかる/―を乗り越える/ついに二時間六分の―を破った」

***かへい**①【貨幣】㊀支払いの手段・価格の標準として、政府・中央銀行が一定の形や模様に作って発行した、金属片(=硬貨)または紙片(=紙幣)。お金。㊁硬貨。 かぞえ方 一枚 **―かち**④【―価値】そのお金でどれだけたくさんの品物が買えるかという値打ち。

かへい①⓪【寡兵】敵に比べて問題にならないくらい少ない兵力。

がべい⓪【画餅】〔「絵にかいたもち」の意〕実現の可能性の無い絵空事。「がへい」とも。「―に帰する(=計画倒れになる)」

カペイカ②〔ロ kopeika〕ロシアの貨幣の単位。一ルーブルの百分の一。コペイカ・コペックとも。

かべかけ③⓪【壁掛(け)】室内の壁に掛けて装飾とするもの。ししゅうや絵皿や剝製ハクセイなど。

かべがみ⓪【壁紙】室内装飾の一部として壁にはりつける、色・模様のある洋紙。〔各種の△繊維(プラスチック)製品をも指す〕 かぞえ方 一枚

かべごし⓪【壁越(し)】壁を隔てて何かが行なわれること。

かべしたじ③④【壁下地】壁土を塗りつけるための骨となるもの。細い材木や竹を縦横に結び、間にスキやアシを入れる。かべしろ。〔今は既製品を使う〕

かべしんぶん③【壁新聞】学校・職場など、人の多く集まる場所の壁にはって、ニュース・通知や主張を人びとに知らせる、新聞風の書き物。

かべそしょう③【壁訴訟】△相手無しに(聞こえよがしに)ぶつぶつ不平を言うこと。

かべつち⓪【壁土】あら壁を塗るのに使う、粘着力のある土。

かべどなり③【壁隣】壁一つ隔てた隣の家。〔棟割ムネワリ長屋について言う〕

かべひとえ④【壁一重】隔ての壁が一枚。「隣とは―だ」

かへん①【カ変】〔←カ行変格活用〕〔日本語文法で〕動詞の活用形式の一つ。文語「来く」、口語「来る」の各一語に見られる特殊な活用。⇩付録「口語動詞活用表」

かへん⓪【可変】△変える(変わる)ことの出来ること。「―抵抗器⑥」↔不変 **―しほん**④【―資本】「貨幣資本④」のうち、賃金として労働者に支払われるもの。↔不変資本

かへん⓪①【花片】「花びら」の意の漢語的表現。

かへん⓪【佳編・佳〈篇〉】すぐれた作品。

かべん⓪【花弁】花冠を形作っている一枚いちまい。花びら。 表記「弁」の旧字体は「〈瓣〉」。 かぞえ方 一片ヒトヒラ・一枚

かほう⓪【下方】何かの下の△方(位置・部分)。↔上方ジョウホウ

かほう①⓪【火砲】口径一三ミリ以上の火器。大砲・高射砲など。

かほう⓪①【加法】〔数学で〕「足し算」の意の理論的用語。「―の交換法則/分数式の―/―定理④」↔減法

かほう⓪【加俸】本俸とは別の基準で定め、その人に支給される給与。加給⓪。「年功―⑤」

かほう①【果報】―な ㊀〔以前やったことに対する報い、の意〕その人に巡って来る、いい運。「―な(=運のいい)男/―は寝て待て/―者モノ⓪」⇩因果 派―さ⓪②

かほう⓪①【苛法】人民の生活を苦しめるような、厳しい法令・法律。

かほう①【家宝】失ってはならない、その家の宝。

かほう①⓪【家法】㊀その家の人全体が守るように定められた、行動の規範。㊁その家に代々伝わって来た、商品の作り方。

かほう⓪【過褒】度をすぎてほめること。

がほう⓪【画法】(その人独特の)絵のかき方。

がほう⓪①【画報】絵や写真を主とした(判型の大きい)雑誌。

がぼう⓪【画〈舫〉】〔「舫」は、もと二隻並んだ舟の意〕美しく飾った遊覧船。

かほうわ②【過飽和】〔非常にゆるやかにふえて〕飽和量以上に△物質が溶けている(蒸気がある)こと。「―(状態の)溶液」

かぼく① ㊀【花木】咲く花を観賞する木。㊁【果木】果実を食用とする木。

かぼく⓪①【家僕】下級の使用人として、その家の雑多な仕事に従事した男性。しもべ。

かほご②【過保護】―な 子供を必要以上に大事にして育てること。「―に育つ/愛情と―は同じではない」

かぼす⓪① ミカン科の常緑小高木。ユズの近縁種。実は独特の香気と酸味があり、香味料にする。大分オオイタ県の名産。

かぼそ・い③⓪【か細い】(形)〔「か」は接辞〕いかにも細くて、頼り無い感じだ。派―さ③ ―げ⓪③

カボチャ⓪【〈南瓜〉】〔東南アジアの地名 Cambodia(カンボジア)から〕畑に栽培する一年生つる草。夏、黄色の花を開く。実は大形で、煮ると甘い。種類が多く、実の形・色はさまざまである。とうなす。〔関西では、「なんきん」。西日本では「ぼうぶら⓪」が多い〕(ウリ科)「―に目鼻(=丸顔で太っているため、愛嬌アイキョウはあるが美しいとは言えない顔の形容)」 かぞえ方 一本:実は一玉ヒトタマ

カポック①②〔マレー kapok〕⇩パンヤ

ガボット①〔フ gavotte〕古くからフランスに伝わる、△二拍子(四拍子)のかわいらしい感じのダンス曲。

か

かほど[0]【〈斯程〉】(副)「これほど・こんなに」の意の古風な表現。

かほんか[0]【〈禾本科(クワ–)〉】〔「禾」は、イネ・アワなどの穀物の意〕「イネ科」の旧称。

かま[1] 魚の、えらの下の、胸びれのついている部分。

*__かま__[0] [一]【釜】飯を炊いたり湯を沸かしたりする器具。炊飯用のものは、かまどに載せられるようにつばが付いていた。「―飯(メシ)・土―(ドガマ)・歯―(ハガマ)・茶―(ガマ)」 [二]【窯】炭・陶磁器・瓦(カワラ)などをその中に入れて焼く加熱装置。「炭焼―(ガマ)④」 [三]【〈竈〉】上に釜・なべを掛けて煮炊きをする設備。かまど。〔[二][三]は、土・れんがなどで塗り固めて作る〕 [四]【〈罐〉】汽車・汽船・風呂(フロ)などの湯を沸かす装置。ボイラー。「外―(ガマ)・内―(ガマ)」 表記 [四]は「《缶》」とも書く。 かぞえ方 [一]は一口(クイッコウ)

かま[1]【鎌】草を刈る農具。柄の先端に、半月形の刃を付けたもの。「―で刈る農作業」 かぞえ方 一本・一挺(チョウ)・一丁 【―を掛ける】上手に問い掛けて、本当の事を相手に言わせようとする。

がま[1]【〈蒲〉】水中・水辺に生じる多年草。夏、茎の先にろうそく状・薄い茶色の花穂(カスイ)が付く。葉は長く厚く、干してむしろなどを作る。〔ガマ科〕 かぞえ方 一本

がま[1]【〈蝦蟇〉】ヒキガエルの異称。

かまいたち[3]【鎌〈鼬〉】鎌で切ったように皮膚がすぱっと裂かれる現象。〔つむじ風のため出来た真空によって起こるという。昔はイタチのしわざと考えられた〕

かまいつける[5]【構(カマ)(い)付ける】(他下一) あれこれとうるさいほどに世話をする。

かまいて[0][4]【構(カマ)(い)手】△相手になって(世話をして)くれる人。「―の無い子」

*__かま・う__[2]【構(カマ)う】(自他五)〈だれ・なにヲ―/だれ・なにニ―〉 ❶子供や病人など、その人自身の力では出来ないと思われることをかわりにする。「近所にいる両親が、いざという時は子供を構ってくれる」 ❷無視されていると思わせないように、適宜相手になる。「もっと子供のことを構ってやりたいのだが忙しくて/私のことは構わないで(=放っておいて)ほしい/お構いもなく」 ❸△興味をいだいて(喜ばせようと)何らかの働きかけをする。「ペットの犬を構っていて手をかまれてしまった」 ❹〔「構わない」「構わず」の形で、また、否定的な内容の表現を伴った形式で〕相手に対して配慮したり 置かれた状況を気にかけたり せずに何かをする様子を表わす。「ちっとも△身なり(体裁)を構わない/私に構わず食事を始めていてくれ/そんなつまらないことに構っているひまは無い/所構わずつばを吐く」 ❺〔「…て(も)構わない」の形で〕そうすることを容認する意を表わす。「行きたければ行っても構わない/金はいくらかかっても構わないから良い物を作ってくれ」 ⇩お構い 文法 ❺について、(1)相手の行動に関して用いる場合と自分の行動に関して用いる場合がある。相手の行動に関しては、許可・許容ないしは容認する意志があることを表わす。自分の行動に関しては、自分がそうすることを容認ないしは承認する意志があることを表わす。(2)相手の行動に関しては「て(も)いい」のほうが「て(も)かまわない」と比べてその行動を積極的に認めようという意志が強く表われる。「その仕事が終わったら帰ってもいい」のほうが、「その仕事がすんだら帰ってもかまわない」と比べて、帰ることを容認する度合が強く表われる。(3)自分の行動に関しても(2)と同様で、「私が交渉に行ってもいい」のほうが、「私が交渉に行ってもかまわない」よりも積極的に交渉を買って出ようとする意志が強く表わされる。(4)「ていい」と「てもいい」、「てかまわない」と「てもかまわない」とでは、「ていい」「てかまわない」のほうに積極的な意志がこめられているととらえられる。

*__かまえ__【構(カマ)(え)】[一][2][3] ❶素材の配置・利用の仕方から見た、全体的な構造(から受ける印象)。「旧家らしい―〔=家の作り方〕/門―(ガマエ)・店―(ガマエ)」 ❷Ⓐ武道の型としての相手の攻撃に対する備え。「正眼の―」 Ⓑ他からの△働きかけ(攻撃)に対する、身心の備え。「野党の修正案に柔軟な―を見せる/一分(ブ)の隙(スキ)もない―で外交交渉に臨む/身―(ガマエ)・心―(ガマエ)・二段―(ガマエ)」 ❸部首の分類の一つ。中の部分を包みおおう関係にあるもの。例、囗〔=国構(ガマ)え〕・門〔=門構(ガマ)え〕・勹〔=包み構(ガマ)え〕など。 [二](造語) 住宅などの一区画をかぞえる語。

かまえて[2]【構(カマ)えて】(副) 〔雅〕〔禁止表現と呼応して〕そういう事があってはならない、常に心がけよ と強く戒める様子。「―〔=決して〕忘るな」

**__かま・える__[3][2]【構(カマ)える】(他下一) ❶〈(どこ)ニ)なにヲ―〉 形を整えて、何らかの機能を持たせるようにする。「障壁を―〔=築く〕/居(キョ)を―〔=住居を、そこに持つ〕/一家を―〔=結婚して、独立する〕/ビジネス街の一角に事務所を―/事を―〔=起こす〕/△スト(闘争)を―〔=…の態勢をとる〕」 ❷〈(どこ)ニ)なにヲ―〉 他からの△働きかけ(攻撃)に対処し得るように(十分な)用意をする。「銃を―/上段に―〔=刀を眉間(ミケン)の上に振り上げて、攻撃姿勢をとる〕/構えた〔=ひそかに相手の出方を予想してそれに対処し得る用意をした〕言い方/のんきに―〔=差し迫った状態なのに、のんきな態度をとる〕/斜(シャ)に―〔=⇩斜〕/待ち―」 ❸〈なにヲ―〉〔実際は無い事を〕あるかのように見せかける。「言を―〔=何か口実を作る〕/口実を―〔=でっち上げる〕/罪を構えて〔=無実の罪を着せて〕人を陥れる」

かまがえり[3]【釜返(ガエ)(り)】炊き上がった飯をそのまま釜に入れておいたため、ふっくらしたところが無くなってしまうこと。

かまきり[1]【〈蟷螂〉】〔鎌(カマ)で切る意〕頭が三角で胴は長く、腹が弓状にふくれている昆虫。鎌状の前足で小さい虫を取って食べる。蟷螂(トウロウ)。〔カマキリ科〕 表記 「〈蟷〉」は「〈蟷〉」、「〈螂〉」は「〈蜋〉」とも書く。 かぞえ方 一匹

がまぐち[0]【〈蝦蟇〉口】〔開いた形が、ガマの口に似るところから〕口金のついた金入れ。

かまくび[2][0]【鎌首】(ヘビなどの)鎌のように曲がった形に見える首。「―をもたげる」

かまくら[0]〔窯倉(カマクラ)の意〕秋田県横手地方などで小正月に、大雪の降った街路上に雪で窯に似たものを作り、その中で子供たちが物を持ち寄って食べたり 何かをして遊んだりする行事。また、そのもの。

かまくら【鎌倉】「鎌倉えび・鎌倉時代」の略。 **―えび**[4]【―〈蝦〉・―〈海老〉】イセエビの異称。 **―じだい**[5]【―時代】源頼朝(ミナモトノヨリトモ)が鎌倉に幕府を開いた前後から、執権北条(ホウジョウ)高時が滅びる一三三三年までの約百五十年間の時代。

かま・ける[3](自下一) その事だけに心が奪われていて、ほかの事を顧みる余裕の無い状態になる。

かまし[2]【釜師】茶釜を作る職業の人。

がまし・い(接尾・形型) そのような状態が ありありと感じられる様子だ。「押しつけ―・晴れ―」 派 **―さ**[3][2] **―げ**[3][0]

かましき[0][4]【釜敷(き)】釜・鉄瓶・やかんなどの下に敷くもの。

かま・す[2]【〈噛〉(ま)す】(他五) ❶てこなどをさしこんだり さるぐつわをはめたり する。 ❷〔すもうなどで〕相手を強く突き上げる。「突っ張りを―」 ❸相手の勢いをそいだり おどしたりする大きな力や言葉をかける。〔やや俗語的表現〕「一発―/拳骨(ゲンコツ)を―〔=与える〕/ぶち―」 かませる[3](下一)。

かます[0]【〈叺〉】〔「蒲簀(カマス)」の意という〕むしろを二つ折りに

して袋状にしたもの。塩・穀物・石炭などを入れる。

かます⓪【〈魳〉・〈梭魚〉】からだが細長く、口が長く突き出ている近海魚。干物・かまぼこなどにする。〔カマス科〕 かぞえ方 一尾・一匹。干したものは一枚

かまたき⓪【〈罐焚〉き・《缶〈焚き〉】〔蒸気機関の〕かまを焚く△こと(人)。

かまだし⓪【窯出し】焼き上げた陶磁器を窯から取り出すこと。

かまち⓪【〈框〉】〔物の輪郭を形作る物、の意〕❶床の周囲に渡す横木。「上がりー」❷戸・障子などの周囲の枠。❸石工が使う道具の一つ。玄翁ゲンノウに似て、先がとがっている。 **ーざ**⓪【ー座】仏像の台座の最下底部。多角形または円形をなし、二、三層に重なるものもある。

かまど⓪【〈竈〉】〔「ど」は「と」の連濁で所の意〕昔、「かま㊀」を掛けた所。土・れんがなどで築く。へっつい。かま㊁。くど。「ーを分ける〔=今まで△親がかり(主人持ち)であった人が独立生活を始める〕/ーを起こす〔=財を築くなどして、家名を高める〕」 **ーうま**③【ー馬】コオロギに似て羽が無く、からだの曲がった昆虫。家の中などの暗い所にいる。おかまこおろぎ④。〔カマドウマ科〕 かぞえ方 一匹

かまとと⓪〔「かまぼこは「魚トト」で作るのか、と尋ねる意〕世慣れていないふりをよそおうために、わざととぼけた物言いをする△こと(人)。「ーぶる」

かまどめ⓪【鎌止め】〔山野で〕草木を刈り取るのを一定期間禁じること。

かまび②【釜日】〔茶の湯で〕弟子を集めて稽古ケイコをする日。

かまひげやっこ⑤【鎌〈髭《奴】江戸時代、鎌の形に髭の両端をはね上げたやっこ。

かまびすし・い⑤【〈囂しい〉・〈喧しい〉】(形)「やかましい」意のやや古風な表現。 派 **ーさ**⑤④

かまぼこ⓪【〈蒲鉾〉】❶白身の魚肉をすり砕き、味をつけて蒸した加工食品。〔昔の物は、串クシに刺して焼いた形がガマの花の穂に似ていた〕「板付きー・竹輪チクワー」❷蒲鉾のように、中央部が盛り上がった形のもの。〔狭義では、宝石の入らない中高の(純金の)指輪を指す〕「ー兵舎⑤」 かぞえ方 ❶は一板ヒトイタ・一本・一枚

かまめし⓪【釜飯】一人分の小さい釜の中に米・肉・野菜などを入れて味を付けて炊いた飯。

かまもと⓪【窯元】陶磁器の製造元。

かまゆで⓪【釜〈茹で〉】❶釜で物を茹でること。❷戦国時代、罪人を釜で茹で殺した刑。かまいり⓪。

かまわず②③【構わず】⇩構う㊃

***がまん**①【我慢】❶ーする(自他サ)〈なにヲーする〉精神的・肉体的に苦しい事があっても、意地で凌シノぎ通し、弱音など吐かないこと。「胃の痛みをーして仕事をする/ーを強いる/今度だけはーして〔=大目に見てとがめ立てをしないで〕やる/やせー」❷ーな「少しくらい自説に無理があると分かっていても、意地で主張を通す様子」の古語的表現。「強情ー⑤」❸〔もと仏教語で、我ガを立てる気持が強過ぎ、自らを高しとする念が常に全面に出る意〕 **ーづよ・い**⑤【ー強い】(形)並の人間には我慢出来そうもない事をよく我慢する様子だ。 派 **ーさ**④

カマンベール④〔フcamembert=ノルマンディーの村の名〕チーズの名。独特の香気があり、外側が白カビでおおわれている。

かみ【上】㊀①❶うえの方。高い所。「ー半身③〔=⇩じょうはんしん〕」❷物事の(始まる)元に近い方。「川のー〔=源。上流〕/ー〔=初め。前〕に説く如ゴトく/ー〔=昔〕は平安時代から/ーの句」❸支配的地位に立つ人。〔狭義では、天皇および江戸時代の将軍を指す〕❹「上の句・上京」の略。⇩中ナカ・下シモ ㊁(造語)全期間を半分に分けたときの前の方。「ー半期・ー期」↔下シモ

かみ①【《守》】❶昔の役所の長官。⇩四等官 ❷昔の国の長官。「薩摩サツマーノカミ忠度タダノリ」 表記 ❶は、役所によって、「《守》・《頭》・《督》・《伯》」などと書き分けた。

***かみ**①【神】❶絶対的な超能力を持ち、自然界・人間界を左右するものと考えられた創造主。〔人間の形を取るが、多く、在天の存在とされ、配下に万般の事象を分掌する「神❷」を従え、共に信仰の対象となる〕「ーのみぞ知る/ーに祈るような気持/ーも仏も無いのか?/全知全能のー」❷その国の神話の中で活躍し、今に語り継がれる存在。〔日本では、特定の物故者の霊と共に神社に祭られる〕「△愛(美・酒)のー/学問のー/勝利の女ーメガミ/触らぬーに祟タタりなし/八百万ヤオヨロズのー」 かぞえ方 一柱ヒトハシラ

****かみ**②【紙】❶物を書いたり包んだりするのに用いる、薄い物。植物性の繊維をすいて作る。〔最近では化学合成したものもある〕❷〔じゃんけんで〕指を全部開いて出すもの。「石」には勝つが、「はさみ」には負ける。ぱあ。 かぞえ方 ❶は一枚・一葉イチヨウ・一片

****かみ**②【髪】❶頭に生える毛(の全体)。「ーを刈る/ーをとかす/ーを梳スく/ーの毛/ー油③・前ーガミ・洗いーガミ」❷頭の毛を結った形。「日本ーガミ」

かみ①【加味】ーする(他サ)〔味をつけ加える意〕ほかの物が持っている要素を取り入れること。「成績の評価に、出席点をーする/伝統的な日本建築に洋風の様式をーした建物」

かみ①【佳味】捨てがたい、いい味(の食べ物)。 表記 「〈嘉味〉」とも書く。

がみ①【雅味】普通と違って、上品なあじわい。「この書はーがある」

かみあ・う③⓪【〈嚙み合う〉】ーアフ (自五)❶嚙みついた相手に対して、こちらからも負けまいと嚙みつく。❷規則的にでこぼこの並んだ二つの物がしっくりはまることによって、一つの働きをする状態になる。「議論の歯車が嚙み合わない〔=△論点(意見)がずれて、進展がない〕」 名 嚙み合い⓪

かみあわせ⓪【〈嚙み合わせ〉】ーアハセ ❶かみ合うぐあい。「歯車のー」❷上下の奥歯が互いに触れる部分。

かみあわ・せる⑤⓪【〈嚙み合わせる〉】ーアハセル (他下一)嚙み合うように△する(させる)。「嚙合せ継ぎ⑤⓪」

かみいちだんかつよう⑦【上一段活用】ークワツー 〔日本語文法で〕動詞の活用形式の一つ。「着る」「似る」「見る」などのように、五十音図のイ段の音から活用するもの。〔口語の「起きる」「落ちる」「浴びる」などは、文語では上二段活用〕

かみいれ③④【紙入れ】〔もと、鼻紙入れの意〕「さつ入れ」の婉曲エンキョク表現。

かみおむつ④【紙〈御〈襁褓〉】紙製の、使い捨てのおむつ。 かぞえ方 一枚

かみおろし③【神降ろし】巫女ミコが、神霊を呼び△おろす(おろして、その言葉を告げる)こと。

かみがかり③【神〈憑り〉・神懸かり】❶神霊が巫女ミコなどのからだに乗り△移ること(移った状態)。❷飛躍した論理や超自然的なものの力を認めようとする考え方。

かみかくし③【神隠し】〔神が隠した意〕子供などが、急にどこに行ったか分からなくなること。「かみがくし」とも。

かみかけて①-①【神懸けて】(副)〔神に誓っての意〕自分が述べることはすべて真実だと主張する意を表わす。「ー〔=本当に〕私は無実です」

かみかざり③【髪飾り】くし・かんざし・リボンなど、髪を飾

るための物。

かみがしら③【髪頭】 漢字の部首名の一つ。「髪・髭・鬘」などの、上部の「髟」の部分。髪の毛を表わす。〔多く、髪に関係する漢字がこれに属する〕

かみかぜ②【神風】 神国の危難を救うために吹くという風。〔狭義では、元寇(ゲンコウ)の時に、元(ゲン)の船を沈め日本を救ったそれを指す〕「―タクシー⑤〔=命知らずのスピードで運転するタクシー。第二次世界大戦中の特攻隊のもじり〕」

かみがた⓪【上方】〔関東地方から見た〕京都・大阪地方の称。 **―ぜいろく**⑤⓪-⓪【―〈贅六〉】〔「上方才六」の変化〕せっかちな関東人が、のんびりした上方の人をののしって言う語。

かみがた⓪【髪型・髪形】 △理髪(整髪)した髪のかっこう。ヘアスタイル。

がみがみ①(副)―と 何かにつけて口やかましくしかったり小言を言ったりする様子。「一日中―どなられる/―おやじ」

かみき②【上期】「上半期」の略。↕下期(シモキ)

かみぎょう②(ギャウ)【上京】 京都市内の一区。京都御所・北野神社などがある。↕下京(シモギョウ)

かみきりむし④【髪切(り)虫・〈蠰〉】〔髪切り虫の意〕木の幹を食い荒らす昆虫。からだは円筒形で、長くて堅いひげを持つ。つかまると、キイキイ鳴く。種類が多い。〔カミキリムシ科〕 表記「〈天牛〉」(漢語表記)とも書く。 かぞえ方 一匹

かみき・る③⓪【〈嚙〉(み)切る】(他五) 嚙んで、食い切る。

かみきれ③④【紙切(れ)】 メモ・計算などに利用出来る、一枚の紙。〔多くは、表が何かに使用されたものについて言う〕「ものすごいインフレで、紙幣が単なる―〔=全く価値の無いもの〕と化す」 かぞえ方 一枚・一片

かみぎわ⓪(ギハ)【髪際】 髪の毛の生えぎわ。

かみくず③(クヅ)【紙〈屑〉】 その人にとって、捨てること以外には用の無い紙。「―同然・―かご④」 かぞえ方 一片

かみくせ⓪【髪癖】 その人に特有の、髪の毛の縮れなどの癖。「かみぐせ」とも。

かみくだ・く④⓪【〈嚙〉(み)砕く】(他五) 嚙んで、のどを通りやすい状態にする。〔分かりやすく説明する意にも用いられる。例、「かみくだいて言う」〕

かみこ⓪【紙子】 紙で作り、もんで柔らかにした、保温用の上着・羽織など。〔女性の手をわずらわさないで作れたので、昔僧衣として用いられた〕 表記「紙〈衣〉」とも書く。

かみこな・す④⓪【〈嚙〉(み)こなす】(他五) 食べ物をよく嚙んで、こなれるようにする。〔広義では、よく理解して自分のものにすることを指す。例、「本の内容を―」〕

かみころ・す④⓪【〈嚙〉(み)殺す】(他五) ㊀嚙みついて殺す。 ㊁あくび・笑い声や、こみあげてくる感情を無理に抑えて外に表わさないようにする。

かみざ⓪【上座】〔会などで〕上位の人がすわることになっている席。↕下座(シモザ)

かみざいく③【紙細工】 紙で細工△した物(すること)。

かみさ・びる④【神さびる】(自上一)〔年月を経た木が茂っていたりして〕社殿や境内の様子が、この世ならず静かで落ち着いた雰囲気を呈する。「かんさびる・かむさびる」とも。

かみさま①【神様】 ㊀神を尊敬して呼ぶ言葉。「―にお参りする/お客様は―〔=神様のようにありがたい存在〕です」 ㊁その方面で非凡な力や技を持つ人。「△会社再建(打撃)の―」

かみさん⓪【上さん・〈内儀〉さん】「おかみさん」の簡略表現。「うちの―〔=女房〕」

かみしずま・る⑤(シヅマル)【神鎮まる】(自五)〔神社の祭神が〕その神域に安らかにおいでになる。

かみしつ⓪【髪質】 その人の頭髪の性質。柔らかい・剛(カタ)い、縮れているなど。

かみしばい③(ヰ)【紙芝居】 物語の場面を絵にかいた紙を順に抜き取って、説明しながら子供に見せるもの。

かみし・める④⓪【〈嚙〉(み)締める】(他下一) ㊀△時間をかけて(強く)嚙む。「悔しくて唇を嚙み締めていた」 ㊁隠された意味を前後の文脈から察知したり身近な経験からしみじみとした情感を味わったりする。「教訓を―/人世の△喜び(困難)をじっと―」

かみしも ㊀①【上下】 一つの物の△対(ツイ)になる(対立する関係になる)上(カミ)と下(シモ)。「―〔=上下の階層の人びと〕共に/舞台の―」 ㊁⓪【〈裃〉】〔上下、すなわち上着と袴(ハカマ)の意〕〔江戸時代の〕武士の礼服で、肩衣(カタギヌ)と袴とが同じ色のもの。「―を着た〔=形式的で、打ち解けた雰囲気の無い〕政府間会議/―を脱ぐ〔=用心や気兼ねが無くなって打ち解ける〕」

かみじょちゅう③(ヂョ)【上女中】 おおぜい女中が居る中で、主人のそば近く仕える女中。奥女中。↕下女中(シモジョチュウ)

かみしんじん③⑤【神信心】 古来、御利益(ゴリヤク)があると言われる神を信仰すること。

かみすき②③⓪【紙〈漉〉(き)】 紙を漉く△こと(職人)。

かみせき⓪【上席】〔寄席などで〕その月の上旬〔もとは十五日まで〕の興行。⇩中席・下席(シモセキ)

かみそり③④【〈剃〉(刀)】〔「髪をそる物」の意〕髪やひげをそるのに使う刃物。〔頭の働きが鋭く、時には冷酷に見えるほど理知的な人の意にも用いられる〕「電気―④」 かぞえ方 一挺(チョウ)・一丁

かみだな⓪【神棚】 家の中で神を祭っておく棚。

かみだのみ③【神頼(み)】〔自分では解決出来ない事を〕神の力によって解決してもらおうと願うこと。「苦しい時の―」

かみたばこ③【〈嚙〉(み)〈煙草〉】 嚙んで味わうタバコ。固めたタバコの葉に香味などを加えて菓子状にしたもの。

かみつ⓪(クワ)【過密】〔=な・に〕こみ過ぎていて、それ以上何かを加えるとそのものの機能が失われる様子。「―ダイヤ④・―都市④〔=人口が多過ぎて、公害が多く起こったり交通が渋滞したりする大都市〕・―化⓪」↕過疎

かみつ・く⓪③【〈嚙〉(み)付く】(他五) 攻撃目標に食いついて、ひどい傷を与える。「上役に―〔=食ってかかる〕」

かみづつみ③【紙包(み)】 ㊀紙で包んだ△もの(状態)。 ㊁金一封の特称。

かみづな⓪【髪綱】 髪の毛で編んだ綱。

かみつぶ・す④⓪【〈嚙〉(み)潰す】(他五) 嚙んで潰す。「苦虫を嚙み潰したような顔〔⇒苦虫〕」

かみつぶて③【紙〈礫〉】 紙を(かんで)堅く丸めてぶつけるもの。

カミツレ⓪②〔オ kamille の音訳「加密列」の文字読み〕薬用植物として栽培する一、二年草。葉には芳香があり、夏、白色の花を開く。花は強壮剤・発汗剤。カミルレ・カモミールとも。〔キク科〕 かぞえ方 一本

かみて⓪【上手】↕下手(シモテ) ㊀川の上流の方。 ㊁〔芝居で〕観客席から見て右の方の舞台。

かみでっぽう③(ハウ)【紙鉄砲】 竹などの筒に紙を丸めたものを玉として詰めて打つおもちゃ。

かみどこ⓪【髪床】〔←髪結い床〕江戸時代における「床屋」の称。かみいどこ⓪。

***かみなり**③④⓪【雷】〔「神鳴り」の意〕稲光と、それに伴って聞こえて来る音。「いかずち」とも。「―が鳴り出す/―が落ちる〔=ⓐ自然現象として、地上にあるものとの間に放電現象が起こる。ⓑ立場の上の人からひどくしかられる〕/―が鳴る〔=雷鳴〕/―を落とす〔=かんしゃくを起こしてどなりつ

ける〕／―様(サマ)⑤⑥〔＝雷を畏敬して言う〕・初―(ガミナリ)③」【―】落雷に出くわした時のように、硬直するほど強い衝撃を心に受けている様子。「受賞の知らせを聞いて―だった」 ―おやじ⑤(チー)【―親《父》】爆発的にどなりつけるおやじをなかば親しみをこめていう称。 ―ぐも⑤【―雲】⇩らいうん ―ぞく④【―族】⇩暴走族

かみねんど③【紙粘土】新聞紙などを煮て糊(ノリ)を加え、粘土のようにしたもの。

かみのき④【紙の木】製紙の材料とされる木。ガンピ・コウゾなど。

かみのく③【上の句】〔短歌で〕初めの五・七・五の十七音節。↕下(シモ)の句

かみのけ③【髪の毛】頭に生える毛。毛髪。かぞえ方 一本

かみのぼり③【紙〈幟】紙で作った鯉幟(コイノボリ)。

かみばさみ③【紙挟(み)】❶紙が折れたり汚れたりしないように挟んでしまっておく、折りたたみ式のかばんのような形の用具。ペーパー ホルダー⑤。❷何枚かの紙を一時挟んで押さえる、金属製の用具。

かみパック③【紙パック】パルプを原料とする紙で作られた、牛乳やジュースなどの容器。ポリエチレンのフィルムなどで内側がコーティングされている。

かみばな⓪②【紙花】❶(葬儀で使う)紙の造花。❷「おひねり」の意の婉曲(エンキョク)表現。

かみはんき③【上半期】(決算期などを基準にした)一年の前半の期。↕下(シモ)半期

かみひこうき④(カウー)【紙飛行機】紙を折って作った飛行機。「―を飛ばす」かぞえ方 一機

かみひとえ④(へー)【紙一重】薄い紙一枚の厚さほどの違いしか無いこと。「―の差」

かみふうせん③【紙風船】色紙をはり合わせて球形になるように作った風船。息を吹き込んでふくらませ、手のひらで打ち上げて遊ぶ。

かみぶくろ③【紙袋】紙で作った袋。「かんぶくろ」とも。

かみぶすま③【紙〈衾】大きな紙の袋の中にわらを入れて作った夜具。天徳寺(テントクジ)①。

かみふぶき③【紙〈吹雪〉】〔歓迎・祝勝などの気持を表わすため〕おおぜいの人が色紙を細かく切って、まき散らすもの。〔少なからぬ紙切れが乱舞する意にも用いられる〕表記 ⇩付表「吹雪」

かみほとけ①-⓪【神仏】信仰や祈願の対象としての神と仏。しんぶつ。

かみまき⓪【紙巻(き)】〔↑紙巻きたばこ⑤〕巻きたばこ。シガレット。⇩葉巻・刻み

かみもうで③(マウデー)【神詣(で)】神社にお参りすること。

かみやしき③【上屋敷】江戸時代、大名・旗本(ハタモト)が常の住まいとするように与えられた家。⇩中屋敷・下(シモ)屋敷

かみやすり③【紙〈鑢】サンドペーパー。

かみゆい⓪③(ユヒー)【髪結(い)】他人の髪を結うことを職業とする人(の店)。 ―どこ⓪③【―床】かみどこ。

かみよ①【神代】神がみが人間と同じような喜怒哀楽の感情を持って活躍したと神話で伝えられる大昔。じんだい。

かみより⓪【紙〈縒(り)】こより。かんぜより。

かみわ・ける④⓪【〈嚙(み)分ける】(他下一) いろいろな物を味わった経験があり、甘い・酸(ス)いなどの見分けがすぐに付く。〔物事に対処してそれぞれに対する的確な判断が下せる意にも用いられる〕「酸いも甘いもかみわけた苦労人」

かみわざ⓪【神業】人間の力ではとうてい出来ないような△すばやい行為(すぐれた技術)。

かみん⓪【仮眠】―する(自サ)〔通常の睡眠時間がとれないとき〕疲労回復のために、極めて短時間眠ること。「―をとる／車中で―する」

か・む⓪【〈擤む】(他五) 鼻に強く息を送り、鼻汁を出してふき取る。「鼻を―」

***か・む**①【〈嚙む】〈なに・だれヲ―〉 ■(他五) ❶口に入れた食べ物などを、上下の歯の間にはさんで、切ったり砕いたりする。「堅い物をよく嚙んで食べる／岩を―〔＝岩に激しくぶつかる〕波／砂を―ようだ〔＝⇩砂〕」 ❷上下の△歯(歯状の物)の間に、力を込めて挟む。「爪を―／ジッパーが布の端を嚙んで動かなくなる」 ❸〔俗に〕(台本などの)言葉を言いまちがえたり 発音しそこねたりする。自動詞的に用いることもある。「せりふを―／アナウンサーが―」 ■(自五) 嚙みあう。「歯車の歯が―／彼も一枚嚙んでいる〔＝⇩一枚■❶〕」 表記「〈嚼む・〈咬む」とも書く。【〈嚙んで含める】〔食べ物を一度よく嚙んでから、子供などに含ませてやるように〕よく理解出来るように分かりやすく言って聞かせる。「―ような教え方」

カム①〔cam〕軸の回転を種々の往復運動に変える仕掛け。

ガム①〔gum〕チューイン ガムの略。かぞえ方 一枚

がむしゃら⓪ ―に ―な 〔「が」「ら」は接辞、「むしゃ」は「むさ」「むちゃ」と同源〕周囲の おもわくや事の成否などは考えずに自分のやろうと思った事を強引にやってしまうことを表わす。「―な闘争心」 派 ―さ⓪ 表記「我武者羅」は、借字。

ガムテープ③〔gummed tape の日本語形〕荷物の梱包(コンポウ)や大きめの缶の防湿などに用いる、幅が広くて丈夫な接着テープ。かぞえ方 一巻(ヒトマキ)

カムバック③①―する(自サ)〔comeback〕返り咲き。再起。「舞台に―する」

カムフラージュ④―する(他サ)〔フ camouflage ＝変装〕❶〔軍隊で〕迷彩。偽装。❷本当の△姿(心)が知られないように、人目をごまかすこと。カモフラージュとも。

ガムラン①⓪〔マレー gamelan〕インドネシアの伝統音楽。木製・竹製・金属製の打楽器を中心とする器楽合奏で、儀式のほか、舞踊・演劇の伴奏に用いられる。ガメランとも。

かむろ⓪【〈禿】〔「かぶろ」の変化〕⇩かぶろ

かめ①【亀】〔「〈龜」の俗体〕多く水にすむ爬虫(ハチュウ)類。堅くて丸い甲羅を持ち、敵に襲われると、頭・尾・四足をその中に隠す。背中の模様は六角形。ツルとともに長生きすると考えられる動物の代表。冬眠する。かぞえ方 一匹・一頭

かめ②【《瓶】❶液体などを入れる、底の深い陶磁器。❷花を生ける容器。花生け。表記 ❶は、「〈甕」とも書く。

かめい⓪①【下名】❶何かを述べた本文のあとに署名した名前。❷〔代名詞的用法〕〔だれかに宛(ア)てた文書で〕自分自身を指す謙称。

かめい⓪①【下命】―する(他サ) 何かするように下の者に命じること。また、その命令。

かめい⓪【加盟】―する(自サ) 共同に事業をする団体の一員となって、責任を分担すること。「一九五六年、日本は国際連合に―した／―国②・―店②」

かめい⓪【仮名】本名を隠す必要のある時、仮に△付けた(付けられた)名。

かめい⓪①【家名】❶家の名称。❷家の名誉。「―をあげる」

がめい⓪(グワー)【画名】絵が上手だという評判。

がめい⓪【雅名】❶雅号。❷審美的観点から付けられた異名。豆腐を「白壁(ハクヘキ)」と言うなど。

カメオ①〔cameo〕貝殻や めのうなどの縞(シマ)模様を利用して浮彫りを施したもの。多く装身具。

がめつ・い③⓪(形) 利益を得る事に執着し、抜け目なく、

時には道義に反すると思われるようなことまでしかねない様子だ。〔口頭語的表現〕 派 —さ③

かめのこ【亀の子】 ❶③①（小さい）亀。❷③「亀の甲」に同じ。「—文字〔=ひげ文字〕」 **—だわし**⑤【—《束子》】 形が亀の甲羅に似ている、楕円形のたわし。シュロなどの繊維を束ねて作る。〔商標名〕

かめのこう④①-①【亀の甲】 ❶カメの甲羅。「—より年の功〔=なんといっても長年の経験が一番大事だ〕」 ❷六角形をすきまなく敷きつめた模様。亀甲。

かめぶし⓪【亀節】 小形で平たいかつおぶし。小さいカツオを二つにさいて作る。⇩本節

かめむし②【亀虫・《椿象》】〔亀虫の意〕からだは平たい楕円形で、背中は灰茶色の、さわると臭いにおいを出す昆虫の総称。〈ひりむし。くさがめ。へこきむし③。〔カメムシ科〕 表記 「《椿象》」は漢語表記。 かぞえ方 一匹

***カメラ**①〔camera ← ラ camera obscura=暗い部屋〕 写真機や映画撮影機など。「—アイ④③・水中—・デジタル—・胃—」 かぞえ方 一台

カメラアングル④〔camera angle〕〔写真で〕写そうとする対象に対するカメラのレンズの角度。写角。

カメラマン③〔cameraman〕 写真・映画の撮影技師。〔狭義では、新聞社などの写真部員を指す〕

ガメラン①⓪〔インドネシア gamelan〕 ⇩ガムラン

カメリア②〔camellia=もと、人名〕 植物のツバキ。

が・める②（他下一）「人の物を、黙って自分の物とする」意の俗語的表現。

カメレオン③〔chameleon〕 熱帯の低木の上にすむ、体形はトカゲに似て、少し大きい小動物の総称。四肢は長く、発達した尾の先端を枝に巻きつけ、長く伸びたらせん状の舌で昆虫を捕食する。特大の目は左右別々に動かせ、体色が保護色に変わるので有名。〔状況に応じて変幻常無き存在の意にも用いられる〕〔カメレオン科〕 かぞえ方 一匹

かめん⓪①【下面】 下△の方（側）の面。

かめん⓪【仮面】 ❶顔を隠したり 劇中の人物になったりするためにかぶる面。マスク。「—劇②・—舞踏会⑤」 ❷本心を隠し世間体をごまかすための、さり気なく取りつくろった表情・態度やもっともらしい言動。「—をかぶる〔=本心を偽って行動する〕／—を脱ぐ〔=隠していた本心・本性を現わす〕／偽善者の—を剝ぎ取る」

がめん①⓪【画面】 ❶絵の表面。❷焼きつけた△フィルム（陽画）の表面。❸テレビ・映画に映し出された映像。「—（映り）が暗い」

かも（終助） ❶「かもしれない」の口頭語的表現。主張をやわらげ、断定を避ける意味でも用いる。「雨が降る—／これ、おいしい—／急いで行けばまだ間に合う—ね」 文法 体言（名詞、またそれに準ずる句）、活用語の終止・連体形に接続する。形容動詞は語幹に接続する。 ❷〔雅〕〔疑問を表わす「か」＋副助詞の「も」〕主体が何かに対して強く感動したことを表わす。〔万葉集時代に盛んに用いられた〕「早蕨の萌出づる春に成りにける—」

かも①【《鴨》】 ❶ニワトリくらいの大きさの水鳥。首が長くて足は短い。冬 北から来て、春に帰る。種類が多く、肉はうまい。〔カモ科〕 ❷〔カモは味がよいことから〕御しやすい相手や、いいもうけの対象として利用される相手。「人のよさがわざわいして、—にされてばかりいる」 かぞえ方 ❶は一羽 **【—が《葱》を〔背負〕って来る】** すぐ鴨鍋にして食べられる意から、注文通りでこんな都合のいい事は無い意に用いられる。

かもい⓪【《鴨居》】 引き戸・障子などを立てる、溝のある上の横木。↕敷居

がもう⓪【《鵞毛》】 ガチョウの羽。「雪は—に似て飛んで散乱す」

かもく⓪【科目】 ❶幾つかの種類に分けた、一つひとつの項目。「勘定—⑤」 ❷種類分けした教科の一つひとつ。「高等学校の国語科には国語総合・古典・現代文・国語表現などの—がある／必修—⑤・選択—⑤」 表記 ❷は、「課目」とも書く。

かもく⓪【寡黙】-な 言葉数が少ない△こと（様子）。「—の人」 派 —さ⓪③

かもじ⓪【《髢》】〔「か文字」の意。「髪」の意の女房詞。⇩文字詞〕髪の毛に添え加える毛。入れ髪。入れ毛。

かもしか⓪【《羚羊》・《氈鹿》】〔その獣毛〔=氈〕を利用する鹿の意〕日本の高山にすむ哺乳動物。やや長くて真っすぐな二本の角がある。毛は長くて柔らかい。特別天然記念物。〔「カモシカのようにしなやかな足」という場合は、日本の在来種とは別のアフリカなどに分布する種を指す〕〔ウシ科〕 かぞえ方 一頭

かもしだ・す④【醸し出す】（他五）〔ある気分などを〕自然に作り出す。「なごやかな雰囲気を—」

かもしれない①-⓪【かも知れない】 断定は出来ないが、そう△なる（する）見込みがあることを表わす。〔「かも分からない」は、この語から類推して作られた新しい言い方〕 文法 (1)「にちがいない」がある事態が生じることについてかなり高い確信に基づいた判断を表わすのに対し、「かもしれない」は確立の高い低いにかかわりなく単にそのような事態が生じる可能性を否定することはできないという判断を表わす。従って結果としてその判断が事実に反した場合でも、自分に負わされる有責性を免れる表現形式として用いられる傾向がある。(2)自説について、控えめな主張をするときに用いることがある。例、「鎖国時代は近代化への準備期間であったかもしれない」

かも・す②【醸す】（他五） ❶コメ・マメに麴を仕掛け、時間をかけて発酵させ、酒・しょうゆなどを作る。 ❷何かをしているうちに、ある事態・状態を徐々に作り出す。「物議を—」

***かもつ**①【貨物】 ❶△運搬（輸送）する対象となる荷物。「—船⓪・—自動車⑤」 ❷「貨物列車④」の略。「今度は—が通過する」

かもなん⓪【《鴨南》】〔←鴨南蛮③〕 かけ△うどん（そば）に、カモの肉とネギが入っているもの。〔広義では、鶏肉を入れたものをも指す〕

かものはし③【《鴨の嘴》】〔duckbill の訳語〕 オーストラリア原産で、単孔類に属する哺乳動物。卵生。形はカワウソに似て小さい。カモのくちばしに似た口先には、微弱な電気を感じるセンサーがある。雄の後ろ足首の裏側は毒爪を持つ。〔カモノハシ科〕 かぞえ方 一頭

カモフラージュ④-する（他サ）〔フ camouflage〕 ⇩カムフラージュ

カモミール③〔chamomile〕 ⇩カミツレ

かもめ⓪【《鷗》】 ハトに似て少し大きい海鳥。くちばしの端はかぎ状で翼は長い。魚の群れを追って食べる。〔カモメ科〕 かぞえ方 一羽

かも・る②【《鴨る》】（他五）〔「鴨」を動詞化したもの〕〔やや俗語的表現〕相手の無知や弱点につけこんで利益を得る。

かもん⓪【下問】-する（他サ） 立場の上の人が、自分の分からないことを下の者に尋ねること。「ご—にあずかる」

かもん①【家門】 ❶一家・一門の全体。「—のほまれ」 ❷家柄。

かもん⓪【家紋】 その家いえで決まっている紋どころ。

かもん⓪【渦紋】 うずまき形の模様。

かや①【《茅》】 葉が細長くて、屋根をふくのに使う草。例、ス

** * は重要語，⓪①… はアクセント記号，品詞の指示の無いものは名詞および いわゆる連語。

スキ・チガヤなど。「—ぶきの家」[表記]「〈萱」とも書く。[かぞえ方] 一本

かや[1]【〈榧】 山地に生える常緑高木。葉は堅く、小さくて細い。種は食べられ、油の原料ともなる。材は碁盤・将棋盤などにする。〔イチイ科〕[表記]「〈栢」とも書く。[かぞえ方] 一株・一本

かや[0]【蚊《帳・蚊屋】〔蚊屋の意〕寝室につりさげて蚊を防ぐ、目の細かい網のおおい。「—の外(=局外者の立場に置かれて、内部の詳しい事情を一切知らされない(でいる)こと)」〔古くは「かちょう」〕[表記]⇩付表「蚊帳」。現在普通に「蚊帳」と書くのは、同義の「蚊帳」の字面に影響されたもの。[かぞえ方] 一張

がやがや[1]（副）—と —する 何人かの人の話し声が入りまじって、ただ騒がしいとしか感じられない様子。「後ろから—と賑やかな声がした/子供たちは—と外へ出て行ったらしい」

かやく[0]【火薬】 硝石・木炭・硫黄などを交ぜて作った薬品。点火して爆発させるが、衝撃などによっても爆発する。硝薬。「—庫[3][2](=いつ爆発するかも知れぬ紛争地域の意にも用いられる)」[かぞえ方] 一缶

かやく[0]【加薬】❶〔各地の方言〕薬味。❷〔近畿・中国・四国方言〕五目飯などの具。「—御飯[4]」

カヤック[1][2]〔kayak〕 イヌイットの人などが海獣の猟に用いる小舟。木の枠にアザラシの皮を張り、一本のかいで進める。〔オリンピックなどの、競技種目の一つ〕[かぞえ方] 一艘

かやつりぐさ[4]【蚊《帳〈吊草】 原野に生じる一年草。夏、茎の先に幾つにも枝分かれした薄い茶色の小花穂をつける。茎の断面は三角形。〔カヤツリグサ科〕[表記]⇩付表「蚊帳」。「〈莎草」とも書く。

かやと[0]【〈茅戸】〔「と」は、所の意〕山の中で、カヤが一面に生い茂っている所。

かやぶき[0]【〈茅葺(き)】 カヤを材料として屋根を葺くこと。また、その△屋根(家)。

かやり[0]【蚊《遣(り)】❶蚊を追い払うために煙をたてること。「—火[3][0]」❷〔↑蚊遣り線香[4]〕蚊取線香。

かゆ[0]【〈粥】 水を多くして米を柔らかく煮たもの。「お—[0]」

***かゆ・い**[2]【〈痒い】(形) 皮膚のある部分に、かいたりこすったりせずにはいられないような不快な刺激を感じる様子だ。「蚊に刺されたところが—/—所に手が届く(=そうしてもらいたいと思う望みがすべてかなえられる形容)応対」[派]**—さ**[1] **—が・る**[3]

かゆばら[0]【〈粥腹】 病気の予後、粥を食べただけの腹で、力の十分に入りきらない状態。「—で力が出ない」

かゆみ[3][0]【〈痒み】 痒い△こと(程度)。「—止め[0]」

かよい【通(い)】■一[0]❶通うこと。「はしけの—(=行き来)/アメリカ—[5]」❷〔「住込み」と違って〕自宅から通って勤めること。かよいづとめ[4]。❸「通い帳」の略。「—で物を買う」■二〔造語〕動詞「通う」の連用形。 **—じ**[0][3]【—路】〔雅〕行き通う道。「雲の—」 **—ちょう**[0]【—帳】❶客の家に備えておいて、掛売りの物品や代金を記入する帳面。❷預金帳。つうちょう。 **—つ・める**[5]【—詰める】(自下一) 特別な意図があって、その家・店や施設などに一定期間集中的に通う。 **—ばこ**[3][2]【—箱】 ビールなどの飲料品を、卸元から小売店へ、小売店から需要先へ配達した後、そのままあきびんを回収するのに使う箱。普通、一、二ダース入る。

***かよ・う**[0]【通う】(自五)❶〈(どこカラ)どこニ—/(どこヲ)—〉定期的に同じ所へ行き帰りする。「学校に—(=勉強しに行く)/会社へ—(=勤めに行く)」❷〈(どこカラ)どこニ—〉二点間を結ぶ経路となる。「駅に—(=通じる)大通りが完成する」❸〈(なにニ)—〉他との間を滞ることなく循環する。「△空気(血・心)が—」❹〈(なに・だれニ)—〉何かそれと共通点を持つ。「母に—(=似ている)おもざし」〔❶❷の他動形は、通わす[0](五)・通わせる[0](下一)〕〔⇩通い■二〕

かよう[2]【火曜】 一週の第三日。月曜の次、水曜の前。火曜日[2]。〔週の始まりを月曜とすれば、一週の第二日〕

かよう[0]【可溶】 溶けて液状になること。 **—せい**[0]【—性】 液体に溶ける性質。↔不溶性 **—へん**[0]【—片】 ヒューズ。

かよう[0]【荷葉】 蓮の丸くて大きい葉。

かよう[0]【歌謡】 作者がだれであるかは問わず、その社会の人たちの間に節をつけて△歌われた(歌われる)もの。「古代—[4]」 **—きょく**[2]【—曲】〔クラシック・邦楽などと違って〕日本的ムードを西洋音楽的な節回しで歌った、大衆的な歌。

かよう[0]【〈斯様】—な —に 「このよう」の意の古風な表現。

がようし[2]【画用紙】 絵をかくための、やや厚めの白い紙。[かぞえ方] 一枚

かよく[0][1]【寡欲・寡〈慾】—な 欲が少ない△こと(様子)。「彼の—ぶりは有名だ」

がよく[0][1]【我欲・我〈慾】 自分ひとりの利益や満足を求める欲望。

かよけ[0]【蚊《除(け)】 蚊を追い払う△こと(もの)。かやり。

かよわ・い[3]【か弱い】(形) △肉体的(精神的)にいかにも弱そうな感じだ。「—女の身」[派]**—さ**[3] **—げ**[3][4][0]

から ■一(格助)❶Ⓐ動作・作用の起点・出発点や、それがもたらされるそもそもの原点を表わす。「午後一時—会議を行なう/学校—まだ帰らない/危険—遠ざかる/忙しさ—解放される/父—手紙が来た/先生—叱られた」Ⓑ「から❶Ⓐ」の名詞的用法。「明日—が夏休みだ/これ—どう過すかが問題だ/友達—の手紙」❷物事の順序・範囲を示す場合の始まりを表わす。「あなた—どうぞお先に/そのへんにある本を片っぱし—読んでしまう/小学校—高校まで郷里の学校で過ごした/あと—(=あとになって)言ったって始まらない」❸経由点を表わす。「玄関—お入りください/窓—ごみを捨ててはいけない/戸のすきま—朝日がさし込む」❹原因・理由・根拠を表わす。「風邪—肺炎をひきおこした/運転手の不注意—大惨事になる/彼の日ごろの言動—考えれば、それはありうることだ」❺材料・構成要素を表わす。「酒は米—つくる/水は水素と酸素—成る化合物である/石油—作られる化学製品はかぞえきれない」❻予測・予想される基準に達するほどであることを表わす。「百人—(=以上)の人が集まった/一千万円—の借金がある」[文法](1)体言(名詞、またそれに準ずる句)、「動詞連用形＋て」に接続する。後に格助詞「の」を伴う場合がある。副助詞とともに用いられるときは、「から＋副助詞」となる。ただし、「など・だけ」には「△など(だけ)＋から」「から＋△など(だけ)」と両方の形がある。(2)❷は「…まで」と照応して用いられることも多い。
■二(接助)❶前件の事柄が後件の事柄の原因・理由となることを表わす。〔命令・依頼・推量・意志・主張など、話し手の主体的な立場で述べる場合に多く用いられる〕「寒い—窓をしめてくれ/星が出ている—あすもいい天気でしょう/おもしろそうだ—ぼくにも見せてほしいな/よく分からない—聞いてみよう/つまらない—やめた方がいいよ」❷〔「…は…—だ」の形で〕問題として取り上げた事柄について、その原因・理由を説明することを表わす。「ことしの米の作柄が悪かったのは、盛夏に気温の低い日が続いた—だ」⇩ので ❸〔終助詞的に〕相手に向かって強い決意を表わす。「そんな事をしたら承知しない—/もうどうなっても知らない—/だ

れが何と言おうと私はやめない―ね」 文法 (1)活用語の終止形に接続する(ただし、文語由来の否定形は「ず」ではなく「ぬ」につく)。(2)接続助詞「ので」とともにある事柄の原因・理由を表わすのに用いられる。(3)「から」は、「事故があったから電車が遅れているのだろう」と推量したり、「雨が降りそうだから傘を持って行きなさい」と命令したり、「疲れたからもう寝よう」と意志を述べたりする際や、「のどが渇いたから水が飲みたい」などと欲求を表わす際の原因・理由となる事柄を表わすのに用いられる傾向がある。(4)「ので」は、「電車がすいていたので座ることができた」などと経験的事実を客観的に叙述する表現の中に含まれる原因や理由を表わすのに用いられる傾向がある。(5)「から」は前件に「う/よう・だろう・まい」で表わされる推量表現を用いることが出来るが、「ので」には用いることができない。

から①(副)〔否定表現と呼応して〕消極的な意味を強める意を表わす。「―〔=全く〕いくじが無い/―役に立たない」⇩からきし

***から**②【空】〔から(殻)と同源〕❶◁入っている(乗せている・備えておくべき)物が何も無い状態にあること。「―の財布/ウイスキーの瓶を―にした/―車③」❷(造語)◁見かけのうえで(形式上)そうするだけで、それに伴う実質が無い状態にあること。「エンジンの―ぶかし/―手・―身・―元気・―いばり・―振り・―回り・―念仏・―出張③」

から①❶【唐・《漢】「古代中国」の意の古称。「―歌②・―絵⓪」❷【《韓】「古代朝鮮」の意の古称。〔共に、昔は外国の代表とされた。❶は、舶来の事物につけてよく使う。例、「―織・―破風」〕

***から**②【殻】❶中身を包む、表面の堅い皮。「卵の―/堅い―を破って出るダチョウのヒナ/◁エビ(カニ)の―/セミの脱け―/リスは―の堅いクルミを割って食べる/―(の中)に閉じこもる〔=◁性格的(かたくな)に自分だけの世界を守り、外部との交渉を避ける態度をとる〕/―を脱ぐ〔=ⓐセミなどが脱皮する。ⓑ従来の様式から脱却する〕/貝―」❷中身や大事な所を取った外側。〔多くの場合は、役に立たない部分を指す〕「◁枝豆(弁当)の―/吸い―・茶―」 表記 ❷は「《幹」とも書く。【―を破る】常識や自ら設定していた限界を打ち破る。「プロジェクトを成功させれば彼も―だろう」

がら①〔↑がら落ち⓪。副詞「がらり」の語幹〕相場が急にひどく下がること。暴落。 表記 「瓦《落」は、借字。

がら①〔「殻」を濁音化したもの〕必要な物を取ったあとの、残りの物。「ニワトリの―〔=肉を切り取ったあとの骨〕/石炭の―〔=ⓐ燃えがら。ⓑ粗悪なコークス〕」

***がら**【柄】❶⓪❶大小の観点から見た、人間のからだつき。「―が大きい」❷〔その人の性格・経歴や現在の立場にふさわしいかどうかという観点から批判的に見た〕言動・態度・服装など。「立候補するなんて―にもないことをするから大恥をかくのだ/―の悪い〔=因縁でも付けられそうだと、接する人に不安をいだかせる〕人」❸〔無地と違って〕布地につけられた(目立った)模様。「大きい―の浴衣/花―」 運用 「柄◁でも(にも)ない」の形で、自分自身にかかわることについて謙遜して言うのにも用いられる。例、「人様に説教する柄でもないですよ」

❷❶(助詞「から」の変化)〔接尾語的に〕…の性質からいって◁そういうことが行なわれる(そういう傾向が見られる)のも当然であるということを表わす。「職掌―覚えていたのです/時節―ご自愛ください/仕事―・商売―」❷(造語)品質、模様などの種類をかぞえる語。

カラー①〔calla〕切り花用に栽培される多年草。春夏の交に、らっぱ形の白い苞に包まれた黄色い棒状の花をつける。海芋。〔サトイモ科〕 かぞえ方 一本

カラー①〔collar〕ワイシャツ・洋服の首回りに付いている、装飾用の布。襟。

カラー①〔color〕❶色。着色。「―テレビ④・―フィルム④」↕モノクロ ❷絵の具。「ポスター―」❸そのものの すみずみにまで行きわたって見られる特色。「ローカル―」

がら あき⓪【がら空き】中が空いて、がらんとしていること。 表記 「がら明き」とも書く。

から あげ⓪【空揚げ・唐揚げ】◁ほとんど衣をつけないで(かたくり粉を薄くつけて)揚げること。また、そうした食品。

カラー コーン④〔color cone=商標名〕⇩パイロン

カラー コンディショニング⑥〔color conditioning〕建物や設備の色を感じよく塗り分けること。色彩調節。

から あや⓪【唐〈綾】浮き織りに織った綾。

****から・い**②(形)↕甘い ❶【辛い】❶〔トウガラシ・ワサビなどを食べた時に〕舌がぴりぴりと感じられるような強い刺激を受け、思わず涙が出そうな感じを受ける様子だ。「―インドカレー/中国料理の中でも四川料理には―ものが多い/―酒〔=舌に強い刺激が感じられる酒〕」❷〈(だれ・なに)ニ〉―〉容赦なく厳しい評価をする様子だ。「―点をつける先生」❷【◁鹹い】そのまま受け入れるのには抵抗がある程 塩けが強く感じられる状態だ。〔❶❶と区別して「しおからい」、また、口頭語では「しょっぱい」とも〕「―みそ汁」 派 ―さ①

からい⓪【花〈蕾】花のつぼみ。「ブロッコリーの―」

から いばり③【空威張り】―する(自サ)〔人に対して誇るだけの内容が無いのに〕うわべだけ威張ること。

から いり⓪【《乾煎り・《乾〈熬り・空煎り・空〈炒り】―する(他サ) 味を加えずに「煎る❶」こと。

からうす③ ❶【〈碓】〔「唐臼」の意〕うすを地面に埋め、杵についている長い棒の端を足で踏んで中の穀物をつく仕掛けのうす。踏みうす。❷【〈碓】〔「殻臼」の意〕ひきうす。 かぞえ方 ❶❷とも一基

から うつし③【空写し】❶〔写真機へのフィルムの入れ方が不完全なために〕シャッターを押しても写っていないこと。❷〔フィルムを送るために〕写す対象を決めないでシャッターを押すこと。

から うり⓪【空売り】〔取引所で〕持合せの無い株や商品を売って、その差額をもうけること。

から えずき③【空〈嘔】吐きけがありながら吐けないこと。

から おくり③【空送り】〔テープレコーダーなどで〕必要な録音箇所を出すために、再生をしないでテープを回して先へ進めること。早送り。

から オケ⓪【空オケ】〔オケは、オーケストラの圧縮表現〕〔娯楽として〕伴奏だけを流す音楽に合わせて歌うこと。また、その設備。

から おし⓪【空押し】―する(他サ) 何かの模様を、墨・インクなどを付けないで紙面などに浮き出させたもの。

から おり⓪【唐織り】〔中国とだけ交通していた時代の〕舶来の織物。

からか・う③【〈揶揄〉う】(他五)〔相手がむきになったり 恥ずかしがったり などする反応を期待して〕心理的動揺を誘うようなことを軽い気持で言ったりしたりする。 名 からかい⓪

からかさ③⓪【《傘・唐傘】〔「唐笠」の意。頭に直接かぶる笠と違って、柄のある差しがさの称〕竹の骨に紙を張り油を塗った雨がさ。 かぞえ方 一本

から かぜ⓪②【空風】湿気を含まない、かわいた強い風。〔口頭語形は、「からっかぜ⓪②」〕 表記 「《乾風」とも書く。

から かね⓪【唐金】「青銅」の意の和語的表現。

からかぶ⓪【空株】実際には所有していない株。「くうかぶ」とも。↔実株

からかみ②⓪③【唐紙】❶いろいろの模様や金泥(キン)・銀泥(ギンデイ)などがついている紙。❷「唐紙❶」をはった襖(フスマ)。〔広義では、無地のものをも指す〕 かぞえ方 ❶❷とも一枚

からから ㊀⓪―に そこにあることが期待される、水分やうるおいが全く失われた状態にある様子。「のどが―だ／空気が―に乾いている／財布が―(=からっぽ)だ」 ㊁①(副)―と 屈託無く声高く笑う形容。〔㊀㊁とも強調形は「かんらからから」〕

からがら⓪【辛々】(副)〔かろうじての意〕⇨命からがら

がらがら ㊀⓪④ 振ると「がらがら」と鳴るおもちゃ。㊁⓪―な その場所を満たしているはずの物がほとんど無い状態だ。「大雨とストが重なったせいか、どのデパートも―だ／乗換え駅で乗客の大半が降り、車内は―になった」 ㊂①(副)―と・―する ❶耳障りな大きな音を立てて、物が崩れ落ちたりうがいをしたりする様子。また、その音の形容。❷場所柄をわきまえずに大きな声でしゃべるなど、見るからにがさつな感じがする様子。「―した人」 **―ごえ**⑤(ゴエ)【―声】❶無遠慮・無作法に聞こえる、太く大きな声。❷のどをいためて滑らかさを無くした、耳障りな声。 **―へび**⑤④【―蛇】北アメリカに産する大形の毒ヘビ。尾を振って威嚇音を出して、相手を攻撃する。〔クサリヘビ科〕 かぞえ方 一匹

からき⓪【唐木】〔中国から渡来した材木の意〕紫檀(シタン)・黒檀(コクタン)など、材質が堅く色・つやの美しい熱帯産の木の総称。建築・器具用として貴ばれる。

からきし⓪(副)〔否定的な意を強調する副詞「からっきり⓪」の変化〕そうでないことを期待しても全くむだだと判断する様子。〔口頭語的表現。強調形は「からっきし⓪」〕「―いくじが無いんだから／何しろ法律の方面の事は―だめで／何年もやっているわりに―へただ」 文法 一般に否定表現や否定的な意を表わす語をあとに伴って用いられるが、文脈から否定的な内容が想起される場合は「うちの息子はからだは大きいが頭のほうはからきしだ」などと否定表現や否定的な内容を表わす語を伴わなくても用いられる。

からぎぬ⓪③②【唐《衣】〔奈良・平安時代以降の〕貴婦人の礼服の上着。

からくさ②⓪【唐草】〔織物などで〕つる草のはいまわる様子を文様化したもの。「―模様⑤」

からくじ⓪【空《籤】くじの中で、何も当たらないもの。

がらくた⓪ その人にとっては価値のない雑多な△道具(品物)。「―市(チ)④」 表記「瓦落多・我楽多」は、借字。

からくち⓪【辛口】↔甘口 ❶〔みそ・酒などの〕塩けや辛みが強い方。「―の酒／―(=情実を入れない、厳しい)の書評」 ❷辛いもの、特に酒類が好きな△こと(人)。辛党。

からくも①【辛くも】(副) 絶望的な状態をどうにか乗り越えて、最悪の結果になることだけはまぬかれる様子。「―零敗をまぬかれた／―窮地を脱した」

からくり⓪【《絡繰(り)】❶ちょっと見には分からない複雑な仕掛けによって内部から動きを操作する装置。「時計の内部の―(=細かな装置)／―人形⑤」 ❷普通では不可能と思われる事を、なんとかごまかして つじつまだけはうまく合わせておくやり方。「―(=計略)を見破る」 動 からくる③(他五) 表記 ❶は、「《機関」とも書く。

からくれない④⓪(クレナヰ)【唐紅】濃くて美しい紅色。深紅色。 表記「《韓紅」とも書く。

からげいき③【空景気】本当はそんなに景気がよくないのに、表面だけ景気よさそうに△見える(見せる)こと。「―をつける」

から・げる③⓪【《絡げる】(他下一) ❶縛(って束ね)る。「荷物を―」 ❷まくりあげて、元の位置に戻らないようにする。「すそを―」 表記「《紮げる」とも書く。

からげんき③【空元気】うわべだけ元気があるように見せかけること。虚勢。「―を出す」

からこ⓪【唐子】江戸時代、中国人の子供のような髪型をし、また、中国風の着物を着ている子供。 **―まげ**③⓪【―《髷】昔、元服以前の子供が結った髪の形。頭の上に輪を二つ作る。からわ。

からごころ③【《漢心】中国の文化・文物に心酔して、何事も中国風でなければ済ませることが出来ない心的傾向。↔やまとごころ 表記「《漢《意・唐心」とも書く。

からころも③【唐衣】〔雅〕中国風の、上等な衣服。「からごろも」とも。

カラザ⓪〔chalaza〕鳥の卵の黄身を中央でささえる、ひも状のもの。

からざお⓪(ザヲ)【殻《竿・唐《竿】イネ・ムギの穂やマメなどを打って、穀粒を取る農具。長い柄の先に回転する棒を付けたもの。 表記 古来の用字は「《連《枷」。 かぞえ方 一本

からざけ③【《乾《鮭】腸を取り除き、塩をふらずに陰干しにしたサケ。

からさわぎ③【空騒(ぎ)】―する(自サ) 騒ぐべき内容も無いのに騒ぎたてること。

からし⓪【《芥子・辛子】カラシナの種を粉にした、黄色の香辛料。「―あえ⓪・―漬(ヅ)け⓪」 **―でい**③【―泥】からしの粉末を水でのばした、どろどろのもの。皮膚の炎症を除いたりするのに使う。 **―な**⓪【―菜】畑に作る越年草。四月ごろ、黄色の花を開く。辛みがあり、種はからしに、葉は漬物にする。〔アブラナ科〕 かぞえ方 一本

からしし⓪③【唐《獅子】❶〔外国産の「シシ」の意。⇨いのしし・かのしし〕昔、ライオンを指した言葉。「からじし」とも。❷ライオンを美術的に図案化したもの。「牡丹(ボタン)に―」

からして ❶「から」の強調表現。「それである―」 ❷普通は△そのようなことが問題にならない(そうであっては困る)事柄を取り上げて、全体にわたってそう言えると強調することを表わす。「名前―おもしろい／面(ツラ)―気にくわない／親―信号を無視するようでは、子供に示しのつくわけがない」

からじゅよう③(―エウ)【空需要】商品・株などの先行き値上がりを見越して、買い注文がふえること。↔実需

からしょうもん③【空証文】❶法的効力の無い偽の証文。「そらしょうもん」とも。❷実現されない約束。「両国の和平は―に終わった」 ⇨空手形

から・す⓪(他五) ㊀【《涸(ら)す】水を△くみつくす(無くす)。「井戸を―／資源を―(=取り尽くす)」 ㊁【枯(ら)す】枯れるようにする。「尾羽(オハ)打ち―」 ㊂【《嗄(ら)す】声をしわがれるようにする。「声をからして応援する」

からす①【烏】❶人家近くの森などにすむ、りこうな鳥。羽が黒く、くちばしは強大。ハシブトガラス⑤・ハシボソガラス⑤など。〔その習性から、口やかましい人・物忘れをする人・食い意地の汚ない人の意にも用いられる〕〔カラス科〕「―の足跡(=中年を過ぎた女性の目じりに出来るしわ、の称)／―のお灸(キュウ)(=口のまわりに出来る口角炎の俗称)／―の行水(ギョウズイ)(=カラスの水浴びのように、入ったかと思うとすぐ出る入浴の仕方)／鵜(ウ)のまねをする―／―の濡(ヌ)れ羽色」❷〔「尾羽(オハ)打ち枯らす」のもじりで〕哀れむべき生活をしている男の称。「宿無し―(ガラス⑤)」 表記「《鴉」とも書く。 かぞえ方 ❶は一羽 **―うり**③【―《瓜】山野に生じる多年生つる草。小さな俵形の実は、熟すと赤くなる。根のでんぷんは薬用・化粧用。〔ウリ科〕 かぞえ方 一本 **―おうぎ**④(―アフギ)【―扇】ヒオウギの異称。 **―がい**③(ガヒ)【―貝】日本最大の淡水産の二枚貝。楕円(ダエン)形で外面は黒い。東

洋の特産。〔イシガイ科〕［かぞえ方］一枚 **―がね**③【―金】〔一夜あけて、カラスが鳴く時に返す意〕借りた翌日返す借金。 **―ぐち**③⓪【―口】 線を引くのに使う製図用具。先がカラスのくちばしのように作ってある。 **―てんぐ**④【―天〈狗】 カラスのようなくちばしや羽を持つという天狗。 **―なき**⓪【―鳴㋖】 カラスの鳴き声(で吉凶を占うこと)。「―が悪い〔=気味悪い声でカラスが鳴き、凶兆のようだ〕」 **―むぎ**④③【―麦】 ❶エンバクの別称。 ❷野原に生える、エンバクに似た二年草。エンバクの原種。ちゃひきぐさ③。〔イネ科〕

****ガラス**⓪〔オ glas〕 建築材料や種々の器具に使う、透明で堅いが、もろい物質。ソーダ灰・石灰岩・珪砂(ケイシャ)を主原料とし、セ氏約一四〇〇度の高温で溶かした後、急速に冷やして作る。「―を割る/―板④③・―戸③⓪・―管⓪・―窓④・クリスタル―⑥・光学―⑤・硬質―⑤・曇り―・鉛―④・フロント―・防弾―⑤」〔一般には、アクリル樹脂などの透明なプラスチックの板なども指すことがある。例、「飛行機の窓の―/水族館の水槽の―」〕 表記 漢語表記「〈硝子〉」は、もと水晶の別名。

からすき⓪②【〈犂・唐〈鋤】 柄が曲がって刃の広いすき。牛馬に引かせて、田畑を耕すのに使う。［かぞえ方］一枚・一挺

がらすき⓪【がら《空㋖】 がらがらにすいている△こと(状態)。「―の地下鉄」

ガラス せんい④‐①【ガラス繊維】 ⇩グラスファイバー

ガラス ばり⓪【ガラス張㋷】 照明のためや、△内部(外部)がよく見えるように、ガラスが張ってある△こと(構造)。「―の〔=公明正大で、少しも秘密が無い〕政治」

からすみ⓪【〈鱲】〔唐墨の意〕ボラ・メナダなどの卵巣を塩漬けにして干し固めた食品。酒のさかななどにして食べる。 表記「〈鱲子〉」とも書く。

から せき⓪【空〈咳】 ❶たんの出ない咳。 ❷わざとする咳。「からぜき」とも。 表記 ❶は、「《乾〈咳・《虚〈咳」とも書く。

から せじ⓪【空世辞】 本当はそう思っていないのに、口先だけで人をほめること。

****からだ**⓪【体】〔「から」は「なきがら」の「から」と同義。「だ」は接辞〕 ❶(生物学的な見地から)人の頭・胸・手足およびその付属部分すべての部位や内蔵される器官を含めて、一つの総合体としてとらえたもの。「大きな―/―を洗う」 ❷一個の生命体として種々の生理的機能や運動機能を必要に応じて発揮したり 感覚を働かせたりし、また、本能的行動や精神的活動を営む能力を備えた存在としての「からだ❶」。〔広義では、動物についても用いる〕「忙しい―/―で覚えた技術/―を△鍛える(酷使する)/―をこわす〔=健康をそこねる〕/―を張って子供の命を守る/いい―〔=体格〕/普通の―でない〔=ⓐ妊娠している。ⓑ病身である〕」 表記「〈躰・〈軀」とも書く。「〈身体〉」は比較的新しい用字。 **【―が空く】** 優先的にやるべき用事が無くなる。「祝日は―」 **―つき**⓪【―付㋖】 からだの大きさや輪郭から受ける感じ。「きゃしゃな―」

から だき⓪【空〈焚㋖】―する(他サ) 浴槽に水が無かったり少な過ぎたりするのに、ふろをたくこと。やかんなどにもいう。

から たけ②⓪【《幹竹】 マダケの異称。 表記「唐竹」とも書く。 **―わり**⓪【―割㋷】 縦にまっすぐに勢いよく割ること。「真向(マッコウ)―③‐⓪」

からたち⓪【〈枳】 生け垣などにする落葉低木。とげが多く、春、白い花を開く。実は薬用。枳殻(キコク)⓪。〔ミカン科〕［かぞえ方］一株・一本 表記「〈橙・〈棘・〈枳殻〉・〈臭〈橘〉」とも書く。

から たちばな④【唐〈橘】 盆栽などにする常緑小低木。夏、白色の小花をつける。〔サクラソウ科(旧ヤブコウジ科)〕［かぞえ方］一株・一本

から だのみ③【空頼㋯】 実現があてにできない頼みごと。

から ちゃ⓪②【空茶】 お茶請(ケ)が無くて、お茶だけを出すこと。また、その お茶。

からつ①【唐津】 ❶「唐津焼」の略。 ❷〔←唐津物⓪〕〔石川・富山、中国・四国・東九州方言〕陶磁器の総称。 **―やき**⓪【―焼】 佐賀県唐津地方を中心に産する陶器。じみな感じの薄茶色の物が多い。

からっ かぜ⓪②【空っ風】 雨や雪を伴わずに吹く、乾燥した冷たい強風。冬期、関東地方などで吹くことが多い。

からっ けつ⓪【空っ穴】〔「空穴(カラケツ)⓪」の口頭語形〕あってほしいお金が一銭も無いこと。

カラット①②〔carat, オ karaat〕 ❶宝石の質量の単位で、二〇〇ミリグラム〔=〇・二グラム〕を表わす。「二―のダイヤ」 ❷合金中に含まれる純金の比率を示す単位で、一カラットは二四分の一を表わす〔記号K・k・kt〕。「二四―〔=純金〕」 ⇩【造語成分】きん(金)❷

がらっ ぱち⑤⓪〔若く活力にあふれる男性などの〕言動が粗野で、無分別な行動をしがちだが、曲がったことはしないなどの点で、憎めない性質(の人)。

からっ ぽ⓪【空っぽ】―に ―な 〔「ぽ」は接辞〕その中にあるべき物が何も無い様子。「頭の中が―だ」

からつゆ⓪【空〈梅雨〉】 つゆどきに雨が降らないこと。 表記 ⇩付表「梅雨」

からづり⓪【空釣㋷】 釣り針にえさを付けずに、魚を釣ること。

からて⓪【空手】 ❶持っているべき物を何も持っていない状態。素手❷❸。 ❷沖縄に伝わる、伝統的な△武術(護身術)。素手で、突き・受け・蹴(ケ)りの三方法を基本とする。 表記 ❷は、「唐手」とも書く。 **―チョップ**④〔プロレスで〕小指の側の手の横で、鋭く打つ△こと(わざ)。

からてがた③【空手形】 ❶融通手形(のうち、支払い資金が十分でない悪質のもの)。 ❷△守らない(実行されない)約束。「約束が―に終わる/―をつかまされる」

からとう⓪【辛党】 酒を好んで飲む人。辛口。↕甘党

からとて 「からといって」の圧縮表現。「熱が下がった―安心は出来ない/金持だ―いばるな」

ガラナ①〔guarana〕 ブラジルにあるつる性の植物。実は飲料・強壮剤として用いられる。〔ムクロジ科〕［かぞえ方］一本

からなでしこ④【唐〈撫子】 セキチクの異称。⇩やまとなでしこ

からに(接助) ❶ただ単にそうしただけでも。「見る―かわいらしい」 ❷「からには」の圧縮表現。「おれたちゃ町には住めない―」 文法 ❶は、動詞の終止形に接続する。❷の接続は「からには」に準ずる。

からに⓪【辛煮】 普通の味付けよりも△しょうゆ(塩)をきかせて煮ること。また、その煮物。↕甘煮

からにしき③【唐錦】 中国渡来の錦。

からには(接助)「その事態が事実であるならば、当然…である」という気持で、その前件を表わす。以上(は)。「やる―、りっぱにやれ/こうなった―、私がやるよりほかない」 文法 活用語(形容動詞型活用の活用語を除く)の終止形に接続する。形容動詞型の活用語は、「…であるからには」の形で接続する。

から ねんぶつ③【空念仏】 ❶口先だけで、心のこもっていない念仏。 ❷口先だけで、実行の伴わない主張。「―に△終わる(等しい)」

ガラパゴス③〔←Galápagos Islands=ガラパゴス諸島〕 日本や特定の地域の中では広く用いられているものの、世

か

界的には汎用性が低い製品やシステム。世界標準の進出を阻むが、一たび流入すると淘汰(タトウ)されやすい。エクアドルの西側に位置するガラパゴス諸島の、他と隔絶された環境において、独特な生態系が発達していることにたとえて言ったもの。「―化⓪」〔「ガラ」の形で接頭語のように使われる。例、「―ケー⓪」『=ガラパゴス化した携帯電話。日本国内で発展したがスマートフォンに淘汰されつつある』〕

からはふ⓪【唐破風】曲線状に作った破風。玄関・門・神社の屋根などに多い。

カラバン①〔caravan〕⇨キャラバン

からびつ⓪【唐〈櫃】衣装などを入れて保存するための、横長の櫃。足が六本付いている。

カラビナ⓪〔←ド Karabinerhaken〕〔岩登りで〕それにザイルを通すための鋼鉄製の輪。かぞえ方 一本

から・びる③【《乾びる】(自上一) かわいて、水分が無くなる。草木がしおれる。

からびん⓪【空便】〔汽船・航空機などで〕客や荷物の無い便。あき便。

からぶき⓪【《乾拭㋖】―する(他サ)〔床板や家具などを〕つやを出すために、かわいた布・ぞうきんなどでふくこと。

からぶり⓪【空振㋷】―する(他サ) ❶〔野球や卓球などで〕振ったバットやラケットがボールに当たらないこと。「からふり」とも。〔広義では、ボクシングでたたくつもりで振った腕が相手に当たらなかったことをも指す〕 ❷せっかくの意図が不成功に終わること。「捜査が―に終わる」

カラフル①―な―に〔colorful〕色彩に富んで、はなやかな様子。

からへた⓪④【空〈下手〉】―な―に〔「から」は、もと副詞〕へたくそで、全くお話にならない様子。〔強調形は、「からっぺた⓪」〕 表記 ⇨付表「下手」

がらぼう②⓪―バウ【ガラ紡】〔がらがら音を立てて織る意〕綿や糸くずなどで太い糸の織物を作ること。また、その織物。

からぼり⓪【空堀】〔城を守るために設けた〕水の無い堀。 表記 「空〈濠」とも書く。

からまつ②⓪【〈落葉松〉・唐松】〔唐松の意〕高冷地に生える落葉高木。材は水に強く建築・土木用。〔マツ科〕

からま・る③【絡まる】(自五) ❶からみあった状態に△なる(なって何かに付着する)。「ブラシに髪の毛が―/ツタの―校舎」 ❷⇩からむ❷

からまわり③―マハリ【空回㋷】―する(自サ) ❶車・原動機・機械などがむだに回転すること。 ❷しようとする事が当初の目的をそれて、むだに行なわれること。「議論が―する」

からみ【絡㋯】[一]③〔実施順などの決定が迫られる〕両者の関連。「今後は、関西新空港との―で積み残された形となっている大阪空港の存廃問題に焦点が移る」 [二]〔造語〕動詞「絡む」の連用形。 ―あ・う④―アフ【―合う】(自五) 幾つかの要素が入り組み、相互に影響し合って複雑な様相を呈する。 名 絡み合い⓪ ―つ・く④【―付く】(自五) 何かにからんで容易に離れない状態になる。〔だれかがうるさく付きまとう意にも用いられる〕「つるが―」 他動 絡み付ける⑤(下一)

からみ⓪【〈鍰】かなくそ❷。

からみ③⓪【辛味】❶辛い△程度(あじ)。⇔甘味 ❷辛いあじのする食品。 表記 ❶の本来の表記は「辛み」。

からみ⓪【空身】△何も持たずに(だれも連れずに)外出すること。

がらみ【絡み】(造語) ❶ぐるみ。「荷物―」 ❷そのものが一枚嚙(カ)んでいることを表わす。「政治目的―の再入国は認めない/先端技術―の研究所建設の動き/法律―のテーマ」 ❸年齢や値段などの数に近いという意を表わす。「五十―の男性」 表記 「〈搦み」とも書く。

からみそ⓪【辛味〈噌〉】塩けの強い味噌。⇔甘味噌

***から・む**②【絡む】(自五) ❶〈なに・どこニ―〉糸状のものが複雑に交差しあって、容易には元にもどせない状態になる。「掃除機の毛ブラシに糸くずや毛髪などが―/垣根に蔦(タツ)が―/痰(タン)が―〔=のどにひっかかってなかなか出ない状態である〕」 ❷〈なにニ―〉中心となるものに何らかの形でかかわりが生じて、問題が複雑になる。「世界一の実力を持つ中国に、ロシア・韓(カン)国・日本が絡んで熱戦を繰り広げる/三失策が絡んだが一失点だけに抑える」 ❸〈だれニ―〉相手に含むところがあるなどして、あえて非難めいた意を込めたことを言う。「酒を飲んで上司に―/暴走族に絡まれた」〔⇩絡み[一]〕

からむし②⓪【〈苧・〈苧麻〉】茎の皮から繊維をとる多年草。山野に自生し、また、栽培もする。〔イラクサ科〕 かぞえ方 一本

ガラム マサラ④〔ヒンディー garam masala=辛い混ぜたもの〕インド料理に使用するチョウジ・カルダモン・クミン・コリアンダー・シナモンなど数種のスパイスを混合した香辛料。

からめ⓪③【辛目】幾分か辛さが多いように何かをすること。

からめて⓪【〈搦㋱手】❶城の裏門。「―から攻める」⇔大手 ❷相手の注意をしていない方面や弱点。「―から説く」

からめと・る④【〈搦㋱捕る】(他五) 捕らえて縛る。

から・める③(他下一) [一]【絡める】❶縄・紐(ヒモ)など(の先端)を、目標に巻きつける。「木を伐(キ)って、藤蔓(フジヅル)で―」 ❷表にも裏にも満遍無く行き渡らせる。「薬味入りのつけ汁を絡めて焼きます」 ❸その要素を多分に取り入れる。「大技、小技を絡めて圧勝した/スポーツに政治問題を絡めてほしくなかった/フランスの場合も絡めて〔=含めて〕考える」 [二]【〈搦める】〔絡める意〕ぐるぐる縛って、動けなくする。「賊を―〔=捕縛する〕」⇩雁字(ガンジ)がらめ

カラメル⓪〔フ caramel〕❶砂糖を高温で熱して作る黒茶色のあめ状のもの。食品の着色・製菓原料用。「―ソース⑤」 ❷「カラメル❶」から作ったあめ菓子。キャラメルとも。

がらもの⓪【柄物】衣類・傘・バッグなどで、生地(ジキ)に模様がついているもの。「―のシャツ」

からもん⓪②【唐門】唐破風(カラハフ)のついた門。

からやくそく③【空約束】〔約束はしたものの〕△最初から守る気のない口先だけの(何かの事情に妨げられて果たせなかった)約束。「無責任な―はするな/―に終わった」

がらゆき⓪【柄行】その「柄[一]❶」から受ける、いい・悪いの感じ。

からよう⓪―ヤウ【唐様】❶中国風。〔狭義では、御家(オイエ)流に対して中国風の書体を指す〕「売り家と―で書く三代目〔=創業の苦心を知らない三代目が、道楽・遊芸にふけるあまり、先代が残してくれたりっぱな家を持ちこたえられなくなること〕」⇔和様 ❷鎌倉時代に伝わった、中国風の禅寺の建築様式。

カラリスト③〔colorist〕色彩に特色のある画家。

からりと②③(副)〔「り」は接辞〕不快に感じられる湿り気や陰湿なところが全く無い様子。〔口頭語における強調形は「からっと②」〕「―晴れあがった空/てんぷらが―揚がる/―した性格」

がらりと②③(副)〔「からりと」の強調形〕❶引き戸を勢いよく開ける時に立てる大きな音の形容。 ❷それまでとは全く違った状態に一変する様子。「店の様子が―変わった」〔口頭語における強調形は「がらっと②」〕

から・れる⓪【駆られる】〔「駆る」の受身形〕胸奥にひろがる強い思いが募る。「死の恐怖と不安に―/好奇心に―」

からわ⓪【唐輪】〔雅〕からこまげ。

カラン⓪〔オ kraan〕水道管の出口に取り付けて水を出す装置。ひねるのと押すのとがあり、最近は自動式のものもある。蛇口ジャグチ。〔広義では、ガス管の栓をも指す〕

がらん⓪【伽藍】〔精舎ショウジャの意の梵ボン語の音訳〕寺院・僧房の総称。「七堂―」 表記「伽檻」とも書く。

がらんと②(副)〔「から」の強調形「がら」の変化〕そこにあるはずのものが無くて、その空間の広さばかりが感じられる様子。「放課後の―した校庭」

がらんどう⓪―な〔「がらんと」の変化「がらんど⓪」の長呼〕中ががらんになっていること。「―の家」

かり 文語形容詞ク活用の語幹、シク活用の終止形に付けて、「…ことだ」の意で用いられる表現。〔もと、形容詞の補助活用の活用語尾とされた〕「良―・美し―」

カリ①〔オ kali〕カリウムの略。〔狭義では、「カリウム塩④」を指す〕 表記「加里」は、音訳。

***かり**⓪【仮】一時的なもの。本来のものではないこと。「―の〔=仮に付けた〕名/―の姿(話)/―契約③・―小屋ゴヤ」

かり①【狩(り)】❶Ⓐ鳥獣を捕らえること。「―を楽しんだ武将/兎ウサギガリ⓪・鷹タカガリ〔=鷹を使って、小動物をとること〕」Ⓑその社会にとって好ましくない存在だと思われる者を捕縛すること。「魔女―ガリ・赤―ガリ」❷何か目的の物を捜し求めながら、大自然の雰囲気の中に身を置くこと。「みかん―ガリ・桜―ガリ・紅葉モミジ―ガリ・潮干―ガリ」

かり⓪【借り】⇔貸し ❶相手に対して返さなければならないこと(お金)。「―がある〔=俗に、以前に争って敗れ、雪辱しようと思っている意にも用いられる〕」❷借り方。 かぞえ方 ❶は一点

かり①【雁】〔秋の景物として観賞する〕ガン。 表記「鴈」とも書く。

がり【許】(格助)〔雅〕その人の居る所(へ)。「君―行けば」 文法 人を表わす名詞に接続する。

がり①【ガリ】「ガリ版バン」の略。「―を切る/―切り②③⓪」

がり①〔すし屋で〕甘酢に漬けた薄切りのショウガ。

がり①【我利】自分だけの利益。「―我欲①-⓪」 **―がりもうじゃ**⑤マウ―【―我利亡者】自分の利益を追求するのに急で、人情味など全く見られない者。

かりあ・げる④【刈(り)上げる】(他下一) ❶残らず刈る。刈り終わる。「田を―」❷後ろの髪の毛などを上の方まで刈る。「髪を―」 名刈り上げ⓪

かりあ・げる④【借(り)上げる】(他下一) 政府や立場の上の人が、民間や目下の者から土地や品物などを借りる。 名借り上げ⓪

かりあつ・める⑤【駆(り)集める】(他下一) 吟味することも無く、おおぜいの人数を急いで集める。「希望者を―」

かりいえ⓪イヘ―【借(り)家】「しゃくや」の和語的表現。⇔持ち家

かりいお⓪イホ―【仮庵】〔ほんのしばらく住むための〕小さな、粗末な住まい。かりお⓪。かりほ。

かりい・れる④【刈(り)入れる】(他下一)〔実ったイネ・ムギなどを〕刈って取り入れる。 名刈り入れ⓪

かりい・れる④【借(り)入れる】(他下一) 事業をするためなどに資金・資財などを借りる。 名借り入れ⓪「―金⓪」

かりう・ける④【借(り)受ける】(他下一)「借りる」のやや改まった言い方。「マンションの一室を借り受けて、法律事務所を開く」 名借り受け⓪

カリウム②〔オ kalium〕金属元素の一つ〔記号K 原子番号19〕。銀色でもろく、酸化しやすい。水に入れると燃える。ガラス・肥料などの原料。ポタシウム③。

ガリウム②〔gallium←ラ Gallia=「フランス」、発見者がフランス人だったことに由来〕金属元素の一つ〔記号Ga 原子番号31〕。青みを帯びた銀色で軟らかく、化学的性質はアルミニウムに似る。融点は約三十度、沸点は約二千四百度なので高温用温度計に用いられるほか、砒素ヒソとの化合物〔=砒化ガリウム、別名ガリウム砒素〕が半導体として発光ダイオードやレーザーなどに使われる。

カリエス①〔ド Karies〕結核菌などのため骨がおかされてうみの出る病気。「脊椎セキツイ―」

かりおや⓪【仮親】❶実の親とは別に、誕生や成人に当たって仮に決めた親。名付け親・烏帽子エボシ親など。親代り。❷養父母。

かりか・える③④カヘル―【借(り)換える】(他下一) 前に借りたものを△返して(返したことにして)、新しく借りる。 名借り換え⓪

かりかし②【借(り)貸(し)】借りと貸し。貸し借り。

かりかた⓪【借(り)方】❶借りた方の人。❷〔複式簿記で〕左側の記入欄の称。経費の発生、資産の増加、負債の減少などを記入する。⇔貸し方

カリカチュア③②〔caricature〕〔政治漫画などの〕戯画。

かりがね⓪【雁が音】〔雅〕ガンの鳴き声。〔ガンそのものを指すこともある〕 表記「雁金」とも書く。

かりかぶ⓪【刈(り)株】イネ・ムギなどを刈ったあとに残った株。

かりかり [一]①(副)―と・―する ❶堅い物や乾いた物を△かみくだく(引っかく)様子。また、その音の形容。「木の実を―と食べる」❷ひどく怒っていらだっている様子。「そう―するな」 [二]⓪―に 柔らかみのあった物が乾ききって堅くなっている様子。「―に揚げる」

がりがり [一]①(副)―と 堅い物を、音を立てて△粗くかみくだく(引っかく)様子。また、その音の形容。 [二]⓪―に やせて、肉がほとんど付いていないように見える様子。「―にやせる」

がりがり⓪【我利我利】⇨我利我利亡者(「我利」の子見出し)

かりぎ⓪【借(り)着】他人の衣服を借りて着ること。また、その衣服。借り衣装。

かりぎぬ⓪③【狩《衣》】〔平安時代から江戸時代まで〕公家クゲ・武家の平服。襟が丸くてそでにくくりがある。

カリキュラム①③②〔curriculum〕教育課程(に基づいた履修課目の一覧)。 かぞえ方 一本

かりき・る③【借(り)切る】(他五) その場所・座席などを一定期間専用出来る約束で借りる。 名借り切り⓪

カリグラフィー③④②〔calligraphy〕文字を装飾的に美しく書く術。欧文文字における書道。

かりこし⓪【借(り)越(し)】△貸して(預けて)ある金額よりも多く借りること。「―金⓪」 動借り越す③(他五)

かりこみ⓪【狩(り)込(み)】Ⓐ獣を追い立て、つかまえること。Ⓑ〔俗に〕浮浪者や戦災孤児などを検挙すること。 動狩り込む③(他五)

かりこ・む③【刈(り)込む】(他五) ❶髪の毛の伸び過ぎた部分や、物の不要な部分を刈り取る。❷刈り取ってたくわえる。 名刈り込み⓪

かりごや⓪【仮小屋】短期間の使用のためにこしらえた取り壊しの容易な小屋。

かりしょぶん③【仮処分】❶ある事柄の処置を仮に決めること。❷当事者の申請に基づいて裁判所が定める処分。係争中に当然△受けるべき権利(避けられるべき不利益)が保留されている時、暫定的に定められるもの。「―を申請する/―の決定」

カリスマ⓪〔ド Charisma=神の賜タマモノ。超能力。ギリシャ語に由来〕接する人に超人的・神秘的な力を感じさせたり教祖的な指導力を発揮したりする能力(を備えた人)。「―的支配・―性⓪」

かりずまい③[ズマヒ]【仮住(ま)い】仮にそこで生活する△こと（家）。

かりそめ⓪【仮初(め)】―に ❶（軽い気持で）その時ちょっと何かをすること。「―〔=一時のまにあわせ〕の住まい／―の病気／―の〔=はかない〕命／―の〔=その場限りの〕約束／―の恋／―にする〔=いいかげんに扱う〕／―にも〔=まちがっても〕してはならない」 表記「〈苟且〉」とも書く。

かりたお・す④[タフス]【借(り)倒す】（他五）借りたまま返さないで、相手に損害を与える。踏み倒す。

かりだされる⑤【駆り出される】〔「駆り出す」の使役形〕強制的にある任務に就けさせられる。「試合の応援に―／△戦場慰問〔不慣れな道案内〕に―」

かりだ・す③（他五）❶【狩(り)出す】（隠れている）獣や犯人をつかまえるために追い出す。❷【駆り出す】強制的に、ある任務に就かせる。「従業員を―／応援に―」

かりだ・す③【借(り)出す】（他五）外部で使用する目的で借りる。「図書館の本を―」

かりた・てる④⓪【駆り立てる】（他下一）そういう行動を取らざるを得ないような心的状態に仕向ける。「東洋熱を駆り立てた旅行家、マルコポーロ／彼を山へ―内的な衝動／織田信長の天下取りへの道は虐殺の連続でもあった。何が彼をこのような行動に駆り立てたのか」

かりち⓪【借(り)地】他人から借りている土地。借地。

かりちょう⓪[チャウ]【仮丁】仮につけた丁付[ヅ]け。

かりちん②【借(り)賃】物を借りるために支払う料金。↔貸し賃

かりっと②（副）―する 焼いたり揚げたりした食品が、余分な湿り気が無くなって好ましい歯ざわりが感じられる様子。「―したせんべい／―揚がったフライ」

かりて⓪【借(り)手】借りる方の人。↔貸し手

かりとじ⓪[トヂ]【仮(綴じ)】〔書物などを本格的な製本をせずに〕簡単に綴じておくこと。また、その物。〔フランスの出版物のように、製本技術の一つとして、愛書家が自分の好みの製本が出来るように、そうしておくものもある〕

かりと・る③【刈(り)取る】（他五）（一面に生えている物を）刃物で、切って取る。「イネを―〔=収穫のために刈る〕／林の下草を―／悪の芽を―〔=再び勢いを得ることが無いように取り除く〕」 名 刈り取り⓪

***かりに**⓪【仮に】（副）❶一時のまにあわせとして行なう様子。❷話を円滑に進めるための便宜として、実際にはそうではないことを想定することを表わす。「―ぼくが君だったら／―百歩を譲って…だとしても」 ―も③（副）❶〔禁止表現と呼応して〕たとえそれが仮定のことだとしても許されないと、強くいましめる気持を表わす。「―師の恩を忘れてはならない／…するようなことは―あってはならない」 ❷そう呼ばれる存在である以上は満たすべきだ、とされる条件を示す意を表わす。「―選手であるからには常に体調に留意せよ」

かりぬい⓪[ヌヒ]【仮縫(い)】―する（他サ）❶まにあわせに縫うこと。❷本仕立ての前に、仮に縫ってぐあいを見ること。

かりぬし②【借(り)主】借りた当人。↔貸し主

かりね⓪【仮寝】―する（自サ）❶「仮眠」の意の和語的表現。「―の枕[マクラ]」❷〔宿屋などが無かった昔〕旅に出て野宿したこと。旅寝。

かりのよ⓪④【仮の世】〔安住の地ではないという諦念[テイネン]の上に立った〕無常なこの世。

かりば⓪【狩(り)場】野遊びとしての狩りをする場所。

ガリバー①〔Gulliver=「ガリバー旅行記」の主人公の名〕同種の他のものに比べて、それだけがきわ立って大きい△こと（様子）。「―型企業⑦・―商品⑤」

かりばし⓪【仮橋】間に合わせの材料を用いて一時的に橋の働きをするように作った物。

カリパス①〔calipers〕⇨キャリパス

かりばらい③[バラヒ]【仮払(い)】―する（他サ）支払うべき金額のはっきりしていない場合に、とりあえず概算で支払うこと。

がりばん⓪【ガリ版】〔鉄筆でがりがり書く意〕謄写版〔用の鑢[ヤスリ]〕の通称。略して「がり」。

カリひりょう③[レウ]【カリ肥料】炭酸カリウム・木灰[バイ]など、カリウムを多く含む肥料の総称。

カリフ①〔caliph（←アラビア khalīfa=マホメットの後継者）〕〔かつてイスラム教国で〕予言者の後継者として、政治上・宗教上の権力を併せ持つ支配者。

カリブー①〔caribou=雪を掻[カ]き分ける者〕北アメリカ産のトナカイ。イヌイットが飼い、蛋白[タンパク]源とする。〔シカ科〕 かぞえ方 一頭

かりぶき⓪【仮(葺き)】一時の間に合わせに、何かほかの材料で屋根を葺くこと。また、その屋根。〔狭義では、板葺きのままの屋根を指す〕

かりぶしん③【仮普請】当座の使用に耐える程度の簡単な普請。

カリプソ⓪〔calypso〕西インド諸島のトリニダード島で二十世紀初頭に生まれた民族音楽。風刺のきいた歌詞が二拍子のリズムの伴奏で歌われる。

カリフラワー④〔cauliflower〕キャベツの変種。葉が巻かず、中心部に出るつぼみの部分を取って食べる。はなやさい〔花椰菜〕。花キャベツ。〔アブラナ科〕 かぞえ方 一株

がりべん⓪【がり勉】学校の勉強ばかりを一生懸命する△こと（人）をはたから皮肉って言う語。 表記「我利勉」とも書く。

かりまた⓪【〈雁股〉】ふたまたに開いた△やじり（矢）。

かりみや⓪【仮宮】❶仮の御殿。❷天皇の旅行先の宿舎。行在所[アンザイショ]。❸みこしの御旅所[オタビショ]。

かりめん⓪【仮免】「仮免許」の略。

かりめんきょ③【仮免許】一定の条件を満たした後、正式の免許が交付されるまでの期間与えられる免許。略して「仮免」。〔狭義では、自動車の運転免許についていう〕

かりもの⓪【借(り)物】借りた物。「―の〔=自分が考えついたものではない〕思想」

かりゃく⓪【下略】―する（他サ）そこからあとの文を略すこと。「げりゃく」とも。⇨上略・中略：前略・後略

かりゅう⓪[リウ]【下流】❶〔川の流れで〕〔源から河口にいたる全体の中で〕河口に近い方。❷その社会を構成する階層のうち、社会的地位や経済力が低い方。⇨上流・中流

かりゅう⓪[クワリウ]【花柳】〔←花街柳巷[カガイリュウコウ]〕「芸者町」の異称。〔もとは遊郭をも指した〕「―の巷[チマタ]」 ―かい②【―界】芸者・遊女などの社会。 ―びょう⓪[ビヤウ]【―病】「性病」の異称。

かりゅう⓪[リウ]【河流】「川の流れ」の意の漢語的表現。

かりゅう⓪[クワリフ]【顆粒】〔くすりなどの〕細かいつぶ。

がりゅう⓪[リウ]【我流】正規の流儀に合っていない、自分独特のやり方。〔謙遜[ケンソン]の意味で用いられることもある〕

がりゅう①⓪[グワ]【画竜】⇨がりょう

かりゅうど①②[カリウド]【〈狩〈人〉】〔「かりびと」の変化〕「猟師」の意の和語的表現。「かりうど」とも。

かりゆし②〔沖縄方言で「めでたい」の意〕沖縄で作られるアロハシャツに似た半袖のシャツ。

かりょう⓪[レウ]【下僚】地位の低い官僚。↔上司・上官

かりょう⓪[レウ]【加療】―する（自サ）〔病気やけがを〕治すために手当をすること。「入院―を要する」

かりょう⓪[リヤウ]【佳良】―な 水準以上であるが、特にすぐれているというところまでは行かない様子。

かりょう[0]　[一]【科料】　軽い罪をおかした者に刑罰として払わせるお金。千円以上一万円未満。[二]【過料】　行政上、法令に違反したものに出させるお金。「―を科する」〔科料と違って、刑罰ではない〕

かりょう[0]【過量】　基準よりも多すぎる(分)量。「―照射[4]」

がりょう[1][0]【画料】　❶(注文でかいた)絵の代金。❷画材❷。

がりょう[1][0]【画《竜】　絵にかいたリュウ。「がりゅう」とも。　**―てんせい**[1]-[0]、[0]-[0]【―点〈睛】〔竜を画いて睛を点ず、すなわちリュウをかいて最後にひとみをかき加えたら、天にのぼったという故事に基づく〕それが無いと、完成したことにはならない、大事な最後の仕上げ。「―を欠く」

がりょう[0][1]【〈臥《竜】　隠れて世に知られていない傑物のたとえ。「―鳳雛[0]-[0]、[1]-[0]〔=将来大人物になるかもしれない、若くて有能な人物〕」　**―ばい**[2]【―梅】　花は薄紅色で枝・幹が地上をはうウメ。

がりょう[0]【雅量】〔人に慕われるような〕寛大で人を受け入れる性格。「―を示す」

かりょうびんが[4]【〈迦陵《頻〈伽】〔好美声の意の梵語の音訳〕極楽にすむと言われる、声の美しい鳥。妙音鳥。

かりょく[0][1]【火力】　火や火薬の△力(勢い)。「―〔=石炭や重油などをたいたエネルギーを利用する〕発電[4]」

カリヨン[1]〔フ carillon〕　形の異なる大小の鐘をつるし、鍵盤または時計仕掛けで打ち鳴らす楽器。組み鐘。カリロン・カンパネッタ[4]とも。

** **か・りる**[0]【借りる】(他上一)〈だれニなにヲ―／だれカラなにヲ―〉❶(返す約束で)相手の物を一時的に使う許可を得る。「△金(部屋)を―／…に名を―〔=名を利用させてもらう〕／この機会を借りて〔=利用して〕一言お礼を申し上げます」❷自分の非力を補うために、相手の助力を受ける。「△力(知恵・手・助け)を―」〔「借りた」に当たる形を関西方言では「借った」と言う〕

かりわたし[0][3]【仮渡(し)】―する(他サ)　精算しないで、概算で仮に支払うこと。

かりん[0]　[一]【花《梨】　タイ・ミャンマー・マレーシアに産する落葉高木。赤木で細工に適し、家具材・彫刻材として用いられる。〔マメ科〕[二]中国原産の落葉高木。庭に植えたりする。晩春、紅色の花を開く。大形の実は砂糖づけにしたり漢方に用いたりする。木材は床柱・三味線・器具用。〔バラ科〕　表記　[一]は「果《梨」とも書く。[二]は「〈〈榠樝〉〉」(漢語表記)とも書く。　かぞえ方　[一][二]とも一株・一本

かりんさんせっかい[6]【過〈燐酸石灰】　肥料の一つ。燐酸塩と硫酸カルシウムとから成る。

かりんとう[0]【花林糖】　堅くこねた小麦粉を短冊形に切ったものを、狐色に揚げたのち、すぐに黒砂糖の蜜の中に入れてかき回しながら固めた菓子。

* **か・る**[0]【刈る】(他五)〈(なにデ)なにヲ―〉　密生しているものを、刃物で薙ぐなどして根元から短く切りそろえる。「△芝生(頭・長くのびた草)を―／自分で種を蒔いた以上は自らの手で刈らねばならぬ」

か・る[0]【枯る】(自下二)　「枯れる」の文語形。「一将功成りて、万骨―〔=⇩一将〕」

か・る[0][1]【狩る】(他五)　狩りをする。

か・る[0]【借る】(他五)〔雅〕〔近畿以西の方言としても用いる〕借りる。「虎の威を―狐」

か・る[0][1]【駆る】(他五)　❶〔雅〕移動を余儀無くする。❷馬・牛・飛行機などを、思う通りに(目的地まで)走らせる。「野に馬を―／一回戦で強豪を倒した余勢を駆って〔=一段と勢いを得て〕決勝戦まで勝ち上がる」　表記「〈駈る」とも書く。

が・る(接尾・五型)　❶いかにもその状態にあるという印象を相手に与えるような言動をする。「寒―・新し―・うれし―・おもしろ―・痛―・めんどう―」❷いかにもそうであるかのようなふりをする。「えら―・強―」　文法　(1)情意・感覚などを表わす形容詞・形容動詞の語幹について動詞化し、他者から見てそのような情感・感覚をいだいていると判断されるようなことを言動や表情・態度に表わすことをいう。(2)動詞と直接結びつくことはなく、希望・欲求を表わす助動詞「たい」を介して「帰りたがる」「飲みたがる」などとなる。

ガル[1]〔gal ← Galileo Galilei=イタリアの物理学者〕　おもに地球物理学で用いる加速度の単位で、一秒間に秒速一センチメートルの速度変化を生じさせる加速度を表わす〔記号 Gal〕。「震度2の際の加速度は二・五―から八・〇―」⇩ジー(G)❷

** **かる・い**[0]【軽い】(形)　↕重い　❶△比較の対象とする(一般に予測される)状態と比べ、その物を支え持ったり動かしたりするのに、大きさから受ける感じほどの力を必要としない状態だ。「―荷物／見かけよりは―かばん／片手で軽く持ち上げる」❷何かに抑圧されたり束縛されたりすることがなく、のびのびした気分でいられる様子だ。「―足取りで歩く／身が―〔=ⓐ身のこなしが自由だ。ⓑ係累が無くて自由だ〕／心も軽く、身も―〔=うれしい事などがあって、心もはずみ浮き立つ感じだ〕」❸事の是非などを深く考えることもなく、何かを行なう様子だ。「口が―〔=物言いに慎重さを欠く様子だ〕／尻が―〔=一か所に落ち着いて居られない性質だ。⇩尻軽〕」❹たいした程度でなくて、かかる負担や受ける影響が少ない様子だ。「滑って転んだが、―けがですんだ／刑が―／△事態(症状)を軽く見る／―〔=気楽に読める〕文章／―冗談を真に受ける／食事を軽く済ます」❺大した労力を要することなく、何かが実現する(と予測できる)様子だ。「予選を通過するのは―だろう／二人分の料理を軽く〔=事もなげに〕たいらげる／工事の完成には軽く〔=少なめに見積もっても〕三年はかかるだろう」　派　**―さ**[0]　**―げ**[0]

かるいし[0]【軽石】　溶岩が急に冷えて出来た石。穴が多くて軽い。浮き石。

かるがも[0]【軽〈鴨】　黒っぽい体に白っぽい顔で、くちばしの先が黄色いカモ。日本全国にいる。産卵に安全な場所から、ひなが育つと餌場に引っ越す。その際の親鳥を先頭に列をなして歩く様子が愛らしい。〔カモ科〕　かぞえ方　一羽

かるかや[2]【刈〈萱】　山野に自生する多年草。葉はイネに似て、秋、ムギの穂に似た小さい花を葉のわきにつける。高さは一・五メートルくらいに達する。めがるかや[4][3]。〔イネ科〕　かぞえ方　一本

かるがゆえに[1]、[1]-[2]【かるが故に】(接)〔漢文訓読に由来する語〕それゆえに。

かるがる[3]【軽々】(副)―と　❶自分には△重い(重そうに見える)物をいかにも軽い物であるかのように扱う様子。「大きな石を―と持ち上げる」❷いかにも身軽な感じで行動する様子。「隣の垣根を―と飛び越した」❸普通には困難に思われることを、たいしたことではないようにやってのける様子。「難問を―〔=らくらく〕と解いた」　**―し・い**[5](形)　言動に慎重さを欠く様子だ。↕重々しい　派　**―さ**[4]

かるかん[0]【軽〈羹】　鹿児島県の名物。すりおろしたヤマイモに、米の粉・砂糖を練り合わせて蒸した、羊羹の形をした和菓子。「―まんじゅう[5]〔=『かるかん』の生地の中にあんなどを入れたもの〕」

カルキ[1]〔オ kalk=石灰〕　クロール カルキの略。

かるくち[0]【軽口】　その場の思いつきでふと口をついて出る、冗談とも本気ともつかぬ言葉。「―をたたく」　**―ばなし**

⑤【—〈噺・—話】だじゃれやもじりなどを主な技巧とする、こっけいな話。表記「軽口〈咄〉」とも書く。

カルサン⓪〔ポ calção〕雪国の男女が着る防寒用・作業用のもんぺ。表記「軽〈衫〉」は、音訳。かぞえ方 一枚

カルシウム③〔オ calcium〕軽金属元素の一つ〔記号Ca 原子番号20〕。銀白色で軟らかい。石灰岩・大理石の主成分。骨の組織中にも含まれる。

カルスト⓪①②〔ド Karst=スロベニア共和国の地名〕雨におかされた、石灰岩の台地。例、秋吉台。「—地形⑤」

かるた①〔ポ carta=カード〕歌や諺(コトワザ)などの△全部(一部)を読み、取り手がそれに見合う札を、並べた場から早くたくさん取ったものを勝ちとする遊び。「—取り③・いろは—(ガルタ)・歌—(ガルタ)」表記「加留多・歌留多」は、字義を考慮した音訳。「〈骨〈牌〉」(漢語表記)とも書く。かぞえ方 一枚・一組(ヒトクミ)

カルチベーター④〔cultivator〕田畑の中耕・除草・土寄せなどの作業に使う動力付きの機械。耕耘(ウン)機。耕作機。カルチ①。かぞえ方 一台

カルチャー①〔culture〕文化。教養。カルチュアとも。**—ショック**⑤〔culture shock〕それまでに全く経験したことのない異文化に接して、物の考え方や生活様式・社会慣行の相異に強い違和感を感じること。文化(的)衝撃。**—センター**⑤〔和製英語 ←culture＋center〕一般社会人を主対象とする各種の教養講座。新聞社・放送局・デパートの主催するものが多い。

カルテ①〔ド Karte〕〔病院の〕診療記録カード。「電子—④」かぞえ方 一枚

カルテット①〔イ quartetto〕〔二つのバイオリン、ビオラ、チエロによる弦楽などの〕四重奏(曲)。四重唱。また、その演奏グループ。クワルテットとも。

カルデラ⓪〔caldera=もと、カナリア諸島の噴火口の名。スペイン語で釜(カマ)の意〕火山の頭頂部が陥没して出来た、大きな円形のくぼ地。例、阿蘇山(アソザン)。「—湖④・—地形⑤」

カルテル①〔ド Kartell〕同種の企業が、独立性を保ちながら協定に基づいて連合する、横断的な結合。企業連合。「闇(ヤミ)—③」⇨トラスト・コンツェルン

カルト①〔cult〕㊀宗教的な崇拝。㊁ある集団が熱烈に支持する小説・映画・スポーツなど。㊂狂信的な信者によって組織されている、小規模な宗教集団。

カルトン①〔carton〕⇨カートン㊂

かるはずみ⓪③【軽はずみ(ハヅミ)】—に —な〔「はずみ」は弾みの意〕前後の事情をよく考えないで、その場のはずみでよけいな事をしたり言ったりする様子。〔古くは、単に軽快の意にも用いられた〕「—な行動」

カルパッチョ③〔イ carpaccio〕生の肉や魚を薄切りにしてオリーブ油などをかけた料理。

ガルバンゾ③〔ス garbanzo〕地中海沿岸地方原産の豆の一種。食用。ヒヨコマメ③。エジプト豆④。チックピー③。〔マメ科〕

カルビ①〔朝鮮 galbi=あばら骨〕韓国(カンコク)料理で、焼き肉などに用いる牛のばら肉。

カルボナーラ④〔イ spaghetti alla carbonara=炭焼き〕ベーコン・卵・チーズ・生クリーム・黒胡椒(コショウ)で作るスパゲッティ。〔黒こしょうが炭の粒のように見えることから〕

カルマ①〔サンスクリット karma〕〔仏教で〕前世の業(ゴウ)。現世につながるよい行いや悪い行い。⇨業

かるみ⓪【軽み】〔軽いものの持っているよさ、の意〕芭蕉(バショウ)の重んじた俳句の作風の一つ。題材を日常的な事物の中に求め、そこに俳味を見いだそうとするもの。

カルメやき⓪【カルメ焼(き)】カルメラ。

カルメラ⓪〔ポ caramelo の変化〕赤砂糖を煮て、重曹を加えてふくらませ、軽く焼き固めた菓子。カルメ焼。

かるやき⓪【軽焼(き)】せんべい・パン・ビスケット類を、歯ざわりが柔らかいように△焼くこと(焼いたもの)。例、クラッカー・鉱泉せんべいなど。⇨堅焼

かるわざ⓪【軽業】㊀身軽に行なう危険な曲芸。㊁危険の多い事業や計画。**—し**④【—師】㊀軽業を職業とする人。アクロバット。㊁危険の多い事業をする人。

かれ①【彼】↔彼女 ㊀〔代〕話し手・相手以外の同輩以下の男性を指す言葉。〔明治時代以前は女性も指した〕㊁恋人・婚約者などである男性を指す婉曲(エンキョク)表現。〔広義では、交友関係のある男性を指す〕

がれ【枯れ】〔造語〕㊀それが原因で、草木の類が枯れること。「夏—・冬—・霜—」㊁何かが原因で、草木の類が枯れてしまうこと。「青—⓪・草—・末(ウラ)—」㊂その状態のまま枯れること。「立ち—・生(ナマ)—」㊃その物が少なくなって、必要を満たせなくなること。「品—・資金—・水—」表記「〈涸れ」とも書く。

がれ②〔登山用語〕がけ崩れのあとや沢の源などに見られる、岩石などが転がっている急斜面。「—場(バ)⓪」

かれい①【鰈(カレ)】浅い海の底にすむ硬骨魚。形はヒラメに似て平たい。背びれを上、腹びれを下にした場合、目は進行方向に向かって右側にある。〔目のある側は砂色。反対側の白色の方を下にして海底の砂の上に横たわる〕白身で美味。マガレイ②・石ガレイ・シマガレイ③・ムシガレイなど種類が多い。〔カレイ科〕かぞえ方 一尾・一匹・一枚

かれい⓪【加齢】—する(自サ) 壮年期を過ぎた人が年を経るに従って老いへの道を確実にたどること。「歩幅は—で狭くなる」

かれい⓪【佳麗】—なる 美しくて、品がいい様子。

かれい⓪【家令】もと、皇族や華族の家の事務・会計を管理した人。家扶の上。

かれい⓪【家例】その家の習慣になっている日常的行事(のやり方)。

かれい⓪—(クワ)【華麗】—に —な はなやかで、豪華な様子。「—な△踊り(ダンス・マジックショー・演技・姿)/—なデビュー/—な晩餐(サン)会/アルゼンチンタンゴの—な世界/—な花の魅力」

かれい⓪—(クワ)【過冷】派—さ⓪〔非常にゆるやかに温度を下げたりして〕凝固点以下になっても、液体がそのままの状態にあること。過冷却②。

かれい⓪【〈嘉例】そうすることがよいとされる、決まった行事。

かれいろ⓪【枯れ色】枯れ木や枯れ草の色。

カレー⓪〔curry〕㊀〔インド・ネパール料理で〕ターメリック・クミン・コリアンダーなど種々の香辛料を混ぜて作った△もの(ソース)。カリー。「欧風—⑤・スープ—④」㊁カレーライスの略。「ドライ—」

カレーこ⓪【カレー粉】こしょう・トウガラシ・ナツメグ・シナモン・チョウジ・ターメリックなど種々の香辛料を混ぜた、黄色の粉末。カレーライスなどに使う。

ガレージ②①〔garage〕使わない時に自動車をしまっておくための設備。車庫。

かれえだ⓪【枯れ枝】㊀木の枯れた枝。㊁葉の枯れ落ちた木の枝。

カレーパン②〔和製洋語 ←英 curry＋ポ pão〕中に「カレー㊀」を入れて△揚げた(焼いた)パン。

カレーライス④〔curry and rice の日本語形〕肉・野菜をいためて煮込み、カレーソースを混ぜて飯にかけたもの。

ライスカレー。

かれおばな③ヲ—【枯れ尾花】〔雅〕枯れススキ。「幽霊の正体見たり—」

かれがれ⓪—な 一〈涸れ涸れ〉△ためであった(小川などの流れの)水が、もう少しで無くなりそうな様子。二〈嗄れ嗄れ〉ほとんど声が出ない様子。三【枯れ枯れ】草木がほとんど枯れ、わずかに残っている状態。

かれき⓪【歌歴】その人が短歌を作り始めてからの年数。

かれき⓪【枯れ木】枯れた木。「—も山の賑わい(=何も無いよりは、つまらないものでもあった方が寂しくなくていい)」

がれき⓪グワ【瓦礫】Ⓐかわらのかけらや小石。〔近年では、建物の壊れた残骸をも言う〕Ⓑあっても何の役にも立たない物。

がれき⓪グワ【画歴】その人が絵をかき始めてからの年数。

かれくさ⓪【枯れ草】❶(冬の)立ち枯れた草。❷干し草。—**いろ**⓪【—色】枯れた草のような、つやの無い色。〔灰色がかった茶色から薄い黄土色まで幅が広い〕

かれこれ①【彼〈此〉】(副)❶—と—する 個々の事を具体的には言わないが、いくつかの事があることを漠然と指して言う様子。「—言っているひまがあるならさっさと勉強しなさい/—しているうちに一年がたってしまった」❷個々の細かなことはさておいて、おおよそのところをとらえて言う様子。「—見積もって十年はかかる仕事だ/—お昼だ」

かれさんすい③【枯れ山水】水の無い所に石を配置して、山水を表わした庭。「枯れせんすい」とも。

かれし①【彼氏】↔彼女 一(代)「彼二」を(ややからかい気味に)第三者的にとらえて言う語。二恋人・婚約者などを指す婉曲表現。〔二のアクセントは⓪が用いられることもある〕運用 二は、見知らぬ男性に対する卑俗な呼びかけの語として用いられることもある。

かれすすき③【枯れ〈薄〉】(冬の)立ち枯れたすすき。枯れ尾花。〔うらぶれたままで、年老いた人のわびしい姿のたとえとして用いられる〕

かれつ⓪【苛烈】—な その状況が言語に絶してきびしく、当事者にいささかの油断も許さない様子。「戦闘が—を極める/—な競争社会」派—さ⓪

カレッジ①〔college=総合大学を構成する各単科大学(の学生寮)〕学生生活を送る場としての大学。〔アメリカでは、大学院を併設していない(単科)大学を指す〕「—ライフ・—ソング⑤」⇩ユニバーシティー

かれの⓪【枯れ野】草木の枯れはてた野。「夢は—をかけめぐる」

かれは⓪【枯れ葉】草木の枯れた葉。かぞえ方 一枚

かればむ③【枯ればむ】(自五)秋の末になって、枯れ始める。

かれやま⓪【枯れ山】草木の枯れた山。

かれら①【彼〈等〉】(代)三人称複数を指す語。あの人たち。

****かれる**⓪(自下一)一【枯れる】❶草木の生物としての機能が失われ、葉がしおれたり幹や茎に水分が無くなったりする。〔狭義では、冬期、葉が変色して落ちることを指す〕「水やりを忘れ、花が—/よく枯れた(=切ってから時間がたち、よく乾いた)材木/やせても枯れても(=ⓐ年をとっても。ⓑたとえ落ちぶれても)」❷△必要(本質的)なもの以外のむだや気負いがすべて省かれていて、かえって深い味わいを持つようになる。「芸が—/枯れた字」二【涸れる】本来そこにあるべき水が非常に少なくなる。〔必要とされる物が、ほとんど無くなってしまう意にも用いられる。例、「△資金(創作力)が—」〕三〈嗄れる〉のどを酷使するなどして声がかすれる。運用 結婚・開業などの祝いの場では避けるべき言葉とされる。

かれん⓪【可〈憐〉】—な ひ弱そうな感じがして、無事でいられるよう、暖かい目で見守ってやりたくなる様子だ。「ユリに似た—な花/野に咲く—なスミレ/無心にえさをついばむ—な雛/リンクを—に彩る小学生姉妹」派—さ⓪

カレンズ①②〔currant の変化か〕種の無い、小粒の干しぶどう。

***カレンダー**②〔calendar〕❶△一年全体(各月など)を一枚の紙に表わした暦。「卓上—⑥」❷おもな行事の一覧表。「スポーツ—⑥」

かれんちゅうきゅう①-⓪、⓪-⓪【苛〈斂誅〉求】〔「斂」は取り立てる意〕人民の側の事情などを無視して、一方的に無理やり税金を取り立てること。

カレント①〔current〕時の勢い。時事。「—トピックス⑤」

かろ①クワ【火炉】ボイラーの、燃料をたく所。

かろう⓪ラウ【家老】大名・小名の家臣のうちで最上位に位し、家臣を統率した者。「城代—⑤」

かろう⓪クワラウ【過労】働き過ぎて、心身をそこねること。「—死②」

がろう⓪グワラウ【画廊】〔ギャラリー(gallery)の音と意味を漢字によって表わしたもの〕⇩ギャラリー❶

かろうじて②⓪④カラウジ【辛うじて】(副)〔「辛くして」の変化〕最低の条件だけをどうにか満たしたかたちで事がなされる様子。「最下位で—当選した/—逃げ帰った」

かろうど②カラウド【唐〈櫃〉】〔「からひつ」の変化。「からうと・からと」とも〕墓石の下に設ける納骨用の石室。

かろがろし・い⑤【軽々しい】(形)「かるがるしい」の古風な表現。派—さ⑤④ —げ⑤⑥⓪

かろし・める④【軽しめる】(他下一)相手をたいしたものでないと見る。

ガロップ①〔gallop〕⇩ギャロップ二

カロテン①〔carotene=ニンジンの意のラテン語に由来〕ニンジンの根、カボチャや卵の黄身などにある、黄赤色の色素。体内でビタミンAに変わる。黄葉・紅葉などは、この色素の働きに基づく。カロチン(carotin)。

かろとうせん①-⓪【夏炉冬扇】〔夏のいろりと冬の扇の意〕時節に合わないで役に立たないもの。「冬扇夏炉」とも。

かろやか②【軽やか】—な いかにも軽快に行動△出来そうな(している)様子。「—な足どり/—に踊る」派—さ④

カロリー①〔フ calorie=熱〕❶石炭・ガスなど物が燃える時に出す熱量(=エネルギー)の単位で、純水一グラムの温度を一気圧のもとでセ氏一度だけ上げるのに要する熱量を表わす〔厳密には、水の温度によって値が異なる〕〔記号 cal〕⇩エルグ・ジュール ❷〔栄養学で〕食べ物が消化・吸収された時、からだの中で出る熱量の単位で、平均カロリーの一千倍(=四一八九・七ジュール)を表わす〔記号 Cal〕。大カロリー。〔食品の栄養価を表わすのに用いられ、カロリーで表わした数値そのものをも指す〕「—計算⑤」

キロ—③〔kilocalorie〕熱量の単位で、「カロリー❶」の一千倍を表わす〔記号 kcal〕。

かろん⓪①【歌論】和歌に関する△評論(理論)。

ガロン①〔gallon〕ヤードポンド法における△容積(液量)の基本単位〔略号 gal〕。アメリカでは約三・七八五リットル、イギリスでは約四・五四六リットル。

がろん⓪グワ【画論】絵画に関する△評論(理論)。

かろん・じる④【軽んじる】(他上一)〔「軽みす」の変化で生じた「軽んず」から〕無視していいものとして扱う。軽んずる④(サ変)。「人を—(=ばかにして、いいかげんに扱う)/約束を—(=どうでもいいものと見なす)/モラルを—」↔重んじる

****かわ**②カハ【川】地上のくぼんだ所へ集まって、自然に流れ、

海・湖などに注ぐ水(の通路)。「―を下る/―上(カミ)・小―(ガワ)・谷―(ガワ)」 表記 「河」とも書く。 かぞえ方 一本・一筋

****かわ②(カハ)【皮】** 動植物の外側をおおい、内部を保護するもの。「筍(タケノコ)の―を一枚ずつ剝(ム)く/まんじゅうの―/ミカンの―/布団の―〔=綿を包む布〕/化(バ)けの―/一―むくと単なるお人よしにすぎない」 表記 皮革は、「革」と書く。

かわ②(カハ)【側】 ⇩がわ

かわ①【佳話】 〔心が暖まるような〕いい物語。美談。

かわ①【歌話】 和歌の作法などを堅苦しくなく書いたもの。

****がわ⓪(ガハ)【側】** 〔「かわ」の変化〕❶対象とするものを、何らかの基準となる線を軸として分けた、それぞれの部分。「列車の座席の、窓に面した―の席と通路の―の席/このホテルは、南―の部屋からは海が、北―の部屋からは山が臨める/日本では自動車は道路の左―〔=進行方向に向かって左半分の方〕を走る/縁―」 ❷そのものを中心として、その内・外、表・裏、前・後ろ、上・下などの方向に当たる△部分(面)。「ビルの表の―は道路工事中なので裏―の方から入る/内―からしか開けられないドア/家の南―に高いビルが建って日当りが悪くなった/駅前広場の向かい―の店/川の両―に植えられた桜」 ❸幾つか対立して考えられる物事の△一方(一面)。サイド。「消費者の―に立つ/労働者―の言い分/敵―に回る」 ❹中心となるものを取り囲む部分。「腕時計の―〔=文字盤の周囲にあって、はめる腕に接触する部分〕は金だ/当人より―〔=身近にいる〕の者が騒ぐ/井戸―」〔❶～❹の、単独で用いるものの大部分は「かわ」とも〕

かわあかり③(カハ)【川明(か)り】 〔あたりが暗い中で〕川の水面が反射して明るく見えること。

かわあそび③(カハ)【川遊(び)】 川に船を浮かべて、歌を作ったり歌ったり飲食したりすること。

***かわい・い③(カハイイ)(形)** 〔文語「かはゆし」から来た「かはゆい」の変化と言われ、原義は、ほうっておけば悪い事態になるのをそのまま見過ごせない、の意〕❶親が我が子にいだく心情のように、どんなことがあっても無事に過ごせるように守ってやらなければならないという気持に駆られる様子だ。「我が子を―と思わない親はいないだろう」 ❷無心に親に甘える子供のように、表情やちょっとしたしぐさなどにほほえましさを感じ、いつまでも見守っていたいといった感情をいだく様子だ。「笑顔が―女の子/口元がかわいく開いた/ペットの―子犬/―声で歌う/頑固そうなあの男にも、意外に―〔=心根のやさしい〕ところがある」 ❸Ⓐ小さくて△頼りない(弱よわしい)感じがするところに親しみやすさをいだかせる様子だ。「―〔=小さいなりに観賞に堪える〕花/髪に―リボンをつける」 Ⓑ同種の他のものと比べて小さい意。「掌に収まる―ラジオ/豪邸どころか何とも―家」 派 ―さ③「―余って憎さ百倍」 ―げ⓪④ 表記 「可《愛い」は、借字。 運用 ❷❸は、(若い)女性が、衣服や装飾品などを目にして、(人目をひく華やかさはないが、どことなく子供っぽさがあり)自分の好みに合っていると感じた際に、軽い感動の気持を込めて、「そのブローチ、かわいいじゃない」などと用いることがよくある。

【―子には旅をさせよ】 子供を一人前に育てたいならば、一時他人の家にやって、違った起居・生活を通じて、世間の実情を体験させるのが早道だ。

***かわいが・る④(カハイ)(他五)〈だれ・なにヲ―〉** かわいいと思って、大事に扱う。「子供を―」 表記 「可《愛がる」は、借字。 運用 「かわいがってやる」の形で、逆の意味の、いためつける意に使われることがある。例、「なまいきな奴(ヤツ)だから少しかわいがってやろう」

***かわいそう④(カハイサウ)(―な/―に)** 弱い立場や逆境にある者に対して、出来るなら何とか救ってやりたいという気持を抱く様子だ。「いたたまれない程―な身の上」 表記 「可《哀相・可《哀想」は、借字。

かわいらし・い⑤(カハイ)(形) 目にしたものがいかにも「かわいい❷❸」といった印象を与える様子だ。「―笑顔を浮かべる少女/かわいらしく挨拶(アイサツ)する子供」 派 ―さ④⑤ ―げ⓪⑤⑥ 表記 「可《愛らしい」は、借字。

かわうお⓪(カハウヲ)【川魚】 川などの淡水を(主な)生息の場とする魚。コイ・アユ・ウナギなど。川ざかな。「―料理」

かわうそ⓪(カハウソ)【〈獺・川〈獺】 〔「川獺(カワウソ)」の意〕よく水にもぐって、魚を取る獣。イタチに似た形で、色は黒っぽい。川にすみ、四足に水かきがある。ニホンカワウソは特別天然記念物。「かわおそ⓪」とも。〔イタチ科〕 かぞえ方 一匹

かわおと⓪(カハ)【川音】 川の水の流れる音。

かわおび⓪③(カハ)【革帯】 ズボンをとめたり胴をしめたりするための、革のバンド。ベルト。 表記 「皮帯」とも書く。

***かわか・す③【乾かす】(他五)〈(なにデ)なにヲ―〉** 乾くような方法を積極的に講じる。「ぬれた着物を―」

かわかぜ⓪②(カハ)【川風】 川を吹き△渡る(渡ってくる)風。

かわかみ⓪(カハ)【川上】 「川の上流」の意の和語的表現。 ↕川下

かわき③ ❶【乾き】 乾く△こと(程度)。「―が速い」 ❷【渇き】 のどが渇くこと。〔欲望が満たされず、無性にそれをほしがる意にも用いられる〕「―を△覚える(うるおす)」

かわぎし⓪(カハ)【川岸】 川に沿った両側の地。かがん。かし。 表記 「河岸」とも書く。

かわきり⓪(カハ)【皮切(り)】 〔最初に一つすえる灸(キュウ)の意〕一連の行動の最初。「…を―に(として)/全国高校野球選手権の地方予選は、沖縄を―に全国四十九の地域で開幕した」

かわぎり⓪(カハ)【川霧】 川に立つ霧。

****かわ・く②(自五)** ❶【乾く】 その物に含まれている、湿気・水分が無くなる。「舌の根も乾かぬうちに〔=⇩舌の根〕/乾いた心/洗濯物が―」 ❷【渇く】 口の中がからからになり、水分をひどくほしがる状態になる。「のどが―/親の愛情に渇いた子供」

かわぐ②(カハ)【革具】 革で作った道具。 表記 「皮具」とも書く。

かわくだり③(カハ)【川下り】 (周囲の景観を味わいながら)船で川を下ること。

かわぐち⓪(カハ)【川口】 川の流れが湖や海にそそぐ所。河口(カコウ)。 表記 「河口」とも書く。

かわぐつ⓪(カハ)【革靴】 革で作った、(男性用の)短靴。 表記 「皮靴」とも書く。

かわご⓪(カハ)【皮籠】 昔の人が使った、皮で張った箱。運搬用・携帯用。〔後世では、紙張りのものや、竹で編んだ物をも言う〕

かわごし(カハ)【川越(し)】 ❶⓪ 川を隔てること。「―に声をかける」 ❷⓪④ 川を徒歩で渡ること。 ❸⓪④ 〔↑川越し人足⑤〕〔江戸時代〕人を背負って川を渡すことを職業とした人。

かわごろも③(カハ)【〈裘・皮衣】 〔皮衣の意〕毛皮で作った衣。

かわざかな③(カハ)【川魚】 川うお。

かわさきびょう⓪(カハ―ビヤウ)【川崎病】 乳幼児がかかる原因不明の病気。突然の発熱・発疹(ハッシン)や頸部(ケイブ)リンパ節の腫(ハ)れなどの症状が出る。心臓の冠動脈に後遺症を残すことがある。〔一九六七年、川崎富作が報告〕

かわざんよう③(カハ)【皮算用】 まだ実現するかどうか分からないうちに、実現したものとしてあれこれ計画を立てること。【取らぬ〈狸(たぬき)の―】 ⇩狸❶

かわしも[0]【川下】「川の下流」の意の和語的表現。↕川上

かわジャン[0]【革ジャン】「革製のジャンパー」の意の略語。

かわじり[0]【川尻】川の流れがそこで終わり、海・湖になる所。川口。

かわ・す【交わす】━[0](他五) ❶やりとりする。「△手紙(意見・サイン)を―／△約束(契約書・討議)が交わされる」❷相対する方向から伸びて来た物が、そこで重なり合う様子を見せる。「枝を―／情を―〔=男女が通じる〕／枕を―〔=同衾する〕」❸△ぶつかり(ぶつかられ)そうになるのを、とっさに からだの向きを変えたり からだを片寄せたりして、避ける。「△身(体)を―／前の走者をかわして〔=追い抜いて〕トップに出る」❹敵の攻撃をうまくそらして、まともに影響を受けないようにする。「△批判(追及)を―／Aをかわして〔=Aに勝って〕Bと勝負する」表記 ❸❹は、「〈躱す」とも書く。━〔「動詞連用形＋―」の形で、接尾語的に〕相互に、その動作をする。「鳴き―・取り―・酌み―」

かわず[0]【〈蛙】カエル・カジカの雅称。

かわすじ[0]【川筋】❶川が流れている所。❷川に沿った土地。「―の村」

かわせ[0]【〈為替〉】〔動詞「交わす」の連用形に基づき、古くは「かはし」と言った〕❶〔遠隔地間の現金輸送の代りに〕手形・小切手・証書などで債権や債務を決済する方法。また、その手形や証書。「内国―[5]・外国―[5]・電報―[5]」❷「為替手形・為替相場」の略。表記 ⇩付表

―かんり[4]【―管理】政府が外国為替の自由な取引を禁止・制限すること。資本の国外移動や為替相場の急変を防ぐためのもの。 **―ぎんこう**[4]【―銀行】外国為替などを扱う銀行。〔一九九八年、業務の自由化により廃止〕 **―じり**[0]【―尻】〔銀行で〕為替取引をした結果の帳尻。 **―そうば**[4]【―相場】二国間の外国為替や通貨の交換比率。 **―てがた**[4]【―手形】債権者が債務者に一定の金額を指定時日に支払うように依頼する手形。

かわせ[0]【川瀬】川底が浅くて流れの速い所。

かわせがき[3]【川施餓鬼】水死人の冥福を祈るため、川岸や船中でする法会。

かわせみ[0]【{〈翡翠〉}・川〈蝉】〔「川蝉」の意〕スズメより少し大きい小鳥。背中・尾が青色で美しい。くちばしは長く、足は赤い。川辺にすみ、魚を取って食う。〔カワセミ科〕かぞえ方 一羽

かわぞい[0]【川沿い】川に沿うこと、また、沿った所。

かわそう[0]【革装】表紙の△全部(一部)を革で装丁すること。「―本[0]」表記「皮装」とも書く。

かわぞこ[0]【川底】川の底。かわどこ。

かわだち[0]【川立ち】泳ぎのじょうずな人。「―は川で果てる〔=泳ぎのうまい人は、過信の結果 川で死ぬことがあるものだ。得意な芸がかえって不幸を招くという戒め〕」

かわたれどき[0]【《彼《誰時】〔薄暗くて、「君はだれか」と尋ねる意〕夜明け時のまだ薄暗い時分。↕たそがれ

かわたろう[2]【河太郎】「河童」の異称。

かわちどり[3]【川千鳥】川べに集まって飛ぶチドリ。

かわづくり[3]【皮作り】魚の刺身を、皮のついたまま作ること。また、その刺身。

かわっぷち[0]【川っ縁】川の両岸に沿ったところ。

かわづら[0]【川面】川の水面。かわも。

かわと[0]【革〈砥】刃物をとぐのに使う革。

かわどこ[0]【川床】川の底になっている地面。河床。川底。

かわとじ[0]【革〈綴じ】製本の際、表紙・背中に革をはったもの。表記「皮〈綴じ」とも書く。

かわどめ[0]【川止め】〔江戸時代〕川が増水した時にその川を渡るのを禁止したこと。

かわながれ[3]【川流れ】川の水に流されて、おぼれること。また、その人。「かっぱの―〔=泳ぎの達者なかっぱも、油断すると水に流されることがあるものだ〕」

かわなみ[0]【川波】川の水面に立つ波。

かわはぎ[0]【皮剝ぎ】❶動物の皮を剝ぐ△こと(人)。❷暗灰色で平たい近海魚。口は小さく、下あごが出ばっている。食用。〔厚くて堅い皮を剝いで食べることから〕〔カワハギ科〕かぞえ方 ❷は一尾・一匹。干したものは一枚

かわばた[0]【川端】川に沿った、すぐそばの所。

かわはば[0]【川幅】川の両岸間の距離。

かわひも[0]【革〈紐】〔物をつり下げたりする時などに使う〕革で作った紐。表記「皮〈紐」とも書く。

かわびらき[3]【川開き】その年の川遊びの開始を祝って花火を打ち上げたりすること。〔もと川の水神を祭ることから起こったものともいう〕「両国の―」⇩海開き・山開き

かわぶくろ[3]【革袋】〔水などを入れるための〕革で作った袋。「砂漠の遊牧民族は、羊の―に水を入れて運ぶ」

かわぶち[0]【川縁】「かわっぷち」の古風な表現。〔強調形は、「かわっぷち」〕表記「革〈嚢・皮袋・皮〈嚢」とも書く。

かわぶね[0]【川船・川舟】川の上り下り専用に使われる船。

かわべ[0][3]【川辺】川のほとり。

かわべり[0]【川《縁】川に沿った所。

かわへん[0]【革偏】漢字の部首名の一つ。「靴・鞄・鞆」などの、左側の「革」の部分。〔多く、革に関する漢字がこれに属する〕

かわほね[0]【河骨】コウホネの異称。

かわむかい[3]【川向かい】その川を隔てた向こう岸。

かわむこう[3]【川向こう】その川を越えた向こうの方一帯。

かわも[0]【川《面】川の水面。川づら。「―を渡る風」

かわや[0]【〈厠】〔「川屋」の意。不浄物は直接 川へ流した〕便所。〔側屋とも考えられる〕

かわやなぎ[3]【川柳】❶「ねこやなぎ」の異称。❷川ばたに生える落葉低木。背は低く、枝は垂れ下がらない。〔ヤナギ科〕❸茶の一種。「上等な番茶」の異称。表記 ❷は、「〈楊柳・《水〈楊」とも書く。かぞえ方 ❶❷は一株・一本

かわゆ・い[3]【(形)】〔元来「かわいい」の古風な表現であったが、現在でも俗に用いられる〕⇩かわいい

かわよど[0]【川〈淀】「川の水の澱んでいる所」の意の古風な表現。

***かわら**[0]【瓦】粘土を固めて窯で焼いたもの。屋根をふくのに使う。〔広義では、スレート・セメント・金属板ぶきなどのものをも指す〕「屋根を―でふく／鬼―」かぞえ方 一枚

―せんべい[4]【―煎餅】〔もともと関西で〕小麦粉と卵を原料として、屋根瓦の形に焼いた菓子。かぞえ方 一枚 **―ばん**[0]【―版】江戸時代、その時どき話題になった出来事を速報するための一枚摺り。瓦形に焼いた粘土の原版を用いたというが、多くは木版。かぞえ方 一枚 **―ぶき**[0]【―〈葺き】屋根を瓦で葺くこと。また、その屋根。

かわら[0]【河《原・川《原】川の、ふだんは水が流れていなくて砂や石などが表面に出ている所。「賽の―」表記 ⇩付表「河原」「川原」 **―こじき**[4]【―《乞食】「河原者❷」の異称。 **―なでしこ**[5]【―〈撫子】ナデシコの別称。 **―ばと**[4][3]【―〈鳩】イエバトの原種。からだは灰色

で腰が白く、羽に二本の黒緑色のしまがある。のばと。〔ハト科〕 ―もの[0]【―者】❶昔、乞食・非人の総称。❷江戸時代、歌舞伎(カブキ)役者などの称。〔❶❷とも侮蔑(ブベツ)を含意した〕

かわらけ[0]（カハラケ）【△土器】うわぐすりをかけないで焼いた、素焼きの陶器。〔狭義では、素焼きの杯を指す〕

*__かわり__（カハリ）【代(わ)り】■一[0]❶何かの役を代わる△こと（人）。「―の人を求める／病気療養中の社長の―（＝代理）をつとめる」❷ある物事が果たすことになっていた役目を他の物事によって果たすこと。また、その物事。「一の―（＝興行期間の途中で出し物を全部入れ替える仕組みの演劇で、第一回目のもの）」❸相手から受けた行為・恩恵などと同等の価値があると思われる何かをすること。「その―（＝それに見合う何か△がある（をする）様子）」 表記「替わり」とも書く。また、「換わり」と書くこともある。■二（造語）動詞「代わる」の連用形。 ―あ・う[4]（アフ）【―合う】（自五）❶途中ではやめられない仕事を、間をあけずに引き継ぐ。❷△決められた順番（休日）などを、当事者どうしの合意に基づいて取りかえる。 ―ばえ[0]【―映(え)・変(わ)り映(え)】―する（自サ）何かに代わることで前よりよくなったという印象を接する人に与えること。「人事を一新したと言うが、第三者の目には一向に―がしない（＝代わったことによって期待されるよさが認められない）」 ―ばん[0][3]【―番】代わりあってすること。〔口頭語的表現は「代り番こ[4]」〕 ―め[0]【―目・替(わ)り目】何かが終わって次のものが新しく始まること。また、その△時期（順番）。「―ごとに（＝代わるたびに）」

かわり（カハリ）【変(わ)り】■一[0]変わった点。「あの映画はタイトルが変わっただけで、内容には―がない」 運用「お変りありませんか／お変りなくお過ごしですか」などの形で、相手を気遣って安否を問う挨拶(アイサツ)の言葉として用いられることがある。■二（造語）動詞「変わる」の連用形。 ―だね[0][4]【―種】普通のものとはどこか変わった点のある△物（人）。 ―は・てる[5]【―果てる】（自下一）以前とすっかり変わった、ひどい状態になる。「変わり果てた（＝ⓐすっかり落ちぶれた。ⓑ死んで、元気な当時の面影が全く見られない）姿」 ―びな[4]【―△雛】その時の話題や風俗を織り込んで作った雛人形。 ―み[0]【―身】❶とっさにからだの姿勢や位置を変えること。❷情勢をすばやく察知して、これに対応した行動を取ること。「―が速い」 ―め[0]【―目】それまでと違った状態になる△こと（時）。 ―もの[0]【―者】本人は自覚していないが、まわりの人とどこか調子が合わない人。

かわりょう[2]（カハレフ）【川猟】川で魚を取ること。 表記「川漁」とも書く。

**__かわ・る__[0]（カハル）【代(わ)る】■一（自五）〈だれニ―／だれトなにヲ―〉ある者が△今まで占めていた地位（することになっていた役割）を、何かの事情で継続できなくなり、ほかの人が占めたりしたりする。「主人に代わって挨拶する／世代が―／部長が―」■二（他五）〈だれトなにヲ―〉何らかの事情があって、それまでの立場や状態などを他のものに代える。「黒板の字がよく見えないので、前の方に席を代わった」 表記「替わる」とも書く。また、「換わる」と書くこともある。 ―がわる[4]（ガハル）【―代(わ)る】（副）❶Aの次にB、Bの次にまたA…というように、互いに入れ代わりながら事を進める様子。「同じ事を右手と左手で―やって下さい／夫婦で―店番をする」❷何人もの人が入れ代り立ち代り同じ動作を繰り返していく様子。「出席者が―やって来ては主賓に握手を求める」〔⇩代わり■二〕

**__かわ・る__[0]（カハル）【変(わ)る】（自五）❶〈（なに・だれカラ）なに・だれニ―〉（そうせざるを得ない事情があって）状態・位置が前と違ったものになる。「△流れ（事情・見る目・気）が―／様相ががらりと―／…とは打って変わった／相も変わらず／昔に変わらぬ」❷〈（なにト）―〉〔多く「変わっている・変わった」の形で〕一般的な状態と違う。「変わった構造の新機種／変わった男」〔⇩変わり■二〕

かわん[1]【下腕】「下膊(カハク)」の、新しい言い方。

かん（干・刊・甘・甲・〈奸・汗・缶・完・〈旱・肝・〈函・官・冠・〈姦・巻・〈柑・看・陥・乾・勘・患・〈桿・貫・喚・堪・寒・換・敢・棺・款・間・閑・勧・寛・幹・感・漢・慣・管・関・歓・監・緩・〈緘・憾・〈翰・〈諌・還・館・環・〈瞰・〈艱・簡・観・韓・〈灌・〈鹹・艦・鑑）→【字音語の造語成分】

かん[1]【刊】〔刀で削り刻む意〕書物を印刷して世に出すこと。出版。「二〇〇四年（の）―／―行・発―」⇩【造語成分】

かん[0][1]【甲】〔「かん」は、「甲」の唐音〕〔邦楽で〕一オクターブ高い調子。↕乙■二❸

かん[1]【〈奸】心の底まで徹底した悪人。「君側(クンソク)の―」⇩【造語成分】

*__かん__[1]（クワン）【缶】〔オ kan〕❶金属製、ことにブリキ製の容器。「紅茶の―／石油―[0]・あき―・ドラム―」❷「かんづめ」の略。「―を開ける／鮭(サケ)―・蟹(カニ)―[0]」❸ボイラー。「清―剤[3][0]（＝ボイラーの垢(アカ)落とし）」 表記 旧字体は「〈罐」、もと「缶」は別字。

かん[1]（クワン）【完】❶終り。「前編―／―了・未―」❷足りないところが無いこと。完全。「全二十冊―／―全・―備」

かん[1]（クワン）【官】国家をささえていくための諸機関（に属する職員）。「―の命令／―（＝役人の地位）を辞する／―接待[5]・―庁」⇩【造語成分】

かん[1]（クワン）【冠】■一❶かんむり。「―を挂(カ)く（＝⇩挂冠(ケイカン)）／月桂(ゲッケイ)―」❷第一位。「…を―とする／―絶」■二―たる 同種の物の中で最もすぐれている様子。「世界に―たる」

かん[1]（クワン）【巻】まきもの。「古筆の―」〔広義では、書物一般を指す。例、「―をおく／―頭・庄―」〕⇩【造語成分】

かん[0]【〈疳】神経質で、興奮しやすい性質。〔おもに子供について言う〕「―の虫封じ[6]」 表記「〈癇」とも書く。

*__かん__[0]【勘】対象の実質・実態などを直感的に感じ取ったり判断したりする、心の働き。「―がいい／―が△鈍い（鋭い）／―で分かる」⇩【造語成分】

かん[1][0]【寒】〔暦の上で〕冬の寒さが最もきびしく感じられるとされる日（からの三十日間）。小寒と大寒とに分かれる。「―に入る」⇩【造語成分】

かん[1]（クワン）【棺】死者を葬るために遺体を納めるもの。「―をおおうて事定まる（＝その人の真価は生前の評判には必ずしもよらず、死後に定まるものだ）／―桶(オケ)」 かぞえ方 一基

かん[1]（クワン）【款】〔真心の意〕互いに触れあう心。「―を通じる（＝ⓐ親しく交わる。ⓑ内通する）」⇩【造語成分】

かん[1]【間】❶「…（の）あいだ」の改まった表現。「その―／指呼の―／日米―・三日―」❷すきま。「―、髪(ハツ)を入れず（＝相手が何かをした時に、すかさずこちらからも、それに応じて何かをする様子）／―を生ずる（＝仲たがいするようになる）／―隙(ゲキ)」❸そっと敵の様子を見ること。「―（＝スパイ）を放つ／―者(ジャ)・―諜(チョウ)」

かん[1]【閑】する事が無くて、ひまなこと。「忙中、―有り／―中、忙有り（＝ひまだとは言っても、たまには忙しい事があるものだ）／―居(キョ)・―日月(ジツゲツ)」⇩【造語成分】

かん[1]（クワン）【寛】相手の失敗や欠点に対する態度などがきびしくないこと。「心を―にして事に臨む／―厳・―容・―大」

かん[1]【感】❶その△もの（場）の雰囲気から受ける、ある種の判断を伴った印象。「やや性急の―がある／不徹底の―が

否めない／今昔の━を深くする／安心━・満足━・無常━・解放━」 ㊁感嘆。感動。感激。「━に堪えない〔=意想外な事を見たり聞いたりして、その驚きを言葉に表わせない状態になる。『━に堪える』とも〕／━きわまる〔=感激のあまり、思わずうれし泣きをする状態になる〕」

かん①【奸】 すね。「衣(コロモ)━に至る〔=つんつるてんの服を着る。身なりに構わないたとえ〕」

かん①(クワン)【管】 ㊀くだ。「━状・血━・試験━・水道━・ガス━」 ㊁〔音楽で〕「管楽器」の略称。↔弦 ⇩【造語成分】

かん①(クワン)【歓】 互いに打ちとけて話し合ったりすること。「━を尽くす／━談・交━」⇩【造語成分】

かん⓪【燗】 酒をほどよくあたためる△こと(温度)。「━をつける／━をする／いい━だ」

かん⓪【癇】〔「てんかん」の意〕神経が過敏で、けいれんを発作的におこす病気。また、怒りやすい性質の意にも用いられる。「━にさわる〔=第三者から見れば何でもないような事が原因になって、腹を立てやすい状態になる〕／━が高ぶる〔=ちょっとした事にすぐ興奮しやすくなる〕／━の強い△子(馬)／━癪(シャク)」

かん①【簡】 手軽なこと。簡単。「━に過ぎる／━にして要を得た〔=簡潔だ〕／━素・━明」⇩【造語成分】

かん①(クワン)【観】 見た目に感じられる様子。「別人の━がある〔=ちょっと見ただけでは、別人のような感じがする〕／さながら地獄の━をなす〔=まるで地獄のような状態だ〕／…の(ような)━を呈する／壮━・景━」⇩【造語成分】

かん①【艦】 軍艦。「━と運命を共にする／戦━」

かん①(クワン)【〈鐶〉】 金属製の輪(の形のもの)。「カーテンの━／たんすの━」 表記「〈釻〉」とも書く。

がん(丸・元・含・岩・岸・玩・眼・頑・顔・〈贋・願)↓【字音語の造語成分】

ガン①〔gun〕 ㊀(小)銃。鉄砲。「━マン①・マシン━・ショット━」 ㊁何かを吹きつける、小銃形の道具。「スプレー━⑤③」

がん①【眼】 め。まなこ。「━のくばり／━球・近━・双━鏡」 【━をつける】 ㊀「目をつける」の隠語。 ㊁〔不良仲間の用語で〕何か含むところがあって、相手の顔を見つめる。⇩【造語成分】

がん①【雁】 晩秋に日本列島に来て、初春に去る水鳥。首が長く足が短く、くちばし・足は黄色い。列を作って鳴きながら飛ぶ。かり。かりがね。〔カモ科〕 表記「〈鴈〉」とも書く。 かぞえ方 一羽・一匹

がん①【癌】 ㊀表皮・粘膜・腺(セン)組織に出来る、悪性のはれもの。癌腫(ガンシュ)。「若くして━に侵される／胃━・肺━」 ㊁そのものの内部にあって、取り除きようのない障害・欠点のたとえ。「今となってはワンマン社長が会社運営の最大の━だ」

がん①(グワン)【願】 神や仏に願うこと。願い。「━がかなう／━をかける／━を立てる／━文・満━」⇩【造語成分】

がん①【龕】 ㊀厨子(ズシ)。 ㊁柩(ヒツギ)。「━箱(バコ)⓪」

かんあく⓪【奸悪・〈姦悪〉】—な 何事につけても悪事をたくらむ様子。派━さ⓪

かんあけ⓪【寒明け】 寒が終わって立春になること。

がんあつ⓪【眼圧】 眼球内の水様液の圧力。緑内障になると、異常に上昇する。

かんあつし④【感圧紙】 上から書いた圧力に応じて下に重ねた紙に塗ってある発色剤が作用して、何枚か同時にコピーが取れる紙。カーボン紙など。

かんあん⓪【勘案】—する(他サ) 諸般の事情を十分に考え合わせること。「━して決定をくだす」

かんい①(クワンヰ)【官位】 ㊀官職と位階。「━を剝奪(ハクダツ)される」 ㊁官職の等級。

かんい①(—ヰ)【敢為】 こうすべきだと思ったことを、反対・困難などを押し切って行なうこと。「━の気性」

かんい①⓪【簡易】—な めんどうな手続きを必要としない様子。気軽に利用出来る様子。手軽。「━な方法／━食堂④・━書留」 派━さ③⓪ **━さいばんしょ**⑧⓪【━裁判所】 簡単な事件を取り扱う、最下級の裁判所。 **━ほけん**④【━保険】 郵便局で取り扱っていた、手続きの簡単な生命保険。二〇〇七年の郵政民営化後は、かんぽ生命が類似の保険商品を取り扱う。

がんい①【含意】—する(他サ) その時の表現に特別△持たせた意味(ある意味を持たせること)。

がんい①(グワン—)【願意】 そのことの実現を願うという△気持(趣旨)。「━を述べる」

かんいっぱつ①-④【間一髪】〔髪の毛一本が入るほどのわずかなすきま、の意〕非常に切迫していて、もう少しで△危険(致命的)な事態になること。また、その様子。「━の差」

かんいん⓪(クワン—)【官印】 もと、官庁・官職の印。⇩公印

かんいん⓪(クワン—)【官員】〔明治時代の用語で〕官吏。

かんいん⓪【〈姦淫〉】—する(自他サ) 倫理にそむいた肉体関係。「汝(ナンジ)、━するなかれ〔=モーゼの十誡(ジッカイ)の一つ〕」

かんいん⓪(クワン—)【館員】 図書館・博物館・大使館などの職員。

かんうん⓪【寒雲】 冬空の寒そうな雲。

かんうんやかく⑤・⓪-⓪【閑雲野〈鶴〉】〔のどかな空に浮かぶ雲と野原に遊ぶツルの意〕第三者から見れば、なんの束縛も受けず悠々と自然を楽しみながら暮らしていること。

かんえい⓪(クワン—)【完泳】—する(自サ) 目標の距離を泳ぎきること。

かんえい⓪(クワン—)【官営】 もと、政府の経営。国営。

かんえい⓪【艦影】 海上に浮かぶ軍艦の姿。

かんえき⓪【寒駅】 利用客のまれな、ひっそりとした駅。「山間(ヤマアイ)の━」

かんえつ⓪【簡閲】〔「簡」は調べる意〕その資格の者が確かに居るかどうか集めて調べること。「━点呼⑤」

かんえつ⓪(クワン—)【観閲】—する(他サ) 軍隊を親閲すること。「━式④」

かんえん①【肝炎】 発熱・黄疸(オウダン)・消化障害やだるさを伴う、肝臓の炎症。ウイルス・輸血・中毒などによって起こる。「△急性(慢性)━⑤」

がんえん①【岩塩】 主に陸地の岩石の間から産する、△粒状(立方体)に結晶した塩。

かんおう⓪(—アウ)【感応】—する(自サ) ⇩かんのう

かんおう⓪(クワンアウ)【観桜】 桜の花を、その名所へ出かけて行って見ること。花見。「━会③」

かんおけ③(クワンヲケ)【棺〈桶〉】 棺に使う△桶(木の箱)。 【━に片足を突っ込む】 かなり年をとって、余命いくばくも無いということの形容。

かんおん⓪【感恩】—する(自サ) 相手から受けた恩を心からありがたく思うこと。

かんおん①⓪【漢音】 字音のうちで、呉音に次いで古く日本に伝わったもの。中国唐代の都長安〔=現在の西安〕を中心とする地域に行なわれたものという。例、「男女」をダンジョ、「人間」をジンカン、「東京」を明治の初年トウケイと言ったなど。⇩呉音・唐音

かんか①(—クワ)【干〈戈〉】〔たてとほこ、の意〕武器。「━を交える〔=戦争をする〕」

かんか①(—クワ)【看過】—する(他サ)〔他人の困苦や好ましくない社会事象を〕見知っていながら、なんら対策を講じないで

ほうっておくこと。「—出来ない事態」

かんか①(クワ)【乾果】❶成熟すると果皮が乾燥する果実の総称。ダイズなどの豆類、イネなどの穀類、ドングリ・アサガオなど。↔液果 ❷果実を日光や加熱により乾燥させたもの。

かんか①(クワン)【患家】患者の家。〔医者の立場から言う〕

かんか⓪(クワン)【換価】—する(他サ) 代価に見積もること。

かんか①【閑暇】これといってすることがなくひまなこと。「—なき身なれば」

かんか①(クワ)【感化】—する(他サ) 人の性質などを、よい、または悪い方向に変えるような影響を他から△受ける(与える)こと。**—いん**③(キン)【—院】「教護院」の旧称。現在は「児童自立支援施設」。

かんか①(クワン)【管下】管轄の範囲内(にあること)。

かんか①【〈瞰下】—する(他サ) 高い所からはるかに見下ろすこと。

かんか①(クワ)【〈鰥寡】妻を失った男と、夫に別れた女。「—孤独①-⓪〔=よるべの無い者〕」

かんが①(クワン)【官〈衙】「官庁」の意の古風な表現。

かんが①【閑雅】—な ❶食べていく事や俗事などにあくせくすることが無く、奥ゆかしく見える様子。「風姿—」❷閑静で景色に趣がある様子。「—な別荘地」

がんか①【眼下】目の下(の方)。「—に△見おろす(見る)」

がんか⓪(クワ)【眼科】目の病気を診断・治療する、臨床医学の一部門。「—医③」

がんか①(クワ)【眼〈窩】〔「窩」は穴の意〕眼球の収まっている、顔の骨のくぼみ。〔広義では、「眼」そのものをも指す。例、「—〔=視野〕に収まる」〕 表記「眼〈窠」とも書く。

かんかい⓪(クワン) [一]【官界】官吏の社会。「—に入る〔=役人となる〕」 [二]【官海】〔[一]のもじりに基づく語〕役人の社会。また、役人としての生活。「—を游弋(ユウヨク)する〔=要領のいい役人生活をする〕」

かんかい⓪(クワン)【勧戒】—する(他サ) 善を勧め、悪を戒めること。

かんかい⓪(クワイ)【感懐】日常的でない事に接し、心に感じる△こと(思い)。「—無き能(アタ)はず〔=感に堪えない〕」

かんかい⓪(クワン) [一]【緩解】—する(自サ) 〔医学で〕症状・病勢などの進行が止まり、楽になる(ようにする)こと。表記「寛解」とも書く。 [二]【寛解】〔統合失調症・白血病など

かん

[干] ❶盾(タテ)。「干戈(カ)」❷かかわる。「干渉」❸かわく。〔潮が〕ひる。「干天・干拓・干満・干潮」❹えと。「干支・十干(ジッカン)」

[刊] ❶定期的な出版物。「日刊(紙)・週刊(誌)・月刊・旬(ジュン)刊・季刊・年刊」❷新聞。「朝刊・夕刊」⇩(本文)かん【刊】

[甘] ❶味がよい。あまい(食べ物)。「甘味・甘露」❷満足する。満足させる。「甘受・甘心」⇩(本文)かん【甘】

[〈奸] 道徳上悪い。「奸計・奸物・奸臣」⇩(本文)かん【奸】

[汗] ❶あせ。「汗顔・発汗」❷〔君主の意の「可汗」の略〕蒙古(モウコ)族の首長の名につけた語。ハン。ハーン。「ジンギス汗・イル汗国」

[缶] ⇩(本文)かん【缶】

[完] ⇩(本文)かん【完】

[〈旱] 長い間、雨が降らない。ひでり。「旱天・旱害・旱魃(バツ)」

[肝] [一]❶心。「肝胆・心肝」❷一番大事なところ。「肝要」 [二](略) 肝臓。きも。「肝油・肝硬変」

[〈函] [一]箱。「投函・潜函」 [二](略) 函館(ハコダテ)。「青函トンネル」

[官](クワン) ❶役人。「大官・武官・長官・教官」❷生物体の一定の働き(を受け持つ部分)。「官能・器官」⇩(本文)かん【官】

[冠](クワン) かんむりをかぶる。元服する。「冠者・冠婚葬祭・弱冠」⇩(本文)かん【冠】

[〈姦] ❶道にそむいて男女が通じる。「姦通・姦淫(イン)」❷女性に乱暴をする。犯す。「強姦」

[巻](クワン) 巻物・書籍・フィルム・ビデオテープなどをかぞえる語。「万巻(マンガン)の書/上下二巻・第一巻第一号」⇩(本文)かん【巻】

[〈柑] ミカンの類のくだもの。「柑橘(キツ)類・金柑・仏(ブ)手柑・蜜(ミ)柑」

[看] ❶何かの本質をみる。「看取・看破(パ)・看過」❷見守る。世話をする。「看守・看護・看病」

[陥] ❶おちこむ。「陥落・陥没・失陥」❷欠点。「欠陥」

[乾] かわく。かわかす。ほす。「乾季・乾湿・乾燥・乾杯(パイ)・乾物屋・乾電池」

[勘] ❶しらべる。かんがえる。「勘案・勘考・勘定・校勘」❷罪を取りしらべる。ただす。「勘当(ドウ)・勘気・勅勘(チョッカン)」⇩(本文)かん【勘】

[患](クワン) ❶病気。「患者・患部・急患・疾患・肺患・病患・罹(リ)患」❷心配ごと。苦しみ。「患苦・患難・内憂外患」

[〈桿] 〔もと、「てこ」の意〕レバー。「操縦桿」

[貫](クワン) ❶最後までやり通す。「貫通・貫徹・首尾一貫」❷尺貫法における質量の基本単位。三・七五キログラムに等しい。〔千分の一貫を一匁(モンメ)と称する〕❸昔の通貨の単位。一千文(モン)。〔江戸時代では九百六十文〕「一貫文」❹すしのにぎりをかぞえる語。
かぞえ方 三貫・何貫は、❷の意では「サンガン」「ナンガン」、❹の意では「サンカン」「ナンカン」

[喚](クワン) ❶大声を出す。叫ぶ。「喚呼・喚声・叫喚」❷呼びよせる。「喚問・召喚」

[堪] ❶がまんする。「堪忍」❷すぐれている。「堪能(カンノウ/タンノウ)」

[寒] ❶さむい。さむさ。「寒気・寒地・寒暑・寒帯・寒波・寒風・飢寒・厳寒・向寒・酷寒・極寒・耐寒・防寒・三寒四温」❷さむい時の。冬の。「寒菊・寒月」❸ぞっとする。「寒心・悪(オ)寒」❹人気(ヒトケ)が無く、さびれた。「寒村・寒駅・貧寒」⇩(本文)かん【寒】

[換](クワン) 別な物ととりかえる。「換気・換言・換算・換金・交換・変換」

[敢] ❶思いきりがよい。「敢然・勇敢・果敢」❷無理にする。あえてする。「敢行」

[棺] ⇩(本文)かん【棺】

[款](クワン) ❶法律や帳簿などの箇条書。「部」の下、「項」の上。「借款・定款」❷絵かきなどが作品におすはんこ。「落款」❸相手との意志の疎通。「款待・交款」⇩(本文)かん【款】

【間】⇩(本文)かん【間】

【閑】❶邪魔な物が無く、落ち着いていること。「閑静・閑寂・閑談」❷注目しないこと。「閑却・等閑」⇩(本文)かん【閑】

【勧】そうするように、すすめる。「勧戒・勧業・勧化・勧賞・勧請・勧誘・勧告・勧奨」

【寛】⇩(本文)かん【寛】

【幹】❶みき。「根幹」❷中心。主要部分。「幹線・幹部・骨幹・主幹」❸事務処理の能力。「才幹」

【感】⇩(本文)かん【感】

【漢】❶ある傾きを持った男(の人)。「悪漢・好漢・熱血漢・大食漢・痴漢・暴漢・酔漢」❷〔もと、中国の川の名、中国本土の意〕中国。中国語。「漢土・漢字・漢語・漢民族・漢和辞典・和漢洋」

【慣】❶なれる。「慣用・慣手段」❷その社会などの決まったやり方。「慣習・慣例・習慣」

【管】■一❶事務を取り扱う。「管理・管長・移管・所管」❷筆(軸)や、△笛(笙)。〔かぞえる時にも用いられる〕「管弦・管楽器・彩管」■二(略)真空管。「管球」⇩(本文)かん【管】

【関】〔もと、門をしめるかんぬきの意〕❶出入口。せきしょ。「関東・関門・関頭・難関・玄関・税関」❷何かを動かすのに必要な大事なところ。「関節・機関」❸かかわる。あずかる。「関係・関連・関心・関知・関与・連関・相関」

【歓】よろこぶこと。よろこび。「歓喜・歓迎・歓呼・歓心・哀歓」⇩(本文)かん【歓】

【監】❶不都合が無いように見守る(人)。「監督・監視・監査役」❷ろうや。「監獄・監房・未決監」

【緩】❶ゆるい。ゆるやか。「緩急・緩慢・緩下剤」❷ゆるめる。「緩和・弛緩」

【〈緘】封(をする)。〔封じ目の印にも書く〕「緘口・封緘」

【憾】残念に思う。「遺憾」

【〈翰】〔もと、羽で作った筆の意〕手紙。「貴翰・書翰・来翰」

【〈諫】いさめる。「諫言・諫止・諫死・直諫・極諫・死諫・切諫」

【還】かえる。かえす。「還元・還付・還幸・還暦・生還・返還」

【館】〔もと、旅宿の意〕❶(大きな)建物。「会館・公館・本館・別館・洋館・大使館」❷人に何かを見せたりする公共の施設。〔かぞえる時にも用いられる〕「図書館・博物館・美術館・映画館/博覧会の未来館」

【環】■一❶輪の形。「環礁・環状線・金環食」❷まわる。「循環」❸まわり。「環境・衆人環視」■二(略)環状線。「環六(=環状六号線。『六環』とも言う)」

【〈瞰】見おろす。「瞰下・俯瞰・鳥瞰図」

【〈艱】❶むずかしい。「艱難」❷苦しむ。悩む。「艱苦」

【簡】❶〔紙が発明される前の中国で、字を書いた竹のふだの意〕手紙。書物類。「手簡・書簡」❷えらび出す。「簡抜」⇩(本文)かん【簡】

【観】❶目でみる。「観客・観覧・参観・傍観」❷考え方。「主観・悲観・人生観・無常観」⇩(本文)かん【観】

【韓】■一朝鮮。「三韓」■二(略)韓国。「日韓条約」

【〈灌】❶そそぐ。「灌水・灌漑・灌仏」❷あらう。「灌腸・湯灌」❸群がる。「灌木(=低木)」

【〈鹹】塩からい(食べ物)。「甘酸辛苦鹹」

【艦】⇩(本文)かん【艦】

【鑑】〔もと、鏡の意〕❶てほん。「亀鑑」❷同類の物の名などを集めた便利な本。「図鑑・大鑑・年鑑・名鑑・宝鑑」❸見わける。見きわめる。「鑑定・鑑査・鑑識・鑑賞・鑑別」❹ある事情を示すしるし。「鑑札・印鑑・門鑑」


で〕治癒してはいないが、症状が軽減または ほぼ消失した状態。

かんかい⓪【環海】その国の四方が海で取り囲まれていること。また、その海。

かんがい⓪ ■一【〈旱害・干害】〔農作物などの〕ひでりによる被害。表記「干」は、代用字。■二【寒害】〔農作物などの〕寒気のために受ける害。

かんがい⓪【感慨】何かのきっかけで過去の経験などを思い出し、昔をなつかしがったり よく△ここまで(今日まで生きて)来たものだ、などという思いにひたったりすること。「―をいだく/無限の―を覚える」 **―むりょう**⓪-⓪【―無量】―な しばらく感慨にひたって、なんにも言えない状態になる様子。感無量。「―な おももち」

かんがい①【管外】その役所の管轄区域の外。「―出張⑤」↔管内

かんがい①【館外】その図書館・博物館などの施設の外。↔館内

かんがい⓪【〈灌漑〉】―する(他サ) 田畑に必要な水を、人工的に引いて来て供給すること。「―用水⑤」

がんかい⓪【眼界】❶視野に入る範囲(に広がる空間)。「―が狭い」❷考えの及ぶ範囲。「―が開ける」

***かんがえ**【考え】■一③ 考えること。また、その考えた事柄。「計画の基本的な―をまとめる/人権尊重の―がうかがわれる/議会で当局の―をただす/従来の―を改める/―〔=全体についての見通し〕が甘い/僕の―〔=判断〕でやる/いい―が浮かぶ/―に入れる〔=忘れずに取り入れる〕/―の無い〔=思慮に欠けた〕行動/―を決める〔=決心する〕」■二(造語) 動詞「考える」の連用形。 **―あわ・せる**⑦【―合わせる】(他下一) 当面する問題を解く手がかりとして、関連があると判断される他のことを同時に考える。 **―かた**⑤【―方】どう考えるのがよいかについての△方法(方向・傾向・型)。「柔軟な―で対応する/古いものはすべて悪いという―〔=一般的な傾向〕が根強い/与野党の―の食い違い」 **―ごと**⓪【―事】〔△対処(処理)の方法について〕どうしたものかとあれこれ考えをめぐらすこと。また、その内容。「―をしていてミスに気がつかなかった」 **―こ・む**⑤【―込む】(自五) ほかの事を忘れてしまうほど、その事ばかりを考える。 **―だ・す**⑤【―出す】(他五) ❶考えて新しいくふうなどをする。❷考え始める。 **―つ・く**⑤【―付く】

** * は重要語, ⓪①… はアクセント記号, 品詞の指示の無いものは名詞および いわゆる連語。

（他五） 新しい案などを思いつく。 ―もの⓪【―物】❶その是非などについて慎重に考えて△みる（から決す）べき事柄。「情勢を見るに、今ここで勝負に出るのは―だ」 ❷考えて当てるもの。

**かんが・える④③【考える】（他下一） ❶〈なにヲ―／なにヲ）なんだト―〉すでに得た経験や知識を基にして、そのことに精神を集中する。「いいと―（＝判断する）／人の立場を―（＝顧慮する）／よくよく考えてみれば／どう考えてもおかしな事／…を抜きにしては考えられない」 ❷〈なにヲ―〉今後どのようになるかについて思いをめぐらす。「△将来（打つ手）を―／あと先を考えずに／あなたの事ばかり考えています」 ❸〈なにヲ―〉新しい物を作り出す方法やよりよい方法を思いつく。「新しいデザインを―／当社が考えた新しい製法をご紹介いたします」 表記「《勘える」とも書く。〔⇩考え❸〕

運用 相手からの依頼・要求・勧誘などに対して、「考えておく」などの形で回答を保留し、相手に結論を示すのを意図的に遅らせるときに用いられる。また、早期の実現は困難だということを含意することもある。

かんかく⓪【〈扞格】―する（自サ） 〔「扞」は、こばむ、「格」は、はばむ意〕感情や意見の食い違いから、互いに反発しあって、妥協する余地の無いこと。

*かんかく⓪【間隔】 ある物事と、△次（隣）の物事との間に、ある程度の△空間（時間）があること。また、その△空間（時間）。「近いようでも一メートル以上の―はあった／適当な―を置いて出発する／少しずつ―を明けて種を蒔く／十五分―でバスはやって来る」

**かんかく⓪【感覚】 ❶―する（他サ） 見たり聞いたりさわったりして、大小・形・色・音・臭い・味などの状態や物事の性質を知る働き。「―が鋭い／―が麻痺する／吹雪で方向―を失う／―点④・平衡―・無―」 ❷その物についての善悪・美醜・新古のとらえ方や、それに付随する価値判断。「バランス―がすぐれている／色彩―⑤・美的―⓪-⓪」 ❸何かをする際の気持の持ちかた。「ゲーム―で節電を心掛ける／スポーツ―⑤」 ―き④③【―器】〔↑感覚器官⑤〕からだの表面にあって、外界の刺激を受け、それを神経に伝達する働きをする器官。感官。 ―しんけい⑤【―神経】 感覚器官でとらえた刺激を中枢へ伝える神経。⇩運動神経 ―てき⓪【―的】―な ―に ❶「感覚❶」のままに行動したり表現したりする様子だ。 ❷接する人に（強い）刺激を与える様子だ。

かんがく⓪【〈侃諤〉】「かんかんがくがく（侃々諤々）」の圧縮表現。「―の論」

かんがく⓪【官学】 ❶官立の学校。↕私学 ❷時の政府が正しいと認めた学問。〔たとえば、江戸時代における朱子学を指す〕

かんがく⓪【漢学】 中国古典（特に、儒学△の（に関する）書物）についての学問。「―を修める／―者③④」 ⇩和学・洋学

かんがく⓪【管楽】 管楽器の演奏による音楽。「―二重奏⑥」

がんかけ⓪④③【願掛（け）】―する（自サ） 神仏に願をかけること。

がんがさ①③⓪【〈雁瘡〉】「痒疹（性湿疹）」の俗称。非常にかゆい。

かんかつ⓪【寛〈闊】―な 度量の広い様子。

かんかつ⓪【管轄】―する（他サ） 〔国家機関などが〕権限によって下部の組織を支配する△こと（範囲）。「国立病院は厚生労働省の―下にある／―区域⑤」

かんがっき③【管楽器】 吹いて鳴らす楽器。笙・笛・フルートやトランペットなど。⇩弦楽器・打楽器

かんが・みる④【鑑みる】（自他上一） 過去の実例や現在の一般的事情をよく考え合わせて、自分の判断を決める。「時局に鑑みて」 表記「〈鑒みる」とも書く。

かんから③【缶から】〔缶詰などの〕「あき缶」の俗称。 表記「缶」の旧字体は、「〈罐」。

カンガルー③〔kangaroo〕 オーストラリア特産の哺乳類。前足は短く後ろ足は長大。後ろ足と尾で立つ。雌は袋状の腹部に子を入れて育てる。〔カンガルー科〕 かぞえ方 一匹・一頭

かんかん ■⓪①（副）―と 日光が強く照りつけたり 火が勢いよく起こったりする様子。「日が―照りつける／―照り⓪」 ■⓪ ―な ―に ❶人が激しく怒っている様子だ。「あいつは今―だ」 ❷「かんかん■」に同じ。「―に晴れる」

かんかん①「髪の毛・かんざし」の幼児語。

かんかん③【看貫】 ❶品物をはかりにかけて重さを調べること。 ❷〔↑看貫秤⑤〕台秤。

かんかん⓪【閑々】―たる ―と 落ち着いてのんびりとしている様子。「悠々―⓪-⓪、③-⓪」

かんかん⓪【感官】「感覚器官」の圧縮表現。

かんかん⓪【漢〈奸】〔中国で〕敵に通じる者。売国奴。

かんがん⓪【汗顔】 恥ずかしさのあまり、顔に汗を一杯かくこと。「―（＝赤面）の至り」

かんがん⓪【〈宦官】〔「宦」は去勢した人の意〕〔昔、中国で〕後宮に奉仕した、去勢された小役人。

がんがん ■①（副）―と ―する ❶石・金属などを激しくたたいた時に大きな音が響く様子。また、その音の形容。 ❷金槌でたたかれてでもいるように頭がひどく痛む様子。「頭が割れそうに―する」 ❸あきれるほどの勢いで事がなされる様子。〔やや俗語的表現〕「―△稼ぐ（仕事をする）」 ■⓪ ―な ―に「がんがん■❸」に同じ。「部屋を―に冷やす」

かんかんがくがく⓪-⓪【〈侃々諤々〉】 正しいと信じる事を遠慮なしに直言すること。「―の議論」

かんかんしき③【観艦式】 一国の元首などが自国の軍艦を親閲する儀式。

かんかんぼう③【かんかん帽】〔かんかんと照りつける夏の日射しを避ける意からか〕むぎわらを堅く編んで作った、男性用帽子の俗称。〔昭和十四、五年ごろまで流行。また、近年では、若い女性の間でも主に夏の帽子として用いられている〕

かんかんむし③【かんかん虫】〔「かんかん」とたたきながら作業をするところから〕煙突・ボイラー・汽船などの さび落としをする作業員の俗称。〔侮蔑を含意して用いられることもある〕

かんき①【刊記】〔日本の古い出版物で〕主として本文の末尾に、出版の時・所・出版人などを書いたもの。現代の「奥付」の前身。

かんき①【官紀】 官吏の規律。「―粛正①-⓪」

かんき①【官記】 官吏の任命書。

かんき①【乾季】〔特定の地域で〕一年のうち、特に雨の少ない△季節（時季）。↕雨季 表記「乾期」とも書く。

かんき①【勘気】 犯した悪事・失敗などについて、主君や親からとがめられること。「―をこうむる（＝勘当される）」

かんき①【喚起】―する（他サ）〔呼び起こす意〕意識されずにあった物事を、何かきっかけを与えて呼び起こすこと。「注意を―する（＝皆が忘れている重大な事柄に気付かせて、自覚させようとする）／△関心（世論・需要）を―する」

かんき①【寒気】（体に感じる）寒さ。「―団③・―凜冽①-⓪」

かんき⓪【換気】―する（自他サ） 室内の空気を入れ換え

ること。「—装置[4]・—扇[0]・—口[0][3]」

かんき[1]【歓喜】—する(自サ)〔「歓」も「喜」と同じく喜ぶ意〕(表情・態度などに おのずとあらわれるほど)喜ぶこと。〔仏教では、「かんぎ」と読む〕

がんぎ[0][1]【〈雁木】〔空を飛ぶガンの列の片側のように斜めに ぎざぎざがあるもの、の意〕❶桟橋の階段。❷坑内で使うはしご。❸〔雪国で〕積雪時でも通れるように軒から庇を長く差し出して作った、回廊風のおおい。❹大きなのこぎり。

かんぎく[0][1]【寒菊】 菊の一種。冬、黄色い花を開く。〔キク科〕

かんぎく[0][1]【観菊】 菊を見て、その美しさを味わうこと。菊見。「—の宴」

かんきつ[0]【〈柑橘〉】 ミカン・ダイダイ類の総称。「—類[4]」

かんぎてん[3]【歓喜天】〔仏教で〕頭はゾウ、からだは人間の姿をした夫婦が抱き合った形の本尊。聖天。

かんきゃく[0]【閑却】—する(他サ) 重要な事でないとして、うち捨てておくこと。

かんきゃく[0]【観客】〔映画・演劇・スポーツなどの〕見物人。「—層を広げる/—席[4][3]」[表記]「看客」とも書く。

かんきゅう[0]【官給】—する(他サ) 政府から金銭・物品を現場の職員に支給すること。「—品[0]」

かんきゅう[0]【感泣】—する(自サ) 感激して泣くこと。

かんきゅう[1][0]【緩急】❶ゆるいことときびしいこと。「—よろしきを得る」❷遅いことと速いこと。「〔野球で〕—自在に投げ分ける」❸〔意味の実質は「急」にある。⇩帯説〕差し迫った事態になること。「一旦—の際は」

かんきゅう[0]【緩球】〔野球で〕速さの ゆるい たま。スローボール。↕速球

がんきゅう[0]【眼球】 目の主要部分で、球形を成すもの。眼窩の中にあり、視神経に連なる。目のたま。

かんぎゅうじゅうとう[0]-[0]【汗牛充棟】〔それを載せた荷車をひくのに 牛が汗をかき、棟につかえるほどの分量がある意〕△蔵書(書籍)が非常に多いこと。

かんきょ[1]【官許】—する(他サ) 政府が民間に与える許可。

かんきょ[1]【閑居】❶閑静な住まい。「—にこもる」❷—する(自サ) 世事に煩わされず、自分のしたい事をしてのんびりと暮らすこと。❸—する(自サ) 何もする事が無く、ひまでいること。「小人—して不善をなす」[表記]❷❸は、「間居」とも書く。

かんぎょ[1]【干魚】 干して、保存がきくようにした魚。ひもの。[表記]「乾魚」とも書く。

かんぎょ[1]【還御】—する(自サ)「〔外出していた天皇・皇后が〕皇居に帰ること」の意の尊敬語。〔現在では この表現は使わなくなった〕↕出御

かんきょう[0]【乾〈薑】〔漢方で〕干したショウガの根。[表記]「乾〈姜」とも書く。

かんきょう[0]【感興】 何かを見たり 聞いたりしておもしろいと思い、もっと△見て(聞いて)いたいと思うこと。「—のおもむくままに〔=何かに誘われて、自分も本格的にその事をやってみたくなって〕/—をそそる/—をそがれる」

****かんきょう**[0]【環境】 そのものをとりまく外界。〔それと関係があり、それになんらかの影響を与えるものとして見た場合に言う〕「—に適応する/—を△浄化(整備・破壊)する/国際的—の厳しさ/—が悪い/—工学[5]・自然—[4]・社会—・生活—[5]・家庭—[4]」 **—アセスメント**[6] 埋立てや工場建設などが、自然環境にどのような影響を与えるかを事前に調査すること。 **—えいせい**[5]【—衛生】 大気・採光・上下水道・屎尿処理・害虫など、人間の健康にかかわる一切のものの衛生状態。〔狭義では、環境衛生監視員の管理する旅館・公衆浴場などのそれを指す〕 **—おせん**[5]【—汚染】 人間の活動によって生じる自然環境の劣化。大気汚染・水質汚濁・オゾン層の破壊など多岐に渡る。 **—ガバナンス**[5] 環境に関する政策課題やよりよい環境管理に、公的機関・企業・市民団体などのさまざまな主体が協同して取り組む仕組み。「地球—[8]・国際—[9]」 **—けん**[3]【—権】 その地域の住民にとって健康で快適な生活環境が維持・保障される権利。 **—しょう**[3]【—省】 公害の防止、自然環境の保護・整備など、環境の保全行政を担当する中央官庁。二〇〇一年環境庁を改組して発足。〔長官は、環境大臣[5]。別称は環境相[3]〕 **—じょうけん**[5]【—条件】 生活環境を構成する個々の要素。「無計画な都市計画により—が年々悪化する」 **—ちょう**[3]【—庁】 ⇩環境省 **—ホルモン**[5] 人工的に合成された化学物質で、生物の生息する環境に放出・蓄積され、微量でも生体内に入ると、ホルモンに似た作用をして正常な内分泌機能を狂わせる恐れのあるもの。〔正式名称は「外因性内分泌攪乱化学物質」〕

かんきょう[0]【艦橋】 軍艦の両舷の上に高くかけ渡した甲板。将校が指揮する所。ブリッジ。

かんぎょう[0]【官業】 政府が行なう事業。↕民業

かんぎょう[0]【寒行】〔仏教で〕寒に入って、寒さを堪えしのんでする修行。

かんぎょう[0]【勧業】 政府が、国家的見地から産業の発達を特に奨励・後援すること。「—博覧会[7]」

がんきょう[0]【眼鏡】「めがね」の漢語的表現。

がんきょう[0]【頑強】—な/—に 自分の主義・主張を堅く守っていて、容易に相手に屈しない様子。「—に抵抗する」

がん

【丸】❶まるい。〔丸薬の名前に添えたり かぞえたりするのにも用いられる〕「丸薬」❷たま。「一丸・砲丸・弾丸」

【元】❶物事を成り立たせているもと。「元金・元利」❷はじめ。「元旦・元日・元祖」⇩げん

【含】❶中に持っている。ふくむ。「含有・含蓄・包含」❷口の中にものを入れる。「含味」

【岩】いわ。「岩塩・岩窟・岩床・巨岩・火山岩」

【岸】きし。「岸壁・岸頭・海岸・対岸・沿岸・河岸・護岸・着岸」[表記]もと、「〈巖」の俗字。

【玩】めずらしがって好む。もてあそぶ。「玩具・玩味・愛玩」[表記]「〈翫」とも書く。

【眼】❶物の本質を見抜く働き。「眼識・眼力・具眼・着眼・選球眼・審美眼」❷大事な点。「眼目・主眼」⇩(本文)がん【眼】

【頑】❶いくら△説得(説明)しても、受け入れない。「頑固・頑迷」❷強い。丈夫な。「頑健」

【顔】かお。「顔色・顔面・紅顔・破顔・厚顔・温顔・玉顔・汗顔・慈顔」

【〈贋】にせる。にせもの。「贋作・贋造・贋札・贋物・真贋」

【願】ねがう(こと)。「願書・願望・哀願・依願・嘆願・悲願」⇩(本文)がん【願】

がんぎょう⓪【願行】〔仏教で〕誓願と修行。

かんきょく⓪【寒極】△北(南)半球の上で、最も寒い所。

かんきり③【缶切り】缶詰を切って開ける道具。

表記「缶」の旧字体は、「罐」。

かんきん⓪【官金】政府が所有するお金。

かんきん⓪【看《経】―する(自サ)〔「きん」は、「経」の唐音〕〔一般に禅宗で〕声を出さないで経文を読むこと。〔現在では声を出して読むことを指す〕⇩読経
かんきん⓪【〈桿菌】棒状の細菌。チフス菌・ジフテリア菌など。

かんきん⓪【換金】―する(他サ) 物を売ることによってお金に換えること。「―価値が無い」⇩換物 ―さくもつ⑥【―作物】〔農家で〕現金の収入を主目的として作る作物。果実・野菜・切り花など。

かんきん⓪【監禁】―する(他サ) ある場所に不法に閉じこめて行動の自由を奪うこと。

がんきん①【元金】もときん。⇩利子
かんく①【甘苦】〔甘いことと苦いことの意〕〔人生の〕楽しみと苦しみ。「―を共にする」

かんく①【寒九】寒に入ってから九日目。〔「―の雨」は豊年のきざしといわれ、「―の水」は薬として特効があるといわれる〕

かんく①【管区】〔警察庁・海上保安庁・気象庁などが〕国全体を幾つかに分けて管轄する区域のそれぞれ。「第七―海上保安本部⑤-⑧」

かんく①【〈艱苦】困難な事態に出会って苦労を経験すること。「―に堪える」

がんぐ①【玩具】「おもちゃ」の改まった表現。

がんぐ①【頑愚】―な がんこで愚かな様子。

がんくつ⓪【岩窟】岩に出来たほらあな。いわや。岩あな。

がんくび⓪③【〈雁首】㊀きせるの頭部。㊁縦樋の落し口などに使う土管。㊂〔人の頭の意〕何かをするために集まった何人かの人。「―をそろえる(=関係者が集まる)」

かんぐ・る③【勘繰る】(他五) 勝手な想像をめぐらして、相手が〔自分にとって〕何かよくない事をしたかのように疑う。 名勘繰り⓪「―が過ぎる」

かんぐん⓪【官軍】その時の△朝廷(政府)側の軍勢。官兵⓪①。「勝てば―(=勝つ㊀)」↔賊軍
かんげ①【勧化】―する(他サ)〔仏教で〕㊀仏道を勧めること。㊁寺の修理・建築などに寄付をつのること。勧進。

かんけい⓪【〈奸計】自分の利益のために、主家を転覆したり友人を売ったりするような悪だくみ。悪計。表記「〈姦計」とも書く。
かんけい⓪【寛刑】ゆるやかな刑罰。
**かんけい⓪【関係】㊀二つ(以上)の△人(組織)などの間に認められる、互いに無視することができない結びつき。「彼とは先輩後輩の―にある/日本は中国とは歴史的に―が深い/師弟の―を絶つ/対米―が悪化する/大学間の―を緊密にする/―各位⑤・外交―⑤・縁故―④・交友―⑤」㊁―する(自サ)〈なにニ―する・なにト―する〉何らかの役割を負ってつながりを持つこと。また、そのつながり。「汚職事件に―する/国民生活に―が深い消費税/気候の―で不作だ/教育―の仕事/事故の事実―を調査する/因果―」㊂―する(自サ)〈だれト―する〉(男女が)性的交渉を持つこと。また、その交渉。 ―づ・ける⑥【―付ける】(他下一) 関係があるようにする。「二つの事件を―ことは難しい」
かんけい⓪【還啓】―する(自サ)「(外出していた皇后や皇太子が)皇居や御所に帰ること」の意の尊敬語。
かんけい⓪【簡《勁】―な 簡潔で力強い様子。「―な筆致」
*かんげい⓪【歓迎】―する(他サ)〈だれ・なにヲ―する〉(来客や新たな事態の出現などを)喜んで迎えること。「外国の使節に―の意を表する/心から―する/発売するや若者層から大―を受けた/読者の参加を―します/―会③⓪」↔歓送
がんけい⓪【眼形】〔囲碁で〕「目㊁㊂」になりそうな形。目形②。
かんげいこ③【寒稽古】―する(自サ)〔武道・芸事などで〕寒中に寒さをついて行なう稽古。
かんけいどうぶつ⑤【環形動物】体がひものように長く多数の環節から成る動物。ミミズ・ヒルなど。
かんげき⓪【間隙】時間的・空間的なすきま。「―を縫う/二人の間に―(=ⓐ不信の念。ⓑ不和)が生じた」
*かんげき⓪【感激】―する(自サ)〈なにニ―する〉身に余る栄誉に浴したり温情あふれる言動に接したりしたことに抑えがたいほどの喜びを感じて、表情・態度や言動などに現われ出ること。「その旅館の心のこもったもてなしに―する/―に△浸る(瞳をうるませる)」
かんげき⓪【観劇】―する(自サ) 芝居・演劇を見物すること。

かんけつ⓪【完結】―する(自サ)(△一続き(一まとまり)の物事が)すっかり終わること。「△小説(ドラマ)が―する」

かんけつ⓪【間《歇・間欠】〔「歇」は、やむ意〕決まった時間をおいてやんだり起こったりすること。「―的⓪」表記「欠」は、代用字。 ―せん⓪④③【―泉】決まった時間をおいてふき出す温泉。 ―ねつ④【―熱】決まった時間をおいて発熱してはさめることを繰り返す熱病。マラリア性の熱病。おこり。

*かんけつ⓪【簡潔】―な 手短で要点をとらえている様子。「―な文章」↔冗長 派―さ⓪
かんげつ①【寒月】さえていかにも寒そうに見える、冬の月。

かんげつ⓪①【観月】「月見」の意の漢語的表現。「―の宴」

かんけん⓪【官権】国家機関の権力・権限。

かんけん⓪【官憲】㊀官庁。㊁官吏。〔狭義では、㊀は警察関係の役所、㊁は警察官吏を指す〕

かんけん⓪【乾《繭】なま繭を乾燥△させること(させたもの)。

かんけん⓪【管見】〔くだを通して見る意〕〔第一級とも言える知識人や、自分の経歴に悔い無き自信を持つトップクラスの人たちが〕個人としての△見聞(見解)を狭いものとして他人に示す謙譲語。「―によれば」⇩寡聞
かんげん⓪【甘言】人の心を引きつけるような、口先だけの言葉。「―に釣られる」

かんげん⓪【換言】―する(他サ) より△簡潔(適切)な表現に言い換えること。「―すれば」

かんげん⓪【寛厳】〔やり方が〕ゆるやかなこととき びしいこと。「―よろしきを得る」

かんげん⓪【管弦・管《絃】管楽器と弦楽器。「―の遊び(=昔、雅楽を奏して遊び楽しんだこと)」 ―がく③【―楽】管楽器・弦楽器・打楽器から成る大合奏。オーケストラ。

かんげん⓪【〈諫言】―する(自他サ) 立場の上の人に対していさめること。また、その言葉。忠言。

かんげん⓪【還元】―する(自他サ) ㊀もとに△かえる(かえす)こと。「社会に―する(=社会から得たところのものを、広く社会一般に提供する)/白紙―④」㊁↔酸化〔化学で〕Ⓐ酸素化合物から酸素を奪うこと。Ⓑ水素をほかの物質に加えること。「―剤③⓪」

がんけん⓪【眼〈瞼】「まぶた」の意の漢語的表現。

か

がんけん[0]【頑健】—な —に からだが丈夫で、ちょっとぐらい無理をしても病気などにならない様子。派 —さ[0]

かんこ[1]—する（自他サ）㊀【喚呼】〔大きな声を出す意〕〔鉄道で〕運転士が信号確認の旨を声に出して言うこと。例、「出発（=出発信号よし）」、進行」。⇩指呼 ㊁【歓呼】その人（たち）を心から△迎える（送る）気持を声に出して表わすこと。「—の声に送られる」

かんこ[1]【〈鹹湖】塩水をたたえた湖。↕淡湖

かんご[1]【看護】—する（他サ）けが人や病人の手当て・世話をすること。看病。 **—がく**[3]【—学】看護のための理論と実技を研究する学問。 **—し**[3]【—師】法定の資格を持ち、医師の医療補助やけが人・病人の看護をすることを職業とする人。〔二〇〇二年看護婦（と看護士）を改称〕 **—そつ**[3]【—卒】「看護兵」の旧称。 **—ふ**[3]【—婦】女性の「看護師」の旧称。 **—へい**[3]【—兵】戦地で傷病兵の医療・看護に関する任務に携わる兵。

かんご[0][1]【閑語】—する（自サ）㊀静かに話すこと。㊁暇にまかせてするむだばなし。「閑人—[5]」

かんご[0]【漢語】↕和語 ㊀中国起源の字音語のうち、文章語としては広く用いられるが、一般の人にとってはやや改まった感じをもって受け取られるもの。「むずかしい—ばかり並べる／—的表現」㊁日本起源の字音語、および中国起源ではありながら、社会生活に密着して久しく用いられて来た結果、同化の程度がはなはだしく、あたかも日本起源であるかのように一般の人には受け取られている字音語。例、滑稽・介抱・景色：大変・大層・一層・徒然。

かんご[1]【監護】—する（他サ）監督し保護すること。「—者[3]・—義務[4]」

***がんこ**[1]【頑固】—な —に ㊀周囲の反対にかかわらず、どこまでも自分の主張を貫き通す様子。「—が売り物だ／—一徹[1]-[4]、[1]-[0]・—親父[4]」㊁〔症状や具合などが〕容易には取り除くことができない様子だ。「—な△痛み（肩凝り・油汚れ）」派 —さ[3][0]

かんこう[0]【刊行】—する（他サ）書物などを印刷して出版すること。「—に当たって／—物[3]」

かんこう[0]【完工】—する（自サ）工事を完了すること。竣工。↕起工

かんこう[0]【官公】国家と地方公共団体。 **—しょ**[5][3][0]【—署】官署と公署。国および地方公共団体の総称。 **—ちょう**[3]【—庁】官庁と地方公共団体の役所。 **—り**[3]【—吏】〔昔の〕官吏・公吏の総称。現在の国家公務員および地方公務員に当たる。

かんこう[0]—する（他サ）㊀【勘考】考え（をめぐらすこと）。思案。「—の末」㊁【勘校】〔文書などを〕比べて正誤・異同を調べること。

かんこう[1]【〈菅公】天満宮の祭神として生前の高徳がしのばれる「菅原道真公」の略称。

かんこう[0]【敢行】—する（他サ）悪条件を押し切って行なうこと。

かんこう[0]【勧降】降伏を勧めること。「—使[3]」

かんこう[0]【寛厚】—な 度量が大きくて、人にいばったりしない様子。派 —さ[0]

かんこう[0]【感光】—する（自サ）〔印画紙やフィルムなどが〕光線の作用を受けて化学的な変化を起こすこと。「—板[0]」 **—し**[3]【—紙】印画紙。

かんこう[0]【慣行】㊀その組織内で、明文化されてはいないが、団結・親睦などのために必要なものとして従来行なわれて来たし、将来も行なわれることが期待される取決めや一定の手順などの数かず。例、朝礼・春秋の慰安旅行・忘年会の開催とか創業主の命日に一同墓参に行くなど。「—に従う／労働—[5]」㊁慣習。「社会—[5]」

かんこう[0]【〈箝口】—する（自サ）〔「けんこう」の変化。口をふさぐ意〕言論の自由を縛ること。〔自分たちの仲間に不利益な発言を禁じる意にも用いられる〕表記「〈緘口」とも書く。 **—れい**[3]【—令】当事者に不利益な発言を禁じる命令。「—を敷く（=口止めを命じる）」

かんこう[0]【緩行】—する（自サ）列車が各駅に停車しながら進むこと。〔俗語的表現では「鈍行」〕「—車[3]」⇩急行・快速

かんこう[0]【還幸】—する（自サ）「〔外出していた天皇が〕皇居に帰ること」の意の尊敬語。

かんこう[0]【観光】日常の生活から離れて、ふだん接する機会の無い土地の風景や名所などを見物すること。「—客[3]・—都市[5]・—化[0]・—地[3]（=観光の対象としてにぎわう土地）・—資源[5]・—産業[5]」 **—ちょう**[3]【—庁】国土交通省の外局で、日本を観光地として発展させるために、国内外への情報発信・環境整備・観光関連産業の活性化などに取り組む機関。

がんこう[0]【眼孔】眼球の入っている穴。〔見識の範囲・限界の意にも用いられる。例、「—が広い」〕

がんこう[0]【眼光】鋭いか弱いかという観点から見た、人の目つき。「—炯々として人を射る／—紙背に徹す〔=⇩紙背〕」

がんこう[0]【〈雁行】—する（自サ）〔ガンの行列の意〕斜めに並んで行くこと。「—する（=抜きつ抜かれつする）二人の小説家」

かんごうしゅうらく[5]【環〈濠集落】周囲に濠を巡らせた古代の集落。濠の役割は排水や防護など諸説ある。遺跡は国内外に見られるが、日本では吉野ヶ里遺跡が大規模で有名。

がんこうしゅてい[0]-[0]【眼高手低】理念に実行が伴わないこと。

かんこうば[0]【勧工場】明治・大正期に、多数の商人が商品を陳列して即売した所。

かんこうばい[3]【寒紅梅】梅の変種。花びらは八重で紅色。寒中に咲く。

かんごうべき[5]【考うべき】（連体）△考えなければいけない（考えるに値する）ことである。「—（=検討を要する）問題であると思う」

かんこうへん[3]【肝硬変】肝臓が硬くなって機能不全を起こす病気。ウイルスやアルコール性肝臓障害などが原因となり、腹水・黄疸・むくみなどの症状が起こる。

かんごえ[3]【甲声】かん高い声。⇩かん（甲）

かんごえ[3][0]【寒声】寒中に発声の練習をすること。

かんごえ[0]【寒肥】寒中に施す肥料。

かんごえ[3]【〈癇声】かんしゃくを△起こしやすい人の（起こした時に発する）耳障りなほど高い声。

***かんこく**[0]【勧告】—する（他サ）〈だれニなにヲ—する〉△そうした方が身のためだ（当然そうすべきだ）ということを（公的な立場から）勧めること。「—を受け入れる／退職を—する／辞任を—する／人事院—」

かんごく[0]【監獄】「刑務所・拘置所」の旧称。 **—べや**[0]【—《部屋】非人間的な束縛などによって、不当な虐待を受ける、労働者の宿舎の称。表記 ⇩付表「部屋」

かんこつ[1]【〈顴骨】〔本来の字音はケンコツ。「かんこつ」は類推読み〕目の斜め下にある、突き出た骨。ほおぼね。

かんこつだったい[1]-[0]【換骨奪胎】—する（他サ）古人の作った詩文について、あるいはその発想法を借用し、あるいはその表現をうまく踏襲して、自分独特の新しい詩文を作る△技法（こと）。〔俗に、焼直しの意に用いられるのは誤

用)

かんこどり③【閑古鳥】㊀カッコウの異称。㊁寂しいことのたとえ。「今は―が鳴く〔=さびれている〕(ような)ありさま」 表記「閑子鳥」とも書く。

かんごり⓪③【寒〈垢離】神仏に祈願をこめるために、寒中に冷水を浴びて心身を清めること。

かんこんそうさい⓪-⓪【冠婚葬祭】成人式・結婚式・葬式および祖先の祭事・法事。人生の節目をなすと同時に、△近所(親類)づきあいの根幹となる意で重要視される。

かんさ①【感作】〔医学で〕薬品などが△からだに入る(に触れる)ことによって、同じ物質に対して過敏な反応をする状態を作り出すこと。「減―療法⑥」

かんさ①【監査】―する(他サ)〔業務の執行・会計などを〕監督し検査すること。「行政事務の執行に関し、―を請求する/―役⓪③・会計―⑤」

かんさ①【鑑査】―する(他サ)〔展示会・発表会などで〕出品作品をよく調べて、優劣・適否などについて審査すること。「無―②」

かんさい⓪【完済】―する(他サ) 借金などをすっかり返すこと。

かんさい⓪【完載】―する(他サ) 書物・雑誌などに、その作品を最後まで載せること。

かんさい①【関西】〔昔、逢坂(オウサカ)山の関から西の地方、の意〕京都や大阪(を中心とした)地方。↔関東

かんさい⓪【艦載】軍艦に載せること。「―機③」

かんざい⓪【寒剤】温度を下げるのに使う混合剤。氷と食塩を混合したものなど。

かんざい⓪【管財】財産を管理したり財務の仕事をしたりすること。「経理部―課」 **―にん**⓪【―人】裁判所によって選任され、破産・更生の手続き中、その組織・団体の財産を管理する人。

かんさく⓪【〈奸策】悪がしこいはかりごと。「―をめぐらす」 表記「〈姦策」とも書く。

かんさく⓪【間作】―する(他サ) ㊀農作物のうねの間や株と株の間に、ほかの作物を栽培すること。また、その作物。㊁ある作物の収穫後、次に同じ作物を△まき(植え)つけるまでの間に、ほかの作物を栽培すること。また、その作物。「―物(モツ)④」

がんさく⓪【〈贋作】―する(他サ) にせの作品(を作ること)。

かんざくら③【寒桜】オオシマザクラ⑤とヒガンザクラの自然交配種と言われ、二月上旬、葉に先立って淡紅白色の五弁花を開くもの。〔バラ科〕

かんざけ⓪【燗酒】あたためた日本酒。↔冷酒(ヒヤザケ/レイシュ)

かんざし⓪【〈簪】〔「髪挿(カミサ)し」の変化〕女性の結い髪にさす装飾品。 かぞえ方 一本

かんさつ⓪【監察】―する(他サ) 規定に反するような行為が行なわれていないかどうかを調べて、取り締まること。「―官④③」 **―い**④【―医】変死人の死因を調べる役の医師。

****かんさつ**⓪【観察】―する(他サ)〔なにヲ―する〕 そのものがどう△なる(いう状態である)か、ありのままの姿を、注意して見ること。「地殻の変動を注意深く―して、地震の発生を予知しようとする/―記録⑤・野外―④」 **―がん**④⓪【―眼】うっかり見のがすようなところをも、見落とすことなく正しく見る力。

かんさつ⓪【鑑札】もぐりでないことを証明するために役所が発行する許可証。「犬の―」

がんさつ⓪【〈贋札】本物に似せて作った紙幣。

かんさ・びる④【神さびる】(自上一)⇩かみさびる

かんざまし⓪③【〈燗冷まし】冷えた燗酒。

かんざらし⓪【寒〈晒し】㊀寒中に△晒すこと(晒したもの)。㊁〔←寒晒し粉⑤〕白玉粉。

かんさん⓪【甘酸】〔甘いことと酸(ス)いこと、の意〕(人生の)苦しみと楽しみ。

かんさん⓪【換算】―する(他サ) ある単位で表わされている数量を、別の単位で表わし直す△こと(ための計算)。「かんざん」とも。「メートル法に―する/―表⓪」

かんさん⓪【閑散】―と(な)〔もと、ひまで何もする事の無い意〕人けが無くて、物音が何も聞こえてこない様子。

がんさん⓪【元三】㊀〔年・月・日の三つの初めの意〕元日。㊁元日から三日までの間。

かんし①【干支】十干と十二支(の組合せ)。えと。

かんし⓪【冠詞】英語・ドイツ語・フランス語などに見られる品詞。名詞の前に置いて、既知・未知の別や、数の単複・性の区別などを表わす語。英語の a. the や、フランス語の des. la など。「定―③・不定―④」

かんし⓪【漢詩】漢字・漢語でつづる中国(風)の詩。

かんし①【〈鉗子】外科手術用の、はさみの形をした器具。器官などをはさんだりとめたりする時に使う。

***かんし**⓪【監視】―する(他サ)〔だれ・なに・どこヲ―する〕 何か好ましくない事態が起きないように、対象の状況や事態の推移などを注意して見ていること。また、その人。「―の目△が厳しい(を光らせる・を強める・を緩める)/―を怠る/警察の―下(カ)にある/怪しい人物を―する/―カメラ」 表記「看視」とも書く。

かんし⓪【〈諫止】―する(他サ) いさめてそうすることを思いとどまらせること。

かんし⓪【〈諫死】―する(自サ) △死んで(死ぬ覚悟で)いさめること。

かんし①⓪【環視】―する(他サ) (多くの人が)まわりで見ていること。「衆人―の中で」

***かんじ**⓪【感じ】[一]⓪ ㊀皮膚・舌などの感覚器官が何かに触れた時に感じる刺激。熱さ・冷たさ、柔らかさ・堅さ、かゆさ・痛さ、甘さ・辛さ、くすぐったさなど。「なんの―も(し)なかった」㊁接した人の態度や対象とした物事から総合的に受ける、当人自身にも分析・否定をすることができない全体の印象。「―がいい店員/―の良い人/悪い―を与える役所の応対/いやな―」㊂接した人が受ける、その時その物が置かれた雰囲気や臨場感。「当時の―を出す」 [二]〔造語〕動詞「感じる」の連用形。 **―い・る**④【―入る】(自五) すっかり感心する。「巨匠の見事な筆使いに―」 **―と・る**④【―取る】(他五) 心に感じて△受け取る(分かる)。「包囲網が迫ってくるのを肌で―」 **―やす・い**⑤【―〈易い】(形) 対人関係などちょっとした事に敏感に反応し、不安をいだいたり傷ついたりする様子だ。「―年ごろ」 派―さ④

かんじ①【〈莞爾】―たる ―と いかにも満足げににっこり笑う様子だ。「―とほほえむ」

かんじ①【幹事】㊀〔政治団体・研究団体などで〕事務を担当する△こと(人)。「―長③」㊁〔旅行会・クラス会などの〕世話人。「親睦(シンボク)会の―」

***かんじ**⓪【漢字】本来中国語を表記するものとして漢民族の間で用いられて来た文字。表意的用法、表音的用法などがある。真名(マナ)。本字。〔広義では、それに外形・用法の似た文字をも指す〕⇩和字 **―かなまじりぶん**⑧⓪【―仮名交(じ)り文】日本語を書き表わす最も普通の表記法で、漢字と仮名のそれぞれの特徴を活(イ)かして併用した文や文章。【学習用の―】義務教育の就学期間中に学習する漢字として規準となるもの。はじめ、当用漢字のうち初等教育

か

期間に読み書き出来るように「当用漢字別表⑤-⓪」として八八一字が選定された〔=これを「教育漢字」と通称する〕。一一五字を加えた九九六字〔=これを「学習漢字」ということもある〕が小学校学習指導要領の「学年別漢字配当表⓪-⓪」に収められ、さらに一九九二年度より、一〇〇六字に改められ、二〇一七年の告示によりさらに一〇二六字に改められ、その二〇字は移行措置により、二〇一八年度より段階的に指導されることとなった。二〇二〇年四月に完全施行。**じょうようー**⑤【常用ー】 法令・公用文書・新聞等、一般の言語生活で用いるうえの目安としての漢字の表〔=常用漢字表〕に記載された、一九四五字。一九八一年、内閣告示によって公布。二〇一〇年、二一三六字に改定。**じんめいようー**⑦【人名用ー】 常用漢字二一三六字のほかに人名に用いてよいとされている八六三字。**とうようー**⑤【当用ー】 △教育の目標としてこれだけは習得させる(マスコミがこれで表現活動をまかなう)ものとしての漢字の範囲を示した表〔=当用漢字表〕に記載された一八五〇字。一九四六年、内閣告示によって公布。〔「常用漢字」の前身〕

かんじ①【監事】 ❶団体の庶務を受け持つ人。❷法人の財務・業務に関する監督をする機関や人。監査役。

がんじがらめ④【〈雁字〈搦め】 〔「がんじ」は、動かないように堅く締める形容。「かっちり」と同源〕△ひも(縄)を縦横に幾重にも巻きつけて、動けないようにすること。〔行動の自由が奪われる意にも用いられる。例、「義理と人情のー」〕

かんしき⓪【乾式】 〔複写装置などで〕液体や溶剤を使わないやり方。↔湿式

かんしき⓪【鑑識】 よく調べて物の真偽や良否などを判断する△こと(力)。〔狭義では、警察の犯罪捜査で、犯人の遺留品などについてのそれを指す〕「ー眼が鋭い/鋭いー力」

かんじき⓪【〈樏】 雪の中に踏み込まないようにはきものの下につける輪のような形のもの。

がんしき⓪【眼識】 物事の真偽・優劣などを見ぬくことが出来る力。「ーのある人」

かんじぎょう③【閑事業】 むだな仕事。

かんじく⓪【巻軸】 ❶巻物(の軸)。❷巻子本で、終りに近い部分。❸書いてある詩歌・俳諧などの中で最優秀の作品。

かんじこみ③【寒仕込(み)】 寒中に、酒・味噌・醤油などを仕込むこと。また、その仕込んだもの。「ーによる醸造」

かんしつ⓪【乾湿】 空気などの、かわきとしめりけ。**ーきゅうしつどけい**⓪-⓪【ー球湿度計】 二つの温度計を並べ、一方のたまの部分を、湿った布で包んだもの。二つの温度計の示度の差から、空気中の湿度を計る。乾湿計⓪。

かんしつ⓪【乾漆】 ❶漆の液が乾燥し固まったもの。❷麻布を漆で塗り固めて作った、中空の像。奈良時代の仏像に多い。

漆工芸の技法の一つ。「ー造」 **ーぞう**④【ー像】

がんしつ⓪【眼疾】 「眼の疾患」のやや改まった表現。

がんじつ⓪【元日】 一年の最初の日。「国民の祝日」の一つ。一月一日。⇩元旦

かんじつげつ③④【閑日月】 ❶ひまな月日。「ーを楽しむ」❷余裕のある心。「英雄ーあり」

かんしゃ⓪①【甘〈蔗】 サトウキビの異称。⇩かんしょ

かんしゃ①【官舎】 △国家(地方公共団体)が建てた、公務員用の住宅。官宅⓪。

かんしゃ①【感謝】ースル(自他サ)〈だれニなにヲーする〉 ありがたいと△思う気持を抱く(思って礼を言う)こと。「恩師にーする/ーをささげる/ーの念/ーセール④」

かんじゃ①【冠者】 ❶昔、元服して、かんむりをつけた少年の称。「小ー②・猿面ー〔=⇩猿面冠者〕」❷無官で六位の人の称。❸召使の若者。⇩かじゃ

かんじゃ⓪【患者】 その医者にかかって、病気やけがの治療を受ける人。「ーの生命を預かる/ーを診る/入院ー⑤・外来ー⑤」

かんじゃ⓪【間者】 〔古〕間諜。忍びの者。

かんしゃく①【官爵】 官職と爵位。

かんしゃく⓪【〈癇癪〉】 感情を抑えきれずに△相手(所)構わず怒りを一度にぶちまけやすい性質。「ーを起こす/ー持ち④」 **ーだま**⓪【ー玉】 ❶ともすれば怒りたくなる気持を抑えている状態。「ーが破裂する」❷火薬を紙に包んだおもちゃ。地面に投げつけると大きな音を出して爆発する。

かんじゃく⓪【閑寂】ーな ーに 物騒がしい外界から切り放されていて、静かな様子。「ーの境地」 派ーさ⓪

かんしゅ⓪【看守】 〔刑務所などで〕受刑者の監視や労役の監督をする役人。

かんしゅ①【看取】ースル(他サ) 〔事情を〕見てそれと知ること。表記「観取」とも書く。

かんしゅ①【館主】 その旅館や映画館などの△経営者(持主)。

かんしゅ①【艦首】 軍艦の へさき。↔艦尾

かんじゅ①【甘受】ースル(他サ) やむを得ないものとして、文句を言わずに受けること。「△非難(侮辱・差別待遇)をーする」

かんじゅ①【官需】 政府の需要(物資)。↔民需

かんじゅ⓪①【貫首】 ❶〔天台宗で〕最高の僧職。天台座主⑤。❷各宗総本山や諸大寺の管長の称。表記「貫主」とも書く。

かんじゅ①⓪【感受】ースル(他サ) 外界の刺激や置かれた状況などを、主体が抵抗の無い形で受け入れること。**ーせい**⓪【ー性】 〔既成概念にとらわれず〕外界からの刺激に敏感に反応することが出来る心の働き。「ーに富んだ/ーが豊かだ/ーの豊かな人」

がんしゅ⓪①【〈癌腫】 胃癌・肺癌・乳癌などの、上皮性の悪性腫瘍。⇩肉腫

がんしゅ①【願主】 神仏に願をかけた当人。

かんしゅう⓪【慣習】 ❶その地域社会で、そのような時にはそうするものと昔から決まっている、生活上の節目としての行動様式。例、お七夜・宮参り・七五三・成人式・結婚式や盆・暮れの贈答、および祝儀・不祝儀のお返しなど。「ーに△従う(反する)」❷慣行。「ー化⓪」 **ーほう**⓪【ー法】 広く行なわれている慣習で、社会通念としてそれに従うことが要求されるもの。⇩成文法

かんしゅう⓪【監修】ースル(他サ) 〔書物の〕編集の最高責任者として名前を出す△こと(人)。「ー者③」

かんしゅう⓪【観衆】 〔スポーツなどの〕見物人たち。

がんしゅう⓪【含羞】 はにかみやはじらいを含んだ表情。「ーを秘める/ーの色を浮かべる」

かんじゅく⓪【完熟】ースル(自サ) 実・種が完全に熟すこと。「ートマト⑤」

かんじゅく⓪【慣熟】ースル(自サ) 物事に慣れて上手になること。

かんしゅだん③【慣手段】 いつもの決まった手段。慣用手段。

かんしょ ❶⓪①【甘〈蔗】 〔本来の字音はカンシャ。「かんしょ」は類推読み〕サトウキビの異称。❷①【甘〈藷・甘〈諸】 サツマイモの異称。

かんしょ①【官署】 行政関係の役所の総称。官庁。「税関ー・気象ー・水路ー」

かんしょ①【寒暑】寒さと暑さ。

かんじょ①【官女】宮中に仕える女官。「三人━」

かんじょ①【寛(恕)】━する（他サ）度量が広くて思いやりのある△こと(処置)。運用 一般に手紙文で、「ご寛恕を△請う(願う)」などの形で、相手に許しを請う丁寧な言い方として使われる。

かんじょ⓪【漢書】中国の前漢時代（＝前二〇二～後八）の歴史を書いた書物。前漢書⓪③。〔中国の後漢時代の歴史を書いた書物は「後漢書⓪②」〕

かんじょ①【緩徐】━な ゆるやかで静かな様子。「━楽章④」

がんしょ①【〈雁書】〔古代中国の漢の時代、蘇武が胡国にとらわれた時、ガンの足に手紙をくくり付けて漢帝に送ったという故事から〕久しく音信のとだえていた友などからの手紙。

がんしょ①【願書】❶願い事をしるした書面。❷〔↑入学願書⑤〕入学を希望する学校へ、必要事項をしるして差し出す書類。「━を出す」かぞえ方 ❶❷とも一通

*かんしょう⓪【干渉】━する（自サ）（なに・だれニ━する）❶問題になっている事柄に対して、当事者でない者が、ああしろこうしろと意見を述べたり指示したりして、自分の考えに従わせようとすること。「人事に━する／子供に━しすぎる母親／内政━」❷〔物理学で〕同一の場所で音波どうしや光波どうしがぶつかり合って、作用した結果、その力を互いに増したり逆に弱めたりする現象。表記 ❶は、「関渉」とも書く。

かんしょう⓪【〈奸商】不正な手段によって利益をむさぼろうとする商人。表記「〈姦商」とも書く。

かんしょう⓪【完勝】━する（自サ）（試合に）少しもあぶなげなく勝つこと。↔完敗

かんしょう①【官省】内閣の各省。〔広義では、役所の総称〕「各━①①」

かんしょう⓪【冠省】〔手紙文で〕「前略、御免下さい」の意の書き出しの挨拶の言葉。⇩不一

かんしょう⓪【勧奨】━する（他サ）そうすることはよい事だといって積極的に勧めること。「栽培を━する／━退職⑤」〔＝⇩肩叩き❷〕

かんしょう⓪【勧賞】━する（他サ）ほめて励ますこと。

かんしょう⓪【感傷】ちょっとした外界の刺激で発現する、物思いや悲哀の情、また甘美の思いにふけるなどの心的状態。「△甘い(淡い)━／青春時代の━／△同じ世代を生きてきた者(都会の住人)の━かもしれませんが／━に浸る／━の心が湧く／━癖③」 ━てき⓪【━的】━に ❶あれこれと感慨にふける様子だ。「定年退職が迫ると、いささか━になる／高校時代のアルバムを見て━な気分に浸る」❷接する人に何らかの感傷をいだかせる様子だ。「優雅で━な円舞曲」〔❶❷は、センチメンタルとも〕

かんしょう⓪【感賞】❶━する（他サ）感心してほめること。❷功績のあった人に与えるほうび。

かんしょう⓪【管掌】━する（他サ）自分の管轄の仕事として責任を持って取り扱うこと。「事務━③」

かんしょう⓪【緩衝】━する（他サ）二つの対立するものの間の不和・衝突を和らげること。また、そのもの。「━地帯⑤・━器③」 ━そうち⑤【━装置】ばね・ゴム・油圧などを利用して外部からの衝撃を和らげる装置。

かんしょう⓪【環礁】輪の形になったさんご礁。「ムルロア━で核実験が行なわれた」

かんしょう①⓪【〈癇性】━な 神経質で、異常なまでに潔癖であったりちょっとしたことがひどく気にさわったりする性質。表記「〈癇症・〈疳性」とも書く。

かんしょう⓪【簡(捷)】━な〔事務などが〕手軽にすばやく行なわれる様子。

かんしょう⓪【観照】━する（他サ）（なにヲ━する）一切の感情を殺して冷静に、人生や自然や美などの抽象的な物事について、それはどういうものかと根本的に思索すること。

*かんしょう⓪【鑑賞】━する（他サ）（なにヲ━する）❶芸術作品などについて、自分なりの基準に基づいてそのよさを味わうこと。「映画━④・音楽━⑤」❷━【観賞】動植物などの美しさ・心地よさなどを味わいながら、見たり聞いたりして楽しむこと。「ウグイスの声を━しながら春の山路を歩く／━魚③・━植物⑥」

かんじょう⓪【干城】〔楯と城の意〕国を守る△武士(軍人)。「国家の━」

かんじょう⓪【〈函丈】〔「函」は、容れる。師との間に一丈を隔てて座を占める意〕自分の先生や立場の上の人への脇付として用いる語。

かんじょう⓪【冠状】かんむりのような形(をしていること)。「━動脈(＝⇩冠動脈)」

*かんじょう③【勘定】━する（他サ）（なにヲ━する）〔数や量をかぞえる意〕❶━する 対象とする物がいくつ△あるか(になるか)数をかぞえること。「…の数を━する／…を━に入れる(＝かぞえる範囲に入れる)」❷━する（他サ）〈なにヲ━する〉収支の対象となる金銭の計算をすること。また、その結果の金額。「━を済ます／お━(＝払うべき金額の計算)を願います／━書⓪・━場⓪」❸〔「━に入れる」などの形で〕前もってしておくべき考慮。「天候のことは━に入れてなかった」 ━ずく⓪【━《尽く》】損得だけを考えて行動すること。 ━だか・い⑥【━高い】（形）何を措いても、自分の利益を優先させる様子だ。派 ━さ⑤

かんじょう⓪【勧《請》】━する（他サ）〔神仏のおいでを願う意〕神仏の分霊を他の地にも祭ること。

かんじょう⓪【感状】〔軍隊などで〕手柄をほめて最高指揮官が与える賞状。

**かんじょう⓪【感情】外界の刺激に応じて絶えず変化する、快・不快、喜び・怒り・悲しみなどの気持。「━をむき出しにする／━を交えず冷静に話し合う／国民━を強く刺激する／━に走る／━を害する(＝相手の気持を傷つけて、不愉快な思いをさせる。また、そういう目に合う)」 ━いにゅう⑤【━移入】人間の表情や身ぶり、自然の景物、絵画・彫刻、楽器の音色などに接した時、その対象自体が何らかの感情や情緒を表出していると感じ理解すること。〔俗には自己の感情や思い入れを対象に投影させる意味にも用いられる〕 ━か⓪【━家】自分の感情をすぐ言動に表わす人。 ━てき⓪【━的】━に ❶感情にかかわる様子だ。「━な問題がからむ／━には許せない」❷気持の変化を、すぐ言動に表わしがちな様子だ。「すぐに━になるタイプ／━対立⑤」↔理性的 ━ろん③【━論】理性を忘れて感情をむき出しにした議論。

かんじょう⓪【環状】丸く輪になっている形。「━管⓪・━道路⑤」 ━せん⓪【━線】環状の△道路(鉄道線路)。 ━れっせき⑤【━列石】⇩ストーンサークル

かんじょう⓪【〈灌頂】〔仏教で、定められた位や資格を授けるために〕その人の頭に水を注ぐ儀式。〔広義では、墓参りの時、墓石に水を注ぎかけることも指す〕

がんしょう⓪【岩床】地中に深く広がって、簡単に崩したり取り除いたり出来ない岩。

がんしょう⓪【岩〈漿】高温のために溶けた、地中の岩石。マグマ。〔火成岩は、これが冷えて固まったもの〕

がんしょう⓪【岩礁】海水中に隠れている岩。

がんじょう⓪【頑丈】━な 同類の物の中で、それがいく

ら使ってもこわれそうにもないように見える様子。〔もと、丈夫な馬を「四調者(ガンジョウ)」と言った。人の場合には「五調者」と書いた〕↕きゃしゃ 派ーさ⓪ 表記「岩乗(ガンジョウ)・岩畳(ガンデフ)」とも書く。

かんしょく⓪【完食】ーする(他サ)（量の多い食べ物を）残さずすべて食べること。「大盛りのカレーライスをーする」

かんしょく⓪①【官職】役人の官制によって定められた職務上の地位。〔狭義では、官と職とは次のように区別される。財務事務官〖官〗、主計局長〖職〗〕「ーに就く」

かんしょく⓪【寒色】見る人に寒い感じを与える色。青(に近い色)。↕暖色・温色

かんしょく⓪【寒食】冬至後百五日目の日。〔昔、中国では風雨の激しい日として火を絶って食をした習俗がある〕

かんしょく⓪【間色】中間色。

かんしょく⓪【間食】ーする(自サ) 決まった食事と食事との間に、ちょっとした物を食べること。おやつ。あいだぐい。

かんしょく⓪【閑職】名目はあっても、あまり、△仕事の無い(重要でない)職務。「ーに移される」↕劇職

かんしょく⓪【感触】㊀外界の刺激に触れて感じること。㊁手ざわり(の感じ)。㊂確証は無いが、状況証拠から得られる感じ。「ーを得る/かなりのーをつかむ」

がんしょく①⓪【顔色】喜怒哀楽や機嫌のよしあしが表れる顔の表情。「ー無し①-①、⓪-①(=すっかり圧倒されて顔が青くなる)/彼の作品の見事な出来映えは、専門家をしてー無からしめた」

***かん・じる**⓪【感じる】(自他上一) ㊀〈なにヲー/(なにヲ)なんだトー〉 感覚器官を通して、暑さ・寒さ・痛さなどを知ったり善悪・美醜などを判断したりする。「△痛み(ショック・危険・疑問)をー」 ㊁〈なにヲー/(なにヲ)なにニー〉 その場の情勢や相手の態度などから、抵抗感を覚えることなく受け入れる。「△生きがい(責任・反発・魅力)をー/△身近(肌)にー/肌でー/意気にー(=相手から受けた恩義・熱意に応(コタ)えようとする気持になる)/感じやすい年ごろ」 ㊂あることがきっかけになって、自分の行動を決定する何かが与えられる。「ー所があって」 感ずる⓪(サ変)。〔⇩感じ㊂〕

かん・じる⓪【観じる】(他上一) 思いをめぐらした末に、人生の真理などを会得(エトク)する。観ずる⓪(サ変)。

かんしん⓪【甘心】ーする(自サ) それ△で(が)いいと思うこと。

かんしん⓪【奸臣】主君に対し、内実は悪事をたくらむ、腹黒い家来。表記「姦臣」とも書く。

かんしん⓪【寒心】ーする(自サ) あんなひどい状態を続けていたら、将来どうなる事かと思って、ぞっとすること。「ーに堪えない」

****かんしん**⓪【感心】ーな ーする(自サ)〈なに・だれニーする〉 普通の者なら出来そうもない事をよくやったと、その行為に驚きを感じるとともに誉(ホ)めてやりたいと思う気持になる△こと(様子)。「親の手伝いを進んでするなんてーな子だ/今度の改革案はどうもーしない」

****かんしん**⓪【関心】その事について自分自身に直接かかわりがあるかどうかに関係なく、無視するわけにはいかないと感じ、△より深く知ろう(今後の成行きに注目しよう)とする気持を持つこと。〔心理学・教育学では「興味」と同義に用いることもある〕「国連での演説に全世界のーが集まる/強いーをいだく/大きなーを示す/重大なーを持つ/ーの薄さ/ーが盛り上がる/ーが△高い(低い)/ー事③・ー度③」

かんしん⓪【歓心】自分のために相手がよくしてくれたと思って喜ぶ気持。「ーを買う(=気に入られようとする)」

かんじん⓪【肝腎・肝心】ーな〔人体にとって肝臓も腎臓も共に欠くことの出来ない大切なものの意〕何かをするのに最も大事△なこと(である様子)。 **ーかなめ**⓪-⓪【ー要】ーな 「肝腎」の強調表現。

かんじん⓪【閑人】ひまで用の無い人。ひまじん。

かんじん⓪【勧進】ーする(他サ) 寺社や仏像の建立(コンリュウ)・修理のために、寄付を集めること。勧化(カンゲ)。 **ーちょう**⓪③【ー帳】勧進の趣意をしるして寄付を集める帳面。 **ーもと**⓪【ー元】何かの興行を企画して、その世話をする人。

かんじん⓪【寛仁】ーな 心が広く大きくて情け深いこと。かんにん。「ー大度(タイド)⑤」

かんじん⓪【漢人】中国本土に住みついた、漢民族の人。

かんじん⓪【韓人】「朝鮮人」の旧称。

かんしんせい③【完新世】現在を含む、地質時代の最も新しい時代。最後の氷河期が終わって、温暖化の始まった約一万一千七百年前から現在までの期間。人類が大発展を遂げた。旧称、沖積世。

かんじんより⓪【かんじん(縒り)】「かんぜより」の変化。

かんす⓪【(鑵子)】〔主に関東以西の方言〕㊀かま形の湯を沸かす器。やかん。㊁ちゃがま。

かんすい⓪【完遂】ーする(他サ) 完全にやりとげること。「計画をーする」〔「かんつい」は読み誤り〕

かんすい⓪【冠水】ーする(自サ)〔大水で〕作物などが水をかぶること。

かんすい①【(梘水)・(鹹水)】中華そばを作る時に粉に交ぜる、天然ソーダの水。

かんすい⓪【(灌水)】ーする(自サ) 水をかけること。「ー装置⑤」

かんすい⓪【鹹水】(海の)塩水。「ー湖③・ー魚(ギョ)③」↕淡水

がんすいたんそ⑤【含水炭素】「炭水化物」の旧称。

かんすう③【巻数】㊀書物の冊数。㊁〔映画で〕一続きのフィルムの本数。

かんすう③【関数】・【(函数)】〔function の、中国での音訳。「函」は「(独立変数を)含む」意〕〔数学で〕二つの△変数(変量)の間における、一つの変数(=独立変数)の値が決まるに従ってもう一つの変数(=従属変数)の値がちょうど一つ決まるというような△規則(関係)。〔独立変数は複数個のこともある〕「温度は場所と時間のーー/ー値・一変数(=独立変数が一個の)ー・多変数ー」 表記「関」は、代用字。 **ーでんたく**⑤【ー電卓】三角関数・対数関数など、よく使う関数の値を計算するためのキーが備わっている電卓。

かんすうじ③【漢数字】漢字の中で数を表わすものを、数字として用いた時の呼び名。〔厳密には、一・二・三・四・五・六・七・八・九を「文字㊁㊀」として用いた場合、すなわち位取り記数法中に用いた場合だけに限定されるが、漢字ではなく純粋の記号である〇(レイ)をも含めるのが普通。広義では、十・百・千など、「基数㊀」以外の数を表わす漢字までも漢数字に含める。俗に、「和数字②」とも言う〕

かんすぼん⓪【巻子本】巻物(マキモノ)の形を持つ本。けんすぼん⓪。⇩綴本(トジホン)・折本

かん・する③【冠する】(他サ) ㊀冠をかぶる。「沐猴(モッコウ)にしてー者(=⇩沐猴)」 ㊁本体の上に、角書(ツノガキ)とか特定の形容詞など何か限定する名称をつける。「名刺に…博士とー」 ㊂そのものの特徴を表わす(由緒ある)名前を新たにつける。「…の名をー」 冠す①(五)。

***かん・する**③【関する】(自サ)〈なに・だれニー〉 その人や事物に何らかの関係を持つ。かかわりがある。関す①(五)。「水害にー(=についての)報道/…に関しては一言も触れていない/我関せず」

** * は重要語，⓪①… はアクセント記号，品詞の指示の無いものは名詞および いわゆる連語。

かん・する③【〈緘する】(他サ) 封をする。(口を)閉じる。

かんせい⓪―(クワン)【完成】―する(自他サ)〈(なにヲ)―する〉 もうこれ以上することはないという状態に達し、完全に△出来あがった(作り上げられた)ととらえられること。「五年の歳月を経て大工事が―した/―を△見る(急ぐ)/―品⓪」

かんせい⓪―(クワン)【官制】 国の行政機関の設置・廃止・組織および権限などについての規定。

かんせい⓪―(クワン)【官製】 政府の直轄機関による製造(品)。〔政府の指導・助言によって、△何かが設立される(何かの運動が展開される)ことの意にも用いられる〕「―葉書⑤」

かんせい⓪【陥〈穽】〔「おとしあな」の意〕人を陥れるはかりごと。「―に落ちる」

かんせい⓪【乾性】 乾燥する性質。水分の少ない性質。「―肋膜炎(ロクマクエン)⓪」↕湿性 **―ゆ**③【―油】 空気中で比較的速くかわく植物油。荏(エ)の油・アマニ油(ユ)など。「半―⑤〔=ダイズ油・綿実油など〕」↕不乾性油

かんせい①【閑静】―な 街のやかましさが聞こえないで、もの静かな様子。「―な△住まい(屋敷町(チマ))」― 派 **―さ**⓪③

かんせい①【感性】 ㊀外界の刺激に応じてなんらかの印象を感じ取る、その人の直観的な心の働き。〔欲求・感情・情緒に関する点で、意志・知性と区別される〕「見る人の―に訴えるものがある絵画/―の鋭い人」⇩悟性・理性 ㊁感受性。

かんせい⓪―(クワン)【慣性】 外部からの力の作用を受けない限り、物体は△静止(等速直線運動)を続けるという性質。ニュートンが確立した「運動の法則」の第一。「―モーメント⑤」

かんせい⓪―(クワン)【管制】―する(他サ) ㊀〔国家が強制的に〕自由な△活動(使用)を制限する規定を設け、監視を強化すること。「灯火―・報道―⑤」 ㊁事故防止のため、空港責任者が航空機に対して離着陸前後の注意を指示すること。また一般に、高度・航路の規制をすること。「NASA〔=米国航空宇宙局〕の宇宙ロケット発射基地では人工衛星やロケットの開発・打上げ・追跡・―〔=リモ コン〕などを行なう」 **―とう**⓪―(タフ)【―塔】 コントロール タワー。

かんせい⓪ ㊀―(クワン)【歓声】 喜びのあまり発する叫び声。「―をあげる」 ㊁―(クワン)【喚声】 驚いたり興奮したりして出す叫び声。「―があがる」 ㊂【〈喊声】 ときの声。「時ならぬ―」 ㊃【〈鼾声】 いびき(の音)。「―、雷(イラ)のごとし」

かんせい⓪【監製】―する(他サ) 十分念入りに監督して製造すること。

かんぜい⓪―(クワン)【関税】 △輸入品(輸出品)に対して、税関で徴収する税。〔日本では輸出品にはかからない〕「―を課す/―率③」

がんせいひろう⑤―(ラウ)【眼精疲労】 目が疲れて頭痛を起こし、本などが長時間読めなくなる状態。

かんぜおん③―(クワン)【観世音】〔←観世音菩薩(ボサツ)⑥〕大慈大悲の徳があり、世人の救いの求めに応じて姿を現わすという菩薩。観自在③。観音(カンノン)。

かんせき⓪①【漢籍】 中国人によって書かれた、漢文の書籍。〔狭義では、儒教関係の典籍を指す〕⇩和書

かんせき⓪【艦籍】 個々の軍艦が管理上どこに所属するかということ。〔昔は…鎮守府に、今は…艦区に属する〕「―簿④」

がんせき①【岩石】「いわ」の意の漢語的表現。

かんせつ⓪―(クワン)【官設】 政府の設立。公設。↕私設

かんせつ⓪―(クワン)【冠雪】 ㊀―する(自サ) 雪が積もって、山頂(とその周辺)の部分が白く見えること。〔屋根や樹木の梢(コズエ)について言うこともある〕「十二月一日、初―を記録した」 ㊁物の上に降り積もった雪。

***かんせつ**⓪【間接】 直接接することなく、間にある物事を隔てて何か△を行なう(が行なわれる)様子。「直接または―に影響を受けている/―照明⑤〔=光をいったん壁や天井に投射し、その反射光を利用した室内の照明法〕・―撮影⑤・―証明法⓪〔=背理法〕」↕直接 **―きつえん**⑤【―喫煙】 ⇩受動喫煙 **―ぜい**④【―税】 消費者が料金などの形で負担するが、納入は製造・販売者がする税。間税⓪。例、消費税・酒税。↕直接税 **―せんきょ**⑤【―選挙】 アメリカの大統領選挙のように、有権者全員によってあらかじめ選ばれた選挙人によって行なわれる選挙。↕直接選挙 **―てき**⓪【―的】―な ―に 間接に何かが行なわれる様子だ。「表立って言いにくいことを―に伝える」↕直接的 **―ひりょう**⑤―(レウ)【―肥料】 間接に作物の養分となる肥料。例、石灰。 **―わほう**⑤―(ハフ)【―話法】 話法の一つ。話し手の言葉に置き換えて述べる方法。人称や時制などが変化する。「ぼくは明日も図書館に行きます」の発言を受けて、その翌日当人に向かって「君は、今日図書館に行く、と言ったね」などと述べる方法。⇩直接話法

かんせつ⓪―(クワン)【勧説】―する(他サ) そのわけをよく説明して、そうするように勧めること。

かんせつ⓪―(クワン)【関節】 骨と骨とをつなぎ、動かす時の軸になる部分。「―がはずれる/―炎④⓪」

かんせつ⓪―(クワン)【関説】―する(自サ) 何かに関連して説くこと。

かんせつ⓪―(クワン)【環節】 昆虫やミミズのように、からだが多数の輪でつながったようになっているものの一つひとつ。

かんぜつ⓪―(クワン)【冠絶】―する(自サ) 最もすぐれていること。「世界に―する」

がんぜな・い④―(グワン)【頑是無い】(形)〔「頑是」は、物のいい・悪いの区別の意〕まだ幼くて、聞きわけが無い様子だ。 文法 助動詞「そうだ(様態)」に続くときは「頑是なさそうだ」の形になる。また「すぎる」と結びついて複合動詞をつくるときは「頑是なさすぎる」の形になる。

かんぜより⓪③―(クワン)【観世〈縒り】 和紙を細く切って堅く縒ったもの。糸の代用。「かんじんより」とも。こより。

かんせん⓪【汗腺】 皮膚の表面まで通じていて、汗を出す腺。

かんせん⓪―(クワン) ㊀【官選】 政府で選ぶこと。「―弁護人⓪〔=『国選弁護人』の旧称〕」↕公選・民選 ㊁【官〈撰】 政府で編修△すること(した書物)。

かんせん⓪【乾〈癬】 銀白色で雲母(ウンモ)のような葉状の鱗屑(リンセツ)を生じる慢性皮膚病。

かんせん⓪【幹線】〔鉄道・道路・電話などで〕主要地点を結ぶ、大切な線。本線㊀。「―道路⑤・新―」↕支線

***かんせん**⓪【感染】―する(自サ)〈なにニ―する/(だれカラ)だれニ―する〉 ㊀病気がうつること。「ウイルスに―する/―経路⑤」 ㊁他からの好ましくない影響を受けてそうなること。「悪風に―する」 **―しょう**⓪―(シヤウ)【―症】 病原微生物の感染によって起こる病気。〔「感染症予防医療法⓪-⓪」では、感染力の強さなどにより五つの類型に分けられる。伝染病は人から人にうつるものについて用いられ、感染症は広く、人から人にはうつらないものをも含めて言う〕

かんせん⓪―(クワン)【観戦】―する(他サ) 戦争の状況や試合などを見ること。「―武官⑤・―記③」

かんせん⓪①【艦船】 軍艦と一般の船舶。

かんぜん⓪【敢然】(副)―たる ―と 普通なら尻(シリ)ごみするようなことを、意を決してする様子。「権力に―と立ち向かう」

****かんぜん**⓪―(クワン)【完全】―な ―に 必要条件がすべて満たされてい

て、文句の付けようが無い様子。「―な形で復元された建物／―に〔=どんな点から見ても〕失敗だ」 派―さ⓪③ ―こよう⑤【―雇用・―雇〈傭】―する(他サ) 一人も失業者が居ないように、それを望む人全員に職業を与えること。 ―じあい⑤【―試合】〔野球で〕一人の投手が相手に安打・四死球を許さず、味方の失策も全く無く、一人も走者を出さずに完投して勝った試合。パーフェクトゲーム。 ―むけつ⓪-⓪【―無欠】―な・―に 「完全」の強調表現。

かんぜん⓪【間然】―する(自サ) 批評をいれる余地のあること。「―するところが無い〔=とやかく言う余地が無いほど完璧だ〕」

かんぜん⓪【勧善】よい行いを勧めること。 ―ちょうあく⑤、⓪-⓪【―懲悪】よい行いを勧め、悪人をこらしめること。略して「勧懲⓪」。

がんぜん⓪③【眼前】その人が見ている目の前。

かんそ①【簡素】―な・―に 必要な目的が達成されれば十分という考え方に基づいて、△複雑化(多様化)を避けてやりくりする様子。「―な部屋／―化⓪」 派―さ③

がんそ①【元祖】一家の先祖。〔ある物事の創始者の意にも用いられる〕

かんそう⓪【完走】―する(自サ) 定められた距離を終りまで走りぬくこと。

かんそう⓪【乾草】「ほしくさ」の意の漢語的表現。

*かんそう⓪【乾燥】❶―する(自他サ)〈(なにヲ)―する〉かわくこと。また、かわかすこと。「空気が―する／漆を―する／―機③・―肌③」 ❷心をうるおすものが全く感じられないこと。「無味―な〔=うるおいが無く、心をなぐさめることが無い〕毎日」 ―ざい⓪③【―剤】❶水分を吸収し、乾燥した状態を保つために用いられる物質。塩化カルシウム・シリカゲルなど。 ❷塗料や印刷インクの乾燥を速めるために乾性油に加える物質。

かんそう⓪【間奏】❶独唱や独奏の途中で、伴奏楽器だけで演奏する部分。 ❷〔歌劇などで〕幕間の演奏。 ―きょく③【―曲】歌劇の幕間や、組曲などの連曲の中間にはさまれた楽曲。

*かんそう⓪【感想】ある事柄について感じた事(が、発表出来る程度にまとまったもの)。「率直な―／読後の―／―文③⓪」

かんそう⓪【歓送】―する(他サ) その人のために祝福して、出発を送ること。「―会を催す」 ↔歓迎

かんそう⓪【観相】人相を見て、その人の運命や性格を判断すること。

かんそう⓪【観想】座禅などをして精神の集中を図り、自己の心性に宿る仏性に思い至ること。

かんぞう⓪【甘草】漢方薬の名。「甘草〔=ハギに似た、マメ科の多年草〕」の根からとる。黄色で甘みがあり、いろいろの薬に交ぜ、また、とげ抜きに使われる。

かんぞう⓪【肝臓】腹腔の右上部にある消化腺。胆汁を作り、グリコーゲンをたくわえる。⇩きも ―ジストマ⑤ 人・犬などの肝臓に寄生して病気を起こす虫。

がんそう⓪【含〈嗽】―する(自サ) 〔「嗽」は、くちすすぐ意〕「うがい」の意の漢語的表現。「―剤③」

がんぞう⓪【〈贋造】―する(他サ) にせものを造ること。また、その造ったにせもの。偽造。「―紙幣⑤・―品⓪・―物③」

*かんそく⓪【観測】―する(他サ)〈なにヲ―する〉❶自然現象を観察・測定し、その推移・変化について調べること。「潮位の変動を―する／―所⑤⓪・天体―⑤・定点―」 ❷いろいろなデータから物事の△成行き(移り変り)について、多分そうなるだろうと見当を付けること。「…という―が流される／希望的―⓪-⓪」 ―ききゅう⑤【―気球】❶高空の気象を観測するために上げる気球。 ❷肉眼ではとらえにくい敵状の視察や、味方の攻撃状況などを調べるために上げる気球。「―を上げる〔=相手の反応を見るために、偽りの情報などをわざと流す〕」

かんぞく⓪【〈奸賊・〈姦賊】底知れぬ悪人。

がんそく⓪【〈雁足】山に生えるシダの一種。胞子ばかりをつけた若葉「こごみ⓪」は、食用。生け花にも使う。くさそてつ③。〔コウヤワラビ科〕 かぞえ方 一株

かんそん⓪【寒村】目立った△産業(産物)や、観光の対象が無くて、人気の少ない村。

かんそんみんぴ⑤【官尊民卑】官吏や公立関係をたっとび、人民や民間関係を低いものと見ること。「―の思想」

カンタータ③〔イ cantata〕独唱・重唱・合唱部分で構成される声楽曲。交声曲。「宗教―⑦・世俗―⑥」

カンタービレ③〔イ cantabile〕〔楽譜で〕「歌うように(美しく)」の意の発想記号。カンタビーレ④とも。「アンダンテ―⑧」

かんたい⓪【寒帯】「北極圏❷」と「南極圏❷」の総称で、普通は樹木が育たない、寒冷な地帯。⇩温帯・熱帯

かんたい⓪【歓待・款待】―する(他サ) 喜んで、心をこめてもてなすこと。

かんたい⓪【緩怠】―な・―に なすべき事を怠ること。「―〔=過失〕をわびる／―〔=無礼〕至極」

かんたい⓪【艦隊】軍艦二隻以上で編制した海上部隊。「無敵―・連合―⑤」

かんだい⓪【寛大】―な・―に 心が広く、他人の失敗や欠点に思いやりのある態度で接する様子。「―な処置」 派―さ⓪

がんたい⓪【眼帯】病気の目を保護するために当てるきれ。

かんたいじ③【簡体字】中華人民共和国の文字改革によって制定された、簡略な字体の漢字。例、機→机、習→习、義→义、價→价。

かんだか・い④【甲高い】(形)(耳障りに感じられるほど△声(音)が高い。「―声で叫ぶ」 派―さ③ 表記「〈疳高い」とも書く。

かんたく⓪【干拓】―する(他サ) 湖や海の水を排水して耕地などにすること。「―地④③」

がんだて⓪④【願立(て)】―する(自サ) 「願かけ」の意の古風な表現。

かんだひ③【乾打碑】掃墨に蠟を交ぜて作った墨。石摺用。蠟墨。

がんだれ⓪【〈雁垂(れ)】漢字の部首名の一つ。「厚・原・歴」などの「厂」の部分。「雁」は通常「隹」部だが、「雁」に代表させて言う。〔「厂」は「がけ」の象形、がけ・岩・土地に関する漢字がこれに属する〕

かんたん⓪【肝胆】(人間が生きていく上に無くてはならない)肝臓と胆嚢。「―相照らす〔=自分の心を本当の意味で理解してくれるものとして、相手を扱う〕」 ―を砕く】実現や完成に向けて懸命に努力する。また、真心を尽くし、努力を重ねて取り組む。「外交に―」

かんたん【〈邯鄲】❶①中国の都市名。 ❷⓪①鳴き声が美しい昆虫。からだは細長くて、薄い黄緑色。〔カンタン科〕 表記 ❷の「邯鄲」は、借字。 かぞえ方 ❷は一匹 ―し③【―師】〔「邯鄲の夢」の故事から〕「まくらさがし」の異称。 ―のあゆみ①-③【―の歩み】〔古代中国の戦国時代〔=前四〇三～前二二一〕、趙の国の人は歩き方がかっこよかった。燕の国の一青年は趙の都邯鄲に行って、その法を学んだが、学習の中途で帰国したので、その歩き

方を習得しえないばかりか、故国の足どりも忘れて、腹ばいになって帰ったという故事から〕❶自分の本分を忘れて他のまねをすると両者ともに失うことになるといういましめ。❷何事によらず、学習の中途でやめると、全くのむだになるという教え。 ―の ゆめ①-②【―の夢】〔昔、中国の邯鄲の町で、盧生が道士呂翁から、思い通りの栄達がかなうというまくらを借りて昼寝をした。はたして多年栄華をきわめた夢を見たが、さめるや、炊きかけていた黄粱がまだ煮えていなかったという故事から〕栄枯盛衰のはかないことのたとえ。「(黄粱)一炊の夢・盧生の夢」とも。

かんたん⓪【感嘆・感△歎】―する(自サ) △よくやったものだ(こんなすばらしいものがあったのか)と感心すること。「―これ久しゅうする〔=つくづく感嘆する〕/―文③⓪」 ―し③【―詞】 感動詞。 ―ふ③【―符】 エクスクラメーション マーク。

**かんたん⓪【簡単】―な・―に ↕複雑 ❶△構造(筋道)がこみいっておらず、だれにでもすぐ分かる様子だ。「―に言えば」 ❷△時間(手数)をかけずに行なわれる様子だ。「だれにでも―に出来る料理」 派―さ⓪ ―ふく③【―服】(家庭で着る)簡単な仕立ての夏の女性用ワンピース。

かんだん⓪【寒暖】 寒さと暖かさ。 ―けい⓪③【―計】 気温を計る器械。温度計。

かんだん⓪【間断】 絶えま。切れ目。「―なく〔=とぎれることなくいつも〕流れる」

かんだん⓪【閑談】―する(自サ) 〔のんびりと話をする意〕当面の問題から離れたむだ話。

かんだん⓪【歓談】―する(自サ) 〔用談や正式の行事が終わったあとでする〕うちとけた談話。 表記「款談」とも書く。

がんたん⓪【元旦】 〔もの皆改まって感じられる〕元日(の朝)。

かんち①【△奸知・△奸智・△姦智】 わるがしこい知恵。「―にたける」

かんち①【完治】―する(自サ) 病気・けがなどが完全に治ること。

かんち①【寒地】 寒い土地。↕暖地

かんち⓪【換地】―する(自サ) 〔土地改良・区画整理事業などによって〕土地を交換すること。また、その交換した土地。

かんち①【閑地】 ❶その人が積極的な役割を演じていない△地位(職務)。❷休閑地。

かんち①【感知】―する(他サ) ❶直感的に気づくこと。❷特定の刺激を感じ取って反応を示すこと。「火災―器⑥」

かんち①【関知】―する(自サ) 〔一般に「―しない/―するところではない」などの形で〕その事については全く関係がなく、何ら関心をいだくことがない、の意を表わす。「それは君が起こした問題で、わたしの―するところではない」

かんちがい③【勘違(い)】―する(自サ) 何かの原因で思い違いをすること。

かんちく⓪①【寒竹】 庭園・生け垣に植えるタケの一品種。茎は黒紫色で、たけが低い。秋から冬にかけて たけのこが出る。〔イネ科〕 表記「漢竹」とも書く。

がんちく⓪【含蓄】―する(他サ) その人の言ったり書いたりしたことの中で、聞き手・読み手次第で味わうことが出来る奥深い味わいや豊かな内容。「―のある文章/―に富む文章」

かんちつ⓪【官秩】 官位や俸給の等級。官等。

かんちつ⓪【巻〈帙〉】 書物。書籍。

かんちゅう⓪【寒中】 寒の期間。〔広義では、冬の寒さのきびしい期間を指す〕「―水泳⑤・―見舞⑤」

がんちゅう①【眼中】 ❶目の中。❷関心・意識の及ぶ範囲内。「―に無い〔=問題にしない〕/―に置かない」

かんちょう⓪【干潮】 引き潮。↕満潮

かんちょう⓪【完調】 これから何かしようという時のからだなどの調子が完全なこと。ベスト コンディション。

*__かんちょう__①【官庁】 法律によって定められた、国家の政務を受け持つ主な機関。「司法―・行政―・中央―・地方行政―⑧」

かんちょう⓪①【貫長】 かんじゅ(貫首)。 表記「貫頂」とも書く。

かんちょう⓪【間〈諜〉】〔間も諜も「うかがう❷❶」意〕ひそかに敵の様子を探り、味方に報告するように△訓練(派遣)された者。スパイ。

かんちょう⓪【勧懲】「勧善懲悪」の略。

かんちょう①【管長】〔仏教・神道で〕一宗一派を管理する長。

かんちょう①【館長】 図書館・博物館など「館」と名の付く施設の長。

かんちょう⓪【観潮】 潮の満干による海水の動きを見ること。〔狭義では、鳴門海峡の満潮の見物を指す〕

かんちょう⓪【〈灌腸〉】―する(自サ) 〔便通をよくするため、また、栄養をとらせるために〕肛門から直腸の中に薬剤や滋養分を注入すること。 表記「〈浣腸」とも書く。

かんちょう①⓪【艦長】 個々の軍艦の長。

がんちょう⓪【元朝】 〔改まった気分で迎える〕元日の朝。

かんつう⓪【〈姦通】―する(自サ) 男女が不倫な関係を結ぶこと。

かんつう⓪【貫通】―する(自サ) そこに穴△を開けて(が開いて)、反対側まで抜けて通ること。「両側から掘り進んだトンネルが―する/―銃創⑤〔=↕盲管銃創〕」

カンツォーネ③〔イ canzone〕〔イタリアの〕民謡風の歌謡曲。

かんづ・く③【感付く】(自五) 直感的に気づく。 表記「勘付く」とも書く。

かんつばき③【寒〈椿】 ツバキの一品種。花・葉ともに小ぶりのもの。〔ツバキ科〕

かんづめ③【缶詰(め)】 食品を缶に詰め、加熱・滅菌し、堅く封をして、長く保存出来るようにしたもの。〔外出・連絡を拘束された状態で 一か所にとどめておかれる意にも用いられる。例、「旅館に―になる/吹雪で丸一日列車の中に―にされた」〕 表記「缶」の旧字体は、「〈罐」。

カンテ①〔ド Kante=かど〕❶岩壁の突き出た所。❷〔スキーで〕ジャンプの踏切り点。

かんてい⓪【官邸】〔↑総理大臣官邸④-⓪〕公の行事をしたり 閣議を開いたり 総理の執務用に使ったりするために国が首相に提供する邸宅。〔法律上は公邸と同じ扱い〕「首相―」⇩公邸

かんてい⓪【〈勘定】―する(他サ) 〔古〕〔「勘」も「定」も、しずめる意〕武力を行使して戦乱を平定すること。

かんてい⓪【艦艇】 大小各種の軍艦の総称。〔艦は大型、艇は小型のもの〕

かんてい⓪【鑑定】―する(他サ) 〔美術品などを〕いろいろ調べてみて、真偽・良否などを見分けること。「―書⑤⓪・―人⓪・―料③・DNA―」

がんてい⓪【眼底】 眼球の底面。目の底。「―出血⑤」

かんていりゅう⓪【勘亭流】〔勘亭は創始者の号〕歌舞伎の番付などを書く時に使われる、筆太で丸みを持った書体。

かんてき⓪〔近畿・中国方言〕七輪。

かんてつ⓪【貫徹】—する(他サ) 目的を達成するまで思い通りにやり抜くこと。〔誤って、滲透の意に用いられることもある〕「△初志(初心・信念)を—する」

カンテラ⓪〔オ kandelaar の変化〕 ブリキ板などで作った筒の中に灯油をともすように作った、携帯用のあかり。

カンデラ⓪〔ラ candela=ろうそく〕 国際単位系における光度の基本単位で、周波数五四〇テラヘルツの単色光源の放射強度が単位立体角あたり六八三分の一ワットとなる方向における光度を表わす〔記号 cd〕。⇩燭光

かんテレ⓪【漢テレ】〔←漢字テレタイプ⑥〕 邦文をそのまま打てるように、文字盤に漢字・かなを置いたテレタイプ。

かんてん⓪③【干天・〈旱天】 ひでりの空。「—の慈雨〔=困難な時に待望するものがかなえられる意にも用いられる〕」

かんてん⓪【官展】 政府主催の(美術の)展覧会。

かんてん【寒天】❶⓪ 冬の寒ざむとした空。さむぞら。❷③ 煮たテングサ・エゴノリなどの汁を凍らせて かわかしたもの。一度水で もどしたものを煮てゼリー状の食品にする。「—寄せ⓪・—質③・粉—③」 かぞえ方 ❷は一本

表記 「干」は、代用字。

かんてん⓪【寛典】 ゆるやかな法的処分。「—に浴する」

***かんてん**①【観点】 物事を△観察(考察)する立場。見地。「長期的—に立つ/…という—が薄い」

かんでん⓪【乾田】 水はけが良く、排水すればすぐかわく田。↕湿田

かんでん⓪【感電】—する(自サ) 電流が動物の からだに通じて、衝撃を受けること。「—死③」

かんてんきち⑤【歓天喜地】〔天地に向かって喜ぶ意〕非常な喜び。

かんでんち③【乾電池】 炭素棒を陽極、亜鉛を陰極とし、その間に塩化アンモニウム・二酸化マンガン・炭素粒などを交ぜ合わせたものを容器に詰めこんだ電池。懐中電灯やラジオ・電卓などに使う。 かぞえ方 一本

かんてんぼうき⑤【観天望気】 経験などをよりどころとして、現在の空の様子から、今後の天気の局地的な予測をすること。

かんと①【官途】 官吏としての職務・地位。「—に就く〔=官吏になる〕」

かんど①【感度】 刺激に感じる程度。「—のいいラジオ」

かんど①【漢土】 古代中国の呼称。

かんとう⓪【完投】—する(自サ) 〔野球で〕一人の投手が一試合の最後まで投げ通すこと。

かんとう⓪【官等】 官職の等級。

かんとう⓪【巻頭】 巻物や書物の初めの部分。「—論文⑤」↕巻末 **—げん**③【—言】 雑誌や本の最初に載せる、コラム風の文章。

かんとう⓪【〈竿頭】 「さおの先」の意の漢語的表現。⇩百尺竿頭

かんとう⓪【敢闘】—する(自サ) 勇敢に戦うこと。「—賞③」

かんとう①【関東】〔昔、逢坂山の関から東の地方の意〕❶Ⓐ鈴鹿・不破・愛発の三つの関所から東の諸国。Ⓑ箱根から東の諸国。今は、茨城・千葉・栃木・群馬・埼玉・東京・神奈川の一都六県を指す。↕関西 ❷△鎌倉(江戸)幕府の特称。 **—だき**⓪【—《煮(き)・—炊(き)》】〔関西で〕おでんの称。「関東煮⓪」とも。 **—はっしゅう**①-①【—八州】 箱根から東の八か国。すなわち相模・武蔵・安房・上総・下総・常陸・上野・下野。〔発音は「シモオサ」〕・「関八州」とも。

かんとう⓪【関頭】 二つの世界を隔てる所。「生死の—に立つ〔=生きるか死ぬかの境目にある〕/核軍縮の—に立つ」

かんどう⓪【勘当】—する(他サ) 〔法に照らしあわせて罪を定める意〕親・師・主などが目下の者の失敗や悪事をとがめ、その罰として今までの関係が全く無いものとして扱うこと。

かんどう⓪【間道】 わき道。抜け道。↕本道

****かんどう**⓪【感動】—する(自サ)〈なに・だれ ニ—する〉〔強い印象を受ける言動や心を揺さぶられる芸術作品に接した人たちが〕魂が清められたり 人間のあるべき姿を思い起こしたりするような感じを思わず覚えること。「—を覚える/国民的—を呼ぶ快挙/—的な場面」 **—し**③【—詞】〔日本語文法で〕感動・応答・呼びかけなどを表わす言葉。例、「ああ・おや・はい・いいえ・おい」など。「感嘆詞・間投詞」とも。〔interjection の訳語としても用いられる〕

がんとう⓪【岩頭】 (切り立った)岩の上。「—に立って広大な宇宙に思いを馳せる」 表記 「〈巌頭」とも書く。

がんとう⓪【岸頭】 「岸辺」の意の漢語的表現。「春風を帯びて—に立つ」

がんどう⓪【〈龕灯】 「がんどうぢょうちん」の略。 表記 「《強盗》」とも書く。 **—がえし**⑤【—返(し)】〔芝居で〕回り舞台を使わずに、背景だけを後ろに倒して変える方法。 **—ぢょうちん**⑤【—《提《灯】 前だけを照らす構造の提灯。

かんとうし③【間投詞】 感動詞。

かんどうみゃく③【冠動脈】〔←冠状動脈⑤〕 心臓に直接栄養を供給する動脈。狭心症・心筋梗塞などは、この部分の故障。

かんとく⓪【感得】—する(他サ) ❶何かのきっかけで、真理などを悟ること。❷〔古〕〔得がたい物を〕何かの縁で、手に入れること。

****かんとく**⓪【監督】—する(他サ)〈だれヲ—する〉 その人の指示に従って相手が行動するようにあれこれと命令を下す△こと(人)。〔狭義では、映画の直接担当製作者や舞台の監督を、また、スポーツチームの直接の指導者、作戦の指揮者や現場監督などを指す〕「金融機関に対する—を強化する/行政の—下/—官庁⑤」

かんどころ⓪【勘所】 ❶〔三味線などで〕必要な高さの音を出すために、弦を押さえる所。❷その事をうまくやる上で、はずしてはならない最も大切なところ。「—を押さえる」

がんとして①【頑として】(副) かたくなに自説を主張して他の言を聞き入れない様子。「—受けつけない」

かんドック③【乾ドック】 陸地に大きな穴を掘って、水の出し入れを人工的に行なう設備のあるドック。↕浮きドック

かんどり⓪【〈楫取】〔雅〕〔船の〕かじとり。「かこ—」

カントリー①〔country〕 郊外。「—クラブ⑥〔=郊外にある、ゴルフ場などの施設〕・クロス—」 **—アンドウエスタン**⑩〔Country and Western〕 米国西部および南部アパラチア山脈地帯で生まれた大衆的音楽の総称。カントリーミュージック⑥とも。

かんとん⓪【〈嵌頓】 腸など、内臓の一部分が、腹の壁の病的な穴から抜け出して、もとへ戻らなくなること。

カンナ①〔canna〕 葉が非常に大きく、盛夏に、美しい△赤(黄)の花穂をつける多年草。品種が多い。〔カンナ科〕

かんな③【〈鉋】 材木の表面を削って平滑にする大工道具。木の台に、鉄の刃が斜めにはめこんである。〔「機械かんな④」のほか、「みぞかんな③・そりかんな③」など種類が多い〕「—をかける/—で削る/—くず③④」 かぞえ方 一本

かんない①【管内】 その役所の管轄区域の内。「A警

察署の―」↔管外

かんない①【館内】その図書館・博物館などの施設の内部。「―禁煙①-⓪」↔館外

かんながら⓪③【〈惟神〉・〈随神〉】〔雅〕〔「神(カミ)ながら」の変化〕神のみ心のまま(であること)。「―の道〔=神道(シントウ)〕」

かんなづき③【神無月】〔「かみなづき」の変化〕〔陰暦〕十月の異称。〔日本じゅうの神がみが出雲(イズモ)に集まるという伝承に基づく〕

かんなべ③⓪【〈燗鍋〉】酒の燗をするのに使う、銅製の器。形は、平たい薬罐(ヤカン)に似る。

かんなめさい③④【神〈嘗祭〉】伊勢神宮で、その年にとれた新米を祭神に奉る祭り。十月十七日に行なわれる。

かんなん⓪【〈艱難〉】目的を大成し、また、更なる発展を遂げるまでに経験する、言葉に言い尽くせない苦労。「―汝(ナンジ)を玉にす〔=苦しい事やつらい目にあって後初めて一人前の人間となるものだ〕/国歩―の折/―辛苦」

がんにく⓪【眼肉】タイなどの、魚の目のまわりの やわらかい身。おいしい。

かんにゅう⓪【〈嵌入〉】―する(自他サ)△はまり(はめ)こむこと。

かんにゅう⓪【観入】―する(自サ)深く分け入って、物の本質を見ること。「自然への―」

かんにょう⓪【〈凵繞〉】漢字の部首名の一つ。「凶・出・画」などの「凵」の部分。「凵構え」、「うけばこ」とも。〔「凵」は容器が口を開けているさまを表わす〕

かんにん①【堪忍】―する(自サ)〔忍耐の意〕他人の過失を、怒りを抑えて許すこと。勘弁。 **―ぶくろ**⑤【―袋】相手を堪忍する心の広さを袋にたとえた語。「―の緒が切れる〔=がまんが出来なくなって、とうとう怒りを爆発させる〕」

がんにん⓪【願人】❶ねがいぬし。❷「願人坊主」の略。 **―ぼうず**⑤【―坊主】江戸時代、上野の東叡山(トウエイザン)寛永寺に属した修行僧。〔広義では、こじき僧、また、髪の毛の のびた僧を指す〕

カンニング⓪―する(自他サ)〔cunning=ずるい、の日本的用法〕学生が試験の際に教え合ったり 本やノートなどを見たりする不正行為。

かんぬき③【〈閂〉】〔「くわんのき」の変化〕❶門・出入口の開き戸をしっかりしめるための横木。〔狭義では、錠前(ジョウマエ)の中から出る棒を指す〕「―を掛ける」❷〔すもうで〕相手の両差(モロザシ)の腕を、上からかかえ込んで強くしめつけるわざ。〔そのまま押し出したりねじるようにして倒したりする〕「―に決める」

かんぬし①【神主】神社に奉仕して、神を祭ることを業とする人。神官。〔狭義では、神官の長を指す〕

かんねい⓪【〈奸佞〉】―な 心の底まで悪で固まっている△こと(人)。「―邪智(チ)⓪-①」 表記「〈姦佞〉」とも書く。

かんねつ⓪【感熱】〔造語〕高温に熱せられた部分だけ発色する方式の。「―紙④〔=表面にフェノール化合物を塗った記録紙〕・―(式)プリンター」

かんねぶつ③【寒《念仏》】寒中の夜に念仏を唱えて寺院にお参りすること。「かんねんぶつ」とも。

かんねん①【観念】❶経験した物事が積もり重なって、頭の中で固定的に考えられるようになったもの。「時間の―が無い〔=時間を守らないことが習慣になっている状態だ〕/責任―⑤〔=責任というものは重んじなければいけないということを身にしみて考えること〕・固定―・先入―⑤」❷―する(自他サ)そういうものだとあきらめて、それ以上の状態を望まないこと。「―しろ〔=今さら悪あがきをするな〕」 **―けいたい**⑤【―形態】イデオロギー。 **―てき**⓪【―的】―な 具体的な物事について観察することをしないで、ただ自分の頭の中だけでそうだと決めこむ様子。 **―ろん**③【―論】❶外界は人間の観念として認めたものである、とする哲学上の立場。↔実在論 ❷現実に立脚しない、頭の中で組み立てた考え。

がんねん①【元年】Ⓐ年号の変わった最初の年。「明治―①-①」Ⓑ画期的な、新たな事態の出現した最初の年。「Jリーグ―③-①」

かんねんぶつ③【寒《念仏》】⇩かんねぶつ

かんのいり⓪⑤【寒の入り】寒に入ること。また、その日。

かんのう⓪【完納】―する(他サ)納めなければいけないお金や品物を全部納めること。

かんのう⓪【官能】感覚器官の働きによって得られる充足感。〔主として性欲について言う〕「―的⓪」

かんのう⓪【堪能】―な よく出来ること。上手。〔俗に「たんのう」とも言う〕

かんのう①⓪【間脳】大脳と中脳との間にある、脳の一部分。体温調節や自律神経を受け持つ。

かんのう⓪【感応】―する(自サ)〔「かんおう」の連声〕❶直接には接触・交流出来ない存在・事物と動物、ことに人の心との間に特殊な作用が働いて反応しあうこと。「神仏が―する〔=何かをしてほしいと祈った人の願いを聞き入れる〕」❷導体が磁気・電気を帯びること。

かんのん⓪【観音】❶「観世音(カンゼオン)」の略。「―様⑤」❷シラミの俗称。 **―びらき**⑤【―開き】〔観音の厨子(ズシ)のように〕まん中から左右に開く開き戸。

かんば①【〈樺〉】かば。「しら―③」

かんば①【汗馬】走らせて馬に汗をかかせること。また、その馬。「―の労〔=戦場での功労〕」

かんば①【〈悍馬〉】性質の荒あらしい馬。 表記「〈駻馬〉」とも書く。

カンパ①―する(他サ)〔↑ロ kampaniya〕広く大衆に呼びかけて資金の募集運動をすること。また、資金を提供すること。「資金―④」

かんぱ①【看破】―する(他サ)表に現われていない物事を見破ること。「敵の計略を―する」

かんぱ①【寒波】気温が急に下がって激しい寒気が襲う現象。「―襲来①-⓪」↔熱波

かんばい⓪【完売】―する(自他サ)用意していた商品△を売り切る(が売り切れる)こと。「―御礼(オンレイ)⓪-①」

かんばい⓪【寒梅】寒中に咲く梅。

かんばい⓪【観梅】梅の花の美しさを味わいに、その名所へ見に行くこと。梅見。

かんぱい⓪【完敗】―する(自サ)一度も勝てそうなチャンスがなく完全に負けること。↔完勝

かんぱい⓪【乾杯】―する(自サ)参会者が、みな杯(ハイ)をさしあげて、杯を触れ合わせたり目礼をかわしたりして、互いに祝福しながら杯の酒を飲み干すこと。

かんぱい⓪【感〈佩〉】―する(自サ)深く心に感謝して、いつまでも忘れないこと。

かんぱく①【関白】〔万機(バンキ)に関係して申し上げる意〕昔、天皇を輔佐(ホサ)した、最高位の大臣。「亭主―〔=⇩亭主関白〕」〔古くは「かんばく」〕

かんばしい④【芳しい】(形)❶花が発するようないいにおいの漂ってくるのが感じられる様子だ。❷〔多く「かんばしくない」の形で〕相対的にいい評判と高い価値が認められる様子だ。「成績は―ものではない/あの男には芳しくないうわさがある」 派―さ③ 表記「〈香しい〉・〈馨しい〉」とも書く。

かんばしる④【甲走る】(自五) 細い声が高く鋭く響く。

カンバス①〔canvas〕❶麻布(アサヌノ)。ズック。❷〔油絵の〕画

布。キャンバスとも。

かんばせ⓪【《顔》】〔「かおばせ」の変化〕顔かたち。「花の―〔=花のように美しい顔〕／なんの―あって〔=どのつら下げて〕」

かんぱち⓪【間八】ブリに似て小形の海の魚。夏のころがおいしい。〔アジ科〕かぞえ方 一尾・一匹

かんばつ⓪【干〈魃〉・〈旱魃〉】「ひでり㊀」の意の漢語的表現。「―が起こる／―に見舞われる」

かんばつ⓪【間伐】―する（他サ）茂り過ぎるのを防ぐため森林の木のうち、不適当な木を切ってまばらにすること。すかしぎり。

かんばつ⓪【簡抜】―する（他サ）〔古〕必要な人や物を△選び（より）ぬくこと。

かんぱつ⓪【〈渙発〉】―する（他サ）〔「渙」は散る意〕詔勅が出されること。「大詔―⓪-⓪」

かんぱつ①【間髪】「間カ、髪ハを入イれず」の、「間、髪」を一語と誤って解釈した語。⇩かん（間）㊀

かんぱつ⓪【〈煥発〉】―する（自他サ）〔「煥」は火の光が赤あかと輝く意〕ものごとの対処の仕方やちょっとした言動などに、才能のひらめきが感じられること。「才気―の青年」

かんはっしゅう①-①【関八州】「関東八州」の略。

カンパニー①〔company〕会社。「ペーパー―」

がんばり【頑張り】㊀⓪④③ 頑張ること。「最後の―／もう一ヒト―だ／そろそろ―がきかなくなってきた」㊁〔造語〕動詞「頑張る」の連用形。 **―や**⓪【―屋】何が何でも頑張って初志を貫徹する人の称。〔英語風にもじって「がんばりスト④」ともいう〕

***がんば・る**③【頑張る】（自五）〔「我ガに張る」の変化という〕㊀外圧や困難に屈することなく、最後までやりぬこうとしたり信念を貫き通そうとしたりする。「死の瞬間まで頑張った〔=あきらめないで、生きる意思を持ち続けた〕幼い生命イノチ」㊁持てる力のすべてを出して、目的達成のために努力する。「日夜を分かたず工事の完成に―」㊂〔どこニ―〕ある場所を占拠して、そこを絶対動かないという姿勢を見せる。「デモ隊が入口に―」〔⇩頑張り㊁〕文法 ㊂は、頑張る対象を明示して「勉強を頑張る」のように他動詞的にも用いられる。

***かんばん**⓪【看板】Ⓐ屋号・取扱い商品名などを、人目に付くように屋外などに示すもの。「…の―を掲げる／…の―を外す／慈善を―〔=表向きの名目〕にする／―に偽りあり〔=実質は見かけとは大分違う〕／―にする〔=その日の営業終了の意思表示として、看板を中にしまう〕／―を下ろす〔=ⓐその日の営業を終える。ⓑ廃業する〕／―を塗り替える／立て―・表―」Ⓑその組織などで世間の評判が高く、宣伝効果を上げるのに役立つもの。「―教授⑤・―娘⑤」かぞえ方 Ⓐは一枚・一本 **―だおれ**⑤【―倒(れ)】見かけだけりっぱで実際はそうでないこと。「―に△なる（終わる）」

かんぱん⓪【干犯】―する（他サ）自分の権限を逸脱して、他の領域まで干渉し犯すこと。「統帥スイ権―③-⓪」

かんぱん⓪【甲板】船の上部の、広く平らな部分。こうはん。

かんぱん⓪【官版】江戸幕府や明治初期の政府による官庁出版物。↕町マチ版 表記「官板」とも書く。

かんパン③⓪【乾パン】甘みその他の味をつけず、堅く小さく焼いて作ったパン。水分が少なく、保存・携帯用。表記「乾〈麺包〉・乾〈麺麭〉」とも書く。

かんぱん⓪【乾板】写真感光板の一つ。ガラスに感光乳剤を塗ったもの。かぞえ方 一枚

がんばん⓪【岩盤】基礎地盤が一続きの岩石で出来ているような地盤。岩石地盤⑤。 **―よく**③【―浴】平らに加工した天然石などを温め、その上で横になり汗をかく風呂フロの一種。

かんび①【甘美】―な ㊀甘みがほどよくて、非常においしく感じる様子。㊁非常に気持がよくて、ロマンチックになる様子。「―な音楽」派 ―さ③

かんび①【完備】―する（自他サ）そこに必要とされる物が備えてあること。また、備わっていること。「冷暖房―③-①」

かんび①【艦尾】軍艦の艫トモの部分。↕艦首

かんぴ①【官費】㊀政府から支出する費用。「―留学④」↕私費 ⇩公費・国費 ㊁その事を行なう組織体から出、当事者個人が負担しなくてもいい費用。〔㊁は俗用〕

がんぴ①【〈雁皮〉】暖かい山地に生じる落葉低木。皮の繊維は上質紙の原料。かみのき。〔ジンチョウゲ科〕かぞえ方 一株・一本 **―し**③【―紙】ガンピの皮の繊維で作った上等の和紙。ミツマタの皮の繊維で代用もする。かぞえ方 一枚

***かんびょう**①【看病】―する（他サ）〔だれヲ―する〕目の届くところに居て病人の世話をすること。「つききりで―する／―疲れ」

かんぴょう⓪③【干〈瓢〉・乾〈瓢〉】ユウガオの実を細長くひものようにむいて干した食品。 **―まき**⓪【―巻(き)】煮て味をつけた干瓢を芯シンに用いたのりまき。

がんびょう⓪【眼病】目の病気。

かんぴょうき③【間氷期】氷河時代で、氷期と次の氷期の間の比較的温暖な時期。

かんびん⓪【〈燗壜〉・〈燗瓶〉】酒を入れて燗をつけるための容器。

かんぶ①【官武】文官と武官。「―一途イッ①-①」

かんぶ①【患部】からだの中で、病気や傷のある部分。

***かんぶ**①【幹部】その組織の運営などについて責任を持ち、主要な位置を占める構成人。「組合の―／―社員④・―候補生⑥」

かんぷ①【完膚】〔傷のない皮膚の意〕傷つけられない箇所。「―なきまでに〔=徹底的に〕やられた」

かんぷ① ㊀【〈姦夫〉】他人の妻に通じた男。まおとこ。㊁【〈姦婦〉】夫ある身で他の男に通じた女。

かんぷ①【〈悍婦〉】（自分勝手で）手に負えない女。

かんぷ①【乾布】かわいたきれ。「―摩擦④」

かんぷ①⓪【還付】―する（他サ）国や地方公共団体が△借りた（取り過ぎた）お金や土地などを、もとの持主に返すこと。「納め過ぎた税金の―を受ける／―金⓪」

カンファレンス①〔conference〕（学術的な）会議。コンファレンスとも。

カンフー①〔中国・功夫〕拳法ケンポウ。クンフー①・コンフー①とも。

かんぷう⓪【完封】―する（他サ）㊀〔野球で〕投手が完投して、相手チームに全く得点を与えずにゲームを終えること。㊁手も足も出ないほど、完全に相手を押さえつけてしまうこと。

かんぷう⓪【寒風】冬に吹く、寒い風。「―吹きすさぶ／―にさらされる」

かんぷく⓪【官服】裁判官・警察官・自衛隊員などの公務員に政府から支給される制服。↕私服

かんぷく⓪【感服】―する（自サ）〔相手の見識・能力などについて〕自分などは全く かなわないと強く感じること。「―の至り」

がんぷく⓪【眼福】ほかでは見られない すぐれた物を見て、楽しい思いをすること。「―を得る」

かんぷくろ③⓪【《紙袋》】「かみぶくろ」の変化。

かんふぜん③【肝不全】 肝臓の機能が極度に低下した状態。急性型(おもに劇症肝炎などによる)と慢性型(おもに肝硬変などによる)がある。

かんぶつ⓪【〈奸物】 何かにつけて、悪知恵を働かそうとする人。表記「〈姦物」とも書く。

かんぶつ⓪【官物】〔私人の所有物と違って〕政府の所有物。

かんぶつ⓪【乾物】 海藻・魚介類などを乾燥させた食品。干しのり・干し昆布・干しだら・煮干しなど。「―屋」

かんぶつ⓪【換物】―する(自サ) 金銭を財物にかえること。〔特に、価値変動の少ない貴金属や宝石などにかえて、財産を守ること〕⇩換金

かんぶつ⓪【観仏】〔単なる美の対象としてではなく〕敬虔な宗教心をもって、その△仏像(仏画)の持ち味を一心に念じ、思いを凝らすこと。

かんぶつ⓪【〈灌仏】 仏像に香水などをそそぎかけること。 **―え**④【―会】 釈迦牟尼の誕生日〔=四月八日〕に、その像に甘茶をそそぐ行事。花祭り。灌仏。花供養。仏生会。

がんぶつ⓪【〈贋物】「にせもの」の漢語的表現。

がんぶつ そうし⑤【玩物喪志】 せっかく何かやろうとしたつもりが、途中で本来の目的でない事に興味を奪われて、結果的には何もやらないのと同じ結末になること。

かんぶな⓪③【寒〈鮒】 寒中にとれるフナ。

かんぶり⓪③【寒〈鰤】 寒中にとれるブリ。脂が乗っていて美味。

カンフル①〔オ kamfer〕 樟脳を精製したもので、医薬品などとして用いる。「―剤④⓪」 **―ちゅうしゃ**⑤【―注射】 死にかけた人の心臓の働きを強めるために、かつて用いられたカンフルの注射。〔だめになりかけた物事に対しても、ききめのある手段の意にも用いられる〕 **―チンキ**⑤〔←オ kamfer tinctuur〕 樟脳をアルコールに溶かした薬品。打撲傷などの塗布剤として用いられる。

かんぶん⓪【漢文】 中国の、文語体の文章。〔広義では、漢詩や「変体漢文⑤」〔=日本で独自に作り出された、漢文風の文章〕をも指す〕

かんぷん⓪【感奮】―する(自サ) 心に感じて自分もうかうかしてはいられないと奮いたつこと。「―興起⑤」

かんぺい⓪【観兵】 軍の統率者などが、整列し分列行進する軍隊を視察すること。 **―しき**③【―式】 国家元首などが兵士や兵器のパレードなどを親閲する儀式。軍事パレード④⑤。

かんぺいしゃ③【官幣社】 古くは神祇官から、明治以降は宮内省から幣帛を捧げられた神社。「別格―⑦」

かんぺき⓪【完璧】―な/―に〔きずの無い玉の意〕欠点が少しも無い△こと(様子)。完全無欠。「―を期する/―の守備/―な報告書」派 **―さ**⓪③

かんぺき⓪①【〈癇癖】 かんしゃくを起こしやすい性質。「―が強い」

がんぺき⓪【岩壁】 垂直に近いと感じられるほど鋭く切り立った岩。

がんぺき⓪【岸壁】❶けわしく切りたった岸。❷船舶を横づけすることが出来るように造った、水深の深い波止場。

かんべつ⓪【鑑別】―する(他サ)〔質の良否・種類の違いなどを〕よく調べて分けること。「ひよこの雌雄を―する/少年―所」

かんべに③【寒紅】 寒中に作った最上の紅。

かんべん①【勘弁】―する(他サ)〔形式論ではなく、大所高所から判断する意〕他人の過失などを、格別の寛大さをもって、許してやること。「彼の態度には―出来ない」 表記「弁」の旧字体は「〈辨」。 運用「勘弁してください/勘弁して(よ)」などの形で、相手から自分に関する話をしつこく聞かされて、もう結構だ、やめてほしいという気持を込めて言ったり 相手の非常識な要求などに対して、どこまで本気なのかと疑いながら、丁寧に拒否したりする言葉として用いることがある。前者の例、「そんなに誉められてお恥ずかしい。もう勘弁してくださいよ」後者の例、「これ以上の値引きはご勘弁ください」

かんべん⓪【簡便】―な/―に だれでも手軽に利用出来る様子。「―な方法」派 **―さ**⓪③

かんぺん⓪【官辺】 政府・役所に関係のある事柄。「朝廷や―に縁の無い僧が私寺をつくるというのは至難のことであった/―筋③」

かんぼう⓪【官房】〔政府・官庁などで〕長官に直属して人事・文書・会計などの職務を担当する機関。 **―ちょうかん**⑤【―長官】 内閣官房長官の特称。

かんぼう⓪【感冒】〔この語の「冒」は、日ポ辞書による〕風邪。〔かつては、寒さなどに起因するとされた風邪は「寒冒」とも書かれた〕「流行性―〔=⇩インフルエンザ〕」

かんぼう⓪【監房】〔刑務所で〕受刑者を入れておく部屋。

かんぼう⓪【観望】―する(他サ)〔高所から広く見渡す意〕そこへ直接行くことはせず、少し離れた所から景色・情勢などをながめ渡すこと。「人生を静かに―する」

かんぽう①【官報】❶政府から一般国民に知らせるべき事項を編集して、国立印刷局から毎日刊行する文書。❷官公署から出す、公用の電報。

かんぽう①【漢方】〔漢土の処方、の意〕中国伝来の医術。「―医③」⇩蘭方 表記 古くは「漢法」とも書いた。 **―やく**③【―薬】 漢方で医療に用いる薬。二種以上の生薬をまぜて用いる。

かんぽう①【管〈鮑】 古代中国の春秋時代〔=前七七〇～前四〇三〕の管仲と鮑叔牙のこと。二人は少年時代から生涯変わることない友情をもって交際したという。「―の交わり〔=信頼し合う友としてのつきあい〕」

かんぽう⓪【観法】❶人相を見る方法。❷自分自身を内省して、心中に宿る仏法の真理を悟ること。

かんぽう①⓪【艦砲】 軍艦に備えつけてある大砲。「―射撃⑤」

がんぼう⓪【顔貌】「顔だち」の意の漢語的表現。

がんぼう⓪【願望】―する(他サ) その実現を願い望むこと。〔古くは「がんもう」〕

かんぼく⓪【〈灌木】「低木」の旧称。↔喬木

かんぼつ⓪【陥没】―する(自サ) その部分が落ち込んで穴が開くこと。「地盤が―する」

がんほどき③【願《解き】 願いがかなったお礼参りを神や仏にすること。

かんぽん⓪①【刊本】 印刷・刊行された本。〔狭義では、版本を指す〕↔写本

かんぽん⓪【完本】 何冊かに分かれている書物の全部そろったもの。↔端本・欠本

かんぽん⓪①【官本】❶官版の図書。❷政府の蔵書。〔狭義では、江戸幕府のそれを指す〕

がんぽん①【元本】 後に利益や収入を生じる元になる△物件(権利)。

かんまいり③【寒参り】―する(自サ) 寒の間、信心・祈願のため毎夜白い着物を着て神仏に参る△こと(人)。

ガンマせん⓪【γ線】〔γ=ギリシャ字母の第三字の小文字〕ラジウムなどの放射性原子から出る電磁波。波長が非

常に短くて、透過力が強いので、医療や材料検査などに用いられる。「ガンマー線[0]」とも。

かんまつ[0]【巻末】 巻物や書物の終りの部分。↕巻頭

かんまん[0]【干満】 潮の△みちひ（さしひき）。満干。「―の差が大きい」

かんまん[0]【緩慢】―な・―に 変化の予想される物事の変わり方が△激しくない（おそい）様子。「―な動作/―な（＝いいかげんな）処置」 派 ―さ[0][3]

かんみ[1][0]【甘味】 ❶甘い味。「―を抑える」 ❷物事の味わい・おもしろさ。 ―どころ[0]【―《処》】 あんみつ・汁粉などの和菓子を出す飲食店。「あまみどころ」とも。 かぞえ方 一店・一軒 ―りょう[3]【―料】 食品に甘味をつけるための調味料。例、砂糖・果糖・蔗糖。

かんみ[1]【〈鹹味〉】 塩からい味（の食物）。

がんみ[1]【玩味・〈翫味〉】―する（他サ） 〔「玩」は、繰り返し味わう意〕 ❶書いてあることや言われたことの意味をよく考え、その内容を自分なりに理解すること。「熟読―」 ❷食べ物の味を、じっくりと味わうこと。

かんみん[0][1]【官民】 官庁と民間。また、官吏と民間人。「―格差を是正する/―一致[0]-[0]、[1]-[0]」

かんみんぞく[3]【漢民族】 中国本土の中央部に住む民族。中国の主要な民族。

かんむり[0]【冠】 ❶Ⓐ昔、正装する際に頭にかぶったもの。特に、△束帯（衣冠）の時に使う かぶりもの。「李下に―を正さず〔＝⇩李下の冠〕」 Ⓑ催し物などで、一般的な名称の上に特定の主催者やスポンサー名などを添えること。また、添えられた名前。「―大会[5]」 ❷部首の分類の一つ。字の上部にかぶせる形。例、草冠（艹）・竹冠（⺮）など。【―を曲げる】 機嫌を悪くする。【《御》―だ】 ⇩おかんむり

かんむりょう[1]-[0]【感無量】 ⇩感慨無量

かんめ[3]【貫目】 〔尺貫法における重量の単位、「貫」によって表わす量の意から〕重さ。「―（＝ⓐ目方。ⓑ貫禄）がある」 ⇩め（目）四❶Ⓑ

かんめい[0] ❶【官名】 官職の名称。 ❷【官命】 政府からの命令。

かんめい[0]【感銘】―する（自サ） 忘れることの出来ない、深い感動（を受けること）。銘感。「―を与える/多大の―を受ける」 表記 「肝銘」とも書く。

かんめい[0]【漢名】 〔植物名などの〕中国での名称。から名。⇩和名

かんめい[0]【簡明】―な・―に 簡単であり、要領を得ている様子。「―直截[0]-[0]」 派 ―さ[0][3]

がんめい[0]【頑迷】―な・―に がんこで自分の言う事だけが正しいと信じ、人の言を受け入れる気持のない様子。「―な因襲/―に昔からの習慣を守る」 派 ―さ[0] 表記 「頑冥」とも書く。 ―ころう[0]-[0]【―固〈陋〉】―な・―に がんこに古い考えにこだわり続け、それに反する言説などをいっさい受け入れようとしない様子だ。 ―ふれい[0]-[0]【―不霊】―な・―に 物を知らないのに、がんこを通す様子。

かんめん[1][0]【乾麺】 うどん・そうめんなどの干した麺類。

がんめん[0][3]【顔面】 顔（の表面）。「―神経[5]・―蒼白[0]-[0]、[3]-[0]」

かんもく[0]【完黙】 〔「完全黙秘[5]」の略〕被疑者が取調べに際し、一切話さないこと。「―を通す」

かんもく[0]【〈緘黙〉】―する（自サ） 人から何と言われようと、しゃべることは出来ないという顔をして黙り続けること。

がんもく[0]【眼目】 〔人の顔の中で最も大事なものとしての目の意〕ある事をする場合の最も大きな目的となる点。「…に―が置かれる/―に掲げる」

かんもじ[3]【閑文字】 ただ文字が連なっているというだけの、何の△意味も無い（役にも立たない）文（章）。「かんもんじ」とも。

かんもち[1][0]【寒餅】 寒中につく餅。

がんもどき[3]【〈雁〉《擬き》】 〔味がガンの肉に似て、うまい意〕食品の一種。生揚げの間に細く切った野菜やこんぶなどを入れたもの。略して「がんも[1]」。関西では「飛竜頭[2]」と言う。 かぞえ方 一枚

かんもん[0]【喚問】―する（他サ） 〔法律上の手続きとして〕議会や裁判所などが証人または参考人として人を公の場に呼び出して、必要な事柄を質問すること。「証人を―する/―に応じる」

かんもん【関門】 ❶[0]〔関所（の門）の意〕そこを通らないと、中に入ることが出来ない要所。〔容易に突破出来ない試験などの意にも用いられる〕 ❷（造語） 山口県の下関と福岡県の門司。「―（＝下関市と北九州市門司区との間の）トンネル[5]・―海峡[5]」

がんもん[0]【願文】 〔神仏への〕願の趣をしるした文。

かんや[1]【寒夜】 冬の寒い夜。

かんやく[0]【完訳】―する（他サ） 外国語や古典語で書かれた作品・文献の全文を△訳すこと（訳したもの）。全訳。↕抄訳

かんやく[0]【漢訳】―する（他サ） 漢文に△訳すこと（訳したもの）。「―仏典[5]」

かんやく[0]【監訳】―する（他サ） その人が他の翻訳者の翻訳に対し、責任を負うという形式で出版する翻訳物。

かんやく[0]【簡約】―な・―する（他サ） 要点だけを取り上げて、手短にする△こと（様子）。

がんやく[0]【丸薬】 練りあわせて小さく球状に丸めた薬剤。⇩粉薬・水薬 かぞえ方 一錠・一粒・一丸

かんゆ[0]【肝油】 タラやサメなどの肝臓からとった薬用脂肪油。ビタミンA・Dを多く含む。

かんゆ[0]【換喩】 比喩の一つ。容器で内容を、標識で実体を表わすなどの表現法。「お膳」「お椀」がそれぞれ食事・汁物を表わし、「四足」がけもの、「赤」が左翼・急進派を表わすなど。「換喩法[0]・メトニミー[2]（metonymy）」とも。

かんゆう[0]【〈奸雄〉】 すぐれた策略をもって天下を△取った（取ろうとした）人。 表記 「〈姦雄〉」とも書く。

かんゆう[0]【官有】 政府の所有。「国有」の古い言い方。「―地[3]」 ↕民有

***かんゆう**[0]【勧誘】―する（他サ）〈だれヲ なに・どこニ ―する〉 （他の人と同じように）そうしてはどうかと相手の気持を動かそうとすること。「保険の―員」

かんゆう[0]【寛〈宥〉】―する（他サ） 寛大な心で罪や過ちをゆるすこと。

がんゆう[0]【含有】―する（他サ） 何かを成分として含み持つこと。「微量のミネラル成分を―する水/―量[3]」

かんよ[1]【関与】―する（自サ） 何かをする際に、その人が何らかの役割を負った一人として、関係すること。「事件に―する」 表記 「干与」とも書く。

かんよう[0]【肝要】―な 〔「人間の肝」と「扇の要」の意〕何かをする場合に最もよく心得ておかなければならない事。また、そうである様子。「△なお（今後）も注意が―である」

かんよう[0]【〈涵養〉】―する（他サ） 水がしみこむように、自然に養成すること。「道徳心を―する」

かんよう[0]【寛容】―な・―に （失敗などをとがめだてしないで）他のいい面を積極的に認めようとする様子。 派 ―さ[0]

かんよう[0]【慣用】―する（他サ） △規範（理屈）には合わないが、事実として世間一般に広く用いられること。 ―お

ん③【―音】漢音・呉音には属さないが、日本で一般に使われるようになった漢字の音。例、「矜ｷｮｳ持」を「キンジ」と訓ヨむなど。〔「矜」は誇ホコる意の場合の音は、キョウ〕 ―く③【―句】二つ以上の単語が連結した結果、それぞれの語に分解しては出て来ない、別な意味を全体として表わすもの。例、「腹が黒い」が、内心によからぬ事を含み持つ意に使われるなど。

かんよう⓪【観葉】葉の色や形を見て楽しむこと。「―植物⑥」

かんらい⓪【寒雷】冬、寒冷前線の通過によって発生する雷。

がんらい①【元来】〈副〉その状態がもともとあったもので、今になって始まったのではない意を表わす。「―臆病オクビョウなたちで/人は―弱さを持っているものだ」

がんらいこう③⓪【〈雁来紅〉】〔秋、雁の来るころ、紅色になることから〕ハゲイトウの異称。

かんらく⓪【陥落】―する(自サ) ❶今まで保っていた、高さ・位置などを失うこと。「世界選手権でついに王座から―」 ❷人に渡すまいと保っていたものを相手に奪われること。〔俗に、相手方の熱心な説得に、とうとう負ける意にも用いられる〕「首都―①-⓪」

かんらく⓪【乾酪】チーズの漢名。

かんらく⓪【歓楽】感覚を楽しませる喜び。「―におぼれる」 ―がい④【―街】映画館や飲食店などが多く集まっている盛り場。

かんらん⓪①【甘藍】キャベツの漢名。

かんらん⓪①【〈橄欖〉】熱帯原産の常緑高木。果実は食用。種から油をとる。〔カンラン科〕〔俗に誤って、オリーブの訳語とされる〕 かぞえ方 一株・一本

かんらん⓪【観覧】―する(他サ) 〔劇・景色などを〕見ること。「―券③・―車③・―席③」

かんり①【官吏】「国家公務員」の旧称。役人。

****かんり**①【管理】―する(他サ) 〔「管」はつかさどる、「理」はおさめる、の意〕 ❶〈なに・だれヲ―する〉そのものを△全体にわたって掌握し(絶えず点検し)、常時意図する通りの機能を発揮させたり 好ましい状態が保てたり するようにすること。「コンピューターを使って在庫の―をする/現在の中・高校において制服は生徒を―する手段の一つとなっている/安全―・衛生―・健康―・情報―・品質―・人事―・肥培―」 ❷〈なにヲ―する〉組織・施設や事業体の保守・運営について責任を持って当たること。「記念館の―を国から地方公共団体に引き継いでもらう/ビルの―を保障会社に委託する/管財人の―下カにある更生会社/第三セクターが―運営する鉄道/土地―会社・火元―責任者・―人ニン⓪・―職③〔=下僚を統率し、その部門の業務に責任を負う職分〕・出入国―・選挙―委員会」 ―えいようし⑥【―栄養士】厚生労働大臣の免許を受けて、病院や保健センターなどでの栄養指導、集団給食施設での給食管理などの業務を行なう人。 ―かかく④【―価格】寡占市場や不完全競争の下で企業側が一方的に決定して維持する価格。〔政府による支持価格は普通指さない〕 ―しゃかい④【―社会】一部の例外を除き、大部分の人が何らかの組織に属し、生活の利便に浴すると同時に規制をも受ける社会体制。

かんり①【監理】―する(他サ) Ⓐ物事が順調に進行するように責任をもって監督・指導すること。「自らの―下カに置く」 Ⓑ行政機関が民間に対して行なう行政上の監督・規制。「電波―局⑥」

がんり①【元利】元金と利子。「―合計④、①-⓪」

がんりき⓪①【眼力】物事の真偽・是非などを見きわめる力。「がんりょく」とも。

がんりき⓪①④【願力】願望を貫こうとする精神の力。〔狭義では、仏の本願の力を指す〕

かんりつ⓪【官立】政府の設立(したもの)。「国立」の古い言い方。

かんりてんとう①-⓪【冠履〈顛倒〉】〔冠カンムリを足に穿ハき履クツを頭に被カブる意〕二つの物事の重要度や価値、また目的と手段の関係などを、正反対に取り違えること。

***かんりゃく**⓪【簡略】―な ―に △元来は尽くすべき手続き(一般に取られている形式)を省きはするが、当面の目的に必要な実質だけは十分に生かす様子だ。「審議事項の要点のみを―に△記す(述べる)/―化⓪」 派 ―さ⓪

かんりゅう⓪【乾留・乾〈溜〉】―する(他サ) 空気を入れないで固体の物質に高熱を加え、分解して出来たものを回収すること。 表記 「留」は、代用字。

かんりゅう⓪【貫流】―する(自サ) 〔川などが〕つきぬけて流れること。「信濃川は越後平野を―して日本海に注いでいる」

かんりゅう⓪【寒流】❶冷たい水流。❷高緯度海域から赤道地方に向かって流れる、低温の海流。↔暖流

かんりゅう⓪【緩流】ゆっくりとした流れ。

かんりゅう⓪ ―する(自サ) ❶【還流】流れがもとの方へかえること。「資金が―する」 ❷【環流】〔海流・大気や、集中冷暖房用の配管内の液など〕流体が循環して流れること。また、その流れ。

かんりょう⓪【完了】❶―する(自他サ) しなければならない事を終りまですること。また、これ以上は何もする必要がないという所まで仕上がること。「手続きは―した/準備―」 ❷〔文法で〕動作・作用や事象が完結した状態にあること(を示す表現形式)。

かんりょう⓪【官僚】国の行政面の仕事に従事する人(たち)。「―主義⑤・―化⓪・高級―」 ―せい⓪【―制】上層部の特権的な官僚が実質的な権力の担当者として国を統治する政治形態。 ―てき⓪【―的】―な ―に 官僚一般に見られる、事に臨んでの独善的な考え方や行動の傾向を持っている様子だ。〔具体的には、形式主義・事なかれ主義や責任のがれの態度などを指す〕

かんりょう⓪③【感量】計器の針が感じる、最低の量。

がんりょう③【含量】その中に含まれている量。含有量。

がんりょう③【顔料】〔もと、いろどりの意〕 ❶べに・おしろい。❷絵の具。染料。

がんりょく①【眼力】⇩がんりき

かんりん⓪【〈翰林〉】〔文書の集まっている所、の意〕 ❶学者仲間。❷「翰林院」の略。 ―いん③【―院】❶〔中国で唐代以後〕詔勅・撰セン述などを取り扱った官庁。❷アカデミー。

かんるい⓪【感涙】〔強く心を打たれる出来事に接して〕感動のあまり流す涙。ありがた涙。「―にむせぶ」

かんれい⓪【寒冷】―な ―に 寒さが厳しくて冷える様子。「―な気候/―に順化する/―地③〔=他の土地よりも平均気温が低くて、寒さが特にきびしく感じられる土地〕」 ―しゃ③【―〈紗〉】目の粗い薄地の綿織物。装飾・蚊帳カヤ・カーテンや農作物の遮光などに使う。 かぞえ方 一枚・一巻ヒトマキ ―ぜんせん⑤【―前線】⇩前線

かんれい⓪【慣例】何回も行なわれてきていて、そうすることになっている例。「―に従う/―を破る」

かんれい⓪【管〈領〉】室町時代の職名。将軍の輔佐ホサ役としての幕府の重職。斯波シバ・細川・畠山ハタケヤマの三氏が

交替して任ぜられた。また、鎌倉には、関東管領を置いた。「かんりょう[0]」とも。

かんれき[0](クワン)【還暦】〔生まれた年の干支(エト)が六十一年目にめぐってくることから〕数え年六十一歳の、めでたいとされた年齢。本卦(ホンケ)がえり。華甲(カコウ)。

かんれつ[0]【艦列】隊伍(タイゴ)を整え並んで進む、軍艦の列。「—を離れる」

***かんれん**[0](クワン)【関連・関〈聯】—する(自サ)〈なに ニ—する/なにト—する〉〔個々に存在するととらえられる二つの△事物(事象)が〕原因と結果、根源と分派・模倣などの内的関係でつながりがあると判断されること。「—の深い事件/コンピューター—の会社/—企業[5]・—事業[5]・—産業[5]・—性[0]・—づける[6]」

かんろ[1]【甘露】㊀〔昔、中国で〕天下太平のめでたいしるしとして降ったという、甘い液。㊁〔甘くて〕おいしいこと。「ああ、—、—/—煮[0]〔=小魚や貝などを甘からく煮つめたもの〕」

かんろ[1]【寒露】二十四(節)気の一つ。太陽暦十月八日ごろ。温度が下がって、露しげく結び始める時分の意。

がんろう[0](グワン)【玩弄】—する(他サ) 価値の低いものとして、相手の人格を無視した扱い方をすること。「—物(ブツ)[3]」

かんろく[0](クワン)【貫〈禄・貫録】その地位にある人にふさわしいと感じられる、かっぷくのよさや堂々とした態度など。「—が備わる/新社長としての—を見せる/—に△欠ける(乏しい)」 表記「録」は、代用字。 **—まけ**[0]【—負(け)】相手の実績や名声などに圧倒されて、勝負をいどむ前から、まともに対抗しようとする意欲を失っていること。

かんわ[0](クワン)【官話】現代中国の標準語。「北京(ペキン)—」

かんわ[1][0]【閑話】—する(自サ) とりとめのない話。 **—きゅうだい**[1]-[0]、[0]-[0](キウ)【—休題】横道にそれた話を本筋に戻す、という意を表わす語。〔接続詞「さて」のように、文の初めに置いて使う〕

かんわ【漢和】㊀[1] 中国(語)と日本(語)。㊁[0]「漢和辞典」の略。 **—じてん**[4]【—辞典】漢字・漢語の字体、読み方や意味などを、漢字の部首、画数、読みなどから引く辞典。

かんわ[0](クワン)【緩和】—する(自他サ) ひどい状態や きびしさが治まって、今までより楽な状態になる(ようにする)こと。「△不安(態度)を—させる/通勤ラッシュの—をはかる/基準を—する/緊張—・規制—」

き…キ

き〔己・企・伎・危・机・気・岐・希・忌・汽・奇・季・祈・〈癸・紀・軌・《姫・帰・既・記・起・飢・鬼・基・寄・規・亀・喜・幾・揮・〈揆・期・棋・貴・棄・毀・旗・〈綺・器・〈嬉・〈毅・畿・輝・機・騎〕→【字音語の造語成分】

き(助動・特殊型)〔文語の助動詞〕過去においてあったことを回想する。「あるときには、来(キ)し方(カタ)行く末も知らず、海に紛(マギ)れむとし—」 文法 動詞と助動詞の連用形に接続する。ただし、「来(ク)」「す」は未然形にも接続する。

****き**【気】㊀[1][0] 目には見えないが、その空間を満たしていると感じられる何ものか。空気・ガスや人知を超えた霊妙なものなど。「陰惨の—がこもる/—の抜けたビール/ひんやりとした山の—」 ㊁[0] 外界の刺激によって変わる、その時どきの心の持ちよう(に支配されるものの見方や行動への意欲)。「こちらの挨拶(アイサツ)を無視されて、いやな—がした/—が進まない/やる—が無い/—の無い返事/—が変わる/—が違う〔=異常な精神状態になる〕/—を抜く〔=緊張をゆるめる〕/—が弱い/—を△奪われる(配る・使う・取り直す・引き締める)/生—・元—・悪(ワル)—(ギ)・親切—(ギ)」⇩【造語成分】

【—が合う】物の見方や考え方が似ていてその人と気持が通い合う。【—がある】㊀そのことに興味・関心がある。「彼は役員のポストに—らしい」㊁特定の相手に恋心をいだく。「田中君は君に—ようだよ」【—が多い】興味・関心の対象が次つぎと変わる様子だ。【—が置けない】気を許してつきあうことが出来る様子だ。【—が重い】好ましくない結果が予想されたり 精神的な負担が感じられたりして、心が晴れない様子だ。【—が勝つ】勝ち気である。【—が利く】㊀心配りがこまやかで、注意が行き届く。「迎えに来ないとは気が利かないやつだ」㊁しゃれていて、センスの良さが感じられる。「気が利いた贈り物」【—が—でない】心配なことがあって、落ち着いていられない様子だ。「車の渋滞がひどくて時間通りに着けるかどうか—」【—が腐る】思い通りに事態が進展せず、いやけがさす。「毎日雨で—な」【—が差す】気がとがめる。【—が沈む】不快な目にあうなどして、暗い気分に落ち込む。「打ち続く災害にすっかり気が沈んでしまった」【—が知れない】なぜ そんな事を△する(言う)のか、その人の意図が分からない。【—が済む】気がかりな事が片づいて、晴れ晴れしい気持になる。【—が《急(セ)く】一刻も早くそうしたい気持で落ち着か△ない(ず、かえって良くない結果をもたらす)。【—が付く】㊀注意や配慮が行き届く。「見落としがちな点によく気が付いたね/気が付きませんで失礼いたしました」㊁それまで気にとめなかったものに改めて注意が行く。「定期券を落としたことに—」㊂それまで失われていた意識が何かの拍子に戻る。「三日間昏睡(コンスイ)状態にあった病人がやっと今気が付いた」【—が遠くなる】気を失う。【—が遠くなるような】量が多かったり 作業が細か過ぎたり 内容がむずかし過ぎたりして、第三者には ついていけないという感じを与える。「—△話(歳月)」【—が〈咎(トガ)める】その人の心の底のどこかに、自分のやった行為を責めるところがあり、平然たり得ない心境にある。【—が抜ける】㊀それまでの気持の張りを失う。㊁飲み物の持つ本来の香りや味が失われる。【—が早い】どんな結果になるかも考えずに、こうしようと思ったことをすぐ実行しなければ気が済まない性格だ。【—が張る】緊張△する(し過ぎて、負担を感じる)。【—が引ける】劣等感があって、積極的な言動が出来ないでいる。【—がふれる】〔精神に異常をきたすなどして〕普通の人には理解しがたい言動が目立つようになる。【—が回る】見過ごしがちな細かい点にまで注意が行き届き、その場その場をうまく処理する。「他人にまでは気が回らない」【—が短い】待っていることが出来なくて△すぐ怒る(いらいらする)様子だ。【—が〈揉(モ)める】何とか早く決着してくれないかという気持で、平静でいられなくなる。【—が若い】年齢のわりに考え方などが若わかしい。【—で—を病む】取越し苦労であれこれ思い悩む。【—で持つ】重病人や極端な苦境に立たされた人などが、気力で持ちこたえる。【—に入(イ)る】好みや希望・理想にかなっていたりして、満足する。「品質はいいが、このデザインが気に入らない」【—に掛かる】㊀解決を要する事として、心から離れないでいる。「長年気に掛かっていたことが、この本を読んでやっと解決した」㊁どういう結末になるかについて、不安な気持でいる。「遭難者の安否が—」【—に食わない】気に入らない△ところがあって(感じを抑え切れず)、心の平静が保てない。【—に障る】たまらなく不愉快であり、何とか撥(ハ)ねのけたく思う。運用「気に障ったら失礼」などの形で、相手に対して非難めいたことを直言するときの前置きに使われることがある。【―にする】その△存在(現象)が無視出来ない現状に直面して、△気がかり(不安)を抑え切れない状態にある。「軽い食あたりだから―ことはないでしょう/彼は今でもぼくの言ったことを気にしているようだ」【―に染まない】相手の言動や与えられた役割などが自分の考えや気持にうまく合わない。「―仕事を無理に引き受けることはない」【―に止める】その物事の存在を意識する。「人の意見は意見としていちいち―必要はない」【―になる】どうなるかという先行きの不安が、その人の脳裏を支配する。「―に病む」未解決の問題をかかえ、どう対処したらよいかと、寝ても起きても、その事ばかり考える。【―のいい人】他に対していやな顔を見せたり怒ったりすることが無く、いつも人に好感を与える人。【―は心】取るに足りない行為や分量であっても、気持が込められていると思えば満足出来ること。【―も《漫(そぞ)ろ》(気が回らない)状態だ。【―を入れる】本気になってそのことに取り組む。「もう少し気を入れて仕事をしたらどうだね」【―を失う】強いショックを受けるなどして、意識が消えうせた状態になる。【―を落とす】不運な出来事にあうなどして、積極的に物事に取り掛かる元気を無くす。【―を変える】それまでいだいていた気持や考えをふり払って、新たな気持や考えをいだく。【―を兼ねる】相手に対し遠慮し、したいこともできずにいる。気兼ねする。【―を静める】興奮したり不安におののいたりしている気持を落ち着かせる。【―を確かに持つ】恐怖や不安に堪え、気力を奮い起こす。【―を付ける】何かをする際に、見落とし・誤り・失敗などが無いように心を配る。【―を強くする】そのことが支えとなり心強く思う。【―を取られる】そのことに心を集中していて、他の事に注意が行き届かなくなる。【―を飲まれる】相手の気勢に圧倒され畏縮(イシュク)する。表記「気を〈呑まれる」とも書く。【―を晴らす】何かをすることによって、沈んだ気分をすっきりさせる。【―を張る】来たるべき事態に備えて、心を緊張させる。【―を引く】❶それについて相手がどういう意向を持っているか、それとなく探る。「それとなく気を引いてみたが、賛成する気はないようだ」❷相手が自然にその気になるように間接的な表現で勧める。「甘言で人の―」【―を紛らす】何かをすることによって、不快な気分から(一時的に)逃れようとする。「気をまぎらわす」とも。【―を回す】相手の言動などをすなおに信じられず、余計な事まで推測する。【―を許す】たいしたことにはなるまいと思って、警戒心を解く。【―を〈揉(も)む】いろいろ悪い事態を考えて、心配する。【―を良くする】物事が思い通りに行き明るい気分になる。【―を楽にする】緊張を解き、落ち着いた気分になる。

き①【忌】親族などの死後、晴れがましい場に出ることなどをつつしんでいる△こと(期間)。「―が明ける/―中・―引(ビ)き」⇩【造語成分】

き①【奇】普通とは大変、変わっていること。「なんの―(＝不思議)も無い/―跡・―妙・―勝・珍―」⇩【造語成分】

【―を〈衒(てら)う】中身はたいしたことが無いのに、他の注意を引き付けようとして、わざと変わったことをする。

き①【季】伝統的な俳句の決まりとして詠みこむ、季節にか

き

【己】❶十干(ジッカン)の第六。戊(ボ)の次、庚(コウ)の前。つちのと。「己亥(キガイ)」❷自分。おのれ。「克己(コッキ)・知己」

【企】くわだてる。計画する。「企業・企画・企図」

【伎】歌舞・音曲による芸能。わざ。わざおき。「歌舞伎(＝『傾(カブ)き』の当て字)」⇩ぎ

【危】❶あやうい。「危急・危険・危難・危機・危地・危篤・安危」❷不安に思う。あやぶむ。「危惧(グ)」❸そこなう。「危害」

【机】つくえ。(かぞえる時にも用いられる)「机辺・机下・浄机」

【気】風雨・寒暑などの自然現象。「気候・気象・天気」⇩(本文)き【気】

【岐】[一]えだ。ふたまた。「岐路・分岐点」[二](「ぎ」は「岐」の呉音)(略) 岐阜(ギフ)県。「三岐(＝三重県と岐阜県)」

【希】[一]❶まれな。珍しい。「希少・希ガス類・珍希」❷まばら。うすい。「希薄・希硫酸」❸こいねがう。「希求・希望」[二](略) ギリシャ(希臘)。表記[一]❶❷は、「〈稀」とも書く。

【忌】❶命日。「忌日・一周忌・へちま忌(＝正岡子規の忌日)・桜桃忌(＝太宰治の忌日)」❷いみきらう。「忌避・禁忌」⇩(本文)き【忌】

【汽】蒸気。「汽車・汽船・汽笛」

【奇】❶思いがけない。「奇襲・奇禍」❷二で割り切れない。「奇数」↔偶 ⇩(本文)き【奇】

【季】❶一年の、気候によって分けた春・夏・秋・冬などの区分。シーズン。「四季・春季・五季連勝」❷(一年を単位とした)年月の区分。「一季半季の奉公/年季」❸すえ。「季春・澆季(ギョウキ)」❹四人兄弟の中で、一番下。「伯仲叔季」⇩(本文)き【季】

【祈】いのる。いのり。「祈願・祈念・祈誓・祈禱(トウ)」

【〈癸】十干(ジッカン)の第十。壬(ジン)の次。みずのと。「癸卯(キボウ)」

【紀】[一]❶すじみち。きまり。「紀律・校紀・軍紀・官紀・風紀・綱紀」❷とし。年代。「紀元・世紀」❸紀元。「西紀・皇紀」❹しるす。「紀行・紀要」❺地質時代の区分で、「代」の次の区分。「代」を細分したもの。「ジュラ紀・白亜紀」(地層の成層年代区分の「系」に対応する)[二](略)❶日本書紀。「記紀」❷紀伊(キイ)ノ国。「紀州・南紀」

【軌】❶鉄道のレール。「軌条・広軌・狭軌」❷人が守るべき道。「常軌・不軌」⇩(本文)き【軌】

【《姫】君主などに愛される女性。「美姫・寵姫(チョウキ)」

【帰】❶かえる。もどる。「帰宅・帰国・復帰」❷あるべきところへ行く。おさまる。「帰結・帰着・帰納・帰趨(スウ)」❸したがう。「帰化・帰服・帰順」

【既】❶すでに。もはや…した。「既出・既決・既婚者」❷全部。つきる。「皆既食」

【記】[一]❶かく。かきしるす。「八月十日記・記述・筆記・付記」❷おぼえる。「記憶・暗記・博覧強記」[二](略) 古事記。「記紀」⇩(本文)き【記】

【起】[一]❶おきる。立つ。「起居・起伏・起立・突起」❷物事を始める。おこす。「起工・起案・起算・起動・喚起」❸おこり。始まり。「起原・起首・縁起(ギ)」[二](漢詩の)起句。「起承転結」

【飢】❶うえる。「飢餓・飢渇」❷その年の作物がとれない。「飢饉(キン)」表記「〈饑」とも書く。

【鬼】❶死んだ人(の魂)。「鬼籍・餓鬼」❷ばけもの。「鬼面・百鬼夜行」❸おに。「悪鬼・邪鬼」(〈情

けを知らぬ残酷な人の意にも用いられる。例、「債鬼・殺人鬼」」

【基】 [一]❶もとい。どだい。「基礎・基本・基調」❷もとづく。「基因」❸もとになる物質。「培養基」❹〔化学で〕他の種々の原子(団)と結合して、これらに共通する性質を持たせる原子団。「塩基」❺⇩いっき(一基) [二](略) キリスト(基督)。

【寄】 ❶よる。「寄港」❷身をよせる。「寄留・寄寓(キグウ)・寄生虫」❸財物を預けて、処分を人に任せる。「寄付・寄贈」

【規】 ❶正しく円をかく道具。「規矩(キク)・定規(ジョウギ)」❷正しくする。「規正」❸きまり。「規則・規律・規約・法規」

【亀】 ❶カメ。「亀甲(キッコウ)・盲亀」❷カメの甲。「亀卜(キボク)・亀裂・亀鑑」

【喜】 ❶よろこぶ。よろこび。「喜悦・喜怒哀楽・一喜一憂」❷おかしい。たのしい。「喜劇」

【幾】 こいねがう。「庶幾(ショキ)」

【揮】 ❶ふるう。はたらかす。「揮毫(キゴウ)・発揮」❷さしずする。「指揮」❸まきちらす。「揮発」

【〈揆】 ❶はかる。「一揆」❷方法。道。「揆一」

【期】 ❶(一区切りの)期間。時期。「期限・期末・長期・任期・学期・幼年期」❷(目当てとして)待ち設ける。「期待・予期」❸地質時代の区分で、「世」を細分した区分。〔地層の成層年代区分の「階」に対応する〕⇩(本文)き【期】

【棋】 碁。将棋。「棋院・棋士・棋局・棋譜」

【貴】 ❶△身分(値段)が高い。「貴重・貴公子・貴金属・高貴」❷相手方に関する語の上につけて敬意を表わす語。「貴君・貴家・貴礼・貴所・貴書」

【棄】 すてる。「棄権・破棄・放棄・廃棄」

【毀】 ❶こわす。そこなう。「毀損・毀傷」❷そしる。「毀誉」

【旗】 ❶はた。「旗手・校旗・国旗(コッキ)・弔旗・半旗・日章旗(ニッショウキ)・国連旗」❷軍隊の(大将の)はた。「旗下・旗艦」

【〈綺】 ❶あやぎぬ。「綺羅(キラ)」❷美しい。「綺麗」❸たくみな。「綺語」

【器】 ❶入れ物。うつわ。「食器・茶器」❷簡単な道具。「器具・器械・楽器・電熱器・消火器」↕機 ❸身体の部位。「臓器・呼吸器・循環器・消化器・泌尿器・生殖器」❹才能や働きのある△こと(人)。「器量・器用・才器・大器」

【〈嬉】 うれしい。うれしがる。「嬉々として/嬉戯」

【〈毅】 つよい。たけだけしい。「毅然・剛毅」

【畿】 都近くの土地。「畿内・畿外・近畿・京畿(ケイキ)・五畿七道」

【輝】 きらきら光る。かがやく。「輝石・輝線・輝度・光輝」

【機】 ❶すばやい、心の働き。物事の働き。「機知・機能・機敏」❷(仕組みの)大事なところ。「機密・枢機」❸動力を備えたり 精巧な仕組みを持っていたりする道具。「機械・機関・機器・機種・輪転機・発電機・電話機」↕器 ❹はた。「機業・織機」⇩(本文)き【機】

【騎】 ❶馬などにのる。〔のった人をかぞえる時にも用いられる。例、「一騎討(ウチ)」〕「騎馬・単騎」❷士分に属する人をかぞえる語。「旗本(ハタモト)八万騎(ギ)」

かわる物事(を表わす語)。「〃落鮎(オチアユ)〃は秋の―である/―題・―語」⇩【造語成分】

き①【軌】〔「わだち」の意〕何かのやり方。「…と―を一(イツ)にする(=同じ行き方である)」 表記「〈揆(キ)を一にする」とも書くが、その場合の「揆」は道の意。進むないし志す道が同一であることを、もと指した。⇩【造語成分】

き①【記】❶書きしるした△文章(もの)。「思い出の―/―録・手―・探検―」❷〔掲示や通知などで〕主旨を述べた前文の後、伝達事項などを箇条書にする前に、単独で行の中央に書く語。⇩【造語成分】

き①【期】(ちょうどよい)とき。おり。「再会の―」⇩【造語成分】

き①【機】❶何かする(のにちょうどいい)とき。「革命の―が熟する/反撃の―を逃さず/―に乗ずる/―に臨み変に応ずる(=その場合場合の状況に応じて対処する)/―を見るに敏(ビン)/解決の―を失する/―会・臨―応変」❷(その)航空機。〔助数詞として航空機・探査機・宇宙船および各種の計器をかぞえるのにも用いられる〕「―から降(オ)り立った/乗―・民間―」⇩【造語成分】

**き

**①【木】❶根・茎(=幹)・葉がそれぞれ△分離(発達)している植物で、茎の外側が堅いもの。内部の組織も、草に比べて詰まって堅いものが多い。時を追って生長を続け、丈が高くなったり 幹が太くなったりし、また、年輪が見られる。「庭に花の咲く―を植える/―が生い茂る/―の枝」⇩草 ❷材木。「―の香(カ)も新しい」❸〔歌舞伎(カブキ)などの芝居で〕ひょうしぎ。「―を入れる」 表記 ❶は「《樹」、❸は「〈柝」とも書く。 かぞえ方 ❶は一株・一本。❷は一本。❸は二本で一組(ヒトクミ)。

【―から落ちた猿(さる)】 樹上で生活するサルが、地上に落下して木から離れるように、拠(ヨ)り所を失うことのたとえ。

【―で鼻を《括(く)くる】〔この場合の「くくる」は、もと「こくる」で「なする」の意〕受け答えなどが非常に無愛想で、そっけない形容。「木で鼻を括ったような通り一遍の挨拶(アイサツ)」

【―に竹を接(つ)ぐ】 木に竹を接ぐことができないことから、つなごうとするものの前後のつじつまが合わない状態にある意。

【―を見て森を見ず】 部分的な事柄に目が届くだけで、関連する対象の全貌(ボウ)を見渡す視野に欠けるところがある。

き【生】[一]① 交じりけの無いこと。「―のままの性質/―で(=強い成分の酒を薄めないで)飲む/―一本・―酒(ザケ)・―醤油(ジョウユ)・―酢(ズ)」 [二](接頭) ❶どんな観点から見てもその通りである。「―まじめ・―娘」❷精製していない。「―糸」

き①⓪【黄】 きいろ。

ぎ《伎・技・宜・偽・欺・義・疑・儀・戯・〈誼・擬・犠・議》→【字音語の造語成分】

ぎ【着】(造語)〔複合語の後の要素として〕着る物。「下―・外出―・訪問―」

ぎ①【〈妓】 遊女。芸者。「―を侍(ハベ)らせる/美―」

ぎ①【技】 わざ。腕前。「―、神(シン)に入(イ)る/―能・演―」

ぎ①【義】❶人間の行為のうちで、万人によってよいとされるところのもの。「―を見てせざるは勇無きなり/正―・―務」❷言葉の意味。「意―・同―語」⇩【造語成分】

ぎ①【儀】❶儀式。「即位の―/盛―」❷…に関する事柄。「その―(=事)ばかりは/私―(ワタクシギ)④(=私一個人の事について申し上げますと)」⇩【造語成分】

ぎ①【議】㊀相談(すること)。「教授会の—を経る/—題・会—」㊁提案。「解散の—が出た」⇨【造語成分】

ギア①〔gear〕⇨ギヤ

きあい⓪【気合】㊀精神を集中して、事に当たる△勢い(掛け声)。「—が入る(=何かしようと思って緊張し、十分な態勢を構える)/—を入れる(=しっかりやれ(そんな事ではだめだ)と、しかったり 激励したりする)/—をかける/—負け」㊁呼吸。いき。「—が合う」

ぎあく⓪【偽悪】〔「偽善」に対しての造語〕実際の自分よりも悪く見せかける(癖がある)こと。「—趣味④」

きあけ⓪【忌明(け)】いみあけ。

きあつ⓪【気圧】㊀大気の圧力。「—配置・低—・高—・—計⓪」㊁圧力の単位で、一気圧は、標準大気圧すなわち水銀柱の高さで七六〇ミリメートルの圧力を表わす〔記号 atm〕。〔一〇一三・二五ヘクトパスカルに等しい〕

—のたに⓪-②【—の谷】気圧の高低を土地の高低にたとえた時、谷に相当する部分。これが近づくと、概して天気が悪くなる。

きあつ⓪【汽圧】蒸気の圧力。蒸気圧。

きあわ・せる④【来合(わ)せる】(自下一)△ちょうど(たまたま)その場所に来て、その△事(人)にあう。来合わす③(五)。

きあん⓪【起案】—する(他サ)〔官庁や会社で〕文書・条文などの草案を作ること。

ぎあん⓪【議案】審議するために会議に出す事柄。 かぞえ方 一件

キー〔key〕Ⅰ① ㊀〔オルガン・ピアノ・タイプライター・コンピューターなどの〕指で△押す(たたく)所。㊁かぎ。「車の—/事件の—(=解決の手がかり)/—ホルダー・マスター—」Ⅱ(造語) 中心的な役割を果たす、の意を表わす。「—インダストリー③(=基幹産業)・—ポイント・—ワード」 かぞえ方 Ⅰ㊀㊁は一本

きい①【忌(諱)】—する(他サ)〔本来の字音はキキ。「きい」は類推読み〕恐れはばかること。「—に触れる(=(立場の上の人の嫌がることを言ったりしたりして、機嫌をそこねる)」

きい①【奇異】—な 不思議(で変わっている様子)。「—の△念(感)をいだく(=本当に不思議な事だなあと思う)」

きい①【貴意】〔手紙文などで〕「(あなたの)意志・考え」の意の尊敬語。「—を得たい」

キーウィ①〔マオリ kiwi〕Ⅰニュージーランド特産の鳥。ニワトリよりやや小さく、翼・尾は退化。月夜にキーウィと鳴く。キウイとも。〔キーウィ科〕 かぞえ方 一羽 Ⅱ〔←kiwi fruit〕ビタミンCを含む熱帯果実。茶褐色の細毛が生え、果肉の色はエメラルドグリーンで、多汁質。形が「キーウィⅠ」に似る。キウイとも。〔マタタビ科〕 かぞえ方 一玉

キーきょく①②【キー局】〔key=中心となる〕放送網に流す番組の制作をしたりして、中心的役割を果たす放送局。キー ステーション④。

キーセン①⓪〔朝鮮 gisaeng(妓生)〕㊀〔朝鮮で〕歌舞・音楽で宮廷に仕えた女性。㊁韓国の芸者。キーサンとも。

きいたふう④⓪【利いた風】—な 分かりもしないのに、そんな事は百も承知だというような態度をとる様子。「—な(=生意気な)口をきくものではない」

きいちご②【木(苺)】㊀木本のイチゴの総称。とげがあり、実は黄色または赤色で、食べられる。㊁山野に生じる落葉低木。葉はカエデ状で、黄色の実は味がよい。もみじいちご④。〔㊀㊁ともバラ科〕 かぞえ方 ㊀㊁とも一本

きいつ⓪【帰一】—する(自サ)〔表面的にはそれぞれ別であるように見える事柄が〕よくよく△考えてみる(論じつめる)と、同一の事柄の現われに過ぎないと見なされること。

きいっぽん②【生一本】㊀交じりけの無いこと。また、そのもの。「灘の—」㊁—に 心がまっすぐで、思いこんだらそのことにひたむきに打ちこんでいく様子。一本気。「—な性質」

きいと①【生糸】カイコの繭からとったままで、まだ練らない糸。↔練り糸

キーノート③〔keynote〕㊀音階の第一音。主音。㊁基調。

キーパー①〔keeper=守る人〕ゴールキーパーの略。

キーパンチャー③〔keypuncher〕電子計算機にデータを入力する(ためのカードに、データに応じて穴をあけた)係。パンチャー。

キープ①—する(他サ)〔keep〕㊀Ⓐ〔ラグビーなどで〕スクラムの中にボールを入れたまま押し進むこと。Ⓑ〔サッカー・ホッケーなどで〕ゴールの守備。Ⓒ〔サッカー・バスケットボールで〕ボールを敵に渡さないこと。㊁自分の手中に△持つ(確保する)こと。㊂〔行きつけの店などに〕預けること。「ウイスキーのボトルを—する」

キーポイント③〔key point〕事件や問題を解決する手がかり。

キーボード③〔keyboard〕㊀ピアノ・オルガンなどの鍵盤。㊁シンセサイザーなどの電子鍵盤楽器。㊂〔コンピューター・ワープロなどで〕入力キーの配列盤。㊃〔ホテル・事務所などで〕各部屋などの かぎを下げておく、壁面に取り付けた板。

キーホルダー③〔和製英語 ←key+holder〕ドアや自動車などの かぎを、落とさないようにまとめるもの。〔英語では、key-ring〕

キーマン①〔keyman〕組織・団体などで、事の成否を左右する上で重要な働きをする人物。キー パーソン③とも。

キール①〔keel〕船の竜骨。

*__きいろ__⓪【黄色】—な 熟したレモンの皮や菜の花に認められる色。単に「き」とも。また、「イエロー・おうしょく」とも。〔三原色の一つ〕 **—い**⓪(形) そのものに黄色が認められる状態だ。「—バラの花/—声(=子供や女性の甲高い声)/くちばしが—(=年が若く、経験が不足している)」

キーワード③〔key word〕問題の解決や、文の意味の解明のかぎとなる重要語(句)。

きいん⓪【気韻】すぐれた作品を見たり聞いたりした時に感じられる、崇高な何ものか。「—生動⓪-⓪」

きいん⓪【起因】㊀—する(自サ) それが原因になって、何かが起こること。「教師個人の人間性に—した事件」㊁そもそもの原因。 表記 ㊁は「基因」とも書く。

きいん①【棋院】囲碁の専門家の団体。また、その集会所。

ぎいん⓪【偽印】にせの印(判)。

ぎいん①【議員】国会・地方議会などの、合議制の機関を組織し、議決権を持つ人。〔法令では、皇室会議などの構成員をも指す〕「—立法④」

ぎいん①【議院】㊀国会。衆議院と参議院。「—制度④・—運営委員会⑨-①-⑥」㊁国会議事堂。「歴史を感じさせる—」 **—ないかくせい**⓪【—内閣制】内閣の存立が議会の信任によって成り立つ制度。

きう①【気宇】〔広いかどうかという観点から見た〕気持のあり方。「—△広大(闊大・闊達)/—壮大な戦国時代を舞台に設定」

キウイ①〔マオリ kiwi〕⇨キーウィ

きうけ⓪【気受(け)】世人の、その人に接して受ける感じ。受け。「—がいい」

きうつ⓪【気鬱】—な 気分がふさぐこと。「—な顔/—症⓪」

③」

きうつり②【気移り】―する（自サ）　一つの物事に△心（注意）が集中せず、とかく他に移りやすいこと。

きうら⓪①【木裏】〔板材の〕両面のうちで木の中心に近い側。↕木表

きうるし②【生漆】　採取したままの、精製していない漆。

きうん①【気運】　その組織や社会で、こういうことをすべきではないかという意識が関係者の間に生じること。「復興の―が促される」

きうん①⓪【機運】　時機を得て、事を起こすのに適した条件が整ったととらえられる状況。「機構改編の―が熟する／政治改革の―が到来する」 表記「気運」とも書く。

きえ①【帰依】―する（自サ）〔神の力や〕仏の教えなどを絶対的なものだと信じ、全面的にたよること。「仏門に―する」

きえい⓪【気鋭】―な／―に　意気ごみが鋭い様子。「新進―の士」

きえい⓪【帰営】―する（自サ）〔外出先などから〕兵営に帰ること。

きえい⓪【機影】〔肉眼でとらえた〕飛行中の航空機の姿。〔広義では、レーダーでとらえたものをも指す〕

きえい・る③【消（え）入る】（自五）　そのまま、そのものの△存在（呼吸）が認められなくなる。「身も魂も―思い（＝非常に△悲しい（恥ずかしい）形容）／―ような声（＝声が低くて、元気の無い形容）」

きえう・せる④【消（え）《失せる】（自下一）　そこに△あった（いた）はずのものの存在が認められない状態になる。「宝石箱からダイヤの指輪が―／希望が―／とっと消え失せろ（＝立ち去れ）／火事騒ぎで牢から罪人が―（＝逃げ去る）」

きえぎえ⓪【消え消え】（副）　ほとんど消えてしまいそうな状態にある様子。「庭のかたすみに―に残っている雪／面影も―となって」

きえさ・る③【消（え）去る】（自五）　今まで見えていたものが消えて無くなる。

きえつ⓪①【喜悦】―する（自サ）　喜びの気持に浸ること。「―措く能わず」

きえのこ・る④【消（え）残る】（自五）　全部消えてしまわないであとに残る。

きえは・てる④【消（え）果てる】（自下一）　消えて跡形もなくなる。「夢も希望も消え果てた」

****き・える**⓪【消える】（自下一）〈どこカラ〉どこニ―〉〔それまで認知できていた現象・事物・状態などの存在が〕感じられなくなる。「△いやなにおい（かゆみ）が―／机の上に置いたはずのノートが（どこかへ）消えて（＝行くえ不明になって）しまった／明かりが―／山の雪が―（＝とけて無くなる）／わだかまりが―／急に足音が―／火が消えたような（＝⇩火）／断頭台の露と―（＝罪を問われ、処刑される）／不信感が消えない」

きえん⓪【気炎・気〈焔】〔議論などの〕熱っぽさ。「―（＝気勢）を上げる／―を吐く／怪―③」 運用「赤い気炎を上げる」の形では、女性が臆することなく活発に意見などを述べる様子を表わす。 ―ばんじょう⓪-⓪【―万丈】大いに気炎を上げること。

きえん⓪①【奇縁】　思いもかけない不思議なめぐりあわせ。「合縁―」

きえん①⓪【機縁】〔仏教で〕仏の教えを受けるべき縁。〔俗に、機会・きっかけの意にも用いられる〕

ぎえん⓪【義援・義〈捐】〔私財を投げ出して人を助ける意〕不幸や災難にあった人のために出す寄付。「―金⓪」

きえんさん⓪【希塩酸・〈稀塩酸】　水で薄めた塩酸。消化剤・殺菌用。

きおい⓪【気負（い）】〔文語動詞「競ふ」の連用形の名詞用法〕人に負けまいとして事に臨む、強い意気込み。〔一歩誤ると、勇み足になることが多い〕

きおいこ・む④【《競（い）込む】（自五）　張り切った気持を言動に表わす。 表記「気負い込む・《勢い込む」とも書く。

きおいた・つ④【気負（い）立つ】（自五）　気負って、一種興奮状態になる。 表記「《競い立つ」とも書く。

きおいはだ③④【《競（い）肌】　勇み肌。

きお・う②【気負う】（自五）〔文語動詞「競ふ」の変化〕競争心が先に立ったり　功を急ぐ気持が前面に出たりして、必要以上に張り切る。

きおう⓪【既往】❶過ぎ去った昔。❷済んでしまった事。「―（＝過去に犯した過ち）は問わない／―にとらわれず」 ―しょう⓪【―症】　以前にかかったことのある、おもな病気。

****きおく**⓪【記憶】―する（他サ）〈なにヲ（なんだト）―する〉　過去に何らかの強い印象を受けた事や一度意識に止めた事の内容が脳裏にとどめられ、随時再現出来る状態にある（ようにする）こと。また、その内容。〔電子計算機が、情報をその内部に記録して保持し続け、随時再現出来る状態にある（ようにする）ことをも指す〕「交通事故で頭を強打し、―を失う／昔の―がよみがえる／―にある子供のころの町並／―に△新しい（とどめる）／いまわしい―をぬぐい去る／―が薄らぐ／―力③・―喪失」 表記　明治時代には、「記臆」とも書いた。 ―そうち④【―装置】〔コンピューターで〕プログラムやデータなどをそこに記憶し、あとで必要に応じて取り出せる仕組みになっている装置。メモリー。「外部―⑦・補

ぎ

［《伎］❶⇩（本文）ぎ【技】「伎芸・伎能」❷俳優。「伎楽」

［技］⇩（本文）ぎ【技】

［宜］よろしい。「適宜・便宜・時宜・機宜・事宜」

［偽］❶いつわる。「偽造・偽善・偽称」❷にせの。「偽名・偽印」

［欺］あざむく。だます。いつわる。「欺瞞・詐欺」

［義］❶血筋のつながっていない者が親子・兄弟などの関係を結ぶ。「義父・義兄弟」❷からだの一部の代用にするもの。「義足・義歯」⇩（本文）ぎ【義】

［疑］うたがう。うたがわしい。「疑惑・疑義・疑心・疑念・嫌疑・質疑・半信半疑」

［儀］❶作法に合ったふるまいをする。「礼儀・辞儀・威儀・容儀」❷測量器械。「水準儀・測距儀」❸何かの模型。「地球儀・天球儀」⇩（本文）ぎ【儀】

［戯］❶たわむれあそぶ。「球戯・遊戯・児戯」❷ふざける。「戯画」

［〈誼］親しみ。よしみ。「交誼・友誼」

［擬］❶似せる。まねる。「擬似・擬古文・模擬」❷…になぞらえた。「擬古典主義」

［犠］❶神に生き物を捧げる。また、その生き物。「犠牲」❷〔野球で〕得点・進塁のために自らはアウトになること。「犠打・犠飛」

［議］❶論じる。「議論・討議」❷〔その地方自治体の〕議会の議員。「都議・府議・県議・町議・村議・区議」⇩（本文）ぎ【議】

助—⑥・半導体—⑩」 —ばいたい④【—媒体】⇩記録媒体 —ようりょう④【—容量】〔コンピューターで〕その記憶装置が△保持(記憶)することの出来るデータの最大量。〔単位は、ビットやバイトなど〕

しゅーそうち⑤【主—装置】〔コンピューターで〕プログラム領域として使用可能な記憶装置。略して「主記憶②」。〔計算機の記憶装置の中で最も重要なもの〕「—の容量が八ギガバイトの計算機」

きおくれ⓪【気後(れ)】—する(自サ) 事の重大さや相手の積極さに圧倒されて、思わず弱気になること。「相手の気迫に押され—(が)した」

キオスク②〔kiosk=もとトルコ語で、トルコやイランなどのイスラム式庭園にある四阿(アズマヤ)〕駅構内の売店。キヨスクとも。

きおち⓪【気落(ち)】—する(自サ) がっかりして気が弱ること。落胆。「すっかり—して…/—した人」

きおも⓪【気重】—な/—に ❶積極的に何かをする気持になれない様子。❷〔取引で〕相場が引き立たないこと。不活発。

きおもて②【木表】〔板材の〕両面のうちで木の中心に遠い側。↔木裏

*__きおん__⓪【気温】その時、その場所の大気の温度。〔正式の気象データとしては、地上一・五メートルの換気された日陰で計る〕「予想最高—は十一度」⇩水温・地温

きおん⓪【基音】その物体が発するいくつかの音のうちで、最も低い(=振動数が最も少ない)音。原音。〔音高決定の基準音〕

ぎおん⓪【〈祇《園】【↑祇園精舎④】昔、釈尊のために建てられた寺。〔日本では京都の八坂神社付近の三業地帯の特称〕

ぎおん⓪【擬音】〔映画・放送劇などで〕実際の音に似せて作り出す音。「—効果④」 —ご⓪【—語】音や声をまねて表わした言葉。例、がたがた・わんわん。擬声語。⇩擬態語

きか①【机下・〈几下】〔「おそばに」という意で〕手紙の脇付として用いる語。

きか①【気化】—する(自サ) 液体が気体に変化すること。〔昇華を含めても言う〕「—熱②」⇩液化

きか①【奇貨】〔珍しい品物の意〕意外な利益を得る見込みのある△品物(機会)。「…を—として/—おくべし〔=この好機をのがさず仕入れておくに限る〕」

きか①【奇禍】思いがけない事故にあって、けがをしたり死んだりすること。

きか①【帰化】—する(自サ) 〔君主の徳に感化されてつき従う意〕❶それまで所属していた国とは違う国の国籍を得てその国民となること。「日本に—したスポーツ選手」❷ある種の植物が原産地以外の土地で自生・繁殖するようになること。「—植物④」

きか①【幾何】「幾何学」の略称。「—光学」〔中国明代に、ラテン語の geōmetria (ゲオーメトリア。もとギリシャ語で、原義は土地測量)の geo を音訳したもの(現代広東語では geiho)。さらに意味の方も、「(面積が)いくばくか」という形で metria に通わせたものか〕 —がく②【—学】種々の「空間❸」における図形の性質や相互の関係を体系的に研究する数学の一部門。「初等—・平面—・立体—・解析—・球面—・(非)ユークリッド—・射影—・位相—・—者④③」 —がくもよう⑤【—学模様】幾何図形をおもなモチーフとして規則正しく用いた模様。幾何学的模様⓪。 —きゅうすう③⑤【—級数】⇩級数 —ずけい③【—図形】幾何学に出て来る典型的な図形。例、平面図形では、多角形・円など定規とコンパスで描けるもの。立体図形では、多面体・球など。 —へいきん③【—平均】「相乗平均」の別称。〔与えられた二つの正数の相乗平均は、(四則の組合せである)算術演算では求められないが、定規とコンパスによる幾何学的作図で求められることによる〕⇩算術平均

きか①【貴下】(代) 〔手紙文などで〕同等(以下)の相手に対する敬称。〔一般に男性同士で用いる〕

きか①【貴家】〔手紙文などで〕「(あなたの)家」の意の尊敬語。また、相手に対する敬称。「—御一統様①-⓪」

きか①【〈麾下】〔「はたもと」の意〕その将軍の指揮下で行動すべく編制された人たち。表記「旗下」とも書く。

きが①【帰〈臥】—する(自サ) 職務をやめて故郷に帰り、悠々自適すること。「故山に—する」

きが①【起〈臥】—する(自サ) (日常の)寝たり起きたりすること。「—〔=生活〕を共にする」

きが①【飢餓・〈饑餓】食べ物がなくうえた状態。「—に瀕する/—〔=絶食〕療法③・—感②」

ギガ①〔giga=もとギリシャ語で、「巨人」の意〕Ⓐ国際単位系における単位名の接頭辞で、基本単位の十億〔=十の九乗〕倍であることを表わす〔記号G-〕。「—ヘルツ〔=十億ヘルツ〕」⇩テラ Ⓑ〔コンピューター関係で〕記憶容量を表わす単位名の接頭辞で基本単位の十億倍であることを表わす〔記号G-〕。「—バイト」〔基本単位の二の三十乗〖=一〇七三七四一八二四〗倍であることを表わす場合はギビ(gibi)〖記号Gi-〗を用いる〕Ⓒ俗に、スマートフォンの月間通信量の制限容量。「動画を見すぎて—が残りわずかだ」

ぎが①【戯画】風刺を目的としてかかれた絵。カリカチュア。「—化する〔=おかしく皮肉る〕」

きかい⓪【奇怪】—な/—に どうして起こったか、人間の知恵や常識では考えられない様子。不思議。〔強調表現は「きっかい」〕 派—さ⓪②

きかい⓪【棋界】碁や将棋を職業とする人びとの構成する社会。

きかい②①【器械】それ自身の働きを利用して何かをするために作られた道具。〔普通は動力装置を内蔵する「機械」に対して、内蔵しない物を言う〕「医療—」 かぞえ方 一台 —たいそう④【—体操】跳び箱・あん馬・跳馬・平行棒・平均台・鉄棒などの道具を用いて行なう体操。

**__きかい__②①【機会】何かをするのに、ちょうどいいと判断される時。チャンスとも。「会員外にも参加の—を与える/会社見学の—に恵まれる/…する—を持つ/—〔=好機〕を巧みにつかむ/あらゆる—をとらえる/…の—を△うかがう(ねらう・逸する・失う)/—均等を図る」

**__きかい__②①【機械】〔仕掛けの意〕作動すると一定の運動を繰り返し、他に何か変化を与えるように仕組まれた道具。〔一般に動力を用いる物について言う〕「—編み⓪・—工業・工作—〔=⇩工作機械〕・産業—〔=⇩産業機械〕」 かぞえ方 一基・一台 —か⓪【—化】—する(自他サ) ❶人間が手で行なってきた仕事を機械を使ってするように△なる(する)こと。❷人間が、機械の一部になったかのように、ただ指令された通りにだけ動くこと。〔その結果として自分の意志と尊厳を失ってしまうことをも含意する〕 —ご⓪【—語】そのコンピューターが備えている機械命令の体系。 —てき⓪【—的】—な/—に ❶機械に関する様子だ。❷機械を使って仕事をする様子だ。〔他人の意のままに行動する意にも、すべての仕事を一律に処理するだけで融通がきかない意にも、惰性的に物事を行なう意にも、整ってはいるが人間的なあたたかみの無い意にも用いられる〕 —ぶんめい④【—文明】産業革命以後の機械による大量生産が行なわれるようになったことに代表される近代資本主義の文明。 —ほんやく④【—翻訳】コンピューターを用いて、ある言語を他の言語に翻訳すること。 —めいれい④【—命令】コ

ンピューターの中央処理装置に対する直接の命令。「中央処理装置は、—を一つずつ読み取って、その指示内容の演算を実行する」

きがい①【危害】 人間の生命を脅かすような△危険(害)。「—を加える(=傷つける)/—を及ぼす」

きがい⓪【気概】 困難を積極的に乗り越えて行こうとする、強い気持。

***ぎかい**①(クワイ)【議会】 公選された議員によって構成され、立法や予算審議などを受け持つ、合議制の機関。〔狭義では、国会を指す〕「地方—」 **—しゅぎ**④【—主義】 議会政治を尊重する立場。 **—せいじ**④(ヂ)【—政治】 国民を代表する国会の信任する内閣によって行なわれる民主的な政治。議院内閣制。↔独裁政治

きがえ⓪(ガヘ)【着替(え)】 ㊀—する(自サ) 衣服を着替えること。㊁着替えるための衣服。替え着。

きが・える③(カヘル)【着替える】(他下一) 着ている衣服を脱いで別の衣服を着る。「着がえる」とも。

きがかり②【気掛(か)り・気懸(か)り】—な/—に 好ましくない事態が予測されて、不安な気持をふっ切れない様子だ。「—な兆候」

きかか・る③【来かかる】(自五) 何かが行なわれているその場所へ、ちょうど来る。「うわさをしているところへ、当人が来かかった」

***きかく**⓪(クワク)【企画・企〈劃〉】—する(他サ)〈なにヲ—する〉 新しい事業・イベントなどを計画すること。また、その事業・イベント。プラン。

きかく⓪【規格】 機械・製品・材料の型や品質などについて定められた標準。「—品⓪・—化⓪・—外③」 **—ばん**⓪【—判】 日本の標準規格による紙の仕上げ寸法。

きかく⓪【棋客】 (職業として)碁や将棋をする人。「ききゃく⓪」とも。

きがく①【器楽】 楽器を使って演奏する音楽。「—曲(キガクキョク)③(キガッキョク)②・—練習曲⑥」↔声楽

ぎかく⓪【擬革】 レザー(クロス)。「—紙(シ)③②」

ぎがく①【《伎楽》】 仮面をかぶって音楽に合わせて踊る、古代の舞楽。インド・チベット地方から百済(クダラ)を経て伝わって来たという。

きかげき②【喜歌劇】 喜劇風の、せりふまじりの歌劇。コミックオペラ⑤。〔一般には、オペレッタの前身にあたるものを指すが、オペレッタそのものを指すこともある〕

きかざ・る③【着飾る】(自他五) 人目を引くような盛装をする。

きか・す⓪【利かす】(他五) その特性を十分に働かせて、効果のあるようにする。利かせる⓪(下一)。「△塩(にらみ・顔・幅・飛車)を—/気を—(=よく気づいて、言われる前にする)/鼻を—」

きガスるい③【希ガス類・〈稀ガス類〉】 アルゴン・ヘリウム・ネオンなどの気体元素。大気中にわずかに存在し、他の元素と化合しない。

きか・せる⓪【聞(か)せる】(他下一)〔「聞く」の使役形〕 ㊀聞くようにさせる。「音楽を—/言って—(=△承知(納得)するように話す)」 ㊁〔歌・話が上手で〕思わず相手を聞き入るようにさせる。「おもしろおかしく—」 聞かす⓪(五)。

きがた⓪【木型】 木で作った、鋳金などの原型。

きかつ⓪【飢渇】—する(自サ) 「飢えと渇(カワ)きに苦しむこと」の意の漢語的表現。

きかぬき⓪【利かぬ気】 利かん気。

きがね⓪【気兼(ね)】—する(自サ) 遠慮して、自分が本当にしたい事をしないでいること。「周囲に—する/—なくお使いください」

***きがまえ**②(ガマヘ)【気構(え)】 ㊀相手の出方や起こり得る情勢を予想しての、心の準備。心構え。「スト回避の—が薄い」 ㊁相場の高低に影響のある事情を予期すること。

きがみ⓪①【生紙】 糊(ノリ)などを加えず繊維をそのまますいた和紙。生ずき紙(ガミ)③。

きがらちゃ③【黄枯茶】 あい色を少し帯びた、薄い茶色。 **—めし**④【—飯】 「茶飯㊀」の異称。桜飯。

きがる⓪【気軽】—な/—に 慎重に構えたりせずに安易な気持で事を行なう様子だ。「—な服装でパーティーに出る/意外に面倒な仕事を—に引き受けてしまった」 派**—さ**⓪ **—い**⓪(形) 気軽だ。

きかん⓪(クワン)【気管】 脊椎(セキツイ)動物の咽頭(イントウ)から肺に至る円い管で、呼吸の際に空気の通路となるもの。声帯が付属する。 **—し**②【—支】 気管の下端で、左右に分かれて肺臓に入る二本の管。「—炎④⓪」

きかん②⓪(クワン)【汽缶】 密閉した容器の中に圧力の高い蒸気を発生させて、動力のもととする装置。ボイラー。かま。 表記 もとの用字は「汽〈罐〉」。

きかん⓪(クワン)【奇観】 ㊀珍しい△見もの(ながめ)。㊁すぐれた風景。

きかん⓪【季刊】 〔月刊や年刊などに対して〕雑誌などを一年に四回刊行すること。また、その刊行物。クォータリー①。「—誌②」

きかん⓪【季感】 詩歌・文章・映像などから感じられる季節感。〔狭義では俳句のそれをいう〕

きかん⓪(クワン)【帰還】—する(自サ) (戦地・外地などから)基地や故国へ帰ること。

きかん⓪(クワン)【帰館】—する(自サ)〔多く「ご—⓪」の形で〕 主人が自分の館(ヤカタ)に帰ること。「殿様がご—になる」 運用 その家の主人の帰宅を、「ご主人様のご帰館だ」などと、当人や家族が冗談(ジョウダン)めかして言うことがある。

きかん⓪【帰艦】—する(自サ) 乗組員がその属する軍艦に、また、航空母艦から飛び立った航空機がその航空母艦に帰ること。

きかん⓪【既刊】 すでに刊行してある△こと(もの)。↔未刊

きかん⓪①【飢寒】 飢えと寒さ。「—に堪える」

きかん⓪【基幹】 何かの体系の中で中心となる△こと(もの)。「—産業④(=鉄鋼業など)」

きかん⓪①【亀鑑】 〔「亀」は、行動の規準となる亀卜(キボク)の意〕見習うべき手本。

***きかん**①②【期間】 前後から切り離され、それ自体が何らかのまとまりを有し、持続的にとらえられる時間の長さ。〔通常は、一日以上を指す〕「一週間の出張—/好評につき公開—を三日間延長する/冷却—・長—③」 **—じゅうぎょういん**⑥(ゲフヰン)【—従業員】 自動車産業の工場などにおいて企業が決めた期間だけ働く従業員。期間工⓪②。季節工⓪②。

きかん①⓪(クワン)【貴官】(代) 相手の役人を指して言う官庁用語。

きかん①⓪【貴簡・貴〈翰〉】 〔手紙文などで〕「(あなたの)手紙」の意の尊敬語。

きかん⓪【旗艦】 その艦隊の司令(長)官が乗る軍艦。

***きかん**①②(クワン)【器官】 動物の目・口・胃や植物の根・葉・花などのように、生物体の内部で特定の機能と形を持っている部分。「呼吸—④」

****きかん**①②(クワン)【機関】 ㊀〔ある社会や組織の中にあって〕特定の△働き(活動)を担う、主体性を持つ小組織。「新しい—を設ける/報道—・特務—・国家—④・世界保健—①・④」 ㊁火力・電力などを利用して機械を動かす装置。「内燃—・—士②」 **—く**②【—区】 それぞれの機関車が

集結・所属し、運転に必要な整備・点検などを受ける所。 **ーこ**[2]【ー庫】機関車を収容する車庫。 **ーし**[2]【ー紙】政党やその他の団体が広報・連絡などの目的で発行する新聞。 **ーし**[2]【ー誌】政党や研究団体などが情報交換や研究発表などの目的で発行する雑誌。「機関雑誌[4]」とも。 **ーしつ**[2]【ー室】❶〔機関車や船舶で〕原動機や推進機が設置してある部屋。❷〔ビルなどで〕発電・冷暖房・給水などの機関を設置してある部屋。 **ーしゃ**[2]【ー車】蒸気機関・ディーゼル機関や電動機などを取りつけ、客車・貨車を引っぱって線路上を運転する車両。 [かぞえ方] 一両 **ーじゅう**[0]【ー銃】引き金を引いている間、弾が自動的に連続発射される銃。略して「機銃」。また、マシンガンとも。「ーのように〔=次から次へとよどみなく〕まくしたてる」 [かぞえ方] 一挺・一丁 **ーじょし**[4]【ー助士】「火夫・火手」の改称。 **ーほう**[0][2]【ー砲】口径二〇ミリ以上の機関銃。 [かぞえ方] 一門

きがん[1][0]【奇岩】形などの珍しい岩。「ー怪石[1]-[0]、[0]-[0]」 [表記]「奇〈巌」とも書く。

きがん[1]【祈願】ーする(他サ) 神仏に祈り願うこと。

きがん[1]【帰〈雁】春先に、北へ帰るガン。

ぎかん[1]【技官】〔事務官などと違って〕技術・技芸関係の仕事をする公務員。

ぎかん[1]【技監】技術・技芸関係の仕事をする国家公務員。技官の特別の職名。国土交通省の技監など。

ぎがん[0]【義眼】見えなくなった眼球の代りに入れる、人造の眼球。

きかんき[0]【利かん気】〔「利かぬ気」の変化〕勝ち気で、人の言いなりになるのを嫌う気質。「ーの坊や〔=きかん坊〕」

きかんぼう[0]【利かん坊】利かん気の子供。

きき[0] ❶【利き】働き。「飛車のーを殺す/左ー・腕ー」 ❷【効き】ききめ。効能。「薬のー」

***きき**[1][2]【危機】生命が脅かされ、そのものの存立・基盤などが危うくされるおそれの感じられる、絶体絶命の事態。口頭語ではピンチとも。「身に迫るー/食糧ーに見舞われる/ーに襲われる/財政ーに陥る/重大なーに直面する/ーに瀕する/経済ーを招く/ーに対処する/ーを△救う(切り抜ける・克服する・乗り越える)/ー意識△をいだく(が薄らぐ・が乏しい)/ー管理[3]」 **ーいっぱつ**[1]-[4]【ー一髪】一本の髪の毛で千鈞の重さをつり上げるような危険な状態のたとえ。今にも大事が起こりそうな、あぶない瀬戸ぎわ。 **ーかん**[2]【ー感】〔副詞的にも用いられ、アクセントは[1]-[0]〕危機△にある(が来た)と受けとめて感じる緊張や不安。「隣国の軍備拡張に深いーをいだく/ーが△高まる(強まる)/ーをあおる」

きき[1]【忌〈諱】⇩きい

きき[1]【奇々】ーたる 非常に不思議な様子。 **ーかいかい**[1]-[0]【ー怪々】ーなる 「奇怪」の強調表現。非常に奇怪であることを表わす。 **ーみょうみょう**[1]-[0]【ー妙々】ーなる 「奇妙」の強調表現。非常に奇妙であることを表わす。

きき[1]【記紀】古事記と日本書紀。「ー歌謡[3]」

きき[1][2]【鬼気】その△対象(場面)から感じられる、この世のものとは思われない恐ろしさ。「ー迫る形相」

きき[1][2]【喜々・〈嬉々〉・〈嘻々〉】ーたる ーと 〔子供などが〕無心に楽しそうに遊ぶ様子。「ーとして戯れる」 [表記]「喜」は、代用字。

きき[1][2]【機器】機械・器械および器具の総称。「計算ー・観測ー・OAー」 [表記]「器機」とも書く。

きぎ[1]【〈嬉戯】ーする(自サ) 〔子供のように〕遊びたわむれること。

きぎ[1]【機宜】その事をするのにタイミングがいいこと。

ぎき[1]【義気】弱い立場や不幸な境遇にある人を助けようとする勇気。義侠心。

ぎき[1]【義旗】正義のためにあげる旗じるし。「ーを翻す〔=正義のために兵を起こす〕」

ぎぎ[1]【疑義】意味のはっきりしないこと。疑問に思われること。「ーを△いだく(ただす)/ーが出される」

ぎぎ[1]【〈巍々〉】ーたる ーと 山の高く大きい様子。「ー蕩々〔=物おじするところが全く無く、堂々としている様子〕」

ききあ・きる[4]【聞き飽きる】(他上一) 何度も同じ△話〔音楽〕を聞かされていやになる。

ききあし[0]【利き足】跳躍する際に踏み切ったりボールを蹴る際によく使ったりする、運動能力がよく発揮される方の足。

ききあやまり[0]【聞き誤り】話し手が言ったのとは違った意味に聞き取ること。 [動]聞き誤る[5](他五)

ききあわ・せる[5]【聞き合わせる】(他下一) ❶問い合わせる。❷同一の事柄について各方面から情報を得る。 [名]聞き合わせ[0]

ききい・る[3]【聞き入る】(自五) 一心に聞く。聞くことに熱中する。 [表記]「聴き入る」とも書く。

ききい・れる[4]【聞き入れる】(他下一) 願いや要求を聞いて承知する。 [表記]「聴き入れる」とも書く。

ききうで[0]【利き腕】〔よく利く方の腕、の意〕その人が普通何かをする時に使う方の腕。〔多くは右の腕〕

ききお・く[3][0]【聞き置く】(他五) ただ先方の言うことを聞いておくだけにして、自分の意見や答えをすぐその場では出さないでおく。

ききおさめ[0]【聞き納め】それが最後で、二度と聞けないこと。

ききおと・す[4]【聞き落とす】(他五) 〔話の一部を〕(うっかり)聞かないでしまう。 [名]聞き落とし[0]

ききおぼえ[0]【聞き覚え】❶一度聞いた覚えがあること。「ーのあるメロディー」 ❷聞いて覚えること。耳学問。 [動]聞き覚える[5][4](他下一)

ききおよ・ぶ[4]【聞き及ぶ】(他五) その事を△人づて(うわさ)に聞いて知る。「名医の評判を聞き及んで遠くからも患者が来る」 [運用] 名詞形「聞及び[0]」は、多く「お聞及び」の形で、相手がそのことについて聞き及んでいることの意の尊敬語として用いられる。例、「既にお聞及びのことと存じますが」

ききかえ・す[3]【聞き返す】(他五) ❶同じ事をもう一度聞く。❷反対にこちらから聞く。 [名]聞き返し[0]

ききがき[0]【聞き書き】ーする(他サ) 人から聞いた通りに書き△取ること(取った記録)。

ききかじ・る[4]【聞き〈齧る】(他五) 表面的に知識を得ただけで、まだ本当の事はほとんど分からない状態にある。 [名]聞き齧り[0]

ききかた[0]【聞き方】❶聞く△方法(態度)。❷おもに話を聞くだけの立場(の人)。「ーに回る」

きぎく[1][0]【黄菊】黄色い花の菊。「ー白菊」

ききぐるし・い[5]【聞き苦しい】(形) ❶話の内容に聞く人に不快感を与える点がある様子だ。「人の悪口に始終していたー話」 ❷雑音がまじったり音声がとだえたりなどして、聞きづらい。「番組の途中でおー点があったことをお詫び致します」 [派]ーさ[5][4]

ききごたえ[0]【聞き応え】聞いただけの価値。「ーのある講演」

ききごと[0]【聞き事】「聞くだけの値打ちがある事」の意の古風な表現。⇩見事

ききごま[0]【利(き)駒】〔将棋で〕攻守に大きな力を発揮する駒。金将・銀将・飛車・角行など。

ききこみ[0]【聞(き)込(み)】刑事などが捜査の手がかりになるような事を他から聞いて知ること。[動]聞き込む[3](他五) [表記]「聴き込み」とも書く。

ききざけ[0]【聞(き)酒】—する(自他サ) 少し味わって、酒のよしあしを判断する△こと(酒)。[表記]「利き酒・〈唎き酒〉」とも書く。

ききじょうず[3]ジャウー(オ)【聞(き)上《手》】—な/—に うまい受け答えをして、自分が聞きたいと思っている事を相手に十分話させる△こと(人)。↕聞きべた [表記]⇩付表「上手」

きぎす[0]【〈雉子〉】キジの古名。「きぎし」とも。「焼け野の—」

ききすご・す[4]【聞(き)過(ご)す】(他五) いいかげんな聞き方をしていたので、話の内容が分からない状態になる。

ききずて[0]【聞(き)捨(て)】〔一般に「—ならない」の形で〕聞いたままでほうっておけず、何らかの対処をしなければならない、の意を表わす。「彼の話が事実なら—ならない」[動]聞き捨てる[4](他下一) [運用]相手の不適切な発言に対して、許すことができないという怒りを表わすのにも用いられる。

ききすま・す[4]【聞(き)澄(ま)す】(他五) 心を落ち着けて、聞き逃すまいとする。[表記]「聞き済ます」とも書く。

ききそこな・う[5]ソコナフ【聞(き)損(な)う】(他五) ❶聞く時期を失う。❷相手の言った事を違った内容に聞く。[名]聞き損ない[0]

ききだ・す[3]【聞(き)出す】(他五) ❶聞き始める。❷〔知りたい事を〕うまく相手に言わせて聞く。

ききただ・す[4]【聞(き)〈糺す・聞(き)《質す》】(他五) 疑問点などを当事者に直接聞いて確かめる。

ききちがい[0]チガヒ【聞(き)違(い)】〔下一段の動詞「聞き違える」の名詞形「聞違え」の変化〕話し手が言ったことを、聞き手が内容を違えて聞いてしまうこと。例、「一」を「七」と聞くなど。

ききちが・える[5]チガヘル【聞(き)違える】(他下一) 誤って聞く。[名]聞き違え[0]

ききつ・ぐ[3]【聞(き)継ぐ】(他五) ❶続けて聞く。❷人から人へと伝えてきた話を聞く。[名]聞き継ぎ[0]

ききつ・ける[4]【聞(き)付ける】(他下一) ❶聞き慣れる。❷(秘密にされていた事などを)偶然耳にする。「マスコミが事件を聞き付けて群がる」

ききつたえ[0]ツタヘ【聞(き)伝(え)】 人づてに聞く△こと(話)。伝聞。[動]聞き伝える[5](他下一)

ききづら・い[4]【聞(き)《辛い》】(形) ❶音と声が小さかったり周囲がやかましかったりなどして、よく聞き取れない様子だ。❷相手に対する配慮などから問いかけることがはばかられる様子だ。[派]—さ[3][4]

ききて[0]【聞(き)手】 話を聞く方の人。「なかなかの—(=聞き上手)だ/いい—になるのはむずかしい」⇩話し手・読み手 [表記]「聴き手」とも書く。

ききで[0]【利(き)手】 ききうで。「ききて」とも。

ききとが・める[5]【聞(き)〈咎める】(他下一) 人の話の変な点に気づいて、うるさく尋ねたり 非難したりする。

ききどころ[0]【利(き)所】❶ききめのある△所(場合)。「お灸(キュウ)の—」❷大切なところ。急所。「—を押さえる」

ききどころ[0]【聞(き)所】 特に注意して聞くべき△所(部分)。

ききとど・ける[5]【聞(き)届ける】(他下一) (目下の)人の願いや申し出を聞いて承諾する。「願いを—」

ききと・る[3]【聞(き)取る】(他五) ❶耳に聞こえるものを、はっきり捕らえる。「ラッセル音を わずかながら—/二階の物音を確かに、この耳で聞き取ったんですが」❷聞いた内容を理解する。❸聞いて、事情を明らかにする。[名]聞き取り[0]「—の試験」[表記]❸は「聴き取る」とも書く。

ききなお・す[4]ナホス【聞(き)直す】(他五) 相手の△真意を確かめるために(答えに満足出来ないで)改めて聞く。

ききなが・す[4]【聞(き)流す】(他五) 聞いても気にかけないでおく。「柳に風と—/うわの空で—」[名]聞き流し[0]

ききな・す[3]【聞(き)〈做す】(他五) 聞いてそのように感じる。「ホトトギスの鳴き声を〝テッペンカケタカ〟と聞き做した」

ききな・れる[4]【聞(き)慣れる】(他下一) 幾度も聞いたことがあって、それが△何の(どんな)声・音であるか、すぐ分かる状態にある。

ききにく・い[4]【聞(き)《難い》】(形) ❶音や声が小さかったり何かに妨げられたりして、聞こうと思ってもよく聞こえない様子だ。❷尋ねるのがためらわれる様子だ。「離婚の原因は—」[派]—さ[3] [表記]「聞き《悪い》」とも書く。

きぎぬ[0][1]【生絹】 生糸で織った絹布。

ききはず・す[4]ハヅス【聞(き)外す】(他五) ❶終りまで聞かないでしまう。❷聞きそこなう。

ききふる・す[4]【聞(き)古す】(他五) 何度も聞いて、珍しいと思わなくなる。

ききべた[0]【聞(き)〈下手〉】—な/—に 受け答えがへたで、自分の聞きたい事を十分に聞き出せない△こと(人)。↕聞きじょうず [表記]⇩付表「下手」

ききほ・れる[4]【聞(き)〈惚れる】(自下一) 心を奪われて一心に聞く。「ウグイスの鳴き声に—」

ききまちがい[0]マチガヒ【聞(き)間違(い)】 相手の意図と違った聞き取り方をすること。辞退したり、不要だという意味で「結構です」と相手が言ったのに、ほめられたと誤解する例など。[動]聞き間違う[5](他五)

ききみみ[0]【聞(き)耳】 注意を集中して聞くこと。「—を立てる(=聞こうとして耳を澄ます)」

ききめ[0]【利(き)目】 ある働きかけや作用によって生じる、予測通りの(好ましい)反応・影響。「この薬はあまり—が無かった/あれでちょっとはお説教の—があったらしい」[表記]「効き目」とも書く。

ききもの[0]【聞(き)物】 聞く値打ちのあるもの。

ききもら・す[4]【聞(き)漏(ら)す】(他五) 聞いておくべきだった事を聞き落とす。[名]聞き漏らし[0]「お—の無いよう」[表記]「聞き〈洩らす」とも書く。

ききゃく[0]【棄却】—する(他サ) ❶捨てて取り上げないこと。❷〔裁判所が〕訴訟当事者の△申立て(申告)を、そうする理由が無いとして退けること。「△控訴(上告)を—する」

ききやく[0]【聞(き)役】 人の言うことを聞く立場(にある人)。「—に回る」

ききゅう[0]キフ【企及】—する(自サ) その人と同じ程度・水準に企画し努力すること。「他人の—すべからざる著述」

ききゅう[0]キフ【危急】 危険・災難がまぢかに迫っていること。

—そんぼう[0]-[0]バウ(オ)【—存亡】 そのまま生き残ることが出来るか、それとも滅びてしまうかの重大なせとぎわ。「—の秋(トキ)」

ききゅう[0]キウ【気球】 熱した空気やヘリウム・水素などの軽い気体を詰めて空中に上げる、球形の袋。〔風船・軽気球は、その別称〕「—観測[4](=気球に計器を装着して、上空の気象状況を観測すること)」[かぞえ方]一機

ききゅう[0]キウ【希求】—する(他サ) 崇高な目標を具現したいと、願い求めること。「平和を—する」[表記]「〈冀求」とも書く。

ききゅう[0]キウ【帰休】—する(自サ) 外に出て働いていた人が、(一時)自分の家に帰って休息すること。「—制度[4]・

—兵[2]」

ききょ[1]【起居】—する(自サ) 日常生活を営むこと。「—を共にする/日常の—にも支障をきたす/—動作[3]」

ぎきょ[1]【義挙】 多くの人を救う目的で個人的な利害・打算を抜きにしてする△計画(行動)。

ききよ・い[3]【聞(き)良い】(形) ❶話の内容が聞いて快いものだ。「内輪もめなんて—話ではない」 ❷音や声の高低や強弱のぐあいが耳にほどよい状態だ。「—音の高さ」 派—さ[3]

ききょう[0]【〈桔《梗】 秋の七草の一つ。山野に自生する多年草。つりがね形で、五つに割れた青紫色の花を開く。観賞用。〔キキョウ科〕 かぞえ方 一本

ききょう[0]【気胸】 ❶肋膜腔(ロクマクコウ)に空気のたまる症状。❷肋膜腔に空気を入れ肺の運動を制限して、肺結核を治す方法。人工気胸。

ききょう[0]【奇矯】—な 言動がとっぴな様子だ。「—なふるまい」 派—さ[0][2]

ききょう[0]【帰京】—する(自サ) △みやこ(東京)に帰ること。

ききょう[0]【帰郷】—する(自サ) 郷里に帰ること。

ききょう[0]【棄教】〔おもにキリスト教で〕弾圧等により、自己の信ずる△宗教(宗派)をやむなくすてること。

ききよう[0]【聞(き)様】 人の話をまじめに聞こうとするかどうかの態度。また、聞く側の理解の仕方。「—によっては嫌味を言われたともとれる」

***きぎょう**[1]【企業】〔営利を目的として〕物資の生産・販売などの事業を継続的に行なうこと。また、その事業(を行なう組織)。「—倒産が相次ぐ/—合同〔=トラスト〕・—連合〔=カルテル〕・—家[0]・—化[0]・—体[0]・公—・私—・中小—・ベンチャー—[5]」 **—しゅうだん**[4]【—集団】 関連するいくつかの小さな企業が連携して一つの企業体を形成したもの。 **—ひみつ**[4]【—秘密】 ❶企業活動の根幹をなす部分に関わる秘密。情報の扱い方などが不正競争防止法に規定される。営業秘密。❷商売や個人的な利益に関わるため人に教えられない情報。「調味料の配合は—だ/私の勉強法は—だ」

きぎょう[0][1]【起業】—する(自他サ) その△人(団体)が今までしなかった事業を新しく始めること。「—家[0]・—支援[4]〔=⇩インキュベーション〕」

きぎょう[1][0]【機業】 機(ハタ)織りをなりわいとすること。「機織り業[4]」とも。「—者」

ぎきょう[0]【義〈俠】 ❶身を犠牲にしても弱いものを助けてやろうという気性(に富むこと)。「—心[2]」

ぎきょうだい[2]【義兄弟】 ❶兄弟の約束を結んだ関係(の人)。❷義理の兄弟。△夫(妻)の兄弟。姉妹の夫。

ききょく[1][2]【棋局】 碁盤や将棋盤(上に展開する局面)。表記「〈碁局」とも書く。

ぎきょく[0]【戯曲】〔「戯」は、扮装(フンソウ)して故事などを演じる意。「曲」は楽曲の意〕演劇の脚本の形式で書いた文学作品。ドラマ。 かぞえ方 一本

ききょらいのじ[2]-[1]【帰去来(の)辞】〔陶淵明(トウエンメイ)の詩の題〕故郷に帰るために任地などを去る時の言葉。〔「帰去来」を漢文訓読では「かえりなんいざ」と読む〕

きぎれ[0][3]【木切(れ)】 材木を用途に応じて切ったあとの切れはし。こっぱ。

ききわ・ける[4]【聞(き)分ける】(他下一) ❶聞いた音や言葉などの(種類の)違いを区別する。❷〔子供が〕親の言うことなどを聞いて、よく従う。 名聞き分け[0]「—のない子供」

ききわす・れる[5]【聞(き)忘れる】(他下一) ❶聞くことを忘れる。❷聞いた事を忘れる。 名聞き忘れ[0]

***ききん**[1][2]【飢〈饉・〈饑饉〉】 農作物が不作のために食物が足りなくなること。〔必要物資が不足する意にも用いられる。例、「水—」〕

ききん[1][2]【基金】 ❶事業の経済的基礎として準備してある財産・資本。「国際通貨—」 ❷一定の目的・用途を持つ基本金。

ききん[1][0][2]【寄金】「寄付金」の意の新しい表現。

ぎきん[0]【義金】 ぎえんきん(義援金)。

ききんぞく[2]【貴金属】 空気中で酸化せず、容易に化学変化を受けない金属。産出が少ないので尊重される。例、金・白金など。↔卑金属

きく〈菊〉→【字音語の造語成分】

***き・く**[0] ■【利く】(自五) ❶〈なにニ—〉期待通りのいい結果が得られる。「パンチが—/酒がよく—〔=回る〕/薬が利き過ぎて めまいがする」 ❷十分な働きを発揮する。「腕が—職人/年とともに、だんだんからだが利かなくなる/若いのによく気が—〔=⇩気〕/気の利いた〔=たくみな〕文章/目先の利いた技能/小回りの—車」 ❸必要な際には、その事が可能な状態に置かれる。「△修理(無理・自由・保険)が—」 表記 ❶の薬の場合は、「効く」とも書く。 ■(他五)〈なにヲ—〉〔「口を—」などの形で〕ものを言うことを表わす。「大きな口を—〔=偉そうなことを言う〕/話がまとまるように口をきいてやろう〔=⇩口■❸〕/陰口を—」

****き・く**[0]【聞く】(他五) ❶〈なにヲ—〉音や声を△耳で感じる(知る)。「雨音を—/風のたよりに—〔=伝聞する〕/耳にたこが出来るほど聞かされている/—ともなく—〔=特に注意・関心をもって聞いたのではないが、なかば自然に耳に入ってくる〕/教会の鐘の音(ネ)を—/ラジオを—」 ❷〈なにヲ—/なんだト—〉 聞いた内容を理解して、それに応じる。「△親の言いつけ(訴え・意見・講義)を—/ついぞ聞いたことがない/無理を聞いてもらう」 ❸〈なにヲ—〉 歌や演奏に耳を傾ける。「教会でパイプオルガンの演奏を—」 ❹〈だれニなにヲ—〉 疑問に思う点について尋ねる。「本音を—/巡査に道を—/事情を聞かれる/都合を—」 ❺〈なにヲ—〉 酒の味や香(コウ)のにおいのいい悪いをためしてみる。「香を—」 表記 ❷❸は「聴く」、❹は「〈訊く」とも書く。 運用 口頭語では、「聞いていない」の形で、(1)伝えられるべき情報であるにもかかわらず正式には自分に伝わっていない、という意となり、不満を表わす言い方となることがある。例、「計画が中止になったなんて、私は聞いていない」 (2)⇩しょうち(承知) 運用 【—耳を持つ】 他の意見を素直に聞こうとする謙虚な姿勢がある。「聞く耳を持たぬ為政者(イセイシャ)」

きく[2][0]【菊】 古くから栽培される多年草。秋、かおりのよい花を開く。種類が多く、花の色・形は さまざまである。〔キク科〕〔日本の国花とされることもある〕「—花(キッカ)」 かぞえ方 一株・一本。花のついた茎は一本。花は一輪

きく[1]【危〈懼】—する(他サ) 「きぐ(危惧)」の意の古風な表現。

きく[1]【起句】 ❶〔漢詩で〕絶句などの第一句。⇩承句・転句・結句 ❷文章の出だしの表現。

きく[1]【規〈矩】〔コンパスと かねじゃく、の意〕人の行為の規準となるもの。「—準縄(ジュンジョウ)[1]-[0]」

きぐ[1]【危惧】—する(他サ) 〔結果や将来が〕悪くなりはしないかと、心配すること。「—(の念)をいだかせる〔=果たして成功するかどうかについて、疑いの気持を起こさせる〕」

***きぐ**[1]【器具】 ❶何かを動かしたり作ったりするのに必要な道具。「体操—[5]・台所—[6]・調理—[4]」 ❷仕組みの比較的簡単な器械。「ガス—[3]・電気—・実験—[5]」

表記 ❶は、「機具」とも書く。例、「農―」。

ぎく①【疑《懼》】―する（他サ）〔事の真偽・成否などを〕疑って、心配すること。「―の念をいだく」

きくいただき③【菊《戴》】形はウグイスに似て、きわめて小さい鳥。松林などに群棲グンセイする。背はオリーブ色、腹は白い。頭の上に菊を載せたような羽毛が生える。〔キクイタダキ科〕 かぞえ方 一羽

きくいむし②③―クヒ【木食(い)虫】❶幼虫・成虫ともに立ち木に大きな害を与える、小さな円筒形の昆虫の総称。全世界に分布。❷海中に沈んだ木材・船底を食う節足動物。〔❶❷ともキクイムシ科〕 かぞえ方 ❶❷とも一匹

きくいも⓪【菊芋】秋、黄色の花を開く多年草。ショウガに似た塊根がある。果糖・アルコール製造の原料。〔キク科〕 かぞえ方 一本

きぐう⓪【奇遇】思いがけず、めぐり会うこと。

きぐう⓪【寄《寓》】―する（自サ）他人の家の一部を借りて生活すること。かりずまい。

きくぎ①②⓪【木《釘》】木で作った釘。〔細工ものなどに使う〕⇩金釘・竹釘 かぞえ方 一本

ぎくしゃく①（副）―と ―する ❶言葉・動作などがなめらかでない様子。「―した歩き方」❷円満な人間関係が損なわれて、しっくりいかなくなる様子。「あの事件以来、二人の間は―してきた／―した関係」

きくず⓪②―クヅ【木《屑》】材木を△切(削)った時に出る屑。

きくずす③―クヅス【着崩す】（他五）カジュアルさを出すために衣服を正式な着用法から逸脱して身に付ける。「自宅で和服を―」

きぐすり②【生薬】❶〔漢方で〕まだ調合しない、材料のままの薬。しょうやく。〔動植物の△一部（全体）を精製しないで使う〕❷漢方薬。「―屋⓪」

きく・する③【《掬》する】（他サ）❶〔水を〕両手ですくう。❷〔心持を〕おしはかる。「真情を―」 掬す②。

きくずれ②⓪―クヅレ【気崩(れ)】―する（自サ）特別の原因も無いのに株式などの相場が下がること。

きくずれ②⓪―クヅレ【着崩(れ)】―する（自サ）着ている間に衣服の形が崩れて、だらしなくなること。 動 着崩れる④（自下一）

きく
【菊】 草花の名、キク。「菊酒・菊見・菊人形・観菊カンギク・春菊シュンギク・残菊ザンギク」⇩（本文）きく【菊】

きぐち①【木口】❶材木の種類や品質。❷材木の横切りにした面。「こぐち」とも。❸買物袋などの口につけた、木製の取っ手。

きぐつ①【木靴】木をくりぬいて作った靴。

きくならく③【聞くならく】〔古〕〔「聞くなり」の未然形＋接辞「く」〕聞くところによると。 表記 古来の用字は、「聞《道》・聞《説》」。

きくにんぎょう③―ギヤウ【菊人形】菊の花で飾りつけた人形。

きくのせっく⓪-⓪【菊の節句】陰暦九月九日に行なった節句。重陽チョウヨウの節句。

きくばり②【気配(り)】―する（自サ）❶まちがいや失敗のないように、細かいところまで注意を行き届かせること。「―に欠けている人」❷相手のちょっとした言動などにも絶えず注意を払い、不安感や不快感をいだかせまいとすること。

きくばん⓪【菊判】❶もと、印刷用紙の寸法。縦九四センチ、横六三センチ。❷書籍の判型の名。縦二二センチ、横一五センチ。A5判より少し大きい。

きくはんせつ②-⓪【菊半《截》】「菊判❷」の半分の大きさのもの。A6判より少し大きい。「きくはんさい」とも。

きくびより③【菊日《和》】菊が咲くころの、よい日和。 表記 ⇩付表「日和」

きぐみ③⓪【木組(み)】〔木造建築で〕材木がうまく組み合わさるように、切りこみや穴あけをすること。

きぐみ⓪【気組(み)】積極的に物事に取り組もうとする心構え。意気組み⓪④③。「女手一つで一家を支えようとする―がひしひしと感じられる」

きぐらい②―グラヰ【気位】その人の育ちや環境から来る優越感。「―が高い〔＝自分は元来お前たちと違ってえらい人間なのだぞ、という態度を見せつける様子だ〕」

きくらげ②【木《耳》】クワ・ニワトコなどの枯れ木に生えるキノコ。形は人の耳に、全体の感じはクラゲに似ている。中華料理に常用する。〔キクラゲ科〕

ぎくり②（副）―と まったく予期していなかった出来事に接して、不安や恐れから、一瞬息が止まるような感じがする様子。「暗がりで物音がして―と足を止めた」

きぐろう②―ラウ【気苦労】精神的な苦労。他人に対する気兼ねや、対人関係についての心配など。「―が絶えない／慣れない商家に嫁ぎ、大家族に囲まれて―の多い生活だった」

きくん①②【貴君】（代）〔一般に男性同士の手紙文などで〕同等（以下）の相手に対する敬称。

ぎくん⓪【義訓】❶和語の熟字の中で、「借字」よりは当て字感の薄いもの。例、昨夜ユウベ・小火ボヤ・老成マセる。❷訓の中で、やや一般性の薄いもの。例、夫ツマ｜タク・他ヨソ｜ヒト・妻アレ｜ヒト。

ぎくん⓪【戯訓】漢字の知識に習熟した段階で行なわれる、一種の遊戯的な用字法。万葉集で「山上復有山」を「イヅ（出）」にあてるものなどが有名。現代、雑誌の小記事などにも時どき見られる。

きけい⓪【奇形・《畸》形】―な 〔生物の△部分（部位）が〕生まれた当初から、同類とは異なった形態を呈していること。また、その個々の形態。〔ゆがんだ△発達（形成）の意にも用いられる〕「―児②」

きけい⓪【奇計】普通の人がちょっと思いつかないようなうまい計略。「―を案じる」

きけい⓪【奇景】ほかではめったに見られない△すばらしい（珍しい）光景。

きけい⓪【奇警】―な 人の、ちょっと思いもよらない奇抜な様子だ。「―の言」

きけい①【貴兄】（代）〔男性同士の手紙文などで〕同等（以上）の相手に対する敬称。〔「貴君」より丁寧〕

きけい⓪【《詭》計】〔「詭」はトリックの意〕人をだますための計略。

ぎけい⓪【偽計】相手をだますための策略。詭計キケイ。「―業務妨害⑦」 表記 「欺計」とも書く。

ぎけい⓪【義兄】❶兄弟の約束を結んで、兄と定めた人。❷〔実兄に対して〕義理の兄。△夫（妻）の兄。姉の夫。

ぎけい⓪【儀型】見習うべき手本・やり方。 表記 「儀形」とも書く。

ぎげい①【《伎》芸】歌舞・音曲などの芸。

ぎげい①⓪【技芸】美術・工芸の外、社会生活の享受に直接・間接的に貢献する専門的な技術。「―を競う／父から伝統的な―を受け継ぐ」

きげき①【喜劇】↔悲劇 ❶こっけいみをまじえて、人生を肯定的にえがく舞台芸術。コメディー。〔単なる笑劇の意にも用いられる。例、「ドタバタ―⑤」〕❷思わずふき出すような、こっけいな出来事。「―的結果」

きげき⓪【《詭》激】―な 〔「詭」は、変わり過ぎの意〕言動が激しく行き過ぎている様子。

きけつ⓪【帰結】―する(自サ)〔議論などが〕いろいろの過程を経て最後に結論に達すること。また、その結論。

きけつ⓪【既決】〔処置や処分が〕その時までに決まっていること。「―箱(バコ)③・―囚③」↕未決

ぎけつ⓪【議決】―する(他サ)〔議会・会議・大会などで〕合議して△決めること(決めた事柄)。「国会で―する/―権を持つ/―機関④」

きけもの⓪【利(け)者】その社会を自分の弁舌で動かすだけの才覚を持っている人。〔要領のいい人の意や、ずるがしこい人の意にも使われる〕

****きけん**⓪【危険】―な 個人や組織にとって負傷・死を招くとか災難・危害をもたらすとか、その地域社会の人びとにとって広義の人災が起こりそうなおそれがあること。「高圧電流―に付き、注意/―を△招く(感じる・知らせる・冒す)/ウイルス感染の―が△伴う(迫る)/会社によっては倒産の―がある/―にさらされる/―水域に突入する/―度が高い/―信号④・―率②」↕安全 派 **―さ**⓪② **―せい**⓪【―性】危険な事態に発展する可能性。「…する―がある/―を△感じる(はらむ)/―が少なくない」

きけん⓪【気圏】地球を包んでいる大気のある範囲。大気圏。

きけん①②【貴顕】身分が高く、名声のある△こと(人)。「―紳士④」

きけん⓪【棄権】―する(他サ)〔投票・議決・出場などの〕自分の権利を捨てて使わないこと。

きげん①【紀元】歴史上の年数をかぞえる時の、基点(となる年)。「一新―を画した(=⇩一新紀元)/西暦―(=紀元からかぞえて)二〇二〇年/―前②」

***きげん**①【起源・起原】(歴史的観点から見た)物事の起こり。「人類の―」

***きげん**①【期限】その時までに△実現(実行)しなければ無効になると、前もって限られた時期。「延長―が切れる/返却の―が△来る(刻々と迫る)/―切れを迎える/―付きで引き受ける/―を定める/有効―⑤」

***きげん**⓪【機嫌】〔「〈譏嫌」の変化。人のそしり嫌(キラ)う意〕表情・態度に現われている、その人の快・不快の状態。「彼の―のいい時に頼んでみよう/―を取る(=気に入られるようにする)」⇩ごきげん **―かい**②⓪‐(カヒ)【―買(い)】 ❶〔「機嫌変え」の変化か〕快・不快の感情の変わりやすい△こと(人)。 ❷要件などを伝えようとする前に、相手の顔色を伺う△こと(人)。 **―きづま**④、⓪‐①【―気〈褄】「機嫌」の強調表現。「―を取る」

ぎげん⓪【偽言】うその話。

ぎげん⓪【戯言】その場の座興でふざけて言う言葉。「―を弄する」 運用 立場の上の人の言動に批判めいたことを言ったりしたあとにあまり気にしないでほしいという気持をこめたり韜晦(トウカイ)したりするために用いることがある。「あれこれかってなことを述べたが戯言として聞き逃していただきたい」

きげんせい⓪【帰原性】川で卵からかえって海に出た魚が親魚となり、もとの川にもどって卵を産む性質。回帰性⓪。

きげんそ②【希元素・〈稀元素】地球上にまれに存在すると考えられた元素。アルゴン・ウラン・ラジウム・チタンなど。希有元素。

きこ①【旗鼓】軍旗と、合図や兵を勇み立たせる鼓。「―の間に(=戦場で)相見(ミマ)える/―(=軍隊の陣容が)堂々」

きこ①【騎虎】一度トラに乗ると食われるのが恐ろしくて降りられなくなること。「―の勢い(=一度始めた関係上、途中でよすわけにはいかないこと。はずみがついて途中ではやめられないほどの勢いの意にも用いられる)」

きご①【季語】連歌(レンガ)・俳句で、四季の感じを表わすため、詠み込むように定められた言葉。季題。

きご①【〈綺語】〔仏教的な世界観に立っての語〕(真実を離れて)巧みに飾りたてた言葉。「狂言―」〔古くは「きぎょ」〕

ぎこ①【擬古】(よき時代であるととらえられる)昔のスタイルをまねること。「―的⓪」 **―ぶん**②⓪【―文】雅文や、上代の古文のスタイルに倣って作られた文語文。〔狭義では、国学者や江戸時代の文人によって作られたものを指す〕

きこう(オ)①②【貴公】(代) 武士や軍人などが、同等(以下)に呼びかけるのに使った語。〔「貴様」と同じく、本来は敬意の込められた語であった〕

きこう(オ)⓪【気孔】❶植物の葉の裏側にあって呼吸を助ける小さい穴。 ❷溶岩が固まる時、ガスが抜けたあとに残った穴。

きこう(オ)⓪【気功】深呼吸と体操とを組み合わせて行なう中国古来の健康法。

****きこう**(オ)⓪【気候】〔「候」は五日、「気」は三候すなわち十五日の意〕その土地の、長期間にわたる気温・晴雨などの状態。「サバンナ―⑤」 **―がた**⓪【―型】世界各地の気候をその特徴によって類型化したもの。海洋気候・大陸気候や、熱帯気候・温帯気候など。 **―たい**⓪【―帯】緯度の違いによる寒暖の差などによって気候の変化を分けたもの。熱帯・亜熱帯・温帯・亜寒帯・寒帯など。

きこう(オ)⓪【希〈覯・〈稀覯】〔本について〕めったに見られないものであること。「―書④⓪・―本(ボン)⓪」

きこう(オ)⓪(カウ)【奇功】思いもよらない、りっぱな功績。

きこう(オ)⓪(カウ)【奇行】普通の人と変わった奇抜な行い。「―を演じる」

きこう(オ)⓪(カウ)【奇効】〔薬などの〕不思議なほどすぐれたききめ。「―を奏する」

きこう(オ)⓪【季候】季節ごとに変化していく、気象の状態。

きこう(オ)⓪(カウ)【紀行】〔旅行記の意〕旅行の状況・見聞・感想などを書いた文章や書物。「―文②⓪」

きこう(オ)⓪(カウ)【帰校】―する(自サ) 一時よそへ出かけていた人が学校にもどること。↕出校❷

きこう(オ)⓪(カウ)―する(自サ) ❶【帰航】帰りの△航海(航空)。↕往航 ❷【帰港】〔船舶が〕出発した港に帰ること。

きこう(オ)⓪【起工】―する(自サ) 大規模な工事を始めること。着工。「―式②」↕竣工(シュンコウ)・完工

きこう(オ)⓪(カウ)【起稿】―する(自他サ) 原稿を書き始めること。↕脱稿

きこう(オ)⓪(カウ)―する(自サ) ❶【寄港】航海中の船が途中でどこかの港に寄ること。「―地②」 ❷【寄航】航空機が途中でどこかの空港に寄ること。 表記 ❷は、「寄航」とも書く。

きこう(オ)⓪(カウ)【寄稿】―する(自他サ)〔頼まれて〕原稿を新聞社や出版社に送ること。また、その原稿。

きこう(オ)⓪(カフ)【機甲】戦車・装甲車などの機械力によって武装すること。「―部隊④・―兵団④」

きこう(オ)⓪【機構】❶一つの組織を組み立てている仕組み。「―を整える/人体の―/―改革④・―いじり④・流通―」 ❷平和維持・経済発展・社会福祉などの目的のために組織された非営利団体。「世界保健機関は、国際連合の下部―の一つである/北大西洋条約―・経済協力開発―」

****きごう**(オ)⓪(ガウ)【記号】その社会で意志伝達のために使われるしるしの総称。〔広義では言語を表記する文字を含み、さらに言語をも含む。狭義では文字を除外する〕「音部―・発音―・論理学⑥・元素―」

きごう(オ)⓪(ガウ)【揮〈毫】―する(他サ)〔「毫」は筆の意〕文字や絵を筆でかくこと。〔狭義では、他に頼まれて書くことを指

す〕

ぎこう[0]【技工】 手で加工する技術(を持った人)。「歯科—士[4]」

ぎこう[0]【技巧】 (表現や製作に関する)技術上のくふう。「—をこらす」 **—てき**[0]【—的】—な —に 技巧をこらしたあと△が認められる(ばかりが目立つ)様子だ。

ぎごう[0]【戯号】 戯作者(ゲサクシャ)などが使う号。

きこうし[2]【貴公子】 身分ある家の、若い男子。「—然としている」

きこうでん[2]【《乞巧〈奠》】 たなばた祭り。女子が織女星(ショクジョ)に、手芸の上達を祈る。「きっこうでん[3]」とも。

きこえ[0]【聞(こ)え】 聞こえる△こと(感じ)。「…と言えば—〔=人聞き〕は良いが/秀才の—〔=評判〕が高い」

きこえよがし[4][0]【聞(こ)えよがし】 〔悪口・皮肉などを〕当人の耳にも入るように、わざと大声で言ったりすること。

**きこ・える[0]【聞(こ)える】(自下一) 〈(どこカラ(だれ)ニ)—/(なにニ)—〉 音・声が(自然に)耳に感じられる。「遠くから人の声がかすかに—/波の音が—宿/彼の発言は皮肉に—〔=受け取れる〕/音に聞こえた〔=世間によく知られた〕勇士」 文法 「うるさくて話がよく聞けない」などと「聞こえる」と類義的な語に「聞く」の可能動詞形「聞ける」がある。「聞こえる」は、普通の聴力のある人なら、適度な音量があり、しかもほかの音や声に妨げられることがなければ、自然に耳に達する状態を表わす。それに対して「聞ける」は「FM放送が聞けるラジオ」などと用いられるように、何かを「聞こう」また「聞きたい」という意志や欲求をいだいた際に、それが実現する状態にあることを表わす。 運用 「そりゃ聞こえません」などの形で、相手の理不尽な言い分に対する拒絶反応を表わすのに用いられる。例、「わたし一人の責任だなんて、そりゃ聞こえません」

きこく[0]【帰国】—する(自サ) ❶本国に帰ること。「—の途につく」 ❷帰郷。 **—しじょ**[4]【—子女】 親の事情などで長年外国で育ち、帰国した子供。とくに、学校に在籍する可能性のある子供。

きこく[0]【鬼〈哭〉】 死者の霊が、生前の不遇を訴えるかのように泣く△こと(声)。「—啾々(シュウシュウ)[0]-[0]」

ぎごく[0]【疑獄】 〔有罪か無罪かの判断が微妙に分かれるような事柄を扱う裁判事件の意〕(大臣などの)高官が関係する、大がかりな汚職事件。「…—に連座する」

きごこち[0]【着《心地》】 その衣服を着た時の気持。 表記 ⇩付表「心地」

きごころ[2][0]【気(心)】 〔お互いに分かり合えるかどうかという観点から見た〕人の気持や性質。「—の知れた人/—が△通じ合う(分かる)」

きこしめ・す[4]【聞(こ)(し)召す】(他四) 〔雅〕 ❶「聞く・聞き入れる」の尊敬語。 ❷「飲む・食う」の尊敬語。 ❸「行なう」の尊敬語。 表記 「聞こし《食す」とも書く。 運用 ❷は、現代語で、酒を飲んで(ほろ酔い気分になって)いる人を、「一杯聞こし召してご機嫌だ」などとからかったり皮肉ったりして言うのに用いられる。

ぎこちな・い[4](形) 〔「ぎこつなし」の変化形「ぎごちなし」の変化〕動作や表現などに自然ななめらかさが感じとれない様子だ。「ぎごちない」とも。 派 **—さ**[4] **—げ**[4][5][0] 文法 助動詞「そうだ(様態)」に続くときは「ぎこちなさそうだ」の形になる。また「すぎる」と結びついて複合動詞をつくるときは「ぎこちなさすぎる」の形になる。

きこつ[0]【気骨】 どんな障害にも屈服しないで、自分の信念を押し通そうとする強い気持。「—のある人物」

きこつ[0]【奇骨】 あえて他人と調子を合わせようなどとしない、変わった性格(の人)。

きこな・す[3]【着こなす】(他五) 十分にこなれた上手な着方をする。「粋に着こなしている」 名 着こなし[0]

きこみ[0]【着込(み)】 護身用に衣服の下に着る一種のくさりかたびら。「きごみ[0]」とも。 表記 「着《籠」とも書く。

きこ・む[2]【着込む】(他五) ❶その場に合った改まった服装をする。「羽織袴(ハカマ)を—/ダーク スーツを着込んで、すましている」 ❷〔何かに備えて〕重ね着をする。 表記 「着《籠む」とも書く。

きこ・ゆ【聞(こ)ゆ】 〔雅〕 ❶[0](自下二) 「きこえる」の文語形。 ❷[0](他下二) 〔「言う」の謙譲語〕申し上げる。 ❸〔「動詞連用形+—」の形で、接尾語的に〕謙譲の意を表わす。(お)…いたす。…申し上げる。「問ひ聞こえさせたまへば」

きこり[0][3]【〈樵・木こり】 山林の立ち木を伐(キ)り倒す職業(の人)。

きこん[0]【気根】 ❶物事に堪えられる気力。 ❷〔地下に張る根と違って〕幹や茎の途中から地面に向かって垂れ下がるように伸びた根。

きこん[0]【既婚】 結婚△している(の経験が有る)こと。「—者[2]」 ↕未婚

きこん[0]【機根】 仏の教えを聞いて働き始める、心の能力。

きざ[1]【気《障】—な —に 〔「きざわり」の変化という〕言動・態度や服装などがいかにも洗練されているといった感じを、接する人にことさらに印象づけるかのように見える様子。また、そのような性格の人。

きさい[0]【《后・《妃】 〔雅〕「きさき」の音便形。「—の宮」

きさい[0]【奇才】 世にまれな△才能(才人)。

きさい[0]【既済】 物事の処理や借金の返済などを済ましたこと。 ↕未済

きさい[0]【記載】—する(他サ) 〔メモや日記ではなく〕正式の記録として書くこと。「帳簿に—する/—事項[4]」

きさい[0]【起債】—する(自他サ) 〔国家・公共団体・会社などが〕債券を発行・募集すること。

きさい[0]【鬼才】 世間の人をあっと言わせる、鋭い才能(の持主)。「文壇の—」

きさい[0]【機才】 その 時どきに 機敏に 働く、鋭い 才知(の持主)。

きざい[1]【器材】 ❶器具の材料。 ❷器具や材料。

きざい[1]【器財】 値打ちのある道具。うつわ。

きざい[1]【機材】 ❶機械の材料。 ❷〔その事のために必要な〕機械や材料。「視聴覚—[6]」

きざい[1]【木材】 「もくざい・材木」の別称。

きさき[2][0]【《后・《妃】 天皇や王の妻の称。

ぎざぎざ ❶[0]—な —に のこぎりの歯のような刻み目(がある様子だ)。「表面に—をつける/—な岩礁(ガンショウ)/—に切る」 ❷[1](副)—と —する のこぎりの歯のような刻み目が ある様子。「—とした表面/—した細かい切れ込み」

きさく[0]【奇策】 だれも思いつかないような、奇抜な計略。奇計。「—縦横」

きさく[0]【気さく】—な —に 態度や様子にもったいぶっているところが無くて、だれでも心安く接することが出来る様子。「—にサインに応じてくれた有名選手/—な人」 派 **—さ**[0][2]

ぎさく[0]【偽作】—する(他サ) すでにある他人の作品に似せて作ること。また、そのもの。〔法律では、許可無しに他人の著作物を複製・発行することを指す〕

ぎさく[0]【戯作】 ⇩げさく

きざけ[0]【生酒】 交ぜ物のない酒。

きさご[0]【〈細〈螺〉】 円錐(エンスイ)形・小形で、薄茶色のまだらのある巻貝。おはじきなどにする。「きしゃご」とも。ぜぜがい[2]。〔ニシキウズガイ科〕 かぞえ方 一枚

** * は重要語, [0] [1]… はアクセント記号, 品詞の指示の無いものは名詞および いわゆる連語。

きささげ②【〈梓・〈梓木〉】葉はキリに似て大きい落葉高木。実はササゲに似たさやに包まれ、漢方薬用。〔ノウゼンカズラ科〕表記「〈楸」は漢語表記。かぞえ方 一株・一本

きざし⓪【兆(し)】これから物事がそうなることを感じさせるしるし。「変化の―がうかがわれる/物価上昇の―が見え始める/増加の―を見せる/明るい―が強まる」表記 本表は「兆し」。「〈萌」とも書く。

きざ・す②⓪【〈萌す】(自五)㊀草木が芽生える。㊁物事が起こり始まろうとする。「△悪心アクシン（機運）が―」表記㊁は、「兆す」とも書く。

きさつ⓪②【貴札】〔手紙文などで〕「（あなたの）手紙」の意の尊敬語。

きざっぽ・い④【気《障っぽい】(形) いかにもきざだと感じられる様子だ。派―さ④

きざはし⓪②【《階】〔雅〕階段。

きさま⓪【貴様】(代) 男性が、見下している同等（以下）の相手、また、特に親しい間柄の相手に呼びかけるのに使う語。おまえ。〔本来は敬意の込められた語であった〕

きざみ⓪【刻み】■⓪㊀〔←刻み目⓪〕刻んだ跡（が付いている箇所）。「―を入れる」㊁〔←刻みたばこ④〕タバコの葉を細かく刻んだもの。きせるに詰めて吸う。⇩紙巻き・葉巻 ㊂〔雅〕際サイ。「かからん―〔=こういう場合〕」■〔造語〕区切りごとに。「五円―/八分―に」■〔造語〕動詞「刻む」の連用形。 ―あし③【―足】小またに急いで歩くこと。 ―こ・む④【―込む】(自五)㊀そこにいつまでも残るように刻む。「欄間ランマに刻み込まれた彫刻/額ヒタイに刻み込まれたしわが、長年の労苦を物語る」㊁決して忘れることがないよう、意識に深く止トドめる。「彼の一言が今も脳裏に深く刻み込まれている」 ―こんぶ④【―昆布】昆布を乾燥させ、細かく削った食品。「きざみこぶ」とも。 ―つ・ける⑤【―付ける】(他下一)㊀堅い物の表面に何かの形を彫りつける。㊁忘れないように、よく覚えこむ。「心に深く―」 自動 刻み付く④(五)

*きざ・む⓪【刻む】(他五)㊀〈なにヲ―〉包丁で細かく切る。「ネギを―」㊁〈なに・どこニなにヲ―〉何かの形が出来るように、小刀などで素材に切り込みを入れる。「銘が刻まれた刀剣/節目を―/仏像を―〔=彫刻する〕/コーチの言葉を胸に―〔=忘れまいと強く意識する〕/時を―〔=刻々と時が経過していく〕音」〔⇩刻み■〕

きざら①【木皿】木で作った皿。

きさらぎ⓪【〈如月〉】〔陰暦〕二月の異称。〔衣更着、すなわち寒さがきびしく、重ね着をする意から〕

きざわし②【木〈醂(し)】ザハシ 木になったままで甘く△なる（なった）カキの実。

きざわり②【気障(り)】ザハリ ―な その人の言動からがまん出来ない、いやな感じを受ける様子。

きさん⓪【帰山】―する(自サ) 僧が自分の住む寺へ帰ること。↕出山シュッザン■

きさん⓪【帰参】―する(自サ) 用事などがあって出向いていた人が、（もとの勤務地に）帰って来ること。〔狭義では、いったん暇をとった家来や勘当された子などが、再びもとの所に帰ることを指す。例、「―がかなう」〕

きさん⓪【起算】―する(自サ)〔ある△地（時）点を基にして〕かぞえ始めること。「刑期は裁判確定の日より―する」

ぎさん⓪【蟻酸】アカアリ・ハチなどの体内にある、刺激性の酸。触れると皮膚に炎症を起こす。〔化学式 HCOOH〕

きさんじ⓪【気散じ】■何か他の事をすることによって、ゆううつな気持が紛れること。■―な「気楽」の意の古風な表現。「―な旅」

*きし②【岸】㊀陸地が川や海などの水面と接している所（に沿った土地）。「道路が―に沿って走っている/川―ギシ」㊁〔雅〕「がけ」の古風な表現。「切り―ギシ」

きし①【起死】死ぬはずの病人を生かすこと。 ―かいせい①-⓪【―回生】クワイ 死にそうな人を生き返らせること。〔ほとんど望みの無くなった状態を有望な状態に変える意にも用いられる。例、「―の一打/―をはかる」〕

きし①【棋士】職業として碁・将棋をする人。

きし①【愧死】―する(自サ)㊀恥じ入って死ぬこと。㊁死ぬほど恥ずかしく思うこと。

きし①【旗幟】〔合戦に用いた旗（じるし）の意〕（表立って示す、自分の）立場。方針。主張。「―鮮明①-⓪」

きし①②【騎士】㊀馬に乗った武士。㊁中世ヨーロッパの武士の称号。ナイト。 ―どう②【―道】ダウ〔中世ヨーロッパで〕キリスト教を尊び、勇気・礼儀・名誉を重んじた、騎士の気風。

きじ⓪【雉】ニワトリぐらいの野鳥。尾は長く、雄は羽が美しい。肉は美味。日本特産で、国鳥コクチョウとされる。〔キジ科〕表記「〈雉子」とも書く。かぞえ方 一羽

*きじ①【記事】新聞・雑誌の中で、報道を主とした文章。「（暴露）―を掲げる/三面―〔=⇩三面記事〕」 ―ぶん②⓪【―文】事実を客観的に記述・説明する文章。かぞえ方 一本

きじ①【木地】ヂ ㊀もくめ。㊁色を塗らない、白木のままの木。㊂〔←木地塗り⓪〕もくめを現わした漆塗り（の器具）。

*きじ①【生地】ヂ ㊀手を加える以前の△そのものに備わった性質（素材そのままの状態）。「―が出る/パン―⓪」㊁〔加工を施すための材料としての〕織物（の地質）。「洋服―⑤」㊂〔陶磁器やフィルムなどで〕上から薬を塗らないもの。表記㊁は「《素地」とも書く。

ぎし①【技士】特定の技術の資格を有する人。「ボイラー―⑤・アマチュア無線―⑧」

*ぎし①【技師】㊀専門の技術を受け持つ、上級の職員。「放射線―⑥・測量―⑤」〔公務員では、技官の旧称〕㊁専門の科学技術を職業とする人。エンジニアとも。

ぎし①【義士】㊀一身の利害を顧みず、よいと思う事をやり抜く△人（武士）。㊁赤穂アコウ義士の特称。

ぎし①【義子】義理の子。養子や実の子供の配偶者など。

ぎし①【義姉】㊀きょうだいの約束を結んで、姉と定めた人。㊁〔実姉に対して〕義理の姉。△夫（妻）の姉。兄の妻。

ぎし①【義肢】義手・義足の総称。

ぎし①【義歯】「入れ歯」の意の漢語的表現。

ぎし①【擬死】動物が△身を守るため（急激な刺激にあって）反射的に、死んだようになること。

ぎじ①【疑似・擬似】〔形・状態などが〕本物と区別がつけにくいほど似通っていること。「宇宙遊泳の―体験ができる装置/―日本脳炎⑥」 ―しょう⓪②【―症】シャウ 症状が真性の感染症とよく似ているが、症候が不十分でまだ決定しかねる時の称。↕真症

ぎじ①【擬餌】釣りのえさにする虫などの色・形に似せて作ったもの。擬似餌ギジエ⓪。 ―ばり⓪③【―鉤】⇩ルアー

ぎじ①【議事】複数の人が集まって審議する△こと（事柄）。「―進行①-⓪」かぞえ方 一件 ―ていすう③【―定数】会議を開くのに、これだけは必要と前もって決めた人数。議事定足数⑥。 ―どう⓪【―堂】ダウ 議会が議事を行なうための建物。〔狭義では、国会議事堂を指す〕 ―にってい③【―日程】議事を進める△日取り（順序）の予定。 ―ろく②【―録】議事の内容を書きとめた記録。

きしかた①【来し方】〔雅〕㊀過ぎ去った過去（の事）。「―行く末」㊁（通り）過ぎて来た△場所（方向）。「こしかた」

た」とも。
きしかん[2]【既視感】はじめて見る場所や光景であるのに、以前見た経験があるという思いにとらわれること。デジャブ。デジャビュ。
***ぎしき**[1]【儀式】〔その(組織体の)人が〕節目の一つとして(厳粛に)行なう行事。「即位の—が執り行なわれる」 **—ばる**[4]【—張る】(自五) 何かをする時に、堅苦しく、いかにも儀式でも行なうかのような態度で行なう。
ぎしぎし(副) ㊀[1]—と 板など堅い物どうしがこすれ合って耳障りな音を立てる様子。また、その音の形容。「床が—と鳴る」 ㊁[0]—に 容器など限られた空間の中に、全くゆとりの無い状態で物が詰め込んである様子。「本が—に詰まった箱」
きじく[0]ーチク【基軸】思想や組織などの、土台・中心となる所。「雇用促進と大幅減税を—とするスローガンを掲げ、選挙に打って出る/—通貨[4]〔=国際間の決済や金融取引などに広く使用される通貨。米ドル・ユーロ。また、かつての英ポンドなど〕」
きじく[1]ーチク【機軸】〔△機関(車輪)の軸の意〕〔根本的な〕やりかた。方式。「新—」
きじし[2]ーヂ【木地師】「木地屋」に同じ。
きしつ[0]【気質】㊀先天的な体質に関係のある感情・性質(の型)。⇩多血質・胆汁質・粘液質・憂鬱(ユウウツ)質 ㊁かたぎ。「学生—[5]」
きしつ[0]【器質】器官・臓器の構造的・形状的な性質。「刺さったとげが—化〔=組織の一部として一体化〕した」
きじつ[0][1]【忌日】⇩きにち
***きじつ**[1]【期日】㊀何かをそうするように前もって決められている日。「—以外の曜日にはゴミを捨てないこと」 ㊁期限の日。「借金返済の—が△近づく(迫る)」
きしづたい[3]ーヅタヒ【岸伝(い)】岸を伝って行くこと。また、岸べ。岸沿い[0]。
きしな[0]【来しな】その場所に着く(ちょっと)前。「—に」
きじばと[0]【〈雉鳩〉】ヤマバトの異称。
きじぶえ[0][3]【〈雉笛〉】〔狩りで〕キジを呼び寄せるために吹く笛。
きしべ[0][3]【岸辺】岸(に沿った所)。
きしみ[3][0]【〈軋(み)〉】㊀きしむ時の耳障りな音。 ㊁△対人(対外)関係に生じた摩擦。「国境問題をめぐって両国間に—が生じる」

きし・む[2][0]【〈軋む〉】(自五) 弾力性のある棒状・板状の物が、強い力を加えられたり 他の堅い物とこすれ合ったりして「ぎしぎし」「みしみし」といった耳障りな音を立てる。また、建具・家具などの開閉部分の動きがなめらかでなく、不快な音を立てる状態になる。きしめく。きしる。「△ベッド(床板)が—/急ブレーキでタイヤが—/ドア(の蝶番(チョウツガイ))が—」
きしめ・く[3]【〈軋めく〉】(自五) ⇩きしむ 名 軋めき[0]「悲鳴に似たワイヤの—」
きしめん[0]【〈棊子麺〉】〔もと、小麦粉を水で練り、碁石形に型を取った食品の意〕名古屋産の ひもかわうどん。削り節を掛け、ホウレンソウや油揚げを載せたりして食べる。
きしもじん[3]【鬼子《母神》】〔仏教で〕〔もと、粗暴な性格で、他人の子供を取って食ったので「鬼」と言われた〕安産・養育の神。「きしぼじん」とも。
***きしゃ**[2][1]【汽車】〔「汽」は、水蒸気の意。もと、蒸気機関車が牽引(ケンイン)するものを指した〕機関車がついて、線路の上を走る車両(の列)。 かぞえ方 一本・一列車(ヒトレッシャ)
きしゃ[0][1][2]【帰社】—する(自サ) 会社員などが出先から会社に戻ること。
きしゃ[1][2]【記者】㊀文章を書く人。筆者。〔書き手が自分を指して言うことがある〕 ㊁新聞・雑誌の記事の、取材・執筆・編集をする人。「新聞—[5]・放送—〔=⇩放送記者〕・—会見[3]・—席・—団」 **—クラブ**[3] 国会・官庁などの公的機関で取材活動をするジャーナリストたちによって構成される、取材・報道のための自主的な組織。
きしゃ[1]【喜捨】—する(他サ) 進んで、寺に寄付したり 貧しい人に施し物をしたり すること。施与(セヨ)。
きしゃ[1]【騎射】—する(自サ) 馬に乗って弓を射ること。やぶさめ・かさがけなど。
きじや[2]ーヂ【木地屋】切り出した木を素材とし、ろくろを使って椀(ワン)・盆やこけしなどを作る人。木地師。ろくろ師。
きしゃく[0]【希釈・〈稀釈〉】—する(他サ) 溶液に水などを加えて薄めること。
きじゃく[0]【帰寂】—する(自サ) 僧籍にある人が死ぬこと。
きじゃく[0]【着尺】おとなの着物一枚を仕立てるだけの反物(の長さと幅)。 **—じ**[3][0]ーヂ【—地】着物に使えるだけの寸法のきれじ。着尺の反物。
きしゅ[1]【奇手】意想外な△手段(対策)。「—を用いる」
きしゅ[1]【起首】言葉・文章・番号など一続きに続いているものの始まり。↕末尾

きしゅ[1]【鬼手】〔碁・将棋で〕驚くほど大胆で、局面を決定づける△打ち(指し)方。「—を放つ」 **—ぶっしん**[1]-[0]【—仏心】外科医はメスを残酷なほど大胆に入れるが、すべて患者の病気を早く治そうというあたたかい気持に基づくものだというたとえ。
きしゅ[1]【期首】その△期限(期間)の始まり。↕期末
きしゅ[1]【貴種】高貴な家柄に生まれること。また、その人。 **—りゅうりたん**[1]-[3]、[5]ーリウー【—流離〈譚〉】説話の分類の一つ。若い神や貴人が放浪したり 試練を乗り越えたりした末に、人からあがめられる尊い存在となる筋立ての物語。
きしゅ[1]【旗手】〔団体などの〕旗を持つ役目の人。〔ある思潮・運動などの輝かしい担い手、の意にも用いられる〕
きしゅ[1]【機首】その航空機の前部。↕機尾
きしゅ[1]【機種】㊀航空機の種類。 ㊁機械の種類。
きしゅ[1]【騎手】〔競馬などで〕その馬の乗り手。
きじゅ[1]【喜寿】〔「喜」の草体「㐂」は「七十七」に見えるところから〕七十七歳(の長寿の祝い)。喜の(字の)祝い。
ぎしゅ[1]【技手】技師の下で技術を担当する人。「ぎて」とも。〔公務員では、(三級)技官の旧称〕
ぎしゅ[1]【義手】事故などで無くした手を補うためにつける人工の手。ゴム・木・金属などで手に似せて作る。
きしゅう[0]ーシフ【奇習】珍しい風習。
きしゅう[0]ーシフ【奇襲】—する(他サ) 相手の不意をねらって襲撃すること。「—作戦[4]」
きしゅう[1]ーシウ【紀州】「紀伊(キイ)ノ国」の漢語的表現。今の和歌山県全体と三重県南部にあたる。「—犬(ケン)[2]-[0]・—梅干[4]・—備長炭(ビンチョウタン)[1]-[0]・—みかん[4]」
きしゅう[0]ーシフ【既習】その時までに△学習(習得)した内容。「—語[0]」
きしゅう[0][1]ーシウ【貴酬】手紙の脇付(ワキヅケ)として用いる語。「返事」の謙称。
きじゅう[0]【機銃】「機関銃」の略。「—掃射[4]・軽—[3]」
きじゅう[0]【騎銃】騎兵その他の乗馬兵が持つ小銃。
きじゅうき[2]ーヂユウ【起重機】人力では動かせない重い物をあげおろししたり 移動させたり するための機械。クレーン。 かぞえ方 一基
きしゅく[0]【〈耆宿〉】その道での、経験を積んだ老大家。
きしゅく[0]【寄宿】—する(自サ) 〔寄も宿も「宿る」意〕他人の家の一部を借り、また、食事などの世話になること。「—人

二[0]」 ―しゃ[3]【―舎】 学生・工員・店員などを共同で生活させる宿舎。寮。 ―せい[3]【―生】 寄宿舎で生活する学生・生徒。寮生。

ぎじゅく[1]【義塾】 資格に制限なく、一般の子弟を平等に教えることを目的として義援金で建てられた学校。〔現在は、「慶應義塾」など学校名として用いられることが多い〕

きしゅつ[0]【既出】 その△こと(もの)が、以前にすでに提示・掲出されたことがあること。「―問題」

きじゅつ[1]【奇術】 巧みに考え出された方法によって錯覚を起こさせ、不思議の世界を体験させることを目的とした芸能。〔狭義では、手品を指す〕「―師[3]」

きじゅつ[0]【既述】―する(他サ) 前の文章ですでに述べた表現内容。「―のように」

きじゅつ[0]【記述】―する(他サ) 観察・考察・調査・経験した事などを(客観的に)文章で述べること。また、述べられた内容。「―式解答」

****ぎじゅつ**[1]【技術】 ❶人間の生活に役立たせるために、その時代の最新の知識に基づいて知恵を働かせ、さまざまなくふうをして物を作ったり 加工したり 操作したり する手段。「―を身につける/生産―・加工―・科学―・―水準・―革新・―畑(バタケ)[4]」 ❷訓練の結果 獲得した能力を発揮して、最も△短い時間(少ない労力)で的確に事を処理する方法。「―上 問題がある/表現―・編集―」 ―かくしん[4]【―革新】 ❶生産技術の革新。 ❷特に、第二次世界大戦後の原子力の平和的利用や電子工学・石油化学・オートメーションの発達がもたらした、経済構造の変革。 ―しゃ[3]【―者】〔職業として〕特殊な技術を身につけている人。技術家[0]。エンジニア。 ―てき[0]【―的】―な/―に ❶技術に関係ある様子だ。 ❷技術の上から言って、そう考えられる様子。「―に〔=理論的には可能であっても、実際問題としては〕不可能だ」 ―や[0]【―屋】 技術畑出身の勤務者・研究者の俗称。⇩事務屋

きしゅん[0]【季春】〔春の末の意〕(別れることが惜しまれる)陰暦三月。

きじゅん[0]【帰順】―する(自サ) (敵対者が)服従すること。

****きじゅん**[0] ❶【基準】 ❶何かを比べる時にその意義が納得できるようなよりどころになる、一定のもの。「比較の―」 ❷最低それだけは満たされていなければならないとされるきまり。「厳しい―を設ける/―を緩和する/―に達する/―を満たす/―が甘い/建築―[5]・設置―[4]・選考―[5]・―値[2]」 ❸【規準】 それによって行動することが社会的に求められるよりどころ。「行動―を定める」

きしょ[1]【希書・〈稀書】 非常に数が少なく、容易に見られない珍しい本。稀覯(コウ)書。

きしょ[1]【奇書】 構想がずば抜けておもしろく、他に比べるもののない本。

きしょ[1]【寄書】―する ❶(自他サ) 手紙を送ること。 ❷寄稿(すること)。「―欄[2]」 ❸寄せ書き(すること)。

きしょ[1][2]【貴所】〔手紙文などで〕「(あなたの)居所」の意の尊敬語。また、相手に対する敬称。〔一般に男性同士で用いる〕

きしょ[1]【貴書】〔手紙文などで〕「(あなたの)△手紙(著書)」の意の尊敬語。

きじょ[1]【鬼女】 ❶女の姿をした鬼。 ❷鬼のように残酷な女。

きじょ[1]【貴女】(代)〔手紙文などで〕相手の女性に対する敬称。

きじょ[1]【機序】〔生物学や医学で〕その現象や作用が、何がきっかけで起こるか、その後の変化がどのような要因によって生じるか、についての一連の(必然的な)メカニズム。「発症の―/増殖―[5]・蛋白(タンパク)質合成促進―[4]-[9]、[3]-[9]」

ぎしょ[1]【偽書】 ❶その人が書いたように見せかけて作った手紙。 ❷古い時代に作られたように見せかけ、実は後世の人が作った書物。 ❸偽筆。

ぎじょ[1]【〈妓女】「芸妓・遊女」の古風な表現。

きしょう[0]【気性】 持って生まれた性質のうちで、その人の積極面を知るに足るもの。「―のいい子/一度言い出すと聞かない―/激しい―の人」 表記「気象」とも書く。

***きしょう**[0]【気象】 ❶〔晴雨・風向・風力・気圧・温度などについての〕大気の総合的な現象。「―観測[4]・―条件[4]」 ❷気性。「進取の―」 ―えいせい[4]【―衛星】 地球の気象に関する情報を得る目的で打ち上げられる人工衛星。大気の動き・雲の状態や地表面・海面温度などの観測をする。 ―だい[0]【―台】(その地方の)気象・地震の観測や調査をし、予報・警報などを出す所。 ―ちょう[2]【―庁】 国土交通省の外局の一つ。気象関係の業務を総括する機関。もと、中央気象台[0]。 ―よほうし[5]【―予報士】 気象業務法に基づき、気象などの予報業務を行なう技術者。気象庁の制約を受けることなく独自の天気予報を発表することができる。

きしょう[0]【希少・〈稀少】―な 非常に数量の少ない様子。「―価値[4]・―金属[4]〔=⇩レアメタル〕」

きしょう[0]【奇勝】 ❶景色が特別にいい所。「天下の―」 ❷―する(自サ) 奇計をめぐらして勝つこと。 ❸思いがけない勝利。「―を博する」 表記 ❷❸は「奇〈捷(セフ)」とも書く。

きしょう[0]【記章】 ❶記念のために参加者・関係者に与えるしるし。メダル。 ❷身分・資格などを示すために帽子や衣服につけるしるし。バッジ。 表記 ❷は、「〈徽章」とも書く。

きしょう[0]【起床】―する(自サ) 目をさまし、寝床から離れること。↔就床

きしょう[0]【起《請】―する(自サ) ❶昔、長上に申請書を提出すること。また、その申請書。 ❷偽りのない旨を神仏にかけて誓った△こと(証書)。 ―もん[2][0]【―文】 起請の文書。誓紙。 かぞえ方 一枚

きしょう[0]【毀傷】―する(他サ) 「損傷」の意の古風な表現。「身体髪膚(ハップ)これを父母に受く、あえて―せざるは孝(コウ)の始めなり」

きじょう[0]【気丈】―な/―に 非常の際にも動転せず、平常心で事が処理出来る様子だ。気丈夫。「―な性格/―に振る舞う」 派 ―さ[0][2]

きじょう[0]【机上】 机の上。「―の整頓(トン)/―の空論〔=実際には役に立たない理論〕に過ぎない/―プラン」

きじょう[0]【軌条】「鉄道用のレール」の意の漢語的表現。

きじょう[0]【機上】 飛んでいる航空機の中。「―の人となる〔=航空機に乗る〕」

きじょう[0]【騎乗】―する(自サ) 馬に乗ること。「巧みな―」

ぎしょう[0]【偽称】―する(自サ) 氏名・経歴・職業などを偽ること。また、その偽った氏名・経歴・職業など。「あの男が医学博士だというのは―だった」

ぎしょう[0]【偽証】―する(他サ) 〔裁判などで〕偽りの証言をすること。「―罪[2]」

ぎじょう[0]【儀〈仗】 儀式などの時に使う、装飾的な武器。「―兵[2]〔=儀礼・護衛のために、皇族・政府高官や外国の賓客などに付き従う兵隊〕」

ぎじょう[0]【議場】 その会議の場所。

きしょうてんけつ[0]-[0]、[2]-[0]【起承転結】 漢詩、ことに絶句の作法。第一句〔=起句〕で言い始めた事柄を第二句〔=承句〕で展開し、第三句〔=転句〕で転換した末に第四

句〔=結句〕でまとめる構成法。〔文章や、物事の秩序ある組立てにおける照応の意にも用いられる〕

きじょうぶ[2]【気丈夫】―な ❶⇩心丈夫 ❷ ❸⇩気丈

きじょうゆ[2]【生〈醬油】❶他の調味料や水などの交ぜ物の無いしょうゆ。❷もろみをしぼっただけで、まだ火入れを行なわないしょうゆ。

きしょく[0]【気色】（顔に現われている）快・不快の状態。「―を窺う/―を損じる/―が悪い〔=不快だ〕」

きしょく[0]【寄食】―する（自サ）「いそうろう」の意の漢語的表現。

きしょく[0]【喜色】（はたから見て）いかにもうれしそうな顔つき。「―満面[0]-[0]」

キシリトール[4]〔xylitol の文字読み〕糖類を還元して得られるアルコールの一種。砂糖の代用になり、虫歯の予防に役立つ。〔化学式 $C_5H_7(OH)_5$〕

きし・る[2]【〈軋る】（自五）⇩きしむ 名 軋り[3]

きじるし[2]【キ印】〔「気違い」の婉曲表現から〕まわりの人とは違った言動をとりがちな人を指して、からかい気味に言う語。きのじ。

きしん[0]【忌〈辰】〔辰は日の意〕祥月命日。

きしん[0]【帰心】早く家や国へ帰りたいと思う心。「―矢のごとし」

きしん[0]【寄進】―する（他サ）社寺に金品などを寄付すること。

きしん[1][0]【貴信】「相手からの手紙」の意の尊敬語。

きしん[1][0]【貴紳】〔←貴顕紳士[4]〕社会的な地位が高く、それにふさわしい品位をそなえている男性。

きじん[0]【奇人・〈畸人】一芸・一能に秀でてはいるが、言動がどことなく風変りな人。「林子平・高山彦九郎・蒲生君平は、寛政の三―と称せられる」

きじん[0]【帰陣】―する（自サ）戦場から戻ること。↕出陣

きじん[0]【鬼神】❶「鬼」を、恐るべき神としてとらえた称。おにがみ。「きしん」とも。「断じて行なえば―も之を避く〔=初め実行不可能かと思われる事も、勇気を奮ってやってみれば案外にうまくいくことがあるものだ〕」❷「死者の霊魂」を、自分たちの現在および将来を見守るものとしてとらえた称。

きじん[0][1]【貴人】身分の高い人。「きにん」とも。

ぎしん[1][0]【義心】初志通り、正義を貫こうとする勇猛心。

ぎしん[1][0]【義臣】一身を犠牲にしても、自分の仕える君主（の家族や将来）を守り抜こうと努力する人。

ぎしん[0]【疑心】疑う心。疑い。**―あんき**[4]【―暗鬼】一度疑い出すと、何もかも疑わしく思われ、信じられなくなること。「―を△かきたてる（深める・もって見る）」

ぎじん[0][1]【義人】一身の利害を顧みず、自分が正しいと思う事をやり抜く人。

ぎじん[0]【擬人】〔文章を作る時に〕人間以外のものを人間にたとえること。活喩。「―化[0]・―法[0]」**―めい**[2]【―名】人間のある種の性質や特徴をとらえて、人であるかのようにみせかけた称。やせほそっている人を「骨皮筋右衛門」、何かにつけて小言を言う人を「小言幸兵衛」などと言う類。

キス[1]―する（自サ）〔kiss〕接吻。キッスとも。〔たまつきで一度当てたたまと再び触れる意にも用いられる〕

きす[1]【〈鱚】近海にすむ、上あごが長く、細長い筒形の小魚。シロギス・アオギスなど。食用。てんぷらにも使う。〔キス科〕 かぞえ方 一尾・一匹

きず[0]【傷】❶からだや物の表面を切ったり突いたりこすったりして出来た、痛む部分。また、そのような状態があったあと。「子供のころは一日中遊び回り、からだのどこかに―を付けて帰ったものだ/―に改めて塩を掛ける〔=しなくても良い事をして、痛みを△思い出させる（倍加する）〕/―の深さ/すねに―〔=人に知られては困る秘密〕を持つ/古い―〔=失敗や不名誉な事など〕をあばく/爆発事故のとばっちりを受けたが―〔=損害〕は浅かった」❷物の、不完全な所やいたんだ所。「経歴に―がつく」 表記「〈疵」とも書く。また「玉に―」は、「〈瑕」とも書く。

きず[1]【生酢】交ぜ物のない酢。

きずあと[0]【傷痕】傷の△付いた（治った）あと。「戦いの―をいやす/―を残す」 表記「〈疵痕・傷跡」とも書く。

きすい[0]【汽水】河口の水や海岸近くにある湖のように、海水と淡水とが交じり合い、塩分の少ない水。「―湖[2]〔=浜名湖・宍道湖など〕」⇩塩水・淡水

きすい[0]【既遂】（よくない事を）何かやってしまったこと。「―犯[2]」↕未遂

きずい[0]【気随】―な・―に 何事にも拘束を受けることなく、気ままに振るまえるさま。「―気まま[0]-[0]」

きずい[0]【奇〈瑞】不思議な、めでたい前兆。

きすう[2]【奇数】二で割り切れない（正の）整数。↕偶数

きすう[0]【帰〈趨】―する（自サ）〔情勢が〕最終的にある結果になること。「勝敗の―」

きすう[2]【基数】❶物の個数を示す数。計量数[3]。集合数[3]。⇩序数 ❷幾つずつまとめて数に新しい名前を付けて（を書きしるして）行くか、という基本単位として採用する自然数。底。「十進法の―は十」❸〔十進法で〕数を表わす時の基本となる一から九までの自然数。〔広義では、零も含める〕**―し**[2]【―詞】「基数❶」を表わす数詞。個数詞[2]。例、「一粒」の「ひと」、「二重」の「ふた」、「三枚」の「さん」、「四本」の「よん」、「五つ子」の「いつ（つ）」、「二十四の瞳」の「二十四」。

きすうほう[0]【記数法】数字を用いて数を書きしるす一つの体系。〔広義では、数字だけではなく小数点や「符号❷」などの補助記号も用いて「数❹」を書きしるす体系をも指す〕「十進（位取り）―・ローマ―〔=ローマ数字を用いる記数法〕」

きずきあ・げる[5]【築き上げる】（他下一）努力して、りっぱに築く。「苦労して築き上げた今日の地位」

ぎすぎす[1]（副）―と・―する ❶やせて骨張り、からだ全体に柔らかみが感じられない様子。「―したからだ」❷妙に形式張ったり無愛想であったりして、思いやりやあたたかみが感じられない様子。「―（と）した態度/―したものの言いよう」❸組織や社会のあちこちで摩擦が生じるなどして、円満な人間関係が損なわれている様子。「―した世の中」

きすぐ[0]【生〈直ぐ】―な 「き真面目」の意の古風な表現。

きず・く[2]【築く】（他五）〈どこ・なにニ なにヲ―〉〔「杵築く」の意という〕❶石を積み重ねたり土を盛り突き固めたりなどして、堅固で小高い物を作る。「△土塁（とりで・堤防）を―/城を―/△城（大廈高楼）を―〔=建てる〕」❷不動であることを念じて、作り上げる。「△地盤（富）を―/△不動の地位（基礎・平和・友好関係・今日の隆盛）を―」

きずぐすり[3]【傷薬】傷に付ける薬。表記「〈疵薬」とも書く。

きずぐち[0]【傷口】傷が出来た所。〔触れてもらいたくない過去の出来事、の意にも用いられる〕「―が痛む/―を広げる〔=初めはたいした事の無かったつまずきを、何かで大きなものとする意にも用いられる〕」表記「〈疵口」とも書く。

き

きすげ⓪【黄〈萱】夏、ユリに似た黄色の花を開く多年草。山地の草原に生える。花は夕方開いて翌朝しぼむ。夕すげ⓪。〔ユリ科〕「日光―⑤」かぞえ方 一株・一本。花は一輪

きず・つ・く③【傷付く】(自五) ❶傷を受けて△完全でなくなる(活動が消極的になる)。「イメージが―(=良い印象が失われる)」❷精神的な苦痛を受ける。「傷つきやすい心」表記 本表=「傷つく」。「〈疵付く」とも書く。

***きず・つ・ける**④【傷付ける】(他下一)〈なにデ〉なに・だれヲ―〉❶傷を付ける。「新品の家具を―」❷相手の感情やプライドにさわるような言動をして、精神的に苦痛を与える。「△人権(信用・誇り)を―/威信が傷つけられる」表記「〈疵付ける・傷つける」なども書く。

きす・てる③【着捨てる】(他下一) ❶衣服を着られるだけ着続けて、修理などせずに捨てる。❷脱いだ衣服を片づけず、そのままほうっておく。

きずとがめ③【傷〈咎め】傷をいじって、かえって悪くすること。〔触れてもらいたくない過去の過失などを取り立ててあれこれ言う意にも用いられる〕表記「〈疵咎め」とも書く。

きずな⓪ナキッ【〈絆】〔動物をつなぎとめる綱の意〕❶家族相互の間にごく自然に生じる愛着の念や、親しく交わっている人同士の間に生じる断ち難い一体感。「△親子(夫婦・兄弟)の―/友好の―/師弟の間に固い―が育っていた」❷何らかのきっかけで生じた、今まで比較的疎遠であった者同士の必然的な結び付き。「学校と家庭を結ぶ―/現代のペルー人とその祖先との―を深める/日欧間の―(=修好)を深める/平和への―(=連帯)を強める」❸元来平等なるべき人間を、理由なく束縛し、分け隔てするもの。階級意識や差別意識など。「心の―(=先入観。謬見ビュウケン)を解いてくれ」(❸は、もと誤用に基づく) 表記「〈紲」とも書く。

きずもの⓪【傷物】傷が付いたりなどして、商品としての価値の失われたもの。〔処女を失った未婚の女性の意にも用いられた〕「―の果物」表記「〈疵物」とも書く。

キスリング⓪①〔ド Kissling=もと、人名〕登山用の、箱形で大型のリュックサック。両横に大きなポケットがある。

き・する②【帰する】■(自サ) 結果として△そうなる(そこまで達する)。「無に―/―所(=結局)/勝利はかれの手に帰した」■(他サ) 負わせる。「罪を人に―」 帰す①(五)。

き・する②【記する】(他サ) ❶書きつける。しるす。❷忘れずに心にとめておく。銘記する。記す①(五)。

き・する②【期する】(他サ) ❶期限や時刻を決める。❷(「その時が来たら…」と)堅く決意する。「必勝を―/ひそかに―ところがあるようだ」❸期待する。期す①(五)。⇩期せずして

ぎ・する②【擬する】(他サ) ❶武器などを人のからだに突きつけて、今にもそれを使う気勢を見せる。❷そうでないものを、そうであるかのように扱う。「次期会長に擬せられる(=…の有力な候補にされる)/自分を天才に―(=…だと思い込む)」 擬す①(五)。

ぎ・する②【議する】(他サ) 複数の人が集まって意見を述べ合う。審議する。議す①(五)。

きせい⓪【気勢】意気ごんだ気持。「―を△あげる(そがれる)」

きせい⓪①【希世・〈稀世】当代、世間に類が無いこと。「―の英雄」

きせい⓪【奇声】❶普通の人には出せないような、かんだかい声。❷妙なかけごえ。「―を発する」

きせい⓪【祈誓】―する(他サ) 何かの成就のために神仏に誓いを立てること。表記「祈請」とも書く。

きせい⓪【帰省】―する(自サ) 郷里に△帰る(帰って親の安否を尋ねる)こと。

きせい⓪【既成】既に現実の存在となっていること。「―概念△にとらわれる(を取っぱらう)/―(の)事実/―政党④」

きせい⓪【既製】前もって作ってあること。レディーメード。「―品⓪・―服②」

きせい⓪【寄生】―する(自サ) ある生物が他の生物(=宿主)に付き、そこから栄養をとって生活すること。多く、宿主が害を受ける場合に言う。〔経済的な面で何かに依存する場合にも用いられる〕「―植物⑤」⇩着生チャクセイ **―ちゅう**⓪【―虫】△他の生物(人体)に寄生して生活する動物。例、回虫。

きせい⓪【規正】―する(他サ) (不都合な点を)正しい方へ直すこと。「政治資金―法④-⓪」

***きせい**⓪【規制】―する(他サ)〈なにデ〉なにヲ―する〉(行政機関などが)予測される好ましくない事態に備えて、何かに制限を設けること。また、その制限。「農産物の輸入に―を加える/食品添加物の―が強化される/―を緩和する/交通―⑤⑥・自主―」

きせい⓪【規整】―する(他サ) 規律を立てて整えること。正しく整えること。

きせい⓪【期成】何かが実現することを目指すこと。「―会②・―同盟④」

きせい⓪【棋勢】碁・将棋の勝負の形勢。

きせい⓪①【棋聖】碁・将棋の達人。「―位イ②」

ぎせい⓪【擬声】他人の声や動物の鳴き声などをまねて発音すること。〔広義では、物の音をまねて発することをも指す〕 **―ご**⓪【―語】⇩擬音語

ぎせい⓪【擬制】実在しないものを、法律上、実在と見なすこと。 **―しほん**④【―資本】❶〔投下した資本と違って〕株式の利回りなどから割り出して過大に見立てられた資本価格。❷生産の裏づけを持たない(見せかけの)資本。

ぎせい⓪【擬勢】ごまかしたり おどかしたり するために、相手を圧倒するような事を何かして見せること。

ぎせい⓪【擬製】何かとそっくり同じように△作ること(作ったもの)。 **―どうふ**④【―豆腐】豆腐に卵や野菜を入れて焼いたもの。精進料理の一つ。

***ぎせい**⓪【犠牲】〔「犠」も「牲」も「いけにえ」の意〕❶ある目的のために、その人の生命やかけがえの無いものを提供すること。「若干の―を払う/独立運動の―になる/仕事を―にする/―を最小限にとどめる」❷「犠牲者」の略。「―を出す」 **―しゃ**②【―者】❶何かが成功した陰で、そのために命を失ったり一生を台無しにしたりした人。「多数の―の上に築かれた平和」❷不測の事故・災難による死者をはじめとする被災者。「大地震の―」 **―だ**②【―打】(野球で)犠打。 **―てき**⓪【―的】ニナ 自分を犠牲にして惜しまない様子だ。「―精神⓪-①」

きせかえ⓪カヘ【着せ替え】それまで着せていた衣服にかえて、あらたに別のものを着せること。「―人形⑤」動 着せ替える④③(他下一)

きせか・ける④【着せ掛ける】(他下一) 着やすいように、相手の後ろに回り、肩に着物をかけてやる。

きせき⓪②【奇跡・奇〈蹟】実際に起こるとは考えられないほど不思議な出来事。「―を謳ウタわれる/―とでも言いようがない/―でも起こらぬ限り、生存は絶望的と見られている」 **―てき**⓪【―的】ニナ 全く奇跡としか思えない様子だ。「―に助かる」

きせき⓪【軌跡】❶〔幾何学で〕与えられた条件を満たす点全体の成す図形。「二平面内で、定点から等距離にある点の―は円である」❷その人がたどってきた精神・行動の遍歴の跡や、同一組織・運動などがそれまでに経てきた推

移の跡。「複雑な—をたどる」

きせき⓪【鬼籍】〔籍は帳簿の意〕「過去帳」の別称。「—に入る(=死ぬ)」

きせき⓪②【輝石】 火成岩・変成岩を構成する主要鉱物。鉄・マグネシウム・カルシウムなどの珪酸(ケイサン)塩から成る。

ぎせき⓪【議席】 議場にある、議員の席。「十九—を失う/—(=議員としての資格)を獲得する」

きせずして②【期せずして】(副) 前もって仕組んだわけではないのに、たまたまそういうめぐり合わせになる様子。「双方の意見が—一致した」

きせつ⓪①【気節】 気概と節操。気骨。

**きせつ①②【季節】㊀一年を春・夏・秋・冬に分けた、それぞれの期間。「スキーの—/—の移り変り/—はずれの大雪/—感③②・—労働者」㊁一年のうち、何かが集中的に行なわれる時期や、特記すべき事柄の行なわれ始める時。「たけのこは今が—だ/本格的な冬山の—/人生の冬とも言うべき苦難の—の到来/—物(モノ)⓪」 —ふう⓪③【—風】 季節によって違った方向から吹く(強い)風。東アジア地域・インド地方のそれが著しい。モンスーン。〔日本では、冬はアジア大陸から太平洋へ、夏はその反対に吹く〕

きせつ⓪【既設】 その時までに設置してあること。↔未設

きぜつ⓪【気絶】—する(自サ) 一時意識を失うこと。

きぜつ⓪①【奇絶】 他の所ではめったに得られない景観。—かいぜつ⓪-⓪、①-⓪(クワイ—)【—怪絶】 きわめて珍しく不思議なこと。

ぎぜつ⓪【義絶】—する(自サ) △君臣(肉親・友人)が縁を切ること。

キセノン②〔xenon=見慣れぬ者の意のギリシャ語に基づく造語〕 空気中にごく微量に存在する無色無臭の気体元素〔記号Xe原子番号54〕。キセノンランプ⑤として各種の光源に用いられる。

き・せる⓪【着せる】(他下一) ㊀身につけさせる。「指輪に金を—(=かぶせる)/歯に衣(キヌ)を着せぬ物言い」 ㊁〔罪・責任などを〕こうむらせる。負わせる。「ぬれぎぬを—/部下に罪を—/恩に着せられる」 表記「《著せる」とも書いた。

きせる⓪【煙管】〔カンボジア khsier=管〕 刻みたばこを詰めて吸う用具。両端が金属、途中が竹で出来ている。〔鉄道の乗客が、乗車駅・下車駅近くだけの切符を持ち、中間を無賃乗車するなどの不正乗車の意にも用いられる。例、「—乗車④」〕 かぞえ方 一本

きぜわ⓪【生世話】〔歌舞伎(カブキ)で〕特に当時の世相・風俗をうつしたもの。「—物(モノ)⓪」

きぜわし・い④(—ゼハシイ)【気《忙しい】(形) ㊀短時日に処理しなければならない事柄があれこれとあって気持ばかりがせいて落ち着かない様子だ。「—年末」 ㊁それほど急ぐ必要も△ないのに(なさそうなのに)むやみにあせってしようとする様子だ。「—人」 派 —さ③④ —げ⑤⓪

きせわた⓪【着せ綿】 物の上部にかぶせた綿。

きせん⓪【汽船】(蒸気機関の力で進む)大型の船。蒸気船。 かぞえ方 一隻(イッセキ)・一艘(イッソウ)

きせん⓪【基線】〔三角測量・極座標などで〕基準になる(半)直線。

きせん⓪①【貴《賤】 貴い△こと(身分の人)と賤(イヤ)しい△こと(身分の人)。「職業に—はない/—の別」

きせん⓪【輝線】 気体元素から出るスペクトル中に現われる輝いた線。↔暗線 かぞえ方 一本 —スペクトル⑤ 金属から出る輝線の、集合したスペクトル。原子スペクトル⑤。線スペクトル④。

きせん⓪【機先】 事の始まろうとするやさき。「—を制する(=先手(センテ)を取る)」

きせん⓪【機船】「発動機船⑤⓪」の略。「—底引き漁業」

きぜん⓪【毅然】—たる —と 自らの信念を曲げたり誘惑に負けたりするところが全く見られない様子。「—として立ち向かう/—たる△態度(決意・姿勢・足取り)」

ぎせん⓪【義戦】 △自国(自分たちの軍隊)の利害を顧みず、よいと思った事のためにする戦争。

ぎぜん⓪【偽善】 うわべを飾って、心や行いが正しいように見せかけること。「—者②」

ぎぜん⓪【《巍然】—たる —と 他よりも一際(ヒトキワ)高くそびえて見える様子。

きそ①②【起訴】—する(他サ) 検察官が公訴を起こすこと。「—に△踏み切る(持ち込む)/—を見送る/—状⓪②・略式—⑤」 —ゆうよ③(イウ—)【—猶予】 犯人の事情や社会的影響の点などを考えて起訴を見合わせること。

**きそ①②【基礎】㊀建造物の最下部に据え、その上に構築される柱などを支え安定した状態を保たせるための物。「掘った穴にコンクリートを流しこんで—を固める/—工事③」 ㊁新たな物事を始める際に、望ましい進歩・発展をはかる上で、最初に行なうことが不可欠なこと。「新国家建設の—を築く/中国語を—から学ぶ/実証に—を置いた研究/—知識③・—学科③・—固(ガタ)め③」 —ご⓪【—語】 一言語において、その言語を使用する成員が(幼児期の段階で)必ず修得すると考えられる語の総体。特に、人種・民族・生活形態などの差異にかかわりなく、どの種の言語にも存在すると考えられる、基本的な概念を表わす語の総体。諸言語を比較・対照する際に取り上げられる。基礎語彙③。 —こうじょ③(—ヂョ)【—控除】 所得税などの課税金額を算出する時、所得から、一定の金額を差し引くこと。また、その差し引く金額。 —たいおん③【—体温】 朝目覚めた時、安静な状態で計る体温。 —たいしゃ③【—代謝】 人間が生命を維持するのに必要な最小限のエネルギー交替。静かに寝ている状態で消費されるカロリーを計る数値に基づく。成人では一日に一四〇〇キロカロリーくらい。 —づ・ける④【—付ける】(他下一) 基礎を△与え(作っ)て、確かなものとする。

きそいた・つ④(キソヒ—)【競い立つ】(自五) 互いに競争し合うかのように△立つ(行動を起こす)。「—摩天楼」

きそ・う②(—フ)【競う】(他五) 互いに負けまいと張り合う。「△勝敗(優勝)を—/△技(速さ・成績・先)を—」

きそう⓪(—サウ)【奇想】 凡人には及びもつかないような奇抜な考え。 —きょく②【—曲・(綺想曲)】 一定の形式によらない、空想的で技巧に富んだ曲。狂想曲。カプリチオ。 表記「奇」は、代用字。 —てんがい②-⓪、⓪-⓪(—グワイ)【—天外】—な 〔↑奇想天外より落つ〕 発想が凡人には及びもつかないほど奇抜な様子。

きそう⓪(—サウ)【帰巣】—する(自サ) 〔動物が帰巣本能によって〕自分の巣に戻ること。「—性⓪」 —ほんのう④【—本能】〔ミツバチ・ツバメ・ハトなどが〕どんなに遠く離れた所からでも、自分の巣に帰ってくる、生まれつき備わっているとされる性質。

きそう⓪(—サウ)【起草】—する(他サ) 草案や原稿を書くこと。

きそう⓪(—サウ)【基層】 ある事物・現象の根底にあり、その基礎部分を成しているもの。「—言語④」

きそう⓪②【貴僧】 地位の高い僧。〔相手の僧に対する敬称にも用いられる〕

きぞう⓪【寄贈】—する(他サ) 品物を贈ること。贈呈。「きそう⓪」とも。

ぎそう⓪(—サウ)【偽装】—する(他サ) Ⓐほかのものとまぎらわしくして、敵の目をごまかす△こと(手段)。カムフラージュ。Ⓑ商品の信頼度を高めるために、産地や等級などを偽って表示

することと。[表記]「擬装」とも書く。

ぎそう[0]【〈艤装〉】―する（他サ）進水した船に、航海に必要な装備をすること。船装。「戦艦を―する」

ぎぞう[0]【偽造】―する（他サ）にせものを造ること。贋造。「有印私文書を―する／―紙幣[4]・―品[0]」

きそうかん[0]【気送管】空気の圧力を利用して通信文を送受する装置。

きそく[0][2][1]【気息】「呼吸」の古風な表現。「―奄々[0]-[0]、[2]-[0]、[1]-[0]（＝息も絶えだえ）」

**きそく[1][2]【規則】❶組織の安定や維持のために必要とされる、それに基づいて、行動や手続きが行なわれるように定めたきまり。「―を設ける／―通りにしたまでだ／就業―[5]・人事院―[6]」❷行動や運動などに常に認められる一定の型。「語の結び付きに働く―／―性[0]」 ―しょ[4][0]【―書】その組織などの規則の書いてある文書。 ―ただしい[6]【―正しい】（形）「規則❷」に従って（いるかのように）何かが行なわれる様子だ。「―生活を送る／―寝息が聞こえる」[派]―さ[5] ―てき[0]【―的】―な ―に 運動や変化などに、一定の型が常に認められる様子。「粒子の―な配列構造／日本語の動詞は一般に―に活用する」

きそく[0]【〈驥足〉】〔「驥」は、非常に足の速い馬の意〕すぐれた才能。「―を伸ばす」

きぞく[0]【帰属】―する（自サ）〔その財産・権利などが〕終極的にどんな△人（機関）の所有になるかということ。また、ある機関のメンバーの一人として、そこで一定の役割を担うこと。

きぞく[1]【貴族】生まれ・育ちがいい上に、財産と閨閥などで一般民衆の上位に立ち、高い誇りを持つ特権階級（に属する人）。「彼には―の血が流れている／貧乏―[5]・独身―[5]（＝親の許に寄食しながら自分の収入で優雅な暮らしをする独身青年たちの称）／労働―[5]（＝時に労働者側に立ち、時に資本家側につく、変り身の早い一部労働幹部に対する非難・揶揄を込めての称）」 ―てき[0]【―的】―な ―に（言動・風貌が）貴族らしい様子だ。↔庶民的

ぎそく[0]【偽足】きょそく（虚足）。

ぎそく[0]【義足】事故などで切断された足の代りにつける△ゴム（木・金属）製の、足に似せて作ったもの。

ぎぞく[1]【義賊】義侠心のある盗賊。「金持から盗んで貧民に分け与えたりした」「鼠小僧は―だと言われる」

きそつ[0]【既卒】〔↔既卒業〕〔就職などに際し、「新卒」に対して〕その年にはすでに学校を卒業していること。「―者の応募可」

きそば[0][2]【生〈蕎麦〉】そば粉以外に小麦粉などを交ぜることがほとんどない、純粋のそば。

きぞめ[0]【着初め】新しい衣服をその時はじめて着（てみ）ること。

きそん[0]【帰村】―する（自サ）自分の村に帰ること。

きそん[0]【既存】―する（自サ）すでにあること。「―（の）施設」

きそん[0]【毀損・棄損】―する（他サ）その物としての組織がこわされたりその存在に傷がついたりすること。「名誉―[1]-[0]、[4]」[表記]「棄」は、かつての代用字。

**きた[0]【北】東に向かった時、左にあたる方角の称。また、その方向にある場所。「―（＝北風）が強い／―する（＝北の方に行く）／―側[0]・―向き[0]」↔南

ぎだ[1]【犠打】〔野球で〕打者はアウトになるが、ランナーを進塁させ、得点に結びつく外野フライやバント。

ギター[1]〔guitar〕指先でひく、おもに六本糸の弦楽器。「アコースティック―[8]・ハワイアン―[6]・エレキ―・フォーク―[4]」[かぞえ方]一台・一本

きたい[0]【危〈殆〉】その物事の存在が失われかねないほどの危険な状態。「―に瀕する（＝非常に危険な状態になる）」

**きたい[0]【気体】物質の三態の一つ。空間に漂っていて、一定の形が無く、体積も一般にとらえにくい状態（の物質）。自由に動いて、密閉した器に入れるとすぐに一杯になる性質を有する。例、空気。⇩固体・液体

きたい[0][1]【希代・〈稀代〉】―な ―に 世にまれなこと。「きだい」とも。「―の怪盗」

きたい[2][0]【奇態】―な ―に ❶〔「希代」の変化〕どうしてそんな事が起こりうるのか、全くわけが分からない様子。❷普通と違ったかっこうをしていること。「―な（＝珍しい）動物」

きたい[0]【鬼胎】妊娠早期に起こる病気。胎児をおおう膜が異常に発育してぶどう状となり、胎児は早期に死亡する。胞状奇胎。[表記]「奇胎」とも書く。

**きたい[0]【期待】―する（他サ）〈だれ ニ なに ヲ ―する〉〔「期」も「待つ」意〕望ましいととらえられる事態の実現、好機の到来を心から待つ△こと（思い）。「事業の成功に大きな―を寄せる／―を裏切る／―が高まる／国民の―に△こたえる（反する）／成功されんことを―してやまない／―薄[0]・―外れ[4]・―感[2]」 ―ち[2]【―値】❶〔数学で〕それぞれの値をとる確率を考慮に入れた重み付き平均値。〔加重平均の一種〕❷期待の度合を数量的に示したもの。「期待」とほぼ同義で使うことも多い。「親からの―が低いので気楽だ」

きたい[0]【機体】その航空機の本体。

きだい[0]【季題】「季語」を、俳句の題としてとらえた称。

きだい[1]【貴台】（代）同等（以下）の相手に対する敬称。〔多く年配の男性が用いる〕

ぎたい[0]【擬態】動物が身を守ったり敵を攻撃したりするために、色や形を周囲の他の物に似せること。 ―ご[0]【―語】身ぶり・状態の感じを表わして作った言葉。例、にっこり・ゆらゆら。⇩擬音語

ぎだい[0]【議題】その会議で審議する事柄の題目。「中心―に据えられる／―に△載せる（のぼせる・のぼる）」

きたえあげる[5]【鍛え上げる】（他下一）きびしい訓練を課するなどして、その世界で一人前の存在として通用するようにする。

きたえぞ[0][3]【北〈蝦夷〉】「樺太[0]（＝サハリンの旧称）」の古称。

*きたえる[3]【鍛える】（他下一）❶〈なに ヲ ―〉熱した鉄などを打ったり冷やしたりして強くする。鍛練する。❷〈なに・だれ ヲ ―〉きびしい訓練を何度も繰り返し行なって強くする。「野球部を―（＝猛訓練する）／△心身（からだ・足腰）を―（＝丈夫にする）」

きだおれ[0]【着倒れ】衣服にぜいたくをして、財産を使い尽くす△こと（人）。「京の―」⇩食い倒れ

きたかいきせん[0][5]【北回帰線】⇩回帰線

きたかぜ[0]【北風】北の方から吹いてくる（冬の寒い）風。↔南風

きたきりすずめ[5]【着た切り〈雀〉】いま着ている衣服のほかに、衣服が無い△こと（人）。〔「舌切り雀」のもじり〕

きたく[0]【帰宅】―する（自サ）自分の家に帰ること。

きたく[0]【寄託】―する（他サ）物を他人に預け、その保管や処理を頼む△こと（契約）。

きたけ[0]【着丈】その人の身長に合う、着物のたけ。

きたす[2][0]【来す】（他五）予期しない不結果をもたらす。「△支障（破綻）を―」[表記]本表＝「来す」

きだち[1]【木〈太刀〉】木で作った太刀。[表記]⇩付表「太刀」

きたつ[0]【既達】〔公文書などで〕すでに達したこと。「―の通り」

きだて⓪【気立て】 人に接する態度に現われる、性質のよさ。〔多く、若い人や女性について言う〕「―のやさしい人」

** **きたな・い**③【汚(な)い】(形) ↔きれい ❶見るからによごれていたり不潔な感じであったりして、さわったりそこに身を置いたりすることがためらわれる状態だ。「―足/―身なり/―環境」 ❷そのものに本来望まれる秩序が失われ、受け入れるのに抵抗が感じられる様子だ。「―字/言葉づかいが―/食事中に―話をするな/―〔=散らかしたままの〕部屋」 ❸自己の利益にこだわり、ずるさばかりが目立って、接する人に不快感を与える様子だ。「―勝ち方/金に―〔=金を出し惜しみする様子だ〕」 派 **―さ**③② **―が・る**④ 表記 本表=「汚い」。「〈穢い」とも書く。

きたならし・い⑤【汚(なら)しい】(形) いかにも汚なく△見える(思われる)感じだ。 派 **―さ**⑤④ **―げ**⑤⑥⓪ **―が・る**⑥ 表記 本表=「汚らしい」。「〈穢らしい」とも書く。

きたのかた⑤④⓪【北の方】〔雅〕貴人の正妻。

きたのまんどころ⑥【北の《政所】 摂政・関白の正妻の敬称。〔狭義では、豊臣秀吉の正妻、禰の特称〕

きたはんきゅう③【北半球】 地球の、赤道から北の部分。↔南半球

きたまえぶね⑤【北前船】 江戸時代中期から明治時代にかけて、大阪と北海道の間を通って行き来した船。途中の港で商品を仕入れ、別の港でそれを売って利益を得ながら航海した。

きたまくら③【北枕】 枕を北に向けて寝ること。〔死人を北向きに寝かせるので、ふだんは不吉としていやがられる〕

きたやま⓪【北山】 ❶北の方の山。 ❷〔「来た」にかけて〕Ⓐ腹がすいてくること。Ⓑ食物が腐ること。

ぎだゆう⓪【義太《夫】〔←義太夫節⓪〕 竹本義太夫が始めた、代表的な浄瑠璃の一派。太ざおの三味線で力強く語る。

ギタリスト③〔guitarist〕 ギターの演奏家。ギター奏者。

きた・る【来(た)る】 ❶②(自五)〔問題のものが〕そこにやってくる。「風のごとく来たり、風のごとく去る/待ち人来たらず/台風―」 ❷〔「動詞連用形＋―」の形で、接尾語的に〕…して現在にまで及ぶ。「用い―」 ❸②(連体) これからくる。今度の。「―十日」〔❷❸の対義語は、去る〕 表記 ❸は、本表=「来る」 **―べき**④(連体) これから先にくるはずの。この次の。「―△総選挙(災害)に備える」

きたん⓪【忌〈憚】〔もと、その物を食べたりその者とつきあったりすることを嫌う意〕言うことを遠慮すること。「―の無い意見/―無く言えば」

きだん⓪①【気団】 広い範囲に一様に広がる、同じ気温・湿度などの空気のかたまり。「海洋―⑤・オホーツク―⑥」

きだん① ❶【奇談】 めったにありそうにもなく、だれでも聞きたがる話。「珍談―」 ❷【〈綺談】 おもしろくこしらえた話。

きだん⓪【基壇】 宮殿や寺社の建物の基礎部分に築いた石や土の壇。

ぎだん⓪【疑団】 わだかまりとなって消し去ることのできないうたがいの気持。「―が氷解する」

きち(吉) →【字音語の造語成分】

きち(造語)〔←気違い〕 何かに熱中して、自分の生活の中で何よりもそれを優先させる△こと(人)の意を表わす。「釣り―⓪〔=暇があると、いつも釣りに出かける人〕・音―⓪〔=ステレオマニア〕・カー―⓪〔=自動車マニア〕」

きち②①【吉】 さいさきがいいこと。「おみくじで―と出た」↔凶 ⇩【造語成分】きち・きつ

きち①②【危地】 あぶない△局面(場所)。「―を脱する」

きち①②【奇知・奇〈智】 奇抜な知恵。

きち①②【既知】 すでに知られていること。↔未知 **―すう**③②【―数】↔未知数 ❶〔代数学で〕方程式中の、未知数以外の△数(文字)。 ❷内容などの、もう分かっているもの。「彼は―だ」

* **きち**①②【基地】〔(軍事・探検などの)行動を起こす〕根拠地。「南極―④」

きち①【貴地】〔手紙文などで〕「(あなたの)住んでいる土地」の意の尊敬語。御地。

きち①②【機知・機〈智】 とっさに△うまく言って(その場をつくろって)すます才能。ウイット。「―がひらめく/―を発揮する/―にあふれる/―に富む話/―縦横①-⓪、②-⓪」

きち①【〈窺知】―する(他サ) うかがい知ること。察知。

きちがい【気違(い)】 ❶③常人とは異なる精神世界に住し、その言動が常識とは相容れない△こと(人)を指す差別的表現。「―に刃物」 ❷(造語) 物事に熱中する度合が常軌を逸していると思われる△こと(人)の意を表わす。「馬〔=競馬〕―③・相撲―④・釣り―③」 表記「気《狂い」とも書く。 **―あめ**⑤【―雨】 晴れていると思っているところに突然激しく降り出す雨。 **―ざた**⓪【―沙汰】 △人間のすることとは(常識では)とても考えられないような、とんでもないこと。 **―じ・みる**⑥【―染みる】(自上一) どう見ても言動が常軌を逸していると思われる。 **―みず**③【―水】〔人の正気を失わせる飲み物、の意から〕酒の異称。

きちきち ❶①②(副)―と きちんきちんと。「部屋代を毎月―と払う」 ❷⓪―な ―に ❶△空間(時間・量)的に限界に達し、少しの余裕も無い様子だ。「―の靴/発車時間に―で間に合った/―に詰めこむ」 ❷他の出費に当てるような経済的余裕が全く無い様子だ。「今の月給では生活費だけで―だ」

ぎちぎち ❶①(副)―と ―する ❶物がこすれ合ってきしんだ音を立てる様子。また、その音。 ❷経済的に余裕がないことなどで、物事が円滑に進まない様子。「その日その日の暮らしに―する」 ❷⓪―な ―に 「きちきち❷」の強調表現。「倉庫に製品を―に詰め込む/―なスケジュール」

きちく⓪【鬼畜】 ❶人間より劣った、心ない存在とされる、鬼と畜生。 ❷残酷で人情の無い者。

きちじ②【吉事】 めでたい事。「きつじ」とも。↔凶事

きちじつ⓪【吉日】「きちにち」の新しい言い方。

きちじょう⓪【吉祥】 めでたいしるし。よいきざし。「きっしょう」とも。 **―てん**③【―天】〔←吉祥天女⑤〕鬼子母神の子で、すべての生物に福徳を与えるという女神。「きっしょうてん③⓪」とも。

きちっと②(副)―する 〔「きちんと」と同源〕 ❶きっちり。「言われた事を―する/瓶のふたを―しめる」 ❷きちんと。「―した△態度(服装・設備)」

きちにち⓪【吉日】〔物事をするのに〕日がらのよい、めでたい日。「きつじつ」とも。「黄道―⓪-⓪」↔凶日

きちゃく⓪【帰着】―する(自サ) ❶用事を済まして、もと出発した所に帰って来ること。 ❷複雑な経過をたどった末に、結局そこに行き着くこと。「―点③」

きちゃく⓪【既着】〔未着に対して〕人や郵便物などがすでに到着していること。

きちゅう⓪【忌中】 その家のだれかが死んで、家人が慎んでいる期間。〔普通四十九日ないし三十五日間で服喪期間は終わるが、次に迎える正月は欠礼する慣行がある〕

きちゅう⓪【基柱】 △基本(中心)となる柱。

きちゅう①⓪【機中】 その人が乗っている飛行機の中。「―での談話/―泊②」

きちょ①【貴著】〔手紙文などで〕「(あなたの)著書」の意の尊敬語。

きちょう⓪【〈几帳】 台に柱を立てて、とばりを掛けた

** * は重要語，⓪①… はアクセント記号，品詞の指示の無いものは名詞および いわゆる連語。

もの。昔、部屋の仕切りに使った。 **―めん**④【―面】―に・―な〔器具などのかどを削り、刻み目を入れたもの、の意〕性格がまじめで、物事を、きまり通りに行なったり手を抜くことなく的確に処理したりする様子だ。「―な人/何でも―に記録する」 表記「木帳面」とも書く。

きちょう⓪【帰庁】―する(自サ) 自分の勤める役所に外出先から戻ること。

きちょう⓪【帰朝】―する(自サ) 外国へ派遣された者が、任期・使命を果たして帰国する。〔広義では、外国に出かけていた人が、日本に帰ってくることをも指す〕

きちょう⓪【記帳】―する(他サ) ❶帳簿に書き入れること。❷何かのためにそこに来た印に、受付などに備えつけてある帳面に署名すること。

きちょう⓪【基調】❶作品や議論などの根底に存在する基本的な考え方。「ヒューマニズムを―とした文学/―演説④」 ❷取合せの中心となっているもの。「赤を―とした絵/…の―をなす」 ❸〔音楽で〕主音(の高さ)。

きちょう⓪【貴重】―な・―する(他サ) 得難いものである(ととらえられる)こと。「―な体験/万人の―する生命/―品⓪」 派 **―さ**⓪

きちょう①【機長】 運航する(その)航空機の責任者。普通、操縦士がこれに当たる。

ぎちょう①【議長】 ❶その会議の議事進行上の責任者。〔狭義では、議院の長で、その代表者を指す〕「―を選出する」 ❷その連合体などの代表者。「PLO―」

きちら・す③【着散らす】(他五) △いろいろな衣服をあれこれと取り替えて(ぜいたくな衣服をふだん着として)着る。

きちれい⓪【吉例】 めでたいこととして行なわれているしきたり。「きつれい⓪」とも。

キチン①〔kitchen〕 ⇩キッチン

きちん きちんと②-②、②(副) 「きちんと❷」の強調表現。そのつどきちんと対処する様子。

キチンしつ②【キチン質】〔chitine〕 甲殻類や昆虫の外皮を作っている堅い物質。

***きちんと**②(副)―する 〔「きちっと」と同源〕 ❶△秩序(折り目)正しくて、乱れたところやいいかげんなところが無い様子。「台所はいつも―片付いている/―した身なり/髪を―手入れする」 ❷手を抜いたり あいまいな点を残したり することなく、物事に適切に対処する様子。「内定を―断わる/お金にかけて―している男/仕事を―とり運ぶ」

きちんやど④【木賃宿】 〔「木賃」は、自炊用のまき代の意〕(相部屋で、めいめいが自炊する)安宿。

きつ(吉・喫・詰・〈橘〉) →【字音語の造語成分】

***きつ・い**⓪(形) ❶外部を囲うものとの間にすきまやゆとりがなく、自由な動きが妨げられたり 圧迫感が感じられたり する様子だ。「靴がきつくて、足が痛い/ねじをきつく締める/―日程」 ↕ゆるい ❷(たえがたいほど)苦痛に感じられる様子だ。「仕事が―/―訓練」 ❸相手に思いやりを感じさせない様子だ。「―税負担を負わせる/いたずらをして、きつく叱られる」 ❹刺激が強く、そのままでは受け入れがたいと感じさせる様子だ。「―冗談を言う/―酒」 ❺(勝ち気な性格で)何かにつけて相手に弱みを見せまいとする様子だ。「―△表情(顔)/性格が―」 派 **―さ**⓪

きつえん⓪【喫煙】―する(自サ) たばこを吸うこと。「―室③」

きつおん⓪【〈吃音】 どもる音声。どもり。「―矯正⑤」

きっか⓪①【菊花】 菊の花。「きくか」とも。「―のちぎり/―石③」

きっかい⓪③【奇っ怪】―な 「奇怪」の強調形。「―な出来事/―至極」 派 **―さ**③⓪

きづかい②【気遣い】 ❶悪い事態になる おそれ。❷相手のためを思って、いろいろ配慮すること。

きづか・う③【気遣う】(他五) どう△なることか(なっているか)と、不安に思う。「安否を―/―ほどの病気ではない」

きっかけ⓪【切っ掛け】 ある事をする はずみや手がかり(になるもの)。「話の―を作る/立ち直りの―をつかむ」

きっかり③(副)―と ❶だれの目にも明確で、紛れるところが無い様子。「雲が晴れて稜線が―と見える」 ❷ちょうどきりのいい時刻・数量であることを表わす。「―一〇〇グラムだ/十時―に出発する」

きづかれ②③【気疲れ】―する(自サ) あれこれ気を使ったための疲れ。

きづかわし・い⑤【気遣わしい】(形) さらに悪くなりはしないかと、そのなりゆきが心配される様子だ。「病人の状態が―/友人の安否が―/気遣わしそうに見守る」 派 **―さ**⑤④ **―げ**⑤⑥⓪

きっきゅうじょ③【〈鞠躬〉如】(副)―と 〔貴人に対する時(のように)〕(必要以上に)身をかがめ言葉をつつしんで、最大の敬意を払う様子。

きっきょ①【〈拮《据】―する(自サ) 苦しいところをがまんして、よくつとめること。「―経営三十年」

きっきょう⓪③【吉凶】 めでたい事と悪い事。「―を占う」

きっきょう⓪【喫驚・〈吃驚】―する(自サ) あまりにも意外な出来事などにひどくびっくりさせられること。

きっきん⓪【喫緊・〈吃緊】 さしせまっていて、早急に対策を講じなければならないこと。また、事態。「―事③」

キック①―する(他サ)〔kick〕〔サッカー・ラグビーなどでボールを〕けること。「コーナー―・ゴール―④・ペナルティー―」

***きづ・く**②【気付く】(自五)〈なにニー/なんだトー〉 今まで意識することはなかった物事について、そこにその物があることや、そのような状態△である(になった)ことを、何かのきっかけで改めて知る。「誤りに―/そんな自明の事にどうして今まで気付かなかったのか」 運用「お気付きの点は何なりとお申し付けください」などの形で、店員が客に対してサービスの気持で述べる言葉としても用いられる。

キックオフ④―する(自サ)〔kickoff〕〔サッカー・ラグビーなどで〕ボールをけり始めることで、試合が△開始(再開)すること。

きっくつ⓪【詰屈・〈佶屈】―な・―する(自サ) ❶窮屈そうにかがまっている△こと(様子)。❷難解な語句や文字を連ねるなどして、表現内容が分かりにくい△こと(様子)。「―な詩/―聱牙⑤〔=文章がむずかしくて読みにくく理解できないこと〕」

キックバック④〔kickback〕 (不正な)リベート。割戻し(金)。

キックボール④〔kickball〕 ❶二組に分かれてボールを相手方に けりこむ遊戯。❷〔バスケットボールで〕ボールをけって反則となること。

キックボクシング④〔kickboxing〕 足や ひざでけったり ひじで打ったり することも許されるタイ国起源のボクシング。タイ式ボクシング⑤、⓪-①。

ぎっくり③(副)―と・―する 「ぎくり」の強調表現。 **―ごし**④【―腰】 △重い物を持ち上げよう(急に立ち上がろう)とした時などに、突然起こる腰の痛み。壮年期を過ぎると起きやすい。「ぎっくら腰④」とも。

きつけ⓪③【気付け】 気絶した人を正気づけること。 **―ぐすり**④【―薬】 ❶気付けのための興奮剤。ブランデーなど。❷俗に、「酒」の異称。

きつけ⓪【着付け】 ❶着なれていること。「―の羽織」 ❷―する(自サ) 着物や衣装を体裁よく着せてやること。また、その人。「―師③」 ❸着たぐあい。着こなし方。「―がよい」

動着付ける③（下一）

きづけ⓪【気付】〔注意させる意〕その人の住所でなく、立寄り先などにあてて手紙を送る時などの断り書き。「きつけ」とも。「ーで送る／第一会社ー鈴木様」

きっけいもじ⑤【〈楔形文字】「せっけい文字」の読み誤り。⇩くさびがたもじ

きっこう⓪（カウ）【〈拮抗・〈頡頏〉】ーする（自サ）互いに同じくらいの力で張り合っていること。

きっこう⓪（コフ）【亀甲】⇩亀の甲❷

きっさ①⓪【喫茶】茶を飲む意。**ーしつ**③【ー室】オフィスビルなどの一角に設けられた、そこで働く人の休憩をも兼ねて簡単な飲食物を供するための施設。**ーてん**⓪③【ー店】コーヒー・紅茶・ケーキなどを出す飲食店。都会人などがしばしの憩い・待合せ・簡単な用談などのために利用する店。かぞえ方 一店・一軒

きっさき⓪【切っ先】❶（刀の）刃の先端。❷とがったものの先。「竹のー」表記「〈鋒」とも書く。

ぎっしゃ①【《牛車】主として平安時代、牛に引かせた、貴人の乗用車。屋形車で、種類が多い。「ぎゅうしゃ」とも。

キッシュ①〔フ quiche〕パイ生地を敷いた皿に牛乳・溶き卵などを入れ、オーブンで焼いた料理。ハム・チーズ・ベーコン・野菜などの具を入れることもある。

きっしょう⓪（シヤウ）【吉祥】⇩きちじょう

きっしょく⓪【喫食】〔実態調査などの対象となる〕食事。「ー率④」

ぎっしり③（副）ーと 限られた空間に、人や物がすきまなくいっぱいに詰まっている様子。

きっしん⓪【吉〈辰】〔辰は日の意〕吉日。

キッズ①〔kids〕〔kid の複数形＝子供たち〕子供（用の）。「ーファッション④・ー用品④」

きっすい⓪【喫水・〈吃水】〔「吃」は、受け入れる意〕船が水に浮かんだ時、船体が沈む深さ。普通、竜骨の下面から、水面までの垂直距離で測る。ふなあし。表記「喫」は、代用字。**ーせん**⓪【ー線】船が水に浮かんだ時の、水ぎわの線。水線。

きっすい⓪【生（っ）粋】その人の性質などが、どこから見てもそう言われる通りであり、その物以外の何物でもないこと。「ーの△江戸（神田）っ子」

きっ・する⓪③【喫する】（他サ）〔飲む意〕（はからずも）マイナスの結果をこうむる。喫す⓪。「一驚をー〔＝大変びっくりする〕／苦杯をー〔＝なめる〕／失点をー〔＝心ならずも点を相手に献上する〕／△惨敗（大敗）をー〔＝情けない負け方をする〕」

きつぜん⓪【〈屹然】ーたる ーと ❶山のそびえ立つ様子。❷人の孤高を持している様子。

きっそう⓪③（サウ）【吉《左右】❶「吉報」の意の古風な表現。❷その人や物事がどう△である（なった）かの知らせ。情報。

きっそう⓪（サウ）【吉相】❶めでたいことのある前触れ。❷よい人相。

きづた①【木〈蔦】山野に自生する、つる性の常緑低木。木や岩にはい上がり、秋に、薄い黄緑色の小花をたくさんつける。アイビー。〔ウコギ科〕かぞえ方 一本

きづち①【木〈槌】木で作ったつち。かぞえ方 一本

キッチュ①〔ド Kitsch〕俗悪なもの（に見られる一種の美）。また、そのような要素を備えた芸術作品。

ぎっちょ①　左ききの異称。

きっちょう⓪（テウ）【吉兆】めでたいことが起こりそうなしるし。↕凶兆

きっちり③（副）ーと ーする 少しのずれも過不足も無く事がなされる様子。「枠の中にーはめこむ／時間どおりー五時にやって来た／期限をー守ってほしい／まず自分でやるべきことをーやるべきだ」

キッチン①〔kitchen〕一般家庭の調理場。キチンとも。「ーカー③⑤・ダイニングー・リビングー」

きつつき②【{〈啄木}・{〈啄木鳥}】〔「木啄ツツき」の意〕アカゲラ⓪・アオゲラ⓪・コゲラ⓪・クマゲラ⓪など、木の幹に止まり、堅く鋭いくちばしで、樹皮をつついて穴をあけ、中にいる虫を食う中形の野鳥の総称。〔昔は、ケラツツキ③・テラツツキ③などと言った〕かぞえ方 一羽

***きって**⓪【切手】❶「郵便切手・商品切手」の略。「記念ー④」❷金銭受取の証拠となる紙片。⇩切符 かぞえ方 ❶❷とも 一枚

きっての①【切っての】〔接尾語的に〕その範囲内ではかなうものが無いことを表わす。「町内ー〔＝で一番の〕金持」

***きっと**（副）〔「きと」の強調表現〕❶⓪物事が△見込み（期待）通りに行なわれるにちがいないと確信をいだく様子。「ーお元気だよ／どんな事があってもー行くよ／決まり次第ー知らせてください」❷①⓪ーする 強い対抗心や警戒心をいだいていて、全く隙キスを見せない態度で相手に構える様子。「ー睨ラニむ／反対されてーなる」表記「〈屹度・《急度」は、借字。文法❶は、「かならず」と同様に、あることの実現について強い確信をいだいていることを表わすが、その根拠が単なる経験などに基づく場合もあり、「かならず」と比べて客観性の点では劣ることもある。

キット①〔kit〕プラモデルや機器などの組立て材料の一そろい。

キッド①〔kid＝子ヤギ〕△子ヤギ（子牛）の革。〔高級な手袋・靴などに使われる〕

きつね⓪【〈狐】❶全形は日本犬に似て、やや細長い獣。顔は面長で、口が突き出ており、尾は太く長い。〔イヌ科〕❷〔「狐❶」は人をだますと言われたので〕わるがしこい人の称。「古ーギツネ」❸油揚げを使った料理に言う。きつねうどんなど。❹〔↑きつね色⓪〕薄い焦げ茶色。かぞえ方 ❶は一匹・一頭 **ーうどん**④【ー〈饂飩〉】煮た油揚げとネギを入れたかけうどん。**ーけん**⓪③【ー拳】拳の一種。両手で、キツネ・庄屋ショウヤ・鉄砲〔＝猟師〕のまねをして勝ち負けを争う。藤八拳。**ーごうし**④（ガウー）【ー格子】細かに縦横に組み立てた格子（の裏に板を張った戸）。〔破風ハフの下などに取りつける〕木連ツレキ格子。**ーつき**③【ー付（き）】キツネの霊がとりついたため起こると考えられた常軌を逸した言行（をする人）。表記「〈狐憑〉き」とも書く。**ーのよめいり**⓪ー⓪【ーの嫁入（り）】❶きつね火が多く並んで見えること。❷日が照っていながら降る雨。ひでりあめ。**ーび**③【ー火】おにび。

きっぱり③（副）ーと ーする 相手に、弁解の余地や誤解のおそれが

きち

【吉】めでたい（こと）。よいこと。「吉事・吉日・吉例・小吉・大吉」⇩（本文）きち【吉】

きつ

【吉】めでたい（こと）。よいこと。「吉凶・吉報ポウ・不吉」

【喫】のどを通す。のむ。たべる。「喫煙・喫茶・満喫」

【詰】❶せめたてきく。「詰問・難詰」❷ふさがる。のびのびしない。「詰屈」

【〈橘】❶ミカンの木の総称。「柑カン橘類」❷（略）橘タチバナ氏。「源平藤橘ゲンペイトウキツ」

無いように、明確に自分の意志を表明する様子。「―した態度を示す/―(と)断わる」

＊**きっぷ**⓪**【切符】**〔もと、徴税令書・為替手形・支払証券の意〕 ❶料金の支払い済みを証明するための乗車券・入場券など。チケットとも。「オリンピック出場の―を手に入れる〔=(国内)予選に△合格して(勝って)、檜(ヒノキ)舞台に出場する資格を得る〕/―売り場」 ⇩切手 ❷品物の受け渡し・配給などが済んだしるしとして受け取る紙片。 かぞえ方 ❶❷とも一枚・一片

きっぷ⓪**【気っ風】**〔「きふう」の変化〕損得にこだわるかどうか、義侠(ギキョウ)心に富むかどうかなどの観点から見た、その人の気性。「―がいい/下町っ子の―を見せる」

きっぽう⓪**【吉報】** △幸先(サイサキ)がいい(めでたい)知らせ。「―をもたらす」 ↕凶報

きづま⓪**【気〈褄】**(相手の)おもわく。きげん。「―を合わす〔=気に入るように調子を合わせる〕」

きづまり②**【気詰(ま)り】**―な ―に 対人関係や雰囲気の上で、なんとなく気持が抑えつけられるようで、窮屈に感じる△こと(様子)。 派 ―さ④⓪

きつもん⓪**【詰問】**―する(他サ) 相手をきびしくとがめながら、返事を求めること。

きづよ・い③**【気強い】**(形) ❶頼みになるものがあって、不安にならないで済む様子だ。 ❷気丈な性格で、逆境などに耐えられる様子だ。 派 ―さ③ ―げ⓪④③

きつりつ⓪**【〈屹立】**―する(自サ) 山などがそびえ立つこと。

きつれごうし④**【木連格子】**「きつねごうし」の変化。

きて②**【来手】** 来る人。来てくれる人。「嫁に―が無い」

きて⓪**【着手】** それを着る人。「洋服の―が無い」

ぎて①⓪**【技手】** ぎしゅ。〔ぎし(技師)と発音が似ているので、それを避けた言い方〕

きてい⓪**【汽艇】** 軍艦などに載せる小船で、蒸気機関で動くもの。ランチ。 かぞえ方 一隻(イッセキ)・一艇(イッテイ)

きてい⓪**【既定】** すでに定まっていること。「―の方針/―事実④」 ↕未定

きてい⓪**【基底】** 思想・行動や、その構造を支えている何ものか。「―部②」

＊**きてい**⓪**【規定】**―する(他サ) 〈なにヲ(なんだト)―する〉 ❶判断のよりどころとするために、あいまいであった内容をある決まった形に定めること。「前項に―する通り…/―量②」 ❷行動の是非を判断する よりどころとなるべき個々の規則や条文(を定めること)。「―を設ける/長期欠席者の扱いは第十三条の―に従う」

きてい⓪**【規程】** 特定の事項に関する規定の全体。〔特に、官公庁などの執務に関する規則について言う〕

きてい⓪**【旗亭】** 腰掛けて酒や簡単な食事をとる所。小料理屋・居酒屋の類。〔目じるしに旗を立てたから言う〕

ぎてい⓪**【義弟】** ❶兄弟の約束を結んで、弟と定めた人。 ❷〔実弟に対して〕義理の弟。△夫(妻)の弟。妹の夫。

ぎてい⓪**【議定】**―する(他サ) 評議して△定めること(定めたもの)。「ぎじょう⓪」とも。 ―しょ④⓪**【―書】** 外交交渉や国際会議の公式報告として関係国代表が署名した文書。「ぎじょうしょ④⓪」とも。

きてき⓪**【汽笛】** 汽車・蒸気船などの、蒸気をふき出して音を出す笛。「―一声」

きてれつ⓪―な ―に 言葉では何とも言い表わせないほど、変わっている様子だ。「奇妙―①-⓪」 表記 「奇《天烈」は、借字。

きてん⓪**【帰天】**―する(自サ) 〔カトリック教会で〕信徒△が死ぬこと(の死)。

きてん⓪ ❶**【起点】** 一連の動作・作用がそこから起こる(ものと考えられる)点。「東京駅を―としてキロ数を計算する/日数計算の―/ベクトルの―」 ↕終点 ❷**【基点】** 何かを測ったり目盛りをつけたりする時の基準として採用する定点。基準点。「方位―④」

きてん⓪**【機転】** 何かあった時にすぐ事態に対処しうる、機敏な心の働き。「―がきく」 表記 「気転」とも書く。

きでん⓪**【起電】** 摩擦などの方法によって電気を発生させること。「―機②・―力②」

きでん①**【貴殿】**(代) 〔一般に男性同士の手紙文などで〕同等(以上)の相手に対する敬称。

ぎてん⓪**【疑点】** 疑わしいところ。疑問点。「―を残す」

ぎてん⓪**【儀典】** 儀式(についての規定)。「―課長④」

ぎでん⓪**【偽電】** にせの電報。

きでんたい⓪**【紀伝体】** 中国の歴史書に見られる記述方式。個人の伝記を中心としたもの。 ↕編年体

きと①②**【企図】**―する(他サ) 計画(すること)。企て。

きと①②**【帰途】** 帰る途中(で)。「既に―についた選手も多くスタンドは やや寂しかったが/中国とモンゴルを訪問した―立ち寄ったもので/―シンガポールでの記者会見で明らかにした」

きど①**【輝度】** 発光体の表面の、単位面積あたりの光度。

きど①**【木戸】** 〔「城(キ)戸」の意〕 ❶城門。 ❷〔庭や通路の出入口などの〕屋根の無い開き戸。 ❸〔すもう・芝居などの〕興行場の出入口。「―銭(セン)〔=入場料〕」

きどあいらく①-⓪**【喜怒哀楽】** 喜び・怒り・かなしみ・楽しみ(の さまざまな感情)。

きとう⓪**【気筒・汽筒】** シリンダー。「四―エンジン」 表記 「気〈筩・汽〈筩」とも書く。

きとう⓪**【季冬】** 冬期が終りに近づいた陰暦十二月。

きとう⓪**【祈〈禱】**―する(自他サ) 神仏に祈ること。「―師②・―者②・―書④⓪」

きとう⓪**【帰投】**―する(自サ) 出動していた軍用機・艦船・兵士などが基地に帰還すること。「全機―す」

きとう⓪**【帰島】**―する(自サ) 自分の住む島へ戻ること。

きとう⓪**【既倒】** すでに倒れていること。「狂瀾(キョウラン)を―にめぐらす〔=敗勢を挽回(バンカイ)する〕」

きとう⓪**【飢凍】**―する(自サ) 飢えたり凍えたりして生命の危険にさらされること。「道途(ドウト)に〔=△家(道)を失い、途中で〕―する」

きとう⓪**【亀頭】** 陰茎の先端部。

きどう⓪**【気道】** 呼吸する空気の通路。

きどう⓪①**【奇道】** 普通と変わった△やり方(方法)。 ↕正道

＊**きどう**⓪**【軌道】** ❶そこを走るように設けた、汽車や電車のレール(の敷いてある道)。 ❷天体の運行する経路や、ある事柄の経路。「中期計画が―に乗る〔=予定通りに事が運ぶ〕/―を外れる/―修正を加える/安定―に乗せる」 かぞえ方 ❶は一本

きどう⓪**【起動】**―する(自他サ) △機関(機械)が運転を始めること。また、運転が始まること。「コンピューターを―する」

きどう⓪**【機動】** Ⓐ状況に応じてすばやく活動出来ること。「―性△を欠く(に乏しい)/―力②・―的⓪」 Ⓑ戦争で種々の戦闘形態に即応できるように軍隊を編成すること。 ―たい⓪**【―隊】**〔←警察機動隊⓪〕 普通の警察業務に従わず、随時、事態に応じて活動する警官隊。

ぎとう⓪**【擬闘】**〔映画・舞台・テレビなどで〕劇中の演技として行なう格闘や斬(キ)り合い。

きどうしゃ②**【気動車】** 内燃機関を原動機として運転する、鉄道車両。ディーゼル カーの類。 かぞえ方 一両

きどうらく②**【着道楽】** 衣服にお金をかけることを生きがいとする△こと(人)。 ⇩食い道楽

きとお・す③②ートホス【着通す】(他五) 続けて同じ衣服を着る。名着どおし⓪

ぎとぎと[一]①(副)ーする その物に含まれていたあぶらが表面に浮き上がって鈍く光って見える様子。「ーしたラーメンのスープ」[二]⓪ーに 「ぎとぎと[一]」に同じ。「油でーになった換気扇」

きとく⓪【危篤】 身体の衰弱がひどかったり呼吸が著しく困難になったりして、死が寸前に迫っているととらえられる状態。「母ーの報で帰省中/全身に銃弾を受けー状態」

きとく⓪【奇特】ーな 志が深く、普通一般の人には行ないがたい事を進んでする様子。「世の中にはーな人もいるものだ」〔古くは「きどく」〕

きとく⓪【既得】 現在までに△得(手に入れ)ていること。

ーけん③②【ー権】 △その社会の慣習として(法律上、正当なものとして)得ている権利。「きとっけん②」とも。「ーの上にあぐらをかく」

きどごめん①-⓪【木戸御免】 木戸銭無しに出入りすることを許されたこと。〔特定の△家(場所)に自由な出入りが許される意にも用いられる〕

きどせん②⓪【木戸銭】 興行物の入場料。

きどり⓪③【木取り】 大形の材木や板材から、建築その他に使う小形の材を切り取ること。

きどりや⓪【気取り屋】 人前でかっこよさをねらったり人によく思われようと思ったりして、ことさらに△自分を飾り立てる(もっともらしい言動をする)人。

きど・る⓪【気取る】[一](自五) 実際はそれほどでもないのに、かっこよさをねらったり人によく思われようと思ったりして、ことさらに自分を飾りたてる。「気取ったポーズをとる」[二](他五) (…になったつもりで)それらしい様子をする。「落語家をー」名気取り⓪「芸術家ー」

きどるい②【希土類・(稀土類)】 原子番号21のスカンジウム、39のイットリウムおよびランタノイド(=原子番号57のランタンから71のルテチウムに至る十五の元素)の総称。〔名称はまれな鉱物から分離されたことに由来するが、産出量が特に少ないわけではなく、中には錫(スズ)・亜鉛・鉛より多く産する物もある〕性質はいずれも酷似していて、合金・カラーテレビなどに使う。希土類元素⑤。レアアース。

キナ①〔オ kina〕 「キナの木①(=アカネ科)」の皮を干したもの。キニーネの原料。「ー塩②」表記「規那」は、音訳。

きない①【畿内】 〔「畿」は、王城に近い直轄地の称〕もと、京都に近い五か国。山城(ヤマシロ)・大和(ヤマト)・河内(カワチ)・和泉(イズミ)・摂津(セッツ)を指した。五畿①。五畿内。

きない①【機内】 その飛行機の(客室の)内部。「ーに刃物は持ち込めない/ー食(ショク)②」

きなか①〔もと、一寸(イッスン)を意味した「寸(キ)」の半(ナカ)の意から転じて、「半文(ハンモン)」の意〕「わずかの物」の意の古風な表現。「一文ー」表記「半銭」は義訓。

きなが⓪【気長】ーな のんびりしていて、めったな事ではあせらない様子。「ーに待つ/なんともーな話(=その事がいつ実現するのか見当もつかないほど悠長なことだ)」↔気短

きながし⓪【着流し】 〔和服で〕はかまをはかない、ふだんの服装。動着流す③(五)

きなくさ・い④【きな臭い】(形) ㊀紙やきれなどの焦げるにおいがするようだ。㊁対立関係にあるものの間に紛争が起こりそうな気配が感じられる様子だ。「国境をめぐって両国の間にー空気が漂っている」㊂不正事件があるのではないかと疑いの目を向けられる様子だ。「あの人の身辺は何やらー」派ーさ④③

きなぐさみ⓪②【気慰み】 たいくつな気持や不平・不満などを紛らす△こと(行い)。

きなこ①【黄粉】 煎(イ)ったダイズをひいた、黄色い粉。砂糖を加え、だんご・もちなどにまぶす。豆の粉(コ)。「青ー(ギナコ)」

きなり⓪【生成り】 〔素のままで飾らない状態の意〕本来の自然な色合いを保つ、染めたりさらしたりしていない糸や布。「ー色⓪(=黄みのある白色)」

きなん①【危難】 命にかかわるようなあぶないめ。難儀。災難。「ーにさらされる」

キニーネ②〔オ kinine〕 キナから抽出された一種のアルカロイド。マラリア熱などの特効薬。キニン①とも。

きにち⓪【忌日】 その人が死んだ日と同じ日付の日。「きじつ」とも。命日。

***きにゅう**⓪ーニュウ【記入】ーする(他サ)〈なにニなにヲーする〉 書式の定まった文書などについて所定の欄などに必要な事柄を書くこと。〔広義では、本などに書き込むことをも指す〕

ギニョール②〔フ guignol〕〔指で動かす〕操り人形。指人形(の芝居)。

きにん⓪【帰任】ーする(自サ) 一時離れていた任地に帰ること。

きぬ①【《衣》】〔雅〕着物。ころも。「歯にー(を)着せない(=⇩歯㊀)発言/ーずれ」

きぬ①【絹】 絹糸(で織った織物)。「ーを裂くような声」

きぬあや⓪【絹《綾》】 薄い綾織りの絹織物。

きぬいと⓪【絹糸】 カイコの繭からとった糸。

きぬえ②ーエ【絹絵】 絹地にかいた絵。

きぬおりもの④③【絹織物】 絹糸で織った織物。絹物。絹織⓪。

きぬがさ⓪③【《衣〈笠〉》】〔絹傘の意〕㊀絹を張った長柄のかさ。〔昔、貴人の行列にさした〕㊁天蓋(テンガイ)。

きぬかつぎ③【《衣《被(ぎ)》】 サトイモの子を、皮つきのままゆでて食べるもの。

きぬぎぬ⓪【《衣《々》】〔雅〕共寝をした男女が翌朝、(それぞれの)衣を身につけて別れたこと。「ーの文(フミ)」表記「後朝」は義訓。

きぬけ⓪【気抜(け)】ーする(自サ) 張り合いが抜けて、しばらくぼんやりすること。

きぬごし⓪【絹〈漉(し)〉】㊀絹でこすこと。絹でこした物。㊁〔←絹ごし豆腐(ドウフ)⑤〕きめの細かい豆腐。「きぬこし」とも。

きぬこまち③【絹小町】〔←絹小町糸⑥〕紡績絹糸をより合わせて作った糸。絹の縫糸の代用品。

きぬさや⓪【絹〈莢〉】⇩さやえんどう

きぬじ⓪ージ【絹地】㊀絹織物の地。絹布。㊁絵絹。

きぬずれ⓪【《衣擦(れ)》】〔着ている人の動きに従って〕衣服が擦れあう△こと(音)。

きぬた①【《砧》】〔衣(キヌ)板の意〕布のつやを出したりやわらかくしたりするために布をのせて打つ△木(石)の台。また、それを打つこと。

きぬばり⓪③②【絹針】 絹布を縫う時に使う細い針。

きぬばり⓪【絹張(り)】 絹布を張る△こと(ったもの)。

きぬぶるい③ーブルイ【絹《篩》】 底に絹布〔現在では、金網〕を張ったふるい。〔細かい物をふるい分けるのに使う〕

きぬもの⓪②③【絹物】 絹織物(の衣服)。

きぬわた⓪②【絹綿】 比較的下等な真綿。くず繭のけばから作る。

きね①【〈杵〉】〔「ね」は、もと接辞〕△穀物(蒸した米)などを臼(ウス)に入れてつくための用具。かぞえ方 一本

きねずみ②【木〈鼠〉】 リスの異称。

きねづか⓪【〈杵《柄〉》】 杵の柄(エ)。「昔取ったー(=昔鍛えた腕に(今も)自信のあること)」

キネティックアート⑥〔kinetic art=動く美術〕 機械仕掛けで作品に動きを与える美術作品。

キネマ①〔←kinematograph〕映画。シネマ。

きねん①⓪【祈念】―する（他サ）〔「念」は、心の中で祈る意〕よい状態が実現するように祈ること。㊁祈願。

きねん①【紀年】㊀紀元から起算した年数。㊁その事実のあった年時。「―は明らかでない／―銘②」

きねん⓪【記念・紀念】―する（他サ）㊀〈なにヲ―する〉思い出のために残しておく△こと（物）。「関係者に―の万年筆を贈る／創立三十年の―出版／―品⓪」㊁長く忘れることがないように（過ぎ去った日の）記憶を新たにすること。「―行事④・―日②」―さい**②【―祭】「記念㊁」のために行なう△祭り（催し）。**―ひ**②【―碑】「記念㊁」のためにたてた石碑。かぞえ方 一基

ぎねん⓪【疑念】ある物事が△真実かどうか（先行きどうなるか）について、心に生じる疑い。「―を△いだく（生む・強める・薄める・一掃する）／―が残る／常に―がつきまとう」

きのう②【⌒昨日】きょうの一日前の日。さくじつ。〔副詞的にも用いられる。アクセントは⓪〕「―きょう〔=ⓐきのうときょう。ⓑこのごろ。近ごろ〕の事ではない／―のきょう〔=あんな事が起きたきのうの次の日に当たるきょう〕だから／―〔=過去〕の人」表記 ⇩付表

きのう⓪【気⌒嚢】㊀〔鳥類の〕肺に連絡する、膜質の袋。〔保温・体重の調節などをする〕㊁気球のガスを入れる袋。

きのう⓪【帰納】―する（他サ）個々の特殊な事柄から一般的原理や法則を導き出す△こと（方法）。「―法⓪」↕演繹

きのう⓪【帰農】―する（自サ）〔農村出身者が〕それまでの都会生活をやめて△故郷に帰り（地方に引っこみ）、農業に従事すること。

****きのう**①【機能】―する（自サ）〈（なにニ）―する〉㊀目的に応じて分化した働き（をすること）。「―障害④」㊁そのものとしての十分な働きを発揮すること。「△健全な（十分に）―を果たす／本来の―を欠く／―を高める／―が低下する／―性⓪・―的⓪」**―せいしょくひん**⑥【―性食品】生体調節機能を持つとされる食品。食物繊維を入れた飲料など。**―ゆうぎ**④【―遊戯】〔乳幼児が〕いすに座るとか戸を開けるとか初めてその事が出来た時、満足感から何度もそれを繰り返して遊ぶこと。

ぎのう①【技能】物事を行なったり 何かを作ったり する時に発揮される、その人独特の技術的能力。「特殊―の持主」

きのえ⓪【≪甲】〔「木の兄」の意〕十干の第一位。乙の前。**―ね**⓪【―≪子】㊀十干の甲と十二支の子とにあたる年・月・日。かっし。〔干支の第一番目〕㊁〔←甲子祭り④〕甲子の夜に、おおぜい集まって大黒天を祭ること。

きのか①【木の香】材木の かおり。「―も新しい家」

きのかしら①、①-③【木の頭】〔歌舞伎で〕閉幕・舞台転換の合図に打つ拍子木の、最初の音。

きのこ①【⌒茸・≪菌・⌒蕈】〔木の子の意〕湿った所や木の皮などに生える菌類。柄と かさがあり、胞子で増える。例、マツタケ・シイタケ。「―狩り・―雲」かぞえ方 一株

きのじ②【きの字】㊀からだを「き」の字のように斜めにしてすわること。㊁〔「き」は「気違い」の頭字〕⇩きじるし

きのじ②【喜の字】七十七歳の異称。**―のいわい**②-⓪【―の祝い】七十七歳の長寿に達した祝い。⇩喜寿

きのしょう①-①、①【木の性】木の木目の並びぐあい。「―がいい」

きのと②【≪乙】〔「木の弟」の意〕十干の第二位。甲の次、丙の前。

***きのどく**③④【気の毒】―な ―に ㊀他人の逆境を見聞きして、心から同情に堪えないという気持を抱く△こと（様子）。「不幸が重なり、―とも何とも言いようが無い／―でならない」㊁―する（自サ）他人に余計な心配をかけて、悪かったと思う△こと（様子）。〔古くは、自分が迷惑する意にも用いられた〕派 **―さ**④ **―げ**⓪⑤④ **―が・る**⑤ 運用「お気の毒様でした」などの形で、逆境に立たされた人に対して、丁寧さを込めた同情の気持を表わすのに用いられることがある。また、相手の意向に添えなかったことに対する軽い謝罪の気持を表わしたり、そうそう思い通りになるものではない、という皮肉の意を込めて用いることもある。

きのは①【木の葉】木ぎの枝の先の方に、分かれ出るように生える葉。葉柄で枝につく。「このは」とも。かぞえ方 一枚・一片・一葉

きのぼり②【木登⒭】―する（自サ）両手両足を使って、木の幹を登ること。

きのみ①【木の実】〔人や野生動物の食べ物になる〕クリやクルミなど、木に生る果実。「このみ」とも。〔狭義では、乾果を指す〕

きのみ きのまま①-⓪、①-④【着の身着の⌒儘】〔ふだん着を〕着たままで ほかに何一つ持っていないこと。「―で逃げ出す／―で焼け出される」

きのめ①【木の芽】木の新芽。「このめ」とも。〔狭義では、サンショウの若芽を指す。例、「―和え⓪・―田楽④」〕**―どき**⓪【―時】木ぎの芽が一斉に萌え出る早春のころ。長い冬からの解放感で、精一杯活動したいと心身ともに張り切る時分。〔陽気が不順なので、身体に不調をきたしやすい時分でもある〕

きのやまい③【気の病】精神の疲れや心配などから起こる病気。〔狭義では、ノイローゼを指す〕

きのり⓪【気乗⒭】―する（自サ）何かを積極的にする気持になること。「―（が）しない／―薄⓪〔=あまり気が進まないこと〕」

きば①【牙】食肉動物の上下の両あごにある、鋭くて強い犬歯。かぞえ方 一本 **【―を⌒嚙む】**悔しがったり 興奮したりするあまり、歯を強く食いしばる。**【―を研ぐ】**相手に危害を与えようと、以前から準備をする。「狼が―〔=△獲物をねらって（競争相手に向かって）襲いかかろうとする〕」**【―を抜く】**相手が自分に危害を加えられないように、相手の攻撃手段を あらかじめ役立たないものにする。

きば①【騎馬】馬に乗る△こと（人）。「―戦⓪・―民族」

きば⓪②【木場】㊀〔水に漬けて〕材木をたくわえておく場所。㊁〔材木市場があり〕材木商の集中している町。

きはい①【気配】⇩けはい

きはい⓪【⌒跪拝】―する（自サ）仏や高貴な人などを、ひざまずいておがむこと。

きばい①【木灰】木を焼いて作った灰。⇩わらばい

きばえ⓪【着映㋒】着て、りっぱに見えること。「―のする洋服」

きはく⓪【気迫・気⌒魄】△どんな障害も物ともしない（相手を圧倒せんばかりの）積極的な精神力。「―に△押される（乏しい）／―のこもった△演奏（演技）／―あふれる投球／―で圧倒する／―において劣る／―負け⓪」表記「迫」は、代用字。

きはく⓪【希薄・⌒稀薄】―な ―に ㊀△液体（気体）の密度などの薄いこと。↕濃厚 ㊁そのものの要素が積極的には感じられない様子。「誠意が―だ」派 **―さ**⓪

きばく⓪【起爆】―する（自サ）火薬が爆発の反応を起こす△こと（現象）。「―薬③・―剤③⓪〔=それがもとになって、今

までにない新しい状態を誘発するもの、の意にも用いられる〕」

きばこ[1]【木箱】 木製の箱。

きばさみ[2]【木〈鋏】 庭木や生け垣の枝を刈り込むための鋏。かぞえ方 一挺(チョウ)・一丁

きはずかし・い[5]【気恥(ず)かしい】(ハヅカシイ)(形) うれしい反面、なんとなく照れくさい感じだ。「そうほめられるとかえって—」

きはだ[0]【木肌】 木の幹の外皮。

きはだ[0]【黄肌】〔←きはだまぐろ[4]〕 海にすむ大形の魚。マグロに似ているが、頭・目が小さく、からだの側面が黄色い。食用。「きわだ」とも。〔サバ科〕 かぞえ方 一尾・一匹

きはだ[0]【黄〈蘗】 雌雄異株の落葉高木。実は薬用。樹皮は染料用・薬用。おうばく。「きわだ」とも。〔ミカン科〕 かぞえ方 一株・一本 **—いろ**[0]【—色】 キハダの皮で染めた、やや薄い黄色。

きばたらき[2][0]【気働(き)】 頭の回転が速く、事に応じて、すぐ対処出来ること。「—のある〔=機転の きく〕人」

きはちじょう(ヂャウ)[3][2]【黄八丈】 黄色地に、茶色・とび色など同系統の色糸で縞(シマ)・格子模様を織り出した絹織物。

きはつ[0]【揮発】—する(自サ) 液体が常温で気体になって蒸発すること。「—性[0]」 **—ゆ**[3][0]【—油】 ベンジン・ガソリンを、しみ抜き・溶媒などに使う時の、やや古めかしい呼び名。

きばつ[0]【奇抜】—な —に 〔やった事や作った物などが〕ひどく他と違っていて風変りな様子だ。「—な△アイディア(趣向)」 派 **—さ**[0][3] 「着想の—」

ぎばへんじゃく[1]-[1]、[3]【〈耆婆〈扁鵲〉】 〔「耆婆」は古代インドの、「扁鵲」は古代中国の、名医の名〕世にもまれな、上手な医者。

きば・む[0][2]【黄ばむ】(自五) 黄色みを帯びた色になる。黄色みがかる。

きばや[0]【気早】—な —に 思った事をすぐ実行に移さずにはいられない性分である様子。せっかち。 **—・い**[3][0](形) 気早な様子だ。 派 **—さ**[3]

きばらし[0]【気晴(ら)し】 何かをすることによって、退屈をしのいだり 気分転換をしたりすること。また、そのためにする行為。「家に閉じこもりがちの友人を連れ出して—をさせる/たまには船でも借りて—にどこかへ行ってみたい」

きば・る[0]【気張る】(自五) ❶いきむ。❷△元気(勇気)のあるところを示そうとする。運用 ❷は、人前で気前のいいところを見せようとする意にも用いられる。例、「気張ってチップをはずむ」

きはん[0]【帰帆】—する(自サ) 船、特に帆船が港に帰って来ること。また、その船。

***きはん**[0]【規範】 その社会でそれに従うことが求められ、それに反すると何らかの制裁を受ける恐れのある行動などの型。「—性[0]・—的[0]・社会—[4]」 表記 「軌範」とも書く。 **—ぶんぽう**(パフ)[4]【—文法】〔現実に行なわれる文法現象とは違って〕乱れや破格など、史的変遷の一環と目されるものや地域的変容などを一切捨象した、規範とされる文法。俗に「学校文法」などと言われるもの。

きはん[0]【〈羈絆〉】 「きずな❸」の意の漢語的表現。

きばん[0]【基板】 電子回路を表面または内部に作り上げる基になる板状の物。〔狭義では、「良導体を印刷する手法により配線を実現した、合成樹脂の板〔=プリント基板〕」を指す〕

***きばん**[0]【基盤】 問題とするものの根底にあり、それがしっかりとした土台に支えられて築かれ、安定していることによって、進歩・発展が可能となる何ものか。「友好の—が固まる/成立の—を△揺るがす(脅かす)/民主政治の—が失われる」

ぎはん[0]【偽版】 偽造した版木(を用いた刷り物)。〔広義ではいわゆる海賊版をも指す〕

きばんごう(ガウ)[2]【記番号】 同種同額の紙幣や同一内容の証書などに記された通し番号。

きはんせん[0]【機帆船】 発動機のついた小型の帆船。

きひ[1]【忌避】—する(他サ) いやがって避けること。〔狭義では、訴訟事件の当事者が、ある裁判官の裁判を拒むことを指す〕「徴兵—[5]」

きひ[1]【基肥】 「もとごえ」の漢語的表現。↕追肥(ツイヒ)

きび[1]【〈黍】 ❶畑に作る一年草。実はマッチの頭ぐらいの大きさで、赤茶色。五穀の一つ。〔イネ科〕「—がら[0]・—もち[2]・—だんご」 ❷〔東北から中国・四国、および九州の一部の方言〕とうもろこし。表記 「〈稷」とも書く。

きび[2]【気《味】 「きみ」の古形・方言形。「—(が)悪い」

きび[1]【機尾】 その航空機の最後部。↕機首

きび[1]【機微】 〔「機」は、きざしの意〕表面的にはとらえることの出来ない、その時どきの対人関係などによって異なる心の動き。「人生の—に触れる/人情の—を解さない」

きび[1]【〈驥尾】 駿馬(シュンメ)の尾。「—に△付す(付(ツ)く)〔=他人の業績を見習ったり 尻馬(シリウマ)に乗ったりして、何かをする〕」

きびき[0]【忌引(き)】—する(自サ) 近親者が死んだため、(学校・勤めなどを休んで)通夜・葬式などに加わること。また、そのために認められた休暇。

きびきび[1](副)—と —する 言動にむだが無く、いかにも物事を手際よく処理する能力があるという印象を与える様子。「—した動作/—(と)立ち働く/—と張りのある口調」

****きびし・い**[3]【厳しい】(形) ❶安易な気持では対処できない状況に置かれ、それ△を克服する(に耐え抜く)のに大変な努力が要る様子だ。「—△条件(現実)/△言論統制(制約)が—/△前途(優勝への道)は—/—冬の寒さ/風当りが—〔=世間の人などの非難・攻撃を正面から受ける様子だ〕/賃金が安くて生活が—」 ❷甘えや妥協をいっさい許さず、苦しみや困難に耐えることが求められる様子だ。「—試練に耐える/—△稽古(修行)」 ❸情実をいっさい廃して、こうすべきだと思ったことを変えることなく貫く様子だ。「厳しく〔=徹底的に〕批判する/判決を厳しく受け止める/—表情を崩さず政府の責任を追及する/厳しくしかる」 表記 「《酷しい」とも書く。

きびしさ[3][2]【厳しさ】 厳しい△こと(程度)。「学問の—を教えられる/—が足りない/—を増す/—を加える」

きびしょ[3][0] 「急須(キュウス)」の古風な表現。

きびす[0]【〈踵】 「かかと」の古風な表現。「くびす」とも。「—を△返す(めぐらす)〔=今、来た方へ引き返す〕/—を接す〔=同じような者や競争者が)次つぎと続く〕」

きびたき[2]【黄〈鶲】 メジロぐらいの大きさの美しい小鳥。雄は胸・腰・腹が黄色。鳴き声もよいので飼われる。〔ヒタキ科〕 かぞえ方 一羽

きびだんご[3]【〈黍団子】 キビの粉で作った団子。表記 「《吉備団子」とも書く。

きひつ[0]【起筆】 ❶—する(自他サ) 書き始め(ること)。↕擱筆(カクヒツ) ❷その文字を、どの部分から書き始めるかということ。また、その書き始めの部分。始筆[0]。「一 の字は—が難しい」 ⇩終筆

ぎひつ[0]【偽筆】—する(他サ) 他人の書いたものに似せて△書くこと(書いた文字や絵)。↕真筆(シンピツ)

きびゅうほう(ビウハフ)[0]【帰〈謬法】 〔「謬=誤り」に帰着せしめることによる証明法の意〕〔数学で〕ある命題が真であることを証明する際に、その命題が偽(ギ)であると仮定すれば矛盾

** * は重要語, [0] [1]… はアクセント記号, 品詞の指示の無いものは名詞および いわゆる連語。

が生じることを示すことによる方法。〔学校教育では「背理法」と改称されたが、この証明法が「理(法)」に「背く」わけではない〕

きびょう⓪ビヤウ【奇病】今までかかった人が少なく、原因や治療法の知られていない病気。

ぎひょう⓪ヘウ【儀表】見習うべき手本・模範。「世の—とされる」

ぎひょう⓪ヒヤウ【戯評】漫画・漫文の形で行なう社会時評。

きびょうし②ベウ—【黄表紙】江戸時代半ばごろから流行した、絵入りのこっけいな読み物。

きひん⓪【気品】芸術作品や人間の顔・容姿などについて感じられる崇高な美。「—のある顔立ち」

きひん⓪【気〈稟】生まれつき備わる気質。「詩人的—」

きひん⓪【貴賓】特別待遇をすべき、△身分の高い(大切な)お客。「—室②・—席②」

きびん⓪【機敏】—な〔「機」は、「きざし」の意〕ちょっとした変化にもすぐ応じて対処しうる様子。「—な行動がとれない/—に(=抜けめなく)立ち回る/—性に欠ける」派—さ⓪

***きふ**①【寄付・寄附】—する(他サ)〔だれ・なにニなにヲ—する〕人の仕事を助けるために、お金や物を無償で提供すること。「—金⓪」 **—こうい**③カウヰ【—行為】財産を出して財団である医療法人や学校法人などを設立する法律行為。また、それらの根本規則。

きふ①【棋譜】碁・将棋の対局の手順を記録したもの。

きふ①【貴腐】表面にボトリチス菌(=カビの一種)が繁殖したために水分が蒸発し、半乾燥状態になったブドウの実。糖度が高く、高級白ワインの原料とされる。「—ワイン③」

きぶ①【基部】もとになる部分。ねもとの部分。

ぎふ①【義父】〔実父に対して〕義理の父。養父・継父および配偶者の父の称。

ギブアップ③—する(自サ)〔give up〕戦意を喪失し、試合を放棄すること。〔絶望・お手上げの意にも用いられる〕

ギブ アンド テーク⑥〔give-and-take〕相手に利益を与え、自分も相手から利益を得ること。持ちつ持たれつ。

きふう⓪【気風】同じ△地域(職業)の人たちが共通に持っていると見られる気質。「質実剛健の—は薄れて久しい」

きふう⓪【棋風】〔碁・将棋で〕その人特有のやり方。

きふく⓪【帰服】—する(自サ)つき従うこと。表記「帰伏」とも書く。

きふく⓪【起伏】—する(自サ)㊀高くなったり低くなったりすること。高低。㊁栄えたり衰えたりすること。変化。「—の多い人生」

きぶく⓪【忌服】—する(自サ)喪に服する△こと(期間)。

きぶくれる④【着膨れる】(自下一)たくさん着て、太っているように見える。名着膨れ⓪ 表記「着〈脹れる」とも書く。

きふさぎ②③【気塞ぎ】不快なことがあるなどして、晴ればれとした気分になれないこと。

きふじん②【貴婦人】身分の高さ、品位の高さが一つひとつの言動にあふれ出ている女性。

ギプス①〔オ gips=石膏セッコウ〕〔↑ギプス包帯④〕骨などに異常がある時、患部を固定させるための、石膏の粉を含ませた包帯。ギブス。

ぎふぢょうちん③ヂヤウ—【岐阜〈提〈灯】細い骨に薄い紙をはった上品なちょうちん。長卵形で底にふさを垂れる。〔岐阜地方の特産〕かぞえ方 一張ハリ

キブツ①〔ヘブライ kibbutz=グループ〕イスラエルの△協同組合的集団社会(農耕生活共同体)。

きぶつ①【器物】物を入れるのに使ったり備え付けてあったりする器具・道具の総称。

きぶつ①【木仏】木彫りの仏像。「きぼとけ」とも。〔俗に、情愛の薄い人の意にも用いられる〕

ぎぶつ⓪【偽物】にせもの。贋物ガンブツ。

きぶっせい②【気ぶっせい】—な 気づまり。

ギフト①〔gift〕贈り物。「—カード④・—ショップ④」

ギフト チェック④〔gift check〕もと、銀行が発行した、贈答用の小切手。

きぶとり②【着太り】—する(自サ)㊀厚着のため、太って見えること。㊁着物を着ると、太って見えること。↔着やせ

きぶり⓪【木振り】〔形のよしあしの点から見た〕木の△幹(枝)などの様子。

きふるし⓪【着古し】長い間着て古く△なること(なった衣服)。動着古す③(他五)

***きぶん**①【気分】㊀その人がその時どきに持つ、快・不快などの総合的な心の状態。「—を△新たにする(引き締める)/—がすぐれない/いい—でいるところを邪魔される/—が乗らない/—が悪い/—的⓪(=行動がその時どきの気分に左右され、一貫性を欠く様子)・—屋⓪(=気分次第で何かをする傾向の人)」㊁その環境に身を置いている人たちが一斉にかもし出す、一種の興奮した精神状態。「大会への—が盛り上がる/お祭り—⑤」 **—いっしん**①-⓪【—一新】何かをきっかけとして、今までとは全く異なった気持で事に臨もうとすること。「転職を機に—、一から出直すつもりだ」 **—てんかん**④クワン【—転換】今までとは違うことをすることによって、心身の疲れをいやし、活力を取り戻そうとすること。「—にゴルフをする」

きぶん⓪【奇聞】人の興味をそそるに十分な△話(うわさ)。「珍聞—⓪-⓪」

ぎふん⓪【義憤】こんなまちがった事があっていいものかと、世のため人のために憤慨すること。

ぎぶん⓪【戯文】いたずら半分に興に任せて書いた文章。

きへい⓪【騎兵】騎馬の△軍隊(兵士)。「—隊⓪」

ぎへい⓪【義兵】一身の利害を顧みず、よいと思った事のために起こす△兵(戦争)。

きへき⓪【奇癖】普通と変わった、妙なくせ。

きへん⓪【机辺】机のそば。机のあたり。

きへん⓪【木偏】漢字の部首名の一つ。「枝・松・梅」などの、左側の「木」の部分。〔多く、樹木の種類や木材に関する漢字がこれに属する〕

きべん⓪【〈詭弁・奇弁】〔「詭」は、欺く意〕本来つじつまの合わない事を強引に言いくるめようとする議論。「—を弄ロウする/—家⓪・—学派④」表記「奇」は、代用字。「弁」の旧字体は「〈辯」。

***きぼ**①【規模】㊀何かを作ったり行なったりする時の、構想や仕組みの大きさ。「—が小さい/—広大①-⓪・全国的—・小—③」㊁巨視的に見た場合の存在の大きさ。「—雄大な景色」

ぎぼ①【義母】〔実母に対して〕義理の母。養母・継母および配偶者の母の称。

きほう⓪ハウ—【気泡】液体などの中に気体が包まれて出来る、粒状のもの。あわ。「—ガラス④」

きほう⓪ハウ—【気胞】魚の浮き袋。

きほう⓪【奇峰】珍しい形の峰。「夏雲—多し」

きほう⓪【既報】その時以前に△報知(報道)したこと。

きほう①②ハウ—【貴方】〔手紙文などで〕「(あなたの)居所」の意の尊敬語。また、相手に対する敬称。〔一般に男性同士で用いる〕

きほう⓪【機〈鋒】ほこさき(の鋭い勢い)。きっさき。「—をそらす」

きぼう [0]【希望】—する(他サ)〈(だれニ)なにヲ—する〉 自分がこう成りたい、人にこうしてもらいたいとよりよい状態を期待し、その実現を願うこと。また、その事柄。「明るい—をいだく／最後の—を託する／—を容れる／—が△かなえられる(実現する・わく・ふくらむ)／—してやまない／—者[2]」 表記「〈冀望」とも書く。 **—てき[0]【—的】—な／—に その事の実現や結果に希望を抱く様子だ。「—観測」

きぼう [1][0]【既望】「陰暦十六日の△夜(月)」の意の漢語的表現。

きぼう [0]【鬼謀】 常人には思いもよらないうまいはかりごと。「神算—」

ぎほう [0]【技法】 技術・芸術の手法やスポーツの演技などで、その人独特のやり方。「プログラムの—／小説—[5]」

ぎぼうしゅ [2]【擬宝珠】 ❶欄干の柱の頭につける、ネギの花の形の装飾。「ぎぼし[1]」とも。 ❷山野に自生し、また栽培もされる多年草。葉が大きく、夏、薄紫色の花を開く。「ぎぼうし[2]」とも。〔キジカクシ科(旧ユリ科)〕 かぞえ方 ❷は一本

きぼく [0][1]【亀〈卜】〔中国や日本で、古代〕カメの甲に溝を彫り、それを焼いて出来た亀裂によって吉凶などを判断した占い。

ぎぼく [0]【義僕】 忠義な下男。忠僕。

きぼとけ [2]【木仏】「きぶつ」の和語的表現。

きぼね [0]【気骨】 気分的に感じられる苦労。「—が折れる」

きほよう [2]【気保養】(疲れた)心を慰め楽しませること。きばらし。「きぼよう」とも。

きぼり [0]【木彫(り)】 のみで木を彫って、何かの形を△作ること(作ったもの)。

****きほん** [0]【基本】 その物事を成り立たせる上で不可欠な要素であり、一貫して△変わる(変える)ことはないと考えられるもの。「義務教育の—は人格の形成にある／民主主義の—／彫刻の—を学ぶ／外交の—姿勢／専守防衛を—とする自衛隊のあり方／停戦に関する—合意／党の—路線／—文型[4]・—ソフト[4]・—構造[4]・—方針[4]」 **—ごい**[4]【—語彙】 その言語を用いて生活する人が、通常の社会生活を営む上でその的確な理解と使用が不可欠とされる語の総体。 **—しんどう**[4]【—振動】 それぞれの弾性体に固有の振動のうち、振動数の最小のもの。 **—たんい**[4]【—単位】⇩単位 **—てき**[0]【—的】—な／—に その物事の存在を支える根幹にあって状況の変化などにかかわりなく、一貫していると とらえられる様子だ。「—な練習に重点を置いた合宿訓練／中央銀行の—な使命／財政改革の—な方針／与野党の見解が—に一致する」 **—てきじんけん**[0]-[0]【—的人権】 人間が生まれながらに有している基本の権利。たとえば、思想・良心・信教の自由、集会・結社および言論・出版の自由など。

ぎまい [0]【義妹】 ❶きょうだいの約束を結んで、妹と定めた人。 ❷〔実妹に対して〕義理の妹。△夫(妻)の妹。弟の妻。

きまえ [0]【気前】 金品を惜しげも無く人にくれてやるかどうかという観点から見た、その人の性質。「—がいい／—よく与える」

きまかせ [0][2]【気任(せ)】—な／—に その時どきの気分に従って行動する様子。「—の旅」

ぎまく [0]【義膜】 炎症を起こした部分などで、本来の粘膜などの表面に出来る、膜のようなものの総称。 表記「偽膜」とも書く。

きまくら [2]【木枕】 木製の箱形の枕。上に布でつつんだ弾力のあるものを載せて用いる。箱枕。

きまぐれ [0]【気《紛(れ)】—な／—に ❶その時どきの気分で行動し、しっかりした考えや計画の見られない△様子(性格)。「—な人／—を起こす」 ❷その時どきで変わりやすく、先の予測が立たない様子。「—な天気」 派 **—さ**[0][4]

きまじめ [2]【生〈真面〉目】—な／—に 人並以上にまじめな(だけで、融通の全くきかない)様子。「—な顔」 派 **—さ**[0][4] 表記 ⇩付表「真面目」。「気まじめ」とも書いた。

きまず・い [0][3]【気まずい】(形) お互いの気持がしっくり合わず、和やかな雰囲気をつくりだせない様子だ。「—空気が生まれる」 派 **—さ**[3][0] **—げ**[0][4] 表記「気〈不味〉い」とも書く。

きまつ [0]【季末】 その季節の終りの時期。「—バーゲンセール」

きまつ [0]【期末】 その△期限(期間)の終り。「—試験[4][5]・—テスト[4]」↕期首

きまって [0]【決(ま)って】(副) そうと決められたかのように、そのつど同じ事が行なわれる様子。「毎朝—散歩に出掛ける／当番になると—欠席する」 表記「《極まって」とも書く。

きまま [0]【気〈儘】—な／—に なんの束縛も受けずに、思い通りに行動する様子。 派 **—さ**[0]

きまもり [0][2]【木守(り)】 次の年によく生(な)ることを願って、果樹に一つだけ取り残しておく果実。

きまよい [0][2]【気迷(い)】 ❶気持がはっきりと決まらないこと。 ❷相場の上がり下がりの見当がつかず、株式の売買が不活発なこと。「—人気[5]」

***きまり**【決(ま)り】 ▪一 [0] △決まる(決まっている)こと。「—〔=決着〕をつける／—〔=規定〕に従って違反者を処分する／朝は散歩が—〔=習慣〕だ」 表記「《極まり」とも書く。 ▪二 (造語) 動詞「決まる」の連用形。 **—き・る**[4]【—切る】(自五) 〔多く「決まり切っている」「決まり切った…」の形で〕 ❶どんな結論になるか明らかで、改めて論じるまでもない、の意を表わす。「そんなに酒びたりでは、からだをこわすのは決まり切っている」 ❷その時どきによって変化が見られず、そのつど同じことが繰り返される意を表わす。「父親の決まり切った説教が始まった／決まり切ったメニュー」 **—て**[0]【—手】〔すもう・剣道などで〕勝負を決めたわざ。 表記「《極まり手」とも書く。 **—もんく**[4]【—文句】 そのような場面でいつも必ず使われる、型にはまった言葉。 表記「《極まり文句」とも書く。 **—わる・い**[5]【—悪い】(形) 人前でちょっとした失敗をしでかすなどして、内心恥じ入る様子だ。「きまりが悪い」とも。 派 **—さ**[4] **—げ**[0][6] **—が・る**[6] 表記「《極まり悪い」とも書く。

****きま・る** [0]【決(ま)る】(自五) ❶〈(なに・だれニ)—／(なんだト)—〉 問題となる事柄について、いくつかの選択の可能性がある中から一つが選ばれ、それに従って事が進められることになる。「△活動方針(旅行の日程・新役員)が—／全員で行くことに—／胸三寸で—／腹が—〔=どんなことがあってもそうしようという覚悟ができる〕」 ❷〔有効な手段が用いられるなどして〕△変わること(変える必要)がない結果になる。「内掛けが見事に—／△命運(大勢)が—」 表記「《極まる」とも書く。〔⇩決まり▪二〕 **きまっている**【決(ま)っている】 その場にふさわしい条件が満たされて、見事としか言いようがない様子だ。「今日のかっこうはなかなか—ね」 運用 多く、冷やかし気味のほめ言葉として用いられる。

きまわし [0]【着回し】—する(他サ) 一つの服を、組み合わせをさまざまに変えて着ること。「—のきくカーディガン」

ぎまん [0]【欺〈瞞】—する(他サ) うそをついてだますこと。「—に満ちた一生」

きみ [0]【君】 ▪一 ❶主君や立場の上の人に対する敬称。〔結婚披露宴の媒酌人の挨拶(アイサツ)や告別式の追悼の辞などの中で、軽い敬意をもってその人を指すのにも用いられる〕「—に誠を尽くす／師の—〔=先生〕／背の—〔=夫君〕」 ❷

〔接尾語的に〕親族名称などに付けて用いる敬称。「父―・姉―・若―・姫―」 ❷(代)〔男性が〕同輩(以下)の相手を指す(に親しみの気持をこめて呼びかける)語。複数形は「君たち[2]」。〔近年は女性が年下の男性などに対して用いることもままある〕 ↕僕

きみ【気味】 ❶[2] 何かを見たり聞いたりした時に受ける、快・不快の気持。「いい―だ〔=ふだん快く思っていなかった相手の失敗・不結果を見て、いい気持になる〕」 ❷〔接尾語的に〕どちらかと言えば、そのような傾向があること。「風邪―・焦り―・上がり―」 **―わる・い[4][2]【―悪い】**(形) 異様であったり正体不明であったりして、安易に接することに不安を感じる様子だ。「気味が悪い」とも。きび悪い。 派 **―さ[3] ―げ[0][5] ―が・る[5]**

きみ[0] ❶【黄み】 黄色(に近い色合)。 ❷【黄身】 鳥の卵の中にある黄色い部分。卵黄。 ↕白身 表記 ❶を「黄味」と書くのは借字。

きみかげ そう[0]【君影草】 スズランの異称。

きみがよ[0]【君が代】 ❶〔雅〕あなたの一生(生涯)。〔狭義では、我が主君の御代を指す〕 ❷「君が代は千代に八千代に」で始まる和漢朗詠集の歌。〔明治政府下では国歌とされ、第二次世界大戦後も国歌と扱う向きが多かったが、一九九九年八月に改めて法制化された〕

きみじか[0]【気短】―な・―に 期待した事の実現が遅れるとがまんが出来ず、すぐ怒り出したりする様子。短気。 ↕気長

きみつ[0]【気密】―な・―に 窓・扉・戸などの構造がすきま無く閉まり、外部との間に空気の流通が行なわれないようになっている様子。「―性が高い/―を保つ/―構造[4]・―室[3]」

きみつ[0]【機密】 〔枢機に関する秘密の意〕組織体にとっての大事な秘密事項。「政治上(軍事上)の―/―を漏らす/―性を帯びる/―事項[4]・―保持[4]」 **―ひ[3]【―費】** 〔官庁・会社などで〕機密に属する事柄のために用いる費用。支出明細書を必要としない。

ギミック[1]〔gimmick〕 仕掛け。からくり。特殊効果。

きみどり[2]【黄緑】 黄色と緑色の中間色。

きみゃく[0]【気脈】 〔血管の意〕言わず語らずの間に意思の疎通が行なわれること。「―を通じる」

***きみょう[1]【奇妙】**―な・―に どうしてそうなのか分からないが、とにかく普通とは違っている様子。「―と言えば―ですが/―な出来事(ふるまい)/―きてれつ」 派 **―さ[0][2]**

きみょう[1][0]【帰命】 〔「南無」の訳語〕身命を信仰の対象にささげること。 **―ちょうらい[1]-[0]、[0]-[0]【―頂礼】** ❶〔「頂礼」は自分の額を相手の足にあてる礼拝の意〕 深く仏教に帰依すること。 ❷仏・菩薩を拝む時に唱える言葉。

きみん[0]【棄民】 国家や為政者の保護の対象外とされた(及ばなくなった)人びと。「幕末期、農村の―が相次いだ/残留孤児を生んだ―政策」

ぎみん[0][1]【義民】 一身の利害を顧みずに、世のためだと思うことに尽くす農民。

****ぎむ[1]【義務】** その立場にある人として当然やらなければいけないとされている事。「―を果たす/国際的な―を負う/―と責任を課す/―年限[3]・―感[2]」 ⇩権利 **―きょういく[3]【―教育】** 国民が、その保護する子女に受けさせる義務がある普通教育。今は小学校六年、中学校三年の九か年。 **―きょういくがっこう[7]【―教育学校】** 義務教育として小学校の六年間と中学校の三年間の課程を一貫して教育する学校。 **―づ・ける[4]【―付ける】**(他下一) 〔規則などによって〕その社会に属する人に対し、義務としてそうすることを要求する。「感染症患者は報告を義務付けられている」 名 義務付け[0] **―てき[0]【―的】**―な・―に 義務だからやむを得ず(形式的に)する様子。 **―のうりょく[3]【―能力】** 定められた義務を果たすことが可能だと認められる法律上の資格。

きむずかし・い[5][0]【気難しい】(形) ❶自分の意に添わなければちょっとしたことにもすぐ不快感をあらわにすることが多く、接するのに神経を使う様子だ。「―老人」 ❷思いどおりにならないことなどがあって、思い悩んでいることをうかがわせる様子だ。「―顔」 派 **―さ[5][4] ―げ[0][6][5]**

きむすこ[2]【生《息子】 まだ世間や女を知らない若い男性。〔「きむすめ」にならって作られた語〕 表記 ⇩付表「息子」

きむすめ[2]【生娘】 まだ世間や男を知らない若い女性。

キムチ[1]〔朝鮮 gimchi (「沈菜」の変化とも)〕 朝鮮の代表的漬物。ハクサイ・ダイコン・キュウリなどを主とし、トウガラシ・ニンニクなどの香辛料をたくさん入れる。

きめ[0]【決め】 とりきめ。約束。 表記 「《極」とも書く。

きめ[2]【木目】 ❶もくめ。 ❷〔皮膚などの〕表面に現われている網の目のようなもの。〔その目が詰んでいるほど、なめらかだとされる〕「―の細かい〔=細部まで行き届いている〕作品(論議・実態調査)/―細かい(細かな)配慮」 表記 ❶は「木《理」、❷は「《肌理》」とも書く。

きめい[0]【記名】―する(自サ) 所定の書類に姓名を書くこと。「―投票[4]・無―」

きめい[0]【記銘】―する(他サ) 〔心理学で〕記憶の第一段階として、経験した事柄を覚え、意識の中に定着させること。

ぎめい[0]【偽名】 実名を知られないようにする意図で使う、他人の名や架空の名など。

きめうち[0]【決め打ち】―する(自他サ) あらかじめ段取り(手順・ねらい)を決めて、その通りに進める(実行する)こと。「馬券を―で買う/ねらい球を―する/―の報道/―碁[4]〔=手本となる棋譜の途中の局面から打つ碁〕」

きめこみ[0]【木目込み】 板目紙に平らに切れ地を張った押し絵。 **―にんぎょう[5]【―人形】** ヤナギの木材に彫刻してちりめんを押し絵にした人形。

きめこ・む[3]【決め込む】(他五) ❶事実に関係なく、一方的に決めてかかる。 ❷そうした方がよいと決めた、社会通念に反する好ましくない行動を実際に行なう。「ねこばば(狸寝入り・ずる休み・知らぬ顔の半兵衛)を―」 ❸〔日常生活の中で〕歴史上著名な人物や、人口に膾炙する小説・戯曲の主人公のまねをして、得意がる。「五条の橋の牛若丸を―」 表記 「《極め込む」とも書く。

きめたおし[0]【決め倒し】 〔すもうで〕相手の差した腕の関節を強くはさみつけたまま倒すこと。 動 決め倒す[4](他五) 表記 「《極め倒し」とも書く。

きめだし[0]【決め出し】 〔すもうで〕相手の差した腕の関節を「門」などで強くしめつけたまま土俵の外に出すこと。 動 決め出す[3](他五) 表記 「《極め出し」とも書く。

きめだま[0]【決め球】 ウイニング ショット。 表記 「《極め球」とも書く。

きめつ・ける[4]【決め付ける】(他下一) ❶相手に反論の余地を与えず、断定的な言い方をする。「頭から、偏向と―/最初から犯人と―」 ❷一方的にしかりつける。 表記 「《極め付ける」とも書く。

きめて[0]【決め手】 ❶決める人。 ❷それがあれば確実な結論が下せるという何ものか。〔すもうでは、勝負を決するに足る得意のわざを指す〕「…が決定的な―と(に)なる/―を欠く」 表記 「《極め手」とも書く。

きめどころ[0]【決め所】 決めるのに大事な所(時)。「―を逸する/勝負の―」 表記 「《極め所」とも書く。

キメラ[1]〔Chimera=ギリシャ神話の、ライオンの頭、ヤギの

胴、ヘビの尾を有し、口から火を吐く獣、キマイラ（ギ Khimaira）から〕二つ以上の異なる遺伝子型を有する生物体。突然変異・接ぎ木・肝移植などによって生じる。

き・める⓪【決める】（他下一）❶〈なにヲ—／（なに・だれヲ）なに・だれニ—／（なにヲ）なんだト—〉問題となる事柄について、いくつかの選択の可能性がある中から一つ選び、それに従って事を進めることにする。「行くか行かないかを—／大学院に進学することに—／ここを終のすみかと—／△予定（日取り）を—／△基本方針（就業規則）を—／△腹（心）を—〔=決意する〕／話を—〔=ⓐ△相談（約束）をまとめる。ⓑ結論を出す〕／昼はパンに決めて〔=習慣として〕いる／引き受けるものと決めてかかる〔=思い込んで、疑わないでいる〕」 ❷〈なにヲ—〉〔有効な手段を用いるなどして〕△変わること（変える必要）がない結果を得る。「満塁ホームランで勝負を一気に—／鉄棒競技で着地も見事に—／党の将来を—〔=大きく変える可能性がある〕大事な選挙／黒のスーツにパールのネックレスで決めた〔=その場にふさわしい服装で人目をひいた〕女性」 ❸〈なにヲ—〉〔すもうで〕相手の差した腕・手首の関節を強くはさみつけて動かせないようにする。 表記「《極める」とも書く。

きめん⓪【鬼面】 鬼の△顔（仮面）。「—〔=大層な見せかけで〕人をおどろかす」

きも②【肝】 ❶動物の内臓。〔狭義では、肝臓を指す〕 ❷〔積極的な行動力の基盤と考えられる〕その人の心の△持ち方（状態）。「—が太い〔=大胆だ〕／—に銘じる〔=心に深くとめて忘れないようにする〕／—を冷やす〔=⇩冷やす〕」 表記「《胆」とも書く。 **【—が据わる】** どんな事が起こってもびくともしないだけの度胸がある。 **【—に染みる】** 受けた感動をいつまでも忘れることがない。 **【—を煎る】** 間に立って何かと世話をする。⇩肝煎り **【—を消す】** ⇩肝を潰す **【—を潰す】** △意外な（大変こわい）事に出あって、極度にびっくりする。「肝を消す」とも。 **【—を抜かす】** 予定の行動が全く取れなくなるほど、びっくり仰天する。

きもいり⓪【肝煎（り）】〔もと、町内の世話役の意〕 ❶仲間の人間関係をまとめるために骨を折る△こと（人）。取りもち。世話（人）。 ❷〔東北・北陸地方などで〕名主・庄屋の称。

きもう⓪【起毛】 織物・編物に、けばを立てること。「—器②」

きもう⓪【《欺〈罔】〔あざむくこと、の意〕詐欺行為で、相手の錯覚を利用してだますこと。「ぎもう」とも。

きもすい②⓪【肝吸（い）】 ウナギの肝の吸い物。

きもだめし③【肝試（し）】 勇気があるかどうかを試すこと。また、そのための行事。

きもち⓪【気持（ち）】 ❶何かを見たり聞いたりそこに身を置いたりすることによってその人が感じる、快・不快、好き・嫌いなどの感情や、緊張・弛緩・共感などの精神状態。〔ちょっとした刺激で変わりやすい〕「世の親の—を反映する／—を引き締める／相手の—を思いやる／—のいい朝」 ❷〔副詞的に〕わずかに感じられる程度である様子。「—〔=ほんの少し〕左へ寄ってください」 運用 ❶は、「ほんの気持（だけ）ですが…」などの形で、謝礼や謝罪の気持を表わすための贈物をする際に、「自分の気持を表わしただけのつまらないものだが」の意を込めた挨拶の言葉として用いられることがある。例、「ほんの気持ですがお納めください」

きもったま⑤④【肝っ《魂・肝っ玉】〔「きもだま④⓪」の強調形〕あわてたり恐れたりしないで何事をもやりとげる精神。「—がすわっている〔=大胆で、物に動じない〕」

きもの⓪【着物】 からだに着るもの。衣服。〔狭義では、和服を指す〕 かぞえ方 一着・一枚・一点

きもん⓪【気門】 昆虫などの からだの側面にある呼吸孔。

きもん⓪【奇問】 その意図がはかりかねるような変わった問い。「この学校の入試問題には難問—が多い」

きもん⓪【鬼門】〔陰陽道で、鬼の居ると言われる方位〕 ❶何事にも忌み避けるべきとされる方角。艮〔=北東〕のすみ。⇩方位 ❷その人が苦手として、交渉を避ける△相手（場所）。 **—よけ**⓪【—《除（け）】 鬼門の方角に神仏を祭って災難を除けること。

きもん⓪【旗門】〔スキーの回転競技で〕旗を立てた一対のポールを連続して設け、その間を選手が必ず通るように指示したもの。

ぎもん⓪【疑問】 それでよいかどうか、またはそれが何であるか分からないこと（を尋ねること）。「—が先に立つ／—を△禁じ得ない（捨て切れない・解く・いだく・覚える・持つ・呈する・投げかける）／—に答える／—無きを得ない／—の目を向ける／彼が行くかどうかは—だ／—点を指摘する／—視する／—文②⓪・—詞②〔=何・だれ・どこ・いつなど〕」 **—ふ**②【—符】 疑問を表わす符号。「?」。クエスチョンマーク。「—をつける」

きゃ（脚）→【字音語の造語成分】

ギヤ①〔gear〕 歯車を用いた伝動装置。ギアとも。「—を〔トップに〕入れる／変速—⑤」

きゃあ①（感） 恐れや驚きのために、思わず発する叫び声。

ぎゃあ①（感） 苦痛に堪えかねたり 恐怖におそわれたりして思わず発する叫び声。

ぎゃあぎゃあ①（副）—と ❶幼児などが、うるさく泣いたり騒いだりする様子。 ❷不平や不満を口やかましく言い立てる様子。

きゃく（却・客・脚）→【字音語の造語成分】

きゃく⓪【客】 ❶そこへ△たずねて（招かれて）来る人。「—をする〔=客として招き、接待する〕／招かれざる—／—人・来—」 ❷お金を払って、物を買ったり見に来たりする人。「—を奪われる／—を取る〔=遊女などが客の相手をつとめる〕／—足・乗—」 かぞえ方 ❶❷とも 一人：一群 ⇩【造語成分】 運用 多く「お客さん」の形で、その組織・団体などにおいて、他の成員とはそこに居る事情が異なり、異質の存在と認められる者を指して言うのにも用いられる。例、「いつまでもお客さんでいられても困る／お客さん扱いはやめてください」

きゃく①【《格】 奈良・平安時代、律令の不備を補うために発布された法令（を集めた書）。「—式⓪」

きやく①⓪【奇薬】 その症状に不思議によくきく薬。

きやく⓪【規約】 ❶〔組織・団体などで〕約束として、協議して定めた規則。「—を△定める（守る）／—に触れる／—上認められた」 ❷—する（他サ）〔おもに自然科学で〕記号の意味・使い方などを、規則として定めること。また、その規則。「aのゼロ乗は1であると—する」

ぎゃく（虐・逆）→【字音語の造語成分】

ぎゃく⓪【逆】 ❶基準とする方向から見て、方向や位置が反対である△こと（様子）。「トマトは—に読んでもトマトだ／—〔=逆手〕を取る／—光線③・真—」 ❷—な／—に 向かうべきでない方向へ向かう△こと（様子）。「考え方が—だ／—縁」 ↕順 ❸〔論理学や数学で〕仮設と終結とを持つ型の命題に対し、その仮設と終結とを入れかえた命題の称。逆命題。例、「PならばQ」の逆は、「QならばP」。「—（は）必ずしも真ならず」 ⇩裏・対偶 ⇩【造語成分】

ぎやく⓪【偽薬】 薬品としての実効性がない薬。医療品の効能テストや患者の精神安定などのために投与する。プラシーボ③。 表記「擬薬」とも書く。

ギャグ①〔gag〕〔映画・演劇などで〕見物人を笑わせるため

にやってみせる、本筋とは関係の無いしぐさやせりふ。

きゃくあし⓪【客足】〔商店・興行場に〕やって来る客の数。「—が△落ちる(遠のく・とだえる)」

きゃくあしらい③【客あしらい】客に好感を与えるように応対する△こと(しかた)。客扱い。

きゃくあつかい③【客扱〔い〕】㊀客あしらい。「—に慣れているベテランの店員」㊁家族や仲間の一員としてではなく、客として待遇すること。「いつまでも—されては迷惑だ」㊂〔鉄道で〕旅客の輸送に関する仕事。

きゃくい①【客位】主に対して、客に当たる位置や地位。↔主位

きゃくいん⓪【客員】学校や学術研究団体などで、正規の教員や研究員などではないが客分としてそれに準ずる処遇を受ける人。「かくいん」とも。「—教授⑤」

きゃくいん⓪【脚韻】〔韻文で〕句の終りに踏む韻。↔頭韻

きゃくうけ⓪【客受け】客の間での評判。「—がいい」

ぎゃくうん⓪【逆運】何をやっても期待に反する結果になるような悪い巡合せ。

きゃくえん⓪【客演】—する(自サ)〔俳優などが〕ほかの劇団などに招かれて、出演すること。

ぎゃくえん⓪【逆縁】㊀Ⓐ通念では先に死ぬ運命にある親が生き残って、逆に子の供養をすること。Ⓑ生前敵対し殺し合ったことのある相手の菩提を弔うこと。㊁〔仏教で〕悪事をしたことが縁になって仏道に入ること。㊂ただその場に通りかかったというような偶然の縁で、その死者の回向をすること。〔㊁㊂の対義語は、順縁〕

ぎゃくかいてん③【逆回転】正規とは逆の方向に回し動かすこと。「時計の針を—させるようなものだ」

きゃくご⓪【客語】〔文法で〕文の成分の一つ。述語によって表わされる動作主体(=いわゆる主語)が行なう動作の対象を表わすもので、「何を…する」の「何」に当たる語。目的語。「かくご」とも。

ぎゃくこうか③【逆効果】何かを抑える目的でしたことが、かえって、それを助長してしまう結果になること。また、その反対。「ぎゃっこうか」とも。「ドルの下落は両国の経済成長と対外不均衡の是正に—になりかねない」「—を招く」

ぎゃくコース③【逆コース】道順が、普通のものとは逆なこと。「ぎゃっコース」とも。〔社会の進歩とは反対の動きの意にも用いられる。例、「老人医療費の自己負担増額は、福祉国家を目指す日本にとって—だ」〕

きゃくざしき③【客座敷】〔一般家庭で〕ふだん、家人は使わないで客用に取っておく部屋。客間。

ぎゃくさつ⓪【虐殺】—する(他サ)〔人や動物を〕残酷な方法で殺すこと。「大量—⑤」

ぎゃくざや⓪【逆〈鞘】生産者の売値よりも消費者の買値の方が安いこと。「—を解消する」

ぎゃくさん⓪【逆算】—する(自他サ)㊀最終的な数量や期限などを基準にして、それからさかのぼって計算すること。㊁〔数学で〕逆の演算(を行なうこと)。

ぎゃくざん⓪②【逆産】胎児が足の方から先に生まれること。さかご。

ぎゃくし①【虐使】—する(他サ)むごく使うこと。酷使。

きゃくしつ⓪【客室】客用の部屋。〔狭義では、旅館・客船や旅客機のそれを指す。例、「—乗務員⑦」〕

きゃくしゃ⓪【客車】旅客を乗せて輸送する車両。↔貨車 [かぞえ方]一両

きゃくしゃ①【客舎】旅行者の宿泊施設。「かくしゃ」とも。

ぎゃくしゅ⓪①【逆修】㊀〔逆は、あらかじめの意〕生きているうちに、自分の墓を作ったり、死後の仏事を行なうこと。㊁年長者が、自分よりも早く死んだ年少者の仏事を行なうこと。

ぎゃくしゅう⓪【逆襲】—する(自他サ)△負けていた(防衛一方であった)者が反対に攻撃に転じること。

ぎゃくじゅん⓪【逆順】△逆(反対)の順序。

ぎゃくじょう⓪【逆上】—する(自サ)かっとなること。血迷うこと。「—して斬りつける」

きゃくしょうばい③【客商売】〔旅館や飲食店のような〕客の接待を主とする商売。

きゃくしょく⓪【脚色】—する(他サ)物語や事件を映画や演劇に演出出来るように、脚本に組み立てること。〔事実に枝葉をつけておもしろくする意にも用いられる〕

きゃくじん⓪【客人】客として△来る(そこに居る)人。

ぎゃくしん⓪【逆心】むほんの心。逆意。

ぎゃくしん⓪【逆臣】主君にそむく臣下。

ぎゃくしん⓪【逆進】—する(自サ)㊀数量や金額が多くなるほど、それに対する比率が低くなること。「—性⓪・—税③(=課税対象額が多くなるほど課税率の下がる税)」㊁本来進むべき方向とは逆の方向に進むこと。

ぎゃくすう③【逆数】〔数学で〕与えられた数と掛け合わせると1になる数の、元の数に対する称。例、$\frac{2}{3}$の逆数は$\frac{3}{2}$、また$\frac{3}{2}$の逆数は$\frac{2}{3}$。

きゃくすじ⓪【客筋】㊀客である人。〔株式では、一般投資家の特称〕㊁どういう人が客としてその店に来るかという区分け。「—の高級な店」

ぎゃくせい⓪【虐政】人民を苦しめる政治。苛政。

ぎゃくせいせっけん⑤【逆性石〈鹸】〔陰イオンの作用による普通の石鹸と違って〕陽イオンの作用による消毒力を持った石鹸。

きゃくせき⓪【客席】㊀〔興行場などで〕客の座席。見物席。㊁料亭など、客をもてなす場。「—に出て酌をする」

ぎゃくせつ⓪【逆接】〔文法で〕論理感覚の点から見て、前件から予測される事柄が後件において反対の結果となる関係にあること。↔順接

ぎゃくせつ⓪【逆説】表現の上では一見矛盾しているようだが、よくよくその真意を考えてみるとなかなか穿った説。例、「急がば回れ」など。〔広義では、パラドックスをも指す〕「—的に言うならば」

きゃくせん⓪【客船】旅客を乗せて輸送する船。

きゃくぜん⓪【客膳】客に出す食事(の膳)。

ぎゃくせんでん③【逆宣伝】—する(他サ)㊀相手の宣伝を利用して、逆に相手に不利になるように宣伝し返すこと。㊁よかれかしと思ってやった事が、かえって自分のために不利な結果となってはね返ってくること。「イノシシによる農作物の被害を訴えたつもりだったのに、—されて、動物愛護団体からクレームが付けられた」

きゃくせんび③【脚線美】女性の、すらりとした足の美しさ。

きゃくそう⓪【客僧】㊀旅に出て修行している僧。㊁その寺の所属でなく、仮にその寺に身を寄せている僧。

きゃくそう⓪【客層】顧客を、居住地域・職業・年齢・性別などによって区分してとらえたもの。「十代二十代の—をねらう商品」

ぎゃくそう⓪【逆走】—する(自サ)道路や走路を規定の方向と逆の向きに走ること。「高速道路を—する」

ぎゃくそう⓪【逆送】—する(他サ)家庭裁判所に送られた未成年者の刑事事件で禁錮刑以上に当たる事件を、検察庁へ送り起訴手続きをとること。

ぎゃくぞく⓪【逆賊】むほんを起こした悪者。

きゃ

［脚］❶道具などの下部のあし。「脚立」❷歩くこと。あゆみ。「行脚」⇩きゃく

きゃく

［却］❶しりぞく。しりぞける。「却下・退却」❷すっかり…してしまう。「売却・忘却・返却」

［客］❶主となる者の側には属さない(人)。「客演・客分」❷自分に対立する相手。ほかのもの。「客体・客観」❸その方面で水準以上の人。「剣客・論客」❹接待用の道具・器物一人分をかぞえる語。「吸物椀五客」〔❶❷❸は「かく」ともいう〕⇩(本文)きゃく【客】

［脚］(動物の足のように)物の下にあって、全体を支える物。〔いす・机のように足のある物や、蹄鉄などをかぞえる時にも用いられる〕「脚部・三脚・橋脚」

ぎゃく

［虐］むごい扱いをする。「虐殺・虐使・虐政・虐待・残虐・暴虐」

［逆］❶主君にそむく。「逆心・逆臣・反逆・大逆」❷よくない。「逆運・逆境」⇩(本文)ぎゃく【逆】

きゃくたい[0]【客体】自分の外にあって、自分がそれを冷静に観察することが出来るすべてのもの。「かくたい」とも。〔広義では自分自身をも含み、狭義では除外する〕「―化[0]」↕主体

***ぎゃくたい**[0]【虐待】―する(他サ)〈だれヲ―する〉弱い立場にあるものに対して強い立場を利用して△ひどい(むごい)扱いをすること。「△動物(幼い子供・捕虜)を―する」

きゃくだね[0]【客種】〔身分などの面から見た〕客の種類。

ぎゃくたんち[3]【逆探知】―する(他サ) 電波や電話の△発信者(発信所)を突きとめること。

きゃくちゅう[0]【脚注・脚〈註】本のページの下の方にある注。フットノート。↕頭注

ぎゃくちょう[0]【逆潮】△風の(船の進む)方向と反対に流れる潮流。↕順潮

ぎゃくちょう[0]【逆調】〔「順調」のもじり〕物事の進みぐあいが悪い方向へ向かう状態。「国際収支が―になった」

きゃくづとめ[3]【客勤め】〔ホステスなど〕客の相手をする勤め。

ぎゃくて[0]【逆手】❶相手の関節を反対に曲げること。逆。「―を取る」❷相手の予想していたのと全く反対のやり方。「彼の漫画は絵空事を―にとった(=逆用した)ナンセンスが身上である」❸〔器械体操で〕掌を手前に向けて握る鉄棒の握り方。↕順手

きゃくでん[0]【客殿】〔宮殿などで〕来客に会うための建物。

ぎゃくてん[0]【逆転】―する(自他サ) ❶進んだり回転したりする方向が△今までと(本来の方向と)全く反対になること。「大―」❷ひっくり返って、上下が逆さまになること。❸(戦闘機などの)宙返り。❹事のなりゆきや形勢がそれまでと反対になること。「形勢が―する/―ホームラン」

きゃくど[1]【客土】収穫量をふやしたりするために、よそから性質の違う土を持って来て土質の改良を図ること。また、そのための土。おきつち。「かくど」とも。

ぎゃくと[1]【逆徒】むほんを起こした者(の仲間)。

ぎゃくと[1]【逆〈睹】―する(他サ) あらかじめ見越すこと。げきと[1]。「形勢は―しがたい」

きゃくどめ[0]【客止め】―する(自サ) 〔興行物などで〕満員になったため、客の入場を(一時)断わること。

ぎゃくひ[1][0]【逆比】比の、前項と後項の順序を反対にしたもの。反比。例、2対3の逆比は3対2。

きゃくひき[0]【客引き】―する(自サ) 駅前や街頭などで、客を旅館やバーなどに誘い入れる△こと(人)。客取り[0]。

ぎゃくびき[0]【逆引き】❶―する(自サ) 編成済みの索引を一項目ずつ本文に当たって見て、誤脱などが無いかを調べる作業。❷「逆引辞典」の略。 **―じてん**[5]【―辞典】一語を表記する文字の最後尾から引けるように配列をくふうした辞書。〔「逆さ引き辞典[6]」とも、「逆綴辞典[5]」とも、「逆配列辞典[7]」とも言う〕

ぎゃくひれい[3]【逆比例】―する(自サ) ⇩反比例

きゃくぶ[1]【脚部】❶人や動物のからだの足の部分。❷机・いすなどの足の部分。

ぎゃくふう[0]【逆風】(競走・航行などの妨げになる)向かい風。↕順風

きゃくぶん[0]【客分】客として待遇される△こと(人)。

きゃくぼう[0]❶【客坊】宿坊。❷【客房】「客を通す座敷」の古称。

きゃくほん[0]【脚本】演劇・映画・放送劇などのせりふ・歌詞・動作・舞台装置などをしるしたもの。台本。シナリオ。「―家[0]」 かぞえ方 一本

きゃくま[0]【客間】来客を通す座敷。

きゃくまち[0]【客待ち】―する(自サ) 客が△来る(利用する)のを待っていること。「―のタクシー/―顔[0]」

ぎゃくもどり[3][0]【逆戻り】―する(自サ) 以前の場所や好ましくない状態に再び戻ること。あともどり。

ぎゃくゆしゅつ[3]【逆輸出】―する(他サ) いったん輸入した物を(加工して)再びもとの国に輸出すること。「元来国字であった"働"は―され中国でも用いられるようになった」

ぎゃくゆにゅう[3]【逆輸入】―する(他サ) いったん輸出した物を(加工品として)輸入すること。「海外向けに生産された国産車を―する」

きゃくよう[0]【客用】客のために使うもの。

ぎゃくよう[0]【逆用】―する(他サ) そのものの本来の役割とは反対の事に利用すること。

きゃくよせ[0]【客寄せ】商店などで少しでも多くの客を引き寄せようとして趣向をこらすこと。また、その趣向。「―の景品」

きゃくらい[0]【客来】客がやって来ること。「―が絶えない」

ぎゃくりゅう[0]【逆流】―する(自サ) 普通の流れとは逆の方向に流れること。「河水の―」 **―せいしょくどうえん**[9]【―性食道炎】胃から胃液や胃酸の混じった食べ物が食道にこみ上げ、その強い酸によって食道の粘膜を傷つける病気。

きゃくりょく[2]【脚力】(歩いたり走ったりする)足の力。「―をつける」

ぎゃくろう[0]【逆浪】船の進行を妨げる波。

ギャザー[1]〔←gathers〕〔洋服の〕細かなひだ(をつけること)。「―スカート[5]」

きゃしゃ[0]【《花車】―な ―に 全体としての見た目はいいが、細い部分や薄い部分が目についていかにも弱よわしい印象を与える様子だ。「―なからだつき/―に出来ている机」↕がんじょう 表記「《華〈奢・《華車」とも書く。

きやす・い[0][3]【気安い】(形) (それほど親しい間柄ではないのに)心を許して接することが出来る様子だ。「初対面の人とも気安く冗談口をきく/頼んだら気安くサインしてくれた/仲間うちの―集まり」 派 **―さ**[3] **―げ**[0][4][3]

キャスター〔caster〕❶①自動活字鋳造機。「オートー④」❷⓪①家具・医療器・ピアノ・大型旅行かばんなどの足に付けて動かしやすくした、小さな車輪。❸①ニュースキャスターの略。❹①⇩カスター

キャスティング⓪〔casting〕❶映画・演劇で俳優に役を割り当てること。❷投げ釣り。**――ボート**⑥〔casting vote=可否同数の際の、議長の決定投票〕決定権。「――を握る〔=少数△党(グループ)が、大勢セイを左右する力となる〕」

キャスト①〔cast〕配役。「オールスター――・ミス――」

きやすめ⓪【気休め】その時だけ、気持を安心させる△こと(言葉)。「単なる――に過ぎない」

きやせ⓪【着痩せ】―する(自サ) 着物を着ると、かえって痩せて見えること。「――するたちだ」↔着太り❷

キャタストロフィー⑤②④〔catastrophe〕⇩カタストロフィー

きゃたつ⓪【脚(榻・脚立)】〔「きゃ」も「たつ」も、「脚」「榻」の唐音。「榻タ」は腰掛けの意〕はしごを二つ八の字形に組み合わせ、上に踏み板をつけた台。高い所のものを取る時などに使う。表記「脚達」とも書く。かぞえ方 商品は一点・一本

キャタピラ②⓪〔caterpillar=イモムシ〕普通の車では通れない所でも走れるように、戦車・トラクター・ブルドーザー・雪上車などに取り付けてある無限軌道。〔商標名は、キャタピラー〕

きゃっ①(感) 驚いて思わず発する叫び声。

きゃつ①【彼奴】(代)「あいつ(=あの者)」のさらにぞんざいな言い方。運用 自分との一体感を込めて、内うちの仲間を指して言うのにも用いられる。

ぎゃっ①(感) 驚いたり苦痛をこらえきれなかったりして思わず発する叫び声。

きゃっか①【却下】―する(他サ)〔官庁・裁判所などが〕申立てを、手続き上不適法であるとして、退けること。「申請を――する」

きゃっか①【脚下】「あしもと」の漢語的表現。「――照顧〔=⇩照顧〕」

きゃっかん⓪【客観】―する(他サ) 自分が意識しなくても、客体としてだれでもその存在を認めることが出来るすべて。「かっかん」とも。「――化⓪・――主義⑤」↔主観 **――せい**⓪【――性】いつだれが見てもそうだと認められる性質。↔主観性 **――てき**⓪【――的】―に・―な 見方が公正であったり考え方が論理的であったりして、多くの人に理解・納得される様子だ。↔主観的 **――テスト**⑤ △短い時間に大量の処理(主観に左右されずにだれにでも採点)が出来るような出題方針のテスト。マルチョイは、その一つ。

ぎゃっきょう⓪【逆境】❶周囲の環境や経済的条件などが都合よくいかず、生活しにくい境遇。❷能力があっても認められなかったりいつまでもうだつが上がらなかったりして、本人も早くそれから脱したいと願うような境遇。↔順境

きゃっこう⓪【脚光】フットライト。「――を浴びる〔=注目の的となる〕」

ぎゃっこう⓪【逆光】〔←逆光線③〕△見よう(撮ろう)とする対象の後方からさす光線。〔この状況で写真を撮ると、被写体が黒く写る〕↔順光

ぎゃっこう⓪【逆行】―する(自サ) △今まで進んで来た(当然進むべき)方向と反対の方向に進むこと。「(時代の)流れに――する」↔順行

キャッシュ①〔cash〕現金(払い)。「――レジスター④⑤」

キャッシュカード④〔cash card〕磁気カードの一つ。銀行などで備え付けの機械に入れて操作することにより、現金の預出などが自動的に出来るもの。かぞえ方 一枚

キャッシュサービス④〔和製英語 ←cash + service〕〔金融機関で〕現金自動支払機を利用出来るようにした設備。

キャッシュディスペンサー⑥〔cash dispenser〕銀行・郵便局などの金融機関に備え付けられた、現金自動支払機。磁気カードを使って、現金の預出・送金なども出来る。略してシーディー(CD)。

キャッシュバック④〔和製英語 ←cash + back〕買い物の代金の一部が払い戻されること。購入時の累積ポイントで次回値引きされるサービスなど。

キャッシュレス①〔cashless〕物品の売買や商取引などを、現金を動かさずに、カードやコンピューター操作によって行なうしくみ。「――社会」

キャッシング⓪〔cashing〕❶口座から現金を引き出すこと。❷金融機関から小口融資を受けること。

キャッチ①〔catch〕❶―する(他サ) 投げられた物などを受けて捕らえること。「情報の――/△電波(信号)を――する/ナイス――」❷〔野球で〕キャッチャー。

キャッチアップ④―する(他サ)〔catch-up〕優位なものや先行しているものに追い付こうとすること。

キャッチコピー④〔和製英語 ←catch + copy〕消費者の関心を引き、購買意欲をそそるための宣伝文句。

キャッチセールス④〔和製英語 ←catch + sales〕街頭などで調査依頼などを口実にして通行人に近づき、言葉巧みに勧誘して高額の商品などを売りつける販売方法。

キャッチフレーズ⑤〔catch phrase〕〔広告などで〕相手に強い印象を与えるために使う、短い効果的な言葉。うたい文句。惹句ジャック。

キャッチボール④〔和製英語 ←catch + ball〕ボールを投げたりとったりする、野球の練習。

キャッチホン③〔和製英語 ←catch + phone=商標名〕通話の途中で別の電話がかかってきたとき、通話を一時保留にして、あとからかかったほうの電話と通話ができる方式。割込み電話サービス。

キャッチャー①〔catcher〕〔野球で〕捕手。↔ピッチャー **――ボート**⑤〔catcher boat〕母船に付属して、クジラなどをとる船。かぞえ方 一隻セキ・一艘ソウ

キャッツアイ④〔cat's-eye〕❶表面の鉱物性繊維のために、ネコの目のような白い反射光を放つ宝石。石英の一種。ねこめいし。❷道路に埋め込んで、自動車の光で反射する鋲ビョウ。横断歩道などを示す。❸幼児の目に出来る一種の癌ガン。目がきらきら光る症状がある。

キャップ■⓪①〔cap〕❶運動する時などにかぶる、ふちの無い帽子。⇩ハット ❷万年筆・鉛筆などのさや、瓶のふたなど。■①〔←captain〕〔特定の〕職場の主任。

ギャップ⓪①〔gap=割れ目・すきま〕容易に△一致(妥協)することの無いような食い違い。「――を埋める/――が△生じる(広がる)/コミュニケーション――〔=外国人との間などに見られる、意味理解の食い違い〕」

キャップランプ④〔cap lamp〕炭坑や洞窟クツなどに入る時に、帽子に取りつけて前を照らす電灯。帽灯⓪。

キャディー①〔caddie〕〔ゴルフ場で〕競技者の道具を運んだりプレーを助けたりする付添い。

キャニスター①〔canister〕蓋つきの食品保存用容器。多く筒形で、ガラス・陶器・缶製などがある。「ガラス――④・パスタ――④」

キャパシティー②〔capacity〕機械・器具などの負荷に堪えられる量の程度。〔その人が質的・量的にどれほどの負担

に堪えられるかという意にも用いられる。例、「そんなにあれもこれもと仕事を押しつけられても、―の限界を超えている」〕

ギャバジン[1]〔gabardine〕サージに似たあや織物の一種。急角度の斜文を浮き出してあり、レイン コート・洋服などに使われる。ギャバ[1]とも。

キャバレー[1]〔フ cabaret〕舞台やダンス ホールなどを設備し、ホステスのサービスのある酒場。

きゃはん[0]【脚半・脚〈絆】〔「きゃ」は、「脚」の唐音。「絆」は、足からずり落ちないように縛る意〕作業や歩行の際、足を保護し、動きやすくするために、すねにつける細長い布。⇩ゲートル 表記「半」は、代用字。

キャビア[1]〔caviar〕チョウザメの卵の塩漬け。カビアとも。

キャピタリズム[4]〔capitalism〕資本主義。

キャピタル[1]〔capital〕❶首都。❷〔←capital letter〕頭(カシラ)文字。❸資本。「―ゲイン[5]〔=株式などの値上がり時に、売却によって受ける収益〕」

キャビネ[1]〔フ cabinet〕縦約一六・五センチ、横約一二センチの写真判。カビネとも。

キャビネット[1]〔cabinet〕❶ラジオ・テレビの受信機の外箱。❷(レコードなどを入れておく)戸棚。「ファイリング―[6]」❸内閣。「シャドー―」

キャビン[1]〔cabin〕汽船や飛行機の客室。ケビンとも。「―クルー[5]〔=キャビン アテンダント〕」

キャビン アテンダント[5]〔cabin attendant〕旅客機の客室乗務員。フライト アテンダント[6]とも。略してシー エー(CA)。

キャプション[1][0]〔caption〕〔新聞・雑誌・グラフなどで〕写真につけた説明。〔映画では字幕などを、展覧会では展示物に添えられた説明をも指す〕

キャプテン[1]〔captain〕その組織や団体の長。〔具体的には、主任・船長やスポーツ チームなどの主将を指す〕

キャブレター[3]〔carburetor〕〔ガソリン エンジンなどで〕ガソリンと空気を交ぜて、シリンダーに送り込む装置。気化器[2]。

ぎゃふん[2](副)―と 相手の言うことに一言も抗弁出来ずに、だまってしまう様子。「その一言で彼は―と参った」

キャベツ[1]〔cabbage の変化〕畑に作る、ヨーロッパ原産の越年草。葉は厚くて大きく、巻いて球状となる。種類が多い。かんらん(甘藍)。たまな。〔アブラナ科〕 かぞえ方 一株:一玉(ヒトタマ)

ギヤマン[0]〔オ diamant を江戸時代の人が耳で聞いたままの形。ガラス切断用のダイヤモンドの意〕カット グラスの古称。ギャマンとも。

きやみ[0]【気病(み)】過度の心配がもとで起こる病気。

キャミソール[3]〔camisole=胴衣〕❶女性用下着で、ウエストまでのもの。❷女性用の短いジャケツ。かぞえ方 ❶❷とも一枚

キャラ[1] キャラクターの略。「―が立つ〔=人物の印象が際立つ〕」

きゃら[1]【〈伽羅】〔黒い意の梵(ボン)語の音訳〕❶沈香(ジンコウ)の芯(シン)の部分からとった香料。❷〔←伽羅色(イロ)[0]〕濃い茶色。「―蕗(ブキ)」

ギャラ[0][1]〔←guaranty〕(前もって契約された)出演料。

キャラクター[2][0][1]〔character〕❶性質。性格。❷演劇・小説・漫画・アニメなどの登場人物(の役柄)。また、宣伝などのために造形された架空の存在。**―しょうひん**[6]【―商品】アニメの主人公や人気のある動物などを画材とした商品。

キャラコ[1]〔キャリコ (calico) の変化〕平織り・広幅の白もめんの総称。

キャラバン[1]〔caravan〕砂漠を行く隊商。〔長途の徒歩旅行の意にも用いられる〕

きゃらぶき[0]【〈伽羅〈蕗】皮をはいだフキを生醤油(キジョウユ)で伽羅色に煮しめた食品。

きゃらぼく[2][0]【〈伽羅木】庭木として栽培される常緑低木。イチイの変種で、幹は地に伏して、直立しない。「伽羅の木」とも。〔イチイ科〕 かぞえ方 一株・一本

キャラメル[0]〔caramel〕砂糖・牛乳などを原料として作った茶色のあめ菓子。カラメルとも。

ギャラリー[1]〔gallery=廊下〕❶美術品の陳列室。画廊。〔デパートや画商の店舗の一部などに設けられた小展覧会場をも指す〕❷〔ゴルフの試合で〕観衆。

きやり[0]【木《遣り】❶大きな岩・大木を多人数で掛け声をかけながら引くこと。❷〔←木遣り歌[3]〕木遣り・地突き・祭礼の山車(ダシ)を引く時などに歌う歌。

キャリア[1] [一]〔career=経歴〕❶その方面で実際に場数を踏んで来た経験年数。〔狭義では、競技歴・試合経験を指す〕「―ウーマン[4]」❷国家公務員試験I種に合格した者の通称。「―組(グミ)[0]・ノン―」 [二]〔carrier〕❶自転車などの荷台。❷品物を運ぶ器具。「―カー[3]」❸航空会社・運輸会社。「フラッグ―[5]」❹病原体に感染しながら発症せず、しかも病原体を保持し続ける人。保菌者。

キャリパス[1]〔calipers〕工作物の内径・外径などを測る測定器具。バーニア カリパス[5]。カリパスとも。

ギャル[1]〔gal=girl の変化〕〔流行に敏感な〕若い女の子。「原宿―」

ギャルソン[1][0]〔フ garçon〕ボーイ。給仕。ガルソンとも。

ギャロップ[1] [一]〔gallop〕〔馬の〕駆け足。ガロップとも。 [二]〔galop〕△二(四)拍子の軽快な輪舞(曲)。

キャロル[1]〔carol〕クリスマス・復活祭の祝歌(シュクカ)。カロルとも。

ギャング[1]〔gang=アメリカの、大規模な暴力団〕ピストルなどを持った強盗(団)。

キャンセル[1]―する(他サ)〔cancel〕契約の取消し(をすること)。解約。「―待ち[0]」

キャンディー[1]〔candy〕❶西洋風のあめ。〔たいてい、一つひとつ紙に包んである〕❷アイス キャンディーの略。キャンデーとも。かぞえ方 ❷は一本

キャンドル[1]〔candle〕ろうそく(の形をしたスタンド)。「―ライト[5]」 かぞえ方 一本 **―サービス**[5]〔candlelight service から〕結婚披露宴などで、新郎新婦が客のテーブルのろうそくに火をつけて回り挨拶(アイサツ)すること。

キャンパー[1]〔camper〕キャンプをする人。テント生活者。

キャンパス〔campus〕[一][1] 大学などの△構内(校庭)。[二](造語) 大学。「―ライフ[5]・オープン―」

キャンピング[0]〔camping〕野外生活。「―カー[5]」

キャンプ[1]〔camp〕❶―する(自サ) テントなどを張って野営する△こと(小屋)。❷Ⓐ兵営。「米軍―[5]」Ⓑ捕虜や難民などの収容所。Ⓒ登山隊の基地。「ベース―」Ⓓ〔プロ野球などの〕公式戦に備えての、地方・海外での合宿。「―地[3]」

キャンプファイア[4]〔campfire〕「キャンプ❶」で、夜、みんながたき火のまわりに集まって歌を歌ったりすること。また、その火。

ギャンブラー[1]〔gambler〕かけごとの好きな人。大ばくちを打つ人。ばくち打ち。

ギャンブル[1]〔gamble〕かけごと。「公営―〔=競輪・競馬・競艇などを指す〕」**―いそんしょう**[1]-[0]【―依存症】ギャンブルをする衝動が抑えられず、自分ではやめられなくなる状態。繰り返しギャンブルを行ない、財政的に

も追い詰められ、周囲の人間関係からも疎外されて、やがて生活が立ち行かなくなることが多い。

キャンペーン③〔campaign〕組織的な宣伝活動。特に、△社会的な(人道上の)問題について新聞や放送などでたてつづけに報道し、広く世人の共感を呼ぼうとする運動。キャンペン③とも。「―を△進める(張る)/―が繰り広げられる」

きゅう〔九・久・及・弓・〈仇・丘・旧・休・吸・朽・臼・求・究・泣・急・級・糾・宮・救・球・給・嗅・〈鳩・〈厩・窮〕→【字音語の造語成分】

キュー① ■【Q・q】英語アルファベットの第十七字。■【Q】❶〔←question〕問い。↕エー(A) ❷〔←cue〕キュー❷。「―を出す」 ❸〔←queen〕トランプのクイーン。❹「級❸」の記号。

キュー①〔cue〕❶〔玉突きで〕玉を突く棒。❷放送者に対して演出者が手の動作で示す合図〔記号Q〕。「―を出す」

きゅう①【九】❶八に一を加えた数を表わす基数詞。「―倍・―本・―グラム・―族・―州」 ❷八の次の自然数を表わす序数詞。「台風―号・―回裏/―階にある食堂」〔和語では❶❷共に、ここの(つ)。⇩く(九)〕⇩じゅう(十)
表記 大字は「〈玖」。⇩【造語成分】

きゅう①【弓】バイオリンのゆみ。⇩【造語成分】

きゅう①【旧】↕新 ❶もとからある物事。「―に復する〔=もとの状態にもどる〕/―秩序の破壊/―家・―思想③」 ❷昔(からの知合い)。「一見、―の如し/―知・懐―」 ❸「旧暦」の略。「―の三月/―盆」

きゅう⓪【〈灸】中国・日本に古来行なわれている医療法。灸点と言われる皮膚の上に置いたもぐさに火をつけ、その熱の刺激で病気を治すこと。「(お)―をすえる〔=転じて、ⓐ言う事をきかない子をしかる。ⓑ将来の戒めのため、一時的につらい思いをさせる〕」

**きゅう⓪【急】■❶急ぐ(必要のある)こと。「―〔=変事の知らせ〕を聞いて駆けつける/―を要する/―を告げる〔=事態が差し迫っていることを△知らせる(感じさせる)〕/―に備える/緊―・救―車」 ❷その動作・作用などが前触れなく行なわれることを表わす。「―に駆け出す/雨が―に降り出す/―な話/―停車③」 ❸速い様子。「―な流れ/―上昇・―ピッチ③」 ❹傾斜が激しい様子。「―な屋根/―角度③・―カーブ」 ■〔雅楽などで〕最後の、拍子が速く短い部分。「序破―」⇩【造語成分】

きゅう①【〈柩】ひつぎ。「―をおおうて定まる〔=その人の真の価値は、死んだ後になって初めて分かるものだ〕」

きゅう①【級】❶何かの段階。〔等級をかぞえる時にも用いられる〕「一線―⓪・A―ライセンス⑤・B―グルメ⑤」 ❷Ⓐ同一の学年。「飛び―・原―」 Ⓑ同一学年のクラス。「学―・―長」 ❸写真植字における文字の大きさの単位で、〇・二五ミリ(を一辺とする正方形)を表わす〔記号#、Q〕。「十三―は、九ポイント活字の大きさに大体等しい」 ❹「等級❷」の改称。⇩【造語成分】

きゅう①【〈笈】「おい」の漢語的表現。「―を負って郷関を出る〔=他の地に行って勉学する〕」

きゅう①【球】シャボン玉のような形。〔幾何学では、三次元空間において一定点〔=中心〕から一定の距離以下にある点全部から成る立体。広義では、球面をも指す。例、「―の体積」〕⇩【造語成分】

きゅう⓪【希有・〈稀有】存在△量(例)が極めて少ないこと。「―元素④〔=希ガス類・希土類と希少金属の総称〕」⇩けう

きゅう⓪【〈杞憂】〔「杞」は古代中国にあった国の名。その国人が、天が落ちて来たらどうしようと心配して寝食を廃した故事に基づく語〕取越し苦労。「―に終わる」

きゅう①⓪【喜憂】―する(自サ) ときには喜んだり ときには悲しみに胸を痛めたり すること。

ぎゅう〔牛〕→【字音語の造語成分】

ぎゅう①【牛】「牛肉」の略。「―なべ・―飯⓪・―丼」⇩【造語成分】

ぎゅう①【義勇】自ら進んで一身を国や社会のために犠牲とすること。「―軍②・―隊⓪・―兵②」

キューアール コード⑥【QRコード】〔←Quick Response Code〕白と黒の格子状のパターンで表わす二次元バーコードの一つ。商標名。

きゅうあい⓪【求愛】―する(自サ) 自分の愛を打ち明け、相手も自分を愛してくれるように求めること。〔広義では、人以外の動物についても言う。例、「丹頂鶴の―行動〔=発情期に示す独特な行動〕」〕

きゅうあく⓪①【旧悪】〔隠していた〕以前の悪事。「―が露見する」

キューアンドエー⑥【Q＆A】〔Qは Question〔=質問〕、Aは Answer〔=答え〕の略〕質問とその回答。

きゅうい①【球威】〔野球で〕投手の投げるたまの威力。

きゅういん⓪【吸引】―する(他サ) ❶吸い込むこと。「―力③」 ❷客を寄せ集めること。

きゅういん⓪【吸飲】―する(他サ) 阿片などの麻薬を吸うこと。「阿片の―」

ぎゅういんばしょく⓪-⓪【牛飲馬食】―する(自サ) やたらにたくさん飲み食いすること。

ぎゅうえき⓪【牛疫】家畜法定伝染病の一つ。ウシなどがかかる急性の伝染病。

きゅうえん⓪【旧怨】昔のうらみ。「―を忘れる」

きゅうえん⓪【旧縁】古い縁(故)。「―をたどる」

きゅうえん⓪【休園】―する(自サ) 遊園地・幼稚園などが、業務を休むこと。「本日―・臨時―④」

きゅうえん⓪【休演】―する(自サ) △出演(公演)を休むこと。

きゅうえん⓪【求縁】―する(自サ) △縁談(結婚の相手)を求めること。「―広告⑤」

きゅうえん⓪【球宴】〔野球の饗宴、の意〕「オールスター戦」の別称。「夢の―」

きゅうえん⓪【救援】―する(他サ) 〔すでに破滅的な状態にある者のために〕再起することが出来るように、物資を送ったり 手を貸してやったり すること。「―の手を惜しまない/―物資⑤・―米⓪・―隊⓪・―〔=リリーフ〕投手⑤」

きゅうおん⓪【旧恩】昔受けた恩。「―に報いる」

きゅうおん⓪【吸音】―する(自サ) 音波を吸収すること。「―材③⓪・―力③」

きゅうか①【旧家】古くから続いている由緒ある家(柄)。「―の出」

***きゅうか**⓪【休暇】〔勤め人・学生の〕休日以外の休みで、制度として公認されたもの。「―を△取る(過ごす)/夏期―③・生理―④・有給―」 **―むら**⓪【―村】⇩国民休暇村

きゅうか①⓪【急火】❶にわかに起こった、勢いの激しい火事。❷近所の火事。近火。

きゅうか①【〈毬果・球果】マツ・スギ・モミなどの、まり形の果実の総称。

きゅうカーブ③【急カーブ】角度の急なカーブ。「―を切る」

きゅうかい⓪【旧懐】昔をなつかしく思い出すこと。「―の情」

きゅうかい⓪【休会】―する（自他サ） 定期的な△会議（会合）を一時中止すること。〔狭義では、国会が会期中一時活動を休むことを指す〕

きゅうかい⓪【球界】（プロ）野球関係者の社会。

きゅうかく⓪【嗅覚】 その動物特有の、においを感じ取る鼻の働き。〔臭覚とも言う〕「犬は動物中、最も―が鋭い」

きゅう

【九】キウ 数が多いことを表わす。「九死に一生／九牛の一毛／三拝九拝」⇩（本文）きゅう【九】

【久】キウ 時間・年月が長い。ひさしい。「永久・長久・持久・耐久・悠久」

【及】キフ およぶ。およぼす。「波及・普及・言及・過不及・遡及・追及・論及」

【弓】キウ ゆみ。「弓術・弓状・強弓・洋弓」⇩（本文）きゅう【弓】

〈仇〉キウ あだ。かたき。「仇敵」

【丘】キウ おか。「丘陵・砂丘・段丘・火口丘」

【旧】⇩（本文）きゅう【旧】

【休】キウ [一]❶やすむ。やすめる。「休止・休暇・休憩・休息・休養・休火山・定休日」❷やすらか。めでたい。「休戚」[二]（略）休暇。休業（日）。「定休・産休・連休」

【吸】キフ すう。「吸引・吸血・吸収・吸入・吸盤・呼吸」

【朽】キウ くちる。くさる。「朽廃・不朽・老朽」

【臼】キウ うす（の形をした物）。「臼歯・脱臼」

【求】キウ もとめる。「求愛・求婚・求人・求職・要求・請求・追求・欲求」

【究】キウ ❶どこまでも調べる。「究明・究理・探究・研究・考究・追究」❷きわまる。「究極」

【泣】キフ なく。「泣訴・感泣・号泣」

【急】キフ [一]はやい。いそぐ。「急行・急進・急速」[二]（略）急行。「準急・特急」⇩（本文）きゅう【急】

【級】キフ ❶階段。〔段数をかぞえる時にも用いられる〕❷討ち取った首（をかぞえる語）。「首級」⇩（本文）きゅう【級】

【糾】キウ ❶よりあわせる。「糾合」❷もつれる。「紛糾」❸ただす。「糾明・糾弾・糾問」表記 ❸は、「〈糺〉」とも書く。

【宮】キウ ❶神や国王の御殿。天子の御所。「宮殿・王宮・離宮・迷宮」❷天球の区分。「十二宮・獅子宮」

【救】キウ 力をそえる。すくう。「救急・救護・救援・救済・救助・救命・救難」

【球】キウ ❶ボール・メロンなどのように丸い形をしたもの。「球根・地球・電球」❷Ⓐ（スポーツ一般で）ボール（を使う競技）。「球技・卓球・庭球」Ⓑ野球（で、投げたり打ったりしたボール）。〔投球の数をかぞえるのにも用いる〕「球場・直球・飛球・捕球・一球入魂」❸球根をかぞえる語。⇩（本文）きゅう【球】

【給】キフ ❶分けて与える。「給食・配給」❷給料。「月給・時間給・固定給」❸せわをする。「給仕・女給」

【嗅】キウ 物のにおいをかぐこと。「嗅覚・嗅剤・嗅官」

〈鳩〉キウ ❶ハト。「鳩舎」❷あつめる。「鳩合・鳩首」

〈厩〉キウ うまや。「厩舎・厩肥・厩馬」

【窮】キウ ❶きわめる。きわまる。「窮極・無窮」❷行きづま△る（ってこまる）。「窮屈・窮地・窮迫・窮乏・困窮・貧窮」

ぎゅう

【牛】ギウ ウシ。「牛肉・牛乳・牛飲馬食・乳牛・水牛・闘牛・牧牛・和牛」⇩（本文）ぎゅう【牛】

い」

きゅうがく⓪【休学】―する（自他サ） 病気などのため生徒・学生が、手続きを取って在籍のまま長期間学校を休むこと。

きゅうかざん③【休火山】 長く噴火活動のやんでいる火山。例、富士山。〔この用語は、現在の火山学では用いられない〕⇩活火山・死火山

きゅうかつ⓪【久〈闊】 久しくたよりをしないこと。「―を叙する（＝久しぶりに挨拶する）」

きゅうかなづかい⑤【旧仮名遣（い）】「歴史的仮名遣い」の俗称。⇩かなづかい 表記 ⇩付表「仮名」

きゅうかぶ①【旧株】〔新株に対して〕以前発行した△株式（株券）。親株。

きゅうかん⓪【旧刊】 △以前（古い時代）に刊行したこと。また、その出版物。

きゅうかん⓪【旧慣】 昔からの習慣。

きゅうかん⓪【旧館】 古くからある方の建物。⇩新館

きゅうかん⓪【旧観】 昔のありさま。「―をとどめない」

きゅうかん⓪【休刊】―する（自他サ）〔新聞・雑誌などの定期刊行物が〕刊行を休むこと。「新聞―日⓪-③」

きゅうかん⓪【休閑】 地力を養うため一時耕作を休むこと。「―地③」

きゅうかん⓪【休館】―する（自他サ）〔図書館・美術館・博物館・映画館などが〕閲覧者や観覧者に対する業務・営業を休むこと。

きゅうかん⓪【急患】 急病の患者。急病人。

きゅうかんちょう⓪【九官鳥】 カラスに似た、小形の飼い鳥。人の言葉をよくまねる。〔ムクドリ科〕〔この鳥を日本にもたらした中国、清の人の名前、九官に由来するという〕かぞえ方 一羽

きゅうかんび③【休肝日】〔新聞などの休刊日のもじり〕酒を常飲する人が、その日だけ飲酒をやめて肝臓の負担軽減にあてる日。「週に一度は―を設けている」

きゅうき①【旧記】 古い時代の記録。

きゅうき① [一]【吸気】 胸に吸い込む息。↔呼気 [二]【給気】 内部に空気を送り込むこと。「―口⓪③」↔排気

きゅうぎ①【球技】 ボールを使ってする競技。例、テニス・野球など。

きゅうぎ①【球戯】 ❶たま・ボールを使ってする遊び。❷たまつき。

きゅうきゅう①（副）―と 強い力で締めつけたり押さえつけたり△する（していためつける）様子。「―締め上げる（＝ⓐ巻きつけたものを強くしめる。ⓑ容赦なく責める）」

きゅうきゅう⓪【〈汲々】―たる ―と そのことをするのに精一

杯で、他を顧みる余裕が無いことを表わす。「金もうけに―と して(=あくせくして)いる徒輩/勢力扶植に―とする(=もっぱら努める)」

きゅうきゅう[0]【救急】 急場の災難を救うこと。特に、傷病者の急場の手当て。「―車[3]」 **―きゅうめいし**[7]【―救命士】 救急車に乗車して(医師の指示の下に)救命の緊急処置を行なうことが出来る人。救急救命士法に基づく国家資格。 **―ばこ**[3]【―箱】 救急用の薬や包帯などを入れた箱。 **―びょういん**[5]【―病院】 急病人や事故によるけが人などを受け入れる態勢を整えている病院。

ぎゅうぎゅう [一][1](副)―と 「きゅうきゅう」の強調表現。「―押し込む/―いう目にあわせる」 [二][0]―に すきまのないくらいに詰める様子。また、詰まっている様子。「朝の電車は―だ/―に詰め込む」

きゅうぎゅうの いちもう[0]-[0]【九牛の一毛】 多数の中できわめて少ないこと。問題にならないほど わずか。

きゅうきょ[1]【急〈遽】 [一](副) 突然の出来事などに対して、ただちに何らかの策を講じる様子。「―現場に駆けつけた」 [二]―な 全く予測できないほど突然に出来する様子。「―な(身の)変化」

きゅうきょ[1]【旧居】 その人が以前居た△住所(家)。 ↕新居

きゅうきょう[1]【旧教】 カトリック教会と、その教え。 ↕新教

きゅうきょう[0]【窮境】 追いつめられて立たされた、苦しい立場。

きゅうぎょう[0]【休業】―する(自他サ) 会社・商店などが、通常の業務や営業を休むこと。「たな卸しのため臨時に―する」

きゅうきょく[0]【究極】―する(自他サ) 余分なものや非本質的なものを段々除いていって最後に残る、本質的なもの。「―の目的/―するところ(=とどのつまり)/―的要素」 表記「窮極」とも書く。

きゅうきょく[2]【喜遊曲・〈嬉遊曲】 十八世紀後半ウィーンを中心に流行した器楽合奏曲。比較的短い楽章から成る。ディベルティメント[2]。

きゅうきん[0]【球菌】 球状の細菌類。「ブドウ状―[6]」

きゅうきん[1]【給金】 給料として もらう お金。「―を直す(=力士がその場所で勝ち越す)/―ずもう[5]」

***きゅうくつ**[1]【窮屈】―に―な (「屈」も、きわまる意) ❶その中にからだ(の一部)を入れてみて、楽に動かせない様子だ。「―な△靴(シャツ・部屋)」 ❷その環境に身を置いて、思い通りに活動が出来ない様子だ。「―な△空気(親爺・学校・規則)」 ❸経済状態がきびしくて、楽な生活が出来ない様子だ。「―な△世の中(暮らし)」 派―さ[0][4]

きゅうくん[0]【旧訓】 ❶漢文体もしくは漢字ばかりで書かれたその古典の△一(数)時代前の読み方。 ❷その漢字について昔行なわれた訓。例、「一」を「かたきなし」、「妾」を「てかけ」と読むなど。 ↕新訓

きゅうけい[0]【九〈卿】 (もと中国の九つの高官の意から)公卿。

きゅうけい[0]【弓形】 ❶弓のように曲がった形。ゆみがた。 ❷(幾何学で)円弧と、その両端を結ぶ弦とで囲んだ、円の一部分。

***きゅうけい**[0]【休憩】―する(自サ) (何かの途中で一時)休むこと。一休み。「―時間[5]・―室[3]・―所[5][0]」

きゅうけい[0]【求刑】―する(他サ) 検察官が被告人の罪状に応じた刑罰を主張すること。「懲役六年の―」

きゅうけい[0]【宮刑】 古代中国の刑罰で、去勢。

きゅうけい[0]【球形】 いびつな所や でこぼこが全く認められない、球の形。丸薬や砲丸の形。

きゅうけい[0]【球茎】 地下茎で、球形のもの。養分をたくさん含み、新しい芽を出す。例、クワイ・サトイモなど。

きゅうげき[0]【旧劇】 (新劇と違って)歌舞伎の称。

きゅうげき[0]【急激】―に―な 急に変化が起こる様子。

きゅうけつ[0]【吸血】 生き血を吸うこと。「―動物[5]」 **―き**[4][3]【―鬼】 ❶人の生き血を吸うという魔性のもの。バンパイア。 ❷人を苦しめて強欲なことを平気でやる人間。

きゅうけつ[0]【〈灸穴】 灸をすえるべき箇所。

きゅうけつ[0]【給血】―する(自サ) (輸血用の)血液を供給すること。

きゅうげん[0]【急減】―する(自他サ) 急に△減る(減らす)こと。

きゅうげん[0]【給原】 供給するもと。「電力の―」 表記「給源」とも書く。

きゅうけんぽう[3]【旧憲法】 (新憲法に対して)「大日本帝国憲法」の称。明治憲法。帝国憲法。(明治二十二年公布、昭和二十二年まで存続) ⇩新憲法

きゅうこ[1]【旧故】 「旧知」の意の古風な表現。

きゅうこ[1]【〈舅姑〈】 舅と姑。

きゅうご[1]【救護】―する(他サ) 急を要する罹災者・傷病者の一命を守るために、応急の処置を施すこと。「―の手を差し伸べる/―活動[4]・―班[3]」

ぎゅうご[1]【牛後】 (牛の尻(の方)の意)強大な者につき従う者。大きな団体の、低い地位(の人)。「―となるなかれ」 ⇩鶏口

きゅうこう[0]【旧交】 昔(から)の交際。「―をあたためる」

きゅうこう[0]【旧稿】 前に書いた原稿。

きゅうこう[0]【休校】―する(自他サ) 学校が(授業期間中に)授業を休みにすること。

きゅうこう[0]【休耕】―する(自他サ) その田畑での稲などの耕作を、その年休むこと。「―田[3]・―地[3]」

きゅうこう[0]【休航】―する(自他サ) 船や航空機が、その便の運航を休むこと。

きゅうこう[0]【休講】―する(自他サ) 教師が、その時限の講義を病気・出張などの理由で臨時に休みにすること。

きゅうこう[0]【急行】 ❶―する(自サ) 急いで行くこと。「パトカーが現場に―した」 ❷(「急行列車[5]」の省略形)途中駅での停車が少なく、早く目的地に着く列車。「―券[3]」 ⇩緩行

きゅうこう[0]【〈躬行】―する(自サ) 自分自身が実際に△行なう(行なって見せる)こと。「実践―」

きゅうこう[0]【救荒】 飢饉で困っている人たちを救うこと。「―作物[6]」

きゅうごう[0]【糾合・〈鳩合】―する(他サ) (「糾」は縄をより合わせる意)何かをするために人を寄せ集めること。「同志を―して新党の旗揚げをする」

きゅうこうか[3]【急降下】―する(自サ) ↕急上昇 ❶航空機が、目標を目がけて急角度で降りて来ること。「―爆撃[6]」 ❷(電圧・温度や人気などが)急激に下がること。

きゅうこうぐん[3]【急行軍】 少しでも早く目的地に到着するためにする行軍。

きゅうこく[0]【急告】―する(他サ) △急いで(早く)知らせること。

きゅうこく[0]【救国】 国の危難を救うこと。「―の英雄」

き

きゅうごしらえ[3]キフゴシラヘ【急〈拵㋓】 急いで△こしらえること(こしらえたもの)。にわかづくり。急造。

きゅうこん[0]キウ【求婚】―する(自サ) 自分と結婚してくれと申し込むこと。プロポーズ。

きゅうこん[0]キウ【球根】 △球状(塊状)の根や地下茎の総称。

きゅうさい[0]キウ【旧債】 昔の△負債(借金)。

きゅうさい[0]キウ【休載】―する(他サ) 〔新聞・雑誌などで〕続きものなどの掲載を休むこと。

きゅうさい[0]キウ【救済】―する(他サ) 精神的不幸や物質的貧困及び災害から、人びとを救うこと。「被災者への―措置/魂の―/―事業[5]・難民―[0]-[0]、[5]」

きゅうさく[0]キウ【旧作】 以前の作品。↕新作

きゅうさく[0]キウ【窮策】 苦しまぎれに考えた策略。

きゅうさん[0]キフ【急〈霰】〔本来の字音はキフセン。「きゅうさん」は類推読み〕急に降って来るあられ(の音)。「―のような拍手」

きゅうし[1]キウ【九死】 救いが来るとか情勢が急転換するようなことが無ければ当然死ぬであろうと思われる、絶体絶命の危機。「―に一生を得る〔=もう少しで死ぬ あぶないところを、やっと助かる〕」

きゅうし[1]キウ【九紫】 九星の一つ。火星に配当し、方位は南。

きゅうし[1]キウ【旧〈址】 昔、そこに何か歴史上の施設のあったあと。「関所の―」

きゅうし[1]キウ【旧師】 昔、教わった先生。

きゅうし[0]キウ【休止】―する(自他サ) △休む(休める)こと。「運転―」 **―ふ**[3]【―符】 休符。「―を打つ〔=一段落付ける〕」

きゅうし[1]キウ【臼歯】 哺乳動物の口の奥にあって、先が平らな歯。食物を砕いたりすりつぶすのに適する。うすば。奥歯。かぞえ方 一枚・一本

きゅうし[0]キフ【急死】―する(自サ) ❶短期間わずらって死ぬこと。❷思いがけない事故にあって死ぬこと。

きゅうし[1][0]キフ【急使】 急ぎの使者。「―を派遣する」

きゅうし[1]キウ【球史】 野球の歴史。「―に残る大熱戦」

きゅうし[0]キウ【窮死】―する(自サ) だれも助けてくれる人が無く、貧乏の どん底などで死ぬこと。

きゅうじ[1]キウ【旧事】 その時代とは直接のかかわり合いのない、古い昔のこと。

きゅうじ[0]キウヂ【〈灸治】 灸をすえて治療すること。

きゅうじ[1]キウ【球児】 中学・高校などで野球に情熱を燃やす青少年。〔狭義では、甲子園球場に出場することを夢見て日夜練習に打ち込む高校の野球選手を指す〕

きゅうじ[1]キフ【給仕】 ❶もと、学校・会社などで雑用をする係。❷〔食堂などで〕飲食物を客席に運ぶ職業(の人)。❸―する(自他サ) 食事の時、そばに居て飲食の世話をする△こと(人)。

きゅうじ[1]キフ【給餌】―する(自サ) 家畜やペットに餌サエを与えること。

ぎゅうし[1]ギウ【牛脂】 精製した、牛の脂肪。せっけんや料理に用いられる。

ぎゅうじ[1]ギウ【牛耳】 牛の耳。「―を執る〔=中国春秋戦国時代〘=前七七〇～前二二一〙に諸侯が同盟を結ぶとき、盟主となる者が牛の耳をさき、その血を互いにすすり合ったことから、その組織の中心人物になる〕」⇩牛耳る

きゅうしき[0]キウ【旧式】―な・―に 古くさい△型(様式)。↕新式

きゅうしき[0]キウ【旧識】 「旧知」の意の古風な表現。

きゅうじたい[0][3]キウ【旧字体】 ⇩字体

きゅうしつ[0]キフ【吸湿】 水分・湿気を吸い取ること。「―力[4][3]」 **―せい**[0]【―性】 湿気を吸収する性質。

きゅうしつ[0]【宮室】 君主の△宮殿(一族に連なる人びと)。

きゅうしつ[0]キフ【給湿】 内部の空気に湿りを与えること。「―器[4][3]」

きゅうじつ[0]キウ【休日】 その組織体において、その日は全員が業務を休むように前もって定めた日。「―出勤[5]」

きゅうしゃ[1]キウ【〈柩車】 ひつぎを乗せて運ぶ車。〔軍人や戦死者の遺体を乗せる時は砲車を使うことがある〕

きゅうしゃ[1]キウ【〈鳩舎】 ハトを飼う小屋。

きゅうしゃ[1]キウ【〈厩舎】 ❶うまや。馬小屋。❷競走用の馬を預かって訓練し、出走の世話などをする所。

ぎゅうしゃ[1]ギウ【牛車】 ❶牛が引く車。❷ぎっしゃ。

ぎゅうしゃ[1]ギウ【牛舎】 牛小屋。

きゅうしゅ[1]キウ【旧主】 昔の主君。

きゅうしゅ[1]キウ【球趣】 野球の試合のおもしろみ。「盛り上がる―」

きゅうしゅ[1]キウ【〈鳩首】―する(自サ) 相談事などのためにおおぜい集まって頭をつき合わせること。「―凝議ギョウギ[1]-[1]」

きゅうしゅう[1]キウシウ【九州】 〔「州」は「くに」の意。昔、九か国から成った〕本州のすぐ南西にある大きな島。

きゅうしゅう[0]キウシフ【旧習】 その△家(地域)に代々行なわれてきた風習。

*__きゅうしゅう__[0]キフシウ【吸収】―する(他サ) 〈(なにニ)なにヲ―する〉 外部から△内部に収める(自分のものとする)こと。「黒は熱をよく―する/異質文化の―/独学でよくこれだけの知識を―したものと感心される」

きゅうしゅう[0]キフシフ【急襲】―する(他サ) 思いがけない時に、突然相手を襲うこと。

きゅうしゅつ[0]キウ【救出】―する(他サ) 危険な状態にさらされている人などを救い出すこと。

きゅうじゅつ[0][1]【弓術】 弓を射る術。弓道。

きゅうじゅつ[0]キウ【救〈恤】―する(他サ) 〔「恤」は、貧乏人に物を恵む意〕困っている人を助けるために、いろいろ恵んでやること。「―品[0]」

きゅうしゅん[0]キフ【急〈峻】―な 傾斜が急な△様子(所)。

きゅうしょ[0][3]キフ【急所】 ❶〔からだの中で〕そこを打ったり突かれたりすると、命にかかわる場所。❷その物事の中で、そこを衝ツかなければ、核心を押さえたことにはならないところ。「―を△衝く(握られる・押さえる)」

*__きゅうじょ__[1]キウ【救助】―する(他サ) 〈だれヲ―する〉 危難に瀕ヒンしている人を救い出すこと。「人命―[5]・国際―隊[0]」 **―ぶくろ**[4]【―袋】 火事などの際、高層建築の上の方の階にいる人を脱出させるための布製筒状の袋。この中を滑り下りて外に逃れる。

きゅうしょう[0]キウシヤウ【旧称】 そのものの古い△呼び名(称号)。

きゅうしょう[0]キウシヤウ【求償】 賠償または償還を求めること。

きゅうじょう[0]ジヤウ【弓状】 弓のように緩やかに曲がっている状態。

きゅうじょう[0]キウヂヤウ【休場】―する(自他サ) ❶興行などを休むこと。❷(選手・力士などが)出場を休むこと。❸証券取引所が立会いを休むこと。

きゅうじょう[0]ジヤウ【宮城】 「皇居」の旧称。

きゅうじょう[0]キウジヤウ【球状】 球のように丸い状態。

きゅうじょう[0]キウヂヤウ【球場】 「野球場」の略。

きゅうじょう[0]ジヤウ【窮状】 貧乏などで△苦しむ(苦しんでいる)様子。「―を△脱する(打開する・救う・訴える)」

きゅうしょうがつ③【旧正月】陰暦の一月初め(の行事)。〔太陽暦では、多く二月初め〕

きゅうじょうしょう③【急上昇】―する(自サ)↔急降下 ❶航空機が、(目標目がけて)急角度で上っていくこと。❷〔電圧・温度や人気などが〕急に上がること。

きゅうじょうほう③【旧情報】すでにその内容について知っている情報。↔新情報

きゅうしょく⓪【休職】―する(自サ)病気などのため、身分はそのままにして長期間勤務を休むこと。

きゅうしょく⓪【求職】―する(自サ)職業を求めること。↔求人

きゅうしょく⓪【給食】―する(自サ)〔学校や工場などで〕児童や工員に一様に食事を与えること。「―費④③」

ぎゅうじる③【牛耳る】(他五)〔支配者となって〕その組織を自分の思いのままに動かす。⇩牛耳

きゅうしん⓪【旧臣】以前(から)の臣下。

きゅうしん⓪【休心】―する(自サ)悩み事から解放され、安らかな気持になること。表記「休神」とも書く。
運用〔手紙文で、「ご休心」の形で〕「(相手が)安心すること」の意を表わす丁寧語。例、「なにとぞご休心ください」

きゅうしん⓪【休診】―する(自他サ)〔医者・病院などが〕診察・診療を休むこと。「本日―」

きゅうしん⓪【求心】中心に近づこうとすること。「―的⓪・―性⓪」↔遠心 **―りょく**③【―力】❶〔物理学で〕物体が円運動をする時、その物体に対して円の中心方向に向かって作用する力。「向心力」の旧称。↔遠心力 ❷その人が持っている、多くの人びとの心をとらえ自分を中心とする世界に引き込むことのできる魅力(実力)。「指導者としての―低下が目立つ」

きゅうしん⓪【急伸】―する(自サ)目立って伸長すること。

きゅうしん⓪【急信】急ぎの知らせ(手紙)。

きゅうしん⓪【急進】―する(自サ)↔漸進 ❶急いで進むこと。❷理想を実現しようとして、変革を急ぐこと。「―的⓪・―思想⑤」

きゅうしん⓪【急診】急患を取り急ぎ診察すること。

きゅうしん⓪【球心】〔数学で〕球の中心。

きゅうしん⓪【球審】〔野球で〕ボール・ストライクの判定や、試合の進行を裁定する役(人)。主審。⇩塁審

きゅうじん⓪【九仞】〔一仞は、八尺〕非常に高いことを言う語。【―の功を一簣に欠く】ほとんど成功しかけたところで失敗するたとえ。

きゅうじん⓪【旧人】❶〔「新人❶」と違って〕「新しみの無い人」の意で批判的(自嘲的)に言う語。❷時代的に原人と新人の間にある化石人類の総称。約三十万年から四万年前に生存したとされる。例、ネアンデルタール人⑧。石器はより発達したものを使用。脳の大きさは約一五〇〇ミリリットルで、「新人❷」と同じだが、より大柄で骨太であった。⇩原人・猿人・新人

きゅうじん⓪【求人】―する(自他サ)その職場で働く人を捜し求めること。「―広告⑤」↔求職

きゅうじん⓪【吸塵】―する(他サ)〔真空装置などで〕細かいごみやほこりを吸い込んできれいにすること。「―力の強い掃除機」

きゅうしんてん③【急進展】短期間に局面が展開すること。

きゅう・す①【休す】(自サ)❶休息する。「萱屋の下に―」❷関係していた事がそれで終わりになる。「万事―」〔=⇩万事〕

きゅうす⓪【急須】〔「急焼」の唐音から変化した語。昔中国で酒の燗をするのに使ったという〕中に葉茶を入れ湯を注いで茶を煎じ出すのに用いる、口のついた小形の容器。主として、陶製。

きゅうすい⓪【吸水】―する(自サ)固体物質が水分を吸収すること。「―性⓪・―率③」

きゅうすい⓪【給水】―する(自サ)必要な所に水を供給すること。「―塔⓪・―車③・時間―④」

きゅうすう③【級数】㊀〔数学で〕Ⓐ数列の概念に、途中の各項までの「和」という考え方を付加したもの。「ある数列から作られた―が収束すれば、元の数列はゼロに収束する」/等差―・冪―③⑤・無限―④⑥ Ⓑ「数列」の旧称。「マルサスの『人口の原理』によれば、食糧は算術―的にしかふえないが、人口は幾何―的にふえるそうだ」

きか―③⑤【幾何―】〔数学で〕Ⓐ「等比級数」の別称。Ⓑ「等比数列」の旧称。「正の項から成る―においては、連続するどの三項をとっても、第一項と第三項の幾何平均が第二項となっている」〔=上例はⒶⒷに共通〕

さんじゅつ―⑤⑦【算術―】〔数学で〕Ⓐ「等差級数」の別称。Ⓑ「等差数列」の旧称。「―においては、連続するどの三項をとっても、第一項と第三項の算術平均が第二項となっている」〔=この例もⒶⒷに共通〕 ㊁〔写真植字で〕文字の大きさを「級❸」で表わした数値。「―表⓪」

きゅうすけ①【久助】〔屑を、「久助葛④⑤」〔=吉野葛の異名〕にかけて言った美的表現〕ビスケット・煎餅などの製品の傷物で、値引きして売りに出されるもの。

きゅう・する③【給する】(他サ)その組織に属する者に対して、規定に従って与える。給す①(五)。

きゅう・する③【窮する】(自サ)〔どうしようもなくて〕すっかり困る。「返事に―/窮すれば通ず〔=土壇場まで追い込まれると、かえってうまい知恵も出てくるものだ〕」

きゅうせい⓪【九星】〔陰陽道で〕一白・二黒・三碧・四緑・五黄・六白・七赤・八白・九紫の九曜星を五行や方位に配当し、人の生まれ年にあてはめて吉凶の判断を行なうもの。

きゅうせい⓪【旧制】昔の(古い)制度。「―高校⑤」↔新制

きゅうせい⓪【旧姓】〔婚姻や養子縁組などで姓の変わった人の〕もとの姓。「結婚しても仕事上は―のままで通す」

きゅうせい⓪【急性】急に起こって、症状の激しい病気。「―肺炎⑤」↔慢性 **―きびょういん**⑥【―期病院】急性の患者に対して医療を提供する病院。高度で専門的な医療技術・設備が求められる。

きゅうせい⓪【急逝】―する(自サ)「急死」の、改まった言い方。

きゅうせい⓪【救世】世の中の混乱・不安を救うこと。**―ぐん**③【―軍】軍隊式の組織を持ち、民衆伝道と救済事業とに力を注ぐ、キリスト新教の一派。**―しゅ**③【―主】迷い悩む人類を救済する人。メシア。〔狭義では、イエス キリストを指す〕

きゅうせかい③【旧世界】↔新世界 ⇩旧大陸

きゅうせき⓪【旧跡・旧蹟・旧迹】由緒ある建造物や、歴史に残る出来事などのあった土地。「名所―⓪・⓪」

きゅうせき⓪【休戚】喜びと悲しみ。「国家の―」

きゅうせつ⓪【旧説】以前唱えられていた(が、今は誤りだとされている)説。↔新説

きゅうせつ⓪【急設】―する(他サ)急いで設備(設立)すること。

きゅうせっきじだい⑥【旧石器時代】打製の石器

および骨・つので作った器具を使い、土器を作らず、漁猟と採集だけで食糧を得た時代。↕新石器時代

きゅうせん[0]【弓〈箭】〔弓と矢の意〕武器。「―を帯す/―の家〔=武家〕」

きゅうせん[0]【休戦】―する(自他サ)〔交戦状態にある双方が〕合意の上で戦闘を(一時的に)中止すること。「論争を―〔=中止〕にする/クリスマス―[6]・―協定[5]」

きゅうぜん[0]【〈翕然〉】―たる―と〔「翕」は合う意〕一か所に集まる様子。

きゅうせんぽう[3]【急先〈鋒】〔攻撃・運動などの時に〕勢いよく先頭に立って行動する△こと(人)。

きゅうそ[1]【泣訴】―する(自他サ) 泣いて訴えること。

きゅうそ[1]【窮〈鼠】 追い詰められたネズミ。「―猫をかむ〔=土壇場まで追い詰められて必死になれば、弱者も強者を苦しめることがあるものだ〕」

きゅうそう[0]【急送】―する(他サ) 急いで送ること。

きゅうぞう[0]【急造】―する(他サ) 急いでこしらえること。

きゅうぞう[0]【急増】―する(自他サ) 急に△ふえる(ふやす)こと。

きゅうそく[0]【休息】―する(自サ)(仕事をやめて)心身を休ませること。「―をとる/―所[5][0]」

きゅうそく[0]【急速】―な―に 物事の進み方の速い様子。すみやか。「―な変化/―の進歩/―に広まる」

きゅうそく[0]【球速】〔野球で〕投手の投げるボールの速さ。

きゅうぞく[1]【九族】 自分を中心として先祖・子孫各四代を含めた親族。「罪―に及ぶ」

きゅうそだい[3]【窮措大】〔「措大」は書生の意〕「貧乏学者」の古風な表現。

きゅうそつ[0]【旧卒】〔↑旧卒業者[1]-[3]〕〔就職などに際し、「新卒」に対して〕何年か前に学校を卒業している△こと(人)。

きゅうたい[0]【旧態】 昔の状態。「―を存する/―依然[0]-[0]〔=元通りで、少しも変化・進展が無い〕」

きゅうたい[0]【球体】 球の(ような)形の物体。

きゅうだい[0]【及第】―する(自サ) 出題者の要求する基準に達し、学習結果が良好と認められること。〔広義では、要求される程度にまで達することを指す〕「―点を付ける/まずまず―かな」↕落第

きゅうたいせい[3]【旧体制】(現状に合わないものとして否定的に受けとめられている)これまでの古い体制。

きゅうたいりく[3]【旧大陸】 ヨーロッパ人が、アメリカ大陸に到達する以前に知っていた、ユーラシアやアフリカの諸地域。旧世界。↕新大陸

きゅうたく[0]【旧宅】 前に住んでいた家。↕新宅

きゅうたん[0]【急〈湍】 流れの速い浅瀬。速瀬。

きゅうだん[0]【糾弾・〈糺弾】―する(他サ) 罪・責任を追及して非難攻撃すること。

きゅうだん[0]【球団】〔↑野球団[2]〕プロ野球のチーム(を持つ事業団体)。

きゅうち[1]【旧知】 昔からの知合い。「―の間柄/一見、―の如し」

きゅうち[1]【窮地】 容易にのがれられない苦しい△立場(境遇)。「―に△陥る(追い込まれる・立つ)/―を脱する」

きゅうちしん[3]【求知心】 知識を得ようとする心。

きゅうちゃく[0]【吸着】―する(自他サ) ❶吸いつくこと。また、吸いつけること。❷その△液体(気体)が、他の固体や液体の表面に吸いつけられる現象。例、臭気や、飲料水中の不純物が活性炭に吸い取られるなど。「―力[4]・―性[0]」↕脱着 **―ざい**[4][0]【―剤】 吸着力が強く、脱色・脱臭・脱湿・触媒などに用いられる物質。活性炭・シリカゲルなど。

きゅうちゅう[0]【旧注・旧〈註】 その古典について前の時代に行なわれた注。古注。↕新注

きゅうちゅう[0]【吸虫】「扁形動物[5]」の一つで、多く雌雄の区別が無い。ジストマや住血吸虫など。「―類[3]」

きゅうちゅう[1][0]【宮中】 皇居・宮殿の中。 **―さんでん**[5]、[1]-[0]【―三殿】 皇居内の、祭祀をつかさどる三つの殿舎、賢所・皇霊殿・神殿の総称。

きゅうちょ[1]【旧著】 昔出版した著書。↕新著・近著

きゅうちょう[0]【急潮】 流れの速いしお。

きゅうちょう[0]【急調】 急調子。速いテンポ。

きゅうちょう[0][1]【級長】「学級委員」の旧称。

きゅうちょう[0]【窮鳥】 追い詰められ、逃げ場を失った鳥。「―懐に入る〔=逃げ場を失ったものが保護を求めて来るたとえ〕」

きゅうつい[0]【急追】―する(自他サ) 激しい勢いで△追及(追跡)すること。「―を振り切る」

きゅうつい[0]【窮追】―する(他サ) のがれられないところまで△追い(問い)詰めること。

ぎゅうづめ[0]【ぎゅう詰め】〔「ぎゅう」は「ぎゅうぎゅう」の意〕無理を承知で強引に詰め込んだ状態。「―の通勤電車」

きゅうてい[0]【休廷】―する(自サ)〔裁判で〕法廷での審理を一時中断すること。「―を宣する」

きゅうてい[0]【宮廷】 天皇・国王及びその配偶者の起居する所。「―費[3]・―文学[5]」

きゅうていたいりょ[5]【九〈鼎大《呂】〔「九鼎」は、夏・殷・周三代に伝わった、金製のかなえ。「大呂」は、周の王室の大鐘の意〕たっとい△地位(名声)の称。

きゅうてき[0]【〈仇敵】 深い恨みや憎しみの対象であるかたき。「―視する」

きゅうてん[0]【九天】 天の高い所。「―九地[5]〔=天のてっぺんから地の底までの間。全宇宙の意〕」

きゅうてん[0][3]【〈灸点】 灸をすえる△こと(場所に墨でつけた点)。

きゅうてん[0]【急転】―する(自サ) 様子・成行きが急に変わること。 **―ちょっか**[5]【―直下】―する(自サ) 急に形勢が変わって、解決に向かうこと。

きゅうでん[0]【休電】―する(自サ) 電力の不足をカバーするため、その供給を一時中止すること。電休。

きゅうでん[0]【急電】 至急の電報。ウナ電。

きゅうでん[0]【宮殿】 天皇・国王などの住む御殿。

きゅうでん[0]【給電】―する(自サ) 電力を供給すること。

キュート[1]―な〔cute〕〔子供や若い女性が〕(頭の回転が速くて)かわいくチャーミングな様子。「―な面立ち」

きゅうと[1]【旧都】 昔、都のあった所。↕新都

きゅうとう[0]【旧冬】 去年の冬。〔年の初めに言う言葉〕

きゅうとう[0]【旧〈套】〔「套」は重なる、すなわち古来用いきたる意〕古い△様式(型)。「―を脱しない」

きゅうとう[0]【急騰】―する(自サ) 物価・相場などが、急に上がること。「地価―」↕急落・惨落

きゅうとう[0]【給湯】―する(自サ) その施設内の必要な所にお湯を供給すること。「―設備[5]」

きゅうどう[1]【弓道】 日本の武道の一つ。弓術。

きゅうどう[0]【旧道】〔新道に対して〕もとからある道路。

きゅうどう⓪【求道】神の道や真理を求めて修行すること。「ぐどう」とも。「—的な生き方/—者③・—心③」

きゅうどう⓪【球道】〔野球で〕投手の投げたたまのコース。

ぎゅうとう⓪【牛刀】先のとがっている、大きな肉切り包丁。〔普通、両刃〕「鶏を割くに—を用いる(=たいした事でもないのに大げさな手段・方法をとる)」

ぎゅうとう⓪【牛痘】ウシの疱瘡。〔種痘に用いる〕

ぎゅうどん⓪【牛丼】どんぶり物の一つ。うす切りの牛肉をタマネギ・しらたきなどと煮込んで、汁ごと御飯にかけたもの。牛飯⓪。

ぎゅうなべ⓪【牛鍋】〔明治時代、関東地方で〕すき焼。

きゅうなん⓪【急難】さし迫った危難。

きゅうなん⓪【救難】危難を救うこと。「—信号⑤・—浮標⑤」

ぎゅうにく⓪【牛肉】〔食品としての〕ウシの肉。

きゅうにゅう⓪【吸入】—する(他サ)〔おもに気体状のものを〕吸い入れること。「—器③・酸素—」

ぎゅうにゅう⓪【牛乳】〔食品としての〕ウシの乳。ミルク。市販の物は多く加工してある。「—配達⑤・生—」 かぞえ方 小売の単位は一缶・一本・一瓶・一パック

きゅうにん⓪【旧任】以前、その職や地位にあった△こと(人)。↔新任

キューねつ①【Q熱】〔Q fever〕家畜やペットの熱病。人に感染すると高熱・頭痛など感冒のような症状を呈する。〔Qは疑問(=query)の意。発見当時、病原体が不明だったことから〕

きゅうねん⓪【旧年】〔年賀の挨拶で〕前の年を指して言う語。「—中は大変お世話になりました」

きゅうは①【旧派】❶古くからある流派・流儀。↔新派 ❷旧劇。

きゅうは①【急派】—する(他サ)急いで派遣すること。

きゅうば①【弓馬】弓を射ることと馬に乗ること。「—の道(=武道)/—の家(=武家)」

きゅうば⓪【急場】さし迫って、すぐになんとかしなければならない場面。「借金で—をしのぐ/—しのぎ④(=一時の間に合わせ)」

ぎゅうば①【牛馬】牛と馬。「—のごとく使われる/—耕⓪③」

きゅうはい⓪【九拝】❶—する(自サ)何回も△拝む(おじぎをする)こと。「三拝—」❷手紙の終りに書いて敬意を表わす語。

きゅうはい⓪【朽廃】—する(自サ)古くなってこわれ、役に立たなくなること。

きゅうはいきそうち⑥【給排気装置】必要な気体を内部に取り入れ、不必要な気体を外部に出すための装置。〔内燃機関の場合には「吸排気装置」とも書く〕

きゅうはいすい③【給排水】給水と排水。「—工事⑦」

きゅうはく⓪【急迫】—する(自サ)事態が進んで、平穏無事には済まなくなりそうになること。せっぱつまること。

きゅうはく⓪【窮迫】—する(自サ)経済的なゆとりが無くなり、食べるにも着るにも困ること。「失業後何か月かは貯えがあったからよかったが、生活は段々—していった」

きゅうばく⓪【旧幕】〔←旧幕府③〕明治維新後に、江戸幕府を呼んだ呼び名。「—時代⑤」

きゅうはん⓪【旧版】その出版物の、古い方の版。↔新版

きゅうはん⓪【旧藩】明治維新後に、江戸時代の藩を呼んだ呼び名。

きゅうはん⓪【急坂】「急な△坂(道)」の漢語的表現。

きゅうばん⓪【吸盤】〔タコの足やヤモリの指などにある〕物に吸いつく器官。小さくて杯形をしている。

きゅうひ①【厩肥】家畜小屋の糞尿と敷きわらなどを交ぜ、腐らせて作った肥料。「—を施す」

きゅうひ⓪①【給費】—する(自他サ)学資などの費用を与えること。「—生③・—制度④」

きゅうび⓪【急火】❶急に燃えたつ火。❷火力の強い火。つよび。

ぎゅうひ⓪【《求肥】白玉粉を水でこねて蒸し、砂糖・水あめを加えて練り固めた菓子。一見、餅に似る。表記「牛皮」とも書く。

キューピー①【kewpie=もと、商品名。キューピッドの変化】頭の先がとがり、裸で目の大きい、おもちゃの人形。

キュービズム③【cubism】〔絵画・彫刻で〕立体△派(主義)。キュビスム②・キュビズム②とも。

きゅうひつ⓪【休筆】—する(自サ)文筆を業とする人が、活動の途中で一時期執筆を休むこと。

キューピッド①【Cupid】〔ローマ神話の〕恋愛の神。〔ギリシャ神話のエロスに当たる〕裸で翼があり、弓矢を持った男の子の姿で表わされる。キューピット。〔美少年の意にも用いられる〕

きゅうびょう⓪【急病】急性の病気。「—人⓪」

きゅうひん⓪【救貧】貧困に苦しむ人を助けること。「—事業⑤」

きゅうびん⓪【急便】至急の△通信(運送)。至急便。

きゅうふ⓪①【休符】〔楽譜で〕音の休止(の長さ)を示す符号。休止符。「四分—④」

きゅうふ①⓪【給付】—する(他サ)❶特定の相手に何らかの物品もしくは△便宜(サービス)を与えること。「反対—」❷国や公共団体などが規定に従って保険金などを支払うこと。

キューブ①【cube】立方体。正六面体。

きゅうぶ⓪【休部】—する(自サ)❶病気などのために所属する部活動をしばらく休むこと。「—願い④」❷運動部などがある期間活動を休止すること。「—措置④」

きゅうぶつ⓪【旧物】昔から△ある(あって、新時代にそぐわないと考えられる)もの。「—破壊⑤」

きゅうぶん⓪【旧聞】以前△に(から)聞いていること。また、その話。「—に属する(=格別耳新しくないことだ)」

きゅうへい⓪【旧弊】㊀古くからの悪弊。㊁—に・—な 古(くさ)い習慣や考え方にとらわれる△こと(様子だ)。「—な人」派—さ⓪

きゅうへん⓪【急変】❶—する(自サ)〔事態や態度などが〕(悪い方に)急に変わること。「△天候(病状)の—」❷思いがけない出来事。「—を遂げる」

きゅうぼ⓪【急募】—する(他サ)急いで募集すること。

ぎゅうほ①【牛歩】牛がのろのろ歩む時のような、遅い歩み。牛の歩み。「—遅々として/—戦術④(=議会で審議引延しをねらって、投票などの際にのろのろ歩くこと)」

きゅうほう⓪①【旧法】❶(今は行なわれていない)古い△法令(法律)。❷古い方法。

きゅうほう①【臼砲】砲身が非常に短く、弾道が大きく湾曲する大砲。かぞえ方 一門

きゅうほう⓪【急報】—する(他サ)急ぎの知らせ。至急報。

きゅうぼう⓪【窮乏】—する(自サ)お金や物が無くて生活に苦しむこと。「—に堪える/—状態⑤」

キューポラ⓪①【cupola】〔鋳物工場で〕鋳物に使う鉄を

溶かす炉。溶銑炉[3]。「—のある街」

きゅうぼん[0]【旧盆】△陰暦の七月十五日(ひと月遅れの、八月十五日)前後に行なう盂蘭盆。

きゅうみん[0]【休眠】—する(自サ) 生活に不適当な期間、生物が活動をやめて静止状態に入ること。〔物事が一時、全く活動をやめる状態の意にも用いられる。例、「国会は当面—状態を続けることになるとみられる」〕

きゅうみん[0]【救民】 戦災・天災などで困っている人民を救うこと。

きゅうみん[0]【窮民】 生活に困っている人民。貧民。

きゅうむ[1]【急務】 急いでしなければならない仕事。「刻下の—/—を告げる」

きゅうむいん[3]【〈厩務員】 厩舎で競走馬の世話を職業とする人。

きゅうめい[0]【旧名】 昔の名前。旧称。

きゅうめい[0]【究明】—する(他サ) 本質・原因などをつきつめて明らかにすること。「—を加える/—への一歩を踏み出す/事件の全容の—/真相を—する」

きゅうめい[0]【糾明】—する(他サ) 糾問して罪状を明らかにすること。表記「〈糺明」とも書く。

きゅうめい[0]【救命】 危険な状態にある人の命を助けること。「—艇[0]・—具[3]」 **—どうい**[5]【—胴衣】 船・航空機に備え付けてある、上半身に着用するチョッキ状のもの。これをつけていれば水上に浮いていられる。ライフジャケット。 **—ボート**[5] 船に備え付け、事故があった時に乗客・乗員が脱出するのに用いるボート。ライフボート。

きゅうめん[0][3]【球面】 球の表面。「—鏡[0]・—三角形[7]・—幾何学[6]」

きゅうもん[0]【糾問】—する(他サ) 悪事についてその真相が分かるまで鋭く追及すること。表記「〈糺問」とも書く。

きゅうやく[0]【旧約】 ❶昔の約束。 ❷〔↑旧約聖書[5]〕キリスト降誕以前から伝わる、ユダヤ教の教えを集めた聖典。キリスト〔=救世主〕の出現を約束している。「新約聖書」と共にキリスト教の聖典になった。↕新約

きゅうやく[0]【旧訳】 以前既に行なわれた翻訳。〔新訳と違って、古色蒼然などのニュアンスが寓せられる〕

きゅうゆ[0]【給油】—する(自サ) ❶機械類に油をさすこと。❷液体燃料を補給すること。「—船[0]・—所[4][0]」

きゅうゆう[0]【旧友】 昔(から)の友人。

きゅうゆう[0]【旧遊】 昔、旅行したことがあること。「—の地」

きゅうゆう[0]【級友】 同じ学級の友達。クラスメート。

きゅうよ[1]【給与】—する(他サ) その人の取り分として与える△こと(もの)。〔狭義では、勤め人の給料・諸手当などを指す〕

きゅうよ[1]【窮余】 よい策がなく困りはてること。「—の策〔=他に方法が無く、苦し紛れに考えついた方法〕として」

***きゅうよう**[0]【休養】—する(自サ) きたるべき活動に備え、勤め・仕事などをしばらく休み、心身の疲れをいやすこと。「仕事が一段落したら一週間ほど—を取ることにする」

きゅうよう[0]【急用】 急ぎの用事。

きゅうよう[0]【給養】—する(他サ) ❶家族を養うこと。❷〔軍隊で〕兵士に衣食、馬にかいばを与えること。

きゅうらい[1]【旧来】 以前から。〔今日では、あまりよくないニュアンスで使われることが多い〕「—の陋習/—の△殻に閉じこもる(域を脱け切れない)」

きゅうらく[1][0]【及落】 及第と落第。「—判定会議」

きゅうらく[0]【急落】—する(自サ) 物価・相場などが急に下がること。↕急騰

ぎゅうらく[0]【牛酪】 バターの漢語的表現。

きゅうり[1]【〈胡瓜〉】 畑で作る一年生つる草。とがったいぼのある細長い実を、青いうちに食べる。ナスと共に夏野菜の代表。〔ウリ科〕「—のぬかづけ」 かぞえ方 一本 **—もみ**[3][0]【—〈揉㋯】 キュウリを小口から薄く輪切りにして塩でもみ、三杯酢をかけた料理。

きゅうり[1]【久離】 〔江戸時代に〕親族としての縁を切ったこと。勘当。「—を切る」 表記「旧離」とも書いた。

きゅうり[1] ❶【窮理】〔中国哲学で〕物事の真理を明らかにすること。❷【究理】 明治時代の初期、物理学の称。表記❷は、「窮理」とも書いた。

きゅうりゅう[0]【〈穹窿〉】 ❶弓形に見える大空。晴れた空の様子。❷丸みをつけた天井。ドーム。

きゅうりゅう[0]【急流】 勢いの激しい水の流れ。

きゅうりょう[0]【丘陵】 平地の周縁や山地の入口に位置し、似たような起伏が帯状に続いた、やや高い土地。〔地形学では高度三〇〇メートル程度以下を言う〕

きゅうりょう[0]【旧領】 もとの△領地(領土)。

きゅうりょう[0]【休漁】—する(自他サ) 漁に出るのを(一定期間)休むこと。

きゅうりょう[0]【救療】—する(他サ) 医療費を支払う能力のない患者を奉仕的に治療すること。

***きゅうりょう**[1]【給料】 労働の報酬として雇用主から支払われるお金。サラリーとも。「—だけに依存する生活/銀行振込になってから—日の楽しみが少なくなった」

きゅうれい[0]【旧例】 ❶昔からのしきたり・慣例。❷以前あった例。

きゅうれい[0]【急冷】—する(他サ) 短時間で温度を一気に下げること。

きゅうれき[0]【旧暦】 太陰暦。旧。↕新暦

きゅうれき[0]【球歴】 (選手として)野球をやった経歴。

きゅうろう[0]【旧〈臘】 去年の十二月。〔新年に言う言葉〕

きゅっと[1][0](副) ❶瞬間的に力を加えて、強く握ったり堅く結わえたりする様子。「手を—にぎる/髪を—後ろで結ぶ」 ❷押しつけられたかのように、堅く引き締まっている様子。「—くびれた足首」 ❸グラスについだ酒などを一気に飲む様子。「一杯—ひっかける」

ぎゅっと[0][1](副) 離れたり動いたりしないように、その物に瞬間的に強い力を加える様子。「手を—握る/—押しつける」

キュラソー[1][2]〔フ curaçao=地名〕 リキュールの一種。オレンジの皮で味をつけた、甘い酒。

キュリー[1]〔curie ↑ P.Curie と M.Curie=フランスの物理学者夫妻〕 放射能の強さの単位。一キュリーは、ラジウムほぼ一グラムあたりの放射能の強さ〔=三七〇億ベクレル〕を表わす〔記号Ci〕。

キュレーター[2][0]〔curator〕 博物館や美術館で作品収集や企画立案を行なう専門職員。

キュロット[1][2]〔フ culotte〕 スカートの形に似せた女性用ズボン。キュロット スカート[6]とも。 かぞえ方 一枚

きゅん[0][1](副)—と 強い感動や悲しみなどのために胸が一瞬締め付けられるような感じになる様子。「胸—[0]」

きょ〔巨・去・居・拒・拠・挙・虚・許・距・〈醵〉↓【字音語の造語成分】

きょ[1]【居】 住む場所。住みか。「—を△構える(定める・移す)/—は気を移す〔=どこに住むかによって、その人の物の考え方や気分も変わってくるものだ〕/—住・—宅・同—・雑—・隠—・新—・転—」⇩【造語成分】

きょ[1]【〈炬】 たいまつ。「眼光—のごとく/—火」

きょ①【挙】行なうこと。「断行の―に出る/―式・―行・快―・美―・大―・壮―・愚―」⇩【造語成分】

きょ【虚】㊀①油断(している所)。「―を衝ッかれる/―につけ込む(=相手の油断や弱点を衝いて、自分に有利に事を展開する)/―に乗ずる(=相手のすきに付け込む)」㊁①〔数学で〕虚数。「―根」(㊀㊁の対義語は、実ジツ) ㊂(造語)⇩【造語成分】

きょ①【〈渠】みぞ。ほりわり。「―成って水至る/暗―」

きよ①【寄与】―する(自サ) 同時代および後代の人の生活向上や、社会・国家の発展のために役立つこと。貢献。「―するところ大である」

きよ①【毀誉】悪口を言うことと ほめること。⇩褒貶ホウヘン

ぎょ(魚・御・漁)↓【字音語の造語成分】

きょあく⓪①【巨悪】時の権力者△にも抑えられない(自身が主役をつとめる)ような、その社会の体質を変えるほどの大きな悪。「―に蝕ムシバまれた国家」

きよ・い②【清い】(形) そのものに少しの汚れも認められず、望まれる純粋さを感じさせる様子だ。「―流れ/―交際」〔「清き」は、文語「きよし」の連体形。例、「清き一票」〕 派 ―さ① ―げ⓪③② 表記「《浄い」とも書く。

きょい①【虚位】名目のみで、実権を伴わない地位。「―を擁ヨウする」

ぎょい①【御衣】△天皇(高貴の人)の衣服。

ぎょい①⓪【御意】身分の高い△相手(人)の考え、の意の尊敬語。「―に召す(=お気に入る)/―を得たい(=ⓐおさしずを承りたい。ⓑお目にかかりたい)/―にござります(=おっしゃる通りでございます。略して、ただ『御意』とのみ言うこともある)/―に入ィる(=おぼしめしにかなう)」

きょう(凶・兄・共・叫・〈夾・狂・京・享・供・協・〈怯・況・〈侠・峡・挟・狭・香・恐・恭・胸・脅・《脇・強・教・経・郷・境・〈嬌・橋・興・矯・鏡・競・響・〈饗・驚・〈驕)↓【字音語の造語成分】

きょう①【凶】(運勢が)悪いこと。「大―・吉―」↕吉 ⇩【造語成分】

きょう①【京】㊀みやこ。㊁京都の特称。「―の着倒れ/―舞イマ・―人形」⇩【造語成分】

きょう⓪①【香】〔将棋で〕「香車キョウシャ」の略。「―落ち・成り―⓪」⇩【造語成分】

きょう①【強】↕弱 ㊀(他に比べて)力や順位がより上の△もの(人)。「―のボタンを押す」㊁〔接尾語的に〕単位量の整数倍に端数が何ほどか加わることを表わす語。「五キロ―」⇩【造語成分】

きょう⓪【経】㊀仏の教えを記した書物。「―文モン・お―・法華ホケ―」㊁儒教の聖典。経書ケイショ。「四書五―」

きょう①【〈卿】㊀△平安時代(明治初年)の大臣。「大蔵―」㊁昔、三位サンミ以上の貴族(の尊称)。「公―クギョウ」㊂ロード(Lord)やサー(Sir)の訳語。「ネルソン―」

きょう①【境】㊀土地。「無人の―/異―・辺―」㊁(その時どきの)心のありよう。「無我の―/心―・―地」⇩【造語成分】

きょう⓪【興】㊀おもしろがること。おもしろみ。「―△に(が)乗る(=おもしろさに引かれて思わずその事に熱中する)/―を添える(=楽しさを増すようにする)/―がさめる(=何かがきっかけで、白けた気分になる)/―味・感―・余―」㊁詩の六義リクギの一。⇩六義

きょう①【今日】㊀今何かを△して(話して)いる、その日。こんにち。〔副詞的にも用いられる〕「―は朝から快晴だ/―あす(=きょうかあすかのうち)/―このごろ(=近ごろ。昨今)/―日ビ(=このごろ。近ごろ)」⇩あした・きのう ㊁同じ△日付(曜日)の日。「去年の―/来週の―」 表記 ⇩付表

きよう⓪【紀要】その大学・研究所などの研究活動を内外に示すために、定期的に出す出版物。「大学の―」

きよう⓪【起用】―する(他サ) その面での大切な仕事に取り立てて用いること。「若手を―する/新人の―」

きよう①【器用】―に ―な ㊀手先を使う細かい仕事などを、たいして苦労もせずにこなす技量を備えている△こと(様子)。「手先の―な人」㊁判断力・応用力にすぐれ、専門以外のことでも無難にこなす才能を備えている△こと(様子)。「絵も描けば詩も書く―な俳優」 派 ―さ②「親譲りの―」 運用 万事につけて抜け目なく立ち回る人を、批判的にとらえて言うことがある。例、「器用に世間を渡る男」

―びんぼう④【―貧乏】「器用」なため、一つの事に集中出来なかったり 他から重宝がられて雑多な用に使われたりして、かえって、大成出来ない△こと(様子)。

きよう②【来様】来る△方法(時)。「―が遅い」

ぎょう(仰・行・形・暁・業・凝・〈驍)↓【字音語の造語成分】

ぎょう①【行】㊀語句・文・文章などを表記するとき、△縦(横)方向にきちんと並べ△上下(左右)の端をそろえて読みやすくしたものの、一並び分。「―を改める/―間・改―」㊁〔仏教で〕修行。「―を積む/―者ジャ・難―・苦―」㊂漢字の書体で、行体。「楷カイ―草」㊃〔五十音図で〕母音だけが違う五つの仮名から成る一並び。〔行の相違は子音の相違に対応する。母音を表わすアイウエオから成るア行が最初の行で、以下各行先頭の仮名を冠してその行の名称とする〕「『覚ゆ』は、ヤ―下二段に活用する」⇩段㊀㊄ ⇩【造語成分】

ぎょう①【〈尭】〔古代中国で〕伝説上の理想的帝王の一人。舜シュン・禹ウの前。

ぎょう①【業】毎日義務として一定量こなさなければならない仕事。〔狭義では家業・営業を指し、広義では学業をも含む〕「父の―をつぐ/文筆を―とする/―務・職―・製造―・授―・卒―」

ぎょう①【御宇】その天皇の治める世。御代ミヨ。

ぎよう⓪【技〈癢】自分の腕前・わざを見せたくて、むずむずすること。「―に堪えない」

ぎよう⓪【儀容】「礼儀正しく姿を整えた様子」の意の改まった表現。

きょうあい⓪【狭〈隘】―に ―な △たくさん(他を)容イれる余地の無い様子。「―な人物/―を告げる(=狭さを感じる)」

きょうあく⓪【凶悪・〈兇悪】―に ―な 性格が残忍で、どんなひどい事でも平気でする様子。「―犯人⑤・―化⓪」 派 ―さ⓪ 表記「〈梟悪ケウアク」とも書く。

きょうあつ⓪【強圧】―する(他サ) 〔力や権力で〕一方的に強く抑えつけること。「―を加える/―的⓪」

きょうあん⓪【教案】授業の目的・方法・時間配分などの計画を書いたもの。〔学習〕指導案。

ぎょうあん⓪【暁《闇】日が出る少し前の、まだ暗い時。

きょうい①【胸囲】胸のまわり(の長さ)。バスト。〔乳の位置で計る〕

きょうい①【脅威】力のある△だれ(何もの)かに脅かされること。「―を与える/近隣諸国の―に備える」

きょうい①【強意】〔文法で〕実質的な意味は特別に持たないが、叙述全体の調子が強まること。「―の助詞(=『名にし負う』の『し』など)」

きょうい①【教委】「教育委員会」の略。

きょうい①【驚異】ひどく驚くべき△異常な(すばらしい)こと。また、その驚き。「自然の―/―的⓪」

きょういき⓪【境域】はっきり他と区別される、ある範

囲(の場所や地域)。

**きょういく⓪【教育】—する（他サ）〈だれニなにヲ—する/だれヲ—する〉△一般的な(その方面の)知識や技能の修得や社会人としての人間形成などを目的として行なわれる訓練。〔狭義では、学校で行なわれるものを指す〕「—の義務化/—水準が高い地域/—家⓪〔＝職業として教育に従事する人〕・—者④③〔＝ⓐ教育家。ⓑ高い理念を持って教育に当たる人〕・—制度⑤・—大学⑤〔＝小学校・中学校・高等学校の教員養成を目的とする大学〕・再—③・家庭—④・キャリア—④〔＝社会に出るに当たっての職業観・勤労観を育む教育〕・社会—・職業—⑤」 —いいんかい⑥【—委員会】地方公共団体の教育行政を行なう機関。 —がく④【—学】教育に関する事柄を研究する学問。 —かてい⑤【—課程】教育内容を順序に従って系統立てて配列したもの。カリキュラム。 —かんじ⑤【—漢字】学習用の漢字。⇩漢字 —きほんほう⓪【—基本法】憲法の精神をふまえ、教育や学校制度のあり方について定めた法律。一九四七年施行、二〇〇六年に改正。 —けいしゅぎ⑦【—刑主義】刑罰は受刑者を教育するためだとする考え方(をとる刑法上の学説)。↕応報刑主義 —じっしゅう⑤【—実習】教員免許の取得をめざす学生が、小学校・中学校・高等学校などの教育現場で行なう実習。 —てき⓪【—的】—な/—に 教育上望ましい様子だ。「—な環境」

きょういん⓪【教員】〔職員・事務員と違って〕学校と名のつく教育機関で教育に直接従事する人。「—免許状⓪⑦・—採用試験⑨⑩」

きょうう①【強雨】(短時間に)強く降る雨。「折からの—を衝いて決行」

きょううん⓪【強運】不思議に幸運に恵まれること。「—の持主/極めて—の人だ」

ぎょううん⓪【暁雲】夜明けの(明るさを増していく)雲。

きょうえい⓪【共栄】利害を異にするものが一緒に栄えること。「共存—」

きょうえい⓪【共営】共同の経営。

きょうえい⓪【鏡映】平面鏡に映すこと。

きょうえい⓪【競泳】—する（自サ）水泳の競争。「—種目⑤」

きょうえい⓪【競映】—する（自サ）どちらが観客を多く集められるか、張り合って映画を上映すること。

きょ

【巨】㊀たいへん大きい。「巨大・巨人・巨体・巨木」㊁多い。「巨万・巨額・巨財」㊂えらい。「巨匠・巨頭」

【去】■一㊀行ってしまう。「去就・退去・死去」㊁とりのける。「去勢・除去」㊂一つ前の。「去年・去歳・去月・去秋」■二(略)〔漢字音の〕去声。「平上去入」

【居】㊀じっとして何もしない。「居然」㊁家に付ける雅号。「惜春居」⇩(本文)きょ【居】

【拒】ふせぐ。こばむ。「拒絶・拒否・拒食症」

【拠】よりどころ(にする)。「拠点・依拠・根拠・原拠・本拠・論拠・占拠・典拠」

【挙】㊀下から上へ持ちあげる。「挙手」㊁取りあげて用いる。「挙用・選挙」㊂取りあげて並べる。「挙証・列挙」㊃身のこなし。ふるまい。「挙止・挙措・挙動」㊄行なう。行い。「挙行・挙式：美挙・快挙・義挙」㊅こぞって。残らず。「挙国・挙党」⇩(本文)きょ【挙】

【虚】㊀中に何も無い。から。「虚無・空虚」㊁邪心を持たない。「虚心・謙虚」⇩(本文)きょ【虚】

【許】㊀ゆるす。「許可・免許・特許」㊁数量が大体それほどであることを表わす。「許多・三許里〔＝三里ばかり〕」

【距】㊀へだたる。へだてる。「距離・測距儀」㊁けづめ。「距爪」

【〈醵】大事なものを出しあう。「醵金・醵出」

ぎょ

【魚】さかな。「魚介・魚類・金魚・鮮魚・淡水魚・深海魚・熱帯魚」

【御】㊀(馬を)あつかう。世をおさめる。「御者・統御・制御」㊁皇室関係の語につけて尊敬の意味を表わす。「御物・御苑・崩御・還御」

【漁】㊀魚をとる。「漁船・漁具・漁業・漁夫」㊁あさる。「漁色」

きょうえきひ④③【共益費】〔(公団)アパートなどで〕外灯やまわりの芝生の手入れなど、生活上の共用部分に出し合う費用。

きょうえつ⓪【恐悦】〔謝意や祝意を述べる挨拶で〕相手△の好意ある取りはからい(に関係のある喜ぶべき出来事)を大変にうれしく思うこと、の意を表わす。「嫡子ご誕生—至極に存じます」

きょうえん⓪【共演】—する（自サ）(スター級の俳優と)一緒に出演すること。

きょうえん⓪【供宴】・【〈饗宴】もてなしの酒宴。

きょうえん⓪【協演】—する（自サ）芸術活動の新しい試みとして、異なるジャンルの△俳優(演奏家)が共に舞台で演じること。「歌舞伎俳優と狂言師が—する」

きょうえん⓪【競演】—する（自他サ）㊀二人(以上)の俳優が同じ芝居や映画に出演し、演技の優劣を争うこと。㊁二つ(以上)の劇場で、同一または類似の△作品(役)を、時期を同じくして上演し、その人気を張り合うこと。

きょうおう⓪【供応】・【〈饗応】—する（他サ）ごちそうしてもてなすこと。接待。

きょうおう⓪【胸奥】人に知られない、心の奥そこ。「—深く秘める」

きょうおう③【教皇】⇩きょうこう

きょうおく⓪【胸臆】心中(の思い)。「—を吐露する」

きょうおち⓪【香落(ち)】〔将棋で〕一方の人が香車を一つとりのけてさすこと。二段の差とされる。

きょうおん⓪【〈跫音】「あしおと」の意の漢語的表現。「空谷の—〔＝⇩空谷の跫音〕」

きょうおんな③【京女】〔関東武士のあこがれの的としての〕(美しく、しとやかな)京都の女性。「東男に—」

きょうか①【狂歌】〔通俗的な表現で〕狂体の短歌。江戸時代中期以後に流行した。「—師③」

きょうか①【供花】△仏(霊)前に花を供えること。また、その花。

*きょうか①【強化】—する（他サ）〈なにヲ—する〉△態勢(体制)を強力なものにすること。「備蓄の—を図る/取締りを—する/規制が—される/労働—⑤」↕弱化 —しょくひん④【—食品】ビタミン・ミネラル・たんぱく質などを加えて栄養価を高めた食品。例、強化米⓪。 —ぼく③【—木】ベニヤ板にベークライト液をしみこませ、熱・圧力を加えた

板。

きょうか①【教化】―する(他サ) 宗教の力や対人接触により、いい方に感化すること。「―活動④」

きょうか①【教科】 教える科目。特に、学校教育で、学習の目標や内容に基づいて区分されたもの。国語科・理科など。〔広義では、特別教育活動・学校行事なども含めた教育課程を指す〕「基礎―③」 ―がいかつどう⑥【―外活動】 学校における教科学習以外の生徒活動の総称。学校行事・生徒会・クラブなど。 ―しょ③【―書】 その教科の学習指導上の中心となる書物。「国定―⑦・検定―⑦・―体⓪〔=初等教科書のための、筆写体に近い活字体。この辞典の見出し漢字のうち学習用の漢字にも使ってある〕」 ―しょてき⓪【―書的】―に・―な 取り上げた事柄に対して、まんべんなくすべてに行き渡ってはいるが、説明が紋切り型にとどまっていて、読み手に強く訴えかける点に欠ける様子だ。

きょうが①【恭賀】(年賀状で)〔「―新年④」の形で〕謹んで新年を祝う意を表わす挨拶の言葉。

ぎょうが①【仰〈臥】―する(自サ) あおむけに寝ること。↔伏臥

きょうかい⓪【協会】(公共の)ある目的のために会員が協力して設立・維持する会。

きょう

【凶】 ㊀わざわい。災難。「凶事・凶変」 ㊁作物のできが悪い。「凶作・凶年」 ㊂悪い。悪者。「凶悪・凶器・凶徒・元凶」 表記 ㊂の一部は、「兇」とも書く。 ⇩(本文)きょう【凶】

【兄】 ⇩(本文)けい【兄】「兄弟」

【共】 ㊀いっしょに何かをする。「共同・共通・公共」 ㊁(略) 共産主義・共産党。「反共・中共」

【叫】 大声をあげる。さけぶ。「叫喚・絶叫」

【〈夾】 ㊀はさむ。「夾角」 ㊁まじる。「夾雑」

【狂】 ㊀気がくるう。「狂気・狂死・狂人・狂乱・発狂」 ㊁くるったようである。「狂暴・狂信・熱狂・酔狂」 ㊂こっけい。「狂歌・狂句・狂言」 ㊃マニア。「収集狂」

【京】 ⇩けい(京) ⇩(本文)きょう【京】

【享】 (身に)うける。「享受・享年・享楽」

【供】 ㊀さし出す。「供出・提供」 ㊁(わけを)述べる。「供述・自供・口供」

【協】 ㊀力を合わせる。「協同・協力・妥協」 ㊁相談し合う。「協議・協定・協約」 ㊂(調子が)合う。「協和・協調」

【〈怯】 おびえる。おそれる。いくじがないこと。「怯懦・怯弱・卑怯」

【況】 様子。ありさま。「状況・概況・近況・実況・活況・現況・情況・盛況・好況・不況」

【〈侠】 おとこぎ。おとこだて。「侠気・侠客・義侠・任侠」

【峡】 ㊀山と山との間の谷あい。「峡谷・峡湾・天竜峡」 ㊁細長くせまい所。「海峡・地峡」

【挟】 ㊀はさむ。はさまる。「挟撃・挟殺」 ㊁さしはさむ。「挟持」

【狭】 せまい。「狭隘・狭軌・狭義・狭小・偏狭」

【香】 将棋の駒の一つ。「香車」 ⇩(本文)きょう【香】

【恐】 ㊀おそれる。「恐怖・恐慌」 ㊁おそれいる。「恐惶・恐懼・恐縮・恐悦」 ㊂おどす。「恐喝」

【恭】 うやまいつつしむ。「恭賀・恭敬・恭順」

【胸】 ㊀むね。「胸部・胸像・気胸」 ㊁心の中。「胸中・胸裏・胸奥・胸底」

【脅】 おびやかす。おどす。「脅威・脅迫」

【《脇】 わき。「脇士・脇息」

【強】 ㊀つよい(もの)。「強者・強力・屈強・堅強・最強・列強」↔弱 ㊁つよくする。「強化・増強・補強」 ㊂△無理に(つとめて)する。「強行・強制・強要・勉強」 ⇩(本文)きょう【強】

【教】 ㊀おしえる。「教育・教化・教師・文教」 ㊁(神・仏の)おしえ。「教理・教祖・宗教・異

きょうかい⓪【胸懐】 心の中にいだく思い。

*きょうかい⓪【教会】 ㊀その宗教の教義を述べ伝え、儀式を行なう建物。〔狭義では、キリスト教徒の礼拝堂を指す。例、「―音楽⑤」〕 ㊁キリスト教徒の組織。 ―どう⓪【―堂】 (キリスト教で)礼拝や集会に用いる建物。⇩教会㊀

きょうかい⓪【教戒・教〈誡】―する(他サ) (受刑者などに)教えさとすこと。「―師③」 表記 「教〈誨」とも書く。

*きょうかい⓪【境界・〈疆界】 △土地(二つのものの間)の境。「―線を引く」「―標⓪」

きょうがい ㊀⓪【境界】 (仏教で)前世でした行いの結果として、この世で受ける△身の上(境遇)。〔生前から決定されており、しかも自分の意志では変えることが出来ない〕 ㊁⓪①【境涯】 〔㊀の変化〕〔すぐには変わらないものとして見た〕境遇。

ぎょうかい⓪【業界】 その業種に属する人たちの社会。「―トップの座を明け渡す」「―紙③・―用語⑤・出版―⑤」

ぎょうかい⓪【凝塊】 凝り固まった、かたまり。

ぎょうかいがん③【凝灰岩】 火山の噴出物が固まって出来た岩石。大谷石など。

ぎょうがえ⓪①【行替(え)】 ⇩改行

きょうかく⓪①【〈夾角】 (数学で)多角形で、隣り合う二辺に挟まれた角。 表記 「挟角」とも書く。

きょうかく⓪【〈侠客】 江戸時代、義侠を売り物にして徒党を組んでいた者の称。町奴・鳶のかしら・ばくち打ちの親分など。おとこだて。

きょうかく⓪【胸郭・胸〈廓】 胸をとりまく骨格。 ―こきゅう⑤【―呼吸】 胸式呼吸。 ―せいけいじゅつ⑦【―成形術】 肋骨を短く切って胸郭を狭くし、肺を圧迫して結核の病巣をつぶす手術。

きょうがく⓪【共学】―する(自サ) 〔男女また異なる人種や民族の人などが〕同じ学校・教室で学ぶこと。「男女―①―⓪」 ↔別学

きょうがく⓪【教学】 教育と学問。「―の振興」

きょうがく⓪【驚〈愕】―する(自サ) 「非常に驚く」意の漢語的表現。「―に堪えない」

ぎょうかく⓪①【仰角】 高い所にある物を見る視線と、水平面とが成す角度。↔俯角

ぎょうかく⓪【行革】 〔↑行政改革⑤〕中央省庁を

教・布教」〔狭義では、それぞれの宗教・宗派を指す。例、「仏教・キリスト教」〕 ⇩（本文）きょう【経】

【郷】 〔もと、最下位の行政区画〕 ❶〔都会ではなく〕先祖代々住み慣らわした土地や実家のある所や自分の生地・出身地の称。「郷里・郷士・愛郷・懐郷・望郷・同郷」 ❷自分の出身地と比較してみた時の、その土地。「他郷・異郷」 ❸実生活の哀歓から隔離された一地域。「水郷・理想郷・温泉郷・桃源郷」

【境】 ❶置かれている位置。「境遇・環境・苦境」 ❷さかい。「境界・国境・越境」 ⇩（本文）きょう【境】

【〈嬌】 なまめかしい。かわいらしい。色っぽい。あでやか。「嬌声・嬌態・嬌名・嬌羞・嬌笑・嬌姿・愛嬌」

【橋】 はし。「橋梁・鉄橋・陸橋・跨線橋・可動橋・歩道橋」

【興】 ⇩（本文）きょう【興】

【矯】 ❶悪いことを改める。「矯正・矯風」 ❷はげしい。「矯激・奇矯」

【鏡】 ❶かがみ。「鏡台・三面鏡・反射鏡」 ❷レンズ（を通して物を見る道具）。「眼鏡・顕微鏡・望遠鏡・双眼鏡」

【競】 きそう。せりあう。あらそう。「競争・競走・競技・競合・競売」

【響】 ❶ひびく。ひびき。「音響・反響・残響・余響・交響楽」 ❷（略）交響楽団。「N響」

【〈饗】 ごちそうする。もてなす。「饗宴・饗応」

【驚】 びっくりする。びっくりさせる。「驚愕・驚喜・驚嘆・驚天動地・一驚・喫驚」

【〈驕】 おごりたかぶる。「驕慢・驕児」

ぎょう

【仰】 あおぐ。見あげる。「仰角・仰視・仰臥・仰天・敬仰」

【行】 ❶歩いていく。「行幸・行商・行列」 ❷おこない。おこなう。「行儀・行事・行政・悪行・興行」 ❸〔一種の接続詞のように使う〕その官が、位相当より低いことを示す。「正三位行左近衛大将」 ↕守 ⇩（本文）ぎょう【行】

【形】 かたち。姿。「形相・印形・異形・僧形・童形・人形」 ⇩けい（形）

【暁】 ❶夜明け。「暁星・暁雲・払暁」 ❷よくわかる。「通暁」

【業】 ⇩（本文）ぎょう【業】

【凝】 ❶液体がこりかたまる。「凝灰（岩）・凝血・凝結・凝固・凝集・凝縮」 ❷心をこらす。「凝議・凝視」

【〈驍】 強い。「驍将・驍名」

始めとする行政の機構・人事・予算管理運営法などに関する諸改革の総称。

ぎょうかく ⓪【〈墝埆〉】〔本来の字音はカウカク。「ぎょうかく」は類推読み〕石が多く地味がやせている△こと（土地）。やせち。 表記「〈磽确〉」とも書く。

ぎょうがく ⓪①【行学】修行と学問。

きょうかたびら ④③【経〈帷子〉】〔仏式の葬式で〕死者に着せる白い着物。

きょうかつ ⓪【恐喝】―する（他サ）相手の弱みなどにつけ込んでおどしつけ、お金や品物を出させようとすること。「―罪④」

きょうがのこ ③【京鹿の子】❶京都で染めた、かのこ絞り。❷紅あんの、かのこもち。

ぎょうがまえ ③【行構え】⇩ゆきがまえ

きょうが・る ③【興がる】（自五）「おもしろがる」意の古風な表現。

きょうかん ⓪【凶漢・〈兇漢】たいした理由も無いのに人を殺すような凶悪犯人。

きょうかん ⓪【共感】―する（自サ）他人と同じような△感情（考え）になること。「心情的―を覚える／―を呼ぶ⑤」

きょうかん ⓪【叫喚】〔わめき叫ぶ意〕〔↑叫喚地獄〕〔仏教で〕八熱地獄の一つ。火に焼かれて、亡者は絶えず泣き叫ぶという。「阿鼻―」

きょうかん ⓪【胸間】❶「胸、また胸元」の意の漢語的表現。「―に輝く勲章」❷胸中にいだく思い。

きょうかん ⓪【教官】〔国立の学校や研究所・博物館などで〕△教育（研究）職についている人。〔広義では、司法研修所・裁判所職員総合研修所・防衛省の付属機関である諸学校の教員をも含む。また、俗に自動車△教習所（学校）で教える人を指すこともある〕

きょうかん ⓪【経巻】経文（を書いた巻物）。

きょうかん ⓪【郷関】そこを無事に過ぎれば異国となるさかい。〔広義では、「故郷」を指す〕「―を出づ」 表記「郷貫」とも書く。

ぎょうかん ⓪【行間】文章の行と行との間。「―からうかがわれる／―ににじみ出る作者の怒り／―を読む（＝文字面には現われていない、表現主体の真の意図を汲み取る）」

きょうかんざい ③⓪【強肝剤】肝臓の機能を高める薬剤。

きょうき ①【凶器・〈兇器】結果的に人を殺傷する用に供されたと考えられるもの。「今や―と化した自動車」

きょうき ①【共起】―する（自サ）〔言語学で〕二つ以上の言語現象が同じ発話や文の中で同時に起こり得ること。「よちよち」は「歩く」とは共起するが「走る」とは共起しないなど。

きょうき ①【狂気】気持が一時高ぶった結果陥る、異常な精神状態。「―の沙汰としか思えない／―のなせる業」 ↕正気

きょうき ①【狂喜】―する（自サ）気が狂いそうなほど喜ぶこと。「味方の勝利に―乱舞する」

きょうき ①【〈俠気】おとこぎ。「―のある人」

きょうき ①【狭軌】レールの間隔が標準軌間（＝一・四三五メートル）より狭いもの。「―鉄道④」 ↕広軌

きょうき ①【強記】ものおぼえがいいこと。「博覧―⑤」

きょうき ①【驚喜】―する（自サ）思いがけないことに出会って喜ぶこと。

きょうぎ ①【協議】―する（他サ）関係者が寄り合って相談すること。「―がまとまる／―に△入る（のぞむ）／―を進める／―離婚④・事前―④・定期―④」

きょうぎ ①【狭義】ある言葉の意味のうち、指す範囲の狭い方。 ↕広義

きょうぎ ①【教義】宗教上の教え。〔狭義では、各△宗

** * は重要語，⓪①… はアクセント記号，品詞の指示の無いものは名詞および いわゆる連語。

教団体（宗派）の教旨や信条を指す」

**きょうぎ ①【競技】━する（自サ） お互いに技術を比べて優劣を争うこと。「珠算━会」㊁〔←運動競技⑤〕おおぜいが一定の規則のもとに優劣を争うスポーツ。「━場⓪」

きょうぎ ⓪③①【経木】〔お経を書くのに使った木の薄片の意〕木材を紙のように薄く平たく削ったもの。魚やつくだ煮などを包むのに今でも使われる。かぞえ方 一枚

ぎょうき ①【〈澆季〉】〔「澆」は薄い意〕道義心の薄れた、末の世。末法。

*ぎょうぎ ⓪【行儀】礼儀にかなっているかどうかの観点から見た、日常的な動作や対人態度。「━よく（=きちんと）並ぶ/━作法」

ぎょうぎ ①【凝議】━する（他サ） 熱心に相談すること。

きょうきゃく ⓪【橋脚】橋台間に立てる支柱。かぞえ方 一本・一基

*きょうきゅう ⓪【供給】━する（他サ）〔だれ・なにニなにヲ━する〕㊀相手の△ほしい（必要とする）物を与えること。「原材料の━量/━源③」㊁生産者などが商品を市場に出すこと。また、その出された商品の量。↔需要

きょうぎゅうびょう ⓪【狂牛病】ウシの伝染病。脳が海綿状になって死ぬ。牛海綿状脳症。ビーエスイー（BSE）。

きょうきょう ⓪【恐々】〔手紙文で〕〔「━謹言⓪-⓪」の形で〕恐れながら（申し上げる）の意を表わす結びの語。〔「恐々」は「恐惶」とも〕

きょうきょう ⓪【〈兢々〉】━たる 大事に至りはしないかと不安に思い、行いを慎む様子。「戦々━」

きょうぎょう ⓪【協業】△同一の（相関連する）生産過程で、労働者が同一計画の下に協同作業を行なうこと。

ぎょうぎょうし ③【行々子】ヨシキリの異称。

ぎょうぎょうしい ⑤【仰々しい】（形）〔「業々しい」の変化という〕そのものの見かけや言動などが、一般に予測される程度を越えていて、そうまでする必要があったのかという印象を与える様子だ。「━挨拶/店先を仰々しく飾る」派━さ⑤④ ━げ⑤⑥⓪

きょうきん ⓪【胸襟】〔胸とえりの意〕胸の中にいだく思い。「━を開く（=心の中を打ち明ける）」

きょうく ①【狂句】こっけいさをねらった卑俗な俳句。江戸時代（後期）に行なわれた。

きょうく ①【恐〈懼〉】━する（自サ） 非常に恐れ入ること。

きょうく ①【教区】布教の便宜のために設けた区域。

きょうぐ ①【教具】学校の備品の中で、教育効果を上げるために使うもの。標本・掛け図・スライド・テレビなど。

きょうくう ⓪【胸〈腔〉】⇨きょうこう

*きょうぐう ⓪【境遇】その人の人生に種々の影響を及ぼすものととらえられる、その時どきの社会的な立場や生活状況。「△恵まれた（つらい・貧しい）━にある/下積みの━に甘んじる」

きょうくん ⓪【教訓】━する（他サ） 将来への生活指針（を与えること）。「━△を（として）活かす/得難い━を得る/━的⓪」⇨モラル

きょうげ ①【教化】━する（他サ）〔仏教で〕説法により仏教思想を広めること。〔古くは「きょうけ」〕

きょうけい ⓪【恭敬】心から敬うこと。

ぎょうけい ⓪【行刑】〔刑務所が〕確定した刑罰を執行すること。

ぎょうけい ⓪【行啓】もと、皇后・皇太子・皇太子妃・皇太孫のお出かけを言った言葉。

きょうげき ⓪【京劇】中国の代表的な古典劇。「けいげき」とも。

きょうげき ⓪【挟撃・〈夾撃〉】━する（他サ）〔「挟」は、はさむ意〕はさみうちにすること。「━作戦⑤」

きょうげき ⓪【矯激】━に〔言動などが〕極端に激しく、反社会的である様子。

きょうけつ ⓪【供血】━する（自サ） 輸血用の血液を提供すること。「━者④③」

ぎょうけつ ⓪【凝血】━する（自サ） 体外に出た血が固まること。また、その固まった血。

ぎょうけつ ⓪【凝結】━する（自サ） ㊀どろどろ熱せられていた物や液状の物が冷却して、固体となること。〔ショックを受けたりして凍りついたような心的状態になる意にも用いられる〕「水蒸気が━してコップの表面に水滴ができる/欲望が一点に━（=集中）する」㊁気体が△圧縮（冷却）されて、液体になること。㊂コロイドの粒子が集まって、沈澱すること。

きょうげべつでん ①-⓪【教外別伝】〔禅宗で〕経文の教えのほかに以心伝心により伝えられたとされる釈尊の深い教理に直覚的方法で悟入しようとすること。

きょうけん ⓪【狂犬】狂犬病にかかり、人にかみつく犬。 ━びょう ⓪【━病】家畜法定伝染病の一つ。犬に流行する急性伝染病で、狂暴化して全身麻痺して死ぬ。恐水病。〔狂犬にかまれると人や家畜も感染する〕

きょうけん ⓪【恭倹】━な 人に対しては敬意をほどほどに払い、自分自身の言行を慎み深くすること。

きょうけん ⓪【恭謙】━な 行動が万事控えめで、人を押しのけて何かをしたり 大ぼらを吹く態度などが見られない様子。

きょうけん ⓪【強肩】〔野球で〕ボールを△速く（遠く）投げることの出来る丈夫な肩（の持主）。「━の野手」

きょうけん ⓪【強健】━な からだの丈夫な△こと（様子）。

きょうけん ⓪【強堅】━な 強くてしっかりしている△こと（様子）。「意志━①-⓪」

きょうけん ⓪【強権】国家の、強制的な権力。「━発動⓪-⓪」

きょうけん ⓪【教権】㊀△教育（宗教）上の権威。㊁〔特にカトリック教会で〕教皇・教会の権力。

きょうげん ③【狂言】㊀能楽のあいまに演じる、こっけいと風刺を主にした舞台芸術。室町時代に発達した。㊁いかにもそれらしく見せかけようと仕組んだこと。「━強盗⑤（=強盗に襲われたように偽ること）」 ━かた ⓪【━方】〔能楽で〕狂言の上演を受け持っている役者の称。狂言師③。 ━きご ⑤【━〈綺語〉】〔文芸の世界などで〕実際には無いことを美しく大げさに表わした文学的表現。また、それに基づいた文芸作品など。〔仏教の立場から文芸を批判的に言った言葉〕 ━まわし ⑤【━回し】〔「回し」は展開の意〕〔歌舞伎などで〕本筋には関係ないが、その後の展開に効果的な役割を果たしている役。

きょうこ ①【強固】・【〈鞏固〉】━な 強くてしっかりしていて、容易に動かされない様子。「━な意志」派━さ③

きょうご ①【教護】━する（他サ） 非行少年を指導し保護すること（人）。 ━いん ③【━院】「児童自立支援施設」の旧称。

ぎょうこ ⓪【凝固】━する（自サ） 液体が固体になること。〔広義では、気体が固体になることをも指す〕「━点③・━熱③」↔融解

きょうこう ⓪【凶行・〈兇行〉】〔殺人などの〕凶悪な犯行。「━に及ぶ」

きょうこう ⓪【凶荒】ひどい不作（による飢饉）。

きょうこう[0]【峡江】⇩フィヨルド

きょうこう[0]【恐〈惶】〔手紙文で〕〔「―謹言」の形で〕恐れながら(申し上げる)の意を表わす、結びの語。⇩恐々

きょうこう[0]【恐慌】❶恐れあわてること。「―状態に陥る」❷〔資本主義経済で〕好景気から不景気に移る際に起こる、経済界の混乱状態。パニック。〔破産や取付け騒ぎなどをも伴う〕「金融―[5]・大―[3]」

きょうこう[0]【胸〈腔】胸郭の内部の、肺臓・心臓がある部分。〔医者の間では、キョウクウと言う〕

きょうこう[0]【強行】―する(他サ) 多少の無理は押し切って、強引に行なうこと。「―突破を図る/―採決[5]」

きょうこう[0]【強攻】―する(他サ) 多少の危険は顧みずに、積極的に攻めること。「―策をとる」

きょうこう[0]【強硬】―な/―に 主張などを押し通そうとして容易に△屈し(妥協し)ない様子。「―な態度を取る/―に反対する/―手段に訴える」↔柔軟・軟弱 派―さ[0]

きょうこう[3]【教皇】⇩ローマ教皇

きょうごう[0]【《校合】―する(他サ) ❶もとの△本(原稿)と比べ合わせて、まちがいを正すこと。❷底本を基にしてほかの本との違いを書き出すこと。「△異本(数本)を―する」〔❶❷とも「こうごう」とも〕

きょうごう[0]【強豪】群を抜いて強い△人(チーム)。表記「強剛」とも書く。

きょうごう[0]【競合】―する(自サ) ❶争いあうこと。せりあい。❷どれが重要な原因か分析出来ないほど、いろいろな要素が密接に からみあっていること。「―脱線[5]」

きょうごう[0]【〈驕傲】―な 他より能力があることを鼻にかけて、自分は断然偉いんだぞという態度を取る様子。

ぎょうこう[0]【行幸】―する(自サ) 天皇のお出まし。みゆき。

ぎょうこう[0]【暁光】夜明けの光。

ぎょうこう[0]【〈僥倖〉・〈僥幸】予想もしなかったような幸運。

きょうこうぐん[3]【強行軍】❶無理な行程をがまんして行なう、激しい行軍(や旅行・出張)。❷短時間に処理しようとして、無理を押して仕事をすること。

きょうこく[0]【峡谷】幅が狭くて、両岸がけわしいがけになっている谷。V字谷。「黒部―[4]」

きょうこく[0]【強国】軍事力・経済力に富み、他国に対し支配的な立場にある国。↔弱国

きょうこく[0]【郷国】ふるさと。故郷。

きょうこつ[0]【〈俠骨】義俠心に富む気骨。

きょうこつ[1]【胸骨】胸郭の前面中央にあって肋骨(ロッコツ)をつないでいる骨。

きょうさ[1]【教唆】―する(他サ) 人にいろいろ暗示を与えて、悪事・犯罪などを犯すように仕向けること。「―(扇動)罪」

ギョウザ[0]【〈餃《子】⇩ギョーザ

きょうさい[0]【凶歳】「凶年」の改まった表現。

きょうさい[0]【共済】〔「済」は益する意〕ある団体に属する人たちが互いに利益を受けるためにお金を出しあって何かをすること。「―組合[5]・―年金[5]」

きょうさい[0]【共催】―する(他サ) 「共同主催」の略。↔主催

きょうざい[0]【教材】〔学校で〕直接それを使って授業を行なうもの。教科書・模型・工作材料など。「視聴覚―[6]・副―」

きょうさいか[0]【恐妻家】妻の発言力が強く、何かにつけて いつもその言いなりになっている夫。

きょうさく[0]【凶作】ひどい不作。「二十年来の―に見舞われる」⇩豊作・平作

きょうさく[0]【狭〈窄】何かの△間(空間)がそこだけせばまっていること。「幽門―[5]・視野―[3]・―射撃[5]〔=狭い場所で行なう射撃の練習〕」

きょうさく[0]【《警策】座禅の時、眠けをさまさせるため肩などを打つ細長い板。けいさく[0]。

きょうさく[0]【競作】―する(他サ) 優劣を競った形で作品を作ること。

きょうさつ[0]【挟殺】―する(他サ) 〔野球で〕ランナーをはさみうちにして、アウトにすること。

きょうさつ[0]【恐察】―する(他サ) 〔「恐」は、余計な事のようだが、の意〕相手の事情を推察申し上げること。

きょうざつ[0]【〈夾雑】その物の内部に異質な物が入りまじること。「―物[4]」

きょうざめ[0]【興《醒(め)・興冷(め)】―な/―する(自サ) せっかくのおもしろみや魅力を台無しにする△こと(もの)。興ざまし[0][3]。

きょうざ・める[4]【興《醒める・興冷める】(自下一) 何かがきっかけとなって、せっかくの△おもしろみ(愉快な気分)が無くなる。

きょうさん[0]【共産】❶その社会の人たちが生産手段やそれと関連する社会的財産を共同で持つこと。❷「共産△主義(党)」の略。「―化[0]・―国[3]・―圏[3]〔=共産主義をたてまえとしている国ぐにの範囲〕」 **―しゅぎ**[5]【―主義】基本的生産手段や財産の私有・世襲を否認し、階級や搾取の無い社会の実現のためにプロレタリア階級を解放しようとする主義。マルクスレーニン主義はその一つ。コミュニズム。 **―とう**[0]【―党】マルクスレーニン主義に基づき、共産主義の実現を目標とする政党。

きょうさん[0]【協賛】―する(自サ) 計画などの趣旨に賛成し、その実現のために援助すること。

きょうさん[0]【強酸】酸性の度合が強い酸。塩酸・硝酸・硫酸・過塩素酸・燐酸(リンサン)など。↔弱酸

ぎょうさん[3]【仰山】―な/―に ❶〔静岡県から九州東部までの方言〕数量が通念以上に多くある様子だ。❷言動が大げさな様子だ。「―な身ぶり」

きょうさんかせいぶっしつ[8]【強酸化性物質】同じ物質、たとえば窒素の酸素化合物のうちで、結合する酸素原子数の多いもの。生体に対する作用が大きいという意味で注目される。

きょうし[0]【狂死】―する(自サ) 気が狂った果てに死ぬこと。くるいじに。

きょうし[0]【狂詩】風刺を主とした、狂体の漢詩。江戸時代中期以降行なわれた。 **―きょく**[3]【―曲】⇩ラプソディー

きょうし[0]【供試】その製品を効能・効果を確かめるための実験・試験に提供すること。

きょうし[1]【教旨】(その宗教で)教え説く事柄。

*__きょうし__[1]【教師】(組織化された教育機関で)知識を授け技芸を指導する立場にある人。「人生の―/家庭―・反面―〔=⇩反面教師〕」

きょうし[1]【〈嬌姿】なまめかしい姿。

きょうじ[1]【凶事】△よくない(縁起の悪い)出来事。〔狭義では、人の死を指す〕↔吉事

きょうじ[1]【〈夾侍】「わきだち」の漢語的表現。表記「脇士」とも書く。

きょうじ[1]【〈矜持】・【〈矜恃〉】自分自身をエリートだと、積極的に思う気持。プライド。「―を△持つ(喪失する・傷つける)」

きょうじ[0][1]【教示】―する(他サ) 具体的にどうしたらい

いかを教えること。運用「ご教示△ください(願いたい)」などの形で、相手に教えを請うときの言葉として用いられる。

きょうじ⓪【経師】経文の製本を職とした人。―や⓪【―屋】書画の表装やふすま張り・びょうぶ張りなどをする職人(の居る店)。

きょうじ①【〈驕児】わがままな子。〔うぬぼれが強く、わがままを押し通そうとする人の意にも用いられる〕

ぎょうし①⓪【仰視】―する(他サ) 仰ぎ見ること。

ぎょうし①【凝脂】凝り固まった脂肪。〔白くて美しい肌の意にも用いられる〕

ぎょうし①⓪【凝視】―する(他サ) (目を見はって一点を)見つめること。

ぎょうじ⓪【行司】〔すもうで〕土俵上で力士を立ち合わせて、勝負を判定し、勝ち名乗りを授ける役の人。

**ぎょうじ①【行事】〔その社会の慣行として〕時を定めて行なう儀式や催し。「年中―・百周年記念―⑩、③-④」

きょうしきこきゅう⑤【胸式呼吸】おもに胸部の運動によって行なわれる、普通の呼吸。⇩腹式呼吸

*きょうしつ⓪【教室】❶Ⓐ学校で、授業を行なうための部屋。「音楽―⑤・階段―⑤」Ⓑ希望者をつのり教養を身につけさせたり技芸を修得させたりするための△催し(会場)。「カルチャー―⑤・生け花―⑤」❷〔大学などで〕一専攻科目を単位とした研究室。「数学―⑤」

きょうじつ⓪【凶日】不吉な日。悪日。↕吉日

きょうじてき⓪【共時的】―な ―に ある一時期の文化・社会現象を他の時期と切り離してとらえ、要素・構造を分析的・組織的に記述しようとする態度。⇩通時的

きょうしゃ①【狂者】「狂人」の意の漢語的表現。〔広義では、風狂の人をも指す〕

きょうしゃ①【狭斜】〔せまくるしい街の意〕遊里の俗称。「―の巷」〔=遊郭〕」

きょうしゃ⓪【香車】将棋のこまの一つ。どこまでも前方へだけ直進出来る。「香」とも。きょうす。やり。

きょうしゃ①【強者】勢力・実力があって、いつも他を支配しようとする人。↕弱者

きょうしゃ①【〈驕奢】―な 自分の財力・能力などを過信して、人を人とも思わぬ行動をすること。「―をきわめる」

ぎょうしゃ①【業者】❶商・工業を営んでいる人。❷同業者。「―間の話」❸「請負業者」の略。「―に掛け合う/―テスト④」

ぎょうじゃ①⓪【行者】仏道などを修行する人。〔狭義では、修験者を指す〕

きょうじゃく⓪【〈怯弱】―な 気が小さくて、物事に果敢に取り組む気概に乏しい様子。

きょうじゃく①【強弱】強さ△と弱さ(の程度)。

きょうしゅ①【凶手・〈兇手】暗殺者の手。「―に△倒れる〔死す〕」

きょうしゅ①【〈拱手】―する(自サ) 〔腕を組む意〕何の手出しもしないこと。「―傍観①-⓪」

きょうしゅ①【教主】❶その△宗教(教派)を開いた人。〔狭義では、釈尊の特称。例、「一大―⑤」〕❷その△宗教(教派)の中心人物。

きょうしゅ①【〈梟首】「さらし首」の意の漢語的表現。

きょうしゅ①【興趣】何かを見たり聞いたりした時などに心に沸き起こるおもしろみ。「―が△尽きない(高まる)/せっかくの―をそぐ」

きょうじゅ①【享受】―する(他サ) そのものの持つよさを味わったり受け入れたりして、自分の精神生活を豊かにすること。「△自由(美・快楽・人間らしい生活)を―する」

きょうじゅ【教授】❶①⓪―する(他サ) 学問・技芸を一定の順序で教える△こと(人)。「点茶を―する/―料③・個人―④・出張―⑤」❷⓪〔大学や高等専門学校などで〕教育や研究に従事する人の中で、最上の職階。「准教授を経て―になる/―会⓪・名誉―④」

ぎょうしゅ①【業主】その△事業を経営(営業を主宰)している人。事業主。営業主。

ぎょうしゅ⓪①【業種】△企業(職業・業務)の種類。

きょうしゅう⓪【強襲】―する(他サ) 相手が守り切れないほどの激しい勢いで攻撃すること。「ショート―のヒット」

きょうしゅう⓪【教習】―する(他サ) 特殊技術を訓練して、身につけさせること。「―所⑤⓪〔=狭義では、自動車教習所の称〕」

きょうしゅう⓪【郷愁】しばらく離れていた故郷に帰りたくてたまらないと思う心。望郷。〔過ぎ去った事態や環境などに身を置きたい気持を指すこともある〕

きょうしゅう⓪【〈嬌羞】〔なまめかしさを含む〕女性のはじらい。

ぎょうしゅう⓪【凝集】・【凝〈聚】―する(自サ) 〔しずく・水銀などが玉になるように〕一か所に集まって、一つのかたまりになること。「―力③」

ぎょうじゅうざが⑤【行住座〈臥・行住〈坐臥〉】〔歩く・止まる・きちんとすわる・横になる、の意。すなわち、立ち居ふるまい〕ふだんの生活。〔副詞として「日常」の意にも用いられる〕

きょうしゅく⓪【恐縮】―な ―する(自サ) 相手の△厚意に満ちた(寛大な)はからいに対して、申しわけなく思うと同時に、ありがたいと思うこと。「過分のおほめにあずかり―に存じます/会議に遅れたので―してすみの方にいた」派―が・る⑤ 運用「恐縮ですが…」などの形で、自分の都合で相手に負担をかける行為を依頼する際に、軽い謝罪の気持を込めて言うのに用いられる。例、「恐縮ですが昼食は各自ご用意ください」

ぎょうしゅく⓪【凝縮】―する(自他サ) 広がって存在していたものが密着して小さく固まること。また、固めること。〔気体が液体になることにも、多方面にわたっていた考えが一つにまとまることにも言われる〕「―器④③・―力④・―性⓪」

きょうしゅつ⓪【供出】―する(他サ) ❶民間の物資や食糧などを〔一定の取決めによって〕政府に売り渡すこと。「―米⓪」❷国などの要請に応じて、金・物を提供すること。

きょうじゅつ⓪【供述】―する(他サ) 尋問に答えて事実や意見を申し立てること。申立て。「―書⑤⓪」

きょうじゅん⓪【恭順】―な つつしんで命令に従うこと。「―の意を表する/―な態度」

きょうしょ①【教書】❶昔、△将軍(諸侯)が下した命令書。「御―②⓪」❷〔アメリカで〕大統領が国会に送る、政治上の意見書。「一般―⑤・特別―⑤」❸ローマ教皇の△布告(命令書)。

きょうじょ①【狂女】正気を失ったとしか思えないような言動をする女性。

ぎょうしょ⓪【行書】漢字の書体の一つ。楷書の書き方を少しくずしたもの。⇩楷書・草書

きょうしょう⓪【協商】〔「商」は、はかる意〕利害関係のある国家が協議して約束すること。〔条約ほど正式なものではない〕「三国―⑤」

きょうしょう⓪【狭小】―な ―に いかにも狭い様子。〔度量の狭い形容としても用いられる〕↕広大 派―さ⓪

きょうしょう⓪【胸〈墻】敵の射撃を防ぐために、胸の高さぐらいに土を積み上げたもの。胸壁。

【】の中の教科書体は学習用の漢字，〈 は常用漢字外の漢字，≪ は常用漢字の音訓以外の よみ。

きょうしょう⓪【梟将】〔「梟」は、すぐれる意〕戦術に長けた、勇猛な将軍。

きょうしょう⓪【嬌笑】なまめかしい笑い。

きょうじょう⓪③【凶状・兇状】罪状。犯罪。「―持ち③⓪(=前科者)」

きょうじょう⓪【教条】教会が公認した教義(の箇条)。ドグマ。「―的⓪」 **―しゅぎ**⑤【―主義】権威者の述べた説(からの引例)を専ら振り回す、融通のきかない公式主義。

きょうじょう⓪③【教場】授業をする場所。教室。「分―」

ぎょうしょう⓪【行商】―する(他サ) 店を持たず、商品を持って売り歩くこと(人)。「―人⓪」

ぎょうしょう⓪【暁鐘】夜明けを知らせる鐘。〔世人の迷いをさまさせるような事件、の意にも用いられる〕

ぎょうしょう⓪【驍将】強いという評判の大将。

ぎょうじょう⓪【行状】❶日びの行い。品行。みもち。❷死者の一生の経歴の記録。「―記③」

きょうしょく⓪【教職】❶教育者としての職務。❷〔キリスト教で〕信徒を教導する職務。 **―かてい**⑤【―課程】教育職員の法的に定められた資格を取得するために必要な科目の系列。

きょうしょく⓪【矯飾】うわべだけの見せかけの飾り。

ぎょうしょく⓪【暁色】夜明けの空の色や景色。

きょうしょくいん④③【教職員】〔学校で〕教育を担当する教員と、それを支える事務職員。「―の研修/―組合⑦」

きょうじる⓪【興じる】(自上一) そのことの楽しさに夢中になる。興ずる(サ変)。

きょうしん⓪【共振】電気的・機械的振動における、共鳴の称。「多くのファンを持った漫画には時代の気分と―(=共鳴)する部分がある」

きょうしん⓪【狂信】―する(他サ) 他人の説得に耳を傾ける余裕が無いほどの激しい信仰(激しく信じこむこと)。「―的⓪」

きょうしん⓪【強震】壁が割れ器物が倒れる程度の、強い地震。現在の震度5強・5弱にほぼ相当する。⇩震度

きょうじん⓪【凶刃・兇刃】人を殺すのに使われた刃物。「テロリストの―に斃れた」

きょうじん⓪【狂人】狂気の状態にある人。「ひとを―扱いにする」

きょうじん⓪【強靭】―な 強くて、△弾力性(耐久力)のある様子。〔意志・神経・精神などが強くて、困難に堪える意にも用いられる〕「―な△足腰(精神・生命力)」 派―さ⓪

きょうしんかい③【共進会】特定の範囲の産物・製品を集めて陳列し、優劣を調べて公表する会。「家畜―」

きょうしんざい③⓪【強心剤】衰えかかった心臓の働きを強めるための薬。〔狭義では、そのための注射薬を指す。例、「―を打つ」〕

きょうしんしょう⓪③【狭心症】突然心臓の部分に激しい痛み・発作を起こす病気。

きょうすい⓪【供水】―する(自サ)〔上水道で〕不足する水を他の水源・水系からもらうこと。「―を受ける」

きょうすい⓪【胸水】肋膜炎などのために肋膜腔の中にたまる液。

ぎょうずい⓪【行水】―する(自サ)〔もと、みそぎのため清水でからだを洗い清める意〕風呂に入る代りに、(たらいなどの)湯・水でからだの汗を洗い去ること。「―を使う/烏の―(=⇩からす❶)」

きょうすいびょう⓪【恐水病】狂犬病。

きょうすずめ③【京雀】京都に住み、土地の事情に詳しい関係上、いろいろ取沙汰する人。〔口さがない京都人の意にも用いられる〕

きょうする③【狂する】(自サ) 精神に異常をきたす。

きょうする③【供する】(他サ) ❶食べてもらうように、客や神などの前に用意する。「茶菓を―」❷役立てる(状態にしておく)。「△閲覧(参考)に―/△食用(政争の具)に供される」 供す①(五)。

きょうする③【梟する】(他サ) 首を△さらす(獄門にかける)。梟す①(五)。

きょうする③【饗する】(他サ) 客などにごちそうをする。饗す①(五)。

ぎょうずる⓪③【行ずる】(他サ) 修行する。

きょうせい⓪【共生】―する(自サ) ❶【共棲】〔マメと根瘤バクテリアのように〕二種の違った生物が一緒にすむこと。❷生あるものは、互いにその存在を認め合って、ともに生きるべきこと。「宗教上の対立を超えて―する/自然と―してきた先住民族/―化⓪(=⇩ノーマライゼーション)」

きょうせい⓪【匡正】―する(他サ) 長い時間をかけて、好ましくない状態を、より望ましい状態に改めること。「風俗―①-⓪」

きょうせい⓪【胸声】胸腔に響かせて出す、わりあいに低い声。「―発声⑤」↔頭声

*__きょうせい__⓪【強制】―する(他サ)〈だれニなにヲ―する〉〔相手が本来はしたくない事を〕権力を盾に そうせざるを得ないように仕向けること。「一気飲みを―してはいけない/―収容⑤・―労働⑤・―隔離⑤」 **―しっこう**⑤【―執行】❶民事訴訟で勝訴したり和解が成立したりしたにもかかわらず、債務者が、債権者の請求に応じないとき、裁判所が債権者にかわって強制的に請求権を実現する手続き。❷行政上の義務を果たさない者に対して、行政機関が義務の履行を強制的に行なうこと。〔❷は「代執行」とも〕 **―しょぶん**⑤【―処分】検察官が犯罪捜査上の必要により、逮捕・勾留・押収などをすること。 **―せいこうとうざい**⑨【―性交等罪】「強姦罪」の改称。男性が被害者の場合を含める。また、非親告罪となった。 **―そうかん**⑤【―送還】外国人の△不法滞在者(犯罪者)を、本国へ強制的に帰すこと。「強制退去⑤」とも。 **―そかい**⑤【―疎開】くっつき過ぎているものの間を広げ、敵襲・火災などによる損害を出来るだけ少なめに食い止めるために、住民をよそに移させること。 **―てき**⓪【―的】―な 本人の意志を無視して、無理にさせる様子だ。 **―りょく**③【―力】他人にそうするように強制することの出来る力。特に、国家が国民にある行為を命じる権力について言う。

きょうせい⓪【強勢】❶勢いが強いこと。❷強弱アクセントにおいて強められる部分、および、その強め。

きょうせい⓪【強精】薬物などの作用により心身の活動力を高めること。〔狭義では、性欲の維持・亢進について言う。例、「―剤③⓪」〕

きょうせい⓪【強請】―する(他サ) △金品を出す(その人のために有利になる)ようにと、無理に頼むこと。「寄付の―」

きょうせい⓪【教生】教職単位修得の一環として、その学校の教員の指導のもとに、教育技術の実習をする学生。教育実習生⑦。

きょうせい[0]【〈嬌声】 なまめかしい声。

きょうせい[0]【矯正】―する（他サ） 誤り・欠点などを直して、正しくすること。「△歯列（乱視）を―する/―術[3]」

ぎょうせい[0]【行政】 ❶〔立法・司法と並ぶ国家権力の行使として〕内閣の権限に属する、実質的な国の統治。 ❷法律・政令の範囲内で行なう事務。〔それを取り扱う官庁及びその職員を指すことがある〕「―官庁[5]・―改革[5]」 **―いいんかい**[6]【―委員会】 公正取引委員会・労働委員会・教育委員会など、独立性を保つ行政機関。 **―かん**[3]【―官】 行政の事務を取り扱う公務員。 **―かんさつ**[5]【―監察】 行政機関の業務や会計が適正に行なわれているかどうかを監察すること。「―委員[9]」 **―きかん**[5]【―機関】 国の行政事務を担当する機関。内閣の統轄下にある中央行政機関と地方行政機関とがある。 **―く**[3]【―区】 ⇩区 **―けん**[3]【―権】 行政を行なう権能。⇩司法権・立法権 **―しどう**[5]【―指導】 行政機関が業界や下部機関に対して行なう、指導・助言・勧告。〔法令に拠ょらないことが多い〕 **―しょし**[5]【―書士】 官公署に提出する書類を、本人に代わって作成することなどを業とする人。行政書士法に基づく国家資格。 **―しょぶん**[5]【―処分】 行政機関が、法規に基づいて、特定の事柄を強制的に執行すること。 **―そしょう**[5]【―訴訟】 行政処分によって権利を侵害されたと思う者が、その救済を求めるために裁判所に対して起こす訴訟。 **―だいじん**[5]【―大臣】 内閣総理大臣および各省の大臣。⇩国務大臣

ぎょうせい[0]【暁星】 夜明けに見える星。〔狭義では、明けの明星を指す〕

ぎょうせい[2]【擬陽性・疑陽性】 〔ツベルクリン反応で〕陽性に近い反応であること。

ぎょうせき[0]【行跡】 〔他の指弾を受けがちな〕その人の目に余る行動。「不―[2]」

*__ぎょうせき__[0]【業績】 仕事・事業・学術研究上の成果。「―を上げる/―が△上がる（伸びる）/―不良」

きょうせん[0]【胸腺】 脊椎ツイ動物の内分泌腺の一つ。心臓の前上部にあり、免疫系の細胞の成熟に不可欠の器官。成人では退化。

きょうせん[0]【教宣】 労働組合や政党などの行なう教育と宣伝。「―ビラ[5]・―活動[5]」

ぎょうぜん[0]【凝然】―たる ―と じっとして動かない様子。「―と立ちつくす」

きょうそ[1]【教祖】 その△宗教（宗派）を開いた人。〔閉鎖的な組織・団体の絶対的な権威者の意にも用いられる〕

きょうそう[0]【狂騒・狂〈躁】 常軌を逸した大騒ぎ。

きょうそう[0]【強壮】 ❶―な からだが丈夫で、元気がいい様子。 ❷精力を強くすること。「―剤[3][0]」

__きょうそう__[0]【競争】―する（自他サ）〈だれト（なにヲ）―する〉 勝敗・優劣を他と争うこと。「―が激化する/―に△明け暮れる（勝つ）/進学―をあおる/―場裡ジョウリ〔=競争の行なわれる場所〕に乗り出す/―率[3]・生存―」 **―しけん[5][6]【―試験】 多数の志願者の中から必要な人数を成績順に採用する試験。選抜試験[5][6]。↕資格試験 **―しん**[3]【―心】 他を押しのけてでも自分が優位に立とうとする気持。「△露骨な（良い意味での）―/すべての進歩の起爆剤としての―」 **―りょく**[3]【―力】 他との競争に打ちかつ（ための）実力。「―を△つける（高める）」

きょうそう[0]【競走】―する（自サ） 一定の距離を速く走る競争。「―路ロ[3]・―馬バ[3]・障害物―」

きょうそう[0]【競〈漕】―する（自サ） ボートで一定の距離を速くこぐ競争。ボート レース。レガッタ。

きょうぞう[0]【胸像】 人体の胸から上だけをあらわす、彫刻の肖像。⇩座像・立像

きょうぞう[0]【経蔵】 経文キョウモン（を入れておく蔵）。

きょうぞう[0]【鏡像】 平面鏡に映った像。「面対称の二つの空間図形は、互いに他の―となっている」

ぎょうそう[0][1]【行草】 行書と草書（との中間の書体）。「―の交りで書いてある/―体[0]」

ぎょうそう[0]【形相】 〔異常な感じを与える〕顔つき。「△恐ろしい（不気味な）―」

きょうそうきょく[3]【狂想曲】 ⇩奇想曲

きょうそうきょく[3]【協奏曲】 コンチェルト。

きょうそく[0]【《脇息】 すわった時、ひじをもたせかけてからだを休める道具。ひじかけ。

きょうそく[0]【教則】 教える上での規則。 **―ぼん**[0]【―本】 声楽・器楽などの基本技法を順を追って練習するための本。「バイエル―[1]-[0]」⇩教本

きょうぞく[0]【凶賊・〈兇賊】 人に危害を加え、財産を奪い取る賊。

きょうぞめ[0]【京染⑲】 京都△風の（で産する）染め物の総称。

きょうそん[0]【共存】―する（自サ） 〔異質のものが〕衝突すること無しに、△同じ（一定の）場所で生存したり存在したりすること。「きょうぞん」とも。「人と動物の―/森と人の―/―共栄[0]-[0]・平和―[0]-[0]」

きょうだ[1]【〈怯〈懦】―な ―に おくびょうで意志の弱い様子。いくじなし。「―な心を追い払う」

きょうだ[1]【強打】―する（他サ） ❶その部分を何かに当てて、強く打つこと。「転んだ拍子に頭を―した」 ❷〔野球で〕積極的に打って出ること。「バントはせずに―を選んだ」

きょうたい[0]【狂体】 詩歌などで、こっけいみを帯びたよみぶり。

きょうたい[0]【狂態】 とうてい まともとは思われない、常軌を逸した言動。

きょうたい[0]【〈筐体】 電気機器やコンピューターなどの主要部分を格納する、箱形の容器。

きょうたい[0]【〈嬌態】 女性のいかにも人に媚コびるような、色っぽい様子。

__きょうだい__[1]【兄弟】 ❶同じ親から生まれた間柄（にある者、相互の称）。〔広義では、義兄弟をも指す〕 ❷〔おもに男性が〕親近感を持って接している間柄にある人を呼ぶ称。「おい、―」 表記 ❶は個々のケースにより、「〈姉妹〉・兄《妹・《姉弟」とも書く。 **―でし[3]【―弟子】 師を共にする者同士。 **―ぶん**[3]【―分】 約束によって兄弟の関係を結んだ間柄（にある者）。

きょうだい[0]【強大】―な ―に 〔国の勢力などが〕強くて大きい様子。↕弱小 派 **―さ**[0]

きょうだい[0]【橋台】 橋の下部構造のうち、両端に設ける台状のもの。

きょうだい[0]【鏡台】 鏡を取りつけた化粧用の台。

ぎょうたい[0]【行体】 草書よりもくずし方の少ない、漢字の書体。行書の書体。⇩楷カイ体・草体

ぎょうたい[0]【業態】 営業、事業、業務の状態。

ぎょうたい[0]【凝滞】―する（自サ） 物事が滞って先へ進まないこと。

きょうたく[0]【供託】―する（他サ） 保証などのため、金銭・有価証券・物件を供託所〔=法務省の一機関〕などに出して保管を頼むこと。「―金[0]」

きょうたく[0]【教卓】 教壇の所にある机。

きょうだしゃ[3]【強打者】 ❶〔野球で〕よく長打を放つ打者。スラッガー。 ❷〔ボクシングで〕強いパンチ力を持

つボクサー。㊁〔庭球・卓球・バレーボールなどの球技で〕強い打ち込みをする選手。

きょうたん⓪【驚嘆・驚〈歎】─する(自サ) すぐれた出来ばえや思いがけないすばらしい出来事に接して、あっと驚くこと。「─すべき△正確さ(博識)」

きょうだん⓪【凶弾・〈兇弾】 暗殺者のうったたま。「─に倒れる」

きょうだん⓪【教団】 その宗教団体。

きょうだん⓪【教壇】 教師が教える時に立つ、一段高くなった所。「─に立つ(=教員になって、人の子を教える)」

きょうち①【境地】 ㊀環境。「新しい─を求める」 ㊁何かを経験した結果到達した、心の状態。「聖人の─に達する」 ㊂その人独自の△世界観(学問観・芸術観)に基づいたやり方。「新─を開く」

きょうちくとう⓪【夾竹桃】 庭木にする常緑小高木。夏に八重咲きの紅色などの花を開く。〔キョウチクトウ科〕 かぞえ方 一株・一本

ぎょうちゃく⓪【凝着】─する(自サ) 一つに固まって離れなくなること。〔異種の物質がくっつく現象を言う〕

きょうちゅう①⓪【胸中】 ㊀胸のどまん中。「─に敵の矢を受ける」 ㊁〔他人にはうかがい知ることが出来ない〕その人の「胸㊁」のうち。「─に秘めた思い／─に憎悪がわき上がる／─(=現在の心境)を披瀝する」

ぎょうちゅう⓪【〈蟯虫】 寄生虫の一つ。白色・くず糸状で、盲腸などに寄生する。夜寝ている時、子供のしりから出てかゆがらせる。〔ギョウチュウ科〕

きょうちょ①【共著】 二人以上の共同の著述。〔大家が名前を貸して新進に著述をさせる場合にも言う〕「─者③」

きょうちょう⓪【凶兆】 不吉な事の起こる△しるし(前ぶれ)。↔吉兆

きょうちょう⓪【協調】─する(自サ) 相違点・利害などを譲り合い、共通の目標に向かって歩み寄ること。「─性⓪・─介入⑤(=為替相場の安定を図って、主要先進国の中央銀行が互いに行なう為替売買)」

きょうちょう⓪【狭長】─な 細長い様子。

*__きょうちょう__⓪【強調】㊀─する(他サ)〈だれニ なにヲ─する〉 相手の心に強く訴えるように、特にその部分を目立つように〔言い〕表わすこと。「いくら─しても、し過ぎることはない／─的に表わす語」 ㊁〔取引で〕相場が、上がろうという勢いを強く見せる状態。

きょうちょく⓪【強直】─する(自サ) 〔医学で〕こわばること。硬直。

きょうつい①【胸椎】 脊椎の一部。頸椎と腰椎の間にある十二個の椎骨で、からだの基柱をなす。

__きょうつう__⓪【共通】─な ─する(自サ)〈なにトーする／なにニーする〉 二つ以上のもののどれにも△ある(当てはまる)こと。「─な問題／─の悩み／─△基盤(認識)に立つ／─の土俵にのぼる／万国─の音楽言語／─点③・─性⓪」 **─ご⓪【─語】 ㊀〔↔全国共通語①-⓪〕一国内のどこででも通じるその国の言語。⇩方言・標準語 ㊁言語を異にする人びとの間で共通に用いられる言語。「英語は世界の─だ」 **─こう**③【─項】 二つ(以上)の異なる物事の間の共通点。〔数学では、「共通因数」の日常語的表現〕

きょうつう⓪【胸痛】 胸の部分の痛み。

きょうづくえ③【経机】 読経の際、お経をのせておく、小さな机。横長で高さは低く、足が外にそっている。

きょうてい⓪【協定】─する(他サ) 主として組織や団体間で結ばれる、正式の約束事。また、そういう約束を取り結ぶこと。「△紳士(航空・暫定)─を結ぶ／─の締結／日米半導体─」

きょうてい⓪【胸底】 (他人に明かさない)心の奥深くに秘めている思い。

きょうてい⓪【教程】 基礎から順を追って、一つひとつ教える仕組み(の本)。「ピアノ─④」

きょうてい⓪【〈筐底】・【〈篋底】 (他人に見せない)手文庫などの底。「─深く秘する」

きょうてい⓪【競艇】 モーターボートの競走に賭ける公認賭博。モーターボート レース。「─場⓪」

きょうてき⓪【狂的】─な ㊀正気を失ったとしか思えないような様子だ。 ㊁何かに取り付かれたように、一事に夢中になる様子だ。

きょうてき⓪【強敵】 手ごわい△敵(競争相手)。↔弱敵

きょうてん⓪【教典】 ㊀教育上のよりどころを示した本。 ㊁宗教の教えを書いた本。「真宗─⑤」

きょうてん⓪【経典】 ㊀仏教の経文を書いた本。お経。 ㊁信仰上のいましめを書いた本。⇩けいてん

きょうでん⓪【強電】 〔電気工学で〕発電機・電動機など、強い電力を使う部門。↔弱電

ぎょうてん⓪【仰天】─する(自サ) 意外な事に出会って、非常に驚いたりあわてたりすること。「びっくり─」

ぎょうてん⓪【暁天】 「夜明け(の空)」の意の漢語的表現。「─の星(=ごくまれなことのたとえ)」

きょうてんどうち⑤【驚天動地】 世の中を大いに驚かす△こと(事件)。「─の大事件」

きょうと①【凶徒・〈兇徒】 ㊀殺人犯・強盗犯など、他人に危害を加える悪人。 ㊁〔体制側から見て〕暴徒。

きょうと①【教徒】 その宗教や宗派の信者。信徒。「仏─③・キリスト─⑤・イスラム─⑤」

きょうど①【〈匈奴】 西暦紀元前後に、モンゴル地方に住み、漢民族を脅かした遊牧騎馬民族。フンヌ。

きょうど①【郷土】 その人の故郷(の土地)。「─愛・─入り⓪・─芸能④(=その土地特有の芸能)」 **─しょく**③【─色】 言語・習俗・芸能・産物・建築物・気候などによって知ることが出来る、その地方を特徴づける何ものか。

きょうど①【強〈弩】 強いしゆみ。「─の末(=昔強かったものも、衰えてからは無力になるたとえ)」

きょうど①【強度】 ㊀強さの程度。 ㊁その程度がひどいこと。「─の近視」

きょうど①【境土・〈疆土】 その国と他国との境界(内の地域)。〔そのもの固有の領域の意にも用いられる。例、「文学の─」〕

きょうとう⓪【共闘】─する(自サ) 「共同闘争⑤」の略。「─委③・─会議⑤」

きょうとう⓪【狂騰】─する(自サ) 物価が異常に高騰すること。

きょうとう⓪【〈俠盗】 金持から盗んだ物を貧乏人に分け与えるなど、弱者の味方をするという盗賊。〔小説などの主人公として扱われ、義賊とほぼ同義に用いられる〕

きょうとう⓪【教頭】 小・中・高の校長や幼稚園の園長を輔佐して、校務を整理し、必要に応じて幼児・児童・生徒の教育をつかさどる管理職。

きょうとう⓪【郷党】 郷里△の(を同じくする)仲間。同郷人。「─の誇り」

きょうとう⓪【驚倒】─する(自サ) 事実とは信じられないような出来事によりあっと驚くこと。「一世を─させた大事件」

*__きょうどう__⓪【共同】─する(自サ)〈だれトーする〉 ㊀二人以上の人や複数の組織が仕事を一緒にすること。「二社が─で工事を担当する／─歩調を取る／─作業⑤」 ㊁二人以

上の人や複数の組織が同資格・同条件で関係すること。「―謀議[5]」 ―しゃかい[5]【―社会】血縁・地域・共感などをもととして結合している集団。個人の意志で抜け出ることは出来ない場合が多い。家族・村落など。ゲマインシャフト。↔利益社会 ―せいはん[5]【―正犯】二人以上の者が同等の責任を負う犯罪を犯すこと。関与した全員が正犯として罰せられる。また、その関与した者。↔単独正犯 ―たい[0]【―体】共同社会。協同体。「村落―」 ―ぼきん[5]【―募金】公共団体が連合して、社会福祉事業などへの寄付金を公衆から募ること。また、その募ったお金。〔十月一日から始まる街頭の行事では、出資者に「赤い羽根」が渡される〕

*きょうどう[0]【協同】―する(自サ)〈(だれト)―する〉二人以上の人や複数の組織が力を合わせて仕事をすること。「住民が―して事にあたる/―一致[0]-[0]、[5]」 ―くみあい[5]【―組合】経済的相互援助のため小規模な△生産者(消費者)の出資によって組織された組合。「農業―[9]」 ―たい[0]【―体】共同社会。

きょうどう[0]【協働】―する(自サ) ❶一つの目的を達成するために、各部分やメンバーが補完・協力し合うこと。❷二つの物や現象が互いに△作用(影響)し合うこと。

きょうどう[0]【経堂】〔寺院で〕お経を納めておく堂。

きょうどう[0]【教導】―する(他サ) 進むべき方向を教え、個人的に指導すること。

きょうどう[0]【鏡銅】銅と錫の合金。(古代の)金属鏡の材料。

きょうどう[0]【〈嚮導】―する(他サ) その△一行(部隊)の先導となること。また、その人。

ぎょうとう[0]【行頭】文書の、それぞれの行の初めの部分。↔行末

きょうとうほ[3]【橋頭〈堡・橋頭保】〔橋の向こう側を固めている陣地の意〕川や海を隔てた敵地に造る上陸拠点。「きょうとうほう[3]」とも。〔広義では、攻撃拠点の意に用いられる〕「―を△確保(確立)する/―を△固める(築く)」

きょうな[0]【京菜】京都原産の、漬け菜の一つ。葉の切れ目が細かい。みずな。〔アブラナ科〕 かぞえ方 一株。小売の単位は一束・一把

きょうにん[0]【〈杏《仁】アンズの種。漢方薬用。

ぎょうにんべん[3]【行人偏】漢字の部首名の一つ。「往・復・徳」などの、左側の「彳」の部分。「行」に代表させ、人偏になぞらえて言う。〔多く、交通や行動にかかわる漢字がこれに属する〕⇩にんべん

きょうねつ[0]【狂熱】―する(自サ) 常軌を逸して、激しく一つの事に熱中すること。また、その状態。「人心の―を冷ます/―的[0]」

きょうねつ[0]【強熱】―する(他サ) 強く熱すること。

きょうねん[0]【凶年】❶不作の年。↔豊年 ❷災いのある年。凶歳。

きょうねん[0]【享年】〔この世で享けた年の意〕死んだ時の年齢。「行年[0]」とも。「―七十九(歳)」

きょうは[1]【教派】その宗教の分派。 ―しんとう[4]【―神道】⇩神道

きょうばい[0]【競売】―する(他サ) せりうり。「けいばい」とも。〔狭義では、差押え品を法律で決めた売買方法で売ることを指す〕「―に△かける(付する)」

*きょうはく[0]【脅迫】―する(他サ)〈だれヲ(なんだト)―する〉相手の生命や財産・名誉などに害を加えると△言って(通知して)何かの実行を迫ること。「仕事がらみで―を受ける/―罪[4][0]」

きょうはく[0]【強迫】―する(他サ) 他人をおどして恐れさせ、その自由な意志の決定を妨げること。 ―かんねん[5]【―観念】打ち消しても打ち消しても浮かんで来る、不快・不安な考え。

きょうはん[0]【共犯】二人以上の者が共同して罪を犯すこと。また、その罪を犯した者。〔広義では「共同正犯」をも含み、狭義では「教唆犯」「従犯」のみを指す〕「―者[3]」 ⇩正犯

きょうはん[0]【教範】❶教授法(を示したもの)。❷教典。

きょうはん[0]【橋畔】「橋のほとり」の意の漢語的表現。

きょうび[1]【〈今日〉日】今どき。〔副詞的にも用いられる〕「―これほど折り目正しい人は、めったに見かけない」 表記 ⇩付表「今日」

きょうふ[1]【恐怖】―する(自サ) 自分の身に危害が加えられる感じがして、極度に不安になること。「―が募る/―を△味わう(募らせる・追い払う)/―心[3]・―感[3]」 ―しょう[0]【―症】特定の対象・状況に対して、自覚できるほどの理由も無いのに強い恐怖・不安を感じる神経症。不潔恐怖症・対人恐怖症・高所恐怖症など。 ―せいじ[4]【―政治】権力者が、暴力的な手段によって反対者を弾圧し、政治上の目的を達成しようとすること。

きょうふ[1]【教父】❶〔カトリック教会で〕特に認められた高僧の敬称。❷洗礼の時の、男性の保証人。

きょうふ[1]【驚怖】―する(自サ) 思いもかけぬことに接し、驚くとともに恐れを感じること。

きょうぶ[1]【胸部】胸の部分。〔狭義では、呼吸器を指す。例、「―疾患[4]」〕

きょうふう[0]【狂風】荒れ狂ったように激しく吹く強い風。

きょうふう[0]【京風】京都の風情や様式が認められること。〔広義では、みやびな風情を感じさせることをも指す〕「―の和菓子」

きょうふう[0]【強風】傘が差せないほどの強い風。「―にあおられる/―注意報[7]」

きょうふう[0]【矯風】乱れた風俗や好ましくない風習を正すこと。

きょうふう[0][3]【驚風】〔漢方で〕子供の癲癇。

きょうぶん[0]【凶聞】悪い事が起こった知らせ。凶報。

きょうぶん[0]【狂文】こっけい・しゃれを主とする文章。江戸後期に行なわれた。

きょうへい[0]【強兵】〔強い兵力の意〕軍事力を強くすること。「富国―」

きょうへき[0]【胸壁】❶胸墻。❷胸部の、外側の部分。❸〔広義では、とりでを指す〕 ❸高層建築物の屋上の周囲に危険防止のためにめぐらす、立った人の胸ぐらいの高さの壁。

きょうへん[0]【凶変・〈兇変】不吉な変事。

きょうへん[0]【共編】―する(他サ) 共同で編集△すること(したもの)。

きょうべん[0][1]【強弁】―する(他サ) 筋の通らない事をへりくつをつけて正当化しようとすること。また、その弁舌。「―を弄する」 表記 「弁」の旧字体は「〈辯」。

きょうべん[0]【教〈鞭】第二次世界大戦以前 教師が授業の時に持ったむち。「―をとる〔=教師になって教える〕」

きょうほ[1]【競歩】一定の距離を速く歩く競技。〔一方の足をいつも地面におき、しかもおろした足は一度はかかとまで地面に付けることが要求される〕

きょうほう[0]【凶報】縁起のよくない知らせ。悪報。〔狭義では、死去の知らせを指す〕↔吉報

きょうほう⓪【教法】㊀ その宗門の教義。〔狭義では、仏の教えを指す〕㊁ 教授する方法。教え方。

きょうぼう⓪―な ㊀【凶暴・〈兇暴〉】非常に乱暴で、人を殺傷するようなことも平気でする様子。「―性⓪」㊁【狂暴】非常に乱暴で、いったん荒れ出すと手がつけられなくなる様子。派―さ⓪

きょうぼう⓪【共謀】―する(自他サ)(犯罪を)共同してたくらむこと。「―共同正犯⑨(=共謀者の一人ではあるが、犯罪の実行には加わらなかったこと)」

きょうぼう⓪【強暴】―な 力があって乱暴な様子。

ぎょうぼう⓪【仰望】―する(他サ) 早くそうなればいいなあと、ある事の実現を望むこと。

ぎょうぼう⓪【〈翹望】―する(他サ)〔「翹」は、つま立ちする意〕みんなが一様に待ち望むこと。

きょうぼく⓪【〈梟木】「さらし首を掛ける木」の意の漢語的表現。獄門台⓪。

きょうぼく⓪【〈喬木】「高木」の旧称。↔灌木

きょうほん⓪【狂奔】―する(自サ)〔簡単には実現しそうにない目的を遂げようとして〕やっきとなって走りまわる(奔走する)こと。「金策に―する」

きょうほん⓪【教本】スポーツ・語学・料理・器楽などの基本技法を、順を追って練習するための本。「弓道(英会話・中華料理・ハーモニカ・看護実習)―」⇩教則本

きょうま⓪【京間】柱の中心間の距離を六・五尺(=一・九七メートル)または六・三尺(=一・九一メートル)およびその倍数にした住宅(畳)。神社・仏閣や関西地方の住宅に見られる。⇩いなか間

きょうまい⓪【供米】生産した米を供出すること。また、その米。供出米。

きょうまい⓪【京舞】日本舞踊のうち、京都や大阪で発達したもの。典雅・端正で、能の動きが多分に取り入れてある。地唄舞。

きょうまく⓪①【胸膜】哺乳類の胸部にある器官。特に、肺を包んでいる膜。肋膜。―えん④⓪【―炎】癌や結核菌の侵入などによって起こる、胸膜の炎症。

きょうまく⓪①【強膜】・【〈鞏膜】眼球を包んでいる白色の丈夫な膜。「―炎④⓪」

ぎょうまつ⓪【行末】文書の、それぞれの行の終りの部分。↔行頭

きょうまん⓪【〈驕慢】―な 自分だけが偉いと思い、他人を見くだして、かってな事をする様子。「―な顔つき」派―さ⓪

**きょうみ①【興味】その物事について、おもしろいと思うこと。「―を引く(示す・持つ)/―本位の(=読む人がただおもしろいと思いさえすればいいという)書物/―の的/―深い・―索然①-⓪(=趣の無いさま)・―津々①-⓪」

きょうむ①【教務】❶(学校で)授業計画をうまく進める上で必要な事務。「―主任④」❷(宗教団体で)宗門上の事務。

ぎょうむ①【業務】趣味や依頼・ボランティアではなく、職業・事業として行なう仕事。「日常の―/研修三か月の後それぞれの―につく/―上の過失/―上横領罪⑧・―内容④・―命令④」

きょうめい⓪【共鳴】―する(自サ)❶近くに置かれている構造のよく似た二つの物体が、一方の振動を受けて他方も同じように、振動する現象。「音が―する/―を起こす/―器③」❷ある他人の考え・行動に同感して、自分も仲間に加わってやってみようなどという気持になること。「環境保護団体の主張に―する/国際社会の―を呼ぶ/―者③」

きょうめい⓪【〈嬌名】色っぽい女性だという評判。「―をうたわれる(=花柳界で、その色っぽさについてもっぱらの評判になる)」

ぎょうめい⓪【〈驍名】強いという評判。「―をはせる」

きょうめん⓪【鏡面】鏡(レンズ)の表面。

きょうもう⓪【凶猛・〈兇猛】―な 手のつけられない程たけだけしいこと。「冬の日本海から吹きつける―な風」

きょうもん⓪【経文】仏教の経典(の文章)。お経(の文句)。かぞえ方 経典は一枚・一冊・一巻・一部

きょうやく⓪【共訳】―する(他サ) 共同で訳すこと。また、訳したもの。

きょうやく⓪【協約】―する(自サ) 相談して約束(の文書)を取りかわすこと。また、その文書。「労働―」

きょうゆ⓪【教諭】〔時間講師・嘱託と違って〕小学校・中学校・高等学校および幼稚園等において一定の資格を持つ、常勤の教員。「助―・養護―」

きょうゆう⓪【共有】―する(他サ)〔物品・土地などを〕共同で所有すること。「―財産⑤・―林③・―地③」↔専有 ―けつごう⑤【―結合】二つの原子が電子を共有することによる化学結合。

きょうゆう⓪【享有】―する(他サ)〔能力・権利などを〕生まれつき身にうけて持っていること。

きょうゆう⓪【〈侠勇】義侠心を備えていて、男らしいこと(人)。

きょうゆう⓪【〈梟雄】〔「梟」も「雄」も、すぐれる意〕(敵対するものを容赦なく攻め立てる)勇猛な英雄。⇩梟将

きょうよ①【供与】―する(他サ) 相手がほしいと言う(思う)物品や利益などを与えること。また、その行為。「便宜を―する」

ぎょうよ①【業余】本務の傍ら(余暇)。

きょうよう⓪【共用】―する(他サ) 共同で使うこと。「―の台所(トイレ)」

きょうよう⓪【〈孝養】自分と縁の深い故人の菩提をねんごろに「弔う❷」こと。

きょうよう⓪【供用】―する(他サ) 公共の施設・設備として多くの人が使用できるような態勢を整えておくこと。「市民のためにスポーツ施設を―する」

きょうよう⓪【強要】―する(他サ) 相手がいやがっても、ぜひそうするように要求すること。「自白を―する」

*きょうよう⓪【教養】〔一人前の社会人として教え育てる意〕❶文化に関する、広い知識を身につけることによって養われる心の豊かさ・たしなみ。「―を高める(積む)/一般―として/―のある無しと品性の豊かさとは元来無関係のものだ」❷(自己の)専門以外に関する学問・知識。

きょうらく⓪【享楽】―する(他サ)〔「享」は受け用いる意〕レジャーや官能上の楽しみを十二分に味わうこと。↔禁欲 ―しゅぎ⑤【―主義】人生は享楽のためにあるものだとする人生観。「―者(=エピキュリアン)」 ―てき⓪【―的】―な 享楽を追い求める様子だ。「―な日びを送る」

きょうらく⓪【京〈洛】⇩けいらく

きょうらく⓪【競落】―する(他サ) 競売物をせり落とすこと。「けいらく」とも。

きょうらん⓪【狂乱】―する(自サ) 騒いだり暴れたり正常な判断力を失っているとしか思えないような行動をすること。「―物価⑤・半―」

きょうらん⓪【狂〈瀾】荒れ狂う波。狂濤⓪。〔非常に混乱した社会情勢の意にも用いられる〕「―怒濤⓪-⓪」

きょうらん⓪【供覧】―する(他サ) 公衆に見せる(ように便宜を図る)こと。

** * は重要語，⓪ ①… はアクセント記号，品詞の指示の無いものは名詞および いわゆる連語。

きょうり①【胸裏・胸〈裡】胸の中。心中。

きょうり①【教理】その宗教の基礎となる理論（に基づく教え）。教義。

きょうり①【郷里】〔よその地方で生活している人にとって〕その人の生まれ育った土地。

ぎょうりき⓪①【行力】仏道修行の功力。

きょうりきこ⓪④【強力粉】たんぱく質・グルテンを多く含み、粘りけの強い小麦粉。パンやマカロニなどに使用される。⇩薄力粉

きょうりつ⓪【共立】―する（他サ）共同で設立すること。

きょうりゅう⓪【恐竜】化石として残っている、中生代の大きな爬虫類。かぞえ方 一匹・一頭

きょうりょう⓪【狭量】―な ―に 度量の狭い様子。「―な人物」↕広量 派 ―さ⓪

きょうりょう⓪【橋〈梁】〔「梁」も橋の意〕自動車や列車などが渡れるように構築された丈夫な橋。「―工事⑤」

****きょうりょく**⓪【協力】―する（自サ）〈だれニ―する／だれト―する〉事を円滑に進めるために力を合わせて物事に当たること。「―を△取りつける（呼びかける・要請する・惜しまない）／積極的な―を得る／―体制を整える／取材に―する／―者④③」 運用「（ご理解と）ご協力をお願い申し上げます」などの形で、相手が不便を感じることは承知しつつも、禁止や命令を含意する言い方となる。例、「車内では携帯電話のご使用をお控えくださるよう、みなさまのご理解とご協力をお願い申し上げます」

***きょうりょく**⓪【強力】―な ―に 力や作用の強い△こと（様子）。力強い様子。「―な指導力」派 ―さ⓪

きょうりん⓪【〈杏林】「医者」の異称。〔中国、三国時代〘二二〇～二八〇〙の呉の仁医、董奉が患者から薬代をもらわず、重病が治った人には五株、軽患者には一株ずつ杏を植えさせたところ、数年のうちにうっそうとした林となったという故事に基づく〕

きょうれい⓪【凶冷】凶作の原因となる冷害。また、冷害による凶作。「―地③」

きょうれつ⓪【強烈】―な ―に 堪えられないほど強い様子。「―な印象／―な個性の持主／―なパンチ」派 ―さ⓪

***ぎょうれつ**⓪【行列】―する（自サ）順に並んで列を作ること。また、その列。「人気店の前に長い―ができる／―をつくる／―が△続く（出来る）」かぞえ方 一列

きょうれん⓪【狂恋】正常な判断力を失っているとしか思えないような激しい恋愛。

きょうれん①【教練】〔教えて熟練させる意〕❶―する（他サ）〔軍隊で〕将兵を訓練すること。❷もと、中学校以上で課せられた軍事訓練。

きょうろん⓪【経論】〔経文とその注釈である論の意〕仏書。

きょうわ⓪【共和】〔独裁と違って〕二人以上の人が共同協議の上政務などを執り行なうこと。 ―こく③【―国】共和政治を行なう国。 ―せい⓪【―制】〔世襲的な君主制に対し〕国民によって選出された国家元首または代表者によって統治される政治形態。 ―せいじ④【―政治】共和制に基づいた民主的政治。↕君主政治

きょうわ⓪【協和】―する（自サ）仲よく協力し合うこと。 ―おん③【―音】同時に発せられる時、とけあって快い感じを与える、二つ（以上）の音。

きょうわらべ③【京童】都〔＝昔の京都〕の無頼の連中。「きょうわらわべ・きょうわらんべ④」とも。〔物見高く、口さがない者、の意にも用いられる。「童」は子供の意ではなく、生意気盛りの若者を指す〕

きょうわん⓪【峡湾】⇩フィヨルド

きょえい⓪【虚栄】実質が伴わないのに、見せかけだけ人によく見られようとすること。みえ。「―のなせる業」 ―しん②【―心】みえを張ろうとする心。

ぎょえい⓪【魚影】〔水中をはしる〕魚の姿。「―が濃い〔＝釣りで、魚が多い〕」

ぎょえい⓪①【御詠】△天皇（高貴の人）の詩歌。

きょえき⓪【巨益】非常に大きな利益。巨利。

ぎょえん⓪①【御〈苑】皇室（所有）のお庭。「吹上―」

ぎょえん⓪①【御宴】△天皇（皇太子）の開く宴会。

きょおう⓪【巨桜】何百年もの樹齢を有し、他の桜よりもけた違いに大きい桜。

きょおく①【巨億】ばくだいな数。〔「巨万」より強い気持の言葉〕

ギョーザ⓪【〈餃《子】〔チャオズ（餃子）の山東語〕小麦粉をこねて薄く伸ばした皮に、ひいた豚肉やみじん切りにした野菜などを包んで、三日月形にし、ゆでたり蒸したり焼いたりした食品。ギョウザとも。

きょか①【〈炬火】「たいまつ」の意の漢語的表現。

****きょか**①【許可】―する（他サ）〈だれニなにヲ―する〉相手の願っている事を、してもよいと許すこと。聞き届けること。「―を△求める（与える・得る・取り消す）／―証②⓪・―制⓪・無―②・不―」

ぎょか①【漁火】「いさり火」の漢語的表現。

ぎょか①【漁家】漁師の住む家。

きょかい⓪【巨〈魁・〈渠〈魁】賊の仲間の首領。

ぎょかい⓪【魚介】〔「介」は貝の意〕魚類と貝類。表記「魚貝」とも書く。 ―るい②【―類】水産動物の総称。

きょがく⓪【巨額】お金の量がけたはずれに多いこと。「―に上る融資／―な借財」派 ―さ⓪

きょがく①⓪【虚学】〔実学に対して〕一般に、哲学・文学・歴史学などの人文科学を指す。

ぎょかく⓪【漁獲】―する（他サ）水産物をとること。また、その水産物。「―高③・―量③」

きょかん⓪【巨漢】並はずれてからだの大きな男性。大男。

きょかん⓪【巨艦】大きな軍艦。

きょかん⓪【居館】〔「住まい」の意〕中世の地方豪族の住居。

きょがん⓪【巨岩・巨〈巌】大きな岩。

ぎょかん⓪【御感】天皇が△感心なさる（おほめになる）こと。叡感。

ぎょがん⓪【魚眼】魚の眼。〔空気と水との屈折率の違いから広い空間を視野に入れることが出来るという〕 ―レンズ④ 広角レンズの一番視野の広いもの。〔一八〇度〕

きょき①【〈歔〈欷】―する（自サ）「すすり泣き」の意の漢語的表現。「嗚咽―」

きょぎ①【虚偽】「うそ❶」の意の漢語的表現。「―の証言」↕真実

ぎょき①【御忌】高貴の人や祖師などの年忌の法会の敬称。ごき。

ぎょき①【漁期】魚がよく取れ、漁に出るのによい時期。りょうき。

きょぎょう⓪【虚業】〔「実業」のもじり〕「相場❷」のような、堅実でない事業。〔現物は全く無いのに、広告で大衆を釣り、金銭を詐取する紛い商法の意にも用いられる〕

ぎょきょう⓪【漁協】「漁業協同組合」の略。

ぎょきょう⓪【漁況】魚のとれるぐあい。

***ぎょぎょう**①【漁業】魚介類の捕獲・海藻の採取や養殖などをする△仕事（職業）。

きょきょじつじつ①-⓪【虚々実々】弱いと見れば押し、

強いと見れば引き、相手のすきに つけ入って、なんとか勝とうとすること。

きょきん⓪【拠金・〈醵金〉】―する(自サ) ある事業の達成に必要なお金を出しあうこと。表記「拠」は、代用字。

きょく（曲・局・極）→【字音語の造語成分】

***きょく**【曲】㊀⓪②〔変化による〕おもしろみ。「―が無い／―節」㊁⓪音楽・歌謡の、ふし。調子。「―調」㊂⓪上演・歌唱の対象となる作品。〔一まとまりの歌曲・楽曲をかぞえる時にも用いられる〕「―目・楽―・交響―」㊃⓪詩の一体。「春風馬堤―」⇩【造語成分】

きょく①【局】㊀その組織の中で特定の仕事を受け持つ所。〔官公庁ではいくつかの課をまとめたものを指す。また、広義では、独立性を持った巨大な機構をも指す。例、放送局。また、それらをかぞえる時にも用いられる〕「医―・薬―・事務―・本―・出版―③・書記―」㊁さしあたっての事態・場面。「―に当たる／―を結ぶ(=その事態・場面を終息する)／政―・戦―・破―」⇩【造語成分】

きょく①【極】㊀それから先へはもう続かない所。はて。「絶望の―(=あげく)自殺した／―限・終―」㊁一方のはし。「―地・―東・南―・磁―・陽―」㊂力関係の上で支配力を有する勢力の中心。「一―集中・多―化」⇩【造語成分】

きょく

【曲】㊀まがる。まげる。「曲折・曲線・曲面」㊁事実と違える。正しくない。「曲学・曲解(キョッカイ)・曲論・歪(ワイ)曲」㊂(すみずみまで)くわしい。「委曲」㊃かるわざ。「曲芸・曲乗り」⇩(本文)きょく【曲】

【局】㊀限る。「局外・局限・局地・局部」㊁碁・将棋・双六(スゴロク)などの△盤(盤面㊁・勝負)。〔勝負をかぞえる時にも用いられる〕「対局：局面・終局：名局・敗局」⇩(本文)きょく【局】

【極】限界に達する。「極度・極端・極大・極右・極諫(キョッカン)・極力：究極」⇩(本文)きょく【極】

ぎょく

【玉】㊀たまのように△美しい(りっぱな)。「玉楼・玉稿(ギョッコウ)・玉案・金科玉条」㊁天皇に関する物事につけて敬意を表わす。「玉音・玉顔・玉座・玉体」⇩(本文)ぎょく【玉】

きょく①【巨〈軀〉】大きなからだ。巨体。

ぎょく（玉）→【字音語の造語成分】

ぎょく【玉】㊀⓪①宝石。特に、半透明で△灰(薄緑)色の石。「宝―・珠―・紅―」㊁⓪〔飲食店などで〕鶏卵。〔狭義では、卵焼を指す〕㊂⓪〔花柳界で〕芸者・娼妓(ショウギ)(の揚げ代)。㊃①〔将棋で〕王将。㊄①〔信用取引で〕まだ決済していない売買約束の株式。「売り―⓪・買い―⓪」⇩【造語成分】

ぎょく①【漁区】漁業をする(ために指定された)区域。

ぎょぐ①【漁具】漁業に使う道具・器械。

ぎょくあん⓪【玉案】〔「案」は机の意〕机の美称。**―か**③【―下】〔「お机の下」の意〕手紙の脇付(ワキヅケ)として用いる語。

きょくいん②―(ヰン)【局員】㊀官庁内の局や会社などの組織で部の上の大きな区分の職員。㊁郵便局や放送局などの職員。

きょくう①【極右】極端な右翼(思想)。↔極左

きょくうち⓪【曲打(ち)】おもしろおかしく変化を付けて打つ、太鼓などの打ち方。

ぎょくおん⓪【玉音】〔清らかな音声の意〕天皇のお言葉。「―放送⑤」

きょくがい②―(グワイ)【局外】㊀官庁内の局・郵便局などの(管轄の)そと。㊁当面の事柄に直接関係が無い△こと(立場)。「―に立つ／―者③」**―ちゅうりつ**⑤、②―⓪【―中立】交戦国のどちらをも援助しない状態にあること。

きょくがく⓪【曲学】御都合主義の学問。**―あせい**⑤【―〈阿世〉】学者としての良心を曲げてまで、△為政者(当事者)や大衆の御機嫌取りにうき身をやつす学者。

ぎょくがん⓪【玉眼】仏像などの、水晶や珠玉などをはめ込んだ眼。

ぎょくがん⓪【玉顔】「天皇の顔色」の尊敬語。

きょくぎ①【曲技】寄席などでやる簡単な曲芸。

きょくげい⓪【曲芸】〔綱渡り・玉乗り・皿回しなど〕人に見せてはっと思わせるような芸。「―師③」

きょくげん⓪【曲言】―する(他サ) 婉曲(エンキョク)にものを言うこと。また、その言葉。↔直言

きょくげん⓪【局限】―する(他サ) 対象を一定の範囲に限ること。

きょくげん⓪【極言】―する(自他サ) 〔遠慮せずに〕極端に言うこと。「彼の説は―すれば亡国の論だ」

きょくげん⓪【極限】㊀それを越えたら、そのものとしての平常な状態が失われる、ぎりぎりのところ。「―に達する／―状況⑤」㊁〔数学で〕一定の法則に従って変化する数が、限り無くある数に近づく時の、その数。〔広義では、無限大の場合も含む〕極限値③。「数列の―／関数の―／―概念⑤・―△操作(移行)」

きょくさ①【極左】極端な左翼(思想)。↔極右

ぎょくざ①【玉座】天皇や王などのお席。

ぎょくさい⓪【玉砕】―する(自サ) 〔無価値な瓦(カワラ)となって生きるより、いさぎよく玉のごとく砕ける意〕捕虜となるよりは、戦死を覚悟して全員力を尽くして敵に当たること。〔大敗を覚悟して戦う意にも用いられる〕↔瓦全(ガゼン)

きょくざひょう③―(ヘウ)【極座標】⇩座標系

きょくし①【曲師】〔浪花節(ナニワブシ)で〕三味線をひく人。

きょくし①【局紙】〔←抄紙(ショウシ)局製紙⑥〕証券・賞状・辞令用紙などに使う、ミツマタを原料とした厚手の上質紙。〔明治初期、大蔵省抄紙局で作ったことから言う〕

きょくじ①【曲事】不正な行為。

きょくじつ⓪【〈旭日〉】「あさひ」を美化した表現。「―昇天の勢い」**―き**④【―旗】朝日を中心的な図案とした旗。赤色で描かれた太陽の中心から放射状に赤い帯が広がる。大漁旗などのほか、軍旗にも用いられた。

きょくしゃ⓪【曲射】大きく弓なりに曲がった弾道を描くように通常よりも上の方に向けて砲弾を発射し、塹壕(ザンゴウ)など物陰の目標めがけて上から落下させる射撃。「―砲⓪③」↔直射・平射

きょくしゃく⓪【曲尺】「かねじゃく」の文字読み。

ぎょくじゅう⓪―(ジフ)【玉〈什〉】〔りっぱな詩歌の意〕他人の詩歌をほめて言う言葉。

きょくしょ①【局所】㊀Ⓐからだなどの組織の一部分。局部。「―麻酔④」Ⓑ陰部。㊁一定の広がりを持つものの、ある特定の部分。「―的⓪」

きょくしょう⓪―(セウ)【極小】↔極大 ㊀この上なく小さいこと。㊁〔数学で〕その点のごく近くに範囲を制限して考えた時、関数がその点で最小値をとること。「最小値は―値であるが、逆は真ではない」

きょくしょう⓪―(セウ)【極少】数量がこの上なく少ないこと。

ぎょくしょう⓪―(シャウ)【玉将】〔将棋で〕下手(シタテ)の用いる王将のこま。

ぎょくしょう⓪【玉章】〔りっぱな詩文の意〕相手の手紙の敬称。

ぎょくずい⓪【玉髄】石英とオパールとの中間物。△白(紅・緑)でろうのようなつやがある。印材などにする。

きょくせい⓪【局勢】時局の△ありさま(情勢)。〔狭義では、碁・将棋などの、盤上の形勢を指す〕

ぎょくせい⓪【玉成】―する(他サ)欠点の無いりっぱな人物にしあげること。〔広義では、りっぱに目的を達成させる意にも用いられる〕

きょくせき⓪【〈跼蹐〉】―する(自サ)〔天は高いのに背中を丸く曲げて縮め、地は広いのにぬき足で歩く意〕世間に気がねするあまり、自由な行動が出来ないでいること。

ぎょくせき⓪【玉石】〔玉と石の意〕すぐれたものと劣ったもの。 **―こんこう**⓪-⓪【―混〈淆〉】〔期待に反して〕いいものと悪いものとが入り交じった状態にあること。表記「玉石混交」とも書く。

きょくせつ⓪【曲折】―する(自サ)❶折れ曲がること。❷複雑な推移。「―をたどる/紆余(ウヨ)―〔=こみいった△事情(筋道)〕を経る」

きょくせつ⓪【曲節】〔音楽の〕ふし(まわし)。メロディー。

きょくせん⓪【曲線】折れたりとがったりせず、どの部分も滑らかに曲がっている一つながりの線。〔幾何学では、直線も含めた一般の「線❷」の意味に用いる〕「きれいな―を描く/平面―・空間―・双―・二次―・閉(ヘイ)―〔=⇩閉曲線〕」↔直線 **―び**③【―美】曲線の表わす美しさ。特に、女性の肉体のふくよかな美しさ。

きょくそう⓪【曲想】楽曲の構想・テーマ。「―を練る」

きょくそうろ③【曲走路】〔トラック・競馬場などで〕カーブのある走路。

きょくたい⓪【極帯】年間を通じて、各月の気温がセ氏一〇度以下である地帯。南北極地⑤。⇩熱帯・温帯・寒帯

きょくだい⓪【極大】↔極小 ❶この上なく大きいこと。❷〔数学で〕その点のごく近くに範囲を制限して考えた時、関数がその点で最大値をとること。「関数が、―となる点において微分可能ならば、その点における微分係数は零となる」

ぎょくたい⓪【玉体】△天皇(高貴な人)のからだの敬称。

ぎょくだい⓪【玉代】芸者・娼妓(ショウギ)の揚げ代。略して「玉(ギョク)」。

***きょくたん**③【極端】―に ―な 〔一番端の意〕同類の平均的な状態からひどくはずれていて、同列にはとても比較出来ない様子だ。「―な秘密主義/―に臆病(オクビョウ)な人/全体主義から民主主義へと―から―に走った歴史」派 ―さ③⓪

きょくち①【局地】限られた地域。「―的豪雨」

きょくち①【極地】最果ての土地。〔狭義では、南極・北極の地を指す〕

きょくち①【極致】達することの出来る最上の△趣(状態)。「美の―」

きょくちょう⓪【曲調】その曲全体が持っている、明暗などの特色。

きょくちょう⓪【局長】郵便局や官庁内の局など、その局の事務全体に責任を持ち、部下を監督する職(の人)。

きょくちょく⓪【曲直】正しいことと正しくないこと。「是非―を明白にする」

きょくてん③⓪【極点】❶達することの出来る最後の△点(地点)。❷△南(北)極点。

きょくど①【極度】それ以上になると、そのものの正常な状態が失われる、ぎりぎりのところ。「―に△緊張する(興奮している)/―の疲労」

きょくとう⓪【極東】〔東洋のうちで、西欧から見て隔絶した地域の意〕日本・中国の東半部・朝鮮半島・東シベリアなどの地域一帯の称。⇩中東・近東

きょくどめ⓪【局留め】郵便物の配達先を郵便局気付にしておくこと。

きょくのみ⓪【曲飲(み)】曲芸として酒などを器用に飲んでみせること。

きょくのり⓪【曲乗(り)】―する(自サ)馬・自転車・玉などに曲芸として乗ること。また、その人。

ぎょくはい⓪【玉杯】玉(ギョク)で作った、りっぱな杯。

きょくばだん③【曲馬団】⇩サーカス

きょくばん⓪【局番】電話番号のはじめの部分の、どの電話局に属するかを表わす番号。市外局番・市内局番の順に配列される。

きょくばん⓪【極板】電極として用いられる、導体の板。

きょくび①【極微】―に ―な 目に見えないほど細かい様子。

きょくびき⓪【曲弾(き)】三味線などの楽器を、曲芸のように扱って、上手にひくこと。

きょくひつ⓪【曲筆】―する(他サ)事実を曲げて△書くこと(書いた文章)。「舞文(ブブン)―」

きょくひどうぶつ④【〈棘皮動物〉】〔「棘」は、とげ〕球状・星状・円盤状などの海産動物。体皮は石灰質で、とげを持つものが多い。ウニ・ヒトデ・ナマコなど。

きょくふ⓪【曲譜】△歌(音楽)の譜。

きょくふ①⓪【局譜】〔碁で〕対局の手順をまとめた図譜。

きょくぶ①【局部】Ⓐからだの組織の一部分。「―的⓪〔=全体には関係せず、そのものの一部分だけに関係がある様子〕・―麻酔④」Ⓑ陰部。

きょくほ①【曲〈浦〉】海岸線の曲がりくねった入り江。「長汀(チョウテイ)―」

ぎょくほ①【玉歩】△天皇(高貴な人)の歩行の敬称。

きょくほう⓪【局方】〔←日本薬局方⑦、②-⓪〕薬の処方・分量などの標準を国で定めた規格基準書。「―薬③」

きょくほう⓪【局報】❶郵便・通信・気象などについて関係官庁の間に往復する電報。❷その局から出る通告。

きょくほく⓪【極北】北極に近い△こと(所)。「―の地」

きょくめん③②【曲面】とがったり折れたりした所が無く、どの部分も滑らかに曲がっている「面❹」。例、球面・円柱の側面。〔幾何学では、平面も含めた一般の「面❹」を指す〕「二次―」↔平面

きょくめん【局面】❶⓪碁盤や将棋盤の上に展開される勝負の形勢。❷③⓪② 刻々変化してやまない現実の情勢を、一つの静止面としてとらえた称。「むずかしい―に差しかかる/新しい―に入る/重大な―に立たされる/緊迫した―を迎える/―の打開をはかる/困難な―を乗り切る」

きょくもく⓪【曲目】❶音楽の曲の名前。❷上演・歌唱する出し物(の一つひとつ)。

ぎょくもん⓪【玉門】美しい門。〔陰門の意にも用いられる〕

きょくよう⓪【極洋】南極・北極に近い海。

きょくりつ⓪【曲率】曲線や曲面の曲がり方の度合。

きょくりゅう⓪【曲流】―する(自サ)川が蛇行すること。↔直流

きょくりょう⓪②【極量】〔劇薬などの〕△一回(一日)に使ってよいと規定された、最大の分量。

きょくりょく②⓪【極力】(副)望ましい状態△に向かわせよう(を保とう)と、最大限の努力をする様子。「むだな水の使用は―控えるように/もめ事は―避けたい」

ぎょくろ①⓪【玉露】〔玉のような露の意〕最高級の煎茶。⇩煎茶・番茶

ぎょくろう⓪【玉楼】㊀宝玉で飾られた美しい御殿。⇩金殿玉楼 ㊁⇩白玉楼

きょくろく⓪【曲彔】よりかかる所を曲げて作ったいす。法会の時などに僧が使う。

きょくろん⓪【曲論】―する(自他サ) 普通の人には是非の判断が付かないのをいい事にして、自分の立場を有利に導く、強引な議論。

きょくろん⓪【極論】―する(自他サ) 自分の論点をはっきりさせるために極端な事を言うこと。また、その論。

ぎょぐん⓪【魚群】△水中(海中)を泳いでいる、魚の群れ。「―探知機⑥」

ぎょけい⓪【魚形】〔一般的な〕魚の形。 **―すいらい**④【―水雷】魚の形をした水雷。自動装置で水中を進み、目標にぶつかると爆発する。略して「魚雷」。かぞえ方 一本・一発

ぎょけい①⓪【御慶】〔「お喜び」の意〕新年を祝う言葉。

きょけつ⓪【虚血】動脈がつまって、臓器などに流入する血液の量が著しく減少した状態。「―性心筋障害⓪-⑤」

きょげつ①【去月】「先月」の意の古風な表現。

きょげん⓪【虚言】うその内容を述べている言葉。「きょごん」とも。「―癖②」

きょこう⓪【挙行】―する(他サ) 儀式や行事を行なうこと。

きょこう⓪【虚構】㊀事実ではないことを事実のようにつくること。㊁〔文芸などで〕事実そのままでなく、「作意㊁」を加えて、一層強く真実味を印象づけようとすること。「―性⓪」〔㊀㊁ともフィクションとも〕

きょごう⓪【倨傲】―な ―に 自分が偉いと思って他人を見下した態度をとること。派―さ⓪

ぎょこう⓪【漁港】漁業の根拠地となる港。

きょこく①【挙国】〔「国をあげて」の意〕△国(国民)全体。「―一致①-⓪」

きょこん⓪【巨根】㊀けたはずれに太く大きく広がった根。㊁普通よりも大きな男根。

きょこん⓪【虚根】〔数学で〕方程式の根で虚数のもの。虚数解②。↔実根

きょこん⓪【許婚】「いいなずけ」の意の漢語的表現。「―者②」

ぎょざ①【御座】皇后・皇族・高貴な人のお席。

きょざい⓪①【巨材】大きな材木。〔その当時としての大人物の意にも用いられる〕

きょさい⓪【巨細】⇩こさい

きょざい⓪【巨財】多くの財宝・財産。「―をたくわえる」

きょさつ⓪【巨刹】大きな寺院。大伽藍。

きょし①【巨資】・〈鉅資〉多くの資本。「―を投じる」

きょし①【挙止】〔日常の〕立ち居ふるまい。「―端正」

きょし①【〈鋸歯】のこぎりの歯。「―状の葉の縁」

きょじ①⓪【虚字】〔漢文法で〕実字・助字以外の品詞。動詞・形容詞に当たる字。例、恐・高。〔古くは、実字以外の汎称〕

きょじ①⓪【虚辞】社交儀礼として相手を称讃するような言葉を言うこと。また、その言葉。「―を設ける(=見えすいたお世辞を言う)」

ぎょじ①【御璽】天皇の御印。玉璽。「御名御璽」

きょしき⓪【挙式】―する(自サ) (結婚)式を行なうこと。

きょしつ⓪【居室】ふだん居る部屋。居間。

きょじつ①⓪【虚実】㊀事実と作り事。㊁虚々実々。「―を尽くして戦う」

きょしてき⓪【巨視的】―な ―に ↔微視的 ㊀肉眼で見分けられるくらいの大きさである様子だ。「―世界⓪-①」㊁部分にとらわれず、対象全体の特徴などを他のものと対比して大きく見ようとする様子だ。マクロ。

ぎょしゃ①⓪【御者】・〈馭者〉〔馬車に乗って〕思い通りに馬を走らせる役の者。

ぎょしゃ①【漁者】〔古〕漁夫。

きょじゃく⓪【虚弱】―な ―に からだが弱くて病気がちの様子。「―な赤ん坊/―体質④」

きょしゅ①【挙手】―する(自サ) 〔賛否・希望の有無・敬意などの意思表示のため〕手をあげること。「―の礼(=ひじを張って、ひたいの所へ右手をあげる敬礼)」

きょじゅ①【巨儒】・〈鉅儒〉〔偉大な儒者の意〕「大学者」の意の古風な表現。

きょじゅ①【巨樹】大きな立ち木。

きょしゅう⓪【去就】その地位にとどまるか、退くかということ。「―△を明らかにする(に迷う)」

きょじゅう⓪【巨獣】大きなけもの。

きょじゅう⓪【居住】―する(自サ) その△土地(家)に住みつくこと。また、その△土地(家)。「―地②・―者②・―民②・―性⓪・―権②」

ぎょしゅう⓪【漁舟】漁業用の小舟。漁船。

きょしゅつ⓪【拠出】・〈醵出〉―する(他サ) 〔「醵」は、銭を出しあう意〕事業に必要なお金や品物を出しあうこと。「―年金④」表記「拠」は、代用字。

きょしょ①【居所】「居場所」の意の漢語的表現。「―不明①-⓪」

きょしょう⓪【巨匠】〔芸術界の〕大家。「画壇の―」

きょしょう⓪【挙証】―する(自他サ) 証拠をあげること。「―責任が問われる」

きょじょう⓪【居城】攻守の本拠地として、その領主が住む城。

ぎょしょう⓪【魚礁】海底の、そこだけ周囲より浅くなっている所で、魚が好んで集まり、産卵する場所。隆起のある所や何か大きな物体が沈んだ所にはプランクトンが繁殖するという。表記 人工的な場合は「漁礁」も使う。

ぎょしょう⓪【魚醤】イワシなどの魚やイカの内臓を塩漬けにして、一年間以上そのままにして出た汁。調味料として用いる。秋田県のしょっつる、香川県のイカナゴ醤油など。東南アジアやイタリアなどでも多く使われている。うおじょうゆ③。

ぎょじょう⓪【漁場】漁業をする水域。「ぎょば」とも。

きょしょく⓪【虚飾】実質が伴わないのに、表面だけを見た目にいいように飾ること。

ぎょしょく⓪【漁色】手当り次第に女性を追い求め、その場限りの情事にふけること。「―家⓪」

きょしょくしょう⓪【拒食症】やせたいという願望や、何かで受けた精神的ショックなどから、食物をとることを極度にこばむようになる病気。多く思春期の女性に見られる。正式には「神経性やせ症」。

きょしん⓪【虚心】―な ―に 先入観などにとらわれず、対象をあるがままにすなおに受け入れようとする態度である△こと(様子)。「―に耳を傾ける」 **―たんかい**⓪-⓪、①-⓪【―坦懐】―な ―に わだかまりが無くて、さっぱりした心(で物事に接する様子)。

きょじん⓪【巨人】㊀並はずれてからだの大きな人。ジャイアント。「―ゴリアテ(=旧約聖書に登場する人物の名)」㊁その方面での並はずれた才能の持主。「ロシアの生んだ―ドストエフスキー」

ぎょしん⓪【魚信】垂れている釣り針に魚が食いつき、ぴく

き

りという動きがあること。

ぎょしん[0]【御寝】「〔身分ある人が〕寝る」意の尊敬語。「—なる〔=おやすみになる〕」

きょすう[2]【虚数】〔数学で〕実数以外の複素数の称。〔狭義では、純虚数を指す〕↕実数 **—たんい**[4]【—単位】マイナス1の平方根。〔実数の範囲には存在しないが、二次(以上の)方程式を統一的に扱うために導入された数学的存在〕〔記号i。電気関係ではj〕

じゅん—[3][4]【純—】虚数単位の実数倍として表わせる虚数。〔二乗して負になる数と一致〕

きよずり[0]【清刷(り)】〔印刷で〕校正ずみの活版を写真製版などのためにきれいに刷り△上げること(上げたもの)。

ぎょ・する[2]【御する】(他サ)❶【〈馭する】馬を思う通りに△乗り回す(走らせる)。❷自分の思う通りに動かす。「御しやすい人間」御す[1](五)。

きよせ[0]【季寄せ】〔俳句の〕季語を集めた本。

きょせい[1]【挙世】(副)「世をあげて」の意の漢語的表現。「—滔々(トウトウ)として〔=世の中全体が同一の傾向を取る様子〕」

きょせい[0]【巨星】形が大きく、光が強い恒星。〔ある方面で輝かしい業績をあげた偉大な存在の意にも用いられる。例、「—墜(オ)つ〔=不世出の人材が世を去ったことを惜しむ形容〕」〕

きょせい[1][0]【去声】〔中国語で〕四声の一つ。最初が高くて強く、終りが低く弱まるもの。「きょしょう[1][0]」とも。

きょせい[0]【去勢】—する(他サ) 哺乳動物の△睾丸(コウガン)(卵巣)を取り去ること。〔△抵抗(反対)の気力を奪う意にも用いられる〕

きょせい[0]【虚勢】自分の(方の)弱みを隠すために、うわべだけ勢いがあるように見せかけること。また、その行い。「—を張る〔=からいばりをする〕」

ぎょせい[0]【御製】天皇がお作りになった詩歌。

きょせき[0]【巨石】大きな石。「—信仰[4]・—文化[4]」

きょせつ[0]【虚説】根拠の無いうわさ。浮説。↕実説

***きょぜつ**[0]【拒絶】—する(他サ)〈なにヲ—する〉相手の希望・依頼・要求などを、(理由を示して)受け入れないこと。「契約更新は—された/面会—[0]-[0]」 **—はんのう**[4]【—反応】〔医学で〕他人の臓器を患者の体内に移植した際、からだがそれを排除しようとして起こす異常な反応。〔極度の嫌悪感や恐怖心を示す意にも用いられる。例、「前衛芸術と聞いただけで、—を示す」〕

きょぜん[0]【居然】—たる —と あくせくせず、落ち着いて(すわって)いる様子。

ぎょせん[0]【御〈撰】天皇が書物をお作りになること。また、その書物。

ぎょせん[0]【漁船】漁業をする船。 かぞえ方 一隻(イッセキ)・一艘(イッソウ)

きょそ[1]【挙措】立ち居ふるまい。「—を失う〔=取り乱す〕」

きょぞう[0]【巨像】(彫刻像などの)大きな姿。「イースター島の—、モアイ」

きょぞう[0]【虚像】物体から出た光が平面鏡や凹レンズなどによって反射したり屈折したりすることにより、実際には物体が無く従って光が出ない所からあたかも光が出てその物体がそこにあるかのように見える像。〔世間でそう言われるだけで実在しないものの意にも用いられる。例、「大岡政談は後の講釈師が作り出した—だと言われる」〕↕実像

ぎょそう[0]【魚層】〔漁業で〕目的とする魚が生息している海中の深さ。「—を探す」

きょそく[0]【虚足】運動を容易にするために、原生動物のからだから一時的に突きでる突起。偽足。「アメーバの—」

ぎょぞく[1]【魚族】「魚類」の意のやや古風な表現。

きょそん[0]【居村】その人の住んでいる村。

ぎょそん[0]【漁村】海岸近くにあって、住民の大部分が漁業によって生活を立てている村落。⇩山村・農村

きょた[1]【許多】「すぐにはかぞえきれないほど数量が多い」意の古風な表現。

きょたい[0]【巨体】同類のものとは比べ物にならないほど大きな、人間や動物のからだ。

きょだい[0]【巨大】—な —に 同類に属する物より、規模がはるかに大きい様子。「—化した…/—産業[4]」 派 **—さ**[0]

ぎょだい[0]【御題】❶天皇がお書きになった題字。❷天皇が選定された詩歌・文章の題目。勅題。

きょたく[0]【居宅】その人の、日常住んでいる家。すまい。

きょだく[0]【許諾】—する(他サ) 正式の手続きを踏んで得られた承諾。「衆参両院議員は、院外における現行犯の場合以外、国会会期中はその院の—がなければ逮捕されないことになっている/—請求[4]」

ぎょたく[0]【魚拓】魚の拓本。

きょだつ[0]【虚脱】—する(自サ) ❶からだが弱って気力が尽き、意識不明になること。❷がっかりして ただぼんやりしているだけで、何も手につかない状態になること。「—感[3]」

きょたん[0]【去〈痰・〈袪痰〉】体内の痰を取り除くこと。〔「袪」は、散らし去る意〕「—剤[2][0]」 表記 「〈袪痰〉」とも書く。

きょたん[0]【虚誕】どんな点からみても嘘(ソ)であること。また、その話。

きょちゅう[0]【居中】両者の中間に立つこと。 **—ちょうてい**[4]【—調停】第三国が自分から紛争当事国の間に立って平和的な解決をあっせんすること。

きょっかい[0]【曲解】—する(他サ) 〔相手の言葉などを〕すなおに受け取らず、ひねくれて解釈すること。↕正解 ⇩誤解

きょっかん[0]【極官】その(家柄の)人がなることの出来る、最高の官位。

きょっかん[0]【極冠】火星の両極地方に認められる、冠状の白い地帯。氷やドライアイスの層と考えられている。

きょっかん[0]【極〈諫】—する(他サ) 一身を賭(ト)して強くいさめること。

きょっけい[0]【極刑】その罪に対して、科することの出来る、最も重い刑罰。〔通例、死刑を指す〕「—に処する」

きょっこう[0]【〈旭光】「朝日の光」を美化した表現。

きょっこう[0]【極光】オーロラの訳語。

ぎょっこう[0]【玉稿】相手から受け取った原稿、の意の尊敬語。「—拝受」

ぎょっと[0](副)—する 意表を衝(ツ)かれたり恐ろしいものに出くわしたりして、一瞬、心が動揺する様子。「子供って—するようなことをすらりと口にしますね」

きょてん[0]【拠点】(前方に進出するための)活動の足場となる地点。「最後の—を失う/軍事—[4]・販売—[5]・営業—[5]」

きょでん[0]【虚伝】誤り伝えられた△うわさ(言い伝え)。

きょとう[0]【巨頭】国家や大きな組織の重要な地位にあって、実権を持っている人。「—会談[4]」

きょとう[0]【挙党】〔「党をあげて」の意〕党全体。「—体制[4]」

きょどう[0]【挙動】〔「立ち居ふるまい」の意〕一つひとつの行動。「—不審[0]-[0]〔=その人が何のためにそこに居るのか、何をしているのか、第三者が見て納得が行かないこと〕」

ぎょとう[0]【漁灯】漁業に使う灯火。

ぎょどう[0]【魚道】❶魚の群れが通過する一定の道

筋。㊁〔堤防・ダムなどで〕魚類の通路として設ける水路。

ぎょとうゆ②【魚灯油】 魚の脂肪から採った灯油。

きょときょと①(副)ーと・ーする 不安や恐れなどのために、あたりを落ち着きなく見まわす様子。

きょとんと②(副)ーする どういう状況に置かれているのかとっさには判断がつかず、一瞬茫然とした顔つきをする様子。

ぎょにく⓪【魚肉】〔食用の〕魚の肉。

きょにんか②【許認可】 許可・認可などの行政行為。

きょねん①【去年】 ことしの前の年。昨年。

ぎょば⓪①【漁場】 ぎょじょう。

きょはく⓪【巨〈擘〉】〔「擘」は、おやゆびの意〕団体などにおいて指導的な立場にある人。

ぎょばん⓪【魚板】 魚の形に作った、木の板。禅寺などで時刻を知らせるのに打ち鳴らす。

きょひ①【巨費】 非常に多くの費用。「ーを投じる」

***きょひ**①【拒否】ーする(他サ)〈なにヲーする〉 相手の願いや要求を、承諾しないこと。「業務提携の申し入れをーする/ー反応を(ひき)起こす」 **ーけん**②【ー権】 その△人(国)の反対によって、案件を否決し、決議や決定の効力を発生させなくするという権利。「ーを行使する」

きょひ①【許否】 許すか許さないか。

ぎょひ⓪①【魚肥】 魚類(のかす)を肥料としたもの。

ぎょび①【魚尾】 魚の尾の形(をしたもの)。〔版本では折り目にある図形〘〙を指し、人相では目尻を指す〕

きょふ①【巨富】 途方も無く多い財産。「ーを築く」

ぎょふ①【漁夫・漁父】「漁師」の意の古風な表現。「ぎょほ」とも。 **ーのり**①-①、④【ーの利】 利を求めて争っている当事者とは関係の無い、第三者の△もうけ(利益)。「ーを占める」

きよぶき⓪【清拭き】ーする(他サ)〔仕上げに〕かわいた布でふくこと。

ぎょふく⓪【魚腹】〔エサをのみこんだ〕魚の腹。「ーに葬られる〔=水死する〕」

ぎょぶつ①⓪【御物】 皇室の所蔵品。「ぎょもつ・ごもつ」とも。「正倉院ー」

きょぶん⓪【虚聞】㊀事実無根のうわさ。㊁その人が、真の意味においてはそれに値しない名誉。

ぎょふん⓪【魚粉】 魚類をかわかして粉にしたもの。食用・飼料・肥料などにする。

き

きょへい⓪【挙兵】ーする(自サ)〔兵をあげる意〕反乱などの軍事行動を起こすこと。

きょへん⓪【巨編・巨〈篇〉】 文学作品や映画で、他を圧する長編作品。

きょほ①【巨歩】㊀大またに歩くこと。「ーを踏み出す〔=力強く出発する〕」㊁〔大きな足跡の意〕その方面の進歩・発展に尽くした大きな功績。「ーを残す」

きょほう⓪ー【巨砲】 大きな大砲。〔野球では強打者の、すもうでは強い突っぱりの意にも用いられる〕

きょほう⓪【虚報】 にせの情報。デマ。「ーに踊らされる」

ぎょほう⓪ー【漁法】 魚介類の捕獲法。網漁・釣り漁・雑漁の三大別。

きょぼく⓪【巨木】 見る人に威圧感を与えるような大木。〔後世にまで名を残す偉大な人物のたとえとしても用いられる〕「ー信仰④〔=巨木には神霊が宿ると考える信仰〕/ー倒るるの観あり〔=偉大な人物の死を惜しむ表現〕」

きよま・る③【清まる】(自五) 清くなる。

きょまん⓪②【巨万】 非常に大きな数(量)。「ーの富」

ぎょみ①【魚味】 食膳に供せられた魚(の料理)。

きよみずのぶたい②ー①ー【清水の舞台】 京都市清水寺の本堂の一部で眺望の良い板敷を舞台に見立てたもの。高いがけの上に張り出すように作ってある。「ーから飛び降りる〔=不成功でももともとというつもりで、思い切った事をやってみる〕」

ぎょみん⓪【漁民】 漁業を職業とする人びと。

きょむ①【虚無】㊀とらわれる何ものも無いこと。空虚。「ー感②」㊁人生・世の中のむなしさを意識すること。ニヒル。「ー的⓪/ー思想③」 **ーしゅぎ**③【ー主義】 一切の既成の秩序・権威・制度を破壊しようとする主義。ニヒリズム。

きょめい⓪【虚名】㊀実際に合わない、実力以上の名声。㊁偽りの名。偽名。

ぎょめい①⓪【御名】 天皇のお名前。「ー御璽①-①、⓪-①」

きよ・める③【清める】(他下一) 不吉なものやよごれなどを取り去って、きれいにする。けがれを払い去る。「心身をー/恥をー〔=すすぐ〕」 名 清め③ 表記「《浄める》」とも書く。

きょもう⓪ー【虚妄】 事実△ではない(とは違っている)こと。うそいつわり。「ーの説」

ぎょもう⓪ー【魚網】 魚をとる網。 表記「漁網」とも書く。

ぎょもつ①【御物】「ぎょぶつ」と「ごもつ」の混交に基づく語。

きよもと②【清元】〔←清元節⓪〕浄瑠璃の一派。文化年間に富本節から分かれたもの。

ぎょゆ①⓪【魚油】 イワシ・ニシン・タラなどから採った油。

ぎょゆう⓪ー【御遊】 宮中などで催された、雅楽の遊び。

きょよう⓪【挙用】ーする(他サ) 今まで、重きを置かれなかった人を上の地位に取り立てて使うこと。登用。

きょよう⓪【許容】ーする(他サ) 本来認めたくない事について、そこまではいたしかたないと認めること。「ー量②・ー範囲④」 **ーかなづかい**⑥ー【ー仮名遣㋑】 ⇩かなづかい

きょらい⓪【去来】ーする(自サ) 行ったり来たりすること。「ーする念い〔=消えたり浮かんだりする、さまざまな感懐〕」

ぎょらい⓪【魚雷】「魚形水雷」の略。 かぞえ方 一本・一発

きよらか②【清らか】ーな ㊀〔水や大気などが〕〔冷たく〕澄み切っていて、すがすがしさを感じさせる様子。「高原のー朝」㊁人間の持つ醜い欲望や世俗的な汚れなどとは全く無縁で、神々しささえ感じさせる様子。「ーな恋/ーな死に顔」 派 ーさ③④

ぎょらん⓪【魚〈籃〉】「びく」の意の漢語的表現。「ー観音④」

きょり①【巨利】 大きな利益。「ーを△むさぼる(博する)」 ↕小利

****きょり**①【距離】〔「距」は、へだたる意〕㊀ある地点から他の地点へ移動する際の、経路の長さ。〔経路を無視した、二つの地点を結ぶ最短の距離は「距離㊁」に同じ〕「駅はここから歩いて十五分のーにある/年をとって長いーは歩けなくなった/遠ー通勤⑤・長ー△電話(レース)・走行ー⑤」㊁離れている二つの△地点(物)の間の隔たり。〔同一平面上では、二点を結ぶ線分の長さと等しい〕「被写体までのーを測る/トップランナーとのーが縮まる/車間ー・焦点ー」㊂△対人(対外)関係において、ある程度以上には親密な関係になるのを拒んで、意図的に設ける隔たり。「王室とのーを縮める/一定のーを置いて付き合う/等ー外交⑤」

きょりゅう⓪ー【居留】ーする(自サ)㊀条約により、外国の領土の一部に自由に住むこと。「ー地②」㊁一時的に、そ

の地にとどまり住むこと。寄留。 **―みん**②【―民】 その地に居留する外国人。

ぎょりゅう⓪【魚竜】 中生代の海に生息した爬虫(ハチュウ)類。体はイルカに似る。イクチオサウルスなど。

ぎょりゅう⓪①【御柳(リュウ)】 庭に植える落葉小高木。ヒノキのような細かい葉を持ち、春と夏に薄紅の細かな花を ふさ状につける。〔ギョリュウ科〕 かぞえ方 一株・一本

ぎょりょう⓪【漁猟(レフ)】 漁業(と狩猟)。

ぎょりん⓪【魚〈鱗】 ❶魚のうろこ。〔広義では、魚類を指す〕 ❷「鱗(ウロコ)❶」のかっこうをした陣形。中央部を敵に向かって突出前進させ、逐次後方の部隊は少しずつ左右に広がり展開して、敵の突破に備えるもの。現在、編隊飛行にも普通に用いられる。「雁行(ガンコウ)」は、その左右の一列を指す。 ↕鶴翼(カクヨク)

ぎょるい①【魚類】 魚の総称。脊椎(セキツイ)動物の一類で水中にすみ、えらで呼吸する。魚族。

きょれい⓪【挙例】―する(自他サ) 何かを証明するに足りる例を実際に示すこと。また、その実例。

きょれい⓪【虚礼】 (しきたりで しかたなく行なうような)うわべだけの礼儀。「―廃止⓪-⓪」

ぎょろう⓪【魚〈蠟(ラフ)】 魚油から得られる、白色・固形の脂肪。

ぎょろう⓪【漁労(ラウ)・漁〈撈】 〔「撈」は、水中に入ってとる意〕水産物をとること。 表記 「労」は、代用字。

きょろきょろ①(副)―と ―する 落ち着きを失ったり 何かを見つけようとしたり して、せわしなくあちこちに目を向ける様子。「授業中に―するな/あたりを―見回す」〔一回的な動作の形容は「きょろり②」〕

ぎょろぎょろ①(副)―と ―する 目を見開いて、にらみつけるようにあちこちに目を向ける様子。「大きな目玉を―させてにらむ」〔一回的な動作の形容は「ぎょろり②」〕

ぎょろめ⓪【ぎょろ目】 何かを見据えようとするかのように、丸く大きく見開かれた目。

きょろりと②(副)―する 目を丸く△する(して何かを見詰める)様子。

ぎょろりと②(副) 目を大きく見開いてにらみつける様子。

きよわ⓪【気弱】―な ―に 積極的に物事をする意志に欠けていたり 自分の主張を押し通す意志が乏しかったり する様子。「―な声/―な笑い」 派 ―さ⓪

きら①【〈雲母〉】 「きらら」の省略形。うんも。「―刷(リズ)⓪〔=雲母(ウンモ)を刷り込んで△模様のある紙を作ること(作った浮世絵)〕」

きら①【〈綺羅】 〔あや織りの絹と薄絹の意〕きれいな衣服。「―を飾る〔=着飾る〕/―〔=盛装した人が〕、星のごとく居並ぶ」 **―ぼし**②【―星】 〔「綺羅、星のごとく」を、誤って続けた語〕美しく輝く星。

キラー①〔killer=殺人者〕 球技などで、相手チームから恐れられるような優れた技を持っている選手。「巨人―の〔=巨人軍に対して特に強い〕投手/マダム―④〔=中年の女性に(性的)魅力を感じさせる人〕」

****きらい**⓪【嫌(キラ)い(ヒ)】―な ―に 嫌う△こと(様子だ)。「物事をあいまいにしておくのが―なんだ/―なものは―と言う/好き―が△はっきりしている(激しい)/男女の―無く〔=対象による区別無く〕」 ↕好き 文法 一般にその対象となる事物・事柄は「…が」で表わされるが、近年は「…を」で表わされることが多くなった。例、「肉を―になった/本を―な子もいる」 **【―が有る】** そのようなマイナスの傾向が看取されることを否定し難い。「△強引過ぎる(遅過ぎた)嫌いもある」

きらい⓪①【帰来】―する(自サ) 外出先から帰って来ること。「―〔=帰って来てから〕まことに多忙」

きらい⓪【機雷】〔←機械水雷④〕 水中に敷設し、船舶△に接触(をセンサーで感知)すると、爆発してこれを沈める仕掛けのもの。 かぞえ方 一本・一発 **―げん**②【―原】 機雷をまとめて敷設した海域。

ぎらい【嫌(ギラ)い(ヒ)】(造語) △生理的(性格的)に受け入れることが出来ない状態(の人)。「男―・女―・学校―・数学―・牛乳―・魚―・歯医者―/食わず―」

****きら・う**⓪【嫌(キラ)う(フ)】(他五)〈なに・だれヲ―〉 その△もの(状態・行為)に不快感や嫌悪感を抱いていて、それを避けようとする。「人づきあいを―/学校を―/△湿気(高温)を―〔=…に対する抵抗力が弱い〕/所嫌わず〔=どんな場所でも構わずに〕/外出を―〔=外に出たがらない〕」 ↕好く 運用 結婚などの祝宴の場では避けるべき言葉とされる。

きらきら①(副)―と ―する Ⓐ星や宝石などが美しく輝いて見える様子。「―夜空にまたたく星/目を―と輝かせる」 Ⓑ希望や若さに満ちあふれ、その存在がまぶしく感じられるほどである様子。「新しい門出を前に―輝く二人」〔一回的な輝きの形容は「きらり②」〕

ぎらぎら①(副)―と ―する Ⓐ光が△まぶしく(どぎつく)目を刺激する様子。「―照りつける真夏の太陽/牛肉の脂が―と浮いているスープ」 Ⓑ欲望などが、どぎつくむき出しに感じられる様子。「目を―させて札束をつかんだ」〔一回的な作用の形容は「ぎらり②」〕

きらく⓪【気楽】―な ―に まわりの事情や相手の存在に気を使わないで済ませ(られ)る様子。「―な〔=責任の無い〕仕事/―な〔=のんきな〕ことを言う」 派 ―さ⓪

きらく⓪【帰〈洛】―する(自サ) △都(京都)に帰ること。

きら・す②【切らす】(他五) 〔「切る」の使役動詞形〕切れた状態にする。「しびれを―〔=待ちくたびれて、がまん出来なくなる〕/たばこを―〔=たくわえが無くなる〕/息を切らして」

きらず⓪ 〔切らないで使える意〕豆腐の「おから」の異称。〔カラが「《骸」に通じるのを忌んだものという〕 表記 「〈雪花菜〉」は、漢語表記。

きらつ・く⓪(自五) きらきらと光る。

ぎらつ・く⓪(自五) ぎらぎらする。

きらびやか③【〈煌びやか】―な ―に 〔着物・建物・家具などが〕まだ新しく、色彩が豊かに感じられる様子。 派 ―さ⑤⓪

***きらめ・く**③【〈煌めく】(自五) きらきら光り輝く。「彼女の話には才気が きらめいていた〔=横溢(オウイツ)する才気が至るところに うかがわれた〕」 名 きらめき⓪④「知性の―〔=接する人にありありと感じられる現われ〕/△ダイヤ(才能)の―」 他動 きらめかす④(五)

きらら⓪【〈雲母〉】 「雲母(ウンモ)」の(伝統的)和語的表現。「―紙(ガミ)③〔=雲母を刷り込んで模様を作ったきれいな紙〕」

きらりと②(副) 一瞬するどく光る様子。「目が―光る」

ぎらりと②(副) 一瞬にぶい光を放つ様子。「刀を―抜く」

きらわれもの⓪【嫌(キラハレ)われ者】 その△社会のだれからも(人から特に)嫌われている人。「―になることを恐れず上司に諫言(カンゲン)する」

きらん⓪【貴覧】 相手が見ること、の意の尊敬語。「―に供する〔=お目にかけます〕」

きり【《限】(造語) 〔定期取引で〕受渡し期限。限月(ゲンゲツ)。「先(サキ)―・七月―」

きり(副助) 〔多く口頭語〕 ❶関連するのはそれだけで、他には及ばないことを表わす。「机が一つある―の部屋/一人―で住んでいる/もう百円―残っていない/返事はまだ君からっ―もらっていない」 ❷関連する動作・作用はその時点で終わり、本来その後に期待される動作・作用が ついに行なわれないことを表わす。「朝出かけたっ―まだ帰らない/アメリカへ行った―、向こうに住みついてしまった/彼とは去年ク

ラス会で会った―だ」〔接尾語のように使うこともある。例、「丸っ―分からない」〕 文法 ❶は体言（名詞、またそれに準ずる句）、動詞、助動詞「れる/られる・せる/させる」の連体形に接続する。❷は完了の助動詞「た」に接続する。格助詞は「…きり＋の・に・で」のように、後につく。

きり ②【切(り)】❶そのまま次へ△続か（続け）ないで、そこで一度切ることが出来ること。また、そのところ。「―がいい〔=終りとするのに適当だ〕/―〔=区切り〕をつける/―〔=際限〕が無い/ピンからキリまで〔=上等・高級のものから下等・低級のものまで〕」 ❷〔能楽・浄瑠璃(ジョウルリ)で〕全曲の終り（の部分）。↕口 ❷❹ ❸「切狂言」の略。 表記「きりが無い」は「《限が無い」とも書く。また、「ピンから―まで」の「きり」は、普通、外来語と考えられているので、「キリ」とも書く。

きり ⓪【〈桐】 落葉高木。葉は大形で、初夏に薄紫色の筒状の花をつける。材は軽くて、湿気を防ぎ、たんす・げた・琴など用途が広い。〔キリ科（旧ゴマノハグサ科）〕「青―(ギリ)」 かぞえ方 一株・一本

きり ①【〈錐】 板などに小さな穴をあけるための、（大工）道具。 かぞえ方 一本

***きり** ⓪【霧】❶微細な△水滴（氷）が煙のように立ちこめて地表をおおう現象。「濃い―が立ち込める/一代で財を成したが、その私生活は―の中〔=⇩藪(ヤブ)〕/―に巻かれる〔=すっかり包みこまれ、方向を失う〕/朝―(ギリ)②・夕―(ギリ)・夜―(ギリ)」⇩かすみ ❷水・液体を「霧❶」のように細かにして、空中に飛ばしたもの。「―を吹く」

きり ①【奇利】 思いがけない利益。「―を博する」

***ぎり** ②【義理】❶自身の利害にかかわりなく、人として行なうべき道。特に、交際上、いやでも他人に対してしなければならないこと。「―を欠く/―を立てる〔=受けた恩恵などに対し、それに応じた行為をする〕/―が悪い〔=義理を怠ったことになり、社交に不具合が生じる〕/行けた―ではない〔=義理の点から見ても行けるはずはない〕」 ❷〔「お―で」などの形で〕自分から進んでそうしようというのではなく、単に義理を果たすためだけにするのだという気持を表わす。「お―で知り合いの祝賀会に出席する」 ❸〔「―の⓪」の形で〕血のつながりは無いが、配偶者や養子縁組の子供などを血縁者と見なすことによって生じる続き柄であること。「―の兄」 ❹〔古〕言葉の意味。「―を明らかにする」 【―にも】 単に挨拶(アイサツ)として述べるに過ぎないものであるにしても。「彼のピアノは―上手とは言えなかった」 **―あい** ⓪③【―合(アヒ)】 交際上の関係。つきあい。 **―がた・い** ④【―堅い】（形） きちょうめんに義理を果たす様子だ。 派 **―さ** ③④ **―ずく** ⓪【―《尽(ヅク)く】 どこまでも義理を立て通すこと。 **―だて** ⓪【―立(て)】―する（自サ） 義理を立てること。⇩立てる❷❶

きりあ・う ③⓪【切(り)合う(アフ)】（自五）❶互いに相手を切ろうとして争う。 名 切り合い⓪ 表記 ❶は、「斬り合う」とも書く。 ❷二つのものが十文字に交わる。

きりあ・げる ④⓪【切(り)上げる】（他下一）❶一段落をつけて、一応そこで終りにする。「仕事を―/さっさと話を―/滞在期間を―〔=予定よりも短くする〕」 ❷十進法で表わした数の、ある位までの概数を求める際に、その位より下の端数を一と見なしてその位の数字に加える。「一・四を二に―/二七六三の十の位を切り上げて二八〇〇とする」↕切り捨てる ❸その国の通貨の国際的な交換価値を公的に高める。「円を―」 名 切り上げ⓪

きりあめ ⓪【霧雨】 きりさめ。

きりいし ②【切(り)石】❶用途に応じて、正しい形に切った石。 ❷割れてかどだった石。 ❸敷石。

きりい・る ③⓪【斬(り)入る】（自五） 刀を振るって敵の中に入る。

きりうり ⓪【切(り)売(り)】―する（他サ） △一まとまり（一続き）になっているものを、求めに応じて、小さく切って売ること。「布地を十センチ単位で―する/学問の―〔=新たな構想の下(モト)にではなく、どこかで一回使った原稿の一部を小出しにして講義・出版などをすること〕/知識の―」

きりえ ⓪【切(り)絵(ヱ)】 切った紙の図形を貼(ハ)り合わせて作った絵。線が強く太く出るのが特徴。

きりおと・す ④⓪【切(り)落(と)す】（他五） 切って、そこから取り去る。「下枝を―/堤防を―〔=堤防の一部を切って水を流す〕」

きりおろ・す ④【切(り)下(ろ)す】（他五） 上から下へと切る。 表記「斬り下ろす」とも書く。

きりかえ 【切(り)替(え)(カヘ)】 ❶⓪ ❶切り替えること。「スイッチの―」 ❷森林を開いて数年間畑を作ったあとで、また、木を植えること。 表記「切り換え」とも書く。 ❷（造語）動詞「切り替える」の連用形。 **―ばた** ④【―畑】❶森林を畑にした所。また、畑作と造林とを交互に行なう畑。 ❷焼き畑。

きりかえし ⓪【切(り)返(し)(カヘシ)】❶切り返すこと。「鋭い―」 ❷〔剣道で〕相手の左右の横面を目がけて各二回、相手のほぼ正眼に構えた竹刀(シナイ)を打ち、最後に面を一回打つことを反復する基本練習法。 ❸（映像場面の）カットバック。 ❹〔すもうで〕相手の ひざの外側に自分の ひざを当てて押し倒すわざ。

きりかえ・す ③【切(り)返す(カヘス)】（他五）❶相手の攻撃に対して逆に攻め返す。「冗談で―」 ❷（土のかたまりをくわで）切ってひっくり返す。

きりか・える ④③⓪【切(り)替える(カヘル)】（他下一）❶△他の方向（全く別のもの）に替える。「△スイッチ（路線・方針・考え方・頭）を―」 ❷両替をする。 自動 切り替わる④（五） 表記「切り換える」とも書く。〔⇩切替え❷〕

きりかか・る ④【切(り)掛(か)る】（自五） △切る（攻める）態勢を整えて、敵に向かう。 表記「斬り掛かる」とも書く。

きりがくれ ③【霧隠(れ)】 霧におおわれて見えなくなること。

きりかけ ⓪【切(り)掛(け)】❶きりかけること。また、きりかけたもの。 ❷目隠しの板塀。 表記 ❷は「切り懸け」とも書く。

きりか・ける ④⓪【切(り)掛ける】（他下一）❶切り始める。「枝を切りかけてやめた」 ❷切りつける❷。 表記 ❷は「斬り掛ける」とも書く。

きりかた ③④【切(り)方】 切る方法。 表記「斬り方」とも書く。

きりかぶ ⓪②【切(り)株】 木や草を△切り（刈り）取ったあとに残る根っこの付いている かたまり。 かぞえ方 一株

きりかみ ⓪【切(り)紙】❶折り紙を半分に切ったもの。〔和歌・連歌(レンガ)などの秘伝をこれにしるした〕 ❷〔武芸などで〕免許状。

きりかみ ②【切(り)髪】❶切った髪の毛。 ❷近世から明治にかけて、未亡人が髪を短く切って、元の部分を束ねて後ろに垂らしたもの。「切下げ髪」とも。

きりがみ ②⓪【切(り)紙】（折った）紙を切って、物の形を表わすこと。「―細工(ザイク)⑤」

きりきざ・む ④⓪【切(り)刻む】（他五） 刻むように何回も切る。「ずたずたに―」

きりぎし ⓪【切(り)岸】 切り立ったけわしいがけ。絶壁。断崖(ダンガイ)。「きりきし」とも。

きりきず ②【切(り)傷】 刃物などで切った傷。⇩打ち傷・突き傷 表記「切り〈疵」とも書く。

きりきょうげん ③【切狂言(キヤウゲン)】〔芝居などで〕その日の最後の出し物。大切(オオギリ)の狂言。切(キリ)。

きりきり ①（副）❶―と 糸などを、堅く巻きつけたり 強く張

き

** ＊は重要語，⓪ ①… はアクセント記号，品詞の指示の無いものは名詞および いわゆる連語。

ったりする様子。「—と包帯を巻く/—と弓を引きしぼる」❷—と 激しく回転する様子。❸—と/—する からだの一部が鋭く痛む様子。「腹が—とさしこむように痛い」 —しゃんと⑤、①-①(副)—する いかにも かいがいしく身をこなす様子。 —まい④【—舞(い)】—する(自サ) ❶〔こまが回るように〕片足をあげて、強くからだを回すこと。❷忙しくて、休む間もなくあれこれと何かをすること。てんてこまい。

ぎり ぎり [一]⓪〔「限(キリ)」を二つ重ねた強調表現〕それが許される限界で、それを越えることは認められない様子。「容認出来る—の線/—の選択/借りられる—一杯のところだ/期限—まで待とう」[二]⓪④ 頭のつむじ。[三]①(副)—と/—する 強く歯をくいしばる様子。

きりぎりす③【〈蛬〉・〈蟋蟀〉・〈螽蟖〉】❶長い触角を持つ昆虫。イナゴに似て大形で、ギースチョンと鳴く。ぎっちょ。〔キリギリス科〕❷コオロギの雅名。〔かぞえ方〕❶❷とも一匹

きりくず③②【切(り)屑】 物を切った時に出る余りや屑。切りはし⓪。

きりくず・す④⓪【切(り)崩す】(他五) ❶切って低くする。「砂山を—」❷攻め込んで、相手側の備えや団結を崩し、力を弱める。〔名〕切り崩し⓪

きりくち②【切(り)口】 ❶切ったあとの断面。〔切り傷のあと、の意にも用いられる〕「見事な—〔=何かを切った、すばらしい腕前、の意にも用いられる〕」❷封のしてある袋などを「ここから切れ」と指示した場所。「きりぐち」とも。

きりくび⓪②【切(り)首】 首を切ること。また、切った首。〔表記〕「斬り首」とも書く。

きりく・む③⓪ [一]【斬(り)組む】(自五) 切り合う。[二]【切(り)組む】(他五) 材木に切りこみを作ったり 穴をあけたりして、組み合わせる。

きりぐも⓪③【霧雲】 ❶〔山で〕霧のように低くただよう雲。❷「層雲」の俗称。

きりこ③②⓪【切(り)子】 四角な物の かどかどを切り落とした形。〔表記〕「切り籠」とも書く。 **—ガラス**④ カットグラス。 **—どうろう**④【—灯籠】 多角形の枠に紙を張り、紙や布を垂れ下げた灯籠。〔かぞえ方〕一基

きりこうじょう③【切(り)口上】〔一語一語の区切りをつけてきちんと言う〕改まった調子の口上(言葉つき)。

きりごたつ③【切(り)《火〈燵・切(り)〈炬燵〉】 炉を切って、すえつけるこたつ。⇩置きごたつ

きりこまざ・く⑤⓪【切(り)細裂く】(他五) 切って細かに裂く。

きりこみ【切(り)込(み)】[一]⓪ ❶切り込むこと。「—を入れる」❷ぶつ切りの魚肉を塩漬けにしたもの。❸〔←切込み砂利④〕 採取したままの、砂や土を含んだ砂利。路床に敷く。〔表記〕❶は、「斬り込み」とも書く。[二]〔造語〕 動詞「切り込む」の連用形。「—隊⓪」 **—たん**⓪④【—炭】 掘り取ったままの、大きなかたまりの石炭。

きりこ・む③⓪ [一]【斬(り)込む】(自五) 敵の中に切って攻め入る。きり入る。〔鋭い議論で相手を問い詰める意にも用いられる〕[二]【切(り)込む】(他五) ❶刃物を中まで入れて深く切る。❷うまくはまるように、何かに合わせて切る。「ガラス障子を—」〔⇩切込み[二]〕

きりころ・す④⓪【切(り)殺す】(他五) 刃物で切って殺す。〔表記〕「斬り殺す」とも書く。

きりさいな・む⑤【切(り)《苛む】(他五) 切ったり 刺したりして、むごたらしい殺し方をする。〔表記〕「斬り《苛む」とも書く。

きりさ・く③⓪【切(り)裂く】(他五) 一直線に切って、二つに分ける。「闇を—〔=闇の中からするどく耳につき刺さるように聞こえてくる〕鳥の声」

きりさげ【切(り)下(げ)】[一]⓪ 切り下げること。「解雇や労働条件の—〔=労働者にとって不利な方向へ変えること〕は行なわない」[二]〔造語〕 動詞「切り下げる」の連用形。 **—がみ**④【—髪】 ❶垂らした髪の毛を首のあたりで切りそろえておくもの。❷切り髪❷。

きりさ・げる④⓪【切(り)下げる】(他下一) ❶他と△高さ(長さ)をそろえるために、その部分を切る。❷上から切りつけた刃物が その物を見事に二つに切る。❸その国の通貨の国際的な交換価値を公的に低くする。「平価を—」〔表記〕❷は、「斬り下げる」とも書く。〔⇩切下げ[二]〕

きりさめ⓪【霧雨】 霧のように細かな雨。「—に煙る新緑の山やま」

キリシタン③②〔ポ Christão〕 天文年間〔=十六世紀半ば〕ポルトガルやスペインの宣教師によって日本に初めて伝えられたカトリック系のキリスト教。また、その信徒。「—バテレンの術〔=キリシタンの宣教師が布教のために、理化学を応用して行なった術が魔術ととらえられたもの〕/—大名⑥」〔表記〕「切支丹・吉利支丹」は、音訳。

きりじに⓪【切(り)死(に)】—する(自サ) 切合いの結果、敵に切られて死ぬこと。〔表記〕「斬り死に」とも書く。

ギリシャ①〔ポ Grécia=地名〕 ⇩付録「世界の国名一覧」。〔表記〕「希〈臘〉」とも書いた。

ギリシャ せいきょう④【ギリシャ正教】 ❶ローマカトリック教会と分かれた旧教。東方正教会。❷東方正教会の中で、ギリシャを管轄地域とする独立教会。ギリシャカトリック教会。ギリシャ正教会。

ギリシャ もじ④【ギリシャ文字】 ギリシャ語を表記するのに用いられる表音文字。物理・数学などで記号としても用いられる。

きりすて⓪【切(り)捨(て)】 ❶切り捨てること。「—にする」❷江戸時代、武士に向かって無礼をした町人・百姓などを切り捨てたこと。「—御免⓪-⓪」〔表記〕❷は、「斬り捨て」とも書く。

きりす・てる④⓪【切(り)捨てる】(他下一) ❶△必要のない(役に立たない)ものとして、その部分を切って捨てる。「紙面の余白は—/少数意見を—」❷十進法で表わした数の、ある位までの概数を求める際に、その位より下の端数を零と見なす。「五・六を切り捨てて五にする/二七六五の下二桁を切り捨てて二七〇〇にする」↕切り上げる ❸人を切ったあと△とどめをささない(首を取らない)ままにしておく。〔表記〕❸は、「斬り捨てる」とも書く。

キリスト⓪〔ポ Christo=救世主〕 ユダヤ人、イエス。マリアを母とする。ヤソ。クリストとも。〔表記〕「基督」は、音訳の略記。 **—きょう**⓪【—教】 イエス キリストを教祖とする唯一神教。絶対唯一の神によって魂の救いを得ようとするもの。 **—しゃ**④【—者】 「キリスト教徒」の意の、やや改まった表現。

きりずみ②【切(り)炭】 使いやすい長さに小さく切った炭。

きりたお・す④【切(り)倒す】(他五) 切って倒す。〔表記〕「斬り倒す」とも書く。木は「《伐り倒す」とも書く。

きりだし⓪【切(り)出(し)】 ❶切り出すこと。また、そのもの。「話の—/牛肉の—」❷〔刃が摩損するにつれて、柄の刃に近い部分を切り取り、刃を出していくことから〕木製の柄を付けた小刀。工作用に使う。

きりだ・す③⓪【切(り)出す】(他五) ❶切り取って運び出す。❷〔目的の用件などを〕話し始める。「用件を—」

きりた・つ⓪③【切(り)立つ】(自五) 垂直に切ったように(鋭く)立つ。「切り立った岩」

きりたんぽ③【切(り)たんぽ】 すりつぶした飯を、杉の串に

丸く棒状に巻きつけて焼いたもの。串を抜いて切り、鶏肉や野菜などと煮て食べる。秋田県の名物。「―鍋⑥」 かぞえ方 一本

きりつ⓪【起立】―する（自サ）（座席から）立ち上がって、きちんとした姿勢をとること。

***きりつ**⓪【規律】個人の生活を規則正しく行ない、団体の秩序を保っていくための、行為の規準。「共同生活の―を守る／―正しい生活／―が乱れる／―違反④」 表記 「紀律」とも書く。

きりつぎ⓪ 〘一〙【切(り)つぎ】切ってつぎ△合わせること（合わせたもの）。 〘二〙【切(り)接(ぎ)】接ぎ木法の一つ。台木を切って接ぎ穂を密着させる方法。 表記 〘二〙は「切り継ぎ」とも書く。

きりつ・ける④【切(り)付ける】 〘一〙（自下一）相手に切ってかかる。 〘二〙（他下一）切って△傷（刻み）をつける。「木に文字を―」 表記 〘一〙は、「斬り付ける」とも書く。

きりっと②（副）「きりり❸」の口頭語的表現。「―した顔立ち／だらけていないで―しろ」

きりづま⓪【切(り)妻】切妻屋根の両端の、山形になった壁の部分。 **―づくり**⑤【―造(り)】屋根を切妻屋根にする建築様式。 **―やね**⑤【―屋根】二枚の板を∧形に合わせただけの簡単な屋根。

きりつ・める④⓪【切(り)詰める】（他下一）不要な部分を切り捨てて△短く（小規模に）する。「すそを―／支出を―（＝節約する）／切り詰めた（＝質素な）生活」

きりど②【切(り)戸】△とびら（戸）にさらに設けた小さな出入口の戸。くぐり戸。

きりどおし⓪【切(り)通(し)】ドホシ 山や丘などの一部分を溝のように削り取って、両側から崖ガケに挟まれた形に作った道路。

きりとり⓪【切(り)取(り)】❶切り取ること。 ❷人を殺して財物を自分の物にすること。「きりどり」とも。「―強盗、武士の習い」 表記 ❷は、「斬り取り」とも書く。

きりと・る③⓪【切(り)取る】（他五）切ってその部分を取る。

きりなし⓪②【《限無し》】限りないこと。

きりぬ・く③⓪【切(り)抜く】（他五）新聞など平面状の物の（内部の）一部分を切り取る。 名 切り抜き⓪「―帳⓪（＝スクラップブック）」

きりぬ・ける④⓪【切(り)抜ける】（他下一）❶敵の囲みを破って、のがれ出る。 ❷（努力して）苦境をやっとのがれる。「△難局（危機・困難な局面・その場）を―」

きりのう②【切能】ノウ その日の出し物の最後に演じる能。

きりは⓪【切(り)羽】鉱石・石炭などを採る現場。「切り場」とも。 表記 「切り端」とも書く。

きりはく⓪【切(り)箔】金銀の箔を細かに切ったもの。

きりはた⓪②【切(り)畑】山腹などを切り開いて作った畑。

きりばな②【切(り)花】枝や茎ごと切り取った花。生け花用。 かぞえ方 一本

きりはな・す④【切(り)放す】（他五）❶切って離れさせる。「電車の前二両を―」 ❷一緒に△しない（ならない）ようにする。「切り放して考える」 表記 「切り離す」とも書く。

きりはなれ⓪【切(り)離れ】切れて離ればなれになること。「切れ離れ」とも。「―（＝あきらめ。狭義では、金離れを指す）がいい」

きりはら・う④【切(り)払う】ハラフ（他五）❶（草木を）切って除く。 ❷刀を振るって追い払う。「むらがる敵を―」 表記 ❶は「《伐り払う》」、❷は「斬り払う」とも書く。

きりばり⓪【切(り)張(り)】―する（他サ）❶障子などの破れた所だけを切り取って張りかえること。 ❷紙のある部分を切り取って、張りつけること。「きりはり」とも。「この著者は他人の著作の―をやっている（＝他人の著作を盗んで来て、自分の著作のごとく扱っている）」 表記 「切り貼り」とも書く。

きりび⓪② 〘一〙【《鑽火》】古代、ヒノキなどの堅い板に堅い棒を揉モみ込んで起こした、神聖な火。〔後世は、火打ち石で起こした火をも指した〕 〘二〙【切(り)火】〔旅立ちや、芸人・「御用聞き❶」が勤めに出る時に〕清めのために火打ち石で本人のからだに留守の者が打ちかける火。

きりひとは④【《桐一葉》】一枚の桐の葉。「―落ちて天下の秋を知る（＝いよいよ衰え始めたことを知るたとえ）」

きりひら・く④【切(り)開く】（他五）❶山・丘・荒れ地などをくずしならして、田畑・宅地・道路とする。〔未開拓の分野を開発する意にも用いられる。例、「△新時代（未来）を―」〕 ❷Ⓐ敵の囲みを破って、進路を開く。「突破口を―」 Ⓑ閉塞的な状況や難局を打開する。「隘路アイロを―／自らの手で明るい将来を―」 名 切り開き⓪ 表記 「切り《拓く》」とも書く。

きりひろ・げる⑤⓪【切(り)広げる】（他下一）周囲を切り開いて幅を大きくする。「農道を―」

きりふき②【霧吹(き)】水・香水・薬液などを霧のようにして吹きかける△こと（道具）。

きりふ・せる④【切(り)伏せる】（他下一）相手を切り倒す。 表記 「斬り伏せる」とも書く。

きりふだ②【切(り)札】❶（トランプで）他の三種類の印シルシの札より強いものと、その回ごとに決められる一組十三枚の札。 ❷とっておきの有力な手段。「最後の―を出す／外交の―を持たぬ日本／―を握る」

きりぼし⓪【切(り)干(し)】ダイコン・サツマイモなどを△細く（薄く）切って（蒸して）干したもの。「―大根⑤」

きりまい②⓪【切(り)米】江戸時代、給与として渡した米。

きりまく・る④【切(り)捲る】（他五）当たる敵を次から次へと切っていく。 表記 「斬り《捲る》」とも書く。

きりまど⓪③【切(り)窓】羽目板・壁などを切り抜いて作った、明り取りの窓。普通の窓と違って、しきいは無い。

きりまわ・す④⓪【切(り)回す】マハス（他五）当面やらなければいけない仕事を次から次へと、うまく処理する。「ひとりで―」 名 切り回し⓪「所帯の―」

きりみ③【切(り)身】丸ごとでは扱いにくい大きさの魚を幾切れかに切ったもの。〔普通、三つ以上に切ったものについて言う〕 かぞえ方 一切ヒトキレ

きりみず②【切(り)水】ミヅ ❶花を切り取ってすぐに切り口を水に入れること。 ❷玄関や庭などに水をまくこと。

きりむす・ぶ④⓪【切(り)結ぶ】（自五）刀の刃と刃とをぶつけ合うようにして激しく切り合う。 表記 「斬り結ぶ」とも書く。

きりめ③【切(り)目】❶切って出来た、そのあと。 ❷物事の区切り。切れ目。「―をつける」

きりもち②【切(り)餅】❶四角に切った餅。 ❷江戸時代、一分銀イチブギン百個（＝二十五両）を紙に包んだもの。

きりもみ③⓪【《錐揉(み)》】―する（自サ）❶（穴をあけるために）錐をもむこと。 ❷〔航空機が〕△失速状態となり（機首を下に向け）ねじを回すように回転しながら落ちたり降りたりすること。「―状態⑤・―降下⑤」

きりもり⓪②【切(り)盛(り)】―する（他サ）❶決まった分量の食物を人数に応じてほどよく分けること。 ❷収入と支出との釣合を考えて家計や経理などを処理すること。「―のうまい主婦／若いうちから店の―をまかされる」

きりゃく⓪【機略】局面に対応出来る、柔軟性のある△考え方（軍略）。「―縦横⓪-⓪」

きりゅう⓪【気流】リウ △大気（空気）の流れ。「上昇―・ジ

エットー」

きりゅう⓪【寄留】―する(自サ) 一時的に他の△家(土地)に身を寄せること。〔旧法では、九十日以上、本籍地以外に住むことを指した〕「―地②」

きりゅう⓪【旗〈旒】〔旒も旗の意〕船舶のマストなどに掲揚して、種々の情報内容を伝えるためのもの。〔旧海軍で、色・形・大きさの異なる さまざまな信号旗の総称〕「―信号④」

きりゅうさん⓪②【希硫酸・〈稀硫酸】 低濃度の硫酸。

きりょ①【〈羇旅・〈羈旅】〔古〕旅に出ること。「―歌②」

きりょう①【器量】❶当該の高いポストを汚さず仕事をやってのけるかどうかという観点から見た、その人の対処能力。「大臣としての―に乏しい/―を下げる(=男としての面目を失う)」 ❷きれいかどうかの観点から見た、顔立ち。「―がいい/―好み・―よし」 **―じん**②【―人】「器量❶」があり、仕事のよく出来る人。 **―まけ**⓪⑤【―負(け)】(縁遠かったり 仕事に失敗したり)器量がすぐれ過ぎて、かえって不幸になること。

ぎりょう⓪①【技量・《伎〈倆・《伎量・技〈倆】 実際に何かをしたり 作ったり する観点から見た腕前。

ぎりょう⓪【議了】―する(自サ) 審議し終えること。

きりょく⓪①【気力】 困難に堪え、何かを最後までやりぬこうとする強い精神力。「―が衰える/―に欠ける/―を失う/―の充実した青年時代/今が最も―の充実した時だ/―を尽くして十四回を投げ抜いた/もう何をする―も無くなった/ようやく―を取り戻した」

きりり②③(副)―と ❶戸を開閉したり 櫓をこいだり する時に、きしるような音を立てる様子。また、その音。 ❷糸などを強く引っ張って、少しのたるみもない状態にする様子。「風に帆綱を―と締めて/鉢巻を―と巻く」 ❸均整が取れている上に引き締まっていて、好ましい印象を与える様子。きりっと。「―とした顔立ち」

きりわ・ける④⓪【切(り)分ける】(他下一) ❶切って全体をいくつかに分ける。「羊羹を―」 ❷一つに見えるものを部分に分けて区別する。「複雑な問題を切り分けて考えてみる」

きりわり⓪【切(り)割(り)】 ❶切って二つにすること。 ❷山や高地の一部を切り開いて道を△つくること(つくった所)。 動切り割る③⓪(他五)

きりん⓪【〈騏〈驎】〔中国で〕一日に千里を走ると言われた名馬。「―も老いては駑馬に劣る」

きりん⓪【〈麒〈麟】 ❶〔中国で〕想像上の神秘な動物。「麒」はその雄、「麟」は雌で、聖人が世に出、王道が行なわれる時生まれ出ると伝えられる。生き物を食わず、生きた草を踏まぬという。⇩霊獣 ❷アフリカにすむ哺乳動物。形はシカに似て、前足と首が非常に長く、高木の若芽を食べる。ジラフ。〔キリン科〕 かぞえ方 ❷は一頭・一匹 **―じ**②【―児】 △技芸(才能)がすぐれていて、将来が期待出来る少年。 ❸同類の中で傑出した人。

＊＊**きる**⓪【着る】(他上一)〈なにヲ―〉 ❶衣類などをからだにまといつける。身につける。「洋服を―/権力を笠に―(=⇩笠)/かみしもを着た(=原則論をぶつだけで、打ちとけた交流の全く見られない)政府間会議」 ❷甘んじて、その事に対して責任を負う形をとる。「罪を―/恩に―(=恩を受けて、ありがたいと思う)」 表記 「《著る」とも書いた。 文法 (1)「着る」は、当人自身の手によるか、他人が手を貸すかはともかく、結果として衣類を身にまとった状態にすることを表わす。(2)それに対して「着せる」は、当人の意志にかかわりなく「いやがる子供に無理に赤い服を着せる」などと、ある衣類を「着る」ことを要求することを表わし、当人自身が一人で「着る」行為を行なう場合も、他人が手を貸して行なう場合もある。(3)「着る」の使役形「着させる」は、「赤ん坊じゃないのだから一人で着なさい」などと、親の手などを借りずに当人が一人で「着る」ことを命じる意を表わす。その点で「着せる」と文脈的に同義になる場合がある。

＊＊**き・る**【切る】■一①(他五) ❶Ⓐ〈なにデ〉なにヲ―〉 △つながって(続いて)いるものなどを(刃物などを使って)部分に分けたり本体から離したり する。「糸を―/△縁(手)を―/指を―(=傷つける)/口を―(=ⓐ缶や封筒などの端を切って、中身が取り出せるようにする。ⓑ(最初に)発言する)/堰を―/△口火(火蓋)を―/伝票を―(=発行する)/切符を―(=切符にパンチを入れて、正式に乗客・入場者と認める)/△スイッチ(電話)を―/水気を―(=水分が無くなるようにする)/嚙み―・断ち―」 Ⓑ〈なにデ〉なに・だれヲ―〉 刃物を使って人を△傷つける(傷つけて殺す)。「首を―(=ⓐ刃物を使い、胴体から離す。ⓑ一方的に退職させる)/詰め腹を切らされる/人を―(=ⓐ首を切る。ⓑ殺傷する)/政界を―(=情実を抜きにして、徹底的に批判する)」 ❷〈なにヲ―〉 手や からだなどで、空気を「切る❶」ような動作をする。「空気を切って(=空中を突き抜けるようにして)飛んでくる/先頭を―(=先頭に立つ)/十字を―(=十字の形を手ではっきりと描く)/手刀を―/肩で風を―(=勢いよく進む)/たまを―(=テニス・卓球などで、ボールに逆回転を与える打ち方をする)/行列を―(=横切る)」 ❸〈なにヲ―〉 物事に途中で区切りをつける。「そこでいったん言葉を―/入場者を先着順十名で―/△日限(年限)を―(=限る)/審議を打ち―」 ❹〈なにヲ―〉 そこまでは到達しない範囲内に とどまる。「百メートル競走で十秒を―(=十秒未満で走る)/元値を切って売る」 ❺〈なにヲ―〉 きわだつような動作をする。「たんかを―/しらを―/みえを―/切り札を―(=出す)/札びらを―(=⇩札びら)/△ハンドル(舵)を―(=鋭く動かして、方向を変える)/カーブを―/スタートを―(=スタートする)」 ❻〈なにヲ―〉 〔裏返しにした一組のカードを〕二つ(以上)に分ける。〔交ぜるために切るのは、シャッフルという。例、「かるたを―(=相互につながりが無いように、うまく交ぜる)」〕 ■二(「動詞連用形＋―」の形で、接尾語的に) ❶残すところなく最後まで何かをすることを表わす。「読み―・言い―・使い―・逃げ―」 ❷限界に達して、それ以上堪えられない状態になることを表わす。「弱り―④・困り―・冷え―」 表記 ■一❶Ⓐは、木は「《伐る」、布・紙・板状のものは「〈截る」、■一❶Ⓑは「斬る」とも書く。また、■一❶は「〈剪る」とも書く。 運用 結婚などの祝宴の場では避けるべき言葉とされる。「切れる」も同様。

【切っても切れない】 切ろうとしても切ることが出来ない△密接な(深い)。「―関係」

き・る①【〈鑽る】(他五) △物をすり(火打ち石を打ち)合わせて火を取る。

きるい①【着類】 「衣類」の意の古風な表現。

ギルダー①〔オ gulden〕 オランダの旧通貨単位。フロリン。

キルティング⓪①〔quilting〕 ❶二枚の布の間に芯や綿・羽毛などを入れて、上からミシン縫いにしたもの。防寒用衣料。 ❷所どころに綿や毛糸などを入れて模様を浮き上がらせる△こと(手芸)。布団・クッションなどに応用する。キルト①とも。 かぞえ方 ❶は一枚

ギルド①〔guild〕 十～十五世紀ごろヨーロッパの都市に特に発達した、親方・職人・徒弟から成る商工業者の同業組合。「―的な労使関係」

*きれ②【切れ】 ㊀切れる△こと(ぐあい)。「水のーがいい／△時間(任期)ーギレ」 ㊁何かを小さく切った物の、一つひとつ。〔かぞえる時にも使う〕 ㊂裁断して衣服を縫ったり手ぬぐい・シーツ・カーテンなどを作ったりすることが出来るように一定の幅に切ってある布。反物は、おとなの和服一着分を指す。〔今日、広義では繊維製品一般を広く指すが、狭義ではズック・カンバス・ガーゼ・毛布・じゅうたん・ガラス繊維の類は除外する〕「とも—ギレ・端—ハギレ」 ㊃〔古筆で〕名筆の書いた物の断片。「古筆切ギレ」とも。「高野—コウヤギレ⓪③」 表記 ㊂は、「《布・《裂」とも書く。 かぞえ方 ㊂は一枚

きれあがる④⓪【切れ上がる】(自五) 上の方へ切れる。「小股コマタの切れ上がった〔=⇩小股〕」

きれあじ②⓪アヂ【切れ味】 ㊀よく切れる△度合(感じ)。「ーが違います／シャープなーの細工用ナイフ／ーは悪くなかった／ーを確かめる」 ㊁急所・本質をとらえ衝ツく鋭さ。「鮮やかなーを見せた論文／鋭い風刺のーは権力者に一泡吹かす力を秘めている／ー冴サえる意欲作／ー鋭い推理」 【ーのいい】 技術やねらいが抜群で、△効果が百パーセント発揮されている(迫力を持つ)様子だ。「知的でー表現／明快なー演奏／ー酒」

**きれい①【〈綺麗・奇麗】(ーな／ーに) ↔きたない ㊀いつまで△見て(聞いて)いても飽きることがないほど、その形・色や声・音が快く感じられ、美的感覚を満足させることができる様子だ。「色のーな花／ーな人／ーな声」 ㊁接する人に不快感をいだかせるような汚れや余分なものが無くて、△清潔な(整然とした)印象を与える状態だ。「ーな台所／机の上をーにする／お金にーな〔=執着せずさっぱりした〕人／字がーだ」 ㊂〔「ーに」の形で〕後に何も残すことなく事がなされる様子。「出された料理をーに平らげた／金庫の中の物をーに盗まれた／借金をーに返した」 派 ーさ⓪② 表記 「〈暉麗」とも書いた。 ーごと⓪④【ー事】 見かけや口先だけ一応体裁よくつくろってあるが、実質の伴っていない事柄。「ーで△終わる(済ませる)」 ーさっぱり①-③(副)ーと 〔「綺麗㊂」の強調表現〕あとに何らかの処理を必要とするようなものを一つも残さないかたちで事がなされる様子。「家の中のがらくたをー始末した／出された料理をー平らげる／ー(と)芸能界から引退する」 ーずき⓪【ー好き】(ーな／ーに) 「綺麗㊁」な状態を好む△様子(人)。 ーどころ⓪④【ー所】 「芸者」の異称。「ーをそろえる」

ぎれい⓪【儀礼】 社会的習慣としてそうすることになっている礼儀・礼法。「通過ー〔=⇩通過儀礼〕」 ーてき⓪【ー的】(ーな／ーに) 儀礼として、形だけそうしておく様子だ。「ーな訪問」

きれぎれ⓪【切れ切れ】(ーな／ーに) 幾つにも細かく切れる△こと(様子)。また、その離ればなれになった断片。

きれくち②【切れ口】 切れた△所(断面)。「切り口」とも。

きれこみ⓪【切れ込み】 切れて入り△込むこと(込んだ跡)。また、そのような形。 動 切れ込む③⓪(自五)

きれじ⓪ヂ【切れ地】 反物(の切れはし)。〔広義では、織物を指す〕 表記 「《布地」とも書く。

きれじ⓪②【切れ字】 〔俳句などに詠みこんで〕一句を言い切り、調子を整えるための助詞・助動詞など。例、「や・けり」など。

きれじ②⓪ヂ【切れ〈痔】 肛門コウモンの皮膚と粘膜との間に切れ目の出来る病気。肛門裂傷。裂け痔。裂肛。 表記 「《裂れ〈痔」とも書く。

きれつ⓪【亀裂】 〔亀メカの甲の模様のような裂け目の意〕堅いもの〔例、壁や土など〕に大きなひびが入ること。また、それによって出来た、川の流れのような筋状の跡。〔今までしっくりいっていた関係がこじれて、険悪になったり絶縁したりする意にも用いられる〕「一枚岩にーが生じる／ーの深さ／ーが入る／ーを深める」 かぞえ方 一本

ぎれつ⓪①【義烈】 一身の利害を顧みずに、正しい事を行なおうとする気持が強いこと。「忠勇ー⓪-⓪、⓪-①、⑤」

きれなが⓪【切れ長】(ーな／ーに) 目じりが、細長く切れ込んでいる様子。

きれはし⓪【切れ端】 必要な部分を切り取ったあとの部分。「切れっぱし⓪④」とも。

きれはなれ⓪【切れ離れ】 切り離れ。「ーがよい」

きれま③【切れ間】 絶え間。「雲のー」

きれめ③【切れ目】 ㊀切れた△所(跡)。 ㊁続いていたものが、(一度)そこで終わるところ。「金のーが縁のー／ー無く続く／話のー」

きれもの②【切れ物】 (よく切れる)刃物。

きれもの⓪【切れ者】 頭の回転が速くて、政治的手腕のある人。〔時には えげつないことをもやりかねない辣腕家ラツワンカを指すこともある〕

*き・れる②【切れる】(自下一) ㊀切った状態になる。「手のーような札／期限がー／国交がー／縁がー」 ㊁なんでもよく処理出来る様子だ。「よくー〔=頭の回転が速く、てきぱきと処理出来る〕人」 ㊂たくわえておいた物が△使い(売り)きって無くなる。「トイレット ペーパーが切れた」 ㊃自制心がきかなくなり、見境無い行動に出る。「すぐにー老人」 ㊄〔「動詞連用形＋ー」の形で、接尾語的に〕十分にそうすることが出来る。「劣勢になっても乗りー自信／かぞえ切れない」 表記 ㊃は、「キレる」と書くことが多い。 運用 ⇩切る 運用

キロ〔フ kilo=もとギリシャ語で、「千」の意〕 ㊀(接頭) Ⓐ国際単位系における単位名の接頭辞で、基本単位の千倍であることを表わす〔記号 k-〕。「ーグラム〔=⇩グラム〕・ーサイクル〔=⇩サイクル〕・ーヘルツ〔=⇩ヘルツ〕・ーメートル〔=⇩メートル〕・ートン〔=⇩トン〕・ーリットル〔=⇩リットル〕・ーワット〔=⇩ワット〕・ーワット時〔=⇩ワット〕」 Ⓑ〔コンピューター関係で〕記憶容量を表わす単位名の接頭辞で、基本単位の千倍であることを表わす〔記号K-〕。「ーバイト・ービット」〔基本単位の二の十乗『=一〇二四』倍であることを表わす場合はキビ (kibi)『記号Ki-』を用いる〕 ⇩メガ ㊁① キロメートル・キログラムなどの略。

トンー①〔ton kilo〕 輸送機関の貨物輸送量を表わす単位で、一トンの貨物を一キロメートル輸送する量を表わす。

にんー①【人ー】〔↔輸送人キロ④〕 交通機関の旅客輸送量を表わす単位で、旅客一人を一キロメートル輸送する量を表わす。

きろ①【岐路】 〔人生や事態の決定的な〕別れ道。「重要なーに立つ」

きろ①【帰路】 用事が済んで帰りの方向に向かっていること。「ーにつく／市場からのー、事故を目撃した」

ぎろう⓪オ【〈妓楼】 「遊女屋」の意のやや改まった表現。

キロカロリー③〔kilocalorie〕 ⇩カロリー

ぎろぎろ①(副)(ーと／ーする) 〔一回的な動作の形容は「ぎろり②」〕 目を鋭く光らせて、物を見る様子。

**きろく⓪【記録】ーする(他サ) ㊀〈(なに)ニ なにヲーする〉 後のちまで残すべき事柄を書き△しるすこと(しるした文書)。「ーにとどめる／ーを取る」 ㊁〈なにヲーする〉 何らかの点で後の参考になる(きわだった)△結果(成績)を得ること。また、その結果や成績。「最大瞬間風速八十メートルをーした大型台風／最長不倒距離のーを更新する／ワーストー⑤」 ーえいが④グヮ【ー映画】 自然(現象)や人間生活・社会の出来事などを、作為を加えずに写しとることを目的として作った映画。 ーてき⓪【ー的】(ーな／ーに) その程度が並はずれていて、記録にとどめるに値するほどである様子だ。「ーな暑さ／

き

―な伸び」 ―ばいたい[4]【―媒体】〔コンピューターで〕データを記録し保持しておくために用いられるもの。「記憶媒体」とも。〔半導体・磁気テープ・磁気ディスクなど〕 ―ぶんがく[4]【―文学】実際にあった事件などを題材として、作者が事実を客観的に描写しようとする態度を貫いて書かれた文学作品。

キロすう[3][2]【キロ数】❶△距離(質量)を△キロメートル(キログラム)を単位として表わした時の数値。❷キロワットを単位として表わした電力の数値。

ギロチン[0]〔guillotine=使用の提案者 Guillotin (発音はギヨタン)の名に由来〕〔フランス革命のころから一九八一年まで用いられた〕死刑執行の首切り台。断頭台。

キロてい[0]【キロ程】キロメートルを単位として表わした道のり。

ぎろりと[2](副) 目を鋭く光らせて ひとにらみする様子。「―目を剝く」

ぎろん**[1]【議論】―する(他サ)〈だれトなにヲ―する〉〔ある問題に関し〕(何人かの人が)自説の陳述や他説の批判を相互に行ない、合意点や結論に到達しようとする△こと(やり方)。「―が△起こる(盛んになる・かみ合わない)/―を戦わせる/―のための―」 ―ぶん[2][0]【―文】「論文・論説文」の意の古風な言い方。

きわ[2]【際】❶その物事が、他と境をなしている所(の近く)。〔空間・時間のどちらについても言う〕「がけの―〔=そば〕/額の生え―〔=髪に接している所〕/今わの―[6]〔=死ぬ間際〕/別れ―[0]〔=別れようとしている時〕・帰り―[0]」 ❷〔雅〕地位や身分。「いとやんごとなき―〔=家柄〕にはあらぬが すぐれて時めき給ふ、ありけり」

ぎわく[0]【疑惑】隠されている不正・悪事や不倫などがありそうだと疑うこと。「―の目△で見る(を向ける)/―が△生じる(つきまとう・晴れる)/―を△残す(いだく・招く・深める・晴らす・一掃する)/―に包まれる」

きわた[1][0]【木綿】❶パンヤの異称。❷〔「まわた」と違って〕一番普通の わた。綿花。

きわだ[0]【黄《肌】⇩きはだ ■【黄〈蘗】⇩きはだ

きわだ・つ[3]【際立つ】(自五) まわりのものからはっきり区別されて目立つ。「格差が―/際立った美しさ」

きわど・い[3]【際《疾い】(形)〔原義は、極端の意〕少しでも超えれば失敗や危険を招くおそれがある限界的な状況で事が行なわれる様子だ。「―〔=失敗したら身の破滅を招きかねない〕芸当/間一髪の―ところで間に合った/―〔=ⓐもう少しで猥褻だと非難されそうな ⓑまかりまちがえば法律違反になりそうな〕話」 派 ―さ[3]

きわまり[4][0]【極まり】それ以上にはならない、ぎりぎりのところ。表記「窮まり」とも書く。 ―な・い[5]【―無い】(形) ❶どこに限界があるのかとらえられない様子だ。「極まりなく広がる宇宙空間」 ❷それを超えることはありえないととらえられるほど程度がはなはだしい様子だ。「不健全―〔=この上なく不健全な〕生活態度/限りなく無謀―計画」 文法 助動詞「そうだ(様態)」に続くときは「極まりなさそうだ」の形になる。また「すぎる」と結びついて複合動詞をつくるときは「極まりなさすぎる」の形になる。

きわま・る[3]【極まる】(自五) それから先は無いという所まで達する。「―ところを知らない荒廃/△失礼(卑劣)―/進退維谷まる〔=⇩進退〕/感―」 表記「窮まる」とも書く。

きわみ[3]【極《み】❶展開して行き着いたところ。「天地の―〔=果て〕」 ❷限度に達すること。「不孝の―〔=最大の不孝〕だ/ぜいたくの―を尽くす」

きわめ[3]【極《め】■[3] 鑑定。 ―がき[0]【―書】〔書画・こっとう類の〕鑑定証明書。 ―つき[0]【―付《き】極め書が付いていること。〔定評のある意にも用いられる。例、「―の演技」〕 ■(造語) 動詞「極める」の連用形。 ―つく・す[5]【―尽《くす】(他五) 残るところなく極める。「華美を―」 表記「究め尽くす・窮め尽くす」とも書く。

きわめて[2]【極めて】(副) それ以上の程度はあり得ない、限界の状態にある様子。「―良好/―遺憾である」

きわ・める[3]【極める】(他下一) それ以上は△望めない(あり得ない)状態にまで達する。「頂上を―/位、人臣を―/学問の奥義を―〔=奥深いところに達する〕/ぜいたくを―〔=ぜいたくを尽くす〕/口を極めて〔=ありったけの言い方で〕△ほめる(いさめる)/△難航(詳細・厳重・痛烈・深刻・不振)を―」 表記「窮める・究める」とも書く。〔⇩極め■〕

きわもの[0]【際物】❶限られた時季にだけ作って売る品物。例、雛人形・五月人形など。❷一時的に世間の興味を集める事柄。「―的な小説」

きわやか[2]【際やか】―な ―に 他から区別されて、ひどく目立つ様子。

きをつけ[4]【気を付《け】〔(姿勢を正して)緊張せよ、の意〕整列している団体に対して、不動の姿勢をとらせる時の号令。↕休め

きん〔巾・今・斤・均・近・〈欣・金・菌・勤・〈欽・琴・筋・僅・禁・〈禽・緊・錦・謹・襟〕↓【字音語の造語成分】

きん*【金】■[1] ❶黄色く、つやがあって光り輝く金属元素〔記号 Au 原子番号79〕。化学的にきわめて安定し、空気・水・硫黄などにおかされず展延性に富むので、貨幣や装飾品として使われる。古代から最も価値の高い貴金属とされる存在。こがね。「―のブレスレット/―を歯にかぶせる/―塊・砂―」 ❷おかね。「―一封・―策・現―・税―」 ❸「金色・将棋の金将」の略。【沈黙は―】⇩沈黙 ■(接頭) 金額を示す時に数の上に付ける言葉。「―一万円」⇩【造語成分】

きん[1]【菌】❶菌類。「酵母―」 ❷細菌。「―を撒き散らす/赤痢―[0]」⇩【造語成分】

きん[1]【琴】きんのこと(琴)。唐琴[0][2]。「七弦―[0][3]」 ⇩【造語成分】

きん[1]【筋】収縮と弛緩によって、からだの部分や臓器の運動・伸縮を行なう器官。随意筋と不随意筋がある。「腹―・上腕二頭―[0]」⇩【造語成分】

きん[1]【禁】(規則によって)してはいけないと△する(される)こと。「―を犯す/国―・―止・解―」⇩【造語成分】

ぎん〔吟・銀〕↓【字音語の造語成分】

ぎん[1]【吟】❶だれかが その詩歌や俳句を作ったこと。また、その詩歌や俳句。「…の―/―詠・―行・秀―・病中―[3]」 ❷〔謡曲で〕声の強弱による種別。「強―[0]・弱―[0]」 ⇩【造語成分】

ぎん*[1]【銀】❶白く光って美しいつやを持つ金属元素〔記号 Ag 原子番号47〕。薄く延ばすことが出来、貨幣や装飾品を作るのに使う。金より軽くて堅い。しろがね。「―のネックレス/―鉱・―貨・いぶし―」 ❷「銀色・将棋の銀将」の略。⇩【造語成分】

きんあつ[0]【禁圧】―する(他サ) (権力をもって)無理にとめること。

きんい[1]【金位】「金■❶」の品質の程度。

ぎんい[1]【銀位】「銀❶」の品質の程度。

きんいつ[0]【均一】―な ―に その中のどれをとっても金額・質量などが同じである△こと(様子)。「全国で―の品質を保証する/―料金[5]・―性[0]・百円―[5]、[0]-[0]」

きんいっぷう[1]-[0]【金一封】一包みのお金。寸志。〔贈

り物や寄付をする場合、金額をあからさまに言わない時に使う」

きんいろ⓪【金色】「金■二❶」のような色。こがね色。

ぎんいろ⓪【銀色】「銀❶」のような色。しろがね色⓪。

きんいん⓪【近因】直接その事を引きおこしたと考えられる原因。↕遠因

きんいん⓪【金印】黄金で作った印。古代中国で、皇帝が諸王・諸侯などに与えたもの。〔狭義では、福岡県志賀島で発見された「漢委奴国王(カンノワノナノコクオウ)」と刻印された金印を指す〕

きんいん⓪(キン—)【金員】「金額・金高」の意のやや古風な表現。

きんうん⓪【金運】金銭に関する運・不運。「—が強い／—に見放される」

きんえい⓪【近詠】その人の最近作った詩歌。

きんえい⓪【近影】その人を最近写した写真。

きんえい⓪(—エイ)【禁衛】皇居の守護。「—隊⓪」

ぎんえい⓪【吟詠】—する(自他サ) ❶ふしをつけて詩歌をうたうこと。❷詩歌を作ること。また、その詩歌。

きんえん⓪【近縁】血縁の近い親戚(キセ)関係にあること。

—しゅ③【—種】見たところの形態は大変違うようだが、生物の分類の系統上では関係が近いこと。「シラウオはサメの—だ」

きんえん⓪(—エン)【金円】「お金」の意の古風な表現。

きんえん①【筋炎】筋肉に化膿(カノウ)菌が入って起こす炎症。

きんえん⓪(—エン)【禁園・禁〈苑】特に許された人以外は入ってはいけない庭園。〔狭義では、皇居・離宮の庭を指す〕

きんえん⓪【禁煙・禁〈烟】❶—する(自サ) たばこを吸うのをやめること。「今度こそはと、—するのだが、一週間と続かない」❷たばこを吸ってはならないこと。「会場内—・—区間⑤」

きんえん⓪【禁〈厭】病気や災害を防ぐためのまじない。

ぎんえん⓪①【銀塩】カメラのフィルムに感光剤として塗ってある塩化銀。「—カメラ⑤」

きんおうむけつ⓪-⓪(—オウ—)【金〈甌無欠〉】〔「金甌」は金のかめ、の意〕国家の主権が確立していて、外国に降伏したことが無いこと。〔第二次世界大戦に敗れるまでの日本を自ら指した〕

きんか①(—クワ)【近火】(その家の)近くの火事。「—見舞④」

きんか①(—クワ)【金貨】「金(キン)」をおもな成分とする硬貨。金貨幣。かぞえ方 一枚・一片

きんか①(—クワ)【〈槿花】(一日でしぼむ)ムクゲの花。〔はかない栄華の意にも用いられる。例、「—一朝の夢」〕

きんが①【謹賀】〔年賀状で〕〔「—新年④」の形で〕謹んで新年を祝う意を表わす挨拶(アイサツ)の言葉。

ぎんか①(—クワ)【銀貨】銀を主成分とする硬貨。かぞえ方 一枚・一片

ぎんが①【銀河】❶「あまのがわ」の意の字音による表現。⇩銀漢 ❷銀河系の外にある、銀河系と同種の天体。「アンドロメダ—⑦」

—けい⓪【—系】太陽系を含んでいる数千億個の恒星などの集団。直径約十万光年、厚さ約一万五千光年の円盤状。肉眼で見える天体の大部分がこれに含まれる。

きんかい⓪【近海】陸地に近い海域。「日本の—でとれた魚／—魚③・—漁業⑤」↕遠海・遠洋

きんかい⓪(—クワイ)【〈欣快】—な うれしくてたまらない様子。「—の至り」

きんかい⓪(—クワイ)【金塊】(精製した)金の かたまり。

きんかい⓪(—クワイ)【襟懐】〔「襟」も「懐」も、心の中の意〕胸のうちの思い。

きん

［巾］❶何かを拭(フ)くきれ。「布巾・雑巾(ゾウキン)・手巾(シュキン)」❷(頭を)おおうもの。「頭巾(ズキン)」

［今］現在(の)。「今体・今上」⇩こん(今)

［斤］❶尺貫法における質量の単位で、普通、一六〇匁(モンメ)〔＝六〇〇グラム〕を表わす。❷食パンの量の単位。〔明治初期は、一斤＝一山＝一ポンド〘＝約四五四グラム〙であるのを原則とした。現在は、大体二五〇グラムから四〇〇グラムの塊を言う〕「三斤棒」 かぞえ方 ❷三斤は「サンギン(サンキン)」・何斤は「ナンキン(ナンギン)」

［均］❶△どれ(どの部分)も同じだ。「均一・均等・均質」❷たいらにならす。「均衡・平均」

［近］❶ちかい。「近辺(キンペン)・近隣・近県・近距離・付近」↕遠 ❷ちかづく。ちかづける。「接近・親近・側近(ソッキン)」❸ちかごろ。「近時・近々・最近」

［〈欣］よろこぶ。よろこばしい。「欣快・欣喜雀躍(ジャクヤク)・欣幸・欣然」

［金］■一含まれている純金の割合を示す単位。〔一金は二十四分の一。従って純金は二十四金。⇩カラット❷〕■二(略)金曜日。⇩(本文)きん【金】

［菌］きのこ。「菌類・菌糸」⇩(本文)きん【菌】

［勤］❶力をつくしてはたらく。「勤務・勤勉・忠勤・精勤」❷(会社などに)つとめる。「勤続・出勤・欠勤・通勤・転勤」

［〈欽］❶つつしみうやまう。「欽慕・欽仰(キンギョウ)」❷皇帝に対する敬意を表わす語。「欽定」

［琴］こと。「琴曲・琴瑟(キンシツ)・木琴・一弦琴」⇩(本文)きん【琴】

［筋］すじ状のもの。「鉄筋・木筋」⇩(本文)きん【筋】

［僅］わずか。少しばかり。「僅少・僅々・僅差」

［禁］❶きらって避ける。「禁忌」❷やめる。おさえる。「禁酒・禁煙・失禁」❸〔侍臣でなければ入れない意から〕皇居。「禁中・禁裏・禁門」⇩(本文)きん【禁】

［〈禽］とり。鳥類。「禽獣・水禽・野禽・猛禽・渉禽類」

［緊］❶ひきしめる。「緊張・緊縮」❷さしせまる。「緊急・緊要・喫緊」

［錦］❶にしき。「錦紗(キンシャ)・錦繡(キンシュウ)」❷相手に関する物につけて敬意を表わす。「錦地(キンチ)」

［謹］つつしむ。つつしんで。「謹啓・謹呈・謹賀・謹言・謹慎」

［襟］❶えり。「開襟」❷胸の中。「胸襟・宸襟(シンキン)」 表記 ❶は、「〈衿」とも書く。

ぎん

［吟］❶声を長く引△く(いて詩歌を歌う)。「吟唱・吟誦(ギンショウ)・吟声・詩吟・朗吟・苦吟」❷あじわう。よくたしかめる。「吟醸・吟味」⇩(本文)ぎん【吟】

［銀］■一通貨。貨幣。「銀行・銀座・銀子(ギンス)・賃銀・路銀」■二(略) 銀行。「日銀・市銀・地銀」⇩(本文)ぎん【銀】

きんいろ——きんかい

き

きんかいきん①-⓪【金解禁】 金の輸出禁止の解除。

ぎんかいしょく③【銀灰色】 銀色を帯びた灰色。

きんかぎょくじょう①-⓪【金科玉条】〔もと、拠るべき貴重な法律の意〕それを守ることによって、だれに対しても自分の立場を正当化することが出来る、強いよりどころ。〔視野が狭く、自由な思考が出来ない人の言行を、軽く揶揄する意にも用いられる。例、「…(すること)だけを―としこ」〕

***きんがく**⓪【金額】 具体的な数字によって示される金銭の量。

きんがく⓪【勤学】―する(自サ) ほかの事に心を動かされず、懸命に勉強すること。

きんかくし③【金隠(し)】 和式の大便所の便器で、前方に設けたおおい。

きんがみ①【金紙】 金粉または金箔を押した紙。

ぎんがみ①【銀紙】 ❶銀粉または銀箔を押した紙。❷アルミや、錫・鉛の合金を紙のように薄く延ばしたもの。

ギンガム①〔gingham〕 格子縞の平織りもめん。夏の婦人・子供服などの実用的な生地。「―チェックのワンピース」

きんかん⓪【近刊】 ❶近いうちに出版される△こと(書物)。「―予告⑤、⓪-⓪」 ❷「新刊」と言われるより少し前の時期に出版された△こと(書物)。「―図書⑤」

きんかん⓪【金冠】 ❶金で△作った(装飾した)かんむり。 ❷金で作って、歯にかぶせるもの。

きんかん③【金柑】 畑に作る常緑低木で、ミカン類の一種。実は黄色で、指先ぐらいの楕円形。皮ごと食べる。〔ミカン科〕 かぞえ方 一株・一本

きんかん⓪【金環】 金の(指)輪。 ―しょく③【―食・―蝕】 日食で、月が太陽の中心部分をすっかりおおい、わずかに残った周縁部分が金環状に見えるもの。

きんがん⓪【近眼】「近視(眼)」の通称。ちかめ。〔先見の明が無い△こと(人)の意にも用いられる〕 ―きょう⓪【―鏡】 近眼の人がかける、凹レンズの眼鏡。

ぎんかん⓪【銀漢】「銀河」の古風な表現。

きんかんがっき⑤【金管楽器】 金属製の管楽器。トランペット・トロンボーンなど。ブラス(バンド)。

きんかんばん③【金看板】 金文字を彫り込んで、目立たせた看板。〔世間に誇示する△主義(物・人)の意にも用いられる〕

きんき① 北日本に多い海産硬骨魚。体色は鮮やかな赤で、身は白く煮付けにして美味。キチジとも。〔もと、北海道での呼称〕〔メバル科〕 かぞえ方 一尾・一匹・一枚

きんき①【近畿】〔「畿」も近い意〕かつての五畿〔=⇩畿内〕に、滋賀・和歌山・三重の三県を含めた称。

きんき①【欣喜】 非常に喜ぶこと。「―雀躍①-⓪〔=喜びの気持を抑えることが出来ず こおどりすること〕」

きんき①【禁忌】―する(他サ) ❶その社会の習俗として、すべきではないとされていること。⇩タブー ❷〔(民間)伝承で〕ほかの薬・食物と取り合わせ用いるのを避けなければならないとされること。ウナギに梅干など。 ❸〔医学で〕医療や医薬品の調合などに関して、してはいけないとされていること。

きんき①【錦旗】 赤地の錦に日月を描いた天皇の旗。にしきのみはた。

ぎんき①【銀器】 銀製の食器など。

ぎんぎつね③【銀狐】 寒冷地にすむキツネ。毛は、付け根が黒くて先が灰白色。また、その毛皮をも指す。 かぞえ方 一匹・一頭:毛皮は一枚

***きんきゅう**⓪【緊急】―な ―に 事が重大でその対策・処理に至急を要する様子。「―を要する/―時に備える/―度の高い案件/―事態⑤・―避難⑤・―動議⑤・―性⓪」 ―はっしん⑤【―発進】 不測の事態に備えて基地で待機中の戦闘機が、緊急の出撃命令を受けるやいなや直ちに離陸して目的方向に向かう行動。スクランブル。

きんきょ①【近居】―する(自サ) 〔「近接居住」の略〕親子などが同居せず、距離の近いところに別々に住むこと。

きんぎょ①【金魚】 フナの飼育変種で、観賞用の小形の魚。普通 赤色だが、ワキン・リュウキン⓪など、種類が多い。「―の△糞(うんこ)〔=ただ△長く続いて(くっついて)いるだけで、芸の無いことの形容〕/―売り③」 かぞえ方 一尾・一匹 ―ばち③【―鉢】 金魚を飼う鉢。 ―も③【―藻】 池や沼などに生える多年生水草。金魚鉢に入れて観賞する。〔アリノトウグサ科〕 かぞえ方 一株:一束・一把

きんきょう⓪【近況】〔相手△に知らせたい(が知りたがっている)〕自分や自分のまわりの、近ごろの様子。「―報告⑤」

きんきょう⓪【禁教】 その国でその当時布教を禁じられた宗教。 ↕正教

きんぎょう⓪【近業】 最近の△作品(業績)。

きんぎょう⓪【欽仰】―する(他サ) 尊敬の気持を込めて慕うこと。

きんきょく①【琴曲】 琴の曲。箏曲。

きんぎょく⓪①【金玉】〔金と玉の意〕珍重・賞美すべき物事。「―の作品」

きんきょり③【近距離】 近い距離(の所)。「―列車⑤」 ↕遠距離

きんきら⓪(副) 度が過ぎると感じられるほど、はでにきらきらと光って見える様子。「―の舞台衣装」 ―きん⑤④⓪(副)「きんきら」を強調した口頭語。

きんきり⓪④【金切り】「去勢」の意の口頭語的表現。「―馬④」

きんぎれ⓪④【錦切れ】 錦の切れはし。

きんきん ❶①(副)―と ―する 声や音が高く響く様子。「―した声で怒鳴る/―と甲高い声が響く/―声⑤」 ❷⓪―な ―に 冷たさが強く感じられる様子。「―に冷えたビール/グラスを―に冷やす」

きんきん⓪【近々】(副) その事の実現が近い将来のことだと△予定(予想)される様子。「―引越しの予定です」

きんきん⓪【僅々】(副)―たる ―と「ごくわずか」の古風な表現。

きんぎん①【金銀】 ❶〔財宝または通貨としての〕金と銀。 ❷〔将棋で〕金将と銀将。

きんきんぜん⑤【欣々然】―たる ―と うれしくてうれしくてたまらない、という様子だ。

きんく①【勤苦】―する(自サ) 苦難を厭わず、休みなく努力すること。

きんく⓪【禁句】 ❶〔和歌・俳諧で〕使用を避けるべき(だと決められている)語・句。 ❷〔一般に不吉な感じを与え、ある意味では差別感や不快感を伴うという意味で〕△人前(その場)で言うことを避けるべき言葉・文句。

キング①〔king〕 ❶王様。 ❷〔トランプで〕王様の姿を描いた札。クイーンの上に位し、十三に当てる。

キングサイズ④〔king-size〕 ずばぬけて大型の△もの(人)。

きんぐち⓪【金口】〔↑金口たばこ⑤〕 巻きたばこの吸い口にあたる部分を金紙で巻いたもの。

きんけい⓪【近景】 ↕遠景 ❶近くに見える景色。 ❷〔絵や写真で〕画面に見える手前の方のもの。

きんけい⓪①【謹啓】〔手紙文で〕「謹んで申し上げます」の意で、文の初めに書く挨拶の言葉。

きんけつ⓪【金欠】〔「貧血病」のもじり「金欠病⓪」の略という〕お金が極度に不足すること。

きんけつ[0]【金穴】❶金(キン)を採掘する鉱山。金坑[0]。❷△資金(費用)を出してくれる人。

きんけん[0]【近県】その△県(地方)の近くの県。

きんけん[0]【金券】❶金貨と引き換えることの出来る△紙幣(証券)。❷特に指定して、お金の代りに通用させる券。〔高額切手・収入印紙や商品券・図書券・ビール券、また新幹線の回数券なども含まれる〕「—ショップ[5]」

きんけん[0]【金権】本来金(カネ)によって解決・処理すべきでない事柄まで財力によって解決しようとする、不当な△考え方(処理法)。「—的体質を深める/—政治[5]」

きんけん[0]【勤倹】一生懸命稼ぐと共に、むだ遣いをしないよう努力すること。「—貯蓄[0]-[0]、[5]」

きんげん[0]【金言】普遍妥当の真理を巧みに言い表わした、偉人の言葉。パスカルの「人は考える葦(アシ)である」など。〔狭義では、釈尊の言葉を指した〕

きんげん[0]【謹言】〔手紙文で〕〔「△恐々(恐惶(キョウコウ))—」などの形で〕「謹んで申し上げます」の意で、文の結びに書く挨拶(アイサツ)の言葉。「恐惶—[0]-[0]」

きんげん[0]【謹厳】—な—に どんな時でも言行を控えめにし、ほかの人と違って、冗談を言ったりふざけたりしない△こと(様子)。「生来の—ぶりを発揮する/—実直[0]-[0]」 派—さ[0]

きんこ[1]【近古】〔歴史の時代区分で〕それほど古くない昔。近い昔。〔日本史では、鎌倉・室町時代を指す〕

きんこ【金庫】■一[1] ❶現金・重要書類などを盗難や火災から守って保存するための特別丈夫に作った△箱(室)。「代議士の—番(=経理担当責任者)」 ❷国家や公共団体の現金の△保管(出入)を取り扱う機関。かぞえ方 ❶は一台 ■二(造語) 特定の目的によって設立された金融機関の称。「農林中央—・信用—・労働—」

きんこ[1]【禁錮・禁固】—する(他サ) 一室に閉じこめて外出させないこと。〔法律では、刑務所に拘置するが労務を科さない刑を指す〕 表記「固」は、もと代用字。

きんこ[1]【金〈海〈鼠〉〉】ナマコを煮て干したもの。いりこ。

*__きんこう__[0]【均衡】二つ(以上)のものの間に釣合がとれていること。「—(=バランス)を保つ/—の取れた発展/収支(の)—を図る/—を失う/—(状態)が崩れる」

きんこう[0]【近郊】その都市の近くの△土地(村里)。

きんこう[0]【〈欣幸】自分にとってしあわせな事だと思って、運のよさを喜ぶこと。

きんこう[0]【金工】金属を使って作る工芸品。また、それを作る職業の人。

きんこう[0]【金鉱】❶金を採る鉱石。❷金を掘り取る鉱山。

きんこう[0]【謹厚】—な 人柄が謹厳で温厚な様子。

きんごう[0]【近郷】❶その都市の近くの村里。「—近在[0]-[0]」❷その村里の近くの村。

ぎんこう[0]【吟行】—する(自サ) ❶詩歌を口ずさみながら歩くこと。❷和歌・俳句を作るために、郊外・名所などに出かけること。

**__ぎんこう__[0]【銀行】❶金銭の預入れ・貸付け・為替取引・手形割引などをおもな業務とする金融機関。「—員[3]・—家[0]・中央—[5]・都市—・地方—・信託—[5]」❷△足り(持ってい)ないものを、融通し合う組織。「血液—(=⇩血液センター)」 かぞえ方 ❶は一行(イッコウ) —けん[3]【—券】日本銀行が発行する紙幣。 —わたり[5]【—渡(り)】「線引き小切手」の俗称。

ぎんこう[0]【銀鉱】❶銀を採る鉱石。❷銀を掘り取る鉱山。

きんこく[0]【謹告】—する(他サ) 〔つつしんでお知らせします、の意〕会社・商店などで、客に対する知らせの初めに使う言葉。

きんごく[1][0]【近国】↕遠国 ❶その国の近くの国。❷律令(リツリョウ)制で、都から近い距離にあった国ぐに。

きんごく[0]【禁獄】牢屋(ロウヤ)に閉じこめること。

きんこつ[1]【筋骨】筋肉と骨。「—隆々(=からだつきががっしりしていて、筋肉が盛り上がって見える形容)・—たくましい」

きんこん[0]【緊〈褌】ゆるまないようにふんどしを締め直すこと。「—一番[6](=決意を新たにし、心を引き締めて、事に臨もうとすること)」

きんこんしき[3]【金婚式】結婚して五十年目の祝い。金婚[0]。〔二十五年目のは「銀婚式[3]」〕

きんさ[1]【僅差】ほとんど無いと言っていいくらいの、小さな差。「—で△勝つ(負ける)」

ぎんざ[0]【銀座】もと、江戸幕府の銀貨鋳造所のあった所で、現在は東京都中央区の目抜き通り一帯。〔広義では、各地方都市の繁華街の名前にも付けられる〕

きんざい[0]【近在】その都市の近くの村里。近郷。

きんさく[0]【近作】最近の作品。

きんさく[0]【金策】—する(自サ) その時必要なお金を借りたりもらったりしてそろえること。「—に奔走する」

ぎんざけ[3]【銀〈鮭】北太平洋に分布する魚。体は銀白色、背は藍色(アイイロ)で黒い斑点がある。食用。ぎんます。「ぎんじゃけ」とも。〔サケ科〕 かぞえ方 一尾・一匹・一本。切り身は一切(ヒトキレ)・一枚

きんさつ[0]【金札】❶△金色(金製)のふだ。❷江戸時代から明治初年にかけて、△諸藩(政府)で発行した、金貨代用の紙幣。

きんさつ[0]【禁札】△役所(管理者)が、そこで何かをすることを禁止する旨を書きしるした立てふだ。

きんざん[1]【金山】金を掘り取る鉱山。

ぎんざん[1]【銀山】銀を掘り取る鉱山。

きんざんじみそ[6]【金山寺味〈噌・《径山寺味〈噌】なめ味噌の一種。刻んだナス・ウリなどが入っていて、甘い。

きんし[0]【近視】〔←近視眼[0]〕眼球の状態が正常でないため、遠くの物をはっきりと見ることが出来ない目。近眼。↕遠視 —がんてき[0]【—眼的】—な—に 先ざきまで見通すことが出来ず、目先の事にばかりとらわれている様子だ。「—な発想」

きんし[1][0]【金糸】❶金紙を細く切り、縒(ヨ)って糸にしたもの。❷金色の糸。「—たまご[4](=薄焼玉子を細くきざんだもの)」⇩銀糸

きんし[1]【金〈鵄】〔神話で〕神武天皇御東征の時、弓の先に止まったという金色のトビ。「—勲章[4]」

きんし[0][1]【菌糸】菌類の、糸状の細胞。

**__きんし__[0]【禁止】—する(他サ)〈(だれ)ニ なにヲ—する〉(規則などによって)してはいけないと差しとめること。「夜間の外出を—する/発売—[0]-[0]・立入り—[0]-[0]・使用—[0]-[0]」 —ほう[0]【—法】❶ある行為を禁止することを定めた法律。「独占—」❷〔文法で〕動作の禁止を表わす表現形式。例、文語では「な…そ」「…なかれ」、口語では「…な」「…べからず」「…てはいけない」など。

きんじ[0][1]【近似】—する(自サ) ❶今問題とするものが、△基準(既知)のものと著しく似ていること。❷〔数学で〕Ⓐ目的の値に△近づく(近づける)こと。「$\sqrt{2}$ を有理数(の)列で—する/—計算[4]」 Ⓑ「近似値」の略。 —ち[3]【—値】その数(量)の真の値とわずかしか違わない数値。たとえば 3.1416 は円周率の近似値。

きんじ[1][0]【近侍】—する(自サ) 〔公家(クゲ)・武家で〕主君のそば近く仕える△こと(人)。近習(キンジュ)。

きんじ①【近時】「近ごろ」の意の漢語的表現。↔往時

きんじ⓪(ヂ)【金地】金箔(キンパク)や金泥(キンデイ)を一面においた紙・布など。⇩銀地

きんじ⓪【金字】❶金色の文字。金泥(キンデイ)で書いた文字。❷「金」の字の全形のように、先が とがり、左右の均整がとれた山の形。 **―とう**(オ)⓪(タフ)【―塔】〔どの方角から見ても、「金字❷」のように見える、四角錐(イス)のピラミッド〕その方面・分野での不滅の業績。「辞書の世界に輝かしい―を打ちたてる」

きんじ①(ヂ)【〈矜持】「きょうじ」の読み誤りに基づく語。

ぎんし①⓪【銀糸】❶銀紙を細く切って糸に縒(ヨ)ったもの。❷銀色の糸。⇩金糸

ぎんじ⓪(ヂ)【銀地】銀箔(ギンパク)や銀泥(ギンデイ)を一面においた紙・布など。⇩金地

きんじえない④【禁じ得ない】その気持をとどめることが出来ない。「△危惧(キグ)の思い(今昔の感)を―/△同情(驚きと怒り)を―」

きんじき⓪【禁色】(天皇・皇族以外に)衣服に用いることの禁じられた色。

きんしぎょくよう(オ)①-⓪(エフ)【金枝玉葉】天皇の一門。皇族。「―の御身(オンミ)」

きんじさん③(ヂー)【禁治産】⇩きんちさん

きんしつ⓪【均質】―な △その物のどの部分(同類の物のどれ)を取ってみても、一様の△質(密度・成分)であること。むらが無い様子。「―な△紙(商品・液体)/―で大量のブロイラー/―的⓪・―性⓪」

きんしつ⓪①【琴〈瑟】〔「瑟」は糸の多い大型の琴〕琴と瑟。「―相和す〔=夫婦の仲が非常にいい〕」

きんじつ①⓪【近日】その日からあまり隔たらない先の日。近いうち。「―中にお伺いします/―開店」 **―てん**④③【―点】惑星・彗星(スイセイ)などがその運行軌道上で太陽に最も接近する点。↔遠日(エンジツ)点

きんじて⓪【禁じ手】すもう・囲碁・将棋などで、使うことを禁じられている技や手。使うと反則負けとなる。〔広義では、道義的に用いてはならない手法の意にも用いられる〕

きんしゃ⓪【近写】―する(他サ) 近くの△景色(人物)を写すこと。↔遠写

きんしゃ①【金砂】❶金粉。❷金すなご。

きんしゃ①【錦〈紗・金〈紗〉】❶紗の地に金糸で模様を織り出したもの。❷きんしゃ△ちりめん(おめし)。 **―おめし**⑤【―《御召し》】しぼを細かにした薄地の御召。 **―ちりめん**④【―《縮〈緬》】細糸の生糸で織った、つやのある しぼの細かい縮緬。

ぎんしゃ①【吟社】昔、詩歌を作る人びとが集まって作った同人組織。

きんしゅ⓪①【金主】❶その人のために事業の資金や必要な費用を出してくれる人。スポンサー。❷江戸時代、大名に金を貸した人。〔❶❷とも関西では「銀主」とも言う〕

きんしゅ⓪①【金種】紙幣や硬貨などを、額面金額によって分けた種類。

きんしゅ⓪①【菌種】菌(糸)の種類。

きんしゅ⓪①【筋腫】筋肉に出来る(良性の)はれもの。

きんしゅ⓪【禁酒】―する(自サ) ❶いつも酒を飲んでいた人が、飲むのをやめること。「―禁煙⓪-⓪」 ❷酒を飲んではならないと差しとめること。「―法⓪」

きんじゅ⓪【近《習】近侍(キンジ)。こしょう。

ぎんしゅ⓪①【銀朱】水銀を焼いて作った朱。朱墨用。

きんしゅう①(シウ)【近州】「近江(オウミ)国」の漢語的表現。今の滋賀県全体にあたる。「江州(ゴウシュウ)」は別称。

きんしゅう⓪(シウ)【錦秋】「木ぎが紅葉して美しい秋」を美化した表現。

きんしゅう⓪(シウ)【錦〈繡】〔錦(ニシキ)と縫いとりをした布、の意〕いろどりの美しいりっぱな織物や衣服。〔紅葉や花、あるいは、美辞麗句を連ねた詩文などの意にも用いられる〕「身に―をまとう/綾羅(リョウラ)―〔=⇩綾羅〕」

きんじゅう⓪(ジウ)【〈禽獣】「鳥とけもの」の意の漢語的表現。「―だに恩を知る、いわんや人においてをや」

きんじゅう⓪【〈擒縦】捕らえたかと思うと△放して(許して)やったりして、自分の思う通りにその者を動かすこと。〔古風な表現〕「―自在⓪-⓪」

きんしゅく⓪【緊縮】―する(自他サ) ❶堅く締めること。また、堅く締まること。❷特に、財政を立て直すため、支出を引き締めること。「―財政⑤」

きんじゅんび③【金準備】金本位制の国家で、政府が発行する紙幣の兌換(ダカン)に応じるべく準備された金貨または地金など。金貨準備。

きんしょ⓪①【禁書】〔政治上・宗教上・風紀上などの理由で〕その書籍の出版・普及を禁止すること。また、そういう処分を受けた書籍。

きんしょ①⓪【謹書】―する(他サ) 書画をつつしんで書くこと。また、その書画。

きんじょ①【近所】隣合せと言ってもいいくらい、その△家(場所)から近い所。「娘は―の子と学校へ/ビルが爆破し、―の建物の窓ガラスが壊れた/江戸庶民の生活は多く長屋同士の―づきあいをもとに営まれていた/自家用車での深夜の帰宅は―迷惑だとの声もある」 **―がっぺき**①-⓪【―合壁】「近所の家いえ」を強調した古風な表現。

きんしょう(オ)⓪【近称】〔文法で〕話し手に近い物事・方向・場所を指す言葉。例、これ・こちら・ここ。⇩遠称・中称

きんしょう(オ)⓪(シヤウ)【金将】将棋のこまの一つ。前後・左右と斜め前方とに一格ずつ進める。金。

きんしょう(オ)⓪【〈焮衝】「炎症」の意の漢語的表現。「肺―③」

きんしょう(オ)⓪(セウ)【僅少】―な ―に わずか。ほんの少し。「―の差で勝つ」

きんじょう(オ)⓪(ジヤウ)【今上】在位中の天皇の称。「―陛下⑤」〔古くは、「当今(トウギン)」と言った〕

きんじょう(オ)⓪(ジヤウ)【近状】その世界の最近の実情や、その個人の最近の動静。 表記 「近情」とも書く。

きんじょう(オ)⓪(ジヤウ)【金城】❶防備の堅固な城。❷名古屋城の特称。 **―てっぺき**⓪-⓪【―鉄壁】〔金の城と鉄の城壁、の意〕「金城❶」の強調表現。〔つけ入るすきを容易に相手に与えない意にも用いられる〕「―の要塞(ヨウサイ)」 **―とうち**(オ)⑤(タウ)【―湯池】〔金城と熱湯をたたえた堀の意〕要害堅固な城。〔強固に保持している勢力範囲の意にも用いられる。例、「保守党の―」〕

きんじょう(オ)⓪(ジヤウ)【錦上】美しい錦(ニシキ)の織物の上。「―花を添える〔=りっぱなものを さらにりっぱにすること〕」

きんじょう(オ)⓪(ジヤウ)【謹上】つつしんでさしあげます、の意で、手紙の脇付(ワキヅケ)に使う言葉。

ぎんしょう(オ)⓪【吟〈誦】―する(他サ) 詩歌を声を張り上げて△詠む(歌う)こと。「―詩人⑤」 表記 「吟唱(ギンショウ)」とも書く。

ぎんしょう(オ)⓪(シヤウ)【銀将】将棋のこまの一つ。前・斜め前方・斜め後方に一格ずつ進める。銀。

ぎんじょう(オ)⓪(ジヤウ)【吟醸】―する(他サ) 選びすぐった原料を使って、十分に時間をかけて醸造すること。 **―しゅ**③【―酒】〔清酒で〕精米歩合を六〇%以下にした白米を用いて低温で発酵させて醸造したもの。

ぎんしょく⓪【銀〈燭】㊀銀製のろうそく立て。㊁美しい光を放つともしび。

＊**きん・じる**⓪③【禁じる】（他上一）〈だれニ〉なにヲー〉〔規則などによって〕してはいけないことだとする。禁ずる⓪③（サ変）。⇨禁じ得ない

ぎん・じる⓪③【吟じる】（他上一）㊀詩歌をうたう（ように声に出して言う）。㊁俳句や詩を作る。吟ずる⓪③（サ変）。

きんしん⓪【近臣】主君のそば近く仕える臣下。

きんしん⓪【近信】最近の△たより（手紙）。

きんしん⓪【近親】㊀血縁の近い親類。「ー者③・ー結婚⑤」㊁主君のそば近く仕える、親しい臣下。

きんしん⓪【謹慎】ーする（自サ）自分の犯した悪事・失敗を反省して、言動を控えること。また、そのために、外出をとどめ外部との接触を避けること。〔江戸時代では、士分以上に課せられた処分の一つであった〕「ー中の身／ー処分⑤・在宅ー⑤」

きんす⓪【金子】〔「す」は、「子」の唐音〕お金。貨幣。

ぎんす⓪【銀子】〔「す」は、「子」の唐音〕㊀江戸時代、贈答用に三分銀（ギンサン）を白紙で包んだもの。㊁金子。

きんすじ⓪ー（スヂ）【金筋】〔制服の襟・袖（ソデ）・ズボンや制帽などに縫い付けた〕装飾用の金色の筋。〔もと、軍人、警官などの階級を示すのにも用いられた〕

ぎんすじ⓪ー（スヂ）【銀筋】〔制服の襟・袖（ソデ）・ズボンや制帽などに縫い付けた〕装飾用の銀色の筋。

きんすなご③【金砂子】金箔（キンパク）を粉末にしたもの。まき絵・ふすま地などに散らす。

ぎんすなご③【銀砂子】銀箔（ギンパク）を粉末にしたもの。まき絵・ふすま地などに散らす。

きんせい⓪【均整・均斉】外容や構造などに見られる、程よい安定感や釣合。「ーがとれて、よくしまったからだ／斬新（ザンシン）な発想でーのとれた作品」

きんせい①【近世】近代の一つ前の時代。〔歴史の時代区分で、中世または近古に続く時代。日本史では、通常、江戸時代を指す〕「ー文学⑤・ー史③」

きんせい⓪【金星】太陽系の惑星で、二番目に太陽に近いもの。約七・四か月で太陽を回る。〔明けの明星・宵の明星は、これ〕

きんせい⓪【金製】金で作ってある△こと（もの）。

きんせい⓪【禁制】ーする（他サ）法律・規則などで、そうすることを禁止すること。また、その法律や規則。「ー品⓪・女人ー（ニョニンキンゼイ）⓪-⓪」

きんせい⓪【謹製】心をこめてつつしんで△作ること（作ったもの）。

ぎんせい⓪【吟声】詩歌を吟じる声。

ぎんせい⓪【銀製】銀で作ってある△こと（もの）。

ぎんせかい③【銀世界】一面に雪でまっしろな景色。美しい雪景色の形容。

きんせき⓪①【金石】㊀金属と岩石。㊁金属器と石器。「ー（併用）時代」㊂文字や絵画の刻まれてある石碑・鐘など。「ー文（ブン）④・ー学④」

きんせつ⓪【近接】ーする（自サ）㊀近くに寄ること。近づくこと。接近。㊁すぐ近くにあること。

きんせつ⓪【緊切】ーな さし迫っていて、少しの猶予も無い△こと（様子）。

きんぜつ⓪【禁絶】ーする（他サ）決してあとに続くことが無いよう、きびしくやめさせること。

ぎんせつ⓪【銀雪】銀色に輝いている雪。

きんせん⓪【金扇】金箔（キンパク）を張った扇。地が金色の扇。

きんせん①【金銭】「お金」の改まった表現。「ー上のトラブル／ー的な援助／何事もーで見積もる／ー感覚⑤・ー欲③・ー力（リョク）③」 **ーずく**⓪ー（ヅク）【ー〈尽く】お金の力△にこだわって行動する（で事の解決を図る）様子。 **ーとうろくき**（トウ）⑧⑦、①-④、①-③【ー登録器】出し入れした金額を自動的に記録する器械。（キャッシュ）レジスター。

きんせん⓪【〈欽羨】（ねたましく思われるほど）うらやましく思うこと。「ーの至り」

きんせん⓪【琴線】琴やバイオリンなどの弦。〔heart-stringの〔＝昔の解剖学で、心臓を包み支える△腱（ケン）（神経）と考えられたもの〕の訳語としても用いられた〕「（心の）ーに触れる〔＝読み手や聞き手に大きな感動や共感を与える〕」

きんせん⓪【謹〈撰】ーする（他サ）立場の上の人に差し上げたり見てもらったりするために、心をこめて△著作（編修）すること。

きんせん⓪【謹選】ーする（他サ）立場の上の人に差し上げたり見てもらったりするために、心をこめて選ぶこと。

きんぜん⓪【〈欣然】（副）ーと・ーたる 心からうれしく思って何かをする（ように見える）様子。「ー（として）参加する」

ぎんせん⓪【銀扇】銀箔（ギンパク）を張った扇。地が銀色の扇。

ぎんぜん⓪【銀〈髯】白いほおひげ。白髯。

きんせんい③ー（キ）【筋繊維】筋肉を構成する繊維。表記 医学界では「筋線維」と書く。

きんせんか③ー（クワ）【金〈盞花】庭に植える一、二年草。初夏、さかずき形で赤みを帯びた黄色の花を開く。〔キク科〕かぞえ方 一本

きんそう（サウ）⓪ー【金〈瘡・金創】〔刀など、刃物による傷の意〕刀きず（を治療する医者）の古風な表現。

きんそうがく（サウ）③ー【金相学】金属や合金の組織・組成を研究する学問。

きんそく⓪【禁足】ーする（他サ）〔居所を明らかにさせ〕外出・旅行をとどめること。〔多く、罰として行なう〕「ー令を布（シ）く」

きんそく⓪【禁則】禁止すべき事柄を定めた規則。「コンピューター組版のプログラムに組み込まれた印刷上のー処理」

＊**きんぞく**①【金属】金・銀・銅・鉄などの鉱物。岩や石に交じって採れ、溶かしていろいろの道具を作るのに用いる。多くは堅くて光り、熱をよく伝える。かね。「ー工業⑤・ー製⓪・ー板（バン）⓪・ー器④③・ー元素⑤・非鉄ー」 **ーこうたく**（クワウ）⑤【ー光沢】金属特有のつや。 **ーせい**⓪【ー性】㊀金属特有の性質。「ーの音／ー光沢」㊁金属によく似た性質。 **ーひろう**（ラウ）⑤ー【ー疲労】振動の繰り返しによって生じる、金属の劣化現象。表面の傷の部分が、振動の増加と共に脆（モロ）くなり、やがて亀裂（キレツ）が広がって破壊に至る。

きんぞく⓪【勤続】ーする（自サ）〔会社・役所など〕同じ勤務先に勤め続けること。「二十年の表彰を受ける」

きんだ①【勤惰】△勤める（励む）ことと なまけること。「ー表⓪〔＝出欠勤の一覧表〕」

きんたい⓪【今体】現今行なわれている△体裁（様式）。

きんたい⓪【近体】㊀近ごろ行なわれる△体裁（様式）。㊁〔漢詩で〕律詩・絶句。「ー詩③」↔古詩

きんたい⓪【勤怠】なすべきつとめを果たしたり おこたったりすること。

きんだい①【近代】現代に近い時代。〔広義では、現代をも含む。また、歴史の時代区分で、近世または中世に続く時代。日本史では、通常、欧米文明の影響を受けた明治以後〕「ー性⓪」 **ーか**⓪ー（クワ）【ー化】ーする（自他サ）封建時代の人間性無視・非合理性を廃し、個人の生活・思想における自由を重んじ、設備の機能化、エネルギーの節約を図るようにすること。「ーを△進める（阻む）」 **ーげき**③【ー劇】

十九世紀の末に起こった新しい演劇。様式にとらわれず、写実的に△人生(社会)問題を扱うもの。 **―ごしゅきょうぎ**⑦、①-③【―五種競技(キャウ)】オリンピック競技種目の一つ。ひとりの選手が馬術・フェンシング・射撃・水泳・クロスカントリーの五種目を行ない、総合得点を競うもの。 **―し**③【―詩】〔漢詩・和歌・俳句と違って〕明治期になって西洋の詩の形式と精神とを取り入れて始められた詩形。韻律・詩形を整えることを旨とせず、心象などを自由に表現することを主とする。 **―てき**⓪【―的】―な ―に ❶△合理的(民主的・開放的)で、近代らしい感じがする様子だ。↔前近代的 ❷資本主義社会の特徴を備えている様子だ。 **―ぶんがく**⑤【―文学】近代の、人間のあり方を追求することに主眼をおいた文学。〔西洋ではルネッサンス以後の文学を、日本では明治期以後の、西洋文学の影響を受け、自我の確立や人間性の追究を目指した文学を指す〕

きんだか⓪【金高】「金額」の意の口頭語的表現。

きんだち①【《公《達】〔「きみたち」の変化〕平安時代、貴族の青少年。「平家の―」 表記「《達」は、借字。

きんたま③【金玉】睾丸(コウガン)の俗称。

ぎんだら⓪【銀〈鱈】北日本および北洋でとれる深海魚。からだは細長く、二基の背びれがある。背は灰褐色で、腹は乳白色。食用とし、肝臓から肝油をとる。〔ギンダラ科〕

きんたろう⓪【金太郎(キンタラウ)】❶坂田金時(サカタノキントキ)という平安時代の中期の伝説的な英雄の幼名。太って顔が赤かったという。きんとき。❷子供の腹がけ。 **―あめ**④【―〈飴】どの部分を切っても同じ断面(=多く「金太郎❶」の顔)が現われるように作ってある、丸い棒状の飴。〔個性の無い一群の人間の意にも用いられる〕

きんだん⓪【金談】必要な金銭を借りるについての相談。

きんだん⓪【禁断】―する(他サ) 絶対にしてはならぬと堅く禁じられている△こと(行為)。「―の木(コ)の実(=〔旧約聖書の創世記で〕エデンの園にあったという、知恵の木の実。ヘビにそそのかされてこれを食べたイブは、アダムと共に楽園を追放された。求めてはならぬ快楽の称)/―の味を覚える」 **―しょうじょう**⑤【―症状(シヤウジヤウ)】麻薬などの切れた時に、中毒患者が起こす苦痛の症状。禁断現象⑤。

きんち①【錦地】〔手紙などで〕相手が住む土地の敬称。御地(オンチ)。

きんちさん③【禁治産】〔法律で〕心神喪失の常況にある者が、自分で財産を管理する能力の無い者として後見人をつけられること。「きんじさん」とも。〔現在では、成年後見制度〕「―者④(=⇩成年被後見人)」

きんちゃく③④⓪【巾着】❶布・革で作り、口をひもでくくるようにした小形の袋。❷「腰ぎんちゃく」の略。 **―あみ**④【―網】巻網の一種。巾着の口を閉じるようにして魚をとる。 **―きり**④【―切(り)】すり。「きんちゃっきり③」とも。略して「ちゃっきり①」。

きんちゃく⓪【近着】―する(自サ) △最近到着したばかり(もうすぐ到着する予定)であること。また、その物。「―(の)雑誌」

きんちゅう①【禁中】(むやみに立ち入ることの許されない)宮中。

きんちょ①【近著】その人の最近の著述。↔旧著

きんちょう⓪【金《打(チヤウ)】―する(自サ) 江戸時代、約束を交わしたしるしに武士が刀のつばとつばを打ち合わせたこと。また、その約束。〔僧は小さな鉦(カネ)、女子は鏡を用いたという〕

きんちょう⓪【禁鳥(テウ)】法律により、捕獲を禁止されている鳥。保護鳥。

****きんちょう**⓪【緊張(チヤウ)】―する(自サ)〈なにデ―する〉❶差し迫った事態や案件に対応するために一瞬たりとも気を抜いてはいけないと、身構え、気を張り詰めること。「人前で話をすると、必ず―する/紛争地帯を―して横切る/―のあまりこちこちになる/選手の―をほぐす/―感に欠けた怠惰な生活」❷対立関係にある双方が互いに警戒心を強め、事態の平和的な解決が望めそうもない状態になること。「両国の間で―(感)が△高まる(ゆるむ)/―緩和」❸冷たい空気に触れるなどして、筋肉がかたくこわばったような感じになること。↔弛緩(シカン)

きんちょう⓪【謹聴(チヤウ)】❶―する(他サ) 尊敬すべき相手の言うことをよく注意して聞くこと。❷(感)〔演説などで〕聴衆が演者に賛意を表わしたり、他の聴衆に注意を促すために出す、「よく聞け」の意の言葉。

きんちょく⓪【謹直】―な ―に 言動が誠実・慎重で飾るところが無い様子だ。「―な顔つき」 派―さ⓪

きんつぎ⓪【金継(ぎ)】割れたり欠けたりした陶磁器や漆器を漆で接着・補塡し、金などの貴金属で装飾する伝統的な補修法。

きんつば⓪【金〈鍔】〔金または金色の金属で作った、刀の鍔の意〕〔↑きんつば焼き⓪〕薄く伸ばした小麦粉であんを包み、鉄板の上で△刀の鍔形(長方形)に焼いた菓子。今川焼に似たもの。〔現在普通言う金鍔は、昔「銀鍔」と言ったもので、皮は米の粉で作った薄皮のものを指す〕

きんてい⓪【〈欽定】―する(他サ)〔「欽」は、皇帝に対する敬称〕君主の命令で制定すること。「―憲法⑤(=明治憲法は、これ)/―訳聖書⓪-①」

きんてい⓪【謹呈】―する(他サ)〔自分の△作った(関係した)物を〕どうかお納めくださいと、差し上げること。「著者―」

きんでい⓪【金泥】金粉をにかわで溶いたもの。絵画用。「こんでい」とも。

ぎんでい⓪【銀泥】銀粉をにかわで溶いたもの。絵画用。

きんてき⓪【金的】三センチ四方の紙に書いた金色の弓の的。直径九ミリぐらい。「―を△射止める(射落とす)(=だれもが得たいと思いながら、なかなか手に入れがたい物を自分の物とする)」

きんてつ⓪①【金鉄】〔金と鉄の意〕非常に堅固なことのたとえ。「―の守り」

きんてん⓪【均〈霑】―する(自サ)〔「霑」は、うるおう意〕関係者全部が同じ程度に利益や恩恵を受けること。

きんでんぎょくろう⓪-⓪、①-⓪【金殿玉楼】〔金の御殿と玉(ギョク)のたかどの意〕りっぱな御殿。

きんてんさい①-⓪【禁転載】出版・発表された記事や作品・写真などを、ほかの雑誌や書物に載せることを禁じること。

きんでんず③【筋電図(ヅ)】筋肉が縮む時の電流の波形をグラフにしたもの。神経や小児麻痺(ヒマ)の診察に応用される。

きんど①【襟度】本来相容(イ)れない人を受け入れる度量。広い心。雅量。

きんとう⓪【均等】―な ―に 二つ(以上)のものの間に、量や程度の差が無い△こと(様子)。「―割り⓪・機会―②-⓪、①-⓪」

きんとう⓪【近東】〔東洋のうちで、西欧に近い所の意〕オスマン帝国の領土であったバルカン半島・小アジア・シリア・エジプトなどの地域一帯の称。⇩中東・極東

きんとき①【金時】❶甘く煮たキントキアズキ(に氷をかけたもの)。❷サツマイモの品種。皮が赤くておいしい。❸「坂田金時」の略称。「―の火事見舞い(=(酒を飲んだ)まっかな顔の形容)」⇩金太郎 **―あずき**⑤【―〈小豆(アヅキ)】

粒が大きくて赤いアズキの品種。

きんトレ[0]【筋トレ】—する(他サ)「筋力トレーニング」の略。

きんとん[3][0]【金団】〔「とん」は、「団」の唐音〕甘く煮てつぶした△インゲンマメ(サツマイモ)などにクリなどを交ぜた食品。「栗—[3]」

ぎんなん[3]【銀〈杏〉】〔「ぎんあん」の変化〕イチョウの種。食用。 表記 ⇩付表「小豆」

***きんにく**[1]【筋肉】筋およびそのまわりを包んでいる肉質の部分。「—がしまっている/—〔=力仕事をする〕労働者[7]」

—しつ[4]【—質】(鍛練の結果)筋肉が発達し、ひきしまって見える体質。↕脂肪質

ぎんねず[0]【銀〈鼠〉】銀色を帯びたねずみ色。

きんねん[1]【近年】〔それほど昔ではなく〕この数年。

きんのう[0]【金納】—する(他サ)△租税(小作料)をお金で納めること。↕物納

きんのう[0]【勤王・勤皇】〔佐幕に対立して〕旧幕時代の人たちが天皇親政を目標として政治運動をしたこと。「—の志士」

きんのこと[1]-[1]【《琴》】〔雅〕〔「琴」の文選読み〕糸の七本ある琴。「きん」とも。

きんば[1]【金歯】金冠をかぶせた(入れ)歯。

きんぱ[1]【金波】△太陽(月)の光が映って、金色に輝いて見える波。「船、—銀波をさざめかす」

ぎんぱ[1]【銀波】月の光が映って、銀色に輝いて見える波。

きんぱい[0]【金杯・金〈盃〉】金製の△杯(カップ)。

ぎんぱい[0]【銀杯・銀〈盃〉】銀製の△杯(カップ)。

きんぱい[0]【金〈牌〉】金のメダル。

ぎんぱい[0]【銀〈牌〉】銀のメダル。

きんばえ[1]【金〈蠅〉】からだが金色に光って見える緑色のハエの総称。腐った物を見つけて、たかりに来る。「きんばい」とも。〔クロバエ科〕 かぞえ方 一匹

きんばく[0]【緊縛】—する(他サ)ゆるんだり抜けたりしないように、堅く縛ること。

きんぱく[0]【金〈箔〉】金を槌でたたいて紙のように薄く延ばしたもの。装飾用。〔りっぱな肩書きなど、世間的な信用を得るのに有効なものの意にも用いられる〕「仏像に—をかぶせる」 かぞえ方 一枚・一点

きんぱく[0]【緊迫】—する(自サ)情勢が緊張し、油断出来ない状態になること。「—した空気/—感が漂う/—化する」

ぎんぱく[0]【銀〈箔〉】銀を槌でたたいて紙のように薄く延ばしたもの。装飾用。 かぞえ方 一枚・一点

ぎんはくしょく[3][4]【銀白色】銀色を帯びた白色。

きんぱつ[0]【金髪】金色の髪。ブロンド。

ぎんぱつ[0]【銀髪】銀色の(美しい)髪。〔きれいなしらがの形容にも用いられる〕

きんばん[0]【勤番】—する(自サ)交替で勤務する△こと(役)。〔狭義では、江戸時代、諸侯の家臣が交替で江戸藩邸に勤務したことを指す〕

ぎんばん[0]【銀盤】〔銀製の皿の意〕(スケート場の)氷の表面。「—の女王」

きんぴ[1]【金肥】〔お金を払って買う肥料、の意〕化学肥料など。

きんぴか[0]【金ぴか】金色にぴかぴか光る△こと(もの)。〔新しくて、はでな衣服などの意にも用いられる〕

きんびょうぶ[3]【金〈屏風〉】地紙一面に金箔を張った屏風。金色の屏風。

ぎんびょうぶ[3]【銀〈屏風〉】地紙一面に銀箔を張った屏風。銀色の屏風。

きんぴら[0]【金平】坂田金時の子、金平という強い伝説的な武将の名。 **—ごぼう**[5]【—《牛〈蒡〉】細く切ったゴボウを(ゴマ)油でいため、酒・しょうゆ・砂糖でいりつけ(とうがらしで辛みを付け)た食品。略して「金ぴら[0]」。

きんぴん[1]【金品】お金や(価値ある)品物。「—を奪う/—を賭けて争う」

きんぷち[0]【金縁】〔眼鏡・額などの〕金△製(色)のふち。

ぎんぶち[0]【銀縁】〔眼鏡・額などの〕銀△製(色)のふち。

きんぷら[0]【金〈麩羅〉】〔金色のてんぷらの意〕△そば粉(卵黄を加えた小麦粉)の衣などで揚げた、普通のものより濃い黄色のてんぷら。

ぎんぶら[0]【銀ぶら】—する(自サ)東京の銀座通りの商店街を冷やかしながら散歩すること。

きんぶん[0]【均分】—する(他サ)均等に分けること。「—相続[5]」

きんぶん[1]【金分】その金属の中に含まれている純金の割合。

きんぶん[0]【金文】古代、青銅器・鉄器などの金属器に刻まれた文字や文章。

きんぷん[0]【金粉】〔まき絵などに使う〕金(色)の粉末。きんこ。

ぎんぷん[0]【銀粉】〔まき絵などに使う〕銀(色)の粉末。ぎんこ。

きんべん[0]【勤勉】—な/—に 自分の都合で休んだりしないで、時間の限り一生懸命働く△こと(様子)。↕怠惰 派 —さ[0][3]

きんペン[0]【金ペン】金と銅の合金で作ったペン先。

きんぺん[1]【近辺】そこからあまり隔たっていない範囲の所。「駅の—」

きんぼ[1]【〈欽慕〉】—する(他サ)〔「欽」は敬う意〕その人を尊敬し、心からあやかりたいと思うこと。敬慕。

ぎんぽ[0]〔銀宝の変化〕近海にすむ小形の魚。形はドジョウに似て、平たい。てんぷらにして賞味する。「ぎんぽう」とも。〔ニシキギンポ科〕 かぞえ方 一匹

きんぼう[0]【近傍】「何かに近い所」の意の古風な表現。

きんぽうげ[3]【金〈鳳〉《花》】野原などに生える多年草。晩春、金色で五弁の小花をつける。有毒。〔普通一重のものをウマノアシガタ、八重のものをキンポウゲと称する〕〔キンポウゲ科〕 表記「〈毛〈茛〉」とも書く。 かぞえ方 一本

きんぼし[1]【金星】〔すもうで〕前頭以下の力士が、横綱を倒した勝ち星。〔予測されなかった大手柄の意にも用いられる〕「—を上げる」

きんほんい[3]【金本位】貨幣価値と実質的価値とを一致させた金貨を、その国での通貨の基準とすること。「—制[0]」

ぎんほんい[3]【銀本位】貨幣価値と実質的価値とを一致させた銀貨を、その国での通貨の基準とすること。「—制[0]」

キンマ[1]〔タイ kimma=蒟醤。「胡椒入れ」の意〕漆工芸の技法の一つ。文様を線彫りした面に、色漆を詰めて研ぎ出したもの。

きんまく[1]【筋膜】筋肉や内臓を包んでいる膜。

ぎんまく[0]【銀幕】映写用の幕。スクリーン。〔広義では、映画を指す。例、「—の女王」〕

きんまんか[0]【金満家】大金持。富豪。

ぎんみ[1]【吟味】—する(他サ) ❶(そのまま受け入れて良いかどうか)念入りに調べること。「△材料(内容・品質)を—する〔=よく調べて、良いものを選ぶ〕」 ❷江戸時代、容疑者について罪状の有無を取り調べたこと。「—役[0]」

きんみつ[0]【緊密】—な/—に 二つの物事の間がうまくいっていて、くいちがいや手抜かりなどが無い様子。「—な連絡」 派 —

さ⓪

きんみゃく⓪【金脈】 金の鉱脈。〔資金の出どころのたとえにも使う〕

きんみらい③【近未来】 現在からごく近い未来。「―小説⑥」

きんむ①【勤務】―する（自サ） 特定の組織に籍を置いて、その仕事を務めとしてすること。「―先⓪・―態度④・―評定④・超過―④・八時間交替―」

きんむく⓪【金無〈垢〉】「純金」の意の俗称。

きんめ③【斤目】 はかりにかけてはかった、物の重さ。目方。

ぎんめし⓪【銀飯】〔麦飯などと違って〕白米を炊いた飯の俗称。

きんめだい③【金目〈鯛〉】ダヒ 形はタイに似て、目が特別大きい海魚。からだは紅色で腹部は銀白色。刺身・煮付けなどにして食べる。〔キンメダイ科〕 かぞえ方 一尾・一匹：一枚

きんモール③【金モール】 縦糸に金糸を入れて織ったモール。「―の大礼服」

きんもくせい③【金木〈犀〉】 庭木にする常緑小高木。秋、赤黄色で、独特の芳香を持つ小花を開く。〔モクセイ科〕〔白い花をつけるのは「銀木犀③」と言う〕 かぞえ方 一株・一本

きんもじ⓪③【金文字】 △金色の（金泥(キンデイ)で書いた）文字。

きんもつ⓪【禁物】 それをしたり受け入れたり△してはいけない（しない方がいいとされる）事。「△手放しの楽観（無理・無用な刺激）は―（だ）〔＝許されない。しない方がいい〕」

きんもん①【金紋】 △金箔(キンパク)を押した（金色の漆で書いた）紋章。 **―さきばこ**①-⓪【―先箱】〔大名行列の先頭にかつがせた〕金紋をつけたはさみ箱。

きんもん⓪【禁門】（特別な人以外の）出入りを禁じた門。〔狭義では、皇居の門を指す〕

きんゆ⓪【禁輸】 輸出入を禁止すること。「―品目④」

***きんゆう**⓪【金融】〔お金の融通をすること〕（業務として）資金の需要に対する供給の便宜を図ること。「―業③・―業者⑤・闇(ミャ)―・大口―⑤・小口―④」 **―きかん**⑤クワン【―機関】 資金の融通・仲介・貸出しなどを行なう機関。銀行・保険会社・「金庫❷」など。 **―こうこ**オ⑤【―公庫】 普通の金融機関では貸さない資金を貸すために、政府が出資して作った機関。現在は、日本政策金融公庫。

―しじょうオ⑤ヂヤウ【―市場】 金融取引の行なわれる信用市場。 **―しほん**⑤【―資本】 金融業者・銀行が持つ資本。産業資本家に融通されて経済組織を支配する。 **―しょうひん**オ⑤シヤウ【―商品】 預金・有価証券・金銭信託・保険・投資信託・外国為替・デリバティブなどの称。 **―ちょう**オ③チヤウ【―庁】 金融制度の企画・立案、金融機関の検査・監督などの金融行政を担当する中央官庁。内閣府の外局。〔特命担当大臣が置かれる〕

ぎんゆうしじん⑤イウ【吟遊詩人】〔中世、ヨーロッパで〕各地を旅行して、自作の詩を△朗読（吟誦(ギンショウ)）した人。

きんようオ③エウ【金曜】 一週の第六日。木曜の次、土曜の前。金曜日③。〔週の始まりを月曜とすれば、一週の第五日〕

きんようオ⓪エウ【緊要】―な・―に まず第一に解決・処理しなければならないほど大切な△こと（様子）。

きんよく⓪【禁欲・禁〈慾〉】 生活上の信条として、個人の感情・欲望、特に性欲を抑えること。「―主義⑤・―的⓪」 ↕享楽

ぎんよく⓪【銀翼】 航空機の銀色に輝く翼。〔広義では、航空機をも指す〕

きんらい①【近来】〔「ずっと以前から」に対して〕少し以前から最近まで。「―まれな傑作」

きんらん⓪①【金〈襴〉】 錦(ニシキ)のきれに金糸で模様を織り出したもの。「―どんす⑤」

きんり⓪①【金利】 △貸した（借りた）お金に対する利子（の割合）。「―がかさむ／―が下がる／―を引き下げる」

きんり①【禁裏・禁〈裡〉】〔裏は何かに囲まれた内部の意〕禁中。 **―さま**④①【―様】 昔、天皇を呼んだ尊称。

きんりょうオ③⓪リヤウ【斤量】 目方。斤目(キンメ)。

きんりょうオ⓪レフ【禁猟】 ある区域において、ある動物の狩猟を、ある期間 法令で禁じること。「―区③」 表記 漁獲の場合は、「禁漁」と書く。

きんりょく①【金力】 それを使うことによって、人事や人の動きが左右される、お金の力。財力。「―に物を言わせる」

きんりょく①【筋力】 筋肉の力。 **―トレーニング**⑥ 筋力をきたえるためのトレーニング。略して「筋トレ」。〔多く筋肉量を増やす目的でも行なわれる〕

きんりょくせき④【金緑石】 透き通っていて黄緑色に輝く、結晶鉱物の宝石。〔人工光では赤紫色に見える〕アレキサンドライト・キャッツアイはその一種。

きんりん⓪【近隣】 ❶同じ行政区画に属していたり 家・行政区画が接していたりすること。「四月は引っ越しなどで新しい―関係が生まれる季節／京都府と―の金融機関、スーパーなどに盗難一万円札の手配書が配られた／―〔＝隣近所の〕騒音」 ❷国境を接していたり 比較的近い距離にあったり すること。「―諸国⑤」

ぎんりん⓪【銀輪】〔新しい自転車の車輪の金属部分が反射して光るところから〕自転車の美称。

ぎんりん⓪【銀〈鱗〉】 釣りの対象としての魚類の美称。

きんるい①【菌類】 キノコ・カビ・酵母・細菌などの総称。葉緑素を持たない。

きんれい⓪【禁令】 ある行為を禁止する△法令（命令）。「鎖国の―を犯す」

ぎんれい⓪【銀〈嶺〉】 雪が積もって、銀色に輝く山。

きんろうオ⓪ラウ【勤労】―する（自サ） 自分の務めとして働くこと。〔狭義では、肉体労働を指す〕 **―かんしゃのひ**⓪-①-①、⑤-①【―感謝の日】「国民の祝日」の一つ。十一月二十三日。もとの新嘗(ニイナメ)祭に当たる。 **―しゃ**③【―者】 俸給生活者・労働者・農民などの総称。 **―しょとく**⑤【―所得】 どこかに勤めることによって直接受ける所得。例、俸給。 **―ほうし**オ⑤【―奉仕】―する（自サ） 意義があると思う労働に無報酬で従事△する（させる）こと。特に、戦時下に、生徒・学生を工場などで無償で働かせたこと。

きんわ⓪【謹話】―する（自他サ） 厳粛な態度で話すこと。また、その話。〔もと、皇室の事について談話・公表する時に断わった言葉〕

く…ク

く（九・久・口・工・区・功・句・供・苦・紅・宮・庫・貢・駆・〈軀〉）→【字音語の造語成分】

く①【九】 ❶八に一を加えた数を表わす基数詞。「前―年の役(エキ)／―八十一・十中八―・―分(ブ)―厘〔＝ほとんど〕・―寸五分・三三(サンサン)―度・―輪・―品(ホン)・―十―里浜・薬―層倍」 ❷八の次の自然数を表わす序数詞。「第―交響曲・四十―日・―月・午前―時・―条通り」〔「きゅう」

に比べて使用範囲が狭く、熟した表現において用いられることが多い〕

く①【区】 都や市町村の下位に、行政上の必要から設けられた地域的な区切り。「—民・—政」⇩【造語成分】 **ぎょうせい—**③【行政—】 政令指定都市(=⇩指定都市)に設けられる区。 **さいさん—**③【財産—】 市町村内の一区域で、山林などの財産を持っていたり用水施設などを設けていたりするもの。 **とくべつ—**④③【特別—】 東京都の二十三区の称。〔長として区長と、区議会の制とがあり、ほぼ「市」に準ずる機能を持つので、この称がある〕

く①【句】 ❶詩歌・文章の一くぎり。「—読(トウ)点・語—・慣用—」 ❷(連歌(レンガ)・俳諧(ハイカイ)で)五・七・五または七・七のまとまり。「上(カミ)の—/二の—/俳—」 ❸俳句。「—会」〔❷❸はかぞえる時にも用いられる〕

く①【苦】 楽に何かをしようとするのを妨げる△肉体的(精神的)な苦しみや、いろいろな意味の故障など。「—もなく(=たやすく)/病弱を—にする(=気にして悩む)/仕事が—になる/—楽・—痛・死—・病—・四—八—」↔楽 ⇩【造語成分】

ぐ (具・惧・愚)→【字音語の造語成分】

ぐ【具】 ❶①何かをするために使う物。道具。「政争の—にする/雨—・夜—・家—・寝—・祭—・武—・馬—・文—・用—」 ❷⓪(料理で)汁やちらしずし・五目めしなどに入れる魚・肉・野菜など。⇩【造語成分】

ぐ①【愚】 ▬な ❶才能がけたはずれに劣っていること。おろかな△こと(人)。「—な男だ/—言うべからず/—行・—直・—鈍・下(カ)—・凡—」 ❷する事が当を得ず、発想が常に水準以下であること。「—の骨頂(コッチョウ)(=この上なくばかなこと)/—にもつかぬ(=全くばかげている)/…する—を△おかす(繰り返す)」↔賢 ▬(代)〔これといった取り柄がない、意で〕自分の謙称。「—思えらく」⇩【造語成分】

***ぐあい**⓪【具合・工合】 ❶何かがうまく△進んで(行なわれて)いるかどうかの状態。また、その△進め(行い)方。「どんな—に進んでいますか/断わるのは—が悪い(=相手との関係がまずくなるおそれがある)/停留所に着いた時、うまい—に(=好都合にも)バスが来た」 ❷からだの健康状態。「もう—はいいのか/からだの—が悪くて出席できない」 ぐわい。

グアノ①〔guano〕 海鳥のふんが積もって固まったもの。ペル—などでとれる。肥料にする。

グァバ①〔guava〕 常緑小高木。熱帯アメリカ原産。果実は球形か西洋ナシ形で生食し、また缶詰・ジュースなどに加工する。グアバ②とも。バンジロウ①。〔フトモモ科〕 かぞえ方 一株・一本

クアハウス③〔ド Kurhaus〕 健康づくりと保養を目指した温泉利用の(宿泊)施設。スポーツ施設も持ち、専門家の指導によるトレーニングなども行なえる。

くあわせ②【句合(わ)せ】 互いに俳句を作って、審判者がその優劣を判定すること。

ぐあん⓪【具案】 ❶草案を実際に書くこと。 ❷決まった方法を備えていること。「—的⓪」

ぐあん⓪【愚案】〔つまらない考えの意〕「自分の考えた案」の意の謙譲語。

***くい**①【杭】 目印や支柱にするために地中に打ちこむ柱状の材。木・鋼・鉄筋コンクリート製など。「出る—は打たれる(=⇩出る❸)/—打ち・棒—・乱—」 表記「杙」とも書く。 かぞえ方 一本

くい①【悔(い)】 悔いること。後悔。「—を残さぬよう力を尽くす」「—を千載(ザイ)に残す」 後のちまで後悔する不本意な結果となる。

くい①【句意】 その△句(俳句)の意味。

ぐい①【愚意】 「自分の意向・意見」の意の謙譲語。

くいあ・う③⓪【食(い)合う】 ▬(自五) かみあう。「歯車が—(=一方の突起した部分が、他方の溝の部分にぴったりとはまる)」 ▬(他五) ❶ほかの人と一緒に食べる。「一つ釜(カマ)の飯を—」 ❷相手の勢力範囲や領分を、相互に侵し合う。

くいあげ⓪【食(い)上げ】 失業などによって生活の手段を失うこと。「飯の—」

くいあら・す④⓪【食(い)荒(ら)す】(他五) 器に残された食べ物がいかにもきたないという印象を与えるような食べ方をする。〔他の勢力範囲を乱暴に侵す意にも用いられる。例、「対立候補の選挙地盤を—」〕

くいあらた・める⑥【悔(い)改める】(他下一) 今までの自

く

【九】 ⇩(本文)く【九】

【久】 時間・年月が長い。ひさしい。「久遠」 ⇩きゅう

【口】 食べたり声を発したりする器官。くち。「口調・口伝・異口同音」

【工】 たくみ。たくむ。「工夫・工面・細工・大工・石工(イシク・セッコウ)」

【区】 ❶しきる。「区分・区別・区画」 ❷地域をある基準によって分けた所。「区域・地区・学区・選挙区・保線区」 ⇩(本文)く【区】

【功】 てがら。(りっぱな)仕事。「功徳(クドク)」 ⇩こう

【句】 ⇩(本文)く【句】

【供】 さし出す。そなえる。「供物・供養」 ⇩きょう

【苦】 ❶非常な努力をする。骨を折る。「苦労・苦心・苦学・苦役(エキ)・苦吟(ギン)・労苦」 ❷にがい(食べ物)。にがにがしい。「苦味・苦言・苦笑・苦杯・苦情」 ⇩(本文)く【苦】

【紅】 くれない。「真紅・深紅」 ⇩こう

【宮】 御殿。「宮内庁」 ⇩きゅう

【庫】 くら。「庫裏」 ⇩こ

【貢】 みつぎもの。「年貢(グネン)」 ⇩こう

【駆】 ❶馬を急いで走らせる。「疾駆・長駆」 ❷追いやる。「駆除・駆逐」

〈軀〉 ❶からだ(つき)。「病軀・痩(ソウ)軀」 ❷仏像をかぞえる語。

ぐ

【具】 ❶(必要な物が)そろっている。持っている。「具有・具備・具足・具眼・具象・具体・不具」 ❷細かい点まで、くわしく。「具申・具陳」 ❸器具・衣服などのそろいをかぞえる語。「よろい一具」 ⇩(本文)ぐ【具】

【惧】 悪い事態を予想して恐れる。あやぶむ。「危惧・疑惧(=疑懼(ク))・憂惧」

【愚】 自分に関する物事である意を表わす。「愚意・愚考・愚作・愚息・愚妻」↔賢 ⇩(本文)ぐ【愚】

** *は重要語，⓪①… はアクセント記号，品詞の指示の無いものは名詞および いわゆる連語。

分の行動が△悪かった（まちがっていた）ことに気づき、それを直す（ことを心に誓う）。「過ちを―」 名悔い改め⓪

くいあわせ⓪【食い合わせ】❶一緒に食べると体調に異状をきたすとされている食物を同時に食べること。「食べ合わせ」とも。「―が悪かった」❷材木を交差させて△つぎ合わせること（つぎ合わせた所）。

くいいじ⓪【食い意地】食べ物を見るとどんな物でも食べたくなる気持。「―が張っている」

くいい・る③【食い入る】（自五）△突き刺す（締めつける）ように深く中に入りこむ。「―ように見つめる」

クイーン②〔queen〕❶Ⓐ女王。また、王妃。「―エリザベス号」Ⓑある社会などで中心的な女性。「かるた―」❷〔トランプで〕王妃の姿を描いた札。ジャックとキングの間に位し、十二に当てる。

くいうち⓪③【杭打ち】建築・土木工事などを始める前に、地面に鉄を芯にしたコンクリート製の杭を打ち込んで、地盤を固めること。

くいかけ⓪【食い掛け】食べ始めて、途中で△やめること（やめた食べ物）。

くいか・ねる④⓪【食い兼ねる】（他下一）生活に困る。

くいき①【区域】何らかの△目的（観点）で他との境界が設定された、△平面（曲面・空間）内の広がり。「危険―④・駐車禁止―⑦・通学―⑤」

くいき・る③⓪【食い切る】（他五）❶歯で強くかんで切る。❷出された料理などを残さずに食べる。名食い切り⓪「―料理⑤」

ぐいぐい①（副）―と 一瞬一瞬に弾みをつけるようにして（力強く）何かがなされる様子。〔一回的な動作の形容は「ぐいと」「ぐっと」〕「―押す／―と引き離す／―飲む」

くいけ③【食い気】〔健康で〕どんな食べ物でも好き嫌いなく食べたいと思う気持。「まだ色気より―だ」

くいこ・む③⓪【食い込む】（自五）❶深く中に入り込んで、容易に引きもどせない状態になる。「刃先が―／手首に―ほどきつく縛る」❷限界を超えて他の領分を侵す。「次の時間に―」名食い込み⓪

くいさが・る④⓪【食い下がる】（自五）❶相手を放さず、どこまでも△くっついて（向かって）いく。「質問をして相手に―〔＝ねばり強く追及する〕」❷〔すもうで〕相手のまわしを引き、頭を相手の胸などにつけて低い体勢になる。名食い下がり⓪「―の体勢から出し投げ」

くいしば・る④【食い縛る】（他五）上下の歯を、力をこめてかみ合わせる。「歯を―〔＝がまんすることの形容〕」

くいしろ⓪②【食い代】食べ物に要する費用。「―をかせぐ」

くいしんぼう③【食いしん坊】〔「いやしん坊」のもじり〕なんでもむやみに食べたがる△人（こと）。「食いしんぼ③」とも。

クイズ①〔quiz＝質問〕雑学やウイットなどを要する問題を出して相手に答えさせる、知的な遊び。また、その問題。「―番組④」

くいすぎ⓪【食い過ぎ】度を過ごして物を△食べること（食べたために胃腸を悪くすること）。動食い過ぎる④⓪（自上一）

くいぜ⓪【《株》】〔雅〕木の切り株。「―を守る〔＝旧習にこだわって臨機応変の処置の出来ないこと。⇩守株〕」

くいぞめ⓪【食い初め】生まれて△百二十日（百日）目の子供に、初めて飯を食べさせ（るまねをし）、成長を願う祝いの行事。〔昔の「百日祝④」に当たる〕「―椀④」

くいたお・す④⓪【食い倒す】（他五）❶店で飲食した代金を払わないで相手に損害を与える。❷〔譲り受けた財産などを〕遊興などで無くしてしまう。食いつぶす。

くいだおれ⓪【食い倒れ】❶ぜいたくな飲食のために財産を無くすこと。「大阪の―」⇩着倒れ ❷ごくつぶし。

くいだめ⓪【食い〈溜め〉】―する（他サ）〔当分食べないでも済むように〕一度にたくさん食べて腹にためておくこと。食いおき⓪。

くいたりない⓪【食い足りない】❶食べ終わっても、十分に食べたという満足感が得られない感じだ。❷△監督・指導（支援）する立場から見て、期待していたほどの成果が認められず、不満感が残る様子だ。「今一つ―演技だ」派くいたりなさ⑤

くいちがい⓪【食い違い】食い違う△こと（点）。「証言に―△を（が）生じる／思惑の―」

くいちが・う④⓪【食い違う】（自五）一致することが望ましい点がうまく一致しない状態にある。「△意見（主張・考え）が―／予想と―」

くいちぎ・る④⓪【食い千切る】（他五）かみついて、ちぎる。

くいちら・す④⓪【食い散らす】（他五）△あれこれといろいろの食べ物に少しずつ箸をつけ（こぼしこぼし食べ）て、跡をきたなくする。食い散らかす⑤⓪。〔いろいろな事を少しずつやってみる意にも用いられる〕

くいつき⓪【食い付き】〔釣りで〕餌の食べ具合。

クイック②〔quick〕動作の速いこと。特に、ダンスで、速いステップ。「―モーション⑤・―ターン⑤」

くいつ・く③⓪【食い付く】（自五）これと思った対象をしっかり△噛んで（くわえて）離さないようにする。「魚が餌に―／儲け話に―」

くいつな・ぐ④⓪【食い〈繋ぐ〉】（自五）十分というわけにはいかないが、毎日なんとかして食べていく。名食い繋ぎ⓪

くいつぶ・す④⓪【食い潰す】（他五）働かないで遊び暮らし、財産を無くす。「遺産を―」

くいつ・める④⓪【食い詰める】（自下一）（自分の不始末から）収入が無い状態に陥り、生活に困る。

くいで⓪【食いで】十分に食べたと思えるほどの分量。「―がある」

ぐいと①⓪（副）弾みをつけるようにして一気に何かがなされる様子。「向こうへ―押しやる／―酒をあおる」

くいどうらく③【食い道楽】うまい物や珍しい物をあれこれ食べることを最大の楽しみに△すること（している人）。「しょくどうらく」とも。⇩着道楽

くいと・める④⓪【食い止める】（他下一）〔よくない状態が〕それ以上進むことを防ぎとめる。「△被害（影響）を最小限に―／水際で―／浸食が食い止められる」

くいな⓪①【〈水鶏〉】クイナ科の小形の水鳥の総称。またそのうち、初夏の夜明けなどに、戸をたたくような声で鳴くヒクイナのこと。かぞえ方一羽

くいにげ⓪【食い逃げ】―する（自サ）〔飲食店で〕飲食した代金を払わずに逃げる△こと（人）。

くいのばし⓪【食い延ばし】少しずつ食べて、わずかの量の物を長くもたせること。動食い延ばす④⓪（他五）

ぐいのみ⓪【ぐい飲み・ぐい〈呑み〉】❶勢いよく一息に飲むこと。❷底の深い大きめの杯（に似た茶飲み茶碗）。

くいはぐ・れる⑤【食い《逸れる》】（自下一）❶食べる機会をのがす。「会議が長引き昼食を食いはぐれた」❷職を失って、生活が出来なくなる。〔❶❷とも口頭語形は「くいっぱぐれる⑥」〕名食いはぐれ⓪〔口頭語形は「食いっぱぐれ⓪」〕

【 】の中の教科書体は学習用の漢字，〈 は常用漢字外の漢字，《 は常用漢字の音訓以外のよみ。

くいぶち⓪②【食（い）扶《持》】食糧を買うのにあてる費用。

くいほうだい③【食（い）放題】食べたいだけ食べること。

くいもの③④【食（い）物】食べ物。食料。「…のために―にされる〔＝他人の利益のために悪用される〕」

くいりょう③②【食（い）料】「食べ物・食費」の意の古風な表現。

く・いる②【悔いる】（他上一）今までの自分の行い△を悪かった（がまちがっていた）と気付き、そうしたことを残念に思う。悔やむ。「前非を―」

クインテット②〔イ quintetto〕（ピアノと弦楽四重奏、またはクラリネットと弦楽四重奏による）五重奏（曲）。五重唱。また、その演奏グループ。

くう（空）→【字音語の造語成分】

***く・う**①【食う】（他五）❶〈なにヲ―〉Ⓐ動物などが、歯を立てるなどして何かをくわえて△放さないように（体内に取り込もうと）する。「魚が餌を食い始める／虫の食った本／蚊に食われる〔＝刺される〕／―か食われるかの死闘／人を食った〔＝相手をばかにした〕話／巣を―〔＝⇩巣くう❶〕／食い殺す・食い付く」Ⓑ何かの中にしっかりと入り込んで、動かない状態になる。〔自動詞的用法〕「楔ががっちりと食っている／刃が食い込む」Ⓒ他の領域に属するものを何らかの手段を講じて自分のものにする。「新人候補が現職の票を―／地場産業が大手資本に食われる」❷〈なにヲ―〉食欲を満たすための行為として、必要な食べ物をとる。〔女性はあまり使わず、「食べる」意の俗な言い方として多く男性が好んで用いる向きもある〕「飯を―／朝から飲まず食わずで働く／今の給料では食って〔＝生活を維持して〕いけない／―や食わずの〔＝生きていくのが精一杯の〕生活／何食わぬ顔／食いつなぐ・食い詰める・食い道楽」⇩食べる ❸〈（なにニ）なにヲ―〉何かをする際に、無駄だと感じられるほど、それを多く消費する。「△ガソリン（電力）を―／移動に時間を―」❹〈（なにニ）なにヲ―〉人から好ましくない行為を自分の身に受ける。「お目玉を―／その手は食わぬぞ／小言を―〔＝言われる〕／一杯食わされた〔＝まんまとだまされた〕／△総すかん（あおり・つるしあげ）を―」⇩くらう 表記「△喰う」とも書く。

【年を食っている】⇩年❷

くう①【空】❶地から離れたはるか上の方。そら。「―を摑む／―を切る／―に△帰する〔目を据える〕／―中・航―・滞―時間」❷△その場所を満たすもの（実体）が無い状態。「―虚・―席・―白・真―・色即是―、―即是色〔＝空こそあらゆるものの本来の姿であるという、仏教の基本的な考え方。⇩色〕」❸根拠が無い状態。「―で考える／―論」❹何かをしても、得るものが全く無いこと。「努力が―に帰する〔＝むだになる〕／―費」⇩【造語成分】

ぐう（宮・偶・〈寓・遇・隅）→【字音語の造語成分】

グー①〔good の変化〕いい。グッド。「ベリー―・ノー―」

ぐう①〔じゃんけんで〕「石❹」。手を握って出す。ぱあに負け、ちょきに勝つ。⇩ちょき・ぱあ

くうい①【空位】❶国王などの、定められた地位にだれもついていないこと。また、そのあいている地位。❷位取り記数法で表わされた数が、特定の「位❷」に対応する数〔＝「基数❷」の累乗〕を全く含まずに構成されていること。また、その「位❷」。〔空位には零を表わす数字を書く。例、一〇八における十の位〕

ぐうい①【〈寓意】ほかの事にかこつけてある意味をほのめかすこと。また、その意味。「―小説④」

くういき⓪【空域】その上空の一定範囲の高さに限られた空間の区域。「羽田―」

ぐういん⓪【偶因】偶然何かをそうさせるようになった、事情。

ぐうえい⓪【偶詠】―する（自サ）ふと心に浮かんだことをそのままに詩歌によむこと。また、その詩歌。

くうかく⓪【空格】（原稿用紙などの）何も書かれていない升目。「この文書には三字分の―がある」

くうかぶ⓪【空株】⇩からかぶ

****くうかん**⓪【空間】❶そこを満たしている固体や液体が何も無い△場所（広がり）。「宇宙―」❷（物質が存在し、種々の現象が起こる場所としての）上下・左右・前後の三次元にわたる無限の広がり。三次元空間⑥。「―曲線・―図形・生活―⑤・都市―③」↕時間 ❸〔数学で〕直線・平面・「空間❷」の総称。順に、一次元・二次元・三次元の空間と呼び、さらに四次元以上の空間にまで拡張される。〔広義では、曲面などの図形自体をも指し、さらには、何らかの内部構造を持つ集合を幾何学における空間に見立てて「空間」と呼ぶことがある。例、「関数―⑤」〕⇩次元❶

―**きょくせん**⑤【―曲線】三次元空間内の曲線で、いかなる一平面内にも含まれてしまわないもの。例、らせん状の曲線。

―**ずけい**⑤【―図形】三次元空間内の図形で、いかなる一平面内にも含まれてしまわないもの。〔立体図形は空間図形だが、逆は成り立たない。反例、空間曲線〕⇩平面図形・立体図形

ぐうかん⓪【偶感】折にふれて、ふと、思い浮かんだ感想。

くうかんち③【空閑地】建築や農耕に利用出来るのに、まだ、使われないままになっている土地。「―税⑤」

****くうき**①【空気】❶地球上の大部分の生物がそれを吸って生きている気体。無色・無臭・透明で、地球全体をおおい包む。「平和は―や水〔＝どこにでもあり、ただで手に入るもの〕とは異なるのだ／―圧縮機⑦⑥〔＝エアコンプレッサー〕・液体―⑤・圧縮―⑤」❷その場の人たちを支配する△志向のあり方（雰囲気）。「歩み寄りの―が生まれる／分離独立の―が高まる／保守的な―が強い／譲歩する―がかもし出される／気まずい―が漂う」【―を読む】その場の人が言外に求めている（と考えられる）ことを察する。「空気を読んで発言を控える」

―**かん**③【―感】特定の人・物・事象がかもし出すその場の雰囲気。「被写体の持つ―が写真に表われている」

―**かんせん**④【―感染】―する（自サ）病原体が空中を漂い、それが他人のからだに入って感染するこ

くう

【空】航空機。「空港・空路・空輸・空襲・空軍」⇩（本文）くう【空】

ぐう

【宮】❶神社。「宮司・神宮・参宮・内宮・外宮」❷御殿。「東宮・中宮・行宮・竜宮」⇩きゅう

【偶】❶二つそろって一組になっているもの。「対偶・配偶」❷二で割り切れる。「偶数」↕奇 ❸人形。「偶像・土偶」❹思いがけなく起こること。たまたま。「偶発・偶然・偶感・偶成」

【〈寓】❶かりに身を寄せる。〔表札で「寓居」の意を表わす時にも用いられる〕「寓居・寄寓」❷かこつける。「寓話・寓言」❸目をつける。「寓目」

【遇】❶出あう。「奇遇・遭遇・千載一遇」❷ある態度でその人に接する。「待遇・厚遇・優遇・礼遇・冷遇・不遇」

【隅】❶すみ。「一隅・四隅・辺隅・片隅」❷（略）大隅国。「隅州」

と。例、肺結核・水痘など。「飛沫核感染・空気伝染」とも。 **―じゅう**[3][0]【―銃】 圧縮された空気の力で たまを うち出す仕掛けの銃。 **―ポンプ**[4] ❶容器中の空気を取り去るためのポンプ。❷自転車・自動車などのタイヤに空気を入れるためのポンプ。空気入れ[3]。 **―まくら**[4]【―枕】 △空気(息)を入れ、ふくらませて使う携帯用の枕。

くうきょ[1]【空虚】―な ―に ❶そこを満たしているべきものが何も無い様子。❷見せかけの形だけで実質的な価値・内容が無い様子。「―な生活」 派―さ[3]

ぐうきょ[1]【△寓居】 かりずまい。〔「自分の住まい」の意の謙譲語としても用いられる〕

くうくう[1](副)―と のどを押さえつけて出したように聞こえる、低い鳴き声の形容。「―と鳴くハト」

くうくう[0][3]【空々】―たる ―と ❶あたり一面に何も無い様子。❷〔仏教で〕煩悩(ボンノウ)が無い様子。 **―ばくばく**[0]-[0]、[3]-[0]【―漠々】―たる ―と ❶一面に何も無く広びろとしている様子。❷ぼんやりして、とらえどころの無い様子。

ぐうぐう[1](副)―と まわりで何が起ころうと目を覚ます様子も無く△高いびきをかいて(安心して)眠っている様子。

グーグル[0][1]〔Google=商標名〕 インターネット上のサービス提供者の一つ。検索エンジンをはじめとし、インターネット広告や、地図情報などさまざまなサービスを提供する。

くうぐん[0]【空軍】 航空機により、空中の攻防や対地・対艦船攻撃を受け持つ軍隊。⇩陸軍・海軍

くうけい[0]【空△閨】 一緒に寝る相手がおらず、ひとりで寝なければならない、寂しい寝室。

くうげき[0]【空隙】 隣接する物事の間に生じる すきま。

くうけん[0]【空拳】 事に当たるのに武器・道具の類を持たなかったり 他の援助を受けなかったり すること。素手。「赤手(セキシュ)―[1]-[0]」

くうげん[0]【空言】 ❶事実でない うわさ。うそ。❷口先だけで実行の伴わない言葉。「―を吐く」

ぐうげん[0]【△寓言】 超現実的で規模の大きい たとえを借りて、自分の真意を(分かる人には)分からせようとする話。「荘子(ソウジ)の―」

***くうこう**[0]【空港(カウ)】 公共用飛行場。エア ポート。「国際―[5]」

くうこく[0]【空谷】 だれもいない谷。 **―のきょうおん**[0]-[0]【―の△跫音】 〔自分(たち)以外に だれも居ない谷に どこからか たずねて来る人の足音が聞こえてくること、の意〕寂しい時の うれしいおとずれ。

くうさい[0]【空際】 地面と空とが接して見える所。「―線[0]」

ぐうさく[0]【偶作】 何かの機会にふと出来あがること。また、その作品。

くうさつ[0]【空撮】 〔←空中撮影[5]〕 航空機上のカメラで撮影すること。また、その撮影。

ぐうじ[1]【宮司】 神社の長である、(最高の)神官。

くうしつ[0]【空室】 〔ホテル・アパートなどで〕あきま。あき部屋。

くうしゃ[0]【空車】 営業用の自動車で、乗客・貨物を乗せていないもの。↕実車

くうじゃく[0]【空寂】 ものさびしさが そのあたりを支配しており、人の気配が全く無い様子。「―閑々[0]-[0]」

くうしゅ[1]【空手】 手に何も持っていないこと。徒手。

くうしゅう[0]【空襲(シフ)】―する(他サ) 航空機による、爆弾投下や機銃掃射などの襲撃。「―警報[5]」

ぐうしゅう[1]【隅州(シウ)】 「大隅(オオスミ)国」の漢語的表現。今の鹿児島県東部と大隅諸島・奄美(アマミ)諸島にあたる。「ぐしゅう」とも。

くうしょ[0]【空所】 使用されたり 満たされたり せずに あいている所。「―を満たす」

くうしょう[0]【空将(シャウ)】 航空自衛官の階級で最上のもの。

ぐうすう[3]【偶数】 二で割り切れる(正の)整数。↕奇数

グーズベリー[4][1]〔gooseberry〕 スグリに似た落葉低木。実は小粒で、緑色。ジャムにして食べる。グーズベリ[3][4][1]とも。西洋スグリ[5]。〔スグリ科(旧ユキノシタ科)〕「―酒[5]」 [かぞえ方] 一株・一本

ぐう・する[3]【△寓する】 ❶(自サ) 仮ずまいをする。❷(他サ) 他の事に△かこつけて(たとえて)話す。寓す[1](五)。

ぐう・する[3]【遇する】(他サ) 不快な感じを与えないように気をつけて、人に応接する。遇す[1](五)。「客として―〔=客扱いをして、丁寧に応対する〕」

ぐうせい[0]【偶成】 詩歌などが ふと出来あがること。

くうせき[0]【空席】 ❶あいている座席。❷欠員になっている職・地位。

くうせつ[0]【空説】 事実でない うわさ。

くうぜん[0]【空前】 今までに類例が無いこと。「史上―の祭典」 **―ぜつご**[5]【―絶後】 そのような事が過去にも無かったし、将来にもありそうに思えないほど、珍しいこと。

****ぐうぜん**[0]【偶然】 そうなるべき必然的な理由が考えられないのに、思いがけなく起こる△こと(様子)。〔副詞的にも用いられる〕「―の一致/―〔=ふと〕出会った/―性[0]」↕故意・必然 派―さ[0]

くうそ[1]【空疎】―な ―に 見せかけの形だけで、しっかりした内容が無い様子。「美辞麗句を並べただけの―な祝辞」 派―さ[3][0]

くうそう[0]【空想(サウ)】―する(他サ) △現実からかけ離れている(実行することが出来ない)ことを想像すること。「―にふける」

ぐうぞう[0]【偶像(ザウ)】 〔金属・木石で作った人の形の意〕神仏にかたどって作り、信仰の対象とする像。「―視する〔=神仏であるかのように、無批判に尊敬する〕/―崇拝[5]、[0]-[0]・―破壊[5]、[0]-[0]」

ぐうたら[0]―な ―に なまけて、のらくらしている△様子(人)。〔口頭語的表現〕「―な夫にあいそを尽かす」

くうち[0]【空地】 ❶あき地。❷空中と地上。「―連絡[4]」

***くうちゅう**[0]【空中】 地面・水面(とそれらに接しているもの)には直接つながっていない上方の空間。 **―せん**[0]【―戦】 ❶航空機が空中で行なう戦闘。略して「空戦[0]」。⇩陸戦・海戦 ❷Ⓐサッカーやラグビーで、ヘディングやキックオフの応酬。Ⓑ野球で、ホームランの応酬。Ⓒ選挙戦で、地上戦〔=特定の有権者の固定票を対象にする戦術〕に対して、不特定多数の浮動票をねらう戦術。Ⓓマスコミなどを通じて、かみ合わない議論を戦わせること。「インターネット上では論者による―が行なわれた」 **―ぶんかい**[5]【―分解】―する(自サ) 構造上の欠陥や無理な力が加わったために、飛行中の航空機の機体が ばらばらになって落ちること。〔計画などが白紙に戻さざるを得ない状態になる意にも用いられる〕 **―ろうかく**[5]【―楼閣】 ❶(空中に楼閣を築くように)根拠の無い物事。❷蜃気楼(シンキロウ)。

くうちょう[0][1]【空腸(チャウ)】 小腸の一部。十二指腸と大腸との間の、前半の部分。⇩回腸

くうちょう[0]【空調(テウ)】 〔←空気調節[4]〕 エアコンディショニング。「―設備[4]・―器[3]」

くうてい[0]【空△挺】 〔←空中挺進[5]〕 地上部隊が空中輸送で重要地点へ決死的な移動をすること。「―部隊[5]〔=落下傘で降下したり 輸送機・グライダー・ヘリコプターなどを用いて強行着陸したり する部隊〕」

クーデター[3]〔フ coup d'État=国家レベルにおける突然の行動〕 権力者側の一派が武力などの非常手段によって政権を奪うこと。「—に訴える/—が起こる」

くうてん[0]【空転】—する(自サ) からまわり。〔物事が、一見進行しているようでありながら、何の成果も現われない意にも用いられる。例、「—を続ける国会審議」〕

くうでん[0]【空電】 大気中の放電によって起こり、受信機に雑音を与える電波。

くうどう[0]【空洞】 〔「ほらあな」の意〕 ❶物の内部がうつろになっていること。また、そのうつろな部分。「海外に生産の拠点を置く企業が増え、産業の—化〔=形式が存在するだけで、実体は無いも同然の状態になること〕が目立ってきた」 ❷結核菌におかされて肺に出来る、小さな穴。

くうとりひき[3][4]【空取引】 〔相場で〕実物の受渡しをせず、相場の高低によって損得の計算をする取引。「から取引[3][4]」とも。

クーニャン[1]〔中国・姑娘〕 若い娘。

ぐうのね[0][4]【ぐうの音】〔一般に「—も出ない」の形で〕 一言の弁解も出来ない様子を表わす。「—も出ない言いがかりをつける」

***くうはく**[0]【空白】 本やノートなどの、書いてあることが期待される所に何も書かれていないこと。また、その箇所。ブランク。〔広義では、行なわれるはずの事が何も行なわれていないことをも指す。例、「病気中の—を取り返す/警備の—地帯/政治的—」〕

くうばく[0]【空漠】—たる —と 〔広いだけで、これといった目印になるものが無く〕とりとめのない様子。

くうばく[0]【空爆】—する(他サ) 〔←空中爆撃[5]〕 航空機による爆撃。

くうはつ[0]【空発】—する(自サ) ❶〔ダイナマイトなどが〕むだに爆発すること。 ❷はっきり ねらいを定めずに発射されること。

ぐうはつ[0]【偶発】—する(自サ) 〔物事が〕思いがけず起こること。「—的に起こる」

くうひ[0][1]【空費】—する(他サ) 〔金や時間を〕むだに使うこと。「時間を—する」

くうふく[0]【空腹】 腹がすくこと。「—を△感じる(訴える)/—をいやす/—感[4][3]」

くうぶん[0]【空文】 書いてあっても実際の役に立たない△文(法規)。「—に等しい/—化する」

クーペ[1]〔フ coupé=二人乗りの箱型の馬車〕 車室の前後の長さが短く、ドアが二つで箱型の乗用車。⇩セダン かぞえ方 一台

くうぼ[1]【空母】 「航空母艦」の略。

くうほう[0]【空包】 実弾が入っていない、火薬だけの銃弾。発射音だけがするもので、演習用。↕実包

くうほう[0]【空砲】 ❶たまをこめていない銃砲。 ❷「空砲❶」をうつこと。「—を放つ」

クーポン[1]〔フ coupon〕 ❶一枚ずつ切り取って使用する切符。回数券。クーポン券。 ❷関連する乗車券・宿泊券などを一つづりにしたもの。 かぞえ方 ❶❷とも一冊

くうめい[0]【空名】 実質を伴わない名声。虚名。

ぐうもく[0]【〈寓目】—する(自サ) それに着目して、注意して見ること。

くうや ねんぶつ[4]【空〈也念仏】 おもしろい節回しで念仏を唱え、鉦(カネ)・ひょうたんをたたいて踊るもの。踊り念仏。〔空也上人(ショウニン)が始めたという〕

くうゆ[0]【空輸】—する(他サ) 〔←空中輸送[5]〕 航空機を用いて人や物を運ぶこと。

ぐうゆう[0]【偶有】—する(他サ) その性質を偶然に持っていること。

クーラー[1]〔cooler〕 ❶△冷房(冷却)装置。「部屋の—を入れる/カー—[3]・ウオーター—[6]」 ❷中に入れた物を冷やしておくための(持ち運びの出来る)箱型の入れ物。「釣り用の—/ワイン—[4]」

くうらん[0]【空欄】 (求める語や記号を入れるように)字がそこに何も書いていない欄。「—を埋めよ」

くうり[1]【空理】 一応筋道は立っているが、実際の役に立たない理論。「—空論[1]-[0]」

クーリー[1]〔中国・苦力〕 十九世紀 植民地開発に酷使された、東洋人の下層労働者。クリー[1]とも。

くうりく[1]【空陸】 空中と陸上。〔狭義では、空軍と陸軍を指す〕

ぐうりょく[1]【偶力】 平行に働く二つの力で、大きさが等しく向きが反対なもの。回転運動を生じる力。

クーリング オフ[6]〔cooling off〕 〔割賦(カップ)販売や訪問販売で〕契約後 一定期間内であれば無条件で契約を解除できる制度。

クール(造語)〔フ cours=流れ〕 ❶〔テレビ・ラジオで〕週一回の連続番組の一区切りの単位。普通、十三週を一クールと言う。 ❷〔プロ野球のキャンプなどで〕何週間かにわたる練習期間の、練習内容・練習方法などによって分けた一区切りの期間。

クール(造語)〔ド Kur=治療〕 〔医学で〕ある治療を行なう期間。「一—〔=一回り〕」

クール[1]—な —に〔cool〕 ❶涼しい。「夏の—なスタイル」 ❷常に冷静な態度を失わない様子だ。「—な人」 ❸〔俗に〕かっこいい。しゃれている。「外国人に—ととらえられる日本の魅力/—ジャパン[5]」 派—さ[0][3]

クール ダウン[4]〔cool down〕 ❶気持を静めること。 ❷運動後に筋肉をほぐすために行なう運動。↕ウォーミングアップ

クール ビズ[4]〔和製英語 ←cool + biz(=business) coolは「涼しい」と「快適だ」の意を掛ける〕 夏季の職場における軽装の愛称。

クール びん[0]【クール便】 生鮮食料品を冷凍・冷蔵にした状態で宅配する△こと(手段)。

くうれい[0]【空冷】 エンジンなどを空気で冷やすこと。「—式[0]」 ↕水冷

くうろ[1]【空路】 航空機の飛ぶコース。「—〔=航空機を利用して〕、帰国する」 ⇩海路・陸路

クーロン[1]〔coulomb←Ch. A. de Coulomb=フランスの物理学者〕 国際単位系における電気量の単位で、一アンペアの電流が一秒間に運ぶ電気量を表わす〔記号 C〕。

くうろん[0]【空論】 現実離れしていて、実際の役に立たない△考え(議論)。「机上の—」

ぐうわ[0]【〈寓話】 登場させた動物の対話・行動などに例を借り、深刻な内容を持つ処世訓を印象深く大衆に訴える目的の話。「イソップの—」

くえ[1]【九絵(エク)】 本州中部以南の海に生息する魚。全長一メートルに達する。体は茶褐色で黒い六本のしま模様があるが、成長とともに消える。白身の肉は弾力があり美味。高級魚とされる。〔九州ではアラと呼ぶ〕〔ハタ科〕「—鍋[0]」 かぞえ方 一尾・一匹・一本。切り身は一切(ヒトキレ)・一枚

ぐえい[0]【愚詠】 「自作の詩歌」の意の謙譲語。

クエーカー[2]〔Quaker〕 キリスト教の一派。戦争反対を主張し、謹厳質素な生活を宗(ネム)とする。フレンド会。「—教徒[6]」

クエーサー[2]〔quasar〕 ⇩準星(ジュンセイ)

くえき[0][1]【苦役】 △肉体的(精神的)にはなはだしい苦

く

痛を伴う労働。〔狭義では、懲役を指す〕

クエスチョンマーク⑥〔question mark〕疑問符。「？」

く・える②【食える】(自下一) ❶味がよく、食べるだけの価値がある。「食えない〔=(当たりがいいようでいて)油断のならない〕奴」 ❷生計を立てていくことが出来る。

くえんさん⓪【〈枸櫞〉酸】ミカン類の実に含まれる、無色・無臭の結晶体。味はすっぱい。清涼飲料用。〔化学式 $C_6H_8O_7$〕

クオーク②〔quark〕ハドロンの構成要素と考えられる最も基本的な素粒子。

クォーター①〔quarter=四分の一〕〔球技で〕規定試合時間を四分したものの称。クオーター②とも。「第二―④・―タイム⑤〔=バスケットボールの休憩時間〕」 **―せい**⓪【―制】〔大学で〕二学期制のそれぞれの学期をさらに半分にした学期を一学期として、全体で四学期制とするもの。

クオータ せい⓪【クオータ制】〔←quota system=割り当て制〕議員や会社役員などの一定数を女性に割り当てる制度。男女平等の実現を目的とする。

クォータリー①〔quarterly〕年に四回の定期刊行(物)。季刊(誌)。クオータリー②とも。⇩デーリー・マンスリー

クオーツ②〔quartz=石英・水晶〕〔←クオーツ時計⑤〕水晶の発振器を利用した、電池時計。誤差が少ないことを目途として作られた。

クォーテーション③〔quotation〕❶引用(文)。❷クォーテーションマークの略。 **―マーク**⑦〔quotation mark〕(欧文の)引用符号。' ' や " " など。〔「 」を含む場合がある〕

クォート①〔quart=四分の一〕ヤードポンド法における△容積(液量)の単位で、四分の一ガロン〔=アメリカでは約〇・九四六リットル、イギリスでは約一・一三七リットル〕を表わす〔略号 qt.〕。クオート②とも。

クオリティー②〔quality〕品質・性質。「ハイ―④」↕クオンティティー **―オブ ライフ**⑧〔quality of life〕人びとの生活を物質的な面から量的にとらえるのではなく、精神的な豊かさ、生活の快適さなど、質的にとらえる考え方。医療や福祉の分野で重視されている。略してキューオーエル(QOL)。

くおん⓪①【久遠】「永遠」の仏教的な表現。

クオンティティー②〔quantity〕分量。数量。↕クオリティー

くが①【《陸】〔雅〕陸地。

くかい⓪【区会】区議会。

くかい⓪【句会】人びとが集まって、そこで俳句を作ったり批評し合ったりする会。「―を催す」

くがい⓪【苦界】〔苦痛の絶える時の無い世界の意〕〔仏教で〕生まれ変わり死に変わりして、救いの無い生活を繰返すものとしての生物一般の境遇。〔身売りした遊女の境遇の意にも用いられる〕

くかく⓪【区画・区〈劃】―する(他サ)〔土地などを〕他と仕切りをつけて、幾つかに分けること。また、その分けた一つひとつの土地。「―整理④・行政―⑤・方言―⑤」

くがく①【苦学】―する(自サ) 内職によって学費をかせぐなどの苦労をしながら△学問する(学校に通う)こと。「―生②③」

くかたち⓪【〈盟神探湯〉・〈探湯〉】上代の占いの一つで、是非・正邪を決めるために、神に誓って熱湯に手を入れさせたこと。ただれない者を正とした。「くがたち」とも。

くがつ①【九月】一年の第九の月。〔雅名は、ながづき。副詞的にも用いられる〕

くかつよう②【ク活用】〔日本語文法で〕文語形容詞の活用形式の一つ。「(く)・く・し・き・けれ・〇」と活用するもの。「良し」「広し」「深し」などのように、そのものの属性を表わす形容詞が多く含まれる。⇩しく活用

くがまえ②【句構㋓】漢字の部首名の一つ。⇩つつみがまえ

くがみ①【苦髪】苦労しているかどうかによって伸び方の変わる髪。「―楽爪①-②〔=苦労している時は髪の伸びが速く、楽をしている時は爪がすぐ伸びる、という俗諺〕。⇩苦爪〕」

くがら⓪【句柄】連歌や俳句の△品格(出来ばえ)。

くかん①【区間】長く続く全体の中での、特定の一区切り。「乗車―④・電化―④」

くかん⓪【苦寒】一年じゅうで最も寒い時節。陰暦十二月の称。

くかん⓪【〈軀幹】❶哺乳類の胴体。❷大小の観点から見たからだつき。

ぐがん⓪【具眼】物事の真偽・是非などを見抜く力があること。「―の士」

***くき**【茎】■②植物体の一部。長く伸びて、養分・水分の通路となり、枝葉や花が付く所。普通 地上に伸びるが、地下茎となるものもある。〔狭義では、草のそれを指す。木の場合には幹と言う〕「―漬⓪・―立⓪」 ■(造語) 草木の枝・茎や毛髪をかぞえる語。「三―程の長い髪が慵に揺れかかっている」

***くぎ**⓪【〈釘】金属・竹・木などの一端をとがらせ、打ち込んで物と物とを固着させたり それに物を掛けたり するためのもの。「かなづちで―を打つ/―をさす〔=後になってまちがいが起きたり 不具合が生じたり しないように念を押す〕/彼は―が一本抜けている〔=大事なところに配慮が足りなかったり 手当てが不十分であったり する状態だ〕」 かぞえ方 一本

くぎかい②【区議会】特別区の議決機関。区会。

くぎかくし③【〈釘隠㋛】長押に打った釘の頭を隠すための装飾的な金具。

くぎごたえ③【〈釘応㋓】打ちつけた釘がよくきくこと。〔物事のききめがあることや、丈夫で長持ちする意にも用いられる〕

くぎざき⓪【〈釘裂㋖】外に出ている釘に引っかけて衣服などが裂けること。また、その所。かぎざき。

くぎづけ⓪【〈釘付㋘】―する(他サ) ❶釘を打ちつけて動かないようにすること。「雨戸を―にする」 ❷行動の自由が奪われて、そこから動けない状態にあること。「恐怖でその場に―になった/目が―になる」

くぎぬき③【〈釘抜㋖】打ちつけてある釘を抜く道具。

くぎめ⓪【〈釘目】釘を打ちこんだ所。かぞえ方 一本・一挺・一丁

ぐきょ①【愚挙】大がかりなだけで、失敗することが目に見えているようなばかげた△行い(企て)。

くきょう⓪【句境】❶俳句のうまさの段階。「―とみに進む」 ❷その俳句を作った時の心境。

くきょう⓪【苦境】どのような方法で対処するにしても困難な△境遇(立場)。「―に△立つ(追い込まれる・あえぐ)」

くぎょう①【《公〈卿】昔、朝廷に仕えた、大臣・大納言・中納言・参議および三位以上の貴族。くげ。

くぎょう⓪【苦行】―する(自サ) 苦しい修行。〔広義では、大変つらくてがまん出来そうもないことの意にも用いられる〕「難行―⓪-⓪、⑤」

くぎり③⓪【区切㋷】❶物事の切れ目。「遊惰な生活に―を付ける/仕事の一―」 ❷文章の語句の切れ目。「―符号④〔=、。「 」など〕」 ❸物事の一つの切れ目から次の切れ目までの間の一まとまりの部分。「段落とは、文章の

―である」 表記「句切り」とも書く。

*くぎ・る②【区切る】(他五)〈なにデ なにヲ (なにニ)―〉 連続しているもの、広がっているものに境界を設けて、いくつかに分ける。「議題ごとに会議の時間を―/パーティションで職場を―」 表記「句切る」とも書く。

くぎん⓪【苦吟】―する(自サ) なかなか構想がまとまらなくて、苦心して詩歌を作ること。また、その詩歌。

くく①②【九九】 一から九までの自然数どうしを掛け合わせた積を系統的に覚える時の唱え方。例、三八(サンパ)二十四。〔室町時代までは、「九九八十一、八九(ハック)七十二…」の順に唱えた〕「―の表/掛け算の―を覚える」

くく①②【区々】―たる ❶一緒に△ある(行なわれる)幾つかの物事の間に何の連絡も見られない様子。「―まちまち」 ❷小さくて、取るに足りない様子。「―たる小事」

くぐい⓪(クグヒ)【〈鵠〉】 ハクチョウの雅称。

くぐつ①⓪【{〈傀儡〉}・{〈傀儡〉子}】〔雅〕 ❶操り人形(を舞わせる芸)。 ❷〔↑くぐつ回し④〕「くぐつ❶」を操る人。〔女の専業になってからは、遊女の意にも用いられた〕

くぐま・る③【屈まる】(自五) ❶膝や腰を曲げ、首を縮めて丸みを帯びた姿勢を取る。かがまる。こごまる。「鍵を忘れてドアの前で―」 ❷物に囲まれたり感情に圧迫されることで、内にこもって小さくまとまる。「くぐまった声/くぐまった町/気持も―」

くぐも・る③(自五)〔声が〕物の陰から出るように、こもって聞こえる。

くくり⓪【《括り》】■一⓪ くくる△こと(物)。「そでの―/物事の―をつける」 ■二(造語) 動詞「括る」の連用形。 ―ぞめ⓪【―染め】 しぼりぞめ。 ―つ・ける⑤【―付ける】(他下一) 外れたりずれたりしないように、ひもなどでしっかりと縛って本体に何かを取り付ける。 ―まくら④【―枕】 中にそばがらなどを入れて両端を括った枕。坊主枕。

くぐり【《潜り》】■一③ ❶潜って入ること。 ❷〔↑潜り戸〕大きな扉に付いている小さな戸口。切り戸。 ■二(造語) 動詞「潜る」の連用形。「―戸③」 ―ぬ・ける⑤【―抜ける】(自下一) ❶潜って通り抜ける。「△火の中(荒波)を―」 ❷△困難(危険)な状態から、手段を尽くして無事抜け出る。「△逆境(難関)を―」

*くく・る⓪【《括る》】(他五)〈なにデ なにヲ―〉 ❶ばらばらになっていたり 扱いかねたりする物に、ひもなどを掛けて、自分の扱いやすい状態にする。「書類の束を―」 ❷Ⓐ物事に区切りをつける。「かっこで―〔=一つにまとめる〕」 Ⓑおよその程度を予測する。「高(タカ)を―〔=⇩高■二❷〕/腹を―〔=⇩腹〕」〔⇩括り■二〕

【木で鼻を―】⇩木

*くぐ・る②【《潜る》】(自五) ❶〈どこ・なにヲ―〉(身をかがめて)物の下や狭い所を通り抜ける。「△門(難関)を―/法網を―〔=法の不備をねらって、よからぬ事をする〕」 ❷〈どこニ―〉水の中にもぐる。〔⇩潜り■二〕

くげ⓪【《公家》】〔武家に対立する存在としての〕朝廷。「こうけ」とも。〔広義では、「公家衆②⓪」の略。朝廷に直接仕えた人たちを指す。この場合は「《公〈卿」とも書く〕「―華族〔=⇩華族〕」

くげ①【供《花・供華》】「きょうか」の仏教語的表現。

くけい⓪【〈矩形〉】〔幾何学で〕「長方形」の旧称。〔正方形を含まない〕

ぐけい⓪【愚兄】〔特別とりえの無い兄の意〕自分の兄の謙称。⇩賢兄

くけだい⓪【〈絎台〉】〔裁縫で〕くける時、くけやすいようにきれの一端をひもでつっておくための台。 かぞえ方 一台

くけぬい⓪(ヌヒ)【〈絎縫(い)〉】 縫い目が外に目立たないように縫うこと。また、その縫い方。

くけばり⓪③【〈絎針〉】 くけ縫いに使う長い針。

く・ける⓪【〈絎ける〉】(他下一)〔衣服の端の部分を縫う時〕布を裏側に折りまげ、その中に糸を通して表布に縫いつける。 名 くけ⓪「まつり―(ゲ)⓪・耳―(ゲ)⓪」

くげん⓪【苦言】 相手が不快感をいだくことを承知の上で受け入れることを期待してあえてする批判。「君の将来を思ってあえて―を呈する」

くげん①【苦《患》】〔仏教で〕地獄で受ける苦しみ。

ぐけん⓪【愚見】「自分の意見」の意の謙譲語。

ぐげん⓪【具現】―する(他サ) 心中にいだいた考えなどを、具体的に形に表わすこと。「このかつて例のない試みはまさにその言葉を―したものです/建築空間に―化する/管理野球の―者」

くこ①②【〈枸杞〉】 山野に自生する落葉低木。グミに似た赤い実をつけ、とげがある。若葉は食用。根皮・葉・実は薬用。〔ナス科〕「―茶②・―飯(メシ)②⓪」 かぞえ方 一株・一本

くご①【供御】 ❶〔天皇・上皇・皇后・皇子の〕飲食物。〔広義では、将軍の飲食物も指す〕 ❷〔女房詞(コトバ)で〕飯。

くこう⓪(カウ)【句稿】 俳句を書いた原稿。

ぐこう⓪(カウ)【愚考】―する(自サ)〔つまらない考えの意〕「自分の考え」の意の謙譲語。「機構上の欠陥に起因すると―いたします」

ぐこう⓪(カウ)【愚行】 ばかげていて、人の笑いものになるような行動。「―を重ねる」

くごころ②【句心】 俳句を作ったり味わったりすることが出来る能力。

くこん⓪【九献】 ❶三三九度の称。 ❷〔女房詞(コトバ)で〕酒。

**くさ【草】■一② ❶根や茎や葉が分離・発達している植物で、茎の外側が堅くないもの。内部の組織は余り詰まっておらず、茎は細く 結実後は枯れるものが多い。大部分の種は生長が一年止まりで、あまり大きくならない。「庭の―〔=雑草〕を取る/―ぶきの〔=わらやカヤでふいた〕屋根/馬に―〔=まぐさ〕をやる/―を結ぶ〔=旅に出て野宿をする〕/―花(バナ)」⇩木 ❷草色。 ❸〔俗に〕笑い。〔インターネットなどの書き言葉で「笑(い)=warai」の略としてwが用いられ、それを並べると草や芝のように見えることから〕 かぞえ方 ❶は一本 ■二(造語) ❶その植物が、木に属する何かに似ているが、実際は草であることを表わす。「―きょうちくとう⓪」 ❷同種の本格的な競技に比べて、設備・訓練などすべての点において不十分なものであることを表わす。「―野球・―競馬・―ずもう」

くさ②【〈瘡〉】 ❶皮膚病の総称。湿疹(シッシン)。 ❷胎毒。

ぐさ【草・《種》】(造語)〔もと、「種(サ)」の意〕何かの対象となるもの。「お笑い―・質―・語り―・言い―」

*くさ・い【臭い】■一②(形) ❶不快なにおいが感じられて嗅(カ)ぐのを避けたくなる気持をいだく様子だ。「―においを発する化学薬品/―飯を食う〔=刑務所に入れられる〕/―物に蓋(フタ)をする〔=本来何らかの対処を必要とする事柄について外部に漏らさないようにする〕/酒―息」 ❷接する人によっては不快感を感じるような独特な雰囲気を漂わせている様子だ。「―演技が売りの俳優/学者臭くない〔=学問を鼻にかけたりもったいぶったりする所が無い〕学者」 ❸そのまま信じることがためらわれるような感じを拭(ヌグ)いさることができない様子だ。「どうも犯人はあいつが―/本物だと言っているがわたしは―〔=にせ物だ〕と思う」 ■二(造語)〔好ましくない意を表わす体言、またそれに準ずる句や、形容動詞の語幹に付いて〕その程度や気配が存分に感じられ、受け入れがたいという気持を表わす。「うそ―話/めんどう―・ばか―」 派

―さ②①

ぐさい⓪【愚妻】自分の妻の謙称。

ぐざい⓪【具材】特定の料理の材料とする(不可欠な)食材。

くさいきれ③【草《熱れ》】夏、草の茂みが日光に照らされて熱気を出すこと。また、その熱気。

くさいち②③【草市】盂蘭盆会(ウラボンエ)の時、仏に供える草花などを売る市。

くさいちご③【草〈苺〉】山野に生える小低木。春、白い花を開く。実は赤黄色で食べられる。〔バラ科〕 かぞえ方 一本

くさいりずいしょう⑤【草入(り)水晶】他の鉱物が針状の結晶として入ったため、草を含んだように見える水晶。

くさいろ⓪【草色】草の色のような青に近い緑色。

くさかげ⓪【草陰】生い茂った草に隠れて見えない部分。

くさかげろう④③【草〈蜉蝣〉・草〈蜻蛉〉】トンボに似た形の昆虫。体長は約一センチ。夏の夜、電灯などに飛んで来る。その卵を「うどんげ」と言う。〔クサカゲロウ科〕 かぞえ方 一匹

くさがめ⓪ 一【草亀】イシガメより少し大きなカメ。子はゼニガメと呼ばれ愛玩(アイガン)用。〔イシガメ科〕 二カメムシの異称。 かぞえ方 一匹

くさかり③④【草刈(り)】雑草や下草を刈る△こと(人)。「―機④・―鎌④⑤」 **―ば**⓪【―場】 一家畜の餌(エサ)とする草を刈り集める場所。 二選挙で、各候補がこぞって票集めの標的とする地域・団体・組織。

くさがれ⓪【草枯(れ)】草が枯れる△こと(時節)。

くさかんむり③【草冠】漢字の部首名の一つ。「花・蔵・藤」などの、上部の「艹」の部分。本字は「艸」。「艹・艹」は冠になる時の形。「そうこう」とも。〔すべての植物を表わす〕

くさき②【草木】草と木。〔広義では、植物全般を指す〕 **―ぞめ**⓪【―染(め)】〔化学染料を使った染め方と違って〕草や木の色素を使って染める、昔からの染色法。

くさぎ・る③【〈耘〉る】(自五)〔雅〕〔草切るの意〕田畑の雑草を除く。

くさく⓪【句作】―する(自サ) 俳句を作ること。

ぐさく⓪【愚作】つまらない作品。〔「自分の作品」の意の謙譲語としても用いられる〕

ぐさく⓪【愚策】まずいはかりごと。〔「自分の計画」の意の謙譲語としても用いられる〕「―を弄(ロウ)する」

くさくさ①②(副)―と―する おもしろくない事があって気分が晴れない様子。くしゃくしゃ。

くさぐさ②⓪【《種々》】「いろいろ・さまざま」の意の古風な表現。

くさけいば③【草競馬】農村などで行なわれる、小規模の私営競馬。

くさごえ⓪【草肥】りょくひ(緑肥)。

くさ・す②⓪【腐す】(他五) ささいな欠点などをことさらに取り立てて言って、相手をがっかりした気分にさせる。

くさずもう③【草〈相撲〉】(いなかなどで)しろうとがする相撲。 表記 ⇩付表「相撲」

くさずり⓪【草〈摺〉】よろいの胴から垂れ下がって、ひざあたりまでをおおう部分。

くさぞうし③【草双紙】江戸時代中期以後に行なわれた、絵入りの大衆的な読み物。絵双紙。

くさたけ②⓪【草丈】〔イネなどの〕作物の伸びた高さ。

くさち⓪【草地】〔木が無く〕草ばかり生えている土地。

くさとり③④【草取(り)】雑草を取り去る△こと(人・農具)。

くさのいおり⓪、⓪―⓪【草の〈庵〉】〔俗世との交渉を絶った人の住む〕「草ぶきの粗末な家」の意の雅称。

くさのね④⓪【草の根】生い茂った雑草の根。〔目立つことはないが、劣悪な状況に置かれても大地に根を張ってたくましく生き抜くことのたとえにいう〕「―を分けても〔=その時必要なものを、どんな努力を払っても〕探す/―の大衆〔=一人ひとりを取り上げて見る限りは微細な存在でしかないが、その集合が輿論(ヨロン)を形作る上に決定的な力を持っているという意味で軽視することが許されない一般人民〕/―運動⑤・―民主主義⑧」

くさば⓪【草葉】草の葉。 **―のかげ**⓪―①【―の陰】墓の下。あの世。

くさばな②【草花】〔美しい〕花の咲く草。

くさはら⓪【草原】〔木が無く〕草の一面に生えている原。

***くさび**⓪【楔】 一V字形の△木片(金属片)。〔木や石の割れ目に打ち込んで割ったり物を押し上げたりするのに使う〕「―を打ち込む〔=ⓐ敵陣に攻め入って、その勢力を二分する。ⓑ後のちに自分の勢力を拡大する足掛かりとなるものを、相手の組織の中に作る〕」 二物と物とのつなぎ目が離れないようにするもの。 かぞえ方 一二とも一本 **―がた**⓪【―形】楔に似て、先がしだいに細くなる形。「―の葉」 **―がたもじ**⑥【―形文字】古代、メソポタミアを中心とする西アジア地方で用いられた、基本線が楔のような形をした文字。△せっけい(けっけい)文字。〔粘土板に、先をとがらせたアシの茎を用いて書いたので、楔形になった。また、「きっけい文字」というのは「楔形」の「楔」の類推読みに基づく〕

くさひばり③【草ひばり】秋に美しい声で鳴く、小さな昆虫。からだは薄黄色で、触角が長い。〔クサヒバリ科〕 表記 普通「草〈雲雀〉」と書く。 かぞえ方 一匹

くさぶえ⓪【草笛】草の葉を笛のように吹き鳴らすもの。

くさぶか・い④【草深い】(形) 一草が踏み所(ド)もなく茂っている様子だ。 二都会から遠く離れた、へんぴな感じだ。「―いなか」

くさぶき⓪【草〈葺〉(き)】カヤ・わらなどを用いて屋根をふくこと。また、その屋根。「―屋根⑤」

くさぼうき③【草〈帚〉】枯らしたホウキグサの茎をたばねて作った帚。 表記 「草〈箒〉」とも書く。

くさまくら③【草枕】〔草を枕にして寝る意〕〔心の安まらない〕旅寝。

くさみ③⓪【臭み】 一その物について離れない、いやなにおい。 二その人の言行に感じられる、接する人に不快感をいだかせる独特の雰囲気。「―のある人/―のある△文体(芸)」

くさむしり③【草〈毟〉り】畑や庭に生えた雑草をむしって取り除くこと。

くさむ・す③【草《生す》】(自五)〔雅〕草が生い茂る。「―屍(カバネ)」

くさむら⓪【〈叢〉】草の生え茂った所。 表記 「草むら」とも書く。

くさめ②【〈嚔〉】「くしゃみ」の古風な表現。

くさもち②【草餅】ヨモギの葉を入れてついた餅。〔三月三日の節句に〕草のかおりを味わう。

くさもの⓪②【草物】〔生け花で〕たけの低い草花類の総称。

くさもみじ③【草〈紅葉〉】秋、霜が降りて、野山の草が赤・黄などに変色すること。 表記 ⇩付表「紅葉」

くさや⓪ 開いたムロアジなどを、古い塩水に漬けて干したひもの。〔焼く時、臭いにおいがするので、こう言う〕 かぞえ方 一枚

くさや⓪②【草屋】 一草ぶきの家。 二まぐさを入れておく小屋。

くさやきゅう③【草野球】しろうとが集まって、空き地などでする野球。

くさやね⓪③【草屋根】草ぶきの屋根。わらやね。

くさやぶ⓪【草〈藪】たけ高く茂った草むら。

くさやま⓪【草山】草の生えている(低い)山。

くさらか・す④【腐らかす】(他五)「腐らせる」の口頭語的表現。

*__くさり__⓪③【鎖】金属製の輪をつなぎ合わせてひも状にしたもの。物をつなぎとめるのに使う。「―で縛る/―につなぐ/―を△巻く(はずす)/△説教(手柄話)を一(ヒト)―する(=一まとまりの話をする)」表記「〈鏁・〈鏈」とも書いた。かぞえ方 一本 **―かたびら**④⑤【―〈帷子】切られてもけがをしないように、よろいの下に着た下着。小さな鎖を一面にとじつけた。 **―がま**③④【―鎌】鎌に長い鎖を付け、その端に鉄の玉を付けたもの。昔、武器として用いられた。

ぐさりと②(副)刃物などの尖端(センタン)を、一気に深ぶかと突き立てる様子。ぐさっと。「その一言(ヒトコト)が胸に―突き刺さる(=強いショックを受ける)」

*__くさ・る__②【腐る】㊀②(自五)❶食べ物(や飲み物)が、長時間放置されるなどして変質し、いやなにおいを発したり酸っぱくなったりして、食べられない状態になる。「貝は―のがはやい/卵の腐ったにおい/腐っても鯛(タイ)(=真にすぐれたものは、少しぐらい価値が下がっても、まだほかのものよりはましだ)/―ほど(=使いきれないくらいたくさん)ある」❷生命力を失った動植物や木材などが、長い間放置されるなどして、変色したり崩れやすくなったり悪臭を発したりする状態になる。「△木(どぶ板)が―/腐った落ち葉を肥料にする/鉄が―(=さびてぼろぼろになる)」❸人や組織・集団などが堕落し、本来のあるべき姿を失った状態になる。「腐った官界にメスを入れる」❹事が思うように運ばないために、積極的に取り組もうとする気持を失う。「就職がうまくいかず、腐っている/たいした失敗ではないのだから腐らないでがんばれ」㊁〔「動詞連用形+―」の形で、接尾語的に〕その行為が軽蔑(ケイベツ)すべきものであることを表わす口頭語的表現。「何を言い―か/余計なことをし―奴(ヤツ)だ」名腐り③「―が早い」

くされ【腐れ】㊀③〔イネ・ハクサイなどが〕病害で腐ったような状態になること。また、その物。「―が出る/―状態/根―(グサレ)・立ち―(グサレ)」㊁(造語)そのものが、軽蔑(ケイベツ)すべき対象にしかならない、という気持を表わす。「―金(ガネ)③・―儒者④」 **―えん**⓪③【―縁】〔「鎖(クサリ)縁」の意〕離れようとしても離れられない、好ましくない関係。「―を断ち切る」運用 反語的に、自分たちの親密な関係を、いつまでも切れることがないものだと強調して言うのに用いることがある。例、「知り合って十年、あいつとは腐れ縁だな」

くさわけ⓪【草分け】❶荒れ地を開拓し、村を△起こすこと(起こした人)。❷ある事を最初に△すること(した人)。「難民救済運動の―的存在」

*__くし__②【串】△竹(鉄)を箸(ハシ)のように細くし、先をとがらしたもの。食物などを刺し通すのに使う。かぞえ方 一本

くし②【〈櫛】髪の毛をとかす時に使う道具。髪飾りにもする。薄い半月形や長方形の材に、平行に、髪の毛の間に通るような細長いすきまを等間隔に多数作ったもの。〔すきまとすきまの間の残された部分を歯という〕「乱れた髪に―を入れる/―の歯のごとし(=同種類の事柄が続けてひんぱんに行なわれたり、同類の物がぎっしり並んでいることの形容。前者は、後には『櫛の歯をひくように』と言うのが普通になった)」かぞえ方 一枚・一本。櫛の歯は一枚

くし①【句誌】〔個人が主宰する〕俳句専門の雑誌。

くし①【駆使】―する(他サ) そのものの持つ機能を十分に発揮させて、自分の思い通りに使いこなすこと。「数字を―して説明する」

*__くじ__①【〈籤】番号・記号・文句などをどれが当りか、引く人に分からないように書いておき任意に取らせるもの。「―を引く/おみ―・あみだ―・宝―」表記「〈鬮」とも書く。「《孔子」とも書いた。かぞえ方 一本

くじ①【九字】護身の呪文(ジュモン)として唱えられる、九つの文字(=臨兵闘者(リンピョウトウジャ)皆陣列在前)。「―を切る(=九字を唱えながら、指で空中に縦に四線、横に五線を引いてまじないをする)」

くじ①【《公事】〔古〕〔公の事務の意〕❶朝廷の政務・儀式。❷訴訟。

ぐじ①〔京都方言〕魚のアマダイ。

くしあげ⓪【串揚げ】肉・魚・貝・野菜などを竹串に刺して、衣をつけて揚げたもの。

くじうん⓪【〈籤運】籤に当たる運。「―が強い」

くしがき②【串柿】渋柿の皮をむいて、串に通して干して、甘みを出させた柿の実。

くしがた⓪【〈櫛形】昔の櫛のように、上部だけ丸くなった形。「―の窓」

くしカツ⓪【串カツ】小さく切った豚肉とネギとを互い違いに竹串に刺して、フライにしたもの。

くしき①【《奇しき】(連体)〔文語形容詞「奇し」の連体形〕不思議な。「―(=超自然の力が働いていると思われる)めぐりあい」

くじ・く②【《挫く】(他五)❶骨のつなぎ目に無理な力が加えられて、その部分を痛める。「足を―」❷勢い込んで何かをしようとする力を△打ち砕いて(他にそらして)弱める。「出端(デバナ)を―」

くしくも①【《奇しくも】(副)〔「奇しく」は、不思議だ、の意の文語形容詞「奇し」の連用形〕思いもかけずそうなったのは、超自然の力が働いているとしか思われないという気持を表わす。

くしげ⓪②【〈櫛笥〉】〔雅〕女性の化粧用具をしまっておく箱。「櫛箱②」とも。「玉―③④」表記「〈匣」とも書く。

くしけず・る④(ケヅル)【〈梳る】(他五)〔「〈櫛(クシ)」で、けずる意〕「けず(梳)る」の古風な表現。

くじ・ける③【《挫ける】(自下一)❶折れたり曲がったりして、傷がつく。❷骨や関節などがねじれて痛みを訴える。❸今まで盛んであった勢いや気力が、弱ったり衰えたりする。

くしざし⓪【串刺(し)】串に刺し△通すこと(通したもの)。〔槍(ヤリ)などで刺し殺す意にも用いられる〕

ぐしぬい⓪(ヌヒ)【《串縫(い)】〔裁縫で〕表裏縫い目をそろえて縫う、普通の縫い方。運針縫い。「くしぬい」とも。〔魚を串に刺す時のように針を運ぶので、昔、仕立屋などで使われた言葉〕表記「具し縫い」とも書く。

くじのがれ③【〈籤逃(れ)】運よくその籤を引き当てて、△役(番)を逃れること。

くじびき⓪【〈籤引(き)】―する(自サ) 籤を引くこと。抽選。

くしまき⓪【〈櫛巻(き)】髪の毛を櫛に巻きつけて髷(マゲ)とした日本髪の結い方の一種。

くしめ③⓪【〈櫛目】櫛ですいたあとに出来る筋。

ぐしゃ①【愚者】知恵の△無い(回りかねる)者。ばか。「―も千慮に一得あり」↔賢者

くしやき⓪【串焼(き)】一口大に切った肉・魚介類・野菜などを竹串や金串に刺して直火(ジカ)で焼いた料理。

くじゃく⓪【《孔〈雀】熱帯の森にすむ大形の鳥。雄は緑色の蛇の目の紋のある、美しい尾羽を扇形に広げる。〔キジ科〕「インド―④・マー②」かぞえ方 一羽：一匹 **―せき**③【―石】銅の酸化物から成る鉱石。あざやかな青緑色で、同

く

心円状の濃淡がある。

くしゃ くしゃ [一]①②(副)❶—と 紙や布を丸めたりもんだりする様子。「書き損じの紙を—(と)丸めて捨てる」❷—する くさくさ。むしゃくしゃ[一]。[二]⓪—に つぶれたりしわだらけの状態になったりして原形がゆがめられている様子だ。ぐしゃぐしゃ。「顔を—にして喜ぶ/—の髪」

くしゃくにけん ④【九尺二間】〔間口九尺、奥行二間の狭い家の意〕貧乏人の住まいのたとえ。「—の裏長屋」

クシャトリヤ ③〔サンスクリット kshatriya〕⇩カースト

くしゃみ ②【〈嚔】鼻の粘膜の神経が刺激を受けて、急に息を出す反射運動。〔古くは「くさめ」〕 かぞえ方 一発・一回

ぐしゃり ②(副)—と 物が一気につぶれて、原形をとどめない状態になる様子。

くじゅ ①【口授】—する(他サ) 師から弟子へ、直接口移しに教えること。

くしゅう ⓪(シフ)【句集】連句・俳句を集めて本にしたもの。

くじゅう ⓪(ジフ) [一]【苦汁】にがい汁。「—を△嘗(ナ)める(飲まされる)〔=にがい経験をする〕」[二]【苦渋】にがくてしぶいこと。「—に満ちた〔=事がうまく運ばないことがそれと分かるほどの〕表情/—の決断」〔[一]は、[二]の変化〕

ぐしゅう ①(シウ)【《隅州】⇩ぐうしゅう

くじゅうめつどう ①-⓪(ジフ・ダウ)【苦集滅道】迷いと悟りの因果を説明した仏教の根本思想。「苦」は生死の苦、「集」は苦の原因である煩悩(ボンノウ)の集まり、「滅」は苦集の無くなった悟りの境地、「道」は悟りに至るための修行。四諦(シタイ)。

くしょ ①②【区処】—する(他サ) それぞれに区別して処理すること。

くじょ ①(チヨ)【駆除】—する(他サ)〔害虫などを〕薬品などを使って、追い出したり殺したりすること。「回虫—(薬)」

ぐしょ ①【愚書】読む価値の無い本。〔「自分の△著書(手紙)」の意の謙譲語としても用いられる〕

くしょう ⓪(セウ)【苦笑】—する(自サ) にがわらい。

くじょう ⓪(ジヤウ)【苦情】自分が他から受ける損害や不利益などに対する不平・不満。「—を△訴える(受ける・取り扱う)/—が絶えない」

ぐしょう ⓪(シヤウ)【具象】❶具体。❷〔芸術作品で〕作品の内容が作者以外にも分かりやすい方法で表わされること。「—画⓪」↔抽象 **—てき** ⓪【—的】—な・—に 具象の方法で芸術作品が表現されている様子。↔抽象的

ぐしょぬれ ⓪【ぐしょ〈濡(れ)】ひどく濡れること。びしょ濡れ。

くじら ⓪(クヂラ)【鯨】❶動物中最大の海獣。魚の形をし、水平の尾を持ち、潮を吹く。古来、肉はたんぱく源に、油・ひげは灯油・工業・工芸用に用いられたが、近時 動物愛護を理由に捕獲の禁止が叫ばれるようになった。種類は多い。⇩矩(カネ) かぞえ方 ❶は一頭 **—ざし** ⓪【—差(し)】鯨尺。 **—じゃく** ⓪【—尺】昔、布を計る時に使われた長さの単位で、鯨尺一尺は曲尺(カネジャク)の一尺二寸五分〔=約三七・八八センチ〕に等しい。また、そのものさし。〔裁縫用のものさしをクジラのひげで作ったことによる〕⇩曲尺 **—まく** ③【—幕】〔葬式などに使う〕黒と白の布を一枚おきに縫い合わせて作られた幕。

くじ・る ②【〈抉る】(他五)〔指の先や棒などでえぐるようにして〕穴を△あける(あけたりなどして中の物を取り出す)。「目玉を—/鼻くそを—」

くしろ ⓪②【〈釧】〔雅〕ひじにはめた古代の装飾品。

*__くしん__ ①②【苦心】—する(自サ)〈なにニ—する〉 新しい良い物を発明・創出したり 思いもよらない案を提唱したり 難問・難題を解決したりすることに懸命に努力すること。「—惨憺(サンタン)①-⓪、②-⓪/—の△跡が認められる(程が分かる)/—談②」

ぐしん ⓪【具申】—する(他サ)〔上役に〕自分の意見・希望などを詳しく申し述べること。

ぐじん ⓪【愚人】思考力や判断力に劣る人。「—の夢」

くす ②①【〈樟・〈楠】クスノキの略。

*__くず__ ①(ヅク)【〈屑】Ⓐ△用が済んだ(必要な部分を選び取った)あとに残る、利用価値・商品価値の少ない部分。「—繭・紙—・鋸(ノコ)—」Ⓑ誰からも存在価値が認められず侮蔑(ブベツ)されるだけの人。「人間の—」

くず ①【葛】❶秋の七草の一つ。山野に生じる、大形多年生の落葉つる植物。八月ごろ、紫紅色の花を開く。根からくず粉を作る。漢方薬用。〔マメ科〕❷「くずこ・くずふ」の略。 かぞえ方 ❶は一本(イッポン)・一株(ヒトモト)・一むら

ぐず ①(ヅグ)—な 決断力に欠け、てきぱきとした動作が出来ない△様子(人)。「—っぺ⓪②」 表記 「愚図」は、借字。

くずあん ⓪【葛〈餡】葛粉を水に溶かし、酒やしょうゆなどを入れて煮立て、どろりとした汁にした食品。調理した魚肉やうどんにかける。あん。くずだまり。

くずいと ⓪(クヅ)—【〈屑糸】使い残りの短くなった糸。

くずいれ ③②(クヅ)—【〈屑入(れ)】紙屑や果物の皮、その他不要になった物を入れる入れ物。

ぐずう ⓪(ヅウ)—【〈弘通】—する(自サ) 仏教が世に広まる。また、仏教を世に広める。

くずお・れる ④(クヅホ・レル)【〈頽れる】(自下一)〔張りつめていた気力が抜けて〕くずれるように座ったり 倒れたりする。「悲報に接してその場に—」

くずかけ ②⓪【葛掛(け)】くずあんをかけた料理。あんかけ。

くずかご ②(クヅ)—【〈屑籠】紙屑などを入れる籠。

くずきり ⓪②【葛切(り)】葛粉を水に溶き加熱して固め、細長く切った食品。夏、冷やしたものを食べる。

くすくす ①②(副)—と おかしさを抑えることが出来ず、思わず小さな声を立てて笑う様子。「まわりの者が—笑った」

ぐずぐず (グヅグヅ) [一]①(副)—と・—する ❶思い切りが悪く、ためらったり迷ったりしている間にむだに時間を過ごしてしまう様子。「—していると間に合わないぞ/気が乗らなくて—と引き延ばす」❷未練がましく不平や理屈を並べ立てる様子。「いつまでも—言うな」[二]⓪—な・—に 締まりが無くなって元の形が崩れる様子。「帯がゆるんで着物が—になった」 表記 「愚図愚図」は、借字。

くすぐった・い ⑤【〈擽ったい】(形)❶何かに擽られてがまんできず、身をよじったり 笑い出したくなったりするような感じだ。「ススキの穂が首筋をなでるので—」❷自分が思っている以上にほめられるなどしてかえって照れくさくなる感じだ。「ほめられて—」 派 **—さ** ⑤ **—げ** ⓪⑥⑤ **—が・る** ⑥

くすぐ・る ⓪【〈擽る】(他五)❶(他人の足の裏やわきの下などの)皮膚を軽くなでるようにして、じっとしていられないような 笑いたいような感じにさせる。「眠っている人の足の裏をこちょこちょと—/娘心を—〔=娘をおだてて、何かに駆り立てるように そそのかす〕ような事を言う」❷おかしな事を言って、無理に人を笑わせようとする。 名 擽り⓪

くずこ ③【葛粉】クズの根からとったでんぷんを主成分とした粉。食用。くず。

くずざくら ③【葛桜】「くずもち❷」を、桜の葉で包んだ、夏向きの和菓子。

くすし ②【《薬師】〔雅〕〔薬を上手に使う人の意〕医者。 表記 「《医師」とも書く。

くずしがき ⓪(クヅシ)—【崩(し)書(き)】漢字を、行書や草書のたぐいで△書くこと(書いた文字)。

くずしじ ⓪③(クヅシ)—【崩(し)字】崩し書きで書いた漢字。

**__くず・す__ ②(クヅ・ス)(他五)〈なにヲ—〉 [一]【崩す】今まで保たれて

いた秩序を無くし、部分的にばらばらにしたり壊したりする。「列を—〔=乱す〕／字を崩して〔=楷書(カイショ)でなく〕書く／ひざを—〔=正座していた状態から、あぐらをかいたり足を横に出して座ったりする状態に移る〕／△体調（バランス・相好(ソウゴウ)）を—〔=⇩相好〕／基本△線（姿勢）は崩していない／△強気の構え（信念）は崩さない」 ❷高額の貨幣を、それより小額の貨幣に両替する。「一万円札を千円札に—」

くすだま [0]【《薬玉》】 造花などで玉の形を作り、飾り糸を長く垂らしたもの。開店祝いや進水式などの飾り物として用いる。〔昔は、いろいろな香料を袋に入れ、飾りをつけて五色の糸を垂らし、おもに五月五日の節句の魔よけとした〕

くずだまり [3]【葛〈溜(ま)り】 ⇩くずあん

ぐずつ・く [0]（自五） △行動（態度・状態）がはっきり定まらない。「ぐずついた天気」 表記「愚図付く」は、借字。

くずてつ [0]【〈屑鉄】 鉄の切り屑や、鋼製品の廃品。スクラップ。

くずねり [0][2]【葛練(り)】 葛粉を水でとき砂糖を加えて、やや固めに煮た食品。冷やして食べる。⇩くずもち❷ 表記「葛〈煉り」とも書く。

くす・ねる [3]（他下一） 身近な人の物などを無断で持ち出し、自分の物にしてしまう。「店の物を—」

くすのき [2][1]【〈樟・〈楠】 暖地に生じる常緑高木で、高さ三〇メートルにも達する。全体に香気がある。樟脳(ショウノウ)をとり、また木材は器具を作る。くす。〔クスノキ科〕 かぞえ方 一株・一本

くずふ [2][0]【葛布】 クズの繊維で織った布。耐水性に富む。くず。

くすぶ・る [3]【〈燻る】（自五） 火が、燃え広がりもしなければ消えもしないままの状態にある。〔「燃える」「焼ける」の一歩手前の状態で、普通好ましくない状態として受け取られる〕「燻ってばかりいて、なかなか燃えない／燃えさしが燻っている／天井が—〔=すすで黒くなる〕／家の中に燻っている〔=引きこもったまま、たいした事をしないで過ごす〕／△問題（不満）が—〔=もめていて、いつまでも解決がつかないでいる〕／まだ平(ヒラ)で燻っている〔=うだつの上がらない状態でいる〕」 名 燻り [0] 他動 燻べる [3][0]（下一）

くずまい [0]【〈屑米】 つく時に砕けた米。

くずまゆ [0][2]【〈屑繭】 絹糸に出来ない、不良の繭。

くすみ [3][0] 古くなった服、家の壁、また、年をとって肌が黒ずんだ色になった状態。

くす・む [2]（自五） △黒ずんでいる（さえない）感じだ。「くすんだ〔=目立たない〕存在」

くずもち [2]【葛餅】 ❶葛粉を水で練って固め、のし餅のようにした食品。きな粉や黒砂糖の蜜(ミツ)をかけて食べる。〔現在では多く、生麩(ショウフ)で代用〕 ❷「葛練」を薄く伸ばした皮で餡(アン)を包み、半透明になるまで蒸した和菓子。葛まんじゅう[3]。⇩葛桜 表記 ❶は、「久《寿餅」とも書く。

くずもの [2][0]【〈屑物】 ❶使い古して不要になった物。「—入れ」 ❷傷があったりして商品としては不適の品物。

くずや [2]【〈屑屋】 「廃品回収業（者）」の旧称。〔侮蔑(ブベツ)を含意して用いられた〕

くずゆ [2]【葛湯】 葛粉に砂糖を加えて熱湯を注ぎ かきまぜて、どろりとさせた食品。病人などが食べる。

****くすり** [0]【薬】 ❶病気・傷を治すために、飲み、塗り、または注射するもの。〔広義では、他の物質に化学作用を及ぼす物質、例えば焼き物のうわぐすりなどを指す〕「△風邪（胃）の—がよく効く／あいつには親切心など—にしたくもない〔=全くと言ってよいほどない〕ようだ／目—(グスリ)・水—(グスリ)」 ❷そのことがなされた後、いっときはショックを受けるが、のちに何らかの好ましい結果をもたらすもの。「海外で味わった苦い経験はいい—になった／—がききすぎたのか、ちょっと注意を与えただけなのに、ひどくしょんぼりしてしまった」 かぞえ方 瓶入りは一本。粉薬は一包(イッポウ)、錠剤は一錠(イチジョウ)、丸薬は一錠・一粒・一丸(イチガン) 【—九層倍(くそうばい)】 薬の売値は原価に比べて非常に高く、もうけが大きいということのたとえ。表記 もとの用字は、「九双倍(クサウバイ)」。 **—ぐい** [0][3]【—食い】 昔、（寒中に）滋養になる物を食べたこと。〔狭義では、ふだん禁じられた鹿(カ)や猪(シシ)などの獣肉を食べることを指した〕 **—だい** [0]【—代】 ⇩やくだい **—づけ** [0]【—漬(け)】 医者が患者に対し必要以上と思われるほど薬を投与すること。 **—てちょう** [4]【—手帳】 〔多く「お—[5]」の形で〕処方された薬の名前や飲み方などを記録するための手帳。薬識手帳。〔飲み合わせの悪い薬を処方されたりするのを防ぐ〕「お—を持参する」 かぞえ方 一冊 **—ばこ** [3]【—箱】 ❶〔家庭で〕常備薬を入れておく箱。 ❷昔、医者が患者の家を往診する時、必要な薬品や用具を入れて携帯した箱。 **—や** [0]【—屋】 薬を△調合（製造）したり 既製の売薬を売ったりする店。〔俗に製薬会社のことをも言う〕 **—ゆ** [3]【—湯】 薬や薬草を入れたふろ。やくとう。 **—ゆび** [3]【—指】 中指と小指の間の指。無名指(ムメイシ)。〔昔、塗り薬を付けるのに使ったことからなどの説がある〕

ぐ・する [2]【具する】 [一]（自サ） だれかと行動を共にする。「兄に具して〔=兄と連れ立って〕行く」 [二]（他サ） ❶〔必要なものを〕全部そろえる。「書類を具して申告する」 ❷一緒に来させる。「供の者を—〔=伴う〕」 具す [1]（五）。 表記「〈倶する」とも書く。

ぐず・る [2]（自五） ❶〔幼児などが〕不満があって、すねたりあれこれ不平を並べたりして人を困らせる。 ❷言いがかりをつける。〔古くは❷の意に用いられた〕 表記「愚図る」は、借字。

くずれ [3]【崩れ】 [一]【3】 △崩れること（崩れたもの）。「塀の—を直す／山—・がけ—」 [二]〔接尾語的に〕以前はりっぱな経歴だったが、今は堕落して、どうしようも無い者の意を表わす。「ボクサー—／特攻隊—」

****くず・れる** [3]（自下一） [一]【崩れる】 〔今まで持続していた整ったものの状態が〕ささえる力が失われて、部分的にこわれたり ばらばらになったりする。「△がけ（足場・バランス）が—／姿勢が—／しもやけで指が—〔=皮膚がうみを持ったり破れたりする〕／天気が—〔=今まで良かった天気が悪くなる〕／値が—〔=強かった相場が下がる〕」 [二]「くずす[二]」ことが出来る。「やっと一万円札がくずれた」

運用 結婚など祝宴の場では避けるべき言葉とされる。

くすんごぶ [4]【九寸五分】 あいくち。〔その長さから言う〕

くせ [2]【《曲】 〔謡曲で〕一曲の中心として、最も大切な所。

***くせ** [2]【癖】 ❶その人がいつもそうする習慣的動作や、行動の個人的な傾向（のうちで、好ましくないと受け取られるもの）。「—になる／無くて七—／つめをかむ—／なまけ—(グセ)[0]」 ❷曲がったり 折れたり などして、本来の状態に直そうとしてもなかなか直らない状態。「髪の—／—毛(ゲ)[0]」 ❸その人やものが持っている、接する人に必ずしも好まれない、一般とは異なった独特な性向や雰囲気。「—のある△人物（文章）／—の無い味」 ❹〔洋裁で〕からだの形に合うように整えたふくらみやへこみ。「—を付ける」 【—になる】 ❶罪悪感が麻痺(ヒマ)した状態で何度も繰り返してしまうようになる。「万引きが—」 ❷何度も体験したくなる。「手触りが良く、—感触／—味」

ぐぜ [1]【《救世】 〔仏教で〕苦悩の多い一般の人を救うこと。「くせ・ぐぜ」とも。「—観音(カンノン)[3]」

くぜい [1]【区税】 区が区民や区内の事業者などに課する

税金。

ぐせい①⓪【愚生】〔手紙文で〕男性が用いる自分の謙称。

ぐぜい⓪①【〈弘誓】悩める一切の衆生を救おうという、仏・菩薩の広大な誓い。

くせつ⓪【苦節】苦しみに堪え、初心を守り通すこと。「—十年」

くぜつ⓪①【口舌】❶「(男女間の)言い争い」の意の古風な表現。❷口先だけのもっともらしい言説。「—の徒」 表記「口説」とも書く。

ぐせつ⓪【愚説】ばかげた説。〔「自分の説」の意の謙譲語としても用いられる〕

くせなおし③【癖直し】湯気で暖めて、「癖❷」を直すこと。

くせに【癖に】(接助)〔…であるにもかかわらず、の意。終助詞的にも用いられる〕△そういう状態であるのに(そういう行動をするとは)と言って非難したりからかったりする気持を表わす。〔口頭語では「くせして」、また単に「くせ」とも〕「分からない—知ったふりをするな/大人の—弱虫だ/うそつけ、本当は好きな—」 文法 (1)活用語の連体形に接続する。名詞とともに用いられるときは「名詞+の+くせに」となる。(2)「金を持っているくせに出そうとしない」「金を持っているのに出そうとしない」などと接続助詞「くせに」は「のに」と類義的に用いられる。「のに」は、一般に予測される因果関係(ここでは「金を持っていれば当然出す」)とは異なった対応関係が認められることを表わす。それに対して「くせに」は、話し手の行動基準と照らして、相手の行動(ここでは「金を出そうとしない」)に、どのような意図があるのかはともかく、自分ならそのような行動をとるはずはないのに なんとも納得しがたいということを、軽い非難の気持を含意して表わしている。

くせもの⓪【《曲者】❶気を許すことの出来ない要注意人物。〔狭義では、どろぼうなど挙動不審の者を指す〕❷どういう△展開になるか(含み・伏線があるか)分からなくて、用心しなければならないもの。「恋は—/この企画力というのが—だ/あんなに あいそのいいのが—だ」

くせん⓪【苦戦】—する(自サ) △苦しい(不利な)戦いをすること。また、その戦い。「—に追い込まれる/—を強いられる」

くせんてい⓪【駆潜艇】敵の潜水艦を攻撃するのに使われていた、小型の快速艇。

くそ【〈糞】■一②Ⓐ〔臭い物の意〕肛門から出る、養分が吸収されたあとの食べ物のかす。ふん。大便。「—を垂れる/馬—・鼻—・金—」⇩くそみそ Ⓑ体外に排出される分泌物や物のかす。「鼻—・金—」■二②(感)Ⓐ自分に屈辱などを与えるなどした相手をののしって言う語。「よくも俺に恥をかかせたな。—、覚えていろ」Ⓑ落ち込みがちな自分の気持を奮いたたせるのに用いる語。「何—今度は絶対やってみせるぞ」■三(造語)❶その存在を呪わしく思う気持を表わす。「—ばばあ④」❷常人ばなれがしていて、むしろいやになる気持を表わす。「—まじめ③・—度胸」❸その語の持つ否定的な意味を強めることを表わす。「—リアリズム・へた—・ぼろ—・やけ—」(■二■三は俗語的表現) 表記「〈屎」とも書く。 運用 ■一について。(1)口頭語で、「…なんかくそ食らえ」などの形で、そのことに対する強い拒絶を表わすのにも用いられる。例、「勲章なんかくそ食らえだ」(2)口頭語で、「…もくそも△ない(あるか)」などの形で、相手の言行について、そんなことは論外だという怒りやののしりの気持を表わすのにも用いられる。例、「ろくに仕事もしないのに休暇もくそもあるか」

ぐそう⓪【愚僧】〔悟りを開かぬ僧の意〕僧の謙称。

くそおちつき③④【〈糞落ち着き】気味が悪いほど落ち着いていること。「—に落ち着く」

ぐそく⓪【具足】❶—する(自サ) 物事が十分に備わっていること。「円満—⓪-⓪」❷道具。調度。〔狭義では、甲冑を指す〕 —に⓪【—煮】イセエビを殻のついたまま輪切りにして△煮ること(煮た料理)。〔殻を甲冑に見立てて言う〕

ぐそく⓪【愚息】自分のむすこの謙称。

くそたれ④③⓪【〈糞垂れ】〔大便を垂れ流した者の意〕「最低だ」という意で、人をののしって言う言葉。〔口頭語形は「くそったれ⑤④⓪」〕

くそぢから③【〈糞力】「ばか力」の意の口頭語的表現。

くそどきょう③【〈糞度胸】常人にはまねの出来ないほどの、ずぶとい度胸。

くそばえ②⓪【〈糞蠅】キンバエの俗称。

くそみそ⓪【〈糞味〈噌】—な —に 〔価値の無い物もある物も区別無く扱う意〕❶価値のある物と無い物の見きわめがつかない様子だ。味噌糞。「名作も駄作も—にして論じる」❷相手をひどくやりこめる様子だ。さんざん。「—にけなす」

***くだ**①【管】❶細長い筒。❷機織りで機の横糸を巻いて杼に入れるもの。❸糸車の「つむ」にさして糸を巻くもの。車を回すとぶんぶん音を立てる。 かぞえ方 ❶～❸とも一本 【—を巻く】〔「管❸」を巻くと音を立てることから〕酒に酔ってくどくどと繰り返して、つまらないことを言う。

くたい⓪【〈軀体】建物の構造体の主要部分。柱・梁・桁・床・壁・階段などを指す。「—工事④・—蓄熱④⑤」

くだい⓪【句題】❶有名な△古歌(古詩)の一句を題として詠んだ詩歌。「—和歌④」❷俳句の題。

***ぐたい**⓪【具体】その人の頭の中で考えられている事の内容が、ほかの人にも同じ形で理解出来るようになっていること。具象。「—例を示す」↕抽象 —あん②【—案】実現の手順などが明示された案。「—を△示す(練る)」 —か⓪【—化】—する(自他サ) 構想・計画など△が実現する(を実行に移す)こと。「—に乗り出す/—を急ぐ」 —さく②【—策】現状に適応する実際的な方策。「—に乏しい」 —せい⓪【—性】現実に行なわれ、存在し得るような性質。「—を持たせる/△今一つ(迫力と)—を欠く」 —てき⓪【—的】—な —に 実際的で、細かいところまで取り上げる様子だ。「—な提案/—に説明する」↕抽象的 —ろん②【—論】具体的な内容を示しながら行なう議論。↕抽象論

***くだく**②【砕く】(他五)〈なにデ〉なにヲ—〉 △固まって(一定の形を取って)いる物に強い力を加え、細かいかけらとする。「土を—/花瓶を—(=こわす)/夢を—(=せっかく描いていた美しい幻想を無残にこわす)/敵の勢いを—(=分散させて、弱体化をはかる)/△心(心胆)を—(=目的を達するために、ああでもないこうでもないと心を用いる)/砕いて(=相手が理解出来るように、やさしい例を取って)話す」 表記「〈摧く」とも書く。

くたくた ■一⓪—な —に ❶まともに立っていられないほど、くたびれきっている様子。「朝から歩きどおしでもう—だ/—のからだをやっと起こす」❷(布などが)古くなって、張りを失っている様子。「—になった着物」〔強調表現は「ぐたぐた」「ぐだぐだ」〕 ■二①②(副)—と ぐたぐた■一❶。

くだくだ①(副)—と 取るに足らない事をとりとめもなく述べ続ける様子。ぐたぐた。くどくど。 —し・い⑤(形) 〔たいして重要でもない話などが〕くどく続いてうんざりさせられる様子だ。 派 —さ⑤④

ぐたぐた ■一①(副)—と ❶原形が損なわれるほど十分に煮込む様子。❷くだくだ。「—言ってたよ」 ■二⓪—な —に 「ぐたぐた■一❶」に同じ。「—になるまで煮ます」

くだけまい⓪【砕け米】もみすり・米つきの際に砕けた米。こごめ。

くだ・ける③【砕ける】(自下一) 砕いた状態になる。「波が

—／腰が—〔=ⓐ腰の構えが崩れ、不安定になる。ⓑ何かに対する恐れや遠慮などで、初めの勢いが無くなる〕／砕けた〔=物分かりがよくて、親しみやすい〕人／砕けた〔=分かりやすい〕言葉を使った、どちらかというと俗に近い〕表現」 表記「摧ける」とも書く。

ください【下さい】〔「下さる」の命令形「下され」の変化〕 一③ 自分に何かを与えてくれ、の意の△尊敬（丁寧）表現。 二❶〔「お＋名詞＋—」「ご＋名詞＋—」などの形で、接尾語的に〕人に何かを勧めたり、そうしてほしいという意を表わす△尊敬（丁寧）表現。「ご覧—〔=見ていただきたい〕／お目こぼし—」 ❷〔補助動詞として〕そうしてくれるよう相手に依頼する意を表わす△尊敬（丁寧）表現。「話して—」 運用 二について。（1）「…を下さい」よりも、「…を下さいませんか」のように相手の意向を問う形を用いるほうがより丁寧な言い方となる。例、「（ご）連絡を下さいませんか」（2）商店で「…を下さい」と言うときは、その品を買いたい、という意を表わす。例、「ケーキを五つ下さい」

くださ・る【下さる】 一③（他五）「与える」「くれる二」の△尊敬（丁寧）語。 二❶〔「お＋名詞＋—」「ご＋名詞＋—」などの形で、接尾語的に〕「くれる二」の△尊敬（丁寧）語。「お目通し—／ご承認—」 ❷〔補動・五型〕「くれる二」の△尊敬（丁寧）語。「読んで—」〔二❷とも「た」「て」に続く場合、口頭語では「下すった」「下すって」とも言う〕 表記 本表=「下さる」 文法 二は、「あげる」または「さしあげる」「いただく」と組になって受給表現を表わす。「…くださる」と補助動詞として用いる場合も同様。

くだされもの⓪【下され物】（立場の上の人から）いただいた物。ちょうだい物。

くださ・れる④【下される】（他下一）「くださる」の古風な表現。〔「くださる」より敬意が高い〕

くだしぐすり④【下し薬】「下剤」の意の和語的表現。

***くだ・す**【下す】 一⓪（他五）❶〈なに・だれヲ（なに・どこニ）—〉低い所に移す。「官を—〔=責任を問うためなどの目的で低い官職に移す〕／飲み—／天が△罰（褒美）として下した〔=与えた〕所／敵を—〔=破る〕」 ❷〈（だれニ）なにヲ—〉 立場が下の者に対して決定的な影響を及ぼすような行為を、上の人がする。「△審判（裁定）を—／命令を—〔=与える〕／判決を—〔=言い渡す〕／使者を—〔=派遣する〕」 ❸〈（なにニ）なにヲ—〉 自分自身の最終的な意思表示として、それを実行する。「△解釈（評価・定義）を—〔=行なう〕／結論を—〔=出す〕／断を—〔=ⓐ決断する。ⓑ決定する〕／手を—〔=自分の責任と判断で実行する〕」 ❹〈なにヲ—〉 体外に出す。「虫を—〔=体外へ出す〕／腹を—〔=下痢をする〕」 二〔「動詞連用形＋—」の形で、接尾語的に〕途中でつまずかずに一気に何かをし終える。「読み—・書き—」 表記 本表=「下す」。「《降す」とも書く。一❹は、「〈瀉す」とも書く。

くだって⓪【《降って】〔手紙文で〕さて、今度は自分の事になりますが。「—私共一同、…」

くたにやき⓪【九谷焼】 石川県九谷地方〔=現在の加賀市周辺〕で作る陶器。

くたば・る③（自五）「死ぬ」意に、その人が生きていてもしかたの無い人間だという気持を込めて用いる表現。「放蕩（ホウトウ）のあげくについにくたばった」 運用（1）「くたばってしまえ」の形で、早く死んでしまえと憎悪をこめて、その人の存在をこの世から抹殺したいという気持を表わすのに用いられる。（2）「くたばれ…」の形で、その存在を絶対に許してはおけないという気持を込めたスローガンに用いられることがある。例、「くたばれ金権政治」

くたびれもうけ⑤【くたびれ〈儲け】 疲れたわりには得るものがないこと。「骨折り損の—〔=⇩骨折り〕」 表記「くたびれ」を「〈草〈臥〉れ」と書くのは、借字。

くたび・れる④（自下一） △持続（使用）期間が長過ぎて、当初の緊張（感）が保てない状態になる。また、その結果、できることならその状態から（一時的にでも）逃れたいと思う気持になる。「くたびれた、もう一歩も歩きたくない／くたびれた〔=よれよれになったりいたみや汚れが目立ってきたりした〕洋服／一向に成果が上がらない研究に—／待ち—」 ⇩つかれる 表記「〈草〈臥〉れる」は、借字。

***くだもの**②【《果物】〔木の物の意という〕生のままで食べる「果実❶」のうち、主として食後に食べる嗜好（コウシ）品。甘いものが多い。フルーツ。 表記 ⇩付表「果物」

くだら①【〈百済〉】 古代朝鮮半島の南西部にあった国。 **—ごと**④③【—琴】 百済から渡って来た弦楽器。箜篌（クゴ）①。

くだらない⓪【下らない】 まともに△取り上げる（相手になる）だけの価値が無い様子だ。くだらぬ。〔口頭語形は「くだらん⓪」〕「—ことを言うな／—小説」 派 **くだらなさ**④⓪

くだり【下り】 一⓪ ↕のぼり ❶低い方へ移ること。「この先は—がしばらく続く」 ❷〔乗り物や道路で〕起点〔と定められている所〕から終点〔と定められている所〕へ向かう△こと（もの・方向）。〔一般に、東京から他の地方へ、都心から市外へ、または幹線から支線へ向かう△こと（もの・方向）を指す〕「—の列車」 表記 本表=「下り」。❷の一部は、「《降り」とも書く。 **—せん**⓪【—線】 起点から終点に向かう交通路線。↕上り線 **—れっしゃ**④【—列車】 △相対的に見てより主要な都市（幹線の通る駅）を基点とする列車。↕上り列車 二（造語）動詞「下る」の連用形。 **—あゆ**④【—〈鮎】 おちあゆ。 **—ざか**⓪【—坂】 その人が下る方へ向かっている状態にある坂。〔盛りが過ぎて衰える意にも用いられる〕↕上り坂 **—ばら**⓪【—腹】 下痢（を起こしている腹ぐあい）。

くだり⓪ 一【《行】〔縦書きの表記で〕文章などの縦の行（ギョウ）。「三—半〔=離縁状〕」 二【《件】〔文章の中で〕その事について述べている部分。「平家物語の大原御幸（オハラゴコウ）の—」

***くだ・る**⓪【下る】（自五）❶〈どこヲ—／（どこ・なにニ）—〉〔斜面に沿うなどして〕高い位置から低い位置へ向かって移動する。〔広義では、川の上流から下流の方へ移ることや、昔、都から地方へ行ったことをも指す〕「山道を—／時代が—〔=現代に近づく〕／野（ヤ）に—〔=⇩野❷〕」 ↕のぼる❶ ❷〈なにヲ—〉〔一般に「下らない」の形で、また、否定表現と呼応して〕〔予測した最低の〕基準とする数値を上回ることを表わす。「入場者は今日だけでも二万人を下らない／毎月の売上は一千万円を—ことはないだろう」 ⇩のぼる❻ ❸〈（だれニ）—〉 上の人の意志が、一定の手順を経て下の者に伝わる。「△命令（判決・審判）が—」 ❹〈（だれニ）—〉 降参する。「敵に—」 ❺下痢をする。「腹が—」 表記 本表=「下る」。「《降る」とも書く。❺は、「〈瀉る」とも書く。〔⇩下り二〕

くだん①【《件】〔「くだり」の変化〕❶上に述べた事柄。「よって—のごとし〔=前述の通りである。証文などの終りに書く語〕」 ❷すでに話題にした事柄を指す。例の。「—の話」

****くち**【口】 一⓪ ❶人間や動物が飲食物を取り入れたり音声を発したりする所。「—で言うほど容易ではない／—をつぐむ／—をとがらす〔=不満が表われている様子〕／あいた—がふさがらない〔=驚きあきれる様子〕／—〔=食糧を必要とする人数〕を減らす／—に合う〔=その飲食物が好みに合う〕／—が肥えている〔=味覚が発達している〕／—が奢（オゴ）る〔=うまい物以外は興味を示さないほど ぜいたくだ〕」 ❷「口❶」に出して言う△こと(言葉)。「責任者の―から出た発言/―をそろえて/―が重い〔=すすんでしゃべろうとはしない〕/―が堅い〔=秘密などをうっかりしゃべったりしない〕/―がすべる〔=言ってはならない事をうっかり言う〕/―をすべらす〔=口がすべる〕/―が過ぎる〔=(立場の上の人に対して)その場をわきまえず、失礼なことを言う〕/―がうるさい〔=何かにつけて△小言(意見)を言う〕/世間の―がうるさい〔=ある事無い事を勘ぐって、いろいろうわさをする〕/―にのぼる〔=そのことが人びとの話題になる〕/―の端△にかかる〔=そのことが何かにつけて人びとの話の種にされる〕/―〔=お世辞〕がうまい/―も八丁、手も八丁〔=言うこともすることも達者な形容〕/―にする〔=ⓐ『口❶』に入れる。ⓑ言う〕/―をきく〔=ⓐしゃべる。ⓑ甲のために乙に話をつけ、甲・乙の間を取り持つ〕/―を切る〔=その場の沈黙を、△最初に(ようやく)破る〕/―がかかる〔=お座敷が掛かる。⇩お座敷〕/―をかける〔=そのことに誘う〕/かっこうな―〔=職〕を世話する/―を割る〔=白状する〕/―をついて出る〔=△自然に(衝動的に)その言葉が発せられる〕/―を出す〔=他人が会話しているところに自分も一枚加わる。『狭義では、よけいな口をきくことを指す』〕/―荒く〔=乱暴な言い方で〕ののしる/大きな―をたたく/―ほどにもない〔=第三者から見て、当人が自分で言うほどの能力があるとは言えない〕」 ❸△外(中・奥)に向かって開いていて、△そこから出入り(出し入れ)する所。「―をふさぐ/土瓶の―/―を切る〔=新しい瓶詰や缶詰を開ける〕/出入―(グチ)・東―(グチ)[0]・非常―(グチ)・吉田―(グチ)〔=吉田からの のぼり口〕」 ❹物の端。〔狭義では、浄瑠璃(ジョウルリ)の冒頭部分を指す。↕切り❷〕「―から片付ける/まだ宵の―だ〔=宵になったばかりだ〕/序の―」 ❺ある基準で二分類した、一つひとつ。「安い―〔=ほう〕にする/甘―(グチ)・辛―(グチ)」 ❻それぞれの特徴をもって他と区別される、一つひとつのもの。「僕はあの―がいい〔=あれを選ぶ〕/手―(グチ)・やり―(グチ)」
㊁(造語) ❶飲食物などが口を出入りする回数を表わす。「コニャックを一―飲む/一―の唾(ツバ)を吐きかけた」 ❷機器の部品をかぞえる語。「二―(フタ)グリル」 ❸取引・申込み・口座などの単位をかぞえる語。

ぐち[1] イシモチの異称。

ぐち[0]【愚痴】〔道理が分からない意〕言ってもどうしようもないことを くどくど言うこと。「―をこぼす/―っぽい[4]」

くちあい[0]【口合(い)】(アヒ) ❶お互いの話がよく合うこと。❷△仲介(保証)に立つ人。❸地口(ジグチ)。ごろあわせ。

くちあけ[0]【口開け】〔瓶詰・缶詰などの〕口を初めて開けること。〔物事をする最初の意にも用いられる〕

くちあたり[0]【口当(た)り】食べ物や飲み物を口に入れた時に起こる、いい・悪いの感じ。くちざわり。「―のいい食べ物/―のいい〔=物の言い方が穏やかで人のあしらいが上手な〕人」

くち・い[2][0](形)〔東北・関東方言〕(苦しくなるほど)おなかが一杯だ。

くちいれ[0]【口入れ】―する(自サ)〔人の話に口出しをする意〕仲介に立つ△こと(人)。「―屋[0]〔=奉公人の勤め口を世話する職業(の人)〕」

くちうつし[0][3]【口写し】話し方や話す内容が、ほかの人のそれに そっくりであること。

くちうつし[0][3]【口移し】―する(他サ) ❶飲食物などを自分の口に含んで相手の口に移し入れること。❷相手に直接言葉で伝えること。「―に教える〔=口で言って△まねをさせて覚えさせる(大切な事を教え伝える)〕」

くちうら[0]【口裏】〔もと「口占」の意で、人の言葉を聞いて、吉凶を占う意〕相手の真意が推察出来るような、物の言いっぷり。「―から察する/―を合わせる〔=前もって打ち合わせて、話の内容が食い違わないようにする〕」

くちうるさ・い[5]【口《煩い・口〔五月《蠅》〕い】(形) 何かにつけて自分の思うとおりにさせなければ気が済まない性分で、事の大小にかかわらず助言や注意を与える様子だ。「―親/口うるさく説教する/精密機械だから慎重に扱うよう口うるさく言う」 派 ―げ[0][6][5]

くちえ[0]【口絵】(ヱ) 書物の初めに入れる絵。かぞえ方 一枚

くちおし・い[4]【口惜しい】(ヲシイ)(形) △負けるはずがないと思っていた相手に負ける(予期していたほどの成果が得られない)などして、自分の能力のなさを思い知らされて悔しいと思う様子だ。「とんだにせ物をつかまされて今でも―」 派 ―さ[3] ―げ[0][4][5] ―が・る[5]

くちおも[0]【口重】―な ―に 言うべきかどうか、どのように言うべきか、などを慎重に考えてから口をきく△様子だ(性格だ)。また、その結果、口数が少なくなる様子だ。↕口軽 **―・い**[4][0](形) 口重だ。↕口軽い

くちがき[0]【口書(き)】❶江戸時代、尋問への供述を記録したもの。❷江戸時代、罪人の白状書に爪印(ツメイン)を押させたもの。❸筆を口にくわえて書くこと。

くちかず[0]【口数】❶口をきく量。「―〔=言葉数〕が多い人」 ❷〔食べ物を用意する観点から見ての〕人数。❸件数。

くちがた・い[4][0]【口堅い】(形) ❶慎重な性格で、秘密などを他言することがない様子だ。❷自分の発言に責任を負う様子だ。「口堅く約束を交わす」

くちがため[0][3]【口固め】❶口止め。❷(堅く)口約束すること。「夫婦の―をする」

くちがたり[0][3]【口語り】伴奏用の楽器や小道具などを用いずに、口だけで物語を歌うように語ること。

くちがね[0]【口金】入れ物などの口にはめる金具。「瓶の―〔=王冠〕/電球の―〔=根もとの金属の部分〕」

くちがる[0]【口軽】―な ―に 慎重さを欠き、事の是非も考えずに思ったことをすぐ口に出す△様子だ(性格だ)。また、その結果、よどみなくものを言う様子だ。↕口重 **―・い**[4][0](形) 口軽だ。↕口重い 派 ―さ[0][4]

くちき[0]【朽(ち)木】腐った木。〔不遇のまま一生を終わる境遇の意にも用いられる〕

くちきき[0]【口利(き)】❶△話(交渉)の上手な人。❷〔もめ事や相談事で〕当事者の間に入って両者をとりなす△こと(人)。「先輩の―で交渉がまとまった/あの寺の住職はちょっとした村の―〔=その人に頼まれたらいやだとは言いにくいような立場にある人〕だ」

くちぎたな・い[5]【口汚(な)い】(形) ❶〔他人を責める際などに〕当人の人格が疑われるような、ひどく下劣な言い方をする様子だ。「口汚くののしる」 ❷食い意地が張っている。派 ―さ[5]

くちきり[0]【口切(り)】❶一連の△行動(行事)の始まりとして、その人が最初にその事をすること。「田中君の質問を―に、次から次へと質問の手があがった」 ❷〔新茶を入れた壺(ボツ)の封を切ることから〕新茶を使った最初の茶会。❸〔取引で〕売買成立の最初。

くちく[0]【駆逐】―する(他サ)〔敵などを〕追い払うこと。 **―かん**[0]【―艦】魚雷を主たる武器とし、高速を利用して敵艦を攻撃する小型の軍艦。かぞえ方 一隻(セキ)・一艘(ソウ)

くちぐせ[0]【口癖】そう言うのがその人の癖となっている△こと(言葉)。「―になる/―のように言う」

くちぐち[2]【口々】❶おおぜいの人がそれぞれきそうように言う△こと(様子)。「大声で―に叫ぶ」 ❷あちこちにある、それぞれの出入口。「―を固める」

くちぐるま③【口車】 口先のうまい言いまわし。「―に乗せられる〔＝うまい言葉でだまされる〕」

くちげんか③ クワ【口〈喧嘩〉】―する（自サ） 言葉のやりとりだけでするけんか。言い争い。

くちごうしゃ③ ガウ【口巧者】―な 口先のうまい△様子（人）。

くちごたえ③⓪ ゴタヘ【口答㋓】―する（自サ）〔立場の上の人に言われたことに対して〕言い返す△こと（言葉）。

くちこぼ・れる⑤【朽㋠《毀れる》】（自下一）〔長い年月の間風雨にさらされて〕石の表面が風化したり堅い木が内部まで腐食したりして、組織の一部が欠け落ちる。

くちコミ⓪【口コミ】〔マスコミのもじり〕うわさ・評判など、人の口から口へ個別的に伝えられるコミュニケーション。

くちごも・る④【口籠㋱る】（自五） ❶発音が不明確で、何を言っているか分からない状態だ。❷言いしぶって途中でつかえる。

くちさがな・い⑤【口さがない】（形） 他人の事について、あれこれと興味本位にうわさをする様子だ。派―さ⑤

文法 助動詞「そうだ（様態）」に続くときは「口さがなさそうだ」の形になる。また「すぎる」と結びついて複合動詞をつくるときは「口さがなさすぎる」の形になる。

くちさき⓪【口先】 ❶口の先端。「―をとがらせる」❷相手に向かってうまい事を言う技術。「―だけで実行が伴わない/―〔＝言葉の上だけ〕では調子のいい事を言うが実際はどうだか分からない」

くちさびし・い⑤【口寂しい】（形） 絶えず何かを口にしていないと落ち着かない様子だ。「くちざみしい」とも。「たばこをやめたら口寂しくて困る」派―さ⑤④

くちざわり③⓪ ザハリ【口触㋷】 くちあたり。

くちしのぎ③【口〈凌㋓〉】 ❶どうにか食べてだけは行けること。「当座の―」❷その時ちょっとだけ食欲を満たすこと。

くちじゃみせん③【口《三味線》】 口で三味線の音色をまねること。「―に乗せる〔＝口車に乗せる〕」表記 ⇩付表「三味線」

くちじょうず③ ジャウ【口上《手》】―な/―に 口先のうまい△こと（人）。表記 ⇩付表「上手」

くちずから③⓪ ヅカラ【口ずから】（副）〔「自分の口を通して」の意〕文字に書くのではなく、口頭で物を言うことを表わす。

くちすぎ⓪【口過ぎ】 どうにか暮らせるだけの生計（を立てること）。

くちすごし⓪【口過㋛し】 その日その日の暮らしを（何とか）しのいでいくこと。

くちずさ・む④【口《遊む・口《吟む》】（他五） 心に浮かぶ詩や歌などを興に任せて軽く声に出す。名口ずさみ⓪

くちすす・ぐ④⓪【〈嗽ぐ〉】（自五） 口の中を洗い清める。うがいする。くちそそぐ。表記「〈漱ぐ〉」とも書く。

くちずっぱく⑤【口酸っぱく】（副） 言うのがいやになるほど、同じ事を何度も繰り返して注意する様子。

くちぞえ⓪ ゾヘ【口添㋓】―する（自サ）〔ある人の依頼や交渉などがうまくいくように〕わきから言葉を添えて、とりなすこと。

くちだし⓪【口出㋛】―する（自サ）〔ほかの人が話している時に〕当事者でないのに、わきからさし出て言うこと。「よけいな―をするな/△他人の事（事ごと）に―する」

くちだっしゃ③【口達者】―な/―に ❶（真実の無いくせに）口先の上手な△こと（人）。❷口から生まれたかのように、よくしゃべる△こと（人）。

くちぢゃ⓪【口茶】〔煎茶を入れる際〕茶の葉を全部取り替えず、少しずつ足してお茶を入れること。また、そうして入れたお茶。

くちつき⓪【口付㋖】 ❶口のかっこう。❷〔内心がそれによって分かるような〕物の言い方。「不服そうな―」❸吸い口がついている△こと（紙巻きたばこ）。

くちづけ⓪【口付㋘】―する（自サ） 接吻。キス。

くちづたえ⓪③ ヅタヘ【口伝㋓】 ❶くでん。❷人から人へ語り伝えること。口づて⓪。

くちどけ⓪【口溶㋘】 菓子などが口の中で溶ける様子。「―のよいチョコレート」

くちどめ⓪【口止㋱】―する（自他サ） 口外することを禁じる△こと（ために与える金品）。「―料④」

くちとり【口取㋷】 ❶④③ 牛馬の口を取って引く人。馬丁。❷⓪④〔↑口取肴⑤〕きんとん・かまぼこなどを皿に盛り合わせたもの。晴れの料理の時、膳部に供える。

くちなおし③⓪ ナホシ【口直し】 飲食した物の（いやな）味を消すために、別の物を飲食すること。また、その飲食物。「お―にデザートはいかがですか」

くちなし⓪【〈梔〉】 庭に植える常緑低木。夏、香気ある白い花を開く。実は染料・薬用。〔黄熟した実が、栗や椿のように割れて口を開けることが無い意から、「口無し」と命名された、という〕〔アカネ科〕かぞえ方 一株・一本 表記「〈支子〉・〈梔子〉」とも書く。

くちなめずり③④ ナメヅリ（自サ） ⇩舌なめずり❶

くちならし⓪③【口慣㋶し】―する（自サ） ❶何度も言ってみて、すらすら言えるようにすること。❷〔食べつけていない食べ物などを〕ためしにちょっと食べてみること。表記「口〈馴らし〉」とも書く。

くちなわ⓪ クチナハ【《蛇》】〔形が朽ちた縄に似ているところから〕ヘビの異称。

くちぬき⓪④③【口抜㋖】 瓶の口を開ける器具。栓抜き。

くちのは⓪【口の端】 ❶言葉のはし。❷うわさ。話の種。「世人の―にのぼる〔＝うわさされる〕」

くちば⓪【朽葉】 落ち葉の腐ったもの。「―色⓪〔＝灰色を帯びた茶色〕」

くちばし⓪【〈嘴〉】 鳥類の口。長く突き出ていて堅い。単に「はし」とも。「―が黄色い〔＝若くて、まだ経験が少ない〕/―を入れる〔＝口出しをする〕」

くちばし・る④【口走る】（他五） ❶調子に乗って△余計な（心にも無い）事を言う。❷無意識に言う。「ふと―」

くちは・てる④【朽㋠果てる】（自下一） すっかり朽ちる。〔世に知られずに死んでしまう意にも用いられる〕

くちはばった・い⑥【口幅ったい】（形） 身分・立場もわきまえずに△大きな（なまいきな）事を言う様子だ。

運用 立場の上の人を前にして意見などを述べる際の前置きとして「口幅ったいことを申し上げるようですが」などの形で用いることが多い。

くちばや⓪【口速】―な/―に はやくちに物を言う様子だ。「長いせりふを―にしゃべる/―に命じる」表記「口早」とも書く。

くちび⓪【口火】 （火縄銃や爆薬などの）点火に使う火。「―を切る〔＝次つぎに何かが行なわれるきっかけになるような事を、他に先がけてする〕」

くちひげ⓪【口〈髭〉】 鼻の下のひげ。「―をたくわえる」

くちびょうし③⓪ ビヤウ【口拍子】 口で拍子をとること。また、その拍子。

くちびる⓪【唇】 上下から口を囲む、薄い皮でおおわれた器官。飲食・発音を助ける。「―亡びて歯寒し〔＝唇が無くなると歯を保護するものが無くなって不都合を生じる。そのように深い利害関係のある一方が無くなると他の存在にも大きな影響を及ぼすことのたとえ。⇩唇歯〕/―を△反す

〔翻す〕〔＝〔今まで良く言っていた相手を、一転して〕非難したりあざけったりする〕/—を噛(カ)む〔＝残念がる〕/—をとがらす〔＝不平らしい顔つきをしたり不平がましい物言いをしたりする〕/—を盗む〔＝相手の意志にかかわらずキスする〕/花〔＝美人〕の—/上(ワウ)—・下—」 表記 もと「〈脣」。「口《唇」とも書く。

くちふうじ③⓪【口封(じ)】その事柄が関係者の口から外部に漏れることがないように、何らかの手段を講じること。「—のために殺す」

くちぶえ⓪【口笛】口を丸くすぼめ、また、指を口の中に入れ、息を強く吹いて音を出すこと。また、その音。「—を吹く/—が聞こえる」

くちふさぎ③⓪【口塞(ぎ)】❶口止め。❷〔「おー」の形で〕客に出す食べ物などを謙遜(ケンソン)して言う語。「おーにおーつどうぞ」

くちぶちょうほう④【口不調法(ブチョウホウ)】—な—に 話がへたで、相手との応対がうまく出来ない様子。〔一般に、自分自身について言う〕 表記「口無調法」とも書く。

くちぶり⓪【口振(り)】〔その人の本心・意図・感情などが感じとられる〕話の様子やしゃべり方。「どうもあの—では不賛成のようだ/先生の—をまねしてみんなを笑わせる」

くちべた⓪【口〈下手〉】—な—に 物を言う事が不得手で、人に向かって思った通りの事をうまく言えない様子。 表記 ⇩付表「下手」

くちべに⓪【口紅】❶〔化粧品などで〕くちびるに塗る紅。「うっすらと—をつける/—をさす」❷〔陶磁器の〕ふちだけに紅色を塗ること。 かぞえ方 ❶は一本

くちべらし③⓪【口減(らし)】〔生活費を減らすために〕子供を奉公や養子に出すなどして、家族の人数を減らすこと。

くちへん⓪【口偏】漢字の部首名の一つ。「呼・吸・味」などの、左側の「口」の部分。〔多く、飲食や発声に関係のある漢字がこれに属する〕

くちまえ⓪【口前(マヘ)】〔その場その場をうまく言いなす〕物の言い方。「—がうまくって調子がいいから」

くちまかせ③【口任(せ)】口から出まかせにしゃべること。

くちまね⓪【口真《似】—する(自他サ) 他人の言い方の真似をすること。「先生の—をする」

くちまめ⓪【口〈忠実〉】—な—に よくしゃべる△こと(人)。

くちもと⓪【口《許】❶口のあたり(のかっこう)。「—がゆむ〔＝内心の喜びを隠し切れない意にも用いられる〕」❷〔乗り物などの〕出入口の近所。 表記「口元」とも書く。

くちやかまし・い⑥【口〈喧しい〉】(形) 取り上げるまでもないような小さな事をも見逃さず、いちいち非難したり注意を与えたりする様子だ。「—上役/祖母に口やかましくしつけられた」 派 —さ⑥⑤

くちやくそく③【口約束】—する(自他サ)〔証文などによるのではなく〕口に出して言っただけの約束。口約(コウヤク)。

ぐちゃぐちゃ ❶(副)—と ❶① 口に入れた食べ物を、音を立てながら噛(カ)み続ける様子。❷① 不平・不満を歯切れ悪く言い続ける様子。「—とうるさい奴(ヤツ)だ」❷⓪—な—に 水気を多く含んだため、形が崩れたり本来の機能を果たせなくなったりする様子だ。「雨でグラウンドが—だ/濡(ヌ)れて—になったシャツ」

くちゅう⓪【苦衷】言葉に出さなくてもそれと感じられる、苦しい心のうち。

くちゅう⓪【駆虫】—する(自サ) △寄生虫(害虫)を取り除くこと。「—剤②⓪」

くちょう⓪【口調(テウ)】❶口で言ってみた時の調子。「—がいい」❷口のきき方に現われる特色。「演説—⑤」 表記「句調」とも書く。

くちょう⓪【句帳(チャウ)】俳句が頭の中に浮かんだらすぐ書きつけるように常時携行する手帳。

ぐちょく⓪【愚直】—な—に〔性格などが〕ばか正直で、臨機応変の処置がとれなかったり損な役割を負わされやすかったりする様子。 派 —さ⓪③

くちよごし⓪③【口汚(し)】〔「おー④」の形で〕粗末であったりまずかったりして口を汚すに過ぎないという意で、客に出す料理を謙遜(ケンソン)して言う語。

くちよせ⓪【口寄(せ)】巫女(ミコ)が神がかりになって、霊魂の言葉を伝えること。また、それをする巫女。

く・ちる②【朽ちる】(自上一) 立ち木・材木などの組織が、湿気や虫食いのためにくずれ、その働きを失う。〔名声などが時がたつと共に衰える意にも、世に知られずに死ぬ意にも用いられる〕 運用 結婚などの祝宴では避けるべき言葉とされる。

ぐち・る②【愚痴る】(自五)〔愚痴の動詞化〕ぐちを言う。〔口頭語的表現〕

くちわる⓪【口悪】—な—に 何かにつけて悪口を言う傾向がある△こと(人)。

ぐちん⓪【具陳】—する(他サ)〔自分の立場・状況などを理解してもらうために〕事情などを詳しく上の人に述べること。

くつ〔屈・掘・窟〕→【字音語の造語成分】

***くつ**②【靴】革・ゴム・布・木などで作った履物で、その中に足を入れて歩くもの。 表記「〈沓・《履」とも書く。 かぞえ方 一足・一点

***くつう**⓪【苦痛】からだに故障があったり精神的な悩みや苦しみがあったりして、がまん出来ないほど不快なこと。「—を△与える(味わう・忍ぶ・訴える)」

くつおと③⓪【靴音】靴で歩く時の足音。

くつがえ・す③④【覆(クツガヘ)す】(他五) ❶「ひっくり返す・裏返す」の、やや改まった表現。「掌(テノヒラ)を—/船を覆さんばかりの荒波/△予想(判決)を—/政権を—」❷今までの△価値観(権威)を全面的に否定せざるを得ないような事態に陥らせる。「△定説(常識)を—」 自動 覆る③(五)

クッキー①〔cookie＝小さなケーキ〕❶香料を入れた堅焼きの洋風干菓子。ビスケットと違い、手焼きで形・味に変化のあるものが多い。〔商品としては、デセールと呼ばれることもある〕❷〔インターネットで〕閲覧情報などをユーザーのブラウザーからウェブ サイト側に提供する仕組み。

くっきょう⓪【《究〈竟】—な—に〔「くきゃう」の変化。もと、「終極・至極(シゴク)」の意〕非常に都合のいい様子。「—の隠れ場所」

くっきょう⓪【屈強(キャウ)】—な—に〔「屈」も強い意〕強くて、なかなかへこたれない様子。「—の若者」

くっきょく⓪【屈曲】—する(自サ) 折れ曲がること。

くっきり③(副)—と—する 輪郭や他との境界などが、周囲のものから明確に区別されて印象づけられる様子。「夕映えを背に富士山の姿が—と浮かび上がる/日に焼けた跡が△畳(肌)に—と残っている」

クッキング①〔cooking〕料理(法)。「—スクール⑦」

ぐつぐつ①(副)—と 鍋(ナベ)の中などのものが(よく)煮えて音を立てる様子。

くっさく⓪【掘削・掘〈鑿】—する(他サ) 土砂や岩石を掘り取(って穴をあけ)ること。「—機④③」 表記「削」は、代用字。

くっし⓪【屈指】〔「—の…」の形で〕指を折って読み上げられる中に入るほどの評価を受けるものとしてあつかわれること。「世界—の高峰」

***くつした**②【靴下】〔「下」は、内側の意〕靴を履く時や寒い時に、足を保護するために、素足に直(ジカ)に履く、袋状のも

の。「―を二枚履いて寒さに備えた」 かぞえ方 一足

くつじゅう⓪【屈従】―する(自サ) 相手の力を恐れて、心ならずも従うこと。「―的な取決め」

くつじょく⓪【屈辱】 その場の雰囲気に押されて、反発・対抗出来なかったり 無法な力によって ねじ伏せられたりして、不本意ながら、恥ずかしい思いをさせられること。「―をそそぐ/―を味わう/―感④③・―的条約」

ぐっしょり③(副)―と 中までしみとおるようにぬれる様子。

クッション①[cushion] ❶堅い物が直接触れ合わないように間に置くのに用いる、弾力性のあるもの。「ワン―置く〔=⇒ワンクッション〕」 ❷羽毛など、やわらかく弾力性のある物を入れて作った、いす用の(背もたれ)布団。 ❸たまつき台の内側の玉の当たる所。 かぞえ方 ❷は一枚

くっしん⓪【屈伸】―する(他サ) からだをかがめたり 伸ばしたりすること。「―運動⑤・―自在」

くっしん⓪【掘進】―する(自サ) 土地や石炭などを掘って進むこと。

グッズ①[goods] 〔日常生活の諸方面に対応した〕(一群の)商品。〔一般には商品を指すが、書物・食品や、ペットなどは含まない〕「カー―③・レジャー―④・防災―⑤」

くつずみ⓪②【靴墨】 靴に塗って、革を保護し、つやを出すクリーム状のもの。

ぐっすり③(副)―と 少々の物音ぐらいでは目を覚ますことなく、熟睡する様子。「試合を前に―眠った」

***くっ・する**⓪③【屈する】 ❶(自サ)〈だれ・なにニ―〉 外界の圧力・攻撃や困難などに出あって、自分の意志・行動を貫くことをあきらめる。「△気持(感情)が―/敵の砲火に屈せず〔=物ともせず〕進む/一度の失敗くらいに―〔=負ける〕男ではない/権門に―〔=体制側の圧力に負けて自分の主義主張を曲げる〕/△力(抵抗・要求・誘惑・説得)に―」 ❷(他サ)〈なにヲ―〉 折るようにして前方に曲げる。「ひざを―/身を―〔=ⓐ上半身を前へかがめる。ⓑ平身低頭する〕」 ❸〈なにヲ―〉 当方の意向に相手を従わせる。「戦わずして敵を―」 屈す⓪(五)。

くつ

【屈】 ❶曲が(ったまま伸びないでい)る。「屈伸・屈折・後屈」 ❷曲げる。「屈指」 ❸相手に従ったりして、自分のやりたい事を押さえている。「屈服(プク)・屈従・退屈」

【掘】 穴をほる。「掘鑿(クッサク)・採掘・発掘・盗掘・乱掘」

【窟】 ❶ほらあな。「石窟・巌(ガン)窟・洞(ドウ)窟」 ❷あなぐら(のような所)。「巣(ソウ)窟・阿片(アヘン)窟・貧民窟」

くつずれ⓪【靴擦れ】 靴が足に合わないために、足の一部が△擦れること〔擦れてそこに出来た傷〕。

くっせつ⓪【屈折】―する(自サ) ❶〔本来まっすぐに進む(ことが好ましい)ものが〕折れ曲がること。「―した心理〔=特異な経験などが元になって現われる、常識では理解しがたい心理〕」 ❷光線・音波などが、ある物質から他の物質へ入る場合に、境界面で進行方向を変える△こと(現象)。「―望遠鏡⓪」 ❸〔言語学で〕語形の一部を変えたり 接辞を加えたりして、言葉の文法的な意味・役割・関係を示すこと。 **―ご**⓪【―語】 言語の形態的分類の一つ。主として語尾変化によって、性・数・格など文法上の関係を示す言語。英語・フランス語などインドヨーロッパ語族の言語がこれに属する。 **―りつ**④【―率】 光線が、ある物質から他の物質中に進む時の、その境界面で起こる屈折の度合。

くったく⓪【屈託】―する(自サ) 〔「屈惑」の連声(レンジョウ)に基づく語〕 ❶気にかけてくよくよすること。「―が無い〔=少しぐらいの失敗や気まずい事があっても、気にかけないでいられる〕人」 ❷疲れて飽きること。

ぐったり③(副)―と/―する 疲れきっていたり 病気であったりして、からだを動かす気力も体力も無い状態である様子。「―として横たわる」

くっ・つ・く③(自五) ❶しっかりとついて、離れない状態になる。「相手側に―〔=味方する〕」 ❷「恋仲や夫婦の関係になる」の意の俗語的表現。 他動 くっつける④(下一)

くってかか・る①-②【食って掛(か)る】(自五) 激しい口調で反論したり 自分の意見を押し通そうとしたりする。「親に―」

ぐっと⓪(副) ❶瞬間的に力をこめて、(一気に)その動作をする様子。ぐいと。「綱を―引っぱる/酒を―あおる/悔しさを―こらえる」 ❷△以前(同種の他のもの)と比べて、程度の差が格段に大きい様子。「―引き立つ/前より―良くなった」 ❸激しい思いが胸に一気に込み上げてくる様子。「―来る〔=強く心に感じる〕ものがある」

グッド[good] ❶①(感) よし。よろしい。 ❷(造語) すぐれている。「―アイデア④⑥・―デザイン⑤」

グッドジョブ①(感)[good job] よくやった。いい仕事だ。〔グッジョブは、口頭語形〕

グッドバイ①(感)[good-by(e)] さようなら。〔グッバイは、口頭語形〕

くつぬぎ⓪④③【△沓脱(ぎ)】 △戸口(縁側)の、履物を脱ぐ所。また、そこに置く石。「―石④」

クッパ①〔朝鮮 geukbap〕 ご飯に魚介類や野菜を入れ、牛肉を煮込んだ熱い汁をかけて食べる雑炊。

グッピー①[guppy=もと、人名] メダカぐらいの大きさの熱帯魚。雄の色彩が美しい。品種が多い。ニジメダカ③。〔カダヤシ科〕 かぞえ方 一匹

くっぷく⓪【屈伏・屈服】―する(自サ) 相手の勢いに△恐れ〔負けて〕抵抗する気力を無くすこと。「力に―する」

くつべら③⓪【靴△箆】 靴を履く時、足のすべりをよくするために、かかとに当てるへら。くつすべり。 かぞえ方 一本

くつみがき③【靴磨(き)】 靴を磨き光らせること(を職業とする人)。

くづめ①【苦爪】 苦労しているかどうかによって伸び方の変わる爪。「―楽髪(ラクガミ)①-②〔=苦労している時は爪の伸びが速く、楽をしている時は髪がすぐ伸びるという俗諺(ゾクゲン)。⇩苦髪〕」

くつろ・ぐ③【《寛ぐ》】(自五) 〔気がかりな事や仕事の事などを忘れて〕ゆったりと心身を休める。 名 寛ぎ⓪「お―のところ恐縮です」

くつろ・げる④【《寛げる》】 ❶(自下一) 〔「寛ぐ」の可能動詞〕くつろぐことができる。 ❷(他下一) ゆったりした状態にする。「膝を―/えりを―」

くつわ⓪【《轡》】 〔口輪の意〕馬の口に含ませ、手綱を付ける道具。「―を並べる〔=ⓐ馬首をそろえる。ⓑ一緒に行動する〕」 **―がた**⓪【―形】 円の中に十文字のある形。くつわ。 **―むし**③【―虫】 秋の夜、ガチャガチャと鳴きたてる昆虫。触角が長い。〔キリギリス科〕 かぞえ方 一匹

ぐてい⓪【愚弟】 〔あまり出来のよくない弟の意〕自分の弟の謙称。「―賢兄」 ↔賢弟

くてん⓪【句点】 〔「句」は、そこで終わる意〕〔現代日本語の表記法で〕そこで文が終わったしるしとして、最後の字の右下に付ける小さい丸によって示す符号。まる。「。」 ⇩とうてん(読点)

くでん⓪【口伝】―する(他サ) 〔秘伝などを〕師から弟子に直接口頭で伝え授けること。また、その秘伝(書)。くちづたえ。

に酔って正体を失った状態にある様子。

ぐでん ぐでん [0] ―な ―に 酒に酔って正体を失った状態にある様子。

くど [1] ㊀〔関東地方の方言〕炭焼きがまの、煙を出すための穴。㊁〔北海道・沖縄を除く全国各地の方言〕かまど。へっつい。

くど・い [2]（形）㊀味や色が濃すぎて、かえって本来期待されるよさが損なわれていると感じられる様子だ。「―味の煮物」㊁同じ内容の話などがしつこく繰り返されて、受ける側にわずらわしく感じられる様子だ。「―ほど念を押す」[派]―さ [1] [表記] ㊁は、「〈諄い」とも書く。

くとう [0]【句読】㊀文章中の切れ目。「―を切る（=句読点を付けて、切れ目をはっきりさせる）」㊁（漢文の）文章の読み方。 **―てん** [2]【―点】句点「。」と読点「、」。「―を打つ／―の付け方ひとつで全く違った意味になることがある」

くとう [0]【苦闘】―する（自サ）不利な状況の中で、苦しみをこらえて△戦う（努力する）こと。苦戦。「悪戦―」

くどう [0]【駆動】―する（他サ）機械の回転部分などに、動力を伝えて動かすこと。「ディスク―装置 [0]-[4]・前輪― [5]・四輪―・―輪 [2]」

ぐとう [0]（タフ）【愚答】答えとしての意味をなさない、ばかげた答え。「愚問―（=⇩愚問愚答）」

ぐどう [0]（ダウ）【《求道】〔仏教で〕正しい道を求めること。「―心 [2]」

くどき [0]【口説（き）】■一 [3] [0] ㊀くどく△こと（言葉）。「―上手 [4]」㊁〔謡曲などで〕心中を打ち明けて述べる文句。■二（造語）動詞「くどく」の連用形。 **―おと・す** [5]【―落（と）す】（他五）くどいて承知させる。[名]くどき落とし [0]

くど・く [2] ■一（自五）〔自分の意中や愚痴などを〕くどくどと言う。■二（他五）〔相手に承知させようと〕説得や懇願をしつこく続ける。〔狭義では、相手に言い寄ることを指す〕[表記] 古来の用字は、「口説く」。〔⇩くどき■二〕

くどく [1]【功徳】〔仏教で〕㊀個人の生前・死後に幸福をもたらす善行。「―を△施す（積む）／せめての―に一片の香華（コウゲ）を手向ける」㊁善行を嘉（ヨミ）する神仏の御利益（ゴリヤク）。「この日の参詣（サンケイ）で四万六千日参ったと同じ―があるという四万六千日（シマンロクセンニチ）の縁日／命を救われたので村人が―に感謝し崇（アガ）めている」

ぐとく [1] [0]【愚〈禿】〔頭を丸めているばか者の意〕僧が自分を指す謙称。〔狭義では、親鸞（シンラン）の自称〕

くどくど [1]【〈諄々〉】（副）―と 聞き手がうんざりするほど△十分にわかっている（たいした意味もない）事をしつこく繰り返して言う様子。 **―し・い** [5]（形）くどくて、聞くに堪えない様子だ。

ぐどん [0]【愚鈍】―な ―に 判断力が鈍く、何をやらせても満足に出来ない様子。[派]―さ [0]

くないちょう [2]（チャウ）【宮内庁】皇室・天皇に関する事務を扱う役所。宮内省・宮内府の改称。

くなん [1]【苦難】△生きていく（自分の道を切り開いていく）上での苦しみや難儀。「人の―を味わう／―の道を進む」

****くに** [0]【国】㊀「国家」の和語的表現。〔国家主権を代表し、その運営に当たる機関を指すこともある。例、「―の認可を必要とする事業」〕「―を△代表する（捨てる・旅する）／―に△帰る（奉じる）／―中（ジュウ）に広がる」㊁昔、幾つかの郡を総括した行政区画。「武蔵（ムサシ）の―」㊂〔地方から大都市へ来ている人にとって〕自分の生まれ育った所。故郷。いなか。「―の両親が上京してくる」[表記] ㊀は、「《邦」とも書く。 **【―を挙げて】** 全国民がその事に△参加（関与）していることを表わす。「―取り組む／―のキャンペーン」[かぞえ方] ㊀㊁は一国（イッコク）・三か国（コク）

くにいり [0]【国入（り）】―する（自サ）〔封建時代、大名・小名が〕領主として初めて自分の領地に第一歩を印（イン）すること。

くにおもて [3]【国表】〔大名の、京都や江戸にある屋敷と違って〕自分の領国の方。

くにがえ [0]（ガヘ）【国替（え）】㊀平安時代、既に任国の定まった下級の地方官を本人の希望を認めて他国に転任させたこと。㊁江戸時代、幕府が大名・小名の統制策として、その領地を移し替えたこと。移封（イホウ）。

くにがまえ [3]（ガマヘ）【国構（え）】漢字の部首名の一つ。「因・固・園」などの「口」の部分。「国」に代表させて言う。〔多く、周囲を囲う意にかかわる漢字がこれに属する〕

くにがら [0]【国柄】主権がだれにあるか、人民がどういう政府の下で生活しているかなどについての、国ごとに異なる総合的事情。「お― [0]（=その地域独特の思考や行動の様式）」

くにがろう [3]（ラウ）【国家老】江戸時代、諸侯が江戸参勤中、国許（モト）で留守をあずかった家老。

くにく [0]【苦肉】苦しい立場を脱するために、危険や不結果を十分に覚悟して何かをすること。「―の策」

くにことば [3]【国言葉】その地方特有の言葉。「お― [4]」

くにざかい [3]（ザカヒ）【国境】国と国との境界。

くにざむらい [3]（ザムラヒ）【国侍】〔江戸詰の侍と違って〕大名の領地に住む侍。地方の侍。

くにたみ [0]【国民】「国㊀㊁の人民」の古風な表現。

くにづくし [3]【国尽（く）し】江戸時代の庶民教育の一つとして、日本国を構成した六十六か国または六十八か国〔=現在の都府県に当たる〕の名前を、順に織り込んで覚えやすいように唱えたもの。手習いの手本にもなった。

くにづめ [0]【国詰（め）】江戸時代、大名やその家臣が自分の領地に居たこと。〔大名は国詰と江戸詰とを一年おきに繰り返した〕

くになまり [3]【国〈訛】その地方特有の発音や言葉。方言。〔狭義では、その人の故郷のそれを指す〕「お― [4]」

くにのみやつこ [5]、[0]-[2]【国《造】上代、一国を統治した、世襲の地方長官。

くにはら [0]【国原】〔雅〕〔=広びろとした国土」の意〕その国の美称。

くにびと [0]【国人】その国の人民。

くにぶり [0]【国《風】その△国ぐに（地方地方）の特色ある風俗や民謡。「お― [0]」[表記]「国振り」とも書く。

くにもち [0] [4]【国持（ち）】大名が領土として一国以上を持つこと。また、その大名。

くにもと [0]【国《許・国元】㊀その大名の治めている本国。㊁その人の郷里。

ぐにゃぐにゃ ■一 [1]（副）―と ―する ひどく柔らかくて流動的に形を変えやすい状態にある様子。「軟体動物のように―してつかまえ所が無い／ガラスが溶けて―と曲がる」■二 [0] ―な ―に「ぐにゃぐにゃ■一」に同じ。「高温で水あめが―になる」

ぐにゃり [2]（副）―と 物が柔らかくなって一定の形や姿勢を保てなくなり曲がったりつぶれたりする様子。〔強調表現は「ぐんにゃり」〕「地震で柱の鉄筋が―と曲がった」

くぬぎ [0]【〈椚】山野に生じる落葉高木。葉はクリに似ており、大きくて丸いどんぐりがなる。材は薪炭（シンタン）用。〔炭用としては最も上等〕〔ブナ科〕[表記]「〈椚・〈橡・〈櫟」などとも書く。[かぞえ方] 一株・一本

くねくね [1]（副）―と ―する 線状のものが右に左に曲がりくねって〔続いて〕いる様子。「がけ下を―とはう細い道／蛇のようにからだを―させながら踊る／海べりの道を―とはうようにして行く／太い眉毛（マユゲ）を―と歪（ユガ）めて笑う」

くねつ [1] [0]【苦熱】苦しいほどの暑さ。

くね・る②(自五) 幾つにも、ゆるやかに折れ曲がる。「曲がり―／腰をくねらせる」

クネンボ⓪〔ヒンドスターニー kumla-nebu (クネブ)の変化形「クネボ」の変化〕 暖地に栽培される常緑低木。初夏、香気の高い、白い花を開く。実はユズに似て食用。〔ミカン科〕 表記 「九年母」は、音訳。「{香〈橘}」(漢語表記)とも書く。「{香〈橙}」は誤用。 かぞえ方 一株・一本

くの いち②【くノ一】〔「女」の分字〕「女(の忍者)」の隠語。

くのう⓪①【苦悩】―する(自サ) 解決出来ない事があって、どうしたらよいか迷い、じっとしていられないほど苦しむこと。「―を浮彫りにする／―に満ちた歴史／―の色が濃い」

くのじてん③【くの字点】 踊り字の一つ。二字以上の繰り返しを示す符号。「いよ〳〵」「つれ〴〵」などの「〳〵」。

くはい⓪【苦杯】〔にがい水を入れた杯の意〕にがい経験。「―を△なめる(喫する)」

ぐはつ⓪【〈俱発】―する(自サ) 「一時に△発生(発覚)する」意の古風な表現。「数罪―⓪-⓪〔=いくつかの犯罪が同時に発覚すること〕」

*__くば・る__②【配る】(他五)〈なに・だれ ニ なに ヲ―〉 必要に応じてそれぞれに行き渡るように、分け与える。「△気(心・目)を―〔=すみずみまで神経を働かせる〕／△トランプ(説明書)を―」 名 配り③

ぐはんしょうねん④【《虞犯少年】〔法律で〕保護者の正当な監督に服さない行状などがあって、その性格や環境に照らして、将来罪を犯すおそれがあると考えられる未成年者。

くひ①【句碑】 俳句を彫りつけた石碑。

**__くび__⓪【首】❶Ⓐ〔大部分の動物の〕頭と胴をつなぐ細い部分。「キリンは―の長い動物だ／―を長くする〔=待ちこがれる形容〕／鯨や魚にはまともに―と言える部分が無い／―をくくる〔=首をつって死ぬ〕／足―・手―・猪―・思案投げ―」 Ⓑ「首❶Ⓐ」と形がよく似た部分や類似の役割を果たす部分。「とっくりの―」 ❷「首❶Ⓐ」から上の部分。頭。「敵の大将の―を取る／―をかしげる〔=疑いの気持を表わす かっこう〕／―を縦に振る〔=(うなずいて)賛成や同意を表わす〕／―をひねる〔=疑いの気持を表わす〕／―を切る〔=打ち首にする〕／―が回らぬ〔=借金が返せなかったり 必要な資金が用意出来なかったりして、困りきった形容〕／―を突っ込む〔=本来なら関係しないで済む事に(必要以上に)深くかかわる〕」 ❸〔首を切るの意から〕免職・解雇することを表わす。「会社を―に△する(なる)／―が△危ない(つながる)／今度失敗したら―だ」 かぞえ方 表記 ❶は「〈頸」、❸は「{〈馘首}・クビ」とも書く。 ❷の討ち取った首は、一級

ぐび①【具備】―する(自他サ) 必要なものが十分に備わること。また、備えること。

くびおけ③⓪【首〈桶】 昔、斬った首を入れた桶。

くびかざり③【首飾(り)】 宝石などをつないで輪にしたもの。首に掛ける装身具。ネックレス。 表記 「〈頸飾り」とも書く。

くびかせ⓪【首〈枷】 首にはめて、自由に動けないようにする刑具。〔自由な行動の妨げになるものの意にも用いられる。例、「子は三界の首っかせ」〕〔「首っかせ」は、口頭語形〕 表記 「〈頸枷〉」とも書く。もとの用字は、「〈枷」。

くびがり⓪【首狩(り)】 宗教的儀式のためや手柄を確認するために、敵の首を斬ったこと。「くびかり」とも。

くびき⓪【〈軛・〈頸木】〔「頸木」の意〕車の轅の先に取り付ける横木。牛馬の頸にあてて車を引かせる。〔広義では、自由な思考・行動を束縛するものの意にも用いられる。例、「圧制の―」〕

くびきり⓪【首切(り)】〔罪人の〕首を斬り落とす△こと(人)。〔免△官(職)にする意にも用いられる〕「―台⓪・―場⓪⑤」 表記 「首斬り」とも書く。

くびくくり⓪【首〈縊(り)】 くびつり。

ぐびぐび①(副)―と のどを鳴らして酒を飲む様子。

くびじっけん③【首実検】―する(他サ) 昔、討ち取った敵の首を、それがだれの首であるか、だれが取ったものであるかを戦場ですぐ確かめたこと。〔広義では、実際に会って、本人かどうか△見(確かめ)ることをも指す〕

ぐびじんそう⓪【《虞美人草】 ヒナゲシの漢名。

くびす⓪【〈踵】 「かかと」の古風な表現。「きびす」とも。「―を△返す(めぐらす)〔=⇩きびす〕」

くびすじ⓪【首筋】 首の両側面から後部にわたる部分。うなじ。「―をつかむ」 表記 「〈頸筋」とも書く。

くびづか⓪【首塚】 討ち取った敵の首を埋めて葬った所に供養のために立てる塚。

くびったけ⓪【首っ丈】〔「くびだけ⓪」の変化。全身その中にはまりこみ、やっと首だけが認められる状態だの意〕特定の相手にすっかりほれこむこと。「山田君は彼女に―だ〔=すっかりほれこんで夢中だ〕」

くびったま⓪④【首っ玉】〔「くびたま⓪③」の変化〕「首」の意のくだけた口頭語的表現。「―にしがみつく」 表記 「〈頸っ玉」とも書く。

くびっぴき⓪【首っ引(き)】〔「くびひき❶」から〕いつも手元に置いておき、必要に応じて参照すること。「辞書と―で〔=辞書を絶えず引きながら〕読む」

くびつり⓪【首〈吊(り)】―する(自サ) 首をくくって自殺△すること(した人)。

くびなげ⓪【首投(げ)】〔すもう・レスリングで〕相手の首を片腕で巻いて、投げ倒す△こと(わざ)。

くびねっこ③⑤⓪【首根っこ】 首の根元。「―をつかむ」【―を押さえる】 後ろから相手の首を押さえて、動きが取れないようにする。

くびのざ⓪④【首の座】 首を斬る時にすわらせる位置。

くびひき⓪【首引(き)】❶二人が向かい合い、輪にしたひもを首に掛けて互いに引き合った、昔の遊び。 ❷相手に負けまいと、互いに張りあうこと。

くびまき⓪【首巻(き)】 えりまき。 表記 「〈頸巻き」とも書く。

くびりころ・す⑤【〈縊(り)殺す】(他五) 首を絞めて殺す。

くび・る⓪②【〈縊る】(他五) 首を△絞める(絞めて殺す)。

くび・れる⓪③(自下一) ❶【《括れる】 ふくらみのある物の中程が締まって細くなる。「良く太って、括れた赤ちゃんの腕首／ウエストがかっこうよく括れている」 ❷【〈縊れる】 首を△くくる(くくって死ぬ)。

くびわ⓪【首輪】❶飾りとして首に掛ける輪。 ❷犬・猫の首につける輪。 表記 「〈頸輪」とも書く。 かぞえ方 ❶❷とも一本

くぶ①【九分】 十分の九。「成功は―通り〔=大体〕まちがいない」 **―くりん**③【―九厘】〔副詞的にも用いられる〕完全・完成・完璧の一歩手前の状態であること。「―〔=ほとんど〕まちがいない／―〔=九九%〕まで出来あがった」 **―じゅうぶ**③【―十分】〔「九分」も「十分」も大差がないことから〕全体から見るとほとんどちがいがないこと。「人の目は―〔=多くの人の見るところは△たいてい似たりよったりでそう違いは(多少の違いはあっても、そうひどい見当違いは)無いものだ〕」

くぶ①【区部】 大都市の、区と呼ばれる市街区域。

ぐぶ①【《供奉】―する(自サ) 行幸などのお供をする△こと(人)。

*くふう⓪【工夫】―する(他サ)〈なにヲ―する〉〔クフの長呼。「工」は考案・手段の意、「夫」は「衆(オオ)い」の意か〕最善の結果を求めて、考えられる限りの方法を尽くすこと。また、その方法。「創意と―をこらす/―の跡が見える/もう一(ヒト)―ほしい」 表記「功夫」とも書いた。「工風」は、借字。

ぐふう⓪【〈颶風】〔「強く激しく吹く風」の意〕熱帯地方に発生する、強い暴風雨の旧称。〔気象用語としては、風速三〇メートル以上の強風を指した〕

ぐぶつ⓪【愚物】ばかな人間をののしって言う語。

くぶん⓪①【区分】―する(他サ) ❶全体を幾つかの部分に小分けすること。「一ページを△三段(四段)に―する/時代―④」 ❷ある観点に着目して、論理的操作により次つぎに下位の種類に分類していくこと。例、逐次刊行物を週刊誌・月刊誌・季刊誌・年刊誌…とするなど。「下位―④」

**くべつ①【区別】―する(他サ)〈なにトなにヲ―する〉二つ、またはそれ以上のものの間にある、特徴の違い(によって、それらを分けること)。「―を付ける/―が付けにくい」

く・べる②⓪(他下一) 火力を強くするように、すぐ燃えるものを火の中に入れ足す。「△石炭(薪(マキ))を―」

くぼ⓪【〈窪】窪んだ所。くぼみ。 表記「《凹」とも書く。

くほう⓪【区報】その区役所が、行政事務やニュースをまとめて載せ、区民に配る印刷物。

くほう⓪(ハフ)【句法】△詩文(俳句)の作り方。

くほう①(バウ)【《公方】〔もと、おおやけ・朝廷の意〕「将軍(家)」の異称。「犬―③」

ぐほう⓪(ホフ)【〈弘法】―する(自サ) 仏法を世間に広めること。

くぼち⓪【〈窪地】窪んだ土地。 表記「《凹地」とも書く。

くぼま・る⓪③【〈窪まる】(自五) 窪んだ状態になる。 他動 窪める⓪③(下一) 表記「《凹まる」とも書く。

*くぼ・む⓪【〈窪む】(自五) そのあたり一帯が、周囲の平面に比べて落ち込んだ状態にある。「目が―/窪んだ土地」〔結果に重きを置いた言い方。⇩へこむ〕 名 窪み⓪ 表記「《凹む」とも書く。

くま②【〈隈】〔川や道の曲がって入りこんだ所、の意〕❶奥まって隠れた所。「―無く捜す/心の―(=秘密)」 ❷濃い色と薄い色とが接する所。〔狭義では、「隈取❷」の略。例、「―をとる」〕 ❸過労などのために目のまわりに出来る黒いあざのようなもの。 表記 ❷❸は、「〈暈」とも書く。

くま【熊】■一②① 四足が太くて短い、雑食性の大形哺乳動物。〔クマ科〕「月の輪―(グマ)・ひ―(グマ)・白―」 かぞえ方 一匹・一頭 ■二(造語)ある動植物△の一種で(に似ていて)形が大き(く強)いことを表わす。「―蜂(バチ)・―笹(ザサ)」

くまい⓪【供米】神仏に供える米。

ぐまい⓪【愚妹】自分の妹の謙称。

ぐまい⓪【愚昧】―な ―に ばかで、道理に暗い様子。 派 ―さ⓪

くまぐま②【〈隈々】「すみずみ」の意の古風な表現。

くまこうはちこう③-③【熊公八公】〔落語・講談などに出てくる「熊公・八公」の名で代表される〕無学ではあるが、善意の人たち(の一般的な名前)。

くまざさ⓪【熊〈笹】〔秋冬の交、へりが枯れて白くなるので、「暈(マク)笹」の意ともいい、また、葉が大きいところから命名されたものともいう〕山地に自生するササの一種。葉は大きく、すしや魚の下に敷いたりする。〔イネ科〕 表記「〈隈笹〉」とも書く。 かぞえ方 一本

くまそ①【熊《襲】上代、薩摩(サツマ)・大隅(オオスミ)・日向(ヒュウガ)の地方に住んでいたといわれる種族。

くまたか⓪【熊〈鷹】ワシの一種で、黒茶色の大きな鳥。性質がどうもうで、ウサギ・キツネや野鳥などを取って食う。〔タカ科〕 かぞえ方 一羽

【欲の―、股(また)から裂ける】二匹の獲物を同時に取ろうとつめを掛け、あくまで放すまいとしたクマタカが、獲物たちの死に物狂いの反抗にあい、かえって身を滅ぼしたことから、大欲が結局、破滅の原因となるたとえ。

くまで⓪【熊手】❶長い柄の先にクマの手のように先の曲がった鉄のつめを付けたもので、昔の武器の一つ。 ❷竹で「熊手❶」の形に作り、落ち葉などをかき寄せる道具。 ❸西(トリ)の市(イチ)で売る縁起物。「熊手❷」の形をしたものに、おかめの面などを付ける。 かぞえ方 ❶～❸とも一本

くまどり⓪④③【〈隈取(り)】―する(自他サ) ❶〔日本画で遠近などを表わすために〕色をぼかすこと。 ❷〔歌舞伎(カブキ)俳優が〕顔面の表情を誇張するために紅・青などの絵の具で線をかくこと。また、その線。くま。 動 隈取る③(他五)

くまなく③②【〈隈無く】(副) すみずみまで目の届かないところが無い様子。「家の中を―捜す/病院内を―巡回点検して不備の指摘是正に努める」

くまのい③【熊の《胆】クマの胆嚢(タンノウ)。乾燥させたものは苦く、漢方で胃の薬とする。

くまばち②【熊蜂】大形のハチ。からだは黒色で胸部が黄色の毛でおおわれている。クマンバチとも。〔ミツバチ科〕 かぞえ方 一匹

くままつり③【熊祭(り)】アイヌ民族が、特別な力を持った動物として、捕らえたクマを殺し神に供える儀式。イヨマンテ③。

くまんばち②【熊ん蜂】❶スズメバチの異称。 ❷クマバチ。

*くみ② ■一【組】❶行動の仕方や性格・所属・出身など、何らかの△観点(基準)によって分けられた一グループ(の人びと)。〔狭義では、学校における授業単位としてのクラスを指す〕「―になる/―をつくる/自家用車―(グミ)とバス―(グミ)に分かれて目的地に向かう/制服―(グミ)」 ❷一部の建設会社・消防団などの組織名としての称。 ■二【組(み)】❶合わせて、一そろいになるもの。〔かぞえる時にも用いられる〕 ❷〔印刷で〕活字を並べて版を作ること。「―に回す/―見本③」 ❸「くみうた」の略。

くみ①【苦味】にがい味。 ―チンキ③ 味のにがい、薄い茶色の薬液。健胃剤用。

グミ①〔ド Gummi=ガム〕ゼラチンを溶かした液に砂糖や果汁などを加えて固めたゼリーより歯ごたえのある菓子。

ぐみ①【{〈胡頽〉子}・{〈茱萸〉}】熟すと赤い小さな実が生(ナ)る△落葉(常緑)低木の総称。実は食べられる。〔グミ科〕 かぞえ方 一株・一本

*くみあい⓪(アヒ) ■一【組(み)合(い)】相手に組みついて争うこと。「取っ―のけんか」 ■二【組合】❶目的や利害を同じくする人びとが出資し合い、共同責任で事業をする約束で出来た組織体。「共済―⑤・生活協同―⑨(=生協)」 ❷「労働組合」の略。「―員③・―運動⑤・御用―④」

くみあ・う③⓪(アフ)【組(み)合う】(自五) ❶仲間として協力関係を結ぶ。 ❷互いに組みついて争う。

くみあがり⓪【組(み)上(が)り】活字を組んだ版が△出来あがること(出来あがったもの)。「―一二〇ページ」

くみあ・げる④【〈汲(み)上げる】(他下一) ❶水などを汲んで高い所へ上げる。 ❷末端・下部の者の意見を、中央・上部の人が取り上げる。「△要望(住民の声)を―」

くみあ・げる④【組(み)上げる】(他下一) ❶組み合わせて高く積み上げる。 ❷活字の組版を完成させる。 自動 組み上がる④⓪(五)

*くみあわせ⓪(アハセ)【組(み)合(わ)せ】❶組み△合わせること(合わせたもの)。 ❷〔数学で〕幾つかのものの集まりから決まった個数のものを一組取り出す時の取り出し方。〔取り出す順序が異なっても取り出したものが全体として一致し

ていれば、同じ組合せと見なす〕⇩順列

くみあわ・せる[5]（アハセル）【組(み)合(わ)せる】（他下一）❶二つ以上のものを合わせて、△一そろい（一緒に行動する単位）にする。❷〔競技・試合で〕勝負を争う一組を決める。組み合わす[4][0]（五）。自動 組み合わさる[5]（五）

くみいと[0][3]【組(み)糸】組み合わせた糸。

くみい・れる[4]【〈汲(み)入れる】（他下一）水などを汲んで容器などの中へ入れる。〔広義では、立案・計画などに際して、他人の意見・事情などにも考慮して、取るべきものは取り入れることをも指す〕

くみい・れる[4][0]【組(み)入れる】（他下一）❶既存の組織の中に、全体を構成する一部として何かを取り入れる。「体制に―」❷大きい物の中に順に重ねて入れる。名 組み入れ[0]

くみいん[2]（キン）【組員】組の構成員。特に、暴力団などの構成メンバー（の一人）。「親分の跡目をめぐる―の内輪もめ」

くみうた[2]【組(み)唄】〔三味線や琴の唄で〕短い唄を幾つか組み合わせて一曲としたもの。略して「くみ」。表記「組み歌」とも書く。

くみうち[0]【組(み)討(ち)】相手に組みついて△争う（刺し殺す）こと。表記「組み打ち」とも書く。

くみお[0][2]（ヲ）【組(み)緒】⇩くみひも

くみおき[0]【〈汲(み)置(き)】必要に備えて汲んで取っておく△こと（水）。「―の水」

くみか・える[4][0]（カヘル）【組(み)替える】（他下一）いったん組まれたものを、△部分的（全面的）に内容を取り替えてもう一度組む。名 組み替え[0]「遺伝子の―」表記「組み換える」とも書く。

くみがしら[3]【組頭】組の長。〔狭義では、江戸時代、名主(ナヌシ)を輔佐(ホサ)した役を指す〕

くみかわ・す[4]（カハス）【酌(み)交(わ)す】（他五）杯を△やりとりして（互いにつぎ合って）酒を飲む。

くみきょく[2]【組(み)曲】数種の楽曲を組み合わせたりオペラなどの抜粋を一つにまとめたりした楽曲。「バレエ―」

くみこ[0][3]【組子】❶昔、徒(カチ)組・鉄砲組などの組頭(クミガシラ)の配下にあって、組を組織していた人びと。❷桟・鉄の棒などを縦横に組み合わせたもの。

くみこ・む[3]【〈汲(み)込む】（他五）水などを大きな器物の中に汲んで入れる。

くみこ・む[3][0]【組(み)込む】（他五）全体の組織の中の一部として、中に入れて安定させる。「△体制（…の一角）に組み込まれる」

くみさかずき[3]（サカヅキ）【組(み)杯】大小組み合わせた重ね杯。表記「組み〈盃」とも書く。

くみし・く[3][0]【組(み)敷く】（他五）取り組んだ相手を上から押さえつける。

くみした[0][4]【組下】その組頭(クミガシラ)の部下。組子。

くみしゃしん[3]【組(み)写真】❶一つのテーマを表わすために、何枚かの写真を組み合わせたもの。❷合成写真。

くみしやす・い[5]【《与し《易い】（形）対決する相手として△扱いやすい（恐れるに足りない）。派 ―さ[4] 表記「組し《易い」とも書く。

くみじゅう[2]（ヂユウ）【組(み)重】重ね合わせるように作った重箱。かさね重。

くみ・する[3]【《与する】（自サ）（ある事に賛成して、その）仲間に加わる。与す[2]（五）。表記「組する」とも書く。

くみたいそう[3]（サウ）【組(み)体操】二人以上の人がからだを組み合わせて、さまざまな形を作る体操。組み立て体操。「運動会の―」

くみだし[0]【〈汲(み)出(し)】かぞえ方 一組 〔←汲出茶碗(ヂャワン)[5]〕番茶を飲むための、大きめの茶碗。

くみだ・す[3]【〈汲(み)出す】（他五）水などを汲んで外に出す。

くみたて[0]【組(み)立(て)】❶組み立てる△こと（方法）。「―式（の）」❷組み立てられたものの△構造（組織）。「論理の―」

***くみた・てる**[4]【組(み)立てる】（他下一）〈（なにデ）なにヲ―〉全体を構成する部分となる個々の材料を順に組み合わせていって、一つのまとまりのあるものに作りあげる。「家具を―／資料を集め着々と自分の学説を―」

くみちが・える[5][0]（チガヘル）【組(み)違える】（他下一）互い違いになるように組む。

くみちょう[2]（チャウ）【組長】❶〔工場などで〕共に作業に従事するグループの長。❷やくざの団体「…組」の長。

くみつ・く[3][0]【組(み)付く】（自五）相手を押さえつけたり倒したりしようとして、相手のからだに手をかけて離れないようにする。

くみて[3][0]【組(み)手】❶〔すもうで〕四つに組んだ時、右四つであるか左四つであるかの状態。〔まわしを引いているかどうか。引いている時は、その手の位置など〕「―をほどく」❷〔バレーボールで〕△パス（レシーブ）する時に、両手を握ったり開いたり組み合わせたりして、密接させた状態。❸〔空手(カラテ)・レスリングで〕練習相手と実際に行なう攻防の型。❹〔建築で〕材と材とを組み合わせた部位の称。

くみてんじょう[3]（ジャウ）【組(み)天井】細かな格子(コウシ)形に組んだ天井。

くみとり[0]【〈汲(み)取(り)】〔日本式便所で〕大小便を汲み取ってかたづける△こと（仕事の人）。「―口(グチ)[4][0]」

くみと・る[3][0]【〈汲(み)取る】（他五）❶〔液状のものを〕汲んで取り出す。❷〔他人の考えや事情などを〕推察（して、それを考慮した行動を）する。「△意中（教訓・要望）を―／△誠意（意欲・意気込み）を―ことができる」

くみはん[0]【組(み)版】活字を一定の順序に配列するなどして、△版を作る作業（作った版）。

くみひも[0][2]【組(み)〈紐】二本以上の糸を一定の方式で組んで作った紐。打ち紐。くみお。うちお。かぞえ方 一本

くみふ・せる[4]【組(み)伏せる】（他下一）組みついて相手を倒して押さえつける。

くみほ・す[3]【〈汲(み)干す】（他五）すっかり汲み出して、からにする。表記「〈汲み《乾す」とも書く。

くみもの[2]【組(み)物】❶組み合わせて△一そろい（一まとまり）にした物。❷〔建築で〕ますぐみ。

くみやぐ[0][3]【組(み)夜具】掛け布団・敷き布団・丹前などをそろえた、一組の夜具。

くみわ・ける[4]【〈汲(み)分ける】（他下一）❶何度か汲んで、他の容器や場所へ少しずつ分ける。❷それぞれの事情を「汲み取る❷」。

くみん[1]【区民】その区の住民。「―手帳[4]」

ぐみん[0]【愚民】為政者のすることに無批判の人民。「―政策[4]〔=人民に政治意識を持たせず、支配者の言いなりになるようにさせる政策〕／―政治[4]」

***く・む**[0]【〈汲む】（他五）❶〈なにデなにヲ―〉〔てのひらや柄杓(ヒシャク)などの道具を使って〕水などをすくう。「バケツに水を―／△粥(カユ)（白湯(サユ)）を―」❷【酌む】〈なにヲ―〉〔酒などを〕器について飲む。❸〈なにヲ―〉（苦しい）事情や気持をよく理解（して、思いやりのある行動を）する。「判決の意を汲んで／△趣旨（意向・志・気持・本意・心意気）を―」

****く・む**[1]【組む】■（自五）〈だれト―〉❶△同じ目的（共通の

【流れを―】⇩流れ■

利害)のために、行動を共にする。「彼と組んで〔=彼と一緒に〕仕事をする/今度の試合では彼と―〔=ⓐペアを作って、別のペアと対戦する。ⓑ彼を対戦の相手とする〕」❷相手を倒そうとして、互いに相手のからだに手をしっかりと掛ける。「四つに―」[二](他五)〈なにヲ―〉❶何かと何かを交差させて、離れないようにする。「△腕(手・肩)を―/足を―〔=ⓐあぐらをかく。ⓑ座禅をする。ⓒ腰かけた時、一方の足の上に他の足を載せる〕」❷一定の手順に従って△部分(部品)を少しずつ結びつけたり 動かないように合わせたりしながら、その積み重ねで、やがて一まとまりのものを作る。「やぐらを―/活字を―〔=順に並べて版を作る〕/為替を―〔=送る手続きをする〕/ローンを―」❸一つの△組織(体制)を作る。「補正予算を―/徒党を―」

ぐ・む(接尾・五型) その組織の内部から何かが少し出始める。きざす。「角(ツノ)―・涙―・汗(アセ)―・芽―」

くめん①⓪【工面】❶―する(他サ)〔金品を〕必要な分だけそろえようと、あれこれやりくりしたりすること。「―がつく」❷お金をやりくり出来る度合。「―がいい」〔❶❷とも、昔は「ぐめん」とも言った〕

****くも**①【雲】 大気中の水分が△細かな粒(氷晶)となって、空に浮かび、白く見えるもの。「―が低く空を覆う/―をつかむような〔=はっきりしないで、とらえどころが無い〕話/―を霞(カスミ)と〔=一目散に逃げて、遠くへ姿をくらませる様子〕/―衝(ツ)くばかりの〔=雲を衝くぐらいせいの高い〕大男」 かぞえ方 一片(ヒトヒラ・イッペン)・一抹・一点・一本・一筋

くも①【〈蜘蛛〉】 節足動物の一つ。八本足で、からだは袋状。腹の先から糸を出して網を張り、虫を捕らえて食う。「軒先に―の巣を張る/いっせいに―の子を散らす〔=嚢(フクロ)が破れて中から無数の小さな子グモが四散する〕ように逃げる」 かぞえ方 一匹

くもあい⓪③【雲合(アヒ)】〔天候を左右する〕雲の様子。

くもあし⓪【雲脚】❶雲が動いていく様子。「―が速い」❷雨雲の低く垂れて見えるもの。❸机の足が装飾的に雲形になったもの。 表記 ❸は、「雲足」とも書く。

くもい⓪【雲居(ヰ)】〔雅〕〔雲のある所、すなわち空の意〕はるか遠い所。また、宮中。 表記 「雲井」は、借字。

ぐもう⓪【愚〈蒙〉(オ)】―な・―に ❶愚かでとるに足らない様子だ。「―な人物」❷政治的に成熟していない状態だ。「革命前の―な民衆」

くもがくれ③【雲隠れ】―する(自サ) ❶〔雅〕(月が)雲に隠れること。❷〔身にやましいところがあって〕姿をくらますこと。❸〔雅〕貴人の死を婉曲(エンキョク)に言う語。

くもがた⓪【雲形】 雲のたなびいた形(の模様・彫刻)。「―定規(ジョウギ)⑤」

くもじ⓪②【雲路(ヂ)】〔雅〕鳥などが空を飛ぶ道。雲の行くえ。

くもすけ②【雲助】〔居所不定の浮浪者の意〕江戸時代、宿場・街道などで かごかきを業とした人夫。〔客をおどして暴利をむさぼったり 金品を巻き上げたりする者が多かったので、侮蔑(ブベツ)を含意して用いられた〕「―根性(コンジョウ)⑤」

くもつ①【供物】 神仏に供える物。「―をささげる」

くもで⓪【〈蜘蛛〉手】❶〔クモが足を八方に広げたように〕道などが、多方面に分かれ出ている△こと(もの)。❷材木などを十字に組み合わせて高く作った台など。

くものうえ【雲の上(ウヘ)】❶①-② 雲より高い所。「―から朝日がのぼる」❷①〔雅〕宮中。「―の人〔=庶民とは程遠い、優雅で隔絶した生活感情を持つ一握りの特権階級〕/―人(ビト)⑤」

くものみね①、①-⓪【雲の峰】「積乱雲」の、古くからの異称。

くもま⓪【雲間】❶雲の切れ目(から見える青空)。「―に遠く消えていく島の影」❷雲のあいだ。「―に隠れる月/―に浮かぶヒマラヤ連山」

くもまく②【〈蜘蛛〉膜】 脳を包む膜の一つ。脳の表面の血管が破れて、血がこの膜の下のすきまに流れこむのが「蜘蛛膜下(クモマッカ)出血⑥」。

くもゆき⓪【雲行(き)】〔悪天候の前兆としての〕雲の動いていく状態。「―が怪しい〔=ⓐ悪天候を予感させる雲の動きだ。ⓑ結果に予断を許さない物事の成行き・形勢だ〕/まとまりかけた話が妙な―に〔=意外なことでこじれ、こわれそうに〕なった」

くもら・す③【曇らす】(他五)〔「曇る」の使役動詞形〕曇るようにさせる。曇らせる④(下一)。「月を曇らして見せる/眼前の利害にとらわれて判断を―〔=誤る〕/△声(顔)を―〔=声や顔に、心配や悲しそうな様子をたたえる〕」

***くもり**【曇(り)】[一]③ 曇っている△こと(状態)。また、そのような空模様。「―のち晴れ/眼鏡の―をふく/―〔=私心〕の無い心/私の目に―は無い〔=何ものによっても見通しを誤らせられることは決して無い〕」[二](造語) 動詞「曇る」の連用形。 **―がち**⓪―に・―な 曇っていることの方が多い様子。 表記 「曇り勝ち」とも書く。 **―ガラス**④【―〈硝子〉】 すりガラス。

***くも・る**②【曇る】(自五)❶〔何かに遮られて〕陽光や月光が下界に届かない状態△になる(である)。❷〈なにデ―〉△膜が かかったようになり、透明なものが はっきり見通せ(輝いていたものの光が見え)なくなる。「湯気で眼鏡が―」❸〔心配などのために〕心や顔つきが晴ればれしないで暗くなる。❹〈なにデ―〉不当な欲望に支配されたり金銭・麻薬などに麻痺(ヒマ)したり などして、精神状態が正常に機能しない状態にある。「△理性(頭・判断・意識)が―」〔⇩曇り[二]〕

くもん⓪【苦〈悶〉】―する(自サ) 肉体的・精神的に堪えがたい苦しみを味わうこと。「―の表情」

ぐもん⓪【愚問】 まともに答えるに値しない、ばかげた質問。 **―ぐとう**⓪-⓪【―愚答(タフ)】 時間つぶしにやっているとしか思えない、くだらない問答。

くやくしょ②【区役所】 その区の行政事務を取り扱う役所。

***くやし・い**③【悔しい】(形) 自分の受けた挫折(ザセツ)感・敗北感・屈辱感などを拭(ヌグ)い去ることが出来ず、なんとかして△目的を果たしたい(相手を見返してやりたい)という気持をいだき続ける様子だ。 派 **―さ**③② **―げ**⓪③④ **―が・る**④ 表記 「〈口惜〉しい」とも書く。

くやしなき⓪【悔し泣(き)】―する(自サ) 悔しがって泣くこと。 表記 「〈口惜〉し泣き」とも書く。

くやしなみだ④【悔し涙】 悔しくて流す涙。 表記 「〈口惜〉し涙」とも書く。

くやしまぎれ④【悔し紛(れ)】―に あまりの悔しさに見さかいの無い言動をする様子。 表記 「〈口惜〉し紛れ」とも書く。

***くや・む**②【悔(や)む】(他五)❶〈なにヲ―/なにヲ なんだト―〉〔失敗などをしてから〕ああ△すれば(しなければ)よかったと、今更どうすることもできないにもかかわらず残念に思う。後悔する。❷〈なにヲ―〉人の死を惜しんで、その近親者などに慰めの言葉を言う。 名 悔やみ③「―を述べる」⇩おくやみ

ぐゆう⓪【具有(イウ)】―する(他サ) 資格・性質などを持っていること。「両性―の神ヘルマプロディートス〔=ギリシャ神話中の神の名〕」

くゆら・す③【〈燻らす〉】(他五)〔「燻る」の使役動詞形〕(ゆっくりと)煙を立てる。燻らせる④(下一)。「葉巻を―/パイプを―/紫煙を―」 自動 燻る②(五)

くよう⓪【九曜(エウ)】〔陰陽(オンミョウ)道で〕「九曜星」の略。七

曜星に羅睺・計都という二つの星を加えたもの。

くよう①【供養】―する(他サ) 仏前や死者の霊前に有形・無形の物を供え、加護を願い冥福を祈るための祭事を行なうこと。「開眼―⑤・追善―⑤」

くよくよ①(副)―と ―する 〔ほかの人なら気にもかけない事を〕いつまでも気に病む様子。

くら【《競】(造語)〔複合語の後の要素として〕〔「競べ」の意〕競争。「押し―・駆けっ―」

くら②【蔵】 家財や商品などをしまっておくための(耐火性・防湿性などを備えた)建物。 表記 「倉・《庫」とも書く。 かぞえ方 一戸前

くら②【△鞍】 馬の背に置いて△人(荷物)をのせるもの。 かぞえ方 一具

****くら・い**⓪【暗い】(形) ↕明るい ❶(そこで何かをするのに必要な)光が十分でない状態だ。「―夜道を一人で歩くのは危険だ/大分あたりが暗くなって来た」 ❷Ⓐ〔黒・白以外の〕同系統の色の中で、濃さの度合が多い方だ。「―黄色」 Ⓑ〔緑・藍・紫などの〕各種の色の中で、目につきにくい方だ。「―色」 ❸そこから受ける印象から、前途に期待があまり感じとれない様子だ。「△見通し(将来)は―/―〔=ⓐ楽しい事が無い。ⓑ不幸な事があった〕日曜日/いつも―〔=絶望感・挫折感・不幸を一身にしょっているような〕顔をしている/―ところ〔=人に見せたくない、やましい面〕がある/―〔=公正を欠き、希望を感じさせない〕政治」 ❹その方面に関して、自身の知識や情報が乏しくて対処を必要としている事態に的確な判断を下せない様子だ。「世間に―〔=世間一般の慣行・事情がよく分からない〕/数字に―〔=経済観念や計算能力が(あまり)無い〕」 派 ―さ⓪

くらい⓪【位】〔座居、すなわち、その座にすわる意〕 ❶公的な官職・身分・功績などの上下の関係から見て、どの段階にあるかということ(を示す称号)。地位。「帝王の―に就く」 ❷〔十進法で〕「基数❷〔=十〕」の累乗〔=一・十・百・千など〕をそれぞれ幾つ集めてその数が構成されるかを示すための数字が書かれる位置。桁。例、「十の―/百の―」。〔一より小さい数を表わすための「十分の一の―〔=小数第一位〕」/「百分の一の―〔=小数第二位〕」なども含む。また、「十」以外の数を基数とする位取り記数法についても言う〕 **―・する**⓪(自サ) △場所(地位)を占める。「社会の上層に―人びと」 **―だおれ**④【―倒(れ)】 位が高いだけで、実質や収入がそれに伴わないこと。 **―どり**⓪【―取(り)】 数を書き表わすために、「位❷」を定めること。「―の原理/―を間違える」 **―どり きすうほう**⑦、⓪-⓪【―取(り)記数法】 数を書き表わすために「基数❷」と等しい個数の数字を用意し、それらを「位❷」に配置して書く方式の記数法。〔用意する数字の中には、空位を表わす記号すなわち零を含む〕「十進〔=十を基数とする〕―・六十進―・二進―」 **―まけ**⓪【―負(け)】―する(自サ) ❶位の高さに実力が伴わないで、かえってその人に不利になること。 ❷相手の地位・品位に圧倒されること。

ぐらい【《位】(副助)〔名詞「位」の転〕 ❶〔数量を表わす語や基準を示す語に付いて〕大体の見当を表わす。「茶さじ一杯―の塩を入れる/駅まで十分―かかる/猫の額―の広さ」 ❷比較的理解しやすい基準を示しつつ問題になっている状況の程度を表わす。「棚の物が落ちた―の大きな地震だった/いくら忙しいからといって、電話をする―のひまはあっただろうに/そんな事を言ってくれるのは君―なものだ〔=君以外にはあまりいない〕」 ❸それに比べると、ほかの場合は物の数でないという意を表わす。「異国で病気をする―心細いことは無い」 ❹自分の主義・主張や性格・趣味を基準とすれば、前件よりもむしろ後件を選択することを表わす。「途中でやめる―なら、やらない方がましだ」「くらい」とも。 運用 ⇩程度 運用

クライアント②⓪〔client〕 ❶依頼人。顧客。〔狭義では、広告会社の得意先を言う〕 ❷〔コンピューターで〕「サーバー㊄」から、各種のサービスを受けるコンピューター。

くらいこ・む④【食(ら)い込む】[一](自五) 法に触れる行為をして、刑務所に入れられる。「彼は三年食らい込んだ」 [二](他五) やっかいなことを引き受けさせられる。「他人の借金を―〔=払わされる〕」〔[一][二]とも俗語的表現〕 表記 「〈喰い込む」とも書く。

クライシス②〔crisis〕 危機。恐慌。

グライダー②⓪〔glider〕 エンジンを用いず、高度差や上昇気流によって空を飛ぶ航空機。滑空機。 かぞえ方 一機

くらいつ・く④【食(ら)い付く】(自五) 「くいつく」の口頭語的な強調表現。 表記 「〈喰い付く」とも書く。

クライマー②〔climber〕 (岩登りを目的とする)登山者。

クライマックス④〔climax〕 緊張や興奮が最高潮に達する△場面(状態)。

クライミング②〔climbing〕〔山などを〕よじ登ること。〔狭義では、ロック クライミング、すなわち岩登りを指す〕

くらいれ⓪【蔵入(れ)】―する(他サ) 蔵に納めること。↕蔵出し 表記 「倉入れ・《庫入れ」とも書く。

グラインダー⓪〔grinder〕 回転させて使う、円形の砥石。研磨機。研削盤。 かぞえ方 一台

くら・う⓪【食(ら)う】(他五) ❶(いかにも意地きたなげに)食う。「大飯を―/我が尻を食らえ〔=⇩尻〕」 ❷「食う❹」の強調表現。「△パンチ(肩すかし・しっぺ返し・大目玉)を―/風を食らって」 表記 「〈喰う・〈啖う」とも書く。

クラウド⓪②〔cloud=雲〕 クラウド コンピューティングの略。 **―コンピューティング**⑦〔cloud computing〕〔ネットワークを雲に見立てて〕コンピューターによるデータ処理を、ネットワーク上のサーバーによってすべて行なうサービス形態。略してクラウド。

クラウド ファンディング⑤〔crowd funding〕 インターネット上で、不特定多数の人から資金や義援金を集めること。

グラウンド⓪〔ground=地面〕 競技場。運動場。グランドとも。「―を駆ける/―マナー⑥・ホーム―」 かぞえ方 一面

くらがえ⓪【〈鞍替(え)】―する(自サ) ❶△雇人が勤め先を(遊女が抱え先を)かえること。 ❷今までやって来た、仕事や行動の対象を他にかえること。

くらがり⓪【暗がり】 △暗い(暗くて人目につかない)所。「四十―〔=四十歳を過ぎるころから、薄暗い所で物が見えにくくなる現象〕」

くらく①【苦楽】 苦しみと楽しみ。「―を共にする〔=いつも力を合わせて、一緒に△生活(仕事)する〕」

クラクション②〔klaxon=もと、商標名〕〔自動車の〕警笛。

くらくら①(副) ❶―と ―する めまいのする様子。「頭が―する」 ❷―と 湯の沸きかえる様子。

ぐらぐら [一]①(副) ❶―と ―する 固定されているはずの物が、揺れ動いて不安定な状態になる様子。「歯が―する/家が―と揺れる」 ❷―と ―する 何かにつけて動揺して、一定の状態が保てない様子。「△決心(考え・感情・気持・心)が―する」 ❸―と 沸騰した湯が、激しく沸きかえる様子。「―煮えかえった熱湯を浴びせかける」 [二]⓪―な ―に 「ぐらぐら[一]」に同じ。「歯が―になる」

くらげ⓪【〈水母〉・〈海月〉】 海中に浮かぶ下等動物。形は傘状で、からだは寒天質。種類が多い。 かぞえ方 一匹

くらざらえ③【蔵〈浚(え)】―する(他サ) 在庫品を全部

整理しようとして、安売りをすること。「くらざらい③」とも。

*くらし⓪【暮⒭し】 暮らしていく△こと(手段)。「―が立たない〔=経済的にやっていけない〕/―を立てる/―を支える/―を脅かす/その日―(グラし)/貧乏―(グラし)」 ―むき⓪【―向㋖】 経済的な面から見た生活の状態。「―〔=家計〕の事は全部妻(サイ)に任せてある/―が楽になる」

グラジオラス④③〔gladiolus〕 切り花にする多年草。花は、白・赤・黄・紫などの種類があり、夏に下から上へ順に穂のように咲く。〔アヤメ科〕 かぞえ方 一本

クラシカル②―な―に〔classical〕 古典的。伝統的。

くらしきりょう④(レウ)【倉敷料】 倉庫に貨物を保管する料金。倉敷⓪。

くらした⓪【〈鞍下】〔牛・馬の背中の〕鞍の下になる部分(の、上等の肉)。〔牛肉ではヒレに当たる〕

クラシック③ ■一❶〔the classics の日本語形〕〔古代ギリシャ・ラテンの〕すぐれた作品。西洋古典。❷〔classic〕古典的な作品。❸〔classical music の日本語形〕西洋の古典音楽。「―のファン」 ■二―な―に〔classic〕 古典的。「―な作品」

くらじり⓪④【〈鞍尻】 鞍の後ろ。

**くら・す⓪【暮⒭す】(自五)〈なにヲ〉―/〈なにデ〉―〉 寝たり起きたり 食事をしたり 仕事をしたり 遊んだり などして、一日(一日)を生きていく。「わずかな収入で今まで何とか暮らしてきた/自由気ままに―/遊び―」

*クラス①〔class〕 ❶等級。階級。「A―・ファースト―⑤・エコノミー―⑥」 ❷学級。「―編成④」

グラス⓪①〔glass=ガラス〕 ❶洋酒用の杯。〔広義では、ガラスのコップをも指す〕「―にジュースを注ぐ/ワイン―」 ❷眼鏡。「サン―・オペラ―」 かぞえ方 ❶は一点・一本

グラス ウール④〔glass wool〕 ガラスでできた細い繊維を集めて綿状にしたもの。断熱材・電気絶縁材などに使う。ガラス ウール④とも。

クラスター②〔cluster=固まり〕 集合体。ある要素のまとまりや、人の集団。クラスタ②とも。「鉄鋼産業―⑩・患者―⑤〔=感染者の小集団〕」

クラスト②〔crust〕 積もった雪の、表面が堅くなったもの。

グラス ファイバー④〔glass fiber〕 ガラスを高炉で溶かし、繊維状に固まらせたもの。ナイロンよりも強く、△絶縁(断熱・吸音)材として用いられるほか、プラスチックの補強材として航空機の機体・スキーなど用途が広い。ガラス繊維。

クラスメート④〔classmate〕 同級生。級友。

くらずれ⓪④【〈鞍擦㋹】 鞍のために擦れて、牛馬の背や乗る人の またに出来た傷。

くらだし⓪【蔵出⒧】―する(他サ) 保管中の荷を蔵から出すこと。「―〔=蔵から出したばかり〕の酒」 ↕蔵入れ 表記「倉出し・《庫出し」とも書く。

グラタン⓪〔フ gratin〕 肉・野菜などをいため、ホワイト ソースであえたものを皿に入れ、粉チーズなどをふりかけ、オーブンで蒸焼きにし、焼け色を付けたもの。「マカロニ―」

クラッカー②〔cracker〕 ❶とんがり帽子の形の紙の筒の先端についている ひもを引っぱると、中の火薬が爆発して音を立て、テープなどが飛び出す おもちゃ。パーティーなどに使う。❷薄くて軽い塩味のビスケット。「チーズ―⑤」

クラック②〔crack〕 ❶建造物や器物に生じるひびや割れ目。〔登山用語としては、岩壁に生じている裂け目を指す〕 ❷コカインを精製した、純度が高く、値段の安い麻薬。

ぐらつ・く⓪(自五) 基礎の構造が脆弱(ゼイジャク)であったり 継ぎ目が不十分であったり して、不安定な状態に揺れ動く。「二人で暮らそうと考えていた△気持(決心・考え)が―/相次ぐ汚職事件で足もとが ぐらついて来た政権/△確信(決意)を ぐらつかせる」 名 ぐらつき⓪「信念の―」

クラッシャー②〔crusher〕 鉱石・岩石などの粉砕機。

クラッチ② ■一〔clutch〕 ❶軸の回転運動を断続させる継ぎ手。❷起重機の つめ。❸〔運転台で〕自動車の「クラッチ❶」を動かす踏み板。 ■二〔crutch=松葉づえ〕 ボートのオールをささえる、二またの金具。

くらつぼ②⓪【〈鞍壺〉】 ❶鞍の上の、人の乗るべき部分。〔中央の平らな部分を指す〕 ❷〔馬術で〕馬に乗った人が、鞍の前か後ろかに少し もたれかかること。

グラデーション③⓪〔gradation=段階的変化〕〔絵画・写真で〕画面の濃淡度。色調の段階。〔日本語訳は階調〕「―をかける/虹(ジニ)のような―」

くらに⓪【倉荷】 倉庫に入れてある荷。

グラニューとう⓪(タウ)【グラニュー糖】〔granulated sugar の訳〕 ざらめを細かくし、精製したもの。

グラノーラ③〔granola〕 シリアル食品の一つ。オート麦などの穀物にシロップや蜂蜜を加えて焼いたあと、ナッツ・ドライフルーツなどを混ぜたもの。牛乳をかけて食べる。グラノラ⓪とも。

くら ばらい③(バラヒ)【蔵払㋑】―する(他サ) 薄利多売を目的として、在庫品の安売りをすること。

グラビア⓪〔gravure〕 ❶金属を腐食させ、写真の通りに印刷△する凹版(したもの)。❷〔雑誌などで〕「グラビア❶」による絵や写真のページ。グラビア ページ。

くら びらき③【蔵開㋖】―する(自サ) 吉日を選び、その年になって初めて蔵を開くこと。〔狭義では、本式に商売を始めることを指す。昔の商家では一月十一日ごろ〕

クラブ〔club〕 ❶①〔親睦(シンボク)・趣味・研究など〕共通の目的を持った人びとの組織する団体。また、その集会所。「―活動④〔=狭義では、学校の教科外教育活動の一つを指す〕」 ❷①ゴルフ場などに付設される、会合や会食などのために設けられた施設。「―ハウス④」 ❸①ナイトクラブの略。❹①ゴルフのボールを打つ用具。❺①〔トランプで〕黒いクローバーの葉のしるし(で点数を表わした札)。♣ ❻⓪音楽を流し、踊ることのできる(若者向け)飲食店。 表記 ❶を「〈倶楽部」と書くのは、字義を考慮した明治期からの音訳。「苦楽部」とも書いた。 かぞえ方 ❹は一本

*グラフ⓪①〔graph〕 ❶二つ以上のものの数量的△関係(変化)を直線・曲線などから成る平面図形で表わした図表。❷〔「ゼラチン版⓪」の意〕写真・絵を主にした雑誌に付ける名。 かぞえ方 ❶は一枚・一図(イチズ)

え―②(ヱ)【絵―】 棒グラフや折れ線グラフの代りに数量や割合の違いを絵の大きさによって示したグラフ。 えん―③(エン)【円―】 全体の数量を円全体で表わし、円の中心をかなめに持つ幾つかの扇形の面積比で、その内訳を示したグラフ。 おび―③【帯―】 帯のように細長い長方形で全体の数量を示し、それを短い方の辺に平行な線分で幾つかに分割して、それらの小さい長方形の面積比で内訳の数量を示したグラフ。 おれせん―⑤(ヲレ)【折れ線―】 ある数量の時間的変化を分かりやすく示すために、その数量を縦軸に、時間を横軸に目盛った座標平面上に、一定の時間間隔ごとの数量を表わす一連の点を記入し、それらを線分でつないだグラフ。 ぼう―③(バウ)【棒―】 それぞれのものの数量を棒の形をした線分の長さで表わして比べやすくしたグラフ。

グラブ①〔glove=手袋〕 ⇩グローブ■二❶

グラフィック③②〔graphic〕 ■一❶〔←graphic magazine〕写真・絵を主にした新聞や雑誌。❷〔←graphic art〕文字・線がきの絵・版画などによる印刷美術。 ■二―な 写真を主とし、視覚に訴えて分かりやすく説明する様子。「―な誌面」 ―デザイナー⑦〔graphic designer〕

グラフィック デザインの専門家。 **―デザイン**⑦〔graphic design〕 商業用の目的で作られた、宣伝資料・包装などのデザイン。商業デザイン⑥。

グラフィティー②〔graffiti=graffito の複数形〕 壁などの落書き。〔もと、岩に刻まれた原始人の絵(文字)を指した〕「―アート⑥」

クラブサン③②〔フ clavecin〕 ハープシコード。

クラフト②〔craft=手芸〕 手づくりによる工芸品。 **―ビール**⑤〔craft beer〕 小規模な醸造所で手作りに近い工程で少量生産されるビール。クラフト ビア⑤とも。⇩地ビール

クラフトし④【クラフト紙】〔Kraft=もとドイツ語では、強さ・力の意〕 セメント・小麦粉などを包む、茶色で丈夫な紙。「硫酸パルプ⑤」などで作る。

くらぶべくもない④-①【比ぶべくも無い】 比べることも出来ないくらいに△ひどい(すぐれている)。「都心の混雑には―」

くらべ【比べ】■一⓪ 比べて優劣を争うこと。「せい―」 表記「《競べ」とも書く。 ■二(造語) 動詞「比べる」の連用形。 **―もの**⓪【―物】〔否定表現と呼応して〕あまりにも程度の差がありすぎて、優劣などを論じるまでもない様子であることを表わす。「アマで強いと言ってもプロの選手とは―にならない」

**くら・べる⓪【比べる】(他下一)〈なに・だれトなに・だれヲ―〉❶二つ(以上)のものを同時に見られるように並べて、その異同・優劣などを調べる。❷他のものと優劣を△争う(争わせる)。 表記「《較べる・《競べる」とも書く。〔⇩比べ■二〕

グラマー ■一②〔←米 glamour girl〕 豊満で、性的魅力のある△様子(女性)。 ■二②⓪〔grammar〕 文法(書)。

くらまい⓪【蔵米】 江戸時代、諸国から送られて来て浅草の米蔵や諸藩の倉庫にしまっておかれた米。

くらま・す⓪③【〈晦ます】(他五) 〔姿などを〕だれにも気が付かれないように隠す。晦ませる⓪④(下一)。「行くえを―/人の目を―〔=ごまかして何かする〕」 表記「暗ます」とも書く。

くらみ⓪【暗み】 暗い所。「草陰の―に身をひそめる」

くらみせ⓪【蔵店】 土蔵造りの店。

くら・む⓪【〈眩む】(自五) (その人のいるあたりが)暗くなる。⇩目が眩む 表記「暗む」とも書く。

グラム①⓪〔フ gramme=もとギリシャ語で、小さな重さの意〕 国際単位系における質量の単位で、千分の一キログラムを表わす〔記号 g〕。〔制定当初は、セ氏三・九八度における一立方センチメートルの水の質量という規定で基本単位であったが、現在は、キログラムが基本単位〕 表記「瓦」とも書く。「瓦」は、オランダ語 gram に対する音訳「瓦蘭麻」の第一字。

キロ―③〔フ kilogramme=千グラム〕 国際単位系における質量の基本単位〔記号 kg〕。キロ。〔従来 国際キログラム原器の質量と定められていたが、二〇一八年に、プランク定数〘=物理学における基礎定数の一つ〙が 6.62607015 ×10^{-34}kg m^2 s^{-1}(s は秒)と表わされるような kg の大きさ、という定義への変更が決議され、翌年施行〕⇩トン 表記「〈瓩」とも書く。 **センチ―**④〔フ centigramme の文字読み〕 質量の単位で、百分の一グラムを表わす〔記号 cg〕。〔現在ではほとんど使われない〕 表記「〈甅」とも書く。 **ミリ―**③〔フ milligramme〕 国際単位系における質量の単位で、千分の一グラムを表わす〔記号 mg〕。 表記「〈瓱」とも書く。

グラム はんのう④-①【グラム反応】〔Gram=人名〕 ある種の細菌がヨード化合物の色素に染まる反応。これに染まることを「グラム陽性」、染まらないことを「グラム陰性」と言う。

くらもと⓪【蔵元】 酒蔵(サカグラ)を持っていて、日本酒を造っている△人(店)。

くらやしき③【蔵屋敷】 江戸時代、大名が江戸・大坂などに設けた倉庫。領内の米穀・産物などを貯蔵した。

***くらやみ**⓪【暗闇】❶光が無くて、そこにあるはずのものが見えない△こと(所)。暗がり。「真っ―」❷関係者以外にはうかがい知ることのできないところや、あるべき秩序が失われ先行きに不安が充満している状態。「事件を―に葬る/言ってみれば、世の中は―だ」

ぐらり②(副)―と 安定していた物が、急に大きく揺れたり傾いたりする様子。「ぐらっ」とも。「(地震で)―ときたら火の始末」

クラリネット④〔イ clarinetto〕 たて笛形でキーのある木管楽器。リードは一枚だけ。 かぞえ方 一本

くらわ・す⓪③【食(ら)わす】(他五) 〔「食らう」の使役動詞形。「くわす」の強調形〕相手の欲しないものを与える。食らわせる⓪④(下一)。「パンチを―〔=相手に与える〕/一発―〔=意表をついて相手に強い衝撃を与える〕」

くら わたし③【倉渡(し)】 売買した商品の受け渡しを、倉庫に寄託したままで行なうこと。

クランク②〔crank〕❶往復運動と回転運動とを互いに変換させる装置。❷撮影機のハンドル(を回して撮影すること)。「―イン④⑤〔=撮影開始〕・―アップ⑤〔=撮影終了〕」 かぞえ方 ❶は一台 **―シャフト**⑤〔crankshaft〕 クランクの、回転する軸。

クランケ②〔ド Kranke〕 〔医者の間の通語で〕患者。

くらんど②⓪【蔵《人】 くろうど。

グランド(造語)〔grand〕 規模の大きい様子。「―オープン⑤・―セール⑤」 **―オペラ**⑤〔grand opera〕 〔喜歌劇やオペレッタと違って〕正歌劇。原則としてせりふを含まず、悲劇的要素の強い、本格的なオペラ。⇩オペレッタ **―デザイン**⑥〔grand design〕 国や組織のあり方などに関する、将来を見据えた長期的・総合的な構想。 **―ピアノ**⑤〔grand piano〕 弦を水平に張り、その部分が後方に張り出した、三つ足で大型の平たいピアノ。おもに、演奏会用。平台(ヒラダイ)ピアノ。⇩アップライト かぞえ方 一台

グランド⓪〔ground〕 ⇩グラウンド

グランプリ②〔フ Grand Prix=大賞〕 国際映画祭の最高賞。〔広義では、芸能・スポーツなどの最高賞をも指す〕

くり【〈刳(り)】■一②くること。くった程度。「襟の―が浅い/襟―(グリ)」 ■二(造語) 動詞「刳る」の連用形。「―がんな③・―小刀」

くり②【〈栗】 山野に自生し、また栽培もされる落葉高木。初夏に穂の形をした黄白色の花を開く。濃い茶色のいがに包まれた実は堅く、サツマイモのように黄色くて甘い。材は堅く、水にも強く、枕木(マクラギ)や土台に使われる。〔ブナ科〕 かぞえ方 一株・一本

くり②【繰(り)】〔謡曲で〕声を一番高くあげる所。〔シオリと言う流派もある〕

くり①【庫裏・庫〈裡】〔「く」は「庫」の唐音〕寺の台所。〔広義では、住職や家族の居間をも含む〕

クリアー②〔clear〕■一―な 頭脳が明晰(メイセキ)な様子。■二―する(他サ)❶〔陸上競技で〕バーやハードルを落としたり倒したりしないで、うまく飛び越すこと。❷〔サッカーで〕相手の攻撃を払いのけること。❸その難関を無事に乗り越えて、次の段階に進めること。「一次試験を―する」❹〔コンピューターなどで〕表示画面に記号や文字などが、何も表示されていない状態にすること。〔■一■二ともクリア②とも〕

くり あ・げる④⓪【繰(り)上げる】(他下一) ❶順を追って並んでいるものの位置をそれよりも前へずらす。「次点の者を―／△期日(予定)を―〔=早くする〕」↕繰り下げる ❷〔位取り記数法による足し算で〕その位の数の和が二桁(フタケタ)になるとき、必要な数〔=普通は、一〕を一つ上の位に加える。名 繰り上げ⓪「―当選⑤」 自動 繰り上がる④⓪(五)

クリア ファイル④〔和製英語 ←clear + file〕書類などを挟んでしまっておく文具。二枚重ねた透明なシートをL字に綴(ト)じたもの。クリア ホルダー④・クリア フォルダー④とも。 かぞえ方 一枚

クリアランス セール⑦〔clearance sale〕△在庫一掃〔棚ざらえ〕の大安売り。略してクリアランス②。

くり あわ・せる⑤―(アハセル)【繰(り)合(わ)せる】(他下一)〔うまくやりくりして〕なんとか都合をつける。「万障(バンショウ)(を)―」 名 繰り合わせ⓪ 運用 名詞形「繰合せ」は、「万障お―の上、御出席ください」などの形で、招待状・案内状で相手の出席を請う挨拶(アイサツ)の言葉として用いられる。

クリーク②〔creek=小川〕中国の平野に多いよどんだ短い△支流(水流)。

くり いし②【(栗石】〔「くり」=中国地方などの方言で、小石の意〕❶クリの実ぐらいの大きさの丸い石。❷⇩割り栗石 表記「(栗」は、借字。

グリース②〔grease=油脂〕潤滑油にせっけん類を交ぜて、半分固体にしたもの。軸受け用。グリスとも。

グリーティング カード⑦〔greeting card〕誕生祝い・病気見舞・四季の挨拶(アイサツ)などに送る言葉を印刷したカード。〔クリスマス カードは、これの一種〕 かぞえ方 一枚

クリーナー②〔cleaner〕❶電気掃除機。❷汚れを取り除く薬剤・道具。クリーナ②とも。「イヤー―⑤〔=耳かき〕」 かぞえ方 ❶は一台：一点・一本

クリーニング④②―する(他サ)〔cleaning〕洗濯屋がする西洋式の洗濯。「―に出す」

***クリーム**②〔cream〕❶Ⓐ生クリーム(に似た、流動状の食品)。「―スープ⑤〔=ポタージュの一種〕／―ソース⑤〔=△クリーム(ミルク)に小麦粉やバターを交ぜた、一種のホワイトソース〕／―煮⓪〔=クリーム ソースで煮た魚や肉の料理〕」Ⓑ生クリームやカスタード クリームなどを使った食品。「―パン④・―チーズ⑤・シュー―」❷△おしろい下(美顔用)として使われる、軟膏(ナンコウ)状の化粧品。〔広義では、靴墨をも指す〕〔❶❷ともクレームとも〕❸アイス クリームの略。「ソフト―」

―いろ⓪【―色】薄い黄色。 **―コロッケ**⑤〔和製洋語 ←cream + フ croquette〕カニや鶏肉などをホワイト ソースに混ぜて俵形などに丸め、パン粉をまぶして揚げたもの。「カニ―⑦」 **―サンデー**⑤〔←ice-cream sundae〕アイスクリームの上に、果物・ジャムや、ホイップした生クリームを載せたもの。

くり いれ【繰(り)入れ】■一⓪ 繰り入れること。「会計間の―」■二(造語) 動詞「繰り入れる」の連用形。「―金⓪」

くり い・れる④⓪【繰(り)入れる】(他下一) ❶順々に送り入れる。❷他の物の中に組み入れる。編入する。〔⇩繰入れ■二〕

くり いろ⓪【(栗色】クリの実の皮のような茶褐色。

クリーン②―な〔clean〕きれい。あざやか。「―なイメージ」 **―アップ**⑤〔clean up〕〔野球で〕長打を打って、塁上の走者を一掃する強打者。クリンナップ④とも。「―トリオ⑧〔=三、四、五番の強打者三人〕」 **―ヒット**⑤〔clean hit〕〔野球で〕(得点に結び付く)あざやかな安打。〔時宜を得た快挙や大当りの意にも用いられる〕

グリーン②〔green〕❶緑色。「―車(シャ)③②④」❷草地。〔狭義では、ゴルフ場で芝を植えた部分を指す〕 **―アスパラガス**⑧⑦〔green asparagus〕アスパラガスの若い茎。緑色で食用とする。⇩アスパラガス **―ピース**⑤〔green pea(s) の文字読み〕さやから出した食用のエンドウ。あおえんどう。あおまめ。グリンピースとも。 かぞえ方 一粒(ヒトツブ)：一袋 **―ベルト**⑤〔green belt〕❶街路の中央の仕切りなどに設ける緑地帯。❷都市計画において設ける緑地帯。

クリエーティブ③―な・―に〔creative〕接する人に新鮮な感じを与える独創性が認められる様子だ。クリエイティブとも。

クリエート③―する(他サ)〔create〕創造すること。

クリオネ⓪〔clione〕成長すると殻がなくなる小さな貝。体のほとんどが半透明で、水中を羽ばたくように泳ぐ姿が天使にたとえられる。ハダカカメガイ⑤。〔ハダカカメガイ科〕 かぞえ方 一匹

くり かえ―(カヘ)【繰(り)替(え)】■一⓪ 繰り替えること。「相互間資金の―」■二(造語) 動詞「繰り替える」の連用形。「―金(キン)⓪・―支払⑤」

くり かえし⓪―(カヘシ)【繰(り)返(し)】くりかえすこと。 **―ふごう**⑥―(ガウ)【―符号】〔日本語の表記法で〕同じ語や文字を繰り返すときに用いる符号。踊り字。繰返し記号⑥。例、「恐る〱」「家々」の「〱」「々」など。

***くり かえ・す**③⓪―(カヘス)【繰(り)返す】(他五)〈なに ヲ―〉〔出発点に戻って〕また同じ事をする。「身に付くまで練習を―／△愚(グ)(同じあやまち)…の二の舞・悪循環・一進一退を―／同じ失敗を再三―／不毛な議論が繰り返される」

くり か・える④③⓪―(カヘル)【繰(り)替える】(他下一) ❶あるものを他の物と入れ替える。❷やりくりして都合をつける。流用する。〔⇩繰替え■二〕

くり かた⓪【(刳(り)形】家具・建物の一部をくってあけたくぼみ。

くりから⓪【(倶《梨(伽羅】〔竜の意の梵(ボン)語の音訳〕岩の上に立ててある剣〔=不動明王が右手に持つ降魔(ゴウマ)の剣をかたどる〕に竜が巻きついた形。火炎におおわれている。 **―もんもん**⑤⑦【―紋々】くりからなどを背中に彫ったいれずみ。また、そのいれずみをした博徒(バクト)や、鳶(トビ)の者など。

くりき①【功力】功徳(クドク)の力。

くりくり ■一①(副)―と・―する ❶くるくるとよく動いて、その丸さが目立つ様子。「―した、かわいい目」❷からだつきなどがいかにもまるまるとしている様子。「―(と)肥(フト)った人」■二⓪頭を丸刈りにした状態。「頭を―にする／―坊主⑤」

ぐりぐり ■一⓪④ 首筋などに出来るリンパ節(のはれ)。るいれき。■二①(副)―と・―する ❶内部の丸いかたまりが指先に触れて感じられる様子。「首のつけ根に―したものがある」❷指先やひじを、強く押し付けながら回す様子。「肩を―と揉(モ)んでもらう」

くりげ⓪【(栗毛】馬の毛色の名。栗色をした毛並(の馬)。「膝―」

クリケット③②〔cricket〕英国の伝統的球技。十一人ずつ二チームに分かれ、櫂(カイ)の形をしたバットでボールを打ち、「ウィケット①〔=三本の柱に横木を載せたもの〕」を中心に攻防が繰り広げられる。

グリコーゲン③〔ド Glykogen (グリュコゲーン)=発見者、フランス人ベルナールが、ギリシャ語の「甘い」+「生じる」により合成して造った言葉のドイツ語形〕白色無味の動物性でんぷんの粉末。動物の生理上重要な物質。糖原質。

くり こがたな④⑤【(刳(り)小刀】「あいくち■一」の改称。

くり こし【繰(り)越(し)】■一⓪ ❶繰り越すこと。❷〔簿記で〕その△ページ(帳簿)の最終の残高を、△次ページ(新帳簿)の初めに書き込むこと。■二(造語) 動詞「繰り越す」の連用形。「―金(キン)⓪」

くり こ・す③⓪【繰(り)越す】(他五) 残った物事を(順々

に)次に送る。「決算での残高を次年度へ—」〔⇩繰越❸〕

くりごと[0]【繰(り)言】 愚痴などを飽きもせずに何度も繰り返して言うこと。また、その愚痴など。「—を言う/老いの—」

くりこ・む[3][0]【繰(り)込む】❶(自五) おおぜいが一団となって、次つぎに入りこむ。「会場へ—」❷(他五) ❶手もとへ たぐり寄せる。❷その一部として、中へ入れる。

くりさ・げる[4]【繰(り)下げる】(他下一) 順々に △下(あと)に送る。↕繰り上げる [名]繰り下げ[0] [自動]繰り下がる(五)

グリス[1]〔grease〕⇩グリース

クリスタル[2]〔crystal=結晶〕❶水晶。❷〔←クリスタルグラス[6]〕透明度の高い高級ガラス(の製品)。❸ロッシェル塩などの結晶。電圧を加えると形が変わったり 力を加えると電圧を生じたり する性質を利用して安価にイヤホーン・ピックアップなどを作る。

クリスチャニア[4]〔christiania=ノルウェーの首都オスロの旧名に由来〕〔スキーで〕滑走中 急速度で方向を変える技術。急速回転。

クリスチャン[2]〔Christian〕キリスト教徒。 **—ネーム**[6]〔Christian name〕洗礼の時その人に付けられた名。姓名の「名」に当たる。洗礼名[3]。

クリスト[0]〔Christ〕⇩キリスト

クリスマス[3]〔Christmas〕キリストの降誕を祝う祭日〔=十二月二十五日〕。聖誕祭。[表記]「Xmas」のXは、Christのギリシャ語形の頭文字カイ。「X'mas」「Xマス」とも書く。 **—イブ**[6]〔Christmas Eve〕クリスマスの前夜(祭)。略してイブ。 **—カード**[6]〔Christmas card〕クリスマスを祝って友人などに送る、絵入りのカード。[かぞえ方]一枚 **—キャロル**[6]〔Christmas carol〕クリスマスを祝って歌う歌。クリスマス カロルとも。 **—ツリー**[7]〔Christmas tree〕クリスマスの日、ろうそく・贈り物を掛けて(室内に)飾るモミの木。[かぞえ方]一本

グリセード[3]—する(自サ)〔glissade〕〔登山で〕ピッケル・つえなどを斜め後ろに突きながら雪渓などを滑りおりること。

グリセリン[0]〔glycerin(e)〕脂肪・油脂からとる、無色・油状で甘味の濃い液体。医薬・爆薬の原料。グリスリン[0]・リスリンとも。〔化学式 $C_3H_8O_3$〕

くりだ・す[3][0]【繰(り)出す】❶(他五)〔手元にあるものを〕少しずつ次から次へと出していく。「△応援(デモ)を—/槍(ヤリ)を—〔=しごいて突き出す〕」❷(自五) 一隊の人が連れ立って出かける。「△町(雑踏の中)へ—」

クリック[2][1]—する(他サ)〔click=カチッという擬音語〕〔コンピューターで〕マウスを操作して、画面上のカーソルを目的のアイコンなどの位置に移動し、マウスのボタンを押してすぐ離す動作。「ダブル—」

グリッド[2]〔grid〕〔ラジオで〕三極真空管の第三極。網状をしていて、電子の流れを加減する。

クリップ[2][1]〔clip〕物をはさむ各種の器具。

グリップ[2]〔grip〕バット・ラケット・ゴルフのクラブなどの握る所。また、その握り方。

くりど[2][0]【繰(り)戸】戸袋から一枚ずつ順に出し入れして開閉する雨戸。

クリトリス[3]〔clitoris〕⇩陰核

クリニック[2]〔clinic〕❶診療所。「デンタル—[6]〔=歯科医院〕」❷臨床講義。

くりぬ・く[3][0]【〈刳(り)《貫く》】(他五) えぐって△穴を開ける(中の物をそっくり取り出す)。[名]刳り貫き[0]

くりの・べる[4][0]【繰(り)延べる】(他下一) 日時を順々に延ばす。延期する。[名]繰り延べ[0]「借金の—」

クリノメーター[4]〔clinometer, clino=傾斜〕傾斜を測定する器具。傾斜儀[3]。傾斜計[0]。

ぐりはま[0]〔ハマグリの倒語〕物事の結末が期待した内容と全く反対になること。「ぐれはま」とも。〔俗語的表現〕

くりひろ・げる[5][0]【繰(り)広げる】(他下一) ❶次から次へと目の前に広げる。「意外な場面が繰り広げられた」❷ある動きの輪が次第に大きくなる。「熱戦を—〔=展開する〕/一大キャンペーンが繰り広げられる」

クリプトン[2]〔krypton=隠れたもの〕希ガス類元素の一つ〔記号Kr 原子番号36〕。空気中にごく微量含まれ、他の元素と化合しない。

くりぶね[0]【〈刳(り)船・〈刳(り)舟】太い木を二つに割り、中を刳りぬいて作った船。「くりふね」とも。

くりまわ・す[4][0]【繰(り)回(マハス)す】(他五)（都合をつけて)順々にやりくりする。

くりまんじゅう[3]【〈栗饅(チュウ)〉《頭》】中に栗あんを包み、表面をつやのある栗色に焼き上げた饅頭。略して「くりまん[0]」。

くりめいげつ[3]【〈栗名月】陰暦九月十三夜の月。まめ名月。⇩いも名月

くりもど・す[4][0]【繰(り)戻す】(他五) 順を追って、元へ戻す。

くりや[0]【〈厨】〔食膳(ショクゼン)を供する意の文語の動詞「くる」の連用形+屋〕「台所」の意の古風な表現。

クリヤー[2]〔clear〕⇩クリアー

くりょ[1]【苦慮】—する(自サ) うまく解決出来ない問題に対し、どうしたものかと、考えあぐねること。

くりよ・せる[0][4]【繰(り)寄せる】(他下一) ❶(たぐって)順々に引き寄せる。❷順々に詰め寄せる。

グリル[1]〔grill=網(で焼いた焼き肉)〕❶気の利いた一品料理が食べられる、やや高級な洋風料理店。〔ホテル付属の食堂についても言う〕❷ガステーブルの焜炉(コンロ)。「二口(フタクチ)—」

くりわた[2]【繰(り)綿】綿繰り車に掛けて種を取り去っただけの綿。

くりん[0]【九輪】寺の塔の露盤の上の柱に付けられた九つの輪。

クリンチ[2]—する(自サ)〔clinch〕〔ボクシングで〕相手の攻撃を一時防ぐために、相手のからだにだきつくこと。

グリンピース[4]〔green pea(s)〕⇩グリーン ピース

****くる**【来る】❶[1](自カ) ❶〈(どこ・なに**カラ**)どこ・なに**ニ**—〉何かが空間的・時間的に、自分の居る方へ△向かって近づく(移動して、そこに現在見られる)。「手紙が—〔=届く〕/今日はA君が—〔=来訪する〕はずだ/△春(時期・限界)が—〔=やって来る〕/行く年—年/彼ももう—〔=姿を見せる〕ころだ/どたん場に—〔=達する〕/来(タ)るべきものが来た〔=到来した〕/人心の荒廃も、ここまで来た〔=ここまでひどくなった〕か/〝じゅばん〟はポルトガル語から来た〔=に由来する〕言葉だ」❷〈(どこ・なに**カラ**)どこ・なに**ニ**—〉その人に直接影響する何かが現出する。「がたが—/がっくり—/ぴんと来ない/△おつり(お返し)が—」に—/そう来なくちゃおもしろくない/△おつり(お返し)が—」❸〈なに**カラ**—〉何かが原因で、事が起こる。「不注意からきた事故」❹〔一般に「…が来た」の形で〕限界的な状況になる。「腹が来た〔=減った〕/袖口(ソデグチ)がちと来た〔=いたんだ〕小袖(コソデ)」⇩北山❷ ❺〈なに**ト**—〉特にその物事が話題となるような場合や状況を強調することを表わす。「株式の話と—と〔=になると〕、てんで歯が立たない/うちの女房ときては〔=などは〕外出ばかりしていて/このコロンボときたら〔=という人は〕、本当に警部かどうかさえ疑いたくなる人相・風体だ」[文法]❶で、(a)「くる」は、「ゆく(いく)」とともに移動性の動作を表わす点で共通するが、方向性の点でとらえ方が異な

** *は重要語，[0] [1]… はアクセント記号，品詞の指示の無いものは名詞および いわゆる連語。

る。(b)「ゆく(いく)」は、「家から学校へ行く」「社用で大阪に行く」などと起点から見て向かおうと予測される方向・方角や到達点への移動を表わす。(c)「くる」は、到達点の側から見て到達すると予測される方向への移動を表わす。

三(補動・カ変型) 一その動作をすませて戻る。「買って—」 二だんだんその状態になる。「わかって—」 三その動作・作用が続いて現在にまで及ぶことを表わす。「今まで述べてきたことは」 文法 (1)三は、一般に現在の時点を基準として過去を振り返って現在に向かって徐々に変化が見られることを表わす。それに対して、補助動詞「〜て△ゆく(いく)」は現在の時点を基準にしてこれから徐々に変化の生じることが予測されることを表わすのに用いられる。(2)「一年前に景気は次第によくなってくるだろうと予測していたが、予測通りにはよくなってこなかった」では、前文の「景気がよくなっていくだろう」は過去のある時点から見た未来、つまり現在の状況について述べているのであり、後文の「よくなってこなかった」は過去のある時点から現在の時点にかけての変化を述べているのである。

く・る①【刳る】(他五) 器具を使って、くぼみや穴を作ったりそのような図形を作ったりする。えぐる。[⇨刳り三]

く・る①【繰る】(他五) 一綿繰り車に掛けて綿の種を取る。二[長いものを]順に引き△出す(出して巻き取る)。「糸を—/雨戸を—(=順に送る)/日数を—(=順にかぞえる)/ページを—(=めくる)」

くる①【佝僂】「せむし」の意の漢語的表現。表記「痀瘻」とも書く。 **—びょう**⓪(ビャウ)【—病】 骨の組織が十分発育しないために起こる病気。背中が突き出て丸くなる。

グル①[ヒンディー guru] ヒンズー教の導師。グルー①②とも。

ぐる① 仲間。「—になる」

くるい(クルヒ)【狂い】 一②③ 狂うこと。「大きな—が生じる/どうだ、おれの目に—(=判断の誤り)は無い/長年たき込んだ腕に—(=失敗の恐れ)は無いぞ/一秒の—(=進みや遅れ)も無い/女—(グルイ)/郭—(クルワグルイ)④・死に物—(グルイ)」 二(造語) 動詞「狂う」の連用形。 **—ざき**⓪【—咲(き)】—する(自サ) 咲く季節でないのに花が咲くこと。〔正統からはずれているが、特異な存在として評価される人の意に用いられることもある〕 **—じに**⓪【—死(に)】—する(自サ) 狂乱状態におちいって死ぬこと。きょうし。

***くる・う**②(クルフ)【狂う】(自五) 一〈なにニ—〉正常な機能が失われ、その△人(もの)に期待されるのとは異なった働きをする。「気が—(=異常な言動が目立つようになる)/△競輪(女)に—(=夢中になって、まともな判断力が発揮できなくなる)/△歯車(調子)が—/世の中どこか狂って(=異常としか思えない状態になって)いる/狂ったように踊る/牡丹(ボタン)に—(=じゃれつく)唐獅子(カラジシ)」 二期待される物事の進行が何かに妨げられ、不都合な事態が生じる。「雨で試合の日程が—/△見込み(計算・生活のリズム)が—」[⇨狂い三]

クルー②[crew=乗組員] そのボートに乗って、ボートレースに出場する選手たち。

クルーザー②⓪[cruiser] 寝室・キッチンなど、居住設備を持ち、外洋を航海することが出来るヨットやモーターボート。

クルージング⓪②[cruising] 大型のヨットやモーターボートなどで周航すること。

グルーピー②[groupie] 芸能人を追いかけ騒ぐ熱狂的なファン。

グルーピング⓪②—する(他サ)[grouping] 全体を構成する個々のものを何らかの共通点に着目していくつかのグループに分けること。

***グループ**②[group] 一似通った点によって分けた△人(物)の集まり。「トップ—」 二(その人と)行動を共にする集団。仲間。〔企業集団の通称にも用いられる〕「—に入る/—を△組む(作る)/—学習⑤」 **—サウンズ**⑤[和製英語 ← group + sounds] エレキギターを中心に数人で編成するバンド。ポップスの流行とともに、昭和四〇年代にはやった。略してジーエス(GS)。 **—ホーム**⑤[和製英語 ← group + home] 障害者や保護者のいない児童、介護の必要な高齢者などが、専門のスタッフの援助を受けながら共同生活をする施設。

グルーミング⓪②[grooming=手入れすること] サルなどの毛づくろい。

くるおし・い④(クルホシイ)【狂おしい】(形) 常軌を逸したと思われるほどの衝撃にかられる様子だ。「くるわしい」とも。「彼に対する切なく—気持をもてあます」 派**—さ**③④ **—げ**⓪⑤

くるくる①(副)—と 一何度も軽やかに回転する様子。「—回る風車/—と(=身軽にからだを動かして)働く」 二軽快な動作で、また、強く締めつけることなく、何かを幾重にも巻く様子。「ひもを—巻きつける/朝顔のつるが—と巻きつく/包帯を—(と)ほどく」 三目指す方向が定まらず、めまぐるしく変わる様子。「方針が—変わる/目先を—(と)変える」

ぐるぐる①(副)—と 〔「くるくる」の強調形〕 一(何度も)丹念に△回る(何かを回す)様子。「刀を—振り回す/町中を—歩く/—とたらい回しにする」 二△ゆるむ(巻き残す)ことがないように、幾重にもしっかり巻く様子。「マフラーを首に—巻き付ける/包帯を—巻きにする」

グルコース③[glucose] 高等動物の各組織のエネルギー源となる、最も重要な糖。天然にはぶどう糖として存在し、工業的に得られたものは医薬品・甘味剤・還元剤など広い用途に当てられる。

グルコサミン⓪④[glucosamine] アミノ糖の一つ。カニ・エビの殻や動物の軟骨・皮膚に含まれる成分。〔化学式 $C_6H_{13}NO_5$〕

****くるし・い**③【苦しい】(形) 一(生命の危機が感じられるほど)肉体的・精神的に耐えがたい状態が続く様子だ。「息が—/—肉体労働/食べ過ぎて腹が—/—(=絶望的な)胸中を明かす」 二事態の順調な進展を望むことが不可能だと感じられる状態だ。とくに、財政的に行き詰まった状態を指す。「—立場に追い込まれる/△経営(家計のやりくり)が—/—(=やっとの思いで得た)勝利」 三何かと無理があって、まともに受け入れることができない感じだ。「—弁解」 派**—さ**③② **—げ**⓪③④ **—が・る**④ 運用 三は、昔 殿様などが家来に向かって「苦しゅうない 近う寄れ」などと言い、そば近くに来ることを許すことばとして用いた。

くるしまぎれ④【苦し紛れ】 苦しさのあまりに、何かをすること。

***くるし・む**③【苦しむ】(自五)〈なにニ—〉 一苦しいと思う(状態である)。「△飢え(持病・重税)に—/ジレンマに(=ジレンマに陥って)—」 二たやすく、それをすることが出来ず、困る。「△理解(判断)に—」 名苦しみ⓪③「—をなめる/産みの—」

くるし・める④【苦しめる】(他下一) 苦しい状態にする。苦しませる。

クルス①[ポ cruz] 〔キリシタンの用語で〕十字(架)。

グルタミン⓪[glutamine] グルタミン酸の誘導体。植物性のたんぱく質の中に含まれる。 **—さん**⓪【—酸】 アミノ酸の一つ。白色の結晶で、化学調味料の主成分。

ぐるっと②(副) ⇨ぐるり三

クルップ②[ド Krupp] のど・気管に厚い義膜が出来て息が苦しくなる、急性の炎症。クループ②。

グルテン①〔ド Gluten〕 小麦の種に含まれるたんぱく質の主成分。茶を帯びた灰色の ねばねばしたかたまりで、水に溶けない。麩フの原料。麩素フソ。

クルトン①〔フ croûton〕 スープの浮き実。さいの目に小さく切った食パンなどを揚げたりしたもの。

くるぶし②⓪【〈踝〉】 足首の関節の両側に突起した骨。〔おもに外側を言う〕

＊＊**くるま**⓪【車】 ❶軸を中心として回る、円形の装置。車輪。❷〔荷車・自動車など〕「車❶」の回転によって動き・進む仕掛けの物の総称。車両。❸昔は人力車の、現在では自動車の特称。「—を転がす/—を連ねてドライブする/—社会」かぞえ方 ❶は一輪イチリン。❷❸は一台；一両 **—いす**③【—椅子】 歩行が困難な人や病気の人が腰掛けたまま移動出来るように、椅子に「車❶」を付けた用具。 **—いど**④【—井戸】 滑車によりつるべを上げ下げさせる井戸。 **—えび**③【—〈海老〉・—〈蝦〉】 エビの一種。腹部に横の縞シマが放射状にある。てんぷらなどにして食べる。美味。〔クルマエビ科〕かぞえ方 一尾・一匹・一本 **—ざ**⓪【—座】 おおぜいが円形に座ること。 **—だい**⓪【—代】 外出に際して自動車などに乗った時の料金。〔狭義では、わざわざ出張して頭脳的な仕事をしてもらった事に対する謝礼として出すお金を指す〕 **—どめ**⓪【—止め】 ❶車の通行を禁じる△こと(しるし)。 ❷〔鉄道で〕車両が線路の終端を越えて出るのを防ぐ設備。 ❸自動車などが、そこを越えて動かないように設置する器具。 **—へん**⓪【—偏】 漢字の部首名の一つ。「転・輪・輸」などの、左側の「車」の部分。〔車の種類や部分・運行を表わす漢字がこれに属する〕 **—よせ**⓪【—寄せ】 車を止めて乗り降りするために、玄関口に張り出した部分。「ホテルの—に大型車が横付けされる」

くるま・る③【《包まる》】(自五) すっぽりからだが包まれる。「毛布に—」

グルマン①〔フ gourmand〕 大食漢。健啖タン家。美食家。

くるみ⓪【〈胡桃〉】 山野に生える落葉高木。実は堅い殻におおわれ、油が多い。食用。材木は器具用。ウォールナット。おにぐるみ③。〔クルミ科〕かぞえ方 一株・一本

ぐるみ【《包み》】(造語) 〔複合語の後の要素として〕それに属するもの全部を△ひっくるめて(巻き込んで)。「企業—の犯罪/家族—・町—」

くる・む②【《包む》】(他五) 布・紙などを幾重にもおおったりぐるぐる巻きつけたりして、内部の物を保護する。

グルメ①〔フ gourmet〕 美食を求めてやまない人。美食家。食通。「—ブーム④・ご当地—⑤」

くるめ がすり④【久留《米〈絣〉】 福岡県久留米地方で作る紺絣。

くるめ・く③【〈眩く〉】(自五) くるくる回る。「目が—(=ⓐ目が回る。ⓑめまいがする)/目—思い」

くる・める③【《包める》】(他下一) 包み込む(ように一つにまとめる)。「引っ—/言い—」

くるり②③(副)—と ❶△一回転(一巻き)する様子。「—と宙返りしてみせる」 ❷丸い物の表面が取り除かれる様子。「桃の皮を—と剝ムく」 ❸平たい物などをまるめる様子。「紙を—と丸めて投げ捨てる」 ❹△態度(方針・向き)が今までとは反対の方に一変する様子。「—と背を向ける」

ぐるり [一]②③⓪ まわり。周囲。 [二]②③(副)—と 〔口頭語的表現は「ぐるっ(と)」〕 ❶いかにも重そうに何かが一回転する様子。「—と水車が回る」 ❷周囲全体にわたって漏らすところなく視線を向ける様子。「あたりを—と見回す」 ❸漏らすところなく取り囲む様子。

くるる⓪【《枢》】 ❶〔くるくる回る部分の意〕ちょうつがい発明以前に用いられた、扉を開閉するための仕掛け。「戸まら」と「戸ぼそ」とから成る。 ❷戸の桟のおとし。

くるわ⓪【《郭》】 〔もと、曲輪クルワの意〕城・とりでなどの周囲にめぐらす、土や石の囲い(を設けた地域)。〔狭義では、遊郭を指す〕 表記 「〈廓・〈墎・《曲輪」とも書く。

くるわし・い④クルハシイ【狂わしい】(形) ⇩くるおしい 派 **—さ**③④ **—げ**⓪⑤

くるわ・せる④クルハセル【狂わせる】(他下一) 〔「狂う」の使役形〕狂うようにする。狂わす③(五)。「時計を—/一日の計画を—(=日常の規則性を失わせる)/判断を—」

くれ【《塊》】 [一]② 土のかたまり。「土(の)—」 [二](造語) 小さいかけら。「石—⓪・端ハシ—」

くれ⓪【暮れ】 ❶一日の中で、日が沈み始めて、あたりが暗くなるころ(の時間帯)。 ❷各季節・一年の終り。〔狭義では、年末を指す〕「—の秋(=俳句で、晩秋の称)/—の春(=俳句で、晩春の称)/盆—①」

くれ⓪②【〈榑〉】 皮のついたままの材木。〔建築材・屋根板の意にも、丸太から心材を取り去った残り板の意にも用いられる〕

グレイ②〔gray ← L. H. Gray=イギリスの物理学者〕 放射線が物体に当たったとき、その物体に吸収させるエネルギーを表わす単位〔記号 Gy〕。

くれ うち⓪④【《塊打ち》】 ❶鋤キスで起こした土を砕くこと。

クレー②〔clay=粘土〕 ❶クレー射撃で、標的として飛ばす△素焼きの(石灰とピッチを交ぜて作った)皿。クレー ピジョン④。 ❷「クレー射撃」の略。

グレー②〔grey, 米 gray〕 灰色。ねずみ色。「ロマンス—」

グレー カラー④〔gray-collar〕 コンピューター関係の仕事やオートメーション装置の監視・整備などに従事する労働者の称。

クレージー②—な〔crazy〕 常軌を逸した。熱狂した。

クレー しゃげき④【クレー射撃】 空中に飛ばした「クレー❶」を散弾銃でうつ競技。クレー。

グレー ゾーン④〔gray zone〕 △相反する(相接する)二つの領域のうち、どちらに属するとも判断しがたいあいまいな部分。中間領域。「適法か違法かの—」

クレーター②⓪〔crater〕 月面などの、噴火口に似た地形。

グレード⓪〔grade〕 等級。「—アップする/ハイ—④」

グレート デーン⑤〔Great Dane〕 デンマーク原産の大形の犬。ぶちのほかに黒・茶などがある。

グレーハウンド④〔greyhound〕 エジプト原産の犬の一品種。長身で、足の速い猟犬。

クレープ②〔フ crêpe〕 ❶表面に小じわを出した織物。「—のシャツ」 ❷小麦粉・牛乳を主材にした薄焼きの皮。△菓子としてジャムなど(料理として味付けをした肉・魚など)を包みこんで食べる。 **—デシン**⑤〔フ crêpe de Chine〕 ⇩デシン **—ペーパー**⑤〔crepe paper〕 ちりめんのようなしわをよせた紙。手芸用。

グレープ(造語)〔grape〕 ブドウ。「—ジュース⑤」 **—フルーツ**⑥〔grapefruit〕 ナツミカンに似た形の、味の淡泊な果物。汁が多く、ブドウのように群がって実がつく。〔ミカン科〕かぞえ方 一玉ヒトタマ・一個

クレーム⓪② [一]〔claim〕 〔貿易で〕売り手の契約違反に対する損害賠償の請求。〔相手の取った処置などに満足出来ず、苦情を言う意にも用いられる。例、「—をつける」〕 [二]〔フ crème〕 ⇩クリーム❶❷「—ブリュレ⑤」

クレーン②〔crane=鶴ツル〕 起重機。「—車シャ③②④」

グレーン②〔grain〕 ヤードポンド法における質量の最小単位で、四三七・五分の一 オンス〔=約六四・八ミリグラム〕を表わす〔略号 gr.〕。

＊＊ ＊は重要語，⓪ ①… はアクセント記号，品詞の指示の無いものは名詞および いわゆる連語。

クレオソート[4]〔オ creosot〕「イヌブナ[0][3]〔=ブナ科〕」のタールからとった、△無色(薄黄色)で鼻をさすようなにおいの油状の液。劇薬。薬用。

くれがた[0]【暮(れ)方】日が暮れはじめて、もう少しであたりがすっかり暗くなるころ。↕明け方

くれき[0]【句歴】その人が俳句を作り始めてからの年数。〔狭義では、俳人として活動した経歴を指す〕

くれぐれ[3][2]（副）〔「繰り繰り」の変化という〕〔多く「―も」の形で〕何度繰り返しても十分過ぎることは無いという気持を表わす。「―もご用心ください/―も誤解のないように/―も気をつけて/―もよろしく〔=なにぶんよいように△申し上げて(お取りはからい)ください〕」 表記「《呉《々」は、借字。

くれぐれ[0]【暮(れ)暮(れ)】日が暮れようとするころ。夕方。

グレゴリオ れき[5]【グレゴリオ暦】〔イ Gregorio=ローマ教皇の名〕一五八二年にユリウス暦を改定して作った太陽暦。現在ほとんどの国が採用している。

グレコローマン[4]〔Greco-Roman=ギリシャ・ローマ時代から始まった古い型の名〕レスリングの種目の一つ。相手の腰から下、シャツやバンドに手を掛けたり 足をからませたりする事は禁じられている。⇩フリー スタイル

クレジット[2]〔credit=信用〕❶政府または会社・銀行が、外国の政府・会社・銀行に対して、必要な場合に一定金額を借り入れることを契約すること。❷月賦(販売)。❸著作権者などの名を明記すること。 **―カード**[6]〔credit card〕信用販売をしてもらえる会員証。かぞえ方 一枚 **―きんゆう**[6]【―金融】クレジット カードで行なう金融。前もって設定させた限度額まで、随時借りられる。

グレシャムの ほうそく[1]-[0]、[2]-[0]（ハフー）【グレシャムの法則】悪貨は良貨を駆逐するという法則。英人グレシャム〔=Gresham〕の唱えたもの。

クレゾール[3]〔ド Kresol〕△石炭(木)のタールから採った、薄黄色い液体。消毒用。〔化学式 C_7H_8O〕

クレソン[1][2]〔フ cresson〕肉料理のつけあわせとして用いる辛みのある草。オランダがらし[5]。クレッソン[2]とも。〔アブラナ科〕 かぞえ方 一本：一束・一把(イチワ)

くれたけ[0][2]【《呉竹】植物のハチクの古名。

ぐれつ[0]【愚劣】(―な・―に) 当人はすこぶる満足して何かやっているようだが、はたから見れば全く ばかげた事にしか見えない様子。「―な〔=ひどく低級な〕小説」 派 ―さ[0][3]

クレッシエンド[2]〔イ crescendo〕〔楽譜で〕次第に強く大きく(演奏せよ)の意。クレッセンドとも。↕デクレッシエンド

くれて[0]【くれ手】❶物を与えるほうの人。↕もらい手 ❷それをしてくれる人。「来て―が無い」 表記「《呉れ手」は、借字。

くれてや・る[0]-[0]（他五）△こんなもの惜しくない(そんなにほしいのなら持っていけ)という気持で相手に与える。

くれない[0](クレナヰ)【紅】〔もと、呉(クレ)の国から輸入された藍(アイ)の意〕❶ベニバナの古名。❷あざやかな赤色。まっか。

くれなず・む[4](―ナヅム)【暮(れ)《泥む》】（自五）日が暮れそうでいて、なかなか暮れないでいる。「―春の日」

くれのこ・る[4]【暮(れ)残る】（自五）日が暮れたあとに なお明るさが残っている。⇩明け残る

クレバス[2]〔crevasse〕氷河や雪渓の深い割れ目。

クレパス[2]〔和製英語 ←craypas=商標名〕クレヨンとパステルとの両方の特色を持つ、棒状の絵の具。かぞえ方 一本

くれは・てる[4]【暮(れ)果てる】（自下一）すっかり日が暮れる。

クレバネット[2][4]〔cravenette=もと、商品名〕レインコート地に使う、あや織物。

クレマチス[3]〔ラ Clematis〕「鉄線❶」に同じ。

くれむつ[0]【暮(れ)六(つ)】暮れ方の六つ時〔=今の午後六時ごろ〕(を知らせる鐘)。↕明六つ

クレムリン[2]〔Kremlin ←ロ kreml'=城郭〕モスクワの宮殿。〔狭義では、旧ソ連政府の特称として用いられた〕

クレヨン[2]〔フ crayon〕蠟(ロウ)分を含んだ棒状の絵の具。洋画・児童画に使う。クレオンとも。かぞえ方 一本

***く・れる**[二][0]（他下一）〈だれニなにヲ―〉❶〔人が自分と対等か下の立場の相手に物を〕与える。「それを僕にくれ/友達が妹にくれた本/欲しいのならくれてやる」❷〔「…に目もくれない」の形で〕相手やその物事の存在を無視して全く関心を示さない様子を表わす。「大学受験を控えテレビゲームに目もくれないで勉強に打ち込む」[二]（補動・下一型）自分(の側の者)に何らかの△利益(恩恵)を与えるような行為をすることを表わす。「わたしの頼みを友人が快く引き受けてくれた/母がこれを買ってくれた」 表記「《呉れる」は、借字。 文法 (1)[二]❶は、「やる」または「あげる」、「もらう」と組になって受給表現を表わす。「…てくれる」と補助動詞として用いる場合も同様。(2)[二]は、「友達が金を貸してくれた」などと一般に対等か、立場の下の者が、自分や自分に属する者のために何らかの利益や恩恵をもたらす行為をしたことを表わすのに用いられる。しかし、古くは必ずしも自分や自分の側に対する利益や恩恵とは言えない行為を誰かに、また、何かに向けて行なうことも表わした。「あの親子を返り討ちにしてくれる」「近寄らん敵あらば目にもの見せてくれる〔=ひどい目にあわせてやる〕」などと用いるのはその流れを汲(ク)む表現だと解される。

く・れる[0]（自下一）[二]【暮れる】↕明ける ❶〔太陽が沈み〕暗くなって、物の見分けがつかなくなる。〔昔の人にとっては、農耕時間の終了を意味した〕「日が―/明け―/泣き―/行き―」❷△季節(一年)が終わる。「年が―」[二]❶一時的に見えなくなる。「涙に―〔=ⓐ涙で、目がかすむ。ⓑ泣き悲しんでばかりいて、時を過ごす〕/目が―〔=ⓐ激しい運動や、感情の極端な高ぶりのために、一時 目の前がまっくらになる。ⓑ抑え難い欲望や眼前の利益のために、正常な判断力が奪われる〕」❷平常心を失い、理性的判断が出来ない状態にある。「思案に―〔=どうしたらいいかいろいろ考え、むなしく時を過ごす〕/途方(ホウト)に―〔=どうしたらいいか分からない状態になる〕」 表記「《眩れる・《闇れる・《暗れる・《晦れる」などと書く。また[二]を「暮れる」と書くのは、借字。

ぐ・れる[2]（自下一）「ふとした事から自暴自棄になって、悪の道へそれる」の意の口頭語的表現。

くれわり[0]【《塊割(り)】土のかたまりを砕く農具。

ぐれん[0][1]【《紅《蓮】〔真っ赤なハスの花の意〕燃え上がるような真っ赤な色。真紅(シンク)。「―の炎」 **―じごく**[4](―ヂー)【―地獄】〔仏教で〕八寒(ハチカン)地獄の一つ。ひどい寒さのために、皮膚が裂けて真っ赤になるという。

クレンザー[2]〔cleanser〕（粉せっけん入りの）みがき粉。かぞえ方 小売の単位は一本・一箱

クレンジング クリーム[8]〔cleansing cream〕肌の汚れを落とすクリーム。クリンシン クリーム[7]とも。

ぐれんたい[0]【ぐれん隊】〔「ぐれん」は動詞「ぐれる」のもじり〕盛り場などを一団となってうろつき、暴力行為などをする不良の仲間。 表記「ぐれん」を「愚連」と書くのは、借字。

くろ[2]【《畔】田の中の境。あぜ。かぞえ方 一本

***くろ**[1]【黒】↕白 ❶墨・木炭・石炭のような色。「―が似合う人/―ずくめのスーツ/―を白と言いくるめる〔=黒く見

【】の中の教科書体は学習用の漢字，⌒ は常用漢字外の漢字，⌒⌒ は常用漢字の音訓以外の よみ。

えるようでも、実質は白と変わらないのだというような巧みな話術で、相手を自分の術中に引き込む」 ㊁「黒❶」の色をしたもの。「葬式に—(=喪服)を着る/〔碁で〕—を持つ(=黒い方の石を持って先手で戦う)」 ㊂犯罪がはっきり事実であると認められること。また、その人。

グロ①—な グロテスクの略。

****くろ・い**②【黒い】(形) ㊀黒の色が認められる状態だ。「—髪/—瞳/日に焼けて—(=黒みを帯びた)顔/目の—うち(=自分が生きている間)はあの男を許さない」 ㊁道義的にみて疑わしい点が感じられる様子だ。「—うわさが△絶えない(つきまとう)/腹の—人/—わな(=悪だくみ)にはまる」 派 **—さ**① **—きり**②-⓪【—霧】 事件の底流に何か犯罪がからんでいる事を感じさせるものがあるたとえ。

くろいし⓪【黒石】〔囲碁で〕先手が使う黒い方の石。↕白石

クロイツフェルト ヤコブ びょう⓪、⑤-⓪【クロイツフェルトヤコブ病】〔Creutzfeldt・Jakob=人名〕中年以降に発生し、急速に認知症状が進行する病気。死に至るケースが多い。略して「ヤコブ病⓪」。

****くろう**①【苦労】—な/—する(自サ)〈なにニ—する〉 困難な条件下で何かをやろうとして△肉体的(精神的)に多くの労力を費やすこと。「子育てに—する/—に—を重ねる/—した跡がにじみ出る/—知らず」 **—しょう**⓪【—性】—な/—に わずかの事にもあれこれと考え悩む性質だ。 **—にん**⓪【—人】多くの苦労を経験し、世の中の事や人情に通じていると思われている人。

ぐろう⓪【愚老】「老人である自分」の謙称。

ぐろう⓪【愚弄】—する(他サ) 相手を小馬鹿にしたりからかったりして、その人格を無視したような扱いをすること。

くろうと①②【《玄《人】↕しろうと ㊀その事を△専門(職業)にし、△技芸にすぐれた(知識の豊富な)人。㊁キャバレーのホステスや芸者など水商売をしている女の人。表記 ⇩付表「玄人」

くろうど②【《蔵《人】 蔵人所〔=昔、機密文書や天皇の衣類・調度の出し入れや天皇への言上を受け持った役所〕の職員。「くらんど」とも。

クローカス②〔crocus〕⇩クロッカス

クローク②〔←cloak room〕〔ホテル・劇場・クラブなどで〕客のコートや携帯品を預かる所。

クロース②〔cloth=布地〕㊀書物の装丁に使う、紙や布など。「布—④・紙—④」 ㊁テーブル クロースの略。〔㊀㊁とも クロスとも〕

クローズ アップ⑤—する(他サ)〔close-up の日本語形〕㊀〔映画で〕ある部分を大写しにすること。↕ロング ショット ㊁一般の注意をひくように、問題として大きく取り上げること。「貿易の不均衡が—される」

クローズド ショップ⑥〔closed shop〕労働者が単一の労働組合に属し、その組合員のほかは雇わせない制度。↕オープン ショップ

クローネ② デンマーク・ノルウェーの通貨単位(krone)。

クローバー②〔clover〕白色の小さい花を開く多年草。地面をはい、葉は三葉から成る。四つ葉のクローバーは幸運のしるしとされる。緑肥・牧草用。うまごやし。しろつめくさ④⑤。クローバ②とも。〔マメ科〕かぞえ方 一株

グローバリズム⑤〔globalism〕世界を一つの共同体とする考え方や行動。大企業などが世界を一つの市場としてとらえ、地球規模で経営活動を展開する方策。

グローバリゼーション⑥〔globalization〕世界的規模に△広がる(広げる)こと。また、その結果、政治・経済・文化などが国家の枠を超えて地球規模で広がり、世界が画一化していくこと。グローバル化⓪。

グローバル②—な/—に〔global=地球全域にわたる〕世界的規模で行なわれる様子だ。「—な視点」

くろおび⓪【黒帯】〔柔道で〕有段者の締める黒い帯。↕白帯

クローブ②〔clove=丁子〕丁子の花のつぼみを干したもの。香辛料にする。

グローブ② ■一〔globe〕電球の外側のガラスのたま。■二〔glove(発音はグラブ)の文字読み〕㊀ボクシングの選手の使う、革製の手袋。㊁〔野球で〕捕手・一塁手以外の野手が使う、革製の捕球用具。グラブ。⇩ミット かぞえ方 ■二㊀㊁は一枚

クローム②〔フ chrome〕⇩クロム

グローランプ④〔glow lamp〕蛍光灯に付属して、点灯を助ける小さなランプ。点灯管⓪。かぞえ方 一本

クロール②〔crawl〕足で水をたたき、両手で交互に水をかきながら進む泳ぎ方。

クロール カルキ⑤〔ド Chlorkalk=塩化石灰〕さらし粉。

クローン②〔clone〕Ⓐ単一の細胞を人工的に培養して作り出した、もとの細胞と同一の遺伝子をもつ△細胞群(個体群)。栽培植物の増殖に応用されている。クロン①とも。「—栽培⑤・—羊⑤」 Ⓑ本物そっくりの模造品。「—コンピューター⑦」

くろがき②【黒柿】カキの一種。材木の中心が黒く、家具・調度の材料となる。〔カキノキ科〕かぞえ方 一株・一本

くろがね⓪【《鉄】「てつ」の和語的表現。まがね。

くろかび⓪【黒《黴】食物に寄生する、黒いカビ。かぞえ方 一株

くろかみ⓪【黒髪】色が黒くてつやのある美しい髪。「緑の—(=⇩緑の黒髪)」

くろき⓪【黒木】㊀皮をはいでいない丸太の木。↕赤木 ㊁昔、大原女が京都の町中を売り歩いた、生木を蒸焼きにした燃料。㊂Ⓐコクタンの異称。Ⓑ〔関東から近畿までの方言〕常緑の針葉樹。

くろくま⓪【黒熊】ツキノワグマ。

くろくも⓪【黒雲】(雨を降らせる)黒い雲。

くろぐろ③【黒々】(副)—と/—する △いかにも(あくまでも)黒く見える様子。「—とした雷雲が空をおおった/墨で—と塗る」

くろけむり③【黒煙】(勢いよく上がる)黒い煙。こくえん。

くろご⓪【黒《衣】〔「黒具」の変化〕文楽の人形遣いや歌舞伎の後見役(が着る黒い衣服)。「くろこ・くろんぼう」とも。表記「黒子」とも書く。

くろこげ⓪【黒焦(げ)】焼きすぎたりして、全体が真っ黒になっていること。「魚が—になる」

くろこしょう③【黒《胡椒》】よく熟さない胡椒を外側の黒い皮と一緒に干したもの。かおりが高い。

クロコダイル④〔crocodile〕クロコダイル科のワニの総称。アリゲーター科のワニに比べて、口先が狭く、口を閉じたとき、下あごの第四歯が見える。性質は荒い。ナイルワニ・アメリカワニなど。

くろごめ⓪【黒米】玄米。きごめ(生米)⓪①。

くろざとう③【黒砂糖】まだ精製していない、濃い褐色の砂糖。黒糖。⇩白砂糖・赤砂糖

グロサリー②〔grocery〕スーパーマーケット式の食料雑貨店。

くろじ⓪【黒地】黒い△織地(地色)。

***くろじ**⓪【黒字】〔会計帳簿で、不足額を赤色で記入するのに対し黒色のインクで記入することから〕支出を上回る収入があって、利益が出ること。また、その利益。「—が△出る(見込まれる)/—に転じる」⇩赤字

くろしお⓪【黒潮】日本列島に沿って太平洋を南から北へ流れる暖流。日本海流。⇩親潮

くろしょうぞく③【黒装束】△黒一色(黒ずくめ)の服装(の人)。

くろしろ①【黒白】「黒白(コクビャク)」の和語的表現。「―をつける(=物事の是非をはっきりさせる)」

クロス①〔cross=十字〕㊀―する(自サ)交差(すること)。㊁〔テニス・卓球・バレーボールなどで〕コートの対角線方向に球を打つこと。「―スパイク」

グロス①②〔gross〕十二ダースを一単位とする呼び名。「大―(=十二グロス)」

クロスオーバー④〔crossover=交差点〕㊀芸術・服装などで、いろいろな様式を融合させた新感覚なもの。「―ファッション⑧・―コンセプト⑧」㊁クロスオーバー ミュージックの略。 **―ミュージック**⑧〔crossover music〕モダンジャズに、ラテン・ロックなどの要素を取り入れた新感覚の音楽。

クロス カウンター④〔cross-counter〕〔ボクシングで〕相手の打ってくる△左(右)腕と交差するように自分の△右(左)腕を出して打つこと。

クロスカントリー④〔cross-country〕山野を横断して走る競走。断郊競走。「―スキー⑩」

クロスゲーム④〔close game=互角の勝負〕〔競技で〕得点が追いつ追われつの接戦。白熱戦。

クロス ステッチ⑤〔cross-stitch〕〔手芸で〕「×」の形に交差させたステッチ。

クロスチェック④〔cross check〕㊀複数の方法をとったり複数の資料を照らし合わせたりして、内容の調査や確認を行なうこと。また、その調査方法。㊁〔アイスホッケーで〕相手のプレーを妨害するような行為。㊂〔チェスで〕逆王手。

クロスバー④〔crossbar〕横に渡した木。バー。

クロスプレー⑤④〔close play〕〔野球などで〕アウトかセーフかなどの判断が難しいような、きわどいプレー。

くろず・む③【黒ずむ】(自五)〔△新しさ(健康)が失われたりなどして〕黒みを帯びて見える。

クロス レファレンス④〔cross reference〕本の中で相互に関連する項目をどちらの項目からでも引けるようになっていること。

クロスワード パズル⑦〔crossword puzzle〕ますの区画の中に、与えられた言葉の鍵(ギカ)から推理した語を縦横に交差させて埋める遊び。クロスワード④。

クロゼット②〔closet=収納室・小部屋〕㊀衣類収納室。クローゼット②とも。㊁〔↑water closet〕水洗便所。ダブリューシー(WC)。

クロソイド③〔clothoid〕糸を紡ぐ時の形に似た曲線。 **―きょくせん**⑥【―曲線】高速道路などで、一気に急な曲線に入ることによって生じる危険を避けるために、徐々に曲がるよう設計された曲線。

くろそこひ③【黒底〈翳〉】⇩こくないしょう

くろだい⓪【黒〈鯛〉】タイの一種。形はマダイに似て、全身、青黒色。〔タイ科〕〔近畿以西では「ちぬ」と言う〕 かぞえ方 一尾・一匹

くろダイヤ③【黒ダイヤ】不純物を含む、黒色のダイヤモンド。〔石炭をダイヤモンドに見たてて言うこともある〕

くろち⓪②【黒血】〔悪性のはれものなどから出る〕黒みを帯びた血。

くろちく⓪【黒竹】ハチクの一種でやや小形。幹の外部が黒ずんでいるもの。シチク。〔イネ科〕

クロッカス②〔crocus〕早春、六弁の黄・紫・白の花をつける多年草。ヨーロッパ原産。種類が多い。花サフラン③④。クローカスとも。〔アヤメ科〕 かぞえ方 一株・一本

クロッキー②〔フ croquis〕短時間に鉛筆やコンテで写生した絵。速写画。

グロッキー②〔groggy(=強い酒でぐでんぐでんになった)の日本語形〕〔ボクシングで〕強く打たれたり疲れたりして、ふらふらになること。グロッギーとも。〔俗に疲労困憊(コンパイ)の意にも用いられる〕

くろづくり③【黒作(り)】㊀イカの塩辛に、墨ぶくろの墨を交ぜた食品。㊁黒うるしで塗った作り。「―の太刀(タチ)」

クロッケー②〔フ croquet〕木のたまを木のつちで打ち、幾つかの鉄門を通過させる戸外競技。

グロッサリー②〔glossary〕その著作物の用語解。

くろつち⓪【黒土】腐植土を含む黒い土。農耕に適する。こくど。

くろっぽ・い④【黒っぽい】(形)↔白っぽい ㊀黒みを帯びている様子だ。㊁〔古本屋などの通語で〕くろうと好みがする様子だ。 派 ―さ④

グロテスク③〔grotesque〕―な 普通の意味での美とはひどくかけ離れていて、△長く見ているのがいやな(見ていて気持が悪くなるような)様子だ。略してグロ。

くろてん⓪【黒〈貂〉】北海道などにすむ、テンに似た動物。黒ばんだ黄色の毛皮は珍重される。セーブル。〔イタチ科〕 かぞえ方 一匹

クロニクル②〔chronicle〕年代記。編年史。

くろぬり⓪④【《畔》塗(り)】田の畔を土で塗ること。

くろねずみ③【黒〈鼠〉】〔毛色の黒いネズミの意〕主家の金品をかすめ、また主家に不利益を与える△番頭(雇人)。どぶねずみ。↔白ねずみ

クロノグラフ④〔chronograph〕ストップウォッチ機能の付いている腕時計。

クロノメーター④〔chronometer〕温度や気圧の変化に耐える、携帯用の精密な時計。物理学の観測・測定用。

くろはえ⓪【黒〈南風〉】つゆ時に吹く南風。⇩白(シラ)はえ

くろはちじょう④③【黒八丈】東京都五日市から産する、黒色・無地の厚手の絹布。〔原産地は八丈島〕

くろば・む③【黒ばむ】(自五)黒みを帯びる。

くろパン⓪【黒パン】㊀ふすまを取り除かないライムギや精白度の低い小麦などの粉で焼いた、焦茶色のパン。㊁黒砂糖などを加えて焼いた、茶を帯びた黒色の甘いパン。 表記「黒〈麺包〉・黒〈麺〈麭〉〉」とも書く。

くろビール③【黒ビール】焦がした麦芽を入れて造った、黒茶色のビール。

くろびかり③⓪【黒光(り)】―する(自サ)黒色で、つやの有ること。

くろぶさ⓪【黒房】〔すもうで〕土俵の上方から吊(ツ)り下げた屋根の北西部から垂らした黒い房。もと「黒柱③」のあった位置。⇩赤房・青房・白房 かぞえ方 一本

くろふね⓪【黒船】昔外国から来た、黒塗りの大船。〔狭義では、江戸時代の末、欧米から来航した艦船を指す〕

くろほ⓪【黒穂】黒穂病にかかって黒くなったムギの穂。「くろぼ・くろんぼ」とも。 **―びょう**⓪【―病】トウモロコシ・ムギなどの花が病菌(=黒穂菌)におかされて黒い粉状になる病気。

くろぼし②【黒星】㊀〔すもうなどの成績一覧表などで〕勝負に負けたことなどを示す、黒く塗りつぶした丸印。負け星。〔広義では、成功の期待される者が、それを裏切ってとんでもない失敗をする意にも用いられる。例、「この事件では、警察側の―続きだ」〕↔白星 ㊁的の中心の黒丸。〔ねらいをつけたところの意にも用いられる〕

くろまく⓪【黒幕】㊀〔芝居で〕背景を隠すために使う、黒

い幕。❷表立った動きは見せないが(実権を握っていて)、陰でさしずしたりする人。「政界の━」

くろまつ⓪②③【黒松】 海辺に生えるマツの一種。木の皮は黒茶色。材は建築用。おまつ。〔マツ科〕 かぞえ方 一株・一本

くろまめ⓪【黒豆】 黒い皮のダイズ。正月の煮豆に使う。

くろみ⓪ ■一【黒み】 黒色を帯びている△状態(程度)。■二【黒身】〔カツオ・ブリなどの〕皮のすぐ下の赤黒い部分。 表記 ■一を「黒味」と書くのは、借字。

くろみずひき④【黒水引】 半分を△黒(紺)色、半分を白色にした水引。凶事に用いる。あおみずひき④③。

くろみつ⓪【黒蜜】 黒砂糖を溶かして濃く煮た液体。↕白蜜

くろ・む②【黒む】(自五) 黒くなる。黒ずむ。

クロム①〔フ chrome〕 ❶銀白色でつやのある硬い金属元素〔記号Cr原子番号24〕。空気・水などに侵されず、常温では極めて安定。耐熱・耐食性にすぐれ、メッキ・合金の材料として多用される。クロームとも。❷クロム鋼の略。「時計の━側」

クロムこう⓪③【クロム鋼】 炭素鋼にクロムを加えた特殊鋼。硬度が高く、焼きの入りが良いので、高級刃物工具・自動車部品・ボール ベアリングなどに用いられる。〔クロム一一パーセント以上のものが、ステンレス鋼〕

くろめ②⓪【黒目】 眼球の中央の黒い部分。「━がちな〔=黒目の(美しく)目立つ〕目」⇩白目

くろもじ⓪【黒文字】 ❶山野に生える落葉低木。皮は黒く芳香がある。〔クスノキ科〕 ❷つまようじ。〔もと、「黒文字❶」から製した〕 かぞえ方 ❶❷とも一本

くろやき⓪【黒焼(き)】 動植物を蒸焼きなどにして黒く△すること(したもの)。「イモリの━」

くろやま⓪【黒山】 その場所を囲むように人がおおぜい群がっている形容。「━の人だかり」

くろゆり⓪②【黒〈百合〉】 高山や寒地に生えるユリの一種。初夏、暗紫色で臭気の強い花を開く。〔ユリ科〕

クロレラ⓪〔chlorella=小さな緑色のもの〕 淡水産の単細胞植物。俗に「水あか」と称する。たんぱく質を多く含み、短時間に著しくふえるので、食糧・飼料資源として注目され始めた。〔緑藻類クロレラ科〕 かぞえ方 一株

クロロフィル④③〔chlorophyl〕 葉緑素。

クロロホルム④〔ド Chloroform〕 △アルコール(アセトン)に水やさらし粉を作用させた液体。麻酔薬・溶剤用。トリクロロメタン⑥。

クロロマイセチン⓪⑥〔Chloromycetin=商標名〕 抗生物質の一つ。土の中に生活する放線菌の培養液から作られる。つつがむし病・発疹チフス・腸チフスなどの特効薬。略してクロマイ⓪。

くろわく⓪【黒枠】 死亡通知や死亡広告のまわりを囲む黒い枠。また、その通知や広告。

クロワッサン③〔フ croissant=三日月〕 三日月形の小形のパン。やわらかで、バターを多用する。

ぐろん⓪【愚論】 まともに相手になる気の起きない、ばかげた議論。〔自分の議論の謙称としても用いられる〕

くろんぼう⓪【黒ん坊】 ❶生まれつき皮膚の色の黒い人種。〔侮蔑を含意して用いられた〕 ❷〔芝居で〕くろご(黒衣)。 ❸くろほ(黒穂)。「くろんぼ⓪」とも。

くわ①【桑】 畑に作る落葉高木。葉はカイコの飼料とする。実は黒紫色で甘い。材は器具用。〔クワ科〕「━畑③」 かぞえ方 一株・一本

くわ①⓪【〈鍬】 耕作・地ならし・除草などに使う農機具。先に刃をつけた平たい鉄板に長い柄を付けた形が普通であるが、刃先が三本に分かれたものなどもある。 かぞえ方 一挺・一丁・一本

くわい⓪【{〈烏芋}・{〈慈〈姑}】 水田に栽培する多年草。葉は大きな鏃形。サトイモに似た青磁色の塊茎は食用。〔オモダカ科〕 表記 「{〈慈〈姑}」は漢語表記。 かぞえ方 一本

ぐわい⓪ 「ぐあい(具合)」の口頭語的表現。

くわいれ⓪④【〈鍬入(れ)】━する ❶(自サ) 〔農家で〕正月の十一日または吉日に、恵方にあたる畑に初めて鍬を入れ、餅または米を供えて祝ったこと。❷建設工事の着工や植樹祭などの時に行なう儀式。起工式。

くわえこ・む④【〈銜(え)込む】(他五) ❶逃げないように強くくわえる。❷(うまく)逃がさずに、連れて来る。❸〔一時の出来心で〕とんでもない者を連れて来る。

くわえざん③【加(え)算】 「足し算」の古風な表現。

くわえて⓪【加えて】(接) 前に述べた事柄の傾向をいちだんと強める別の要素がさらに加わることを表わす。「雨が一段と激しくなった。━風も出てきた/右足の傷が化膿したため二週間入院している。━慢性化している腰痛がある」⇩かてて加えて

****くわ・える**⓪【加える】(他下一) ❶〈なにニなにヲ━〉 前からあるものの外に、新たな要素を取り△入れる(入れて、大きな一まとまりとする)。「訪問先にマニラを━/新人を加えて、チームを再編成する/論評を加えず(に)〔=まじえないで〕事実だけを報じた」 ❷〈なにニなにヲ━〉 Ⓐ△現状を改善する(それまでの不備を補う)ために、なんらかの方法を講じる。「△手(手心・筆・メス)を━/中国語の文法に鋭い考察を━/簡潔な説明を━/一切修正を加えない形で確定」 Ⓑ相手に影響の及ぶような行為をこちらから積極的にする。「△攻撃(圧力・危害・リンチ・体罰)を━」 ❸〈なにニなにヲ━〉 その度合が今までよりも格段に強くなる。「緊迫の度を━/△激しさ(重み・明るさ)を━」

くわ・える⓪【〈銜える】(他下一) 唇や歯の間にはさんで持つ。「指を━〔=人の様子をうらやましそうに見ている形容〕/パイプを━/口に銜えて結ぶ」 表記 「〈啣える・〈咥える」とも書く。

くわがた⓪【〈鍬形】 ❶角を二本高く突き出したかっこうの、かぶとの前立て。❷太刀のかしら・こじりをかぶとの鍬形のようにしたもの。❸「鍬形虫」の略。 **━むし**④【━虫】 大形の甲虫。雄のあごは異常に発達し、鍬形に似る。〔クワガタムシ科〕 かぞえ方 一匹

くわけ⓪【区分(け)】━する(他サ) 区切って分けること。区分。

****くわし・い**③【詳しい】(形)〈(なにニ)━〉 知識や調査・検査、また説明などが細かい点にまで及んでいる様子だ。「音信不通で被災地の━情報が得られない/事件の経過を詳しく説明する/△法律(財政)に━〔=精通している〕人物」 派 ━さ③② 表記 「《委しい・《精しい」とも書く。

くわした⓪【〈鍬下】 荒れ地を開墾して田畑とするまでの期間。

くわ・す②【食(わ)す】(他五) くわせる。「パンチを━/玄関払いを食わされる」

クワス①〔ロ kvas〕 ロシア人の飲む、色が麦茶に似た微アルコール性清涼飲料。裸麦を発酵させ炭酸を加えて作る。味はレモンティーに似る。

くわずぎらい④【食(わ)ず嫌(い)】 △食べても(やっても)みないで、わけもなく嫌う△こと(人)。食べず嫌い。

くわせもの⓪【食(わ)せ物】 外見はいかにもよさそうだが、よく△調べて(つきあって)みるとひどい内容のもの。「とんだ━だ」 表記 人の場合には普通、「食わせ者」と書く。

くわ・せる③【食(わ)せる】(他下一) 〔「食う」の使役形〕❶食べさせる。〔おもに男性の口頭語として用いられる〕「家族を—(=養う)/ここは—(=うまい料理を出す)店だ」 ❷相手の身に好ましくないことをして、ひどい目にあわせる。「△けんつく(肩すかし)を—/一杯—(=あざむく)」

***くわだ・てる**④【企てる】(他下一)〈なにヲ—〉あることをしようと計画△する(して着手する)。「△暗殺計画(海外進出)を—」 名 企て⓪

くわばら②-【桑原】〔雷は桑原には落ちないという言い伝えから〕落雷など、忌むべき事を避けるために唱えるまじないの言葉。「——②-②」

くわり⓪【区割(り)】—する(他サ) 土地などを、幾つかに区分すること。

クワルテット①〔イ quartetto〕 ⇩カルテット

くわ・れる③【食(わ)れる】(自下一) 〔「食う」の受動形〕相手の努力や演技などがあまりにもすぐれていて、勝つはずのこちらの方が逆に負ける。

****くわわ・る**⓪【加わる】(自五)〈なにニ—〉 ❶前からあるものに、さらにつけ足されてふえる。「△速度(判断・思惑・圧力)が—」 ❷あることに参加する。「△相談(戦列)に—」 ❸他のものに、ある作用が及ぶ。「圧力が—/熱が—と溶ける」

くん(君・訓・勲・薫) →【字音語の造語成分】

くん【君】 ㊀①国を治める人。「—と臣/—主・—命・—子・主—・名—」 ㊁(接尾) 同等以下の者を呼ぶ時に名前のあとに付けて、親しみと軽い敬意を表わす。〔多く男性に対して用いられる〕「田中—」 ⇩【造語成分】

くん⓪【訓】 漢字の読み方の一つ。その漢字の意味に当たる固有の日本語を当てた読み方で、社会慣習的に定着しているもの。よみ。例、漢字「山」に対する「やま」など。「音(オン)と—/—読(ドク)・—点」 ↕音❸ ⇩訓読み ⇩【造語成分】

ぐん(軍・郡・群) →【字音語の造語成分】

ぐん①【軍】 ❶戦争に備えて組織された武力集団。「—の機密/—隊・陸—・海—・空—・女性—(=チーム)」 ❷戦争。いくさ。「正義の—を起こす/—事・従—」

ぐん①【郡】 その都道府県から(特別)区・市を除いた部分を、地理的に区分した一つひとつ。一般にいくつかの町村から成る。〔かつては、地方行政区画の一つ〕「—部・東京都西多摩—檜原(ヒノハラ)村」

ぐん①【群】 ❶〔同類の物が〕むらがっている△こと(もの)。「—を成す(=△多く(おおぜいが)集まる)/—山・—衆・症候—」 ❷おおぜい。「—を抜く(=多くのものより一段すぐれている)」 ⇩【造語成分】

ぐんい①【軍医】 軍籍にあり、軍人の診察・治療に従事する将校。

くんいく⓪【訓育】—する(他サ) 社会人として必要な心が け・習慣を身につけるように、児童・生徒を教育すること。

くんいく⓪【薫育】—する(他サ) すぐれた徳によって人を感化し育成すること。

ぐんえい⓪【軍営】 (戦地などに設けた)軍隊が、駐屯するための施設。

ぐんえき⓪【軍役】 軍人として一定期間勤務すること。

くんえん⓪【燻煙】 殺虫剤に火を付けて、煙と一緒に成分を揮発させること。「—剤③⓪」

くんおん⓪【君恩】 主君の恵み。

ぐんか①【軍靴】 兵隊などの履く編上げぐつ。「—の音が近づいてきた(=戦争の始まる気配が強く感じられる形容としても用いられる)」

ぐんか①【軍歌】 軍隊の士気を鼓舞するための歌。

くんかい⓪【訓戒・訓(誡)】—する(他サ) 事の善悪を言いきかせ、これからまちがった事をしないように注意すること。

ぐんかく⓪-【軍拡】 〔←軍備拡張①-⓪〕 軍備を拡大すること。 ↕軍縮

ぐんがく⓪①【軍学】 兵法についての研究。兵学。

ぐんがくたい⓪【軍楽隊】 〔軍隊で〕式典の際に演奏する楽隊。

ぐんかん⓪【軍艦】 軍隊が戦闘に使う、武器を備えた船。 かぞえ方 一隻(イッセキ)・一艘(イッソウ)。「潜水艇」は一艇(イッテイ)。昔は一杯(イッパイ)とも。 **—まき**⓪【—巻(き)】 〔形が軍艦に似ていることから〕飯の周囲をのりで巻き、上にウニやイクラなどの具をのせたすし。

くんき①【勲記】 叙勲者に勲章と共に与えられる証書。

くんぎ①【訓義】 漢字・漢文の読み方と意義。

ぐんき①【軍記】 戦争の話を書いたもの。戦記。 **—ものがたり**⑥【—物語】 平安時代の末以後に現われた、戦争を主題とする歴史小説。軍記物。例、平家物語。

ぐんき①【軍規・軍紀】 軍隊の△規律(風紀)。

ぐんき①【軍旗】 〔もと、軍隊で〕連隊のしるしとして天皇から下賜された旗。

ぐんき①【軍機】 軍事上の機密。

ぐんぎ①【群議】 多くの人の議論。

ぐんきょ①【群居】—する(自サ) 同類の生物がたくさん集まって△いる(生活する)こと。

ぐんぐん①(副)—と 事態の進行の速さや程度の高まり具合が、目に見えて明らかである様子。「敵機が—目の前に迫って来る/成績が—上がる」

くんこ①【訓(詁)】 〔「詁」は、今の言葉で古代語を解釈する意〕古典の内容を真の意味で理解する手段として、一字一句のよみから始めて、厳密に古代語の表わすところを再現すること。

くんこう⓪【君公】 自分の主君に対する敬称。

くんこう⓪【勲功】 国家や主君のために尽くした、名誉となる手柄。

くんこう⓪-【薫香】 焚(タ)いて、いいにおいを出させる香料。たきもの。

ぐんこう⓪【軍功】 戦争でたてた手柄。

ぐんこう⓪-【軍港】 海軍の根拠地となる港。

くんこく⓪①【君国】 我が君の統治する、この国。「—に報ずる」

くんこく⓪【訓告】—する(他サ) 〔懲戒として〕注意を与えいましめること。

ぐんこく⓪【軍国】 軍事を重んじ、軍が大きな権力を持っている国。「—化⓪」 **—しゅぎ**⑤【—主義】 一国の組織を全部戦争のために準備し、戦争をもって国家威力の発現と考える主義。ミリタリズム。

ぐんざん①【群山】 多くの山(が一連なりに連なって見えるもの)。

くんし①【君子】 些細(ササイ)な事に感情を動かしたり誘惑にあって自分の初志を見失ったり困難に出くわしてくじけたりすることの無い、理想的な人格者。「—危うきに近寄らず/—は豹変(ヒョウヘン)す(=⇩豹変)/東海の—国(=もと、日本国の美称)/聖人—⑤・—人(ジン)③(=君子と言われるにふさわしい人)」 ↕小人(ショウジン) **—らん**③【—(蘭)】 温室で育てる常緑多年草。葉は、暗い緑色で剣状。花軸の頂に六弁の赤く美しい花を十~二十個つける。南アフリカ原産。〔ヒガンバナ科〕 かぞえ方 一本

くんじ⓪【訓示】—する(自他サ) (執務上の注意などを)上の人が下の者に教え示すこと。また、その注意。

くんじ⓪【訓辞】 何か行動を起こすに先立ってその組織の長などが下の者の自覚を促すために演説する言葉。

ぐんし[1]【軍使】 軍事上の使命を帯びて敵陣に行く使者。

ぐんし[1]【軍師】 昔、武将の身近にいて作戦計画を立てる中心的な役をつとめた人。〔相手に勝つための計略・手段をもっぱら考える人の意にも用いられる〕「武田信玄の―、山本勘助」

ぐんじ[1]【軍事】 兵備・戦争に関すること。「―教練[4]・―力[3]」

ぐんしきん[0]【軍資金】 軍事に必要な資金。〔行動を起こすのに必要な資金の意にも用いられる〕

くんしゃく[0]【訓釈】―する（他サ） 漢字の読み方と意味の説明。

くんしゃく[0][1]【勲爵】 勲等と爵位。

くんしゅ[1]【君主】 世襲による、その国の統治者。「―制[0]」 **―こく**[3]【―国】 君主によって統治される国家。 **―せいじ**[4]【―政治】 君主が主権を持つ政体。↕共和政治

くんしゅ[1]【〈葷酒】 臭気のある野菜〔たとえば、ニラ〕と酒。「―山門に入るを許さず〔=仏道修行のじゃまになるので、葷酒を寺内に持ち込んではいけない〕」

くん

【君】 ❶（敬意を含み）…である人。「細君・夫君」 ❷あなた。「貴君・諸君」⇩（本文）くん【君】

【訓】 ❶筋道をたどって道理を教える。「訓育・訓戒・訓話・訓示・家訓・教訓」 ❷文章や文字の意味を説明する。「訓釈」⇩（本文）くん【訓】

【勲】 国に尽くした功績。「勲功・勲章・勲一等・武勲・元勲・殊勲」

【薫】 ❶いいにおいがする。「薫風・余薫」 ❷〔いいにおいをしみこませる意から〕いい感化を与える。「薫陶・薫育」

ぐん

【軍】 ⇩（本文）ぐん【軍】

【郡】 ⇩（本文）ぐん【郡】

【群】 むれを成しているものをかぞえる語。「大道芸人の一群」⇩（本文）ぐん【群】

ぐんじゅ[1]【軍需】 軍事上の需要（必要な物資）。「―産業[4]・―品[0]・―工場[4]」↕民需

ぐんしゅう[0]【群衆】 一か所に群がり集まった人びと。「数万の―」

ぐんしゅう[0]【群集】―する（自サ） 多くの人・動物が、一か所に集まること。また、その集まり。「―する学生/参拝者が―する」〔古くは「くんじゅ」〕 表記「群衆」とも書く。 **―しんり**[5]【―心理】 ふだんは理性のある行動をする個人が群集の中に置かれると、他人の行動にひきずられて、一人の時には出来ないような過激な事をしやすくなる心理。

ぐんしゅく[0]【軍縮】〔←軍備縮小[1]-[0]〕（国際的に協定し）軍備を縮小すること。「―会議[5]・核―[3]」↕軍拡

ぐんしょ[1]【軍書】 ❶軍学の書。 ❷軍記。

ぐんしょ[1]【群書】 たくさんの本。「―を博覧する」

***くんしょう**[0]【勲章】 国家のために尽くした一部の功労者に国家から授けられる記章。〔広義では、その人が他に対して自らを誇りうる裏付けとなる記念の品や過去の実績、の意にも用いられる〕「―を胸につけて喜ぶ軍人/―を辞退する」

くんじょう[0]【薫蒸・〈燻蒸】―する（他サ） 〔害虫を殺すために〕いぶして蒸すこと。「―剤[3][0]」 表記「薫」は、代用字。

ぐんしょう[0]【群小】 多くの小さい（力の弱い）もの。「―国家[5]」

ぐんじょう[0]【群青】 あざやかな藍色（の顔料）。

ぐんしょく[0]【軍職】 職業軍人としての身分。

くんしん[0][1]【君臣】 君主と臣下。

ぐんしん[0]【軍神】 ❶武運を守る神。〔日本では八幡大菩薩（ハチマンダイボサツ）や鹿島・香取両神宮の祭神、西洋ではマルスがそれとされる〕 ❷軍人の模範となるような働きをして戦死した人。〔多く将校について言う〕

ぐんじん[0]【軍人】 軍籍に身を置く人の総称。〔狭義では下士官以上の階級の者を指す〕「職業―[5]」

ぐんじん[0]【軍陣】 軍隊の陣営。

くんずほぐれつ[1]-[2]【組んず《解れつ】〔「組みつほぐれつ」の変化〕取っ組み合ったかと思うと、すぐ離れたりすることを何度も繰り返すこと。

くん・ずる[0][3]【訓ずる】（他サ） 漢字を訓で読む。

くん・ずる[0][3]【薫ずる】 ❶（自サ） 風がほのかにいいかおりを漂わせる。「梅花―の候/南風―〔=初夏の風が、若葉のかおりを漂わせてさわやかに吹く〕時」 ❷（他サ） 香をたいて、いいにおいをかおらせる。

くんせい[0]【薫製・〈燻製】 （塩漬けにした）獣肉・魚肉をいぶし、乾かして特別の香味をつけた食品。貯蔵に適している。 表記「薫」は、代用字。

ぐんせい[0]【軍制】 ❶国防上必要な軍備の制度。 ❷軍の編制・経理などの諸制度の総称。

ぐんせい[0]【軍政】 ❶軍事に関する国家行政。軍令。 ❷戦時・事変に際し、（占領軍の）軍隊によって行なわれる統治。↕民政

ぐんせい[0]【群生】―する（自サ） 〔（同種の）植物が〕一か所に群がり生えること。「カタクリの―地」

ぐんせい[0]【群〈棲】―する（自サ） 〔動物が〕一か所に集団をなして生活すること。

ぐんぜい[0][1]【軍勢】 集団隊形を取った（臨戦態勢の）軍隊。

ぐんせき[0]【軍籍】 軍人としての地位・身分。兵籍。「―に入る/―を離れる」

くんせん[0]【薫染】―する（自他サ） 「よい感化を受ける（与える）」意の古風な表現。

ぐんせん[0]【軍扇】 昔、大将が軍を指揮する時に使った扇。

ぐんせん[0]【軍船】 昔、海戦に使った船。いくさぶね。

ぐんそう[1]【軍曹】 もと、陸軍の下士官の階級の一つ。伍長（ゴチョウ）の上、曹長の下。

ぐんそう[0]【軍装】―する（自サ） （出征などの際の）軍人の服装。

ぐんぞう[0]【群像】〔絵画・彫刻で〕多くの人の姿を主題として何かを象徴的に表わそうとする作品。

くんそく[0]【君側】 君主のそば。「―の奸」

ぐんぞく[1][0]【軍属】 軍の文官および雇いの称。

***ぐんたい**[1]【軍隊】 一定の秩序をもって組織された軍人の集団。「―の飯を食う〔=軍隊生活の経験がある〕」

ぐんだい[1]【郡代】 ❶室町時代、守護代の称。 ❷江戸時代、諸国の幕府直轄地を統治した職名。

くんだり 〔「下り」の変化〕〔接尾語的に〕政治・文化の中心地から遠く離れた所。「都を離れて奥州―まで行く」

ぐんだん[0]【軍団】 ❶昔、諸国に配置した軍隊。 ❷歩兵二個師団以上から成る部隊。軍と師団との中間。 ❸すぐれた統率者に率いられ、活発に行動して対抗者から恐れられた軍隊。〔恐れを知らぬかのように活発に行動する集団の

意にも用いられる」「甲州の武田―」

ぐんだん[0]【軍談】㊀戦争の話。㊁昔の合戦に取材した江戸時代の通俗小説。㊂軍記物語の講談。

くんちょう[0]【君〈寵】主君からかわいがられること。

くんづけ[0]【君付(け)】―する（自他サ）人の名前の下に君(クン)をつけて呼ぶこと。〔同輩程度およびそれ以下の待遇〕

ぐんて[0]【軍手】太い白もめんで編んだ作業用手袋。〔もと、軍隊用であったことから〕 かぞえ方 一双・一組

くんてん[0]【訓点】漢文訓読のためにつけた、ヲコト点・返り点や送りがななど。

くんでん[0]【訓電】―する（他サ）電報で訓令すること。また、その電報。

ぐんと[0]（副）△以前（同種の他のもの）と比べて、程度の差が際立っている様子。「一年前に比べると違反者の数は―減った/可能性が―広がる」

くんとう[0]【勲等】勲章の等級。

くんとう[0]（タウ）【薫陶】―する（他サ）〔たいた香のかおりをしみこませ、形をととのえて陶器を作る、意から〕その人のすぐれた人格で他人を知らず知らずのうちに感化し、りっぱな人間にすること。〔恩師に対する賛辞としても用いられる〕「―よろしきを得て/―の賜物(タマモノ)と感謝する/―を受ける」

くんどう[0]（ダウ）【訓導】〔教え導く意〕「小学校教諭」の旧称。

ぐんとう[0]（タウ）【軍刀】軍人が身につける戦闘用の刀。

ぐんとう[0]（タウ）【群島】一帯の海域に点在する多くの島。「―国[3]・バヌアツ―沖[0]」

ぐんとう[0]（タウ）【群盗】いつも集団行動をとる盗賊。

くんとく[0]【君徳】君主の持つべき徳。

くんどく[0]【訓読】―する（他サ）㊀漢籍や漢訳仏典を、適宜助辞の類を補ったりなどして日本語として読むこと。「―経文」↔音読 ㊁くんよみ。 **―ご**[0]【―語】奈良時代の末以来、漢文訓読には伝統的に用いられ、普通、かな文学では用いられない語彙(ゴイ)・語法。例、「恐らく・ひそかに」。

ぐんなり[3]（副）―と ―する 暑さによる疲労や水分の不足などのために、生気が失われた様子。

ぐんにゃり[3]（副）―と ―する ⇩ぐにゃり

ぐんば[1]【軍馬】軍用の馬。

ぐんばい[0]【軍配】〔↑軍配うちわ[6][5]〕㊀昔、大将が軍の指揮に使った、うちわ形の道具。㊁すもうの行司が使う、うちわ形の道具。形が「軍配㊀」に似る。「…に―が上がる〔=…が勝負に勝つ〕/―を返す〔=すもうで、仕切り時間が一杯になり、取組を始めるようにという意思表示として行司がいったん軍配の裏を見せる〕」〔㊀㊁とも「ぐんぱい」とも〕 かぞえ方 ㊀㊁とも一本 【(…に)―を上げる】㊀行司が勝ち力士の方を示して軍配を上げる。㊁公正な立場にある第三者が、△試合（勝負・競争）の経過を見て、一方について△勝利の（よりすぐれていると）判定を下す。

ぐんばつ[0]【軍閥】軍部を中心とする政治的勢力。

ぐんぱつ[0]【群発】―する（自サ）その地域に一時期集中的に起こること。「―地震[5]」

***ぐんび**[1]【軍備】軍事上の設備や、戦争に対応できる準備。「すべての戦争と―の放棄/―増強[1]-[0]・再―[3]」

ぐんぴ[1]【軍費】△軍事上の（戦争に要する）費用。

ぐんぴょう[0]（ビヤウ）【軍兵】「兵士」の古風な表現。「ぐんぴょう」とも。

ぐんぴょう[0]（ベウ）【軍票】戦地・占領地で軍人が使う、通貨代用の手形。

くんぷ[1]【君父】主君と父。

ぐんぶ[1]【軍部】〔政府・民間と違って〕軍人を中心とした勢力。

ぐんぶ[1]【郡部】〔その都道府県内で〕郡と言われる地域。

ぐんぶ[1]【群舞】―する（自サ）おおぜいが一緒に踊ること。また、その踊り。〔鳥や虫などが、群れを成して優美に飛び回ることの形容としても用いられる。例、「△蝶(チョウ)・鶴(ツル)の―」〕

くんぷう[0]【薫風】初夏に若葉のかおりを漂わせて吹くさわやかな風。

ぐんぷく[0]【軍服】軍人の制服。

ぐんぼう[0]【軍帽】軍人の制帽。

ぐんぽう[0]（パフ）【軍法】〔もと、兵法の意〕軍隊内部に行なわれる、軍規に反した者に対する刑法。 **―かいぎ**[5]（クワイ）【―会議】軍隊の特別裁判所。

ぐんぽう[0]【群峰】互いに高さを競うかのようにそびえる、多くの峰。

くんみんせいおん[5]【訓民正音】朝鮮の表音文字。一四四六年に公布された。当時は、母音十一、子音十七。また、これを説明した本の書名。〔現在は、母音十、子音十四〕⇩ハングル・オンモン

ぐんむ[1]【軍務】軍事上の△事務（勤務）。「―に△就く（服する）」

くんめい[0][1]【君命】主君の命令。

くんもう[0]【訓〈蒙】子供や初学者に教えさとす△こと（目的の書物）。〔古くは「きんもう」〕

ぐんもう[0]（マウ）【群盲】多くの盲人。「―象(ゾウ)を△評す（模す・撫(ナ)づ）〔=大きな存在のほんの一端だけを見てあれこれ言うだけではなかなかその全体像はとらえられないものだ〕」

ぐんもん[0]【軍門】陣営の出入口。〔広義では、軍そのものも指す〕「敵の―に降(クダ)る〔=降参する〕」

くんゆ[1][0]【訓諭】―する（他サ）なぜそう△しなければいけない（してはいけない）のか、よくわかるように話して聞かせること。

ぐんゆう[0]【群雄】互いにその勢力を競う多くの英雄たち。 **―かっきょ**[5]【―割拠】―する（自サ）多くの英雄が各地にたてこもって互いに勢力を争うこと。

ぐんよう[0]【軍用】㊀△軍事（軍隊）に使うこと。「―機[3]」㊁△軍事（軍隊）の費用。 **―きん**[0]【―金】軍資金。 **―けん**[0]【―犬】軍隊で連絡・警戒・捜索などに使う犬。軍犬[0]。

ぐんよう[0]（ヤウ）【群羊】群がり集まっているヒツジ。〔弱いものの集まりの意にも用いられる〕

くんよみ[0]【訓読(み)】―する（他サ）訓に従って読む読み方。例、「春」を「はる」と読む類。↔音読み

ぐんらく[0][1]【群落】〔村里の意〕㊀多くの村落。㊁同じ生育環境を好む（何種類かの）植物がその場所に群がって生えること。植物群落[5]。

ぐんりつ[0]【軍律】㊀△軍中（軍隊）の規律。軍規。㊁占領軍が施行する法律。

ぐんりゃく[0][1]【軍略】軍事上の計略。戦略。

ぐんりょ[1]【軍旅】〔もと、百人で編制した軍隊の意〕「軍隊（によって行なわれる戦闘）」の意の古風な表現。

くんりん[0]【君臨】―する（自サ）君主として臣下に臨み、国を治めること。〔その世界で他を圧倒して、勢力を振るう意にも用いられる。例、「棋界に―する」〕↔臣従

くんれい[0]【訓令】㊀―する（自他サ）訓示して命じる△こと（命令）。㊁△内閣（各省）が下す法令解釈や事務方針などに関する命令の一種。 **―しき**[0]【―式】日本語をローマ字で書く時の、つづり方の一種。シをsi ジをzi と書くなど。今は「第一表式」と呼ぶ。↔標準式

ぐんれい[0]【軍令】㊀戦場での命令。㊁〔旧憲法で〕作戦・用兵に関する統帥(トウスイ)事務。

****くんれん**[1]【訓練】―する（他サ）〈なにヲ―する〉ある能力・技

術などを十分に身につけさせ、必要に応じて発揮できるように繰り返し練習させること。「―を積む/犬を―する/職業―⑤」

くんわ⓪【訓話】事の善悪などについて教え、人として行なうべき道をよく言い聞かせるための話。

け…ケ

け（化・仮・気・家・華・懸）→【字音語の造語成分】

け（接頭）〔動詞・形容詞に冠して〕なぜそういう気持になるのか分からないが、その感じを払いのけることが出来ない状態であることを表わす。「―おされる・―だるい」

け【家】（接尾）身分のある家柄であることを表わす。〔広義では、普通の なんでもない家柄についても言う〕「徳川―・宮―・将軍―」⇩【造語成分】

け（終助）〔文語助動詞「けり」の変化。「たっけ」「だっけ」の形で用いられる〕❶忘れていた事を何かの拍子に思い出してなつかしがる気持を表わす。「子供のころは、君とよくけんかをしたっ―ね/そうそう、そんな人が居たっ―ね」❷忘れていた事や不確かな事を相手に質問したり確かめたりすることを表わす。「これ、なんていう花でしたっ―/始まりは五時からだっ―」〔❶❷とも、親しい間柄における、くだけた表現とし て用いられる〕

け【気】■一①〔臭(ニオ)いなどの意〕何かの中に含まれる、その要素。「火の―の無い部屋/風邪の―がある」■二（接尾）❶中にその△もの（状態）の存在が感じられる様子。「人―が無い/色―・ちゃめっ―⓪・飾り―・まじり―」❷△そのように（そうしたいと）感じる△気持（様子）。「眠―・寒―・いや―・食い―・吐き―」⇩げ（気）

け①【△卦】〔易(エキ)で〕算木(サンギ)に現われる形。それで吉凶を占う。「八―」

**けの【毛】❶人間や獣などの皮膚に生える、細い糸状のもの。「―（=頭髪）を染める/中学生に―の生えた（=中学生より少しましな）程度/―（=羊毛）のシャツ/―（=鳥などの柔らかい羽毛）をむしる」❷「毛❶」のようなもの。「タンポポの種―(ゲ)/ブラシの―」かぞえ方❶は一本【―を吹いて△疵(キズ)を求める】他人の欠点をあばいて、かえって自分の欠点をさらけ出す。

け①【△褻】〔「晴れ❸」に対して〕「ふだん」の意。改まった場合でないこと。「―にも晴れにもただ一つ（=ふだん用も改まった場合用もなく、それしか持ち合わせていないこと）」↕晴れ❸

げ（下・牙・外・夏・解）→【字音語の造語成分】

げ【気】（接尾）―に ―な〔主として形容詞について〕そのような様子。「悲し―な声/苦し―にうめく/用あり―に近づく/かわい―が無い/物欲し―・惜し―・得意―」

げ①【下】❶劣っている△こと（もの）。「―の―だ（=考えられる最下等のものだ）/―劣・―策」↕上 ❷〔書物の〕「下巻」の略。⇩上・中 ⇩【造語成分】

げ⓪①【△偈】経文などの中に交じっている、多く四句から成る詩。仏徳をたたえ、教理を象徴的に述べるもので、「諸行無常(ショギョウムジョウ)、是生滅法(ゼショウメッポウ)、生滅滅已(ショウメツメツイ)、寂滅為楽(ジャクメツイラク)」の類。頌(ジュ)。

ケア①―する（他サ）〔care〕❶老化・劣化が予測されたり故障が起きたりするものに対する手当て。「日頃肌の―を怠らない人/アフター―が大事な製品/こまめに―する/ヘアー―③」❷老齢者・身体障害者・病人や精神的ショックを受けた人などに対する支援や介護・看護。「退院後の―が大切だ」

けあがり⓪②【蹴上(ガ)り】〔器械体操で〕両足をそろえて空中を蹴り、上半身を鉄棒の上に上げること。動蹴上がる③⓪（自五）

けあげ⓪【蹴上(ゲ)】階段の一段の高さ。⇩踏みづら

けあし⓪【毛足・毛脚】❶織物などの表に長く出ている毛。「―の長いじゅうたん」❷毛深い足。

けあな⓪【毛穴】皮膚の表面にある、毛の生える小さな穴。汗や熱を出して体温を調節する。表記「毛《孔」とも書く。

ケア ハウス③〔和製英語 ←care＋house〕軽費老人ホームの一つ。世話をされるだけでなく、自立生活も配慮された集合住宅。

ケア プラン③〔和製英語 ←care＋plan〕介護保険制度においてケア マネージャーと本人が相談し、サービス内容・負担額などを決める在宅介護計画。介護サービス計画。

ケア マネージャー④〔和製英語 ←care＋manager〕介護保険制度において一人ひとりの介護の計画・認定、業者との調整などにあたる専門家。介護支援専門員。略してケアマネ⓪。

ケアレス ミス⑤〔←careless mistake〕不注意によるミス。

げあんご②【夏安《居】〔仏教で〕あんご。

けい（兄・刑・形・系・京・径・茎・係・型・契・計・恵・啓・掲・渓・経・蛍・《頃・敬・景・軽・傾・携・継・詣・境・〈閨・慶・憬・稽・憩・〈頸・〈繫・警・鶏・競）→【字音語の造語成分】

けい①【〈卿】（代）〔もと、くぎょう・大臣の意〕△君主が臣下（貴族が同輩、または同輩以下）に対して呼びかけるのに用

け

【化】❶教え諭して良い方向に変える。「教化(ケ/ゲ)・勧化(カンゲ)」❷姿を変える。ばける。「化生・化身・化粧・化現・権化(ゴンゲ)・道化・変化(ヘンゲ)」

【仮】❶見せかけの。「仮病・虚(コ)仮」❷もしそうなら。かりに。「仮令(ケリョウ)」

【気】⇩（本文）け【気】

【家】❶家。「家来・一家・在家・出家・分家・両家」❷…の家柄の人。…の家系。「王家・釈家・禅家・宗家・僧家・武家・仏家」⇩（本文）け【家】

【華】植物のはな。「香華・散華」⇩か

【懸】かける。かかる。「懸念・懸想」⇩けん

げ

【下】❶場所・地位・身分・価値などの低い方。「下段・下界・下策・下水・下人(ニン)・下女・下世話・下劣・下郎・下剋上・上下・卑下」❷低い方へ△動く（移動させる）。「下向・下剤・下車・下船・下山(ザン)・下熱・下野・下落」⇩（本文）げ【下】

【牙】きば。「象牙」⇩が

【外】❶そと。おもて。「外宮(グウ)・外科」❷正統からはずれたもの。「外道・外典」

【夏】なつ。「夏至」⇩か

【解】❶はずす。はずれる。「解脱」❷とく。ゆるめる。「解毒・解熱剤」❸明らかになる。わかる。「義解・略解」

くんわ――けい

いた語。

けい①【兄】㊀「あに」の漢語的表現。「―たり難く弟たり難し〔＝どちらも勝れていて、優劣がつけにくい〕／―弟・義―」↔弟 ㊁男性が同性の友人や先輩に対して尊敬の気持をこめて呼びかける語。〔手紙文や改まった席での挨拶で、「佐藤―」のように姓(名)に付けて用いられることもある〕「―等①〔＝あなたがた〕／貴―・大―」

けい①【刑】国家が犯罪者を懲らしめるために行なう制裁。刑罰。「〔裁判によって〕―に処する／―に服する／―が軽い／―法・求―・実―・自由―・財産―・死―・重―・量―」

けい①【系】㊀〔自然科学で〕互いに作用し合ったり関連を持ったりする多数の物から成る一まとまり。システム。「一つの―を成す／質点―⓪・力学―⓪・光学―⓪・太陽―・銀河―・生態―・単位―・座標―・微分方程式―⓪・公理―⓪」㊁〔数学で〕その定理から直ちに推論出来る別の定理。⇩【造語成分】

けい①【京】一兆の一万倍を表わす数詞。きょう。〔十の十六乗に等しい〕⇩垓 ⇩【造語成分】

けい①【径】さしわたし。「―が大きい／―三センチ／直―」⇩【造語成分】

けい①【計】㊀企てること。企て。「国家百年の―／一年の―は元旦にあり／―画・―略」㊁合計。「―五千円」⇩【造語成分】

けい⓪①【桂】〔将棋で〕「桂馬」の略。

けい

【兄】⇩(本文)けい【兄】

【刑】⇩(本文)けい【刑】

【形】㊀かたち。「形成・形態・球形・方形・有形・無形」㊁ありさま。様子。「形勢・形状」

【系】〔「いとすじ」の意〕㊀Ⓐ深い関係で次つぎにつながっている。「系統・系図・系列・系譜」Ⓑつながりを持つ一連のもの。「大雪山系・家系・体系・大系」㊁その働きを担う(に関係する)器官の系統。「神経系・呼吸器系」㊂その系統・系列に属する(もの)。「文科系・理学系大学院・母系・直系・傍系・同系・日系」㊃系統立てて分類した時の一項目。「結晶系」㊄地層の成層年代の区分で、「統」と「界」の間の区分。〔地質時代区分の「紀」に対応する〕⇩(本文)けい【系】

【京】㊀みやこ。「京師・京畿」㊁(略)❶東京。「京浜・京葉」❷京都。「京阪神」⇩(本文)けい【京】

【径】㊀細い道。「径路・小径」㊁まっすぐな。「直情径行」⇩(本文)けい【径】

【茎】㊀植物のくき。「地下茎」㊁草や筆をかぞえる語。

【係】かかわる。つながりを持つ。「係争・係累・関係・連係」

【型】㊀何かのもとになる形。「原型・模型・紙型・類型」㊁手本となるもの。「典型・儀型」

【契】㊀約束する。ちぎる。「契約・黙契」㊁わりふ。「契印・契合」

【計】㊀数をかぞえる。「計算・計上・計数・計量・合計・家計・会計・主計・集計・小計・推計・総計・統計・日計・累計」㊁数量をはかる器具。「風力計・温度計・体温計」⇩(本文)けい【計】

【恵】めぐむ。めぐみ。「恵贈・恵沢・恵存・恵投・恵与・天恵・特恵・恩恵」

【啓】㊀ひらく。「啓開・啓発・啓蒙」㊁申し上げる。「啓上・啓白・拝啓」⇩(本文)けい【啓】

【掲】かかげる。「掲示・掲揚・掲載・前掲・別掲」

【渓】たに。「渓谷・渓流・雪渓」

【経】㊀南北の方向。「経度・経線・東経・西経」↔緯 ㊁いとなむ。おさめる。「経営・経国・経済・経理」㊂過ぎる。へる。「経過・経験・経由・経歴」㊃中国の聖人のあらわした書。「経書・経籍・経学」⇩(本文)けい【経】

【蛍】ホタル。「蛍光・蛍雪」

《頃》古代中国の田畑の広さの単位。百畝を一頃とする。「一頃の畑の三方は林」

【敬】他人をうやまい、自分をつつしむ。「敬老・敬愛・敬意・敬語・敬称・敬白・敬具・尊敬・失敬・畏敬」

けい①【啓】〔手紙文で〕「拝啓」を簡略化した語。⇩【造語成分】

けい①【経】織物の縦糸。「…を―とし…を緯とする／―緯」↔緯 ⇩【造語成分】

けい①【景】㊀けしき。「天下の―／近江八―・―勝・風―・絶―」㊁〔舞台の同一の場で〕登場人物の交替などによって変化の見られる場面。「…の―／第一―①-⓪」⇩【造語成分】

けい①【罫】㊀文字の列をそろえるために等間隔に引いた線。「―を引く／縦―⓪・横―⓪」㊁碁(将棋)盤の面に引いた縦横の線。㊂活字と一緒に組む輪郭や線。「表―・裏―・二重―⓪」

けい①【磬】昔、石を「へ」の字形に作り、つり下げて打ち鳴らした楽器。

げい〔芸・迎・(睨・鯨)〕→【字音語の造語成分】

ゲイ①〔gay〕男性どうしの同性愛(者)。「―バー③〔＝男性がホステスの役をしているバー〕・―ボーイ③〔＝服装・身のこなしが女性的な青年。または、ゲイの男性〕」↔レズビアン

*げい①【芸】〔「わざ」の意〕他人が簡単には出来ない事をそつ無く効率的にやって見せたり他人がちょっとまねすることの出来ない技を人前でやって見せたりなど、接する人を驚かせたり感心させたりする技能。〔狭義では、伝統技能や伝統芸能など、時間をかけて修練する技術〕「―は身を助く／イルカに―を仕込む／―の道をきわめる／無―大食・武―・水―・足―・腹―・表―」【―が細かい】細部にまで配慮が行き届き、やることにそつが無い。【―が無い】着想・やり方が平凡で、心を惹かれるものが一つも無い。

けいあい⓪【敬愛】―する(他サ) 尊敬すると共に親しみの情をもって接すること。「―の念を示す」⇩【造語成分】

けいあん①【(桂庵)】〔もと、人名〕奉公人・雇人の周旋業者。表記「慶庵・慶安」とも書く。

けいい①-①【経緯】〔縦糸と横糸の意〕㊀経線と緯線。㊁いきさつ。「…の―を踏まえる／同じ―〔＝経過〕をたどる」

けいい①【敬意】敬う気持。「高齢者に―を払う〔＝尊敬の気持を言葉づかいや態度に表わす〕／深い―を表する」

けいい①【軽易】―な 手軽で、やさしい様子。

げいいき⓪【芸域】〔その芸能人の到達した〕芸の広さや深さ。

けいいん⓪【契印】数枚から成る書類が一連のものである

【景】❶様子。ありさま。「景気・景況・光景・情景」❷大きい。めでたい。「景雲・景福」❸人を慕いあおぐ。「景仰ギョウ・景慕」❹おまけ。「景品・景物」⇩(本文)けい【景】

【軽】❶目方が少ない。「軽量・軽快・軽重チョウ ↔重・軽金属・軽工業」❷手がるな。簡単な。程度のやさしい。「軽食・軽便・軽装・軽症・軽音楽・軽犯罪・軽労働」❸行動が慎重でない。「軽率・軽挙・軽薄・軽々に」❹重く見ない。かろんじる。「軽視・軽侮ブ・軽蔑ベツ」

【傾】かたむく。かたむける。「傾斜・傾向・傾聴・傾国・傾倒・右傾・左傾」

【携】手に持つ。たずさえる。「携行・携帯・必携・提携・連携」

【継】❶つぐ。「継起・継嗣・継承・継走・継投・継続・後継コウ・中継」❷血のつながりの無い。「継母・継子」

【詣】進んで行く。いたる。「参詣・造詣」

【境】さかい。「境内ダイ」⇩きょう

〈閨〉❶(女性の)寝室。「閨房・空閨」❷女の人。「令閨・閨秀画家」

【慶】めでたい事(としてよろこぶ)。「慶祝・慶賀・慶弔・同慶・余慶」

【憬】つよく心をひかれる。あこがれる。「憧ショウ(ドウ)憬」

【稽】よく調べ考える。「稽古・荒唐無稽・滑稽」

【憩】休息する。いこう。「休憩・少憩」

〈頸〉くび。「頸骨・頸椎ツイ・頸部・頸動脈・刎フン頸」

〈繫〉つなぐ。しばる。「繫縛・連繫」

【警】■❶用心する。いましめる。そなえる。「警戒・警告・警備・警護・警衛・警鐘・警世・警醒・警笛・警報・警防・警邏ラ・自警」❷すぐれている。「警句・警抜」■(略)警察(官)。「警官・警部・警務・県警・府警」

【鶏】ニワトリ。「鶏卵・鶏群・鶏冠・鶏犬・鶏口・鶏舎・鶏頭・鶏鳴・養鶏」

【競】きそう。競争する。「競馬・競輪・競売・競落」⇩きょう

げい

【芸】(略)安芸アキ国。「芸州」⇩(本文)げい【芸】

【迎】むかえる。「迎撃・迎合・迎賓・迎春・歓迎・送迎・奉迎」

〈睨〉みる。にらむ。「睨視・睥ヘイ睨」

【鯨】〔ケイの変化〕クジラ。「鯨飲・鯨波・鯨油・鯨肉・捕鯨船」

ことを証明するために紙の△とじ目(継ぎ目)ごとに押す印。割り印。

げいいん⓪【鯨飲】―する(自サ)〔クジラが水を飲むように〕酒を一度にたくさん飲むこと。「―馬食⓪-⓪」

けいうん⓪【景雲】それが現われると吉兆だとされる雲。表記「慶雲・卿雲」とも書く。

けいえい⓪【形影】形と、その影。「―相伴う(=夫婦などが常に一緒に居て、むつまじい様子)」「―相弔う(=自分の影法師以外にだれも慰め手が無い、孤独の形容)」

****けいえい**⓪【経営】―する(他サ)〈なにヲ―する〉〔縄張りをして建築の基礎を定める意〕規模・方針などを定めて、(経済的にうまくいくように)事業を行なうこと。また、そのための組織。「会社を―する/―が苦しい/―難にあえぐ/―不振⓪-⓪,⑤・―者③・多角―・中小―者(=⇩中小経営者)」

けいえい⓪【継泳】水泳のリレー競技。

けいえい⓪エイ【警衛】―する(他サ)〔要人の身辺などを〕警戒し守る△こと(人)。

けいえん⓪エン【敬遠】―する(他サ)❶いかにもその人を敬って距離をおくようなふりをして、なるべく近づかないようにすること。「あの部長は説教癖があるので、部下に―されている」❷△不快(めんどう)な事態になるのをいやがって、初めから、その物事に直面するのを避けること。「―の四球」

けいえん⓪エン【閨怨】△夫(愛人)に見捨てられた女性の、ひとり寝のうらみ。

げいえん⓪エン【芸苑】文筆家や芸術家の社会。

けいえんげき③【軽演劇】喜劇その他、軽い気分で楽しめる、娯楽的な小演劇。

けいおんがく③【軽音楽】ジャズ・ハワイアンなど、(バンド演奏による)軽い気分で楽しむ音楽。

***けいか**⓪クワ【経過】―する(自サ)時間が過ぎていく△こと(に従って変化する物事の進みぐあい)。「患者の術後の―は安定している」 ―**きてい**④【―規定】法律を改めたり新しく作ったりした場合、古い法律から新しい法律へ切り替えるのに必要な、臨時の規定。 ―**ほう**⓪ハフ【―法】新旧二つの法の関係を明らかにする法令。 ―**りし**④【―利子】債券を売買する時、前回の利子支払日から受渡し当日までの経過日数に応じて、買い手が売り手に支払う利子。端数ハスウ利子。

けいか①クワ【蛍火】ホタルの光。ほたるび。

けいが①【慶賀】―する(他サ)〔多く手紙文で〕めでたい出来事を祝うこと。また、その気持。「―の至り」

げいか①【猊下】〔「猊」は、もと獅子シの意〕高僧に対する敬称。〔手紙文で、高僧への脇付ワキヅケとしても用いられる〕

けいかい⓪【啓開】―する(他サ)水中の障害物などを除いて航行出来るようにすること。

けいかい⓪クワイ【軽快】■―な ❶そのものが軽くて、動きがいかにも速く見える様子。「―な動作」❷明るい、心のはずむような様子。「―なリズム」❸スポーティー。「―な服装」 派―さ⓪ ■―する(自サ)病気が少しよくなること。

けいかい⓪【境界】「土地のさかい」の古い法律用語。「きょうかい」とも。表記「経界・径界」とも書く。

****けいかい**⓪【警戒】―する(他サ)〈なに・だれヲ―する〉あらかじめ予測されるような被害・損失などに対処し得る(積極的な)態勢をとること。「津波を―する/―すべき人物/一晩中―に当たる/―を△要する(厳重にする)/―警報⑤・―感③・非常―④」 ―**しょく**③【―色】❶特定の動物が持っている目立った体色。自分に近づくのは危険だという注意喚起のためといわれる。↔保護色 ❷気を付けないと、とんだ目にあうかもしれないと、不安をいだく△こと(気配)。「―を示す(=相手を警戒して、言動に気を付ける)」 ―**しん**③【―心】何か△に近づく(を近づける)ことを用心する気持。「―を△いだく(高める)/―が△高まる(強い)」 ―**せん**⓪③【―線】❶〔河川で〕洪水の危険水位を示す標識の線。

「水位は―を越えた」❷Ⓐ非常線。Ⓑ歩哨(ホショウ)線。「―を突破」❸〔海図で〕岩礁の多い海域における危険範囲を示した線。

けいがい⓪【形骸】❶〔精神・生命の宿っていない〕単なる物体としての からだ。❷そのものが果たす役割はすでに失われ、ただ形だけを残すもの。「砂漠に―を残すだけの古代都市の遺跡／もはや―をとどめない〔=跡形も無い〕」 **―か**⓪(クワ)【―化】―する(自他サ) 制度や習慣はあるものの、その実質的な内容・価値は失われていること。「―した民主政治」

けいがい⓪【〈謦咳〉】「せきばらい」の意の漢語的表現。「…の―に接する〔=ⓐ尊敬する人の話を身近に聞く。ⓑ(尊敬する人に)お目にかかる〕」

げいかい⓪【芸界】 芸人の社会。芸能界。

けいかく⓪【〈圭角〉】〔「玉の とがったかど」の意〕性質や言動がかどだって、他の人と折り合わないこと。「―が取れる」

けいかく⓪(クワク)【計画】―する(他サ)〈なにヲ―する〉 ある事を行なうために、あらかじめ仕上がったときの全体像や、その方法・手順などを考えること。「―が△固まる(練られる)／長期―を立てる／―を変更する／―倒れに終わる／―性⓪」 **―けいざい**⑤【―経済】 一定の統制のもとに生産と消費との釣合を取ろうとする経済政策。 **―てき**⓪【―的】―な ―に 前もって立てた計画に従って事を行なう様子だ。「―な犯行／―にトレーニングを行なう」

けいがく⓪【掲額】―する(他サ) 優勝・功績などを記念し、その人の写真などを額にして掲げること。

けいがく⓪【経学】 経書を研究し、その所説を指導原理とする学問。

けいがしら③【〈彐頭・〈彑頭〉】 漢字の部首名の一つ。「彔・彙」などの「彑」の部分。「彑」は豚の頭部を表わす。

けいがまえ③(ガマヘ)【〈冂構㋓〉】 漢字の部首名の一つ。「円・再・冊」などの「冂」の部分。「冂」は国境を表わす。「冋」の字に代表させて言う。「同(ドウ)構え・冂(キマ)構え」とも。

けいかん⓪(クワン)【〈挂冠〉】―する(自サ)〔高官が〕(自分から)官職をやめること。「冠を挂(カ)く」とも。〔仕官を屑(イサギヨ)しとせず、役職の冠をぬぎ、城門に挂(カ)けて去った後漢の逢萌(ホウボウ)の故事に基づく。本来の字音はカイカン。「けいかん」は類推読み〕

けいかん⓪(クワン)【〈荊冠〉】〔イバラの冠の意〕キリストが磔(ハリツケ)になった時かぶらされた冠。

けいかん⓪(クワン)【〈桂冠〉】「月桂冠」の略。「―指揮者⑥⑤〔=桂冠を受けるにふさわしい指揮者〕」 **―しじん**⑤【―詩人】〔桂冠を受けるにふさわしい詩人の意〕イギリス王室に認められ、その保護を受ける詩人の称。

けいかん⓪【渓間】「谷あい」の意の漢語的表現。

けいかん⓪(クワン)【景観】❶見るだけの価値を持った、特色のある景色。❷その地域の野外風景のうち、山・川・湖沼・森林など自然が形成する「自然景観」と、人間の営みの加わった集落・耕地・交通路など「文化景観」の称。「都市―③」

*__けいかん__⓪(クワン)【警官】「警察官」の通称。〔狭義では、巡査を指す〕

けいかん⓪(クワン)【鶏冠】 ニワトリの とさか。

けいかん⓪【鶏〈姦〉】「男色(ダンショク)」の異称。

けいがん⓪【〈炯眼・〈烱眼〉】〔「明らかな目」の意〕ごまかしや秘密などを許さぬ、鋭い眼力。「―の士」

けいがん⓪【〈慧眼〉】 物事の本質を見抜く、鋭い洞察力。

けいき①【刑期】 刑に服する期間。「―を務める」

けいき①【京畿】〔皇居付近の地、の意〕畿内。

けいき①【契機】〔ド Moment の訳語〕根拠・要因などとして働き、その物事の成立に直接かかわる本質的要素。〔広義では、「きっかけ」の意にも用いられる。例、「飛躍の―をつかむ」〕

けいき①【計器】 長さ・重さ・速さや圧力などの量を計るための器具の総称。メーター。「―飛行④〔=操縦者の目によらず、計器の示す情報に従って飛行すること。↔有視界飛行〕」 かぞえ方 一台

**__けいき__⓪【景気】❶〔活発・不活発の点から見た〕物事の活動状態(のいいこと)。「―〔=威勢〕のいい声／―をつける〔=気勢の上がらない状態にある物事や人に、何か刺激を与えて活発になるように仕向ける〕」❷経済活動(の活発さ)。「―が上向く／―の過熱／―が△回復する(持ち直す・かんばしくない)／―を△あおる(刺激する・冷やす)／―の冷え込み／―の変動／大変な―〔=好景気〕だ」

けいき①【継起】―する(自サ) 同種の物事が相ついで△起こる(現われる)こと。

けいぎ①【経義】 その経書に説くところの、本質的な教え。また、その各部分の述べんとするところ。

げいぎ①【芸〈妓〉】 宴席で歌や踊りを披露するなどして場をとりもつことを業とする女性。

けいきかんじゅう④(クワン)【軽機関銃】 一人で運搬・操作の出来る、軽便な機関銃。略して「軽機①」。↔重機関銃 かぞえ方 一挺(チョウ)・一丁

けいききゅう③(キウ)【軽気球】 水素やヘリウムなどを詰めた気球。 かぞえ方 一機

けいきへい③【軽騎兵】〔欧州の〕軽快な武装の騎兵。驃騎兵(ヒョウキヘイ)。

けいきょ①【軽挙】―する(自サ) どんな結果になるかよく考えず軽がるしい行動をとること。また、その行動。 **―もうどう**①-⓪(マウ)【―妄動】―する(自サ)「軽挙」の強調表現。

けいきょう⓪(キャウ)【景況】〔様子の意〕〔好況・不況の点から見た〕景気の状態。

けいぎょう⓪(ギャウ)【敬仰】―する(他サ) その道の師表として深く敬うこと。

けいぎょう⓪(ギャウ)【景仰】―する(他サ) ⇩けいこう

けいきょく⓪【〈荊棘〉】 イバラのように とげがあって、通行を妨げるもの。〔紛乱の意にも用いられる〕「―の道〔=困難の多い人生〕」

けいきんぞく③【軽金属】 比重四以下の軽い金属。例、アルミニウム。↔重金属

けいく⓪①【警句】 短い形で、物の真理を鋭くついた△言葉(散文)。例、「希望は眠らずして見る夢である／女と風と運命とは常に変わるものだ」など。アフォリズム。「―を吐く／―を飛ばす〔=続けざまに言う〕」

けいぐ①【刑具】 体刑に用いた道具。手錠のほか、棒・鞭(ムチ)・枷(カセ)・絞首台など。

けいぐ①【敬具】〔手紙文で〕「つつしんで申し上げました」の意で、文の終りに書く語。〔一般に「拝啓」「謹啓」で始まる手紙文で用いられる〕

けいぐん⓪【鶏群】 ただ数多く居るばかりで、たいした事も出来ない凡人たち。「―の一鶴(イッカク)〔=多くの凡人の中にただ一人まじっている、非凡な存在〕」

けいけい⓪【〈炯々〉・〈烱々〉】―たる ―と ごまかしは一切許さないと言わんばかりに、鋭く目を光らせる様子。「眼光―として人を射る」

けいけいに⓪【軽々に】(副) どんな結果を招くかなど考えずに思いついたままに事を運ぶ様子。「―決すべき問題ではない」

げいげき⓪【迎撃】―する(他サ) 攻めて来る敵を迎え撃つこと。邀撃(ヨウゲキ)。↔出撃

けいけつ⓪【経穴】鍼ハリをうち、灸キュウをすえるべき場所。

**けいけん⓪【経験】―する(他サ)〈なにヲ―する〉実際に見聞きしたり自分でやってみたりすること(によって得た知識や技術)。「苦い―を生かす/―を積む/―が浅い」 ―かがく⑤【―科学】〔純粋数学・形式論理学などの「形式科学⑤」と違って〕経験的事実を対象とする科学。自然科学一般や社会科学など。 ―そく③【―則】理論の裏づけには欠ける面があっても、経験を通して自然につかんだ法則。 ―ち③【―知】〔学校や書物で得た知識と違って〕日常生活のさまざまな経験や社会での種々の見聞を通して、直接に体得した知識や知恵。 ―ち③【―値】❶特定の経験をしたことで得られる値を定量化したもの。❷コンピューター ゲームなどで状況に応じて割り振られる、登場キャラクターの成長を示す具体的数値。「レベルアップを図って―を稼ぐ」❸ゲームのようにレベルアップしていくことが求められる状況において積み重ねていく様ざまな経験。「恋愛の―が低い(=恋愛をあまり経験していない)」 ―てき⓪【―的】―な ―に 経験を通して判断などが得られる様子。「塩が腐敗を防ぐことは―に知られている」 ―ろん③【―論】❶人間のすべての知識は経験を通してのみ得られるのだとする認識論の立場。❷実際の経験に基づいた議論。

けいけん⓪【敬虔】―な ―に 〔「敬」も「虔」もつつしむ意〕神仏につつしんで仕える△様子(時のような気持)だ。「―な信者」 派―さ⓪③ 表記「敬謙」とも書いた。「謙」は「虔」の代用字。

けいけん⓪【鶏犬】〔家に飼われている〕ニワトリと犬。「―相聞コキゆ(=ⓐ都会を離れており、物音としてはニワトリと犬の鳴き声が聞こえて来るぐらいだ。ⓑ村里で、隣の家が近く、ニワトリや犬の鳴き声がよく聞こえて来る)」

けいげん⓪【軽減】―する(自他サ)〔負担・苦痛などを〕減らして軽くすること。また、そうなること。 ―ぜいりつ⑤【―税率】通常の税率より低く設定された税率。

けいこ①【稽古】―する(他サ)〔昔の事を手本にし参考にする意〕目的とする物事の技能を高めるために、(師について)そのことに励むこと。「柔道の―のために道場に通う/厳しい先生のもとでピアノを―する/弟子に―をつける/―事ゴト⓪(=たしなみとして習っておく、華道・茶道など)・舞台―ゲイコ④・寒―ゲイコ」 ―だい⓪【―台】日本の伝統芸能などの稽古のために△使われる板張りの場所(相手になってやる人)。

けいご⓪【敬語】聞き手や話の中に出てくる人に対する、話し手の△敬意(丁寧な気持)を表わす言葉。尊敬△語(表現)・謙譲△語(表現)・丁寧△語(表現)など。「―法⓪」

けいご①―する(他サ)❶【警固】非常事態に備えて警戒して守りを固める△こと(人)。「―の武士」❷【警護】〔❶の変化〕その人の身辺を警戒して守る△こと(人)。「要人の―に当たる」

げいこ⓪【芸子・芸〈妓〉】〔おもに岐阜・愛知以西の方言〕芸者。

けいこう⓪ーカウ【径行】〔「径」は、まっすぐの意〕(意志を曲げずに)思ったままに行なうこと。「直情―」

けいこう⓪ーカウ【経口】〔注射などによるのではなく〕(薬を)口から体内に入れること。「―摂取⑤・―避妊薬⑥・―投薬⑤・―補水液⑥・―薬③」

けいこう⓪ークワウ【蛍光】❶ホタルの光。❷(物理学で)ある物体に光やエックス線などを当てた時、その物体が別の光を出す現象。また、その光。「―塗料⑤・―染料⑤」 ―とう⓪【―灯】ガラス管の内側に「蛍光❷」を出す物質を塗り、水銀の放電で生じる紫外線を目に見える光線に変えた照明装置。 かぞえ方 一本・一灯 ―ばん⓪【―板】紫外線やエックス線が当たると蛍光を出す板。 ―ペン③⓪ 蛍光顔料を用いて、書かれたあとが光って見えるようにしたフェルト ペン。マーカーなどに用いる。

けいこう⓪ーカウ【景仰】―する(他サ)〔「景」は慕い仰ぐ意〕いつまでも自分の先生に値する人だとして尊敬すること。「けいぎょう」とも。

**けいこう⓪ーカウ【傾向】❶同じような△条件(環境)にある物事が、全体にわたってそうなりそうな大勢タイセイにあると判断されること。「増加の―にある/頭打ちの―を示す/下降―を見せる」❷その人の行動や態度を方向づけるような特定の思想(をいだくこと)。〔狭義では、社会主義的思想傾向を指した。例、「―的⓪・―文学⑤・―映画⑤」〕

けいこう⓪ーカウ【携行】―する(他サ)身につけたり手にさげたりして持って行くこと。「拳銃を―する/―食糧⑥」

けいこう⓪【鶏口】〔「ニワトリの口」の意〕先頭に立つ△こと(人)。「―となるも牛後となるなかれ(=大きな団体で部下になっているより、小さい団体でもかしらになった方がいい)」

けいごう⓪ーガフ【契合】―する(自サ)割符を合わせたように、二つのものがぴったり一致すること。

げいごう⓪ーガフ【迎合】―する(自サ)〔「迎」は、他人の機嫌をおしはかる意〕自分の考えを曲げても他人の気に入られるようにすること。「△世間の風潮(時の権力・読者)に―する」

けいこうぎょう③ーゲフ【軽工業】日常の消費財を生産する工業。例、食料品・繊維工業。↔重化学工業

けいごうきん③ガフー【軽合金】アルミニウム・マグネシウムを主体とする、比重の軽い合金。

けいこく⓪【渓谷・〈谿谷〉】「たに(ま)」の意の漢語的表現。

けいこく⓪【経国】安泰が保てるように、国を治めること。

けいこく⓪【傾国】〔古〕〔国の存立を危うくする意〕(国政の妨げとなる)美人。〔狭義では、遊女を指す〕⇩傾城

けいこく⓪【警告】―する(他サ)好ましくない事態にならないよう、前もって注意を与えること。また、その注意。「―を△発する(繰り返す・受ける)」

けいこつ①【脛骨】すねの内側の細長い骨。

けいこつ⓪【頸骨】首の骨。

げいこつ⓪【鯨骨】〔細工物などに使う〕クジラの骨。

げいごと⓪③【芸事】個人の教養として習う(和風の)芸能。「―に熱心な土地柄」

けいさい⓪【荊妻】自分の妻の謙称。〔「荊」は、イバラの意。昔、中国後漢 梁鴻リョウコウの妻が、貧しい時イバラのかんざしと、もめんの裳裾モスソを身につけたという故事に基づく〕

*けいさい⓪【掲載】―する(他サ)〈なにニなにヲ―する〉〔文章や写真などを〕新聞や雑誌などに載せること。「全国紙に広告を―する/―誌③」

**けいざい①【経済】❶〔経国済民、つまり国を治め人民の生活苦を救う意〕❶社会生活を営むための、物の生産・売買・消費などの活動。「―に明るい/―建て直し/―闘争⑤・―力③」❷「経済学」の略。「大学で―を教えている」❸―な ―に 費用や手間がかからない△こと(状態)。 ―か⓪【―家】❶「経済❶」に明るい人。❷節約の上手な人。 ―かい③【―界】❶実業家の社会。❷実際に売買や取引などの行なわれる社会。財界。 ―かいはつ⑤【―開発】工業を中心として、国民経済に益する各種の産業を開発すること。 ―がく③【―学】経済現象にみられる法則性やその現実への応用、経済の史的変遷などを研究する学問。 ―かんねん⑤ークワンー【―観念】そのものが持っている金銭的価値がどれほどであるかということに通じようとし、自分の持っているお金を計画的に使おうとする考え。

** * は重要語，⓪①… はアクセント記号，品詞の指示の無いものは名詞および いわゆる連語。

「―が発達している/―の無い男」 **―きかくちょう**⑥⑦【―企画庁】 長期的な総合経済計画を立てる行政機関。〔二〇〇一年に内閣府に統合、廃止〕 **―さんぎょうしょう**⑦【―産業省】 経済構造改革の推進、産業・通商政策、資源・エネルギー政策などを担当する中央官庁。通商産業省を改組して二〇〇一年に発足。略称、「経産省」。〔長官は、経済産業大臣⑨。別称は経産相③〕 **―せいちょうりつ**⑦【―成長率】 その国の一年間における経済成長の度合を示す数値。普通、国内総生産の前年度比の伸び率で示す。 **―てき**⓪【―的】―な ―に ❶△経済(お金)に関係のある様子。❷費用の節約になる様子だ。 **―ふうさ**⑤【―封鎖】〔数か国が連合して〕その国との一切の通商上・金融上の関係を断絶して、経済的な面で窮地に追い込むこと。

***けいさつ**⓪【警察】❶社会公共の秩序を維持し、国民の生命・財産を保護することを目的とする国家の行政上の機能。また、その機能を持つ行政機関。「―官・―力④③」❷「警察署」「警察官」の略。「―に呼ばれる」 **―かん**④③【―官】 警察行政の実務を担当する公務員。警官。 **―けん**⓪【―犬】〔警察で〕犯罪の捜査や遭難者の捜索などに使う、特別の訓練を受けた犬。 **―けん**④③【―権】 警察の目的の遂行のために国民に対し法律に基づいて指導・取締りが出来る国家の権限。 **―こっか**⑤【―国家】 政府が行政の全般に警察権を行使し、個人の生活に極端な干渉を加え、国民の自治を認めない国家。 **―しょ**⑤⓪【―署】 一定の地域の中の警察事務を取り扱う役所。 **―ちょう**④③【―庁】 国家公安委員会に置かれる、警察に関する中央の行政機関。都道府県の警察行政を調整したり 指揮監督したりする。 **―てちょう**⑤【―手帳】 警察官が常に携帯する手帳。身分証明書を兼ねる。

***けいさん**⓪【計算】―する(他サ)〈なにヲ―する〉❶Ⓐ一定の手順に従って加減乗除などの演算を(幾つか)行ない、求める値を出すこと。「△暗算(筆算・そろばん・電卓)で合計を―する/人工衛星の軌道を―する/―を途中で間違える/―が合う/原価―④・カロリー―⑤」Ⓑ数式を変形した上で求める値を出すこと。「分数式の―」❷問題になるものに範囲を限って△総計(差引き)いくらになるかを求めること。「―書⑤⓪」❸△どう展開する(どのような結果になる)かを、予測すること。「そこまでは―していなかった/―に入れる〔=当然考慮すべきものとして扱う〕/次のような―〔=打算〕が働く/―通りにいかない/ストで、予定していた便が欠航するとは―外だった」 **―き**③【―器】 計算をするための器械のうちで、計算の一段階ごとに人間による操作を必要とし、自動化の程度の低いもの。例、手動式の物や四則計算程度しか出来ない電卓など。〔広義では、そろばん・計算尺の類を含める〕 **―き**③【―機】 自動的に計算する機能を備えた機械。〔狭義では電子計算機を指し、広義ではプログラム電卓までを含める〕「電動―・アナログ―・デジタル―」 **―しき**③【―式】 具体的な数量を求める計算の手順を簡潔に表わすために、数字・文字・演算記号などを一定の約束に従って書き連ねたもの。例、(2+3)×4〔狭義における「式❸Ⓐ」の称であるが、おもに具体的な数量との結びつきがある場合に用いられ、たとえば二次式を抽象的に考える場合は計算式とは言わないのが普通〕「年金の―」 **―じゃく**③⓪【―尺】 対数の理論を応用した、ものさし形の計算器具。〔乗除・冪・開平などの計算に用いられる〕 **―ずく**⓪【―《尽く》】 自分の損にならないようによく考えたり先の先まで成行きをよく読んで行動したりする態度。 **―だかい**⑥【―高い】(形) 何かをするにあたって、自分にとって得になるか損になるかを第一に考える様子だ。

けいさん⓪【〈珪酸・〈硅酸】 珪素・酸素・水素の化合物。 **―えん**③【―塩】 珪素と酸素の結合体に金属イオンが結びついた化合物。地殻を形作る長石・輝石・雲母などは、ほとんどがこれ。

けいさん かんむり⑤【〈卦算冠】 ⇩けさんかんむり

けいさんしょう③【経産省】 「経済産業省」の略。

けいさんぷ③【経産婦】 お産をした経験がある女性。

けいし①【兄姉】 その人の兄や姉。↕弟妹

けいし⓪【刑死】―する(自サ) 死刑に処せられて死ぬこと。

けいし①【京師】〔古〕〔「師」は衆。人口の多い大都会の意〕皇居のある地。みやこ。

けいし①⓪【軽視】―する(他サ)〔人や事態などを〕たいしたものではないとして、それほど△注意して(尊敬して)扱わないこと。↕重視

けいし①【継子】 血のつながりのない子。⇩実子

けいし①【継嗣】 「あとつぎ・あととり」の意の漢語的表現。

けいし①【〈罫紙】 罫を引いた紙。けいがみ①⓪。 かぞえ方 一枚

けいし①【警視】 警察官の階級の一つ。警視正の下で、警部の上。 **―ちょう**③【―庁】 東京都の警察の本部。〔長官は、警視総監④〕

けいじ①【兄事】―する(自サ)〔「事」は仕える意〕実の兄に対するかのように、敬意をもって接すること。

けいじ①【刑事】❶刑法に関する事項の総称。「―罰を科する/―裁判④」↕民事 ❷〔←刑事(係)巡査④⑦〕刑事事件の捜査にあたる巡査・巡査部長など。「―が張りこむ/私服―④」 **―じけん**④【―事件】 刑法が適用され、処罰されるべき事件。 **―しせつ**④【―施設】 刑務所・少年刑務所・拘置所の総称。〔法改正により「監獄」から改称〕 **―せきにん**④【―責任】 不法行為をしたために、刑罰を受けなければならない法律上の責任。「―を問う」↕民事責任 **―そしょう**④【―訴訟】〔←刑事訴訟法⓪〕刑事事件の裁判の手続きについて定めた法律。 **―ほしょう**④【―補償】 犯罪の容疑を受けて拘留された者が、裁判の結果、無罪になった場合に、国家がその損害を償う制度。再審で無罪になった場合も含む。

けいじ⓪①【計時】〔競技などで〕ストップウオッチを使って経過した時間を計ること。「正式―⑤・途中―④」

けいじ⓪【啓示】―する(他サ)〔神が人に〕人間の力では知り得ないような事をさとし示すこと。

けいじ⓪【掲示】―する(他サ)〔人の目につく所に〕(関係者に)広く知らせるべき伝達事項などを、掲げ示す△こと(文書)。 **―ばん**⓪【―板】❶掲示するものを張りつけるための板。「―を設置する」❷「電子掲示板」の略。⇩ビービーエス(BBS)

けいじ①【慶事】 結婚・出産など、関係者にとって祝うべき出来事。↕弔事

けいじ⓪【〈繋辞】〔説明の言葉の意〕命題の主辞と賓辞とを連結する言葉。例、「時は**金なり**」「Time **is** money.」の太字の部分がそれ。コピュラ。コプラ。

げいし①【〈睨視】―する(他サ) じっと(にらみ)みつめること。

けいじか③⓪【形〈而下】 はっきりした形があって、感覚の働きによってその存在を知ることが出来るもの。↕形而上

****けいしき**⓪【形式】〔物事が成立する時に〕それに準拠することが求められる一定の△型(手続き)。「…の―を取る/規定の―をふむ」↕実質・内容 **―しゅぎ**⑤【―主義】 内容はともかく、外形だけは型にはまっていなければいいとする考え。 **―てき**⓪【―的】―な ―に ↕実質的 ❶(内容ではなく)形式に関する様子だ。「―には古典的な様式に属す

る」❷形は整っているが、それに見合う内容の伴わない様子だ。「謝罪は—で、誠意が見られない」 —ば・る[5]【—張る】(自五)(何かというと)形式を重んじる。 —はん[4]【—犯】住居侵入や偽証、駐車違反など、結果に関係なくその行為をしただけで、罪となる犯罪(に問われる人)。↕実質犯 —めいし[5]【—名詞】名詞の一種。実質的な意味は持たないが、上に修飾語を伴った形で、名詞と同じ働きをするもの。「そんな事をするはずがない」の「はず」のような語。⇩名詞 —ろん[4]【—論】形式にとらわれ過ぎた議論。 —ろんりがく[7]【—論理学】思考の内容とは別個に、概念・判断・推論の形式面だけを研究対象とする学問。〔狭義では、「記号論理学[6]」を指す〕

けいしき[0]【型式】⇩かたしき

けいじじょう[0]【形(而上)】はっきりした形が無く、感覚の働きによってはその存在を知ることが出来ないもの。精神的なもの。↕形而下 —がく[4]【—学】物事の根本原理を研究する学問。〔メタフィジックの訳語〕

けいしつ[0]【形質】❶物の形と性質。❷生物の形の上での特徴。特に、遺伝的性質が表に現われたもの。「獲得—〔=⇩獲得形質〕・—人類学[7]」

けいしつ[0]【継室】「後妻」の意の古風な表現。

けいしつ[0]【憩室】消化器の一部が袋のように飛び出してふくれたもの。

けいじてき[0]【継時的】—な —に 叙述の順序が事実の進行した時間的な流れに沿ってなされている様子だ。「—〔=出来事を起こった順序通りに記述する〕表現」

けいじどうしゃ[4]【軽自動車】小型の自動車。エンジンの総排気量六六〇cc以下のもの。ミニカー。

けいしゃ[1]【(珪砂)】珪石の粒の小さなもの。ガラス製造用。表記「(硅砂)」とも書く。

けいしゃ[0]【傾斜】—する(自サ)❶本来△水平(垂直)であった物が傾いて斜めになること。また、その程度。〔広義では、公正な立場が失われて特殊な傾向を持つことや、個人的に何かにばかり心を寄せることをも指す。例、「独裁主義への—を深める」〕❷地面・地層面・屋根などが水平面とある角度をなすこと。また、その角度。勾配。「—の緩い屋根/—が急な坂」

けいしゃ[1]【鶏舎】ニワトリの小屋。とりごや。

げいしゃ[0]【芸者】〔もと、役の出来る人、つまり役者の意〕❶芸の達者な人。「なかなかの—だ」❷料亭・旅館などに呼ばれ、時間ぎめで、酒席に出てお酌をしながら客の話し相手になったり 求めに応じて歌や踊りで座興を添えたりする女性。「—屋[0]」

けいしゅ[1]【警手】〔鉄道で〕踏切の開閉や事故の防止にあたる職員。

けいじゅ[1]【継受】—する(他サ)それを△先人(他)からうけつぐこと。継承。

けいしゅう[0]【軽舟】(人ひとりがやっと乗れる程度の)船足の軽快そうな小舟。

けいしゅう[0]【(閨秀)】学芸にすぐれた女性。「—の誉れが高い/—作家[5]」

けいじゅう[0]【軽重】軽いことと重いこと。「けいちょう」とも。「事の—を問わず〔=小事であっても大事であっても、その差別無く〕」

げいしゅう[1]【芸州】「安芸ノ国」の漢語的表現。今の広島県西半分にあたる。

けいしゅく[0]【慶祝】—する(他サ)めでたい事に対し、喜びの気持を表わすこと。「—行事[5]」

けいしゅつ[0]【掲出】—する(他サ)目につきやすいように△書き出す(見せる)こと。「—語[0]」

****げいじゅつ**[0]【芸術】一定の素材・様式を使って、社会の現実、理想とその矛盾や、人間・人生とは何かなどについて表現した人間の活動と、その作品。文学・絵画・彫刻・音楽・演劇など。 —いん[4]【—院】芸術界で指導的立場にあると位置づけられる人を顕彰する、文化庁所属の機関、「日本芸術院[2]-[4]」の通称。 —か[0]【—家】芸術作品を創作したり 芸術としての劇・舞踊・音楽などを演じたりする人。 —さい[4][3]【—祭】文化の日を中心にして行なわれる芸術の行事。 —しじょうしゅぎ[8]、[0]-[4]【—至上主義】芸術はそれ自身のために存在するもので、他のものの手段として存在するものではないという主義・主張。 —せい[0]【—性】芸術(作品)として評価することの出来る、味わいの豊かさや完成度の高さ。「死後かなりの年数を経て、その—が再評価される/その作品を盗作とみるかどうかについて陶芸家側は、作品の—にかかわる問題だとする」 —てき[0]【—的】—な —に 芸術△と見なすことが出来る(としての性質を持つ)様子だ。「—な評価」 —ひん[0]【—品】芸術家の、卓越した精神活動と高度の技術によって作り出される作品。「彼の料理は、—と言わざるをえない」

げいしゅん[0]【迎春】〔新年を迎える意〕〔年賀状などで〕新年の挨拶の言葉。 —か[3]【—花】❶春を迎えるかのように春先に咲く花。例、クロッカス。❷「黄梅」の異称。

けいしょ[1]【経書】儒学の指導原理をしるした経典。「四書五経」など。

けいしょう[0] [一]【形勝】❶その地形などが、天然の要害として敵を迎え撃ったり 城を築いたりするのに適している△こと(土地)。「—の地」❷景勝。 [二]【景勝】景色のいい△こと(土地)。

けいしょう[0]【形象】〔作者の精神や生活者の気を表わすものとしての、事物の形、の意〕心中の概念や、感覚によって捉えられたものが、表現手段によって具象化△すること(したもの)。「—作用」 —か[0]【—化】—する(他サ)〔芸術活動において〕自己の思想・感情を、具体的な形を取ったイメージとして描くこと。〔絵画・彫刻や文芸作品などの制作は皆、この形象化を何らかの形で行なっている〕

けいしょう[0]【敬称】❶話の中に出て来る、自分よりも地位や立場が上の人△に呼びかける(を指す)のに用いる語。天皇を「陛下」、将軍を「閣下」、師を「先生」、父親を「おとうさん」と言うなど。〔その人の名に添えることもある。自分の身内の人間を話題にする時には普通は用いない〕「文中—略」❷相手の行動及び存在にかかわる種々の語に用いて、敬意を表わす語。尊敬語。高著・高説・高論・貴社・貴意・御地など。

けいしょう[0]【軽少】—な —に 〔数量・程度などが〕(他より)少ない様子だ。派—さ[0]

けいしょう[0]【軽症】軽い△症状(病気)。↕重症

けいしょう[0]【軽(捷)】—な —に ❶身のこなしが軽くてすばやい様子だ。❷扱いが手軽でスピードの出る様子だ。「—な△モーターボート(ミニバイク)」派—さ[0]

けいしょう[0]【軽傷】軽い傷。↕重傷

けいしょう[0]【継承】—する(他サ)先代や前任者の地位・身分・財産などをそっくりそのまま受け継ぐこと。「伝統を—する/皇位—[1]-[0]」

けいしょう[0]【警鐘】〔火事や出水などの時に〕危急を知らせるために鳴らす鐘。はやがね。「—を鳴らす/—を乱打する〔=強い調子で、このままほうっておくと大変なことになるぞと、人びとの注意を喚起する〕」

けいじょう[0]【刑場】死刑を執行する場所。「—の露

と消える〔=刑に処せられて死ぬ〕」

けいじょう⓪ジャウ【形状】―する（他サ）かたちづくること。また、かたち。「その―ツイならず／―しがたい〔=どういう△形（様子）であるかを説明することが出来ない〕」 **―きおくごうきん**⑧ガフー【―記憶合金】ある温度以下で変形しても、加熱すると変形前の形に戻るという特異な性質を持つ合金。

けいじょう⓪ジャウ【計上】―する（他サ）ある経費を要する項目を全体の計算の中に含めて、かぞえあげること。「予算に交際費を―する」

けいじょう⓪ジャウ【啓上】―する（他サ）〔手紙文で、一般に「一筆―⓪-⓪」の形で〕「△以上（以下）のことを申しあげる」の意を表わす。

けいじょう⓪ジャウ【経常】常に一定の状態で続くこと。「―費③〔=毎年決まって出す費用〕」↔臨時 **―しゅうし**⑤シウー【―収支】外国との取引で生じた、国の収入と支出。〔「貿易収支⑤」、「サービス収支⑤〔=外国人旅行者による日本の収入と日本人旅行者による外国への支出〕」、「所得〔=投資による〕収支④」、「経常移転〔=発展途上国への支援などによる〕収支⑧」からなる〕

けいじょう⓪ジャウ【敬譲】〔尊敬・謙譲の略〕相手を敬い、自分がへりくだること。「―語⓪」

けいじょう⓪【警乗】―する（自サ）犯罪防止などのため、船・車などに乗りこんで警戒すること。「―警官⑤・―員③」

けいしょく⓪【軽食】手軽に済ませることの出来る、一品料理程度の食事。「―喫茶⑤」

けいしん⓪【敬神】神を敬うこと。「―の念」

けいしん⓪【軽信】―する（他サ）軽がるしく信じること。

けいしん⓪【軽震】一般の人びとが感じ、戸障子がわずかに動く程度の軽い地震。現在の震度2にほぼ相当する。⇩震度

けいず⓪ヅ【系図】祖先から伝わる代々の系統をしるした図表。系譜。〔物事の来歴・由来のたとえとしても用いられる〕「―買カい③〔=ⓐ昔、身分の低い者が貧乏貴族の系図を買って、家格を整えたこと。ⓑけいず買い〕」

けいすい⓪【経水】月経。

けいすい⓪【軽水】〔重水と違って〕普通の水。 **―ろ**③【―炉】「軽水減速軽水冷却型原子炉」の略。中性子の減速および炉心の冷却のために、軽水を用いた原子炉。濃縮ウランが燃料。世界の原子力発電所の大半がこの形式による。

けいすう③【係数】㊀〔代数学で〕多項式のその項において、変数に掛けられている定数の称。例、xの一次式$2x+1$においてxの係数は2。xとyの二次式$ax^2+2bxy+cy^2$においてxyの係数は$2b$。「根と―の関係／実（数）―多項式」㊁〔物理などで〕率（を表わす数字）。「摩擦―④⑥」

けいすう③【計数】ものの数をかぞえること。「―に明るい〔=具体的な数字に基づいて、物事を判断・処理する能力がある〕／―管⓪・―器③」

けいずかい③カヒ【けいず買い】盗品を売買する△こと（商人）。故買バイ。 表記〔「窩主買い・系図買い」とも書く。

けい・する③【刑する】（他サ）（死）刑に処する。

けい・する③【敬する】（他サ）うやまう（気持を実際の行動に表わす）。敬す①（五）。「敬して遠ざける〔=敬遠する〕」

けい・する③【慶する】（他サ）めでたい出来事を喜んで祝う。「卒寿を―」

けいせい⓪【形成】―する（他サ）未完成なもの、また混沌コントンとしたものが外部から必要なものを取り入れて次第により完全なものになること。「ネットワークを―する／人格の―／言語―期⑥」 **―げか**⑤クワ【―外科】皮膚などの機能を修復したり外形を治療したりする、医学の一分科。〔やけどによるケロイドや口唇裂などを対象とする。美容目的のものをも含む〕⇩整形外科

けいせい⓪【形声】漢字の構成法。意味を表わす部分（例、「言」）と発音を表わす部分（例、「吾」）とを組み合わせて漢字を作る方法（例、「語」）。⇩六書リクショ

けいせい⓪【形勢】ほぼ互角の力関係を持つ両陣営の、どちらが優位に立つかの見通し。「―を見る／不穏な―／我ワレに利有らず／―逆転⓪-⓪」

けいせい⓪【渓声・〈谿声】「谷川の流れの音」の意の漢語的表現。

けいせい⓪【経世】世を治めること。「―家⓪〔=国家百年の大計が念頭にある政治家〕」 **―さいみん**⓪-⓪【―済民】民生を安んずる事を本意とする、人民のための政治。

けいせい⓪【傾《城】〔古〕〔城の存立を危うくする意〕〔国政の妨げとなる〕美人。〔狭義では、遊女を指す〕⇩傾国 表記 遊女は「契情」とも書く。

けいせい⓪【警世】世間の人をいましめること。「―の文／―家カ⓪」

けいせい⓪【警醒】―する（他サ）〔眠りをさます意〕人びとの迷いを破り注意を促すこと。

けいせき⓪【形跡】何かが△行なわれた（あった）跡。「全く―をとどめない」

けいせき①【〈珪石・〈硅石】珪素の化合物から成る鉱物。結晶したものを水晶という。

けいせき⓪【経籍】「経書」の△別称（異称）。〔広義では、古典を指す〕

けいせつ⓪【蛍雪】ある目的を目指して苦学すること。〔中国古代、灯油が買えなかった貧書生、車胤シャインが蛍ホタルの光を集め、また、孫康ソンコウが雪明りに頼って読書にいそしんだ故事に基づく〕 **―のこう**⑥、⓪-①【―の功】苦学して目的の試験に合格したり 無事 卒業したりすること。

げいせつ⓪【迎接】―する（他サ）出迎えて応接すること。

けいせん⓪【係船・〈繋船】―する（自サ）㊀船舶をつなぎとめること。㊁〔不況などの時〕船舶の使用を一時中止すること。また、その船舶。

けいせん①⓪【経線】地球の両極を通る平面と地球表面との交線を、両極で分けて出来る二つの半円周のそれぞれ。子午線。↔緯線 かぞえ方 一本

けいせん①⓪【罫線】㊀⇩罫 ㊁〔←罫線表⓪〕株価の上下を方眼紙に示した一覧表。

けいせん①⓪【頸腺】首の部分のリンパ節。

けいそ①【刑訴】「刑事訴訟」の略。↔民訴

けいそ①【〈珪素・〈硅素】非金属元素の一つ。〔記号Si 原子番号14〕。石灰岩以外のあらゆる鉱物中に珪酸塩として含まれ、自然界におけるその存在量は酸素に次いで多い。高純度のものは半導体として用いられる。

けいそう⓪サウ【係争・〈繋争】―する（自サ）〔訴訟で〕当事者の間で争うこと。「目下―中の…」

けいそう⓪サウ【〈珪藻・〈硅藻】△淡水（海水）に生じる、微細な植物。細胞は珪酸質の二枚の殻で包まれる。 **―ど**③【―土】珪藻の殻が水底に積もり積もって出来た土（の層）。磨き粉・耐火材として使ったりする。

けいそう⓪サウ【軽装】―する（自サ）身軽で、活動しやすい服装（をすること）。

けいそう⓪サウ【軽《躁】―に 落ち着きが無く、すぐ騒ぎ立てる様子。

けいそう⓪【継走】陸上のリレー競技。

けいぞう⓪【恵贈】―する（他サ）〔手紙文で〕〔立場の上の〕人から物を贈られた際、「自分のようなつまらない者に贈って

いただく」の意で、贈り主に対する感謝の気持を表わす語。「(ご)―賜わりお礼申し上げます」⇩恵投・恵与

けいそく [0]【計測】―する(他サ) ❶推測にとどめず、実際に計って△見ること(見た結果)。「規制緩和の経済的効果についての推論と―」 ❷〔目的とする量を〕計器を使って、計ること。「地震波を―する/航法衛星からの信号とレーザー光線を使ってK2峰(ケーツー ホウ)の高さを―する/―器[4][3]」

けいぞく [0]【係属・〈繫属】〔法律で〕ある事件が訴訟中であること。

***けいぞく** [0]【継続】―する(自他サ)〈(なに**マデ**)なに**ヲ**―する〉前から続けて行なっていた行為・状態をそこで打ち切らずにさらに続けること。「連載を―する/―性[0]・自動―[4]」

***けいそつ** [0]【軽率】―な ―に 事の善悪・成否などをよく考えずに何かをする△こと(様子)。「―な△考え(行為)/―に△言を発する(答える)/―のそしりを免れない」↕慎重 [派]―さ[0]

[表記]「軽卒」とも書く。

けいそん [0]【恵存】〔保存してくだされぱさいわいです、の意〕自分の書いた書籍などを贈り物とする時、相手の名のわきに書き添える語。「けいぞん」とも。

けいたい [0]【形態】ある構造を備えた物事を外からとらえた形。「魚類と―は似ているがイルカは哺乳類だ/―的分類/―上の区分/土地の利用―/婚姻―[5]・事業―[4]」 [表記]「形体」とも書く。 **―そ**[3]【―素】〔morphemeの訳語〕〔言語学で〕一つ(以上)の音素から成り、何らかの意味を表わしているととらえられる最小の単位。 **―ろん**[3]【―論】〔morphologyの訳語〕〔言語学で〕それぞれの言語における形態素が結合して語(や文)を形成する際の仕組みに関する研究。⇩統語論

けいたい [0]【敬体】丁寧な表現をするために文末を「です」「ます」などで結ぶ、口語の文体。〔文語文では、候(ソウロウ)文体を指す〕↕常体

けいたい [0]【携帯】❶―する(他サ) △からだのどこかにつけて(手にさげて)持って歩くこと。「―品[0]・―用[0]」 ❷「携帯電話」の略。 **―でんわ**[5]【―電話】無線によって電波をとらえるしくみの、持ち運びの出来る電話機。 [表記]一般に「ケータイ」と書くことが多い。

けいだい [1]【境内】△神社(仏閣)の構内。

けいたく [0]【恵沢】恵みやうるおいを受けること。また、その与えられた恵みやうるおい。

げいだん [0]【芸談】芸道の奥義や苦心に関する話。

けいだんれん [3]【経団連】「日本経済団体連合会[2]-[11]」の略。

けいちつ [0]【啓〈蟄】二十四(節)気の一つ。太陽暦三月六日ごろ。冬ごもりしていた虫たちが地上に出て活動を始める時分の意。

けいちゅう [0]【傾注】―する(他サ) 一つの事に精神や力を打ちこむこと。「△主力(精力・全力・努力)を―する」

けいちょう [0]【敬弔】(テウ) 死者をつつしんで弔うこと。

けいちょう [0]【敬重】―する(他サ) 尊敬して大切にもてなすこと。

けいちょう [0]【軽〈佻】(テウ) ―な ―に 落ち着きがなく、言動が軽はずみな様子だ。「―浮薄[0]-[0]」

けいちょう [0]【軽重】〔「ちょう」は重の漢音〕「けいじゅう」のやや改まった表現。「―をつけず/―が問われる/鼎(カナエ)の―を問う〔=⇩鼎〕」

けいちょう [0]【傾聴】(チャウ) ―する(他サ) 聞きもらすまいとして熱心に聞くこと。「―に値する/―ボランティア[6]」

けいちょう [0]【慶弔】(テウ) 結婚・お産などの喜ぶべきことと死別などの悲しむべきこと。祝い事と葬式など。「―電報[5]・―費[3]」

けいつい [1]【〈頸椎】脊椎(セキツイ)の最上部にある七個の骨。

けいてい [0]【兄弟】「きょうだい」の古風な表現。

けいてい [0]【〈逕庭・径庭】〔狭い道と広場、の意〕二つの物事の間に見られる隔たり。「―〔=相違〕が無い」

けいてき [0]【警笛】〔乗り物や踏切で〕危険を知らせたり注意を促したりするために鳴らす音。

けいてん [0]【経典】❶聖人・賢人の教えを書いた書物。 ❷その宗教の根本義を書いた書物。⇩きょうてん

けいてんあいじん [0]-[0]【敬天愛人】天をうやまい、人を愛すること。

けいでんき [3] ❶【継電器】遠方の発信機から流れて弱くなった電気を、強い電気にして送り出し、別の受信機を働かすための装置。有線放送などで使う。リレー。 ❷【軽電機】電気洗濯機・電気掃除機のように、構造が簡単で小型の電気機器。家電。↕重電機

けいと [0]【毛糸】ヒツジなどの毛を紡いだ糸。「―でセーターを編む/赤い―の帽子」 [かぞえ方]一本:一玉(ヒトタマ)・一把(イチワ)・一(ヒト)かせ

けいど [1]【経度】〔地球表面上で〕その点を通る経線が、基準とする経線〔=イギリスのグリニッジを通るもの〕から東西どちらの方向にどれだけ隔たっているかの度合。〔経線同士の隔たりの度合は、二本の経線が極において成す角度で表わし、単位は度・分・秒を用いる。基準の経線から東回りに計る場合は「東経」を、西回りに計る場合は「西経」を、それぞれ角度の数値に冠する〕「兵庫県明石市の―は東経一三五度/―差一五度につき時差は一時間」↕緯度

けいど [1]【軽度】程度がたいしたことの無いこと。また、その程度。「―の脳貧血」

***けいとう** [0]【系統】❶一定の順序に従った、統一あるつながり。「命令―・運転―・異―」 ❷同じ血筋を引くものとしてのつながり。「―の正しい家柄/―づける[6]」 **―じゅ**[3]【―樹】生物や言語などの類縁関係を樹木の枝になぞらえて図示したもの。共通の祖先を根元におき、その後の分化の過程を順を追って幹から枝の先へと示していく。 **―だ・てる**[6]【―立てる】(他下一) 幾つかあるものを系統の順にそろえる。 [自動]系統立つ[5](五) **―てき**[0]【―的】―な ―に 順序正しく、系統を追っている様子だ。

けいとう [0]【恵投】―する(他サ) 〔手紙文で〕立場の上の人から物を贈られた際、感謝の気持を表わす語。「(ご)―を賜わり恐悦至極に存じます」⇩恵贈

けいとう [0]【傾倒】(タウ) ―する(自サ) ❶その△人(もの)のよさにすっかり心を奪われ、それ以外に価値あるものは無いと思う状態になること。「シュバイツアーに―する」 ❷その事の重要さに心をひかれ、全身全霊をその仕事に投入すること。「平和解決に―する」

けいとう [0]【継投】―する(自サ) 〔野球で〕試合中に、前の投手のあとを受け継いで投球すること。

けいとう [0]【鶏頭】庭に植える一年草。夏から秋にかけて、ニワトリのとさかに似た赤紫色の花を開く。〔ヒユ科〕 [かぞえ方]一本(イッポン)・一(ヒト)もと

げいとう [1][0]【芸当】(タウ) 特殊な能力・訓練を必要とする、スリルに富む曲芸。〔広義では、他人にはまねの出来ない離れ技を指す〕

げいどう [0]【芸道】(ダウ) △技芸(芸能)の道。

けいどうみゃく [3]【〈頸動脈】のどの両側の、頭部に血液を送る太い動脈。

げいどころ [0][3]【芸所】芸事に関心が高く、熱心な人が多くいる地域。「―名古屋」

げいなし [0]【芸無(し)】何の芸も出来ない△こと(人)。

けいにく [0]【鶏肉】〔食品としての〕ニワトリの肉。

げいにく⓪【鯨肉】〔食品としての〕クジラの肉。

げいにん⓪【芸人】❶芸能人。〔軽い、侮蔑ブベツを含意して用いられる〕❷素人で、△多芸〔特殊な技芸〕の持主。「なかなかの―だ」

けいねん⓪【経年】多くの年月を経ること。「―による劣化が見られる」

げいのう⓪【芸能】〔身過ぎのための芸の意〕映画・演劇・音楽・舞踊・寄席演芸など娯楽的な色彩の強いものの総称。「―界③・―人ジン③」

けいば⓪【競馬】職業選手が馬に乗って競走することに賭カける公営賭博トバク。「―場⓪」

げいは①【鯨波】〔大波の意〕「ときの声」の意の漢語的表現。

けいはい⓪【〈珪肺・〈硅肺】鉱物の粉・ほこりなどを多量に吸い込んだために起こす慢性の気管支炎など。鉱夫や石工などに多い。俗称、よろけ。

けいはい⓪【軽輩】地位・身分が低かったり経験が浅かったりして、その社会で、軽く扱われる人。身分の低い人。

けいばい⓪【啓培】―する（他サ）〔←啓発培養〕知識などを得させ、教養ある人間に育てること。

けいばい⓪【競売】―する（他サ）⇨きょうばい

けいはく①⓪【啓白】〔神仏に〕申しあげること。「けいびゃく」とも。

けいはく⓪①【敬白】〔手紙文で〕「つつしんで申しあげました」の意で、文の終りに書く語。〔一般に、「謹啓」で始まる手紙文で用いられる〕

けいはく⓪【軽薄】❶―な 言動に慎重さや誠実さのない様子だ。派―さ⓪ ❷―に おべっか。「人に―を言う」

けいばく⓪【〈繋縛】―する（他サ）つないだり縛ったりして、自由を奪△うこと（もの）。

けいはつ⓪【啓発】―する（他サ）〔専門家としての観点から〕一般の人が看過しがちな問題および問題点について、知識を与えること。「大いに―された」

*けいばつ①【刑罰】〔国家が〕罪を犯した者に加える制裁。「法に基づき―を科する」

けいばつ⓪【〈閨閥】妻の親類を中心とする△勢力〔党派〕。

けいばつ⓪【警抜】―な 〔着想などが〕人をあっと言わせるほどすぐれている様子。「―なデザイン」

けいはん⓪①【京阪】京都と大阪。かみがた。―しん③【―神】「京都・大阪・神戸」の略。

けいはんざい③【軽犯罪】公衆道徳上ぜひ守るべき事柄にそむく、軽い犯罪。例、風呂場・便所ののぞき見、塀などへの無許可の張紙など。「―法⓪」

けいひ①【〈桂皮】「トンキン肉桂ニッケイ⑤〔=熱帯産の常緑高木〕」の樹皮。薬用・芳香剤用。

*けいひ①【経費】その事を行なうのに△必要な〔いつも決まってかかる〕費用。「―がかかる／―を切り詰める／必要―」

けいび①【軽微】―な 〔受けた被害などが〕わずかな様子だ。

けいび①【警備】―する（他サ）危急の事態に備えて、警戒に当たること。「―に△つく（立つ）／―員③・―艇⓪・―保障」

けいひつ⓪【警〈蹕】〔「蹕」は、一般人の道路の通行を一時とどめ、貴人の行列を通す意〕昔、天子のお出ましや、食事をさしあげる時などに、「おしおし〔=静かにしろ、の意〕」と言って、一般人に注意を与えたこと。また、その声。

けいひろうラウじんホーム⑧【軽費老人ホーム】⇨老人ホーム

けいひん⓪①【京浜】東京と横浜。「―一帯⓪-⓪、①-⓪・―工業地帯⑨①-⑤」

けいひん⓪【景品】感謝の意を込め、商品に添えて客に贈る品物。景物。おまけ。〔広義では、催しの参加者などに、余興として配る品物をも指す〕「―につられてつい買ってしまった」

げいひん⓪【迎賓】客を迎えてもてなすこと。「―館③〔=外国の元首・王族などを接待するために設けられた施設〕」

けいふ⓪【系譜】先祖から代々続く血縁関係〔をしるした図〕。〔次から次へと影響を受けて来た物事の間に見られるつながりの意にも用いられる。例、「私小説の―」〕

けいふ①【継父】血のつながりのない父。⇨実父

けいぶ①【軽侮】―する（他サ）人を軽くみて、ばかにすること。

けいぶ①【〈頸部】首（のように細くなっている部分）。「子宮―④」

けいぶ①【警部】警察官の階級の一つ。警視の下、警部補の上。

げいふう⓪【芸風】その〔系統の〕人に独特の演技の△やり方〔持ち味〕。

けいふく⓪【敬服】―する（自サ）なんら批判する余地が無いほど、すっかり感心すること。

けいふく⓪【景福】めったに得られない幸運。

けいふく⓪【慶福】めでたい祝うべき出来事。

けいぶつ⓪①【景物】❶〔四季おりおりの〕興を添えるもの。❷景品。添え物。

けいふぼ③【継父母】継父と継母。

けいふん⓪【鶏〈糞】ニワトリのふん。肥料用。

げいぶん⓪【芸文】△学芸〔芸術〕と文学。

けいへいき③【経閉期】月経が閉止する時期。閉経期。

*けいべつ⓪【軽蔑】―する（他サ）〈だれヲ―する〉相手にするほどの価値は無いものと評価したり卑しくて近寄りたくないと嫌悪したりして、まともに相手にしようなどとは全く考えないこと。「―を△抱く〔覚える・あらわす〕／―的なニュアンス」

けいべん⓪【軽便】❶―な 手軽に利用することが出来て便利な様子だ。派―さ⓪ ❷〔←軽便鉄道⑤〕幅の狭い軌道上に小型の機関車・車両を走らせる鉄道。

けいぼ①【敬慕】―する（他サ）尊敬して慕うこと。

けいぼ①【景慕】―する（他サ）敬いあこがれて、間近に接したいという気持をいだくこと。

けいぼ①【継母】血のつながりのない母。⇨実母

けいほうハフ①【刑法】犯罪の種類とそれに対する刑罰に関する法律。「―上の学説」

けいほう⓪【警報】災害の起こりそうな時、それに対する人びとの注意を促し警戒させるための知らせ。「―を△出す〔発令する・解除する〕／警戒―⑤・強風波浪―⑧、⓪-④・高潮―⑤・火災―④・空襲―⑤・―器③」

けいぼうバウ⓪【形貌】「かおかたち」の意の漢語的表現。

けいぼうバウ⓪【〈閨房】「ねや〔=寝室〕」の意の漢語的表現。〔狭義では、婦人の居間を指す〕

けいぼうバウ⓪【警防】危険や災害などを警戒して防ぐこと。「―団③」

けいぼうバウ⓪【警棒】警察官が、護身・攻撃用に腰にさげる棒。〔昔は、腰にサーベルをさげていた〕

けいま⓪【〈桂馬】将棋の駒コマの一つ。直前の斜め一格前方に跳ぶ。

けいみょうメウ⓪【軽妙】―な 軽快な感じで、うまみのある様子。「―な筆致／―な〔=その場にあった、気のきいた〕しゃれ／―洒脱シャダツ⓪-⓪」派―さ⓪

けいむ①【警務】❶警察での総務的な事務。「―局長④」❷〔国会などで〕警衛などに関する仕事。

けいむしょ③④【刑務所】受刑者を収容しておく所。旧称、監獄。

けいめい⓪【鶏鳴】❶ニワトリが夜明けに鳴くこと。また、そ

【】の中の教科書体は学習用の漢字，〈 は常用漢字外の漢字，《 は常用漢字の音訓以外のよみ。

の声」「—狗盗(クトウ)⑤、⓪-⓪〔=小策を弄(ロウ)する者。また、他から見れば愚劣な手段でも意外に役に立つものだということ〕」㊁〔ニワトリが明け方を告げることから〕夜明け。〔古くは、午前二時ごろを指した〕

げいめい⓪【芸名】 芸能人として、本名以外に持つ名。

けいもう⓪【啓〈蒙〉】—する（他サ）〔「蒙」は、知識不足の意〕情報の寡少な一般人に必要な知識を与え、知的水準を高めること。「—書⑤⓪〔=学術書や研究書ではなく、一般人の教養を高め、視野を広くするために書かれた書物〕」**—しそう**⑤【—思想】ヨーロッパで、十六世紀に起こり十八世紀後半に全盛期に達した革新的思想運動。合理主義に基づいて、伝統と偏見を打破しようとした。

****けいやく**⓪【契約】—する（他サ）〈だれト（なにヲ）—する〉（私法上の効果を生じさせる目的で）当事者の間で約束を取り交わすこと。また、その約束。「—が交わされる/—を結ぶ/事業者と—する/—書⑤⓪・随意—④」

けいゆ⓪①【経由】—する（自サ）㊀目的地へ行くのに、その△地点（地域・路線）を通って行くこと。「香港(ホンコン)—でシンガポールに行く/シベリア—でモスクワに向かう/常磐線—の仙台行特急」㊁ある物事をする時、中間の△機関（手続き）を経ること。

けいゆ⓪【軽油】 原油やコールタールを分溜(ブンリュウ)してとり出した油。発動機の燃料にしたり 機械を洗ったりするのに使う。↔重油

げいゆ⓪【鯨油】 クジラの脂身・内臓などからとった油。せっけんなどの原料。

けいよ①【刑余】 以前、刑罰を受けたことがある△こと（人）。「—の人」

けいよ①【恵与】—する（他サ）㊀それが無くて△困って（苦しんで）いる人のために与えること。㊁（手紙文で）立場の上の人から物を贈られた際、感謝の気持を表わす語。「（ご）—にあずかり恐縮に存じます」⇩恵贈

けいよう⓪【形容】—する（他サ）〔姿かたちを表わす意〕物の性質や様子などを（他のものにたとえて）言い表わすこと。「彼のやんちゃぶりといったら—を超えている/—しがたい困苦」**—し**③【—詞】〔言語学で〕品詞の一つ。物事の性質・状態などを表わすのに用いられる言葉。日本語では用言の一つで、言い切る時の形が、「高い」「美しい」のように「い」で終わる言葉。〔広義では、品詞としては異なるが、連体修飾機能を果たす語や連用修飾機能を果たす語を指す。「形容語」とも言う。例、「あの人の文章には—が多い」〕**—どうし**⑤【—動詞】〔日本語文法で〕品詞の一つ。物事の性質・状態を表わすのに用いられる言葉。用言の一つで、口語では「静かだ」「きれいだ」のように、言い切る時の形が「だ」で終わる言葉。〔形容動詞を一品詞とせず、体言に助動詞「だ・な」が結合したものと見る文法学説もある〕

けいよう⓪【京葉】〔「京」は東京都、「葉」は千葉県〕東京と千葉を結ぶ地域。「—工業地帯⑨・—線⓪」

けいよう⓪【掲揚】—する（他サ） 旗などを高い竿(サオ)や塔などの上にあげること。「国旗の—」

けいら①【警〈邏〉】—する（自サ） 警戒して見回る△こと（人）。パトロール。

けいらく⓪【京〈洛〉】「都」の意の漢語的表現。「きょうらく」とも。〔特に、京都を指す〕

けいらく⓪【経絡】〔漢方で、「経」は縦糸、「絡」は横糸の意〕ものの筋道。すじめ。

けいらく⓪【競落】⇩きょうらく

けいらん⓪【鶏卵】（食用としての）ニワトリのたまご。

けいり①【刑吏】 死刑などの刑の執行にあたる官吏。

けいり①【経理】 会計・給与に関する事務。「—担当」

けいりし③【計理士】「公認会計士」の旧称。

*__けいりゃく__⓪【計略】 自分にとって好都合に事を運ぼうとするためのはかりごと。「—にかける」

けいりゃく⓪①【経略】—する（他サ）〔国家を〕支配し、治めること。〔広義では、敵国を征服し、支配することをも指す〕

けいりゅう⓪【係留・〈繫留〉】—する（他サ）（船などを）綱などでつなぎとめること。「—気球⑤」

けいりゅう⓪【渓流・〈谿流〉】「谷川」の漢語的表現。「—釣り⓪」

けいりょう⓪【計量】—する（他サ） 計測の対象とするものの量を数値によって表わすために、客観的な尺度で計ること。「—的な方法/—カップ⑤・—器③・—法⓪」

けいりょう⓪【軽量】 目方が軽いこと。↔重量㊀

けいりん⓪【経〈綸〉】 国家を治め秩序あるものにする△こと（手腕）。「上下(ショウカ)心を一(イツ)にして、盛(サカン)に—を行ふべし」

けいりん⓪【競輪】 職業選手による自転車競走に賭(カ)ける公営賭博(トバク)。「—場⓪」

げいりん⓪【芸林】 芸術家や文学者の仲間・社会。

けいるい⓪【係累・〈繫累〉】〔身を束縛するものの意〕年をとった親や妻子やまだ小さい兄弟など、めんどうを見なければならない家族。

けいれい⓪【敬礼】—する（自サ） 敬意を表わして礼をすること。また、その礼。「最—」

*__けいれき__⓪【経歴】 その人がどういう学校を出、どういう仕事をやって現在に至ったかということ。「輝かしい—に疵(キズ)が付く」

けいれつ⓪【系列】 相互に何らかの秩序ある関係によってつながっている幾つかの△もの（人・組織体）の集まり。「白樺(シラカバ)派の—に属する作家/Kテレビ局—（の局）で放映する/水素原子のスペクトル—/—化する/—会社(ガイシャ)⑤〔=ある大会社の支配下にある小会社〕・時(ジ)—〔=⇩時系列〕」

けいれん⓪【〈痙攣〉】—する（自サ） 筋肉が病的に収縮△する（して激しく痛む）こと。ひきつり。「—を起こす/胃—」

けいろ⓪【毛色】 毛の色。「—の美しい鳥/—の変わった〔=その社会では異質な〕人」

けいろ①【経路】 物事がある所へ到達するまでにたどってきた筋道。「入手の—〔=どういう方法でそれを入手したか〕を探る/侵入—」表記「径路」とも書く。

けいろう⓪【敬老】 老人を敬って、いたわること。「—の念を示す/—精神⑤」**—のひ**⑥、⓪-①【—の日】「国民の祝日」の一つ。二〇〇三年から九月の第三月曜日。〔もと九月十五日〕⇩老人の日

げいろう⓪【鯨〈蠟〉】 マッコウクジラの頭蓋(ズガイ)の中にある、白色の蠟状のもの。ろうそく・コスメチック・軟膏(ナンコウ)の原料。

けいろうどう③【軽労働】 体力をさほど必要としない軽い労働。

けいろく⓪【鶏〈肋〉】〔ニワトリのあばら骨の意〕大して役には立たないが、捨てるには惜しいもの。

けう①【〈希有〉・〈稀有〉】—に・—な 実際にあるとは思えないほど△珍しい（不思議な）様子。「—な存在/—の出来事」⇩きゆう

げうお⓪【下魚】 下等な魚。「フグは、元来—だった」

けうと・い③【気疎い】（形） 不快に思い、その物事をそれ以上続けて見聞きしたりその雰囲気の中に身を置いたりすることからできるなら逃れたい感じだ。派—さ③ —げ⓪③④

けうら⓪【毛裏】 裏に毛がついた△衣服（もの）。

ケー㊀①【K・k】 英語アルファベットの第十一字。㊁①【K】㊀〔←kitchen〕 間取りで台所を表わす記号。「2

—③〔=二部屋と台所〕」❷〔←オ karaat〕金の「カラット❶」を表わす記号。「—18①-④〔=十八金。また『18K⑤』とも〕」❸〔←king〕トランプのキング。❹〔←ド Köchel〕モーツァルトの曲番号ケッヘル〔記号K.〕。❺〔←ド Kalium〕カリウムの元素記号。❻〔←kelbin〕絶対温度ケルビンの記号。❷①【k】〔←フ kilo〕キロの記号。〔大文字Kで用いられることも多い〕「km〔=キロメートル〕・4—解像度〔=4Kテレビ〕」❹【K】（造語）〔←Korean〕韓国の。「—ポップ③」〔❶〜❹ともケイ①とも〕

ケーオー③【KO】—する（他サ）〔knockout の略〕⇩ノックアウト

***ケーキ**①〔cake〕小麦粉に甘味・卵・香料などを入れて作ったスポンジ ケーキに、クリーム・果実などを飾ったり 加えたりした洋菓子。

ケーケー③【KK】ローマ字書きに基づく「株式会社（Kabusiki Kaisya）」の略記。

ケージ①⓪〔cage〕❶鳥かご。檻（オリ）。❷エレベーターの、人や荷物をのせる所。❸〔野球で〕バッティング ケージの略。

ゲージ①⓪〔gauge〕❶線路の幅。軌間⓪。❷物の長さ・幅・厚さ・太さなどをはかる測定用計器の総称。❸〔編物で〕一定の寸法中の目の数。

ケーシング⓪①〔casing〕❶包装（材料）。❷外箱（ソトバコ）。

***ケース**①〔case〕❶〔「箱」の意のラテン語 capsa に基づく〕目的に合わせて作られた容器。「本の—/スーツ—・眼鏡—④・人形—⑤・ペン—③・ショー—」❷〔「偶然」の意のラテン語 casus に基づく〕❶実際に起こった、個々の△出来事（場合・事情）。また、起こりうると考えられる、個々の事例。「特殊な—として取り扱う/—バイ—・テスト—」❷〔文法で〕格。

ケース スタディー⑤〔case study〕特定の個人や少数の人について、ある特殊な例を研究して、一般的な理論を探る方法。事例研究法。

ケース バイ ケース⑥〔case by case〕原則や規則にとらわれることなくそれぞれの事例に応じて、個別の方法で対処すること。「—で被災者の相談に応じる」

ケースワーカー④〔caseworker〕精神的・肉体的・社会的に問題点をかかえた人の相談相手となって解決・指導にあたる人。

ケーソン①〔caisson〕⇩せんかん（潜函）「—工法⑤」

ケータリング⓪〔catering〕パーティー・宴会などの場に料理を提供する△こと（職業）。事前に作った料理を届けるだけでなく、料理人の派遣や食卓の設営なども行なう。〔広義では、注文に応じ家庭に赴き料理することをも指す〕「—サービス⑦」

ケーてん①【K点】〔←ド Konstruktions Punkt=建築基準点〕〔スキーのジャンプ競技で〕ジャンプ台を設計する上で、飛距離点の基準にされる地点。赤いラインで示される。〔かつては、これ以上遠くへ飛ぶと危険である地点（kritischer Punkt）を指した〕

ゲート①〔gate〕❶門。出入口。〔狭義では、ダムの水門を指す〕❷航空機の乗客が搭乗する時の待合室からの出口。❸〔競馬場で〕出発点の仕切り。出発の合図とともに開く。❹トラックの荷物を出し入れする扉。

ゲート ボール④〔和製英語 ←gate + ball〕△木（プラスチック）のたまを木のつちで打ち、三個のゲートを順に通過させ、中央のゴール ポールに当てて上がりとする（戸外）競技。〔クロッケーをもとに日本で考案。運動量が少ないので高齢者に好まれる〕

ゲートル⓪〔フ guêtres〕ズボンのすそを足に巻きつけ、その上を足首からひざまで巻き上げる、西洋風の脚絆（キャハン）。
かぞえ方 一足

ケーパー①〔caper〕春から夏に、白い花をつける落葉低木。南ヨーロッパ原産。つぼみをピクルスにして、その独特の風味を香料などに用いる。ケッパー・ケイパーとも。〔フウチョウボク科（旧フウチョウソウ科）〕

ケープ①〔cape〕防寒用、または幼児用などに用いるそでの無い、短い外套（ガイトウ）。かぞえ方 一枚

ケーブル①⓪〔cable〕❶絶縁物でおおった電線（を束ね、また、おおいをしたもの）。電纜（デンラン）⓪。〔狭義では、△地中（水底）用の電線を指す。例、「海底—⑤」〕❷物を運ぶために張った、針金などをより合わせた綱。索道。かぞえ方 ❶❷とも一本 —**カー**④⑤〔cable car〕急斜面に敷いたレール上を、鋼索で上下させる登山鉄道。⇩ロープウエー —**テレビジョン**⑦〔cable television〕❶一般テレビ局の放送を共同のアンテナで受信し、加入家庭に流す施設。もともとは、山間やビル街での難視聴対策として始まった。ケーブルテレビ⑤とも。❷アンテナを用いずに、映像を光ファイバーなどを用いて、各家庭に流す有線テレビ。近年、地域に密着した情報を伝達する手段として活用されている。双方向通信も可能である。略してシー エー ティー ブイ（CATV）。

***ゲーム**〔game〕❶①⓪勝ち負けを争う遊び。多く、二人、または二人以上で行なう。❷①〔スポーツなどの〕試合。

ゲーム セット④〔和製英語 ←game + set〕〔野球などで〕勝負がついたこと。試合終了。↕プレー ボール

ゲーム センター④〔和製英語 ←game + center〕〔マイコンを利用した〕ゲーム機器を種々備えてある遊技場。略してゲーセン⓪。

ケール①〔kale〕結球しないキャベツの一品種。ビタミン・ミネラルが多く、ジュースに使ったりする。〔アブラナ科〕
かぞえ方 一株：一玉（ヒトタマ）

けおさ・れる④⓪【気《圧される》】（自下一）〔接頭語「け」＋「押す」の受動形〕相手の勢いに対抗出来ず、じりじりと押される。

けおと・す③⓪【蹴落(と)す】（他五）足で蹴って下へ落とす。〔ある地位に就こうとして、強引に競争相手を押しのけたり その地位にある者を引きずりおろしたり する意にも用いられる。例、「ライバルを—」〕

けおりもの③⓪【毛織物】毛で織った衣類。毛織り⓪。ウール。

***けが**②【《怪我》】—する（他サ）〈なにヲ—する〉〔まちがって何かをする意〕（不注意から）手足を傷つけたり 骨を折ったり など△すること（した所）。「コップが割れて指を—した/—人〔=負傷者〕が出る/—の功名（コウミョウ）〔=△失敗だと思った（なにげなくやった）事が、意外によい結果を生むこと〕」表記「《怪我》」は、借字。 —**まけ**⓪【—負(け)】—する（自サ）実力は十分あるのに、不注意などがもとで負けること。

げか⓪【外科】（ゲクワ）けがや病気を手術などによって治す、臨床医学の一部門。「今や—的手術が必要となってきた〔=根本的な改革の意にも用いられる〕」

げかい⓪【下界】〔天上から見た〕人間の住んでいる世界。「航空機から—〔=地上〕を見おろす」

けかえし⓪【蹴返(し)】（カヘシ）〔すもうで〕自分の△右足（左足）で、相手の△右足（左足）の内くるぶしのあたりを、足の裏で内側から蹴って倒すわざ。

けかえ・す⓪②③【蹴返す】（カヘス）（他五）❶蹴って、もとの位置へ戻す。❷蹴ってひっくり返す。❸負けずに、こちらも蹴る。

けがき⓪【毛描(き)】〔日本画で〕人や獣の毛を細くかく△こと（筆）。

けがき⓪【〈罫書(き)〉】機械・器具の部分品の材料に、線・

点で加工上必要な印をつけること。[表記]「〈野描き」とも書く。

けが・す[2][0]【汚す】（他五）△神聖な（美しい）ものに決定的なダメージを与える。「聖域を―/末席を―〔=ⓐ末席に△座る（連なる）。ⓑ『その地位に居る』意の謙譲語としても用いられる〕/△体面（名誉）を―/女を―〔=女性を暴力的に犯す〕」[表記]「〈穢す」とも書く。
[運用]「お耳を汚す」の形で、スピーチや演奏をした人が、聴衆に向かって、それが拙いものであった、という気持を表わすのにも用いられる。例、「お聞き苦しい演奏でお耳を汚し、恐縮に存じます」

けがに[0]【毛〈蟹】からだ全体に毛の生えたカニ。北海道の海に多い。〔クリガニ科〕[かぞえ方]一尾・一匹・一杯

けがらわし・い[5]【汚らわしい】（形）精神的な醜さが目立ち、そば近く接することによって自分にまでその悪い影響が及びそうに思われる感じだ。「口にするのも―/見るも―私欲の塊」[派]―さ[5][4] [表記]「〈穢らわしい」とも書く。

けがれ[3][0]【汚れ】❶きれいに見える物事の裏面に潜む、醜い実情。不正な献金・取引や、虚偽・詐欺・権謀術数など。「―を知らないひとみ/世の―に染まらない深窓の佳人/―を△はらう（除く）」❷〔昔の人の考え方で〕不浄とされる事柄。忌服・月経・お産など。[表記]「〈穢れ」とも書く。

けが・れる[3][0]【汚れる】（自下一）❶そのものの価値と目される神聖さ・美しさなどが損なわれたり失われたりする。「心が―/耳が―〔=つまらない事を聞いて、いやな気持になる〕」❷〔昔の人の考え方で〕忌服・お産・月経のために、からだが一時不浄の状態になる。[表記]「〈穢れる」とも書く。

けがわ[0]【毛皮】獣の毛がついたままの皮。[かぞえ方]一枚

げかん[0]【下〈浣】「下旬」の意の古風な表現。⇩上浣 [表記]「下〈澣」とも書く。

げかん[0]【下〈疳】陰部の皮膚に潰瘍を作る性病。

げき（隙・劇・撃・激）→【字音語の造語成分】

げき[1]【隙】「（時間的・空間的）すきま」の意の漢語的表現。「―〔=相手を攻める、いい機会〕を窺う/―を生じる〔=相手と不和になる〕」⇩【造語成分】

***げき**【劇】[一][1] それぞれの役に扮した人たちが、筋書に従って物語を舞台で演じ、観客に何かを訴えようとする芸術。「事件の裏に隠された人間の苦悩を三幕の―にまとめる/―作家・―中・―場・無言―・喜―・歌―・新―」[二]（造語）そのなりゆきが世間の興味・関心を引くような出来事。「とんだ茶番の社長交替―/決死の脱出―」[かぞえ方][一]は一本 ⇩【造語成分】

げき[1]【〈檄】〔人を呼び集める主旨をしるした木札の意〕人びとを奮いたたせて、積極的な行動をとるように勧める文書。「―を飛ばす〔=檄を書いて、決起を促したりする。俗に激励の意で用いるのは本来は誤り〕/―文」

げきえいが[3]【劇映画】〔「記録映画」と違って〕物語としての筋が展開される映画。[かぞえ方]一本

げきえつ[0]【激越】―な 感情の激しく高ぶっているのが感じられる様子。「―な口調」[派]―さ[0][4]

げきか[0]【劇化】―する（他サ）小説その他の文芸作品や事件などを脚色（して、上演）すること。

げきか[1][0]【激化】―する（自サ）〔好ましくない状態が〕前よりも激しくなる（ようにする）こと。「げっか」とも。「競争が―する/感情的対立を―させる」

げきが[0]【劇画】❶紙芝居。❷漫画の一種で、リアルな物語性を重視し、写実的な絵によって描き出した、比較的長編のもの。[かぞえ方]❶❷とも一本 [表記]「劇化」とも書く。

げきかい[0]【劇界】演劇（関係者）の社会。

げきから[0]【激辛】食べ物で、極めて辛い味のもの。辛いカレーやラーメンをはじめ、エスニック料理などの通称。

げきげん[0]【激減】―する（自サ）（急に）激しく減ること。「輸入が―する」↕激増

げきご[1][2]【激語】―する（自サ）〔相手を非難する時など〕興奮して、激しい口調でものを言うこと。また、その言葉。

げきこう[0]【激〈昂・激高】―する（自サ）怒って、ひどく興奮すること。「げっこう」とも。[表記]「高」は、代用字。

げきさい[0]【撃砕】―する（他サ）徹底的に攻撃して、打ち破ること。「敵を―する」

げきさく[0]【劇作】―する（自サ）劇の脚本を作ること。また、その脚本。「―家[0]」

げきし[0][1]【劇詩】戯曲の形で書かれている詩。⇩叙事詩・抒情詩

げきしゅう[0]【激臭】がまん出来ないほど刺激の強い、いやなにおい。[表記]「劇臭」とも書く。

げきしょ[1]【激暑】（真夏の）激しい暑さ。酷暑。[表記]「劇暑」とも書く。

げきしょう[0]【劇症】発病後短時間のうちに症状が進むこと。「―肝炎[5]」[表記]「激症」とも書く。

げきしょう[0]【激賞】―する（他サ）非常にほめること。「近来にない快挙だと世人の―を浴びる」

***げきじょう**[0]【劇場】演劇・映画を観客に見せるための施設。シアター。「―に足を運ぶ/―型〔=広く報道されることを目的に起こす〕犯罪[7]」

げきじょう[0]【撃壌】⇩鼓腹撃壌

げきじょう[0]【撃〈攘】―する（他サ）敵をむかえうって追い払うこと。

げきじょう[0]【激情】思慮分別を失うほどの感情の高ぶり。「一時の―に駆られる」

げきしょく[0]【劇職】休む暇が全く無いほど忙しい、重要なポスト。↕閑職 [表記]「激職」とも書く。

げきしん[0]【激震】家屋がひどくこわれたり山崩れや地割れが起こったりするほどの、激しい地震。現在の震度7にほぼ相当する。「―が襲う/―に見舞われる」⇩震度 [表記]「劇震」とも書く。

げきじん[0]【激甚】―な・―に 〔「劇甚」の変化〕ひどさが通念を超えている様子だ。「高波によって―な被害を受けた/―災害の指定基準」[派]―さ[3][0] [表記]「劇甚」とも書く。

げき・する[3]【激する】[一]（自サ）本来の△静かな（落ち着いた）状態を失って荒れ狂った状態になる。「風波が―〔=荒くなる〕/激した〔=高ぶった〕心を静める/岩に―〔=激しくぶつかる〕波」[二]（他サ）励ます。「友を―」激す[2]。

げき・する[3]【〈檄する】（他サ）檄を飛ばす。

げきぜつ[0]【〈鴃舌】〔鴃=モズ〕自分たちには通じない外国人の会話を、モズのさえずりのように分からないと評する語。

げきせん[0]【激戦】―する（自サ）全力を出し合って、激しく戦うこと。「全国一の―区」

げき

【隙】あいだ。すきま。「間隙・空隙・小隙・寸隙」⇩（本文）げき【隙】

【劇】❶はげしい。「劇甚・劇薬」❷いそがしい。「劇職」⇩（本文）げき【劇】

【撃】❶強くうつ。たたく。「撃砕・撃攘・打撃」❷せめる。「撃退・撃破・撃滅・襲撃・爆撃」

【激】❶勢いが強い。はげしい。「激烈・激流・激戦・激突」❷変化が大きい。はなはだしい。「激増・激変」❸強く心を動かす。「激励・憤激・感激」

げきぞう⓪【激増】―する（自サ）〔急に〕ひどくふえること。「被害者が―する」↔激減

げきたい⓪【撃退】―する（他サ）向かって来る敵を打ち負かして、退却させること。「押売り―」

げきたん⓪【激〈湍】「水の流れの激しい速瀬」の意の漢語的表現。

げきだん⓪【劇団】演劇の上演などを目的とする人びとによって組織された団体。かぞえ方 一座

げきだん⓪【劇談】㊀演劇に関する談話。㊁激しい談判。表記 ㊁は、「激談」とも書く。

げきだん⓪【劇壇】演劇関係者の社会。俳優・監督・演出家などの諸種のつながり。

げきちゅう⓪【劇中】劇の中。「―人物⑤」 ―げき③【―劇】ある劇の中に現われる、ほかの劇の場面。

げきちん⓪【撃沈】―する（他サ）爆撃・砲撃・魚雷などで敵の船をうち沈めること。

げきつい⓪【撃墜】―する（他サ）〔航空機などを〕うち落とすこと。

げきつう⓪【劇通】演劇〔界〕の事情に明るい人。

げきつう⓪【激痛】〔堪えられないほどの〕激しい痛み。「―が走る」↔鈍痛 表記「劇痛」とも書く。

げきてき⓪【劇的】―に／―な 劇を見ているように、緊張・感激させられる様子だ。ドラマチック。「―な〔=波瀾ハランに富んだ〕生涯／―〔=劇としての〕効果⓪-①・―シーン⓪-①」

げきてつ⓪【撃鉄】〔小銃などで〕雷管を強く打って、弾丸を発射させるための装置。

げきど①【激怒】―する（自サ）爆発するような激しさで怒ること。

げきとう⓪【激闘】―する（自サ）激しく戦うこと。また、その戦い。

げきどう⓪【激動】―する（自サ）〔しばらく静穏であった社会などが〕激しく変動すること。「―期③」

げきどく⓪【劇毒】急激に作用する強い毒。表記「激毒」とも書く。

げきとして①【〈闃として】（副）ひっそりと静まりかえっている様子。「―声無し」

げきとつ⓪【激突】―する（自サ）激しく△突き当たる〔戦う〕こと。

げきは①【撃破】―する（他サ）攻撃して相手をうち破ること。

げきはつ⓪【撃発】弾丸を発射するために、引き金を引いて発射薬に点火すること。「―装置⑤」

げきはつ⓪【激発】―する（自サ）㊀次から次へと事件が起きること。㊁急に激しい感情が起きること。㊂何かがきっかけになって、激しい行動をとらせること。「野党を―させる」

げきひょう⓪【劇評】上演された演劇に関する批評。

げきぶつ②⓪【劇物】人体に対して有害な影響を及ぼす物質。「毒物及び劇物取締法」により規定されている。

げきふん⓪【激憤】―する（自サ）ひどく怒ること。また、その怒り。

げきぶん⓪【〈檄文】げき〈檄〉。

げきへん⓪【激変】―する（自サ）〔状況などが〕急に激しく変わること。表記「劇変」とも書く。

げきむ①【劇務】心身の疲れる激しい仕事が次から次へと出て来て、堪えがたいほど忙しい△勤め〔仕事〕。表記「激務」とも書く。

げきめつ⓪【撃滅】―する（他サ）敵を徹底的に攻撃して、二度と立ち向かえないように負かすこと。

げきやく⓪【劇薬】使用量や使用法を誤ると生命に危険を与える薬。

げぎらい②【毛嫌〈い】―する（他サ）特別の理由なくただ感情的に嫌うこと。

げきりゅう⓪【激流】勢いの激しい流れ。「集中豪雨で橋が―にのまれる／抑えがたき時代の―〔=一個人の力などではどうすることもできない時世の変化〕に翻弄される」

げきりょ①【《逆旅】〔旅客を迎える意〕「旅館」の意の古風な表現。

げきりん⓪【《逆〈鱗】〔竜ののどの下にある逆さのうろこ〕〔「―に触れる」の形で〕△天子〔立場の上の人〕の怒りを受けるような事をする。〔ふだんはおとなしい竜の逆鱗にさわると、怒って必ずその人を殺すという故事に基づく〕

げきれい⓪【激励】―する（他サ）しっかりやれと元気づけること。

げきれつ⓪【激烈】―に／―な 度を越して激しい△様子〔こと〕。「―を極める」派 ―さ⓪④ 表記「劇烈」とも書く。

げきろう⓪【激浪】水運のさまたげになるような激しい波。

げきろん⓪【激論】―する（自サ）互いに一歩も引かずに、議論を戦わすこと。また、その議論。表記「劇論」とも書く。

げくう②【外《宮】伊勢市にある、豊受トヨウケ大神を祭る宮。↔内宮ナイクウ

げげ①【下々】㊀身分の低い人びと。しもじも。㊁ひどく程度が劣っていること。「―の下だ」

げけつ⓪【下血】―する（自サ）種々の内臓疾患のために、肛門コウモンから出血すること。

げげん⓪【化現】―する（自サ）神仏が姿を変えてこの世に現われること。

けげん⓪【〈怪〈訝】―に／―な そんな事が実際に△ある〔あった〕のかというように不思議がる様子。「―な目で見つめられる」

けご①【毛《蚕】卵からかえったばかりのカイコ。

げこ①【下戸】酒の飲めないたちの人。右党。↔上戸ジョウゴ

げこう⓪【下向】―する（自サ）㊀都から地方へ行くこと。㊁神仏にお参りして帰ること。

げこう⓪【下校】―する（自サ）〔児童・生徒が〕学校から帰ること。↔登校

げこく⓪①【下刻】〔昔の時法において〕特定の一時ヒトトキ〔=今の二時間に当たる〕を三等分した最後の四十分間。「丑ウシの―」〔=午前二時二十分から三時まで〕⇩上刻・中刻

げごく⓪【下獄】―する（自サ）裁判で実刑が決まり、牢獄ロウゴクに入ること。

げこくじょう③【下克上・下〈剋上】〔下が上に剋カつ意〕地位・身分が下の立場にある者が、上の人をしのいで勢力をふるうこと。

けこみ⓪【蹴込〈み】㊀玄関の式台前面の垂直の部分。㊁階段の踏み板と踏み板の間の垂直の部分。㊂人力車の足をのせる所。

けこむ②⓪【蹴込む】（他五）「けりこむ」の古風な表現。

けごろも②⓪【毛衣】昔、毛皮や羽根で作った衣服。皮ごろも。表記「〈裘」とも書く。

けごん⓪【華厳】㊀〔↑華厳経⓪〕釈尊が悟りを開いてからの最初の説法をしるしたもの。㊁〔↑華厳宗②〕華厳経によって成立した、仏教の一派。

げこん⓪【下根】〔仏教で〕資質の点で不足しており、仏道修行には向かない者。↔上根

けさ②⓪【〈袈〈裟】〔雑色の意の梵ボン語の音訳〕長短各種の布を縫い合わせて作った、僧のまとう衣服。日本では、左肩から右わき下にかけて衣をおおう、長方形の布をいう。かぞえ方 一枚

けさ①【〈今朝】話をしている、その日の朝。〔副詞的にも用いられる〕「―ほど〔=けさの あの時〕は失礼しました／―の

秋〔=俳句で、立秋の称〕/ー早く出発した」 表記 ⇩付表

げざ①【下座】❶「しもざ」の古風な表現。末座。↕上座 ❷〔芝居で〕舞台の、向かって左方に当たる所。〔狭義では、囃子方(の席)を指す〕 ❸昔、貴人に対して、座を下りて ひれ伏す礼。⇩土下座

げざい⓪【下剤】便通をよくするため、一時的に下痢を起こさせる薬。△くだし(通じ)ぐすり。「ーを△かける(飲む)」

けさがけ⓪【〈袈裟〉懸(け)】❶〔袈裟をかけたように〕一方の肩から他方のわきに物をかけること。❷けさぎり。

けさぎり⓪【〈袈裟〉斬(り)】肩から斜めに斬りおろすこと。けさがけ。

げさく⓪【下作】❷できの悪いもの。↕上作 ❷ーな 下品。

げさく⓪【下策】へたなはかりごと。↕上策

げさく⓪【《戯作》】〔戯れの著作・なぐさみの読み物の意〕江戸時代後期に行なわれた読本・黄表紙・洒落本など、娯楽小説類の総称。「ぎさく」とも。 **ーしゃ**③②【ー者】戯作を作った人。〔広義では、小説家の謙称として用いられる〕

げざん⓪【下山】ーする(自サ) ↕登山 ❶山を下ること。❷寺での修行を終えて家に戻ること。〔❷は、古くは「げさん」〕

けさんかんむり④【〈卦算冠〉】〔「卦算」は横に長くてつまみのある文鎮〕漢字の部首名「亠〔=なべぶた〕」の別称。「けいさんかんむり」とも。

けし⓪【{〈罌粟〉}】庭・畑に栽培される一、二年草。葉は白っぽく、五月ごろ、紅・紫・白色などの四弁の大きな花を開き、散りやすい。種は非常に小さく、あんパンなどに載せる。未熟な実の乳液から「あへん」をとる。〔ケシ科〕 表記「{〈罌粟〉}」は漢語表記。 かぞえ方 一本

けし⓪【〈芥子〉】カラシナの種。ナタネ。護摩をたくのに用いられる。〔種が小さいので前項「けし」と混同が起こりやすい〕 **ーあたま**③【ー頭】けし坊主の頭。 **ーつぶ**③⓪【ー粒】ケシの種。〔非常に小さい物の意にも用いられる〕 **ーにんぎょう**③【ー人形】非常に小さな人形。 **ーぼうず**③【ー坊主】子供の髪型で、まわりを全部そり、中央だけ丸く残したもの。

げし⓪【夏至】二十四(節)気の一つ。太陽暦六月二十二日ごろ。北半球では昼が最も長く、夜が最も短くなる。⇩冬至

げじ①【下知】❶ーする(他サ) さしずや命令(をすること)。

「げぢ」とも。

けしいん⓪【消印】❶〔鎌倉・室町時代に〕裁判の判決(文)。❷郵便局で、郵便物を受け付けたしるしに押す印。〔狭義では、郵便局で、郵便物を受け付けたしるしに押す日付印を指す〕

けしか・ける④【〈嗾ける〉】(他下一) ❶△犬(牛・鶏などの動物)に声をかけたり 態度で示したりして、目標に対して攻撃的な態度を取らせる。「犬をけしかけた悪質ないたずら」 ❷元来その気の無かった本人をうまい言葉で誘ったり 勧めたりして、やる気を起こすように仕向ける。〔多く、好ましくないことをさせようとする意に用いる〕「妹をけしかけて、小遣いをせびらせる」

けしからん④【《怪しからん》】〔「怪しからぬ」の変化〕〔その人の考えている道徳・礼儀などにはずれて〕不都合だ。よろしくない。

けしき①【気色】その人の態度・表情などに現われる、その時の心の状態。「ーありげ〔=何か特別のわけがあるような様子〕/御ー〔=主君の不興・勘当〕を蒙る」 **ーば・む**④(自五) 顔に怒った様子が現われる。

***けしき**①【《景色》】〔「気色」の変化〕観賞に堪える、自然物のながめ。〔直接にはかかわりのない、傍観者の立場からする言葉〕「壮大なーに見とれる/一面の雪ー」 表記 ⇩付表「景色」

けしくち⓪【消(し)口】消火に取りかかるのに有利な場所。「けしぐち」とも。「ーを取る〔=昔の消防組は、他の組に先立って消し口をつくり、纏を立てた〕」

げじげじ⓪③【{〈蚰蜒〉}】〔古称「げじ①」の畳語〕ムカデに似た形の、小さい虫。足は十五対。〔人から忌みきらわれている者の意にも用いられる〕 **ーまゆ**⑤【ー眉】濃くて太い眉(の人)。〔軽い侮蔑を含意することがある〕

けしゴム⓪【消しゴム】鉛筆などで書いたあとをこすって消すのに使うゴム。〔現在はプラスチックなどを材料とするものが多い。俗に、ゴム消しとも言う〕

けしさ・る③【消(し)去る】(他五) 消して、跡が残らないようにする。「記憶をー」

けしずみ⓪【消(し)炭】炎が出なくなるほどよく燃えたたきぎや炭の火を途中で消したもの。火付きがよく、急いで火を起こしたりするのに利用される。

けしつぼ⓪③【消(し)〈壺〉】火が付いているたきぎや炭を入れて、火を消すのに使う壺。消し炭を作るのにも利用される。火消し壺。

けしと・ぶ③【消(し)飛ぶ】(自五) 〔けつまずいて、あらぬ方によろめく意〕❶不可抗力を受けて、思わぬ方に行ってしまう。「竜巻で屋根が消し飛ばされる」 ❷その場をふさいでいたものがどこかへ行ってしまう。「△不安(心配)がー」

けしと・める④【消(し)止める】(他下一) 火が燃え広がるのを消して止める。〔うわさなどが(それ以上)他に広がるのを食い止める意にも用いられる〕

***けじめ**⓪③〔もと、他との比較から帰結される、大小・多少や優劣などの差の意〕そこまでが一方に属し、そこから先は他方に属するという区分。「肉がすっかり溶けて、汁との一〔=区別〕がつかなくなった/一旦遊里に身を置けば、大名 町人のー〔=差別〕は無い」 **【ーを食らう】** 差別待遇を受ける。仲間外れにされる。 **【ーをつける】** 社会的な規範や道義にのっとったりその場その場の状況や置かれた立場にふさわしかったりする行動を取る。「公私のー〔=公私の別をわきまえ、それに ふさわしい行動を取る〕/事故の責任者としてけじめをつけた〔=辞表を出した〕」

げしゃ①【下車】ーする(自サ) 汽車・電車・自動車などの乗り物から降りること。降車。「ー前途無効」↕乗車

げしゅく⓪【下宿】❶ーする(自サ) 一定期間部屋を借りて、(食事の提供も含めて)そこに住むこと。「上京後しばらくは知り合いの家にーする/ー屋⓪〔=副業として下宿を営む家〕・ー先⓪・ー住まい④・ー人⓪」 ❷「下宿屋・下宿先」の略。 かぞえ方 施設については一軒

けじゅす②【毛〈繻子〉】縦に綿糸、横に毛糸を使って織った織物。

ゲシュタポ⓪〔ド Gestapo ← **Geheime Staatspolizei**=秘密国家警察〕ナチの秘密警察。

ゲシュタルト③〔ド Gestalt=形〕〔心理学で〕部分の集合としてではなく、そのもの全体を一つのまとまりのある有機体としてとらえた姿。

げしゅにん⓪【下手人】「人殺しなどの凶悪犯人」の、古風な言い方。

げじゅん⓪【下旬】月の二十一日から月末までの約十日間。⇩上旬・中旬

げじょ①【下女】掃除・洗濯・子守などに雇われていた女性。⇩下男

けしょう⓪【化生】〔仏教で、母胎や卵からでなく、自然に生まれる意〕何かの形を取って現われること。「ーのもの⓪-②〔=化け物〕」

***けしょう**②【化粧】ーする(自他サ) ❶〈(なに ヲ)ーする〉

け

〔身だしなみとして〕ファンデーション・口紅などを付けて、顔を美しく見せるようにすること。「寝―③」❷〔店や景色などが〕装いを新たにすること。「雪―〔=あたり一面の景色が雪でおおわれてきれいに見えること〕・―直し④〔=ⓐ化粧をもう一度整えること。ⓑ改装〕」 表記「仮粧」とも書く。古来の用字は、「気装・仮《借》」。 **―がみ**②⓪【―紙】❶〔すもうで〕力士がからだをふき清めるのに使う半紙。ちからがみ。❷化粧直しに使う、やわらかい紙。 **―した**⓪【―下】おしろいした。 **―しつ**②【―室】❶女性が化粧を直したりするための部屋。❷〔デパートなどで〕トイレの美称。 **―すい**②⓪【―水】化粧下に使う液。 **―だい**⓪【―台】❶鏡と引出しの付いた化粧用の台。 **―だち**⓪【―立(ち)】〔すもうで〕本気で取り組むつもりが無いのに、立ち上がってみせること。 **―だち**⓪【―裁(ち)】製本をしたあと、紙のふちを裁ち落として仕上げをすること。 **―ばこ**②【―箱】❶化粧道具を入れておく箱。❷進物用の品物を入れるためのきれいに飾った箱。 **―ひん**⓪【―品】化粧に用いる、各種のクリーム・おしろい・ほお紅・口紅・香油・香水など。 **―まわし**④【―回(し)】〔すもうで〕十両以上の力士が土俵入りの時に使う、きれいなししゅうなどのある前垂れのようなものがついたまわし。 かぞえ方 一枚

げじょう⓪【下乗】―する（自サ） 馬から降りること。〔狭義では、貴人などに行き会った時や、聖域に近づいて、乗り物や馬から降りることを指す〕

げじょう⓪【下城】―する（自サ） 城から退出すること。 ↕登城

けじらみ②【毛〈虱】からだの毛に寄生するシラミ。

けしん⓪【化身】❶神仏が教化のために人間その他の姿を取り、この世に現われたもの。また、その姿。❷何かの生まれかわり。後身。

げじん⓪【外陣】〔社寺で〕内陣に直接し、それをすわって拝することが出来る所。「がいじん」とも。 ↕内陣

****け・す**⓪【消す】（他五） ❶〈（どこ・なにカラ）なにヲ―／（なにデ）なにヲ―〉Ⓐ今まで目に映じていたものを視界に入らない状態にする。「△痕跡（落書き）を―／火事を―〔=燃焼を止める〕／姿を―〔=その場△から（に）姿を見せなくなる〕」Ⓑ耳や舌・鼻を通して感じられていた音・味・臭いなどを、感じなくさせる。「香をたいて、悪臭を―／毒を―〔=解毒する〕／ホールのざわめきが歌手の声を消して〔=聞こえなくして〕しまった」❷〈なにヲ―〉Ⓐ不要になった時点で、そのものの利用を止める。「△テレビ（電気・ガス）を―」Ⓑ不要な存在として、取り除く。「消し難い汚点／黒板を―〔=黒板に書いてある文字などをふくなどして見えない状態にする〕／邪魔者を―〔=殺す〕」

げす（助動・特殊型）〔「で―」の形で〕「です」より少し丁寧な表現で、江戸時代後期の通人の用語。「そうで―」 文法 断定の助動詞、形容動詞語尾「だ」の連用形「で」に接続する。

げす⓪【下《種】❶身分の低い者。❷品性が劣っていたり能力が不十分であったりする者。「―の後知恵〔=その時は良い考えが浮かばず、事が済んだ後、あの時はああすれば良かったのだなと後で気がつくのが下種の通有性だ〕／―の勘繰り〔=品性の低劣・才能の無さのままに、末梢的な事に気を回したり余計な事を疑ってかかったりすること〕」 表記「下《衆・下《司・下主」とも書く。 **―ば・る**③【―張る】（自五） 卑しい根性をむき出しにする。

***げすい**⓪【下水】❶汚水（と雨水）。下水道に集め流す。❷「下水道」の略。 **―どう**②⓪【―道】下水を集めて（処理し）排水する施設。 ⇩上水道・中水道

けすじ⓪【毛筋】❶一本一本の髪の毛。「―程の事〔=取るにたりない些細な事〕／―程も無い〔=少しもその様子が見られない〕」❷髪をくしけずったあとの筋目。「―の通った髪」 **―たて**③【―立(て)】毛筋を整えるのに使う一種のくし。

ゲスト①〔guest=お客〕正規のメンバーではなく、臨時にその会合や番組に△出席（出演）する人。「本日の―に迎える」 ↕レギュラー

けずね⓪【毛〈臑】毛深い（男性の）すね。 表記「毛〈脛」とも書く。 かぞえ方 一本

けずりかけ⓪③【削(り)掛(け)】木の枝を薄く削り、先を渦状に残した飾り物で、小正月に神仏に供える。〔御幣の古形といわれる〕

けずりぶし⓪【削(り)節】出しを取るために かつおぶしを薄く削ったもの。

****けず・る**⓪【削る】（他五） ❶〈（なにデ）なにヲ―〉刃物などで、物の面を薄くそぎとる。「鉛筆を―／しのぎを―〔=⇩しのぎ（鎬）〕／身を―思い」❷〈（なにカラ）なにヲ―〉全体の形はくずさないようにして、一部分を取り除く。「△予算（支出）を―〔=減らす〕／名簿から名前を―」

けず・る⓪【〈梳る】（他五） くしで髪をすく。

げ・する②【解する】（他サ） 理解する。「解しかねる」

ケセラ セラ②-①、①-①、④〔ス que será, será=「なるようになるさ」の意〕世の中の物事はなるようにしかならないのだという、楽観的とも刹那的とも言える考え方。

げ・せる②【解せる】（他下一） 理解出来る。「解せない話だ」

ゲゼルシャフト④②〔ド Gesellschaft〕共通の利益を中心として結合した社会。利益社会。 ↕ゲマインシャフト

げせわ⓪【下世話】―な 世間で△普通（俗）に言う言葉や話。

げせん⓪【下船】―する（自サ） 船をおりること。 ↕乗船

げせん⓪【下〈賤】―な・―に 身分が低く、教養に欠けている様子。

げそ①〔もと、下足の意という〕すし屋で、「イカの足」の通語。

けそう②⓪【懸想】―する（自サ）（自分の立場を考えずに）異性を恋い慕うこと。〔古風な表現〕「―文②③」

げそく⓪【下足】催し物などに集まった、おおぜいの人が脱いだ履物。「―番⓪③・―札③」

けぞめ⓪【毛染(め)】髪の毛を黒く染めたり または好みの色に染めたりすること。また、その薬品。ヘアダイ。

けた⓪【桁】❶〔家屋・橋などで〕柱と柱を結ぶように渡して、その上に構築する物のささえとする材（木）。❷そろばんのたまを貫く縦の棒。❸Ⓐ〔位取り記数法で〕「位❸」の別称。「十の―／―数が増える／昭和一―生まれ〔=元年から九年までに生まれた人〕／視聴率が二―〔=一〇パーセント以上〕になる」Ⓑ位の個数をかぞえる語。「四―の数〔=数学教育では、『四位数』とも言う〕」 かぞえ方 ❶は一本 **【―が違う】**〔二つ以上の量を数値で表わした時に△最高位の桁（桁数）が異なる意〕あまりにも差がありすぎて比べものにならない。「東京と地方とでは、地価の―」〔多くの場合、数量のはるかに多い方や段違いにすぐれている方を主語にする。例、「プロの棋士の力はアマチュアとは―」〕

***げた**⓪【下《駄】❶厚手の板をくりぬいて 歯を作りつけ、鼻緒をすげた履物。「からころと―の音を立てて歩く／―をはかせる〔=実際の価格・評価・点数よりも高く付けるようにする〕／勝負事は―をはくまで〔=どう決着がつくか最後の最後まで〕分からない／…に―を預ける〔=最終的な処理を一任する〕」❷〔文字組版で〕「〓」の形の符号。ふせじ。〔かつて

活版組版で必要な活字が無い場合などに、仮にその字数の分だけ活字をさかさにして入れておいて刷ったもの〕 かぞえ方 ❶は一足 **ーばきじゅうたく**⑤【ー履(き)住宅】 一階が商店や事務所で、二階以上が住宅になっている建物。

けたい⓪【〈懈怠】ーする(自サ) 「なまける」意の古風な表現。〔古くは「けだい」、法令用語としては「かいたい」〕「ーが生じる/ーを恥じる」

げだい⓪【外題】❶表紙に書いてある書名。↕内題 ❷〔芝居などの〕標題。題号。

けたお・す③⓪【蹴倒す】(他五) ❶足で蹴って倒す。❷〔借金を〕踏み倒す。

けだか・い③【気高い】(形) 〔家柄の良さなどを感じさせる〕持って生まれた気品があり、安易には近づきがたい印象をいだかせる様子だ。派 ーさ③②

けつ

【欠】 ⇩(本文)けつ【欠】

【穴】 ❶あな。「穴居・虎穴・墓穴」 ❷鍼や灸をする身体の要所。「経穴・灸穴」 ❸たこ焼・たい焼・今川焼などを作るプレートの、材料を流し込む窪みをかぞえる語。 ⇩(本文)けつ【穴】

【血】 ❶ち。「血液・血管・血圧・流血・輸血」 ❷血のつながりがある。「血統・血族・純血種」 ❸血の出るほど△きびしい(はげしい)。「血戦・血路・血涙・血気」

【決】 ❶最終的に△きめる(きまる)。「決着・決定・決心・解決」 ❷切れる。破れる。「決河・決壊・決裂」 ❸思いきってする。「決行」 ⇩(本文)けつ【決】

【〈訣】 ❶別れる。「訣別・永訣」 ❷おくのて。「秘訣・要訣」

【結】 ❶むすぶ。一つに△まとめる(まとまる)。「結合・結束・結婚・結集・連結・締結」 ❷終わる。まとまりをつける。「結末・結局・終結」 ❸〔漢詩の〕第四句。「起承転結」

【傑】 とびぬけて、すぐれている(もの)。「傑作・傑出・豪傑・女傑・英傑・怪傑・十傑」

【潔】 よごれが無く、清い。「潔白・潔癖・潔斎・清潔・純潔・簡潔・高潔・廉潔」

けたぐり⓪【蹴手繰(り)】〔すもうで〕立合いの瞬間などに体を開いて、自分の△右足(左足)で、相手の△右足(左足)の内くるぶしのあたりを蹴りながら、前へ引くか、はたくかして倒すわざ。動 蹴手繰る⓪(他五)

けたけた①(副)ーと 突拍子もなく甲高い声で笑う様子。〔強調表現は「げたげた」〕

げたげた①(副)ーと あたりをはばからずに、大きな口をあけて、下品な笑い方をする様子。

けだし①【《蓋し】(副) 次に述べることは的を射た判断であると、確信をいだいている意を表わす。〔漢文訓読に基づく語。やや古風な表現〕「ー最適任者と言うべきだろう/ー名言だ」

けだし⓪【蹴出(し)】〔和装で〕腰巻の上に重ねて着るもの。すそよけ。

けだ・す⓪②【蹴出す】(他五) 足で蹴って出す。〔費用を節約して余りを出す意にも用いられる〕

けたたまし・い⑤(形) 突然、接する人を驚かすような高い音や声が聞こえてくる様子だ。「ー叫び声/けたたましくサイレンを鳴らして走るパトカー/ーモズの声」派 ーさ⑤④ ーげ⑤⑥⓪

けたちがい③【桁違(い)】■一 位取り△が違う(を間違える)こと。■二ーな ーに 比較にならないほど ひどく違うこと。「相手の実力はこちらとはーだ」

げだつ⓪【解脱】ーする(自サ) 〔仏教で〕❶悟りを開き、煩悩と業の束縛からのがれること。❷「涅槃」の別称。

けた・てる③⓪【蹴立てる】(他下一) △勇ましく(元気よく)進んで、波や土煙などを起こす。「席を蹴立てて帰る」

けたはずれ③【桁外(れ)】ーな ーに 常識ではとうてい考えられないほど程度がはなはだしいこと。「ーに雄大なスケールのドラマ/ーの安値」

けだま⓪【毛玉】 メリヤスや編物の毛の一部が寄って、小さな玉のようになったもの。「ーが出来る」

けだもの⓪【《獣】 全身毛でおおわれ、四足で歩く哺乳動物。〔「けだもの同様に本能のままに行動する人間」の意で、欲望むき出しの人や義理・人情をわきまえない人をののしっても言う〕

けたゆき⓪【桁行(き)】 家の桁の通っている方向の長さ。

けだる・い③⓪【気《怠い】(形) 〔熱があったり 過労であったりして〕からだ全体がなんとなくだるい。派 ーさ③⓪② ーげ⓪④

げだん⓪【下段】❶〔幾つかある段の〕下の(方の)段。❷△刀(やり)の先を下げて低く構えること。⇩上段・中段

***けち**① ■一【〈〈吝嗇〉〉】ーな ーに ❶必要以上に物やお金を惜しむ△こと(人)。「大事なお祝いの会なのにーなことばかり言っている/あんなーは見たことない」 ❷価値の無い、卑しい様子だ。「ーな(=さもしい)根性/ーな(=ちっぽけな)家柄。」派 ーさ②⓪ ■二悪い事が起こるような予感をいだかせる事柄。「ーがつく(=何かをしようとする矢先に、いやな事が起こって、先の見通しが悪くなる)/ーをつける(=ⓐけちがつくような事を言ったりしたりする。ⓑ相手のあら捜しをして非難めいたことを言う)」

けちえん⓪【《結縁】 仏道に入り、やがて往生することが出来るきっかけを得ること。「けつえん⓪」とも。

けちがん⓪【《結願】 満願。「けつがん⓪②」とも。

けちくさ・い④【〈〈吝嗇〉〉臭い】(形) ❶いかにもけちだ。❷あえて取り上げるに値しないほど瑣末な様子だ。「そんなーことにかかわっている暇はない」

けちけち①(副)ーと ーする 何事にもけちな様子。「ーするな/ーせずに払うものは払え」

ケチャップ②①〔ketchup〕〔煮た〕野菜や果物などを裏ごしした後、煮つめて味をつけた調味料。〔狭義では、トマトケチャップを指す〕

けちょんけちょん⓪(副)ーに 徹底的にやっつける様子。「ーにけなす/彼にかかったらあの名作もーだ」

けちら・す⓪③【蹴散(ら)す】(他五) ❶足で蹴って散らす。❷追い散らす。〔強調表現は「蹴散らかす④」〕

けち・る②(他五) 〔「けち」を動詞化〕「出し惜しむ」意の口頭語的表現。「修理代をけちって映りの悪いテレビを使い続ける/フィルムをー」

けちんぼう②①【けちん坊】ーな ーに 何事につけてもけちに徹している△人(様子だ)。「けちんぼ①」とも。

けつ (欠・穴・血・決・〈訣・結・傑・潔) →【字音語の造語成分】

けつ①【欠】❶欠けること。「五名のー/ー(=欠けた所)を補う/ー如・ー損・ー乏・補ー・完全無ー」 ❷欠席。「出ー」 ❸欠乏。「ガスー・金ー状態」

けつ⓪【《尻・穴】❶尻。「ーをまくる(=居直る)/ーの穴

の小さい〔=度量の狭い〕奴だ/―めど[0]〔=尻の穴〕」❷序列の最後。びり。「―から三番目」〔❶❷とも俗語的表現〕⇩【造語成分】

けつ[1]【決】 論議した末、その結論についての可否を決めること。「―をとる/―を下す〔=決定する〕/可―・採―」⇩【造語成分】

げつ(月)→【字音語の造語成分】

けつあつ[0]【血圧】 血管内の血液の圧力。〔普通、心臓から血を送り出す時の最大血圧を指す〕「高―・低―・―計[0]・―低下[0]-[0]・―降下剤[7][0]」

***けつい**[1]【決意】―する(自他サ)〈なにヲ―する/なんだト―する〉 自分のとるべき行動・態度などをはっきりさせ、その通り実行しようと心に決めること。また、その気持。「辞任の―が堅い/―を固める/強い―を打ち出す/△移住(結婚)を―する/―表明[4]」

けついん[0]【欠員・〈闕員】 定員に足りない△こと(人数)。「―が出来る/―を補充する」

げつえい[0]【月影】 「月かげ」の漢語的表現。

けつえき[2][0]【血液】 「血」の医学・生物学的表現。「―製剤[5]」 かぞえ方 一滴 **―がた**[0]【―型】 血球の凝集状態によって分けた、血液の型。O・A・B・AB・Rhマイナスなどの型。 **―ぎんこう**[5]【―銀行】 「血液センター」の旧称。 **―センター**[5] 急ぎの輸血に備えて、各血液型の血液を貯蔵しておく施設。

けつえん[0]【血縁】 実の親子・兄弟のように血のつながりがある関係(の人)。血族。「―関係[5]」⇩地縁

げつおう[0]【月央】〔取引で〕月なかば。

けっか[0]【欠課】―する(自サ) 〔学生・生徒が〕その時間の授業に欠席すること。

けっか[1]【決河】 大水で、河水が堤を切ってあふれ出ること。「―の〔=激しい〕勢い」

****けっか**[0]【結果】―する(自他サ) ❶〈なにヲ―する〉Ⓐ何かが△もと(きっかけ)になって、新たな状態が出現したり最終的な判断が得られたりすること。また、その状態や判断。「乱開発が思わぬ災害を―する/不幸な―を招く/よい―を生む/意外な―が出る/調査の―をまとめる」Ⓑ接続助詞的用法。「いろいろ考えた―辞退することにした」↕原因 ❷植物が実を結ぶこと。また、その結んだ実。「リンゴの―期」 文法 ❶Ⓑで、接続助詞的な用法は「○○法案は審議未了となった」などと「その結果」の形で副詞的に用いられることもある。また、単に「…。結果、…」の形で副詞的に用いられることもある。 運用 ❶について。出現した状態には、本来望ましいものと望ましくないもののどちらもあるが、「結果△を出す(が出る)」などの形で、成果の意に用いられることもある。例、「どんなに練習しても、本番で結果を出さなければ評価してもらえない」 **―オーライ**[4] 物事の過程で不利な事態が生じるが、最終的には良い結果が得られること。「交渉相手とはかなり険悪になったが、―だ」 **―てき**[0]【―的】―に 一連の事柄について結果の面から判断を下す様子だ。「―にはそれがよかった」 **―ろん**[3]【―論】 結果の面だけを取り上げてそのことの是非を論じようとする考え。↕動機論

げっか[1]【月下】 月の光のさしている所。「―(の)美人〔=サボテンの一種で、夏の夜まっ白で大輪の花が咲き、数時間でしぼむ〕」 **―ひょうじん**[1]-[0]、[4]【―氷人】 「なこうど」の意の、古代中国の故事に基づく表現。

げっか[1][0]【激化】―する(自サ) ⇩げきか

けっかい[0]【血塊】 (体外に出て)固まった血。

けっかい[0]【決壊・決潰】―する(自他サ) ❶堤防などが崩壊すること。❷切り崩すこと。「堤防を―する行為」

けっかい[1][0]【結界】〔仏教で〕❶僧の修行のために一定区域を制限すること。❷魔物を入れないために印を結び、真言を唱え、法を守ること。「―を張る」❸禁制。「女人―」

けっかく[0]【欠画・〈闕画】 漢字の字画の一部を省くこと。特に、昔、中国で、天子などの名と同一の字を書くのを避けるために行なわれた。

けっかく[0]【欠格】 必要な資格が無いこと。↕適格

けっかく[0]【結核】 結核菌によって起こる病状の総称。〔狭義では、肺結核を指す〕 **―きん**[0]【―菌】 結核を引き起こす細菌。酸や温度変化などに対する抵抗力が強く、感染しやすい。抗酸性菌。

げつがく[0]【月額】〔収入や支出の〕毎月の金額。

けっかふざ[1]-[1]、[4]【結〈跏趺坐〉・結〈跏趺〉座】 仏像などに見られるすわり方。あぐらをかき、足の裏を上に向け右足首を左ももに、左足首を右ももにのせて組む。〔座禅の時のすわり方も同じ〕

けつか・る(補動・五型) 「いる」「ある」の意に、ののしりの気持をこめた言い方。「見て―/書いて―」

けっかん[0]【欠巻】〔一そろいの本や雑誌の〕どこかの部分が欠けていること。また、その欠けた部分。

***けっかん**[0]【欠陥】 構造上・機能上不十分で、致命的な事故などを誘発しかねない短所。「教育界の―を鋭く衝く/―を△補う(是正する)/―車[3]・―商品[5]」

けっかん[0]【血管】 からだの中をめぐる血液を通す管。動脈と静脈から成る。かぞえ方 一本

けつがん[2]【〈頁岩】 粘土質から成る堆積岩。薄い板状にはがれやすい。泥板岩。「油母―」

げっかん[0]【月刊】〔週刊・季刊などと違って〕毎月一回、定期的に刊行すること。また、その刊行物。

げっかん[0]【月間】(特別な行事などの行なわれる)一か月間。⇩週間・旬間

けっき[1][0]【血気】(青年らしい)向こう見ずの意気。「―にはやる〔=向こう見ずに勢いこんで、事をする〕/―盛んだ」 **―ざかり**[4]【―盛り】 若くて元気に満ちみちた年ごろ。 **―のゆう**[1]-[1]、[0]-[1]【―の勇】 血気に任せた向こう見ずの勇気。

けっき[1]【決起・〈蹶起】―する(自サ)〔現状を改める意図で〕決意も新たに困難を排除して行動に立ち上がること。「民衆が―する/国民総―集会[0]-[6]」

***けつぎ**[1]【決議】―する(他サ)〈なにヲ―する〉 会議・大会などで、ある事柄を決めること。また、その決めた事柄。「―を行なう/ストライキを―する/―案を採択する/―文[3][0]」

けっきゅう[0]【血球】 血液中の球形の成分。「赤―」

けっきゅう[0]【結球】―する(自サ) キャベツなどの葉が重なり合って球状になること。また、そうなったもの。「―白菜[5]」

げっきゅう[0]【月給】〔週給・日給と違って〕毎月支払われる決まりになっている給料。サラリー。「初―[3]・―取り[3]〔=サラリーマン〕」

げっきゅうぎ[3]【月球儀】〔「儀」は模型の意〕月の模型。

けっきょ[1]【穴居】―する(自サ) ほら穴の中に住むこと。「―時代[4]」

***けっきょく**【結局】 ━[4][0]〔囲碁で〕一局打ち終えること。━[0](副) 次に述べるところが、いろいろの経緯の末に至りついた最終的な局面と言える様子。〔「―の」「―は」など名詞用法のアクセントは[4]〕「―うやむやに終わった/―(のところ)そういうことになるか/―はだれも行かなかった」

けっきん[0]【欠勤】―する(自サ) 勤めを休むこと。↕出勤❷

げっきん⓪【月琴】糸が四本で、琴柱が八つある、円形の中国伝来の弦楽器。かぞえ方 一台

けっく【結句】[一]⓪ 詩歌を構成する句のうち、末尾のもの。〔狭義では、漢詩で、絶句などの第四句を指す。⇩起句・承句・転句〕 [二]①⓪(副)「結局[二]」のやや古風な表現。

けづくろい②【毛繕(い)】動物が手足・口などを使って、毛やからだの部分を手入れすること。グルーミング。〔他の個体に対して行なうものをも指す〕

げっけい⓪【月計】毎月の収支の合計。

げっけい⓪【月〈桂】「月桂樹」の略。 **―かん**③【―冠】〔古代ギリシャで〕競技の優勝者にかぶらせた、ゲッケイジュの枝葉で作った冠。〔一番名誉ある地位の意にも用いられる〕 **―じゅ**③【―樹】❶クスノキに似た常緑高木。春、薄黄色の小さな花をつける。実は暗褐色で、種はエンドウ大。〔クスノキ科〕 ❷「月桂樹❶」の葉を乾燥させた香辛料。煮込み料理などに用いる。ローリエ。ローレル①。ベイリーフ③。かぞえ方 ❶は一株・一本。❷は一枚

げっけい⓪【月経】生殖器の成熟した女性の子宮に定期的に起こる生理的出血。また、その血。生理。メンス。「―不順⓪-⓪、⑥・―痛⓪③」

げっけいうんかく⓪-⓪、⑤【月〈卿雲客】公卿と殿上人の称。

けっけいもじ⑤【〈楔形文字】⇩くさびがたもじ

げっけん⓪【撃剣】刀剣や竹刀・木刀で相手を攻め自分を守る術。「げきけん」とも。「―興行⑤」

けつご①⓪【結語】❶〔文章や話の〕結びの言葉。結言。❷手紙の文言の締めくくりとして書く、形式的な表現。〔一般的には「不一」「不乙」とか、「敬具」「草々」を、特に女性は「(あらあら)かしこ」などを用いる〕

けっこう⓪【欠航】―する(自サ)〔フェリーや飛行機が〕悪天候や事故のため、定期の運航をやめること。

けっこう⓪【欠講】―する(自サ) ❶受講生が受けるべき講義を欠席すること。❷休講。

> **げつ**
> 【月】[一]❶「つき❶」。「月光・満月」 ❷毎月の。「月給・月額・月刊」 ❸「つき❷」。「四か月」 [二](略) 月曜日。

けっこう⓪【血行】血液の循環。「―を盛んにする/脳内の―を良くして血液や栄養を供給する脳循環改善剤/―を△促進(改善)する/―が△止まる(滞る・妨げられる)/―障害⑤・―不全⑤」

けっこう⓪【決行】―する(他サ)(悪条件でも構わず)予定通りに思い切って行なうこと。「雨天でも―する/ストを―する」

***けっこう**【結構】[一]⓪ 建物などについて、全体の構成をどうするか、どこをどのように強調するかなどの、全体の組立て(についての計画)。「―に趣向を凝らす/文章の―」 [二]①―に ―な ❶〔相手側に関係する事柄について〕非難すべき点は何も無いと評価する様子だ。「働かないでも暮らせる―な(ご)身分だ/―なお住まいですね/お元気で―です/―ずくめ⑤」 ❷現在の状態で十分満足しており、これ以上を必要としない様子だ。「欲を言えばきりが無いが、今のままで―だ」 派 **―さ**⓪③ [三]①(副) 経験や先入観から予測していたよりも程度が△高い(はなはだしい)様子。「古い機械だが―役に立つ/この料理は値段の割に―うまい/簡単そうで―手間のかかる仕事なのだ」

運用 (1)[二]❶は、「結構な…」の形で、皮肉な気持をこめて「評価するに値しない」の意で用いられることもある。例、「だれの言うことにも、はいはいと言う結構なお人柄だ」 (2)[二]❷について。もう十分に満足したという気持を込めて、相手の申し出などを丁寧に断わるのに用いられることがある。また、何らかの理由で、相手からの勧誘や協力の申し出などを拒否するのに用いられることもある。前者の例、「十分いただきました。もう結構です」。後者の例、「せっかくのお誘いですが、わたくしは結構です/無理においでいただかなくても結構です」

けつごう⓪【欠号】逐次に刊行△された(されるはずの)雑誌などの、その号が欠けていること。また、その号。

けつごう⓪【結合】―する(自他サ) 一つに結び△合う(合わせる)こと。「―体⓪」 **―そしき**⑤【―組織】からだの中の諸部分を連結・保護する組織。例、腱。

げっこう⓪【月光】月の光。月影。「―が射し込む/―を浴びる」

げっこう⓪【激〈昂・激高】―する(自サ) ⇩げきこう

けっこく⓪【欠刻】❶欠けた△こと(所)。❷葉の周囲の切れ込み。刻み。

けっこん⓪【血痕】血の付いたあと。

****けっこん**⓪【結婚】―する(自サ)〈だれト―する〉(正式の)夫婦関係を結ぶこと。〔法律的には婚姻と言う〕「幼なじみと―する/―式③・恋愛―⑤・見合い―④」

けっさい①【決済】―する(他サ) ❶金銭上の債権・債務を精算すること。❷代金の受け渡しをし、売買取引を終えること。

けっさい①【決裁】―する(他サ) 権限を持つ者が、部下の出した案の可否を決めること。「部長の―をもらう/未―②」

けっさい①【潔斎】―する(自サ)〔神仏をまつる前に〕酒・肉などを断ち、行いを慎み、心身を清めること。「精進―」

けっさく⓪【傑作】[一]すぐれた出来ばえ(の作品)。 [二]―な ―に 当人は大まじめでしているのに、他から見ると、とっぴで珍妙だと思われる様子だ。〔軽い皮肉を含意して言う〕「本気で賞をねらうとは―だ」

けっさつ⓪【結〈紮】―する(他サ)〔「紮」は、くくる意〕〔外科の手術で〕血管などを縛ること。

けっさん①【決算】―する(自サ) ❶最終的な勘定(をすること)。❷一定期間内の収支の総計算(をすること)。「―期③・―報告⑤・―セール⑤〔=決算の直前に売り上げを伸ばしたり 在庫を減らしたり するために行なう安売り〕」

げっさん⓪【月産】一か月の生産高。「―二百台」

けっし⓪【決死】最悪の場合には死んでもやむを得ないと決心して△いる(何かをする)こと。「―の覚悟」

けつじ⓪【欠字・〈闕字】❶本来△書かれ(印刷され)てあるべき文字が欠けていること。また、その字。❷昔、天皇や将軍に敬意を表わすため、名前などの上を約一字分あけて書いたこと。⇩平出

げつじ⓪【月次】〔一か月を単位として行なう物事について〕毎月(の)。「―計画④」

けっしきそ④③【血色素】赤血球に含まれている、赤色の色素。ヘモグロビン。血紅素③。

けつじつ⓪【結実】―する(自サ) ❶〔植物が〕実を結ぶこと。❷努力したかいがあって、りっぱな結果が現われること。「△夢(指導・思い)が―する」

****けっして**⓪【決して】(副)〔否定表現と呼応して〕その事を強く否定したり 禁止したり する意を強調する語。「―不自然ではない/彼は―怒らない/―許さないぞ/―忘れてはならない」

けっしゃ①【結社】何人かの人が共同の目的のためにつくった団体。「―の自由/政治―・秘密―④」

げっしゃ[0]【月謝】〔学校や塾などに払う〕毎月の△謝礼（授業料）。

けっしゅ[1][0]【血腫】出血によって血が体内の表面近くにたまった状態。

けっしゅう[0]（シフ）【結集】─する（自他サ）△一か所に集めて（共同の目標のために協力させて）、強力に何かを推し進めること。「（再）─を図る／△総力（叡知（エイチ））を─する」〔古くは「けつじゅう」。釈尊の滅後、弟子たちが集まって師の教えを整理したことを指した〕

げっしゅう[0]（シウ）【月収】〔年収・日収などに対して〕毎月の収入。

けっしゅつ[0]【傑出】─する（自サ）〔学問・見識・才能・技芸が〕同類の中でずばぬけてすぐれていること。「─した学者」

けっしょ[1][0]【血書】─する（自サ）〔決意を示すために〕自分の生（マ）血（ナ）で文字を書くこと。また、その文字や文書。

けっしょ[0]【〈闕所】〔もと、領主の居ない荘園（ショウエン）の意〕江戸時代、追放以上の刑に付加された刑罰。所領・財産を没収したこと。

けつじょ[1]【欠如・〈闕如】─する（自サ）本来あることが期待される物事が欠けて足りないこと。「△国際感覚（認識・モラル・想像力）の─」

けっしょう[0]（シャウ）【血〈漿】血液中の液体の成分。

***けっしょう**[0]（シャウ）【決勝】〔競技などで〕最終的に勝負を決めること。「─戦[3]・準─」 **─てん**[3]【─点】勝負を決めることになる△到達点（得点）。「─をあげる」

***けっしょう**[0]（シャウ）【結晶】─する（自サ）❶固体物質が規則正しい平面で囲まれて、内部の原子配列が規則正しいこと。また、その物質。「塩分が─する／雪の─／─体[0]」❷努力することによって得られた成果。「今回の優勝は全部員の血と汗の─だ／愛の─〔＝⇩愛〕」

けつじょう[0]（チャウ）【欠場】─する（自サ）〔演技・競技などをするために〕来るはずの場所に来ないこと。↕出場

けつじょう[0]（ジャウ）【結縄】文字の無かった時代、なわの結び方で互いに意思を伝え合ったこと。また、そのための縄。

けつじょう[0]（ジャウ）【〈楔状】くさびがた（のもの）。「─文字[5]〔＝くさび形文字〕」

げっしょう[0]（シャウ）【月商】〔年商・日商などと違って〕毎月の商取引の総額。「─五百万円」

けっしょうばん[0]（セウ）【血小板】血液中にあって、血液を固まらせる働きをもつ成分。

けっしょく[0]【欠食】─する（自サ）（食べ物が手に入らないなどの事情で）満足に食事をしていないこと。「─児童[5]」

けっしょく[0]【血色】〔血行による〕顔の色つや。「─が△良い（悪い）」

げっしょく[0]【月色】「月の光」の意の漢語的表現。

げっしょく[0]【月食・月〈蝕】太陽と月の間に来た地球の影が月を隠す現象。部分的に隠すのを部分（月）食、全部隠すのを皆既（月）食と言う。

げっしるい[3]【〈齧歯類】齧歯目の哺乳類の総称。門歯は上下一対（イッ）で終生伸び続け、のみ状にとがり、堅い実や種子をかじるのに適する。リス・ネズミ・ヤマアラシなど。

****けっしん**[1]【決心】─する（自他サ）〈なにヲ─する／なんだト─する〉どんなに苦しくてもそうしようと、心を決めること。また、そう心に決めたこと。「留学△を（しようと）─する／─が つく」

けっしん[0][1]【結審】─する（自サ）〔訴訟の〕審理を終わること。

けつじん[0]【傑人】余人には及びもつかない大規模な計画を企て、かつ実行する人。

けっ・する[0][3]【決する】（自他サ）❶堤の切れた所から水が流れ出る（ようにする）。❷決まる。また、決める。「運命が─／意を─／進退を─」決す[0]（五）。

けっ・する[0][3]【結する】（自サ）大便が出なくなる。秘結する。

けっせい[0]【血清】血液が固まる時に分離する、黄色みを帯びた、澄んだ液。「─肝炎[5]」

***けっせい**[0]【結成】─する（他サ）〈なにヲ─する〉何人かの人が集まって、目的に沿った活動の出来る組織を作りあげること。「新党を─する」

けつぜい[0]【血税】❶明治時代、兵役義務の称。❷（血のにじむような）労働で得た収入に課せられる税。〔本来は、誤用に基づく〕

げっせかい[3]【月世界】そこに何かがあると期待され続けてきた、月の世界。「─探検[6]」

***けっせき**[0]【欠席】─する（自他サ）〈なにヲ─する／なにニ─する〉出るべき会合などに出ないこと。〔狭義では、学生・生徒が学校を休むことを指す〕↕出席 **─さいばん**[5]【─裁判】被告人が法廷に出ないため、本人の居ない状態で行なう裁判。〔広義では、本人の居ない所で、その人に不利なことを決めてしまうことを指す〕

けっせき[0]【結石】体内の種々の臓器内に病的に生じる、豆粒ぐらいの固形物。「腎（ジン）─[3]・膀胱（ボウコウ）─[5]」

けっせつ[0]【結節】❶つなぎ目。「昭和文学の─点〔＝結び目にあたる所。ノット〕」❷炎症などによって、からだの部分に出来る ぐりぐりや豆粒大に はれたもの。

けっせん[0]【血栓】血管内に生じた血液のかたまり。「脳─」

けっせん[0]【血戦】─する（自サ）（血みどろになって）激しく戦うこと。「─数合[0]-[0]」

けっせん[0]【決戦】─する（自サ）最後の勝敗を決めるために戦うこと。また、その戦い。「天下分け目の─」

けっせん[0]【決選】❶本選。❷〔↑決定選挙〕二人以上の高点者の中から最終的に一人を選挙によって決定すること。「─投票[5]」

けつぜん[0]【決然・〈蹶然】─たる ─と どのような事態になろうと、恐れない覚悟を決める様子だ。

けつぜん[0]【〈蹶然】─たる ─と △急に（勢いよく）立ったりはね起きたりする様子だ。〔それまで、目立った動きを見せなかった人が、心を決めて行動に移る様子の意にも用いられる〕

けっそう[3]（サウ）【血相】〔怒りや不安・恐怖などで変わる〕顔色。「─を変えて おこる」

けっそう[0]【傑僧】他の者から見て、悟りを開いているのではないかと感じられるほど、徳の高い僧。

けつぞう[0]（ザウ）【結像】─する（自他サ）〔物理学で〕ある物体から出た光線が、反射屈折して再び集まり、物体に相似な像を作ること。「─面[3]」

けっそく[0]【結束】─する（自他サ）❶一まとめに束ねること。「─バンド[5]」❷何かの目的に向かって おおぜいの人が統一行動をとるように 心を固めること。「─を△図る（強める・弱める）／─が堅い」

けつぞく[2][0]【血族】血統の続いた親族。「─結婚[5]」

げっそり[3]（副）─と ─する 見た目に明らかなほど（急に）やせる様子。〔広義では、期待に反するなどして「がっかりする」意にも用いられる〕「頰（ホオ）の肉が─（と）こけた／─やつれる」

けっそん[0][1]【欠損】─する（自サ）機能が喪失したり 数量が不足したり すること。「決算上の─〔＝損〕／─が出る／質量─[5]」

ゲッター[1]〔getter〕真空管内の△残留（放出）ガスを吸収し、真空度を高め保持する金属材料。

けったい[1] ─な ─に 奇妙な様子だ。〔もと富山・岐阜から中国・四国までを中心とする方言で、「希代（ケタイ）」の変化とも、「卦

体(タイ)」の変化ともいう)「—な話」 派 —さ⓪③

けったい⓪【結滞】—する(自サ) 拍動が一時的に止まったりして、不規則になること。

けったく⓪【結託】—する(自サ) 〔悪い事に関して〕心を通じ合い、力を合わせること。「御用商人と—する/—政治⑤」

けったん⓪【血△痰】 血液の交じった痰。「—が出る」

*__けつだん__⓪【決断】—する(自他サ) 〈なにヲ—する/なんだト—する〉 なすべき行動やとるべき態度などを、迷わずに決めること。また、その決めた事柄。「—を△下(ダク)す(迫られる)/かなりの—を要する/—力③」

けつだん⓪【結団】—する(自他サ) 何かの目的で、人びとが集まって、〔一時的に〕団体を結成すること。「—式③」↕解団

げったん⓪【月旦】 〔昔中国で、後漢の許劭(キョショウ)が毎月一日に郷党の人物評をしたことから〕人物批評。「—評⓪③」

*__けっちゃく__⓪【決着】—する(自サ) 〈(なにニ)—する〉 (いろいろな曲折を経た末に)物事の決まりがつくこと。「—を△つける(見る)/問題に—がつく」 表記 「結着」とも書く。

けっちょう①⓪【結腸(チヤウ)】 大腸の中で、直腸・盲腸を除いた主要部分。

けっちん⓪【血沈】 「赤血球沈降速度」の略。

ゲッツー③〔get two〕〔野球で〕ダブル プレー。

**__けってい__⓪【決定】—する(自他サ) 〈(なにヲ)なにニ・だれニ—する〉 そうすることに△決める(決まる)こと。また、その事柄。「会場は京都に—した/重要な—を行なう/△認可(棄却)の—を下(ダク)す/—権を持たない代表/—事項⑤・未—②・—づける⑥」 —こう③⓪【—稿(カウ)】 最終的に完成した原稿。↕未定稿 —てき⓪【—的】—な・—に ❶そうなることが(ほとんど)確実である様子だ。「我が軍の勝利は—だ」 ❷そのことの実現が疑いない事実であるととらえられる様子だ。「犯行の—な場面を目撃した/—瞬間」 —ばん⓪【—版】 修正を要しない正確な書物・出版物。〔同種の物の中で、一番質のよい品の意にも用いられる〕 —ろん③【—論】 人間の意志や行為が、何かの原因によって、前もって決められているという考え。⇩懐疑論

*__けってん__③【欠点】 ❶③ 不十分なため、補わなければならない箇所。短所。「—が△ない(鼻につく)/—を△直す(補う)」↕美点 ❷③⓪ 〔学校の成績で〕落第点。

ケット①⓪ ブランケットの略。毛布。「赤—(ゲット)」

ゲット①—する(他サ)〔get〕 ❶〔バスケットボール・アイスホッケーなどで〕得点を上げること。 ❷〔若者言葉で〕欲しいものを手に入れること。

けっとう⓪【血統】 祖先からその者にまで流れている、血のつながり。「由緒ある—を汚す(=汚点を残す)行為/—上親子でないことが分かった」 —しょ⑤⓪【—書】 その飼育動物の(よい)血統を証明するための書類。父・母の名を何代か前まで列記する。

けっとう⓪【血糖(タウ)】 血液中に含まれる△糖類(ぶどう糖)。「—値(チ)③(=血糖の量)」

けっとう⓪【決闘】—する(自サ) 恨み・争論などを解決するために、日時場所を取り決め、一対一で生命のやりとりをして勝負を決すること。「—状⓪」

けっとう⓪【結党(タウ)】—する(自サ) 政党などの党派を結成すること。↕解党

ゲットー①〔ghetto〕 ❶ユダヤ人の住む地区。ユダヤ人地区。 ❷〔アメリカで〕特定の少数の△人種(社会集団)の住む地区。「黒人—⑤」

けとばす④⓪【蹴っ飛(ば)す】(他五) 「けとばす」の口頭語的な強調表現。

げつない②【月内】 △その(この)月のうち。

けつにく⓪【血肉】 ❶親子・兄弟など、血のつながった一族。骨肉。「—の間柄」 ❷生身の人間や動物のからだを動かすもとになっている血や肉。 —か⓪【—化(クワ)】—する(自サ) 新たに取り入れた知識や思想などを十分に消化し、違和感のないものにすること。「—したデモクラシー」

けつにょう⓪【血尿(ネウ)】 血液が交じった小便。

けっぱい⓪【欠配】—する(自他サ) ❶主食などの配給が欠けること。 ❷給与の支給が欠けること。

けっぱく⓪【潔白】—な・—に 心や行いが正しくて少しもやましいところが無い様子だ。「身の—を証明する/清廉(セイレン)—⓪-⓪」 派 —さ⓪

けっぱつ⓪【結髪】—する(自サ) 髪を結うこと。〔昔は、元服する意にも用いられた〕

けつばん⓪【欠番】 その番号に当たるところが欠けていること。また、その番号。「永久—⑤」

けっぱん⓪①【血判】—する(自サ) 誓書などにそむかないという決意を形の上で示すために、自分の小指などから採った生(ナマ)血で印を押すこと。また、その印。「—状⓪」

けつび①【結尾】 物語などの筋がそこで結ばれる、終りの部分。

けっぴょう⓪【結氷】—する(自サ) 氷が張ること。また、その氷。

げっぴょう⓪【月表(ペウ)】 一月ごとに記録する表。

げっぴょう⓪【月評(ピヤウ)】 新聞・雑誌などで、定期的に載せる文芸時評や社会時評。過去一か月を、取り扱う範囲とする。

けつびん⓪【欠便】 航空機・船・バスなどの定期便が△運航(運行)中止になること。また、その便。

げっぷ③⓪ 〔もと、「おくび」の意の擬声語に基づくとされる〕 飲み食いした後などに、呑(ノ)み下された△空気(ガス)が、胃から押し上げられるようにして口外へ出るもの。「—が出る/良い加減—を(=見飽き、聞き飽き)している矢先のことだった」

げっぷ⓪【月賦】 支払うべき金額を月に幾らと割り当てて払う△こと(方法)。月賦払い④。「—販売④」⇩年賦

けつぶつ⓪【傑物】 普通の人には まねの出来ないような事をやってのける△すぐれた(見所のある)人物。えらぶつ。

けつぶん⓪【欠文・(闕文)】 〔本の中で〕文中に、そこに書いてあったと推測される語句が何字分か欠けていること。また、その文章。

けっぷん⓪【血粉】 殺した獣類の血を乾かして固めた窒素肥料。飼料にもする。

げっぺい⓪【月餅】 中華菓子の一つ。干しがき・クルミなどを入れた餡(アン)を小麦粉の生地に包んで焼いたもの。中国では中秋節(=陰暦 八月十五日)に食べる風習がある。ユエビン。

けっぺき⓪【潔癖】—な・—に 不潔や不正を極度に嫌う△性質(様子)。「—性(シヨウ)⓪④③・—症⓪④③」 派 —さ⓪

けつべつ⓪【決別・(訣別)】—する(自サ) 〔「訣」も「別」と同じく、わかれる意〕今まで親しくつきあっていた者どうしが、思い切ってきっぱりと別れること。「—を告げる/過去への—が必要だ」 表記 「決」は、代用字。

ケッヘル①〔ド Köchel=人名〕 モーツァルトの曲につけた整理番号。K.と略して示すことが多い。例、「『交響曲ジュピター』はK.五五一番」。

けつべん⓪【血便】 血液の交じった大便。

*__けつぼう__⓪【欠乏(ボフ)】—する(自サ) 必要なものが不足(し、事態が悪化)すること。「酸素が—し、水槽の金魚が死んでしまった/資源の—/△ビタミン(鉄分・カルシウム)の—」

** * は重要語, ⓪ ①… はアクセント記号, 品詞の指示の無いものは名詞および いわゆる連語。

げっぽう⓪【月俸】「月給」の意の古風な表現。

げっぽう⓪【月報】㊀毎月出す報告(書)。㊁逐次刊行予定の全集・講座などの各巻にはさみ込まれている△リーフレット(小冊子)状の付録。

けっぽん⓪【欠本・〈闕本〉】㊀そろいもので、△何巻(何冊)か欠けている本。不完本。↔完本・丸本 ㊁全集などの中で、欠けている部分。

けつまく⓪②【結膜】おもに まぶたの裏と眼球の表面とをおおう粘膜。「—炎⓪④」

けつまず・く④【蹴〈躓く〉】(自五)「つまずく」の強調表現。

けつまつ⓪【結末】なんらかの結果が出る物事の終り。「—をつける/劇的な—を見る/小説の—」

げつまつ⓪【月末】その月の終り。つきずえ。

けつみゃく⓪【血脈】〔もと、血管の意〕血筋。「けちみゃく⓪」とも。〔広義では、仏教の伝統をも指した〕

けづめ⓪【蹴爪】㊀ニワトリ・キジなどの足の下の方にある、後ろに鋭く突き出たもの。㊁ウシ・ウマなどの足の後ろにある、地に触れない小さなひづめ。表記「《距》」とも書く。

けつめい⓪【血盟】同志として、△互いの生血をすすり合って(血判などを押して)堅く誓うこと。

けつめい⓪【結盟】—する(自サ)△誓い(同盟)を結ぶこと。また、その同盟。

げつめい⓪【月明】月が明るいこと。また、明るい月光。

げつめん⓪【月面】月の表面。〔地球で言えば地面に当たる所〕「—着陸⑤」

けつゆうびょう⓪【血友病】なかなか出血が止まらない、おもに遺伝性の病気。多く男性に現われる。

げつよ①【月余】「一か月余り」の意の漢語的表現。

げつよう③【月曜】一週の第二日。日曜の次、火曜の前。月曜日③。〔週の始まりを月曜とすれば、一週の第一日〕 **—びょう**⓪【—病】(週末から)日曜日に、遊び過ぎるなどしたために、月曜日からの勤務・通学などに意欲をなくすこと。

げつらい②【月来】(副)「この数か月以来」の意の漢語的表現。つきごろ。

けつらく⓪【欠落】—する(自サ)何らかの点で必要だと考えられるものが、欠けていること。「歴史の—を補う/道徳感覚が—する」

げつり①【月利】一か月を単位とした利子。

けつりゅう⓪【血流】血管内の血液の流れ。

げつりん⓪【月輪】(満月の時に輪状に見えることから)「月」の異称。⇩日輪

けつるい⓪【血涙】つらい目にあって流す涙。「—をしぼる〔=ひどく悲しんで泣く〕」

けつれい⓪【欠礼・〈闕礼〉】—する(自サ)つきあいとして当然すべき△あいさつ(出席)などをしないで済ますこと。「喪中につき年賀—いたします」

げつれい⓪【月例】毎月一回、決まって行なわれること。「—報告⑤・—懇談会⑦」

げつれい⓪【月齢】㊀新月を一日とし、月の満ち欠けを示す日数。満月は十五日。㊁〔生後一か年未満の赤ん坊の〕生まれてからの月の数。

*__けつれつ__⓪【決裂】—する(自サ)会談・交渉がまとまらず、物別れになること。「会議の—を招く/交渉が—する」

けつろ①【血路】敵の囲みを切り抜けて逃げる道。〔困難を切り抜ける方法の意にも用いられる〕「—を開く」

けつろ①【結露】—する(自サ)冷たい物の表面に触れた空気の温度が下がり、その部分の湿度が一〇〇パーセントになった時、水蒸気が凝結して水滴となること。「—現象④」

けつろう⓪【欠漏・〈闕漏〉】何か必要なものの一部分が抜け落ちていること。漏れ。

**__けつろん__⓪【結論】—する(自サ)㊀いろいろ△考えた(論議した)末に、これだと決定した事柄。「—を△出す(まとめる)/—が出る/…との—に達する/—から先に言えば/—的に言うと/—づける〔=結論を与える〕/不正はあったと—した」㊁〔論理学や数学で〕「終結」の新しい言い方。〔狭義では、三段論法の最後の命題を指す〕

げてもの⓪【下手物】一般の人が△捨てて(嫌って)顧みない物で、一部の好事家によってよしとされる物。「—趣味⑤」

げてん⓪【外典】仏教関係書以外の書物。「げでん⓪」とも。〔仏家の側から言う〕↔内典

げでん⓪【下田】地味のやせた下等な田地。↔上田

けとう②【毛唐】〔↑毛唐人②=唐人よりもさらに毛深い人〕欧米人を侮蔑して呼んだ称。〔江戸時代には、中国人をも指した〕「—どもに負けてなるものか」

げどう②【外道】㊀〔仏家から見て〕仏教以外の教え。〔広義では、真理にはずれた道や異端を指す〕㊁「外道㊀」を信じる人。〔人をののしって言う時にも使われる〕㊂〔釣りで〕目的以外の魚。

げどく⓪【解毒】—する(自サ)体内の毒物の働きを薬などで無くすること。「—剤③⓪・—作用④」

けとば・す⓪③【蹴飛(ば)す】(他五)「蹴る」の強調表現。〔申し出などをはねつける意にも用いられる。口頭語では「けっとばす④⓪」とも〕

ケトル①〔kettle〕底の平たいやかん。ケットル①とも。

けど・る⓪②【気取る】(他五)相手の隠し事などをその場の状況や雰囲気を通して、それとなく見抜く。「早くも気取られる」

げな(終助)〔中部地方以西の方言〕確かそのような事があったはずだな、と回想する意を表わす。「遠い昔に死んだ—」文法 助動詞「た」に接続する。

けなげ①⓪【《健気》】—な〔年少にもかかわらず〕困難な事に勇敢に立ち向かう様子。「年にも似ず—な子」派 **—さ**③④⓪ 表記 古くは、「勇」「健」と書き、勇ましい、または気丈な、の意に用いられた。

けな・す⓪【〈貶す〉】(他五)いかにも非難するかのように、悪い点ばかりを取り上げて言う。↔ほめる

ケナフ①〔kenaf〕熱帯から温帯にかけて栽培される一年草。インド・アフリカ原産。茎からジュートに似た繊維をとり、綱・布・製紙などに用いる。洋麻⓪。〔アオイ科〕

けなみ⓪【毛並】動物の毛の生えそろい方や模様・色合いのぐあい(から判断される種類や育ち方・成育環境のよしあし)。「—がつやつやとした犬/—がいい〔=家柄・育ち・学歴がいい〕/—〔=ほかとは種類〕の変わったもの」

げなん①【下男】庭掃除・力仕事などをするために雇われていた男性。⇩下女

げに①【《実に》】(副)〔雅〕現実の事態をまのあたりにして、まさに△だれかが言った(かねて予測していた)通りだと改めて納得したり強く共感したりする気持を表わす。「—恋はくせものと知られたり/—平家の世は今を盛りとぞ見えにける」

げにも①【《実にも》】(副)〔雅〕なるほどその通り。

けにん⓪【家人】㊀代々その家に仕えて来た家来。㊁江戸時代、「御家人」の略。

げにん⓪【下人】階級社会のもとで、身分の低い者。〔狭義では、召使を指す〕

けぬき⓪③【毛抜(き)】毛・とげなどをはさんで抜き取る道具。かぞえ方 一本 **—あわせ**④【—合(わ)せ】二枚の布を縫い合わせ、表に返した時、ふちがそろうようにした仕

立て方。

げねつ⓪【解熱】―する(自サ) 発熱した体温を下げること。「―剤③⓪」 表記 「下熱」とも書く。

けねん⓪①【懸念】―する(他サ) 不結果が△予測(予感)されて、先行きが心配に思われること。「―が生じる/強い―をいだく/先行きの―が高まる」 表記 「《掛念」とも書く。

ゲノム①〔ド Genom〕 ディーエヌエー(DNA)に組み込まれている遺伝情報(の総体)。「―分析④・ヒト―③」

ゲノムへんしゅう④(シフ)【ゲノム編集】 ゲノムの配列を人為的に操作・改変し、遺伝子治療や遺伝子組換え食品などを実現する新技術。

けば⓪【毛羽】 ❶紙や布などがこすれて、表面に出来る、柔らかく細い毛のようなもの。「―が立つ」 ❷カイコが繭を作る時、足場として最初に張る糸。紡績綿の原料。 ❸〔地図で〕高低・傾斜を表わし、立体感を高めるために使う、小さな線。 表記 「〈毳」とも書く。

ゲバ① ゲバルトの略。「―棒⓪・内(ウチ)―」

げば①【下馬】 ❶―する(自サ) 馬からおりること。「これより先、―のこと(=馬に乗ったまま通ることを禁じる)」 ❷〔↑下馬先(サキ)⓪〕〔城門や社寺の前など〕下馬することが求められた場所。 **―ひょう**(ヒヤウ)⓪【―評】〔下馬先で主人を待つ間にするうわさ話の意〕 ❶〔特定の個人についての〕世間の取りざた。「―によると/―に上がる/―が高い」 ❷局外者のあて推量。

けはい①【気配】〔文語「けはひ」に漢字「気配」を当てたことに基づくとされる〕 ❶いろいろの状況からどうもそれに違いないと察せられる様子。「好転の―がうかがわれる/秋の―が感じられる/拡大する―が見える/介入の―を見せる」 ❷〔取引で〕取引に見られる傾向。「買い―③・好―③」〔❶❷とも「きはい」とも〕

けはえぐすり④【毛生(え)薬】 薄く△なった(なりそうな)毛に刺激・栄養を与えて、発毛を促すための薬。 かぞえ方 一本

けばけばし・い⑤(形) はですぎて、接する人に不快感を与える様子だ。「―広告/けばけばしく着飾る」 派 **―さ**⑤④ 表記 「〈毳々〉しい」とも書く。

けばだ・つ③【毛羽立つ】(自五) 表面がこすれたりして「毛羽❶」が出来る。 表記 「〈毳立つ」とも書く。

けばり⓪【毛針】 鳥の羽などをはりに巻きつけて、えさに見せかけた釣りばり。 表記 「毛〈鉤」とも書く。 かぞえ方 一本

ゲバルト⓪②〔ド Gewalt=暴力〕〔もと、学生活動家の用語で〕紛争・デモの際の実力行動。

げはん⓪【下阪】―する(自サ) 東京から大阪へ行くこと。

げはん⓪【下版】―する(他サ) 校了になった組版を△印刷(紙型取り)の工程に移すこと。〔転じて、校了にすることをも指す〕

けびいし②(ーキ)【《検非違使】〔「けんびいし」の変化〕平安時代、治安・検察・裁判を取り扱った職。

けびょう(ビヤウ)⓪【仮病】 何かを断わるための口実として病気のふりをすること。「―を使う」

げ・びる②【下卑る】(自上一) 言動が下品に見える。「下卑たふるまい」

ケビン①〔cabin〕 キャビンの古称。

***げひん**②【下品】―な(―に) たしなみや教養を欠いたりセンスの悪さが目立ったりして、その人(の作品)に接する人に不快感を与える様子。「―な趣味」 ↕上品 派 **―さ**⓪②

けぶ・い⓪【《煙い】(形)〔中部方言〕けむい。 派 **―さ**⓪ **―が・る**③④

けぶか・い③【毛深い】(形) 腕・臑(スネ)などの毛が多くて濃い。 派 **―さ**③

けぶた・い③⓪【《煙たい】(形) 「けむたい」の古形・方言形。 派 **―さ**③ **―げ**⓪④③ **―が・る**④

けぶり①⓪【気振(り)】 それとなく感じられる様子。そぶり。「一等になったなんてことは―にも見せないで」

けぶ・る⓪【《煙る】(自五) 「けむる」の古形・方言形。

げへん⓪【下編・下〈篇】 何冊かで一部を成す構成の書物で、その最後のまとまりの部分。 ⇩上編・中編

げぼく⓪【下僕】 庭掃除など下働きをするために雇われている人。

けぼり⓪【毛彫(り)】 毛筋のような線で細かに模様を△彫ること(彫ったもの)。

げぼん⓪【下《品】〔仏教で〕極楽往生の仕方を三つに分けたうちの、最下位。その中を、さらに上生(ジョウショウ)・中生(チュウショウ)・下生(ゲショウ)の三段階に分ける。〔広義では、下等(のもの)を指す〕 ⇩上品(ジョウボン)・中品(チュウボン)

ゲマインシャフト⑤②〔ド Gemeinschaft〕 利害関係にかかわりなく、自然的に結合した社会。共同社会。 ↕ゲゼルシャフト

けまり⓪【蹴〈鞠】 平安時代以後、公家(クゲ)社会で行なわれた、鞠を落とさずに蹴り合う遊び。また、それに用いる革製の鞠。「しゅうきく」とも。

けまん⓪【華〈鬘】〔もと、インドの風俗として、花を糸などに通して△首(からだ)を飾ったもの〕寺で本堂の欄間(ランマ)などに掛ける飾り。

けみ①⓪【《検見】〔「けみ(閲)する」の「けみ」を名詞化したもの。「見」は、一種の捨てがな〕武家時代、作物の出来ぐあいを検分して、年貢(ネングウ)米の額を定めたこと。「けんみ」とも。 表記 「毛見」とも書く。

ケミカル①〔chemical=化学の〕 ❶―な 化学に関する様子だ。「体内の―な反応による薬の副作用」 ❷(造語) 科学的に合成することを表わす。「―シューズ⑤・―レース⑤」

ケミスト①②〔chemist〕 化学者。

けみ・する①③【《閲する】(他サ)〔「けみ」は「検」の字音(kem)を和語化したもの〕 ❶事情をよく調べてみる。 ❷長い年月を経る。「完成までに三十年を―」〔❶❷とも、漢文調の文章で用いられる〕

けむ(助動・特殊型)〔雅〕 ⇩けん

けむ⓪【《煙】 「けむり」の口頭語的な圧縮表現。「―に巻く(=相手の意表に出る事を一方的に言ったりして、交渉・用談などをうやむやに終わらせてしまう)」

けむ・い⓪②【煙い】(形) 煙が顔にかかって、目をあけていたり息をしたりすることが苦痛に感じられる様子だ。口頭語では「けむたい」とも。 派 **―さ**⓪ **―が・る**③

けむくじゃら(ケムクヂヤラ)⓪【毛むくじゃら】―な(―に) 〔「むくじゃら」は、「尨(ムク)犬・尨毛」の「むく」を根幹とした擬態語〕濃い毛が密生していて、気味が悪く感じられる様子。

けむし⓪③【毛虫】 木の葉などを食いあらす、チョウ・ガなどの幼虫。多くは(黒)茶色で、全身に長い毛がある。また、人を刺すものもある。〔俗に、△気むずかしくて(意地が悪くて)人に嫌われる者の意にも用いられる〕 かぞえ方 一匹

けむた・い③⓪【煙たい】(形) ❶「けむい」の口頭語的表現。 ❷相手に威圧感を覚えるなどして、安易に近づくことが出来ないと感じる様子だ。「―存在」〔❶❷とも「けぶたい・けむったい」とも〕 派 **―さ**③ **―げ**⓪③ **―が・る**④

けむだし⓪【《煙出(し)】 煙を家の外に出すために屋根などに設けた△窓(筒)。「けむりだし⓪」とも。煙突。

***けむり**【煙】 ❶⓪ 物が焼ける時 立ちのぼる△灰(白・紫・黒)色などの気体。「けぶ(り)」とも。「―が目にしみる/―を吸い込む/たばこの―/―になる(=ⓐ死んで火葬にされる。ⓑ(焼けて)あとかたもなく消えて無くなる)」 かぞえ方 一

本・一抹 ❸(造語) 煙に似て立ちのぼるもの。「水―・土―・砂―・雪―」 表記「〈烟」とも書く。

けむ・る⓪【煙る】(自五) ❶煙が立ちこめる。❷〔煙が立ちこめているかのように〕かすむ。「雨に―」〔❶❷とも「けぶる」とも〕 表記「〈烟」るとも書く。

げめん⓪【外面】外から見た様子。「―似菩薩(ボサツ)内心如夜叉(ニョヤシャ)〔=顔つきは菩薩のように穏やかで美しいが、内心は夜叉のように邪悪であるということ。仏教で、煩悩(ボンノウ)の種となる女性をたとえていう。『外面如菩薩』は、これより後の言い方。経論にはなく、日本で作られた言葉〕」

***けもの**⓪【獣】〔毛物の意〕〔人間を除く〕哺乳動物の通称。「クジラも―の一類だ」 かぞえ方 一匹:一頭 **―へん**⓪【―偏】漢字の部首名の一つ。「犯・独・狩・猟・猿」などの、左側の「犭」の部分。〔多く、犬や動物に関係のある漢字がこれに属する。「犭」はふつう「犬部」に所属〕 **―みち**③【―道】山林中に付けられた、それぞれの動物に特有の通路。

げもの⓪【下物】品質の下等なもの。↔上物

げや①【下野】―する(自サ) ❶(高い)官職をやめて民間に下ること。❷与党から野党に変わること。

げや①【下屋】母屋(オモヤ)にさしかけて造った小さい屋根(の下の部屋)。↔本屋❶

けやき⓪【〈欅】山野に生じる落葉高木。関東地方の旧家の囲いなどに多く植えられ、頭上を覆うように枝を扇状に広げる。材質は堅く、良材で、建築・家具用となる。ツキ。〔ニレ科〕 表記「〈槻」とも書く。 かぞえ方 一株・一本

けやき⓪【毛焼(き)】毛をむしった鳥を火にあぶり、残った細かな毛を焼いてとること。

けやぶ・る③⓪【蹴破る】(他五) ❶足で蹴って破る。❷向かって来る敵を破る。蹴散らす。「敵を蹴破って進む」

けやり⓪【毛〈槍】さやを鳥の毛で飾った槍。大名行列で、先頭の槍持ちが持った。 かぞえ方 一本

けら⓪【〈〈啄木鳥〉〉】〔←ケラツツキ③〕キツツキの異称。「赤―(ゲラ)・青―(ゲラ)」

けら②⓪【〈〈螻蛄〉〉】小形の昆虫。地下にすみ、前足の土かきで土を掘り、作物の根を食う。おけら。これの鳴き声を誤認して、俗にミミズの鳴き声と言う。〔ケラ科〕 かぞえ方 一匹

ゲラ⓪〔←galley〕❶活字の組版を入れる木箱。組盆②。❷〔←ゲラ刷り⓪〕校正刷り。 かぞえ方 ❶は一枚・一台・一折

けらい①【家来】君主や主人に服従し、いざという時に行動や運命を共にする人。 表記 古く「家礼」と書いた。

けらく⓪①【《快楽】「かいらく(快楽)」の仏教語。

げらく⓪【下落】―する(自サ) ❶値段・相場が下がること。「―を示す」↔騰貴 ❷△等級(品格)が下がること。

けらくび⓪②【〈〈螻蛄〉〉首】槍(ヤリ)の、穂先と柄が続く部分。

げらげら①(副)―と 大きな口をあけて屈託なく笑う様子。

けらし(助動・特殊型)〔文語の助動詞〕〔「けるらし」の圧縮表現という〕今の状態から見て、すでにそうなったと察せられる様子だ、ということを表わす。「春来に―」 文法 接続は「けり」に準ずる。

ケラチン①〔keratin〕角質。つめ・角・毛髪などの主成分となっているたんぱく質の総称。

けり(助動・ラ変型)〔文語の助動詞〕❶過去に確かそのような事があったなあと回想することを表わす。「むかし、おとこあり―/法師をほめぬ人こそ無かりけれ」❷「…であるなあ」と、事実の重みに今さらのように気がつくことを表わす。「心無き身にも哀れは知られ―」❸過去に△行なわれた動作(あった状態)が今でもそうであると確認することを表わす。「多く聞きしかど、忘れに―」 文法 活用語の連用形(形容詞は「かり」の形)に接続する。

けり②〔謡曲の道行文、たとえば「…に着きにけり」などの末尾の語〕物事に決着がついた状態。 表記「〈鳧」は、借字。 **【―がつく】**長い間の懸案であった物事の結末がつく。〔他動表現は「―をつける」〕

けり⓪②【〈鳧】大きさはハトぐらいで、頭と背中は灰色の水鳥。〔チドリ科〕 かぞえ方 一羽

げり⓪【下痢】―する(自サ) 大便が固まらず、水のようになって出ること。くだりばら。はらくだし。「―(症状)を起こす/―止(ド)め⓪」

けりこ・む③⓪【蹴(り)込む】(自五) 足で蹴って中に入れる。「けこむ」とも。〔特に、サッカーでゴールにボールをシュートすることを言う〕

ゲリマンダー③〔「Gerry (=人名)」と「**salamander** (=西洋の伝説に出て来る、火を吐くトカゲ)」の合成語〕与党が自党に有利になるように、勝手に選挙区の境界を改変すること。

げりゃく⓪【下略】〔文章で〕あとに続くべき△文句(文章)を略すこと。「かりゃく」とも。⇩上略・中略:前略・後略

ゲリラ①〔guerrilla〕小部隊で出没・奇襲して敵側をかき乱す戦法。また、その部隊。遊撃隊⓪。〔俗に、前触れなく突然に始まったり始めたりすることにも言う〕「―戦⓪・―イベント④」

ゲリラごうう④―(ガウー)【ゲリラ豪雨】〔俗に〕天気予報での予測が難しい、突発的で局地的かつ短時間の集中豪雨。

***け・る**①【蹴る】(他五) ❶〈(なにデ)なにヲ(どこニ)―〉足の先を突き出したりはずみをつけて勢いよく振り出した足の甲を強く当てたりなどして、その物を急激に動かす。「子供が石を蹴りながら歩く」❷〈(なにデ)どこヲ―〉元来動かないものに「蹴る❶」のような動作をして、その反発力を利用しようとする。「大地を蹴って飛び上がる/席を蹴って立つ〔=怒って、その場を立ち去る〕」❸〈なにヲ―〉相手からの要求・申入れなどを拒否すること。「労働組合は経営者側の回答を蹴った」 表記「〈蹶る」とも書いた。

ゲル①〔ド Gel〕コロイド溶液が流動性を失い凝固した状態。⇩ゾル

ゲル①〔←ド Geld〕「お金」の意の、往年の学生語。「―ピン⓪〔=お金がわずかしか無いこと〕」

ケルビン①〔kelvin=もと、人名〕国際単位系における温度の基本単位で、水の三重点〔=水と氷と水蒸気の平衡状態〕の絶対温度の二七三・一六分の一を表わす〔記号K〕。〔二〇一八年、ボルツマン定数〖=物理学における基礎定数の一つ〗が $1.380649 \times 10^{-23} kg\ m^2 s^{-2} K^{-1}$〖=s は秒〗と表わされるようなKの大きさ、という定義への変更が決議され、翌年施行〕⇩絶対温度

ゲルマニウム④〔ド Germanium〕金属元素の一つ〔記号Ge原子番号32〕。真空管の代りにトランジスタやダイオードの材料として使ったりする半導体。

ゲルマン①〔ド Germane〕ローマ帝政期に中欧地方に住んでいた民族。〔広義のドイツ民族〕 表記「日耳〈曼」は、音訳。

ケルン①〔cairn〕頂上や登山路を示すために積み上げた石。

げれつ⓪【下劣】―な ―に 品性の卑しさばかりが目立つ言動をする様子だ。「―な根性/品性―①-⓪」 派 **―さ**⓪ 運用「お下劣」の形で、場所柄もわきまえず卑猥(ヒワイ)な事柄を話題にすることに対して、からかったりたしなめたりする気

持をこめて用いられることがある。

けれども 〔話し言葉としては「が」より口頭語的、また内輪同士の会話で使われる。「けれど」「けども」「けど」は、ややぞんざいな表現〕 [一](接助) ㊀話の緒(イトグチ)として述べる事柄をごく軽い気持で、次に述べる事柄と結びつけることを表わす。「あしたは雨が降るそうですーお出かけになりますか?/さっき何か話したい事があると言っていたー、何の話だい?」 ㊁なんらかの意味で対比される事柄を続けて言うことを表わす。「それも似合うー、これもいいんじゃないかしら/金も無いー、ひまも無いからそんな旅行なんて出来ないよ/小さいー味はいいよ/前に読んだ事はあるー、よく覚えていませんね」 [文法] 活用語(意志用法の助動詞「う/よう・まい」を除く)の終止形に接続する。
[二](終助) ㊀実現のむずかしそうな事柄や、事実と反対の事柄の実現を願う気持を表わす。「あすもきょうぐらい涼しいと楽なんだー/こんな時にあの人が居てくれるといいんだー」 ㊁あとを言いさしにして、婉曲(エンキョク)に述べることを表わす。「それはよく分かっているんですー/お願いしたい事があるんですー/そろそろ出かけたいのだー」 [文法] 活用語(意志の助動詞「う」を除く)の終止形に接続する。 ⇩が [運用]
[三]①(接) 普通の意味では両立しない意味関係にある二つの文を結びつけることを表わす。しかし。「これは非常に便利なものです。ー、少し値段が高すぎます」

けれん⓪ ㊀〔浪花節(ナニワブシ)・義太夫(ギダユウ)などで〕客受けをねらってわざわざ笑わせたりして語ること。 ㊁〔歌舞伎(カブキ)で〕俗受けをねらって演じる△こと(演技)。〔はったりやごまかしの意にも用いられる。例、「なんのー(み)も無く」〕 [表記] 「《外連》」は、借字。

ゲレンデ⓪〔ド Gelände〕 適度に起伏のある、練習に適したスキー場。 [かぞえ方] 一面

げろ①—する(他サ) 「へど・嘔吐(オウト)」の口頭語的表現。「ーを吐いた〔=ⓐへどをはく。ⓑ自白する〕/早くーしてしまえ」

ケロイド⓪②〔ド Keloid〕 ひどいやけどなどのあとに出来た、皮膚の赤いでこぼこや ひきつれ。「原爆のー」

げろう(オ)②〔古〕 [一]ー(ラフ)【下﨟】 勤めてからの年月が短く、その社会で地位の低い人。〔狭義では、年功を経ない僧を指す〕 ↕上﨟 [二]ー(ラウ)【下郎】 人に召し使われる、身分の低い男。〔[二]は、[一]の変化〕

ケローゲン②〔kerogen〕 オイル シェールに含まれる混合有機物。酸素・窒素・硫黄を含み、性質は原油に似る。

ケロシン①②〔kerosene=もと、商標名〕 灯油。〔狭義では、ロケット燃料などに用いる精製度の高いものを指す〕

けろりと②③(副) 〔口頭語的表現は「けろっと②」〕 ㊀現在の様子から見ると、それまでのひどい苦痛が全く無かったことのように思われる様子。「次の朝には痛みはーおさまっていた/心配して駆けつけた時には、もうーしていた」 ㊁普通の人なら悩んだり 気にかけたりするはずの事を、全く意に介さないでいる様子。「昨日約束したばかりの事をー忘れている/間違えたかもしれないとー言ってのけた」

けわい②⓪ ー(ハヒ)【気わい】 「気配」の古風な表現。「あわただしいー/近づく春のー」

***けわし・い**③(ケハシイ)【険しい】(形) ㊀〔地形について〕傾斜がひどく急な様子だ。また、それで登り下りをすることが困難な様子だ。「ー△岩峰(崖(ガケ)・山道)」 ㊁危険・困難な事態が差し迫っていると感じられる様子だ。「難問を抱え前途はー/ー政局」 ㊂〔容認するわけにはいかない事態に直面するなどして〕表情に強い怒りや緊張が感じとれる様子だ。「ー目つきでにらむ/表情がー」 [派] ーさ③② 「前途のー」

けん(犬・件・見・券・肩・建・県・研・倹・兼・剣・拳・軒・健・〈牽・険・〈喧・圏・堅・検・間・嫌・献・絹・遣・権・憲・賢・謙・鍵・繭・顕・験・懸) →【字音語の造語成分】

けん(助動・特殊型) 〔文語の助動詞〕 ㊀過去において、そういうことがあっただろうと推量することを表わす。「ひれ振らしー松浦(マツラ)さよ姫」 ㊁「けり」の連体形「ける」の変化。「あはれ、彼をはしたなう言ひーこそいとほしけれ」 [表記] ㊀は、「けむ」とも書く。 [文法] 接続は「けり」に準ずる。

けん① 料理のつけあわせに添える香味料。刺身のつまや すましじるに入れるユズなど。

けん①【件】 問題△になる(とする)事柄。「例のー/事ー・一ー書類・物ー・案ー」 ⇩【造語成分】

けん①【見】 物の見方。考え。「皮相のー/ー解・意ー」 ⇩【造語成分】

***けん**①【券】 「入場券・引換券・優待券・食券」などの略。 [かぞえ方] 一本・一枚 ⇩【造語成分】

けん①【〈妍】 容貌(ヨウボウ)などの美しいこと。「百花、ーを競う」

けん①【県】 ㊀地方公共団体のうち、都・道・府と共に、最も上位のもの。知事が管轄する。「ー外からの客/ー民」 ㊁〔中国で〕地方行政区画の名。現在では、省の下位。

けん①【剣】 ㊀両刃(モロハ)の刀剣。つるぎ。「ーをとる〔=剣をとって戦う(構えを見せる)〕/刀ー・短ー」 ㊁剣術。「ーをよくするー士」 ㊂銃の先につける短い刀。「銃ー術③」 ㊃ハチなどの尻(シリ)の針。 ㊄時計の長短の針。 [かぞえ方] ㊀は一口(ヒトフリ)。㊁㊂㊃㊄は一本

けん①【拳】 手・指などで種々の形を作って勝負を争う遊戯。「きつねー・じゃんー」 [かぞえ方] 一本 ⇩【造語成分】

けん①【険】 ㊀けわしい△こと(場所)。「天下のー/ー路・ー阻」 ㊁敵意や憎悪を感じさせる顔つきで、見ただけで他人に危険・不安を感じさせるところがあること。「ーのある顔/ー相」 [表記] ㊁は、「〈嶮」とも書く。 ⇩【造語成分】

けん①【堅】 かたくて、こわれにくい△こと(物)。「ーを誇る/ーを破る/ー固(ケンゴ)」

けん①【〈腱】 筋肉と骨を結び付けている、丈夫な結合組織のすじ。「アキレスー」 [かぞえ方] 一本

けん①【権】 他を支配することの出来る力。「兵馬のー/ー力・ー限・制海ー・政ー」 ⇩【造語成分】けん・ごん

けん①【鍵】 ㊀ピアノ・オルガンなどの、指で△たたいて(押して)鳴らす部分。 ㊁タイプライターの、印字するためにたたく所。キー。 [かぞえ方] ㊀㊁とも一本

げん(元・幻・玄・言・弦・限・原・現・眼・舷・減・嫌・源・厳・験) →【字音語の造語成分】

げん①【元】 ㊀中国の通貨単位。 ㊁〔数学で〕集合の要素。〔造語成分としては、もっぱら「元」を用いる。例、「単位ー③・逆ー」〕 ⇩【造語成分】げん・がん

げん①【玄】 奥深いこと。「ーの又ー/幽ー・ー妙」 ⇩【造語成分】

げん①【言】 言葉。「…のーを借りれば/ーをまたない〔=言うまでもない〕/ーを左右にする〔=はっきりした答えをしない〕/ーを食(ハ)む〔=一度口に出した言葉をまた口に入れる、の意で、約束を実行しなかったり前言を翻したりすること〕/ー語・発ー」 ⇩【造語成分】げん・ごん

げん①【弦】 ㊀弓のつる。弓づる。〔広義では、弓のように見える月の形をも指す〕 ㊁〔幾何学で〕Ⓐその円の円周上の二点を結ぶ線分。Ⓑ「直角三角形の斜辺」の旧称。「鉤股(コウコ)ーの定理〔=ピタゴラスの定理の、和算における称〕」 ㊂弦楽器(に張り渡した糸)。「ーを鳴らす/三ー・管ー楽」 ↕管 [表記] ㊂は、「〈絃」とも書く。 [かぞえ方] ㊀〜㊂とも一本 ⇩【造語成分】

げん①【舷】 船の両側面の、上のへり。船首から船尾に至る線で、丸みを帯びる。〔広義では、ふなばたをも含む〕「ーー

相摩(マ)す(=⇩紛々)/—門・右—」
げん①【減】減ること。また、減らすこと。「一割の—/—少」↕増 ⇩【造語成分】
げん①【厳】■一きびしいこと。「警戒を—にする/—格」■二—たる —と おごそかで犯しがたい様子。「…の風習が—としてあった/—粛・威—」表記「〈儼」とも書く。⇩【造語成分】げん・ごん
げん⓪【験】❶何かをするに先だって、その前途のよしあしを示すような出来事。「—(=縁起)がいい」❷〔雅〕修行を積んだ人でなければ発揮出来ないととらえられる超能力。〔難病などをすぐ治すことについて言う〕⇩【造語成分】げん・けん
けんあく⓪【険悪】—な —に 何か悪いことが起こりそうな、△油断の出来ない(恐ろしい)様子。「—な(=とげとげしい)顔つき/情勢が—になる」派—さ⓪
けんあつ⓪【検圧】—する(他サ) 圧力を検査すること。「アクアラングの—計」
げんあつ⓪【減圧】—する(自他サ) 圧力を減らすこと。また、圧力が減ること。「—室④③」↕加圧
けんあん⓪【検案】〔調べただす意〕〔刑事訴訟で〕特別の知識・経験のある者が行なう鑑定。 —しょ⑤⓪【—書】変死体を医師が調べた結果を記入した証明書。
けんあん⓪【懸案】問題として取り上げられていながら、解決のついていない事柄。「—が山積する/長年の—が解決する/—事項⑤」
げんあん⓪【原案】〔修正案・決定案と違って〕討議にかけるために考えられた、最初の案。「—をしぼる」
けんい⓪—ヰ【健胃】胃を丈夫にし、その働きを盛んにすること。「—錠③」
*けんい①—ヰ【権威】❶関係する人びとからなる集団の中で、他に抜きん出た力を有し、他を威圧し、追随せしめる人がただよわせる雰囲気。「この研究分野で最も—があると言われるA博士/—が問われる/—にかけて」❷卓越した情報分析能力や、隔絶した知識の集積を下(モト)に研鑽(ケンサン)にいそしむ人。「斯界(シカイ)の最高—」 —しゅぎ④【—主義】必要以上に権威(者)をたてにとって世事に処そうとする態度・行動。 —すじ③—スヂ【—筋】❶その世界で実力者とされる、特定の人。「—に頼み込む」❷その世界の上層部にいる、ある人。〔取材源を公表出来ないときの表現〕「そのニュースは政府部内のさる—から流されたものです」
げんい①【原意】その言葉の歴史的に最も古い意味。
けんいん⓪【〈牽引】—する(他サ) △引っぱる(引っぱって自分の方へ引き寄せる)こと。「—力③」 —しゃ③【—車】連結する何台かの車両を引っぱる車。〔先頭に立ち、後続する同類や一般社会をリードするものの意にも用いられる〕
けんいん⓪【検印】❶検査をしたしるしに押す印。❷著者が書物の奥付(オクヅケ)に、発行部数の確認のために押す印。今日では、省略されることが多い。「—省略⓪-⓪」
**げんいん⓪【原因】—する(自サ)〈なにニ—する〉ある物事や状態をひき起こすもとになった△もの(事柄)。「真の—を突き止める/ウイルスに—する感染症」↕結果 —りょうほう⑤

けん

【犬】イヌ。「犬歯・犬種・愛犬・狂犬・番犬・猛犬・野犬・洋犬・日本犬・秋田犬」

【件】取り扱う書類・相談・出願・連絡・報告・情報・申込・依頼・注文・苦情や、事業・事例・応募数・発行数・出品数および取り扱った物件・事件などをかぞえる語。⇩(本文)けん【件】

【見】❶みる。「見物・見聞・書見・一見」❷人にあう。「引見・朝見・会見」⇩(本文)けん【見】

【券】❶証書。「券面・金券・旅券・株券・証券・債券・郵券」❷切符。「乗車券・食券・券売機」⇩(本文)けん【券】

【肩】かた。「肩胛(コウ)骨・肩章・双肩・強肩・比肩」

【建】❶たてる。造る。「建築・建造・建設・土建・再建」❷(意見を)申し上げる。「建議・建白(パク)」⇩(本文)けん【県】

【県】

【研】■一❶みがく。とぐ。「研磨」❷深くきわめる。「研究・研修・研鑽(サン)」■二(略)研究会・研究所。「国語研(=国語研究所)・技研(=技術研究所)」

【倹】生活を引きしめ、むだな金を使わない。「倹約・勤倹・節倹」

【兼】❶かねる。かけもちする。「兼任・兼務・兼用・首相兼外相」❷前もって用意する。「兼題」

【剣】⇩(本文)けん【剣】

【拳】❶にぎりこぶし。「拳法・拳闘・鉄拳」❷うやうやしく、ささげ持つ。「拳々服膺(フクヨウ)」⇩(本文)けん【拳】

【軒】❶のき。「軒灯」❷家。〔雅号・屋号としても使われる〕「軒数」❸そこに人が生活しているか否か、どういう人が何をしているか、という見地から見た「家」をかぞえる語。転じて、営業店数・営業者や人をかぞえる時にも用いられる。「私の親類は数十軒ある」かぞえ方 ❸三軒は「サンゲン(サンケン)」・何軒は「ナンゲン(ナンケン)」⇩戸(コ)

【健】❶元気だ。「健児・健全・健康・健在・健脚・壮健・強健」❷普通以上だ。「健忘・健闘・健啖(タン)・健筆(ピツ)」

【〈牽】ひっぱる。ひきつける。「牽引・牽制・牽強付会」

【険】❶あぶない。「危険・冒険・保険」❷悪だくみがある。「陰険」⇩(本文)けん【険】

【〈喧】やかましい。「喧噪(ソウ)・喧嘩(カ)・喧伝・喧々囂々(ゴウゴウ)」

【圏】❶限られた△区域(範囲)。「圏外・圏内・勢力圏・首都圏・北極圏・成層圏」❷まわりをかこったもの。まる。「圏点」

【堅】⇩(本文)けん【堅】

【検】■一しらべる。「検閲・検討・検査・検札・検印・点検・探検」■二(略)検察庁。「地検・最高検」

【間】❶あいだ。〔柱と柱との あいだをかぞえる時にも用いられる〕「眉間(ミケン)・世間・無間」❷尺貫法における長さの単位で、六尺〔=約一・八二メートル〕を表わす。〔主として、土地・建物などに用いる。六十間を「一町(イッチョウ)」と称する〕「間数・間縄(ナワ)」❸碁盤や将棋盤の(ます)目。「二間とび」かぞえ方 ❷三間は「サンゲン(サンケン)」・何間は「ナンゲン(ナンケン)」

【嫌】❶きらう。「嫌煙・嫌悪(オ)・嫌忌」❷疑い。疑わしい。「嫌疑」

【献】さしあげる。「献花・献血・献上・献本(ポン)・献金・献身・奉献・貢献」

【絹】きぬ。「絹糸・絹布(プ)・絹雲・絹本・正絹・人絹・純絹・本絹」

【遣】行かせる。つかわす。「派遣・遣唐使・先遣・分遣」

【權】❶権利。「人権・棄権・所有権・選挙権」❷はかりごと。「権謀術数」❸かりの。「権道」⇩(本文)けん【権】

【憲】❶諸政のもとになるおきて。「憲法・憲章・憲政・改憲・合憲・違憲・立憲」❷とりしまる役人。「憲兵・官憲」

【賢】↔愚 ❶かしこい(人)。「賢人・賢母・賢明・聖賢・先賢」❷相手に関する物事につけて敬意を表わす。「賢兄・賢察」

【謙】へりくだる。「謙虚・謙称・謙譲・謙遜ソン」

【鍵】⇩(本文)けん【鍵】

【繭】まゆ。「繭糸・繭紬チュウ」

【顯】❶目立つ。明らか。「顕著・顕示・顕在・顕現」❷はっきりとあらわす。「顕彰・顕微鏡・露顕」❸地位が高い。「顕官・顕職・貴顕」❹密教以外の仏教。「顕教」↔密[二]

【驗】[一]❶(証拠を求めて)たしかめる。「験算ザン・試験・実験・経験・体験」❷ききめ。効果。「効験」[二](略) 試験。「受験」

【懸】❶かける。かかる。「懸案・懸賞」❷まっすぐにさがる。「懸崖ガイ・懸垂」❸へだたる。「懸絶・懸隔」

げん

【元】❶物事を成り立たせているもと。「元素・根元」❷かしら。首長。「元首・元帥・元老」❸年号。「元号・改元・一代一元」❹(数学で)方程式の中の未知数をかぞえる語。「二元一次方程式」⇩(本文)げん【元】

【幻】❶まぼろし。「幻影・幻想・幻覚・夢幻」❷まどわす。「幻惑・幻術」

【玄】赤・黄の交じった黒色。「玄武・玄米」⇩(本文)げん【玄】

【言】いう。「言動・言下・言明・言論・確言・換言・公言・宣言・断言・不言実行」⇩(本文)げん【言】

【弦】月の形の、弓状に見えるもの。「上弦の月」⇩(本文)げん【弦】

【限】❶かぎる。かぎり。「限定・限度・期限・年限・門限・制限・極限」❷(高校などで)「第…時限」の略。「一限」

【原】[一]❶もと(の)。「原因・原形・原始・原型・原案・原文・原住民・語原・起原・始原・字原・病原・復原」❷はら。「原野・高原・湿原・草原・凍原・氷原・平原」[二](略) 原子力。「原爆・原潜・原発パツ」

【現】❶あらわれる。「現像・現象・出現・実現・権現」❷今(実際に目の前にある)。「現在・現代・現状・現住所」❸(仏教で)その人が現在生きている間。「現世ゼ・セ」⇩過・未

【眼】め。また、真理を悟る働き。「開眼カイ ゲン|カイ ガン」⇩がん

【舷】⇩(本文)げん【舷】

【減】引き算をする。「減法・加減乗除」⇩(本文)げん【減】

【嫌】きらう。「機嫌」⇩けん

【源】[一]物事の発するもと。みなもと。「源泉・源流・起源・根源・語源・資源・本源」[二](略) 源氏。「源平ペイ」

【厳】❶きびしい。「厳重・厳正・厳冬・厳密・厳罰・戒厳・寛厳・峻シュン厳・冷厳」❷おごそか。「謹厳・森厳・尊厳・端厳」

【驗】ききめ。効果。「霊験」⇩けん

ーレウハフ【ー療法】 病気の原因を取り除くことによって治療を行なうやり方。たとえば、結核菌の感染に対して抗生物質を与えて菌の増殖を防ぐなど。⇩対症療法

げんいん⓪ーキン【現員】 組織・団体の、現時点における人員。

げんいん⓪ーキン【減員】ーする(自他サ) 人員を減らすこと。また、減ること。↔増員

けんうん⓪【《巻雲・絹雲》】 五千~一万三千メートルの高空に生じる、白色△繊維状(羽毛状)の雲。まきぐも。⇩雲級 表記「絹」は、代用字。

げんうん⓪【《眩暈》】「めまい」の意の漢語的表現。

けんえい⓪【兼営】ーする(他サ) 二つ以上の営業を兼ねること。

けんえい⓪【献詠】ーする(他サ) 〔神社やお寺などに〕詩歌を献上すること。また、その詩歌。

げんえい⓪【幻影】❶幻覚によって、そこに実在しないものが実在するかのようにありありと目に映ること。また、その映るもの。❷心の中に描き出される△姿(形)。

けんえき⓪【検疫】ーする(他サ) 外国から来る感染症・伝染病や害虫などを予防するために関係者や動植物などを検査し、隔離や消毒などの必要な措置をとること。「ー所⑤⓪」

けんえき⓪【権益】 権利とそれに付随する利益。「ーがおかされる/ーを守る」

げんえき⓪①【原液】 薄めたり交ぜたりする前の状態の液。

*__げんえき__⓪【現役】❶(旧軍隊で)常備兵役の一つ。所属部隊に編入されて軍務に服するもの。⇩予備役・後備役 ❷現に、その社会であるポストにあり、活動中である△こと(人)。「まだーのばりばりだ/ーを退く」❸高校三年生で大学受験をする者。また、その合格者。↔浪人

げんえき⓪【減益】 利益が減少すること。↔増益

けんえつ⓪【検閲】ーする(他サ) 〔人の書いたものなどについて〕そのまま認めていいかどうかを調べること。〔狭義では、社会の安寧・秩序を維持するために、国家機関が貨物・郵便物・出版物・映画フィルム・脚本などを調べることを指す。日本では憲法で、これを禁止〕

けんえん⓪ーエン【犬猿】 人間に飼われるものとしてのイヌとサル。いがみ合うものとされる。「ーもただならぬ仲(=イヌとサル以上に相性の悪い仲。『犬猿の仲⓪-①』ともいう)」

けんえん⓪【嫌煙】 他人が吸うたばこの煙から受ける△迷惑(害)を嫌うこと。「ー権③」

けんえん⓪【《慊焉》】ーたる/ーと 〔「慊」は、満足と不満足と二様の意味がある〕❶不満に思う様子。「ーたるものがある」❷満足に思う様子。「ーたらず〔=満足出来ない〕」

げんえん⓪【減塩】 成人病予防などのために、食物の塩分の含有量や摂取量を減らすこと。「ー醤油ショウユ⑤・ー療法⑤・ー食③」

けんお①ーケ【嫌悪】ーする(他サ) それを無くしてしまいたいほどひどくきらうこと。「ーを催す/ー感③」

げんおう[0]【玄奥】その道に深く分け入った人でないと容易に達することの出来ない事柄。

けんおん[0]【検温】—する(自サ)(人の)体温を計ること。**—き**[3]【—器】「体温計」の旧称。

げんおん[0][1]【原音】❶〔その語の外来語としての発音と違って〕原語での発音。❷〔物理学や音楽で〕基音。❸〔再生音と違って〕もとの音。

けんか[1]【県下】「県❶」が管理する県内の各地域。

けんか[1]【県花】その県を代表するものとして県ごとに定めた花。例、山形県はベニバナ。

けんか[1]【堅果】クリの実やどんぐりのように、皮が堅い果実。下がお椀のような物に包まれていたりする。ナッツ。↕漿果

***けんか**[0]【〈喧嘩〉】—する(自サ)〈(なにデ)だれト—する〉互いに、自分を正しいとして譲らず、激しく非難し合ったり 殴り合ったりすること。「兄とゲームのことで—した/—過ぎての棒ちぎり(木)〔=時機が過ぎて、もう不要であること〕/—別れとなる〔=仲直りせず、にらみ合ったまま別れる〕/夫婦—〔いとわない〕態度。**—ばや・い**[5]【—早い】(形) 何かというとすぐけんかを始めたがる性格だ。〔口頭語形は、「けんかっぱやい[6]」〕 **—よつ**[0][3]【—四つ】〔すもうで〕一方は左手を差して組むのが得意なのに対し、相手は右手を差して組むのが得意であること。 **—りょうせいばい**[6]、[0]-[3]【—両成敗】けんかした者は善悪を問わず、両方を罰すること。

けんか[1][0]【献花】—する(自サ) 神前、死者の霊前などに花を供えること。また、その花。

けんか[0]【〈鹸化〉】—する(自他サ) 脂肪・油を水酸化ナトリウムで煮た時の化学反応。石鹸製造の際 用いられる。

けんが[1]【懸河】〔奔流する川の意〕瞬時たりともとぎれることなく続く様子。「—滔々たる能弁/—の弁〔=よどみの無い弁舌〕」

げんか[1]【言下】相手が何かを言い終わった直後。「—に〔=相手が言い終わるやいなや〕断わる」

げんか[1]【弦歌・〈絃歌〉】芸者が、客の前で三味線をひいたり 歌を歌ったり すること。

げんか[1]【原価】❶仕入れの値段。もとね。❷商品製造に要した実費。「—を割る」 表記 「元価」とも書く。

げんか[1]【原歌】替え歌の もとの歌。

げんか[1]【現下】「現在」の意の改まった表現。「—の〔=現在当面している〕国際情勢」

げんが[0]【原画】❶模写・意匠や複写・印刷のオリジナルとなった絵。「切手の—/挿絵の—展」❷火事などの人災や洪水・地震などの天災で失われる前の絵。

けんかい[0]【見解】物事に対する価値判断や考え方。「…との—を明らかにする/新たな(柔軟な)—を表明する/…との—を取る/—が分かれる/—の対立/—の相違」

けんかい[0]【県会】「県議会[3]」の略(旧称)。「—議員[5]」

けんかい[0]【〈狷介〉】—な —に 〔「狷」は自分の意志をまげない意。「介」は堅い意〕性質がひねくれていたり 自尊心が異常なまでに高かったりして、人とむやみに歩調を合わせるなどしない様子。「—孤高[0]-[0]」 派 **—さ**[0]

けんがい[1]【圏外】一定の資格・条件の枠には入らないこと。「優勝—に去る/競争—[5]」↕圏内

けんがい[0]【遣外】外国へ派遣すること。「—使節[5]」

けんがい[0]【懸崖】❶切り立ったがけ。きりぎし。❷〔盆栽で〕枝・葉の先が根よりも低く垂れさがるように作ったもの。「〔菊の〕—づくり[5]」

げんかい[0]【幻怪】—な 人をまどわすような、怪しい様子。不思議。派 **—さ**[0]

***げんかい**[0]【限界】それより先は無いという境の所。「昔の腕白小僧どもは これ以上やるとただでは済まされないという、いたずらの—を心得ていた/我慢の—を超える/体力の—に挑戦する/…の—を破る/—に近づく/—が見える/能力の—を感じる/—(点)に達する/—状況[5]〔=これ以上は無理だという ぎりぎりの状況〕」 **—こうよう**[5]【—効用】〔「限界」は marginal の訳語で、もとになる量を一単位増やしたとき、問題にしている量がどれだけ増えるかということ〕〔経済学で〕消費者に与える財貨の効用〔=消費者の得る満足度〕がどれやしたときに、財貨の量を一単位増やしたときにどれだけ増えるかという、その増加分。「—逓減〔=財貨の量が増えるに従って、限界効用は減っていくということ〕の法則」 **—しゅうらく**[5]【—集落】人口の半数以上が高齢者で占められた集落。過疎化・高齢化が進み、共同社会の維持が困難になると言われている。

げんかい[0]【厳戒】—する(他サ) きびしい警戒(きびしく警戒すること)。「—態勢を敷く(とる)」

げんがい[0][1]【言外】言葉で直接表わされていないところ。「—に匂わせる(ほのめかす)/—の意味」

げんがい[0][1]【限外】制限された範囲の外。「(銀行券の)—発行[5]」

けんかいめん[3]【圏界面】対流圏と成層圏との境目。高さは十数キロ。〔緯度・季節によって異なる。雨・雪などは圏界面の下でしか降らない〕

けんかく[0]【剣客】剣術にすぐれた人。「けんきゃく」とも。

けんかく[0]【懸隔】—する(自サ) 二つの物事の間が かけはなれていること。かけへだて。

***けんがく**[0]【見学】—する(他サ)〈どこ・なにヲ—する〉実際を見て、その事に関する知識を広めたり 深めたり すること。「工場を—する」

けんがく[0]【建学】(教育の理想を掲げ)今まで無かった学校を新たに作ること。「—の精神」

けんがく[0]【研学】—する(自サ) 怠りなく研究を進めること。

けんがく[0]【兼学】—する(他サ) 二つ(以上)の学問や教理を同時に学ぶこと。「八宗—」

げんかく[0]【幻覚】極度の疲労や(脳の)機能障害などによって、そこに無いものが見えたり 聞こえたり すること。幻視・幻聴など。「—剤[4][0]・—作用[5]」

げんかく[0]【厳格】—な —に きびしくて誤りやごまかしを少しも許さない態度(様子)。「—な先生」派 **—さ**[0]

げんがく[0]【弦楽・〈絃楽〉】弦楽器による音楽。「—合奏[5]・—四重奏[6]〔=バイオリン奏者二名、ビオラ・チェロ奏者各一名による演奏〕」

げんがく[0]【〈衒学〉】〔pedantry の訳語〕学殖を必要以上に見せびらかすこと。「—者[4][3]・—的[0]・—趣味[5]」

げんがく[0]【減額】—する(他サ) 金額を減らすこと。↕増額

げんかしょうきゃく[4]【減価償却】—する(他サ) 時がたつに従って固定資産に生じる価格の減少を償却費として経費化すること。

けんかしょくぶつ[5]【顕花植物】花を開き、実を結び、種を生じる植物。〔種子植物の旧称〕↕隠花植物

げんかつぎ[3]【験担ぎ】物事を行なう際に、縁起の良い・悪いを気にすること。縁起を担ぐこと。「試合期間中は—でユニフォームを洗わない」

げんがっき[3]【弦楽器・〈絃楽器〉】張った糸をはじいたり 何かでこすったり して音を出す楽器。例、バイオリン・三味線。⇩管楽器・打楽器

けんがみね[3]【剣が峰】❶噴火口のまわり。〔狭義では、

富士山頂のそれ(の中の最高点)を指す」❷〔すもうで、土俵の外を奈落(ナラク)と言うのに対して〕土俵を形作る俵の外周。〔物事が成るか成らないかの際(ワキ)どいところの意にも用いられる。例、「成否の—」〕[表記]「剣ヶ峰」とも書く。

けんかん⓪(クワン)【建艦】—する(他サ) 軍艦を建造すること。

けんかん⓪(クワン)【兼官】 本務とする官職のほかに、他の官職も兼ねること。また、その官職。↕本官

けんかん⓪(クワン)【権官】 強い権力がある官職(についている人)。

けんかん⓪(クワン)【顕官】 地位の高い官職(の人)。

けんがん⓪【検眼】—する(自サ) 視力を検査すること。 **—きょう**⓪(キヤウ)【—鏡】 瞳孔(ドウコウ)に光を入れ、その反射光線で眼球の内部や網膜を検査する器具。

けんがん⓪【献眼】 自分の目を死後 角膜移植に供する意志があることをアイバンクに申し出て、登録すること。

*__げんかん__①(クワン)【玄関】〔奥深い所に入る門の意〕❶〔勝手口・裏口などと違って〕建物の(最も)主要な入口。「正面—・表(オモテ)—・内(ウチ)—・—口(グチ)③」❷〔禅寺で〕客殿に入る門。 **—し**③【—子】「玄関番」の意の古風な表現。 **—ばらい**⑤(バラヒ)【—払(い)】 訪問客を△玄関で応対して(面会せずに)帰らせること。「—を食わされる」 **—ばん**⓪③【—番】 玄関に居て客の取次ぎをする人。〔狭義では、その家の書生を指した〕

げんかん⓪【厳寒】 身も心も凍りつくような、きびしい寒さ。

けんき①【嫌忌】—する(他サ) ひどくきらって、出来るだけ△遠ざけ(遠ざかり)たいと思うこと。

けんぎ①【建議】—する(他サ) △意見(希望)を上役に申し述べること。〔狭義では、旧憲法下、議会が政府に意見・希望を申し述べたことを指す〕

けんぎ①【嫌疑】 悪事を犯したのではないかと疑われること。疑い。「万引の—をかけられる」

**__げんき__①【元気】〔病気がよくなる意の古語「減気」の変化という〕■一〔体力・休養が十分で〕進んで物事をやろうとする気力。「—を△出す(取り戻す)/—をつける/—が無くなる/—一杯歩き続ける/—づける⑤/空(カラ)—」 ■二—な ❶「元気■一」があって、活発に活動する様子だ。「—に遊ぶ子供たち/すくすくと—に育つ」 ❷取り立てて ぐあいの悪い所がなく、日常の生活に支障がない様子だ。「八十歳の父は、耳は遠いがまだまだ—だ」 [派]—さ⓪③ [運用] ■二❶について。「お元気(ですか)」などの形で、人に出会った時の挨拶(アイサツ)の言葉としても用いられる。また、「お元気で」の形で、別れの挨拶の言葉として用いられることがある。

げんき①【原器】 長さや質量など、量の基本単位を定めるものとして採用する物体。「メートル—⑤・キログラム—⑥」

げんき①【衒気】 自分の才能などを見せびらかし、自慢したがる気持。

げんぎ①⓪【原義】 その言葉(によって表わされる事柄)の△もと(本来)の意義。⇩転義・本義

けんきゃく⓪【剣客】 ⇩けんかく

けんきゃく⓪【健脚】—な (その年齢の普通の人より)足の力が強く、よく歩ける△こと(様子)。「—を誇る/—家⓪」

**__けんきゅう__⓪(キウ)【研究】—する(他サ)〈なにヲ—する〉 問題になる事柄についてよく調べて事実を明らかにしたり 理論を打ち立てたりすること。「発芽のメカニズムを—する/—に打ち込む/—成果を発表する/—上の仮説/—心③・—者③・—室③・—所(ジョ)⑤」

けんぎゅう⓪(ギウ)【△牽牛】〔もと、牛飼いの意〕「ひこぼし」の意の漢語的表現。「—星(セイ)③⓪」

げんきゅう⓪(キフ)【言及】—する(自サ) 段々に話を進めていって、結局その事を話題にすること。「問題の核心部分への—を避ける」

げんきゅう⓪(キフ)【原級】❶進級出来ない人だけが、もう一回繰り返さなければならない、もとの学年。「—にとめおく」 ❷〔インドヨーロッパ語族の言語で、比較級・最上級に対して〕その形容詞・副詞の、最も基準になる形。

げんきゅう⓪(キフ)【減給】—する(自他サ) (懲戒処分の一つとして)給料が減る(ようにする)こと。↕増給

けんきょ①【検挙】—する(他サ) 警察や検察庁など捜査機関が、被疑者を突きとめ逮捕△の手続きをとる(する)こと。〔法律用語ではない〕「—率が高い」

*__けんきょ__①【謙虚】—な 自分の能力や置かれている立場を低くとらえ、相手の意見を認めてすなおに取り入れたり 相手を抑えるような自己主張を控えたり する様子だ。「現実に対して—になる」 [派]—さ③

げんきょ①【原拠】 その学説や芸術作品などを作り上げるもとになったもの。

けんきょう⓪(キヤウ)【△牽強】 強引にこじつけること。 **—ふかい**⓪-⓪(クワイ)【—付会】—する(他サ) 自説に有利になるように、本来△道理(事実)に合わない事を無理にこじつけること。「—の説」

けんきょう⓪(キヤウ)【検鏡】—する(他サ) 顕微鏡で検査すること。

けんきょう①(ケウ)【顕教】〔教理がやさしくて、すぐ理解出来る仏教の意〕〔密教である真言宗から見た〕天台宗・華厳(ゴン)宗・禅宗など他宗の称。「げんきょう」とも。↕密教

けんぎょう⓪(ゲフ)【兼業】—する(他サ) 本業のほかに、△副業(内職)も持ち、収入を上げていること。また、その仕事。⇩専業 **—のうか**⑤【—農家】〔「専業農家⑤」と違って〕家族のうち、だれかが勤め・出稼ぎなどの方法で、副収入を得たり 常時副業で収入を得たり する農家。

けんぎょう①③(ゲウ)【検《校】〔点検して調べることから、監督の意〕盲官最上の位。「八橋(ヤツハシ)—」

げんきょう⓪【元凶・元〈兇】〔悪事の本家本元の意〕その悪事を企てた、そもそもの張本人。〔転じて、「諸悪の根源」の意にも用いられる。例、「たばこは火災と健康被害の—である」〕

げんきょう⓪(キヤウ)【原郷】 そこに帰れば心の安らぎが得られ、本来の自分が取り戻せる精神的なよりどころだと信じている、△現実に存在する(思い描いた)故郷(フルサト)。「日本人の魂の—」

げんきょう⓪(キヤウ)【現況】 現在の、実際の状況。

げんぎょう⓪(ゲフ)【現業】❶〔管理・事務と違って〕工場・作業場などの現場で行なう肉体労働。「—員③」 ❷国や地方公共団体が行なう事業のうちで、生産・販売・サービスなどにかかわる部門。国が行なうものには林野・気象観測・水産・海上保安の四つが、地方公共団体が行なうものには水道・交通などがある。

げんきょく⓪【原曲】 編曲した曲の、もとの楽曲。オリジナル。↕編曲

けんきん⓪【兼勤】—する(他サ) 本務以外の場所における兼務をすること。また、その職務。

けんきん⓪【献金】—する(自サ) ある目的に役立ててもらうように、お金をさし出すこと。また、そのお金。「政治—④」

げんきん③【現金】■一❶現在手もとにある貨幣。❷〔小切手などと違って〕どこでも支払える貨幣。〔ただし、簿記上では、すぐ換金出来る小切手・手形・為替などを含む〕「—を引き出す/—書留⑤・—取引⑤⑥・—決済⑤」 ■二—な 利益があるか無いかによって急に態度を変える△こと(性質)。 [派]—さ③⓪

げんきん⓪【厳禁】—する(他サ) 絶対にそうしてはいけないと

禁じること。「火気―①-⓪」

けんぐ①【賢愚】 賢い△こと(者)と愚かな△こと(者)。

げんく⓪①【原句】 解釈・翻訳や、推敲・改作・盗作などの対象となった、もとの句そのもの。

けんぐん⓪【懸軍】 (後方との連絡が無いまま)敵地に深く入り込むこと。また、その軍隊。「―万里⑤」

げんくん⓪【元勲】 国家に尽くした大功(のある老臣)。

げんくん①⓪【厳君】 (他人の)父に対する敬称。

げんげ⓪【〈紫雲英〉】 レンゲソウの異称。

けんけい⓪【県警】 「県警察(本部)」の略。

けんけい⓪【賢兄】 〔賢い兄の意〕〔手紙文などで〕同輩に対して用いる敬称。⇩愚兄

げんけい⓪【原形】 △修正(破損)される前の形。「―を保つ」 **―しつ**③【―質】 細胞の生活を支配する、基礎の物質。

げんけい⓪【原型】 製作物のもとになる型。「洋裁の―」

げんけい⓪【現形】 現在の形。

げんけい⓪【減刑】―する(自サ) 恩赦の一つ。裁判で決まった刑を軽くすること。

げんけい⓪【厳刑】 きびしい刑罰。

けんげき⓪【剣〈戟】 〔つるぎとほこの意〕刀などの武器(による戦い)。「―の響き」

けんげき⓪【剣劇】 刀剣で斬りあう場面が中心となる筋の△演劇(映画)。ちゃんばら。

けんけつ⓪【献血】―する(自サ) 衰弱している病人や重傷を負った人に輸血するために、自分の血を奉仕的に提供すること。「―に協力する/―運動⑤」

げんげつ①【弦月】 △上(下)弦の月。弓張り月。

げんげつ⓪【限月】 〔定期取引で〕月末を受渡し期限とする売買期間。

けんけん⓪【拳々】(副) うやうやしくささげ持つ様子。「―服膺する〔=人から言われた訓戒などを、いつも忘れず、またそれにそむかないように心がける〕」

けんけん① 〔各地の方言〕〔子供の遊戯などで〕片足でぴょんぴょん跳びながら進むこと。

けんげん⓪③【建言】―する(他サ) 建白。

けんげん⓪③【献言】―する(他サ) 〔受けてくれれば幸いだ、という気持を含めて〕自分の意見を△政府(上役)に申し述べること。また、その意見。

けんげん③【権限】 公的にその人や組織の判断に基づいて実行し得る範囲(内にあること)。「―に基づいて調査する/―の△強化(分散・縮小)を図る/強力な―を持つ」

けんげん⓪【顕現】―する(自他サ) 〔神・仏などが〕具体的な形をとって明らかに△現われる(現わす)こと。

げんげん⓪【言々】 一つひとつの言葉。言葉のはしばし。「―火を吐く〔=激しく言う〕」

げんげん⓪【舷々】 ふなばたとふなばた。「―相摩す〔=軍艦・汽船などの舷と舷とがすれ合うほど近づく様子〕」

けんけんごうごう⓪-⓪【〈喧々囂々〉】―たる ―と 〔おおぜいの人が勝手な意見を言って〕やかましく騒ぎ立てる様子。

けんこ①【〈眷顧】 〔「眷」も顧みる意〕目にかけて取り立ててやること。

けんご①【堅固】―な ―に しっかりしていて、△攻撃(誘惑)などになかなか負けない様子だ。「―な要塞/意志―で、やめろと言っても聞きそうにない/道心―」 派**―さ**③

げんこ⓪ 〔拳子の意〕「げんこつ」の意の口頭語的表現。

表記「《拳固」は、借字。

げんこ①【〈儼乎〉】―たる ―と きぜんとしていて、近寄りがたい感じをいだかせるさま。

***げんご**①【言語】 〔「げん」は漢音、「ご」は呉音〕「言葉」の意の漢語的表現。「―を自由に操る/―△を(に)絶する〔=あまりにもひどくて言葉ではとても表現出来ないほどの〕惨状/音声―・文字―」 **―がく**③【―学】 各民族の使用言語を広く見渡して、各言語についてその構造に関する研究をしたりその歴史や系統関係を究明したりする学問。また、それらを通して言語の本質を究明する学問。 **―しょうがい**④【―障害】 言葉を正しく言ったり理解したり出来なくなる障害。吃音・失語症や、不明瞭な発音など。 **―せいかつ**④【―生活】 日常生活の中で、聞く・話す・読む・書くに代表される言語行動にかかわる面。

じんこう―⑤【人工―】 〔それぞれの民族が代々伝えてきた「自然言語④」と違って〕文法・語彙を人為的な規則によって定めた言語。いかなる民族からも切りはなされた真の意味の「国際語」を目指して作られたものと、コンピューターに実行させる仕事の内容を記述するためのもの〔=プログラム言語〕とがある。前者の例、エスペラント。後者の例、フォートラン。 **プログラム―**⑥ コンピューターのプログラムを記述するために用いる人工言語。例、フォートラン・ベーシック・パール・パイソン。〔特定の計算機に依存するものを「低水準言語⑦」、依存しないものを「高水準言語⑦」と呼ぶ。広義では、機械語を低水準プログラム言語の中に含める。対応する英語は programming language=プログラム用の言語〕

げんご⓪【原語】 ❶△翻訳(翻案)などのもとになった言葉。⇩訳語 ❷外来語の、もとの外国語。

げんご⓪【源語】 「源氏物語」の略。⇩平語

げんご⓪【〈諺語】 「故事・ことわざ・慣用句」の意の古風な表現。「―辞典④」

けんこう⓪【兼行】―する(自他サ) 〔二日の行程を一日で行く意〕❶夜昼にわたって急△ぐ(いでする)こと。「昼夜―」 ❷二つ以上の事柄を一人ですること。

けんこう⓪【軒高・軒〈昂】―たる ―と 〔「軒」は高く上がる意〕何かをしようと大いに奮いたつ様子だ。「意気―として」 派**―さ**⓪③ 表記「高」は、代用字。

****けんこう**⓪【健康】 ❶日常の社会生活や積極的な行動に堪え得るかどうかという点からみた肉体的・精神的な状態。「―がすぐれない/―に恵まれる/―をむしばむ/―診断を受ける/―上の理由で辞任する」 ❷―な ―に その人の体(の部位)が医学的に望ましい状態を保っている様子だ。「日々を―に過ごす/―な人がうらやましい/―な体/―を維持するために月に一回山に登る」 派**―さ**⓪③ **―じゅみょう**⑤【―寿命】 生まれてから健康的に日常生活を過ごしていられる年齢の平均的な値。「平均寿命と―に大きな開きがある」 **―しょく**③【―食】 健康を保持・増進するために特に考案された食事(法)。 **―てき**⓪【―的】―な ―に いかにも健康そうに見える様子だ。「―な生活」 **―び**③【―美】 健康なからだの持つ美しさ。 **―ほけん**⑤【―保険】 毎月一定の金額を納めている有資格者の医療費・入院費などを補うための保険。略して「健保」。〔率は違うが、被保険者の家族にも適用される〕「国民―」

けんこう⓪【堅甲】 頑丈に作ったよろい。「―利兵」

けんこう⓪-⓪、⓪-①〔=精鋭のたとえ〕」

けんこう⓪【権衡】 〔はかりのおもりと はかりざおの意〕はかり。「―を保つ〔=釣合をとる〕」

けんごう⓪【剣豪】 剣術の達人。

げんこう⓪【元〈寇】 〔「寇」は、あだの意〕蒙古〔国号は元〕の再度にわたる日本への襲来。文永十一年〔=一二七四〕十月と弘安四年〔=一二八一〕七月に博多に上陸し

ようとしたが、季節的な大風と厳しい応戦とによって敗退し、目的を果たさなかった。文永・弘安の役(エキ)[0]-[6]。

げんこう[0]【言行】(カウ) 言うことと(それに応じた)行動。〔広義では、(日常の)ふるまいを指す〕「—録[3]・—不一致[0]-[2]」

げんこう[0]【原鉱】(クヮウ) 金属製品の原料となる鉱石。〔不純物を含んだ状態の物を指す〕

*げんこう[0]【原稿】(カウ) 印刷したり 口頭で発表したりするもとになる(紙に書かれた)文章。「—をそのまま読み上げる/—用紙[5]・—料[3]」 かぞえ方 一枚・一本・一点

げんこう[0]【現行】(カウ) 現在(制度として)行なわれていること。「—の選挙法/今回は—通りとするが」 —はん[3]【—犯】 実際に△行なっているところ(行なった直後)を第三者に目撃された犯罪。また、その犯人。〔逮捕状が無くても逮捕できる〕「すりの—でつかまった」

げんこう[0]【減光】(クヮウ) —する(自他サ) 〔照明などの〕光の強さを減らすこと。また、減ること。

げんごう[3][0]【元号】(ガウ) その天皇在位の象徴としてつける年号。〔明治以降は一代一元に定められた〕

げんごう[3][0]【減号】(ガウ) 引き算を示す記号。「−」

けんこうこつ[3]【肩甲骨・肩〈胛骨】(カフ) 両肩の後ろにあって腕と胴体とを結合する、平たい三角形の骨。かいがらぼね。

けんこく[0]【建国】 今までに無かった国を新たに作ること。 —きねんのひ[5]-[1]【—記念の日】「国民の祝日」の一つ。二月十一日、もとの紀元節に当たる。

けんこく[0]【圏谷】 ⇩カール (Kar)

げんこく[0]【原告】 〔民事訴訟・行政訴訟で〕訴訟を起こして裁判を請求する当事者。 ↕被告

げんこく[0]【減石】 —する(自サ) 酒などの醸造高を減らすこと。 ↕増石

げんこく[0]【厳酷】 —な・—に 相手がどんなに苦しくても容赦しないほど、きびしい様子。「—な規制を設ける」

けんこつ[1]【〈顴骨】 「ほお骨」の意の漢語的表現。

げんこつ[0]【《拳骨】 (なんらかの意志表示をするためにつきだしたり ふりあげたりする)にぎりこぶし。「—をくらわす/—を固める/振り上げた—のやり場に困る」

げんごろう[0]【源五郎】(ゲンゴラウ) 池や沼にすみ、楕円(ダエン)形で、背中は青みを帯びた黒茶色の昆虫。「源五郎虫[4]」とも。〔ゲンゴロウ科〕 かぞえ方 一匹 —ぶな[6]【—〈鮒】 琵琶(ワ ビ)湖特産のフナ。煮たりして食べる。〔コイ科〕 かぞえ方 一匹

けんこん[0][1]【《乾〈坤】 ❶天と地。❷陰と陽。❸いぬい(=北西)とひつじさる(=南西)。 —いってき[0]-[0]【—一〈擲】 〔天下を賭(カ)けて、ばくちの采(サイ)を投げる意〕それによって自分の運命が開けるか、それとも滅亡するかの大ばくちを打つこと。

げんこん[1]【現今】 われわれが 現に生活している時代。ただいま。「—の情勢」

**けんさ[1]【検査】 —する(他サ) 〈(なにデ)なにヲ—する〉 対象とする物品について規準に合っているか、異状は無いかなど、よく注意して調べること。「エックス線で乗客の手荷物を—する/—官[3]・身体—」

けんさい[0]【賢才】 すぐれた才知(の人)。

けんさい[0]【賢妻】 しっかり者の妻。

けんざい[0]【建材】 建造物を造るのに必要な資材。「新—・住宅—[5]」

けんざい[0]【健在】 —な・—に 話題の人が△無事に(丈夫で)暮らしている様子。〔特に異状が無く、十分に機能を果たしている状態の意にも用いられる。例、「彼の会社はまだ—だ」〕

けんざい[0]【〈硯材】 すずりを作る材料になる石。

けんざい[0]【顕在】 —する(自サ) 形にあらわれて存在すること。「—失業[5]・—化[0]」 ↕潜在

げんさい[0]【減殺】 —する(他サ) 〔量や程度を〕減らして少なくすること。「興味を—する」

げんざい[0]【原罪】 〔キリスト教で〕人類の祖アダムとイブとが禁断の木(コ)の実を食べた結果、人間が生まれながら負わされているという罪。 ⇩禁断

**げんざい【現在】 ━[1] ❶主体が何かをしている、その時(に近い過去や未来)。〔副詞的にも用いられる〕「—地(=案内板・地図などで、今居る所)を確認する/—は困っていません」 ⇩過去・未来 ❷〔仏教で〕現世。 ⇩三世(サンゼ) ❸〔文法で〕動作が現に行なわれていること(を示す特定の形式)。 ━[0] —する(自サ) 〈どこニ—する〉 消滅などせず実際に存在すること。「日本国内に—する外国人を対象とする/…家(ケ)は—の武家屋敷の内では極めて保存状態がよい」 —いん[3]【—員】(ヰン) 現在△その場にいる(在籍している)人数。 —かんりょう[5]【—完了】(クワンレウ) 〔英文法の時制で〕過去の動作・状態を現在につながっているとする視点で表わすもの。 —しんこうけい[0]、[1]-[0]【—進行形】(カウ) 〔英文法などの時制で〕その物事が現在継続中の状態にあることを表わす形式。〔広義では、今まさにその物事が継続中で決着の付かない段階にあることをも指す〕 —だか[3]【—高】 現在ある△品物の数(金額)。

げんさいばん[3]【原裁判】 上級裁判所の一段階前の裁判所で行なった裁判。例、高等裁判所の裁判に対して、地方裁判所の それ。

げんざいりょう[3]【原材料】(レウ) その生産物の原料となる材料。

けんざお[0][1]【間〈竿】(ザヲ) 間数(ケンスウ)を計るのに使う、目盛りのある竿。 かぞえ方 一本

けんざかい[3]【県境】(ザカヒ) その県と隣の県の境。

けんさく[0]【建策】 —する(他サ) 計画を立てること。「—が容れられる」

けんさく[0]【検索】 —する(他サ) △記録(記載)されている事柄の載っているのは△何か(どこか)を、なんらかの方法で調べ出すこと。「情報—[5]」 —エンジン[5] インターネット上で目的の情報やウェブ サイトを検索するためのシステム。サーチエンジンとも。

けんさく[0]【献策】 —する(他サ) 計画や対策を△政府(上役)に申し述べること。

げんさく[0]【原作】 翻訳・改作・訂正・脚色などをする前の、もとの作品。

げんさく[0]【減作】 作物の収穫が減ること。また、減った作柄。 ↕増作

げんさくどうぶつ[5]【原索動物】 脊索(セキサク)は持つが、脊椎(セキツイ)は終生持たない海産動物の総称。脊椎動物に最も近いとされる。ホヤ・ナメクジウオなど。

けんさくばん[0]【研削盤】 ⇩グラインダー

けんさつ[0]【検札】 —する(自サ) 車掌が車両を回って、乗客の乗車券を調べること。車内改札。

けんさつ[0]【検察】 〔取り調べて明らかにする意〕犯罪の証拠を集めて、事実を明らかにすること。「—審査会[7]」 —かん[4][3]【—官】(クワン) 犯罪を捜査し、公訴を行なう行政官。刑の執行を監督するほか、公益の代表者としても一定の権限を有する。「検事総長[4]」以下「次長検事[4]」「検事長[3]」「検事」「副検事[3]」に分かれる。〔検事の改称〕 —ちょう[4][3]【—庁】(チヤウ) 検察官が事務を取り扱う官署。「最高—・高等—・地方—・区—[5][4]」

けんさつ[0]【賢察】 —する(他サ) 〔一般に「ご—」の形で〕「相手が推察すること」の意の尊敬語。「ご—の通り/なにとぞ事

情をご—の上ご高配を賜わりますよう」 運用 手紙では、「事情ご賢察のうえ…」などの形で、相手にかける迷惑や負担に対して許しを請う表現として用いられる。例、「はなはだ窮屈な日程ではございますが、事情ご賢察のうえ、期日までの御回答をお願い申し上げます」

けんさん⓪【研(鑽)】—する(他サ) 学問などを、着実に研究すること。「—を積む」

けんざん①【剣山】〔生け花で〕太い針をさかさまに植えつけて、木の枝や花の根元などを固定する道具。⇩七宝㊂

けんざん⓪【検算・験算】—する(他サ) 〔自分がやった〕計算が正しいかどうか確かめること。また、そのための計算。ためしざん。

げんさん⓪【原産】 その土地で初めてその動植物が産出したこと。 **—ち**③【—地】 動植物の元来の産地。

げんさん⓪【減産】—する(自他サ) 生産が減ること。また、生産を減らすこと。↕増産

げんざん⓪【《見参》】—する(自サ) 〔雅〕〔もと、節会(セチエ)など宮中の宴会に出席する意〕対面の席に臨むこと。「けんざん」とも。「—に入(イ)る〔=ⓐお目にかかる。ⓑお目にかける〕」

げんざん⓪【減算】—する(他サ) 引き算。〔「減法」に比し、珠算や計算機の分野でよく用いられる語〕↕加算

けんし①【犬歯】 門歯の両側にある、上下おのおの二個のとがった歯。〔人間では「糸切り歯」と言う。また、肉食動物では「牙(キバ)」となる〕 かぞえ方 一枚・一本

けんし①【剣士】 剣術を修業中の者。「少年—⑤」

けんし⓪—する(他サ) ㊀【検死】 警察関係者が、変死者について死因などを調べること。検視。 表記 「検(屍)」とも書く。 ㊁【検視】 事実を取り調べるために、事件の現場などを注意して観察すること。〔狭義では、㊀を指す〕

けんし⓪【検使】 事実を見届けるための使者。〔狭義では、切腹したかどうかを確かめるための使者を指した〕

けんし⓪①【献詞】 献辞。

けんし①【絹糸】 きぬいと。

けんし①【(繭)糸】 繭と糸。また、繭からとった糸。

けんじ①【健児】 血気盛んな青少年。わかもの。

けんじ①チ—【堅持】—する(他サ) 〔自分の考え・態度を〕正しいものとして、他に決して譲らないこと。「△主体性(従来の立場・態度・姿勢・原則)を—する」

けんじ⓪【検字】 〔漢字の字典で〕本文の見出し字を総画順に配列した索引。

けんじ①【検事】 ㊀検察官の官名の一つ。 ㊁「検察官」の旧称。 **—きょく**③【—局】 現在の検察庁に当たる、旧制の官署。 **—せい**③【—正】 地方検察庁の長である検事の職名。

けんじ⓪【献辞】 著者・発行者が他人にその本を献呈するために書いた言葉。献詞。献題。

けんじ⓪①【顕示】—する(他サ) 人目につきやすいようにはっきりと示すこと。「自己—欲」

げんし⓪【幻視】 そこに無いものが、見えるように感じられること。

***げんし**①【原子】 ㊀元素の特性を失わない範囲で到達しうる最小の微細な粒子。分子を形成する。「—時計(ケイ)④〔=規則的な原子の振動を利用して振り子と同じ働きをさせ、正確な時を刻ませる時計。一日の狂いは、○・○○○二秒以下〕」 ㊁「原子△爆弾(力)」の略。「—雲(グモ)④」 **—か**③【—価】 その元素の原子が水素の原子何個相当と結合するかの値。〔水素一原子を原子価1とする〕 **—かく**③【—核】 原子の中核となる粒子で、正の電荷を持つ。陽子と中性子が強い力で結合したもので、原子の質量の大部分を占める。 **—ばくだん**④【—爆弾】 核分裂の際に生じるエネルギーを利用した、破壊力の強大な恐るべき爆弾。略して「原爆」。 かぞえ方 一発 **—ばんごう**(オ)④ガウ【—番号】 元素の原子核が含む陽子(ショウ)の数。〔元来は、周期表における順位の意〕 **—びょう**(オ)⓪ビヤウ【—病】 原水爆・放射線機器・放射性廃棄物などから放出された放射線を受けたことによって起こる病気。⇩原爆症 **—へいき**④【—兵器】 原子力を利用した兵器。核兵器。 **—ほう**(オ)⓪③ハウ【—砲】 核弾頭を発射する大砲。 かぞえ方 一門 **—りょう**(オ)③リヤウ【—量】 質量数十二の炭素原子を基準にして他の原子の質量を表わした値。 **—りょく**③【—力】 ウラニウムなどの原子核が分裂する際のエネルギー。「—発電⑥・—船⓪」 **—りょくきせいいいんかい**⑩、③-⑤キキンクワイ【—力規制委員会】 環境省の外局で、国民と環境を守るために、原子力利用の安全確保、そのための規制に取り組む機関。〔二〇一一年三月に起きた福島第一原子力発電所事故の反省から設立〕 **—ろ**③【—炉】 中にウラン・トリウムなどを入れて、核分裂反応を起こさせる設備。同位元素の製造や動力源として使う。 かぞえ方 一基

げんし①【原糸】 (織物の)原料としての糸。

げんし①【原始】 地球に人類が生存し始めた最初期。「—〔=物質文明の発達する以前の状態〕に還(カエ)れ」 表記 「元始」とも書く。 **—じだい**④【—時代】 人類が歴史時代に入るはるか以前の、生産手段を持たずに、自然物採取にのみ依存していた時代。 **—しゃかい**④クワイ【—社会】 人類が原始時代に営んでいた社会。〔社会分化はきわめて低く、呪術(ジュジュツ)などが盛んな未開社会を指すこともある〕 **—じん**③【—人】 原始時代に生きていた人。〔きわめて素朴な心情の持主の意にも用いられる〕 **—てき**⓪【—的】—な/—に ㊀自然のままで進歩していない様子だ。 ㊁まだ発達初期に属する様子だ。 **—りん**③【—林】 太古以来まだ人手の加わらない自然の森林。原生林。処女林。

げんし①【原姿】 〔究明や説明の対象としての〕文献の(その箇所の)もとの姿。

げんし⓪【原紙】 ㊀コウゾの皮からすいた、厚い丈夫な紙。蚕卵紙に使う。 ㊁謄写版の原版や「吸い口㊂」などに使う、ろうを引いた紙。 かぞえ方 ㊀㊁とも一枚

げんし⓪【原詩】 訳したり改めたりする前の、元の詩。

げんし①【原資】 〔官庁・企業などで〕投資・融資など特定の用途に充当すべき資金。

げんし⓪【減資】—する(自サ) 資本金を減らすこと。↕増資

げんじ①【言辞】 その人の意見の発現、感情の発露としての言葉。〔マイナスの価値判断や批判的意味を込めて使うことが多い〕「不遜(フソン)の—を弄(ロウ)する〔=人を人とも思わない事を言う〕」

げんじ①【現時】 現在の時点。

げんじ⓪【源氏】 ㊀(武士の代表としての)「源氏(ミナモトウジ)④」の音読。⇩平氏 ㊁「源氏物語⑥」の略。 **—ぐるま**④【—車】 御所車。 **—な**③【—名】 遊女や芸者などにつける、優美な名。〔もと、源氏物語の巻の名にちなんでつけた〕 **—ぼたる**④【—蛍】 体長一五ミリくらいの大形のホタル。卵・幼虫・さなぎも光る。 かぞえ方 一匹

***けんしき**⓪【見識】 物事の成行きや本質を見抜く、すぐれた判断力(に基づいた意見)。「—がある/—が高い〔=ⓐ見識がすぐれている。ⓑ気位が高い〕/—の狭い人/—が問われる/—を疑う」 **—ば・る**⑤【—張る】(自五) いかにも見識があるかのように見せかけた言動をする。見識ぶる。

げんしじだい④【原史時代】 考古学研究上の時代区分の一つ。文献のいくらか伝わり始めた時代。

***けんじつ**⓪【堅実】—な/—に 〔行動の仕方や考え方が〕安全第

一を心がけ、失敗したり危険な目にあったりすることが感じられない様子。派ーさ⓪

げんしつ⓪【玄室】 古墳の内部にあって棺をおさめるための空間。

げんしつ⓪【言質】 「げんち」の読み誤り。

げんしつ⓪【原質】 その物を形成する一つひとつの要素の、さらに根源的なもの。〔もと、アトムの訳語として考えられ、象徴的に用いられることが多い〕

****げんじつ**⓪【現実】 〔空想などと違って〕現在当面していて、それを無視することが出来ない事柄。「ーに即して見直す/厳しいーを直視する/ーは厳しい/予測がーのものとなる/ー味を帯びる/ー離れした認識/ーに△起きた(あった)話/ー性⓪・ー感④③」↔理想 **ーしゅぎしゃ**⑥【ー主義者】 物事を△実際的(実務的)な立場で判断したり実行したりする人。〔主として自分の利得につながるかどうかという観点から物事をとらえる傾きの人をも指す〕 **ーてき**⓪【ー的】ーな/ーに 現実に即して△いる(いて、実利にさとい)様子だ。「非ー①-⓪」

げんじてん①-①、①-⓪、③【現時点】 今の時点。「ーでは〔=今のところ〕制限しない」

けんしゃ①【見者】 何かを見ている人。〔狭義では、能の演技を見ている人を指す〕

けんしゃ①【県社】 もと、県から奉幣した社格の神社。

けんしゃ⓪【検車】ーする(他サ) 車両の故障の有無を検査すること。

けんじゃ①【賢者】 世の移り変りに盲従したり政治の表面に出たりせず、宇宙の哲理を見抜いて静かに暮らす人。↔愚者

げんしゃ⓪【減車】ーする(他サ) △車両の数(運転回数)を減らすこと。↔増車

けんしゃく⓪【顕爵】 高い爵位。栄爵。

けんじゃく①【剣尺】 仏像・刀剣・門戸などをはかるためのものさし。曲尺カネジャクの一尺二寸〔=約三六センチ〕を八等分した目盛りがついたもの。かぞえ方 一本

けんじゃく⓪①【間尺】 けんなわ(間縄)。

げんしゃく⓪【現尺】 〔縮尺したものと違って〕原物通りの寸法(で表わしたもの)。

けんしゅ①【券種】 商品券、日銀券〔=紙幣〕、各種カードなどの種類。

けんしゅ①【堅守】ーする(他サ) 自分たちの拠ヨる城や領地などを、堅く守ること。

けんしゅ①【賢主】 治世の道をよく心得た君主。

けんじゅ①【犬儒】 〔「犬儒」は、ギ kynikos=犬のような に基づく〕ギリシャの哲学者の一派。無為・自然を理想とし、社会的慣習や文化的生活を無視・軽蔑ケイベツした。

げんしゅ①【元首】 その国の長として国を代表する人。

げんしゅ⓪【原酒】 ㊀もろみをしぼったままの酒。アルコールや水を加えて製品にする前のもの。㊁蒸留の済んだあと、熟成させるために、一定期間樽詰タルヅメにして貯蔵したウイスキーの原液。かぞえ方 ㊀㊁とも一本

げんしゅ⓪【原種】 ㊀種をとるためにまく種。㊁その変種・改良種のもとになっている、野生の動植物。

げんしゅ①【厳守】ーする(他サ) 命令や約束などに従って、必ずその通りにすること。「時間ー④」

けんしゅう⓪【研修】ーする(他サ) その方面に必要な知識・技能を確実に身に付けるため、特別な勉強や実習をすること。「語学ーを受ける/ー生③・ー期間④」

けんしゅう⓪【兼修】ーする(他サ) 二つ以上の事を並行して習うこと。

けんしゅう⓪【献酬】ーする(他サ) 〔日本式の宴会で〕杯のやりとりをすること。「ーを重ねる」

けんじゅう⓪【拳銃】 ピストル。かぞえ方 一挺チョウ・一丁

げんしゅう⓪【現収】 現在の収入。

げんしゅう⓪【減収】ーする(自サ) 収入・収穫が減ること。↔増収

げんじゅう⓪【現住】 ㊀ーする(自サ) 現在住んでいること。「ー建造物⑦・ー地③」↔先住 ㊁現在の住職。↔後住

***げんじゅう**⓪【厳重】ーな/ーに 〔警戒や検査などの際に〕どんな些細サイな点も見のがさないようにぬかりなく注意する様子だ。「ーに△取り締まる(管理する・調べ上げる・保管する)/ー注意⑤・警戒ー」派ーさ⓪③

げんじゅうみん③【原住民】 〔「原」は、「もと」の意〕征服者や移住民が来る前から、その土地に住み独自の文化を持っていた民族。後、多くは片隅に追いやられ、差別に喘アエぐ。⇩先住民

けんしゅく⓪【《巻縮・〈捲縮】 化学的方法により、繊維を△縮らせること(縮らせた状態)。「ースフ⑤」

げんしゅく⓪【厳粛】ーな/ーに ㊀その場に居る者が一様に真剣な雰囲気を保とうとする様子。「式がーに執り行なわれる/ーな事実〔=ⓐいいかげんに扱ったりせず、みんなが真剣に取り組むべき事実。ⓑ隠したりごまかしたりすることの出来ない事実〕/事態をーに受け止める〔=自己に不利な状況に直面した政治家や政府高官が用いる決まり文句〕」 ㊁道徳的にきびしい様子。まじめ。派ーさ⓪

けんしゅつ⓪【検出】ーする(他サ) 〔化学的な分析などで〕物の中に含まれている微量の成分など、普通の手段では見つけにくいものを、専門的技術を駆使して調べた上、見つけ出すこと。「ゴミ焼却場の灰から、猛毒物質ダイオキシンがーされた」

けんじゅつ⓪【剣術】 剣を取って一対一で相向かい、自分の命を投げ出して相手をたおす武術。初め心術を修めることを宗ムネとし試合を眼目としなかったが、のち華やかな「道場剣術⑤」に移った。「棒振りー⑤・田舎ー④」

げんしゅつ⓪【現出】ーする(自他サ) そういう△状態(情景)が実際に現われ出る(ようにする)こと。「地獄図をーする」

げんじゅつ⓪①【幻術】 人前でやって見せる、人の目をくらます不思議な術。〔狭義では、手品を指す〕

けんしゅん⓪【険〈峻・〈嶮〈峻】ーな/ーに 山・坂がけわしくて高いこと。また、その場所。

けんしょ①【険所・〈嶮所】 〔登るのに困難な〕けわしい場所。

けんしょ①【賢所】 「かしこどころ」の、宮内庁関係者での称。

げんしょ①【原初】 そのものとしての一番初め(の状態)。「宇宙のー/ー期③・ー的⓪」

げんしょ⓪【原書】 ㊀翻訳・翻案・改作や、書き写しの対象となった、もとの本。㊁洋書。

げんしょ①【厳暑】 きびしい暑さ。酷暑。

けんしょう⓪【見性】 〔仏教で〕自己の心性を見いだすこと。 **ーじょうぶつ**⑤【ー成仏】 禅宗の教義の一つ。一切の迷いを去った結果、自己の中に宿る仏性を見いだして、悟りを開くこと。

けんしょう⓪【肩章】 〔軍隊や警察などで〕官職や階級を示すために△制服(礼服)の肩に付けるしるし。

けんしょう⓪【健勝】 〔手紙文で〕相手の健康を祝する挨拶アイサツの言葉。「拝啓 時下ますますごーのことと存じます」

けんしょう⓪【検証】ーする(他サ) 実際に当たって調べることによって、事実を明らかにすること。〔狭義では、裁判官などが証拠物件や犯行現場を実際に調べることを指す〕「現

場—④・—物③」

けんしょう⓪【憲章】国家などが、理想として定めた、行政上の重要な原則。「国連—⑤・児童—④」

けんしょう⓪【謙称】謙譲表現として用いた呼び名。例、自分の妻を荊妻・山妻などと言ったり 子供を豚児と言ったり 自身のことを愚生・迂生・小生などと言ったり 自分の考えを愚見・愚考などと言ったりすること。この辞書では人を指す称に限って用いた。

けんしょう⓪【顕正】自分が正しいと信じる宗教の教理をあらわし広めること。〔広義では、正義を明らかにして広めることを指す〕「破邪—①-⓪」

けんしょう⓪【顕彰】—する（他サ）功績があることを認め、その業績のあらましを一般の人に周知させること。

けんしょう⓪【懸賞】正解者・勝者や優れた作品の制作者、また犯人・捜し物の所在を知らせてくれた人への褒賞（金）。「—に当たる（=正解者として最終の選に残る）／—問題⑤」

けんじょう⓪【健常】心身に障害が無いこと。「—児③・—者③」

けんじょう⓪【堅城】防備の堅固な城。「—を抜く（=攻め落とす）」

けんじょう⓪【献上】—する（他サ）〔「上」も「たてまつる」意〕❶〔天皇・貴人などに〕物をさし上げること。「—品⓪」❷〔←献上博多⑤〕独鈷形の浮織りの紋の入った、博多織の男物帯地。

けんじょう⓪【謙譲】—する（自サ）自分の能力や功績を人前で誇ったりせず、相手を立てることを第一とすること。「—の美徳」派—さ⓪③ —ご⓪【—語】謙譲表現として用いられる特定の語。相手の物を見ることを「拝見する」、相手から何かをもらうことを「いただく」と言ったりするなど。謙遜語。—ひょうげん⑤【—表現】話し相手や話中の人物に対する敬意を表わすために、その人に何らかのかかわりあいのある自分の動作や自分の側に属する事物などを へりくだって述べる時の表現。相手の物を借りることを「お借りいたします」と言ったり 話中の人の物を自分が持ったことを「お持ちした」と言ったり するなど。

げんしょう⓪【現象】感覚の働きによって知ることの出来る、一切の出来事。「中だるみ—を招く／—的には（=ちょっと見た目には）／自然—・フェーン—④・液状化—⑥・社会—④・奇—②（=なんとも理解しがたい不思議な出来事）・珍—③（=変わった出来事）」↕本体❷ —かい③【—界】〔哲学で〕感覚によってとらえる（経験する）ことが出来る世界。形而下の世界。—ろん③【—論】〔哲学で〕❶われわれの認識しうるのは現象だけであるとする説。❷自我によってとらえられた現象だけが実在であるとする説。

げんしょう⓪【減少】—する（自他サ）〈（なにカラなにニ）—する〉〔以前に比べて、数量・程度が〕減って少なくなる（ようにする）こと。「—を見せる／—傾向を示す」↕増加

げんじょう⓪【原状】変化する以前（そのものの最初）の状態。「—を復元する」

げんじょう⓪【現状】〔理想の状態などと違って〕現在の状態。「—を踏まえる（打開する）／—に即して考える／—にあきたりない（甘んじる）／—維持⑤・—打破⑤」

げんじょう⓪【現場】〔事件などが〕実際に起こった（行なわれた）場所。げんば。「事故—③」

けんしょうえん③⓪【〈腱鞘〉炎】腱およびそれを包む腱鞘に炎症が起こる病気。

けんしょく⓪【兼職】—する（他サ）本来の職務のほかに、その組織・機関と直接かかわりの無い職務を持つこと。また、その職務。「大臣が学長を—することは好ましくない」↕本職

けんしょく⓪【顕職】高い地位の官職。

げんしょく⓪【原色】❶交ぜ合わせて種々の色を作るもとなる色。赤・青・黄の三色。❷「原色❶」やそれに近い、刺激的な色。↕中間色 ❸〔複製などの〕もとのままの色。原物の色。—ばん⓪【—版】❶三原色および黒色で印刷する三色版。❷原画や原物の色彩・陰影をそのまま再現する写真印刷。また、その印刷物。

げんしょく⓪【現職】❶現在従事している職務（職業）。❷現在その職務についていること。「—の警察官」

げんしょく⓪【減食】—する（自サ）食事の量を減らすこと。

けん・じる⓪③【献じる】（他上一）〔品物などを〕立場の上の人にさしあげる。献ずる（サ変）。

げん・じる⓪③【減じる】❶（自上一）❶数量・程度が元よりも減る。少なくなる。❷（他上一）数量・程度を元よりも減らす。❷引き算をする。減ずる（サ変）。

けんしん⓪【見神】〔キリスト教で〕神の本体・示現を霊感で感知すること。

けんしん⓪【健診】「健康診断⑤」の略。

けんしん⓪【検針】—する（自サ）〔電気・ガス・水道などの〕メーターの針の示す目盛りを調べ、使用量を知ること。「—日③」

けんしん⓪【検診】—する（他サ）病気があるかどうかを調べるために診察すること。

けんしん⓪【献身】—する（自サ）自分の安全・健康状態や、利害・損得などを考えずに他人のために奉仕すること。—てき⓪【—的】—に —な 自分を犠牲にして、他人（社会・国家）のために尽くす様子だ。「—な協力」

けんじん⓪③【県人】その県の出身の人。—かい③【—会】その県の出身者から成る親睦会（団体）。

けんじん⓪【堅陣】備えの堅い陣。「保守の—を抜く（=攻め落とす）」

けんじん⓪【賢人】❶判断力にすぐれ、その行為が道理にかなっている点で世間の人から仰がれる人。〔昔、中国では伯夷・叔斉が、日本では平重盛がその代表とされた〕「竹林の七—／—会議⑤」❷「濁り酒」の異称。⇩聖人

げんしん⓪【原審】その裁判の一つ前の段階の裁判での審理結果。「—を破棄する」

げんじん⓪【原人】猿人の次、「旧人❷」の前の段階の化石人類。約百五十万年から三十万年前に生存したとされる、ホモハビリスからエレクトゥスを含むホモ属（=ヒト属）の総称。石器・火を使い、現生人類に近い直立二足歩行をしていた。脳の大きさは、推定約一〇〇〇ミリリットル。眉の上に隆起がある。⇩猿人・旧人・新人

げんず⓪【原図】修正したり 複写したり する以前の図。

けんすい⓪【建水】〔「建」は、こぼす意〕茶道具の一つ。水こぼし。

けんすい⓪【懸垂】—する（自他サ）❶たれ下がる（下げる）こと。❷〔体操で〕鉄棒にぶら下がり、腕を曲げたり 伸ばしたりして、からだを上下すること。

げんすい①【元帥】陸海（空）軍大将のうち、特に選ばれた少数の人に与えられた称号。

げんすい⓪【原水】水道水などに利用する、人工的な処理などをほどこしていない水。

げんすい⓪【減水】—する（自サ）水量が減ること。↕増水

げんすい⓪【減衰】—する（自サ）少しずつ減っていくこと。

げんすいばく③【原水爆】原子爆弾と水素爆弾。原子兵器の総称。「—禁止運動③-④」

けんすう③【件数】事柄・事件の数。
けんすう③【間数】間(=約一・八メートル)で計った長さ。
げんすう③【現数】現在ある数量。
けん・する③【検する】(他サ) 異状が無いかどうか△検査する(取り締まる)。検す①(五)。
けん・する③【験する】(他サ) ㊀実際にそういう事があるかどうか、ためしてみる。㊁験算する。
げん・ずる⓪③【現ずる】(自他サ) △現われる(現わす)。
げんすん⓪【原寸】原物の寸法。「—は、これの一・五倍/—大⓪」
げんせ①【現世】その人が生きている同時代を、生誕前の「前世」、死後の「後世」と対比して言う語。この世。〔仏教用語では「げんぜ」〕「—利益(リヤク)④(=信仰のおかげで受ける、この世の恵み。病気が治ったり お金が入ったりすること)」
⇩三世(サンゼ)
けんせい⓪【県勢】その県の人口・産業などの総合的な状態。「—一覧⓪-⓪」
けんせい⓪【〈牽制】—する(他サ) 相手の注意を自分の(望む)方にひきつけることによって、自由に行動出来ないようにすること。「—が強まる/ランナーを—する(=ランナーがリード出来ないように、ピッチャーが球をその塁に投げる)/—球を投げる(=相手を牽制する言動をする意にもたとえられる)」
けんせい①⓪【権勢】支配的な地位にあって、物事を自分の意志次第で決定出来る力。「—をふるう/—家(カ)⓪(=権勢をふるって、世の中を動かす実力者)・—欲③」
けんせい⓪①【憲政】憲法を定め、それに基づいて行なわれる政治。立憲政治。「—の常道」
けんせい⓪【顕性】㊀遺伝する性質のうち、次の代に必ず現われるもの。旧称、「優性」。「—遺伝⑤」↔潜性 ㊁感染症などの症状が現われること。「不—感染⑥」
げんせい⓪【原生】出来た時のままで△進化(変化)していないこと。「—林③(=原始林)」 **—だい**③【—代】地質時代の最初期である「太古代」に次ぐ、約二十億年。 **—どうぶつ**(オ)⑤【—動物】単細胞の微生物(=原生生物)のうち、藻類を除き、動物的なふるまいをするもの。アメーバ・ゾウリムシなど種類が多い。原虫。
げんせい⓪【現生】—する(自サ) 現代に△生存(生息)していること。 **—じんるい**⑤【—人類】現在 生存する(のと同種の)人類。ホモ サピエンス。〔化石人類をも含める〕
げんせい①【現世】げんせ。
げんせい⓪【現勢】現在における△情勢(勢力)。
げんせい⓪【厳正】—な —に 一度これで行こうと決めた規準などを完全に守って公平に行なう様子。「—な態度を持する/—中立⓪-⓪」 派 **—さ**⓪
げんぜい⓪【減税】—する(自サ) 税率や税額を減らすこと。↔増税
けんせき⓪【〈譴責】—する(他サ) 〔「譴」は、とがめる意〕公務員などの不道徳な行いや過失を戒めること。「—処分⑤」
げんせき⓪【言責】㊀自分の言った言葉に対する責任。㊁是非を言明すべき責任。
げんせき⓪①【原石】㊀原鉱。㊁加工する前の宝石。
げんせき⓪①【原籍】(法律上、転籍する前の)本籍。
けんせきうん④③【《巻積雲・絹積雲】五千~一万三千メートルの高空に出来る白色の小さい、まだらな雲。うろこぐも。いわしぐも。さばぐも。⇩雲級
けんせつ⓪【建設】—する(他サ)↔破壊 ㊀〈(どこニ)なにヲ—する〉自然に手を加えたり 古い建造物などを壊したり して、そこに新たに有用な物を作りあげること。「高速道路を—する/(新)都市—」 ㊁〈(どこニ)なにヲ—する〉新たな理念・発想に基づいて、今までになかったものを打ち立てること。「△民主国家(新学説)を—する」 **—しょう**(オ)④③(シヤウ)【—省】△国土(都市)計画、川・道路・建築などの事務を受け持った中央官庁。〔長官は、建設大臣。二〇〇一年「国土交通省」に吸収〕 **—てき**⓪【—的】—な —に 物事を良くしていこうとする積極的な様子だ。「—な意見」↔破壊的
けんせつ⓪【兼摂】—する(他サ) 〔大臣などの〕兼任。「—大臣⑤」
けんぜつ⓪【懸絶】—する(自サ) 他とかけ離れること。
げんせつ⓪【言説】自分の考えを述べたり 物事を説明したりすること。また、その言葉。
けんせん⓪【健羨】〔健は「非常に」の意〕「うらやましくてたまらない」意の古風な表現。「—の至り」
けんせん⓪【〈捲線】コイルの訳語。〔「線輪⓪」より古く、現在はめったに用いられない〕
けんせん⓪【献〈饌】—する(他サ) 〔神道の祭式で〕祝詞(ノリト)を上げるに先立って、神官が神前に神饌を供えること。↔撤饌
*__けんぜん__⓪【健全】—な —に ㊀身体や組織の状態に欠陥・異状が無く、順当な活動が見られる様子だ。「胃の働きを—にする薬/—財政⑤・—性⓪」 ㊁悪影響を及ぼすおそれがないので、多くの人に勧めることが出来る様子だ。「—な(=かたよらず、常識的な)考え方/家庭向けの—な読み物/—娯楽⑤(=世間の公序良俗に反することのない娯楽)」 派 **—さ**⓪ 【—な精神は—な身体に宿る】からだの丈夫な人にして初めて強固な精神の持主となれるのだ、という世俗的命題。〔健康な からだにふさわしい平和な精神状態が実現するように、という祈りだとする説もある〕
けんぜん⓪【顕然】—たる —と 明らかに現われる様子。
げんせん⓪【原潜】原子力を動力とする潜水艦。「原子力潜水艦⓪」の略。
げんせん⓪【源泉】水や温泉のわき出る源。〔物事の(尽きずに)生じて来るもとになるところの意にも用いられる。例、「知識の—」〕 表記 「原泉」とも書く。 **—かけながし**⓪-⓪【—掛(け)流(し)】〔温泉で〕源泉の湯をそのまま浴槽に注ぎ続け、湯をあふれるままにすること。掛け流し。「—の露天風呂」 **—かぜい**⑤(クワ)【—課税】給与・利子・印税などから天引きで税金を取り立てること。源泉徴収⑤。
げんせん⓪【厳選】—する(他サ) 情実などを交えず、規準に合うものだけを選び出すこと。「素材を—して作った料理/—主義⑤」
げんぜん⓪【現前】—する(自サ) 現在、目の前に△ある(起こっている)こと。「—の事実」
げんぜん⓪【厳然】—たる —と いいかげんな態度で近づくことがためらわれるほどきびしい様子だ。「—たる態度/—たる(=動かしがたい)事実」 表記 「〈儼然」とも書く。
けんそ①【倹素】—な —に 生活態度がむだを省き質素を宗(ムネ)とする△こと(様子)。
けんそ①【険阻・〈嶮岨〉】—な —に けわしい△こと(場所)。「—な道/街道一の—を過ぎる」
*__げんそ__①【元素】宇宙間にある物質を構成し、もはや化学的に分解出来ないもの。人工的に合成されたものも含め、現時点で一一八種確認されている。「—記号④・金属—⑤(=金・銀・鉄・銅など)・非金属—・気体—④・新—③」 表記 「原素」とも書く。
けんそう(オ)①⓪(サウ)【険相】—な —に 人相のけわしい△こと(様子)。
けんそう(オ)⓪(サウ)【〈喧騒・〈喧噪〉】—な —に 生活音などがやかましくて、落着きの無い様子だ。「大都会の—を離れて自然の中に身を置く」
けんそう(オ)⓪【献奏】—する(他サ) 神に演奏をささげること。「神楽(カグラ)—①-⓪」

けんぞう[0](ザウ)**【建造】**―する(他サ) 公共の使用する建物や、船などをつくること。 **―ぶつ**[3]**【―物】** 木・石や土砂・金属などで地上につくった建物や橋、ダムの外に、記念碑や鳥居・門、巨大な彫像など。

げんそう[0](サウ)**【幻想】**―する(他サ) 非現実的な事を、夢でも見ているかのように心に思い浮かべること。また、その思ったこと。「―をいだく/―の世界/―家ヵ[0]・―的[0]・―性[0]」 **―きょく**[3]**【―曲】** 作者の幻想によって自由に構成・作曲された、器楽形式の一つ。ファンタジー。

げんそう[0]**【現送】**―する(自サ) △現金(現物)を輸送すること。

げんそう[0](サウ)**【舷窓】** 船の横側につけた、採光・通風用の小窓。

げんぞう[0](ザウ)**【幻像】** 実際は無いのに、あるように見える形・姿。幻影。

げんぞう[0](ザウ)**【原像】** △現にある(出来あがった)像のもとになる像。

げんぞう[0](ザウ)**【現像】**―する(他サ) 撮影した乾板・フィルム・印画紙を薬品で処理し、映像を現わし出すこと。「―液[3]」

けんそううん[3]**【《巻層雲・絹層雲》】** 五千~一万三千メートルの高空に一面に広がる白い雲の幕。氷晶から成り、太陽・月を隠して暈(カサ)を作ったりする。⇩雲級

けんそく[0]**【検束】**―する(他サ) 〔むかし、警察が〕△公安に害のある(保護を要する)と認めた者を、一時警察署に留めおいたこと。

けんぞく[1]**【〈眷属】** 血筋のつながった一族。〔広義では、家の子・郎党など、配下の者も含む〕 表記「〈眷族」とも書く。

***げんそく**[0]**【原則】** (大部分の場合にあてはまる)基本的な△法則(規則)。「―を掲げる/―を△打ち出す(確立する・貫く・崩す)/―が守られる/―に反する/―的[0]・根本―[5]」↔例外 **―ろん**[4]**【―論】** 〔物事の具体的な姿や流動性に目を向けず〕△論理的には(本来は)こうあるべきだという考え方にのみ基づく論議。「―にこだわる/―を振り回す」

げんそく[0]**【舷側】** 船の横腹。「―に横づけになる」

げんそく[0]**【減速】**―する(自他サ) 速力△を遅くする(が遅くなる)こと。「―装置[5]」↔加速

げんぞく[0]**【《還俗》】**―する(自サ) 僧になった人が僧籍を離れて、俗人にかえること。〔古くは、落堕(ダラク)とも言った〕

けんそん[0]**【謙遜】**―する(自サ) 自分を低い者として、相手に対して控えめな態度をとること。↔不遜 **―ご**[0]**【―語】** ⇩謙譲語

げんそん[0]**【玄孫】** 「やしゃご」の意の漢語的表現。

げんそん[0]**【現存】**―する(自サ) 現在実際に△そこにある(この世に生きている)こと。「げんぞん[0]」とも。「―する最古の木造建築」

げんそん[0]**【減損】**―する(自他サ) 物質や資産などが減ること。また、減らすこと。

げんそん[0]**【厳存】**―する(自サ) 隠したりごまかしたりすることの出来ない事実として、そこにあること。「げんぞん[0]」とも。 表記「〈儼存」とも書く。

けんたい[0]**【〈倦怠】**―する(自サ) ❶飽きて、その動作や状態を続けるのがいやになること。「―期[3]〔=恋人や夫婦間で慣れや飽きを感じる時期〕」 ❷からだがだるくて、何をする気にもなれないこと。「―感[3]」

けんたい[0]**【兼帯】**―する(他サ) 本来別であるべき二つの目的・用途を兼ねること。「朝昼―の食事」〔俗に、兼務の意にも用いられる〕

けんたい[0] ❶**【検体】** 化学的な方法などによる検査・分析の対象となる、血液・臓器や食品。 ❷**【献体】** 〔医学などで〕臓器移植・角膜移植等の外科的治療、および解剖実習のために、自分の遺体を無条件・無報酬で提供すること。

けんだい[0][1]**【見台】** ❶〔↑書見台〕読みやすくするために、書物を立てかける台。〔狭義では、謡曲・浄瑠璃(ジョウルリ)などをうたい語る時に用いる台を指す〕 ❷〔寄席・講釈場で〕講釈師が前に置いて調子をとるための台。

けんだい[0]**【兼題】** 〔和歌・俳句などで〕会の当日以前に題を出しておくこと。また、その題。↔席題

けんだい[0]**【献題】** 献辞。

けんだい[1][0]**【賢台】** 〔手紙文で〕同輩(以上の人)に対して用いる敬称。〔一般に年配の男性が用いる〕

げんたい[1][0]**【原隊】** 〔軍隊で〕その人がもと属していた部隊。「―復帰[1]-[0]、[5]」

げんたい[0]**【減退】**―する(自サ) 〔体力や精神の働きなどが〕衰えて、弱まること。「意欲を―させる/精力―」↔増進

げんだい[0]**【原題】** 〔翻案・翻訳された題に対して〕もとの(外国語による)題。

***げんだい**[1]**【現代】** われわれが現に今生きている時代。〔歴史の時代区分としては、日本史のそれと一致。狭義では、第△一(二)次世界大戦以後を指す〕「―の食生活について考える/七草でいうホトケノザは―のタビラコ/―音楽[5]・―文学[5]・―感覚[5]・―劇[3]・―人[3]・―性[0]・―っ子[4][0]・―語[0]」 **―かなづかい**[7](ヅカヒ)**【―仮名遣(い)】** ⇩かなづかい 表記 ⇩付表「仮名」 **―てき**[0]**【―的】**―な(に) 現代にふさわしい様子だ。当世風。モダン。 **―ばん**[0]**【―版】** 古典の主人公や、昔起こった著名な社会現象が今日に再現されたといってもいいもの。「―大名行列[0]-[5]/―八百屋お七[0]-[5]」

げんたいけん[3]**【原体験】** その人のものの見方・考え方や行動様式に影響を与えたととらえられる(当人は必ずしも自覚していない)幼少年期の(おぞましい)体験。「あの忌まわしい戦争という―」

けんだか[1][0]**【権高】**―な(に) 自分は一段も二段も上の立場にあるというような態度で相手を見下した言動をする様子だ。 表記「見高」とも書く。 **―・い**[4](形) 権高な様子だ。

げんだか[0][3]**【現高】** 現在の額。現在高。

けんだく[0]**【懸濁】** 肉眼ではその一つ一つがとらえられないほどの細かな粒子が液体中に分散して△いる(いて濁って見える)こと。「―液[4]」

げんたつ[0]**【厳達】**―する(他サ) 必ず従わなければいけないとして通達すること。また、その通達。

けんだま[0]**【けん玉】** 猪口(チョク)を背中合せに二つくっつけたような胴体の側面に、先がとがって手元がへこんでいる柄を突き通し、玉を糸で下げたもの。玉を三つのへこみに載せたり玉の穴を柄の先に入れたりして遊ぶ。日月(ニチゲツ)ボール。〔フランス国王アンリ三世が創(ハジ)めたと言われる bilboquet (ビルボケ)は類似の遊具だが、横向きの受け口が無い〕 表記「剣玉・拳玉」などと書く。 かぞえ方 一本

けんたん[0]**【健〈啖】**―な 〔「啖」は、食べる意〕なんでも好き嫌い無く、たくさん食べる様子。「―家ヵ[0]」

けんたん[0]**【検〈痰】**―する(自サ) 痰の中に結核菌などがあるかどうかを検査すること。

げんたん[0]**【減反】**―する(自他サ) 農作物、特にイネの作付面積を減らすこと。「政府の―政策に対して反発する農民を無視するわけにはいかない」↔増反 表記「減《段」とも書く。

げんたん[0]**【減炭】**―する(自サ) 石炭の産出量をへらすこと。↔増炭

【 】の中の教科書体は学習用の漢字, 〈 は常用漢字外の漢字, 《 は常用漢字の音訓以外の よみ。

げんたん⓪【厳探】―する（他サ） 厳重にさがすこと。「犯人―中①-⓪」

げんだん⓪【厳談】―する（自サ） 決着をつけるように、てきびしく談判すること。

げんだんかい①-⓪、③【現段階】 現在の段階。「―では『検討中』としか言えない」

けんち①【見地】 ❶観察・論断する場合の立場。観点。「△高い（広い）―に立つ」 ❷土地を検分すること。

けんち⓪①【検地】―する（他サ） 田畑の境界・反別・地積・収穫状態などを調べること。

けんち①⓪【検知】―する（他サ） 機器などで検査して知ること。「ガス漏れを―する／―装置④」

けんち①【〈硯池】 すずりの水をためておく部分。

げんち①⓪【言質】〔約束事などで〕後の証拠となる言葉。「―を△取る（与える）」〔「げんしつ」は、読み誤り〕

げんち①【現地】 ❶△現在生活している（これからそこで生活する予定の）土地。〔多く、外地について言う〕「―で結婚／―妻（マツ）④」 ❷実際に事が△行なわれている（行なわれた）土地。「―へ向け（て）出発する／―（住）民・―採用④」

けんちく⓪【建築】 ❶―する（他サ） 家屋やビルディングなどの建造物を造る△こと（技術）。〔法的には、増築・改築・移築をも含む〕「教会を―する／―を請け負う／―確認⑤・―許可⑤・―工事⑤・―士④・―施工⑤・―費④③・―物④・―法規⑤」 ❷造られた建物。「和洋折衷の―／純日本―・西洋―⑤・注文―⑤・ゴシック―⑤」

けんちじ③【県知事】 その県の行政上の最高責任者。

けんちゃ⓪【献茶】―する（自サ） 神や仏に薄茶などをささげる△こと（行事）。また、その茶。

けんちゅう①（チウ）【繭〈紬】 柞蚕（サクサン）の糸で織った織物。 表記「絹〈紬」とも書く。

げんちゅう⓪【原虫】 原生動物。「マラリア―⑤」

げんちゅう⓪【原注・原〈註】 原本に初めから付けてある注。 ⇩訳注

けんちょ①【顕著】―な―に きわだって目に付き、疑いを容（イ）れる余地などが全く無い様子。「―な功績／…の性格が―である／変化の きざしは―である」 派―さ③

げんちょ①【原著】 翻訳・改作などの もとに△なる（なった）著作。

けんちょう①（チャウ）【県庁】 県知事が居て、その県の行政事務を取り扱う中心となる役所。

けんちょう⓪（テウ）【堅調】〔取引で〕相場が上がる傾向にあること。 ↕軟調

げんちょう⓪（チャウ）【幻聴】 実際には音がしないのに、聞こえるように感じること。

けんちょうぎ③（テウ）【検潮儀】 潮の干満により海面の高さが変化するのを自動的に記録する器械。検潮器③。

けんちん③⓪【《巻《繊】〔「ちん」は「繊」の唐音〕サトイモ・ゴボウ・ニンジンなどを豆腐と一緒に油でいためたもの。「―汁（ジル）⑤〔＝けんちんを実にしたすましじる〕」

げんつき⓪【原付（き）】〔原動機付きの意〕原動機付き自転車。「―自転車⑥〔＝モーター バイク〕」

けんつく① 相手にひどく荒あらしい態度で接すること。「―を食わせる〔＝相手の申し出をぴしゃりと断わる〕／―を食らう」 表記「剣突・拳突」などとあてることがある。

けんてい⓪【検定】―する（他サ） 基準に合うかどうか検査して合格・不合格などを定めること。「教科書―⑤・実用英語技能―⑪〔＝略称、英検⓪〕」

けんてい⓪【献呈】―する（他サ） 著作物を謝恩・儀礼のために他人に贈ること。

けんてい⓪【賢弟】〔賢い弟の意〕〔手紙文などで〕相手の弟や、年下の男性に対して用いる敬称。 ↕愚弟

＊げんてい⓪【限定】―する（他サ）〈なにヲなにニ―する〉〔物事の利用法や数量などを〕ある範囲を超さないように決めること。「応募資格を県内在住に―する／―版（バン）⓪・―販売⑤」

げんてい⓪【舷〈梯】 船の横側に取り付け、乗船・下船のために使う はしご。タラップ。 かぞえ方 一本

けんてき⓪【〈涓滴】〔「涓」は、水が ぽとぽと落ちる音〕しずく。「―岩を穿（ウガ）つ〔＝絶えず努力すれば何事でも出来あがるたとえ〕」

けんてき⓪【〈硯滴】 すずりに入れた水。また、水をさす小さな器。水入れ。

けんてつ⓪①【賢哲】 ❶賢人と哲人。 ❷賢明で道理に通じている人。

けんてん⓪③【圏点】〔文章中、特に△要点（注意）を示すために〕文字のわきに付ける小さい丸などの符号。例、「●●」「○○」「、、」。

けんでん⓪【〈喧伝】―する（他サ） 盛んに世間に言い伝えること。

げんてん⓪①【原典】 引用や翻訳・改作などの もとになった本。「―主義⑤」

げんてん①【原点】 ❶距離などを計る時のもとになる地点。 ❷その問題の根源をなすと とらえられる要素。「―に立ち還（カエ）って考えてみよう／△宗教（議会制民主主義）の―に立つ／―を洗い直す」 ❸〔数学で〕数直線や座標△平面（空間）上の基点。〔数直線上では、実数の零に対応する点。座標△平面（空間）では、すべての座標が零となる点〕

げんてん⓪【減点】―する（他サ） 〔試験・競技などの採点（法）で〕あらかじめ基準点を定めておいて、誤りやミスに応じて点を引き去ること。また、その点数。

けんと①【建都】 その地に新たに首都を建設すること。「平安―千二百年記念行事」

けんと①【県都】 県庁のおかれている都市。 ⇩首都

＊げんど①【限度】 これ以上は超えられないという程度。「―に来ている／―を超える／―いっぱいに金を借りる」

＊けんとう③（タウ）【見当】 いろいろな材料によって多分こうだろうと判断△すること（した結果）。〔狭義では、大体の方角・方向を指す〕「―をつける／―がつく／―違いもはなはだしい／四十―〔＝ほぼ四十歳ぐらい〕の人」

けんとう⓪【拳闘】 ⇩ボクシング

けんとう⓪ ❶【軒灯】 軒下につける△電灯（灯火）。 ❷【献灯】 祭事・法会（ホウエ）などに際し、神仏に奉納する灯明（トウミョウ）。 かぞえ方 ❶❷とも 一灯

けんとう⓪【健投】―する（自サ）〔野球で〕投手が相手に得点されないように一生懸命に投球すること。

けんとう⓪【健闘】―する（自サ） 全力を出して元気一杯戦うこと。「善戦―空（ムナ）しく敗れる／―を祈る」

＊けんとう⓪（タウ）【検討】―する（他サ）〈なにヲ―する〉 問題となる事柄について、いろいろな面からよく調べ、それ△で（が）いいかどうかを考えること。「処置を―する／―に値する／―を△加える（要する）／再―」 運用 相手からの依頼・要求・勧誘に対して、「検討しておく」などの形で回答を保留し、相手に結論を示すのを意図的に遅らせるときにも用いられる。

けんとう⓪（タフ）【賢答】 普通の人なら答えに窮するような質問に対する、見事な答え。〔「相手の答え」の意の尊敬語としても用いられる〕

けんどう⓪（ダウ）【県道】 県の費用で建設・管理する道路。

けんどう①（ダウ）【剣道】 道場剣術から出発した室内スポーツ。面・胴・籠手（コテ）などの防具を着け、竹刀（シナイ）を用いる。二本先取した方を勝ちとする。

けんどう⓪（ダウ）【権道】 目的をとげるためにとる、便宜の（不

正)手段。臨機応変の手段。

げんとう0【幻灯】「スライド四」の古風な表現。

げんとう0【玄冬】〔五行説で冬に黒色〔=玄〕を当てることから〕冬の異名。⇩青春・朱夏・白秋

げんとう0【原頭】「野原(のあたり)」の意の漢語的表現。

げんとう1【現当】〔仏教で〕現世と来世。「—二世1-1」

げんとう0【舷灯】〔航行中の船が、その進行を他船に知らせるため〕船の両側につける灯火。かぞえ方 一灯

げんとう0【舷頭】「ふなばた」の意の漢語的表現。

げんとう0【源頭】沢・谷川などの源流に当たる、山頂や山稜近くの斜面。

げんとう0【厳冬】冬の中で最も寒さのきびしい時。「—の候いかがお過ごしですか/—期3」

*__げんどう__0【言動】〔言語と行動の意〕その人が何かを言ったりしたりすること。「—を慎む/不穏な—が高まる」

げんどう0【原動】運動を起こすもとになるもの。 **—き**3【—機】自然界に存在するエネルギーを火力・水力などの形で取り出して機械的エネルギーに変える装置。蒸気機関・水力機関など。 **—きつきじてんしゃ**9【—機付(き)自転車】小型ガソリンエンジンを取り付けた二輪車で、エンジンの総排気量五〇cc以下のもの。略して「原付き」。モーターバイク。⇩自動二輪車 **—りょく**3【—力】❶機械に運動を起こさせるもとになる力。❷物事の活動を起こすもとになる力。「優勝の—となる」

けんとうし3【遣唐使】奈良朝から平安朝初期にかけ、日本から中国の唐朝に派遣した使節。

ケントし3【ケント紙】〔Kent=イギリスの地名〕絵画・製図用の、上質の堅い用紙。かぞえ方 一枚

けんどじゅうらい1-0【捲土重来】〔戦いに〕一度敗れた人が、また勢いを盛り返して来ること。「けんどちょうらい」とも。「—を期する」

けんどん0【倹飩】〔↑倹飩箱3=けんどん△そば(うどん)を配達するための出前箱。「倹飩」は、「倹約うどん5」の略という〕上下または左右に溝があり、ふたや戸をはめられるように作った箱形の△容器(戸棚)。〔携帯用の容器は、岡持とも言う〕

けんどん1 0【慳貪】—なる〔古〕欲が深くて、他人に対して物惜しみをする様子。〔狭義では憎に対する喜捨を惜しむ意を指し、広義では無慈悲の意にも用いられる〕

けんない1【圏内】問題となっている事柄の及ぶ範囲。「当選(の)—/△合格(暴風雨)—に入る」↕圏外

げんなま0【現生】「現金」の俗称。

げんなり3(副)—と —する 疲れたり飽きたりして、△それを続ける(何かする)気力を無くしている様子。「残暑が続いて—(と)する/また同じおかずで—する」

けんなわ0 1【間縄】種まき・植付けや検地などの時、間隔を計るために一間〔=約一・八メートル〕ごとに印をつけた縄。かぞえ方 一本

けんなん0【剣難】刃物で殺傷される災難。

けんなん0【険難・〈嶮難】山道などでけわしく切り立っていたりして、通行の困難な所。

げんに1【現に】(副)その事がまぎれもない事実として認められる様子。「うそではない、—目撃者も大勢いる/—その傾向はある」

げんに1【厳に】(副)厳重に。「備えを—する/—戒める」

けんにょう0【検尿】—する(自サ)健康状態などを知るために、小便の色・成分などを調べること。

げんにょう0【原尿】腎臓の糸球体で血液が濾過されて生じる尿の原材料。赤血球・白血球・血小板・たんぱく分子などが除かれた血液成分。原尿から生体に必要な物質がさらに再吸収されて尿が生じる。

けんにん0【兼任】—する(他サ)本務のほかに他の職務を兼ねること。また、その職務。「—講師5」↕専任

けんにん0【堅忍】がまん強くこらえること。 **—ふばつ**0-0【—不抜】—な —に 一生懸命がまんして、初心を変えない様子。

けんにん0【検認】書式や記載事項などを検査して、それが正規の書類であることを認めること。「遺言書の—」

げんにん0【現任】現在ある職務に任命されていること。また、その職務。

げんにん0【現認】—する(他サ)現場に居て、その事実を確認すること。「事故現場で多くの人の死を—する」

けんにんじがき5【建《仁寺垣】二つに割った竹の丸みを帯びた方を外に向けてすきま無く並べ、しゅろ縄で結んだ垣根。

けんのう0【献納】—する(他サ)〔社寺・国家などに〕必要と考えられる物を差し上げること。

けんのう0【権能】権利を主張・行使出来るように、法的に認められた力。

げんのう3 0【玄翁・玄能】〔僧、玄翁が那須の殺生石を砕いた故事に基づくという〕大形の鉄の槌。かぞえ方 一本・一挺・一丁

げんのしょうこ4【現の証拠】〔△現(験)の証拠、つまり、飲むとすぐ薬効がある意〕路傍などに生える多年草。茎は地上をはい、夏、△紅紫(白)色の花を開く。下痢止め・健胃薬。〔フウロソウ科〕かぞえ方 一本

けんのん0【険《難】—な —に〔「険難」の変化という〕「△あぶない(あぶなくて不安だ)」の意の古風な表現。「—がる5」 派 **—さ**3 0

けんば1【犬馬】犬と馬。「—の労を取る〔=信頼する相手のために自分を犠牲にして働く〕」 表記「剣〈呑」は、借字。

けんぱ1【検波】—する(他サ)❶特定の波長の電波の有無を調べること。❷変調した高周波から信号波を取り出すこと。「—器3」

*__げんば__0【現場】❶事件が起きた、その場所。「—に居合わせる/けんかの—/すりの犯行—を押さえる/事故—」❷予定・計画などに従って、そこで実際に何かが行なわれている場所。「教育の—/—の意見を聞く/工事—4」⇩げんじょう **—かんとく**4【—監督】工事現場で、作業員などに対して実際上の指揮・監督をする係。

けんぱい0【献杯・献〈盃】—する(自サ)〔敬意を表わして〕相手の杯に酒をつぐこと。運用 法事など弔事にかかわる酒席で、祝事の際の音頭「乾杯」と同趣の言葉として用いられる。

げんぱい0【減配】—する(他サ)配給量・配当額などを減らすこと。↕増配

けんばいき3【券売機】〔↑自動券売機6〕乗車券・入場券などの自動販売機。かぞえ方 一台

けんぱく0【建白】—する(他サ)〔政府・上役などに〕△こうしてもらいたい(こうあるべきだ)という意見を申し述べること。「—書5 0」

げんばく0【玄麦】精白していない麦。

げんばく0【原麦】パン・うどんなどの原料としての麦。

げんばく0【原爆】「原子爆弾」の略。 **—しょう**0【—症】原子病の一つ。原子爆弾の放射線を受けた人に現われる症状。顔や手足などに、ひどいやけどのあと〔=ケロイド〕が残り、白血球が減って、死ぬことが多い。

げんばつ0【厳罰】(事情のいかんを問わずに)きびしく罰す

ること。また、その罰。「ーに処する/ーで臨む」

げんぱつ[0]【原発】「原子力発電(所)」の圧縮表現。

けんばん[0]【検番】芸者をそこに所属させ、客席への取次ぎ、玉代(ギョクダイ)の精算などを行なう事務所。[表記]「見番」とも書く。

[かぞえ方] 一基

けんばん[0]【鍵盤】ピアノ・オルガンや、タイプライターなどの、並んだ鍵(ケン)を指でたたく部分。キーボード。

げんばん[0] ❷【原板】〔写真で〕陽画を作るもとになる、乾板・フィルムなどの称。陰画。ネガ(ティブ)。「げんぱん[0]」とも。❷【原版】❶〔複製・翻刻などと違って〕もとの印刷版。❷活字で組み上げた、もとの版。これを使って紙型を取ったり 写真印刷版を作ったりする。「げんぱん[0]」とも。❸【原盤】複製したレコード・CDのもとになった、もとのレコード・CD。[かぞえ方] ❷〜❸とも一枚

げんはんけつ[3]、[1]-[0]【原判決】上級裁判所の一段階前の裁判所で下した判決。例、最高裁判所の判決に対して、高等裁判所のそれ。「ーを破棄する」

けんび[1]【兼備】ーする(他サ) 二つ以上のよい事を兼ね備えること。「才色ー[5]」

けんぴ[0]【建碑】ーする(自サ) 石碑を建てること。

げんぴ[1][0]【原皮】革製品の原料となる、加工をしていない皮。

げんぴ[1]【原肥】⇩もとごえ

げんぴ[1]【厳秘】厳重な秘密(にすること)。「ーに付する」

けんびきょう[0]【顕微鏡】きわめて微細な物を拡大して見る光学器械。「電子ー」[かぞえ方] 一台・一本

けんぴつ[0]【健筆】世間の注目を浴びるような評論や小説・戯曲などの創作活動を活発に行なうこと。「ーを振るう/ー家(カ)[0]」

けんぴょう[0]【堅氷】「堅く張った氷」の意の漢語的表現。

げんぴょう[0]【原票】統計・調査・分析その他の事務処理上の一番もとになる文書資料。〔伝票をも含む〕

けんぴん[0]【検品】ーする(他サ) 商品・製品を検査すること。

げんびん[0]【減便】ーする(自他サ) 船・航空機・自動車などの、定期便の回数が減ること。また、減らすこと。↕増便

げんぴん[1][0][3]【現品】実際(△)の(にある)品物。「在庫切れで、ー限り」

けんぶ[1]【剣舞】詩吟にあわせて剣を振ってする舞。

けんぷ[1]【絹布】「絹織物」の意の漢語的表現。

げんぶ[1]【玄武】〔古代中国で〕四神の一つ。亀(カメ)、または亀に蛇が巻き付いた姿に見立てられた水の神。北方をつかさどる。 **ーがん**[3]【ー岩】火成岩の一つで、黒または灰色。質は堅く、普通 柱状を成す。山陰・山陽地方に多い。

げんぶ[1]【減歩】ーする(自他サ) 〔区画整理などで〕宅地などの広さを少しずつ減らして、道路・公園などの用地を生み出すこと。

げんぷ[0]【原譜】編曲の土台となる楽譜。

げんぷ[1]【厳父】〔きびしい父の意〕他人の父親に対する敬称。

げんぷう[0]【厳封】ーする(他サ) 〔簡単にあかないように〕厳重に封をすること。

げんふうけい[3]【原風景】〔様変りした現実の風景に対して〕本来そうで△あっただろう(あってほしい)とイメージする風景。「ーを求めて旅する」

げんぷく[0]【元服】ーする(自サ) 公家(ゲ)・武家が行なった、男子の成人式。初めて、おとなの服を着、冠をかぶった。「げんぶく[0]」とも。

けんぷじん[3]【賢夫人】かしこくてしっかりしている妻。〔多く、内助の功を認められた夫人を言った。俗に「世話女房」の意に用いられることもある〕[表記]「賢婦人」とも書く。

けんぶつ[0]【見物】ーする(他サ) 名所や催し物などを見て楽しむこと。「ー人[0]・ー客[4]・ー席[4][3]・市内ー[4]」

げんぶつ[0]【原物】模造品・写真などの もとになる物。オリジナル❸❶。

げんぶつ[0]【現物】❶現在実際にある物品。実際の△物(品)。❷〔金銭と違って〕物品。品物。「ー給与[5]」❸債券・株式・米などの、取引の対象となる現品。

けんぶん[0]【見聞】ーする(他サ) 見たり 聞いたりすること(によって得られる知識)。「ーを広める」

けんぶん[0]【検分】ーする(他サ) 実際に立ち会って、△実態(実情)を調べること。「工場建設予定地をーする/実況見分[5]」[表記]「見分」とも書く。

げんぶん[0]【言文】話し言葉と書き言葉。 **ーいっち**[0]-[0]【ー一致】文章を書く時、出来るだけ話し言葉に近い形で書くこと。〔明治時代、坪内逍遥(ショウヨウ)・尾崎紅葉・二葉亭四迷などによって言文一致の文体が確立した〕

げんぶん[0]【原文】〔改作・翻訳・口語訳などした文と違って〕もとの文章。↕訳文

けんぺい[0]【兼併】ーする(他サ) 他国の領土を、なんらかの方法で自国の領有にすること。

けんぺい[0]【権柄】権力(で人を抑えること)。 **ーずく**[0]【ー《尽(ヅ)く》】ーなーに 権力に任せて事を行なうこと。「ーで物を言う」

けんぺい[1]【憲兵】もと、陸軍兵科の一つ。主として軍事警察を受け持ち、時に△行政(司法)警察を兼ねる。

げんぺい[0]【源平】〔源氏と平氏の意〕❶競技やゲームなどで、二組に分かれて対抗し、優劣・勝敗を争うこと。「ー合戦(ガッセン)[5]」❷〔源氏が白旗、平氏が紅旗を用いたことから〕紅と白。「ー豆[3]〔=豆に紅や白の砂糖をまぶしたもの〕」 **ーとうきつ**[0]-[0]【ー藤〈橘〉】平安時代に一門がそれぞれ繁栄した代表的な家柄としての「みなもと・たいら・ふじわら・たちばな」の四家。

けんぺいりつ[3]【建蔽率・建《坪率】その土地の広さに対して、そこに建てることが認められる建物の占める広さの割合。

けんぺき[0][1]【〈痃癖】❶首から肩にかけて筋がつること。❷あんま術。「けんびき[0][1]」とも。[表記]❶は、「肩癖」とも書く。

けんべん[0]【検便】ーする(自サ) △寄生虫(病原菌)などの有無を調べるため大便を検査すること。

けんぼ[1]【賢母】子の育成・教育において、すぐれて賢明な母親。「良妻ー」

けんぽ[1]【兼補】ーする(他サ) 本職以外に兼務として、ある職に任ぜられること。

けんぽ[1]【健保】「健康保険」の略。「ー制度[4]」

げんぼ[0]【原簿】事務処理上、一番元になる帳簿。元帳。「ーとの照合を済ませる」

けんぼう[0]【健忘】忘れっぽいこと。 **ーしょう**[0][3]【ー症】病的に、ひどく物忘れをすること。

けんぼう[0]【権謀】その場合にかなった謀略。 **ーじゅっすう**[0]-[0]【ー術数】人を欺くはかりごと。「ーをめぐらす」

けんぽう[1]【剣法】〔どの流派に属するかという観点から見た〕剣術。「柳生(ヤギュウ)流ーの達人」

けんぽう[1]【拳法】足で蹴(ケ)ったり 拳(コブシ)で突いたりすることを主とする、中国の武術。

けんぽう⓪【険峰】〔高く〕険しい峰。「アルプス随一の—」

***けんぽう**①【憲法】〔その組織内で、必ず守るべきものとされる、行動の規準の意〕その国家の組織・運営の大原則を定めた国家最高の法規。 **—きねんび**⑥【—記念日】「国民の祝日」の一つ。五月三日。新憲法が施行されたのを記念する日。

げんぽう①⓪【減法】〔数学で〕「引き算」の意の理論的用語。「—は加法の逆演算である」 ↔加法

げんぽう⓪【減俸】—する(自サ) 〔懲罰などのために〕給料の額を減らすこと。↔増俸

けんぼく⓪【〈硯北・研北】〔「おそば」の意〕〔手紙文で〕相手のあて名のわきにしるす語。

げんぼく⓪【原木】 加工品の原料になる木。「パルプの—」

けんぽん⓪【献本】—する(他サ) 出来あがった本を、△読んで〔勧めて〕くれそうな人に進呈すること。また、その本。

けんぽん⓪【絹本】 書画をかくのに使う絹地。また、それにかいた作品。↔紙本(シホン)

げんぽん①⓪【原本】❶物事のおおもと。根源。❷〔写し・抄本・訳などと違って〕もとの△本(文書)。「—はすでに失われ、今は写ししか無い」⇩謄本(トウホン)

けんま①【研磨・研摩】—する(他サ) 〔刃物・宝石・レンズなどを〕精度を増すために、とぎ みがくこと。〔研究などを深める意にも用いられる〕「—剤③⓪・—材⓪」

げんま①【減磨・減摩】—する(自他サ) 〔すり減る意〕摩擦を少なくすること。「—油③」

げんまい①⓪【玄米】〔白米と違って〕もみがらを取り去っただけで、まだ精白していない米。くろごめ。生米(ゴキ ゴメ)。

かぞえ方 一袋・一俵

けんまく①【剣幕・見幕・権幕】〔もと、険悪の意〕怒って興奮している様子が現われている顔つきや態度。「恐ろしい—でまくしたてる」 表記「剣幕・見幕・権幕」は、借字。

げんまん⓪〔拳万の意という〕〔幼児語で〕約束を必ず守るしるしとして、互いの小指をからみ合わせること。ゆびきり。「指切り—」

けんみ①⓪【検見】〔古〕❶—する(他サ) 調査(役)。❷けみ(検見)。

けんみつ①⓪【顕密】 顕教と密教。

***げんみつ**⓪【厳密】—な —に ❶脱(ヌ)けるところや間違いが無いように、細かなところまで気をつける様子。「—性を欠いた論証/—な△区分(考察)」 ❷〔自然科学で、近似と違って〕与えられた条件を、寸分の狂いも無く満たす様子。「微分方程式の—解」 派—さ⓪

けんみゃく⓪【検脈】—する(自サ) 脈拍や脈のうち方を調べること。「検温と—」 表記 古くは「見脈」と書いた。

げんみょう⓪【玄妙】—な —に 〔道理や技芸が〕奥深くて、その道に精通した人しか理解出来ない様子。 派—さ⓪

けんみん⓪【県民】 その県の住民。「—性⓪〔=県民一般に共通の性格〕」

けんむ①【兼務】—する(他サ) 本務のほかに、他の実質的な職務を兼ねること。

けんめい⓪【件名】❶なんらかの観点から分類した、一つひとつの項目の名。❷〔図書館で〕書名に対して、その本の内容から引けるように分類した項目。「—目録⑤」

けんめい⓪【賢明】—な —に 情勢の判断が確かで、問題を適切に処理出来る様子。「—な方法/そうした方が—〔=りこう〕だよ」 派—さ⓪③

けんめい⓪【懸命】—な —に 力の限りを尽くしてがんばる△こと(様子)。「—の努力」 派—さ⓪③

げんめい⓪【言明】—する(他サ) (公式に)はっきり言うこと。「—を避ける」

げんめい⓪【原名】 改めたり 訳したり する前の名前。⇩改名・訳名

げんめい⓪【厳命】—する(他サ) 絶対にそむいてはならないと、きびしく命令すること。また、その命令。

げんめつ⓪【幻滅】—する(自サ) 幻想からさめて冷たい現実に返り、がっかりすること。「—の悲哀/—を感じる」

けんめん⓪③【券面】❶証券の金額が書いてある表面。❷〔←券面額③〕「券面❶」に書いてある金額。

げんめん⓪【原綿・原〈棉】〔綿糸紡績の〕原料としての綿花。

げんめん⓪【減免】—する(他サ) ❶〔税金などの〕軽減と免除。❷刑を軽くしたり 許したり すること。

げんもう⓪【原毛】 織物の原料としての羊毛など。

げんもう⓪【減耗】—する(自他サ) 〔本来の字音はゲンカウ。「げんもう」は類推読み〕すり△減る(減らす)こと。

けんもつ⓪【献物】〔古〕献上する品物。「—帳⓪」

けんもほろろ①-⓪—な —に 人の頼みなどを冷たくはねつけて、受け入れようとする態度を全然見せない様子だ。「—の挨拶(アイサツ)」

けんもん⓪【見聞】—する(他サ) 「けんぶん」の古風な表現。

けんもん⓪【検問】—する(他サ) そこを通る車両や人に疑わしい点が無いかどうか、問いただしたり 調べたり すること。「—所(ジョ)⑤⓪」

けんもん⓪【権門】 官位が高く、権勢のある有力者。

げんもん⓪【舷門】 船の上甲板の横側に設けた出入口。

げんや①【原野】 開拓していない野原。

***けんやく**⓪【倹約】—な —する(他サ) むだ遣いを避け、出来るだけ費用を切りつめようとすること。また、そのような考えや生活態度。 **—か**⓪【—家】 倹約を生活信条とする人。〔世俗的には、吝嗇(リンショク)な人を指す〕

げんゆ⓪【原由】 「起源・由来」の意の古風な表現。「げんゆう⓪」とも。

げんゆ⓪【原油】 採掘したままで、まだ精製していない石油。色は薄い茶色。

げんゆう⓪【現有】 今持っていること。「—勢力⑤」

けんよ①【権〈輿】〔「権」ははかりのおもり、「輿」は車の物を載せるところ〕「物事の始まり・起こり」の意の漢語的表現。「—もない」

けんよう⓪【兼用】—する(他サ) 一つの物が二つ以上の用途に使えること。「晴雨—の傘」

けんよう⓪【顕要】—な —に 尊くて重要な地位。「—の職」

けんよう⓪【顕揚】—する(他サ) 〔名誉などを〕世間に知れ渡るようにすること。

けんようすい③【懸〈壅垂】〔「壅」は、ふさがる意〕⇩こうがいすい(口蓋垂)

けんよく⓪【謙抑】—する(自サ) 自分を低いものと見て、行き過ぎた言動をしないように気をつけること。

けんらん⓪【〈絢爛】—たる —と 〔「絢」は、あや・飾りの意〕見た目に はなやかで美しく、りっぱな様子。「—たる〔=形容が多くて、変化に富んだ〕文章/—豪華⑤」 派—さ⓪

けんらん⓪【賢覧】 相手が見ることの敬語。高覧。「内容見本で—の上」

****けんり**①【権利】❶物事を自分の意志によってなしうる資格。「—を△行使する(保障する・守る・放棄する・侵す・弱める)/—に あぐらをかく/とがめる—が無い」⇩義務 ❷ある利益を主張し、それを受けることの出来る力。〔一定の資格者に対し法律が認めたもの〕「店の—を譲る/—書④⓪」 **—おち**⓪【—落(ち)】 増資新株・子会社株を引き受けたり 配当金を取得したり する権利が無くなること。 **—かぶ**③【—株】 会社の△設立(増資・新株発行)の際に正式の

株主になる権利。一定の期日までに申込みをすることによって得られ、市場で売買の対象となる。 **—きん**⓪【—金】土地・家屋を借りる場合に、貸し主または、それまでの借り主に支払う、賃借料以外の金錢。

***げんり**①【原理】❶多くの物事がそれによって説明することが出来ると考えられる、根本的な△法則（理論）。「アルキメデスの—」 ❷多くの人がそれに従うことが求められる、基本的な考え方。「多数決の—」 **—しゅぎ**④【—主義】〔キリスト教で〕聖書に書かれていることのすべてが、文字通りに真実であると信じる立場。ファンダメンタリズム⑦。根本主義⑤。〔広義には、他の宗教における同様の立場を指してもいう〕⇩イスラム原理主義

けんりつ⓪【県立】県が設立し、管理・運営すること。「—（高校）に入る／—公園⑤・—病院⑤」

げんりゅう⓪（リウ）【源流】川の流れがはじまるみなもと。〔物事の起こりの意にも用いられる。例、「日本民族の—」〕

けんりょ①【賢慮】賢明な考え。〔「相手の考え」の意の尊敬語としても用いられる〕

けんりょう①③（レウ）【見料】❶見物の料金。観覧料。❷手相・運相を見てもらう手数料。

****げんりょう**③（レウ）【原料】加工品製造のもとになる物質。「—を海外に仰ぐ／—工業⑤」

げんりょう⓪（リャウ）【減量】—する（自他サ）❶分量が減ること。また、減らすこと。↔増量 ❷（運動選手、特にボクシングの選手などが）体重を減らすこと。

***けんりょく**①【権力】〔労働者に対する資本家・野党に対する与党・人民に対する為政者などの持つ〕その組織全体を自分の意志通りに動かすことの出来る力。また、その力を持つ側。〔狭義では、国家や政府の持つ強制力を指す〕「—で人民を抑え込む／—をかさに着る／—をほしいままにする独裁者／—は必ず腐敗する／国家—・—者④③・—闘争⑤・—争い⑤・—べったり」

けんるい⓪【堅塁】防備の堅いとりで（であること）。「—を抜く／—を誇る」

けんれい⓪【県令】❶県の長官。〔明治十九年以前の県知事の称〕❷県知事が出す行政命令。

げんれい⓪【厳令】—する（他サ）為政者が、きびしく法的に規制すること。また、その政令。

けんれん⓪【△眷恋】「△その人に会いたくて（そこに行ってみたくて）たまらない」意の漢語的表現。

けんろ①【険路】けわしい道。

けんろう⓪（ラウ）【堅△牢】—な 材質が堅く丈夫で、少しの外圧ではこわれたりしない様子。「—無比⑥」 派—さ⓪

げんろう⓪（ラウ）【元老】国家に功労のある政治家。〔狭義ではもと皇室から特別な待遇を受け、国家の大事について御下問を受けた老臣を指し、広義ではその社会での年功者を指す〕 **—いん**③（ヰン）【—院】❶明治維新後に設けられた立法機関。明治二十三年廃止。❷〔古代ローマなどの〕上院。

げんろく①⓪【元△禄】❶〔↑元禄袖（デソ）④③〕和服の袖型の一つ。たけが短く、たもとに丸みをつけた（少女用の）袖。❷〔↑元禄模様⑤〕元禄時代〔＝一六八八～一七〇四〕に流行した、大形ではでな模様。市松模様・弁慶じまの類。

****げんろん**⓪【言論】自分が正しいと信じる政治思想や社会思想（を発表すること）。「—を統制する／—統制が厳しい／—の自由／—活動⑤」

げんろん⓪①【原論】その専門の学問についての基本的な問題だけについて、その人の考えを述べた本に付ける名。例、「経済学—⑦・数学—⑤」など。

げんわ⓪【原話】今問題にする作品の基となった説話。「ハムレットの—は古くから存在した」

げんわく⓪—する（他サ）□一【△眩惑】何かにまどわされて、正常な判断を失う（ようにする）こと。□二【幻惑】幻術によって△まどわす（まどわされる）こと。

げんわく⓪【減枠】—する（他サ）割当ての枠を減らすこと。「捕獲量—③-⓪」

けんわんちょくひつ⓪-⓪【懸腕直筆】書道の筆法の一つ。大きな字を書く時に、筆をまっすぐに持ち、肘（ジヒ）を下に付けずに書くこと。

こ…コ

こ（己・戸・△乎・去・古・呼・固・拠・△沽・股・虎・孤・弧・故・枯・△狐・△胡・個・庫・虚・湖・雇・誇・鼓・△糊・錮・顧）→【字音語の造語成分】

こ【小】（造語）❶小さい。「—声（エゴ）・—部屋（ヤベ）」 ❷目立つほどではないが、その傾向が認められる様子を表わす。「—ぎれい・—うるさい・—ざっぱり・—憎らしい・—雨（メサ）・—才」 ❸〔耳・鼻・首・手などの身体名称に付いて〕その部分に関係のあるちょっとした動作をすることを表わす。「—耳にはさむ／—手をかざす／—脇（キワ）に抱える」 ❹もう少しで単位量に届く意を表わす。「—一里③・—一時間④」〔「小二里・小二時間」とは言わない〕

こ【木】（造語）き。「—の実／—の葉／—の間（マ）／—挽（キビ）・—漏れ日（ビ）・—立（チダ）・—陰」

こ（接尾）❶〔擬態語などに付いて〕その状態を表わす。「ぺしゃんこ・ごっつん—」 ❷⇩っこ□二

こ①【《是》】（代）〔雅〕これ。「—は何事ぞ」 表記「△此」とも書く。

こ①【孤】❶みなしご。「幼にして—となる／—児」 ❷他から切り放されて、存在すること。「徳は—ならず／—立」

こ①【弧】❶ゆみ（のように曲がった形）。「—をえがいて飛ぶ／—状・括—」 ❷〔幾何学で〕△円周（曲線）の、連続した一部分。「円—」

こ①【個】独立した一つひとつの物や一人ひとりの人。「—を生かす／—人・—性・各—」↔全 ⇩【造語成分】

****こ**【子】□一⓪❶（夫婦関係にある）一組の男女の間に生まれた人。また、自分たちの間に生まれたのと同じように養い育てる人。〔哺乳動物は親と同形の個体として、一般に鳥・魚・虫の類は卵として生まれる〕「—を持って知る親の恩／人の—の親となる／—育て・ふた—（ゴ）・みつ—（ゴ）・まま—」 ❷まだ一人前に成長していないもの。〔広義では結婚適齢前までを指し、狭義では幼児・乳児を指す。また、鳥・魚・虫の場合は、ひな・幼魚・幼虫を指す〕「近所の—と遊ぶ／いい—〔＝遊び相手として、かっこうの芸者など〕が居る／いい—ぶる／いたずらっ—・売れっ—・おばあさん—④・乳飲み—（ゴ）」 ❸元のものから分かれて、新たに生じたもの。「芋の—／竹の—／元〔＝元金〕も—〔＝利子〕も無くす」 □二（造語）〔複合語の後の要素として〕❶特定の△職務（役割）を負わされて働いている人を表わす。「売り—・踊り—・お針—⓪・勢—（コセ）」⇩っこ□三 ❷女性としての名前を構成する語。「花—」 □三（接尾）そのような△働き（状態）を負わされたものであることを表わす。「振り—・張り—・根っ—・背負（イショ）—・端っ—」 表記 □一❶□二❶は、「《児》」とも書き、若い女性の場合には、「《娘》」とも書く。また家畜の場合は、「△仔」とも書く。なお、□三の「根っこ・端っこ」などは、普通かなで書く。

こ①【粉】こな。「白い—をふき始めた干し柿（キガ）／身を—にして

〔=からだの疲れるのも厭(イト)わず、休みなく〕働く/火の―/黄(キナ)―・晒(サラ)し―・砥(トノ)―・糝(シン)―・小麦―・饂飩(ウドン)―・汁―」

こ①【《蚕》】かいこ。「―棚(ダナ)・お―さま①⓪・春―(ゴ)・夏―(ゴ)」

ご(五・互・午・《牛・〈伍・呉・後・娯・悟・〈梧・御・期・碁・語・誤・護)→【字音語の造語成分】

ご【御】■一(接頭)〔字音語に付ける〕❶相手・第三者(やその人に関係する話し手自身)の状態・行動や関連する事物を示す語につけて、相手・第三者に対する敬意を表わす。「―健勝のことと存じます/―帰国はいつごろでしょうか/後ほど―連絡いたします/―両親・―実家」❷話題に上った語につけて、その語を美化するとともに、表現全体に丁寧さを添えるのに用いられる。「―酒(ユシ)などお一つどうぞ/―本(ホン)を読んであげる/―馳走(チソウ)」■二(接尾)〔↑御前(ゴゼン)〕人間関係を表わす和語につけて、敬意を表わす。「母(ハハ)―(ゴ)・父(テテ)―(ゴ)⓪・姐(アネ)―(ゴ)」運用 ■一について。(1)⇩お(御)運用(2)⇩お(御)運用(3)例、「ご苦労様/ご退屈様」(4)例、「遊んで暮らせるなんて結構なご身分ですね/たいしたこともないのにご大層なこと」

ご① ダイズを水に浸して細かくひいたもの。豆腐の材料。また、染め物などに使う。表記「〈豆汁〉・〈豆油〉」は義訓。

ご①【五】❶四に一を加えた数を表わす基数詞。「―重の塔・七―調・三々(サンサン)―――・―街道・―穀・―色(シキ)・陰陽―行説・―十音・―線譜・―体・―目ならべ・―里霧中・―輪大会・―分(ブ)―分(ブ)・―段活用・―山(サン)」❷四の次の自然数を表わす序数詞。「―階売り場・十―夜」〔和語では❶❷共に、いつ(つ)〕⇩六(ロク) 表記 大字は「〈伍」。

ご①【〈伍】〔もと五人組の義で、軍隊編制・自治制の単位〕五人を一組とする軍隊編制の単位。また、自治制の単位。「―を組む〔=一列でいた集団が二列以上に並ぶ〕/―長・隊―・落―」⇩【造語成分】

ご⓪【後】のち。あと。「その―/以―・前―・―日・放課―・午―」表記「《后」とも書く。⇩【造語成分】ご・こう

ご⓪①【期】何らかの節目となる時。「またの会う―/この―に及んで」⇩【造語成分】

ご⓪①【碁】〔「棋」の動用字「棊」と、もと同義〕盤上に縦横それぞれ一九本の線を引いて出来る三六一個の交点の上に、双方の競技者が黒と白の石を交互に置いていき、最終的に自分の石で囲んだ領域〔=地(ジ)■二❸〕が広い方を勝ちとする遊戯。囲碁。「―を打つ/―石・―盤」

ご①【語】❶言葉(づかい)。〔狭義では、単語を指す〕「―の意味と用法/―法・現代―⓪・日本―・外来―・季―・敬―」❷〔コンピューターで〕計算・記憶・転送などに際して、一まとまりとして扱われるデータの大きさ。ワード。⇩【造語成分】

コア①〔core〕■一物事の中核を形成するもの。「―タイム・―カリキュラム③④」■二(―な)(―に) ある人や物事を支持するものの中で、とりわけ中心的に活動し、熱意を持っている様子だ。「―な△ファン(支持層)」

こあがり②【小上(が)り】〔すし屋・小料理屋などで〕いす席とは別に、座って飲食出来るようにした畳敷きの客席。

こあきない③②【小商(い)】(アキナヒ) 小資本でする商売。

ごあく①【五悪】〔仏教で〕してはならないとされる、五つの悪事。⇩五戒

こあざ⓪【小字】町や村の字を細かく分けた部分。〔この上に大字がある〕

こあじ⓪(アヂ)【小味】ちょっとした△味わい(趣)があること。「―の利(キ)いた話」

コアタイム③〔coretime〕フレックスタイム制で、必ず出社勤務していなければならない時間帯。

こあたり②【小当(た)り】ちょっと他人の意中を探ってみること。「―に当たってみる」

コアラ①〔koala〕オーストラリア特産の小動物。尾が無く、

こ

【己】おのれ。自分。「自己・利己主義」

【戸】❶家の出入口。と。「戸外・門戸」❷社会の単位としての家。「戸数・戸別・戸籍・戸主」❸建物としての「家」をかぞえる語。「分譲住宅三十戸分募集」⇩軒(ケン) ❹飲む酒の分量。「上戸(ゴ)・下(ゲ)戸」

【〈乎】形容する語について、語調を強める語。「確乎・断乎」

【去】すぎる。さる。「過去・過去帳」

【古】❶ふるい。「古城・古書」❷昔(の)。「古代・古都・古今・古典・古文・往古・上古・最古・考古学」

【呼】❶よぶ。「呼応・呼号・指呼・歓呼」❷名づける。「呼称・称呼」❸息をはく。はく息。「呼気・呼吸」

【固】❶かたい。「固体・固定・堅固(ゴ)」❷我意を押し通す。「固辞・固執・強固・頑(ガン)固」❸もとから。「固有」

【拠】物事を明らかにする支えとなるもの。よりどころ。「証拠」

【〈沽】売る。「沽却・沽券」

【股】足のもも。また。「股間・股肱(ココウ)・四股」

【虎】トラ。「虎穴・虎口・虎児・虎視眈々(タンタン)・虎狼(ロウ)・猛虎」

【孤】⇩(本文)こ【孤】

【弧】⇩(本文)こ【弧】

【故】❶ふるい。「故事・故実」❷もとの。「故郷・故山・故旧」❸死んだ人。「故人・故博士・物故」❹特に取り立てて言う事柄。「故障・縁故・事故・世故」❺わざと。ことさらに。たくらんで。「故意・故買・故殺」

【枯】❶かれる。からす。「枯木・枯死・枯渇・枯淡」❷勢いが無くなる。衰える。「栄枯」

【〈狐】キツネ。「狐疑・狐狸(リ)・白(ビャッ)狐」

【〈胡】漢民族にとって、異文化を持つ北方および西方の民族。「胡人・胡狄(テキ)」

【個】一まとまりになっていて、他と切り離してとらえられる物をかぞえるのに用いる語。「あめ玉一個/一個小隊」〔塊状の物・粒子・器物・容器・小型の道具や装置類などで固有の助数詞を持つ物は、一般に除かれる。例、「錠剤二錠/一粒(ヒトツブ)のブドウ」〕表記「箇・ケ・ケ」とも書く。⇩(本文)こ【個】

【庫】❶くら。「倉庫・書庫・文庫・入庫・宝庫」❷物をしまっておく、専用の空間やボックス。「車庫・金庫・冷蔵庫」

【虚】何も無い。から。「虚空・虚無僧」⇩きょ

【湖】みずうみ。〔日本では琵琶(ビワ)湖の、中国では洞庭(ドウテイ)湖の特称としても用いられる。例、「湖北・湖

南」)「湖岸・湖上・湖心・湖水・湖沼・湖畔・湖面・塩湖・沼湖・淡湖」

【雇】 やとう。「雇員・雇用・解雇」

【誇】 大げさに言う。ほこる。「誇示・誇称・誇大・誇張・誇負」

【鼓】 ❶つづみ。「鼓手・太鼓」 ❷(つづみを)打つ。「鼓吹・鼓動・鼓舞・鼓腹」

【〈糊】 かゆ。「糊口・糊塗・模糊」

【錮】 人を牢獄(ロウゴク)などに閉じ込めて、自由を奪う。「禁錮」

【顧】 ❶かえりみる。「回顧・後顧(コウコ)・一顧・四顧」 ❷心にかける。いつくしむ。「顧問・顧慮・顧客・愛顧・恩顧」

ご

【五】 ⇩(本文)ご【五】

【互】 たがい。たがいに。「互角・互助・互選・交互・相互」

【午】 〔十二支の第七。うま〕 ❶方位で、ま南。「子午線」 ❷時刻で、ひるの十二時。「午前・午後・午砲・正午」

【《牛】 ウシ。「牛頭馬頭(ゴズメズ)」 ⇩ぎゅう

【〈伍】 数字「五」の大字。 ⇩(本文)ご【伍】

【呉】 ❶中国の王朝・国名の一つ。「呉音・呉越同舟・魏呉蜀(ギゴショク)」 ❷中国から渡来した文物。くれ。「呉服・呉汁(ゴジル)・呉須」

【後】 ■一❶うしろ。「後光・前後・背後・銃後・人後」 ❷おくれる。「後家・落後」 ■二(略) 午後。 ⇩(本文)ご【後】

【娯】 たのしむ。たのしみ。「娯楽・娯遊」

【悟】 さとる。「悟性・悟道・悟入・悔悟・大悟・覚悟・改悟・頓悟(トンゴ)」

【〈梧】 アオギリ。「梧桐(ゴトウ)・梧葉」

【御】 ⇩(本文)ご【御】

【期】 時期。「最期・末期」 ⇩き ⇩(本文)ご【期】

【碁】 ⇩(本文)ご【碁】

【語】 ■一話をする。かたる。「語調・語気・豪語・私語・大言壮語」 ■二(略) 物語。「源語〔=源氏物語〕・勢語(セイゴ)〔=伊勢物語〕・平語〔=平家物語〕」 ⇩(本文)ご【語】

【誤】 あやまる。まちがう。「誤解・誤算・誤用・誤読・誤謬(ゴビュウ)・誤字・誤認・誤診・誤報・正誤・錯誤」

【護】 まもる。まもり。「護衛・護持・護身・護符・護法・護国・護送・介護・看護・愛護・援護・救護・守護・保護」

腹に袋があり、頭はクマに似ている。こもりぐま④③。〔クスクス科〕 かぞえ方 一匹・一頭

こ・い ①【濃い】(形) ↕薄い ❶〔その色・味・濃度・密度などの〕感覚を刺激する度合が強い様子だ。「赤を濃く塗る/—味付け(溶液)/ひげが—〔=密集している〕」 ❷何かの中に含まれるある要素が目立つ様子だ。「血のつながりが—/—霧に包まれる/政治色の—宗教団体/真犯人の疑いが—」〔口頭語形は、「濃いい・濃ゆい」と言う向きもある〕 派 —さ①

こい ①【恋】 特定の相手に深い愛情をいだき、その存在が身近に感じられるときは、他のすべてを犠牲にしても惜しくないほどの満足感・充足感に酔って心が高揚する一方、破局を恐れての不安と焦躁(ショウソウ)に駆られる心的状態。「—に落ちる/—は盲目/—は思案の外(ホカ)〔=恋する人の気持や行動は常識や理性では割り切れないものだ〕/老いらくの—」

こい ①②【請い】 請うこと。「—を容(イ)れる」 表記 「乞い」とも書く。

こい ①【〈鯉】 池などに飼う淡水魚。大形のうろこでおおわれ、口に二対のひげがある。観賞用。また、マゴイは食用。〔コイ科〕「緋—(ヒゴイ)」 かぞえ方 一尾・一匹

こい ①【故意】—に 偶然ではなく、何らかの意図があって行なったと判断されること。〔多く、他人に損失や災難を及ぼす場合に言う〕「—に車をぶつける/—に義務を怠る/未必の—」 ↕偶然

ごい ①【五位】 ❶位の名。正(ショウ)・従(ジュ)五位。 ❷ゴイサギの異称。 —さぎ ⓪②【—〈鷺】〔醍醐(ダイゴ)天皇が神泉苑(シンセンエン)の御宴の時、五位を授けた故事からの名〕サギの一種。中形で、ふとっていて、くちばし・足は短く、頭や背は黒い。多く水辺にすみ、樹上に巣を作る。〔サギ科〕 かぞえ方 一羽

ごい ①【語彙】 ❶特定の条件の下(モト)に用いられる語の総体(を集めたもの)。「基本—・山村—⑤・近松—⑤」 ❷その個人が使用する語の総体(を集めたもの)。ボキャブラリー。「豊富な—/—の乏しい男/—を増やす」 表記 「語囲」の「囲」は、借字。

ごい ①【語意】 (その)言葉の持つ意味。

こう・ける ④⓪【請(い)受ける】(他下一) 持主にたのみこんで、希望の物を手に入れる。

こいうた ②⓪①【恋歌】 特定の相手を恋い慕う切ない気持を詠んだ△うた(和歌)。「こいか①」とも。

こいかぜ ②①【恋風】 〔風が身にしみわたるように〕恋しい思いでいっぱいになること。「—を吹かせる」

こいがたき ③【恋敵】 恋の競争相手。ライバル。

こいき ⓪【小粋】—な どこかあかぬけて、しゃれている様子だ。「—なネクタイ」 派 —さ⓪③ 表記 「小意気」とも書く。

こいくち ⓪【濃(い)口】 〔しょうゆの色・味などの〕濃い△こと(もの)。 ⇩うすくち

こいぐち ⓪【〈鯉口】 刀のさや口とつばとが合う所。「—を切る〔=すぐに刀が抜けるように刀身を鯉口から少し出す〕」

こいこが・れる ⑤、①-③【恋(い)焦(が)れる】(自下一) 恋しくて、じっとしていられない気持になる。

こいこく ⓪【〈鯉《濃】〔←鯉濃漿(コイコクショウ)⓪〕 輪切りにしたコイを入れた みそ汁。

こいごころ ③【恋心】 恋しいと思う心。

こいさん ②① 〔「こい」は、小さな「いとはん」の意〕〔大阪などで〕女のきょうだいのうち、末娘に対する敬称。 ⇩とうさん

こいじ ⓪【小意地】 〔「こ」はちょっとの意〕ちょっとした意地。「—の悪い〔=ちょっと意地の悪い〕しうち」

こいじ ⓪【恋路】 多くの困難をしのいで思いを遂げようとする恋心。「忍ぶ—」

ごいし ⓪【碁石】 碁に使う、平たい円形の黒と白の小石。 かぞえ方 一子(イッシ)・一目(イチモク)

** *は重要語, ⓪①… はアクセント記号, 品詞の指示の無いものは名詞および いわゆる連語。

こ

こいし・い③【恋しい】(形) 身辺に△いてほしい人(あることが望ましいもの)に何としても接したいという衝動にかられる様子だ。「―人/ふるさとが―/こう寒いと火が―ね」派 ―さ③② ―げ⓪③④ ―が・る④

こいした・う④、①-⓪【恋(い)慕う】(他五) 抑えきれないほど、会いたい、そばに行きたいと思う。

こい・する③①【恋する】(自他サ) 恋をする。恋す①(五)。「人を―/恋に―」

こいそぎ②【小急ぎ】―に 少し急ぐ△こと(様子)。

こいちゃ⓪【濃(い)茶】↔薄茶 ❶比較的樹齢を経た茶の木の若芽から製した、上等の ひき茶。また、それを使ってする茶のたて方。練るようにして濃くたて、泡はたてない。❷濃い茶色。

こいつ⓪【〈此《奴】(代)〔「此奴(コヤツ)」の変化〕「この者・これ」の意の、ぞんざいな言い方。〔憎悪・侮蔑(ブベツ)などの気持を込めた場合にも、親しみの気持を込めた場合にも使われる〕「―(にしては)うまいことを言う/ここに―〔=こんな物〕を置いたのはだれだ」⇩あいつ・そいつ・どいつ::こそあど

ごいっしん②【御一新】(天皇親政の世となった)明治維新。

こいなか⓪【恋仲】恋し合っている間柄。

こいにょうぼう③【恋女房】相思相愛の相手から求婚されて、結婚することになった妻。

こいねが・う④、①-②【〈冀う】(他五)〔請い願うの意〕切に希望する。「冀わくは〔=願い望むことには〕」表記「《希う・〈庶幾〉う」とも書く。

こいのぼり③【〈鯉幟〉】△紙(布)でコイの形に作った幟。端午の節句に立てる。

こいびと⓪【恋人】その人の恋している相手。「永遠の―〔=その人にとって理想像としての相手〕」

こいぶみ⓪【恋文】恋い慕う心を打ち明けた手紙。ラブレター。〔恋愛関係にある二人の間でやりとりする手紙を指すこともある〕かぞえ方 一通

こいめ⓪③【濃い目】どちらかというと普通より濃い傾向にあること。「―に味つけする」↔薄目

こいも⓪【子芋】サトイモの親芋から生じた小さい芋。芋の子。表記「小芋」とも書く。

コイル①〔coil〕電気回路の部品。銅線をらせん状に巻いたものの総称。まき線。かぞえ方 一本

こいわずらい③【恋煩(い)・恋患(い)】恋い慕う気持が相手に伝わらず、病的な状態になること。

コイン①〔coin〕硬貨。「―テレビ④・―ランドリー④〔=硬貨を入れると全自動で洗濯から脱水まで行なう洗濯機や乾燥機をセルフ サービスで利用出来る店〕」かぞえ方 一枚

こいん⓪【雇員】〔官庁・会社などで〕正式の職員の下で、事務などを手伝うために(一時的に)雇われた人。

ごいん①⓪【五音】❶〔古代中国の音律で〕宮(キュウ)・商・角・徴(チ)・羽(ウ)の五つの音。❷五十音図の各行の音。「―相通①-⓪」表記 ❷は、「五韻(ゴイン)」とも書く。

ごいん⓪【誤飲】―する(他サ) 異物を誤って飲み込むこと。「幼児の―事故」

コイン ロッカー④〔和製英語 ←coin + locker〕駅などの公共施設にあるロッカーで、所定の硬貨を入れて、一定の時間その人だけが使用出来るようにしたもの。

こう〔口・工・公・勾・孔・功・巧・広・〈弘・甲・交・仰・光・向・后・好・江・考・行・坑・孝・〈宏・抗・攻・更・〈肛・効・幸・〈庚・拘・〈昂・肯・〈肴・侯・厚・〈巷・後・恒・洪・〈狡・皇・紅・荒・郊・香・候・格・校・〈浩・耕・耗・航・貢・降・高・〈寇・康・控・梗・黄・喉・慌・港・硬・絞・〈腔・項・溝・鉱・構・綱・〈膏・酵・稿・〈膠・興・〈薨・衡・鋼・講・購・〈鴻・〈曠〉↓【字音語の造語成分】

こう【〈斯う】〔「かく」の変化〕■⓪①(副)―と ―する ❶(聞き手より)話し手に近いと意識される所で△観察される(眼前に展開される)事象や状態を、話し手自身の主体的な立場から指し示す様子を表わす。「―見れば、人の顔に思えるだろ/―してふたを開けるんだ/―暗くては、何も見えない」❷話し手が発言△した(しようとする)事柄に含まれる事象や状態を指し示す様子を表わす。「―して事態は収拾された/ああ言えば―言う/―いう事はいくら慎重にしてもし過ぎる事はない/とかく―した手合いが世の中で成功する/いつも―は行かない」〔アクセント①は「―だ、―は、―と、―で、―も」などのとき、アクセント⓪は「―する、―いう」など動詞・形容詞に直接続くとき〕⇩ああ・そう・どう::こそあど ■⓪(感) 適当な言葉を思いつかない時に、つなぎとして言う言葉。「―、なんだか落ち着かない気がする」

こ・う①【恋う】(他五) 恋しく思う。「母を―」

こ・う①【請う】(他五) 何か△がほしい(をしてもらいたい)と相手に切に願う。「△ご指示(助け・許し)を―」表記「乞う」とも書く。文法 接続助詞「て」、完了の助動詞「た」に続くときは、「こって」「こった」とはならず、「こうて」「こうた」となる。

こう①【公】〔もと、君の意〕❶国家。社会。「義勇―に奉ずる」❷元老級の文官を、改まった場面で「あなた」と呼びかけたり「その人」と指したりする語。❸公爵。⇩【造語成分】

こう①【功】(りっぱな)仕事。「―を急ぐあまり/―成り名遂ぐ〔=りっぱな仕事をして世間に名前が知られるようになる〕/―〔=手柄〕を立てる/―績・成―・武―」【―を奏する】〔事の成就を君主に奏上する意から〕❶目的通りに事をなし遂げる。❷薬の効果があらわれる。表記 ❷は「効(コウ)を奏する」とも書く。⇩【造語成分】こう・く

こう①【巧】△作り方(やり方)が上手で、出来ばえがよいこと。「―を誇る/―拙・精―」

こう①【甲】■〔かぶとの意〕❶甲羅。「カメの―より年の功」❷人間の手首・足首から先で、爪(ツメ)のある側。「手の―にひびが切れる」■❶十干(ジッカン)の第一で、乙(オツ)の前。きのえ。❷〔十干の順に従って〕幾つかある物事の第一位に取り上げられるものの称。〔狭義では、すぐれているものの方を指すことが多い〕「昔は―乙丙丁の順で成績が評価された/―種合格」⇩【造語成分】

こう①【交】年・月・季節の変わり目のころ。「夏秋の―」⇩【造語成分】

こう①【行】❶行くこと。「―を共にする/―を壮(サカン)にする〔=出発する人を激励して送る〕/―程・旅―」❷漢詩の一体。また、それにならった長い詩・歌謡曲。「琵琶(ビワ)―・北帰―」⇩【造語成分】

こう【〈劫】❶①〔仏教で〕きわめて長い時間。「―を経る/永―(ゴウ)」↔刹那(セツナ) ❷⓪①〔碁で〕一目(モク)を、互いに一手ずつ間を置いて取ろうと争う形(になること)。劫争い③。

こう①【坑】採鉱・採炭・埋葬などのために掘った穴。「墳墓の―/金―・炭―・斜―・入―・廃―」

こう①【孝】孝行すること。また、しようとする心情。「君(キミ)に忠、父母に―/―は百行(ヒャッコウ)の基(モトイ)」⇩【造語成分】

こう①【更】昔の時法において、午後七時ごろから午前五時ごろまでを五分した一つひとつの称。「―闌(タ)けて〔=夜がふけて〕/初―・五―」⇩【造語成分】

こう①【効】その物が発揮する ききめ。「薬石―無く/―果・―用・奇―・特―薬」

こう①【幸】自分にとって△満足出来る(都合がよい)よう

に事が運ぶこと。「—が不—か/—福」⇩【造語成分】

こう①【香】かいでいいにおいを感じる△物(ためのたきものなど)。「—をたきしめる/—を聞く〔=香をたいて薫りをかぐ〕/お—の会〔=香をたいてその薫りを味わう会〕/—合せ③・—道・線—・練—・沈—・抹—・麝—」かぞえ方 一炷・一つまみ ⇩【造語成分】

こう①【候】〔もと、五日の称〕暑さ寒さなどから見た時節。「△春暖(厳寒)の—/天—」⇩【造語成分】

こう①【校】校正。〔かぞえる時にも使われる〕「—を重ねる/初—・再—・出—」⇩【造語成分】

こう①【高】高い△こと(ところ)。「—より低へ/—山・—峰・—地・—楼・—下・標—・座—」⇩【造語成分】

こう①【項】❶大きな主題のもとに統括されているが、それ自体、独立した内容を持った一まとまりの文(章)。普通、総論 →各論 →付説の順に述べられたり箇条書にされたり辞書の見出しのように標目をもって配列されたりする。〔法律の条文では、「款」の下、「目」の上〕「—を立てる/—目・事—」⇩項目・事項 ❷〔数学で〕Ⓐ幾つかの△数(式❸Ⓐ)の和として表わされている「式❸Ⓐ」において、その構成要素である個々の△数(式❸Ⓐ)の称。〔差の形になっている所は、負号を付けて加えたものとみなす〕「同類—・移—・多—式・二—定理④・定数—③」Ⓑ数列・級数や比例式などを構成する一つひとつの△数(式❸Ⓐ)。「初—・比例中—④・一般—③・二—演算④」

こう①【綱】生物分類上の一段階を成す区分で、共通の特徴を持つ幾つかの「目❸」を合わせたもの。〔「門」の下位区分で、慣用では「類」〕「脊椎動物門は八つの—から成る」⇩【造語成分】

こう①【稿】文章の下書き。原稿。「—を起こす/—を改める〔=原稿を書き直す〕/—を新たにする/—本・草—」

こう①【鋼】はがね。スチール。鋼鉄。「—材・圧延—⓪・特殊—・製—」

こう①【講】❶民間の金融上の組合。「無尽—⓪・頼母子—」❷〔仏教で〕経典を講釈する会。「最勝—⓪③・—会①」❸信徒が催す法会や、神仏に参拝に行く団体。「羅漢—⓪・富士—⓪②」⇩【造語成分】

ごう〔号・合・拷・剛・強・〈毫・郷・傲・業・豪・〈轟〕↓【字音語の造語成分】

ごう①【号】❶〔学者・文人・画家などが〕本名・別名のほかにつける風流な名。「雅—」❷〔雑誌や新聞の〕発行の順番。「—を追って充実してきた/創刊—③」❸Ⓐ活字の大きさの等級。〔一辺の長さが鯨尺一分〔=三・七八ミリ〕の物が五号、一辺の長さがその△二倍(二分の一)の物が△二(七)号というぐあいに、号数が大きいほど活字は小さい〕Ⓑ西洋式絵画の大きさの等級。〔カンバスを張る木枠の寸法による。号数が大きいほど寸法も大〕「風景型十—は、縦四〇・九センチ、横五三センチ」㊃法令の各条文の中の、一定の小独立規定。⇩【造語成分】

ごう①【合】❶「合計」の略。❷〔弁証法で〕総合。「正、反、—」⇩【造語成分】

ごう①【剛】他からの力に容易に屈しないほど強いこと。「—の者〔=力が強いばかりでなく、意志も人並以上に強い人〕/柔よく—〔=力の強い者〕を制す/—健・強—」↕柔

ごう①【〈毫】「問題にならないくらい わずかな」の意の漢語的表現。「—も意に介さない」⇩【造語成分】

ごう①【郷】❶昔の地方行政区画で、一つの郡のうちの数村を合わせたもの。❷その土地。「—に入りては—に従え〔=新たにその土地に住もうとする人は、その土地の風俗・習慣に従っていくべきだ〕」

ごう①⓪【業】〔仏教で〕〔現在の環境を決定し、未来の運命を定めるものとしての〕善悪の行為。〔狭義では、悪い行為を指す〕「—が深い/—をさらす/悪—」⇩業火

ごう①【〈壕】土を掘って作った穴。〔主として横穴を指す〕「戦車—③・塹—・防空—」⇩ほり かぞえ方 一本

【—を煮やす】相手の態度が煮えきらないので、怒る。

こうあつ⓪【光圧】光が物体の表面に及ぼす圧力。輻射圧③。

こうあつ⓪【降圧】血圧を下げること。「—剤④⓪」

こうあつ⓪【高圧】❶強い圧力(をかけた状態)。「—ガス⑤・—酸素⑤」❷高い電圧(をかけた状態)。「—線⓪」❸気圧が高いこと。また、その気圧。「—帯⓪」↕低圧 **—てき**⓪【—的】—な —に 自分の方が高い立場にあるとして、有無を言わせずに従わせようとする様子だ。「—な態度」

こうあん⓪【公安】❶公共の秩序が保たれ、人びとが安心して生活が出来ること。❷「公安警察」の略。 **—いいんかい**⑥【—委員会】警察の運営を管理するため国・地方公共団体の首長が議会の承認を得て民間人を任命した委員会。 **—けいさつ**⑤【—警察】国家体制や社会秩序の維持のため、△反体制的(反社会的)行動やそれを支える組織を取り締まる警察活動。 **—じょうれい**⑤【—条例】集会や集団による△行進(示威運動)の取締りを目的として、地方公共団体が制定した条例。 **—ちょうさちょう**⑦【—調査庁】暴力的破壊活動を行なう団体の規制に関する調査や処分の請求などを行なう中央官庁。法務省の外局。

こうあん⓪【公案】参禅する人(たち)に考えさせる問題。

こうあん⓪【考案】—する(他サ)〔新しいやり方や品物などを〕いろいろくふうして△考え(作り)出すこと。

*__こうい__①【好意】相手に愛情や親近感をいだき、その人のためになるような事を何かしたいと思う気持。「—にこたえる/Aに—を寄せる〔=『Aという人が好きだ』の意の婉曲表現〕/—的⓪」⇩悪意・敵意

**__こうい__①【行為】人間がなんらかの目的をもって、ある結果を伴うことをすること。「自分の—には責任を持つべきだ/慈善—④・不法—④・英雄的—⓪-①」⇩行動

こうい①【更衣】❶—する(自サ) 着がえをすること。「—室③」❷昔の制度で、女御に次ぐ後宮の女官。

こうい①【厚意】思いやりのあるあたたかい心。親切。

こうい①【皇位】天皇の位。「—継承①-⓪/—を踏む〔=皇位に即く〕」

こうい①【皇威】天皇の威光。

こうい①【校医】その学校の委嘱を受け、児童・生徒の診療を担当する医師。「学校医」の略。

こうい①【校異】古典の諸伝本をつきあわせてみた結果判明した、本文の異同。

こうい①【高位】高い位。「—高官①-⓪」

ごうい⓪【合意】—する(自サ)〔相談事や交渉などで〕互いの意志が一致すること。「—を△見る(取りつける)/—が△得られる(成立する)/—にこぎつける/—点を見いだす」

こういき⓪【広域】広い区域。「—経済⑤」

こういしょう⓪③【後遺症】Ⓐ病気やけがが治ったあとに残る故障。手足の麻痺や言語障害など。「交通事故の—」Ⓑ好ましくない事態のおさまった後にまで残る影響。「猛暑の—でニワトリの産卵率が低下した」

こういた⓪【甲板】机などの、上に張る平たい板。「こうばん」とも。天板。かぞえ方 一枚

こういつ⓪【後逸】—する(他サ)〔野球で〕たまをとりそこねて後ろへのがすこと。

ごういつ⓪【合一】—する(自他サ) 普通、対立すると考えられる二つのものが、何かを契機として融合し一体化するこ

と。「知行―・神人―⓪-⓪」

こうぃっつい①-⓪【好一対】よく似合った一対のもの。〔狭義では、似合いの夫婦を指す〕

こうぃってん①-③、①-⓪【紅一点】〔「万緑叢中紅一点」〔=中国の政治家・文学者王安石の詩とされる〕より、青葉の中に赤い花が一つ咲いている意〕多くの男性の中に女性が一人交じっていること。また、その女性。

こうぃど③【高緯度】北極や南極に近い地方(の緯度)。

こう

【口】❶くち。「口中・口臭・虎口」❷口を使って物を言う。くちずから。「口授・口述・悪口」❸内と外の通じる所。「口径・河口・銃口・突破口」❹(人の)数。「人口・戸口」❺剣などの器具をかぞえる語。「剣一千口・壺一口」

【工】❶何かを作る(仕事をする人)。「工具・工芸・工作・工費・加工・人工・職工」❷(略)工業。「工科・工学・商工」

【公】❶かたよらない。「公正・公平」❷特定の個人に関する事でなく、一般に関係した事。おおやけ。「公私・公益・公民館・奉公」❸広く通じる。「公理・公分母・公約数」❹貴人・偉人の名につける敬称。「伊藤公」❺親しい間柄や軽視すべき人の名前の略称の下につける語。「熊公」⇩(本文)こう【公】

【勾】❶受けもつ。「勾当」❷まがる。かたむく。「勾配」❸とどめる。「勾引・勾留」

【孔】❶突きぬけた穴。「孔穴・孔版・気孔」❷(略)孔子。「孔孟・孔門」

【功】❶てがら。(りっぱな)仕事。「功名・偉功」❷きき目。はたらき。「功利・奏功」⇩(本文)こう【功】

【巧】⇩(本文)こう【巧】

【広】❶ひろい。「広義・広狭・広言・広野・広範囲」❷ひろまる。ひろめる。「広告」

〔弘〕❶ひろい。「弘大」❷ひろめる。「弘報」

【甲】❶よろい。「甲兵・鉄甲・穿山甲・甲殻」❷(略)甲斐国。「甲州・甲信越」⇩(本文)こう【甲】

【交】❶まじりあう。互いにしあう。「交互・交錯・交渉・交接・交通」❷まじわる。つきあい。「交際・交情・交友・国交・親交」❸かわる。かえる。「交替・交易・交換」⇩(本文)こう【交】

【仰】あおぐ。したう。「鑽仰・信仰・渇仰」⇩ぎょう

【光】❶ひかる。「夜光」❷ひかり。「光線・光明・日光・月光・電光」❸見るに値するけしき。「光景・風光・観光」❹時間。日月。「光陰・消光」❺ほまれ。はえ。「光栄・栄光」❻相手の動作につけて敬意を表わす語。〔普通「御」を上につける〕「光来・光臨」

【向】❶むく。むかう。「向寒・向上・意向・参向」❷従う。「向背」❸今から。「向後」

【后】きさき。「后妃・皇后・母后・太后・立后・皇太后」

【好】❶このむ。すきだ。「好学・好物・好角家・愛好・嗜好・時好・同好」❷このましい。いい。「好感・好意・好取組・好人物」❸よしみ。つきあい。「好誼・友好・隣好」

【江】❶大きな川。「江上」❷中国の長江。「江河・江南」❸(略)近江国。「江州」

【考】❶かんがえる。「考案・考慮・思考・愚考」❷しらべる。「考査・考課・考古学」❸死んだ父。「考妣・先考」

【行】❶おこなう。おこない。「行為・行動・実行・孝行・非行」❷いかせる。進める。「行軍・行文」❸仲買業。商社。「銀行・洋行」❹銀行。〔かぞえる時にも用いられる〕「行員・入行」❺(古)行数をかぞえる語。❻(古)長からぬ一続きのものをかぞえる語。「千行の涙」⇩(本文)こう【行】

【坑】⇩(本文)こう【坑】

【孝】親を大切にする。「孝行・孝子・孝養・至孝・不孝」⇩(本文)こう【孝】

〔宏〕規模が大きい。「宏遠・宏大・宏壮」

【抗】はりあう。てむかう。さからう。「反抗・対抗・抗生物質・抗ヒスタミン剤」

【攻】❶せめる。「攻撃・攻守・攻防・速攻・反攻・難攻不落・遠交近攻」❷おさめる。みがく。「攻究・専攻」

【更】かえる。かわる。「更新・更正・更迭・変更」⇩(本文)こう【更】

〔肛〕しりのあな。「肛門・脱肛」

【効】⇩(本文)こう【効】

【幸】❶よいついで。「幸便」❷かわいがる。「幸臣」❸天皇のおでまし。みゆき。「行幸・御幸・巡幸」⇩(本文)こう【幸】

〔庚〕十干の第七。己の次、辛の前。かのえ。「庚申」

【拘】❶とらえる。とらわれる。「拘禁・拘束・拘置所」❷こだわる。「拘泥」

〔昂〕あがる。たかぶる。「昂進・昂然・昂騰・昂揚・激昂・意気軒昂」

【肯】❶その通りだと言う。うべなう。承知する。「肯定・首肯」❷肉が骨についているつけね。急所。「肯綮」

〔肴〕調理した魚の肉。「嘉肴・酒肴」

【侯】❶大名や小名。「諸侯・王侯・列侯・浅野侯」❷(略)侯爵。

【厚】❶あつい。「厚意・厚志・厚情・厚薄・温厚・濃厚」❷あつくする。ゆたかにする。「厚生」❸あつかましい。「厚顔」

〔巷〕❶ちまた。「陋巷」❷世間。「巷間・巷説・巷談」

【後】❶のち。あと。「後者・後世・後便」❷うしろ。「後衛・後見・後列」❸おくれる。「後室・後進国」

【恒】❶いつも変わらない。「恒産・恒常・恒星・恒例」❷久しい。「恒久」

【洪】❶おおみず。「洪水」❷大きな。「洪恩・洪大」

〔狡〕ずるい。「狡獪・狡猾・狡知」

【 】の中の教科書体は学習用の漢字，⌒ は常用漢字外の漢字，⌒ は常用漢字の音訓以外のよみ。

【皇】クワウ ❶君主。「皇帝」❷天皇(テンノウ)。天皇の。「皇位・皇后(ゴウ)・皇族・上皇」❸天皇が支配する日本の。「皇国・皇紀」

【紅】 ❶くれない。べに色。「紅白・紅紫色・鮮紅色」❷化粧用のべに。「紅粉」

【荒】クワウ ❶あれはてる。「荒地・荒野・荒涼・荒廃」❷止めどが無い。「荒淫(イン)」❸凶作。「備荒・破天荒」❹根拠が無い。「荒唐無稽(コウトウムケイ)」❺国のはて。「八荒」

【郊】カウ 都の外。町はずれ。「郊外・近郊・西郊・春郊・秋郊」

【香】カウ よいにおい。かおり。「香気・香水・芳香」⇩(本文)こう【香】

【候】 ❶うかがう。「伺候・斥(セッ)候」❷待つ。「候補」❸きざし。「兆候・徴候」❹とき。時期。季節。「候鳥・時候」⇩(本文)こう【候】

【格】カウ 細い木などを縦横に組んだもの。「格子」⇩かく

【校】カウ ❶くらべかんがえる。しらべる。「校閲・校正・校訂」❷軍の部隊をひきいる人。「将校」❸学校。〔かぞえる時にも用いられる〕「校舎・校庭・校門・登校」⇩(本文)こう【校】

〈浩〉カウ ❶広く大きい。「浩然」❷分量が多い。「浩瀚(カン)」

【耕】カウ ❶たがやす。「耕作・耕地・農耕・深耕・晴耕雨読」❷頼まれて筆写や講演をして、生活の資を得ること。「筆耕・舌耕」

【耗】カウ すりへる。「心神耗弱」⇩もう

【航】カウ 水の上や空をわたる。「航海・航空・航行・航程・航路・回航・帰航・欠航・就航」

【貢】 みつぐ。たてまつる。さしあげる。「貢献・来貢・朝貢」

【降】カウ ❶おりる。くだる。「降下・降誕・降壇・下降・滑降・昇降・乗降・沈降」❷ふる。「降雨・降雪」❸敵に負けて従う。「降参・降伏・投降」❹時があとになる。「以降」

【高】カウ ■一❶すぐれた。りっぱな。「高潔・高雅・崇高」❷一段程度が上の。「高官・高段者・高次元・高速」❸自分をえらい者と思う。「高言・高慢」❹相手の行為や相手に属する事物につけて敬意を表わす語。〔「御(ゴ)」を上につけることが多い〕「高説・高評・高堂」■二(略) 高校。⇩(本文)こう【高】

〈寇〉 侵入してあらす。うばう。「外寇・侵寇・入寇・来寇」

【康】カウ 心配な事が何も無い。「健康・小康・安康」

【控】 ❶引きさる。ひかえる。「控除」❷告げる。訴える。「控訴」

【梗】カウ ❶大筋。概要。「梗概」❷塞(フサ)ぎ妨げる。「脳梗塞」❸植物の茎や枝。「花梗」

【黄】クワウ きいろ(の)。「黄葉・黄白色・黄土・黄熟」

【喉】 気管や食道に通じる口の奥の部分。のど。「喉頭・咽喉」

【慌】クワウ 突発的な出来事などで、あわてふためく。「恐慌」

【港】カウ みなと。「港内・港口・入港・良港・商業港・横浜港」

【硬】カウ かたい。「硬化・硬球・硬質・硬軟・強硬・生硬」↕軟

【絞】カウ しめる。くくる。「絞殺・絞首刑」

〈腔〉カウ からだの中の、中空になっている部分。医学分野では「くう」とも。「口腔・鼻腔・腹(フッ)腔・腔腸動物」

【項】 ⇩(本文)こう【項】

【溝】 みぞ。「溝渠(キョ)・海溝・地溝・排水溝」

【鉱】クワウ ■一有用な金属を含む岩や石。鉱物。「鉱石・鉱山・鉱夫・鉄鉱・採鉱」■二(略) 鉱山。「金鉱・炭鉱」表記「〈礦」とも書く。

【構】 ❶組みたてる。かまえる。「構図・構成・構想・構造・構築・機構・虚構・結構」❷かまえ。かこい。「構外・構内」

【綱】カウ ❶おおもと。「綱紀・綱領・大(タイ)綱・要綱」❷大きな部類分け。「綱目」❸〔生物の分類階級で〕原則として、いくつかの「目(モク)」をあわせたもの。「哺乳綱」〔慣用では「類」〕⇩門

〈膏〉カウ ❶心臓の下。「膏肓(コウ)」❷肉のあぶら。脂肪。「膏血」❸あぶらぐすり。「膏薬」❹肥える。「膏土」

【酵】カウ 酒のもと。「酵素・酵母・発酵」

【稿】 ⇩(本文)こう【稿】

〈膠〉カウ ❶にかわ。「膠化・膠質・膠状」❷ぴったりつく。「膠着」

【興】 おこる。おこす。さかんに△なる(する)。「興起・興廃・興奮・再興・振興」

〈薨〉 皇族および三位(サンミ)以上の人の死。「薨去(キョ)・薨御(ギョ)」

【衡】カウ ❶はかり。「度量衡」❷つりあい。「均衡・平衡」❸よこ。「合従(ガッショウ)連衡」

【鋼】 ⇩(本文)こう【鋼】

【講】カウ ❶説きあかす。説く。「講義・講演・講習・講釈・講説・講読・講評・輪講」❷〔大学の〕講義。「講壇・講堂・休講・開講・代講」❸はかる。仲なおりする。「講和」表記❸は「〈媾」とも書いた。⇩(本文)こう【講】

【購】 かい入れる。あがなう。「購読・購入・購買・購求」

〈鴻〉 ❶おおとり。「鴻鵠(コク)・鴻毛」❷大きい。「鴻恩・鴻大」

〈曠〉クワウ ❶ひろびろとしている。「曠野」❷存在しない。「曠古・曠世・曠劫(ゴウ)」

こうォいん⓪ー【工員】 工場の労働者。「職工」の改称。

こうォいん⓪【公印】 官公署の(代表者の)、公式の印判。↕私印

こうォいん⓪【勾引】ーする(他サ) ❶人を捕らえて連行すること。❷〔法律で〕裁判所が被告人や証人を一定の場所に引致する強制処分。「一状⓪③」表記❶は「拘引」とも書く。

こうォいん⓪ー(クワウ)【光陰】〔「光」は日、「陰」は月の意〕再び元に戻ることの無い、時の流れ。「一矢の如(ゴト)し」

こうォいん[0]—【行印】 その銀行で出す、公式の文書に押す印。
こうォいん[0]【行員】 銀行の事務員。「銀行員」の略。
こうォいん[0]【後〈胤】「後裔」の古風な表現。
こうォいん[0]—【荒淫】 過度に色事にふけること。
こうォいん[0]—【校印】 学校で出す公式の文書に押す印。
こうォいん[0]【鉱員】「鉱夫・坑夫」の改称。
ごうォいん[0]—【強引】—な —に 反対や障害を押し切って無理に行なう様子だ。派—さ[0]
こうォう[1]—【降雨】 雨が降ること。また、△降る(降った)雨。「—量[3]」
ごうォう[1]—【豪雨】 短時間のうちに多量に降る雨。「—をもたらした台風一三号/集中—・ゲリラ—」
こうォうつ ざい[4][0]—【抗鬱剤】 鬱病の治療に用いられる薬。抗鬱薬[4][0]。
こうォうん[0]—【幸運】—な —に 物事が偶然に自分にとって都合のいいように運ぶ△こと(様子)。しあわせ。「—に恵まれる/—にも入賞した」↔不運 表記「好運」とも書く。 —じ[3]【—児】 めぐりあわせが良くて快挙などをなしとげることが出来た人。
こうォうん[0]—【耕〈耘】—する(他サ)〔「耘」は、田畑の雑草を除き去る意〕田畑を△耕す(耕して、雑草を除く)こと。「—機[3]〔=田畑を耕す農機具。『耕運機』と書くこともある〕」
こうォうんりゅうすい[0]-[0]【行雲流水】〔空を行く雲と、川を流れる水の意〕△一つの事(既往)にこだわらず、一切を成行きに任せること。
こうォえい[0]【公営】 公的な機関、特に、地方公共団体・公団などによる経営や事業。「—の宿/—競馬[5]・—住宅[5]」↔私営
こうォえい[0]—【光栄】—な —に 自分の価値や存在を認められるような機会を得て△ありがたい(しあわせな)事と思う△こと(様子)。「身に余る—」派—さ[0]
こうォえい[0]【後〈裔】〔名の通った家柄の〕子。
こうォえい[0]—【後衛】 ↔前衛 ❶後方の護衛。「—部隊[5]」 ❷〔テニス・バレーボールなどで〕後方を守る人。
こうォえい[0]—【高詠】 すぐれた詩歌。〔「(相手の)詩歌」の意の尊敬語としても用いられる〕
こうォえいきょうォ[3]—【好影響】 よい影響。「—を△与える(もたらす)」
こうォえき[0]【公益】 公共の利益。「—性[0]」↔私益 —ほうォじん[5]—【—法人】 営利追求ではなく、公益を目的とする△社団(財団)法人。「学校法人・宗教法人・社会福祉法人[7]」など。
こうォえき[0]—【広益】 広く社会一般のためになること。
こうォえき[0]—【交易】—する(自サ) ❶物品を交換してする商売。 ❷江戸時代において、「貿易」の称。
こうォえつ[0]—【校閲】—する(他サ) 書類や原稿などの誤りや不備な点を調べて、加筆訂正すること。
こうォえつ[0]—【高閲】「(相手が)目を通したり調べたりすること」の意の尊敬語。「(ご)—の上」
こうォえん[0]【口演】—する(自他サ)〔講談などを〕おおぜいの前で語ること。
*こうォえん[0]—【公園】 ❶市街地などで、木や草花などを植え、子供の遊ぶ設備を整えたりして作った、公衆のためのいこいの場所。 ❷動物・森・池などを、自然に近い状態で活用し、レクリエーションの場とした地域。「野猿—[4]・森林—[5]・海中—[5]」 ❸〔自然・環境保護などの目的で〕国や地方公共団体が、その一帯の自然の保存に重点を置き、人工的な施設を設けることに制限を加えた地域。「国立—・自然—[4]」 表記 ❶❷には、施設名としては「公〈苑」と書かれるものもある。
*こうォえん[0]—する(自他サ) 〖一〗【公演】〈(だれニ)なにヲ—する〉演劇・舞踊・音楽などを観客に△見せる(聞かせる)目的で演じること。「海外で—を行なう/定期—[4]」 〖二〗—【講演】〈(だれニ)(なにヲ)—する〉ある題目について、その人の専門的立場からの話を公衆に対してすること。また、その話。「先生の—を聞く/学術—[5]・—会[3][0]・—者[3]」 かぞえ方 〖一〗〖二〗とも一本
こうォえん[0]—【光〈焰】 光を放って燃えさかる炎。「—のゆらめき」 表記「光炎」とも書く。
こうォえん[0]—【好演】—する(他サ) △いい(りっぱな)演技や演奏(をすること)。
こうォえん[0]【〈宏遠】—な —に その果てがはかり知れないほど規模が大きい様子だ。派—さ[0] 表記「広遠」とも書く。
こうォえん[0]【後援】 ❶〔後詰めの〕援軍。「—続かず」 ❷—する(他サ) 背後で援助すること。うしろだて。「—会[3][0]・—者[3]」
こうォえん[0]—【香煙】〔葬式などの〕香の煙。
こうォえん[0]【高遠】—な 大所高所に目標を置き、着眼が非凡な様子だ。「—な理想」派—さ[0]
こうォえん[0]—【講〈筵】〔「筵」は、むしろの意〕講義の席。「…の—に列する〔=その先生の講義を聞く〕」
こうォえんきん[0]—【好塩菌】〔他の多くの細菌と異なり〕魚の干物など、塩分を含む食品に付着して、食中毒を起こさせる細菌。
こうォえんとして[0]—【〈溘焉として】(副)〔「溘」は、たちまちの意。「焉」は、助字〕突如として死が訪れる様子をいう古風な表現。「—逝ュく」
こうォお[1]【好悪】 好ききらい。「—の念」
こうォおつ[1]—【甲乙】〔第一と第二の意〕二つの物や二人の人の間の優劣や差別。「—をつけがたい〔=どちらも負けず劣らずすぐれている〕」
こうォおん[0]【厚恩】 忘れることの出来ない、深い恩。「—に感泣する」
こうォおん[0]—【恒温】 いつも一定した温度。「—恒湿[0]-[0]」 —どうォぶつ[5]【—動物】 外界温度の変化にかかわらず、いつも一定の体温を保つ動物の総称。哺乳類および鳥類。温血動物。定温動物。↔変温動物
こうォおん[0]—【皇恩】 天皇の御恩。
こうォおん[0]—【高音】 高い△音(声)。〔狭義では、ソプラノを指す〕「—部[3]」⇩中音・低音
こうォおん[0]—【高恩】 父母・師の恩のように、他とは比較にならない大きな恩。「—忘じがたし」 表記「〈鴻恩・洪恩」とも書く。
こうォおん[0]【高温】 高い温度。「—多湿[0]-[0]」↔低温
ごうォおん[0]—【号音】 合図のために鳴らす音。
ごうォおん[0]—【〈轟音】 激しくとどろき渡る音。
こうォか[1]—【工科】 ❶工学・工業に関する学科。「—大学[4]」 ❷大学の工学部の旧称。
こうォか[1]—【公課】 国家・地方公共団体の課する税金。
こうォか[1]—【功科】 職務上の功績。成績。 —ひょうォ[0]【—表】 公務員・会社員などの勤務の成績表。
こうォか[1]—【功過】 手柄とあやまち。功績と過失。
こうォか[1]【功課】 勤務状況・職務達成度などに対する評価。
こうォか[1]【考課】 公務員・会社員の勤務成績や児童・生徒の学習度合を評価(し、昇任人事の参考資料などに)すること。「人事—[4]・—表[0]」 —じょうォ[0]【—

状】❶公務員・会社員の考課報告書。❷銀行・会社の営業報告書。

こうか ①【効果】 ❶目的通りのよい結果。「―が△現われる(薄い・見られない)/所期の―をあげる/―を△及ぼす(現わす)/…の―をねらう/演出―・逆―」 ❷〔↔舞台効果④〕〔演劇・映画・テレビなどで〕視聴覚に訴えて、臨場感を増すためのもの。擬音・照明のほか、煙を出したり雪・雨を降らせたりするなど。「音響―」 ❸〔物理学で〕「現象」の別名。「温室―・ドップラー―⑥」 **―てき ⓪【―的】―な・―に 効果がある様子だ。

こうか ①【後架】〔もと、禅宗で洗面所の意〕「便所」の意の古風な表現。

こうか ①【校歌】 校風を発揚するために制定し、その学校の学生・生徒・児童が歌う歌。

こうか ①⓪【降下】―する(自サ) ❶高い所から△おりる(下がる)こと。「気温が―する/落下傘で―する」 ❷【降嫁】 皇女などが結婚によって皇族の籍を抜けること。「臣籍―⑤」

こうか ①【高価】―な・―に (貴重で)値段が高い△こと(様子)。また、高い値段。「―な贈り物/―な失敗について(=その失敗によって高い代償を支払わされた)」 ↔廉価 派 **―さ**③

こうか ①【高架】〔線路・橋・ロープなどを〕地上高くかけわたすこと。「―線⓪・―鉄道④」

こうか ①【高歌】 声高く歌うこと。「―放吟する」

こうか ①【黄禍】 ❶黄色人種の勢力が伸長するのを白色人種が見て、「禍」と評する語。 ❷俗に、列車が進行中に汚物を撒き散らしたりして、沿線の人が迷惑を受けたことを表わす。

こうか ①⓪【硬化】―する(自他サ) ↔軟化 ❶かたく△なる(する)こと。「動脈―⑤」 ❷強硬な△意見(態度)になること。「態度が―する/態度を―させる」 ❸〔経済で〕相場が上がりぎみになること。 ↔軟弱 **―ゆ**③【―油】 液状の脂肪油を固形にしたもの。

こうか ①【硬貨】 金属製の貨幣。「十円―⑤」 ↔紙幣 かぞえ方 一枚

こうか ①⓪【〈膠化】―する(自サ) ゼリー状に固まること。

こうが ①【公〈衙】「役所」の意の古風な表現。例、都庁・県庁・市役所・区役所など。

こうが ①【高雅】―な・―に 気品と、教養の高さを思わせるものとがある様子だ。「―な筆致」 派 **―さ**③

ごうか ①【〈劫火】〔仏教で〕全世界を焼き尽くすという大火。〔この世の終りかと思わせるほどの大火の意にも用いられる〕

ごうか ①【業火】〔仏教で〕 ❶その人の身を滅ぼすに至る悪業。尽きることなき愛執・怨念や、理由無き憎悪・忿怒など。 ❷地獄に堕ちた罪人を焼き滅ぼす猛火。〔劫火の意にも用いられる〕

ごうか ①【豪家】 財産があり、その土地で勢力のある家。

ごうか ①【豪華】―な・―に いかにもお金をたくさんかけたように見えて、はでな様子だ。「―客船④」 派 **―さ**③ **―ばん**⓪【―版】 ❶印刷・造本などのぜいたくな本。 ❷同種のものと比べてお金がかかっていて、すばらしいと感じられること。

こうかい ⓪【公海】 どの国も自由平等に△航行(使用)し得る海域。「―上の船舶」 ↔領海

*__こうかい__ ⓪【公開】―する(他サ) 〈(だれ)ニ なにヲ ―する〉〔ある条件の下に〕一般の人が自由に入場・観覧・使用などが出来るようにすること。「年に一度だけ本尊を―する寺/公文書の―非―が問題になっている/―の席でお話しします/一般―⑤・未―②・―状⓪(=多くの人の批判や意見を求めるために、特定の個人・団体にあてた書状を公表すること)・―録音⑤」 **―そうさ**⑤【―捜査】 事件をはやく解決するために、被害者・被疑者などの大略を公表し、多くの人びとからの情報協力を求める捜査法。「―に踏み切る」

こうかい ⓪【交会】―する(自サ) ❶人がその場所に集まり、ひとときを過ごすこと。 ❷別々であったものが一か所で△出あう(出あって一体化する)こと。「二つの川が―し…」〔❶❷とも「きょうかい」とも〕

こうかい ⓪【更改】―する(他サ) 前のものを無効にし、改めて、新しくすること。「契約―⑤、⓪-⓪」

こうかい ⓪【後会】 機会を得て、再びその人に会うこと。「―を約する」

*__こうかい__ ①【後悔】―する(他サ) 〈なにヲ (なんだト) ―する〉自分のやった事を振り返り、どうしてあのようなばかな事をしたのかと、自分の思慮の足りなさをくやしく思うこと。「―先に立たず(=いくら後悔してもどうすることもできないから、何かをする前には十分に考えてからせよ、という教訓)」

ごう

【号】 ❶大声で泣く。「号泣」 ❷あいず。しるし。 ❸記号。「等号・正号・負号・複号」 ❹名前。「院号・雅号・元号・国号・称号・年号」〔船・航空機・列車・動物その他の名に添えても用いられる。例、「メイフラワー号」〕 ⇩(本文)ごう【号】

【合】 ❶あう。あわせる。「合意・合格・合金・会合・総合・配合」 ❷尺貫法における土地の面積の単位で、十分の一坪(=約〇・三三平方メートル)を表わす。「一合は十勺」 ❸尺貫法における容積の単位で、十分の一升(=約〇・一八リットル)を表わす。 ❹〔山の高さで〕麓から、十分の一ほど登った高さであることを示す。〔ただし、麓の方の一合は頂上付近の一合より距離が長い。合をさらに十に分けたものを勺と呼ぶ〕 ❺相手と刀・槍などを交える回数をかぞえる語。 ❻ふたのある器物をかぞえる語。「長びつ一合」 ⇩(本文)ごう【合】

【拷】 取り調べに際し、肉体的苦痛を与える。「拷問」

【剛】 ⇩(本文)ごう【剛】

【強】 ❶つよい。「強弓・強情・強欲」 ❷しいて。無理に。「強引・強姦・強盗」

【〈毫】 ❶細い毛。「毫末」 ❷ふで。「揮毫」 ❸目方・長さの単位。一厘の十分の一。「毫厘」 ⇩(本文)ごう【毫】

【郷】 ⇩(本文)ごう【郷】

【傲】 おごりたかぶる。「傲岸・傲然・傲慢・驕傲」

【業】 ⇩(本文)ごう【業】

【豪】 ❶❶〔もと、智の百人に過ぎるを指した〕特別すぐれた人。「豪傑・文豪・酒豪」 ❷規模が普通と違う。「豪放・豪雨」 ❸金持。「豪商・富豪」 ❷(略)オーストラリア(豪州)。「日豪会談」 表記 ❷は、「〈濠」とも書く。

【〈轟】 とどろく。鳴りひびく。「轟音・轟然・轟沈」

こうかい⓪【〈狡獪〉】—な—に 相手の考えや心情などをすべて計算に入れ、それを逆手に利用して意のままにあやつったりする様子だ。狡猾。

こうかい①【航海】—する(自サ) 船で海を渡ること。「—士③・—術③・—日誌⑤・処女—③・遠洋—⑤」

こうかい⓪【降灰】—する(自サ) 噴出した火山灰などが地上に降ってくること。また、その(降り積もった)灰。「こうはい」とも。

こうがい⓪【〈笄〉】〔「髪掻き」の変化〕❶髪をかき上げるのに使った、箸のようなもの。❷日本髪の、まげにさす飾り。かぞえ方 ❶❷とも一本

こうがい⓪【口外】—する(他サ) 本来秘密にしておくべき事などを、当事者以外に話すこと。

こうがい⓪【口蓋】「うわあご」の意の漢語的表現。「—音③〔=口蓋と舌を働かせて発する音。か行音の子音がこれにあたる〕・軟—」 —すい③【—垂】うわあごの奥の柔らかい部分の一番先にあって、細長くのどの中央に垂れ下がっているもの。「懸壅垂」の改称。のどひこ。のどちんこ。

***こうがい**⓪【公害】工場などの煤煙・汚水や自動車の排気ガス・騒音などのために、一般の人びとの健康や日常生活が害されること。「—を△出す(起こす)/—たれ流し/—病⓪・低周波—・食品—⑤」

こうがい⓪【光害】公害の一つ。夜間の屋外の照明やネオンサインなどの明るさが、天体観測に支障を来したり人びとを不眠に陥れたり動植物の生態をゆがめたりなどすること。

こうがい①【坑外】△炭鉱(鉱山)の、坑道の外。「—に搬出する/—労働⑤」↕坑内

こうがい①【郊外】都会に近接する地域で、建物が密集せず、田畑や林野の多い所。「旧—の宅地化」

こうがい①【校外】その学校の外。「—教授⑤・—活動⑤」↕校内

こうがい⓪【梗概】〔「梗」は幹・大きな枝の意〕小説や戯曲などの大体の筋の運び。あらすじ。

こうがい⓪【鉱害】有毒ガスの発生、有毒廃水の排出、地盤沈下など鉱業がもたらす害。

こうがい⓪【〈慷慨〉】—する(自他サ) 世の中の不義・不正を見聞きして、絶対許せないと怒ること。「悲憤—①-⓪」

こうがい①【構外】△構え(囲い)の外。↕構内

こうがい⓪【〈蝗害〉】イナゴやバッタによる、農作物や樹木の被害。

ごうかい⓪【豪快】—な—に スケールが大きくて、ほかに比べるものが無いという印象を与える様子だ。派—さ⓪

ごうがい⓪【号外】❶〔新聞などで〕突発的な事件などを報道するために、臨時に発行する一枚刷り。❷雑誌の臨時増刊や特大号など、決められた回数を超えて発行されるもの。

こうかいどう⓪【公会堂】公衆の会合のために建てた建物。

こうかがくスモッグ⑦【光化学スモッグ】自動車の排気ガスなどが夏の強い日光と作用して、オキシダントを異常に発生した状態のスモッグ。それによって、目やのどが刺激される。

こうかく⓪【口角】口の両わき。「—泡を飛ばす〔=議論などで、勢いこんでしゃべりまくる形容〕/—炎④⓪〔=唇の端に、ただれや瘡が出来る炎症〕」

こうかく⓪【広角】対応する角度が大きいこと。「—撮影⑤・—レンズ⑤〔=ワイド レンズ〕・—打法⑤」

こうかく⓪【甲殻】からだをおおう堅いから。「—類④〔=エビ・カニなどのように、からだが堅い からでおおわれている小動物〕」

こうかく⓪【降格】—する(自他サ) 格式や階級△が下がる(を下げる)こと。格下げ。「—人事⑤」↕昇格

こうかく⓪【高角】仰角が大きいこと。「—砲⓪④〔=軍艦搭載の高射砲〕」

こうかく⓪【高閣】❶高く構築した建物。❷高い所につった棚。「—に束ねる〔=書物などを読まずに たばねて、高い棚に載せたままにしておく〕」

こうがく⓪【工学】❶工業△技術(生産)に関する事柄を研究する学問。「—部④③・電子—・システム—・機械—④・土木—④」⇩理学 ❷主として人文・社会科学関係の事柄に「工学❶」的手法を取り入れて研究・処理する技術体系。「教育—⑤・人間—」

こうがく⓪【光学】物理学の一分科。光の作用に関して研究する学問。「—顕微鏡⓪・幾何—③」 —きかい⑤⑥【—器械】レンズ・プリズムなどの光学的性質を応用した器械。例、望遠鏡・カメラなど。

こうがく⓪【向学】学問に励もうと思うこと。「—心に燃える/—の念」

こうがく⓪【好学】学問が好きなこと。「—の士」

こうがく⓪【後学】❶後進の学者。↕先学 ❷将来なんらかの役に立つ知識や経験。「—のために見ておく」

こうがく⓪【高額】高い金額。「—の制作費/—所得者⑦⑥・—紙幣⑤」↕低額・小額

****ごうかく**⓪【合格】—する(自サ)〈なにニ—する〉 その組織に受け入れたり 定められた資格を与えたりするのに必要な基準を満たしていると判定すること。「△入学試験(司法試験)に—する/製品試験に—する/—品⓪」

こうかくか⓪【好角家】すもう(観戦)の好きな人。「こうかっか」とも。

こうがくか⓪【好楽家】音楽の好きな人。「こうがっか」とも。

こうがくねん③④【高学年】小学校の五年・六年の称。⇩低学年・中学年

こうがけ⓪④【甲掛(け)】手足の甲にかけて、日光・ちり・ほこりなどをさえぎる布。

こうかつ⓪【広〈闊〉】—な—に 〔土地や景色が〕広びろと開けている様子だ。「—な草原」派—さ⓪

こうかつ⓪【〈狡猾〉】—な—に 自分だけ得をしようと、さりげなく ずるい事をする様子だ。「—な手段」派—さ⓪

こうかぶつ③【好下物】「ちょうどいい酒のさかな」の意の古風な表現。

こうかん⓪【公刊】—する(他サ) ほしい人が手に入れることが出来るように出版すること。

こうかん⓪【公館】△官庁(公共)の建物。〔狭義では、大使館・公使館・領事館などを指す。例、「在外—」〕

****こうかん**⓪【交換】—する(他サ) ❶〈なにトなにヲ—する/なにヲなにニ—する〉 他のものと△取り換える(引き換える)こと。「通貨の—性/物物—」 ❷〈なにト—する〉〔単線を走る列車や、一車線の道路を走る自動車が〕一方が待避して、すれちがうこと。 ❸〈だれトなに・だれヲ—する〉 やりとりすること。「△エール(意見)の—/情報を—する/—学生⑤・—教授⑤」 —しゅ③【—手】〔↑電話交換手⑥〕発信者と受信者の電話回線を接続する人。 —じょうけん⑤【—条件】ある事を引き受ける代りとして出す条件。 —だい⓪【—台】〔↑電話交換台⓪〕一つの事業所の中において、交換手が電話の取次ぎをする所。

こうかん⓪【交感】互いに感じあうこと。 —しんけい⑤【—神経】腺・血管・内臓などを支配する自律神経の一つ。⇩副交感神経

こうかん⓪【交歓】—する(自サ) ふだんあまり交際の無い人たちが集まって、打ち解けた雰囲気を作って楽しむこと。「—音楽会⑧⑦」 表記「交〈驩・交款」とも書く。

こうかん⓪【向寒】寒さに向かうこと。「—の折から/—期③」↔向暑

こうかん⓪【好感】相手に対して与える、いい印象。「—をいだく/—の持てる△言葉(青年)」

こうかん⓪【好漢】将来何かやってくれそうな見込みがある頼もしい男。「—自重せよ〔=まだ若いのだから大いに自愛せよ。調子に乗って失敗しないように気をつけろ、の意にも用いられる〕」

こうかん⓪【〈巷間】〔町中の意〕〔うわさや商品が流通する場所としての〕世間。「—伝えるところによれば」

こうかん⓪【後勘】後のちのことまで配慮した考え。

こうかん⓪【後患】その時きちんと処置しないために、あとになって起こるやっかいな事。「—を絶つ」

こうかん⓪【皇漢】日本と中国。「—薬③〔=漢方薬〕」

こうかん⓪【校勘】—する(他サ) 古典の諸本間の校異を調査すること。「—記③」

こうかん⓪【〈浩瀚】—な その本を構成する総ページ数が多い△こと(様子)。 派—さ⓪

こうかん⓪【高官】地位の高い官職。また、その官職の人。「高位—」

こうかん⓪【〈槓杆〉・〈槓桿〉】「梃」の意の漢語的表現。

こうかん⓪【鋼管】〔高い圧力に耐えるように作られた〕鋼鉄製の管。

こうがん⓪【厚顔】—な 自分の置かれた立場などもわきまえずにあつかましい言動を平気でする様子。「—無恥⑤」 派—さ⓪

こうがん⓪【紅顔】〔青少年の〕若わかしくて、血色のいい顔。「—の美少年」

こうがん⓪【〈睾丸】ヒト・哺乳類の精巣。〔俗に「きんたま」と言う〕

ごうかん⓪【合歓】—する(自サ) 快楽を共にすること。〔狭義では、男女が共寝することを指す〕

ごうかん⓪【強〈姦】—する(他サ) 女性を暴力や脅迫で犯すこと。レイプ。〔犯罪としては、被害者に男性も含めた「強制性交等罪」と言う〕⇩和姦

ごうがん⓪【傲岸】—な〔「岸」は他と和することの無い意〕自分を偉い人間だと見て、めったに人に頭を下げない様子だ。「—不遜⓪-⓪」 派—さ⓪

こうがんざい③⓪【抗〈癌剤】がん細胞△を死滅させる(の増殖を抑制する)薬。比較的副作用が強いものが多い。制がん剤。

こうき①【口気】❶口ぶり。❷口から出る(臭い)息。

こうき①【工期】工事の施工開始から完成に至るまでの期間。「—を大幅に短縮する」

こうき①【公器】特定の人や機関に奉仕するものでなく、世間一般の人びとのためにある物。「新聞は天下の—」

こうき①【広軌】レールの間隔が標準軌間〔=一・四三五メートル〕より広いもの。↔狭軌

こうき①【光輝】美しく輝く光。「—ある〔=名誉ある〕母校の伝統」

こうき①【好奇】珍しい物事などに強く興味や関心を向けること。「—心△を燃やす(が強い)/—の目を輝かす」

こうき①【好期】何かをするのにちょうどいい時期。

こうき①【好機】その時をのがしては、二度とめぐって来ないような、いい△折(機会)。チャンス。「—を△のがす(ねらう)/—逸すべからず」

こうき①【後記】❶あとがき。「編集—⑤」 ❷—する(他サ) その文章のあとの方に書くこと。また、その内容。↔前記

こうき①【後期】ある期間を幾つかに分けた、△のち(後半)の時期。「—の試験」⇩前期・中期 **—いんしょうは**①-⓪-【—印象派】十九世紀末に、印象派をうけて起こった画家の、セザンヌ・ゴーガン・ゴッホなどの総称。〔原語 Post-Impressionism は「印象派の後の一派」の意〕

こうき①【皇紀】神武天皇即位の年を元年とする、日本書紀の記述に基づく紀元。〔皇紀元年は、西暦紀元前六六〇年〕

こうき①【香気】鼻に感じられる、いいにおい。

こうき① 一【校紀】その学校内の風紀。 二【校規】その学校内での生徒心得(を成文化したもの)。「—に背く」

こうき①【校旗】その学校のしるしとして定められた旗。

こうき①【高貴】—な/—に ❶身分が高くて、とうとい家柄である△こと(様子だ)。「皇族につながる—の人」 ❷世俗を超越した高い志を持つ様子だ。「—な精神の持主」 派—さ③ **—やく**③【—薬】貴重で高価なくすり。

こうき①【綱紀】〔組織を保っていく上に欠くことの出来ない、大小のつなの意〕公務員を支える、人民の公僕であるという自覚と、万難を排して職責を全うする責任感。「—の振粛/—粛正①-⓪」

こうき①【興起】—する(自サ) ❶(勢力を持って)活発に活動するようになること。「武士の—」 ❷何かに感じて、自分も一つやってやるぞという気持になること。「感奮—⑤」

こうぎ①【公儀】❶表向き。「—の沙汰」 ❷鎌倉時代から江戸時代における政府(筋)。〔朝廷または幕府の意にも用いられる〕「—隠密①-⓪・大—③〔=大名などから見た徳川幕府の特称〕」

こうぎ①【巧技】普通の人にはまねの出来ないような、上手な△わざ(技術)。

こうぎ①【広義】その言葉の意味のうち、指す範囲の広い方。「—に解釈する」↔狭義

こうぎ① 一【交〈誼】交際をしている人同士の、親しいつきあい。「—をかたじけなくする」 表記「交宜」とも書く。 二【好〈誼】他人が自分に寄せる交情。「A君の—によって、この本を見るを得た」 表記「好宜」とも書く。 三【高〈誼】〔手紙文などで〕「一通りでない交情を受けていること」の意で、相手に対する感謝の気持を表わす時に用いる語。「日頃ご—にあずかり厚く御礼申し上げます」 表記「厚〈誼・厚宜」とも書く。

こうぎ①【好技】△いい(すぐれた)演技や技術。

***こうぎ**①【抗議】—する(自サ)〈だれニなんだト—する〉相手の言動を不当だとし、それに反対する意見を△主張(通知)すること。また、その反対意見。「—が相次ぐ/—を受ける/正面から—する/—行動④」

こうぎ①③【講義】—する(他サ) 学問の意義やその学問特有の理論・方法を、その道の先輩が学生などに説いて聞かせること。また、その内容。〔狭義では、実験・演習を除いた大学の授業を指す。例、「—録③・集中—⑤」〕

ごうき①【剛〈毅】—な/—に 意志・気力が強くて、他からの圧力に屈せず、自分を守る様子だ。「—木訥仁に近し〔=性向が剛毅であり木訥である人の言動は、見かけにかかわらず、相手側の立場を了得する能力を持ち、その人のために有利になるように計らう雅量を持ち合わせているものだ〕」

ごうき①【豪気】—な 普通の人には出来ない事を勇気を持ってする様子だ。 派—さ③ 表記「剛気」とも書く。

こ

ごうぎ [1] 【合議】―する（自他サ） 当事者が何人か集まって相談すること。「―制[0]」

ごうぎ [1] 【強気】―な 〔もと、「ひどく・えらく」の意の副詞の変化〕規模が大きくて、普通の人に「すばらしいことだ」と感嘆させる様子だ。派 ―さ [0][3] 表記 「豪気・豪儀」は、比較的新しい用字。

こうきあつ [3] 【高気圧】 大気のうち、低い気圧の部分によって周囲を取り囲まれた、一団の高い気圧の部分。そこでは晴れることが比較的多い。↕低気圧

こうきぎょう [3] 【公企業】 国家または地方公共団体が経営する企業。郵便・水道など。↕私企業

こうきゅう [0] 【公休】 ❶与えられた権利として、休日・祝日のほかに認められる休み。❷同業者が申し合わせて休む日。公休日[3]。

こうきゅう [0] 【好球】 〔野球などで〕△打ちやすい（受けやすい）たま。「―をねらい打つ/―必打[6][5]・絶―[3]」

こうきゅう [0] 【考究】―する（他サ） 本質まで掘り下げて、問題を解釈しようとすること。

こうきゅう [0] 【攻究】―する（他サ） 熱心に研究すること。講究。

こうきゅう [0] 【後宮】 后妃などの住む、宮中の奥御殿。〔広義では、后妃の総称としても用いられる〕「―の女官/―佳麗三千人」

こうきゅう [0] 【恒久】 他の点はどうあろうと、その点に関しては、永久に変わることがないととらえられる様子。「―性[0]・―的平和[0]-[0]・半―的[0]、[1]-[0]」

こうきゅう [0] 【降給】―する（自サ） ❶【降給】〔罰として〕下の給与体系に落とすこと。↕昇給 ❷【降級】〔罰として〕官吏、特に軍人の等級が下がる（ようにする）こと。↕昇級

***こうきゅう** [0] 【高級】 ❶高い△階級（等級）。「―官僚[5]」 ❷―な・―に 程度が高かったり品質がすぐれていたりする様子だ。「ねだんが高いからといって―だとは言えない/―品[0]・―住宅街[8]」↕低級 派 ―さ[0]

こうきゅう [0] 【高給】 高い給料。「―取り[3]」↕薄給

こうきゅう [0] 【硬球】 野球・テニス・卓球などに使うたまのうち、かたい方のもの。↕軟球

こうきゅう [0] 【講究】―する（他サ） 攻究。

こうきゅう [0] 【購求】―する（他サ） 何かの目的に必要な物品を買って、自分の物とすること。

ごうきゅう [0] 【号泣】―する（自サ） 〔涙を見せたことのないような人が〕感きわまって（大声をあげて）泣くこと。

ごうきゅう [0] 【剛球】 〔野球で〕投手の投げるたまで、スピードと重みがあって、打者が容易に打てないような威力のあるもの。「―投手[5]」 表記 「豪球・強球」とも書く。

ごうきゅう [0] 【強弓】 つるの張り方の強い弓（を引く人）。

こうきょ [1] 【公許】―する（他サ） 政府などから、正式に許可を得ること。官許。

こうきょ [1] 【抗拒】―する（自サ） 〔法律で〕抵抗して相手の行為を妨げること。「―不能[1]-[0]」

こうきょ [1] 【皇居】 天皇が住む所。「宮城」の改称。

こうきょ [1] 【溝〈渠〉】 給排水のための みぞ。かぞえ方 一本

こうきょ [1] 【〈薨〉去】―する（自サ） 皇族・三位以上の人が死亡すること。⇩卒去

こうぎょ [1] 【香魚】 アユの美称。

こうきょう [0] 【口供】―する（自サ） 〔裁判などで〕被告人・証人などが口頭で述べること（を書きつけたもの）。「―書[5][0]」

***こうきょう** [0] 【公共】 社会一般の人びと（に関すること）。「―の建物/―事業[5]・―機関[5]」 ―きぎょうたい [0] 【―企業体】 国や地方公共団体の出資による公共性の強い企業体。 ―くみあい [5] 【―組合】 公共の利益を目的とする、社団法人の組合。例、健康保険組合。 ―しせつ [5][6] 【―施設】 公共のための施設。道路・公園・公民館・図書館・国公立学校など。 ―しょくぎょうあんていじょ [0]-[9]、[0]-[0]、[13][0] 【―職業安定所】 国民が希望する職業につけるように紹介したり 雇用保険を扱ったりする役所。〔職業〕安定所。略して「職安」。〔通称はハローワーク〕 ―しん [3] 【―心】 私利にとらわれず、公共の利益を優先させようと心がける気持。 ―せい [0] 【―性】 公共の△生活（利害）にかかわる度合。「―が△高い（強い）」 ―だんたい [5] 【―団体】 法令に基づき、国の監督のもとに活動を行なう法人。例、公共組合。「地方―」 ―ほうそう [5] 【―放送】 スポンサーの出資にたよらず、国庫の補助を受けたり 視聴者から料金を取ったりしてする放送。↕民間放送 ―りょうきん [5] 【―料金】 水道・電気・ガス：郵便・電話などの料金や、電車・バスの運賃など、生活に深い関係のある事業の料金。政府や地方公共団体による規制を受ける。

こうきょう [0][1] 【広狭】 広いことと狭いこと。

こうきょう [0] 【交響】 種々の楽器が響きあうこと。 ―がく [3] 【―楽】 〔交響曲・交響詩などの〕管弦楽曲の総称。「―団[5]（=交響管弦楽団）」 ―きょく [3] 【―曲】 ソナタ形式による、大規模な管弦楽曲。シンフォニー。 ―し [3] 【―詩】 標題音楽の一つで、文学的・絵画的内容を管弦楽で表現した曲。

こうきょう [0] 【好況】 景気のいいこと。「―の波に乗って事業を発展させる」↕不況 派 ―さ[0]

こうきょう [0] 【高教】 〔手紙文などで〕「（相手の）△教え（教訓）」の意の尊敬語。

****こうぎょう** [1] 【工業】 △自然物（粗製品）を加工して、商品価値のある物を作り出す産業。「―生産[5]・―立国[5]・―化[0]・重―」⇩農業・商業 ―だんち [5] 【―団地】 △国（地方公共団体）が工業群を集めて収容するために造成した一定の地域。

こうぎょう [0] 【功業】 ❶△やる（やった）だけの意味のある、りっぱな事業。「―半ばに倒れる」 ❷〔りっぱな事をし遂げたという〕手柄。「―を立てる」

こうぎょう [1] 【鉱業・〈礦〉業】 鉱物を採掘し、それを精錬する産業。

こうぎょう [0] 【興行】―する（他サ） 〔営利のために〕映画・演劇・すもうなどを催し、観客に見せること。また、その催し物。「―価値[5]・慈善―[4]・―物[0]・―場[0]」 ―し [3] 【―師】 興行による もうけで生活する人。プロモーター。

こうぎょう [0] 【興業】 未発達の産業などを奨励して盛んにしようとすること。「殖産―[5]」

こうぎょう [0] 【〈鴻〉業】 その必要性は認めても、だれも手を付けようとしなかった、規模のきわめて大きい事業。

こうきょういく [3] 【公教育】 主として税金によってまかなわれ、広く国民の子弟を対象として行なわれるべき教育。〔普通、公立について言うが、広義では私立をも含む〕

こうきょうかい [3] 【公教会】 ローマ教会。

こうきょく [0] 【好局】 〔碁・将棋で〕見ごたえのあるいい対局。

こうぎょく [0] ❶【紅玉】 ❶ルビー。❷リンゴの一品種。皮は濃い紅色で、酸味がある。❷【硬玉】 アルミナ・ソーダの珪酸塩から成る宝玉。△緑（白）色。翡翠など。❸【鋼玉】 ⇩コランダム

こうきん [0] 【公金】 政府や、公共団体が△所有する（徴収する）お金。〔広義では、個人が勝手に自分の意志だけで使

ってはならない会社・学校などのお金を指す」「―に手を付ける/―横領[0]-[0]・―収納窓口[10]」

こうきん[0]（カウ）【行金】 その銀行の所有するお金。

こうきん[0]（カウ）【抗菌】〔有害な〕細菌の繁殖を抑えること。「―性物質[7]・―作用[5]・―処理[5]・―まないた[5]」

こうきん[0]【拘禁】―する（他サ）〔警察などで〕一定の場所に入れておいて、外へ出さないこと。

こうぎん[0]（カウ）【高吟】―する（自他サ） 高い声で吟詠すること。「放歌―[1]-[0]」↕低吟

ごうきん[0]（ガフ）【合金】 二種以上の金属を溶かし、混合して得た金属。真鍮（シンチュウ）・ハンダなど。

こうく[1]（カウ）【校区】〔関西以西などの方言〕学区。

こうく[1]（クワウ）【鉱区】 その業者が特定の鉱物を採掘することを許可された、一定の地区。

こうぐ[1]【工具】 機械・器具の組立・加工や分解・修理などを行なう器具の称。ドライバー・バイト・ドリル・リーマーなど。〔金属製の物が多い〕「―寿命[4]・切削―[5]・ねじ加工―[6]」

こうぐ[1]（カウ）【香具】 ❶よいにおいを出す たきものの材料。じゃこう・じんこうなど。❷香道の用具。香炉など。

こうぐ[1]（カウ）【校具】 学校教育の必要上、学校に備え付けておく諸用具。

こうぐ[1]（カウ）【耕具】 耕作に使う器具。

ごうく[0]（ガフ）【合区】 人口の少ない隣り合う複数の選挙区を合わせて、一つの選挙区とすること。〔選挙区の人口の偏りによる「一票の格差」を小さくすることを目的とする〕

ごうく[1]（ゴフ）【業苦】〔仏教で〕前世の悪業（ゴウアク）のために、現世で受ける苦しみ。

こうくう[0]【口〈腔】 ⇩こうこう(口腔)「―外科[5]」

***こうくう**[0]（カウ）【航空】 ❶〔航空機で〕空中を飛行すること。「―写真[5]・―標識[5]・―路[3]」❷「航空会社」の略。

―がいしゃ[5]（グワイ）【―会社】 航空機を運航する会社。

―き[3]【―機】 飛行機・飛行船・ヘリコプターなど、空中を飛行する乗り物の総称。〔狭義では、飛行機を指す〕 かぞえ方 一機

―し[3]【―士】 操縦士を輔佐（ホサ）し、航路の確認や地上との連絡などの任にあたる人。

―びん[0]【―便】 ❶郵便物を航空機で送ること。航空郵便。❷航空機を利用して目的地へ行くこと。また、そのための航空機。飛行便。「主要都市には定期―が通じている」 かぞえ方 ❶は一通；一便。❷は一便

―ぼかん[5]【―母艦】 多数の軍用機を搭載し、それを発着させる飛行甲板（カンパン）を持った軍艦。略して「空母」。かぞえ方 一隻（イッセキ）・一艘（イッソウ）

こうくう[0]（カウ）【高空】 高い空。↕低空

こうぐう[0]【厚遇】―する（他サ） 細かいところにまで気を配り、相手に不快感を与えないようなもてなしをすること。↕冷遇

こうぐう[3][0]（クワウ）【皇宮】「皇居」の異称。「こうきゅう[0]」とも。

―けいさつ[5]【―警察】 皇居・御所・離宮などの警備や、皇族の身辺警護などを任務とする警察。

こうくつ[0]【後屈】―する（自サ） 後ろの方に△曲がっている（曲げる）こと。「上体を―する/子宮―[4]」↕前屈

こうくん[0]（カウ）【校訓】 その学校で教育上の基本的なモットーとして定めた、教訓的な内容の言葉。

こうぐん[0]（カウ）【行軍】―する（自サ） 軍隊が目的地に向かって、長距離の徒歩行進をすること。〔団体を成した人びとが長距離を歩く意にも用いられる〕「強―」

こうぐん[0]（クワウ）【皇軍】 天皇の統率する軍隊。もとの、日本の軍隊の自称。

こうげ[0][1][3]（カウ）【香華】 仏前に供える香と花。こうばな。

こうげ[1]（カウ）【高下】 ❶程度が高いことと低いこと。「身分の―」❷―する（自サ） 高くなったり低くなったりすること。「△相場（血圧）が―する/乱―」

こうけい[0]【口径】 筒状の物の、口の直径。〔銃砲では内径を指す〕「大―レンズ[7]」

こうけい[0][1]（クワウ）【光景】 その人が実際に目で見た、印象深い景色や、ショッキングな事件の様子。「目ざましい―/あの惨憺（サンタン）たる―は生涯忘れ得ないであろう」

こうけい[0]【肯〈綮】〔「肯」は骨に付く肉、「綮」は筋と肉のつながる所の意〕物事の急所。「―にあたる」

こうけい[0]【後景】 後ろの方に見える景色。〔狭義では、舞台のバックを指す〕↕前景

こうけい[0]【後継】 やめた人に代わって、その地位・職務などに就く△こと（人）。「―〔=あとつぎ〕を育成する/―内閣[5]・―首班[5]・―者[3]」

こうげい[0]【工芸】〔おもに手工業で〕美術的な作品を作ること。陶磁器・漆器・織物・染め物など。「―品[0]・―家[0]・手（ユシ）―[2]」

***ごうけい**[0]（ガフ）【合計】―する（他サ）〈（なにト）なにヲ―する〉 幾つかに分かれているものの数量を全部合わせた総量を求めること。また、その結果。計。「―を△求める（出す）/―八千円」

こうけいき[3]（カウ）【好景気】 金回りがよく、経済活動が活発な状態にあること。好況。「―に沸く」↕不景気

こうげき[0]（カウ）【好劇】 演劇を好むこと。「―家[0]」

****こうげき**[0]【攻撃】―する（他サ）〈（なにデ）だれ・なに・どこヲ―する〉〔戦闘・試合・論争などで〕相手方を攻めること。「―を△加える（かわす）/全面―をかける/―的態度に出る/一方的に―する/―手段[5]・―性[0]・人身―」↕防御・守備

こうけち[0]（カウ）【〈纐纈】〔「しぼり染め」の意。「纈」は国字〕「板締め」の意の古風な表現。表記 古くは「〈夾纈（カフケチ）・交〈纈」。

こうけつ[0]（カウ）【高潔】―な 常にきびしい態度で自らを律し、他から尊敬される様子だ。「人格―[0]-[0]」派 ―さ[0]

こうけつ[0]（カウ）【〈膏血】〔あぶらと血の意〕〔汗水たらして労働することによって得た収益。「―を絞る〔=搾取する〕」〕

ごうけつ[0]（ガウ）【豪傑】 並はずれて力があり、めったな事ではあとへ引かない男。〔俗に、権勢に迎合することなく、その人なりの信念を貫いて行動する人の意にも用いられる〕

こうけつあつ[4][3]（カウ）【高血圧】 血圧が最高・最低ともに異常に高い病的状態。通常、最高一四〇以上、最低九〇以上を指す。↕低血圧

こうけん[0]【公権】 公法上認められた、国家や個人が持つ権利。〔前者は納税義務や刑罰を課するなど、後者は参政権・自由権など〕

こうけん[0]（カウ）【効験】 よい結果が現われるものと期待した通りの ききめ。「こうげん」とも。「―あらたか」

こうけん[0]【後件】 ❶前後に続く二つの事項のうち、あとの方。❷〔日本語文法で〕「兄は政治家になり、弟は作家になった」のように並列・対比的な事柄を述べる表現や、「冬になれば雪が残る」などのように前提となる条件（原因や理由となる事柄を含めて）とその帰結を表わす文で、あとの方に述べる事柄。「後項」とも。↕前件

こうけん[0]【後見】―する（他サ）〔「うしろみ」の意〕 ❶幼少な家長の△代理（輔佐（ホサ））をすること。また、その人。「―人をつとめる/―役[0]」❷親権者の居ない未成年者、または成年被後見人を守り、その財産を管理する法律上の制度。❸〔能・歌舞伎（カブキ）などで〕演技者の出演中うしろに控えていて、いろいろと世話をする△こと（人）。

***こうけん**[0]【貢献】―する（自サ）〈（なにデ）なにニ―する〉〔みつぎものを奉る意〕その物事の発展・繁栄に役立つような何かを

すること。「世界平和に—する/—度③」

こうけん⓪ 【高見】 すぐれた△識見(意見)。〔「(相手の)△識見(意見)」の意の尊敬語としても用いられる〕

こうけん⓪ 【高検】 「高等検察庁」の略。

こうげん⓪③ 【公言】—する(他サ) みんなの前で言い切ること。

こうげん⓪③ 【巧言】 本心からそう思っているのでもない事を口先だけでうまく言うこと。 **—れいしょく**⓪-⓪ 【—令色】 相手に気に入られようと、口先だけうまい事を言ったり にこにこして見せたり すること。

こうげん⓪③ 【広言】—する(自サ) 自分の能力も考えず、相手構わず大きな事を言うこと。「—を吐く」 表記 「荒言」とも書いた。

こうげん⓪ 【広原・〈曠原】 広びろとした野原。

こうげん⓪③ 【光源】 光を出すもと。「映写機の—」

こうげん⓪③ 【抗言】—する(自サ) 相手の言った事に反抗して言うこと。

こうげん⓪ 【抗原】 体内に侵入し抗体の形成を促す物質。例、異種たんぱく質・細菌毒素など。 表記 「抗元」とも書く。

こうげん⓪ 【荒原】 荒れはてた野原。

こうげん⓪③ 【高言】—する(自サ) いばって偉そうな事を言うこと。また、その言葉。大言。

***こうげん**⓪ 【高原】 山地にある、標高の高い平原。多く空気がかわいていて、夏は涼しい。「—野菜⑤・—景気⑤〔=好景気が横ばいのまま続くこと〕」

ごうけん⓪ 【合憲】 憲法に照らして、それに反していないこと。「—性⓪」 ↔違憲

ごうけん⓪ 【剛健】—な —に 心身共にたくましく、少しぐらいのことではくじけない様子だ。「—な気風/質実—⓪-⓪」 ↔惰弱 派—さ⓪

こうげんがく③ 【考現学】 〔「考古学」のもじり〕現代の社会現象を調べ、その真相をとらえること。モデルノロジー。

こうげんびょう⓪ 【〈膠原病】 全身の膠原組織〔=結合組織〕のいろいろな部分にあらわれる「慢性関節リウマチ⑨」その他 種々の症状の総称。原因は不明。

こうけんりょく③ 【公権力】 国や地方公共団体が(法律・条例などを適用して)国民に対して命令・強制する権力。また、その権力を行使する機関。

こうこ⓪ 〔「香々⓪」の変化〕「香の物」の意の口頭語的表現。「お—⓪」

こうこ① 【公庫】 全額政府出資の金融機関。「沖縄振興開発金融—」 ⇩金融公庫

こうこ① 【好古】 昔の物は、なんでも今出来の物よりいいとして、それを好むこと。「—趣味④」

こうこ① 【好個】—な ちょうどいい様子だ。「—の〔=もってこいの〕研究材料だ」

こうこ① 【江湖】 〔(知名度が高い)長江と洞庭湖の意〕世間(の人びと)。〔古くは「ごうこ」〕「幸い、—の迎えるところとなり〔=幸いなことに世に受け入れられ〕」

こうこ① 【後顧】 時を経てから今をかえりみること。「—の憂い〔=自分が居なくなっても、あとの人が うまくやっていけるかどうかの心配〕が無い」

こうこ① 【〈曠古】 〔「曠」は、欠如の意〕昔からあったためしが無いほど、事業などの規模が大きいこと。「—の大業」

こうご⓪ 【口語】 音声で表現される言語のうち、その社会の人が日常の生活でごく一般的に使用するもの。〔話し言葉そのものとは異なる整合性が求められ、同時に文語に対して、独自の文法・語彙の体系が備わっている〕「—文③⓪」 ↔文語 **—し**③ 【—詩】 〔△文語(定型)詩と違って〕日常の口語を主体として書かれた自由詩。 **—たい**⓪ 【—体】 口語による表現。また、その文体。 ↔文語体 **—ほう**⓪ 【—法】 口語の文法。

***こうご**① 【交互】—に 「かわるがわる」の意のやや改まった表現。

こうご① 【向後】 これから後。今後。「きょうこう」とも。

ごうご① 【豪語】—する(自他サ) いかにも自信ありげに言うこと。また、その言葉。

こうこう① 【〈斯う〈斯う】(副) 〔「かくかく」の変化〕話の内容などを具体的に言う代りに用いる語。「わたしが聞いたところは—こういうことです/—しかじか」

こうこう⓪ 【口〈腔】 口蓋と舌との間の空間。奥の方は のどに通じる。〔歯科医の間では、「こうくう」と言うことが多い〕

こうこう⓪ 【坑口】 坑道の入口。

こうこう① 【孝行】—な 自分(たち)を育ててくれた親の言いつけをよく守り、また、老後には、そのめんどうを見る△こと(様子・行い)。「—を尽くす/親—・女房—⑤〔=妻の機嫌をとったり サービスに努めたり することを冷やかしぎみに言う言葉〕」 ↔不孝

こうこう⓪ 【後考】 その時点では分からない疑問点などをあとでよく考えること。「—に待つ〔=これから先は、あとの人に考えてもらいたい〕」

こうこう⓪ 【後攻】 〔スポーツ・勝負事で〕あとから攻める△こと(番)。あとぜめ。先守。 ↔先攻

こうこう⓪ 【後項】 ↔前項 ㊀あとの項目。 ㊁〔数学などで〕二つの項のうちのあとの方。

こうこう⓪ 【皇考】 その天皇が、亡くなった先代の天皇を言う語。

こうこう⓪ 【〈浩々〉】—たる —と ㊀水が一面にみなぎる様子だ。 ㊁広びろとした様子だ。

こうこう⓪ 【〈耿々〉】—たる —と ㊀明るく光る様子だ。「灯—として」 ㊁気にかかることがあって、心がやすまらない様子だ。

こうこう⓪ 【航行】—する(自サ) 〔船・航空機が〕(定期的に)航路に従って進むこと。

こうこう⓪ 【高校】 「高等学校」の略。〔工業高等学校は「工高⓪」、商業高等学校は「商高⓪」と言う〕

こうこう⓪ 【港口】 港の、船の出入口になっている所。

こうこう⓪ 【〈皓々〉】—たる —と 〔月や電灯の光が〕昼のように明るく照らす様子だ。「—たる月光」 表記 「〈皎々〉」とも書く。

こうこう⓪ 【硬〈膏】 室温では固型状で、体温で軟化する膏薬。 ↔軟膏

こうこう⓪ 【〈煌々〉】—たる —と まぶしいくらい、きらきら輝く様子だ。「ライトが—と輝く」

こうこう⓪ 【鉱坑】 鉱物を掘り取るために掘った穴。

こうこう⓪ 【〈膏肓〉】 からだの中で一番奥深く、治療しにくい所。〔「こうもう」は誤読形〕「病—に入る〔=⇩病〕」

こうごう⓪ 【交合】—する(自サ) 「性交・交尾」の意の古風な表現。

こうごう③ 【皇后】 天皇・皇帝の妻。きさき。 **—ぐう**③⑤ 【—宮】 皇后(のおいでになる御殿)。

こうごう⓪ 【香合・香〈盒】 香の入れ物。 かぞえ方 一合

こうごう⓪ 【校合】—する(他サ) ⇩きょうごう

こうごう⓪ 【〈曠劫〉】 〔仏教で〕きわめて長い年月。

ごうこう⓪ 【〈毫光】 〔神仏などの発する〕細く四方に

放射する光線。

ごうごう [0]【〈囂々〉】—たる —と あれこれやかましく言い立てる様子だ。「—たる非難/喧々ケンケン—」

ごうごう [1][0]【〈轟々〉】—たる —と 音がとどろきわたる様子だ。

こうこうがい [3]【硬口蓋】口蓋の前半分の部分。骨があってかたい。「かたこうがい[3]」とも。⇩軟口蓋

こうごうしい [5]【神々しい】(形)〔「かみがみし」の変化〕俗の世界とは縁のないような雰囲気を漂わせていて、いかにも神がそこに宿っているように、また、神が具現したかのように感じられる様子だ。「—ご来光」 派 —さ[5][4]

こうごうせい [3]【光合成】植物が太陽の光を利用して、二酸化炭素と水からでんぷんを作る働き。「ひかりごうせい[4]」とも。

こうこうど [3]【高高度】(地上)七二〇〇メートル以上の高さ。「—飛行[6]」

こうこうや [3]【好々〈爺〉】〔孫などをかわいがっている〕やさしい一方の おじいさん。「—ぶりを発揮する」

こうこがく [3]【考古学】古い時代の生活文化を、出土した遺物や発掘した遺跡から確認・追究しようとする科学。〔狭義では、有史以前の古代人の生活環境や古生物の探求を指す〕

こうごき [2]【小動き】〔取引で〕(それまで停滞していた)相場などが小幅な変動を見せること。

こうこく [0]【公告】—する(他サ) 裁判所・官庁・公共団体などが、連絡事項などを一般の人に告げ知らせること。

こうこく [0][1]【公国】公コウと言われる人が元首である、ヨーロッパの国。リヒテンシュタイン・モナコなど。

*__こうこく__ [0]【広告】—する(他サ)〈なにニなにヲ—する〉 広く世間に知らせること。また、そのための文書など。〔狭義では、新聞・雑誌などに掲載する商業宣伝を指す〕「—を打つ〔=出す〕/—主[4]・—業[4]・死亡—[4]・誇大—[4]・意見—[4]」 —とう[0]【—塔】❶人目につくように屋上などに設けた広告用の建造物。❷「企業や宗教団体などで、知名度があって、宣伝に役立つ人物」の意の俗称。

こうこく [0]【抗告】—する(自サ) 裁判所の決定・命令に対して上訴すること。「最高裁へ特別—する」

こうこく [0]【皇国】〔天皇親政下のよき国の意〕第二次世界大戦終了前の日本の美称。「—の興廃この一戦にあり/—史観[5]」

こうこく [0]【興国】❶国家を新しく建設すること。❷国の力・勢いを盛んにすること。

こうこく [0]【〈鴻鵠〉】〔「鴻」は大鳥の意、「鵠」はコウノトリの意〕ハトやスズメに比べて大形の鳥。⇩燕雀エンジャク

こうこつ [0]【〈恍惚〉】❶—たる —と ある物事に心を奪われて、我を忘れる様子だ。美しいものに接して、うっとりする様子だ。「—となる/—感[4][3]・—状態[5]」 ❷〔有吉佐和子の小説「恍惚の人」から〕「もうろく」の意の婉曲エンキョク表現。

こうこつ [0]【硬骨・〈鯁骨〉】❶かたい骨格。「—魚[4]」 ❷意志が強く、容易に自分の主義・主張をまげないこと。「—の士/—漢[4][3]〔=硬骨の男〕」

こうこつぶん [4][0]【甲骨文】〔「文」は、文字の意〕カメの甲・獣の骨などに刻まれた、中国殷イン代の象形文字で、漢字の原初の形を示すと考えられるもの。内容は、占いの記録。「甲骨文字[5]」とも。亀甲キッコウ文字。

こうこん [0]【交婚】異なった人種や異民族間の結婚。

こうこん [0]【後昆】〔「昆」も「後ノチ」の意〕後世。後世の人びと。

こうこん [0]【黄〈昏〉】「たそがれ」の意の漢語的表現。

ごうこん [0]【合コン】〔↑合同コンパ[5]〕幅広い交流を目的として、二つ(以上)のグループが合同で開くコンパ。

こうさ [1]【公差】❶〔等差△数列(級数)で〕隣り合う任意の二項の後項から前項を引いた時の差。例、等差数列1・3・5・7…の公差は2。❷〔貨幣やはかり・ものさしなどで〕基準の大きさや重さなどから、この程度は仕方がないものとして公式に認められる誤差。

こうさ [0][1]【交差・交〈叉〉】—する(自サ)〔「叉」は相交わる意〕二つ、または二つ以上の線(状のもの)が、一点で交わって、十文字やすじかいになること。「線路が—する/立体—」⇩平行 ❶ —てん[0][3]【—点】〔道路などの〕交差している所。よつかど。よつつじ。

こうさ [1]【考査】—する(他サ) ❶判断材料とするために、それまでの実績を調べたり 将来性を予測したりすること。「人物—[5]」 ❷学校などで成績評価をするために行なう試験。「期末—[4]」

こうさ [1]【黄砂】❶黄色の、細かい粒の砂。❷おもに中国の華北西部の黄土地帯の細かい砂が強風で吹き上げられ、空を黄色くおおう現象。強い偏西風に乗って、三～五月には遠くまで運ばれることが多く、日本でもしばしば観察される。

こうさ [1]【〈較差〉】〔「較」は、明らかの意〕かくさ。

こうざ [0]【口座】❶帳簿の勘定科目ごとに記入・計算する、△取引先(項目別)の区分。❷銀行の「預金口座[4]」の略。「—を開設する」 かぞえ方 ❶❷とも 一口ヒトクチ

こうざ [0][1]【高座】聴衆に話をするために設けられた、一段高い場所。〔狭義では、寄席のそれを指す〕

こうざ [0]【講座】❶〔大学などで〕担当する学科(ごとに編成された、教授・准教授・講師などによる責任分担組織)。❷何人かがそれぞれの専門領域を分担してする啓蒙ケイモウ的な△出版物(講習会・放送番組)の称。「基礎英語—[6]」

こうさい [0]【ロオ】弁舌の△才能(うまいこと)。 かぞえ方 ❶は一こま・一本

こうさい [0]【公債】国家や公共団体が事業運営などのために国民や外国から一時的に借り入れる債務(の証券)。「赤字—」

*__こうさい__ [0]【交際】—する(自サ)〈だれト—する〉(社会人として)個人的に他人とつきあうこと。「—費[3]」 —か[0]【—家】交際の△巧みな(広い)人。

こうさい [0]【光彩】美しい輝き。「—を放つ〔=他を圧倒してすぐれて見える〕/—を添える〔=それ自体華やかなものにさらに輝かしさを加える〕/彼の名声は—陸離リクたるものがある」

こうさい [0]【《虹彩》】瞳孔ドウコウのまわりにある、輪状の薄い膜。瞳孔の開き具合を調節して、眼球内に入る光の量を加減する。〔色素に富み、人種によりその色合は多彩〕

こうさい [0]【校債】〔私立学校で〕学校の経費をまかなうために発行する債券。学校債[3]。

こうさい [0]【高裁】「高等裁判所」の略。「仙台—[5]」

こうさい [0]【鉱〈滓〉】〔本来の字音はクヮウシ。「こうさい」は類推読み〕金属を精錬する時に出る かす。れんが・セメントを作るのに使う。

こうざい [0]【功罪】〔だれかが何かした事を第三者が結果的に論評を加える語で〕△積極的に良かった点(建設的な面)と、害悪を流すと見なされる点やマイナスと考えられる点。メリットとデメリット。「—相半ばする」

こうざい [0]【絞罪】「しばりくび」の意の漢語的表現。絞首刑。

こうざい [0]【鋼材】機械・建築などの材料となる鋼鉄の板・棒・管など。

ごうさい [0]【合祭】—する(他サ) 合祀ゴウシの代用表現。

こ

ごうざい[0]（ガフ）【合剤】 一種または二種以上の薬物を水に△溶かした(交ぜ合わせた)もの。「石灰硫黄―[8]、[1]-[4]」

***こうさく**[0]【工作】 ㊀―する(他サ)〈なにヲ―する〉 器物や道具を作ること(を教育目的とする科目)。「―道具[5]・図画―」 ㊁土木などの工事。「橋の補強―」 ㊂―する(自他サ)〈なに・どこニなにヲ―する〉 ある目的が達せられるように、あらかじめ必要な仕掛けを設けたり 手段を講じたり しておくこと。「裏面(リメン)―[4]」 **―いん**[4]（ヰン）【―員】 情報の収集、敵側のスパイ活動の防止その他秘密の活動をする人。 **―きかい**[5][6]【―機械】 機械や道具類の部品を作るために金属などを加工したりする機械。例、旋盤・ボール盤。

こうさく[0]（カウ）【交錯】―する(自サ) なんらかの意味で相反するものが入りまじって、混乱した状態になること。「しばらくの間は期待と不安の―する毎日だった」

***こうさく**[0]（カウ）【耕作】―する(他サ)〈どこヲ―する〉 田畑を耕して穀類・野菜などを作ること。「―地[3][4]」

こうさく[0]（カウ）【高作】 「(相手の)作品」の意の尊敬語。

こうさく[0]（カウ）【鋼索】 鋼線をより合わせた綱。芯(シン)には麻・鋼などを用いる。索条。ワイヤ ロープ。「―鉄道[5]」

こうさつ[0]（カウ）【考察】―する(他サ) 物事の本質や状態などを明らかにするために、よく調べたり 考えたり すること。

こうさつ[0]（カウ）【高札】 ㊀昔、禁令などを人民に知らせた、役所の掲示板。たかふだ。 ㊁〔入札の中で〕価格の最も高いもの。 ㊂〔手紙文で〕「(相手の)手紙」の意の尊敬語。

かぞえ方 ㊀は一本

こうさつ[0]（カウ）【高察】 「(相手の)推察」の意の尊敬語。

こうさつ[0]（カウ）【絞殺】―する(他サ) 〔ひも・縄などで〕首をしめて殺すこと。

こうざつ[0]（カウ）【交雑】―する(他サ) 品種改良のため、異種の生物の間に人為的な受精をさせること。「―種[4][3]」 ⇩交配

ごうさらし[3]（ゴフ）【業〈曝(し)】 前世の悪業(アク ゴウ)のため、この世で恥をさらす△こと(人)。〔人を ののしる時にも使われる〕

***こうさん**[0]【公算】 〔確率の旧称〕何かが実現する見込み。「廃業となる―が△大きい(強い・出てくる・少なくない)」

表記 「業〈晒し」とも書く。

こうさん[0]【恒産】 一定の安定した△資産(職業)。「―なきものは恒心なし」

こうさん[0]（カウ）【降参】―する(自サ) 戦争・攻勢や議論・言い争いなどに負けて、相手の意に従うこと。「―の白旗を掲げる/人ごみは―(=閉口)だ」

こうざん[1]（カウ）【坑山】 炭坑のある山。

こうざん[1]（カウ）【高山】 平地とは自然条件の異なった高い山。「―植物[6]」 **―びょう**[0]（ビヤウ）【―病】 比較的短時間に高山や高空に達した時、気圧の低下や酸素の欠乏などのために起こる病気。

***こうざん**[1]（クワウ）【鉱山】 有用な鉱物を掘り取る場所。「―労働者[7]・―王[3][5]・―学[3]・―病[0]」

こうさんせいきん[0]、[1]-[0]（カウ）【抗酸性菌】 酸性に強い菌。例、結核菌・癩(イラ)菌・非結核性抗酸菌など。〔アクセントの[1]-[0]は、「抗 酸性菌」と区切って言う時〕

こうさんぶつ[3]（クワウ）【鉱産物】 鉱山からの生産物。

こうし[1][0]【口試】 「口頭試問」の略。

こうし[1]【公子】 貴族の家の、男の子。「小―[3]」

こうし[1]【公司】 〔中国で〕会社。コンス。

こうし[1]【公私】 国家・社会や、自分の属する団体・組織に関することと、一個人だけに関すること。「―の混交(=勤務先の封筒を私信に使ったり 公用に使うべき電話・車を私用に使ったり するなど。最近は、『―の混同』とも言われる)/―のけじめをつける/―にわたり、世話になる」

こうし[1]【公使】 〔↑特命全権公使[9]〕その国家の代表として、外国に派遣される外交官の一種。〔階級・席次は大使の次だが、職務は ほぼ同一。なお、大使輔佐(サホ)のために派遣されることもある〕 **―かん**[3]（クワン）【―館】 駐在国にある、公使の事務所。

こうし[0]【孔子】 中国、周時代の思想界の指導者。その教えを△儒教(弟子が書き記した書物を「論語」)と言う。〔前五五〇～前四七九〕「―廟(ビョウ)[3]」

こうし[1]（クワウ）【光子】 〔光の粒子の意〕電磁波のエネルギーを持つ素粒子。光量子[3]。

こうし[1]（カウ）【行使】―する(他サ) 権利・実力などを実際に用いて、何かすること。「△武力(拒否権・一票)を―する」

こうし[1]（カウ）【孝子】 孝行な子。〔「きょうし」と読めば、孝養(キョウ ヨウ)をする子の意となる〕

こうし[1]【厚志】 親切な気持と配慮。「御―を感謝いたします」

こうし[1]【後肢】 〔四足で立つ動物の〕うしろ足。〔昆虫の場合は、いちばん後の 一対を指す〕 ↔前肢

こうし[1]【後〈翅】 昆虫の羽のうち、後部にある一対。 ⇩前翅

こうし[1]【後嗣】 「跡継ぎ」の意の古風な表現。

こうし[1]（クワウ）【皇嗣】 次代の天皇と定められた皇族。

こうし[1]【紅紫】 ㊀赤や紫など、さまざまな色。「―の色/金銀―の装束」 ㊁紫がかった赤。「―色[3]」

***こうし**[0]（カウ）【格子】 ㊀細い△木(竹)などを縦横に組んで取り付けた戸や窓。「鉄―(ゴウシ)・牢―(ロウ ゴウシ)[3]」 ㊁「格子戸[3]・格子じま」の略。 表記 「《隔子」とも書いた。 **―じま**[0]【―〈縞】 筋を縦横に組みあわせた△縞(模様)。 **―づくり**[4]【―造(り)】 表に「格子㊀」をつけた家の構造。

こうし[1]（カウ）【高士】 世間にありがちな、他を押しのけてでもいい地位に就こうとするところが全く無く、人格の高潔な人。〔狭義では、世間から隠れ住む人を指す〕

こうし[1]（カウ）【高師】 「高等師範学校」の略。「―出身の熱心な先生/女(ジョ)―出の才媛(エン)」

こうし[1]（カウ）【〈皓歯】 まっしろな歯。「明眸(メイ ボウ)―」

こうし[1]（カウ）【〈嚆矢】 〔「かぶら矢」の意。昔、戦いの初めにかぶら矢を射たことから〕物事の初め。始まり。「全身麻酔術の開発は日本では華岡青洲(ハナオカ セイシュウ)をもって―とする」

こうし[1]（カウ）【講師】 ㊀〔大学・高専で〕教員の職名の一つ。助教の上、准教授の下。専任講師[5]。 ㊁委嘱を受けて学校や講習会などで教える、外部の人。「非常勤―[6]」 ㊂〔頼まれて〕講演をする人。 ⇩こうじ(講師)

こうじ[0]（カウ ジ）【〈麴・〈糀】 蒸した穀類・ぬかなどに麴菌を適当に繁殖させたもの。酒・しょうゆ・みそ などを作るのに使う。

かぞえ方 一枚 **―きん**[0]【―菌】 菌の一種。でんぷんを糖化し、たんぱく質その他を分解する性質を持つ。こうじかび[3]。 **―ばな**[0][3]【―花】 蒸した米に麴菌が繁殖して薄黄色となったもの。

****こうじ**[1]【工事】―する(他サ)〈どこヲ―する〉 建設・建造などを行なう現場で、必要な作業を行なうこと。また、その作業。「―を請け負う/―現場[4]・道路―[4]・電気―[4]」

こうじ[0][1]【公示】―する(他サ) 政府・公共団体などが、知らせるべき事柄を一般の人に示すこと。「衆議院議員選挙が―される」

こうじ[0][1]（カウ）【好字】 〔人の名前や地名をつける時などに選ばれる〕好ましい意味をもった漢字。

こうじ[1]（カウ）【好事】 ㊀幸先(サイ サキ)がいいと思われる事。「―魔多し〔=好事には とかくじゃまが入りやすいものだ〕」 ㊁よい行い。「―門をいでず〔=世間に広まるのは 悪い評判やつまらない うわさばかりで、人の善行などは とかくニュースにはな

りにくいものだ〕」

こうじ [1]【好餌】〔すぐ食い付くようなうまい えさ、の意〕人をだまして誘い寄せる手段。「―をもっておびき寄せる/悪人の―〔=いいカモ〕となる」

こうじ [1]【後事】△将来(死後)のこと。「―を託する」

こうじ [0]【〈柑子〉】〔「かんじ」の変化〕昔の人が食べたミカン。現在のミカンより小さくて、すっぱい。「―ミカン[4]」 表記「香餌」とも書いた。

こうじ [1]【高次】↕低次 ❶程度・水準が高いこと。❷〔数学で〕次数が高いこと。〔三次以上を指すことが多い〕「―方程式[6]」

こうじ [0]【硬磁】〔←硬質磁器[5]〕高温で焼きあげた磁器。食器・電気器具・化学用具などに用いる。

こうじ [1]【講師】❶宮中などの歌会・歌合せの時に歌を読みあげる役の人。❷中古、法会の時などに仏経の講説をした人。

こうじ [1][0]【《小路》】〔「大路」に対する類推から作られた、「こみち」の変化形〕町中の幅の狭い道。〔繁華街の名によく用いられる。また、江戸では「横町」、関西では「しょうじ」と言った〕「袋―」↕大路 かぞえ方 一本

ごうし [1][0]【合〈祀〉】―する(他サ) 幾柱かの神・霊を一つの神社に一緒にして祭ること。

ごうし [0]【合資】資本を出しあうこと。 **―がいしゃ** [4]【―会社】⇩会社

ごうし [1]【郷士】昔、農村に土着した武士。また、農民で士分の待遇を受けた人。

ごうじ [0]【合字】普通、二字の漢字・かななどで表記する語を、一字で表わすもの。例、「麻呂」を「麿」、「二十・三十」を「廿・卅」、こと→ヿ、トモ→ヿとするなど。⇩分字

***こうしき** [0]【公式】❶―に(な)〔政府・組織体などが〕そうすることを正規のものとして認め、また、それに関する一切の責任を負う形で何かを行なう△こと(様子)。「―の発表/―に認める/―な報告書/―〔=おおやけ〕の場に姿を現わす/―見解[5]・―訪問[5]・―会談[5]・非―」❷〔スポーツで〕参加する競技者を統括する団体によって正式の記録にとどめられるもの。「―試合[5]」❸〔数学・物理学・化学などで〕同種類の個々の問題を解くのに適用することの出来る、一般的な法則を表わす「式❸Ⓑ」。〔「文字❶❷」を含む〕「二次方程式の△根(解)の―/―にあてはめて△計算(因数分解)する」 **―しゅぎ** [5]【―主義】一般論だけで なんでも割り切ってしまう画一的な考え方。〔そういう議論を公式論と言う〕 **―せん** [0]【―戦】公式の試合。〔狭義では、プロ野球の、正式日程による試合を指す。ペナントレース。↕オープン戦〕 **―てき** [0]【―的】―に(な) ❶「公式❶❷」である様子。「―な会見」❷形式は整ってはいるが、△実情には即さない(問題を十分に把握していない)様子だ。「―な答弁」

こうしき [0]【硬式】〔野球・テニス・卓球などで〕かたいボールを使って競技をする方式。「―テニス[5]」↕軟式

こうじき [0]【高直】―な 「高価」の意の古風な表現。

こうしせい [3]【高姿勢】相手の意向を無視して、自分の思う通りに事を運ぼうとする、強い態度。「―に出る」↕低姿勢

こうしつ [0]【公室】❶〔ホテルなどで〕ロビーなどのように、だれでも利用出来る所。❷〔公邸・官邸などで〕客と一緒に食事をしたりくつろいだりする部屋。食堂・居間など。↕私室 ❸市長などに直接ついて仕事を助ける組織。

こうしつ [0]【後室】「夫に先立たれた妻」の意の古風な表現。

こうしつ [0]【皇室】天皇と、その一族。「―御料[5]〔=財産〕・―会議[5]」 **―てんぱん** [5]【―典範】皇室に関する諸規定。

こうしつ [0]【高湿】高い湿度。「高温―[0]-[0]」

こうしつ [0]【硬質】質がかたいこと。また、そのような性質。「―ガラス[5]」↕軟質

こうしつ [0]【〈膠質〉】コロイド。

こうじつ [0]【口実】内実はうそ・ごまかし・不正・誤り・意図的ねじまげでしかないものを、正当なものだと思わせるためにつけた理由。「―を△作る(設ける)/介入の―を与える」

こうじつ [0]【好日】❶自分のしたい事が十分に出来たりなどして、十分に人生の楽しさが味わえる日び。「日々是―〔=悠々自適の環境を指す〕」❷平穏無事であったり天気が良かったりして気持の良い日。「パリ―」

こうじつせい [0]【向日性】植物が光の強い方向に向かって伸びる性質。向光性[0]。↕背日性

こうじつ びきゅう [0]-[0]【〈曠日《弥久〉】積極的な行動に出ないで、いつまでもむだに時日を過ごすこと。

こうしゃ [1]【公社】もと、国家の全額出資によって作られた特殊法人。日本国有鉄道・日本専売公社・日本電信電話公社の三公社があった。現在はすべて民営化。

こうしゃ [1]【公舎】特定の公務員の住居として在任中提供される宿舎。「警察署長―[8]」

こうしゃ [1]【巧者】―に(な) 物事を器用で上手にこなす△様子(人)。「―な手ぎわ/口―・相撲―[4]」

こうしゃ [1]【後車】あとに続いて走る車。「前車のくつがえるは―の戒め〔=⇩戒め❷〕/―オーライ」↕前車

こうしゃ [1]【後者】❶あとから続く人。「―あるを信ず」❷前に述べた二つのもののうち、あとの方のもの。↕前者

こうしゃ [1]【校舎】その学校の、教室など授業設備のある建物。「木造―[5]」

こうしゃ [0][1]【降車】―する(自サ) 電車や自動車から降りること。下車。↕乗車 **―ぐち** [3][0]【―口】〔駅の構内やワンマン バスなどの出入口で〕降りる際に使用する方。↕乗車口

こうしゃ [0]【高射】空中の目標を射撃すること。 **―ほう** [0][3]【―砲】航空機を射撃するカノン砲。高角砲。 かぞえ方 一門

こうしゃ [1]【講社】講中の団体。

ごうしゃ [1]【郷社】もと、村社の上、府県社の下に位した神社。 かぞえ方 一社

ごうしゃ [1]【豪〈奢〉】―に(な) △目に見えない(普通の人が必要を全く認めない)所にまで金をかけていて、大変はでな様子だ。「―を極めた大邸宅/―に見える」

こうしゃく [1]【公爵】爵の第一位。

こうしゃく [1]【侯爵】爵の第二位。

こうしゃく [1]【講釈】❶―する(他サ) Ⓐ文章や語句の意味を分かりやすく説明して聞かせること。「源氏物語の―」Ⓑ物事の由来などを説明して聞かせること。「知ったかぶりの―にうんざりする」❷「講談」の旧称。「―師見て来たようなうそをつき」

こうしゃ さい [3]【公社債】公債と社債。「―投信[6]」

こうしゅ [1]【工手】「工夫」の改称。

こうしゅ [1] ❶【巧手】技芸・伎芸が人並はずれてすぐれていること。また、その人。❷【好手】〔碁・将棋などで〕局面を有利に導くうまい手。

こうしゅ [1]【甲種】二種以上ある場合、その第一位。「―合格[1]-[0]」

こうしゅ [1]【好守】〔野球などで〕相手に得点を許さないような、上手な守備。「―好打[1]-[1]」↕拙守

こうしゅ [1]【攻守】攻めることと守ること。「―所を代える〔=互いの立場が反対になる〕」 **―どうめい** [4]【―同盟】二国以上が共同して他国を攻撃し、また、他国の攻撃を

** * は重要語，[0] [1]… はアクセント記号，品詞の指示の無いものは名詞および いわゆる連語。

防ぐ同盟。

こうしゅ①【〈拱手】―する(自サ)〔本来の字音はキョウシュ。「こうしゅ」は類推読み〕腕組みをしたまま何もしないこと。「―傍観①-⓪」

こうしゅ①【耕種】―する(他サ) 田畑を耕して、種をまいたり苗を植えたりすること。

こうしゅ⓪【絞首】首をしめて殺すこと。「―刑③⓪」

こうじゅ①⓪―する(他サ) [一]【口授】書いた物を見て言うのではなく、頭にある事を直接口で教え伝えること。[二]【口受】口授を受けること。

こうじゅ①【〈鴻儒】〔儒教の「大学者」の意〕その道の権威と仰がれる碩学。

ごうしゅ①【強酒】酒に強く、大酒を飲むこと。「―家⓪」 表記 「豪酒」とも書く。

こうしゅう⓪【口臭】口から出る悪臭。

こうしゅう⓪【公衆】共にその地域に住み、その△国家(社会)を形作っている人びと。「―浴場⑤・―便所⑤」 **―えいせい**⑤【―衛生】大衆の保健・衛生に関する官民協同の総合的活動。 **―でんわ**⑤【―電話】公衆の便利を考えて街頭などに設けられた電話。 **―どうとく**⑤【―道徳】社会の人びとが心を合わせて、互いに守るべき道徳。

こうしゅう①【甲州】「甲斐ノ国」の漢語的表現。今の山梨県全体にあたる。「―印伝⑤・―牛③・―街道⑤・―だるま⑤・―葡萄⑤・―ワイン⑤」

こうしゅう①【向州】「日向ノ国」の漢語的表現。今の宮崎県全体と鹿児島県の一部にあたる。

こうしゅう⓪【講習】―する(他サ) ある一定期間、特にそのために設けられた所で特定の講義を聞いたり技芸を習ったりすること。また、そのための会。「―を受ける/―に通う/―会③⓪」

ごうしゅう①【《江州】「近江ノ国」の漢語的表現。今の滋賀県全体にあたる。「―音頭⑤・―だるま糸①-④・―米⓪」

こうじゅう①【講中】❶頼母子講の連中。❷(定期的に)神仏にお参りに行くために作った団体の人びと。〔❶❷とも「こうちゅう」とも〕

こうじゅうじ③【紅十字】〔中国の〕赤十字。

こうしゅうは③【高周波】周波数の高い電波・電流。↔低周波

こうしゅく⓪【拘縮】―する(自サ) ❶筋肉が持続的に収縮すること。❷関節の近くの傷のために関節が動かなくなること。

こうじゅく⓪―する(自サ) [一]【紅熟】〔木の実などが〕まっかに熟すこと。[二]【黄熟】〔木の実などが〕黄色に熟すこと。

こうしゅつ⓪【後出】―する(他サ)〔論文などで〕そこより後に述べてあること。

こうじゅつ⓪【口述】❶―する(他サ) 口で述べること。「―筆記⑤」❷「口述試験⑤⑥」の略。

こうじゅつ⓪【公述】―する(他サ) 公聴会など、公式の席上で意見を述べること。「―人⓪」

こうじゅつ⓪【後述】―する(他サ)〔そこで述べるべき事柄について〕あとで述べることにすること。↔前述

こうじゅほうしょう④【紅〈綬褒章】⇩褒章

こうじゅん⓪【孝順】―な 親の言いつけなどに素直に従う様子だ。

こうじゅん⓪【降順】〔コンピューターで〕データ整理をするとき、コード番号や数値が大きいほうから小さいほうへと並べること。↔昇順

こうしょ①【公署】地方公共団体の役所やその他の公の機関。⇩官署

こうしょ①【向暑】夏の暑さに向かうこと。「―の折から」↔向寒

こうしょ①【高所】見通しのよくきく高い△所(立場)。「大所―から判断する/―恐怖症①-⓪(=高い所に登るとめまいがしたりして高い所を極度にこわがる症状)」

こうしょ①【高書】「(相手の)手紙・著書」の意の尊敬語。

こうしょ①【講書】貴人のために学者が自分の専門の領域について講義すること。「御―始め⑤」

こうしょ①【購書】―する(自他サ) 本を買うこと。また、その本。

こうじょ①【公女】貴族の家の、女の子。「小―③」

こうじょ①【公序】公共の秩序。「―良俗」

こうじょ①【孝女】孝行な娘。

こうじょ①【皇女】天皇の娘。内親王。「おうじょ」とも。「―和宮①-③」

こうじょ①【控除】―する(他サ)〔税金の対象となる収入などから〕差し引いて除外すること。「所得金額から医療費を―する/基礎―・扶養―④」 表記 「〈扣除」とも書く。

ごうしょ①【〈劫初】〔仏教で〕この世の初め。〔古くは「こうしょ」〕

こうしょう⓪【口承】―する(他サ)〔文献によるのではなく〕人びとが口から口へと歌謡・伝説などを伝えること。「―文芸⑤」

こうしょう⓪【口証】〔物証・書証と違って〕口頭による証言。

こうしょう⓪【口〈誦】・【口唱】―する(他サ) 暗記している文句などを声に出して言うこと。

こうしょう⓪【工匠】「大工や細工師などの職人」の意の古風な表現。

こうしょう⓪【工〈廠】もと、陸海軍に直属して、兵器・弾薬などを製造した工場。「海軍―⑤」

こうしょう⓪【公称】―する(自サ)〔実際の内容は必ずしもそうではないのに〕表向き、そう言うこと。「信者数五十万と―する宗教法人/―資本⑤」

こうしょう⓪【公〈娼】もと、公許されて客を取っていた売春婦。↔私娼

こうしょう⓪【公証】❶公の証拠。❷正規の権限がある公務員が職権によってする証明。 **―にん**⓪【―人】民事に関する公正証書を作成し、私署した証書に認証を与える権限を持つ公務員。「―役場⑦」

こうしょう⓪【公傷】〔私傷と違って〕公務△のため(中に)受けた傷。〔広義では、会社員・工員やスポーツ選手などが就業中や試合中に受けた傷をも指す〕

こうしょう⓪【交渉】―する(自他サ)〈だれトなにヲ―する〉❶ある問題について相手とかけあい、希望通りに実現させようとすること。「―に△当たる(臨む)/―を△進める(見守る)/個別―がまとまる/―のテーブルに引き出す/―が行き詰まる/―相手⑤・団体―」❷交際・接触などによって、なんらかの関係を保つこと。「―を持つ」

こうしょう⓪【好尚】それをよいものとして好むこと。また、その好み。「上品な―/時代の―(=流行)に適合する」

こうしょう⓪【考証】―する(他サ) 文献資料を頼りにして過去における事実関係を明らかにしたりその当時の人が使った服飾品・道具などを復元したりすること。「―がしっかりしている/時代―④」

こうしょう⓪【行賞】〔公の立場から〕功績のあった人に賞を与えること。「論功―」

【 】の中の教科書体は学習用の漢字，〈 は常用漢字外の漢字，《 は常用漢字の音訓以外のよみ。

こうしょう⓪【咬傷】〔犬などに〕かまれて出来た傷。

こうしょう⓪【哄笑】―する(自サ)〔「哄」は、多くの人が一斉に発する声〕その場に居合わせた人びとが無遠慮に笑うこと。また、その笑い声。

こうしょう⓪【校章】その学校の記章。

こうしょう⓪【降将】戦争で敵に降参した大将。

こうしょう⓪【高尚】―に・―な 磨き抜かれた教養や知性に支えられ、平均水準をはるかにぬきんでている様子だ。「―な趣味/きょうの話は―過ぎて〔=程度が高過ぎて〕私には分からなかった」派―さ⓪

こうしょう⓪【高承】〔手紙文で〕「〔相手が〕承知すること」の意の尊敬語。〔「ご承知」より丁寧な言い方〕

こうしょう⓪【高唱】―する(他サ) 声高く唱える(歌う)こと。↔低唱

こうしょう⓪【鉱床】有用な鉱物を多量に含む岩石のある場所。「金の―」

こうじょう⓪③【口上】㊀口で言う型通りの挨拶。「物売り(香具師)の―」㊁〔興行で〕舞台へ出て、襲名披露や出し物の仕組みの説明などをすること(人)。「前―」 ―しょ⑤⓪【―書】討論の記録などを書きつけて、相手の国に差し出す外交上の書類。自国・相手国とも、三人称で書かれ、あて名は無い。

**こうじょう③【工場】多くの物を生産・加工・修理するために、人や機械設備などを備える施設。「―稼働率⑥・―長③・―排水⑤・無人―④・軍需―④・石油化学―⑦」⇨こうば

こうじょう⓪【甲状】かぶとのような形。 ―せん⓪【―腺】のどの下部にある内分泌腺。ホルモンを作る。「―ホルモン⑦」

こうじょう⓪【交情】つきあっている相手に対して起こす、親しみの気持。「こまやかな―」

こうじょう⓪【向上】―する(自サ) いい方へ向かって積極的に進むこと。「地位の―を図る/住民の自治意識の―に資する/生活水準が―する/―心③」

こうじょう⓪【江上】〔もと、長江のほとりの意〕大川のほとり。「―の破屋」〔古くは「こうしょう」〕

こうじょう⓪【攻城】敵の城を攻めること。「―砲⓪③・―戦⓪」

こうじょう⓪【厚情】親切で、思いやりの深い気持。

こうじょう⓪【恒常】常時一定の状態を保っていること。「―〔=普通〕の精神状態/―的⓪・―性⓪」

こうじょう⓪【荒城】戦いに敗れたりして、荒れはてた城。「―の月」

こうじょう⓪【膠状】にかわのように粘る状態。

ごうしょう⓪【号鐘】合図として(時を知らせるために)鳴らす鐘。

ごうしょう⓪【豪商】財力が豊かで、規模の大きい取引をする大商人。

*ごうじょう⓪③【強情】―に・―な 自分の方に分が無いと分かっていても、すなおに非を認めないで言い張ったりすること(様子)。〔普通、第三者が、問題の人を評する語〕「―は彼のトレードマークだ/―を張る/私はどうも―なものですから/―っ張り⓪」派―さ⓪

こうしょうがい③【後障害】原爆・放射能による後遺症。

こうじょうけん③【好条件】持って来いの(願っても無い)条件。「―に恵まれる」

こうしょく⓪【公職】政府や公共団体などの、公の職務。「―に就く/―追放⓪-⓪、⑤」

こうしょく⓪【交織】〔毛と綿などのように〕別な種類の糸をまぜて織ること。また、その織物。まぜおり。

こうしょく⓪【好色】―な 相手に強い欲望や関心を持ち、常に情事の機会を求めている様子だ。「―な目付き/―漢④」派―さ⓪

こうしょく⓪【紅色】赤い色。「淡―」

こうしょく⓪【降職】―する(他サ) その人を低い職務に下げること。

こうしょく⓪【黄色】きいろ。⇨おうしょく

こうしょく⓪【曠職】〔「曠」は欠如の意〕自分の職責を十分に尽くさないこと。「―のそしりを免れない」

こうじる⓪【困じる】(自上一) どうにもならなくて困る。困ずる⓪(サ変)。「処置に―」表記 古くは、疲れる意で、「極ずる」と書いた。

こうじる⓪【高じる】(自上一) よくない状態が進む。高ずる⓪(サ変)。「病気が―/わがままが―」表記「昂じる」「嵩じる」とも書く。

*こうじる⓪【講じる】(他上一) ㊀〈だれニ なにヲ―〉学問上の対象となる事柄を、自分の解釈や論理に従って説く。講義する。「万葉集(経済学・ギリシャ哲学)を―」㊁〈なにヲ―〉問題解決のために話し合ったりして、適切な方法・手段をとる。「改善(立法)措置を―/対応策(抜本策・解決策・打開の道)を―」 講ずる⓪③(サ変)。

こうしん⓪【口唇】「くちびる」の意の漢語的表現。 ―れつ③【―裂】〔ウサギの口のように〕上の唇の真ん中が縦に裂けていること(人)。三つ口。いぐち。

こうしん⓪【功臣】国や主君に対して特に功績のあった臣下。

こうしん⓪【交信】―する(自サ) 無線などで通信し合うこと。「―仲間⑤〔=ハム〕」

こうしん⓪【行進】―する(自サ) 士気を高めたり何かの意気を強調したりするために、おおぜいが隊列を整えて、進んで行くこと。「分列―⑤・横隊―⑤」 ―きょく③【―曲】行進の歩調に合うように作られた四(二)拍子のリズミカルな曲。マーチ。

こうしん⓪①【孝心】自分の事は(多少)犠牲にしても、親に孝行しようという純粋な心。「―に愛でて」

こうしん⓪【更新】―する(自他サ) 従前の物事に代わって、新しくする(なる)こと。「世界記録を―する/運転免許―⑤-⓪・免許―①-⓪」 ―せい③【―世】氷河時代の一時期。今から約二百六十万年〜一万年ぐらい前。四回の氷期と三回の間氷期があったとされる。現在の火山が出来、人類が初めて出現した時期。洪積世。

こうしん⓪【幸臣】特に目をかけてかわいがっている家臣。

こうしん⓪【庚申】㊀干支の一つ。かのえさる。㊁「庚申待ち」の略。㊂庚申待ちに祭る対象。青面金剛が普通。 ―づか⓪【―塚】道ばたに「庚申㊂」を祭った塚。三猿などの像を刻んである。かぞえ方 一基 ―まち⓪【―待(ち)】庚申にあたる夜、寝るといけないこと(が起こる)というので物語などをして夜を明かしたこと。

こうしん⓪【亢進・高進・昂進】―する(自サ) ㊀ふだんよりも高まった状態になること。「病勢が―する/心悸―/インフレのすさまじい―」㊁物事の度合が激しくなること。表記「高」は、代用字。

こうしん⓪【後身】〔生れ変りの意〕もとからの存在(組織・団体など)が発展・変化して現在の姿や形となったもの。↔前身

こうしん⓪【後進】㊀「後輩」の意の改まった表現。「―に道を開く/―に道を譲るべく引退を決意いたしました/―を育成する」㊁進歩が遅れていること。「―性⓪・―的⓪」

↕先進 ㊂―する(自サ)〔船などが〕後ろへ進むこと。 **―こく**③【―国】㊀その領域において、発達が遅れている国。「国際化という点ではまだまだ―だ」㊁「発展途上国」の旧称。↕先進国

こうォしん⓪【恒心】 金銭欲に迷ったりなどしてよからぬ事などを考えることの無い、きれいな心。「恒産なきものは―なし」

こうォしん⓪【紅唇】「△べにをつけた(美人の)くちびる」の意のやや改まった表現。

こうォしん⓪(カウ)【航進】―する(自サ) △航海して(航空機で)進むこと。

こうォじん⓪【工人】㊀細工をする職人。「こけし―④」㊁〔中国で〕労働者。「―服③(=労働服)」

こうォじん⓪【公人】公職にあるという立場で、その行動が問題とされる人。↕私人

こうォじん⓪(カウ)【行人】道を歩いて行く人。〔狭義では、旅人を指す〕「―稀(マレ)な峠の夜中道」

こうォじん⓪(カウ)【幸甚】―に ―な 〔手紙文などで〕自分の要望を受け入れてもらえれば非常に△ありがたい(しあわせな)ことだ、の意を表わす。「おいでいただければ―に存じます」

こうォじん⓪【後人】何かをした人から見て、のちの(時代の)人。↕先人

こうォじん⓪(ヂン)【後陣】後方に備えた陣地、または、軍隊。

こうォじん⓪(ヂン)【後〈塵〉】人や車などの通り過ぎた後方にたつ土けむり。「―を拝する(=ⓐすぐれた人のあとについていく。ⓑ人に先んじられる)」

こうォじん①⓪(クワウ)【荒神】〔↑三宝荒神〕かまどの神。〔陰で人びとを守護する者の意にも用いられる〕

こうォじん⓪(クワウヂン)【黄〈塵〉】㊀黄色の土けむり。「―万丈⓪-⓪」㊁世間のわずらわしい俗事。「―にまみれる」

こうォしんじょ⑤⓪【興信所】だれかの依頼を受け、他人の素行・財産などについて、秘密に調査・報告する機関。

こうォじんぶつ③(カウ)【好人物】気だてがよくて、相手に好感を与える人。〔俗に、人のいいのだけが取り柄で、ものの役に立たない人の意にも用いられる〕

こうォしんりょうォ③(カウレウ)【香辛料】からくて香気があり、食物の味をよくしたり 食欲を進めたりするもの。スパイス。例、コショウ・ショウガ・シナモン・トウガラシ。

こうォしんりょく③(カウ)【向心力】「求心力」の改称。↕遠心力

こうォしんろく③【興信録】取引上の信用程度が分かるようにするため、知名人や業者の財産・営業状態を調査・記録した書物。

こうォず⓪(ヅ)【公図】登記所にある土地台帳に付属し、土地の区画・地番を示した地図。

こうォず⓪(ヅ)【構図】〔絵画や写真などで〕描写や撮影の対象となる素材を、全体の構成を考えて適当に配置すること。また、その配置。「―のしっかりした絵/高度情報化社会の―(=しくみ)がおぼろげながら浮かび上がる」

こうォすい⓪(カウ)【香水】体臭を防ぎ、芳香をつけるための化粧品。配合香料をアルコールに溶かして作る。「―をつける」⇩こうずい(香水)

こうォすい⓪(カウ)【降水】雨・雪・あられなど、地上に降って水となるもの。 **―かくりつ**⑤【―確率】その時間帯にその地域内に居れば、一ミリ以上の降水にあう確率。 **―りょうォ**③(リヤウ)【―量】その地域に降った雨・雪・あられなどの総量。地表にたまったものと想定し、その深さをミリメートルで示す。

こうォすい⓪(カウ)【硬水】マグネシウムなどの塩類や石灰質が比較的多く溶けている水。洗濯に不向き。↕軟水

こうォすい⓪(クワウ)【鉱水】△鉱物質(鉱毒)を含む水。

*__こうォずい__⓪①【洪水】㊀大雨や雪どけなどで増水した河川の水が流域にあふれ出ること(によって生じる災害)。〔気象用語では、河川敷内に水があふれた段階でも言う。例、「―警報⑤」〕㊁何かが一時にどっと出(回)ること。「会場は人の―だ/光の―」

こうォずい⓪(カウ)【香水】仏に供える水。閼伽(アカ)。

こうォすう③【口数】㊀人口。㊁△項目(品目)の数。

こうォすう③【恒数】〔化学・天文学で〕もと、「定数㊁Ⓐ」の称。

ごうォすう③(ガウ)【号数】「号㊁㊂」を表わす数。「雑誌の―を重ねる/キャンバスの―」

こうォずか⓪(カウ)【好事家】〔「ず」は「事」の唐音〕普通の人には何の興味も無いような物事に関心を寄せる人。

こうォ・する③(カウスル)【抗する】(自サ) まともに△抵抗する(対抗する)。「敵に―/誘惑に抗しきれなかった」

こうォ・する③(カウスル)【校する】(他サ)「校正する・校合(キョウゴウ)する」意の古風な表現。

こうォ・する③(カウスル)【航する】(自サ)「航海する」意の古風な表現。

こうォ・する③【貢する】(他サ) みつぎ物を奉る。また、身を犠牲にして何かに貢献する。

こうォ・ずる⓪③【〈薨ずる】(自サ)「〈皇族・三位(サンミ)以上の人が〉死ぬ」意の尊敬語。

ごうォ・する③(ガウスル)【号する】(自サ)㊀表向き、そのように言いふらす。「兵力十万と―」㊁本名のほかに、そういう名をつける。「漱石(ソウセキ)と―」 号す①(五)。

こうォぜ①(カウ)【校是】その学校設立の根本精神を表わす短い言葉。

こうォせい⓪【公正】―に ―な 特定の人だけの利益を守るのではなく、だれに対しても公平に扱う様子だ。「―な裁きを下(クダ)す/―を△期する(保つ・欠く)」 派 **―さ**⓪ **―しょうォしょ**⑤【―証書】公証人が作成した、法律行為や権利に関する証書。 **―とりひき いいんかい**⑩(キヰンクワイ)【―取引委員会】独占禁止法の運営にあたる行政委員会。委員長と四人の委員で構成される。内閣府の外局。略称、「公取委」。「公取⓪」とも。

こうォせい⓪(カウ)【交声】独唱・合唱などをまぜて構成すること。「―曲③(=カンタータ)」

こうォせい⓪(カウ)【向性】何に心を向けるかということ。「―検査⑤(=内向性を持っているか外向性を持っているかの検査)・―指数⑥⑤」

こうォせい⓪(カウ)【好晴】晴れ渡ったいい天気。快晴。

こうォせい⓪【攻勢】進んで敵を攻撃しようとする△勢い(情勢)。「―に△転じる(出る)/大―をかける」↕守勢

こうォせい⓪(カウ)【更正】―する(他サ) 税の申告や登記などに誤りや不備な点を発見した時、当局が正しいと考えるものに直すこと。「予算の―」

こうォせい⓪(カウ)【更生】―する(自他サ)〔もと、「〈甦生」と書いて、生き返る意。「甦」の本来の音はソ〕㊀〔堕落したり自活能力を失っていたりしていた人が〕一般の社会人としての生活が送れるようになること。「―施設⑤⑥・自力―・会社―法(=⇩会社更生法)」㊁役に立たなくなったものに手を入れて、もう一度使えるようにすること。「古いたんすを―する/―品⓪」 表記「〈甦生」とも書く。

こうォせい⓪【厚生】健康を維持・増進し、経済的にも不自由の無い生活が出来るようにすること。「―施設⑤⑥」 **―しょうォ**③(シヤウ)【―省】国民の保健・社会福祉などに関する事務を取り扱った中央官庁。〔長官は、厚生大臣〕 二〇〇一年「厚生労働省」に吸収〕 **―ねんきん**⑤

【—年金】 給与所得者が、ひどいけが・病気をしたり 死んだりした時や老後に受け取る仕組みの△年金(一時金)。厚生労働省が扱う。 —ろうどうしょう[7]【—労働省】 社会福祉・社会保障・公衆衛生および労働者保護・雇用対策などの行政事務を担当する中央官庁。厚生省と労働省を統合して発足。略称、「厚労省」。〔長官は、厚生労働大臣[9]。別称は厚労相[3]〕

こうせい[1]【後世】 その時代の人びとから見て、自分たちの死後の時代。「名を—にとどめる」

こうせい[1][0]【後生】 自分のあとから△生まれる(学ぶ)人。「—畏るべし〔=将来どんな偉物になるか分からないのだから、若いからと言って侮るわけにはいかない〕」〔「—名を成した」などとある人について、今問題にしている時点から見て、年を隔てた時点を指す意に用いるのは本来は誤用〕

こうせい[0]【恒星】 それ自身で発光し、天球上で相対的な位置関係がほとんど変わらない大多数の星の一つひとつ。〔天文学上の分類では、太陽も恒星の一つ〕⇩惑星

こうせい[0]【校正】—する(他サ) ❶原稿や原資料などとつき合わせて、文字や図版の誤りを正すこと。❷〔測定器などの誤差を〕基準に照らして正すこと。表記 ❷は「《較正」とも書く。 —ずり[0]【—刷り】 校正をするために仮に刷った印刷物。ゲラ(刷り)。かぞえ方 一枚・一通

こうせい[0]【高声】 高く大きい声。↕低声

こうせい[0]【硬性】 かたい性質(の物)。↕軟性

*こうせい[0]【構成】—する(他サ)〈(なにデ)なにヲ—する〉 それぞれの役割を果たしている各部分を、一定の順序や配置に従って一つのまとまりのある△形(組織)に組み立てること。また、その組み立てられ方。「国会は衆議院と参議院の二院によって—される/—員[3]・—法[0]」

こうせい[0]【鋼製】 鋼鉄で作ってある△こと(もの)。

こうせい[0]【《曠世】 現在、だれも比べることが出来ないほどすぐれた存在であること。「—の名君」

ごうせい[0]【合成】—する(他サ) 二つ以上のものを合わせて全体として一つの新たな働きを有するものを作ること。〔化学では、有機化合物を人工的に作り出すことを指す〕「画像を—する」 —ご[0]【—語】 ❶「コンタミネーション❷」による語。❷⇩複合語 —しゃしん[5]【—写真】 ❶それぞれ異なる被写体を写した画像を何枚か組み合わせて一枚の写真を作り出したもの。❷被害者の身元割出しや犯人の捜査に用いるモンタージュ写真。 —しゅ[3]【—酒】 アルコールに清酒同様の味・香気をつけて、化学的に造りあげた酒。 —じゅし[5]【—樹脂】 化学的に合成した樹脂状の物質の総称。熱・圧力を加えて、任意の形の器具を作る。プラスチックなど。 —せんい[5]【—繊維】 石炭・石油・カーバイドなどを原料として、化学的に合成して作った繊維。例、ナイロン・ビニロンなど。 —せんざい[5]【—洗剤】 石油などを原料とし化学合成された洗剤。

ごうせい[0]【剛性】 外部から加えられる力に対する弾性が強く、容易に変形しない性質。「—率[3]」

ごうせい[1]【豪勢】—な 見たり 聞いたりする人を驚かせるほどたくさん金をかけ、規模の大きい事をする様子だ。「—な暮らし」 派 —さ[0][3]

こうせいざい[3][0]【抗生剤】 抗生物質の抗菌作用を利用した薬剤。

こうせいしんやく[5]【向精神薬】 精神の状態・機能に影響を与える△薬物(化学物質)。一般には抗精神病薬・抗鬱薬などの精神治療薬を指す。

こうせいせき[3]【好成績】 よい成績。↕不成績

こうせいぶっしつ[5]【抗生物質】 細菌の繁殖に抵抗する物質。例、ペニシリン・ストレプトマイシンなど。

こうせき[0]【口跡】〔「言葉づかい」の意〕役者のこわいろ。

*こうせき[0]【功績】 その社会の発展に尽くしたり 危難を救ったりするなどの役に立つ大きな働き。「—が大きい」

こうせき[0]【光跡】 光って動いている物を△見た(写した)時に感じられる光の筋。「カメラに写る星の—」かぞえ方 一本

こうせき[0]【皇籍】 皇族としての身分。

こうせき[0]【航跡】 船が通った跡に残る波など、水面に起こる変化。

こうせき[0][1]【鉱石・《礦石】 役に立つ金属などを多く含む鉱物。「鉄—・—〔=検波器として鉱物を用いた〕ラジオ[5]・—式ラジオ[7]」

こうせきうん[4]【高積雲】 二千~七千メートルの上空に現われる雲の塊。大きく丸みがあり、太陽や月の前を通ると、彩雲を生じる。むら雲。羊雲[4]。⇩雲級

こうせきせい[4]【洪積世】 ⇩更新世

こうせきそう[4]【洪積層】 更新世に形成された地層全般。更新統[3]。

こうせつ[0]【公設】 国家や公共団体が設立すること。「—市場[5]」↕私設

こうせつ[0][1]【巧拙】 上手とへた。

こうせつ[0]【交接】—する(自サ) 交合・交尾の総称。「—器[4][3]」

こうせつ[0]【《巷説】 興味本位に広められる、まちのうわさばなし。「街談—」

こうせつ[0][1]【後節】 あとの節。〔単行本・論文・詩歌などの区切りや、プロ野球・競輪などの日程について言う〕

こうせつ[0]【降雪】 雪が降ること。また、△降る(降った)雪。「—量[4]」

こうせつ[0]【高説】 「(相手の)説」の意の尊敬語。

こうせつ[0]【講説】—する(他サ) 講義をして説明すること。

こうぜつ[0]【口舌】〔内容・真実とは一応無関係のものとして考えられる〕言葉。「—の徒〔=口先だけうまいやつ〕/—の争い〔=口論〕」

ごうせつ[0]【豪雪】 交通機関などを麻痺させるほどの大雪。「—地帯[5]」

ごうせっとう[3]【強窃盗】 強盗と窃盗。

こうせん[0]【口銭】 問屋が製造元から買い取り小売商におろす時の中間利益。〔広義では、手数料・仲介料の意にも用いられる〕「—を取る」

こうせん[0]【工船】 漁獲物を加工する設備を持つ船。とれた魚・カニなどをすぐ缶詰などにする。「カニ—[0][3]」

こうせん[1][0]【工銭】「工賃」の意の古風な表現。

こうせん[0]【公選】—する(他サ) ❶△国民(地域の住民)の投票によって選挙すること。民選。「—知事[5]」↕官選 ❷公開の選挙。「(政党の)総裁—[0]-[0]」

こうせん[0]【交戦】—する(自サ) 相手国と互いに戦うこと。 —こく[3]【—国】 互いに戦争をしている△関係(状態)にある国。

こうせん[1]【交線】〔幾何学で〕面と面が交わって出来る線。

こうせん[0]【光線】〔矢が飛ぶように一直線に進むものとしての〕光。「殺人—[5]・不可視—[4]〔=赤外線、紫外線など〕」かぞえ方 一本・一幅・一道

こうせん[0]【好戦】 他国との紛争などを、すぐ武力によって解決しようとしがちなこと。「—国[3]・—的[0]」

こうせん[0]【抗戦】—する(自サ) 他からの攻撃に対し、抵抗して戦うこと。

こうせん[0][3]【香煎】 穀類をいって粉にしたもの。こが

し。〔狭義では、麦こがしを指す〕「―湯(ウト)[0]」

こうせん [0]―(カウ)【高専】「高等専門学校」の略。

こうせん [0]―(クワウ)【黄泉】〔地底の泉の意〕「よみじ」の漢語的表現。「―の客となる〔=死ぬ意の婉曲(エンキョク)表現〕」

こうせん [0]―(クワウ)【鉱泉】 鉱物質を多く含む わき水。〔狭義では冷泉を指し、広義では温泉も含む〕「―せんべい[5]・ラジウム―[5]」

こうせん [0]―(カウ)【鋼船】 鋼鉄で造った船。

こうせん [0]―(カウ)【鋼線】 鋼鉄の線。

こうぜん [0]【公然】―たる ―と 本来なら人前をはばかるべき物事をおおっぴらに行なう様子だ。「―と口にする/―の秘密〔=表向きには秘密ということになっているが実情は世間に広く知られていること〕/―猥褻(ワイセツ)[5]」

こうぜん [0]―(カウ)【〈昂然】―たる ―と 自信を持ち、他を恐れない様子だ。「―としてうそぶく」

こうぜん [0]【紅〈髯】〔「赤いひげ」の意〕〔「紅毛―[0]-[0]」の形で〕明治時代、西洋人を指した称。

こうぜん [0]―(カウ)【〈浩然】―たる ―と 水量が豊かで、ゆったり流れる様子だ。 **―のき** [6]、[0]-[1]【―の気】 やましいところが無かったり 仕事の煩わしさから一時離れたりして、大自然と合致したような、おおらかな気分。

ごうぜん [0]―(ガウ)【傲然】―たる ―と 自分は他よりも偉いのだといった気持が態度に現われて見える様子だ。

ごうぜん [0]―(グワウ)【〈轟然】―たる ―と 爆発するような大きな音が瞬間的に聞こえる様子だ。

こうそ [1]【公租】 国税・地方税の総称。「―公課[4]」

こうそ [1]【公訴】―する(他サ)〔検察官が刑事事件に関し起訴状を提出して〕裁判所に対し、被疑者に関する刑の適用を求め、裁判を請求すること。「―を起こす」

こうそ [1]―(クワウ)【皇祖】 天皇の先祖。〔狭義では、第一代神武(ジンム)天皇および、その直系の先祖を指す〕「―皇宗[1]-[0]」

こうそ [1]―(クワウ)【皇〈祚】 代々子孫にうけつがれてゆく皇位。「―をふむ」

こうそ [1]―(カウ)【高祖】 ❶遠い先祖。〔狭義では、祖父母のそのまた祖父母にあたる先祖を指す〕 ❷〔昔、中国で〕天命を受けて君主となった人。「漢の―〔=劉邦(リュウホウ)〕」 ❸〔仏教で〕その△宗派(寺)を開いた人。

こうそ [1]【控訴】―する(自サ) 第一審の判決に対し、上級裁判所に不服の申立てをすること。「―を棄却する」⇩上告 **―しん** [3]【―審】 第一審の判決に対する控訴を審理する第二審の裁判(所)。

こうそ [1]―(カウ)【酵素】 生物体内に起こる化学反応の触媒となる たんぱく質。物質の化学的△分解(合成)を行なう。

こうぞ [0]―(カウ ソ)【〈楮】〔「紙麻(カミソ)」の音便〕山地に生じる落葉低木。葉はクワに似て大きく、春、薄い黄緑色の花を開く。木の皮は和紙の原料。〔クワ科〕 かぞえ方 一株・一本

ごうそ [1]―(ガウ)【強訴】―する(自サ) 昔、不平・不満を持った人たちが、手続きを踏まず、団体行動を取って要路の人に訴えたこと。

こうそう [0]―(サウ)【公葬】 官庁や公共団体の名において行なう、その社会での功労者などに対する葬儀。

こうそう [0]―(クワウ サウ)【広壮・〈宏壮】―な 建物などが広くてりっぱな様子だ。 派 ―さ[0]

こうそう [0]―(カウ サウ)【抗争】―する(自サ) 相手の言いなりや おもわく通りになってはいられないとして、争うこと。「内部―」

こうそう [0]【後送】―する(他サ) ❶出先の現場などから後方の本拠地へ送ること。 ❷あとから送ること。

こうそう [0]―(クワウ)【皇宗】〔今上から見て〕天皇の代々の先祖。〔狭義では、第二代綏靖(スイゼイ)天皇以降を指す〕

こうそう [0]―(サウ)【紅藻】 藻類の一つ。葉緑素のほかに紅色の色素を含む。例、アサクサノリ・テングサなど。「―類[3]」

こうそう [0](カウ サウ)【香草】 香気のある草。ハーブ。

こうそう [0](カウ サウ)【〈倥〈偬】 急な用事に追われること。「兵馬―の間(カン)にあって〔=戦争に明け暮れて〕」

こうそう [0](カウ サウ)【校葬】 その学校の名において行なう葬儀。

こうそう [0]―(カウ)【航走】―する(自サ) 船で水上を走ること。

こうそう [0]―(カウ)【航送】―する(他サ) △船(航空機)で輸送すること。「―船[0]〔=フェリー ボート〕」

こうそう [0]―(サウ)【〈訌争】〔「訌」は自滅の意〕「うちわもめ」の意の漢語的表現。

こうそう [0](カウ サウ)【降霜】 霜がおりること。また、おりた霜。

こうそう [0]―(カウ)【高僧】 ❶徳や行いのすぐれた僧。 ❷官位の高い僧。 ⇩僧位・僧官

こうそう [0]―(カウ)【高層】 ❶空の上方の層。 ❷層が幾つも高く重なっていること。「―建築[5]」 **―うん** [3]【―雲】 多く、二千～五千メートルの上空に広がる 雲の幕。薄墨色で全天をおおい、薄い時は太陽や月がおぼろに見える。おぼろ雲。⇩雲級

こうそう [0](カウ サウ)【高燥】―な 土地の標高が高くて湿気が少ない様子だ。↕低湿

こうそう [0]―(クワウ)【鉱層】 鉱床の層。

*__こうそう__ [0]―(サウ)【構想】―する(他サ)〈なにヲ―する〉 これからしようとする物事について、その全体の構成や実行していく手順などについて考えをまとめ上げること。また、そのまとめ上げた考え。「…の―を△明らかにする(打ち出す)/―を練る/未来都市を―する」

こうぞう [0](カウ ザウ)【行蔵】 世に出て手腕を振るうことと世を避けて住むこと。出処進退。

__こうぞう__ [0]―(ザウ)【構造】 機械や組織などの構成のしかた。〔具体的には、全体を作っている部分部分の関係や、個々の部分の作られ方を指す〕「―を明らかにする/―的な欠陥/―物(ブツ)[3]・―用材[5]・内部―[4]・下部―・上部―」 **―しき [3]【―式】 図式化した化学式。例、水は「H―O―H」。 **―せん** [0]【―線】 地殻変動によって生じた大規模な断層地帯の集合。本州中央部の中央構造線や、糸魚川(イトイ)・静岡構造線などがその例。

ごうそう [0](ガウ サウ)【豪壮】―な ―に 規模が大きく、外観がりっぱに見える様子だ。「―な邸宅」 派 ―さ[0]

こうそく [0]【拘束】―する(他サ) ❶Ⓐ(一定の所に留(ト)めておいて)自由に行動させないこと。「大学の卒業予定者に対し、採用開始まで内定や―をしない/身柄を―される」 Ⓑ自由な言論・政治的活動を強制的に「制約❷」すること。「政府見解に―されない、との立場を示した」 ❷制度・規則などによって、権利の自由な行使を制限すること。「首長の任命権を―するのは違法/校則で自主性は―されない/―性預金[7]」 **―じかん** [5]【―時間】 休憩時間〔一時間以内〕を含む勤務時間。⇩実働時間 **―りょく** [4]【―力】 ある行為を強制したり 制限したり する効力。「住民投票の結果が行政に対する―を発揮しないことには不満が残る/法的―[0]-[4]」

こうそく [0]―(カウ)【校則】 その学校の教育活動が円滑に行なわれるように決められた諸規則。

こうそく [0]―(カウ)【高足】「高弟」の意の古風な表現。

こうそく [0]―(カウ)【高速】 ❶普通より速い速度。「―を出す/―艇[0]」↕低速 ❷「高速道路」の略。「―で行く/東名―[5]」 **―ぞうしょくろ** [8]【―増殖炉】 核分裂に伴って発生する高速中性子をそのまま核分裂連鎖反応に利用する増殖炉。発生するプルトニウムを取り出すのには、再処理工程が必要になる。 **―どうろ** [5](ダウ―)【―道路】 高速で走れる、自動車専用の道路。ハイウエー。

こうそく[0]【梗塞】―する(自サ) ふさがって通じないこと。「心筋―〔=⇩心筋〕・金融―[5]」

こうぞく[0]【後続】 あとから続くこと。「―部隊[5]」

こうぞく[0]【皇族】 天皇の一族。

こうぞく[0]【航続】―する(自サ) 艦船・航空機が、燃料などを補充せずに運航を続けること。「―距離[5]・―力[4]」

ごうぞく[0]【豪族】 その地方に土着し、代々財力に恵まれ、大きな勢力のある家柄。

こうそくど[3]【光速度】 真空の中を光や電磁波が伝わる速さ。一秒間におよそ三十万キロ。光速[0]。「―不変の原理」

こうそくど[3]【高速度】 速力が普通より速いこと。 ―こう[5][0]【―鋼】 炭素・クロム・タングステンなどを含む特殊鋼。高速度で金属を切り削っても、焼きが戻らない。ハイス[0][1]。 ―さつえい[6]【―撮影】 △運動(変化)を高速度で写すこと。〔あとで、標準速度で映写して速い動きをゆっくり見せる〕⇩微速度撮影

こうそつ[0]【高卒】「高等学校卒業(者)」の略。「―の資格」

こうそふ[3]【高祖父】 祖父母の祖父。

こうそぼ[3]【高祖母】 祖父母の祖母。

こうそん[0]【公孫】 王侯の孫。〔広義では、貴族の子孫をも指す〕 ―じゅ[3]【―樹】〔孫の代に実がなる意〕イチョウ。

こうそん[0]【皇孫】 天皇の孫。〔狭義では、建国神話におけるニニギノミコトを指す〕

こうた[0]【小唄】 端唄(ハウタ)の一種。短い歌詞を三味線の伴奏で歌うもの。「引かれ者の―〔=⇩引かれ者〕」

こうだ[1]【好打】―する(他サ)〔野球で〕打撃技術が巧みなこと。また、巧みな打ち方。「好守―の外野手」

こうたい[2]【小謡】〔謡曲で〕一般の人にアピールする段だけを抜き出したもの。宴会の余興などにする、祝言(シュウゲン)謡など。↔番謡(バンウタイ)

*こうたい[0]【交替】―する(自サ)〈だれト(なにヲ)―する〉 その位置にあった人が、△予備として控えていた(他の位置にあった)人とかわること。「二時間―で警備する/選手―・―制[0]」 表記「交代」とも書く。 ―きんしょう[0][5]【―菌症】 抗生物質を使った結果、その病原菌は無くなったのに、他の病原菌がはびこって、別の病気になること。

こうたい[0]【抗体】 病原体に侵された動物の体内で、それに抵抗して生じ、再度の発病を防ぐ物質。免疫体。

こうたい[0]【後退】―する(自サ) [一]↔前進 ❶後ろへ下がること。「坂道で車が―する/一歩―、二歩 前進/髪の生え際が―する」 ❷行動が消極的になったり 衰えたりすること。「―を余儀無くされる/―を重ねる」 [二]順位・得票率などが下がること。「優勝争いから大きく―した/戦後最低という大幅―をもたらした/景気の―」

こうだい[0]【工大】「工業(系の)大学」の略。

こうだい[0]【広大・△宏大】―な △広くて(大きくて)尽きることの無い様子だ。「―な地所/気宇―[1]-[0]・―無辺[0]-[0]」↔狭小 派―さ[0] 表記「洪大(コウダイ)・△鴻大(コウダイ)」とも書く。

こうだい[1]【後代】 ある時代を基準にして、それより後の時代。

こうだい[0]【高大】―な ―に その存在が目立って△高くて大きい(他を圧してすぐれている)様子だ。

ごうたい[0]【剛体】 どんな力を加えても形状・体積をほとんど変えない堅い物体。力学で考える仮想的な存在。

こうたいごう[3][5]【皇太后】 先帝の皇后。「こうたいこう[3]」とも。 ―ぐう[7][5]【―宮】 ❶皇太后の御所。 ❷皇太后。

こうたいし[3]【皇太子】 皇位を継承すべき皇子。

こうたいじんぐう[7][5]【皇大神宮】 伊勢神宮の中の内宮(ナイクウ)。祭神は天照大神(アマテラスオオミカミ)。

こうだか[0]【甲高】 足の甲の高く出ていること。また、その高く出た甲。「十一文(モン)―の足」

こうたく[0]【光沢】「つや」の意の漢語的表現。「サテンには独特の―がある/金属―[5]」

こうだく[0]【黄濁】―する(自サ)〔川の水などが〕黄色く濁ること。「おうだく」とも。

こうたつ[0]【口達】―する(他サ)〔連絡事項や命令などを〕口で伝達すること。

こうたつ[0]【公達】 政府や官庁からの、公の通知。

ごうだつ[0]【強奪】―する(他サ) 他の所有に属する物を暴力を用いて、無理やりに奪い取ること。「賊は銀行から現金五百万円を―して逃走」

こうたん[0]【後端】 後ろのはし。↔先端

こうたん[0]【荒誕】―な 根も葉も無い事を 大げさに 言う様子だ。

こうたん[0]【降誕】―する(自サ) 神仏・聖人などがこの世に生まれること。 ―え[3]【―会】 仏祖・宗祖の誕生日を祝う法会(ホウエ)。「ごうたんえ」とも。 ―さい[3]【―祭】 聖人などの誕生日を祝う祭典。〔狭義では、キリストのそれ、すなわちクリスマスを指す〕

こうだん[0]【公団】 かつて、公法上の法人で、政府・地方公共団体の出資や民間資金の借入れなどによって運営された機関。住宅公団・道路公団など。〔現在日本には存在しない〕「―住宅[5]」

こうだん[0]【△巷談】 まちのうわさ。世間話。

こうだん[0]【後段】 あとの段や区切り。↔前段

こうだん[0]【降段】―する(自サ) 段位が下がること。↔昇段

こうだん[0]【降壇】―する(自サ) 演壇などの壇上から降りること。〔広義では、大学教師などが、定年前に何らかの理由で職をやめることをも指す〕↔登壇

こうだん[0]【高段】〔武道・碁・将棋などで〕段位が高いこと。また、その段位。「―者[3]」

こうだん[0]【高談】 ❶―する(自サ)(他人の迷惑も考えずに)声高く話すこと。 ❷「(他人の)話」の意の尊敬語。

こうだん[0]【講談】 調子をつけて、おもしろく話して聞かせる軍記・武勇談・あだ討ちなどの話。「―師[3]」 かぞえ方 一本

こうだん[0]【講壇】 講義・講演をする壇。「大学の―に立つ〔=教師として講義をする〕」 ―てき[0]【―的】―な ―に その時どきにおける定説に従っているという点でオーソドックスで権威あると見られる一方では、既成の学説にとらわれすぎて新鮮味に欠ける様子だ。

ごうたん[3][0]【豪胆】―な 普通の人なら怖がってしり込みするようなところを、恐れずやり遂げる勇気と胆力を持ち合わせている様子だ。「物に動じぬ―な人間/―無比[5]」 派―さ[0][3] 表記「剛胆」とも書く。

ごうだん[0]【強談】―する(自サ) 何がなんでも自分の立場や主張を貫こうと、強硬な態度で談判すること。こわだんぱん。

こうだんし[3]【好男子】 ❶美男子。 ❷気性がさっぱりしていて、人に好感を与える男性。

こうち[1]【公知】 世間によく知られていること。〔「周知」の新しい表現〕

こうち[1]【巧遅】 上手ではあるが、仕上がりのおそいこと。「―は拙速にしかず」↔拙速

こうォち①(カウ)【巧緻】(ーな ーに) きめが細かくて、上手な様子。「ーな細工」 派ーさ③

こうォち①⓪【拘置】ーする(他サ) 〔容疑者や犯罪人などを〕一定の所に監禁しておくこと。「ー所④⓪」

こうォち①(カウ)【〈狡知・〈狡智〉】(チ カン) わるがしこい才知。奸知(カンチ)。「ーにたけている人」

こうォち①(カウ)【校地】その学校の敷地。

こうォち①(カウ)【耕地】耕作をする土地。「ー整理④」

こうォち①(カウ)【高地】〔周囲の土地より一段と〕標高の高い(平坦な)土地。↕低地

ごうち⓪【碁打ち】❶碁を打つこと(が好きな、また上手な人)。❷碁を打つことを職業とする人。

こうォちく⓪【構築】ーする(他サ) しっかりした基礎の上に、すぐ壊れることが無いように、複雑に入り組んだ構造・配置を持つ一まとまりを作り上げること。「陣地をーする/新理論のー/データ ベースをーする/ー物(ブツ)④」

こうォちせい⓪(カウ)【向地性】植物の根が持っている、地中に向かって伸びる性質。↕背地性

こうォちゃ⓪【紅茶】茶の一種。摘んだチャの若葉を発酵・乾燥させたもので、黒茶色。煎(セン)じた汁は紅色を帯び、ミルクなどを入れて飲む。かぞえ方 喫茶の単位は一杯。小売の単位は一袋・一缶・一箱

こうォちゃく⓪(カウ)【〈膠着】ーする(自サ) 粘りついて、離れない状態になること。〔ある状態が固定して少しも変化しない意にも用いられる。例、「交渉がー状態に陥る」〕 ーご⓪【ー語】言語の形態的分類の一つ。文法的な関係を表わす機能の多くが、語の順序や語形変化よりも、助詞・助動詞などの付属語や接辞によって示される言語。日本語・朝鮮語などがこれに属する。⇩屈折語・孤立語

こうォちゅう⓪①【口中】口の中。「ーでつぶやく/ー錠③〔=⇩トローチ〕」

こうォちゅう⓪(カフ)【甲虫】甲冑(カッチュウ)を着けたように、厚く堅い前ばねでからだを保護している昆虫の総称。例、カブトムシ・ホタルなど。

こうォちゅう⓪(カウ)【校注・校〈註】古典などの本文の校訂と注解。

こうォちゅう⓪【〈鉤虫】十二指腸虫。

こうォちゅう①(カウ)【講中】⇩こうじゅう

こうォちょ①(カウ)【好著】内容が△すぐれている(おもしろい)などの理由で、読むことを他にも薦めたい本。

こうォちょ①(クワウ)【皇〈儲】〔天皇の世継ぎの〕皇太子。

こうォちょ①(カウ)【高著】「〔相手の〕著書」の意の尊敬語。

こうォちょうォ⓪(クワウチヤウ)【広聴】ーする(他サ) 〔行政機関で〕行政に反映させるために、広く住民の意見や要望などを聞くこと。 ーか⓪(クワ)【ー課】〔官庁で〕広く住民の意見を求めることをおもな業務とする課。

こうォちょうォ⓪(カウテウ)【好調】(ーな ーに) 妨げるものが何も無く、物事が思い通りにうまくいく様子だ。↕不調 派ーさ⓪

こうォちょうォ⓪(テウ)【紅潮】ーする(自サ) 〔緊張・興奮や急激な怒りなどで〕顔に赤みがさすこと。「ほおがーする」

こうォちょうォ⓪(テウ)【候鳥】ある季節にのみ生息し、他の季節には姿を消す鳥。〔狭義では、「渡り鳥」を指す〕

こうォちょうォ⓪(カウチヤウ)【校長】小・中・高等学校などの長。「ー室③・ー先生⑦・名物ー⑤」⇩学長・総長

こうォちょうォ⓪(カウテウ)【高潮】❶満潮で、海面が最も高くなった状態。「ー時(ジ)③」 ❷ーする(自サ) 勢いが最も高まること。「最ーに達する」

こうォちょうォ⓪(カウテウ)【高調】ーする(自他サ) ❶調子が高まること。また、その調子。「気分がーする」 ❷意見・主張などを一段と強めること。

こうォちょうォ⓪(クワウテウ)【黄鳥】❶こうらいうぐいす。❷〔古〕ウグイスの異称。

こうォちょうォ⓪(カウテウ)【硬調】〔写真の画面で〕白黒のコントラストが相対的に強い感じ(であること)。↕軟調

こうォちょうォかい③(ーチヤウクワイ)【公聴会】〔国会などで〕重要な事柄を公正に決めるため、関係者・中立者・学識経験者などを集めて意見をきく会。

こうォちょうォぜつ③(クワウチヤウー)【広長舌】長広舌。

こうォちょうォどうォぶつ⑤(カウチヤウ)【〈腔腸動物】からだは放射状相称の円筒形または傘の形で、腔腸〔=からだの中の空所〕を備える下等動物。多くは海産。例、クラゲ・サンゴ・イソギンチャクなど。

こうォちょうォりょく③(カウチヤウ)【抗張力】物体が引っ張られる時、その力に耐え得る、最大の値。

こうォちょく①(カウ)【交直】電気の、交流と直流。「ー両用①-⓪」

こうォちょく⓪(カウ)【硬直】ーする(自サ) ❶筋肉がこわばってからだが曲がらなくなること。強直(キョウチョク)。「からだがーする/死後ー」 ❷(思いこみが強く)態度・方針などが状況が変化したにもかかわらず変わらないこと。「考えがーする」

ごうォちょく⓪(ガウ)【剛直】(ーな ーに) 意志が強く、常に正しいと信じた事だけをしようとする様子だ。派ーさ⓪

こうォちん①【工賃】職工や職人に支払う作業の手間賃。工料。

ごうォちん⓪(グワウ)【〈轟沈】ーする(自他サ) 艦船が△砲撃(雷撃・爆撃)を受けて、あっという間に沈む(ようにする)こと。〔旧日本海軍では、一分間以内に沈めることを指した〕

****こうォつう**⓪(カウ)【交通】ーする(自サ) 人が△歩いて(交通機関を利用して)目的地との間を行き来すること。「ーの便がい/彼との間にはー〔=行き来〕がとだえた/ー規制⑤⑥・ー整理⑤・海上ー⑤・ー路(ロ)③・ー図③」 ーか③(クワ)【ー禍】交通事故によって、けがをしたり死んだりすること。 ーきかん⑤(クワン)【ー機関】人や物資の輸送に用いられる電車・自動車・船舶・航空機などやそれに付帯する諸施設の総称。〔広義では、郵便・電信・電話などの通信機関をも指す〕 ーじこ⑤【ー事故】交通機関が衝突したり人をひいたり△する(して、死傷者を出す)こと。かぞえ方 一件 ーじごく⑤(ヂー)【ー地獄】毎日の出勤・登校時間に各種交通機関がひどく混んで、目的の場所に着くまでに多くのエネルギーを費やしてしまうような、ひどい状態。 ーじゅうたい⑤(ジフー)【ー渋滞】道路や交差点で、自動車の通行が多過ぎたりなどして△なかなか(少しも)進まない状態。 ーじゅんさ⑤【ー巡査】街頭で交通整理をしたり交通違反を取り締まったりする係の巡査。 ーなん③【ー難】適切な交通機関が無かったり道路が混雑したりするため、人や車の行き来が渋滞すること。 ーまひ⑤【ー麻〈痺】自然災害やストなどのために、多くの交通機関が利用できない状態になること。 ーもうォ③(マウ)【ー網】網の目のように縦横に行きわたっている、各種交通機関。

ごうォつくばり⓪⑤(ゴフ)【業突(く)張(り)】ーな ひどく欲ばりな△様子(人)。表記「強(ガウ)突く張り」とも書く。

こうォつごうォ③(カウーガフ)【好都合】(ーな ーに) △都合(ぐあい)がいい様子だ。↕不都合 派ーさ⓪④

こうォてい⓪【工程】物を作ったりする時の、作業を進めていく順序(を示す段階)。また、そのはかどり方。「生産ー⑤」

こうォてい⓪【公定】政府などが、公式に定めること。「ー価格⑤」 ーそうォば⑤(サウー)【ー相場】取引所において多人数の自由な取引の結果成立した価格。公示が義務づけられている。 ーぶあい⑤(アヒ)【ー歩合】国の中央銀行〔=日本では「日本銀行」〕が決めた金利の歩合。〔現在の日本で

は、「基準割引率および基準貸付利率」に変更〕

こうてい[0]【公邸】 特定の高級公務員の住居として、在任中提供される邸宅。「警視総監—・日本大使—」

こうてい[0]【光庭】〔建築で〕採光用に設ける中庭。ひかりにわ。

こうてい[0]【行程】❶「みちのり」の意の漢語的表現。〔広義では、旅行の日程をも指す。例、「三泊四日の—で旅行する」〕❷〔ピストンなどの〕往復の距離。衝程[0]。

こうてい[0]【孝貞】 親によく仕え、貞操の堅いこと。

こうてい[0]【孝悌】 親によく仕え、兄は弟のめんどうをよく見る(弟は兄の命令をよく聞く)こと。

***こうてい**[0]【肯定】—する(他サ)〈なにヲ—する〉〔問題となっている事柄について〕その通りでまちがっていないと、認めること。「現実の状況を—する/彼の見解は—的であった、と私は見る/—判断[5]・—表現[5]・—文[3][0]」↕否定

こうてい[0]【皇帝】 帝国の君主。

こうてい[0]【校定】—する(他サ) 問題になっている古典の本文について、出来るだけ原本に近い姿を復元すること。

こうてい[0]【校訂】—する(他サ) 古典の本文を、一般の読者が理解しやすい形にして提供すること。「—本[0]」 表記 「校定」と書く場合は、恣意的な訂正などをなるべく加えない方針のものを指す。

こうてい[0]【校庭】 その学校の運動場(や中庭)。

こうてい[0]【航程】〔目的地へ達するまでの〕航行の道のり。「—十万キロ」

こうてい[0][1]【高低】 高いことと低いこと。高かったり低かったりすること。「—の差がある地形/物価の—(=上がり下がり)」

こうてい[0]【高弟】 受業生・弟子の中で、資質がすぐれ、その先生の後継者と目される人。

こうてい[0][1]【黄帝】 中国の伝説時代の帝王。音楽・文字などの物事を創始し、医薬を教えたという。

こうでい[0]【拘泥】—する(自サ) 第三者の目から見ればどうでもよいと思われることにこだわりをいだきつづけること。「規則に—する」

ごうてい[0]【豪邸】(ぜいたくに金をかけたと見られる)立派な邸宅。

こうてき[0]【公的】—な —に 役所や団体・組織など、公共の事に関する様子。「—な場/—機関[5]」↕私的

こうてき[0]【好適】—な 何かをするのにちょうどよい状態にある様子だ。

ごうてき[0]【号笛】 合図のために吹く笛。

こうてきしゅ[4][3]【好敵手】 試合や勝負事で、互いに力量が同程度の、やりがいのあるよい相手。

こうてつ[0]【更迭】—する(自他サ) 人事異動によって、その地位や職務の人が△かわる(かえる)こと。「大臣の—(=首のすげかえ)」

こうてつ[0]【鋼鉄】 可鍛鉄の一つ。含有する炭素の量を少なくし、鍛えて強化した鉄。機械・艦船・銃砲・刃物など、用途が広い。はがね。

こうてん[0]【公転】—する(自サ)〔その天体が〕自分より大きな他の天体の周囲を、一定の周期で回ること。「月は地球のまわりを—し、地球は太陽のまわりを—する」↕自転

こうてん[1]【交点】❶二つ(以上)の線が交わる点。❷〔天球上で〕惑星・彗星などが黄道と交わる点。

こうてん[1][0]【光点】 光を発する点。

こうてん[0]【好天】 晴れていて、戸外で何かするのに都合がいい天気。好天気[3]。「—に恵まれる」

こうてん[0]【好転】—する(自サ) 事態がいい方へ変わること。「景気が—する/事態は—しつつある」↕悪化

こうてん[0]【後天】 生まれてから、いつのまにか身についたこと。「—性[0]」↕先天 **—てき**[0]【—的】—な —に 生まれてから、経験によって身につける様子だ。アポステリオリ。↕先天的

こうてん[0]【荒天】 風雨や雪などの激しい天候。

こうてん[0]【高点】△高い(多い)点数。

こうでん[0]【公電】 官庁で出す、公務上の電報。官報❷。

こうでん[0]【香典・香奠】〔香の代りとして〕死者の霊前に供える金品。 **—がえし**[5]【—返し】 もらった香典に対する返礼に品物を送ること。また、その品物。

こうでんかん[0]【光電管】 光の強弱を電流の強弱に変える真空管。電送写真・テレビカメラ・自動警報器などに用いる。 かぞえ方 一本

ごうてんじょう[3]【《格天井】 格子形に組んで仕上げた天井。

こうでんち[3]【光電池】 光エネルギーを電流に変える装置。光電管は、これを真空管に装置したもの。 かぞえ方 一本

こうと[1]【江都】「江戸」の異称。

こうと[1]【後図】 将来の△計画(はかりごと)。「—をはかる」

こうと[1]【〈狡兎〉】 すばしこくて、なかなかつかまらないウサギ。「—死して走狗亨らる(=敵国を滅ぼすのに大功のあった人物も、平和が訪れると、じゃま者扱いされて除かれる)」

こうど[1]【光度】 発光体の出す光の強さの程度。〔基本単位は、カンデラ〕

こうど[1]【紅土】 熱帯地方などに見られる、赤みを帯びた土。水酸化鉄などを含む。ラテライト[3]。

こうど[1]【荒土】「荒れ地」の意の漢語的表現。

こうど[1]【高度】❶❶〔航空機などの〕(海面や地面からの)高さ。「—計[0]」❷地平線から天体への角距離。❷—な —に 程度の高い様子だ。「—な技術」 **—さ**[3]【—差】 一地点と一地点と〔たとえば、△登り(滑り・降り)始めてから問題の地点まで〕の標高の差。

こうど[1]【黄土】⇩おうど(黄土)

こうど[1]【硬度】❶物質のかたさの程度。かたさ。❷水がカルシウム・マグネシウムなどの塩類を含む度合。〔多く含む水を硬水と言う〕

こうど[1]【〈膏土】〔「膏」は、肥えた意〕「肥沃な土地」の意の古風な表現。

こうとう[0]【口答】—する(他サ)〔試験などで〕面と向かって聞かれた事に対して、その場で口で答えること。↕筆答

こうとう[0]【口頭】〔「頭」は助字〕言語表現のうち、文字によって表記されたものではなく、口から音声によって伝えられるもの。「—で△申し出る(述べる)/—弁論[5]」 **—ご**[0]【—語】 口頭による言語表現において特徴的に見られる△語句(表現法)。〔形式的な面では省略・圧縮・倒置などの特徴があり、音声的な面ではアクセント・イントネーション・プロミネンスなどの特徴がある〕↕文章語 **—しもん**[5]【—試問】 試験官の質問に対し、受験者がその場で口で答える試験。

こうとう[0]【公党】 公然と政見を発表し、公に政治活動が認められた政党。↕私党

こうとう[0]【勾当】❶昔、寺や摂関家におかれた事務官。❷検校の下、座頭の上に位した盲人の官名。

こうとう[0]【〈叩頭】—する(自サ) 頭を地面につけておじぎすること。

こうとう[0]【光頭】 はげあたま。

こうとう[0]【好投】—する(自サ)〔野球で〕投手が相手に得点されないように、うまく投げること。

こうとう[0]【江東】 東京 隅田川の東側の地域。「—地帯[5]」

こうとう[0]【後頭】 頭の後ろの方。「—部を強打される/—葉[3]」↕前頭

こうとう[0]【皇統】 天皇の血統。「—連綿[0]-[0]」

こうとう[0]【紅灯】 光が赤く映る灯火。〔狭義では、紅色のちょうちんを指す〕「—のちまた(=花柳街)」

こうとう[0]【荒唐】—な 〔勝手気ままな思いつきの意〕この世の中でそんなばかな事があるはずは無いということが分かりきっている様子だ。 —むけい[0]-[0]【—無稽】—な 〔「稽」は根拠の意〕「荒唐」の強調表現。「—な話」

こうとう[0]【降等】 〔旧日本陸海軍の懲罰で〕一階級下げること。

こうとう[0]【高等】—な ❶程度が高く、品位がすぐれている様子だ。「—(=高尚)な趣味/—動物[5]」↕下等 ❷等級が上である様子だ。「—教育[5]・—数学[5]」⇩初等・中等 —がっこう[5]【—学校】 ❶中学校卒業後にさらに上級の△普通(専門)教育を行なう学校。学習年限は三年。略して「高校」。 ❷〔旧制度で〕中学校卒業後、大学教育を受けるための予備教育として、外国語や一般教養に関する教育を行なった学校。学習年限は三年。 —かん[3]【—官】 もと、判任官の上位の官吏。〔親任官・勅任官・奏任官の総称〕 —けんさつちょう[8][7]【—検察庁】 高等裁判所が管轄する検察事項を扱う官庁。略称、「高検」。 —さいばんしょ[9][0]【—裁判所】 最高裁判所の下、地方裁判所の上の裁判所。全国八か所に設置。略称、「高裁」。「控訴院[3]」の改称。 —しはんがっこう[8]【—師範学校】 〔旧制度で〕中学校・師範学校卒業後、中学校の教員養成を目的とした学校。学習年限は四年。 —せんもんがっこう[9]【—専門学校】 技術者養成の教育機関。中学卒業後入学し、修業年限は五年。工業と商船の二種類がある。略称、「高専」。 —べんむかん[7]【—弁務官】 ❶特別の任務と権限を持って、被保護国・従属国・被占領国などに派遣される代表者。 ❷国際機関の代表者。国連難民高等弁務官など。⇩弁務官 表記「弁」の旧字体は「〈辨」。

こうとう[0]【高踏】 世間一般の人にはとても付いていけないような、高い理想を追求すること。「—的[0]・—派[0]」 表記「高〈蹈」とも書く。

こうとう[0]【高騰・〈昂騰】—する(自サ) 価格が高く上がること。「地価の異常な—」

こうとう[0]【喉頭】 呼吸器の一部。気管の上部にあり、咽頭に連結する。「—結核[5]」

こうどう[0]【公道】 ❶世間一般に通用する正しい道理。正義。「天下の—」 ❷一般の人がだれでも通行出来るように法的に認められた道。↕私道

**こうどう[0]【行動】—する(自サ) 〔動物一般が〕何かをしようとして、実際にからだを動かすこと。「△慎重な(責任ある)—を取る/具体的な—を起こす/極端な—に走る/—をさし控える/野生動物は夜間に—するものが多い/積極的な—性/—的[0]・—力[3]・—派[0]・自由—[4]・直接—[5]・軍事—[4]・単独—」⇩行為 —しゅぎ[5]【—主義】 ❶直接観察できる行動を対象として、それを支える意識を探ろうとする心理学。 ❷議論よりも、行動を第一とする主義。 —はんけい[5]【—半径】 軍艦や軍用機などが、燃料を補充しないで往復出来る、その片道の距離。〔その△人(動物)の拠点から活動する地点までの距離の意に、さらには、社会的活動の△地理的(対人的)な広がりの程度、また、人それぞれの経験や学識などによって異なる思考・判断のおよぶ範囲の意にも用いられる〕「—が△大きい(広い)」

こうどう[0]【坑道】 地下の通路。〔狭義では、鉱山の内部に掘られた通路を指す。例、「—に入って行く鉱員と出て来る鉱員」〕 かぞえ方 一本

こうどう[0][1]【孝道】 親によく仕える道。

こうどう[0][1]【香道】 一定の作法のもとに香をたいて、その名をあてたり香りを味わったりする芸道。

こうどう[0]【高堂】 〔高い建物の意〕〔手紙文などで〕「(相手の)家、また、そこに住む人」の意の尊敬語。

こうどう[0]【黄道】 ❶〔地球から見て〕一年間の太陽の軌道を表わす、天球上の大円。「おうどう」とも。⇩白道 ❷「黄道吉日」の略。 —きちにち[0]-[0]【—吉日】 〔陰陽道で〕何をするにも、よいという日。

こうどう[0]【黄銅】 ⇩しんちゅう(真鍮)

こうどう[0]【講堂】 〔学校や寺院などで〕人をおおぜい集めて、儀式・講話などをする広い部屋。

ごうとう[0]【強盗】 暴行・脅迫を加えて、他人の財物を奪う△こと(者)。「—を働く/居直り—・—罪[3]」

ごうとう[0]【豪〈宕】—な 〔「宕」は、物にとらわれない意〕気持が大きく、小事にこだわらず思う通りにする様子だ。

ごうとう[0]【〈鼇頭】 〔「鼇」は、大きなウミガメの意〕「頭書」の意の古風な表現。和本で、注や図を収めた上欄。

*ごうどう[0]【合同】 ❶—する(自他サ)〈なにヲ〉—する〉 それぞれ独立している二つ以上の団体・組織などが一つになること。また、二つ以上の団体・組織などを一つにすること。「—公演[5]・—葬[3]」 ❷—な 〔幾何学で〕その図形を適当に移動すると、もう一つの図形とぴったり重なり合う△こと(様子)。〔平面図形の場合は裏返しを、空間図形の場合は鏡映をも「移動」に含めるのが普通。従って、形も大きさも同じということと同義。⇩相似〕「三角形ABCは三角形DEFに—である」 —がいしゃ[5]【—会社】 ⇩会社

こうとく[0]【公徳】 〔公民としての〕社会生活における道徳。「—心[4][3]」

こうとく[0]【高徳】 すぐれて高い徳。「—の士」

こうどく[0]【鉱毒】 鉱山の精錬所の廃水・排煙などに含まれる有毒な物質が水・土地・大気を汚染して人畜・植物に与える害毒。

こうどく[0]【講読】—する(他サ) 内容理解上の要点に注意しながら特定のテキストを読み進めること。「平家物語—・原典—[5]」

こうどく[0]【購読】—する(他サ) 新聞や雑誌を(定期的に)買って読むこと。「—料[4]」

こうどくそ[3][4]【抗毒素】 体内の毒素を中和して無毒にする作用のある物質。

こうとりい[4]【公取委】 「公正取引委員会」の略称。

こうない[1]【口内】 口の△中(うち)。「—炎[3][0]」

こうない[1]【坑内】 △炭鉱(鉱山)の、坑道の内部。「—に入る/—作業[5]」

こうない[1]【校内】 学校の(敷地の)中。「—放送[5]」↕校外

こうない[1]【構内】 柵で囲ってある所や構築物などの中。「大学の—/—放送[5]・—タクシー[5](=駅の△構内(周辺)の指定された乗り場に乗り入れて、客を乗せることの出来るタクシー)」↕構外

こうなご[0]【《小《女子】 イカナゴの異称。

こうなん[0]【江南】 中国、長江の中下流域の比較的温暖な地域。

こうなん[0]【後難】 相手にとって不利益になるような事を

したために、あとから受ける災い。「—を恐れる」

こうなん[1][0]【硬軟】❶相手に構わず強い態度に出ることと、相手の態度に合わせた対応をすることと。「—自在の取引をする」❷硬派と軟派。

こうにち[0]【抗日】日本の帝国主義的侵略に抵抗すること。〔狭義では、中国のそれを指す〕

こうにゅう[0]【購入】—する(他サ) そこで使うものを買うこと。「机を—する/一括—[5]」

***こうにん**[0]【公認】—する(他サ)〈なにヲ—する〉Ⓐ官庁や公共団体、政党などが正式に△認定(認可)すること。「候補者を—する/—会計士〔=⇩会計士〕」Ⓑ周囲の人びとから暗黙に認められた状態にあること。「二人は—の間柄だ」↕黙認

こうにん[0]【後任】前の人に代わってその職務に任命△されること(された人)。↕前任

こうにん[0]【降人】〔古〕敵に降参した人。

こうにん[0]【降任】—する(他サ) 下級の職務に下げること。降職。↕昇任

こうねつ[0]【高熱】高い△温度(体温)。「—〔=高い温度〕で焼く/—〔=高い体温〕に苦しむ」

こうねつすいひ[5]【光熱水費】光熱費と水道料金。水道光熱費。「—の削減」

こうねつひ[4][3]【光熱費】〔経費の中で〕電気や、ガス・石油などの燃料にかかる費用。

こうねん[0][1]【光年】天文学における長さの単位で、光が真空中を一太陽年の間に進む長さ〔=約九兆四六〇〇億キロメートル〕を表わす〔記号 ly〕。〔通俗的な天文学の文献で多く用いられる〕⇩パーセク

こうねん[0]【行年】その人が今まで生きてきた年月。

こうねん[0]【後年】〔何かあった時から〕ずっとのち。

こうねん[0]【高年】どんな点から見ても若いとは言えない年齢。〔老年の婉曲(エンキョク)表現〕「中—層[5]・—就職者」

こうねんき[3]【更年期】〔「更」は、新たな段階へ移行する意〕人、特に女性が成熟期を過ぎ老年期にさしかかり、生理機能に種々の変化が生じる時期。「—障害[6]」

こうのう[0]【行△嚢】「郵袋(ユウタイ)」の旧称。

こうのう[0]【効能】それを△用いれば(実行すれば)、これだけのよい結果が期待出来るという、そのものの有用性。ききめ。表記「功能(コウノウ)」とも書く。 **—がき**[0]【—書(き)】薬などのききめを書いた書付け。〔その物の宣伝材料となる、値打ちや長所の意にも用いられる。例、「—を並べたてる」〕

こうのう[0]【後納】品物の代金や使用料などをあとで支払うこと。「料金—郵便[1]-[5]」

ごうのう[0]【豪農】広大な△農地(山林)を有し、勢力のある富農。大百姓。

こうのとり[3][1]【△鸛】全身白色でツルに似ている鳥。くちばしは黒く、足は桃色。広くアジア東部に分布するが、日本では極端に減少し、特別天然記念物。ほぼ同種のヨーロッパ産のものは、人間の赤ん坊を運んで来る鳥と言い伝えられている。こうづる[1]。〔コウノトリ科〕かぞえ方 一羽

こうのもの[5][0]【香の物】〔「香」は、「味噌(ミソ)」の古名〕「漬物」の美称。

ごうのもの[1][5]【剛の者】〔もと、武勇のすぐれた者の意〕「豪傑」の意の古風な表現。〔昔は、「こうのもの」と言った〕表記「強の者」とも書く。

こうは[1]【光波】光を波動と考えたときの称。⇩光子(コウシ)

こうは[1]【硬派】❶↕軟派 Ⓐその組織の中で、強く自説を主張して、他と安易に妥協しない人たち。Ⓑ新聞社で政治部・経済部の、放送でニュース・教養関係の方面の俗称。Ⓒ女性とは縁が遠く、好んで正義を主張し、時に腕力や暴力をふるう△一派(者)。❷〔取引用語で〕強気。買い方。

こうば[3]【工場】「こうじょう(工場)」の、一時代前の表現。〔やや小規模のものを指すことが多い〕「下請け—[5]・町—・—渡し値段[7]」

こうはい[0]【交配】—する(他サ) 異系統の雌雄の間に△受粉(受精)を行なうこと。「—種[3]」⇩交雑

こうはい[0]【光背】❶仏像の背後にある飾り。光明を表わす火炎や放射状の光を象(カタド)る。❷〔キリストや聖母・使徒の図で〕頭上にある△円環形(円盤形)の光輪。

こうはい[0]【向背】❶従うこととそむくこと。「—〔=去就〕を明らかにする」❷動静。「敵の—を探る」

こうはい[0]【好配】❶△いい(似合いの)配偶者。「—に恵まれる」❷率のいい配当。「三割の—」

こうはい[0]【後背】後ろ。背後。 **—ち**[3]【—地】その主要都市・港湾などの後方地域。ヒンターランド。

***こうはい**[0]【後輩】その人より△年齢(経験)などの少ない人。〔狭義では、その人と同じ学校・勤務先などに、あとから入った人を指す〕⇩先輩・同輩

こうはい[0]【荒廃】—する(自サ) ❶あるべき秩序が失われて、すぐ役には立ちそうにもない状態にあること。「—した国土/—地[3]」❷すさんで、全く手の付けられない状態になること。「教育の—を招く/人心が—する/心を—させる」

こうはい[0]【高配】❶〔手紙文などで、一般に「ご—」の形で〕「(相手の自分に対する)配慮」の意の尊敬語。「ご—を賜わりたくお願い申し上げます」❷〔↑高配当[3]〕高い配当。

こうはい[0]【興廃】〔国家などが〕繁栄するか、衰微するか。「皇国の—この一戦にあり」

こうばい[0]【公売】—する(他サ) 〔差押えなどした物を〕公告して、入札・競売などによって売ること。

***こうばい**[0]【勾配】傾斜△していること(の程度)。「—の急な坂/—〔=傾斜〕をつける」 **—おり**[0]【—織】織る布の中に綿糸を入れて△縦(横)に筋を作った織物。表記「紅梅織・高配織(カウバイオリ)」とも書く。

こうばい[0]【紅梅】濃い桃色の花を開く梅。また、その花の色。⇩黄梅(オウバイ)・白梅(シラウメ)

こうばい[0]【購買】—する(他サ) 〔消費財などを〕△買う(買い入れる)こと。「—部[3]」 **—くみあい**[5]【—組合】生活必需品などを製造元などから直接に買い入れて、組合員に安く売ることを目的とする組織。 **—りょく**[3]【—力】消費財としての商品などを買いうる財力。

こうばいすう[3]【公倍数】〔数学で〕与えられた二つ以上の自然数に共通の倍数。例、2と3の公倍数は、6・12・18など。〔多項式の場合にも用いる〕↕公約数 **さいしょう—**[7]【最小—】公倍数のうちで、最小のもの。例、4と6の公倍数12・24・36…などのうち、最小公倍数は、12。〔多項式の場合にも用いる〕

こうはく[0]【広博】—な 知識などが広い様子。

こうはく[1]【侯伯】〔侯爵と伯爵の意〕「諸侯・大名」の異称。

こうはく[1]【厚薄】厚いことと薄いこと。「人情の—」

こうはく[1]【紅白】〔対照的な色の代表としての〕赤と白。〔対抗する組を表わしたり 餅(モチ)・菓子を染め分ける時に用いたりする。後者は祝儀用ともなる〕

こうはく[1]【黄白】〔金銀の意〕「お金」の意の古風な婉曲(エンキョク)表現。「—を散ずる〔=何かの運動のためなどに大金を使う〕」

こうばく[0]【広漠】—たる —と 見渡す限りどこまでも広がっ

ている様子だ。「―たる大平原」 [派]―さ[0]

こうばく[0]【荒漠】―たる ―と 荒れ果てた土地が、どこまでも続いている様子だ。「―たる原野」

こうばこ[0]【香箱】 香を入れる箱。香合。「―をつくる(=寒さなどのためにネコがからだを丸くして寝る形容)」

こうばし・い[4]【《香ばしい》】(形) 煎ったり焼いたりしたものから発する いいにおいが感じられる様子だ。「ほうじ茶の―香りが漂ってきた」⇩かんばしい [派]―さ[3] [表記]「香ばしい」は、借字。「《芳しい・〈馨しい」とも書く。

こうはつ[0]【後発】―する(自サ) ❶順次移動するものの中で、あとの方から出発すること。「―の電車が後れている/―隊[0]」↕先発 ❷同種のものを、あとから開発すること。「―のメーカー/―医薬品[0](=ジェネリック医薬品)」

こうばな[1]【香花】 「こうげ」の意の口頭語的表現。〔「香華」と書く場合は「こうげ」と読むことが多い〕

ごうはら[0]【業腹】―な 腹が立ったりいまいましくて仕方が無かったりする様子だ。しゃく。「誤解されているのも―だ」 [派]―さ[0]

***こうはん**[0]【公判】 公開の法廷で犯罪の有無に関して審理すること。「―に付する/―中[0]・最終―[5]」

こうはん[0]【孔版】 「謄写版」の異称。「―印刷[5]」

こうはん[0]【広範・広汎】―な ―に 行き渡る所が広い様子だ。「―な情報」 [派]―さ[0] [表記]「範」は、代用字。

こうはん[0]【甲板】 「かんぱん」の船員用語。「―員[3]〔=甲板で作業する乗組員〕・―長[3](=⇩ボースン)」

こうはん[0]【後半】 あとの方の半分。↕前半 ―き[3]【―期】 △一期(一年)を二分した、あとの半期。↕前半期 ―せい[3]【―生】 人生のあとの半分。たいてい四十歳以後を言う。↕前半生 ―せん[0]【―戦】 競技・試合の後半の部分。↕前半戦

こうはん[0]【〈攪拌〉】―する(他サ) ⇩かくはん

こうばん[0]【甲板】 ⇩こういた

***こうばん**[0]【交番】 ❶かわりばんこに そうなること。「世代―」 ❷要所に設けられた「巡査派出所[7][0]」。〔広義では、駐在所を指す〕 [かぞえ方] ❷は一軒

こうばん[0]【降板】―する(他サ) ❶(野球で)制球力が無くなったり 敵の猛打を浴びたりして、ピッチャーがマウンドから降りること。「―を命ぜられる」 ❷担当していた責任ある役割を辞めること。「病気療養のため、主役を―する」↕登板

こうばん[0]【鋼板・鋼〈鈑】 鋼鉄の板。「こうはん」とも。[かぞえ方] 一枚

ごうはん[0]【合板】〔↑ベニヤ合板[4]〕 薄い板を何枚か張り合わせ一枚の板としたもの。建築材。「ごうばん」とも。〔広義では単板を二枚以上重ねて接着したものを、狭義では三枚以上奇数枚の単板を木目が交互に直交するように重ね合わせて接着したものを言う〕「耐水―[5]」 [かぞえ方] 一枚

こうはんい[3]【広範囲】―な ―に 広い範囲(にわたる様子だ)。「―にわたる」 [派]―さ[0][5]

こうひ[1][0]【口碑】 文献に書いてあるのではなく、大昔からその地域一帯の人びとの間に語り伝えられた昔話など。

こうひ[1]【工費】 工事の費用。

こうひ[1]【公比】 〔等比△数列(級数)で〕隣り合う任意の二項における、後項の前項に対する比の値。例、等比数列1・2・4・8・16…の公比は2。

こうひ[1]【公妃】 公と呼ばれる身分の高い人のきさき。

こうひ[1]【公費】 △官庁(公共団体)の(運営や事業に要する)費用。↕私費 ⇩官費・国費

こうひ[1]【光被】―する(自サ) (その君主の)徳化が、下じもの人民にまで行き渡ること。

こうひ[1]【后妃】 その△天皇(国王)のきさき(と同じ立場にある女性)。

こうひ[1]【考〈妣】 先考と先妣。亡き父と母。

こうひ[1]【皇妃】 皇后。

こうひ[1]【皇〈妣】 亡くなった皇太后。

こうひ[1]【高〈庇】 〔手紙文などで、一般に「ご―」の形で〕「(相手が自分に与える)庇護」の意の尊敬語。「ご―をこうむりましたこと、厚く御礼申し上げます」

こうひ[1]【高批】 ⇩高評❷

こうび[1][0]【交尾】―する(自サ) 〔「尾」も交わる意〕動物の雌雄が合体して、生殖作用が行なわれること。「―期[3]」

こうび[1]【後尾】 長く続いた列などの、後ろの方。

こうび[1]【後備】 ❶あとぞなえ。 ❷「後備役」の略。 ―えき[3]【―役】 〔旧軍隊の制度で〕予備役を終えた者などに課する兵役。⇩予備役・現役❶

ごうひ[1]【合否】 合格か不合格か。「―(の)判定」

こうヒスタミンざい[6]、[1]-[4]【抗ヒスタミン剤】 体内のヒスタミンの作用を消す薬剤。アレルギー性の病気(=じんましん・ぜんそくなど)に きく。

こうひつ[0]【硬筆】 鉛筆・ペンなどのように、先の かたい筆記用具。「―習字[5]」↕毛筆

ごうひゃく[0][1]【合百】 取引所の公定相場をもととして行なう賭博。「―師[4][3]」

***こうひょう**[0]【公表】―する(他サ) 〈(だれ)ニ なにヲ―する〉 当事者の間だけに秘密にしておくのではなく、△関係者(世間一般)に広く知らせるようにすること。「―をはばかる/―に踏み切る」

こうひょう[0]【好評】 いい評判。「―を△博する(呼ぶ)」↕悪評・不評 [派]―さ[0]

こうひょう[0]【降〈雹】 雹が降ること。

こうひょう[0]【高評】 ❶評判が高いこと。 ❷「(相手から受ける)批評」の意の尊敬語。高批。「ご―を請う」

こうひょう[0]【講評】―する(他サ) 〔指導する立場にある人が〕理由を説明しながら批評すること。また、その批評。

こうびょう[0]【広〈渺】―たる ―とした 果てしなく広がっている様子だ。 [表記]「〈浩渺〉」とも書く。

ごうびょう[0]【業病】 〔前世の悪事の結果であると考えられていた〕難病。

こうびょうりょく[3]【抗病力】 病気を自然に治すことが出来る、その人の体力。

こうひん[0]【公賓】 その国の政府が正式の客として待遇する、外国の王族・大臣など。⇩国賓

こうびん[0]【幸便】 そこへ△行く(届ける)ちょうどいいついで。「―に託する」 [表記]「好便」とも書く。

こうびん[0]【後便】 △後(この次)のたより。「委細―[1]-[0]」

こうふ[1]【工夫】 鉄道・電気工事などの現場で働く労働者。「線路―[4]」〔改称は、工手〕

こうふ[1][0]【公布】―する(他サ) 法律・命令・条約・予算などを官報に公表して一般の人に知らせ、その拘束力を発揮出来るようにすること。

こうふ[1]【〈弘布】―する(他サ) 広く世間に△知らせる(知れ渡る)こと。

こうふ[0][1]【交付】―する(他サ) 〔役所などが〕手続きを踏ませてお金や書類を渡すこと。「―金[0]・再―願い[6]」

こうふ[1] ❶【坑夫】 炭坑や鉱山の労働者。 ❷【鉱夫】 鉱山の労働者。〔❶❷とも、改称は、鉱員〕

こうぶ[1]【公武】 公家と武家。〔鎌倉時代以後は朝廷と幕府〕「―合体[1]-[0]」

こうぶ[1]【後部】 後ろの△方(部分)。↕前部

こうォぶ①―（クワウ）【荒〈蕪】 雑草などが茂って、土地が荒れていること。「―地③」

ごうォふ①―（ガウ）【豪富】 ばくだいな財産(を持っている人)。

こうォふう⓪―（クワウ）【光風】 晴れた春の日に吹く、気持よい風。 **―せいげつ**⑤【―〈霽月】 〔「霽月」は、雨あがりのあとの さわやかな風や霽ハれ渡った月の意〕後ろ暗いところが無いので何事につけてもこだわりが無く、胸中 鏡のごとく平静な心境。

こうォふう⓪―（カウ）【校風】 その学校(の生徒の間)に見られる、伝統的な気風。「―を高める」

こうォふう⓪―（カウ）【高風】 他人から、自分もあやかりたいものだと慕われるほどの風格。

ごうォふう⓪―（ゴフ）【業風】 地獄に吹くという ものすごい風。

こうォふく①⓪【口腹】 ❶〔口と腹の意〕食欲。「―を満たす」 ❷言うことと心の中で思っていること。「―が違う」

*__こうォふく__⓪―（カウ）【幸福】―に ―な 現在(に至るまで)の自分の境遇に十分な安らぎや精神的な充足感を覚え、あえてそれ以上を望もうとする気持をいだくことも無く、現状が持続してほしいと思う△こと(心の状態)。「祖父は思えば―な一生だったと思います／しみじみと―(感)を味わう」 派 **―さ**⓪

こうォふく⓪―（カウ）【校服】 その学校の生徒の制服。

こうォふく⓪―（カウ）【降伏】―する(自サ) 〔戦争などで〕自分が負けたことを認め、相手の命令・要求に従うこと。「無条件―⑥」 表記 「降服」とも書く。

ごうォふく⓪①―（ガウ）―な ❶【剛腹】 腹がすわっていて、小事にこだわらない様子。「―な人物」 ❷【剛〈愎】 〔「愎」は、付和雷同しない意〕自信が強くて、めったに人の言うことに従わない様子。「―な態度」 派 **―さ**⓪

ごうォぶく⓪―（ガウ）【《降伏】―する(他サ) 〔仏教で〕神仏に祈って悪魔や怨敵オンテキを押さえ しずめること。

こうォぶくろ③―（カウ）【香袋】 金襴キンランに組みひもを付けた小さな袋に香を入れたもの。着物に はさんで用いる。

こうォぶつ①―（カウ）【好物】 好きな飲食物。「大―③」

*__こうォぶつ__①―（クワウ）【鉱物・〈礦物】 天然に生成されて地中に含まれる無機物。岩・石など。「―学④・―質④・―資源⑤」

こうォふん⓪【口〈吻】 内心思っている事が、それとなく現われている話しぶり。「どうも反対のような―だった」

こうォふん⓪【公憤】 社会の悪に対して、一個人としての利害を超えて感じる怒り。 ↕私憤

こうォふん⓪【紅粉】 〔べにとおしろいの意〕化粧(した美しい女性)。

**__こうォふん__⓪【興奮】・―（カウ）【〈昂奮・〈亢奮】―する(自サ) 〈なにニ―する／なにデ―する〉 ❶何かの刺激を受けて、鈍った状態にある神経やからだの働きが盛んになること。「―剤③⓪」 ❷神経が異常に鋭敏に反応し、感情を抑えることが出来なくなった結果、むやみに怒ったり いらいらしたり 不安を感じたりなどすること。「―した聴衆」

こうォぶん⓪【公文】 公の団体・組織から正式に出す、依頼・命令などの文書。「交換―⑤」 かぞえ方 一通

こうォぶん⓪―（カウ）【行文】 〔文を行ャる意〕語句の配置や使用法(などから見た文体印象)。「―流麗⓪-⓪」

こうォぶん⓪―（カウ）【高文】 もと、「高等文官試験⑨」の略。現在の「国家公務員採用総合職試験」に当たる。

こうォぶん⓪【構文】 △文(文章)の構成。主部・述部・副詞の照応や、上下句のかかりぐあいなど。

ごうォぶん⓪―（ガフ）【合文】 複文の一つで、「複文Ⓐ」に相当するもの。 ⇩複文Ⓐ

こうォぶんし かごうォぶつ⑦（カウー クワガフー）【高分子化合物】 分子量の大きな化合物。繊維素・たんぱく質・合成繊維・プラスチックなど、コロイドのような性質を持つものが多い。

こうォぶんしょ⑤③【公文書】 △国(公共団体)から出される、正式の文書。 ↕私文書 かぞえ方 一通

こうォべ③⓪①（カウベ）【《首】 「くびから上の部分」の意の古語。「―を垂れる」 表記 「《頭」とも書く。

こうォへい①【工兵】 旧陸軍兵科の一つ。道路・橋の築造・破壊や築城などをする。

*__こうォへい__⓪【公平】―に ―な 〔問題になっているものを〕自分の好みや情実などで特別扱いをする事が無く、すべて同じように扱う△こと(様子)。「社会的―を期する／―な見方／―(さ)を欠く処分」 派 **―さ**⓪ **―むし**⑤【―無私】―な 「公平」の意の強調表現。

こうォへん⓪【口辺】 「口もと」の意の 漢語的表現。「―に微笑を浮かべる」

こうォへん⓪―（カウ）【好編・好〈篇】 出来のいい文芸作品。

こうォへん⓪【後編・後〈篇】 〔二つか三つに分かれたもののうち〕(一番)あとの編。 ⇩前編・中編

こうォへん⓪―（カウ）【硬変】―する(自サ) 軟らかかったものが硬くなること。「木の実が―する／肝―」

こうォべん①⓪―（カウ）【抗弁】―する(自サ) 相手の主張に対し、こちらからもその誤りを指摘したりなどして、反論すること。「―を許さない／―の余地も無い」 表記 「弁」の旧字体は「〈辯」。

ごうォべん⓪―（ガフ）【合弁】 〔もと、中国で〕事業の共同経営。「―会社ガイシャ⑤〔＝外国資本を導入して設立した会社〕」 表記 「弁」の旧字体は「〈辦」。 **―か**③―（クワ）【―花】 アサガオ・キキョウなどのように、(それぞれの)花びらが一つに合わさっている花。合弁花冠。 ↕離弁花 表記 「弁」の旧字体は「〈瓣」。

*__こうォほ__①【候補】 〔「候」は待つ意、「補」はその地位に就く意〕その地位や役に望まれる十分な条件を満たしていると関係者から推薦され、また、関係者以外の人にもそのように見られている△こと(人)。〔広義では、自分自身や自分にかかわりのある者から推薦することにもいう〕「有力―に上ノボる／アカデミー賞の―作品／―者③・立―・泡沫ホウマツ―⑤・優勝―⑤」

こうォぼ①⓪【公募】―する(他サ) 伝テツなどによらず、関係方面に公表して各界から(要員を)募集すること。「教官―⑤」

こうォぼ①―（カウ）【酵母】 醸造やパンの製造に使われる、単細胞の菌類。糖分を分解してアルコールと二酸化炭素とにする働きを持つ。酵母菌⓪。〔狭義では、イーストを指す〕

こうォほう①⓪―（ハフ）【工法】 工事の方式。「潜函センカン―⑤」

こうォほう⓪①―（ハフ）【公法】 国や地方公共団体と個人との関係を規定した法。憲法・行政法・刑法・訴訟法・国際公法など。 ↕私法

こうォほう⓪①【公報】 ❶その官庁が広報のために出す報告・告知など。〔狭義では、地方公共団体のそれを指す〕 ❷その官庁から関係者への公式の通知。「受賞の―」

こうォほう①⓪―（クワウ）【広報】・【〈弘報】 〔企業・官庁などが〕自らの活動や業務内容を、一般の人に広く知らせること。また、その知らせ。「―課⓪・―活動⑤」

こうォほう⓪―（ハウ）【後方】 後ろの方。 ↕前方

こうォほう⓪①（カウハフ）【航法】 船や航空機をある地点からある地点へ決められた時間に正しく導く方法。

こうォほう⓪―（カウ）【高峰】 高くそびえている山。〔その世界の最もすぐれた存在の意にも用いられる〕

こうォぼう⓪―（バウ）【工房】 写真家・陶芸家・工芸家や建築家の仕事場。アトリエ。 かぞえ方 一室・一軒

こうォぼう⓪―（クワウ）【広〈袤】 〔「広」は東西の、「袤」は南北の広がりの意〕どこまで広がっているか分からない、土地の広

さ。「—果て無し」

こうぼう⓪【光〈芒〉】〔「芒」は、ノギのように細長くて先のとがった物の意〕くっきりと△線(束)になって見える光線。「サーチライトの—」

こうぼう⓪【攻防】ある地点に対する敵の攻撃と、それに対する味方の防御。「(春闘賃上げでの)百円玉一個をめぐる労資の—〔=激しいやりとり〕/—戦⓪」

こうぼう⓪【興亡】〔国家などが〕勢いを得て盛んになったり力が弱まって滅亡したりすること。

ごうほう⓪【号俸】〔公務員などの給与体系で〕「等級❶」をさらに年功などで小分けした区分。「二等級十—」

ごうほう⓪【号砲】合図のためにうつ銃砲。〔狭義では、午砲を指した〕「—一発⓪-④」

ごうほう⓪【合法】—な・—に △法律(規則)に違反していない様子だ。「—性⓪」↔非合法 **—てき**⓪【—的】—な・—に 法律によって認められている様子だ。「—手段」

ごうほう⓪【業報】〔仏教で〕悪業の報い。

ごうほう⓪【豪放】—な・—に 小事にこだわらず、思い切った事をする様子だ。「—磊落⓪-⓪」 派 **—さ**⓪

こうほうじん③【公法人】地方の行政事務などを行なうための団体。府県・市町村など。↔私法人

こうぼく⓪【公僕】〔権力を行使するのではなく〕国民に奉仕する者としての公務員の称。〔ただし実情は、理想とは程遠い〕

こうぼく⓪【坑木】坑道の上部や側面をささえる太い材木。 かぞえ方 一本

こうぼく⓪【香木】たき物に使う、かおりのいい木。古来、沈香・伽羅・栴檀などが珍重される。

こうぼく⓪【校僕】❶学校の用務員の旧称。❷〔スクール ボーイ⑤の訳語〕明治・大正時代、在籍する学校をアルバイト先としながら苦学した生徒の称。

こうぼく⓪【高木】幹が堅く、直立して三メートル以上になる木。「喬木」の改称。例、スギ・マツ。「落葉—⑤」↔低木

こうほね⓪【《河骨】沼地・川に生じる多年草。葉は一見、サトイモの葉に似て細長く、夏、黄色の花を開く。「かわほね」とも。〔スイレン科〕 かぞえ方 一本

こうほん⓪①【校本】その古典について、諸伝本を校合し、本文の異同が一覧出来るようにした本。「—万葉集⑦」

こうほん⓪【稿本】❶草稿。❷手稿本。↔定本❷

こうま①【黄麻】おうま(黄麻)。「—紙③〔=もと、詔勅を書いた紙〕」

ごうま①【《降魔】〔仏教で〕悪魔を降伏させること。「—の利剣」

こうまい⓪【高〈邁】—な 普通の人には考え及ばないような、高い理想を追求する様子だ。「—な識見」 派 **—さ**⓪

ごうまつ⓪【〈毫末】〔毛すじの先の意〕「ごくわずか」の意の古風な表現。「—の差異もない」

こうまん⓪【高慢】—な・—に 自分の才能・地位などを鼻にかけて、思い上がった言動をする様子だ。「—の鼻を△高くする(へし折る)」 派 **—さ**⓪ **—ちき**③—な 〔「ちき」は接尾語。「てき」の変化という〕高慢で、鼻持ちのならない様子だ。

ごうまん⓪【傲慢】—な・—に 極端に思い上がった気持になり、むやみに人を見下す様子だ。「—無礼⑤」 派 **—さ**⓪

こうみ①【好味】よい味(の食べ物)。

こうみ①③【香味】飲食物のにおいと味わい。「—料③・—野菜④〔=和風料理ではウド・ミツバ・ミョウガ・ショウガ、洋風料理ではセロリ・パセリ・ニンニクなど〕」

こうみゃく⓪【鉱脈】岩石のすきまに板のように詰まった鉱床。

こうみょう⓪【功名】手柄を立てて有名になること。また、そのような手柄。「抜けがけの—〔=ほかの人を出しぬいて手柄を立てること〕/怪我の—〔=⇩怪我〕」 **—しん**③【—心】他に劣らぬ手柄を立てようとして、△好機をねらって張り切る(準備おさおさ怠り無くはやる)気持。

*__こうみょう__⓪【巧妙】—な・—に 物事のやり方などがうまくて、普通の人にはちょっとまねの出来ない様子だ。「—な細工/手口が—だ/—な〔=尋常な手段では見破れない〕トリック/—に言いのがれる」 派 **—さ**⓪

こうみょう⓪【光明】Ⓐくらやみを照らす、明るい光。「—赫奕⓪-⓪〔=日月や仏などの光が、まぶしく輝くこと〕」 Ⓑ逆境にある時に見いだす前途の希望。「患者の前途に—を投げかけた特効薬の開発」

こうみょう⓪【高名】「こうめい(高名)❶・手柄」の意の古風な表現。

こうみん⓪【公民】国民のうちで、国や地方公共団体への参政権を有する人びと。 **—かん**③【—館】市町村などの住民の教養と文化の向上のために作られた集会所。 **—けん**③【—権】公民としての権利。特に、選挙権・被選挙権。「—停止③-⓪」

こうむ①【工務】土木工事などに関する仕事。「—店③」

こうむ①【公務】国家や公共団体の△事務(職務)。「—による出張/—上の命令/—執行妨害①-⑤、⑧」 **—いん**③【—員】国家公務員と地方公務員の総称。一般職と特別職とに分かれる。

こうむ①【校務】その学校の教育活動を円滑に行なうために必要な事務。「—主任④」

*__こうむ・る__③【被る】(他五)〈(だれ・なにカラ)なにヲ—〉(自分の意志にかかわり無く)他から作用を受ける。「愛顧を—/恩を—/△損害(不利益・痛手・影響)を—/御免—る〔=ⓐ…する事を許していただく。ⓑ…することをお断わりする〕」 表記 「〈蒙る」とも書く。

こうめい⓪【公命】公務上の命令。「—をおびて」

こうめい⓪【公明】—な・—に ごまかしたり不正な事をしたりするなどの、人目をはばかるような事が少しも無い様子だ。「—な選挙」 派 **—さ**⓪ **—せいだい**⓪-⓪【—正大】—な・—に 心が公明で堂々としている様子だ。「—な裁き」 派 **—さ**⓪

こうめい⓪【高名】❶—な その業績が高い評価を受け、その社会に属する人たちの間ばかりでなく広く一般の人からも尊敬されている△こと(様子)。「—な学者」 ❷「(相手の)名前」の意の尊敬語。 派 **—さ**⓪ 運用 ❷は、「ご高名は(かねがね)伺っております」などの形で、尊敬に値する人物だということを知っているが会う機会を得たのは初めてだ、の意の挨拶の言葉として用いられることがある。

ごうめい⓪【合名】共同で責任を負うため名を一緒に書き連ねること。 **—がいしゃ**⑤【—会社】⇩会社

ごうも①【〈毫も】(副)〔「毫」は、一本のきわめて細い毛の意〕〔否定表現と呼応して〕ほんの少しも(…でない)と否定の意を強調することを表わす。「—不満は無い」

こうもう⓪【孔〈孟】孔子と孟子。「—の教え〔=儒教〕」

こうもう⓪【紅毛】〔赤い髪の毛の意〕江戸時代、西洋人の代表としてのオランダ人の称。〔広義では、西洋人・欧米人を指す〕 **—へきがん**⓪-⓪【—〈碧眼】〔「碧眼」は、青い目の意〕江戸時代、異人の代表としての西洋人の称。

こうもう⓪【〈膏肓】「こうこう」の読み誤り。

こうもう⓪【〈鴻毛】〔鴻の羽の意〕きわめて軽いもののたとえ。「死は—よりも軽し」

ごうもう⓪【剛毛】こわい毛。「—が密生している」

こうもく⓪【項目】❶「項❶」の内容を要約した標目。〔普通、△単語(連語)の形を取る。辞書では、見出しがこれに該当〕❷〔予算などの編成で〕款の下の小分け。「…などの—が盛られる」⇩項❶

こうもく⓪【綱目】❶物事の大綱と細目。❷全体の中で大事な所。要点。

ごうもくてきてき⓪【合目的的】—な —に 目的を実現するという意図をもって何かをする様子だ。

こうもと⓪④【講元】講中の主催者。

こうもり①【〈蝙蝠〉】❶〔カハボリの変化〕ネズミに似た、小形の哺乳動物。昼間は暗い所でぶら下がって休み、暗くなると前足を羽のように広げて飛び、虫を捕らえて食う。〔鳥に似て鳥にあらず、けだものに似てけだものにあらずというところから、定見無くその時どきの勢いのよい方に味方する者の意にも用いられる〕❷〔←こうもりがさ⑤〕西洋風の雨傘。洋傘。かぞえ方 ❶は一匹・一羽。❷は一本

こうもん⓪【《告文》】神に申し上げる言葉を記した文書。つげぶみ⓪。〔狭義では、誓文を指す〕

こうもん⓪【〈肛門〉】直腸の末端にあって、大便を体外へ出す穴。

こうもん⓪【後門】裏門。「前門の虎、—の狼〔=⇩前門〕」↔前門

こうもん⓪【校門】その学校の門。

こうもん⓪【黄門】中納言の唐名。「水戸—」⓪-⓪〔=徳川光圀の別称〕」

こうもん⓪【〈閘門〉】〔運河などで〕高低差のある水面で船を昇降させたり水量を調節したりする装置の水門。

ごうもん⓪【拷問】—する(他サ)〔「拷」は刑具で打つ意〕〔取調べの必要上自供を得る目的で〕罪状を認めない容疑者にひどい肉体的苦痛を与え、極限状態にまで追い詰めて問いただすこと。「—にかける/—を受ける」

こうや①【広野・〈曠野〉】広びろとした野原。「無人の—」❷【荒野】畑も人家も無く、(見渡す限り一面に)草が生い茂っているだけの野原。

こうや①【郊野】都の近郊などに広がる野原。

こうや①【高野】〔←高野山③〕和歌山県にある山。真言宗の総本山、金剛峰寺がある。**—どうふ**④【—豆腐】「氷豆腐」の異称。もと、高野山で作ったものの称。かぞえ方 一枚:一連・一メ **—ひじり**④【—《聖》】勧進のために高野山から各地に出る僧。〔近世では、物乞い・行商する者をも指した〕

こうや⓪【紺屋】〔「こんや(紺屋)」の変化〕染物屋。**【—の白〈袴〉】**⓪-③他人の世話ばかりやいて、自分の身のまわりの事が出来ないたとえ。「こうやのしらばかま」とも。

こうやく⓪【口約】—する(自他サ)口で約束すること。また、その約束。くちやくそく。

こうやく⓪【公約】—する(他サ)政府・政党など、公の立場にある者が選挙などの際に世間一般の人に対して、約束すること。また、その約束。〔実行に必要な裏付けを伴わないことも多い〕「—に△うたう(掲げる)/—として打ち出す/—を△果たす(裏切る)」

こうやく⓪【〈膏薬〉】動物などのあぶらで練り合わせた、外傷用の塗り薬。あぶらぐすり④。かぞえ方 一貝・一滴・一本

こうやくすう④③【公約数】〔数学で〕二つ以上の自然数が与えられた時、それらに共通する約数の称。例、12と18の公約数は、1・2・3・6。〔多項式の場合にも用いる〕↔公倍数 **さいだい—**⑧⑦【最大—】公約数のうちで、最大のもの。例、12と18の公約数1・2・3・6のうち、最大公約数は、6。〔多項式の場合にも用いる。また俗に、さまざまな意見の間に見られる共通部分の意にも用いられる〕

こうやさい③【後夜祭】学園祭などが終了した日の夜に、締めくくりとして行なう催し。⇩前夜祭

こうゆ⓪【香油】からだに塗ったり髪につけたりする、においのいい油。

こうゆ⓪【鉱油】鉱物性の油。石油など。

こうゆう⓪【公有】—する(他サ)国家や公共団体が所有する△こと(もの)。「—林③」↔私有

こうゆう⓪【交友】その人の友人として交際する△こと(人)。「—関係⑤」

こうゆう⓪【交遊】—する(自サ)個人的に親しく交際すること。

こうゆう⓪【校友】❶学校が一緒の友達。❷同じ学校の卒業生。「—会③⓪」

ごうゆう⓪【豪勇】—な 並はずれて武勇にすぐれている△こと(様子)。「—無双⓪-⓪」派 **—さ**⓪ 表記「剛勇」とも書く。

ごうゆう⓪【豪遊】—する(自サ)普通の人にはしたいと思ってもなかなか出来ないほど、遊興や旅行に大金を使うこと。

こうよう⓪【公用】❶国家や公共団体が、公的な場で使用する(のを正式に認める)こと。❷国家や公共団体としての用事。公務。「—出張⑤」↔私用 **—ご**⓪【—語】△一国の政府(国際的な機関)が、公的な場で使用することを認めている言語。**—にん**⓪【—人】昔、大名・小名の家に仕えて、公用をつとめた人。**—ぶん**③⓪【—文】公文書に使う、その時代時代の決まった形式の文章。

こうよう⓪【孝養】—する(自サ)親を大切にして、老後のめんどうをよくみること。「—をつくす」⇩きょうよう

こうよう⓪【効用】使途よろしきを得れば当然期待される、それを使っただけの△意味(効果)。「薬の—〔=ききめ〕/うその—〔=その場合はうそをついてよかったこと〕」

こうよう⓪—する(自サ)❶【紅葉】秋になって、木ぎの葉が赤くなること。また、その葉。もみじ。❷【黄葉】秋になって、木ぎの葉が黄色になること。また、その葉。

こうよう⓪【高揚・〈昂揚〉】—する(自他サ)何かの刺激を受けて、何か思い切ったことをしてみようという気分が高まること。また、そのようにさせること。「士気の—」

こうよう⓪【綱要】基礎となる大切なところだけを簡単にまとめた本の名。「生物学—⑦、④-⓪」⇩撮要・提要

こうようじゅ③【広葉樹】平たくて幅の広い葉を持つ木の総称。「闊葉樹」の改称。例、サクラ・ブナ・ナラ。↔針葉樹

ごうよく⓪【強欲・強〈慾〉】—な —に 飽きることを知らない欲心を持つ様子だ。「—な人間」派 **—さ**⓪④

こうら⓪③【甲羅】〔「羅」は、「我武者羅」の「羅」と同種の接辞か〕カメ・カニなどの背中を覆っている堅い外皮。甲。「—干し⓪」**【—を経る】**〔「甲羅が生える」と「劫を経る」の混交〕年数を経て、老練になったり厚かましくなったりする。**【—を干す】**うつぶせになって、日光浴をする。

こうらい⓪【光来】〔手紙文などで、一般に「ご—」の形で〕「(相手の)来訪」の意の尊敬語。「ご—をお待ちしています」

こうらい⓪【後来】「今後」の意の古風な表現。

こうらい⓪①【高《麗》】古代、朝鮮半島の統一国家。**—うぐいす**⑥【—〈鶯〉】黄色でハト大の野鳥。中国・朝鮮にすみ、よい声で鳴く。こうちょう。〔コウライウグイス

科〕 かぞえ方 一羽 **―べり**⓪【―《縁】 白地に模様を黒く織り出した畳べり。

こうらく⓪【行楽】 レクリエーションとして、観光地などに出かけること。「―地④③・―シーズン⑤・―客④③」

こうらく⓪【攻落】―する（他サ） 〔敵陣などを〕攻め落とすこと。

こうらん⓪【勾欄】 「欄干」の意の古風な漢語的表現。 表記 「高欄」は、日本的表記。

こうらん⓪【高覧】 「〔相手が〕見ること」の意の尊敬語。「〔ご〕―を請う」

こうらん⓪【〈攪乱】―する（他サ） ⇩かくらん

こうり⓪【小売】―する（他サ） 卸商から買った物品を個々の消費者に売ること。「―店③⓪・―商③」 ↕卸売

こうり①【公吏】 「地方公務員」の旧称。

こうり①【公理】 〔数学で〕その理論体系の出発点として、証明を要しないで真であると仮定した命題。平面幾何学における例、「二点を通る直線は一つあり、しかもただ一つに限る」。「―系⓪」

こうり①【功利】 それをすることによって期待出来る利益を念頭におくこと。「―、打算」 **―てき**⓪【―的】―な・―に 何をするにも、すぐ効果や利益があるかどうかを考える様子だ。

こうり①【行〈李】 衣類などを入れて△保存する〔送る〕のに用いた用具。柳や竹を編んで作る。 かぞえ方 一本・一梱

こうり①【高利】 ↕低利 ❶高い利子。❷大きな利益。 **―がし**③【―貸〔し〕】 「高利❶」を取って金銭を貸す△こと〔人〕。「こうりかし」とも。

ごうり①【合理】 ❶その△考え〔方法〕が論理的に正しいと判断されること。「―性を欠く／非―」 ❷理屈には合っていること。「―的⓪・不―」 **―か**⓪【―化】―する（他サ） ❶〔自分の行動を〕もっともらしく理由づけをすること。❷新技術の導入や適正な人員配置などによって作業効率を向上させ、また、経費の削減を図ること。「―を進める」

ごうり①【〈毫〈釐】・〈毫《厘】 きわめて少ないこと。「ごうりん」とも。「―の差は千里の謬り〔＝初めはわずかな違いであってもほうっておくと取り返しのつかないことになること〕」

ごうりき⓪【合力】―する（自他サ） ❶力を合わせて何かをすること。❷弱い立場の者に援助をすること。また、それを受けるような弱い者。〔「こじき」の意にも用いた〕〔❶❷とも「ごうりょく」とも〕

ごうりき⓪【強力】 ❶―な 力が強い様子だ。「―無双⓪-⓪」 ❷〔もと、修験者の荷を背負って従った下男の意〕〔登山者の案内人をも兼ねて〕重い荷物をかついで山に登る仕事を請け負う人。 表記 「剛力」とも書く。 **―はん**④【―犯】 暴行・脅迫を手段として行なわれる犯罪。殺人・強盗など。 ↕知能犯

こうりつ⓪【公立】 地方公共団体が設立・維持すること。また、その施設。〔俗に、「私立」と大きく対比させ、「国立」を含む場合もある〕「―〔学〕校」

こうりつ⓪【効率】 その事をするのに消費した労力や時間から見た、成果の程度。「―を高める／―が良い／―的⓪・―性⓪」

こうりつ⓪【高率】 率が高いこと。また、その率。「異常な―を示す」 ↕低率

こうりゃく⓪【攻略】―する（他サ） 攻撃して、相手の陣地や領土を奪い取ること。「城を―する／横綱を―する〔＝負かす〕」

こうりゃく①⓪【後略】 〔文章などを引用する時に〕続いている、あとの部分を省くこと。 ⇩前略・中略

こうりゅう⓪【勾留】―する（他サ） ❶【勾留】 △被疑者〔被告人〕を、取調べの目的で一定の場所にとどめておくこと。「未決―」 ❷【拘留】 刑罰の一つ。犯罪人を、一日以上三十日未満の一定の期間、刑務所内の施設〔＝拘留場〕にとどめておくこと。

***こうりゅう**⓪【交流】 ❶一定時間ごとに方向を交互にかえて流れる電流。 ↕直流 ❷―する（自サ）〈だれトーする〉 異なる組織・系統に属するものの間に、人の行き来や交渉が行なわれること。「―を△図る〔深める〕／文化の―／人事―④・国際―⑤」

こうりゅう⓪【興隆】―する（自サ） 〔小は一家・一門の、大は文化また一国の〕勢いが盛んになって、その存在が目立つようになること。

ごうりゅう⓪【合流】―する（自サ） ❶水源の異なる二つ以上の川が、ある所で一つの流れになること。「―点③」 ❷Ⓐ系統の異なる団体・党派が一緒になること。「野党の二会派が―して新党を結成」 Ⓑそれまで別行動をとっていた者が、ある場所で落ち合うこと。「本隊に―する」

***こうりょ**①【考慮】―する（他サ）〈なにヲ―する〉 〔どうしたらいいかについて〕判断を誤らないように、よく考えること。「…を―に入れる／深い―が払われる／―の余地は無い」

こうりょ①【行旅】 「旅行〔者〕」の意の古風な表現。

こうりょ①【高慮】 「〔相手の〕考慮」の意の尊敬語。

こうりょう③⓪【口糧】 兵士一人分の糧食。「携帯―⑤」

こうりょう①【工料】 工賃。

こうりょう⓪【〈亢《竜】 〔「亢」は、高くのぼる意〕天にのぼりつめた竜。「こうりゅう」とも。「―の悔い〔＝のぼりつめてしまうと、やがては衰えなければならないという宿命〕」

こうりょう⓪【広量・〈宏量】―な 度量が広い様子だ。「―な人物」 ↕狭量

こうりょう⓪【好漁】 〔釣りや漁で〕魚がよく釣れたりとれたりすること。

こうりょう⓪【考量】―する（他サ） あれこれ考え合わせて判断すること。

こうりょう⓪【荒涼】・【荒〈寥】―たる・―と 〔景色が〕荒れ果てて寂しい様子だ。「―たる原野」

こうりょう⓪【《虹〈梁】 寺社などに見られる、ゆるく弓状に反った梁。

こうりょう【香料】 ❶③よいにおいを出す物質。❷①③「香典」の異称。「御―③」

こうりょう⓪①【校了】―する（他サ） 校正が完了すること。

こうりょう⓪①【黄〈粱】 粟の漢名。「―一炊の夢〔＝⇩邯鄲の夢〕」

こうりょう⓪【〈蛟《竜】 水中に隠れ、雲や雨にあうと天にのぼるという、一種の竜。〔時を得ない英雄・豪傑の意にも用いられる〕

こうりょう⓪③【綱領】 ❶要点を簡略に述べた本。「哲学―⑤」 ❷政党・組合などのあり方や運動目標についての根本方針。

こうりょう①③【稿料】 「原稿料」の略。

こうりょく①【光力】 明りの強さ。

こうりょく①【抗力】 ❶物体に加わる外力に逆らう力。❷流体内を物が運動する時、それを妨げるように働く力。

こうりょく①【効力】 それを用いることによって効果を発揮することが出来る力。「―を生じる」

ごうりょく①⓪【合力】 ❶⇩ごうりき ❷〔物理学で〕同時に働く二つ以上の力と効力の等しい一つの力。合成力。

こうりん⓪【光輪】 〔もと、仏菩薩のからだから発

する円満の光、の意〕仏像や聖母・天使などの肖像の頭の部分に描かれる光の輪。

こうォりん[0]【光臨】「〔身分の高い人が〕式典や催しなどに出席すること」の意の尊敬語。「(ご)―を仰ぐ」

こうォりん[0]【後輪】乗り物の、後ろの方の車輪。↕前輪

こうォりん[0]【降臨】―する(自サ) 神仏などが天から地上に下って、姿を現わすこと。「天孫―[0]-[0]」

こうォりん まきえ[5]【光〈琳蒔〉絵】蒔絵に金属・青貝などを はめこんだもの。尾形光琳が始めたものという。

こうォ・る[2][1]【〈梱る】(他五)〔「行李」を動詞化したものという〕縄をかけて荷造りする。

こうォるい[0]【紅涙】美しい女性の涙のたとえ。〔古くは、血涙の意にも用いられた〕「―をしぼる」

こうるさ・い[4]【小《煩い】(形) 気にしだすと、多少耳ざわり、また、目ざわりで腹立たしく感じられる様子だ。「部下に小うるさく文句を言う課長」 派 ―さ[4]

こうォれい[0]【交霊】死んだ人の霊魂との間に意志の伝達が行なわれること。「―現象[5]」

こうォれい[0]【〈伉儷〉】「つれあい・夫婦」の意の古風な漢語的表現。

こうォれい[0]【好例】何かの説明をするのに、持ってこいの例。

こうォれい[0]【恒例】その時期になると、その△儀式(行事)がいつも決まって行なわれること。また、その△儀式(行事)。「ごうれい」とも。「節分―の豆まき」

こうォれい[0]【皇霊】代々の天皇・皇后・皇族などの神霊。「―殿[3]」

こうォれい[0]【高冷】土地が高い所にあって気温が低いこと。「―地[3]」

こうォれい[0]【高齢】高年のため、人生経験は豊かである反面、体力・気力の衰えを意識せざるを得ない状態にあること。「―者[3]・―化[0]・―化社会[6]」

ごうォれい[0]【号令】❶〔学校・軍隊などで〕大きな声でさしずする、一定の命令。いっせいに同じ行動を起こさせるためのもの。例、「気をつけ」。「―をかける」 ❷―する(自サ) 命令を下して、それに人びとを従わせること。「大同団結の―をかける/天下に―する」

こうォれい きん[0]【好冷菌】食中毒を起こす細菌の一つ。普通の細菌のふえにくい低い温度〔たとえば五度ぐらい〕でもふえる。魚につく。

こうォれつ[1]【後列】後方の(隊)列。↕前列

こうォろ[1]【行路】道を行く△こと(人)。〔世渡りの意にも用いられる〕「人生―[5]〔=旅行に似て、多くの起伏があり、困難と楽しみとが背中合わせになっている人の世〕」 ―びょうォしゃ[4]【―病者】飢え・疲れのため行き倒れになった、身寄りの無い病人。行き倒れ。

こうォろ[0]【香炉】香をたく入れ物。 かぞえ方 一合・一基

こうォろ[1]【航路】船・航空機が通る一定の道すじ。「大圏―・ハワイ―[4]〔=ハワイ行きの定期航路〕」

こうォろ[1]【高炉】⇩溶鉱炉

こうろうォ[0]【功労】その社会や組織などの進歩・発展に寄与する大きな仕事をした手柄。「―者[3]」

こうォろうォ[0]【高楼】水辺などに臨んだ、何階建てかの建物。〔多くは料亭を指す〕「春、―の花の宴」

こうろうォしょうォ[3]【厚労省】「厚生労働省」の略。

こうォろく[0]【高〈禄】多額の給与。「―をはむ」 表記「厚〈禄」とも書く。

こうォろん[1]【口論】―する(自サ) 〔暴力をふるったりしないで〕互いに口で相手をののしること。また、ののしりあい。

こうォろん[0]【公論】世間一般の人が一様に、正論と認める考え。「万機―に決すべし」

こうォろん[1][0]【抗論】―する(自サ) 対抗して議論すること。

こうォろん[0]【高論】すぐれた論説。〔「(相手の)論説」の意の尊敬語としても用いられる〕「―卓説[0]-[0]」

こうォろん[0]【硬論】相手の立場・事情に基づく要求などに一切妥協せず、自分たちが正しいと判断する筋を押し通さねばならぬとする論。↕軟論

こうろん おつばく[0]-[0]、[1]-[0]【甲論乙〈駁】―する(自サ) 甲がある説を述べると乙が反対するというふうで議論がまとまらないこと。「―となる」

こうォわ[0]【口話】耳の聞こえない人が、相手の口の形や表情で話を理解し、自らも発話して、音声によって会話すること。「―法[0]」⇩手話

こうォわ[0]【高話】〔一般に「ご―」の形で〕「(相手の)話」の意の尊敬語。「ご―を拝聴する」

こうォわ[0]【講和】・【〈媾和】―する(自サ) 戦争をやめて当事国間の関係を戦う前の平和状態にもどすこと。「―条約[4]・△単独(全面)―[5]」

こうォわ[0]【講話】―する(自サ) 問題として取り上げた事柄について、分かりやすく説明して、聞かせる△こと(話)。

こうォわん[0]【港湾】船の碇泊や乗客・貨物の上げおろしに便利な水域とその付属設備との総称。

ごうォわん[0]【剛腕】相手を力ずくで負かすことの出来る技量。〔狭義では、野球で投手が何イニング投げ続けても球威に衰えを見せないことを表わす〕 表記「豪腕」とも書く。

ごうん[0][1]【五〈蘊】〔仏教で〕人間を成り立たせていると考えた五種類のもの。色〔=肉身〕・受〔=感覚〕・想〔=想像〕・行〔=心の作用〕・識〔=意識〕。「―皆空[0]-[0]、[1]-[0]」

****こえ**[1]【声】❶〔人や動物が〕発音器官を使ったりして、それぞれ独特の方法で出す音。〔言葉として一定の意味を有し単位的な要素に分析できるものと、叫び声のように本能的に発せられるものとがある〕「隣の部屋で妹の―がする/―はすれども、姿は見えず/進んで―を掛ける/―を大にして説く/△低い(太い・渋い・黄色い)―/―を△抑える(呑ノむ)/―が弾む〔=うれしくて、うきうきした声が出る〕/―を限りに叫ぶ/△神(天)の―〔=人間に何かを告げる言葉〕/―を立てて笑う/△虫(鳥)の―/しわがれ―[5][0]・胴間―」 ❷第三者の考えや、生活者としての意見。「―無き―〔=表立って声を上げない人たちの意見〕/不満の―が上がる/住民の―を受け止める/退陣を要求する―が渦まく」 ❸風評。「石油値上げの―におびえる」 ❹物の音で、人間に何かを感じさせるもの。「△鐘(怒濤)の―/松の―〔=松風の音〕」 ❺それが近づいて来たことを知らせる何ものか。「近づく秋の―〔=気配〕/師走の―を聞く〔=そろそろ十二月になる〕/二十の―を聞いた〔=ちょうど二十歳になった〕時」

こえ[2]【肥】地味をよくし収穫を増すために田畑に入れるもの。こやし。肥料。〔狭義では、糞尿を指す〕

ごえ【越㋓】(造語)〔複合語の後の要素として〕〔国の境や山を〕越える△こと(道)。「ひよどり―・天城―」

こえい[0][1]【孤影】寂しそうに見える、ただひとりの姿。「―悄然として」

ごえい[0]【護衛】―する(他サ) 警戒や保護を必要とするものにつきそって、襲撃・盗難・逃亡などのおそれから守る△こと(人)。「―兵[2]」

ごえいか[2]【御詠歌】寺を巡拝する人が、仏をたたえて歌う歌。巡礼歌。

こえがら[0]【声柄】〔歌う時などの〕声のよさ・悪さ。

** * は重要語，[0] [1]… はアクセント記号，品詞の指示の無いものは名詞および いわゆる連語。

こえがわり[3]【声変(わ)り】―する（自サ）十三歳ごろから十五歳ごろに、声域が変わること。二次性徴の一つで、一般に低音に変わる。女子にも見られるが、男子に顕著に現われる。〔広義では、のどを痛めるなどして一時的に、ふだんと違った声になることも指す〕

こえごえ[2][3]【声々】その場に居合わせる人が次から次へと発する声。「人びとが―に言い立てる」

こえたご[0]【肥〈桶】肥料にする糞尿(フンニョウ)を運んだおけ。こえおけ[3][0]。

こえだめ[0]【肥〈溜め】〔農家で〕肥料にする糞尿(フンニョウ)をためておいた所。こやしだめ[0]。

ごえつ[1]-[1]【呉越】中国の春秋時代（=前七七〇～前四〇三）に強大であった、呉の国と越の国。〔呉が滅びるまで、両国間に戦いが絶えなかった〕 **―どうしゅう**[1]-[0]【―同舟】仲の悪い者同士が何かの事情で一緒に居ること。

こえつき[0]【声付(き)】人それぞれに異なった、特徴のある声の様子。

こえのした[1]-[0]、[1]-[2]【声の下】その言葉を言い終わるや否や、すぐに何かをする様子。「…と言う―から」

ごえもんぶろ[5][0]【五〈右衛〉門風呂】〔釜(カマ)ゆでの刑に処せられたという大泥棒の名から〕（鉄製の）湯ぶねをかまどの上に据えてたく方式のふろ。「底ぶた[0]」を踏み沈めて入浴する。かまぶろ[0]。長州ぶろ[5][0]。⇩すえふろ

*__こ・える__[2]【肥える】（自下一）❶土地などが植物や農作物を育てるのに十分な養分をたくわえている。「肥えた土地」❷〈（なにニ）―〉いいものを数多く見たり聞いたり食べたりした結果、評価能力が備わる。「△目（舌）が―」

**__こ・える__[0]【越える】（自下一）❶〈どこ・なにヲ―〉順調に先へ進む上でさまたげとなっているところを何らかの手段を講じて通り過ぎる。「△山（峠・川・関所）を―／ハードルを―（=飛び越す）／越えてはならぬ線」❷〈なにヲ―〉何かの程度が予想・予測や基準を上回る。「募集人員の五倍を―応募者／三十五度を―猛暑／常人を―力量／過半数を超えた賛成者／支払い能力を超える借金」❸〈なにヲ―〉一般に予測される範囲内に収まらずその外に出る。「常識を超えた発想／想像を超えた被害／利害を超える」 表記 一般に、❶は「越える」、❷❸は「超える」と書く。

ごえん[0]【誤〈嚥】―する（自他サ）〔医学で〕誤って異物を飲みこむこと。また、飲食物などが気管に入ること。

ゴー[1]〔go〕進め（のしるし）。「―サイン」↕ストップ

ゴーイング マイウエー[9]〔アメリカ映画の題名「Going my way（=我が道を行く）」に基づく〕他人はどうあろうと、自分は自分の行き方でやるぞ、の意。

こおう[0]【呼応】―する（自サ）❶互いに気脈を通じて、行動を共にすること。〔一つの社会的な動きに伴って幾つかの副次的な現象が生起することをも指す。例、「携帯電話の普及に―して新しい作家が誕生する」〕❷〔文法で〕前に来た特定の語句に対応する一定の表現がそのあとに用いられること。「決して」「めったに」などがあとに否定表現を伴うことなど。

ごおう[0]【五黄】九星の一つ。土星に配当し、方位は中央。五黄の寅(トラ)年生まれの人は運勢が強く、人のかしらになるという。

こおうこんらい[1]-[1]【古往今来】（副）昔から今に至るまで。〔一般に、その間変りがないと判断される様子について用いる〕

ゴーカート[3]〔go-cart〕遊戯用の、ごく簡単な自動車。 かぞえ方 一台

コーカソイド[4]〔Caucasoid〕白色人種。

コーキング[0][1]〔calking〕水槽の鋲(ビョウ)・ボイラーの継ぎ目などをたたいて漏れを防ぎ気密を保つようにしたり（=かしめ[0]）、船板の継ぎ目にまいはだを詰めて水漏れを防いだり建物の接着部分のすきま・ひび割れに充填(テン)剤を埋めて雨漏りを防止したりすること。

コークス[1]〔ド Koks〕石炭を高熱で蒸焼きしたあとに残った物。無煙で火力が強い。骸炭(ガイタン)。

ゴーグル[1][0]〔goggle〕目をすっぽりと覆い保護する眼鏡。スキー・水泳などに用いる。

ゴーゴー[3]〔gogo〕激しくからだをくねらせながら、（相手無しで）踊るダンス（の音楽）。「―ガール[5]」

ゴー サイン[3]〔和製英語 ←go + sign〕〔「進行せよ」の合図」の意〕計画段階にあった事柄について、実行に移すようにという指示や許可が出ること。また、その指示や許可。「―を待つ」

ゴージャス[1]―な―に〔gorgeous〕豪華。 派 ―さ[0][4][1]

**__コース__[1]〔course=進路〕❶それに従って進んで行くことに△なっている（している）、物事の決まった順序や道筋。「同じ―をたどる／―をはずれる／予定の―（=順路）／ハイキング―[6]・ジグザグ―[5]」❷〔水泳や競走などで〕各選手に定められた競技路。「直線―[5]」❸一定の順序で食卓に出される、一組になった西洋料理（の一品ひとしな）。「―で注文する／フル―」 かぞえ方 ❷は一本

コースター[1]〔coaster〕❶〔遊園地などで〕レールの上を走り、下がった勢いを利用して、高い所を越えて進む、トロッコ型の乗り物。「ジェット―・キッズ―[4]」❷ビールをついだコップや洋酒を入れたグラスを載せるための、紙製などの一種の盆。〔丸い形のものが多い〕 かぞえ方 ❷は一枚

ゴースト〔ghost〕■（造語）幽霊。「―ライター[5]（=多作家や、多忙な政治家・芸能人の著書の代作者）」■[1]〔←ghost image〕ビル反射などのために、テレビの画像の輪郭がダブって見えたりする現象。 **―タウン**[5]〔ghost town〕天災その他の理由で住む人が居なくなった町。幽霊都市。

ゴーストップ[4]〔和製英語 ←go + stop〕交差点などの交通信号機。

コースレコード[5][4]〔course record〕〔陸上競技やゴルフで〕そのコースにおける公式戦での最高記録。

コーダ[1]〔イ coda=しっぽ〕楽曲の終りの部分。結尾部。

コーチ[1]〔coach〕❶―する（他サ）指導すること。❷〔運動競技などの〕指導者。監督。コーチャー。

コーチゾン[3]〔cortisone〕副腎(ジン)皮質ホルモンの一つ。リウマチやぜんそくの特効薬の主成分。コルチゾン[3]とも。

コーチャー[1]〔coacher〕❶コーチ❷。❷〔野球で〕ランナーに指示を与える人。「―ズ ボックス[6]」

コーチン[1]〔←Cochin-China fowl=コーチシナ鶏(ドリ)〕中国原産の肉用鶏。「名古屋―[4]」

コーチング[0]〔coaching〕目標達成のために必要な能力や行動を、コーチが対話などのコミュニケーションによって引き出していく能力開発法。

コーディネーター[4]〔coordinator〕経営・放送・医療・服飾・インテリアなどで、複雑化した機構の中で仕事の流れが円滑になるように調整する専門職。

コーディネート[4]―する（他サ）〔coordinate=同等にする。調整する〕❶アクセサリーなどを△同色（同じ柄）でそろえること。❷もともとそろいでない服装の各部分を、配色などを考えて調和の取れるものとすること。

コーティング[0]―する（他サ）〔coating=上塗り〕❶防水・耐熱加工やつや出しのために、布・紙の表面に樹脂や塗料などをかぶせること。❷レンズ・錠剤・金属・織物・フィルムな

どの表面を、他の物質でおおうこと。

コーテッド①〔coated〕〔写真で〕反射を防止するためにレンズの表面がごく薄い膜でおおってあること。「―レンズ⑥・アンバー(=こはく色)―⑤」

コーデュロイ③④〔corduroy〕コールテンの美称。

***コート**①〔coat〕❶洋服の上着。「―を着用する／ブレザー―⑤」❷防寒・雨よけなどに用いる外套(ガイトウ)。オーバーコート。「毛皮の―／レイン―・ハーフ―」❸女性の和服用の外套。あずまコート。かぞえ方 ❶〜❸とも一着・一枚・一点

コート①〔court〕テニス・バレーボールなどの球技を行なうように整備された、一定の区画。かぞえ方 一面

コード①〔chord〕❶弦楽器の弦(ゲン)。❷和音。「ギターの―を覚える」

コード①〔code〕❶規則。「プレス―④」❷〔コンピューターなどで〕情報を表現するために用いる記号の体系。〔狭義では暗号を指し、広義では分類・検索などの効率化を図って、便宜的に付した、記号や数字などをも指す。前者の例「―ブック④」、後者の例「―ナンバー④」「JIS―」〕

コード①〔cord〕ゴムなどで絶縁した電線。かぞえ方 一本

コードバン⓪〔cordovan=もと、スペイン コルドバ産の、ヤギ皮。きめの細かいのが特徴〕男の靴・ベルトなどに使う上等なめし革。馬の尻(シリ)の皮が高級とされる。

こおどり②(ヲドリ)【小躍り】―する(自サ) 喜んで思わず跳(ト)んだり跳(ハ)ねたりすること。表記「〈雀躍り〉」とも書く。

コードレス①〔cordless〕電源を内蔵させて、電源を得るためのコードを不要とした器具。「―クリーナー⑦・―電話⑥・―ホン⑤」

コーナー①〔corner=かど。すみ〕❶〔野球で〕ホーム ベースの△内角(外角)。❷〔トラック❷・競馬場などで〕直線走路と曲線走路との境目のあたり。「第四―を△回る(曲がる)」❸アルバムにはる時、写真の四すみにつけてとめるもの。❹〔公共施設やデパートなどで〕△特設された(特定の)一区画。「情報―⑤・ベビー用品―⑧」〔❶と❹は日本語での特用。英語では❶を turn, ❹を counter と言う〕 **―キック**⑤〔corner kick〕〔サッカーで〕守備側がゴール ラインからボールを出した時、攻撃側が守備側のコーナー アークから行なうフリー キック。 **―ワーク**⑤〔corner work〕❶投手の内外角への投球配分。❷陸上競技・アイス スケートなどで、コーナーを回る時の技術。

コーナリング⓪〔cornering〕〔自動車・スケートなどで〕コーナーを曲がる△こと(技術)。

コーパス①〔corpus〕〔言語研究の基礎資料として〕音声言語や文字言語に関する情報を大量に収集した(電子化された)資料の総体。

コーヒー③〔オ koffie〕コーヒーの木(=アカネ科の常緑小高木)の種を煎(イ)って粉にしたもの。また、それを、熱湯を通して濾(コ)すなどした飲料。特有の香気と苦みがある。「―通⓪・―豆③」表記「〈珈琲〉」は、音訳。かぞえ方 喫茶の単位は一杯。小売の単位は一袋・一缶・一瓶(ヒトビン)・一箱 **―ブレーク**⑥〔coffee break〕コーヒーを飲むための ちょっとした休憩時間。 **―ポット**⑤〔coffeepot〕コーヒーを入れて沸かしたりする、ふた付きの器。コーヒー沸かし⑤。 **―メーカー**⑤〔coffee maker〕自動的にコーヒーをいれる器具。

コープ①〔CO-OP←Cooperative society〕消費生活協同組合。この組合が売り出す商品には CO・OP のマークがついているところから。

ゴーフル①〔フ gaufre=商標名〕薄いせんべいのような焼き菓子にクリームをはさんだ洋菓子。

コーポラス①〔和製英語 ←corporate＋house〕鉄筋・高層の、アパート式分譲住宅。略してコーポ①。

コーポレーション④〔corporation〕❶法人。社団法人。❷有限会社。株式会社。

コーポレート ガバナンス⑦〔corporate governance〕会社の不正行為の防止、適正な事業活動の維持・確保のために業務執行機関の監視を行なうこと。企業統治。

ごおや⓪〔沖縄方言で〕ニガウリ。「ごおやあ」とも。表記 多く「ゴーヤ」と書く。

ごおやちゃんぷるう④ 沖縄料理の一つ。ニガウリに卵・肉・豆腐などを加え炒めたもの。「ごおやあちゃんぷるう⑤」とも。表記 多く「ゴーヤチャンプルー」と書く。

コーラ①〔cola〕「コーラの木①(=熱帯アフリカ原産のアオギリ科の常緑高木)」の実を原料とする清涼飲料の総称。特有の風味がある。アメリカで初めて作られ、第二次世界大戦後、日本にも広まった。

コーラス①〔chorus〕合唱(隊)。また、そのための楽曲。

コーラン①〔Koran〕イスラム教の聖典。クルアーン。

****こおり**(コホリ) ❶⓪【氷】水が冷えて固体になったもの。透明で、堅く冷たい。「―が溶ける」 **―ざとう**(ザタウ)④【―砂糖】純良の砂糖を結晶させて、半透明で方形のかたまりにしたもの。 **―どうふ**(ドウフ)④【―豆腐】寒中にさらして凍らせた豆腐。高野(コウヤ)豆腐。凍(シ)み豆腐。かぞえ方 一枚・一連:一〆(ヒトシメ) **―ぶくろ**④【―〈嚢〉】ひょうのう。 **―まくら**④【―枕】熱を下げるために、氷を入れて頭の下に当てるゴム製の袋。⇩水枕 **―みず**(ミヅ)③【―水】❶削った氷に甘い汁などをかけた(夏の)飲み物。氷すい③。❷氷を入れて冷やした水。
❸【凍り】(造語)動詞「凍る」の連用形。 **―つく**④【―付く】(自五)❶凍って他の物にくっつく。❷堅く凍る。❸からだ(の一部)が緊張や恐怖などのために、かたくこわばる。「恐怖のあまり表情が一瞬凍り付いた」

こおり①(コホリ)【《郡》】今の「ぐん」に当たる、昔の国の小区分。幾つかの町・村を包括する。

コーリャン①〔中国・高粱〕中国北部で栽培される、背の高いモロコシ。コウリャンとも。

***こお・る**⓪(コホル)【凍る】(自五) 液体、特に水が、寒さのために固体の状態に変わる。表記「《氷る》」とも書く。〔⇩こおり❸〕

コール①〔call=呼ぶ〕❶―する(他サ) 呼び出すこと。「何度―しても出ない／ナース―・ラブ―」❷〔呼べば応えるの意から〕金融機関同士による短期間の資金の貸し借り。「―市場④・―レート④」

コール①〔ド Chor〕合唱(隊)。コーラス。コア。〔多く合唱団の名称として用いられる〕

ゴール①〔goal〕❶決勝△線(点)。❷―する(自サ)〔サッカー・ラグビー・ホッケーなどで〕相手側のゲートにボールを入れて、味方の得点とすること。また、そのゲート。❸ゴール インの略。

ゴール イン③―する(自サ)〔和製英語 ←goal＋in〕〔選手やボールが〕ゴールを突破して、最終目的地に達したり得点したりすること。〔望みがかなって結婚する意にも用いられる〕

コール ガール④〔call girl〕電話で呼び出しを受け、男性の相手をする娼婦(ショウフ)。

ゴールキーパー④〔goalkeeper〕〔サッカー・ホッケーなどで〕ゴールを守る役の選手。

コール サイン④〔call sign〕放送局・無線局の、他の局と区別するために定めている符号。数個のアルファベット(と数字との組合せ)による。例、JOAK(=NHK、東京第一放送)。

コールスロー⑤④〔coleslaw〕千切りにしたキャベツをドレッシングであえたサラダ。

コール センター[4]〔call center〕電話による客からの受注や問い合わせに専門的に対応する部署・施設。

コール タール[4]〔coal tar〕石炭を処理して△ガス(コークス)を作る時に出る、黒色でねばねばした液体。染料・爆薬・医薬用や、道路の舗装用。石炭タール[5]。

コールテン[0]〔←corded velveteen〕うね状の筋を織り出した、ビロードに似た感触の もめん織物。洋服地・足袋地用。表記「コール天」とも書く。

ゴールデン [一](造語)〔golden=黄金の〕価値が高い。豪華な。[二][1]ゴールデン アワー・ゴールデン レトリバー[8]などの略。 **―アワー**[6]〔和製英語 ←golden + hour〕ゴールデン タイムの別称。 **―ウイーク**[7]〔和製英語 ←golden + week〕「四月の終わりから五月の初めにかけての、休日の多い一週間」の通称。黄金週間。⇩シルバーウイーク **―エージ**[6]〔golden age〕⇩黄金時代 **―タイム**[6]〔和製英語 ←golden + time〕〔ラジオ・テレビで〕午後七時ごろから十時ごろまでの、最も視聴率の高い放送時間。ゴールデンアワー。

コールド(造語)〔cold〕冷たい。↕ホット **―ウォー**[5]〔cold war〕冷戦。 **―クリーム**[6]〔cold cream〕マッサージや荒れ性の皮膚などに使う、多量の油脂を含むクリーム。⇩バニシング クリーム **―チェーン**[5]〔cold chain〕生鮮食料品を、生産地から消費地まで低温を保って新鮮なまま届ける流通組織。 **―パーマ**[5]〔和製英語 ←cold + permanent (コールド パーマネント)の省略形〕薬液だけでパーマネントを△かけること(かけたもの)。

ゴールド[1]〔gold〕㊀金(キン)。黄金。㊁〔←gold card〕クレジットカードのうち、一般よりも上位のサービスを受けることが出来るカードの通称。 **―ラッシュ**[5]〔gold rush〕新しく発見された金の採れる土地に採掘者が殺到すること。〔狭義では、一八四八年、アメリカ、カリフォルニアの金採掘ブームを指し、広義では、金の投機がブームになることをも指す〕

コールド ゲーム[5]〔called game=中止を命じられた試合〕〔野球で〕試合が五回以上進んだところで、規定の九回を終える前に主審が試合終了を宣告した試合。日没・降雨や大差が ついた時など。

コールマン ひげ[4]【コールマン〈髭】〔Colman=人名〕上品に刈り整えられた、短い口髭。

コール ミート[4]〔←cold meat〕蒸焼きにした肉を冷やした食品。コールド ミート[5]とも。

ゴール ライン[4]〔goal line〕〔サッカー・ラグビーなどで〕長方形の競技場の短い方の辺として引いた線(に平行な線)で、その上にゴールのあるもの。

こおろぎ[1](コホロギ)【〈蟋蟀〉・〈蛼〉】㊀秋の夜長に鳴く昆虫。全体は黒茶色でつやがある。草むら・壁のすきまなどで、コロコロと美しい声で鳴く。〔狭義では、エンマコオロギを指す〕〔コオロギ科〕㊁キリギリスの雅名。表記 古くは、「〈蜻蛚〉」・「〈蛚〉」とも書いた。かぞえ方 ㊀は一匹

コーン[1] [一]〔cone=円錐(エンスイ)〕㊀アイスクリームを入れる円錐形の入れ物。ウエハースで作る。㊁円錐形の拡声器。㊂〔←road cone〕⇩パイロン [二]〔corn〕トウモロコシ。「―フレーク・ポップ―」

ごおん[1][0]【呉音】字音のうちで、漢音より古く日本に伝わった字音である「和音」を、平安時代中期以降 正音である「漢音」に対して呼ぶ称。例、「男女」をナンニョ、「人間」をニンゲン、「黄金」をオウゴンと言うなど。⇩唐音・漢音

ごおん[1][0]【語音】言語として用いられる音声。

コーンスターチ[5]〔cornstarch〕トウモロコシから取ったでんぷん。食品・糊(ノリ)などに使われる。コンスターチ[4]とも。

コーンフレーク[5]〔cornflakes の日本語形〕蒸したトウモロコシの粒を平たく延ばして、かわかした食品。牛乳(と砂糖)をかけるなどして食べる。

コーン ミール[4]〔corn meal〕ひき割りのトウモロコシ。コンミールとも。

こか[1]【古歌】昔の人が作った歌。

こか[1](クヮ)【固化】―する(自他サ)〔溶けた物などが〕かたくなること。かたくすること。かたまること。

こが[1](グヮ)【古画】古い時代にかかれた絵。

こが[1]【古雅】―な 時代がたっていて、ほかの物では味わえないよさを持っている様子。

こが[1]【個我】個人として他と区別される自我。

こがい[1](グヮイ)【戸外】家の外。屋外。

こがい[0](ガヒ)【子飼(い)】ひなの時から養うこと。〔まだ一人前にならない時から、目をかけて仕事を身につけさせてやる意にも用いられる。例、「―の番頭」〕

ごかい[0]【〈沙蚕〉】浅い海の泥の中にすむ動物。からだは細長く数十の節から成る。釣りの えさに使われる。〔ゴカイ科〕表記「〈沙蚕〉」は漢語表記。かぞえ方 一匹

ごかい[0]【五戒】〔仏教で〕殺生(セッショウ)・偸盗(チュウトウ)・邪淫(ジャイン)・妄語(モウゴ)・飲酒(オンジュ)をするなという五つの いましめ。⇩五悪

ごかい[0](クヮイ)【碁会】碁の好きな人が集まって、碁を打つこと。また、その会。「―所[4][0]」

ごかい[0]【誤解】―する(他サ) 事実とは異なる認識を持ったり 物事を本来の意味とは違って理解したり その人の真意を相反する方向に判断したり すること。「善意を―する」

こがいしゃ[2](グヮイ)【子会社】資本や業務内容などの点で、同じ系統に属する別会社の支配を受ける会社。↕親会社

ごかいどう[2](ダウ)【五街道】⇩かいどう

コカイン[2]〔ド Kokain〕「コカ[1]〔=ペルー産の、コカ科の常緑小低木〕」の葉の中にあるアルカロイド。局所麻酔用。〔麻薬として、一般の使用は禁止〕

こがき[0]【小書(き)】―する(他サ) ㊀本文の間やそばに小さく書き△入れること(入れた注)。㊁〔能楽で、曲の名の左側に小さく書き添えることから〕特殊な演出(に関する指定)。

こかく[0]【古格】昔から伝えられている、由緒のあるやり方。

こかく[0][1]【孤客】ひとり旅の人。

こかく[1]【鼓角】陣中で使う、鼓と角笛。

こかく[0]【顧客】「こきゃく」の古い言い方。

こがく[1]【古学】㊀江戸時代に行なわれた、儒学の一派。朱子学や陽明学の説によらず、それより前の時代の漢・唐の訓詁(クンコ)に基づき、直接経書(ケイショ)の精神を理解することを目的とする。㊁国学㊁。

こがく[1]【古楽】古代の音楽。

ごかく[0]【互角】―に・―な〔もと、牛角(ゴカク)の意〕互いの力量に優劣が無い△こと(様子)。「―の勝負/―に渡り合う」

ごかく[0]【語格】「語法」の古風な表現。

ごがく[1]【語学】読む・書く・聞く・話すことを目的として学習する外国語。また、その学習。「―の教師」

こがくれ[2]【木隠(れ)】重なり合った木の枝や葉の間△から わずかに見える(に隠れて はっきりとは見えない)こと。

こかげ[0]【小陰】ちょっとした物かげ。表記「小〈蔭」とも書く。

こかげ[0]【木陰】枝葉の茂った木の下の日の当たらない所。表記「木〈蔭」とも書く。

こかご[0][1]【《蚕籠》】カイコを飼うための浅い籠。

こがし[3]【焦(が)し】〔動詞「焦がす」の連用形の名詞用法〕「香煎(コウセン)」の通称。「麦―・煎(イ)り―[3]」

ごかし(接尾) 表面では いかにも相手の立場を考えてやって

【 】の中の教科書体は学習用の漢字，⌒は常用漢字外の漢字，︽は常用漢字の音訓以外の よみ。

いるように見せかけながら、実は自分の利益をはかっていること。「親切—・おため—」

こがしら②【小頭】小さな部隊・作業のひと組のかしら。「消防の—」

こか・す②【《転かす】(他五)〔中部以西の方言〕倒す。ころがす。

こが・す②【焦(が)す】(他五) その部分を焼いて黒くする。「肉の表面を—/思いに胸を—(=恋に思い悩む)」

こかた⓪【子方】〔芝居・能楽で〕子供のする役。また、その子供。

こがた⓪ —な ↔おおがた ㊀【小型】同じ名称を与えられている物のうちで、小さいタイプに属する方のもの。「—の乗用車/—化をはかる」㊁【小形】同種の普通の大きさのものに比べて、形が小さいこと。「愛玩(アイガン)用の—犬」

ごがたき②【碁敵】〔碁で〕〔力量が同程度で〕よく打ち合っている相手。

こがたな②③【小刀】㊀ちょっとした細工物などに使う小さな刃物。ナイフ。㊁小柄(コヅカ)。 かぞえ方 ㊀㊁とも一本 **—ざいく**⑤【—細工】小刀を使ってする細工。〔姑息(コソク)な策略の意にも用いられる〕

こかつ⓪【〈涸渇】—する(自サ) Ⓐ(そこにあってほしい)水がかれて無くなること。「日照り続きで貯水池の水が—する」Ⓑ物資・資金や望まれる能力などが欠乏すること。「資金が—する/才能が—する(=かつての才能が発揮できなくなる)」 表記「枯渇」とも書く。

ごがつ①【五月】一年の第五の月。〔雅名は、さつき。副詞的にも用いられる〕 **—にんぎょう**④【—人形】五月五日の節句に飾る武者人形。 **—ばれ**⓪【—晴(れ)】五月に気持よく晴れること。⇩さつきばれ **—びょう**⓪【—病】大学新入生や新入社員が陥りがちな環境不適応症状。〔四月に入学(入社)した後一か月たったころに現われることから、こう呼ばれる〕

こかつじばん⓪【古活字版】江戸初期までに行なわれた、日本の旧式活字版の称。また、それによって印刷された書物。

こがね⓪【小金】たいした額ではないが、少しまとまったお金(財産)。「—をためる」

こがね⓪【黄金】「きん・おうごん」の意の和語的表現。〔狭義では、金貨を指した〕「—の波(=黄金色の波の意で、一面に実った稲穂の形容)/—造(ヅクリ)④」 **—むし**③【—虫】堅い殻におおわれた昆虫。背中は美しい色を帯びた緑色で、音を立てて飛ぶ。植物の葉・根を害する。幼虫は、ジムシ。〔コガネムシ科〕 かぞえ方 一匹

ごかのあもう①-①【呉下の〈阿蒙】〔昔、呉に居た時の、学問の無い蒙君の意〕学問的な面に関し、少しも進境の見えない男。「呉下の旧阿蒙①-③」とも。

こかぶ⓪【子株】↔親株 ㊀〔植物で〕親株から分かれて新しく出来た株。㊁〔取引で〕新株。

こがら⓪【小柄】—な ↔大柄 ㊀からだが全体的に普通の人より小さい様子だ。「—な男」㊁模様やしまが細かい様子だ。「—の着物」

こがら⓪【小〈雀】シジュウカラより少し小さい野鳥。頭・羽・尾は黒く、背中・腹は白い。秋の末、家の近くへ飛んできて、しきりにさえずる。〔シジュウカラ科〕 かぞえ方 一羽

こがらし②【木枯(ら)し・〈凩】秋の末から冬の初めにかけて吹き荒れる冷たい風。

こがれじに⓪【焦(が)れ死(に)】—する(自サ) 人を深く恋い慕うあまり、思い詰めて衰弱し死に至ること。

こが・れる【焦(が)れる】㊀③(自下一) 他のすべてを犠牲にしても、そういう状態になってみたいと一途(イチズ)に思い詰める。「胸が—(=好きな(会いたいと思う)相手のことをいろいろ考えて、胸が一杯になる)」㊁〔「動詞連用形+—」の形で、接尾語的に〕居ても立ってもいられなくなるほど、何か切ない気持をいだき続ける。「待ち—・恋い—」

こがわせ②【小〈為替】少額で手続きの簡単な郵便為替。〔昭和二十六年廃止後は、定額小為替のみ存置〕 表記 ⇩付表「為替」

こかん⓪【股間】またのあいだ。またぐら。「天の橋立(アマノハシダテ)を—からのぞき見る」 表記「〈胯間」とも書く。

こがん⓪①【孤〈雁】群れから離れて一羽だけで飛んでいるガン。

こがん⓪【湖岸】その湖の岸。

ごかん⓪【五官】五感を起こさせる五つの感覚器官。目・耳・鼻・舌・皮膚。

ごかん⓪【五感】人間が外界の刺激を感じる事が出来る五種の感覚。視覚・聴覚・嗅覚(キュウカク)・味覚・触覚。

ごかん⓪【互換】—する(自サ) 等価(等機能)の物と交換できる働きがあること。 **—せい**⓪【—性】その機器の部品を他(社製)の類似の物と交換しても全体の基本的な機能には支障が無いこと。〔特にコンピューターの分野におけるハードウェア・ソフトウェアのそれを指す。対応する英語は compatibility〕「—が無い/—を持つ」 **じょうい—せい**①-⓪【上位—性】〔コンピューターで〕下位の機種で使用していたハードウェアやソフトウェアが、上位の機種でも使用できること。〔この場合は、一方向のみであって、語本来の意味での「互換性」は無い〕

ごかん⓪【語幹】用言の、用法に応じての変化の見られない部分。例、「見る」の「み」。↔語尾㊁ ⇩語根

ごかん⓪【語感】語(語句)を聞いて感じる感覚的な印象。「鋭い—の持主」

ごがん⓪【護岸】川・海などの沿岸を堤防などによって保護して、水害を防ぐこと(施設)。「—工事④」

こかんせつ②【股関節】またの付け根の所の関節。「—脱臼(ダッキュウ)⑥(=股関節がはずれること。先天性股関節脱臼は乳児、特に女の子に多い。略して、股脱⓪)」

こき①【古希・古〈稀】〔杜甫(トホ)の詩の「人生七十古来稀(マレ)なり」に基づく語〕七十歳(の長寿の祝い)。 表記「希」は、代用字。

こき①【古記】昔の人が何かについてしるした記録。

こき①【呼気】〔吸収運動の一つとして〕からだの外へ吐き出す息。↔吸気

こぎ①【古義】その言葉によって表わされる、本来の意義・精神。

こぎ①【〈狐疑】—する(自サ)〔キツネは疑い深い性質であるということから〕あれこれ疑問な点が多くて、どうすべきか決心がつかないこと。「—逡巡(シュンジュン)①-⓪」

ごき①【御忌】「(貴人・祖師の)年忌」の意の尊敬語。「ぎょき」とも。

ごき①⓪【御器】〔雅:東北・中部、中国・九州方言〕食べ物を盛る器。わん。 表記「五器」とも書く。

ごき①【碁器】碁石を入れておく、ふたのある器。碁笥(ゴケ)。

ごき①【語気】その時の気分・感情の現われている、言葉つきや調子。「—が荒い」

ごき①【誤記】—する(他サ) まちがって書くこと。また、その書いた語句。

ごぎ①【語義】その言葉の意味。

コキール②〔貝殻の意のフ coquille (発音はコキーユ)の英語読み〕肉・魚・野菜などにホワイトソースを加え、貝殻(の形の皿)に入れて、オーブンで蒸焼きにした料理。

こきおろ・す④⓪【《扱(き)下(ろ)す】(他五) 欠点などをこと

さらに取り上げて、ひどくけなす。「くそみそに―」

こぎく⓪①【小菊】❶花の小さい菊。❷判の小さい和紙〔=縦一八センチ、横二四センチぐらい〕。懐紙や茶の湯用。小菊紙③。

ごきげん⓪【御機嫌】❶「機嫌」の意の△尊敬(丁寧)語。「―を伺う〔=ⓐ相手の動静・安否などをたずねる。ⓑ相手の機嫌△を損ねないように(の良しあしに)気を使う〕/―斜め⑥〔=何かで気分を害し機嫌が悪い状態〕」❷―な/―に 見るからに機嫌がよいとわかる様子だ。「酔って―だ〔=とても上機嫌だ〕/エンジンの調子も―だ〔=順調で少しの不安も感じられない状態だ〕」 **―うかがい**⑤【―伺(い)】相手に気に入られようと、何かにつけて相手の機嫌の良しあしに気を使う△こと(人)。 **―とり**③【―取(り)】相手に取り入ろうと、機嫌を損ねることのない言動に終始する△こと(人)。 **―よう**⑤【―《好う》】(感)〔相手の健康を祈る気持をこめた語で〕別れる時などの挨拶の言葉。〔(久しぶりに)出会った時の挨拶にも用いられる〕 **―よろしゅう**⑦、⓪-⓪「ご機嫌よう」の丁寧な言い方。〔やや古風な表現〕

こきざみ②【小刻(み)】―な/―に ❶短い間隔をおいて同じ動作や現象が何回も繰り返して△行なわれる(生じる)様子だ。「―に△歩く(揺れ動く・震える)」❷何回か続けて、少しずつ分けて行なう様子だ。「―に値上げする」

ごきしちどう①-②【五畿七道】昔の日本全国の呼び名。五畿内と七道。

こぎたな・い④【小汚(な)い】(形) 目立って汚ないところは無いが、全体にわたって何となく汚ないという印象を受ける様子だ。「―身なり」 派 **―さ**④③ 文法 助動詞「そうだ(様態)」に続くときは「小汚なさそうだ」の形になる。

こきつか・う①④【《扱(き)使う》】(他五) 使用人や目下の者を、休む間も与えず、くたくたになるまで激しく使う。「部下を牛馬のように―」

こぎつ・ける④⓪【〈漕(ぎ)着ける】(他下一) ❶漕いで目的地に到着させる。❷努力してやっと目標とする状態にまで達する。「△正常化(再開・調印)に―/なんとか開催に―」

こぎって②【小切手】銀行を支払人として一定金額を受取人や持参人に支払うことを銀行に委託する有価証券。 かぞえ方 一枚

ごきない②【五畿内】畿内の五か国。

ごきぶり⓪【{〈蜚蠊〉}】〔「御器『=椀』かぶり『=齧り』」の変化と言う〕台所を初め、家の中のあらゆる所にすむ、油色の平たい害虫。さわると臭い。あぶらむし。〔ゴキブリ科〕 かぞえ方 一匹

こきま・ぜる④【《扱(き)交ぜる》】(他下一) (種類の違った物を)交ぜ合わせる。「見渡せば柳桜をこきまぜて」

こきみ⓪【小気味】〔「こ」はちょっとの意〕〔「―がいい」などの形で〕❶相手への接し方によどんだり ためらったりするところが見られず、他の者が爽快な感じを受ける様子だ。「―のいいたんかを切る」❷ふだん苦手とする相手が失敗などしたのを見て、痛快な感じだ。 **―よ・い**④【―良い】(形) 小気味がいいと感じられる様子だ。

こきゃく⓪【〈沽却】―する(他サ) 家財などの財物を売り払うこと。

こきゃく⓪【顧客】商売などのお得意(の客)。「こかく」とも。

ごぎゃく⓪【五逆】〔仏教で〕五種の最も重い罪悪。父・母・阿羅漢を殺すこと、僧団の和合を破ること、仏身を傷つけること。「―罪③」

コキュ①〔フ cocu ← coucou=鳥のカッコウ〕妻を寝取られた男。

***こきゅう**⓪【呼吸】―する(自サ) 生物が生きている間、酸素を取り入れて二酸化炭素を外へ出す活動。〔狭義では、人が息を吸ったり 吐いたり することを指す〕「―〔=他人と力を合わせて何かする時の、お互いの調子〕が合わない/演説の―〔=…をうまく行なうための微妙な調子〕をのみこむ/―が止まる〔=死ぬ〕/―困難(を訴える)/―孔⓪②」 **―き**②【―器】〔↑呼吸器官④〕呼吸作用を営む器官。〔狭義では肺臓を指し、広義では のど・気管支を含む〕「―の疾患」

こきゅう①【故旧】「旧知・旧友」の意の古風な表現。「―忘れうべき」

こきゅう⓪①【〈胡弓・鼓弓】三味線に似て、それより小さな弦楽器。弓でこすってひく。

こきょう①【故京】△古い(もとの)都。 表記 「古京」とも書く。

****こきょう**①【故郷】(今は住んでいない)自分の生まれた土地。「―へ錦を飾る〔=立身出世したりして、晴れがましく故郷へ帰る〕」⇩ふるさと

こぎよう②【小器用】―な/―に 普通の人にはむずかしそうに思われるようなことをも無難にこなす様子だ。「こきよう」とも。 派 **―さ**⓪③

ごきょう⓪【五経】儒学で尊重する五つの経書。易経・詩経・書経・礼記・春秋。「ごけい」とも。「四書―」

ごきょう⓪①【五境】〔仏教で〕五感の対象となる領域。色・声・香・味・触。

ごぎょう⓪①【五行】〔中国の昔の思想で〕宇宙の万有を作っている元とした、木・火・土・金・水の五つの元素。「―説②」

ごぎょう⓪①【御形】春の七草の一つ。ハハコグサの異称。「おぎょう」とも。

こきょく①【古曲】古代の△歌曲(楽曲)。↕新曲

こぎ・る②【小切る】(他五) ❶小さく切る。❷「値切る」の古風な表現。

こぎれ⓪【小切(れ)】布の小さな切れ端。 表記 「小《布・小《裂」とも書く。 かぞえ方 一枚

こぎれい②【小〈綺麗・小奇麗】―な/―に 特に飾り立てたところは無いが、全体的に清潔で、見る人に好感を与える様子だ。「―な服装/―な店」 派 **―さ**③⓪

こく(石・克・告・谷・刻・国・黒・穀・酷) →【字音語の造語成分】

こ・く①【《扱く》】(他五) 何かの間にはさんだり 通したりして引っ張り、まわりに付いている物を取り除く。「稲を―〔=穂に付いている籾を取る〕/逆に〔=枝や実のついている方向と逆向きに〕―」

こ・く①【《放く》】(他五) 〔「扱く」と同源〕内部におさめておくべき事を、はばかりも無く人前ですること。〔口頭語的表現〕「屁を―〔=放つ〕/うそを―〔=言う〕/びっくら―〔=はたからみて大げさすぎると思われるほど、びっくりする〕」

こく⓪〔形容詞「濃い」の連用形の名詞用法からか。また、「酷」からとも言う〕その物のよさが ちょっと味わっても分かるほど凝結されていること。「―のある△酒(文章)」

こく①【刻】〔もと、水時計の目盛りの意〕〔昔の時法で〕Ⓐ「時㊃」を三等分した一つ。「上―・中―・下―」Ⓑ時㊃。「子の―」〔単に「…の時」の意にも用いられる〕⇩【造語成分】

こく①【酷】―な 度を過ぎてきびしく、少しも思いやりの無い様子だ。「―なようだが/少し―な言い方をすれば/これ以上働かせるのは―だ/―使・冷―」⇩【造語成分】

こく①【古句】昔の人の作った、詩句・俳句。

こ・ぐ①【《扱ぐ》】(他五) 根もとから引き抜く。

***こ・ぐ**①【〈漕ぐ〉】(他五)〈(なにデ)なにヲ―〉❶船を進める目的で櫓や櫂を動かす。「櫓を―/舟を―〔=居眠りして、からだが前後左右に傾き、また元にもどったりする〕/やぶを―〔=両手でかき分けて、進む〕」❷〔ブランコや自転車などを〕ひざを曲げたり伸ばしたりして動かす。

ごく(極・獄)→【字音語の造語成分】

ごく①【極】(副) その程度が△並はずれた(限界に達している)ものであることを強調する様子。「―親しい人/―上等の品/―少数の人しか知らない」⇩【造語成分】

ごく①【獄】❶「牢屋」の意の古称。「―死・監―」❷有罪・無罪を決めること。「―を断ずるに〔=訴えを裁くのに〕違わず/その―〔=裁き〕を決す/疑―・大―・断―」

ごく①【語句】文章を組み立てている一つひとつの語(と、いわゆる連語)。

こくあく⓪【酷悪】―な 普通の人にはまねの出来ないような残酷な事を平気でする様子だ。

ごくあく⓪【極悪】―な〔人の心や行状が〕悪に徹底している様子だ。「―非道⓪-⓪・―人⓪」派―さ⓪④

こくあんあん①-⓪【黒暗々】―たる 墨を流したように△まっくろ(まっくら)な様子だ。

こくい①-【国威】その国の持つ対外的な威力。「―の高揚」

こくい①【黒衣】黒い衣服。〔狭義では、僧衣を指す〕

ごくい①【極意】その道をきわめた人にだけ分かる、学問・芸道などの深い境地。「歌道の―」

ごくい①【獄衣】〔俗に〕△刑務所(拘置所)で受刑者が着る制服。

こくいっこく①-⓪【刻一刻】(副) 時間の経過につれて△変化(推移)していく事態の様相が顕著に認められる様子。〔「―と」の場合のアクセントは①-④〕「情勢は―変化している/―と緊張が高まる」

こくいん⓪【刻印】―する(自他サ) ❶印材に彫刻すること。また、その印。❷「しるし❷」として刻みつけること。❸極印。

ごくいん⓪【極印】〔「こくいん」の変化。もと、品質を証明したり偽造を防いだりするために貨幣に押した印の意〕確かにそのものであるという、消しがたい証拠。〔現在は、いい意味には使わない〕「スパイの―を押される/―付きの悪党」

こくう⓪【虚空】よるべき何物も無い地上の空間。〔広義では、大空をも指す〕「―をつかんで倒れる/―を切る」

こくう①【穀雨】二十四(節)気の一つ。太陽暦、四月二十日ごろ。穀物・植物をうるおす春雨の降る時分。

こくうぞうぼさつ⑥-【虚空蔵〈菩薩〉】〔大空を蔵にする意〕限りない知恵・慈悲を持った菩薩。虚空蔵②。

こくうん⓪【国運】❶その国家の運命。「―を賭する/―に賭ける」❷〔現在・将来にわたる〕その国の勢い。「―隆々⓪-⓪、⓪-③」

こくえい⓪【国営】国家の経営。官営。「―農場⑤・―競馬⑤」↔民営

こくえき⓪【国益】その国家の利益。「―に△沿う(反する)/―を△守る(誤る)」

こくえん⓪【黒煙】黒い煙。くろけむり。「もうもうたる―」

こくえん②⓪【黒鉛】⇩せきぼく(石墨)

こくおう③-【国王】王と呼ばれる、国家の元首。

こくおん⓪【国恩】〔仏教で〕その国に生まれ、その国から受ける恩恵。

こくがい②-【国外】その国の領土の外。「―追放」↔国内

こくがく⓪【国学】❶平安時代、諸国に設けられ、地方官吏の子弟を教育した学校。❷〔漢学に対して〕日本の古典を研究して古代の思想・文化を明らかにすることを目的とした総合的な学問体系。江戸時代に起こった。和学。「―者③④」

こくぎ①【国技】その国を代表する(伝統的な)武術・技芸・スポーツなど。日本では、すもう。「―館③」

こくぐう⓪【酷遇】―する(他サ) その人にとって、堪えがたいほどひどい待遇(をすること)。

こくぐら⓪【穀倉】穀物をたくわえておく倉。こくそう。

こくぐん⓪【国軍】△国家(自国)の軍隊。

こくげき⓪【国劇】その国に特有の演劇。日本では、歌舞伎。

ごくげつ②⓪【極月】十二月の別称。しわす。

こくげん③②【刻限】❶それを限度とすると定めた時刻。❷時刻。「辰の―」

こくご⓪【国語】❶国家を構成する国民の使用する公的に認められている言語。〔狭義では日本語を指す〕❷教科の一つ。「国語❶」を正しく聞く・話す・読む・書く能力を段階的に高めることを目的とする。国語科。**―がく**③【―学】〔日本人による〕「国語❶」に関する科学的研究。〔近

こく

［石］ ❶尺貫法における容積の単位で、十斗〔=約一八〇リットル〕を表わす。「三石」❷材木の体積の単位。十立方尺〔=約〇・二七立方メートル〕。❸和船の積載量の単位。十立方尺。「千石舟」❹昔、大名や武士の知行高の単位。「百万石」

［克］ ❶努力して△相手(自分の我や困難)に勝つ。「克己・克服・超克」❷全力を尽くしてなしとげる。「克復」

［告］ ❶つげる。知らせる。「告示・告知・告白・広告・通告・密告」❷下の者から上の者に言う。「申告・報告」❸訴える。「告訴・告発・原告・抗告・上告・被告」

［谷］ たに。「峡谷・空谷・渓谷・幽谷」

［刻］ ❶きざむ。ほる。「刻印・刻字・彫刻・翻刻」❷きびしい。むごい。「刻苦・深刻」⇩(本文)こく【刻】

［国］ ❶くに。「国家・国籍・国士・愛国・外国・祖国・英国・米国・三国同盟・三国一の花婿」❷昔の行政上の区画。「国司・国守」❸国中で特にすぐれた人。「国士・国手」❹日本の。「国語・国史・国学」表記 古くは、「〈圀」とも書いた。

［黒］ ❶くろい(色)。「黒色・黒板・暗黒」❷くろみを帯びた。「黒人・黒紫色・黒褐色」

［穀］ 田畑で作り、常食とするイネ・ムギ・アワ・ヒエなど。「穀物・穀類・穀倉・五穀・米穀・雑穀」

［酷］ 度を過ごす様子。はげしい。「酷使・酷暑・残酷」⇩(本文)こく【酷】

ごく

［極］ ❶極まった状態にある様子。「極熱・極太・極細・極寒・極秘・極超短波」❷きめつける。決定する。「極印」❸きわまること。「極月・至極」⇩(本文)ごく【極】

［獄］ ⇩(本文)ごく【獄】

年は世界の諸言語の一つとして「日本語学」の方が一般的になった〕 **―もんだい**④【―問題】 何をもって標準語とするか、漢字の使用について制限を加えるべきかどうか、おびただしい外来語にどう対処すべきか、などについての国家的な研究課題。〔国字問題と合わせて「国語国字問題」とも言う〕⇩国字問題

こくごう⓪(ガウ)【国号】 国の称号。

こっこく⓪【刻々】 ⇩こっこく

ごくごく①(副)―と 〔喉(ノド)を鳴らしながら〕飲み物を続けざまに飲む様子。「水を―とコップに二杯飲んだ」

ごくごく①、①-①【極々】(副) 「極」を強めた表現。「―平凡な暮らしを送っています」

こくさい⓪【国債】 国家が財政上発行する債券。

*__こくさい__⓪【国際】 自国の中だけにとどまらず、他の国と何らかのかかわりを持つこと。〔ほぼ造語成分として用いられる〕「―の平和と安全/―交流を深める/―感覚の欠如/―信義に背く/―〔=外国人との〕結婚⑤・―間③〔=〔諸〕外国との間〕・―放送⑤〔=〔諸〕外国向けの放送〕・―語⓪〔=世界のどこでも通用する可能性のある言語〕・―性⓪」 **―か**⓪(クワ)【―化】―する(自他サ) 政治・経済の面をはじめ、人間生活のあらゆる面に渡って、自国や自民族の枠をこえた広い視野が求められる状態にあること。また、そういう状態になること。 **―しょく**③【―色】 いろいろな外国人が△出入り(参加)している様子。「―豊かな△催し(民族衣装)」 **―じん**③【―人】 ❶世界じゅうを股(タマ)にかけて歩く人。コスモポリタン。 ❷外国人との交際の多い人。 **―たんいけい**⓪(キー)【―単位系】 ⇩単位系 **―てき**⓪【―的】―に・―な その国の内部だけでなく、外国にも関連を持つ様子だ。「―な〔=外国で(も)有名な〕歌手」 **―ほう**⓪(ハフ)【―法】 諸国家相互間の権利・義務関係を決めた法。条約と国際慣習上の規則から成っている。 **―れんごう**⑤(ガフ)【―連合】 第二次世界大戦後、国際平和と安全の維持を目的として成立した国際機構。旧「国際連盟⑤」の発展したもの。一九四五年設立。略称、「国連」。

ごくさいしき③【極彩色】 〔「ごくざいしき」の変化〕各種の色が用いられていて見るからにはでな感じがする様子だ。「―の地獄絵」

こくさく⓪【国策】 国家の経済発展などの目的を達成するためにとる政策。「―に沿って設立された会社」

こくさん⓪【国産】 自国で△産出(生産)する物。〔狭義では、日本産の意〕「―車③・―品⓪」 ↕舶来

こくし①【国士】 ❶その当時、その国で第一等の人物。「―無双④、①-⓪」 ❷国事に奔走する人。〔俗に、極端な右翼を指すこともある〕

こくし①【国司】 奈良・平安時代、地方官の称。長官は、国守。

こくし①【国史】 日本の歴史。

こくし①【国師】 昔、朝廷から高僧に贈られた称号。「夢窓(ソウム)―④」

こくし①【酷使】―する(他サ) 〔人や牛馬・機械などを〕それ以上使用出来ない状態になるほど、休む間も無く使うこと。「若い時にからだを―したのがたたったのか、腰痛に悩んでいる」

こくじ⓪【告示】―する(他サ) 国家や組織・団体などが、それに属する人びとに、命令・要望・訓戒や新たに決めた事柄などを広く知らせること。また、その命令など。「内閣―⑤、①-⓪」

こくじ⓪【告辞】 組織の長が、儀式の際、参加者全員に述べる言葉。

こくじ①⓪【刻時】 時計の針の進み方。「―はまず正確」

こくじ⓪【国字】 ❶国語を表記するのに最も一般的だと認められている文字。〔日本では漢字とかな。また、かつてはかなを指した〕 ❷日本で作られた漢字。例、「峠」「畑」など。 **―もんだい**④【―問題】 国語問題のうち、特に正書法〔=漢字とかなの選択およびかなづかいを含む〕をどうするか、漢字の整理・制限をどのような見地に立って行なうか等の問題。⇩国語問題

こくじ①【国事】 直接国家(の政治)に関係のある事柄。「天皇の―行為」 **―はん**③【―犯】 国の政治に関する犯罪。政治犯。例、内乱罪。

こくじ①【国璽】 その国家を代表する印。国書・外交上の親書・条約批准書や重要な勲記などに押す。 **―しょうしょ**④(シヤウ―)【―尚書】 〔イギリスで〕国璽を保管する大臣。

こくじ⓪①【酷似】―する(自サ) その違いが分からないほど、よく似ていること。

ごくし⓪【獄死】―する(自サ) 獄中で死ぬこと。牢死(ロウシ)。

こくしびょう⓪(ビヤウ)【黒死病】 ペスト。

ごくしゃ①【獄舎】 「牢獄(ロウゴク)」の意の古風な表現。

こくしゅ①【国手】 〔「上医は国を医し、その次は人を救う」ということから〕「医師、特に名医」の意の古風な表現。〔広義では、碁の名人をも指す〕

こくしゅ①【国主】 一国の領主。 **―だいみょう**④(ミヤウ)【―大名】 江戸時代、一国(以上)を領有した大名。

こくしゅ①【国守】 国司の長官。くにのかみ。

こくじゅ①【国樹】 その国を代表するものとして決められている木。「カナダの―カエデ」

ごくしゅう⓪(シウ)【獄囚】 罪を犯し、牢獄(ロウゴク)に入れられている人。

ごくじゅう⓪(ヂユウ)【極重】 「きわめて重い」意の漢語的表現。「―の罪人/―悪人⑤⑥」

こくしょ①【国初】 建国の当初。

こくしょ①【国書】 ❶一国の元首が、その国の名前で出す外交文書。国典。 ❷〔漢籍・洋書と違って〕日本人が国語で書いた本。和書。〔漢文で書いたものや翻訳書をも含む。また、洋装本に対して和装本を指すこともある〕

こくしょ①【酷暑】 堪えがたいほどの(真夏の)きびしい暑さ。↕酷寒(コッカン)

ごくしょ①【極暑】 これ以上の暑さは無いと思われるほど暑いこと。また、その時節。↕極寒(ゴッカン)

こくじょう⓪(ジヤウ)【国情】 その国の、政治・経済・社会・文化などの総合的な△事情(状態)。〔狭義では、社会情勢・政治情勢を指す〕「―不安」 表記「国状」とも書く。

ごくじょう⓪(ジヤウ)【極上】 これ以上の物は得られないというほど上等な△こと(もの)。「―の品物」

こくしょく⓪【黒色】 黒い色。 **―かやく**⑤(クワ―)【―火薬】 花火用に用いられる、比較的爆発力の弱い黒色の火薬。硝石・硫黄・木炭の粉などを交ぜ合わせて作る。 **―じんしゅ**⑤【―人種】 〔白色人種・黄色人種に対して〕皮膚が黒い人種。縮れた黒い髪、厚い唇などが特徴。

こくしょく⓪【穀食】―する(自サ) (炊いた)穀物を常食とすること。

こくじょく⓪【国辱】 その国の体面を△傷つけるものであり(傷つけられるものとして)、国民の一人として忍ぶことの出来ない事柄。「―的行為」

こくじん⓪【黒人】 黒色人種に属する人。「―種③・―霊歌⑤〔=(主として旧約聖書に基づく)黒人の宗教歌〕」

こくすい⓪【国粋】 その国家や国民に固有な△長所(美点)。「―的思想」 **―しゅぎ**⑤【―主義】 自国の国民的特殊性を最も優秀なものと信じて、排他的にそれを維持

発展させるように行動する主義。

こぐすり②【粉薬】「こなぐすり」の古風な表現。

こく・する③【刻する】（他サ）「（彫り）刻む」意の古風な表現。刻す②（五）。「石に―」

こく・する③【哭する】（自サ）声をあげて泣く。〔古代中国などでは、死を弔う礼として行なった〕「墓前に―」

こくぜ①⓪【国是】世論がこぞって支持する、国政上の大方針。〔狭義では、宣戦布告とか条約破棄などに関するものを指す〕「―が揺らぐ」

こくせい⓪【国政】一国の政治。「―を担う／―に参加する」

こくせい⓪【国勢】総合的な国力を人口・産業・資源などの面から見たもの。 **―ちょうさ**⑤【―調査】国が法律に基づき、期日を定めて直接全国の世帯を対象として一斉に行なう、人口ならびに関連事項の調査。日本では大正九年の第一回以来、十年ごとに本調査が、五年ごとに簡易調査が続けられている。センサス。

こくぜい⓪【国税】国家財政をまかなうために、国民に賦課・徴収する税。例、所得税・相続税など。「―を納付する／―収入⑤」↔地方税 **―ちょう**③【―庁】財務省の外局で、国税の徴収、酒の製造・販売業の免許、税理士の監督などをする機関。

こくぜい⓪【酷税】〔「国税」のもじり〕堪えきれないほど高額の税金。

ごくせい⓪【極製】極上の製造品。

こくせき⓪【国籍】〔人や航空機・船舶などの〕その国に所属するものとして公的に登録された籍。〔船については「船籍」と特称する〕「日本―を取得する／―不明⓪-⓪・無―・二重―④」

こくせつ⓪【克雪】〔豪雪地帯で〕冬季の生活に支障をきたさないように、大雪の処理に対する有効な手段を講じること。

こくせん⓪【国選】国が選ぶこと。 **―べんごにん**⓪【―弁護人】貧困その他の理由で、自分で弁護士を選任出来ない被告人のために、裁判所が選んでつける弁護人。↔私選弁護人 表記「弁」の旧字体は、「〈辯」。

こくそ①【告訴】―する（他サ）犯罪の害をこうむった者が捜査機関に犯罪事実を申告し、公訴の提起を求めること。

こくそ①③【〈蚕〈糞】カイコのくそ。

こくそう⓪【国葬】国家に功労のあった人に対し、国が主宰して行なう葬儀。㊁【国喪】国民全体が服する喪。

こくそう⓪【穀倉】こくぐら（穀倉）。「―地帯⑤〔=穀物を多く産出する地帯〕」

ごくそう⓪【獄窓】〔牢獄の窓の意〕外界と隔てられた牢獄の中。

こくぞうむし③【穀象虫】形・大きさが黒ゴマに似た昆虫。頭部の先が突き出ていて、米粒などを食べ荒らす。略して「こくぞう⓪」。こめ(の)むし。〔オサゾウムシ科〕 かぞえ方 一匹

こくぞく⓪【国賊】〔為政者の側から見て〕国益に反する言動をしているととらえられる人。

こぐそく②【小具足】よろいの付属品の総称。こて・すねあてなど。また、それを着けた服装。

ごくそく⓪【獄則】刑務所・牢屋の規則。

ごくそつ⓪【獄卒】㊀もと、囚人を直接に取り扱った下級の職員。㊁〔地獄で〕亡者を苦しめるという鬼。

こくたい⓪【国体】㊀その成立の事情や主権のあり方などによって異なる国家形態の特質。㊁「国民体育大会」の略。

こくたい⓪【黒体】あらゆる波長の電磁波を完全に吸収する理想的な物体。〔常温では黒く見える〕「炭は―に近い／電磁波を遮断し、一定の温度に保たれた壁に囲まれた空洞がある時、その壁にあけた小さな孔は、外部から見て―とみなしてよい」

こくだか②⓪【石高】㊀収穫された米穀の量。㊁江戸時代、武士に与えられた扶持の高。

こくだち④⓪【穀断ち】―する（自サ）〔修行や祈願のために〕ある期間穀物を食べずに暮らすこと。

こくたん③【黒炭】石炭の一種。最も普通の石炭で、黒くてつやがあり もろい。瀝青炭。

こくたん③【黒〈檀】インド・マレー地方に産する常緑高木。材は、黒くて堅い。家具用。くろき。〔カキノキ科〕 かぞえ方 一株・一本

こくち①⓪【告知】―する（他サ）連絡事項を関係者に知らせること。「癌の―／―板⓪」

こぐち⓪【小口】㊀〔木口の変化〕本を水平に置いた時に三方の側面に見える、紙の切り口。〔狭義では、地に対応する部分を指す。また、和本でまれに「背の―」と言うこともある〕⇩喉 ㊁㊀端。「話の―〔=話し始め〕」㊁取り扱うものの金額や量が少ないこと。「―の預金」↔大口 **―あつかい**④【―扱い】〔貨車一車に満たないような〕少量の荷物の運送を扱うこと。 **―がき**⓪【―書き】〔横に重ねた時すぐ分かるように〕和本の地の小口に、書名や巻数(冊数)などを書きつけること。また、そこに書きつけたもの。 **―ぎり**⓪【―切り】野菜・果物などを端の方から順に薄く切っていく切り方。

こぐち①【木口】㊀⇩小口㊁ ㊁木材を横に切った切り口。「―三寸①-①」

ごくちゅう⓪【獄中】刑務所・牢屋の中。獄裡①。「―記③」

こくちょう⓪【国鳥】その国に生息する鳥の代表として決められた鳥。日本ではキジ。

こくちょう⓪【黒鳥】小形のハクチョウの一種。オーストラリア原産。全身黒茶色だが、風切は白く、くちばしが赤い。〔カモ科〕 かぞえ方 一羽

ごくちょうたんぱ⑤【極超短波】マイクロ波のうち、波長が〇・一メートル以上のものの称。レーダー・テレビ放送・電子レンジなどに用いられる。ユーエイチエフ（UHF）。〔周波数は、三ギガヘルツ以下〕

こくつぶ③【穀粒】穀物の粒。「こくりゅう⓪②」とも。

ごくつぶし③【〈穀潰し】飯を食う点では一人前だが、ほかにこれといった能力が無く、毎日をむだに過ごしている、としか言いようのない人間。〔多く侮蔑を含意する〕

こくてい⓪【国定】国家が一定の基準を設けて、定めること。「―公園⑤〔=国立公園に準ずる公園。都道府県が管理する〕」

コクテール③〔cocktail〕⇩カクテル㊀㊁

こくてつ⓪【国鉄】その国が経営する鉄道。〔日本国有鉄道②-⑤〔=現在は分割して民営化〕の略称として用いられた〕「フランス―⑤」

こくてん⓪【国典】㊀国家として行なう儀式。㊁国書㊀。

こくてん⓪③【黒点】〔←太陽黒点〕太陽の表面にある、黒い点のように見える穴。地球の磁気嵐などの原因になると言われる。

こくと①【国都】その国の首都。首府。

こくど①【国土】その国に所属する土地。「―総合開発①-⑤」 **―けいかく**④【―計画】国が産業・交通・文化などの発展の上から、国土を有効に利用するために立

てる、未開拓の土地などの開発計画。**―こうつうしょう**⑥、①-③【―交通省】国土の総合的利用・開発・保全、社会資本の整備、交通政策の推進などを担当する中央官庁。建設省・運輸省・国土庁・北海道開発庁を統合して二〇〇一年に発足。略称、「国交省」。〔長官は、国土交通大臣⑧。別称は国交相③〕

こくど①【黒土】腐植を含み農業に適する黒茶色の土。くろつち。

こくど①【国帑】〔「帑」は、金貨を収める蔵の意〕国家の財貨。

こくど①【黒奴】黒人（の奴隷）。〔明治時代の、侮蔑を含意した語〕

こくとう⓪【黒糖】⇨くろざとう

こくどう⓪【国道】国家が建設・管理する幹線道路。「―第一号線⓪-⓪」かぞえ方 一本・一筋・一条

ごくどう②【極道】―な〔極道楽の意とも、穀盗の意ともいう〕Ⓐ放蕩（をする人）。「―の世界／―むすこ⑤」Ⓑ素行の良くない者をののしって言う語。「この―（者）め」派―さ③⓪ 表記「獄道」とも書く。

こくない②【国内】その国の領土内。↔国外 **―そうせいさん**⑦、②-③【―総生産】国籍にかかわりなく、居住する人がその国の内部で一年間に生産した財貨とサービスから中間生産物を差し引いた所得の合計。ジーディーピー（GDP）。

ごくない⓪②【極内】きわめて内密なこと。「―で調べる」

こくないしょう⓪③【黒内障】目の玉が黒く、見かけは異状が無いのに、物が見えなくなる病気。くろそこひ。

こくなん⓪【国難】国家の存立にかかわる危難。「―に殉じる」

こくねつ⓪【酷熱】どうにもがまんが出来ないほどのひどい熱さ。〔広義では、酷暑と同義にも用いられる〕

ごくねつ⓪【極熱】㊀酷熱。㊁〔↑極熱地獄⑤〕八熱地獄の一つ。炎熱の激しい所。

こくはく⓪【告白】―する（他サ）〔他人には言うまいと隠していたことを〕相手を信用して打ち明けること。「罪の―」

こくはく⓪【酷薄】―な 人間らしい思いやりが無く、残酷な事を平気でする様子だ。「―非道⓪-⓪」派―さ⓪

こくはつ⓪【告発】―する（他サ） 犯罪の被害者以外の人が捜査機関に犯罪の事実を申告すること。〔広義では、見過ごすことの出来ない悪事を指摘することをも指す。例、「内部―④・―状⓪」〕

こくばん⓪【黒板】〔学校などに備える〕白墨で字や図を書くための黒色・緑色の板。かぞえ方 一枚

こくはんびょう⓪【黒斑病】野菜・果樹などの葉や実に、黒い斑点が出来る病気。菌類の寄生による。

こくひ①【国費】国家で支出する経費。「巨額の―を△つぎ込む（投じる）／―で賄われる」⇨公費

こくび⓪【小首】〔「こ」は、ちょっとの意〕〔あるしぐさをする際に〕ちょっと動かす首。「―をかしげる」

ごくひ⓪【極秘】関係者以外には、かたく秘密にされていること。「―のうちに／―裏に」

ごくび①【極微】そのものの大きさが肉眼では確認出来ないほど小さいこと。「―粉末④」

こくひしょう⓪③【黒皮症】〔↑顔面黒皮症⓪⑦〕中年の女性に多い症状。顔の表面に黒ずんだしみが広がるもの。「リール黒皮症⓪⑥」とも。

こくびゃく⓪【黒白】黒と白。〔明白に相違が分かるものの意にも用いられる〕「―を弁ぜず〔＝普通の人ならだれでも分かるものの区別が付かない〕／―〔＝正しいかまちがっているか〕を△明らかにする（はっきりさせる）／―が争われる」

こくひょう⓪【酷評】―する（他サ） 欠点ばかり取り上げて、少しもほめる所の無い手きびしい批評。「―を加える」

こくひん⓪【国賓】国家による正式の招待客。主として外国の元首がこの待遇を受ける。⇨公賓

ごくひん⓪【極貧】生活程度がひどく低くて、生きていることだけで精一杯であること。

こくふ①【国父】国民が自分たちの父として敬愛する支配者。〔中国で、「孫文①」の称〕

こくふ①【国府】㊀奈良・平安時代、国ごとに置かれた地方行政府（の所在地）。国衙。府中。〔古くは「こくぶ」〕㊁「中華民国国民政府④-⑤」の略。

こくふ①【国富】国民一人ひとりの財力も含めた、その国家全体の総合的な経済力。「―論③」

こくふう⓪【国風】〔古〕その国独特の風俗△習慣（を反映した詩歌・俗謡）。〔狭義では、漢詩に対し、和歌の称。例、「―暗黒時代⓪-⑤」〕

こくふく⓪―する（他サ） ㊀【克服】努力して、困難な状態を切り抜けること。「△難病（インフレ・困難・危機・不況）を―する」㊁【克復】世の中が混乱・虚脱状態から脱却し、もとの平和な状態に△もどる（もどす）こと。「平和を―〔＝回復〕する」

ごくぶと⓪【極太】〔同類の毛糸やシャープペンシルの芯などの中で〕最も太い△こと（もの）。↔極細

こくふん⓪【穀粉】穀物の粉。

こくぶん⓪【告文】上申の文書。

こくぶん⓪【国文】㊀日本語で書かれた文章。和文。邦文。〔広義では日本に伝わった中国文学を含み、狭義ではかな文を指す〕㊁「国文学・国文学科⑤」の略。

こくぶんがく③【国文学】㊀日本文学を、自国の文学として意識した時の称。「―史⑤⑥」㊁「国文学㊀」を研究する△学問（学科）。〔広義では国語学を含み、狭義ではそれぞれ独自の領域を持つものと考えられる〕「―者⑤⑥」

こくぶんじ⓪【国分寺】〔「国分」は、国ごとの意〕奈良時代に、平和祈願のために諸国に建てられた、官立の寺。かぞえ方 一ケ寺

こくぶんぽう③【国文法】日本人が日本語の独自性にのみ着目して体系化した文法。

こくへいしゃ③【国幣社】もと、官幣社に次ぐ社格の神社。かぞえ方 一社

こくべつ⓪【告別】―する（自サ）（死者に）別れを告げること。「―式④」

こくへん⓪【黒変】―する（自サ）「黒く変わる」意の漢語的表現。

こくほ①【国歩】その国家の進んで行く先の運命。「―艱難の折」

こくぼ①【国母】国民の母と慕われる、皇后。「―陛下④」〔古語「こくも」は、天皇の母、すなわち皇太后の意。例、「―、建礼門院」〕

こくほう⓪【国宝】国の大切な宝。〔狭義では、文化史上特に価値を認めて、国家が指定し、その保護・管理を行なう書物・美術品・建造物などを指す〕「人間―」かぞえ方 一件・一点

こくほう⓪【国法】国家の△法規（法律）。「―を守る」

こくぼう⓪【国防】外国の侵略に対する守備。「―力③」 **―しょく**③【―色】枯れ草の色に似た黄茶色。カーキ色。もと、陸軍の軍服の色。

ごくぼそ⓪【極細】〔同類の毛糸やシャープペンシルの芯などの中で〕最も細い△こと（もの）。↔極太

こくほん⓪【刻本】版本。

こくほん⓪【国本】国の△もとい（基礎）。「―につちかう」

こぐま⓪【《黒熊》】⇩白熊(グマ)

****こくみん**⓪【国民】❶近代国家を構成する人びとの集団。「—精神⑤」❷その国の国籍を持つ人民。〔近代国家では、同一民族から成ることが多い〕「—感情を逆なでする／—世論にこたえる／—の義務／非—」 **—きゅうかむら**⓪(キウー)【—休暇村】国立公園・国定公園の中に設けた、国民のいこいの場所。宿泊・保養の設備を持つ。休暇村。 **—きんゆうこうこ**⑨【—金融公庫】「株式会社日本政策金融公庫」の旧称。 **—けんこうほけん**⑨(カウ)【—健康保険】社会保険の一つ。公務員・会社員など以外の一般の国民や商工業を営む人のための健康保険。略して「国保①」。 **—しゅくしゃ**⑥【—宿舎】地方公共団体がわずかの費用で宿泊・休養できるように、国立公園その他 景色のよい所に作った宿泊施設。 **—しょとく**⑤【—所得】その国で一年間に生産(分配・支出)された財貨とサービスの(価値の)総額。エヌアイ③(NI〔↑national income〕)。 **—しんさ**⑤【—審査】最高裁判所の裁判官がその任務にふさわしいかどうかを投票で決めること。総選挙の時に行なう。 **—せい**⓪【—性】その国の国民一般に共通し、その国の文化の一部を成しているともとらえられる性質。 **—そうせいさん**⑦【—総生産】その国の国籍を持つ人が一年間に生産した財貨とサービスから中間生産物を差し引いた所得の合計。ジーエヌピー(GNP)。 **—たいいくたいかい**⑨(クワイ)【—体育大会】各都道府県代表選手により毎年行なわれる全国的なスポーツ大会。昭和二十一年に始まった。略称、「国体」。〔二〇二三年「国民スポーツ大会⑨」に改称予定〕 **—てき**⓪【—的】—な 国民全体にかかわる様子。「—議論を求める／—英雄」 **—とうひょう**⑤(ヘウ)【—投票】憲法改正などのような大切な事を国民の総意によって決めるための直接投票。 **—ねんきん**⑤【—年金】国民年金法によって、全国民が加入を義務づけられ、老齢・障害などの条件を満たした時に国から支給される年金。 **—のしゅくじつ**⓪-⓪【—の祝日】もとの祝祭日などに代わり、昭和二十三年七月以降、新たに法律で休日と決められた日。

こくむ①【国務】国家の政務。 **—しょう**③(シヤウ)【—省】日本の外務省に当たる、アメリカ合衆国の政府機関。 **—だいじん**④【—大臣】内閣を構成する大臣で、内閣総理大臣以外のもの。〔広義では総理大臣を含み、狭義では無任所大臣を指す。なお「国務相(ショウ)③」は、普通 無任所大臣を指す〕⇩行政大臣 **—ちょうかん**④(チヤウクワン)【—長官】アメリカの国務省の、長官。

こくめい⓪【克明】—な —に どんな小さな事も見のがさないように、細かく気を配って何かをする様子だ。「—に調べる」 派 —さ⓪③

こくめい⓪【刻銘】金属器などに刻みつけた文字。記念の語句や、製作△者(国)名など。

こくめい⓪【国名】❶その国家の呼び名。「—一覧⑤、⓪-⓪」❷九世紀ごろから日本の行政区画の単位として設けられた、区分の名。例、陸奥(ムツ)国。〔もと六十六か国、廃藩置県時には七十三か国〕

***こくもつ**②【穀物】人間が、その種・実を主食とするイネ・ムギ・トウモロコシ・豆などの作物。

ごくもん⓪【獄門】〔牢獄(ロウゴク)の門の意〕江戸時代、斬首(ザンシュ)された重罪人の首を一定の場所に置いて、人目にさらしたこと。またその刑罰。「—に△さらす(かける)」

ごくや①【獄屋】「牢獄(ロウゴク)」の意の古風な表現。

こくやく⓪【国訳】—する(他サ) 漢文を国語風に訓読すること。また、訓読したもの。

ごくやす⓪【極安】それ以下に下がることはあり得ないと思われるほど安いこと。「—の品」

こくゆ①⓪【告諭】—する(自他サ)〔部下・目下の者に〕注意すべき事柄などを言い聞かせること。

こくゆう⓪(イウ)【国有】国家が所有していること。官有。「—鉄道⑤・—財産⑤・—林③」↔民有・私有

こくようせき③(エウ)【黒曜石】ガラスのように、つやの多い黒色の火成岩。割れ目はビール瓶の 破片に似る。装飾用・印材用。〔石器時代には やじりの材料とされた〕

こくら⓪【小倉】〔↑小倉織⓪〕地の厚い もめん織物。洋服・帯・はかま地用。

こぐら・い③⓪(形)❶【小暗い】(十分な)光が得られず、全体にわたってうす暗い感じだ。「おぐらい」とも。❷【木暗い】上空が茂りあった木の葉でおおわれていて、日中もあたりが暗い様子だ。 派 —さ③

こくらがり②③【小暗がり】少し暗い△こと(所)。

ごくらく⓪④【極楽】「極楽浄土」の略。〔安楽で心配の無い身分や境遇の意にも用いられる〕「聞いて—見て地獄〔=うわさで聞いた所と実際に△見た(経験した)所とでは正反対なほどの違いがあるものだ〕」↔地獄 **—おうじょう**⑤(ワウジヤウ)【—往生】—する(自サ) 死んで、極楽浄土に行って生まれること。〔死後に思い残す事も無く、安らかに死ぬ意にも用いられる〕 **—じょうど**⑤(ジヤウ)【—浄土】〔浄土の中で〕阿弥陀仏(アミダブツ)の居る世界。苦しみの無い平和郷だとされる。 **—ちょう**⓪(テウ)【—鳥】ニューギニアなどにすむ小鳥。種類が多く、雄の羽はどれも美しい。風鳥(フウチョウ)。〔フウチョウ科〕 かぞえ方 一羽 **—とんぼ**⑤【—〈蜻蛉〉】生活になんの心配も無くのんきに遊び暮らしている(ように見える)人。〔軽い侮蔑(ブベツ)を含意することがある〕

こくり①【国利】国家の利益。「—民福(ミンプク)①-⓪」

こくり①【酷吏】何事につけても役所の規則だからと言うだけで、少しも人民の事情を考えてやろうとしない役人。

ごくり②(副)—と 飲み物などを一気に飲む様子。ごくん。「—と生つばを飲み込む」

ごくり①【獄吏】囚人を取り扱う、監獄の役人。

こくりつ⓪【国立】国家が設立し、管理・運営すること。「—大学⑤・—劇場⑤」 **—こうえん**⑤(エン)【—公園】日本を代表する美しい自然を保護し、観光やレクリエーションなどのために訪れる人たちを楽しませるために国が決めた広い地域。国が直接管理する。例、南アルプス・知床(シレトコ)など。

こくりょく②【国力】〔対外的な威力の有無から見た〕国家の経済力・軍事力などの総合的な力。

こく・る ❶(造語・五型) それ以外にする事は無いかのように、ひたすらその動作を続ける。「黙り—」❷②(他五) なする。「木で鼻を—〔=くくる〕／こくりつける」

こくるい②【穀類】食用・販売の対象としての穀物類。

こくれつ⓪【酷烈】—な 相手の立場や事情などに構わず、何かが きびしく行なわれる様子だ。 派 —さ⓪

こくれん⓪【国連】「国際連合」の略。「—大学⑤」

こくろう⓪(ラウ)【国老】❶国家に忠勤をはげむ老臣。❷国家老(クニガロウ)。

ごくろう②(ラウ)【御苦労】「(他人の)苦労」の△尊敬(丁寧)語。「何かと—をおかけします」 運用 (1)「ご苦労さま」の形で、目下の者の労をねぎらう言葉として用いられる。(2)「ご苦労(さま)な△こと(話)だ」などの形で、その人のしたことが、△無駄な努力に終わった(それほど労力を費やすには値しない)と思われると、皮肉って言うのに用いられることもある。

こくろん⓪【国論】国民全体の意見。「—を統一する」

こくん⓪【古訓】漢字・漢文の古い読み方。↔新訓 ⇩旧訓

** * は重要語，⓪①… はアクセント記号，品詞の指示の無いものは名詞および いわゆる連語。

こぐん①【孤軍】 援軍の無い、孤立した小人数の軍隊。「ー奮闘①-⓪〔=ただ一人、一生懸命につとめること〕」

こけ②【〈苔】 湿地・岩・木の根などに一面にくっついて生える、緑色の植物。花は咲かない。蘚苔センタイ類・地衣類など。「…にーが生えている〔=いかにも古くなった形容〕/ーの衣〔=世捨て人の着衣〕」 表記 「〈蘚・〈莓」とも書く。

こけ②【〈鱗】〔東北・関東・中部の方言〕〔「こけら」の「ら」の脱落形〕❶うろこ。❷きのこ。

こけ②【虚仮】❶〔古〕事実の裏付けが無く、空虚であること。❷物の見方・考え方などに、行き届かない点が見られる△こと(人)。「ーの△一心〔一念〕岩をも通す〔=愚者が、他から嗤ワラわれながらも、長い時間をかけて一つの事をやりとげること〕/人をーにした〔=ばかにした〕話」 **ーおどし**⓪③【ー《威(し)】〔物を見る目が無い人を驚かす程度の飾り物の意〕実質はそれほどでもないのに、いかにも相手を△おどす(驚かす)ような△こと(もの)。 **ーざる**⓪【ー猿】〔愚かなサルの意〕❶仲間はずれにされたサル。❷年をとって、やせたサル。

ごけ⓪【後家】 夫の死後、その家を守っている女性。「ーを立てる〔=女性が再婚しないで通す〕/ー蓋ブタ⓪〔=そろいの一部分が欠けている蓋〕」

ごけ①【碁〈笥】 碁石を入れる、ふた付きの丸い入れ物。 かぞえ方 一合イチゴウ

こけい⓪【古形】❶現在△用いられる(見られる)ものよりも前の古い△形(形式)。「サカナ(酒菜)のサカは『酒』のーと言われる」❷伝統的な△形(形式)。「歌物語というーを伝える」

こけい⓪【固形】〔液体や気体の物と違って〕一定の形になっている物。「ー物ブツ②・ー燃料④・ースープ④」 **ーしょく**②【ー食】〔病人・乳幼児などに与える食事で、「流動食」に対して〕米飯・パンなど、噛カんだ上で喉ノドを通す食物。「手術後はじめてのー」

こけい⓪【孤〈閨】 妻にとっていつもそばに居てほしいと思う夫が、長い間居ない状態(にあること)。「ーを守る」

ごけい⓪【互恵】 国と国とが、互いに特別の便益・恩恵を与えあうこと。「ー条約④」

ごけい⓪【語形】 一定の意味と結びついた一続きの言語音のまとまり。〔文字によって表わしたものについてもいう〕「ー変化④〔=文法上の機能の変化に応じたり 他の語との結合関係によったりして、語の一部の形が変わること〕」

こげくさ・い④【焦げ臭い】(形) 物の焦げるにおいが感じられる様子だ。「夜中にーにおいで目をさました/ーご飯」

こけし⓪【小〈芥子】〔小さい芥子ケシ人形の意〕もと、東北地方特産の、木製の郷土人形。「木地キジ❸」をろくろでひいて、球形の頭に円筒形の胴を付けた人形。 かぞえ方 一体・一本

こけしみず③【〈苔《清水】 苔の付いた岩の間を流れる、きれいな水。 表記 ⇩付表「清水」

こげちゃ⓪【焦(げ)茶】 黒みを帯びた濃い茶色。「ーのジャケット/ー色⓪」

こけつ⓪【固結】ーする(自サ) しっかりと一かたまりのものになること。〔人心などが一つにまとまる意のたとえにも用いられる〕

こけつ⓪【虎穴】 トラのすんでいる岩穴。「ーに入イらずんば虎子コジを得ず〔=危険をおかすのでなければ、人を驚かす大成功を勝ち取ることは出来ない〕」

こげつ・く⓪③【焦(げ)付く】(自五) 何かが焦げて、別の物に付いて離れなくなる。〔相場などが固定することや、貸したお金が回収不能になる意にも用いられる〕「煮つまって汁がなべの底にー」 名 焦げ付き⓪

コケット②〔フ coquette〕 相手に媚コびるような、なまめかしい態度の女性。また、色っぽい女性。

コケットリー②〔フ coquetterie〕 色っぽいこと。

コケティッシュ③②ーな・ーに〔coquettish〕 色っぽい様子だ。「ーな表情/ーにふるまう」

ごけにん⓪【御家人】〔鎌倉時代、将軍直属の武士の敬称〕江戸時代、直参ジキサンのうちで、御目見得オメミエ以下の人。旗本ハタモトの下。

こけむ・す③【〈苔《生す】(自五)「長い年月を経て苔が生える」意の古風な表現。「苔むした岩」

こけもも⓪【〈苔桃】 高山に生じ、初夏、薄い紅色の花を開く常緑小低木。赤い実は食用。〔ツツジ科〕 かぞえ方 一株・一本

こけら⓪【〈柿】 材木を削った木片。けずりくず。〔狭義では、屋根をふくのに使う薄い板を指す。例、「ーぶき⓪」〕 表記 「柿カキ」とは別字。 **ーおとし**④【ー落(と)し】〔建築工事が終わって足場などの柿を払い落とすことから〕新築の劇場や映画館で行なわれる最初の興行。

こけら⓪【〈鱗】〔「こけ」よりも古くから使用〕柿コケラに似た、魚のうろこ。丸みを帯びている。

こ・ける(造語・下一型)〔「こくる」と同源か〕いつ終わるか分からないかのように、その動作が長く続くことを表わす。「眠りー・笑いー」

こ・ける②【《転ける】(自下一)❶〔もと、中部以西の方言〕倒れる。ころぶ。「こけつまろびつ」❷芝居や映画が当たらず興行に失敗する。

こ・ける②【《痩ける】(自下一) 肉が落ちて、やせ細る。「ほおがー/痩せー」

***こ・げる**②【焦げる】(自下一)〈なにデー〉〔火などで強く熱せられた固体の〕その部分が炭のような△状態(色)になる。〔「燃える」の一歩手前の状態で、普通 臭オい・煙を伴う〕「△狐キツネ色(濃い茶色)にー」 名 焦げ②

こけん①⓪【古賢】 昔の賢人。

こけん⓪【〈沽券】〔もと、土地などの売買証券の意〕人前で保ちたい品位や体面。「ーにかかわる」

こけん⓪①【孤剣】〔武器として持つ〕たった一本の剣。

こげん⓪①【古〈諺】 古い時代に成立したことわざ。

ごけん⓪【護憲】 憲法や立憲政治の精神を守ること。「ー運動④」

ごげん⓪①【五弦・五〈絃】〔楽器の〕五本の糸。〔狭義では、琵琶ビワの一種で、五本の糸のあるものを指す〕

ごげん⓪【語源・語原】❶一つの単語について、変化の過程をたどっていった、一番初めの形。❷その言葉がどうしてそういう意味に用いられるようになったか(の説明)。「民間ー⑤」

ここ⓪【〈此《処】(代)❶話し手△のいる(により近い)と意識される)場所・場面や箇所を指す語。「ーは日陰になったが、あそこはよく日が当たる/経理部長にーへ来るように言ってくれ/ーをしっかり持っていなさい」⇩あそこ・そこ・どこ:こそあど ❷話し手が発言した事柄や問題として取り上げようとする事柄を、話し手自身の判断に基づいて、この△箇所(点)だと指す語。「…、ーが今日の話の眼目だ/事ーに至っては〔=情勢が現状のようにのっぴきならない状態になっては〕/ーぞ〔=打つのは今だ〕とばかり打った」❸現在に近い時間。最近。「ー二、三日のうちに/ーへ来て寒さもやわらいだ」 表記 「〈此《所・〈茲」とも書く。 運用 ❶で話し手・聞き手が近接している場合には、「我われのいる場所」として指すことも多い。例、「『ここは?』『ここは神田だ。東京駅は次だよ』」

ここ①【戸々】 一軒一軒の家ごと。

ここ①【〈呱々〉】(生まれたばかりの)乳児のあげる泣き声

（の形容）。「―の声をあげた（=△その時（そこで）生まれた）」

ここ①【個々】幾つかあるものの一つひとつ。それぞれ。「―に扱う／―の問題」 表記「《箇《々」とも書く。 **―じん**②【―人】一人ひとりの人。 **―べつべつ**①-⓪【―別々】それぞれ みな違うこと。「―に（=一つひとつ別に）対処すべき問題／―の（=一人ひとり別の）意見」

こご①【古語】古文献に現われ、現代語としては一般に通用しなくなった言語。和語・漢語、音訳による字音語を含む。〔いわゆる「古語辞典」の古語は、古典の教科書に多く用いられる和語で、主として近世中期までのものを指す〕 ⇩死語㊀

***ごご**①【午後】正午から夜の十二時までの間。〔狭義では、昼過ぎ（から夕方まで）を指す〕 ↔午前 表記「午《后」とも書く。

ごご①【語々】一つひとつの言葉（のどれも）。一語一語。「言々(ゲンゲン)―⑤」

ココア①②〔cocoa〕カカオの種を煎(イ)った、独特の香りと苦みのある粉。湯に溶いて飲料とし、また、チョコレートの原料にする。

ここいちばん④【《此《処一番】なんとしてもがんばらなければならないという、大事な局面。「―という大勝負」

ここいら②【《此《処いら】（代）「ここら」の意の口頭語的表現。

ここう⓪【戸口】世帯（数）と人口。「―調査④」

ここう①【股《肱】〔ももとひじの意〕自分の手足のように最もたよりにする者。「―と頼む臣」

ここう⓪【虎口】〔虎(トラ)の口の意〕非常に危険な△場所（場合）。「―を脱する」

ここう⓪【孤高】―に〔周囲の低俗な人びとと違って〕ただひとり超然として、高い理想を保つ△こと（状態）。「―を△持する（貫く）／―の人」 派**―さ**⓪

ここう⓪①【弧光】二つの電極間に発生する、弧状の光。アーク①。

ここう⓪【枯《槁】―する（自サ）〔「槁」も枯れる意〕草木がすっかり枯れること。

ここう⓪【《糊口・《餬口】〔かゆをすする意〕（かゆですます程度の）粗末な食事。「―をしのぐ（=なんとか暮らす）」

ここう⓪【古豪】その面での経験を十分に積んだ実力者。⇩新鋭

ここう⓪【呼号】―する（自サ）〔呼びかけるために〕大声で叫ぶこと。〔物事を大げさに言う意にも用いられる〕

ごこう⓪【五更】㊀昔の、夜の時間の分け方。今の午後七時ごろから翌朝の五時ごろまでを、五つに分けた。⇩初更・二更・三更 ㊁昔の時法において、寅(トラ)の刻。今の午前三時ごろから五時ごろまでに当たる。

ごこう①⓪【後光】仏・菩薩(ボサツ)の背後から放射されるという光（をかたどった光背）。頂光。「―が射(サ)す」

ごこう⓪①【御幸】上皇(ジョウコウ)・法皇(ホウオウ)・女院(ニョウイン)のおでまし。「大原―」

ごこうごみん⓪-⓪【五公五民】江戸時代通常の租税徴収法。とれた米の半分を年貢(ネング)として官に納めさせ、残りの半分を農民のものとした。

こごえ⓪【小声】低くて、よく聞き取れないような声。

こごえじに⓪【凍え死（に）】―する（自サ）寒さのために、からだの機能が低下して死ぬこと。 動凍え死ぬ④（自五）

ここかしこ③【《此《処《彼《処】（代）〔ここやあそこ、の意〕そのあたり一帯。

こご・える⓪【凍える】（自下一）寒さのために感覚が無くなったりして、からだの自由がきかなくなる。「手が―」

ここく①【故国】他郷に暮らす人が自分の生まれた地方を、外国で暮らす人が母国を指す語。

ここく①【胡国】昔、中国西北方にあった異文化の国。〔広く、野蛮な国の意にも用いられる〕

ごこく①【五穀】五種の穀物。イネ・ムギ・アワ・キビ・マメ。〔広義では、穀物の総称としても用いられる。例、「―豊穣(ホウジョウ)①-⓪」〕

ごこく①⓪【後刻】「のちほど」の意の、やや改まった表現。「―公式声明を発表する、と述べた」

ごこく①⓪【護国】〔自分の身を滅ぼしても〕国家を守ること。「―の鬼」

こごし⓪【小腰】〔「こ」は、ちょっとの意〕（あるしぐさをする際に）ちょっと動かす腰。「―を（=腰をちょっと）かがめる」

ここち⓪【《心地】何かを△した時に持つ（しているような）心の状態。「生きた―がしない／乗り―(ゴコチ)・夢見―(ゴコチ)④」 表記⇩付表「心地」 **―よ・い**④【―《好い・―良い】（形）その状況に身を置いて快適な気分を感じる様子だ。「―△春風（眠り）／心地よく暖房のきいた部屋」 派**―さ**④ **―げ**④⑤⓪

ここつ①⓪【枯骨】野ざらしにされたままの人の骨。「君恩―（=死者）に及ぶ」

こごと⓪【小言】相手の現状に不満があるというので、何かにつけて並べたてる、非難がましい言葉。「―を言う／朝から晩まで―ばかりだ／―を食う（=細かい事について、いろいろ注意を受ける）」

ここと②【戸《毎】一軒ごと。「―に訪問する」

ここな⓪②【《此《処な】（連体）〔雅〕ここに△居る（ある）。「―横着者」

ココナッツ①〔coconut〕ココヤシの実。ラグビーのボール状で、堅い殻におおわれている。ココナツ①とも。⇩コプラ

ここに⓪【《爰に】㊀（副）「ここにおいて」の意の古風な表現。「全力を尽くすことを―誓う」㊁（接）話題を転換するのに用いる古風な表現。「―一人の僧あり」 表記「《此に・《茲に・《是に」などとも書く。 **―おいて**④【―《於(イ)て・《是に《於(イ)て】㊀（副）この時にあたって。㊁（接）こういうわけで。これがために。

ここの【九】（造語）「九(ク)」の意の和語的表現。かぞえ上げる個数・回数などが九であることを表わす。〔単独でかぞえるのにも用いられる〕「―たび③」 **―え**③【―重】〔雅〕（門が幾重にも作られていた）王城。「―の奥（=宮中）」 **―か**⓪④【―日】㊀月の第九の日。㊁日の数が九つあること。また、その日数。〔副詞的にも用いられ、アクセントは⓪〕 **―つ**②㊀ものの（個）数をかぞえるとき、数が九であることを表わす。また、△九歳（第九）を指す。⇩とお ㊁昔の時法において、今の△午前（午後）零時ごろ。ここのつどき。

ここのそじ③【九《十】〔雅〕〔「ぢ」は、「はたち」の「ち」と同源か〕㊀九十(キュウジュウ)。㊁【九《十路】九十歳。

ここのところ⓪【《此《処の所】（副）最近しばらくその状態や傾向が続いている様子。〔口頭語では、「ここんとこ（ろ）⓪④（⓪）」とも〕「―うまくいっている」

こごまい⓪②【古古米】新米より二年以上前にとれた米。

こご・む⓪【《屈む】（自五）㊀肩をすくめ、背中を丸く曲げる。㊁腰を折り、ひざを曲げて、しゃがむようなかっこうをする。かがむ。 他動屈める⓪（下一）

こごめ⓪【小米】米をつく時に砕けた米。 表記「粉米」とも書く。 **―ばな**③【―花】ユキヤナギの異称。

ここもと②【《此《許】（代）〔雅〕 ↔そこもと ㊀ここ。このところ。㊁私。

ココやし③②【ココ《椰子】〔ココ=coco〕熱帯地方に産するヤシの一種。実からとったコプラは、せっけんやマーガリンな

どの原料。〔ヤシ科〕[かぞえ方]一本

ここら[2]【〈此《処《等】(代)「ここ❶」のあたり。「―でちょっと一休み」

こご・る[0]【《凝る】(自五) 液状になったものが、冷えてゼリーのように固まる。[名]凝り[0]「煮―」

＊＊**こころ**[3][2]【心】❶Ⓐ特に人間に顕著な精神作用を総合的にとらえた称。具体的には、対象に触発され、知覚・感情・理性・意志活動・喜怒哀楽・愛憎・嫉妬(シット)となって現われ、その働きの有無が、人間と他の動物とを区別するものとされた。古くは心臓がこれをつかさどるものとされた。「ペットとの―の触れ合い/―を汲(ク)む(=相手がどう思っているかを推測して、それに沿うように対処する)/―のこもった贈り物/―の琴線に触れる/―の安らぎを覚える/―に張りを持たせる/―を打つ話/…に―を奪われる/深く―に刻み込む/―に残る/―にとめる(=しっかり記憶して忘れないようにする)/―を致す(=そのことの実現を願って、誠意を尽くす)/―の持ち方/―を配る/―が△すさむ(重い)/―の安まる暇が無い/―(=心の持ち方)が広い/―が変わる/―がはずむ/―を入れかえる(=反省するなどして、生活態度を改める)/―をこめる(=ⓐ何かをしようとして、一生懸命になる。ⓑ相手を思う気持を含めて、何かをする)/―にも無い(=本当にそう思っているわけでも無い)おせじ」Ⓑ宗教的感動・美的感興・倫理的高揚など、直接人間の精神構造を高める働きを持つもの。「神を畏(オソ)れぬ―のなせるわざ/―こそ―まどはす―なれ―に―ゆるすな」❷Ⓐその人が言葉によって表わそうとした本来の意味。文の主旨や、「謎(ナゾ)❶」成立の根源的契機など。「江戸っ子は五月(サツキ)の空の鯉(コイ)のぼり。その―は、口だけあって腸(ハラワタ)がなし」Ⓑ経験を積んで初めて会得する、その芸道の持つ深い意味。「お茶の―」

―あたたま・る[7]【―温まる】(自五) 人情の美しさなどに触れ、気持が安らいだり生きる喜びを感じたりする。「―思い」 **―あたり**[4]【―当(た)り】❶思いあたること。「―が無い」❷見当(をつけた所)。「―を捜してみる」 **―あて**[0]【―当(て)】❶当て推量。❷心だのみ。 **―ある**[4]【―有る】(連体) 相手の立場や物の本質を真に理解している。「―(=思いやりが有る)はからい/―(=ⓐ物事の趣がよく分かる。ⓑ物の道理をよく心得た)人に見せたい」 **―いき**[0]【―意気】 自らに課せられた使命だととらえ、何としてもやり遂げようという積極的な態度。「…の―を△示す(見せる)」 **―いれ**[0]【―入(れ)】 心づかい。「―の贈り物」 **―いわい**[4](イハヒ)【―祝(い)】 形式にこだわらない、心ばかりの祝い。 **―え**[3][4][0]【―得】❶何かをする△前(際)に知っておくべきこと。「旅行中の―」❷ともかく習ったと言える程度の技芸を身につけていること。「茶の湯の―がある」❸公務員が一時的により高い役職につく場合の職名。「課長―[6][7]」 **―えがお**[0](ガホ)【―得顔】 いかにも、自分はその辺の事情が分かっているといった△顔つき(様子)。「―にうなずく」 **―えちがい**[5](チガヒ)【―得違(い)】 本人が正しいと思って行なった言動が第三者から見ればよいとは認められないこと。 **―・える**[4]【―得る】(他下一) ❶物事の細かい事情などを理解する。「事情を心得て円満な解決をはかる/社長の仰せとは心得難い(=信じ難い)話だ」❷技芸などについての「心得❷」がある。❸細かい事情などを理解した上で、引き受ける。「心得ました/心得た(=委細は全部承知した)」 **―おきなく**[6]【―置(き)無く】(副) ❶気がねや遠慮をせずに思うままにそのことが出来る様子。「旧友と―語り合う」❷今後のことを心配せずに、そのことが出来る様子。「留守番が居るから―出掛けられる」 **―おとり**[4]【―劣り】―する(自サ) 予想よりも(幾分)劣って感じられること。「全然―が無い」 **―おぼえ**[4]【―覚え】❶思いあたる記憶。❷忘れないためのしるしとするもの。メモ。 **―がかり**[4]【―掛(か)り・―懸(か)り】―な 事の成行きなどについて安心出来ないでいること。〔良い・悪いの点から見た〕日常の心の持ち方。 **―がけ**[0]【―掛(け)】「―が△いい(悪い)」 **―が・ける**[5]【―掛ける】(他下一) そうすべきだと思うことを常に念頭に置いて、日常の行動を通してその実現に努める。「いつも安全運転を心掛けている/経費の節減を―」[文法] 一般に「心掛(ガ)ける」行為の対象となる事柄は「…を」と格助詞「を」で表わされるが、「安全運転に心掛ける」「経費の節減に心掛ける」などと「に」が用いられることもある。これは「日頃健康に注意する」の「に」が「注意する」対象となる事柄の範囲を限定する意を表わすのと同様に、「心掛ける」対象となる事柄の及ぶ範囲についての限定を表わすととらえたことによる。 **―がまえ**[4](ガマヘ)【―構(え)】 予測される困難に対し、事前に対処の方法を考えたり精神的な準備を整えたりしておくこと。 **―から**[3][2] ❶自分の意志に基づいて。〔古風な言い方〕「―悪の世界に入る」❷単に形式的にではなく本心そう思って。心の底から。「―歓迎する」 **―がら**[0]【―柄】 人それぞれの心の持ち方。 **―がわり**[4](ガハリ)【―変(わ)り】―する(自サ) 今までその人に対して向けられていた友情・愛情・忠誠の念などが、ほかの人に移ること。 **―くばり**[4]【―配(り)】―する(自サ) 相手の心情を十分に考慮したり予測されるいろいろな事態に対し万全の対処をしたりすること。 **―ぐみ**[0]【―組(み)】 積極的に問題に対処していこうとする心の持ち方。 **―ぐるし・い**[6]【―苦しい】(形) 〔誰かに世話になったり迷惑をかけたりして〕申し訳ないことだと思う気持だ。[派]―さ[5] ―げ[6] **―しずかに**[4](シヅカ)【―静(か)に】(副) 世間の騒がしさなどに心を乱されることなく、落ち着いた気持を保っている様子。「―余生を送る」 **―して**[3][2](副) 〔「心する」の連用形＋「て」〕十分な心構えを持って。「―聞いてほしい」 **―じょうぶ**[4](ヂヤウ)【―丈夫】―に ―な ❶気持がしっかりしていて、情実に負けたりしない様子だ。❷頼りになり、任せても安心できる様子だ。「きじょうぶ」とも。[派]―さ[0][6] **―しらい**[4](シラヒ) 「心づかい」の意の古風な表現。 **―しらず**[4]【―知らず】 自然の機微や物事の情緒を全く解さない△こと(人)。 **―・する**[2](自サ) 十分な心構えを持つ。「最悪の事態を心して事に臨む」 **―せ・く**[4]【―《急く】(自五) 早くそうしようとして気持がはやる。 **―ぞえ**[0](ゾヘ)【―添(え)】〔一般に「お―」の形で〕相手のためを思ってする注意や忠告。「お―、ありがとう」 **―だのみ**[4]【―頼(み)】 万一の事態に遭遇しても何とかしてくれるだろうとあてにすること。「長年現地に住み着いている知人を―にして海外に赴任する」 **―づかい**[4](ヅカヒ)【―遣(い)】―する(自サ) 相手のために△事がうまく運ぶ(不快感を与えない)よう、細かいところまで気を配ること。 **―づくし**[4]【―尽(く)し】 相手のことを思って、心をこめてすること。「―の贈り物」 **―づけ**[0]【―付(け)】 相手のサービスに対する感謝や晴れがましい行事の下働きをした人に対する祝儀として与える、ちょっとしたお金や物。チップ。 **―づもり**[4]【―積(も)り】―する(自サ) ❶△いざという時(その場合)にはどうしたらよいかということを、ふだんから心の中で考えておくこと。また、その考え。❷出来るならそうしたいという計画。 **―づよ・い**[5]【―強い】(形) いざという時にも安心していられる様子だ。「主治医が三人もいるとは―ことだ/―△限り(話)だ」↔心細い [派]―さ[4] **―な・い**[4]【―無い】(形) ❶思いやりの気持がない様子だ。「―仕打ちを受ける」❷情趣を解する感覚に欠ける様子だ。「―人にも感動を与える名画」❸思慮分別をわきまえない様子だ。「―

いたずら」 派 ーさ[4][0] 文法 助動詞「そうだ(様態)」に続くときは「心なさそうだ」の形になる。また「すぎる」と結びついて複合動詞をつくるときは「心なさすぎる」の形になる。 **ーなしか**[4][0]【ー〈做しか・ー成しか】(副) そう思って見るせいか、普通なら気にもとめないようなことが感じ取られる様子。「謝辞を述べる彼の目はーうるんでいた」 **ーならずも**[4][5](副) 不本意ながらそうすることを表わす。「ー承知する」 **ーにく・い**[5]【ー憎い】(形) 相手のあまりにも予測を超えた見事さに、自分の方が負い目を感じるほどだ。「ーまでに落ち着きはらう」 派 ーさ[4] **ーね**[0]【ー根】 具体的な行動から察せられる、その人の心のあり方。「やさしいー/そのーが許せない」 **ーのこり**[4]【ー残(り)】ーな ㊀してお けばよかったと、残念に思うこと。㊁あきらめきれず、あとまで気持がさっぱりしないこと。 **ーのやみ**[0]-[2]、[2]-[2]【ーの闇】 心が乱れて善悪の判断がつかないこと。 **ーばえ**[0](バヘ)【ー《延(え)】 言動の端ばしによって知られる、その人の高い気品。 **ーばかり**[4]【ー《許(り)】(副) 相手の事を思っている気持さえ伝われば十分だという気持で何かをする様子。〔贈り物をする際に謙遜(ケンソン)の気持を込めて用いられる。例、「ーの品ですが、どうぞお納めください」〕「ーお礼をする」 **ーばせ**[0]【ー〈馳(せ)】〔雅〕万一の場合に対処出来るような、ふだんからの心がけ。 **ーひそかに**[4][5]【ー《密(か)に】(副) 口に出さないだけで、心中、期するところがある様子。「ー次期社長の座をねらっている」 **ーぼそ・い**[5]【ー細い】(形) いざという時に不安を覚えずにはいられない様子だ。「見知らぬ街に移り住んで何ともー/懐がー」↔心強い 派 ーさ[4] **ーげ**[6][5][0][4] **ーが・る**[6] **ーまかせ**[4]【ー任(せ)】 その時どきの気分に従って行動する様子。 **ーまち**[0]【ー待(ち)】ーする(他サ) その事の実現を心中ひそかに期待して待っていること。「ーにする」 **ーもち**[0]【ー持(ち)】 ㊀外界の刺激に応じて変わる心の状態。 ㊁(副) そう言われればそうも思われる程度の微妙な違いや差が感じられる様子。「ー(=ほんの少し)大きい」 **ーもとな・い**[6]【ー《許無い】(形) △あてにしている人が頼り無さそうで(自分に自信がなくて)、不安を感じる様子だ。 派 ーさ[6]「ーを感じる」 **ーげ**[0][6][7] **ーが・る**[7] 文法 助動詞「そうだ(様態)」に続くときは「心もとなさそうだ」の形になる。また「すぎる」と結びついて複合動詞をつくるときは「心もとなさすぎる」の形になる。 **ーもよう**(ォ)[4](ヤウ)【ー模様】 その人の日びの生活の中で、時どきに晴れやかであったり 荒れていたり する心の様子。 **ーやす・い**[5]【ー安い】(形) 何でも言いあえるほど親しい関係だ。 派 ーさ[4] **ーげ**[0][5][6] 運用「お心安くおぼしめせ」などの形で、心配事を抱えている人などに自分が何とか処理するから安心してよい、という意を表わす。 **ーやすだて**[0]【ー安立(て)】 親しさに慣れて遠慮が無くなること。「ーの頼みごと/ーにお願いする」 **ーやり**[0]【ー《遣(り)】 沈んだ暗い気持を救うきっかけになる、ちょっとした言葉や行為。「△故郷へ帰って死んだ(怪我(ケガ)をしなかった)のが、せめてものー(=救い)だ/だれでもそうした小さなー(=気づかい)を喜ぶものだ」 **ーゆくまで**[5][6]【ー行くまで】(副) 十分に満足して、思い残すことの無い状態になる様子。「ー遊ぶ」

***こころざし**[0]【志】〔もと、「意向」の意〕㊀人生における、その人としての到達目標。「ーを高く持て/ーを同じくする人たち/ーを△まげる(立てる)/事(コト)ーと違(タガ)う(=⇩事)」 ㊁相手の立場や事情を思いやって示そうとする誠意。また、その表われとしての贈り物など。「せっかくのーを無にするわけにはいかない/ほんのーです」 ㊂香典返し・お布施などの包み紙の表に書く言葉。 運用 ㊁は、「お志はありがたいが/お志だけ頂戴(チョウダイ)いたします」などの形で、相手からの贈り物などを辞退する挨拶(アイサツ)の言葉として用いられることがある。

こころざ・す[4]【志す】(自他五) 積極的に何かしようという気持になって、その実現に努力する。「学問にー/外交官をー」 文法 (1)「医学に志す」は「医学を志す」とほぼ同義的な表現をすることができる。「…に志す」の「に」は、それなりの努力をすることによって到達しようとする最終目標であることを表わす。「風雨をついて頂上に向かう」の「に」と同じ機能を果たしており、目標に到達したことまでは含まれていない。(2) 一方、「…を志す」の「を」は達成できることを前提として、その目標とする事柄をとらえているのである。

こころみ[0][4][3]【試(み)】 試みること。ためし。「新しいー」 **ーに**[0][4](副) どんな結果になるかを知るために、とりあえず実際にやってみる様子。「ー(=ためしに)乗ってみよう」

***こころ・みる**[4]【試みる】(他上一)〈なにヲー〉〔心見る意〕どんな結果になるかを確かめるために、実際に何かする。「あれこれー/△模索(反論・抵抗)をー」

***こころよ・い**[4]【快い】(形) ㊀〈なにニー〉 外界から受けた刺激や自分の置かれた状況を好ましいものとして受け入れることができる様子だ。「耳にー音楽/ー汗をかく/適度な運動がー疲れを誘う/快く(=気持よく)眠る/快く思わない(=不愉快に思う)/快く(=いやな顔をしないで)引き受ける」 ㊁〔病状が〕よくなる方に向かう様子。「病も日増しに快くなり」 派 ーさ[4] **ーげ**[0][4]

こころよ・し[4]【快し】(形ク) 〔「快い」の文語形の残存形式〕何かを容認する気持をいだく様子だ。「ーとしない(=その事を心から受け入れるつもりは決して無い)」

ここをもって[4]【ここを《以(て)】(接) 「こういうわけで」の意の漢文訓読語的表現。 表記「《是を《以て」とも書く。

ここん[1]【古今】 昔も今も。また、昔から今に至るまで。「ー東西[1]-[1](=古今および洋の東西)を問わず」 **ーどっぽ**[1]-[1](ドクホ)【ー独歩】 昔から今に至るまで比べるものが無いほどすぐれていること。 **ーみぞう**(ォ)[1]-[0]【ー未曽有】 昔から今まであったためしがないこと。「ーの大事件」

ごこん[0]【語根】 幾つかの複合語や派生語から抽出して考えられる、共通の意味を持つ語形。例、「にぎやか」「にぎわう」の「にぎ」、酒を意味する「さか」と「酒」とから得られる sak- など。〔用言の語幹の意や、単語の接辞を除く部分の意にも用いられる〕

ごごん[0]【五言】 一句が五字から成る漢詩の句。また、その詩体。 **ーぜっく**[4]【ー絶句】〔漢詩で〕五言四句から成る絶句。

こざ[1]【〈跨座・〈跨坐〉】ーする(自サ) またがるように位置すること。「ー式モノレール[7]」

ごさ[1]【誤差】 △実際に測定(近似的に計算)した数値から△真の(理論的に期待される)数値を引いた差の値。「ーを生ずる/偶然ー[5]・測定ー[5]」

ござ[1]【後座】 ㊀演芸類で、後の方から出演すること。また、その人。前に出る人より格が上。 ㊁茶道で、茶事が済んだ後に、別室でする酒肴(シュコウ)のもてなし。

ござ[2]【〈茣蓙〉・〈蓙〉】〔もと、御座。貴人が使った敷物の意〕畳表にへりを付けた敷物。 表記「〈茣」は借字、「〈蓙」は国字。 かぞえ方 一枚

ござ[1]【御座】 ㊀「座㊀」の意の尊敬語。 ㊁〔古〕「(貴人が)居ること」の意の尊敬語。「ーあり」 **ーしょ**[2][0]【ー所】「座所[1]」の意の尊敬語。天皇や貴人の△居室(居場所)。 **ーぶね**[0][3]【ー船】 身分の高い人が乗る船。

コサージ[2]〔corsage〕 女性が洋服の胸・襟元などにつける花飾り。コサージュ[2]・コルサージ[3]・コルサージュ[3]とも。

こさい[0]【《巨細】 大きいことと小さいこと。「きょさい」とも。「ーに(わたって)(=細大もらさず。一部始終)」

こさい[0]【小才】〔「こ」は、ちょっとの意〕ちょっとしたところに発揮される才能。「―がきく(=大きな問題に際してはともかく、ちょっとした事には、機転がきく)」

ごさい[0]【五彩】⇩五色 ❶

ごさい[0]【後妻】〔死別や離別のあとに結婚した〕現在の妻。↕先妻

こざいく[2]【小細工】❶ちょっとした手先の仕事。❷根本的な解決ではなく、つまらない策略や手段で一時を糊塗すること。「―を弄する/―に△訴える(過ぎる・走る)」

ござい ま・す[4]【御座います】(自・特殊型)〔「御座ります」の変化〕「あります・です」の丁寧語。「ここに―/花が飾って―/ご苦労で―」 表記「御座居ます」とも書くのは、「います」の部分を「居ます」と連想することに基づく。 運用 相手に対して尊敬語として「山田先生でいらっしゃいますか」と言うところを「山田先生でございますか」などと言うのは誤用。

コサイン[2]〔cosine=co + sine「余角 (complement) の正弦」の意〕〔直角三角形で〕一つの鋭角の大きさが与えられた時、その角と直角の間にある辺の長さの、斜辺の長さに対する比(の値)の称。余弦。〔記号 cos〕⇩三角比

こさ・える[0]【〈拵える】(他下一)「こしらえる」のくだけた口頭語的表現。「頭にこぶを―」

こざかし・い[4]【小《賢しい】(形)自分の立場を有利にするために、相手に受け入れられるような振る舞いをする様子だ。「―〔=もっともらしい〕口をきく/―〔=利巧ぶった〕男」 派 ―さ[3] ―げ[0][4][5]

こざかな[2]【小魚】〔丸ごと食べられる〕小さな魚。〔成長しても大きくならない魚を指すことが多い〕

こさく[0]【小作】❶〔「自作農」に対して〕地主から土地を借りて農業をする△こと(人)。❷「小作料」の略。 ―そうぎ[4]【―争議】耕作権や小作料をめぐって、小作人たちと地主との間に起こる争い。 ―にん[0]【―人】「小作❶」によって生計を立てる人。 ―のう[3]【―農】小作による農作(をする人)。↕自作農 ―りょう[3]【―料】小作人が地主に支払う土地の借り賃。

こさじ[0]【小〈匙】茶さじなどの小形のスプーン。〔料理用の計量スプーンとしては容量五 cc のものを指す〕

こざしき[2]【小座敷】〔小さい座敷 の意〕❶母屋から張り出して建てた部屋。放ち出ィで[0]。❷四畳半以下の小さな茶室。

こさつ[0]【古刹】由緒のある古い寺。

こさつ[0]【故殺】―する(他サ)❶〔旧刑法で〕かっとなって、考えもなく人を殺すこと。❷過失からではなく、故意に人を殺すこと。↕謀殺

コサック[2]〔Cossack=遊牧民の意のチュルク語に由来〕黒海北岸に居住する、タタール人とスラブ人との混血種族。困苦に堪えるのと騎乗に巧みなのとで有名。

こざっぱり[4](副)―と ―する 特に美しく飾ろうとはしていないが、見た目に清潔で好ましい印象が感じられる様子。「―(と)した身なり」

ごさどう[2]【誤作動】―する(自サ)〔電磁波ノイズなどにより〕電子機器などの働きに狂いが出ること。

こざとへん[0]【《阜偏】漢字の部首名の一つ。「防・降・陸」などの、左側の「阝」の部分。もと「阜」、「阝」は偏になるときの字体。〔小高い丘の意で、多く土地や地形に関係のある漢字がこれに属する〕⇩おおざと

こさめ[0]【小雨】たいした雨量にならない、細かに降る雨。↕大雨

こざら[0][1]【小皿】小さな皿。かぞえ方 一枚・一客

ござりま・す[4]【御座ります】(自・特殊型)「ございます」の古形。

ござ・る[2]【御座る】(自五)〔↑御座ある〕■一❶「有る・居る・来る・行く」の意の尊敬語。いらっしゃる。❷「有る」の意の丁寧語。ございます。■二正常な状態を失った様相を呈する。「この魚はござって(=腐って)いる/ござった(=くたびれた)洋服/腹が少しござって(=空いて)来た/彼奴ちとござって(=彼女に夢中になって)いるんじゃないか」〔■二とも古風な表現で、現代語では一般に用いられない〕 表記「〈ムる」とも書いた。

こさん[0]【古参】〔組織・団体などで〕古くからそこの一員として身を置き、後輩に対し、指導的立場にある△こと(人)。↕新参 ―へい[2]【―兵】軍隊で、入隊後年数を経ていて、新兵を直接指導する立場にある兵隊。↕新兵

こざん[1]【故山】ふるさと(にある懐かしい山)。「―に骨を埋める」

ござん[1]【五山】臨済宗の五大寺。京都では天竜寺・相国寺・建仁寺・東福寺・万寿寺を指し、鎌倉では建長寺・円覚寺・寿福寺・浄智寺・浄妙寺を指す。「ござん[1]」とも。〔南禅寺は、京の五山の上〕

ごさん[0]【午〈餐】(ある程度の料理をそろえた)昼食。「―会[2]」

ごさん[0]【誤算】―する(自他サ)❶誤った計算をすること。「露出を―する/PCでも―は皆無ではない」❷事前にすべき状況判断を誤ること。

ごさんけ[2]【御三家】「(徳川将軍家の一門である、尾張・紀伊・水戸の)三つの家柄」の意の尊敬語。〔俗に、その方面で有力な三つの存在の意にも用いられる。例、「歌謡界の―」〕

ござん・す[2]【御座んす】(自・特殊型)〔「御座ります」の変化〕「ございます」の古風な表現。

ござんなれ[4]〔雅〕〔「にこそあるなれ」の変化。もと、「ごさんなれ」〕相手が誰であるかを確認する意を表わす。「よき敵―〔=好敵手だな〕いざたたかはん」

こし【越(し)】(造語)〔ちりめん織物で〕左右から交互にさしこむ横糸の数をかぞえる語。「一―縮緬[5]」

こし[1]【越】北陸道の古称。こしじ。「―の国」 表記 上代の用字は、「《高志」。

****こし【腰】■一[0] 胴体の下部で、上体と下肢をつなぐ部分。直立する・すわる・屈曲するなどの軸となる重要な部位。輪郭のくびれている部分をウエストと言い、骨盤の両側で大腿の上端に当たる部分をヒップと言う。〔広義では、衣服・はかまの腰に当たる部分を指し、また、壁の下の部分や、障子などの引き手のあたりから下の部分を指したりする〕「じっくり―を落ち着ける/―が落ち着く(=ⓐすぐよそへ移ったり心を移したりせず、しばらくその場所に居る。ⓑほかのことに心を取られず、何かに専念している)/―が重い(=事態が差し迫っているにもかかわらず、なかなか立ち上がらない様子だ)/ようやく―を上げる(=次の行動に移ろうとする)/―の入らぬ(=本格的にならない)景気対策/―を据えて(=本気で)取り組む/―がすわる(=落ち着いていて、気構えが十分だ)/―を抜かす(=非常な驚きのため、立てなくなる)/―が低い(=他人に対し謙虚な態度を示す)/話の―を折る(=余計な口出しなどをして、会話を続ける気分をこわす)/―が強い(=ⓐ上半身を粘り強く支える力がある。ⓑ餅などに粘りがある。ⓒ服地などの芯が強く、長く元の状態を保つ)/―がある(=枝・棒・布・紙や麺類に弾力や張りがあり、折れたり曲がったりしにくい)/―が砕ける(=ⓐ腰の力が抜けてよろめく。ⓑ何かをしている途中で、意気込みを急に失う)/―が立たない(=下半身に力が入らず、立ち上が

ることが出来ない〕/―が抜ける〔=〈驚きや恐怖で〉腰の力が抜けて立てなくなる〕/―を浮かす〔=立ち上がろうとして腰を半ば上げる〕/―を割る〔=すもうで、ひざを曲げ両足を左右に開いて腰を低くする〕」 ❷〈造語〉〔雅〕刀・はかまなど、腰に帯び、また、着ける物をかぞえる語。「太刀一―」

こし①【〈輿〉】❶屋形の内に人を乗せて運ぶ乗り物。下に取り付けた二本の長柄をかついだり手に持ったりする。「玉の―」 ❷みこし。かぞえ方 ❶❷とも一挺・一丁

こし①【古〈址・故〈址】 昔あった建築物の△土台石(あと)。

こし①【古詩】 ❶昔の人が作った詩。 ❷〔漢詩で〕隋・唐以前の詩。平仄・句数に制限が無い。↔近体❷

こし① ❷【故紙】 「反故」の意の古風な表現。 ❸【古紙】 当面の目的を果たし不要になった紙。再生紙の原料にもなる。「―回収③、①-⓪」 かぞえ方 ❷❸とも一枚・一片

こし①【枯死】―する(自サ) 草木が生えているままの状態で枯れてしまうこと。

こじ①【古寺】 歴史の古い寺。古刹。

こじ①【固持】―する(他サ) 他からの影響などによって変えること無く、自分の意見などを持ち続けること。「自説を―する」

こじ①【固辞】―する(他サ) どんな事があっても受けるわけにはいかないと、辞退すること。

こじ①【《居《士】 ❶〔俗人で〕仏門に入っている男子。 ❷男性の「法名❶」の下につける称号。⇩大姉 表記 ❷⇩付表「居士」

こじ①【〈怙恃〉】 〔「怙」も「恃」も頼りにするものの意〕「父母」の異称。

こじ①【孤児】 親に死別して、たよれる人が居なくなった子供。「戦災―⑤」 ―いん②【―院】 孤児を収容して養育する所。〔現在の児童養護施設に当たる〕

こじ①【故事】 現在普通に用いられている表現の特殊な構造や、興味が持たれる社会慣行・言語習慣などに関して、なぜ、そういうことになったかについての昔からの言い伝え。「曰く因縁、―来歴/―を引く」

こじ①【誇示】―する(他サ) 得意になって見せびらかすこと。「△威勢(戦力・力)を―する」

ごし【越(し)】〈造語〉 ❶間に何かを隔ててすること。「壁―に話す」 ❷ある年月にわたって、続けてすること。「一年―⓪」

ごし①【五指】 〔手の〕五本の指。親指・人差し指・中指・薬指・小指。「―に余る〔=五つ以上ある〕/―に入る〔=△最優秀の(代表的な)五者の中にかぞえられる〕」

ごし①【互市】 「交易」の古風な表現。「―場②」

ごし①【語詞】 単語(と、助辞の連結したもの)。「同一―の繰返し」

ごし①【語誌・語史】 その言葉の起源や意味・用法の変遷を詳しく記述したもの。〔広義では、その言葉が、特定の時代においてどのような意味・用法を持っているかを、詳しく分析して体系的に記述したものをも指す〕

ごじ①【誤字】 まちがった形・使い方をした文字。後者の例、「危機一髪」を「危機一発」と書くなど。↔正字

ごじ①【護持】―する(他サ) それが傷つけられたり失われたりしないように、大切に守っていくこと。「仏法―⑤」 ―そう②【―僧】 昔、天皇のからだを危険や病気から守るために祈った僧。

こしあげ⓪【腰上(げ)】 着丈を短くするために、子供の着物の腰の部分を縫いあげたもの。⇩肩上げ 表記 「腰揚げ」とも書く。

こじあ・ける④⓪【〈抉じ開ける】(他下一) 〔閉じてあるものを〕すきまに物をさしこんだりして、無理に開ける。

こしあて⓪②【腰当(て)】 ❶すわる時などに腰の後ろに当てる毛皮の類。 ❷和服の、腰の裏の部分に当てる布。

こしあん⓪【〈漉(し)〈餡】 煮たアズキを裏ごしで漉し、皮を取り除いてつくった餡。⇩つぶあん・つぶしあん

こしいた⓪【腰板】 ❶壁・障子・垣根などの下部に張る板。 ❷はかまの後ろの腰のあたりにつけた、厚く堅いもの。

こしいれ⓪【〈輿入(れ)】―する(自サ) 〔嫁を乗せた輿を婿の家にかつぎ入れる意〕嫁入り。

コジェネレーション④〔cogeneration〕 発電するとともにその排熱を利用して給湯や地域冷暖房も行なうなど、複数のエネルギーを利用するシステム。熱電併給。

こしお⓪【小潮】 潮の干満の差が少なくなる△こと(時)。また、その潮。月の上弦・下弦のころがそうなる。↔大潮

こしおび⓪【腰帯】 腰ひも。

こしおれ⓪【腰折(れ)】 〔第三句までを強く言い切ったために、第四句以降との連絡がうまく付かない歌の意〕へたな和歌。〔広義では詩にも言い、狭義では自作の歌を謙遜して言うのにも用いられる〕

こしがき②⓪【腰垣】 人の腰ぐらいの高さの低い垣。

こしかけ③④【腰掛(け)】 腰をおろす台。〔本来希望する職などが得られるまでの間、一時的にする仕事などの意にも用いられる。例、「結婚するまでの―仕事」〕 かぞえ方 一脚

こしか・ける④【腰掛ける】(自下一) 足を休めるために、いすや台などの上に腰をおろす。

こしかた①【来し方】 〔雅〕⇩きしかた 表記 「越し方」とも書く。

こしがたな③【腰刀】 「脇差❶」の異称。

こしき⓪①【〈甑】 「蒸籠」の意の古風な表現。

こしき⓪①【〈轂】 車輪の輻が集まる、中心の太い丸い部分。中を車軸が貫いている。

こしき①【古式】 その事について昔から行なわれている、決まった型やり方。「―ゆたかに/―にのっとる/―ゆかしい催し」

こじき③【《乞食】 〔「こつじき」の変化〕〔働いて収入を得ようとせず〕家いえを回ったり繁華街の路上に居たりして、他人から金銭や食物をもらって生活する△こと(者)。ものもらい。〔侮蔑を含意する〕

ごしき①⓪【五色】 ❶青・黄・赤・紫・緑などの美しい色。五彩。「―豆③〔=青・赤・黄・白・黒の色をつけて砂糖をまぶした豆〕」 ❷〔仏教で〕〔「―の糸」の形で〕昔、念仏信者が臨終の際に阿弥陀仏に導かれて極楽往生できると信じて、阿弥陀像の手から自分の手にかけ渡した青・黄・赤・白・黒の糸。

こしぎんちゃく③【腰巾着】 ❶腰に下げる巾着。 ❷頼りになる人のそばをいつも離れない者の意や、胡麻をすりべったり依存したりする者。「社長の―」

こしくだけ⓪③【腰砕(け)】 〔すもうなどで〕腰の力が抜け、上半身をささえることが出来なくなって倒れたりすること。〔仕事などの途中で勢いが崩れて、あとが続かなくなる意にも用いられる〕

こしけ⓪ 〔腰気の意〕膣・子宮から分泌される粘液。たいげ。⇩おりもの 表記 「腰気・〈帯下〉・〈白帯下〉」とも書く。

ごしごし①(副)―と 汚れなどを落とすために、布などで力を入れて何度もこすることを表わす。「あかを―落とす」

こしじ⓪①【越路】 「北陸道」の古称。略して「こし」。「―の旅」

こしだか⓪【腰高】 ❶―に―な 腰を十分に下げない(不安定な)姿勢だ。「―に仕切る/―〔=おうへい〕な挨拶」

❷腰の位置を高く細く作った器物。高坏(タカツキ)など。 ―しょうじ⑤(シヤウ)【―障子】 高さ約七五センチの腰板を張った障子。
こしだめ⓪ ❶【腰〈撓め〉】 銃を腰に当てたままで目標物を撃つこと。〔当てずっぽうで物事を決める意にも用いられる〕 ❷【腰《試》】 〔すもうで〕力士が四股(シコ)を踏んで、腰に力の入るぐあいを ためしてみること。
こしたんたん①-⓪【虎視〈眈々〉】―たる ―と 〔トラが鋭い目つきで獲物をねらっている様子の意〕機会を見逃すまいと、形勢を油断無くうかがっている様子だ。「―とねらう」
ごしちちょう⓪(テウ)【五七調】 〔長歌・詩で〕語句を五拍・七拍の順に配列した調子。
ごしちにち③【五七日】 人の死後三十五日目(に営む法事)。
こしつ⓪【固執】―する(自他サ) 他人の批判などを受け入れようとする気がなく、自分の考えに頑固にこだわり続けること。「こしゅう」とも。「自説を―する/立場に―する」
こしつ⓪【個室】 〔大部屋と違って〕その△人(集団・会合)だけで使える部屋。〔病室・研究室・寮・列車・料理屋などについて言う〕
こしつ⓪【〈痼疾】 「持病」の古風な表現。
こじつ①【故実】 昔の法例や儀式の規定・慣例など。「―家⓪・有職(ユウソク)―⑤」
ごじつ①【後日】 〔今すぐでなく〕これから先。〔副詞的にも用いられる〕「―に譲る/―の参考にする/―談③〔=事件などが一応の決着が付いたあと、どうなったかについての話〕」
こしつき⓪【腰付㋖】 〔安定感があるか無いか、スタイルがいいか悪いかという観点から見た〕腰の△かっこう(様子)。
ゴシック②〔Gothic〕 ❶肉太の活字。ゴチック・ゴジックとも。略称、ゴチ。 ❷十二～十五世紀に フランスを中心として発達した建築様式。アーチと弓形の天井とを主とする。ゴチックとも。
こじつ・ける④⓪(他下一) 〔自説などを合理化するために〕第三者から見れば、本来関係の無い事を無理に考えて、結びつける。 名こじつけ⓪
ゴシップ②〔gossip〕 興味本位の、うわさ話。
ごじっぽひゃっぽ⑤(ヒヤクホ)【五十歩百歩】 〔戦闘開始の合図が鳴るや五十歩逃げた者が、百歩逃げた者を意気地無しと笑ったのに対し、卑怯(ヒキヨウ)な点では同じではないかという批評があった故事から〕どちらも不十分な点では同じであり、本質的にはたいした違いが無いこと。
こしなわ⓪(ナハ)【腰縄】 ❶用のある時にすぐ使えるようにいつも腰に下げて持ち歩く縄。 ❷腰に結びつける縄。「―を打つ〔=被告人などを護送する際に、腰に縄をかける〕」
こしぬけ⓪【腰抜㋘】 腰が抜けて立てない△こと(人)。〔気力に欠け、いざという時になんの役にも立たない△こと(人)の意にも用いられる〕
こしのもの⑤【腰の物】 「腰にさした刀」の意の婉曲(エンキョク)表現。
こしば⓪①【小〈柴】 丈の低い柴。「―垣(ガキ)③」
こしばめ⓪【腰羽目】 床から高さ一メートルぐらいに張った羽目。
こしばり⓪【腰張㋷】 ふすま・壁などの下部に紙を張ること。また、その張った紙。
こしひも⓪【腰〈紐】 ❶和服を着る時に、着くずれをしないように腰のあたりに結ぶ紐。 ❷子供などの着衣に縫いつけてあり、両側から帯の代りに結ぶ紐。
こしびょうぶ③(ビヤウ)【腰〈屛風】 枕屛風などにする、腰の高さぐらいの低い屛風。
こしぶとん③【腰布団】 老人・病人などが保温のため腰にあてがう、ひものついた小さな布団。
こしべん⓪【腰弁】 〔←腰弁当③〕 腰に弁当を下げること。また、その弁当。〔(腰弁で通勤するような)安月給取りの意にも用いられる〕 表記「弁」の旧字体は「〈辨」。
こしぼね⓪【腰骨】 腰の骨。「―が強い〔=がまん強く、物事をやり通す気力がある〕」
こしまき⓪③【腰巻㋖】 〔和装で〕 ❶女性が腰から足にかけて肌に直接まとう布。ゆもじ。 ❷昔、女性が小そでの上から腰に巻いた衣服。〔俗に、本の帯紙を指す〕 かぞえ方 ❶ ❷とも一枚
こしまわり③(マハリ)【腰回㋷】 腰の周囲(の寸法)。ヒップ。
こしみの⓪③【腰〈蓑】 〔昔、漁夫などが〕腰にまとった、短い蓑。 かぞえ方 一枚
こしもと⓪【腰元】 〔腰のあたり の意から、身の回り の意に変化〕昔、貴人のそばに仕えた侍女。
ごしゃ①【誤写】―する(自サ) 書き写す時にまちがうこと。写し違い。
ごしゃ①【誤射】―する(自サ) まちがえて射撃すること。
こしゃく⓪【小〈癪】―な なまいきで、その存在がちょっと癪にさわる感じがする様子だ。「―な奴(ヤツ)」 派―さ⓪③
こじゃく⓪【孤弱】 〔漢文訓読語〕(幼い子が)頼るべき人を失って、心細い状態にあること。
ごしゃく⓪【語釈】―する(他サ) 問題となる語句の意味を分かりやすく説明すること。また、そのもの。
こしゃじ②【古社寺】 由緒のある、歴史の古い社寺。
こしゃほん②⓪【古写本】 古い時代の(価値の高い)写本。〔狭義では、江戸時代初期までの写本を指す〕
こしゅ①【戸主】 民法の旧規定で定められた家長。〔戸籍筆頭者の旧称〕
こしゅ①【古酒】 造ってから一定の貯蔵期間を経た酒。「泡盛の十年物の―」 ↔新酒
こしゅ①【固守】―する(他サ) どんな事があっても敵に譲ることは出来ないと、最後まで守ること。「自説を―する」
こしゅ①【故主】 今はなき、もとの主人。
こしゅ①【鼓手】 〔軍隊・行進などで〕太鼓をたたく役の人。
こしゆ⓪【腰湯】 〔下半身に疾患のある人の治療法の一つとして〕腰から下だけ湯につかること。座浴。「―を使う」
ごしゅ⓪【御酒】 「酒」の丁寧語。おさけ。
ごしゅ①【語種】 和語・漢語・外来語など、その語の出自から日本語の語彙(ゴイ)を分類したもの。
ごしゅいん⓪【御朱印】 戦国時代以後、大名などの朱印のある△書類(鑑札)。 ―せん⓪【―船】 豊臣秀吉(トヨトミヒデヨシ)・徳川家康(トクガワイエヤス)のころ、朱印のある鑑札状を持って、海外貿易をした船。「ごしゅいんぶね」とも。
こしゅう⓪(シフ)【呼集】―する(他サ) 〔軍隊などで〕散らばっている人を呼び集めること。「非常―④」
こしゅう⓪(シフ)【固執】―する(自他サ) 「こしつ」の古風な表現。
こしゅう⓪①(シウ)【孤舟】 「ただ一隻だけ浮かんでいる舟」の意の漢語的表現。
こじゅう⓪【〈扈従】―する(自サ) 〔古〕〔「扈」は、あとに従う意〕身分の高い人のお供をすること。また、その人。「こしょう⓪」とも。
ごじゅう②(ジフ)【五十】 ❶十の五倍。 ❷五十歳。「―肩②〔=五十歳を過ぎて、肩の関節が炎症で痛み、運動しにくくなること。『五十腕②』とも言う。⇩四十腕(シジユウウデ)〕」〔副詞的にも用いられ、アクセントは⓪〕 ―おん②【―音】 かな文字で書き分けることの出来る、日本語の基本的音節を体系的に整理して示したもの。実際に使われる音節の数は時

代によって異なるが、現在は「を」は「お」と同音で四四。〔拍の体系とは異なり、狭義では濁音・拗音ヨウオン・撥音ハツオン・促音・長音などは含まない〕「―順⓪・―図④」

ごじゅう⓪ヂュウ【五重】五つの重なり。 **―そう**②【―奏】〔西洋音楽で〕五つの楽器を使った演奏。クインテット。 **―のとう**⑤④タフ【―の塔】七堂伽藍ガランの一つ。各階に屋根を設けた、五階建ての塔。かぞえ方 一基

ごじゅう⓪ヂュウ【後住】あとに来た住持。↔先住・現住

ごじゅうさんつぎ④ ―ジフ【五十三次】「東海道五十三次」の略。

こじゅうと②ジウト【小〈舅〉】〔婚家の〕△夫(妻)の兄弟。〔広義では、こじゅうとめをも指す〕

こじゅうとめ②⓪ジウトメ【小〈姑〉】〔婚家の〕△夫(妻)の姉妹。

こじゅけい②⓪【小〈綬鶏〉】ウズラより少し大形の野鳥。人家の近くに来て、かんだかい声で「チョットコイチョットコイ」と聞こえるように鳴く。中国原産。〔キジ科〕かぞえ方 一羽

ごしゅでん②【御守殿】江戸時代、三位サンミ以上の諸侯にとついだ、将軍家の娘に対する敬称。また、その住居。

ごじゅん⓪【語順】㊀それぞれの言語によって決まっている、文を構成する要素としての、主語・述語・補語、修飾語・被修飾語、自立語・付属語などの配列順。語序。㊁辞書などの、見出し語の配列順。

こしょ①【古書】㊀△書かれて(作られて)から時代のたった本。㊁〔新刊本と違って〕古本フルホン。

ごしょ①【御所】〔もと、皇居の意〕昔、天皇・上皇・皇后などの敬称。また、その御座所。〔広義では、親王家・将軍家・大臣家についても言った。今日では、多く京都御所を指す〕 **―がき**②【―柿】実の形が平たくて、大きい柿。筋が四つあり、ほぼ四角に見える。種が少ない。甘くて、上等とされる。 **―ぐるま**③【―車】昔、貴人が乗った、屋形のある牛車ギッシャ。

ごじょ①【互助】同じような環境・境遇にある人びとが互いに助け合うこと。「―会②⓪」

ごじょ①【語序】⇩語順㊀

こしょう⓪②シヤウ【小姓】昔、身分の高い人の身近に仕え、雑用をつとめた役(の少年)。表記「小性」とも書く。

こしょう⓪【古称】そのものの、昔行なわれた名称。

こしょう⓪【呼称】㊀―する(自他サ) 物ごとにつけられる名前。また、物をその名で呼ぶこと。㊁体操をする時などに動作をしながらかける かけ声。「一、二、三、四」の類。

****こしょう**⓪シヤウ【故障】―する(自サ)〈なにデ―する〉内部の機能が不調になったり外部からの事情に左右されたりして、進行が止まったり正常な働きを失ったりすること。「機械が―する/―が入る/―が相次ぐ/―(=異議)を申し立てる/―車②」

こしょう②セウ【〈胡椒〉】インド原産の常緑つる性低木。アズキ大の赤い実は香辛料の原料。〔コショウ科〕「―のききすぎた料理/黒―」かぞえ方 一株・一本

こしょう⓪セウ【湖沼】陸地の至るところにある、水をたたえたくぼ地。みずうみとぬま。〔「湖」は大きいもの、「沼」は小さいものを指す。広義では、池をも含む〕

こしょう⓪【誇称】―する(他サ) 自慢して実際以上に大げさに言うこと。「東洋一と―する」

こじょう⓪ジヤウ【古城】〔今は住む人も無い〕古い城。

こじょう⓪①ジヤウ【孤城】㊀一つだけ離れてぽつんとある城。㊁孤立して援軍の無い城。「―落日⓪-⓪、①-⓪」

こじょう⓪ジヤウ【弧状】弓なりの曲線のような形。「―列島④」

こじょう⓪ジヤウ【湖上】みずうみの上。〔広義では、湖のほとりもさす〕

ごしょう⓪①シヤウ【五障】〔仏教で〕女性の持っている五つのさわり。そのため女性は、梵天ボンテン・帝釈タイシャク・魔王・転輪王③⑤・仏の五つになることが出来ないと言われる。

ごしょう①シヤウ【後生】〔仏教で〕死後に生まれる世界。来世。「―(=極楽往生)を願う/―だから(=後生を願う意から転じて、どうか頼むから)許してくれ」 **―いっしょう**①-⓪シヤウ【―一生】後生にも現世にもただ一度のこと。「―のお願い」 **―ぎ**②【―気】来世の安楽を願う心。「―を起こす」 **―だいじ**①-③、①-⓪【―大事】〔後生を大切に思い信仰を深める意〕その人にとってかけがえのない物として、何かを大切に保持すること。 **―らく**②【―楽】〔雅楽の曲名「五常楽②」のもじり〕後生は安楽であると思って、安心すること。〔心配事をしないで、のんきにしている意にも用いられる〕

ごしょう⓪【誤称】―する(他サ)〔物の呼び名などを〕誤って言うこと。また、その誤った言い方。

ごじょう⓪①ジヤウ【五常】〔儒教で〕人の守るべきものとされる、五つの道徳。普通、仁・義・礼・智チ・信の五つの徳を指す。〔また、五倫を指すこともある〕

ごじょう⓪ジヤウ【互譲】自己の利益ばかりにとらわれず、他人の立場も考えて、互いに譲り合うこと。「―の精神」

ごじょう⓪①ヂヤウ【御〈諚〉】〔「御定」の変化。貴人の命令は違背すべからざるものと受け取ったことに基づく〕昔、貴人・立場の上の人などの命令。仰せ。

こしょうがつ②シヤウグワツ【小正月】陰暦で、正月十五日を中心とした前後三日間の称。

こしょうほん②―セウ【古〈鈔本・古抄本〉】「古写本」の異称。

こしょく①【古色】製作後年代がたった結果、外観にうかがわれる渋み・落着き。 **―そうぜん**①-⓪サウ―【―〈蒼然〉】―たる ―と Ⓐ△あらゆる観点からして(一見)、古色が見てとれる様子だ。「―とした石造りの家」Ⓑ提唱・開発されてから時間がたっているだけで、一向改良・進歩の跡が見られない様子。「―たる階級闘争理論」

こしょく⓪【孤食】〔親が働いているなどして、子供が〕一人きりで食事をとること。また、その食事。

こしょく⓪【個食】家族がそろって食事をすることがなく、各人が別々に食事をとること。また、その食事。表記「孤食」とも書く。

こじょく⓪【小食】―な しょうしょく。「こしょく」とも。「若いころから―な人だった」

ごしょく⓪【誤植】印刷物で、文字や記号の組み間違い(がそのまま印刷されたもの)。ミスプリント。〔広義では、誤記を含む〕

こしよわ⓪【腰弱】―な ―に ㊀上半身を支える腰の力が弱く、外力に屈しやすい△こと(様子・人)。㊁餅モチやうどんなどに、望まれる腰の強さに欠ける様子だ。派―さ③⓪

こしらえコシラヘ【〈拵ⓔ〉】[一]⓪こしらえること。また、こしらえたもの。「家の―(=作り)がしっかりしている/急―ゴシラエ(=急造)の家/小ぎれいな―(=身じたく)/顔の―(=ⓐ化粧。ⓑメーキャップ)・腹―ゴシラエ」[二](造語) 動詞「拵える」の連用形。「―事ゴト⓪・―物モノ⓪」

***こしら・える**⓪コシラヘル【〈拵える〉】(他下一) ㊀〈なにデ なにヲ―〉今まで無かったものを必要な形を整えた上で作り出す。「団子ダンゴを―(=作る)/洋服を―(=新調する)/五人も子供を―(=生む)/柱にぶつかっておでこにこぶを拵えた」㊁〈なにヲ―〉方法を尽くして納得が行く状態を作り上げたり有効な手を打って満足すべき状態を作ったりする。「その場

を―〔=取りつくろう〕/話を―〔=作り話をする〕/顔を―〔=化粧する〕/金を―〔=必要な金を△集める(貯タめる)〕/腹を―〔=⇩腹ごしらえ〕」〔⇩拵え❸〕

こじら・せる④【〈拗らせる】(他下一) 無理をしたりやっかいな事を言い出したりして、今までよりも事態を悪くする。こじらす③(五)。「風邪を―〔=悪化させる〕/問題を―〔=一層紛糾させる〕」

こじり⓪③【〈鐺】〔木尻の意〕❶たるきの末端の、飾り。❷刀剣のさやの末端(の飾り)。表記 ❷は、「小尻」とも書く。かぞえ方 ❶❷とも一本

こじり⓪【湖尻】みずうみの水の流れ出す所。

こじ・る②【〈抉る】(他五) 物のすきまなどに棒を入れてねじるようにする。

ごじる⓪【呉汁】水に漬けて柔らかくしたダイズをつぶして入れた味噌ソミ汁。表記「《豆汁」とも書く。

こじ・れる③【〈拗れる】(自下一) 無理な事をしたりやっかいな事を言い出したりしたことが原因になって、今までよりも事態が悪くなる。「△風邪(話・問題・事態)が―」

こじわ⓪【小〈皺】〔皮膚などに生じる〕細かな皺。

こしわき⓪【〈輿脇】輿のかたわら(に付き添う人)。

こしん⓪【湖心】湖の中心部。

こじん①【古人】価値ある事を言ったりしたりした、昔の人。「―我をあざむかず」↕今人コンジン

こじん①【故人】❶〔古〕古くからの友人。❷〔生前縁故のあった〕死者。「―となる/―の冥福メイフクを祈る」

こじん①【〈胡人】〔古代中国で〕北方・西方にいた異民族。⇩北狄ホクテキ・西戎セイジュウ

****こじん**①【個人】❶社会・団体を構成する一員としての、一人ひとりの人。「―〔=その人〕の名誉を重んじる」❷その人の属する地位や職業などの面から切り放して考えた、一人の人間。「私はきょう、大臣としてでなく 一人の―として皆さまにお話し申し上げます」【―の尊厳】①-⓪、①-③ その人の人格は生前・死後を問わず常にたっとばるべきものであり、いかなる場合でも凌辱リョウジョクが加えられてはならぬという、最高かつ最低限の倫理。人間の尊厳。 **―さ**②【―差】精神や身体の機能の、個人個人による違い。 **―しゅぎ**④【―主義】個人の価値を重んじ、その独立・自由を主張する主義。〔俗に、利己主義の意にも用いられる〕↕全体主義 **―じょうほう**④ジャウー【―情報】特定の個人を識別することができる情報や、その人の購入商品記録・病歴など。「―保護法④-⓪」 **―てき**⓪【―的】=な =に その人だけ△に関係のある(の立場で何かする)様子だ。「―につきあう」 **―ばんごう**④ガウー【―番号】❶一人ひとりに割り当てられた番号。❷「マイナンバー」の正式名称。 **―めい**②【―名】個人としての名前。「―を伏せる」

ごしん⓪【誤信】―する(他サ) まちがって信じこむこと。また、その信じた事柄。

ごしん⓪【誤診】―する(他サ) 誤った診断(をすること)。

ごしん⓪【誤審】―する(他サ) 誤った「審判❶」(をすること)。

ごしん⓪【護身】身に加えられる危険からからだを守ること。「―術②・―用ステッキ⓪-②」

ごじん①【〈吾人】(代)「わたし(たち)」の意の古風な表現。

ごじん⓪チン―【後陣】「ごづめ」の意の漢語的表現。↕先陣

ごじん⓪②【御仁】「お人」の意の軽い敬意をこめた表現。「いかなる―か知らない」運用 一風変わっていたり 気難しかったりして敬遠されがちな人を皮肉って言うことがある。例、「けったいな御仁だ」

ごしんえい⓪【御真影】「(天皇・皇后の)写真」の意の尊敬語。

ごじんか②クワ―【御神火】〔伊豆大島の〕三原山の噴火の火。「ごしんか」とも。

ごしんぞう⓪ザウ―【御新造】〔明治・大正時代までの用語で〕〔中流社会の〕他人の妻に対する敬称。「ごしんぞ⓪」とも。〔口語では、「ごしんさん⓪」と言った〕

ごしんぷ②【御親父】相手の父に対する敬称。

****こ・す**⓪【越す】(自五) ❶〈どこ・なにヲ―〉Ⓐ順調に進む上でさまたげとなるところを通り過ぎてその先に進む。「△峠(山)を―/―に越されぬ〔=渡ろうとして渡れない〕大井川/先センを越される〔=出し抜かれる〕」Ⓑ〔「お越し」の形で〕「来る」ことの尊敬語。「ぜひ 一度お越しください」❷限界だと思われる程度よりも高い状態になる。「五万人を超す大観衆/十倍を超す競争率」❸〈なにヲ―〉基準とする期間・時点や範囲を過ぎてその先に進む。「年を―/一冬ヒトフユ―/六十の坂を―/乗り―・繰り―」❹〈(どこカラ)どこニ―〉引っ越す。「越してきたばかりで土地の様子がわからない」❺〔「…に越したことはない」の形で〕その状態以外により望ましい状態はあり得ない、つまりその状態が最善だということを表わす。「△安い(月給は高い・用心する)に越したことはない」表記 一般に、❶❸❹は「越す」、❷は「超す」と書く。

こ・す⓪①【〈漉す・〈濾す】(他五) 純粋な成分を採るために、細かなすきまを通過させて かすを取り除く。「餡アンを―」

ごす⓪①【呉須】❶コバルト化合物。陶磁器のうわぐすりに使う、あい色の顔料。❷〔↑呉須焼⓪〕青色の模様を焼き付けた、中国陶磁器の一種。

ごず①ツ―【《牛頭】からだは人で、頭が牛の形をしているという、地獄の番人。「―馬頭メズ⓪①」 **―てんのう**⑤ワウ―【―天王】祇園精舎ギオンショウジャの守護神で、京都祇園社の祭神。天王。

こす・い②【〈狡い】(形) ずるく立ち回って、決して自分の損にならないようにする様子だ。派 **―さ**①

こすい⓪【湖水】みずうみ(の水)。

こすい⓪【鼓吹】―する(他サ)〔太鼓を打ち、笛を吹く意〕何かすることの意義を一人ひとりに宣伝し、積極的にそうしようという気持にさせること。「△士気(愛国心)を―する」

ごすい⓪【五衰】天人の臨終に現われるという、五種の衰えていくありさま。

ごすい⓪【午睡】―する(自サ)「ひるね」の意の漢語的表現。

こすう②【戸数】❶人家の数。❷同一家計のもとに生活を営む世帯の数。 **―わり**⓪【―割(り)】〔旧法で〕独立の生計を営む家ごとに賦課・徴収した市町村特別税の一つ。

こすう②【個数】それぞれが独立していて、一個二個とかぞえられる物の数。表記「《箇数」とも書く。

ごすう②【語数】△言葉(文字)の数。「異なり―」

こずえ⓪ズエ―【〈梢】〔「木の末」の意〕△幹(枝)の先。表記「〈杪」とも書く。

こすから・い④【〈狡辛い】(形) 利益を得ることを第一とし、何かにつけてこすい振る舞いが目立つ様子だ。口頭語では「こすっからい⑤」とも。「―世の中」派 **―さ**③

コスチューム①③〔costume〕衣装。〔狭義では、演劇の舞台衣装や、特定の(古い時代の)民族衣装などを指す〕「―ショー⑥⑤」 **―プレー**⑦〔costume play〕昔の衣装を着けてする、大規模な歴史△劇(映画)。時代劇。

コスト①〔cost〕何かを製造するためにかかった費用。〔広義では、商品の値段をも指す〕「―が高くつく/―ダウン④・―割れ⓪・―パフォーマンス〔=⇩費用性能比〕」

コスプレ⓪〔cosplay ← costume play コスチュームプレーの略から〕漫画・アニメ・コンピューター ゲームなどに登場

する人物のファッションをそっくりまねた格好をすること。

ゴスペル①⓪〔gospel〕❶〔キリスト教で〕福音(書)。❷黒人霊歌の一つ。福音賛美歌。ゴスペル ソング⑤とも。

コスメチック④〔フ cosmétique〕❶化粧品一般。略してコスメ①。❷棒状に固めたポマード。毛をなでつけるのに使う。チック。かぞえ方 ❷は一本

コスモス①〔cosmos の文字読み〕❶(秩序ある)世界。宇宙。「ミクロ―」↔カオス ❷庭に植える一年草。秋、枝の先ごとに、桃色・白などの、花びらが八枚のように見える花を開く。メキシコ原産。秋桜(アキザクラ)③。〔キク科〕表記 ❷は、戦後から「〈秋桜〉」の字を当てる。かぞえ方 ❷は一本

コスモポリタン④〔cosmopolitan の文字読み〕国籍などにこだわらず、全世界を自国と見なす人。世界主義者。〔「国際人❶」の意にも用いられる〕

こすりつ・ける⑤〘擦(り)付ける〙(他下一) ❶擦って他の物に付ける。❷力を入れて擦る。

こ・する②【鼓する】(他サ)〔昔の軍制で〕太鼓を打って、士気を鼓舞する。鼓す①(五)。「勇を鼓して」

***こす・る**②〘擦る〙(他五)〈なにデ なにヲ―〉物を何かの面に強く押し当てて前後左右などに続けて動かす。「手で顔を―」

ご・する②〈伍する〉(自サ) 同等の位置に身を置く。伍す①(五)。「列強に―」

ご・する②【期する】(他サ) そうなることを△予想(覚悟)して待つ。

こす・れる③〘擦れる〙(自下一) 他の物とすれあう。

ごすんくぎ②【五寸〈釘〉】〔もと、五寸あったことから〕長くて大きい釘。〔普通は、約六センチのものを指す〕かぞえ方 一本

ごせ①【後世】〔生物は生死(ショウジ)・流転を繰り返すという仏教の世界観に基づき〕死んだ人が、次に生まれ変わるという世界。来世。「―(=来世の幸せ)を願う/―を弔(トム)ら(=葬儀・法要を営み、故人のあの世での平安を願う)」⇩三世

ごぜ①【御〈前〉】〔「御前(ゴゼン)」の変化〕❶①弾き語りで歌をうたい門(カド)付けをした、盲目の女性。「―歌(ウタ)②」❷(接尾)〔雅〕昔、中流の女性の敬称。「母―③」表記 ❶を「〈瞽女〉」と書くのは、義訓。

こせい①⓪【古制】昔の△制度(慣習・方法)。

***こせい**①【個性】個々の△人(物)をそれぞれ特徴づけている独自の特質。「―を△生かす(失う・尊重する・伸ばす・認め合う)/強烈な―/―豊かな/―的⓪」

こぜい⓪【小勢】△何かする(そこに居る)人数が少ないこと。「―と見て呑(ノ)んでかかる」↔大勢(オオゼイ)

ごせい⓪【互生】―する(自サ) 葉が茎の一節から一枚ずつ互い違いに反対方向に生じること。⇩対生・輪生

ごせい①⓪【悟性】自分の理解した諸事実などに基づいて、論理的に物事を判断する能力。⇩感性・理性

ごせい⓪【語勢】❶相手に対して訴えかけようとする気持の強さが表われるものとしての言葉の勢い。「―を強める」❷(特に強弱の)アクセント。

こせいそう②【古生層】古生代に形成された地層。

こせいだい②【古生代】地質による時代区分の一つ。今から約五億四千万年~二億五千万年前。生物が初めて陸上に進出したと言われている。

こせいぶつ②【古生物】地質時代に生存していた生物。化石などからその存在が推定される。

こせがれ②【小〈伜・小悴〉】年が若く未熟な者。〔多く、軽い侮蔑(ブベツ)を含意する。自分のむすこの謙称としても用いられる〕

コセカント②〔cosecant=「余角の正割」の意〕〔直角三角形で〕サインの△逆数(逆比)。余割。〔記号 cosec〕

***こせき**⓪【戸籍】市・区・町・村に本籍を定めている夫婦とその未婚の子供について、氏名・生年月日・性別・実父母の氏名とその続柄などを記載した公文書。市区町村長が管掌する。「―上の名前/―謄本④・―抄本④」

こせき⓪①【古跡・古〈蹟〉】昔△そこで歴史的な何かが行なわれた(そこに歴史的な建物が存在した)跡。表記「古〈迹〉」とも書く。「古」は、「故」とも書く。

こせこせ①(副)―と ―する ❶気が小さくて、目先の小事にいちいち△こだわる(こだわって動き回る)様子。「―したところの無いおおらかな性格」❷狭苦しく雑然としていて、ゆとりの無い様子。「―(と)した裏街に住んでいた」

こせつ⓪【古拙】―に ―な ⇩アルカイック「―な仏像」派 ―さ⓪

こぜつ⓪【孤絶】―する(自サ) △一人(一つ)だけ取り残され、他との△連絡(交通)が無くなること。

こせつ・く⓪(自五) こせこせする。

ごせっく②【五節句】昔の、年間のおもな五つの節句。人日(ジンジツ)(=一月七日)・上巳(ジョウシ)(=三月三日)・端午(タンゴ)(=五月五日)・七夕(シチセキ)(=七月七日)・重陽(チョウヨウ)(=九月九日)。表記 もとの用字は、「五節供」。

ごせっけ②【五摂家】昔、摂政(セッショウ)・関白になる資格を持っていた五つの家柄。近衛(コノエ)・九条・二条・一条・鷹司(タカツカサ)。

こぜに⓪【小銭】❶足代やこまごました買物などに必要な、小額のお金。「―入れ③」❷そう高額ではないが、ちょっとした商売が出来る程度の まとまったお金。「―をためこんでいるという評判だ」

こぜりあい②③ ―アヒ【小競(り)合(い)】小部隊同士の局地的な戦闘。〔ちょっとしためごとの意にも用いられる。例、「遺産をめぐる―」〕

こせん⓪【古銭】今は通用しなくなった昔のお金。「―の収集」表記「古泉」とも書く。

こせん⓪【弧線】弓なりの曲線。

ごせん⓪【五線】それに諸記号を記入して楽譜を作成するための五本の平行線。「―紙②・―譜②(=楽譜)」

ごせん⓪【互選】―する(他サ)〔特定の人びとが〕主として相互の話合いで選び出すこと。「委員長を―する/―投票④」

***ごぜん**①【午前】真夜中の零時から正午までの間。〔狭義では、(夜明けから)昼前を指す〕↔午後 **―さま**④【―様】〔「御前様」のもじり〕宴会などで、真夜中になってから帰宅する人。〔仕事で遅くなった人は指さない〕⇩朝帰り

ごぜん⓪【御前】❶「(貴人の)△座席の前(面前)」の意の尊敬語。「―会議④・―試合(ジアイ)④」❷古く、貴人やその妻に対して用いた敬称。〔白拍子(シラビョウシ)の名前の下に付けても用いられた〕「―(さま)に伺いを立てる」

ごぜん【御膳】㊀①❶「膳」の意の丁寧語。❷「食事・飯」の意の丁寧語。お膳⓪。㊁(造語) 上等である意を表わす。「―汁粉(ジルコ)④(=こしあんの汁粉の異名)・―蕎麦(ソバ)(=上等の白いそば粉で作ったそば)」

こせんきょう⓪ ―ケウ【跨線橋】鉄道線路の上にかけ渡した陸橋。オーバー ブリッジ⑥。〔狭義では、駅のそれを指す〕

こせんじょう⓪ ―ヂャウ【古戦場】昔、合戦の行なわれた跡。

こそ(副助) ❶特にその語を取りたてて、強調する主体の気持を表わす。「私―失礼しました/君だから―相談するのだ/自分でやって―はじめて分かる/今で―言えるが/好き―物の上手なれ」❷〔「動詞仮定形＋ば…―」の形で〕前件を理由として後件で述べることに必然性があるということを表わす。「君の事を思えば―こうやって注意しているのだ/泳ぎを知っていれば―助かったのです/愛すれば―」❸〔「―＋動詞仮定形」「―＋述語＋逆接形式」の形で〕前件を容

** *は重要語，⓪①… はアクセント記号，品詞の指示の無いものは名詞および いわゆる連語。

認し、前件とは対比的な事態を否定する内容の後件と結び付ける。…することはあっても…とは言え。「感謝―すれ、怒る事はなかろう/苦しみ―しても、決して楽しい毎日ではなかった/きれいに―なれ、しみがつくようなことは絶対ありません」 ㊃〔「動詞未然形＋ば―」の形で終助詞的に〕そのような事が全くあり得ないことを表わす。「押しても引いても動かばー〔=ちっとも動かない〕/情け容赦もあらばー〔=情状を酌量して許してやるという態度は、みじんも見られない〕」 文法 体言(名詞、またそれに準ずる句)、形容動詞語幹、用言・助動詞「れる/られる・せる/させる」の連用形、格助詞「へ・を・で・から・に」、接続助詞「て・から」に接続する(ただし、「を・に」が現われることもある)。㊂は、文語文法に見られる係り結びの用法(ここでは「…こそ…已ィ然形」)の残存形式であって、一般に重文構造の表現の前件にのみ用いられる。

こぞ①【〈去年〉】〔雅〕きょねん。

こそあど⓪ 「これ・それ・あれ・どれ」、「この・その・あの・どの」、「こんな・そんな・あんな・どんな」、「こう・そう・ああ・どう」など、指示語をまとめて呼ぶ称。

文法 (1)口頭語でこそあど言葉と呼ばれる一群の語は指示語・指示詞などとも称され、表現しようとする事柄について、具体的にそれを表わす言葉のかわりに、話し手と聞き手の位置関係を基準にしてその事柄を示すはたらきをする語である。ここではこそあど言葉の意で以下「指示語」という語を用いる。

(2)指示語の用いられる場面は、大きく二つに分けられる。(a)**現場指示**…話し手・聞き手の双方が一般に視覚でとらえられる範囲内にある人・事物や場所・方角などを指し示す言語行為。(b)**文脈指示**…一般に話し手または聞き手がすでに述べた事柄を指し示す言語行為。

◎**現場指示**

(3)指示語の用いられる現場指示の状況には二つの「場」がある。(a)話し手と聞き手がそれぞれ自分の領域を意識できる「場」…話し手と聞き手が適度の距離をおいて向かい合っている場面など。(b)話し手と聞き手が互いの領域を意識することなく、同じ領域を共有すると意識される「場」(つまり「ワレワレノ場」)。

(4)(a) (3)(a)の「場」では、話し手は自分の領域に属するととらえられる対象を「コ」で、聞き手の領域に属するととらえられる対象を「ソ」で表わす。…話し手が傘を指し示して「この傘はあなたのですか」と聞き手に尋ね、「ええ、それは私のです」。また、話し手が、聞き手が手にしている物を見て、「それは何ですか」と問いかけ、聞き手が「これは手のひらサイズの小型カメラですよ」と答えるような対応関係である。(b)話し手・聞き手のどちらの領域にも属さないが、どちらも認め得る範囲にある対象を指示する際には、話し手・聞き手ともに「ア」を用いる。…話し手から「あの人はどこかで見かけた人だね」と言われ、聞き手が「ええ、私もあの人とどこかでお会いしましたね」、また、話し手の「あの高い建物は何ですか」に対して「どの建物かな?」ああ、あれか。あれは○○ホテルですよ」という対応関係である。

(5)(a) (3)(b)の「ワレワレノ場」は、場所を指示する表現に特徴的に見られる。たとえば、東京から新大阪に向かう新幹線の車中で居眠りをしていた相手から「ここはどこだ?」と言われて「ああ、ここは名古屋だよ、京都は次だ」などと応じる。これは話し手・聞き手がともに同じ領域に属することによるからだととらえられる。「ワレワレノ場」を構成している状況では、さほど隔たっているとはとらえられない所を「ソ」で表わすのが一般である。…夫婦の会話などで、「そこにできた店、いつオープンするのかしら」と問われ「ああ、そこの店ね。明日あたりにはオープンするんじゃないかな」などと応じる場合である。また、道で出会った近所の人などに「どちらへ?」と問いかけられ、「ちょっとそこまで」と応じる慣用的な答えも、ちょっとした用事で出かけるだけで、それほど遠い所へ行くわけではない、といった気持を表わすものだと解される。(b)「コ」と「コ」、「ソ」と「ソ」の対応関係は、(4)(a)で扱った人・事物を指示する表現にもある。…話し手・聞き手が、同じ写真を見ながら「この方はどなた?」に対して、「この方は部長の奥さんですよ」と応じたり、机を並べている二人の前の出窓に飾ってある花を見て、「その花は何というんですか」と問われて、「その花はリーガベゴニアですよ」と答えたりする場合である。(c)場所を指示する状況で話し手の領域を「コ」、聞き手の領域を「ソ」ととらえて表わすのは、両者が道や川を隔てて向かい合っている場合や、離れた所にいる人と電話で話をする際などである。…「こっちは今ひどい雨が降っているけど、そちらはどう?」「ああ、そう。そちらは雨!こちらはいいお天気よ」などのような対応関係である。

◎**文脈指示**

(6)文脈指示についても基本的には現場指示と変わるところがない。(a)文芸作品か論説文かを問わず、前述の内容を「コ」で表わすか「ソ」で表わすかについては個人的な偏りがあり、必ずしも一般化してとらえられるものではないが、概ね以下のような傾向がある。(b)前述の特定の語句を指示し、そのことが読み手に当然理解されると期待されるような際には、多く「ソ」が用いられる。(c)前述した事柄をもとにして、そこから導かれる筆者の判断を述べたり新たな問題提起をしようとしたりする際には、「コ」を用いる傾向がある。前者の例、「このことから以下に述べることが推測できる」など。後者の例、「このことはさらに次のような問題へと発展する」など。(d)「ア」は、話し手・聞き手の双方が共通に関心をいだいているなどして、文脈からその指示内容がすぐに理解される場合…「あの件はどうなっているね?」に対して「ああ、あの話はなんとかうまくまとまりそうですよ」と応じる場合である。(e)過去の事柄を回想して、独白的にその当時のことを述べようとする場合…「あれはもう二十年も前のことだったな」「あの忌まわしい事件は今でも忘れられない」などである。この種の「ア」は、文芸作品の冒頭の表現などにもしばしば用いられる。これは作者が描こうとする世界へ読者を心理的にいざなおうとする一つの表現技法だとみることができる。

こぞう(オ)②【小僧】❶修行中の、年若い僧。❷商店などに見習い奉公している若者。「―から たたき上げる」❸未経験なくせに生意気な若者や、いたずらばかりして手に負えない子供。「四十五十ははなたれ―/いたずら―⑥・腕白―⑥」⇩こぞっこ

ごそう(オ)⓪【護送】―する(他サ)❶〔貴重品や大金などを〕そばを離れず、守りながら送り届けること。「―船団④」❷△受刑者(刑事被告人)を、ある場所から他の場所へ移すこと。押送(オウソウ)。

ごぞう(ザウ)⓪①【五臓】〔漢方で〕肺臓・心臓・脾(ヒ)臓・肝臓・腎(ジン)臓。 **―ろっぷ**(ロクフ)④【―六〈腑〉】五臓と六腑。「―〔=腹中〕にしみわたる/―が煮えくりかえる」

こそく⓪【〈姑息〉】―な 〔「姑」はちょっと、「息」はやむ・それでいいの意〕根本的に対策を講じるのではなく、一時的にその場を切り抜けることができればいいとする様子だ。〔俗に、「やり方が卑劣だ」の意にも用いられる。より口頭語的な表現では「その場しのぎ」とも〕「―な手段」 派 ―さ⓪

こぞく①【古俗】△昔(古来)の風俗。

ごぞく①⓪【語族】 同じ祖語から分かれ出て、互いに共通点があると考えられる言語集団。「インドヨーロッパ―」

こそぐ・る⓪【〈擽る〉】(他五) 「くすぐる」のくだけた口頭語

的表現。

ごそくろう③②【御足労】「相手にわざわざ△来て(行って)もらうこと」の意の尊敬語。「―を煩わす」

こそ・げる⓪③【刮げる】(他下一) 表面に付いた不要な物を削り落とす。「刮ぐ②⓪(五)」とも。「なべの底を―」

こそこそ①(副)―と・―する やましいところがあって、人の目にふれない所で隠れて事をする様子。「運動会や遠足を欠席して家で―勉強をする/陰で―悪口を言う」

ごそごそ①(副)―と・―する こわばった物が触れ合うような耳障りな音を立てて何かが動き回る様子。「隣の部屋で何かが―這う音がする/かばんの中を―(と)捜していたが」

こそだて②【子育て】 親としての責任を負って、生まれてから身の回りのことがひとりで出来るくらいになるまで子供の世話をすること。「―が一段落する」

こぞっこ④【小僧っ子】〔「小僧っ子」の短呼〕「小僧」を親しみや侮蔑の気持を込めて言う語。〔未熟者の意で、謙称として用いられることもある。例、「大学を出たばかりでまだ―です」〕

こぞって②【挙って】(副) 関係する全員が、一人残らず同じ行動をとる様子。「町の住人は―彼女に投票した」

ごそっと②(副) ⇩ごっそり

こそで⓪【小袖】 ❶袖の小さな、ふだん着の和服。❷絹の綿入れ。↕布子 かぞえ方 ❶❷とも 一重・一枚

こそどろ⓪【こそ泥】 人目をぬすんでこそこそと わずかな物を盗んで行くどろぼう。

こそばゆ・い④【擽い】(形)〔西日本方言〕❶くすぐったい。❷てれくさい。 派―さ④③ ―げ⓪⑤④

こぞ・る②【挙る】(自四)〔雅〕関係者が、そろって何か統一的な行動を取る。⇩こぞって

ごぞんじ②【御存じ】「存じ」の丁寧語。❶人がすでにそのことを知っていること。「皆様も―の通り」❷〔人名・作品名の上に付けて〕一般大衆に広く知られていて人気の高い、の意を表わす。「―宮本武蔵」 表記「御存《知》」とも書く。

こたい⓪【古体】 ❶昔の△形(体裁)。❷〔漢詩で〕律詩・絶句以外の詩体。唐時代(=六一八〜九〇七)以前に行なわれた。

こたい⓪【古態】 今は失われてしまった、そのもののもとの姿。「―を復元する」 表記「故態」とも書く。

****こたい**⓪【固体】 物質の三態の一つ。一定の形・体積を持っていて、容易に変化しない状態(の物質)。「―燃料④」⇩気体・液体

こたい⓪【個体】 独立の存在として他と弁別されるもの。〔狭義では、一個の生物を指す〕「―群②・―差②・―発生④・―識別⑤④」

こだい①【古代】 ❶大昔。「―象②・―杉②」❷太古と上古の称。〔広義では、中古・近古を含むこともある〕「―歌謡④」 **―むらさき**⑤【―紫】 多少、灰色がかった紫。〔江戸紫よりも黒みを帯びている〕

こだい⓪【誇大】―に・―な 実際より大げさに他人に伝えたりする様子だ。「―な広告」 派―さ⓪ **―もうそう**④【―妄想】 自己の能力・地位などを誇大に信じてしまう妄想。「―狂⓪」

ごたい①⓪【五体】 ❶頭・両手・両足の称。「―(=からだのすべての部分)が無事に育つ/―満足①-①、④・―投地④」❷〔書道で〕篆書・隷書・楷書・行書・草書のこと。

ごだい⓪【五大】〔仏教で〕四大と空(=空間)。すべてのものはこれによって構成されるものと考えられた。 **―みょうおう**⑥【―明王】 真言宗で立てる仏法護持の五神。不動・降三世・軍荼利・大威徳・金剛夜叉の五明王。いずれも、怒った顔をして立つ。

こだいこ②【小太鼓】 小形の太鼓。〔洋楽のそれはサイドドラム④と言う〕↕大太鼓

ごだいしゅう②【五大州・五大《洲》】「五大陸」の称。

ごたいそう②【御大層】―に・―な 「大げさ」の意の皮肉をこめた口頭語的表現。「―な態度/たいしたけがでもないくせに―に包帯を巻いて」

ごたいりく②【五大陸】 アジア・アフリカ・ヨーロッパ・アメリカ・オーストラリアの五つの大陸。〔オーストラリアの代りに、アメリカを南北二つにかぞえても言う〕

***こたえ**②【答(え)】 ❶【答(え)】↕問い 「答える❶」△こと(言葉)。「(明快な)―(=回答)を出す/間違った―/口―する/受け―」❷【応(え)】〔造語〕何かをすることによって(予測したとおりの)好ましい結果が得られることを表わす。「手―・見―・読み―」

****こた・える**③②(自下一) ❶【答える】〈なにニ―/(なにニ)なんだト―〉 ❶他人からの質問・働きかけに対して、それに(適切に)応じたことを言う。「△質問(疑惑・批判)に―/真正面から―/こだまが―(=反響する)」❷試験などで出題者の意図に合った内容のことを、書いたり口に出したりして示す。「難問に―/○×で―」 ❷【応える】〈なにニ―〉 ❶他からの刺激によって、強い影響を受ける。「人の親切が骨身に―/寒さが―/暑さが応えてひどく参った」❷相手の期待・要望などに合ったことをする。「△呼びかけ(善意・ニーズ・民意)に―」 ❸《堪える》 その状態を保ち続けることが出来る。「あの快感は堪え切れない(=一度味わってしまうとやめることができない様子だ)/堪えられない(=これで終わりにしようという気持になれない)うまさ・持ち―」

こだか・い③【小高い】(形) 周辺の平らな土地よりも少し隆起している状態だ。

こだから⓪②【子宝】 何物にも代えがたい△かわいい(大事な)子供。「―に恵まれる」

ごたく⓪【御託】〔↑御託宣⓪〕 あれこれと勝手な言い分を言うこと。また、その言い分。「―を並べる」

こだくさん②【子沢山】 夫婦の間に子供が多いこと。「律儀者の―」

ごたごた ❶⓪④ その組織の内部に何か事件があったりして生じる混乱した状態。「―(=もめ事)が絶えない職場」 ❷①(副)―と・―する ❶もめ事があって、人間関係などがしっくりいっていない様子。「金のことで―して、結局、別れることになった/社長人事で役員会が―ともめている」❷乱雑で、まとまりのつかない様子。「日用雑貨を―と並べた店先」

こだし⓪【小出(し)】 一度に全部出さず、何回かに分けて少しずつ出す△こと(もの)。「―に使う/―にする」

こたち②【子《達》】〔関西で〕子供の称。

こだち①【小《太刀》】 小形の刀。また、それで行なう武術。 表記⇩付表「太刀」 かぞえ方 一口

こだち①【木立】 何本かがひとまとまりになって生えている木。 かぞえ方 一むら

こたつ⓪【《炬燵》・《火燵》】〔「こ」は、「火」の唐音〕小さないろりなどにやぐらを置き、布団をかけて、からだを暖めるもの。「置き―・掘り―」

ごだつ⓪【誤脱】 文章中にある誤字や脱字。

ごたつ・く⓪(自五) ごたごたする。

こだて①⓪【小《楯》】 楯の役をするちょっとしたもの。「―に取る(=その辺にある物を利用して、楯の代りに使う)」

こだて⓪【戸建(て)】「一戸建て」の圧縮表現。

こだな⓪【《蚕棚》】 蚕籠を載せておく棚。

こだね⓪【子種】 子を生むべき元となるもの(としての精

こ

子)。〔家を継ぐものとしての子供、の意にも用いられる〕「—が無い〔=子供に恵まれない〕」

こたび①【〈此度】「このたび」のやや改まった表現。

ごたぶん⓪【御多分】〔「多分」は「大部分」の意〕大多数がそうであること。「—に漏れず〔=同類の他のものがそうであるように、そのものも例外ではなく。いい意味で使うことはあまり無い〕」 表記「御多聞」と書くのは誤り。

こだま⓪【木霊】❶—する(自サ)〔樹木の霊の意〕山や谷などで、声や音が反響して返ってくること。「アルプスの山やまに美しい歌声が—する」❷木の精。表記「〈谺」とも書く。

ごたまぜ⓪【ごた混(ぜ)】ごちゃまぜ。

***こだわ・る**③【《拘る】(自五)〈なにニ—〉❶他人から見ればどうでもいい(きっぱり忘れるべきだ)と考えられることに、当人にはそれなりの理由があり、とらわれて気にし続ける。「△自説(メンツ・目先の利害・枝葉末節)に—」❷他人はどう評価しようが、その人にとっては意義のあることだと考え、その物事に深い思い入れをする。「カボチャにこだわり続けた画家/△材料(鮮度・品質・本物の味・天然のアユ)に—」名拘り⓪

コタン①〔アイヌ kotan〕アイヌ人の村。「カムイ〔=神〕—④」

こたん⓪【枯淡】—な 世俗的な名利にこだわる気持が全く無く、自然の姿そのものに成り切っているという印象を受ける様子だ。「—の境地」派—さ⓪

ごだん⓪【誤断】—する(他サ) まちがった判断(をすること)。

ごだんかつよう④【五段活用】〔日本語文法で〕動詞の活用形式の一つ。「書かナイ・書きマス・書く・書くトキ・書けバ・書け・書こウ」のように、五十音図の五段にわたって活用するもの。〔文語では「書こウ」は「書かム」となるので、四段活用と言う〕

コタンジェント②〔cotangent=「余角の正接」の意〕〔直角三角形で〕タンジェントの△逆数(逆比)。余接。〔記号 cot〕

こち①【〈此《方】(代)〔雅〕〔「ち」は方角の意〕❶こちら。こっち。❷わたくし。「—の人①〔=昔、妻が夫を呼ぶ時の称〕」

こち①〔雅〕〔春になると吹く〕ひがしかぜ。「—吹かばにほひおこせよ梅の花あるじなしとて春を忘るな」表記「〈東風〉」は、義訓。

こち①【〈鯒】ハゼに似て、頭の大きい近海魚。浅い海の底にすみ、背中は砂の色に似る。食用。刺身や天ぷらなどにする。美味。マゴチ。〔コチ科〕かぞえ方 一尾・一匹

こち①【故地】歴史・古伝説や故人にゆかりのある土地。

こち①【故知・故〈智】〔似たようなケースに〕古人が、それをもって難局を打開した、すぐれたはかりごと。「孔明の—に倣って」

こち①【〈胡地】〔「胡」は、中国西北方の地に住んだ匈奴の意〕風俗・習慣の全く違う異民族の住む土地。

こぢから②【小力】ちょっとした力。「—のある男」

こちこち [一]①(副)—と ⇩かちかち❶ [二]⓪—な —に ❶水分が無くなったり凍ったりして全体がかたまってしまった状態にある様子。「—に凍りついた池」❷頭が固くて、考え方に柔軟性を欠いている様子。「—の官僚」❸極度に緊張して、心身ともに硬直した状態にある様子。「大勢を前にして—になる」

ごちそう⓪【御〈馳走】〔もと、大奔走の意の「馳走」の丁寧語〕❶—する(他サ) 心を尽くして客をもてなすこと。また、そのもてなし。「寒い時には火が何よりの—だ/(…を)—になる/夕食を—する」❷おいしい(りっぱな)料理。「正月の—/—続きの毎日」 —さま⓪【—様】(感) 食事が終わった時やもてなしを受けた時などに言う挨拶の言葉。運用 人からのろけ話を聞かされたり 仲のいいところを見せつけられたりした時に、からかいや冷やかしの気持をこめて言うのにも用いられる。

こちた・し③(形ク)〔雅〕程度がはなはだしくて、扱いかねる様子。「こちたき〔=煩わしい〕うわさ/こちたき〔=こぼれるほどの〕露」派—さ③ —げ⓪③④

ゴチック②①〔ド Gotik〕⇩ゴシック

こちとら③⓪(代)〔「と」は人の意〕「自分たち」の意のくだけた口頭語的表現。おれたち。〔単に、自分の意にも用いられる〕

こちゃく⓪【固着】—する(自サ) 何かにしっかりとくっついて離れないでいること。

ごちゃごちゃ〔「ごしゃごしゃ」の強調形〕[一]①(副)—と —する 多くの△物(事)が△一か所(一時)に集中して、無秩序な状態にある様子。「人形を—(と)並べてある/一度にいろんな事を言われて、頭の中が—してしまう」[二]⓪—な —に 「ごちゃごちゃ[一]」に同じ。「—に散らかった部屋/頭の中が—だ」

ごちゃまぜ⓪【ごちゃ混(ぜ)】本来は区別されるべき数種類のものが、無秩序に入り交じっている様子。「ごたまぜ・ごったまぜ⓪」とも。

こちゅう⓪【古注・古〈註】昔の人が施した、古典の注釈。旧注。↕新注

ごちゅう⓪【語中】その単語を構成する△音(文字)のうちで、中ほどの位置。⇩語頭・語末

こちゅうのてんち①-①【〈壺中の天地】〔後漢の費長房が方術によって壺の中に入ると、宮殿楼閣をなし、山海の珍味に満ちていたという故事から〕俗界とかけ離れた別天地。「壺中の天⑤・一壺天③」とも。

こちょう①【戸長】明治初期、町村にあって行政事務を行なった役人。今の町村長にあたる。

こちょう①【〈胡〈蝶】〔雅〕チョウ。表記「〈蝴〈蝶」とも書く。 —らん②【—〈蘭】フィリピン・台湾原産のランの一種。長い花茎にチョウに似た形の花を多数つける。ファレノプシス③。〔ラン科〕

こちょう⓪【誇張】—する(他サ) 実際よりも大げさに言ったりしたりすること。

こちょう⓪【鼓腸】腸の中にガスがたまって、腹部がふくれる△こと(病気)。表記「鼓〈脹」とも書く。

ごちょう①【〈伍長】〔五人組のかしらの意〕もと、陸軍下士官の最下位。軍曹の下。

ごちょう⓪【語調】❶〔話し手の感情の現れとしての〕言葉の調子。「命令の—で」❷口に出して言った際の言葉のリズムや音感。「—を整える」

こちら⓪【〈此《方】(代)〔「ら」は接辞〕「こっち」の、やや改まった言い方。「どうぞ—へお入りください/鬼さん、—/いつ—〔=当地〕にいらっしゃいましたか/—〔=自分の方〕からご連絡申し上げます/もしもし、—〔=自分〕は田中ですが/—の方が物がよさそうだ/—さん⓪〔=話し手のすぐそばにいる第三者を指す〕」⇩あちら・そちら・どちら

こぢんまり④(副)—と —する 小さいなりにまとまっていて、落ち着いた雰囲気がある様子。「—(と)した住まい」

こつ〔〈忽・骨・滑〕→【字音語の造語成分】

こつ [一]②【骨】死んだ人のほね。〔狭義では、火葬してあとに残る骨を指す。例、「—壺・納—」〕[二]⓪〔←骨法〕物事をうまくやる上で、外してはならない大事な点。「仕事の—〔=要領〕を呑み込む」表記 [二]は多く、「コツ」と書く。⇩【造語成分】

こつあげ⓪【骨揚(げ)】—する(自サ) 火葬したあとの骨を拾って骨壺に収めること。こつ拾い。

ごつ・い②(形) 外形に角張った点が目立つなどして、いかに

も頑丈だという印象を与える様子だ。「―△からだ〈顔付き・鞄(カバン)〉／―〔=頑固な〕先生／―〔=強い〕意見」 派―さ[1][2]

こつえん[0]【〈忽焉〉】(副)―と 「忽然」の意の古風な表現。

こっか[1]【刻下】 現在当面していること。「―の急務」

こっか[1]【国花】 昔から国民に親しまれ、その国の花の中で代表的とされるもの。日本の国花はサクラ。

***こっか**[1]【国家】 一定の領土に住み独立の統治組織を持つ人民の社会集団。〔和語的表現は、国(クニ)〕「―元首[4]・―賠償[4]」 **―けんりょく**[4]【―権力】 国家が秩序を維持していくために行使する、国民に対する強大な強制力。 **―こうあんいいんかい**[9]、[1]-[6]【―公安委員会】 内閣府の外局で、警察行政の民主的管理と政治的中立性の確保のために、警察庁を管理する機関。〔長官は国務大臣とする〕 **―こうむいん**[6]、[1]-[3]【―公務員】 国の機関に所属し、その職務に従事する職員。〔旧称は「官吏」〕 **―しけん**[4][5]【―試験】 国が一定の資格を認め、また免許を与えるために行なう試験。「医師―[6][7]、[1]-[4]、[1]-[5]」 **―しゅぎ**[4]【―主義】 個人の自由や利益を無視しても国家を至上の存在と考える主義。「超―[6]、[1]-[4]〔=極端な国家主義〕」

こっか[1]【国歌】 国家の国民統合の象徴とされる歌。公式行事などで歌われる。〔日本では「君が代」がそれとされ、一九九九年八月に法制化〕

こづか[0]【小《柄】 脇差(ワキザシ)のさやの外側に差す小刀(コガタナ)。 かぞえ方 一本

こっかい[0]【国会】 民選の議員で組織される、憲法上の合議制機関。日本では衆議院と参議院。 **―ぎいん**[5]【―議員】 国会を組織する議員。衆議院議員と参議院議員。 **―ぎじどう**[0]【―議事堂】 国会が開かれる議事堂。

こつ

[〈忽]　❶にわか。たちまち。「忽焉(コツエン)・忽然」 ❷うっかり。おろそか。「忽諸・粗忽」

[骨]　❶ほね。「骨格・骨肉・筋骨・大腿(ダイタイ)骨」 ❷ほねのように物事のしんになるもの。要点。「骨子・骨頂」 ❸からだ。「老骨」 ❹人がら。気質。「気骨・奇骨・凡骨」⇩(本文)こつ【骨】

[滑]　みだす。みだれる。「滑稽〔=もとは、口先が巧みで、人をごまかす〕」

こっかい[0]【国界】 「くにざかい」の意の漢語的表現。

こづかい[1]【小使】 〔学校・官庁・会社などで〕雑用をする使用人。「用務員」の旧称。

***こづかい**[1]【小遣(い)】 〔↑小遣銭[0][3]〕その人の日常的な雑費にあてるお金。ポケット マネー。「―帳を付ける／―かせぎ[5]〔=生活費にあてる定収入のほかに、別途の副収入を得ること〕」

***こっかく**[0]【骨格・骨〈骼】 ❶ほねの集まりで、からだの全形を形成・保持するもの。〔「外骨格[3]『=エビ・カニのように、からだの外側にほねが甲らのようになっているもの』」と「内骨格[3]『=脊椎(セキツイ)動物のように、からだの内部にほねが通っているもの』」とがある〕 ❷物事の全体を形作り、それを保っていく上で、最も中心となるもの。「博士論文の―がまとまる／―〔=からだつき〕のたくましい男」

こつがら[0]【骨柄】 骨相から受けとる、その人の性質などについての感じ。「人品―いやしからざる紳士」

こっかん[0]【国漢】 国語と漢文。

こっかん[0]【骨幹】 「ほねぐみ」の意の漢語的表現。

こっかん[0]【酷寒】 堪えがたいほどの(真冬の)きびしい寒さ。↔酷暑

ごっかん[0]【極寒】 これ以上の寒さは無いと思われるほど寒いこと。また、その時節。↔極暑

こっき[1]【克己】―する(自サ) 自分のなまけ心や欲心・邪念に打ち勝つこと。「―心[3]」

***こっき**[0]【国旗】 一国を象徴する旗で、その国家に△属することと(対する敬意)を表わすときなどに用いる。〔日本では、日章旗、すなわち日の丸の旗がこれに当たる。一九九九年八月に法制化〕

こっきょう[0]【国教】 国民の信仰すべき宗教として、国家が認め、特に保護を加えているもの。「マレーシアの―はイスラム教である」

こっきょう[0]【国境】 他国との領土の境界。「―を越えて対談する」

こっきり(接尾) 過不足なくそれだけに限定されることを表わす。〔口頭語的表現〕「君に金を貸すのは一度―だよ」

こっきん[0]【国禁】 国家が法律で禁じていること。「―をおかす」

コック[1]〔cock〕 横にひねるなどして開閉する栓。「ガスの―／電車の非常―」 かぞえ方 一本

コック[1]〔オ kok〕 西洋料理の料理人。

こっく[1]【刻苦】―する(自サ) 人の経験しないような苦しみに堪えて、努力すること。「―勉励[1]-[0]」

こづ・く[2]【小突く】(他五) 他人のからだを指先で突いたりゆすぶったりする。〔弱い者を何やかやといじめる意にも用いられる〕「小突きまわす[5]」

コックス[1]〔cox=艇長〕 競漕(キョウソウ)用ボートの舵手(ダシュ)。

コックピット[4]〔cockpit=闘鶏場〕 航空機の操縦席や、競走用自動車の運転席。

こっくり(副)―と・―する ❶[3][1] 大きくうなずく様子。 ❷[1][3] 大きくうなずくように首を垂れて居眠りする様子。「授業中に――する」

こづくり[2]【子作(り)】 子供を得る目的から、妊娠・出産のためにする健康管理や性行為。「―に励む」

こづくり[2]【小作(り)】―な・―に 物の作りが小さい様子だ。「―〔=小柄〕な男」

こっくん[0]【国訓】 ❶漢字の訓。 ❷本来の漢字の意味とは対応しない日本独特の訓。例、「稼」を「かせぐ」と読むなど。

***こっけい**[0]【滑稽】―な・―に ❶その人の言動に予測を超えた意外性があって、期せずして、その場に居る人の笑いを誘うことになる様子だ。「―な会話が続いた」 ❷言動がばかげていて、人の失笑の対象になる様子だ。「切ないほど―に見えた」 派―さ[0] ―み[0]

こっけい[0]【酷刑】 その罪には重過ぎる刑罰。

こっけいせつ[3]【国慶節】 中華人民共和国の建国記念日。十月一日。

こっけん[0]【国権】 国家の統治権。「―の発動としての戦争や武力の行使は憲法によって禁じられている／国会は、―の最高機関である」

こっけん[0]【国憲】 国家の根本的法規、すなわち、その国の憲法。

こっけん[0]【黒鍵】 〔普通のピアノやオルガンなどの鍵盤楽器で〕半音を奏する時に用いられる黒い鍵。↔白鍵(ハッケン)

こっこ[1]【国庫】 国家の所有する現金を△保管(出納)する機関。「遺産は―に入った〔=国家のものとなった〕」 **―さいけん**[4]【―債券】 臨時の経費をまかなうために国家が発行する、短期公債。

ごっこ(造語) 子供どうしがそのまねをして一緒に遊ぶことを表わす。「汽車—[3]・鬼—・追っかけ—・—遊び[4]」

＊**こっこう**[0]【国交】 国家間の公的な交際。「—を樹立する／—がとだえる／—正常化[0]-[0]・—断絶[0]-[0]」

ごつごうしゅぎ[5]—【御都合主義】 ものごとに処する態度に一貫性が無く、その時その時に都合いいように行動する態度。オポチュニズム。

こっこうしょう[3]【国交省】 「国土交通省」の略。

こっこく[0]—【刻々】 〔「こくこく」とも〕 ■一その時その時(において)。■二(副)—と 事態の△変化(推移)していく状況が、時間の経過につれて顕著に認められる様子。「—と迫る危機／—と変わっていく空の色／時々—」

こつこつ[1](副)—と 目標を定め、それに向かって自分なりの地道で着実な努力を怠らない様子。「—とお金をためる／—働くだけが取り柄の男だ」 表記 もと、「〈矻々〉・〈兀々〉」と書く字音語。

ごつごつ ■一[1](副)—と —する ❶表面にでこぼこがあってなめらかさを欠き、荒い感じがする様子。「山肌は—した岩石でおおわれている／長年の畑仕事で—とした手」 ❷洗練されたところが無く、一見親しみにくい感じを与える様子。「—した文章」 ■二[0]—な —に 「ごつごつ■一」に同じ。「—の岩／—な手／—になる」

こつざい[0][2]【骨材】 コンクリートに使う砂利・砂、またそれに代わるもの。「天然—[6]・人工—[6]」

こつざけ[0]【骨酒】 魚の骨をあぶって、熱燗に浸したもの。「イワナの—」

こっし[1]【骨子】 物事の全体を形作る上で、最も重要な点。「法案の—」

こつじき[0]【《乞食》】 「托鉢」の意の古風な表現。〔こじきの意にも用いられる〕「—行脚[5]」

こっしつ[0]【骨質】 ❶動物の堅い骨を構成する、繊維性の物質。❷動物の骨のような物質。

こっしょ[1]【〈忽諸〉】 「おろそか・ないがしろ」の意の古風な表現。

こつずい[0][2]【骨髄】 骨の中の空洞をみたす、柔らかな組織。「恨み—に徹する(=心底から恨む)」

こっせつ[0]【骨折】—する(自サ) ころんだり 高い所から落ちたり などして、骨を折ること。

こつぜん[0]【〈忽然〉】(副)—と 突如何かが現われたり 消えたり する様子。「亡霊がどこからともなく—と現われ、—として消えた」

こっそう[0]—【骨相】 その人の性質・運勢を知る目じるしとされる、頭と顔の骨組。

こつそしょうしょう[1]-[0]、[0]—【骨粗〈鬆症〉】 古い骨が無くなるのに新しい骨の出来るのが追いつけなくて、骨が鬆ができたようになる病気。「骨多孔症」とも。〔アクセント[1]-[0]は、「骨粗鬆症」と区切って言う時〕

こっそり[3](副)—と △秘密にしたい(後ろめたい)ことがあって、人に気付かれないうちに事を運ぶ様子。「—△探る(食べる)／—教えてくれ」

ごっそり[3](副)—と それまであったたくさんの物が一度に無くなってしまう様子。「ごそっと」とも。「税金に—持っていかれた／荷を—やられた(=盗まれた)／薬のせいで髪が—(と)脱け落ちた」

ごった[0]—な —に 〔「ごた」の強調形〕いろいろな物が入り交じって、無秩序な状態にある様子だ。「みそも くそも—にする」

—がえ・す[4]—【—返す】(自五) 動きまわる多くの人などでひどく混雑する。「祭りの広場はごった返していた」 名 ごった返し[0][4] **—に**[0]【—煮】 特別名のついた料理ではなく、適宜材料を取りそろえて一緒に煮た料理。

こつたこうしょう[1]-[0]、[0]—【骨多孔症】 「骨粗鬆症」の異称。

こったん[0][3]【骨炭】 動物の骨を乾留して作った炭。砂糖の脱色用・肥料用。

こっち[3]【〈此《方〉】(代) 〔「こち」の変化〕 ❶話し手が、聞き手との位置関係の点から見て、自分△がいる(により近い)方向・方角や、その方向にある場所や人・事物などを指す語。「みんな—を見て／駅なら—だよ／—(=この子)は僕の妹だ／—(=この荷物)から運び出そう」 ❷親しい間柄にある相手などに対し、話し手自身を指す語。「—の都合も聞かずに予定を組まれても困る／あとで—から連絡しよう」 ❸二つの物のうち、話し手により近い方を選んで指す語。「僕は—がいい」 ⇩あっち・そっち・どっち

こづち[1]【小〈槌〉】 小さな槌。「打ち出の—」 かぞえ方 一本

ごっちゃ[0]—な —に 〔「ごった」の変化〕「種々の物事が無秩序に入り交じっている様子だ」の意の口頭語的表現。

こっちょう[0]—【骨頂】 〔もとの用字「骨張」は、張本の意という〕この上ない状態にあること。「愚の—／真—」 表記 「骨張」とも書く。

ごっつぁん[0](感) 〔「ごちそうさん」の変化〕〔力士の社会で〕ありがたいという気持を表わす言葉。「—です」

こつつぼ[0]【骨〈壺〉】 火葬した人の骨を入れる壺。

こつづみ[2]【小鼓】 小さな鼓。左手で調べの緒を取り右肩にのせ、右手で打つ鼓。↕大かわ

こづつみ[2]【小包】 ❶小さな包。❷〔↑小包郵便物[7]〕片手で簡単に持てる程度の物品を包装して、郵便物として差し出すもの。〔郵政民営化後の名称は「ゆうパック」〕

こってり[3](副) ❶—と —する 味や色などが濃くて、しつこく感じられるほどである様子。「—した味／白粉を—(と)塗る」 ❷—と 受ける相手がそれ以上は堪えられないというほど、集中的に働きかける。「—(と)しぼられた」

ゴッド[1]〔God〕 (キリスト教の)神。天帝。

こっとう[0]【骨〈董〉】 〔もと、がらくたの意〕日常的な使い物としてではなく、古道具・古美術として珍重されるもの。「—品[0]・—的存在(=その社会での長老的存在として認められているが、もはや第一線での活動を停止している人)」

こつどう[0]—【骨堂】 遺骨を納める堂。納骨堂。

ゴッドファーザー[4]〔godfather〕 ❶カトリック教会などで、男の子の洗礼の際の、男性の名付け親。❷マフィアの首領。〔広義では、組織の実質的な権力者をも指す〕

コットン[1]〔cotton=綿花〕 ❶もめん。❷〔↑コットン紙[3]〕もめんの繊維から作った、厚くて柔らかな紙。

こつにく[0]【骨肉】 〔骨と肉の意〕親子・兄弟など、血を分けた間柄にある者。肉親。「—の間柄／—相食む(=骨肉の間柄にある者同士が、利権を独占しようとして醜く争う)」

こつねん[0]【〈忽然〉】(副)—と 「こつぜん(忽然)」の意の古語的表現。

こっぱ[1][0]【木(っ)端】 木の削りくずや木の切れはし。〔取るに足りない つまらないものの意にも用いられる。例、「—役人[4]」〕 **—みじん**[1]-[0]—【—《微〈塵〉】 堅い物が粉ごなに砕けること。

こつばい[2][0]—【骨灰】 ❶火葬にして灰になった骨。❷骨粉。「こっかい[0]」とも。

こっぱい[0]— 〔「粉灰」の促音化か〕 ❶細かくうちくだくこと。また、うちくだけること。「微塵—[4]」 ❷さんざんな目にあうこと。「—にけなされた／乱離—」 表記 「《粉灰・骨灰》」とも書いた。

こっぱい[0]【骨〈牌〉】 ❶「かるた」の意の古風な表現。❷獣骨などで作ったマージャンの牌。

こつばこ⓪【骨箱】 骨壺(コツツボ)を入れる箱。
こつばん⓪【骨盤】 腰の所にある、大きくて平たい骨。腹部の臓器をささえる。
こっぴつ⓪【骨筆】 牛の骨などを先に取りつけた、複写用の筆記具。
こっぴど・い④【こっ《酷い》】(形) 相手にとって非常に手痛いことをする様子だ。「—目にあわせる/こっぴどくしかられる」
こつひろい③(—ヒロヒ)【骨拾(い)】 こつあげ。
こつぶ⓪【小粒】—な 小さな粒。また、粒が小さな様子だ。〔狭義では、「豆板❶」や、江戸時代一両の四分の一の貨幣であった「一分金(イチブキン)⓪」を指す。また、人物・力量などが小さい意にも用いられる〕「山椒(サンショウ)は—でもぴりりと辛い/—〔=小柄〕の人」
***コップ**⓪〔オ kop=もと、ワイングラスの意〕 ガラスなどで作った円筒形の水飲み。「—が砕ける/—を△洗う(水で満たす)/—の中の嵐(アラシ)〔=当事者にとっては大変な事だが、大局的に見るならば、狭い範囲内の出来事でしかない意に用いられる〕/—酒(ザケ)③」 ⇩ゴブレット・タンブラー・ジョッキ・グラス 表記「{洋杯}」は、借字。
こっぷん⓪【骨粉】 動物の骨を、脂肪を除いて粉にしたもの。燐酸(リンサン)肥料の一つ。
コッペ パン⓪③④ 〔「コッペ」は、「丸い丘」の意のドイツ語 Kuppe の方言形 Koppe に基づくか〕サツマイモを長く二つに切った形のパン。
コッヘル① ㊀〔ド Kocher〕 なべ・やかん・皿などが組になった登山用の組立式炊事道具。かぞえ方 一揃(ヒトソロエ) ㊁〔↑ド Kocher=人名〕 かぎのある鉗子(カンシ)。動脈止血用。
こっぺん⓪【骨片】 骨のかけら。かぞえ方 一本
こっぽう⓪(—パフ)【骨法】 〔骨格・根本規定・基盤の意から転じて、礼儀・故実などにおいて守るべき作法の意〕芸道において最も重んじられる至妙の境地。こつ。
こつぼとけ③【骨仏】 ❶火葬したあとに残る、くびの骨。〔仏がすわった形に少し似ている〕 ❷火葬したあとの骨。
こづま⓪①【小《褄》】 〔「こ」はちょっと、「つま」は和服の裾(ソス)はしの意〕(あるしぐさをする際に)ちょっとつまむ つま。「—を〔=つまをちょっと〕からげる」
こつまく⓪【骨膜】 骨をおおい包む膜。「—炎⓪④」
こづめ⓪【小爪】 爪の生えぎわに半月形に白く透いて見えるもの。
ごづめ⓪【後詰(め)】 味方の第一線部隊の後方に控えて待機している軍隊。
こづらにく・い⑤【小面憎い】(形) 顔を見るだけでさえ憎らしく感じられる様子だ。派—さ④
こづれ⓪【子連(れ)】 ❶自分の子供をともなっていること。❷再婚の相手に子供がいること。
こて⓪【〈鏝〉】 ❶壁に泥・しっくいなどを塗りつけ、表面をなめらかに仕上げる道具。❷鋳掛けに使うやきごて。「半田—(ゴテ)」 ❸熱して、衣服のしわ伸ばしなどに使う道具。❹熱して、髪にウエーブをつけるために使うはさみ状の道具。かぞえ方 ❶❷❹は一本・一挺(チョウ)・一丁。❸は一台
こて【小手】 ❶⓪② 〔「こ」は、ちょっとの意〕(あるしぐさをする際に)ちょっと動かす手。「—がきく〔=手先がちょっと器用だ〕/—をかざす〔=手をちょっとかざす〕」 ❷②⓪ 〔剣道で〕手首から「二の腕❷」までの間。
こて⓪【籠手】 ❶弓を射る時、左の肘(ジヒ)にかける革製の用具。❷よろいの付属品の一つ。腕をおおう防具。❸〔剣道で〕Ⓐ手先から肘までをおおう用具。先は、ミトン風。Ⓑ「籠手❸Ⓐ」をねらって攻撃するわざ。かぞえ方 ❷❸Ⓐは一双
ごて⓪②【後手】 ↕先手 ❶敵などに先を越され、受身になること。「—へ—へと回る/対応が遅れて、することが—(—)〔=手遅れ〕になる」 ❷〔碁・将棋で〕相手のあとから△打ち(指し)始める番。
***こてい**⓪【固定】—する(自他サ)〈なに・どこニ(なにデ)なにヲ—する〉 動いたり形を変えたりしないで、一定の位置や状態を保つ(ようにする)こと。「折れた骨を副木(ソエギ)で—する/様式の—化/—客②」 **—かんねん**④(クワンー)【—観念】 それが正しいと一度思いこんでしまって、他の選択を認めようとしない考え。「—が強い/—にとらわれる/—を捨てる」 **—しさん**④【—資産】 〔流動資産や消耗品と違って〕土地・建物や大きな機械など、一般には形を変えることのない資産。「—税⑤」 **—しほん**④【—資本】 繰り返し生産に役立つ資本。例、土地・家屋・機械など。↕流動資本 **—でんわ**④【—電話】 〔携帯電話などに対して〕家庭などに設置する、電話線を使う電話機。かぞえ方 一台 **—ひょう**⓪(—ヘウ)【—票】 〔選挙などで〕だれを支持するかが初めから決まっている票。↕浮動票
こてい⓪【湖底】 湖の底。「—に沈む村/—の宝」
こてい⓪【小体】—な 〔住居・生活などが〕こぢんまりとしていて、出来るだけ むだを省いている様子だ。「—な店」
コテージ①〔cottage〕 西洋風の、木造の小さい△家(別荘・山小屋)。コッテージ①とも。
こてき⓪【鼓笛】 太鼓と笛。「—隊⓪〔=大太鼓・小太鼓などで行進用のリズムを演奏する楽隊〕」
こてこて ㊀①(副)—と—する 見る人を辟易(ヘキエキ)させるほど、必要以上に手が加えられている様子。「—(と)△飾りつける(塗りたくる)」 ㊁⓪—な—に 「こてこて㊀」に同じ。「—に塗る/—の大阪弁」
ごてごて ㊀①(副)—と—する 「こてこて㊀」の強調形。「—と着飾る」 ㊁⓪—な—に 「ごてごて㊀」に同じ。「—に飾りつける/—に塗りたくる」
こてさき⓪【小手先】 〔「こ」は、ちょっとの意〕手先❶。「—がきく〔=手先を使っての仕事がちょっとうまい意。ちょっとした器用さで物事をする〕/—の△細工(策)を弄(ロウ)する〔=抜本的な対策をとらないで、見かけはきれいな一時だけの間に合せで局面を糊塗(コト)する〕」
こてしらべ③【小手調(べ)】 本式に始める前に、ためしにちょっとやってみること。
ごてつ・く⓪(自五) ❶もめごとがあるなどしてごたごたする。❷つまらないことにあれこれ不平を言う。❸見た目に乱雑ですっきりしないという感じを与える。〔❶〜❸は口頭語的表現〕
ごてどく⓪【ごて得】 ⇩ごねどく
こてなげ⓪【小手投(げ)】 〔すもうで〕相手の腕を上からかかえて、振るようにして投げるわざ。
こでまり②【小手〈毬〉】 庭に植える落葉小低木。春、小形の白い花がまりのようにかたまって咲く。観賞用。〔バラ科〕かぞえ方 一株・一本
こてまわし③(—マハシ)【小手回(し)】 すばやくその場の状況に応じた態勢がとれること。「—〔=機転〕がきく」
ご・てる②(自下一) 「気に入らなくて、何やかやと不平や文句を言う」の口頭語的表現。
***こてん**⓪【古典】 古い時代に書かれ、現在まで 歴史的・芸術的価値が認められている作品。〔高等学校国語科の科目名の一つとして、また、クラシックの翻訳語としても用いられる〕「古事記は成立過程が明らかな—だ/—文学④・—音楽④」 **—しゅぎ**④【—主義】 古代ギリシャや古代ローマの形式的・理知的な芸術を規範とする主義。クラシシ

ズム[4]。**—てき**[0]【—的】—に・—な ㊀古典の伝統を重んじ、それに従う様子だ。〔文脈により、古典の手法を模倣するだけで新しい発想や時代に応じた意義が認められず、単に古めかしく装っただけだという意にも用いられる〕「—手法[0]-[0]」 ㊁古典として後世に残る価値があると認められる様子だ。「—な作品」

こてん[0]【個展】〔↑個人展覧会[6]〕その人の作品だけを出品する展覧会。

こでん[0][1]【古伝】㊀昔からの伝え。㊁昔の記録。

ごてん[1]【御殿】「(貴人の)邸宅」の意の尊敬語。〔人びとからうらやまれるような豪華な邸宅の意にも用いられる〕 **—じょちゅう**[4](—ヂョー)【—女中】江戸時代、宮中や将軍家・大名の奥向きに仕えた女中。〔何かにつけ策を用い他人をおとしいれたりする陰険な人の意にも用いられる〕

ごでん[0]【誤伝】—する(自他サ) 事実でない事が誤り伝わること。また、そのように伝えること。

ごでん[0]【誤電】△まちがった内容の(勘違いして打った)電報。

ごてんい[2]【御典医】江戸時代、将軍家や大名に仕えた医者。表記「御殿医」とも書く。

こてんこてん[0](副)—に 「一方的に痛めつけて、二度と立ち上がれない状態にする様子。また、そうされる様子」の口頭語的表現。「こてんぱん」とも。「—に負ける」

こてんせき[2]【古典籍】古い時代に作られた書物で、学術的価値が高く、大切に扱われるもの。

こてんぱん[0](副)—に ⇩こてんこてん「—にやっつけられた」

こと【言】(造語) 口に出して言う言葉。「ひと—・ふた—・ひとり—(ゴト)・寝—(ゴト)」

こと(終助)〔「事」に基づく〕〔主として女性語で、やや古風な表現〕㊀感動を表わす。「あら、きれいだ—/まあ、よく出来た—」㊁〔「…—よ」の形で〕断定表現をやわらげる。「とてもおもしろかった—よ/いいえ、そうじゃない—よ」㊂相手に質問したり 同意を求めたり 勧誘したりすることを表わす。〔多く、上昇調のイントネーションを伴う〕「これでいい—/あなたもそうお思いにならない—/あなたも一緒にいらっしゃらない—」 文法 ㊀は活用語の終止形・連体形に接続する。

****こと**[2]【事】㊀人間が感覚器官を通したり 科学的な方法を用いたり して認知する対象のうちで、物の性質や状態、物の変化、人間の行為など(の一つ一つ)を広く指すことば。〔有形・無形の存在として認知される「もの」と対比される〕「—(=事態)はきわめて重大だ/—(=事柄)の重要性/本当の—(=事実)は当分伏せておくほうがいい/大変な—(=事件)に発展した/発火したら—(=大変)だ/—もあろうに(=よりによって)/—ある(=何か問題が起こる)ごとに/—が—だけに(=無視できない事態なので)緊急の対応が迫られる/—(=事柄の性質)によっては/僕の言う—も聞いてくれ/来月帰国するという—(=話)だ/旅行の—(=旅行に関する問題の一切)は任せておけ/—を決める/謝って—が済む(=解決する)問題ではない/—(=事件・事故)が起きてからでは手遅れだ/—の起こり/—(=話題などが)推理小説となると、私は黙っていられない/早い—(=出来るだけ早く)やってしまえ/私とした—が(=いつもは十分に気配りをしているつもりの私がどうしたわけか)思わぬミスを犯してしまった」 ㊁〔「活用語連体形+—」の形で〕Ⓐ全体を名詞化し、その活用語が表わす動作・変化・状態などの内容を表わす。「走る—が好きなら、陸上部に入部すべきだ/この頃、笑う—がめっきり少なくなった/—を急ぐ(=急いでそのことを(しようと)する)」 Ⓑ相手に対する命令・禁止などを表わす。「無断で持ち出さない—/明朝九時に集合する—」⇩ことだ Ⓒ〔「…—ができる」の形で〕そのことをするための可能な条件が備わっていることを表わす。「私は中国語を話す—ができる/温室でしか見る—ができない花」 Ⓓ〔「…た—がある」の形で〕そのような経験があることを表わす。「その話は前にも聞いた—がある/若い頃(コロ)中国にいた—がある」 Ⓔ〔「…する—がある」の形で〕条件によっては、そのようなことが起こる可能性があることを表わす。「天候によっては、大会を中止する—があります/保管状態が悪いとこの薬品は変質する—がある/たまには酒を飲む—もある」 Ⓕ〔「…た△—が(—は)ない」の形で〕話し手にそのような経験がないことを表わす。「こんなおいしいものは食べた—がない」 Ⓖ〔「…—はない」の形で〕その行為を行なう必要がないことを表わす。「先方が悪いのだから、あなたが謝る—はない/まだ時間はあるのだからあわてる—はない」 Ⓗ〔「…—はない」の形で〕その事柄が今後実現する可能性がないことを表わす。「二度とあの人に会う—はないだろう」 Ⓘ〔「…—にする」「…—とする」の形で〕ある事柄を話し手の意志により決定したことを表わす。「明日早いので、今日は早寝をする—にします/健康のためにたばこを吸わない—にする」 Ⓙ〔「…—になる」「…—となる」の形で〕ある事柄が成立した結果として、その事柄が必然的・自動的に成立することを表わす。「対戦相手が欠場したので、戦わずに二回戦に進出する—になる」 ㊂〔状態を表わすことばに続けて〕感動・詠嘆を表わす。「桜のなんて美しい—/この絵はなんてよく描けている—」 ㊃〔「人を表わす語+—」の形で、接尾語的に〕その事に関して何らかの(補足的な)説明を加えることを表わす。「さて私—この度海外勤務を命じられました/朝日将軍—(=即ち)義仲(ヨシナカ)」 文法 (1)㊁Ⓘは、「酒は飲まないことにしている」「酒は飲まないようにしている」などと「…ことにする」と「…ようにする」が類義的に用いられることがある。「…ことにする」は特殊な事情がある場合を除いては、必ず守ることを表わす。それに対して「…ようにする」はできるだけそうすることに努めるという、いわば努力目標であることを表わす。(2)㊁Ⓙは、「来月から仙台支店へ行くことになった」「仕事の関係でたびたび仙台支店へ行くようになった」などと、「…ことになる」「…ようになる」が類義的に用いられることがある。「…ことになる」は、特殊な事情が生じなければ必ず赴任する、つまり仙台支店への転勤が決まったことを表わす。それに対して「…ようになる」は、全般的な傾向として仙台支店への出張が多くなったことを表わす。

【—有るとき】 無視することのできない事件などが起きたとき。「一朝—の備えを怠らない」 表記 「とき」は《秋》とも書く。**【—有れかし】** 何か変わった事が起これば おもしろいのにと、異変を待ち望む様子。**【—が運ぶ】** 物事が進捗(シンチョク)する。「そう簡単に—とは思えない」**【—ここに至る】** 事態が悪化して、どうにも打開策が得られない状態になる。**【—志と《違(たが)う】** 何かと障害があって高い理想の通りには事が運ばなくなる。**【—と次第によっては】** 事態の推移や事情によっては。「—倒産の憂き目にあいかねない/—考慮しないでもない」**【—とする】** 自分に負わされた役割△として(であるかのごとく)その事を行なう。〔好ましくないことだという気持を含意して用いることもある〕「日夜研究を—/ひたすらあら捜しを—ような評論家」**【—ともせず】** 身に及ぶかもしれない危険や災害をおそれずに。「荒波を—遭難者の救助に向かう」**【—無きを得る】** 運よく大きな△事件(災害)にならずに済む。**【—に当たる】** △問題(事件)の処理に従事する。「誠心誠意—」**【—に触れて】** そうする機会がある度にいつも。「—信用の大切さを説く」**【—もおろか】**〔雅〕〔「こと」は、ことばの意。「おろか」は、不必要な の意〕言うまでもなく分かっていることだ。〔「もちろん」の意にも、「通りいっぺん」の意にも用いられる」【—を欠く】⇩事欠く【—を構える】含むところがあって、ことさらに事を荒立てようという態度をとる。【—を好む】何か事件や変わった事が起こるのを待ち構える。【—を運ぶ】その事を予定に従って実行・推進する。「計画通りに—」【—を分ける】事情・理由などを、相手が十分納得するように、条理を尽くして説明する。

こと【異】㊀②違っていること。「撰(セン)をーにする(=作り(方)が違う。全くの別物だ)/▵次元(性格・立場・趣)をーにする」㊁(接頭)違った。「ー国(クニ)⓪②」

こと①【琴】中空の胴の上に張った弦をひいて音を出す弦楽器。琴柱(ジ)で調律する。かぞえ方 一面・一張(ヒトハリ|イッチョウ)

こと①【古都】昔、都や幕府の所在地として栄えた所。「ー奈良①-①・ー鎌倉(カマクラ)①-⓪」

こと①【〈糊塗〉】ーする(他サ)〔もと、明らかでない意〕一時しのぎに、うわべだけをなんとか取りつくろっておくこと。「一時その場をーする/表面をーする」

こど①【弧度】⇩ラジアン

ごと(接尾)それも一緒に含めて扱うことを表わす。「皮ー食べる/車ーフェリー ボートに乗り込む/丸ー」

ごと【《毎》】(副助)同じ条件に置かれるものに例外なく同一の事柄が▵認められる(繰り返される)ことを表わす。「国ーの事情を配慮する/日ー夜ー祈りを捧(サ)さげる/年ーの大祭」⇩ごとに 文法 名詞、動詞、助動詞「れる/られる・せる/させる」の終止・連体形に接続する。

ごと【《如》】(副助)〔雅〕〔文語の助動詞「ごとし」の語幹〕…のように。「花のーあえかなる君/夏虫の火に入(イ)るがー」文法 接続は、「ごとし」に準ずる。

こと あげ⓪【言挙(げ)】ーする(他サ) ことばに出して言いたてること。

こと あたらし・い⑥【事新しい】(形) 既知のことを今さらのように、新たな▵話題(問題)として取り上げようとする様子だ。「地震の恐ろしさは事新しく言うまでもない」派 ーさ⑤⑥ ーげ⑥⑦⓪

ことう⓪①(タウ)【古刀】昔作られた刀剣。〔狭義では、慶長以前〔=一五九六年以前〕に作られた刀剣を指す〕⇩新刀・新新刀

ことう⓪【孤灯】(暗闇(クラヤミ)の中に)ただ一つともっている灯火。

ことう⓪(タウ)【孤島】大陸や他の島から隔絶されて、海上にただ一つある島。「絶海のー/陸のー〔=極端に交通の不便な土地〕」

こどう①⓪(ダウ)【古道】㊀古代の▵道義(方法)。㊁昔作られた道(の跡)。

こどう⓪【鼓動】ーする(自サ)〔「鼓」は「うつ」、「動」は「ひびかす」の意〕㊀ずっしりと腹にこたえる楽器の響き。〔何か新しい目標に向かって一歩一歩近づこうとする力強い動きをも指す。例、「花咲き乱れる春は大地のーが聞こえるようだ/新しい時代の精神がーしていた」〕㊁心臓の収縮によって律動的な響きが胸に伝わること。また、その響き。「ーが激しくなる」

ごとう⓪①【〈梧桐〉】アオギリの漢語的表現。

ごとう⓪【語頭】その単語を構成する▵音(文字)のうちで、先頭の位置。⇩語末・語中

ごとう⓪(タフ)【誤答】ーする(他サ) まちがって正しくないことを答えること。また、その答え。「ー率②」↕正答

ごどう①(ダウ)【悟道】仏教の真理を悟ること。「ーに徹する」

こどうきょう⓪(ダウケウ)【〈跨道橋〉】歩道橋。

こどうぐ②(ダウー)【小道具】㊀こまごました道具。〔狭義では、舞台道具のうち、登場人物の携帯品などを指す。↕大道具〕㊁刀剣の付属用品。つば・目貫(メヌキ)など。

ごとうしゃく②【五等爵】もと華族の階級とされた、公・侯・伯・子・男の五階級の爵位。

ごとうしょ②(タウー)【御当所】その土地を敬意をもって言う語。御当地。 ーずもう⑤(ズマフ)【ー〈相撲〉】その力士の出身地で行なわれる相撲の興行。表記 ⇩付表「相撲」

ごとうち②(タウー)【御当地】⇩当地㊁

こと おさめ③(ヲサメ)【事納(め)】⇩事始め㊂

ごとお び②(トヲ)【五十日】〔関西で生まれた語〕月の五と十で終わる日〔=五日・十日・十五日・二十日・二十五日・三十日〕。この日に商売上の支払い・受取りが行なわれるので、街は交通渋滞になることが多い。

こと か・く③、②-⓪【事欠く】(自五)㊀必要なものが無くて、何かをするのに支障がある。「▵判断の材料には(反省材料に)事欠かない/二十年分の研究に事欠かぬだけの資料」㊁よりによって不適切なことをする。「選ぶに事欠いて〔=幾つかある選択肢のうち悪い方を選ぶ〕/言うに事欠いて〔=表現を誤って〕」〔「事を欠く」とも〕

***こと がら**⓪【事柄】経験したり 想像したり▵する(した)事がどんな性質・状態・内容かということ。「日本のーをテーマにしたクイズ/平凡なーを視覚的な詩に変える名手」

ごとき①【《如き》】〔文語助動詞「如し」の連体形〕上に述べた事が、そのものの表現として適切な▵形容(比喩)や顕著な例であることを示す。「僕は君の考えるー〔=ような〕大学者ではない/眠るがー〔=ような〕最期だった/山のー〔=ような〕大波/今回のー〔=ような場合〕は真に希有(ケ)のケースと言うべきだ/ナポレオンのー〔=などのような〕不世出の人/昨日のー〔=きのうなど〕は最高三十六度までにのぼった/十年一日(ジツ|イチ)のー〔=ⓐ繰り返して、うむことの無い。ⓑ少しも進歩が無い〕講義」文法 接続は「ごとし」に準ずる。

こと き・れる④【事切れる】(自下一) 呼吸が止まり、死ぬ。表記「〈縡切れる」とも書く。

こどく⓪【孤独】ーな(ーに)〔みなし子とひとり者の意〕周囲に▵たよりになる(心の通い合う)相手が一人も居ないで、ひとりぼっちである▵こと(様子)。「ーを楽しむ/ー感③②」派 ーさ⓪③ ーし③【ー死】みとられることなく、一人だけで亡くなること。特に、自室で死後、時間がたってから発見される場合などに言う。

ごとく①【《如く》】〔文語助動詞「如し」の連用形〕上に述べた事が、そのものの表現としてふさわしいことを表わす。「前に述べたー〔=通り〕、これには多くの問題が含まれている/まるで自分が監督者のー〔=であるかのように〕ふるまっている/赤子が母を慕うー〔=ように〕彼になついた/彼の私に対するは、なお父に対するがーであった〔=と同じようだった〕」文法 接続は「ごとし」に準ずる。

ごとく⓪【五徳】㊀五種類の徳。儒教では、温・良・恭・倹・譲。㊁足が三本または四本ある▵鉄(陶)製の輪。火鉢に入れて、やかんをかけたりなどする。

ごとく⓪【悟得】ーする(自他サ) 迷いから脱し、悟りを開くこと。

ごどく⓪【誤読】ーする(他サ) 無知や不注意などから、正しくない読み方をすること。また、その読み方。

ことごとく③【〈悉く〉】(副) 関係するすべてにわたって例外なくその状況が認められる様子。「彼の言っていたことはーうそだった/計画はー失敗に終わった/彼の作品はーヒットした」表記「《尽く》」とも書く。

ことごとし・い⑤【事々しい】(形) いかにも▵重大(深刻)であるかのように思わせるほど、大げさな言動をする様子だ。「事々しく言い立てる」派 ーさ⑤④ ーげ⑤⓪

ことごとに③②【事《毎に》】(副) 何であれ事があるたびに、例外なくそのことが繰り返される様子。「親子でありながら

—意見が衝突した／—難くせをつけてくる」

ことこまか④③⑤【事細㋕】—な —に 〔説明などが〕細部まで漏らさず、詳しい様子だ。詳細。「—に説明する」

ことさら⓪【殊更】(副)—な —に そこまでする必然性はないのに、意図するところがあってそうする様子。「—むずかしい言葉を使う／—に人を困らせようとする／—の心遣いは無用だ」 表記 もとの用字は、「《故》」。 他動 殊更めかす⑥(五) **—め・く**⑤(自五) わざとらしく△見える(思われる)。

ことし⓪【《今年】 △話し手(その人)が現に身を置いているその年。〔副詞的にも用いられる〕「—の(=ⓐこれから迎える。ⓑ過ぎ去った)冬／—ジョギングを始めた」 表記 ⇩付表「今年」

ことじ⓪(チ)【琴《柱】 琴の胴の上に立てて弦をささえ、移動して音調を整えるための用具。「—に膠(ニカワ)す(=融通のきかないことのたとえ)」 かぞえ方 一本

ごとし①【《如し・《若し】(助動・形ク型)〔文語の助動詞「ごとし」の残存形式〕本来異なるものと同じようにとらえられる様子だということを表わす。「一見旧知の—／例によって例の—(=いつもと変わりない)」 文法 体言(名詞、またそれに準ずる句)、活用語の連体形、格助詞「の・が」に接続する。

ことだ② 〔活用語連体形＋形式名詞「こと」＋断定の助動詞「だ」の形で〕❶相手に対してそうすべきであることを述べる。「合格したいなら、まじめに勉強する—／よけいなことは言わない—」⇩こと❷Ⓑ ❷ある出来事に対する感慨や詠嘆の気持を表わす。「よくあんな会社にいられる—／とんでもない—」⇩こと❸ 文法 丁寧な表現は「ことです」。

ことだま⓪【言霊】 その言葉に宿ると信じられた不思議な働き。「—のさきはふ国(=日本の美称)」

ことた・りる⓪④、②-⓪【事足りる】(自上一) 何かするのに間に合うだけある。用が足りる。「これで十分—」

ことづか・る④【言付㋕る】(他五) だれかにことづけられる。「…から手紙を—」 表記 「《託る」とも書く。

ことづ・ける④【言付ける】(他下一) 〔伝言・届け物などを〕人に頼んで先方に△言って(届けて)もらう。 名 ことづけ⓪④ 表記 「《託ける」とも書く。

ことづて⓪④【言《伝】 ❶間接に伝え聞くこと。「—に聞く」❷ことづけ。「—を頼む」

ことづめ⓪【琴爪】 琴をひく時に右手の親指・人さし指・中指の指先にはめる用具。象牙(ゾウゲ)などで作る。 かぞえ方 一本

ことてん⓪【事典】 〔辞典を「ことば典」と言うのに対して〕百科事典など、事柄の説明を中心とした辞書の俗称。

ことと・う③(トフ)【言問う】(自五) 〔雅〕問う。訪問する。「名にし負はばいざ言問はん都鳥」

こととて②(接助) 理由・根拠を表わす。「慣れぬ—よろしくお願いします／休み中の—うまく連絡がつかなかった」 文法 「名詞＋の」、また、活用語の連体形に接続する。

ことなかれしゅぎ⑥【事〈勿れ主義】 最善の結果を得ようと努力するよりは、平穏無事に事が済めばいいということだけを願う、消極的な考え方。「—の外交方針」

ことなく②③【事無く】(副) 懸念されていためんどうな問題も起きずに、事が済む様子。「夏休みも—終わった」

ことなりごすう⑥【異㋤り語数】 一つの言語資料に用いられた語彙(ゴイ)の量的な面を調査する方法の一つ。活用語の変化形も含めて、同一の語と判断されるものは、何度用いられても一語として扱う方法によって得る語数。⇩延べ語数

***ことな・る**③【異㋤る】(自五)〈なに・だれトー〉 比較する二つ以上の物事の間に違いが認められる。「△次元(実情・性格・色合)が—／—世界の住人」 表記 本表=「異なる」

ことに①【殊に】(副) その物事の程度が、普通以上の程度にある同種のものの中でも、特にきわ立つ様子。「粒揃(ゾロ)いの作品中、—すぐれている」 表記 「《特に」とも書いた。

ごとに【《毎に】(副助) ❶同じ条件に置かれるときに、例外なく同一のことが△認められる(繰り返される)ことを表わす。「国—違うルールがある／会う人—あいさつする／事ある—訴える／写真を見る度(ビタ)—思い出す」 ❷〔時間や数量を表わす語に付いて〕決まった△間隔を置いて(単位を基準として)規則的に同じことが繰り返されることを表わす。「一時間—百円加算される／十ページ—一題選ぶ／五メートル—印を付ける」 ❸その事が繰り返されるに従って、段階的に何かの傾向が増すことを表わす。「一雨—春めいて来る／一試合—力をつけてくる／会う度—美しくなる」 文法 名詞、動詞、助動詞「れる／られる・せる／させる」の終止・連体形に接続する。

ことによると⑤⓪【事に《依ると】(副) 成行き次第ではそうなる可能性もあると判断される様子。「—彼が代表に選ばれるかもしれない」

ことのついで⓪-⓪【事の《序㋢】 何かをするついである様子。物のついで。「—に書きしるす」

ことのは⓪③【言㋨葉】 〔雅〕言葉。「—(=和歌)の道⓪-⓪」

ことのほか⓪【殊の外】(副) ❶実際のところが、意外なほど予想とはかけ離れていると感じられる様子。「—手間どった／—喜んでもらえた」 ❷事態の程度が、普通には予測できないほどはなはだしい様子。「今夜は—冷えこむ／—のご執心だ」

****ことば**③【言葉】 〔「は」は、端の意〕❶その社会を構成する(同じ民族に属する)人びとが思想・意志・感情などを伝え合ったり諸事物・諸事象を識別したりするための記号として伝統的な慣習に従って用いる音声。また、その音声による表現行為。〔広義では、それを表わす文字や、文字による表現及び人工言語・手話に用いる手振りをも含む〕「海外旅行中—が通じなくて困った／意味の分からない—／A氏の—を△待つまでも無く(借りると)／—を換えるなら／—の端ばしをとらえる／抽象的な—を並べる／—だけが踊っている(=空疎な表現に終始する)／推薦の—(=文章)／御(オ)—を賜わる／—(=言い方)が悪い／—を尽くす／話し—・書き—」 ❷〔地の文と違って〕〔小説・戯曲の〕会話(文)。 ❸〔歌劇や語り物で〕節を付けずに説明的に言う部分。 表記 ❶の一部は、「《詞・《辞」とも書く。また、❷❸は「《詞」とも書く。 かぞえ方 ❶は一言(ヒトコト) **【—が滑る】** 相手に対し言ってはならないことをつい言ってしまう。 **【—を返す】** ❶返答する。❷相手の言葉に反駁(ハンバク)する。 **【—を濁す】** 語尾などをはっきり言わないで、明言を避ける。

—あそび④【—遊び】 ❶だじゃれ・しりとり・回文など、音の響きや繰返しを利用する言葉を用いた遊び。言語遊戯。❷言語表現を駆使してごまかしたり相手をたぶらかしたりすること。「—に終始した会見」 **—がき**⓪【《詞書】 ❶和歌の歌集などで個々の歌の前書き。❷絵巻物の説明文。❸絵本などの、対話の文。 **—かず**⓪④【—数】 ❶問題として取り上げる話や文章に用いられている語数。❷くちかず。「—が多い」 **—じち**⓪【—質】 相手の言った事をとらえて自説に有利な証拠とすること。 **—じり**⓪【—尻】 〔相手の弱点を抑えるための〕言い誤ったり言い方が不的確であったりした表現(の部分)。「—をとらえる」 **—ずくな**⑤⓪【—少㋤】—に 言葉数が少ない様子。「ことばすくな」とも。「—に答えた」 **—づかい**④(ツカヒ)【—遣㋑】 〔表現の巧拙、用法の適・不適などの観点から見た〕言葉の使

い方。 **━つき**[0]【━付(き)】 相手に対する態度の現れとしてのものの言いよう。 **━てん**[0]【━典】〔事典を「こと典」と言うのに対して〕国語辞典など、言葉の意味の説明を中心とした辞書の俗称。 **━なまり**[4]【━〈訛】 その地域特有の発音やアクセント。 **━の あや**[0]-[2]【━の〈綾】 実質にはおおむね無関係な、(多様に解釈出来るような)形容たっぷりの表現。「それは単なる━だ」

こと はじめ[3]【事始(め)】 ❶新しい事業などに(気を引きしめて)とりかかること。 ❷物事の始め。濫觴(ランショウ)。「蘭学(ランガク)━[0]-[3]」 ❸昔、十二月八日に煤取(ススドリ)などをして正月を迎える準備をしたこと。〔一般の人は二月八日に歳徳神(トシトクジン)の棚をおろして正月の行事終了の意の「事納め」をし、農家ではその日から農事を始め、十二月八日には農事終了を祝する意の「事納め」を行なった〕「御(オ)━[4]」

ことぶき[2]【寿】〔「ことほぎ」の変化という〕慶事を喜び祝うこと。〔お祝いや長生きを願う気持を表わして、ふろしきなどに書く〕「新年の━」 **━たいしゃ**[5]【━退社】 (会社勤めの女性などが)結婚を理由に退社すること。

こと ぶれ[0][4]【事触(れ)】 ❶触れ歩く△こと(人)。「春の━〔=春が来たという朗報〕」 ❷〔←鹿島(カシマ)の事触れ〕毎年二月八日、農事を始めるころに鹿島明神のお触れと称して、その年の吉凶を諸国に触れ歩いた△こと(人)。

ごと べい[0]【五斗米】〔年、五斗の扶持米(フチマイ)の意〕わずかの俸禄(ホウロク)。「━に節をまげる〔=食わんがために、本当はいやでたまらない宮仕えをする〕」

ことほ・ぐ[3]【《寿ぐ・言《祝ぐ】(他五)〔「言(コト)祝(ホ)ぐ」意〕何かを祝って喜びの言葉を言う。「長寿を━」 [名]寿ぎ[0][4]

ことほど さように[0]-[0]、[2]-[0]-[0]【事程左様(ヤウ)に】(副)〔so … that … の、古い訳語〕直前に示した適切な事例から、後述する結論が導き出される様子を表わす。「十社が参入すれば八社が消えていく、━この業界での生き残りはきびしいのだ」

こども[0]【子供】〔もと、多くの子の意〕❶その人の子。〔むすこ および娘を指す〕 ❷〔おとなから見て〕少年・少女や幼児。〔広義では、動物の仔(コ)をも含む〕「━の使い〔=頼まれた用事を足す以外の融通が全く利かないこと〕/━のけんかに親が出る/━扱い[4]」 表記「供」は江戸時代からの借字。 **━えん**[3](エン)【こども園】 「認定こども園[7]」の略。幼稚園と保育所の機能をあわせもつ施設。教育・保育・保護者への子育て支援を行なう。 **━ごころ**[4]【━心】〔まだ物の道理や人情をわきまえていないはずの〕子供の心。「━にも相手の不正が分かったらしい」 **━じ・みる**[5]【━染みる】(自上一) 年齢の上ではおとなであるけれども、言動はまだ子供の風を残している。 **━だまし**[4]【━〈騙(し)】 物の価値のまだ分からない子供に対するかのように、見せかけだけで安っぽい△こと(もの)。 運用 贈り物をする際などに謙遜(ケンソン)を表わす挨拶(アイサツ)の言葉としても用いる。例、「ほんの子供騙し(の物)ですがお収めください」 **━っぽ・い**[5](形) もう子供と言える年齢ではないのに、物の考え方や感情の表わし方、顔つき・服装などがいかにも幼稚に見える様子だ。「━いたずら」 [派]━さ[5] **━の ひ**[5]、[0]-[1]【こどもの日・━の日】「国民の祝日」の一つ。五月五日。端午(タンゴ)の節句。

こともなげ[0][4][5]【事も無げ】(━な/━に) はたの者の心配や思惑にかかわらず、当人は別にたいした事だとも思っていない様子だ。「━に言う」

ことよ・せる[4][0]【事寄せる】(自下一) 自分がしたい事をスムーズに実現させるために、本当は関係の無いほかの事を表面の理由にする。「病気に━〔=かこつける〕」

ことり[0]【小鳥】〔鳴き声がよかったり 芸を覚えたり するので〕飼育の対象となる 小形の鳥。 かぞえ方 一羽

ごとり[2](副)(━と) 動かすのに労力のいる物が、やおら止まったり 動き出したり する様子。

こと わけ[0][3]【事訳】 どうしてそうなったかの理由。

*__ことわざ__[0]【〈諺】〔語(コト)事(ワザ)の意〕その国の民衆の生活から生まれた、教訓的な言葉。〔短くて、口調(クチョウ)のいいものが多い〕「急がば回れ」「天に口無し、人をもって言はしむ」など。

ことわり[0][3]【断(わ)り】 ❶自分の意志・判断だけでは本来行なえないことについて、事前に相手の了解を得ること。また、その言葉。「他人の文献を━なしに引用する/━もなく門前に車を止める」 ❷相手からの依頼・要求や勧誘などを断わること。また、その言葉。「都合つかず━の返事をする/そんな損な役はお━だ」

ことわり[0][4]【《理】〔「是非を判断する」意の文語の動詞「ことわる」の名詞形。事分(コトワリ)の意〕そうなるべき物事の△道理(筋道)。「━無しとしない」

**__ことわ・る__[3]【断(わ)る】(他五)〈(だれニ)なにヲ━〉〔「事割る」の意〕 ❶〔相手に影響を与える行為について〕事前に△知らせる(了解を得る)。「断わっておくが/断り書き[0]」 ❷〔相手の希望・要求・申し出などについて〕それを受け入れる事は出来ないという意志を明らかにする。 表記 本表=「断る」

ことん[2](副)(━と) 小さくてかたい物が音を立てて何かに当たる様子。また、その音の形容。

ごとん[2](副)(━と) 重くてかたい物が音を立てて何かに当たる様子。また、その音の形容。

**__こな__[2]【粉】〔「な」は接辞〕一つひとつは目に見えないほどの、小さい粒。〔多数集まった場合に、その存在が認められる〕

こない[0](━な/━に)〔関西方言〕このよう。⇩あない・そない・どない

こないだ[4]【〈此(コ)《間(ナ)】(ヒダ)「このあいだ」の口頭語的表現。〔副詞的にも用いられ、アクセントは[0]〕

こな おしろい[3]【粉〈白粉〉】 ⇩おしろい

こなか[0]【子中・子仲】 子供のある夫婦なか。「━を成す〔=夫婦の間に子供がある〕」

こなから[0]【小《半】〔一升の半分である五合の半分の意〕二合五勺(シャク)。 表記「〈二合半〉」は、義訓。

こなぐすり[3]【粉薬】 粉の状態の薬。⇩水薬・丸薬

こなごな[0]【粉々】 非常に細かに砕けて、元の形を全く残していない△こと(様子)。「━に砕く」

こな さん[1][2]【〈此《方《様】(代)〔「此方様(コナタサマ)」の意で、江戸時代、おもに女性が使った〕こちらのお方。あなた。こな人(ヒト)[1]。

こなし[0][3]【《熟し】〔動詞「こなす」の連用形の名詞用法〕 ❶「こなす❶」こと。「腹━(ゴナシ)」 ❷「こなす❷」こと。「年の割には軽い身の━/和服の着━」

こな・す[0]【《熟す】(他五)〔もと、土などのかたまりを砕いて細かくする意〕 ❶食べた物が胃の中でよく消化できるようにする。 ❷何かについての技術・技芸などを十分に身につけて、ぎこちなさを感じさせないで扱う。「英語を巧みに━/人を使い━のが苦手な管理職/多くの弦楽器を弾き━才人/乗り━」 ❸かけた時間や労力に見合うだけの仕事を為(ナ)し遂げる。「仕事を━/数で━〔=たくさん売って、利益を上げる〕」

こなた[1]【〈此《方】(代)〔雅〕〔「な」は「の」と同義の文語の助詞〕こちら。 **━かなた**[4]、[1]-[1]【━《彼《方】(代)〔雅〕あちこち。

こなまいき[3][2][1]【小生意気】(━な/━に)〔「小」も「生」も、もとちょっとの意〕いかにも生意気な様子。「━な小娘」 [派]━さ[0][6]

こな みじん[0](ヂン)【粉《微〈塵】 非常に細かく△砕ける(砕

** * は重要語, [0] [1]… はアクセント記号, 品詞の指示の無いものは名詞および いわゆる連語。

け散った)こと。

こなミルク③【粉ミルク】〔脱脂〕牛乳を濃縮・乾燥させて粉状にしたもの。粉乳。

こなゆき②【粉雪】湿りけが少なく、さらさらして、粉のように細かな雪。かぞえ方 一片(ヒト/ヒラ)

こな・れる⓪【《熟れる】(自下一) ❶「こなす❶」ことが出来た状態になる。❷「こなす❷」ことが出来た状態になる。「年とともに芸がこなれてきた/彼も苦労したと見え、最近は大分こなれて〔=角(カド)が取れて〕来た/こなれた〔=ⓐ分かりやすい。ⓑ完成度の高い〕文章」名 こなれ⓪③

ごなん②【御難】「(その人の身に及んだ)災難・難儀」の意の△尊敬(丁寧)語。「─にあう」運用 (1)相手や第三者が受けた当人にとって不本意な事態をからかい気味に言うことがある。例、「課長に夜中まで付き合わされたとは とんだ御難でしたね」(2)話し手自身の受けた同様の事態を自嘲(ジチョウ)して言うのにも用いられる。例、「このところ御難続きでついていないよ」

こなんど②【小納戸】江戸幕府の職名。将軍近侍の役。理髪・膳番(ゼンバン)などを受け持った。

コニーデ②〔ド Konide〕富士山に 代表される 円錐(イス)状火山。〔現在は火山の成立ちに注目し、成層火山または複合火山などの語が用いられる〕

こにくらし・い⑤【小憎らしい】(形) 意外にも憎らしいと感じられる様子だ。派 ─さ⑤④

こにだ②【小荷駄】馬につけて運ぶ△荷物(食糧)。

ごにち①⓪【後日】「ごじつ」の意の古風な表現。

こにもつ②【小荷物】❶めいめいが携帯出来る程度の小型の荷物。❷〔←鉄道小荷物⑥〕〔旧国鉄で〕旅客列車付属の車両で運んだ、客の小型の手荷物。重量三〇キロ以内、配達もされた。客車便⓪。

コニャック②①〔フ cognac=もと、フランスの地名〕ブランデーの一種。白ワインを蒸溜(リュウ)して作り、カシの樽(タル)に詰めて熟成させたもの。

ごにゅう⓪【悟入】─する(自サ) すっかり悟りの 境地に達すること。

ごにん⓪【誤認】─する(他サ) 他の物や人をまちがってそれと認めること。「最新鋭のイージス艦が軍用機と民間機を─することがあり得るか/事実─①-⓪」

ごにんぐみ⓪【五人組】江戸時代、隣り合う五戸から成り、連帯責任を持たされた相互扶助的な組織。

こにんずう②【小人数】何かをするために集まる人の数が〔普通の場合に比べて〕少ないこと。また、その人たち。〔口頭語では「こにんず②」とも〕↕多人数

ごにんばやし④【五人囃子】ひな人形の一つ。謡(ウタイ)・笛・太鼓・大鼓(オオカワ)・小鼓(コツヅミ)の役から成る。

こぬか⓪【小〈糠】細かい粉状のぬか。「─三合持ったら養子に行くな〔=財産と言えるものが わずかでもあるならば、気苦労の多い養子には、行かない方がいい〕」表記「粉〈糠」とも書く。 **─あめ**④③【─雨】普通の糠雨よりも、もっと細かくて、いつの間にか全身をぬらしてしまうような雨。

こぬれ⓪【木《末】〔雅〕〔「このうれ」の変化〕こずえ。

コネ①〔←connection〕〔それをたどって行けば特別の利害・便益を伴うはずの〕人と人との結びつき。縁故。「─で就職する」

こねかえ・す③⓪【〈捏ね返す】(他五) 繰り返し、何度も捏ねる。〔紛争をますます激しくする意にも用いられる〕

コネクション②〔connection〕❶交通機関相互の接続・連絡。❷秘密を厳しく守って運営される△犯罪(反政府)組織(の一員)。「麻薬取引の─」❸コネ。

こねくりかえ・す⑤③【〈捏ねくり返す】(他五)「こねかえす」の強調表現。

こねく・る③【〈捏ねくる】(他五)「捏ねる」意のやや強調した口頭語的表現。「こねくり回す⑤③」

ごねどく⓪【ごね得】「補償などの際、先方の条件をなかなか受け入れず、粘りに粘って結局自分の側に有利になるように交渉すること」の意のやや俗語的表現。「ごてどく」とも。

こねどり②⓪【〈捏ね取り】─する(自サ) 餅(モチ)つきの時に むらなくつけるように餅を捏ね返す△こと(人)。

こねまわ・す④⓪【〈捏ね回す】(他五) ❶△念入り(必要以上)に捏ねる。❷物事をいじくりまわし、結果的に順調な進展を妨げる。「理屈を─」

こ・ねる②【〈捏ねる】(他下一) ❶〔水分を含ませた物について〕全体が一体化するように、力を加えて よく かきまぜる。〔俗に野球で、投手がボールを両手に持って捏ねるようなかっこうをすることをも指す〕「そば粉を─〔=堅く練る〕」❷あれこれと理屈の通らないことや難題を△言う(言って人を困らす)。「理屈を─/だだを─」

ご・ねる②(自下一) ❶〔「御涅槃(ゴネハン)」を動詞化したもの〕死ぬ。❷自分の思う通りにしようと、文句を付ける。「ごね得(グド)」〔❷は「ごてる」との混同に基づくとされる〕

ごねん②【御念】「(相手の)配慮」の意の尊敬語。「─〔=御心配〕には及びません/─の入った〔=行き届いた〕御挨拶(ゴアイサツ)、痛み入ります」運用「ご念の入った△話(こと)だ」などの形で、そこまですることはないだろうの意で、他人の行為をからかって言うのにも用いられる。

この⓪【〈此の】(連体) ❶(聞き手より)話し手に近いと意識される事物を指し示すことを表わす。「─傘はだれのですか/─道を行けば駅に出る/─ほか②〔=これ以外〕」❷話し手が発言△した(しようとする)事柄を主体的な立場から指し示すことを表わす。「─ことから導き出される結論/─機を逃さず/─点を詰めていこう/─話はまだだれにも言っていない」⇩その・あの・どの:こそあど 運用 自分が所属する組織、国家などを指して言う場合、客観的な評価をしようという態度をとりながら、批判的な気持を含意することがある。例、「この会社はいつになっても古い体質が抜けない/この国はなぜこんなに首相がよく代わるのか」

このあいだ⑤⓪【〈此の間】話し手の当面している日よりも少し前の時。先日。〔副詞的にも用いられ、アクセントは⓪〕「─はお世話になりました/─見た映画は」

このうえ④⓪【〈此の上】❶これ以上。❷のっぴきならない事態に当面していることを表わす。〔副詞的にも用いられ、アクセントは⓪〕「─は一刻も早く帰ってほしい」 **─とも**⑤④⓪(副) 今後ともなお一層。「─よろしく」 **─な・い**⑤【─無い】(形) これ以上のことはあり得ないだろうと判断されるほど程度がはなはだしい様子だ。「─名誉/不愉快なこと─」文法 助動詞「そうだ(様態)」に続くときは「この上なさそうだ」の形になる。また「すぎる」と結びついて複合動詞をつくるときは「この上なさすぎる」の形になる。

このえ①⓪【《近《衛】天皇・君主の近くに仕え、その警護に当たる△こと(人)。「─師団④・─兵③」 **─ふ**③【─府】六衛府(ロクエフ)の一つ。昔、皇居の警護や行幸のお供を受け持った役所。

このかた【〈此の方】❶⓪③ その時以後、現在に至るまで。「オイルショック─/三年─」❷④③(代)「この人」の意の尊敬語。

このかん③【〈此の間】このことに関する事態が持続しているあいだ。「─しばらく野ャに下った/─の△事情(消息)」

このご⓪③【〈此の期】決定的な段階に至っていて、今さらどうすることもできない時点。「─に及んで何を言うか」

このごろ[0]【〈此⦅の⦆頃】 話し手の当面している現在。〔少し前から現在を含めて言う〕「—の天候」

このさい[3]【〈此⦅の⦆際】 話し手が何か特殊な事情に当面している現在。〔副詞的にも用いられる〕「—〔=折が折だから〕ご協力を願います」

このさき[0]【〈此⦅の⦆先】 ❶これから進もうとしている方向。「—には人家は無い」 ❷こののち。今後。〔副詞的にも用いられる〕「—どうなるやら」

このした[1]【木の下】 〔雅〕きのした。「—陰[0][5]・—路(ミチ)[4]〔=樹木でおおわれた(長く続く)道〕・—闇(ヤミ)[0]」

このじゅう[0][2]【〈此⦅の⦆中(ヂュウ)】 〔問題とする〕期間中。

このしろ[0]【〈鮗・〈鰶】 イワシを少し大きくした形の近海魚。焼くと、においが強い。〔コハダは、これの小さいもの〕〔コノシロ科〕 かぞえ方 一尾・一匹

このせつ[3][2]【〈此⦅の⦆節】 「このごろ」の意の改まった言い方。

このたび[2]【〈此⦅の⦆度】 「今度」の意の改まった言い方。

このだん[3]【〈此⦅の⦆段】 〔手紙文で、前に述べて来た事を承(ウ)けて〕以上の点は。

このところ[5]【〈此⦅の⦆所】 近ごろ。最近。〔副詞的にも用いられ、アクセントは[0]〕「—急に春めいてきました」

このは[1]【木の葉】 「きのは」の古風な表現。 **—がみ**[3]【—髪】 〔俳句で、秋から冬にかけての〕抜け毛。 **—がれい**[4](ガレヒ)【—〈鰈】 「めいた❷」の異称。 **—ずく**[3](ヅク)【—〈木〈菟〉】 ミミズクに似た鳥。全体が薄い黄茶色で、夜にブッポウソウと鳴く。〔フクロウ科〕 かぞえ方 一羽 **—てんぐ**[4]【—天〈狗】 吹けば飛ぶような、威力の無い小さな天狗。「こっぱてんぐ」とも。

このぶん[3]【〈此⦅の⦆分】 話し手の当面している現在の△様子(状況)。「—では雨もやみそうだ」

このへん[0]【〈此⦅の⦆辺】 ❶このあたり。 ❷この程度。これ。「では—で…」

このほう[3][2](ハウ)【〈此⦅の⦆方】(代) 〔目下の者を、「其(ソ)の方」と言うのに対し〕殿様・主人などが目下の者に対して自分を指した語。おれ。

このほど[2]【〈此⦅の⦆程】 「このたび・このごろ」の意の改まった言い方。「—新社屋が完成いたしました」

このま[1]【木の間】 木の(立ち並んでいる)あいだ。「—隠(ガク)れ[4]」

このまえ[3](マヘ)【〈此⦅の⦆前】 ❶そのことがあってからさほど日数が経(タ)っていないことを表わす。「—は失礼しました」 ❷(日をおいて繰り返される物事の)一回前を表わす。「—の授業ではどこまで進みましたか」

***このまし・い**[4]【好ましい】(形) そのような△状態(存在)をためらうことなく受け入れることが出来る様子だ。「—結果/好ましくない人物」 派 **—さ**[3][4] **—げ**[0][5]

このまま[4]【〈此⦅の⦆〈儘】 話し手から見て、現在置かれているままの状態。今のまま。〔副詞的にも用いられ、アクセントは[0]〕「—では引っこみがつかない/—放っておけない」

このみ[1][3]【好⦅み⦆】 自分がどんな傾向のものを好きだと感じるかということ。「当世—(ゴノミ)の色/お—の〔=自分で食べたいと思う〕料理をお選びください/私の—には合わない」

このみ[1]【木の実】 「きのみ」の古風な表現。

***この・む**[2]【好む】(他五)〈なにヲ—〉 そのものを好きだと感じて、積極的にそれを求める。「サッカーを—少年/私は甘い物をあまり好まない/英雄 色を—/—と好まざるとにかかわらず戦わざるをえないのだ」

このめ[1]【木の芽】 「きのめ」の古風な表現。「—月(ツキ)[3]〔=陰暦の二月〕」

このもし・い[4]【好もしい】(形) どんな点から見てもこのましい印象を与える様子だ。 派 **—さ**[4][3] **—げ**[0][5]

このゆえに[4](ユヱ)【〈此⦅の⦆故に】(接) こういうわけだから。〔話し言葉ではあまり使わない〕

このよ[3]【〈此⦅の⦆世】 現に生きている人で形作っている世界。「—の見納め/—を去る」 ↕あの世

このよう[3](ヤウ)【〈此⦅の⦆様】—な —に ❶(聞き手より)話し手に近い所に存在する事物や状態を、それと同様だと考えられる事物・状態を含めて、例示的に指し示すことを表わす。「—な形に折り曲げてください/—な番組は見るに値しない/—にしてください」 ❷話し手がすでに発言した事柄などを、それと同様だと考えられる事柄をも含めて、話し手自身の判断に基づいて、例示的に指し示すことを表わす。「—な事件は二度と起こしてはならない/—に考えれば、自(オノズカ)ら一つの結論に達する」〔❶❷とも、「この・こう」の婉曲(エンキョク)な言い方としても用いられる〕 ⇩あのよう・そのよう・どのよう::こそあど

このわた[2]【〈海〈鼠〉《腸》】 〔「こ」はナマコの意〕ナマコのはらわたの塩辛。

このんで[2]【好んで】(副) 自分からそうすることを望んで行なう様子。好きこのんで。「—事を構えたが/—口にする言葉/—火中の栗(リク)を拾おうとする者はいない」

こは[1]【〈此は】(感) 〔雅〕これはどうしたことか、の意を表わす語。「—如何(イカ)に〔=思いがけない事にあって、当惑する様子〕」 表記 「《是は」とも書く。

こば[2][0]【木端】 材木の切れはし。こっぱ。〔狭義では、屋根にふく、ヒノキなどを薄くはいだ板を指す。例、「—板[0]」〕

ごば[1]【後場】 〔取引所で〕二回目〔=多く午後〕の立会い(相場)。 ↕前場(ゼンバ)

こばい[0]【故買】—する(他サ) 盗んだ品と承知して買うこと。「—品[0]」

ごはい[0]【誤配】—する(他サ) 〔郵便などを〕まちがった所へ△配達(配付)すること。〔電報は「誤配達[2]」と言う〕

こばか[0]【小馬鹿・小〈莫迦〉】 〔「こ」は、ちょっとの意〕何かにつけて取る、人をちょっと馬鹿にしたような態度。「—にする」

こはく[0]【〈琥珀〉】 ❶大昔の樹脂が地中で化石のようになったもの。半透明で、光沢のある△黄(赤茶)色。装身具用。 ❷横の方向にうねを作った平織りの絹物。帯地・はかま地用。こはく織り[0]。

ごばく[0]【誤爆】—する(他サ) 本来の目標ではなかった対象を誤って△爆撃(爆破)すること。

ごはさん[0]【御破算】 ❶〔そろばんで〕(計算をもとに返して)新たに始められる状態にすること。「ごわさん」とも。「—で願いましては」 ❷予定の物事を△最初(白紙)の状態にもどすこと。また、もどること。「雨で計画が—になる」

こばしり[2]【小走⦅り⦆】 小またで、急いで行くこと。「—に道を急ぐ」

こはずかし・い[5](ハヅカシイ)【小恥⦅ず⦆かしい】(形) 人前で失敗したりして、多少恥ずかしく思う様子だ。〔口頭語的表現は「こっぱずかしい[6]」〕「—思いをする」

こはぜ[0]【〈鞐】 足袋・きゃはん・帙(チツ)などの合わせめを留める、つめ形のもの。 表記 「小〈鉤」とも書く。 かぞえ方 一枚

こはだ[0]【小〈鰭】 〔小鰭(コハタ)の意〕〔東京方言〕コノシロの若魚。すし種・酢の物などに使う。 かぞえ方 一尾・一匹・一枚

こばち[1][0]【小鉢】 ❶〔食器や植木鉢などで〕小形の鉢。 ❷〔日本料理で、「小鉢物」の略〕「小鉢❶」に盛って出す料理。

ごはっと[2][0]【御法度】 〔「法度」の丁寧語。武家時代の法令として出された、禁止事項の意〕それを犯すと差し障りがあったり 咎(トガ)められたり する事柄。「御家(オイエ)の—」

こばな⓪【小鼻】鼻柱の左右のふくらみの部分。「―をうごめかす〔=得意になっている様子〕／―をふくらます」

こばなし②【小話】㊀聞き手を笑わせる、ちょっとした話。〔多くは艶笑譚(エンショウタン)〕「フランス―⑥」㊁「落とし話」の近代に入っての呼称。表記「小〈咄・小〈噺」とも書く。

こばなれ②【子離れ】―する(自サ) 子供の自主性を重んじ、成長するに従って、親が干渉することを控えること。⇩親離れ

こばね⓪①【子羽】ハチ・セミなどの羽のうち、後ろの方の小さい一対。〔生物学では、後翅(コウシ)と言う〕↕親羽

こはば⓪【小幅】㊀大幅の半分の幅。約三六センチ。並幅。㊁〔=な〕数量・価格・規模の変動の小さい様子。「―に△とどまる(抑える)」⇩中幅・大幅 表記「小〈巾」とも書く。

***こば・む**②【拒む】(他五)〈なに・だれヲ―〉相手の要求などを受け入れることをしない。「△申し出(証言)を―／敵を―〔=侵入を防ぐ〕／入国を拒まれる」

こばら⓪【小腹】〔「こ」は、ちょっとの意〕その時どきによって、ちょっと変わった状態を示す腹。「―〔=腹がちょっと〕が立つ／―が痛む／―が減る」

ごばらい②【後払(い)】△商品を受け取ってから(約束の仕事が終わってから)支払うこと。あとばらい。

こはる⓪【小春】〔暖かくて、いかにも春らしい気分がする意〕陰暦十月の異称。小六月(コロクガツ)。 **―びより**④【―日和】陰暦十月のころの(ような)よく晴れた暖かい日和。表記⇩付表「日和」

コバルト⓪〔cobalt〕㊀ニッケルに似た金属元素の一つ〔記号Co原子番号27〕。銀白色で磁性が強く、自由に打ち延ばすことが出来る。合金の材料。「―照射⑤〔=コバルトの同位元素である『コバルト60』を癌(ガン)などの治療のために患部にあてること〕」㊁〔白みを帯びた〕青色。 **―ブルー**⑥〔cobalt blue〕明るい青色(の顔料)。

こはん【小半】(造語)〔半分の二分の一の意〕四分の一。 **―ぎん**②【―斤】四分の一斤。 **―とき**⑤【―時】〔昔の時法で〕一時(イットキ)の四分の一。三十分。

こはん⓪【古版】昔の版(本)。 **―ぼん**⓪【―本】江戸時代の初期までに刊行された本。表記「古板本」とも書く。

こはん⓪【孤帆】水上に見えるたった一つの帆(かけ船)。

こはん⓪【湖畔】その湖のほとり。「―の宿」

こばん【小判】↕大判 ㊀⓪〔紙などの〕判の小さなこと。㊁①〔昔の〕薄くて楕円(ダエン)形の金貨。一枚一両に当たる。かぞえ方㊁は一枚 **―ざめ**②【―鮫】温帯・熱帯の海に広く分布する硬骨魚。頭頂に小判形の吸盤があり、サメ・カジキ・クジラや船底などに吸着し、おこぼれを食べて生活する。「業界の王者に食らいつく―商法」

***ごはん**①【御飯】㊀「めし・食事」の丁寧語。「―を食べにゆく」㊁「米の飯」の丁寧語。「―をたくのを忘れた」 **―むし**②【―蒸(し)】「蒸し器」の別称。

ごはん⓪【誤判】誤った△判断(判決)。

ごばん⓪【碁盤】碁を打つのに用いる、正方形に近い〔四脚の〕盤。縦横各十九本の線が引いてある。かぞえ方 一枚・一面 **―じま**⓪【―縞】碁盤の目のような縞。 **―のめ**⓪-①【―の目】㊀碁盤上の縦横に引かれた十九本の線の交差したところ。㊁「碁盤」のように、縦横の線が規則正しく引かれているように見えること。「―のように区切られた通り」 **―わり**⓪【―割(り)】〔土地などを〕碁盤の目のように縦横に規則正しく分割すること。

こはんにち②⑤【小半日】かれこれ半日に近い時間。〔副詞的にも用いられ、アクセントは②⓪〕「―読書に過ごす」

こび①【媚】言動を努めて和らげたり低姿勢な態度をとったりして、相手に気に入られようとする様子。「大衆に―を売る〔=気に入られようとする〕」

ごび①【語尾】㊀その言葉の言い終わりの部分。「―がはっきりしない／―が消える」㊁活用語の変化する部分。例、「高く」の「く」など。「活用―③」↕語幹 **―へんか**③【―変化】「語尾㊁」が、文中での用法に応じて種々の違った形をとること。

***コピー**①〔copy〕㊀―する(他サ)〈なにニ〉なにヲ―する〉Ⓐ〔文書・写真・電子データなどで〕△複写(複製)(すること)。「―機②・違法―④」Ⓑ美術品の模造など、原物そっくりに作ったもの。また、それを作ること。㊁〔広告の〕文案。「―ライター」かぞえ方㊀Ⓐの文書の複写は一枚・一通・一部

コピー アンド ペースト⑦〔copy and paste〕〔コンピューターで〕画像・文章などのデータの一部を複写し、他の箇所にはりつける操作。略してコピペ⓪。

コピー ガード④〔copy guard〕ソフトウエアやビデオなどの著作権を守るための複写防止の仕掛け。

コピー しょくひん④【コピー食品】外見や味は本物に似せているが、原料は別の物を使った食品。カニの足に似せて作ったかまぼこなど。

コピーライター④〔copywriter〕人の心を引きつける、気のきいた広告文を考え出す人。

コピーライト④〔copyright〕著作権。版権。

こびき⓪③【木〈挽(き)】樵(キコリ)が伐(キ)り出した木を材木に挽く職業(の人)。「―唄(ウタ)③」

こひざ⓪【小膝】〔あるしぐさをする際に〕ちょっと動かす膝。「―を打つ〔=膝を軽く打って、合点したり 感心したり などする〕」

こびじゅつ②【古美術】すぐれた美術品で、制作年代の古いもの。

こひつ⓪【古筆】昔の人、特に平安時代のすぐれた書家の筆跡。 **―ぎれ**⓪【―切】古筆を茶掛けなどにするために、しかるべき部分を断裁したもの。

こびと⓪【小人】童話の世界に登場する背の低い人〔たち〕。「白雪姫と七人の―」

こびへつら・う①-③【〈媚び〈諂う】(自五) 相手の気に入るような事を言ったりしたりする。

こびゃくしょう②【小百姓】〔小作人として〕わずかな田畑を耕す、貧しい百姓。

ごひゃくらかん④【五百羅漢】釈尊の死んだ時に集まった五百人の羅漢〔に象(カタド)った石仏〕。「五百阿羅漢」とも。

ごびゅう⓪【誤〈謬】「まちがい㊀」の意の漢語的表現。

こひょう⓪【小兵】〔もと、「精兵(セイビョウ)」と違って、弓を引く力の弱い△こと(人)の称〕戦い、力を競い合う者としては、体格が小さい△こと(男性)。「―力士④」↕大兵(ダイヒョウ)

こびりつ・く④【こびり着く】(自五) ㊀〔強い粘着力や強烈な印象のために〕くっついてしまって、容易に引きはがせなくなる。「頭にこびりついている〔=忘れようとしても忘れられないでいる〕」㊁ある人の身辺にまつわりつく。

こひる⓪【小昼】〔昼近く、の意〕朝食と昼食との間にとる軽い食事。「こびる」とも。

こ・びる②【〈媚びる】(自上一) こびを売る。「△権力(読者)に―」

こびん⓪【小瓶】小さな瓶。「ガラスの―」かぞえ方 一本

こびん⓪【小〈鬢】鬢の部分。「―に白髪が見え始める」

こふ①【誇負】―する(他サ) 自信があって、人前に見せびらかすこと。「力量を―する」

こぶ②【〈瘤】㊀病気や打身などのために筋肉が異常に盛り上がって固まったもの。口頭語的な表現は「たんこぶ」。「頭

にこぶができた」❷「こぶ❶」のように、表面に丸く小高くなって見えるもの。「ラクダの—/縄の—〔=堅く結ばれた所〕をほどく/木の—」❸その人の行動の自由を妨げるもの。「目の上の—〔=それを排除しないと自分の出世や自由な活動の邪魔になる存在としての、立場が上の人〕/—〔=足手まといになる子供〕付き⓪」

こぶ①【昆布】食用としての「こんぶ」。「—茶②・—巻・—だし⓪」

こぶ①【鼓舞】—する(他サ)〔鼓を打って舞を舞う意〕そうすることの意義を改めて強調し、意気を奮いたたせること。「士気を—する」

ごふ①⓪【護符】人間を災厄から守る力があるという、神仏のふだ。「ごふう②⓪」とも。

ごぶ①【五分】❶十分の五。一寸の半分。「—刈ガリ⓪」❷「五分五分」の圧縮表現。**—がゆ**⓪【—〈粥】回復期の病人が食べる、おかゆとおもゆの中間の主食。**—ごぶ**⓪【—五分】互いに優劣の無いこと。また、実現するかしないかの確率がほぼ同じであること。「△実力(形勢)は—だ」

ごぶいん⓪【御無音】〔手紙文で〕ごぶさた。「—に打ち過ぎ」

こふう①【古風】—な —に 現在ではすでに一般的でなくなった昔ながらのやり方を保っている様子だ。〔おくゆかしい意にも時代遅れの意にも用いられる〕「—な作り」派 **—さ**⓪②

ごふうじゅうう④【五風十雨】ジフー 五日目に風が吹き、十日目に雨が降ること。〔農作などに好都合の順当な気候の形容〕

こぶか・い③【木深い】(形) 奥が見通せないほど、木立が茂っている様子だ。

こふく①【鼓腹】腹つづみを打って満足していること。**—げきじょう**①-⓪【—撃壌】ジヤウ〔「撃壌」は地面を踏み鳴らして拍子をとる意〕人民が太平の世を享受していることの形容。

ごふく⓪【呉服】〔←呉服物モノ⓪〕絹織物(の着物)。〔織物・反物の総称としても用いられる。例、「—屋⓪」〕↕太物フトモノ❷

こぶくしゃ③【子福者】夫婦の間に子供がたくさん居て、幸福そうに見える人。

ごぶさた⓪【御無沙汰】—する(自サ)「無沙汰」の丁寧語。❶訪問・文通をしないでいることを相手にわびる時の挨拶アイサツに用いる語。「すっかり—いたしております/—ばかりで申し訳ない」❷以前には△習慣(継続)的にやっていたことをしなくなってから久しいこと。「就職してから登山の方はとんと—している」

こぶし⓪【〈辛〈夷〉】山野に生じる落葉高木。春先に葉の無いこずえに白い大形の花を開く。実の形は子供の拳コブシに似る。〔モクレン科〕表記 漢語表記「辛夷」は、もとモクレンの漢名。かぞえ方 一株・一本

こぶし⓪【拳】何かをたたいたり 緊張・我慢のため折り曲げて握ったりした時の五指。げんこつ。「振り上げた—をおろす/—大の雹ヒョウ」

こぶし①【古武士】折目正しく信義を重んじた、昔の武士。「—の風格がある」

こぶし⓪【小節】〔民謡や歌謡曲などで〕譜には表わせない、微妙で装飾的な節回し。「—をきかせた歌い方」

ごふしょう⓪【御不承】「不承〔=いやに思うこと〕」の意の△尊敬(丁寧)語。不承知であろうがぜひとも、の意で、無理な願いを承諾してもらうのに用いる語。「—願います」

ごふじょう⓪【御不浄】ジヤウ「便所」の意の婉曲エンキョク表現。

こぶつ⓪①【古物】❶△昔(先祖の代)から伝えられて来た、由緒のある品物。❷△使用済み(無用)として売りに出された品物。「—商③」↕新品

こぶつ①【個物】〔哲学で〕感覚で認識される、一つひとつの対象。

こぶとり②【小太り】—な —する(自サ) ちょっと太っている△こと(様子)。「—なからだ」表記「小《肥り」とも書く。

ごふない②【御府内】江戸時代の、江戸の町内。〔具体的には、品川大木戸・四谷大木戸・板橋・千住・本所・深川の範囲内を指した〕

こぶ まき②⓪【昆布巻き】ニシン・ハゼ・ゴボウなどを昆布で巻いて煮た総菜ソウザイ料理。〔東京では、お節セチ料理の一つ〕かぞえ方 一本

コブラ①〔cobra〕インド・台湾・アフリカなどに分布する、怒ると首を横にふくらませる毒ヘビの総称。後ろにめがねをかけたような模様がある。メガネヘビなど。〔コブラ科〕かぞえ方 一匹

コプラ①■一〔copra〕熟したココヤシの種の胚乳ハイニュウをかわかしたもの。マーガリン・菓子の材料やせっけんの原料。■二〔copula の文字読み〕〔文法で〕主語と述語とをつなぐ役割を果たす語。繋辞ケイジ。コピュラ①とも。

ゴブラン おり⓪【ゴブラン織】〔Gobelins=この織物を創始したゴブラン家の名〕パリ市ゴブラン工場で作られる、壁掛用の厚い織物(や、それに似せて作った織物)。略してゴブラン①。

こぶり⓪【小振り】↕大振り ■一小さく振ること。「バットを—にする」■二—な〔同類に比べて〕幾分小形な様子だ。

こぶり⓪【小降り】雨や雪の降り方が強くないこと。↕大降り・本降り

ゴブリン①〔goblin〕小鬼。人間にいたずらをする妖精。

ゴブレット①〔goblet〕足付きのコップ。⇩タンブラー

こふん⓪【古墳】昔の△塚(墓)。〔日本では、四世紀から七世紀までに築かれた小高い土墳を指す〕かぞえ方 一基 **—じだい**④【—時代】弥生ヤヨイ時代に続く、四世紀ごろから七世紀ごろの時代。古墳が盛んに造られた。

こぶん①【古文】❶篆字テンジ以前の、漢字の古体。❷〔現代文と違って〕いわゆる文語体で書かれた文章。〔狭義では奈良・平安時代までの文章を指し、広義では擬古文を含む。また、高校国語科では、古典の一分科〕

こぶん①【子分】❶その人に付き従ってその命に服したり行動を共にしたりする人。↕親分 ❷他人の子を、縁有って自分の子として養うもの。表記 ❶は、「〈乾児〉」(漢語表記)とも書く。

ごふん⓪【〈胡粉】数年 野積みにした天然のカキの貝殻の表面を掻カき取って白い部分だけを取り出し粉状にした、白色の顔料。

ごぶん⓪【誤聞】—する(他サ)「聞き誤り」の意の漢語的表現。

こへい①【古兵】「古参兵」の圧縮表現。

ごへい⓪【御幣】細長い木(の枝)に、細長い白紙などを切ってはさんだもの。神主がおはらいをする時に使い、また、神前に供える。「—を担ぐ〔=不浄をはらう神官の動作が、御幣を担ぐようにも見えるところから、他の人なら気にかけないような事を、不吉として忌み嫌う〕」かぞえ方 一本 **—かつぎ**④【—担ぎ】縁起を気にする△こと(人)。かつぎや。

ごへい⓪【語弊】言い方が適切でないために起こる、相手に与える誤解や不快な感じなど。「—がある」

コペイカ②〔ロ kopeika〕⇩カペイカ

こべつ⓪【戸別】△一軒(一所帯)ごと。「—訪問④」

こべつ⓪【個別】一つひとつ別々にすること。「—折衝④・—的⓪」表記「《箇別」とも書く。

コペルニクスてきてんかい⓪-⓪クワイ【コペルニクス的転回】〔Copernicus＝地動説を提唱した天文学者の名〕従来の意見や通説をすっかり逆の方に変えること。百八十度の転回。

ごへん②①【御辺】（代）昔、武士の間で使われた二人称代名詞。同輩間に用いた。

ごべんか②クワ【五弁花】五枚の花びらから成る花。表記「弁」の旧字体は、「〈瓣」。

ごほう⓪ハウ【午砲】もと、正午を知らせた号砲。どん。

ごほう⓪【御報】〔相手からの〕お知らせ。「―参上⓪-⓪（＝お知らせがあればまいります）」

ごほう⓪ハフ【語法】㊀その言語体系に固有の、語の用法〔＝文法〕などに関する内在的な法則。㊁その場の状況や表現意図に応じた、適切な表現の仕方。

ごほう⓪【誤報】伝えるべき事柄を正しく伝えていない知らせや報道。

ごほう⓪【護法】㊀ハフ 法律を保護すること。㊁ホフ〔仏教で〕Ⓐ化け物・病気を調伏チョウブクする法力。Ⓑ教法を守護する△こと（鬼神）。

ごぼう⓪バウ【《牛〈蒡】畑に作る二年草。葉は大きな心臓形、茎は高さ一メートル以上になる。細長くて土色の根は食用、あくが強い。〔キク科〕表記「午〈蒡」とも書く。かぞえ方 一本 **―ぬき**⓪【―抜(き)】〔もと、ゴボウを抜くように、草木の根などをすっぽりと引き抜く意〕㊀一人ずつ片端から順々に引き抜くこと。〔俗に、マラソンや駅伝競技などで連続して数人を追い抜く意にも用いられる〕「座り込んだデモ隊を―にする」 ㊁〔釣りで〕まっすぐ上に、勢いよく引き上げること。

ごぼう①バウ【御坊】「△僧（寺院）」の意の尊敬語。

こぼうず②バウ【小坊主】まだ修行中の坊主。〔子供や未熟な若い者を軽侮ケイベツの気持を込めて言うのにも用いられる〕

ごほうぜん⓪【御宝前】神社やお寺の、賽銭サイセン箱のある所。

こぼく⓪【古木】長い年月を経ている立ち木。老い木。

こぼく⓪【古朴】―な 古いものの持つおおらかさや素朴なものの持つ力強さが感じられて好ましい様子だ。

こぼく⓪①【古〈樸】―なる ―に「古拙」の意の古風な表現。「―典雅にして」 表記「古朴」とも書く。

こぼく⓪①【古木】「枯れ木」の漢語的表現。「―に花開

く（＝ⓐ不運な人や老人が、再び勢いを得る。ⓑありそうもない事が実現する）」

こぼし③【〈溢し】〔動詞「溢す」の連用形の名詞用法〕みずこぼし。表記「《建し・《翻し・《棄し・〈建水〉」とも書く。

こぼ・す②【《毀す】（他五）部分的に損傷する。「のこぎりの歯を―」

こぼ・す②【〈溢す】（他五）㊀〔中におさめるべきものを〕あふれさせる。「涙を―／△汁（ペンキ）を―／建水に水を―〔＝茶碗にそそいだ水を捨てる〕」 ㊁心の中に収めておくべきものを、口に出す。「愚痴を―」 表記「《棄す・《翻す・《零す・《覆す」とも書く。

こぼ・つ②【《毀つ】（他四）〔雅〕こわす。

こぼね⓪【小骨】㊀魚の小さな骨。「―の多い魚／―が喉に引っかかる」 ㊁〔「―を折る」の形で〕ちょっとした苦労をする。

こぼれ【《零れ】[一]③ △こぼれること（こぼれたもの）。「人の稼ぎの―を拾う」 ⇩おこぼれ 表記「〈溢れ・《翻れ」とも書く。 [二]（造語）動詞「零れる」の連用形。 **―お・ちる**⑤【―落ちる】（自上一）㊀「零れる」の強調表現。㊁何かの事情で脱落する。 **―ざいわい**④ザイハヒ【―幸(い)】思いがけない幸福。僥倖ギョウコウ。 **―だね**④【―種】㊀自然に地面にこぼれ落ちた種。㊁おとしだね。㊂こぼればなし。 **―ばなし**④【―話】ある事件などに関連して伝えられたエピソード。こぼれだね。

こぼ・れる③【《毀れる】（自下一）一部分が欠けたりして、本来の働きが失われる。「刃が―」

＊こぼ・れる③【《零れる】（自下一）〈なにカラなに・どこニ〉―〉入（り切）らなかったりすきまが出来たり穴が開いたりなどして、中身が外に出てしまう。「グローブからボールがこぼれた／△涙（御飯）が―／笑みが―〔＝喜ぶべき事情があって、自然とにっこりした表情になる〕／こぼれんばかりのほほえみ」 表記「〈溢れる・《翻れる」とも書く。〔⇩零れ[二]〕

こほん⓪【古本】㊀〔同種の本の中で〕増補・改変される前の原形を比較的多く伝えている本。㊁ふるほん。

こぼんのう⓪②④ナウ【子煩悩】―な 自分の子供を非常にかわいがって世話をする△様子（親）。

こま①【〈独楽〉】〔コマツクリ・コマツブリの圧縮形〕軸を中心として回転するように作った逆円錐エンスイ形のおもちゃ。「―が回る／―を回す／曲―ゴマ⓪・べい―ゴマ」

こま①【駒】〔子馬の意〕㊀〔雅〕馬。「―を進める」 ㊁将棋の盤上に使用する、山形にとがらせた五角形の木片。「―を動かす／手―ゴマ・持ち―ゴマ・―数ズカ」 ㊂三味線などの弦楽器の糸と胴の間にはめこんで、糸をささえるもの。㊃〔材木を狭い場所に何枚も重ねて干す場合などに〕間隔を取って間にはさむ小さな木。「―をかう」 ㊄動かしやすいように、箱などの下に取り付けた小さな車。キャスター。㊅「駒鳥」の略。

こま【〈齣】[一]⓪① 映画・写真のフィルムや漫画の一つひとつの画面。〔広義では映画や小説などの△一区切り（一場面）を指し、また、大学などでその人が分担している週一回の継続講義をも指す〕「日常生活の一―ヒト（＝断面）／一―撮ドり⓪」 [二]（造語）㊀フィルムの一画面分やスライドや大学などの講義をかぞえる語。㊁何枚か連続して完結する図柄の一つひとつをかぞえる語。「六―の黙示モクシ図」 かぞえ方 [一]〜㊃は一枚

こま①⓪【小間】㊀ちょっとしたひま。「合間―③」 ㊁小さい部屋。〔茶道では、四畳半より狭い部屋を言う〕 ㊂〔建築で〕△桷タルキ（根太）どうしの間隔。

ごま⓪【護摩】〔焼く意の梵ボン語の音訳〕〔密教で〕仏前でヌルデの木などを燃やし、仏に祈る儀式。「―をたく」

ごま⓪【〈胡麻】畑に作る一年草。果実は短い円柱状で四室に分かれ、中に多くの種子を持つ。黒・白・茶の三品種がある。油をしぼったり煎イって食品に味を添えたりするのに用いる。〔ゴマ科〕「すりこぎで―をする／カキの実が―を吹く〔＝熟して甘くなり、点のようなつぶつぶが出来る〕／―油アブラ③・―豆腐ドウフ③」 かぞえ方 一本 **【―を〈擂る】** 他人におべっかを使って、自分の利益をはかる。 **―あえ**⓪アヘ【―《和(え)】煎ってすりつぶしたごまを野菜などにまぶしたあえもの。ごまよごし③⓪。「ほうれん草の―」 **―しお**⓪シホ【―塩】煎った黒ごまに焼き塩を加えたもの。〔白髪の交じった髪の意にも用いられる。例、「―頭アタマ⑤」〕 **―すり**⓪③【―〈擂(り)】ごまをする△こと（人）。 **―だけ**②⓪【―竹】褐色の地肌の上に濃い紫色の斑点ハンテンのある竹。 **―だれ**⓪【―垂(れ)】△すり（切り）ごまを入れたたれ。めん類のつけ汁、焼き肉のたれなどに用いる。

コマーシャリズム⑤〔commercialism〕営利本位の商業主義。

コマーシャル [一]（造語）〔commercial〕商業（上）の。営業上の。「―アート⑥〔＝商業美術〕・―カード⑥〔＝テレビで、宣伝に用いるテロップ〕・―デザイン⑦・―ベース⑥〔＝営業上の採算〕」 [二]②〔←commercial message〕〔民間放

送で〕番組の間にはさんで流す、広告。シーエム(CM)。「—ソング[6]」

コマース[2][1]〔commerce〕 商業。商取引。通商。貿易。「e—〔=電子商取引〕」

こま・い[2]【細い】(形) ❶〔中国・四国・九州北部と東北・北海道方言〕こまかい。❷〔中国・四国・九州方言〕ほそい。小さい。❸〔島根方言〕けちだ。

こまい[0]【〈氷魚〉・〈氷下魚〉】 タラに似た小形の海魚。食用。〔タラ科〕

こまい[0]【古米】 収穫後一年(以上)たった米。味もビタミンも減少している。⇩新米・古古米

こまい[0](マヒ)【木舞】 ❶軒の棰(タルキ)にわたす細長い材。❷壁の下地にわたす竹。[表記]「小舞」とも書く。

こまいぬ[0]【〈狛犬〉】〔高麗(コマ)から来た犬の意〕神社の拝殿の前に、向かい合わせて置いてある、魔よけの犬。〔からししと向き合うものもある〕

こまえ[1][0](マヘ)【小前】 貧しい百姓。小作人。

こまえ[0](エ)【〈齣絵〉】 カット❸❶。[表記]「駒絵」とも書く。

こまおち[0]【駒落(ち)】〔将棋で〕格段に強い者の方が、駒のどれかを省いて勝負すること。例、「角落ち」。「—将棋[5]」

こまおとし[3]【〈齣落(と)し〉】〔映画で〕標準速度以下で撮影すること。また、その写したフィルム。これを標準速度で映写すると、画面の動きが実際の動きより速くなる。⇩微速度撮影 [表記]「駒落とし」とも書く。

こまか[2][3]【細か】(—な/—に) 細かい様子だ。「—な点は説明を省く/きめ—な」 **—し・い**[4](形) (煩わしく感じられるほど)細かい。[派]**—さ**[3][2] **—げ**[4][3][0]

こまか・い [3]【細かい】(形) ↕粗い ❶たくさん集まって一まとまりになっているものの一つひとつの要素が、非常に小さい。「—砂/—網の目」 ❷見落とされがちな小さい部分にまで注意が向けられている様子だ。「—〔=詳しい〕説明を省いて事の大略を述べる/—〔=行き届いた〕心づかい/芸が—〔=⇩芸〕/きめの—論議/—〔=取るに足りない〕事を問題にする/金銭に—〔=損得に敏感で、勘定高い〕」 ❸金額が小さい。「あいにく—の〔=少額のお金〕を持ち合わせていない/千円を細かくしてください」 [派]—さ**[3][2]

ごまか・す[3](他五) ❶人の不利益になるような事をしながら、気付かれないように取りつくろう。「勘定を—」 ❷△その場を取りつくろって(人をだまして)、自分が不利になることを避ける。「△答弁(目)を—」 [名]ごまかし[0] [表記]「誤魔化す・〈胡麻化す〉」は、借字。

こまぎれ[0]【細切(れ)】 ❶布を裁断した余りの小切れ。〔部分的に寸断され、全体に つながりの無いものの意にも用いられる。例、「—運転[5]」〕 ❷牛肉・豚肉などを細かく切ったもの。「こまぎり[0]」とも。[表記]「小間切れ」とも書く。

こまく[0]【鼓膜】 耳の穴の奥にあり、空気の振動に伴って振動して、音を伝える楕円(ダエン)形の膜。

こまぐみ[0]【駒組(み)】〔将棋で〕駒を並べて陣形を組み立てること。

こまげた[0]【駒下《駄》】 材木から台と歯を一緒にくりぬいて作った低い下駄。〔普通の下駄は、これ〕⇩足駄(アシダ)

こまごま[3]【細々】(副)(—と/—する) ❶△小さい(取るに足らない)ものが数多くある様子。「若い女性好みの—したアクセサリー/—(と)した用事を片付ける」 ❷見落とされがちな細かい点にまで目が行き届いている様子。「—と注意する」 **—し・い**[5](形) ❶見るからに細かい。「—品物」 ❷そこまでする必要があるのかと思われるほど細かい点にまで及ぶ様子だ。「—指示/—ことは略する」 [派]**—さ**[5] **—げ**[0][5]

こましゃく・れる[5](自下一) 〔子供が〕ませていて、いかにもおとなびた(差し出がましい)言動をする。〔強調形は「こまっしゃくれる[6]・こまっちゃくれる[6]」〕「こましゃくれたものの言い方」 [名]こましゃくれ[0]

こませ[0]〔釣りで〕魚を集めるための まきえ。「こまし」とも。

こまた[0]【コ又】 漢字の構成要素の名称。「暇」「蝦」などの右の部分を指し、ル又になぞらえて「コ」と「又」に分けてよぶ。

こまた[0]【小股】 ❶股の開きが△小さい(小さくて歩幅が狭い)こと。「—で歩く」 ↕大股 ❷〔足袋(ビタ)の〕親指の股。【—の切れ上がった】(若い)女性の姿態が すらりとしていて、いきな感じを与える様子。【—を〈掬(すく)う〉】 ❶〔すもうで〕小股掬の手で相手を倒す。❷人の欠点や油断に乗じて、自分の利益をはかる。 **—すくい**[4](スクヒ)【—〈掬(い)〉】〔すもうで〕相手の股を内側から片手で掬い上げるようにして倒す わざ。

ごまだん[0][2]【護摩壇】 護摩をたく壇。

こまち[1]【小町】〔美人の代表とされた小野小町(オノノコマチ)の再来の意で〕(その土地で評判の)美しい娘。小町娘[4]。 **—いと**[4][3]【—糸】 ガス糸を二本より合わせた縫糸。 **—ばり**[4]【—針】 穴の無い針。待ち針。

こまつ[0]【小松】 小さなマツ。「姫松—[5]」

ごまつ[0]【語末】 その単語を構成する△音(文字)のうちで、最後の位置。⇩語頭・語中

こまづかい[3](ヅカヒ)【小間使(い)】〔細かい事に使う意〕主人の身のまわりの雑用をする女中。

こまつな[0]【小松菜】〔東京都小松川原産の菜の意〕アブラナの変種。葉は柔らかく、一年中とれる。[かぞえ方]一本:一束・一把(イチワ)

こまどり[2]【駒鳥】 ウグイスより少し大きい小鳥。頭・胸は赤茶色で腹は灰白色。山地の森にすみ、かんだかい声で鳴く。〔ヒタキ科〕 [かぞえ方]一羽

こまぬ・く[3]【〈拱く〉】(他五) 〔もと、敬礼のために、左右の手の指を胸の前で組み合わせる意〕腕を組む。口頭語形では、「こまねく」とも。「手を—〔=何もしないで傍観する〕」

こまねずみ[3]【〈独楽〉鼠・〈高麗〉〈鼠〉】 小形のハツカネズミ。全身純白で、輪をかいてぐるぐる走り回る性質がある。「—のように△働く(動き回る)」 [かぞえ方]一匹

ごまのはい[0](ハヒ)【護摩の灰】〔弘法(コウボウ)大師の「護摩の灰」と偽って押売りした売僧(マイス)のあったことから〕旅人のふりをして同行の他人の物を盗む賊。「ごまのはえ」とも。[表記]「〈胡麻の〈蠅〉」とも書く。

こまむすび[3]【小間結(び)】〔「こま」は、細かい意〕同じ所で二回結んだ ひもの先が、右から来たものは左へ向いて出るようにした、形のいい結び方。真結び。⇩かた結び・たて結び [表記]「細結び」とも書く。

こまめ[1][0]【小〈忠実〉】(—な/—に) ❶骨惜しみをしないで、積極的に行動する様子だ。「—に辞書を引く」 ❷きびきびした動作で絶えず何かしている様子だ。「—に台所で働く」

ごまめ[0]【〈鱓〉】 カタクチイワシの幼魚を干したもの。祝儀(シュウギ)用。たづくり。 【—の歯〈軋(ぎし)り〉】 無力な者が いくら悲憤慷慨(コウガイ)しても、何の足しにもならないこと。

こまもの[0]【小間物】〔「こま」は、細かい意〕糸・針などの裁縫用品や、化粧・アクセサリーに用いる、こまごました品。「—△屋(店)を広げる〔=俗に、へどを一面に吐く〕/—屋[0]」 ↕荒物

こまやか[2]【細(や)か】(—な/—に) ❶相手を思う心が細かい点まで行き渡っている様子だ。「—な気くばり/情が—だ」 ❷その(濃い)色がすみずみまでおよんでいる様子だ。「松の緑—に」 [派]**—さ**[4][3] [表記]「《濃やか」とも書く。

こまよけ[0]【駒《除(け)】 馬が入り込んだり 逃げ出したり するのを防ぐ低い さく。駒寄せ[0]。

こまり【困り】[一]③⓪〔一般に「お━」の形で〕「困ること」の意の尊敬表現に用いられる。「さぞかしお━(のこと)でしょう」[二](造語) 動詞「困る」の連用形。 ━き・る④【━切る】(自五) どうしようもなくて、すっかり困る。 ━ぬ・く④【━抜く】(自五) いくら考えてもうまい解決策が見つからなくて、どうにでもなれという気持になる。 ━は・てる⑤【━果てる】(自下一) 万策尽きて、考える気力をすっかり無くし、ただぼんやりとしている。 ━もの⓪【━者】扱いかね、まわりの人から迷惑に思われている者。

**こま・る②【困る】(自五) ❶〈なに・だれニ〉うまく処置出来なくて、何かに頼りたい気持になる。「人手不足で困っている/困った(=ⓐうまく扱いかねる。ⓑ人に迷惑をかける)男だ」❷〈なにニ〉貧乏で生活に苦しむ。「食うに━」[⇩困り[二]] 運用 相手の指示、依頼、申し出などに対して「それは△困る(困ります)」などの形で、辞退したい、できない、拒否する、という意思表示の言い方になることがある。例、『今度の日曜日は出勤してください』『それは困ります』

こまわり②─【小回り】マハリ ❶少しの回り道。❷小さな円を描いて回ること。「左━右大回り/━がきく(=ⓐ小さな半径で回れる。ⓑ情勢に即応してすばやく身を処することが出来る)」↔大回り

コマンド [一]②⓪〔commando〕特殊訓練を受けた奇襲部隊(の隊員)。[二]⓪〔command〕コンピューターに何を行なわせるかという指示。指令。

ごまんと②【五万と】(副) 数の多さをことさらに強調する様子。〔口頭語的表現〕「証拠は━ある」 表記 「五万」は借字。

こみ②【込(み)】〔動詞「込む」の連用形の名詞用法〕❶何かの中にほかの物を含めること。「━にする/━で二百円/税━」❷減り分として余分に俵に差し込んでおく米。❸〔生け花で〕花木を支え止めるのに用いる、小さな木。❹〔碁で〕互い先(セン)の時に、黒を持った方に何目か負わせるハンディキャップ。「五目半の━」

*ごみ② 用が終わって、△もう捨てられるだけの(捨てられた)物。〔広義では、その場に自然にたまる土・砂・ほこりなどをも含む〕「━を△焼却する(分別する)/━だらけ③・━処理③・━箱(バコ)③⓪・生(ナマ)━・綿(ワタ)━⓪②」 表記 「〈芥・〈塵・〈塵芥〉」とも書く。

ごみ①【五味】甘い・辛い・酸っぱい・苦い・塩辛いの五種の基本的な味。

こみあ・う③─【混(み)合う・込(み)合う】アフ (自五) ひどく混んで、△自由に動けない(目的の行動が思うように取れない)状態になる。混雑する。

こみあ・げる④⓪【込(み)上げる】(自下一) 中に収まっているものが、急に突き上げられたように外へ出て△くる(きそうになる)。「涙が━/怒りが━(=激しくわき起こる)」

こみい・る③⓪【込(み)入る】(自五) 複雑に入り組んでいる。「話が━/込み入った△事情(理論)」

コミカル①─ナ〔comical〕喜劇的。「━な演技」

ごみごみ①(副)─と─する 狭い所に多くの雑多な物が無秩序に存在し、いかにもきたならしいといった感じを与える様子。「━(と)した場末の片すみにある酒場」

こみだし② [一]【子見出(し)】見出し語のうちで、親見出しに従属して掲げられているもの。↔親見出し ⇩見出し語 [二]【小見出(し)】❶〔新聞・雑誌などで〕見出しにさらに添える補足的な見出し。〔この場合、前者を大見出しと言い、後者は小さな字でしるすことが多い〕❷一つの章節の中を幾つかに分けて付ける小さな見出し。

ごみため⓪【ごみ〈溜(め)】❶庭のすみや空き地などの、ごみを捨てて溜めておく所。❷ごみを入れておく△箱(容器)。 表記 「〈芥溜〉め・〈塵溜〉め」とも書く。

こみち⓪【小道】〔大通りと違って〕幅の狭い道。〔主要道路に対する横道の意にも用いられる〕

コミック① [一]〔comic〕❶─ナ 喜劇的。こっけい。❷二人以上の芸人がおもしろおかしく歌ったりしゃべったりする演芸。❸漫画(の本)。[二]〔←comic opera=コミックオペラ〕喜歌劇。

コミッショナー②〔commissioner=委員〕〔プロの野球・ボクシング・レスリングなどの連盟や協会で〕その統制をとる最高の責任者。または、最高の決定機関。

コミッション②〔commission〕〔商取引などで〕仲介の手数料。口銭。〔わいろの意にも用いられる〕

コミット②①─する(自サ)〔commit〕そのことに密接なかかわりを持つこと。「現地の人と━する機会がほとんど無い日本人観光客」

コミットメント②〔commitment〕責任を持って関与する△こと(という約束)。「━を△与える(求める)」

こみどり②【濃緑】濃い緑色。

ごみとり③④【ごみ取(り)】❶はき集めたごみをすくい取るのに使う道具。ちりとり。❷家いえのごみためなどのごみをさらう△こと(人)。ごみさらい③。 表記 「〈芥取り・〈塵取り」とも書く。

こみみ⓪【小耳】ちょっとしたことも聞き取る耳。「━にはさむ(=ちらりと聞く)」

ごみゃく⓪【語脈】〔修飾・被修飾などの観点から見た〕言葉の続きぐあい。⇩文脈

ごみやしき③【ごみ屋敷】ごみが片付けられることなく、散乱し、積み上げられ、あふれている家や部屋。

コミューター②〔commuter〕乗客の定員が数名から数十名程度の小型旅客機。また、それを用いた短距離の航空輸送。「━航空⑥・━空港⑥」

コミューン②〔フ commune=共同体〕❶フランスにおける、最小の地方行政区画の称。日本の市・町・村に相当する。〔広義では、ベルギー・スイス・イタリア・スペインのものをも指す〕❷〔西洋史で〕Ⓐ誓約をした市民たちによって構成され、封建領主の支配から脱却した、中世の自治都市。Ⓑ人民の権力に基づく直接統治組織。〔コンミューン③・コンミューヌ②とも言う〕

コミュニケ②〔フ communiqué〕〔主として外交上の〕公式声明書。コンミュニケ③とも。

コミュニケーション④〔communication〕❶通信・報道。❷言葉による意志・思想などの伝達。「━を図る」

コミュニケート④─する(自サ)〔communicate〕意志を伝えること。「━が出来ない」

コミュニスト③〔communist〕共産主義者。

コミュニズム③〔communism〕共産主義。

コミュニティー②〔community〕地域社会。共同社会。コミュニティ②とも。「━センター⑥」

こみんか②【古民家】古い時代に建てられた木造の民家。釘(クギ)などをほとんど使わず、柱と梁(ハリ)を組み合わせて造る。「茅葺(カヤブ)き屋根の━」 かぞえ方 一戸・一軒

**こ・む①【込む】[一](自五) ❶【混む】その場所に人や物が限度(近く)まで入って、あとから入る余地が(あまり)無かったり 思うような行動がとれなかったりする状態になる。「電車が混んで身動き出来ない」↔すく ❷必要だと思うことがすべて満たされる。「手が込んだ(=気が付きそうもない細かな所までよく細工がしてある)工芸品」 表記 ❶は、明治期より混雑の意識から「混む」とも書かれた。[二]〔「動詞連用形+━」の形で、接尾語的に〕❶何かがその中に入る。また、そうした状態にする。「上がり━・取り━・あぶれ━・なぐ

り—・買い—・泊まり—・逃げ—」 ❷徹底してその事を続け、当面の目的が達成されるようにする。「百三十球投げ—／みがき—[4]・教え—・覚え—・頼み—・売り—」 ❸すっかりその状態に浸り切り、もと(の正常な状態)に容易には戻れなくなる。「ほれ—・信じ—・思い—・眠り—・のめり—・考え—・黙り—・しょげ—・ふさぎ—・老い—・冷え—」

***ゴム** [1]〔オ gom〕 ゴムの木の汁から作った物質。絶縁体で弾力があり、加工がきき、タイヤ・靴底・電線の被覆などに使う。「—製(品)[0]([3])・消し—」 表記「護謨」は、音訳。

ゴム あみ [0]【ゴム編(み)】〔編物で〕表編みと裏編みとを交互に編む編み方。伸び縮みのきく編み方。

ゴム いん [0]【ゴム印】 文書・帳簿などに何回も用いられる記号・氏名・社名・日付などを彫ったゴム製の判。

こむぎ [0]【小麦】 麦の一種で、畑に作る一年草。実は粉にして、パンやうどんなどの材料として、世界じゅうに広く栽培される。〔イネ科〕「—色[0]・—粉[0]」 かぞえ方 一株・一本：一粒(ヒトツブ)。売買取扱いの単位は一俵・一袋

ゴム けし [3][4]【ゴム消(し)】「消しゴム」の別称。

こむずかし・い [5]【小難しい】(形) それほど重要なこととは考えられず、まともに応じるのが煩わしく感じられる様子だ。「—理屈をこねる／—顔」 派 **—げ** [5][6][0]

こむすび [2]【小結】〔すもうで〕関脇(セキワケ)の次の位(に位置する力士)。三役の最下位。

こむすめ [2]【小娘】 まだ心身共に一人前に成長していない女性。〔軽い侮蔑(ブベツ)を含意する〕

こむ そう [0]【虚無僧】 髪の毛を生やした普化(フケ)僧。袈裟(ケサ)を着け、深編みがさをかぶり、尺八を吹きながら諸国を回って修行する。「こもそう」とも。ぼろ(んじ)。

ゴム テープ [3]〔和製洋語 ←オ gom＋英 tape〕 ゴムを入れて作ったテープ。

ゴム とび [3][0]【ゴム跳(び)】(女の子の)遊びの一つ。地面と平行に張ったゴムひもをだんだん高くしながら跳び越えて、その高さを競うもの。ゴム段[0]。ゴムなわ[0]。

ゴム なが [0]【ゴム長】 ゴム製の長靴。 かぞえ方 一足

ゴム の き [1]、[1]-[1]【ゴムの木】 ❶ゴムをとる植物の総称。パラゴムノキ[3]〔トウダイグサ科〕・インドゴムノキ[4]〔クワ科〕など。 ❷観葉植物として栽培される常緑樹。ベンガルボダイジュ[6]〔クワ科〕など。 かぞえ方 ❷は一株・一本

ゴム のり [2][0]【ゴム〈糊〉】〔でんぷん糊に対して〕アラビアゴムを原料とした糊。

ゴム まり [2]【ゴム〈毬〉】 ゴムで作った毬。 表記「ゴム〈鞠〉」とも書く。

こむら [0][1]【〈腓〉】「ふくらはぎ」の意の古語。「こぶら」とも。〔また、方言として残る〕 表記「〈腨〉」とも書く。 **—がえり** [4]【—返(り)・〈転筋〉】 激痛を伴う、局所性の脚のけいれん。〔狭義では、ふくらはぎのそれを指す〕遊泳中に起こると、おぼれるおそれがある。

こむら [0]【木〈叢〉】 木の枝の茂み。

こむらさき [3]【濃紫】 黒色を帯びた濃い紫色。

ごむり ごもっとも [2]-[2]【御無理御〈尤(も)〉】〔相手の機嫌をそこねて自分に不利益な結果になることを恐れて〕たとえ相手がどんな無理を言おうとも、がまんしてその言う事に従うこと。

ゴム わ [0]【ゴム輪】 ❶ゴムで作った輪。輪ゴム。 ❷外側にゴムをつけた車輪。 かぞえ方 ❶は一本

***こめ** [2]【米】 イネの実のもみを取り去ったもので、日本人の多くが主食とする重要な穀物。また、酒の原料となる。うるちともちごめとがあり、前者は飯米に、後者は餅(モチ)をつくのに使う。「—を作る／—粒」 かぞえ方 一粒(ヒトツブ)。売買取扱いの単位は一俵・一袋

こめ あぶら [3]【米油】 米ぬかからとった油。(米)ぬかあぶら。

ごめいさん [0][2]【御名算・御明算】〔珠算で〕進行役が、計算した人の結果が正しいと認めた時にかける言葉。

こめ おり [0]【〈穀織(り)〉】〔↑穀織物[3][4]〕 織り目の透いた薄い織物。こめ[2]。

こめかみ [0]【〈〈顳顬〉〉・〈〈蟀谷〉〉】〔「米嚙(カミ)」の意〕耳の上、髪の生えぎわの所。物を嚙むとその部分が動く。 表記「〈〈顳顬〉〉・〈〈蟀谷〉〉」は漢語表記。

こめくい むし [3]【米食(い)虫】 ❶コクゾウムシの異称。 ❷食べるだけは一人前だが、なんの役にも立たない人をののしって言う語。 表記「米〈喰い虫〉」とも書く。

こめ さし [4][3]【米刺(し)】 米の品質を調べるために、俵に突き刺して米を少量取り出す器具。竹・鉄で作り、先は斜めにそいである。さし。 かぞえ方 一本

こめ じるし [3]【米印】「米」の字に似た記号。「※」〔注や備考などを示すのに用いる〕

こめ そうどう [3]【米騒動】 大正七〔＝一九一八〕年に、米の値段が急に大幅に上がったために起こった暴動。

こめ だわら [3]【米俵】 米を入れる俵。米の入った俵。 かぞえ方 一俵

こめ つき [4][2]【米〈搗(き)〉】 米を搗いて精白する△こと(人)。 **—ばった** [5]【—〈飛〈蝗〉〉】 ショウリョウバッタの異称。〔へつらって、頭をぴょこぴょこ下げる人の意にも用いられる〕 **—むし** [4]【—虫】 コメツキムシ科の昆虫の総称。全身黒茶色で、からだを押さえて離すと、高くはね上がる。 かぞえ方 一匹

コメット [1]〔comet〕 彗星(スイセイ)。

こめ つぶ [3]【米粒】 米の粒。〔ごく小さいもののたとえにも用いられる〕

コメディアン [2]〔comedian〕 喜劇俳優。〔人を笑わせることをしてみせる芸人の意にも用いられる〕

コメディー [1]〔comedy〕 喜劇。「ラジオ—[4]」

こめ とぎ [3][4]【米研(ぎ)】 米を水に浸して、濁り水をよく取り除いた後、強くかき交ぜ、米の粒どうしをよくこすり合わせ、やわらかくなった表面層をはぎ取ること。

こめ どころ [0][3]【米所】 いい米がたくさんとれる土地。

こめ ぬか [0]【米〈糠〉】 玄米を精白する際、外皮がつぶれて出る、薄い黄白色の粉。家畜の飼料、肥料・製油・漬物用。「ぬか」とも。「—油(アブラ)[5]」

こめ の むし [0]【米の虫】 コクゾウムシの異称。〔俗に、食わずには生きていけない人間の意にも用いられる〕

こめ びつ [0]【米〈櫃〉】 米を入れて保存する箱。〔俗に、自分の家の生活費を稼ぎ出す人の意にも用いられる〕「—がからっぽだ〔＝貧乏のどん底にいる〕」

こめ へん [0]【米偏】 漢字の部首名の一つ。「粉・精・糖」などの、左側の「米」の部分。「よねへん」とも。〔多く、米や穀物に関係のある漢字がこれに属する〕

こめ もの [2][0]【込(め)物】 何かの間やすき間に詰める物。〔狭義では活版で、字間・行間など空間に詰める物を指す。⇩インテル〕

****こ・める** [2]【込める】(他下一)〈なに・どこニ なにヲ—〉 何かの中へすっかり入れる。「たまを—〔＝詰める〕／税金も込めて〔＝含めて〕四万円／真心を—／感情を—／期待と信頼が込められる／力を込めて言う」 表記「〈籠める〉」とも書く。

こめん [0]【湖面】 みずうみの表面。「—をわたる風」

ごめん [0]【御免】〔「免」は、許すの意〕 ■❶「許可・承諾」の意の△尊敬(丁寧)語。「—をこうむって先に帰らせていただく／天下—の公営賭博(トバク)」 ❷「免職・免除」の意の△尊敬(丁寧)語。「お役—になる」 ❸「拒否」の意の丁寧語。

「割の合わない仕事は―だ／軍国主義復活だけは―こうむりたい」㊁(感)❶「ごめんください」の省略表現。「―つかまつります」❷「ごめんなさい」の省略表現。「遅くなって―(ね)」運用㊀❶は、手紙文の書出しに「△前略(前文)御免ください」などの形で、形式的な挨拶ｱｲｻﾂを省略することを断わるのにも用いられる。 **―ください**⑥【―下さい】(感) 訪問・辞去の際の挨拶の言葉。 **―なさい**⑤(感) 謝罪の気持を表わす時の挨拶の言葉。〔親しい間柄では「ごめん」とも言う〕

ごめんそう⓪ｻｳ【御面相】⇩面相

コメンテーター④〔commentator〕〔新聞・テレビ・ラジオなどで〕問題となっている事柄について、専門的な立場から解説をする人。

コメント⓪―する(他サ)〔comment=注釈〕補足的な説明や評論的見解。「―を発表する／ノー―〔=新聞記者などの〕質問に答える意志の無いことを表わす〕」

こも①【《薦》】〔マコモで織った物の意〕わらで粗く織ったむしろ。表記「△菰」とも書く。かぞえ方 一枚

こもかぶり③【《薦》《被り》】❶薦で包んだ四斗〔=約七二リットル〕入りの酒だる。❷こじき。表記「△菰《被り」とも書く。

ごもく⓪【五目】「五目ずし・五目めし・五目ならべ」の略。 **―ずし**③④【―《寿司・―《鮨》】魚・野菜などいろいろの具を入れた散らしずし。 **―ならべ**④【―並べ】⇩れんじゅ(連珠)㊁ **―めし**③⓪【―飯】〔もと、野菜くずなどを入れて作ったものという〕魚肉や野菜など、いろいろのものを交ぜて炊いた飯。

こもごも②【《交》《々》】(副)〔もと、互いに入れ代わる意〕二つ(以上)の事柄が、入れ代り立ち代り現われ続ける様子。「△悲喜(内憂外患)―至る」表記「《交ゞ・《交ゝ・《相》」とも書く。

こもじ⓪【小文字】ローマ字などの字体の一つ。例、Aに対するaなど。↔大文字

こもだれ⓪【《薦垂れ》】戸・障子の代りに下げる薦。〔屋根と柱があるというだけで、とてもまともには暮らせそうのない粗末な住まいの意にも用いられる〕表記「△菰垂れ」とも書く。

こもち⓪【子持ち】❶(手のかかる)子を持っている△こと(女性・男性)。「今では四人の―だ」❷卵が入っている△こと(魚)。「―ししゃも④」❸二重罫ｹｲの一方が太いもの。「―罫⓪③・―枠③⓪」

ごもつ①【御物】❶皇室の所蔵品。ぎょぶつ。「ごもち」とも。❷「(他人の)持ち物」の意の尊敬語。

こもづつみ③【《薦包み》】薦で△包むこと(包んだもの)。表記「△菰包み」とも書く。

こもどり②【小戻り】―する(自サ) もとの△方(状態)へ少し戻ること。

こもの⓪【小物】↔大物 ❶こまごました(付属の)道具。「―入れ③」❷その社会で重きをなさない者。〔広義では、同類の中では小型の(価値の低い)物をも含む〕表記❷は、「小者」とも書く。

こもばり⓪【《薦張り》】薦を張り△まわすこと(まわした小屋)。表記「△菰張り」とも書く。

こもむしろ③【△菰筵・△菰蓆】マコモで作ったむしろ。

こもり③②【子守】―する(自他サ) 子供のおもりをする△こと(人)。もり。「―歌③」

***こも・る**②【籠る】(自五)〈なに・どこニ―〉❶どこかの中に入ったきりで、外出しないでいる。「△山(殻)に―／寺に―〔=参籠ｻﾝﾛｳする〕」❷外へ向かって発散しない状態にある。「声が―〔=かぶり物などのためにじゃまされて、不明瞭ﾌﾒｲﾘｮｳである〕／空気が―〔=流通を欠いた状態だ〕／煙が―〔=あたりに満ちる〕」❸目に見えない力・感情などが、そのものの内部に十分に含まれる。「憎悪ｿﾞｳｵのこもったまなざし／明るい調子のこもった声／心のこもった〔=相手を思う気持が感じられる〕弁当」名籠り③「御ｵ―・山―ｺﾞﾓﾘ・冬―ｺﾞﾓﾘ」

こもれび③⓪【木漏れ日】木の葉の間から差す日の光。表記「木《洩れ日・木《洩れ《陽》」とも書く。

こもん①【顧問】〔会社や団体などで〕相談を受けて、意見を述べる△役目(地位)。また、その人。

こもん①⓪【小紋】布地一面に染め出した細かな染色模様。また、それを用いた女性用の和服地。「―染ｿﾞﾒ⓪・江戸―③」かぞえ方 一点

こもんじょ⓪②【古文書】〔歴史資料として利用する観点から見た〕昔、書かれた文書や記録。

コモンセンス④〔common sense=共通感覚〕常識。

***こや**②【小屋】雨露だけは一応しのげる程度の、粗末な家。〔狭義では、芝居・映画などを興行するための常設・仮設の建物を指す〕かぞえ方 一軒

ごや①【五夜】❶昔の時法において、一夜を甲・乙・丙・丁・戊ﾎﾞの五つに分けた称。❷「五夜❶」の第五、すなわち戊夜ﾎﾞﾔ。午前三時ごろから五時ごろまで。五更。

ごや①【後夜】〔昔の時法で〕寅ﾄﾗの刻〔=午前三時ごろから午前五時ごろまで〕。〔広義では、真夜中から明け方までを指す。例、「―の勤行ｺﾞﾝｷﾞｮｳ」〕⇩初夜・中夜

こやがけ⓪④【小屋掛け】―する(自サ) 興行などのために仮小屋を作ること。また、その小屋。

こやかまし・い⑤【小《喧しい》】(形) ちょっとした事にもむやみに口やかましい。派―さ⑤④

こやく⓪【子役】〔映画・演劇などで〕子供の役。また、その役の子供。

ごやく⓪【誤訳】―する(他サ) まちがった翻訳(をすること)。「―がもとで両国の関係が悪化する」

こやくにん②【小役人】身分の低い役人。

こやぐみ⓪【小屋組(み)】屋根の重量を受ける骨組。

こやし③【肥やし】〔動詞「肥やす」の連用形の名詞用法〕❶肥料ﾋﾘｮｳ。❷その当座は不快にさえ思えていたのに、結果としてその人の成長に効果をもたらした経験。「舞台での失態を芸の―にして芸の道にはげむ」

こや・す②【肥(や)す】(他五)❶栄養を良くして太らせる。「土地を―／私腹を―〔=不正の利益を得る〕」❷(すぐれた作品を実際に多く見たり聞いたりして)鑑賞力・鑑定眼を養う。「目を―」

こやす⓪【子安】安産。「―の神⑤／―貝ｶﾞｲ③」 **―じぞう**④ｻﾞｳ【―地蔵】安産を守護するという地蔵尊。

こやつ①⓪【《此《奴》】(代)「こいつ」に同じ。

こやみ⓪【小《止み》】しばらく△小降りになる(やむ)こと。おやみ。「―になったら出掛けよう／―なく降る」

***こゆう**⓪ｲｳ【固有】―ﾅ/―ﾆ〔「固」は、もとからの意〕他のものには無く、そのものの特徴としてある様子だ。「―な性質／―の権利」 **―しゅ**②【―種】元来ある地域のみに特徴的に分布してきた動植物の種。↔外来種 **―めいし**④【―名詞】そのものを、比較的狭い△社会(領域・範囲)にある他の同類と区別する必要がある場合に、そのものにつける名前。〔従って、それを越えた範囲では同姓同名や、同名の山川・動物名などが珍しくない〕↔普通名詞 ⇩名詞 表記「個有名詞」と書くのは誤り。

ごゆう⓪ｲｳ【娯遊】―する(自サ)〔名所や行楽地などに出かけて〕楽しくあそぶこと。表記「娯《游」とも書く。

こゆき⓪ ㊀【小雪】雪がちょっと降ること。↔大雪 ㊁【粉雪】こなゆき。

こゆび⓪【小指】 親指からかぞえて五番目の、一番小さな指。〔小指を立てることによって、妻や恋人などを示すことがある。また、指切りげんまんにも使われる〕

こゆるぎ②【小揺(る)ぎ】―する（自サ） わずかに揺れ動くこと。「―もしない〔=揺れ動く様子が全く見えない〕」

こよい⓪【《今宵》】〔雅〕今夜。今晩。

こよう⓪【古用】 昔使用していた△もの(こと)や、昔のやり方。「―を復活」

こよう⓪【古謡】 古くから伝わるうたいもの。

こよう⓪【雇用・雇〈傭】―する（他サ） 雇うこと。「完全―・終身―⑤」 表記 「用」は、代用字。 **―しゃ**②【―者】〔↔被雇用者①-②、③〕 雇われて労働する側の人。 **―ぬし**②【―主】 他人を雇って労働させる側の人。 **―ほけん**④【―保険】 旧失業保険に代わって創設された社会保険。失業給付の外に、雇用改善・能力開発・雇用福祉の各事業に対する助成を行なう。

こよう⓪【小用】 ❶ちょっとした用事。❷小便。「―を足す／―に立つ」〔❶❷とも、古風な表現〕

ごよう②【御用】 ❶「用事」の意の尊敬語。「何か―でしょうか」 ❷宮中・官庁の用務。 ❸江戸時代、官命で犯人を逮捕したこと。また、その時に役人の使った言葉。「―になる／―だ！」 ❹支配者や資本家に取り入って、その意のままに行動するものの称。「―組合④」 **―おさめ**④【―納(め)】〔官庁で〕十二月二十八日にその年の仕事を終りにすること。また、その日。↔御用始め **―がくしゃ**④【―学者】 政府や有力な企業の言いなりになって真実をゆがめ、時勢の動向を見て物を言う無節操な学者。 **―きき**②【―聞(き)】 ❶得意先を回って、注文を取って歩く△こと(店員)。 ❷江戸時代、官命を受けて十手・捕縄を預かり、犯人を捕らえた△こと(町人)。おかっぴき。 **―しょうにん**④【―商人】 宮中・官庁の用品を納入する商人。 **―しんぶん**④【―新聞】 時の政府に都合のよい記事を載せる新聞。 **―たつ**⓪【―達】 その官庁に物品を納入する△こと(商人)。〔俗に、「ごようたし⓪②」とも言う〕「宮内庁―」 **―てい**⓪【―邸】 皇室の別邸。 **―はじめ**④【―始(め)】〔官庁で〕一月四日に新年初めての事務をとること。また、その日。↔御用納め

ごよう⓪【誤用】―する（他サ） 無知や不注意などから、言葉などの使い方を誤ること。また、その誤った使い方。

こようじ②【小〈楊枝】 つまようじ。

ごようまつ②【五葉松】 ❶針形の葉が五本ずつ集まって出る、ヒメコマツ・ヤクタネゴヨウ⑤・チョウセンゴヨウ⑤などの総称。〔マツ科〕 ❷ひめこまつ。

ごようろん②【語用論】 言語論の一分野。発話行為を、何を意図して行なったものか、またなぜそのような表現を用いたかなどについて、その場面の状況や、話し手と聞き手との関係などと関連させて考究するもの。プラグマティックス⑤。

コヨーテ②〔coyote〕 北・中央アメリカの草原にすむ動物。オオカミに似るが小形で、耳が大きく尾が太い。〔イヌ科〕

ごよく①【五欲・五〈慾】 美しいものを見たい〔=色〕、甘美な音楽や声を聞きたい〔=声〕、いい香りの人に接したい〔=香〕、うまい食べ物を食べたい〔=味〕、感触のいい△もの(人)に接したい〔=触〕という、人間の五つの欲望。仏教は、これらの欲望・誘惑に対する執着を絶つべきことを教理の第一とする。

こよなく③②（副）〔文語形容詞「こよなし」の連用形から〕比べるものが無いほど程度がはなはだしい様子。「―自然を愛する／―晴れた秋の空」

こよみ③【暦】〔「日読み」の意〕その日は何曜でどういう行事があるか、また吉凶・月齢や日の出・日没・干満の時刻などを、一年を単位として日ごとにしるしたもの。〔日めくり・カレンダー・本暦などがある〕「―のうえでは春だが」

こより⓪③【《紙〈縒り》】〔「かみより」の変化形「かうより」の変化〕和紙を細長く切って、よったもの。ひもの代りなどに使う。かんぜより。 表記 「《紙《捻り・《紙〈撚り」とも書く。 かぞえ方 一本

こら（感） ❶①「なんというふるまいか」と、相手の行動をとがめやめさせる語。〔強調形は「こらっ①」〕「―、静かになさい」 ❷⓪①「これはどうした事か」と、意想外な事態にあきれて発する語。「―また何と」

コラーゲン②〔collagen〕 動物の皮膚や骨・腱などを構成しているたんぱく質の一種。結合組織の細胞間物質の主成分で、水に溶けにくく、温水で溶けてゼラチンとなる。膠の原料。

コラージュ②〔フ collage〕 シュールレアリスム美術の一手法。油絵・デッサンに、切り抜いた新聞・広告・写真などをはりつけ、筆を加えて画面を構成する。

コラール②〔ド Choral〕 聖歌(の合唱曲)。

こらい①【古来】 昔から現在に至るまでの各時代(を通じて、その傾向・事象が看取出来ること)。「日本―の宗教／―〔=往年〕の姿は今なお失われていない／―より〔=昔からずっと。意味が重複し、本来は誤用〕対立し合ってきた二つの勢力」

ごらいこう⓪【御来光】 高い山の上で見る日の出。ご来迎。「富士山頂で―を拝む」

ごらいごう⓪【御来《迎】 ❶「来迎」の尊敬語。 ❷⇩ごらいこう

こらえしょう⓪④【《堪え性】 忍耐しようとする意地。「―が無い」⇩凝り性・飽き性

こら・える③【《堪える・〈怺える】（他下一） 苦痛や不満などによって失われそうになる心身の安定を、なんとかして保とうと努力する。「怒りを―／堪え切れない寒さ」

*__ごらく__⓪【娯楽】 生活のための労働や学業などの余暇に、遊びとして何かをしたり 見たり 聞いたり などして気分転換をはかり、楽しむこと。「―的な要素が強い／―設備④・大衆―⑤・健全―⑤・―性⓪」

*__こらし・める__④【懲らしめる】（他下一）〈だれヲ―〉 いけない事をした人に制裁を加えて、二度とそんな事を繰り返すまいという気持にさせる。「悪人を―」 名 懲らしめ⓪

こら・す②【凝(ら)す】（他五） 心や目・耳などを一点に集中し、一生懸命に何かをする。「△装い(くふう・趣向)を―／△耳(目)を―〔=よく△聞こう(見よう)として、その事に神経を集中する〕／ひとみを―〔=じっと見つめる〕／密談を―」

こら・す②【懲らす】（他五） 悪事を犯した人などに、二度と繰り返さないよう何らかの苦痛を与える。「一つ懲らしてやろうか」

コラボ①―する（自サ） コラボレーションを略したくだけた表現。「競合メーカーが異色の―」

コラボレーション④〔collaboration=共同・協力〕 複数の企業や組織が提携するなどして、新たな企画や製品の開発を目指す活動。略してコラボ。〔本来異なるジャンルに属する複数の芸術家による共同活動についても言う〕「国際的―⓪-④」

コラム①〔column〕〔新聞・雑誌などで〕短い評論などを書く欄。また、その記事。「―ニスト④〔=新聞などの特定の欄の記事を書く人。署名無しで書く場合もある〕」

ごらん【御覧】 [一]⓪ ❶「見ること」の意の尊敬語。「―ください／―に入れる」 ❷「御覧なさい〔=『見てください』の尊敬表現〕」のぞんざいな言い方。「あっちを―」 [二]〔補助動詞的に〕「…て御覧なさい〔=『…てみなさい』の尊敬表現〕」

のぞんざいな言い方。「書いて―」

コランダム②〔corundum〕ダイヤモンドに次いで堅い鉱物。ルビー・サファイアは、その一種。合成品は、精密機械の心棒・軸受け・レコード針・研磨材などに使う。鋼玉。

こり①【〈垢離〉】〔動詞「凝る」の名詞形なので上記の表記は借字〕神仏に祈願する際、水を浴びて心身を清め、一切の雑念を払って精神の集中をはかること。水ごり。

こり①【〈梱〉】❶梱包した荷物。〔個数をかぞえる時にも用いられる〕 ❷「行李」の古風な表現。

こり②【凝り】「凝る❸」こと。「肩の―をほぐす」

こり①【〈狐狸〉】〔年をとった〕キツネやタヌキ。〔何食わぬ顔をして人をだましたり 悪事を働いたり するものの意にも用いられる〕「―妖怪①-⓪」

ごり①【〈鮴〉】川にすむハゼの一種。頭は大きく、あごが出っぱっている。食用。〔カジカ科〕 かぞえ方 一匹・一尾

コリアン〔Korean〕❶①② 韓国人。朝鮮人。 ❷(造語) 韓国の。朝鮮の。「―タウン⑤」

コリアンダー③〔coriander〕南欧・地中海沿岸原産の一年草。若葉は食用、実は粉末にして香辛料として使われる。コエンドロとも。香菜(シャンツァイ)。パクチー。〔セリ科〕

コリー①〔collie〕もと、ヒツジの番犬として飼われた、スコットランド原産の犬。鼻先がとがり、毛が長い。ペット用。 かぞえ方 一匹・一頭

ごりおし⓪【〈鮴押〉し】―する(他サ)〔鮴を捕るのに、川下に積んだ小石の堰に追い入れたところからとも〕強引に自分の考えを押し通すこと。「―にやって成功した」

こりかたま・る⑤⓪【凝り固まる】(自五) ❶凝って固まる。 ❷ただ一つの趣味・信仰などに心をとらわれ、他の事を顧みない状態に陥る。「いかがわしい新興宗教に―」

こりくつ②【小理屈・小理窟】いかにももっともらしい理屈。「―をこねる」

こりこう②【小利口】―な ―に 目先の事にはよく気がついて、何ごとにつけても要領がいい様子だ。〔△大局的(本質的)には必ずしも見通しがきくことを意味しない〕「―に立ちまわる」 派 ―さ③⓪ ―げ⓪⑤ 表記「小〈悧巧〉」とも書く。

こりこり①(副)―と ―する ❶堅めの歯ごたえのあるものを(音を立てて)嚙む様子。また、その音の形容。「クラゲの―した食感」 ❷肉付きがひき締まっていて弾力性のある様子。 ❸肩などの筋肉が凝って、かたまりになっているように感じられる様子。

こりごり③【懲り懲り】―する(自サ) すっかり懲りる様子。

ごりごり ■①(副)―と ―する ❶堅いものなどを(音を立てて)こする様子。また、その音の形容。「肩が凝って―する／―と石臼で豆をひく／―と腕をかく」 ❷堅いものなどさわると手にでっぱりが感じられる様子。 ■⓪―な ―に 考え方などがあることだけにこりかたまっている様子だ。「―の現実主義者／―の理系」

こりしょう②③【凝り性】〔通常は、むしろ ものぐさだが〕いったん気が向いて何か始めると、十分満足出来るまで徹底的にやらなければ気が済まない性質。⇩こらえ性・飽き性

ごりしょう②【御利生】ごりやく(御利益)。

こりずまに⓪②【懲りずまに】(副)〔雅〕以前に味わった失敗や屈辱に懲りもしないで、またそうする様子。「―浮き名を流す」

***こりつ**⓪【孤立】―する(自サ)〈どこニ ―する〉 身のまわりに△頼り(仲間)になるものが無い、不利な立場にあること。「―無援・―感③②・―化⓪(の道をたどる)」 ―ご⓪【―語】言語の形態的分類の一つ。個々の単語に語形変化がなく、文法的な関係を表わす機能は、一般に単語の配列の順序によって示される言語。中国語・チベット語・タイ語など、シナ・チベット語族の言語がこれに属する。⇩屈折語・膠着語 ―むえん①-⓪、⓪-⓪【―無援】身のまわりに△頼りになるもの(仲間)が全くいないこと。また、その状況。

ごりむちゅう①-⓪【五里霧中】〔五里霧の中の意〕深い霧が五里四方にたちこめて、全く方角が分からないような状態に陥ること。〔あれこれ迷って、判断のつかない意にも用いる〕〔アクセント①-⓪は、「五里 霧中」と区切って言う時〕

こりや⓪「これは」の口頭語的表現。「―困った」

こりや②【凝り屋】凝り性の人。

ごりやく②【御利益】仏などが、衆生に与える恵み。〔その△人(もの)による恵みの意にも用いられる。例、「お守りの―」〕

こりゅう①【古流】△古風(古来)の流儀。

こりょ①【顧慮】―する(他サ) 行き過ぎたり 早まったりしないように、周囲の事情などをよく考えに入れること。「相手の意向を―する」

ごりょう⓪【悟了】―する(自サ) 明らかに悟ること。

ごりょう①②【御料】高貴の人の△所有(使用)するものの称。〔衣食・器物についていうことが多い〕「―牧場④」 ―ち②【―地】皇室の所有地。 ―りん②⓪【―林】皇室所有の山林。

ごりょう①【御陵】天皇・皇后の墓。みささぎ。

ごりょうえ②【御霊会】疫病の流行を怨霊によるものとし、これを鎮めようとする祭礼。京都祇園のものが特に有名。

ごりょうにん②【御寮人】〔関西以西の商家などで〕若い嫁または娘の称。〔口頭語的表現は「ごりょんさん②」〕 表記「御料人」とも書く。

こりょうり②【小料理】手軽な一品料理。 ―や④【―屋】小料理で酒を飲ませる、和風の飲食店。

ゴリラ①〔gorilla〕アフリカ産の哺乳動物。サルに似て、からだは非常に大きく、獰猛に見えるが、性質は穏やか。おおしょうじょう③。〔ヒト科〕 かぞえ方 一頭・一匹

***こ・りる**②【懲りる】(自上一)〈なに・だれニ ―〉 ひどい目にあい、こんなことはもう二度と繰り返すまいという気持になる。「理不尽なしごきに懲りて、クラブをやめる／あつものに懲りて膾を吹く(⇩あつもの)」

ごりん⓪【五倫】〔儒教で〕君臣・父子・夫婦・長幼・朋友の五つの間柄で守るべき道。

ごりん⓪【五輪】❶〔仏教で〕五大。 ❷五大陸のシンボルである五つの輪をつなぎ合わせた、オリンピックのマーク。「―〔=オリンピック〕大会④」 ―とう⓪【―塔】五大にかたどって五個の石を積み重ねた塔。 かぞえ方 一基

コリントゲーム⑤〔Corinth game=商標名〕ゆるい傾斜の盤上に球を転がし、釘の間をくぐって穴に入れ、得点を競うゲーム。

***こ・る**①【凝る】(自五)〔もと、密集・凝結の意〕 ❶〈なにニ ―〉度を超して、その趣味・信仰などに心がとらわれた状態になる。「手品に―」 ❷〈なにニ ―〉〔仕上げをよくしようと〕細かい所にまでいろいろとくふうする。「室内の調度にも凝ったホテル／凝った図案」 ❸使い過ぎたりしたために、血行が悪くなってその部分の筋肉が突っぱった感じになったり 重く感じられたりする。「肩が―」

コル①〔フ col〕〔登山用語で〕山の尾根のうちの、くぼんだ所。鞍部。

こるい⓪①【孤塁】味方から孤立した、ただ一つのとりで。「―を守る」

コルク①〔オ kurk〕「コルクガシ③④〔=ブナ科の常緑高

木」」の表皮の下の組織。小さな穴が多く、軽くて弾力がある。水・気体・熱を通さないので、瓶の栓・草履の裏・防音室の壁などに使う。キルクとも。

コルセット①③〔corset〕❶女性の洋装の下着で、腹や尻(シリ)のまわりを締めて外形を整えるもの。❷〔腰のまわりにつける〕患部を固定・支持するための装具。

コルト①〔Colt=もと、人名。商標名〕アメリカ、コルト社製のピストル。特に、回転式連発銃を指す。

コルネット③〔cornet=小ホルン〕三弁を持つ、らっぱ形の金属製吹奏楽器。管が大きく、やわらかい音を出す。ファンファーレに用いられる。

ゴルフ①〔golf〕クラブ〔=打球棒〕で小さな堅いボールを打ち、順次に十八のホール〔=穴〕に入れて、その打数の少なさを競うスポーツ。「―クラブ④・―コース④・―場(ジョウ)⓪」

ゴルファー①〔golfer〕ゴルフをする人。

コルホーズ③〔ロ kolkhoz〕〔旧ソ連などで〕大農式の共同経営による集団農場。⇩ソフホーズ

こるり⓪【小瑠璃】野山にすむ小鳥。雄は あざやかな瑠璃色で美しい。よくさえずる。〔ヒタキ科〕かぞえ方 一羽

これ【〈此㋹】■一⓪(代)❶Ⓐ(聞き手より)話し手に近いと意識される事物自体を指す語。「よし―を買おう/―は僕の最新作だ」Ⓑ身内の者や、話し手側の目下の者を指す語。「―が私の娘です」❷話し手が発言△した(しようとする)事柄を主体的な立場から指す語。「―〔=今述べたこと〕から下せる判断は以下の通り/―は初めてお耳に入れることですが/―はつまりなんですな」⇩あれ・それ・どれ:こそあど ❸眼前の事態・状況を話し手の立場からとらえて指す語。「―はひどい/君と会うのも―〔=今度〕きりだ/―くらいの冒険は平気だ/―からが本題だ/―で私も一安心だ/きょうは―でやめにしよう/では、―で失礼」【―という】〔否定表現と呼応して〕それに関しては特に取り立てて言うほどのものではないと判断することを表わす。強めて「これぞという」。「―進展は見られない/これといった決め手が無い/―欠点も無い」【―はという】他に比べてぐんと抜きん出ている。「―〔=傑出した〕人物が一人も居ない/店で―〔=すばらしい〕服を見つけ出す」

■二①(副) 目の前の事物や話し手が言わんとする事柄に相手の注意を向けさせようとする様子。〔感動詞的にも使う〕「―この通りりっぱになった/時―〔=まさに〕九月十五日」表記「《是・〈之」とも書く。■二の一部は、「《維・〈惟」とも書く。

これい⓪①【古礼】昔の△礼儀(礼式)。

これい⓪【古例】❶古来の慣例。❷昔の先例。

ごれい⓪【語例】その語が実際に用いられている例。

ごれいぜん⓪【御霊前】「霊前」の丁寧な言い方。〔多く、霊前に供える供物・香典の上書きの語として用いられる〕

これから④⓪【〈此㋹から】❶今から(後)。「―出かけるところだ/―〔=将来〕の大学/―という時〔=今から活躍が期待されるという大事な時期〕に死んでしまった」❷ここから。「―列車で五百キロ北へ行ったところだ」〔アクセント④は名詞用法、⓪は副詞的用法のとき〕

コレクション②〔collection〕❶〔美術品などを趣味として、また、学術用の標本として〕同類の中の異種を数多く集めること。また、その集めた物。収集(品)。「切手の―」❷高級ブティックやデザイナーがそのシーズンに備えて発表する作品。また、その発表会。「パリ―④」

コレクター②〔collector〕(美術品・切手などの)収集家。

コレクティブ ハウス⑥〔collective house〕個人生活のスペースとは別に共用空間を設け、複数家族が食事・育児などを共にすることを可能にした集合住宅。かぞえ方 一棟

コレクト コール⑤〔←collect telephone call〕〔電話で〕料金受信人払い通話。

コレクト マニア⑤〔collectomania〕収集狂。

これ これ①、①-①(感)(目下の)相手の注意をひく時に発する言葉。「―、ちょっと来れないか」

これ これ②【〈此㋹〈此㋹】△今まで話題になっていた(今から話題にすべき)幾つかの事柄をいちいちあげて言う代りに言う言葉。「理由は―だ」

これ しき⓪ これぐらいの、問題にもならない程度。〔口頭語的表現〕「―の事でへこたれるな/何の、―」表記「《是式・〈此れ式」とも書く。

コレステロール⑤〔cholesterol〕動物の神経組織や血液中などに広く含まれる、脂肪に似た物質。少な過ぎると貧血を起こし、血管の中にたくさんたまると高血圧症や心臓病を起こすという。〔ドイツ語形は、コレステリン⓪〕

これ すなわち①-②【〈此㋹《即ち】(接) このことはとりもなおさず。

これ ぞ②⓪【〈此㋹ぞ】これ以外に△最上(一番)のものは無い。「―と思う相手/―という代案」

これ ばかり③【〈此㋹《許㋷】❶これだけ。「―はお許しください」❷取り上げて問題とするに値しない程度。やや強調した口頭語的表現は「これっぽかり④・これっぽかし④」。「―の事で弱音をはくな/ごまかしは―も無い」表記「〈此れ《計・《是《許」とも書く。

これ は これ⓪-⓪【〈此㋹は《是】他と切り離して、それだけを限定する様子。「―世界最大の涅槃仏(ネハンブツ)〔=これが、あの世界的に有名な…だ〕」

これ は これ は⓪、⓪-⓪【〈此㋹は〈此㋹は】(感) 予想外の出来事に接するなどして△感嘆(驚嘆)して発する言葉。「―、ようこそおいでくださいました」

これ は したり⑤【〈此㋹は《為たり】△驚いた(あきれた)時に言う言葉。これはとんでもない(事をしてしまった)。

これ ほど⓪【〈此㋹程】(副)〔目の前の事物や、直前に述べた事柄を指して〕そのものの程度を取り立てて問題にする様子。「うわさには聞いていたが―ひどいありさまだとは思わなかった/―笑ったことはない」

これ まで③【〈此㋹〈迄】❶今まで。「―のいきさつ△にとらわれず(を離れて)/―のところは許してやる」❷このように△なる(する)まで。「―になるには大変だった」❸「これで終り」の意味を表わす。「きょうは―/もはや―だ」

これみよ がし④⓪【〈此㋹見よがし】―に これを見ろと言わんばかりに見せつける△こと(様子)。「―に着飾る」

これや この⓪②【〈此㋹や〈此㋠】〔雅〕これがまあ、あの名高い(…なのか)。

コレラ①〔オ cholera の英語読み〕コレラ菌によって小腸が侵され、激しい下痢と高熱を伴う急性の感染症。〔「ころり①」は幕末・明初の用語〕表記「虎列〈剌」は、音訳。

ころ① 家屋や大きい機械設備などの、重い物を移動させる時に、下に入れて転がす△棒(管)。かぞえ方 一本

***ころ**①【頃】話題として取り上げたある時を、その前後も含めて幅広く指す語。時分。「もう寝る―だ/若かりし―/―〔=頃あい〕を見はからう/災害は忘れた―〔=時分・時期〕にやってくる」

ごろ【頃】(造語) ❶それをするのにちょうどふさわしい状態であることを表わす。「見―・食べ―」❷その点についてちょうどいい程度であることを表わす。「年―・値―・手―」

ゴロ① ■一〔←grounder〕〔野球で〕打者の打ったたまが地面を転がったりバウンドしたりして行くこと。また、そのたま。

■二❶ゴロフクレンの略。❷アンゴラヤギの毛糸などで織った織物。表記 ■二❶の「呉〈絽・呉羅」は、音訳。

ごろ①「ごろつき」の略。「政治―④」

ごろ⓪【語呂・語路】❶言葉を耳で聞いた時の響きのよさ・悪さから見た、音の続きぐあい。❷ごろあわせ。 **―あわせ**③【―合(わ)せ】ある文句の口調をまねて別の文句を作ること。例、「タクシー」に合わせて「テクシー」。

ころ あい⓪【頃合】❶何かするのにちょうどよい時機。「―を計る/在宅の―を計ってたずねた/―を見て」❷程度・状態が適当であること。「―の大きさ/―の品」

コロイド⓪〔colloid〕にかわ・でんぷん・寒天・たんぱく質などの水溶液のように、液体中に微細な粒子が分散した状態。膠質。

ころう⓪【固〈陋】―な 物の考え方が古く、新しいものを受け入れようとする態度が見られない様子だ。「―な因習/頑迷―」 派**―さ**⓪

ころう⓪【虎〈狼】非情なトラとオオカミ。〔残酷非道なものの意にも用いられる〕

ころう⓪【故老・古老】昔の事を知っている老人。

ごろうじろ④⓪【御〈覧じろ】「御覧なさい」の意の古風な表現。 運用「細工は流々、仕上げを御覧じろ」の形で、事を成すにあたって方法についてあれこれ言うよりも結果を見てそのよしあしを判断してもらいたいと、自分なりに成算があるのだということを相手に伝える表現として用いられる。

ころ おい⓪③【頃おい】「頃・頃あい」の意の古風な表現。

ころ がき②【ころ柿】〔転柿の意という〕「ほしがき」の異称。 表記「枯露柿・〈胡露柿」は、借字。

ころがし⓪【転がし】❶転がすこと。「玉―」❷「転売」の意の和語的表現。〔「土地―③」の形で、利殖のための土地の転売をも指す〕

***ころが・す**⓪【転がす】(他五) ❶〈なにヲ―〉Ⓐころころと回転させながら動かす。「玉を―」Ⓑ自動車を運転する。「車を転がして来る」Ⓒ〔一般に「土地を―」の形で〕利殖のために土地を転売する(の転売を重ねる)。❷〈だれ・なにヲ(どこニ)―〉横倒しにする。「大関を土俵に―」

ころがり こ・む⑤【転がり込む】(自五) 転がって(転がるようにして)入りこむ。〔思いがけない幸運に恵まれることや、他人の家に来てそのまま居ついてしまう意にも用いられる〕

ころがり・でる⑤【転がり出る】(自下一) その中に収まっていたものが、転がって外に出る。

***ころが・る**⓪【転がる】(自五) ❶〈どこヲ―〉丸みのある物の表面が何かの表面に接して、回転しながら進む。「ゴルフボールが芝の上を―」❷〈どこニ―〉平常な状態では立っている、胴の丸いものが倒れる。「花瓶が―/寝―」 **ころがっている**【転がっている】〔だれも使わない物として〕むぞうさに置いてある。「その辺に―物とは少しばかり品が違う」

ごろく①⓪【語録】大学者・高僧や著名人の名言を集めたもの。〔狭義では、禅僧のそれ、漢文体のものを指す〕

ころくがつ②【小六月】〔ちょっと歩くとすぐ汗ばむことに基づく〕陰暦十月の異称。⇩小春

ころげ お・ちる⑤【転げ落ちる】(自上一) 転がりながら落下する。

ころげ こ・む④【転げ込む】(自五) 転がりこむ。

ころげ まわ・る⑤【転げ回る】(自五) △おかしさ(苦痛)に堪えかねて、そのあたりをやたらに転げる。

ころ・げる⓪【転げる】(自下一) ❶転がる。❷転ぶ。

ころころ①(副)―と ❶△丸い(丸みを持った)小さな物が転がる様子。❷若い女性などが、おかしさを抑えきれず声を立てて笑いころげる様子。❸―する 全体が丸まるしていて、押せば転がって行きそうな感じがする様子。「元気よくじゃれる―した小犬」❹考えや気分などの変わりようがめまぐるしい様子。「会うたびに考えが―(と)変わる人」

ごろごろ①(副)―と ―する ❶△丸い(丸みをもった)重い物が(音を立てて)転がる様子。また、その音の形容。「丸太を―転がす/車を―引く/目にごみが入って―する」❷「ごろごろ❶」に似た音を立てる様子。また、その音。「雷が―鳴る/ネコが―(と)のどを鳴らす/おなかが―する」❸△価値の無さそうな(役に立ちそうもない)ものが、その場所に(数多く)転がっている様子。「石の―した山道/そんな話なら世間に―している/たまの休みに家で―する」

ころし【殺し】❶⓪殺人。「―の現場/警官―の犯人がつかまる/皆―」❷(造語)動詞「殺す」の連用形。 **―もんく**④【―文句】相手の心をすっかり引きつけてしまう、巧みな言葉。「―を並べる」 **―や**⓪【―屋】依頼主や仲介者の指令で殺人を請け負う者。

コロシアム②③〔colosseum〕楕円形の競技場。〔ローマ帝政時代に、ローマ市に造られた円形の大闘技場『=コロセウム③』に基づく称〕

ころ しも②①【頃しも】(副)〔雅〕〔何かが△起こった(行なわれた)時について〕ちょうどその△ころ(おり)。「―(=時分はと言えば)春の末つ方」

****ころ・す**⓪【殺す】(他五) ❶〈(なにデ)だれヲ―〉何かの方法で、相手を死に至らせる。「農薬で害虫を―/惜しい人を殺した(=結果的に死なせることになった)/角を矯めて牛を―/生かすも―も」❷〈なにヲ―〉表わすべきでない感情を人前に出さないようにする。「笑いを―/感情を―(=ⓐ表面に表わさないようにする。ⓑ無表情をよそおう)」❸〈(なにデ)なにヲ―〉そのものの持つ本来の働きを発揮させないようにする。「臭みを―/せっかくの才能を―/息を―(=⇩息)/声を―(=低くして、他人に聞こえないようにする)/〔野球で〕ランナーを―(=アウトにする)」〔⇩殺し❷〕

ごろた⓪①〔「た」は接辞〕❶物を転がすために下に置く丸太。❷直径五～一五センチぐらいの、丸い石。「―石③」 かぞえ方❶は一本

コロタイプ③〔collotype〕写真製版の一つ。△ガラス(セルロイド)に写真の陰画を焼き付けたものを版に使う。精巧な美術印刷・複写印刷に用いる。

ごろつき⓪ 弱みを持つ人をいつもねらいながら、ゆすりやたかりを働いたりする悪い奴。ならずもの。 表記「〈破落戸〉・〈無頼〉」は、いずれも義訓。

ごろつ・く⓪(自五) ❶物がごろごろしている。❷職も無くぶらぶらする。

コロッケ①〔フ croquette〕よくほぐした牛・豚肉やカニなどの肉をホワイト ソースであえ、小判形に丸めてパン粉をまぶして揚げた食品。〔大正末年以降日本で広まった、簡便なおかずとしての中身は、ゆでてつぶしたジャガイモに牛・豚のひき肉を少量まぜたもの〕

コロナ①〔corona=冠〕太陽の周囲をとりまく薄いガス。皆既日食の際、青白く冠状に光って見える。

コロナウイルス⑤④〔coronavirus 太陽のコロナのように見えることから〕人や動物で感染症を起こすウイルス。ヒトコロナウイルスの中には、サーズ(SARS)やマーズ(MERS)、二〇二〇年に大流行した新型コロナウイルス感染症(COVID-19)の病原体などがある。「SARS―⑧⑦・MERS―⑧⑦」

コロニアル②〔colonial〕植民地風であること。特に服装で米国の植民地時代風のもの。

コロニー①〔colony〕❶植民地(の植民者が集団で居住している所)。❷治りかかった患者・身体障害者・精神遅

滞児などを集めて、開放的な自然環境の中で、保護したり訓練したりする施設。❸集落❷。

ごろね [0]【ごろ寝】―する（自サ） 寝床も敷かず着替えもせずに、その場所にごろりと横になって寝ること。 表記 「《転寝」とも書く。

ころば・す [0]【転ばす】（他五） △倒す（倒して転がす）。

ごろはちぢゃわん [5]【五《郎八茶〈碗】 大形の粗末な飯茶碗。

ころ・ぶ [0]【転ぶ】（自五） ❶何かにつまずいたり突かれたりしてからだの安定を失い倒れる。「すべって―/転ばぬ先の杖（エツ）〔＝何事でも用心するに越した事が無いというたとえ〕/転んでもただは起きぬ〔＝きわめてがめつい処世方針のたとえ〕/どう転んでも〔＝どのような成行きになっても。事がどのように展開しても〕」 ❷転がる。「箸（ハシ）が転んでもおかしい年ごろ」 ❸〔江戸時代、キリシタン信者が〕弾圧を受けて改宗する。 ❹芸者などが客に身をまかせる。 名 転び [0]

ゴロフクレン [4]〔オ grof grein＝粗い布地〕 江戸時代に舶来の粗い毛織物を指した言葉。ゴロ。 表記 「呉〈絽服連」は、音訳。

ころも [0]【衣】 〔雅〕衣服。〔狭義では僧の着る法衣（ホウエ）を指し、広義ではてんぷら・フライなどのまわりをくるんでいるものをも指す〕 **―がえ** [0]（ガヘ）【―替(え)】―する（自サ） 暑さ・寒さの変り目に季節に合った衣服に着替えること。〔昔は四月一日と十月一日に行なわれた〕〔外観を改める意や、模様替えの意にも用いられる〕 表記 「衣《更え・〈更衣〉」とも書く。 **―で** [0]【―手】 〔雅〕袖（ソデ）。 **―へん** [0]【―偏】 漢字の部首名の一つ。「被・補・複」などの、左側の「衤」の部分。〔多く、衣服の形や製造に関係のある漢字がこれに属する〕

コロラチュラソプラノ [6]〔イ coloratura soprano〕 きわめて技巧的で、はでな歌い方のソプラノ（歌手）。

ころり [2]（副）―と ❶ちょっとしたきっかけで、何かが転がったり転んだりする様子。「あっちへ―こっちへ―と転がっていく/―と地面にひっくり返る」 ❷何かがきっかけとなって、それまでの状況や考えなどがあっけなく変わる様子。「彼女の魅力に―と参った/―とだまされた/反対されると―と意見を変える/―と忘れた」

ごろり [2]（副）―と 重い物が（音を立てて）転がったり横たわったりする様子。「岩が―と動く/畳に―と横になる」

コロン [1]〔colon〕 欧文の句読点（クトウテン）の一つ。「：」〔横書きの日本文に用いられることもある〕

コロンブス [2]〔Columbus〕 大航海時代の探検家の名。 **【―の卵】** 一見簡単に見えることでも、最初にそれをするのは難しいものだということ。〔コロンブスが「新大陸の発見などたいしたことではない」とからかい気味に言われ「では、このゆで卵を卓上に立てて見せてくれ」と一同に所望したところ、だれも出来なかった。そこで、彼は卵の端を食卓に軽くぶつけ、立たせて見せたという逸話に基づく。実際には、フィレンツェの大聖堂を設計した建築家ブルネレスキの逸話〕

*__こわ・い__ [2]（コハイ）（形） ㈠【《強い】 ❶反発する力が強くて、自分の思うようには扱えない様子だ。「シーツののりが―〔＝のりがききすぎて、ごわごわする様子だ〕/―毛/―飯〔＝かたくて、かみくだくのに時間がかかる飯〕/情の―〔＝強情で他人の意見などに左右されるところがない〕人」 ❷〔北関東以北の方言〕疲れた状態だ。骨が折れる。「この仕事は―」 ㈡【怖い】 「恐ろしい」意の口頭語的表現。「このあたりは夜道を一人で歩くのは―/―もの無しの強豪チーム/―もの知らず〔＝ⓐ自信があって何一つ恐れるものがない様子。ⓑ無鉄砲で危険なことを平気でする様子〕/―もの見たさ」 派 ―さ [1] 表記 「《恐い」とも書く。

こわいい [0]（コハイヒ）【《強《飯】 「こわめし」の古風な表現。

こわいけん [3]（コハ）【《強意見】 △強硬な（手きびしい）意見。

こわいろ [0]【声色】 物言う際の、その人独特の声質や抑揚、間の取り方や言い回しなど。〔多く、批評的立場に立っての言い方〕「―を使う/役者の―をまねる」

こわが・る [3]（コハ）【怖がる】（自五） 怖いと思う（様子をする）。 名 怖がり [3] 表記 「《恐がる」とも書く。

こわき [0]【小脇】 〔「こ」は、ちょっとの意〕（あるしぐさをする際に）ちょっと動かす脇。「―〔＝脇に軽く〕にかかえる」

こわく [0]【〈蠱惑】―する（他サ） 〔神秘的な美しさなどで〕人の心を引きつけ、自制心を失わせること。「―的なまなざし」

こわけ [0][3]【小分(け)】―する（他サ） 小さく△分けること（分けた部分）。

こわごわ [3]（コハゴハ）【怖々】（副） 怖い目にあうのではないかとおびえながら何かをする様子。「―井戸の底をのぞく」 表記 「恐々」とも書く。

ごわごわ （ゴハゴハ） ㈠ [1]（副）―と ―する 〔糊（ノリ）づけした布などが〕いかにもこわばった感じがする様子。「―したゆかた」 ㈡ [0] ―な ―に 「ごわごわ㈠」に同じ。「―になる/―なシーツ」

こわざ [0]【小技】 〔すもう・柔道などで〕動きの少ない、技巧的な技。「―がきく」↔大技 表記 「小業」とも書く。

**__こわ・す__ [2]（コハス）【壊す】（他五） ❶〈（なにデ）なにヲ―〉 力を加えて物の形を変えたり役に立たなくしたりする。「古い家を―」 ❷〈（なにデ）なにヲ―〉 使い方が悪かったり使い過ぎたりして正常な働きを失わせる。「△胃（からだ）を―」 ❸〈なにヲ―〉 △まとまって（まとまりかかって）いた約束・計画などをだめにする。「新会社立ち上げの話を―」 表記 「《毀す」とも書く。

ごわ・す [2]（自・補動・特殊型） 〔関東以西の方言〕ございます。

こわだか [0]【声高】―な ―に 声を高く張りあげる様子だ。「国連無力論が―に論じられる/―にののしる」

こわたり [2]【古渡(り)】 昔、外国から渡来した△こと（もの）。〔狭義では、室町時代、またはそれ以前のものを指す〕↔新渡（シント）

こわだんぱん [3]（コハ）【《強談判】 手きびしい談判。

こわづかい [3]（ヅカヒ）【声遣(い)】 声の△様子（出し方）。

ごわつ・く [0]（ゴハ）（自五） 触った時にこわばった感じがする。ごわごわする。

こわっぱ [2]【小《童】 〔「こわらわ」の変化〕（取るに足らない）△少年（未熟者）。〔侮蔑（ブベツ）を含意する〕「この―め」

こわね [0]【声音】 〔感情などの現われた〕声の調子。

こわば・る [3]（コハ）【《強張る】（自五） 〔穏やかであったり楽な姿勢であったりしたものが〕かたく突っ張ったようになる。「△表情（からだ）が―」 表記 「《硬張る」とも書く。

こわめし [0]（コハ）【《強飯】 もち米を蒸籠（セイロウ）で蒸した飯。特に、祝儀（シュウギ）などのある日に、アズキを混ぜて蒸したもの〔＝赤飯（セキハン）〕を指す。

こわもて [0]（コハ） ㈠【《恐持(て)】 恐れられているために、相手から鄭重（テイチョウ）に扱われること。 ㈡【《強《面】 こわい表情をして相手に強硬な態度に出ること。また、そのこわい表情。「―に出る」

こわり [0]【小割(り)】 ❶材木を挽（ヒ）いて細片と△すること（したもの）。 ❷小さな鉈（ナタ）。 ❸木口（コグチ）の小さな角材。

こわれもの [0]（コハレ）【壊れ物】 ❶壊れた物。 ❷壊れやすい物。 表記 「《毀れ物」とも書く。

**__こわ・れる__ [3]（コハレル）【壊れる】（自下一） ❶力が加わり、原形が変えられたり役に立たなくなったりする。「コップが粉ごなに―/長年使った時計が―」 ❷使い方が悪かったり使い過ぎたりして、正常な働きが失われる。故障する。「テレビが―」 ❸品質が変化して、有効成分が失われる。「ビタミンが

—」❹約束や計画などがうまく行かず、だめになる。「野党連合の話が—」名壊れ[3] 表記「《毀れる」とも書く。

運用 結婚などの祝宴の場では避けるべき言葉とされる。

こん〈今・困・昆・〈昏・金・建・恨・根・婚・混・痕・紺・〈渾・献・魂・墾・懇〉→【字音語の造語成分】

コン（造語）❶コンディショニング・コンディショナーの略。「エアー—」❷コントロールの略。「ラジ—・バス—[0]・リモ—」❸コンピューターの略。「パソ—・ミニ—[0]」❹コンクリートの略。「生—」❺コンプレックスの略。「マザー—・ロリ—」❻コンテストの略。「歌—[0]・ミス—[0]」❼コンダクターの略。「ツアー—[0]〔=⇩ツアー コンダクター〕」

こん[0]【〈此ん】（連体）「この」の口頭語的な変化。「—畜生・—にゃろ[4]〔=『この野郎』の変化〕」

こん【根】■一[0] 苦痛や困難に堪え、物事に積極的に立ち向かおうとする意欲。「—が続かない／—気・—性・精—」【—を詰める】少しの間もたゆみなく仕事に没頭する。■二❶[1]（数学で）Ⓐ方程式・不等式を満足する、未知数の値。解。「二次方程式の—と係数の関係」Ⓑ（おもに造語成分）累乗根。「平方—・立方—・—号」❷[1]〔化学で〕イオン化しやすい傾向のある基。⇩【造語成分】き（基）■一❹ ⇩【造語成分】

こん[1]【紺】濃い藍色。「—のゆかた／—色[0]」

ごん〈言・勤・権・厳〉→【字音語の造語成分】

こんい[1]【懇意】—な —に 互いに打ち解けて、親しくつきあっている様子だ。「ご主人とは—にしていただいておりました」

こんいつ[0]【混一】—する（自他サ）交ざって一つになること。また、交ぜて一つにすること。

こんいん[0]【根因】根本の原因。

こんいん[0]【婚姻】—する（自サ）正規の法律上の手続きを経て、夫婦関係を結ぶこと。〔「結婚」の法律上の用語〕「—届[5]（を出す）」

こんか[1]【婚家】△嫁（婿養子）に行った先の家。

コンガ[1]〔conga=樽のような形の太鼓〕キューバの民俗音楽の一つ。リズムを中心とし、陽気で快活。

ごんか[1]【言下】「げんか」の古語的表現。「—に断わる」

こんかい[1]（クワイ）【今回】❶何回か行なわれる（同種の事象だととらえられる）ことのうち、現に△行なわれたばかりの（行なわれている）、これからすぐに行なわれると予定・予測されているもの。⇩前回・次回 ❷「今度」の意の漢語的表現。「—に始まった事ではない」

こんがい[1][0]（グワイ）【婚外】正式な結婚の形式を踏まないこと。「—交渉[5]」**—し**[3]【—子】法律上、婚姻関係に無い親から生まれた子。非嫡出子。

こんかぎり[3]【根限り】（副）〔「根気の続く限り」の意〕全力を尽くしてやりとげようとする様子。「—努力する」

こんがすり[3]【紺〈絣】紺地に白いかすりのある模様（の木綿織物）。↕白がすり 表記「紺〈飛白〉」とも書く。

こんがらか・る[5]（自五）〔「こんぐらかる」の変化〕からまって、どこが緒だか分からなくなる。「糸が—／話が—〔=複雑にからみ合って、筋道がつかめなくなる〕」

こんがり[3]（副）—と 餅などを、ほどよく焦げた状態に焼き上げる様子。「トースターでパンを—と焼く／肌を—焼く」

こんかん[0]【根幹】〔根と幹の意〕その物事を成り立たせ形作る上で、最も大切な働きをする部分。「—を成す／事件の—に迫る／世界経済を—から揺るがす問題／—部（分）」

こんがん[0]（グワン）【懇願】—する（他サ）詳しく事情を説明したりして、なんとかして頼みを聞いてもらおうと願うこと。

こんき[1]【今季】❶現在の季節。❷このシーズン。

こんき[1]【今期】ただ今の△時期（期間）。

こんき[0]【根気】途中で飽きたりしないで、物事を最後までやり遂げようとする気力。「—よく繰り返す」

こんき[1]【婚期】結婚に適した年ごろ。〔多く、女性のそれを指した〕「—を逸する」

こんぎ[1]【婚儀】結納から結婚式・披露宴などに至るまでの新郎新婦両家の一連の手続き。「—相整う」〔狭義では婚礼を指す〕

こんきゃく[0]【困却】—する（自サ）むずかしい事態に出あって、どうしてよいか分からず困りきること。

こんきゅう[0]【困窮】—する（自サ）〔衣食住を支える上で〕必要とされる諸条件が満たされず、毎日を過ごすにも困ること。「住宅—を訴える／生活—[0]-[0]」

***こんきょ**[1]【根拠】行動・主張などを成り立たせる上で欠くことのできない理由。「推定の—を△示す（明らかにする）／薄弱な—／—に乏しい／合理的な—を失う」**—ち**[3]【—地】目的通りの行動を行なうのに必要な態勢を整える場所。

こんぎょう[0]（ゲウ）【今暁】きょうの夜明け（方）。

ごんぎょう[0]（ギヤウ）【勤行】—する（自サ）僧侶が、その勤めとして仏前で読経などをすること。おつとめ。

こんく[1]【困苦】生活に必要なお金や物に不自由して、つらい思いをすること。「—に堪える」

ゴング[1]〔gong〕西洋音楽に使う銅鑼。ボクシングなどで、ラウンドの開始・終了を告げるのにも用いられる。

ごんぐ[1]【〈欣《求】心から願い求めること。**—じょうど**[4]、[1]-[1]（ジヤウ）【—浄土】〔仏教で〕極楽浄土に往生することを心から願い求めること。

コンクール[3]〔フ concours〕芸術・語学などの競技会。競演会。「合唱—[7]・作文—[7]・ピアノ—[6]」

こんぐらか・る[5]（自五）〔「こぐらかる[4]」の強調形〕⇩こんがらかる

こんくらべ[3]【根《競べ】根気の強さを競争すること。表記「根比べ」とも書く。

コンクリート[4]〔concrete〕■一セメントに砂・じゃりを加え、水と共に交ぜ合わせたもの。土木・建築工事に使う。コンクリ[0]。「—を打つ〔=流しこんで固める〕」表記「混凝土」は、音訳。■二—な —に 具体的。↕アブストラクト■二 **—ブロック**[8]〔concrete block〕コンクリートを四角な箱の形に固めたもの。ブロックとも。

コングレス[1] ■一〔congress=集まる〕正式代表者による△会議（集会）。「五輪—[4]」■二〔Congress〕〔アメリカで〕議会。

コングロマリット[5]〔conglomerate〕複合企業体。種々雑多な業種を次つぎに合併・吸収して巨大化した特殊な企業形態の会社。

ごんげ[1]【権化】仏・菩薩が衆生を救うため、仮に姿を変えてこの世に現われること。「悪の—〔=極悪無道の悪人〕」

こんけい[0]【根茎】〔タケ・ハスなどの〕根のような地下茎。

こんけつ[0]【混血】—する（自サ）△人種（民族）の違う者が結婚したために、両方の特色が交じること。**—じ**[4]【—児】人種の違う父母の間に生まれた子。

こんげつ[0]【今月】話し手の当面している現在の月。〔副詞的にも用いられる〕「—中に／—分の給料／去年の—」

こんげん[3]【根源】その物事を成り立たせている一番のおもと。「—的な意味／政治腐敗の—を断つ」表記「根元」とも書く。

ごんげん[1]【権現】仏・菩薩が日本の神に姿を変えて△現われること（現われたもの）。〔昔の神の尊号の一つとしても用いられる〕「熊野三所—[7]、[1]-[4]」**—づくり**[5]【—造り】神社建築様式の一つ。拝殿と本殿との間に

「中殿[0]」があって、全部が同一の棟にあるもの。

***こんご**[0]【今後】 現在より後。これから先。〔副詞的にも用いられる〕「政界の―を占う鍵(カギ)/―の患者数の推移を見守る/―に待つところが多い」

ごんご[1]【言語】 「言葉に出して表現すること」の意の仏教語。「―に絶する」 **―どうだん**[1]-[0]【―道断】〔なんとも表現しがたい意〕話にならないほど、正道からはずれていること。

こんこう[0]【混交・混〈淆〉】―する(自他サ) ❶異質なものが入り交じること。また、異質なものを入れ交ぜること。「公私を―する/神仏の―が進む/玉石―〔=いいものと悪いものが交じること〕」 ❷⇩コンタミネーション❷ 表記 「交」は、代用字。

こんごう[1]【金剛】〔堅くて破れない意〕「金剛石・金剛力士・金剛砂(シャ)」の略。 **―しゃ**[3]【―砂】 カーボランダム。 **―しん**[3]【―心】 金剛石のように堅い信仰心。 **―せき**[3]【―石】 ダイヤモンド。 **―づえ**[5]【―〈杖〉】 修験者(シュゲンジャ)や登山者が持つ白木の杖。△八角(四角)で、身長大。かぞえ方 一本 **―ふえ**[5]【―不〈壊〉】 非常に堅くて決してこわれないこと。 **―やしゃ**[5]【―夜〈叉〉】 五大明王の一つ。北方を守護する。「―明王[9][7]」 **―りき**[3]【―力】 金剛力士のように、非常に強い力。「―をふりしぼる」 **―りきし**[5]【―力士】 仏法を守護する、力の強い二神。仁王。金剛神(ジン)[3]。

こん

【今】 ❶現在(の)。「今日・今月・今年・今後・今度・今回・現今」 ❷きょう(の)。「今朝・今夜・今十二日」 ❸ことし(の)。「今春・今夏・今秋・今冬」

【困】 こまる。苦しむ。悩む。「困苦・困難・困惑・困窮・困却・貧困」

【昆】 ❶あとに続くもの。子孫。「後(コウ)昆」 ❷兄。「昆弟」 ❸多い。「昆虫」

【〈昏〉】 ❶夕方。たそがれ。「黄(コウ)昏」 ❷精神がはっきりしない。くらい。「昏々・昏睡・昏倒・昏迷」

【金】 きん。「金色(ジキ)・金銅・金字・金神(ジン)・金泥・金堂・黄金(オウゴン)」

【建】 神社・寺などをたてる。「建立(リュウ)・再建」⇩けん

【恨】 うらむ。うらめしい。「恨事・遺恨・悔恨・痛恨・怨(エン)恨・多恨・長恨」

【根】 ❶草木などのね。「根茎・塊根・毛根」 ❷物事のもと。ねざすところ。「根本・根源・根拠・根底・禍根」 ❸〔仏教で〕生命活動の器官。また、その原動力。「六根・男根」⇩(本文)こん【根】

【婚】 縁組をする。結婚。「婚姻・婚礼・婚約・新婚・未婚・招婿婚」

【混】 ❶まざる。まじる。「混血・混合」 ❷何もかも一緒になっていて、区別がつけにくい。「混沌(トン)・混乱・混雑・混同」

【痕】 ❶きずあと。「痕跡・刀痕・瘡痕」 ❷あと。「血痕・残痕・条痕・墨痕・涙痕」 ❸有色の液体が垂れた跡をかぞえる語。「一痕の血」

【紺】 ⇩(本文)こん【紺】

【〈渾〉】 ❶全部。「渾身」 ❷混❷。「渾然」 ❸大きい。「雄渾」

【献】 さしあげる。「献立・一献」⇩けん

【魂】 ❶人の精神に宿り、それを支配する方の たましい。「魂魄(パク)・鎮魂・亡魂・霊魂・招魂祭」⇩魄(ハク)❶ ❷こころ。精神。「魂胆・心魂・商魂・詩魂・入魂・和魂漢才」

【墾】 田畑を開く。「墾田・開墾・未墾」

【懇】 ❶隔意無くつきあう。「懇意・懇談・懇話・別懇・昵(ジッ)懇」 ❷親身になって相手の立場を考える。「懇切・懇篤」 ❸心からする(所の)。「懇願・懇書・懇請・懇命」

ごん

【言】 ❶いう。「言上・他言」 ❷ことば。「言語道断・一言・遺言(イゴン/ユイゴン)」⇩げん

【勤】 力を尽くしてつとめる。「勤行」⇩きん

【権】 ❶かりの。「権化(ゲ)・権現・権妻」 ❷定員外の。「権大納言」 ❸副。「権禰宜(ネギ)」⇩けん

【厳】 おごそか。「荘厳」⇩げん

こんごう[0]【根号】〔数学で〕累乗根を表わすための記号「$\sqrt{\ }$」。ルート。〔n乗根は $\sqrt[n]{\ }$ で表わし、平方根は単に $\sqrt{\ }$ と書く〕「二重―をはずす」

こんごう[0]【混合】―する(自他サ) ❶異質なものが交じり合うこと。また、異質なものを交ぜ合わせること。「―物(ブツ)[3]」 ❷⇩コンタミネーション❷ **―しんりょう**[5]【―診療】 健康保険を使える診療と保険適用外の診療を併用すること。〔日本では原則禁止されている〕

コンコース[3][1]〔concourse〕 駅や空港などの、通路を兼ねた中央ホール。

こんこん[0]【〈昏々〉】(副)―と (よく眠っているなどして)意識の無い様子。

こんこん[0]【〈滾々〉】(副)―と (水などが)あとからあとから尽きることなくわき出る様子。

こんこん[0]【懇々】(副)―と ものの道理などを、相手のためを思って、心底から説いて聞かせる様子。「―と諭す」

こんこんちき[3] 「…どころではない」の意味で添える言葉。「それが大ありの―なのさ」〔相手を罵倒(バトウ)する時にも用いられる〕

コンサート[1]〔concert〕 演奏会。「―を開く/チャリティー―[5]」 **―マスター**[6]〔concertmaster〕 オーケストラ団員全体の首席演奏者。多く第一バイオリン部の首席。

コンサーバティブ[3]―な〔conservative〕〔服装が〕保守的な。略してコンサバ。

こんさい[0]【根菜】 ダイコン・ニンジンなど、おもに根を食用とする野菜。⇩葉菜・花菜・果菜

こんざい[0]【混在】―する(自サ) 何かの中にそれとは異質なものが交じって存在すること。

ごんさい[0]【権妻】〔「権」は「仮(カリ)」の意〕「めかけ」の意の古風な表現。

コンサイス[1]〔concise=簡明。商標名〕 携帯用の小型辞書(の判型)。「―判(バン)[0]」

こんさく[0]【混作】―する(他サ) 同じ耕地に同時に数種の作物を栽培すること。

***こんざつ**[1]【混雑】―する(自サ)〈(だれ・なにデ)―する〉 人や物がその場所にたくさん無秩序に入り過ぎていて、動きがとれないこと。「ラッシュアワーの―を避ける/人や車で―する通り/連休中は―が予想される」

コンサバ[0]―な コンサーバティブの略。

コンサルタント[3]〔consultant〕 その分野について相談相

手になる専門家。〔狭義では、企業の経営・管理などについてのそれを指す〕「家事―・税金―」

コンサルティング③〔consulting〕相談に応じること。助言。「―販売⑧」

こんし①【懇志】相手に対する思いやりの深い気持。〔主として、手紙の用語〕

こんじ①【今次】「今回・今度」の意の改まった表現。「―の改訂に際しては次の点に留意した」

こんじ⓪【金字】きんじ(金字)❶。「―紺紙の写経」

こんじ①【恨事】〔↑痛恨事③〕きわめて残念なこと。「千秋の―だ」

こんじ①⓪【根治(チ)】―する(自他サ) ⇨こんち

コンシェルジュ③〔フ concierge=管理人〕〔ホテルなどで〕客の要望に応じて観光の案内や手配などをするスタッフ。〔広義では、特定の分野の情報を紹介・案内する人をも指す〕

こんじき⓪【金色】「〔美しく輝く〕きんいろ(金色)」の漢語的表現。「―の仏像」

こんじゃく⓪【今昔】「今と昔」の意の漢語的表現。

―のかん⓪-①【―の感】昔と今とを思い比べ、変化の大きいのに驚いておこす感慨。「―に堪えない」

ごんしゅ⓪【厳修】―する(他サ)〔仏教関係の儀式を〕おごそかにとり行なうこと。「七百回大遠忌(ダイオンキ)を―する」

こんしゅう⓪【今週(シウ)】現在の週(間)。〔副詞的にも用いられる〕「―中(ジュウ)に仕上げる」

こんじゅほうしょう④【紺綬褒章(シヤウ)】⇨褒章

こんしょ①【懇書】〔手紙文で〕「〔相手の〕手紙」の意の尊敬語。「御―拝読」

こんじょう⓪【今生(ジヤウ)】この世(に生きている間)。「―の思い出/―の別れ」

***こんじょう**①【根性(ジヤウ)】処世態度・物の考え方・行動の仕方などを支える根本にあるととらえられる性質。「―がひねくれている/あの男は―をたたき直す必要がある/―〔=積極的に困難に立ち向かおうとする気力〕がある男/役人―⑤・助平―・折助(オリスケ)―」

こんじょう⓪【紺青(ジヤウ)】〔「金青」の変化〕あざやかな青色(の「顔料❷」)。

こんじょう⓪【懇情(ジヤウ)】相手に対する思いやりの深い親切な△心(気持)。

ごんじょう⓪【言上(ジヤウ)】―する(他サ)〔立場の上の人に〕申し上げること。「御礼―⓪-⓪」

こんしょく⓪【混食】―する(他サ) ❶米に雑穀などを交ぜて主食とすること。❷菜食・肉食いずれにも偏せず、ほどよく両者をとりまぜること。

こんしょく⓪【混植】―する(自他サ) ❶〔園芸で〕似た環境で育つ何種類かの植物を同じ花壇に植えること。❷〔印刷で〕和文と欧文、または異なる書体を二つ以上混ぜて版を組むこと。〔印刷業界では「こんちょく」という向きもある〕

こん・じる⓪③【混じる】㊀(自上一) 何かに異質なものが交じる。㊁(他上一) 何かに異質なものを交ぜる。混ずる⓪③(サ変)。

こんしん⓪【混信】―する(自サ)〔無線電信・ラジオなどで〕△相手(目的の)局以外の送信が交じって受信されること。

こんしん⓪【〈渾〉身】〔「渾」は、すべての意〕体全体に関わること。「―の〔=ありったけの〕力」

こんしん⓪【懇親】仲間としての一体感を増すために親睦(シンボク)を深めること。「―会③⓪」

こんじん⓪【今人】「今の世の人」の意の漢語的表現。↔古人

こんじん⓪【金神】陰陽家(オンミョウケ)が祭る神。その神の居る方向への建築・移転・外出などを避ける。⇨方位

コンス①〔中国・公司〕〔中国で〕会社。

ごんす〔助動・特殊型〕ございます。〔すもう取りなどの社会でしきたりとして用いられた表現〕「どで―〔=どうです〕/ごっつぁんで―」文法 断定の助動詞、形容動詞の語尾「だ」の連用形「で」に接続する。

こんすい⓪【昏睡】―する(自サ)〔ひどい病気や薬物などで〕意識を失って、さめない状態を続けること。「―状態⑤」

ごんすけ①【権助】「下男」の意の俗語的表現。

コンスターチ④〔cornstarch〕⇨コーンスターチ

コンスタント①〔constant〕㊀―な 常に一定している様子だ。「―な成績/―に作品を発表する」㊁〔数学・物理学などで〕定数(テイスウ)❷。

こんせい⓪【混生】―する(自サ) 元来一緒に育つことの無い植物が、その場所に一緒に生えること。

こんせい⓪【混成】―する(自他サ) それぞれ異なる組織に属する人が寄り集まって、一時的に一つの組織を作ること。「―チーム⑤・―部隊⑤」 **―しゅ**③【―酒】果汁や香味料などを加えたアルコール飲料。

こんせい⓪【混声】〔↑混声合唱⑤〕男声と女声を合わせて合唱すること。

こんせい⓪【懇請】―する(他サ) 詳しく事情などを説明して、要求・希望などを聞き入れてくれるように頼むこと。

こんせき⓪①【今夕】「こんゆう(今夕)」の漢語的表現。

こんせき⓪【痕跡】以前に、何かが△あった(行なわれた)ことを示しているあと。「―を残す」

こんせつ①【今節】❶「このごろ」の意の漢語的表現。❷〔プロ野球などで〕今シーズンの中の、現在の「節❶Ⓓ」。

こんせつ⓪①【懇切】―に 相手によく分かるように、細かい所まで行き届くようにする様子だ。「―な指導/―丁寧⑤」

こんぜつ⓪【根絶】―する(自他サ) 害をなすものが二度と△現われない(起こらない)ように、絶やすこと。「△弊害(悪習・汚職・テロ)を―する」

コンセプト①〔concept〕❶概念。考え方。「―を提示する」❷広告で、自由な視点や発想から商品やサービスの新たな意味づけを試みようとする考え方。「アド―③」

こんせん⓪【混戦】―する(自サ) 敵味方が入り乱れて戦うこと。〔広義では、力の似た者同士がひしめき合って優勝の行くえが分からないことを指す。例、「―状態⑤」〕

こんせん⓪【混線】―する(自サ)〔電信・電話などで〕何かの事情で、別の信号・通話が交じってくること。〔いろいろな話がからみ合って、筋道がつかめなくなる意にも用いられる〕

こんぜん⓪【混然・〈渾〉然】―たる〔「渾」は、混と同義〕本来異質なものが、すっかり一つに溶け合って、大きな意味での調和が保たれている様子だ。「―一体となる」

コンセンサス③〔consensus〕意見の一致。同意。「―を△得る(求める)」

コンセント①〔和製英語 ←コンセント プラグ〔concentric + plug〕〕壁などに設ける、プラグの差込み口。電気の配線にコードを接続する働きをなす。〔米語では、outlet〕「二口(フタクチ)―⑤」

コンソーシアム③〔consortium〕一つの目的のもとに、複数の企業・団体などが形成する大規模な連合体。企業連合。

コンソール③〔console=支えの腕木〕❶〔電気・通信・コンピューターなどで〕スイッチ・メーター・表示器類を備え、一か所でまとめて操作・制御するための台。制御卓③。操作卓③。コンソール パネル⑥。❷〔テレビ・ラジオなどで〕スピーカー・アンプなど全体を一つのキャビネットに収めた、大型で据え置き型のもの。コンソール△型(タイプ)。❸〔乗用車で〕

運転席と助手席との間に据え付けられた物入れ。コンソール ボックス[6]。

コンソメ[0]〔フ consommé〕 澄んだスープ。↔ポタージュ

こんだく[0]【混濁】—する(自サ) にご(ってい)ること。〔意識などが混乱してはっきりしない意にも用いられる〕 表記「〈溷濁〉」とも書く。

コンダクター[3]〔conductor〕 ❶オーケストラなどの指揮者。 ❷ツアー コンダクターの略。

コンタクト[1]〔contact〕 ❶接触。連絡。「…と—をとる」 ❷コンタクトレンズの略。 **—レンズ**[6]〔contact lens〕 眼鏡の代りとして、角膜に直接着けて使用する、小さくて、薄いレンズ。 かぞえ方 一枚

こんだて[0]【献立】〔「献」は、すすめる意〕その時の食事の品目。〔料理店では、作って供する(ことの出来る)品目を指す〕「病人食の—に苦労する/—表[0]」

コンタミネーション[5]〔contamination〕 ❶何らかの事情で異質のものが混入すること(によって生じる不都合な事態)。汚染。 ❷〔言語学で〕自然の連想・類推により一つの語句のある部分と他の語句のある部分とが結合して、別の一語を作ること。混交。混淆。例、「ヤブク」は「ヤブル」+「サク」のコンタミネーションと言われる。〔「苦渋をなめる」は「苦渋を味わう」+「苦汁をなめる」の、「骨身をやつす」は「骨身を削る」+「憂き身をやつす」のコンタミネーションに基づく誤り〕〔❶❷とも、略してコンタミ[0]〕

こんたん[1]【魂胆】〔「きもだま」の意〕心中ひそかに考える計画。〔多く、相手を利用して私腹を肥やすなどの悪計の意に用いられる。例、「—なしに援助を申し出る」〕

こんだん[0]【懇談】—する(自サ) 打ち解けた雰囲気で、お互いに自分の事情や立場などを説明しながら話し合うこと。〔「懇談会[3][0]」は、親睦のための話合いを指すこともある〕

こんち[1][0]【根治】—する(自他サ) 〔しつこい病気や悪弊などを〕根本から治すこと。また、治ること。「こんじ」とも。「水虫が—する」

コンチェルト[1]〔イ concerto〕 独奏楽器とオーケストラとの合奏曲。普通ソナタ形式を持ち、三つの楽章より成る。協奏曲。コンツェルトとも。「バイオリン—[6]」

こんちくしょう[5]【こん畜生】(感) 〔「この畜生」の口頭語的表現〕腹が立ってしようが無い時に、何かに向かって怒りを発散させる語。「こんちきしょう[5]」とも。「—め」

コンチネンタル[4]〔continental〕 (ヨーロッパ)大陸風。「—スタイルの朝食(=パンとコーヒーぐらい)/—タンゴ[8]〔=(アルゼンチンから輸入し)ヨーロッパ調に洗練されたタンゴ〕」

こんちは[4]【今《日は》】(感) 「こんにちは」のくだけた口頭語的表現。

こんちゅう[0]【昆虫】〔「昆」は、種類が多い意〕節足動物の一つ。頭・胸・腹の三部が比較的はっきり分かれ、胸部に三対の足を持つ動物。多くは二対の羽がある。卵生で、幼虫は成虫と形が違う。種類がきわめて多い。例、チョウ・トンボ・ハチ。 かぞえ方 一匹

コンツェルン[1]〔ド Konzern〕 名目的には独立した幾つかの企業が、巨大な資本によって一つに結合されたもの。⇩カルテル・トラスト

コンテ[1] ❶〔フ conté=もと、人名。商標名〕 クレヨンの一種。鉛筆よりも濃淡がはっきり出る。写生・デッサン用。 ❷〔←continuity〕 映画撮影のための、画面の構成やカメラの位置などを詳細に記した台本。絵コンテ。 かぞえ方 ❷とも一本

こんてい[0]【昆弟】〔「昆」は「兄」の意〕兄弟。

こんてい[0]【根底】〔「根柢」の変化〕それが土台となって物事が成り立っていると考えられる△もの(部分)。「—からくつがえす/教育の—を揺るがす」 表記「根〈柢〉」とも書く。

こんでい[0]【金泥】 金粉をにかわに溶かしたもの。日本画や装飾などに用いた。「きんでい」とも。

コンディショナー[3]〔conditioner〕 ❶調節装置。「エア—[5]」 ❷整髪剤。「ヘア—[5]」

コンディショニング[3]〔conditioning〕 ❶調節。調整。「エアー・カラー—」 ❷〔からだの〕コンディション作り。

コンディション[3]〔condition〕 何かする際に、結果の良否に影響を与えるような、からだなどの調子や状態。

コンテキスト[1]〔context〕 文脈。コンテクストとも。

コンテスト[1]〔contest=競争〕 競技会。競演会。「—を開催する/フォト—[3]・料理—[4]・スピーチ—[5]」

コンテナー[1]〔container〕 荷物を梱包せずに入れて運送するための、軽い金属で作った箱。コンテナ[1][0]とも。「—船[0]・—輸送」 かぞえ方 一台・一個

コンデンサー[3]〔condenser〕 ❶電気の導体に多量の電気を蓄積しておく装置。蓄電器。 ❷蒸気機関の排気を冷却してもとの水にもどす装置。凝縮器。 ❸集光レンズ。

コンデンス[3]—する(他サ)〔condense〕 △凝縮(濃縮)すること。 **—ミルク**[6]〔condensed milk の日本語形〕 牛乳に糖分を加え煮詰めて濃くしたもの。練乳。 かぞえ方 小売の単位は一缶

コンテンツ[1]〔contents〕 ❶内容。中身。 ❷〔コンピューターのネットワークで〕表示されたり 送信されたり する情報の内容。 ❸書籍の目次。

コンテンポラリー[3]—な/—に〔contemporary〕 同時代的。現代的。「—ダンス[9]」

コント[1]〔フ conte〕 ❶風刺と機知とに富んだ、小話。 ❷人を笑わせることだけを目的とする、滑稽な寸劇。

***こんど**[1]【今度】 ❶何度か行なわれる物事のうち、現在△行なっている(行なったばかりの)もの。「—に限った事ではない」 ❷ごく最近起こった事を取り上げているのだということを表わす。「—の大戦」 ❸近い将来に実現されると予想されることを取り上げているのだということを表わす。「—アメリカに行くことになった/—〔=この次〕こそは しっかりやろう」

こんとう[0]【〈昏倒〉】—する(自サ) めまいがして、意識がぼんやりしてきて、倒れること。

こんどう[0][1]【金堂】 寺院の本尊を安置した仏殿。「法隆寺の—」 かぞえ方 一宇

こんどう[0]【金銅】 銅に金を△メッキした(とかしこんだ)もの。「—仏[3]」

***こんどう**[0]【混同】—する(自他サ)〈なに・だれトなに・だれヲ—する〉 弁別すべきものを、注意が行き届かなかったりして同一視してしまうこと。また、そうなること。「事典は辞典との—を避けてコトテンと言うことがある/公私—[1]-[0]」

コンドーム[3]〔condom〕 男性が避妊・性病予防に用いるもの。薄いゴムで作る。ルーデサック。スキン・ゴムとも。 かぞえ方 一枚:一箱

こんとく[0]【懇篤】—な/—に 相手のためを親身になって考え、何かをしてやったり 言ってやったり する様子だ。「—な仕事ぶり/—な処遇を受ける」 派 —さ[0]

コンドミニアム[4]〔condominium〕 ❶維持・管理を管理人に委託して、必要に応じて利用する分譲マンション。 ❷旅行者が長期間利用できるアパート型の宿泊施設。

ゴンドラ[0]〔gondola〕 ❶イタリアのベネチアの名物の小舟。 ❷飛行船やロープウエーなどの つりかご。つり座席[3]。 かぞえ方 ❶は一隻。❷は一台

コントラスト[1][4]〔contrast〕 ❶取り合わせた二つのもの

の対照・対比。「白と黒の—」 ❷〔絵画やテレビ・写真などの画像で〕明暗の調子および被写体の明暗の度合。「—の強い写真」

コントラバス[5]〔ド Kontrabass=低音より下の〕 立って弾く、△四弦(五弦)の弦楽器。〔バイオリンと同型の楽器中、最大かつ最低音〕ダブル ベース。バス。ベース。 かぞえ方 一台

コントラルト[4]〔イ contralto=高音に次ぐ〕〔音楽で〕△ソプラノ(高音)に次ぐ音(域)。〔一般にはアルトと言う〕

コンドル[1]〔condor〕 南米アンデス山脈にすむ、世界最大の猛鳥。全身灰黒色で、頭・首には毛が無い。岩壁に巣を作り、死肉を食う。〔コンドル科〕 かぞえ方 一羽

コンドロイチン[4]〔chondroitin〕 関節軟骨などに多く含まれる多糖類。

コントロール[4]—する(他サ)〔control〕 △行き過ぎの無い(自分の思い通りに行動させる)ように、操作・調節すること。「—が加えられる/体重を—する/—のいい〔=制球力がある〕投手/セルフ—・バス—」 **—タワー**[7]〔control tower〕〔空港で〕離着陸する航空機に指示・誘導などを与える設備を持った塔。管制塔。 かぞえ方 一基

こんとん[0]【混〈沌・〈渾沌〉】—たる —と 〔宇宙生成の最初期、天地未分でどろどろであったという状態〕同程度の力のものが互いにしのぎをけずっていて、形勢がどう変わるか、見通しの立たない様子だ。カオス。

こんな[0](連体) 「このような」の意の口頭語的表現。「—やり方もある/—風に投げるのだ/—事も出来ないのか/—事があっていいものか」 ⇩そんな・あんな・どんな:こそあど 文法 (1)「このような」と同様に形容動詞としても用いられる。未然形の例「仕上がりのイメージはたぶんこんなだろう」、連用形の例「あの時もこんなだった」「洗ったらこんなにきれいになった」「いくつになってもこんなでは困る」、終止形の例「混み具合はいつもこんなだ」、連体形の例「こんな状態」、仮定形の例「こんなならないほうがよかった」などと用いられる。従って接続助詞「ので」「のに」に続くときは「こんなので」「こんななのに」になる。 (2)「あんな」「そんな」「どんな」も「こんな」と同様に形容動詞としても用いられる。 (3)「この本」に対する「こんな本」、「この会社」に対する「こんな会社」などと言うとき、「こんな」にはそれによって指示される事物・事柄に対して低い評価をくだしていることを含意することがある。このことは「あの」に対する「あんな」、「その」に対する「そんな」についても同様である。

＊＊こんなん[1]【困難】—な —に (解決がむずかしくて)苦しんだり悩んだりさせられる△こと(様子)。「相当の—が予想される/—を△克服する(乗り越える)/多くの—を伴う/最大の—に直面する/予想外の—に遭遇する/—が大きい/—な△状況(事態)/呼吸—[4]」 派 **—さ**[0][3]

こんにち[1]【今日】 「きょう」「いま(という時代)」「現在」の改まった表現。〔副詞的にも用いられる〕「—に至る/—の隆盛を築く/—〔=現代〕の科学/—〔=このごろ〕の世界情勢/私の—あるは〔=私が現在の社会的地位を築いたのは〕/昔話を—風にアレンジしたドラマ/—性[0]」 **—さま**[1]【—様】 「おひさま」の古風な表現。おてんとさま。 **—てき**[0]【—的】—な —に ❶△現代(現在)という時点に立脚する様子だ。「—△問題(課題)/—△状況(立場)/—△使命(役割)/—△視点(視野)/—〔=今日における〕△意義(意味)」 ❷△現代(現在)にふさわしい様子だ。「人生歌人などといわれるだけあって題材が—である/ヨーロッパの古典を日本的感覚と—演出で上演して成功している/私たちを取り巻く環境や営みを—に表現した未発表の写真」 **—は**[5](感) 日中、人に会ったり人を訪問したりした時の挨拶(アイサツ)の言葉。 表記 「こんにちわ」と書くこともある。

こんにゃく[3][4][0]【〈蒟蒻〉・〈菎蒻〉】 ❶こんにゃく玉の粉から作った食品。半透明で、弾力がある。 ❷畑に作る多年草。春、紫褐(シカツ)色の悪臭ある花を開く。〔サトイモ科〕 かぞえ方 ❶は一枚。❷は一本 **—だま**[0]【—玉】「こんにゃく❷」の地下茎。球茎。 **—ばん**[0]【—版】 しろうと用の簡易印刷法。寒天にグリセリン・ゼラチンを加えて煮固めたものを材料とし、特殊インクで洋紙に書いた文字や絵を転写するもの。 **—もんどう**[5]【—問答(モンダフ)】 やり取りの冒頭に大きな勘違いがあり、最後までかみ合うことの無い問答。〔旅僧に禅問答を仕掛けられた俄(ワニ)か坊主の蒟蒻屋が困って聾唖(ロウア)者を装ったところ、無言の行(ギョウ)をしているものと受け取られ、遂(ツイ)に両者間に意志の疎通が見られなかったおかしみを落ちとする落語から〕

こんにゅう[0]【混入(ニフ)】—する(自他サ) 何かの中に交じること。また、他のものが好ましくない他のものを交ぜ入れること。「—物[3]」

こんねん[1]【今年】 「ことし」の漢語的表現。

こんねんど[3]【今年度】 △現在の(ことしの)年度。

コンパ[1]〔←company〕〔学生用語で〕会費を出しあってする茶話会・懇親会。「合同—・新入生歓迎—[3]-[5]」

コンバーター[3]〔converter=変換器〕〔電気で〕交流を直流に変換する装置。 ⇩インバーター

コンバート[1][3]—する(他サ)〔convert〕 ❶変換すること。転換すること。 ❷〔ラグビーで〕トライしたあとでゴールキックに成功すること。「—成る」 ❸〔野球などで〕その選手が、従来専門としてきたポジションから他のポジションへ転向させること。「外野から三塁に—する」

コンパートメント[3]〔compartment=仕切り〕〔一部の列車の客室や喫茶店などの〕区画された座席。コンパート。

こんぱい[0]【困〈憊〉】—する(自サ) 〔「困」は疲れる、「憊」は疲れきる意〕何をする気力も無いほど疲れきること。「疲労—(する)」

コンパイラー[3][0]〔compiler=編纂(ヘンサン)者〕〔コンピューターで〕高水準のプログラム言語で書かれた一つのプログラム全体を機械語プログラムに翻訳する作業を行なうプログラム。翻訳系[0]。「フォートランの—」

コンバイン[3]〔combine=複数の機能を兼ね備える意〕 作物の刈取りと脱穀を一台でする農業機械。刈取り脱穀機。 かぞえ方 一台

こんぱく[1]【魂〈魄〉】〔「魂」は死後 天に上り、「魄」は地にとどまるという たましいを指す〕(存在すると信じられている)死者のたましい。

コンパクト[1]〔compact=ぎっしり詰まった〕 ❶携帯用の、鏡のついたおしろい入れ。 ❷—な —に 小さくまとまっていて、内容が充実している様子だ。「—〔=小型〕カー[5][6]」 **—ディスク**[6]〔compact disk〕 ⇩シーディー❶

コンパス[1]〔オ kompas〕 ❶〔円などをかくための〕二本足の製図器具。ぶんまわし。「—が長い〔=足が長い。歩幅が大きい〕」 ❷〔船などの〕羅針盤。「ジャイロ—」

コンパニオン[3]〔companion=連れ〕 大きな△催し物(宴会)などで、客の案内役や接待役を務める女性。 **—アニマル**[7]〔companion animal〕 伴侶(ハンリョ)や家族だととらえて飼育するペット。伴侶動物[5]。

こんばん[1]【今晩】 きょうの晩。また、晩である現在。〔副詞的にも用いられる〕 **—は**[5](感) 夜、人に会ったり人の所を訪れたりした時の挨拶(アイサツ)の言葉。 表記 「こんばんわ」と書くこともある。

こんぱん[1]【今般】 「今度❶❷」の意の改まった表現。 ⇩先般・過般

コンビ[1]〔←combination〕❶何かをするについての二人の組合せ。「漫才の名⁽ᵐᵉ⁾―」⇨トリオ ❷「コンビネーション❸」の略。

コンビーフ[3]〔←corned beef〕塩漬けした牛肉(の缶詰)。牛肉の塊を煮てほぐし、牛脂とともに缶詰などにする。コーンビーフ[4]・コーンドビーフ[5]とも。[かぞえ方] 一缶

コンビナート[4]〔ロ kombinat〕関連のある幾つかの企業を結合して一つの工業地帯にまとめ、生産の能率を高める合理的な企業結合。「石油化学―[10]」

コンビニ[0] コンビニエンスストアの略。

コンビニエンスストア[9]〔convenience store, convenience=便利〕一人か二人の管理者によって運営される、小規模なセルフサービス式の店。食料品・日用雑貨を中心とし、二十四時間営業の店が多い。略してコンビニ。

コンビネーション[4]〔combination〕❶いくつかのものの組合せ。「―サラダ[8]・―ジャンプ[8]」❷△女性(子供)用の、上下の続いた下着。❸△革とカンバス(茶革と白革)など異なる素材や色を組み合わせて作った靴やバッグなど。〔❷❸は略してコンビ〕[かぞえ方] ❷は一枚

コンピューター[3]〔computer=計算をする装置〕電子計算機。コンピュータとも。「ミニ―[5]・スーパー―・ポケット―[7]・オフィス―・―組⁽ᵐⁱᵏᵘ⁾版[8][7]・―社会[7]・―犯罪[7]・―化[0]」[かぞえ方] 一台・一基 **―ウイルス**[8][7]〔computer virus〕〔コンピューターで〕ネットワークなどを通じて、他のシステムに入り込み、自己増殖したり格納してあるファイルを破壊したりするプログラム。ウイルスになぞらえていう。**―グラフィックス**[9][8]〔computer graphics〕コンピューターを用いて図形や画像を作ること。自動車や航空機の設計、衣服のデザイン、コマーシャルフィルムやアニメーションの制作など、さまざまな分野で利用されている。略してシージー(CG)。**オフィス―**[6]〔office computer〕事務室で、各人が卓上で用いる小型の事務処理用のコンピューター。略してオフコン。**ニューロ―**[6]〔neurocomputer, neuro=神経系の〕動物、特に人間の脳の神経細胞〔=ニューロン〕の回路網が持つ学習・連想などの情報処理機能を、既存のコンピューターを用いて模倣したもの。**パーソナル―**[8]〔personal computer〕個人用の非常に小さいコンピューター。略してパソコン・ピーシー(PC)。〔マイクロプロセッサーを内蔵した、比較的安価なものを指す〕**ホスト―**[6]〔host computer〕複数の電子計算機から成るシステムの中心となる最上位の電子計算機。**マイクロ―**[7]〔microcomputer〕集積回路により極めて小型化したコンピューター。略してマイコン。〔その中枢部はマイクロプロセッサー・記憶装置などから構成される。各種の機械に制御用として組み込まれることが多い〕「―を内蔵した空調器/―で制御する/―を搭載した車」

こんぴら[0]【金⁽毘羅・金比羅⁾】仏法の守護神。雨を降らせ、航海する人の願いをかなえるとされる。「―参り[5]」

コンピレーション[4]〔compilation=編集〕特定のテーマで複数の曲を一つにまとめたアルバムやCDなど。

こんぶ[1]【昆布】褐藻類の海藻。北日本に産し、帯のように長く厚い。種類が多い。食用。だしを取るのにも使う。こぶ。〔コンブ科〕[かぞえ方] 一本。売買取引の単位は一束・一把⁽ⁱᶜʰⁱʷᵃ⁾

コンファレンス[1]〔conference〕(学術的な)会議。カンファレンスとも。

コンフィチュール[4]〔フ confiture〕果物の砂糖煮。ジャム。

コンフィデンシャル[4]―な―に〔confidential〕秘密・極秘であるさま。「―な情報」

コンフォート[3][1]〔comfort〕安楽。慰め。快適な。「―サイズ[6]〔=着ごこちのよい〕」

コンプライアンス[4]〔compliance=遵守〕法令遵守。特に、企業が社会規範に反することなく、公平・公正に業務遂行すること。

コンフリー[1]〔comfrey〕タバコに似た葉を持つ多年草。ヨーロッパ原産。たんぱく質に富み、葉・茎・根を牧草や薬草として利用。現在は、加工品も含めて販売は禁止されている。ひれはりそう[0]。〔ムラサキ科〕[かぞえ方] 一本

コンフリクト[1][4]〔conflict〕闘争。葛藤⁽ᵏᵃᵗᵗᵒᵘ⁾。摩擦。

コンプレックス[4] ❶〔complex〕複合(したもの)。「ビタミンB―[10]」❷〔←inferiority complex〕劣等感。

コンプレッサー[4]〔compressor〕圧縮器。空気圧縮機。「エアー―」[かぞえ方] 一台

コンペ[1]〔←competition〕コンペティションの略。

コンペイトー[0]〔ポ confeito〕まわりにいぼのようにたくさん突き出たもののある小粒の砂糖菓子。[表記]「金米糖・金平糖」は、音訳。[かぞえ方] 一粒⁽ʰⁱᵗᵒᵗˢᵘᵇᵘ⁾

こんぺき[0]【紺⁽碧⁾】黒みを帯びた紺色。「―に晴れ渡った空/空が―に澄み渡る/―の海」

コンペティション[4]〔competition〕❶(仲間うちの)ゴルフなどの競技会。❷△公募(指名)による建築設計などの競技。〔❶❷とも略してコンペ〕

コンベヤー[3]〔conveyor〕〔工場などで〕材料や貨物を載せて自動的・連続的に運搬する装置。コンベヤとも。「―システム[6]・ベルト―」[かぞえ方] 一基

ごんべん[0]【言偏】漢字の部首名の一つ。「記・説・識」などの、左側の「言」の部分。〔多く、言論や表現に関係のある漢字がこれに属する〕

コンベンション[3]〔convention=集会〕国際会議や国際見本市などの国際的な集会。「―法[0]・―ホール[7]」

コンボ[1]〔combo〕〔ジャズで〕七、八人ぐらいの小編成の楽団。

コンポ[1] コンポーネントの略。

こんぼう[0]【混紡】―する(他サ) 種類の違う繊維を交ぜて紡ぐこと。「―糸⁽ˢʰⁱ⁾[3]」

こんぼう[0]【⁽棍⁾棒】手に持って、何かを打ったりするのにちょうどよい長さの棒。〔狭義では、とっくり形の体操用具や警棒を指す〕[かぞえ方] 一本

こんぼう[0]【懇望】―する(他サ)「こんもう」の古形。

こんぽう[0]【⁽梱⁾包】―する(他サ) 紙などに包んでひもをかけたり段ボールに詰めたりして荷造りすること。また、その荷造りしたもの。

コンポーザー[3]〔composer〕作曲家。

コンポート[3][1]〔compote〕❶果物の砂糖煮。❷足付きのようなささえのある皿。〔果物を盛ったり花を生けたりするのに使う〕[かぞえ方] ❷は一枚

コンポーネント[3]〔component=構成部品〕ステレオ装置を構成する各部分。例、アンプ・スピーカー・プレーヤーなど。コンポ。

コンポジション[4]〔composition=組立。構成〕❶(英語の)作文。❷絵画・写真の構図。❸作曲(法)。

コンポスト[1][3]〔compost=堆肥⁽ʰⁱᵗᵃⁱ⁾〕❶生ごみなどを発酵させて作った肥料。また、作るための容器。❷〔園芸で〕培養土。配合土。

***こんぽん**[0][3]【根本】そのものの存立を成り立たせている、一番大事な何ものか。〔古くは、こんぼん〕「議院制の意義が―から問われる/―を△きわめる(是正する・見直す)/―に立ち返る/…の―にかかわる問題/―義[3]・―原理[5]」**―せ**

いしん⑤【―精神】物の考え方や行動のもとになる心構え。 ―てき⓪【―的】―な―に 根本に関係がある様子だ。「―に〔=根本から〕改める」 ―もんだい⑤【―問題】個々の現象面に現われている事柄を解決・処理する上で、優先的に取り上げられねばならないとされる重要な問題。

コンマ①〔comma の日本語形〕❶欧文や、横書きの日本文の句読点クトウテンの一つで、一つの文の中の切れ目に打つもの。カンマ①とも。「，」「―を打つ」 ❷〔横書きの十進位取り記数法で〕桁ケタ数の多い整数を読みやすくするために、何桁おきかに区切りとして入れる記号。「コンマ❶」の「，」を用いる。「△三桁(四桁)ごとに―で区切る」 ❸小数点の異称。ポイント❻。〔明治期に、小数点として「コンマ❶」の「，」を用いるフランスの方式が入ったことによる。フランス方式の記数法では「コンマ❶」には逆に終止符「．」を用いる〕「二―五〔=2.5〕／―以下〔=水準以下〕の成績」

こんまけ⓪【根負け】―する(自サ) 根が続かなく△なる(なって、相手に屈服したりする)こと。

コンミール③〔corn meal〕⇩コーンミール

こんみょうにち③ミャウ【今明日】今日か明日。〔副詞的にも用いられる〕「―中にも発表される」

こんめい⓪【〈昏迷】―する(自サ) △理性が くらみ(正常の意識が失われ)どうしたらいいか分からなくなること。

こんめい⓪【混迷】―する(自サ) いろいろな事が入り交じって、何がどうなっているのかわけが分からなくなること。「―を△招く(続ける)／―の度を深める／―する政局」

こんめい⓪【懇命】頼むからやってくれと言う、立場の上の人からの命令。

コンメンタール⑤〔ド Kommentar〕〔法律の条文の〕注釈(書)。「―独禁法⑤-⓪」

こんもう⓪【根毛】植物の根の先の方の、糸のように細い部分。根の表面積を増やし、地中から養分や水分をより多く吸収する。

こんもう⓪マウ【懇望】―する(他サ) 事情を説明して、そうしてもらいたいと希望すること。「こんぼう」とも。「―もだしがたく」

こんもり③(副)―と―する ❶(何本もの)木が枝や葉を重ね合わせるようにして茂っている様子。「―(と)した森」 ❷丸く盛り上がった形をしている様子。「―と土を盛る」

こんや①【今夜】きょうの夜。今晩。〔副詞的にも用いられる〕「映画会は―だったかしら／ここへ泊まるのもいよいよ―きりだ／危篤状態に陥っており―が山だ」

こんや⓪【紺屋】染物屋。「こうや」とも。

こんやく⓪【婚約】―する(自サ) (近い)将来、結婚することを正式に合意すること。「…との―が整う／目下―中だ／―を解消する／―発表⑤・―者④③・―指輪⑤」

こんゆう⓪ユフ【今夕】きょうの夕方。また、夕方である現在。「こんせき」とも。〔副詞的にも用いられる〕

こんよう⓪【混用】―する(他サ) 二種以上のものを、区別しないで使うこと。

こんよく⓪【混浴】―する(自サ) 〔温泉などで〕男女が同じ浴場で同時に入浴すること。

***こんらん**⓪【混乱】―する(自サ)〈(なにデ)―する〉 秩序が失われ、諸要素間の関係などが見出せない状態にあること。「―が起きる／無用の―を△引き起こす(避ける)／停電で大きな―が生じる／通信衛星の故障で情報が―する／大―に陥る／―状態を招く」

こんりゅう⓪リフ【建立】―する(他サ) 寺院・堂塔を建てること。

こんりゅう⓪リフ【根粒】・リウ【根〈瘤】細菌などの侵入によって、主としてマメ科植物の根に出来るこぶ。かぞえ方 一株 ―**バクテリア**⓪⑦ 主としてマメ科植物の根に付いて根粒をつくる細菌。窒素化合物をマメ科植物に与えて共生する。「根粒菌⓪」とも。

こんりん⓪【金輪】〔仏教の宇宙論で〕大地の下にあって、大地を支える△三輪(四輪)の上層。この下に、水輪・風輪(・空輪)があるとする。 ―**ざい**③【―際】(副)〔「大地の底」の意の仏教語〕〔否定表現と呼応して〕「どんなことがあっても絶対に…ない」の意の強調表現。「―承知しないぞ／―行かない／―見ることはないだろう」

こんれい⓪【婚礼】結婚の儀式。

こんろ①【〈焜炉】❶持ち運びの出来る、小型のかまど。七厘。❷家庭で使う、炊事用の加熱器具。「ガス―③・石油―④」 表記 「〈焜」は、借字。 かぞえ方 ❶❷とも一台

こんわ⓪【混和】―する(自他サ) 交じり合って、よくなじむこと。また、交ぜ合わせて、よくなじませること。「―剤③⓪」

こんわ⓪【懇話】―する(自サ) 関係者が特にテーマを設定したりせず、気楽に意見を交わすこと。「―会③⓪」

こんわく⓪【困惑】―する(自サ) めんどうな事を持ち込まれたりやっかいな事にかかわり合ったりして、ほとほと困ること。「突然の会長就任要請に―の表情を浮かべる」

さ…サ

さ〔〈叉・左・再・〈些・佐・作・沙・査・砂・茶・唆・差・詐・〈嗟・〈瑣・鎖〕→【字音語の造語成分】

さ(接頭) ■一〔名詞の上につけて〕 ❶【《小》】そのものを美化して見ていることを表わす。「―枝・―ゆり・―男鹿シオカ・―霧サギリ」 ❷【〈五月〉】田植え(の時季)に関係があることを表わす。「―少女オトメ・―雨サミダレ」 ❸【《早》】同類の中で、早い時期に属することを表わす。「―わらび」 ■二その状態を幾分か強調しようとする気持を表わす。「―迷う」

さ(接尾) ❶〔形容詞・形容動詞の語幹などに添えて〕…(の)程度・…であること、の意を表わす。「金が欲し―に〔=ほしい△ので(あまりに)〕やった事に違いない／おもしろ―・静か―」 ❷〔雅〕とき・おり、の意を表わす。「帰る―・行ゆく―」

さ(終助) ❶相手に強く△主張(反駁ハンバク)する気持を表わす。「そんな事あたりまえ―／僕だって分かる―」 ❷相手ほど△むずかしく(深刻に)事態をとらえる必要がないという気持を表わす。「まあ、いい―／結局同じ事―／心配する事は無い―」 ❸〔「…とさ」「…ってさ」の形で〕自分が直接経験した事ではないので真偽については責任を負いかねるという気持を表わす。「昔昔、おじいさんとおばあさんがあったと―／やっぱりあの人も行ったんだって―」 ❹〔不定の疑問文末で用いて〕相手の言動や態度に対して幾分かの不信感をいだく気持を表わす。「どこへ行ってたの―／いい事って何―／なぜいやなの―」 ❺〔文節の切れ目につけて〕相手に念を押すような時の、また、次の語句を言いよどんでいる時のつなぎの言葉として用いる。「それが―、まずい事に―、相手に分かっちゃったんだ／だから―、ちゃんとやろうよ」〔❶❷は多く男性が用いる〕 文法 文や文節の末尾に用いられる。ただし、断定の助動詞、形容動詞の語尾「だ」のあとには接続しない。他の終助詞の後につくことはなく、「な・ね」などの前につく。

さ①【《然》】(副)〔雅〕前に述べられている事柄を承ゥけて、そう・そのよう△に(で)、と肯定する様子。「―〔=そう〕思ひ給ふならむ／―はあらじ〔=そうではあるまい〕／―はあれど〔=そうではあるが〕／―あれ〔=それはそれとして〕／―まで〔=それ程〕悲しと思はず」

さ①【左】ひだり。「―に掲げる文章〔=縦書きの場合、『次行

**さ⓪【差】 以下に示す文章』の意〕/—右」⇩【造語成分】❶〔同種の二つのものの間の〕量や質のちがい(の大きさ)。「—が△つく(開く)/著しい—を生じる/—を△設ける(縮める)/—別・大—」❷一つの数量からある数量を引いた残り(の数量)。「—を求める/—額・誤—」↕和

ざ 〈坐・座・挫〉→【字音語の造語成分】

ザ（造語）〔the=英語の定冠詞〕❶固有名△である(に準ずるものにしようとする)ことを表わす。「—ビートルズ②・—ホームラン王」❷英語から入った外来語の連語の一部に使う。「オン—ロック・バッター イン—ホール」

***ざ**⓪【座】❶〔その集会・組織で〕その人のすわる△席(場所)。「床の間を背にして—につく/—をはずす〔=用事があったり 遠慮したりしてその場から離れる〕/—〔=その場の空気〕が白ける/仏の—〔=仏像を据えておく台〕/—右(ウ)・—持(チモ)・上(カミ)—」❷その人がいつも占める場所で象徴される、権力・身分関係や社会的位置。「政権の—に就く/妻の—を占める」❸いす・腰掛けの、尻(シリ)をおろす部分。「—が堅い」❹中世の商人の同業組合。〔近世では、貨幣鋳造の公設機関や、特に免許されて「度量衡」を作った商家を指す〕⇩【造語成分】

さあ①（感）〔新たな事態に出会ってなんらかの対応を迫られた時や積極的に行動を起こそうとする時などに〕他人や自分に言って聞かせるつもりで発する語。「—△大変だ(困った)/—どうでしょうか/—終わった/—がんばるぞ」

サー①〔Sir〕〔英国で〕ナイトの資格を与えられた人に許される称号。卿(キョウ)。〔名前の上につける〕「—ウィンストン チャーチル①-⑥」

さ

【〈叉〉】❶また。ふたまた。「叉状・音叉・三叉」❷組み合わせる。交差する。「叉手・交叉」

【左】■一❶ひだり。「左右(ユウ)・左翼・左腕・左顧右眄(ベン)」↕右(ウ) ❷左翼。「左傾・左派・極(キョク)左」❸低い地位。「左遷」■二(略)〔野球で〕左翼手。⇩(本文)さ【左】

【再】二度目の。「再来年・再来月・再来週」⇩さい

【〈些〉】少しばかり。わずか。「些々・些少・些細・些事」

【佐】■一❶〔味方になって〕たすける。「佐幕・輔佐(ホサ)」❷〔自衛隊で〕「将」に次ぐ階級。「陸佐・海佐・空佐」■二(略) 佐渡(サドノ)国。「佐州」

【作】❶からだを動かして、何かをする。「作業・作用・操作・発作」❷たちいふるまい。「作法・動作・所作・座作」

【沙】❶すな。「沙漠・沙金」⇩砂 ❷水で漉(コ)してより分ける。「沙汰」❸「サ・シャ」の仮借(カシャ)。「沙翁(サオウ|シャオウ)・沙(サ|シャ)門・沙羅双樹(サラソウジュ)」

【査】しらべて、事情を明らかにする。「査収・査察・査証・査定・検査・審査」

【砂】すな。「砂丘・砂金・砂鉄・白砂」 表記 「沙」とも書く。

【茶】ちゃ。「茶菓・茶飯事・茶道・茶房・茶寮・茶話会・喫茶店」

【唆】ある事を、自然にするように しむける。そそのかす。「教唆・示唆」

【差】⇩(本文)さ【差】

【詐】うまいことを言って、だます。「詐欺・詐取・詐術・詐称」

【〈嗟〉】なげく。「嗟嘆・怨(エン)嗟」

【〈瑣〉】こまかくて、わずらわしい。「瑣細・瑣少・瑣末・煩瑣」

【鎖】❶くさり。「鎖骨・鉄鎖」❷とざす。「鎖国・封鎖・閉鎖」

ざ

【〈坐〉】❶すわる。「坐高・坐禅」❷すわった姿勢のままで。「坐業・坐職」❸自分のからだを動かさないで。居ながら。「坐食」❹他の事に関係する。「連坐」 表記 常用漢字表では「座」と書く。

【座】■一すわる。「座像・座布団(ブトン)」■二❶祭神・座像や、山・林・岩石などをかぞえる語。❷劇場・劇団の名を表わす。〔星・星座をかぞえる時にも用いられる〕❸星座の名を表わす。〔かぞえる時にも用いられる〕「サソリ座」❹高炉をかぞえる語。 表記 ■一のもとの用字は、「〈坐〉」。⇩(本文)ざ【座】

【挫】くじける。「挫折・頓(トン)挫・捻(ネン)挫」

ざあ〔「ずは」の変化〕…なければ。〔口頭語的表現〕「知ら—言って聞かせやしょう」

サーカス①〔circus〕曲芸や動物の芸などを、職業として見せる人の一団。曲馬団。

サーキット①〔circuit〕❶電気回路。❷〔自動車・オートバイなどの〕競走用の環状道路。**—トレーニング**⑦〔circuit training〕腕・足・腹筋の運動というふうに、刺激する場所を順々に変えて、休まずに行なう鍛練法。持久力をつけるために行なう。

サークル⓪①〔circle=円形〕❶円陣。輪。「ストーン—〔=⇩ストーン サークル〕」❷同好会(の仲間)。「文学(の)—/—活動」❸ベビー サークルの略。

ざあざあ①（副）—と 雨が激しく降る音。また、水が勢いよく流れ落ちる音。「今日は朝から—と本降りの雨だ/—と落ちる滝の水」

ザーサイ⓪〔中国・榨菜〕⇩ザーツァイ

サージ①〔serge〕斜めに織った毛織物(の交ぜ織物)。

サーズ①【SARS】〔← severe acute respiratory syndrome〕重症急性呼吸器症候群。コロナウイルスの一種による感染症。肺炎を発症し、高熱・呼吸困難が見られ、頭痛・全身倦怠(ケンタイ)・意識混濁などを伴うこともある。

サーチ エンジン④〔search engine〕⇩けんさくエンジン

サーチャージ③〔surcharge〕追加料金。特に、航空運賃で燃料費の高騰時に徴収される割り増し料金。

サーチライト④〔searchlight〕夜、遠くの方まで照らせるようにした、大型で強力な投光器。特殊な反射鏡を用いたりする。探照灯。〔上空の敵機を探索するものは照空灯、海上の敵を探索するものは探海灯とも言う〕 かぞえ方 施設は一基:照明は一灯

ザーツァイ⓪〔中国・榨菜〕中国の漬物の一つ。四川(シセン)省産のカラシナの根を塩漬けにしたもの。ザーサイとも。

サーディン①〔sardine〕❶イワシ。❷〔← oil sardine〕イワシのオリーブ油漬け(の缶詰)。サージンとも。

サード〔third〕■一①❶〔野球で〕Ⓐ〔←米 third base〕三塁。Ⓑ〔←米 third baseman〕三塁手。❷〔自動車の変速装置で〕第三速。■二（造語）第三(の)。

サーバー〔server〕❶①⓪〔テニス・バレーボールなどで〕サーブをする側(の人)。↕レシーバー❷ ❷①⓪ 洋風料理を取り分ける、大形のスプーンとフォーク。「サラダ—④」❸①⓪

〔←コーヒー サーバー[5]〕コーヒーなどを銘々のカップに分配するための容器。❹[1][0]〔←ビール サーバー[4]〕生ビールの入った樽(タル)からビールを吸い上げて冷やし、ジョッキに注ぎ入れるために用いる器具。❺[0][1]〔コンピューターで〕そのネットワークにおける管理や特定の仕事を受け持つコンピューターの称。「ファイル―」 かぞえ方 ❷は一組・一セット

サービス [1] ―する(自他サ)〔service〕❶〈だれ ニ なに ヲ ―する〉物を直接作ったりするのではなく、生産者・消費者のために必要な便益を提供すること。金融・商業や交通・通信及び教育・公務・医務・自由業などを含む。「公共―〔=ガス・水道・電気など、一般大衆を受益対象とする事業〕」❷〈だれ ニ なに ヲ ―する〉△相手(客)の満足が得られるように、本来の△業務(仕事)以外に特別の便宜を図ったり気配りをしたりすること。「買った後まで―が行き届く/部品の方は―〔=ただに〕します/日曜日は家族―に努める/―精神〔=周囲の人を喜ばせようとする気持〕が旺盛(オウセイ)で人気のある男/―品[0]・アフター―・モーニング―・リップ―[4]〔=⇩リップ〕」❸〔ホテルやレストランで〕心を尽くす接客。❹〔テニスなどで〕サーブ。「―ライン[5]」 **―エース[5]〔service ace〕〔バレーボール・テニス・卓球などで〕相手が受けることも出来ない見事なサーブ(による得点)。 **―エリア**[5]〔service area〕❶〔ラジオ・テレビなどで〕そのラジオ・テレビ局の電波が届く範囲。❷高速道路の、休息・給油などの設備のある所。 **―ぎょう**[4](ゲフ)【―業】直接には生産に関係しない職業。金融・医療・旅館・飲食店・広告業など。 **―ざんぎょう**[5](ゲフ)【―残業】時間外の仕事をしたのに手当が支払われない△こと(残業)の通称。 **―ステーション**[6]〔service station〕❶案内やいろいろのサービスをする所。❷〔自動車の〕給油所。 **―ゾーン**[5]〔service zone〕〔バレーボールなどで〕サーバーがそこでサーブをするように定められた区域。〔そこ以外でのサーブは無効〕 **―ヤード**[5]〔和製英語 ←service + yard〕❶洗濯・ふろたきなどをするために、台所の外(ソト)に別に作った土間。❷荷物の搬出入を行なうために設けた空間。

サーブ[1] ―する(自サ)〔serve〕〔テニス・バレーボールなどで〕先に攻める側からたまを打ち出す△こと(しかた)。サービス。↕レシーブ

サーファー[1][0]〔surfer〕スポーツや趣味として「サーフィン❶」をする人。サーフライダー[4]。

サーフィン[1]〔surfing〕❶波乗り。❷一九六〇年代にアメリカに起こった軽音楽の一つ。新しいリズムを持つ。サーフミュージック。

サーフボード[4]〔surfboard〕「サーフィン❶」用の、二メートル前後の△木製(プラスチック製)の細長い板。〔広義では、ウインドサーフィンに用いるそれも指す〕

サーブル[0]〔フ sabre〕フェンシングの競技種目の一つ。腰から上の部分をねらって切ったり突いたりする。また、その競技に用いる剣。サーベルとも。⇩エペ・フルーレ

サーベイランス[3]〔surveillance〕継続した調査・監視により事態の成行きを見守ること。調査監視。

サーベル[0]〔オ sabel〕西洋風の刀。もと、軍人が指揮用に、警官が権威の象徴として用いた。 かぞえ方 一本

ざあます(助動・特殊型)「でございます」の女性語。「ざます」とも。〔多く、東京山の手の中上流階級の女性が好んで用いたとされる〕「そう―/―言葉」 文法 体言(名詞、またそれに準ずる句)、形容動詞の語幹、副詞、動詞・形容詞・助動詞(「だ・そうだ・ようだ」を除く)の終止形に接続する。

ザーメン[1]〔ド Samen〕精液。

サーモスタット[5]〔thermostat〕自動的に一定の温度を保つための仕掛け。自動温度調節装置[11]、[4]-[5]。

サーモン[1]〔salmon〕サケ。「―ステーキ[6]〔=生サケの焼いたもの〕/―ピンク[5]〔=サケの身の色のような紅色〕・スモーク―[5]」

さあらぬ[1]-[2]、[3]【《然有らぬ》】〔雅〕そうでない。「―ていで〔=なにげない そぶりで〕」

サーロイン[3]〔sirloin〕ウシの腰の上部の肉。「―ステーキ[7]」⇩テンダーロイン

さい (才・切・再・西・災・妻・采・砕・宰・栽・殺・財・彩・採・済・祭・細・菜・斎・最・裁・債・催・塞・歳・載・際・(賽)) →【字音語の造語成分】

さい

【才】■一❶木材の取引の単位。〔一才は、一寸角で長さが一間。ほぼ、三センチ角、一八二センチに相当〕「二間(ケン)才」❷船の積み荷、石材の単位。一立方尺〔=約〇・〇二七立方メートル〕。❸容積の単位。一勺(シャク)の十分の一〔=約一・八ミリリットル〕。❹織物で、一平方フィート〔=約九二九平方センチ〕。■二俗に、年齢の「歳」の代用字。⇩(本文)さい【才】

【切】数量がおおい。「一切」⇩せつ

【再】もう一度(…する)。「再婚・再度・再考・再審・再出発・再三」

【西】にし(の方)。「西域・西方・西京・関西・東西(ザイ)」⇩せい

【災】人間社会にとってありがたくない、自然の出来事。わざわい。「災害・災難・天災・人災」

【妻】つま。「妻子・妻帯・良妻・愛妻・悪妻」⇩(本文)さい【妻】

【采】❶〔模様の意〕外観。「風采・神采」❷官給の領地。「采邑(ユウ)」⇩(本文)さい【采】

【砕】❶くだく。くだける。「砕石・砕片・粉砕・破砕」❷こまかいくず。「零砕」

【宰】とりしまる。つかさどる。「宰領・宰相・主宰」

【栽】植える。また、植えたもの。「栽培・植栽・盆栽・前栽(センザイ)」

【殺】無くす。「相殺」⇩さつ

【財】たから。金銭。「財布」⇩ざい

【彩】❶絵の具でいろどる。「彩色(シキ)・彩雲・水彩画」❷美しいいろどり。「色彩・光彩」❸色の種類をかぞえる語。「五彩の絵の具/唐三彩」

【採】△よい(必要な)物だけをえらび出す。「採掘・採決・採光・採点・採録・採択・採集・採用・採血・伐採」

【済】❶仕事を全部しあげる。すます。「未済・既済・返済」❷助けすくう。「済世・救済」

【祭】❶まつる。まつり。「祭礼・大祭・祝祭」❷特定の催し。「前夜祭・文化祭・芸術祭」

【細】❶ほそい。「細流・細腰」❷こまかい。「細大・細心・子細」❸くわしい。「細論・詳細・委細」⇩(本文)さい【細】

【菜】❶なっぱ。「菜園・白菜・野菜」❷野菜。「菜根・菜食・果菜・山菜」❸おかず。「総菜(ザイ)・一汁(ジュウ)三菜」

【斎】❶物いみ△する(して、祭りを行なう)。「斎主・斎場・斎戒沐浴(モクヨク)・精進(ショウジン)潔斎」❷心静かに

読書などする部屋。〔書斎の名や屋号・雅号・芸名などにも用いられる〕「書斎」❸〔仏教で〕心身をつつしんで行なう法会。〔僧に供する食事のことにも言う〕「斎日・斎会」

【最】同類の中で、その傾向がいちばん進んでいる。「最強・最大・最良・最高・最低」⇩（本文）さい【最】

【裁】[一]❶衣服を仕立てるために布をたつ。「裁縫・断裁」❷良い事を良い、悪い事を悪いとして処理する。さばく。「裁決・裁判」[二]（略）❶裁縫。「和裁・洋裁」❷裁判所。「最高裁・家裁」

【債】[一]❶他人に果たすべき約束。負い目。「債務・債券・負債・国債・書債」❷借金を取り立てる。「債権・債鬼」[二]（略）公債。社債。「起債」

【催】❶集会を開く。もよおす。「開催・主催」❷せきたてる。「催促」❸自然にそうならせる。「催眠薬・催涙弾」

【塞】とりで。「要塞・防塞」表記「〈砦」と書くも同義。例、「鹿砦」。

【歳】❶（特定の）一か年。「歳末・歳費」❷時間の経過。〔年齢をかぞえる時にも用いられる〕「歳月」

【載】❶のせる。また、のせて、運ぶ。「積載・満載」❷書類に書きしるす。「載録・記載」❸一年間。歳。「千載一遇」

【際】❶他と接触する。「交際・国際」❷偶然に出くわす。「際会」❸ぎりぎりまで行った所。「際限・天際・水際」⇩（本文）さい【際】

【〈賽】お礼参り。「賽銭・報賽」

ざい

【在】❶ある場所を占めて居る。ある。「在位・存在・内在・不在・駐在・滞在」❷そこを△居住地（活動の本拠地）としている。「在米・在住・在所」⇩（本文）ざい【在】

【材】⇩（本文）ざい【材】

【剤】❶材料をいろいろとりまぜる。「配剤」❷その病気の特効薬として特に調合したもの。〔薬をかぞえる時にも用いられる〕「錠剤・催眠剤・調剤・薬剤」❸化学薬品。「洗剤・漂白剤」

【財】社会生活に役立つ商品や、その材料。「生産財・消費財」⇩（本文）ざい【財】

【罪】❶法に触れる非行。〔犯した者は処罰される〕「罪人・罪状・無罪・犯罪・服罪」❷戒律・道徳にもとる悪行。「罪悪・罪業・滅罪」❸あやまち。「功罪・謝罪・多罪」

さい①【才】何かをする時に目立って現われる、頭の回転の速さと対処の適切さ。「—に走る／経営に—がある／—能・天—」⇩【造語成分】

さい①【妻】「自分の妻」の意の古風な表現。⇩【造語成分】

さい①【采】❶さいころ。「—を振る〔＝筒の中に入れた采を振り出して、その目で勝負を争う〕／—は投げられたり〔＝決断が下された以上は、やりぬくよりいたしかたがない〕」❷〔古〕采配。表記❶は、「〈簺・〈賽」とも書く。「{〈骰子}」

さい①【細】こまかい△こと(点)。【—に わたる】〔説明などが〕細部に行きわたる。「微に入り—」⇩【造語成分】〔漢語表記〕とも書く。⇩【造語成分】

さい①【最】❶同類の中で、第一等とされるもの。「山は富士山を(以て)—とする」❷その傾向の一番進んでいるもの。「—敬礼・—後部③・—尖端・—前列・—重点③」⇩【造語成分】

さい①【〈犀】熱帯地方にすむ哺乳動物。鼻の頭に角がある。頭が長く首は短く、四足はゾウに似る。全身の毛が少なく皮は厚い。角は漢方薬用。絶滅の危機にある。〔サイ科〕
かぞえ方 一頭

さい①【際】これまでとは異なる現象が生じたり 新たにことが行なわれたり する特定の時点。「実験の—に注意することがある／上京の—は御一報ください／実—」⇩【造語成分】
文法「今度お会いする際お渡しいたします」「非常の際はこのボタンを押してください」などと「…際」の形で接続詞的に用いられることがある。
運用 その時を「この際意を新たにして事にのぞむべきだ」「この際君に一言忠告しておこう」などと、「この際」の形で通常とは異なった事態に直面して、意を新たにしてことにのぞまなければならない事態だととらえたり またとない好機だととらえたりすることを表わす。

さい①【差異】他と比べて違う点。「—が生じる」表記「差違」とも書く。

ざい（在・材・剤・財・罪）↓【字音語の造語成分】

ざい①【在】❶〔↑在所〕都市を中心として見た、その周縁部分。「—の言葉／青森の—」❷〔席・部屋に〕その人が今居ること。「—、不在を示す名札」⇩【造語成分】

ざい①【材】〔すぐ使える状態にある木の部分、の意〕❶加工せずに使われる、何かの主材料。例、建物・家具などを作る木、船・機械などを作る鉄など。「—〔＝ⓐ材質。ⓑ材種〕のいかんを問わず／いい—〔＝木材〕を使った普請／石—・鉄—・ラワン—」❷人材。「—を広く野に求める」❸何かの効果を△もたらす(高める)目的で使われる材料。「耐熱—・断熱—・吸音—」

ざい①【財】❶〔もと、宝の意〕Ⓐお金や、金銭的価値を有する品物。「—の蓄積／—貨・—力・理—・散—」Ⓑ〔経済学で〕生産物・商品。「生産—・中間—・最終—③」❷財産。「一代で—を成す／文化—」⇩【造語成分】ざい・さい

さいあい⓪【最愛】その人にとってだれよりも愛情をいだいている対象であること。「—の△子(妻・夫・人)」

さいあく⓪【最悪】－な（都合が）最も悪い様子だ。「—の事態を避ける／今日はついてない、—だ」↕最良・最善

ざいあく①【罪悪】道徳・法律・宗教や社会習慣などにそむく、悪い行い。「—感が薄い」

ざいい①【在位】－する（自サ）帝王などがその位にあること。また、その期間。

さいいき⓪【西域】⇩せいいき

ざいいん⓪【罪因】罪を犯すに至った原因。

さいう①【細雨】「こさめ・(こ)ぬかあめ」の意の漢語的表現。

さいうよく③【最右翼】〔旧軍関係で、右を先頭に成績順に横列したことから〕そうなる傾向を最も多く持っていること。「優勝候補の—」

さいうん⓪【彩雲】「美しく照りはえる雲」の意の漢語的表現。〔特に、朝日・夕日に照らされた雲を指す〕

さいえ①【斎会】僧尼を集めて、読経・供養をした法会。

ざいえき⓪【在役】－する（自サ）❶受刑者が刑務所で、労役に従事すること。❷軍隊に籍をおき、軍務に従事すること。

と。

さいえん[0]【才媛】 ▵文才(才能)のある女性。才女。

さいえん[0]【再演】―する(他サ)〔初演と違って〕同一の脚本に基づいて、もう一度▵上演(出演)すること。

さいえん[0]【再縁】―する(自サ)(女性が)二度目の結婚をすること。

さいえん[0]【菜園】 野菜を栽培する、庭の一区画。「家庭―[4]・学校―[5]」

さいえん[0]【最遠】 そのグループに該当するもののうちで最も遠い距離にあること。「地球から―の星雲」

サイエンス[1]〔science〕 科学。〔狭義では、自然科学を指す〕「―フィクション[6]」

さいおう[0]【再往】「再度」の意の古風な表現。〔副詞的にも用いられる〕「―の調査/一往も―も」 表記「再応」とも書く。

さいおう[0]【最奥】 そのものの最も奥の方。

ざいおう[0]【在欧】―する(自サ) ヨーロッパに▵住む(滞在する)こと。

さいおうがうま[3]-[2]、[0]-[2]【塞翁が馬】 その人にとって何がしあわせになり、何が不幸になるか、予測しがたいものだという意を表わす。〔「塞翁」は、昔、中国で、国境のとりで近くに住んでいた老人の意。塞翁の馬が居なくなったかと思うと、しばらくして駿馬を連れ帰った。その馬に乗ったむすこはけがをしたが、それで戦争に行かずに済んだ。人は、そのたびごとになげいたり 喜んだり したが、塞翁は、「福必ずしも福ならず、禍必ずしも禍ならず」と答えたという故事に基づく〕「人間万事―」

さいか[1]【才華】 ちょっとした物事にもすぐ片鱗を現わす すぐれた才能。

さいか[1][0]【再嫁】―する(自サ) 再縁。

さいか[1]【西下】―する(自サ) 東京から関西方面に行くこと。↔東上

さいか[1]【災禍】「災害」の意の古風な表現。

さいか[0][1]【採火】―する(他サ) オリンピックの聖火など、太陽熱などから火をとること。「―台[0]」

さいか[1]【裁可】―する(他サ) 君主・天皇が決裁すること。「―を仰ぐ」

ざいか[0]【在荷】 ❶現在店や倉庫にある▵荷物(商品)。❷―する(自サ) ▵荷物(商品)が現在あること。在庫。 表記「在貨」とも書く。

ざいか[1]【財貨】 金銭と、換金価値のある品物。

ざいか[1]【罪科】 ❶道徳・宗教上の掟や法律などに触れる悪事。❷法律によって処罰をすること。しおき。

ざいか[1]【罪過】 思いがけず犯した悪事。

さいかい[0]【再会】―する(自サ)〔長く別れていて〕また会うこと。「―を期して別れた」

さいかい[0]【再開】―する(自他サ) いったん中止していたことをまた始めること。また、始まること。「事故の処理が終わって運転を―する」

さいかい[0]【斎戒】―する(自サ) 神聖な行事に従事する人が、飲食・行動を慎んで、心身のけがれを除くこと。「―沐浴[0]-[0]」

さいかい[0]【際会】―する(自サ)〔めったにない出来事に〕出くわすこと。「倒産の危機に―する」

****さいがい**[0]【災害】 台風・洪水・地震・大火・感染症の流行などによる災難(と損害)。「―が起こる/―を防ぐ/大―にあう/自然―・人為―[4]・労働―」

さいがい[0]【際涯】〔一続きの土地などの〕そこで終わるという所。「―(=はてし)の無い青空」

ざいかい[0]【財界】 実業家や金融業者の社会(を代表する団体)。経済界。

ざいがい[0]【在外】 外国に▵居る(ある)こと。「―邦人[5]・―資産[5]」↔在日 **―こうかん**[5]【―公館】 外国にあるその国の大使館・公使館・領事館・代表部などの総称。

さいかいどう[3]【西海道】 もとの七道の一つ。九州と壱岐・対馬の称。

さいかいはつ[3]【再開発】―する(他サ) もう一度開発して新しくすること。「駅前―事業・人間―(=アメリカなどで経営者たちが新しい知識の吸収に努力すること)」

さいかく[0]【才覚】 ❶すばやい頭の働き。「―のある人/―が回る(=抜けめの無いくらい頭の回転がすばやい)」❷―する(他サ) 金を借りたり 計画を進めたり する上の、よいくふう。「金の―をつける」

ざいがく[0]【在学】―する(自サ)〔▵学生(生徒・児童)として〕その学校に籍を置くこと。「―中[0]」

ざいかた[0][4]【在方】「いなか」の意の古風な表現。

さいかち[0]【〈皁角〉・〈皁莢〉】 山野に生える落葉高木。枝・幹にとげがある。夏、薄黄色の花が咲く。さや・種は漢方薬用、また洗濯せっけんの代用。〔マメ科〕 表記「〈皁角〉・〈皁莢〉」は漢語表記。

さいかん[0]【才幹】 物事をうまく処理する能力。働き。 かぞえ方 一株・一本 表記「《材幹》」とも書く。

さいかん[0]【再刊】―する(他サ) ❶出版を中止していた(定期)刊行物を、また刊行すること。❷再版を刊行すること。⇩初刊

さいかん[0]【彩管】「絵筆」の美化した表現。「―をふるう」

さいかん[0]【菜館】 中華料理店などにつける名。

ざいかん[0]【在官】―する(自サ) 官職についている▵こと(期間)。

ざいかん[0]【在監】―する(自サ) 受刑者として監獄(=刑務所)に入っていること。

さいき[1]【才気】 すばらしい、頭の働き。「―あふれた会話/―縦横[1]-[0](=精神力がずばぬけてすぐれており、いかなる問題に対しても即座にてきぱきと判断を下すことが出来ること)・―煥発[1]-[0]」

さいき[1]【才器】 すぐれた才能・器量(を備えた人)。「―をもって世に知られる」 表記「《材器》」とも書く。

さいき[1]【再起】―する(自サ) 失敗・病気などの悪い状態から立ち直って、再び前と同じように活動出来るようになること。「―を▵期する(図る・賭ける)/見事に―する/―不能か」

さいき[1]【〈猜忌〉】―する(他サ)〔「猜」は「ねたむ」、「忌」は「にくむ」意〕相手の人格を信用せず、出来るだけ接触するのを避けようと思うこと。「―の念」

さいき[1]【祭器】 祭事に使う器具。

さいき[1]【債鬼】 冷酷な借金取り。「―に責められる」

さいぎ[1]【再議】―する(他サ) すでに決定した事柄を、不十分であるとして再び同一の機関が審議すること。

さいぎ[1]【〈猜疑〉】―する(他サ)〔「猜」も「疑」も、うたがう意〕相手を信用する気になれず、何かしら自分に不利な事をするのではないかと疑うこと。「―が深くなる/―を植えつける/―心[3]」

さいぎ[1]【祭儀】 祭りの儀式。

さいきどう[3]【再起動】―する(自他サ) ▵機関(機械・情報機器)が再び起動すること。また、起動させること。「コンピューターが―する/動力装置を―する」〔特に情報機器では、新しいソフトウェアのインストール後やシステムの異常時に行なわれる〕

【　】の中の教科書体は学習用の漢字，〈　〉は常用漢字外の漢字，《　》は常用漢字の音訓以外の よみ。

さいきょ①【再挙】―する(自サ) 一度失敗した事業などを、また試みること。「―を図る」

さいきょ①【裁許】―する(他サ) 〔役所などで〕書類を調べた上で許可すること。

さいきょう⓪【西京】㊀西の都。㊁〔江戸を東京と言うのに対して〕京都。「―みそ⑤」 **―やき**⓪【―焼(き)】西京味噌(ミソ)(=京都の甘い白みそ)に漬け込んだ魚の切り身を焼いた料理。「銀鱈(ギンダラ)の―」

さいきょう⓪【最強】最も強いこと。「史上―⓪-⓪」〔俗に、「最高」の意でも用いる。例、「エアコンを―にする/―の〔=最もおいしい〕ラーメン屋」〕

ざいきょう⓪【在京】―する(自サ) 〔首都である〕東京に△住む(滞在する)こと。

ざいきょう⓪【在郷】―する(自サ) 郷里に住んでいること。「ざいごう」とも。

さいきん⓪【採金】―する(自サ) 鉱石から金を採り出すこと。「―技術⑤」

さいきん⓪【細菌】単細胞微生物の一つ。分裂して増え、ほかの物に寄生して、発酵・腐敗作用を起こし、また、動植物に対して病原となるものもある。バクテリア。 **―へいき**⑤【―兵器】⇨生物兵器

さいきん⓪【細(瑾)】取るに足りない わずかな欠点。「大行(タイコウ)は―を顧みず〔=⇨大行〕」 表記 本来の用字は、「細謹」。

***さいきん**⓪【最近】㊀現在ととらえてもいいほど、近い過去。〔副詞的にも用いられる〕「―〔=つい、この間〕のニュースによれば/―では珍しいことではない/―食欲がない」 ㊁同種のものの中で、最もそれに近い△位置(状態)にあること。「地球に―の天体」

ざいきん⓪【在勤】―する(自サ) 〔ある組織の中で〕その(地域の)勤務先に△勤めて(出向して)いること。

さいぎんみ③【再吟味】―する(他サ) 最初の調べや考えでよかったかどうか、もう一度確かめること。

さいく⓪【細工】―する(自他サ) ㊀細かい部分まで手を抜かず、工夫を△凝らすこと(凝らした製作物)。「―は流々(リュウリュウ)、仕上げを御覧(ゴロウ)じろ〔=私なりに、くふうは十分こらしてあるので、出来上がりを見てください〕/精巧な―を施す/―物(モノ)が上手だ/貝―(ザイク)③・紙―(ザイク)・粘土―(ザイク)④・飴(アメ)―(ザイク)」 ㊁細かい所を適当に処理したりして、全体をうまく作り上げるようにたくらむこと。「言葉を―してもっともらしく言う/小―(コザイク)」

さいぐ①【祭具】仏壇など、祭事に使う道具。

さいくつ⓪【採掘】―する(他サ) 地中などに埋まっている鉱物や石炭・石油を掘り出すこと。

サイクリング①〔cycling〕〔用事・競走のためではなく〕軽いスポーツとして自転車に乗ること。「―車⑥」

サイクル①〔cycle=一めぐり〕㊀周期。「△景気(流行)の―/―ヒット⑤〔=野球で、一人の選手が一試合中に、ホームラン・三塁打・二塁打・単打のすべてを記録すること〕」 ㊁〔「サイクル毎秒(c/s)=ヘルツ」の略〕交流電流や電波・音波の、一秒間の振動数。「東日本の電流は五十―、西日本は六十―だ」⇨ヘルツ ㊂自転車。「―レース⑤」 **キロ―**③〔kilocycle〕周波数の単位で、千サイクルを表わす〔記号kc〕。〔現在は、キロヘルツを使用〕 **メガ―**③〔megacycle〕メガヘルツの旧称〔記号Mc〕。 **ライフ―**④〔life cycle〕⇨ライフ サイクル

サイクロトロン⑤〔cyclotron〕超高電圧を用いずに軽元素イオンを加速する装置。〔サイクロトン④は、訛(カ)形〕

サイクロン①〔cyclone〕インド洋近辺に五月・十月ごろに発生する熱帯低気圧。台風と同じ性質を持ち、強風や大雨を伴う。

さいくん①【細君】㊀自分の妻を指していう語。㊁他人の妻を指していう語。〔おもに男性が同輩以下に使う〕 表記 「妻君」は、借字。

サイケ①―に(な) サイケデリックの略。

ざいけ⓪【在家】在俗の人の称。「―仏教④」↔出家㊀

さいけい⓪【歳計】△一年(一会計年度)中の総計。

ざいけい⓪【財形】「勤労者財産形成促進制度」の略。「―貯蓄⑤〔=勤労者の財産を増加させる目的で、税法上、一定の優遇措置がとられる貯蓄〕」

さいけいこく③【最恵国】その国と通商条約を結ぶ国の中で、最も有利な扱いを受ける国。 **―たいぐう**⑦【―待遇】通商協定や通商航海条約を結んでいる二国間で、一方が他方に対し、通商・関税・航海などについて、他の国に与えている条件よりも不利にならない待遇を与えること。

ざいけいほうていしゅぎ⑨【罪刑法定主義】どのような行為が刑罰の対象となるか、また、それに対してどのような刑罰が科せられるかは、事前に法律で定められていなければならないとする立法上の立場。

さいけいれい③【最敬礼】―する(自サ) 〔「最大の敬礼」の意〕深く腰を折ってする、最も丁寧なお辞儀。「―で迎える〔=最大級の待遇でもてなす意にも用いられる〕」

さいけつ⓪【採血】―する(自サ) 診断・輸血などのために、血をとること。

さいけつ①⓪【採決】―する(他サ) 議案の採否を、賛成意見の多少によって決めること。決をとること。

さいけつ⓪①【裁決】―する(他サ) 行政官庁の行なった処分・決定に対する不服の申立てについて、行政官庁の下す判断。

さいげつ①【歳月】「としつき」の漢語的表現。「六年もの―を費やす/三年近くの―が流れる/―人を待たず〔=年月は人間の都合などにかまわず、どんどん過ぎていく〕」

サイケデリック⑤―に(な)〔psychedelic=麻薬を飲んだ時の、幻覚を伴う恍惚(コウコツ)状態の意〕色彩や音が、はなやかでくらくらするような感じがする様子だ。

さいけん⓪【再見】―する(他サ) 見直すこと。「古都―①-⓪」

さいけん⓪【再建】―する(他サ) こわれた建物や不振になった組織などを建て直すこと。「国家―の道/―にはげむ/―をめざす/―策が打ち出される/乳房―」

さいけん⓪【再検】―する(他サ) △調べ(検討し)直すこと。

さいけん⓪【細見】㊀詳しい△絵図(地図)。㊁〔江戸時代の〕遊郭の案内書。

さいけん①⓪【債券】公債・社債などの有価証券の汎(ハン)称。

さいけん①⓪【債権】貸したお金や財産を返してもらう権利。「―者③・売上―⑤」↔債務

さいげん③⓪【再現】―する(自他サ) 視野・聴覚から失われ△た(ようとする)ものを、なんらかの方法で人前に現出したり復旧したりすること。また、そのように見えること。

さいげん③【際限】〔「―が無い/―無く」などの形で〕いつ△終わる(限界に達する)とも知れない様子である意を表わす。「欲には―〔=とどまるところ〕が無い/子供たちの質問は次から次へと―無く続いた」

ざいげん⓪③【財源】事業などをするのに必要なお金(の出所)。「―を△生み出す(食われる)/―が△浮く(乏しい)」

ざいげん⓪【罪源】罪のみなもと。「キリスト教の七つの―」

さいけんとう③【再検討】―する(他サ) 問題点があるとして、もう一度根本に立ち戻って調べたり考えたりすること。「―を△要する(求める・迫る・迫られる)」

サイコ〔造語〕〔psycho〕精神の。心理の。「―アナリシス」

さいこ①【最古】〔同種のものの中で〕最も古いととらえられるものであること。「現存する―の木造建築」

＊**さいご**①【最後】❶幾つか続いているものの最も△あと(うしろ)にある△こと(もの)。「列の―につく/―の一線を守る/―の望みを託す/最初にして―の機会/あの時を―に彼の消息は絶えた」↕最初 ❷決定的な事態を招く時点であること。「言ったが―、捨てておかぬぞ/フィルムは一度感光させたら―だ」 **―つうちょう**(オ)④テフ【―通〈牒】平和的交渉を打ちきり、最後的な要求を示すと共に、それが認められなければ、自由行動・実力行使をすることを述べた外交文書。〔広義では、話合いを打ちきり、相手に通達する最後的な要求をも指す〕「―を突きつける」 **―っぺ**③【―っ〈屁】イタチが追いつめられた時に出すくさいガス。〔困ったあげく考えついた(意表外の)手段の意のたとえに用いられる〕

さいご①【最期】〔命の終わる時の意〕人の一生や王朝・国などの終りの時。「ローマ帝国の―/あえない―を遂げる/―をみとる」

ざいこ⓪【在庫】―する(自サ) 品物が、倉庫にあること。ストック。「―品⓪・―僅少(キンショウ)⓪-⓪」 **―とうし**(オ)④【―投資】―する(自サ) 生産した品物について、企業者が在庫品の総額を増加させるという形で行なう投資。

サイコアナリシス⑤〔psychoanalysis〕 精神分析。

さいこう(オ)⓪カウ【再考】―する(他サ) 不都合な点などがあって、もう一度根本に立ち戻って考えること。「―を△促す(求める)/―の余地が無い」

さいこう(オ)⓪カウ【再校】 初校によって訂正された校正刷り(の校正)。⇩初校

さいこう(オ)⓪【再構】―する(他サ) 〔一度組織の崩れたものを〕元通りに△構成(構築)すること。

さいこう(オ)⓪【再興】―する(自他サ) 〔滅亡し(かけ)た国などを〕もう一度盛んにすること。また、そのようになること。

さいこう(オ)⓪クワウ【砕鉱】―する(自他サ) 鉱物に含まれる成分を分離するために、鉱石を砕くこと。「―機③」

さいこう(オ)⓪クワウ【採光】―する(自サ) △日光を取り入れて(電灯などを効果的に使用して)室内を明るくすること。「―窓(ドマ)⑤」

さいこう(オ)⓪クワウ【採鉱】―する(自他サ) 鉱石を採掘すること。

さいこう(オ)⓪【細孔】 細いあな。

さいこう(オ)⓪カウ【最好】―な その事に最も適当と思われる様子だ。

＊**さいこう**(オ)⓪カウ【最高】↕最低 ❶―に 程度や地位・序列などが最も△高い(すぐれている)△こと(様子)。〔副詞的にも用いられる〕「―一番止まりだった/今年―の人出を記録した/―におもしろい/―記録⑤・―点・―温度(計)・―気温⑤」 ❷〔感動詞的に〕それ以上は望めないほどの満足感を味わった、という気持を表わす。「今日のライブもう―」 **―がくふ**⑤【―学府】学問を学ぶ最高の機関としての大学。〔特に、大学の数が少なかった旧制度下における旧帝大や一部私立大学の異称〕 **―けん**③【―検】「最高検察庁」の略。 **―げん**③【―限】最も高い方の限界。「罰金の―を引き上げる」↕最低限 **―けんさつちょう**(オ)⑧⑦チャウ【―検察庁】 最高裁判所に対応する範囲内の検察事務を取り扱う官庁。 **―さい**③【―裁】「最高裁判所」の略。 **―さいばんしょ**⑨⓪【―裁判所】 上告・特別抗告についての裁判をし、一切の法律・処分などが憲法に合っているかどうかを決める、終審裁判所。〔もとの大審院に当たる〕 **―ぜん**③【―善】 至善。

さいこう(オ)⓪カウ【催行】―する(他サ) 団体旅行などを予定通りに実施すること。「観戦ツアー―が確定する/最少―人員」

ざいこう(オ)⓪カウ【在校】―する(自サ) ❶△勤めて(通って)いる学校に、その時間居ること。「午前中―」 ❷在学。「―生代表③-⓪」

ざいごう(オ)⓪ガウ【在郷】 いなか(に居ること)。 **―ぐんじん**⑤【―軍人】 予備役(キエ)にある陸海空軍の軍人。

ざいごう(オ)⓪ゴフ【罪業】 〔仏教で〕❶将来、罪を受けるはずの、悪い行為。「―の深さに自らおののく」 ❷罪の結果としてのむくい。

さいこうきゅう(オ)③カウキフ【最高級】 最も高級なこと。

さいこうちょう(オ)③カウテウ【最高潮】 感情や緊張が最も△高まること(高まった状態や場面)。クライマックス。「―に達する」

さいこうび(オ)③【最後尾】 長くつながったものの、最もうしろ。「列の―/列車の―」

さいこうほう(オ)③カウー【最高峰】 〔一群の山の中で〕最も高い山。〔その社会で、最もすぐれたものの意にも用いられる。例、「楽壇の―」〕

さいこうれつ(オ)③【最後列】 幾つか並んだ列の、最もうしろの列。↕最前列

さいこく⓪【催告】―する(他サ) 〔法律で〕相手方に一定の行為をせよと催促すること。

さいごく⓪【西国】 ❶西の方の△国(諸国)。 ❷九州地方。 ❸「西国三十三所」の略。「―巡礼⑤、⓪-⓪」〔古くは、「さいこく」〕 **―さんじゅうさんしょ**⓪-①-①ジフ【―三十三所】 京都を中心とする三十三か所の観音巡礼の霊場。

ざいこく⓪【在国】―する(自サ) ❶〔他国に居る人から見て〕問題とする国に居ること。「―中はお世話になりました」 ❷江戸時代、大名やその家臣が、領国で暮らすこと。↕在府

サイコセラピー④〔psychotherapy〕 心理療法。精神療法。

サイコパス④〔psychopath〕 パーソナリティー障害のうち、冷酷で他者への共感に欠け、極端に自己中心的であるなどの傾向を持つ人。「精神病質者」とも。

さいころ③【〈賽ころ】 すごろくなどに使う、小形・立方体の用具。各面に、一から六までの目が刻んである。采(サイ)。〔采が、ころがりやすいところから言った語〕「―を振る/―を転がす」 表記「〈賽《子・〈骰《子」とも書く。

サイコロジー③〔psychology〕 心理(学)。

さいこん⓪【再建】―する(他サ) 神社・寺などを建て直すこと。

さいこん⓪【再婚】―する(自サ) 〔初婚に対して〕離婚した人や、配偶者に死別した人が、改めて結婚すること。〔二度目以降にも使う。例、「二度も―する」〕

さいさい⓪【再々】(副) 〔「細々」の変化〕その事が〔間をおかず〕何回も繰り返される様子。「―勧誘の手紙が来る/―話題として取り上げられる」 **―ど**③【―度】(副) 二度ならず三度以上。なんべんも。「―の交通災害」

さいさい⓪【歳々】(副) ⇩年々(ネンネン)歳々

さいさい⓪【済々】―たる ―と ⇩せいせい

さいさき⓪【《幸先】 何かを始める時に、その事がうまく行きそうな感じを受ける出来事。(よいことのある)前兆。「―のよいスタート」

さいさよく③【最左翼】 ❶最も左翼的な思想(の持ち主)。また、その集団。 ❷〔もと軍関係の学校で〕同期の最下位にあること。「不器用で射撃はいつも―だった」

サイザル ロープ⑤〔sisal rope〕「サイザル麻(サア)④〔=メキシコ原産の多年草。キジカクシ科(旧リュウゼツラン科)〕」で

作った、丈夫な綱。

さいさん[0]【再三】(副) その事が一回では終わらず、二度、三度と繰り返される様子。「—注意したにもかかわらず事故を起こしてしまった/—にわたる合理化で社員の数が半分になった」 運用 結婚などの祝宴の場では避けるべき言葉とされる。 **—さいし**[5]【—再四】(副) 「再三」の意の強調表現。

*__さいさん__[0]【採算】 利益があるかどうか、収支を計算してみること。「—が△合う(成り立つ)/—がとれる(=ひきあう❶)/—(ベース)に乗る/—割れ[0](=ひきあわないこと)・—性[0]」

__ざいさん__[1]【財産】 自分自身が蓄積したり、親などから譲り受けた金銭、またはそれと等価値を有する土地・家屋・宝石など。〔広義では、文化遺産をも含む〕「—として美術品を買う人もいる/健康は私が親からもらった唯一の—だ」 **—か[0]【—家】 財産の多い人。金持。 **—く**[3]【—区】 ⇩区 **—けい**[3]【—刑】 財産を取り上げる刑罰。罰金・科料・没収の三種がある。 **—けん**[3]【—権】 その人の所有物として何らかの金銭的価値を主張出来る権利。所有権・物権・債権・無体財産権など。

さいし[1]【才子】 頭の働きのすぐれた人。〔人格の高潔とか品行の良否、金銭欲の有無などを抜きにして言うことが多い〕「—才に△倒る(溺れる)/軽薄—[5]」 **—たびょう**[1]-[0]【—多病】 才子はとかく病気がちなこと。

さいし[1]【再思】—する(他サ) 原点に立ちかえって、考え直すこと。「建学の意義を—すべきである」

さいし[1]【妻子】 その人の妻と子。「—ある身で」

さいし[1]【祭司】〔ユダヤ教で〕祭典や宗教上の職務を専門に受け持つ人。

さいし[1]【祭〈祀】「(神や祖先の)祭り」の意の漢語的表現。「祖先の—/—料[3](=お供物料)」

さいじ[1]【祭事】 祭り。

さいじ[0]【細字】 ❶(米粒に何百字・何千字と書くような)ごく細かい文字。「—書き[0]」 ❷ほそ字。「—用フェルトペン[0]-[3]」

さいじ[1]【細事】 どうでもいい、小さな事柄。「—にこだわらず」

さいじ[1][0]【催事】〔デパートなどで〕展示会・展覧会・特別企画のセールなどの催し物を行なうこと。 **—じょう**[0]【—場】 展示会・展覧会などの催し物を行なうことを主たる目的とした施設。〔狭義ではデパートのそれを指す〕

さいじ[1]【〈蕞爾〉】—たる —と 〔「蕞」は小さい意〕「とるに足らないほどちいさい」の意の漢語的表現。

さいしき[0]【才識】 △才知(才能)と識見。

さいしき[0]【彩色】—する(自サ) 美しいいろどり(を加えること)。「(…)に—を施す/—画[0]・極(ゴク)—」

さいしき[0]【祭式】 祭りの方式・作法。

さいじき[3]【歳時記】 ❶一年じゅうの行事とそれにまつわる生活などを書いた本。 ❷俳句の季語を集めて解説し、例句を載せた本。歳事記。

さいじつ[0]【祭日】 ❶△神社(皇室)の祭りを行なう日。〔狭義では、皇室の祭りである春季皇霊祭『=春分の日』、秋季皇霊祭『=秋分の日』、新嘗(ニイナメ)祭『=勤労感謝の日』などを指した〕「祝—」 ❷〔神道(シントウ)で〕死んだ人を祭る当日。 ❸「祝日❶」の俗称。

さいじつ[0]【斎日】 その宗派の信者が潔斎することを求められる、一定の日。「四季—」〔仏教では、サイニチと言うことが多い。例、「六斎日『=八、十四、十五、二十三、二十九、三十日』」〕

ざいしつ[0]【在室】—する(自サ) その部屋に居ること。

ざいしつ[0]【材質】 ❶幹の内部の堅い部分。 ❷材木(として)の性質。「—が堅い」 ❸〔美術などで〕材料の性質。

ざいしつ[0]【罪質】 その犯罪の性質。

さいして[1]【際して】 ⇩さいする(際する)

ざいしゃ[0]【在社】—する(自サ) その会社に(勤めて)いること。

さいしゅ[1]【採取】—する(他サ) ❶研究・調査などのために必要なものを、そこ△から取る(で集める)こと。「指紋を—する/血液—[5]」 ❷自然物の中から有益な物を、その時どきの必要により選び採ること。「△アワビ(砂金)を—する/石油からアルコールを—する」

さいしゅ[1]【採種】—する(自サ) 〔次回にまくものとして〕種を採ること。

さいしゅ[1]【祭主】 ❶〔伊勢神宮の〕神官のかしら。 ❷祭事を、主になって行なう人。

さいしゅ[1]【斎主】 神官を招いて、祭りを行なってもらう主催者。

ざいしゅ[0]【材種】 材料の種類。「スキー木部の—」

ざいしゅ[0]【罪種】 犯罪の種類。「—別に分類する」

*__さいしゅう__[0]【採集】—する(他サ)〈(なにデ)なにヲ—する〉 研究・調査などのために、同類のもの(の見本)を広く集めること。「植物の—」

さいしゅう[0]【最終】 ❶〔時間的に一続きの物事の〕最も終り。「—局面を迎える/—的[0](=途中にいろいろな経緯があったが、最後にたどりついた結果としてはそうなった様子)・—公判[5]」 ↕最初 ❷「最終△列車(電車・バス)」の略。 ↕始発 **—しょう**[3]【—章】 ❶章立てのある書籍の最後の章。 ❷長編物語や、段階のある事象の最終段階。「ライバル同士の対決は—に突入した」

ざいじゅう[0]【在住】—する(自サ) その土地に住んでいること。「パリーの邦人/—者[3]」

ざいしゅく[0]【在宿】—する(自サ) 外出などせずに家にとどまっていること。

さいしゅつ[0]【再出】—する(自他サ) 同じ文字や語句が、また別の所に出て来る(ようにする)こと。 ↕初出

さいしゅつ[0]【歳出】 国家や公共団体などで、一会計年度内の支出(の総計)。 ↕歳入

さいしゅつにゅう[4][3]【歳出入】 歳出と歳入。

さいしゅっぱつ[3]【再出発】—する(自サ) ❶出発し直すこと。 ❷(気分をあらたにして)出直すこと。

さいしょ[0]【細書】—する(他サ) 細かい字で書くこと。また、その書かれた文字。

*__さいしょ__[0]【最初】 順序関係において、同類のどれよりも前であることを表わす。「—のページから誤植がある/—のうちはおとなしかった」 ↕最終・最後

さいじょ[1]【才女】 頭の働きのすぐれた女性。〔狭義では、文才のある女性を指す〕

さいじょ[1]【妻女】〔もと、妻と娘の意〕その人の妻。

ざいしょ[0][3]【在所】〔もと、「すみか」の意〕 ❶出身地である)いなか。 ❷—する(自サ) その事務所・研究所などに(勤めて)いること。

さいしょう[0]【妻〈妾】 妻とめかけ。「—同居[5]」

さいしょう[0]【宰相】〔もと、参議の唐名(トウミョウ)〕「総理大臣」の別称。「一国の—」

さいしょう[0]【細小】 細かくて小さなこと。

さいしょう[0]【最小】 ある△範囲(条件を満たすもの)の中で、最も小さなこと。 ↕最大 **—げん**[3]【—限】〔↑最小限度[5]〕それ以上は切りつめることが出来ない、ぎりぎりの範囲。「必要—の/損害を—にとどめる/—の生活規模」 ↕最大限 表記 「最少限」は誤り。 **—こうばいすう**[7]【—公倍数】 ⇩公倍数 **—にじょうほう**[0]-[0]、[6]

さ

【―二乗法】〔統計学で〕いくつかの観測された値と真の値の推定値との差の二乗の和が最小になるように計算して、誤差を最小に食いとめる技法。〔「さいしょうじじょうほう」とも言い、その際は「最小自乗法」とも書く〕

さいしょう[0]【最少】❶最も少ないこと。↔最多 ❷最も若いこと。最年少。↔最長

さいじょう[0]【祭場】祭りを行なう場所。

さいじょう[0]【斎場】葬儀を行なう△場所(施設)。「青山―[5]」

さいじょう[0]【最上】❶最も△上(上層)に位置すること。「―位[3]・―階[3]・―段[3]・―品(=最高の品)」❷考えられるうちで、最も願わしいこと。「―の喜び」 ―きゅう[3]【―級】❶程度が最も高いこと。「―の学年」❷〔英文法などで〕形容詞・副詞の変化形のうち、最も高い程度を表わす形。⇩原級・比較級

さいじょう[0]【催場】(デパートなどの)催事場。「食品―[5]」

ざいしょう[0]【罪証】その罪を犯したという、確かな証拠。「―を△挙げる(示す)/―隠滅のおそれ」

ざいしょう[0][3]【罪障】〔仏教で〕極楽往生の妨げとなる△原因(行為)。「―消滅[0]-[0]」

ざいじょう[0]【罪状】その人が罪を犯した時の具体的状況。「―認否[5]」

さいしょき[3]【最初期】最も早期に属する一時期。

さいしょく[0]【才色】女性の才知と美貌。「―が兼ね備わる/―の誉れが高い/―兼備[5]」

さいしょく[0]【彩飾】―する(自サ)(金銀などを用いて)あでやかにいろどりをすること。「―本[0]」

さいしょく[0]【菜食】―する(自サ)〔肉類を食べず〕野菜を副食とすること。「―主義[5]」↔肉食

ざいしょく[0]【在職】―する(自サ)その職務に就いていること。「―期間[5]・―年限[5]」

さいしん[0]【再診】―する(自サ)〔初診に対して〕(日を置いた)二度目(以降)の診察・治療。

さいしん[0]【再審】―する(他サ)もう一度△審判(審理)すること。

さいしん[0]【細心】―な 注意が細かいところまで行き届く様子だ。「―の注意を払う/―の配慮」[派]―さ[0][3]

さいしん[0]【最深】最も深いこと。「湖の―部」

さいしん[0]【最新】その時点で最も新しいものであること。「―の△技術(設備)/―式の医療機器/―版[0]」

さいじん[0]【才人】いろいろな面にすぐれた才能を発揮する人。小器用な人。

さいじん[0]【祭神】その神社に祭ってある神。

サイズ[1]〔size〕❶乗り物や生活用品、家具などの大きさ・寸法。❷〔洋服・帽子・靴などの製品の〕その人に合うかどうかという点から見た大きさ・寸法。❸食料品や料理などの、必要に応じた大きさや量。

ざいす[0]【座椅子・〈坐椅子】日本間ですわる時に用いる背中をもたせかける道具。[かぞえ方]一台・一点

さい・する[3]【際する】(自サ)〔一般に「…に際し(て)」の形で〕通常とは異なるととらえられる事態に直面することを表わす。「卒業に際し校庭に記念植樹をする/開会に際してひと言御挨拶申し上げます/未曽有の難局に際して超党派で策を講じる」

さいすん[0]【採寸】―する(自他サ)〔洋服を作る時などに〕からだの必要な部分の寸法を計ること。

さいせい[0]【再生】―する(自他サ)❶生き返ること。❷新生❸。「―を図る/―の一歩を踏み出す」❸生物が、失われた一部の組織や器官を生命力により再び作り出すこと。また、人工でそのようにすること。「トカゲの尾が―する/鼓膜の―手術」❹〔心理学で〕過去に意識したことを、また意識にのぼせること。❺廃物を加工して、もう一度使えるようにすること。「―品[0]・―繊維[5]」❻録音・録画したテープやCDなどの音や映像を再現させること。「ビデオを―する/―装置[5]」 ―いりょう[5]【―医療】機能が損なわれた皮膚・臓器などの人体組織を、組織工学の成果を応用して再生・回復させる医療。 ―かのうエネルギー[9][10]【―可能エネルギー】なくなることなく、いつまでも利用できるエネルギー。太陽光・風・海流・地熱・バイオマスなど。 ―し[3]【―紙】一度使った紙を溶かして再生パルプとし、すき直して作った紙。

さいせい[0]【再製】―する(他サ)❶△廃物となった物の部品を適当に組み合わせて(加工の段階で出たくずなどから)同種の商品を新たに作ること。「―毛[3]」❷加工した物を高い品質の物に作り変えること。「―あめ[3]」

さいせい[0]【済世】「(乱れた)世の中を救うこと」の意の漢語的表現。「―の道」

さいせい[0]【祭政】祭りと政治。「―一致[0]-[0]、[5]」

さいせい[0]【最盛】その物事の最も盛んな状態。「―期を過ぎる」

ざいせい[0]【在世】故人が生きていた間(のこと)。「―中△は(の)」

ざいせい[0]【財政】△国家(地方公共団体)が成り立っていくために営む経済上の行為。〔転じて、個人の家計をも指す〕「―を立て直す/―が苦しい/―難に陥る」 ―とうゆうし[7]【―投融資】国の財政活動として、住宅・道路・通信・地域開発などに向けられる投資および融資の総称。財投債(=国債の一種)発行による調達資金などを用いる。

さいせいさん[3]【再生産】―する(他サ)❶〔経済学で〕一定の期間(=普通は一年ごとに)繰り返して生産が行なわれること。❷前に生産されたものから得た利益を基にして、また新たな生産を行なうこと。「拡大―[7]・縮小―[7]」

さいせき[0]【砕石】細かに砕いた石。バラス。

さいせき[0]【採石】―する(自サ)石材を切り出すこと。「―場[0]」

ざいせき[0]【在席】―する(自サ)その人が自分の職場で、勤務していること。

ざいせき[0]【在籍】―する(自サ)団体・学校などに、籍があること。 ―せんじゅう[0]-[0]、[5]【―専従】一般公務員や教職員が、籍をその団体・学校に置いたまま、労働組合の事務だけに従事すること。また、その人。

ざいせき[0]【材積】木材・石材の体積。

ざいせき[0]【罪責】犯罪の責任。

ざいせき[0]【罪跡】犯罪を犯したことの証拠になるあと。「―をくらます」

さいせつ[0]【再説】―する(他サ)△繰り返して(もう一度)説くこと。

さいせつ[0]【細説】―する(他サ)細かいところまで説明すること。

さいせん[0]【再選】❶―する(他サ)〔選挙などで〕同じ人をもう一度選出すること。「―禁止の規定」❷二度目の当選。

さいせん[0]【〈賽銭】神仏に参詣した時に供えるお金。「―箱に―を投げ入れる」

さいぜん[0]【最前】❶前後に並ぶもののいちばん前。「―の席」❷今から見てほんの少し前。〔副詞的にも用いられる〕「―説明いたしましたように」

*さいぜん[0]【最善】Ⓐ物事の対処のしかたなどについて、い

くつか選択の余地がある中で最もすぐれていると判断すること。「―の方法」Ⓑ〔「―を尽くす」の形で〕(期待通りの成果を得られなかったものの)可能だと考えられるすべての方法を試みる。「遭難者の救出に―を尽くす」↕最悪

さいぜん⓪【△截然】―たる ―と ⇨せつぜん

さいぜんせん③【最前線】㊀敵側に最も近い所にある陣地。㊁(多くの人を従え)先頭に立って何かを推進する立場。「△研究(販売)の―で活躍する」

さいせんたん③【最先端・最〈尖端〉】㊀細長く伸びた物や突出した場所の、最も先の部分。㊁科学技術や時代の潮流の最も△進んだ(新しい)部分。「―の技術/流行の―を行く」

さいぜんれつ③【最前列】幾つか並んだ列の、最も前の列。↕最後列

さいそう⓪【才藻】「文才」の意の古風な表現。

さいそう⓪【採草】㊀家畜の飼料として雑草を刈り取ること。「―地③」㊁海草類を海岸や海中から採ること。
表記 ㊁は、「採藻」とも書く。

さいぞう③⓪【才蔵】〔万歳で〕太夫の相手をして人を笑わせる男。〔狭義では、あいづちばかり打つ人を軽蔑して言う〕

さいそく⓪【細則】個々の規則の具体的な運用などを定めた規則。↕概則・総則・通則

***さいそく**①【催促】―する(他サ)〈だれ ニ なに ヲ―する〉△約束を果たす(希望をかなえてくれる)ようにと、せきたてること。「―がましい⑦」

ざいぞく⓪【在俗】〔仏教で〕頭をまるめたり僧衣をつけたりせず、普通の生活をしている△こと(人)。↕出家

さいた⓪【最多】最も多いこと。↕最少

ざいた⓪【座板・〈坐板】椅子・腰掛けの部分で、尻をのせる所。

サイダー①〔cider=りんご酒〕炭酸水に甘ずっぱい味をつけた清涼飲料水。かぞえ方 一本

さいたい⓪【妻帯】―する(自サ)妻を△持つ(持っている)こと。「―者③」

さいたい⓪【〈臍帯】「臍への緒」の漢語的表現。 **―けつ**③【―血】臍の緒に含まれる血液。赤血球・白血球などの血液細胞の供給源となる細胞を多く含むため、白血病などの治療に用いられる。「―移植⑦」

さいだい⓪【細大】細かなことと、大きなこと。「―漏らさず〔=すっかり。全部〕語る」

さいだい⓪【最大】ある△範囲(条件を満たすもの)の中で、最も大きいこと。「―の△関心事(見所)/―の山場を越える/―級のほめ方」↕最小 **―げん**③【―限】〔↑最大限度⑤〕それ以上は超えることが出来ない、ぎりぎりの範囲。「能力を―に発揮する」↕最小限 **―こうやくすう**⑧⑦【―公約数】⇨公約数

さいたく⓪①【採択】―する(他サ)〔同類の中から〕いいものとして(選んで)それを受け入れること。「△宣言(決議)が―される/教科用図書の―」

ざいたく⓪【在宅】―する(自サ)(自分の)家に居ること。「土曜はご―ですか/―医療⑤・―勤務⑤」 **―かいご**⑤【―介護】寝たきりの高齢者など、介護を必要とする人を、施設に入れずに家庭内で世話すること。「―サービス⑧〔=デイケア、デイサービスなど〕」

さいたる①【最たる】(連体)同類の中で、その傾向が最も進んでいる。「筆不精の―ものだ」

さいたん⓪【採炭】―する(自サ)石炭を採掘すること。

さいたん⓪【最短】最も短いこと。「―距離」↕最長

さいたん⓪【歳旦】㊀「元旦」の意の古風な表現。↕歳暮 ㊁新年。 **―ちょう**⓪【―帳】俳諧の宗匠が正月、門人から集めた句を書きしるしたもの。

さいだん⓪【祭壇】神仏・死者の霊などを祭り、供え物をささげておく壇。〔狭義では、祭事を行なう壇を指す〕

さいだん⓪【細断】―する(他サ)〔紙片などを〕細かく切り刻むこと。

さいだん⓪【裁断】―する(他サ)㊀(型に合わせて)鋼材や布などを切ること。シャーリングやカッティング。㊁事柄のよしあしをはっきりと決めること。「―を下す」 **―ひひょう**⑤【―批評】〔文学・美術などで〕一定の立場から断定的に下す批評。

さいだん⓪【△截断】―する(他サ) ⇨せつだん

ざいだん⓪【財団】㊀一定の目的のために提供された財産の集団で、法律上一個の物権と見なされるもの。㊁「財団法人」の略。「育徳―⑤」 **―ほうじん**⑤【―法人】ある目的のために提供された財産を管理・運営するための法人。一般財団法人と公益財団法人とがある。⇨社団法人

さいち①【才知・才〈智】頭の働き。知恵。

さいち①【細緻】―な〔仕事などの しかたが〕細かく行き届く様子。「―な研究」

さいちゅう⓪【細注・細〈註】詳しい注釈。

***さいちゅう**①【最中】今行なわれている物事が、△進行し、継続している(最も盛んな)状態の時。「試合の―に/雨が降っている―に/演説の―に倒れる/料理の仕上げの―には話し掛けてはいけない」文法 動詞による連体修飾には、動作・作用の進行・継続を表わす「…ている」が用いられる。

ざいちゅう⓪【在中】―する(自サ)〔封筒の中などに〕その物が入っていること。「写真―⓪―⓪」

さいちょう⓪【再調】―する(他サ)「再調査」の略。

さいちょう⓪【最長】㊀最も長いこと。「―不倒距離⑧」↕最短 ㊁最も年上なこと。最年長。↕最少

ざいちょう⓪【在庁】―する(自サ)㊀出勤してその官庁に居ること。㊁その官庁に在籍していること。

ざいちょう⓪【在朝】昔、朝廷に仕えて、要職についていたこと。↕在野

さいちょうさ③【再調査】―する(他サ)前に調べた事に不審があった時や、思わしい結果が出ない場合に、もう一度調べ直すこと。

さいちょうほたん⓪―⓪【採長補短】人のすぐれている点を採り入れて、自分の欠点を補うこと。

さいづち④⓪③【才〈槌】木で作った小形の槌。表記「《木《椎」とも書く。 **―あたま**⑤【―頭】額と後頭部が共に出っ張った頭。〔軽い侮蔑を含意することがある〕

さいてい⓪【再訂】―する(他サ)二度目の改訂。〔「三訂」とも言う〕

さいてい⓪【最低】↕最高 ㊀―な 程度や序列などが最も△低い(劣っている)△こと(様子)。「最高と―の差が極めてわずかだ/―の生活を保障する/あんなことをするなんて人間として―だ/―点③・―賃金⑤・―温度(計)⑤・―気温⑤」㊁〔感動詞的に〕それ以上ひどいことはないと不愉快に感じる気持を表わす。「雨には降られるし列車は遅れるし、この旅行は―」 **―げん**③【―限】最も低い方の限界。↕最高限

さいてい⓪【裁定】―する(他サ)相対立する当事者間に意見の不一致がある場合に、第三者が裁断を下すこと。「仲裁―⑤」

ざいてい⓪【在廷】―する(自サ)その法廷に出頭していること。

さいてき⓪【最適】―な 最も適している△こと(様子)。「この仕事に―の人」

ざいテク⓪【財テク】〔←財＋テクノロジー(technology)の略〕株式や不動産などに資金を出し、うまく運用して収益を上げること。「―に狂奔する」

さいです③「さようでございます」の口頭語的な圧縮表現。「『店のご主人ですか』『―』」

さいてん⓪【再転】―する(自サ) もう一度変わること。

さいてん⓪【採点】―する(他サ) 点数をつけること。

さいてん⓪【祭典】祭りの儀式。お祭り。「美の―」

さいでん⓪【祭殿】祭りの行事を行なう建物。

ざいてん⓪【在天】―する(自サ) 天上にあること。「―の霊」

サイト①〔←at sight=所持人が手形を呈示すること〕手形・信用状などの、決済期限。「―九十日(=九十日目が期限)」 表記「済渡」は、字義を考慮した音訳。

サイト〔site〕■⓪①ウェブサイトの略。■(造語) 敷地。用地。「キャンプ―④・ダム―」

サイド①〔side=横〕❶何かの、わきの方。「プール―④」❷何かをするときに、どちらの側の立場に立つかということ。「経営者―の論理」❸サイド スロー・サイド ブレーキの略。

さいど①【再度】「ふたたび」の意の漢語的表現。〔副詞的にも用いられる〕「―訪ねる／―連絡を試みる」

さいど①【彩度】色相(シキソウ)の中の、白色・黒色などの交じりぐあいによるあざやかさの度合。その色の特徴となる要素が濃く、濁らないさえた色が高彩度。⇩明度

さいど①【済度】―する(他サ)〔「度」は、悟りの彼岸(ガン)へ渡す意〕仏が、人間の悩み・迷いを解決してやること。「衆生(シュジョウ)―④」

さいとう⓪【彩陶】表面に色をつけて焼いた陶器。

さいどう⓪【細動】〔医学で〕心筋が正常に機能している人と比べて、頻繁にまた不規則に収縮したり拡張したりすること。「心房―・心室―⑤・除―器」

サイドカー③④〔sidecar〕オートバイのわきにつけた車両。わきに車両をつけたオートバイ。かぞえ方 一台

さいとく⓪【才徳】頭の働きと人格がすぐれていること。

さいどく⓪【再読】―する(他サ) 読み△返す(直す)こと。 **―もじ**⑤【―文字】漢文の訓読の際に、二度読む字。例、「未」を「いまだ…(せ)ず」、「当」を「まさに…(す)べし」と読むなど。

サイド ステップ⑤〔side-step〕❶〔ラグビーで〕走る方向を急に変えること。❷スキーの側面を雪の表面に当ててすべる方法。

サイド スロー⑤④〔sidearm throwの日本語形〕〔野球で〕たまを横から投げること。横手投げ。サイドハンド スロー⑧⑦とも。⇩オーバー スロー・アンダー スロー

サイド テーブル④〔side table〕机のわきなどに置く、補助的な机。わきづくえ③。かぞえ方 一台

サイド ビジネス④〔side business〕本職や専門以外の△仕事(事業)。副業。内職。

サイド ブレーキ⑤〔和製英語 ←side＋brake〕停車中の自動車が動かないようにきかせるブレーキ。ハンドブレーキ。「―を軽く引いたまま走る」

サイドボード④〔sideboard〕❶二、三段の棚から出来ている(室内装飾的な)家具。グラス・洋酒などを入れて並べておく。❷電車・客車の横についている、行く先標示板。かぞえ方 ❶は一本。❷は一枚

サイトマップ④〔site map〕ウェブサイトの全体の構成が、目次のように一覧できるページ。

サイド ミラー④〔side mirror〕自動車などの前両側にとりつけてあるバック ミラー。ドア ミラー③。

サイド メニュー④〔和製英語 ←side＋menu〕〔飲食店で〕メインの料理以外に注文する料理。「―が豊富な喫茶店」

サイドライン④〔sideline〕❶〔テニス・バレーボールなどで〕長方形のコートの長い方の辺として引いた線。〔サッカー・ラグビーではタッチラインと言う〕❷傍線。

さいとり④③【才取り】〔取引所の中に居て〕売買の注文を取り次いで口銭(コウセン)を取ること(を職業とする人)。

サイド リーダー④〔和製英語 ←side＋reader〕〔外国語教材などの〕副読本。

サイドワーク④〔和製英語 ←side＋work〕副業。内職。〔英語では、side job や sideline などと言う〕

さいな・む③【《苛む》】(他五) 休むこと無く苦痛を与えて責める。「△良心(不安)にさいなまれる」表記 古くは「《叱む》・〈呵む〉」と書いた。

さいなら③④「さよなら」の△くだけた(ぞんざいな)言い方。

＊**さいなん**③【災難】不意に起こる、不幸な出来事。〔主として個人の身に生じた場合に言う〕「不慮の―に遭う／乗客全員が未曽有の―に見舞われる」

ざいにち⓪【在日】―する(自サ) 日本に△住んでいる(ある)こと。「―中に見初めた彼女と結婚／―アメリカ大使館」

さいにゅう⓪【歳入】〔国家や公共団体などで〕一会計年度内の収入(の総計)。↔歳出

さいにょう⓪【採尿】―する(自サ) 検査のために、一定量の尿をとること。

さいにょうかん⓪【細尿管】腎臓(ジンゾウ)の内部にある、うねり曲がった無数の細い管。周囲の血管から不要分を受けて尿としてまとめ、輪尿管に送る。

さいにん⓪【再任】―する(自他サ) △命ぜられて(選ばれて)、もう一度前の役に就くこと。「―を妨げない(=認める)」

ざいにん⓪【在任】―する(自サ) 組織の中の、あるポストに就いていること。「―中(=在任していた間)は」

ざいにん⓪③【罪人】罪を犯した人。

さいにんしき③【再認識】―する(他サ) 今さらのように△認識する(価値を認める)こと。「重要性を―する」

サイネリア③⓪ シネラリアのこと。〔シネ(=死ね)を回避した日本語形という〕

さいねん⓪【再燃】―する(自サ) ❶下火になっていたものが、改めて表面化すること。「インフレを―させる」❷おさまったかに見えた事が再び問題になること。「汚職事件が―する」

＊＊**さいのう**⓪【才能】物事を理解して処理する、頭の働きと能力。「天賦の―を伸ばす／音楽の―／特殊な―を発揮する／語学的―に恵まれる」

さいのう⓪【採納】―する(他サ) よいものとして△とりいれる(とりあげる)こと。「寄付―」

ざいのう⓪【財〈嚢〉】〔もと、財布の意〕「個人の持ち金・財産」の意の古風な表現。

さいのかわら①―⓪、①―③【〈賽〉の河《原》】死んだ子供が父母供養のため小石を積んで塔を作るといわれる、三途(ズ)の川の河原。積んだはしから鬼が崩すという。⇩付表「河原」 【―の石積み】むだな努力のたとえ。「―のようなむなしい行為」

さいのめ⓪④【〈賽〉の目】❶さいころの各面に刻まれた数。❷さいころの形。「豆腐を―に切る」表記「采の目」とも書く。

さいは①【砕破】―する(自他サ) 砕き破ること。砕け破れること。表記「〈摧〉破」とも書く。

サイバー(造語)〔cyber←cybernetics〕「コンピューターネットワーク上の」の意を表わす。「―スペース⑥(=ネットワーク上の仮想空間)」 **―こうげき**⑤【―攻撃】インターネ

ットを介して、他のコンピューター システムに侵入し、内部の情報を盗み取ったり 改竄(カイザン)したり 破壊したり 果ては システムを乗っ取るなどして、それを機能不全に陥れ、損害を与えること。サイバーテロ[5]とも。

さいはい[0]【再拝】❶—する(他サ) 二度敬礼すること。❷手紙文の終りに使う敬語。

さいはい[0]【采配】昔、軍を率いる武将が部下の兵を指揮する時に使った、はたきに似た道具。「—を振る〔=てきぱきとさしずして、おおぜいの人を動かす〕」

*__さいばい__[0]【栽培】—する(他サ)〈なにヲ—する〉Ⓐ野菜・果樹などの植物を植えて育てること。「温室—[5]」Ⓑ魚介類を養殖すること。「—漁業[5]」

さいばし[3][0]【菜箸】❶煮物・焼き物をする時の、長い箸。❷とりばし。かぞえ方 ❶❷とも 一本・一組・一揃(ソロ)い

さいばし・る[4]【才走る】(自五) いかにも才気があるように感じさせる言動をする。

さいはつ[0]【再発】—する(自サ) 治まっていた病気や二度と起きてほしくない事件・事故などが、また起こること。

ざいばつ[0]【財閥】大資本・大企業を支配する人たち(の排他的集団)。〔俗に、金持の意にも用いられる〕

さいはっけん[3]【再発見】—する(他サ) ❶一度見つかっていたものを、再度見つけること。「行方不明だった遺物の—」❷従来とは違う観点から、そのものの良さを認識し直すこと。「日本の美の—」

さいはて[0]【最果て】Ⓐ陸地続きの最も端の所を、国土も文化もそこで果てるものと見立てた語。「—の町」Ⓑ連続する範囲の最も先。「時の—/東洋の—/宇宙の—」

サイバネティックス[5][4]〔cybernetics=舵取(カジトリ)の意のギリシャ語に由来〕アメリカで第二次世界大戦後に起こった新しい学問。物理学・心理学・数学など多くの従来の科学を包含し、機械を使って、人間の頭脳の働きの代りをさせようとするもの。人工頭脳の科学。オートメーションは、その応用。

さいはん[0]【再犯】一度、罪を犯した者がまた罪を犯すこと。〔刑法では釈放後、五年以内にまた罪を犯すことを指す〕↕初犯

さいはん[0]【再版】❶—する(他サ) 再び出版すること。重版。❷(訂正・増補した)二度目の版(の書籍)。第二版[1]-[1]。「—本(ボン)[0]」↕初版

さいはん[0]【再販】〔←再販売価格維持契約[7]-[3]、[3]-[6]〕独占禁止法の特例として、書籍などの著作物について、製造元が卸・小売価格を指定すること。「—価格[5]」

__さいばん__[1]【裁判】—する(他サ) 訴訟を審理して、罪となるかならないか どちらに非があるかなどを法律を適用して定めること。「—に△かける(付する)/—を受ける/—長[3]・—権[3]・軍事—[4]」 **—いん[3]【—員】〔法律で〕刑事事件の裁判に参加し、審理にかかわるために、国民から無作為に選出された人。 **—いんせいど**[7]【—員制度】〔法律で〕特定の刑事事件の裁判において、国民から選ばれた裁判員が裁判官とともに審理に参加する日本の司法・裁判制度。二〇〇九年に施行。 **—かん**[3]【—官】裁判所を組織し、裁判をする国家公務員で判事など。 **—しょ**[5][0]【—所】民事・刑事訴訟の裁判を行なう、国家の機関。

さいばん[0]【歳晩】「年のくれ」の意の漢語的表現。

さいひ[1]【採否】採用するかしないか。「—を決める」

さいひ[1]【歳費】国会議員の年単位の給与。

さいび[1]【細微】❶細かな所。「叙述は—〔=末端まで〕にわたる」❷—な きわめて細かい様子。「—な粒子」

ざいひ[1]【在否】居るか居ないか。在△宅(室)と不在。「当日の—を問う」

さいひつ[0]【才筆】上手な文章(を書く才能)。

さいひょう[0]【砕氷】❶—する(自サ) 氷を砕くこと。「—船[0]」❷砕いた氷。

*__さいふ__[0]【財布】〔「さい」は「財」の漢音〕日常の用にあてる金を入れて持ち歩くためのもの。金入れ。〔狭義では札入れを指す〕「ワニ皮の—/—のひもが堅い/庶民の—を直撃する公共料金の値上げ」【—の口を締める】むだ遣いしないようにする。【—の底をはたく】持ち金を全部使う。【—の△紐(ヒモ)が緩む】ついむだ遣いをする。【—の△紐を握る】経済状態を掌握し金銭の出し入れを管理する。「財布を握る」とも。

さいふ[0]【採譜】—する(他サ) 民謡などのメロディーを、楽譜に書きとること。

さいぶ[1]【細部】細かい部分。「—にわたって検討する/—にこだわる」

ざいふ[0]【在府】—する(自サ) 江戸時代、大名やその家臣が、領国から出てきて江戸で勤めたこと。↕在国❷

サイフォン[1]〔siphon〕⇩サイホン

さいふく[0]【祭服】祭主・神主(カンヌシ)などが、祭りの時に着る衣服。表記「斎服」とも書く。かぞえ方 一着

さいぶつ[0]【才物】才能のすぐれた人物。才人。↕鈍物

ざいぶつ[1][0]【財物】❶金銭と品物。「—を窃取(セッシュ)する」❷たから(もの)。

サイプレス[1][3]〔cypress〕⇩いとすぎ

さいぶん[0]【細分】—する(他サ)〔ある目的や便宜を考えて〕細かく分けること。「—化[0]」

ざいべい[0]【在米】〔外国人として〕アメリカに△住んでいる(滞在する)こと。「—邦人[5]」

さいべつ[0]【細別】—する(他サ) 細かく区別すること。↕大別

さいへん[0]【再編】—する(他サ)〔「再編成[3]・再編集[3]」の略〕△編成(編集)し直すこと。

さいへん[0]【砕片】砕けたかけら。

さいへん[0]【細片】砕けたり 破れたり して出来た細かいかけら。「発掘された土器の—をつなぎ合わせる」

さいぼ[0]【歳暮】「年末」の意の古風な表現。↕歳旦(サイタン)

さいほう[0]【再訪】—する(他サ) △また(二度)訪れること。

さいほう[0]【西方】❶西の方。〔「せいほう」より少し古風な表現〕❷〔←西方浄土(ジョウド)[5]〕阿弥陀仏(アミダブツ)が居るという極楽浄土。

さいほう[0]【採訪】—する(他サ) よその土地を訪れて、研究資料を採集すること。「さいぼう」とも。

*__さいほう__[0]【裁縫】—する(自サ) 布地を裁ち切って衣服などに縫いあげること。「—箱(バコ)[3]・—師[3]」

さいぼう[0]【細胞】❶生物体を作っている、おもな単位。核を含む原形質のかたまり。「—膜[3]」❷共産党の組織の基礎単位。三名以上で構成される。〔日本共産党では現在「支部」と改称〕かぞえ方 ❶は一片 **—しん**[3]【—診】生体の一部から採取した細胞を顕微鏡で検査して行なう診断法。特に癌(ガン)の診断に用いられる。 **—そしき**[5]【—組織】❶細胞の集合から成る組織。❷基本単位となる小団体の活動によって団員が増すと、それを分けて次つぎに団員を増していく組織。 **—ぶんれつ**[5]【—分裂】—する(自サ) 細胞を作る一つひとつの成分が二つに割れて、新しい細胞を作り出していくこと。

ざいほう[0]【財宝】お金・宝石や、高価な美術品の総称。「金銀—[1]-[0]」

サイボーグ[3]〔cyborg=**cy**bernetic **org**anism〕人工臓器でからだの一部を改造された超能力の人間。〔俗に、人

間の形を備え、人間と同じ活動をする人造人間の意にも用いられる〕

さいほけん[3]【再保険】損害の補償の責任を分担するために、いったん契約した保険を、保険会社同士で再契約の形を取ること。

サイホン[1]〔siphon=管の意のギリシャ語に由来〕大気の圧力を利用して、容器中の液体を自動的に吸い上げ、容器の側壁を越えて外側の低い所に流し出すために用いる、曲がった管。サイフォンとも。〔気体の圧力を利用する仕組みの炭酸水の瓶や、ガラス製のコーヒー沸かしをも指す〕

さいまい[0]【砕米】もみすりの時に出来る、砕けた米。ビールや焼酎(ショウチュウ)などに利用される。

ざいまい[0]【在米】現在、倉庫・問屋などに貯蔵されている米。

さいまつ[0]【歳末】「としのくれ」の意の漢語的表現。「―助け合い運動[10]、[0]-[6]・―風景[5]」

さいみつ[0]【細密】―に ―な 細かい所まで手を抜かずに何かをする様子だ。「―画[0]」 派 ―さ[0]

さいみん[0]【細民】下層階級の人。貧民。「―街[3]」

さいみん[0]【催眠】薬などを使って、相手を眠らせること。「―薬[3]・―剤[3][0]」 **―じゅつ**[3]【―術】暗示によって眠ったような状態にひきいれる術。〔病気・悪習の治療に使われる〕「―をかける」

ざいみん[0]【在民】⇩主権在民

さいむ[1]【債務】借金を返さなければならない義務。「―者[3]」↕債権

ざいむ[1]【財務】財政上の事務。「―諸表[4]〔=企業の財政状況を示す損益計算書・貸借対照表などの総称〕」 **―しょう**(シヤウ)[3]【―省】国の財政・予算・課税・通貨・関税などに関する事務を取り扱う中央官庁。大蔵省を改組して二〇〇一年発足。〔長官は、財務大臣[4]。別称は財相[0]・財務相[3]〕

ざいめい[0]【在銘】刀や工芸品などに作者の銘があること。また、その銘。↕無銘

ざいめい[0]【罪名】〔刑法で〕その犯罪行為に与える名称。

さいもく[0]【細目】一つ一つの細かい項目。↕大綱❷

*__ざいもく__[0]【材木】家・器具などの材料とするために、適宜の長さ・大きさに切ったり ひいたり してある木。角材・板材など。〔広義では、丸太をも含む〕 かぞえ方 一本

さいもん[0][1]【祭文】❶祭りの時、神の霊に告げる文章。「さいぶん」とも。❷〔←うたざいもん〕ニュース性の多い俗曲。江戸時代を通じて行なわれた。「でろれん―(ザイモン)」❸〔←祭文語り[5]〕うたざいもんを語る職業の人。さいもんよみ。

ざいや[1]【在野】しかるべき人材が、官公庁などの職につかず民間に居ること。「―の研究者」〔狭義では、野党であることを指す〕↕在朝

さいやく[0]【災厄】人を不幸におとし入れる災難。「厄災」とも。「―が降りかかる/―を切り抜ける/―に遭う」

さいゆ[0]【採油】―する(自サ) ❶石油を採掘すること。「―権[3]」 ❷植物の種をつぶしたりしぼったりした汁から油をとり出すこと。

さいゆう(イウ)[0]【再遊】―する(自サ) もう一度その土地に遊びに行く(旅行する)こと。

さいゆう(イウ)[0]【西遊】―する(自サ) ⇩せいゆう

さいゆう(イフ)[0]【采〈邑〉】知行(チギヤウ)として与えられた土地。

さいゆうせん(イウ)[3]【最優先】―する(他サ) 他のどれよりも緊急(必要)度の高いものとして、まっ先に扱うこと。「安全性を―する/―課題[7]」

さいゆしゅつ[3]【再輸出】―する(他サ) 輸入した物を、加工などして輸出すること。↕再輸入

さいゆにゅう(ニフ)[3]【再輸入】―する(他サ) 輸出した物を、加工品などとして輸入すること。↕再輸出

*__さいよう__(オ)[0]【採用】―する(他サ)〈(なにニ)だれ・なにヲ―する〉その機構・組織に適合するかどうかを調べた上で、好ましい条件を備えていると判断した人・案などを受け入れること。「大学卒の―を見送る/社員に―される/若い人の意見を―する/―試験[5]・臨時―[4]・大量―[5]」

さいよう(エウ)[0]【細腰】「やなぎごし」の意の漢語的表現。〔美人の形容に用いられる〕

さいらい[0]【再来】―する(自サ) 同じ状態がもう一度めぐって来ること。「孔子の―〔=生れ変り〕だ」

ざいらい[0]【在来】これまで普通に行なわれてきた(ものである)こと。「―〔=ありきたり〕の方法」 **―せん**[0]【―線】〔新しく開通した新幹線などに対して〕(ほぼ)同一の区間にあるそれまでの鉄道路線の称。

さいらん[0]【採卵】〔事業として〕飼育(捕獲)した動物の卵を、とること。「―養鶏[5]」

さいり[1]【〈犀利〉】―な 頭の働きが鋭く、言うことが的を射ている様子だ。「―な批評」 派 ―さ[3]

さいりゃく[0][1]【才略】才知によって人を出し抜こう(陥れよう)とする計略。

さいりゅう(リウ)[0]【細流】「細い川の流れ」の意の漢語的表現。〔平地では「小川」を指す〕

さいりゅう(リフ)[0]【細粒】〔土・粉などの〕細かい粒。

ざいりゅう(リウ)[0]【在留】―する(自サ) 故郷や出身地以外、特に外国に居住・滞在すること。「―を許可する(認める)/―期間の延長/―邦人[5]」

さいりょう(リヤウ)[3][1]【宰領】―する(他サ) 〔とりしまる意〕❶荷物・人夫の監督(をする人)。❷団体旅行の世話(人)。

さいりょう(リヤウ)[0]【最良】〔道徳的価値よりも、主として物事(物質)の価値について〕最もよいこと。「生涯―の日」↕最悪

さいりょう(リヤウ)[0][3]【裁量】―する(他サ) 〔決定権を持つ立場にある人が〕自分の考え通りに物事を決めて処置すること。「裁判所の―にゆだねる/自由―」 **―ろうどう**(ラウ)[5]【―労働】労働時間の管理を労働者に任せ、企業は労働者と取り決めた労働時間〔=みなし労働時間〕の分の賃金を支払う労働形態。みなし労働[4]。「―制[0]」〔研究者・記者・デザイナーなど、労働時間帯の拘束が難しい職種に適用〕

**__ざいりょう__(レウ)[3]【材料】❶何かを作る時に、そのもととして用いるもの。「良質の―でつくった家具/中華料理の―」 ❷何らかの判断を下したり 結論を得たり するためのよりどころとなるもの。芸術活動の題材など。「景気の動向を推測する不安―/今後の変化を占う判断の―が不足している」 ❸相場を上げ下げさせる原因。「悪―[3]・好―[3]」

さいりょく[1]【オカ】物事を判断し動かす、才知の働き。

ざいりょく[1]【財力】思うがままに必要な出費がまかなえる(人や社会を動かせる)原動力となる金銭や財産。「―にものを言わせる」

さいりん[0]【再臨】―する(自サ) 〔キリスト教で〕世界の終りの日にキリストが、もう一度この世に現われること。

ザイル[1]〔ド Seil〕〔登山用の〕綱。ロープ。 かぞえ方 一本

さいるい[0]【催涙】〔毒ガスなどを使って〕涙を出させること。「―弾[3]・―ガス[5]・―薬[3]」

ザイル パーティー[4]〔和製洋語 ←ド Seil + 英 party〕〔登山で〕ザイルで互いのからだを結び合った仲間。

さいれい[0]【祭礼】祭り(の儀式)。

サイレージ[3][1]〔silage〕❶サイロの中に貯蔵した、生牧草などの飼料。❷―する(他サ)（飼料を)サイロに貯蔵すること。

さいれ ことば[4]【さ入れ言葉】「わたしにも意見を言わさせてください」「お先に帰らさせていただきます」「その本をわたしにも読まさせてほしい」など、「言わせてください」「帰らせていただきます」「読ませてほしい」という、相手の許可や承認を求める表現で、不要な「さ」を挿入させた表現形式。規範を重視する立場からは誤用とされる。〔動詞「する」を用いた「…させてください」「…させていただく」などからの類推によるものと考えられる〕

サイレン[1]〔siren〕△危険(警戒)信号として、また、特定の時刻を知らせるものとして鳴らす音。〔穴のある回転板を回すことによって大きな音を出す〕

サイレント[1]〔silent=無言の〕❶無声映画。↕トーキー ❷その単語のつづり方の中で(現在は)発音しない文字。例、英語 know の k など。無音。

サイロ[1]〔silo〕❶寒い土地の牧場などに設けられた、牧草など飼料の貯蔵庫。円形・塔状で、気密の建物。❷「サイロ❶」に似た形の貯蔵庫。「ミサイルの―/セメント―[5]」 かぞえ方 ❶❷とも一基・一本

さい ろう[0]【〈豺狼〉】ヤマイヌとオオカミ。〔残酷な人の意にも用いられる〕

さい ろく[0]【再録】―する(他サ)❶以前に雑誌・機関誌などに掲載されたものをもう一度活字にして載せること。また、そのもの。❷以前に△放送(放映)したものをもう一度録音や録画すること。また、そのもの。

さい ろく[0]【採録】―する(他サ)とりあげて記録すること。また、そのもの。

さい ろく[0]【載録】―する(他サ)書いて載せること。

さい ろん[0]【再論】―する(他サ)同じ事柄を、もう一度論じること。また、その議論。

さい ろん[0]【細論】―する(他サ)細かい点にわたって詳しく△論じること(論じた議論)。

さい わ[0]【再話】昔話・民話・伝説などを△現代人(子供)にもわかるように書き直した作品。

さいわい[0]【幸い】〔「さきはひ」の変化〕■❶精神的・物質的に充足した状態が末長く期待できる、理想的な状態。「山の彼方の空遠く―住むと人の言う/これからの人生に―あれ」❷―な さしあたって、最も望ましい結果として受け入れられることだと判断される様子だ。「私の早とちりでなければ―である/勿怪の―/不幸中の―」■(副)―に ❶危惧されていた事態が、最も望ましい形で決着をみる様子。「―(に)間に合った/傷は―軽く済んだ」❷相手の好意あるはからいを願う意で、相手に鄭重に頼む気持を表わす。「―に叱正されんことを/―に余が妄を容せ」〔強調表現は「幸いにも[5]」とも〕 表記 例外=「幸い」 運用 ■❷の強調表現は「幸いにして[0]」。また、❶の強調表現は、「…いただければ幸いです」などの形で、手紙文や改まった場面で、目上の人に要望を受け入れてもらいたいという気持を表わすのにも用いられる。例、「ご署名の上返送していただければ幸いです」

―・する[0](自サ)〔予期していなかった事態が〕良い結果をもたらす。「風が幸いして好記録につながった」

さい わり[0]【再割(り)】〔↑再割引[3]〕金融機関が割り引いた手形を、中央銀行や他の金融機関が割引すること。

さい わん[0]【才腕】頭がよく働き、物事をてきぱきと処理する能力。

サイン[1]―する(自他サ)〔sign〕❶〈だれニなんだト―する〉(第三者に分からないように)合図すること。また、その合図。「―を送る/目で、いいよと―する/捕手の―を盗む〔=見破る〕/勝利のV―」❷〈なにニなにヲ―する〉〔確かに当事者で△あった)ことの表明として〕自分の名前を書くこと。また、その書かれた名前。「契約書に―する/スターの―をもらう」

サイン[1]〔sine〕〔↑ラ sinus=着物のひだ(「円弧の張る弦」を意味するアラビア語の同音異義語の訳)〕〔直角三角形で〕一つの鋭角の大きさが与えられた時、その角の対辺の長さの 斜辺の長さに対する比(の値)の称。正弦。〔記号 sin〕「―カーブ[4]〔=正弦曲線。$y = \sin x$ のグラフ〕」⇩三角比

ザイン[1]〔ド Sein=あること。存在〕〔哲学で〕認識の対象としての△実在(本体)。↕ゾルレン

ざい いん[0]【座員】「…座」という名称の、その劇団などに属する人(びと)。

サイン ちょう[0]【サイン帳】❶〔ホテル・宿屋などに備えつけてある〕来訪者のサイン記入帳。芳名簿[3]。❷有名人のサインを書き入れてもらうための帳面。「サインブック[4]〔和製英語 ←sign + book〕」とも。

ざ う[1]【座右】⇩ざゆう

ザウアークラウト[6]〔ド Sauerkraut=すっぱいキャベツ〕ドイツ料理の漬物の一つ。キャベツを塩漬けして発酵させたもの。ザワークラウト[5]とも。

サウスポー[3]〔southpaw〕左ききの△投手(ボクサー)。

サウナ[1]〔フィンランド sauna=蒸しぶろ〕蒸しぶろ風に、熱い空気で汗を流す浴場。

サウンド[0][1]〔sound=音・音響〕録音(を再生)した音など、機械を通して伝わってくる音。**―テープ**[5]〔和製英語 ←sound + tape〕音声を録音するための磁気テープ。録音テープ。⇩ビデオテープ かぞえ方 一本 **―トラック**[6]〔sound track〕トーキーのフィルムの横の、録音してある部分。略してサントラ。「―盤[0]〔=サウンドトラックから音声を採録したディスクやテープ〕」 **―ブック**[5]〔和製英語 ←sound + book〕語学練習用の、テープ・レコード・シートなどの総称。 **―ボックス**[5]〔sound box〕❶弦楽器の胴体。❷〔蓄音機で〕針から伝えられた振動を音にする装置。

さえ(副助)❶だれにでも分かる例を一つ示し、ましてそれ△以上(以下)の場合はどうであるか言うまでも無かろう、という意を表わす。「子供に―分かることだ/専門家の彼―知らなかった/自分の名前―書けない」❷〔「―…ば/―…たら」の形で〕その条件だけが満たされれば他には問題が無いことを表わす。「練習し―すればもっと上手になるよ/金―あれば何だって出来る/汚なく―なかったらどれでもいい」❸添加を表わす。「雨が降ってきただけでなく、雷―鳴りだした」 文法 (1)述語と結びつく体言(名詞、またそれに準ずる句)、用言・助動詞「れる/られる・せる/させる」の連用形、副詞、格助詞(「が・の」を除く)、一部の副助詞、接続助詞「て」に接続する。格助詞には前につく場合もある。副助詞のうち、「など」には後につき、「は・も・こそ」には前につく。(2)❶は「すら(副助詞)」を、また、❸は「まで(副助詞)」を用いても、ほぼ同じような意味を表わすことができる。

さえ[2]【〈冴(え)】冴えること。「腕の―〔=見事さ〕を見せる」 表記 「〈冱え」とも書く。

さえ かえ・る[0][3]【〈冴(え)返る】(自五)❶一点のかげりも無く冴える。「―作者の目/星の―空〔=星があざやかに見える、澄んだ夜の空〕/―〔=よく晴れた〕冬の夜」❷春になって寒さがぶり返す。

さ えき[0]【差益】収益の見込み違いや為替相場の変動などによって生じた利益。「円高―[5]」↕差損

***さえぎ・る**[3]【遮る】(他五)〈(なにデ)なにヲ―〉〔「先切る」の

** * は重要語，[0] [1]… はアクセント記号，品詞の指示の無いものは名詞および いわゆる連語。

変化形「さいぎる」の変化〕途中でじゃまをして、何かの進行を止める。「△話（目・流れ）を—／光を—〔＝見えなくする〕」

さえざえ③【〈冴え〈冴え】（副）—と —する 明るくすっきりとしていて、少しのかげりも見られない様子。「—と照る月影／—（と）した顔つき」

さえず・る③【〈囀る】（自五）小鳥が続けて鳴く。〔女性や子供がたわいもないことをしゃべりたてることをからかい気味に言うこともある〕 名 囀り⓪④

さえだ⓪【《小枝】〔雅〕〔「さ」は接辞〕こえだ。枝。

さえつ⓪【査閲】—する（他サ）軍事教育の成績を実地に調べること。

さえの かみ③【《塞の神】⇩どうそじん

***さ・える**②【〈冴える】（自下一）❶寒さが増し、気持が一段と引きしまる。「冴えた冬の星空」❷光・音・色などが純粋なものとしてはっきり感じられる。❸適度に緊張し、目や頭などの働きがはっきりする。「目が—／冴えた〔＝見事な〕腕前」 **さえ ない**②【〈冴えない】❶どこか物足りないところがあって、満足出来ない様子だ。「この絵は今一つ—なあ／—成績」❷何かにつけ、うまくいかず気がめいる様子だ。「この天気のいい日曜日に、一人留守番だなんて—話だ」

さえ わた・る④⓪【〈冴え渡る】（自五）すみずみまですっかり冴える。

***さお**【〈竿】■②❶竹の幹から枝・葉を取り去り、棒状にして使うもの。〔釣りざお・物干しざお・間ざお・水竿・はかりざおなどの略としても用いられ、中には金属・グラスファイバーなどを材とするものもある〕「船頭が—を操る／流れに—をさす〔＝⇩さおさす〕」❷三味線の糸が張られている、長い棒状の部分。〔広義では、三味線の意にも用いられる〕❸たんすや長持をかつぐ棒。 かぞえ方 ❶は一本・一竿。 ❹ペニスの卑俗な婉曲表現。■（造語）旗・さおもの菓子・たんす・長持などの数をかぞえる語。

さおいし⓪②【〈竿石】灯籠の本体である、まっすぐ立った部分。 表記 「〈棹」とも書く。

さおがし③【〈棹菓子】「棹物菓子」に同じ。

さおがしら③【〈竿頭】△その日（その船で）一番たくさん釣った人。 表記 「〈棹頭」とも書く。

さおさ・す③②【〈棹さす】（自五）棹で水底を突くなどして船を進める。「最近は誤って、逆行する意に使用する向きもある」「流れに—／時代の流れに—〔＝乗じる〕」 表記 「〈棹差す」とも書く。

さおしか⓪②【《小《男鹿】〔雅〕〔「さ」は接辞〕おじか。 表記 「《小〈牡鹿」とも書く。

さおだけ⓪【〈竿竹】物干し竿などにする竹。 かぞえ方 一本

さおだち⓪【〈竿立㋠】馬が驚いて、前足を高く上げ、後ろ足で立つこと。 表記 「〈棹立ち」とも書く。

さおとめ⓪【《早《乙女】❶〔雅〕田植えをする若い娘。❷田植え仕事をする女性。〔特に、田の神の祭りに中心的な役割を持つ娘を指す〕 表記 ⇩付表「早乙女」。「《早《少女・〈五月〉《少女」とも書く。

さおばかり③【〈竿秤〉】秤の一種。目盛りのある竿の一端に物をかけ、分銅を動かしてはかる。↔皿秤 表記 「〈棹秤〉」とも書く。 かぞえ方 一台

さおひめ②⓪【佐《保姫】〔秋の女神を「竜田姫」と言うのに対して〕春の女神の称。

さおぶち⓪【〈竿縁】板張りの天井の、板をうけるために、板の方向と直角に渡した細長い木。 かぞえ方 一本

さおものがし⑤【〈棹物菓子】羊羹・外郎など、細長い形に固めた和菓子の総称。略して「棹物②⓪」。また、「棹菓子」とも。 かぞえ方 一棹

さか【酒】（造語）酒に関係があることを表わす。「—樽・—場・—盛り・—ほがい・—屋・—蔵」

****さか**②①【坂】❶傾斜。斜面。「—になる」❷高い所と低い所とをつなぎ、その部分全体が傾斜している道。坂道。「六十の—〔＝年配・年ごろ〕に（さし）かかる／だらだら—をのぼってゆく／上り—・下り—」

さか【逆】■②①さかさま。「—になる」■（造語）普通と方向が反対であることを表わす。「—子・—潮⓪・—恨み・—上がり・—立ち」

さか①【茶菓】〔客をもてなすための〕茶と菓子。「ちゃか」とも。「—の用意」

さが①【《性】〔本来、漢語とされる〕自分の力ではどうすることも出来ない、生まれつきの性質やめぐりあわせ。「悲しい—／浮き世の—」

ざか①【座下】〔座席のそばの意〕手紙文の脇付の一つ。

ざが①【座〈臥・〈坐臥〉】❶—する（自サ）すわることと寝ること。起き伏し。❷日常生活。「行住—・日常—⑤」

さか あがり③【逆上㋷】〔器械体操で〕鉄棒にぶら下がり、からだをそらしたり 地面を蹴ったりした反動を利用して、両足を上げて一回転し、腹と両手で鉄棒の上にからだを支えた姿勢になること。

さかい（接助）〔青森・岩手・山形、北陸・近畿の方言〕原因を表わす。…から。「ある—／そや—」

***さかい**②【境】❶〔所有者・性質が違うことを示す〕土地のくぎり。境界。「畑と道の—」❷〔互いに接する物の〕分かれる所。分かれ目。「生死の—をさ迷う／及落の—にある」❸くぎられた、特定の場所。「清浄の—」 表記 「《界」とも書く。 **—・する**②（自他サ）❶隣地との間に境界を設ける。「隣の家と垣根で—」❷国と国などが境界を接して位置する。「スイスはオーストリアに—」 **—め**④⓪【—目】境界線を成している所。分かれ目。

さか うらみ⓪③【逆恨㋯】—する（自他サ）❶自分が恨みに思う相手から逆に恨まれること。❷人の好意を曲解して、反対に恨むこと。「良かれと思って注意したのに—もいいところだ」 表記 「逆《怨み」とも書く。

さかえ②⓪【栄㋓】栄えること。繁栄。「—いやます」

***さか・える**③【栄える】（自下一）〈なにデ〉—〉〔環境に恵まれたり 経済力や権力を得たりして〕勢いが強くなる。「文化が—／門前町として栄えた町／シダ植物が—」↔衰える

さか おとし③⓪【逆落㋣し】〔馬などに乗って〕絶壁などを一気に駆けおりること。 表記 「坂落とし」とも書く。

さかがめ⓪【酒〈甕】酒を入れるかめ。

さかき⓪【〈榊】〔「栄木」の意という〕❶昔から神木として枝葉を神に供える常緑小高木。葉はツバキに似るが、小さい。〔モッコク科（旧ツバキ科）〕❷神域の常緑樹の総称。 かぞえ方 ❶は一株・一本

さがく⓪【差額】差し引いた残りの△数量（金額）。 **—ベッド**④ 健康保険による医療費との差額を入院する個人に負担させる、個室のベッド。差額徴収ベッド⑧。

ざがく⓪【座学・〈坐学】〔実技・実験・実習・野外研究などに対して、机に向かい座って行なうの意から〕文献などを通してする学習や研究。

さかぐら⓪【酒蔵】酒を醸造したり たくわえておいたりする蔵。〔蔵出しの酒を飲ませる店の意にも用いられる〕 表記 「酒倉」とも書く。

さかげ⓪【逆毛】〔整髪で〕髪の毛を櫛で立てるようにしてふっくらさせたもの。「—を立てる」 かぞえ方 一戸前

さかご⓪【逆子】〔出産の際に〕正常な場合とは逆に、足から先に出てくること。また、その赤ん坊。表記「逆《児」とも書く。

さかさ⓪【逆㋚】ーな ーに 「さかさま」の変化。 **ーことば**④【ー言葉】❶意味を反対にして言う言葉。反語。例、遅れて来た人に「ずいぶん早かったな」と言うなど。❷音節の順序を逆にして言う言葉。倒語。例、材料の意味の「たね」を「ねた」と言うなど。 **ーふじ**④【ー富士】水面に逆さまにうつる富士山の影を指して言う言葉。 **ーまつげ**④【ー〈睫・ー〈睫毛】内に向かって生えているため、眼球を刺す睫。

*__さかさま__⓪【逆様】ーな ーに 〔「さかしま」の変化〕位置や順序が本来あるべき状態と反対になった状態だ。

さがし【捜㋛・探㋛】[一]⓪さがすこと。「お一のものは何ですか/人ー・絵ー・宝ー④」[二]（造語）動詞「捜す」の連用形。 **ーあ・てる**⑤【ー当てる】（他下一）目的の人や物のありかをほうぼうを捜して見つける。 **ーだ・す**④【ー出す】（他五）目指す人や物を、あちこちと捜したすえに見つける。「草の根分けてもー」 **ーもの**⓪【ー物】見当たらない物を捜すこと。また、その物。

さかし・い③【《賢しい】（形）〔東北・中国・九州の方言〕かしこい。派ーげ⓪

さかしお⓪ー シホ【酒塩】物を煮る時、しょうゆのほかに少量の酒を加えて味を良くすること。また、その酒。

さかしま⓪【逆しま】ーな ーに 〔「しま」は接辞〕「さかさま」の古風な表現。

さかしら⓪【《賢しら】〔「ら」は接辞〕△分かったふりをして（りこうそうに）ふるまうこと。「ーをする」

ざがしら②【座頭】〔劇団などで〕一座の長となる首位の役者。演出も兼ねる。

**__さが・す__⓪【捜す・探す】（他五）〈なに・だれヲー/どこヲー〉〔△ほしい（必要とする）ものを見つけようとして〕そこにあると思われる所を、見落しの無いようによく調べる。「△読みたい本（迷子になった子供）をー/△ポケットの中（机の上）をー/職をー/あらをー〔=あらを見つけて、攻撃や批評の材料とする〕」〔⇩捜し[二]〕

さかずき⓪ サカ ヅキ【杯】〔「酒坏（ツキ）」の意〕酒をついで飲む（平たくて）小さな器。「ーを含む〔=杯を口につけて、酒を飲む〕/固めのーをかわす〔=約束や誓いのために、互いにつがれた酒を飲む〕/ーを重ねる〔=酒を何杯も飲む〕/一人ーを傾ける〔=酒を飲む〕/こよいは別れのー〔=酒宴〕だ」表記「〈盃・〈坏」とも書く。 **ーごと**⓪【ー事】❶新郎新婦・義兄弟・親分子分などが、その関係を結んだ確認として杯をとりかわすこと。❷酒宴。表記「〈盃事」とも書く。

さか・せる⓪【咲かせる】（他下一）〔「咲く」の使役形〕咲くようにする。「一花（ヒトハナ）ー〔=もう一度、その方面で活躍する〕」

さかぞり⓪【逆〈剃㋷】ーする（他サ）かみそりの刃を、ひげ・毛の生えている方向とは逆の方に向けて剃ること。

さかだい⓪【酒代】❶酒の代金。❷さかて❷。

さかだち⓪【逆立㋠】ーする（自サ）頭を下にし、両手でからだを支え、足を上にそろえた姿勢をバランスをとりながら保つこと。しゃっちょこだち。倒立。「ーしても〔=どんなにがんばっても〕追っ付かない/順序がーしている〔=あべこべだ〕」

さかだ・つ③【逆立つ】（自五）❶△上（頭）を下にして立つ。❷普通、横になっているものが上に向かって立つ。「髪の毛がー〔=激しい怒り・憎しみや、興奮のあまり、髪の毛が天へ向かって立たんばかりになる〕」

さかだ・てる④【逆立てる】（他下一）△さかさまに（上へ向けて）立てる。「猫が毛をー」

さかだる⓪【酒〈樽】酒を入れておく樽。

さかつぼ⓪【酒〈壺】酒を入れておく壺。

さかて⓪【逆手】短刀などを、普通の刀の握り方とは逆に、親指が柄の端、小指が刃の方に来るように握ること。【ーに取る】❶相手の発言や行動を利用し、逆に相手を攻める契機とすること。「ぎゃくてにとる」とも。「不快な非難を逆手に取って、聴衆を味方に付けた」❷不利な物事をあえて利用して、成功に結びつけること。「田舎の不便さを逆手に取って、のんびりした観光客を誘致する」

さかて⓪【酒手】❶運転手や男の使用人などに、決まった代金以外に余分に与えるお金。チップ。「ーをはずむ〔=チップをたくさん出す〕」❷さかだい❶。

さかとびこみ③【逆飛㋫込㋯】頭から水中に飛び込むこと。

さかとんぼ③【逆〈〈蜻蛉〉〉】〔後ろの方向へする〕とんぼがえり。「ーを切る」

**__さかな__⓪〔酒菜、つまり酒を飲む時の食べ物の意〕[一]【魚】「うお」の意の日常的に多く用いられる表現。肉・野菜と並んで主要な食材の一つ。〔狭義では、食用、または観賞の対象となるものを指す〕「川でーを釣る/漁船でーを取る/ー料理④」[二]【〈肴】酒を飲む時につまむもの。〔酒の興を添えるためのもの、たとえば、歌や踊りなどの意にも用いられる〕かぞえ方[一]は一尾・一匹；[二]一本・一枚

さかなで⓪【逆〈撫㋐】ーする（他サ）〔生えている向きとは逆に毛を撫でると抵抗の多いことから〕わざわざ人の神経にさわるような言動をとること。「国民感情をーにする/神経をーする」

さかなみ⓪【逆《浪】さかまく波。表記「逆波」とも書く。

ざがね⓪【座金】❶打った釘（クギ）や鋲（ビョウ）の頭を隠す、装飾用の金物。座金物（ザカナモノ）②。❷ボルトを締める時、固定させるためにナットの下に入れる、薄い金属板の輪。ねじの径に合わせて規格化されている。ワッシャー①。

さかねじ⓪ー ネヂ【逆〈捩㋛】❶△逆（反対）にねじること。❷相手の非難・抗議に対して、負けずにやり返すこと。「ーをくわせる」

*__さかのぼ・る__④【遡る・〈溯る】（自五）〔逆上る、の意〕❶〈どこヲー〉上流に向かって、川を進む。「流れをー」❷〈なにニー/なにヲー〉過去や根本に立ち返る。「新給与は四月一日に遡って支給」

さかば③⓪【酒場】客に酒を飲ませる店。バーや居酒屋。「大衆ー⑤」

さかぶね⓪【酒《槽】❶酒をためておく大きな木製などの器。❷酒をしこむための、木製などの大きな容器。

さかほがい③ー ホガヒ【酒《祝㋑】〔雅〕〔文語動詞「酒祝ふ」の連用形の名詞用法〕酒宴をして祝うこと。

さかま・く③【逆巻く】（自五）❶流れに逆らって波がまき上がる。❷波が、くずれる前に、内側にまく。

さかまた⓪【逆〈叉】シャチの異称。

さかみち②【坂道】坂になった道。

さかむけ⓪【逆《剝㋘】つめの根元の皮膚が、指のつけ根の方に剝けること。ささくれ。

さかむし⓪【酒蒸㋛】軽く塩をふった魚や貝などを器に入れ、酒をふりかけて蒸すこと。また、その料理。

さかめ⓪【逆目】〔木を削る時に〕木目（モク）の流れる方向と反対になること。また、木目が反対になっていること。「きれいに削るのがむずかしい」「ーに板を削る」

さかもぎ⓪【逆茂木】とげのある木の枝を幾つも柵（サク）に結びつけたもの。鉄条網と同じ働きをする。

さかもり⓪【酒盛㋷】ーする（自サ）おおぜいで酒を飲んで楽しむこと。酒宴。

さかや⓪【酒屋】酒を売る店。かぞえ方 一軒・一店 【ー

** * は重要語，⓪ ①… はアクセント記号，品詞の指示の無いものは名詞および いわゆる連語。

へ三里、豆腐屋へ二里】 山の中などの住まいの不便さをたとえて言う言葉。

さかやき⓪【月代】 江戸時代、男性がひたいから頭の中央にかけて髪の毛をそった△こと(部分)。

さかやけ⓪【酒焼(け)】―する(自サ) いつも酒を飲む人の顔が、赤く焼けたようになること。

さかゆ・く③【栄行く】(自四)〔雅〕栄えてゆく。

さかゆめ⓪【逆夢】 事実は反対の結果となって△現われた(現われると考えられる)夢。↔まさゆめ

さかよせ⓪【逆寄(せ)】 攻めて来る敵に対して、反対に攻めかかること。

***さから・う**③【逆らう】(自五)〔「逆ふ」と同源〕❶〈なにニ―〉自然の勢いと反対の方向に進もうとする。「△風(流れ・歴史の流れ・潮流)に―」❷〈だれ・なにニ―〉△相手の命令や注意(守るべきこと)をすなおに受け入れようとしない態度をとる。「△親(法則)に―」

さかり【盛(り)】[一]⓪③ ❶〔衰えかかる少し前で〕そのものが最も充実した状態にあること。また、その時期。「花の―〔=咲きそろった時期〕/眠い―〔=最中〕/今を―と〔=今が絶頂期であるかのように〕/日―・若―・男―・働き―」❷動物が、一年の決まった時期に発情すること。「―がつく」[二](造語) 動詞「盛る」の連用形。 ―ば⓪【―場】 大きな店舗が軒並に店を構えて、人がたくさん集まって来る場所。駅の近所に多く見られる。

さがり【下がり】[一]❶③ △下がること(下がった所)。「乳の―四、五センチ」❷①〔すもうで〕しめこみの縦糸でリボン状に織った物をふのりで固め、しめこみの前に下げるもの。十七本から二十一本の奇数。「―をさばく」❸③ ⇩お下がり [二](造語)❶ある定時を少し回った時分。「昼―・申の刻―⑥・七つ―」❷動詞「下がる」の連用形。 ―め【―目】↔上がり目 ❶③④ 目じりの下がった目。たれ目。❷⓪ 物価などが下がり始めた時。

さか・る【盛る】[一]⓪(自五)❶動物が発情する。また、交尾する。❷〔埼玉・新潟・長野の方言〕繁盛する。「盛っている」[二]〔「動詞連用形+―」の形で、接尾語的に〕何かをする勢いが活発になる。「出―・燃え―」〔⇩盛り[二]〕

****さが・る**②【下がる】(自五)❶〈どこ・なにカラどこ・なにニ―〉高い△位置(程度・段階)から低い△位置(程度・段階)へ移った状態になる。また、目立つ位置から目立たない位置へ移した状態になる。「増水した川の水位が―/気温が―/△物価(成績・順位)が―/一歩後ろへ―〔=退く〕/私財を抛って救済施設をつくったのには頭が―思いだ/城から―〔=退出する〕/君はもう下がって〔=退出して〕いい」❷〈どこ・なにカラ―〉上部を何かに支えられて、垂れる。「天井から垂れ幕が―」〔❶の大部分の対義語は、上がる〕〔⇩下がり[二]❷〕

さかろ⓪【逆櫓・逆艪】 和船を後ろにも進めるように、船首にも櫓をつけること。また、その櫓。

さかん①【主典】〔佐官の意〕〔昔の官制で〕第四等の官。神祇官では「史」、太政官では「史・外記」、省では「録」、職・坊・寮では「属」、近衛府では「将曹」、四衛府・検非違使庁では「志」、斎院司等では「主典」などと表記した。⇩四等官

***さかん**⓪【盛ん】―に ―な〔「盛り」の転〕❶普通より△元気(勢い)のいい様子だ。「老いてますます―だ」❷何かが△積極的(続けざま)に行なわれる様子だ。「論議が―になる/―な拍手に迎えられる/行を壮にする〔=⇩行❶〕」 派 ―さ⓪ 表記 ❶と❷の一部は、「《壮ん」とも書く。

さかん⓪【左官】 壁を塗る職人。「―屋⓪」

さかん①【佐官】 陸海空軍の将校を、大きく三つに分けた中の一つ。将官の下、尉官の上。

さがん⓪①【左岸】 川の上流から下流に向かって左の岸。↔右岸

さがん①⓪【砂岩】 砂の粒が水中に沈み固まって出来た岩。「しゃがん」とも。

ざかん⓪【座棺・坐棺】 死体を、すわった姿勢で入れる棺。↔寝棺

****さき**⓪【先】❶細くて△長いもの(長くとがったもの)の端の部分。「鼻の―〔=突端〕/行列の―〔=先頭〕」❷〔本拠地から離れた人が〕そこへ赴いて何らかの行動をとる場所や、交渉を持つ当の相手。「―のある話だから/―様次第だ/△勤め(届け・得意・取引)―」❸時間・順序の上で、「前[二]❷❸」に位置すること。「―に〔=前もって〕手配をする/何より―〔=第一番〕に水をくめ/あとにも―〔=以前〕にも/―〔=行列の先払い〕を務める」↔あと ❹時間・順序の上で、これから展開する方(にあるもの)。「話の―を忘れる/―〔=将来〕が思いやられる/―に延ばす/―の長い計画/まだ―の話/―へ―へと気を回す/…しない―に〔=時間的に…するより前に〕」↔あと 文法 ❹で、将来・未来に起こると予想される事態について言及するときに、「さきのことを考えずに思いつきで事を進めるのは好ましくない」とも、「あとのことを考えずに思いつきで事を進めるのは好ましくない」とも、「さき」「あと」が文脈上全く同義だととらえてよい用い方をすることがある。これは、以下のように、事を進める人の視点の違いとして説明できる。(a)例文の人が時の流れとともに進んでいくととらえれば、未来の方を向いているので「さき」のことだと言うことができる。(b)逆に、時の流れを未来の方から見た場合、問題の人を通り過ぎて過去へと向いているととらえれば、これからやってくる未来の時は現時点より「あと」に位置するということになる。【―に立つ】❶他の者が位置するより前に、一足早くその者がそこに位置する。「千メートルで―」❷他の者がその行動に着手するより一足早く、その者が着手する。「先に立って救援活動を開始した」❸優先する。「△あきらめ(思惑)が―/…への配慮が―」【―を争う】 優位な立場を占めようと、互いに競争する。【―を越す】 △優位に立とう(弱みを握られまい)として、人より先に手を打つ。「せんをこす」とも。

さき⓪①【崎】❶突き出た山の尖端。❷先端が海や湖に突き出た山の突端。「石廊―②」

さき①【左記】〔縦書きの文章で〕次行以下にしるしてあること。⇩右記

さぎ⓪【鷺】 ツルに似ているが脚の短い水鳥。くちばし・首・足が長く、頭に冠のような毛がある。サギ科の鳥の総称。「白―・五位―」 かぞえ方 一羽

さぎ①【詐欺】 他人をだまして金や品物をとったり損害を与えたりすること。「―にあう/―罪②・―師②」

さきいき⓪【先行(き)】 ⇩さきゆき

さきおくり⓪③【先送(り)】―する(他サ) 本来その時点でするほうが好ましい問題の解決・処理を先に延ばすこと。「抜本的解決を―する」

さきおととい⑤【一昨々日】 おとといの前の日。一昨々日。さきおとつい⑤。〔副詞的にも用いられる。アクセントは⓪〕

さきおととし④【一昨々年】 おととしの前の年。一昨々年。〔副詞的にも用いられる〕

さきがい⓪【先買(い)】 △必要(値上がり)を見越して、先に買っておくこと。「土地の―/定期券の―」

さきがけ⓪【先駆(け)・先・駈(け)・魁】―する(自サ)❶△味方の最先頭に立って(他の攻撃に先立って)敵陣に攻め入ること。❷他の同類がいっせいにそうなる前に、まずそのものが

先鞭(センベン)をつけること。「△春(秋)の—」 動先駆ける④(自下一)「春に先駆けて(=春が来たことを告げるかのように)咲く花」

さきがし⓪【先貸(し)】—する(他サ) 前貸し。↕先借り

さきがち⓪【先勝(ち)】❶先に勝つこと。❷先勝(センショウ)❷。

さきがら⓪【咲(き)殻】 花が咲いて、しぼんだあと。

さきがり⓪【先借(り)】—する(他サ) 前借り。↕先貸し

さきぎり⓪【先《限】〔相場で〕受渡し期日が翌々月の定期取引。⇩中限(チュウギリ)・当限(トウギリ)

さきぐい⓪(グヒ)【先食(い)】—する(他サ)〔俗に〕〔予算などを〕本来の使用時期より以前に使うこと。

さきくぐり③【先《潜(り)】—する(自サ) ❶こっそり先回りして、何かをすること。❷人の言動の先を推量して、悪い方に早合点すること。

さきこぼ・れる⑤【咲(き)〈溢れる】(自下一) 枝からこぼれそうに(たくさん)咲く。

さきごめ⓪【先込(め)】 △銃口(砲口)から弾丸をこめること。また、その型の銃。↕元込め

さきごろ②【先頃】「このあいだ」のやや改まった表現。〔副詞的にも用いられる〕「—の総選挙では政権与党が圧勝した」

さきざき②【先々】❶将来。❷行く場所(のすべて)。❸すべての端。「指の—まで力があふれる」

さきさま⓪【先様】 先方(の人)の敬称。

さきぜめ⓪【先攻(め)】「先攻(センコウ)」の和語的表現。↕あと攻め

さきぞなえ③(ソナヘ)【先備(え)】 本隊に先行する部隊。↕あと備え

サキソホーン③④〔saxophone, sax=もと、人名〕 管楽器の一つ。ジャズ音楽の代表的な楽器で、管の先にらっぱが曲がって付いた形。サキソホン③とも。サックス。かぞえ方 一本

さきぞめ⓪【先染(め)】 織物に織る前に、糸のままの段階で染めること。↕あと染め

さきそろ・う④(ソロフ)【咲(き)〈揃う】(自五) 多くの花がいっせいに咲く。

さきだか⓪【先高】〔取引などで〕将来値段が高くなる見込みであること。「—感④」↕先安

さきだ・つ③【先立つ】(自五) ❶ほかの者より先の順位を占める。「コロンブスのアメリカ発見は これに—こと数年前だった/—(=何よりも必要な)ものは、△金(人の和)だ」 ❷ほかの者より先に それをする立場に身を置く。「社員に先立って(=先頭に立って)働く/人に先立って(=率先して)提唱する」 ❸〔予想される順序に反して〕先に死ぬ。「親に—不孝をお許しください/妻に先立たれる」

さきだ・てる④【先立てる】(他下一) 先立つようにする。先立たせる。「ガイドを先立てて山に登る」

さぎちょう⓪(チャウ)【左義長】〔「三毬打(サギッチャウ)」の変化という〕正月十五日に、青竹を立てて正月の飾り物を燃やした宮中の儀式。もと、悪魔を払う火祭り。〔民間の行事としては「どんど」と言う〕

さきづけ⓪【先付(け)】❶現在より先の時点の日付。「—の小切手/—の辞表を書く」 ❷突出し❷。

さきっちょ⓪【先っちょ】 さきっぽ。「鼻の—」

さきっぽ⓪【先っぽ】「先(の方)」の意の口頭語的表現。「竿の—に赤とんぼがとまる」

さきて⓪【先手】 その軍隊の、まっ先に進む部隊。

さきどなり⓪③【先隣】❶隣のもう一つ先の、隣。❷両隣のうち、進行方向からいって向こうに位置する方。

さきどり⓪【先取(り)】—する(他サ) ❶他人より先にそれを取ること。〔一般に、時代の流行に先立って、価値ある事に着手し、それを実行する意にも用いられる。例、「時代を—する」〕 ❷何かをする前にお金を受け取ること。

さきどり⓪【先《録(り)】 ⇩プリレコ

さきに【先に】❶①(副) その事があったのが、現在をさかのぼる ある時点においてのことである様子。「—発表された政府の統計によると/—行なわれた停戦交渉では」 ❷⓪〔「に」は格助詞〕時間・順序の上で前である様子。「—行くね/—準備しておく」 表記 ❷は「〈曩に」とも書く。

さきにお・う④(ニホフ)【咲(き)匂う】(自五) あたりに映えて美しく咲く。

さきのこ・る④【咲(き)残る】(自五) ❶ほかの花よりも遅れて咲く。❷ほかの花と違って、いつまでも△咲いて(咲かないで)いる。

さきのばし⓪③【先延(ばし)】—する(他サ) △本来先に解決しておくべき(その時までに済ませると予定していた)物事の処置を、先に延ばすこと。「嫌な仕事はついつい—にしてしまう/返済を—する」

さきのり⓪【先乗(り)】—する(自サ) ❶行列の先頭に立つ騎馬の人。前駆。❷〔旅興行などで〕準備をするために みんなより先に行く△こと(人)。「—スコアラー⑥」

さきばこ⓪②【先箱】 江戸時代、将軍や大名の行列の先頭に立って担がせたはさみ箱。「金紋—(=金色の紋をつけた先箱)」

さきばし・る④【先走る】(自五)〔他人より先に走り出る意〕ひとりよがりの判断で、他人に先がけて行動する。名 先走り⓪「お—」

さきばらい③(バラヒ)【先払(い)】—する(他サ) ❶運賃・郵便料金などを、受取人が払う支払い法。着払い。❷前払い。↕あと払い ❸△貴人の通行のため(緊急の際)の、交通規制。「お—④」

さきぶと⓪【先太】—に—な 先が太い△こと(様子)。↕先細

さきぶとり⓪【先太(り)】—する(自サ) ↕先細り ❶先に行くに従って太くなること。❷のちになるほど勢いが盛んになったり財産がふえたりすること。「—を見越して投資する」 動 先太る④(自五)

さきぶれ⓪【先触(れ)】 そういう事態に すぐなることを前もって感じさせる何ものか。「春の—」

さきぼう⓪(バウ)【先棒】 二人で物を担ぐ時、棒の前を担ぐ△者(こと)。「お—を担ぐ(=人の手先となって、動きまわる)」 ↕あとぼう

さきほこ・る④【咲(き)誇る】(自五) 今を盛りと咲く。

さきぼそ⓪【先細】—に—な 先が細い△こと(様子)。↕先太

さきぼそり⓪【先細(り)】—する(自サ) ↕先太り ❶先に行くに従って細くなること。「—になった棒」 ❷のちになるほど勢いが衰えたり 量が減ったりすること(が予測されること)。「事業が—する/—の状態だ」 動 先細る④(自五)

さきほど⓪【先程】(副)「さっき」の意の、やや改まった表現。 **—らい**④【—来】(副)「さっきから」の意の、改まった表現。「—のお話によりますと」

さきまわり③(マハリ)【先回(り)】—する(自サ) ❶相手より先に △行く(行なう)こと。❷人を出しぬいて何かをすること。

さきみだ・れる⑤【咲(き)乱れる】(自下一) 花が一面にきれいに咲く。

さきもの⓪【先物】❶将来一定の時期に受け渡すべき、為替・商品。❷取引所の定期取引のうち、翌々月に受け渡しを行なうべき商品。さき。 **—がい**⓪(ガヒ)【—買(い)】❶「先物❷」を買うこと。❷将来どうなるか分からないものの値うちを、他に先がけて認めること。 **—とりひき**⑤⑥【—取引】 将来のある決まった期日に現物の受け渡しまたは

決済を行なうことを約束した上での売買取引。現在は、物品だけでなく、あらゆる財貨・サービス・権利・権益を取引の対象にすることが出来る。

さきもり[2][0]【〈防人〉】〔「崎守(サキモリ)」の意〕上代、東国などから派遣されて、九州の要地を警備した、主として東国出身の兵士。

さきやす[0]【先安】〔取引などで〕将来、値段が安くなる見込みであること。↔先高

さきやま[0]【先山】〔鉱山・炭鉱で〕経験が豊富で、実際に掘る作業を分担する鉱員。〔後山(アトヤマ)と一組になって仕事をする〕↔後山

さきやま[0]【《岬山》】山の端が伸びて、みさきとなったもの。表記「《前山」とも書く。

さきゅう[0]【砂丘(キウ)】〔海岸や砂漠で〕風の力で帯状に作られた、砂の山。「鳥取―[5]」

さきゆき[0]【先行(き)】〔これまでの経過を踏まえて〕将来どうなるかの見通しを立てること。また、その見通し。「さきいき」とも。「今のままでは―が不安だ／この調子なら―が明るい」

****さぎょう**[1]【作業(ゲフ)】―する(自サ) 一定の手順に従って仕事を△する(進める)こと。また、その仕事。〔広義では、事務をとることをも指す〕「―が進む／―衣(イ)[2](=工作などの作業の時に着る衣服)・―員[2]・―所[0][4]・―場(バ|ジョウ)[0]・―量[2]・―計画書[8][0]・突貫―[5]・知的―・単純―[5]」

ざきょう[0]【座興】❶その場に興を添えるための△遊芸(遊戯)。❷その場の一時の戯れ。

ざぎょう[0]【座業(ゲフ)・〈坐業〉】すわっていてする仕事。例、文筆家などの仕事。

さぎり[0]【《狭霧》】〔「さ」は接辞〕「きり」の美称。

さきわ・う[3]【《幸(サキハフ)う》】(自五)〔文語「さきはふ」の現代かなづかいによる表記〕❶幸福に△あう(なる)。❷栄える。「言霊(コトダマ)の―国」名幸い[0]

さきわけ[0]【咲(き)分(け)】同じ株の中に違った色の花がまじって咲く△こと(草木)。

さきわたし[0][3]【先渡(し)】―する(他サ)❶賃金などの前渡し。前払い。❷商品を、代金を受け取る前に渡すこと。〔商品を受け取る前に代金を支払う場合にも言う〕

さきん[0]【砂金】川床の中の砂や小石に交じってとれる金。しゃきん。

さきん[0]【差金】差し引いた残りの金額。残金。「―決済」

さきん・じる[4][0]【先んじる】(自上一) 人より先に△行く(行なう)。先んずる[4][0](サ変)。「他社に先んじて開発に成功する／先んずれば人を制す」

さく〈冊・作・削・昨・柵・〈朔・索・策・酢・搾・錯・〈鑿〉↓【字音語の造語成分】

***さ・く**[0]【咲く】(自五)〈(どこ)ニ―〉〔「裂く」と同源という〕花のつぼみが開く。「見事に―／大輪の花が―／死んで花実(ハナミ)が―ものか」名咲き[0]「七分―(ザキ)[0]・狂い―(ザキ)」

***さ・く**[1](他五)❶【裂く】〈(なにデ)なにヲ―〉筋状になっている方向に添って、両側に開かせるような力を加えて二分する。「紙を―／生木(ナマキ)を―／仲を―(=離す)／魚を―(=魚の腹を開く)」❷【割く】〈なにヲ―〉都合して、一部分を他に△回す(与える)。「△領土(時間・紙面・力)を―」

さく[1] くわで打ち返した△ところ(あとのうね)。

さく[2][1] △マグロ(ブリ)などの刺身を作る直前の大きな身のかたまりで、縦に長い形に切ってあるもの。〔かぞえる時にも用いられる〕

さく【作】❶[1][2] Ⓐ芸術作品として作った物。作品。表記かな書きのほか、「冊・作」とも書く。「左甚五郎(ヒダリジンゴロウ)の―／会心の―／傑―・駄―」Ⓑ(芸術)作品をかぞえる語。「生涯に五―しか残していない画家」❷[0][2]「作柄(ガラ)」の略。⇩【造語成分】

さく[2]【柵】❶木や、くいなどを立て並べ、横木でつないだ囲い。「―を巡らす／のり―」❷〔古〕とりで。

さく[1]【〈朔〉】〔古〕〔昔、中国の天子が諸侯に与えた翌年の暦の意〕天子の政令。「―を奉ずる」⇩【造語成分】

さく[1]【索】〔鋼製の〕ロープ。⇩【造語成分】

***さく**[2][1]【策】〔もと、竹簡(チクカン)・辞令書の意〕❶はかりごと。「―におぼれる／―を△授ける(示す・練る)／―略・―動・政―・国―・対抗―」❷組織全体をどう動かし、いちいちの問題についてどう対処するかの具体的な計画。「―を講じる(=いいやり方を考える)／インフレ抑制―を打ち出す」⇩【造語成分】

ざく[1]〔鍋(ナベ)料理で〕肉に添えて一緒に煮る、ネギなどの野菜。

ざぐ[1]【座具・〈坐具〉】すわる時、尻(シリ)にあてたり からだをよりかからせたりするための物。座布団・ござなど。

さく・い[2](形)❶〔木材などについて〕「割合 堅いが裂けやすい」意の古風な表現。❷さっぱりしている、また、気さくだ、の意のやや古風な表現。「―人だ」

さくい[1]【作為(キ)】―する(他サ)❶見せかけのために手を加えること。「―のあとが見える」❷〔法律で〕(何らかの意図に基づいて)何かを行なうこと。また、その行為。「不――」―てき[0]【―的】―な ―に 意図的にそうしたとありありと感じられる様子だ。「情報を―に操る」

さくい[1]【作意】❶(よからぬ事を)何かしてやろうと思う考え。「―があったわけではない」❷作品の制作意図。

さくいん[0]【索引】書物や書類に現われた事項・語句などを抜き出して一定の順序で配列し、記載されているページなどがすぐに捜し出せるようにしたもの。インデックス。表記「索隠」とも書く。

ザクースカ[2]〔ロ zakuska〕ロシア料理の前菜。キャビア・薫製の魚・サラダなどの盛り合せ。ザクスカ[2]とも。

さくおう[0]【策応(オウ)】―する(自サ) 二人以上の人が、ひそかに連絡しあって、何かをたくらむこと。

さくおとこ[3]【作男(ヲトコ)】農家の仕事をするために雇われている男。

さくが[0]【作画(グワ)】―する(自サ) △絵(写真)を制作すること。

さくがら[0]【作柄】❶作物の出来ぐあい。❷作品の出来ばえ・品格。

さくがん[0]【削岩・〈鑿岩〉】岩石やコンクリートを破砕するために穴をあけること。「―機[3]」表記「削」は、代用字。

さくぎょう[0]【昨暁(ゲウ)】きのうの夜明け(方)。〔副詞的にも用いられる〕

ざくぎり[0]【ざく切(り)】キャベツなどの野菜を丸のまま大まかに切ること。

さくぐ[1][2]【索具】船で使う綱。例、帆綱(ホヅナ)。かぞえ方 一本

さくげき[0]【作劇】―する(自他サ) 脚本の形で劇を構成すること。「―術[4]」

さくげん[0]【削減】―する(他サ)〔予算・軍備などを〕従来の規準より減らすこと。「人員―[5]・経費―[1]-[0]」

さくげん[0]【《遡源》・〈溯源〉】―する(自サ)〔本来の字音はソゲン。「さくげん」は類推読み〕⇩そげん

さくげんち[3]【策源地】〔前線の作戦部隊と違って〕兵站(ヘイタン)活動を行なう後方基地。「悪の―(=根拠地)」

さくご[1]【錯誤】❶〔錯も誤りの意〕事実に対する適切な判断を誤ること。「昔のことなので多少の―があるかもしれない／試行―を繰り返す／時代―」❷その人が認識したことと、認識した対象である客観的事実とが一致しないこと。

さくさく[1](副)―と 雪を踏んで行ったり 野菜を刻んだり 歯切れよくものを噛(カ)んだり するときに、小気味よく軽い音

を立てる様子。また、その音の形容。

さくさく [0]【〈嘖々〉】―たる ―と　ほめて言いはやす様子だ。「好評―(たるものがある)」〔「悪評―」は誤り〕

ざくざく [1]（副）―と　❶一面に敷かれた小さく固いものなどの上を歩いたときに出る音の形容。「神社参道の玉砂利の上を―と歩く」 ❷金銀や財宝がすくえば触れ合って音が出るほどたくさんある様子。「大判小判が―出てきた」 ❸キャベツ・白菜などの野菜を粗く切る様子。

さくざつ [0]【錯雑】―する（自サ）　こみいっていて、まとまりの無いこと。

さくさん [0]【〈柞蚕〉】　からだ・羽は茶色で、大形の昆虫。幼虫はクヌギ・ナラなどの葉を巻いて茶色の繭を作る。糸は織物用。〔ヤママユガ科〕 かぞえ方 一匹

さくさん [0][3]【酢酸・〈醋酸〉】　△木材(アセチレン)からとる、無色で強いにおいのある液体。酢のおもな成分。食用・薬品の原料。

さくし [0]【作詞】―する（自他サ）　歌詞を作ること。「―家[0]」

さくし [0]【作詩】―する（自他サ）　詩を作ること。「―法[0]」

さくし [1]【策士】　好んで策略を用い、思い通りに物事を動かそうとする人。「―、策に おぼれる〔=策略を用い過ぎて、かえって失敗することがあるものだ〕」

さくじ [0]【作字】―する（自他サ）　〔原稿に書いてある文字の用意が無い場合〕既存の活字を組み合わせたり 削ったりして、目的の文字の形を作ること。〔広義では、木版作製をも含む〕 表記 字画を削る場合には、「削字」とも書く。

さくじつ [2]【昨日】　「きのう」の、やや改まった言い方。〔副詞的にも用いられる〕

さくじば [0]【作事場】　作業小屋。

さくしゃ [1]【作者】　その芸術作品を△作る(作った)人。〔狭義では、△狂言(脚本)を作る人を指す〕

さくしゅ [1]【搾取】―する（他サ）　△資本家(奴隷主・領主など)が、△労働者(奴隷・小作人など)を不当に安い賃金で働かせ、利益の大部分を ひとり占めにすること。

さくしゅう [1]【作州】　「美作国」の漢語的表現。今の岡山県北東部にあたる。「―牛[3]・―絣[5]」

さくしゅう [0]【昨週】　「先週」の、やや固い表現。〔副詞的にも用いられる〕

さくしゅつ [0]【作出】―する（他サ）　〔新しい品種を〕作り出すこと。

さくしゅつ [0]【索出】―する（他サ）　〔本などの中から〕知りたいことを捜し出すこと。

さくじょ [1]【削除】―する（他サ）　書いてあるものの中から△不都合(不要)な部分を削りとること。

さくじょう [0]【作条】　種をまくために一定の幅で平行に掘った、浅い溝。 かぞえ方 一本

さくじょう [0]【索条】　△麻(鋼)の線をより合わせたものを芯にし、これに より合わせた鋼製の針金を数本巻きつけて作った縄。鋼索。ワイヤロープ。 かぞえ方 一本

サクション [1]〔suction〕　吸上げ。吸引。「―ポンプ[5]」

さくず [0]【作図】―する（他サ）　❶図を作ること。 ❷〔幾何学で〕与えられた条件を満足する図形を描くこと。〔狭義では、定規とコンパスのみを使用するものに限定される〕

さく・する [3]【策する】（他サ）　「図る」意のやや古風な表現。策す[2]（五）。「△財産横領(延命)を―」

さくせい [0]―する（他サ）　■一【作成】　書類・文章などを作ること。「試験問題の―」 ■二【作製】　品物・図面・印刷物などを作ること。製作。

さくせい [0]【〈鑿井〉】―する（自サ）　地下水や石油をとるために、井戸や穴を掘ること。ボーリング。「―機[3]」

サクセス（造語）〔success〕　〔事業の〕成功。「―ストーリー[6]〔=出世物語〕」

さくせん [0]【作戦】　❶△戦い(ゲーム)のしかた。「―を練る/―勝ち[0]〔=(実力では劣っているものが)巧妙な作戦で勝つこと〕」 ❷軍隊が一定期間 特定の敵に対してとる行動。「敵の背後を衝く―に△出る(転じる)/―を展開する」 表記 「策戦」とも書く。

さくぜん [0]【索然】―たる ―と　興味の(あまり)感じられない様子だ。

さくそう [0]【錯〈綜〉】―する（自サ）　〔物事の関係が〕複雑に入り組むこと。「利害関係が―する」

さくたん [0]【〈朔旦〉】　月の第一日目の朝。

さくちがい [3]【作違(い)】　作柄がよくないこと。

さくちゅう [0]【作中】　物語・小説などに描かれた世界の中。「―人物[5]」

さくちょう [0]【作調】　〔絵などの〕作品の調子。「迫力ある―を示す」

さくづけ [0]【作付】　作物を植え付けること。「さくつけ」とも。「―面積[5]」

さくっと [2]（副）―する　細かくて堅い粒を、音を立ててすくったり そのかたまりを割ったり する様子。また、その音の形容。「砂糖をスプーンで―すくう/―した歯ざわりのクッキー」

さくてい [0]【策定】―する（他サ）　〔政策などを〕考えて決める

さく

【冊】　❶文字を書きつける札。「短冊」 ❷古代中国で、天子による爵位の任命書。「冊封・冊立」

【作】　■一❶さかんにする。「作興・振作」 ❷△頭を働かして(からだを動かして)新たにつくる。「作成・作歌・作曲・合作・創作・著作」 ❸畑で穀物や野菜などをつくる。「作物・農作・耕作・二毛作・自作・小作」 ❹作柄。「豊作・不作・平年作」 ❺たくらむ。「作為・作戦・工作」 ■二(略) 美作国。「作州」 ⇩(本文)さく【作】

【削】　けずる。「削除・削減・削剝・添削・筆削」

【昨】　❶昔。以前。「昨今・昨非今是」 ❷△一晩(一日・一か年)経過した前の。「昨晩・昨日・昨年・昨シーズン」

【柵】　⇩(本文)さく【柵】

【〈朔〉】　❶陰暦のついたち。「朔日」 ❷北。「朔北・朔風・朔方」 ⇩(本文)さく【朔】

【索】　❶太い綱。「索条・索道・係留索」 ❷さがし求める。「索引・捜索・検索・思索」 ❸見るべき物が無くなって、さびしい。「索然・索莫」 ⇩(本文)さく【索】

【策】　むちうつ。つえ。つえをつく。「散策」 ⇩(本文)さく【策】

【酢】　酸味のある液体調味料。す。「酢酸・木酢」

【搾】　油や酒などの液分をしぼり出す。「搾取・圧搾」〔もとは「木」偏の漢字で、しめ木の意。音は旁に基づき考えられた〕

【錯】　❶まざる。「錯雑・交錯」 ❷順序を入れ違う。「錯乱・倒錯」 ❸何かの拍子にまちがう。「錯誤・錯覚」

【〈鑿〉】　❶大工道具の のみ。「斧鑿」 ❷深く穴を掘る。「掘鑿・穿鑿」

こと。「△基本方針（計画）を━する」

さくてき⓪【索敵】━する（自他サ） 敵がどこに居るか捜し、また、その位置・兵力を調べること。

さくど①【作土】 耕地の表層の耕された土。

さくとう⓪【作陶】 芸術品としての「焼き物㊀㊁」を作ること。「━二十年」

さくどう⓪【索道】〔←架空索道④〕ケーブル。

さくどう⓪【策動】━する（自サ） 人知れず（悪い）計画を立てて行動すること。「━家⓪」

さくにゅう⓪【搾乳】㊀━する（自サ）〔ウシなどの〕乳をしぼりとること。乳しぼり。㊁しぼりとった乳。

さくねん⓪【昨年】「去年」の、少し改まった表現。〔副詞的にも用いられる〕

さくはく⓪【削剝】 川の水が、長年の間に岸の土を削りとること。「━作用⑤」

さくばく⓪【索〈莫〉】━たる ━と 心が満たされないで寂しい様子だ。「━たる人生」 表記「索漠・索〈寞〉」とも書く。

さくばん②【昨晩】 きのうの晩。「ゆうべ」よりもやや改まった表現。〔副詞的にも用いられる〕

さくひこんぜ①-①【昨非今是】 境遇・考え方が変わって、きのう悪いと思ったことが、きょうは良く思われること。

*さくひん⓪【作品】 感情や心境の表出、思想や主張の表明など、何らかの意図や目的があって制作したもの。〔狭義では、文芸・美術・工芸など芸術上の制作物を指す〕「━を鑑賞する/新しい━に取り組む/生徒━④・出陳━⑤・芸術━⑤」 かぞえ方 一点・一本

さくふう⓪【作風】 作品に現われた、その作者の志向する傾向・特徴。

さくふう⓪【〈朔〉風】〔「朔」は北方の意〕「北風」の別称。

さくぶつ②【作物】〔絵・彫刻・文章などの〕作品。

さくぶん⓪【作文】━する（自サ）〔何かの課題で〕文章を作ること。また、その文章。〔体裁を整えただけで、本来記述されていなければならない事柄が書かれていない文章の意にも用いられる。例、「━に過ぎない報告書」〕

さくほう⓪【作法】 その分野における、作品の作り方。「短歌（の）━/文章━⑤」

さくほう⓪【昨報】 きのうの報道。〔新聞社の用語〕

さくぼう⓪【〈朔〉望】〔「朔」は新月、「望」は満月の意〕月の一日と十五日。「━潮⓪③〔=大潮〕」

さくぼう⓪【策〈謀〉】━する（自サ）〔大それた〕はかりごと（をめぐらすこと）。「━家⓪」

さくほく⓪【〈朔〉北】 北方。特に、中国で、北方の異民族と境を接する国境付近。「━の地」

さくま⓪【作間】㊀作物の植えてある列と列との間。㊁農業のひまな時。

ざぐみ⓪【座組（み）】 歌舞伎・人形浄瑠璃・新派・寄席などの、出演者の組織。「腕達者の多い━」

さくもく⓪【作目】 作物の種類（を表わす名前）。

*さくもつ②【作物】 田畑に作る穀物や野菜などの総称。

さくや②【昨夜】「きのうの夜」のやや改まった表現。〔副詞的にも用いられる〕「━来の雨も上がり」

さくやく⓪【炸薬】〔「さく」は慣用音〕砲弾・爆弾を爆発させる火薬。感度が高くて威力も大きい。ピクリン酸などが使われる。

さくゆ⓪【搾油】━する（自サ） 植物性の原料から油をしぼること。

さくゆう⓪【昨夕】「きのうの夕方」の意の漢語的表現。〔副詞的にも用いられる〕

さくよう⓪【〈腊〉葉】〔「腊」は、干し肉の意〕「押し葉」の意の漢語的表現。

さくら⓪ ㊀金をもらって、劇場の客席から俳優に声をかけてほめる人。㊁縁日や盛り場の露店などで、客のふりをして品物をほめたり進んで買ったりして客の買い気をそそる役をする△人（仲間）。

さくら⓪【桜】㊀堤・道わき・公園・庭に植える落葉高木。春、一面に美しく咲く淡紅色の花は日本の国花。材は建築・家具に使う。品種が多い。〔バラ科〕㊁〔←桜色⓪〕淡紅色。㊂〔←桜肉③〕「馬の肉」の婉曲表現。〔桜色をしているから〕 かぞえ方 ㊀の樹木は一株・一本・一木・一樹。花は一輪・一片。また桜餅に用いる葉の取引上の単位は一樽 ━えび③【━〈海老〉】・━〈蝦〉 エビの一種。小形で透明な桜色。〔サクラエビ科〕 ━がい③【━貝】 二枚貝の一種。殻は二センチほどで薄くてもろく、三角形。色は淡紅色で美しい。南日本に多く産し、貝細工などに使う。〔ニッコウガイ科〕 かぞえ方 一枚 ━がみ③【━紙】 薄くて柔らかい鼻紙。 かぞえ方 一枚。小売の単位は一帖 ━がり⓪③【━狩（り）】 桜の花を観賞して山野を歩くこと。 ━ぜんせん④【━前線】 春、日本列島の南の方から早く始まり、北へ行くに連れて遅くなる桜の開花（予想）日を、同じ日ごとにほぼ東西に延びる線で結んで示したもの。「━北上中」 ━そう⓪【━草】 春、桜の花弁に似た紅紫色・白色・ピンクの花が開く多年草。栽培品種が多く、ヨーロッパ産のものをプリムラと言う。〔サクラソウ科〕 かぞえ方 一本 ━だい③【━〈鯛〉】㊀桜が咲くころ美味となる、瀬戸内海のマダイ。㊁海にすむ魚の一種。マダイに似るが、雄のからだの上の方に、桜の花のような形の白いまだらがある。〔スズキ科〕 かぞえ方 ㊀㊁とも一尾・一匹 ━だより④【━便り】 桜の花の咲き具合を知らせる便り。「━が届く」 ━づけ⓪【━漬（け）】 八重桜の花の塩漬け。熱湯に浮かべて飲む。⇨桜湯 ━ます③【━〈鱒〉】 日本近海に生息する魚。全長六〇センチほど。背は青黒く、側面に黒い斑点があり、腹は銀白色。川で孵化して海に下ったのち、産卵のため川を上る。食用。ホンマス・マスとも。〔海に下らず川にとどまるものをヤマメという〕〔サケ科〕 かぞえ方 一尾・一匹・一本。切り身は一切 ━めし③【━飯】「茶飯㊁」の異称。 ━もち③【━餅】 ゆるく練った小麦粉を薄く焼き、中にあずきあんを入れ、表を塩漬けの桜の葉で包んだ菓子。蒸したもち米でも作る。 ━ゆ③【━湯】 桜漬けを熱湯に浮かべた飲み物。めでたい席で、茶の代りにする。

サクラメント④①〔sacrament〕 キリスト教の重要な儀式。洗礼・聖餐など。秘跡。

さくらん⓪【錯乱】━する（自サ）㊀正しい順序が乱れること。こんがらかること。㊁強いショックを受けるなどして、秩序立った思考力が失われること。「━状態におちいる/精神━①-⓪、⑤〔=正常な判断力が失われること〕」

さくらんぼ⓪【桜〈桃〉・桜ん〈坊〉】〔「桜ん坊」の短呼〕「桜桃」の実の口頭語的表現。「さくらんぼう⓪」とも。〔広義では、桜の実も指す〕

さくり②（副）━と 細かくて堅い粒のかたまりが割れる音の形容。さくっと。強調して「さっくり」とも。

さぐり【探り】[一]⓪③ ㊀探ること。「━を入れる〔=それとなく様子を探ってみる〕」 ㊁はれものや傷などの深さを計るための器具。 ㊂印判の前の部分の、人さし指を添えるためのくぼみ。 [二]〔造語〕 動詞「探る」の連用形。 ━あし③【━足】 足もとがよく見えない時などに、足をずりながら、足もとの様子を確かめつつ進むこと。 ━あてる⑤【━当てる】（他下一） ㊀手で探ってありかを尋ね当てる。 ㊁いろいろ尋ねた末、目的の物を見つける。「先方の家を━」 ━だす④【━出す】（他五） あれこれと調べて、隠されている

△もの(事柄)を見つけだす。「隠れ家を—」

ざくり②(副)—と ㊀物がたいした抵抗もなく大きく割れたり裂けたりする様子。強調して「ざっくり」とも。「スイカを—と割る/肩先から—と切られた」 ㊁「さくっと」の強調形。「砂利をシャベルで—とすくう」

さくりつ⓪【冊立】—する(他サ) 〔「冊」は諸侯などを任命する詔勅の意〕勅命に基づき、皇后・皇太子などを定めること。

さくりゃく⓪【策略】 うまくだまし、相手を自分の術中に陥らせるための はかりごと。「—を△めぐらす(もてあそぶ)」

*__さぐ・る__⓪【探る】(他五)〈(なにデ)なに・どこヲ—〉 ㊀見えない部分にある物の存在を△確かめよう(知ろう)として、見当をつけたあたりを手や足で触れる。「手で—/ポケットを—」 ㊁〔未知の事柄や隠されている事情などを知ろうとして〕方法を尽くして、観察したり 調査したり 推測したりする。「△洞窟(ドウクツ)(敵陣)を—/相手の△出方(真意)を—/△秘密(語源・様子)を—」 〔⇩探り㊂〕

さくれい⓪【作例】 ㊀作り方の△手本(実例)。 ㊁説明などのために、その人が適当に作った用例。〔古語では、実際の作品例の意に用いられた〕

さくれつ⓪【〈炸裂】—する(自サ) 投下された爆弾や発射された砲弾などが破裂すること。

ざくろ①【〈柘榴〉・《石〈榴】 庭に植える落葉高木。六月ごろ、濃い橙(ダイダイ)色の花を開く。実は大きく、熟すと裂ける。大部分は種で、果肉は少なくて酸っぱい。「じゃくろ①」とも。〔ミソハギ科(旧ザクロ科)〕 [表記]「{安石〈榴}」(漢語表記)とも書く。 [かぞえ方] 一株・一本 **—いし**③【—石】 赤・褐・黄・黒白色で、△透明(半透明)の宝石。〔一月の誕生石〕研磨用にも使用。マグネシウム・鉄・マンガン・カルシウムのうちの二種を含む。ガーネット。 **—ぐち**③【—口】 〔江戸時代の銭湯で〕かがんで入った、湯ぶねへの出入口。〔昔、鏡を研ぐのに「ざくろ酢③」を使ったことから、「かがみ入る」に「鏡が要(イ)る」をかけたものという〕 **—ばな**③【—鼻】 赤くぶつぶつにふくれて見える鼻の頭。酒飲みに多い。あかばな。

*__さけ__⓪【酒】 米・こうじで醸造した、日本特有のアルコール分を含む飲料。適量を過ごすと酔う。〔狭義では日本酒を指し、広義では洋酒・ビールなどをも含む〕「—が入る(=酒を飲んでいる)/—と△女(ばくち)に溺(オボ)れる/—の席(=酒宴の場)/振舞—(ザケ)③・祝い—(ザケ)」 [かぞえ方] 一盃(パイ)・一滴(テキ)。小売の単位は一本・一瓶・一樽(タル)。酒を飲みすぎて、本心・自制心を失う。 **【—に〈呑のまれる】** [表記]「酒に飲まれる」とも書く。

さけ①【〈鮭】 北洋にすむ、大形の魚。秋、生まれた川をさかのぼって卵を産む。薄い紅色の肉は美味。卵(=スジコ・イクラ)も食用。「しゃけ」とも。サーモン。〔サケ科〕 [かぞえ方] 一尾・一匹・一本。切身は一切(ヒトキレ)・一枚

さげ②【下げ】 ㊀下げること。また、下げたもの。〔かぞえる時にも用いられる〕「格—」 ↕上げ ㊁下げ緒(オ)。 ㊂草摺(ズリ)。 ㊃〔落語の〕おち。

さげあし⓪【下(げ)足】 相場が下がる動き。 ↕上げ足

さけい⓪【左傾】—する(自サ) ↕右傾 ㊀左に傾くこと。 ㊁△急進(社会主義・共産主義)思想を持つ(ようになる)こと。

さげお②⓪—(ヲ)【下(げ)緒】 刀のさやにつけて下げる組みひも。刀を帯に結びつけるために使う。 [かぞえ方] 一本

さげかじ②⓪—(カヂ)【下(げ)〈舵】 航空機を下に向けるための、舵のとり方。 ↕上げ舵

さけかす⓪【酒〈粕】「もろみ」から酒をしぼったあとの粕。汁物や奈良漬けに使ったり 焼いて食べたりする。 [表記]「酒〈糟」とも書く。

さげがみ②【下(げ)髪】 女性の髪型の一つ。頭髪全部を後方で束ねて下げたもの。

さけかん⓪—(クワン)【〈鮭缶】 サケの缶詰。 [表記]「缶」の旧字体は「〈罐」。

さけくせ⓪【酒癖】 酒に酔った時に出る癖。「さけぐせ」とも。

さけくらい③—(クラヒ)【酒食(ら)い】 意地きたなく酒を飲みたがる人。〔多く、軽い侮蔑(ブベツ)を含意する〕

さけじ②—(ヂ)【裂(け)〈痔】 肛(コウ)門の皮膚と粘膜との間に裂け目の出来る病気。切れ痔。〔専門語では「肛門裂傷⑤」〕

さげしお⓪—(シホ)【下(げ)潮】 ひきしお。 ↕上げ潮・満ち潮・差し潮

さげじゅう②—(ヂユウ)【提(げ)重】 手にさげて持つようにした重箱。

さけずき⓪【酒好(き)】—な 酒が好きな△こと(人・様子)。

さげす・む③【蔑む】(他五) 〔大工の使った「下墨(サゲスミ)②」を動詞化したもの〕相手の人格・能力などを劣ったものと考えて、ばかにする。〔「軽蔑(ケイベツ)」より文章語的〕 [名]蔑み⓪ [表記]「〈貶む」とも書く。

さげだな⓪②【下(げ)棚】 つり下げた棚。

さげどま・る④【下げ止(ま)る】(自五) 株価や地価の下落がとまる。 [名]下げ止まり⓪

さけのみ③④【酒飲(み)】 酒が好きで機会を得ては飲むこと。また、その人。上戸。「いい—だ」 [表記]「酒〈呑み」とも書く。

さけびごえ④—(ゴヱ)【叫び声】 叫んで出す(大きな)声。叫び。

さけびたり⓪【酒浸(り)】 昼といわず夜といわず酒を飲んでいる△こと(状態)。「—の毎日」

さげびら⓪【下げびら】 品物の名前や値段を書いて、売り場につり下げる、細長い紙。

*__さけ・ぶ__②【叫ぶ】(自他五) ㊀〈(だれニ)(なにヲ)—/だれニなんだト—〉 何かを訴えるために(思わず)大きな声を出す。「必死に走る選手の姿に、がんばれと—」 ㊁〈(なにヲ)—〉 世間に向かって強く主張する。「危機が声高に叫ばれる」 [名]叫び③ 「魂の—」

さげふり⓪②【下(げ)振(り)】 〔建築などで〕垂直かどうかを調べるのに使う器具。糸の一端に円錐(エンスイ)形のおもりをつけてある。正直(ショウジキ)。

さげまえがみ④③—(マヘ)【下(げ)前髪】 少女などが額に垂らした髪。

さけめ③【裂(け)目】 裂け(て、線状に切り放され)た境目の部分。

さげもどし⓪【下(げ)戻(し)】 役所などに差し出した書類を、そのまま本人に戻して渡すこと。

*__さ・ける__②【裂ける】(自下一) 〔何かの一部または全体が〕(鋭く)線状に切れる。「紙が—/地震で大地が—/こればかりは口が裂けても言えない」 [運用] 結婚などの祝宴の場では避けるべき言葉とされる。

**__さ・ける__②【避ける】(他下一) ㊀〈なに・だれ・どこヲ—〉 好ましくない事態が生じることを予測して、そのもの△に近づかない(から遠ざかる)ようにする。「ラッシュ アワーを—/避けて通ることが許されない問題/戦火を—/このごろ彼は私を避けてばかりいる/人目を—(=出来るだけ、人に会わないようにする)」 ㊁〈なにヲ—〉 好ましくない結果を招くことを予測し、意図的にそうならないような対処をする。「△直接対決(明言・摩擦・混乱・言及)を—」

**__さ・げる__②【下げる】(他下一) ㊀〈(どこ・なにカラどこ・だれニ)なにヲ—〉 高い△位置(程度・段階)から低い△位置(程度・段階)へ何かを移す。また、目立つ位置から目立たない位置へ

何かを移す。「棚板を一段―／△値段(生産コスト・評価)を―／頭を―〔=ⓐお辞儀をする。ⓑ依頼・謝罪などの気持を込めた挨拶をする〕／部隊を後方へ―〔=退かせる〕／要求を―〔=取り下げる〕／膳を―〔=食べ終わった膳を片付ける〕／男を―〔=男としての面目を失う〕」 ❷〈どこ・なにカラなにヲ―／どこ・なにニなにヲ―〉 上部を何かで支えて、△垂らす(落ちないようにする)。「首からカメラを―／手にかばんを―／腰にタオルを―／△看板(値札)を―」〔❶の一部の対義語は、上げる〕 表記 ❷は、「提げる」とも書く。

さげわた・す④⓪【下げ渡す】(他五) 官庁から民間に与える。

さけん⓪【差遣】―する(他サ) 公の使者として行かせること。派遣。

さげん⓪①【左舷】 △船(艦)の進行方向に向かって左側のふなばた。↔右舷

ざこ①【〈雑魚〉】 Ⓐ(いろいろの)小ざかな。「―の魚まじり〔=小物が大物の中に入りこんだ、居ごこちの悪さのたとえ〕」 Ⓑ(名の知れ渡った)大物に対して、取るに足りない小物。「逮捕されたのは―ばかりだ」 表記 ⇩付表。古くは「雑喉」、「喉」は食用の魚をかぞえる助数詞。

ざご①【座五】〔俳句で〕末の五文字。

さこう⓪【鎖港】 外国船の寄港・入港や交易を禁じること。

ざこう⓪【座高・〈坐高】 腰掛けた時の、尻から頭の頂までの高さ。

さこうべん①-⓪【左顧右〈眄】―する(自サ) 世間の評判や思惑などを気にして、意見・態度を決めかねること。右顧左眄。

さこく⓪【鎖国】―する(自サ) 外国との通商や交通を禁止すること。〔特に、江戸幕府の対外政策を言うが、一部の国とは国交・通商があり、当初から「鎖国」と言われたわけではない〕↔開国

さこそ①(副)〔雅〕その状態を、まさにその通りだと強調する意を表わす。「―〔=さだめて〕くやしかりけん」 表記 「《然こそ」とも書く。

さこつ⓪【鎖骨】 首の下と肩を結ぶ、ゆるくS字の形に曲がった、一対の長い骨。

ざこつ⓪【座骨・〈坐骨】 尻の下部にあり骨盤を構成する一対の骨。「―神経痛⓪」

ざこね⓪【〈雑魚〉寝】―する(自サ) おおぜい(の男女)が一緒にごろ寝すること。 表記 ⇩付表「雑魚」

ざこば⓪【〈雑魚〉場】(大阪の)魚河岸。 表記 ⇩付表「雑魚」

さこんの さくら①-⓪【左《近の桜】 紫宸殿の正面階段の向かって右側に植えた桜。平安時代、左近衛府が管理した。⇩右近の橘

ささ【《細・《小】(造語)〔雅〕少し。小さい。「―にごり・―鳴き」

ささ⓪【《酒】「さけ」の美称。〔もと女房詞〕

ささ⓪【〈笹】 竹の中で背の低いものの総称。特に、茎が生長したのちも皮が残るもの。葉は、食品の保存などに使う。種類が多い。〔イネ科〕 表記 「〈小竹〉」とも書いた。 かぞえ方 自然の状態は一むら。根から切り離した後は一本。葉は一枚

ささ①(感) 他に対してある行為を催促する時に言う言葉。さあさあ。「―、用事のない者は帰った帰った」

ささ①【〈些〈々〉】―たる・―と 「わずかばかり」の意の漢語的表現。

ささい①【〈些細・〈瑣細】―な 取り上げる値うちがない様子だ。「―な〔=つまらぬ〕ことから口論する」

ささいろ⓪【〈笹色】 濃くて青びかりのする紅色。

***ささえ**③⓪②【支え】 支える△こと(もの)。「交通事故で一家の―を失う／心の―／―ばしら④」

ささえ⓪〔「酒〈瓮〉」の意か。へはツルベの後要素と同根、容器の意〕酒を入れる竹の筒。 表記 「《小《筒・《竹《筒」と書く。

さざえ①【〈栄〈螺子〉・〈栄〈螺〉】 近海の海底の岩にすむ巻貝。貝殻は厚く、げんこつに似て、多くはとげがある。肉は食用。貝殻は貝細工用。〔リュウテン科〕

****ささ・える**⓪③【支える】(他下一) ❶〈(なにデ)なに・だれヲ―〉(倒れたり崩れたりしそうになるものを何かによりかからせて)防ぎ止める。「塀を突っかい棒で―／病気の友をみんなで励まして―」 ❷〈(なにデ)なにヲ―〉 ほうっておけば崩れ去る運命にあるものを、何らかのてだてを講じて存立させるようにする。「△暮らし(値・人気)を―」

ささおり⓪【〈笹折(り)】 ❶ササの葉で食物を包んだもの。❷折❷❶。

ささがき⓪【〈笹掻(き)】 ゴボウなどを薄く斜めに△そぐこと(そいだもの)。

ささがに⓪【《細〈蟹・〈笹蟹〉】〔雅〕〔小さいカニの意〕虫のクモ。

ささかまぼこ③④【〈笹蒲鉾〉】 ササの葉の形に似せて作った蒲鉾。仙台の名産。略して「ささかま⓪」。 かぞえ方 一枚

ささぐり②【《小〈栗】 シバグリの異称。

ささく・れる④(自下一) ❶Ⓐ(使い古して)先が細かく裂けて割れる。Ⓑつめぎわの皮膚がさかむけになる。「ささくれだつ⑤」 ❷気持が荒れて、むしゃくしゃする。「神経が―」 名 ささくれ⓪

ささげ⓪【〈大角豆〉】 畑に作る一年生つる草。夏、蝶形の花を開く。さやは長く、若いものを種ごと食べる。成熟した種は細長い。〔マメ科〕「十六―・三尺―⑤」 表記 「〈小角豆〉・〈白角豆〉」とも書く。 かぞえ方 一本。豆の小売の単位は一袋

ささげも・つ④【〈捧げ持つ】(他五) 両手で△掲げ(大事に)持つ。

ささげもの⓪【〈捧げ物】 神などへ捧げる物。供物。

***ささ・げる**⓪【〈捧げる】(他下一)〈だれ・なにニなにヲ―〉〔両手に持って目のあたりの高さに上げる意〕 ❶神仏・高貴の人に何かを差し上げる。 ❷△心から尊敬する相手(至上と信じるもの)に、自分の持てるすべてを惜しみ無く投げ出す。「愛を―／貧民救済に一生を―／感謝を―〔=示す〕／(…に)祈りを―」

ささご⓪【〈笹子】〔雅〕笹鳴きをしているウグイス。

ざさしんたい①-①、③【座作進退・〈坐作進退】〔「作」は立つ意〕たちいふるまい。

ささだけ⓪②【〈笹竹】 小さい竹類の総称。「ささたけ」とも。

ささつ⓪【査察】―する(他サ)〔調査・視察の意〕規定の通り行なわれているかどうかを調べること。「監督官庁の―／―使③・空中―⑤」

ささなき⓪【〈笹鳴(き)】〔「ささ」は、少しの意〕春に先立って、幼いウグイスが、まだ整わぬ声でチャッチャッと鳴くこと。 動 笹鳴く③⓪(自五)

さざなみ⓪【〈漣・《小波】〔小波の意〕 ❶風が吹いて水面に立つ、小さな波。「ささなみ」とも。 ❷〔「―が立つ」の形で〕ちょっとした事がきっかけで、一波乱起きそうな気配を予感させる状態になることを表わす。「脱退者が出て人びとの心に―が立った／最近、夫婦の間に―が立ち始めた」

ささにごり③【《細濁(り)】 水が少し濁って見えること。

ささはら⓪【〈笹原】 ササが一面に生えている所。「ささわ

ら」とも

ささ・ふ⓪【〈笹〈生】 ササの生えている所。「ささう」とも。

ささ ぶき⓪【〈笹葺〉き】 ササの葉で△屋根を葺くこと(葺いた屋根)。

ささ ぶね⓪【〈笹舟】 ササの葉で作ったおもちゃの舟。

ささ べり⓪【〈笹《縁】 衣服の一部分を△布(組みひも)で細く△ふち取ること(ふち取ったもの)。

ささ み⓪【〈笹身】 ニワトリの胸のあたりの、柔らかい肉。

ささ め・く③(自五) ひそひそ話す。[名]ささめき⓪④

さざ め・く③(自五) ざわざわと騒ぐ。さんざめく。「笑い—」[名]さざめき⓪④

ささめ ごと⓪③【《私《語】「ひそひそばなし」の意の古風な表現。

ささめ ゆき③【《細雪】 △こまかに(まばらに)降る雪。

ささ やか②【《細やか】—な —に 規模が小さくて、目立たない様子だ。「—な店を開く/—な夢がある/都会の片隅で—に暮らす/夢を—に実現させる」[派]—さ④③

[運用]「ささやかな(贈り物)」などの形で、それがたいしたものではないと謙遜(ケンソン)する気持を表わすのにも用いられる。

ささ やき⓪【〈囁き・〈私語〉】 小さな声音(コワネ)。ささやき声⑤。「風の—〔=かすかな音〕/小川の—〔=流れの音〕」

***ささや・く**③【〈囁く・〈私語〉く】(自他五)〈だれニ なにヲ—/だれニ なんだト—〉 ごく小さい声で物を言う。〔声帯を振動させずに物を言う意にも用いられる〕「耳もとで—/半ば—ように問いかけた/ゴッホの再来だと囁かれる〔=うわさされる〕」

ささ やぶ⓪【〈笹藪〉】 ササが一面に生い茂っている所。

ささら⓪【〈簓】 先が細かく割れた状態(にあるもの)。〔狭義では、飯びつなどを洗う用具やびんざさらを指す〕

ささ・る②【刺さる】(自五) とがった物の先が何かの表面を突き破って、中に入る。「とげが—/言葉が—〔=強い印象を残す〕」

さざれ⓪〔←さざれ石③〕 小さな石。小石。

ささ わら⓪—ハラ【〈笹原】 ⇩ささはら

さざんか②(サザンクワ)【《山《茶花】〔「さんざか」の変化〕庭木にする常緑小高木。冬の初め、ツバキに似た白・赤・紅白のきれいな花を開く。日本の特産。〔ツバキ科〕[かぞえ方] 一株・一本

さし【《止(し)】(造語)〔造語成分「止す」の連用形から〕その動作を中止することを表わす。「言い—・読み—」

さし②〔謡曲で〕拍子に合わせないで、詞(コトバ)に少し節をつけてうたう部分。

さし【刺(し)】[一]②こめさし。[二](造語) ❶針・串(クシ)や刃物を刺す△こと(もの)。「止(ト)めの一(ヒト)—/串—(ザシ)・針—」 ❷刺身。「いか—⓪・ふぐ—⓪・鳥—・馬(バ)—」

さし②【指(し)】 ❶「名指(ザ)し」の略。 ❷「ものさし」の意の方言・古風な表現。[表記]❷は、「差し・《尺」とも書く。

さし【差(し)】[一]② 余人を交えず、当事者だけで意見の交換を行なったりすること。「—の会談/—で話し合う/—で〔=他を交えず二人だけで〕飲む」[二](造語) ❶さすこと。「—湯・—水」 ❷さして入れておくのに用いる入れ物。「状—・うちわ—③」 ❸〔すもうで〕差し手。「もろ—(ザシ)」[三](接頭) ❶その動作・作用が、何かに向けて積極的に行なわれることを表わす。「—出す・—もどす」 ❷その動作・作用の結果がはっきり分かるように何かをすることを表わす。「—替える・—かざす・—かかる・—とめる」[四](造語) 舞の曲数をかぞえる語。「一(ヒト)—舞う」

さし①【砂〈嘴】 陸地から海中に延びた砂の堆積(タイセキ)が、水面に現われたもの。普通、湾口に出来る。例、三保の松原。⇩砂州

さし①【〈渣滓〉】 液体などの下の方にたまったかす。

さし①【〈蠁子】 ❶魚の頭などに繁殖させたキンバエの幼虫。魚釣りの えさとする。 ❷ぬかみそなどにわく小さなうじ。[かぞえ方]❶❷とも一匹

さじ①【〈匙】〔「茶匙」の字音から変化した語〕液体・粉をすくい取る道具。「—加減・茶—・大—⓪・御(オ)—②〔=江戸時代、貴人の侍医の称〕」[かぞえ方] 一本。すくい取る回数は一(ヒト)さじ。分量は一杯 【—を投げる】 ❶医者が、治療の見込みが無いため、薬の調合や投薬をやめる。 ❷物事の収拾がつかなくて見放す。

さじ①【〈瑣事・〈些事】 つまらない事。小事。「—にこだわる/日常生活の—」

ざし①【座視・〈坐視】—する(他サ) 手出しをしないで黙って見ているだけであること。「—するに忍びず」

さし あい⓪—アヒ【差(し)合(い)】「さしつかえ」の意の古風な表現。

さし あ・げる【差(し)上げる】[一]⓪④(他下一) ❶手に持って高く上げる。「目よりも高く—」 ❷「相手に何かを与える」意の△謙譲(丁寧)表現。「この本をあなたに差し上げます/お茶を—」[二](補動・下一型)「上げる図」の丁寧表現。「何をして差し上げましょうか」[文法][二]❶は、「いただく」「くださる」と組になって受給表現を表わす。「…てさしあげる」と補助動詞として用いる場合も同様。

[運用][二]は、「(お年寄りの)荷物を持ってさしあげる」などと用いられるが、状況によっては恩着せがましいといった印象を与えることもあるので、当人に向かって言う際などには、「荷物をお持ちします」など謙譲表現を用いるほうが好ましい場合もある。

さし あし②⓪【差(し)足】 ❶かかとを上げ、つま先の方からそっと着地する時の片足。〔進行には「抜き足❶」を伴う〕「ぬき足—」 ❷〔競馬で〕相手の馬を追い込もうとする走り方。「—が鋭い」

さし あたって⓪【差(し)当(た)って】(副) さしあたり。「—別に問題も無かった」

さし あたり⓪【差(し)当(た)り】(副) 問題を当面のことに限って取り上げる様子。「—体力の回復に努めるつもりだ/仕事をやめても—生活に困らない/—五万円必要だ」

さし あぶら③【差(し)油】 ❶機械にさす油。 ❷油を△さす(そそぎ入れる)こと。[表記]「《注し油」とも書く。

さし あみ⓪②【刺(し)網】 魚の通り道に網を帯のように張りめぐらし、魚をその網の目に刺すようにしたり からめたり して捕らえるもの。

さし い・る③⓪【差(し)入る】(自五) (光が)さして、中に入る。「戸のすきまから月の光が—」[表記]「《射し入る」とも書く。

さし いれ⓪【差(し)入(れ)】—する(他サ) 被疑者や未決拘禁者の必要とする食品・衣料・日用品などを、拘置されている被疑者の家族などが届けること。また、その品物。〔広義では、仕事で がんばっている人への陣中見舞として届ける食べ物をも指す〕

さし い・れる④⓪【差(し)入れる】(他下一) ❶何かの△中(間)に入れる。 ❷差入れをする。

さし うつむ・く⑤⓪【差(し)〈俯く】(自五)「うつむく」の強調形。

さし え⓪—エ【挿(し)絵】 文章で書かれた内容を補う説明として添える絵。[かぞえ方] 一図(イチズ)・一点

サジェスト②—する(他サ)〔suggest〕 示唆(シサ)すること。

サジェッション②〔suggestion〕 示唆(シサ)。暗示。サジェスチョンとも。

さし お・く③⓪【差(し)置く】(他五) 当然考慮すべきものを無視する。「社長を差し置いて/先約を—〔=果たさないま

まにほうっておく〉」 [表記]「差し《措く》」とも書く。

さしおく・る⓪④【差(し)送る】(他五) 「送る」のやや改まった表現。

さしおさえ⓪(オサヘ)【差押え】 国家機関や債権者が、債務者の財産の使用・処分を禁じること。〔具体的には、税金の滞納のための処分や証拠物件の強制取得をも指す〕

さしおさ・える⑤⓪(オサヘル)【差(し)押(さ)える】(他下一) ❶押さえて、動かないようにする。❷差押えをする。

さしか・える④⓪(カヘル)【差(し)替える】(他下一) よりよい状態のものと取り替える。「お茶を―(=入れ替える)/別の活字に―」 [名]差し替え⓪ [表記]「差し換える」とも書く。

さしかか・る④【差(し)掛(か)る】(自五) ❶ちょうどその△所を通りかかる(時期になる)。「△山場(曲り角)に―」 ❷垂れ下がって、かぶさる。「庭木が茂って軒に―」

さしかけ⓪ [一]【指(し)掛(け)】〔将棋で〕勝負が一日で終わらない場合などに、途中で一時中断すること。[二]【差(し)掛(け)】 下屋(ゲヤ)。

さしか・ける④⓪【差(し)掛ける】 [一](他下一) おおいになるように、上からあてがう。「傘を―」 [二](自下一) ある部分に光が当たる。「月が―」

さじかげん③【〈匙加減】 薬剤調合の加減。〔広義では、手加減のことをも指す〕「―一つでどうにでもなる」

さしかざ・す④⓪【差(し)〈翳す】(他五) (手に持って)かざす。

さしかた・める⓪⑤【差(し)固める】(他下一) 門・戸などを固く△とざす(とざして警戒する)。

さしか・つ③⓪(自五) [一]【差(し)勝つ】〔すもう・レスリングなどで〕自分に有利な組み手を差す。[二]【指(し)勝つ】〔将棋で〕自分の作戦通りに駒(コマ)を展開させて勝つ。

さしがね⓪【差(し)金】 ❶かねじゃく。❷かげで人をあやつること。入れ知恵。「君はだれの―でやって来たんだ」 [表記]❷は人形浄瑠璃(ジョウルリ)の仕掛けから出た言葉で、「挿し金」とも書く。

さしがみ⓪【差(し)紙】 江戸時代、奉行所(ブギョウショ)からの呼出し状。

さしかわ・す⓪④(カハス)【差(し)交(わ)す】(他五) 両方から出て来て、クロスする。「枝を―」

さしき⓪③【挿(し)木】 草木の茎・枝を地中にさし込んで根を出させる△こと(法)。

さじき③①⓪【《桟敷】 板を敷いてすわれるように作った、一段高所の見物席。〔仮設・常設を問わず言う〕「―席③・天井―」 [表記]⇩付表「桟敷」

***ざしき**③【座敷】 ❶畳敷きの日本間。特に、客間を言う。❷酒宴などの席(でのもてなしぶり)。「―が果てる/―を盛り上げる」 ❸⇩お座敷❷ **―ろう**③(ラウ)【―〈牢】 昔、精神に異常をきたしたなどの理由で△近親者(組織の一員)を閉じこめて置いた座敷。 **―わらし**④【―《童】 〔岩手県を中心とする東北地方で〕旧家の奥座敷などに住むと言われる妖怪(ヨウカイ)。赤ら顔で、おかっぱ頭の子供の姿だという。座敷ぼっこ④。〔その家の運勢に関係を持つと言われる〕

さしきず②③【刺(し)傷】 先のとがった物で刺されてからだに出来た傷。

さしき・る③⓪(自五) [一]【指(し)切る】〔将棋で〕手駒(テゴマ)を(使い切って)指す手段が無くなる。 [名]指し切り⓪ [二]【差(し)切る】〔競馬で〕他の馬を追い抜いて勝つ。

さしきん⓪②【差(し)金】 ❶内金。❷不足を補う金。

さしぐし②【挿(し)〈櫛】 女性が髪の飾りにさす櫛。↔梳(ト)き櫛 [かぞえ方]一本

さしぐすり③【差(し)薬】 目にさす薬。点眼薬。 [表記]「《注し薬」とも書く。

さしぐすり③【挿(し)薬】 座薬。

さしぐ・む③⓪【差(し)《含む】(自四) 〔雅〕涙が出そうになる。「涙差しぐみ帰り来ぬ」

さしく・る③⓪【差(し)繰る】(他五) くりあわせる。

さしげ②⓪ [一]【刺(し)毛】 〔下毛(シタゲ)に対して〕動物のからだに生えている、長い ふさふさした毛。[二]【差(し)毛】 別な色の毛が交じること。また、その毛。

さしこ③【刺(し)子】 綿布を表裏に重ね合わせて一面に細かく刺し縫いにしたもの。丈夫で、柔道着・剣道着などにする。〔以前は消防服にも用いられた〕

さしごえ⓪【差(し)肥】 イグサ・水稲などに与える肥料。ぶつ切りにした干しニシンなどを土の中に差し込む。

さしこ・える④⓪【差(し)越える】(他下一) △あるべき順序を無視して(でしゃばって)先に行なう。

さしこ・す③⓪【差(し)越す】 [一](自五) ❶越えて前へ出る。❷差し越える。 [二](他五) 「(送って)よこす」意の古風な表現。 [名]差し越し⓪「御(オ)―の品」

さしこばた③【指(し)小旗】 よろいの指し物にする小旗。

さしこみ⓪【差(し)込(み)】 ❶さしこむこと。また、その道具。〔[illegible]〕俗に、コンセントの称〕 ❷さしこむ病気。おもに、胃けいれん。癪(シャク)。 [表記]❶は、「挿し込み」とも書く。

さしこ・む⓪③【差(し)込む】 [一](自五) ❶急に△胃(腹)の一部が痛み出す。❷太陽・月の光がその場所に届き明るく見える。❸〔潮が〕満ちてくる。 [二](他五) きっちりと入れて、抜けないようにする。 [表記][一]❷は「《射し込む」、[二]は「刺し込む・挿し込む」とも書く。

さしころ・す④⓪【刺(し)殺す】(他五) △武器(凶器)で、相手のからだを刺して殺す。

さしさわり⓪(サハリ)【差(し)障(り)】 物事の進行をおさえようとする事情。「―があって行けない/―(=ほかの人に迷惑がかかるような事情)があるからここでは言えない」 [動]差し障る④⓪(自五)

さししお⓪(シホ)【差(し)潮】 上げ潮。↔引き潮・落ち潮・下げ潮

さししめ・す④【指(し)示す】(他五) (指を向けて)示す。

***さしず**①(ヅ)【指(し)図】―する(他サ)〈だれニなにヲ―する/だれニなんだと―する〉 〔図面・設計図の意〕人に言いつけて、仕事などをさせること。また、その言いつけ。「先生の―に従う」

さしずめ⓪(ヅメ)【差(し)詰(め)】(副) ❶そのものの△特質(根本性格)を端的に表わせばそう言えると判断する様子。「この遺跡は―現代のアミューズメント センターといった所と思えばいいだろう/君などは―殿様の役が似合うよ」 ❷当面のさし迫った問題として、第一にその事が考えられる様子。「―考えられるのは、当事者の言い分を聞くことだね/―一雨(ヒトアメ)ほしいところだ」

さしせま・る④【差(し)迫る】(自五) 〔時間や解決を要する問題などが〕まぢかに迫る。「差し迫って(=近々のうちに)これだけの金が必要だ/△困難(危険)が差し迫っている/差し迫った問題ではない」

さしぞえ⓪(ゾヘ)【差(し)添(え)】 大刀(タチ)に添えてさした小刀(ショウトウ)。脇差(ワキザシ)。

さしだしにん⓪【差出人】 郵便物などを出す人。↔受取人

さしだ・す③⓪【差(し)出す】(他五) ❶前へ出す。「手を―」 ❷提出する。「書類を―」 ❸〔郵便物などを〕送り出す。 [名]差し出し⓪

さした・てる⓪④【差(し)立てる】(他下一) ❶送り出す。「〔郵便局から〕郵便物を―」 ❷さし向ける。「使いの者を

さしたる①【《然したる》】(連体)〔否定表現と呼応して〕取り上げて問題とするほどのことはないことを表わす。「―不便は無い」

さしちが・える⑤④⓪ チガヘル ㈠【刺(し)違える】(自下一)〔向かいあった二人が〕互いに相手(の胸)を刺しあう。[名]刺し違え⓪・刺し違い⓪ ㈡【差(し)違える】(他下一)〔すもうで〕行司(ギョウジ)がまちがって軍配を負けた方に上げる。[名]差し違え⓪・差し違い⓪ ㈢【指(し)違える】(他下一)〔将棋で〕誤って打つべきでない手を打つ。

さしちち②⓪【差(し)乳】❶乳の出ない母親に代わって乳を与えること。また、その人。❷お椀(ワン)を伏せたような、形のよい乳房。「さしぢ②⓪」とも。〔よく乳が出るものとされる〕

***さしつか・える**⑤④⓪ ツカヘル【差(し)《支える》】(自下一)〈(なにニ)―〉何かをするのに都合の悪い事情(△)が起きる(にある)。「少し貯(タクワ)えもあるから、その日の暮らしに―ことはない/明日の学校に―から早く寝なさい」[名]差し支え⓪「…と言って―無い/業務に―がある」[表記]⇩付表「差し支える」

さしつかわ・す⑤⓪ ツカハス【差(し)遣(わ)す】(他五)(自分の代理として)人を行かせる。

さしつぎ⓪ ㈠【指(し)継(ぎ)】〔将棋で〕前回から持ち越した勝負を続けること。[動]指し継ぐ③⓪(他五) ㈡【刺(し)継(ぎ)】布地の弱った所を(同質・同色の)糸で刺して補強すること。

さしつ さされつ①-②【差しつ差されつ】(副) 互いについだりつがれたりして、なごやかに酒を飲む様子。

さしつち⓪②【差(し)土】花壇などに土を加えること。また、その土。

さしつめ ひきつめ⓪-⓪【差(し)詰(め)引(き)詰(め)】(副)〔昔の戦闘で〕弓に矢をつがえては引きしぼって、続けざまに矢を射かけ、激しく攻め立てる様子。「―さんざんに射る」

さしつらぬ・く⑤⓪【刺(し)貫く】(他五) 刺して、反対側まで突き通す。「やりでよろいを―」

さして①(副)〔否定表現と呼応して〕一般に予測されるほどのことにはならない様子。「―(=たいして)暑くはない/人に知られても―困らない」[表記]「《然して》」とも書く。

さして③【指(し)手】〔将棋で〕❶対局者が交互に駒(コマ)を動かしたり打ったりする一回一回の動作。❷(上手に)将棋を指す人。「なかなかの―だ」

さして③【差(し)手】〔すもうで〕相手のわきの下に差し込んで組む取り口。また、その手。「―争い」

さしで⓪【差(し)出】さしでること。 **―がまし・い**⑥(形) 分をわきまえずにでしゃばったことを言ったりしたりする様子だ。[派]**―さ**⑥⑤ **―ぐち**③⓪【―口】でしゃばって他人の話に口出しすること。また、その言葉。「いらぬ―をきく」

さし・でる③⓪【差(し)出る】(自下一) 身分・地位・立場などを越えた言動をする。「差し出た口をきく」

さしとお・す③⓪ トホス【刺(し)通す】(他五) 刺して△中(反対側)まで届かせる。

さしと・める④⓪【差(し)止める】(他下一) いけないと強く言って、やめさせる。「外出を―」[名]差し止め⓪

さしにない⓪ ニナヒ【差(し)担い】二人でかつぐこと。さし。

さしぬい⓪ ヌヒ【刺(し)縫(い)】❶幾枚も重ねた布を、一回ごとに針を抜き出して縫うこと。❷〔ししゅうで〕外側だけ輪郭の通りにそろえて縫いつぶすこと。毛刺(ザ)し⓪。

さしぬか⓪②【差(し)〈糠】古くなった糠床(ヌカドコ)に糠を補充すること。

さしぬき⓪【指《貫】衣冠・直衣(ノウシ)、または狩衣(カリギヌ)の時にはいたはかま。すそをふくらませてくくる。

さしね②【指(し)値】〔取引で〕客が売買の値段を指定すること。また、客が指定した値段。

さしの・べる④⓪【差(し)延べる】(他下一) ❶Ⓐその目標に向かって少しでも近づくように手を出す。「両手を差し延べて『助けてくれ』と叫んでいた/右手を高く―」Ⓑ差し出す。「両手を差し延べて握手を求める」❷〔その方向に向けて〕持てる力を効果的にいかす。「△救い(援助)の手を―」[表記]「差し伸べる」とも書く。

さしのぼ・る④【差(し)上(ぼ)る】(自五)〔太陽や月が〕(時が来て)空にのぼる。「今―日の影に」[表記]「差し昇る」とも書く。

さしば③②【差(し)歯】❶足駄の台に歯を入れること。また、その歯。❷根だけを残し、そこに人工の歯を継ぐこと。また、その歯。

さしば⓪【〈翳】薄絹などを張ったうちわ状のものに長い柄を付けたもの。従者がかざして貴人の顔を隠すのに用いた。[かぞえ方]❶❷とも一枚・一本

さしはさ・む④【《挟む・差(し)挟む】(他五)〔「差し挟む」の意〕❶間に異質な何かを△入れる(加える)。「口を―(=第三者が当事者の話に割り込んで意見などを言う)」❷相手に対する批判的な考えなどを心中に含み持つ。「△疑い(異論)を―」[表記]「《挿む」とも書く。

さしひか・える⑤ ヒカヘル【差(し)控える】㈠(自下一) 命じられて控える。㈡(他下一)△しよう(したい)と思った事をやめる。「行動を―/発表を―(=ⓐ一時見合わせる。ⓑ遠慮して、やめる)」[名]差し控え⓪「意見―」

さしひき②【差(し)引(き)】―する(自他サ) ❶引き△去ること(去った残り)。❷差したり引いたりすること。「潮の―(=みちひ)/体温の―(=上下)」

さしひ・く③⓪【差(し)引く】(他五) ある数量から他の数量を引き去る。

さしひび・く④⓪【差(し)響く】(自五) 影響する。[名]差し響き⓪

さしまえ⓪③ マヘ【差(し)前】差し料。

さしまね・く④【差(し)招く】(他五)〔どこに進むかを示す意〕手招きをする。[表記]もと、「〈麾く」と書いて、指揮を意味した。

さしまわ・す④⓪ マハス【差(し)回す】(他五) 指定の場所に向ける。「車を―(=回す)/スパイを―(=あやつって、行かせる)」[名]差し回し⓪「―の車に乗る」

さしみ③【刺身】新鮮な生の魚介類などを薄く切り、しょうゆ・香辛料などを添えて食べる料理。おつくり。「マグロの―/こんにゃくの―/―のつま」[かぞえ方]一切(ヒトキレ)・一さく

さしみ③【差(し)身】〔すもうで〕自分の得意の方の差し手を、早く相手のわきに差す体勢になること。「―がうまい」

さしみず② ミヅ【差(し)水】―する(自サ) ❶水をつぎたすこと。また、その水。❷(悪い)水が外から井戸にしみこむこと。さし。

さしむかい⓪ ムカヒ【差(し)向(か)い】二人だけで向かい合うこと。[動]差し向かう⓪④(自五)

さしむき⓪【差(し)向(き)】(副)「さしあたり」のやや古い言い方。「人数が減っても、―問題とはならない」

さしむ・ける④⓪【差(し)向ける】(他下一) その方向に△向かせる(向かわせる)。「銃口を相手に―/△人(車)を―(=指示してそちらへ行かせる)」

さしも①(副) 並の程度をはるかに超えているという定評がある様子。「―強気な彼も今度はまいったらしい/―の強肩もついに及ばなかった」[表記]「《然しも」とも書く。

さしもど・す④⓪【差(し)戻す】(他五) ❶元の状態に戻す。❷下級の裁判所の判決を、上級の裁判所が破棄して、審理をやり直させる。[名]差し戻し⓪「―審⑤」

さしもの②⓪【指(し)物・差(し)物】❶武士が戦場で目印としてよろいの背に指したりした△旗(飾り物)。❷板を組み

立てて作る家具など。「―師④・―屋⓪」〔かぞえ方〕㊀㊁とも一本

さしや・る⓪③【差(し)《遣る】(他五)「押しやる」意の古風な表現。

さしゅ①【〈叉手】㊀両手を組み合わせること。㊁手をこまぬくこと。

さしゅ①【詐取】―する(他サ) 金品などをだまして取ること。

さしゆ②【差(し)湯】―する(自サ) ㊀〔茶の湯で〕濃茶を一応練ったところへ、湯を差すこと。また、その時の湯。㊁〔煎茶で〕いれたお茶が濃かったりして、もう一度湯を差すこと。また、その湯。略して「さし」。「―がきく(=差し湯をしても、おいしい)」

さしゅう①【佐州】「佐渡国」の漢語的表現。今の新潟県佐渡島にあたる。

さしゅう⓪【査収】―する(他サ) よく調べて受け取ること。「請求書を同封いたしましたので、御―ください」

さじゅつ①【詐術】だます手段。

さしゆる・す⓪④【差(し)許す】(他五) 許す。許可する。

さしょう⓪【〈些〉少】―な 「わずか」の意の漢語的表現。「―ながら(=他人に物を上げる時に、よく言う)」

さしょう⓪【査証】〔外国旅行で〕旅券が適正なものであり、その国への入国・滞在を認める条件を備えているという裏書き。当人の属する国の在外公館で発給される。ビザ。

さしょう⓪【詐称】―する(他サ) 事実と違った氏名・住所・職業などを言うこと。「学歴―⓪―⓪」

さじょう⓪【砂上】 砂の上。【―の楼閣】基礎がしっかりしていないために、崩れやすい△こと(もの)。〔実現不可能な事の意にも用いられる〕

ざしょう⓪【座礁・〈坐礁】―する(自サ) 船が暗礁に乗り上げること。

ざしょう⓪【挫傷】―する(自サ) 〔打ったりころんだりして〕表面はなんともないが、皮膚の下に△傷を受けること(受けた傷)。打撲傷。うちみ。

ざじょう⓪【座乗・〈坐乗】―する(自サ) 司令官などが軍艦に乗り込んで指揮すること。

ざしょく⓪【座食・〈坐食】―する(自サ) 〔頼るべき財産があったりして〕無職のままで暮らすこと。

ざしょく⓪【座職・〈坐職】 一日じゅうすわっていてする職人仕事。例、時計屋・判こ屋・靴屋・飾り職など。

さしりょう②【差(し)料】自分が差している刀。腰に差す刀。差し前。

さしわけ⓪ ㊀【差(し)分け】〔ゆかた地などを〕種々の色で、染め分けること。㊁【指(し)分け】〔将棋で〕勝ちと負けの数が同じで、引き分けになること。

さしわたし⓪【差(し)渡(し)】「(円の)直径」の意の和語的表現。

さじん⓪【砂〈塵・沙〈塵】「すなぼこり」の意の漢語的表現。

さ・す【《止す】(造語・五型) しかけたその動作を途中でやめる。「言い―・読み―」

さす(助動・五型) させる。「やっと式を上げ―ことが出来た」⇨させる(助動) 文法 接続は「させる」に準ずる。

さ・す⓪(他五) させる。「早く就職して親を安心さしてやりたいな」⇨させる(他下一)

さ・す①(他五) 日の高さより上の位置に上げて、覆いにしたり目印にしたりなどする。「傘を―/まかげを―(=作る)/旗指物」表記「傘をさす」は、「傘を差す」とも書く。

*さ・す①【刺す】(他五) ㊀〈なにデなにヲ―/なにニなにヲ―〉先のとがった物の尖端がその物の内部に入り込むように〔強く〕押す。「針で―/とげを―(=とげが刺さる)/流れにさおを―(=⇩さおさす)/釘を刺しておく(=⇩釘)/とどめを―/花瓶に花を―(=いける)/かんざしを髪に―(=さしはさむ)/サンショウの枝を地に―(=さし木をする)」㊁〈なにデなにヲ―〉危害を加える目的で、相手のからだを細長い物で突く。「毒虫が―/鳥を―(=もちざおでつかまえる)」㊂〈なにデだれヲ―〉殺す目的で、相手を刀などで突く。「寝ているところを―/二塁で―(=野球で、走者をタッチアウトにする)」㊃〈なにヲ―〉針を突き通して縫う。「ぞうきんを―/畳を―」名 刺し② 表記 ㊀は、「差す」とも書く。例、「腰に笛を差す」。「花瓶に花を―」以下は「挿す」とも書く。また、㊁の「毒虫が―」は「螫す」とも書く。

**さ・す①【指す】(他五) ㊀〈なにデ〉なに・どこ・だれヲ―〉〔指・針など〕細長いものの一方の端をまっすぐ延長した方向が、問題にしている(ものがある)方向と一致する。〔狭義では、人さし指で指し示すことを言う〕「後ろ指を指される/先生が僕を指した(=指名した)/都を指して行く/時計の針が正午を指した/磁石の針は北を―」㊁〈なにヲ―〉手などを△相手(目標)の方へ向かって出したり動かしたりする。「将棋を―(=将棋の駒を動かす)」表記「差す」とも書く。

**さ・す①【差す】㊀(自五) ㊀〈どこ・なにニ―〉〔今まで見られなかったものが〕そこに見えるようになる。「潮が―(=寄せる)/△赤み(かげり)が―」㊁〈どこ・なにニ―〉光が届いて、そこが明るくなって見える。「影が障子に―(=うつる)/△西日(薄日)が―」㊂ある種の気分や心的状況におそわれる。「眠気が―/嫌気が―(=⇩嫌気)/魔が―(=⇩魔)」㊁(他五) ㊀(雅) 何かをするために人をどこかへ行かせる。「差し遣わす・差し回す」㊁〈なにニなにヲ―〉そこに△無い(ある方がいい)物を、加え入れる。「水を―/杯を―/茶を―(=新たに加えつぐ)/朱を―(=書き加える)/紅を―(=付ける)/目薬を―(=点眼する)/差し土」㊂〈なにニなにヲ―〉戸・門に錠をかけたり樽の口に栓をしたりして、出入りを絶つ。「通用門を―」㊃(すもうで) 相手のわきばらと腕の間に手を差しこんで、まわしを△取る(取ろうとする)。表記 ㊁㊀は「《射す」、㊁㊁は「《注す」、㊁㊂は「鎖す」とも書く。【気が―】⇩気

さす⓪【砂州・砂〈洲】 砂嘴が、さらに発達して湾や入り江の対岸(の近く)にまで達しているもの。例、天の橋立。さしゅう⓪。⇩砂嘴 表記「州」は、代用字。

ざす①【座主】〔寺の事務を取り締まった僧職の意〕延暦寺の長。「天台―⑤」

*さすが⓪(副) ㊀名実ともに△評判(期待)どおりであることを実感して、改めてそのすばらしさに感心する様子。「―自慢するだけあって見事な出来だ/―は日本一と言われる競技場だ/―に横綱は強い」㊁例外だと思われていたものが、意外にも世間一般のものと変わりがないということを実感する様子。「年を取ると―(に)弱気になった/―の彼も顔色を失った」表記「〈流石」は、借字。「〈遉・〈有〈繋」とも書いた。運用 ㊀で、世辞を述べるときの単なる前置きとして感動詞的に用いることがある。例、「さすが専務。お目が高い」㊁で、相手の申し出や要求に対して、「さすがに…できない」など、否定的表現を続けて、精一杯努力しても実現は不可能だ、という気持を含んで拒否するときに用いられる。例、「原価を割ってしまうので、さすがにそこまでは値引きできません」

さずか・る③【授かる】(自他五) かけがえの無いものをいただく。「子宝を―/野生動物は自力で生きる能力を天から授かっている/授かり物⓪」

さずけもの⓪【授け物】 神仏が授ける物。

*さず・ける③【授ける】(他下一) 〈だれニなにヲ―〉△水準以上の段階に達した(正式に依頼した)人に、その証として

与える。「文化勲章を―／秘伝を―／信任状を―」

さすて①【差す手】手首やひじの関節をうまく折りなして伸ばす時の、舞の手つき。「―引く手①-⓪、①-③」

サステナビリティー⑤〔sustainability〕（自然環境・社会・経済などの）持続可能性。サステイナビリティー⑥とも。「―学⑦」

サスプロ⓪〔←sustaining program〕〔民間放送で〕スポンサーのつかない自主番組。

サスペンション③〔suspension〕❶車輪と車体の間をつなぎ、路面からの衝撃や振動を緩和する装置。懸架装置。❷固体粒子が液体中にコロイド状に分散した混合物。墨汁や印刷インキなど。懸濁(ケンダク)液。

サスペンス①〔suspense=宙ぶらりん。不安〕映画・演劇や小説の筋で、次はどうなるかと思ってはらはらさせる作り方。「スリルと―／―映画⑥」

サスペンダー③〔suspender(s)〕❶ズボンつり。❷靴下どめ。❸つりスカートのひも。「―スカート⑧」

サスペンデッドゲーム⑧〔suspended game〕〔野球で〕照明の故障や時間切れのため、残りのイニングを後日続行することを条件として停止された試合。

さすまた⓪【刺股】長い柄の先に、鉄で出来たふたまたをつけたもの。賊の首などをおさえ、つかまえる時に使った。表記「刺〈叉・刺又」とも書く。かぞえ方 一本

さすら・う③〔自五〕住みかを定めず目的無しに、旅をして歩く。流浪(ルロウ)する。「当ても無く―」名さすらい⓪ 表記「〈流離〉う」とも書く。

さす・る⓪【〈摩る】〔他五〕強い刺激を与えない程度に掌(テノヒラ)や指先などを何かに当てたままの状態で、なめらかに動かす。「なでたりさすったり」表記「〈擦る」とも書く。

ざ・する②【座する・〈坐する】〔自サ〕❶すわる。「座して半畳、寝て一畳／座して(=自分では積極的に何ら手を打つこと無く(ただ機会の来るのを))待つ」❷「連座する」意の古風な表現。座す①〔五〕。

さすれば②【〈然〈為れば】〔接〕〔古風な表現〕❶そうであるから。❷そうすると。

ざせき⓪【座席】その人が腰かけて何かを見たりずっとすわって乗って行けたりする席。「―指定④」↕立ち席

させつ⓪【左折】―する〔自サ〕左へ曲がること。↕右折

ざせつ⓪【挫折】―する〔自サ〕〔目的を遂げる前に〕途中で失敗し、だめになること。「―感③②〔=挫折した時の、気力の喪失した状態〕」

させる（助動・下一型）❶⇩せる❶「学生自身に調べ―／日当りを良くして実をたくさんつけ―／せりふを忘れて舞台の関係者をあわて―」❷⇩せる❷「本人の意志を尊重して部活をやめさせた／子供を甘えさせない／すきなだけ食べ―」❸⇩せる❸「公共事業の大幅な拡大は一部の企業をもうけさせただけだ／患者に不安を感じ―不用意なひとこと」❹〔「させられる」の形で〕⇩せる❹「国民の年賀を受けさせられた」文法 上一段・下一段・カ変動詞の未然形に接続する。

さ・せる⓪〔他下一〕〔「する」の使役形として用いられる〕❶他人にその動作を勧めたり命じたりする。「用事を―／―させないはこちらの勝手だ」❷他人の動作を黙認する。「好きなようにさせてくれないか」

させる②【〈然せる】〔連体〕〔雅〕さしたる。「―(=たいした)難事も無く」

させん⓪【左遷】―する〔他サ〕低い官職・地位に落とすこと。「―人事④」

させん⓪【鎖線】点と短線とを交互に配した線。「一点―⑤〔=―・―・―〕・二点―④〔=―・・―・・―〕」

ざぜん⓪【座禅・〈坐禅】〔仏教で〕じっとすわって精神統一を図り、真理を悟ろうとすること。「―を組む」⇩禅定(ゼンジョウ)Ⓐ・結跏趺坐(ケッカフザ)

さぞ①【〈嘸】〔副〕その境遇における主体の心情を、当事者の立場に立って思いやる様子。「―寒かったろう／―ご心配なことでしょう」

さそい⓪【誘い】❶⓪誘うこと。勧誘。「―をかける／―に乗る」❷〔造語〕動詞「誘う」の連用形。**―あわ・せる**⑥【―合(わ)せる】〔他下一〕誘った結果〈同行者として行動する（何人かの同行者を得る）。**―こ・む**④【―込む】〔他五〕誘って〈中（仲間）に入れる。誘い入れる⑤〔下一〕。「会員に―」**―だ・す**④【―出す】〔他五〕❶人を誘って外に連れ出す。「〈花見（買物・食事）に―」❷何らかの働きかけをして、相手がそうせざるを得ない事態に追い込み、思い通りの結果を得る。「相手の〈譲歩（エラー）を―」**―だま**⓪【―球】〔野球で〕バッターの打ち気を誘うような投球。**―みず**③【―水】呼び水。「投書欄の記事が―となって全国的なボランティアのネットが出来た／―を向ける」

***さそ・う**⓪【誘う】〔他五〕❶〈だれヲなに・どこニ―〉自分と同じ行動をとるように勧める。「散歩に―／今度は僕が―〔=ⓐ呼びに行く。ⓑ声を掛ける〕よ／―水あらば〔=もし自分に働きかける者があれば（応じてもよい）〕」❷〈だれヲなにニ―／なにヲ―〉そう〈する（なる）ように働きかける。「悪事に―〔=誘惑する〕／〈眠り（反感・あせり）を―〔=起こさせる〕」〔⇩誘い❷〕

ざぞう⓪【座像・〈坐像】すわっている姿の像。⇩立像・胸像

さぞかし①【〈嘸かし】〔副〕「さぞ」の強調表現。「今ごろは―寂しがっているだろう／―暇をもて余しているだろうと思っていたら案に相違して…」

さぞや①【〈嘸や】〔副〕「さぞ」の強調表現。「―心配しているだろうと思っていたら、あにはからんやけろりとしている／初孫ご誕生とのこと、―お喜びでしょう」

さそり⓪【〈蠍】熱帯地方の日陰などにすむ毒虫。全体はエビに似、カニのようなはさみと、尾の端に毒針がある。〔クモガタ綱サソリ目〕かぞえ方 一匹

さそん⓪【差損】収支の見込み違いや為替(カワセ)相場の変動などによって生じた損失。「―金⓪・為替―④」↕差益

さた②①【沙汰】〔「沙」「汰」共に、不要の物を除く意〕❶―する〔他サ〕物事の是非について、論じ定めること。また、その結果。「追って―する〔=処置について知らせる〕／―の〈限り（外(ホカ)）〔=論外〕だ／裁判―(ザタ)に及ぶ〔=訴訟事件として裁判所で曲直を争うことになる〕／地獄の―も金次第〔=人が死んだあと、地獄に落ちるか極楽に行けるかの裁きも金次第で決まる、ということから、世の中を動かすのはすべて金だという考え方〕」❷話題として取り上げ、あれこれ言うこと。「家どころの―〔=話〕ではない／世間の取―(ザタ)／―止(ヤ)み⓪〔=計画倒れ〕」❸そうすれば、必ず世人に是非が取り上げられる、常軌を逸した行動。「正気の―ではない〔=とても正気で出来た事とは思えない〕／けんか―(ザタ)⓪・刃傷(ニンジョウ)―(ザタ)⓪・恋愛―(ザタ)⓪」

さだいじん②❶【左大臣】〔律令(リツリョウ)制で〕太政(ダジョウ)官の長官。太政大臣の下、右大臣の上。左府。❷【左大神】神社の随身(ズイジン)門に安置した武官の像で、左〔=向かって右〕の方。〔向かって左の方の側は矢大神〕

さだか①【定か】―な たしかにそれであると判断される様子だ。「やみの中にも―に見える橋／―には存じませんが」

ざたく⓪【座卓・〈坐卓】畳にすわって使う机。かぞえ方 商品は一本

さ

さ

さだま・る③【定まる】(自五) 不動の状態になる。「△焦点(針路・命運)が―／△腰(評価)が定まらない／制度が―(=決まる)／天気が―(=落ち着く)／乱が―(=治まる)／態度が―(=はっきりする)」 名 定まり④③「お―」

さだめ③【定め】変更を許さない状態に△なること(なったもの)。「特別の―(=規定)無き限り／国の―(=おきて)／悲しい―(=運命)」 表記「〈運命〉」とも書く。 **―な・い**④【―無い】(形) たえず変化し、先の見通しが立たない様子だ。「―空／―(=無常な)世」 文法 助動詞「そうだ(様態)」に続くときは「定めなそうだ」の形になる。また「すぎる」と結びついて複合動詞をつくるときは「定めなさすぎる」の形になる。

さだめし②①【定めし】(副) 知り得た情報などを手がかりとして、確信をもってそう推論する様子。「―苦労したに違いない」 文法「だろう」「ようだ」や「…に違いない」など、推量を表わす表現と照応して用いられる。

さだめて②【定めて】(副)「定めし」の意の古風な表現。「この雨では、―難儀していることであろう」

**さだ・める③【定める】(他下一)〈なに・だれ・どこニ〉なにヲ―〉〔何かを決めて〕恣意的に変えることを許さないようにする。「国境を―／国民栄誉賞を―(=設立する)／法律を―(=制定する)／居ヰを―(=住み処カをそこに決める)」

サタン①〔Satan〕悪魔(の王)。

さたん⓪【左〈袒〉】―する(自サ)〔「袒」は、片肌を脱ぐ意〕対立の一方に味方すること。〔呂ヨ氏反乱の際、周勃シュウボツが、官軍に就く者は左袒せよ、呂氏に就く者は右袒せよと、諸臣の意志表明を問うたところ、ことごとく左袒したという中国漢代の故事から〕「独立の議に―者多く」

さたん⓪【左端】いちばん左のはし。↔右端

さたん⓪【〈嗟嘆〉・〈嗟歎〉】―する(自他サ) ❶嘆くこと。「己れの不運を―する」 ❷感心してほめること。〔❶❷とも、古風な表現〕

ざだん⓪【座談】―する(自サ) 席についたまま、〔発言の順番など決めずに〕楽に△話す(話し合う)こと。「―会②⓪」

さち①【幸】❶〔雅〕海や山でとれた食べ物。「海の―、山の―」 ❷幸福。さいわい。「―あれ」

ざちゅう⓪①【座中】❶集会の△席(一座の中)。❷一座の仲間。

ざちょう⓪【座長】チャウ ❶劇団「…座」のかしら。❷座談会・懇談会などで、会をまとめる役の人。

さっ(早) →【字音語の造語成分】

さつ(冊・札・刷・刹・拶・殺・〈箚〉・察・撮・擦) →【字音語の造語成分】

さつ①「警察」の意の圧縮表現。〔通語〕

***さつ**⓪【札】紙幣。「―束・―入れ・千円―・お―」 ⇩【造語成分】

ざつ(雑) →【字音語の造語成分】

ざつ【雑】❶① 一定の基準で分類した時、どの項目にもはいらないこと。「―の部／―収入・―学・―種」 ❷⓪―に・―な 細かな所まで注意が行き届いていない様子だ。「―な扱いを△する(受ける)／―な仕上がり／―費ピ・粗―」 派 ―さ⓪ ⇩【造語成分】ぞう

さつい①【殺意】人を殺そうとする考え。「―をいだく」

さついれ③⓪④【札入(れ)】紙幣を収め、ポケットなどの中に入れて持って歩く入れもの。

***さつえい**⓪【撮影】―する(他サ)〈なにヲ―する〉カメラなどの機材を使って、写真・映画などの映像をとること。「△卒業写真(ドラマ)の―／―機③・―所ジョ⑤・野外―④・特殊―」

ざつえい⓪【雑詠】題を決めず、いろいろの内容を短歌や俳句に△よみこむこと(よみこんだもの)。「秋―・春季―」

ざつえき⓪【雑役】❶〔会社・工場などで〕社員・工員の仕事以外の肉体労働のあれこれ。たとえば、掃除や運搬など(をする人)。「―夫④」 ❷〔刑務所などで〕看守の助手をつとめる受刑者。

ざつえき⓪【雑益】こまごましたいろいろの利益。↔雑損

ざつおん⓪【雑音】聞きたいと思う音や声を妨げる、いろいろの音。「―が入ってよく聞こえないラジオ／―を入れる(=関係者以外の者が無責任な事を、あれこれ言う)」

さっか⓪【作家】サク 小説家として世に認められ、それで生計を立てている人。〔広義では、絵画・写真・生け花・作陶など、広い意味の芸術活動に従事する人を指す〕「放送―⑤・折紙―⑤」

さっか⓪【作歌】サク ―する(自サ) 短歌を作ること。また、その短歌。

さっか⓪【擦過】クワ ―する(自サ) かすること。 **―しょう**③⓪【―傷】シャウ すりむいたりして出来た、軽い傷。

ざっか⓪【雑貨】クワ 毎日の生活に必要なこまごまとした日用品。「―商③・―店③⓪・日用―⑤」

サッカー①〔←seersucker〕もめんなどの織物の一種。縦のしまの平織りの地を、縦のしまの糸だけを縮めて、しぼを表わしたもの。おもに夏物として用いられる。

サッカー①〔soccer〔←association の短縮形+er〕に基づき、もと「ア式蹴球シュウキュウ」の通称〕十一人ずつ二組に分かれ、敵のゴールに丸いボールをけって入れる競技。競技中、ゴールキーパー以外が手を使うと反則になる。「―選手になる／プロ―③」

さつがい⓪【殺害】―する(他サ) 危害を加えて人を死に至らせること。「―を計画する／―に加担する」

ざっかい⓪【雑〈芥〉】台所から出るくず以外の、雑多なごみ類。紙くずなど。

さっかく⓪【錯覚】サク ―する(他サ) 事実と違ったように見たり聞いたりすること。〔思い違いの意にも用いられる〕「―を△起こす(いだかせる・生む)／―に△基づく(陥る)」

ざつがく⓪【雑学】系統立てて研究して得たのではないが、広い分野にわたっている知識。「専門家としては評価されてないが、―の大家であることは疑いない」

ざっかけな・い⑤(形)〔東京などの方言〕「△飾った(洗練された)ところがない様子だ」の意のやや古風な表現。ざっくばらん。 文法 助動詞「そうだ(様態)」に続くときは「ざっかけなさそうだ」の形になる。また「すぎる」と結びついて複合動詞をつくるときは「ざっかけなさすぎる」の形になる。

サッカリン⓪〔saccharin〕砂糖の数百倍甘い、白い結晶体。害は無いが、栄養価も無い。〔水溶性のサッカリンナトリウム⑧が普通使用される。食用には制限がある〕

ざつかぶ⓪【雑株】仕手シ株以外の、いろいろの株式。

さっかん⓪【錯簡】サク 〔昔の本について〕紙のはり違いやとじ違い(から起こる、文章の乱れ)。

ざっかん⓪ ❶【雑感】△いろいろの(まとまらない)感想。❷【雑観】クワン〔新聞などで〕側面記事。情景描写。 表記 ❷は、誤って「雑感」とも書く。

さっき①【《先》】〔「先」の変化〕「その事のあったのが、現時点からあまり隔たっていない過去のことである」意の口頭語的表現。〔副詞的にも用いられる〕「つい―帰ったばかりだ／―はどうも」

さっき①【札記・〈箚記〉】校訂本などの末尾に補注として添える、箇条書の文。

さっき⓪【殺気】(今にも殺し合いが始まりそうな)極度に緊張した、ぶきみなけはい。「―がみなぎる」 かぞえ方 一陣・一むら **―だ・つ**④【―立つ】(自五) 興奮のあまり、相手を殺しかねないような雰囲気がみなぎる。

さっき[1]【《数奇》】—な 〔「数」は、「定命(ジョウミョウ)」の意〕「すうき」の古語的表現。「—な運命〔=⇩すうき〕」

さつき[0]【《五月》】❶(陰暦)五月の異称。❷〔←さつきつつじ[4][5]〕ツツジに類似した樹木。初夏に赤または白の花を開く。種類が多い。観賞用。〔ツツジ科〕 表記 ⇩付表「五月」。「〈皐月〉」とも書く。 かぞえ方 ❷は一株・一本 **—あめ**[4][3]【—雨】さみだれ。梅雨。 **—ばれ**[0]【—晴(れ)】❶五月の、よく晴れた天気。五月(ゴガツ)晴れ。❷「さつき❶」のころのさみだれの晴れ間。 **—やみ**[0]【—闇】「さつき❶」のころの、さみだれが降ってひときわ暗く感じられる 夜の闇。

ざっき[0]【雑記】いろいろのことを書き△つけること(つけたもの)。「—帳[0]・身辺—[5]」

ざつき[0]【座付(き)】芝居の座の専属。「—作者[4]」

さっきゅう[0]【早急】—な・—に 非常に急を要する様子だ。「そうきゅう」とも。「デフレ対応策は—に取り組むべき課題だ/—な判断が必要」

さっきゅう[0]【《遡及・〈溯及》】—する(自サ)〔本来の字音はソキフ。「さっきゅう」は類推読み。ソはさかのぼる意〕⇩そきゅう

ざっきょ[0]【雑居】—する(自サ) ❶いろいろの人が同じ場所に入り交じって居ること。〔狭義では、同じ家の中に何家族もが住むことや、外国人がその国の人びとと同じ居住区に住んだことを指す〕❷種類の違うものが交じって存在すること。「—ビル[4]」

さっきょう[0]【作況】さくがら❶。「—指数[6][5]」

さっきょく[0]【作曲】—する(自他サ) 詩や歌に節をつけること。楽曲を作ること。「—家[0]」

ざっきょく[0]【雑曲】❶雅楽以外の音曲。❷民間の流行歌。俗曲。

さっきん[0]【殺菌】—する(他サ) 病気を起こさせる細菌を殺すこと。「—力が強い/—済(ミズ)[0]・低温—[5]・—剤[3][0]」

ざっきん[0]【雑菌】(役に立つ菌以外の)いろいろな菌。

サック[1]〔sack=袋〕物を保護するための袋・さやなど。〔狭義では、「指サック[3]」や、鉛筆の先にはめるキャップや、コンドームを指す〕 かぞえ方 一本

さっく[0]【作句】—する(自サ) 俳句を作ること。また、その俳句。

ザック[1]〔ド Sack〕登山に使うリュックサック。

サックコート[4]〔sack coat〕❶背広(の上着)。❷赤ん坊の着物の上に着せる上着。 かぞえ方 ❶❷とも一枚

さっ

［早］ いそいで行なう。「早速・早急(サッキュウ/ソウキュウ)」⇩そう

［拶］ おす。せまる。「挨拶」⇩あい(挨)

［殺］ ❶ころす。「殺意・殺害・殺人・自殺・他殺」❷無くす。無くする。「殺風景・抹(マッ)殺」❸△大いに(すっかり)…する意の助辞。「笑殺・黙殺・悩殺・忙殺」

さつ

［冊］ 〔「さく」の変化〕とじた本。書物。〔本・雑誌・手帳・日記帳・ノート・スクラップブック・アルバムなどをかぞえる時にも用いられる〕「冊子・分冊・別冊・大(イタ)冊」

［〈剳］ ❶とどまる。「駐剳」❷しるす。「剳記」

［札］ ❶文字を書いた、小さい木の板。「表札・門札」❷手紙や、証拠となる書きつけ。「札記・書札・一札・鑑札」❸乗車券・乗船券や入場券。「出札・改札・検札」❹競売の時に価格を書くふだ。「入札・落札」⇩(本文)さつ【札】

［察］ ❶いろいろな観点から△調べて(判断して)実情や真相を知る。「考察・視察・診察」❷相手の事情をおしはかる。「察知・推察」

［刷］ ❶たまったよごれを除き、きれいにする。〔刷毛(ハケ)・刷子(ブラシ)も、この意〕「刷新」❷版木の上に紙を載せて、すり出す。「印刷・縮刷・増刷」

［撮］ ❶つまんで取り上げる。「撮要」❷写真をとる。「撮影・空撮・特撮」

［擦］ 勢いよくこする。「擦過傷・摩擦」

［刹］ (由緒ある)てら。「古刹・名刹・霊刹・禅刹・梵(ボン)刹」

ざつ

［雑］ ⇩(本文)ざつ【雑】

サックス[1]〔sax=saxophone の短縮形〕サキソホーン。「アルト—[4]〔=中高音のサキソホーン〕」

ざっくばらん[1]-[0] —な・—に 親しい間柄にあって、思ったことを何でも遠慮なく言い合う様子だ。「—な打明け話/—に話す」 派 —さ[1]-[0]

さっくり[3](副)—と ❶「さくり」の強調表現。❷(性格や態度が)細かい事にこだわらず、さっぱりしている様子。

ざっくり[3](副)—と・—する ❶(布地などの)あらく織った感じ。「太い糸で—と編んだセーター」❷「ざくり」の強調表現。

ざつげき[0]【雑劇】中国の宋(ソウ)・元以後の劇の総称。

ざっけん[0]【雑犬】純粋な種類でない犬。

ざっけん[0]【雑件】主要な事柄以外の、いろいろの△事件(用件)。

さっこう[0]【作興】—する(自他サ) ふるい△たつ(たたせる)こと。「国民精神の—」

ざっこく[0]【雑穀】コメ・ムギ以外の穀類や、マメ・ソバ・ゴマなどの総称。

さっこん[1]【昨今】きのうきょうというようなごく最近の過去のこと。最近。「—のご時勢では」

ざっこん[0]【雑婚】—する(自サ) 部族社会などで男女が特定の相手を定めず夫婦の関係を結ぶこと。乱婚。

さっさつ[0]【〈颯々〉】—たる・—と 風の吹く音の形容の漢語的形容。「—の声」

さっさと[1](副) ためらったり他の介入を恐れたりしないで、自分の意志ですばやく事を運ぶ様子。「—仕事を済ませる/—帰ってしまった/—廃業する」

ざっさん[0]【雑〈纂〉】—する(他サ) 種々の事項に関する記録・文書を△集めること(集めたもの)。

サッシ[1]〔sash〕⇩サッシュ

さっし[0]【察し】察すること。「—がつく/—〔=相手が口に出しては言えない事情などについての思いやり〕がいい」

さっし[1][0]【冊子】Ⓐ書類などで、一般の書物やノートブックのような体裁になっているもの。「—になった調査報告書/宣伝用の—/—目録[4]」Ⓑ本の別称。「短編を集めて—にする/小—」

***ざっし**[0]【雑誌】発刊の目的や内容上の主題を定め、何人かの人の原稿を集め、一定の期間をおいて次つぎに刊行する本。〔毎月刊行の月刊誌、毎週刊行の週刊誌など、種々の刊行形態がある〕「—記者[4]・学術—[5]・季刊—[4]・個人—[4]」 かぞえ方 一冊・一部。順序をかぞえるには

巻・号を用いる。

ざつじ①【雑事】 本来の仕事以外の雑多な用事。「身辺—⑤」

さっしゃ・る ■一③(他五)「なさる・される」の口頭語的表現。■二(助動・五型)「見—・やめさっしゃい」「△お(ご)…なさる」の意の古風な表現。[文法] 上一段・下一段活用型の活用語の未然形および、カ変動詞の連用形に接続する。まれに、五段活用の未然形にも接続する。

サッシュ①〔sash〕❶窓枠。サッシとも。「アルミ—④」❷飾りにつける、幅の広いベルト。[かぞえ方] ❶❷とも一本

ざっしゅ⓪【雑種】❶いろいろの種類。❷交配・交雑によって生まれたもの。「—の犬」↕純系

さっしゅう①(シウ)【〈薩州〉】「薩摩(サツマノ)国」の漢語的表現。今の鹿児島県西部にあたる。

ざつじゅう⓪(ジウ)【雑〈糅〉】—する(自他サ) いろいろと異質な物がごたまぜになること。また、そのようにすること。

ざっしゅうにゅう③(シウニフ)【雑収入】❶おもな収入以外の収入。「月給のほかの—」❷〔収入の分類で〕一定の項目のどれにも入らない収入。

ざっしょ①⓪【雑書】❶どの分類にも入らない△書物(書類)。❷〔学術書と違って〕雑多な知識をまとまりなく書いた書物。❸いろいろの(つまらない)本。

さっしょう⓪(シヤウ)【殺傷】—する(他サ) 人や動物を殺したり傷つけたりすること。「人馬を—する/—事件⑤・—力③」

ざっしょく⓪【雑色】❶種々の色が交じり合った色。❷特に何の色と名付けられない中間色。「—の犬」

ざっしょく⓪【雑食】—する(自サ)〔動物が〕草食・肉食いずれにも偏せず、動植物を餌(エサ)とすること。「—(性)動物」

さっしょぶん③【殺処分】—する(他サ) 法律に基づき、伝染病にかかった家畜や保健所に収容された動物などを殺すこと。

さっしん⓪【刷新】—する(他サ) 悪いところを改めて、全く新しいものにすること。「政界の—/人事を—する」

さつじん⓪【殺人】〔故意に〕人を死に至らせる行為。「—の罪を犯す/—鬼③・—光線⑤・—事件⑤・—罪(ザイ)③」**—てき**⓪【—的】—な/—に 命にかかわるかと思われるほどひどい様子だ。「—混雑・—スケジュール」

さつじん⓪(ヂン)【殺陣】〔歌舞伎(カブキ)・映画などで〕はげしい斬(キ)り合いの場面。たて。

さっすい⓪【〈撒水〉】—する(自サ) 水をまくこと。「—車③」

さっすう③【冊数】 書物・ノートなどの数。

***さっ・する**⓪③【察する】(他サ)〈なにヲ(なんだト)—〉 物事の事情や他人の心中を、△経験に照らして(直感的に)おしはかる。察す⓪(五)。「△反対の空気(危険)をいちはやく—/—に余りある」[運用]「心中お察しします」などの形で、不幸などに見舞われた人に対して、同情し慰める言葉としても用いられる。また、「お察しください」の形で、話し手が自分の立場が苦しいので、これ以上の要求や追及をしないでほしい、と相手に願う気持を表わす言い方となる。例、「当方の苦しい事情もお察しください」

ざっせつ⓪【雑節】 二十四(節)気以外の、気候の変り目。節分・八十八夜・彼岸・入梅・土用など。

ざつぜん⓪【雑然】—たる/—と 種々のものが入り交じっていて、まとまりの無い様子だ。「書物が—と積んである/—たる人の行きかい」

さっそ①【殺〈鼠〉】(毒薬を用いて)ネズミを殺すこと。「—剤③⓪」

さっそう⓪(サウ)【〈颯爽〉】—たる/—と 歩く姿や着こなしなどに一分の隙(スキ)も無く、生き生きとした力がみなぎっている様子。「銀座を—と歩くお嬢さん/—たる身のこなし」

ざっそう⓪(サウ)【雑草】 あちこちに自然に生えているが、△利用(観賞)価値が無いものとして△注目されることがない(名前も知られていない)草。「住む人もなく—ばかりが生い茂る廃屋/—のようにたくましく〔=逆境に屈することなくしたたかに〕生きる」[かぞえ方] 一本

***さっそく**⓪【早速】(副) いちはやく対応しようと、時を置かずに行動する様子。「—申し込んでおこう/言われた通りに—やってみた」

ざっそん⓪【雑損】 こまごましたいろいろの損失。↕雑益

さった①【〈薩埵〉】〔生命あるものの意の梵(ボン)語の音訳〕すべての生き物を救おうという大きな誓願を持つ仏道の修行者。ぼさつ。

ざった⓪【雑多】—な/—に (いいものも悪いものも)いろいろ入りまじっている様子だ。「—な品物」[派] **—さ**⓪

さつたば⓪【札束】 紙幣を重ねて束にしたもの。

ざつだん⓪【雑談】—する(自サ) はっきりした目的もまとまりも無い話(を気楽にすること)。「—をかわす」

さっち①⓪【察知】—する(他サ) 不結果にならないうちに、大体の模様を知ること。「敵の動きをいちはやく—する」

さっちゅう⓪【殺虫】—する(自サ) 害虫を殺すこと。「—剤③⓪」

ざっちょ①⓪【雑著】〔図書館の用語で〕内容が種々の分野にまたがり、特定の一つには分類出来ない書物。

さっちょう①(チヤウ)【〈薩長〉】 薩摩(サツマ)と長門(ナガト)〔=長州〕。「—連合⑤」

さっと①⓪【〈颯と〉】(副) ❶その現象が、△急に(ごく短時間で)実現する様子。「雨が—降って来たかと思ったら—上がった/風が—吹きおろす/—乾いてしまう」❷その動作がすばやく、短時間のうちに行なわれる様子。「—立ち上がる/人びとは—居なくなった/肉に—火を通す」

ざっと⓪(副) 細かい所は問題にしないが、全体に行きわたっている様子。「—洗っておく/—拝見しました/—した説明/メニューは—二十種類/私がやれば—こんなものだ」

さっとう⓪(タウ)【殺到】—する(自サ) さばききれないほど多くのものが、そこに一時に集まって来ること。「注文—⓪-⓪」

ざっとう⓪(タフ)【雑踏・雑〈沓〉】—する(自サ)〔「沓」もまじりあう意〕思うように進めないほど、人や車などで混雑している△こと(場所)。「—の中へ繰り出す/年末で—していた繁華街での出来事であった」[表記]「雑〈閙(ザッタウ)〉」とも書く。「踏」は、代用字。

ざつにく⓪【雑肉】❶牛肉・豚肉の、あいびきなどに使う部分。〔すね肉などの堅い部分や脂身などを指す〕❷牛肉・豚肉・鳥肉以外の食用の肉。〔馬肉・マトンや、ハムなどに混入する魚肉・ウサギの肉などを指す〕❸サケ缶・サバ缶・カニ缶などで、ほぐして入れた肉。〔安価な物を指す〕

ざつねん⓪【雑念】 考えを集中させる時に、そのじゃまをするいろいろの思い。「—を去る/—を払う」

ざつのう⓪(ナウ)【雑〈嚢〉】 いろいろな物を入れて肩から下げる、布製の袋。

さっぱ⓪【〈鯯〉】■一〔東京方言〕体形・大きさともにコノシロに似る、小骨の多い海魚。北海道からフィリピン方面まで広く分布する。〔ニシン科〕[かぞえ方] 一匹 ■二〔中部・東海・関東方言〕アワビや海藻採りなどに用いられた、旧式・小型の漁船。■三❶〔福島方言〕たきぎにする割り木。❷魚の骨。また、残飯の類。

さっぱ①【〈撒播〉】—する(他サ)〔農業で〕種を田畑にまくこと。

ざっぱい⓪【雑俳】 前句付(マエクツケ)・川柳・こっけいな俳句などの総称。

ざっぱい⓪【雑輩】 取るに足りない者ども。「—は相手にす

るな」

ざっぱく[0]【雑〈駁】ーな ーに 矛盾する知識・思想が雑然としており、統一を欠く様子だ。「ーな議論」 派 **ーさ**[0]

さつばつ[0]【殺伐】ーたる ーな ーと 環境・人心に穏やかな雰囲気が全く見られない様子だ。「ーな気風/不便でーとしている」 派 **ーさ**[4][0]

*__さっぱり__[3](副) [一] ー(と)する 不快感・わだかまりや余計なものが残らず消えて、爽快(ソウカイ)な気分が感じられる様子。「一風呂(ヒトフロ)浴びてーする/ーした性格/ーした身なり/借金を全部返してーした/ーとした味が好まれる」 文法 一般に「さっぱり(と)する」と一語の動詞のように用いられる。[二]❶〔「きれいー」の形で〕すべてが処理されて、あとに何一つ残らない様子。「もうけはきれいー使ってしまった/きれいー平らげた」 ❷〔多く、打消しを伴って〕すべてにわたって、好ましくない面ばかりが目立つ様子。「景気はー振るわない/ー効き目が無い/客の入りはーだ/フランス語は読む方はまだしも、話す方はーです」

ザッハリッヒ[1] ーな ーに〔ド sachlich〕 即物的。

ざっぴ[0]【雑費】〔どの項目にも入らないような〕こまごました費用。

さっぴ・く[3][0]【差っ引く】(他五) 「差し引く」の口頭語的表現。「所得税をさっ引いて月給三十万」

さつびら[0]【札《片》】(何枚もある)紙幣。〔多く、当人以外の者が反感をいだいたり 冷笑したり する気持を表わす〕 【ーを切る】これ見よがしに惜しげもなく大金を使う。

ざっぴん[0]【雑品】〔いちいち名をあげきれないような〕こまごました品物。

ザッピング[0] ーする(他サ)〔zapping〕 テレビなどの番組を次つぎに切り替えて視聴すること。

さっぷ[1][0]【〈撒布】ーする(他サ) 〔薬品などを〕ふり△まく(かける)こと。散布。「ー剤[0][3]」

さっぷうけい[3]【殺風景】ーな ーに 〔風趣・興趣をそぐ意〕接する人△に味わいを感じさせる(の心をなごませる)ものが何も無い様子だ。「ーな部屋/ーな男/ーな(=味気無い)話になった」 派 **ーさ**[0][5]

ざつぶつ[0]【雑物】 雑多な物。「売れ残ったーを半額で処分する」

ざつぶん[0]【雑文】〔論文や小説などと違って〕気楽に書き流した文章。

ざっぷん[0]【雑粉】 小麦粉以外の(物を混合した)こな。

ざっぽう[0]【雑報】 ❶〔雑誌などの記事の中で〕細かな出来事を知らせる記事。 ❷新聞の社会面記事の旧称。

ざつぼく[0]【雑木】 観賞用としても用材としても価値の低い木。

さつま[1]【〈薩摩】 九州南部に位置した国。今の鹿児島県の西部。 **ーあげ**[3]【ー揚(げ)】 魚の肉をすりおろした中に、ニンジン・ゴボウなどのみじん切りを交ぜ、油で揚げた食品。 **ーいも**[0]【ー芋】 畑に作る多年草。茎はつるになって地にはう。根は塊状ででんぷんに富み甘くて食用。品種が多い。甘藷(カンショ)。〔ヒルガオ科〕 かぞえ方 一枚 **ーじょうふ**[4][4]【ー上布】 かぞえ方 一株・一本。芋は一本 **ーじょうふ**[4]【ー上布】 琉球(リュウキュウ)・薩摩産の上布。 **ーじる**[4]【ー汁】 豚肉・鳥肉などに、ゴボウ・ネギ・サトイモ・ダイコンなどを加えた、濃いみそ汁。 **ーのかみ**[4]【ーの《守》】〔平忠度(タイラノタダノリ)が薩摩守(サツマノカミ)であったところから、只(タダ)乗りにかけた地口〕無賃乗車(をする人)。 **ーはやと**[4]【ー〈隼《人》】 勇敢な、薩摩の武士。 **ーびわ**[4]【ー〈琵琶〉】 薩摩の国で発達した琵琶(の歌曲)。雄壮な曲が多い。

ざつむ[1]【雑務】〔本来の仕事以外の〕いろいろの細かな事務。

さつよう[0]【撮要】 要点を取り出して簡単に書いた本の名。「経済学ー[3]-[0]」 ⇩綱要・提要

ざつよう[0]【雑用】(その人にとっては)どうでもいいようなこまごまとした用事。

さつりく[0]【殺〈戮】ーする(他サ) たくさんの人を一度に殺すこと。

ざつろく[0]【雑録】 いろいろな事柄をあれこれと記録すること。また、その記録。

ざつわ[0]【雑話】 これといったテーマもなくただ何となくする、とりとめもない話。

さて[1] [一](副) いよいよ行動を始めなければならない事態に直面する様子。「ー机に向かうと/ーとなるとやる気がうせる」 [二](接) ❶別の話題に移る気持を表わす。 ❷上の文を軽く受けることを表わす。 [三](感) ❶ためらったり 疑ったりして、しばし間(マ)を置いて発する声。「ー、何から始めたらよいのか/あの人はー、誰(ダレ)だったっけ」 ❷次の行動に移る際に、△自問する(人を誘う)気持で発する声。「ー、そろそろ帰るとしよう/ー、君も一つやってみないか」 表記 [二]は、「〈扨・〈扠・〈偖」とも書く。

さであみ[0]【〈叉手網】 三角形の枠に網を張って袋状にしたすくい網。「さで[2]」とも。

さてい[0]【査定】ーする(他サ) 〔官庁などが〕調べた上で、合否を判定したり 等級や△評価(割当)額を決定したりすること。

サディスト[2]〔sadist〕 サディズムの傾向を有する者。サドとも。〔広義では、相手にむごく当たることを好む者をも指す〕 ↕マゾヒスト

サディズム[2]〔sadism, Sade=人名〕 相手のからだに苦痛を与えて快感を味わう変態性欲。サド。 ↕マゾヒズム

さてお・く[1]-[0]【〈扨置く】(他五) ひとまず問題からはずす。「冗談は さておき(=別として)/何は さておき(=まず第一に)あなたの話を聞きましょう」 表記 「〈扠《措く」とも書く。 文法 「その問題はさておいて」などと用いられるほかは、一般に「…はさておき」「…はさておいて」などの形で用いられる。

さてさて[1](感) △深く感じ入って(驚いたり あきれたりして)発する言葉。なんとまあ。

さてつ[0]【砂鉄】 砂のような状態をしている(磁)鉄鉱。

さてつ[0]【〈蹉跌〉】ーする(自サ) 〔つまずく意〕(失敗して)ゆきづまること。「ーの第一歩」

さては[1] [一](接) それだけでは済まず、さらに何かを続けることを表わす。「カキ・ナシ、ー(=ⓐその上に。ⓑまた)バナナと山ほど食べた」 [二](感) 事件などの原因について何か思い当たることがあるという気持を表わす。「ー犯人はお前だな」

さてまた[1]、[1]-[0]【〈扨又・〈扠又】(接) △それから(その上に)又。 表記 「〈偖又」とも書く。

さても[1] [一](接) 「さて」を強めた言い方。 [二](感) さてさて。

サテライト[3]〔satellite=衛星〕 ❶サテライト スタジオの略。「ー番組[6]・ー放送[6]」 ❷直接、搭乗口に連絡して、飛行機に乗れるようになっている待合室。 **ーキャンパス**[6]〔satellite campus〕 大学などで本部から地理的に離れたところに設置されたキャンパス。 **ースタジオ**[7]〔satellite studio〕〔ラジオで〕放送局の外に設けた、中継放送用の小さなスタジオ。

サテン[1][0]〔satin ←オ satijn〕 繻子(シュス)。

さと[0]【里】 ❶〔人家の△無い(少ない)山中などと違って〕人家が集まり、集落が見られる所。「山あいのー/ーの秋/湯けむりのーを訪ねて」 ❷Ⓐ他家の一員となっている人が

** *は重要語，[0] [1]… はアクセント記号，品詞の指示の無いものは名詞および いわゆる連語。

生まれ育った家。実家。おさと。「—に帰る」Ⓑ養育料をつけて、子供を他家に預ける△こと(先)。「—に出す/—子ゴ・—親ヤ」 表記 ㊀㊁は、「《郷」とも書く。 運用 ㊀Ⓐは、「里に帰らせていただきます」などの形で、やや古風な、妻の側からの離縁・別居の宣言として用いられることがある。

【おーが知れる】⇩御里オサト

サド①〔Sade=人名〕サディズム・サディストの略。↕マゾ

さと・い②【聡い】(形) 理解力・判断力にすぐれ、物事をすばやく的確にとらえる能力を備えている様子だ。「なかなか—子だ/耳が—/利に—人〔=利益に敏感だの意から、軽い侮蔑ブベツを含意して用いられることがある〕」

さといも⓪【里芋】畑に作る多年草。葉はハスの形に似て大きく、葉柄が太く長い。地下茎はがさがさした皮をかぶり、中身は白くて粘りけがある。おやいも・ずいき〔=葉柄〕も食べられる。〔サトイモ科〕 かぞえ方 一株・一本。小売の単位は一袋

さとう⓪①②【左党】↕右党 ㊀与党に対する野党の別称。㊁「酒の好きな人」の異称。

***さとう**②【砂糖】△サトウキビ(サトウダイコン)などからとる、甘みの強い調味料。 かぞえ方 一匙サジ・一すくい。小売の単位は一袋・一箱 **—きび**②【—〈黍〉】畑に作る大形の多年草。大体の形はトウモロコシに似、茎の汁から砂糖を作る。〔イネ科〕 かぞえ方 一株・一本 **—だいこん**④【—大根】⇩てんさい(甜菜)

さとう⓪【差等】㊀(同種の)二つ(以上)のものの間にある、違った点や等しい点。「両者の価値の—について熟慮する」㊁等級差。「—を設けない」

さどう⓪【作動】—する(自サ)〔「作」も動く意〕機械や仕掛けが働くこと。

さどう①【茶道】㊀ちゃどう。「—の精神/—部②」㊁江戸時代、茶坊主の称。

ざとう⓪②【座頭】〔もと、盲官の第四等〕頭をそった盲人。〔広義では、盲人をも指す〕

さとおや⓪【里親】里子を預かっている、親代りの人。「—日—」↕里子

さとがえり③【里帰り】—する(自サ)㊀(他家の一員となっている人が)自分の実家に一時的に帰ること。〔狭義では、女性が結婚後初めて実家や故郷に帰ることを指した〕

さとかぐら③【里〈神〈楽】各地の神社で行なう、民間の神楽。 表記 ⇩付表「神楽」

さとかた⓪【里方】実家の方(の親類)。「—のおば」

さどく⓪【査読】—する(他サ)〔学術雑誌に掲載するかどうかなどを決めるために〕論文などを第三者が読んで評価すること。

さとご⓪【里子】他家に預けて養ってもらう子。「—に出す」↕里親

さとごころ③【里心】△実家(親の所)を恋しがる心。「—がつく」

***さと・す**②【諭す】(他五)〈だれヲ—/だれニなにヲ—〉下の者に、事の理非をよく分かるように教える。「△誤った考え(子供・人)を—/教え—」 名 諭し⓪

さとばら⓪【里腹】実家に帰った嫁が、十分に食事をとること。【—三日】里腹は三日も持つというたとえ。

さとびと⓪【里人】㊀その土地に住んでいる人。㊁いなかの人。

さとみち⓪【里道】平地を通るいなか道。

さとやま⓪【里山】集落の近くにあって、人びとの生活とかかわりの深い△森林(山)。

さとゆき⓪【里雪】平野地方に降る雪。↕山雪

さとり⓪【悟り】㊀⓪悟ること。「—を開く〔=悟る〕/—の境地に達する/—が△早い(悪い)」 表記 「《覚り」とも書く ㊁(造語)動詞「悟る」の連用形。 **—すま・す**⑤【—澄ます】(自五)一点の迷いもなく△悟る(悟ったような様子をする)。 表記 「悟り済ます」とも書く。

***さと・る**⓪②【悟る】(他五)〈なんだト/なにヲ—〉㊀迷いからさめ、真理を会得エトクした境地に到達する。㊁隠されていた事情に気がつく。「様子を悟って逃げ出す」 表記 「《覚る」とも書く。〔⇩悟り㊁〕

サドル⓪〔saddle=鞍クラ〕〔自転車・オートバイなどの〕腰をかける部分。

サドンデス②①〔sudden death〕〔突然の死の意から〕ゴルフ・ホッケー・テニスなどの延長戦で、一方が勝ち越した時点で勝敗を決める方式。

さな①〔こんろやストーブなどの〕火を載せる、格子コウシ形の鉄板。

さなえ⓪【《早苗】苗代ナワシロから田へ移し植えるイネの苗。「—を取る」 表記 ⇩付表「早苗」

さなか①【《最中】ある期間のうちで、その状態が最も高潮している時。まっさいちゅう。「夏の—〔=暑い盛り〕/冬の—〔=最も寒い時〕/騒動の—/貧乏の—で」 表記 「サイチュウ」と区別して「さ中」とも書く。

さながら⓪【《宛ら】(副)㊀当面する事態が、よく知られたある事態の様子にそっくりそのままあてはまるととらえられる様子。「美々しい行列は—王朝絵巻の一シーンであった/戦場は—地獄絵のようであった」㊁(副助詞的に)そっくりそのまま見立てられる意を表わす。「△実戦(本番)—の訓練/太古—の森」

さなぎ⓪【《蛹】完全変態を行なう昆虫が、変態の途中で栄養を取らず、ほとんど静止状態になったもの。

さなきだに②⓪(副)〔雅〕△そうでなくてさえ(通常の場合においても)その傾向が(顕著に)認められる様子。「秋の夕べ、—静かな庭が、ひとしおひっそりとして、子供心にものがなしく思われた」

さなだ⓪【《真田】〔↑さなだひも③〕平たく△組んだ(編んだ)もめんのひも。また、そのようなもの。 **—むし**③【—虫】ジョウチュウ。 表記 「〈絛虫」とも書く。 かぞえ方 一匹

サナトリウム④〔sanatorium=療養所〕高原・林間・海岸などに作られた、結核療養所。サナトリュームとも。

さなぶり⓪②【《早〈苗〈饗】田植えの終りに、田の神を送り、宴を張って祝う行事。さのぼり②。しろみて⓪。

サニタリー①〔sanitary=衛生的な〕浴室・トイレ・洗面所など水まわりで衛生設備のある部屋。

さぬきうどん④【〈讃〈岐〈饂〈飩】香川県名産のうどん。生地を足で繰り返し踏み、熟成させて作る。麺は太めで、こしが強い。

さね①【《札】とじ合わせてよろい・かぶとを作るための、△鉄(革)の小さな板。

さね①【《実】㊀ウメやモモなどの種の中にある、白いもの。胚ハ。㊁たね。「うり—顔ザネ」㊂陰核の卑俗な異称。 表記 「《核」とも書く。

さねかずら③【《真《葛】山地に生え、また庭木・生け垣とされる常緑つる性低木。葉は厚く光沢があり、夏、黄白色の小花をつける。別名、びなんかずら④。〔マツブサ科〕 表記 「《実《葛」とも書く。

さのう⓪【左脳】〔人間の〕大脳の左半分。言語・文字などの認識・処理を行なうとされる。⇩右脳

さのう⓪【砂〈嚢】㊀砂を入れたズック製の袋。㊁鳥類の胃の一部。すなぎも。

さのみ①【《然のみ】(副)〔否定表現と呼応して〕そのような傾向は見られるにしても、特に取り立てて問題にするほど

のことは無いという判断を表わす。「—驚くにあたらない」

さは①【左派】左翼の党派。急進的な派(の人)。↕右派

さば⓪【〈鯖〉】中形の海産魚。大体の形はカツオに似て、背中に青黒いしま模様がある。日本近海ではマサバとゴマサバが多い。食用。〔サバ科〕「—を読む〔=⇩鯖読み〕/—ずし②」かぞえ方 一尾・一匹・一枚

サパークラブ④〔supper club〕会員組織の小さなナイトクラブ。

さはあれ①-①【《然は有れ》】〔雅〕そうではあるが。「さわれ①」とも。

さはい⓪①【差配】—する(他サ)❶組織などで、実務的な方面の責任者としての役を果たす△こと(人)。「奥向きのいっさいを—する」❷家主や地主に代わって、貸家や貸し地を管理する△こと(人)。〔やや古風な表現〕「—人ニン」

サバイバル②〔survival=生き残り〕厳しい自然環境や、戦争・災害などの悪条件の中で、生き残る△こと(技術)。「—フーズ⑥・—ナイフ⑥」**—ゲーム**⑥〔survival game〕❶迷彩服を着て敵と味方に分かれ、エアガンを撃ち合うゲーム。略してサバゲー⓪。❷生き残りをかけた競争。「—を勝ち抜いた企業」

さばおり⓪ヲリ【鯖折り】〔すもうで〕上から両手で相手のまわしを引きつけ、あごで押さえて両ひざをつかせる わざ。

さばかり②【《然ばかり》】(副) 問題となる事の程度を、それほど△はなはだしい(たいしたことは無い)と限定する様子。「—の小事で騒ぐことは無い」

さばき③【〈捌き〉】❶③捌くこと。「足—・包丁—・手綱タヅナ—・裾ソス—」❷(造語)動詞「捌く」の連用形。**—がみ**③【—髪】解きちらした頭髪。

さばき①③【裁き】裁くこと。〔キリスト教では、神の審判を指す〕「—に服する/大岡オオカ—」

*__さば・く__②【〈捌く〉】(他五)〈なにヲ—〉❶〔からまりやすい物を〕(扱いやすくなるように)うまく分ける。「下がりを—/紙を—/裾ソスを—」❷〔処理のむずかしい物を〕滞り無く処理する。「一人で捌き切れぬ程の仕事/商品を—〔=全部売り切る〕/手綱タヅナを—〔=思う通りに操作する〕/トリを—〔=包丁をうまく使い、肉を骨から取り分ける〕」〔⇩捌き❷〕

*__さば・く__②【裁く】(他五)〈なにヲ—〉〔「捌く」と同源〕争いなどのあった時、理非曲直を明らかにして処理についての判断を下す。

さばく⓪【佐幕】〔「佐」は、味方の意〕〔勤王に対立して〕幕末時代、幕府の政策に同調し、また、その存続を願った△こと(人たち)。「—派⓪」

*__さばく__⓪【砂漠・沙漠】降雨量が少なかったり川が無かったりするため植生や生息動物の種類が限られている一帯の荒れ地。アフリカ北部・中近東・オーストラリアその他、熱帯・温帯に属する大陸の各地に存在する。「—の船〔=ラクダの異称〕/岩石—・砂—・ゴビ—・サハラ—」⇩オアシス **—か**⓪クワ【—化】—する(自サ) 気象条件の変化や人為的な原因で草木が生育しなくなり、その地域が砂漠になること。「—が進む」

さばぐも⓪③【〈鯖雲〉】「巻積雲ケンセキウン」の俗称。白い筋のような雲に対して、空がサバの背中の青黒いしま模様のように見える。

さばけぐち③⓪【〈捌け口〉】売れくち。はけぐち。

さば・ける③【〈捌ける〉】(自下一)〔「さばく」の可能動詞形〕❶さばいた状態になる。「一日で捌けた〔=売り尽くした〕/包丁がなまくらでなかなか捌けない」❷世情に通じ、物分かりのいい対処ができる。「捌けた人」

さばさば①(副)—と/—する (事が済んだ)あとにこだわりを残さず、さっぱりした気分でいる様子。「力いっぱい戦って負けたのだからと—していた/あんな男はいない方が—する」

さはさりながら①-①、①-③【《然は《然りながら》】「それはそうだが」の意の改まった表現。

さはち⓪【砂鉢】皿の形をした、大きな鉢。⇩さわち料理 表記「《皿鉢》」とも書く。

サバティカル②〔sabbatical〕〔大学などで〕一定の勤務年数△ごと(を経た後)に教員に与えられる、研究活動のための長期休暇。「—イヤー⑥」

さばぶし⓪【〈鯖節〉】サバを原料としてかつおぶしのように作ったもの。ねだんが安い。

さばよみ⓪④【〈鯖読み〉】〔「よみ」はかぞえる意。⇩暦コヨミ〕〔大量のサバをかぞえる時、二尾を単位として、さっさとかぞえていくうちに、自然 何尾かごまかすようになった事から始まったという〕数をごまかして自分の利得とすること。

さばれ①(副)〔雅〕それまでのいきさつはさて措オき、今は次のようにしようという判断を表わす。「—、否イヤ、呼入れよ」表記「〈遮〈莫〉」は、「さもあらばあれ」と共通の用字。

さはんじ②【茶飯事】〔「茶飯」は毎日の食事やお茶の意〕毎日経験するような、ありふれた事。「日常—」

サバンナ②〔savanna(h)〕雨の少ない熱帯地方の、まばらにしか木の生えていない草原ソウゲン。サバナ①とも。

さび② ワサビを略して言う、すし屋での通語。「—をきかす/—抜き」

さび②【寂】〔動詞「寂びる」の連用形の名詞用法〕古びたものに感じられる、落ち着いた趣。〔芭蕉バショウ俳諧ハイカイの根本精神とされる〕「—のある〔=低くて、落ち着いた〕声」

*__さび__②【錆】金属が空気に触れたり水にぬれたりして傷み、赤茶色や青白色に変わり もろくなったもの。「—がつく/身から出た—〔=⇩身〕/—落し③」表記「〈銹〉」とも書く。

さびあゆ⓪③【〈錆鮎〉】秋の産卵期のころの、背に錆色のまだらがあるアユ。おちあゆ。

さびいろ⓪【〈錆色〉】鉄の錆びたような赤茶色。

さびごえ⓪③ゴヱ【寂声】謡などを長く練習した結果出る、かすれて低いが趣のある声。表記「〈錆声〉」とも書く。

__さびし・い__③【寂しい・〈淋しい〉】(形)❶自分と心の通いあうものが無くて、△満足出来ない(心細さを感じる)状態だ。「一人暮らしの—生活」❷身近に人の気配を感じさせるものが無く、社会(の煩わしさ)から隔絶されたような状態だ。「—山道」↕にぎやか ❸あればいいと思うものが無くて、満ち足りなく感じる様子だ。「ふところが—〔=持ち金が少ない〕/口が—〔=何か口に入れたい〕」〔❶〜❸は「さみしい」とも〕派 **—さ③② **—み**⓪④ **—げ**④⓪③ **—が・る**④

さびた①〔北海道で〕ノリウツギ③の称。夏に白い花をつけ、根でたばこ用のパイプを作る。〔アジサイ科(旧ユキノシタ科)〕かぞえ方 一本

さびだけ⓪②【〈錆竹〉】立枯れして表皮にまだらの生じた竹。また、そのように焼いた竹。

さびつ・く⓪③【〈錆付く〉】(自五)❶ある期間使わなかったりしたため、金物や金具が錆び、他の△物(部分)にくっつくなどして本来の機能を失う。「△錠(刀)が—/腕が—〔=しばらくその事から遠ざかっていたため、昔のような冴えや勘が取り戻せない状態にある〕」❷金属がすっかり錆びる。「錆びついた金具を掘り出した」

さびどめ⓪【〈錆止め〉】金属の錆を止めるために、塗料や油を塗ること。また、その塗るもの。

さびょう⓪ビヤウ【詐病】病気にかかっていると偽ること。また、その病気。仮病。

ざひょう⓪ヘウ【座標】〔「点の座る場所」の意〕❶〔数学で〕平面(空間)内の各点の位置を正確に表わすために一

定の方式で定められる△二つ(三つ)の実数の組。また、その実数の一つひとつ。〔狭義では直交座標を指し、各実数をx座標・y座標などと称する。広義では、曲面内の点の位置を表わすためのものをも含む〕❷何かの基準となるもの。「青春の―/未来を示す―」 **―けい**⓪【―系】座標を定めるために設けられる、基準の点・線などの一組。例、直交座標の場合は、原点と座標軸。極座標の場合は基線(=原線)と回転の向き。 **―じく**②(ヂク)【―軸】直交座標の基準として選んだ、直交する△二(三)本の直線。

さ・びる(接尾・上一型) それらしい状態になることを表わす。「神―・翁(オキナ)―⑤・大人(オトナ)―⑤」

***さ・びる**②(自上一) ❶【〈錆びる】❶〈(なにデ)―〉 錆が生じる。「包丁が―」 ❷声の華やかさがとれて、低く落ち着いた感じになる。 ❷【《寂びる】年をとったり年代を経過したりして、特有の落ち着いた趣が見られる(ようになる)。⇩ものさびた

***さび・れる**③⓪【寂れる】(自下一) △景気が悪くなって(魅力が無くなって)人が集まらなくなり、にぎわいの失われた状態になる。 運用 新築・開店などに際しては避けるべき言葉とされる。

さふ①【左府】「左大臣」の異称。↕右府(ウフ)

サブ①〔sub〕〔正式のものと違って〕控えのもの。〔競技では、補欠選手を指す〕

さぶ①【左武】昔、(男子が)武事・武芸を尊んだこと。↕右文(ユウブン)

サファイア②〔sapphire〕 青色で透明な美しい宝石。コランダム(=鋼玉)の一種。青玉(セイギョク)。

サファリ①〔スワヒリ safari=旅行〕 アフリカ東部の狩猟旅行。「―ジャケット④」

サファリスタイル⑤〔safari style〕 狩猟用の服装を模した機能的な服。特に、両脇(キワ)・両胸に大きなポケットが付き、胴の部分をベルトで締めるようにしたジャケットを指す。サファリルック④。

サファリパーク④〔safari park〕 自然を模した広い園内に猛獣などを放し飼いにし、自動車の中から観覧するようにした動物園。

サブカルチャー③〔subculture〕 社会一般に広まっている伝統的な文化に対して、その社会の一部の特定の人びとだけの独特の文化。たとえば、若者文化・大衆文化など。下位文化③。

サブザック③〔和製洋語 ←英 sub + ド Sack〕 ハイキングなどに使う、小さなリュックサック。

ざぶざぶ①(副)―と 水をかき分けたり かきまぜたり するときの音。「―と布をすすぐ/―と水を浴びる」

サブジェクト①〔subject〕 ↕オブジェクト ❶主題。 ❷〔文法で〕主語。

サブタイトル③〔subtitle〕 書籍・論文などの題名に副次的につけるもの。副(表)題。 かぞえ方 一本

ざぶとん②【座布団・座〈蒲団】(畳に)敷いて、その上にすわる四角な布団。 かぞえ方 一客・一枚

サブノート③〔和製英語 ←sub + notebook〕〔内容整理のための〕補助ノート。「―を作る」

サブマリン③〔submarine〕 潜水艦。

サブライ③〔supply〕 供給。支給。「マネー―(=通貨供給量)」

サプライズ③〔surprise〕 全く予想できなかったようなことが起こり、非常に驚くこと。〔多く、好ましいものとして受け入れられる場合について言う〕「―パーティー・―人事」

サプライヤー③〔supplier〕〔商品・物品の〕供給者。生産者。供給国。

サフラン①②〔オ saffraan〕 園芸用に栽培される多年草。葉は松葉に似、十月ごろ薄紫色で香気の強い花を開く。めしべは薬・染色などに用いられる。〔アヤメ科〕 表記「〈泊夫藍」は、音訳。 かぞえ方 一本

サブリミナル③〔subliminal=潜在意識〕 映画・テレビ・ラジオなどで、ふつうは知覚出来ないような速度・音量で、繰り返しメッセージを出し、無意識のうちに影響を与えようとすること。「―アド・―映像」

サプリメント①〔supplement〕 ❶付録。補遺。 ❷栄養補助食品。特定の栄養成分を錠剤・カプセルなどにしたもの。略してサプリ①。

さぶろう⓪③(ラウ)【《三郎】 ❶同胞の中で、三番目の男の子。三男。〔人名としても使われる〕 ❷同類の中で第三(のもの)。「四国―(=吉野川の異称)」 ⇩太郎・次郎

***さべつ**①【差別】〔「差」は、ちがうの意。古くは、「しゃべつ」〕 ❶Ⓐ比較される双方の間に客観的に認められる形状などの違い。「どれも同じ種類の果物だが大小の―が見られる/男女の―はあるが同じ人間だ」 Ⓑ問題となる事柄について、対立するどちらに属するかの判断が求められる、価値的な違い。「善と悪の―/愛国者と売国奴との―は微妙だ」 ❷―する(他サ)〈なに・だれトなに・だれヲ―する〉 対象を何らかの△基準(観点)によって区分し、それぞれに異なった扱いをすること。「仕事の面で男女の―を無くする/年齢による―を設けて競技を行なう/プロとアマの―無く参加を認める/無―級・無―爆撃」 ❸―する(他サ)〈だれヲ―する〉(社会的な偏見に基づいて)△弱い立場にある(何らかの不利な条件を負っている)人に対して、不当に低い待遇を強いたり 侮蔑(ブベツ)的な扱いをしたり すること。「障害者を―することは許されないことだ/人種による―/―語⓪」 **―か**⓪(クワ)【―化】―する(他サ) 同種のものの間で、そのものの性能・性格などの違いを明確にして、それを他とは違うものとして△位置づける(扱う)こと。「業界で勝ち抜くためには製品の―を図ることが必要だ」

さへん①【サ変】〔←サ行変格活用〕〔日本語文法で〕動詞の活用形式の一つ。文語「す」、口語「する」〔=「案内する」など「…する」形式も含む〕に見られる変格活用。⇩付録「口語動詞活用表」

さへん①【左辺】↕右辺 ❶〔数学で〕(不)等式において、(不)等号の左側に書かれた△数(式❸Ⓐ)。「―の一項を右辺に移項する」 ❷〔碁で〕碁盤の中央部分のすぐ左側に続く部分。

サボ① サボタージュの略。

さほう①(ハフ)【作法】 ❶その△社会(面)で守ることが望まれる、言語・動作の決まり。エチケット。「行儀―④」 ❷〔詩歌・文章などの〕定式化された作り方。「手紙の―」

さぼう⓪(バウ)【砂防】 大雨による山間(ヤマアイ)の土石流や火砕流の流出、強風による海岸の人家・田畑への砂の吹きつけなどを防ぐための施設。「―林(リン)②・―ダム④」

さぼう⓪(バウ)【茶房】 喫茶店の名につける、しゃれた言い方。

サポーター〔supporter〕 ❶②⓪〔スポーツマン・すもうの力士などが〕腕や足の関節部分などを締めつけ保護するゴム入り布製の幅広のバンド。 ❷⓪② プロサッカーの熱烈な応援団。 かぞえ方 ❶は一枚

サポート②⓪―する(他サ)〔support〕 支持。支援。 **―センター**⑤〔support center〕 ❶支援のための組織。「ビジネス―⑨・患者―⑧」 ❷企業などの、顧客からの問合せ・相談・苦情などに対応する部署。

サボタージュ③―する(自サ)〔フ sabotage〕 ❶〔労働争議の一戦術として〕労働者が仕事の能率を下げて経営者に

経済的損失を与えること。❷故意になまけて、義務を果たさないこと。

サボテン[0]【{仙人掌}・{覇王樹}】中南米の砂漠などに多い常緑多年草。種類は雑多で変わった形のものが多く、大抵とげがある。観賞用。シャボテンとも。覇王樹ハオウジュ。〔語源にはポ sabão〖=石鹸セッケン〗と結びつける説がある〕〔サボテン科〕かぞえ方 一本

さほど[0]【《然程》】(副)「それほど」の意の、やや改まった表現。「今は―苦痛は感じない」表記「左程」は、借字。

サボ・る[2](他五)〔「サボタージュ❷」を動詞化したもの〕義務・責任としてしなければならないことをなまける。

ザボン[0][1]〔ポ zamboa の変化〕ミカン類のうちで最大の実をつける常緑高木。果肉はかおりがある。西洋ナシ形のものを特にボンタンと言う。ザンボア[1]とも。〔ミカン科〕表記「{朱欒}」(漢語表記)とも書く。かぞえ方 一株・一本

さま【様】❶[2] そとに現われている様子。「―にならない〔=かっこうがつかない。この場合、アクセントは[0]〕/―を作る〔=外見をよくしようとする〕」❷[1](代)〔江戸時代の女性語で、「君様」の略〕いとしい△あの方(あなた)。❸(接尾)❶人の名前や人を表わす語などのあとに付けて敬意を表わす。〔手紙の あて名にも用いられる。また、口頭語では、改まった場で、また店の側が客に対して、社名・団体名などに付けても用いられる〕「田中―・お嬢―・宮―・社長―・山田部長―」⇩殿ノド ❷⇩お(御) 運用(3)

ざま〔「様サマ」の変化〕❶[2]「△好ましくない(ぶかっこうな)様子」の口頭語的表現。「なんて―だ/―見ろ/―見やがれ〔=憎い相手が へまをやったりしたのを見て痛快がる言葉〕/―はない」❷〔接尾語的に〕事にのぞんだ場合の△様子(態度・姿勢)。「後ろ―〔=後ろ向き〕に倒れる/立ち上がり―〔=立ち上がるや いなや〕かばんを投げつけた/死に―・生き―・言い―」〔❶の「ざま△見ろ(見やがれ)」では「ざまあ」と長呼されることもある〕【―は無い】体裁が悪い。「年がいもなく かっとなったりして―〔=みっともない〕」

サマー(造語)〔summer〕夏。サンマーとも。「―コート[4]・―タイム・―スクール[5]」

サマーウール[4]〔summer wool〕夏服用の、薄く織ったウール。

サマータイム[4]〔summer time〕夏時間。

さまがわり[3]ガハリ【様変(わ)り】―する(自サ) それまでの趣が全く失われ、別の物が出現したように見えること。

さまさま【様々】(接尾) そのものが自分にとってありがたいものであるという気持を表わす。「めでたく合格できて塾―だ」運用 一般には評価されないことによって大きな利益を得た人を皮肉って言うのに用いることもある。例、「彼らにとっては戦争さまさまなのかも知れない」

さまざま[2]【様々】―な・―に 幾つか対比されるものが 一つひとつ違っている様子だ。いろいろ。「―な意見に耳を傾ける」

さま・す[2]【冷(ま)す】(他五) 冷めるようにする。「湯を冷ましてから飲む/△興(熱)を―」

*__さま・す__[2]【覚(ま)す】(他五)〈(なにデ)なにヲ―〉覚めるようにする。「△眠り(目・酔い)を―」表記「《醒ます」とも書く。

ざます(助動・特殊型)⇩ざあます

*__さまた・げる__[4]【妨げる】(他下一)〈(なにデ)なにヲ―〉物事の進行をやめさせるような働きを何かがする。「△交通(判断)を―/重任を妨げない〔=重任しても構わない〕」名 妨げ[0]「―になる」

さまつ[0]【〈瑣末・〈些末】―な 細かい事であり、重要でない様子だ。「―な事務」派 ―さ[0][3]

さまで[1]【《然〈迄】(副)「それほどまで」の意の、やや改まった表現。「―思い詰めていたとは/―気にすることはない」

さまよ・う[3]サマヨフ【さ迷う】(自五)〔「さ」は、接辞〕目標を見失うとか 正常の感覚を無くすとか したために、程遠からぬ一帯の地域を行ったり 来たりする。「ふぶきの中を―/生死の境を―/飢餓線上に―/返品率は今や四〇パーセント前後をさ迷っている〔=上下している〕」表記「{〈彷徨〉}う」は、近代文学の用字。

サマリー[1]〔summary〕会議・研究発表・会見などの要旨を簡潔にまとめたもの。要約。概要。

さみし・い[3]【《寂しい・〈淋しい】(形)「さびしい」の変化。「―思いをする」派 ―さ[2][3] ―げ[3][4][0] ―が・る[4]

さみせん[0]【《三味線】⇩しゃみせん

さみだれ[0]【{五月}《雨】〔陰暦の五月ごろに降る雨の意〕(何日も降り続く)梅雨バイウの雨。〔古くは、梅雨の季節も指した〕「―をあつめて早し最上川モガミガワ/―式〔=同じことが、いつ終わるともなくだらだらと繰り返し行なわれること。また、そのようなやり方〕・―戦術[5]〔=労働運動で、いつ終わるとも無く、繰り返されるストのやり方〕」表記 ⇩付表「五月雨」

サミット[1]〔summit=頂上〕主要先進国の首脳会議。

さみどり[2]【さ緑】〔雅〕〔「さ」は接辞〕若草の緑色。「―にほふ草の色」

**さむ・い[2]【寒い】(形) 気温が低くて、快適に過ごすことが出来ない状態だ。〔赤道から遠く隔たった地帯やヒマラヤの高山などのように、年間を通じて気温が低く寒く感じられる所を指すこともある〕「冬の―朝/背筋セスジが寒くなる〔=⇩背筋❶〕/懐フトコロが―〔=⇩懐❷Ⓐ〕」↕暑い 派 ―げ[0][3][2]

さむえ[0][2]【作務《衣】〔禅寺などで〕僧が着る作業服。上は筒袖ツツソデ、下はズボン状。

さむがり[3][4]【寒がり】普通の人よりも、寒さを感じる△ことの早い(程度のひどい)こと。また、その人。↕暑がり 動 寒がる[3](自五)

さむけ[3]【寒気】熱などのために身ぶるいがするほど寒い感じ。〔何かに対し、ひどい恐ろしさや不快な気持を感じる場合にも用いられる〕 ―だ・つ[4]【―立つ】(自五) 発熱したり 恐怖におそわれたり して急に寒気を感じる。

さむさ[1]【寒さ】寒い△こと(程度)。「堪えがたい―/たいした―ではない/―に弱い/―も寒し〔=寒い上に〕腹もへる/暑さ―も彼岸まで」↕暑さ

さむざむ[3]【寒々】(副)―と・―する ❶いかにも寒そうだという感じを与える様子。「―とした冬景色」❷△情趣(人情味)を感じさせるものが何も無くて、殺風景な感じのする様子。「調度品も無く―とした部屋/最近の世相には―した気持になる」 ―し・い[5](形) 見るからに寒ざむした状態だ。派 ―さ[4][0]

サムシング[1]〔something〕〔その事に関連のある〕何ものか。

さむぞら[3][0]【寒空】冬の寒い天候。

さむよ[2]【寒夜】冬の寒い夜ヨル。

さむらい[0]サムラヒ【侍】昔、公家クゲに仕え、その身辺の護衛を仕事とした人(たち)。〔広義では、その隷属者たちをも指した〕表記「《士」とも書く。運用「社長に諫言カンゲンするとは彼もなかなかの侍だね」のように気骨があり、思い切った行動が出来る男性を指して言うのに用いられることがある。 ―だいしょう[5]シャウ【―大将】武家時代の一軍の大将。指揮者。 ―どころ[5]【―所】武家時代の役所の名。鎌倉幕府では平時、司法・検察や武人の人事を扱った〔長官は、別当〕。室町幕府では、さらに現在の警察庁に相当する任務をも兼ねた〔長官は、所司〕。

さめ[0]【〈鮫】海にすむ軟骨魚。サメ・エイ目のうち、エイ以外のものの総称。口は横に裂け、大形のものには人が襲われる

** * は重要語, [0] [1]… はアクセント記号, 品詞の指示の無いものは名詞およびいわゆる連語。

こともある。ざらざらしている皮は靴・かばんの革の代用。肉はかまぼこの材料用。〔中部地方以西ではフカ、山陰ではワニと言う〕 かぞえ方 一尾・一匹

さめざめ[3][2](副)―と 〔苦衷を訴えながら〕涙を流し声を忍ばせて泣き続ける様子。

ざめつ[0]【挫滅】―する(自サ) 〔外からの衝撃で〕砕けてつぶれること。「頭部―」

さめはだ[0]【〈鮫肌】 サメの皮のようにざらざらしてかわいた、人の肌。↕もちはだ 表記「〈鮫《膚」とも書く。

さめやらぬ[4]【冷(め)《遣らぬ】 まだ完全には冷めないでいる。「興奮―おももち」

さ・める[2](自下一) [一]【冷める】 ❶〔熱かったものが〕熱い状態でなくなる。「お茶が―/冷めた(=冷めて、本来の味が失われた)料理」 ❷高揚した気分や強い興味が薄らぐ。「△熱意(情熱・興・ほとぼり)が―」 [二]【〈褪める】 本来の色が薄れる。また、その結果 見劣りがする。〔「青ざめる」の「さめる」も、もとこの意〕

***さ・める**[2]【覚める】(自下一)〈なにデ〉なにカラ―〉 眠り・迷い・酒の酔いなどからもどって、心がはっきり働く状態になる。「夢から―/麻酔が―/目の―ような(=⇩目)オレンジ色」 表記 酔いの場合は、「《醒める」とも書く。【《醒めた目】 クールで、事実を直視する目。「周囲の熱狂の中、一人―で状況を見つめていた」

さも[1]【《然も】(副) 言動や表情・態度などから、その通りに違いないと感じさせる様子。「―満足そうにうなずいた/―迷惑そうな顔をした/―誠意にあふれたという応対ぶり」

さもあらばあれ[1]-[1]-[1]【《然も有(ら)ば有れ】 どういう最悪の事態になっても構わないという気持を表わす。ままよ。さばれ。表記 古来の用字は「〈遮〈莫〉」。

さもありなん[1]-[3]【《然も有(り)なん】 まさに予測していたことであって、今さら驚くにあたらないことだ。「―と思う」

さもし・い[3](形) 自分だけ得をしよう、また、得すればいいという気持の見えすいている様子だ。「―△根性(魂胆)」 派 ―さ[3][2] ―げ[0][3][4]

ざもち[0]【座持(ち)】 その場に集まった人びとが退屈しないように、いろいろ人の興味を引く事をすること。また、その人。

ざもと[0][3]【座元】 ❶興行の主催者。❷興行場の持主。

さもないと[1]-[1]【《然も無いと】(接) そうでないと。

さもなければ[1]-[1]【《然も無ければ】(接) そうでなければ。

サモワール[3]〔ロ samovar〕 ロシア特有の湯わかし器。

さもん[0]【査問】―する(他サ) 〔事件などについて〕関係者に質問して実情を調査すること。

さや[1] [一]【〈莢】 マメ科植物の種を包んでいる殻。「ソラマメの―をむく」 [二]【〈鞘】 ❶刀身や筆・鉛筆の先を保護するために、その形に合わせて作った、筒形の入れ物。「―を払う(=刀を抜く)/もとの―におさまる(=けんか別れをしていた夫婦がもと通り同居する)」 ❷値段や利率の差額。「―を取る/利―(ザヤ)・逆―(ザヤ)」 かぞえ方 [二]❶は一本

さやあて[0]【〈鞘当(て)】 〔昔、武士が、往来で刀の鞘の先が触れたという理由で相手にけんかを売ったことから〕一人の女性をめぐって、二人の男性が争うこと。〔やや古風な表現〕「恋の―」

さやいんげん[3]【〈莢隠元】 莢のまま食べられるインゲンマメ。 かぞえ方 一本

さやえんどう[3]【〈莢豌〉豆】 莢のまま食べられるエンドウマメ。きぬさや。 かぞえ方 一本

さやか[1] ―な ―に [一]【《清(か)】 明るくてはっきりとしている様子だ。「―な月の光」 [二]【〈亮(か)】 声・音が澄んではっきりと聞こえる様子だ。 派 ―さ[3]

さや・ぐ[2](自五) 木の葉や草が風にそよぎ、△一斉に(かすかに)耳に聞こえる音を立てる。

ざやく[0]【座薬・〈坐薬】 肛門(コウモン)などにさしこみ、中で溶けるようにした薬。座剤[1]。さしこみぐすり[5]。

さやけ・し[3]【《清けし】(形ク) 〔文語形容詞の残存形〕よく澄んで、はっきりしている状態だ。 派 ―さ[3] 表記「〈亮けし・《明けし」とも書く。

さやさや[1](副)―と 竹の葉など乾いた軽い物どうしが触れ合ってかすかな音を立てる様子。また、その音の形容。「風に吹かれて―と鳴るササの葉/―と揺れるススキ」

さやどう[0]【〈鞘堂】 木造の堂を守るために、外側からその形にかぶせるように造った建物。 かぞえ方 一宇(イチウ)

さやとりひき[3][4]【〈鞘取引】 「鞘[二]❷」をもうけるための取引。略して「さやとり[0][2][3]」。

さやばし・る[4]【〈鞘走る】(自五) 鯉口(コイグチ)がゆるいため、柄(ツカ)が下方に傾いたりすると、刀身が鞘から抜け出る。

さやまき[0][2]【〈鞘巻(き)】 〔大刀(タチ)に添えて腰に差す〕つばの無い短刀。

さやまめ[2]【〈莢豆】 莢ごと食べる豆。〔狭義では、サヤエンドウを指す〕

さゆ[1]【《白湯】 飲用のための、沸かした湯。

さゆう[1]【左右】 ❶みぎとひだり。「言を―にする(=あいまいな事ばかり言う)」 ❷そば(に居る人)。「―(=側近)の言」 ❸―する(他サ) 〔決定的に〕動かすこと。支配すること。「命運を―する/将来を―する/一生が―される/天候に―される」 ―そうしょう[1]-[0]【―相称】 左右の各部分が、中心から折り重ねてぴったり合うように全く等しいこと。シンメトリー。

ざゆう[0][1]【座右】 〔座席の右〕いつも座っている所から手をのばせば届くくらいの近く。「ざう」とも。 ―のめい[5]、[0]-[1]【―の銘】 常に自分を高めようと心がける人が、折に触れて思い出し、自分のはげまし・戒めとする言葉。「座右銘[2]」とも。

さゆり[0]【《小〈百合〉】 〔雅〕〔「さ」は接辞〕(きれいな)ユリ。

さよ[1]【《小夜】 〔雅〕〔「さ」は接辞〕「よる」を好ましい時と見立てて言う言葉。「―ふけて/―嵐(アラシ)[3]」

****さよう**[1]【作用】―する(自サ)〈なにニ―する〉 Ⓐほかのものに影響を及ぼす、あるものの働き。「電気の―」 Ⓑ生物が生きていくために営む体内の種々の働き。「老廃物を排出する―/消化―」 ―てん[2]【―点】 〔てこなどで〕加えた力が物体に働く点。⇩力点・支点 ―はんさようのほうそく[1]-[3]-[0]【―反作用の法則】 二つの物体が相互に及ぼす力は、大きさが等しく向きは相反する。運動の法則の第三。

さよう[0]【《然様】 [一]―な ―に 「その通り・そのよう」の意の丁寧語。 [二](感) 相手の言った事や自分の思い出した事を肯定する気持を表わして発する語。「そうだ」の古風な表現。表記「左様」とも書く。 ―しからば[5]、[0]-[2]【―《然らば】 [一]〔「そうだ、それならば」の意〕昔風の、形式的な挨拶(アイサツ)の言葉。 [二](接) それならば。表記「左様《然らば」とも書く。 ―なら[4][5](感) 〔「さようならば」の省略表現〕「そういう事情でありますならば、これでおいとまします」の意を含めて、別れを告げる挨拶の言葉。⇩さよなら 表記「左様奈良」は、借字。

さよきょく[2]【《小夜曲】 セレナーデ。

さよく[1]【左翼】 〔左のつばさの意〕↕右翼 ❶軍隊・艦隊・座席などの左端(に並んだもの)。 ❷〔フランス革命時、フランス国民議会で、急進派のジャコバン党が議長席から見て左側の席を占めたことから〕急進的・革命的な思想傾

向(の団体や分子)。❸〔野球で〕本塁から見て外野の左方(を守備する選手)。レフト。

さよく⓪【座浴・〈坐浴〉】こしゆ。

さよしぐれ③【《小夜〈時雨〉》】〔雅〕夜に降るしぐれ。表記 ⇩付表「時雨」

さよちどり③【《小夜千鳥》】〔雅〕夜に鳴く千鳥。

さよなきどり④【《小夜鳴(き)鳥》】ナイチンゲールの日本における美称。

さようなら③④ [一]（感）「さようなら」の短呼。〔各地の方言では「さいなら」とも言う〕「—も言わずに別れた」 [二]❶（—する）（自サ）Ⓐ別れを告げること。「今日はこれで—するよ」Ⓑそれまでかかわってきた物事や人と縁を切ること。「今日でサラリーマン生活とも—だ/芸能界の長老が—公演を行なって引退した」 ❷〔野球で〕後攻チームが同点で迎えた最終回に、勝ち越し点をあげて試合を終了させること。「—ホームラン/—ヒット」

さより⓪【〈細魚〉・〈針魚〉・〈鱵〉】近海にすむ、細長い小形の硬骨魚。下あごが長く、嘴(クチバシ)のように突き出ている。腹は銀白色で、側面の前後方向に太くて青い線がある。食用。〔サヨリ科〕 かぞえ方 一尾・一匹：一枚

サラ① [一]❶〔サラリーの下略〕サラリー。「安—⓪③」 ❷〔サラリーマンの下略〕サラリーマン。「—金(キン)・脱—」 [二]サラブレッドの略。

さら①【沙羅・〈娑羅〉】⇩さらそうじゅ

さら①（—な／—に）「まだ使っていない△こと(もの・様子)」の意の口頭語的表現。「—の帽子/—湯・まっ—」 表記「《新・更》」とも書く。

***さら**⓪【皿】❶食物を盛る、円形の器。浅くて平たい。〔現在は円形以外のものも使われる〕「銘々の—に取り分ける/目を—にする〔⇩目〕/—洗い③・果物—(ザラ)④・角—(ザラ)・絵—(ザラ)」 ❷「皿❶」に盛って出す料理。〔かぞえる時にも用いられる〕「—数(カズ)が多い」⇩鉢 ❸「皿❶」の形をしたもの。「ひざの—/はかりの—/頭の—/河童(カッパ)の—」 かぞえ方 ❶❷は一客・一枚

ざら [一]①「ざらがみ・ざらめ」の略。 [二]⓪（—に）〔もと、「ざら」は「ばら銭」の意でどこにでもたくさんある意から〕同類がいくらでもあって珍しくない様子だ。〔口頭語的表現〕「世間に—にある話」

さらい【再来】（造語）次の次の。翌々。「—月⓪②・—週⓪・—年⓪」

さら・う⓪（他五） [一]〔教えられた事を〕その通り繰り返して習う。復習する。名 さらい⓪「お—・総—(ザライ)」 [二]【〈浚う〉】（水底に）たまっているごみなどを除いて、すっかりきれいにする。「川を—」名 さらい⓪「井戸—③」 [三]【〈攫う〉】❶そこに残っているものを全部処理する。「かまの底を—/浮動票を一手に—」 ❷〔油断につけこんで〕横合いなどから急に奪う。「子供を—/波に足をさらわれる」 ❸まさかと思われるものがそれを独占する。「△優勝(話題)を—」 表記 [一]は、「〈復習〉う・〈浚う〉」、[二]は、「〈渫う〉」、[三]❶は、「〈浚う〉」とも書く。

さらうどん③【皿〈饂飩〉】長崎県の郷土料理。油で揚げた細めの麺の上に、肉・野菜・かまぼこなどを炒(タイ)めてとろみをつけたあんをかけたもの。

サラウンド②〔surround〕オーディオ機器で、再生音が取り囲むように前後左右から聞こえる仕組み。

さら・える⓪【〈浚える〉】（他下一）さらう[二]・[三]❶。

さらがた⓪【皿形】皿のように、平たくて、浅く窪(ボク)みがある円形。

ざらがみ⓪【ざら紙】ざらざらした、質のよくない西洋紙。わら半紙。「さらがみ(更紙)⓪」とも言う。 表記 一般に、「ザラ紙」と書く。 かぞえ方 一枚

サラきん⓪【サラ金】〔↑サラリーマン金融⑦〕サラリーマンなどを相手にする、民間の小口の信用貸付。また、その金融業者の通称。

さらけだ・す④【さらけ出す】（他五）〔もと、しまってある物を、底をはたいて全部空ける意〕〔相手の思惑や迷惑を顧みずに〕隠しておきたい実情や偽らぬ内容などの全容を、隠さずに残すところ無く人前に見せる。「△対立(体質・弱点・自分)を—/醜態が白日の下(モト)にさらけ出される」

サラサ①⓪〔ポ saraça=もと、インドネシア語〕人物・花鳥・幾何学的な模様を種々の色で捺染(ナッセン)した綿布。「—染(ゾ)め⓪・ジャワ—」 表記「更〈紗〉」は、音訳。 かぞえ方 一枚

さらさら [一]①（副）（—と／—する）❶停滞すること無く、流れるように進んでいく様子。「小川が—と流れる/筆をとって—と書く」 ❷△細かい粒状(細い線状)のものが、よくかわいていて、粘ったりくっついたりしない様子。「—した粉雪/—と指の間からこぼれる砂」 [二]⓪（—な／—に）「さらさら[一]」に同じ。「—な髪/血液を—にする薬」

さらさら⓪【更々】（副）「更に❸」の強調表現。「恨みは—無い」

ざらざら ↕すべすべ [一]①（副）（—と／—する）肌ざわりや舌ざわりがなめらかでなく、細かなひっかかりが感じられる様子。「表面が—した紙/砂ぼこりで—した床(ユカ)」 [二]⓪（—な／—に）「ざらざら[一]」に同じ。「—の紙/手があれて—になる」

さらし【〈晒(し)〉】 [一]⓪❶さらすこと。「—の工程/雪—③」 ❷さらして白くした△麻布(綿布)。〔狭義では、「さらしもめん④」を指す〕 ❸江戸時代、刑執行に先立って重罪人を三日間、刑場などに拘束して、見せしめとしてその姿を人びとに見せたこと。 表記 ❸は、「〈曝し〉」とも書く。 [二]（造語）動詞「晒す」の連用形。 **—あめ**③【—〈飴〉】水飴を精製して得られる、白い飴。 **—あん**⓪【—〈餡〉】こした餡を干して粉にしたもの。また、その餡。 **—くじら**④【—鯨(クジラ)】クジラの脂身をさらした、白くてやわらかい食品。 **—くび**③【—首】江戸時代、罪人の首を獄門にさらして世間の人びとに見せたこと。また、その首。 表記「〈曝し首〉」とも書いた。 **—こ**⓪【—粉】❶消石灰に塩素を吸収させた白色の粉。漂白・殺菌用。クロール カルキ。 ❷さらして白くした米の粉。 **—もの**⓪【—者】「さらし[一]❸」の刑にされた罪人。〔おおぜいの人の前で恥をかかされる意にも用いられる〕 表記「〈曝し者〉」とも書いた。

***さら・す**⓪【〈晒す〉】（他五）❶〈どこ・なにニなにヲ—〉外に出して△日(雨風)の当たる△まま(よう)にしておく。「△日光(白日の下(モト)・風雨・嵐(アラシ))にさらされる」 ❷〈どこ・なにニなにヲ—〉水で洗ったり日に当てたりなどして、白くする。「布を△水(灰汁(アク))に—/粉を—」 ❸〈どこ・なにニなにヲ—〉△無防備の状態(好ましくない環境)に身を置く。「危険に身を—/△銃口(攻撃・脅威・厳しい試練・不況・非難・不安)にさらされる」 ❹〈どこ・なにニなにヲ—/なにデなにヲ—〉（恥ずかしい状態などを）隠す所無く見せる。〔狭義では、重罪人(の首)を見せしめのために世間の人びとに一定期間見せることを指す〕「衆人環視にさらされる/世間に恥を—/人目に—」 ❺〔関西方言の俗語〕する。「どうでもさらせ〔—しろ〕」 表記 ❺は、「〈曝す〉」とも書く。❺は普通、かながき。〔⇩晒し[二]〕

さらずば②①【《然らずば》】（接）〔雅〕〔「さらずは」の変化〕それでなければ。

サラセン①〔Saracen〕〔特に十字軍時代の〕アラビア人を主軸とするイスラム教徒。「—文化⑤・—帝国」

さらそうじゅ③【沙羅双樹(サウジュ)】〔「沙羅」は、高遠の意の梵(ボン)語の音訳〕❶夏、ツバキに似た淡黄色の花を開く常緑高木。幹はサルスベリに似て、高さ三〇メートルにも達

する。インド原産。材は建築材・枕木などに用い、樹脂はワニスの原料になる。〔フタバガキ科〕〔釈尊がこの下で死んだという木は、四方に二本ずつ対になって生えていて、入滅するや、時ならず花が急に咲き、まもなく枯れたという伝説から、沙羅双樹という名がある〕 ❷ナツツバキ③の異名。〔ツバキ科〕 表記「〈娑羅双樹」とも書く。 かぞえ方 ❶❷とも一株・一本

サラダ①〔salad〕〔洋食で〕生の野菜を主とした あえもの。「―ボウル④・野菜―④・グリーン―⑤」

サラダ オイル④〔salad oil〕サラダ用の綿実油・大豆油・ごま油など、植物性の油。サラダ油③。

サラダ な③⓪【サラダ菜】レタスの一種。サラダに使う。葉がやわらかく、生のまま食べる。〔キク科〕⇩玉レタス

サラダ バー④〔salad bar〕〔飲食店で〕客が好みの野菜を自由に取り分けられるようにしたコーナー。「―がある店」

さら ち⓪【更地・《新地】 すぐ家が建てられる空き地。

ざら つ・く⓪(自五) ざらざらする。

さらで だに①②【《然らでだに】(副) 〔雅〕そうでなくてさえ。ただでさえ。「―忙しき年の瀬にかかる難題の降りかかるとは」

さらで も①②【《然らでも】(副) 〔雅〕そうでなくても。「―教育は むづかしきに、年ごろの少年に対する教師の苦心さこそと思はる、」

さら なり①、①-①【更なり】 〔雅〕もちろんだ。「言ふも―〔=言うまでもないことだ〕」

さら なる①【更なる】(連体) 今まで以上にその△程度(傾向)が増す(と予測される)様子。「―発展を祈る/―重責を担う」

***さら に**①【更に】(副) ❶それまでの段階からいちだんと程度を進める様子。「雨は―激しさを増した/―奥をきわめる/―欲を言えば〔=もっと多くを望むならば〕/―〔=もっと突っ込んで〕言えば」 ❷その段階で妥協したり あきらめたり せず繰り返して行なう様子。「―質問する/―頼んでみよう」 ❸〔やや古風な言い方〕〔「無い」と呼応して〕その状態を全面的に否定することを表わす。「―〔=一向に〕帰る様子が無い/思い残すことが―〔=何も〕無い」 **―は**① その上に加えて。〔接続詞的に用いられる〕

さらぬ だに②【《然らぬだに】(副) 〔雅〕さらでだに。「―住みなれぬ所は物うきに、病を得て心細きこと限りなし」

さらぬ てい②-①【《然らぬ体】 〔「さらぬ」は、そうでない意〕なんでもない様子。何も知らないような様子。「さあらぬてい」とも。

さら ば①【《然らば】 ❶(接)「それでは・それなら」の意の古風な表現。 ❷(感) 人と別れる時、「では、さようなら」という気持を表わした言葉。「お―〔=⇩おさらば〕」

ざら ば⓪【ざら場】 ❶〔取引で〕寄り付きと大引けとの間の、いつでも引き続き取引が成立する時間。 ❷〔釣りで〕底が砂地の いそ。

さら ばかり③【皿〈秤】 ❶てんびん❶。 ❷品物をのせる皿のある計量器。 ⇔さおばかり かぞえ方 ❶❷とも一台

サラブレッド④〔thoroughbred=純血種の(馬)〕 英国産の馬にアラビア系の馬を交配した、競走馬の優良種。サラブレット④とも。サラ。〔生まれの良い存在の意にも用いられる。例、「業界の―」〕

さら まわし③【皿回(し)・皿〈廻(し)】 皿を△はし(棒)の先で回す曲芸(をする人)。

サラミ①⓪〔イ salami〕 イタリア風のソーセージ。堅くて、にんにくの味が強い。サラミソーセージ④とも。

ざら め⓪【《粗目】 ❶結晶のあらい砂糖。 ❷紙などの目がざらざらしてあらい状態。

さら もり⓪【皿盛(り)】 〔ごはん・野菜・魚などを〕皿に盛ること。また、その盛られた食べ物。

さら ゆ⓪【《新湯】 新しく汲んだ水で沸かして、まだだれも入っていない風呂の湯。「―は年寄りのからだには良くないと言う」 ⇔しまい湯

さらり②③(副)―と ❶感触が軽く、抵抗感の少ない感じがする様子。「―とした△布(粉・油)」 ❷物事に執着しない様子。「―と捨てる/いやな事は―と忘れる/―と〔=きれいさっぱり〕水に流す」 ❸さりげなく簡単に事が行なわれる様子。「むずかしい古文を―と〔=難なく〕読む/―と言ってのける/―と触れる〔=さりげなくその事に言及する〕」

サラリー①〔salary=「塩の給与」を意味するラテン語に基づく〕 会社・官庁などに勤務する人が、定期的に受け取る俸給。給料。「月づきの―」 **―マン**③〔↑salaried man〕 給料生活者。「―金融〔=⇩サラ金〕・―社長」 運用「サラリーマン根性」などの形で、定期的な収入を得て安定した生活をすることを第一として仕事に情熱や意欲を持とうとしない、サラリーマンの陥りがちな人生態度を、非難や皮肉の気持を込めて言うことがある。「サラリーマン△教師(弁護士)」なども同趣の用法。

サラン①〔Saran=商標名〕 合成繊維の一種。丈夫で、車のシート・魚網や食品包装用フィルムなどに使う。「―ラップ〔=商標名〕」

ざり(助動・ラ変型) 〔文語の助動詞〕打消しの意を表わす。…(し)ない。「我がくらし楽にならー、じっと手を見る/足跡至らざるは無い〔=全国を歩いた〕/…ざるべけんや〔=…しないでいられようか〕/せざるべからず〔=しないわけにはいかない〕」 文法 動詞、動詞型活用の助動詞の未然形に接続する。

サリー①〔sari〕 インド・ネパール・スリランカなどの女性が着る民族衣装。細長い一枚の布からなっており、胸・腰に巻きつけ、残った部分を肩や頭から垂らす。 かぞえ方 一枚

ざり がに⓪ 東北地方以北の川・水田などにすむ小動物。エビの一種で、カニのような はさみを持つ。〔厳密には、エビガニとは別種。大きな はさみを持つアメリカ ザリガニは本州各地に繁殖〕〔ザリガニ科〕 かぞえ方 一匹

さりげ な・い④【《然り気無い】(形) 接する人に必ずしもその真意がわからないような目立たない言動をする様子だ。「―気配り/―調子で答える/さりげなく忠告する」 派 ―さ④ 文法 助動詞「そうだ(様態)」に続くときは「さり気なさそうだ」の形になる。

さり じょう⓪②【去(り)状】「離縁状」の江戸時代における称。

サリチル さん⓪【サリチル酸】〔salicylic acid〕 酸味と甘味とをもつ、無色の結晶。防腐剤・染料・香料用。「サルチル酸」とも。

さり とて①【《然りとて】(接) そうだからといって。だが。 表記「去〈迚」とも書いた。

さり とは【《然りとは】 ❶そう(いう事情)とは。「―少しも知らず」 ❷事情を知ってみると。それはまた。「―つらいね」

サリドマイド④〔thalidomide〕 睡眠薬の一種。〔妊娠初期にこれを飲むと胎児に奇形障害が生じる事から、製剤・使用が禁止された〕「―児⑥」

さり ながら【《然りながら】 ❶①③(接) そうではあるが。 ❷〔接続助詞的に〕もちろんのことであるが。「予算の問題も―/さは―」

さりょう⓪【茶寮】〔茶室の意〕料理屋・喫茶店(などの名に添えて使う言葉)。「ちゃりょう」とも。

サリン①〔sarin〕〔四人の開発者の頭文字から〕神経を麻

痺(ヒマ)させるガスの一種。無色・無臭の液体で、猛毒。一九三八年、ドイツで化学兵器として開発された。

さる①【《然る》】(連体) ❶そのような。「—事実無し」 ❷ある。「—所に」

****さ・る**【去る】㊀①(自五) ❶〈どこ・なにヲ—〉その場所から離れる。「一人去り二人去りして誰(ダレ)もいなくなる/台風が日本を—/舞台を—〔=役者をやめる〕/世を—〔=死ぬ〕/—者は追わず〔=自分から離れていく人は無理にひきとめない〕/—者は△日に(日びに)うとし〔=死んだ人・別れた人は段々みんなから忘れられ、次第に縁が薄くなるものだ〕/江戸を—〔=から隔たる〕こと西に十里/今を—二十年前〔=今からかぞえて、ちょうど二十年昔〕/△痛み(危機)が—」↕来(タキ)る ❷〔雅〕その時期になる。「△春(夕)されば」 ㊁①(他五)〈なに・だれヲ—〉〔不必要なものを〕そこから取り除く。「よごれを—/悪友を—〔=遠ざける〕/妻を—〔=離縁する〕」 ㊂〔「動詞連用形＋—」の形で、接尾語的に〕(すっかり)…てしまう。「忘れ—・抜き—・一笑し—・冷罵(バレイ)し—」 ㊃①(連体) 過ぎ去った。「—十五日」

さる①【《申》】十二支の第九。猿を表わす。〔昔、方位では西から三〇度南寄りを、時法では午後三時ごろからの約二時間を指した〕「—年(シド)⓪」 運用 結婚などの祝宴の場では避けるべき言葉とされる。

さる①【猿】❶人間によく似た哺乳動物(の総称)。あと足で立ったり前足で物を握ったりすることが出来る。種類が多い。 ❷雨戸の栈に取りつけた戸締り道具。 ❸自在かぎを上げてとめておく用具。 かぞえ方 ❶は一匹・一頭

ざる 文語の助動詞「ざり」の連体形。「いつわら—〔=いつわりのない〕実感だ/もてなしは至ら—はなかった〔=至れり尽くせりだった〕/至ら—無き〔=この上無く行き届いた〕心づかいに接し/感謝せ—を得ない〔=感謝しないではいられない〕」

***ざる**②【〈笊〉】❶Ⓐ水けのある物を入れて水を切るためなどに用いる、裂いた竹などで編んで作った(底の浅い)道具。〔「かご」よりは目が詰んでおり、また裂いた幅の狭いものが多い〕「ゆでたそばを—にすくう/味噌(ミソ)こし—」 Ⓑ「ざる❶Ⓐ」の目から水が漏れるように、抜けたところの多いもの。「—法・—捜査」 ❷「ざるそば・ざる碁」の略。 かぞえ方 ❶は一枚

さるがく⓪【猿楽】鎌倉時代の芸能。こっけいな要素の多い芝居。能楽・狂言の源流をなす。 表記 「《申楽・《散楽」とも書いた。

さるぐつわ③【猿〈轡〉】声を立てさせないために口に押し込んだり かませて後ろで結んだりする、手ぬぐいなど。「—をかませる」

ざるご⓪【〈笊碁〉】へたな碁。ざる。 かぞえ方 一局

さること ながら①-①【《然る事ながら》】それが大きな役割を果たしているのは もちろんだが、それぱかりではなく。「単純明快なストーリーの面白さも—、土くさい親しみやすさを漂わせるTの渋い魅力が、このドラマの身上だ」

ザルコマイシン④〔和製洋語 ←sarkomycin〕抗生物質の一つ。以前は癌(ガン)に有効とされた。

サルサ①〔ス salsa=ソース〕キューバの民族音楽がジャズやロックと結びついて出来たラテン音楽。一九七五年ごろからニューヨークで流行した。

さる しばい③(キー)【猿芝居】〔猿を訓練して芝居の まねをさせる見世物の意〕へたな演劇や、すぐ種の分かる あさはかなたくらみの称。

さるすべり③【〈百日紅〉】〔猿滑りの意〕木の皮がなめらかな、庭に植える落葉高木。夏、△紅色(白色)の花が開き、咲く期間が長い。〔ミソハギ科〕 かぞえ方 一株・一本

ざる そば⓪【〈笊〈蕎麦〉】(笊・すのこにのせて食べさせる)盛りそば。普通、細かくした焼きのりが掛けてある。略して「ざる」。 かぞえ方 一枚

サルタン①〔sultan〕もと、イスラム教国の君主の称(号)。スルタンとも。

さる ぢえ⓪(エー)【猿知恵・猿〈智慧〉】一見、気がきいているようで、実際は まぬけな△考え(たくらみ)。

さるど②⓪【猿戸】庭の入口にある簡素な木戸。

さるの こしかけ①-⓪【猿の腰掛(け)】木の幹に半円形の腰掛け状に生えるキノコ。かさは厚くて堅く、柄は無い。種類により食用・薬用・細工用になる。〔タマチョレイタケ科〕

サルバルサン⓪〔ド Salvarsan=商標名〕梅毒(バイドク)・マラリアの特効薬。砒素(ヒソ)を含むため副作用が強く、現在は医療用として用いられない。合成製造番号から、「六百六号」とも呼ばれる。

サルビア⓪〔salvia〕❶秋、まっかな花を穂の形に開くブラジル産の一年草。観賞用。ヒゴロモソウ⓪。〔シソ科〕 ❷葉を香辛料に使う、西洋種の多年草。花の色は紫など。セージ。〔シソ科〕 かぞえ方 ❶❷とも一本

さる ひき②【猿引(き)・猿〈曳(き)〉】さるまわし。

サルファ ざい③⓪【サルファ剤】〔sulfa〕化膿(カノウ)する病気や淋病(リンビョウ)などの特効薬。

サルベージ③〔salvage=海難救助〕〔沈没船の〕引き上げ作業。

ざる ほう⓪(ハフー)【〈笊法〉】いくら決めても△守られない(抜け穴がたくさんある)規制力の弱い法律の俗称。

さる ほどに①-⓪【《然る程に》】(接)〔雅〕❶そのうちに。 ❷さて。ところで。

さる また⓪【猿股】腰から股をおおう、男性の短い下ばき。 かぞえ方 一枚

さる まね⓪【猿真《似》】〔猿が人の動作の真似をする意〕他人の言動についてその本質的意味をよく理解せず、むやみに真似すること。無批判な、うわべだけの真似。

さる まわし③(マハシー)【猿回(し)・猿〈廻(し)〉】猿に芸をさせて金をもらう芸人。さるひき。

ざる みみ⓪②【〈笊耳〉】〔笊に水を入れるように〕聞いても すぐ忘れてしまう△こと(人)。かごみみ。↕袋耳

さる めん⓪②【猿面】猿のような顔。 **—かんじゃ**⑤(クワンジャー)【—冠者】猿の顔に似ている若者。〔木下藤吉郎(キノシタトウキチロウ)のあだな〕

サルモネラ きん⓪【サルモネラ菌】〔salmonella〕短い棒状の細菌。食中毒を起こさせることが多い。ネズミが運ぶ。例、パラチフス菌。

さる もの①、①-②【《然る者》】〔そういう評判の者の意〕△相当の(なかなか手ごわい)者。「敵も—」

ざれい⓪【座礼・〈坐礼〉】すわってするお辞儀。↕立礼

ざれうた⓪【《戯(れ)歌》】❶古来の滑稽(コッケイ)味のある短歌。〔狂歌をも指す〕 ❷社会風刺や洒落(シャレ)などを盛り込んだ通俗的な歌。

されき⓪【砂〈礫〉】砂や小石(の交じりあったもの)。「しゃれき」とも。

されこうべ③(カウベー)【〈〈髑髏〉〉】〔「曝(サ)れ首(コウベ)」の意〕風雨にさらされて肉の落ちた頭蓋骨(ズガイコツ)。「しゃれこうべ」とも。髑髏(ドクロ)。

ざれごと⓪ ㊀【《戯言》】座興に、ふざけ半分に言うこと。また、その言葉。 ㊁【《戯事》】冗談(にする事)。

されど①【《然れど》】(接)〔雅〕だが、しかし。

されば①【《然れば》】㊀(接) ❶それ故に。「—〔=だから〕と言って」 ❷それでは。さらば。「—出かけよう」 ❸さて。「—天保十二年」〔❷❸は、古風な表現〕 ㊁(感)「その事でございますが」の意の古風な表現。 **—こそ**①-① 思った通り。「—言わないことではない」

** * は重要語，⓪ ①… はアクセント記号，品詞の指示の無いものは名詞および いわゆる連語。

さ・れる[0]（他下一）「せられる」の圧縮表現。〔学校文法では、サ行変格活用動詞の未然形＋助動詞「れる」と説く〕「これから何をされますか/採用―/いつの間(マ)にか悪人に―/店晒(タナザラ)しに―/対立が浮き彫りに―/相手にされない」

ざ・れる[2]【《戯れる】（自下一）「ふざける」意の古風な表現。

サロン[1]〔フ salon＝応接間〕❶広間（風の売り場）。❷〔フランスの上流社会などの〕社交的集会。サルーンとも。〔ホステスを置く酒場などの名によくつける〕❸美術展覧会。

サロン[1]〔マレー sarong＝筒。さや〕❶〔インドネシアやマレーシアの人たちが使う〕腰巻風の衣服。サラサを使う。❷〔日本で〕ひだが無く、筒のように腰から下をすっぽり包む布。サロンスカート[5]。かぞえ方 ❶❷とも一枚

さわ[2]【沢】❶くぼんでいて、草の生えている湿地。❷山間(ヤマアイ)の、源流に近い谷川。「―ガニ・―歩き」

サワー〔sour＝すっぱい〕■一[1]ウイスキー・ジン・焼酎(ショウチュウ)などにレモンやライムなどのジュースを加えて酸味を持たせた飲み物。■二（造語）乳酸菌などを含み、酸味がある。「―ヨーグルト・―クリーム」

さわかい[2][0]【茶話会】お茶などを飲みながら、くつろいだ気持で話し合う会。「ちゃわかい」とも。

*さわがし・い[4]【騒がしい】（形）❶静かな雰囲気を乱す騒音や話し声が聞こえて来たりして、落ち着かなくさせる様子だ。「深夜まで―歓楽街」❷心を落ち着かなくさせる事件が起きたり 情報が広まったりして、人びとの△興味（不安）をかきたてる様子だ。「△世上（身辺）が―」派―げ[0][4]

[5] さわがしさ[3]【騒がしさ】騒がしいこと。「浮き世の―を全く忘れさせる別天地/一時の―が夢のように思えるきょうこのごろ」

さわが・せる[4]【騒がせる】（他下一）〔「騒ぐ」の使役形〕騒がしい状態にする。騒がす[3]（五）。「世間を―〔＝世間の注意を集め、興味本位の話題を提供する〕」名騒がせ[0]

運用 謙譲表現「お騒がせする」は、自分にかかわることが原因で、いたずらにまわりの人を惑わせたり その好奇心をかきたてたりしたことに対する謝罪の言葉として用いられることがある。例、「この度、息子の件ではいろいろとお騒がせいたしました」

さわがに[0]【沢〈蟹】谷川にすむ、小形のカニ。背中の甲はすべすべして赤黒い。空揚げにして食べる。肺臓ジストマの中間宿主。〔サワガニ科〕かぞえ方 一匹

さわぎ【騒(ぎ)】■一[1]❶平常の静けさや秩序を破る何事か。「―を（引き）起こす/台風の来襲に備え、夕方前からすべての部屋の雨戸を打ち付けるという―〔＝物ものしい構え〕であった/上を下への大―〔＝混乱〕/大―〔＝押しあいへしあい〕して、やっと中へ入る/―〔＝評判〕が大きい割にはつまらない映画だ/どろぼう―・離婚―〔＝問題〕・どんちゃん―・お祭―・けんか―」❷〔「…どころの―では無い」の形で〕もっと重大な問題があって、そのことをあれこれ論じている場合ではないことを表わす。「原稿の締切が迫っていて野球見物どころの―ではない」■二（造語）動詞「騒ぐ」の連用形。

―た・てる[5]【―立てる】（自下一）❶何かを（大げさに）取り上げて、やかましく議論する。❷おおぜいの人が集まって、大いに騒ぐ。

**さわ・ぐ[2]【騒ぐ】（自五）❶度を超えて大きな△声（音）を出して、あたりの静けさを破る。「―と命が無いぞ/酒を飲んで―〔＝にぎやかに遊ぶ〕」❷〈なにデー/なんだト―〉多くの人が同じ主張を訴えて（不穏な）行動を起こす。「賃上げで―」❸〈なにデー/なにニ―〉落ち着きや秩序・平和などを失う。「観客が―/血が―〔＝眼前の大事を前にして意気が高まり興奮する〕/くだらぬ事に―〔＝動揺する〕/今になって騒いでも〔＝じたばたしても〕始まらない/昔はずいぶん騒がれた〔＝評判になった〕ものだ/海が―〔＝海がふだんの静けさを失って、波風が立つ〕/胸が―〔＝⇩胸〕」〔⇩騒ぎ■二〕

さわさわ[1]（副）―と 風が青あおとした草や木の葉をそよがせて吹きわたるさわやかな印象をとらえた表現。表記 かなづかいは、「さはさは」とする説もある。

ざわざわ[1]（副）―と ―する ❶おおぜいの人が、動きまわったり声や物音を立てたりして、その場全体が落ち着かない雰囲気になる様子。「話が退屈で、聴衆が―する/―した町なかより静かな田舎(イナカ)が好きだ」❷〔木の葉や池・湖の水面などが〕風に揺れ動き、不規則な音を断続的に立てる様子。「―と木の葉がそよぐ/畑に―した秋風が渡る」

さわしがき[3]【〈醂(し)柿】渋を抜いたカキの実。

さわ・す[2][0]【〈醂す】（他五）❶カキの果実に含まれる渋を取る。❷水にさらす。

さわちりょうり[4]【《皿《鉢料理】魚介類やすしなど種々の料理を大皿に盛った土佐の料理。略して「さわち[0]」。⇩さはち

ざわつ・く[0]（自五）ざわざわした状態になる。

さわに[0]【沢煮】白身の魚や鶏(トリ)のささ身などと野菜を薄味で煮た煮汁の多い煮物。―わん[3]【―〈椀】豚の背脂(セアブラ)とゴボウ・ニンジンなどの野菜を共に千切りにして入れた、塩味の汁物。

さわべ[0][3]【沢辺】〔雅〕沢のほとり。

ざわめ・く[3]（自五）〔その場全体が〕どことなく、ざわざわする。名ざわめき[0]

*さわやか[2]【爽やか】―な ―に ❶きれいで程よく冷たい大気が、一種の緊張感と清新の気を与えてくれる様子だ。「―な朝の一時(ヒトトキ)」❷精神的にもふっきれ、生理的にも滞るところが何も無い様子だ。「気分が―だ/そうなれば、むしろ―だ/弁舌―〔＝歯切れがよくて、いかにも筋道が通っているように聞こえる様子だ〕/―な青年」派―さ[3][4]

さわら[0]【椹】山地に生じる、ヒノキによく似た常緑高木。材は良質で、水に強く、桶(オケ)材・器具用。樹(キ)は庭園・生け垣用。〔ヒノキ科〕かぞえ方 一株・一本

さわら[0]【〈鰆】海にすむ中形の硬骨魚。背中は青くて、黒い斑紋(ハンモン)がある。焼き魚として珍重される。〔サバ科〕かぞえ方 一尾・一匹：一枚

さわらび[2][0]【《早〈蕨】〔雅〕芽を出したばかりのワラビ。

さわり[0] ■一【触(り)】❶さわること。また、その時の感じ。「肌―・手―」❷その義太夫節(ギダユウブシ)の中で、一番の△聞かせ所（聞き所）とされる部分。さわり文句[4]。〔広義では、一つの話の中で最も△感動的な（印象深い）場面を指す。また、近年は歌の冒頭の部分を指して言う向きもある〕「―を聞かせる」■二【障(り)】物事の順調な進行を△とどめること（とどめようとする事情）。「―があって行けない/月の―〔＝月経〕/目―になる/耳―」

*さわ・る[0]（自五）■一【触る】〈なに・だれニ―〉❶何か△に手が（が手に）接して、そのものの存在を確かめたりある種の刺激を受けたりする。〔多く、意図的な動作について言う。また、広義では足が何かに接する意にも用いられる〕「触ってはいけない/軽く―」❷そのものに近づいて、かかわりを持ったり問題にしたりする。「寄ると―と〔＝⇩寄る❶〕/今 機嫌が悪いから触らないでおこう/触らぬ神にたたりなし〔＝関わらなければ、不結果を招くこともない〕」文法 ❶は、「ペンキを塗ったばかりの壁に触ってしまった」「ポケットに手を入れると指先に触るものがあった」などと（必ずしも）意図的でない行為である場合には多く「…に触る」となるが、「感触を確かめようとバラの花びらを触る」などと意図的な行為として行

なう場合には「…を触る」の形を用いる傾向がある。
[二]【障る】〈なにニ—〉 何かに深くかかわり過ぎて、好ましくない影響が生じる。「勉強に—/おなかに—/夜ふかしが過ぎて、からだに—/気に—/しゃくに—/神経に—」

さわん①【左腕】「左(の)うで」の字音語的表現。「—投手(=左ききの投手)」↕右腕

さん(三・山・《杉・参・桟・蚕・惨・産・傘・散・〈盞・算・酸・賛・〈簒・〈霰・〈讃)→【字音語の造語成分】

サン(造語)〔sun〕 太陽。「—ルーム・—グラス」

さん(接尾)〔「様」[三]❶の口語的表現〕❶「様」より親しみの気持を含めて、人の名前や人を表わす語などのあとにつけて(軽い)敬意を表わす。また、動植物や身近に存在する物などを擬人化して言う場合にも用いられる。「山田—・むすこ—・向こう—・お隣—・ゾウ—・おサル—・おいも—・お粥—」❷⇩お(御)運用(3)「ご苦労—・ごちそう—」

さん⓪【三】[一]❶二に一を加えた数を表わす基数詞。「盗人にも—分の理/六—制・—叉路・—振・—原色・日本—景・御—家・—選・—頭政治・—権分立・—箇日・—国時代・—千・—泊四日・—分停車・—杯酢・—百・代言・—本・—羽烏」❷二の次の自然数を表わす序数詞。「—男に生まれる/—の西/—の膳/—塁・—人称・—面記事・(第)—次産業・第—種郵便物」〔和語では❶❷共に、み(つ)。みっ(つ)〕⇩四
[二]❶〔↑三の糸④〕三味線の糸のうち、最も調子の高いもの。❷〔野球で〕「三塁(手)」の略。「—盗・—遊間」
表記 [一]の大字は「参」。⇩【造語成分】

さん①【桟】❶板のそるのを防ぐために、裏に打ちつける細い木材。❷戸・障子の骨。❸戸締りのために戸に取りつけた木の栓。さる(猿)❸。「戸の—を下ろす」かぞえ方 ❶〜❸とも一本 ⇩【造語成分】

さん①【惨】—たる/—と ひどい状態を見せつけられたりして、言いようの無い感じに打たれる△こと(様子)。「—として声無し/その—言ふべからず/—又—/悲—・凄—・—憺・—劇」

さん【産】❶⓪子を生むこと。出産。「お—が軽い/—婦・安—」❷①出生地。出身地。原産地。「九州の—/アメリカ—」❸①財産。「—を成す/—を傾ける(=ⓐ財産を使って少なくしてしまう。ⓑ全財産をかけて、あることをする)/—を破る(=財産がなくなる。破産する)/資—・動—」⇩【造語成分】

さん①【算】❶Ⓐ算木(を使った占い)。「—を乱す(=列がばらばらになるたとえ)/—を置く(=占う)」Ⓑ算木・そろばん(を使った計算)。「—を置く(=算木を置いて計算する)/—を入れる(=そろばんで計算する)/—(=(そろばんによる)計算)が合う/—術・予—・打—・験—」❷見込み。公算。「成功の—が大/成—」⇩【造語成分】

さん①【酸】❶すっぱい味(のする液体)。「甘、—、苦/—味・—敗」❷すっぱい味があり、青色リトマス試験紙を赤色に変える化合物。「—性・硫—・塩—」↕アルカリ ⇩【造語成分】

さん①【賛・〈讃】❶人や事物をほめる△漢文の文体(詩や文章)。「ゲーテ—」❷〔日本画などで〕絵と調和するように書き入れる(短い)文章。⇩【造語成分】

さん①【〈燦】—たる/—と 光り輝いて、遠くからも はっきり見える様子だ。「—として後世に遺る/—たる栄誉/—然・—爛」

ざん(残・惨・斬・暫)→【字音語の造語成分】

ざん①【残】 計算した残り。残高。「五十円の—」⇩【造語成分】

ざん①【斬】 打ち首にすること。斬罪。「—に処す」⇩【造語成分】

ざん①【〈讒】 讒言。「—にあう/—者①」

さんい①【賛意】 賛成の△気持(意見)。「—を表明する」

さんいつ⓪【散逸・散〈佚】—する(自サ)〔まとまっていた書物などが〕ばらばらに△なる(なってどこかへ行ってしまう)こと。

さんいっち③【三一致】 西洋古典劇の法則。時の一致、場所の一致、筋の一致。

さんいん⓪【参院】「参議院」の略。

さんいん⓪【産院】 妊産婦・新生児を取り扱う医院。

さんいんどう③【山陰道】 もとの七道の一つ。京都府および兵庫県の一部と、中国地方のうち日本海に面している各地域を含む。

さんう①【山雨】 山に降る雨。「—来らんとして、風 楼に満つ(=大事件が起こる寸前の不気味な様子)」

ざんえい⓪【残映】「夕ばえ・夕焼け」の意の漢語的表現。「江戸文学の—(=なごり)をとどめる」

さんえんしゅぎ⑤【三猿主義】 見ざる・聞かざる・言わざるの、三つの「サル」を守る、消極的な処世法。

さんか①【山火】 山火事。「—防止」

さんか①【山河】 山と河。「さんが①」とも。

さんか①【山〈窩】〔「さんわ」の変化〕定住せず、山奥や河原などを転々と移動しながら生活した人(びと)。竹細工・狩猟などを生業とした。

****さんか**⓪【参加】—する(自サ)〈なにニ—する〉 団体・組織など、目的を持った集まりの一員と成り、行動を共にすること。「ボランティア活動に—する/—を呼びかける/—者③・大衆—・自由—」

さんか⓪【参稼】 団体に参加したものが特殊な技能を活かして活動すること。「—(=参稼によって得る)報酬」

さんか①【惨禍】 天災や戦災などによる、見るに堪えないほどの災難。

さんか⓪【産科】 妊娠・出産を扱う、臨床医学の一部門。

さんか⓪【産家】 (つい近ごろ)子供の生まれた家。

さんか①【傘下】〔かさをさす下に入って雨をしのぐ意〕大きな勢力の統率・支配を受ける立場にあること。「米国の—(=支配下)に入る」

さんか⓪【酸化】—する(自他サ) (空気中の)酸素と化合すること。〔広義では、ある物質中の水素を奪うことを指す〕「—作用④・—物③」↕還元❷ **—アルミニウム**⑦ ⇩アルミナ **—チタン**④⑤ チタンの酸化物。チタン鉱石を原料として精製される極微粉末。光の屈折率が大きいので、隠蔽力が抜群に良い。白色顔料・塗料・化粧品・磁器・医薬品・人工衛星などに用いられる。 **—マグネシウム**⑦ マグネシウムを空気中で燃焼したり 炭酸マグネシウムを熱したりして得られる白色の粉末。薬用、また、耐火れんが・耐火セメントなどの原料。

さんか①【賛歌・〈讃歌】 讃美する歌。「愛の—」

さんが①【参賀】—する(自サ)〔新年や天皇誕生日などに〕皇居に行き、祝いの言葉を△申し上げる(記帳する)こと。「宮中—の人の波」

ざんか①【残火】「残り火」の漢語的表現。

ざんか①【残花】 咲き残った花。

さんかい⓪【山海】 山と海。「—の珍味」

さんかい⓪【山塊】 周囲の山脈から分かれて孤立した、一群の山やま。

さんかい⓪【参会】—する(自サ) 集会(に出席すること)。「—者③」

さんかい⓪【散会】—する(自サ) 会が終わって人びとが帰ること。「そろそろ—しましょう」

さんかい⓪【散開】—する(自サ)〔一団となっていた部隊などが〕散ってばらばらになること。「—隊形・—星団」

さんがい【三界】㊀⓪〔仏教的世界観で〕人間初めすべての生き物が過去・現在・未来にわたって次つぎに生まれ変わるという境遇。大きく「欲界」「色界⓪」「無色界③」の三つに分かれ、欲界は六天に、色界は四種二十二天その他に細分されるという。〔広義では、世界じゅうや、生きている限りのこの世を指す〕「—に家無し〔=どこにも安住する所が無い〕」「子は—の首っかせ〔=子供というものは、自分の生きている限り、なんらかの負担となって付きまとうものだ〕」㊁〔造語〕…のような遠く離れた所。「アメリカ—〔=くんだり〕まで流れる」

さんがい⓪【惨害】天災や戦争によるひどい損害。「—をこうむる」

ざんがい⓪【残骸】㊀跡形も無くこわされた乗り物・建物などの残片。㊁戦場や災害地に捨て置かれた死体。

さんかいき③クヮイ—【三回忌】〔仏教で〕死んだ年を入れて、三年目に当たる年の忌日(に行なう法事)。三年忌。〔二年目は、一周忌というが、三年目以後は、三回忌、七回忌…と続く。三周忌ともいうが、本来は誤り〕

*さんかく①【三角】㊀「三角△形(法)」の略。「—を付ける〔=簿記などで、マイナスの分を示すために、数字の初めに三角印を付ける〕」「目を—にする〔=⇒目〕」「—定規⑤」㊁対立する関係にある三者。 —かんけい⑤クヮン—【—関係】三者の間に結ばれる、複雑な恋愛関係。 —かんすう⑤⑦クヮン—【—関数】・【—〈函数〉】〔数学で〕与えられた角に、その角の三角比の値を対応させる関数。〔所与の角が鋭角でない時にまで拡張される〕 —きん④③【—巾】一平方ヤールのカナキンを二つに折って三角にした、包帯用の布。かぞえ方 一枚 —けい③④【—形】三つの線分で囲んだ、平面の図形。また、それと類似の形(のもの)。「さんかっけい」とも。 —コーナー⑤ 台所の流しの角に置いて生ごみを入れておく、三角形の網状の容器。「ステンレス製の—」 —す④③【—州】・【—〈洲〉】河口の近くに出来た、三角形の砂地。デルタ。表記「州」は、代用字。 —すい④③【—〈錐〉】〔幾何学で〕三角形を底面として持つ角錐。〔図形としては四面体と同じ〕 —そくりょう⑥⑤リャウ【—測量】三角法を応用した測量。例、距離・高度が既知の二点を基準として、見通しのきく任意の他の地点を結ぶ三角形を作り、その角度を測ることによってその地点の位置や標高を求める。 —ちゅう④③【—柱】〔幾何学で〕三角形を底面として持つ角柱。プリズムなど。 —てん④③【—点】三角測量の基準として選ぶ、決まった地点。地上に目じるしの石を置く。 —なみ④【—波】方向の違う二つ以上の波が重なった、高く深い波。台風の中心の海などに出来る。 —ひ④③【—比】直角三角形において、一つの鋭角の大きさが与えられた時、三辺のうちから取り出した二辺の長さの比(の値)。取り出す二辺の順列によって、サイン・コサイン・タンジェント・コタンジェント・セカント・コセカントの六種類がある。〔直角三角形の大きさに関係なく、所与の鋭角の大きさのみで定まる〕 —ほ④③【—帆】ウインドサーフィンで、風を受けて走らせる三角形の帆。 —ほう⓪ハフ【—法】三角比を用いて、三角形を初めとする多角形の辺・角・面積の量的関係を調べたりさらには三角関数の性質を研究したりする数学の一分科。〔三角測量に応用される〕「平面—・球面—」

さんかく⓪クヮク【参画】—する(自サ)事業などの計画の相談に加わること。

さんがく⓪【山岳】人里離れた高い山(のつらなり)。「—地帯⑤・—部④・—病⓪・—仏教⑤・—気象」

さんがく⓪【参学】—する(自サ)仏教学を修めること。

さんがく①【産学】産業界と大学。「—協同」

さんがく⓪【産額】その△生産(産出)される物の数量や金額。

さんがく⓪【算額】〔和算で〕問題を解いた結果を神社や寺に額として掲げたもの。⇒絵馬エマ

ざんがく⓪【残額】残り(の数量・金額)。

さんがつ①グヮツ【三月】一年の第三の月。〔雅名は、やよい。副詞的にも用いられる〕「—の声を聞くと卒業式だ」

さんかっけい③—カク【三角形】⇒さんかくけい

さんがにち③⓪【三箇日】特定の行事のある三日間。〔狭義では、元旦ガンタンから正月三日までの称〕表記「三ケ日・三カ日・三が日」とも書く。

さんかめいちゅう④—クヮ【三化〈螟虫〉】サンカメイガ④の幼虫。五月から九月の間に三回発生し、イネに大害を与える。〔メイガ科〕かぞえ方 一匹

さんかん⓪クヮン【三冠】〔triple crown の訳語〕三つの賞を手に入れること。 —おう③ワウ【—王】〔野球で〕そのシーズンに首位打者・ホームラン王・打点王をひとりで占める選手。 —ば③【—馬】〔競馬で〕その年の「皐月サツキ賞③・日本ダービー④・菊花賞③」の三つのレースに優勝した、サラブレッドの三歳馬。

さんかん⓪③【三韓】上代、朝鮮半島にあった三つの国。馬韓バカン・弁韓ベンカン・辰韓シンカン。また、新羅シラギ・百済クダラ・高麗コマ。

さんかん⓪【山間】山に囲まれた、狭い地域。山の中。「—僻地ヘキチ」

さんかん⓪【参看】—する(他サ)「参照」の意の漢語的表現。

さんかん⓪クヮン【参観】—する(他サ)何かが△展示してある(行なわれている)場所に行って、実際に見ること。「授業—・社寺—」

ざんかん⓪【残寒】寒が明けてからの寒さ。「春雪と—」

さんかんしおん⑤—ヲン【三寒四温】冬期、三日間ぐらい寒くて、次の四日間ぐらいが暖かい天候(が繰り返されること)。

ざんかんじょう⓪③ジャウ【斬〈奸状〉】悪者を斬キり殺す趣意を書いた文書。かぞえ方 一枚・一通

さんき①【山気】山地に特有の、冷えびえした空気。

さんぎ①【参議】㊀政治に関する議事に参与する△こと(人)。㊁昔の太政ダジョウ官の職員。大中納言に次ぐ重職。官名、宰相。 —いん③ヰン【—院】衆議院と共に国会を構成する二院の一つ。衆議院に対する補正機関の役割を負う。解散は無く、議員の任期は六年。略して「参院」。〔半数は三年ごとに改選〕

さんぎ①③⓪【算木】和算の運算や易エキに使う、積み木風の小さな角棒。かぞえ方 一本・一枚

ざんき①【〈慚愧〉・〈慙愧〉】—する(自サ)取り返しのつかない事をしたと強く悔やむと共に、自ら恥じること。「—に堪えない」

ざんぎく①【残菊】晩秋から初冬のころまで咲き残った菊の花。

さんきゃく⓪【三脚】〔三本足(の腰掛け)の意〕自由に△開閉(伸縮)出来る三本の足からなる台。カメラ・カンバスなどを載せる。三脚架⓪④。かぞえ方 一台

ざんぎゃく⓪【残虐】—に ひどい殺し方や傷つけ方をする様子だ。「—行為・—性⓪」派—さ⓪

サンキュー①(感)〔thank you〕相手に感謝する気持を表わす語。ありがとう。

さんきゅう⓪キウ【産休】「出産休暇⑤」の略。

さんきょ①【散居】〔村落の中で〕家が互いに離れて建っている状態。散村。

さんきょう⓪【山峡】山と山とが迫っている、谷あいの狭い所。「—の地」

さんぎょう⓪【三業】❶芸者屋と料理屋と待合の総称。❷〔←三業地③〕「三業❶」の営業の許可の出されている地域。

さんぎょう⓪【蚕業】養蚕の事業。

さんぎょう ⓪【産業】〔生業、すなわち世渡りの仕事の意〕生産に従事する事業。—かくめい**⑤【—革命】機械の発明などの技術革新を原動力とし、手工業から機械制大工業への移行を中心とした、その国全体の経済的・社会的大変革。これにより、資本主義的生産様式が確立。〔狭義では、十八世紀後半から十九世紀初めにかけてイギリスで行なわれたものを指す。日本では、十九世紀末から二十世紀初頭にかけて行なわれた。industrial revolution の訳語〕 **—きかい**⑤⑥【—機械】物の製造に使う、種々の機械。 **—くみあい**⑤【—組合】同業者の△産業(経済)の発達を図るために組織された社団法人。 **—しほん**⑤【—資本】産業、特に工業に投下される資本。 **—スパイ**⑥⑤ 競争相手の会社の情報を探ったりする(役目の)人。 **—はいきぶつ**⑦【—廃棄物】工場や工事現場などで、事業活動に伴って出される廃棄物。燃え殻・汚泥・廃油など法令で定められたものは、事業者が処理する責任を負う。 **—よびぐん**⑥【—予備軍】失業者の異称。〔就職中の労働者を現役と見なして言う言葉〕

だいいちじ—⑥、①-④【第一次—】直接、動植物をとったり養ったりする産業。例、農林業・畜産業・水産業など。 **だいさんじ—**⑥、①-④【第三次—】第一次・第二次産業以外の産業。例、商業・運輸通信業・サービス業・自由業など。 **だいにじ—**⑤、①-③【第二次—】製造・加工などを主とする産業。例、工業・建設業や、鉱業・電気ガス事業など。

さんぎょう⓪【〈鑽仰・賛仰・〈讃仰】—する(他サ) ほめたたえて たっとぶこと。「さんごう」とも。

ざんきょう⓪【残響】鐘を打ち終えたりしたあとなどにしばらく聞こえる音。〔広義では、反響を指す〕

ざんぎょう⓪【残業】—する(自サ)〔多忙や急ぎの仕事のために〕規定の時間のあとまで残って仕事をすること。また、その仕事。「—手当⑤」

さんぎょう こうこく⑤【三行広告】三行程度にまとめて新聞に載せる、求人・求職・貸し間・土地・建物などの小さい案内広告。

さんきょく①【三曲】琴・三味線および尺八または胡弓の称。また、その合奏。

ざんぎり⓪【《散切り】明治四年 断髪令が出てから流行した、男子の髪型。月代をそらないで、うしろへなでつけ、髪を襟元で切ったもの。「—頭⑤」

さんきん⓪【参勤・参〈覲】—する(自サ) 江戸時代、大名が江戸に出て将軍に謁見し、幕府に勤務したこと。 **—こうたい**⓪-⓪、⑤【—交代】江戸時代、大名が原則として一年置きに領国から参勤した制度。⇩定府

さんきん⓪【産金】金の△産出(生産)。

ざんきん①【残金】❶残りの金銭。❷未払いのお金。

さんく①【惨苦】つらい苦しみ。「敗戦の—をなめる」

さんぐう⓪③【参宮】(伊勢)神宮に参拝すること。「—客

さん

［三］ [一]一度や二度に限らず△三回まで(何度)も。「三思・三顧・三唱・三省・再三」 [二](略) 三河国。「三州」 表記 [二]は、「参」とも書く。⇩(本文)さん【三】

［山］ [二]❶やま。〔「やま」の名につけても用いられる〕「山海・山岳・山頂・高山・火山・遊山・五山・出羽三山」 ❷寺。〔狭義では、天台宗・比叡山の特称。また、寺の名前の上に重ねて、その山号を表わす時にも用いられる。例、「金竜山浅草寺」〕「山門・開山」 ❸鉱石を掘る所。「金山・銀山・鉱山」 [三](略) 山城国。「山州」

［《杉］ スギ。「老杉・松杉」

［参］ [二]❶〔すでに二つあるところへ〕第三のもの△が加わる(を加える)。「参考・参照」 ❷仲間として加わる。「参加・参与」 ❸そのつもりになって、そこへ行く。「参会・参列・参戦・参観」 ❹〔敬意を表するために〕相手の家や寺社へ行く。「参上・参詣・日参」 ❺数字「三」の大字。 [三](略) ❶参議院。「衆参両院」 ❷参河国。「参州」 表記 [二]❺は、「三」とも書く。

［桟］ 木を組み並べて作った架け橋。「桟道・桟橋」 ⇩(本文)さん【桟】

［蚕］ カイコ。「蚕業・蚕紙・蚕糸・蚕食・秋蚕・春蚕・稚蚕・養蚕」

［惨］ ⇩(本文)さん【惨】

［産］ [一]社会生活に必要な物△が出来る(を造り出す)。「産業・産物・生産・水産」 [二](略) 産業。「産別会議」 ⇩(本文)さん【産】

［傘］ ❶からかさ。「傘下」 ❷かさのような形で、上から丸くおおう物。「鉄傘・落下傘」

［散］ ❶ちる。ちらばる。ちらす。「散乱・散在・分散・解散」 ❷特別に拘束されるところが無い。「散歩・散文・散漫・閑散」 ❸こなぐすり。〔こなぐすりの名前にも用いられる〕「散薬・胃散」

［〈盞］ ❶さかずき。「一盞」 ❷茶碗。「持て来る一盞の珈琲の冷むるをも顧みず」

［算］ 〔天子の〕年齢の数。「宝算・聖算」 ⇩(本文)さん【算】

［酸］ つらい。むごい。苦しい。「酸鼻・辛酸・悲酸」 ⇩(本文)さん【酸】

［賛］ ❶⇩讃 ❷他の△仕事(提案)に同意する。「賛成・協賛」 ⇩(本文)さん【賛】

［〈纂］ 集まった多くの材料を適宜配列して本を造る。「纂修・編纂」

［〈霰］ あられ。「急霰」〔センとも読む〕

［〈讃］ [一]他の良い点をほめる。「讃美・讃嘆・讃辞・称讃・自讃」 [二](略) 讃岐国。「讃州・予讃・土讃」 表記 [一]は、「賛」とも書く。⇩(本文)さん【讃】

ざん

［残］ ❶のこる。「残業・残念・敗残・老残」 ❷人情など全く無いほど ひどい仕打ちだ。「残忍・残酷」 ⇩(本文)ざん【残】

［惨］ 二度と見たくないほど ひどい。「惨殺・惨死」

［斬］ ❶罪人としてきり殺す。「斬殺・斬首・斬奸状」 ❷〔長い髪などを〕短くきる。「斬髪」 ⇩(本文)ざん【斬】

［暫］ ちょっとの間。しばらく。「暫時・暫定」

③・―列車⑤」

さんくぎれ⓪【三句切㋹】〔短歌で〕五・七・五・七・七の第三句の後に意味上の切れ目のあること。初句切れと共に、七五調となる。

サンクチュアリー①④〔sanctuary＝聖域〕他から攻撃などが加えられない特別区域。鳥獣の保護区・禁猟区やゲリラの安全な隠れ場所など。

さんくつ⓪【山窟】山の岩あな(を利用したすみか)。

サングラス③〔sunglasses の日本語形〕太陽の紫外線を防ぐための色めがね。日よけめがね④。かぞえ方 一台・一本

ざんぐり③(副)―と 大まかであるために、かえって趣が感じられる様子。茶道具を鑑賞して評する時などに言う。

さんぐん⓪【三軍】〔昔、中国で、大国の常備した、上軍・中軍・下軍、計三万七千五百人の軍隊の意〕❶全軍。❷陸軍・海軍・空軍の総称。

さんけ⓪【産気】今にも出産が始まりそうな気配。**―づ・く**④【―付く】(自五) 子供が今にも生まれそうな様子になる。

さんげ①【散華】―する(自サ) ❶〔法会で〕読経しながら列を作って歩き、ハスの花びらにかたどった紙をあたりにまくこと。❷花と散ること。〔戦死を美化した表現〕

ざんげ①【〈懺《悔】―する(他サ) 過去の罪過を(神仏の前で)悔い改めること。「さんげ①」とも。〔キリスト教では、(神父を通して)神に対して告白する意に用いられる〕

さんけい⓪【三兄】三番目の兄。〔長兄・次兄の次〕

さんけい⓪【三景】江戸時代から、最も景色のよいという評判のあった三か所。松島・天の橋立・厳島の称。日本三景。

さんけい⓪【山系】山脈が幾重にも並んだり長く続いたりして、全体で一つの大きなつながりを持つもの。「大雪―」

さんけい⓪【参詣】―する(自サ) 寺・神社にお参りすること。お参り。「―人⓪」

さんげき⓪【惨劇】悲惨な△出来事(事件)。

さんけつ⓪【三傑】三人のすぐれた人。「蜀の―〔＝中国、三国時代〖＝二二〇～二八〇〗の諸葛亮・関羽・張飛〕」

さんけつ⓪【酸欠】〔←酸素欠乏①-⓪、④〕その場所を満たしている空気中の酸素が不足すること。

ざんけつ⓪【残欠・残〈闕】「文献などの〕一部が欠けて不完全な△こと(もの)。「―本⓪」

ざんげつ①【残月】ありあけの月。

さんけん①⓪【三権】統治権の三種別。立法権・司法権・行政権。「―分立」

さんけん⓪【散見】―する(自サ) その時自分の注意を引くものが、あちこちで目に入ること。

さんげん⓪【三弦・三〈絃】「三味線」の別称。

ざんげん⓪③【〈讒言】―する(自サ) 〔主として競争相手を〕おとしいれるために、相手を悪く言い、またありもしない事をつくりあげ、立場の上の人に告げること。讒。

さんげんしょく③【三原色】交ぜ合わせ方で、多くの色が作れる三つの基本的な色。光線では赤・緑・青紫、絵の具では「マゼンタ〔＝赤紫〕・黄・シアン〔＝青緑〕」を指す。

さんこ①【三顧】―する(自サ) 立場の上の者がすぐれた人を何度も訪問して、力を貸してほしいと頼むこと。「―の礼」

さんご①【三五】❶「三五夜」の略。(八月)十五夜。❷「所どころに散らばる様子」の意の古風な表現。

さんご①【〈珊瑚】「サンゴチュウ③〔＝暖海にすむ腔腸動物〕」が海底の石に付着して作った、樹枝状のもの。**―じゅ**③【―珠】珊瑚を細工して作った、装飾用のたま。**―じゅ**③【―樹】❶暖地に生える常緑高木。葉の形は長楕円形で、表面に光沢がある。秋、サンゴのような赤い果実を結ぶ。生け垣・防風林・防火樹として用いられる。〔ガマズミ科(旧スイカズラ科)〕❷木の枝の形をした珊瑚。**―しょう**③【―礁】珊瑚の骨格や貝殻がたまって出来た、円形の岩礁。

さんご⓪【産後】お産のあと。↔産前

さんこう⓪【三后】昔、太皇太后・皇太后・皇后の称。

さんこう⓪【三更】昔の時法において、子の刻。今の午後十一時ごろから午前一時ごろまでに当たる。まよなか。⇩五更

さんこう⓪【三皇】中国古代の三人の聖天子。たとえば、伏羲・神農・黄帝。「―五帝〔＝三皇と堯・舜など五人のすぐれた帝王〕」

さんこう⓪【山行】―する(自サ) ❶山の中を歩いて行くこと。❷山に遊びに行くこと。山行き。

さんこう⓪【参向】―する(自サ) 〔貴人など、身分の高い人の所へ〕出向くこと。

***さんこう**⓪【参考】❶自分の考えを決めるために役立てる△こと(もの)。「―になる／―人⓪」❷〔研究や受験などのために〕他人の書いた書物や教科書以外の書物などを見ること。「―書⑤⓪・―文献」

さんこう⓪【〈鑽孔】―する(自サ) 堅い岩、鉄などに穴をあけること。〔広義では、紙のテープに穴をあけることや、パンチカードにパンチを入れることをも指す〕

さんごう③⓪【山号】寺号の上に付ける、その寺の称号。例、「金竜山浅草寺」。⇩寺号

さんごう⓪【〈鑽仰・賛仰・〈讃仰】⇩さんぎょう

ざんこう⓪【残光】日が暮れる前後の弱い日光。なごりの光。

ざんごう⓪【〈塹壕〉】敵の攻撃を避けるために、歩兵の守備する位置に掘った、からだが隠せる深さの溝。

さんごく①【三国】❶三つの国。「―間貿易」❷昔、インド・中国・日本の称。昔の日本人にとっての全世界。❸〔後漢の滅亡後の〕魏・蜀・呉の三国。「―時代⑤」かぞえ方 一本 **―いち**①-②【―一】世界一。「―の花婿」**―じん**④【―人】「第三国人」の略。**―でんらい**①-⓪【―伝来】インドから中国を経て日本に伝来したこと。

***ざんこく**⓪【残酷】―に―な 理由なく人や動物に苦しみを与えて、平気な様子だ。「―を極める」派 **―さ**⓪ 表記「残刻・惨酷」とも書く。

さんこつ⓪【山骨】山の土砂が崩れて露出した岩石。

さんこつ⓪【散骨】―する(自サ) 遺骨を墓地に埋めないで、こまかくして、海や野山などにまくこと。また、そのような方法による葬礼。⇩散灰

さんこん⓪【三献】〔昔の公家の正式の供応で〕三つの膳部にわたり、酒を三回ずつ、合計九杯ついで飲ませること。〔三三九度は、そのなごり〕

さんさ①【三差・三〈叉】〔「叉」は、分岐の意〕三つに分かれること。みつまた。「―路③」表記「差」は、代用字。

さんさ①【蚕〈渣・蚕砂・蚕沙】カイコのふんや、食べ残りのクワなど。肥料・家畜のえさにする。「さんしゃ」とも。

ざんさ①【残〈渣】こしたあとなどに、残ったかす。

さんさい【三才】❶⓪〔世界を形成する、主要なものとしての〕天・地・人の三つ。転じて、宇宙間の万物。「和漢―図会〔＝江戸時代に刊行された絵入りの百科事典〕」❷⓪三人の、才能のすぐれた人。❸①〔年齢の〕三つ。「―の童子〔＝三つの子供〕」

さんさい⓪【三彩】三種の色〔たとえば、緑・黄・藍〕で焼

きつけた陶磁器。「唐—」

さんさい⓪【山妻】 他人の前で自分の妻を言う時の称。〔愚妻・荊(ケイ)妻よりも古風な言い方〕

さんさい⓪【山菜】 山でとれ、葉・茎・根などが食用となるもの。例、ワラビ・ゼンマイ。

さんさい⓪【山塞・山〈砦〉】 ❶山中のとりで。 ❷山賊のすみか。

さんざい⓪【散在】—する(自サ) △あちこちに(散らばって)あること。

さんざい⓪【散剤】 「こなぐすり」の意の漢語的表現。⇩錠剤・液剤

さんざい⓪【散財】—する(自サ) 〔飲食や遊興など〕一見むだとも思われる事に お金を たくさん使うこと。「とんだ—かけてすまなかった」

ざんさい⓪【残〈滓〉】 「ざんし」の慣用読み。

ざんざい⓪【斬罪】 「打ち首」の意の漢語的表現。

さんさがり⓪⑤③【三下(が)り】 〔三味線で〕本調子の第三弦を一音だけ下げた調子。

さんさく⓪【散策】—する(自サ) どこへ行くというあてもなくあちらこちらを歩き回ること。

さんざし⓪【山査子】 春、白色の花を開く落葉低木。実は漢方薬用。〔バラ科〕 表記 「山〈樝子〉」とも書く。 かぞえ方 一株・一本

ざんさつ⓪【惨殺】—する(他サ) むごたらしいやり方で殺すこと。

ざんさつ⓪【斬殺】—する(他サ) (刀などで)人を斬(キ)り殺すこと。

さんざめ・く④(自五) さざめく。「弦歌—」

さんさん⓪【三三】 〔連珠(レンジュ)で〕一つの石を共通に持つ、三個連続の石が二か所出来たもの。〔禁じ手とされる〕 **—くど**⑤【—九度】 〔結婚式で〕同じ杯で新郎新婦が酒を三度ずつ飲み、三つの杯で合計九度飲み、夫婦の約束を固めること。⇩三献(サンコン) **—ごご**⑤【三々五々】(副) 〔もと、「三五❷」の繰り返し〕人びとが、三、四人 また五、六人ずつ群れては同じ事をする様子。「あちこちで老紳士たちが—記念撮影する/折から夕刻の買物時、中老年の女性が—現われ、おしゃべりに余念がない」

さんさん⓪【〈潸〉々】—たる —と ❶とめどなく涙が流れる様子。❷雨が降りしきる様子。

さんさん⓪【〈燦〉々】—たる —と 日光などが まばゆいほど明るく照り輝く様子だ。「—と輝く太陽」

さんざん【散々】 ■二⓪(副) ひどさの程度が一通りではない様子。〔口頭語形は「さんざ③⓪」、また、その強調表現は「さんざっぱら⓪」〕「人に—めんどうを掛けておいて/—待たされた」 ■二③⓪—な —に 「さんざん■二」に同じ。「—な目にあった/—に打ち負かす」

さんし①【三思】—する(自サ) 〔反省の気持で〕繰り返しよく考えること。

さんし①【蚕糸】 養蚕と製糸。「—業③・—試験場」

さんし①【蚕紙】 蚕卵紙。

さんじ①【三次】 ❶三度(め)。「—にわたる選挙」 ❷〔代数学で〕その式の次数が三であること。「—式③・—方程式⑥・—関数⑥④〔=従属変数が独立変数の三次式で表わされる関数〕」 **—さんぎょう**(ギョウ)④【—産業】 第三次産業。⇩産業 **—せいひん**④【—製品】 二次製品をさらに加工した、加工度の高い製品。第三次製品。

さんじ①【三時】 昼食と夕食の中間に当たる、午後三時ごろにとる軽い飲食物。また、その時刻。「お—②」

さんじ①【参事】 ある事務に参与する△人(職名)。 **—かん**③(クワン)【—官】 各省の次官・局長の下にある職員。重要事項を統括する。

さんじ①【蚕児】 「かいこ」の意の漢語的表現。

さんじ①【惨事】 △むごたらしい(悲惨な)出来事。「大—を招く」

さんじ①【産児】 子供を生むこと。また、生まれた子供。 **—せいげん**④【—制限】—する(自サ) 人口増加による貧困を防止するために人為的に出産を制限すること。バースコントロール。 **—ちょうせい**(チョウ)④(テウ)【—調整】 (人口がふえすぎないように)子供を生むのを調節すること。

さんじ①【賛辞・〈讃辞〉】 称賛の言葉。「—を呈する」

ざんし①【残〈滓〉】 残りかす。〔よくないもののなごりの意にも用いられる。例、「軍国主義の—」〕

ざんし⓪【惨死】—する(自サ) むごたらしい死に方をすること。

ざんし⓪①【〈慚〉死・〈慙〉死】—する(自サ) 死ぬほど深く恥じること。

ざんじ①【《漸次》】(副) 「ぜんじ」の読み誤り。

ざんじ①【暫時】(副) 「しばらく」の意の漢語的表現。

サンジカリズム⑤〔フ syndicalisme〕 産業労働者が利益擁護のため、ゼネストや△工場の占拠(自主管理)などの直接行動によって資本家に対抗する主義。革命的産業組合主義。サンディカリズムとも。

さんしき①【三色】 三種類の△色(もの)。「さんしょく」とも。 **—すみれ**⑤【—〈菫〉】 園芸用に栽培される、ヨーロッパ原産の小形の△一(二)年草。春、スミレに似て大形の花を開く。紫・黄・白などがある。品種が多い。パンジー。〔スミレ科〕 かぞえ方 一本

さんしき⓪【算式】 「数式」、特に「計算式」のやや古い言い方。

さんじげん③【三次元】 縦・横・高さの、三つの方向に広がっていること。「—の世界〔=立体の世界〕」⇩二次元・四次元

さんしすいめい①-⓪【山紫水明】 山は紫にかすみ、川の流れがきれいな自然のたたずまいの形容。「—の地 京都」

さんした⓪④【三下】 〔←三下奴(コヤッ)⑤〕 ばくち打ちなどの仲間で、身分が最も下の者。

さんしちにち④⓪【三七日】 〔仏教で〕 ❶三週間。二十一日。 ❷人の死後二十一日目(に行なう法事)。みなのか。

さんしつ⓪ ■一【蚕室】 カイコを飼う部屋。 ■二【産室】 お産をする部屋。うぶや。 かぞえ方 ■一■二とも一室

さんしのれい①-①【三枝の礼】 ハトは親鳥のとまっている枝から三本下の枝にとまるということ。孝行のたとえ。

さんしゃ①【三社】 神道(シントウ)にとって大切な、伊勢神宮・石清水(イワシミズ)八幡宮・賀茂神社または春日神社。

さんしゃ①【三舎】 軍隊の三日の行程。【—を避ける】 恐れて、相手になることを避けること。「鬼神も—勢い」

さんしゃ①【三者】 三人。三つのもの。「—三様」 **—めんだん**④【—面談】 〔学校で〕教師・生徒・保護者の三人で行なう面談。「進路についての—」

さんしゃく⓪【参酌】—する(他サ) まわりの状況や他の意見などを考え合わせて参考にすること。

さんじゃく⓪①【三尺】 ❶長さ三尺ぐらいの帯。三尺帯⑤。しごき。へこおび。 ❷〔←三尺ふんどし⑤〕 越中ふんどし。 **—のしゅうすい**①-⓪(シウ)【—の秋水】 とぎすました長刀。 **—のどうじ**(ドウ)①-①【—の童子】 三、四歳の幼児。〔無知な者のたとえとしても用いられる〕

さんじゃまつり④【三社祭】 五月の第三日曜を最終日とする四日間行なわれる浅草神社〔=旧称、三社明神(ミョウジン)社〕の祭。山王祭・神田明神の祭と共に、東京〔=江戸〕の三大祭の一つとされる。

さんしゅ①【三種】❶三種類。❷〔↑第三種郵便物〕定期刊行の新聞・雑誌など。 **―のじんぎ**⑤【―の神器】皇位継承のしるしとして、代々の天皇に受け継がれる三種類の宝物。八咫鏡・天叢雲剣・八尺瓊勾玉。「さんしゅのしんき」とも。〔俗に、三つの必要な持ち物の意にも用いられる〕

さんしゅ①【蚕種】カイコの卵。

さんじゅ①【傘寿】〔傘の略字「仐」が八十と読めることから〕八十歳(の長寿の祝い)。

ざんしゅ①【斬首】―する（他サ） 刀などで首を斬ること。また、その斬った首。

さんしゅう①【三州・参州】「三河国」の漢語的表現。今の愛知県中部・東部にあたる。「―瓦⑤・―土③・―灯籠④・―みそ④」

さんしゅう⓪【三秋】秋の間の三か月。

さんしゅう①【山州】「山城国」の漢語的表現。今の京都府南部にあたる。

さんしゅう⓪【参集】―する（自サ）（おおぜいの人が）集まって来ること。「会議に―する」

さんしゅう①【〈讃州】「讃岐国」の漢語的表現。今の香川県全体にあたる。

さんじゅう⓪【三重】❶三つ重なること。「―苦③」❷〔平曲・浄瑠璃で〕哀切・すごみなどを出す節の名。 **―さつ**③【―殺】〔野球で〕トリプル プレー。 **―しょう**③【―唱】三種類の声域で歌う三人の合唱。 **―そう**③【―奏】〔西洋音楽で〕三人が三種の楽器で合奏する室内楽。トリオ。

さんじゅういちもんじ①-③【三十一文字】「和歌」の異称。みそひともじ。

さんしゅうき③【三周忌】⇩三回忌

さんじゅうごミリ①-①【三十五ミリ】幅が三五ミリの△写真(映画)のフィルム。

さんじゅうさんしょ①-①【三十三所】三十三か所の、観世音を安置した霊場。「西国―・坂東―」

さんじゅうにそう①-①【三十二相】釈尊が備えていたという、三十二種のすぐれた顔かたち。「―〔=頭から足まで、美しさのすべてが〕備わった小町娘」

さんじゅうろっかせん①-③【三十六歌仙】すぐれた古今の歌人三十六人。藤原公任が選んだ柿本人麿・紀貫之などの組合せが最も有名。

さんじゅうろっけい①-⓪【三十六計】昔の兵法にある、すべての計略。「―逃げるにしかず〔=どんな計略よりも逃げ出すのが一番だ〕／―をきめこむ〔=さっさと逃げ出す〕」

さんしゅつ⓪【産出】―する（他サ） ❶その会社・工場などで生産すること。「(企業の製品)年間―能力」❷その土地でとれて売り出されること。「良質の石炭が―される地帯／―量④」

さんしゅつ⓪【算出】―する（他サ） 計算して答えの数値を出すこと。

さんじゅつ⓪【算術】❶四則を中心とする初等的な数の計算。また、その技術。「―演算〔=四則を有限回 組み合わせた演算〕」❷「算数」の旧称。 **―きゅうすう**⑦⑤【―級数】⇩級数 **―へいきん**⑤【―平均】「相加平均」の別称。〔幾何平均と異なり、(加法と除法を組み合わせた)算術演算だけで求められることによる名称〕

さんしゅゆ③⓪【山〈茱萸〉】庭木にする落葉小高木。春先、葉に先立ちオミナエシに似た黄色の花が咲く。〔ミズキ科〕 かぞえ方 一株・一本

さんしょ⓪【山〈椒】「さんしょう」の短呼に基づく口頭語形。

さんじょ①【三女】❶同胞の女の子の中で、三番目のもの。⇩長女・次女 ❷三人の娘。

さんじょ⓪③【産所】お産をする所。

さんじょ①【賛助】―する（他サ） 会・事業の趣旨に賛成し、(間接的に)協力すること。「―会員④・―出演」

ざんしょ①【残暑】立秋以後も続く暑さ。「―のきびしい年」

さんしょう⓪【三唱】―する（他サ） 三度繰り返してとなえること。「万歳―」

さんしょう⓪【山〈椒】とげのある落葉低木。小粒で丸い実は食用・香辛料。「木の芽」と称する若葉は食用に、材は、すりこ木にする。雌雄異株。〔ミカン科〕〔古名、ハジカミ〕 かぞえ方 一株・一本 **―うお**③【―魚】深山の谷川にすむ、イモリに似た両生類。天然記念物。〔小形のものはサンショウウオ科に属し、薬用。大形のものはハンザキ科に属し、黒色で、全身にいぼがある〕 かぞえ方 一匹

*__さんしょう__⓪【参照】―する（他サ） より△詳しい(確実な)情報を得るために、他の資料と比べ合わせること。「事件の記録を―する／―符③〔=論文などの注記の対象箇所に付す符号〕」

さんじょう⓪【三乗】―する（他サ）〔数学で〕その△数(式❸Ⓐ)の二乗に もう一回その△数(式❸Ⓐ)を掛け合わせること。また、その結果。立方。「―根③〔=立方根〕」

さんじょう⓪【山上】山の上。また、山頂の寺社。 **―のすいくん**⓪-⓪【―の垂訓】キリストが山の上で行なった説教。キリストの教えが集約的に語られている。〔マタイ福音書第五～七章〕

さんじょう⓪【参上】―する（自サ） 立場の上の人のいる所におうかがいすること。「急をきいて、城へ―する」

さんじょう⓪【惨状】△みじめな(むごたらしい)ありさま。「大地震の―／―を呈する」

ざんしょう⓪【残照】夕日の沈んだあとしばらく空の一部や山の頂などに照りはえて残っている日の光。

さんしょく①【三色】❶三種の色。「さんしき」とも。❷三種の原色〔=赤・黄・青〕。 **―すみれ**⑤【―〈菫】さんしきすみれ。 **―ばん**⓪【―版】三原色を種々の割合で合わせ自然色のように印刷する写真版・木版など。「さんしきばん⓪」とも。

さんしょく①【三食】〔一日に食べる〕三度の食事。

さんしょく⓪①【山色】〔山の色の意〕山の姿かたちや、それから受ける印象。

さんしょく⓪【蚕食】―する（他サ）〔カイコがクワの葉を端から食べるように〕他の領地を次第に侵略すること。

さんじょく⓪【産〈褥】お産のための寝床。「―熱④」

さん・じる⓪③【参じる】（自上一） ❶参上する。「山本屋から参じました」❷座禅・会などに参加する。

さん・じる⓪③【散じる】■一（自上一） ❶ちりぢりになる。「国は滅び民は散じ」❷人や物が(い)なくなる。「家財が―」■二（他上一） ❶散らす。また、散らしてなくす。「財を―」❷〔不快な気持を〕追い払う。「気を―〔=晴らす〕／鬱を―」 散ずる（サ変）。

さんしん⓪【三振】―する（自サ）〔野球で〕打者がストライクを三つとられてアウトになること。ストラック アウト。

さんしん⓪【三針】〔時計で〕秒を示す針が長針・短針の根元についていること。中三針。

さんしん⓪【三〈線】沖縄・奄美諸島で用いられる弦楽器。三味線のもとになった楽器で、胴にヘビの皮を張る。撥は用いず、人差し指にツメをはめて弾く。蛇皮線。

さんしん⓪【参進】―する（自サ） 身分の高い人や神様の前

などに進み出ること。

さんじん⓪③【山人】「山中に隠れ住む人」の意で、雅号の下に添える言葉。「紅葉コウヨウ―」

さんじん⓪③【山神】山に鎮座する神。

さんじん⓪【散人】「世事を離れて自由に暮らす、ひまな人」の意で、雅号の下に添える言葉。「荷風カフウ―」

ざんしん⓪【斬新】―な ―に 趣向がきわだって新しい様子だ。「―なアイデア」派―さ⓪

ざんしん⓪【〈讒臣〉】讒言をする臣下。

さんしんとう③【三親等】親等の一つ。曽ソウ祖父母・曽孫・おじ・おばなど。「三等親」とも。

さんす（助動・ます型）江戸時代に、相手の動作を敬い、丁寧に言った言葉。なさいます。「しゃんす」とも。「見―」文法 動詞・助動詞「れる／られる」の未然形に接続する。

ざんす ■①（自・特殊型）〔「ござんす」の略。元来は江戸の遊女の言葉であったとされる〕「ございます」の古風な表現。「喜んでいる人も―／今はこれしかざんせん」■（助動・特殊型）「でございます」に当たる古風な丁寧語。「主人は医者―／きらい―／そう思う―」文法 体言（名詞、またそれに準ずる句）、形容動詞の語幹、（形容動詞を除く）活用語の終止・連体形に接続する。

さんすい①⓪【山水】❶〔観賞の対象としての〕山と川に代表される自然の景物。❷築山と池・やり水などがある庭園。 ―が⓪グワ【―画】 山と川のある、自然の景色を描いた東洋画。

さんすい⓪【散水】―する（自サ）〔本来は「〈撒水サッスイ〉」〕水をまくこと。「―車③」

さんずい⓪【三水】漢字の部首名の一つ。「池・海・清」などの、左側の「氵」の部分。三画なので言う。「さんずいへん⓪」とも。〔多く、水や川、液体に関係のある漢字がこれに属する〕⇩にすい

さんすう③【算数】小学校の教科の一つで、数の計算や簡単な図形の性質など、初等数学を学ぶ分野。「―が△得意（苦手）である」―教育⑤

さんすくみ③【三〈竦み〉】〔ヘビはナメクジを、ナメクジはカエルを、カエルはヘビを互いに恐れるところから〕三つのものが互いに牽制ケンセイし合って、積極的に行動出来ないこと。〔三者の勢力が一線に並び甲乙がつけ難い意にも、また、一種の均衡がとれる意にも用いられる〕

サンスクリット⑤〔Sanskrit〕古代インドの文章語。梵ボン語。

さんすけ①【三助】〔銭湯で〕客のからだを洗う男。

さんずのかわ⑥、⓪―②【三〈途ヅの川カハ〉】死者が、冥途メイドへ行く途中、死出の山を越えてから渡る川。善人は橋を、軽い罪人は浅瀬を、悪人は深い所を渡るという。

さんする③【参する】（自サ）関係者の一人としてそのことにかかわる。

さんする③【産する】（自他サ）△産物（子供）が出来る。産物として△作る（生み出す）。「リンゴを―」

さんする③【算する】（他サ）〔多くの数を〕かぞえる。「人出は三百万を算した」

さんする③【賛する・〈讃する〉】（他サ）❶「ほめる」意の漢語的表現。❷讃の言葉を書く。❸賛成△する（して力添えする）。

さんずる⓪③【参ずる】（自サ）❶先生や立場の上の人の宅へ伺う意の謙譲語。「では後刻参じます／馳ハせ―」❷自分も一員として△参加する（関係する）。❸参禅する。

ざんする③【〈竄する〉】（他サ）島流しにする。

ざんする③【〈讒する〉】（他サ）讒言する。讒す①（五）。

さんずん①【三寸】短いことのたとえ。「舌先―（＝弁舌）／すべては君の胸―（＝胸の中。考え）にある」 ―にんじん⑤【―人《参》】〔普通の、長いニンジンと違って〕根が一〇センチほどの長さで太いニンジン。〔セリ科〕

さんぜ①⓪【三世】❶〔仏教で〕前世ゼン・現世ゲン・後世ゴの三つの世。「主従は―（の縁）」〔夫婦は二世〕❷三代。 ―そう③⓪サウ【―相】 人の生年月日・人相などによって「三世❶」の因果や吉凶を説く△こと（通俗書）。

さんせい⓪【三省】―する（他サ）一日に△三度も（何べんも）自分のしたことを反省すること。

さんせい⓪①【三聖】三人の代表的な聖人。孔子・釈尊・キリストを指す。

さんせい⓪【山勢】山の様子。

さんせい⓪【参政】選挙での投票・立候補などを通して、政治に直接・間接に関係すること。 ―けん③【―権】国民が自国の政治に参与しうる権利。

さんせい⓪【酸性】物質が「酸❶」の性質を持つこと。「―雨ウ③（＝酸性の強い雨。土壌・植物に悪影響を与える）・―紙シ③（＝硫酸アルミニウムを用いてあるため、年月とともに黄変しもろくなる）」↔アルカリ性 ―しょくひん⑤【―食品】〔「アルカリ性食品」と違って〕魚類・肉類などのように、たんぱく質・脂肪を含む食品。〔焼いたあとの灰を溶かした液体は酸性を示す〕 ―どじょう⑤ジャウ【―土壌】 酸性の物質の多い土。地味チミが悪くて作物がよく育たない。 ―はくど⑤【―白土】 吸着性の著しい、△ろう（せっけん）状の粘土。漂白・脱色・脱水用。 ―はんのう⑤オウ【―反応】 酸の性質を持つことを示す反応。例、青色リトマス試験紙を赤色に変える反応。

****さんせい**⓪【賛成】―する（自サ）〈なにニ―する〉他人の意見や提案などをよいと認めて、それに同意すること。「―に△傾く（回る）／―を得る」↔反対■

ざんせい⓪【残生】老後に残された、短い命。

さんせき⓪【山積】―する（自サ）❶△たくさん（高く）積み上げた状態になること。❷未整理の物や未解決の問題などがたくさんたまること。「△難問（課題・懸案）が―する」

ざんせつ⓪【残雪】（春になっても）消えずに残っている雪。

サンセット③①〔sunset〕日没。「―クルーズ」

さんせん⓪【三選】―する（自他サ）同じ種類の選挙に三度当選すること。また、当選させること。

さんせん⓪【三遷】二度も△都（住居）を変えること。〔三度目の△都（住居）に移ることを指す〕⇩孟母モウボ

さんせん⓪【山川】自然環境としての山と川。「―草木ソウモク」

さんせん⓪【参戦】―する（自サ）戦争に加わること。〔広義では、試合などに参加する意にも用いられる〕

さんぜん⓪【参禅】―する（自サ）❶座禅すること。❷師について禅学をまなぶこと。「―者③」

さんぜん⓪【産前】お産の前。↔産後

さんぜん⓪【〈潸然〉】―たる ―と さめざめと涙を流す様子だ。

さんぜん⓪【〈燦然〉】―たる ―と 星や宝石などが、美しく輝く様子だ。〔その存在がきらめいて見える形容にも用いられる〕

ざんぜん⓪【〈嶄然〉】（副）すぐれているものの中でもひときわ目立ってすぐれている様子。「―頭角をあらわす」

さんぜんだいせんせかい⑨【三千大千世界】〔仏教で〕須弥山シュミセンを中心とする世界（＝一小世界）を千倍し、また、千倍し、さらに千倍した程の大きな世界。略して「三千世界⑤」。〔広い世界の意にも用いられる〕

さんそ①【酸素】無色・無味・無臭の気体元素〔記号O 原子番号8〕。空気の五分の一を占める。燃焼・呼吸に不可欠。「―ボンベ・液体―」かぞえ方 缶入りの濃縮酸素やボンベは一本 ―きゅうにゅう④、①―⓪キフニフ【―吸入】

―する〈自サ〉呼吸を助けるために重い病人に酸素を吸わせること。

ざんそ①【讒訴】―する〈他サ〉立場の上の人や主人に讒言すること。

さんそう⓪【山相】地質・形状・気象などに現われる、その山の特徴。

さんそう⓪【山草】高山などに生える野草や草花。

さんそう⓪【山荘】山中に建てた、別荘(風の建物)。

さんそう⓪【山僧】❶山寺に住む僧。❷〔代〕僧の自称。愚僧。

さんぞう⓪【三蔵】仏教の、あらゆる種類の聖典(に深く通じた高僧)。「―法師⑤」

ざんぞう⓪【残像】外界から受けた刺激がすでに消え去ったあとまで、短いあいだ残る感覚。〔主として、視覚について言う〕

さんぞうろう①-③【《然候】〔雅〕さようでございます。

さんぞく⓪【山賊】山中に根城を構える盗賊。↔海賊

さんそん⓪【山村】四方を山に取り囲まれた村落。⇩漁村・農村

さんそん⓪【散村】散居村落。⇩散居

さんぞん⓪①【三尊】〔三人のたっとい仏の意〕❶阿弥陀・観世音・勢至の三菩薩。❷釈迦・文殊・普賢の三菩薩。❸薬師・日光・月光の三菩薩。

ざんそん⓪【残存】―する〈自サ〉ほかの同類はすでに無くなったのに、それだけまだ残っていること。「ざんぞん」とも。「―部数⑥・―本⓪・―者(=生存者)」

サンタ〔セントと同源〕❶〔造語〕〔ポ Santa〕聖(徒)。セントとも。〔キリスト教の聖人の名に冠する〕❷①〔Santa〕サンタクロースの略。「―のおじいさん」

さんたい①⓪ ❶【三体】真・行・草の三つの書体。❷【三態】物質の呈する三つの状態。固体・液体・気体の三つ。表記 ❷は、「三体」とも書く。

さんだい①【三代】❶父・子・孫の、三つの世代。❷三代目の世継ぎ。「―将軍家光／売り家と唐様で書く―目」❸〔中国上代の〕夏・殷・周の三王朝。 **―しゅう**③【―集】勅撰和歌集のうち、初めの三集。「古今和歌集」「後撰和歌集」「拾遺和歌集」を指す。 **―そうおん**①-⓪【―相恩】祖父以来引き続いて主君に仕えて恩を受けること。

さんだい⓪【参内】―する〈自サ〉△内裏(宮中)に参上すること。〔今は、「参入」と言う〕

さんだい⓪【散大】―する〈自サ〉ひとみが広がること。「瞳孔―(=死の前兆)」

さんだいばなし⑤【三題〈噺・三題〈咄】与えられた三種の題目を取り入れて、即席に一つの落語に作り上げること。

ざんだか①【残高】収支を勘定して、残った金額。残額。「差引―」

サンタクロース⑤〔Santa Claus (発音は、サンタクローズの日本語形。クローズは、子供の守り神ニコラウスの意)〕クリスマスの前夜煙突から入って来て子供の眠っているうちに、靴下の中に贈り物を入れておくという伝説上の老人。白いひげをはやし、赤い服を着ている。略してサンタ。

さんだつ⓪【〈簒奪】―する〈他サ〉〔古〕帝王の位を臣下が奪いとること。「王位―者」↔受禅・受命❶

サンタマリア④〔ポ Santa Maria〕イエス キリストの母の敬称。聖(母)マリア。

さんだゆう①③【三太《夫】昔、大名・華族・富豪の家で主事の役をし、会計や応対などを受け持った△人(老人)。

サンダル⓪①〔フ sandale〕❶一見、わらじを思わせる古代のくつ。〔ギリシャ人・ローマ人がはいた〕❷昔のサンダルに似せて作った婦人靴。❸突っかけ。かぞえ方 ❶～❸とも一足

さんたろう⓪【三太郎】「あほう」の異称。「大ばか―」

さんだわら③【桟俵】米俵の両端にある、わらで編んだ丸いふた。〔東北・関東地方では「さんだらぼっち⑤」とも言う〕

さんたん⓪【三嘆・三〈歎】―する〈自サ〉〔見聞した物のりっぱさに打たれ〕自分△もあやかりたい(にはとうてい出来ない)と、心から感心すること。

さんたん⓪【惨〈憺・惨〈澹】―たる(―と)〔「憺」は動く意〕❶ひどい△状態で(打撃を受けて)、救いようも無い様子だ。「―たるものがある」❷どう△進め(表現し)たらよいか、心を用いることがはなはだしく、言葉に言い表わせない様子だ。「苦心―」

さんたん⓪【賛嘆・〈讃嘆・〈讃歎】―する〈他サ〉深く感心してほめること。

さんだん①【三段】三つの段階。「―落ち」 **―がまえ**⑤【―構え】さしつかえの出来た時の段階を考慮して、あらかじめ考える三種の方法・手段。 **―とび**⓪【―跳び】〔フィールド競技で〕助走路を走って来て、踏切り板で第一歩をホップ、続けて同じ足で第二歩をステップ、最後に反対の足で第三歩をジャンプして両足で着地し、到達距離の長さを競うスポーツ。トリプル ジャンプ。 **―め**⑤【―目】〔すもうで〕序の口から三段目の階級の位置。〔幕下の下、序二段の上〕 **―ろんぽう**⑤【―論法】大前提・小前提・結論の三つの判断から成る推理の方式。例、すべての人は死ぬ(大前提)、彼は人である(小前提)、ゆえに、彼は死ぬ(結論)。

さんだん⓪【散弾・〈霰弾】猟銃などの、球形のたま。発射と同時に破裂して、多数の細かいたまが飛び出すようにしたもの。ばらだま。かぞえ方 一発 **―じゅう**③【―銃】小形の獣や鳥などを撃つための銃。筒形の たまを発射すると、中にこめた散弾が ばらばらに飛び出す。ショットガン④。かぞえ方 一挺・一丁

さんだん①③【算段】―する〈他サ〉あれこれ手段を尽くして、金や品物を整えること。準備。「無理―」

さんち①【山地】❶山の多い土地。❷規模の大きい起伏・傾斜を持ち、幾つかの山から成る広い地域。⇩平地

***さんち**①【産地】❶〔上質の〕品物を多く産出する土地。「―直送」❷特定の動物の△生息地(飼育地)。〔俗に、その人の出生地の意にも用いられる〕

ざんち①⓪【残置】―する〈他サ〉必要な要員として後まで残しておくこと。

サンチーム③〔フ centime〕スイスなどの補助通貨単位。各通貨単位の百分の一。

さんちゃく⓪【参着】―する〈自サ〉❶〔立場が上の人の所へ〕到着すること。「江戸へ―した」❷〔↔参着払い⑤〕手形などの全額を、持参者の要求のあった場合ただちに支払うこと。

さんちゅう①【山中】山の中。「―暦日無し(=うるさい世間を離れて、山の中でのんびり暮らしていると、月日のたつのも忘れる)」

さんちょう⓪【山頂】山のいただき。「―を極める」

さんちょう⓪【散超】〔↔散布超過④〕払い超。↔揚げ超

さんちょく⓪【三直】 工場や作業現場などで三交替制で働くこと。

さんちょく⓪【産直】 〔「産地直送」「産地直結」の略〕生鮮食料品を、卸売市場を通さずに、生産者が直接△小売店に卸す(消費者に販売する)こと。

さんつう⓪【産痛】 お産の時の痛み。「―緩和法」

さんづくり③【〈彡旁〉】 漢字の部首名の一つ。「形・杉・彫」などの、右側の「彡」の部分。〔美しい飾りの意を表わす〕

さんづけ⓪【さん付(け)】 親愛の意を表わすために、人の名前の下に「さん」をつけて呼ぶこと。

さんてい⓪【算定】―する(他サ) 計算して、問題となっている数量をはっきりと数字で示すこと。「―率③」

ざんてい⓪【暫定】 △仮に(一時的に)定めること。「―的」

サンデー(造語)〔sundae〕 クリームサンデーの略。「チョコレート―⑥・パイナップル―⑦・いちご―④」

サンデー①〔Sunday〕 日曜(日)。

ざんてき⓪【残敵】 うちもらされた敵。残っている敵。

さんてつ⓪【三哲】 三人の偉い△哲学者(学者・門人)。

サンデッキ③〔sun deck〕 日光を浴びるように作った船の甲板や家の縁側。

さんてん⓪③【山〈巓〉】 (高い)山の頂上。「―道路〔=尾根伝いに山の頂から頂へと続く道路〕」 表記 「山〈顚〉」とも書く。

さんてん⓪【散点】―する(自サ) あちこちに散らばること。

さんでん⓪【参殿】―する(自サ) 御殿に参上すること。

さんでん⓪【産殿】 産室にあてた御殿。御産所。

さんと①【三都】 京都・大坂〔=大阪〕・江戸〔=東京〕の称。江戸時代の三大商業都市。〔広義では、現在の東京・大阪・京都をも指す〕

サンド① ❶サンドイッチの略。「ハム―③・ミックス―⑤」 ❷―する(他サ) 両側からはさむこと。「こんがり焼いたベーコンを―したパン」

さんど①【三度】 三回。「仏の顔も―〔=⇩仏〕/―の食事〔=一日三回食べる、毎日の食事〕/―目の正直〔=大抵の事は、三回目には△その通りになる(うまく行く)というたとえ〕」 **―がさ**④【―〈笠〉】 〔江戸・京都・大坂を毎月三度、八日間で往復した「三度飛脚④」がかぶったというところから〕深く顔を隠すように作った、道中使用のすげがさ。 **―まめ**③【―豆】 〔一年に三度とれるというところから〕インゲンマメの異称。

さんど①【酸度】 ❶塩基一分子に含まれる、水酸基〔OH〕の数。例、水酸化ナトリウム(NaOH)は一酸塩基。 ❷すっぱさの度合(を表わす数値)。

ざんど①【残土】 〔土木工事で〕掘りとって出てくる土。

サンドイッチ④〔sandwich=もと、人名〕 薄く切った食パンの間に肉・野菜などをはさんだ食品。「―デモ⑦〔=デモ隊の両側を警官に規制されながら行なうデモ〕」 **―マン**⑥〔sandwich man〕 広告板などを△からだの前後に下げて(ささげ持って)歩く人。

さんとう⓪【三冬】 〔陰暦で〕冬季の三か月間。〔孟冬=十月、仲冬=十一月、季冬=十二月の総称〕

さんとう③⓪【三等】 三番目の等級。「―星③」 **―じゅうやく**⑤【―重役】 そのポストにはあるが、たいした実権を持っていない重役。〔揶揄した表現〕

さんどう⓪【山道】 ❶ふもとから山頂に通じる道。 ❷山の中につくられる道。 かぞえ方 一本

さんどう⓪【参堂】―する(自サ) ❶寺にお参りすること。 ❷相手の家を訪問することの敬語。

さんどう⓪【参道】 その社寺に参拝するために設けられた道路。 かぞえ方 一本

さんどう⓪【桟道】 切りたったがけのわきに板をかけ渡し、足場として作った道。

さんどう⓪【産道】 子を産む時に胎児が通過する道。

さんどう⓪【産銅】 ❶銅の生産。「―国③」 ❷生産された銅。「本年度―」

さんどう⓪【賛同】―する(自サ) 他人の意見を認めて、それと同じ意見になること。「皆様のご―を得たいと存じます」

ざんとう⓪【残党】 ほかの仲間が討たれた中で、生き残った人(たち)。余類。

さんとうがいさい⑤【産投外債】 公益的な産業投資のために、産業投資特別会計〔=現、財政投融資特別会計〕に基づき募集した外債。

さんとうしん③【三等親】 三親等(の関係にある親族)。

さんとうせいじ⑤【三頭政治】 〔古代ローマで〕三人のおもだった者が結び合って専制的に行なう政治。

さんとうな③⓪【山東菜】 ハクサイの一変種。中国山東省原産。漬物などにする。山東白菜⑤。「さんとうさい③」とも。〔アブラナ科〕 かぞえ方 一株:一把

さんとく①⓪【三徳】 ❶知・仁・勇の三つの美徳。 ❷三つの利点。「酪農―の説」 ❸三つの使い道。「―ナイフ⑤」

さんどっかい③【三読会】 〔かつての英国の議会の審議方式に倣って〕「一読会③・二読会②」のあとを受けて、ある議案について全体の可否を決める討議。第三読会⑤。⇩読会

サントニン⓪①〔santonin=もと、商品名〕 トルキスタンでとれるシナという花やミブヨモギの有効成分。回虫駆除用。

サンドバッグ④〔sandbag. sand=砂〕 〔ボクシングで〕砂を入れて上からつるした打撃練習用の袋。

サンドペーパー④〔sandpaper. sand=砂〕 〔木材・金属などをみがくのに用いる〕ガラス粉・金剛砂などを表に塗り付けた紙。紙やすり。やすり紙。 かぞえ方 一枚

サントメ⓪〔ポ São Thomé=インド マドラス付近の旧地名〕 サントメから渡来した綿織物。サントメじま⓪。 表記 「桟留」は、音訳。

サントラ⓪ サウンドトラックの圧縮表現。「―盤⓪」

さんない①【山内】 その寺の境内。〔狭義では、昔は比叡山延暦寺の、近時は東京港区にある増上寺の境内の特称〕

さんなん③①【三男】 ❶同胞の男の子の中で、三番目のもの。⇩長男・次男 ❷三人の息子。

さんにゅう⓪【参入】―する(自サ) ❶「訪問」の、最高の謙譲表現。 ❷研究を深め、その対象と一体となること。 ❸新たな役割をもって参加すること。「日本市場に―する」

さんにゅう⓪【算入】―する(他サ) (全体の)計算の中に含めること。「損金に―する」

ざんにゅう⓪【〈攙入〉】―する(自サ) 注や書込みの文字などが誤って本文△の間に入る(になる)こと。 表記 「〈竄入〉」と書くこともある。

ざんにょう⓪【残尿】 排尿し切れずに膀胱に残っている(と感じられる)尿。「―感③」

さんにん③【三人】 問題とする人数が三であること。〔副詞的にも用いられる。アクセントは⓪〕「―寄れば文殊の知恵〔=三人集まって相談すれば、知恵第一と言われる文殊菩薩にも劣らない、いい知恵が出るというたとえ〕」 **―かんじょ**⑤【―官女】 三月の節句のひな祭りの時に飾る三人の官女の形をしたひな。内裏びなのすぐ下の段に飾る。 **―さんよう**⓪-⓪【―三様】 三人ともそれぞれ違っていること。「―の〔=三人三通りの〕性格」

ざんにん⓪【残忍】―な ―に 無慈悲なことを平気でする様子だ。「―性を帯びる」 派 ―さ⓪

さんにんしょう③【三人称】〔文法で〕表現の中に現われる語（句）が、話し手・聞き手以外の人や事物であることを示す言語形式。第三人称。他称。例、彼・彼女ら・あの人・あれ。

さんぬる③【去んぬる】（連体）〔古〕過ぎ去った。さる。

ざんねい⓪【〈讒佞〉】―する（自サ）上司にへつらおうと、人の悪口を言う△こと（者）。

****ざんねん**③【残念】―に―な ❶〔△期待（希望）したように事が運ばなかったり 長続きがしなかったりして〕物足りない気持があとまで残る様子だ。「―と言うほか無い／―ながらこれで散会／―な〔＝してもらいたくない〕事をしてくれた／―会③」❷〔人に立ちおくれたり 勝負事に負けたり せっかくの機会を失したりして〕くやしく思う様子だ。「―無念」派―さ③⓪―が・る⑤

さんねんき③【三年忌】⇨三回忌

さんのぜん③⓪【三の膳】〔正式の日本料理で〕二の膳の次に出す膳。⇨一の膳・二の膳

さんのとり③⓪【三の〈酉〉】十一月の、三番目の酉の日（に行なわれる酉の市）。⇨酉の市

さんのまる⓪【三の丸】城郭の二の丸を囲む外郭。⇨本丸（ホンマル）・二の丸

サンバ①〔samba〕四分の二拍子でテンポの速いダンス音楽。ブラジル起源。

さんば⓪【産婆】出産を助け、新生児のめんどうをみる職業の女性。「助産△婦（師）」の旧称。「お―さん」かぞえ方 施設は一軒

さんぱい⓪【三拝】―する（他サ）三度拝礼すること。―**きゅうはい**⓪―⓪【―九拝】❶―する（自サ）何度もおじぎをすること。❷手紙文の終りに書いて、厚い敬意を表わす言葉。〔繰り返して、しきりに頼む場合にも用いられる〕

さんぱい⓪【参拝】―する（自サ）神社・寺にお参りして拝むこと。「―人⓪・―者③」

さんぱい⓪【散灰】―する（自サ）遺灰を墓地に埋めないで、海や野山などにまくこと。また、そのような方法による葬礼。「さんかい⓪」とも。⇨散骨

さんぱい⓪【酸敗】―する（自サ）食べ物が腐りかかって、すっぱくなること。

ざんぱい⓪【惨敗】―する（自サ）みじめ△な負け方（に負けること）。「さんぱい」とも。「―を△喫する（もたらす）」

サンバイザー③〔sun visor〕❶自動車のフロントガラスの上方に取り付けた遮光板。❷日よけのためにかぶる、ひさしだけの帽子。

さんばいず③【三杯酢・三〈盃酢〉】△みりん（砂糖）としょうゆと酢とを、それぞれ一の割合で交ぜあわせたもの。また、それで味を△つけること（つけたもの）。

さんばがらす④【三羽〈烏〉】❶三人のすぐれた△門弟（部下）。❷専門を同じくする、三人のすぐれた人。

さんぱくがん④【三白眼】黒目が上に偏っているために、ひとみの左右と下部の三方が白く見える感じの目。人相学上悪い目つきとされる。さんぱくまなこ⑤

さんばし⓪【桟橋】❶船を港につなぎ 貨物の積みおろしや客の乗降のために、岸から突き出して造ったもの。❷〔工事現場で〕高い所に上り下りするために臨時に作った、傾斜のついた板の足場。かぞえ方 ❶❷とも一基

さんばそう⓪【三〈番叟〉】❶〔能楽の祝言（シュウゲン）の曲「翁（オキナ）」で〕三番目に出て舞う、黒い面をかぶった老人。〔悪魔を払うものという〕❷〔歌舞伎（カブキ）で〕幕開きに行なう祝儀（シュウギ）の舞。能楽の「翁」を歌舞伎化したもの。

さんぱつ⓪【散発】―する（自他サ）❶思い出したように時どき銃砲をうつこと。❷時どき起こること。「ここ数年は小さな事故が―的に起こっただけである」↔連発 ❸〔流行病が〕少し発生すること。「患者十人以内の―」

さんぱつ⓪【散髪】―する（自サ）伸びた髪を刈って整えること。理髪。「―屋（ヤ）⓪」

ざんぱつ⓪【斬髪】〔髷（マゲ）に結わずに〕髪の毛を短く切ること。また、その髪型。〔特に、散切（ザンギリ）にした髪型を言う〕

ざんばらがみ⓪④【ざんばら髪】元結いなどが取れて、ばらばらに乱れた長髪。「さんばらがみ」とも。

サンパン⓪③〔中国・舢板〕小船。はしけ。表記「三板」とも書く。

ざんぱん③⓪【残飯】食べ残しの△めし（食事）。

さんはんきかん⑤―【三半規管】⇨半規管

さんび①【酸鼻】むごたらしくて、見ていられないこと。「―の極／―をきわめる／―な事件」表記「惨鼻」とも書く。

さんび①【賛美・〈讃美〉】―する（他サ）〔神など尊い存在や、他を絶して美しいものなどを〕絶対的なものとして、そのすぐれた点を言い立てること。―**か**⓪【―歌】〔キリスト教で〕神・キリストの徳をほめたたえる歌。

さんぴ①【賛否】賛成と不賛成。「―両論が渦巻く／―〔＝賛成か不賛成か〕を問う」

さんびゃくだいげん⑤【三百代言】〔報酬が三百文の、もぐり代言の意〕❶いいかげんな弁護士。三百①。❷〔弁舌さわやかに〕詭弁（キベン）をもてあそぶ人。

さんぴょう⓪―【散票】特定の政党・候補者に集中せず、各候補者に少しずつ入れられた票。〔各投票所で特定の候補者に分散して入れられる投票を指す〕

さんびょうし③―【三拍子】❶強・弱・弱の三拍で構成される拍子。❷〔三種の楽器で拍子を取ることから〕そのものの評価をいやが上にも高める、三つの条件。「才・学・識―そろった学者」

さんピン③【三《一》】〔二個のさいころの目に出た、三と一の意。⇨ピン〕〔年収入がわずか三両一人扶持（イチニンブチ）であったところから〕身分の低い若党・侍を軽蔑（ケイベツ）して呼んだ語。「―やっこ」

さんぴん⓪【産品】「生産品⓪」の略。「石油以外の―／第一次―〔＝⇨一次産品〕」

ざんぴん①⓪【残品】売れ残りの品物。

さんぶ①【三部】三つの△部分（部門）。「―合唱④・―形式④」―**きょく**③【―曲】三部作の楽曲。―**さく**③【―作】三つの部分が、主題の上で連絡を持ち統合されている作品。

さんぷ①【参府】―する（自サ）江戸時代、大名が参勤したこと。

さんぷ①【産婦】出産前後の女性。

さんぷ①⓪【散布】―する（自他サ）❶諸方に散在すること。❷⇨さっぷ 表記❷は、「〈撒布〉（サップ）」の代用字。

ざんぶ①【残部】❶残りの部分。❷売れ残りの商品。

さんぷく⓪①【三伏】夏至の後の第三・第四の庚（カノエ）の日と、立秋の後の最初の庚の日。暑さの最もはげしい時期とされる。「―の候」

さんぷく⓪【山腹】❶その麓（フモト）と頂上との、およそ中間の位置。〔山全体を人間の立像に見立てた場合〕❷山の麓。どてっぱら。〔山を人間の座像に見立てた場合〕「―にトンネルを掘る」

さんふくせん⓪④【三複線】〔複複線と違って〕複線が三つ並んで設けられたもの。複複線。

さんぷくつい④【三幅対】❶三つで一組の掛け物。❷三つで一そろいの物。

さんふじんか⓪―【産婦人科】医院・病院の診療科名の一つ。産科と婦人科を兼ねたもの。かぞえ方 施設は、一

*さんぶつ⓪【産物】その土地で産出する物。「時代の―〔=その時代の社会情勢を背景にして出現したもの〕/努力の―〔=成果〕/妥協の―〔=結果〕」

ざんぶつ⓪【残物】あとに残った物。残り物。

サンプラ⓪〔↑Sunpla(tinum)=商標名〕金歯の代りに使う、金色の合金。

サンプリング⓪―する(他サ)〔sampling〕見本を抜き出すこと。標本抽出。「―調査」

サンプル①〔sample〕❶〔商品などの〕見本。「―ケース」❷―する(他サ)〔サンプリング調査で〕対象として△選ぶこと(選ばれたもの)。

さんぶん⓪【散文】音数に制限なく、韻も踏まず自由に書きしるした文章。↔韻文　―し③【―詩】散文の形式で書かれた詩。　―てき⓪【―的】―な ―に ↔詩的　❶表現されたものなどが単調で、気分の高揚やしみじみとした情感などが感じられない様子だ。「―な詩」❷考え方が即物的で、高い精神性や現実からの飛躍が見られない様子だ。「―な△人間(生き方)」

さんぺいじる⑤【三平汁】〔「さんぺい」は、もとアイヌ語で心臓の意〕サケの頭と、ざく切りにした野菜とを煮、△塩(みそ)で味つけした汁。冬の食べ物。「さんぺ汁④」とも。〔もとは、ニシンを使ったという。今はタラを使うこともある〕 表記 「三平」は、借字か。

さんぺき①⓪【三〈碧】九星の一つ。木星に配当し、方位は東。

ざんぺん⓪【残片】残りのかけら。

*さんぽ⓪【散歩】―する(自サ)〈どこヲ―する〉(行く先・道順などを特に決めることなく)気分転換・健康維持や軽い探索などのつもりで戸外に出て歩くこと。「―に連れ出す/文学―⑤」

さんぼう③【三方】❶③三つの方角。三方面。❷⓪神仏・身分の高い人に食物を供える四角な台。〔三方に穴がある〕　―ぎり③【―〈桐】たんすなどの前と両わきがキリの材木で出来ている△こと(もの)。⇩総桐・前桐　―きん③【―金】本の上・下・横、三方の小口全部を金粉でまぶした豪華版。⇩天金

さんぼう【三宝】[一]⓪〔仏教で〕❶仏・法・僧。❷ほとけ。[二](接尾)なるがまま。「行きなり―〔=なりゆきまかせ〕」　―かん⓪【―〈柑】ミカン類の一種。ネーブルに似て、へその部分が大きい。食用。「さんぼうかん」とも。〔ミカン科〕 かぞえ方 一株・一本　―こうじん⑤【―荒神】❶かまどの守護神。❷山伏の祭る守護神。荒神。

さんぼう⓪【山房】〔山中の家の意〕書斎の雅称として用いる言葉。「漱石(ソウセキ)―」

さんぼう⓪【参謀】指揮官の下で、作戦や用兵などの計画・指導を受け持つ(高級)将校。〔事業・計画などを陰で考えたり 相談を受けたりする人の意にも用いられる〕「陸軍―本部」

さんぽう①【山砲】山岳戦に使う、分解して運ぶことが出来るようにした大砲。

さんぽう⓪①【算法】❶計算の△手順(方法)。アルゴリズム。❷「演算」の、代数学における別称。「四則―・ベクトル―」❸「数学」の、江戸時代における汎(ハン)称。

ざんぼう⓪【〈讒謗】―する(他サ)〔人を陥れようとして〕ひどい悪口を言うこと。「罵詈(バリ)―」

サンボリスム④〔フ symbolisme〕象徴主義。

ざんぽん⓪①【残本】その店で売れ残りの本。

さんぼんじろ⓪③【三盆白】上等の白砂糖。三盆⓪。⇩和三盆

さんま⓪ 遠海にすむ、細長い中形の硬骨魚。青くて、あぶらが強い。秋の味覚の代表の一つ。〔サンマ科〕 表記 「〈秋刀魚〉」は、近代文学で確立された用字か。 かぞえ方 一尾・一匹・一本：一枚。何匹か縄で連ねたものは一連

サンマー①〔summer〕⇩サマー

さんまい【三枚】❶① 一枚とかぞえられるものが三つあること。「紙が―残る」❷⓪① 魚のおろし方の一つ。頭を切り落とし、背骨を中心に両側の身を切りさいて三つにすること。「―におろす/―おろし⑤」　―にく③【―肉】牛肉・豚肉の、あばらに付いた肉で、あぶらと肉が三枚に重なったように見えるもの。ばら肉。　―め⑤【―目】芝居の番付で三番目に書かれた役者。滑稽(コッケイ)な役(をする俳優)。喜劇役者。⇩二枚目

さんまい【三昧】[一]⓪〔仏教で、正受・平等の意の梵(ボン)語の訳語〕精神を集中して雑念を去ること。「―境⓪〔=無我の状態〕」[二](造語)❶ある事に熱中して他を顧みない様子。「読書―」❷自分の気の向くことだけをする様子。「したい―・ぜいたく―・刃物―〔=何かというと刃物を振り回すこと〕」

さんまい⓪【産米】その地域で、生産された米。

さんまい⓪【散米】「うちまき❶」の意の漢語的表現。

さんまん⓪【散漫】―な ―に 気持が集中せず、仕事にまとまりのない様子だ。「―な頭/注意―でつまらないミスが目立つ/―な印象しか残さなかった」 派 ―さ⓪

さんみ①【三位】❶正(ショウ)三位・従(ジュ)三位の称。❷〔キリスト教で〕父なる神〔=天帝〕・子なる神〔=キリスト〕・聖霊。　―いったい①-⓪【―一体】❶〔キリスト教で〕「三位❷」はすべて神の現われで、元来一体のものであるという説。❷三つのものが一つに△なる(心を合わせる)こと。

さんみ⓪③①【酸味】すっぱい味。

さんみゃく⓪【山脈】多くの山が列を作ったように長く連なったもの。

さんみんしゅぎ⑤【三民主義】民族・民生・民権の主義。かつて、中国の孫文(ソンブン)が唱えた。

ざんむ①【残務】残っている事務。「―整理④」

ざんむ①【残夢】見果てぬ夢。

さんめん⓪【三面】三つの面。第三の面。　―きじ⑤【―記事】〔新聞が四ページだった時期の〕第三ページ〔=社会面〕の記事。　―きょう⓪【―鏡】正面と左右に鏡を取りつけた鏡台。 かぞえ方 一台　―ず③【―図】〔設計図で〕正面・側面・平面の三つの外観図。　―ろっぴ⑤【―六〈臂】顔が三つで腕が六本あること。「―の大活躍〔=多方面にめざましく活躍し、一人で数人分の働きがあること〕」

さんもうさく③【三毛作】同じ土地で、一年に三種の作物を次つぎに栽培すること。⇩一毛作・二毛作

さんもん①【三文】わずかのお金。〔社会に貢献するところの少ないものの意にも用いられる。例、「―文学⑤・―文士⑤」〕　―ばん⓪③【―判】出来あいの、安い印判。

さんもん【三門】❶①〔格式の高い昔の家で〕中央の大きな門のほかに、左右の小さな門を備えたもの。❷⓪ 山門。

さんもん⓪【山門】❶寺院の本堂の前の楼門。寺院の門。❷〔古〕「延暦(エンリャク)寺」の異称。⇩寺門❷

さんや①【山野】山と野原。

さんやく①【三役】❶〔すもうで〕大関・関脇(セキワケ)・小結(コムスビ)。〔現在では、横綱も含める〕❷〔政党・組合などで〕三つの重要な役。「党―の人事」

さんやく①⓪【散薬】「こなぐすり」の意の漢語的表現。

さんゆこく③【産油国】石油を産出する国。特に、石油の輸出によって、経済の大部分をまかなっている国。

さんよ①【参与】—する（自サ） 事業や組織の動かし方に関係し相談を受ける△こと（職名）。
ざんよ①【残余】 残ったもの。余り。
さんよう⓪【山容】〔人の目にうつる〕山のかたち。「けわしい—を望む」
さんよう⓪【算用】—する（他サ） 金を勘定△すること（した結果）。「—が合わない」 **—すうじ**⑤【—数字】〔漢数字に対して〕アラビア数字。〔実用計算に用い（得）る数字の意〕
さんようちゅう③【三葉虫】 古生代に栄えた節足動物の一つ。体長は五～七センチメートルで海底に生息していたとされる。
さんようどう③【山陽道】 もとの七道の一つ。兵庫県の一部と、中国地方のうち瀬戸内海に面している各地域を含む。
さんらく⓪【惨落】—する（自サ） 相場が（一時に）ひどく下落すること。
さんらん⓪【蚕卵】 カイコの卵。 **—し**③【—紙】〔↑蚕卵台紙⑤〕カイコのたねがみ。［かぞえ方］一枚
さんらん⓪【産卵】—する（自サ） 卵を産むこと。「サケは秋の—期になると故郷の川に帰ってくる」
さんらん⓪【散乱】—する（自サ） ちりぢりに乱れること。ちらばること。「紙きれが—している」
さんらん⓪【〈燦爛〉】—たる —と 美しく輝く様子。「光輝—」
さんり①【三里】 灸穴（キュウケツ）の一つ。膝頭（ヒザガシラ）の外側の下方。
さんりく⓪【三陸】 陸前・陸中・陸奥（ムツ）。今の、宮城・岩手・青森県の海岸地方。
さんりゃく①【三略】 ⇩六韜（リクトウ）三略
さんりゅう⓪【三流】 その社会でのランクが、最低ではないが、中の下程度の地位（にあるもの）。⇩一流・二流
ざんりゅう⓪【残留】—する（自サ） あとに残ること。「—農薬」
さんりょう⓪【山陵】 天皇・皇后の墓。
さんりょう⓪【山〈稜〉】 山の尾根（オネ）。
さんりょう③【産量】 生産される分量。
さんりん⓪【山林】 ❶〔農地・耕地と違って〕山と林。 ❷山にある林。↕平地林
さんりんしゃ③【三輪車】 輪が三つある車。荷物の運搬用や子供の乗り物など。〔「オート三輪」は前者の例〕［かぞえ方］一台
さんりんぼう③【三隣亡】 九星の迷信の一つ。建築をしてはいけないという日。
さんるい①【三塁】〔野球で〕二塁の次のベース（を守る人）。サード（ベース）。 **—しゅ**③【—手】〔野球で〕三塁を守備する野手。 **—だ**③【—打】〔野球で〕打者が一度に三塁まで進むことが出来る安打。［かぞえ方］一本
さんるい①【酸類】 酸性のあるものの総称。
ざんるい⓪【残塁】 ❶残ったとりで。 ❷—する（自サ）〔野球で〕攻守交替の時、走者が塁に残っていること。「三者—」⇩走塁・盗塁
サンルーフ③〔sunroof〕〔建物・自動車などの〕開閉できるようになっている天窓。
サンルーム③〔sunroom〕 日光浴をするためのガラス張りの部屋。［かぞえ方］一室
さんれい⓪【山霊】 山の神。
さんれい⓪【山〈嶺〉】 山のみね。
さんれい⓪【蚕齢】 カイコが卵からかえって（＝第一齢）、脱皮を完了する（＝第五齢）までの時期を表わす言葉。
さんれつ⓪【参列】—する（自サ） 他の人びとと一緒に式に列席すること。「葬儀に—する」
さんれつ⓪【惨烈】 目をそむけたくなるほど むごたらしいこと。「—をきわめる」
さんれん⓪【三連】 △三つ（三回）続くこと。「—のネックレス／—音符⑤・—水車⑤」
さんろう⓪【参籠】—する（自サ） 神社や寺に、ある期間こもって祈ること。おこもり。
さんろく⓪【山麓】 山のふもと。「富士—」
さんわおん③【三和音】 ある音をもとにして、その三度上と五度上に三つの音を重ねて作った和音。例、ドをもとにしてミとソの三音から成る和音。

し…シ

し（士・子・支・止・氏・仕・司・史・四・市・矢・示・旨・次・死・糸・自・至・伺・〈址・志・私・使・刺・姉・始・枝・〈祀・祉・肢・姿・〈屍・思・指・施・師・恣・〈祠・紙・脂・視・〈趾・〈斯・紫・詞・歯・嗣・〈嗜・〈肆・詩・試・資・飼・誌・雌・摯・賜・諮）→【字音語の造語成分】
し ■一（副助）〔雅〕上述の語句を強調する気持を添えることを表わす。「着つつ馴（ナ）れにし つま—あれば（＝長年なれ親しんだ妻があるので）／名に—負はば（＝ほんとうにその通りの名前ならば）／待つと—（＝さえ）聞かば／花を—（＝さえ）見れば」
■二（接助） ❶話し手の意識の中で矛盾無く共存するものとしてとらえられる事実や条件をさらに付け加えて列挙することを表わす。「雨には降られる—、電車は込む—で散々だった」 ❷ある判断を△決定（正当）づける条件の一つを特に取り立てることを表わす。「近いんだ—、時どき遊びに来いよ／用事もある—、きょうはこれで失礼します」［文法］(1)活用語の終止形に接続する（文語由来の否定形は「ず」ではなく「ぬ」につく）。(2)❶は、「今年の稲作はどうですか」と問われて、「ええ、天気もよかったし」などと列挙すべき事柄やそれから導かれる結論（たとえば、夏も暑かったしまずまず豊作だろう）を言外にこめて用いる終助詞的な用法もある。
■三〔雅〕助動詞「き」の連体形。⇩き
し【氏】 ■一（接尾） 公的な場などで、個々の人の名前に付けて用いられる敬称。「午後、田中—来社／某—」 ■二①「氏■一」の代名詞的用法。「先に引用した—の言によれば」⇩【造語成分】
シ①〔イ si〕〔音楽で〕長音階の第七音、短音階の第二音の名。
し①【士】 ❶〔昔 中国で〕天子や諸侯に仕えて官位に就き、庶民の指導的地位にあった人。「—大夫（タイフ）・逸—・進—」 ❷〔兵何人かの長の意〕江戸時代、農・工・商の上の社会的地位。 ❸（りっぱな信念・技能を持つ）男の人。「好学の—／我が党の—／同好の—／—女①（＝紳士と淑女）・志—・紳—・名—・都人—・四十七—」⇩【造語成分】
し①【子】〔古〕 ■一孔子の特称。「—△いわく（のたまわく）」 ■二親しい間柄にある同輩および同輩以下を呼ぶ時の称。君。〔代名詞としても用いられた〕「諸—」⇩【造語成分】
し①【史】〔もと、書記する役人の意〕歴史。「—（上）に名を留（ト）める／—家・—実・—料・国—・研究—③・発達—④・裏面—②・世界—⑳」
し①【四】 ❶三に一を加えた数を表わす基数詞。「—捨五入・再三再—・三寒—温・朝三暮—・—分（ブン）五裂・—六時中・—、五人・—方・—聖・—季・—国・—則・—声・—肢・—角形・—辺形・—天王（ノウ）・—重奏・—部合唱・—

面楚歌・―苦八苦・―書五経・二十―気・―十七士・―十八手・―百―病」❷三の次の自然数を表わす序数詞。「―の膳・―月・―更・―条通り」〔和語では、❶❷ともに「よ(ん)」〕⇩五 表記 大字は「〈肆」。⇩【造語成分】 運用「死」に通じるので、忌む向きは、これを用いるのを避けたり和語で「よ(ん)」と言いかえたりする。例、「十四号室」。また、単独で外来語を修飾する時は一般に「よん」を用いる。例、「四グラム」【―の五の言う】あれこれとうるさい事を言う。「四の五の言わずに言うことを聞け」

し[1]【市】❶にぎやかな街。「大隠は朝―に隠る〔=⇩大隠〕/―街・―井・都―」❷地方公共団体の一つ。人口五万以上で、都市としての条件を備えているもの。「―の条例」⇩【造語成分】

****し**[1]【死】死ぬこと。「生と―/―に至る病/―に追いやる/―を選ぶ/―の〔=死者が出るほどの、過酷な条件のもとでの〕行進/―を賜う〔=主君から切腹を言い渡される〕/―去・―傷・急―・必―・窒息―[4][3]・安楽―・自然―・半―半生」⇩【造語成分】

し[1]【刺】名刺。「―を通じる〔=名刺を出して、取次ぎを頼む〕」⇩【造語成分】

し[1]【《食】食べ物。「一簞の〔=竹の食器に盛った、わずかばかりの〕―」

し[1]【師】〔中国の古制で、二千五百人の軍隊。五師を軍と言った〕❶軍隊。「問罪の―を起こす/―団・王―・出―」❷(自分が心から師事し尊敬する)先生。〔教授・伝道・説教する人の名前の下に添えて用いたり代名詞として用いたりする〕「生涯の―と仰ぐ人/―匠・―弟・教―・恩―・法―・導―・牧―」⇩【造語成分】

し[1]【〈梓】版木(に使うアズサ)。「―に上せる〔=出版する〕/上―する」

***し**[0]【詩】❶〔文学の一形態として〕自然・人情の美しさ、人生の哀歓などを語りかけるように、また社会への憤りを訴えるべく、あるいはまた、幻想の世界を具現するかのように、選び抜かれた言葉を連ねて表現された作品。「―人・―情・―編・―聖・叙事―・叙情―・散文―」❷「漢詩・詩経」の略。「―歌・―仙・―賦・唐―・律―・七言―」 かぞえ方 ❶❷とも一編・一什

し[1]【資】❶何か仕事をするためのお金。「―を投じる/―力・―金・―産・投―・学―」❷何かのもとになるもの。「修養の―とする/―材・―源・―料・物―」❸(りっぱな)生まれつき。「英邁の―/―性・―質・―格」⇩【造語成分】

じ(仕・示・地・字・寺・次・耳・自・似・児・事・侍・治・持・時・除・滋・慈・辞・〈爾・磁・餌・璽)→【字音語の造語成分】

じ【路】(造語)❶〔昔の国名につけて〕その地方(を通る道)であることを表わす。「伊勢―をたどる/越―〔=北陸道〕」❷一日の行程。「三日―」

じ(助動・特殊型)〔文語の助動詞〕❶…(し)ないだろうと、否定的な推量をすることを表わす。「色は変はら―」❷…(し)ないつもりだと、否定的な判断をすることを表わす。「死すとも やま―」 文法 動詞、助動詞「る/らる・す/さす・しむ・なり(断定)・たり(断定)」の未然形に接続する。

***じ**【地】[一]❶[0]その土地。「―の人/―卵・―ビール・―鶏・―物・―元・―酒」❷[1]⇩ち(地)❶ [二]❶[0]基盤としての広がりをもった(目立たない)背景となる面。「厚めのコートの―/―〔=肌〕が荒れる/―の色/―肌・生―・布―」❷[0]その人の(隠しようがない)ありのままの、△すがた(状態)。「気取っていてもいざという時は―が出るものだ/―を出す/―の声〔=作り声と違って、自然の発声〕」❸[1]〔碁で〕一連の自分の石で囲んで取った空所。⇩【造語成分】もく(目)❹ ❹[0]「地謡・地紙」の略。【―で行く】❶置かれた状況にかかわりなく、ふだんの自分をそのまま出した言動をする。「まさに適役、地で行っている演技だ」❷〔「…を―」の形で〕世上よく言われている事柄や、虚構の話の筋(に出て来る登場人物)によく似た行動を、演技無しに実生活の中で行なう。「その一生は まるでオペラのヒロインを―ものだった/『事実は小説より奇なり』を―ようなエピソード/『医は仁術』を―医者」【―の文】小説などで、会話以外の部分の文章。↔会話文

じ[1]【字】❶〔言語を表記する記号としての〕文字。〔狭義では、漢字を指す〕「むずかしくて読めない―/四百―づめ原稿用紙/―画・―体・―典・正―・俗―・ローマ―」❷〔上手・下手などの評価の対象となる〕書かれた文字。「きれいな―/ミミズののたくったような―〔=⇩みみず〕」❸〔「…の―」の形で〕「…」で始まる△言葉(名前)であることを婉曲に表わす。〔俗語的表現〕「彼女にほの―だ〔=ほれている〕/きの―〔=喜助などの略〕」⇩【造語成分】

じ[1]【持】〔歌合せ・碁などの勝負事で〕引分け。あいこ。「―になる/―碁」⇩【造語成分】

じ[0]【〈痔】肛門や、その付近が はれたり ただれたり して痛む病気。痔疾。「いぼ―」

じ[1]【辞】❶言葉。「開会の―〔=あいさつの言葉〕/―を低くする〔=丁寧な言葉を使い、十分に敬意を表わす〕/美―麗句」❷漢文の文体の一つ。「帰去来の―」⇩【造語成分】

***しあい**[0]〔互いにする意の動詞「為合う」の連用形の名詞用法〕[一]【仕合】同じような動作をこちらからも、あちらからもすること。「けんかの―/泥―」[二]【試合】―する(自サ)〈だれトーする〉スポーツ・武芸などで、直接相手と対決して勝敗や優劣を競うこと。「野球の―に出場する/他流―・御前―」 表記「試」は、借字。

じあい[0][1]【自愛】―する(自サ)❶自分のからだを大切にすること。〔多く、手紙文の末尾に「御―ください」などの形で添え、相手の健康を気遣う挨拶の言葉として用いられる〕❷自分の利益(だけ)を図ること。「―主義」

じあい[0]【慈愛】自分の血を分けた者に対する(ような)愛情。「―のまなざし」

じあい[0]【地合】❶布地(の質)。❷相場の、全体の様子。「―が弱い」❸〔碁で〕取った互いの地の釣合。

しあが・る[3]【仕上(が)る】(自五) 必要な過程が済んで、全部出来上がる。〔広義では、試合などに備えての調整が出来上がることも指す。また、十分に酒が回った状態をも指す〕 名 仕上がり[0] 他動 仕上げる[3](下一)「△論文(注文品)を―」

しあげ[0]【仕上(げ)】❶その物事を完成させること。また、その結果。「細工は流々、―を御覧じろ〔=⇩細工❶〕/総―[3]」❷〔一連の仕事の〕最後の工程。「―工[0]・―塗り[0]・熱間―[5]」

じあげ[0]【地上(げ)】―する(自サ)❶土を盛って地面を高くすること。❷不動産業者が収益を見込んで土地を購入すること。〔特に、再開発などのために小さな土地を買い集めて一つにまとめること〕「―業者[4]・―屋[0]」 表記「地揚げ」とも書く。

しあさって[3]【〈明々後日〉】あさっての翌日。〔副詞的にも用いられる〕

ジアスターゼ[4]〔ド Diastase〕❶アミラーゼの旧称。❷糖分・たんぱく質・脂肪分などの分解酵素混合物の呼び名。❸雑多な分解酵素〔=糖分・たんぱく質・脂肪分など〕の呼び名。

ジアゾ（造語）〔diazo〕炭素の原子と、窒素の原子二つが化合したもの（すること）。「―化合物⑤・―反応④〔=体力の衰えた病人の尿に起こる反応〕」

シアター①〔theater〕劇場。「ホーム―④・ミニ―③」

じあたま②【地頭】❶かつらなどをかぶらない時の頭。❷詰込みや暗記一辺倒の教育によって身につけられるものではない、広範な思考力・応用力・洞察力・発想力などの、その人自身に備わる知力。「―がいい/―を鍛える」〔単なる要領の良さを言う場合もある〕

しあつ⓪【指圧】―する（他サ）手の指・てのひらなどで押し、また、もむこと。「―療法④」

じあつ⓪【地厚】―な 下地・生地の厚いこと（様子）。↕地薄

じあまり②【字余り】〔定型の和歌・俳句で〕音数〔=拍数〕が規定の五音や七音より多いこと（部分）。↕字足らず

じあめ⓪【地雨】同じ強さでしばらくの間降り続く雨。

***しあわせ**⓪〔「為合せ」の意〕■一【仕合せ】運命のめぐり合せ。「有難き―」■二【幸せ】―に・―な〔その人にとって〕幸運（幸福）であること。また、その状態だ。「―をつかむ」 表記 例外=「幸せ」。■二は、「〈倖せ」とも書く。

シアン①〔オ cyaan〕❶炭素と窒素の化合した有毒な気体。〔化学式 C_2N_2〕「―公害④〔=シアン化合物による公害〕・―化合物⑤〔=青酸カリ・青酸ナトリウムなど青酸系の化合物。かつてメッキ工場の排水にまじり、川の公害の基になった〕」❷三原色の一つ。青緑色。⇩三原色

しあん⓪【私案】個人としての考え（提案）。

し

［士］ ❶一定の技能や資格を持つ人であることを表わす語。「博士・学士・修士・弁士・力士・栄養士・計理士・弁護士・代議士・運転士」❷軍人。「士官・士気・士族・兵士・騎士・勇士・武士」❸〔自衛隊で〕最下位の階級。「陸士・海士・空士・一士」⇩（本文）し【士】

［子］ ■一❶こ。こども。〔広義では、動物の卵、植物の種子のように生命の萌芽となる物や、肉眼には必ずしも捉えられないが各個別々の機能を有する小さい物の称。例、「子房・卵子・遺伝子・原子・中間子」〕「子弟・子孫・親子・母子」❷尊敬すべき男子・著述家・論客。〔広義では、何かをするもの、何かの係りの人の意に用いたり、筆名・雅名の接辞としても用いられる。例、「演算子・読書子」〕「君子・夫子・諸子百家」❸昔、貴族の女子の名に添えた語。「光明子・勤子」❹器物などの名に添える語。「格子・骨子・障子・帽子」❺十二支の第一。ねずみ。「子午線・甲子」❻〔碁で〕碁石の数を表わす数詞に添える助数詞。「黒（の）一子を取る/三子の置碁」〔俗に、「目」を用いることもある。また、「子」自体をモクと読ませることもある〕■二（略）子爵。⇩（本文）し【子】

［支］ ■一❶ささえをする。「支柱・支援」❷同一の源（中心となる物）から分かれる。「支流・支店・支部・気管支」❸計（って与え）る。「支度・支給・支出・収支」❹分かれ分かれになる。「支離滅裂」❺一区分。「十二支・干支」■二（略）支那。〔シナの音訳〕

［止］ ❶とまる。とどまる。とめる。「止血・止宿・静止・明鏡止水」❷やめる。やむ。「休止・終止・中止・停止・廃止」

［氏］ 〔もと、同一血族の集団に属することを示した語。例、「大伴氏」⇩（本文）うじ【氏】〕他人の姓名に添える敬語。「藤原氏・源氏・平氏・某氏・無名氏」⇩（本文）し【氏】

［仕］ ❶つかえる。「仕官・仕途・奉仕・給仕」❷動詞「する」の連用形「し」の借字。「仕方・仕組み・仕事・仕入れ・仕出し」

［司］ ❶公の仕事（責任者）として取り扱う。「司会・司法・司令」❷役所。「写経司」❸ある組織体で役目を持っている人。役人。「上司・国司」

［史］ ⇩（本文）し【史】

［四］ 四方。「四囲・四海・四散・四面」⇩（本文）し【四】

［市］ 物の売り買い（をする所）。いち。「市場・市価・互市」⇩（本文）し【市】

［矢］ や。「一矢を報いる/嚆矢」

［示］ 相手に分かるように指し示す。「示教・示唆・示嗾・図示」

［旨］ 表わそうとしている意味。「旨趣・要旨・趣旨・本旨」

［次］ ものを順序立てて並べる。「次第・式次第」

［死］ ❶生きて働く力が無い。「死灰・死角・死文・死火山」❷死の危険をおかす。「死守・死地・死線・死命」❸〔野球で〕アウト。「二死満塁」⇩（本文）し【死】

［糸］ ❶いと。〔狭義では絹いと・生いとを指し、広義では細い物一般の意にも用いられる。例、「柳糸」〕「糸条・蚕糸・製糸・綿糸」❷小数の単位。一毛の十分の一。 表記 正字は、「〈絲」。「糸」は、音「べき」であるが、現在「絲」の略字として普通に用いられる。

［自］ おのずから。おのずと。ひとりでに。「自然」

［至］ ❶そこまで行き着く。「至東京・乃至・必至」↕自 ❷そこから先（上）が無い。「至急・至高・至純・至情・至芸・至当・至難」❸行きついたぎりぎりの所。「四至〔=限られた地域の四方の境界〕・冬至・夏至」

［伺］ （目上の人のところに）うかがう。「伺候・奉伺」

［〈址］ もと建物・住居が、その上にあった土台（のあと）。「住居址」

［志］ ■一❶こころざす。こころざし。「志願・志向・志望・志気・志操・初志・立志・有志・同志・寸志・闘志」❷〔地理・歴史の〕記録。「三国志」■二（略）❶志摩国。「志州」❷イギリスの旧通貨単位「シリング」の音訳。

［私］ ❶個人（の）。わたくし。「私設・私立・私事・私邸・私企業・私生活・公私」❷公の利益に反して、個人の利益のためだけにする。「私情・私心・私腹・公平無私」❸人には知らせないでする。「私語・私通・私淑・私刑・私生子」

［使］ ❶つかう。「使役・使用・使令・使途・行使・酷使」❷つかい（として、どこかに行かせる）。「使者・使徒・使節・使命・大使・公使・査察使」

［刺］ ❶さして殺す。「刺客・刺殺」❷とげ・針などでさす。「刺激・刺繡・穿刺」❸急所を突いた批評をする。「風刺」❹強い打撃。「一刺を加える」⇩

（本文）し【刺】

【姉】❶あね。「姉妹（イマ）・令姉」❷同輩(以上)の女性に対する敬称。「貴姉・諸姉」

【始】❶はじまり。「始終・始祖・始末・原始・終始」❷はじめる。はじまる。「始業・始動・始発・開始・創始」

【枝】❶えだ。「枝幹・枝葉・樹枝」❷分かれ出たもの。「連枝」❸花のついたままの枝や、笛をかぞえる語。

【〈祀】まつる。「祭祀・合祀・奉祀」

【祉】さいわい。しあわせ。「福祉」

【肢】❶手足。「肢体・四肢・上肢・下肢・義肢・前肢」❷分かれ出たもの。「選択肢」 表記 ❷は、「支」とも書く。

【姿】すがた。「姿勢・姿態・英姿・風姿・雄姿・容姿・麗姿」

【〈屍】なきがら。しかばね。「屍体・死屍・検屍」

【思】❶おもう。おもい。「思案・思考・思索・思惟（イ）・思慮・意思・沈思・熟思」❷何かに深く感じる。おもい。「秋思・詩思」❸したう。「思慕・思春期・相思」

【指】❶手のゆび。〔かぞえる時にも用いられる〕「十指に余る/指頭・食指・無名指・第一指(=親指)」❷ゆびで、さし示す。「指示・指定・指摘・指導・指令」

【施】おこなう。「施行・施政・施設・施工・施策・実施」

【師】特定の技能を身につけている人であることを表わす語。「絵師・仏師・指物（サシモノ）師・経師（キョウジ）・鋳物師（イモジ）・塗（ヌ）師・看護師・手品師・浪曲師・業（ワザ）師・仕事師・勝負師・山師・詐欺師」⇩（本文）し【師】

【恣】わがまま。ほしいまま。「恣意・放恣」 表記 「〈肆」とも書く。

【〈祠】❶小さなやしろ。ほこら。「祠宇・淫（イン）祠」❷おたまや。「祠堂」

【紙】[一]❶かみ。「紙価・紙幣・印紙・懐紙・筆紙・用紙・色紙・原紙・西洋紙・模造紙・アート紙」❷文字の書いてある紙。〔狭義では、新聞紙を指し、また、かぞえる時にも用いられる〕「紙背・紙幅・紙面」[二]（略）新聞。「業界紙」

【脂】❶動物性のあぶら。「脂質・脂肪・皮脂・油脂」❷女性の化粧料としてのべに。「脂粉・臙（エン）脂（ジ）」

【視】❶細かく見る。「視覚・視線・視野・視察・視聴覚・正視・注視・透視・凝視・監視」❷…と考え、そのように扱う。「視座・視点・敵視・重要視/対岸の火事視する」⇩しする(視する)

【〈趾】足の指。〔かぞえる時にも用いられる〕「第一趾・拇（ボ）趾」

【〈斯】この。これ。「斯界・斯学・斯道・斯文（ブン）」

【紫】むらさき色。「紫雲・紫煙・紫外線・紫紺・紫黒色・紅紫・千紫万紅」

【詞】❶ことば。「詞章・誓詞・賞詞・祝詞」❷中国の韻文の一体。「宋（ソウ）詞」❸文法上の語類。〔狭義では、自立語・観念語を指す〕「品詞・名詞・動詞・形容詞・副詞・接続詞・助詞・前置詞・冠詞」

【歯】❶よわい。年齢。「尚歯・年歯」❷は。「歯牙（ガ）・歯根・歯列・歯痛・乳歯・永久歯・犬歯・抜歯」

【嗣】あとをつぐ。あとつぎ。「嗣子・後（コウ）嗣・継嗣・法嗣・令嗣」

【〈嗜】〔もと、喜んで飲み食いする意〕好きで習慣的にする。「嗜好・嗜虐性」

【〈肆】〔もと、品物を並べる意〕❶店。「書肆・茶（サ）肆」❷数字「四」の大字。

【詩】⇩（本文）し【詩】

【試】[一]ためす。ためしにやってみる。「試験・試練・試食・試用・試写・試行錯誤」[二]（略）試験。「入試・追試」

【資】[一]たすける。たすけ。「師資」[二]（略）資本家。「労資」⇩（本文）し【資】

【飼】かう。「飼育・飼料」

【誌】[一]書きしる△す(した物)。「日誌・地誌・墓誌」[二]❶その地方の生物・鉱物などの総目録。志。「植物誌」❷雑誌。〔かぞえる時にも用いられる〕「誌上・誌代・誌面・会誌・機関誌・週刊誌」

【雌】めす。「雌雄・雌蕊（ズイ）・雌伏」↔雄（ユウ）

【摯】配慮が行き届く。真心が厚い。「摯実・真摯」

【賜】たまわる。たまわったもの。「賜暇・賜金・賜杯・下賜（カ）・恩賜」

【諮】上の立場の人が、下の者に相談する。はかる。「諮問・諮詢（ジュン）」

しあん①【思案】—する(自サ) 〔うまい△処理(解決)の方法が思い浮かばず〕どうしたものかと考えること。「—に暮れる/—に沈む/—に余る(=いくら考えてもよい考えが浮かばない)/—顔（ガオ）(=ⓐあれこれと考え事をする顔。ⓑ心配そうな顔つき)」 **—なげくび**①-②【—投(げ)首】 どうしたらよいかいろいろ考えて、弱り果てること。

しあん⓪【試案】 原案として仮に考えてみたもの。

じあん⓪【事案】 (法律的または政治的に見て)問題となっている事柄。「重大—」

シー① [一]【C・c】 英語アルファベットの第三字。[二]【C】❶〔段階・等級・分類・順序などの〕三番目。「—クラス③・—タイプ③・一年—組②-⓪」❷具体名の代わりとして、A・Bに続けて用いる仮称。「A高校とB高校と—高校/少年Aと少年Bと少年—」❸〔←Celsius〕セ氏温度〔記号℃〕。「36℃(=セ氏三六度)」❹〔音楽で〕ハの英語音名。ドイツ語音名のツェー。イタリア語音名のド。❺〔←centi〕センチの記号。「cm(=センチメートル)」❻〔←carbon〕炭素の元素記号。

しい①（シヒ）【《椎》】 暖地に自生する常緑高木、イタジイ⓪③・ツブラジイ④などの総称。種は食べられ、材は建築・器具に使う。〔ブナ科〕 かぞえ方 一株・一本

しい①-（キ）【四囲】 まわり(を取り囲むこと)。「—の美しい山並/—の状況が日び険悪になる」

しい①【私意】 ❶個人的な(感情を交えた)考え。❷自分の都合を優先する、公正でない心。

しい①-（キ）【思〈惟】—する(自サ) (宗教・哲学などの根本問題について)深く考えること。「しゆい」とも。「半跏（ハンカ）—像」

しい①【恣意】その時どきの思いつき。「—が入る/—的⓪〔=勝手気ままである様子だ〕・—性⓪〔=特に決まりや法則などの見られない性質〕」

しい①【紫衣】〔「しえ」の変化〕（高僧の着る）紫色の衣。

しい①【〈緇衣】〔古〕〔「しえ」の変化。「緇」は黒の意〕僧（の着る黒色の衣）。

ジー① ❶【G・g】英語アルファベットの第七字。❷【G】❶〔音楽で〕トの英語音名。ドイツ語音名のゲー。イタリア語音名のソ。❷〔←gravity〕工学や宇宙医学の分野などで慣用的に用いられる加速度の単位で、一Gは重力加速度〔=一秒間に秒速九・八メートルの速度変化を生じさせる加速度〕を表わす〔記号G〕。「普通の人が耐えられる加速度は約六—」❸〔←giga〕ギガの記号。「GB〔=ギガバイト〕」❸【g】〔←フ gramme〕グラムの記号。「kg〔=キログラム〕」

じい①イヂ ❶親しい間柄で「おじいさん」を指して言う（に呼びかける）ぞんざいな表現。「隣の—さん」❷【〈爺】〔その家で守役や下働きをする〕年取った男性。「—にめんどうをみてもらった/—や①③」

じい①—キ【示威】—する（自サ）威力・勢力を示すこと。**—うんどう**③【—運動】反抗の気勢をあげて威力を示すための大衆行動。デモンストレーション。

じい①—キ【字彙】漢字を類別して集め、読み方・意味などを記した書物。字引。

じい①—キ【自慰】—する（自サ）❶自ら慰めること。「—的行為⑤」❷オナニー。

じい①【侍医】元首・皇族などの主治医。

じい①—キ【辞彙】言葉を類別して集めた書物。索引風のものから辞書体のものまで種々のものがある。

じい①【辞意】△辞退（辞職）の意志。「—を表明する」

シーアール ティー⑥【CRT】〔← cathode-ray tube =陰極線管〕〔コンピューターで〕文字・数字・図形を出力するための、ブラウン管（を用いた表示装置）。

シーアイ③【CI】〔←corporate identity〕企業が自己の特性を明確に打ち出して企業イメージの統一を図り、社の内外に広く認識させること。コーポレート アイデンティティー⑨。

ジーアイ③【GI】〔←米 government issue=官給品〕米国兵。

シーエーティーブイ⑦【CATV】〔←community antenna television=共同体アンテナ テレビ〕⇩ケーブルテレビジョン

シーエス⓪【CS】〔←communications satellite=通信衛星〕遠距離通信・テレビ放送の中継をする静止衛星。

ジーエス⓪【GS】グループ サウンズ。

ジーエヌ ピー⑤【GNP】〔←gross national product〕国民総生産。

シーエフ⓪ ❶【cf.】〔←ラ confer〕「参照せよ」「比較せよ」という意を表わす記号。❷【CF】〔←commercial film〕広告・宣伝用の映画。コマーシャル フィルム。

シーエム⓪【CM】〔←commercial message〕コマーシャル。「—ソング」

シーオー③【CO】〔←化学式〕一酸化炭素。「—中毒⑤〔=自動車の排気ガスや炭鉱の爆発などによる中毒〕」

シーオーツー⑤【CO_2】〔←化学式〕二酸化炭素。「—の削減で温暖化を防ぐ」

しいか①【詩歌】〔「しか」の長呼〕❶〔室町時代までの文学世界における〕漢詩と和歌。〔連歌ガ・連句は傍流の位置を占める〕❷近世文学における△発句ホック（俳句）と明治以後新興の短歌・近代詩。

しいぎゃく⓪【〈弑逆】—する（他サ）〔本来はすることが許されない〕主君や親を殺すこと。 表記 「〈弑虐」とも書く。

シーキュー③【CQ】（感）〔←call to quarters〕アマチュア無線家の呼出しのあいず。「——こちらは…」

しいく⓪【飼育】—する（他サ）生き物、特に家畜・ペットを飼うこと。「スズムシを—すること三十年」

シークエンス①〔sequence〕⇩シーケンス

シークレット①〔secret〕機密。秘密。「トップ—④」**—サービス**⑦〔secret service〕❶〔国家の〕機密機関。秘密情報機関。❷要人を守る特別護衛官。略称、エスピー（SP）。

しいくわあさあ④ 沖縄原産の常緑低木の柑橘カンキツ類。果実は強い香りと酸味があり、ジュースなどに加工される。 表記 「シークワーサー・シークヮーサー③」とも書く。

シーケンス①〔sequence=連続。シークエンスとも〕❶〔映画やテレビで〕一続きの場面。一続きの挿話。❷〔教科の学習で〕単元が展開していく順序。❸〔トランプで〕同じ種類で、数が連続する三枚以上のカード。

しいさあ⓪① 〔沖縄方言で「獅子シシさん」の意〕沖縄地方特有の唐獅子像。石や陶器で作られ、家屋の屋根や寺社の門などに魔除ヨけとして据えられる。 表記 「シーサー」とも書く。

シーザー サラダ⑤〔Caesar salad〕レタスなどの生野菜に、オリーブ油・パルメザン チーズ・ニンニク・卵・アンチョビーなどを混ぜてつくるサラダ。

シーサイド③〔seaside〕海辺。海岸。海浜。

シーシー③ ❶【cc】〔←cubic centimetre〕立方センチ（メートル）の別称。〔ミリリットルに等しい〕❷〔←carbon copy〕〔電子メールで〕直接の送信先である受取人以外のメール アドレスに、確認などを目的として、メールの写しを同時に送る△こと（機能）。

しいしい①—① ❶〔「する」の連用形「し」の長呼形を繰り返した形〕何かをしながら他のことも同時に行なう様子。「電話—テレビをみる/用心—外出する」❷何かをした後にさらに別のことをすることを示す。しいの。「麻雀—パチンコ—で遊んでばかりだ」

シージー③【CG】⇩コンピューター グラフィックス

シージーエス たんいけい⓪、⑤—⓪キ—【CGS単位系】⇩単位系

じいしき②【自意識】自分がどう受け取られているか、ということを（やたらに）気にする△状態（態度）。「—過剰な人」

シーズ①〔seeds=seed の複数〕新しい素材や製品の開発のもととなる新技術。

しい・する③【〈弑する】（他サ）〔死にいたらせる意の文語「しす」の変化〕自分の主君や親を殺す。弑す①（五）。

シースルー④〔see-through〕衣服の生地が薄く、肌が透けて見えること。「—ルック⑥」

***シーズン**①〔season=季節〕その事△をするのに適当な（が盛んに行なわれる）△季節（期間）。「スポーツの—が始まる/受験—を迎える/スキー—」**—オフ**⑤〔和製英語 ←season + off〕何かが△決まって（盛んに）行なわれる期間以外の時季。オフシーズンとも。

シーソー①〔seesaw〕長い板の中央部をささえ、両端に人が乗って互いに上下させる△もの（遊び）。 かぞえ方 一台 **—ゲーム**⑤〔seesaw game〕点数の上で抜いたり抜かれたりする試合。

しいそさん①—⓪—キ【〈尸位素〈餐】まともに職責を尽くさず、俸給をもらうだけである△こと（人）。

しいたけ①—シヒ【《椎〈茸】シイ・クヌギなどの枯れ木に生え、また盛んに栽培されるキノコ。柄が短く、かさは黒茶色。食

用。だしを取るのにも使う。〔ツキヨタケ科〕かぞえ方 一枚

しいた・げる[4]【虐げる(シヒタゲル)】(他下一)〔上の立場にある人が下の者を〕残酷に扱って苦しめる。〔「虐待する」より少し堅い表現〕

シーチキン[3]〔Seachicken=商標名〕マグロやカツオをサラダ油漬けにした缶詰食品。

シーツ[1]〔sheet の日本語形〕敷布。「ボックスー[5]」かぞえ方 一枚

じいっと[0](副)―する ⇩じっと

しいて[1]―【強いて(シヒ)】(副) 何らかの効果を期待するなどして、無理を承知でそうする様子。〔多く、そうすることに消極的な態度をとる場合に用いられる〕「―行くまでの事は無かろう/これといって注文をつける点はないが―言えば華やかさがほしいところだ」

シーティー[3]【CT】〔←computed tomography〕〔医学で〕コンピューター断層撮影法。X線・超音波などをいろいろな方向から生体に照射して得られた大量の測定データを基にして、コンピューターで解析し、生体を輪切りにした像を描き出す方法。組織の異状や病巣の発見・診断などに利用される。「―スキャナー[6]〔=撮影装置〕」

シーディー[3]【CD】■一〔←compact disk〕薄い円盤(直径八センチまたは一二センチ)にデジタル方式により音の信号を記録したもの。レーザー光線を当てて情報を読み取る。コンパクトディスク。「―ロム[5]〔=コンピューターの読み出し専用記憶媒体としてCDを用いるもの。⇩ロム〕」■二〔←cash dispenser〕現金自動支払機。

ジーディーピー[5]【GDP】〔←gross domestic product〕⇩国内総生産

シート[1]〔seat〕❶座席。「―ベルト」❷〔野球で〕野手の守備位置。「―ノック」

シート[1]〔sheet=敷布〕❶一枚の紙に印刷し、切り放していない切手。〔一シートは普通、百枚・二十枚など〕❷ふろしき・紙のようなごく薄い鋼板。❸商店の軒先の日よけや自動車・積み荷などのおおいなどに使う、防水性のある布やビニールなど。「ブルー―」❹ソノシートの略。かぞえ方 ❶〜❹とも一枚。❸は一張(ヒトハリ)とも。

シード[1]―する(他サ)〔seed=種〕〔トーナメント式の競技で〕強い者同士が最初から顔の合わないように、組合せを作ること。また、そのような待遇を受ける選手・チーム。「―校[3]・―選手[4]・第一―」

じいと[0]―(チ)【地糸】織物の生地を作る糸。

シートノック[4]―する(自サ)〔和製英語 ←seat＋knock〕〔野球で〕守備位置についた野手に対し、ノックすること。

シートパイル[4]〔sheet pile〕ビル建設の基礎工事や護岸工事などの土留(ド)め用の細長い鉄板。鋼矢板(コウヤイタ)[3]。

シートベルト[4]〔seat belt〕航空機・自動車などの座席に取り付けられた、体を固定するためのベルト。かぞえ方 一本

シードル[0][1]〔フ cidre=サイダーと同源〕りんご酒。

しいな[0]【〈粃(シヒナ)】❶皮ばかりで実の無いもみ。❷しなびて、十分に実らない果実。表記「〈秕」とも書く。

シーハイル[3](感)〔ド Schi Heil=スキーに幸いあれ〕スキーヤー同士で交わす挨拶(アイサツ)の言葉。

ジーパン[0]〔和製英語 ←jeans＋pants〕あや織りの丈夫

じ

【仕】つかえる。また、その人。「給仕」⇩し

【示】分かるように△見せる(教える)。しめす。「示威・示現・告示・掲示・展示・明示・訓示・暗示」⇩(本文)じ【地】

【地】

【字】漢字。「字書・正字・俗字・本字」⇩(本文)じ【字】

【寺】てら。〔てらの名前につけて用い、また、かぞえる時にも用いられる〕「寺院・寺社・社寺・国分寺」

【次】❶つぎ(の)。「次回・次子・次席」❷順序(をつける)。「次序・次元・日次・年次・目次・席次・路次」❸何回目に行なったかを表わす。「数次にわたる攻撃/第一次試験」❹〔化学で〕酸化の程度の一段低い。アルカリ性の。「次亜硫酸」❺〔数学で〕次数。「二次式・高次」

【耳】みみ。「耳殻・耳目・耳鼻科・外耳・内耳・中耳・俗耳・飛耳長目」

【自】■一❶自分(の)。「自己・自他・各自・独自・自国・自社・自費・自意識」❷自分自身△で(を・について)。「自活・自治・自覚・自尊・自画自賛・自乗」❸…より。…から。「自東京・自六時」↕至 ■二(略) 自動詞。↕他

【似】にる。にている。にせる。「疑似・酷似・相似・近似・類似」

【児】❶ちのみご。「児戯・乳児・幼児・孤児・育児」❷こども。「児童・園児・孤児」❸親から見た子。「児孫・愛児・豚児」❹愛すべき若者。「健児・寵(チョウ)児」❺人。「幸運児」

【事】❶こと。できごと。「事前・事変・事物・事件・他事・万事・大事・無事・関心事・痛恨事」❷人間のすること。しごと。「事業・事務・世事・俗事・検事・理事・当事者」❸つかえる。「事大主義・兄(ケイ)事・師事」

【侍】目上の人のそばでつかえる。はべる。「侍従・侍者・侍史・侍医・侍女・近侍」

【治(ヂ)】❶おさめる。「政治・退治・文治(ジ|チ)」❷病気や怪我(ケガ)をなおす。「根治・不治(ジ|チ)・湯治・灸(キュウ)治・主治医」

【持(ヂ)】もつ。「持戒・持久・持参・持病・持論・護持・加持・維持・所持」⇩(本文)じ【持】

【時】❶とき。〔時刻をも表わす。例、「四時半」〕「時間・時刻・時日・時報・時差・四(シ)時・一時・同時」❷その時(どき)。「時代・時世・時局・時下・時分・当時・往時」

【除(ヂ)】のぞく。清める。「掃除」⇩じょ

【滋】〔もと、水がゆたかで草木が茂る意〕うるおう。やしないになる。「滋味・滋雨・滋養」

【慈】父母が子を愛する心。いつくしむ。「慈愛・慈心・仁慈」

【辞】❶ことわる。やめる。「辞退・辞職・辞表・固辞・拝辞」❷その場所を去る。「辞去・辞世」⇩(本文)じ【辞】

【〈爾】❶それ。その。「爾来・爾後・爾今」❷漢語の副詞を形作る助字。「徒爾・率爾・莞(カン)爾」

【磁】❶磁石(ジシャク)(の力で引き合う)。「磁針・磁気・磁力・電磁波」❷陶器よりも目が細かくて堅い焼き物。「磁器・青磁」

【餌】❶たべもの。「食餌・薬餌」❷えさ。「好餌」

【璽】❶玉に刻んだ天子の印。「玉璽・御(ギョ)璽・印璽」❷八尺瓊勾玉(ヤサカニノマガタマ)。「剣璽・神璽」

しいたげる——ジーパン

じ

なもめんで作った、長ズボン。作業用など。ジーンズ。 表記 「Gパン」とも書く。 かぞえ方 一本

ジーピーエス⑤【GPS】〔←Global Positioning System〕 全地球測位システム。四個以上の人工衛星からの電波がその地点に達する時間のずれを基にして、その地点の経度と緯度を正確に割り出すシステム。カーナビゲーションシステムなどに用いられる。

シーピーユー⑤【CPU】〔← central processing unit〕 ⇩中央処理装置

ジープ①〔Jeep. General Purpose (Vehicle) の変化。商品名〕 四輪駆動の出来る、もと米国の軍用小型自動車。 かぞえ方 一台

シーフード③〔seafood〕 魚介・海藻類などの海産食品。また、それを使った料理。「—レストラン⑥・—サラダ⑥」

シーベルト①〔sievert〕 国際単位系における放射線の量の単位で、百レムを表わす〔記号Sv〕。 ⇩レム

ジーマーク③【Gマーク】〔←Good design mark〕 グッドデザインの商品にはりつけるマーク。

シームレス①〔seamless. seam=継ぎ目〕 ストッキング・鋼管などで継ぎ目が無いもの。

ジーメン①【Gメン】〔米 G-men ←Government men〕 アメリカの連邦捜査局(FBI)に属する捜査官。〔狭義では、特定の凶悪犯の逮捕や麻薬の摘発などの任務を帯びた捜査官を指す〕

しいら⓪①【〈鱰・〈鱪】 暖かい海にすむ、細長い魚。体色は背面が美しいあい色で、腹面は黄色を帯びた銀白色。表面に点々がある。食用。〔シイラ科〕 かぞえ方 一匹

シーラカンス④〔coelacanth〕 アフリカ東南部の深海で発見された大形の魚。ひれが手足状で、六千万年前に死滅したと言われていた。「生きた化石」と言われる。 かぞえ方 一匹

シーリング⓪①〔ceiling〕 ❶天井。「—ライト〔=天井に取り付ける照明器具〕」 ❷法令で決められ、これ以上高くしてはいけないという価格や賃金の限度。 ❸予算編成において、これ以上は要求出来ないという概算要求の限度。「ゼロ—〔=前年度に対する伸び率をゼロとすること〕」

***し・いる**②【強いる】(他上一)〈だれニなにヲ—〉 相手がいやがったり 簡単には出来ないことが分かっていたりするのに、無理にやらせる。「△無理(犠牲)を—/苦戦を強いられる」

し・いる②【〈誣いる】(他上一) 〔「強いる」と同源〕 相手を陥れる目的で、事実でない事を言う。

シール①⓪ [一]〔seal=印〕 ❶封印(紙)。「—をはる」 ❷台紙や自分の持ち物などにはる(裏面に粘着性の糊ノリが塗ってある)装飾を施した紙。 [二]〔seal=アザラシ〕 滑り止めのためにスキーなどに付けて使うアザラシの皮。〔現在は、ナイロン製の物が多い〕 かぞえ方 [一][二]とも一本・一枚

シールド⓪①〔shield=盾タテ〕 トンネルなどを掘る時に、まわりの土が崩れないようにする枠。〔外部の電界や磁界から遮蔽シャヘイする△こと(もの)をも指す〕 **—こうほう**⑤【—工法】 シールド〔=円筒形の枠〕に掘鑿クッサク機を設置してトンネルを掘り進める工法。掘鑿機の前面についたカッターで掘っていくとともに、後方でトンネル枠の組立てを行なう。

しいれ【仕入㋹】 [一]⓪ 仕入れること。「—を済ます」 [二]〔造語〕 動詞「仕入れる」の連用形。「—先⓪・—値ネ③」

シーレーン③〔sea lane〕 有事に際し、国家がその存立を守るために確保しなくてはならない海上の交通路。

***しい・れる**③【仕入れる】(他下一)〈(どこ)カラ(どこ)ニ)なにヲ—〉 生産・販売のため、原料・品物を買い入れる。〔広義では、単に、入手することを指す〕 〔⇩仕入れ[二]〕

じいろ⓪【地色】 下地・生地の色。

シーン①〔scene〕 〔映画・演劇などの〕場面。「劇的—」

しいん⓪【子音】 〔言語音としての発音で〕のどを通って出て来た息が鼻を通って共鳴したり 口を通る時、△舌(唇)で閉じられたり 狭められたり することによって生じる音。しおん⓪。 ↕母音 ⇩無声音・有声音・鼻音

しいん⓪【子院】 ⇩塔頭タッチュウ ❷ 表記 「支院」とも書く。

しいん⓪【死因】 (その人の)死亡の原因。「—を△究明(特定)する」

しいん⓪【私印】 〔公印・官印と違って〕個人の使う印。

しいん⓪【指印】 手の指先の指紋を印の代りとするもの。〔拇印ボイン はこの一種〕

しいん⓪【試飲】—する(他サ) 味のよしあしや薬の効果を知るために、△少し(一定期間)飲んでみること。

じいん①【寺院】 ❶「てら」の総称的な呼称。〔広義では、キリスト教の聖堂や、イスラム教のモスクを指す〕「イスラム教—・ウェストミンスター—」 ❷「てら」の本堂とそれに付随する諸建造物を含めた総称。

ジーンズ①〔jeans〕 ❶細い あや織りの綿布。「—のジャケット」 ❷ジーパン。「ブルー—④」

しいんと⓪(副)—する ⇩しんと

じいんと⓪(副)—する ⇩じんと

じう①【慈雨】 ほどよくうるおいをもたらす雨。「旱カン天の—」

じうす⓪【地薄】—な 下地・生地の薄い△こと(様子)。 ↕地厚

じうたい②【地謡】 〔謡曲で〕地の文の部分を多人数で同時にうたうこと。また、その△人(謡)。

じうたまい⓪【地唄舞】 上方カミガタに発達した舞踊の一種。京舞。

しうち⓪【仕打㋠】 他人に対する好ましくない△扱い方(態度)。「ひどい—を受ける」

しうん⓪①【紫雲】 (めでたいとされる)紫色の雲。〔仏が、この雲に乗って現われたり 死者を迎えに来たり するという〕

じうん①【時運】 その時どきの世の中の成行き。

しうんてん②【試運転】—する(他サ) 乗り物・機械の△でき(直り)ぐあいを調べるために、実際に動かしてみること。

シェア① ❶—する(他サ)〔share〕 Ⓐ△分配(共用)すること。「数人で—して食べる/—ハウス・—ルーム③」 Ⓑ限られた量・時間などを何らかの基準に従って配分すること。「ワーキング—」 ❷〔←market share〕 その商品の市場占有率。「大きな—を占める/—を広げる/鉄道の—を奪うバス」

シェアウェア③〔shareware〕 一定期間後も継続して使用する場合には、著作者に規定の使用料を支払わなければならない方式のソフトウエア。シェアウエア④。 ⇩フリーウェア

シェアハウス③〔share house〕 一軒の賃貸住宅を複数の人で利用すること。また、その住宅。住人は、それぞれの個室で暮らしつつ、台所・風呂・リビングルームなどを共同利用する。ハウスシェアリングとも。

しえい⓪【市営】 市の経営。「—住宅④」

しえい⓪【私営】 △私人(個人)の経営。 ↕公営

じえい⓪【自営】—する(他サ) 独立して、自分で営業すること。「—業者④」

じえい⓪【自衛】—する(自他サ) 自分で自分を守ること。「—△手段(策)を取る/—艦②⓪・—権②」 **—たい**⓪【—隊】 日本の平和と独立を守り、国の安全を保つために作られた防衛組織。総理大臣の統率下にあり、防衛大臣が隊務を統括する。制服着用の隊員を「自衛官②」と言う。「航空—⓪・陸上—⓪・海上—⓪」

ジェー [一]①【J・j】 ❶英語アルファベットの第十字。 ❷〔←jack〕 トランプのジャック。 ❸〔←joule〕 [二]① エ

ネルギーの単位ジュールの記号。❸【J】(造語)〔←Japan〕日本の。「—ポップ[3]・—リーグ」〔❷〜❸ともジェイとも〕

ジェーオーシー[5]【JOC】〔←Japanese Olympic Committee〕日本オリンピック委員会。

シェーカー[1]〔shaker〕カクテルを調合するために洋酒などその材料を入れて振る容器。

シェークハンド[4]〔←shake-hand grip〕〔卓球で〕斧(オノ)や棒を握るのと同じようにラケットの柄を握る握り方。↕ペンホルダー

シェード[1][0]〔shade=陰〕❶(ひさしのように張り出した)日よけ。❷電灯のかさ。

シェーバー[1]〔shaver〕電気かみそり。[かぞえ方]一台

シェービング[0]〔shaving〕ひげそり。「—クリーム[7]」

シェープアップ[4]—する(自サ)〔shape up=体調を整える〕美容・健康増進のために、運動やカロリー調整によって、体形を整えること。シェイプアップとも。

ジェーブイ[3]【JV】〔←joint venture〕一つの事業を複数の企業が共同して請け負うこと。共同企業体。ジョイント ベンチャー[5]。

ジェーリーグ[3]【Jリーグ】〔←Japan League〕「日本プロサッカーリーグ(Japan Professional Football League)」の愛称。

シェール[1]〔shale〕頁岩(ケツガン)。泥板岩。

シェール オイル[4]〔shale oil〕地下の深部にある頁岩(ケツガン)の層に含まれる原油。

シェール ガス[4]〔shale gas〕地下の深部にある頁岩(ケツガン)の層に含まれる天然ガス。

シェーレ[1]〔ド Schere〕❶〔医師が使う〕手術用の鋏(ハサミ)。❷農業生産物と工業生産物の価格の差が年ごとに開く現象。[かぞえ方]❶は一挺(チョウ)・一丁

しえき[0][1]【私益】自分一人の、個人的な利益。↕公益

しえき[0]【使役】—する(他サ)❶人を使って何かをさせること。❷〔文法で〕だれかにある行為をさせる意を表わす時の言い方。例、「行かせる」の「せる」。

じえき[0][1]【時疫】「感染症」の古風な表現。

シエスタ[2]〔ス siesta〕昼寝。

ジェスチャー[1]〔gesture〕みぶり。手まね。ゼスチャーとも。〔広義では、本気でやるつもりが無いのに、して見せる、思わせぶりな動作・態度をも指す。例、「単なる—に過ぎない」〕

ジェット[1]〔jet=噴出〕❶流体をノズル・パイプなどから噴出させること。❷「ジェット機」の略。

ジェット エンジン[4]〔jet engine〕圧縮空気に燃料を噴射し燃焼させて発生したガスを噴出させ、その反動で推進する熱機関。

ジェットき[3]【ジェット機】ジェット エンジンによって推進する飛行機。音速より速く飛べるが、宇宙空間は飛行出来ない。[かぞえ方]一機

ジェット きりゅう[4]【ジェット気流(キリュウ)】一万メートルぐらいの上空を西から東に吹く、強い大気の流れ。⇩偏西風

ジェット コースター[4]〔和製英語 ←jet + coaster〕〔遊園地などで〕コースターの中でも、より急勾配の高所から滑走し、そのスピードを利用するように作られた規模の大きな乗り物。

ジェネリック[1][2]〔generic=(ブランドではなく)一般的な〕「ジェネリック医薬品」の略。 **—いやくひん**[0][8]【—医薬品】ある薬の特許権が切れた後に、他社が同じ成分で製造・販売する、従来のものより安く入手できる医薬品。後発医薬品。略してジェネリック。

ジェネレーション[3]〔generation〕同世代(の人びと)。ゼネレーションとも。「—の違い/—ギャップ[7]〔=世代間における価値観の違いやずれ〕・オールドー」

ジェノサイド[3][1]〔genocide〕ある民族や宗教に属する人びとなどに対する大量虐殺。

シェパード[1][2]〔←German shepherd=ヒツジの番犬〕軍用犬・警察犬などに使われる、大形で利口な犬。体形はオオカミに似る。セパードとも。[かぞえ方]一頭

シェフ[1]〔フ←chef de cuisine〕コック長。

ジェラート[2]〔イ gelato〕イタリア風のアイスクリームやシャーベット。

ジェラシー[1]〔jealousy〕嫉妬(シット)。

シェラック[2][1]〔shellac〕「ラックカイガラムシ[7]〔=木の枝に寄生する昆虫。インド・ミャンマーなどでは養殖される〕」が分泌する天然樹脂。ワニス・絶縁材料用。ラック。セラック[2][1]とも。

シェリー[1]〔sherry〕スペイン産のアルコールを添加した白ワイン。

シェル[1]〔shell=貝殻〕重量の最も軽い競漕(キョウソウ)用ボート。「—フォア〔=四人乗り〕」[かぞえ方]一艇(テイ)・一艘(ソウ)

ジェル[1]〔gel〕ゼリー状の整髪料や石鹸(セッケン)。

シェルター[1]〔shelter〕防空壕(ゴウ)。特に核戦争に備えた地下設備をいう。「核—」

シェルパ[1]〔Sherpa〕ネパールのヒマラヤ山麓(サンロク)に住む民族(で、山の案内をつとめる人)。

しえん[0][1]【支援(エン)】—する(他サ)△窮地に立たされている(困難を乗り越えて目的を達成しようとする)人などを援助すること。「全面的—を受ける/—団体[4]・—部隊[4]」

しえん[0]【私怨(エン)】個人的なうらみ。

しえん[0][1]【紫煙】(たばこの)紫色の煙。「—をくゆらす」

しえん[0]【試演】—する(他サ)演劇などを、本格的上演の前に、演じてみること。

じえん[0]【自演】—する(自サ)自分の脚本や演出による映画・演劇に本人が出演すること。「自作—〔=原作者が自分の作品に出演すること〕」

ジェンダー[1]〔gender=文法上の性〕歴史的・社会的に形作られた男女の差異(に対する意識)。

ジ エンド[2]〔the end〕物事の終わり。おしまい。〔少しちゃかした表現〕

ジェントルマン[1]〔gentleman〕紳士。ゼントルマンとも。↕レディー

しお【《入》】(造語)染め汁に浸して染める度数をかぞえる語。「一(ヒト)—」

***しお**[2]【塩(シホ)】精製したものは、一見砂糖に似る白い結晶。人間の生活に欠くことの出来ない調味料だが、一度にたくさんなめると舌を刺すような刺激〔=一般にからい味の一つととらえられる〕がある。海水を蒸発させて作ったり岩塩から精製したりする。工業用としても重要。「サラダに—を振る/—〔=塩加減〕があまい/ごま—・甘(アマ)—・薄(ウス)—・—胡椒(コショウ)」[表記]「〈汐」を略字のように用いることもある。[かぞえ方]一すくい・一つまみ。小売の単位は一袋・一叺(カマス)

***しお**[2]【潮(シホ)】❶〔月と太陽との引力の関係で〕周期的に満ちたり引いたりする、海の水。「—の香(カ)/—の流れ/クジラが—を吹く〔=クジラが海上に浮かび上がり、呼吸孔を出し息を吐く時に、水が噴き出されるように見える〕」❷〔多く「…を—に」の形で〕何かをするのにちょうどよいきっかけとなることを表わす。「父の亡くなったのを—に家業を畳んだ」⇩しおどき [表記]とくに夕方のものは「〈汐」とも書く。

しおあい[0][3]【潮合(シホアヒ)】しおどき。

しおあし⓪②ー【潮足】 潮の満ち引きの速さ。「速い―」

しおあじ②【塩味】 食物に塩を入れてつけた味。

しおいり⓪④ー【潮入り】 ❶海の近くの池・沼などに海水が流れ入ること。また、その所。「―の湖／―川ガワ④」 ❷船荷が海水につかって損害を受けること。

しおおし⓪④ー【塩《圧し》】 野菜などに塩を振りかけて石で押しつけること。また、そのもの。

しおかげ⓪③ー【潮影】 海水の表面に、さざ波などの影響で出来るまだらな模様。

しおかげん③ー【塩加減】 塩で食品に味をつけること。また、そのほどあい。

しおがしら③【潮頭】 沖からさして来る、潮の先。

しおかぜ②ー【潮風】 海上△を（から）吹く風。 表記「〈汐風」とも書く。

しおがた⓪ー【潮型】 潮の満ち引きの、いろいろの型。大潮オオシオ・小潮コシオなどの区別。

しおがま②⓪ー【塩釜】 ❶海水を煮つめて、塩を作るのに使う釜。❷みじん粉に砂糖を加え、固めて方形に切った干菓子。らくがんに似ていて、少し柔らかい。 表記❶は「塩〈竈」とも書く。

しおかみ⓪ー【潮上】 潮が流れ動いてくる方。

しおから⓪③④ー【塩辛】 魚や貝の△肉（卵・腸）などを塩漬けにして発酵させた食品。「△イカ（カツオ）の―」 **―・い**④（形） 塩けが強くて、飲食するのに抵抗を覚える味だ。〔口頭語では「しょっぱい」とも〕 派**―さ**③ **―ごえ**⑤【―声】 かすれたような、太い声。 **―とんぼ**⑤【―〈蜻蛉〉】 トンボの一種。ごく普通に見られ、雄は、青白く粉をふいた感じの色に見える。雌は、ムギワラトンボと言う。〔トンボ科〕 かぞえ方 一匹

しおき⓪【仕置き】―する（他サ） ❶〔江戸時代に〕見せしめのため、法によって人を処分したこと。「―場バ⓪」 ❷〔「お―」の形で〕見過ごすわけにはいかないいたずらをした子供に対して、親などがこらしめとして何かをすること。

しおきょう⓪【潮況】 〔釣りで〕満ち引きする、潮の動きぐあいや様子。潮調子③。

しおぐもり⓪③ー【潮曇り】 さしてくる海の潮けで空が曇ったり海面が見えなくなったりすること。

しおくり⓪【仕送り】―する（自他サ） 生活費や学費（の一部分）を送ること。「国許トモへ―する／―を受ける」 動 仕送る③（他五）

しおけ③ー ㊀【塩気】 食物などに成分として含まれる塩（の度合）。「―が強い／―の多い食べ物」 ㊁【潮気】 海上の△水気（湿りけ）。

しおけむり③ー ㊀【塩煙】〔雅〕塩がまに立つ煙。「しおけぶり」とも。 ㊁【潮煙】 海水のしぶき。 表記㊁は、「〈汐煙」とも書く。

しおこうじ③【塩〈麹】 こうじに塩・水を混ぜて発酵させた調味料。「鶏肉を―に漬け込む」

しおさい⓪【潮《騒》】 ❶潮のさす時に波が高く音を立て△ること（響き）。❷〔寄せては返す〕波の音。「しおざい」とも。

しおざかい③【潮境】 性質の違う二つの海流がぶつかって出来る、潮の境目。たとえば、親潮と黒潮との境目など。しおめ。〔広義では、相反する状態の境目をも指す。例、「四十五歳ぐらいがちょうど―」〕

しおざかな③ー【塩魚】 塩漬けにした魚。

しおさき⓪④ー【潮先】 さしてくる潮の波の先。〔何かの始まる時の意にも用いられる〕 表記「〈汐先」とも書く。

しおざけ③ー【塩〈鮭】 塩漬けのサケ。「しおじゃけ③」とも。

しおさば⓪ー【塩〈鯖】 塩に（軽く）漬けたサバ。

しおさめ⓪【仕納め】 そうする事の最後であること。「悪事の―だ」

しおじ⓪②【潮路】 ❶潮のさしひく道筋。❷〔雅〕海路。ふなじ。「八重ヤエの―」

しおしお①（副）―と―する ひどくしかられたり がっかりしたりして、見るからに元気の無い様子。「―と引き下がる」

しおぜ①【塩瀬】 羽二重ハブタエに似て地合ジアイの厚い絹織物。ふくさ地・帯地・羽織地用。

しおせんべい③ー【塩煎餅】 米の粉をこねて薄くのばし、しょうゆで味をつけて焼いた菓子。草加ソウカ煎餅など。「しおせんべ③」とも。〔広義では、小麦粉をこねて薄くのばし、ごま・塩で味をつけて焼いた南部煎餅などをも指す〕 かぞえ方 一枚

しおだし⓪④【塩出し】―する（自サ） 塩けの強い食品を水・湯などにひたして塩けを去ること。塩抜き⓪。

しおだち⓪④ー【塩断ち】―する（自サ） 神仏に願ガンをかけ、または病気のため、その期間、塩味の食物を食べないこと。

しおだまり⓪③【潮〈溜まり】 〔磯イソの岩場の〕潮が引いた後も海水が残っている所。

しおた・れる⓪④【潮垂れる】（自下一） ❶〔雅〕嘆き悲しんで、泣く。❷（すっかり）元気を無くした状態になる。「悪口を言われて―／万国旗が薄くよごれて―」

しおづけ⓪④ー【塩漬け】 食べ物を、腐らないように、また味をつけるために、塩に漬け△ること（たもの）。〔俗に、買った株券を、高くなるまで長く持ち続ける意にも用いられる〕

しおどおし③【潮通し】 海水が勢いよく流れて通ること。「―のよい磯イソがよく釣れる」

しおどき⓪ー【潮時】 ❶満潮・干潮の時刻。❷物事を△始める（終える）のに適した時。しおあい。「―を見て口を切る」 表記「〈汐時」とも書く。

しおなり⓪ー【潮鳴り】 遠くから聞こえてくる、潮の寄せては返す音。

しおに③ー【塩煮】 塩だけで味をつけて△煮ること（煮た食品）。

シオニズム③〔フ sionisme に基づくか〕 ユダヤ民族の国家再建運動。⇩ユダヤ・ユダヤ人

ジオパーク③〔Geopark〕 地層や地形など地球の自然がダイナミックに感じられる特定の場所で、独自の運営基盤のもとに地域の文化や生態系の学習を通じて環境問題を啓蒙ケイモウするユネスコ管轄事業の一つ。

しおばな⓪②ー【塩花】 ❶不浄を避け、清めるために、塩をまくこと。また、その塩。❷〔料理屋などの〕入口に小さな山形に盛っておく塩。もりじお。

しおはま⓪ー【塩浜】 「えんでん（塩田）」の意の古風な表現。

しおひ⓪③ー【潮干】 潮水が引くこと。 表記「〈汐干」とも書く。 **―がり**③【―狩り】 陰暦三月三日、潮の引いた△所（浅瀬）で貝などを取って遊んだこと。〔現在では普通四、五月ごろ行なう〕

しおびき⓪ー【塩引き】 サケ・マスなどの塩漬け。

しおふき③②④ー【潮吹き】 ❶潮を吹くこと。❷アサリ・ハマグリに似た二枚貝。味は少し落ちる。〔バカガイ科〕 かぞえ方 一枚 ㊂〔↑潮吹き面④〕ひょっとこ。

ジオプトリー②〔ド Dioptrie〕 〔眼鏡などの〕レンズが光を屈折する強さ（=屈折力）の単位。一ジオプトリーは、焦点距離が一メートルの凸レンズの屈折力を表わす〔記号D〕。〔屈折力は焦点距離の逆数で表わされ、凹レンズではマイナス値にとる〕

しおぼし⓪④ー【塩干し】―する（他サ） 魚などを塩に漬けて

△干すこと(干した食品)。

しおま[0][3]【潮間】潮の引いている間。

しおまち[0][4]【潮待(ち)】—する(自サ) 出帆のため、潮のさして来るのを待つこと。

しおまねき[3]【潮招(き)】頭胸部が横に長く、目が飛び出ている感じの小さなカニ。干潮の際、砂の上で片方だけ大きいはさみを上下に動かす。〔スナガニ科〕 [かぞえ方] 一匹

しおまめ[2]【塩豆】塩味のついた炒ィり豆。

しおまわり[3]【潮回(り)】旧暦によって、潮の流れや満ち引きの度合を分ける区分。大潮・中潮・小潮・若潮・長潮。「—がいい」

しおみ[0][3]【塩味】塩の入った味。

しおみず[2] ■一【塩水】塩を含む水。〔狭義では、食塩を溶かした水を指す〕 ■二【潮水】海の水。

しおむし[0]【塩蒸(し)】—する(他サ) 塩味をつけて△蒸すこと(蒸した食品)。

しおめ[3][0]【潮目】❶しおざかい。❷夏の海で強い日差しを浴びたために起こる目の炎症。

しおもの[2]【塩物】塩漬けの魚。しおざかな。

しおもみ[0][4]【塩〈揉(み)】—する(他サ) なまの野菜などに塩を振りかけ、もんで柔らかに△すること(した食品)。

しおやき[0]【塩焼(き)】❶海水を煮詰めて塩を作る△こと(職業の人)。❷魚・肉に塩を振りかけて△焼くこと(焼いた食品)。

しおやけ[0] ■一【潮焼(け)】—する(自サ) ❶海上の水蒸気が日光のために焼けたように赤く見えること。❷潮風と日光のために皮膚が赤黒くなること。 ■二【塩焼(け)】 汗がしみついたために、衣類の色が変わること。

しおらし・い[4](形) (予測に反して)控えめだ、また、弱気だ、という印象を与える様子だ。「上役に叱られてしおらしくうなだれる」 [派] —さ[3] —げ[4][5][0]

ジオラマ[0]〔フ diorama〕❶長い布に風景をかいて半円形に張り回した背景の前に物を置いて照明し、窓からのぞくと実際の光景を見る感じを起こさせるようにした見世物。明治中期に流行した。❷〔博物館や映画撮影用のスタジオで〕遠近法を応用した、実景の小型立体模型。

しおり[0]【〈栞】〔枝を折って道しるべとする意の文語動詞「しをる」の連用形の名詞用法〕❶そこを通ったという覚えのために、草木の枝を折り曲げて目印として置くこと。〔その方面の入門書・案内書の意にも用いられる〕 ❷読みかけの書物にしるしとしてはさむ紙など。「—ひも[3]・—カード[4]」 ❸〔芭蕉の俳諧で〕心中の細かな余情が句に現われた姿。 [表記]「枝折」は、義訓。 [かぞえ方] ❷は一枚・一葉

じおり[0]【地織(り)】その地方その地方で作られる、自家用の織物。

しおりど[3]【枝折戸】庭の出入口として、木や竹の枝を△折り並べて(編んで)作った、粗末な戸。 [かぞえ方] 一枚

しお・れる[0]【《萎れる】(自下一) ❶〔草木などが〕生育に必要な水分が吸収できずに生気が失われる。❷元気を無くして、悲しそうに見える。

しおん[1][0]【四恩】〔仏教で〕人が生きていく上に受ける四つの恩。天地(または三宝)・国王・父母・衆生の恩。

しおん[0][1]【師恩】△師匠(先生)の恩。

しおん[1][0]【紫〈苑】庭に植えたりする、大形の多年草。夏・秋のころ、紫色の花を開く。根は薬用。〔キク科〕 [かぞえ方] 一本・一むら

じおん[0]【字音】(日本における)漢字の「音」。「君」を「くん」、「子」を「し・す・つ」と発音するなど。↕字訓 —ご[0]【—語】熟語のうち、△上下(すべて)の成分が字音で構成されるもの。特に、日本製の漢語を指すことがある。 —かなづかい[6]【—仮名遣(い)】字音語を仮名で書き表わす時のきまり。

しか(副助) 〔否定表現と呼応して〕話し手にとって△狭いと意識される範囲(少ないと感じられる数量)に限定されることを表わす。「きょうの会には一人—来なかった/これは僕—知らない話だ/この切符では新宿まで—行かれない/いやならやめる—ない/この花は高山に—咲かない/私の—ない」 [文法] (1)体言(名詞、またそれに準ずる句)、副詞、活用語の連用形および連体形、「が」以外の格助詞、副助詞「だけ・ばかり」など、接続助詞「て」に接続する。ただし、連用形に接続する活用語は、用言・助動詞「れる/られる・せる/させる」などに限られ、連体形に接続する場合も、形容動詞型の活用語と助動詞「う/よう・だ」にはつかない。(2)くだけた口頭語的表現では、「終電が出てしまったので、歩くしきゃない」「我われだけでがんばるっきゃない」のように、「しきゃ」「っきゃ」となることがある。

しか[2][1]【《然】(副) 〔雅〕 ■一直前に述べた事柄を承ゥけて、「そう」「そのように」の意を表わす。「—あらず〔=そうではない〕/—あらば〔=それならば〕/—あれども〔=そうではあるが〕/—のみならず〔=そればかりではなく〕」 ■二〔「—言う」の形で、漢文訓読式の序文などの終りに使って〕「…という次第です」の意を表わす。 [表記]「〈爾」とも書く。

しか[0]【鹿】山林にすむ、大形の哺乳動物。足は細長く、きゃしゃな感じで、雄の頭には枝のように分かれた角がある。種類が多い。〔シカ科〕「—を追う者は山を見ず〔=一つの事に夢中になっている者は、他の事を顧みる余裕が無い〕」 [かぞえ方] 一頭

しか[1][2]【史家】歴史家。

しか[1][2]【市価】❶商店で商品を売る時の値段。「—より三割安」 ❷市場で商品が売買される時の値段。

しか[1][2]【糸価】生糸の△値段(相場)。

しか[1][2]【私家】公的機関や組織体に属さない個人(の属する家)。「—集[2]・—版[0]」

しか[1][2]【師家】先生(の家)。

しか[1]【紙価】紙の値段。また、相場。「洛陽の—を高める〔⇩洛陽〕」

しか[1]【歯科】歯の治療・矯正などを行なう、臨床医学の一部門。「—医[2]」

しか[1][2]【詩家】詩作に長じた人(の家)。

しか[1][2]【賜暇】昔、官吏が休暇をもらったこと。「—願[3]・—戦術[3]」

しが(終助) 〔雅〕願望の気持を表わす。「得て—〔=手に入れたいものだ〕」

しが[1]【歯牙】〔「牙」も歯の意〕口に出して言う言葉。「—にもかけない〔=(相手を)見くびって全く問題にしない〕」

じか[1]【《直】〔「直ジキ」の変化〕間に隔てるものが何も無いこと。「—談判・—火」⇩じかに

じか[1]【自火】自分の所から出した火事。

じか[1]【自家】❶その人自身の家。「—製[0]・—発電」↕他家 ❷自分自身。「—薬籠中の物〔⇩薬籠❶〕」 —ちゅうどく[3]【—中毒】新陳代謝の障害から起こる尿毒症や、嘔吐・頭痛・食欲不振・発疹など。神経性とも言われる。 —どうちゃく[3]、[1]-[0]【—〈撞着】—する(自サ) 自分の言うことが前後でうまく合わないこと。自己矛盾。〔「自己撞着」は、誤用〕 —よう[0]【—用】❶自分の家で使う△こと(もの)。「農家の—米」 ❷〔↑自家用車[3]〕業務用以外の自動車。

じか[1]【時下】〔手紙文の冒頭に使う言葉で〕このごろ。「―ますますご隆昌の段」

じか[1]【時価】その時どきの△相場(市価)。**―かいけい**[3]【―会計】法人の所有する資産と負債を時価で評価する会計制度。

じか[1]【磁化】―する(自他サ) 鉄・ニッケルなどを磁界内に置き、磁気を帯びさせること。また、帯びること。

じが[1]【自我】❶〔哲学で〕宇宙に存在する他のすべてから特立する存在として認めた自分。〔「われ思う、故にわれ在り」の意味での自分を指す〕 ❷社会の一員として、なんらかの役割・責任を負わされた存在として意識された自分自身。「―の形成/―に目ざめる/―を押し通す〔=我が強い〕/―意識[3]〔=社会的な存在としての自分が現実の社会にどう対処すべきか、を自覚すること〕」

じが[1]【自画】❶自分で絵をかくこと。「自作―」 ❷自分でかいた絵。「―讃[2]」 **―じさん**[1]-[0]【―自賛・―自〈讃〉】―する(自サ) ❶自分のかいた絵に自分で賛をすること。❷自分のした仕事を自分でほめること。**―ぞう**[2][0]【―像】自分でかいた自分の肖像。かぞえ方 一点・一枚

シガー[1]〔cigar〕葉巻。⇩シガレット

しかい[0]【司会】―する(他サ) その会や催し事を、趣旨に沿った形で予定通りに進行させる△こと(役の人)。「―を務める/―者[2]・―業[2]」

しかい[2][1]【四海】〔その国の四方を取り巻く海 の意〕その国に接する四方の外国、さらには、諸外国・自国をも含めた、世の中全体。「―天―〔=全世界〕」 **―けいてい**[2]-[0]、[1]-[0]【―兄弟】世界各国の人は皆、兄弟のように親しく付きあうべきものだということ。〔「四海同胞[2]-[0]、[1]-[0]」とも言う〕

しかい[0]【市会】❶旧制で、市に置かれた議会。❷「市議会」の略。「―議員」

しかい[0]【死灰】火の気の無くなった灰。〔生気のうせはてたものの意にも用いられる〕

しかい[0]【視界】一定の位置から見通しのきく外界の範囲。〔知識・考え方などの及ぶ範囲の意にも用いられる〕「―が暗い/―ゼロ/明るい―を開く/―から消える〔=対象がだんだん遠ざかっていき、ついに見えなくなる〕」

しかい[0]【〈斯界】問題にするその(専門の)社会。「―の権威」

しかい[0]【詩界】詩(人)の社会。「―に新風を送る」

しがい[1]【市外】↕市内 ❶その市の区域外。❷「市外通話[4]」の略。

しがい[1]【市街】〔都市などで〕家屋が立ち並んでいる△地域(通り)。「―戦[0]・―地[2]」 **―かくいき**[5]【―化区域】都市計画法による都市計画区域のうち、すでに市街地を形成している区域と、おおむね十年以内に優先的かつ計画的に市街化を図るべき区域の総称。**―かちょうせいくいき**[9]、[0]-[5]【―化調整区域】都市計画法による都市計画区域のうち、原則として市街化が規制される区域。「―では建物の高さが一〇メートル以下におさえられている」

しがい[0]【死骸・〈屍骸〉】〔人間・けだもの・虫などの〕死んだからだ。

じかい[1]【次回】その次の回。⇩前回・今回

じかい[0][2]【耳介】⇩じかく(耳殻)

じかい[0]【自戒】―する(自サ) 自分の行動や気持が規準にはずれないように気をつけること。「―を△促す(こめる・破る)」

じかい[0]【自壊】―する(自サ) 物の組織が△自然に(自分から)こわれること。「―作用を起こす」

じかい[0]【持戒】仏教徒として、規律を守ること。↕破戒

じかい[0]【磁界】磁力の働く領域の各点に、その点における磁力を表わすベクトルを対応させて考えたもの。じば。

じがい[1]【自害】―する(自サ) 自分自身のからだを傷つけて自殺すること。

しがいせん[0]【紫外線】日光を分光器でスペクトルに分析する時、紫の外側にあって目に見えない輻射線。医療・殺菌用。〔波長はX線よりも長く、可視光線よりも短い〕

しかえし[0]【仕返(し)】―する(自サ) 何かされた恨みをはらすために、相手からされたと同じようなことを相手にやり返すこと。報復。動仕返す[2][3](他五)

じがお[0]【地顔】日焼けして黒くなったり化粧してきれいにしたのではない、生まれながらの顔。

しかか・る[3]【仕掛(か)る】(他五) ❶しはじめる。仕事に取りかかる。❷仕事を途中までする。名仕掛かり[0]

しかく[2]【《然く》】(副)〔漢文訓読に基づく語〕そのように。「―たばかりて敵を欺く」 表記「〈爾く」とも書く。

*__しかく__[3]【四角】―な 四つのかどがある△様子(図形)。「―形[2][3]」 **―・い**[0][3](形) 四角の形をしている様子だ。「―顔」 **―ごうま**[4]【―号〈碼〉】漢字検索法の一つ。漢字の四すみの形によって号碼〔=番号〕を定め、すべての漢字を左上・右上・左下・右下の順に四桁の数字で表わしたもの。**―しめん**[4]【―四面】―な ❶ま四角な様子だ。❷非常にまじめで杓子定規の考え方しか出来ない様子だ。**―すい**[3][2]【―〈錐〉】底面が四角形の角錐。**―ば・る**[4]【―張る】(自五) ❶かくばる❶。「四角張った△顔(字)」 ❷しかつめらしくする。堅くなる。

しかく[0]【死角】弾丸の届く範囲内にありながら、障害物があるとか銃の構造の関係とかで、発射しても当たらない部分。〔視界におさまる範囲外の意にも用いられる。例、「―になる部分に注意して運転する/捜査の―」〕

しかく[0]【刺客】暗殺を実行する者。「しきゃく・せっかく・せきかく[0]」とも。

しかく[0]【視角】目と、見る対象の両端とを結ぶ二本の線分の成す角(の大きさ)。〔「視野」に近い意味に用いるのは誤用に基づく。例、「―の一端に捕らえる」。また、俗には「視点❷」と同義にも用いられる〕

しかく[0]【視覚】目で物を見る際の、視神経の働き(によってとらえた外界の感じ方)。「―が弱る/―的効果をねらう/―障害」 **―げんご**[4]【―言語】簡単な絵・図などから成る、街頭などの標識。駐車禁止・右折禁止の標識など。視覚シンボル[4]。

__しかく__[0]【資格】❶(組織内の決まりとして)△その仕事に従事できる(そうしてよい)と公認されるために、その人が備えていなければならないとされる条件。「国家試験に合格して△医師(公認会計士)の―を得る/大学の△卒業(受験)―がある/政府代表の―で国際会議に出席する」 ❷そのような立場にある人として当然身につけていなければならないとされる、能力・人格・見識など。「あんなにだらしないことでは親としての―に欠ける/君のような若い者には先輩の優劣を論じる―など無い」 **―しけん[4][5]【―試験】↕競争試験 ❶身分・職種の保全のために受ける試験。❷身分・職種などの獲得の前提として受けることが必要とされる試験。「税理士の―」

しがく[1]【史学】歴史を研究する学問。歴史学。

しがく[1]【志学】〔学問に志す意。論語の出典に基づく〕「十五歳」の異称。⇩而立

しがく[1]【私学】私立の学校。学校法人が設立した学

校。↔官学

しがく[1]【視学】もと、学事を視察するのを任務とした官職(の人)。「—官[3][2]」

しがく[1]【斯学】今問題にしている、専門の学問の領域。また、その学問。「—の発達に寄与する」

しがく[1]【詩学】❶詩を研究する学問。❷詩の作り方。

じかく[0]【字画】漢字の点や画(の数)。

じかく[0]【寺格】その寺の格式。「—が高い」

じかく[0]【耳殻】外耳の一部の、貝がら状の部分。〔今は、耳介と言う〕

***じかく**[0]【自覚】—する(他サ)〈なにヲ—する/なんだト—する〉❶自分自身に関することについて、経験や感覚などを通して何かに気付くこと。「浪費癖があることを—する/指のしびれについては本人にも—があった」❷自分の地位・立場や能力の限界などがどんなものであるかをわきまえて、それにふさわしい言動をとるべきだという心構えがあること。「教師だという—が足りない/危機的状況に置かれているという—に欠ける/親としての—を促す」 **—しょうじょう**[4]【—症状】痛み・吐き気など、患者自身が気付いている体の異状。↔他覚症状

じかく[0]【〈痔核〉】肛門(コウモン)のまわりが いぼのように はれて痛む痔。いぼ痔。

じがくじしゅう[1]-[0]、[0]-[0]【自学自習】—する(自サ) 先生が居なかったりして、学習者が自分で学習すること。

しかけ【仕掛㋘】■[0] ❶相手に対してこちらから積極的な行動に打って出る△こと(ための準備態勢)。「—までの道のりが長かった/—が雑だった」❷Ⓐその物の機能を(より効果的に)発揮させるために考案された、各部分の結合させ方や全体の構造のあり方。「不思議な映像や展示物・装置にスポットをあて、その—や原理などのなぞを解きながら小さな発見の旅を楽しむ/花火にも色や—に流行がある/歌舞伎(カブキ)の舞台に、大ゼリ・小ゼリ・スッポンなどと呼ばれる—〔=装置〕がある/種も—〔=トリック〕もありません/—絵本」Ⓑ魚を捕らえるための装置。「自分で—をこしらえる/今日の—はハリス2号にした/—にかかった魚」❸原材料に手が加えられていても まだ製品としては完成せず、生産の途中にあること。「—品[0]・—期間[4][5]」■(造語) 動詞「仕掛ける」の連用形。 **—にん**[0]【—人】その領域での動向をリードする人。〔大衆文芸では、俗に江戸時代の殺し屋を指すこともある〕「戦後の大衆ジャーナリズムの—の歩みを戦前からたどる/文化の—/成人病の—〔=根源〕である動脈硬化・高血圧を防ぐ/科学博の—〔=主催者〕」

しか・ける[3]【仕掛ける】(他下一) ❶相手が何かをしようとする前にこちらから積極的な態度・行動に出る。「宣戦布告なき戦争を仕掛けてきた/話を—/けんかを—〔=いどむ〕/△技(トリック)を—/ドル売りを—」❷条件が整えば効果・効力が発揮出来るような仕組みを準備する。「△爆弾(爆発物・地雷・機雷)を—/盗聴装置を—/御飯(ゴハン)を—/御釜(オカマ)を—」〔⇩仕掛け■〕

しかざん[2]【死火山】全く活動のやんだ火山。〔現在の火山学では、単に火山とする〕⇩活火山・休火山

しかし[2]【《併㋛】(接) 前の話の内容を否定したり その内容から予想される事と反対の事を述べたり することを表わす。〔「だが」より少し改まった言い方〕⇩それにしても 表記「《然し」とも書く。 文法「相変わらず景気は悪いね。しかしそれにしても暑いね」のように、それまでの話題とは全く関係のない新たな話題を導入する場合に使われることもある。 運用 口頭語で、特に前の話の内容を受けずに、感動詞的に用いるときは、感心したり あきれたり した気持を含意することがある。例、「しかし君もよく働くねえ」 **—ながら**[4]【—〈乍㋶】■(接)「しかし」の強調表現。■(副)〔雅〕当該の物事のすべてがことごとく そのような状況下にあることを表わす。「今、我あるは—君(クン)の助力によるものなり」

しかじか[2]【《然《々】(副) 互いにすでに知っていることや詳しく言う必要のないことを省略して言うのに用いる語。「—の理由で中止となった/かくかく—」⇩かくかく 表記「〈云々〉」とも書く。

しかして[2]【〈而㋛て】(接)〔「しかうして」の変化〕また同時に。〔「そ(う)して」の改まった言い方〕 表記「《然して」とも書く。

しかしゅう[2]【詞華集】詩文の選集。アンソロジー。

じかせん[0]【耳下腺】耳の前下にある唾(ダ)液腺。 **—えん**[3]【—炎】(流行性の)耳下腺の炎症。おたふくかぜ。

しかた[0]【仕方】〔為(シ)方の意〕何かに対処するためのやりかた。やりよう。 **—な・い**[4]【—無い】(形) ❶対処の方法がなく、そう△する(なる)のを認めざるを得ない様子だ。「電車もバスもとまってしまったので仕方なく会社を休む/資材不足で工事の中断も—」❷程度がはなはだしく我慢できないほどだ。「△寒くて(早く見たくて)—」〔❶❷とも「仕方がない」とも〕 文法 助動詞「そうだ(様態)」に続くときは「仕方なさそうだ」の形になる。また「すぎる」と結びついて複合動詞をつくるときは「仕方なさすぎる」の形になる。 **—ばなし**[4]【—〈咄〉】身振り・手振りを交えてする△話(落語)。 表記「仕形〈咄〉」とも書く。

じかた[0]【地方】❶「いなか」の意の古風な表現。「—文書(ジモンジョ)[4]」❷〔立方(タチカタ)に対して〕はやしの音楽の演奏者。

じかたび[0]【地下〈足袋〉】〔「直(ジカ)足袋」の意〕(労働用の)ゴム底の足袋。「ちかたび」とも。 表記 ⇩付表「足袋」 かぞえ方 一足

じがため[2]【地固㋱】—する(自サ) 地形(ジギョウ)。〔仕事が確実に出来るように、下準備をする意にも用いられる〕

じかだんぱん[3]【《直談判】—する(自サ) 人を間に入れずに、直接談判すること。略して「じかだん[0]」。

しがち[0]【仕がち】—な そのように△する(なる)傾向がある様子だ。「とかく遅刻を—だ/欠席—」 表記「仕勝ち」とも書く。

しかつ[0]【死活】死ぬか 生き残るか。「—にかかわる/—の問題」

しがつ[3]【四月】一年の第四の月。〔副詞的にも用いられ、アクセントは[0]。雅名は、うづき〕 **—ばか**[4]【—馬鹿】⇩エープリル フール

じかつ[0]【自活】—する(自サ) 他の援助・保護を受けないで生活すること。「—能力」

しかつめらし・い[6]【形】 軽がるしく扱うわけにはいかないのだ、といった印象を接する人に与えるような堅苦しい言動をする様子だ。「—△表情(ことば)で社員に訓示する」 派 —さ[5][6] —げ[0][6][7] 表記「鹿爪らしい」は、借字。

しかと[1][2]【《確と】(副)〔強調表現は「しっかと」〕❶そのとおりであって、間違いがないと△確認する(確証を得る)様子。「—さようか/—は分からない/—確かめた」❷⇩しっかり❸ 表記「〈聢と〉」とも書いた。

しがな・い[3]（形）〔「さがない」の変化という〕将来の栄利栄達を望めない境遇に身を置く様子だ。「—その日暮らし/—稼業」 文法 助動詞「そうだ(様態)」に続くときは「しがなさそうだ」の形になる。また「すぎる」と結びついて複合動詞をつくるときは「しがなさすぎる」の形になる。 運用 自分の置かれた社会的な地位などは取るに足りないものだ、という意で自分の職業などに対して用いられることがある。例、「大学教授といったってしがないものです」

し

*じかに①(ヂカ)【《直に》】(副) 何かをする時に、対象となるものとの間に何も△介さない(置かない)で接する様子。「本人に―手渡す/肉を―あぶる」

じがね⓪(ヂ)【地金】❶加工していない金属の塊。❷メッキ・加工の土台となっている金属。〔△ふだん(今まで)隠れていた、悪い性質などの意にも用いられる。例、「―が出る」〕

しかのみならず②-①、⑤【〈加〈之〉〉】(接) それぱかりでなく。その上。〔アクセントの②-①は、「しかのみ ならず」と区切って言う時〕

じかばき⓪(ヂカ)【《直履き》・《直〈穿き〉》】靴などを素足に履くこと。

じかばし⓪(ヂカ)【《直箸》】大皿に盛った料理などを取り分けるときに、取り箸ではなく自分の箸を使うこと。

じがばち②【似我蜂】腰のくびれた黒色のハチ。小さいイモムシなどをつかまえて土中の穴に引っ張り込み、からだに卵をうみつける。こしぼそ⓪。〔ジガバチ科〕 かぞえ方 一匹

しかばね⓪ ■一【〈屍〉】〔「しにかばね」の変化〕死んだ人のからだ(で、まだ葬られないもの)。死屍(シ)。「生ける―〔=正常の心身作用を失い、生きているというだけの人〕」 ■二【〈尸〉】漢字の部首名の一つ。「しかばねかんむり⑤」の略。「尻・局・屋」などの「尸」の部分。〔「尸」は人の横たわるさまの象形で、多く、身体に関係する漢字がこれに属する〕 表記 ■一は「〈尸〉」とも書く。

じかび⓪(ヂカ)【《直火》】材料に直接火をあてて焼いたりすること。また、その火。「―焼き⓪」

じかまき⓪(ヂカ)【《直〈播き〉》・《直〈蒔き〉》】―する(他サ) ⇩じきまき

じがみ⓪(ヂ)【地紙】❶扇・からかさなどに張る紙。❷金箔(キン)・銀箔(パク)などを張りつける下地の紙。かぞえ方 ❶❷とも 一枚

じがみ⓪(ヂ)【地髪】〔入れ髪と違って〕自分自身の頭髪。

しがみつ・く④(自五) いったん手の届いた物から離れまいとして、しっかりつかんだままの姿勢を保つ。「子が親に―/机に―/時代遅れの思想に―」

しかみ ひばち④【〈獅噛〉火鉢】〔「しかみ」は、動詞「しかめる」の連用形「しかめ」の変化〕足・胴などに、鬼のような顔を付けた、金属製の丸火鉢。

しかめっ つら⓪【〈顰めっ面〉】不快な事などがあったりして、まゆのあたりにしわを寄せた顔。渋面(ジュウメン)。

しか・める③【〈顰める〉】(他下一) 顔・額の皮膚を縮めてしわを寄せ、不快感や苦痛などを表わす。「頭痛で顔を―」

しかも②【《然も》・〈而も〉】(接) ❶普通の意味では両方同時に成立することが無い事柄の双方が、その場合は共に成立することを表わす。「最初で―最後のチャンス/安くて―〔=その上〕栄養のある料理」 ❷それでもまだ。「買収の証(ショウ)、歴然たるものがある。―辞意を表明しない」 表記「《併も》」とも書く。

しから しめる⑤【《然らしめる》】そうさせる。「時勢の―所」

しからずんば④【《然らずんば》】(接) 〔「然らずば」の変化〕そうでなければ。「生か―死か」

しからば②【《然らば》】(接) そうであるならば。「時代は変わろうとしている。―われら何をなすべきか/恋の本質はけっして性欲ではない。このことだけは私は確信している。―恋の本質は何であろうか」

しがらみ⓪【《柵》】Ⓐ打ち並べたくいに、竹や木を横向きにからみつかせて水流をさえぎる仕掛け。「ビーバーは、いわば川の流れに―を設けて巣をつくる」 Ⓑその人にまつわりついて離れず、何かにつけて(心理的に)束縛を受けるもの。「義理の―があって損な仕事を請け負ってしまった」 表記「〈笧〉」とも書く。

しかり【叱り】■一⓪ 叱ること。「お―を受ける」 ■二(造語) 動詞「叱る」の連用形。 ―つ・ける⑤【―付ける】(他下一) 強く叱る。「頭ごなしに―」 ―とば・す⑤【―飛ばす】(他五) あたり構わず、荒あらしく叱る。

しか・り②【《然り》】(自ラ) 〔「しかあり」の変化〕そうだ。その通りだ。〔多く感動の気持を表わす〕 ―しこう(オ)して②-②(シカウシテ)【―〈而〈し〉て〉】〔接続詞的に〕そうしてその上に。 ―といえども②-②(イヘドモ)【―と〈雖も〉】〔接続詞的に〕そうは言っても。しかし(ながら)。

しか・る②【《然る》】「しかり」の連体形。「はたして―か〔=そうであるか〕/―(が)ゆえに〔=そうであるから〕/―間(ダアイ)〔=そういうわけだから〕」 ―に②(接) 前件から当然予想されるのとは全く矛盾した事態が展開されることを表わす。「―何ぞや〔=ところがどうだ〕」 ―べき④ ■一そう△する(ある)のが当然である。「同情して―だ」 文法 一般に「用言(受身・使役の助動詞を含む)+て+しかるべき」の形で用いられる。 ■二(連体) それに適した。ちゃんとした。「―手続きを取る」 ―べく④(副) その状況に応じて適切に処置する様子。「―お願いします/君たちで―話をつけておいてくれ」 運用 裁判で証人喚問などに関する裁判官の問いかけに対して弁護人が異論がないの意を述べるのに用いられる。 ―べ・し④(形ク) 〔古〕そうあるべきだ。「ご安心あって―〔=安心してくださってよろしい〕」

*しか・る⓪【叱る】(他五)〈だれヲ―/なにヲ(なんだト)―〉相手の仕方を、よくないといって、強く注意する。「先生に叱られた」 表記「〈呵る〉」とも書く。〔⇩叱り■二〕

シガレット①〔cigarette〕紙巻き(たばこ)。「―ケース⑥」

しかれども②【《然れども》】(接)「そうではあるが」「それでも」の意の漢文訓読に基づく表現。

しかれば②【《然れば》】(接)「だから」「そこで」の意の漢文訓読に基づく表現。

しかん①②(クワン)【士官】将校と、その相当官。「見習―⑥・陸軍―学校」

しかん⓪【子〈癇〉】妊娠によって起こる一種の中毒症。妊婦や産婦が失神と共に全身のけいれんを起こすもの。

しかん⓪【支幹】主幹から分かれ出た、比較的小さな幹。

しかん⓪(クワン)【支管】〔水道・ガスなどの〕本管から分かれて各使用者の所まで引かれた、細い管。

しかん⓪(クワン)【止観】〔天台宗で〕精神集中によって、あらゆる現象を達観すること。

しかん①(クワン)【仕官】―する(自サ) ❶武士が主君に仕えたこと。❷官庁に職を得て勤めたこと。

しかん①②(クワン)【史官】歴史を編修する官吏。

しかん⓪(クワン)【史観】歴史の現象を特定の立場から統一的に解釈する考え方。「皇国―・唯物―」

しかん⓪(クワン)【〈弛緩〉】―する(自サ) 〔筋肉や精神など〕緊張しているべきものがたるむこと。「職場規律の―」〔「ちかん」は、慣用読み〕⇕緊張

しかん⓪【死〈諫〉】―する(他サ) 死ぬことによって主人の非行などをいさめること。

しかん⓪【枝幹】❶木の枝と幹。❷物事の末端と本体。

しかん⓪(クワン)【〈屍姦〉】死体に対して行なう性的行為。

しかん⓪(クワン)【〈祠官〉】「神官」の意の古風な表現。

しかん⓪(クワン)【詩巻】「詩集」の意の古風な表現。

しがん①【〈此岸〉】〔仏教で〕〔悟りの境地に達していない〕現実のこの世。「―の幸いのみを望む」⇕彼岸❸

しがん①(グワン)【志願】―する(自他サ) Ⓐあることを、自ら進んで望み願うこと。また、願い出ること。「息子が△フランスの大学(自衛隊)に―する/―者②」 Ⓑ自分からその役を買っ

て出ること。「自らボランティアを―して難民救済にあたる」

しがん⓪①【詩眼】❶〔和歌・俳句などの短詩形文学で〕巧拙を左右することになる大事な、一語・一文字。❷詩に関する鑑賞眼。

じかん①【次官】その省の大臣を輔佐する△位〔役人〕。 **じむ―**③【事務―】その省の事務処理の最高責任者として大臣を輔佐する役の人。 **せいむ―**④【政務―】その時どきの内閣を担当する政党を代表し、その省の行政事務の責任者として大臣を輔佐する役の人。二〇〇一年廃止。

じかん⓪【字間】文字と文字の△間〔間隔〕。「―をあける」

****じかん**⓪【時間】❶人間の行動を始めとするあらゆる現象がその流れの中で生起し、経験の世界から未経験の世界へと向かって行く中で絶えず過ぎ去っていくととらえられる、二度と元には戻すことができないもの。〔和語的表現では「とき」❶がこれに当たる〕「過去から未来へと無限に続く―の流れ/―がすべてを解決してくれるだろう/―に追われる/この仕事は―との競争だ」↔空間 ❷「時間❶」の中で何かが始まった時点から終わる時点に至るまでの、限られた範囲。また、その長さ。〔狭義では「時間❸」で計れる長さを指すが、広義では日・月・年などで表わす長さをも含む〕「寝る―がないほど忙しい/△昼寝〔食事〕の―の邪魔をする/―のかかる仕事/国語の―〔=授業時間〕/―を△要する〔費やす・惜しむ・かせぐ〕/―が足りない/勤務―・通勤―・労働―・―切れ」❸「時間❷」を計る単位。一日〔=厳密には、一平均太陽日〕の二十四分の一で表わす〔記号h〕。〔六十分に等しい。国際単位系では、三六〇〇秒と定義されている〕「通勤に片道二―半もかかる」❹「時刻」の意の日常語的表現。「出発の―が迫っている/約束の―に遅れる/予定の―通りに始まる」 **―がい**②【―外】残業など、決められた時間の範囲外の時間。「―労働・―協定」 **―きゅう**②【―給】一時間いくらという割合で計算する給料。時給。 **―ぎれ**⓪【―切〔れ〕】決着の付かないうちに所定の時間が過ぎること。「―引き分け」 **―こうし**④【―講師】一定時間の授業だけを受け持つ非常勤講師。 **―じく**②【―軸】❶数学において時間の流れを直線上に示したもの。❷物事を考える際の基準となる時間の流れ。時系列を取る基準。「―をできるだけ長く取り、過去と未来の双方を見渡す」 **―たい**⓪【―帯】❶一日のうちで何時何分から何時何分までという、一定の時間の幅。❷一つの標準時が適用される地域の広がり。〔地理学上は経度一五度の間隔で二十四の時間帯に分けられるが、具体的な区分は国によって異なる〕 **―ひょう**⓪【―表】❶時刻表。「核実験全面禁止の―〔=予定〕」❷時間割。 **―わり**⓪【―割〔り〕】学校の授業や仕事の予定などを、時間ごとに見やすく示したもの。

じがん⓪ 一【慈顔】〔仏などの〕慈愛のこもった顔。「聖母マリアの―」 二【慈眼】⇩じげん

しかんたざ④【〈只管〈打〈坐】仏の道はただひたすら座禅をすることにこそあるとする、道元が説いた曹洞宗の教え。表記「〈祇管〈打〈坐」とも書く。

しき〔式・色・織・識〕→【字音語の造語成分】

しき〔接尾〕問題にならない量・程度であることを表わす。「何のこれ―」 文法 一般に「これ」「それ」「あれ」「どれ」に接続する。

しき②【式】❶一定の順序・作法で行なう、改まった行事。「〈結婚〉―をあげる/―典・―辞・卒業―③・開通―③」❷前から決まっている、一定のやりかた。「レンガを積み上げて屋根を乗せただけといった―の家の建て方/スパルタ―教育・ア―蹴球・日本―・西洋―・形―・法―・本―・略―・神―・仏―・新―・旧―・電動―・自動―」❸Ⓐ〔数学で〕その〔数量を求める〕計算の手順を簡潔に表わすために、数字・文字と加減乗除等の演算記号とを一定の約束に従って書き連ねたもの。例、$(2+3)\times 4$, $ax+b$〔広義では、数学的対象を表わすために記号を連ねたものをも指す〕「―で表わす/計算―・二次―・多項―・分数―・判別―」Ⓑ〔数学・物理学・化学などで〕その関係・法則を簡潔に表わすために、一定の約束に従い記号を連ねて書いたもの。「公―・関係―・〔不〕等―・比例―・方程―・定義―・化学反応―」〔等号・不等号など二つのものの間の関係を表わす記号を含む〕Ⓒ〔化学で〕分子・イオンなどについて、その内部構造を簡潔に表わすために記号を用いて書いた△もの〔図式〕。「分子―・構造―・化学―」〔❶❷とも、多く造語成分として用いられる。❸のアクセントは⓪〕

しき②①【色】〔仏教で〕形を持つ、すべての物。物質。「―即是空〔=宇宙間の万物の本質は空であり、不変の物は何一つとして無いという仏教の基本的な考え方〕」⇩【造語成分】

しき②【識】❶互いに顔を見知っていること。「一面の―も無い」❷確かな見通しの基盤としての知識。「学、―共に高く」⇩【造語成分】

しき【敷〔き〕】 一②❶「敷金」の略。❷「敷地」の略。「河川―」 二〔造語〕❶何かの下に敷いて使う物。「かまど―・どびん―②・下―」❷△敷くこと〔敷いた所〕。「板―・畳―⓪」❸畳を何枚か敷いただけの広さ。「八畳―⓪」

しき②【〈鋪】〔鉱山での通語で〕坑道。

しき②①【士気】❶△敵を打ち破ろう〔最後まで戦おう〕という、兵士の意気。「―大いにあがる/―沮喪する」❷〔仕事をやりぬこうとする〕一団の人びとの張りきった気持。「―を△鼓舞する〔低下させる〕/―が△あがる〔高まる〕/―の高揚」 表記 ❷は、「志気」とも書く。

しき①②【子規】ホトトギスの意の漢語的表現。

しき①②【四季】春・夏・秋・冬。 **―ざき**⓪【―咲〔き〕】四季を通じて、いつでも花が咲く△こと〔植物〕。 **―ほう**②⓪【―報】一年に四回刊行される雑誌の類。季刊誌。クォータリー。「会社―⑤⓪」

しき①②【死期】その人の死ぬ〔べき〕時。「―が迫る」

しき①②【私記】個人△の〔的な〕記録。

しき①②【始期】何かの始まる時期。↔終期

***しき**②①【指揮】―する〔他サ〕〈だれヲ―する〉❶何人かの人などにそれぞれの役割に応じた働きをさせるように、全体を掌握しながらさしずすること。「捜査の―をとる/―権を発動する/―官②」❷合唱・合奏やオーケストラなどを統括して演奏効果を高めること。「―者②〔=コンダクター〕」 **―ぼう**⓪②【―棒】△合唱〔合奏〕の指揮に使う棒。タクト。 かぞえ方 一本

しき①②【紙器】紙製の箱や紙袋などの総称。

しぎ①【〈鴫】くちばしと足が長い中形の水鳥。アオシギ・イソシギ・ヤマシギなど。渡り鳥で、種類が多い。食用。〔シギ科〕「―立つ沢の秋の夕暮」 表記「〈鷸」とも書く。 かぞえ方 一羽

しぎ①【仕儀】〔する事・した事の意〕全く思いもよらぬ展開。〔自分の行為について言う〕「先輩が酔いつぶれ私が家まで送って行く―となった」

しぎ①【私擬】〔公の機関に属さない者が〕一個人の立場で試みに法律等の私案を作成すること。「―憲法草案/―を作成する」

しぎ①【私議】❶自分ひとりの意見。❷―する〔他サ〕かげで他人の言動をそしること。〔❶❷とも、漢語的表現〕

し

しぎ①【試技】㊀〔重量挙げなどの競技で〕一種目について試みることが許される三回の演技。㊁〔円盤投げ・跳躍などの陸上競技で〕一種目について一回ずつ行なわれる、予備的な演技。かぞえ方 ㊀㊁とも一本

じき（直・食）→【字音語の造語成分】

じき⓪ヂキ【直】㊀「直取引」の略。㊁（副）ーに その時点から何かが実現するに至るまでの時間的隔たりがほとんど無い様子。「ー戻ります／ーに良くなるよ／駅まではそこからーだった／ーそばの家」⇩【造語成分】

じき①【次期】次の△時期(期間)。「ー学長」

じき①【自記】ーする（他サ）㊀自分でしるすこと。㊁機械が自動的にしるすこと。「ー記録計⓪・ー温度計⓪」

じき①【自棄】自分を大切にする心を失った、捨て鉢な気持。「自暴ー」

じき①【時季】何かの景物によって季節感を濃厚に感じさせられる時。「ーはずれの△桜(たけのこ)」

*じき①【時期】長い時の流れのうち、何かをするために選ぶべき短い一区分。「和平交渉を持ち出すのは、まだーが早過ぎる／今は貿易を制限するにはーが悪い／ーが来れば分かることだ／ー尚早ショウソウ」

じき①【時機】何かをするのに、遅からず早からず、ちょうどよい時。「ーを△待つ(うかがう)／ーを△失する(逸する)／いずれーを見て彼に言ってやりましょう／いよいよー到来／絶好のーをとらえて競争場裡リに乗り出した」

じき①【磁気】磁石が鉄を引きつける性質や、磁石の同(種の)極どうしが互いに反発する性質。〔広義では、磁石と電流との間の作用をも指す〕 ーあらし③【ー嵐】地球の全般にわたってほとんど同時に起こる、磁気の不規則な変化。無線通信の妨げとなる。 ーカード③ カードの表面(の一部)に磁性体を塗り、そこに各種の情報を磁気信号として記録したり それを読み取ったりすることができるようにしたもの。例、テレホンカード・キャッシュカードなど。 ーディスク③ ⇩ディスク ーテープ③ 磁性体(=普通、酸化第二鉄)の粉末を塗布したテープ。残留磁気の強弱により種々の信号を記録する。録音テープ・ビデオテープ・コンピューターのデータ記憶用など。かぞえ方 一本

じき①【磁器】高温で焼き上げた、白色でガラス質の堅い焼き物。有田焼・九谷クタニ焼など。⇩陶器

じぎ①【字義】その熟語を構成する一つひとつの漢字の意義(を総合しただけの解釈)。

じぎ①【児戯】〔無心に時を過ごす子供の遊び、の意〕功利・打算の面が強い大人の世界から見れば、非生産的としか見えない ばかげた行為。「ーに△類する(等しい)」

じぎ①【事宜】〔せっぱつまった際に〕どう対応・処置したら一番いいかの判断。「ーを心得た取計らい」

じぎ①【時宜】〔必要・喫緊なことを行なうのに〕遅過ぎもしなければ早過ぎもしない ちょうどいい時期。ほどよいころあい。「ーに△適した(かなった・即した)／ーを得た」

しきあみ⓪【敷(き)網】水中に敷き、魚をその上に誘って引き上げて捕る網。方形・円形や箕ミ状のものがある。

しきい⓪ーヰ【敷居】引き戸・障子などを開けたてするために作られた溝のある横木のうち、下方のもの。「ーにつまずく／ーをまたぐ／窓ージイ③」↔かもい 【ーが高い】不義理なことや不面目なことを重ねてばかりいるので、その人の家に行って会うことが出来ない気持になる。〔近年、俗に値段や格式の高い店のことなどについていう場合もある〕 ーごし⓪【ー越(し)】〔貴人に接する時に〕直接物を言うことをはばかって、その部屋の敷居の外から言うこと。

しきいき⓪ーヰキ【識閾】〔心理学で〕刺激の量によって意識作用が起こったり 消えたり する境目の量。

しきいし⓪【敷石】その上を歩くように地面に敷き並べた石。石畳。かぞえ方 一枚

しきいた⓪【敷(き)板】㊀何かの下に敷く板。㊁〔便所の〕ふみいた。〔狭義では、ねだ板を指す〕かぞえ方 ㊀は一枚

しきうつし⓪【敷(き)写(し)】書画の上にトレーシング ペーパーなどを載せ、その上から写し取ること。影写。透き写し。引き写し。〔他の文章・論文などを、まるうつしにする意にも用いられる〕動 敷き写す④(他五)

しぎかい②ークヮイ【市議会】その市の行政を監督し、予算などを決める議会。

しきかく⓪【色覚】〔光線の刺激により〕色を見分ける感覚。「ー異常⑤」

しきがく⓪②【式楽】公の儀式の時、決まって演じられた、朝廷の雅楽、徳川幕府の能楽など。

しきがし③クヮー【式菓子】儀式の時に配る菓子。

しきがみ⓪【敷(き)紙】㊀下に敷く紙。㊁紙製の敷物。

しきがわ⓪ーガハ ㊀【敷(き)皮】敷物にする毛皮。㊁【敷(き)革】靴の内側の底に敷く革(状のもの)。かぞえ方 ㊀㊁とも一枚

しきかん⓪【色感】㊀色彩から受ける感じ。㊁色を見分ける感覚。

しきぎょう②ゲフ【私企業】個人や会社など民間が経営する企業。↔公企業

しききん②【敷金】㊀貸家・貸間の借り主が家主に預けておく保証金。⇩礼金 ㊁〔取引所で〕△売買(委託)の証拠金。

しきけん⓪【識見】〔高く広い立場から〕物事を正しく見分ける力。「しっけん」とも。「ーが高い」

しきご⓪【識語】〔本来の訓ヨミは、シゴとされる〕年号・書写の事情などを書きつけた、昔の本の奥書。

*しきさい⓪【色彩】㊀「そのもののいろ・いろどり」の意の漢語的表現。「豊かなーで春の風景を描く」㊁そのように認められる傾向や特色。「戦術的ーを帯びる／政治的ーを濃くする」

じきさん⓪ーヂキ【直参】江戸時代、将軍に直属した一万石以下の武士。旗本ハタモト・御家人ゴケニンの称。

しきさんば③【式三《番》】〔歌舞伎カブキで〕正月や序幕の祝儀シュウギにする舞。翁オキナ・千歳センザイ・三番叟サンバソウの三人で演じる。

しきし⓪【色紙】㊀和歌・絵などを書きつける厚い四角な紙。㊁〔和裁で〕弱くなった衣服に裏打ちする布。㊂〔料理で〕薄く四角に切ること。「ー切ギリ⓪・ー形ガタ⓪」かぞえ方 ㊀㊁は一枚

しきじ⓪【式辞】〔式場で〕代表者が述べる挨拶アイサツの言葉。

しきじ⓪【識字】その人が日常使っている言葉を表記する文字の読み書きが出来ること。「ー運動④・ー率③・ー力③・国際ー年」

じきじき⓪ヂキヂキ【直々】(副)ーに 普通なら人を介して伝えたりすることを、直接当人に向かってする様子。〔多く、立場の上の人が下の者に対してする場合を指す〕「会長ーにお話があるそうです／ーのお言葉」

しきしだい③【式次第】その式の内容と順序(を書いたもの)。式次ジ⓪。

しきじつ⓪【式日】㊀儀式・集会のある当日。㊁祭日。

しきしま⓪【敷島】〔雅〕〔もと、大和ヤマト国の古称〕日本国。 ーのみち⓪-⓪【ーの道】古来日本人の心情表現として重んじられて来た和歌(およびその応答に関する作法)。

しきしゃ[2]【識者】 大所高所から物を見、正しい判断の出来る人。有識者。

しきじゃく[0]【色弱】 ある色覚が他の色覚に比べて弱い状態。〔現在は「色覚異常」を用いる〕

じきしょ[0]【直書】 自筆(の文書)。〔狭義では、主君から直接臣下にあてた書状を指す〕

しきじょう[0]【式場】 式を行なう場所。〔狭義では、告別式式場を指す〕「結婚—」

しきじょう[0]【色情】 性欲に基づく感情。欲情。「—狂[0]」

しきそ[2][1]【色素】 物質に色を与えるもとになるもの。「—が沈着する/—を混ぜる」

じきそ[1]【直訴】—する(自他サ) 本来禁じられている立場にある者が直接に君主・長官に訴えること。「死を覚悟して—に及ぶ」

しきそう[0]【色相】〔光の波長に応じて分解され、人間の目に感じる〕色の種類。〔白・黒などは色相が無い〕⇩彩度・明度

じきそう[0]【直奏】—する(他サ) 取次ぎを経由せず、直接に(天皇に)申し上げること。

しき

［式］ ⇩(本文)しき【式】

［色］ ❶いろ。「五色の雲/三色スミレ」 ❷種類が幾つあるかをかぞえる語。「五色」 ⇩しょく ⇩(本文)しき【色】

［織］ 〔もと、機をおる意〕組織。「結締織(=結合組織)」 ⇩しょく

［識］ ❶これはこれ、あれはあれと、区別して△知る(覚える)。「識別・識字・認識・面識」 ❷習得したところを基にして、正しく判断する。「識見・知識・常識・学識」 ❸しるす。「標識」 ⇩(本文)しき【識】

じき

［直］ 隔てるものが一つも無いこと。「直弟子・直筆・直訴・直伝」 ⇩(本文)じき【直】

［食］ ❶たべる。「一日二食」 ❷たべること。たべもの。「乞食・断食・悪食・肉食」

じきそん[0]【直孫】 父方の関係でつながる△孫(子孫)。

しきだい[0]【式台】 玄関の上がり口の板敷き。主人はここで客の送り迎えをする。 表記「敷台」とも書く。

しきたり[0]【仕来たり・《為来たり》】 これまでの慣例。ならわし。「—通りに/古い—に泥む/古い—を捨てる」

ジギタリス[3]〔オ digitalis〕 庭に植える多年草。夏、下を向いたつりがね形の、紅紫色の花をふさのようにつける。有毒。葉は心臓病の薬にする。ジキタリスとも。〔オオバコ科(旧ゴマノハグサ科)〕 かぞえ方 一本

じきだん[0]【直談】—する(自サ) 「じか談判」の意の口頭語的表現。

しきち[0]【敷地】 建物を建てたり 庭・道路・堤防などの用に当てたりするための土地。

しきちょう[0]【色調】 全体にわたる、濃淡・明暗・取合せなどの色の△ぐあい(調和)。

しきつめ[0]【敷(き)詰め】 部屋の広さ一杯に敷く、じゅうたんなどの敷物。

しきつ・める[4]【敷(き)詰める】(他下一) 一面に敷く。「ござを—」

じきでし[0]【直弟子】〔又弟子・孫弟子などと違って〕直接の門弟。

しきてん[0]【式典】 組織体が主催する、規模の大きい式。〔主として、節目ごとに行なうそれを指す〕

じきでん[0]【直伝】 師からその人に直接伝授すること。

しきどう[2][0]【色道】 情事に関するテクニックや心得。色事のみち。

じきとう[0]【直答】—する(自サ) 直接相手に答えること。

しきとうにいしき[0]-[0]【色灯二位式】 赤と青の二枚の色ガラスで、停止・進行を指示する信号機の型。

じきとりひき[4][3]【直取引】 ❶ブローカーなどを通さず、売り手と買い手とが直接取引すること。 ❷現金取引。

しきねん[0]【式年】〔神宮などで〕祭りの儀式を行なうものとして定められている年。「—祭[3]」 **—せんぐう**[0]-[0]、[7]【—遷宮】〔神社で〕一定の年に新しい神殿を造って、祭神を移すこと。伊勢神宮のものが有名で、二十一年目ごとに行なう。

しきのう[0][2]【式能】 重要な儀式の時に催される能楽。

じきのう[0]【直納】—する(自サ) 直接相手に納めること。

しきび[2][0]【式微】—する(自サ) (時の流れによって)非常に衰退すること。「文学の—」

じきひ[0]【直披】〔手紙の脇付の一つ〕本人が直接それを開いて見ることを指定する語。「ちょくひ」とも。

じきひつ[0]【直筆】 その人の自筆(の文書)。↔代筆

しきふ[0]【敷布】 敷き布団の上に敷く(白い)布。シーツ。 かぞえ方 一枚

しきぶ[2][1]【式部】 ❶宮廷の儀式を受け持つ役目。「—官[3]」 ❷女官の呼び名。「紫—[6][5]」

えびちゃ—[5][4]【〈葡萄〉茶—】 ⇩えび茶式部

しきふく[0]【式服】 儀式の時に着るように決まっている服。礼服。 かぞえ方 一着

しきぶとん[3]【敷(き)布団・敷(き)〈蒲団〉】 寝るとき、からだの下に敷かれる布団。 ↔掛けぶとん かぞえ方 一枚

しきべつ[0]【識別】—する(他サ) 〔相似点・共通点のある二つ以上のものについて〕動かし難い特徴に着目して、個体・種類の別や特定の性質の有無などを見分けること。「△色(字形)の—/地上の水・植物分布などを—する探知機を積んだ衛星/正常な細胞とガン細胞を—する/—力[4]」

しきま[2]【色魔】 多くの女性をだましてもてあそぶ男。

じきまき[0]【直〈播〉き】—する(他サ) 苗に仕立てないで、種を直接田畑にまくこと。「じかまき」とも。

しきみ[2][0]【〈樒〉】 山地に自生する常緑小高木。葉は抹香を作るのに用い、材は細工物に使う。実は猛毒がある。枝を仏前に供える。〔マツブサ科(旧モクレン科)〕 表記「〈梻〉」とも書く。 かぞえ方 一株・一本

じきみや[0]【直宮】 その天皇の子・弟などの称。

しきもう[0]【色盲】 △一部(すべて)の色覚を欠く状態。〔現在は「色覚異常」を用いる〕

しきもく[0]【式目】 ❶武家時代、法規を箇条書にしたもの。 ❷連歌・俳諧などの規則。

しきもの[0]【敷物】 下に△敷く(敷いてすわる)もの。 かぞえ方 一枚

じきもん[0]【直門】 その先生に就いて親しく教えを受けた関係にあること。また、その人。

しぎやき[0]【〈鴫〉焼(き)】 縦に二つ割りにしたナスにゴマ油を塗り、火であぶって練りみそをつけて食べる料理。

しきゃく[0]【刺客】 ⇩しかく

しぎゃく[0]【〈嗜虐〉】 残虐な事を好むこと。「—性[0]」

じきゃく[0]【次客】〔茶の湯で〕茶席で正客の次にすわる客。

じぎゃく[0]【自虐】 自分で自分を(必要以上に)いじめること。「—的性格」

じきやとい[3]【直雇(い)】 子会社や下請けの組としての使用人ではなく、直接に雇い入れること。「本部—」

しきゅう[0]【子宮】 女性の腹部にある内臓で、胎児を宿す所。 **—がいにんしん**[6]【—外妊娠】 妊娠が子宮以外の所〔おもに、卵管〕で起こったもの。流産などになる前の発見は困難。外妊[0]。 **—きんしゅ**[4]【—筋腫】 子宮に出来る腫瘍の一種。

*__しきゅう__[0]【支給】—する(他サ)〈だれニなにヲ—する〉 官庁・会社などが、所属の公務員・社員に給与や現物などを手渡すこと。「△旅費(制服)を—する」

しきゅう[0]【四球】 ❶四つの△たま(真空管)。 ❷〔野球で〕フォア ボール。

しきゅう[0]【死球】〔野球で〕デッド ボール。

しきゅう[0]【至急】 大急ぎで、他の何よりも先にやらなければならないこと。「—を要する/—の手紙/—願います/大—・—電報[4]・—報[2][0]・—便[0]」

じきゅう[0]【自給】—する(他サ) 自分に必要な物資を自分の力で自分の手もとで(作り出して)まかなうこと。「食料を—する/食料—率を△高める(低める)」 **—じそく**[0]-[0]【—自足】—する(自サ) 自分の所の必要物資は自分の所の生産品でまかなうこと。 **—ひりょう**[4]【—肥料】〔化学肥料と違って〕農家が自分の所で生産する肥料。堆肥や糞尿。

じきゅう[0]【持久】—する(自サ) (普通の人はそこまでもたない程度まで)長時間力を出し続けること。また、長時間その状態を続けること。「—力[2]・—戦[0]」

じきゅう[0]【時給】 時間給。

しきゅうしき[2]【始球式】〔野球で〕リーグ戦やトーナメントの初めなどに、来賓が最初にマウンドに立って たまを投げる行事。

しきゅうたい[0]【糸球体】 腎臓内にある直径二十分の一ミリほどの小体で、毛細血管が糸だまのような形をとるもの。ここで血液が濾過されて原尿が作られる。

しきょ[1][2]【死去】—する(自サ) 「人がなくなること」の意の漢語的表現。

じきょ[1]【辞去】—する(自サ) (挨拶をして)訪問先を去ること。

しきょう[0]【史興】 何かの歴史をもっと詳しく△知りたい(調べたい)という興味。「—をそそられる」

しきょう[2][1]【司教】〔カトリック教会で〕大司教の次の位の僧。司祭の上。

しきょう[0]【市況】 商品や株式の取引の状態。「—が強い/製品—[5]」 **—さんぎょう**[4]【—産業】 業績が市況に支配されやすい産業。石油業・鉄鋼業など。

しきょう[0]【示教】—する(他サ) 他人の質問に対して、個人的に教えること。

しきょう[0][1]【詩経】 五経の一つ。中国古代の歌謡を集めた本。孔子の編集と言われる。

しきょう[0]【詩境】 ❶その詩に詠み込まれている情景や、その詩を詠んだ時の作者の心象風景。 ❷詩の上手さの段階。「—頓に進む」

しきょう[0]【詩興】 ❶詩が作りたくなる気持。 ❷詩を読んで呼び起こされる感興。詩のおもしろみ。

しきょう[0]【試供】—する(他サ) 使ってみてもらうために、新しく発売する商品を客に提供すること。「—品[0](=見本)」

しぎょう[0]【仕業】—する(自サ) 現場で車両などの操作や運転の仕事をすること。「—点検[4]」

しぎょう[0]【始業】—する(自サ)↔終業 ❶その日の仕事を始めること。 ❷その学期の授業を始めること。「—式[2]」

しぎょう[1]【〈斯業】 この△事業(仕事)。その道の△事業(仕事)。「—の発展に尽くす」

じきょう[0]【自供】—する(自他サ) 容疑者などが、警察での取調べに対し、自分の犯行を述べること。また、その事柄。「被疑者の—だけで起訴するのはむずかしい」

じきょう[0]【自〈彊】〔「彊」は努力する意〕自分の心を励まし努力すること。「—やまず」

じきょう[0]【持経】 どこへ行く時もいつも持っていて、機会あるごとに読誦するお経。〔狭義では、法華経を指す〕「—者[2]」

じきょう[0]【滋強】 「滋養強壮」の略。「—飲料[4]」

じぎょう[0]【地形】 建築にとりかかる前に、地面を突きかためて、基礎の下の地盤を整えること。地突き。土突き。地固め。

じぎょう[1]【事業】〔仕事の意〕 ❶社会福祉のための仕事。「—に着手する/慈善—・社会—」 ❷〔人・金銭・物資を集め〕一定の目的で行なう社会活動。〔多く、営利目的のそれを指す〕「—家[0]・—場[0]・—化[0]」 **—ぶせい**[0]【—部制】 会社の経営の上で、製品別・地域別に、生産から販売まで一貫した権限を与えるやり方。

しきょく[0][2][1]【支局】 ❶本局から分かれて設けられた、事務の取扱い所。 ❷新聞社・放送局などの、その地方における出先機関の特称。

しきょく[0]【私曲】 公正を欠き、個人の利害や偏見にとらわれていること。

しきよく[0]【色欲・色〈慾】 ❶性的欲望。「—に溺れる」 ❷色情と利欲。

じきょく[0]【時局】 その時の国内事情や国際事情。

じきょく[0][1]【磁極】 鉄などを最も強く引きつける、磁石の両端。

じきらん[0]【直覧】—する(他サ) 「(他人が)親しく見ること」の意の尊敬語。

しきり【仕切(り)】 [一][0] 仕切ること。仕切ったもの。「間—」 [二](造語) 動詞「仕切る」の連用形。「—値段[4]・—直し[4][0]・—戸[3]」 **—しょ**[4][0]【—書】 ❶送り状。 ❷売上の計算書。仕切り状[0]。 **—や**[0]【—屋】 廃品回収業者が集めて来た廃品を、それぞれに仕分けして売り払う△職業(人)。〔俗に、何かにつけて自分が取り仕切って物事をまとめようとする人の意にも用いられる〕

*__しきり__[0]【《頻(り)】(副)—に/—と 同じことが間を置かず何回も繰り返される様子。「△論議(不満の声)が—である/入信を—に勧める/このところ小さな地震が—と起きる」

しき・る[2]【仕切る】 [一](他五) ❶用途に応じて、分ける。「部屋を—(=間に何かを置いて、境とする)」 ❷売買の手数料を含めて、取引する。 ❸人間関係をうまく調整するなどして、事態△の円満な解決を図る(を順調に進行させる)。「この場は私が—」 [二](自五)〔すもうで〕取り組む意思表示のために両手をおろす。〔⇩仕切り[二]〕

ジキル[1]〔Jekyll〕 ハイド[1]〔Hyde〕と共にスチーブンソンの作品に出て来る人物名。ジキル博士は善良な紳士だが、自分で発明した特殊な薬を飲むと、ハイドという凶暴な悪人に変身した。「—とハイド(=極端な二重人格(者))」

じきわ[0]【直話】—する(自サ) 面と向かって直接に話すこと。また、その話。

じぎわ[0]【地際】 生えている植物の幹や茎の、地面に近い部分。「—で茎を切り取る」

しきわら[0]【敷(き)〈藁】 動物の小屋や作物の根もとなどに敷く藁。マルチング[0][1](mulching)。

しきん⓪【死菌】〔ワクチンの〕細菌を殺したもの。

しきん⓪【至近】最も近いこと。「―弾②・―距離④」

*__しきん__①②【資金】事業を起こしたり続けたりするために充当するお金。もとで。「暴力団の―源を断つ／―難②・育英―⑤・自己―③④」 **―ぐり**⓪【―繰り】事業を続けるための、資金のやりくり。かねぐり。「―が困難だ」 **―せんじょう**④(ジャウ)【―洗浄】⇨マネー ロンダリング

しきん②①【賜金】下賜される金銭。「一時―⑤④」

しぎん⓪【市銀】「市中銀行㊀」の略。

しぎん⓪【歯齦(齦)】「はぐき」の意の漢語的表現。「―炎②」

しぎん⓪【詩吟】漢詩に一定の節をつけて吟じること。

しきんせき②【試金石】㊀貴金属をこすりつけて品質を試験するための、黒色の石英。㊁△それが本物であるか(それでうまく行くか)どうかを見きわめるためにやってみる物事。

し・く⓪①【如く】(自四)〔文語動詞の残存形〕匹敵する。「逃げるに如かず〔＝⇨三十六計〕／子を見ること親に如かず〔＝なんと言っても、親が一番子をよく見ている〕」 表記「《若く・《及く」とも書く。

**__し・く__【敷く】㊀⓪(他五)〈なに・どこニ なにヲ―〉㊀下の物△をおおって保護する(に直接触れないようにする)ために、広がりのある物を置く。「△砂利(座布団)を―／亭主を尻(シリ)に―〔＝⇨尻〕」㊁何かを一定の範囲にわたって、行き渡るようにする。「△戒厳令(善政・背水の陣)を―／鉄道を―〔＝敷設する〕」㊂(自五)〔「動詞連用形＋―」の形で〕(一面に)広がる。「雪が降り―／散り―」 表記 ㊀㊁は「《藉く」、㊂は「《布く」とも書く。

しく①②【四苦】〔仏教で〕〔人間がこの世で逃れることのできない〕生(ショウ)・老・病・死の、四つの苦痛。 **―はっく**③【―八苦】―する(自サ)〔生まれること・死ぬことを含めての、人間生活において味わう、大きな苦しみの意〕〔つらい事が多くて〕非常に苦しむこと。「―の体(テイ)」

しく①②【死苦】死の直前の苦しみ。「―と戦う」

じく(軸)→【字音語の造語成分】

*__じく__②(ヂク)【軸】㊀巻物の奥にあり、それを巻く中心となる棒。また、巻物・掛け物自体をも指す。「床の間に―をかける／―物(ジクモノ)」㊁Ⓐ回転する物の中心となり、それを支える棒。「車輪の―〔＝心棒〕が折れる／車―・回転―」Ⓑ事態が展開する上で中心的な役割を果たす人や物事。「アメリカを―として展開される極東の防衛策」㊂その部分を手に持ち手でうまく操って、それに支えられた異質の先端部に本来の活動を有効ならしめる棒状の物。木・竹製が多い。例、筆の柄(ツカ)。〔広義では、野菜の茎や果実の蔕(ヘタ)をも指す〕「マッチの―／ペン―」㊃俳句・川柳の点者の句。㊄〔幾何学で〕△線対称な図形(座標系)の基準となる線。「対称―③・座標―」 かぞえ方 ㊀は一軸・一幅(イップク)・一本。㊂㊄は一本 ⇨【造語成分】

> じく
> 【軸】(クヂ) 車輪や巻物・掛け軸をかぞえる語。「巻子本(カンスボン)二―(フタジク)」⇨(本文)じく【軸】

しきん ― じぐも

じ

じく①【字句】〔文章の中の〕文字と語句。「―通りに受け取る」

ジグ①〔jig〕工作機械の刃物を正しく当てる働きをする道具。 表記「治具」は、音訳。

じくあし⓪(ヂク)【軸足】運動をする時に、その人のからだを支える軸の働きをする方の足。「相手の―に左外掛けがかかる／日本経済の―をアジアに移す必要がある」

じくう⓪【時空】時間と空間。「―を超越する」

じくうけ⓪(ヂク)【軸受(け)】㊀扉などの軸を受ける部分。㊁機械の軸を受けささえる装置。ベアリング。 表記「軸《承け」とも書く。 かぞえ方 ㊁は一台

しくかつよう③(クワツ)【シク活用】〔日本語文法で〕文語形容詞の活用形式の一つ。「(しく)／しから・しく／しかり・し／(しかり)・しき／しかる・しけれ／(しかれ)・(しけれ)／しかれ」と活用するもの。「楽し」「悲し」「いとほし」などのように、話し手の情意を表わす形容詞が多く含まれる。⇨く活用

じくぎ⓪(ヂク)【軸木】㊀掛け物の軸に使う木。㊁マッチの薬品を付ける細長い木の棒や、鉛筆の芯(シン)を包む木。 かぞえ方 ㊀㊁とも一本

しぐさ①⓪【仕《種・仕草・《為《種】何かをする時の、表情や思い入れをこめた動作。〔狭義では、俳優が舞台でする動作を指す〕

ジグザグ⓪〔zigzag〕角かどが鋭くとがった形で、連続的に折れ曲がる様子だ。「―に行進するデモ／―状⓪・―ミシン⑤・―コース⑤」

じくじ①(ヂク)【忸怩】―たる〔「忸」も「怩」も恥じて顔が赤くなる意〕「ひどく恥じいる様子」の意の漢語的表現。自分自身の心情を表わすのに用いる。〔「自分がもどかしく思う」意で用いるのは誤り〕「―たる思い」

しくしく①②(副)㊀―と 弱よわしく泣く様子。㊁―する 胃や腸に、連続的な鈍い痛みを感じる様子。「腹が―する」

じくじく①(副)―と・―する 中に含まれている△水分(液状の物)が少しずつにじみ出て、いつも表面が湿っている様子。じぐじぐ。じゅくじゅく。「傷口を押すと―うみが出てくる／日が差さずいつも―している裏庭」

*__しくじ・る__③(自他五)㊀〈なにニ―／なにヲ―〉しようとしたことが目的に反した結果になり、失意に陥った状態になる。「試験に―／結婚に―」㊁〈なにデ・なにヲ―〉あやまちなどを犯したために好ましくない結果になる。「会社を―〔＝首になる〕」 名 しくじり⓪

じくそう⓪(ヂクサウ)【軸装】―する(他サ)〔紙にかかれた文字・絵などを〕表具師などが掛け軸の形に仕上げること。

ジグソー⓪①〔jigsaw〕板などを曲線の形に切り取ることの出来るのこぎり。糸鋸(イトノコ)。 かぞえ方 一本 **―パズル**⑤〔jigsaw puzzle〕厚紙または板に絵や写真を印刷し、これを切り離して、その断片を元の絵や写真に復元する遊び。切り抜きはめ絵⑥⑤⓪。

じぐち⓪(ヂ)【地口】成句の一部分だけや単語の「もじり」ではなく、成句を構成する全要素を、発音の似た単語で置き換える言語遊戯。江戸時代に流行したが、「言ふまいと思へど今日の暑さかな」の前半を英語で「you might think」などとするのも一例。〔広義では、懸詞(カケコトバ)やしゃれを指す〕

しくつ⓪【試掘】―する(他サ)鉱脈・石油などの有無を調べるために、本式の採掘に先立ち掘ってみること。

シグナル①〔signal〕㊀しるし。合図。「―を送る」㊁信号(機)。

じくばり②【字配り】〔習字などで〕一つひとつの文字の、位置の取り方。

じくばりき③(ヂク)【軸馬力】原動機の軸の部分で出す、正味の馬力。

*__しくみ__⓪【仕組(み)】仕組まれた全体の構造や各部の有機的関係。「機械の―〔＝組立て〕／劇の―〔＝筋〕／おもしろい―〔＝くふう〕」

*__しく・む__②【仕組む】(他五)〈(なにニ)なにヲ―〉目的に合うように、△くふうして(趣向を考えて)作る。「レジャー向けの列車ダイヤが仕組まれる／巧みに仕組まれた〔＝計画された〕トリック」

じぐも⓪(ヂ)【地〈蜘蛛〉】ツチグモの和名。

じくもの⓪【軸物】かけもの。

シクラメン③〔cyclamen〕鉢植えにする多年草。春、花びらが後ろにそりかえった形の、赤・白などの花を開く。葉は心臓形で、厚い。〔サクラソウ科〕 かぞえ方 一鉢

しぐれ⓪【〈時雨〉】❶秋の末から冬にかけて、空が一面に曇り ひとしきり降ったかと思うと、またやんだりする雨。「—空ゾラ④・初—③」❷〔↑時雨煮⓪〕細かく切ったショウガなどと一緒に煮たハマグリなどのつくだ煮。 表記 ⇩付表

しぐ・れる③（自下一）しぐれが降る。〔ふざけて、泣く意に用いることもある〕

じくろ①ジク—【〈舳艫〉】船首と船尾。「—相銜クフむ〔=多くの船が相接するばかりに次から次へと続く〕」

じくん⓪【字訓】漢字の訓よみ。訓。和訓。「君」を「きみ」、「子」を「こ」とよむなど。↔字音

しくんし②【士君子】〔士と君子の意〕社会的地位や学問があり、身持ちのいい点で世人の模範とされる人。

しくんし②【四君子】〔気品ある草木として中国風の絵の題材とされる〕蘭ラン・竹・梅・菊の称。

しけ② 強い風雨のために海上などが荒れること。また、それによって不漁になること。〔広義では興行場・商店などに客の入りが悪い意にも用いられる〕 表記 「《時化》」と書くのは、借字。

じげ①ジ—【地下】❶昔、「殿上テンジョウ ❷」を許されなかった身分（の人）。〔広義では、四位・五位であっても殿上を許されなかった人をも指す〕↔殿上人テンジョウビト・堂上ドウジョウ ❷昔、禁中に奉仕する人以外の者の称。

じげ⓪チ—【地毛】〔かつらなどでなく〕もとから生えている髪の毛。「—で島田を結う」

しけい⓪【支系】もとの物から枝分かれしたもの。

しけい②【死刑】犯罪者の生命を絶つ刑罰。死罪。「—を△宣告される（執行する）／—に処する／—囚②」

しけい⓪【私刑】正規の裁判などの手続きを取らずに行なう暴力的制裁。リンチ。「（よってたかって）—を加える」

しけい⓪【紙型】活字組版の上に、のりとにかわを交ぜた厚い和紙を押しつけ、その型を取ってかわかしたもの。これに鉛を流し込んで鉛版を作った。 かぞえ方 一枚

しけい⓪【詩形・詩型】リズムや拍数などで区別される、詩の形式。「俳句の—は五七五だ」

しげい⓪①【至芸】余人には出来ない名人芸。

しげい⓪①【紙芸】紙をすいて作る時に、絵・模様を一緒にすき込む技術。

じけい⓪【字形】〔△縦（横）に長いとか全体が四角いとかなど〕視覚による印象を決定する、その文字の形。〔狭義では、漢字の字形を指す〕

じけい⓪①【次兄】〔長兄・三兄などに対して〕二番目の兄。

じけい⓪【自敬】❶〔哲学で〕自分自身の人格の尊厳を意識すること。❷〔文法で〕自己の尊厳を保つための敬語（表現）。

じけい⓪【自警】—する（自サ）❶予測される災難・災害から自分たちの身を守ること。「—団②」❷自戒。

しけいざい②【私経済】〔「公経済③」と違って〕△個人（集団）の私的利益を目的として行なわれる経済行為。

しけいと⓪②【〈絓糸〉】繭の外側から取ったくず糸。略して「しけ②」。

じけいれつ②【時系列】❶時間の経過に沿って継続的に観察して得られた数値などの変化の様相。❷物事を整理して並べる方法の一つとしての時間的な順序。「事件の経過を—に沿って並べる」

しげき①【史劇】歴史上の事件を脚色した劇。

しげき⓪【刺激】—する（他サ）〈なにデ なに・だれヲ—する〉❶人間・生物のからだに、外から働きかけて何らかの変化を起こさせる△こと（力）。「鍼ハリで局部に—を与える」⇩反応 ❷ ❷人間の心に外部から働きかけて、感情や意識に何らかの変化を起こさせること。また、その働き。「国民感情を—する発言／十代の作家の受賞は文壇への大きな—となった／—が強い大都会」 表記 もとの用字は、「刺〈戟〉」。「戟」もさす意。 **—ざい**③⓪【—剤】❶皮膚や内臓などに刺激を与え、特定の効果を起こさせる薬。❷それを見聞きする人を刺激して、ある行動や考え方を誘発せしめる引き金となるもの。 **—しゅう**③シュウ—【—臭】人や動物に強い刺激を与える悪臭。 **—ぶつ**③【—物】❶舌を刺激して食欲を増進せしめる目的で摂取する、独特のさわやかさや辛味を持つショウガ・ミョウガ・ワサビ・トウガラシの類。〔狭義では、香辛料を指す〕❷未経験・未成熟の人の感情を高ぶらせ、健全な思考や生活態度をそこなうおそれがあると目される、書物・絵画・映画・演劇など。

しげき①【詩劇】詩の形で書かれている劇。シェークスピアの劇など。

しげく①【《繁く》】（副）〔文語形容詞「しげし」の連用形に基づく〕間を置かずに△続く（繰り返される）様子。「足—出入りする／雨も—なり風も強まる」

しけこ・む⓪③（自五）❶遊郭にあがったり 情人とホテルに入ったりして遊興する。〔広義では、本来すべきことをせずに喫茶店などに入ってむだに時を過ごす意にも用いられる〕❷金回りが悪かったりして、活動出来ずに じっとしている。〔❶❷とも、やや俗語的表現〕

じけし⓪③【字消（し）】鉛筆・インクなどの字を消す、ゴム（のようなもの）。消しゴム。「プラスチック—⑦」

しげしげ①【《繁《々》】（副）—と ❶何かしら心が惹ヒかれるものがあるかのように、間を置かずその△人の許モト（場所）に行く様子。「学生の頃コロ—（と）通った喫茶店／去年あたりから—顔を見せるようになった」❷何かを確かめようとするかのようにじっとその物に見入る様子。「発掘された石器を—と眺める」

しけつ⓪【止血】—する（自サ）出血△を止めること（が止まること）。「患部を圧迫して—する／—剤③⓪」

じけつ⓪【自決】—する（自サ）❶他を頼らず、自分で自分の行動を決めること。「民族—」❷△責任を取る（強い抗弁や意思表示の）ための自殺。

しげとう②⓪—ォ【《重〈籐》】弓の、柄の部分を、籐で幾重にも巻いたもの。〔古くは「しげどう」〕「—の弓」 表記 「《滋〈籐》」とも書く。

しげみ⓪③【茂み】草木の茂った所。 表記 「《繁み》」とも書く。

しげりあ・う④⓪アフ【茂（り）合う】（自五）△一面（いっぱい）に茂る。 表記 「《繁り合う》」とも書く。

し・ける②⓪【《時化る》】（自下一）❶強い風や雨のために、海上が荒れる。❷経済的に苦しい状況になる。「小遣いが残り少なく、ふところが—／しけた顔〔=さえない顔〕」

し・ける⓪（自五）湿る。「しっける」とも。「しけった△のり（せんべい）」 表記 普通、「《湿気る》」と書く。

***しげ・る**②【茂る】（自五）△方々の枝（地面近く）から出た葉が、重なり合った状態になる。 名 茂り③ 表記 「《繁る》」とも書く。

しけん⓪【私見】個人的な△意見（見解）。「—を述べる」

しけん⓪【私権】私人同士の間において、私法上の関係で発生する権利。〔民法では、私権は個人の出生とともに個人が有するものとしている〕

****しけん**②①【試験】—する（他サ）〈（なにデ）なにヲ—する〉❶物の

性質・性能を知るために、実際に動かしたり使ったりしてみること。「—所[4][0]・—場(ジョウ)[0]・—飛行」 ❷学業などの力を評価したり入学・入社などの許可や採用を決めたりするために、問題を出して答えさせること。「—を受ける/—に△受かる(通る)/—問題[4]・競争—〔⇒競争試験〕・資格—〔⇒資格試験〕」 **—かん**[0]【—官(クワン)】 試験を行なう責任者。 **—かん**[2]【—管(クワン)】 化学実験などに使う、一端の閉じた細長いガラス管。[かぞえ方] 一本 **—かんベビー**[6]【—管(クワン)ベビー】 「体外受精により生まれた赤ん坊」の俗称。 **—じごく**[4]【—地獄(ヂゴク)】 入学するために競争のはげしい試験を受ける立場にある者が、乗り越えねばならない困難や忍苦。 **—てき**[0]【—的】—な —に 本格的に行なう前に、一度やってみる様子だ。「—に使ってみる」

しげん[0]【至言】 いかにも事実・真理にかなっていると思われる言葉。

しげん[0][1]【始源・始原】 「ものごとのはじまり・もと」の意の漢語的表現。「—林[2]・—的[0]」

*__しげん__[1]【資源】 産業の原料や材料になる物質。〔広義では、コンピューターシステムを構成する各装置を、作業のもとになるものと見做(ナ)して「資源」と称することもある〕「天然—に恵まれている/エネルギー—に乏しい/地下—・人的—[0]-[1]」 **—エネルギーちょう**[7]【—エネルギー庁(チャウ)】 経済産業省の外局で、石油・電力・ガスなどのエネルギーの安定供給や、省エネ、原子力や太陽光などの新エネルギーに関する政策事務を取り扱う機関。 **—ごみ**[2] リサイクルの可能なごみ。びん・缶・ペットボトル・紙類など。

__じけん__[1]【事件】 〔それぞれ別の事柄の意〕(一つひとつが世間の話題になるような)出来事。「件」は分ける意。〔狭義では、「訴訟事件[4]」を指す〕「—が△発生する(片づく)/—を(引き)起こす/—の鍵(カギ)を握る/—の全容を明らかにする/—のもみ消し/ことしは—の多い年だった/大—[3]」 [かぞえ方] 一件 **—きしゃ[4]【—記者】 警察署などに詰めて、刑事事件や事故の取材を受け持つ新聞記者。

じげん[0]【示現】—する(自他サ) ❶神仏が霊験を現わすこと。❷〔仏教で〕仏・菩薩(ボサツ)が、いろいろな形でこの世に姿を現わすこと。❸ある現象が現われること。「高値を—する」

じげん[0]【字源】 その△文字(漢字)の起こり。

じげん[0]【次元】 ❶〔数学で〕その△図形(〔「空間❸」〕)内の点の位置を表わすのに必要にして十分な独立した実数の個数。〔点は零次元、線は一次元、面は二次元、立体は三次元など。その図形内を動く点の自由度を表わす〕「n—ユークリッド空間」 ❷〔自然科学で〕その量の単位が、長さ・質量・時間などの基本単位の乗除でどのように表わされるかということ。「無—の量/—解析」 ❸物事を考えたり話したりする立場や態度の、高低の水準。レベル。「—の異なる問題/—の高い話/—を異にする」

[運用] ❸は「次元が違う」の形で、△問題にならないほど程度が低い(とてもついていけないほど程度が高い)として話題の人(の考え方や能力)を皮肉の気持を込めて言うのに用いられることがある。例、「彼の考えは我われとは次元が違うよ」

じげん[0][1]【時言】 時局に関係して言う言葉。

じげん【時限】 ❶[0][1] 時間の限界(を決めること)。「—を決めて廃止する/—爆弾[4]・—スト[4]」 ❷〔接尾語的に〕授業時間(の区切り)。「第一—」

じげん[0]【慈眼】 仏・菩薩(ボサツ)の慈悲深い目。「じがん」とも。

しこ[2] 〔醜(コシ)の意という〕〔「—を踏む」の形で〕力士が、片足ずつ高く上げては強く踏み、立合いの(儀礼的な)動作をする。[表記] 「四股」は、借字。

しこ[2]【《醜】 〔雅〕敵から憎まれるほど強い者。〔自分を卑下する場合にも使われた。例、「—の御楯(ミタテ)〔『⇒天皇を守る強力な楯』〕」〕

しこ[2][1]【四顧】—する(自サ) あたりを見回すこと。

しこ[1][2]【指呼】—する(他サ) 〔鉄道で〕確認のために、列車の△来る(通過した)方向を指さして、口でも唱えること。⇩喚呼 **【—の間(カン)】** 呼べば答えるほど近い距離。「—に望む」

しご[1]【死後】 その人が死んだあと。「—を弔う/—の世界/—三時間が経っているようだ」 ↕生前 **—こうちょく**[3]【—硬直(カウ—)】 生物の筋肉が死後一定の時間がたつと堅くなる現象。死後強直(キョウチョク)[3]。

しご[1]【死語】 ❶古代使用された言語で、現在では日常言語としては一般に使用されなくなったもの。例、ラテン語。❷その語によって表わされる事物が無くなったりした関係で、現在は用いられなくなった言葉。廃語。⇩古語 ❸若い世代の間ではその用法・存在がすでに忘れられかかっている単語。例、「蚊帳」など。

しご[1]【私語】—する(自サ) 授業・講演・伝達などが行なわれている公の場で、それを静かに聞くべき聞き手同士が勝手にひそひそ話をすること。また、その話。「—を禁じる」

しご[1]【詩語】 特に詩に使われる、優美な言葉。

じこ[1]【自己】 自分自身。「冷静に—を見つめる/—愛[2]・—評価[3]/—矛盾に陥る/—ベストの記録を更新する」 **—あんじ**[3]【—暗示】 自分で「わたしはこう△である(なる)」と想像しているうちに、それをすっかり事実だと思いこむようになること。「—にかかる」 **—かんけつ**[3]【—完結(クワン—)】 それだけで一つのまとまった世界を形作っていて、内部に何ら矛盾も欠けたところも無いこと。 **—ぎまん**[3]【—欺瞞】 自己の本心を偽った行動をとりながら、しかも、それでやむを得なかったのだと無理に自分を納得させてしまうこと。 **—けんお**[3]【—嫌悪(ヲ)】 失敗したり自信を無くしたりして、自分で自分の存在がいやになること。 **—けんじ**[3]【—顕示】 社会生活において、自己を著しく他人に目立たせるように行動すること。「—欲[5]」 **—しほん**[3]【—資本】 企業体が自ら持っている、借金などによらない資本。 **—しょうかい**[3]【—紹介(セウ—)】—する(自サ) 自分の名前や経歴などを、自分の口からほかの人に言って知らせること。 **—そがい**[3]【—疎外(グワイ)】 〔もと、哲学用語で〕資本主義社会下における人間疎外。 **—はさん**[3]【—破産】—する(自サ) 債務者自身が裁判所に破産を申し立てて破産宣告を受けること。 **—ひはん**[3]【—批判】—する(自サ) 自分で自分を批判した結果、自分の考え方・思想や言動の誤りを認めること。 **—りゅう**[0]【—流(リウ)】 自分で考え出した独特のやり方。我流。〔「ひとりよがり」に近く、非難・軽蔑(ケイベツ)の意味を込めて用いられることもある〕

**__じこ__[1]【事故】 ❶不注意などが原因で起こる人災。「—を未然に防ぐ/大きな—に見舞われる/—死[2]・—現場[3]・無—・交通—・衝突—[5]」 ❷何かの実施・実現を妨げる、マイナスの事情。「—のため欠席」 [かぞえ方] ❶は一件

じご[1]【耳語】—する(自他サ) 相手の耳もとでささやくこと。また、その言葉。みみうち。

じご[1]【事後】 何かが△起こった(行なわれた)後。「—処理[3]・—報告[3]・—従犯[3]」 ↕事前 **—しょうだく**[3]【—承諾】 事後に承諾を求めること。

じご[1]【持碁(ヂ—)】 引き分けになった碁。⇩持ち❸

じご[1]【〈爾後〉】 △この(その)後。以後。

しこいわし[3]【〈鯷鰯〉】 ヒシコの俗称。

しこう[0]【四更(カウ)】 昔の時法において、丑(シウ)の刻。今の午前一時ごろから三時ごろまでに当たる。

しこう[0]【至孝(カウ)】 この上もない孝行。

しこう⓪【至高】この上もなくすぐれていること。「—の芸/—善②」

しこう⓪【伺候・〈祗候〉】—する（自サ）❶貴人のそば近く奉仕すること。❷立場の上の人の御機嫌伺いに行くこと。

しこう⓪【志向】—する（他サ）何かが究極的にそうなることを目ざしていること。「我が民族の—する所」

しこう⓪【私考】—する（自サ）自分なりに考えること。また、その考え。

しこう⓪【私行】その人の私生活上の行為。「—をあばく」

しこう⓪【思考】—する（他サ）冷静に論理をたどって考えること（頭の働き）。「冷静な—をめぐらせる/—力②」 **—じっけん**④【—実験】現実的には起こり得ないような事象について、それが成立した場合にどうなるかを思考上で論証していくこと。

しこう⓪【指向】—する（他サ）❶（決まった方向に）向かうこと。「—性アンテナ⑥」❷傾向として、何かに近づきたい、何かを△実現（追究）したいという願望を持っていること。「本物—の少年/アメリカの消費者の—」

しこう⓪【施工】—する（他サ）工事を実際に行なうこと。「せこう」とも。

しこう⓪【施行】—する（他サ）〔「施」も「行」と同じく、おこなう意〕❶実際に行なうこと。実施。❷法令の効力を発揮させること。「せこう」とも。

しこう⓪【歯〈垢〉】歯の表面にくっつく、黄色い汚れかす。歯肉炎・歯周炎の原因となる。プラーク。⇩歯石

しこう⓪【歯〈腔〉】歯の内部にある空間で、その内部に歯髄がある。

しこう⓪【〈嗜好〉】—する（他サ）直接食欲を満たすための食べ物ではなく、毎日の生活にうるおいとゆとりをもたらすものとして口にして楽しむ人それぞれに異なる（食べ物の）好み。 **—ひん**⓪【—品】嗜好の対象とする、酒・紅茶・コーヒーなど。

しこう⓪【試行】—する（他サ）大まかな見通しをつけた上で、実験や観測を繰り返し行なうこと。「—段階に入る」 **—さくご**④【—錯誤】—する（自サ）〔trial and error（トライアル エンド エラー）の訳語〕〔何かを行なう場合に〕結果の完全な成功を初めから必ずしも期待せず、失敗を重ねながら効果を収めること。〔研究・政策の実施についても言う〕「—を繰り返す」

しこう⓪【試航】—する（自サ）本格的に△航海（飛行）する前に、実際に運航してみること。

しごう①【師号】朝廷から高僧に賜わる、大師・禅師・国師の称号。

しごう①【〈諡号〉】「おくりな」の意の漢語的表現。

じこう①⓪【事項】その時どき△協議（研究）などの対象になる、独立した内容を持つ事柄。「注意—④・了解—⑤・重要—⑤・協議—④・報告—⑤・必要—⑤」

じこう⓪①【侍講】天皇や皇太子に講義する職の人。侍読。

じこう⓪【時好】その時代の人びとの好み。流行。「—に投ずる」

じこう⓪【時効】〔法律で〕一定の期間が過ぎたために、権利を△失う（得る）こと。「—にかかる/—が成立する」

じこう⓪【時候】（四季の）気候。「—の挨拶」

じごう①【寺号】山号の下に付ける、その寺の呼び名。例、「金竜山 浅草寺」。⇩山号

じごう①【次号】↔前号 ❶次の号（の刊行物）。「以下—〔＝続きは次号をお楽しみに〕」❷〔法令の各条文の中で〕一応の独立規定のうちで、次にあるもの。

しこうし②【私講師】〔ドイツなどの制度で〕民間の研究機関や官庁などの有識者を大学の講師として（民間が費用を一部負担して）採用するもの。

しこうして②【〈而〉して】（接）〔「しかくして」の音便〕そ（う）して。しかして。表記「《然して」とも書く。

じごうじとく⓪-⓪、②-⓪、①-⓪【自業自得】〔仏教で〕すべての不結果は、以前に自分が行なった良くない行為の報いに基づくとする考え方。

しこうしへい⓪-⓪【至公至平】きわめて公平なこと。

しこうひん⓪【紙工品】紙の加工品。

じごえ⓪【地声】生まれつきの声。「—が大きい」↔裏声

しごき【《扱き》】■③❶しごくこと。「槍に—をくれる」❷〔運動部の上級生が下級生に対して行なう〕きたえあげるという名目で行なわれる過酷な練習。「—を受ける」❸「しごきおび」の略。■（造語）動詞「扱く」の連用形。 **—おび**④【—帯】一幅の布を適当な長さに切り、そのまま帯にするもの。略して「しごき」。

しこく②①【四国】❶四つの国。「—同盟④」❷阿波・讃岐・伊予・土佐の四つの国（から成る島）。〔今の徳島・香川・愛媛・高知の四県〕⇩坂東太郎・筑紫二郎 **—さぶろう**⓪⑤【—《三郎》】吉野川の別称。 **—はちじゅうはっかしょ**②-⑦【—八十八箇所】四国にある八十八か所の、弘法大師の霊場。

しこく②①⓪【市国】国家が一つの市だけで形成されているもの。「バチカン—⑥⑤」

しこく⓪【紫黒】紫がかった黒色。「—色③」

しごく①【至極】（副）△それを超す程度（それ以外）の状態はありえないと判断する様子。「—満足だ/—当然のことだ/—残念だ〔＝残念この上ない〕」

しごく②【《扱く》】（他五）❶細長い物の先を握り、片方の手でこする（ように手もとに強く引き寄せる）。「槍を—/稲の穂を—」❷相手の体力の限界などを無視して、過酷な練習を課する。〔⇩扱き■〕

じこく①【《二黒》】九星の一つ。土星に配当し、方位は南西。「にこく」とも。

じこく⓪①【自国】自分の国。「—語⓪」↔他国

じこく①【時刻】Ⓐ時間の流れの中の特定の時点を、「…時…分…秒」と単位に基づいて表わしたもの。「腕時計を正確な—に合わせる/（ただいまの）—は五時半です/列車の到着—を調べる」〔それぞれの時代や社会における暦法・時法に従って単位（名）が異なる〕Ⓑ時間❶。「—が移る〔＝経過する〕」 **—ひょう**⓪【—表】列車・電車・バス・航空機などの、発着の時刻を記入した△表（本）。時間表。かぞえ方 一冊・一枚

じごく⓪③【地獄】❶〔仏教で〕六道の一つ。苦痛の無い天国に対比して、罪悪を犯した人が死後に行って苦痛にあうといわれる所。〔キリスト教でも、悔い改めの無い罪人の堕ちる所とされる〕「—で仏〔＝危ういところを助けられて、この上無くうれしいたとえ〕/—の沙汰も金次第〔＝⇩沙汰❶〕」↔極楽 ❷悲惨で救いの無い環境。「—を見てきた男/交通—・試験—」❸噴火山の噴煙や温泉の熱湯などが絶えず噴き出る所。 **—ず**③【—図】この世で経験する、地獄のようにひどい様相。「—を△呈する（現出する）」 **—どう**③【—道】〔仏教で〕六道の一つ。「地獄❶」に同じ。 **—へんそう**④【—変相】地獄で受ける悲惨な苦痛の様子（を描いた絵）。地獄変⓪③。 **—みみ**⓪【—耳】❶一度聞いたら忘れないこと。また、そういう人。❷人の秘密などを、すばやく聞いて知っていること。また、そういう人。

しごころ②【詩心】 詩を創作し、また深く理解する心と能力。「ししん⓪」とも。「泰山を前に李白(リハク)をそらんじる彼の—がうらやましい」

じこさく②【自小作】 自作を主として、小作も兼ねること。また、その人。

しこしこ②①(副)—と ❶—する 表面は柔らかいが、しんにしっかりした歯ごたえが感じられる様子。「—した、こしの強いうどん」 ❷目先の利害にとらわれず、着実に努力し続ける様子。「夜な夜な船の模型を—と組み立てていた」

しごせん⓪②【子午線】〔十二支を用いた方位において、子(ネ)は北、午(ウマ)は南。すなわち、「南北方向の線」の意〕 ❶天球の真北から天頂を経て真南に至る線。〔この線により、天球は東と西に二等分される〕 ❷経線(ケイセン)。

しこたま⓪(副)〔「しこ」は「至極(シゴク)」の意という。「たま」は「たんまり」と同語源〕そこまでする必要があるのかと思われるほど集めたり 飲み食いしたりする様子。〔口頭語的表現〕「金を—ためこんでいる/酒を—きこしめして」

**しごと⓪【仕事】〔「為事(シゴト)」の意〕からだや頭を使って、△働く(しなければならない事をする)こと。〔狭義では、その人の職業を指す〕「—に携わる/てきぱき—を片付ける/—着(ギ)③〔=その人がいつも仕事をする時に着る衣服〕・—場(バ)⓪・—立ち—・賃—・針—・隠居—④」 【—にならない】 仕事として成り立たない。「こんなに雨が降っては—」

—**おさめ**④【—納(ヲサ)め】〔企業などで〕年末を迎え、その年の仕事にいったん区切りをつけること。⇩御用納め

—**がら**⓪【—柄】 仕事に直接関係したこと(で)。「—とはいえ、不快を感じた/—〔=仕事の性質上〕出歩くことが多い」

—**さき**⓪【—先】 自宅以外での働く場所。「大工の—」

—**し**③【—師】 ❶土木工事の労働者。鳶(トビ)職。 ❷事業の計画・経営の上手な人。やりて。

—**はじめ**④【—始(め)】〔企業などで〕新年になって、あらたに仕事にとりかかること。⇩御用始め

—**りつ**③【—率】〔力学で〕単位時間に行なわれる仕事の量。〔基本単位はワット〕

しこな⓪【四股名・《醜名】〔醜名=諱(イミナ)の雅称〕 力士としての呼び名。例、双葉山(フタバヤマ)・大鵬(タイホウ)・北の湖(ミ)。 表記「四股名」は、借字。

しこなし⓪ ❶手ぎわよくや(りとげ)ること。 ❷ふるまい。 動しこなす③(他五)

しこみ【仕込(み)】 ■⓪ ❶仕込むこと。〔狭義では、芝居で初日を開くまでの準備作業や芝居・劇のための準備金を指す〕「さすが親方の—だけあって/朝早く魚河岸に—に行く/本場アメリカ—(ジコミ)のパフォーマンス」 ❷落語で、本題に入る前に、客への予備知識として話す、前置きの話。 ■(造語) 動詞「仕込む」の連用形。「—桶(ケオ)④」 —**づえ**④(ヅエ)【—〈杖】 中に刀などを仕込んだ杖。

しこ・む②【仕込む】(他五) ❶その社会で十分活躍出来るように訓練する。 ❷必要な物を買い△入れる(入れておく)。 ❸必要な物をくふうして、中に入れる。「杖(ツエ)に刀を—」 ❹醸造の原料を混ぜ、かきまわして熟成させる。「冬場に酒を—」〔⇩仕込み■〕

しこめ②⓪【《醜女】「顔の醜い女」の意の古風な表現。

しこり⓪【〈痼(り)・《凝(り)】 ❶筋肉がこり△かたまること(かたまったもの)。 ❷物事が済んだあとまで残る、すっきりしない気持。「—が取れる/大きな—を残す」 動しこる⓪②(自五)

じこ・る②【事故る】(自五)〔「事故」を動詞化した語〕「交通事故を起こす」意の俗語的表現。

しころ⓪【〈錏】 かぶと・ずきんの左右・後方に垂れ下がって首筋をおおう部分。 表記「〈錏・〈鞆」とも書く。

ジゴロ①〔フ gigolo〕 男妾(ダンショウ)や情夫など、女性の経済力に頼って生きている男。

しこん②⓪【士魂】 武士として失ってはならない精神。「—商才〔=武士の精神と商人としての才覚を併せ持っていること〕」

しこん⓪【紫根】 ムラサキの根をかわかしたもの。昔、その皮を煎(セン)じて染料・薬用にした。「—染め⓪」

しこん⓪【紫紺】 紫色を帯びた紺色。

しこん⓪【歯根】 歯が歯槽(シソウ)にはまりこんでいる部分。

しこん⓪【詩魂】 詩を作ろうとする、やむにやまれぬ内的衝動。「—いまだ尽きず」

じこん①【自今】「今後」の古風な表現。今から後。 表記「〈爾今」とも書く。 —**いご**④【—以後】「自今」の強調表現。

しこんしゃ②【司婚者】 結婚式の進行係。「公民館長が—と成る」

しさ①【示唆】—する(他サ)〔ほのめかす意〕 ❶その人が専門としながら気付かなかったヒントを、だれかがそれとは直接関係の無い話や研究を通じて与えること。「じさ①」とも。「—に富む/—多い労作/—的⓪〔=示唆に富む様子〕」 ❷当局の高官が、大体そのような運びが認められると受け取られる旨の談話を、事前に発表すること。

しさ①【視差】 ⇩パララックス

しざ①【視座】 見方の基礎になる立場。「確かな—に立つ/—を教育の場に定める/—を据える」

じさ①【時差】 ❶地球上の二地点における時刻の差。〔時刻として、各地点の地方時を採用すれば、時差は、経度差一五度につき一時間。実用上は、それぞれの地域の標準時を採用する〕「東京とパリの—は八時間/—ぼけ⓪」 ❷何かをする△時刻(時間)をずらすこと。また、その時間的ずれ。「—通勤」 —**しゅっきん**③【—出勤】—する(自サ) 大都市の官庁や会社が互いにその出勤時刻が重ならないようにずらすこと。ラッシュ アワーの混雑解消が目的。

しさい⓪①【子細・〈仔細】 短い言葉では言い尽くせない、物事の詳しい事情。「—を語る」 —**がお**⓪(ガホ)【—顔】 何かわけのありそうな顔。「—に相談しあっている」 —**に**⓪①(副) こみ入った事情や細かな点にまで念を入れる様子。「—△検討(調査)する」 —**らし・い**⑤(形) 何か気がかりなことがあるらしく、いかにも深刻そうに振る舞う様子だ。「—様子でうなずきあう」

しさい①【司祭】〔カトリック教会で〕司教の下の僧職。一般に「神父」と呼ばれ、教会を統轄し、儀式をつかさどる。⇩牧師

しさい⓪【市債】 地方債の一つ。市が発行する債券。

しさい⓪【詩才】 詩を作る才能。

しざい①【死罪】 ❶「死刑」に相当する罪。 ❷相手に対する失礼が死に相当するほどの罪にあたるという意味で、上表文や昔の手紙の結びに書いた語。「妄評妄評、——」

しざい①【私財】 個人の財産。「—を投じる」

しざい① ■【資材】 ❶経済生活にすぐ役立つ材料としての物資。「建設—・建築—・産業—〔=自動車・住宅など〕」 ❷「資材❶」の原材料。砂・砂利・セメント・鉄など。 ■【資財】 生活や職業の資本となる財産。

じさい⓪【自裁】—する(自サ)「自殺」の意の古風な表現。

じざい⓪【自在】—に—な 束縛・支障の無い様子だ。自由。「—な活動を許す」 —**が**⓪(グワ)【—画】 定規やコンパスを使わずに、筆などでかく絵。↕用器画 —**かぎ**②【—〈鉤】 いろりや竈(カマド)などにつるして、鍋(ナベ)・鉄瓶などを掛け、火との距離を自由に調節出来る装置の鉤。 かぞえ方 一本

じざかい②(ヂザカヒ)【地境】 所有者の違いなどによる土地の境(目)。「じさかい」とも。

じさき⓪③ ｼﾞ【地先】❶〔ある番地など、限定された〕その場所の付近。❷海岸から見える程度の沖。「―漁③」
しさく⓪【支索】何かを支えるために使われるワイヤロープ。
しさく⓪【思索】―する（他サ）現象の持つ根本的意味や、現象と現象の関連などを、純粋に理論的に突きつめて考えること。「哲学的な―にふける／―的な作品」
しさく⓪【施策】―する（自他サ）〔国・官庁などが〕政策・方針を実地に行なうこと。また、その政策・方針。「―を進める／きめ細かい―を講ずる」
しさく⓪【詩作】―する（自サ）詩を作ること。また、その作った詩。
しさく⓪【試作】―する（他サ）本格的に作る前に、試験的に作ってみること。「―品⓪」
じさく⓪【自作】❶―する（自サ）自分で作ること（作ったもの）。「―自演」❷「自作農」の略。―のう③【―農】自分の所有地を自力で耕作する農業（農家）。↕小作農
じざけ⓪ ｼﾞ【地酒】その土地で出来た酒。
しさせい⓪【示差性】きわだった特徴を有するために、同類の他のものとの区別がきわめて容易である様子。
しさつ⓪【刺殺】―する（他サ）❶刃物で刺し殺すこと。❷〔野球で〕ボールを走者のからだにつけたりなどしてアウトにすること。
しさつ⓪【視察】―する（他サ）自分でその場所に行って、実際の様子を見とどけること。「水害地の―」
じさつ⓪【自殺】―する（自サ）自分で自分の命を終わらせること。自死。「―を図る／―未遂④・投身―⑤」↕他殺 ―てき⓪【―的】―な〔命があぶなくなる（立ち上がれないほどの打撃を受ける）おそれがあるのに〕あぶない（恐ろしい）事を無理にしようとする様子だ。「―行為⓪-①」
しさる②【《退る》】（自五）「退く」意の古風な表現。「しざる」とも。
しさん⓪【四散】―する（自サ）❶乱雑に散らかること。❷一緒に居たものが、思い思いの方向に行ってしまうこと。
しさん⓪【私産】個人の私有財産。
しさん⓪【試算】―する（他サ）見当をつけるため、計算してみること。
しさん①⓪【資産】❶財産。「―家ｶ⓪・暗号―」❷資本として持っている財産。土地・家屋・金銭など。「―株②」
しさん⓪【賜餐】〔「餐」は、食べる・食事の意〕天皇が食事に招待すること。また、その食事。
しざん①【死産】―する（自サ）〔法律上は、妊娠第四か月以降の〕胎児が死んだ状態で生まれること。「しさん」とも。
じさん⓪【自賛・自讃】―する（自サ）⇩自画自賛
じさん⓪ ｼﾞ【持参】―する（他サ）必要な〔指定された〕金品を用意してその場所に行くこと。「会費は当日―／弁当―」 ―きん⓪【―金】嫁（婿）が結婚する時、実家から持参する金銭。
しし〔雅〕[一]【《肉》】（造語）人のからだの肉。「―置き・太り―ジシ」 [二]①【《肉》】（イノシシ・シカの）肉。【―食った報い】〔獣肉を食べつけない人が獣肉をいきなり多量に食べたあとに出来る蕁麻疹ジンマシンの意〕食べてはいけないと言われる獣肉を食べたための、当然の報い。〔狭義では、悪事の報いを指す〕 [三]①【《猪》】イノシシ。 [四]①【《鹿》】シカ。カノシシ。 表記「《宍》」は、[一][二]の異体字。
しし①【《孜々》】（副）―と 労を惜しまず努力を続ける様子。「―として研究にはげむ」
しし①【史詩】史実を題材とした詩。
しし①【四肢】両手と両足。
しし①【死屍】「しかばね」の意の漢語的表現。「―累々／―に鞭打つ〔=死んだ人を責め、悪口を言う〕」
しし①【志士】名誉・利欲はもちろんのこと、自分の生命をも顧みず、国家・社会のために尽くす、志の高い人。
しし①【刺史】❶〔昔、中国で〕州の長官。❷国守の唐名。
しし①【師資】師匠として頼むこと。「―相承①-⓪〔=師から弟子に、次つぎと受けつぐこと〕」
しし①【紙誌】新聞・雑誌。「各―」
しし①【嗣子】「跡取りの子」の意の漢語的表現。
しし①【《獅子》】❶〔もとの用字は「師子」〕百獣の王ライオンに基づき、昔の東アジアで言い伝えた想像上の動物。❷「獅子舞」の略。❸ライオン。 ―おう③②【―王】「獅子❶」の美称。 ―がしら③【―頭】「獅子❶」の頭に似せた、木製の仮面。 ―く②【―吼】―する（自サ）❶ライオンがほえること。〔他の百獣は、このため恐れ伏すという〕❷反対者・妨害者たちが恐れ伏したという、仏の大説法。〔真理・正義を大いに主張する大演説の意にも用いられる〕 ―しんちゅうのむし①-⓪【―身中の虫】〔仏の弟子でありながら仏法に害をなすものの意〕その組織の内部からわざわいを起こすもの。 ―とう⓪【―唐】〔↑ししとうがらし⑤〕トウガラシの一種。ピーマンのうち果実が小さくて細長いもの。一般にあまり辛くない。〔ナス科〕 かぞえ方 一本 ―ばな⓪【―鼻】低くて小鼻の開いた鼻。 ―ふんじん①-⓪【―奮迅】勢いはげしく奮闘（突撃）すること。 ―まい⓪【―舞】獅子頭をかぶって行なう、悪魔払いなどの舞。〔狭義では、能で獅子が狂乱した状態をまねてする急調子の舞を指す〕
しし①【詩思】その時どきの感興を詩に表わしたいという思い。
*しじ① ｼﾞ【支持】―する（他サ）〈だれ・なにヲ―する〉❶安定させるために何かをささえること。「五重の塔を―する心柱」❷その人の意見・行動などに賛成して、後援すること。「国民の―を失う」
しじ①【四時】❶「四季」の意の改まった表現。❷一日のうちで、座禅をする、四つの時間。早朝・昼・夕・後夜。
しじ①【死児】「死んだ子供」の意の漢語的表現。「―の齢をかぞえる〔=言ってもしようの無い昔の事についてぐちをこぼす〕」
しじ①【私事】個人的な事柄。「―にわたる」
*しじ①【指示】―する（他サ）❶〈なにヲ／なにデなにヲ―する〉〔言葉によって具体的に説明する代りに〕指で何かを指したり約束によって決められた記号で示したりすること。「方向―器」❷〈だれニなにヲ―する／だれニなんだト―する〉相手がしなければならないことを具体的に言って聞かせること。「午前中に行けと―する／医師の―を受ける（仰ぐ）」〔古くは「しし」〕 ―ご⓪【―語】人・物・場所・方角（既に表現された事柄）などを、具体的にそれを表わす言葉の代りに、話し手と聞き手との相対的な位置関係などを基準にして示す働きをする語。指示詞②。例、「あれ・これ・それ・どれ、あそこ・ここ・そこ・どこ、あの・この・その・どの」。〔「：」から上は「指示代名詞⑤」と言う〕 ―やく②【―薬】溶液の酸性・アルカリ性・濃度を見分けるのに用いる薬品。
しじ①【指事】漢字の構成法の一つ。位置・数量などの抽象概念を、ある約束で指し示すもの。例、一・上・下・本・末。⇩六書
しじ①【師事】―する（自サ）生涯の師として、その教えを直接に受けること。
じし①【次子】❶二番目の子。❷次男。
じし①【自死】―する（自サ）「自殺」の意の婉曲表現。

じし①【侍史】〔身分の高い人のそばに居る秘書△の（に取り次いでもらう）意〕手紙の脇付(ワキヅケ)として用いる語。

じじ ↔ばば ㊀① 親しい間柄で、特に幼児が、「おじいさん」△を指して（に呼びかけて）言う語。「じいじ①」とも。「回らぬ舌で――と呼ぶ」 ㊁【〈爺〉】（造語）じじい。「―むさい・―ばば①②⓪」

じじ①【自〈恃〉】 自分で自分（だけ）を頼みとすること。「―の心」

じじ①【時事】 その時その時の、社会的な出来事。「―評論③・―問題③」

じじい②【〈爺〉】〔「じじ」の長呼〕だれの目からも高齢であることが明らかな男性。〔軽い侮蔑(ブベツ)を含意して用いられることもある〕「食えない―／因業(ゴウイン)―⑥・狸(タヌキ)―⑥・花咲か―⑥」〔方言としては「祖父」の意にも用いられる〕↔ばばあ

ししおき⓪【〈肉置き〉】「肉付き」の意のやや古風な表現。ししつき。〔多く、女性に用いられた〕「どっしりと―も豊かな、体格のよい女性」

ししおどし③【〈鹿〉〈威し〉】⇨そうず

シシカバブ③〔トルコ sis kebab=串(クシ)に刺した焼き肉〕漬け汁に浸した羊肉を、串焼きにした食品。トルコを本場とする中近東の料理。シシケバブ(ー)とも。

しじき①⓪【司式】―する（自サ） 儀式・葬式などの進行を、係としてすること。

しじげん②【四次元】⇨よじげん

じじこっこく①-⓪【時々刻々】(副)〔何かをする際に〕経過していくその時その時の様子。「戦況は―変わっていく」⇨刻々

ししそんそん①-⓪【子々孫々】 孫・子の末。ずっと後のちの子孫。「しそんそん」とも。

ししつ⓪【私室】㊀公の建物の中で、個人が私用に使うことが認められている部屋。↔公室 ㊁個室。

ししつ⓪【紙質】 紙の△質（品質）。

ししつ⓪【脂質】〔栄養学で〕「脂肪分」の改称。

ししつ⓪【資質】 生まれつき（の性質や才能）。「医師としての―に欠ける」

しじつ①【史実】 実際にあった事として記録にとどめられた事柄。

しじつ①【摯実】―な 誠実な人であるということが、その人の言動などを通して誰にでも納得される様子だ。

じしつ⓪【地質】 きれ（地）の品質。

じしつ⓪【耳疾】 耳の病気。

じしつ⓪【自失】―する（自サ）〔意外な出来事に出あって〕気が抜けたようになること。「茫然(ボウゼン)―する」

じしつ⓪【自室】 自分の部屋。

じしつ⓪【〈痔疾〉】 症状として自覚される痔。

****じじつ**①【事実】㊀実際にあった事柄としてだれもが認めなければならないこと。「隠された―が明るみに出る／政治献金の―をつかむ／―を△認める（直視する・ゆがめる）／彼はその時から―上〔=実質的に〕国家の元首になった／―は小説よりも奇なり／犯罪―」 ㊁(副)〔「事実において」の圧縮表現〕実際その通りであったと認めることが出来る様子。「家賃がとどこおりがちだったが、―家計は火の車だったのだ」 **―こん**③⓪【―婚】 婚姻届けを提出していないが、実質的には夫婦としての生活を営んでいること。 **―だん**③【―談】㊀一見あり得ない話のようではあるが、実際にあった話。㊁人の口に伝わって尾ひれがついたり興味本位で潤色されたりする前の、事実そのままの話。 **―むこん**①-⓪【―無根】 それが事実であるということの根拠が無く、どんな点から見ても事実ではないと判断されること。「―のうわさ」

じじつ①【時日】㊀行動の予定された時。日時。「着京の―」 ㊁それだけあれば何かが出来そうな時間。「―がかかる／―を要する／藉(カ)すに―をもってすれば〔=もう少し時間にゆとりがあれば〕／多くの―〔=月日〕を経過した／短―」

ししつき⓪②【〈肉付き〉】⇨ししおき

じしばい②【地芝居】 おもに地方で伝えられてきた、その土地の人びとによる歌舞伎などの芝居の興行。地狂言②。

ししばば②【〈尿〉〈屎〉】〔京都・奈良方言〕〔「しし」は小便、「ばば」は大便の意〕大小便。「―の世話になる」

じじぶつぶつ①-⓪【事々物々】 目で見、耳で聞く、すべての物事（につけて）。

しじま⓪ 〔雅〕沈黙。静寂。「夜の―を破る」 表記 文脈によって「{無言}・{沈黙}・{静寂}」などの字をあてる。

しじみ⓪【〈蜆〉】 川・湖にすむ、アサリよりもずっと小さい二枚貝。貝殻は、外は暗褐色で、内は紫色。食用。「しじみがい③」とも。〔シジミ科〕 かぞえ方 一枚

じじむさ・い④【〈爺むさい〉】(形) 将来に希望をいだけるような点が全くと言ってよいほど感じられず、いかにも年を取りすぎたと思われる様子だ。「還暦を迎えたばかりなのに、ひどく―ことを言う」

ししむら⓪【〈肉〉〈叢〉】 肉のかたまり。

ししゃ①【支社】↔本社 ㊀その神社から分かれた神社。末社。㊁地方に置かれた、出先の事務所。

ししゃ①【死者】 死んで、この世の人ではなくなった人。〔人格を主とした言い方〕「―多数を出す／―に鞭(ムチ)打つ」↔生者(セイジャ)

ししゃ①【使者】 命令を受けて使いをする人。使い（の者）。

ししゃ①【試写】―する（他サ） 映画を公開する前に、特定の人に見せるために映写すること。「―会②⓪」

ししゃ①【試射】―する（他サ）〔弾丸やロケットなどの性能をためすために〕実際に発射してみること。 かぞえ方 一発

じしゃ①【寺社】 寺と神社。「―奉行(ブギョウ)③」

じしゃ①【自社】 自分の所属する会社。「―の製品に限って修理代無料」

じしゃ①【侍者】 貴人に付き添って身のまわりの世話をする人。

ししゃく①【子爵】 爵の第四位。

じしゃく①【磁石】㊀鉄を吸いつける性質の物体。〔狭義では、磁鉄鉱を指す〕「永久―〔⇨永久磁石〕」 ㊁〔↑磁石盤⓪〕磁石の針が南北を指す特性を利用した、方位を測る器械。

じじゃく⓪【示寂】―する（自サ） 菩薩(ボサツ)・高僧が死ぬこと。

じじゃく⓪【自若】―たる〔非常の事に出あっても〕落ち着いていつもと変わらない様子だ。「泰然―として」

ししゃごにゅう①-⓪【四捨五入】―する（他サ）〔十進位取り記数法で〕求める位のすぐ下の位の数字が四以下の時は切り捨て、五以上の時は切り上げることにより、端数を処理すること。

シシャモ⓪【〈柳葉魚〉】〔アイヌ susham, sus=柳、ham=葉〕日本では北海道釧路(クシロ)川などでとれる、小形の海魚。淡泊な味を賞美する。丸干しにしてかるく焼いて食べる。〔現在、市場に出回っている多くは、カナダ・アイスランドなどからの輸入品で、遡(ソ)河性を持たない別種〕〔ワカサギ科〕 かぞえ方 一尾・一匹

ししゅ①【旨趣】 相手に伝えようとする事柄の趣旨。〔長呼して「しいしゅ」とも〕

ししゅ①【死守】―する（他サ） 命がけで守ること。「陣地を―する」

** * は重要語，⓪①… はアクセント記号，品詞の指示の無いものは名詞および いわゆる連語。

ししゅ ①【詩趣】 詩△を読んでいる(に作りたくなる)ような感動を呼び起こすもの。「武蔵野の―」

じしゅ ①【字種】 文字や漢字の種類。同じ字種でも字体が異なることもある。

じしゅ ①【自主】 ほかから△保護(さしず)を受けずに行動すること。「―外交を貫く/―権を握る」 **―きせい** ③【―規制】―する(他サ) ❶個人や団体が他からの批判・攻撃や公的権力の介入を避けるために、自らその活動に制約を加えること。 ❷法令に基づく言論規制とは別に、マスメディア企業自らの意見によって、情報が受け手に与える影響を予測して、事前にその情報を捨てたり少し変えたりする行為。 **―せい** ⓪【―性】 自主的に行動する態度。「―を△生かす(貫く)/―に乏しい」 **―てき** ⓪【―的】―な ―に 当然なすべきことを、他からさしずされたり 他の力を借りたり せずに、自分から進んでやろうとする様子だ。「―活動・―参加」

じしゅ ⓪【自首】―する(自サ) 〔「首」は、陳(ノ)べる・伏するの意〕罪を犯した者が自分から申し出ること。

ししゅう ⓪(シウ)【四周】 そのものの周囲・範囲を限る外部。「運動場の―」

ししゅう ⓪(シウ)【死臭・〈屍臭〉】 死体から出る、(いやな)におい。

ししゅう ①(シウ)【志州】 「志摩(ノシマ)国」の漢語的表現。今の三重県志摩半島東部にあたる。

ししゅう ⓪(シウ)【刺〈繡〉】―する(他サ) 布地の面にいろいろの糸で模様を縫い表わす技術。また、その縫い表わしたもの。ぬいとり。

ししゅう ⓪(シフ)【詩集】 詩を集めた書物。

*__しじゅう__ ①【始終】 [一]その物事の発端から結末に至るまでの事情。「事の―(=最初からの事情)を明らかにする」 [二](副) いつもその事をしているととらえられる様子。「人の顔を見ると―文句を言っている/家に居る時は―本を読んでいた」

じしゅう ①⓪【自宗】 自分の属する宗派。↔他宗

じしゅう ⓪―する(自他サ) [一](シフ)【自習】 (先生の授業が無かったりして)自分(たち)だけで学習をすること。「―書④⓪・―時間④」 [二](シウ)【自修】 (先生につかず)独立で、その学問を習得すること。

じしゅう ①【時宗】 〔↑六時往生宗⑥〕浄土宗の一派。平生を臨終と心得、全国を遊行(ユギョウ)して六時念仏を勧める。開祖は、一遍上人(イッペンショウニン)。 表記 「時衆」とも書く。

じじゅう ⓪(ヂュウ)【自重】 〔機械・車体などの〕それ自身の重さ。「―二二トンの機械」

じじゅう ⓪【侍従】 天皇・皇太子のそば近く仕える職(の人)。

しじゅうかた ②(シジフ)【四十腕】 四十歳ごろになると時どき腕や肩が痛むこと。「―、五十肩」〔四十肩②とも言う〕

ししゅうえん ②⓪(シシウ)【歯周炎】 歯肉炎が進行し、歯を支える組織に炎症が起きる病気。

しじゅうから ②(シジフ)【四十〈雀〉】 人家の近くに飛んで来る小鳥。スズメより少し小さくて、頭・のどは黒く、ほおと胸・腹が白くなっている。人に馴(ナ)れやすい。保護鳥。「しじゅうがら」とも。〔シジュウカラ科〕 かぞえ方 一羽

しじゅうくにち ④(シジフ)【四十九日】 人の死後四十九日目(に行なう法事)。しちしちにち。なななのか。

しじゅうしょう ②(シヂュウシャウ)【四重唱】 四人の歌手による重唱。カルテット。「男声―⑥・混声―⑥」〔=ソプラノ・アルト・テナー・バスの四部から成る重唱〕

しじゅうそう ②(シヂュウ)【四重奏】 四つの楽器による重奏。カルテット。

しじゅうはって ④(シジフ)【四十八手】 〔すもうで〕相手を倒す四十八種の技術。現在は八十二手に定められた。〔△人をあやつる(目的を遂げるための)いろいろな手段の意にも用いられる。例、「就職―」〕

ししゅうびょう ⓪(シシウビヤウ)【歯周病】 歯肉炎・歯周炎など、歯周組織に発生する病気の総称。

ししゅく ⓪【止宿】―する(自サ) 長期にわたって宿泊設備のある所に滞在すること。「―先(キサ)⓪・―人⓪」

ししゅく ⓪【私淑】―する(自サ) 直接教えを受ける機会の無かった学者・宗教家・作家などを自分の先生として尊敬し、その言動にならって修養すること。

しじゅく ①⓪【私塾】 「塾」の私立性を強調した言い方。

じしゅく ⓪【自粛】―する(自サ) (自分の言動に対する反省に基づき)自分から進んで慎むこと。「―を促す」

**__ししゅつ__ ⓪【支出】―する(他サ) 〈なに・だれ ニ なにヲ ―する〉 何かのために金銭や物品を使うこと。「―を△切り詰める(削る)」 ↔収入

しじゅつ ①【施術】―する(自サ) ❶解決を要する問題に何らかの事をほどこすこと。 ❷医療の一環として手術などを行なうこと。

しじゅほうしょう ③(シヤウ)【紫〈綬褒章〉】 ⇩褒章

しじゅん ⓪【至純】―な 少しもまじりけが無い様子だ。「―な愛の物語」

しじゅん ⓪【諮〈詢〉】―する(他サ) 決定権を持つ者が、有識者などにはかって意見をきくこと。「旧憲法下、枢密院は天皇の―機関の一つであった」

じじゅん ⓪【耳順】 「六十歳」の異称。〔論語から出た語で、六十にして耳順(シタガ)う、すなわち、何を聞いても、すなおに受け入れる意〕 ⇩而立(ジリツ)

ししゅんき ②【思春期】 からだが成長し、物に感じやすくなり、特に異性に対する関心が強くなる年ごろ。

しじゅんせつ ②【四旬節】 〔キリスト教で〕復活祭の前日までの四十日間。キリストが復活する以前の苦労を記念するために、この間 断食などの行事を行なう。⇩復活祭

ししょ ① [一]【支所】 「本社❶」・「本庁❶」から派遣された人が事務をとる事務所。 [二]【支署】 本署から派遣された人が事務をとる出張所。

ししょ ①【司書】 〔図書館などで〕書籍の整理・保管・閲覧などを扱う資格(を持っている人)。「―官②・―補②」 **―きょうゆ** ③(ケウ)【―教諭】 学校図書館の職務をつかさどる教諭。資格は教員免許のほかに、図書館学関係の単位が必要。

ししょ ①【史書】 歴史の書物。

ししょ ①【四書】 儒学でたっとぶ、四つの本。大学・中庸・論語・孟子(モウシ)。「―五経」

ししょ ①【死所・死処】 死ぬべき場所。しにどころ。「―を得る(=いい機会に死ぬ)」

ししょ ①【私署】―する(自サ) 個人の資格で行なう署名。また、それをすること。

ししょ ①【詩書】 ❶詩経と書経。 ❷詩集。

しじょ ①(ヂョ)【子女】 その家の息子と娘。特に、「娘」を指す。「良家の―/帰国―」

じしょ ①(ヂ)【地所】 〔家を建てるための〕土地。

じしょ ①―する(自サ) [一]【自署】 自分で署名△すること(したもの)。 [二]【自書】 自分で△書くこと(書いたもの)。

*__じしょ__ ①【辞書】 ある観点に基づいて選ばれた単語(に準ずる言葉)を、一般の人が検索しやすい順序に並べて、その発音・表記・意義・用法などを書いた本。〔広義では、仮名漢字変換システムや機械翻訳などでコンピューターにより自然言語〖=だれもが日常的に用いている言語〗を処理する際に用いるファイル形式のものをも指す。また、近年では冊子

体のみならず、電子媒体上でアプリケーションなどとしての利用が進む〕「—を引く/—に当たる」「字書」とも書く。 表記 漢字を親字（オヤジ）として配列したものは、「字書」とも書く。 **—たい**⓪【—体】 本の中の項目の配列が辞書のように五十音順とかABC順などになっているもの。

じじょ①（ヂョ）【次女・《二女》】 同胞の女の子の中で、上から二番目のもの。⇩長女・三女 表記 法律上では「《二女》」と書く。

じじょ①【次序】 「順序」の意の古風な表現。

じじょ①【自助】 他人の力をあてにしないで、自分自身の力だけをたよりにすること。

じじょ①【自序】 自分の著書の巻頭に自分で書く序文。↕他序

じじょ①【自叙】 〔「叙」は述べる意〕自分で自分の事について述べること。 **—でん**②【—伝】 自分で書いた、自分の伝記。自伝。

じじょ①（ヂョ）【児女】 ❶女性と子供。 ❷子女。

じじょ①（ヂョ）【侍女】 小間使の女性。

じじょ①【〈爾汝〉】 〔「爾」「汝」とも、お前・貴様の意〕相手を「お前・貴様」などと呼ぶことのできる間柄。「—の交わり〔＝互いに気心が知れ気楽につきあえる親しい仲〕」

*__ししょう__⓪（シヤウ）【支障】 物事をはかどらないようにさせる△もの（こと）。「—が生じる/重大な—を△生む（きたす）」

ししょう⓪（シヤウ）【市章】 その市のシンボル マーク。

ししょう⓪（シヤウ）【死傷】 ❶—する（自サ） 死ぬこととけがをすること。「—者が出る」 ❷「死傷者②」の略。「—十名」

ししょう⓪（セウ）【私消】—する（他サ） 役所など、公共機関の金品を私用すること。

ししょう⓪（シヤウ）【私〈娼〉】 もと、公の許可を得ていない売春婦の称。↕公娼 **—くつ**②【—窟】 私娼の居る一帯。

ししょう⓪（シヤウ）【私傷】 〔公傷と違って〕公務中で無い時に受けたけが。

ししょう⓪（シヤウ）【刺傷】—する（他サ） 刀などで けがをさせること。

ししょう①（シヤウ）【師匠】 〔「匠」は、一芸の達人の意〕技芸などを習得させるために、直接指導をする先生（の敬称）。〔日本の伝統芸能の世界について用いられる〕「厳しい—のもとで稽古（ケイコ）を受ける/△茶道（華道）の—/お—さん③②〔口頭語では、「おっしょさん③」とも〕・—筋（ジス）②」

ししょう⓪（シヤウ）【視床】 間脳の大部分を占める、大きくて白いかたまり。ここで知覚神経がまとまり、知覚の中心となる。「—下部」

ししょう⓪（シヤウ）【詞章】 韻文学や戯曲の文章。歌い物・語り物の文章。「謡曲の—」

ししょう⓪（セウ）【〈嗤笑〉】—する（他サ） ばかにしてあざけり笑うこと。

ししょう⓪（セウ）【詩抄・詩〈鈔〉】 詩を選び集めて編纂（ヘンサン）した書物。

しじょう⓪（ジヤウ）【史上】 歴史が推移してきた途上。「—に名をとどめる/—〔＝歴史始まって以来〕最大の海難」

しじょう⓪【史乗】 〔「乗」は記録の意〕「歴史」の意の古風な表現。

*__しじょう__⓪（ヂヤウ）【市場】 ❶株式や特定の商品が定期的に取引され、そこでの売買が一般取引価格を決定づける△場所（一帯の地域）。「△青果（生花）—」 ❷商品としての財貨・サービスの交換・売買を、需要・供給の相関関係から総合的にとらえた概念。「△国内（国際）—・△金融（労働）—・△独占（完全競争）—・—経済」 ❸商品が売られる範囲。マーケット。「（新製品の）—性（の問題）/—開発」 ❹「いちば❷」の改まった表現。 **—せんゆうりつ**⑥（イウ）【—占有率】 市場に出回る同類の製品の中で、その企業の製品が占める割合。シェア。 **—ちょうさ**④（テウ）【—調査】 品物の売れゆきぐあいや買い手について、統計を使って調べること。 **うりて—**④【売(り)手—】 ⇩売り手市場 **かいて—**④（カヒ）【買(い)手—】 ⇩買い手市場

しじょう⓪（ジヤウ）【至上】 他のすべてのものの上位に位置する（ものと考える）こと。「—の喜び/芸術—主義」 **—めいれい**④【—命令】 その時どうしても従わなければならない命令。「操業の安定は企業の—だ」

しじょう⓪（ジヤウ）【至情】 ❶誠意のこもった気持をいだくこと。また、その用意。まこと。 ❷ごく自然な（人）情。

しじょう⓪（ジヤウ）【私情】 ❶（自分の家族・関係者などに引かれた）個人としての感情。「—をまじえず」 ❷自分の利益を図る考え。

しじょう⓪（ジヤウ）【紙上】 ❶紙の上。「—の空論」 ❷その新聞雑誌の記事面。紙面。

しじょう⓪（ジヤウ）【詩情】 ❶詩の おもしろみ。詩的な味わい。「—豊かな作品/全編に—あふれる映画」 ❷作詩の興味。「—をかきたてる異国の風物」

しじょう⓪【試乗】—する（自サ） ❶△性能をためす（経験の）ために乗ってみること。 ❷試運転に同乗すること。

しじょう⓪（ジヤウ）【誌上】 その雑誌の紙面。「—を借りて」

じしょう⓪【自称】 ❶—する（自サ） （本当はそうでないのに）自分の事を自分で…だと言うこと。「元社長と—する男/—詩人」 ❷〔文法で〕第一人称。「—代名詞⑥〔＝わたくし・ぼく、など〕」 ⇩対称・他称

じしょう⓪（シヤウ）【自傷】—する（自サ） 自分のからだを故意に傷つけること。また、その傷。「—行為」

じしょう⓪（セウ）【自照】 自分自身の心を反省し、現実を静かに見つめること。「—文学④」

じしょう⓪（シヤウ）【事象】 ❶経験的に認知できる事実や現象。「△宇宙空間（自然界）の—」 ❷〔確率論で〕それが起きる確率を考え得る出来事。「さいころを振って、偶数の目が出る—の確率は二分の一である」

じしょう⓪【時鐘】 ❶一定の時刻を知らせる鐘。 ❷〔競技で〕一定の時間が経（タ）ったことを知らせる鐘。

じじょう⓪【自乗・《二乗》】—する（他サ） ⇩にじょう

じじょう⓪（ジヤウ）【自浄】—する（自他サ） ❶海や川がそれ自身の働きで、流れ込んだ不純なものをきれいにすること。「海水の—する能力/—作用④」 ❷自らの欠陥を、他からの力を借りないで取り除くこと。「世襲的な権力委譲の悪習を—する」

**__じじょう__⓪（ジヤウ）【事情】 ❶〔それぞれの社会で特殊性があったり 絶えず変化したり する物事について〕どんな状態であるかということ。「—に詳しい/—が△厳しい（変わる）/—の許す限り/—が許さない/—聴取を受ける/現地の—/個人的な—/家庭の—/—通（ツウ）⓪〔＝消息通〕・食糧—⑤・交通—⑤・特殊—④」 ❷〔関係者以外には知られていない〕その△結果（行動をとる）に至るまでの事の成行き。「—を打ち明ける/—があって〔＝ⓐ都合により。ⓑ都合がつかなくて〕欠席する」

じじょう⓪（ジヤウ）【辞譲】 自分よりも年上・立場の上の人に対して礼儀をもって対すること。「—の心無きは人にあらず」

じじょう⓪（ヂヤウ）【磁場】 「じば」の漢語的表現。

ししょうかくひしょう⓪-⓪、⑥（シヤウ…シヤウ）【指掌角皮症】 指先などの皮膚が ざらざらになって剝（ム）けたり 水疱（スイホウ）が出来たりして、水仕事に困難をきたす病気。年ごろの女性に多く見られる。

じじょうじばく⓪-⓪【自縄自縛】 自分で△言った（した）

事のために、自分で苦しむこと。

ししょうせつ②セウー【私小説】⇩小説

ししょく⓪【至嘱】何かをきわめて有望だと思うこと。

ししょく⓪【試食】―する(他サ) 食品の味や品質を調べる目的で、食べてみること。

ししょく⓪【試織】―する(他サ) 試験的にその織物を織ってみること。「―品⓪」

じしょく①【辞色】事に臨む際の決意のほどなどがうかがわれる言葉つきや表情。「―を励まして〔=改まった言葉遣いと厳粛な顔つきをして〕諫サイめる」

じしょく⓪【辞職】―する(自サ) 自分からその職をやめること。

ししょばこ②【私書箱】郵便局の中につくる、受取人専用の郵便受けの箱。〔「私書函カン②」の改称〕

ししん⓪【至心】「まごころ」の意の漢語的表現。

ししん⓪【私心】自分だけの利益をはかる心。「―を去る」

ししん⓪【私信】△個人の(個人的な用事を書いた)手紙。

ししん⓪【使臣】君主の代理、国家の代表として派遣される使者。

ししん⓪【指針】❶磁石盤・メーターの針。❷△向かう(たよる)べき方針。「―を△与える(打ち出す・見失う)」

ししん⓪【指箴】指針とするにあたいする戒め。

ししん⓪【視診】医者が患者の顔色・肌色・目などを見て、病状を大体判断すること。⇩触診・聴診・問診・打診

しじん①⓪【士人】〔「さむらい」の意〕身分や地位(にふさわしい学問や教養)のある人。

しじん①⓪【四神】古代中国で、天の四方をつかさどるとされた神。東の青竜セイリョウ、西の白虎ビャッコ、南の朱雀スザク、北の玄武ゲンブと、それぞれ動物に見たてた。 **―そうおう**サウオウ①-⓪、⓪-⓪【―相応】東方(左)は青竜にふさわしい水流、西方(右)は白虎の大道、南方(前)は朱雀の湿地、北方(後)は玄武の丘陵に臨む、という四条件を備えた勝地。〔平安京がこれに適カナう地とされた〕

しじん⓪【至人】修養・修行を、この上なく積んだ人。

しじん⓪【私人】国家・公共の地位や資格を抜きにして考えた個人。↔公人

しじん⓪【詩人】詩を書く人。また、作詩の上で余人には見られぬ勝れた感覚と才能を持っている人。〔広義では、既成のものの見方にとらわれずに直截チョクセツ的に、また鋭角的に物事を把握出来る魂の持主をも指す。例、「この小説の作者は本質的に―であった」〕

***じしん**⓪ヂー【地震】火山の活動や断層・陥没などで起こる、地表の震動。「直下型の―が起こる/―に備える/群発―が発生する/―帯タイ⓪・大オオ―」⇩震度・マグニチュード **―どう**②【―動】地震による地面の揺れ。 **―よい**⓪ヨヒ【―酔(い)】地震が起きていないのに、揺れていると感じる症状。大地震や頻発する余震の揺れの影響によるもので、めまいや吐き気を伴うこともある。地震後めまい症候群⑩。 **むかん―**④【無感―】地震計には記録されるが、人体には感じられない程度の地震。〔震度0〕 **ゆうかん―**⑤イウ【有感―】起きて静かに座っている人に感じられる程度(以上)の地震。

じしん【自身】❶①〔何かに当面している〕その当人。「―を△信じる(責める・励ます・守る)」❷⓪(造語)当のそのもの。「計画―には非難の余地が無い」 **―ばん**⓪【―番】江戸時代、市中警戒のため、置かれた番所。もと、町内の家主たちが詰めた。

****じしん**⓪【自信】そのことをまちがいなくうまくやることが出来るという自己評価。「―がわく/―を△得る(いだく・取り戻す・強める・失う・無くす)/―の程を示す/―たっぷりの表情/―に満ちた/―喪失・―満々」

じしん⓪①【侍臣】〔公家ゲク・武家で〕主君のそばに仕える臣下。近侍。

じしん⓪【時針】時計の針のうちで、時間を指す短い方。短針。⇩分針・秒針 [かぞえ方]一本

じしん⓪【磁針】中央の支えを軸として自由に回転し、南北を指し示す、小形の針状磁石。

じじん⓪―する(自サ) ❶【自刃】刀で自決すること。❷【自尽】責任を取ったり主君のあとを追ったりするために、自決すること。

じじん①【時人】「その当時の人」の意の古風な表現。

ししんけい②【視神経】脳の中の視覚をつかさどる部分と眼球とを結び、網膜の受けた刺激を脳に伝える神経。

ししんでん②【紫〈宸殿〉】〔「紫」は天帝の居所、「宸」は天子の居所の意〕宮中の正殿。新年の朝賀を初め、正式の儀式が行なわれた。「ししいでん②」とも。〔「南殿デンナ⓪」とも言った〕

しず①シヅ【〈倭文〉】麻などで縞シマを織り出した古代の布。「しつ」とも。「―のおだまき」

しず①シヅ【〈賤〉】〔雅〕身分が低い△こと(者)。「―が伏屋フセヤ/―の男オコ/―の女メ」

じ・す①【辞す】(自他五) 辞する。「官を辞して野ヤに下る/△脱退(報復)も辞さない」

ジス①【JIS】〔←Japanese Industrial Standard〕日本産業規格。鉱工業品およびデータ・サービスを対象とする国家規格。また、それに適カナっていることを表わすマーク〔=JIS〕。⇩ジャス

しすい⓪①【止水】❶〔池・湖などの〕静かにたたえた水。「明鏡―」↔流水 ❷―する(自サ) 水漏れなどを止めること。「―栓⓪」

しずい①【歯髄】歯の中心の柔軟な組織。

しずい①【雌〈蕊〉】「めしべ」の漢語的表現。↔雄蕊ユウズイ

じすい⓪【自炊】―する ❶(自サ) 食事を賄ってくれる側の人が(たまたま)居なくて、自分で自分の食事を作ること。〔炊事に不慣れな学生や一人暮らしの人などについて言う〕「―生活④」❷(他サ) 〔俗に〕書籍を自分でスキャニングして電子的に利用できるようにすること。

しすう②【指数】〔「指し示す数」の意〕❶〔冪ベキにおいて〕その△数(式❶Ⓐ)を何乗するかを示すために△数(式❶Ⓐ)の右肩に小さく付けて書く数。冪指数。例、2^3における3。〔その△数(式の値)が正なら、指数は自然数だけではなく、整数や有理数さらには実数の範囲にまで拡張される〕「―法則・―関数」❷〔おもに統計・経済などで〕同類の事物について、高低の推移や段階的異なりを、基準に対する比率で示したもの。〔普通、基準値を一〇〇とする〕「消費者物価―・鉱工業生産―・知能―・不快―・作況―」

しすう②【紙数】❶〔原稿などの〕前もって定められた紙の枚数。〔新聞の発行部数の意に用いられることもある〕「―が尽きる」❷丁数チョウスウ。

じすう②【次数】〔代数学で〕その多項式の同類項をまとめて整頓セイトンした後に、変数として着目している(幾つかの)文字の各項における冪ベキ指数(の和)を考えた時、その最も大きな値の称。例、x^3-ax-b の変数 x に関する次数は3。x^2y+axy の x と y に関する次数は3。〔代数方程式の場合は、移項して右辺を零の形にした時の左辺の多項式の次数を、その方程式の次数と呼ぶ〕

しずえ⓪シヅー【《下《枝】〔雅〕〔「しず」は、下の意〕下の枝。したえだ。↔上枝ホツエ

****しずか**①シヅカ【静(か)】―に ❶〔うるさいと感じられるような音や声も聞こえず〕騒音にわずらわされることのない状態(で落ち

【】の中の教科書体は学習用の漢字，〈 〉は常用漢字外の漢字，《 》は常用漢字の音訓以外のよみ。

着いて何かが出来る様子)だ。「一大事なことを言うから―にしなさい/―な環境/世の中が―〔=平穏〕になる」 ❷動作が激しくなかったり 動きが少なかったりする様子だ。「ブランコが―に揺れている/中国茶が―な〔=華やかではないが広がりを見せる〕ブームを呼んでいる」 表記「《閑か」とも書く。

―さ③ そこの環境自体に人為的な物音が少なく、わずかに鶏や犬の鳴き声が聞こえる程度の状態が ずっと続き、気持が和むこと。「―をかき乱す」

***しずく**③【滴・〈雫】 何かに付着していて、そこから流れ落ちてくる、水・液体の粒。「△木の葉(軒先)から雨の―が落ちる」 かぞえ方 一滴

しずけさ③【静けさ】 △今までの(よその)やかましさがうそのように思われるほど、一時静まりかえっているそのあたりの状態。「お盆休みと日曜が重なったせいか、都心のオフィス街は不気味な―を漂わせていた/戒厳令下、兵士の足音をのぞいては、信じられないほどの―に支配されていた」

しずごころ③【静心】〔雅〕何かにかき乱されることのない落ち着いた境地。「しずこころ」とも。「―無く散る花」

しずしず①【静々】(副)―と 静かにゆっくりと動作が行なわれる様子。「―と玉座に歩み寄る」

シスター①〔sister=姉妹。↔ブラザー〕 ❶カトリック教会の尼僧。修道女。 ❷「親友」の女学生語。

システマチック⑤―な〔systematic〕 体系的。システマティックとも。「―な記述」

システム①〔system〕 ❶〔政治・経済・社会などの〕制度。体制。「三権分立の―/犯罪多発の原因を社会の―に求める」 ❷〔組織を運営したりする時の〕方式。「大統領選挙の―〔=仕組み〕を説明する/一貫教育の―をとる/緊急の際に連絡する―が出来ている/代金前払いの―になっている」 ❸〔自然科学で〕系❶。 ❹〔おもに工学で〕きわめて多数の構成要素から成る集合体で、各部分が有機的に連繋して、全体として一つの目的を持った仕事をするもの。「―を開発する/オンライン―・地域集中冷暖房―・スピーカー―・噴火予知―⑥・指紋自動識別―⑪、⓪-⑧・地域気象観測―〔=⇩アメダス〕」 **―エンジニア**⑦〔systems engineer〕〔コンピューターで〕システムの設計・開発・保守を担当する人。略称、エスイー(SE)。 **―キッチン**⑤〔和製英語 ←system + kitchen〕 台所の広さや使い勝手に応じて、種々の大きさや機能を備えた流し台やガス台・調理台を自由に組み合わせることが出来るキッチンセットのこと。 **―こうがく**⑤【―工学】 「システム❹」の設計・開発・保守を研究する工学の一分野。システム(ズ)エンジニアリング。組織工学。〔宇宙ロケットの打ち上げや電子計算機の大規模なオペレーティングシステムなど、おおぜいの人がさまざまの役割をどのように分担して作業を進めて行けば、効率的で完全なシステムが予定の期日までに完成するかということも含む〕

オペレーティング―⑧〔operating system〕 ⇩オペレーティングシステム **じぶんかつしょり―**⑧【時分割処理―】 ⇩時分割処理システム

ジステンパー③〔distemper〕(子)犬に多い急性の感染症。

ジストマ⓪〔distoma〕 悪質の寄生虫。人や馬などの△肝臓(肺臓)に寄生して病気を起こす。 かぞえ方 一匹

ジストロフィー③〔dystrophy=栄養失調〕 細胞・組織の機能が失われ、栄養が吸収出来なくなる症状を言う語。「筋―症⑦」

しずのおだまき①-②【〈倭文〉の〈苧《環】 「しず」を織る時に使ったおだまき。

じすべり②【地滑り】 斜面にある土・石が、地震・大雨などで不安定となり(ゆるやかに)滑り落ちる現象。特殊な粘土質の地域に発生しやすい。〔予想外の大きな△変革(変化)の意にも用いられる〕「―を起こす」⇩山くずれ 表記「地〈辷り」とも書く。 **―てき**⓪【―的】―な ―に ❶予想を超えて、急激に△事態が変化する(その傾向が強まる)様子だ。「選挙における―大勝利/社会の―変動」 ❷事態が少しずつ、しかし確実に進んでいく様子だ。「―にもたらされる再軍備」

しすます③【《為済(ま)す】(他五) うまくやってのける。

しずまりかえる⑤【静まり返る】(自五) 物音や話し声が全くと言っていいほど聞こえず、異様だと思われるほど静かになる。「不気味に―敵の陣営/会場は一瞬静まり返った」

しずまる③⓪【静まる・鎮まる】(自五) ❶元の△静かな(穏やかな)状態になる。「騒ぎが―/風が―/世の中が―/火の手が―〔=衰える〕/怒りが―」 ❷静かな状態を保ち続ける。「不気味に―池/森の奥に―〔=鎮座する〕神」

しずみ【沈み】 ■⓪ ❶沈むこと。「浮き―」 ❷網のすそにつける おもり。 ❸おもり。 ■(造語) 動詞「沈む」の連用形。 **―うお**③【―魚】 習性として水の底にすむ魚。カレイの類。そこうお。↔浮き魚

****しずむ**⓪【沈む】(自五)〔「しず」は、下の意〕 ❶〈(どこ)カラ)どこニ―〉 △水面に浮かんでいた(浮く力を失った)ものが、底の方に向かって移動△する(して水の底につく)。〔広義では、水準となる面から下の方へ動いて、見えなくなることを指す〕「沖合で漁船が―/△太陽(月)が―/ボクサーがマットに―〔=打ち倒されたままの状態になる〕」 ↔浮く ❷〈(なにニ)―〉 望ましくない状態になって△気持などが晴ればれしなくなる(元気が無くなる)。「物思いに―/沈んだ顔/脈が―〔=衰える〕」 ❸染色後、時間がたって、落ち着いた色になる。〔⇩沈み■〕

しずめる⓪【沈める】(他下一)〔水中などに〕沈むようにする。「港口に船を―/ボクサーが最初の一撃で相手をマットに―〔=倒す〕/ソファーに身を―〔=深ぶかと腰をおろす〕」

しずめる⓪③【静める・鎮める】(他下一) 元の△静かな(穏やかな)状態に戻す。〔広義では、死者の霊を弔い慰める意にも用いられる〕「△騒ぎ(戦火)を―/鳴りを―〔=⇩鳴り〕/痛みを―〔=痛みを感じない状態にする〕/はやる心を―」 名 鎮め③⓪「国の―としての神」

しずもる③【静もる・鎮もる】(自五) 「静まり続ける」意の古風な表現。

しずり⓪③〔雅〕〔「しず」は、下の意〕木の枝から△雪が落ちること(落ちて来る雪)。「―雪③」

しする【視する】(造語・サ変型) …と考える。…扱いする。「対岸の火事―/重大―・英雄―・問題―・罪悪―」 ⇩【造語成分】し(視)❷

しする②【死する】(自サ) 「死ぬ」の漢語的表現。死す①(五)。「死して後已む」

しする②【資する】(自サ) 何かを進める上のたすけとなる。何かをするのに役立つ。資す①(五)。「△会の発展(向上)に―/教育に―所は少なくない」

じする②【侍する】(自サ) 貴人のそば近く仕える。はべる。侍す①(五)。

じする②【治する】(自他サ) 病気や混乱した状態などを元に戻す。また、そのようになる。ちする❷。治す①(五)。

じする②【持する】(他サ) 一貫して同じ状態を守り続ける。持す①(五)。「△堅く自説(厳正な態度)を―/清潔に身を―/自ら高く―/戒を―〔=守る〕」 【満を―】 ⇩満❶

じ・する②【辞する】■一（自サ）挨拶(アイサツ)△する（して、そこから帰る）。「早々にして辞した/この世を―（=死ぬ）」■二（他サ）断わる。「就任を―/委員を―（=やめる）/死をも辞せず（=死ぬことをも恐れずに、何かをする）」 辞す（五）。

しず・れる③⓪（自下一）木の枝から、雪が落ちる。

しせい①【四声】〔中国語で〕漢字一字によって表わされる語の声音の四種のアクセント。平声(ヒョウショウ)・上声・去声・入声(ニッセイ)。「ししょう」とも。

しせい①【四姓】昔、インドの四種の階級。バラモン（=僧）・クシャトリヤ（=王族・武士）・バイシャ（=平民）・シュドラ（=奴隷）。「ししょう」とも。

しせい⓪【四聖】人の生きるべき道を身をもって示した四人の高徳の人。〔狭義では、釈尊・キリスト・孔子・ソクラテスを指す〕

しせい⓪【市井】〔昔、井戸を掘った場所に人が集まったところから〕まちなか。庶民の社会。「―の人/―人(ジン)②」

しせい⓪【市制】地方自治体の一つとして制定された市（に関する制度）。「―をしく」

しせい⓪【市政】〔自治体としての〕市の行政。

しせい⓪【市勢】その市の人口・産業などの総合的情勢。「―要覧④」

しせい①【死生】生きることと、その△終焉(シュウエン)（否定）としての死。「―（=死ぬか生きるか）の境をさまよう/―（=いつ神に召されるか）は天の思(オボ)し召し次第だ/―観②（=ⓐ命ある限りは充実した毎日を送ろうという考え方。ⓑ人生の終末としての死についての、その人の考え方）」

しせい⓪【至誠】何かのため善(ヨ)かれかしと純粋に思う心。まごころ。「―天に通ず」

しせい⓪【私製】〔官製と違って〕正規のものに準じて私人が作ること。また、その作ったもの。「―葉書④」

＊＊**しせい**⓪【姿勢】❶立ったり座ったりしたときに、適度に胸を張っているかどうか、前かがみになりすぎていないかどうかなどの点から見た体の構え。「歩くときの―が△いい（悪い）/直立不動の―」❷何かをするためにそうするのがよいとされる体の構え。「徒競走の―/蹲踞(ソンキョ)の―」❸事にのぞむ際の心の持ち方。「オリンピック誘致に△意欲的（積極的）な―を示す/野党の修正案に柔軟な―を見せる/対決の―を取る/非を認め―を正す（=従来のやり方を反省△する（して改める））/低(テイ)―・高(コウ)―」

しせい⓪【施政】〔一定の方針に基づいて〕政治を行なうこと。また、その政治。「―方針④」

しせい⓪【詩性】❶詩として本来持っている性質。「―豊かな作品」❷詩の持っているような性質。詩に共通するような性質。「―にあふれた小説」

しせい⓪【詩聖】すぐれた詩人であるのに加えて、求道的な生き方をする点で世人の尊敬を集める人。〔狭義では、杜甫(ホ)を指す〕「―タゴール」

しせい⓪【試製】―する（他サ）本格的に作る前に、試験的に作ってみること。「―品⓪」

しせい①【資性】生まれつき（の性質）。「恵まれた―」

しせい⓪【雌性】雌(メス)の性質。↔雄性(ユウセイ)

しぜい①⓪【市税】自治体としての市が、住民に割り当てて取る税金。

じせい⓪【自生】―する（自サ）〔植物が〕ひとりでに生えること。野生。

じせい⓪【自制】―する（他サ）むき出しにしたくなる自分の感情や欲望を抑えること。「―心（を失う）」

じせい⓪【自省】―する（自サ）自分の言動を静かに反省し、自ら責めるようにあれこれと検討を加えること。

じせい⓪【自製】―する（他サ）〔一般には注文して作ったり既製品で間に合わせたりするものを〕自分で作ること。また、作った物。「―の臼(ウス)と杵(キネ)で餅(モチ)をつく」

じせい①⓪【時世】その時どきによって他の時代とは政治体制・世相・人心などが異なる、それぞれの時代。「幕末の動乱の―を生き抜いた人びと/この民主主義のご―に」

じせい⓪【時制】❶〔英独仏語などで〕過去・現在・未来など、時に関する事柄を表現する際の、（法則的な）動詞の語形変化の特徴的な構造。テンス。❷時法。

じせい⓪①【時勢】逆らいがたい勢いで変動する時代の流れ。「―を見る目が無い/老人が住みにくい世の中になったもご―だね/―遅れ④」

じせい⓪①【辞世】〔この世に別れを告げて死ぬ意〕死にぎわの感想などを詠んだ、詩や歌など。「―の句」

じせい⓪【磁性】△磁石が鉄片を吸いつける（鉄片などが磁石に吸いつけられる）性質。「―材料④・―体⓪」

しせいかつ②―【私生活】その人の、個人としての生活。「―を他人にのぞかれる/―に立ち入る」

しせいかん②―【司政官】〔占領地域の〕政治・行政を扱った、旧日本軍の長官。

しせいし②【私生子】〔民法の旧規定で〕婚姻関係にない男女の間に生まれた子の呼称。婚外子。〔「私生児・庶子」はその通称。なお、現民法では「嫡出(チャクシュツ)でない子」と言う〕

しせいじ②【私生児】「私生子(シセイシ)」の通称。

しせいだい②【始生代】⇩太古代

しせき⓪【史跡・史〈蹟・史〈迹】歴史上の事跡。「―を保存する/―記念物⑤」

しせき①⓪【史籍】「史書」の意の古風な表現。

しせき①【〈咫《尺】〔「咫」は八寸の意〕❶近い距離。「―を弁ぜず（=何かのため視界が遮られて一寸先も見えない）/―の間(カン)」❷―する（自サ）天皇などのそば近く進み出てお目にかかること。〔❶❷とも、古風な表現〕

しせき⓪【歯石】歯の根元などに付いた歯垢(シコウ)が石灰化したもの。⇩歯垢

じせき⓪【次席】〔首席と違って〕二番目の席次（の人）。「―検事」

じせき⓪【自席】自分の（座）席。

じせき⓪【自責】自分のあやまちを、自分で悪いと思うこと。「―の念に駆られる」 **―てん**③②【―点】〔野球で〕投手にとって自分の責任になる、相手チームの得点。投げたたまを打たれて、相手に与えた得点。〔投手の防御率計算の基礎となる〕⇩失点

じせき⓪ ■一【事績】その人のした事業と、それに伴う功績。■二【事跡・事〈蹟・事〈迹】事柄や事件のあった跡。

じせだい②【次世代】〔次の世代がその担い手になる意で〕今の段階につぐ次の進んだ段階。最尖(セン)端の技術をとり入れ、現在よりもさらに高性能のものを目指して、開発を進めているものについて言う。「―新幹線⑦・―路面電車⑧・―インターネット⑨」

しせつ⓪【私設】私人の設立。「―大使」↔公設・官設

しせつ⓪【私説】自分だけが主張している△論説（学説）。

しせつ①②【使節】国家や政府を代表して外国に派遣される人。「親善―⑤・スポーツ―⑤・―団③」

＊＊**しせつ**①②【施設】❶―する（他サ）〈どこニなにヲ―する〉その目的のために不可欠な建物その他の設備を整えること。また、その機能が発揮できる状態にあるもの。「社内の一隅に保育―を設ける/会社の保養―/公共―・軍事―④⑤・教育―⑤⑥・娯楽―④⑤」❷「児童福祉施設・老人福祉施設」などの略。「親を―に預ける」

じどうふくしー⑦⑧【児童福祉―】児童の健康で文

的な育成を保障するため△国(地方公共団体)が設ける施設。母子生活支援施設・保育所・児童養護施設・医療型障害児入所施設など。 **ろうじんふくしー**[8][9]【老人福祉ー】 老人の健康の保持と生活の安定のために設ける施設。養護老人ホームや老人福祉センターなど。

じせつ[0]【自説】〔他と違っていて、自信を持っている〕自分の△説(意見)。「ーにこだわる/ーを曲げない」

じせつ[0]【持説】 その問題について、その人が持っている意見。「ーを変えることになる」

じせつ[1]【時節】 ❶風物・景物によって代表される、時の区分。「新緑のー」 ❷何かをするのにころあいの時。「ー到来」 ❸現在の世の中の事情・状態。「ーを弁(ワキマ)えぬ発言」 **ーがら**[0]【ー柄】 厳寒や酷暑△の(に向かう)季節や、通常とは異なる時勢のあり方。「誠に穏やかならぬーで心配なことだ/これもーで〔=時勢が時勢だから〕我慢して黙っているより外(ホカ)に仕方がない/〔手紙文で〕ー御自愛下さい」

しせる[2]【死せる】〔「る」は、文語の助動詞「り」の連体形〕死んでしまった。「ー孔明(コウメイ)、生ける仲達(チュウタツ)を走らす」

しせん[0]【支線】 ❶(鉄道の)「本線❶」から分かれた線路。↔本線❶・幹線 ❷電柱などをささえるために斜めに張る線。

しせん[0] [一]【死線】 牢(ロウ)獄などの周囲に設け、それを越えると銃殺される線。〔広義では、生きるか死ぬかの境目を指す。例、「ーをさまよう」〕 [二]【死戦】 ⇩死闘

しせん[0]ーする(他サ) [一]【私選】 〔国選と違って〕その人個人の意志によって選ぶこと。「ー弁護人[0]」 [二]【私(撰)】 勅命によらず私人が作品を選び編集すること。「ー和歌集[5]」 ↔勅撰

しせん[0]【視線】 その人の目と、目が見(ようとし)ている対象とを結ぶ線分。また、その線分をなすととらえられる方向。「ーをそらす/ーが合う/うつろなー」

しせん[0]【詩仙】 俗事にこだわらない、天才的な詩人。〔若い人については言わず、狭義では李白(リハク)を指す〕

****しぜん**[0]【自然】 [一]❶天体・山川草木・動物など、人間社会を取り巻くもの。〔狭義では人間(の営み)と対立し、広義では人間(の所産)を含む〕「ーを愛する/子供にーの大切さを教える/子供たちのためーを守りたい/野外でーに親しむ/ーの中で生きるエゾシカ/ーの恵み/ーの味/ー〔=あらし・大水・大地震・津波など〕の猛威/ーの営み〔=『自然[二]❶』および人間を作り出した、大きな働き。宗教的には、天・造化(ゾウカ)の神の力ととらえられる〕/止(ト)め難いーの勢い〔=人間の意志の力によって防ぎ止めることの出来ない、物事の成行き。『自然の数(スウ)・自然の理(リ)』も同義〕/ー美[2]・ー観察[4]・ー観[2]・ー環境・ー破壊・ー景観・ー享有権・ー史[2]・ー条件・ー林[2]・大ー」 ⇩文化 ❷「自然[二]❶」および人間の、本来の形や性質が破壊されたりゆがめられたりしていない状態。「ー食[2]・ー食品[4]・ー塩(エン)[2]・ー気胸・ー給気・ー金塊・ー光[0]・ー災害・ー放射能・ー発火・ー消滅」 ↔人工・人為 [二]ーな ーに ❶意図的にしたのではなく△無意識のうちに(ひとりでに)そうなる様子だ。「ーな動作/傷はーに治った/英語がーに口をついて出て来る/ー成立」 ❷論理的に考えて、無理なくだれでもが納得出来る様子だ。「火の無い所に煙は立たないと考えるのがーだろう」 [三](副)ーと ❶そうしようと思ったのではないのに△事柄の性質から(事の成行きで)そういう結果になる様子。「何でもストレートに批判するからー敵も多い/彼女の献身ぶりにはーと頭が下がる」 ❷〔古〕万一。「ーの事有らば」 [派]**ーさ**[0] **ーいさん**[4]【ー遺産】 世界遺産のうち、人類共通の財産とされる、地形・生物・景観などを含む自然地域。〔日本では屋久(ヤク)島・知床(シレトコ)・小笠原(オガサワラ)諸島など〕 **ーかい**[2]【ー界】 ❶天地万物が存在する「自然[二]❶」。〔哲学では、認識の対象となる、すべての外界を指す〕 ❷「自然界❶」から人間を除外したもの。 ❸「自然界❶」から、人間と生物とを除外した、△無生物(物質)全体。 **ーかがく**[4]【ー科学】 自然現象を一定の方法で研究して一般的法則を見いだそうとする科学。〔狭義では数学・物理学・天文学・化学・生物学・地学などを指し、広義では農学・医学および工学などを含む〕 ↔文化科学 **ーきゅうかい**[4]【ー休会】 国会の会期中に、議長が各政党にはかって、ある期間、本会議を休むこととし、議事日程を作らないこと。 **ーげんしょう**[4]【ー現象】 人間が△観察(観測)し、一部制御は出来るが、究極において人間の意志や営為の及ばない△力(法則)によって継起する事柄。 **ーし**[2]【ー死】ーする(自サ) 病気や事故・殺害などによるのではなく、からだの諸機能が衰えて死に至ること。 **ーじ**[2]【ー児】 「自然[二]❶」の中で思いきり自由に育ち、健康で闊達(カッタツ)な精神を身につけた若者。 **ーしゅぎ**[4]【ー主義】 ❶自然(の発達)に従う主義。 ❷現実をありのままに描写しようとする、文学上の主義。 **ーじん**[2]【ー人】 ❶社会・文化の影響を受けない、自然のままの純粋な人。 ❷〔法律で〕権利義務の主体である個人。 ↔法人 **ーすう**[2][4]【ー数】 〔「自然[二]❶」の数の意〕「数(スウ)❶」の数学的表現。一から順に二、三、四、…と一ずつ加えて得られる。〔個物とは完全に切り放された理論的用語で、個数という意味には用いない〕「ー五はー三より二だけ大きい/ー全体は、加法・乗法に関して閉じているが、減法・除法に関しては閉じていない」 **ーせき**[2]【ー石】 庭園などに配置して観賞する石で、自然のままの形をしていて人工を加えていないもの。 **ーせんたく**[4]【ー選択】 生物のうち、外界に適応したものは栄え、適応しないものは滅びること。「自然淘汰(シゼントウタ)」の新しい言い方。 **ーそう**[2]【ー葬】 遺骨や遺灰を墓に埋葬するのではなく、自然に還(カエ)す含みで、一定の制約の下に大地や河川・海洋に撒(マ)く方式。 **ーぞうしゅう**[4]【ー増収】 好景気や物価上昇などで、租税の実収入が予算額を上回ること。 **ーたい**[0]【ー体】 いかなるものが、どんな所からかかって来てもいつでも対応できるような、構えたところの無い楽な姿勢。〔もと、柔道の用語。広義では、必要以上の力(リキ)み・気負いや、一切の予備知識にとらわれない、無防備・無我の境地を指す〕 **ーとうた**[4]【ー(淘汰)】 「自然選択」の旧称。 **ーはっせいてき**[0]【ー発生的】ーな ーに 主導者や提唱者が特定出来ず、民衆の間に止(ト)めがたい要望が生じ、次第に勢いを得て、形作られた様子だ。「大学は西洋中世でーにおこってきたものとされる/ーなデモ」 **ーぶつ**[2]【ー物】 自然界に存在するものの中で、人間や人間の手によって作り出された物以外のすべてのもの。〔広義では、人工によるものでも常に同じ位置にあって時が経過しても目立った変化を見せない物をも含む〕 **ーほう**[0]【ー法】 時と所とを超越して存在する普遍妥当の法で、実定法の制定・解釈および批評の基準と称せられるもの。理性と社交性を有する人間が集まって平和社会を維持する上に必要とする法など。 ↔実定法

しぜん[0]【至善】 この上もなく正しいこと。「ー至高」

じせん[0]【自選・自(撰)】ーする(自他サ) ❶自分で自分に票を入れること。 ❷自分の作品の中から自分で選び△出す(書物にまとめる)こと。

じせん[0]【自薦】ーする(自サ) 自分で自分を推薦すること。

** * は重要語, [0] [1]… はアクセント記号, 品詞の指示の無いものは名詞および いわゆる連語。

↕他薦

じぜん [0]【次善】 何かの理由で最善が選べない場合、やむを得ず選択する第二のもの。「—を選ぶ/—の策」

じぜん [0]【事前】 何かが起こる前。「—に知る/—協議[4]・—工作[4]」↕事後 **—うんどう** [4]【—運動】〔選挙などで〕公認された運動期間の前に、人目につかないように準備のため(違法に)活動すること。

じぜん [0]【慈善】 困っている人を助けるために、お金や物品を与えて援助すること。「—市[2][4]〔=バザー〕・—鍋[4]・—家[0]・—事業[4]・—興行[4]」

しぜんがく [2]【史前学】 ⇩先史学

しそ [0]【紫〈蘇】 畑に作る一年草。ぎざぎざのある葉は△紫(緑)色で、実と共に芳香があり食用。また、紫色の葉は梅干を作るのに用いる。〔シソ科〕 [かぞえ方] 一本

しそ [1]【始祖】 「元祖」の意の古風な表現。〔禅宗では、達磨の特称〕「医学の—ヒポクラテス」 **—ちょう** [0]【—鳥】 鳥類の祖先と考えられる化石動物。翼に爪があり、歯がある点で今の鳥類とは異なり、爬虫類に似る。鳥類が爬虫類から進化したことを示すとされる。

しそ [1]【紙塑】 和紙の材料であるコウゾ・ミツマタなどの繊維をフノリなどで練り固め、型に入れてかわかしたもの。「—人形[3]」

しそ [1]【〈緇素】 〔黒衣と白衣の意〕「僧と俗人」の意の古風な漢語的表現。

しそう [0]【死相】 ❶「死に顔」の意の漢語的表現。❷死の迫っていることが分かる、顔の様子。「—が現われる」

しそう [0]【志操】 堅く守って変えない△主義(気持)。「—堅固」

＊しそう [0]【使〈嗾】—する(他サ) そそのかすこと。けしかけること。[表記]「指〈嗾」とも書く。

しそう [0]【思想】 何らかの視点に基づいて、その人の△生活(行動)を規定し、統一する、人生観・社会観・政治観などの総合されたもの。「野生動物愛護の—が高まる/老荘の—を奉ずる/大衆小説に—的なものを求めるのは無理というものだ/—家[0]・自由—[4]・危険—[4]」

しそう [1][0]【師僧】 師である僧。

しそう [0] ■一【詞宗】 詩文の大家。〔文学者の敬称としても使われる〕 ■二【詩宗】 詩の大家。大詩人。〔詩人の敬称としても使われる〕

しそう [0]【歯槽】 歯の根のはまっている上下のあごの骨の穴。 **—のうろう** [4]【—〈膿漏】 歯槽からうみが出て、ひどくなると歯が抜ける病気。

しそう [0] ■一【詩草】「詩の草稿」の意の古風な表現。■二【詩想】 ❶詩を作る上の着想。❷その詩の中に見られる、作者の思想・感情。

しそう [0]【詩藻】 ❶詩や文章(の中の美しい語句)。「古代の—や韻律」 ❷詩想と語彙が豊かであること。「—に富む詩人」[表記]「詞藻」とも書く。

しそう [0]【試走】—する(自サ) ❶新しく製造した自動車の性能などを確かめるために走らせること。「—の実地テスト」 ❷〔走る競技で〕実際の競走の前に、走って調子をためしてみること。

しそう [0]【試〈漕】—する(自サ) 出来上がったボートなどをためしにこいでみること。「—の結果は上々」

しぞう [0]【死蔵】—する(他サ) △使わないで(むだに)しまっておくこと。

しぞう [0]【私蔵】—する(他サ) 個人がそれを持っていること。

じそう [0][1]【寺僧】 その寺に属する僧。

じぞう [0]【地蔵】 〔地中の蔵の意という〕釈尊の死後、弥勒菩薩の出現までの間、衆生を教化・済度する菩薩。日本では、旅人や子供を守ると言われる。お地蔵様。地蔵菩薩[4]。地蔵尊[2]。「借りる時の—顔、返す時の閻魔顔/初—[3]〔=その年の最初の地蔵の縁日〕・子守—[4]・子育—[5]」 [かぞえ方] 一体・一尊

じぞう [0]【自蔵】—する(他サ) 機械の中に組みこんであること。内蔵。ビルトイン。「アンテナ—」

じそうタラップ [5][4]【自走タラップ】 航空機に乗り降りするための階段で、移動や開閉が自動式のもの。

シソーラス [2]〔thesaurus〕 ❶知識の宝庫としての辞典。〔狭義では、△類語(関連語)辞典を指す〕 ❷情報検索に使われるキーワードと関連語との関係を示した、一種の辞書。

しそく [1][2]【子息】「他人のむすこ」の意の漢語的表現。〔「ご—」の形で、他人のむすこに対する敬称として用いられる〕

しそく [1]【四足】 四本足(の動物)。

しそく [1]【四則】 加法・減法・乗法・除法の総称。加減乗除。「—演算[4]・—応用問題」

しぞく [1]【士族】 士分の家柄。〔明治維新後、旧武士階級に与えられた身分を指す。華族の下、平民の上。現在は廃止〕

しぞく [1]【氏族】 祖先を同じくする、血族の団体。家族より大きい。「—社会[4]」

じそく [0]【自足】—する(自サ) ❶自分で必要を満たすこと。「自給—」 ❷自分の生き方や行動を自ら満足すること。

じそく [0]【時速】 一時間に進む距離によって表わした、そのものの速さ。「平均—百キロでハイウエーを飛ばす」

＊じぞく [0]【持続】—する(自他サ)〈なにカラなにマデ—する〉 その状態が、途中でとぎれずにずっと続く(ようにする)こと。「何をしても三日坊主で、—したためしがない/—可能な開発目標〔=⇩エスディージーズ(SDGs)〕/—性[0]・—的[0]・—力[3]・—時間[4]」

しそこな・う [4]【《為損(な)う・仕損(な)う】(他五) ❶仕方をまちがえて、好ましくない結果を招く。❷機会を逸する。逃す。「忙しくて申し込みをしそこなった」 [名] 為損ない[0]

しそつ [1][2]【士卒】 〔武士と兵の意〕部下の兵隊。

じぞめ [0]【地染(め)】 ❶〔染め物で〕模様以外の地の部分を染めること。地染まり[2]。 ❷その土地で染め上げた染め物。

＊しそん [1]【子孫】 ❶その人の子供と孫(曽孫・玄孫と続く血筋の末)。孫子。 ❷自分たちのあとの時代の人。

しそん [0]【至尊】 〔この上も無く尊い存在の意〕天皇の特称。

じそん [0]【自存】 自分の力だけで生存していくこと。「—自衛」

じそん [0]【自尊】 ❶自分自身を相当な存在であると思いこむこと。「—の念〔=うぬぼれの気持〕/—家[0]」 ❷自分という存在に誇りを持つこと。「—心を傷つけられる/独立—」

じそん [0]【自損】 自分自身の不注意などで損害を受けたりけがをしたりすること。「—事故」↕他損

じそん [1]【児孫】「子孫」の意の古風な表現。

しそん・じる [4]【《為損じる】(他上一) 仕方を△誤る(誤ったため、目的が遂げられなくなる)。為損ずる(サ変)。〔「しそこなう」よりもさらに文語的〕「せいては事を—」 [名] 為損じ[0]

＊＊した【下】 ■一 [0][2] ❶低い(方にある)△こと(所)。「二階は子供部屋、—〔=階下〕は居間/坂の—の交番」 ❷〔地位・

能力・数量などの程度が〕低いこと。劣っていること。「彼よりは—だ〔=ⓐ成績が悪い。ⓑ品格が落ちる。ⓒ若い〕/—〔=下の者〕からの要求/千円より—〔=安い〕ということはない/私より年が—だ」❸何かの内側にあって表から見えない所。「ワイシャツの—にランニングを着る/—心(ゴコロ)・—着(ギ)・—帯・靴—」❹何かをしたすぐそのあと。「言う—からまちがえる」〔❶〜❸の対義語は、上(ウエ)。「—に降りる」など修飾語がない場合は、アクセント⓪。「ワイシャツの—に」など修飾語がある場合は、アクセント②⓪〕 ▤(造語)❶先を見越して前もってすること。「—相談・—調べ」❷地面に直接触れて用いること。「—履(バ)き」【—にも置かぬ】〔下座(シモザ)に着かせないように気を配るくらいにして〕十分のもてなしをする。

*した②【舌】❶動物の口の中にある、大切な器官。人間のものは赤く柔らかく、自由に動き、食物を味わい、言葉を発音するのに使う。「—の根のかわかぬうちに〔=⇩舌の根〕/—の正月〔=⇩正月❸〕」❷Ⓐ管楽器・ハモニカ・オルガンなどに付けて振動音を出させるための薄片。▵木(竹・金属)で作る。リード。Ⓑ鈴(レイ)を鳴らすために、内部に▵吊(ツ)られた(込められた)おもり形や球形の小具。金属性または土製など。 表記 ❷は、「〈簧〉」とも書く。 かぞえ方 ❶❷とも一枚 【—が回る】 うまくしゃべる。【—を出す】❶その人の去ったあとで、▵見くびった(いやなやつだという)動作を示す。❷自分の失敗に照れた動作をする。【—を振るう】 雄弁にしゃべる。【—を巻く】 非常に▵感心して(驚いて)恐れ入ったという態度を示す。

しだ①【〈羊歯〉】 花の咲かない植物の一つ。多くは、根から直接、葉のついた柄を出す。胞子でふえる。〔広義では、ワラビ・ゼンマイ・ウラジロ・トクサなどの総称。狭義では、ウラジロを指す〕 表記 「歯〈朶〉」は、借字。 かぞえ方 一本

じた①【自他】❶自分と他人。「—共に▵許す(認める)〔=だれでもがその通りだと認め(てい)る〕語学の天才だ」❷〔文法で〕自動詞と他動詞。

じだ①【耳〈朶〉】〔もと、「耳たぶ」の意〕「みみ」の意の漢語的表現。【—になお新た】 きのう聞いたことのように印象が今でも鮮明だ。【—に触れる】 聞いて、知っている。

したあご⓪【下顎】 下の方の顎。食物を咀嚼(ソシャク)したり発音したりする時に動かす。↕上顎

したあじ⓪—(アヂ)【下味】 煮たきする以前に、適当に切った肉・魚・野菜などに調味料や香辛料で味をつけておくこと。また、その味。「—をつける」

したあらい③—(アラヒ)【下洗(い)】—する(他サ)「予洗(ヨセン)」の意の口頭語的表現。

シタール②〔ヒンディー sitar〕 北インドの民族弦楽器。主弦七本と多数の共鳴弦からなる。

したい⓪①【支隊】 本隊から分かれて、別に行動する部隊。 表記 「枝隊」とも書く。

したい⓪【四《諦》】〔仏教で〕迷いと悟りとの関係を四段階に分けて説明したもの。⇩苦集(クジュウ)滅道

したい⓪【死体・〈屍体〉】 命が無くなって、そこに横たわっているからだ。「—遺棄④」↕生体

したい⓪【肢体】 人間の手足とからだ。「すらりとした—/—障害④」 表記 「支体」とも書いた。 —ふじゆうじ⑥、⓪-③—(イウ—)【—不自由児】 手足や胴体の機能に障害のある子供。

したい⓪【姿態】 動きを含む、からだの様子。

しだい①【四大】❶〔仏教で〕昔、物質の究極的要素と考えられた、地・水・火・風。〔これに「空」を加えて、「五大」と言うこともある〕❷〔古〕人のからだ。「—不調」

しだい【次第】▤⓪❶何の次に何をするかということについての、一定の順序。「式(の)—」❷どういう関係でそうなったかの事情。「事の—〔=成行き〕を次のごとく語った/そういう—〔=わけ〕で/—〔=事情〕によっては捨てておけぬぞ」▤〔「動詞連用形+—」の形で、接尾語的に〕❶…したまま、ほうっておく様子。ほうだい。「言いなり—になる」❷…(の程度)によって決まる様子。「何事も人—だ/地獄の沙汰(サタ)も金(カネ)—」▤〔接続助詞的に〕意図した一つの行為が実現した後、すぐに次の行為に移ることを表わす。「見つけ—〔=見つけたら、すぐに〕知らせる/入場は定員になり—締め切ります」 —がき⓪【—書(き)】▵由来(順序)をしるした文書。 —しだいに⓪【—次第に】(副)「次第に」の段階的に進んでいく様子を強調していう表現。 —に⓪(副) ちょっと見には目立たないが、時間の経過と共にその傾向が少しずつ顕著になっていく様子。「反対の声は—大きくなっていった/人びとが—集まって来る」

しだい⓪【至大】—な この上もなく大きい様子だ。

しだい⓪【私大】「私立大学④」の略。

しだい⓪①【紙代】 その新聞の購読料。「—据置き」

しだい⓪①【誌代】 その雑誌・機関誌などの代金。

じたい⓪【字体】 同一の語または語の部分を表わす文字について考えられる、幾つかの違った形の一つ。〔狭義では、漢字の抽象化されたそれを指す〕〔書体❶Ⓐ Ⓑのほか、漢字の正体(セイタイ)と異体字の別や、かなの正体・異体・変体の別、活字体のローマン体・イタリック体・ブラック体の別も字体の相違に帰す〕 きゅう—⓪③—(キウ)【旧—】 第二次世界大戦中まで学校教育などで正しいものとしてきた字体。「者」を「者」、「状」を「狀」、「国」を「國」とするなど。 しん—⓪③【新—】〔↑当用漢字の新字体〕 第二次世界大戦後、当用漢字について国語審議会で決めた字体。筆写体や略字体を採用したものが多い。例、「步」を「歩」とするなど。

じたい【自体】▤①自分のからだ。「—の重みがある上に」▤〔接尾語的に〕それに▵付属する(まつわる)一切の物を切り捨て、本質的なものだけを取り上げることを表わす。「法律—〔=そのもの〕はりっぱだが、運用する人が問題だ/つまらぬうわさを取り上げること—〔=がそもそも〕おかしい」▤①⓪(副) 問題のあり方を、その▵根源(本質)にさかのぼって見直し、物事を判断する様子。〔やや、古風な表現〕「—お前の態度がよくない/—組織としての自主性が疑われる」

*じたい①【事態】 物事が進行して行きついた▵好ましくない(容易ならざる)状態。「重大な—を迎える/憂慮すべき—に直面する/—が切迫する/—を深刻に受け止める/—を▵重く見る(憂える)/—の推移を見守る/—の収拾を図る/—が悪化する/—を混乱に導く/最悪の—を避ける」

*じたい①【辞退】—する(他サ)〈なにヲ—する〉〔勧め・資格・権利などを〕自分の意志で断わること。

じだい⓪①—(ヂ)【地代】❶借地料。「ちだい」とも。❷地価。

じだい①⓪【次代】 次の▵時代(世代)。「—をになう青少年」

じだい⓪【事大】 自己保存のために、強大なものに従うこと。「—主義④」

**じだい⓪【時代】 移り変わる時の流れの中である特徴を持つものとして、前後から区切られた、まとまった長い年月。〔民族・国家などの歴史についても一個人の人生についても用いられる〕「▵新(低成長)—を迎える/グローバル化—の到来を告げる/—を画する/一党独裁の—が終わる/—の流れに即応した/—の要請にこたえる/—の(生んだ)申し子/古き良き—/—が変わる/—〔=時勢〕に逆行する/—〔=その時代〕の先覚者/—がつく〔=時がたって古びた様子

を帯びる〕／—がかった〔=いかにも古い時代の物に見える〕茶器／宇宙—④・学生—⑤・平安—・黄金—・暗黒—・王朝—」 **運用** 「時代(の流れ)だ」などの形で、時の移り変りには逆らえない、ということを実感して感慨にふけったりあきらめの気持を表わしたりすることがある。例、「のどかな田園風景が日本の各地から消えていく。これも時代だ」

—えまき④【—絵巻】時代による風俗の移り変りを絵巻物風に再現して見せる物。 **—おくれ**④【—遅れ・—後れ】その時代における普通のやり方よりも遅れ、古い傾向を受けついでいるとしか見えないこと。「—の考え方」

—かんかく④【—感覚】その時代の新しい流行や社会風潮などに敏感に順応していく感覚。 **—げき**②【—劇】近代以前の時代に題材をとった映画・演劇。〔狭義では、歴史上有名な人物などに取材したものを指す〕 **—さくご**④【—錯誤】❶時代を取り違える誤り。〔異なる時代のものと混同することや先後を誤ることなど〕❷時代遅れ。アナクロニズム。「—もはなはだしい」 **—しょく**②【—色】その時代特有の特色・傾向。 **—せいしん**④【—精神】その時代の人たちに共通して見られる、基本的な物の考え方や、生きがいを見いだす努力目標など。 **—もの**⓪【—物】〔長い時代を経過して古くなったもの、の意〕❶浄瑠璃・歌舞伎では、武家社会に題材をとった作品。↕世話物 ❷映画・小説などで、江戸時代までを題材とした作品。まげもの。

***した・う**⓪②【慕う】(他五) ❶〈だれヲ—〉その△人のそば(場所)に居たい、行きたいと思い、その実現を望む。〔狭義では、そう思って、あとを追うことを指す。例、「母を慕って三千里」〕 ❷〈だれヲ—〉その人のイメージをいつまでも心の中にいだき、常にその思い出に浸る。「亡き母を—」 ❸〈なに・だれヲ—〉その人の学問や人物を尊敬して、それに従おうと思う。「学風を慕って入門する」

したうけ⓪【下請(け)】❶—する(他サ)〔↑下請負③〕親会社などが引き受けた仕事を他の者がさらに請け負ってやること。〔広義では、「孫請け⓪」の場合をも含む〕「—に出す／—工場⑤」 ❷〔↑下請人⓪〕「下請け❶」をする人。

したうち⓪④③【舌打(ち)】—する(自サ) 舌で上あごをはじいて音を出すこと。食べ物を味わう時、不愉快な時、くやしがる時、イヌ・ネコを呼ぶ時などにする。「チェッと—する」

したうちあわせ⓪⑤【下打(ち)合(わ)せ】正式の打合せの前にする打合せ。

したえ⓪【下絵】❶「下書き❷」の絵。絵の下書き。❷下地に(薄く)装飾としてかいてある絵。〔この上に詩文を書く〕❸〔刺繡や彫刻の〕輪郭をかいた絵。

したえだ⓪【下枝】木の、根に近い方の位置にある枝。下の方にある枝。しずえ。

したおび⓪【下帯】〔「下」は、衣服の内側の意〕肌に直接つける帯。〔普通、褌や「湯文字❷」を指すが、広義では晒しの腹巻きや岩田帯をも指す〕

****したが・う**⓪【従う】(自五) ❶〈だれ・なにニ—〉△だれ(何)かのあとについて行く。「狩りには、いつも猟犬が従った／—〔=行動を共にする〕者わずかに三人／川に従って〔=沿って〕山を下る」 ❷〈なに・だれニ—〉相手の言った事に△正当な理由(権威)を認め、逆らわないように行動する。「△既定方針(慣行)に—／君の意見に—よ／天下の大半は源氏に—〔=屈服する〕／大勢に—〔=多くの人が動く通りに動く。応じる〕／業務に—〔=決められた通りの(毎日の)仕事をする〕／省略に—〔=やむを得ない事情で、省略する〕」 ❸〔「…に△従って(従い)…」の形で〕他の事柄が変化するのと並行して、その事が行なわれることを表わす。「作業がはかどるに従って成果は次第にあがって来た／年をとるに従い慎重の度を加えるようになった」 **表記** 「《随う」とも書く。

したが・える⓪【従える】(他下一) ❶引き連れる。「一族を従えて移住する」 ❷征服する。「地方の豪族を—」 **表記** 「《随える」とも書く。

したがき⓪【下書き】—する(他サ) ❶清書の前に練習のために△書くこと(書いたもの)。❷本式に書く前に輪郭を書くこと。❸草稿。

したかげ⓪③【下陰】木や草の枝葉によって日光がさえぎられた、木や草の下の部分。 **表記** 「下〈蔭」とも書く。

したがけ⓪【下掛(け)】こたつ布団の下に掛ける、薄い布。

したがって⓪【従って】(接) それだから。それゆえに。

したがり⓪【下刈(り)】—する(他サ) 苗木を保護するため、下草を刈ること。

***したぎ**⓪【下着】〔「下」は、内側の意〕服や着物の着崩れ・汚れの防止や、保温・防寒のために着ける肌着。一般にはそのままのかっこうでは人前に出ないものとされる。じゅばん・シャツ・すててこ・スリップ、下穿きなど。アンダーウエア。 **表記** 「下《衣」とも書く。 **かぞえ方** 一枚

***したく**⓪【支度・仕度】—する(他サ)〈なにヲ—する〉〔「支」も「度」も「はかる」。どれだけ△あるか(必要か)見積もる意〕ある事がすぐ出来るように、前もって(必要な)物を用意すること。〔狭義では、外出・食事の用意を指す〕「—を整える／—金⓪」

したく⓪【私宅】〔官舎・公舎・勤務先などと違って〕個人の家。

***じたく**⓪【自宅】〔寄宿舎・寮・店などと違って〕その人が(家族と共に)寝起きしたりくつろいだりするための家。

したくさ⓪【下草】木陰に生える草。「したぐさ」とも。

したくちびる④③【下唇】下の方にある唇。上唇と共に、物をくわえたり発音に使ったりなどする。↕上唇

したげ⓪【下毛】〔刺し毛と違って〕獣の、長い毛の根もとに生える、短くて柔らかい毛。〔ヒツジの胴は下毛だけ〕

したげいこ③【下稽古】—する(自サ) 本番の前に、前もってけいこしておくこと。

したけんぶん③【下検分】—する(他サ) 前もって、どういう状況であるか検分しておくこと。下見。

したごころ③【下心】❶善意に満ちていると思わせるような言動の背後にひそむ、利己的な願望。「—がある」 ❷漢字の部首名の一つ。「悪・意・恭」などの下部の、「心・⺗」の部分。〔普通は心部に属する〕

したごしらえ③【下〈拵(え)】—する(自他サ) ❶本格的に取りかかる前に、しておく必要のある準備。❷正式に味つけなどをする前にざっとこしらえておくこと。

したさき⓪【舌先】〔舌の先の意〕(たくみな)弁舌。「—三寸〔=言葉たくみに当面を糊塗したり事実を偽ったりすること〕で言いくるめる／—鋭く〔=鋭い論法で〕論評する」

したささえ③⓪【下支(え)】金額がそれ以下に下がらないように支えること。「したざさえ」とも。「ベースアップの—」 動下支える⑤(下一)「景気を—」

したざわり③【舌触り】食べ物などが舌にさわった時の感じ。「—がいい」

したじ⓪【下地】❶本格的に仕上げる基礎となる、前段階的な△準備(技能・教養)。「—が入っている〔=宴会や人前に出る前に、すでに少し酒を飲んでいる〕」 ❷〔表面には現われていない〕本来の△性質(状態)。❸その上に何かを塗ったり加工したりする土台△となる(にある)もの。「壁—」 ❹〔吸物の土台の意〕醬油。おしたじ。

しだし⓪【仕出(し)】❶作り出すこと。❷料理を作って配達すること。また、その料理。でまえ。「—屋⓪」 ❸〔演劇で〕ちょっとだけ出る、つまらない役。その他おおぜい。

*したし・い③【親しい】(形) ❶〈だれトー〉 お互いに気心が分かっていて、本心を隠すこと無くつきあえる状態だ。「—間柄/親しく交わる/あの男とはあまり親しくしない方がいいよ」❷前から経験していて、今さら驚くに値しない様子だ。「国民の耳目に—」 派 —さ②③ —げ⓪

したじき⓪【下敷(き)】❶何かの下に敷かれること。〔個人が、組織の繁栄や没落の犠牲になる意にも用いられる〕「倒れた家の—になる」❷❶下に敷いて文字を書いたり絵を写したりすること。また、その時の台となる文房具。❷その論文・作品の成立に根本的にかかわり合った先行文献や作品。「ハムレットを—〔=手本〕にする」 かぞえ方 ❶は一枚

したしく②③【親しく】(副) △身分の高い(指導的な立場にある)人がみずから事にあたる様子。「—お言葉を賜わる/来日して—視察した/家元が—指導する」

したしごと③【下仕事】❶下ごしらえ。❷下請け。

したしみ⓪【親しみ】 親しい感じ。「—〔=親近感〕を与える/—〔=愛情〕をこめたまなざし/—を△覚える(感じる)」

*したし・む③【親しむ】(自五)〈なに・だれニー/だれトー〉 自分にとって好ましいものとして△絶えず(機会あるごとに)接していたいという気持を△いだく(いだいて行動する)。「長年ロシア文学に親しんできた/友と—/自然に—/酒に—〔=いつも酒を飲む〕/薬餌(ヤクジ)に—〔=⇩薬餌〕」

したじゅんび③【下準備】 本番に支障をきたさないように前もってしておく準備。「会議の—」

したしょく⓪【下職】 下請けの△職業(職人)。「したじょく」とも。

したしらべ③【下調(べ)】—する(他サ) ❶調査・研究などを実施するに先立って、予備知識を得たりするために、調べること。❷予習。

した・す⓪【《浸す》】(他五)〔東北・関東方言〕ひたす。 名 浸し⓪

したず⓪【下図】 下書きの△絵(図面)。下絵。

しだ・す②【仕出す】(他五) ❶何かを△しでかす(作り出す)。❷し始める。❸料理を作って配達する。

したそうだん③【下相談】—する(自サ) 本格的な△話合い(会議)に先立って、議事をうまく進めるために、事前に一部の関係者が相談すること。また、その相談。

したたい⓪【舌代】 口上(書き)。「ぜつだい」とも。

したたか【《強か》】❶⓪②—な—に 逆境に立たされてもくじけることなく、△いかなる手段や奇計とも思える策を弄(ロウ)してでも危機や困難を乗り越えよう(非難や世間の思惑などを気にせず、自己の利益や立場を守ろう)とする強い生命力・精神力をそなえているととらえられる様子だ。「戦中・戦後の動乱の時代を—に生き抜く/—な精神力で窮地を脱する/強国の圧力に耐え、—な外交手腕を発揮して独立を守る/新人選手ながら、—な勝負度胸を持ち合わせている/荒れ地に—に生きる帰化植物」❷⓪(副)—に その行為によるダメージが普通の程度にはとどまらなかった様子。「友と痛飲し—に酔った/雪道で転び、背中を—打った」 派 —さ④⓪ 表記「《健か》」とも書く。 —もの⓪【—者】 こちらの思うようにはいかない、手ごわい人。

したた・める④【《認める》】(他下一)〔古くは、処理する・支度するの意〕❶「食事する」意の古風な表現。「△朝食(昼食・夕飯)を—」❷主体の意志を文章に表現する。「お困りの様子に、一筆認めました〔=お手紙を書きました〕/入院中に出会った人びとへの思いを詩に認めた/〃お会いしたい〃という歌を認めた手紙が届いた」

したたら・す④【滴らす】(他五)〔「滴る」の使役動詞形〕したたるようにする。滴らせる⑤(下一)。

したたらず③【舌足らず】—な ❶舌がよく回らず発音がはっきりしない様子だ。❷表現・説明が十分でない様子だ。

したたり⓪④【滴り】 水などが下へ垂れて落ちること。〔「しずく」より改まった表現〕「露の—」

したた・る③【滴る】(自五)〔下垂る意〕〔何かにたまった水などが〕しずくとなって落ちる。〔古くは「しただる」〕「—血」

したたる・い④⓪【舌たるい】(形) 甘えた言い方をする様子だ。〔口頭語形は「舌ったるい⑤⓪」〕「—言葉で△親(恋人)にほしいものをねだる」

じたつ⓪【示達】—する(他サ)〔↑指示・通達〕上級の官庁から、指示を通達すること。また、その通達。「したつ」とも。

したつづみ③【舌鼓】 おいしがって、舌を鳴らすこと。〔口頭語では「したづつみ」とも〕「—を打つ」

したって 副助詞「しても」の口頭語的表現。「あたしに—困りますよ/あるに—、ろくな物はありゃしない」

したっぱ⓪【下っ端】 身分や地位が低くて、責任を持つ仕事が与えられない人。

したっぱら⓪【下っ腹】「したはら」の口頭語的表現。

したづみ⓪【下積(み)】❶他の物の下に△積む(積まれる)こと。また、そのもの。「—になる」❷雑事に使われるだけで、本来持っている才能を発揮する機会に恵まれない底辺に居る△人(状態)。「—時代⑤」❸〔↑下積み荷物⑤〕バラストとして船底に積まれる油・砂糖・酒などの重量物。

したつゆ⓪【下露】 木の下などの露。

したて⓪【仕立(て)】❶⓪❶仕立てること。また、その物。「弟子の—〔=仕込み〕に気を配る/特別—(ジタテ)〔=特別編成〕の列車/活劇—(ジタテ)⑤・にわか—(ジタテ)・—屋⓪」❷作り上げられた衣服の出来ぐあい。「なかなかいい—だ/フランス—(ジタテ)⑤」❷(造語) 動詞「仕立てる」の連用形。「—直し⓪④・—上がり⓪・—台⓪」 —おろし⓪④【—下(ろ)し】 新調した衣服(を着ること)。 —もの⓪【仕立物】❶(和服の)裁縫。❷仕立てた和装の衣服。

したて⓪【下手】❶(雅)△川下(風下)の方。しもて。❷下の方の立場。「したで」とも。「—に出れば〔=相手に対し、へりくだった態度を取ると〕すぐにつけ上がるから困ったものだ」↕上手(ウワテ) ❸〔すもうで〕四つに組む時、相手の腕の下に自分の腕を差し込むこと。また、その差し込んだ手。↕上手(ウワテ) —なげ⓪【—投(げ)】↕上手投げ ❶〔野球で〕腕をすくい上げるようにして たまを投げること。アンダースロー。❷〔すもうで〕下手で相手のまわしをつかみ、投げ倒すわざ。 —まわし④(マハシ)【—回(し)】〔すもうで〕下手でつかんだ、相手のまわし。↕上手回し

した・てる③【仕立てる】(他下一) ❶特にその目的のために△用意する(作る)。「臨時列車を—/洋服を—〔=客の注文通りに洋服を作る〕」❷時間をかけたりくふうを凝らしたりして、みんなから一応認められるものを作り上げる。「一流の商人に—/西部劇に—/悪者に仕立て上げる」❸本来そうでないものを、ある性格を持っていることが一般に認められるような条件を作って、いかにもそれらしく見せる。〔⇩仕立て❸〕

したどり⓪【下取(り)】—する(他サ) 需要者が新品を求める際、代金の一部に充当するものとして、古くなった同種の品を業者が引き取ること。

したなが⓪【舌長】—な 遠慮しないで言う様子だ。

したなめずり④③(ナメヅリ)【舌〈舐(め)ず〉り・舌〈嘗〉り】—する(自サ) ❶舌を出して口のまわりをなめること。口なめずり。❷悪計を企てた人やオオカミなど野生動物が、獲物を前にしてとらえる機会を待ちかまえていること。「—してねらう」

したに⓪【下煮】—する(他サ) 堅くてよく煮えない物などを△ほかの物より先(味付けをする前)に煮ておくこと。

したぬい⓪(ヌヒ)【下縫(い)】—する(他サ) かりぬい❷。

し

したぬり[0]【下塗(り)】—する(他サ) 仕上げまで何回か塗る場合、最初に塗ること。また、塗った下地。↕上(ウワ)塗り

したね[0]【下値】〔今までの相場よりも〕安い値段(になること)。安値。↕上(ウワ)値(ネ)

したのね[4]、[0]-[1]【舌の根】舌の根元。「—△の(も)乾かぬうちに〔=(そう)言ったばかりなのに〕」

したば[0]【下葉】生長した草や木の、下の方についている葉。↕上(ウワ)葉(バ)

したば[0]【下歯】下の歯ぐきから生えた歯。↕上(ウワ)歯(バ)

したばえ[0]【下生(え)】木の下に生えている草。 かぞえ方 一枚・一本

したばき[0] [一]【下〈穿(き)】腰から下の肌に、じかにつける衣類。ブリーフ・パンティーなど。[二]【下履(き)】屋外で履く履物。〔屋内で水仕事などをする時の履物をも含む〕↕上履き かぞえ方 [一]は一枚。[二]は一足

じたばた[1](副)—と—する ❶もがいて抵抗する様子。❷切迫した事態に何とか対処しようとして見苦しい行動をとる様子。「今さら—してもしようが無い」

したばたらき[3]【下働(き)】❶依頼されたり生活を助けたりするために上の人の指揮下で働くだけで、仕事の上に本人の名前が出ない△こと(人)。❷使用人の中で、炊事・掃除や走り使いなどの雑用をもっぱら受け持つ△こと(人)。↕仲働き

したはら[0]【下腹】❶腹の下部。「—が出る/—が痛む/—に力を入れる」❷〔馬の〕よく肥えた腹。ふとばら[0]。〔❶❷とも「したばら」とも。口頭語では「したっぱら」〕

したばり[0]【下張(り)】—する(他サ) ふすま紙・壁紙などを張る前に、まず和紙を張ること。また、その△張る(張った)紙。↕上(ウワ)張り 表記「下貼り」とも書く。

したび[0]【下火】❶火勢の衰えること。❷物事の、勢いが弱くなること。「論争が—になる」❸〔料理で〕下からあてる火。↕上火

したびらめ[3]【舌平目】全体が木の葉のような形をしている、平べったい硬骨魚。食用。〔ウシノシタ科〕表記「舌〈鮃」とも書く。かぞえ方 一尾・一匹・一枚

したまえ[0]—(マヘ)【下前】着物の着付けの際、左右の前身ごろを重ねたとき、下になる方。↕上(ウワ)前

じたまご[2]—(ヂ)【地卵】その土地でとれる卵。「じたま[0]」とも。

したまち[0]【下町】〔都会で〕海・川に近い所に発達した、主として商工業者の住む地域。〔東京では、台東区・江東区・墨田区・江戸川区・港区・中央区など〕↕山の手

したまわり[3]—(マハリ)【下回り・下〈廻り】雑用を受け持つ役(の人)。

したまわ・る[4][3]—(マハル)【下回る・下〈廻る】(自五)〔数量や出来ばえが〕予想された水準に達しない状態である。「予想を大きく—/△目標(平年作・水準)を—」↕上(ウワ)回る

したみ【下見】[一][0] ❶—する(他サ) 下検分。❷下読み。[二][2] 家の外側に打つ、横張りの板壁。「—板[4][0]」

したみ[0]【下身】料理しようとする魚を横にした時、下側になった方の身。↕上(ウワ)身(ミ)

したみざけ[3]【〈滑(み)酒】入れ物からあふれてたまった酒。〔広義では、飲み残しの酒をも指す〕

した・む[2]【〈滑む】(他五)〔入れ物・急須(キュウス)などから〕液体を(残らず)たらす。「湯を—」表記「〈釃む」とも書く。

したむき[0]【下向(き)】↕上(ウワ)向き ❶下方に向くこと。❷衰えてくること。❸大局的に見て(相場・物価が)下がる傾向にあること。動 下向く[3][0](自五)「景気が—」

しため[0]【下目】顔は下に向けないで目だけを下に向けること。「人を—に見る〔=軽蔑(ケイベツ)する〕」↕上(ウワ)目(メ)

したもえ[0]【下〈萌(え)】地中から芽が出ること。また、その芽。

したもつれ[3]【舌〈縺(れ)】舌が自由に動かない(で言葉が聞きとれない)こと。

したやく[0]【下役】〔官庁・会社などで〕(自分より)地位が下の人。↕上(ウワ)役

したやく[0]【下訳】外国語の翻訳や古典の現代語訳の礎稿などについて、その実質的な作成を、門人や門下生が下請け的に担当すること。また、そのようにして訳されたもの。

したゆで[0]【下〈茹(で)】—する(他サ)〔料理で〕食材を前もって茹でておくこと。「ダイコンを—する」

したよみ[0]【下読(み)】—する(他サ) ❶あらかじめ読んでおくこと。❷下校正。

じだらく[2]【自堕落】—な—に 生活態度がふまじめで、まともに付きあいかねる様子だ。「—に寝そべる」派 —さ[4]

じたらず[2]【字足らず】〔定型の和歌・俳句で〕音数が規定の五音や七音より少ない△こと(部分)。↕字余り

したりがお[0]—(ガホ)【したり顔】—な—に してやったという得意そうな顔つきをする様子だ。

しだれ [一][3][0] 枝などが垂れ下がること。しだり[3][0]。表記「枝垂れ」・《垂れ」とも書く。[二](造語) 動詞「しだれる」の連用形。 **—ざくら**[4]【—桜】桜の一種。枝が垂れ下がったもの。いとざくら[3]。〔バラ科〕表記「枝垂れ桜・《垂れ桜」とも書く。 **—やなぎ**[4]【—柳】枝が垂れ下がる、普通の柳。早春、葉に先立って黄緑色の花穂(カスイ)をつける。種子には白い毛がある。「しだりやなぎ」とも。〔ヤナギ科〕表記「枝垂れ柳・《垂れ柳」とも書く。

しだ・れる[3](自下一) 枝が垂れ下がる。表記「枝垂れる・《垂れる」とも書く。〔⇩しだれ[二]〕

したわし・い[4]—(シタハシイ)【慕わしい】(形) 強く心を惹(ヒ)かれるものがあって、できることならいつも身近に接していたいという思いをいだく様子だ。「—恩師の人柄」派 —さ[3][4] —げ[0][4][5]

したん[1][0]【紫〈檀】熱帯産の常緑高木。材は赤みを帯びた濃い紫色で堅い。上等な家具材として使われる。〔マメ科〕かぞえ方 一株・一本

しだん[0][1]【史談】歴史についての話。〔多く書名に使われる。例、「開国—」〕

しだん[0]【指弾】—する(他サ)〔「つまはじき」の意〕❶きびしい譴責(ケンセキ)。「世の—を受ける」❷非難。

しだん[1]【師団】〔陸軍で〕編制上の単位の一つ。旅団の上。独立して作戦をする。〔長は、「師団長[2]」〕

しだん[0]【詩壇】近代詩・漢詩関係者の社会。師弟関係などによるつながり。

しだん[0]【試弾】—する(自サ) ❶ためしにたまをうってみること。❷〔ピアノを〕ためしにひいてみること。

じたん[0][1]【事端】「事件などの発端」の意の古風な表現。

じたん[0]【時短】「(労働)時間短縮」の略。

じだん[0][1]【示談】争い事などを、裁判にかけず互いの話合いで解決すること。熟談。「—にする/—に持ち込む」

したんかい[2]—(クワイ)【試胆会】有志の人を集めて、勇気があるかどうかを実際にためす会。きもだめし。

じだんだ[2]—(ヂ)〔「地だたら」の転、「ぢだだ」からの変化か〕(くやしがって)足を激しく踏みならすことを「たたら」を踏む動作にたとえた語。「じたんだ」とも。「—(を)踏む」表記「地団太・地団駄」は、借字。

しち(七・質)→【字音語の造語成分】

しち[2]【七】❶六に一を加えた数を表わす基数詞。「—三に分ける/人の噂(ウワサ)も—十五日/—人の侍/—福神・—年戦争・—五調・—羊・—曜・—堂伽藍(ガラン)・—言絶句・北

斗―星・―宝・竹林の―賢(人)・南都―大寺・賤ヶ岳―本槍・十―条憲法・―変化・―味唐辛子」❷六の次の自然数を表わす序数詞。「―時・―回忌・―月―日・将棋―段・―並べ・―条通り」〔和語では❶❷ともに、なな(つ)〕⇩八 表記 大字は「漆」。⇩【造語成分】

運用 単独で用いる際には、音の類似する「一」との混同を避け、和語「なな」を用いることがある。

しち[2]【質】❶〔約束の〕保証として相手に預けておくもの。「人―」❷借金の担保として、預けておく品物。「―に入れる/―に置く/―に取る」⇩【造語成分】

しち[1][2]【死地】死ぬべき場所。〔生きて帰って来ることの出来ない状況や、非常に危険な環境の意にも用いられる。例、「―に赴く」〕

じち[1]【自治】❶団体や組織が、自分たちの事を自己の責任においてきちんと処理すること。「―権[2]・―会[0][2]・―制[0]」❷地方公共団体や大学などが、自己の公選した人に事務を処理させること。〔狭義では、地方自治を指す〕 **―しょう**[2]【―省】地方自治や選挙・消防などの行政を扱った中央官庁。〔長官は、自治大臣[3]。二〇〇一年「総務省」に吸収〕 **―たい**[0]【―体】都・道・府・県・市・町・村など、一定の地域に人民が住み、国家から与えられた権能の範囲内で行政を行なう団体。地方公共団体。 **―だんたい**[3]【―団体】自治体。 **―りょう**[2]【―領】完全な独立国といっていいくらいの自治を認められている領土。例、もとのカナダ・インドなど〔英国の自治領だった〕。

しちいれ[0]【質入(れ)】―する(他サ) 金を借りる抵当に、物を質屋に預けること。

しちかいき[3]【七回忌】その人が死んでから六年目に行なう法事。

しちがつ[4]【七月】一年の第七の月。〔副詞的にも用いられ、アクセントは[0]。雅名は、ふみづき〕

しち

【七】❶何回も。「七難・七転八倒」❷「むずかしい・めんどう」などの上につけて、強調の意を表わす。「七面倒」⇩(本文)しち【七】

【質】質屋。「質商・質店・質舗」⇩(本文)しち【質】

しちか はちれつ[2]-[0]【七花八裂】―する(自サ) 花びらの先が細かく分かれるように、一まとまりのものがばらばらに分裂すること。七分八裂[2]-[0]、[5]。

しちく[0][2]【紫竹】クロチクの異称。

しちく[0]【飼畜】家畜に餌を与えて育てること。

しちぐさ[0][2]【質草・質《種》】〔もと、「種」の意〕質として預ける品物。しちもつ。

しちくど・い[4](形) 相手をうんざりさせるほどくどい様子だ。派 **―さ**[3]

しちけん[2] ❶【質券】しちふだ。❷【質権】〔法律で〕お金を返してもらうまで、品物を預かる権利。「―設定」

しちごさん[0]【七五三】❶数え年で男子は(三歳と)五歳、女子は三歳と七歳とに当たる年の十一月十五日に行なう祝い。晴れ着を着せて、氏神などに参拝する。❷本膳が七菜、二の膳が五菜、三の膳が三菜から成る、正式のごちそう。

しちごちょう[0]【七五調】〔五七調と違って〕韻文で、七音・五音の調子を繰り返す形式(のもの)。

しちごん[0][2]【七言】一句が七字から成る漢詩の一体。「―絶句[5]・―律[3]」

しちさい[0][2]【七彩】「七色❶」の漢語的表現。「―のテープ」

しちさん[0]【七三】❶全体を七分と三分との割合に分けること。特に髪の結い(分け)方。❷芝居の花道で、舞台へ三分、揚げ幕へ七分の所。「―で見得を切る」

しちしち にち[4]【七七日】人の死後四十九日目の日(に行なう法事)。四十九日。なななのか。七七[2][3]。

しちじゅうに こう[5]【七十二候】〔陰暦で〕二十四気の各節気を三つに分けて、一年を七十二(=各五日)に区分したもの。

しちしょう[2]【七生】❶〔仏教特有の考え方で〕七度生まれ変わること。「―報国」❷七代。「―まで たたる」〔❷は、誤用に基づく〕

しちしょく[2]【七色】七種の色。赤・だいだい・黄・緑・青・あい・紫。

しちせき[0][2]【七赤】九星の一つ。金星に配当し、方位は西。

しちてん はっき[5]【七転八起】―する(自サ)「ななころびやおき」の意の漢語的表現。表記「七〈顚八起」とも書く。

しちてん ばっとう[0]-[0]【七転八倒・七〈顚八倒】―する(自サ)〔何度も転び倒れる意〕苦しみのあまり、あちらへ転がり こちらへ転がりすること。「しちてんはっとう・しってんばっとう」とも。「―の苦しみ」

しちどう[2]【七道】江戸時代まで畿内と共に日本の国土の主要部分を形成した地域の称。東海・東山・北陸・山陰・山陽・南海・西海道の七つ。

しちどう がらん[5]【七堂〈伽藍】寺院としてあるべき堂・塔が すべてそろった寺の構え。〔金堂・講堂・塔・鐘楼・経蔵・僧房・食堂の七つ〕略して「七堂[2][0]」。

しちながれ[3]【質流(れ)】借りたお金を返さないために、質に預けた品物が、質屋の物となること。また、その品物。

しちなん[2]【七難】〔仏教で、流行病・外国の侵略・内乱・風水害・火災・霜害・日月食など、七種の災害の意〕❶数かずの災難。❷多くの欠点・難点。「色の白いは―隠す」

しちねんき[3]【七年忌】七回忌。

しちぶ[2]【七分】全体の七割ぐらいの範囲を指す言葉。「―袖[3](=ひじと手首の中間)・―丈[3](=ひざと足首の中間)」 **―しん**[3]【―身】〔写真などで〕顔から ひざのあたりまでの範囲。 **―づき**[0]【―〈搗(き)】玄米をついて外皮を七割だけ取り去ること(去った米)。

しちふくじん[4]【七福神】福徳をもたらすという七体の神。大黒天・恵比須・毘沙門天・弁財天・福禄寿・寿老人・布袋。

しちふだ[2][0]【質札】質屋で発行する質草の預り証。質券。かぞえ方 一枚

しちへんげ[3]【七変化】❶同一人物が七つの役に次つぎと早変わりして踊ること。また、そのような舞踊形式。❷アジサイ・ランタナの別名。

しちみ とうがらし[6]【七味唐辛子】⇩なないろとうがらし

しちむずかし・い[6]【しち難しい】(形) 解決を要する事柄が難しすぎて、とても自分の手には負えない様子だ。派 **―げ**[0][6][7] 表記「七難しい」とも書く。

しちめんちょう[0]【七面鳥】北米原産の大形の鳥。頭・首には毛が無く、白・青色などに変わる。クリスマスなどに食べる。ターキー。〔キジ科〕〔俗に、心のぐらつきやすい人の意にも用いられる〕かぞえ方 一羽

しちめんどう[5]【しち面倒】―な めんどうで いやだ。「―な話/―くさい[8]」表記「七面倒」とも書く。

しちもつ[0][2]【質物】「しちぐさ」の意の古風な表現。

しちや[2]【質屋】質草を預かってお金を貸す営業の店。かぞえ方 一軒・一店

しちゃく[0]【試着】—する（他サ）からだに合うかどうかをためすために、その服を仮に着てみること。「—室[3]」

シチュー[2][1]〔stew〕肉を野菜などと共に とろ火で煮込んだ、洋式の料理。「ビーフー・タンー・ホワイトー」

しちゅう[0]【支柱】ささえる柱。つっかいぼう。〔広義では、ささえとなる大事な存在をも指す〕かぞえ方 一本

しちゅう[0][1][2]【市中】市街の中。まちなか。**—ぎんこう**[4]【—銀行】❶民間で運営する普通銀行。⇩日本銀行 ❷大都市に本店がある大銀行。略して「市銀」。

しちゅう[0][2]【死中】死（ぬべき境地）の中。「—に活を求める〔=絶望的な状態からぬけだす方法を模索する〕」

じちゅう[1]【寺中】❶寺の境内。❷大きな寺の中にある寺。

じちゅう[0]【自注・自〈註】—する（自サ）自分で注釈を加えること。また、その注釈。

しちゅうし[2]【司〈厨士】調理師の資格を持ったコック。

しちゅうすいめい[4]、[2]-[0]【四柱推命】その人の生まれた年・月・日・時〔=四柱〕の干支に基づいて運命・運勢を占う法。

シチュエーション[3]〔situation〕❶その△場面（局面）を構成している全体の状況。「さて、日本の—はどうか／〔野球で〕ランナーがいるかどうかなど、—によって投球が大きく変わる」❷〔映画・文学で〕主人公の置かれた△境遇（場面）。

じちょ[1]【自著】その人自身の著書。

しちょう[1][2]【士長】「消防士長[5][6]・陸士長[3][4]・海士長[3][4]・空士長[3][4]」の略。

しちょう[1][2]【支庁】地方公共団体の事務を執るための出先機関。〔交通の不便な地域や、北海道の市部以外などに置かれる〕↔本庁

しちょう[2][1][0]【仕丁】昔、役所の雑役を受け持った者。「じちょう」とも。

しちょう[1][2]【市庁】「市役所」の別称。

しちょう[1][2]【市長】市政の執行・市職員の監督をつかさどる、市の代表者。任期は四年。

しちょう[0]【〈弛張】—する（自サ）❶緊張がゆるむことと、何かを目指して張りきること。❷寛大にすることと厳格にすること。

しちょう[0]【思潮】その時代一般の思想。「文芸—」

しちょう[2][1]【師長】❶先生と立場の上の人。❷〔中国で〕師団長。

しちょう[0]【視聴】❶—する（他サ）見ることと聞くこと。❷注意。「世の—を集める」❸—する（他サ）テレビ（の特定の番組）を見ること。「—者[2]」⇩聴視 **—かく**[2]【—覚】視覚と聴覚。聴視覚。「—教育[6]〔=ラジオ・テレビ・映画・テープなどを取り入れた教育〕」**—りつ**[2]【—率】〔テレビなどで〕番組がどのくらいの個人または世帯に見られているかを示す率。〔ラジオでは「聴取率[3]」と言う〕

しちょう[0]【試聴】❶—する（他サ）レコード・CD・配信楽曲などを△発売の前に（選ぶために）聞くこと。「—会[2]」❷オーディション。

しちょう[2][1]【〈輜重】〔荷車で運搬する、衣服・貨物の意〕〔陸軍で〕前線に、輸送・補給すべき軍需品。また、それを受け持った兵科。「—兵[2]・—隊[0]」

しちよう[0]【七洋】❶大洋である太平洋・大西洋・インド洋のうち、前二者を南北に分け、さらにそれらに接する北極洋・南極洋を加えたものの称。〔地理学的な見地に立っての分類〕❷大洋三つに付属海としての地中海・東シナ海・北海・アラビア海の四つを加えたものの称。〔人類の活動が行なわれる場所を中心としての分類〕

しちよう[0]【七曜】〔日・月と、火星・水星・木星・金星・土星の五つの星の意〕日曜から土曜までの七日の呼び名。**—ひょう**[0]【—表】一日一日が何曜に当たるかを表で表わしたこよみ。**—れき**[3]【—暦】七曜を書き入れたこよみ。

じちょう[1][0]【次長】長官・所長・部長などの次の地位（の人）。

じちょう[0]【自重】—する（自サ）❶（品位を保つように）自分の言動を慎むこと。「—自戒」❷自分のからだを大切にすること。自愛。「—を求める」

じちょう[0]【自嘲】—する（自サ）自分をつまらない人間と見なして軽蔑すること。「—的な笑い」

じちょう[0]【持重】—する（自サ）周囲の考え方や時流に軽がるしく同調せず、自分自身納得の行くまで慎重に考えた上で行動すること。

しちょうそん[2]【市町村】〔地方公共団体基礎単位としての〕市と町と村。市や町や村。

しちょく[0]【司直】法によって事の曲直をさばく官。裁判官（と検察官）。「—〔=検察〕の手△が伸びる（にかかる）」

しちりけっかい[2]-[0]【七里結界】〔仏教で、七里四方に立入り制限の区域を設ける意〕特定の人や物事を忌み嫌って寄せつけないこと。「しちりけっぱい」とも。

しちりん[2]【七厘・七輪】〔安価な炭代で煮焼きが出来る意からか〕方形の中央に丸く穴をあけ、その中に炭火を入れる、土製のこんろ。かぞえ方 一台

じちん[0]【自沈】—する（自サ）自分の乗っている艦船を自分の手で沈めること。

じちんさい[2]【地鎮祭】起工に先立って敷地内に祭場を設け、工事・建造物の平安を祈る儀式。

しっ[1]（感）❶寄って来る動物を追い払う時の言葉。❷「静かにしろ」という意味で、まわりの人にかける言葉。〔この場合は、「しーっ」と伸ばして、息だけの音になることが多い〕

しつ（叱・失・室・疾・執・〈悉・湿・嫉・漆・《膝・質・〈櫛）↓【字音語の造語成分】

しつ[2]【失】❶あやまち。失策。「他人の—を言う勿れ／千慮の一—／—敗・過—」❷欠点。「—を補って余りある」⇩【造語成分】

しつ[2]【室】❶部屋。〔かぞえる時にも用いられる〕「終日、—を出ィづること無し／温—・私—・寝—・浴—・職員—」❷〔身分ある人の〕妻。「—、富子／正—・後—・側—」⇩【造語成分】

**しつ[0]【質】そのものを形成している成分を、いい悪い、粗であるか密であるか、また、どういう傾向や特徴があるかという観点から見たもの。「—のいい住宅／—の向上を図る／—〔=品質〕が悪い／量より—〔=実質〕／吝嗇の—〔=性質〕／蒲柳の—〔=すぐ病気になりやすい体質〕」⇩【造語成分】

じっ（十）↓【字音語の造語成分】しっ・しち

じつ（日・実）↓【字音語の造語成分】

じつ[2]【実】そのものを実際に満たしている内容。「言葉だけで—が伴わない／名を捨てて—〔=実質〕を取る／改革の—〔=実績〕をあげる／—〔=本当のこと〕を言うと／—の〔=血のつながった〕親子／—〔=誠意〕の無い人／—のところ〔=内情をぶちまけて言うと〕」↔虚 ⇩【造語成分】

じつあく[0]【実悪】〔歌舞伎で〕❶大悪人になる役。❷〔実事師と悪人との混合〕形は実事師のようで、実は悪をたくらむ役。↔色悪

しつい①②【失意】 志が遂げられないで自信・希望を無くした状態にあること。「―の人/―のどん底」↔得意

じつい①【実意】 純粋に△相手の立場を考えて(自分の立場を訴えて)事の実現を願う心構え。「―の無い〔=誠意が感じられない〕言葉/―〔=親切〕を尽くす/―〔=本心〕をただす」

しついん⓪②【室員】 〔研究所や寮などで〕その部屋に属する人(の数)。

じついん⓪【実印】 その人の所属する自治体の役所に登録しておき、当人が直接関係していることを証明できる印。不動産の登記などに必要。⇩みとめいん

じついん⓪【実員】 実際にそこに△居る(必要な)人員。

しつう⓪【止痛】 痛みをとめること。「―薬②・―剤②」

しつう⓪【私通】―する(自サ) 夫婦でない男女がひそかに情を通じること。

しつう⓪【歯痛】 「歯の痛み」の漢語的表現。

しつうはったつ⓪-⓪、②-⓪【四通八達】―する(自サ) 道路が各方面に通じていて、交通の便がいいこと。「―の地」

じつえき⓪【実益】 実際の利益。「趣味と―を兼ねる」

じつえん⓪【実演】 ❶―する(他サ) 〔普通には見られないものを〕みんなの前で実際にやって見せること。「フライパンの―販売」 ❷映画を見せたり 録音を聞かせたり するのではなく、劇場などで実際に演じてみせること。〔狭義では、アトラクションの意に用いる〕

しつおん⓪【室温】 部屋の(中の)温度。

じつおん⓪【実音】 〔放送などで、擬音と違って〕実際の音や声。

しっか⓪【失火】―する(自サ) 過失から起こった火災。⇩放火

しっか①【《膝下】 〔「ひざもと」の意〕 ❶親や自分を庇護(ヒゴ)してくれる人のもと。「父母の―を離れる〔=他郷に出て生活する〕/―〔=自分のそば〕に人材をかかえる」 ❷父母などにあてた手紙の脇付(ワキヅケ)に使う言葉。

じっか⓪【実科】 教科書で知識を授けるだけでなく、実際に何かを作ったり 作業をしたり することによってその技能に通じさせる科目。

じっか⓪【実家】 人の生家。〔狭義では、婚姻・縁組などをして家を出た人が以前に居た家を指す〕↔養家

しっかい⓪③【〈悉皆】(副) 「ことごとく」の意の古風な表現。〔明治期までは、口語として普通に用いられた〕 **―や**⓪【―屋】 衣服や布地の染色・洗張りなどを引き受ける△人(店)。

じっかい⓪ ❶【十戒】 〔仏教で〕修行上守るべき十の戒律。 ❷【十誡・十戒】 〔旧約聖書で〕神がモーゼに与えたという、十か条のいましめ。〔「じゅっかい」とも〕

じつがい⓪【実害】 △実際の(実質的な)損害。「―が大きい」

しつがいこつ③【《膝蓋骨】 ひざの関節の前側にある、平たい皿状の骨。ひざざら。

***しっかく**⓪【失格】―する(自サ)〈(なにニ)―する〉 資格を失うこと。「ドーピングで―し、出場停止になる」

じつがく⓪【実学】 習った知識が、直接 社会生活に役立つ学問。〔狭義では、医学・商学・工学などを指す〕↔虚学

じつかた⓪【実方】 「実事師(ジツゴトシ)」の異称。

しっかと③【《確と・〈聢と】(副) 「しかと〔=⇩しっかり❸〕」の強調表現。「飛んできた球を―受けとめる」

じつかぶ⓪【実株】 実際に売買する株。現株⓪。↔空株(カラカブ)

***しっかり**③【《確り】(副)―と ―する ❶土台・構成などが安定していて、簡単にはぐらついたり 崩れたり しない様子。「基礎の―した建物/―した研究/経営基盤が―(と)している/年の割に足腰が―している」 ❷強くしたたかな精神力を備えていて、外力に屈したり 他人の言にまどわされたり しない様子。「若いが―した人だ/―がんばれ/傷は浅いぞ、―しろ/彼には―者の奥さんがついているから安心だ」 ❸行動が抜かりなく堅実で、危険や損失を招く恐れが感じられない様子。しっかと。しかと。「ボールを―つかむ/―と△覚えて(心に刻みつけて)おけ/負けずに―やってこい」 ❹相場が引き締まり、高くなりそうな傾向を示すことを表わす。「小―(コジッカリ)②」↔甘い 表記 「〈聢り」とも書く。 運用 ❸は、自分の利益に

しつ

【叱】 しかる。「叱正・叱責・叱咤(タ)」

【失】 ❶うしなう。「失念・失敬・失明・失恋・損失・消失・一得一失」 ❷(略) 〔野球で〕失策。「敵失」⇩(本文)しつ【失】

【室】 ❶ほらあな。むろ。「石室・氷室」 ❷さや。「刀室」⇩(本文)しつ【室】

【疾】 ❶病気。「疾患・疾病(ペイ)・悪疾・眼疾」 ❷はやい。「疾駆・疾呼・疾走・疾風(プウ)」

【執】 ❶しっかりつかんで、何かをする。「執行・執政・執刀・執筆(ピツ)」 ❷先入観念などから離れられない。「執拗(ヨウ)・固執・確執」

【〈悉】 全部(を尽くす)。「悉皆・知悉」

【湿】 しめる。しめりけがある。「湿気(キ/ケ)・湿潤・湿度・湿地・多湿」

【嫉】 ねたむ。「嫉視・嫉妬(ト)」

【漆】 ❶うるし。「漆器・漆黒・黒漆」 ❷数字「七」の大字。

【《膝】 ひざ。「膝下・膝行」

【質】 ❶そのもの本来の性質がそのまま示されていて、人為・飾りが加えられていない。「質実・質素・質朴」 ❷問いただす。「質疑・質問」 ❸何かの成分となる物質。「実質・形質・溶質・動物質・蛋白(タンパク)質」 ❹気質。「多血質・粘液質・神経質・筋肉質・胆汁(タンジュウ)質」⇩(本文)しつ【質】

【〈櫛】 くし。くしけずる。「櫛比(ピ)・櫛風沐雨(シップウモクウ)」

じっ

【十】 数詞「十(ジュウ)」がカ・サ・タ・ハ行の音で始まる語にかかる時の形。じゅっ。 ❶基数詞。「十戒・十干(カン)・十指・十本(ポン)・十分(プン)・十進法・十中八九/十把(パ)一からげ/蕉門(ショウモン)の十哲」 ❷序数詞。「十周年・十世紀・十階」

じつ

【日】 ひ。「日月・平日・祭日・元日・昨日・数日・旬日/十年一日(ジツ/イチ)の如(ゴト)し」⇩にち

【実】 ❶形式・仮定・飾り・偽りを離れた、内実そのもの。「実際・実況・実行・実在・事実・写実」 ❷実際の。「実例・実利・実益・実態・実生活」⇩(本文)じつ【実】

こだわり、抜け目なく行動する様子を皮肉って言うのに用いられることがある。例、「近所付合いもしないで金をしっかりため込んでいる/ろくに働きもせずに給料だけはしっかりもらう」

しっかん⓪【失陥】―する(自他サ) 攻めおとされて土地を失うこと。

しっかん⓪【疾患】 からだのどこかの部位の故障。「胸部―④」

しつかん⓪【質感】 材料の性質の違いから受ける感じ。

じっかん⓪③【十干】 五行を兄ェと弟トとに分けたもの。甲・乙・丙・丁・戊・己・庚・辛・壬・癸。「じゅっかん」とも。 **―じゅうにし**③-③、⑦【―十二支】 十干と十二支を組み合わせたもの。甲子・乙丑・丙寅・丁卯・戊辰…と六十種ある。

じっかん⓪【実感】―する(他サ) 実際にそう感じること。また、その感じ。「―がまだ わかない」

しっき⓪【湿気】 ⇩しっけ

しっき⓪【漆器】 漆塗りの器物。

しつぎ②①【質疑】―する(自サ) 疑問点を問いただすこと。質問。「―応答②-⓪、①-⓪」

じっき⓪【実記・実紀】 事実の記録。

じつき⓪③【地付(き)】 ❶その土地に生まれて、ずっとその土地に住むこと。「―の東京っ子」 ❷その土地に古くからあること。「―の町内会」 ❸その土地で産すること。「―の魚」

じつき⓪③【地突(き)・地〈搗(き)】 じぎょう(地形)。「じづき」とも。

じつぎ①【実技】 教場で教えられた知識に基づいて、演技・運転を実際にやってみること。「体育―⑤・―試験④⑤」

しっきゃく⓪【失脚】―する(自サ) 〔足を踏みはずして転ぶ意〕失敗して、それまでの地位・立場を失うこと。

しっきゅう⓪【湿球】 湿度を計るために、温度計の下部にある球状の部分を常に湿っているようにした布で巻いたもの。 **―おんど**⑤【―温度】 湿球の温度。絶えず水が蒸発して気化熱を奪うので、「乾球温度⑤」より常に低い。 ⇩乾湿球湿度計

しつぎょう⓪【失業】―する(自サ) ❶なんらかの事情で、それまでの職業を無くすこと。失職。「―におびえる/―者③・―率③」 ❷就職出来ないでいること。「大学卒の―〔=失業者〕を抱える/―対策⑤」↔就業❷ **―じんこう**⑤【―人口】 就職出来ないでいる人たちの総計。↔就業人口 **―ほけん**⑤【―保険】 労働者が失業した時、一定の期間 生活を保障する 旧制度下の社会保険。〔現在の「雇用保険」の前身〕

じっきょう⓪【実況】 現に何かが行なわれている、実際の〈状況(様子)。「―放送⑤・―中継⑤」

じつぎょう⓪【実業】 商品を生産・製作・売買などする事業。農業・商業・工業・水産業など。「―界③・―団③」 **―か**⓪【―家】 経済的事業を営む人。

しっきん⓪【失禁】―する(自サ) 膀胱・肛門の病気や加齢・老衰、また極度の緊張や恐怖などのため、自覚しないうちに〈尿(大便)が出てしまうこと。

シック①〔フ chic〕―な・―に しゃれていて、気のきいた様子だ。「―な装い/黒っぽい服を―に着こなす」 派 **―さ**③

しっく①【疾駆】―する(自サ) 車や馬を速く走らせて移動すること。

しっくい⓪ 〔「石灰」の唐音〕石灰を ふのりを溶かした液で練って、すさ・砂などをまぜたもの。壁塗りの材料。「―塗⓪・―天井⑤」 表記 「漆〈喰」は、借字。

シックス①〔six〕 六。 **―ナイン**⑤〔six nines の日本語形〕〔物質の純度などが〕九九・九九九九%。ほとんど完全に近い形容。 **―ばん**⓪【―判】〔写真で〕縦六センチ、横六センチの大きさ。六六判。

シックハウスしょうこうぐん⑨【シックハウス症候群】〔←sick-house syndrome〕 新築・改装したての建物の中にいることで起こる、目・喉の痛み・頭痛・吐き気・めまいなどの症状。建材・塗料などから発生する揮発性有機化学物質が原因とされる。

しっくり③(副)―と・―する 関係するものの間に、調和がとれていて違和感が感じられない様子。「夫婦の間が―行かない/その服にこのネクタイは―こない/古い街並に―溶けこんでいる石畳」

じっくり③(副)―と・―する 完璧を期したり 事の徹底を図ったりするために、十分に時間をかけて取り組む様子。「―〈聞く(話し合う)/―考える/―構えて時機を待とう」

***しっけ**⓪【湿気】 Ⓐあたりの空気中や、手に触れる物体の中に、普通よりも多く含まれていると感じられる水分。「―の多い部屋/―を含むあたたかい風/床下の―対策/―取り③」 Ⓑ接する人の〈気持を暗くさせるような(涙をさそうような)雰囲気。「彼女の身上話がだんだん―を帯びてくる」〔「しっき」とも〕

***しつけ**⓪【仕付(け)・〈躾】〔動詞「仕付ける」の連用形の名詞用法〕 ❶礼儀・作法を仕込むこと。 ❷縫い目を正しくするために、仮に糸で縫い押さえておくこと。 ❸〔←しつけいと④③〕「しつけ❷」をするために、ざっと縫いつける糸。

しっけい③【失敬】 ❶―な・―する(自サ) 礼儀に反するようなことをして、相手に不快感をいだかせる〈こと(様子)。〔多く男性語〕「先輩にそんな口をきくとは―な(奴だ)」 ⇩失礼 ❷―する(他サ) 軽い気持で、他人の物を無断で使ったり持ち出したりすること。「朝食バイキングのパンを余分に―して、夜食にした/仏壇のお供えの菓子を―する」 運用 (1)〔「失敬する」などの形で〕 ⇩失礼 運用 (1) 例、「今夜のクラス会は用事があるから失敬しよう/疲れたから〈先に(途中で)失敬するよ」 (2)〔「失敬」などの形で〕 ⇩失礼 運用 (4) 例、「前を失敬/ちょっと失敬、ライターを借りるよ」

しつげい⓪【漆芸】 漆を用いた工芸。漆工芸④。

じっけい⓪【実兄】〔義兄に対して〕同じ〈父(母)から生まれた兄。実の兄。

じっけい⓪【実刑】 執行猶予にならず実際に受ける体刑。「―を宣告する」

じっけい⓪【実景】 実際の景色。

しっけつ⓪【失血】―する(自サ) 出血によって多量の血液が失われること。「成人で約二分の一以上を―すると死に至る」

じつげつ⓪【日月】 ❶太陽と月。「―〔=強烈に輝く太陽〕と光を争う/―星辰」 ❷年月。月日。「長い―を費やす」

しっ・ける③⓪【湿気る】(自下一)〔東京方言〕「しける」の変化。しめる。

しつ・ける③【仕付ける】(他下一) ❶子供などにしつけをする。 ❷常にその事をしていて慣れる。やりつける。 ❸苗を田に植えつける。 表記 ❶は「〈躾ける」とも書く。

しっけん⓪【失権】―する(自サ) 〈権力(権利)を失うこと。

しっけん⓪【執権】〔政治の実権を握る意〕 ❶〔鎌倉時代の〕将軍の輔佐役。 ❷〔室町時代の〕管領。

しつげん⓪【失言】―する(自サ) 言ってはいけない事をうっかり言ってしまうこと。また、その言葉。「―を〈取り消す(弥縫する)」

しつげん⓪【湿原】 地下水位が高く、ヨシ・マコモなどの植物群におおわれた土地。例、尾瀬が原など。

じっけん ⓪【実見】—する(他サ) 実際に△その物を(そこに行って)見ること。

じっけん ⓪【実検】—する(他サ) 本当(にそのものである)かどうかを調べてみること。「首—」

じっけん ⓪【実権】 実際の権力。「政治の—が貴族から武士に移る/妻が財布の—を握っている」

**じっけん ⓪【実験】—する(他サ)〈(なにデ)なにヲ—する〉 理論や仮説で考えられたことが、実際の場合に当てはまるかどうかを、いろいろの条件下でためしてみること。「—を積み重ねる/動物—を行なう/—段階⑤・—校③・—小説⑤」 —だい ⓪【—台】 その上で実験をする台。〔実験の材料になる物や人の意にも用いられる〕

**じつげん ⓪【実現】—する(自他サ)〈(なにヲ)—する〉 計画や希望などが△が現実のものとなる(を現実のものとする)こと。「—を△期する(図る・目指す)/…の—を急ぐ/—に努める/—の運びとなる/—性は乏しい/△長年の夢(理想・目的)を—する/希望が—する」

しっこ ①【疾呼】—する(他サ) あわただしく(早口で)呼ぶこと。「大声—する」

**しつこ・い ③(形) ❶味が濃すぎたり そのものから受ける刺激が強すぎたりして、不快な感じが後あとまで残る様子だ。「—味」 ❷いい加減にしてほしいと思うものにいつまでもつきまとわれて耐え難く思う様子だ。「—ブヨにうんざりする/しつこく尋ねる」〔❶❷とも口頭語的な強調表現は「しつっこい④」〕 派—さ③

しっこう ⓪【失効】—する(自サ) 〔期限付きで定められた条項が〕期限を過ぎたなどの理由で、その効力を失うこと。「△援助条約(協定)の—/現行の三つ目の時限立法はあと三年で—する」

しっこう ⓪【執行】—する(他サ) △行政(司法)上の決定事項や会議で大綱の決まった事柄を実際に行なうこと。〔狭義では、強制執行を指す〕「死刑の—/逮捕状を—する」 —いいん ⑤【—委員】〔労働組合などで〕執行部を形作る委員。「—会⑥」 —かん ③【—官】 差押え・競売などの裁判の事務に伴う業務を行なう、地方裁判所の職員。「執達吏・執行吏」の改称。 —きかん ⑤【—機関】 議決機関の意思を執行する機関。〔狭義では、行政官庁の命を受け、国家の意思を執行する機関を指す〕 —ぶ ③【—部】〔政党・労働組合などで〕運営上の実務を担当する委員(の集まり)。 —やくいん ⑥【—役員】 企業で、経営上の特定の業務を執行する役員。会社法上の地位ではなく、迅速な意思決定と執行責任の明確化を図るために設けた任意の制度。 —ゆうよ ⑤【—猶予】 有罪の判決を受けた者に対し、一定の条件のもとに一定の期間、刑の執行を猶予し、その期間を無事に過ぎれば実刑を科されることがないこと。 —り ③【—吏】「執行官」の旧称。

しっこう ⓪【《膝行】—する(自サ)〔神前や貴人の前などで〕ひざを床につけたまま進退すること。

**じっこう ⓪【実行】—する(他サ)〈なにヲ—する〉 理論で考えられる事やそうすべきだと思う事を実際に行なうこと。「公約を—に移す/—を迫る/—力が弱い/—委員会⑥」

じっこう ⓪【実効】 実際の△効力(効果)。「—を△もたらす(挙げる)/—が△伴わない(乏しい)/—性⓪」

しっこく ⓪【〈桎梏〉】〔手かせと足かせの意〕思い通りに事をすすめようとするのをさまたげること。また、そのもの。

しっこく ⓪【漆黒】 漆を塗ったように黒くてつやがあること。「—の髪」

しっこし ⓪③【《尻腰】〔尻腰の変化という〕起こり得る情勢への気構えや、それに対処する忍耐力など。「—△が(の)無い〔=しっかりしたところが無い〕」

しつごしょう ⓪【失語症】〔脳の障害などで〕ものを(正しく)言うことが出来なくなる症状。

じつごと ⓪②【実事】〔歌舞伎で〕放蕩する若主人をいさめる家老・忠臣・手代などのようなきまじめな役。⇩あらごと・わごと —し ④【—師】 実事を専門にする役者。実方。

じっこん ⓪【〈昵懇〉】—な —に 〔「入魂」の変化〕親しくつきあって、遠慮の無い様子だ。表記「〈昵近・《入魂」とも書く。

じっこん ⓪【実根】〔数学で〕方程式の根で実数のもの。実数解③。↕虚根

**じっさい ⓪【実際】[一]❶〔仮定・想像・理論などでなく〕自分がその場に臨み、見聞したり 仕事をしたりする個々の場面。「—はかなりむずかしい/—問題としては どうだろう/—上の指揮は彼がとった」 ❷〔伝聞・評判などにはよらない〕偽らぬ内情・内実。「戦争の—/—より悪く言う」 [二](副) ある事柄について事実かどうかを直接見聞きすることによって確認する様子。また、確認した様子。「—良く出来た人だ/—この目で見たんだ」 —か ⓪【—家】 理論や形式などにこだわらず、実情に応じた処理が手ぎわよく出来る人。 —てき ⓪【—的】—な —に ❶実地の場合によく当てはまる様子だ。 ❷理屈にとらわれないで、行動に移す様子だ。 —もんだい ⑤【—問題】〔副詞的に〕現実的な観点から判断する様子。「—合併しても意味はない/今の世に忍者がいたらおもしろいよね、—として」

じつざい ⓪【実在】—する(自サ) だれにでもその存在が認められるものとして、そこに△ある(居る)こと。「—の人物/—感③」 —ろん ③【—論】 外界は、人間の観念△に先立ち(を離れて)存在する、とする哲学上の立場。↕観念論

しっさく ⓪【失策】—する(自サ)〔あやまちの意の古語「失錯」の直音化した語。従って、「策」は借字〕集中力や配慮の欠如から生じた、マイナスの結果。「手痛い—/相手の—で点を拾う」 表記「失錯」とも書く。

じっさく ⓪【実作】—する(他サ) 芸術作品などを実際に作ること。「短歌の—を学ぶ」

しっし ①⓪【嫉視】—する(他サ) 相手をねたんだり そねんだりすること。また、ねたみやそねみ。「—反目」

しつじ ②①【執事】 身分・地位のある人のそばに居て、事務のさしずをしたり 実際に事を運んだり する人。

じっし ①【十死】 どうしても生きられる見込みの無いこと。「じゅっし」とも。「—に一生を得る」 ⇩九死

じっし ①【十指】 十本の指。「—に余る〔=十本の指ではかぞえきれない。十より多い〕/—の指すところ〔=大勢の人がそろって認めること。正しくは、『十手の指すところ』。⇩十手〕/—を超える」

じっし ⓪【実子】〔継子・養子に対して〕その人の生んだ子供。生みの子。

じっし ⓪【実姉】〔義姉に対して〕同じ△父(母)から生まれた姉。実の姉。

*じっし ⓪【実施】—する(他サ)〈なにヲ—する〉〔前もって定められた法律・制度・計画などを〕実際に行なうこと。「—に△移す(踏み切る・当たっては・先立って)/—にこぎつける/—を見送る/—の運びとなる」

じつじ ⓪【実字】〔漢文法で〕形容詞・動詞を「虚字」と言うのに対し、名詞の称。

しっしき ⓪【湿式】〔複写装置などで〕液体や溶剤などを使う方式。↕乾式

しつじつ ⓪【質実】—な 服装や言葉などを飾らず、生活態度がまじめな様子だ。「—剛健」 派—さ⓪

し

** * は重要語, ⓪ ①… はアクセント記号, 品詞の指示の無いものは名詞および いわゆる連語。

じっしつ⓪【実質】実際に△そこ(その物)を満たしている内容。「形ばかりで―が伴わない/―上の損害」↔形式 ―ちんぎん⑤【―賃金】〔名目賃金と違って〕ある時点を基準にして、その時の貨幣価値をも考慮に入れた賃金の実質。名目賃金を物価指数で割って示す。―てき⓪【―的】ニな ↔形式的 ㊀実質が備わっている様子だ。「なかなか―でいいね/―な話合い」㊁実質の上から言う様子だ。「―には減税にならない」―はん④【―犯】殺人罪・強盗罪などの犯罪(を犯した人)。↔形式犯

じっしゃ⓪【実写】―する(他サ) 実況や実景をフィルムなどに写し△とること(たもの)。記録映画。

じっしゃ⓪【実車】㊀〔模型などではなく〕実際に使える車。㊁〔タクシーで〕客を乗せている状態(の車)。↔空車

じっしゃ⓪【実射】―する(他サ) 実弾を実際に発射すること。「ミサイルの―訓練」

じっしゃかい③クワイ【実社会】実際の社会。〔美化・様式化されたものとは違って、複雑で、虚偽と欺瞞マンに満ち、毎日が試練の連続であると言える、きびしい社会を指す〕「卒業して―に出たら親の苦労が少しは分かるだろう」

じっしゅ①【十手】十人の人の手。「十目ジュウモクの視ミるところ、―の指ユビすところ(=⇩十目)」

じつじゅ①⓪【実需】〔消費者の〕実際の需要。実需要③。↔空カラ需要

じっしゅう⓪シウ【実収】㊀〔税金などを引いた〕手取りの、実際の収入。㊁実際の収穫量。

じっしゅう⓪シフ【実習】―する(他サ) 教えられた知識を基として、実地に就いて技術を習得すること。「―生③・教育―」

じっしゅきょうぎ④キャウ【十種競技】男子の陸上競技。一人で十種目の競技(=百メートル競走・走り幅跳び・砲丸投げ・走り高跳び・四百メートル競走・百十メートル障害・円盤投げ・棒高跳び・槍ヤリ投げ・千五百メートル競走)を連続二日間で争い、総合得点を競う。デカスロン②③。

じつじゅん⓪【湿潤】―な しめりけが多い様子だ。 派―さ⓪

しっしょう⓪セウ【失笑】―する(自サ) 〔「失」は過ち、うっかりの意〕〔常識に欠けた言行などに直面して〕あきれたあまり、思わず笑ってしまうこと。〔侮蔑ブベツを含意する〕「―を買う(=自分としてはまともな言行のつもりなのに、△識者(相手)からほとんでもない事だとして笑われる)」

じっしょう⓪シャウ【実正】「本当(のところ)」の古語的な表現。

じっしょう⓪【実証】―する(他サ) 確かな証拠(に基づいて証明すること)。―てき⓪【―的】ニな いちいち確かな証拠に基づいて、研究を進める様子だ。「―研究⓪-⓪」

*じつじょう⓪ジャウ【実情・実状】㊀〔理論や仮説ではなく〕実際の状況。「―に合った計画/―を踏まえる/―はこうなんです」㊁包み隠すところのない本当の気持。「―を打ち明ける」

しっしょく⓪【失職】―する(自サ) 職業を△失う(失ったままで、次の職が見付からないでいる)こと。失業。

しっしん⓪【失神・失心】―する(自サ) 〔今まで正常な意識を持っていた人が〕強いショックなどを受けて、意識を失うこと。「―状態⑤」

しっしん⓪【湿疹】あせもなど、皮膚に出来る炎症。

じっしん【十進】(造語) 十進法の。「―小数・―分類法」―くらいどりきすうほう⓪-⓪-⓪クラキ ハフ【―位取り記数法】十を「基数㊀」とする位取り記数法。―ほう⓪ハフ【―法】十を「基数㊀」として採用する△命数法(記数法)。命数法の例は、日本語の数詞のように、一・十・百・千…と十倍ごとに新しい名を付けていくもの。記数法の例は、0から9までの十個のアラビア数字を用いる位取り記数法。「じゅっしんほう」とも。〔広義では、△十倍(十分の一)ごとに新しい単位名を付けていく度量衡の体系をも指す〕「現代日本語の命数法は、厳密に言えば、―と万進法との組合せである」⇩進法

じっすう③【実数】㊀〔数学で〕有理数でいくらでも近似することの出来る数。〔有理数自体を含む。数直線上の点と一対一に対応することから、「実際に存在する数」という意味の名称がついた〕↔虚数 ㊁実際に存在することが確認された、そのものの数量。

しっする⓪③【失する】㊀(自サ) 程度などが過ぎる。「遅きに失した(=遅すぎた)/寛大に―(=寛大でありすぎる)」㊁(他サ) それまであったものを失う。また、あればよいと思っていたことを得そこなう。「△均衡(バランス・礼)を―/(時)機を―(=逃す)」 失す⓪(五)。

じっすん⓪【実寸】㊀実際に測って得られる数値。実際の寸法。「商品の―を表示する」㊁画面や図面上に合わせた縮尺ではなく、実物と同じ大きさ。原寸。「―で印刷する」

しっせい⓪【叱正】―する(他サ) 自分の書いたものの誤りを遠慮なく直してほしいと相手に頼む語。「ご―を請う」

しっせい⓪【失政】政治上の失敗。「―を重ねる」

しっせい⓪【執政】政務をとる△こと(人)。〔狭義では、江戸時代の老中・家老を指す〕「―官③」

しっせい⓪【湿性】水分の多い性質。「―肋膜ロク炎」↔乾性

じっせい⓪【実勢】〔理論上の判断や見せかけと違って〕実際の△勢力(情勢)。―かかく⑤【―価格】〔役所の公示価格などと違って〕実際に取引される時の価格。〔特に地価について言う〕

じっせいかつ③クワツ【実生活】〔文学作品など△の(を通して想像される)美化された生活と違って〕現実の生活。「理論ばかりでは―には役に立ちそうもない」

しっせき⓪【叱責】―する(他サ) 〔監督の責任を持つ人が〕下の人のあやまちなどをしかること。

しっせき⓪【失跡】―する(自サ) 「失踪シッソウ」の改称。

じっせき⓪【実積】土地を実際に測った面積。

じっせき⓪【実績】過去において積み重ねられてきた、業績。「かなりの―をあげる/―を△積み重ねる(踏まえる)/過去の―に鑑カンガみ/―が△ある(問われる)」

しっせつ⓪【湿雪】水分を多く含んだ雪。

しつぜつ⓪【湿舌】〔天気図で〕水蒸気を多量に含んだ空気の一団が、舌のような形で張り出している部分。

じっせつ⓪【実説】実際にあった通りの話。↔虚説

じっせん⓪【実戦】〔演習・練習などと違って〕実際の△戦い(試合)。「―の経験」

じっせん⓪【実践】―する(他サ) 読書を通したり人から聞いたりして得た、また、自分で考えた主義・主張や理想を、自分で行動に移すこと。「―を通じて/―的なコミュニケーション」―きゅうこう⓪-⓪カウ【―躬行】―する(他サ) 「実際に自分が行なう」意の畳語表現。

じっせん⓪【実線】〔製図などで〕切れ目なく続いている、普通の線。⇩点線・破線

*しっそ①【質素】ニな 〔貧しさに耐えたり困難にうちかつ精神を養ったり などするために〕むだを省き、簡素な生活を方針とする△こと(様子)。「―な暮らし」↔贅沢ゼイタク 派―さ③

しっそう⓪【失踪】―する(自サ) 〔家を出て〕行くえをくらますこと。〔法律では、七年間生死不明のため、死んだものと

見なすことを指す」「―宣告⑤」

しっそう⓪【疾走】―する(自サ)〔人・車、また獣などが〕ものすごいスピードで走ること。「特急電車が風を巻いて―して行った／全力―⑤」

しっそう⓪【執奏】―する(他サ) 侍従などが取り次いで奏上すること。また、その人。

じっそう⓪【実相】❶実際の△様子(姿)。❷〔仏教で〕生滅変化する万物の奥にある、真実の相。

じつぞう⓪【実像】 レンズを通過した光や球面鏡で反射した光が、実際にある場所に集まって出来る像。〔うわさ・地位・肩書きなどを離れた実際の姿の意にも用いられる。例、「これが現代っ子の―だ」〕⇔虚像

しっそく⓪【失速】―する(自サ)❶航空機が、飛行中に浮力が少なくなり、飛行に必要な速力を失うこと。「飛行機がエンジントラブルで―する」❷〔何かがきっかけとなって〕好ましい方向に向かっていた物事の進み具合が急に後退・低下すること。「増税で内閣支持率が―する／景気が―する」

じっそく⓪【実測】―する(他サ) 計器を使って、距離・面積などを実際に測ること。「―図④」⇩目測

じっそん⓪【実損】 実質上の損害。

じつぞん⓪【実存】―する(自サ)❶△実際(現実)に存在すること。❷〔哲学で〕人間という、自覚した存在の独自なあり方。 ―しゅぎ⑤【―主義】 戦後フランスで盛んになった思潮。「無」に直面する人間を見つめ、自己にとっての唯一確実な存在を肉体であるとして、そこから自己の世界を定着しようとする思想態度。

しった①【叱〈咤〉】―する(他サ) 大声をあげて△しかる(しかって励ます)こと。「三軍を―する／―激励」

シッター〔sitter=座る人〕❶〔造語〕仕事として、家族の代りに世話をする人。「ベビー―④・ペット―④・シルバー―⑤」❷① ベビーシッター・ペットシッターなどの略。「―さんを頼む」

しったい⓪【失対】「失業対策⑤」の略。「―事業⑤」

しったい⓪【失態】 他人の物笑いの的になるような、ぶざまな行動。「大―を演じる」 表記「失体」とも書く。

じったい⓪【実体】❶実際に指摘することの出来るような具体的な形を備えたもの。「夢の―は何か」❷いろいろ△な形をとって現われる(に変化していく)ものの根底にある、本質的なもの。 ―けいざい⑤【―経済】 商品やサービスの生産・販売など、物や人の労働という実体を伴う経済活動。⇔金融経済

*じったい⓪【実態】 可能な限り客観的にとらえたありのままの状態。「―を△明らかにする(踏まえる)／正確な―をつかむ／―に即して／―に触れる／生活の―調査」 表記「実体」とも書く。

じつだい⓪【実大】「実物大」の圧縮表現。「―の模型」

じったいけん③【実体験】―する(他サ) 実際に自分がする体験。〔現実での体験であることを強めて言う〕「―をもとに書いた作品」

しったかぶり⓪【知ったか振り】 実際には知らないのに知っているような様子をする△こと(人)。

しったつり④③【執達吏】「執行吏」の旧称。

シッタン③【〈悉曇〉】〔梵語 siddham=成就〕❶古代インド語(の字母)。❷古代インド語学。 表記「〈悉曇」は、音訳。

じつだん⓪【実弾】 敵を殺すために銃砲にこめる弾丸。〔広義では実物、特に選挙運動などに使う現金をも指す〕

しっち⓪①【失地】 失った所有地・領土・地盤。「―回復」

しっち⓪【湿地】 湿気の多い、じめじめした土地。

じっち⓪【実地】❶現場。「―検証④・―調査④」❷実際(に行なう場合)。「―試験④⑤・―研究④」

しっちゃかめっちゃか⑤―な／―に 事態がひどく混乱して、△何がどうなっているのか(何をどうすればよいのか)まったく分からない様子だ。〔やや俗語的表現〕「地震で家の中が―だ」

しっちゃく⓪【失着】〔碁・将棋で〕その一手が自分の劣勢を招くような、まずい手。

じっちゅうはっく⑤【十中八九】(副)〔十のうちの八か九まで、の意〕その可能性の実現を確かなものと予測できる様子。「じゅっちゅうはっく・じゅうちゅうはっく」とも。「当選は―間違いない」

しっちょう⓪【失調】❶途中で△いい調子が出なくなる(調節がきかなくなる)こと。スランプ。❷調和を失うこと。「―症⓪・栄養―」

しっちょう⓪【失聴】 病気や事故などで聴力を失うこと。

しつちょう⓪②【室長】〔会社・官公庁・研究所などで〕「…室」という名称の部署の長。

じっちょく⓪【実直】―な／―に まじめで正直な△こと(様子)。 派―さ⓪ ―げ⓪、⓪―⓪、⑤

しっちん⓪【七珍】 七つの宝。しっぽう(七宝)。「―万宝」

しっつい⓪【失墜】―する(自他サ)〔自らの失敗や仕組まれた陰謀などによって〕信用・権威などを無くすこと。「△名誉(威信)を―させる」

じつづき②【地続き】❶その土地の隣に隔てる物が無く直接に続いていること。❷その土地から船に乗らずにそこまで行けること。

じって⓪【十手】 江戸時代、罪人を捕らえる役人が持った、手もとに鉤のある鉄の棒。「じゅって⓪」とも。 かぞえ方 一本

じってい⓪【実体】―な／―に「実直」の意の古風な表現。

じってい⓪【実弟】〔義弟に対して〕同じ△父(母)から生まれた弟。実の弟。

じっていほう⓪【実定法】 憲法・法律のように国家などが取り決めた法や、社会的慣習などに基づいて成立している法。〔人間の意志により制定・変更・廃棄出来るもの〕⇔自然法

しつてき⓪【質的】―な 物事を質の面から見た様子だ。「―変化」⇔量的

じってつ⓪【十哲】 そのすぐれた思想家や芸術家の十人の高弟。「じゅってつ⓪」とも。「孔門の―」

しってん⓪【失点】❶〔競技や勝負で〕敵に与えた点。⇔得点 ❷〔野球で〕その投手の取られた、すべての点数。⇩自責点 ❸〔△政治(行政)上で〕マイナスと見られる点。「―を喫する／前内閣の―」

しつでん⓪【湿田】 どろの深い田。⇔乾田

しってんばっとう③-⓪、⓪-⓪【七転八倒・七〈顚八倒〉】―する(自サ) ⇩しちてんばっとう

*しっと⓪①【嫉妬】―する(自他サ)〈だれニ―する／なにヲ―する〉それまでいだいていた優越感・愛情・独占感が突如他にしのがれるようになったことに気付いた時に感じる、ねたみの気持。ジェラシー。「二人の仲を―する／―深い⑤・―心③」

*しつど②①【湿度】 空気のしめりぐあいを示す数値。その時の温度で空気中に含まれ得る水蒸気の最大量に対する現在量の百分率で表わす。「―が高い」 ―けい⓪【―計】 湿度を計る器具。「乾球⓪」の示す温度(=普通の気温)と、湿球の示す温度から湿度を求める仕組みのものが多い。 かぞえ方 一本・一台

*じっと⓪(副)―する 何かに集中したり事態の変化を待った

り して、その間次の行動に移らず動きを止めている様子。〔強調表現は「じいっと」〕「—△見つめる(聞き耳を立てる)/なにごとかを—考え込んでいる/不安げな目つきで—立ちつくしていた/帰りを—待った/こっちも—してはいられない」

しっとう [0]【失当】—な その人のやった事が適当とは思われない様子だ。

しっとうオ [0]【失投】—する(自サ)〔野球で〕投手が打者に対して、投げるべきでないボールを投げてしまうこと。

しっとうオ [0]タウ—【執刀】—する(自サ) 外科手術・解剖を、医師が行なうこと。「—医」

じつどうオ [0]—する(自サ) ❶【実働】 実際に労働すること。❷【実動】 実際に運転すること。 **—じかん** [5]【—時間】 勤務時間から休憩時間などを差し引いたもの。⇩拘束時間

じっとく [0][4]【十徳】 昔、学者・医者・絵かきなどが着た、ゆるく仕立てた衣服。「じゅっとく」とも。

しっとり [3](副)—と —する ❶全体にほどよい△湿りけ(うるおい)があって、好ましく感じられる様子。「雨に—ぬれたアジサイの花/—した素肌」 ❷しみじみと落ち着いた情趣が感じられる様子。「—した色気のある和服姿/大人の情感を—と歌いあげる」

じっとり [3](副)—と —する 湿気が身にまとわりついて不快に感じられる様子。「—汗ばむ/南国特有の—しめった空気」

しつない [2]【室内】 部屋の中。「—着ギ [3](=部屋着)」 **—がく** [3]【—楽】〔室内で演奏するために作った器楽曲の意〕各パートが一楽器ずつから成る、小編成の合奏。

***じつに** [2]【実に】(副) それがもはや疑う余地の無いものであるという思いを込めて、断定したり 強調したりする様子。「君が辞めるのは—残念だ/彼は—愉快なやつだ/辞書の完成に至るまで、—半世紀に近い年月を要した」

しつねん [0]【失念】—する(他サ)(うっかりして)忘れること。

じつねん [0]【実年】 ❶まだ働き盛りである五十代、六十代を指す語。「—時代」⇩熟年 ❷実際の年齢。

***じつは** [2]【実は】(副) めんどうな説明を省いて△内情(事実)を端的に言うならば。「一見、羽振りがよさそうだが、—台所は火の車だ」

ジッパー [1]〔zipper〕 ファスナーのアメリカにおける商標名。

****しっぱい** [0]【失敗】—する(自サ)〈なにニ—する〉 やり方がまずかったり ねらいが はずれたりして、目的が達せられないこと。「惨めな—に終わる/思わぬ—を招く/犯した—の償いをする/事業に—する/—は成功の△もと(母)」

じつばい [0]【実売】 ❶商品として実際に市場に出して売ること。「試作品が完成し来年早々には—できる見通しだ/自費出版なのに—部数が五千部をこえた」 ❷〔「—価格 [5]」の形で〕不動産取引で、役所などとの評価額とは必ずしも一致しない実際の取引価格。「新しく駅ができるというので宅地の—価格が一気に高騰した」

じっぱ ひとからげ [1]-[2]【十把一《絡(げ)》】 あれやこれやを(価値が無いものとして)一まとめにして扱うこと。「じゅっぱひとからげ」とも。

しっぴ [0]【失費】 日常の生活費のほかにかかる費用。ものいり。

しっぴ [1]【〈櫛比〉】—する(自サ)「〔建物が〕くしの歯のようにびっしり並ぶ」意の漢語的表現。

じっぴ [1][0]【実否】 △本当(事実)であるかどうか。〔古くは「じっぷ」〕

じっぴ [0]【実費】〔手数料・利益を含まない〕実際にかかった費用。

しっぴつ [0]【執筆】—する(他サ) 筆を執って(文章・作品を)書くこと。「—者 [4][3]・—態度 [5]・共同— [5]」

しっぷ [0]【湿布】—する(自他サ) 湯・水・薬の液に浸した布を患部にあてて炎症を治療する方法。また、その布。「温— [3]・冷—」

じっぷ [0]【実父】〔義父・継父・養父に対して〕その人の本当の父。

ジップアップ [4]〔zip-up〕 衣服などの開閉部分がファスナーになっているデザイン。

しっぷう [0]【疾風】 はげしく吹く風。気象学上では、毎秒六〜一〇メートルの風。〔茂った木の枝が動き、白波が立つ程度〕「—怒濤ドトウの時代」 **—じんらい** [0]-[0]【—迅雷】 疾風や突然の雷鳴のように、勢いがはげしく行動のすばやい様子。

しっぷう もくう [5]【〈櫛風〈沐雨〉】〔家でくつろぐ暇が無く、風で髪をとき、雨で髪を洗う意〕家を外にし、(大)事業のために活動すること。「—三十年」

***じつぶつ** [0]【実物】 ❶〔写真や絵や模型などと違って〕そのもとになった、実際の物。原物。「カタログでは分からないので—を見て買うかどうか決める」 ❷取引の対象になる現品。「—取引 [6][5]」 **—だい** [0]【—大】「実物❶」と同じ大きさ。「—に引き伸ばした写真」

しっぺ [3]〔「しっぺい」の変化〕人さし指と中指を並べて、相手の手首などを強く打つこと。 **—がえし** [4]ガヘシ—【《竹〈篦〉返(し)】〔同じように ひどいやり方で〕すぐさま仕返しをすること。「しっぺいがえし [5]」とも。「—を受ける」

しっぺい [3]【《竹〈篦〉】 参禅者の眠りを戒めるために使う、平たい竹の棒。 かぞえ方 一本

しっぺい [0]【疾病】 医学的治療を要する病気。

しっぽ [3]【《尻《尾》】〔「しりお」の変化。「尾」の意の口頭語的表現〕 ❶動物の尾。「—を巻いて逃げる/—を出す(=ごまかしていた事を見つけられる)/—をつかまえる(=相手のごまかしを見抜いて押さえる。同じ意味で『—を握る』とも言う)/—を振る(=相手にこびへつらう)」 ❷何かの端の、細くなった部分。「たくあんの—」 表記 ⇩付表「尻尾」 かぞえ方 ❶❷とも一本

じつぼ [1]—ヂ【地坪】〔建坪に対して〕その建造物のある地面の坪数。

じつぼ [1]【実母】〔義母・継母・養母に対して〕その人を生んだ本当の母。生みの母。

***しつぼう**オ [0]バウ—【失望】—する(自サ)〈なに・だれニ—する〉 期待に反する結果になって、希望を失うこと。「—を禁じ得ない/人生に—する/—感 [3]」

しっぽうオ [0]【七宝】 ❶仏典でいう、七種類の宝物。金・銀・瑠璃ルリ・硨磲シャコ・玫瑰マイカイ・瑪瑙メノウ・珊瑚サンゴ。七珍。〔経本により異同がある〕 ❷〔↑七宝焼 [0]〕△銅(金・銀)の下地に琺瑯ホウロウを焼き付け、種々の模様を表わしたもの。 ❸〔生け花で〕大小の穴を幾何学模様のように配置し、枝をさして、止めるもの。⇩剣山

じっぽうオ [3]バウ—【十方】〔四方と四すみと上下の意〕あらゆる場所・方角。「—世界 [5]」

じっぽうオ [0]バウ—【実包】 銃砲の実弾。↕空包

しつぼく [0]【質朴・質〈樸〉】—な 純真で、飾りけが無い様子。 派 —さ [0][4][3]

しっぽく [0]【《卓〈袱〉】〔「しっ」も「ぽく」も唐音。もと、中国風のテーブルクロースの意〕 ❶そば・うどんに野菜そのほかの具を載せたもの。「—うどん [5]」 ❷「卓袱料理」の略。 **—りょうり**オ [5]レウ—【—料理】 中華料理の日本化したもの。魚肉を材料とし、一皿ずつ運んでくる。長崎の名物。

しっぽり [3](副)—と ❶そのもの全体に湿りけが十分に行き渡る様子。「春雨に—ぬれる」 ❷男女間の言動に情合いの深さが感じ取られる様子。

じつまい⓪【実妹】〔義妹に対して〕同じ△父(母)から生まれた妹。実の妹。

じつみょう⓪ミヤウ【実名】「じつめい」の古風な表現。

しつむ①②【執務】—する(自サ) 一定の勤務時間の間、書類に関する事務を取り扱ったり 課せられた業務についたりすること。〔作家の創作活動や学者の辞書編纂ヘンサン活動などは、通例この中に含まない〕「—中⓪」

じつむ①【実務】 実際の業務・事務。「—に明るい/—家カ⓪」

じづめ⓪③【字詰(め)】〔原稿用紙・印刷物などの〕〔一行の〕文字の△詰め方(配列)。

しつめい⓪【失名】—する(自サ) その名前△が分からない(を忘れる)こと。「—氏〔=無名氏。某氏〕からきびしい批判を受ける」

しつめい⓪【失明】—する(自サ) 視力が無くなること。目が見えなくなること。

じつめい⓪【実名】〔仮名・雅号などと違って〕(親がつけた)戸籍上の名前。本名。「じつみょう」とも。「彼は—のほかにペンネームを持っている/とうとう—を隠し通した」

じつもって③【実《以(て)》】(副) 「実に」の意の古風な表現。

***しつもん**⓪【質問】—する(自他サ)〈だれニなにヲ—する/だれニなんだトー—する〉 分からない事や知りたい事について、説明を求める△こと(言葉)。「—を掛ける〔=なんらかの意図をもって、目当ての人にその質問をする〕/—を受ける/—に答える/—攻めにあう」

しつよう⓪エウ【執《拗》】—な/—に 「しつこい❷」意の漢語的表現。「—につきまとう」[派]—さ⓪③

***じつよう**⓪【実用】〔理論や実験・試験段階ではなく〕使って直ぐ実際の用に役立つ(ようにする)こと。「バイオテクノロジーの分野で、植物の—研究が進んでいる/太陽熱の利用に—の道を開く技術/—を目的とする宇宙利用の分野/—フランス語/—書⑤⓪・—本位・—品⓪」 **—しゅぎ**⑤【—主義】〔哲学で〕知識の価値を実際の効用によって決めようとする主義。プラグマティズム。 **—しんあん**⑤【—新案】 既存の物の形・構造などに改良を加え、使いよいものにするための新しいくふう。登録によって実用新案権が得られ、十年間保護される。 **—たんい**⑤キ—【—単位】⇩単位 **—てき**⓪【—的】—な/—に 実用に適する様子だ。「—な大きなバッグ」

じづら⓪【字面】❶一つひとつの文字の形や、文字の並ぐあい(から受ける感じ)。「—が悪い/—から察すると/—を追う」 ❷文字で表わされた、その言葉の表面上の意味。「—からはとてもそうは受け取れない」

しつらい⓪③シツラヒ 〔文語動詞「しつらふ」(四段)の連用形の名詞用法〕〔部屋などの〕美しく見せるための置き物など。

しつら・える④③シツラヘル(他下一) 〔建物や部屋に〕△用意(設備)する。[名]しつらえ⓪③

じつり①【実利】 実際の△利益(効用)。「—を取る/—の伴わぬ/—主義④・—的⓪」

じつり①【実理】 実際△に即した(の経験から得た)理論。

しつりょう②レウ—【室料】 ホテルの部屋や貸部屋の料金。

しつりょう②リヤウ—【質量】 ❶質と量。「—共に充実したコースメニュー」 ❷〔物理で〕物体が有する物質の量。〔昔は密度と体積の積と考えられたが、現在では、物体に働く力を加速度で割った値、すなわち動きにくさを表わす量として定義される。基本単位はキログラム〕

***じつりょく**⓪【実力】 ❶実際にその人に備わり、必要な場面で発揮される△力(腕前)。「—に開きがある/—を△蓄える(示す・出しきる)/—者③④・—試験⑤⑥」 ❷勝敗・優劣を決する手段として発揮される力。〔狭義では、武力・腕力を指す〕「—に訴える」 **—こうし**⑤カウ—【—行使】 相手の対抗力などを阻止するために、ストライキなどの実際の行動に出ること。「—する/—に出る」

***しつれい**②【失礼】—な/—する(自他サ)〈(なにヲ)—する〉 相手に対して、礼儀に反する言動をする△こと(様子)。「先輩に対して—なことを言う/お電話もせずお伺いしました—をお許し下さい/こんなに待たせるなんて—△ね(しちゃう)」 [運用] (1)「失礼します」などの形で、誘いを断わったり 会合に欠席したり 中座したり などすることの婉曲エンキョク表現として用いられる。例、「せっかくのお誘いですが先約があるので失礼します/頭が痛いので今夜の会は失礼します/電話がかかってきたので、ちょっと失礼します」 (2)「失礼ですが」の形で、初対面の人に話しかけたり ものを尋ねたり するときの前置きとして用いられる。例、「失礼ですが△山川さんでいらっしゃいますか(ここに荷物を置いてよろしいでしょうか)」 (3)「失礼しました」などの形で、軽い謝罪の気持を表わすことがある。例、「お忙しいところお邪魔して失礼いたしました」 (4)「失礼(します)」などの形で、やむなくぶしつけだと思われる行為をするときの軽い断りの気持を表わすことがある。例、「前を失礼します/君のボールペンをちょっと失礼〔=拝借するよ〕」

じつれい⓪【実例】 実際△の(にあった)例。「—をあげる」

しつれん⓪【失恋】—する(自サ) 思う恋が遂げられないこと。

じつろく⓪【実録】 事実を忠実に記録すること。また、その記録。

じつわ⓪【実話】 作り話のように思われるが、実際にあった話。「—雑誌④」

して ■⓪(接) そ(う)して。それで。〔やや古風な表現〕「—、君のところは?」
■(接助) ある△条件(状況)を提示して、それから判断を導くことを表わす。「任重く—〔=任務は重くて〕道遠し/日光を見ず—〔=見ないで〕結構と言うなかれ/労することなく—〔=たいした努力をしないで〕」⇩しては・してみれば:にして・にしても [文法] 形容詞、形容動詞、否定の助動詞「ない・ぬ」の連用形(「ず」)に接続する。
■〔副助詞的に〕 ❶その動作・作用などが どんな状態で行なわれるかを表わす。「二人—〔=で〕動かす/一瞬に—消える」 ❷〔「…か—」の形で〕事柄の理由を推定しつつ表わす。「風邪をひいたか—〔=風邪が原因なのか〕休んでいる/どうか—」 [文法] ❶で(a)「みんな」や「二人」など数量を表わす語のあとにつく。(b)「家族全員してボランティア活動に参加する」などと「…して」の形で用いられることもある。
■〔「…を—」の形で、格助詞的に〕その動作を命じられてする側であることを表わす。「私を—〔=私に〕言わしめれば」 [文法] 一般に使役の意を表わす文語動詞「しむ」、また、その口頭語的な形の「しめる」をあとに伴う。

して【仕手】〔為シ手の意〕 ❶⓪その事をする人。「掃除の—が居ない」 ❷②〔能楽・狂言の〕主人公(となる役者)。↕ワキ・アド ❸⓪〔株式取引で〕多額の資金を動かして大きく相場を張る人。 [表記] ❷は普通、「シテ」と書く。

しで①②〔下二段の動詞「垂ヅシ」の連用形の名詞用法〕玉串タマグシやしめ縄などに細長く切って下げる紙。古くは木綿ユウを用いた。

しで①【死出】 死んで冥途メイドへ行くこと。「—の旅」 [表記]「四手」は、借字。

してい①②【子弟】〔意味の実質は「子」にある。⇩帯説〕親がかりの△少年(青年)。「良家の—」

してい⓪【私邸】〔官邸・公邸と違って〕その個人△が所有する(として借りている)やしき。

してい②①⓪【使丁】「小使・用務員」の意の古風な表現。

*してい⓪【指定】―する(他サ)〈なにヲ―する〉幾つかの候補の中で特にそれだけが条件を満足するものだ、という主体の意向を示すこと。「面会△日(時間)を―する/授受の場所を―する/国の―を受ける/―席・―券②」―かんせんしょう⓪-シヤウ【―感染症】〔入院や消毒等が求められる一～三類感染症や急性インフルエンザなど以外の既知の感染症で〕緊急の対応が必要とされた場合に、政令で指定し、一～三類感染症に準じた扱いをされる感染症。―せき②【―席】〔乗り物や劇場などで〕座る人が決まっている席。「―を取る」↔自由席 ―でんせんびょう⓪-ビヤウ【―伝染病】⇩伝染 ―とし④【―都市】政令により特に指定された、人口五十万以上の都市。自治権限が大きく、区が設置される。「政令指定都市・指定市」とも。―なんびょう④-ビヤウ【―難病】〔↑難病法指定難病〕厚生労働大臣が指定する難病。医療費助成の対象となる。

してい①②【師弟】師と弟子シテ。「―愛②・―関係」

してい⓪【視程】㊀見通し(のきく距離)。㊁〔航海・航空で、また、大気汚染の程度について〕昼間、空を背景にして、黒ずんだ目標の存在と形を肉眼で確認出来る最大距離。「気流、―ともに良好」

じてい⓪【自邸】自分のやしき。

シティー①〔city〕㊀〔↑City of London〕ロンドンの歴史的区画。金融街の通称として知られる。㊁都市。都会的。「―バンク」

シティー ホテル④〔和製英語 ↑city + hotel〕市街地や主要駅の周辺にあるホテル。宿泊とともに、各種の会議・宴会の施設も備えているものが多い。

してか・す③【《為出》《来す》】(他五)〔まともでない事を〕してしまう。やらかす。「何を―か分からない」 表記「仕出《来す》」とも書く。

してかぶ⓪②【仕手株】〔株式取引で〕「仕手㊂」による投機的な大量売買の対象となりやすく、相場が過熱するような株。⇩雑株

してからが②〔「…に―」の形で〕問題とする事柄のまず第一に取り上げられることであることを表わす。〔多く好ましくない事柄について用いる〕「部長に―無駄遣いの元凶だ」

してき⓪【史的】―に 歴史に関係△する(させる)様子だ。―げんざい④【―現在】〔文法で〕△過去(歴史上)の事柄を、現在の事を表わす形式で述べること。―ゆいぶつろん⑦【―唯物論】唯物論を基にして、弁証法の立場から社会の発展を説明する理論(体系)。

してき⓪【私的】―に 公的な立場を離れた個人の名誉・利害などに関係がある様子だ。プライベート。「―な会話を交わす」↔公的

*してき⓪【指摘】―する(他サ)〈(だれニ)なにヲ―する/(だれニ)なんだト―する〉〔指でさし示す意〕注意すべきものとして、具体的に取り出して示すこと。「…の―を待つまでもなく/△弱点(誤り・問題点・疑問点)を―する」

してき⓪【詩的】―に ↔散文的 ㊀表現されたものなどに、人の想像を刺激したり 人をしみじみとした情感にひたらせたりする何かが感じられる様子だ。「―な趣のある△散文(絵画・風景)」㊁考え方などに俗なところがなく、豊かな精神性が感じられる様子だ。「―な精神の持ち主/―に生きる」⇩

じてき⓪【自適】―する(自サ)〔「適」は、心のままの意〕悠々ユウユウ自適

してせん⓪【仕手戦】〔株式取引で〕ある銘柄をめぐって、売り方と買い方が激しくぶつかり合って、大量の売買を行なうこと。

*してつ⓪【私鉄】〔もと、国鉄に対して〕民間の会社が経営する鉄道。

じてっこう②-クワウ【磁鉄鉱】黒色の結晶体の鉱石。金属性のつやがあり磁性が強い。製鉄の重要原料。

しでのたび①-②【死出の旅】あの世へ旅立つこと。「―に出る」(=死ぬ)

しでのやま①-②【死出の山】死後に行く、冥途メイドにあるという山。

しては(副助)…という条件を考えに入れると。「それに―(=その割には)」

してみれば③ ㊀その立場になって考えることを表わす。「△父(米国民)に―/先生と―」㊁前件を一応容認し、「それから判断すると」という気持を表わす。してみると。

しても(副助)〔「…に―」「…と―」の形で〕㊀同種のことが、関連する一方にも認められることを表わす。「先方も迷惑だろうがこちらに―不愉快だ」㊁予測しうる△最善(最悪)の事態を想定して、得られる結論には変りがないという判断と結びつける。「すぐ始めるに―お金が必要だ」

してや・る⓪【《為て》《遣る》】(他五) うまくやる。「してやったりとほくそえむ/まんまとしてやられた(=ⓐだまされた。ⓑ相手の術中に陥った)」

してん⓪【支店】↔本店 ㊀その会社や銀行などの組織の一部として各所に置かれ、その△地方(地域)の取引先を相手に、おもに営業関係の業務を担当する所。㊁その店に勤めていた者が、主人の許可を得て同系列の店として他に出す店。⇩分店

してん⓪【支点】「てこ」のささえとなる、固定した点。⇩作用点・力点

してん⓪②【死点】〔クランクで動かす仕掛けで、どんなに力を入れてもクランクが動かない位置の意〕㊀〔議論などの〕行きづまりの点。㊁死を伴うような、危険な地点。「国道一号線の―」

してん⓪【始点】〔動作・運動・川の流れなどの〕始まる点。起点。↔終点

してん⓪【視点】㊀〔絵画の遠近法で〕対象に対するその人の目の位置。㊁物事を描いたり 論じたりする時の作者や論者の立場。「…に―が置かれる/新たな―に立つ/―を変える/―を定める」

しでん⓪【史伝】虚構をなるべく少なくし、その代りに考証をまじえた伝記。

しでん⓪【市電】市街地を走る路面電車。また、「市営電車④」の略。

しでん⓪【師伝】特別の口伝クデンや奥義を師匠から伝授されること。

しでん⓪【紫電】「いなびかり」の意の漢語的表現。〔とぎすました刀の光の意にも用いられる〕「―一閃イッセン⓪-⓪」

じてん⓪ ㊀【字典】「字書」の別称。㊁【辞典】「辞書」の改まった言い方。〔広義では、字典・事典を含む〕㊂【事典】「百科事典」の略。〔㊀㊁㊂は書名としてもよく用いられる。また、㊀を「もじてん」、㊁を「ことばてん」、㊂を「ことてん」と言って、それぞれ区別することがある〕

じてん⓪【次点】〔最高点の次の点数(の人)の意〕落選者で、当選者や入賞者に次いで△得点数(得票数)の多い人。また、その点数。

じてん⓪【自転】―する(自サ) 天体が自体内の一直線を軸として回転すること。「地球は太陽に対し二十四時間で一回―する」↔公転 ―しゃ②⓪【―車】乗った人が足でペダルを踏んで車輪を回しながら走る仕掛けの二輪車。「―で通勤する/―操業⑤(=止まれば倒れる自転車のように、無理にでも仕事を続けて、資金のやりくりをしなければ つぶれてしまう、不安定な経営状態)」 かぞえ方 一台

じてん①【時点】時間の流れの中で、ある瞬間を、流れの静

止した一点だととらえたもの。社会の動きや自然の推移の中でとらえる際にはある程度の時間的幅をもたせて用いる。「△午後三時(三月末)の—ではまだつぼみであったが、△夜九時(四月初め)の—では開花していた/現—で望み得る最善の方策/この先いつの—で再開できるのか不明だ」

じでん⓪【自伝】「自叙伝」の略。

してんのう④【四天王】〔仏教で〕帝釈天に仕えて、それぞれ四方を分担し守るという神。持国天・増長天・広目天・多聞天。〔広義では、武将のそばに仕える四人のすぐれた家来や、その人の門人や部下の中で、最もすぐれた四人を指す〕

しと①②【仕途】仕官するための何らかの方途。

しと①②【史都】歴史的な建造物や遺跡などが多く残されている都市。「—鎌倉」

しと①②【死都】住民の死に絶えた都市。「—ポンペイ」

しと①②【使徒】キリストが福音を伝えるために選んだ十二人の弟子。〔社会救済などの尊い使命に身命をなげうって努力する人の意にも用いられる。例、「平和の—」〕

しと①②【使途】(お金の)使いみち。「—不明金」

しど①【示度】気象を観測する計器の目盛りが示す、気圧・温度などの数値。〔温度の場合、零度との温度差を「度㊀㊁Ⓑ」で表わした数値を採用する〕「低気圧の中心—/メーターの—」

じど①【磁土】白い陶磁器の原料となる良質の粘土。

しとう⓪【死闘】—する(自サ) 決死の覚悟で戦うこと。死戦。

しとう⓪【至当】—な どの観点から見ても適当と思われる様子だ。

しとう⓪【私党】❶政治活動が公に認められていない△政党(結社)。↕公党 ❷自分たちの利益のために作った党。

しとう⓪【私闘】個人的な恨みによる闘争。

しどう①【士道】「武士道」の略。

しどう⓪【市道】市の費用で建設・管理する道路。

しどう⓪【私道】個人が自分の地所に作った道路。↕公道 **—ふたん**④【—負担】土地を買う際に、私道の部分のための費用を別に負担すること。「—無し」

しどう⓪【始動】—する(自他サ) ❶動き始めること。また、動かし始めること。「計画を—させる」 ❷機械が動き始める(ようにする)こと。「エンジンを—する」

しどう⓪【指導】—する(他サ)〈だれニなにヲ—する/だれヲ—する〉直接指示を下したり 説明を加えたり 質問に答えたりして教えること。「研修生の—に当たる/コーチの—を受ける〔=直接教わる〕/—力を発揮する/個人—④・進学—⑤・—員②・—者②」 **—げんり④【—原理】その行為・運動に参加する人を納得させ、目的通りの成果をあげるための基準となる理論。 **—しゅじ**④【—主事】教育委員会に常勤して、その監督下にある小・中・高校を巡回し、教育上の指導や助言をする役(の人)。 **—ようりょう**④【—要領】「学習指導要領」の略。 **—ようろく**④【—要録】〔幼稚園・小中高校で〕園児や児童・生徒の学籍や指導の過程・結果を項目別に書き込んでおく記録の原本。学年を単位とする。〔「学籍簿」の改称〕

しどう①【師道】教師として取るべき行動のあり方。

しどう①⓪【〈祠堂〉】❶〔邸内で〕祖先の位牌を祭る所。❷「ほこら」の意の漢語的表現。

しどう①【〈斯道〉】〔それなりの覚悟をもってのぞむべき〕この△道(学問)。〔好色の道の意の婉曲表現としても用いられる〕「—の大家」

じとう⓪【地頭】昔、荘園を管理し、租税を徴収した職名。「泣く子と—には勝てぬ」

*__じどう__⓪【自動】❶〔機械の運転・制御などが〕あらかじめ用意された作業手順に従って、ボタンやスイッチ一つで作動すること。「—扉④・全—③・—変換・—化⓪」↕他動・手動 ❷本人の意志いかんにかかわらず、あらかじめ定められた内規や強力な客観的情勢により特定の状態が引き起こされること。「—延長・—失職・—引き落とし」 表記「自働」とも書いた。 **—かき**④【—火器】発射が連続的に行なわれる拳銃・小銃・火砲などの総称。 **—し**②【—詞】〔日本語の文法で〕その動作が動作主体自身の自律的な営みに関するものであって、他に影響を及ぼす対象を持たない動詞。例、「道を歩く」の「歩く」、「雨が降る」の「降る」など。〔構文上、目的語が不要な動詞を意味する英語『=intransitive verb』の訳語〕↕他動詞 **—しゃ**②⓪【—車】エンジンやモーターの力で車輪を動かし、路上を自由に移動出来る車。〔通常は、四輪車を指す〕 かぞえ方 一台 **—せいぎょ**④【—制御】—する(自他サ) 物体の温度・圧力・位置・速度・成分などが、自動的に必要な一定の値を保つように、また必要に応じてこれらを変えられるようにすること。 **—てき**⓪【—的】—な —に ❶(人間がついていなくても)ひとりでに動く様子だ。オートマチック。❷何かに伴って自然にそういう状態になる様子だ。 **—にりんしゃ**⑤【—二輪車】小型ガソリンエンジンを取り付けた二輪車で、エンジンの総排気量が五〇ccを超えるもの。オートバイ。⇩原動機付き自転車 かぞえ方 一台 **—はんばいき**⑥【—販売機】△硬貨や紙幣を投入口から入れて(プリペイドカードなどを読みとらせて)物品を選択すると、代金と引換えに自動的にそれが出てくるようにしてある装置。乗車券・たばこや、瓶・缶に入った飲食物などの販売に広く用いられる。略して「自販機」。 かぞえ方 一台 **—まき**⓪【—巻(き)】腕にはめて使っていれば自然にぜんまいが巻かれる仕掛け(の時計)。↕手巻き

じどう①【児童】(小学校に在学する)子供。「—劇②・—文学④・—憲章④・—福祉法⓪」⇩学生・生徒 **—じりつしえんしせつ**①-⑦、①-⑧、⑩⑪【—自立支援施設】児童福祉施設の一つ。不良行為を△した(するおそれのある)児童を収容し、必要な指導を行ない、自立を支援する施設。「教護院」の改称。 **—そうだんじょ**⑧⓪【—相談所】児童の福祉に関する専門機関。児童福祉法に基づいて各都道府県に設置される。略して「児相⓪」。 **—ふくししせつ**⑦⑧【—福祉施設】⇩施設 **—ようごしせつ**⑦⑧【—養護施設】児童福祉法に基づき、保護者のいない児童や、家庭環境に問題のある児童などを受け入れ、養護する施設。

しとうかん②【四等官】律令制で定められた官吏の四等級。長官は「かみ」、次官は「すけ」、第三等官は「じょう」、第四等官は「さかん」と言う。〔用字は、各省寮によって異なる。⇩かみ・すけ・じょう・さかん〕

しとぎ⓪【〈粢〉】神前に供える、卵形の餅。米の粉で作る。 表記「〈糈〉」とも書く。

しとく⓪【私徳】勤勉・節約など、自分自身を律する道徳。⇩公徳

しとく⓪【〈舐犢〉】〔親牛が子牛を舌でなめる意〕「親が子供を溺愛すること」の意の古風な表現。「—の愛」

しどく⓪【死毒・〈屍毒〉】人間や動物の死体に発生する△有毒物質(細菌)。

じとく⓪【自得】—する(自他サ) ❶自分で悟ること。❷自分で満足すること。「—の色」 ❸⇩自業自得

じどく⓪【侍読】昔、天皇に学問を教えた学者。侍講。

しどけな・い④(形) 衣服の着方が、だらしなく、しまりがな

い印象を受ける様子だ。〔多く女性の服装について言う〕 派 ―さ④ 文法 助動詞「そうだ(様態)」に続くときは「しどけなさそうだ」の形になる。また「すぎる」と結びついて複合動詞をつくるときは「しどけなさすぎる」の形になる。

しと・げる③【《為遂げる】(他下一)「やりとげる」のやや改まった表現。

しどころ⓪【《為所】なすべき場合。「ここが我慢の―だ」

しとしと①②(副)―と 雨が静かに降る様子。

じとじと [一]①(副)―と―する 物が湿気を帯びて、触れると不快に感じられる様子。「長雨で畳が―する」 [二]⓪―な―に「じとじと[一]」に同じ。「―に汗ばむ/―にぬれる」

しとど⓪(副)―に〔雅〕しぼるばかりにぬれる様子。「朝露に袖が―に濡れる/汗も―に」

しとね⓪【〈茵】「ふとん」の意の古風な表現。 表記「〈褥」とも書く。

しとみ⓪②【〈蔀】〔昔風の建物で〕日光をよけ風雨を防ぐための戸。格子組みの裏に板を張る。

しと・める③【仕留める】(他下一) 武器を使って、相手・獲物などを確実に殺す。 表記「仕止める」とも書く。

しとやか②【《淑やか】―な―に (女性の)言動が落ち着いていて、好ましい感じを与える様子だ。 派 ―さ④③

じどり⓪③【地取(り)】❶建築の時の、地面の区画。❷〔碁で〕広く地を取ること。❸めいめいの属する部屋でする、すもうの稽古。❹犯人の足取りを調べること。「―調査④」

じどり⓪【地鳥】❶その地方で古くから飼われているニワトリ。❷その土地でとれた鳥。「―の鴨」 表記 ❶は「地《鶏」とも書く。

じどり⓪【自撮(り)】―する(自サ) カメラで自分自身を撮影すること。自分撮り。セルフィー。「―棒③〔=カメラやスマートフォンを取り付けられる棒〕」

しと・る⓪(自五)〔関東以西の方言〕湿る。うるおう。 名 しとり⓪ 他動 しとらす③(五)

しどろ もどろ④⓪―な―に〔話などが〕取りとめがなく筋道などが通らない様子だ。「言動のおぼつかない」意の古風な表現。

シトロン②①〔citron=ブシュカン〕 レモンなどで味をつけた清涼飲料。

しな(造語)〔「動詞連用形＋―」の形で〕〔何かの起きるのが〕その動作が行なわれる△のとほとんど同時(直後)であることを表わす。「出て来―に/帰り―・行き―・寝―」

シナ①〔←ラ semen cinae〕 花を乾燥して回虫駆除薬とする多年草。〔キク科〕 ⇩セメンシナ かぞえ方 一本

しな①【支那】〔秦の変化と言われ、もと、中国の仏教書で、自国を呼んだ語〕中国。〔江戸時代の中ごろから第二次世界大戦終結時までの日本における呼称。侮蔑を含意するとして一般に使用を避ける傾向がある〕「東―海・―そば⓪」 表記「シナ」とも書く。

***しな**【品】〔もと、等級・地位の意〕 [一]⓪ ❶鑑賞・使用・保存などの対象となる物。しなもの。〔広義では、商品一般を指す〕「お―に手を触れないでください/希少な―/見舞の―が届く」 ❷〔材料や性能のいい・悪いによって区別された〕物の種類。「あちらにもある、こちらにもあるという物とは―〔=品質〕が違う/手を代え―を代え〔=これでもか、これでもかと、いろいろ方法を尽くし〕/所変われば―変わる〔=地方地方によって、産物・風俗・習慣・言語はずいぶん違うものだ〕」 [二](造語) ❶物品・道具をかぞえる語。❷料理の△種類(素材)をかぞえる語。

しな②①⓪【《科】その人の言語・動作から受ける印象のよしあし。「―よく〔=感情をこめて上品に〕踊れ/―をつくる〔=相手に対して媚びるような風を見せる〕」 表記 前の例は「〈姿態〉」、後の例は「〈嬌態〉」とも書く。

しない①【〈竹刀〉】〔←撓い竹②③〕 剣道のけいこに使う、割竹製の刀。 表記 ⇩付表 かぞえ方 一本

しない①【市内】↔市外 ❶その市の区域内。「―見物④」 ❷市内通話④。

じない①【地内】〔一定の区域の〕土地の内部。

じない①【寺内】その寺院の境内。

しな・う②【〈撓う】(自五) 弾力があって、折れずに曲がる。「枝が―」

しなうす⓪【品薄】―な―に〔需要に比べて〕品物の不足がちな様子だ。

じなおし②【地直(し)】⇩じのし

しなお・す③【《為直す】(他五) うまく行かなかった点やまちがった点などを改めるために、もう一度する。 名 為直し⓪

しながき⓪【品書(き)】品物の名を書き並べた目録。

しなかず⓪【品数】品物の△数(種類)。「―が無い」

しながら⓪【品柄】品物の質のよしあし。品質。

しながれ⓪【品枯(れ)】生産が間に合わなくて、品物が出回らないこと。

しなぎれ⓪【品切(れ)】その商品を売りつくして、在庫が無くなること。「―になる」

しなさだめ③⓪【品定(め)】―する(自他サ) 品質・優劣を批評すること。「雨夜の―」

シナジー①〔synergy〕 相乗効果。共働作用。特に、企業活動において、企画・技術・設備などが複数組み合わさることで、より大きな利益を生み出すこと。

しなしな①(副)―と―する ❶しなやかにたわむ様子。「―としなう竹/―したむち」 ❷からだの動きのやわらかい様子。「―としなだれかかる」

しな・す⓪【死なす】(他五)〔「死ぬ」の使役動詞形〕自分の不注意などによって、死に至らせる。死なせる⓪(下一)。「もっと早く医者に診せていれば―ことはなかった」

しなぞろえ③⓪【品〈揃え】その店に期待される商品のそろい具合。また実際にそろえられた商品。「店舗の規模にしては―がいい/種類は豊富だがサイズの―に不満がある」

しなだま⓪【品玉】「玉取り・手品」の意の古風な表現。

しなだ・れる⓪④【〈撓垂れる】(自下一) ❶精神的打撃を受けたりなどして、しおれる。❷無力な者が、何かによりかかる。〔甘えたりこびたりする動作として行なわれることもある〕「しなだれかかる⑥」

しなちく⓪②【支那竹】⇩メンマ

しなチベットごぞく①-⑤、⑦【支那チベット語族】〔Sino-Tibetan〕 東南アジアから中央アジアにかけて広く分布する語族。諸方言を含む中国語・チベット語・タイ語・ラオ語などの言語がこれに属する。特徴は孤立語。〔アクセントの①-⑤は、「しなチベット語族」と区切って言う時〕

しなのき①③【《科の木・〈榀の木】山地に自生する落葉高木。七月ごろ芳香のある黄白色の花を開く。材は細工・鉛筆用。皮から布・網などを作る。〔アオイ科(旧シナノキ科)〕 かぞえ方 一本

しな・びる⓪③【《萎びる】(自上一) 水分が少なくなって△縮む(しわになる)。「野菜が―」

シナプス①②〔synapse〕 神経細胞の接合部。また、そのつながり方。神経連鎖。⇩ニューロン

しなぶれ⓪【品触(れ)】―する(自サ) 紛失した品物、隠されている品物などを捜すために、警察が品物の名前・特徴などを質屋などに示すこと。

しなもち⓪【品持(ち)】〔なまの野菜・魚・肉などが〕新鮮な状態、元のままの状態を持ち続けること。「―が悪い」

***しなもの** [0]【品物】 ⇩しな(品)❶❷

シナモン [1]〔cinnamon〕 ニッケイの木の皮から作る香料の一種。甘味と、舌を刺激する辛味とが特色。

しなやか [2]—な/—に 弾力があって、そのものの△状態(動作)がなめらかな様子だ。曲げてもすぐ元に戻る様子だ。「—な枝」 派 —さ[3][4]

じならし [2]ヂ—【地《均(し)】—する(自他サ) 使用目的にあうように地面を均して平らにすること。その作業。また、それに使う道具。〔事前工作の意にも用いられる〕

じならび [2]【字並(び)】 使ってある漢字の字面や画数(から受ける感じ)。「—の悪い名前」

じなり [0]ヂ—【地鳴(り)】 地震などの時に聞こえる、地の底から響くような不気味な音。

シナリオ [0]〔scenario〕 ❶映画用の脚本。〔広義では、ラジオ・テレビ用のそれも含む〕 ❷劇の筋書。「先進国の—〔=思惑〕通りにいくかどうか」 かぞえ方 ❶❷とも一本 **—ライター** [5]〔scenario writer〕 「シナリオ❶」を書くことを業とする人。

しな・る [2]【〈撓る】(自五)〔東北方言〕しなう。 名 撓り[3]

しなわけ [0]【品《別(け)】—する(他サ) 品物の区別(をすること)。 表記 「品分け」とも書く。

しなん [1][0]【至難】—な この上もなくむずかしい様子だ。「—の業(ザワ)」 派 —さ[0]

しなん [1]【指南】—する(他サ) 指導者の理論や見識に基づいて、その道の基礎・基本から手ほどきをすること。「△剣道(囲碁)の—/バッティングのコツを—してやろう/実戦的な株式—/—書[4][0]・—役[0][2]」 **—しゃ** [2]【—車】〔古代中国で〕霧の中で方角を失った軍勢に南を教えた、人形仕掛けの車。磁石が装置してあったという。 **—ばん** [0][2]【—番】 昔、大名に仕えて、武芸を教えた役。

じなん [1]【次男・《二男】 同胞の男の子の中で、上から二番目のもの。「—坊[2]」 ⇩長男・三男 表記 法律上では「《二男」と書く。

シニア [1]〔senior〕 ↔ジュニア ❶年上(の方)の人。また、高齢者。「—割引・—向けマンション」 ❷上級(生)。「—コース[4]」 ❸〔英米などで〕親子の名前が同一の時、親の方につけて言う称。…一世。シニアー[1]とも。

ジニア [1]〔ラ zinnia=ドイツの植物学者の名 Zinn に基づく〕 百日草。

しにあし [0]【死(に)足】〔すもうで〕力士の体勢が崩れて、両足のつま先が上を向き、かかとだけでこらえるような状態になったもの。負けとされる。

しにいそ・ぐ [4]【死(に)急ぐ】(自五) 命を粗末にしているとしか思えないような生き方を選ぶ。「外人部隊なんかに入って何も—ことはない」 名 死に急ぎ[0]

しにいちばい [0]【死(に)一倍】〔「一倍」は、二倍の意〕親が死んだら二倍にして返すという借金(の約束)。

しにおく・れる [5]【死(に)後れる】(自下一) ほかの人が死んで、自分だけ生き残る。〔狭義では、死ぬべき時に死なずに生き残ることを指す〕 名 死に後れ[0] 表記 「死に遅れる」とも書く。

しにがお [0]ガホ—【死(に)顔】 死んだ時の顔。

しにがくもん [4][3]【死(に)学問】 実際の役に立たない学問。

しにがね [0]【死(に)金】 ❶自分が死んだ時に葬式の費用などに使(っても)らうつもりのお金。葬式料[4]。 ❷ただ、ためておくだけのお金。 ❸使っただけの価値の無い事に費やしたお金。むだがね。〔❷❸の対義語は、生き金〕

しにがみ [0]【死(に)神】 人を死に導くという神。

シニカル [1]—な〔cynical〕 皮肉を込めて冷笑する様子だ。シニック。「—な笑い」

しにかわ・る [4]カハル—【死(に)変(わ)る】(自五)〔仏教的な考え方で〕死んだ後、(ほかのものに)生まれ変わる。

しにきれない [4]【死(に)切れない】 △満足(安心)して死ぬことが出来ない。「このままでは死んでも—」

しにぎわ [0]ギハ—【死(に)際】 ❶死ぬまぎわ。 ❷その人の死に際してのあり方。

しにく [0]【死肉・〈屍肉】 死んだ△動物(人間)の肉。「戦場で—をあさるハゲタカ」

しにくえん [3][0]【歯肉炎】 たまった歯垢(コウシ)・歯石などが原因で、歯肉〔=歯茎〕に炎症が起きる病気。悪化すると歯周炎になる。

しにげしょう [3]シヤウ—【死(に)化粧】 納棺の前に遺体の顔に施す化粧。

しにざま [0]【死(に)様】 その人の△死んだ時の様子(死を迎える態度)。〔この語自体には、善悪の評価は全く無い。善悪の観点が分かれるとしたら、その人が大往生したか醜い死に方をしたかの相違があるだけである〕「みじめな—」

シニシズム [3]〔cynicism〕 世俗的な常識を排する冷笑主義。

しにしょうぞく [3]シヤウ—【死(に)装束】 ❶切腹・自決などを覚悟した人が(死に臨んで)着る衣服。〔白を主とした〕 ❷死者に着せる服装。

しにせ [0]【〈老舗〉】〔為(シ)似せ、つまり父祖の方針を守って踏み外さぬようにする意〕先祖代々の事業を守って(繁盛して)いる店。 表記 ⇩付表。「〈老〈肆〉」とも書く。

しにそこな・う [5]ソコナフ—【死(に)損(な)う】(自五) 死のうとして失敗する。〔狭義では、死ぬはずのところを生き残ることを指す〕 名 死にぞこない[0]

しにたい [0]【死(に)体】〔すもうで〕相手に倒されかけ、すでに自力では支えきれない状態になった体勢。「あの会社は今や—だ〔=破産に瀕(ヒン)している〕」 ↔生き体

しにた・える [4]【死(に)絶える】(自下一) その△家の人(種族)やその動物(の種)が全部死んでしまう。

シニック [1]—な〔cynic〕 ⇩シニカル

しにどき [0]【死(に)時】 死ぬ(べき)時。「男の—」

しにどころ [0]【死(に)《処】 しにばしょ。 表記 「死に所」とも書く。

しにはじ [0]ハヂ—【死(に)恥】 ❶恥になるような死に方。 ❷死んでも消えない恥。 ↔生き恥

しにばしょ [0]【死(に)場所】 死ぬ(べき)場所。死に場[0]。

しには・てる [4]【死(に)果てる】(自下一) △完全に(全部のものが)死ぬ。死に絶える。

しにばな [0]【死(に)花】 死ぬまぎわになって得られる名誉や名声。「—を咲かせる〔=死ぬまぎわに、死後の名誉となる事をする〕」

しにみ [0]【死(に)身】 ❶死んでいるからだ。「生き身は—〔=この世に生きているものは、必ず死ぬものである〕」 ↔生き身❶ ❷〔意を決して〕死んでもいいという気持をいだくこと。「—になって働く」

しにみず [0]ミヅ—【死(に)水】 臨終に唇をしめしてやる水。 **【—を取る】** 死の最後まで、その人の世話をする。

しにめ [0]【死(に)目】 臨終(の対面)。「父の—に会えなかったが、母の—にはやっと間に合った」

しにものぐるい [5]グルヒ—【死(に)物狂(い)】—な/—に 必死になって△奮闘する(あばれる)△こと(様子)。

しにゅう [0]【市乳】 市販されている、無添加の牛乳。

しにょう [0]ネウ—【〈屎尿】 大便や小便。排泄(ハイセツ)物。「—処理」

しによく [0]【死(に)欲・死(に)〈慾】 死ぬ時が近づいて、欲が

深くなること。「―のついた老人」

しに わか・れる5【死(に)別れる】(自下一) 〔血縁・夫婦関係にある〕一方の人が死に、永久に会えなくなる。「親に―」 ↕生き別れ 名死に別れ0

しにん0【死人】すでに死んで(遺体となって横たわって)いる人。「―をひつぎに納める」 【―に口無し】 口のきけない死人は証言することが出来ない。〔死人を利用して悪事をたくらんだり 死人に無実の罪をきせたり することを表わす〕

しにん0【視認】―する(他サ) 目標や障害物などを、実際に目で見て確認すること。「上空から難破船を―する」

じにん0【自任】―する(自他サ) ふさわしい△資格(能力)を持っていると自分で思いこむこと。「指導者をもって―する/料理の名人だと―する」

じにん0【自認】―する(自他サ) (他者からの評価と同じように)自分でも そうであることを認めること。「△猫好き(不器用)を―する/経済大国を―する」

じにん0【辞任】―する(他サ) その△任務(職務)を自分からやめること。「首相を―する/―に△追い込まれる(追いやる)」 ⇩留任・転任

し・ぬ0【死ぬ】(自五) ↕生きる ❶〈(なにデ)―〉 生物の「生きる」働きが、その時点で終わる。「―か生きるかの〔=生死にかかわる〕切実な問題/死んだも同然の身/いざという際には死んで〔=命を捨てて〕もらおう/惜しまれて―〔=まだまだ活躍が期待されている時期に他界する〕/安らかに―/交通事故で―/―まで〔=死を迎えるまでは〕働く/死んだ〔=輝きを失った〕目/死んで花実が咲くものか〔=⇩花実〕/死んだように眠る〔=ちっとやそっとの刺激では目を覚ますことがないほどぐっすり寝入る〕/―ほど退屈な日び/死んでも死にきれない」 ❷本来の力が発揮されることのない状態になる。「せっかくのお金が―〔=むだになる〕/石が―〔=碁で、一連の自分の石が相手の石によって すきまなく包囲され、働きを失って盤面から取り除かれる。また、そうならざるを得ない配置にある〕/ベース寸前でタッチされて走者が―〔=アウトになる〕/票が―〔=投票した人の意志が反映されない状態になる〕」 運用 祝宴の場では避けるべき言葉とされる。 【死んだ子の年をかぞえる】 取り返しのつかない過去の出来事について、もし事態が自分に都合よく展開していたならば、などとぐちをこぼす。 **しんで いる【死んでいる】 ❶くぎや止め金などが ゆるんでいて、本来の働きが失われている。 ❷電流が切れている。

じぬい0【地縫(い)】〔和裁で〕仕立てる布の基本的部分を二枚しっかり縫いあわせること。

じぬし0【地主】(その)土地の所有者。

シネ サイン3〔和製英語 ←cine + sign〕 ビルの壁などに付けた多数の小さな電球を点滅させて、画面を映し出す装置。

シネスコ0 2 シネマスコープの略。

じねずみ2【地〈鼠〉】 ネズミの一種。モグラに似て地中にすみ、夜出て来て昆虫・クモ・ミミズなどを食う。〔トガリネズミ科〕 かぞえ方 一匹

じねつ0【地熱】 ⇩ちねつ

シネマ1〔フ cinéma〕 映画。

シネマ コンプレックス7〔cinema complex〕 同一の施設に入場券売り場、売店などを共有し、複数のスクリーンがある大規模な映画館。複合型映画館。略してシネコン0。

シネマスコープ5〔CinemaScope=商標名〕 横に長い大型のスクリーンに映して、立体的な音響で見せる映画。略してシネスコ。

シネラマ0〔Cinerama=商標名〕 シネマスコープより もっと大型・半円形状のスクリーンに、立体的に映す映画。音響も立体的。〔もとは、撮影も映写も三台で行なった〕

シネラリア3 0〔cineraria〕 鉢植えにして観賞する越年草。葉は大きな心臓形で、初夏、紫・赤・白などの花びらの多い花を開く。〔シネは「死ね」に通じるので、病人の見舞いなどの場合はサイネリアと言う〕〔キク科〕 かぞえ方 一本

しねん1【思念】―する(他サ) 心に思うこと。考えること。

じねん0【自然】「ひとりでに・おのずから」の古風な表現。

―じょ0【―〈薯〉】〔「自然生(ジネンジョウ)」の変化〕ヤマノイモ。

しねんごう2【私年号】〔朝廷で定めた年号と違って〕民間で使った年号。例、白鳳(ハクホウ)〔=七世紀半ば〕。

しの1 2【〈篠〉】 ❶幹が細く、群がって生えるタケ。あまり大きくならない。しのだけ。「―突く雨〔=シノを束ねて突くように激しく降る雨〕」 ❷「しの笛」の略。「―入りの囃子(ハヤシ)」

しの1【志野】 桃山時代に初めて作られた焼き物の一種。薄い紅色の地(ジ)に、まっ白な うわぐすりをかけたもの。

しのう0【詩〈嚢〉】〔詩の草案を入れる袋の意から〕(良い)詩を作るもとになる思想や感情。「―を肥やす〔=詩を作る上での着想を豊かにする〕」

しのうきん0【子〈嚢菌〉】 コウボキン・コウジカビ・アオカビなどの総称。

しのうこうしょう1-0【士農工商】〔江戸時代〕封建体制を維持するために設けられた、四つの階層。上から、士〔=武士〕・農〔=農民〕・工〔=職人〕・商〔=商人〕の順に位置づけられた。「―を言う〔=あれこれと詮議(センギ)だてをして理屈を並べる〕」

しのぎ3 0【〈凌ぎ〉】 凌ぐこと。「―が付かない/一時―4・暑さ―」

しのぎ3 0【〈鎬〉】 刀身の、背から刃へ移る境の線(までの面)。〔両刃の剣では中間の稜(リョウ)線を指す〕「―を削る〔=激しく争う〕」

しの きみ1-0【師の君】 師〔=先生〕の敬称。

***しの・ぐ**2 0【〈凌ぐ〉】(他五) ❶〈(なにデ)なにヲ―〉 その時の苦しい状態を切り抜ける。「△寒さ(雨露)を―〔=防ぐ〕/糊口(ココウ)を―〔=貧乏ながらも なんとか生活する〕/急場を―」 ❷〈なにヲ―〉 超えて上に出る。「雲を―〔=もう少しで空に届くかと思われるばかりの〕摩天楼/壮者を―〔=客観的には老人であるのに、若い者に負けないだけの力を持つ〕」 ❸〈どこヲ―〉 越えて進む。「千里の海を―」

しの ごの1-1【四の五の】 ⇩し(四)【四の五の言う】

じのし0【地《伸(し)》】―する(他サ) 〔裁縫で〕きれを裁つ前にアイロンなどをかけて平らにすること。地直し。

しの だけ2【〈篠竹〉】 ⇩しの(篠)❶

しのだずし3【《信田《寿司》】「いなりずし」の関西での称。 表記 「《信太《寿司」とも書く。

しのだ まき0【《信田巻(き)》】 油揚げの中に種々の材料を包んで煮込んだ料理。〔おでんの材料の一つ〕 表記 「《信太巻き」とも書く。

シノニム1〔synonym〕 同義語。 ↕アントニム

しののめ0 〔雅〕明け方。 表記 「〈東雲〉」は、義訓。

しの はい1-0【死の灰】 △原子(水素)爆弾が爆発する時に出る、放射性物質を含む灰。

しのば・せる0 4【忍ばせる】(他下一) 〔「忍ぶ」の使役形〕人に知られないようにして、何かをする。忍ばす0 3(五)。「ナイフをポケットに―〔=こっそり持つ〕/足音を―〔=こっそり近づく〕/身を―〔=こっそり隠れる〕/声を忍ばせて泣く」

しの はら2【〈篠原〉】 シノの多く生えた原。

しのび【忍(び)】 ■0 ❶忍ぶこと。 ❷そっと敵中に入り込む術。忍術。 ❸〔←忍びの者6〕 敵陣・他家に忍び入って

様子を探る者。忍者。スパイ。❹忍び込みの窃盗。 **—がえし**④【—返(し)】 塀などの上に、ガラス・とがった竹・鉄の針などを並べて取りつけた、泥棒よけ。 **—な・い**④(形)〔不運・不幸な状況にある物事に接して〕気の毒に思ってまともに見聞きすることがためらわれる感じだ。「見るに—」 文法 助動詞「そうだ(様態)」に続くときは「しのびなさそうだ」の形になる。また「すぎる」と結びついて複合動詞をつくるときは「しのびなさすぎる」の形になる。 ■二(造語) 動詞「忍ぶ」の連用形。 **—あい**⓪【—〈逢(い)】 恋している二人が、人知れず逢うこと。 動 忍び逢う④(自五) **—あし**③【—足】 そっと歩く足どり。「ぬき足、さし足、—」 **—ぐさ**③【—草】 死んだ人などを思い出すよすがとなる物。〔香典返しなどに添えて書くのにも用いられる〕 **—こ・む**④【—込む】(自五) こっそり入りこむ。忍び入る④(五)。 **—なき**⓪【—泣(き)】—する(自サ) 声を立てずに泣くこと。 動 忍び泣く④⓪(自五) **—ね**⓪【—音】 ❶陰暦四月ごろのホトトギスの初音。「—もらす夏は来ぬ〔=夏が来た〕」 ❷人に知られないようにして出す泣き声。 **—やか**③ こっそり何かをする様子だ。 **—よ・る**④⓪【—寄る】(自五) △気づかれずに(いつのまにか)近づく。「—人影/インフレが—」 **—わらい**④【—笑(い)】—する(自サ) 声を立てずに笑うこと。

***しの・ぶ**②⓪ ■一【〈偲ぶ】(他五)〈なに・だれヲ—〉 忘れようにも忘れられず心の中に生き続ける対象の存在や足跡に、今更のように思いを致す。「(亡くなった)恩師を—会/開拓者の苦労が偲ばれる/ダーウィンの業績を偲んで〔=記念して〕建てられた研究所を訪れる」 ■二【忍ぶ】(自他五)〈なにヲ—〉 ❶〔堂々と行動することが出来ない事情があって〕人の目に触れないようにする。「—恋路/縁の下に—〔=隠れる〕/人目を—/世を—/夜ごとに忍んで〔=こっそりと情人の許に通って〕来る」 ❷〔身に加えられた精神的苦痛を〕がまんして堪える。「△恥(不便・苦痛)を—/忍びがたきを—」〔⇩忍び■二〕

しのぶ①【忍(ぶ)】 根や茎に黒茶色の毛を生じる多年生のシダ植物。軒につるし風鈴を付けたりして楽しむ。〔シノブ科〕 かぞえ方 一株 **—ぐさ**③【—草】 ❶シノブの別称。❷ノキシノブ・ワスレグサの別称。

しのぶえ⓪【〈篠笛】 シノで作り、穴が七つある横笛。里神楽や俗曲の囃子に使う。 かぞえ方 一本

シノプシス②〔synopsis〕 映画などの、あらすじ(を書いたもの)。

しのぼう①【師の坊】 先生に当たる僧。

シバ①〔梵語 siva〕 ヒンズー教の代表的な神の一つ。破壊・生殖をつかさどる。シバ神。 表記 「湿婆」は、音訳。

しば ■一⓪【芝】 野原に自生する多年草。茎はつる性で細長く、地面をはう。繁殖力が強いので、土手や庭園などに植えて、芝生とする。〔イネ科〕 かぞえ方 一枚 ■二⓪①【〈柴】〔たきぎに適した〕雑木(の小枝)。「—の門〔=粗末な△戸(家)〕」 かぞえ方 一本:一束・一把・一荷

じば①⓪②【地場】 ❶地元。❷その土地の△取引所(相場師)。 **—さんぎょう**③【—産業】 その土地に昔からあって、その土地を特徴づける産業。

じば①【磁場】 ⇩磁界

****しはい**①【支配】—する(他サ) ❶〈(なにデ)だれ・どこヲ—する〉 上に立って他の人を自分の思う通りに△動かす(使う)こと。「巨大コンツェルンの親会社として多くの関連企業を—する/無条件降伏をして領土を占領軍の—にゆだねる/—権を握る/国際語として英語が—的になる/—者②〔=一国や一組織を意のままに扱える人〕・—階級④」 ❷〈だれ・どこヲ—する〉 中心的な勢力を持ち、関連する他の動きに制約を加える状態にあること。「高気圧に—されて好天が続く/審議が行き詰まり長い沈黙に—された会議」 ❸〈なにヲ—する〉〔特に英語・ドイツ語などで〕文の中の一つの語が、文法上他の語に影響を与え、他の語の格を決定すること。 **—にん**②【—人】 使用人のうち、主人に代わって営業その他に関する一切のさしずや取締りをする最高責任者。

しはい①【紙背】 何か書いてある紙の裏。「眼光—に徹す〔=読みが深くて、そこに書かれていない裏の事まで分かる〕/—文書④」

しはい⓪①【賜杯】 ❶功労に報いる記念として、△人民(家来)に杯を下さること。また、その杯。❷天皇・皇族から、競技に勝った△人(チーム)に賜わる優勝カップ。

しばい⓪【芝居】 ❶演劇。〔狭義では、歌舞伎・新派を指す〕「田舎—」 ❷△計画的に(冗談に)人をだまそうとして、いかにも本当だと思われるようなことをしてみせること。「今のはお—だよ/一—打つ/一人—」 **—がか・る**⑤【—掛(か)る】(自五) 言うことやすることが、芝居でもしているような調子になる。 **—ぎ**⓪【—気】 大げさな行動を取って△人をあっと言わせようとする(人目を引こうとするような)魂胆。「しばいげ」とも。〔口頭語的表現は「しばいっけ⓪」〕 **—ごや**⓪【—小屋】〔江戸時代〕芝居を興行するための(仮設の)建物。〔現在でも、粗末な劇場を指して言うことがある〕 **—ちゃや**④【—茶屋】 もと、劇場に付属し、芝居見物の案内、食事の世話などをした茶屋。

じばいせき②【自賠責】〔←自動車損害賠償責任保険②-⑬、⑰〕 自動車事故による損害を賠償するために持主が強制的に加入させられる損害保険。

しばいぬ⓪【〈柴犬】 体形は秋田犬に似て、小形の日本犬の通称。耳は立ち、尾は巻く。天然記念物。 表記 「芝犬」とも書く。 かぞえ方 一匹

しばえび②⓪【芝〈海老〉・芝〈蝦〉】 クルマエビに似た、小形のエビ。からだは薄黄色で、緑色のまだらがある。食用。また、釣りのえさにする。〔クルマエビ科〕 かぞえ方 一匹

しばがき②【〈柴垣】 柴で編んだ垣根。

しばかり③⓪—する(自サ) ■一【芝刈(り)】 芝生などの芝を刈って、長さをそろえる△こと(道具)。「—機④」 ■二【〈柴刈(り)】 柴を切り取る△こと(人)。

じはく⓪【自白】—する(他サ) ❶自分の犯した悪事を△白状(告白)すること。❷〔法律で〕(相手方の主張する)自分に不利益な犯罪事実を肯定すること。

じばく⓪【自爆】—する(自サ) 爆弾を積んだ自分の飛行機を敵の軍艦などに体当りさせ、爆発させて死ぬこと。近年では、自動車や自分のからだに爆弾をつけて攻撃目標に突入する行為を言う。〔広義では、敵に乗っ取られる前に乗機・乗艦もろとも爆死することをも指す〕「—テロ」

しばくさ⓪【芝草】 ⇩しば(芝)

しばぐり②【〈柴栗〉】 クリの一種。実は小さいが、うまい。

しばざくら③【芝桜】 花壇に植える多年草。茎・葉は芝に似て細く、地面をおおう。四、五月に桜の花に似た、やや小さい薄紅や白色の花を一面につける。はなつめくさ④。モスフロックス④。〔ハナシノブ科〕 かぞえ方 一本

しばし①【《暫(し)】(副)〔下の「し」は接辞〕同じ行動や状態が続く途中で、そのわずかな間だけ、それまでと違った△行動(状態)がさしはさまれる様子。「—待て/—瞑想にふける/—静寂がおとずれたが、すぐにもとの喧噪に戻った/—も休まず鎚打つ響き」

しばしば①⓪【〈屢】(副) 同じ行動や状態が続く途中で、その事が何度も繰り返しさしはさまれる様子。「—口をさしはさむ/転校してから—その症状を訴える」 表記 「〈屢々・

《数・《数《々」とも書く。

しはす⓪【師《走】「しわす」の文字読み。 表記 ⇩付表「師走」

じはだ⓪①【地肌】〔生地(ジキ)のままの表面の意〕❶△毛に覆われて(化粧をして)隠されている状態ではない、その人の肌。「—の荒れ/頭の—に髪油をこすりつける」❷雪や草木などで覆われておらず、大地の表面がむき出しになっている山の斜面やがけなど。「—があらわに見える状態のゲレンデ/道を曲がるたびにさまざまな形に削られた—がむき出しになっており…」❸何かで覆われたりしていない、その物本来の表面。「木の—を生かす木彫/アルミの—を生かした明るいデザイン」 表記 「地《膚」とも書く。

しばた・く③(他五)〔「しばたたく」と「まばたく」の混交〕(何度も)まばたきをする。「しばたたく」とも。

しばたた・く④(他五) 何度もまばたきをする。「しばだたく」とも。「目を—」 表記 「〈屢叩〉く・《瞬く」などとも書く。

しばち⓪【芝地】 芝の生えている所。

しはつ⓪【始発】❶そこから出発する△こと(列車・バス)。「—駅③」↕終着 ❷その日一番早く運行される△こと(列車・電車・バス)。↕終発・最終❷

じはつ⓪【自発】❶自分から進んですること。「—的⓪・—性⓪」❷〔日本語文法で〕そうしようという意志・意図はないのに、自然にそのような心的状態になることを表わす言い方。「昔のことがしのばれる」の「れる」、「妙に寒く感じられる」の「られる」などの用法がそれに当たる。

しばな・く③【〈屢鳴く】(自四)〔雅〕しきりに鳴く。「千鳥—」

じばなし②【地話】 歴史に材料を求めた落語。せりふが少ない。例、「八百屋お七」。 表記 「地〈噺」とも書く。

じばなれ②【地離れ】〔釣りで〕春になって、川魚などが川底からやや離れて泳ぐようになること。「ヘラブナも—気味だ」 動 地離れる④(自下一)

しばのほね①-②【死馬の骨】❶死んだ馬の骨。❷昔は大変にすぐれていたが、今は全く価値の無くなったもののたとえ。【—を買う】それほどでもない人を優遇すると伝え聞いて、賢人が自然に集まってくるたとえ。

しばはら⓪【芝原】 芝の生えた原。

しばふ⓪【芝《生】〔庭園などで〕芝が一面に植えてある所。「荒れた—/—の手入れ/—を△張る(刈る)」 表記 ⇩付表「芝生」 かぞえ方 切ったものは一枚

しばぶえ⓪②【〈柴笛】 カシ・シイなどの若葉を唇に当てて笛のように吹き鳴らすもの。

しばやま⓪ ■一【芝山】 芝を植えた築山(ツキヤマ)。■二【〈柴山】 小さな雑木が生えている山。

じばら⓪【地腹】〔妊娠しているのではない〕普通の状態の腹。「臨月と見まごうほどに—が大きい」

じばら⓪【自腹】〔懐に財布を収めることから〕自分の所持金。【—を切る】 組織・団体などの公的な経費にすることを当てにせず、自分で費用をまかなうこと。「自腹を切って出張する」

しはらい⓪【支払(い)】 代金・料金などを払うこと。「—を済ます/—能力を超える/—伝票⑤」■二【仕払(い)】 官庁から民間にお金を払い渡すこと。—する(他サ)

しはら・う③【支払う】(他五)〈だれニ なにヲ—〉〔為(シ)払うの意〕当然相手に渡すべきものとして、代金を払う。「公共料金をコンビニで—」

しばらく②【《暫く】(副) 長いと感じられるほどではないが、ある程度の時間△を要する(が経過した)ととらえられる様子。「今—お待ちください/彼とは—会っていない/—ぶりの上天気/この問題は—置こう〔=当分の間触れないことにしよう〕」 運用 「しばらくでした」などの形で、久しぶりに会った人同士の間で交わされる挨拶(アイサツ)の言葉として用いられる。例、「やあしばらくでした、お変りありませんか」

しばり【縛(り)】■一③❶縛ること。「金(カナ)—」❷制限。「親会社の—がきつくて困る」■二(造語) 動詞「縛る」の連用形。「ひもの—方(カタ)」 **—あ・げる**⑤【—上げる】(他下一) ぐるぐる縛り付ける。⇩高手小手 **—くび**③【—首】❶首を締めて殺す△こと(刑罰)。「—にする」❷江戸時代、罪人の両手を後手に縛って首を斬(キ)った刑罰。 **—つ・ける**⑤【—付ける】(他下一) Ⓐ何かに縛って△逃げられない(動かない)ようにする。「つかまえた泥棒を柱に—」Ⓑ自由な行動を束縛する。「子育てで家に縛り付けられ外出もままならない」

しば・る②【縛る】(他五)〈なにデ なに・だれヲ—〉❶一まとめにした二つ(以上)の物に紐(ヒモ)などを巻き付けてその先端を結び、△容易にはばらばらにならない(動きの取れない)状態にする。「本を一山ずつ—/強盗に手足を縛られる/傷口を—〔=止血するために、包帯などを巻く〕/賊を柱に—〔=縛り付ける〕」❷思うように行動できないように、何らかの方法で種々の制約を加える。「規則一点張りで—〔=拘束する〕/金で—/予算に縛られている」〔⇩縛り■二〕

じばれ⓪【地腫(れ)】—する(自サ) 傷・できもののまわりの皮膚が一面に腫れること。

しば・れる③(自下一)〔北海道・東北方言〕寒気が△きびしい状態である(きびしくてすべてが凍る)。 表記 「《凍れる」とも書く。

しはん⓪【支藩】〔江戸時代に〕その藩から分かれて出来た藩。「長府には毛利氏の—があった」

しはん【四半】■一②正方形に切った布。〔広義では、のぼりにする布で、縦が二、横が一の割合のものをも指す〕「—敷(ジキ)⓪〔=正方形の石を斜めに敷きつめる敷き方〕」■二(造語)四分の一。「—期②〔=一年を四つに分けた、それぞれの三か月〕・—世紀④〔=二十五年〕・—斤(ギン)②・—分④〔=四分の一〕・—身(ミ)⓪②〔=半身(ハンミ)の、二分の一〕」

しはん⓪【市販】—する(他サ) 限定販売ではなくどこの商店でも売ること。

しはん⓪【示範】 模範を示すこと。「—授業④〔=若手教員のために行なう、ベテラン教員による教科の授業〕」

しはん⓪【死斑・〈屍斑】 人の死後六〜十二時間たつと、皮膚に出来る青赤色の斑点。 表記 「死班」は、代用表記。

しはん⓪【私版】〔私人の出版の意〕〔商業出版と違って〕(何かの記念のために)個人が自費で出版すること。また、その出版物。私家版(バン)⓪。自家版(バン)⓪。

しはん①【師範】❶識見・人格が高くすぐれ、他の模範となる人。「一世の—〔=手本〕と仰がれる」❷学芸の上で実力を持ち、教授する資格を持っている人。❸「師範学校」の略。「—タイプ④〔=師範学校生徒特有の気質〕」 **—がっこう**④【—学校】〔旧制度で〕小学校や中等学校〔=現在の中学校・高等学校にほぼ相当する〕の教員を養成した学校。〔今の、学芸大学・教育学部・教育大学などの前身〕 **—だい**⓪【—代】 師範に代わって教授する人。

しはん⓪【紫斑】 内出血のため皮膚に現われた紫色の斑点。 表記 「紫班」は、代用表記。 **—びょう**⓪【—病】 血管の障害などが原因で、皮膚・粘膜などに血がにじみ出てくる病気。

しはん⓪【紫〈瘢】 傷が治ったあとに残る紫色の あざ。

じはん⓪【児斑】 ⇩蒙古(モウコ)斑

じはん⓪【事犯】 刑罰に処すべき△行為(事柄)。「経済—

[5]・暴力―[5]」

ジバン [0]〔ポ gibão〕 ⇩じゅばん

じばん [0]【地盤】❶何かを建てる土台となる土地。「―がゆるむ/地下水の汲み上げ過ぎで―沈下をきたす」 ❷△何かを新たに行なう(活動範囲を広げる)ための拠点。「生まれ故郷を―として立候補する」

じはんき [2]【自販機】「自動販売機」の略。

しひ [1]【市費】その市の△経費(費用)。

しひ [1][0]【私費】個人的に負担する費用。「―を投じる/―留学生[5][6]」 ↕公費

しひ [1]【施肥】―する(自サ) ⇩せひ(施肥)

しひ [1]【詩碑】詩を彫りこんだ石碑。

しび [1]【〈瀕】「ひび」の変化。

しび [1]【〈鮪】❶マグロの異称。 ❷〔名古屋・大阪・高知方言〕キハダマグロの異称。

しび [1]【〈鴟尾・〈鵄尾】宮殿・仏殿などの棟木の両端に取り付けられた、シャチなどの飾り。〔和語では「沓形[0]」〕

じひ [1]【自卑】―する(自サ) ことさらに自分を卑下すること。

じひ [0][1]【自費】他の力を借りずに自分でまかなう費用。「―出版[3]」

じひ [1]【慈悲】〔「慈」は衆生に楽を与える意、「悲」はその苦を取り除く意〕仏・菩薩が衆生をいつくしみ、あわれみをかける心。「―心[2]」 **―しんちょう** [3][0]【―心鳥】深山にすむ、中形の鳥。夜、鋭い声でジュウイチと鳴く。十一。〔カッコウ科〕 かぞえ方 一羽 **―ぶか・い** [4]【―深い】(形) あわれみの気持が深い。「―僧」 派 **―さ** [3] **―げ** [0][5][4]

じび [1]【耳鼻】(故障のある)耳と鼻。「―科[0]〔=耳鼻の病気を治す、臨床医学の一部門〕・―咽喉科[0]、[1]-[0]」

シビア [1][2]―な〔severe〕 きびしくて、相手の事情を考えるところが全く無い様子だ。「―な条件/―な批評」

じビール [2]【地ビール】その土地の小規模な醸造所で作られる生産量の少ないビール。 ⇩クラフト ビール

ジビエ [1]〔フ gibier〕 狩猟の対象となり、肉が食用となる野生の鳥獣。イノシシ・シカ・ウサギ・真鴨など。また、その肉。

じびき [0]【地引(き)】沖合遠く張った網を陸地に引き寄せて魚をとること。また、その網。地引網[3]。 表記「地〈曳き」とも書く。

じびき [3]【字引】「字書・辞書」の意の△通俗的(昔風)な表現。

しひつ [0][1]【史筆】その人が何かの歴史を書く時の基本的な態度(や表現法)。

しひつ [0][1]【紙筆】〔文を書くための〕紙と筆。「―に尽くせない〔=文章ではとうてい表現出来ないほどだ〕」

しひつ [0]【試筆・始筆】―する(自サ) 「かきぞめ」の意の古風な表現。「元旦―」

じひつ [0]【自筆】本人が自分で△書くこと(書いたもの)。「―本[0]〔=編著者自身が筆写した本〕」 ↕他筆・代筆

しびと [0]【死人】死んだ人。「しにん」とも。

じひびき [2]【地響(き)】❶何か大きな物が落ちたり重い車などが通った音が、地面を伝わって響いてくること。「―を立てて戦車が通る」 ❷地盤が振動して、遠くまで鳴り響くこと。地鳴り。

しひゃくしびょう [4]【四百四病】〔仏教で〕人間のかかる、一切の病気。「―の外〔=恋の病〕」

しひょう [0]【死票】投票しても当選に結びつかない票。

しひょう [0]【指標】❶何かを指し示す目印となるもの。バロメーター。「―のばらつき/新聞の発行部数は文化の一―だ」 ❷〔数学で〕その正数の常用対数の値以下の整数の中で最大のもの。〔これによりもとの数の最高位が分かるので、おおよその大きさの「指標❶」の意〕 ⇩仮数❶

しひょう [0]【師表】〔「表」は手本の意〕世人の模範(とされる人)。「文学の―として仰ぐ」

しびょう [0]【死病】死ぬと決まっている病気。「―に取りつかれる/がんも今では―とは言えない」

じひょう [1]【次表】本文の説明の補助として次に掲げる表。

じひょう [0]【自評】―する(自サ) 自分で自分の考え・文章などを批評すること。

じひょう [0]【時評】❶△時事(その時)の批評。「文芸―」 ❷その当時の評判。

じひょう [0]【辞表】辞職を申し出る文書。辞職願い。「―を△突きつける(提出する)」 かぞえ方 一通

じびょう [0]【持病】なかなか治り切らない、慢性の病気。〔持ち前の悪い癖の意にも用いられる〕「―に苦しむ」

しびょうし [2]【四拍子】❶強・弱・やや強・弱の四拍で構成される拍子。「よんびょうし[3]」とも。 ❷長唄の囃子の四つの主要楽器。笛・太鼓・大鼓・小鼓。

じびょうし [2]【地拍子】謡曲の文句を、一定のリズムにのせるための、拍子のとり方。たとえば、七五調の部分を八つの拍子にあてはめて謡うなど。

シビリアン [2]〔civilian〕 民間人。文民。「―コントロール[9]〔=文民統制〕」

しびれ【〈痺(れ)】 ❶[3] △痺れること(痺れた状態)。 **【―を切らす】** 待ちくたびれて、がまんが出来なくなる。「しびれが切れる」とも。 **―えい** [3]【―〈鱏】日本の東南海にすむ大形のエイ。頭の両側や、えらと胸びれの間に護身用・捕食用の発電器を持つ。〔シビレエイ科〕 かぞえ方 一匹 ❷ 〔造語〕 動詞「痺れる」の連用形。 **―ぐすり** [4]【―薬】からだを痺れさせる薬。麻酔薬。

***しび・れる** [3]【〈痺れる】(自下一)〈なにニ―/なにデ―〉 ❶△強い(異常な)刺激を受けて、からだのその部分の感覚が失われたようになり、正常に働かなくなる。「電気に―/長時間正座したため足が―/強く打って手が―」 ❷心に強い刺激を受けてうっとりとなる。 表記 本来的には、「〈痹れる」。 〔⇩痺れ❷〕

しびん [0]【〈溲瓶・《尿瓶】〔「しゅびん」の変化〕動けない病人や高齢者などが、△部屋(床)の中で小便をするのに使う瓶。 かぞえ方 一本

シフ [1]【CIF】〔←cost, insurance, and freight〕〔海外貿易で〕売り主が商品そのものの価格に輸入地までの保険料と運賃を含めて負担すること。また、その値段。「―売買[3]」

しふ [1]【師父】❶師匠と父。「―の恩」 ❷父のように敬愛する師。「―と仰ぐ人」

しふ [1]【師〈傅】身分の高い人の子弟のおもり役。

しふ [1]【詩賦】詩と「賦❷」。

しぶ [2]【渋】❶熟さない柿を食べた時などに、舌の表面をしびれさせて限り無い不快感を起こさせる成分。 ❷渋柿のしぼり汁を集めた、赤黒い液。防腐・防水用に和紙・布・木などに塗る。かきしぶ。 ❸長い間、液体を入れたり通したりしている間に、その△容器(器具)に付着する、赤黒い液体の成分。「水道の―/茶―」

しぶ [1]【支部】本部から分かれて、その地域の事務を扱う所。 ⇩本部

しぶ [1]【四部】四つの△部分(ぶわけ)。「―合唱[3]〔=△混声(同声)の四つの声部から成る合唱(曲)〕」

しぶ [1]【市部】〔その府県内で、郡部と違って〕市に属する

地域。

じふ①【自負】―する(自他サ) 自分の能力・仕事に自信を持つこと。

じふ①【慈父】❶深い愛情を持って子供の成長を見守る父。❷父親の敬称。

*__しぶ・い__②【渋い】(形) ❶「渋❶」を口に含んだときの味がする感じだ。❷どちらかと言えば不快だと感じられるような態度で、積極的には対応する気がないと感じられる様子だ。「―△顔(返事・態度)/なかなか―(=けちな)奴ヤツだ」❸じみではあるが、△修練を積まなければ発揮できない技(経験のある人でなければ出せないうまみ)を感じさせる様子だ。「―芸/―のど/(野球で)―当たり/―好み」❹動きがなめらかでない。「―戸」派―さ① ―み③

しぶいた⓪【四分板】厚さ四分(=約一・二センチ)ぐらいに製材した板。建築物の下張りなどに多く用いる。

ジフィリス①〔ド Syphilis〕梅毒。

しぶいろ⓪【渋色】柿渋カキシブのような赤茶色。

じふう⓪ー【地風】その生地が持っている風合フウアイ。

しぶうちわ③④ーウチハ【渋(団扇)】柿渋カキシブを塗った、赤茶色で大形の丈夫なうちわ。台所などで使う。かぞえ方 一本

シフォン①⓪〔フ chiffon〕平織りで、軽くて柔らかい風合フウアイを持つ絹織物。「―ベルベット⑥(=絹の薄いビロード)」

シフォンケーキ④〔chiffon cake〕スポンジケーキの一種。ふわふわと軽い食感と、絹のようななめらかさが特徴。

しぶおんぷ③【四分音符】〔楽譜で〕全音符の四分の一の長さの音を表わす音符。記号「♩」。「しぶんおんぷ」とも。

しぶがき②【渋柿】渋みの強い柿。柿渋をとるほか、干し柿などにして食べる。⇩甘柿

しぶがみ⓪【渋紙】昔、じゅうたんの代りに使ったりした丈夫な紙。紙をはりあわせて、柿渋カキシブを塗って作る。

しぶかわ⓪カハ【渋皮】樹木・果実のあま皮。「―が剝ムける(=皮膚・容ぼうなどがあかぬけしてくる)」

しぶき③①【(飛沫)】雨や波が、風に吹かれたり物に当たったりして飛び散る、細かい水滴。「―をあげる/水―」

しふく⓪【仕服】〔茶道で〕茶わん・茶入れなどを入れる袋。由緒ある切れ地で作り、口の部分を緒でくくる。「お―②」表記「仕覆」とも書く。

しふく⓪【至福】この上もない幸福。

しふく⓪【私服】↔官服 ❶〔制服が定められている人たちが〕個人として着る衣服。❷「私服❶」を着て勤務する、巡査・刑事。「―刑事」

しふく⓪【私腹】〔不当な手段で得る〕個人の利益。「―を肥やす(=地位や職権を悪用して自分の財産をふやす)」

しふく⓪【紙幅】❶紙のはば。❷その△本(記事)のために書くことが許されている原稿の分量。「―が尽きる」

しふく⓪【雌伏】―する(自サ)〔雌のごとく他に屈従する意〕実力を養いながら活躍の日を待つこと。〔無能力な人が何もせず月日を送ることではない〕↔雄飛

しぶ・く②《繁吹く・《重吹く》(自五) ❶雨が風に吹かれて降りそそぐ。❷しぶきが飛び散る。

じふく①【時服】〔天皇・将軍から下賜された〕その時候にふさわしい衣服。「―一領」

じぶく・る③(自五) 「だだをこねる・理屈をこね回す」意の古風な口頭語的表現。

じぶくろ②④ヂー【地袋】床の間のわきの、違い棚の下にある小さい戸棚。↔天袋

しぶごのみ③【渋好(み)】はでではないが味わいのある趣を好むこと。「―の服装」

ジプシー①〔Gypsy〕❶ヨーロッパを中心として世界各地に散在する少数民族ロマの、他の民族による呼称。「―音楽⑤」⇩ロマ ❷〔ロマが移住生活を送っていたことから〕各地を転々とする者。放浪者。

しぶしぶ①⓪【渋々】(副)―と 周囲からの求めをことわりきれなかったりして、心ならずもその事をする様子。「―承知する/―寄付に応じる/―出かける」

しぶぞめ⓪【渋染(め)】渋色に△染めること(染めたもの)。

しぶちゃ⓪②【渋茶】〔出過ぎて〕味の渋い茶。

しぶちん⓪【渋ちん】―な〔西日本方言〕けちんぼう(な様子だ)。

しぶつ⓪【死物】まだ利用出来るのに、利用されていないもの。

しぶつ⓪【私物】〔勤めている官庁・会社などの備品と違って〕個人の所有に属する物。「―化⓪」

*__じぶつ__①【事物】日び目にふれたり手にしたりする、ものやできごと。〔「ものごと」が「事」に重点が置かれるのに対し、「事物」では一般に「物」が中心〕

じぶつ①ヂ【持仏】守り本尊として信仰する仏像。〔居間に安置する場合にも、肌身離さず持つ場合にも言う〕―**どう**⓪ダウ【―堂】△持仏(祖先の位牌ハイ)を安置する堂。かぞえ方 一字ウイチ

しぶっつら⓪【渋っ面】〔「しぶつら⓪」の強調形〕にがにがしい顔つき。不機嫌な顔つき。

ジフテリア⓪〔diphtheria ←ド Diphtherie〕ジフテリア菌によって起こる、子供に多い急性の感染症。のどの粘膜に義膜を生じる。ジフテリー③とも。

シフト①〔shifts(=位置の移動)の日本語形〕❶〔野球で〕変形守備態勢。「バント―」❷〔自動車のギヤの〕入れ替え。❸交替制による勤務。また、その時間。「―を組む/―に組み入れる」

しぶと・い③(形) 苦境に耐え抜くしたたかさを持ち合わせている様子だ。「自分の考えをしぶとく押し通そうとする/しぶとく罪状を否認する」派―さ③

シフトドレス④〔shift dress〕ウエストに切替えを入れない、直線的なシルエットのワンピース。かぞえ方 一着

じぶに⓪ヂ【治部煮】鴨カモなどの肉を小麦粉などにまぶし、味付けした汁で野菜などを加えて煮た料理。元来は金沢料理。

じふぶき②ヂ【地(吹雪)】積もった雪を巻き上げて水平に近く吹く吹雪。表記⇩付表「吹雪」

しぶみ③【渋味】❶渋いあじ。❷優雅で落ち着いた感じ。表記❶の本来の用字は、「渋み」。

しぶり⓪【仕振(り)】何かをする時のしかた。

しぶりばら⓪【渋り腹】下痢の一種。便意だけあって実際には大便が出ない症状のもの。「―を起こす」

しぶ・る②【渋る】㊀(自五)❶なめらかにいかない状態になる。「筆が―(=滞る)」❷渋り腹を起こす。㊁(他五)気が進まない様子を見せる。「△返事(協力)を―/出し―・買い―」

しぶろく⓪【四分六】四分(=四割)と六分(=六割)の割合。「―で、こちらが有利だ/世の中は―で(=都合のいい事も、悪い事もあり)思う通りばかりにはいかないものだ」

しふん⓪【私憤】個人的な事についての怒り。↔公憤

しふん⓪【(翅粉)】チョウやガの羽に付着している細かい粉。鱗粉リンプン。〔表皮細胞の変化したもので、防水・断熱などの役目を果たす〕

しふん⓪【脂粉】べにとおしろい。また、化粧(から発せられる芳香)。「―の香カが立ちこめる/―の巷チマタ」

しぶん①【士分】武士の身分。「―に取り立てる」

しぶん⓪【死文】そこにそう書いてあるだけで、実際の効力を持たない法令・規則。

しぶん①【〈斯文】「この道(の学)」の意の漢語的表現。〔狭義では、儒学を指す〕

しぶん⓪【詩文】文芸性のある詩と文。〔古くは、漢詩と漢文の称〕

じふん⓪【自〈刎】―する(自サ) 自分で自分の首をはねて死ぬこと。

じふん⓪【自噴】―する(自サ) 〔温泉や石油が〕人が掘らないのに、ひとりでに噴出すること。

じふん①【時分】分単位でかぞえた時間。「停車―④・通話―④」

***じぶん**⓪【自分】[一]行動したり何かを感じたりする、当のその人。「―だけいい子になる/―のからだをいとおしむ/―の身は―で守る/―で―の首を絞める(=⇩しめる[三]❸)」 [二](代) 話し手自身を指す言葉。〔旧軍隊で多く用いられた〕 **―かって**④【―勝手】―な/―に 他人の迷惑などは考えず、自分にだけ都合がいいように行動する様子だ。「じぶんがって」とも。 **―し**②【―史】 変動する社会や時代とのかかわりの中で、一庶民としてその人が何を考えどのように生きて来たかを書きつづった△自叙伝(半生の記)。 **―じしん**④【―自身】〔ほかの存在と対比的に考えられるものとしての〕自分。「―を反省する」

じぶん①⓪【時分】❶生活単位として意識された、時間の一区分。〔ある時刻・時点を中心として、その前後を含めることが多い〕「去年の今―は、まだ大学生だった/もうそろそろ寝る―(=ころ)だ/今は野菜の出盛る―(=旬の期間)というものが無くなってしまった/若い―は鳴らしたもんだ」❷すぐ行動に移った方が良いかどうかを決定する、その時・その場の総合的な状況。「―をうかがう/―は良し、すぐ始めよう」 **―がら**⓪【―柄】 現在置かれている状況(から見て)。「―ご自愛ください」 **―どき**⓪【―時】「そろそろ食事の時刻が近づいたころ」の意の婉曲表現。

じぶん⓪①【時文】〔その当時一般に使われる文の意〕中国現代の書き言葉の文章。

じぶんかつしょりシステム⑧【時分割処理システム】大型計算機を多人数でほぼ同時に使えるように、計算機の処理時間を細かく分割して、多くの端末装置に対し次つぎに処理を行なうことを反復する方式のシステム。〔対応する英語は timesharing system. 略称、ティー エス エス(TSS)〕

しぶんごれつ④【四分五裂】―する(自サ) 一つにまとまっているべき組織などの統制が無くなり、各自がばらばらの行動を取ること。

しぶんしょ②【私文書】公務員以外の△人が(資格で)作った文書。〔多く、法律上有効かどうかという点から問題にされる場合に言う〕「有印(=捺印した)―」 ↔公文書

しべ① [一]【〈蕊】花の中心部にあって実を作る器官。糸のように細いものが多くあり、花粉をやりとりする。「雄―・雌―」 [二]【〈稭】❶わらの穂の芯。わらしべ。❷打ちわらのくず。 [三]傘の開閉に用いるろくろ。 表記 [一]は、「〈蘂・〈蘂」とも書く。 かぞえ方 [一]～[三]とも一本

しへい⓪【私兵】個人の費用において養成する兵隊。

***しへい**①【紙幣】(おもにその国の中で流通する)紙の貨幣。〔かつては金属貨幣の代用として発行された〕 ↔硬貨 かぞえ方 一枚・一片:一束

じへい⓪【時弊】その時代の△弊害(悪習)。

じへいしょう⓪【自閉症】脳機能の発達障害の一つ。人とのコミュニケーションがうまくとれない、興味が偏って同じ動作を繰り返す、言葉の習得が著しく遅れるなどの症状が見られる。〔多様な症状も含めて「自閉症スペクトラム」とも言う〕 ⇩発達障害

しへき⓪【〈嗜癖】❶(他人の目には異常だと見えるほど)あることを特に好んで行なう性向。❷ある行動をとることに執着したり、アルコールや薬物などに依存する病的な傾向。それを断たれると、禁断症状などが起こる。

じべた①【地べた】〔座ったり物を置いたりすると汚れるのに、という観点からとらえられた〕地面。

しべつ⓪【死別】―する(自サ) 死に別れ。 ↔生別

ジベレリン⓪〔gibberellin〕 植物の生長を助けたり種無し果実を作るために使ったりするホルモン。

しへん①【四辺】❶周囲(の状況)。「―(=四方)をうかがう」❷四つの辺。「―形⓪②」

しへん⓪①【紙片】「かみきれ」の意の漢語的表現。 かぞえ方 一枚・一片

しへん⓪①【詩編・詩〈篇】詩を集めた書物。詩集。〔狭義では、旧約聖書中の一書を指す〕

しべん⓪【支弁】―する(他サ) 「支払うこと」の意の古風な表現。「実費を―する」 表記 「弁」の旧字体は「〈辨」。

しべん⓪【至便】―な 非常に便利な様子だ。「交通―」

しべん⓪【思弁】―する(他サ) 実証・経験によらず、頭の中だけで論理的に自分の考えを組み立てること。「―哲学⑤④」

表記 「弁」の旧字体は「〈辨」。

じへん①【事変】❶非常の出来事。〔狭義では、警察力で静め得ない騒乱を指す〕「不測の―」❷宣戦布告なしでする、戦争行為。

じべん⓪【自弁】―する(他サ) 自分で費用を出すこと。 表記 「弁」の旧字体は「〈辨」。

しほ①【試歩】―する(自サ) 〔手術後の患者などが〕ためしに歩いてみること。

しほ①【試補】正規にその官職に任命されるまでの一定の期間、その官庁で実際に事務の見習いをする人の称。「外交官―⑦」

しぼ①【〈皺】革・織物などにつけてあるしわ。

しぼ①【思慕】―する(他サ) 〔なんらかの意味で隔たりのある人に対して〕親しく会って話をしたいなどと思うこと。

じぼ①【字母】❶かな・アルファベット・梵字など、発音を示すつづり字の一つひとつ。❷活字のもとになる型。母型。

じぼ①【慈母】深い愛情を持って子供を育てる母(親)。「―観音③」

しほう⓪【仕法】❶〔決まった〕やり方。「商いの―」❷証券の取引方法。

しほう⓪①【司法】〔立法・行政と並ぶ国家権力の行使として〕国家が法律に基づいてする、民事・刑事上の裁判。 **―かいぼう**④【―解剖】 刑事訴訟法に基づいて、犯罪に関係がある(と疑われる)死体について、死因その他裁判上の証拠を得るために行なう解剖。 **―かん**②【―官】 司法権の執行に携わる役人。〔狭義では裁判官を指し、広義では検察官をも含め称した〕 **―けん**②【―権】 国家の名において行なう、民事・刑事上の裁判権。 ⇩行政権・立法権 **―さいばん**④【―裁判】 民事・刑事の裁判の総称。 **―しけん**④⑤【―試験】 裁判官・検察官・弁護士になるための学識・能力を判定する国家試験。 **―しょ**④【―書士】 他人に頼まれて、裁判所・法務局などに提出する書類を、代わって作成することを仕事とする人。〔「司法代書人」の改称〕 **―しょう**②【―省】 法務省の前身。 **―とりひき**⑤④【―取引】 刑事裁判で、検察官と被告人の弁護士との間で、被告側が起訴事実を認めたり検察側に有利な情報を提供したりする代りに、軽い処分で決着させようとする制度。〔裁判にかかる時間と費用の節約を目的に行なわれる〕

しほう②①【四方】(東西南北の)四つの方角。「―に

散らばる/―八方〔=あらゆる方面〕/―〔=天下〕に適材を求める/―を〔=まわりを全部〕敵に囲まれる/三メートル―〔=各辺が三メートルの正方形（にあたる範囲）〕」 **―はい**②【―拝】平安時代から引き続き宮中で行なわれる儀式。一月一日の朝、天皇が親しく天地四方・山陵を遥拝（ヨウハイ）し、五穀の豊かな稔（ミノ）りなどを祈る。

しほう⓪【市報】市役所が、市民に知らせる事柄を載せて各家庭に配る印刷物。

しほう⓪【至宝】この上もない大切な宝。「我が社の―だ」

しほう⓪【私法】個人間の権利・義務関係を規定した、民法・商法など。↔公法

しほう⓪【詩法】詩の作り方。

しぼう⓪【子房】〔被子植物で〕めしべの下端の、ふくらんだ袋状の部分。受精すると発達して果実となる。

しぼう⓪【四望】❶四方の眺め。❷―する（自サ） 四方を眺めること。

***しぼう**⓪【死亡】―する（自サ）〈（なにデ）―する〉〔（その）人が〕死ぬこと。「―通知④」 **―しゃ**②【―者】（特に、事故・災害・疾病などで）死んだ人。「交通事故による―数/―リスト」 **―りつ**②【―率】〔その病気・年齢などで〕死ぬ人の割合。〔人口統計上は、年間の千分率で示す〕「日本人の―/結核―」

***しぼう**⓪【志望】―する（他サ）〈なにヲ―する/なにニ―する〉 自分も将来そう△なりたい（ありたい）と望むこと。また、その望み。「進学を―する/数学科に―する/第一―」

***しぼう**⓪【脂肪】栄養素の一つ。動植物体の中に含まれる、常温では固形の脂。あぶら。「―過多症⓪⑤・中性―」［かぞえ方］あぶらみは一塊（ヒトカタマリ）・一片 **―かん**②【―肝】肝臓に中性脂肪が異常に多くなる状態（による疾病）。また、その肝臓。脂肝⓪。〔肝硬変の原因ともなる〕 **―さん**⓪【―酸】酢酸などの一塩基酸。 **―しつ**②【―質】脂肪太りで、ぶくぶくして見える体質。↔筋肉質 **―ぶとり**④【―太（り）】鍛練の結果ついた筋肉ではなく、ただ脂肪がたまって太っていること。⇩かた太り **―ぶん**②【―分】動植物の体内に含まれる脂肪△としての成分（の分量）。〔栄養学では「脂質」と言う〕 **―ゆ**②【―油】常温では液状である脂肪。魚油・植物油など。「脂油」とも。

じほう⓪【寺宝】その寺の所有する宝物。

じほう⓪【時法】その△社会（地域）において、一日の始まりをどの時点にとり 一日をどのように区分して各時点を表わすか、という体系。例、標準時・地方時など。 **ていー**⓪【定―】〔現在、一般に行なわれている時法で〕季節によって異なる昼夜の長さにかかわりなく一日を二十四等分して時（ジ）を定め、時を六十等分して分、分を六十等分して秒とする時法。 **ふていー**⓪【不定―】日の出から日の入りまでと、日の入りから日の出までとを、それぞれ同じ数で等分して時刻を定める時法。例、江戸時代の民間時法〔=昼間と夜間をそれぞれ六等分して一時（イットキ）とした。その長さは季節によって異なり、不定〕。不定時②。

じほう⓪【時報】❶なんらかの方法で正しい時刻を一般の人に知らせること。また、そのためのチャイムやサイレンの音。〔ラジオなどでは、一時間ごとに正時を知らせる〕「正午の―」 ❷その業界などの種々の情報をまとめて知らせる新聞・雑誌の類。「工業―」

じぼうじき④【自暴自棄】〔自分の思う通りにならないので〕もうどうでもいいという気持になって、なげやりな行動をすること。「―になる/―を起こす」

しほうじん②【私法人】会社・財団法人など、私法によって人格を与えられた、△権利（義務）の主体。その目的によって営利法人・公益法人・中間法人に分け、組織によって社団法人・財団法人に分けられる。会社は営利社団法人。↔公法人

しぼつ⓪【死没・死〈歿〉】―する（自サ）「死亡」の文章語。やや改まった表現。

しぼ・む⓪【《萎む》】（自五）ふくらんでいたものが、張りを失って縮む。「△花（風船）が―/夢が―〔=夢見ていた理想の影が薄くなる〕」［表記］「〈凋む〉」とも書く。

しぼり【絞（り）】一③❶「絞り染め」の略。❷花弁の色のまだらになっているもの。❸〔写真で〕レンズにとりつけて光の入る量を調節する装置。「―をかける」［表記］「搾り」とも書く。 二（造語） 動詞「絞る」の連用形。「―かす④・―汁（ジル）④」 **―あ・げる**⑤【―上げる】（他下一）❶無理に声をはりあげる。❷強い態度でしかる。❸強く責めて、無理に金を出させる。 **―こ・む**④【―込む】（他五）❶含まれている水分などをしぼって何かの中へ入れる。「焼酎（ショウチュウ）にレモンを―」❷多くの△対象（候補）の中から、検討・吟味を加えて、条件に適（カナ）うものだけにその数を減らしていく。 **―ぞめ**⓪【―染（め）】布地を所どころ糸で絞って白い模様を出す染め方。しぼり。 **―だし**⓪【―出（し）・搾（り）出（し）】錫（ズス）などの細長い管に詰めた絵の具・歯みがきなどを一方の端から押して出せるようにしたもの。チューブ。 **―だ・す**④【―出す・搾（り）出す】（他五）❶口のついた袋状のものに入っているものを、力を加えて外に押し出す。「練ワサビをチューブから―」❷出すことが容易ではないものや、またそもそも出すべきものが用意できていないものなどを、努力し、また時には相当な無理をして押し出したり作りあげたりすること。「恐怖の中で声を―/解決策を―〔=ひねり出す〕/返済費用を―〔=捻出する〕」

***しぼ・る**②【絞る・搾る】（他五）❶〈（なにデ）なにヲ―〉強くねじったり押さえつけたりして、そこに含まれた水分を外に出すようにする。「よく絞ってから干す/―ような汗/ハンカチを絞って〔=ハンカチが涙でぐっしょりなるほど〕泣く/そでを―〔=涙をたくさん流して泣く〕/こってり絞られる〔=しっかり身に付いて忘れることがないまでに、きびしく注意されたり訓練させられたりする〕」❷〈（なにデ）なにヲ―〉圧迫したり両手で握ったりして、有用な液体をそこから取り出すようにする。「牛乳を―/油を―〔=ⓐ採る。ⓑ二度と同じ非行を重ねないように、きびしく注意する〕」❸〈なにヲ―〉自然△には（の成行きに任せておけば）出て来ない物を、方法を講じて出させる。「のどを絞って〔=絞るようにして無理に〕声を出す/無い知恵を―〔=努力して、出す〕/税金を絞り取る〔=強引に取り立てる〕」❹〈なに・どこニなにヲ―〉広がっている物の範囲をせばめる。〔狭義では、ラジオなどの音を小さくしたりカメラのレンズに入る光線の量を少なくしたりすることを指す〕「袋の口を―/捜査範囲を―/目標を―/的が絞られる/問題を―〔=問題点を整理し限定する〕/幕を―」❺絞り染めにする。〔⇩絞り一❸〕

しほん⓪【紙本】紙に文字や絵を筆でかいたもの。「―の墨絵」↔絹本（ケンポン）

****しほん**⓪【資本】〔「資」も「本」も「もと」の意〕そこから何かを取り出すもとになるもの。行動力の根源としての健康体や、経済活動の根源になる金銭・物品など。〔狭義では、株主の出しあった基金を指す〕「物的―」 **―か**⓪【―家】❶資本を提供する人。❷企業を経営し利益追求のために労働者を使用する人。「―階級⑤」 **―きん**⓪【―金】ある事業を運営して利益を得るために、用意される基金。 **―ざい**②⓪【―財】商品を作るための手段となる資材。道具・機械・工場の設備など。 **―しゅぎ**④【―主義】近現代社会の代表的な経済組織、また、その体制。農業・水産業などの一部を除く産業のあらゆる分野において、資

本家が資金を投じ、多くの労働者が(正当な)報酬を受けるという契約のもとに労働力を提供することによって、生産活動が営まれること。「—社会⑥」⇩社会主義

しほんばしら④【四本柱】〔すもうで〕もと、土俵の四すみに立てた、四本の柱(の所にすわる検査役)。⇩青房・赤房・黒房・白房

**しま②【島】❶四面が水で囲まれた陸地の中で、比較的小さいものの称。〔地理学では、オーストラリア以上が「大陸」で、グリーンランド以下は「島」と呼ばれる〕「—の娘/—開き③〔=準備を整え、その年の観光客受入れを積極的に始めること(日の儀式)〕」❷なんらかの点で周囲から孤立した、狭い土地。〔「陸の孤島」は、その例〕「方言の—」❸池・築山などのある庭。❹遊郭・博徒の縄張りなどの特定の土地。〔特に、東京兜町を指して言うこともある〕 かぞえ方 ❶は一島

【取り付く—も(が)無い】⇩取り付く❶

*しま②【縞】❶布地に染め糸で△縦(横)に織り出した筋(のある織物)。❷「縞❶」のような模様。縞模様③。ストライプ。「—瑪瑙③」 表記 江戸時代の用字は、「島」。 かぞえ方 ❶は一本・一筋・一条

しま①【死魔】❶「死に神」の意の漢語的表現。❷仏道修行の妨げとなる、死。

しまあい⓪③【縞合】縞の色合。

しまい⓪【仕舞(い)】❶今までやっていたことが終わること。「店—」❷何かの一番終わりの部分。「—〔=最後〕には飽きが来る」 表記「《終い》」とも書く。 **—ゆ**⓪③②【—湯】他の人が入ったあとの、その日の終わりのふろ。しまいぶろ④⓪。↕新湯

しまい【姉妹】㊀①姉と妹。「三—③」㊁(造語)△同じ系統(類型)の二つのもの。「—雑誌④・—都市④〔=親善と文化の交流とを目的として協定を結んだ、二つの都市〕」

しまい①【仕舞】〔能楽で〕囃子・装束なしで演じる、略式の舞。

じまい(造語)結局…しないこと。「見ず—・買わず—」

じまい⓪【地米】その土地で出来る米。

しま・う【《終う》】㊀⓪(自五)△そこ(それ)で終わりになる。㊁⓪(他五)❶終わりにする。「店を—〔=ⓐ廃業する。ⓑ閉店する〕」❷使用後、元の位置に戻す。「道具を—」❸〔入れ物などの〕中に入れる。「(彼女への思いを)そっと胸に終っておく〔=だれにも打ち明けない〕」㊂(補動・五型)❶何かを実現させ、そのことに関してはかかわる必要がない状態に△なる(する)。「客が来る前に用事をすませて—/思ったより早く着いてしまった」❷何かが実現し、それを元に戻すことができなくなる。〔多く好ましくない事態にたちいたった場合に用いる〕「頼りにしていたおじさんが突然死んでしまった/大事な書類をかばんごと盗まれてしまった」 表記「仕舞う」とも書く。

しまうま⓪【縞馬】アフリカ産の馬。全身、白色や薄茶色の地に黒の縞がある。ゼブラ。〔ウマ科〕 かぞえ方 一頭

じまえ⓪【自前】❶他から提供される資金を当てにせず、費用を自分で負担すること。〔一般に、専門家に任せたり既製のもので済ませたりするところを、あえて自分の手で作る意にも用いられる〕「—で留学する/—の衣裳」❷芸者などが独立して営業すること。また、その芸者。↕抱え・丸抱え

しまおくそく①-⓪【《揣摩臆測》】—する(他サ) これといった明確な根拠もなく、たぶんこうだろうと推測すること。

しまか②⓪【縞蚊】狭義の「やぶか」の異称。

しまがくれ③【島隠れ】舟が島の陰に隠れること。

しまかげ⓪㊀【島陰】その島の陰になって見えない所。㊁【島影】島の姿。「—を認める」

しまがら⓪【縞柄】縞の模様(の布地)。「太い—」

じまく⓪【字幕】〔映画・テレビで〕題名・配役・会話・説明などを文字で映し出すもの。特に、外国映画の会話部分を翻訳して示すもの。「—スーパー」

しまぐに②【島国】領土が(いくつかの)島からなる国。**—こんじょう**⑤【—根性】ふだん、△外国人(外部の人)との接触が少ないため、視野が狭く、独善的で△自国(内うち)の小さな利益にこだわりがちなこせこせした気質。

しまじま②【島々】❶それぞれの島。❷多くの島。

しまぞめ⓪【縞染(め)】白地に縞を染め出した布地。

しまだ⓪【島田】〔←島田まげ③〕おもに未婚の女性の結う日本髪。「—崩し④・投げ—・高—」

しまだい②【島台】洲浜台の上に、松・竹・梅や、尉・姥・ツル・カメなどを飾った、婚礼用の飾り物。蓬萊山を模したものという。 かぞえ方 一基

しまだい②⓪【縞鯛】イシダイの幼魚の時の呼び名。泳いでいる姿から見て縦に黒い縞が七本ある。〔成長すると、縞が薄れて全体に黒ずむ〕

*しまつ①【始末】❶〔こういうことからこういう結果になったという〕全体の成行き。「泣き言を述べる—〔=ありさま〕だ」❷—する(他サ)〈なにヲ—する〉△あとでめんどうなことが起きない(他人に迷惑をかけない)ように物事の決まりをつけること。「—に負えない〔=容易には処理が出来ない〕/自分で自分の—をする〔=他人の手を借りないで自分の用を足す〕/ちゃんと—する〔=かたづける〕/—に困る〔=処理や対応に手を焼く〕/…(という)だから—が悪い/—をつける/—がつく」❸—する(他サ)〈なにヲ—する〉むだの無いように使うこと。「紙や鉛筆を—して使う/—とけちは違う」 **—しょ**④⓪【—書】自分の責任によって起きた事故・不始末をわびるため一部始終を書きしるした文書。「—をとる」 かぞえ方 一通・一枚 **—や**⓪【—屋】倹約家。

しまった②(感)失敗して残念がる時に発する言葉。↕しめた

しまづたい③【島伝(い)】島から島へ伝って目的地に行くこと。

しまながし③【島流(し)】昔、罪人を遠方の△島(土地)に送った刑罰。

しまぬけ⓪④【島《脱け》】江戸時代、「島破り」の称。 表記「島抜け」とも書く。

しまね①⓪【島根】〔「根」は接辞〕「島」の意の古称。「沖つ—④・やまと—〔=日本という島国〕」

しまへび⓪【縞蛇】山野の草むらにすむヘビの一種。背中は黒茶色で、四本の縦縞がある。薬用。〔ナミヘビ科〕 かぞえ方 一匹

じまま⓪【自《儘》】—に な 「気まま」の意の古風な表現。

しまめ⓪③【縞目】縞の色と色の境目。

しまめぐり③【島巡り】島から島へと△巡る(巡って遊ぶ)こと。

しまもの⓪【縞物】縞の模様を織り出した織物。

しまもり②【島守】その島の番人。

しまやぶり③【島破り】島流しになった罪人が島を抜け出ること。島を抜け出た罪人。しまぬけ。

しまやま⓪【島山】❶全体が山の形をした島。❷庭の池の中に作った山。

しまり【締(まり)】㊀①しまること。「—がいい〔=むだづかいをしない様子だ〕/—が無い〔=緊張を欠いて、だらけた状態だ〕/—を付ける〔=しめくくりをする〕」㊁(造語)動詞「締まる」の連用形。**—や**⓪【—屋】倹約を生活上の信条として守る人。

**しま・る②(自五) ㊀【閉(ま)る】 閉めた状態になる。「門が閉まっている/戸が閉まらない/五時で店が—」↕開(ア)く ⇩閉める 運用 ㊁【締(ま)る】↕ゆるむ ❶ゆるんだ所が無くなる。「筋肉が締まっている/締まらない顔」 ❷相場が高くなる。「小—(ジマル)」 表記 ㊁❶は「絞まる・《緊まる」とも書く。 [⇩締まり㊁]

じまわり②【地回り・地〈廻り〉】 ❶近在から回送して来る商品が出回ること。「—の米」 ❷近在を常に回って歩く△こと(商人)。 ❸その土地に住みついて、そこで起きたもめごとなどを治める役割などを果たした者。狭義では、縄張りとする盛り場などをうろつくならず者。

*じまん⓪【自慢】—する(自他サ)〈なにヲ—する/なんだト—する〉 自分のした事や自分に関係のある物事に満足しきって、それがいかに△すぐれている(他人にはまねの出来ない)ものであるかを強調して語ったり示したりすること。「—高慢、ばかのうち/腕—・お国—・—話(バナシ)④」 派 —げ⓪ —たらし・い⑥(形) 接する人に不快感を与えるほど自慢げに振る舞う様子だ。

しまんろくせんにち②-⓪【四万六千日】 七月十日の観世音の縁日。この日参拝した功徳(クドク)は平素の四万六千日分に当たるという。

しみ⓪【染(み)】〔動詞「染みる」の連用形の名詞用法〕 ❶液体などが染み込んだ跡が顕著に見える汚れ。「ズボンの—/心の—(=いつまでも記憶に残るいやな印象・気持)/履歴に—(=汚点)がつく」 ❷ホルモンや紫外線の影響により皮膚に現われる、茶色の小さな斑点(ハンテン)。「—そばかす」

しみ⓪【〈紙魚〉・〈衣魚〉・〈蟫〉】 細長くて銀白色の、小さい昆虫。衣服・本などののりを食いあらす。〔シミ科〕 表記 「〈白魚〉」とも書く。 かぞえ方 一匹

しみ①【詩味】 詩の△味わい(趣)。詩趣。

*じみ②【地味】—な 人の興味・関心をひくような目立つ点が認められない様子だ。「—な色/—な人」↕はで 派 —さ②⓪ 表記 普通、「地味」と書く。

じみ①【滋味】 ゆっくり味わうと分かる、深い△味(印象)。「—掬(キク)すべし/—豊かな作品」

シミーズ②〔フ chemise〕⇩シュミーズ

しみい・る③【染(み)入る】(自五) ❶しみこむ。「岩に—せみの声」 ❷接する物事からいつまでも忘れることがないほどの感動を受ける。「心に—恩師のことば」

しみこ・む③【染(み)込む】(自五) その要素が何かの組織のすみずみまで広がり、除くことが出来ない状態になる。「△色(におい・水・思想・方針)が—」

*しみじみ③(副)—と —する 〔染(シ)み染みの意〕 ❶これまでの体験に照らすなどして、感慨も新たにそのことを実感する様子。「親のありがたみを—思った/今になって故郷が—と思い出される」 ❷〔苦楽をともにした人同士の間などで〕心に深く通じ合うものがある様子。「過ぎし日を—と語り合う/親子だけに通じる—とした情感」 表記 「〈沁々〉」などと書く。

しみず⓪【《清水】 地面・岩の間などからわき出る、澄んできれいな水。 表記 ⇩付表「清水」

じみち⓪【地道】—な —に はったりが無く、堅実に何かをする様子だ。「—な努力の積み重ね」 派 —さ⓪

しみつ・く③⓪【染(み)付く】(自五) ❶しみになって付く。「汗が—」 ❷すっかり何かの要素がそのものの中に入りこむ。「貧乏性(ショウ)が—」

しみったれ⓪—な 出来るだけ自分の金品の負担を軽くしようということばかり考える△様子(人)。 動 しみったれる⑤⓪(自下一)

しみどうふ③【《凍(み)豆腐】〔東部方言〕⇩こおりどうふ

しみとお・る③【染(み)《透る】(自五) 何かがそのものの内部にまで深く広がる。「骨の髄まで—」 表記 「染み通る」とも書く。

しみぬき⓪③【染(み)抜(き)】—する(他サ) 衣服に付いたしみを取り去る△こと(もの)。

しみゃく⓪【支脈】 主脈から分かれ出た△山脈(鉱脈・葉脈)。↕主脈

しみゃく⓪【死脈】 ❶死にぎわのとだえがちになった脈拍。 ❷鉱物の△無い(無くなった)鉱脈。

しみゃく⓪【〈翅脈】 昆虫類の翅(ハネ)にある葉脈のような筋。

シミュレーション③〔simulation〕〔実験不可能な物事について〕模型や数式を用いることにより、現実に起こり得るのとそっくりの状況を設定して試行を重ねること。模擬実験。〔コンピューターを活用することが多い〕

シミュレーター③〔simulator〕 航空機などの操縦の訓練を行なうための、実物同様の装置。

しみょう⓪①【至妙】—な この上もなく上手な様子だ。「—な芸」

*し・みる⓪【染みる・〈滲みる・〈沁みる】(自上一)〈なにニ—〉 ❶(そこから流れ出た)液体の成分などが、徐々に広がりながら△内部(周囲)に及んで行く。「インクが紙に—/薬が傷口に—(=ひりひり痛む)/煙が目に—(=⇩目)/△寒さ(つらさ・人の親切)が身に—(=⇩身)」 ❷好ましくない△液体(もの)がついて、汚れる。「汗に染みたハンカチ/悪習に—(=感染する)」⇩染む

し・みる⓪【《凍みる】(自上一)〔北海道・東北・中部・中国・四国の方言〕寒さがきびしくて、からだに応(コタ)える。

じ・みる【染みる】(造語・上一型) ❶…がついて、汚れる。「あか—・汗—」 ❷そうあってほしくない何からしく見える。「子供染みた発言」

しみわた・る④【染(み)渡る】(自五) 染みて広がる。「心に—わびしさ」

しみん①【士民】 ❶武士と庶民。 ❷士族と平民。

しみん①【四民】 士・農・工・商の四つの階層。「—平等」

しみん①【市民】 ❶その都市の住民。〔狭義では、その市に住民登録をしている人を指す〕「市有の緑地を—に開放する」 ❷〔citizen の訳語〕公民。「—運動④」 ❸〔フ bourgeois(ブルジョア)の訳語〕西洋の近代史で、貴族や僧侶(ソウリョ)などの特権階級に代わって政治的権力を握った、都会生活を営む中産階級の人びと。「—革命④」 —けん②【—権】 △市民(公民)としての権利。「—を獲得する(=特殊だったものが、広く行なわれた結果、世間に一般化したものとして受け取られるようになる意にも用いられる)」 —しゃかい④【—社会】 政治的・経済的に市民階級が支配し、主権在民を建前とする(ヨーロッパの)社会。ブルジョア社会。資本主義社会。

しみん⓪①【私民】 昔、その貴族に属し、その私用だけをした人民。

しみん⓪【〈嗜眠】 重症・高熱の際に完全な睡眠状態に入ること。「—性脳炎⑥」

しむ(助動・下二型) 助動詞「しめる」の文語形。「著者をして言わしむれば」 文法 動詞、動詞型活用助動詞(「す/さす」を除く)の未然形に接続する。形容詞・形容動詞の未然形(ラ変型活用)にもつくことがある(「美しからしむ/静かならしむ」など)。

し・む⓪【染む・〈沁む】(自五) 「しみる」の古風な表現。「身に—冷気」 表記 「《入む」とも書く。

ジム①〔gym ← gymnasium〕 ❶体育館。 ❷ボクシングやウエートトレーニングなどの練習場。ジムナジウム④。

じむ①【寺務】 その寺の事務(を取り扱う僧)。

**じむ①【事務】 主として組織の運営上必要な書類・帳簿

などの作成やその処理に当たる△業務(仕事)。「—をとる/—室②・—用品③・—長②・—服②」 **—いん**②(—ヰン)【—員】〔会社・銀行などの〕事務を扱う人。 **—かん**②(—クワン)【—官】行政官庁に属し、それぞれの職務に応じた事務に従事する役人。 **—きょく**②【—局】〔議会・病院・大学・学会・組合・政党などの組織で〕事務関係の仕事を担当する△人(所)。「委員会に—を置く/—長③・—員④」 **—じかん**③(—クワン)【—次官】⇩次官 **—しゅじ**③【—主事】公務員の職名の一つ。主事補の上。〔民間でも用いることがある〕 **—しょ**②【—所】事務を取り扱う所。「現場—⑤・法律—⑥」 **—せっしょう**③(—セフ)【—折衝】—する(自サ) 事務上の意見を取りかわしたり 交渉したり すること。「交渉はまだ—の段階だ」 **—てき**⓪【—的】—な —に ❶事務に関する様子だ。「—な立場」 ❷感情をまじえないで、仕事本位に片づける様子だ。「—な処理」 **—とうきょく**③(—タウ—)【—当局】(会社などで)事務をもっぱら担当する部局。「—の意見」 **—とりあつかい**①-⓪(—アツカヒ)【—取扱】官庁などの組織体で、「長」と名の付く役職の人の欠員を正規の手続きによって補充することが出来ない事情にある時、臨時にその職務の代行をするように命じられること。また、その役職者。 **—や**②⓪【—屋】事務系統に従っている者の俗称。⇩技術屋

じむ①【時務】その時その時の急務。〔明治期までは有識者の間で常用された〕

しむけ⓪【仕向(け)】❶〔商品などを〕先方にあてて発送すること。❷「待遇」の意の古風な表現。

しむ・ける③【仕向ける】(他下一) ❶相手がそれに応じた行動をとらざるを得ないような働きかけをする。「議論を—/和平協議を—」 ❷特定の態度で人に接する。「△親切に(意地悪く)—」 ❸〔多く、「…ように—」の形で〕特定の行動をするように働きかける。「勉強するように—」 ❹商品を先方にあてて発送する。

じむし⓪(—ヂ)【地虫】コガネムシ・カブトムシ・クワガタムシなどの幼虫。イモムシに似て、地中にすみ、作物の根を害する。

しめ② ■一【〈注連〉】「しめなわ」の略。「—作り」 ■二【《標》】〔雅〕木を立て縄を張ったりなどした境界標。

しめ②【締(め)】❶締めること。❷合計。❸半紙百帖(—ジョウ)〔=二千枚〕。❹手紙の封じ目に書く「〆」の字。

しめ①【〈鴲〉】林にすむ、比較的大きな小鳥。からだは大体茶色で、飛び方・歩き方・鳴き方はスズメに似ている。〔アトリ科〕 かぞえ方 一羽

しめあ・げる④⓪【締(め)上げる】(他下一) ❶首などをまわりから強く押さえて引っぱり上げるようにする。❷強く責任を追及されたりして〕音(ネ)を上げる」 名 締め上げ⓪

「締める❶」。「まわりの者から締め上げられて〔=きびしく責任を追及されたりして〕音(ネ)を上げる」

しめい①【氏名】その人のみょうじと名前。姓名。

しめい①【死命】〔生きるか死ぬかの意〕「いのち」の意の漢語的表現。「—を制する〔=相手を生かすか殺すかの急所を自分の手に握る〕」

*__しめい__①【使命】❶使者として果たさねばならない用向き。「さまざまの—を帯びる」 ❷その人に特に与えられた重大な任務。〔天職と同意にも用いられる〕「—感」

しめい⓪【指名】—する(他サ) 候補者や、何かをする人などの名前を指定すること。なざし。「—を受ける/—投票④・—解雇④」 **—てはい**④【—手配】—する(他サ) 逮捕状の出ている被疑者の名前を広範囲に知らせて、つかまえるように手配をすること。

じめい⓪【自明】—な —に 〔証明や説明をするまでもなく〕分かりきっている様子だ。「—の理」

じめいしょう⓪(—シヨウ)【自鳴鐘】歯車で時をきざみ鐘を打って時を知らせた、昔の時計。

しめお⓪(—ヲ)【締(め)緒】物を締めるための ひも。

しめかざり③【〈注連〉飾(り)】正月を迎えるしるしとして玄関などに取り付ける しめなわ。イセエビ・ダイダイ・コンブなどで飾ったりする。 かぞえ方 一本

しめかす⓪③【《搾(め)〈滓・〆〈粕〉》】〔魚・ダイズなどの〕油をしぼったあとの かす。しぼりかす④。

しめがね⓪【締(め)金】ベルトなどを締めるために、その一端に取りつけた金具。尾錠(ビジョウ)。 かぞえ方 一本

しめぎ⓪②【《搾(め)木》】油をしぼり取る木製の道具。
表記 「締め木」とも書く。

しめきり⓪ ■一【締切・〆切】申込みの受付などの取扱いをその△日(時刻)までで打ち切ること。また、その△日(時刻)。「—に間にあわせる/—日(ビ)④」 ■二【閉(め)切(り)】窓・戸がいつもしめてあること。 動 しめ切る③⓪(他五)

しめぐ②【締(め)具】何かをかたく締めつけるための道具。
かぞえ方 一本

しめくく・る⓪④【締(め)《括る》】(他五) ❶かたく締めて束ねる。❷△まとまり(決着)を付ける。「感謝の言葉で演説を—」 名 締め括り⓪ 「—を付ける」

しめこのうさぎ①-⓪【占(め)子の〈兎〉】〔「しめこ」は、「締めた」の意の強調表現。これを吸い物にしたという〕地口(ジグチ)による「しめた」の意の強調表現。

しめこみ⓪【締(め)込(み)】〔すもうで〕取組の時にしめる ふんどし。⇩まわし■二

しめころ・す④⓪【絞(め)殺す】(他五) 強く首をしめて殺す。

しめさば②【締(め)〈鯖・〆〈鯖〉】三枚におろしたサバに塩をふりかけて肉を引き締め、さらに酢に浸してなじませたもの。

しめし【示(し)】■一⓪③ 行動の基準を教え示すこと。「神のお—〔=さとし〕/子供たちに—が付かない〔=しつけるための いい例にならない〕」 ■二〔造語〕動詞「示す」の連用形。 **—あわ・せる**⑥(—アハセル)【—合(わ)せる】(他下一) ❶〔はかりごとなどがスムーズに運ぶように〕各人の役割や進行の手順を事前に打ち合わせる。❷合図して知らせ合う。示し合わす⑤(五)。

しめじ⓪①(シメヂ)【占地・湿地】〔「しめ」は「湿った」または「占める」の意という〕山林に群がって生える小形のキノコ。灰色で、柄は下部が太くて白い。食用。〔シメジ科〕「千本—」
かぞえ方 一株

しめしめ①、①-①(感) 「しめたしめた」の略。「—、うまく行ったぞ」 ⇩しめた

じめじめ①(副) —と —する ❶湿気・水分が多くて不快に感じられる様子。「梅雨時(ツユドキ)の—した気候/いつも—している床下」 ❷内にこもるなどして、暗い印象を相手に与える様子。「—した性格/—した陰湿ないじめ」

**__しめ・す__②【示す】(他五) ❶〈(なにデ)だれニなにヲ—〉相手にはっきり分かるように、何かを見せたり 何かをしてみせたりする。「△模範(手本)を—/一端を—/身をもって—/態度で—」 ❷〈(なにデ)なにヲ—〉指さしたりして教える。「道を—/方向を—」 ❸〈(なにデ)なにヲ—〉主体の心的態度や、△相手(事態)についての考え方や反応状態が分かるようなものを表明する。「△心意気(熱意・興味・難色・見識・方針・条件・根拠・決意)を—/△自信(努力)の程を—/△判断(回答)が示される」 ❹〈なにヲ—〉ある現象を分析し凝視することによって、客観的にはそういう状態にあるものと判断させる。「上昇傾向を—/可能性を—」 〔⇩示し■二〕

しめ・す⓪②【湿す】(他五) ものなどの表面に水分を少し与えて、湿り気を帯びさせる。「タオルを湿して顔をふく/病人の唇を—」

しめすへん⓪【示(す)偏】漢字の部首名の一つ。「祀・祠・祝・神」などの、左側の「礻・ネ」の部分。「ネ」は「示」の略体。「ネ」に近いので「ねへん」とも。〔「示」は天が示す神意の意。多く、神や祭礼に関係のある漢字がこれに属する〕

しめた①(感)〔「占めたり」の変化〕思った通りになって喜ぶ時に思わず発する言葉。↕しまった

しめだか②【締(め)高・〆高】合計の額。

しめだ・す③⓪【閉(め)出す・締(め)出す】(他五) 門・扉を閉めて人を入れないようにする。〔異端のものを排除する意にも用いられる。例、「舞台から―/外国製品を―」〕 名 閉め出し⓪「―を食う」

しめつ⓪【死滅】―する(自サ) 死んで滅びること。死に絶えること。

じめつ⓪【自滅】―する(自サ) ❶自分のした事が原因になって、自分自身を取返しのつかない悪い△状態(結果)に追い込むこと。❷自然に滅びること。

じめつ・く⓪(自五) じめじめする。

しめつ・ける④⓪【締(め)付ける】(他下一) ❶かたく締める。❷締めて、△窮屈に(苦しく)する。「心を―」 名 締め付け⓪「―を強化する」

しめっぽ・い④【湿っぽい】(形) ❶湿りけを帯びているように感じられる様子だ。「―△床下(ふとん)」 ❷話の内容や声の調子などが、接する人を暗い気分にさせる様子だ。「―話はやめよう/―声で語る」 派 ―さ④

しめて①【締(め)て・〆て】合計して。「今日の払いは―幾らだ」

しめなわ⓪【〈注連〉縄・《標縄・〈七五三〉縄》】△神を祭る場所であることを示すために(新年を祝うために家の入口などに)張る縄。しめ。 かぞえ方 一本

しめやか② ―な ―に 物音を立てるのがはばかられるような、しんみりとした雰囲気に包まれている様子だ。「―に葬儀が営まれる」 派 ―さ④③

しめら・す⓪③【湿らす】(他五) 〔「湿る」の使役動詞形〕何らかの目的で湿り気を帯びるように△する(させる)。湿らせる(下一)。「のどを―〔=水や酒などを少し飲む〕」

しめり【湿(り)】❶⓪ ❶湿ること。しっけ。❷⇩おしめり ❸火事が消えること。❹「湿り半(ばん)」の略。❷(造語) 動詞「湿る」の連用形。 ―ばん⓪【―半】 火事が終わったしるしの半鐘。 ―け⓪【―気】(乾いているべき物に)水分が少し含まれていると分かる感じ。また、その水分。

しめる(助動・下一型) 「だれかに何かをさせる」意の、やや改まった表現。〔文語「しむ」の口語形〕「私をして言わしめれば〔=私流に言うことが許されるならば〕/聞く人を倦(う)ましめない〔=退屈させない〕話」 文法 動詞、動詞型活用助動詞(「す/さす」を除く)の未然形に接続する。形容詞・形容動詞の未然形(ラ変型活用)にもつくことがある(「美しからしめる/静かならしめる」など)。

*__し・める__②【占める】(他下一)〈なに・どこヲ―〉 ❶自分の△勢力範囲(所有)とする。「△漁夫の利(景勝の地)を―/机が部屋の半分を―〔=ふさぐ〕/頭を―〔=何かを懸命に考えていて、頭の中がそれで一杯である〕/味を―〔=⇩味〕/△絶対多数(過半数)を―〔=獲得する〕/座を―〔=その座に着く〕」 ❷客観的に見て、そのものが、全体の中でそのような位置を持つ。「重要なポストを―/上位を―」

**__し・める__②(他下一) ❶【閉める】〈なにヲ―〉 あいていた窓を端まで、戸を柱や他の戸の所まで動かして、すきまの無いようにする。「戸を静かに―/雨戸を―/店を―〔=ⓐ閉店する。ⓑ廃業する〕」 ↕開(あ)ける❷❶ ❷【締める】❶【《緊める】】〈(なにデ)なにヲ―〉 ゆるみを無くすように、強く引っぱる。「三味線の糸を―/財布のひもを―〔=あまりお金を使わないように気をつける〕/社員を―〔=ⓐもっと緊張して仕事するようにと注意を与える。ⓑ緊張を欠くからこういう不始末になるんだぞと、きびしくしかる〕」 ❷【《緊める】】〈(なにデ)なにヲ―〉 そこから動いたりゆるんだりずり落ちたりしないように、よく止める。「ボルトで―〔=止める〕/ガラス戸の鍵(かぎ)を―/△ネクタイ(帯・鉢巻)を―〔=解けないようにかたく結ぶ〕/ふんどしをしめて〔=△失敗しない(張り切って何かをする)ように、きびしい態度で〕かかる」 ❸【絞める・《搾める】】〈(なにデ)なにヲ―〉 強い力で押しつけて、絞るようにする。「首を―/鶏(とり)を―〔=首をひねって殺す〕/酢で―〔=酢をしみわたらせて、魚肉などの身がひきしまるようにする〕/(自分で)自分の首を―〔=自分の立場を、自分の言動故に苦しいものとする〕」 ❹〈なにヲ―〉 そこまでを一段落として、決算をする。「〔「手打ち❷」をする意にも用いられる〕「帳簿を―/勘定を―〔=計算する〕」 ⇩しめて 表記 「しめて」は「〆て」とも書く。 運用 ❶は、開店祝いなどに際しては避けるべき言葉とされる。「閉まる❶」も同様。

*__しめ・る__⓪【湿る】(自五)〈(なにデ)―〉 ❶(本来乾いているべきものが)湿り気を帯びる。「湿った△靴(服)」 ❷火や灯火が消える。〔雨風の勢いが静まる意や、沈んだ雰囲気になる意にも用いられる。例、「話が湿りがちになる〔=話がはずまず、とかく話題がとぎれがちになる〕/打線が―〔=バットが快音を発しないままで終わる〕」〕 〔⇩湿り❸〕

しめん①【四面】❶三角錐(すい)などの立体を構成している四つの面。❷そのものを囲む四方の面。「―〔=まわりを全部〕を海に囲まれた日本/五間(けん)―〔=四方〕の堂」 ―そか④【―〈楚歌〉】 敵中に全く孤立すること。〔中国古代、漢の高祖劉邦(りゅうほう)と天下を争った楚の項羽(こうう)は、時に利あらず、垓下(がいか)で漢軍に包囲された。包囲軍の主将は韓信(かんしん)・黥布(げいふ)で、輩下には楚の出身者が多く、夜たまたま楚歌を歌った。それを聞いた項羽は、楚人ことごとく漢軍にくだったものと勘違いをしてなげいたという故事による〕 ―たい⓪【―体】 四つの平面で囲まれた立体。例、三角錐。

しめん①【紙面】❶紙の表面。「―のよごれ」❷手紙。「ご―拝見いたしました」 ❸〔新聞・雑誌で、広告などのページと違って〕記事を載せた面。紙上。「―を割(さ)く/新聞―をにぎわす特種(とくだね)記事」

しめん①【誌面】〔雑誌で、広告などのページと違って〕記事を載せたページ。

*__じめん__①―(ぢ)【地面】❶人が直接その上に立ち座り歩き走ることの出来る土地の表面。「―から一メートル上の所」 ❷所有・利用の対象としての土地。地所。「広い―/―を借りる」 ―し②【―師】 他人の地所を種にして、売買の詐欺をする人。

じめん⓪①【字面】 字づら。「―〔=一つひとつの漢字の意味を合成しただけの、表面的な理解〕だけで判断すると」

しも②【下】〔「したの方」の意〕 ❶〔からだの〕腰の部分以下。〔狭義では、陰部を指す〕 ❷〔上流と違って〕川下。 ❸〔前・初めと違って〕次に来る表現。〔狭義では、和歌の下の句や俳句の最後の句を指す〕「―に〔=あとで〕述べる通り」 ❹身分の卑しい人(のすわるべき場所)。 ❺都から遠い地方。いなか。〔狭義では、西国・九州地方を指した〕 ❻大小便・月経など、人の前で口にするのをはばかる、不浄とされるもの。「―の世話」 ⇩上(かみ)・中(なか)

*__しも__②【霜】 夜間気温が下がった際、空気中の水蒸気が地面や物体に触れて出来る細かな氷。「―が降りる/頭(かしら)に―を戴(いただ)く〔=頭髪が白くなる〕」

しも(副助) ❶それが付く語の意味を強めることを表わす。「これを―否定するか/今―/だれ―」 ❷〔否定表現と呼応して〕部分的に打ち消すことを表わす。「必ず―安全とは

言えない／望み無きに―あらず」

しもいちだん かつよう[7]【下一段活用】〔日本語文法で〕動詞の活用形式の一つ。「加える」「立てる」「埋める」などのように、五十音図のエ段の音から活用するもの。〔口語の「受ける」「流れる」「捨てる」などは、文語では下二段活用。また、文語では「蹴る」一語のみ〕

しもがか・る[4]【下掛かる】(自五) 下品な話になる。「下掛かった話」

しもがこい[3]【霜囲い】 霜よけ。

しもがれ【霜枯れ】 [一][0] ❶霜のために草木が枯れること。❷冬の寒空の寂しい様子。 [二](造語) 動詞「霜枯れる」の連用形。 **―どき**[0][4]【―時】 草や木が霜で枯れる時節。霜枯れ。〔一年のうちで、決まって〕商売の景気の悪い時期の意にも用いられる〕

しもが・れる[4][0]【霜枯れる】(自下一) 草木が霜に当たって枯れる。「霜枯れた冬の野」〔⇩霜枯れ[二]〕

しもき[2]【下期】「下半期」の略。「―の決算」↕上期

しもぎょう[2]【下京】 京都市内の区の一つ。東本願寺・西本願寺・京都駅などがある。「しもきょう」とも。↕上京

じもく[1]【耳目】「耳と目(を通して、何かにかかわったり関心をいだいたりすること)」の意の漢語的表現。「―が注がれる／世界の―を集める／―を聳動させる〔=世間の人の注意を集める〕／―〔=手下〕となって働く／―の欲〔=五欲のうち特に色と声との称〕」

じもく[1]【除目】〔「除」は官を拝する意、「目」は目録の意〕平安時代、大臣以外の諸官を任命した儀式。

しもくずれ[3]【霜崩れ】 しもどけ。

しもぐもり[3]【霜曇り】 霜のおりる予兆として空が曇ること。

しも・げる[3]【霜げる】(自下一) 植物・野菜などが霜にあって、だめになる。

しもご[3]【下五】〔俳句で〕最後の五文字。座五。

しもごえ[0]【下肥】 人の糞尿を肥料にしたもの。

しもざ[0]【下座】〔会などで〕下位の人がすわることになっている席。↕上座

しもじも[2]【下々】 政治権力とは無縁の一般人民。

しもじょちゅう[3]【下女中】 台所その他の雑用をする女中。↕上女中・奥女中

しもせき[0]【下席】〔寄席などで〕その月の下旬〔もとは十六日以後〕の興行。⇩上席・中席

しもたや[0]【仕《舞屋】〔商売をしまった家の意〕商店街に点在する、普通の住宅。「しもうたや[0]」とも。

しもだらい[3]【下〈盥】 ふんどしや腰巻など下の物を洗濯する、専用のたらい。

しもづかえ[3]【下仕え】 昔、高貴の家の雑用をした、身分の低い女性。

しもつかた[3][0]【下つ方】〔雅〕〔「つ」は、「の」の意の文語の助詞〕しもじも。

しもつき[2]【霜月】(陰暦)十一月の異称。

しもて[0][3]【下手】↕上手 ❶川下の方。下流。❷〔芝居で〕観客席から見て左の方の舞台。

しもと〔雅〕 [一][3][0]【〈笞】〔罪人を打つための〕木製の△むち(つえ)。 [二][0]【〈楉】 枝の茂った若い木立。細い枝。

じもと[0]【地元】 ❶その事に直接関係のある△地方(土地)。「―新聞[4]」 ❷自分の住んでいる土地。

しもどけ[0]【霜解け】 霜柱が日光でとけること。しもくずれ。「―水[4]」 表記「霜《融け」とも書く。

しもとり[0][3]【霜取り】 電気冷蔵庫に付いた霜を、熱などで取り去ること。

しもねた[0]【下ねた】〔「ねた」は「たね(種)」の倒語〕性(や排泄)にかかわる下品な話題。

じもの[0]【地物】 その土地の産物。↕旅物

しものく[4]【下の句】〔短歌で〕終りの七七の二句。↕上の句

しもばしら[3]【霜柱】 冬季、土の中の水分が凍って地表を持ち上げて出来る柱状のもの。「―が立つ」

しもはんき[3]【下半期】 決算期などを基準にした、一年の後半の期。↕上半期

しもぶくれ[0][3]【下膨れ】 ほおから下がふくれている△こと(顔)。

しもふり[0]【霜降り】 ❶霜がおりること。❷〔布地などの模様で〕霜がおりたように白い細かい点が一面にある△こと(もの)。❸牛肉に白い脂肪が不規則な網の目のように入りこんでいる△こと(もの)。「―ロース」 ❹魚肉・鳥肉などを、熱湯をくぐらせ、すぐに冷水に通し、表面を白くした刺身。

しもべ[0][3]【《僕・下《部】〔下部の意〕「身分の高い人に、そば近く仕える人」の意の古風な表現。「神の―」

しもやけ[0]【霜焼け】―する(自サ) ❶手足・耳などに部分的に生じる凍傷。「―で手を赤くはらす」〔九州方言では「しもばれ」、日本海沿岸では「ゆきやけ」と言う〕 ❷霜にうたれて、植物の色が変わること。「―した苗」

しもやしき[3]【下屋敷】 江戸在住の大名や旗本が、郊外などに持っていた別邸。⇩上屋敷・中屋敷

しもよ[2]【霜夜】 霜のおりる寒い夜。

しもよけ[0]【霜《除け】 作物や草木を霜に当てないようにするためのよしず・わらのおおい。「霜囲い」とも。

しも・る[2](自五)〔釣りで〕うきなどが沈む。名しもり[3]

しもん[0]【指紋】 手の指先の内側にある、多くの線から成る皮膚上の紋様(の跡)。〔人によって異なり、しかも一生変わらないので、犯人や身元不明の死者の識別に用いられる〕

しもん[0]【試問】―する(他サ) ❶「試験」の古風な表現。❷試験の一環として質問すること。「口頭―」

しもん[0]【諮問】―する(他サ)(政治上の)重要事項の決定や問題解決に先立ち、専門的見解を学識経験者などに尋ねること。「―に答える／大臣の―を受ける／―機関[4]」

じもん[0]【地紋】 布や紙の地に△織り(染め・刷り)出した模様。

じもん[1]【寺門】 ❶寺の門。❷〔古〕「園城寺[1]」の異称。⇩山門❷

じもん[0]【自門】 自分の属する△寺(宗派)。

じもん[0]【自問】―する(自他サ) 自分の△やるべき(やった)事を、自分の課題として△考える(反省する)こと。「どこかに気の緩みは無かったかと―する」 **―じとう**[0]-[0]【―自答】―する(自サ) 自分で問題を出し、自分で答えること。

しゃ〈写・社・車・舎・者・〈洒・砂・射・捨・斜・赦・〈奢・煮・遮・〈藉・謝・〈瀉〉 →【字音語の造語成分】

しゃ[1]【社】「神社・会社・新聞社」の略。⇩【造語成分】

しゃ[1]【舎】「寄宿舎」の略。「―監」⇩【造語成分】

しゃ[1]【射】〔武芸・教養としての〕弓術。「礼、楽、―、御、書、数／―術・騎―」⇩【造語成分】

しゃ[0]【〈紗】 生糸を薄く織った、目の粗い織物。夏の羽織・蚊帳などにする。

しゃ[0]【斜】 ななめ。はす(かい)。「―に構える〔=ⓐ刀を斜めにして構える。ⓑ何かに対し、構え過ぎるほどの姿勢を取る。ⓒ△正面から(正攻法で)対処しないで、皮肉やからかいの態度で臨む〕／―滑降[2]・―線・―陽・―面・傾―」

*__しや__[1]【視野】 ❶一定の位置から(目を動かさないで)見える範囲。❷〔望遠鏡・顕微鏡などで〕レンズに映って見える範囲。❸物の考え方などの及ぶ範囲。「△全人類的(長期

的・国際的)—に立つ/—を広げる/—が狭い」

じゃ(邪・蛇)→【字音語の造語成分】

じゃ(助動・特殊型) 断定の助動詞「だ」の意の古風な表現。また、西日本方言。「それはそう—」 文法 接続は「だ」に準ずる。

じゃ〔「では」の変化〕❶①(接)「それでは・(それ)なら」の口頭語的表現。「—、さようなら/—また」 ❷「…では」の口頭語的表現。「ある—ありませんか/この水を飲ん—いけない/そんな事—だめだ」 運用 ❶は、互いに親しい若い者同士の間では、「じゃ」「じゃ△な(ね)」などの形で、別れの挨拶の言葉として用いられる傾向がある。

じゃ①【邪】不正。よこしま。「—を戒める/—悪・—心・—道・正—」⇩【造語成分】

じゃ①【蛇】(大きな)ヘビ。「—腹・大—」【—の道はへび】同類の(悪)者は互いにその社会の事情に通じている。

ジャー①〔jar=広口の水差し〕魔法瓶式の容器。〔この用法は日本語での特用〕「炊飯—」

ジャーキー①〔jerky〕乾燥肉。「ビーフ—」

ジャーク①〔jerk〕重量挙げの一種目。バーベルを胸の上まで一気に引きあげ、反動を利用して頭上に差し上げる。⇩スナッチ

じゃあく⓪【邪悪】—な 正義を憎み、常に人を困らせ、不幸に陥れることを喜びとする様子。「—な心」 派 —さ⓪

シャークスキン⑤〔sharkskin〕表面をサメ皮のように仕上げた化繊の織物。おもに、夏の婦人服地用。

ジャーゴン①〔jargon〕その社会の人間の間でしか通じないことば。特定の職業集団の通語や学術的な専門用語、また、一部の、若者ことば・学生用語などを指す。

シャーシー①〔フ châssis〕❶車台。❷ラジオ・テレビ・プレーヤーのセットなどを組み立てておく台。シャーシ①とも。

ジャージー①〔jersey〕❶細い毛糸・絹・化繊などを細かいメリヤス編みにした軽くて耐久性のある生地。セーター・ワンピースなどに使う。❷ラグビー・サッカーなどの運動着。多く横縞の柄やはでな色柄。「—を交換する」 ❸トレーニングウエアの汎称。 ❹英国原産の、乳牛の一品種。バター製造に適する。〔❶❷❸は、ジャージとも〕

しゃあしゃあ(副) ❶①—と 水などが勢いよく流れる音。「—と音がする」 ❷③⓪—と —する 普通の人なら恥とすべき事を恥とも思わないで、ずうずうしく平気でいる様子。「どんなに文句を言われようと、—(と)している/顔向け出来ないはずなのに、いけ—と現われた」

じゃあじゃあ①(副)—と 水などが激しく流れ出る音。「乾いた植木鉢に—(と)水を掛ける」

しゃあつかい②—【車扱い】〔鉄道で〕大量の貨物を、貨車一両を単位として輸送する取扱い。

ジャーナリスティック⑥④—に —な〔journalistic〕マスコミ特有である様子だ。〔読者の興味をそそる話題を追求するあまり、時に俗悪に流れかねない風潮を批判する気持も一面に含む〕

ジャーナリスト④〔journalist〕新聞・雑誌のニュース解説や原稿を扱う記者・編集者や、時事問題の△執筆者(解説者)。〔ラジオ・テレビなどについても言う〕

ジャーナリズム④〔journalism〕❶新聞・雑誌・ラジオ・テレビなどの、報道や娯楽機関(の事業)。❷報道や娯楽機関によって作られる、大衆的な文化。

ジャーナル①〔journal〕定期刊行物。〔新聞・週刊誌などの名前、時事評論欄の見出しなどにも付けられる〕

シャープ①〔sharp〕❶—に —な △鋭い(印象が鮮明な)様子だ。「—な切れ味/—な画面」 ❷〔楽譜で〕半音だけ高くする記号。嬰記号。「♯」↕フラット❸ ❸シャープ ペンシルの略。

シャープナー①〔sharpener〕電動式の△鉛筆けずり(包丁とぎ)。

シャープ ペンシル④〔和製英語 ←sharp + pencil エバー・レディ・シャープ(=もと、商標名)ペンシル の省略形〕軸を回したり押したりして、芯を繰り出して使う鉛筆。かぞえ方 一本

シャーベット①〔sherbet〕果物の汁に砂糖などを入れて、半固体状に凍らせた氷菓。「メロン—④」

シャーマニズム④〔shamanism〕シャーマンが神がかりの状態になってする予言・託宣を信じる、原始的宗教の一つ。巫術。シャマニズム③とも。

シャーマン①〔shaman〕特異な精神状態に入って、神霊・精霊などと直接的に接触・交渉し、治療・予言・悪魔祓い・口寄せなどを行なう呪術師。日本では、沖縄地方の「ゆた(=巫女的な存在)」、東北地方の「いたこ」などがその例。

シャーリング⓪① ❶〔shearing=はさみで切ること〕鉄板を、必要な型に合わせて機械で切ること。剪断⓪。❷〔shirring〕〔洋裁で〕ひだ飾り。

シャーレ①〔ド Schale〕医学上の検査や培養に使うふた付きの容器。ガラス製で、浅い円筒形。かぞえ方 一皿

シャイ①—な〔shy=臆病な〕内気な様子だ。「—な人」

しゃい①【社医】その会社の社員の健康診断などをする医者。

しゃい①【謝意】お礼やおわびの気持。「—を表する」

ジャイアント①〔giant〕巨人。「—(=大型)タンカー⑥」

ジャイナきょう⓪—【ジャイナ教】西暦紀元前六世紀にインドに興った宗教。徹底した平和主義・禁欲主義・菜食主義をとり、特に動物の生命を奪うことを極端に戒める。「ジナ教⓪」とも。

ジャイロ① ジャイロコンパス・ジャイロスコープの略。

ジャイロコンパス④〔gyrocompass〕ジャイロスコープを応用した羅針盤。かぞえ方 一基

ジャイロスコープ⑤〔gyroscope〕一定の方向を示す軸を中心に高速度で回転する、円形の物体。羅針盤・船体などの動揺防止用。かぞえ方 一基

しゃいん⓪【社印】❶その会社の公式の印。❷その神社の印。

しゃいん①—【社員】❶その会社に正式に籍があり、そこに勤務する人。❷その社団法人を組織する人。「赤十字社の—」

じゃいん⓪【邪淫】近親相姦や聖職者の姦淫など、社会通念上絶対に認められない情事。

じゃ・う(造語・五型)〔東京方言〕「でしまう」の変化。「そんな事言うと、死ん—から」⇩ちゃう

しゃうん⓪【社運】その会社の運命。「—を賭ける」

しゃえい⓪【車影】△車(自動車)のかげ(=姿)。「あたりに—は無かった」

しゃえい⓪【射影】—する(他サ)〔幾何学で〕一つの平面の外にある図形に光線を当てて、その平面上に影を作ること。また、その影。投影。「—幾何学⑤」

せいー③【正—】〔幾何学で〕一つの△直線(平面)の外にある図形上の各点からその△直線(平面)におろした垂線の足の軌跡。直交射影。〔その△直線(平面)に垂直な平行光線をその図形に当てた時の影と考える〕

しゃえい⓪【斜影】斜めに映る影。

しゃおう①【《沙翁》】「シェークスピア(Shakespeare)〔=十七世紀、英国の劇作家〕」の漢語的表現。「さおう①」とも。

しゃおく①（ヲク）【社屋】 その会社の、事務をとる建物。

しゃおん⓪【遮音】—する（自サ） 音が聞こえて来ないようにさえぎること。「—と防音の出来る構造/—性の悪い建物」

しゃおん⓪【謝恩】—する（自サ） それまでに薫陶やひいきを受けた相手に対して感謝すること。「—会②⓪」

しゃか⓪①【《釈〈迦】「釈迦牟尼仏（ムニブツ）④③」の略。仏教の開祖。〔「釈迦」はもと「能力者」を意味する種族の名、「牟尼」は聖者の意の梵（ボン）語の音訳〕

しゃが①【《著〈莪・〈射干〉・〈〈胡蝶〉花〉】 日陰に群生する多年草。剣状の葉を持ち、四、五月ごろ、アヤメに似た小形の花を開く。白くて紫のぼかしがあり、中心は黄色。やぶしょうぶ③。〔アヤメ科〕 表記 「者我」は借字。「《著〈莪」はそれに草冠を加えたもの。「〈射干〉・〈〈胡蝶〉花〉」は漢語表記。 かぞえ方 一本

ジャガー①〔jaguar〕 ヒョウに似た、アメリカ産の猛獣。トラぐらいの大きさで、からだに斑紋（ハンモン）がある。単独で行動し、木登り・泳ぎが得意。〔ネコ科〕 かぞえ方 一匹・一頭

ジャカード②〔←jacquard（=もと、人名）〕 厚い地の、紋織りの布。ジャガードとも。

****しゃかい**①（クワイ）【社会】 ❶家族や帰属する組織・団体などを単位として生活を営む人びとの集団。〔広義では「ニホンザルの社会」のように人以外の動物についてもいう〕「—の底辺に生きる人たち/—に出る（=社会人になる）/—活動④・—生活・—問題・地域—・実—・学歴—」 ❷職業を同じくする人たちの集団。「作家の—/歌舞伎（カブキ）の—」 **—あく**②【—悪】 普通の意味での社会がある限りは、無くすことの出来ない貧困・公害など。 **—うんどう**（ォ）④【—運動】 ❶社会問題に関する運動。 ❷社会主義的社会を実現しようとして行なう運動。 **—か**⓪（クワ）【—科】 義務教育および高校で人文地理・歴史などを教える学科。 **—かいはつ**④【—開発】 都市・農村・交通・住宅・保健・公衆衛生・教育などを社会的に開発して、福祉の向上をめざすこと。 **—かがく**④（クワー）【—科学】 ❶文化科学の中で、特に、社会学・政治学・法学・経済学などの称。↕人文科学 ❷マルクス主義の立場による経済学など。 **—がく**②【—学】 それぞれの社会の実態調査や史的研究を通じて、組織・構成上の特徴や、個人とのかかわりあいなどを研究する文化科学。〔俗に、社会の実情に関する知識を指す〕 **—きょういく**（ォ）④（ケウー）【—教育】 学校教育・家庭教育と違って社会生活に資することを目的として、広く一般の社会人を対象として行なわれるさまざまな教育啓蒙（ケイモウ）活動の総称。 **—じぎょう**（ォ）④（ゲフ）【—事業】 社会福祉に関する事業。貧困者・被災者の救済や医療保険など。 **—しほん**④【—資本】 国民経済発展の基盤となる、公共の施設。例、道路・鉄道・通信施設・水道・公営住宅など。 **—しゅぎ**④【—主義】 生産手段を社会全体の共有とし、生産物や富を公平に分配することによって、階級差や貧富の差が無い、平等な社会を実現しようとする△主義（社会体制）。⇩資本主義 **—じん**②【—人】 実社会で働いている人。 **—せい**⓪【—性】 ❶集団を作り、その中で生活しようとする性質。 ❷社会生活の中で、めいめいがいかに生きるべきかという問題について考えさせる傾向。 ❸個人・家庭の殻を破り、広く社会の出来事万般に目を開く知的傾向。「—を養う」 ❹個人や特定の組織の枠にとらわれず、社会全般に広くかかわること。「—のある問題」 **—せいかつ**④（クワツ）【—生活】 〔学生生活などと違って〕官公庁・会社・商社などに勤めたり 専門の仕事を通じて生計を立てたり する社会人としての生活。「—を営む/

しゃ

【写】 ❶うつす。「写真・写実」 ❷文書をうつす。「写本・写経・書写・筆写・手写・複写・誤写」 ❸写真・映画をうつす。「写場・映写・接写」

【社】 〔もと、中国で、土地の神の意〕 ❶仕事・交際・レクリエーションなどのために集まった同人。仲間。〔その団体の名称としても用いられる〕「社団・社中・社交・社会・結社」 ❷会社。新聞社。「社長・社債・入社・出社・退社」 ❸神社。「社前・社頭・本社・支社」 ⇩（本文）しゃ【社】

【車】 ❶くるま❶。「車軸・車輪・滑車・水車・風車」 ❷くるま❷。「車体・車庫・電車・汽車・自転車・自動車」 ❸車一台に載せる分量を表わす。「貨物一車分」 ❹自動車・貨車の車両をかぞえる語。「二車線」

【舎】 【一】❶〔住居・住宅ではなく〕だれかが一時期泊まり、使用する建物。「客舎・兵舎・宿舎・官舎・精舎（ショウジャ）・廠舎（ショウシャ）」 ❷特定の使用目的で設立された建物。「校舎・駅舎・飼育舎・獄舎・牛舎・豚舎・庁舎」 ❸自分の家や、家族・親族を言うときの謙譲語。「舎弟・舎兄」 【二】（略） 病舎。畜舎。鶏舎。 ⇩（本文）しゃ【舎】

【者】 ❶何か△をする（の資格のある）人。「使者・役者・医者・学者・勝者・間者（カンジャ）・行者（ギョウジャ）・文学者」 ❷特定の△もの（こと）。「前者・後者・両者・三者・二者択一」

【〈洒】 〔きれいに洗う意〕あかぬけて、さっぱりしている。「洒脱・瀟洒（ショウシャ）」

【砂】 すな。「砂金・土砂・白砂・流砂」 ⇩さ 表記 「〈沙」とも書く。

【射】 ❶ねらって弓をいる。〔かぞえる時にも用いられる〕「射的・射殺」 ❷銃砲をうつ。「射手・射場・発射」 ❸光線や液体・気体を、勢いよく発する。「射出・注射・放射・噴射」 ⇩（本文）しゃ【射】

【捨】 ❶すてる。「捨身・取捨」 ❷惜しみなく人に与える。「喜捨」

【斜】 ⇩（本文）しゃ【斜】

【赦】 罪をゆるす。「赦免・大赦・恩赦・特赦・容赦」

【〈奢】 おごる。ぜいたく。「奢侈（シ）・豪奢」

【煮】 にる。にえる。「煮沸」

【遮】 さえぎる。「遮光・遮断・遮蔽（ヘイ）」

【〈藉】 ❶たよる。かりる。「藉口」 ❷いたわる。なぐさめる。「慰藉料」

【謝】 ❶お礼を述べる。「謝意・感謝」 ❷礼金。報酬。「謝金・月謝・薄謝」 ❸去る。「代謝」 ❹ことわる。「謝絶」 ❺あやまる。「謝罪・陳謝」

【〈瀉】 ❶そそぐ。水がどっと流れる。「瀉血・一瀉千里」 ❷食べた物を吐く。腹がくだる。「吐瀉・水瀉便」

じゃ

【邪】 害のあるものごと。「邪気・邪魔・風邪」 ⇩（本文）じゃ【邪】

【蛇】 ⇩（本文）じゃ【蛇】

ーに入った途端に運動をやめてしまう人が多い」 **ーせいぎ**④【ー正義】人間が社会生活を行なう上で欠く事のできない正しい道理。 **ーせいさく**④【ー政策】勤労者を中心として生じる社会問題を、現在の社会機構の範囲内で改善しようとする政策。 **ーつうねん**④【ー通念】その時代その社会一般の人に支持されている常識や、その枠の内にとどまることが良しとされる判断。「ーに照らす」 **ーてき**⓪【ー的】ーな/ーに 社会全般にかかわるところが大きい様子だ。「ーな影響/ー責任」 **ーなべ**④【ー鍋】救世軍が年末に行なう、貧困者のための街頭募金。 **ーは**⓪【ー派】〔ジャーナリズムや芸術などで〕扱う主題を社会のありようや、そこに生起するさまざまな社会問題に設定するもの。「ーを自任するに足る作品/本格的ー小説」 **ーふくし**⑤④【ー福祉】身体障害者や児童、高齢者をはじめ、生活困窮者など弱い立場にある人たちに対する社会的保護。「ー事業⑦」 **ーふくしし**⑥【ー福祉士】心身に障害のある人や生活環境の上で日常生活に支障のある人などの社会福祉に関する相談を受け、指導や助言を行なう専門家。国家資格として認定されている。 **ーふっき**④【ー復帰】(フクー) ーする(自サ) 病気・けがなどで療養していた人が(全快して)、再び社会生活を始めること。 **ーほけん**④【ー保険】医療保険や雇用保険・年金保険などの類。 **ーほしょう**④(シヤウ)【ー保障】社会保険などによって個人の病中・老後などの不安を除くこと。「ー制度」 **ーみんしゅしゅぎ**⑦【ー民主主義】民主的な議会政治を通じて、漸進的・合法的に社会主義的な制度を実現しようとする△主義(政治運動)。 **ーめん**②【ー面】社会の出来事で、庶民の△生活に関係の深い(関心を呼びそうな)記事を載せる、新聞のページ。 **ーもんだい**④【ー問題】社会生活を営む上の矛盾・不合理から起こる問題。

しゃがい①(グワイ)【社外】❶その会社の外部(の人)。↕社内 ❷その会社の関係者以外。「ー秘②」

ジャガいも⓪【じゃが芋・〈馬鈴〈薯】〔←ジャガタライモ⓪。ジャガタラはジャワ島の地名ジャカルタのオランダなまり(Jacatra)の日本語形〕世界各地に広く栽培される多年草。塊茎は握りこぶし大。煮たりふかしたりして食べる。寒冷地のは美味。また、でんぷんを作る。馬鈴薯(バレイショ)。〔ナス科〕 かぞえ方 一株・一本

しゃかく⓪【写角】⇩カメラアングル

しゃかく⓪【社格】その神社の格式。

じゃかご⓪【蛇籠】筒の形に編んだ籠に石を詰めたもの。護岸や水流をゆるやかにするのに使う。

しゃかさんぞん③【《釈〈迦三尊】シャカとその両側に並ぶ文殊(モンジュ)・普賢(フゲン)二菩薩(ボサツ)の三体。

じゃかじゃか①(副)ーする はでに何かをする様子。〔やや俗語的表現〕「ー飲み食いする」

じゃかすか①(副)ーと 「目を見はるほどの勢いで はでに何かをする様子」の口頭語的表現。「ー投資する/ー金を使う」

しゃかにょらい③【《釈〈迦如来】シャカの尊称。

しゃがみこ・む④【しゃがみ込む】(自五) しゃがんだ(まま動かない)状態にある。「しゃがみこんで立ち上がらない」

しゃが・む⓪(自五) 腰を落とし、ひざを曲げ、尻(シリ)を下げたかっこうをする。

しゃかりき⓪ 全力を挙げて取り組む△こと(様子)。「ーにそのことに取り組む」

しゃがれごえ④⓪(ーゴエ)【〈嗄(れ)声】しわがれ声。「ーを出す」

しゃが・れる⓪【〈嗄れる】(自下一) しわがれる。

しゃかん⓪【車間】車と車との間。 **ーきょり**④【ー距離】走行中の自動車が前を走る自動車との間にとる距離。「十分なーをとる」

しゃかん⓪【舎監】その寄宿舎の監督をする人。

しゃがん⓪【斜眼】「斜視」のやや口頭語的表現。

しゃがん⓪①【〈赭顔】「赤ら顔」の意の古風な表現。

じゃかん⓪(ークワン)【蛇管】❶△放熱(吸熱)面積を大きくするために、らせん状に巻いた管。❷ホース。

しゃき①【社旗】その会社のしるしを表わした旗。

しゃぎ①【謝儀】お礼の気持を△表わすこと(表わした贈り物)。

じゃき①【邪気】❶病気をひき起こすもとになると言われる毒気。「梅干は体内のーを払うと言われる」❷むやみに人を疑ったり事を構えたりする心の傾向。「ーの無い人」

じゃき①【邪鬼】人にとりついて害やたたりをなすといわれる、悪神・怨霊(オンリョウ)・妖怪(ヨウカイ)の類。

シャギー①〔shaggy〕❶毛足の長い毛織物。「ーカーペット」❷髪の毛先を不揃いにする切り方。また、その髪型。

しゃきしゃき ■一①(副)ーと/ーする ❶物を食べたり 切ったりする時に快い△歯ごたえ(手ごたえ)がある様子。「ーした新鮮なレタス」❷見るからに手ぎわよく物事を処理する様子。「ーとした仕事っぷり」 ■二⓪ ーな/ーに 「しゃきしゃき■一❶」に同じ。「このレタスはーだ」

しゃきっと②(副)ーする ❶〔野菜などが〕みずみずしくて歯切れのよい状態である様子。「採れたてのーしたセロリ」❷気持を引き締め、全身に適度の緊張感をみなぎらせている様子。しゃっきり。「背筋をー伸ばす/冷たい外気に触れて気分がーする」

しゃきょう⓪(ーキヤウ)【写経】ーする(自サ)〔故人の冥福(メイフク)を祈ったり 自分の信仰心の証(アカシ)としたりするために〕経文(キョウモン)を書き写すこと。また、その写した経。「古ー・扇面ー」

しゃぎょう①(ーゲフ)【社業】その会社の事業。「ーの隆盛を見る」

じゃきょう⓪(ーケウ)【邪教】〔国教、もしくは公に認められている宗教と違って〕社会の秩序を害するとされる宗教。邪宗。「淫祠(インシ)ーー」

じゃきょく①【邪曲】ーな 人の善意を曲解したり 踏みにじったりして、物事の不成立を喜ぶ様子だ。

しゃきょり②【射距離】射程。

しゃぎり⓪①〔歌舞伎(カブキ)で〕打出しや一幕ごとの終りの合図として太鼓・大太鼓・笛ではやす鳴り物。

しゃきん⓪【砂金】さきん。

しゃきん⓪【謝金】謝礼のお金。礼金。

しゃく(〈勺・尺・石・赤・昔・借・酌・釈・爵)→【字音語の造語成分】

しゃく②【尺】❶たけ。長さ。「ーが長すぎる」❷ものさし。「ーを取る(=実際に寸法を計る)」⇩【造語成分】

しゃく①【〈杓】「ひしゃく」の改まった表現・方言形。

しゃく①⓪【〈笏】〔もとの音は「こつ」。長さ約一尺であるのと、「骨(コツ)」の音に通じるので、忌んで「しゃく」と言う〕束帯で正装した時、右手に持つ薄い板。もとメモをしるし、後にはただ威儀を整えるために持った。現在でも神主が用いる。 かぞえ方 一本

しゃく⓪【酌】酒を杯につぐこと。「(お)ーをする/ー婦・独ー・晩ー・手ー(ジャク)」⇩【造語成分】

しゃく①【釈】❶〔釈は、釈尊の意。仏教創始者の意から転じて、その伝道者を意味した〕仏門に入った人、つまり僧の名の上につけ、姓のように使った語。「ー空海・ー氏・ー門・ー教(シャッキョウ)」❷真宗で戒名の上に添える語。⇩【造語成分】

しゃく①【〈錫】〔もと、「赤銅(シャクドウ)」または「すず」の意〕「錫杖(シャクジョウ)」の略。「ーを駐(ト)める(=行脚(アンギャ)して、そこに一時滞在する)」

しゃく①【爵】〔もと、スズメを象(ド)った酒器の意。古代中国の諸侯が世襲した公・侯・伯・子・男の五つの身分から〕外国の貴族制度にならって明治政府が制定した、華族の世襲的階級。昭和二十年廃止。「—位・栄—・襲—」

しゃく⓪【〈癪〉】 ■一「腹痛・胃けいれんなどのために起こる、胸部・腹部の激痛」の意の古風な表現。■二（—な／—に） いまいましく、怒りを覚える様子だ。「黙っているのも—だが正面きって文句も言えない／うまく立ち回られて—だけれど、反発の手段が無い」**【—に障(サワ)る】** いまいましく思い、いらだちを覚える。「散々自慢話を聞かされ、癪に障ったので、こっちも法螺(ホラ)を吹いてやった」**【—の種】**〔腹の立つ原因、の意から〕いまいましく思い、何とか反撃したくなること。「いつも負かされてばかりいるのが—だ」

しゃく⓪【試薬】 ❶〔化学分析で〕ある物質を検出するのに使う薬品。「分析—」❷ためしに使ってみる、見本の薬。「—品⓪」

じゃく（若・弱・寂・着）→【字音語の造語成分】

じゃく①【弱】 ↕強 ❶〔他に比べて〕力や順位がより下の△もの(人)。「冷房を—にする」❷〔接尾語的に〕単位量の整数倍に何某か足りないことを表わす語。「一会社まで徒歩で一時間—かかる」⇩【造語成分】

じゃく①【寂】〔もと、釈尊の死の意〕僧の死去。「帰—・示—・入—」⇩【造語成分】じゃく・せき

じゃく⓪（—ヂ）**【持薬】** ❶いつも服用する薬。❷用心のためいつも持って歩く薬。

しゃくい①（—ヰ）**【爵位】** 爵という称号。「—を持つ富豪」

しゃく・う⓪（シヤクフ）**【〈杓う〉】**（他五）「掬(クス)う」意の口頭語的表現。

じゃくおん②⓪【弱音】 ❶弱い音。❷音を弱くすること。「—器③」

しゃくぎ①【釈義】 文章・語句などの意義を説き△あかすこと(あかしたもの)。

しゃくざい⓪【借財】—する（自サ） 他から借りている財物。

じゃくさん⓪【弱酸】 酸性の度合が弱い酸。例、炭酸・硫化水素など。↕強酸

しゃくし①【〈杓子〉】 御飯をよそったり みそしる・すましなどをすくったりする、柄の付いた道具。〔現在では、前者を「しゃもじ」、後者を「お玉杓子」と言う〕「飯—(メシジャクシ)・貝—(カイジャクシ)」［かぞえ方］一本 **—じょうぎ④**（—ヂヤウギ）**【—定規】**—に 〔曲がっている昔の杓子の柄を定規にするように〕ほかには通用しないただ一つの標準ですべてを決めようとする、融通のきかない△やり方(態度)。**—な⓪③【—菜】** 畑に作る多年草。しゃもじ形の大きな葉は肉が厚く、漬物にする。体菜。〔アブラナ科〕［かぞえ方］一本

しゃくし①【釈氏】〔「釈」は、釈尊の意〕❶シャカの意の軽い敬意をこめた表現。❷仏門に入り、釈何某と呼ばれる人。つまり、僧。［表記］❷は、「釈子」とも書く。

しゃくじ⓪【借字】 中国人・日本人など、漢字を使用する民族が、外国語や外来語を、耳で聞いた印象に従って写す時に用いた方法。漢字の意義に関係無く、一字で△一音(数音)を写すもの。梵(ボン)語の音訳や万葉仮名など。〔広義では、正字の△無いもの(代り)に漢字を適宜あてる方法をも指す〕↕正字

じゃくし①【弱志】 おかれた状況などに左右されやすい、弱い意志。

じゃくし⓪【弱視】 ❶視力の衰えた△こと(目)。❷先天的に視力が弱い△こと(目)。

しゃくじめ⓪【尺〆】 木材の取引の単位。一尺(=約三〇センチ)角で長さ二間(=約三・六メートル)。

じゃくしゃ①【弱者】 力関係で弱い立場にあるもの。↕強者

しゃくしゃく⓪【〈綽々〉】—たる／—と まわりの状況に引きずられてあせったりせず、自分のペースを守って△いる(何かをする)様子だ。「余裕—」

じゃくじゃく⓪【寂々】—たる／—と ❶物音が聞こえず、ひっそりしている様子だ。❷心を煩わさない様子だ。「空々(クウクウ)—」

じゃくしゅう①（—シウ）**【若州】**「若狭(ワカサノ)国」の漢語的表現。今の福井県西部にあたる。

しゃくしょ②【市役所】 その市の事務を取り扱う役所。

しゃくじょう⓪（—ヂヤウ）**【〈錫杖〉】** 僧・修験者(シュゲンジャ)の持ち歩くつえ。頭部に鐶(カン)があり、それに数個の小さな鉄の輪をつける。［かぞえ方］一本

じゃくしょう⓪（—セウ）**【弱小】**—な ❶勢いが無くて△他に対抗出来ない(物の用に立たない)様子だ。「—国家⑤」↕強大 ❷「年少」の意の古風な表現。［派］**—さ⓪**

じゃくじょう⓪（—ジヤウ）**【寂静】**〔仏教で〕心身一切の欲望を離れ、静かに悟りを得ようとする境地。

しゃくしん⓪【尺進】 △一尺(わずかな距離を)進むこと。

しゃく

［〈勺〉］ ❶尺貫法における単位で、一合の十分の一を表わす。Ⓐ土地の面積の単位。約三三〇・六平方センチメートル。Ⓑ容積の単位。約一八ミリリットル。❷山の道程で、一合の十分の一。

［尺］ 尺貫法における長さの基本単位。〔曲尺(カネジャク)の場合〕三十三分の十メートル(=約三〇・三〇三センチ)に等しい。〔鯨尺(クジラジャク)の場合は約三七・八八センチ〕「一尺は十寸／一間(イッケン)は六尺／一丈(イチジョウ)は十尺」⇩(本文)しゃく【尺】

［石］ いし。「磁石」⇩せき

［赤］ あかい。「赤(シャッ)光・赤銅」⇩せき

［昔］ むかし。「今昔(コンジャク)」⇩せき

［借］ かりる。「借財・借用・借款(シャッカン)・借銭・貸借・拝借・寸借」↕貸(タイ)

［酌］ 事情をいろいろ考えてあんばいする。「酌量・参酌・斟(シン)酌・媒酌」⇩(本文)しゃく【酌】

［釈］ ❶難語句の意味を説明する。「釈義・解釈・注釈・評釈」❷事情を説明する。「釈明」❸〔説明されて〕疑いが晴れる。「釈然としない」❹溶かし薄める。「希釈」❺いましめを許す。「釈放・保釈」⇩(本文)しゃく【釈】

［爵］ ⇩(本文)しゃく【爵】

じゃく

［若］ ■一❶わかい。「若年・若輩」❷状態を表わす語をつくる助字。「自若・瞠(ドウ)若」■二（略） 若狭(ワカサノ)国。「若州」

［弱］ ❶よわい。「弱志・弱者・弱小・弱体・弱点・弱肉強食・強弱・虚弱・衰弱・軟弱・病弱」↕強 ❷若い。「弱年・弱輩・弱冠(ジャッカン)・老弱」⇩(本文)じゃく【弱】

［寂］ 声が無く、静まり返っている。「寂寞(ジャクマク)・閑寂・静寂」⇩(本文)じゃく【寂】

［着］（ヂヤク） くっついて離れないでいる。「愛着(アイジャク／アイチャク)・執着(シュウジャク／シュウチャク)」⇩ちゃく

【—あって寸退無し】一尺進むことはあっても、一寸も退くことは無い。進むことだけ考えて退くことは考えないということ。

じゃくしん⓪【弱震】戸・障子が音を立て、電灯の線などが揺れ、柱時計が止まる程度の地震。現在の震度3にほぼ相当する。⇩震度

しゃく・する③【釈する】（他サ）解釈する。

じゃく・する③【寂する】（自サ）（僧が）死ぬこと。

しゃくすん⓪【尺寸】土地がわずかしか無い形容。

しゃくせん③⓪【借銭】「借金」の意の古語的表現。

しゃくぜん⓪【釈然】—たる —と 心の中のこだわりが消えて、すっかり打ち解ける様子だ。「—としない/—とした気分になって再び語り始めた」

しゃくぜん⓪【〈綽然】—たる —と 〔「綽」は、ゆったりとしたさまの意〕落ち着いて余裕のある様子だ。

じゃくそつ⓪【弱卒】いざという時に役に立たない（臆病（オクビョウ）な）兵隊。「勇将の下（モト）に—無し」

しゃくそん⓪【釈尊】シャカに対する尊敬語。

しゃくだい⓪【釈台】講談を語る講釈師が前に置く台。

じゃくたい⓪【弱体】—な 体制が不十分で、難局を乗り切れないように思われる様子だ。「—化⓪」 派—さ⓪

しゃくち①【尺地】「ほんのわずかな土地」の意の古風な表現。「せきち」とも。

しゃくち⓪【借地】—する（自サ）土地を借りること。また、その借りた土地。「—権③・—料③・—人⓪」

じゃぐち⓪【蛇口】水を出すために水道管などの先に取りつけた、金属製の口。カラン。 かぞえ方 一本

じゃくてき⓪【弱敵】弱い△敵（競争相手）。「—と見て侮らず」↕強敵

じゃくてん③【弱点】そこを突かれると困る点。ウイーク ポイント。「—を△さらけ出す（露呈する）/相手の—（＝弱み）をつかむ」

じゃくでん⓪【弱電】〔電気工学で〕通信・家庭などで使う程度の、弱い電力。「—部門⑤・—機器⑤」↕強電

＊**しゃくど**①【尺度】〔「ものさし」の意〕計量・評価の標準。

しゃくどう⓪②【赤銅】銅に、わずかの金と銀を加えた合金。「—色（ロイ）⓪（＝紫がかった黒色）」

じゃくどく⓪【弱毒】毒性や病気の原因となる性質を△弱めること（弱めたもの）。「—ワクチン⑤」

しゃくとりむし④【尺取（り）虫】「シャクトリガ④」科の昆虫の幼虫。歩く時、反物の寸法を取るように、からだを屈伸させて進む。 かぞえ方 一匹

しゃくなげ⓪【石南《花・石〈楠《花】高山に生える常緑低木。初夏、薄赤色の花を開く。白色・黄色の種類もある。〔ツツジ科〕 かぞえ方 一株・一本

じゃくにくきょうしょく⓪-⓪【弱肉強食】〔弱い者が強い者に征服される意〕弱者を滅ぼして強者だけが栄えること。

しゃくにゅう⓪【借入】—する（自他サ）金融機関などからお金を借り入れること。「—金⓪」

しゃくねつ⓪【〈灼熱】—する（自他サ）〔「灼」は焼ける意〕金属が熱せられて赤くなること。また、金属を熱して赤くすること。〔酷暑や熱烈な恋愛などの意にも用いられる〕「—の（＝ぎらぎらと輝き、ひどい あつさが身を焦がすばかりの）太陽」

じゃくねん⓪【若年・弱年】〔「若年」は、「弱年」の日本的用字〕❶年齢が若い△こと（者）。「—性高血圧症」❷人を年齢によって分けた区分の一つ。〔中高年者から見て〕少年後期以降 青壮年期にある人たちの称。弱齢。〔社会人としての経験が（まだ）浅い意味で言う〕

じゃくねん⓪【寂然】—たる —と 「せきぜん」の古風な表現。

じゃくはい⓪【若輩・弱輩】〔日本における造語。「弱輩」は、それの中国風用字〕年が若かったりして、未熟な者。〔若い人が、自分の謙称としても用いる〕

しゃくはち⓪【尺八】マダケなどの根に近い部分で作った縦笛。長さ一尺八寸（＝約五五センチ）で、前に四つ、後ろに一つの穴がある。 かぞえ方 一本・一管（カン）

しゃくふ①【酌婦】かつて下級料理屋で酒の酌など客の接待をした女性。

しゃくぶく⓪【《折伏】—する（他サ）迷ったり疑ったり 攻撃したりして自分の宗派に従わない人たちを、説法・祈禱（キトウ）などの力で屈服させること。

しゃくほう⓪【釈放】—する（他サ）捕らえられていた人を許して、自由にしてやること。「身柄を—する/仮—」

しゃくま⓪【借間】間借りすること。また、その部屋。

しゃぐま⓪【《赤熊・〈赭熊】❶ヤクのしっぽの毛を赤く染めたもの。払子（ホッス）や旗・槍（ヤリ）・兜（カブト）の飾りに使う。⇩白熊（ハグマ） ❷縮れ毛で作った入れ毛。

じゃくまく⓪【寂〈寞】—たる —と 「せきばく」の古語的表現。

しゃくみょう⓪【《惜命】命を大事に△する（して、健康に注意する）こと。

しゃく・む⓪（自五）「中がくぼむ・しゃくれる」の古風な表現。

しゃくめい⓪【釈明】—する（他サ）非難などに対して、そう△せざるを得なかった（なってしまった）事情を説明して、相手に了解を求めること。

じゃくめつ⓪【寂滅】〔仏教で〕すべての迷い・悩みから離脱し、真の意味で自由になった理想的境地。〔「死・消滅」の意の婉曲（エンキョク）表現としても用いられる〕「—為楽（イラク）」

しゃくもち⓪④【〈癪持（ち）】持病に「癪」がある△こと（人）。

しゃくもん⓪【借問】—する（他サ）〔「しゃもん」の現代風の読み。「借」は、仮にの意〕それでは聞いてみるが、とたたみかけるように尋ねること。

しゃくもん⓪【釈門】仏門（に入った人）。僧。

しゃくや⓪【借家】借りて住む家。しゃっか。 かぞえ方 一軒

—にん⓪【—人】（その）家を借りて住んでいる人。

しゃくやく⓪【〈芍薬】庭に植える、中国原産の多年草。初夏、ボタンに似た、大形で美しい花を開く。色は白・紅など。根は漢方薬用。〔ボタン科〕 かぞえ方 一株・一本

じゃくやく⓪【〈雀躍】—する（自サ）うれしくて こおどりすること。また、そのしぐさ。⇩欣喜（キンキ）

しゃくよ①⓪【尺余】一尺余り。「—に及ぶ」

しゃくよう⓪【借用】—する（他サ）元来他人の所有に属する金や物を、一時期その人の自由な使用に任せることを認めてもらうこと。「—証⓪③」

じゃくら①【〈雀羅】「スズメなど小鳥を捕らえる網」の意の漢語的表現。

【門前—を張る】⇩門前

ジャグラー①〔juggler〕ジャグリングをする人。

しゃくらん⓪【借覧】—する（他サ）本などを借りて読むこと。

しゃくりあ・げる⑤【〈噦（り）上げる】（自下一）肩のあたりを大きく上下させ、息をせわしく吸い込む動作を何度も繰り返しては、激しく泣く。

しゃくりなき⓪【〈噦（り）泣（き）】しゃくりあげて泣くこと。

しゃくりょう②⓪【借料】「借り賃」の意の漢語的表現。

しゃくりょう⓪【酌量】—する（他サ）事情を△くみとる（くみとって手加減をする）こと。「情状—の余地△が残される（無し）」

ジャグリング⓪①〔juggling〕ボールやナイフなどの小道具

しゃく・る[0]【《決る・〈抉る・〈剔る】（他五）〔「杓る」の意〕❶貝じゃくしが くぼんでいるような状態に、木などを削る。❷〔水などを〕すくう。❸すくうように上に向ける。「あごを—」 表記 「〈杓る」とも書く。

じゃくれい[0]【弱齢・若齢】〔「若齢」は、「弱齢」の日本的用字〕「若年」の意の漢語的表現。

しゃく・れる[0]【《決れる・〈抉れる】（自下一） 何かのまん中が くぼんだように へこむ。「あごが—」 表記 「〈杓れる」とも書く。

しゃくろく[0]【爵〈禄】 高い身分を示す位と俸禄。

しゃくん[0]【社訓】〔その会社で〕社員が守るべき方針として決めてあるもの。

しゃけ[1] 食用にする魚のサケ。

しゃけ[1]【社家】 代々神官をしている家柄。

しゃけい[0]【舎兄】「自分の兄」の意の古風な表現。家兄。〔もと「しゃきょう」と言った〕↔舎弟

しゃげき[0]【射撃】—する（他サ） 目標をねらって、銃砲のたまをうつこと。

しゃけつ[0]【〈瀉血】—する（自サ） 高血圧・脚気衝心などの患者の静脈から余分な血液を採り出して治療すること。

ジャケツ[0]〔ジャケットと同源で、昭和初期まで行なわれた形〕毛糸で編んだカーディガン。

ジャケット[1][2][0]〔jacket〕❶ワイシャツ・ブラウス・ワンピースなどの上に着る、前開きで短いコート風の上着の総称。種類が多く、タキシード・ブレザー・ウインドヤッケもその一類。❷本やレコード・CDが むき出しにならないように おおい包むカバーや袋。 かぞえ方 ❶は一枚・一点・一着

しゃけん[0]【車券】〔競輪で〕優勝者に賭けるために買う券。〔正式には、「勝者投票券[1]-[3]」〕 かぞえ方 一枚

しゃけん[0]【車検】〔←車両検査〕保安基準に合っているかどうかの、自動車の定期検査。「—証[0]」

じゃけん[0]【邪見】〔もと、仏教語で、因果の道理を無視した考え方の意〕まちがった考え方。

じゃけん[1]【邪険・邪〈慳】—な —に 〔「邪見」の変化、「慳」は物を惜しむ意〕人の気持をくみ取らないで、荒っぽく意地悪くする様子だ。

しゃこ[1] ㊀【〈硨磲〉】 沖縄・台湾などでとれる、大形の二枚貝。貝殻は厚く、ふちは波うっている。七宝の一つ。〔シャコガイ科〕 かぞえ方 一枚 ㊁【〈蝦蛄〉】 エビに似た小動物。日本の東海岸の浅い海の泥の中にすみ、色は青みを帯びた薄茶色。食用。〔シャコ科〕 かぞえ方 一匹 ㊂【〈鷓鴣〉】 中国にすむ、ウズラより少し大形の鳥。〔キジ科〕 かぞえ方 一羽

しゃこ[1]【車庫】 汽車・電車・自動車などを入れておく建物。 かぞえ方 一棟

じゃこ[1]【〈雑魚〉】❶ざこ。❷「だしじゃこ」の略。

しゃこう[0]【社交】 その社会で生きていく上に必要な、人とのつきあい。「—上[0]・—場[0]・—辞令[4]」 **—か**[0]【—家】 人とつきあうことが△好きな（上手な）人。 **—かい**[2]【—界】〔西欧の社会で〕上流社会を自認する特定のグループによって形成される、排他的な社会。 **—せい**[0]【—性】❶社交の△好き（上手）な性質。❷社会を形づくろうとする、人間の特性。 **—ダンス**[4] ⇩ダンス **—てき**[0]【—的】—な —に ほかの人と上手に つきあう様子だ。

しゃこう[0]【車高】 自動車のタイヤの接地面から屋根までの高さ。「—制限[4]」

しゃこう[0]【射幸・射〈倖】〔「倖」は幸と同義〕なまけ者が自力で働かず、賭博やそれに類似の行為で一攫千金を夢見ること。「—心をあおりたてる」

しゃこう[0]【斜光】 斜めに△さす（さしこむ）光線。

しゃこう[0]【斜坑】 鉱山や炭坑で斜めに掘った坑道。

しゃこう[0]【遮光】—する（自サ） 光をさえぎること。「—幕[2]」

しゃこう[0]【〈藉口】—する（自サ）〔「藉」は借りる意〕口実を△作って言う（借りる）こと。「病気に—して欠席する」

じゃこう[0]【〈麝香】 ジャコウジカの雄の分泌物からとる香料。 **—じか**[2]【—鹿】 中央アジア・中国東北部などにすむ中形の哺乳動物。黒茶色で、角は無い。雄の下腹部にある鶏卵大・袋状の腺から分泌する黒茶色の液を乾かしたものから上質の香料をとる。〔ジャコウジカ科〕 かぞえ方 一匹・一頭

しゃこく[0]【社告】—する（他サ） 会社・新聞社などが世間の人に出す知らせ。

シャコンヌ[2]〔フ chaconne〕 三拍子のゆるやかな、スペイン風のダンス曲。

しゃざ[1]【射座】 射撃をする位置。「—に入る」

しゃさい[0]【社債】 会社が資金を得るために一定の手続きを経て発行する債務証券。

しゃざい[0]【謝罪】—する（自他サ） 犯した罪や過ちを あやまること。

しゃざい[0]【〈瀉剤】「下剤」の意の古風な表現。

しゃさつ[0]【射殺】—する（他サ） 銃・ピストルなどで、うち殺すこと。

しゃし[1]【社司】 かんぬし。〔狭義では、県社・郷社などの神職を指した〕

しゃし[1]【社史】 その会社の、創立以来の歴史（を書いた本）。

しゃし[1]【斜視】「やぶにらみ」の意の漢語的表現。

しゃし[1]【〈奢侈〉】〔「奢」も「侈」も、おごる意〕△必要（身分）以上のぜいたく。「—品[0]」

しゃじ[1]【社寺】「神社と寺」の意の総称。

しゃじ[1]【謝辞】 △お礼（おわび）の言葉。

しゃじく[0]【車軸】 車の△軸（心棒）。【—を流す】大雨の形容。〔もとは、「車軸のごとし」と言った〕

しゃじせい[2]【写字生】 お経や写本・文書の文字を写すことを職業とする人。

しゃしつ[0]【車室】 電車・列車の、乗客用の車両。

しゃじつ[0]【写実】—する（他サ） 実際の状態を飾らずに文章・絵画などに表現すること。 **—しゅぎ**[4]【—主義】〔理想主義などと違って〕理想化しない人間の真実の姿をありのままに描写しようとする、芸術上の立場。リアリズム。 **—てき**[0]【—的】—な —に 抽象化したり 粉飾を加えたり せずに、事実が描写してある様子だ。リアリスティック。

しゃじつ[0]【社日】 春分・秋分に一番近い戊の日。「しゃにち」とも。〔昔、土の神を祭り、春は穀物の生育を祈り、秋は収穫を感謝した〕

じゃじゃうま[0]【じゃじゃ馬】〔あばれ馬の意〕勝ち気で、奔放・自在にふるまう女性。「—ならし[5]」

しゃしゃらくらく[1]-[0]【〈洒々〉落々】—たる —と 「洒落」の強調表現。

しゃしゃり・でる[4]【しゃしゃり出る】（自下一） 分をわきまえずに、あつかましく前へ出る。出しゃばる。「社長の前にしゃしゃり出て おせじを言う」

しゃしゅ[1]【社主】 その会社の大株主で、支配的な力を持つ人（の称）。

しゃしゅ[1] ㊀【車首】 自動車の前部。 ㊁【車種】〔用途や型などで分けた〕自動車の種類。

しゃしゅ[1]【射手】「いて・うちて」の漢語的表現。

じゃしゅう[0]【邪宗】〔その国に新しく入って来たり 新た

に起こったりして〕人心を惑わし、治安に害を与えるとされる宗教。邪宗門②。〔日本では特に江戸時代、キリスト教を指した〕

しゃしゅつ⓪【射出】―する（自他サ）❶矢・弾丸などを発射すること。〔広義では、航空機をカタパルトで発進させることをも含む〕❷水などを細い穴から勢いよく出すこと。❸一点から放射状に△出る（出す）こと。

しゃじゅつ①【射術】「弓術」の意の古風な表現。

しゃしょう⓪（シヤウ）【社章】その会社・結社などの記章。

しゃしょう⓪（シヤウ）【車掌】列車・電車・バスなどで、車内の事務・発車の合図などを受け持つ乗務員。「専務―④」

しゃしょう⓪（シヤウ）【捨象】―する（他サ）物事を論じる際に、本質的でないととらえられる部分を無視すること。「子供の個性を―しては教育の本質を論じられない」⇩抽象

しゃじょう⓪（ヂヤウ）【写場】写真屋（の、写真を写す部屋）。スタジオ。

しゃじょう⓪（ジヤウ）【車上】走っている車の中。【―の人となる】その乗り物に乗る。 **―あらし**④【―荒らし】駐車している車の中の品物を盗むこと。車上どろ④。車上ねらい④。

しゃじょう⓪（ヂヤウ）【射場】❶弓を射る場所。❷射撃場。

しゃじょう⓪（ジヤウ）【謝状】△お礼（おわび）の手紙。

しゃしょく⓪【写植】「写真植字」の略。

しゃしょく⓪①【社〈稷】〔土地の神と五穀の神の意〕「国家」の意の古風な表現。 **―のしん**⓪-①、①-①【―の臣】国家の重臣。

***しゃしん**⓪【写真】〔もと、肖像画の意〕写真機で写して印画紙に焼き付けたりメモリーカードに記録したりしたもの。〔広義では、映画を含む〕「野の花の―を撮る/原寸大の―に撮る/記念に―に撮る/―班②・―館②・―電送」 かぞえ方 印画については一枚・一葉（ヨウ）・一点 **―うつり**④【―写り】写真を撮った時の写り方。「―がいい/―のよくない顔」 **―か**⓪【―家】芸術としての写真を撮ることをライフワークとする人。 **―き**②【―機】レンズを使って、フィルム・乾板（カンパン）・撮像素子に人や景色などを写す機械。カメラ。 かぞえ方 一台 **―しょくじ**④【―植字】活字を用いず、一文字ずつ写真をとって印刷版の元を作る△こと（方法）。略して「写植」。 **―ばん**⓪【―版】亜鉛・銅などの表面に写真を焼き付けて作った印刷版。 かぞえ方 一枚 **―や**⓪【―屋】対象を選ぶこと無く、委託撮影を業とする人（の店）。

しゃしん【車身】〔接尾語的に〕〔自転車競技などで〕自転車一台分の長さ。「一―の差をつける」

しゃしん⓪【捨身】❶俗界を捨て仏門に入ること。出家。❷仏法を求めたり悩み苦しむ人たちを救ったりするために、自分の身命を投げ出すこと。

じゃしん⓪【邪心】人を陥れようとしたり自分だけうまい事をしようとしたり する、よくない心。

じゃしん⓪【邪神】人間に災いをもたらす、悪い神。

ジャス①【JAS】〔←Japanese Agricultural Standard〕日本農林規格。農・林・水・畜産物とその加工品を対象とする国家規格。また、それに適（カナ）っていることを表わすマーク（=JAS）。⇩ジス

ジャズ①〔jazz〕アメリカ黒人のダンス音楽から起こった、軽快なリズムの音楽。即興性を持つ。「―バンド③・モダン―④・―ダンス③」

じゃすい⓪【邪推】―する（他サ）他人のした行いを、悪意でしたように△ひがんで推察する（疑ってかかる）こと。

ジャスダック①【JASDAQ】〔←Japan Association of Securities Dealers Automated Quotations〕東京証券取引所が運営する、新興企業・ベンチャー企業向けの株式市場。

ジャスティファイ①―する（他サ）〔justify〕正当だと理由づけること。正当化すること。

ジャスト①〔just〕時計など、計器の針が△単位量（きりのいい量）のちょうど整数倍を示すこと。「九時―（=きっかり）だ/二十枚―」

ジャストミート④〔和製英語←just + meet〕〔野球で〕バットの真っ芯（シン）に当てて打つこと。

ジャスミン①〔jasmine〕ソケイ・マツリ・オウバイなど芳香のある花を持つ低木の総称。また、それらの花から採った香料。〔モクセイ科〕

しゃ・する②【謝する】■一（自サ）いとまごいをして、立ち去る。■二（他サ）❶あやまる。「無礼を―」❷礼を言う。「厚意を―」❸断わる。「申し出を―」 謝す①（五）。

しゃぜ①【社是】その会社としての、経営の根本方針（を示した言葉）。

しゃせい⓪【写生】―する（他サ）❶〔もと、生物を写す意〕自分の目で見た物を、その物に近いと他の人が素直に受け取るような形で写すこと。スケッチ。「―画⓪・―文②⓪」❷生命の動きを写すこと。「短歌―の説」

しゃせい⓪【射精】―する（自サ）精液を勢いよく出すこと。

しゃせいご⓪【写声語】「擬声語」の異称。

しゃせつ⓪【社説】その新聞社の主張として載せる論説。

しゃぜつ⓪【謝絶】―する（他サ）〔相手の申し出に対して〕都合が悪いからと言って断わること。「面会―⓪-⓪」

じゃせつ⓪【邪説】人を迷わす、まちがった説。

しゃせん⓪【社線】〔←会社線⓪〕民間の会社で経営する鉄道・バスの路線。

しゃせん⓪【車線】同時に何台か並行して走れる自動車道路で、それぞれの車の走るべき範囲（を示す区分）。〔かぞえる場合にも用いられる〕「―を守る/―区分/片側四―の高速道路」

しゃせん⓪【斜線】斜めに引いた線分。

しゃそう⓪（サウ）【社葬】会社の費用で営む葬式。

しゃそう⓪【社僧】昔、神宮寺（ジングウジ）に居た僧。

しゃそう⓪（サウ）【車窓】（外がながめられる）乗っている車の窓。「―の景色」

しゃそく⓪【社則】会社の規則。

しゃたい⓪【車体】〔車両の〕△乗客（荷物）を載せる部分。

しゃたい⓪【斜体】〔活字・写真植字で、上下に垂直に立つ普通の字体〔=立体〕と違って〕△右傾（左傾）している字体の称。⇩イタリック

しゃだい⓪【車台】❶車体をささえる台。シャーシー。❷「自動車」の意の通語。「―の増加/全―数」

じゃたい⓪【蛇体】ヘビの△形（からだ）。

しゃたく⓪【社宅】会社がその社員を住まわせるために建ててある家。

しゃだつ⓪【〈洒脱】―な 何げ無くふるまう言動や軽いタッチの文章・書画の中に人を引きつける脱俗の風格が感じ取られる様子だ。「―な態度/軽妙―・―味⓪③」

しゃだん⓪【社団】一定の目的のために設立された団体。 **―ほうじん**④（ハフ）【―法人】法律により法人として認められた社団。公益社団法人と一般社団法人とがある。⇩財団法人

しゃだん⓪【遮断】―する（他サ）流れを、そこでぴったりと止めること。「退路を―される/交通―⑤、⓪-⓪」 **―き**②【―機】踏切に備えつけて、列車や電車の通る時に、人や車を横切らせないようにする設備。「―が△上がる（下りる）/―を

くぐるな」 かぞえ方 一台・一機

しゃち①【〈鯱〉】❶海にすむ大きな哺乳類。雄の背びれは長大。肉食で、クジラをも襲う。さかまた。〔マイルカ科〕 ❷「しゃちほこ」の略。 かぞえ方 ❶は一匹

じゃち①【邪知・邪〈智〉】「わるぢえ」の意の漢語的表現。

しゃちこば・る④【〈鯱張る〉】(自五)「しゃちほこばる」の意のくだけた口頭語的表現。

しゃちほこ⓪【〈鯱・〈鯱鉾〉】頭はトラに似、背にとげのある、想像上の魚。倒立したものを、屋根の棟(ネム)の両はしに取りつける。略して「しゃち」。 **ーだち**⓪【ー立(ち)】ーする(自サ)さかだち。〔口頭語では「しゃっちょこだち⓪」とも言う〕「ーしても〔=出来ないところを、全力を出して努力しても〕」 **ーば・る**⑤【ー張る】(自五)〔鯱のようにいかめしく構える意〕ほかの人を寄せつけまい、自分の権威を侵されまい、絶対失敗しまいなどと緊張して硬くなる。〔口頭語では、「しゃちこばる・しゃっちょこばる」などとも〕

しゃちゅう①【社中】❶その会社の建物などの内。❷同じ結社の仲間。〔狭義では、邦楽などで同門の仲間を指す〕

しゃちゅう①【車中】その人が乗っている、列車・自動車などの中。 **ーだん**②【ー談】大臣・政党の幹部などが遊説先の列車の中で行なう、非公式の談話。 **ーはく**②【ー泊】ーする(自サ) 列車・自動車などの中で夜を過ごすこと。「ーの旅」

しゃちょう⓪(チヤウ)【社長】会社を代表する最高責任者。株式会社では、代表取締役であることが多い。

しゃちょうきょう⓪(チヤウケウ)【斜張橋】橋の上の塔から斜めに張ったケーブルで橋桁(ハシゲタ)を支えるように造った橋。例、「横浜ベイブリッジ」など。

しゃちょく⓪【写《植》】「写真植字」の、業界における略称。

*__シャツ__①〔shirt の日本語形〕洋風の「上着❷」の下に着るもの。〔広義では、人前に出ても恥ずかしくないようにデザインされたものをも指す。例、ポロシャツや一部のワイシャツなど〕「アンダーー・Tー」 かぞえ方 一枚

しゃっか⓪(シャク)【借家】しゃくや。「借地ー法⓪-⓪」

じゃっか⓪(ジャククワ)【弱化】ーする(自他サ)力など△が弱くなる(を弱くする)こと。「体質がーする」↔強化

ジャッカル①〔jackal〕欧州南東部などにすむ、オオカミに似て小形の動物。夜行性で、死肉や果実などを食べる。〔イヌ科〕 かぞえ方 一匹

しゃっかん⓪(シャククワン)【借款】〔「款」は誠・信用の意〕国と国との間の貸し借り。借金(の取りまとめ)。「対日ー」

じゃっかん⓪(ジャク)【若干】〔「若」は未定の意、「干」は箇の意〕そう むやみに多くはないが、ある程度の数量には上(ノボ)るということを表わす語。「不審の点がー〔=何ほどか〕ある/ーの増減はやむを得ない/ー名③⓪〔=何人か〕・ー量③⓪〔=幾らかの分量〕」

じゃっかん⓪(ジャククワン)【弱冠】〔「弱」は二十歳の意〕二十歳ぐらいの△若さ(若い人)。 表記 「若冠」と書くのは誤り。

しゃっかんほう⓪(シャククワンハフ)【尺貫法】長さに尺、重さに貫、体積に升を基本単位とする、日本在来の度量衡法。〔昭和三十四年からメートル法に変わり、その後原則として国際単位系に変更された〕

ジャッキ①〔jack〕小さい力で重い物を垂直に持ち上げる器具。ねじ・歯車や水圧・油圧などを利用し、自動車のタイヤ交換や家屋の移転などに用いる。「ーアップ④」 かぞえ方 一基

じゃっき①(ジャク)【〈惹起〉】ーする(他サ)〔「惹」は引く意〕〔事件・問題などを〕引きおこすこと。

じゃっきゅう⓪(ジャクキウ)【若朽】〔「老朽」のもじりで〕若いくせに覇気が無く、役に立たない△こと(人)。

しゃっきょう⓪(シャクケウ)【釈教】「釈尊の教え」の意の古語的表現。「神祇(ジンギ)ー恋無常〔=歌・連歌(レンガ)で詠む、あらゆる事柄〕」

しゃっきり③(副)ーと ーする 「しゃきっと❷」の口頭語的表現。全身に適度な緊張感をみなぎらせている(ととらえられる)様子。「帯をきりりと締め、ーしゃんとした和服姿が美しい」

*__しゃっきん__③(シャク)【借金】ーする(自他サ)〈だれカラ(なにヲ)ーする〉お金を借りること。また、借りたお金。「ーで首が回らない/ーを△抱える(背負う)/ーを踏み倒す/ー取り③」

しゃっく①(シャク)【赤口】〔↑赤口日(ニチ)③〕昼だけは吉で、朝・夕は凶とされる日。「しゃっこう⓪」とも。⇩六曜

ジャック①〔jack〕❶〔トランプで〕王様に近侍する若い下級騎士の姿を描いた札。十とクイーンの間に位し、十一に当てる。❷電灯などのさしこみ用の器具。「イヤホーンー⑥」 ❸(造語)〔↑ハイジャック〕のっとり、あるいはのっとり犯。「バスー③・カーー③・電波ー④」

じゃっく①(ジャク)【〈惹句〉】キャッチフレーズ。

ジャックナイフ④〔jackknife〕大型の(水夫用の)折りたたみ式のナイフ。 かぞえ方 一本

しゃっくり①【〈噦・〈吃逆〉〉】ーする(自サ)〔「しゃくり①」の変化〕横隔膜のけいれんによって圧迫された空気が急に口から出る時に起こる、声にならない声。「ーが出る」 表記 「〈噦噫〉・〈逆気〉・〈吃逆〉」(漢語表記)とも書く。

ジャッグル①ーする(自サ)〔juggle〕⇩ハンブル

しゃっけい⓪(シャク)【借景】遠くの山や隣家の植木などを自分の庭園の△遠景に見立てる(造園に際して、遠景としてあらかじめ取り入れておく)こと。

じゃっこう⓪(ジャクカウ)【弱行】実行力が弱いこと。「薄志ー」

じゃっこう⓪(ジャククワウ)【寂光】〔↑寂光浄土⑤。「寂」は煩悩を離れる意、「光」は真の智(チ)の光が照らす意〕〔仏教で〕すべての人が残らず悟りを開き切った境地。仏の世界。〔転じて、奥まった寺の境内などにさす、静かな日光の意にも用いられる〕

じゃっこく⓪(ジャク)【弱国】軍事力・経済力が△乏しい(乏しく、他国の支配下にある)国。↔強国

しゃっこつ①(シャク)【尺骨】前腕の二本の骨のうち、小指側の長い骨。⇩橈骨(トウコツ)

ジャッジ① ❶ーする(他サ)〔↑judgement〕審判。判定。「ーペーパー④」 ❷〔judge〕〔裁判(官)の意〕〔ボクシング・レスリング・バスケットボールなどの〕副審(判員)。⇩レフェリー

シャッター①〔shutter〕❶⇩よろい戸❶ ❷〔写真機で〕フィルムや撮像素子に光線の当たる時間を調節するための装置。「ーを切る」 **ーがい**③【ー街】〔閉店して「シャッターー❶」をおろしたままの店が目立つことから〕俗に、活気を失った商店街。「シャッター△商店街⑦(通り⑪)」とも。 **ーチャンス**⑤〔和製英語 ←shutter + chance〕写真を撮る際に、シャッターを切るのに最も適した瞬間。

しゃっつら⓪④①【しゃっ面】〔古〕〔「しゃつら⓪③①」の強調表現〕憎い、あいつの顔。

シャットアウト④ーする(他サ)〔shutout〕❶しめだすこと。❷〔野球で〕相手に一点も与えずに勝つこと。完封。「ー勝(ガ)ち⓪」〔❶❷ともシャッタウト③とも〕

シャットダウン④ーする(自他サ)〔shutdown=閉鎖・停止〕〔コンピューターで〕システムを終了すること。電源を切る前に行なう手続き。

ジャップ①〔Jap〕〔アメリカ人が〕日本人を呼ぶ称。〔侮蔑(ブベツ)を含意する〕

シャツブラウス④〔←shirtwaist blouse〕ワイシャツのような感じに作ったブラウス。かぞえ方 一枚

シャッフル①〔shuffle〕❶トランプで、一組のカードを無秩序な順序にするために切ること。❷順序や位置を無作為に入れ替えること。

シャッポ①〔フ chapeau〕(つばのついた)帽子。**【―を脱ぐ】**相手の優位を率直に認める。

しゃてい⓪【舎弟】❶「自分の弟」の意の古風な表現。家弟⓪。↔舎兄 ❷弟分、義弟❶。

しゃてい⓪【射程】弾丸の届く距離。射距離②。〔そのものの△力(影響)の及び得る範囲の意にも用いられる〕「―(距離)に入る」

しゃてき⓪【射的】❶的に向かって弓・小銃でうつこと。❷〔賃借りした空気銃で〕コルクの弾丸をうち、うまく的に当てると賞品がもらえる遊び。「―場⓪」

しゃでん⓪①【社殿】神社の神体を祭った建物。

しゃど①【斜度】斜面の傾斜の度合。〔普通、水平面とその斜面の成す角度で表わす〕「平均―二十五度、最大―四十五度のスキー コース」

しゃど①【〈赭土】酸化鉄を含んだ赤茶色の土。あかつち。

しゃとう⓪【社頭】社殿の前(のあたり)。

しゃとう⓪【斜塔】傾いて立つ塔。「―で名高いピサ」

しゃどう⓪【車道】〔歩道・人道と違って〕道路で、車・馬が通行すると定められている部分。

じゃどう⓪【邪道】❶まともな人間の従うべきではないやり方。〔古くは、邪教の意にも用いられた〕↔正道 ❷本来あるべきものから はずれているあり方。「民具を装飾品として扱うのは―である」

シャトー①〔フ château=城館〕大邸宅。〔マンションの名称の一部としても使われる〕

シャドー①〔shadow=影〕〔絵・写真で〕暗い調子の部分。↔ハイライト❶

シャドーキャビネット④〔shadow cabinet=影の内閣〕将来、政権をとったときのことを考えて組織する政策立案のシステム。イギリスの野党最高指導部をこう呼んだことから始まる。

シャドーボクシング④〔shadow boxing〕〔ボクシングで〕相手が前に居るものと仮定して、攻め・守りの動作を練習する方法。

シャトル①〔shuttle〕❶織機の杼ヒ。❷ミシンの下糸入れ。❸(短距離間を)定期に往復するバス・列車・飛行機など。折返し運転。「―便⓪・―バス④・スペース―」❹〔←シャトルコック④〕バドミントンの羽根。

しゃない①【社内】❶その会社の内部(の人)。「―結婚④」↔社外 ❷その神社の境内や建物の中。 **―ほう**②【―報】会社が従業員のために出す機関紙。「社報」の改称。 **―よきん**④【―預金】企業が、高い利子をつけて社員のお金を預かるもの。

しゃない①【車内】電車・列車・バス・タクシーなどの(客の乗っている)乗り物の中。「―での禁煙にご協力ください/―広告④・―販売④」

しゃなりしゃなり①-①、②-②(副)―と/―する いかにも上品ぶって気どった歩き方をする様子。

しゃにくさい③②【謝肉祭】〔カトリックの国で〕肉を食べてはいけないとされる四旬節〔=復活祭の前の四十日間〕が始まる前の三日～一週間に行なわれる民間の祭り。カーニバル。

しゃにち⓪【社日】⇩しゃじつ

しゃにむに⓪【遮二無二】(副)〔擬態語に基づく口頭語〕何としてもやらなければと思い込んで、結果も考えずに行動する様子。「敵の大軍に向かって―突進する/負けるものかと弟は兄に―むしゃぶりついていった」

じゃねん⓪【邪念】❶懐ダイいてはならない、まちがった考え。❷雑念。妄想。「―を払う」

じゃのひげ⓪【蛇の〈髭】垣根の下などに植えておく常緑多年草。葉は細長く、実が青い。根は漢方薬用。リュウノヒゲ。〔キジカクシ科(旧ユリ科)〕かぞえ方 一本・一株

じゃのめ⓪【蛇の目】❶太い幅の輪を図形化したもの。「―クリップ⑤」❷〔←じゃのめがさ④〕紺地などに白い、蛇の目を表わしたからかさ。かぞえ方 ❷は一本 **―のすな**⓪-⓪【―の砂】〔すもうで〕円形の土俵の外側に厚く敷きつめた砂。力士が土俵の外に足を出した時、ここに跡が付くので勝ち負けがすぐ分かる。

しゃば⓪【〈娑婆】〔忍の意の梵ボン語の音訳〕物心両面の楽しみに相応して誘惑・苦痛・束縛の多い人間界。俗界。〔地獄よりは ましだという意味で、自由の無い刑務所・軍隊から見た、一般人の社会の意にも用いられる。例、「―の空気を吸う」〕

しゃば①【車馬】車や馬(などの乗り物)。「―通行止メド/―代⓪・―賃②」

しゃばく⓪【射爆】飛行機が行なう射撃と爆撃。「―場⓪・―演習④」

しゃばけ⓪【〈娑婆気】世間の名誉や利欲から離れられない心。〔口頭語的表現は、「しゃばっけ⓪」〕「―の多い人」

ジャパニーズ③〔Japanese〕日本の。日本人(の)。日本語(の)。日本式。「―イングリッシュ⑥」

しゃはば⓪【車幅】車の幅。「しゃふく」とも。

しゃばふさぎ③【〈娑婆塞㋖】「穀ゴクつぶし」の意の婉曲エンキョク表現。「しゃばふさげ」とも。

じゃばら⓪【蛇腹】❶〔ヘビの腹のように伸び縮みする意〕中が空洞になっている物で、自由に伸び縮みするもの。〔狭義では暗箱の側壁やちょうちんの外囲いの部分を指し、広義では水道の口に付けるホースで伸び縮みの出来る部分をも含む〕❷〔ヘビの腹の形の意〕軒や室内の壁などのまわりを帯状に取り巻く線条様に突出させた飾り。 **―ぶせ**⓪【―伏㋝】左よりの糸と右よりの糸を並べ伏せてとじつけた飾り。

しゃはん①【〈這般】〔「這」は此コレ、「般」は等の意〕❶この(種の)。こういう。前に言ったことを指す語。「―の事情・―の消息」❷〔副詞的に〕今回。このたび。

ジャパン② [一]〔Japan〕日本。「メード イン ―」 [二]〔japan〕漆器。⇩チャイナ[二]

しゃひ①【社費】❶その△会社(社団)の費用。❷その神社の費用。

しゃひ①【舎費】その寄宿舎を維持するために寄宿人に割り当てる、共同の費用。

じゃひ①【邪飛】〔野球で〕ファウル フライ。「三―」

じゃびせん⓪【蛇皮線】⇩三線サンシン

しゃひん⓪【社賓】その会社の大事な客分として扱われる人。

しゃふ①【車夫】人力車を引く職業の人。くるまひき。

しゃふ⓪【写譜】―する(自サ) 楽譜を書き写すこと。

ジャブ①〔jab〕〔ボクシングで〕腕を細かく動かして、軽く相手の出鼻をくじく攻撃(法)。

しゃふう⓪【社風】その会社の気風。

しゃふく⓪【車幅】⇩しゃはば

しゃぶしゃぶ⓪ 薄く切った牛肉を、火にかけたなべの湯をくぐらせ、たれで食べる料理。〔広義では、豚肉・鶏肉や魚介類などを具材にしたものをも指す〕

じゃぶじゃぶ [一]①(副)―と 水を勢いよくかきまわしたり

[illegible]まりを—歩く/ソースを—かける」❷⓪—に—な 「じゃぶじゃぶ❶」に同じ。「大雨で靴の中が—だ/ソースを—にかける」

しゃふつ⓪【煮沸】—する(他サ) 必要な用具を、熱湯の中で十分に消毒・殺菌すること。「—消毒④」

シャフト①⓪〔shaft〕❶機械・車などの回転軸。❷〔道具などの〕長い柄。「ゴルフのクラブの—」 かぞえ方 ❶❷とも一本

しゃぶりつ・く④(自五) 口の中へ入れて放さないようにする。

しゃぶ・る⓪(他五) 口の中に入れて、なめたり吸ったりする。「骨まで—〔=ⓐ骨つきの肉にかみついて、ついている肉を残さず食べるようにする。ⓑ他人をとことんまで利用し苦しめ、自分の欲望を満たす〕/指を—癖」

しゃへい⓪【遮蔽】—する(他サ) 他から見えないように、おおいをすること。「—幕②」

しゃべく・る③【〈喋くる】(他五) それほど重要でもないことを(長ながと)しゃべる。

しゃべつ①【《差別】—する(他サ) 「さべつ」の古語的表現。

しゃべ・る②【〈喋る】(他五) (それほど重要でもないことを)あれこれと話す。「よけいな事は—なよ」 名 喋り③「お—」 運用 講演などをすることを謙遜ケンソンして言うのにも用いられる。例、「今日は、市民講座で源氏物語について二時間ほどしゃべってきたよ」

シャベル①〔shovel〕 土砂や石炭などをすくったり 穴を掘ったりするのに使う道具。ショベルとも。〔スコップと同義にも用いられる〕 かぞえ方 一本

しゃへん①【斜辺】〔幾何学で〕直角三角形の、直角に対する辺。

しゃほう⓪【社報】「社内報」の旧称。

じゃほう⓪①—ハフ【邪法】 邪教を、一種の魔法と見た称。

シャボテン⓪【〈仙人掌〉・〈覇王樹〉】 ⇩サボテン

ジャポニカまい⓪【ジャポニカ米】〔japonica〕 おもに日本で作られている米。粒は丸みを帯び、炊くと粘りけがある。⇩インディカ米

ジャポニスム③〔フ japonisme〕〔英語由来でジャポニズムとも〕十九世紀後半、開国に伴い流出した日本文化の表現技法や精神性がヨーロッパ芸術の作風や主題の捉え方などに影響を与えた現象。また、その中で作られた作品。〔浮世絵をモチーフとして西洋画の中に取り込むといった、[illegible]別される〕

しゃほん⓪【写本】❶肉筆で書かれた本。↕版本・刊本 ❷本を書き写すこと。また、その本。⇩原本 かぞえ方 ❶は一点・一本・一部・一冊・一巻イッカン

シャボン⓪〔ス xabón=ス jabón (発音はハボン)の古い形〕せっけん。

シャボンだま⓪【シャボン玉】 せっけんを溶かした水をストローなどの先につけ、別の端から息を吹き込んで作り出すもの。せっけん膜が内部に空気を包みこんで球状となる。〔すぐ消えるはかない物の意にも用いられる〕

***じゃま**⓪【邪魔】—な—する(他サ)〈なにヲ—する〉〔もと仏教で、修行をさまたげるように誘惑したり、気持がくじけるようにいたずらをする悪魔の意〕関係の無いものが何かの事情でそこに存在することによって、物事の△進行(実現)が妨げられた状態になる△こと(様子)。「不法駐車の車が通行の—になる/子供に—されて落ち着いて本が読めない/前のビルが—で海が見えない/とんだ—が入る/—者ノモ⓪」 運用 (1)「お邪魔する」などの形で、相手の仕事・休息の時間の邪魔をするという意味で、訪問の意にも用いられることがある。例、「今からお邪魔△して(に上がって)よろしゅうございますか」 (2)「お邪魔します」などの形で、訪問した家や部屋に入るときの、「お邪魔しました」などの形で、訪問先を辞去するときの、挨拶アイサツの言葉としても用いられる。 **—くさ・い**④【—臭い】(形) ❶その存在がいらだたしく、邪魔に感じられる様子だ。「眼鏡レンズの端の傷がなんとも—」 ❷面倒で煩わしく感じられる様子だ。「掃除・洗濯がいつも—」 **—だて**⓪【—立て】—する(自サ) 〔わざと〕邪魔をすること。「いらぬ—をするな」 **—っけ**⓪【—っ気】—な 邪魔に感じる様子だ。〔口頭語的表現〕「夫の荷物が—だ」

しゃまく⓪【〈紗幕】〔演劇の舞台で〕紗のような透けるくらい薄手の生地を使った幕。照明の当て方でさまざまな効果を発揮する。

しゃみ①【《沙《弥】〔悪を止め、悟りを求める意の梵ボン語の音訳〕出家したばかりの少年僧。比丘クビとなる以前を指す。

じゃみ①〔釣りで〕小ざかな。

しゃみせん⓪【《三味線】 俗曲や浄瑠璃ジョウルリの伴奏に使う弦楽器。カリン製の方形の胴にネコの皮を張り、棹サオを付け、三本の糸を張って、撥バチで鳴らす。「さみせん」とも。「—をひく〔=本心を隠すため、むだぐちを言う〕/口—ジャミセン」 表記 [illegible]

しゃむ①【社務】❶神社の事務。「—所⓪②③」 ❷会社の事務。

ジャム①〔jam〕 果実の肉に砂糖を加えて煮詰めた食品。

ジャムセッション③〔jam session〕 楽譜を用いないでする、ジャズの即興的演奏会。略してジャム①。

シャムそうせいじ⑤—サウ—【シャム双生児】 身体の一部がつながった状態で生まれる、分裂の不完全な一卵性双生児。〔十九世紀初め、シャム『=タイの旧称』にこのような状態で生まれた双生児がいたことからの名〕

シャムねこ⓪【シャム猫】〔シャムはタイの旧称〕高級な愛玩ガン用の猫。目は青く、からだはクリーム色、顔・耳・足・尾は黒茶色で短毛。子猫はまっ白。

しゃめい⓪【社名】 神社・結社や会社の名前。

しゃめい⓪【社命】 会社が従業員に与える命令。

しゃメール②【写メール】〔商標名〕カメラ付き携帯電話で撮影した写真を電子メールで送ること。また、その写真。略して「写メ⓪」。

しゃめん①【斜面】 傾いている(平)面。「急—③」

しゃめん⓪【赦免】—する(他サ) 罪を許すこと。「—状⓪」

シャモ①【〈軍鶏〉】〔シャモロ『=タイの旧称シャムの古形』から渡来した鳥の意〕闘鶏用の、大形のニワトリ。首が長く、尾は短い。肉・卵はうまい。原産地はシャムだが、今は日本の特産。 表記 「〈闘鶏〉」とも書く。 かぞえ方 一羽

シャモ①〔アイヌ shamo=隣人〕 アイヌ人から見た日本人。和人。

しゃもじ①【〈杓文字】〔「しゃくし」の「しゃ」に「文字」をつけた女房詞コトバから〕柄の部分と卵形の部分とを、一枚の板からくりぬいて平たく作ったもの。御飯を茶わんなどによそうために使う道具。

しゃもん①⓪【《沙門】〔悪を止め修行する意の梵ボン語の音訳〕出家して仏道を修める人。僧。「さもん①⓪」とも。〔「桑門」も同語の表記〕

しゃもん⓪【《借問】—する(他サ) 「しゃくもん」の古語的表現。

しゃもん⓪【斜文】 斜線状の あや。「—織⓪」

じゃもん⓪【蛇紋】 ヘビの胴体の斑紋ハンモンに似た模様。「—石②・—岩②」

しゃゆう⓪—イウ【社友】❶社員以外で、その社に関係のある人。❷もとその社に勤めていた人。❸同じ結社の友人。

しゃよう⓪【社用】会社・神社の用務。**—ぞく**②【—族】〔「斜陽族」のごろ合せ〕社用にかこつけ、社費で遊興する社員。

しゃよう(ヤウ)⓪【斜陽】「夕日」の意の古風な表現。〔衰退を見せるものの意にも用いられる。例、「—産業」〕**—ぞく**②【—族】〔太宰治(ダザイオサム)の小説「斜陽」から出た語〕急激な社会変動のために没落の憂き目を見た上流階級。

じゃよく⓪①【邪欲】不正な欲望。〔狭義では、持ってはいけない人に対して起こす性的欲望を指す〕

しゃら①【〈沙羅・〈娑羅】さら。⇩さらそうじゅ

しゃらく⓪【〈洒落】—な 俗気ややぼな所・わだかまりなどが無い様子だ。「—な人柄」

しゃらくさ・い④(形)〔相手の出過ぎた言動に接して〕分をわきまえずになまいきだと感じる様子だ。「実力もないくせに—ことを抜かす」 表記 「〈洒《落臭い」とも書く。

じゃらじゃら①(副)—と —する ❶媚(コ)びるかのように色っぽくて、どことなくいやらしい感じを与える様子。「へたな女形(オヤマ)のような—した感じがいやだ」 ❷たくさんの小さな堅い物どうしが触れあって立てる音の形容。「ポケットの小銭を—させる／胸に下げたネックレスを—いわせる」

じゃら・す②(他五)(けものを)じゃれるようにする。

じゃらつ・く⓪(自五) ❶ふざける。❷じゃれる。

しゃり①⓪【舎利】〔遺体の意の梵(ボン)語の音訳〕❶△仏陀(ブッダ)(聖者)の遺骨。「仏—」❷火葬にして残った骨。❸成長後、糸を吐かずに白く堅くなって死んだカイコの俗称。❹色・形が「舎利❶」に似ているので白米(の飯)の俗称。「銀—⓪」 表記 普通❹は、「シャリ」と書かれる。

しゃり①【射利】自ら労力を費やそうとしないで、一攫(イッカク)千金を計画すること。「—心②」

じゃり⓪【〈砂利〉】❶〔「さざれ石」の略「さざれ」の変化という〕岩石が細かに砕け、水で洗われて角が取れたもの。小石。「—を敷く／—を採取する／玉—・—トラ⓪〔=砂利トラック〕」 ❷〔一団となっている〕子供。〔多く親しみの気持や軽い侮蔑(ブベツ)を含意して用いられる〕

しゃりき①【車力】大八車を引いて荷物を運ぶ人。 表記 ⇩付表

しゃりっと②(副)—する 適度な△張り(歯ごたえ)があって、△肌ざわり(歯ざわり)がさわやかに感じられる様子。「麻のような—した夏向きの生地(ジ)／薄く—焼き上げたパイの皮」

シャリベツ②【舎利別】「シロップ❷」の中国における音訳に基づく、薬品名。単舎利別。

しゃりゅう(リウ)⓪【者流】〔接尾語的に〕たいした事の無い連中。「俳諧(ハイカイ)—・長袖(チョウシュウ)—」

しゃりょう(リヤウ)⓪【車両・車〈輛】〔汽車・電車や自動車などの〕車体・車台に車輪を含めた全体の称。「次の—〔=客車〕へお移り下さい／—〔=自動車〕通行止／大型—〔=トラック・バスなど〕は通れません／—交換④〔=ⓐ単線区間内の駅で上下の列車が擦れ違うこと。ⓑタイヤ交換〕」

***しゃりん**⓪【車輪】❶⇩車(クルマ)❶ ❷「大車輪❷」の意の役者用語。「—で活動している」 かぞえ方 ❶は一枚

しゃる(助動・五型)〔西日本方言〕〔「せらる」の変化〕せられる。「行か(っ)—／待たっしゃれ」 文法 四段・ナ変活用動詞の未然形に接続する。

シャルマン①—な〔フ charmant〕❶かわいい様子だ。❷魅惑的。チャーミング。

しゃれ【〈洒《落】[一]⓪ ❶〔その場の思いつきとして〕類音の語に引っかけて、ちょっとした冗談や機知によってその場の雰囲気を和らげたり盛り上げたりする言語遊戯。例、潮干狩に行ったがたいして収穫がなく、「行った甲斐(イカ)〔=貝〕がなかったよ」と言うなど。「—が通じない人／ずぶぬれになった彼を見て、〝水もしたたる好い男〟などと言っても—にもならない」 ❷⇩おしゃれ [二](造語) 動詞「洒落る」の連用形。「—男③」 表記 「〈洒《落」は、借字。**—こ・む**③【—込む】(自五) ふだんはめったにしない事を、特に奮発してやってのける。「パリでは三星(ミツボシ)〔=最高のランク〕のレストランと洒落込んだ」 **—っけ**⓪【—っ気】〔「洒落気⓪」の強調形〕❶はでな服装などをして人前を飾ろうとする気持。❷気のきいた言動をして人をあっと言わせようとする下心。❸「洒落[二]❶」を言って人を笑わせてやろうという余裕のある気分。**—のめ・す**④(自五) まともに取り合おうとしないで、初めから終りまで洒落などを言ってはぐらかす。**—もの**⓪【—者】人の目を意識して、身だしなみや持ち物などにことさらに気を使う人。〔多く男性についていい、多少の皮肉を含意して用いられる〕

しゃれい⓪【謝礼】—する(自サ) 感謝の気持を表わした挨拶(アイサツ)や贈り物。

しゃれき⓪【写歴】その人が写真撮影を始めてからの年数。

しゃれき⓪【社歴】❶その人が入社してからの年数。「—九年のベテラン」 ❷その会社の歴史。

しゃれこうべ(カウベ)③【〔〈髑髏〉〕・〈曝《首】⇩されこうべ

しゃれつ⓪【車列】何台もの自動車が連なって作る列。「渋滞で続く長い—」

しゃ・れる⓪【〈洒《落る】(自下一) ❶〔外出の際などに〕見た目をよくしようとして、着飾ったり化粧したりする。「久しぶりのクラス会だから、せいぜい洒落て行こう」 ❷言動・服装のすべてにわたり洗練されていて、その時代の好みに合う(ものとして接する人に受け入れられる)。「あの人、ちょっと洒落ていると思わない／当人は洒落たつもりでも、はたから見れば、気障(キザ)とし言いようがない」 ❸〔一風変わっていると感じられる中に〕気のきいた好み、趣味のいい選択がうかがい知られる。「おとな向けの洒落た音楽／洒落たカクテル／郊外の洒落たレストラン／洒落た△果物(デザイン・照明)／手作り感覚に満ちあふれた洒落たパッチワーク／洒落たことを言う」 ❹「しゃれ[一]❶」を言う。〔⇩洒落[二]〕

じゃ・れる②(自下一) 犬・猫などが何かをおもちゃにして遊ぶ。戯れる。

じゃれん⓪【邪恋】よこしまな恋愛。道にはずれた恋。

シャワー①〔shower〕じょうろのように水や湯の出る装置(で水や湯を浴びること)。

シャワートイレ④〔和製英語 ←shower + toilet=商標名〕小型のシャワーから出る温水で肛門(コウモン)等を洗う機能のついた便器。

シャン①〔ド schön=美しい〕〔戦前の学生語〕美人。「トテ—⓪〔←とてもシャン〕」

ジャンキー①〔junkie, junk=麻薬〕麻薬常用者。麻薬中毒者。

ジャンク①〔中国・戎克〕中国の帆船。 かぞえ方 一艘(ソウ)・一隻(セキ)

ジャンク①〔junk〕壊れたり古くなったりして役に立たないもの。がらくた。特に、コンピューターなどの機械部品の廃品。「保証無しの—品」

ジャンクション①〔junction=接合。結合点〕高速道路を相互に連結するための立体交差部分。⇩インターチェンジ

ジャンクフード④〔junk food〕(若者などに好まれる)カロリーが高いだけで総合的な栄養に欠ける、スナック菓子類や立食いの出来るような軽食。

ジャングル①〔jungle〕密林。〔狭義では、熱帯地方の原始林を指す〕**—ジム**⑤〔junglegym=もと、商品名〕遊園地などにある、金属管などを組み立てた遊び道具。のぼっ

たり ぶらさがったりして遊ぶ。〔かぞえ方〕 一基

じゃんけん③【じゃん拳】―する（自サ）〔中国・両拳の変化という〕 拳の一つ。片手で石・紙・はさみの形を出し合って、勝負を決める遊び。いしけん。 **―ぽん**③⑤ じゃんけん（の掛け声）。

じゃんこ⓪ 「あばた（づら）」の異称。

しゃんしゃん①（副） ❶―と ―する （年を取るなどしても）心身ともにしっかりしていて、元気に活動する様子。「八十歳になっても―している」 ❷―と （物事が一段落ついたのを祝って）多くの人がそろって手打ちをする形容。「―と手拍子を打つ／―と手締めをして終わる」

じゃんじゃん①（副）―と 〔鐘などが勢いよく続いて鳴る形容〕勢いづいて、同じ事が続けざまになされる様子。「―と申し込みがある／雨が―降る／―酒を持ってこい」

しゃんす（助動・ます型）〔江戸時代の女性語で〕敬愛する人の動作を述べることを表わす。「見やしゃんせ」 〔文法〕 四段・ナ変活用動詞の未然形に接続する。

ジャンそう⓪ ソウ【〈雀荘】〔「雀」は「麻雀（マージャン）」の略〕席料を取ってマージャンをさせる店。

シャンソン①③〔フ chanson〕 フランスの大衆的な歌。

シャンツァイ①⓪〔中国・香菜〕 ⇩コリアンダー

シャンツェ①〔ド Schanze〕 〔スキーの〕ジャンプ台。

シャンデリア③〔chandelier〕 洋間の天井からつるす△花形（枝形）の装飾電灯。〔かぞえ方〕 一灯

しゃんと⓪（副）―する ❶気持に張りがあり、言動や考えなどがしっかりしている様子。「九十歳を過ぎてもまだ―したものだ」 ❷適度の緊張感をみなぎらせて姿勢を正しくしている様子。「背筋を伸ばして―立つ／―して人の話は聴くものだ」

ジャンパー①〔jumper〕 ❶運動や作業用の上着。 ❷陸上競技やスキー競技のジャンプの選手。〔かぞえ方〕 ❶は一枚・一着 **―スカート**⑥〔和製英語 ←jumper + skirt〕ブラウスなどの上に着る、胴着とスカートが続いた婦人服。〔かぞえ方〕 一枚・一着

シャンパン③〔フ champagne〕 フランスのシャンパーニュ地方原産の、炭酸ガスを含む白ワイン。おもに祝宴の席で使う。シャンペンとも。〔表記〕「〈三〈鞭酒〉」とあてる向きもある。〔かぞえ方〕 一本

シャンピニョン③〔フ champignon〕 「マッシュルーム」に同じ。シャンピニオンとも。

ジャンプ①―する（自サ）〔jump=飛びはねる〕 陸上競技やスキー競技の種目としての跳躍。〔物価などが、ひどく上がる意にも用いられる〕「―競技④・―台⓪」

シャンプー①―する（他サ）〔shampoo〕 泡だちのいい洗髪剤（で髪を洗うこと）。

ジャンボ〔jumbo=巨獣・巨大漢〕 [一]① ❶大型の△坑道掘進機（鑿岩（サクガン）機）。 ❷自動△引伸し（焼付け）装置。また、それでつくった写真。「―サイズ④」 ❸〔↑ジャンボジェット④〕一度に数百人もの乗客が運べる超大型ジェット旅客機。長距離用。〔かぞえ方〕 ❸は一機 [二]（造語） 巨大な（規模の）。〔マンモスと同義で、それより新しい言い方〕「―入学式・―カボチャ④・―タクシー④」

ジャンボリー①〔jamboree〕 ボーイスカウトの大会。〔広義では、陽気な集会を指す〕

ジャンル①〔フ genre=部類。種類〕 芸術、特に文芸作品の、形態上の区分。詩・小説・劇・日記・物語・紀行・説話などの区別。「―別⓪」

しゅ（手・主・守・朱・取・〈炷・狩・首・修・《株・殊・珠・酒・衆・《須・腫・種・〈銖・趣）→【字音語の造語成分】

しゅ①【〈主】 ❶団体の長。かしら。〔大は国主・主君を指し、小は家長・主人を指す〕「―が―なら従も従〔=主人も家来も同じように、よくない〕／―将・盟―」 ↕じゅう（従）【造語成分】㊃ ❷〔キリスト教で〕天主・神と呼ばれるヤハウェ、またはその子と言われるイエス。「―よ、罪深き我等（ワレラ）を哀れみ給（タマ）え」 ❸重点の置かれる事柄。中心。⇩【造語成分】しゅ・す

しゅ①⓪【朱】 ❶だいだい色に近い赤。「―に交われば赤くなる〔=その中から脱出しない限り、友人・同僚など、ふだん付き合う人たちからの悪い影響は防ぐことが出来ないたとえ〕／満面に―をそそぐ〔=顔全体をまっかにする〕／―唇・丹―①」 ❷「朱墨」の略。「―を入れる〔=文章を直す〕／―筆」

しゅ①【種】 ❶種類。「この―の／―別・―目・人―」 ❷生物分類上の基本単位。属の下位区分で、共通の形態的特徴を持ち生殖作用を営むことが可能な個体群。「―の起源」 ❸〔哲学・倫理学で〕「類」の下位の分類。⇩種概念 ⇩【造語成分】

しゅ①【脂油】 脂肪油。

じゅ（寿・受・呪・従・授・就・〈綬・需・儒・樹）→【字音語の造語成分】

じゅ①【寿】 長命（を祝うこと）。「八十の―／―詞（シ）①・頌（ショウ）―」 ⇩【造語成分】

じゅ①【呪】 〔もと、仏教語の陀羅尼（ダラニ）の訳語〕鬼・悪事を払い、病気を治すために、口で唱える秘密の文句。〔表記〕「〈兕」は、異体字（動用字）。⇩【造語成分】

じゅ①【〈頌】 ⇩げ（偈）

じゅ①【〈綬】 昔、中国の官吏が礼装の時、官職の印をつるし下げた帯。色によって地位の高下を示した。「首相の―を帯びる〔=首相の地位につく〕」 ⇩【造語成分】

しゅい①キ―【主位】 ❶団体の中で、他のメンバーをリードする地位。「―に立つ」 ❷〔画面などの〕中心的な位置。↕客位（キャクイ）

しゅい①【主意】 ❶中心的な意味。おもなねらい。主眼。 ❷△主君（主人）の意志。 ❸理知や感情・情緒よりも意志を重んじること。「―的⓪・―主義③・―派⓪」

しゅい①キ―【首位】 〔ランクされた人の中で〕第一の地位。（第）一位。「―に立つ／―の座を確保する／―打者③」

しゅい①【趣意】 ❶ある事をしようと思い立った動機や目的。「本会設立の―／発表の―」 ❷言い表わそうとしている、根本の意味。「文の―」 **―しょ**③⓪【―書】 趣意をしるした文書。

しゅい⓪①【思〈惟】 「しい」の古風な表現。

しゅいん⓪【手淫】―する（自サ） オナニー。

しゅいん⓪【主因】 おもな原因。↕副因

しゅいん⓪【朱印】 ❶朱色の印。 ❷⇩ごしゅいん（御朱印）「―船」

じゅいん⓪【樹陰】 「こかげ」の意の漢語的表現。「―に憩う」

しゅう（収・囚・州・舟・秀・周・宗・拾・祝・秋・臭・修・袖・執・終・羞・習・週・就・衆・集・愁・酬・〈聚・〈輯・醜・〈繡・蹴・襲・〈讐）→【字音語の造語成分】

シュー（造語）〔shoe〕 靴形の器具や部品。「ブレーキ―④・〔カメラの〕アクセサリー―」

しゅう①【《主】 〔「シュ」の長呼形〕「主人・主君」の意の口頭語形。「―思い③」

しゅう①ウシ【秀】 〔評価の段階として〕最上。「―、優、良、可」 ⇩【造語成分】

しゅう①ウシ【周】 ❶「まわり・めぐり」の意の漢語的表現。「―、八百メートル／四―・外―・湖―⓪」 ❷〔幾何学で〕閉曲線で囲まれた平面図形に対する、元の閉曲線の称。また、その長さ。「多角形の―／円―」 ⇩【造語成分】

しゅう①【宗】〔多く、仏教で〕独自の教義を持った教団組織。〔狭義では、その分派を指す〕「我が—では/—教・—門・—旨・天台—・日蓮—」⇩【造語成分】そう

しゅう①【州】❶連邦国家を構成する行政区画。「—ごとに法律が違う/オハイオ—④・—議会③」❷〔「〈洲」の代用字。もと川中の島で、人の居住出来る所の意〕大陸を中心として、地球上の陸地を区分けしたもの。「アジア—」⇩六大州 ❸中国の、昔の行政区画。郡の上。「四百余—④〔=中国の全土〕」❹日本の昔の「国❷」の意の漢語的表現。〔漢字二字で表記されるものの前か後の一字と結びつけて固有名として用いられる〕「和—・長—・六十余—」❺昔、人名などに添えて△愛称(婉曲表現)とした語。「亀—②・野—①〔=野郎。若衆〕・山—②〔=遊女たち〕」

しゅう①【〈洲】❶「す(洲)」の漢語的表現。「砂—」❷⇩州❷

***しゅう**①【週】⇩いっしゅう(一週)「—に一度の通院/—替わりのメニュー/次の—/—刊・毎—・隔—・先—・来—・今—」

しゅう①【衆】❶多くの人。「—にすぐれる/—に先んじる/博愛—に及ぼす/—知・—目・民—・大—・聴—・観—」❷人数の多いこと。「—を頼む/—寡」⇩【造語成分】しゅう・しゅ

しゅう①【集】詩歌・文章を集めた書物。「この—は/歌—・句—・詩—・作品—・用例—・随筆—・全—」⇩【造語成分】

しゅう①【醜】❶調和・均衡を欠き、接する人に嫌悪感をいだかせること。「—、言うべからず〔=みにくさはたとえようが無い〕/—悪・—怪・—聞・老—」↕美 ❷恥。「—を曝す/—態」⇩【造語成分】

しゅう⓪【市有】〔自治体である〕市の所有。「—地②」

しゅう⓪【私有】—する(他サ)△私人(個人)の所有。「—地②・—財産④」↕公有

しゅう①【師友】❶先生と友人。❷自分に無い長所を持っている点で、教えられるところの多い友人。

しゅう①【雌雄】❶〔動物の〕めすとおす。「ひなの—を鑑別する/—を決する〔=優劣を決める〕/—〔=勝ち負け〕を争う/誰か烏の—を知らんや〔=互いに似ていて、その区別がなかなか分からないたとえ〕」❷〔植物の〕雌株と雄株。また、雌花と雄花。「—異花①-①・—異株①-①」

じゅう(十・中・〈什・汁・充・住・拾・柔・重・従・渋・銃・獣・縦)→【字音語の造語成分】

ジュー①〔Jew〕ユダヤ人。〔俗に、因業な高利貸の意として差別を含意して用いられた〕

じゅう①【十】❶九に一を加えた数を表わす基数詞。「一を聞いて—を知る〔=⇩一❷❶〕/—人十色・—悪・—時間・—代・—年一昔・—割・歌舞伎—八番・—羽」❷九の次の自然数を表わす序数詞。「一から—まで〔=⇩一❷❶〕/—月」〔和語では❶❷共に、とお〕⇩百

じゅう【中】❶①あいだ。「此の—」❷(接尾)ある期間・範囲を限度とすることを表わす。「一晩—〔=一晩ずっと止むこと無く〕風は吹き荒れた/来週—には〔=の終りまでには〕何とかします/家—〔=家の中を隈無く〕探す/家—〔=家内の人が一人残らず〕出かけ、今日は留守番だ/日本—を〔=日本全国を余す所無く〕股にかけて歩く」

表記 大字は「拾」。⇩【造語成分】じゅう・じっ

じゅう①【住】❶その場所に住みつくこと。「深川の—/居—・定—・—所・—宅・—持・—僧・—生活③」❷生活領域のうち、すむ方面。「衣食—」⇩【造語成分】

じゅう①【柔】やわらかで、弾力性がある△こと(もの)。「—よく剛を制す/外—内剛・—軟」↕剛 ⇩【造語成分】

***じゅう**①【銃】❶発射した弾丸により人畜を殺傷する武器のうちで、口径の小さいもの。「—で撃たれた/—口・—身・—砲・小—・拳—・空気—・猟—・ライフル—・カービン—・機関—」❷「銃❶」に似た形・役目を持つ物。「放水—③・びょう打ち—④」かぞえ方 ❶❷とも一挺・一丁

****じゅう**②【自由】—に・—な Ⓐ他から制限や束縛を受けず、自分の意志・感情に従って行動△する(出来る)こと。また、その様子。「からだの—がきかない/どうぞ好きなだけ—にお取りください/—に〔=思うままに〕振る舞う/—気ままに暮らす/—化⓪・—席」Ⓑ民主主義社会において認められている権利の一つ。社会秩序を乱さぬ限り、その人の主体的な意

しゅ

[手] ❶て。「手工・手腕・手芸・義手・挙手・拱手・空手・下手・触手・千手・双手・隻手・徒手・握手・拍手」❷自分の手で何かをする。「手記・手書」❸ある技術にすぐれている人。専門家。「名手・国手」❹ある△技芸(資格)を有する人。「技手・舵手・選手・運転手・好敵手」

[主] ❶何かを管理し、音頭を取って行なう(人)。「主婦・主催・主査・主治医・祭主・喪主・店主」❷行為を積極的にする方の側。「主体・主観・主語」❸客を受け入れる側。あるじ。「主客」❹中心となる。おもな。「主要・主眼・主力・主役・主食」↕従 ⇩(本文)しゅ【主】

[守] ❶まもる。「守衛・守護・守備・看守・監守・堅守・厳守・固守・好守・攻守・死守・遵守・拙守・鎮守・保守・墨守」❷行政官。〔狭義では、長官を指した〕「太守・国守」❸〔一種の接続詞のように使う〕その官が、位相応以上に高いことを示す。「従三位守大納言」↕行 ⇩(本文)しゅ【朱】

[朱]

[取] とる。手に入れる。えらびとる。「取捨・取得・取材・進取・聴取・採取・搾取・摂取・先取・略取・詐取・奪取・窃取」

[〈炷] 〔灯心・ともすの意〕香・線香などをかぞえる語。

[狩] かり。「狩猟・狩田」

[首] ❶あたま。かしら。くび。「首足・首級・首肯・縊首・頓首・馬首・匕首・鶴首・馘首・鳩首・梟首・斬首」❷最上位。「首位・首席・首班・首相・首都・首府」❸団体の長。「首脳・首領・元首・党首」❹最初。「首途・首唱・首尾(一貫)・巻首・部首」❺罪を白状する。「自首」❻漢詩・和歌をかぞえる語。「百人一首」

[修] 学び、おさめる。「修行」⇩しゅう

[《株] 切りかぶ。〔根の付いた草木をかぞえる時にも用いられる〕「守株」

[殊] 〔もと、違うの意〕特別(すぐれている)。「殊勝・殊勲・殊遇・特殊」

[珠] ❶〔陸産の玉ではなく〕海産の丸いたま。しんじゅ。「珠玉・宝珠」❷真珠のように丸いもの。「珠算・念珠・連珠」

[酒] さけ。「酒食・酒量・酒宴・酒気・酒席・酒乱・御酒・大酒・飲酒・冷酒・美酒・洋酒・

梅酒」

【衆】〔接尾語的に〕人たち。「子供衆・旦那衆・女衆」⇩わかいしゅ(若い衆)

【《須】もちいる。「須要・必須」⇩す

【腫】㊀はれる。むくみ。「水腫・浮腫」㊁体内で増殖する病的組織。「腫物・腫瘍・筋腫・肉腫・癌腫・麦粒腫」

【種】㊀たね。「種子・種苗・種痘・播種・原種㊀・採種・断種・接種」㊁〔生物の分類で〕最下の単位。互いに類似する個体の一群の名。「アカギツネ」は動物界 脊椎動物門 哺乳綱 食肉目 イヌ科 キツネ属の中の一つの種。「原種㊁・変種・品種・雑種」㊂系統が同じもの。「種別・種目・種族・異種・一種・各種・業種・甲種・諸種・職種・人種・機種・多種・同種・特種・別種」⇩属 ⇩(本文)しゅ【種】

【〈銖】㊀昔の目方の単位。一両の二十四分の一。㊁昔の通貨の単位。一両の十六分の一。㊂利率の名。一割の十分の一。表記「朱」とも書く。

【趣】〔もと、どこかへ向かって行く意〕㊀考え。わけ。意味。「趣意・趣旨・意趣・旨趣」㊁風情。おもむき。「趣向・趣味・興趣・情趣・画趣・詩趣・妙趣・野趣・雅趣」

じゅ

【寿】年齢。命。「寿命・長寿・天寿・米寿・喜寿」⇩(本文)じゅ【寿】

【受】㊀もらう。「受納・受賞・授受・拝受」㊁うける。「受諾・受難・受像・受話器・受刑者」

【呪】㊀のろう。「呪詛」㊁まじなう。「呪文」⇩(本文)じゅ【呪】

【従】同じ位のうち、正より劣ることを表わす。「従三位」↕正

【授】㊀与える。「授受・授与・授賞・授乳・授産・天授」㊁教える。「口授・教授・伝授」

【就】なる。完成する。「成就」⇩しゅう

【〈綬】〔もと、勲章・記章・褒賞などを下げるひもの意〕勲章の種類。「略綬・紫綬・黄綬・藍綬」⇩(本文)じゅ【綬】

【需】必要とされる。「需要・需給・軍需・必需・民需・官需・特需」

【儒】㊀学者。〔狭義では、孔子の道を奉じる学者を指す〕「儒学・儒教・儒者・大儒・老儒」㊁儒学。儒教。⇩仏・道

【樹】㊀立ち木。「樹木・樹齢・大樹・桜樹・針葉樹・常緑樹」㊁うちたてる。「樹立」

志・判断に基づく言動が認められていること。「言論の―が保障される/―と放恣とをはき違える」派**―さ**⓪②　**―いし**④【―意志】他人に縛られず、自分の考えだけで行動しようとする心。　**―が**⓪【―画】題材も手法も自由に選んで描く絵。　**―がた**⓪【―形】〔競泳で〕泳ぎ方に制限の無いもの。普通、クロールが選ばれる。フリースタイル。「百メートル―」　**―がた**⓪【―型】レスリングの種目の一つ。腰から下を攻撃しても良いもの。フリースタイル。⇩グレコローマン　**―ぎょう**②【―業】一定の雇用関係によらず、個人の責任で行なう職業。弁護士・著述家などの職業。　**―けい**②【―刑】犯罪者のからだの自由を束縛する刑罰。懲役・禁錮・拘留の三種。　**―けいざい**④【―経済】〔「統制経済⑤」と違って〕国家・公共団体の干渉を受けない経済。　**―けっこん**④【―結婚】当事者である二人の相互間の合意だけで成立する結婚。　**―けん**②【―権】憲法における信教・思想・学問・言論・集会・結社・居住の自由など、国家権力の侵すべきでない個人の自由の権利。　**―し**②【―市】〔中世のヨーロッパで〕王侯・教皇などの支配から独立していた都市。自由都市。　**―し**②【―詩】〔「定型詩③」と違って〕内容・形式の自由な詩。　**―じざい**②-⓪【―自在】―にな　なんでも思う通りに出来る様子。　**―しゅぎ**④【―主義】㊀個人の自由な活動を重んじる主義。㊁国家が、個人の社会的活動や思想・信仰に制限を加えない主義。リベラリズム。　**―しゅぎしゃ**⑤【―主義者】他人の自由をそこなわない一面において、自分の自由をも失われないことを主義とする人。　**―せき**②【―席】〔乗り物や劇場などで〕座る人が決まっておらず、誰でも座ってよい席。「―を取る」↕指定席　**―ぼうえき**④【―貿易】国家が規制や保護・奨励などを一切行なわない貿易。⇩保護貿易　**―ほうにん**②-⓪【―放任】〔フ laisser-faire の訳語〕㊀各人の自由に任せてほうっておくこと。㊁経済的活動を各人の自由に任せて、国家は干渉しないこと。　**―みんけんうんどう**②-⑤【―民権運動】明治の初めに、政府の方針を専制的だとして、これに対抗して起こった運動。その掲げた国会開設の要求は、明治二十二年(＝一八八九年)の明治憲法の発布によって一応終結した。　**―りつ**②【―律】短歌・俳句を、定型にとらわれないで、自由な音数律で詠む様式。　**―ろうどうしゃ**⑥【―労働者】「日雇い人夫⑤」などの改称。

じゆう⓪【事由】ある事態に至った事情や理由。「―のいかんにかかわらず/離婚―」

しゅうあく⓪【醜悪】―な　極端に醜であり、嫌悪を催させる様子だ。「―な顔」派**―さ**⓪

じゅうあく①⓪【十悪】仏教でいう十種の悪事。殺生・偸盗・邪淫・妄語・綺語・両舌・悪口・貪欲・瞋恚・邪見。↕十善

しゅうあけ⓪【週明(け)】〔勤め人にとって〕その週の仕事が始まる月曜日(になること)。「―の外国為替市場」

じゅうあつ⓪【重圧】強権による、自由・平等の圧迫。「―にあえぐ/―を加える/税の―/―感④③」

しゅうあん⓪【週案】〔「日案・月案⓪」などと違って〕小学校などでの、毎週の授業案。

***しゅうい**①【周囲】㊀何かの外側をかこむふち。まわり。㊁そのものを取り巻いているすべてのもの。「―を見渡す/―〔＝まわりの人〕の目がうるさい」

しゅうい①【拾遺】㊀漏れ落ちたものを拾い△補うこと(補ったもの)。㊁侍従の唐名。

しゅうい①【秋意】「秋のけはい」の意の漢語的表現。「―深し」

しゅうい①【衆意】△民衆(多くの人びと)の意志。

じゅうい①【〈戎衣】〔「戎」は、軍備の意〕(武士の)戦闘に際して身につける衣服。

じゅうい①【重囲】厳重な包囲。「―に陥る/敵の―を破る」

じゅうい①【獣医】〔←獣医師③〕家畜や飼育動物の病気を診断・治療する医師。

じゅういち④【十一】鳥、「慈悲心鳥」の俗名。

じゅういちがつ⑥【十一月】一年の第十一の月。〔副詞的にも用いられ、アクセントは⓪。雅名は、しもつき〕

しゅういつ⓪【秀逸】㊀―な　(ずばぬけて)すぐれている△様子(もの)。㊁入選の次の順位。

じゅういつ0【充〈溢】—する(自サ)〔力・気分など目には見えないものが〕満ちあふれること。「闘志—・気力—」

しゅういん0【衆院】「衆議院」の略。

しゅういん0【集印】観光地などの記念スタンプを集めること。「—帳0」

じゅういん0【充員】—する(他サ) 人員の不足分を補充すること。

しゅうう1【秋雨】「あきさめ」の意の漢語的表現。「春風—」 **—ぜんせん**4【—前線】あきさめぜんせん。⇩前線

しゅうう1【〈驟雨】「にわかあめ・夕立」の意の漢語的表現。「滝のような—」

しゅううん0【舟運】舟でする交通・輸送。「—の便」

しゅうえい0【終映】—する(自他サ)〔映画館で〕その日の映写△が終わる(を終える)こと。↕開映

じゅうえいそう3【重営倉】〔もと陸軍で〕兵の犯罪に対する処罰の一つ。営倉の重いもの。↕軽営倉

しゅうえき0【収益】事業などから利益を収めること。また、その利益。「—を△あげる(もたらす)/—性0」

しゅうえき0【囚役】囚人に課せられる労役。

しゅうえき0【就役】—する(自サ) ❶新造の艦船が、任務につくこと。❷持ち場について仕事をすること。

じゅうえき0 1【汁液】植物などの汁。「果物の—〔=しぼり汁〕」

じゅうえき0【獣疫】家畜の流行病。

しゅうえん0【周縁】「まわり・ふち」の意の漢語的表現。「—部3」

しゅうえん0【終〈焉】〔「焉」は、助字〕❶人が死ぬ意の婉曲表現。❷長く持続していたものが、衰退し終りを迎えること。「徳川幕府の—」 **【—の地】**その人の死んだ土地。〔狭義では、そこで死のうと思って、その人が選んだ所を指す〕

しゅうえん0【終演】—する(自他サ)〔その△日(劇)の〕上演△が終わる(を終える)こと。↕開演

しゅうえん0【就園】—する(自サ) 幼稚園に入って教育を受けること。「—児3・—率3」

じゅうえん0【重縁】親類関係にある者同士の△婚姻(縁組)。

しゅうおう0【週央】その週の中ほど。〔水曜・木曜を指すことが多い〕⇩週初・週末

じゅうおう3【縦横】〔「たてよこ」の意〕❶南北と東西。❷自由自在。「—〔=思う存分〕の活躍/機略—」 **—むじん**3-0、0-0【—無尽】—に 活動が自由自在であり、妨げるものが無い△こと(様子)。「—に論ずる」

しゅうおん0【集音】—する(他サ) 遠方の小さい音や弱い音などを感度のよい機器でとらえること。「—マイク5」

じゅうおん0【重恩】かさなる恩義。

しゅうか1【秀歌】すぐれた和歌。「万葉—」

しゅうか0【臭化】ほかの元素が臭素と化合すること。

しゅうか1【衆寡】多数と少数。「—敵せず〔=小人数では、一般におおぜいに対して勝ち目が無いものだ〕」

しゅうか0 1【集荷】・【〈蒐荷】—する(自他サ)〔流通経路にのせるために〕一定の場所に生産物などの荷を集めること。また、それらの荷。「—機関4」

しゅうか1 0【集貨】—する(自他サ) 貨物や商品を市場に集めること。また、集まること。また、それらの貨物や商品。

しゅう

【収】❶おさめる。「収穫・収入・収益・没収・領収・増収」❷ちぢまる。「収縮」❸罪人をつかまえておく。「収監」

【囚】❶罪人をある期間とらえておく。「囚人・囚徒・幽囚」❷囚人。「虜囚・死刑囚」

【州】⇩(本文)しゅう【州】

【舟】(小さな)ふね。「舟運・舟航・舟艇・舟遊・孤舟・漁舟・呑舟」

【秀】ずばぬけてすぐれている(もの)。「秀逸・秀麗・秀作・秀句・秀歌・秀才・俊秀・優秀」⇩(本文)しゅう【秀】

【周】❶まわる。まわり。「周回・周囲・周壁・周遊・円周」❷まわって、何年目かに当たる。「周忌・周年」❸細かいところまで行きわたる。「周知・周到・周密」⇩(本文)しゅう【周】

【宗】⇩(本文)しゅう【宗】

【拾】❶ひろう。「拾得・拾遺」❷自分のコレクションに加える。おさめる。「拾集」

【祝】〔「しゅく」の変化〕めでたい。「祝儀・祝言・祝着」

【秋】❶あき。「秋雨・秋冷・立秋・初秋・中秋・晩秋・春夏秋冬」❷年月。「春秋に富む/一日千秋」

【臭】❶いやなにおい。「臭気・悪臭・体臭・異臭・俗臭・刺激臭」❷いかにもそのものらしい、いやな感じ。「役人臭」

【修】❶飾り整える。「修飾・修辞」❷手を加えて、再び使えるようにする。「修理・修繕・修正」❸書物を作る。「修史・監修・編修」❹儀式を行なう。「修祓」❺学んで、身につける。「修身・修養・修了・自修・必修」

【袖】そで。「袖珍本・袖手傍観・長袖・領袖・鎧袖一触」

【執】一度つかんだものを、離すまいとする。「執着・執念・固執・妄執」⇩しつ

【終】❶おわる。おわり。「終止・終了・終始・終業・終点・有終・始終・臨終」❷最後。「終車・終電・最終」

【羞】はじる。はじ。「羞恥・羞悪・羞渋・含羞」

【習】❶ならう。「習熟・習得・習練・習作・学習・練習・講習・復習・演習」❷ならわし。しきたり。「習慣・習性・常習・風習」

【週】⇩(本文)しゅう【週】

【就】❶位置につく。仕事にとりかかる。「就業・就任・就職・就学・就床・就縛」❷その方へ行く。「去就」

【衆】(略) 衆議院。「衆参両院」⇩(本文)しゅう【衆】

【集】多く△あつまる(あつめる)。「集合・集会・集中・集積・集団・群集・採集・招集」⇩(本文)しゅう【集】

【愁】物さびしさを感じて心が沈む。うれい。「愁嘆・愁傷・愁思・愁色・愁訴・旅愁・郷愁・哀愁」

【酬】❶お返しする。むくいる。「献酬・報酬・応酬」❷返事。「貴酬」

【〈聚】まとまりあつまる。まとまるようにあつめる。「聚合・聚散・聚落・類聚」

【〈輯〉】（シフ） 材料をあつめて、本を作る。「輯録・編輯」 表記 「集」は、代用字。

【醜】（シウ） 悪人（の仲間）。「醜類」 ⇩（本文）しゅう【醜】

【〈繡〉】（シウ） ぬいとり。また、ぬいとりを施す。「繡衣・繡飾・錦（キン）繡・刺繡」

【蹴】（シウ） 〔シュクの変化〕ける。「蹴球・一蹴・蹴鞠（クキ）〔＝けまり〕」

【襲】（シフ） ㊀おそう。「襲撃・襲来・来襲・逆襲・強襲・夜（ヤ）襲・奇襲・空襲・敵襲」 ㊁前代からのものを変えずに受け入れる。「襲用・襲爵（シャク）・襲名・世襲・踏襲」

【〈讐〉】（シウ） かたき。「讐敵・恩讐・復讐」 表記 「〈讎」は、動用字。

じゅう

【十】（ジフ） すべて。完全。「十全」 ⇩（本文）じゅう【十】

【中】 ⇩（本文）じゅう【中】

【〈什〉】（ジフ） ㊀日常に用いる雑具。「什器・什具・什物」 ㊁詩歌。詩編。「什篇・佳什」

【汁】（ジフ） しる。「汁液・果汁・肉汁・苦汁・乳汁・胆汁・墨汁・一汁一菜」

【充】 ㊀中身△が一杯になる（を一杯にする）。「充実・充満・充血・充電・充塡（テン）」 ㊁足りないところにそのものを入れる。「充当・補充」

【住】（ヂユウ） [一]とどまる。すむ。「止住・安住・移住・永住・居住・原住・在住・常住・定住」 [二]（略） 住職。「先住・当住・後（ゴ）住・無住」 ⇩（本文）じゅう【住】

【拾】（ジフ） 数字「十」の大字。

【柔】（ジウ） ㊀心がやさしい。「柔順」 ㊁からだや心に、しっかりしたところが無い。「優柔不断」 ㊂やわら。「柔術・柔道」 ⇩（本文）じゅう【柔】

【重】（ヂユウ） [一]㊀おもい。おもさ。「重量・重圧・重金属・過重」 ⇕軽 ㊁軽がるしく動かない。「重厚」 ㊂大きい。「重火器」 ㊃きびしい。ひどい。「重罪・重税・重態・重病・重労働・厳重」 ㊄大事△な（にする）。「重大・重要・重点・重視・重商主義」 ㊅かさねる。かさなる。〔かぞえる時にも用いられる。例、「五重の塔／三重衝突」〕「重婚・重犯・重囲・重版・重代」 ㊆〔化学で〕酸性塩であることや、質量数のさらに大きな同位元素であることを示す。〔前者の例は「重クロム酸カリ」、後者の例は「重水素」〕 [二]（略） 重箱。「重詰め・提（サ）げ重：う な重」

【従】 〔字の呉音の変化〕 ㊀ついて行く（人）。「従軍・従者・随従・侍従」 ㊁逆らわずに、したがう。「従順・従属・服従・追従・面従」 ㊂つとめとして、その仕事をする。「従事・従業・専従」 ㊃中心となるものに次ぐ重要さを持っていること。「主従の関係を明確にする／従犯」 ⇕主

【渋】（ジフ） 〔シフの変化〕 ㊀しぶい。しぶ。「渋面・苦渋」 ㊁すらすら事が運ばない。「渋滞・難渋」

【銃】 ⇩（本文）じゅう【銃】

【獣】（ジウ） けだもの。「獣医・怪獣・海獣・猛獣・野獣・禽（キン）獣・肉食獣」

【縦】 ㊀たて。「縦横・縦貫・縦陣・縦隊・縦列・縦走・縦断」 ㊁したいようにする。「縦覧・放縦・操縦」

じゅうか [1]（ヂユウ）【住家】 「住宅」の意の古風な表現。

じゅうか [1]（クワ）【銃火】 銃器による射撃。

しゅうかい [0]（シウクワイ）【周回】 ㊀―する（自サ） 〔その物のまわりを〕何回か回ること。〔回る回数をも指す〕「地球を―する人工衛星／―飛行[5][6]」 ㊁「周囲」の意の古風な表現。「―三〇キロの自然公園」

しゅうかい [0]（シフクワイ）【集会】―する（自サ） 多くの人が話合いなどをするために、ある場所にある時集まること。また、その集まり。「―を△催す（開く）／―所[5][0]・抗議―[4]」

しゅうかい [0]（シウクワイ）【醜怪】―な ぞっとするほど醜い様子。

しゅうかいどう [3]（シウ―ダウ）【秋海〈棠】 庭に植える、大きな葉の多年草。茎の節の部分は赤い。初秋に薄赤い花を開く。〔シュウカイドウ科〕 かぞえ方 一株・一本

じゅうかがくこうぎょう [6]（ヂユウクワ―ゲフ）【重化学工業】 重工業と化学工業との総称。 ⇕軽工業

**しゅうかく [0]（シウクワク）【収穫】 ㊀―する（他サ）〈なにヲ―する〉 農作物のとり入れ。「予想以上の―をあげる／―物[4]・―期[3][4]・―量[4]」 ㊁Ⓐ意図したとおりに採取できたもの。「△山菜取り（きのこ狩・潮干狩）の―」 Ⓑ何かによって得られた（副次的な好ましい）結果。「何かと―の多い海外旅行であった」 表記 ㊁は、「収獲」とも書く。 ―ていげん [0]-[0]【―逓減】 一定の土地で農業生産を行なう場合、それに加えられる資本と労働力の増加に比例して生産量も増えるが、ある限界に達すると生産量の増え方が徐々に減って行くという現象。「―の法則」

しゅうかく [0]（シウ）【臭覚】 「嗅（キュウ）覚」の改称。

しゅうがく [0]（シウ）【修学】―する（自サ） 知識を習い覚えること。「―年限[5]」 ―りょこう [5]（カウ）【―旅行】 〔学校の教育活動の一つとして〕実地研究・見学のため、教員が児童・生徒を引きつれて行なう旅行。

しゅうがく [0]（シウ）【就学】―する（自サ） △小学校（中学校）に入って教育を受けること。「―児童[5]・―年齢[5]・―率[4]」

じゅうかさんぜい [4]（ヂユウ）【重加算税】 税金を申告しなかったり 税金を課せられるべき事実を隠したり偽ったりして、税の申告・納付を怠った場合に課せられる税。

じゅうかしつざい [5]（ヂユウクワ―）【重過失罪】 〔こたつの不始末から起こる火事などが「単純過失」と言われるのとは違って〕厳重に注意しないと大事に至ると言われているのに、うっかりしてそれを忘れたために起こす過失に対する罪。例、ガソリン置き場での喫煙に起因する火事など。

じゅうかぜい [3]【従価税】 品物の価格を標準として課する税金。物品税など。 ⇩従量税

しゅうかつ [0]（クワツ）【終活】 人生の終りに向けて準備をする活動。エンディングノート作成、身辺整理などを通して、人生を総括し、余生を有意義に生きること。

しゅうかつ [0]（シウクワツ）【就活】 「就職活動」の略。

じゅうがつ [4]（ジフグワツ）【十月】 一年の第十の月。〔副詞的にも用いられ、アクセントは[0]。雅名は、かんなづき〕 ―かくめい [5]【―革命】 一九一七年十一月七日〔ロシアの旧暦で十月二十五日〕にレーニンなどが起こしたプロレタリアの社会主義革命。

じゅうかつだい [1]-[1]-[1]（ヂユウ）【重且（つ）大】 「重大」を分けて強調して言う表現。大変重大（だ）。

しゅうかぶつ [3]（シウクワ）【臭化物】 臭素と△他の元素（金属）との化合物。例、臭化水素・臭化カリウムなど。

しゅうかん [0]（シウ）【収監】―する（他サ） 刑務所に入れて監禁

じゅうか ― しゅうかん

じ

することを言った語。〔現在は「刑事施設への収容」と言う〕「―状[0]」

しゅうかん[0]【終刊】―する（自他サ） 新聞・雑誌などの刊行を、その号で終えること。また、その新聞・雑誌。「―号[3]」↕創刊

しゅうかん[0]【終巻】〔その続き物の〕最終の巻。↕首巻

****しゅうかん**[0]【習慣】❶いつもそうする事がその人の決まりになっていること。「早起きの―が身につく/悪い―をやめさせる/半ば―的に手を伸ばした/―づける/喫煙―・食―・生活―・悪―」❷その△国（地方）の人が普通の事として行なっている、生活上の様式。風習。「早婚の―」

しゅうかん[0]【週刊】〔日刊・月刊などと違って〕毎週一回、定期的に刊行すること。また、その刊行物。ウイークリー。「―誌[3]」

しゅうかん[0]【週間】△特別な行事などがある（何かの点で特記すべき）七日間。「愛鳥―[5]・読書―[4]」⇩旬間・月間

じゅうかん[0]【重患】重病（患者）。

じゅうかん[0]【縦貫】―する（他サ）〔「横断❷」に対し〕△縦（南北）に貫くこと。「―鉄道[5]・九州―自動車道」⇩縦断

じゅうがん[0]【銃丸】銃の弾丸。鉄砲玉。

じゅうがん[0]【銃眼】外部を望見し、また小銃射撃を行なうために、とりでなどの壁にあけた小さい穴。

しゅうき【周忌】（造語）回忌。「三―」〔一周忌の次は、三周忌〕⇩遠忌

***しゅうき**[1]【周期】〔一回りする期間の意〕ほぼ等間隔を置いて繰り返し同じ△現象が見られる（運動が行なわれる）時の、その時間的間隔。「月はいつも同じ面を地球に向けて回っているので、公転―と自転―とが等しい/五輪とアジア大会は四年―で行なう/短い―で次つぎに寒気が入るため雪の降る日が多く、引き続き冬型の気圧配置が続く」 **―てき**[0]【―的】―な/―に 大体同じ時間を隔てて、同じような事が起こる様子だ。「発作が―に起こる」 **―りつ**[3]【―律】〔↑元素周期律[6]〕すべての元素を原子番号の順に並べる時、性質の似た元素が幾つか隔てて規則的に出て来ること。

しゅうき[1]【宗規】その宗派の規約。

しゅうき[1]【秋気】❶秋の澄んだ空気。❷秋らしい感じ。

しゅうき[1] [一]【秋季】行事・催し物などをするのによい、秋の季節。「―大祭・―運動会」 [二]【秋期】（決まって何かが行なわれる）秋の期間。「十月一日から―のセミナーを開講する」

しゅうき[1]【臭気】いやなにおい。くさみ。「鼻をつく―/―が漂う」

しゅうき[1]【終期】長い間続いた行事・催し物などが終わる時期。〔狭義では、その期間の終りを指す〕↕始期

しゅうぎ[1]【宗義】その宗派の根本となる教義。

しゅうぎ[1]【祝儀】❶祝いの儀式。〔狭義では、婚礼を指す〕❷お祝いの時などに、人びとに贈る金品。〔狭義では、チップを指す〕「―をはずむ/御―[2]・―袋[4]」

しゅうぎ[1]【衆議】多人数の△合議（相談）。「―一決〔=その時集まった大多数の意見で、そう決まること〕」 **―いん**[3]【―院】参議院と共に国会を構成する議院。多くの点で参議院に優先する権限をもつ。略して「衆院」。〔衆議院議員によって構成され、議員の任期は四年〕

じゅうき[1]【〈什器】〔「什」は十人、おおぜいで共用する意〕日常家庭で使う道具類。

じゅうき[1]【重機】❶ブルドーザー・クレーン車・掘鑿機などの大型（建設）機械。❷「重機関銃」の略。

じゅうき[1]【銃器】一人で持ち運び出来る武器。例、小銃・ピストル・機関銃など。

じゅうきかんじゅう[4]【重機関銃】射程が長く破壊力の強い大型の機関銃。略して「重機」。↕軽機関銃 [かぞえ方] 一門

しゅうきゃく[0]【集客】宣伝・訪問・呼込みなどにより広く客を呼び寄せること。

しゅうきゅう[0]【週休】一週間ごとに決まって休日があること。「―二日制」

しゅうきゅう[0]【週給】〔日給・月給・年給と違って〕一週間ごとに支払う決まりの△給料（給与）。

しゅうきゅう[0]【蹴球】革製のボールをけって勝敗を争うスポーツ。フットボール。〔広義ではラグビー・アメリカンフットボールを含み、狭義ではサッカーを指す〕

じゅうきょ[1]【住居】人の住んでいる△場所（家）。住まい。「―変更届・―表示」

しゅうきょう[0]【州境】一つの州と他の州との境。

****しゅうきょう**[1]【宗教】❶生きている間の病気や災害などによる苦しみや、死・死後への不安などから逃れたいという願いを叶えてくれる絶対者の存在を信じ、畏敬の念をいだきその教えに従おうとする心の持ちよう。また、それに関連して行なわれる儀礼的行為。「心の救いを―に求める/―心[3]・―性[0]」❷仏教・キリスト教・イスラム教など、全世界に分布している「宗教❶」。また、その総称。「新興―[5]・国家―・―音楽[5]・―裁判[5]・山岳―[5]・民族―[5]」 **―か**[0]【―家】その宗教の意義を他人に説き、自分も修行に努めて、それを証明しようとする人。 **―が**[0]【―画】その宗教で重んじられる歴史的な事実や伝説などを描いた絵画。 **―かいかく**[5]【―改革】一五一七年、ルターがカトリック教会の腐敗を追及し、その改革を企てた宗教運動。その結果、プロテスタント教会が生まれた。 **―ほうじん**[5]【―法人】宗教法人法によって法人としての事業が認められた宗教団体。公益法人の一つ。

しゅうきょう[0]【秋興】秋の季節のおもしろさ。

しゅうぎょう[0]【修業】―する（自サ） 学校や、特定の師のもとで、決まった段階を踏んで学業・技芸を学び身につけること。「全課程を―する/―〔=修了〕証書[5]」

しゅうぎょう[0]【終業】―する（自サ）↕始業 ❶その日の仕事を終えること。「―時[3]」❷その学期の授業を終えること。「―式[3]」

しゅうぎょう[0]【就業】―する（自サ）❶仕事に取りかかること。「―中は面会謝絶/―規則[5]」❷職業を持っていること。↕失業 **―じんこう**[5]【―人口】現在就業し、所得を得ている人たちの総計。↕失業人口

しゅうぎょう[0]【醜業】「売春」の意の婉曲な表現。「―婦[3]」

じゅうぎょう[0]【従業】社員・店員・工員として、仕事をしていること。「―員[3]」

しゅうきょく[0]【終曲】⇩フィナーレ❷

しゅうきょく[0]【終局】❶碁・将棋の対局が終わり、勝負がつくこと。「一三四手で―を迎える」❷戦争・交渉・裁判などの最終の結果。「和平交渉が成立し―を告げる」

しゅうきょく[0]【終極】そこでなんらかの△結果（結論）が打ち出されるはずの、最後の段階。「―の目的/―的[0]」

しゅうきょく[0]【〈褶曲】〔「褶」は、ひだの意〕平らな地層が横から押されてしわを作り、山や谷が出来ること。「―山脈[5]〔ヒマラヤ・アルプスなどは、これ〕」

しゅうぎょとう[0]【集魚灯】魚の習性を利用して、

夜分魚を誘い捕るのに用いる灯火。〔昔は篝火を、現在は白熱灯を使用〕

しゅうきん[0]【集金】―する(自他サ) 会費・使用料金などを集めること。また、そのお金。「―人[0]・―日[3]」

しゅうぎん[0]【秀吟】すぐれた△詩歌(吟詠)。

じゅうきんぞく[3]【重金属】比重が四より大きい金属。例、金・銀・銅・鉄など。↕軽金属

しゅうく[1]【秀句】❶すぐれた△俳句(詩句)。❷同音を利用した、こっけいな言葉。地口・語呂合せの類。

しゅうぐ[1]【衆愚】無知蒙昧の一般民衆。客観的な判断力を欠き、大勢に迎合しやすい民衆。「―政治[4]〔=何事によらず多数決によらねばならぬとする民主主義政治を批判した称〕」

じゅうく[1]【重苦】生きる希望を失わせるような、堪えがたい苦しみ。

ジュークボックス[4]〔jukebox〕硬貨を入れ、好みの曲目のボタンを押すと、その曲が自動的にかかる仕組みのプレーヤー。[かぞえ方] 一台

シュークリーム[4]〔フ chou à la crème〖=クリームの入ったキャベツ〗に基づく〕卵・バター・小麦粉を交ぜて焼いた薄い外皮の中にクリームを詰めた洋菓子。

じゅうぐん[0]【従軍】―する(自サ) 軍隊に従って戦地に行くこと。「―記者[5]・―看護婦[6]・―慰安婦[6]〔=戦争中、戦地で兵士相手に性の相手をさせられた女性〕」

しゅうけい[0]【集計】―する(他サ) データを集めて数値を合計△すること(したもの)。「投票の―/―表[0]」

じゅうけい[0]【重刑】刑期の長い、重い刑罰。

じゅうけい[0]【従兄】年上の、男の いとこ。↕従弟

じゅうけい[0]【銃刑】銃殺の刑罰。

じゅうけいしょう[3]【重軽傷】重傷や軽傷。「五人が―を負った」

じゅうけいてい[3]【従兄弟】男である いとこ。↕従姉妹

しゅうげき[0]【襲撃】―する(他サ) 相手の不意をついて攻めること。「夜中に敵の―を受けた」

じゅうげき[0]【銃撃】―する(他サ) 小銃・機関銃などを△撃つ(撃って相手を攻撃する)こと。「激しい―戦が続いた」

しゅうけつ[0] ❶【終決】今までなかなか△決まら(終わら)なかった事が最後の段階を迎えること。❷【終結】〔論理学や数学で〕仮設から出発して推論を行なうことにより導かれる最後の命題。結論。帰結。断案。〔「PならばQ」という形の命題におけるQの称。「PならばQ」の真偽にかかわらず、Qを終結と呼ぶ〕

しゅうけつ[0]【集結】―する(自他サ)〔次の活動などに備えて〕兵力などを一か所に集めること。また、集まること。[表記] ❶は、「終結」とも書く。

しゅうげつ[1]【秋月】「秋の夜の月」の意の漢語的表現。

じゅうけつ[0]【充血】―する(自サ) 動脈が広がって、からだの一部に血が異常に増すこと。「目が―する」⇩鬱血

じゅうけつきゅうちゅう[5]【住血吸虫】水田などで働く人の手足の皮膚から入りこみ、血管の中で発育する吸虫。細長い紐状で、肝硬変などを起こす。〔住血吸虫科〕「―症[0][7]・日本―〔=⇩日本住血吸虫〕」[かぞえ方] 一匹

しゅうけん[0]【州権】〔アメリカ合衆国などの〕州が持つ、法律上の権力。

しゅうけん[0]【集権】権力を一か所に集めること。「中央―」↕分権

しゅうげん[1]【祝言】「結婚式」の意のやや古風な表現。〔広義では、おめでたい行事や儀式一般を指す〕「―をあげる」

じゅうけん[0]【銃剣】❶銃と剣。❷小銃の先に付ける短い剣(を付けた銃)。「―術[3]」

じゅうげん[0]【重言】同じ意味が含まれている言葉を、おもに口頭語で意味の重複に気づかず重ねて使う言い方。「じゅうごん」とも。例、「うしろへバックする・被害をこうむる・石を投石する」など。〔広義では、連文による熟語をも指す。例、「憎悪・好き好む」〕

じゅうこ[1]【住戸】マンションなど集合住宅の各戸の居住部分。

じゅうご[1]【銃後】〔戦場の後方の意〕直接戦闘に加わらないが、間接的に、なんらかの形で戦争に協力し、関係している一般国民。「―の守り」

しゅうこう[0]【舟行】―する(自サ) ❶【舟行】舟に乗って行くこと。〔狭義では、舟遊びを指す〕❷【舟航】舟が水路に従って航行すること。「―の便/琵琶湖―」

しゅうこう[0]【周航】―する(自サ) 船で各地を回って来ること。

しゅうこう[0]【秋郊】秋の△野原(郊外)。

しゅうこう[0]【秋耕】―する(自サ) 秋、作物を収穫したあと、翌年の春の作物のために畑を耕すこと。↕春耕

しゅうこう[0]【修好】―する(自サ) 国と国とが、貿易関係を結んだり 文化の交流をはかったり すること。「―条約[5]」[表記]「修交」とも書く。

しゅうこう[0]【終航】―する(自他サ) その△船(航空機)が、定められた航海・航路を終えること。また、終わること。

しゅうこう[0]【終講】❶―する(他サ) 今まで続けてきた講義を、その時点で終りにすること。❷その期間の最終の講義。

しゅうこう[0]【就航】―する(自サ)〔その△船(航空機)が出来あがって初めて〕航海・航空の途につくこと。

しゅうこう[0]【衆口】多くの人の言うところ。「―一致」

しゅうこう[0]【集光】―する(自他サ) 光線を一方向に集めること。「―器[3]・―レンズ[5]」

しゅうこう[0]【醜行】社会的・道徳的に見て恥ずべき行い。

しゅうごう[0]【秋毫】〔秋のころ抜けかわる、獣の細い毛の意〕わずか。少し。「―の欠点も許さない」

しゅうごう[0]【習合】―する(他サ) 幾つかの△教義(主張)などをとりいれて、一つのものにまとめること。「神仏―[1]-[0]」

しゅうごう[0]【集合】❶―する(自他サ) 一か所に集△め(ま)ること。「駅前で一時に―する/―離散を繰り返す/―住宅[5]・―体[0]」❷集まり。むれ。❸〔数学で〕人間の観察・思考の対象としてはっきり識別出来るものの中で、特定の△性質を持つ(条件にあてはまる)ものを一まとまりとして考えたもの。〔「大きい数の全体」というようなものは、その範囲が不明確なので、集合とは見なさない〕「十八と二十四の公約数の―は、一・二・三・六の四つの元から成る/―の要素/有限―[5]・無限―[4]・―論[3]・部分―」[表記] ❶❷は「聚合」とも書く。

じゅうこう[0]【重厚】―な どっしりしていて、それに接する人に信頼感を与える様子だ。「―な作風」[派]―さ[0]

じゅうこう[0]【銃口】銃の筒先。「―を向ける/ピストルの―にさらされる」

じゅうこう[0]【獣行】さかりのついた獣類のように、見境無く性欲を満足させようとする恥ずべき行為。

じゅうごう[0]【重合】―する(自サ) 同種の分子が幾つか結合して、分子量の大きい化合物になること。「―体[0]〔=プラスチックや合成繊維など〕」

じゅうこうぎょう[3]【重工業】生産財としての鋼

材を造ったり、鋼材を多量に用いた製品〔たとえば、車両・船舶など〕を製造したりする工業。「―地帯」

じゅうこうぞう③(ジュウ―ザウ)【柔構造】㊀高層ビルの建築において、地震のエネルギーを直に受けないようにしたしなやかな構造。↔剛構造 ㊁制度や組織運営について、柔軟に運用可能であること。

しゅうごく⓪(シウ)【囚獄】「牢獄(ロウゴク)」の意の古風な表現。

しゅうこつ⓪(シウ)【収骨】―する(自他サ) ㊀火葬したあとの骨を骨壺(コツツボ)などに収めること。㊁〔葬られないで野山に散らばっている遺骨を〕埋葬するために収集すること。

じゅうごや⓪(ジフ)【十五夜】〔陰暦で〕毎月十五日の夜。〔狭義では、名月を観賞する八月十五日の夜を指す〕

しゅうごろし③【〈主殺し】主人や主君を△殺すこと〔殺した者〕。〔古来、大逆の第一とされる〕

じゅうこん⓪(ヂュウ)【重婚】―する(自サ) 配偶者が居るのに、さらに他の人と結婚すること。二重結婚④。「―罪③」

しゅうさ①(シウ)【収差】レンズの映像が不鮮明に写ること。⇩色(イロ)収差

じゅうざ①⓪【銃座】射撃のために、銃・機銃を据える場所。

ジューサー①〔juicer〕野菜・果物などをすりおろしてジュースを作る電気器具。[かぞえ方]一台

しゅうさい⓪(シウ)【収載】―する(他サ) ㊀論文や作品を雑誌や書物に載せること。㊁利用者のために各種の情報をパンフレットなどに載せること。

しゅうさい⓪(シウ)【州際】〔interstate の訳語〕〔アメリカ合衆国などの〕州と州との間〔にまたがること〕。「―の取引き/―公社⑤・―商業⑤・―通商⑤」

しゅうさい⓪(シウ)【秀才】〔昔、中国で官吏の登用試験に合格した人の意〕頭がよく、学校の成績がよい人。〔何でも小器用に出来る要領のいい人の意にも用いられる〕↔鈍才

しゅうざい⓪(シフ)【集材】―する(他サ) 切り倒した材木を一か所に集めること。「―機③」

じゅうざい⓪(ヂュウ)【重罪】㊀第一級の犯罪。殺人や、かつての不敬・スパイ、江戸時代の放火、十両以上の盗犯など。㊁「重罪㊀」に対して科される刑罰。極刑・無期刑や昔の遠流(オンル)など。

しゅうさく⓪(シウ)【秀作】すぐれた作品。↔駄作・凡作

しゅうさく⓪(シフ)【習作】―する(他サ) 〔完成した芸術作品や論文などと違って〕未完成の段階にあるものの称。また、練習のために作った作品。エチュード。

しゅうさつ⓪(シフ)【集札】〔乗り物などで〕はさみを入れた切符を集めること。「―掛(ガカリ)⑤」

じゅうさつ⓪(ヂュウ)【重殺】―する(他サ) 〔野球で〕ダブル プレー。

じゅうさつ⓪【銃殺】―する(他サ) 〔刑罰として〕小銃で撃ち殺すこと。「―刑④」

しゅうさん⓪(シウ)【秋蚕】「あきご」の、農家での称。⇩春蚕・夏蚕

しゅうさん⓪(シフ)【集散】―する(自他サ) ㊀集まったり散ったりすること。「離合―」㊁産地から一度集められた品物が、さらに消費地へ送り出されること。「物資の―地」

しゅうさん⓪(シウ)【〈蓚酸】無色で柱の形をした結晶体。染色・漂白・皮なめしなどに使う。

じゅうさんや③⓪(ジフ)【十三夜】〔陰暦で〕毎月十三日の夜。〔狭義では、陰暦九月十三日の、名月の夜を指す〕

じゅうさんり③(ジフ)【十三里】〔クリよりうまいの意で、九里＋四里＝十三里のしゃれという〕「やきいも」の異称。

しゅうし①(シウ)【収支】収入と支出。「―相償う/―はとんとん/―尻(ジリ)が合う/―均衡を図る/―決算・貿易―」

しゅうし①【宗旨】㊀その宗派で重点的に説く事柄。㊁その人の信奉する宗派。 **―がえ**⓪(ガヘ)【―変(え)】―する(自サ) ㊀「宗旨㊁」を変えること。㊁めいめいが正しいと思っていた主義・主張や好みなどを変えること。「野球一点張りだった彼がサッカーに―したそうだ」

しゅうし①(シウ)【秋思】秋が深まるにつれ、何かにつけてセンチメンタルになること。⇩春愁

しゅうし①(シウ)【修士】新制大学の大学院に二年以上在学して、論文の審査に合格した人が受ける学位。マスター。「―号③」

しゅうし①(シウ)【修史】歴史を編修すること。「―事業④」

しゅうし①⓪【終止】―する(自他サ) 終わること。また、終えること。 **―けい**⓪【―形】〔日本語文法で〕活用語の語形の一つ。文を完結させるときなどに用いる形。辞書の見出し語の形がそれに当たる。⇩付録「活用表」 **―ふ**③【―符】文の終わりに付けるしるし。欧文ではピリオド「.」、邦文では句点「。」。「―を打つ〔＝そこで、物事をおしまいにする〕」

しゅうし①【終始】―する(自サ) 途中変化することなく、始めから同じ状態を保ったままで終わる△こと〔様子〕。〔副詞としても用いられる〕「逃げに―した/―うつむいたままであった」 **―いっかん**①-⓪(クワン)【―一貫】―する(自サ) その事に関して、最初に表明した主張や態度を、事の終わるまで変わらず貫き通す△こと〔様子〕。〔副詞としても用いられる〕「―〔して〕反対し続けてきた」

しゅうし①(シウ)【愁思】「うれい沈む気持」の意の古風な表現。

しゅうじ⓪(シウ)【修辞】言葉を効果的に使って△適切に〔美しく〕表現する言語技術。レトリック。〔狭義では、上記の目的にかなった文学上の技巧を指す〕「―学③・―法⓪」

しゅうじ⓪(シフ)【習字】文字の美的な書き方を習うこと。〔狭義では、毛筆によるものを指す〕「ペン―」

***じゅうし**①⓪(ヂュウ)【重視】―する(他サ)（なにヲ―する）△重要〔重大〕なものとして扱うこと。↔軽視

じゅうし①(ジュウ)【従姉】年上の、女のいとこ。↔従妹

じゅうし①(ジウ)【獣脂】獣類からとれる脂肪。

じゅうじ①⓪(ジフ)【十字】㊀十の字〔の形〕。十文字。「―を切る〔＝キリスト教徒が神に祈る時〕手で胸に十文字の形を描く〕」㊁「十字架」の略。 **―か**③(クワ)【―火】左右から交差して発射される砲火。十字砲火④。 **―か**⓪【―架】㊀罪人をはりつけにする十字形に組み合わせた柱。「―を負う〔＝消し去ることの出来ない△苦悩〔苦難〕を一生負い続ける〕」㊁キリスト教〔徒〕のしるしとして持つ、十字架をまねた形のもの。〔犠牲として強制される、重い負担の意にも用いられる。例、「重すぎる―」〕[かぞえ方]㊀㊁とも一本 **―ぐん**③【―軍】中世にヨーロッパ各地のキリスト教徒がエルサレムの聖地をイスラム教徒から奪還するために起こした義勇軍。 **―ろ**③【―路】〔二本の道が直角に交差する意〕「よつかど」の意の漢語的表現。

じゅうじ①(ヂュウ)【住持】その寺の長である僧。

じゅうじ①(ジュウ)【従事】―する(自サ) 仕事として、その事に関係すること。「教職に―する」

ジューシー①〔juicy〕―な 果汁や肉汁が豊富〔で、おいしそう〕な様子だ。「―なオレンジ」

じゅうしちもじ④(ジフ)【十七文字】〔和歌を三十一文字(ミソヒトモジ)と言うのに対して〕「俳句」の異称。

しゅうじつ⓪(シウ)【秋日】㊀秋の日。㊁秋の季節。

しゅうじつ⓪【終日】一日じゅう。朝から晩まで。

しゅうじつ⓪(シウ)【週日】一週間のうち、日曜以外の日。ウイークデー。平日。〔広義では、土曜をも除く〕

***じゅうじつ**[0]【充実】―する（自サ） 必要な内容・設備・力が十分に備わっていること。「質的―を図る／―した生活／メンバーが―する／気力―・―感[4][3]」 派―さ[0]

じゅうしまい[3]【従姉妹】 女であるいとこ。↕従兄弟

じゅうしまつ[3]【十姉《妹】〔本来の字音はジフシマイ。「じゅうしまつ」は類推読み〕スズメより少し小さい小鳥。羽は白色で、まだらがある。鳴き声が美しい。〔カエデチョウ科〕 かぞえ方 一羽

しゅうしゃ[0]【終車】 その日の最終発車のバス・電車・列車。

じゅうしゃ[1]【従者】 主人の供をする人。

しゅうしゃく[0]【襲爵】―する（自サ） 死んだ父祖の爵位を、その子や孫が受け継ぐこと。

しゅうじゃく[0]【執着】―する（自サ） ⇩しゅうちゃく

しゅうしゅ[1]【袖手】―する（自サ）〔ふところ手の意〕努力を惜しみ、何もしないこと。 **―ぼうかん**[1]-[0]【―傍観】―する（他サ）〔当然そのことにみずからかかわるべき立場にある人が〕何もせずに、なりゆきまかせにしていること。

しゅうじゅ[1]【収受】―する（他サ） 受け取って収めること。

しゅうしゅう[0]【収拾】―する（他サ） 混乱した状態を、うまく収めること。「―に当たる／―を急ぐ／―がつかない／―工作に乗り出す／△事態（政局）を―する／ストが―される」

しゅうしゅう[0]【収集・〈蒐集】―する（他サ） ❶一般家庭が（不用として）出した物を自治体などが日時を決めて集めて回ること。「ごみ―車[5]」 ❷趣味や研究用に△集めること（集めたもの）。コレクション。「切手の―／―家[0]」

しゅうしゅう[0]【《取集】―する（他サ）〔郵便局員が〕郵便物をポストから集めて来ること。とりあつめ。

しゅうしゅう[1]【周州】「周防国」の漢語的表現。今の山口県南部・東部にあたる。

しゅうしゅう[0]【修習】―する（他サ） 学問や技芸を習って身に付けること。「司法―生」

しゅうしゅう[0]【〈啾々】―たる ―と〔鳥獣が小さな声で鳴く形容〕小さな声でもの悲しげに泣く様子。「鬼哭―」

じゅうじゅう[1]【《主従】「しゅじゅう」の口頭語形。

じゅうじゅう[3][0]【重々】（副） どんな点から見てもそのように言える様子。「―の不始末／―〔＝十二分に〕承知の上のことだ」

しゅうしゅく[0]【収縮】―する（自他サ）〔今まで伸び広がっていた物が〕引きしまり縮まること。また、そうすること。「筋肉が―する／事業の規模を―〔＝小さく〕する／―運動」

しゅうじゅく[0]【習熟】―する（自サ） その事に慣れて△上手に（そうする事が習慣と）なること。「―度[4]」

じゅうしゅつ[0]【重出】―する（自サ） △一回（一つ）出ていれば用の済む物が、違った所にまた出ていること。「ちょうしゅつ」とも。

じゅうじゅつ[1][0]【柔術】 江戸時代に発達した武術で、攻撃して来る相手の力を利用し素手で制するもの。突きなどの乱暴なわざも取り入れられていた。やわら。⇩柔道

じゅうじゅん[0]【柔順】・【従順】―な ―に おとなしくて、他人の言うことにすなおに従う様子だ。 派―さ[0]

しゅうしょ[1]【秋暑】 立秋を過ぎても残る暑さ。残暑。「―の候」

しゅうしょ[1]【週初】 その週の初め。⇩週央・週末

しゅうしょ[1]【衆庶】 名もなき一般庶民。

しゅうしょ[1][0]【集書】・【〈蒐書】―する（自サ） 研究材料として、参考文献を集めること。また、その集めた書物。

しゅうじょ[1]【醜女】 顔形・姿の醜い女性。醜婦。↕美女

***じゅうしょ**[1]【住所】 生活の本拠として、その人が住んでいる所（の行政上の呼称）。「―録[3]・―不定[1]-[0]」

しゅうしょう[0]【周章】―する（自サ） あわてること。「―狼狽[0]-[0]」

しゅうしょう[0]【秋宵】 秋の△よい（夜）。↕春宵

しゅうしょう[0]【終章】〔論文・小説などの〕終りの章。↕序章

しゅうしょう[0]【就床】―する（自サ） △安静を保つ（眠る）ために床に就くこと。↕起床

しゅうしょう[0]【愁傷】 心からその人の死を悲しむこと。〔多く「ご―様」の形で、死者の近親者に対するお悔みの言葉として用いられる〕

しゅうじょう[0]【醜状】 ❶（堕落していて）口にするのも恥ずかしい状態。「―をさらす／業界の―を暴く」 ❷傷あとなどの醜い様子。「―を残す」

じゅうしょう[0]【重症】 重い△症状（病気）。〔広義では、マイナスの状態が進み、元に戻したり直したりすることが困難な状態を指す〕「―患者[5]」↕軽症

じゅうしょう[0]【重唱】―する（他サ） 各パートをそれぞれ一人が受け持って、合唱すること。「二―・三―」

じゅうしょう[0]【重傷】〔命にかかわるような〕重いけが。大けが。「―を負う」↕軽傷

じゅうしょう[0]【重賞】〔「重賞競走・重賞レース」の略〕競馬で、賞金が高額なレース。

じゅうしょう[0]【銃床】 小銃の銃身をささえる木製の部分。

じゅうしょう[0]【銃傷】 銃弾で受けた傷。

じゅうしょうじ[3]【重障児】 重い程度の身体障害児。

じゅうしょうしき[0]【重勝式】〔競馬や競輪などで〕複数の競走で一着を当てさせ、配当金を分配するもの。

じゅうしょうしゅぎ[5]【重商主義】〔十八世紀の英国などで〕国内市場を外国製品から保護する一方、国産品の輸出を奨励し、外貨を多く獲得しようとした経済政策。マーカンティリズム。⇩重農主義

しゅうしょく[0]【秋色】「秋らしい△景色（けはい）」の意の漢語的表現。

しゅうしょく[0]【修飾】―する（他サ） ❶よく△見える（聞こえる）ように、表面を飾ること。 ❷〔文法で〕その語句が、△直後（直前）の語句の意義を細かく限定すること。 **―ご**[0]【―語】〔文法で〕実質的な意味をもった語に何らかの意味的な限定を加える語。日本語では「美しく咲く」の「美しく」や「赤い花」の「赤い」のように、後に続く語に何らかの限定を加える。用言にかかる連用修飾語と体言にかかる連体修飾語とがある。〔言語によっては前に位置する語に限定を加えるものもある〕⇩被修飾語

しゅうしょく[0]【就職】―する（自サ） 新しく職を得ること。「―口を世話する／―難[4]・―戦線[5]」↕退職

しゅうしょく[0]【愁色】（表情などに現われる）うれいや悲しみの様子。

しゅうじょく[0]【就〈褥】―する（自サ） ❶寝床に入って寝ること。 ❷病気で寝ていること。〔❶❷とも古風な表現〕 表記「就〈蓐」とも書く。

じゅうしょく[1]【住職】 住持（の職）。

じゅうしょく[0]【重職】 責任のある大切な職務。

しゅうじょし[3]【終助詞】〔日本語文法で〕その文の叙述内容についての話し手の驚き・嘆きなどの感情や、聞き手に対する問いかけ、勧誘、念押し、命令・禁止などの意を伝える助詞。口語では、「**か・ぞ・な・ね・さ・よ・の**」など〔太字は、文語でも用いられるもの〕、文語では、「かも・なん・ばや」な

ど。

しゅうしん①ー【修身】〔自分の行いを正しくするように努力することの意〕旧制の小・中学校で教えた学科の一つ。個人生活・社会生活に必要とされる道徳観や、国家への忠誠心を身につけさせるもの。「ーの教科書みたいな人」

しゅうしん⓪①ー【執心】ーする（自サ）何かを手に入れたく思い、それが心から離れないこと。運用「ご執心」の形で、特定の相手に恋心をいだくことを、からかい・冷やかしの気持を込めて用いることがある。例、「だいぶあの女性にご執心のようだね」

しゅうしん①⓪【終身】一生の間。「ー刑③」 **ーかん**③【ー官】特別の事情・過失の無い限り、一生勤められる公務員。例、旧憲法下の裁判官など。

しゅうしん⓪【終審】〔最後の取調べの意〕それ以上は上訴出来ない、最終の裁判所の審理。最高裁判所の審理を指す。

しゅうしん⓪ー【就寝】ーする（自サ）寝床に入って寝ること。

しゅうじん⓪ー【囚人】牢屋にとらわれている人。〔俗に刑務所で服役する人を指す。現在、法的には使わない〕

しゅうじん⓪【衆人】おおぜいの人。「ー環視の中で〔＝みんなが見ている所で〕」

しゅうじん⓪【集〈塵〉】ーする（自サ）ごみを〔一か所に〕集めること。「ー機③・ー袋⑤」

じゅうしん⓪ー【重心】〔物理で〕物体の各部分に働く重力がそこに集まっていると見なしてよい点。「ー〔＝釣合〕をとる／ーを置く／ーが右に寄り過ぎる」

じゅうしん⓪ー【重臣】主君に重く用いられる臣下。

じゅうしん⓪【銃身】弾丸がその中を通って発射される、銃器の主要部分。鋼鉄製の長い円筒状。

じゅうじん⓪ー【縦陣】軍艦などの縦に一直線に並んだ陣形。

シューズ①〔shoes〕短ぐつ。「バレエー④・レインー④」

ジュース①〔deuce＝二点〕〔卓球・バレーボール・テニスなどで〕△一セット（一ゲーム）の勝負が決まる直前に同点となって、あと続けて二点取らなければ勝ちとならなくなること。「ーアゲ（イ）ン〔＝ジュースを繰り返すこと〕」

ジュース①〔juice〕果物・野菜をしぼった汁。また、それに砂糖・水などを加えた飲料。「グレープー⑤・野菜ー④」 かぞえ方 一本・一瓶・一缶

しゅうすい①⓪ー【秋水】秋のころの澄みきった水。「三尺のー〔＝一点の曇りも無い刀〕」

じゅうすい⓪ー【重水】〔軽水に対して〕重水素を含む水。

じゅうすいそ③ー【重水素】水素の同位元素。普通の水素の△二倍（三倍）の質量を持つ。

しゅうすじ③①ー【《主筋》】主人△の血筋（に近い関係の人）。

しゅう・する③【修する】（他サ）❶正しくする。「身をー」❷こわれた所などを直す。「社殿をー」❸習い覚える。「学をー」❹執り行なう。「法会をー」

じゅう・する③【住する】（自サ）❶住まう。❷とどまる。「安易な境地にー」

しゅうせい①【終生】（副）その状態や習慣などが、その人が一生を終えるまで変わらずに続く様子。「ハーンはー日本を愛した人だった／彼とはーの友だ」 表記「終世」とも書く。

しゅうせい⓪ー【州政】〔米国などの〕州の行政。

しゅうせい⓪【宗政】その宗門内での行政。「本山が末寺を統一するー」

しゅうせい⓪ー【修正】ーする（他サ）△不十分な（まちがっている・行き過ぎた）所を正しく直すこと。「ーを加える／軌道ーを図る／ー案③」 **ーしゅぎ**⑤【ー主義】❶〔社会主義の理論で〕社会主義を実現する改革の進め方や行動目標に、議会制を取り入れるなど、時代に応じた修正を加えてゆくべきだとする考え方。❷〔共産主義で〕プロレタリア独裁や暴力革命を否定し、対外的には自由主義諸国との平和共存、対内的には経済の自由化を唱える主義。**ーへいきん**⑤【ー平均】その日の株価の合計をある除数で割って平均を出す方式の株価。市場動向に連続性を持たせるためのもの。ダウ平均や日経平均がこれに属する。修正平均株価。↔単純平均

しゅうせい⓪ー【修整】ーする（他サ）写真の原板などに手を入れて、像の乱れを直し、色や調子を変えること。

しゅうせい⓪ー【習性】❶〔その動物の行動面に現われる〕その類特有の性質。「動物のー」❷習慣によって身についた性質。くせ。「なかなか直らない夜ふかしのー」

しゅうせい⓪ー【集成】ーする（他サ）❶個々のものを集めて、全体として一つの働きを持つものにすること。「ー材③⓪〔＝薄い板を何枚も重ね合わせて作った材〕」❷見やすいように同類のものを出来るだけ多く集めて△まとめること（まとめた本の名）。「最高裁判例ー・源氏物語古注釈ー」

しゅうぜい⓪ー【収税】ーする（自サ）租税を取りたてること。「ー吏③」

じゅうせい⓪【銃声】銃をうった音。 かぞえ方 一発

じゅうせい⓪ー【獣性】〔人間の性質の中で〕理性とはほど遠い、本能的な面。「ーをむき出しにする」

じゅうぜい⓪ー【重税】払えないほど多額な、負担の重い税金。「ーに苦しむ」

しゅうせき⓪ー【集積】ーする（自他サ）多量に△集める（集まる）こと。「物資のー地」 **ーかいろ**⑤ー【ー回路】多数のトランジスタ・コンデンサー・抵抗などより成る回路の機能を一つに集約した素子。複雑な電子機器の小型化に役立つ。略称、アイシー（IC）。集約の規模の大きいものは「大規模集積回路〔＝エル エス アイ（LSI）〕」と言う。

じゅうせき⓪ー【重責】そのポストにある人に負わされる、重い責任。「ーを負う／首相はーに耐え兼ねると言った」

しゅうせん⓪ー【周旋】ーする（他サ）人の間を取りもつこと。〔狭義では、就職・雇い入れや、物品の購入などについての世話をすることを指す。例、「ー屋⓪」〕

しゅうせん⓪ー【秋扇】秋の扇。〔時節はずれで、いらなくなったもののたとえ〕

しゅうせん⓪【終戦】その国が参加した戦争が終わること。〔狭義では、第二次世界大戦における日本の敗戦を指す〕「ー処理⑤・ー後⓪⑤」 ↔開戦

しゅうせん⓪ー【〈鞦韆〉】「ぶらんこ」の漢語的表現。

しゅうぜん⓪ー【修繕】ーする（他サ）まだ使えそうな機器・家具や、建物・車・衣類などに手を加えて、本来の機能を回復させること。「ー専門・ー費③・応急ー」

しゅうぜん⓪【衆前】多くの人が（見たり聞いたりして）いる所。「ーで醜態を演じる」

しゅうぜん⓪ー【愁然】ーたる ーと 悲しみに沈む様子だ。「ーとして」

じゅうせん⓪【縦線】縦の△線（筋）。 ↔横線

じゅうぜん⓪ー【十全】ーな 少しの欠点も無く完全だと言える△こと（様子）。

じゅうぜん⓪ー【十善】〔仏教で〕十悪を犯さないこと。〔狭義では、前世の十善の果報によって現世で受けるという天子の位を指す。例、「ーの君」〕

じゅうぜん⓪【従前】問題として取り上げられる新たな事

態に変わる前(に行なわれてきたこと)。「新カリキュラムは新一年生から適用され、在学生は―通りである/―の身分を保持するが、その職務には従事しない」

しゅうそ[1]【宗祖】 その宗派の開祖。

しゅうそ[1]-(シウ)【臭素】 ハロゲン族元素の一つ。常温では赤茶色の、不快な臭気のある液体〔記号Br原子番号35〕。写真の感光材料や殺菌剤に用いられる。

しゅうそ[1]-(シウ)【愁訴】―する(自サ) ❶困っているからどうにかしてくれと権威筋に頼みこむこと。❷からだの調子の悪いことを訴えること。「不定―〔=⇩不定愁訴〕」

じゅうそ[1]-(ヂユウ)【重〈祚】―する(自サ) 一度退位した天皇が、また皇位につくこと。例えば、皇極天皇が斉明天皇となった、など。「ちょうそ」とも。復辟(フクヘキ)。

しゅうそう(オ)[0](シウサウ)【秋爽】 秋の大気のさわやかさ。「―の気」

しゅうそう(オ)[0](シウサウ)【秋霜】 秋の霜。〔刑罰・統制などがきびしい形容としても用いられる〕 **―れつじつ**[0]-[0]【―烈日】〔「烈日」は、強い日ざしの意〕刑罰・威力などがきびしく、ごまかしなどを許さないことを表わす。

しゅうぞう(オ)[0](シウザウ)【収蔵】―する(他サ) (取り)集めた物をしまっておくこと。「博物館に―されている/―品[0]・―庫[3]」

じゅうそう(オ)[0][1]-(ヂユウ)【住僧】 (その)寺に住む僧。〔狭義では、住職を指す〕

じゅうそう(オ)[0]-(ヂユウ)【重奏】―する(他サ) 二つ以上の独奏楽器による室内楽の合奏。アンサンブル。「二―・三―・四―」

じゅうそう(オ)[0](ヂユウサウ)【重曹】〔←重炭酸ソーダ[7]〕弱いアルカリ性を示す水溶性の白い粉。ふくらし粉などに使う。

じゅうそう(オ)[0]-(ヂユウ)【重層】 幾つもの層になって重なること。「―的な文化/―効果をねらう/―感[3]」

じゅうそう(オ)[0]-(サウ)【銃創】 銃弾で受けた傷。

じゅうそう(オ)[0](サウ)【縦走】―する(自サ) ❶△南北の方向に(縦にその地形を貫くように)山脈などが連なっていること。❷〔登山で〕尾根づたいに行くこと。

しゅうそく[0]-(シウ)【収束】―する(自他サ) ❶それまでばらばらであったものの間に次第にまとまりが生じ、やがて整理された状態に落ち着く(ようになる)こと。「ストライキがようやく―に向かった」 ❷〔数学で〕数列が、先にいくに従って、限りなくある数に近づいていくこと。〔「収斂(シュウレン)」の改称〕

しゅうそく[0]【終息・終〈熄】―する(自サ) 〔やんでほしいと思っていた混乱状態などが〕すっかり終わること。「△戦火(事変・疫病の流行)が―した」

しゅうそく[0]-(シフ)【集束】―する(自サ) ❶刈り取った稲をまとめること。❷〔物理で〕光などの束が一か所に集まること。

しゅうぞく[1]-(シフ)【習俗】 その土地で昔から行なわれている事柄や生活様式。

じゅうそく[0]―する ❶【充足】(自他サ) 十分に満たすこと。また、満ちること。「△条件(ニーズ)を―する/―した〔=それ以上望むものが何も無いほど満ち足りた〕生活/―感[3][4]」 ❷【充塞】(他サ) その△場所(容器)に一杯になるまで何かを入れること。

じゅうぞく[0]【従属】―する(自サ) 自分より△強い(大きい)ものに付属したり依存したりすること。「―的地位[0]-[1]・―国[4][3]」

じゅうそつ[0]【従卒】 「従兵」の旧称。

しゅうたい[0]-(シウ)【醜態】 恥ずかしくて、人に見せられない状態。見苦しいかっこう。「人前で―を演じる/―をさらけ出す結果となった」

じゅうたい[0]-(ヂユウ)【重態・重体】 危険な状態が続く病状。

じゅうたい[0]-(ヂウ)【〈紐帯】 ⇩ちゅうたい

じゅうたい[0]-(ジフ)【渋滞】―する(自サ) 物事がスムーズに進まず、△仕事(物・人)がつかえること。「事務が―する/交通の―」

じゅうたい[0]【縦隊】 縦に並んだ隊形。↔横隊

じゅうだい[1]-(ジフ)【十代】 ❶〔teen-age の訳語〕十三歳から十九歳までの少年少女時代。ティーンエージャー。❷〔年齢構成で〕十歳から十九歳までの汎(ハン)称。

***じゅうだい**[0]-(ヂユウ)【重大】―な ―に ❶当面の事態をうまく△乗り切れ(処理出来)ないと、そのものの存立に決定的な影響を与えるものと考えられる様子だ。「―な選択を迫られる/―な危機に立つ/―性[0]・責任―」 ❷その事件・事故の及ぼす社会的影響が広範囲にわたっていたりその過失・失敗の当事者にもたらす結果がきわめて深刻であったりする様子だ。「―な誤りを冒す/―な結果をもたらす」 [派]**―さ**[0][3] **―し**[3]【―視】―する(他サ) そのことが重大であると判断して、それに応じた対処をすること。「事件を―する」「事の―」

じゅうだい[1]-(ヂユウ)【重代】 先祖から代々伝わること。「―の宝物」

しゅうたいせい[3]-(シフ)【集大成】―する(他サ) 「集成」と「大成」の混交。〔いずれにウエートが置かれるかによって用法が異なってくる〕「長年にわたる研究を―する/史料を―する」

***じゅうたく**[0]-(ヂユウ)【住宅】 人が住むための家。住家。「―が密集する/―難[4]・―地[4][3]・―街[4]・集合―」 [かぞえ方]一戸(イッコ)・一軒・一棟(ヒトムネ)

しゅうだつ[0]-(シウ)【収奪】―する(他サ) 〔権力者が〕弱者の収入の上前などを、当然のことのように自分のものにすること。「独占資本の―」

しゅうたん[0]【終端】 一続きのものの終わる部分。「計算機プログラムの―」

しゅうたん[0]-(シウ)【愁嘆・愁〈歎】―する(自サ) 死別や生き別れなどを心から嘆き悲しむこと。「―場(バ)[0]〔=ⓐ芝居で、観衆の涙をそそる死別・生別の場面。ⓑ悲劇が描写される場面〕」

しゅうだん[0]【終段】 その演劇の終わりに近い段。

***しゅうだん**[0]-(シフ)【集団】 多くの△人(物)が集まって形作る、一まとまり。「―検診[5]・―免疫[5]・年齢―〔=⇩年齢集団〕」 **―あんぜんほしょう**(オ)[9]-(シヤウ)【―安全保障】 加盟国の一つに加えられた侵略を、全加盟国が一致して防ぎ、安全と平和を守ろうとする、国際連合の基本方針。

じゅうたん[1]【〈絨毯〉・〈絨緞〉】 床(ユカ)の敷物などとして使われる、厚い毛織物の一種。カーペット。「―が敷き詰められた大広間」 [表記]誤って「〈絨氈〉」とも書く。 [かぞえ方]一枚・一本 **―ばくげき**[5]【―爆撃】 一定の地域を、すみずみまで徹底的に爆撃するやり方。

じゅうだん[0]【銃弾】 小銃・ピストルなどのたま。「―を浴びる」 [かぞえ方]一発

じゅうだん[0]【縦断】―する(自他サ) ↔横断 ❶その切り口が面としてとらえられるものについて、縦の方向に断ち切ること。「―面[3]」 ❷細長い面としてとらえられるところを、長く伸びている方向に沿うように端から端まで通ること。「台風が日本列島を―する/東日本―駅伝」 ❸〔大陸・大洋などを〕南北の方向〔=地図で縦の方向〕に端から端まで通って行くこと。「南米大陸―旅行/太平洋を南から北へ、北から南へと―して渡りをするハシボソミズナギドリ」 ⇩縦貫

しゅうち[1][0]-(シウ)【周知】―する(他サ) 一部の人だけではなく、多くの人△が知っていること(に広く知れわたること)。「―の通り/―の事実/―徹底させる」 [表記]「衆知(シュウチ)」とも書いた。

しゅうち[1]-(シウ)【羞恥】 〔「羞」も「恥」と同義〕〔外から受ける恥辱と違って〕内から沸き上がってくるような恥ずかしさ。

ーしん③【ー心】 みんなが恥ずかしいと思う事を、その人としても恥ずかしいと思う心情。「ーにかられる/ーが許さない/ーをかなぐり捨てる/ーのかけらもない」

しゅうち①【衆知・衆〈智】 多くの人の知恵。「ーを△集める（結集する）」

しゅうちく⓪【修築】ーする（他サ） 建物を修理すること。

しゅうちゃく⓪【祝着】「喜ばしい・めでたい」意の古形。〔相手の祝い事について言う〕「ー至極・ー千万」

***しゅうちゃく**⓪【執着】ーする（自サ）〈なにニーする〉 その事ばかり心に思い、忘れられないこと。「しゅうじゃく」とも。「甘い物にーする/ー心④③」

しゅうちゃく⓪【終着】 その場所に最後に着くこと。「ーの列車/ー駅④〔＝その運転系統で終点の駅〕」↔始発

***しゅうちゅう**⓪【集中】㊁ーする（自他サ） ㊀〈どこ・なにニーする〉 問題とする事柄が、平均的に分布するのではなく、一か所・△一時期（一時点）、また特定の対象に集まること。また、そのような状態にすること。「大都市への人口のーは世界的な現象だ/権力の一極ーに危惧する/詐欺に等しい訪問販売の被害が独り暮らしの高齢者にーしている/敵の本拠地にー攻撃を加える/ー砲火を〔＝多数の人からの非難・攻撃をいっせいに〕浴びる/ー講義⑤・ー安打⑤・ー審議」 ㊁〈なにニ（なにヲ）ーする〉 注意を他のあれこれに向けず、ただ一つのことに△力を注ぐ（向ける）よう努めること。「今年一年はフランス語の勉強にーすることにした/恋をし始め、学業にーできずに、成績が急落した/全神経をーして経過を見守った/ー力③」 ㊂その作品集の中。「ーの圧巻」 表記 ㊂は、「集注」とも書いた。集注は「しっちゅう」とも読み、注を集めた本の名にも用いた。

ーごう⑤【ー豪雨】 短い時間続けて比較的狭い地域に強く降る雨。多く、つゆ時から秋の台風期にかけて降る。〔正式の気象学用語ではない〕 **ーちりょうしつ**⑥【ー治療室】 手術後などの重態の患者を収容し、心電計など種々の計器を使って、病状を常時看視し、不測の緊急事態に備える病室。強化看護室⑥。略称、アイシーユー（ICU）。 **ーてき**⓪【ー的】ーなーに 特定の△地域（地点）・△時期（時点）に何かが集中したり 特定の対象に対して何かが重点的に行なわれたり する様子だ。「九州南部がーな豪雨に見舞われる/テロ防止策についてーに審議が行なわれる」

しゅうちょう①【〈酋長】〔「酋」は「団体の長」の意〕 オセアニアやアフリカなどで、現代文明とは掛け離れた昔ながらの生活を営んでいる△一族（種族）の長。〔未開・野蛮などといった侮蔑を含意した〕

じゅうちん⓪【重鎮】〔「重」も「鎮」も、「おもし」の意〕 その社会で不動の地歩を占めている人。

しゅうちんぼん⓪【袖珍本】 ポケットの中に入れて持って行ける、小さい本。

じゅうづめ⓪【重詰め】 料理などを重箱に詰めること。また、詰めた料理。

しゅうてい⓪【舟艇】 ランチ㊀・ヨット・ボートなど、小型の舟。「上陸用ー⑦、⓪-⓪」

しゅうてい⓪【修訂】ーする（他サ） 書物の誤りなどを直すこと。

じゅうてい⓪【重訂】ーする（他サ） 前の訂正で残った誤りを重ねて訂正△すること（したもの）。「ー版⓪」

じゅうてい⓪【従弟】 年下の、男のいとこ。↔従兄

じゅうていおん③【重低音】 腹の底に響くような重たい感じの低音。

シューティング①⓪〔shooting〕 ㊀射撃。「ーゲーム⑥」 ㊁狙いを定めて、目標を攻めること。「トラブルー⑤〔＝問題解決〕」

しゅうてき⓪【〈讐敵】 かたき。「年来のー」 表記 「しゅう」を「〈讎」と書くのは異体字（動用字）。

じゅうてき⓪【獣的】ーなーに さかりのついたけもののように、本能を抑えきれない様子だ。「ーな欲望」

しゅうてん⓪【終点】 一連の動作・作用がそこで終わる（ものと考えられる）点。〔狭義では、電車・バスなどの運転系統の到着する最後の地点を指す〕↔起点・始点

しゅうでん⓪【終電】「終電車」の略。↔初電

じゅうてん⓪【充塡】ーする（他サ） ある効果が現われるように、△空間（空所）がふさがるほど何かを一杯詰めること。「気球に水素ガスをーする/ー剤③⓪」

***じゅうてん**③【重点】 ㊀重要な点。「ーを置く〔＝大切な点だと考える〕/最ー」 ㊁「作用点」の旧称。 **ーしゅぎ**⑤【ー主義】 重点に力を集中するやり方。 **ーてき**⓪【ー的】ーなーに そこに重点を置いて何かをする様子だ。「年金問題をーに取り上げる」

じゅうでん⓪【充電】ーする（自他サ） 蓄電池に電力を満たすこと。〔しばらく休養してエネルギーを蓄え、将来の活動に備える意にも用いられる〕「ー器③」↔放電

じゅうでんき③【重電機】 発電機・電動機のように、構造が複雑で大型な電気機械。↔軽電機 かぞえ方 一台

しゅうでんしゃ③【終電車】 その日の最終の電車。

シュート ㊀①〔shoot＝発射〕 ㊀ーする（自サ）〔野球で〕投手の投げた球が、投手の方から見て、右投手なら右へ、左投手なら左へ、弓なりに反るように曲がること。また、その球。「ーボール④」 ㊁ーする（自サ）〔サッカー・バスケットボール・ホッケーなどで〕ボールを相手のゴールに△けり（投げ）込んだり相手のコートに打ち込んだりすること。 ㊂〔バラなどの根もとから伸びる〕新芽。〔㊀は日本語での特用〕 かぞえ方 ㊂は一本 ㊁（造語）〔chute＝ウオーターシュート・パラシュートのシュートと同源で落下の意〕 鉱石・荷物・ごみなどを、すべらせて落とす樋。「ダストー」

しゅうと⓪ ㊀【〈舅】 △夫（妻）の父。 ㊁【〈姑】〔「しひと」の変化という〕 △夫（妻）の母。「しゅうとめ」とも。「ー御⓪」

しゅうと①【囚徒】「囚人」の意の古風な表現。

しゅうと①【州都】〔アメリカ合衆国などで〕行政区画としてのその州の政庁がある都市。「ニューヨーク州のーオールバニ」

しゅうと① ㊀【宗徒】 その宗派に属する信者。信徒。 ㊁【衆徒】 多くの僧徒。〔古くは、「しゅと」〕

ジュート①〔jute〕 黄麻の茎からとった繊維。穀物を入れる袋などを作る。

じゅうど①【重度】 症状の程度が重いこと。「ーの心臓弁膜症/ー身障者⑥、①-③」

しゅうとう⓪【周到】ーなーに △準備（注意）がよく行き届いていて、手落ちなどの無い様子だ。「ーな△計画（配慮）/ーに隠す/用意ー①-⓪」 派 **ーさ**⓪

しゅうとう①⓪【秋闘】〔←秋季闘争④〕 秋に行なう賃上げのための闘争。

しゅうどう⓪【修道】ーする（自サ） 宗教人としての修行をすること。「ー士③・ー女③・ー僧③・ー尼③」 **ーいん**③【ー院】 一定の規律を守って厳格な共同生活を営むキリスト教の修道士または修道女の住む寺院。

しゅうどう⓪【就働】ーする（自サ） 出勤して、仕事をすること。「ー率③」

じゅうとう⓪【充当】ーする（他サ） 何かをその事に振り△むける（むけて使う）こと。「利益は施設費にーする」

じゅうとう[0]【重盗】⇩ダブル スチール

じゅうどう[1]【柔道】柔術を改良し近代化したスポーツ。受身を基本とし、技は投げ技・固め技・当て身技の三つに分かれる。〔完成者は、嘉納治五郎〕

じゅうとうほう[3][0]【銃刀法】「銃砲刀剣類所持等取締法」の略。「—違反」

しゅうとく[0]—する(他サ)❶【拾得】他人の落とした物を拾うこと。「—物[4]」❷【収得】拾ったりした物などをそのまま自分の物とすること。「—罪[4]」

*__しゅうとく__[0]—する(他サ)〈なにヲ—する〉❶【習得】学問・技術などを習って身につけること。「言語—期[7]」❷【修得】規定の学業の課程を履修し終えること。「—単位[5]」

じゅうとく[0]【重篤】—な 病気が重くて、容易に回復しそうもない状態にある様子だ。

しゅうとつ[0]【臭突】においを外へ出す、煙突のような形の装置。

しゅうとめ[0]【△姑】△夫(妻)の母。

しゅうどり[0][4]【《主取(り)》】武士などが、新たに主人に仕えること。

しゅうない[1]【週内】その週のうち。

じゅうなん[0]【柔軟】—な ❶柔らかな様子だ。しなやか。「—性[0]」❷△先入(固定)観念にとらわれないで、判断が△自由(自在)に出来る様子だ。「—な(ものの)考え方/—に対応する/—な態度を示す/—性△ある姿勢(に富む・を欠く)」↕強硬 [派]—さ[0] **—たいそう**[5]【—体操】からだを柔軟にさせるために、関節を十分屈伸して行なう体操。

じゅうに[3]【十二】十に二を加えた数。 **—がつ**[5]【—月】一年の第十二の月。〔副詞的にも用いられ、アクセントは[0]。雅名は、しわす〕 **—きゅう**[3]【—宮】「春分点[3]」を起点として黄道を十二に分けた△それぞれの(区間に属する)星座。 **—し**[3]【—支】昔、方位・時刻・年月日を表わすのに使った十二種の動物の名。子=ねずみ、丑=牛、寅=虎、卯=うさぎ、辰=竜、巳=蛇、午=馬、未=羊、申=猿、酉=鶏、戌=犬、亥=いのしし。⇩十干・えと **—ひとえ**[5]【—《単》】❶昔の女官の正装。ひとえの上に同色の「五衣[4]」などを重ね着し、そでが重なって見えるのでこの称がある。❷本州・四国の山野に自生する多年草。春から初夏にかけて咲く薄紫色の花のたたみ重なる形状を「十二単❶」に見立てた。〔シソ科〕[かぞえ方]❶は一領。❷は一本 **—ぶん**[0][4]【—分】—な —に「十分」の強調表現。「—の(=十分満足の出来る)成果があった/—に(=たっぷり)いただきました」

じゅうにく[0]【獣肉】けものの肉。

じゅうにしちょう[4]【十二指腸】〔おとなの指幅十二本ほどある意〕小腸の上部、約三〇センチの部分。胃の幽門に接し、肝臓・膵臓から消化液を受ける。「—潰瘍[7]」 **—ちゅう**[5]【—虫】人体の十二指腸などに寄生して障害を起こす△白色(薄肉色)の寄生虫。鉤虫。[かぞえ方]一匹

じゅうにしんほう[0]【十二進法】十二を「基数❷」として採用する命数法。〔広義では、△十二倍(十二分の一)ごとに新しい単位名を付けていく△かぞえ方(度量衡の体系)を指す。例、十二個=一ダース、十二ダース=一グロス、十二グロス=大グロス。十二インチ=一フィート〕

__しゅうにゅう__[0]【収入】働いたり事業をしたりして入って来るお金。「—をあげる/—源[3]・定—[3]・臨時—」↕支出 **—いんし[5]【—印紙】国庫の収入となる手数料などを納めた証拠として証書などにはる、印紙。[かぞえ方]一枚 **—やく**[0]【—役】市町村の会計事務を受け持った役(の特別職の公務員)。〔二〇〇七年三月廃止〕

しゅうにゅう[0]【集乳】—する(自サ)〔酪農で〕原料としての牛乳を集めること。

しゅうにん[0]【就任】—する(自サ)その職務につくこと。「—式[3]」↕退任・離任

じゅうにん[0]【住人】その△地域(場所)に住んでいるひとりびとり。「あのアパートの—/君も池袋の—か?」

じゅうにん[0]【重任】❶重大な任務。❷—する(自サ)任期が満ちた後、次期も引き続きその職務に就くこと。〔❶❷とも「ちょうにん」とも〕

じゅうにんといろ[1]-[1]【十人十色】好みや考えは人によってそれぞれ違うということ。

じゅうにんなみ[0]【十人並】—な —に〔容色・才能が〕ずば抜けてすぐれているわけではないが、また、そう見劣りもしない様子だ。

しゅうね・い[3]【執《念い》】(形)〔「執念」を形容詞化した語。文語形容詞「しふねし」の残存形〕執念深い。

しゅうねん【周年】❶[0]一年じゅうどの時期でも行なわれることを表わす。❷(造語)何かが行なわれてから…回目の年。「創立三十—[0]-[5]」

しゅうねん[1]【執念】そうしようと思い込んで、その実現を片時も忘れない心。「—を燃やす/恐るべき—」 **—ぶか・い**[6]【—深い】(形)どんな困難にあってもあきらめることなく自分の願望を達成しようという気持をいだき続ける様子だ。「逃亡した犯人を執念深く追い続ける刑事」[派]—さ[6][5][3]

じゅうねん[1]【十年】一年の十倍。〔現実の社会生活において何かが成就する最短期間。特に奉公の年限の意に多く用いられる〕「—一日(=長い期間にわたって変化が少しも見られない形容)/—一昔(=世の中の変化・変遷を考える上で一区切りととらえられる十年)」

じゅうねん[1][0]【十念】〔仏教で〕名号を十遍念じること。〔狭義では、浄土宗で六字の名号を授け、仏に縁を結ばせることを指す〕

しゅうのう[0]【収納】—する(他サ)❶〔役所が〕お金や品物を(正式に)受け取ること。❷〔農作物などを〕取り入れること。❸〔物置・押入れ・箱などに〕使い終わった物を入れておくこと。〔広義では、収納場所の意にも用いられる〕「—スペースの広い間取り」

しゅうのう[0]【就農】—する(自サ)職業として農業に従事すること。「—支援」

じゅうのう[0][3]【十能】炭火を入れて運んだり石炭をくべたりするための、柄のついた道具。「台—」

じゅうのうしゅぎ[5]【重農主義】農業を盛んにすることが国富の基礎であるとした経済△思想(政策)。フィジオクラシー。⇩重商主義

しゅうは[1]【周波】〔電波・電流・音波で〕周期的に繰り返される同じ波形の振動。「高—・低—」 **—すう**[3]【—数】電波・電流が、プラスの方向とマイナスの方向とに向きを変えながら、単位時間に振動する回数。単位は、ヘルツ。「—を合わせる」

しゅうは[1]【宗派】その宗教の中での分派。

しゅうは[1]【秋波】「色目❷・流し目」の意の漢語的表現。「—を送る」

シューバ[1]〔ロ šuba〕毛皮のオーバー。[かぞえ方]一枚・一着

じゅうは[1]【銃把】銃の引き金を引く際に、支えとして指で握る銃身のくぼんだ部分。

しゅうはい[0]【集配】—する(他サ)(郵便物などを)集め

** * は重要語，[0] [1]… はアクセント記号，品詞の指示の無いものは名詞および いわゆる連語。

ることと配ること。「―局[3]・無―局[4]・―員[3]」

しゅうばい[0]【終売】 商品の製造や販売を終えること。「―商品」

しゅうばく[0]―【就縛】―する(自サ) 〔犯人が〕つかまって、縛られること。

じゅうばくげきき[6][5]―【重爆撃機】 一般の爆撃機より爆弾の搭載量が多く、また、航続距離も長い大型の爆撃機。略して「重爆」。

じゅうばこ[0]―【重箱】 みんなで食べるように作った料理を入れ、重ねて△携帯(保存)するための方形の容器。普通、漆塗り。「―の隅を楊枝で△ほじくる(つっく)〔=取り上げなくてもよい、細かな事までを問題にする〕」 かぞえ方 一重 ―よみ[0]【―読(み)】 漢字二字の熟語で、上は字音語、下は狭義の和語で構成されているもの。例、重箱・団子。↕湯桶読み

しゅうバス[0]【終バス】 その日、そのコースでの、終発のバス。

じゅうはちばん[4]―【十八番】 歌舞伎俳優の市川家に伝来した新・旧各十八種の得意の狂言。〔その人のレパートリーのうち、一番得意のものの意にも用いられる〕「歌舞伎―」

しゅうはつ[0]【終発】 その日の運行ダイヤのうちで最後に発車すること。また、その列車・電車・バスなど。↕始発

しゅうばつ[0]―【秀抜】―な 他のものよりとびぬけてすぐれている様子だ。「―な成績」 派 ―さ[0]

しゅうばつ[0]―【修〈祓】―する(自サ) 「しゅうふつ」の変化。「―式[4]」

じゅうばつ[0]―【重罰】 重い処罰。

しゅうばん[0]【終盤】 〔碁・将棋などで〕対局が終りに近づいた時期(の局面)。「―の局面に入る/―を迎える/―戦[0]」 ⇩序盤・中盤

しゅうばん[0]―【週番】 ❶一週間ごとに交替する当番。「―制[0]」 ❷その週の当番(に当たっている人)。

じゅうはん[0]―【重犯】 ❶重い犯罪。「じゅうぼん[0]」とも。 ❷再犯。 ↕初犯

じゅうはん[0]―【重版】―する(他サ) 版を重ねること。再版。↕初版

じゅうはん[0]【従犯】 犯罪の手助けをした△者(こと)。「直接―・間接―・事後―」

しゅうび[1]【愁眉】 心配そう△な顔つき(こしかめた眉)。「―を開く〔=状態が好転して、やっと安心する〕」

じゅうび[0]―【重美】 「重要美術品」の略。

しゅうひつ[0]【終筆】 その文字を、どの部分で書き終えるかということ。また、その書き終える部分。 ⇩起筆❷

しゅうひょう[0]【週評】 その一週間の出来事の評論。

しゅうひょう[0]―【衆評】 多くの人の批評。

しゅうひょう[0]【集票】―する(自他サ) ❶〔選挙で〕その△候補者(政党)への投票を(より多く)集めること。「―力[3]・―組織[5]」 ❷△投票紙(調査票・マーク)などを集めること。「―袋[5]」

じゅうびょう[0]【重病】 生死にかかわるような、重い病気。「―人[0]」

しゅうふ[1]―【醜婦】 ⇩醜女

シュープ[1]〔ド Schub〕 一時回復した肺結核が急に悪くなること。シューブとも。

しゅうふう[0]【宗風】 ❶その宗派の風習。 ❷その家元の流儀。

しゅうふう[0]―【秋風】 「あきかぜ」の意の漢語的表現。 ―さくばく[0]-[0]【―索〈莫】―たる ―と 昔の盛んな勢いが全く見られず、わびしく見える様子だ。

しゅうふく[0]―【修復】―する(他サ) ❶こわれた所や不完全な部分に手を加えて、元どおりの△形・状態(機能を発揮出来るもの)にすること。「この絵巻は相当いたんでいるが―が可能だ/線路の―工事」 ❷〔対人関係や国家間の関係について〕元のようなよい状態に戻すこと。「こじれた夫婦関係を―する」

じゅうふく[0]―【重複】―する(自サ) 「ちょうふく」の新語形。

しゅうふつ[0]―【修〈祓】―する(自サ) 〔神道で〕おはらいをすること。

しゅうぶん[0]―【秋分】 二十四(節)気の一つ。太陽暦九月二十三日ごろ。昼と夜の長さがほぼ等しくなる。 ―のひ[6]、[0]-[1]【―の日】 「国民の祝日」の一つ。九月二十三日ごろ。もとの秋季皇霊祭に当たる。

しゅうぶん[0]―【醜聞】 人間のみにくさが露呈していると いう印象を受けるような風評。スキャンダル。〔道にはずれた恋愛関係や不正な金銭の授受および果てしない内輪もめ・遺産相続の争いなどに関するうわさについて言う〕

*__じゅうぶん__[3]【十分】―な △条件が満たされ(希望がかなえられ)、その上言うことが何も無い様子だ。「…を―承知の上で/―な栄養をとる必要がある/―満足している」 表記 「充分」と書くのは、借字。 ―じょうけん[5]―【―条件】 ⇩条件

じゅうぶん[0]―【重文】 ❶〔文法で〕文構造の一つ。一つの文の中に主語・述語の関係が二つ以上含まれるもの。前件と後件とは、一般に、対比的・対照的な意味的関係にある。例、「兄は作曲家になり、弟はピアニストになった/去年は梅雨明けが遅かったが、今年は思ったよりも早かった」。 ❷「重要文化財」の略。

じゅうへい[0]【従兵】 将校の身のまわりの世話をする兵士。

しゅうへき[0]―【周壁】 その建物の周囲にめぐらした壁。

しゅうへき[0]―【習癖】 やめられなくなった、悪い習慣。

しゅうへき[0]―【〈褶〈襞】 〔「褶」も「襞」も、ひだの意〕〔山脈とか舌の粘膜などの〕ひだ(のようになっているもの)。

*__しゅうへん__[0]―【周辺】 中心から離れた、まわりの方。「都市の―部」 ―そうち[5]―【―装置】 コンピューター本体の周囲に配置され、入出力や補助的な記憶などを受け持つ個々の装置。周辺機器。〔端末装置は含めないのが普通〕

しゅうへん[0]【終編・終〈篇】 〔その本や物語の〕最終の一編。↕初編

じゅうべん[0]―【重弁】 おしべが変化して花びらがいくえにも重なったもの。↕単弁 表記 「弁」の旧字体は「〈瓣」。

しゅうほ[1]―【修補】―する(他サ) こわれている所をなおしたり欠けている部分をおぎなったりすること。

しゅうほ[1]―【襲歩】 馬が一歩ごとに四足とも地上から離して走る、最も速い駆け方。ギャロップ。

じゅうぼいん[3]―【重母音】 一つの音節の中で、異なる母音が二つ連続して、発音上の一単位となっているもの。〔「二重母音[4]」とも言う〕

しゅうほう[0][1]【州法】 〔アメリカ合衆国で〕その州で決めた法律。

しゅうほう[0]―【秀峰】 形の美しい山。「―富士」

しゅうほう[0][1]―【宗法】 その宗派での法規。

しゅうほう[1][0]―【週報】 ❶一週間ごとの報告(書)。 ❷毎週定期に発行される刊行物。ウイークリー。

しゅうぼう[0]―【衆望】 多くの人の信望。「―をになう」

しゅうぼう⓪【醜貌】醜い顔。

じゅうほう⓪①【重宝】その家や寺社に伝えられた、大切な宝物。表記「〈什宝」とも書く。

じゅうほう①【重砲】口径が大きくて砲身の長い大砲。射程が長い。かぞえ方 一門

じゅうほう⓪【銃砲】〔小銃と鉄砲の意〕猟銃・ライフル銃・空気銃やピストルなどの総称。「一店③⓪」

じゅうぼく⓪【従僕】男の召使。げなん。

シューマイ⓪〔中国・焼売〕ひき肉に野菜を交ぜたものを、薄い小麦粉の皮で円筒形に包み、蒸した中華料理。表記「シウマイ」とも書く。

じゅうまい⓪【従妹】年下の、女の いとこ。↔従姉

しゅうまく⓪【終幕】❶その演劇の最後の△幕(場面)。↔序幕 ❷幕を△引いて(おろして)、演劇や映画などをおしまいにすること。閉幕。〔広義では、それまで続いた事件などの終りを指す。例、「一を迎える」「一となる/生涯の一が降りる」〕↔開幕

しゅうまつ⓪【終末】いろいろな経過をたどった小説や事件が、そこで終わること。「一を迎える」 **一いりょう**⑤【一医療】⇩ターミナル ケア **一かん**④③【一観】❶人類の終末についての議論。❷人類の滅亡が近づいているものと見て厭世(エンセイ)をさそうような考え方。

しゅうまつ⓪【週末】その週の終り。ウイークエンド。〔日曜から週が始まると考えた場合も、月曜から週が始まると考えた場合も、土曜の午後もしくは金曜の夕方から日曜にかけての仕事休みを指す〕「一旅行⑤」⇩週初・週央

じゅうまん⓪【充満】─する(自サ) その空間が何かの気体などで一杯になること。「ガスが一する/不満が一していた」

じゅうまんおくど⑤【十万億土】〔仏教で〕現世から極楽に至る間にある、たくさんの仏土。〔狭義では、極楽浄土を指す〕

しゅうみ①③【臭味】「くさみ」の意の漢語的表現。〔環境を同じくする者に共通する、独特の好ましくない感じの意にも用いられる〕

しゅうみつ⓪【周密】─に─な 注意が行き届き、必要な事を少しも漏らさない様子だ。派 **一さ**⓪

しゅうみん⓪【就眠】─する(自サ) 眠りに入ること。眠っていること。「一時間⑤」 **一ぎしき**⑤【一儀式】就寝前にそれをしなければ不安で安心して眠ることが出来ないと思い込んでいる、決まった行為。

じゅうみん⓪【住民】その地域一帯に住んでいる、一団の人びと。〔現代においては、そこに住むことが地方公共団体によって認められることを要件とする〕「公害に苦しむ都会の一/一登録⑤・一票⓪」 **一きほんだいちょう**⑧【一基本台帳】市区町村の住民の氏名・住所・性別・生年月日などが記載された住民票を世帯ごとに編成し、行政による事務処理の基礎とする台帳。「一カード⑫・一ネットワークシステム⑧-⑦(=通称『住基ネット④』)」 **一ぜい**③【一税】都道府県や市町村区の住民のうち所得のある人にかける地方税。〔広義では、法人税を含む〕

しゅうむ①【宗務】その宗派の運営に関する事務。〔狭義では、仏教各派のそれを指す〕「一所⓪④」

しゅうめい⓪【《主命】「しゅめい」の古風な口頭語的表現。

しゅうめい⓪【醜名】不品行・破廉恥などに基づく、よくない評判。

しゅうめい⓪【襲名】─する(他サ) しにせの商人や芸人・やくざなどが、先代の名を受けつぐこと。「一披露⑤」

じゅうめん⓪【渋面】「しかめっつら」の意の漢語的表現。「一を作る」

じゅうもう⓪【〈絨毛】❶小腸などの粘膜に生じる、細かい毛のような突起。消化を助け、吸収を容易にする。❷花弁や葉の表面に生じる、細かい毛のような突起。

じゅうもう⓪【獣毛】けものの毛。

しゅうもく⓪【衆目】じゅうもく(十目)。「一(=多くの人の観察)の見る△所(通り)/官界の腐敗は一の一致するところだ」

じゅうもく⓪【十目】△十人(多く)の人の見る目。「一の視(ミ)るところ、十手(ジッシュ)の指(ユビサ)すところ(=みんなの観察や意見が期せずして一致する意。疑問の余地が無く確かなことのたとえ)」

しゅうもち④③【《主持㋠】主人に仕える身分(の人)。

じゅうもつ⓪【〈什物】❶日常使う道具。❷私の立場でかってに処分してはならない、その寺院の備品。

しゅうもん⓪①【宗門】〔室町・江戸期において〕どの宗教の、どの宗派に属しているかということ。「一改め⑤・邪一②(=いわゆるキリシタンの称)」

じゅうもんじ⓪【十文字】縦横に交差した形。たとえば、十の字の形。十字。

しゅうや①【秋夜】「秋の夜」の意の漢語的表現。

しゅうや①【終夜】一晩じゅう休み無しに何かが行なわれること。夜通し。「一灯⓪・一営業④・一運転④」

じゅうや①⓪【十夜】「十夜念仏」の略。「お一」 **一ねんぶつ**④【一念仏】〔浄土宗で〕陰暦十月六日から十五日まで、昼夜通して念仏をする法要。

しゅうやく⓪①【集約】─する(他サ) 幾つかの要素を整理して、一本にまとめること。「全員の意見を一する」 **一のうぎょう**⑤【一農業】限られた農地に多くの資本と労力をつぎこんで、出来るだけ生産を多くしようとする農業のやり方。↔粗放農業

じゅうやく⓪【重役】〔重い役目の意〕銀行・会社の主要な役(に就いている人)。取締役・監査役など。

じゅうやく⓪【重訳】─する(他サ) その外国語から直接にではなく、一回他の外国語に翻訳したものを通して間接に翻訳すること。「トルストイの『戦争と平和』を英訳本から一する/一の国(=昔、遠く離れた外国の称)」

じゅうゆ⓪【重油】原油からガソリン・灯油などをとったあとに残った、黒茶色の濃い油。燃料・機械油・せきろう・アスファルト製造用。↔軽油

しゅうゆう⓪【舟遊】─する(自サ) レクリエーションの一環として舟に乗って何かをすること。

しゅうゆう⓪【周遊】─する(自サ) 各地を広く旅行して回ること。「東ヨーロッパ一の旅/一券③」

しゅうゆれい③【終油礼】〔カトリック教会で〕信者の臨終の時、司祭がそのからだに聖油で十字架をえがく儀式。

しゅうよう⓪【収用】─する(他サ) 国家が特定物件の所有権を取り上げて、公共の用に使うこと。「土地一法⓪⑤」

***しゅうよう**⓪【収容】─する(他サ)〈どこニ だれ・なにヲ 一する〉人や物などを受け入れて、めんどうを見たり 管理したりすること。「五万人を一できるスタジアム/一人員⑤・一所⑤⓪」

しゅうよう⓪【修養】─する(自サ) 心の持ち方・対人行動に気をつけ、他人の人格を重んじ、自分の人格を高めること。「一を積む」

しゅうよう⓪【襲用】─する(他サ) 今までの△もの(やり方)を改めずに使うこと。

じゅうよう⓪【充用】─する(他サ) そのものを元来の用途以外の△場所(業務)に回すこと。

じゅうよう⓪【重用】─する(他サ) 人を信用して、大事な地位に引き△あげる(あげて使う)こと。「ちょうよう」とも。

** * は重要語，⓪ ①… はアクセント記号，品詞の指示の無いものは名詞および いわゆる連語。

「若手を—する」

****じゅうよう**⓪【重要】—な —に 物事の成立に欠くことの出来ない関係があり、他の物では代用することができない様子だ。「—な意味を持つ/—なポストを占める/—な問題を提起する/—人物⑤・—書類⑤・—度③・—参考人⓪」派 **—さ**⓪ **—し**③【—視】—する（他サ） 重要だと認めてその扱いをすること。 **—せい**⓪【—性】 重要であるととらえられる△面（要素）。「—を増す/—が叫ばれ出す」 **—びじゅつひん**⓪⑦【—美術品】 昭和二十五年の文化財保護法施行以前の制度で、国が認定した有形文化財。略して「重美」。 **—ぶんかざい**⑦—【—文化財】 昭和二十五年の文化財保護法に基づいて指定される、価値の高い建物・書籍・美術品など。そのうち特に国民の宝として指定されるものが国宝といわれる。略称、「重文」。 **—むけいぶんかざい**⑩—【—無形文化財】 無形文化財のうち、特に文化的・歴史的な価値が高いと評価されたもの。

じゅうよく⓪—【獣欲】 自分自身で制御出来ない、さかりのついた動物のような本能的性欲。

しゅうらい⓪—【襲来】—する（自サ） 敵や暴風雨などがやって来て、軍隊や住民を痛めつけること。「蒙古（モウコ）の—」

***じゅうらい**①【従来】 以前から現在に至るまで。これまで。「—に例を見ない快挙/—通り/—のやり方に従えば」

しゅうらく⓪①—【集落】・【〈聚落〉】 〔「落」は、村の意〕 ❶家の集合した所。〔狭義では村里を指し、広義では都市をも含む。前者の例、「—遺跡⑤」〕 ❷培養基の中でふえた細菌の集団。コロニー。「バクテリアの—」

しゅうらん⓪—【収〈攬〉】—する（他サ） 〔「攬」は、取り収める意〕集め収めること。「人心を—する〔=政治的手腕により、うまくつかむ〕」

じゅうらん⓪【縦覧】—する（他サ） 〔施設・名簿などを〕自由に見たいと希望する人が、それを損傷しない約束で見ること。「選挙人名簿の—/—お断り」

***しゅうり**①—【修理】—する（他サ）〈（なにデ）なにヲ—する〉 故障や欠陥の生じた機器・車などに手を加えて、正常な機能を回復させること。「△時計（ラジオ・テレビ・掃除機）を—する/—に出す/—すればまだ使える/—工場④・—品⓪」

しゅうりょ①—【囚虜】 「捕虜」の意の古風な表現。

しゅうりょう③【収量】 収穫の分量。

しゅうりょう⓪【秋涼】 ❶秋の涼しい風。 ❷陰暦八月の異称。

しゅうりょう⓪【修了】—する（他サ） 一定の△学業（課程）を残り無く修めること。「—式③」

***しゅうりょう**⓪—【終了】—する（自他サ）〈（なにヲ）—する〉 最後まで予定通りに進んで会・催しなど△が終わる（を終える）こと。

しゅうりょう⓪—【終漁】—する（自サ） その年の漁期が終わること。

じゅうりょう③【十両】 〔昔、給金が年十両であった者の意〕すもう取りの階級の一つ。幕内と幕下との間。十枚目⑤。〔十両以上が「関取」と言われる〕

じゅうりょう③【重量】 ❶重さ。目方。 ❷目方が重いこと。「—級⓪・—感③」↕軽量 **—あげ**⓪【—挙（げ）】 バーベルを両手で持ち上げて、その重さに耐えられる力を競う競技。ウエートリフティング。 **—トンすう**⑦⑤【—トン数】 ⇩トン数

じゅうりょう⓪—【銃猟】 小銃で鳥獣を撃ちとる狩猟。

じゅうりょうぜい③—【従量税】 重さ・長さ・容積など商品の数量を基準として課する税金。酒税など。⇩従価税

しゅうりょく①【衆力】 多くの人の力。「—を頼んで」

じゅうりょく①—【重力】 地球上の物体が地球の中心へ向かって引きつけられる力。「—（の）加速度・反—③」 **—ダム**⑤ 断面が三角形（に近い形）のコンクリート造りのダム。〔ダムの自重によって水圧をささえる〕 **—は**④【—波】 質量を持った物体が存在することで時空にゆがみができ、その物体が動くことで時空のゆがみが光速で伝わる、その波動。〔アインシュタインが一般相対性理論から推論し、のち、二〇一五年に観測によって検出された（翌年発表）〕

しゅうりん⓪—【秋〈霖〉】 「秋の長雨」の意の漢語的表現。

じゅうりん⓪—【〈蹂躙〉】—する（他サ） 〔踏みにじる意〕暴力・金力などで他人の権利を侵害すること。「人権—〔=⇩人権蹂躙〕」

シュール①—な 〔←シュールレアリスム〕 極めて非日常的な印象を与える様子だ。「—な△作品（映像）」

ジュール①〔joule ← J. P. Joule=イギリスの物理学者〕 国際単位系における△エネルギー（熱量・仕事）の単位で、一ニュートンの力がその方向に一メートルだけ物体を動かす時のエネルギーを表わす〔記号J〕。⇩エルグ・カロリー

しゅうるい①—【醜類】 不道徳きわまり、見るのも不快な人びと。〔侮蔑（ブベツ）を含意する〕

じゅうるい①—【獣類】 脊椎（セキツイ）動物のうち、特に哺乳類の称。

シュールレアリスム⑥〔フ surréalisme〕 写実的な表現を否定し、作者の主観による表象を自由な発想で描こうとする芸術上の方針。超現実主義。略してシュール。

しゅうれい⓪—【秀麗】—な △超俗（崇高）な何かを感じさせるほど、形が整っていて美しい様子だ。「—富士・眉目（ビモク）—」

しゅうれい⓪—【秋冷】 秋の△冷ややかさ（冷ややかな空気）。「—の候、皆様ご健勝のことと拝察いたします」

じゅうれつ⓪【縦列】—する（自サ） 縦に並ぶこと。また、縦に並んだ列。「—をなして飛ぶ鳥/—駐車⑤」↕横列

しゅうれっしゃ③【終列車】 その日に運行する最終の列車。

しゅうれん⓪—【収〈斂〉】—する（自他サ） 〔「斂」は縮む意〕 ❶△縮める（縮まる）こと。「血管の—」 ❷〔数学で〕「収束❷」の旧称。 **—ざい**③⓪【—剤】 粘膜・傷の表面に働いて、血管組織を収縮させる薬。タンニン・みょうばんなど。

しゅうれん①—する（他サ） ■—【修練・修錬】・—【習練】 努力・練習を重ね、精神・技術を向上させること。「古典芸術継承のため—を積む/バレリーナは一年間に三百足ものトーシューズを履きつぶすほどの、厳しい—が必要という」 ■—【習練】 技能などを身につくように実地に即した訓練をすること。

しゅうろう⓪【就労】—する（自サ） 仕事を△する（している）こと。「—時間⑤・八時—〔=八時に仕事を始めること〕」

しゅうろう⓪—【醜〈陋〉】—な 見えやうぬぼれ、ねたみやさげすみ、怠惰や虚妄、志の低さや心の狭さなど人間の持つ醜悪さと卑屈さのみがうかがわれ、近づくのも不快を催させる様子だ。派 **—さ**⓪

じゅうろうどう③【重労働】 土建・運送など、大きな力のいる仕事。激しい肉体労働。⇩軽労働

しゅうろく⓪—【収録】・—【〈輯録〉】—する（他サ） ❶書物・雑誌の記事に取り入れて載せること。 ❷実際に何かが行なわれている場所で録音・録画すること。

しゅうろく⓪—【週録】 〔日録などと違って〕一週間の記録。

しゅうろく⓪—【集録】—する（他サ） ❶記録を△集めること

（集めたもの）。❷集めて記録△すること（したもの）。「講義の―」

じゅうろく ささげ⑤【十六〈大角豆〉】ササゲの一種。インゲンに似た豆。さやは三〇センチぐらいにもなり、十数個の種を持つ。食用。〔マメ科〕 かぞえ方 一本

じゅうろくしん ほう⓪⑤【十六進法】十六を「基数❷」として採用する位取り記数法。〔0・1・…・9とA・B・C・D・E・Fの十六個の「数字」を用いる。コンピューター内のデータなどを表記するために用いられる〕

じゅうろく ミリ④【十六ミリ】フィルムの幅が十六ミリメートルの小型映画。

じゅうろく むさし⑤【十六六指】盤上の中央に親石一つ、周囲に子石十六を置き、一区画ずつ動かして勝負を争う遊び。むさし。 表記 「十六武《蔵」とも書く。

じゅうろくや④⓪【十六夜】陰暦十六日の夜。いざよい。

しゅうろん⓪①【宗論】❶宗義上の争論。❷異なる宗派の間の優劣の争い。〔狭義では、仏教内のそれを指す〕

しゅうろん⓪【衆論】多くの人の議論・意見。

しゅうわい⓪【収賄】―する（自サ）わいろをもらうこと。↕贈賄

じゅうわり①【十割】❶Ⓐ一割の十倍。「年―に近い暴利をむさぼる金融業者」Ⓑ他の要素を交えずに、そのものだけによって構成されること。「―そば⑤（＝小麦粉などのつなぎを入れず、そば粉と水だけで打ったそば）」❷同種類の事に関して、その人が何回やっても同じように一度も失敗せずに成果を得ること。「的中率―／―の成功率」

ジューン ブライド⑤〔June bride＝六月の花嫁〕六月に結婚式を行なうこと。また、その（新郎と）新婦。〔六月に結婚すると幸福になれる、という西洋の言い伝えから〕

しゅえい⓪【守衛】〔おおぜい、人の出入りする施設で〕人の出入りを監視し、建物の警備を職務とする人。〔狭義では、国会の衛視の旧称〕

じゅえい⓪【樹影】「木の△影（姿）」の意の漢語的表現。

じゅえき⓪①【受益】―する（自サ）利益を受けること。「―者③」

じゅえき⓪【樹液】❶養分として樹木中に含まれる液体。❷樹皮などから分泌される液体。

ジュエリー①〔jewelry〕宝石入りの装身具。

しゅえん⓪【主演】―する（自サ）〔映画・演劇で〕主役となって演じる△こと（俳優）。↕助演

しゅえん⓪【酒宴】「さかもり」の意の漢語的表現。「―を開く」

しゅおうしょく②【酒黄色】上等の古酒のような、澄んだこはく色。

しゅおん⓪【主音】その音階の中心となる第一音。〔調はこの音名で呼ばれ、楽曲の終止はこの音になるものが多い〕

しゅおん⓪①【主恩】△主人（主君）から受けた恩。

しゅか①【主家】主人・主君（の居る所）。

しゅか①【朱夏】〔五行説で夏に赤色『＝朱』を当てることから〕夏の異名。⇩玄冬・青春・白秋

しゅか①②【酒家】「酒飲み・酒を提供する店」の古風な表現。

しゅが①【主我】物を考えたり感じたりする主体としての自己。「―主義③（＝エゴイズム）」

しゅが①【珠芽】ムカゴのように、地上に落ちると根を出して生長する球状のかたまり。腋芽の一種。

じゅか①【儒家】儒者（の家）。

じゅか①【樹下】木の下。↕樹上 **―せきじょう**①―⓪【―石上】〔樹の下や石の上を住まいとする意〕出家して修行に打ち込む身。

シュガー①〔sugar〕砂糖。「―ポット④（＝砂糖つぼ）」

シュガーレス②①〔sugarless〕甘味料としての砂糖を含まないこと。「―ガム」

しゅかい⓪【首〈魁】〔「魁」は首領の意〕悪事の張本人。

じゅかい⓪―する（自サ）❶【受戒】初めて仏門に入る人が、戒律を受けること。❷【授戒】初めて仏門に入る人に、戒律を授けること。

じゅかい⓪【樹海】そのあたり一帯に樹林が広がっていて、高い所から見おろすと海面のように見えるもの。「青木ヶ原の―」

しゅがいねん②【種概念】生物に対する動物・植物、動物に対するヒト・サル・イヌなどのように、より広い概念（＝類概念）に対して、狭い方の概念。⇩類概念

しゅかく⓪【主客】❶主人とその相手となる客。「しゅきゃく」とも。「―共に」❷主体と客体、主語と客語のように対立するものの双方。「―転倒（＝本来 主と△なる（して扱う）べきものと付随的なものとを取り違えること）」

しゅかく⓪【主格】〔文法で〕その語が主語であることを示す格。

しゅかく⓪【酒客】「酒飲み」の意の漢語的表現。

じゅがく①【儒学】儒教の精神を、四書・五経を通じて研究する学問。実践的傾向が強い。

しゅかん⓪【手簡・手〈翰】「手紙」の意の古風な表現。

しゅかん⓪【主幹】❶木の、おもな幹。❷Ⓐその仕事をする上での中心（となる人）。「委員会を―とする運営」Ⓑ限られた仕事の△主任（幹事）。 表記 ❷Ⓑは、「主監」とも書く。

しゅかん⓪【主管】❶支配人。主任。❷―する（他サ）責任を負って、その仕事を△管轄（管理）すること。「―事項④」

***しゅかん**⓪【主観】❶物事を考える われわれの心の働き。「自然は個々人の―を離れて存在する」↕客観 ❷自分ひとりの（かたよった）考え。「―を捨てる／―を交えないで（…する）」 **―せい**⓪【―性】主観的である△こと（という性質）。↕客観性 **―てき**⓪【―的】―な〔物事についての判断の仕方が〕当人の直観や推論に頼る傾向が強く、一定の基準や当人以外の人にもそう認められる事実の裏付けを欠く様子だ。↕客観的

しゅかん⓪【首巻】〔その続き物の〕第一巻（の前にある巻）。↕終巻

しゅかん⓪【酒間】酒を飲みかわすあいだ。「―、話術を振るう／―を周旋する（＝客と休みなく話を交わしたり 杯のやりとりをしたりして、興のさめないようにつとめる）」

しゅがん⓪【主眼】物事の、一番大事な△ねらい（目的・目標）。「…に―を置く／―点②」

じゅかん①【儒官】昔、儒学で仕官した人。

じゅかん⓪ ❶【樹間】植わっている木と木との間。このま。❷【樹幹】木の みき。

しゅき①②【手記】❶自分の体験・感想などを（備忘のために）書きしるしたもの。ノート。「遭難者の―／獄中―⑤」❷―する（他サ）自分自身の手で書くこと。

しゅき①【首記】題目として△書くこと（書いたもの）。「―の討論会を開催しますので」

しゅき①②【酒気】❶酒を飲んだ人の息から発する、熟柿のような、いやなにおい。「―を帯びる」❷酔いごこち。「―をさます」

しゅき①②【酒器】酒を△入れる（飲む）器。

しゅぎ①【手技】編物・ししゅうやマッサージなどの（生計の助けとなる）手によって行なう技術。

*しゅぎ①【主義】❶自らの生活を律する一貫した考え方と、それによって裏付けられた行動上の方針。「―も節操も無い人／釣った魚はすべて逃がす―／日和見―・行き当りばったり―・厳密―・徹底―」❷個人個人によって異なる、思想上の立場。「学生・僧侶・作家・芸術家・一般市民らからなる運動体で―主張も異なるが…」❸個々人が何らかの制約を受ける、政治体制。「絶対―・封建―・民主―」 ―しゃ②【―者】一定の主義を持つ人。〔狭義では、社会主義者を指す〕

しゅきおくそうち⑤【主記憶装置】⇩記憶

しゅきゃく⓪①②【主客】❶しゅかく。❷主賓。

しゅきゅう⓪【守旧】習慣・制度・考え方などを含め、古い物を、よいと思って持ち続けること。保守。「―的⓪」

しゅきゅう⓪【首級】〔古代中国秦の法律で、敵の首を一つ取るごとに位一級を進めたことから。⇩【造語成分】〕「討ち取った敵の首」の意の漢語的表現。かぞえ方 一級・一つ

じゅきゅう⓪【受給】―する（他サ） △配給（給与・年金）を受けること。「―者②」 ―ひょうげん④【―表現】〔日本語文法で〕行為の主体が受け手に対して何らかの利益や恩恵を与える行為を行なうという内容を表わす表現形式。行為の主体を主語とした場合と、受け手を主語とした場合との間に次のような表現上の対応関係がある。「兄が妹に人形をやった」と「妹が兄に人形をもらった」、「友達が僕にゲーム機をくれた」と「僕が友達にゲーム機をもらった」。〔この対応関係は「やる」「もらう」「くれる」の補助動詞としての用法にも認められる〕「授受表現・やりもらい表現」とも。

じゅきゅう⓪【需給】需要と供給。「―関係④・―調整④」

しゅきょう①②【主教】ギリシャ正教会の主任者。

しゅきょう⓪【酒興】酒を飲んで、いい気分に△なること（なってする座興）。

しゅぎょう⓪【主業】〔副業・内職としてではなく〕主たる収入源として行なっている△職務（業務）。

*しゅぎょう⓪―する（他サ）〈なにヲ―する〉 [一]【修行】仏教徒が、より高い悟りの境地を目ざして所定の戒を保ち苦行を重ねること。「山岳での―／―僧②・―者②・武者―・瞑想―⑤」 [二]【修業】より高い学術・技芸をもってそれなりの評価を受けるまで、年限にかかわらず日夜くふうを凝らし、自己を鍛えること。「三年間本場のフランス料理を―してきた／噺家の世界では、―中は一服して休む間もないほど忙しいのです／目下―中の身／―を△重ねる（積む）」⇩修業 表記 [二]は「修行」とも書く。

じゅきょう⓪【〈誦経】お経の文句をすらすらとそらんじること。〔古くは「ずきょう」〕 ―りょう②【―料】お布施。

じゅきょう①【儒教】孔子を祖とする、中国の伝統的な政治・道徳の教え。

じゅぎょう①【授業】―する（自サ） 学業・技術を教え授けること。「―を受ける／―に出る／―についていけぬ子／―中⓪」 ―りょう②【―料】授業を受けるために生徒や学生が納めるお金。

じゅぎょうせい②【受業生】「その先生の教え子」の意の古風な表現。

しゅぎょく⓪【珠玉】〔海産の真珠と山でとれる宝石の意〕美しいたま。〔粒は小さくとも尊ぶべき価値のある文学作品などの意にも用いられる。例、「―編⓪③」〕

しゅきん⓪【手巾】〔てぬぐいの意〕「手ふき・ハンカチ」の意の古風な表現。

しゅく（叔・祝・宿・淑・粛・縮）→【字音語の造語成分】

しゅく②【宿】宿場。⇩【造語成分】

じゅく（塾・熟）→【字音語の造語成分】

じゅく①【塾】〔もと、門の両側にある建物の意。そこに初学者を収容し、教えたことから〕初学の子弟に学問の手ほどきをした、個人経営の小規模の学校。〔昔は寄宿舎を兼ねた場合が多く、現在は普通「学習―③・そろばん―③」など、学校教育法では認めていない、教育機関を指す。また、もと「塾」から発足した学校の名としても用いられる〕「―生・―頭・私―・村―・義―」

じゅく①【受苦】堪えがたいほどの苦難を受けること。

しゅくあ①②【宿〈痾】〔「痾」は病気の意〕治りにくく、一生かかっているかと思われる病気。

しゅくあく⓪【宿悪】❶以前から重ねて来た悪事。❷〔仏教で〕前世の悪事。↕宿善

しゅくあけ⓪【宿明㋘】宿直が明けること。直明け。

しゅくい①②【祝意】お祝いの気持。「―を表する」

しゅくい①②【宿意】❶前から持っていていぬぐいきれない不快な感情。❷以前から持っている△考え（望み）。

じゅくいん⓪【塾員】その塾△に勤めている（で学んだ）人。

しゅくう②【宿雨】「△連日（前夜から）降り続く雨」の古風な表現。

しゅぐう⓪【殊遇】特別の手厚い待遇。

しゅくうん⓪【宿運】前の世から決まっていて、人の力ではどうすることも出来ない運命。

しゅくえい⓪【宿営】―する（自サ） ❶軍隊が戦地に陣を設けて泊まる△こと（所）。「―地③」 ❷探検隊・登山隊などが、そこにテントなどを張って泊まること。

しゅくえき⓪【宿駅】交通の要衝にあって、宿泊所を備えたり輸送に必要な人馬を供給したりする所。〔江戸時代の宿場（町）に相当する〕

しゅくえん⓪ [一]【祝宴】めでたい事を祝ってする宴会。「―を開く」 [二]【祝〈筵】祝宴（の席）。「―に列する」

しゅくえん⓪【宿怨】前まえからの恨み。

しゅくえん⓪【宿縁】前世からの因縁。

しゅくが⓪①②【祝賀】―する（他サ） めでたい事として、みんなで祝うこと。「―式③・―会③⓪」

しゅくがく⓪【宿学】その方面で第一級の学者として定評のある学者。

しゅくがく⓪【粛学】―する（自サ） 大学の内部の不正・腐敗を正すこと。

しゅくがん⓪【宿願】以前から、ぜひ果たしたいと思っていた願い。「―を果たす」

じゅくぎ①【熟議】―する（他サ） 議論を尽くして話し合うこと。

しゅくけい⓪【粛啓】〔つつしんで申しあげる意〕〔手紙文で〕「拝啓」の丁寧表現。

しゅくげん⓪【縮減】―する（他サ） 量を減らし、規模を小さくすること。

じゅくご⓪【熟語】❶〔「単純語」ではなく〕二つ（以上）の形態素が何らかの意味関係をもって結合して出来た言葉（を漢字表記の面からとらえたもの）。〔結合する形態素間の意味関係については説明がつかないものもある〕字音語の例「文学・人間」、和語の例「山桜・川面」。❷〔英語で〕イディオム。慣用句。

しゅくごう⓪【宿業】〔仏教で〕前世における、善悪の行為。〔それが現世の果をもたらす原因になるという〕

しゅくごう⓪【縮合】―する（自サ） 異なる分子と分子が

…オのような小さな分子を分離させて 新たな分子として結合すること。「―重合反応⑨」

しゅくこん⓪【祝婚】結婚を祝うこと。「―歌③」

しゅくこん⓪【宿根】❶地上部が枯れた後も生きている、△根（地下茎）の部分。春になって、その部分から茎や葉を出す。「―草〔＝⇩しゅっこんそう〕」 ❷茎や葉が枯れても、根がそのまま残ること。

しゅくさい⓪【祝祭】何人かの人が集まって祝いの催しをすること。 **―じつ**③【―日】「祝日❶」と「祭日❶」との称。〔多く「国民の祝日」として継承される〕

しゅくざい⓪【宿罪】〔仏教で〕前世に犯した罪。

しゅく

［叔］❶父母の弟・妹。「叔父・叔母」↕伯 ❷兄弟の順の三番目。「伯仲叔季」

［祝］喜び、いわう。「祝宴・祝福・祝賀・祝辞・祝典・祝杯・慶祝・奉祝」

［宿］❶とまる所。やどや。「下宿・旅宿・二十八宿」 ❷とまる。やどる。「宿営・宿直・宿泊・合宿・寄宿・野宿(ノジュク)」 ❸前からの。「宿願・宿志・宿敵・宿望」 ❹年をとって、経験がある。「宿将・宿老・耆(キ)宿」 ⇩（本文）しゅく【宿】

［淑］〔もと、よい意〕❶女性に備わることがよいとされる徳。心が美しく、態度がやさしいなど。しとやか（な）。「淑徳・淑女・貞淑」 ❷尊敬して したう。「私淑」

［粛］❶音を立てない△で居る（ようにして、何かをする）。「粛然・粛々・静粛」 ❷きびしい。きびしくする。「粛清・厳粛」

［縮］ちぢめる。ちぢまる。「縮小・縮尺・縮図・縮写・恐縮・緊縮・短縮・圧縮・伸縮」

じゅく

［塾］⇩（本文）じゅく【塾】

［熟］❶果物などが十分に生息する。うれる。「熟成・熟柿(シ)・成熟・完熟・早熟」 ❷にえる。「半熟」 ❸なれる。こなれる。「熟達・習熟・円熟・未熟」 ❹つくづく。つらつら。よく。「熟考・熟慮・熟知・熟読・熟練」

しゅくさつ⓪【縮刷】―する（他サ）版の大きさを、もと出版されたものより縮めて印刷△すること（したもの）。「―版(バン)⓪」

しゅくし⓪②【祝詞】お祝いの言葉。⇩のりと

しゅくし②【宿志】「かねてからいだいている志」の意の古風な表現。

しゅくじ⓪【祝辞】記念式などで述べられる、お祝いの言葉。

じゅくし①【熟思】―する（他サ）前後の事情や、いろいろな場合をよく考えること。

じゅくし①⓪【熟《柿】よく熟したカキ。「―の落ちるのを待つ」 **―くさ・い**⑤【―臭い】（形）酒を飲んだあと息が臭い状態だ。

じゅくし①【熟視】―する（他サ）△まちがいではないか（何かおかしい所が無いか）と、そのものをよく見ること。

じゅくじ⓪【熟字】「熟語❶」を表記するのに用いられた二字以上の漢字。 **―くん**⓪③【―訓】二字（以上）の漢字によって単純語だととらえられるものを表記したものの読み方。例えば、「今日」と書いてキョウ、「海老」と書いてエビ、「女郎花」と書いてオミナエシと読ませるなど。また、その漢字表記そのもの。

しゅくじつ⓪【祝日】❶何かの祝いの意をこめた休日。〔狭義では、旧四大節（四方拝〘＝一月一日〙・紀元節〘＝二月十一日〙・天長節〘＝四月二十九日。ただし、昭和期に限る〙・明治節〘＝十一月三日〙を指した）「△開校百年（感謝祭）の―」 ❷「国民の祝日」の略。「明日は―なので、夕刊は休みます」

こくみんの―⓪-⓪【国民の―】⇩国民

しゅくしゃ②【宿舎】❶旅先の宿。「国民―」 ❷公務員などに、安い家賃で提供される住宅。

しゅくしゃ⓪【縮写】―する（他サ）原形を縮めて△写すこと（写したもの）。

じゅくしゃ①【塾舎】その塾生の寄宿舎。

しゅくしゃく⓪【縮尺】❶―する（他サ）〔地図・設計図などを〕実際より縮めて書くこと。「―図④」⇩現尺 ❷縮図と実際の長さとの比（を示す物差し）。「―千分の一」

しゅくしゅ②【宿主】寄生生物に寄生されるほうの生物。やどぬし。「中間―」

しゅくしゅく⓪【粛々】―たる ―と（緊張して）静かに行動する様子だ。「鞭声(ベンセイ)―と/―と行列を続けて」

じゅくじゅく①（副）―と ―する ⇩じくじく

しゅくしょ②【宿所】泊ま（ってい）る所。〔古くは、自分の住む家を指した〕

しゅくじょ①②【淑女】〔「淑」は、よい意〕品位のある、りっぱな女性。レディー。↕紳士

じゅくじょ①【熟女】もう若いとは言えないが、成熟した魅力と社会人としての存在感とを備えている女性。

しゅくしょう⓪【祝勝】・【祝《捷】戦争や試合などに勝ったことを祝うこと。「―会③⓪」

しゅくしょう⓪【宿将】実戦の経験を積んだ△将軍（人）。「政界の―」

*__しゅくしょう__⓪【縮小】―する（他サ）〈（なにカラなにニ）なにヲ―する〉それまでよりも規模が小さくなる（ようにする）こと。「賃金格差を―する/軍備―①-⓪」↕拡大・拡張 **―きんこう**⑤【―均衡】経済の規模を縮めて、収入と支出の釣合を取ること。↕拡大均衡

しゅく・す②【宿す】（自五）「旅の途中などでそこに泊まる」意の漢語的表現。宿する③（サ変）。

しゅくず⓪【縮図】〔地図・設計図など〕構図は元のままで、大きさだけを縮めた図。〔規模を小さくして表わしたものの意にも用いられる。例、「人世の―/世界の―」〕

*__じゅく・す__②【熟す】（自五）❶果実が十分に生長して△食べごろ（種子が採取できる状態）になる。「真っ赤に熟したりんご」 ❷計画したことを実行するのにちょうどよい時期△が来る（になる）。「改革の気運が―/機未(マイ)だ熟さず」 ❸〈（なにニ）―〉その動作に慣れて△上手になる（不自然さが無くなる）。

しゅくすい⓪【宿酔】「ふつかよい」の意の漢語的表現。

じゅくすい⓪【熟睡】―する（自サ）ぐっすり眠ること。

しゅく・する③【祝する】（他サ）慶事を祝う。祝す②（五）。「△再会（成功・帰朝）を―/健康を祝して乾杯する」

じゅく・する③【熟する】（自サ）熟す。「△機（機運）が―」

しゅくせ①②⓪【宿世】〔仏教で〕前の世（の因縁）。すくせ。

しゅくせい⓪【〈夙成】若い時から自分なりの見識を持つこと。

しゅくせい⓪【粛正】―する（他サ）きびしく取り締まって、不正を除き去ること。「綱紀―」

しゅくせい⓪【粛清】―する（他サ）組織内の反主流派を徹底的に無くすこと。

じゅくせい⓪【塾生】 塾の△学生(生徒)。

じゅくせい⓪【熟成】—する(自サ) 時間をかけてしこんだものが、ようやく使える状態になること。〔それまで形をとらなかったものが、時期が来て一応具体化して結実する意にも用いられる〕「オークの樽(タル)で—させたワイン/長期—」

しゅくぜん⓪【宿善】〔仏教で〕前世の善根。↔宿悪

しゅくぜん⓪【粛然】—たる —と つつしんだ気持になって、静まりかえる様子だ。「—として襟を正す」

しゅくだい⓪【宿題】 児童・生徒や学生に対して、家でやってくるように教師の与える課題。〔解決が後日にまで持ち越される問題の意にも用いられる。例、「—を抱える」〕

じゅくたつ⓪【熟達】—する(自サ) 〔学芸・スポーツ・やり方などに〕慣れて上達すること。

じゅくだん⓪【熟談】—する(自サ) ❶よく相談すること。❷話し合って折合いをつけること。示談(ジダン)。

じゅくち①【熟知】—する(他サ) △よく(詳しく)知っていること。「—の仲/この辺の地理は—している」

じゅくちょう⓪(チャウ)【塾長】 ❶塾生の長。❷塾の長。

しゅくちょく⓪【宿直】—する(自サ) 交替で泊まり、当直をする△こと(人)。夜直。「—室④③」 ↔日直❷

しゅくつぎ⓪④【宿継(ぎ)】 宿場から宿場へ順々に荷物を送ること。しゅくおくり③。表記「宿次」とも書く。

しゅくてき⓪【宿敵】 何としてもうち負かしたいと思っている年来の敵。

しゅくてん⓪【祝典】 お祝いの儀式。

しゅくでん⓪【祝電】 お祝いの電報。「—を送る/—が寄せられる」 かぞえ方 一通

じゅくでん⓪【熟田】 よく耕作してある田。

じゅくど①【熟度】 その果物などの、熟した程度。

しゅくとう⓪(タウ)【祝〈禱〉】—する(自サ) 〔キリスト教で〕牧師や神父が会衆を祝福してする祈り。

しゅくとう⓪(タウ)【粛党】—する(自サ) 政党が内部の腐敗を自分たちの発意で正すこと。

じゅくとう⓪【塾頭】 ❶塾生の長。❷塾の△長(舎監)。

しゅくとく⓪【淑徳】 上品でやさしい、女性の美徳。

じゅくどく⓪【熟読】—する(他サ) 書いてあることの意味をよく考えながら読むこと。「—玩味(ガンミ)⑤」 ↔速読・卒読

しゅくとして①②【粛として】(副) 〔おごそかな雰囲気の中で〕おおぜいの人が静まりかえる様子。「—声なし」

じゅくねん⓪【熟年】 長年培った経験や技能が成熟した年ごろ。中高年を指す。「老いてなお—の情熱を持ち続ける/—期を迎える」

しゅくば⓪③【宿場】 昔、宿継ぎをした町。宿場町③。

しゅくはい⓪【祝杯・祝〈盃〉】 祝いのさかずき。「—をあげる〔=祝う気持を表わす。祝って喜ぶ〕」

しゅくはく⓪【宿泊】—する(自サ) △旅行(出張)先などで泊まること。「—を予約する/—料④・—所⑤⓪・—者④③・—施設⑤」

しゅくふ①②【叔父】 父母の弟。おじ。↔叔母(シュクボ) ⇩伯父(ハクフ)

しゅくふく⓪【祝福】—する(他サ) ❶他人の幸福を祈ること。〔キリスト教では、神の恵みを祈り求めることを指す〕「みんなから—を△受ける(浴びる)」 ❷祝うこと。「卒業を—する/—の言葉をおくる」

しゅくへい⓪【宿弊】 古くからの、よくない習慣。

しゅくべん⓪【宿便】 排泄(ハイセツ)されないで長い間腸の中にたまっている便。

しゅくぼ①②【叔母】 父母の妹。おば。↔叔父(シュクフ) ⇩伯母(ハクボ)

しゅくほう⓪(ハウ)【祝砲】 祝意を表わすためにうつ空砲。「二十一発の—を放つ」 かぞえ方 一発

しゅくぼう⓪(バウ)【宿坊】 参詣者(サンケイシャ)が泊まる、寺の宿泊所。

しゅくぼう⓪(バウ)【宿望】 長年に渡ってかなえたいと思っている望み。「—がかなう/—を果たす」

じゅくみん⓪【熟眠】—する(自サ) 「熟睡」の意の古風な表現。

しゅくめい⓪【宿命】 ❶〔人間の運命として〕本人の意志や欲求にかかわりなく、置かれた環境や状況には逆らうことが出来ないものととらえられる定め。「—を背負う/—的⓪」 ❷その物事の存続を認めようとする以上は、構造上避けることが不可能だととらえられる欠陥や弱点。「生活の利便性を追求する以上は、環境汚染が生じるのは—だと言える」 **—ろん**③【—論】 一切の現象はそうなるように予定されていて、思う通りに変えることは出来ないとする説。運命論。

しゅくもう⓪【縮毛】 ちぢれた頭髪。「ちぢれげ」とも。

しゅくや②①【〈夙〉夜】 〔「夙」は、早朝の意〕「朝早くから夜遅くまで」の意の古風な表現。「—公務に精励する」

しゅくやく⓪【縮約】—する(他サ) 〔複数巻からなる辞典類、プログラミングにおける数式、データ、前置詞と定冠詞など〕長大なものや複数のものを一つにまとめ、簡略なものにすること。「情報を—して送る/—版⓪・—形⓪」

しゅくゆう⓪【祝融】 〔中国で、火の神の意〕「火事」の意の古風な表現。「—の災い〔=火災〕」

じゅくらん⓪【熟覧】—する(他サ) △見落としが無いように(長く印象にとどめるように)よく見ること。

じゅくりょ①【熟慮】—する(他サ) 時間をかけて、あらゆる可能性を検討して考えること。「—の末、決定した」 **—だんこう**①-⓪(カウ)【—断行】—する(自サ) 熟慮した上、機を見て実行に移すこと。

しゅくりょう②⓪(レウ)【宿料】 「やどちん」の意の古風な表現。

じゅくれん⓪【熟練】—する(自サ) その仕事によく慣れ、△技術(演技)がすぐれていること。「—の職人/—翻訳者がコンピューターシステムを駆使して各国語を迅速、正確に翻訳/—者③」 **—こう**⓪③【—工】 熟練した特別の技能を持っている工員。↔見習い工

しゅくろう⓪(ラウ)【宿老】 ❶十分経験を積んだ老人。❷武家時代の高官。老中・家老など。❸江戸時代、町内の年寄役。おとな。

しゅくわり⓪④【宿割(り)】 やどわり。

しゅくん①②【主君】 自分が仕える君主・殿様。

しゅくん①②⓪【殊勲】 すぐれた手柄。「—をたてる/—甲〔=大きな功績を上げ顕彰される者の称〕・最高—選手」

じゅくん⓪【受勲】 勲章を受けること。「—者②」

しゅけい⓪【主計】 ❶会計を担当すること。また、その役目。❷旧陸海軍で会計・給与などを取り扱った職名。「—大尉④」

じゅけい⓪【受刑】—する(自サ) 刑の執行を受け(つつあ)ること。「—者②」

しゅげい⓪①【手芸】 編物・ししゅう・人形作りなど、手先を使って(家庭で)する技芸。「—品⓪」

じゅけい⓪【樹形】 幹や枝葉などから成る木全体の姿。 **—ず**②(ツ)【—図】 物事の分岐点を枝分れさせて一方向に広げていく模式図。〔言葉の系統などを示すのにも用いられる〕「—で場合の数をかぞえる」

じゅけつ⓪【受血】 輪血を受けること。「—者③」

しゅけん⓪【主権】 他国の干渉によって侵されることの無い、国家の△意思力(統治権)。「—者②・—国②〔=独立

国〕」 —さいみん[0]-[0]【—在民】 主権が国民にあること。

しゅげん[0]【修験】❶〔←修験者[2]〕山野で難行・苦行する修験道の行者。大刀を帯び金剛杖をつき法螺を吹き露宿を建前とする。髪を伸ばし頭巾をかぶり、けさ・すずかけを着るのが特徴。山伏。❷〔←修験道[2]〕加持・祈禱を主とする密教の一派。役小角を祖とする。

じゅけん[0]—する ■【受検】(自他サ) △検査(検定)を受けること。■【受験】(他サ) 試験を受けること。「—勉強に憂き身をやつす/—地獄・—者[2]・—料[2]」

じゅけん[0]【授権】〔法律で〕一定の権利を特定の人に与えること。「—資本[4]・—説[2]」

しゅご[1]【主語】❶文の成分の一つ。「何がどうする」「何はどうである」の「何」に当たる語。⇩述語・客語 ❷主辞。

しゅご[1]【守護】❶—する(他サ) 大切な△人(場所)を守ること。❷鎌倉・室町時代、国司に属して各地の治安維持に当たった職名。「—職[2]・—代[2]」 —しん[2]【—神】❶守り神。「しゅごじん」とも。❷マスコット。

しゅこう[0]【手工】 もと、小学校の教科の一つ。今の「工作」の旧称。

しゅこう[0]【手交】—する(他サ) 〔公式の文書などを〕手渡すこと。「抗議文を—する」

しゅこう[0]【手稿】 その人の手書きの原稿。 —ぼん[0]【—本】 手稿をそのまま書物としたもの。

しゅこう[0]【首肯】—する(自サ) もっともだと認め(て、賛成す)ること。「—しがたい提案」

しゅこう[0]【酒〈肴】 酒と△料理(さかな)。「—料[2]」

しゅこう[0]【趣向】 物事を実行したり作ったりする上の△おもしろい(変わった)アイデア。「—を凝らす」

しゅごう[0]【酒豪】 酒に強い人。大酒飲み。

じゅこう[0]【受光】 植物などが、光を受けること。「—量[2]」

じゅこう[0]【受講】—する(他サ) 講義・講習を受けること。「—者[2]・—生[2]」

しゅこうぎょう[2]【手工業】〔大工場における機械工業と違って〕小規模な道具を使用して行なう(家内)工業。

じゅごん[1]【儒〈艮】〔dugong〕 東南アジアやインド洋の浅海にすむ哺乳動物。一見ブタに似た顔つきで、胴のあたりは人間の胴体を連想させる。〔昔、人魚と言われたのは、大抵これ〕〔ジュゴン科〕 表記「儒〈艮」は、借字。 かぞえ方 一頭

しゅさ[1]【主査】 △調査(審査)の主任。↕副査

しゅざ[1]【首座】 最上位の席(につく資格のある人)。首席。〔禅宗の役僧の場合は「しゅそ」〕「—に就く」

しゅさい[0]【主宰】—する(他サ) 多くの人の上に立ち、中心となって物事を行なう△こと(人)。

しゅさい[0]【主祭】〔キリスト教などで〕祭事を扱う人。

しゅさい[0]【主菜】 副食物の中で中心となるもの。

しゅさい[0]【主催】—する(他サ) △中心(責任者)となって、会などを催すこと。「大会の—者」↕共催

しゅざい[0]【主材】 何かを作るのに必要な材料の中で中心となるもの。

しゅざい[0]【主剤】 調合した幾つかの薬の中で、主成分となる薬。

しゅざい[0]【取材】—する(他サ) 新聞・雑誌の記事の材料や作品の題材を、ある事件・人から取り集めること。「犯行現場を—する/—活動[4]・—班[2]」

しゅざい[0]【首罪】 その人の犯した幾つかの犯罪の中で一番重いもの。〔古くは、主犯の斬罪の意にも用いられた〕

しゅざや[0]【朱〈鞘】 朱色に塗った刀の鞘。「—の大小」

しゅざん[0]【珠算】〔筆算・暗算などと違って〕そろばんを使ってする計算。たまざん。

じゅさん[0]【授産】 失業者などを一定の場所に集めて仕事を与え、生活の道を立てさせること。「—場[0]・—所[4][0]」

しゅし[1]【主旨】 その文章・計画などの、おもなねらい。

しゅし[1]【種子】 子房内の胚珠が受精して成熟したもの。たね。 —しょくぶつ[4]【—植物】 花を咲かせ、実を結び、種子を生じる植物の総称。裸子植物と被子植物とに分ける。「顕花植物」の改称。

*しゅし[1]【趣旨】❶なんのためにその事をするかという目的やねらい。「—が生かされる/当初の—に沿って/学校設立の—に反する」❷文章や話で、言おうとしている事柄。

しゅじ[1]【主事】 その事務を中心的に扱う△こと(人)。主任。「—試験・指導—〔⇩指導主事〕・事務—〔⇩事務主事〕」

しゅじ[1]【主辞】〔論理学で〕ある命題において、賓辞によって述べられる判断の対象。「犬は動物だ」の「犬」の類。⇩賓辞・繋辞

じゅし[1]【〈竪子・〈孺子】〔「竪」は、成人前の子供の意〕「未熟な者(ども)」の意の古風な表現。【—をして名を成さしむ】 ふだんばかにしていた者にしてやられる。

じゅし[1]【樹脂】❶木のやに。❷「合成樹脂」の略。 —かこう[3]【—加工】 天然の繊維に合成樹脂をかぶせて加工すること。

しゅじい[2]【主治医】❶何人か関係する医者の中で、中心になってその人の治療を受け持つ医者。❷かかりつけの医者。

しゅしがく[2]【朱子学】「朱子[1]」によって大成した、儒学の一派。中国の宋時代に行なわれ、格物致知をモットーとする。⇩官学

しゅじく[0]【主軸】❶中心になる軸。❷原動機から直接動力を伝える軸。〔組織などの中心となって物事を動かしていく△こと(人)の意にも用いられる〕

しゅしゃ[1]【手写】—する(他サ) 〔「手」は、手ずからの意〕その人が自分自身で書きうつすこと。「—本[0]」

しゅしゃ[1]【取捨】—する(他サ) 良い必要なものを取り、悪い不必要なものを捨てること。「—選択[1]-[0]」

じゅしゃ[1]【儒者】 儒学の趣旨を人に説き、講義する人。

しゅじゃく[1]【朱〈雀】 ⇩すざく

じゅしゃく[0]【授爵】—する(他サ) 爵位を授かること。

しゅしゃりん[2]【主車輪】 飛行機のつばさの両側に一つずつ付いていて、滑走する時に使われるおもな車輪。主輪。

しゅしゅ[1]【守《株】 頭がかたく、臨機応変の才能が無いため時代の進展に遅れること。〔ウサギが切り株にぶつかり首を折って死んだのを見た宋の百姓が、味を占め、それから働かずに切り株を見張ってまたウサギを得ようとした韓非子にある故事に基づく〕

しゅじゅ[1]【〈侏儒】 極端に背の低い人を指した称。俗にいう、こびと・一寸法師。

しゅじゅ[1]【種々】—な —に △一まとまりの事物(一連の事柄)を構成する要素に数かずの異なるものがある様子だ。〔副詞的にも用いられる〕「—の方策を試みる/用途に応じて—に用いられる/—さまざま・—雑多」 —そう[2]【—相】 いろいろの△姿(状態)。

じゅじゅ[1]【授受】—する(他サ) 〔価値ある物を〕当事者同士が直接受け渡しすること。「金品の—」

しゅじゅう[1]【主従】 主君と家来。主人と従者。「しゅう

じゅう」とも。「―関係」

＊しゅじゅつ①【手術】―する(他サ)〈なにヲ―する〉〔手先でする業(ワザ)の意〕❶医師が治療の目的で、患部を切開して必要な処置を施したり切除したりすること。「―を△施す(受ける)/―を要するが/外科―・整形―」 ❷組織・機構などの根本的な改革。「交通渋滞の解消には思い切った―が必要である」

じゅじゅつ①⓪【呪術】 神仏に祈ったり口で何かを唱えたりして、超自然的な現象を起こさせる術。「―師③」

しゅしょ①【手書】―する(他サ) 文章などを自分自身の手で書くこと。〔狭義では、自筆の手紙を指す〕

しゅしょ①【朱書】―する(他サ) 朱で△書くこと(書いたもの)。

しゅしょうォ⓪(セウ)【手抄】―する(他サ) ❶⇩手書 ❷△必要な(気のついた)事を書き抜くこと。また、そうしたもの。

しゅしょうォ⓪(シヤウ)【主将・首将】 ❶全軍の総大将。 ❷スポーツで、チームの統率(トウソツ)者。キャプテン。↕副将

しゅしょうォ⓪(シヤウ)―する(他サ) [一]【主唱】 一派の中で中心人物となってその事の必要を主張する△こと(人)。「憲法改正を―する」 [二]【首唱】 まっ先に言い出すこと。「―者②」

しゅしょうォ⓪(シヤウ)【首相】「内閣総理大臣」の通称。「―に指名される/―官邸⓪-⓪」

しゅしょうォ⓪(シヤウ)【殊勝】―な 〔年齢や経歴の割に〕りっぱなところがあり、ほめるに値する様子だ。「―な心がけ/―気(ゲ)を出す(=何か大変良い事のつもりでその事をする)」

しゅじょうォ⓪(ジヤウ)【主上】 昔、天皇の尊称。〔古くは「しゅしょう」〕

しゅじょうォ⓪(ジヤウ)【主情】〔主知に対して〕理知よりも感情・情緒を重んじること。「―的⓪・―主義④・―派⓪」

しゅじょうォ⓪(ジヤウ)【衆生】〔仏教で〕この世の中に生きているすべてのもの。〔これらの苦悩や迷いを救うのが仏の本願とされる〕「―済度(サイド)」

じゅしょうォ⓪(シヤウ)―する(自他サ) [一]【受章】 文化勲章を初め諸種の勲章・褒章などをもらうこと。「―者②」 [二]【受賞】 諸種の栄誉となる賞をもらうこと。「―記念④」

じゅしょうォ⓪(シヤウ)【受傷】 事故や戦争などで、けがをすること。

じゅしょうォ⓪(シヤウ)―する(自他サ) [一]【授章】 文化勲章を初め諸種の勲章・褒章などを政府関係者が該当者に手渡すこと。「―式②」 [二]【授賞】 諸種の栄誉となる賞を該当者に与えること。「―式②」

じゅしょうォ⓪(ジヤウ)【樹上】 木の上。「―生活」↕樹下

＊しゅしょく⓪【主食】〔↑主食物③〕 食事のうちで、主としてカロリーのもとになる食べ物。米・麦などの穀物や食パンなどを指す。↕副食

しゅしょく⓪ [一]【酒色】〔男が身持をくずす基としての〕酒と女。「―にふける」 [二]【酒食】 飲酒と食事。「―を供する/―の用意/―のもてなし」

しゅしん⓪【主神】〔祭神が二柱以上ある神社で〕主となって祭られる祭神。

しゅしん⓪【主審】 ❶主となって審判する△こと(人)。⇩副審・線審 ❷〔野球で〕球審。⇩塁審・線審

しゅしん⓪【朱唇】 ❶女性の(美しい)くちびる。 ❷口紅をつけた赤いくちびる。紅唇。

＊しゅじん①【主人】 ❶Ⓐ一家の長として家族を扶養する立場にあるとされる人。「ご―はご在宅ですか」Ⓑ妻が他人に対して、自分の夫を指す称。「―はただいま外出しております」 ❷個人経営の商店などの長。「宿屋の―におさまる/若(ワカ)―・女(オンナ)―」 ❸和式の宴席で、客を招いて接待する側の人。「茶会の―/―役⓪②」 ―こうォ②【―公】〔もと、主人の敬称〕事件・文学作品・映画などの中心人物。「―を△演じる(設定する)/―と一緒に一喜一憂する」

じゅしん⓪【受信】―する(他サ) ❶無線△電信(電話)などを受けること。「―機②・―者②」↕送信 ❷△電報(郵便物)を受け取ること。「―人⓪」↕発信

じゅしん⓪【受診】―する(自他サ) 診察を受けること。「内科を―する」

しゅす①【〈繻子】 △縦糸(横糸)を浮き出すようにして織った、つやがあってなめらかな感じの織物。サテン。

じゅず②⓪【《数《珠】 念誦(ネンジュ)の回数をかぞえたり 仏を拝んだりする時に、手に掛け つまぐる仏具。普通、百八の小さい珠(タマ)を糸に貫いて輪に作る。「いら高(タカ)の―(=修験道で用いる数珠)」 [表記] ⇩付表「数珠」。「《珠数」とも書く。 [かぞえ方] 一巻(ヒトマキ)・一本・一連 ―だま⓪【―玉】 ❶ムクロジ・ジュズダマ・さんご・水晶など、数珠の材料とするもの。 ❷湿地に生える多年草。薬用として栽培される。〔イネ科〕 [かぞえ方] ❷は一本 ―つなぎ③【―〈繋(ぎ)】 たくさんの数珠玉が隙間(スキマ)無く繋がっている△こと(状態)。〔犯罪者などを何人も繋ぎ縛る意や、渋滞した車が続いて道路をふさいでいる意にも用いられる。例、「―になる」〕

しゅすい⓪【取水】―する(自サ) 水道に通すために、水源から適当な水質の水を必要な量だけ集めること。「―口②⓪」

じゅすい⓪【《入水】―する(自サ) 川・海などへ身投げして自殺すること。「にゅうすい」とも。

しゅずみ⓪【朱墨】 朱をにかわで練った墨。

しゅ・する②【修する】(他サ) 行なう。「仏事を―」

じゅ・する②【〈誦する】(他サ) 詩歌・経文の文句をふしをつけて言う。「経を―」

しゅせい⓪【守成】―する(他サ) 創業のあとを受けて事業を盛んにすること。「創業期から―期に入る」

しゅせい⓪【守勢】 ❶敵の攻撃を防ぎ守る、受身の態勢。「―に△立つ(転じる・回る)/―的⓪」↕攻勢 ❷守備の兵力。

しゅせい⓪【酒精】 アルコール。

しゅぜい①⓪【酒税】 酒類にかける間接消費税。

じゅせい⓪―する(自サ) [一]【受精】 ❶雌の卵子が雄の精子と合体すること。「―卵②」 ❷雌雄の生殖細胞が合体すること。 [二]【授精】 人工的に受精させること。人工授精。

じゅせい①【儒生】 ❶儒者。 ❷儒学を修める学生。

じゅせい⓪【樹勢】 木の、生長する勢い。「―が盛んだ」

しゅせいぶん②【主成分】 それを抜きにすると成立が危くなる、そのものにとって大事な成分。

しゅせき⓪【手跡・手〈蹟・手〈迹】 その人の書いた文字。筆跡。

しゅせき⓪ [一]【主席】 その△政府(党)の最高責任者。 [二]【首席】 △最上位(第一位)の成績・身分・地位など。「―で卒業する/―全権⓪-⓪、④・―奏者④」

しゅせき⓪【酒席】 酒宴の席。

しゅせきさん⓪③【酒石酸】 ブドウの中に多量に含まれる、無色で酸っぱい結晶。薬用、また、ラムネ・サイダーなど清涼飲料の原料とする。

しゅせん⓪【主戦】 ❶開戦を主張すること。「―論②」 ❷〔スポーツで〕戦力の中心となること。「―投手④」

しゅせん⓪【守戦】―する(自サ) 敵が攻めて来るのをただ防ぐだけで、積極的に攻撃を加えないでいること。「―に回る」

しゅせん⓪【酒仙】 むしょうに酒の好きな人。

しゅぜん⓪【〈鬚〈髯〉】「あごひげとほおひげ」の意の漢語的表現。

じゅせん⓪【受洗】―する（自サ）〔キリスト教で〕洗礼を受けること。

じゅぜん⓪【受禅】―する（自サ）〔古〕〔「禅」は、代わる意〕先帝から位を譲られて即位すること。↕簒奪（サンダツ）

しゅせんど②【守銭奴】金をためることだけが目的で、活用の道を知らないけちんぼう。

しゅそ①【主訴】患者がいろいろ申し立てる病状の中で、中心的であると医者が見立てるもの。

しゅそ①【首《座】〔「そ」は、「座」の唐音〕禅宗の役僧の最上位。「しゅざ」とも。

しゅそ①【首〈鼠】様子をうかがうためにつきだしたネズミの首。〔「首鼠」は「躊躇（チュウチョ）」の音の変化したものだとする説もある〕「―両端①〔=どうしたらいいか迷って、形勢をうかがう様子〕」

じゅそ①【呪〈詛】―する（他サ）〔「しゅそ」の変化〕のろうこと。のろい。まじない。表記「呪〈咀」とも書いた。

しゅぞう⓪【酒造】酒類をつくること。「―業②」

じゅそう⓪【樹相】〔枝の伸び方・張り方や葉の茂りぐあいなどから総合的に見た〕その木の形（のよしあし）。

じゅそう⓪【樹霜】霧氷の一つ。昇華した空中の水蒸気が木の枝について、霜の結晶となったもの。比較的温度の低い時に見られる。

じゅぞう⓪【寿像】生前に作っておくその人の像。

じゅぞう⓪【寿蔵】生前に作っておく自分の墓。

じゅぞう⓪【受像】―する（他サ）放送されたテレビ電波を受像装置に受けて見ること。また、その像。「―機②」↕送像

じゅぞう⓪【受贈】―する（他サ）他から何かを寄贈されること。「―者②・―雑誌」

しゅそく①【手足】「てあし」の意の漢語的表現。「―〔=部下〕となって働く」

しゅそく①【首足】人体の首と、胴体から下の部分。【―《処（ところ）を異（こと）にする】「首を切られて死ぬ」の婉曲（エンキョク）表現。

しゅぞく①【種族】〔同一人種に属するもののうちで〕同じ祖先および共通の言語・風俗・習慣を持つ人びとの集団。〔広義では、同一の部類に属するものをも指す〕

*しゅたい⓪【主体】❶自分の意志で行動するととらえられる△人（もの）。「言語―〔=話し手、書き手。また、その相手の称〕」↕客体 ❷組織などを作る上で中心となるもの。―せい⓪【―性】主体的に行動しようとする態度。「―の確立/―を失う」―てき⓪【―的】（=な/=に）自分自身の意志や判断に基づいて行動を決定する様子だ。「―な行為/没（ボツ）―〔=⇩没主体的〕」

*しゅだい⓪【主題】❶作品・論文・議論・研究などの中心となる思想内容。テーマ。「―歌②〔=映画・ドラマなどの主題を歌詞にした歌〕」❷その音楽の中心となる旋律。「第一―」

しゅだい⓪【首題】議案・通告などの初めに書いてある題目。「―の件につき」

じゅたい⓪【受胎】―する（自サ）「妊娠」の、やや改まった表現。―こくち④【―告知】神の子キリストが、救世主として、処女であるマリアから生まれる状態が整ったことを、天使のガブリエルがマリアに伝えたという知らせ。―ちょうせつ④【―調節】希望する時にだけ妊娠出来るように、受胎の時期・回数などを調節すること。

じゅだい⓪【《入内】―する（自サ）△皇后（中宮）が、一定の儀式を整え、実質的に内裏（ダイリ）に入ったこと。

しゅたく⓪【手沢】その人が使っている間に、持ち物に時代がついてつやが出て来ること。「―本（ボン）⓪〔=ⓐ高名な学者・文学者などが愛蔵・愛読した本。ⓑ書き入れのある本〕」

しゅたく⓪【手拓】その人が自分で拓本を取ること。また、その拓本。

じゅたく⓪【受託】―する（他サ）❶委託・嘱託を受けること。「―収賄」↕請託 ❷寄託・信託を受けること。

じゅだく⓪【受諾】―する（他サ）相手の提案や申入れをその通りに認めること。

しゅたる①②【主たる】（連体）△全体（同種のものごと）の中で中心となる。また、重要な役割を果たす。「―原因を調査する」

**しゅだん①【手段】何かを実現させるため△の方法（に役立つもの）。「過激な―に訴える/△具体的（対抗）―を講じる/△厳しい（思い切った）―を取る/目的のためには―を選ばない/平和維持の―として利用する」

しゅち①【主知】〔主情に対して〕感情・情緒よりも理知を重んじること。「―的⓪・―派⓪・―主義③」

しゅち①【趣致】自然の景観や事物などに感じられるおもむきやふぜい。

しゅちく⓪【種畜】優良品種を手に入れるための、雄の家畜。種馬（ウマ）・種牛の類。「―牧場④」

しゅちにくりん①-⓪【酒池肉林】〔酒の池と肉を懸（カ）けた林の意〕ぜいたくきわまる酒宴。

しゅちゅう⓪【手中】手のうち。「敵の―に陥る〔=敵のとりことなる。敵のために捕らえられる〕/―に収める〔=自分のものとする〕/―に帰する〔=自分のものとなる〕」【―に入れる】❶自分の支配下に置く。❷自分の所有とする。

しゅちゅう⓪【主柱】❶中心となる柱。❷その集団の中で重要な役割を果たし、支えとなっている中心的人物。

じゅちゅう⓪【受注・受〈註】―する（他サ）注文を受けること。「―に生産が追いつかない」↕発注

しゅちょ①【主著】その人のおもな著書。

**しゅちょう⓪【主張】―する（自他サ）〈（だれニ）なにヲ―する/（だれニ）なんだト―する〉自分の意見を相手に認めさせようとして強い調子で言い続けること。また、その意見。「権利を―する/原告側の―を認める/―〔=個性〕のある店」

しゅちょう⓪【主潮】中心となっている思潮。

しゅちょう⓪【主調】Ⓐ楽曲の（作曲者が表現意向とする）基礎をなす調。〔一般に曲の始まりと終りは主調で行なわれる〕「『荒城の月』の―は二短調」Ⓑ一つの絵画・文芸作品などを通して感じられるテーマ。「赤を―とした作品」―おん②【―音】主音。

しゅちょう②⓪①【首長】❶その組織・団体の長。〔狭義では、地方公共団体の長を指す〕❷（アラビア半島東岸に位置する）イスラム教国の君主。「アラブ―国連邦」

しゅちょう⓪【腫〈脹】―する（自サ）からだの一部が、熱を伴ったりして病的にはれあがること。

しゅちん⓪しゅすの地に模様を織り出した織物。表記「〈繻珍・朱珍」は、借字。

しゅつ（出）→【字音語の造語成分】

しゅつ②①【出】（母親が）どこの出身であるかを表わす語。「藤原氏の―/仙台藩の―/土佐（サト）の―/―自」⇩【造語成分】しゅつ・すい

じゅつ（述・術）→【字音語の造語成分】

じゅつ②①【述】口述。「田口博士―」⇩【造語成分】

じゅつ②①【術】❶一定の方法によって行なわれる、身についた技芸。「―を競（ソキ）う/学―・技―・芸―・医―・剣―・忍―・隆鼻―」❷はかりごと。「―を授ける/―策・―数」❸対処する方法。「施すに―無し」❹普通の人には△見抜く（到底行なう）ことの出来ない、不思議な手法。魔法。

「―を使う/幻―・妖―」

しゅついき[0]【出域】―する(自サ) その△地域(水域)から出ること。「沖縄からの―」↔入域

しゅつえん[0]【出〈捐】―する(他サ) (「捐」は、自分の財物を出して、人を助ける意)品物やお金を寄付すること。

＊しゅつえん[0]【出演】―する(自サ)〈なにニ―する〉 テレビ・ラジオの番組に出たり 映画・舞台で演技をしたり すること。「―者[3]・―料[3]・総―[3]・―回数・賛助―[4]」

しゅっか[0]【出火】―する(自サ) 火事を出すこと。火事になること。「―の原因を調べる/―地点[4][5]」

しゅっか[0]【出荷】―する(他サ) 商品を市場へ出すこと。「―を調整する/―停止」↔入荷

しゅつが[0]【出芽】―する(自サ) ❶植物の芽が出ること。❷無性生殖の一。親の体から小さな突起が出て新個体が出来ること。カイメン類の増殖法やヤマノイモのむかごなど。

じゅっかい[0]【十戒・十〈誡】 ⇩じっかい

じゅっかい[0]【述懐】―する(自他サ) ❶感想や、今考えていることを述べること。❷しみじみと思い出を述べること。「理由をしんみりと―する/―談[3](=回想談)」〔古語「しゅっかい」は、愚痴を言ったりして嘆く意〕

しゅっかく[0]【出格】 今までそういうケースが無かったこと。「―の優遇」

しゅっかん[0]【出棺】―する(自サ) 葬式の時に、死者を入れた棺を家や斎場から送り出すこと。

しゅつがん[0]【出願】―する(自他サ) 官公庁に特許・免許などの権利を求めたり 公共機関に応募したり するために願書を提出すること。「―者[3]・―期間[5][6]」

じゅっかん[3][0]【十干】 ⇩じっかん

しゅつぎょ[1][2]【出御】―する(自サ) 天皇・皇后が何か(行事)のために人びとの前にお出ましになられること。〔古くは外出されることをも言った。現在ではこの表現は用いられない〕↔還御

しゅつぎょ[0]【出漁】―する(自サ) ⇩しゅつりょう❷

しゅっきょう[0]【出京】―する(自サ) ❶都会からいなかへ行くこと。❷いなかから都会へ出かけること。〔狭義では、東京へ出ることを指す。⇩上京〕

しゅっきょう[0]【出郷】―する(自サ) 故郷を出ること。

しゅっきん[0]【出金】―する(自サ) お金を出すこと。また、そのお金。「―伝票」↔入金

しゅっきん[0]【出勤】―する(自サ) ❶その日の勤めに出ること。「―簿[3]」↔退勤 ❷職場に出て、働いていること。↔欠勤

しゅっけ[0]【出家】❶―する(自サ) 俗人としての生活をやめ、仏門に入ること。「―得度する」❷僧。↔在家・在俗

じゅっけい[0]【術計】「はかりごと・てだて」の意の漢語的表現。

しゅつげき[0]【出撃】―する(自サ) 根拠地(近く)に居る敵を出かけて行って攻撃すること。↔迎撃・要撃

しゅっけつ[0]【出欠】❶出席と欠席。「―を取る(=出席か欠席かを調べる)」❷出勤と欠勤。「―常ならず」

しゅっけつ[0]【出血】―する(自サ) ❶血管が破れたために、血が血管やからだの外に出ること。「内―・外―[3]・―多量[0]-[0]」❷目的を達成するために何らかの犠牲を払うこと。「庶民に―を強いる愚策/―大サービス[7](=利益を度外視して商品を安く売ること)」

＊しゅつげん[0]【出現】―する(自サ)〈どこニ―する〉 今まで隠されていたり 認められなかったり した存在が、そこに形を取って現われること。「自動織機の―によってヨーロッパの社会は産業革命へと導かれた/救世主の―」

しゅっこ[0]【出庫】―する(自他サ) ↔入庫 ❶倉庫から品物を出すこと。くらだし。❷電車・自動車などが車庫から出ること。また、出すこと。また、ボートを艇庫から出すこと。

じゅつご[0]【述語】❶文の成分の一つ。「何がどう△する(なる)」「何はどうである」の「どう△する(なる)」「どうである」に当たる語で、表現主体が取り上げた事柄に関して、その動作・作用や性質・状態などについての何らかの判断を表わすもの。⇩主語・客語 ❷〔論理学で〕賓辞・繋辞の総称。

じゅつご[0]【術後】 手術した後。「―の経過」↔術前

じゅつご[0]【術語】 学術上の専門語。テクニカル ターム。

しゅっこう[0]【出向】―する(自サ) 〔その組織の命令で〕籍を元の所に置いたままで、他の官庁や会社に勤務すること。

しゅっこう[0]【出校】―する(自サ) ❶学校に出かけること。「先生の―日」❷用事があって一時学校から出ること。↔帰校 ❸校正刷が出ること。

しゅっこう[0]―する(自サ) ❶【出港】 船が港を出ること。↔入港 ❷【出航】 船や航空機が出発すること。

しゅっこう[0]【出稿】―する(自サ) ❶著者が原稿を出版社に渡すこと。❷新聞や雑誌に広告を出すこと。

しゅっこう[0]【出講】―する(自サ) (よその)学校へ講義のために出かけること。「―日[3]」

じゅっこう[0]【熟考】―する(他サ) △時間をかけてじっくり(さまざまな角度から)それで まちがいは無いか、うまく行くかどうかなどと、よく考えること。

しゅっこく[0]【出国】―する(自サ) その国を出て外国へ行くこと。↔入国 ―かんり[5]【―管理】 自国から外国へ出る場合の法律的な取締り。↔入国管理

しゅつごく[0]【出獄】―する(自サ) 「出所❷❶」の旧称。「仮―[4][3]」↔入獄

しゅっこんそう[0]【宿根草】「多年草」の異例、ユリ・キク・フクジュソウなど。「しゅくこんそう[0]」とも。

しゅつざ[0]【出座】―する(自サ) 身分の高い人が出席すること。「御―」

じゅっさく[0]【述作】―する(他サ) 自分の考えなどを書き記して本を作ること。また、その本。

じゅっさく[0]【術策】(よくない)はかりごと。「―を弄する」

しゅっさつ[0]【出札】―する(自サ) 〔駅で〕切符を売ること。「―口[4]・―係[5]」

しゅっさん[0]【出産】―する(自他サ) 赤ん坊△が生まれる(を産む)こと。お産[0]。〔法律では死産をも含む〕「女児を―した/―率[3]」

しゅつざん[0]【出山】―する(自サ) ❶山を出(て里にくだ)ること。❷僧が、今まで住んでいた寺から他に移ること。↔帰山

しゅっし[0]【出仕】―する(自サ) ❶民間から出て官に仕えること。❷勤めに出ること。

しゅっし[0]【出資】―する(自サ) (共同事業に)資金を出すこと。「福祉施設に―する/―者[3]・―金額[4]」

しゅつじ[2][0]【出自】 その人がどういう家柄から出たかということ。生まれ。〔広義では、問題とする語の△何語からの借用であるか(さかのぼりうる古形は何であるか)ということをも指す〕

じゅっし[1]【十死】【十指】 ⇩じっし

しゅっしゃ[0]【出社】―する(自サ) △会社(神社)などへ出勤すること。↔退社❷

しゅっしゃ[0]【出車】―する(自他サ) 車庫・駐車場から車が出ていくこと。また、車を出すこと。「―時刻」

じゅっしゃ[1]【術者】 △手術(療法など)を行なう人。

しゅっしょ[1][0]【出処】❶〔事が起こった際に〕そのまま勤

【】の中の教科書体は学習用の漢字，⌒ は常用漢字外の漢字，︽ は常用漢字の音訓以外の よみ。

めているか、思い切って職をやめるか、㊁〔政治家などが〕進んで△事に当たる(賛成する)か、そのまま見送るかの、行動の規準。「―進退をかけて」

しゅっしょ⓪【出所・出処】㊀その△もの(記事など)がどこから出たか、そのもとのところ。でどころ。「―不明」㊁―する(自サ) ❶研究所・事務所・裁判所などへ勤めに行くこと。❷刑が終わって刑務所などを出ること。↕入所

しゅっしょう⓪(シャウ)【出生】―する(自サ) 赤ん坊が生命を持って生まれること。「しゅっせい」とも。「―届⑤・―地③」 **―りつ**③【―率】一定人口に対する、一定期間に生まれた子の数の割合。「しゅっせいりつ③」とも。「昨年の―」〔一般的には人口千人当たりの一年間の出生率を指す〕

しゅつじょう⓪(ヂヤウ)【出場】―する(自サ) ❶〔演技・競技などをするために〕△その場所(競技場など)に出ること。↕欠場・退場 ❷改札口や入口などを通って△構内(場内)から外へ出ること。「―券③〔=『精算券③』の旧称〕」↕入場

しゅっしょく⓪【出色】ほかと比べて、目立ってすぐれていること。「―の人物/―の出来ばえ」

***しゅっしん**⓪【出身】その土地で生まれていたりその地域に△本籍(実家)があったり在住していたりあるいはその学校を出たというような経歴があったりすること。「―の如何(イカン)は問うところではない/―地は岩手/―校③」

しゅつじん⓪(ヂン)【出陣】―する(自サ) (陣営から)戦場に出発すること。↕帰陣

じゅっしんほう⓪③(ハフ)【十進法】⇩じっしんほう

しゅつ

【出】↕入 ㊀❶でる。だす。「出入・出家・出資・出生・出発・移出・派出・輸出」❷表わす。現われる。「出現・案出・露出」❸会合に参加し、社会活動に従うために、その場所に行く。「出勤・出場・出席・出動」㊁(略) 輸出。「出超」⇩(本文)しゅつ【出】

じゅつ

【述】のべる。「述懐・述語・記述・供述」⇩(本文)じゅつ【述】

【術】⇩(本文)じゅつ【術】

しゅっすい⓪【出水】❶出て行く水。「―口(ウコ)⓪③・―管⓪」↕入水 ❷―する(自サ) 堤防が崩れたりして、川の水が多量にあふれること。

しゅっすい⓪【出穂】イネなどの穂が出ること。「―期③」

じゅっすう③⓪【術数】〔「数」は、はかりごとの意〕「はかりごと・たくらみ」の意の古風な表現。「権謀―」

しゅっ・する⓪【《卒する】(自サ) 「四位・五位の人が死ぬ」意の漢語的表現。

しゅっせ⓪【出世】―する(自サ) 〔もと、仏が衆生済度のため、この世に生まれ出る意〕社会での(高い)地位を得ること。〔古くは、書生が社会人になることをも指した〕「―が早い/―頭(ガシラ)④・立身―」 **―うお**③(ウヲ)【―魚】❶成長の時期に応じて名前の変わる魚。縁起を祝って食べる。例、セイゴ→フッコ→スズキ、△ツバス(ワカシ)→△ハマチ(イナダ)→△ワラサ(メジロ)→ブリ、△オボコ(スバシリ)→イナ→ボラ→トド。❷〔竜門の滝を登り得たコイが竜となるという中国の故事から〕コイの異称。 **―さく**③【―作】それを発表したことで世の中に認められるようになった、その人の作品。「『たけくらべ』は樋口(ヒグチ)一葉(イチヨウ)の―だ」 **―ばらい**④(バラヒ)【―払(い)】修業中は世話になりっぱなしで、社会に出て成功したときに△返済(恩返しを)するという約束。 **―りきし**④【―力士】〔すもうで〕番付に初めて名が載った力士。

しゅっせい⓪【出生】―する(自サ) ⇩しゅっしょう

しゅっせい⓪【出征】―する(自サ) 軍隊の一員として戦地へ行くこと。「―軍人⑤・―家族⑤〔=出征軍人の家族〕」

しゅっせい⓪【出精】―する(自サ) 学問などに精魂を傾けること。「ご―ですね」

***しゅっせき**⓪【出席】―する(自サ)〈なにニ―する〉学校の授業や会合などに出ること。「一時は―が危ぶまれていた/―を取りやめる/―を取る〔=出席していることを確かめる〕/―者④③」↕欠席

しゅっせけん③【出世間】〔迷い・悩みから解放され、悟りの境地に入る意〕〔仏教で〕俗世間の生活を離れて僧となること。

しゅっせん⓪【出船】―する(自サ) 釣り船などに乗って海へ出ること。

じゅつぜん⓪【術前】手術する以前。「虫垂炎の―処置」↕術後

しゅっそう⓪(オ)【出走】―する(自サ) 競走などに出場すること。「―馬③」〔古くは、出奔の意に用いられた〕

しゅったい⓪【出《来】―する(自サ) 〔「しゅつらい」の変化〕❶事件が起こること。❷製品が出来あがること。「正月号、近日中に―」

しゅつだい⓪【出題】―する(自サ) ❶詩や歌の題を出すこと。❷(試験などの)問題を出すこと。「―範囲⑤」

しゅったつ⓪【出立】―する(自サ) 〔「いでたつ」と「出発」との混合語〕旅行に出かけること。

しゅったん⓪【出炭】―する(自サ) ❶石炭を掘り出すこと。❷木炭を生産すること。「―量③」

じゅっちゅう⓪【術中】相手が仕掛けたわな。「敵の―に陥る」

しゅっちょう⓪(チヤウ)【出張】―する(自サ) 仕事をするために勤務先以外の所に行くこと。〔狭義では、仕事のために居住地以外の所に出かけることを指す〕「―先⓪」 **―じょ**⑤⓪【―所】官庁・会社などが、地元の本社以外の場所に置いて事務を行なう所。「支所」より簡単な組織。

しゅっちょう⓪(テウ)【出超】「輸出超過」の略。↕入超

しゅっちん⓪【出陳】―する(他サ) 展覧会などに所蔵品を陳列品として出すこと。

しゅってい⓪【出廷】―する(自サ) 裁判官や被告(人)・証人などとして法廷に出席すること。↕退廷

しゅってん⓪【出典】故事・引用語などの出所(と考えられる本)。

しゅってん⓪【出店】―する(自他サ) その△土地(建物)や催しなどに店を出すこと。「大阪に―する/バザーに―する」

しゅってん⓪【出展】―する(他サ) 展示会・展覧会などに出品すること。

しゅつど⓪【出土】―する(自サ) 古代人・中世人の生活した跡や、生活に使った物などが発掘されること。「―品⓪」⇩伝世

しゅっとう⓪(オ)【出頭】―する(自サ) 呼ばれた本人自身が役所などに行くこと。「―を命じる/―人⓪」〔古くは、君側にあり政務の要路に当たる者の称〕

しゅつどう⓪(オ)【出動】―する(自サ) 消防隊・警官隊・軍隊などが、必要により現場に行くこと。「救急車の―」

しゅっとうし③(オ)【出投資】出資と投資。「財政―計画」

じゅつな・い③【術無い】(形) 〔西日本方言〕病気などで苦しい。派 **―さ**③ **―げ**⓪③④ **―が・る**④ 文法 助動詞「そうだ(様態)」に続くときは「術なさそうだ」の形になる。ま

た「すぎる」と結びついて複合動詞をつくるときは「術なさすぎる」の形になる。

しゅつにゅう⓪【出入】―する(自サ) 出ることと入ること。で(は)いり。「―国管理⑦」 **―こくざいりゅうかんりちょう**⑬【―国在留管理庁】 法務省の外局の一つ。日本における出入国管理・在留管理・外国人材の受け入れ・難民認定などに関する事務を行なう。略称、「入管庁③」。

しゅつば⓪【出馬】―する(自サ) ❶〔本来は自陣内で指揮すべき大将が〕馬に乗って戦場に出ること。〔幹部が自分から現場に出かける意にも用いられる〕 ❷〔選挙などで〕立候補すること。「再―③④」

しゅっぱつ⓪【出発】―する(自サ) ❶〔どこカラ―する／どこヲ―する〕〔通勤・通学などの日常的な外出と違って〕△家(根拠地・基地)から、目的地へ向かって出かけること。「―時間⑤・―地④・―早々⓪-⓪」 ❷新しいことを始めること。「新事業の―にあたって友人から資金の援助を受ける」 **―てん④③【―点】 出発の地点。〔何かのし始めの意にも用いられる。例、「―△から(を)誤る」〕

しゅっぱん⓪【出帆】―する(自サ) 帆を付けた船が航海に出ること。ふなで。〔転じて、エンジンを持った船が港を出る意にも用いられる〕

*しゅっぱん⓪【出版】―する(他サ)〔なにヲ―する〕 文書・図絵などを印刷して書物の形にして市場に出すこと。「―社③・―業③・自費―③・限定―⑤」 **―ぶつ**③【―物】 出版された書物〔=写真集・画集などを含む〕の総称。

しゅっぴ⓪【出費】 ❶かかった費用。かかり。「―を抑える」 ❷―する(自サ) 費用を出すこと。

しゅっぴん⓪【出品】―する(他サ) 展示会・即売会などに製品・作品・所蔵品などを出すこと。

しゅっぷ⓪【出府】 〔古〕地方から都へ出ること。

じゅつぶ①⓪【述部】 文の構成要素の一つ。述語とそれを修飾する語とから成る。↔主部❸

しゅっぺい⓪【出兵】―する(自サ) 軍隊を外国の一地域へ派遣すること。派兵。「シベリア―」 ↔撤兵

じゅっぺい⓪【△恤兵】―する(他サ) 金銭・物品を送って戦地の兵士を慰問すること。「―金⓪③」

しゅつぼつ⓪【出没】―する(自サ) ❶〔幽霊・強盗・痴漢・獣など好ましくない存在が〕時どき姿を現わすこと。 ❷姿を見せたかと思うと、すぐ見えなくなること。

しゅっぽん⓪【出奔】―する(自サ) 住んでいる△家(土地)から逃げ出して、行く先を知られないようにすること。

しゅつもん⓪【出門】―する(自サ) 外出のため構内を出ること。「―証⓪」 ↔入門

しゅつらい⓪【出来】―する(自サ) ⇩しゅったい

しゅつらん⓪【出藍】 〔元の藍色よりも濃くなる意〕その方面ですぐれた能力を持つ先生よりもさらにすぐれた業績を弟子があげること。「―の誉れ」

しゅつり②⓪①【出離】―する(自サ) 〔仏教で〕俗世間から離れること。出世間。

しゅつりょう⓪―する(自サ) ❶【出猟】 狩りに出かけること。「しゅつぎょ」とも。 ❷【出漁】 魚・クジラなどをとりに出かけること。

しゅつりょく②【出力】 ↔入力 ❶発電機・変圧器やエンジンなどから取り出せる△エネルギーの量(最大仕事率)。 ❷―する(他サ) 電子機器などが、外部に信号やデータを送り出すこと。また、その信号やデータ。 ❸―する(他サ) コンピューターなどのデータ処理機器が△計算(データ処理)の結果を数字・文字・図形・音声など人間に分かる形で表示すること。また、その結果。アウトプット。〔広義では、人間には直接分からなくとも、周辺装置にデータを送り出すことも指す〕「計算結果の―は数十ページに及んだ／―装置」

しゅつるい⓪【出塁】―する(自サ) 〔野球で〕一塁へ進むこと。

しゅつろ①②【出〈廬〉】―する(自サ) 〔廬は、いおりの意〕隠退した人が再び世間に出て活動すること。

シュテムボーゲン④〔ド Stemmbogen〕 〔スキーで〕滑りながらからだの重心をわずかに後ろへ開いた一足の方に移して回転すること。半制動回転⑦。

しゅてん⓪【主点】 主要な△点(箇所)。

じゅでん⓪【受電】―する(自サ) △電報(電力)を受けとること。↔打電・送電

しゅと①②【首途】 「門出・旅立ち」の意の古風な表現。

*しゅと①②【首都】 一国の中央政府の所在地。首府。キャピタル。〔普通、元首がそこに居住する〕「―が陥落する／―を遷す」 **―けん**②【―圏】 東京駅から半径百キロ以内の一都七県にまたがる地域。緑地帯や住宅地域を確保し、工場・学校などを分散し、人口の集中化を防ごうとする目的で定められた。

しゅと①②【酒徒】 酒飲み(の仲間)。

しゅと①②【衆徒】 〔同じ寺院に属する〕多くの僧。

しゅとう⓪【手〈套〉】 ❶「てぶくろ」の意の漢語的表現。 ❷⇩マフ

しゅとう⓪【酒盗】 カツオなどの、しおから。［かぞえ方］ 小売の単位は一本・一瓶

しゅとう⓪【種痘】 牛痘を人体に接種して天然痘に対する免疫力を得ること。うえぼうそう。

しゅどう⓪【手動】 電気や機械を使わず、手で動かして作用させること。「―車椅子⑥・―式⓪」 ↔自動❶

しゅどう⓪【主動】 自分が中心となって動作を起こすこと。「―的⓪」

しゅどう⓪【主導】―する(他サ) 〔人・団体・国などが〕〔他の対立者を抑え〕中心的な役割を演じて、自らの考えに沿った方向に物事を推し進めること。「企業―型の保育事業／この人事は首相官邸が―した／―権を△とる(握る)／―性⓪・―者②」

しゅどう⓪【衆道】 「男色」の意の古風な漢語的表現。

じゅどう⓪【受動】 他から動作を受ける立場にあること。うけみ。「―的⓪」 ↔能動 **―きつえん**④【―喫煙】 喫煙者のそばにいる非喫煙者がたばこの煙を吸わされること。間接喫煙。 **―たい**⓪【―態】 〔文法で〕文の述語が、主体自身が他から受ける動作・作用を表わす形式であること。例、「すりに財布をすられる」などの類。「うけみ」とも。 ↔能動態

じゅどう①【儒道】 儒教(と道教)。

しゅとく⓪【取得】―する(他サ) 〔土地や物や何かの資格・権利などを〕自分の手に入れること。「卒業に必要な単位を―する／不動産―税」

しゅとして①②【主として】(副) その物事の特徴や性格を示すものとして△大きな位置を占めて(中心的な役割を果して)いると判断される様子。「この店は―女性客に人気がある／晩年は―難民の救済に打ち込んだ」

シュドラ①〔サンスクリット sudra〕 カーストの最下層の称。シュードラ・スードラとも。⇩カースト

シュトルムウントドランク⑨②-⓪-②〔ド Sturm und Drang=嵐と切迫〕 疾風怒濤(時代)。〔それまでの権威によってささえられた見せかけの啓蒙主義に反抗し、人間性の解放を強調した芸術運動を指す〕

じゅなん⓪【受難】 ❶キリストがユダの裏切りによって処刑

にあったこと ―虜②・―曲②・―節②」⇩パッション❶ ❷(何らかの犠牲となって)苦難を受けること。「第二次世界大戦中は自由主義者とされ―の日びを過ごした」

ジュニア①〔junior〕↔シニア ❶年下(の方)の人。「―〔=高校生ぐらいの若さの〕スタイル」❷下級(生)。❸〔英米などで〕親子の呼び名が同一の時、子供の方につけて言う称。…二世。若(ワカ)。ジュニアー①とも。

しゅにく⓪【朱肉】朱色の印肉。

しゅにく①【酒肉】酒と、さかなとしての肉。

じゅにゅう⓪【授乳】―する(自サ) 幼児に乳を飲ませること。「―期②」

しゅにん⓪【主任】❶その部局の責任者。「会計―⑤・―弁護人⓪」❷公務員の職名の一つ。

じゅにん⓪【受忍】―する(他サ)〔法律で〕何かの恩恵を受ける一方において、それから派生する不利益や不便をがまんしなければならないこと。「利用者に―の義務がある/―限度④」

しゅぬり⓪【朱塗(り)】朱色に△塗ること(塗った物)。

しゅのう⓪【首脳】その組織の中で、中心となって働く最高の責任者。「―会談④」 **―ぶ**②【―部】会社・団体の幹部。

じゅのう⓪【受納】―する(他サ) 贈り物などを受け取ること。

シュノーケル② [一]〔ド Schnorchel〕❶潜水艦の通風・排気装置。❷〔商標名〕管の一端を水面上に出すことによって水中で息が出来るようになったJ字形の管。[かぞえ方]❷は一本 [二]〔ド Schnörkel〕(らせん状の)うずまき曲線。〔[一][二]とも、スノーケルとも〕 **―しゃ**⑤【―車】高いビルの火災を消すため、長く伸びるはしごを備えている消防自動車。[かぞえ方]一台

しゅはい⓪【酒杯・酒〈盃〉】「さかずき」の意の漢語的表現。「―を傾ける〔=酒を飲む〕」

じゅはい⓪【受杯・受〈盃〉】―する(他サ) 民間の功労者として、栄誉の杯を政府から受けること。

じゅはい⓪【受配】―する(他サ) 配給・配付・配当などを受けること。

じゅばく⓪【呪縛】―する(他サ) まじないの力で、動けなくすること。〔人を精神的・心理的に縛り、自由をきかなくさせる意にも用いられる〕「―から解放される/―に苦しむ」

しゅはん⓪【主犯】正犯(セイハン)の俗称。「―格」

しゅはん⓪【首班】〔第一位の席次の意〕内閣の首席の人。「総理大臣」の異称。「後継―⑤・―指名④」

じゅばん⓪【〈襦袢〉】〔ジバン(ポ gibão)の変化〕和服の下着。「肌―・長―」 [表記]「〈襦袢〉」は、借字。 [かぞえ方]一枚

しゅひ①【守秘】―する(他サ) 秘密を守ること。「―義務③〔=公務員・弁護士・医師などが、職業上知ることの出来た秘密を守る義務〕」

しゅひ①【種皮】種の外側を包んでいる皮。

***しゅび**①【守備】―する(他サ)〈どこヲ―する〉△自分の領域を侵されない(相手に得点を与えない)ように、自分の陣を守ること。守り。「―が堅い/―陣②・―隊⓪」↔攻撃

しゅび①【首尾】〔あたまと、しっぽの意〕❶初めと終り。初めから終りまで。「論理が―一貫していない論文」❷最初からの経過や、結果(のよしあし)。「―を案じる/万事、上々―だ」 **―よく**①-①、①(副) 初め意図した通りに、うまく事が運ぶ様子。「―話がついた」

じゅひ①【樹皮】樹木の外側の皮。

しゅびき⓪【朱引(き)】❶〔昔の写本で〕漢字で書いてある固有名詞を読んだしるしに一定の約束で朱線を引いたこと。また、その朱線。〔後には、版本でも傍線を施して代用とした〕❷江戸時代、御府内の境界(として引いた朱線)。

ジュピター①〔Jupiter〕❶古代ローマ神話の最高神。天を支配する。ユピテル①とも。〔ギリシャ神話のゼウスに当たる〕❷木星。

しゅひつ⓪【主筆】〔新聞社などで〕記者の首席で、論説や重要な記事を書く人。〔論説委員主幹とも言う〕

しゅひつ⓪【朱筆】❶朱墨を含ませた筆。❷朱色の書き入れ。「―を入れる〔=原稿などを訂正する〕」

しゅびょう⓪【種苗】たねとなえ。〔水産業では、稚魚を指す〕

じゅひょう⓪【樹氷】雲・霧が木の枝などに吹きつけられて一面に凍りついたもの。真っ白な羽毛状の氷片で、風上に向かって伸びていく。〔氷点下五度以下で生じやすいと言われる〕⇩霧氷

しゅひん⓪【主賓】宴会・会食などに招待された者のうちおもだった人。正客(ショウキャク)。↔陪賓

しゅびん⓪【〈溲瓶〉】⇩しびん

***しゅふ**①【主婦】その一家の中で、家族の世話をし、家事を取り仕切る立場にあるとされる女性。〔多く、「主人❶Ⓐ」の妻がその役を負う〕 **―けん**②【―権】家政を受け持つ主婦としての家庭内管理の権限。〔狭義では、食物の分配権を指す〕

しゅふ①【首府】「首都」の、やや改まった言い方。

しゅぶ①【主部】❶主要な部分。❷文の構成要素の一つ。主語とそれを修飾する語とから成る。↔述部

じゅふ①【呪符】災難を避けるために、身に付けるお守りの類。

シュプール②〔ド Spur=足跡〕スキーですべった跡。「新雪に―を描く」[かぞえ方]一本

じゅぶつ①【呪物】呪力があると考えて神聖視する物。〔多く、古代(からの信仰形態を保ち続けている)社会に見られる〕「―崇拝④〔=⇩フェティシズム❶〕」

じゅぶつ①【儒仏】儒教と仏教。「―の教え」

シュプレヒコール⑤〔ド Sprechchor〕舞台の登場者が声をそろえて、ある文句を唱えること。〔広義では、集会やデモ行進などでスローガンなどを一斉に唱えることをも指す〕

しゅぶん⓪【主文】❶一続きの文章の中で、その人が一番言いたい事が述べてある文。❷〔判決文の中で〕宣告する刑を示す、主要な文。「―を言い渡す/―を後回しにする」

じゅふん⓪―する(自サ) [一]【受粉】おしべの花粉が、めしべに付くこと。↔授粉 [二]【授粉】めしべに、おしべの花粉を付けてやること。「人工―」↔受粉

シュブング②〔ド Schwung〕〔スキーで〕回転運動をする時に、からだを左右に振ること。

しゅへい⓪【手兵】その大将が直接の指揮をする、部下の兵士。

しゅへい⓪【守兵】その陣地を守備する兵士。

しゅへき⓪【酒癖】「さけくせ」の漢語的表現。

しゅべつ⓪【種別】―する(他サ) 種類による区別(をすること)。

しゅほ①【酒保】〔もと、酒屋に雇われた者の意〕兵営内の売店。

しゅぼ①【主簿】昔の中国の官名。△中央(地方)の役所で、帳簿の管理や記録などを扱った役。

しゅほう⓪【手法】その人が芸術作品などを作る時の(独特の)やり方。テクニック。「同じ―を取る/…という―を用いる」

しゅほう⓪【主峰】その山脈の中で一番高い峰。

しゅほう⓪【主砲】その軍艦に備えつけた大砲のうち、

口径が最大で威力の最強のもの。〔俗に野球で、チームの中心となる強打者の意にも用いられる〕

しゅぼう[0]【手紡】手で△糸を紡ぐ(麻を績(ウ)む)こと。

しゅぼう[0]【首謀・主謀】悪事・陰謀などを、中心になって計画する人。「—者[2]」

じゅほう[0]【呪法】呪文(ジュモン)を唱えて行なう△祈禱(キトウ)法(魔法)。

じゅぼくどう[3]【《入木道】「書道」の異称。〔古代中国の書の大家である王羲之(ギシ)が字を書いた木を削ってみたら、墨が約一センチもしみ通っていたという故事に基づく〕

しゅまい[0]【酒米】酒を造るために作った米。さかまい。

**しゅみ[1]【趣味】❶そのものを深く知ることによって味わえる、独特の良さ。「一見どこにでもあるような風景にも一種の—がある/音楽の—を解する人」❷〔利益などを考えずに〕好きでしている物事。「—と実益を兼ねる/—が広い/無—」❸〔選んだ物事や行動の傾向を通して知られる〕その人の好みの傾向。「—のいいネクタイ/悪—」

シュミーズ[2]〔フ chemise=シャツ〕女性の洋装用肌着の一つ。胸からひざ上まで、すっぽりおおう。シミーズとも。 かぞえ方 一枚

しゅみせん[2]【《須《弥《山】〔「須弥」は、妙高を意味する梵(ボン)語の音訳〕〔仏教の世界観で〕世界の中心にあるという高山。縦横同じく、日月もこれをめぐり、諸天もここに住するという。仏殿にある「須弥壇[2]」は、これに象(カタド)ったもので、仏像を安置する壇。略して「須弥[1]」。

シュミットカメラ[5]〔Schmidt camera. Schmidt=人名〕広い視野と明るい像が得られる反射望遠鏡。ごく弱い光の天体の撮影に用いられる。 かぞえ方 一台

シュミネ[1]〔フ cheminée〕⇩マントルピース

しゅみゃく[0]【主脈】おもな△山脈(鉱脈・葉脈)。↕支脈

*__じゅみょう__[0]【寿命】〔「寿」も命の意〕Ⓐ〔宿命的に定まっていると考えられる〕人が生きている年月の長さ。「彼が夭逝(ヨウセイ)したのも—だと思ってあきらめるしかない/—が縮まるほどの恐ろしい思い」Ⓑ物品・器具などの耐用年数。「この洗濯機はもう—だ」

しゅむ[1]【主務】主管の事務(としてその任に当たること)。「—者[2]・—大臣[3]」

しゅめい[0]【主命】主人や主君の命令。

じゅめい[0]【受命】—する(自サ) ❶命令を受けること。❷〔古〕天命を受けて天子となること。↕簒奪(サンダツ)

しゅもく[0]【種目】種類によって分けた項目。種類の名。「これで彼の出場—はすべて終わった/競技—」

しゅもく[0]【〈撞木】〔「撞」は、打つ意〕鉦(カネ)などを鳴らすための(T字形の)棒。かねたたき。「—杖(ヅエ)[4]・—ザメ[3]」

じゅもく[1]【樹木】山野や庭に見られる(高い)林の総称。「うっそうとした—におおわれた境内」

しゅもつ[1][0]【腫物】「はれもの・できもの」の意の漢語的表現。

じゅもん[0]【呪文】△まじない(のろい)の文句。「—を唱える」

*__しゅやく__[0]【主役】映画・演劇などで、その劇の主人公の役(をする人)。〔広義では、その仕事や事件の中心人物を指す〕「—を△演じる(果たす)」↕端役(ハヤク)・脇役(ワキヤク)

しゅやく[0]【主薬】△処方せんに書いた(調合した)薬のうちで、その目的に一番効果がある薬。

しゅゆ[1]【《須〈臾】〔「須」も「臾」も、きわめて短時間の意〕「ほんのわずかな時間」の意の古風な表現。

じゅよ[1]【授与】—する(他サ)〔公的な場で〕賞・証書などを与えること。「学位を—される」

しゅよう[0]【主用】❶主人の用事。❷おもな用事。❸—する(他サ) 主として使うこと。「—薬[2]」

*__しゅよう__[0]【主要】—な〔全体の中で〕それだけは欠くことが出来ない大切な△こと(様子)。〔「おもな」などより、やや文語的〕「—な議題」

しゅよう[0]【《須要】—な ぜひ必要な様子。「すよう」とも。「生活向上に—な物資」

しゅよう[0]【腫瘍】からだに出来て、異常にふえる細胞の集まり。〔癌(ガン)は、これの悪性のもの〕

じゅよう[0]【受容】—する(他サ) 受け入れて、自分のものとして取りこむこと。「—器官[4][5]・—性[0]・—力[2]」 **—たい**[0]【—体】生物の細胞にあって、光や化学物質などによる特定の刺激を受けて細胞に何らかの作用を及ぼすたんぱく質。レセプター[2]。

じゅよう[0]【需用】電気・ガスなどを消費すること。「電力—」

*__じゅよう__[0]【需要】〔希望・要求の意〕❶物品を手に入れようとする欲望。❷商品などを買い入れようとする△欲望(量)。「—が高まる/—を満たす/—の冷え込み/購買—[5]・有効—[5]・空(カラ)—・—者[2]」↕供給

しゅよく[0]【主翼】飛行機の一番重要な部分で、浮力を得るための、胴体から両側に張り出した翼。↕尾翼

しゅら[1]【修羅】❶「阿修羅(アシュラ)」の略。「—の巷(チマタ)〔=激しい戦闘や争乱の行なわれる場所〕/—の妄執〔=やむことの無い、恨み・そねみなどの執念〕/—を燃やす〔=激しい嫉妬(シット)心などにかきたてられる〕」❷〔大石を動かす道具の意で、大石(タイシャク)=帝釈のもじりから。⇩帝釈天〕大木・大石を運ぶ△車(そり・敷き並べた丸太)など。修羅車(グルマ)[3]。

シュラーフザック[5]〔ド Schlafsack〕登山用具。袋のように作った△羽(真綿)入りの布団。寝袋。スリーピングバッグ。略してシュラフ[1]・シラフ。 かぞえ方 一枚

じゅらい[0]【《入来】—する(自サ)〔「入って来ること」の意。「御(ゴ)—」の形で〕「(他人の)来訪」の意の尊敬語。「にゅうらい」とも。「これはこれは、ようこその御—」

じゅらく[0]【《入〈洛】—する(自サ)〔「洛」は、古代中国の首府「洛陽」の意〕❶〔古〕〔身分の高い人が〕都に入ること。❷京都に入ること。

しゅらどう[2][0]【修羅道】〔仏教で〕❶六道の一つ。阿修羅(アシュラ)の住む所。❷憎しみ・そねみが絶えず、常に戦い・争いの行なわれる悲惨な所。阿修羅道。

しゅらば[3][0]【修羅場】〔仏教で、阿修羅(アシュラ)と帝釈(タイシャク)天が闘争を繰り返す場、の意〕❶〔芝居・講談・時代物の小説などで〕敵対する者どうしの間で命がけの激しい戦闘が繰り広げられる場面。「しゅらじょう[0]」とも。❷相手を倒して自分こそが優位に立とうと互いにからだを張って激しく相争う場面。「ささいなことから口論となり、果てはなぐるけるの—を演じてしまった/数かずの—をかいくぐって今日の地位を築いた」

ジュラルミン[0]〔duralumin=もと、商品名〕銅・マグネシウム・マンガン・珪素(ケイソ)などを含むアルミニウム合金。軽くて強いので航空機などの製作材料となる。

しゅらん[0]【酒乱】酒に酔うとあばれる△こと(癖のある人)。

じゅり[1]【受理】—する(他サ) 願い・訴えなどを、提出された書類により正式に受けつけること。「△辞表(投稿原稿)が—される/願書の—」

しゅりけん[0]【手裏剣】手の中に持って敵に投げつける、小形の剣。「しりけん」とも。〔卍形(マンジガタ)などのものもある〕 かぞえ方 一本・一枚

じゅりつ[0]【樹立】—する(自他サ)(新しい)物事がしっかり

と定まる(ようにする)こと。「友好関係を―する/新政権が―される/オリンピックで世界記録を―する」

しゅりゅう[0]【主流】❶川などのおもな流れ。❷対立する思想傾向や学説などの中で、その時の中心となるもの。〔全体の中で大勢を占める者の意にも用いられる〕「…の―をなす/―派[0]・反―派[1]-[0]」 **―えん**[2]【―煙】喫煙者が吸い込むたばこの煙。↔副流煙

しゅりゅうだん[2]【手〈榴弾】⇩てりゅうだん

しゅりょう[0]【主〈稜】尾根のうちで、一番高くて主になる部分。

しゅりょう[0]【狩猟】―する(自サ) 鉄砲・網などで、野生の鳥・獣を捕らえること。「―解禁・―民[2]」

しゅりょう[0]【首領】〔頭と首の意〕(悪事を働く)仲間の長。かしら。

しゅりょう[0]【酒量】一度に△飲める(飲んだ)酒の量。

じゅりょう[0]【受領】❶―する(他サ) 〔お金や品物などを正式に〕受け取ること。「―証[0]・―者[2]」❷⇩ずりょう

しゅりょく[0]【主力】❶持っている力のおもな部分。「…に―を△置く(傾注する・注ぐ)」❷中心となる勢力。

じゅりょく[1]【呪力】△まじない(のろい)の力。

じゅりん[0]【樹林】木の多く茂った林や森。「湖と―/―帯[0]・照葉―」

しゅるい[1]【酒類】❶酒の種類。清酒・濁酒・みりん・しょうちゅうなどの区別。❷アルコール分を含む飲料の総称。「さけるい」とも。

**しゅるい[1]【種類】大きく見れば同じ範疇ハンチュウに属するものについて、共通性によって他と区別され、大きく類を成す一つのまとまり。「他に無い―だ/同じ―の物は幾らでもある/こういう―〔=タイプ〕の犯罪が最近多くなった」

ジュレ[1]〔フ gelée〕❶柔らかい「ゼリー❶」。❷料理にかけるゼリー状の調味料。

しゅれい[0]【守礼】礼儀作法を正しく守ること。「―の国、沖縄」

じゅれい[0]【寿齢】〔長生きした人の〕年齢。

じゅれい[0]【樹齢】その時までに経て来た年輪によって知られるその木の古さ。「深山に咲く―五百年の桜や、―七千二百年の屋久杉ヤクスギ、千五百年の大樟クスとなると、もはや樹木の王であるのみならず木霊コダマを宿した神木である」

シュレッダー[2][0]〔shredder〕秘密保持のため、不要になった文書を細断する機械。[かぞえ方] 一台

しゅれん[0]【手練】熟練した腕前。「―の早わざ」

しゅろ[1][0]【〈棕櫚〉】庭木にする常緑高木。幹は直立して枝を出さず、頂上から、葉柄が長く、うちわ状で深く分裂した葉を出す。幹を包む「シュロの毛」はブラシ・縄・ほうきなどにする。〔ヤシ科〕「―縄[0]・―ぼうき[3]」[かぞえ方] 一株・一本 **―ちく**[0]【―竹】葉はシュロに、幹はタケに似た常緑低木。夏、薄黄色の細かな花穂をつける。観賞用。〔ヤシ科〕[かぞえ方] 一株・一本

しゅろう[0]【《鐘楼】「しょうろう」の意の古語的表現。

じゅろうじん[2]【寿老人】七福神のひとり。長寿を授ける神。頭が長くて、つえをつき、シカを連れている。

しゅわ[1]【手話】耳の聞こえない人が、手を使って話をすること。また、その話。「―法[0]・―通訳[3]」⇩口話コウワ

じゅわ[1]【受話】電話で相手の話を聞き取ること。「―装置[3]」↔送話 **―き**[2]【―器】〔電話機で〕相手の話を聞く装置。〔現在は、一般に送話器と一体化されている〕↔送話器 [かぞえ方] 一台

しゅわん[1][0]【手腕】物事を実際にやってのける、すぐれた腕前。「政治的―を発揮する/…の―に負うところが大きい/―家[0]〔=実行力のある人。やりて〕」

しゅん〈旬・俊・春・〈峻・瞬〉→【字音語の造語成分】

しゅん[1]【旬】〔「しゅん」は、「旬」の漢音〕季節の食物の、出盛りで一番味のいい時季。〔何かを行なう最適の時機の意にも用いられる〕⇩初物ハツモノ ⇩【造語成分】じゅん

しゅん[1]【〈舜】〔古代中国で〕理想的な政治を行なったと言われる、伝説上の帝王。「尭ギョウ―」⇩尭

しゅん[1]【〈駿】〔能力のすぐれた馬の意〕特にずばぬけた才能(の持主)。「東海の―/優―」

じゅん〈巡・旬・盾・准・殉・純・〈淳・循・〈閏・順・準・〈馴・潤・遵・〈醇〉→【字音語の造語成分】

じゅん[1]【純】―な 不潔なところや悪意が無く、好感が持てる様子。「―〔=純粋〕な人/―な気持/―真・―潔・―粋・―情・―朴・清―」⇩【造語成分】

*__じゅん__[0]【順】❶順序。「―を追って話して下さい/―を狂わす/―位・打―・番号―[0]・五十音―」❷順番。「―を待つ/―が来る」❸順当。「お年寄りには席を譲るのが―だ」↔逆❸ ⇩【造語成分】

じゅんあい[0]【純愛】一身を犠牲にすることをもいとわない、ひたむきな愛情。「―を貫く」

じゅんい[1]【准尉】もと、陸軍軍人の階級の一つ。下士官の特進したもので、少尉の下。

じゅんい[1]【順位】その集団に属するものの間に、一定の決まりに基づいて順序関係を導入し番号を振った時に、そのものに割り当てられる序数の称。「(優先)―をつける/―が上がる」

じゅんいつ[0]【純一】―な 交じりけが無い△こと(様子)。 **―むざつ**[0]-[0]【―無雑】―な 「純一」の意の強調表現。「―の心境」

しゅんえい[0]【俊英】能力・才能などが他よりすぐれている△こと(人)。

じゅんえき[0]【純益】総収益から経費を引き去って残った利益。「―金[0]」

じゅんえん[0]【巡演】―する(自サ) 各地を巡回して上演すること。

じゅんえん[0]【順延】―する(他サ) 〔やむを得ない事情のために〕順ぐりに期日を延ばすこと。「雨天―」

じゅんえん[0]【順縁】↔逆縁 ❶(親子・縁者などの間で)年をとった者から先に死んでゆくこと。❷〔仏教で〕よい事をしたことが縁になって仏道に入ること。

じゅんおう[0]【順応】―する(自サ) ⇩じゅんのう

じゅんおくり[3]【順送り】順々に次へ送ること。

しゅんが[0]【春画】〔江戸時代〕男女の性行為などの様子を(興味本位に)誇大に描カいた絵。

じゅんか[1][0]【純化】―する(自他サ) ❶交じりけの無い、純粋なものにすること。また、純粋なものになること。❷【〈醇化・〈淳化】好ましくない要素を取り除くこと。また、要素が取り除かれること。

じゅんか[0]【順化・〈馴化】―する(自サ) 気候・風土などになれて、適応すること。「環境に―する」[表記]「順」は、代用字。

*__じゅんかい__[0]【巡回】―する(自サ)〈どこヲ―する〉❶利用者の便をはかって、ある施設が移動すること。「―図書館[6]・―診療[5]」❷見回って歩くこと。「管内を―する」

しゅんかしゅうとう[1]-[0]【春夏秋冬】四季(折おり)。

じゅんかつ[0]【潤滑】うるおいがあって滑らかなこと。 **―ゆ**[4]【―油】機械の磨耗を防ぐために用いる、石油などの油。潤滑剤[4][0]。〔物事が円滑に運ばれる仲立ちとなるも

のの意にも用いられる。例、「敬語は社会生活の―」」

しゅんかん⓪【春寒】「春先の寒さ」の意の漢語的表現。〔主として、手紙文の書き始めに使う〕「―料峭の候」

*__しゅんかん__⓪【瞬間】ほとんど時の経過を感じることができないほど短い時間であること。「宇宙の広大に比べると、国家の興亡の如き、―〔=ごく短い時間〕の一小事に過ぎない/岩を回れば光景―〔=たちまち〕に変じ/夫の不実を知った―〔=その時〕から妻の心は遠く去った/―的に判断する/―風速五〇メートル/―湯沸かし器⑧・―接着剤⑧⑦・決定的―」 文法「稲妻が光ったと思った瞬間、大地を揺るがすような轟音が鳴り響いた」のように接続助詞的にも用いられる。

じゅんかん⓪【旬刊】十日ごとに刊行する△こと(新聞や雑誌)。

じゅんかん⓪【旬間】〔週間・月間などと違って〕何か行事をすることに決めた特定の十日間。「交通安全―⑨」

*__じゅんかん__⓪【循環】―する(自サ)〈どこヲ―する〉 一回りして元に返ることを繰り返すこと。「区内を―するバス/血液の―が悪い/悪―・景気―」 **―き**③【―器】〔↑循環器官⑤〕血液・リンパ液を循環させてからだの諸器官に栄養を補給し、また、これらから老廃物を運び去る器官。心臓・血管など。「―内科⑥・―障害⑥」 **―せいきしつ**⑦【―性気質】一般に社交的ではあるが、陽気な状態と沈んだ状態が代わるがわる現われたりする気質。両者の差がはなはだしくなった病的状態が進んだものを躁鬱病と言う。⇩分裂性気質 **―ろんぽう**⑤【―論法】ある事柄を証明する際に、証明すべき事柄自体を援用する方法。証明として意義を持ち得ないものとなる。

じゅんかんごし⑤【准看護師】法定の資格を持ち、医師・看護師の指示のもとに患者の看護や診療の補助をすることを職業とする人。〔二〇〇二年准看護婦(と准看護士)を改称〕

しゅんき① ㊀【春季】行事・催し物などをするのによい、春の季節。「―大掃除・―体育大会」 ㊁【春期】(決まって何かが行なわれる)春の期間。「―演奏会」

しゅんぎく①⓪【春菊】畑に作る一年草または越年草。深い切込みのある葉は独特のかおりがある。菊菜。〔キク科〕 かぞえ方 一本。小売の単位は、一束・一把

しゅんきはつどうき①-③【春機発動期】〔「春機」は色気の意〕思春期。

じゅんぎゃく⓪①【順逆】正しい順序であるか、逆であるか。「―の理〔=道理に合っているかどうかの判断〕/―〔=何に従うべきか、従うべきでないか、の道〕を誤る」

じゅんきゅう⓪【準急】停車する回数が急行に次いで少なく、速く目的地に達する列車。準急行③。

しゅんきょ①【峻拒】―する(他サ)「きびしく断わる」意の漢語的表現。

じゅんきょ①【準拠】―する(自サ) 決められた△事柄(基準)に従うこと。「学習指導要領に―した教科書」

じゅんきょう⓪【殉教】―する(自サ) 信じる宗教のために生命を捧げること。「―の徒/―者③」

じゅんきょう⓪【順境】周囲の環境や経済的条件などが都合よくいって、生活しやすい境遇。↕逆境

じゅんぎょう⓪【巡業】―する(自サ) 芝居・すもうなどの興行をして、各地を回ること。「地方―」

じゅんきょうじゅ③、①-⓪【准教授】〔大学・高専などで〕教授に次ぐ地位(の教員)。〔「助教授」の改称〕

じゅんきょすう③④【純虚数】⇩虚数

じゅんきん⓪【純金】混じりけの無い金。

じゅんぎん⓪【純銀】混じりけの無い銀。

じゅんきんちさん⑤、①-③【準禁治産】〔旧制で〕心神耗弱者及び浪費者が、自分で財産を管理する能力の無い者として保佐人をつけられたこと。「じゅんきんじさん」とも。「―者⑥、①-④」⇩被保佐人

じゅんぐり⓪③【順繰(り)】〔おおぜいの人が〕順序に従って、次つぎに同じ動作をすること。「―に水を飲む」

じゅんけい⓪【純系】〔生物で〕他の系統を交えぬもの。↕雑種

じゅんけい⓪【純計】重複した分を除いた総計。

しゅんけいぬり⓪【春慶塗】ヒノキ・モミなどの下地の木目が見えるように透明な赤い漆を塗った塗り物。春慶①。

しゅんけつ⓪【俊傑】普通よりずっとすぐれた人。

じゅんけつ⓪【純血】異種の△動物(人種・民族)の血が混じらない、純粋の血統。「―種④」

じゅんけつ⓪【純潔】―な 心やからだがけがれていない△こと(様子)。「―を守る」 派 **―さ**⓪ **―きょういく**⑤【―教育】性教育のうち倫理的な側面を主眼とした教育。

じゅんげつ①⓪【旬月】〔わずか十日や一か月という意で〕短い日数。「―の間に」

じゅんげつ①【閏月】「うるうづき②」の意の漢語的表現。

じゅんけっしょう③【準決勝】〔トーナメントで〕決勝に進出する△二人の選手(二つのチーム)を決定するための、(二つの)試合。「―に進出」

しゅんけん⓪【峻険・峻嶮】―な 山が高くけわしい△こと(様子)。

しゅんげん⓪【峻厳】―な きびしくて、ごまかしや妥協を許さない様子だ。「―な態度」

じゅんけん⓪―する(他サ) ㊀【巡見】各地を見て回ること。 ㊁【巡検】ある範囲の場所を見回り、秩序が保たれているかどうかを調べること。

じゅんけん⓪【純絹】繭から取った生糸(だけで作った、混じりけの無い製品)。本絹。正絹。

じゅんげん⓪【純減】―する(自サ) もとの金額に対してふえた分、減った分を差引き計算した結果、実際に少なくなること。↕純増

じゅんこ①【醇乎・純乎】―たる ―と 純粋であって、著しく他よりすぐれている様子だ。「―たる日本人」

しゅんこう⓪【春光】春のうららかな日ざし・春げしき。また、いかにも春らしく感じられる風景。

しゅんこう⓪【春郊】(のどかな)春の郊外。

しゅんこう⓪【春耕】春に耕作すること。↕秋耕

しゅんこう⓪【竣工・竣功】―する(自サ)〔「竣」は、終える意〕(建物や橋などの)工事が出来あがること。完工。「―式③」↕起工・着工 表記 古くは「竣功」。

じゅんこう⓪―する(自サ) ㊀【巡行】各地を旅行して回ること。 ㊁【巡幸】「(天皇が)各地を旅行すること」の意の尊敬語。

じゅんこう⓪【巡航】―する(自サ) ❶船・航空機が各地を回ること。「―船⓪」 ❷船・航空機が普通の速度で△走る(飛ぶ)こと。「―高度」 **―そくど**⑤【―速度】船・航空機が一番燃料を節約出来る速度。経済速力⑥。 **―ミサイル**⑥ 目標に至る間、一定高度を一定の速度で、超低空飛行や迂回飛行の出来るミサイル。命中精度が高く、レーダーでとらえにくい。⇩弾道ミサイル

じゅんこう⓪【順光】〔↑順光線⓪〕〔写真で〕カメラの後ろから(被写体の正面に)さす光線。↕逆光

じゅんこう⓪【順行】―する(自サ) 順序に従って進んで行くこと。↕逆行

じゅんこうこく③（カウ）【準抗告】—する（自サ）抗告に準じて裁判所の決定に対して不服を申し立てること。

じゅんこく⓪【殉国】国難に際し命を△捨てる（捨てて尽くす）こと。「—の士」

じゅんさ①⓪【巡査】警察官の階級の一つ。巡査部長の下。「交通—⑤・騎馬—」 **—ちょう**（チャウ）③【—長】巡査のうち、勤務成績が優秀で、実務経験の豊富な者に与えられる称。〔正式な階級ではない〕

しゅんさい⓪【俊才・〈駿才】すぐれた才能（の人）。

じゅんさい⓪【〈蓴菜】沼に自生する、スイレンに似て、小さい多年生水草。若い茎と葉の裏側は寒天のようなものでおおわれていて、食用となる。〔ジュンサイ科（旧スイレン科）〕 かぞえ方 一本。小売の単位は一瓶・一袋

じゅんさつ⓪【巡察】—する（他サ）△見回る（見回って調べる）こと。

しゅんさん⓪【春蚕】「はるご」の、農家での称。⇩秋蚕・夏蚕

しゅんじ①【瞬時】まばたきをする間も無いほど短い時間。「—（=ちょっとの間）も油断が出来ない/—に引火した」

じゅんし⓪【巡視】—する（他サ）警戒・監督のために管轄区域を回って見ること。「—艇⓪・—船⓪」

じゅんし⓪【殉死】—する（自サ）昔、主君が死んだ時、近臣・妻・妾（メカケ）などがあとを追って自殺したこと。

じゅんじ①【順次】（副）決まった順序に従って事がなされていく様子。「—申し送りがなされる」

しゅんじつ⓪【春日】（うららかな）春の日。「—遅々（=日が長く、のどかだ）」

じゅんじつ⓪【旬日】十日（間）。「—を出（イ）でずして（=十日たたないうちに（早くも））」

じゅんしゃく⓪【巡〈錫】—する（自サ）〔錫杖（ジョウ）を携えて歩く意〕徳の高い僧が各地を回って仏法を説くこと。

じゅんしゅ①【遵守・順守】—する（他サ）立場の上の人から言われた事や法律などを、よく守ること。「憲法を—する」 表記「循守」とも書く。「順」は、代用字。

しゅんしゅう（シウ）⓪【俊秀】才知がほかの人よりもすぐれている△こと（人）。

しゅんしゅう（シウ）⓪【春愁】春の日の、なんとなくゆううつで、けだるい感じ。⇩秋思

しゅんしゅう（シウ）①【〈駿州】⇩すんしゅう

しゅんじゅう（ジウ）⓪【春秋】❶春と秋。「—二季」 ❷一か年。「七十の—を重ねる（=七十歳になる）/—に富む（=まだ年が若く、先が長い）/幾—（=幾年）」 ❸五経の一つ。中国古代 春秋時代（=前七七〇～前四〇三）、魯（ロ）の国の編年体史書。孔子の筆削が加えられているという。「—の筆法（=ⓐ『意外に思われるかもしれないが、甲という事柄が深いところで乙という事柄と関連がある』という論旨の前置きとして使われる表現法。ⓑ些細（ササイ）な事でも大局に関係があるとして、遠慮せず加える厳正な批判）を以（モッ）てすれば」

しゅんじゅん⓪【〈逡巡】—する（自サ）決断がつかず迷うこと。ためらうこと。「表情にかすかな—を読みとった/結婚話に—する/躊躇（チュウチョ）—する」

じゅんじゅん⓪③【〈諄々】—たる／—と よく分かるように筋道を立てて言う様子だ。「—と（して）説く」

じゅんじゅんけっしょう（オ）⑤【準々決勝】〔トーナメントで〕準決勝に進出する△四人の選手（四つのチーム）を決定するための、四つの試合。

***じゅんじゅんに**③【順々に】（副）❶決められた順番に従って、同じ事が繰り返されていく様子。「並んでいる前の人から—名前を言う/—席を立つ」 ❷始めから順を追って事が進められていく様子。「事の次第を—話していく/—思い出す」

****じゅんじょ**①【順序】一連の物事において、△始め（その

しゅん

【旬】⇩（本文）しゅん【旬】

【俊】才能・知力がすぐれている（人）。「俊秀・俊才・俊敏・英俊」

【春】❶はる。〔狭義では、正月の特称〕「春暖・春夏秋冬・立春・陽春・早春」 ❷血気盛んで、性への関心なども高まる年ごろ。「青春・思春期」 ❸情事。「春画・春本」

【〈峻】❶山が高くて、けわしい。「峻嶺（レイ）・急峻」 ❷きびしい。「峻拒・峻別・峻下（ゲ）剤」

【瞬】〔もと、またたく意〕ごく短い時間。「瞬時（ジ）・瞬間・一瞬（イッ）」

じゅん

【巡】❶まわって見る。「巡回・巡視」 ❷順番がまわって来る。「一巡」 ❸各地を次つぎに歩く。「巡業・巡礼」

【旬】❶一か月を十日ずつに分けた時の、それぞれの十日間。「旬日（ジツ）・旬間・旬報（ポウ）・上旬・中旬・下旬・初旬」 ❷十回。十年。「七旬（シチ）（=六十一歳から七十歳までの高年齢。ただし、俗用は七十歳）」

【盾】矛（ホコ）を防ぐ武具。たて。「矛盾」

【准】❶次に位する。そのものに次ぐ。「准教授・准看護師・准尉・准将」 ❷みとめる。ゆるす。「批准」

【殉】❶目上の人の死に従って、自分も死ぬ。「殉死」 ❷信念・職場などを守って死ぬ。「殉国・殉教・殉職・殉難」

【純】ほかの要素をまじえず、そのものだけである。「純金・純毛・純白（パク）・純度・純文学・純日本的」 ⇩（本文）じゅん【純】

【〈淳】品性が純粋で、人情があつい。「淳化・淳朴・淳風美俗」

【循】決められた通りに△従う（まわる）だけで、他にそれることが無い。「循環・循行・因循」

【〈閏】❶うるう。「閏年・閏月」 ❷正統なもののほかにある、余計なもの。「正閏」

【順】❶決められた通りに△従う（行動する）。すなお。「順応（ノウ）・順逆・柔順」 ❷自分の進路を妨げるものが無い。「順境・順調・順風」 ⇩（本文）じゅん【順】

【準】〔もと、平らの意〕❶水計り。「水準・規矩（キ）準縄」 ❷何かをする時、それにならえば正しいとされるもの。「準則・規準・標準」 ❸正しいものとして従う。「準拠」 ❹本式・正式・最終的なものに次ぐ。「準会員・準決勝」

【〈馴】❶なれる。ならす。「馴化・馴致」 ❷良い。正しい。「雅馴」

【潤】❶水分を一面に持つ。「潤筆・浸潤・湿潤」 ❷つやがあって、外観がよく見える。「潤沢・潤色・豊潤」

【遵】決められた通りに（消極的に）行動する。「遵法（ポウ）・遵守」

【〈醇】❶まじりけがなくこくのある酒。「芳醇・醇酒」 ❷純粋なこと。「醇化・醇乎（コ）・醇朴・醇風美俗」

前)に何が、その次には何が位置するかという、あとさきの関係。「—正しく並ぶ/—を乱す/作業を—よく〔=順序を乱さないで〕進める/—をつける〔=物事の順番を決める〕/それが—〔=従うべき順序〕というものだ」 **—だ・てる**⑤【—立てる】(他下一) 順序をきちんと決めて整理する。「順序立てて説明する」 **—ふどう**①-⓪【—不同】—に 何かの原則によって順序が決まっているわけではない様子だ。順不同①-⓪。〔名前を列挙する時などに使う〕

しゅんしょう⓪【春宵】 春の夜。「—一刻値千金〔=寒からず暑からぬ春の夜は酒を飲むにも詩を作るにも友と語るにも好適貴重な時だ、の意〕」↔秋宵

しゅんじょう⓪【春情】 ㊀春らしい景色。㊁色情。「—を催す」

じゅんしょう⓪【准将】 ⇨代将

じゅんじょう⓪ ㊀【殉情】 相手を愛する いちずな気持に従って行動すること。「—物語⑦」 ㊁【純情】—な 計算を抜きにして、相手を信じて疑わない△気持(様子)。「—な青年」 派—さ⓪

じゅんじょう⓪【準縄】 〔みずもりとすみなわの意〕規則。手本。「規矩—①-⓪〔=物事の規準〕」

しゅんしょく⓪【春色】 ㊀いかにも春らしさを感じさせられる景色。㊁色っぽい様子。

じゅんしょく⓪【殉職】—する(自サ) 職務として行なっていたことが原因で死ぬこと。「—死④③」

じゅんしょく⓪【純色】 同じ系統の色の中で、一番あざやかな色。例、太陽光線のスペクトルの色。

じゅんしょく⓪【潤色】—する(他サ) 〔もと、色を塗り光沢を加える意〕おもしろさを増し、印象を強烈にするために、事実に無い事を付け加えたり事実を誇張したりすること。〔古くは、虚勢を張り、表面をつくろう意にも用いられた〕

じゅん・じる⓪③【殉じる】(自上一) 殉死する。殉ずる⓪③(サ変)。〔公共の仕事・国家の大事・自分の愛好するスポーツなどのために命を捧げる意にも用いられる〕「国難に—/大臣に—〔=大臣が辞職をした関係上、次官や局長なども一緒にやめる〕」

じゅん・じる⓪③【準じる】(自上一) ㊀基準(のもの)と同じような扱いをする。「先例に—/正会員に—」 ㊁何かを基準にして、それに応じた扱いをする。「収入に準じて会費を出す」 準ずる⓪③(サ変)。

***じゅんしん**⓪【純真】—な うそを言ったり人を疑ったりする気持が全く無い様子。「子供の—な気持」 派—さ⓪

じゅんすい⓪【純水】 化学的操作で純度を高めた水。化学工業用。

****じゅんすい**⓪【純粋】—に ㊀どんな点から見ても、ほかの余計なものが、少しも交じっていない様子だ。「—のアルコール/—の江戸っ子」 ㊁その人の考え方や行動の中に、利害打算などを意識したところが少しもない様子だ。「動機が—/—な△気持(人)/—性⓪」 派—さ⓪③

しゅんせい⓪【竣成】—する(自サ) 〔「竣」は、終える意〕「竣功」の意の古風な表現。

じゅんせい⓪【純正・(醇正)】 ㊀—な 本来的な要素以外のものが何も交じっていない△こと(様子)。「—ゴマ油」 ㊁学理の研究だけをして、応用面に及ばない様子だ。「—化学⑤」 派—さ⑤

じゅんせい⓪【準星】 星雲の爆発によって出来たと考えられる星。太陽の一兆倍にも及ぶ明るさを持つという。クエーサー。

しゅんせつ⓪【春雪】 春になって降る雪。

しゅんせつ⓪【浚渫】—する(他サ) 〔「浚」も「渫」も、さらう意〕〔河川や港などの〕水底の土砂をさらうこと。「—船⓪・—機④③」

じゅんせつ⓪【順接】 〔文法で〕論理感覚の点から見て、前件から予測される事柄が後件において実現されるという関係にあること。「—の接続語『だから・ので』」↔逆接

じゅんぜん⓪【純然】—たる それ以外の何ものでもない様子だ。「—たる芸術作品」

しゅんそう⓪【春草】 春になって芽生える草。

じゅんぞう⓪【純増】—する(自サ) もとの金額に対してふえた分、減った分を差引き計算した結果、実際に多くなること。↔純減

しゅんそく⓪【駿足・俊足】 ㊀馬の足の速いこと。また、その馬。〔人間の足の速い意にも用いられる。例、「—を利して」〕 ㊁門下生の中ですぐれた人物。

じゅんそく⓪【準則】 ㊀規則に従うこと。「—主義⑤」 ㊁従うべき規則。

じゅんたく⓪【潤沢】—な 〔「沢」は、使ったあとまで残る意〕思う存分に使ってもまだ十分に余裕があるほど、資金や資源などが豊かである様子だ。「—な予算/—な水資源」

しゅんだん⓪【春暖】 「春の暖かさ」の意の漢語的表現。〔主として、手紙文の書き始めに使う〕「—の候」

じゅんち①【馴致】—する(他サ) ㊀その状態に慣らして、段々にそうさせること。 ㊁その結果を引き起こすこと。〔ただし、悪い結果とは限らない〕

じゅんちょう⓪【順潮】 潮の流れが船の進む方向と同じであること。↔逆潮

****じゅんちょう**⓪【順調】—に 期待通りに△進行(展開)する様子だ。「—な天候/—に△回復する(進む・運ぶ・育つ・行く)」 派—さ⓪

じゅんて⓪【順手】 〔器械体操で〕鉄棒を握る際、てのひらを下に向けて、親指以外の四本の指と親指で丸く握る握り方。↔逆手

しゅんでい⓪【春泥】 雪どけなどによる春先の ぬかるみ。

しゅんと⓪(副)—する ひどいショックを受けるなどして、それまでの元気が一ぺんに無くなってしまう様子。「一同、しかられて—なる」

じゅんど①【純度】 品質の純良さの度合。「高—のもの」

しゅんとう①【春闘】 〔←春季闘争④〕春に行なう賃上げのための闘争。

しゅんどう⓪【蠢動】—する(自サ) 〔「蠢」は、虫がうごめく意〕取るに足りないものが陰で策動すること。

***じゅんとう**⓪【順当】—に 決して意外なことではなく、予測される通り(の結果)である様子だ。「—な結果/—に勝ち進む」 派—さ⓪

じゅんないちまい①-⓪【準内地米】 国内の産米と品質の似た輸入米。

じゅんなん⓪【殉難】 国難や(宗教的な)災難のために死ぬこと。〔「遭難」の意の美化した表現としても用いられる〕「—者③・—碑③」

じゅんに⓪【順に】(副) 順序に従って事を進めていく様子。「—やろうじゃないか/名簿にある氏名を—読み上げる/資料を—回す」

***じゅんのう**⓪【順応】—する(自サ)〈なにニ—する〉〔「じゅんおう」の連声〕そのものの置かれた新しい環境に△応じて(慣れて)うまくやっていくこと。「大勢に—する/—性に富む」

しゅんば①【駿馬】 足の速い馬。「しゅんめ」とも。↔駑馬

じゅんぱい⓪【巡拝】—する(自サ) 神社や寺を次つぎに参拝して回ること。

じゅんぱく⓪【純白】—な 「あらゆる点においてまっ白だ」ととらえられる様子。〔純真でけがれを知らない様子の意にも

用いられる」「―の衣装に身をつつむ」

しゅんぱつ[0]【瞬発】ちょっとした衝撃で△発火(爆発)すること。「―信管[5]」 **―てき**[0]【―的】―な/―に 何かに触発されて間をおかずに反応が現われる様子だ。「屋根から瓦が落ちるのを見て―にとびのく」 **―りょく**[4]【―力】瞬間的に発する何かをはねかえす力。「―にすぐれた陸上競技の選手」

****じゅんばん**[0]【順番】〔「番」は、交替の意〕△何かをする人(動作の対象となるもの)が順を追って次つぎに入れかわること。「―に眠る/―〔=自分の番〕を待つ」

しゅんぴ[1]【春肥】春、作物にやるこやし。「はるごえ」とも。

****じゅんび**[1]【準備】―する(他サ)〈なにヲ―する〉△いざという時に備えて(起こりうる条件を予想して)同じ状況で軽く試みたり必要な物をそろえておいたりすること。「―を△急ぐ(進める・整える・怠る)/心の―が出来ていない/―運動[4]・―体操[4]・下―・受験―[4]」 運用 商店・飲食店などで、営業時間外であることを「準備中」の形で示すことがある。

じゅんび[1]【〈醇美】―な ❶非難すべき点の無いほど美しい△こと(様子)。❷味が濃くて、おいしい△こと(様子)。 表記 ❶は、「純美」とも書く。

じゅんぴつ[0]【潤筆】〔他人に頼まれて〕絵や字をかくこと。揮毫。「―料[4]」

しゅんびん[0]【俊敏】―な 頭がよく働いて、すばやく的確に行動出来る△こと(様子)。「―をもって鳴る〔=俊敏だという ので知られる〕」 派 **―さ**[0]

しゅんぷう[0]【春風】「はるかぜ」の意の漢語的表現。「―に吹かれる」 **―しゅうう**[0]-[1]【―秋雨】〔春の風や秋の雨の意〕春の風が吹いたり 秋の雨が降ったりして過ぎて行く(長い)年月。「―二十幾年」 **―たいとう**[0]-[0]【―〈駘蕩〉】―たる ❶春風がのどかに吹く様子。❷(人柄が)穏やかな様子。「―たる風貌の持ち主」

じゅんぷう[0]【順風】船の進む方向に吹く風。おいかぜ。「―に帆をあげる/―満帆〔=⇩満帆〕」↕逆風

じゅんぷうびぞく[5]【〈醇風美俗】その社会・地域の人が全般に「純粋❷」であること。「戦前の―」 表記 「〈淳風美俗」とも書く。

しゅんぶん[0]【春分】二十四(節)気の一つ。太陽暦三月二十一日ごろ。昼と夜の長さがほぼ等しくなる。「―点[3]」 **―のひ**[6]、[0]-[1]【―の日】「国民の祝日」の一つ。三月二十一日ごろ。もとの、春季皇霊祭に当たる。

じゅんぶん[0]【純分】金銀貨や地金の純金・純銀の含有量。

じゅんぶんがく[3]【純文学】〔通俗文学・大衆文学と違って〕多く売れることを期待せず、純粋に芸術的な意図の下に作られる文芸作品。

しゅんべつ[0]【〈峻別】―する(他サ) 少しもあいまいな点を残さず、けじめをつけること。「公私を―する」

しゅんぼう[0]【俊〈髦】〔「髦」は、少年になって後も、父母の命に従って童児のごとく髪を長くしておく意〕「年が若くて、すぐれた人」の意の漢語的表現。

しゅんぽう[0][1]【〈皴法】〔「皴」は、もと、「あかぎれ」の意〕〔日本画・南画などで〕山・がけ・岩石などの屈曲したひだを立体的にかく技法。

じゅんぽう[0]【旬報】❶十日ごとの報告(書)。❷旬刊の雑誌。

じゅんぽう[0]【遵奉】―する(他サ) 立場の上の人に言われた事や法律などをよく守ること。

じゅんぽう[0]【遵法・順法】法律に背かないようにすること。「―意識を低下させる/―精神[5]・―闘争[5]〔=法規をわざと窮屈に守って、業務能率を低下させる労働争議の一戦法〕」 表記 「順」は、代用字。

じゅんぼく[0]【純朴】―な 〔飾り気の無い意〕善意の人であり、△正直そう(利害打算の念など全く無いよう)に見える様子だ。 派 **―さ**[0] 表記 「純」は「〈淳・〈醇」とも、「朴」は「〈樸」とも書く。

しゅんぽん[0]【春本】男女の性行為のさまを(興味本位に)描写した本。

じゅんまいしゅ[3]【純米酒】日本酒で、米と米こうじだけを材料として造った清酒。

しゅんみん[0]【春眠】(暖かくなった)春の夜の快い眠り。「―暁を覚えず〔=春の夜は気持がよくて、つい、朝になったのも知らずに眠りがちだ〕」

しゅんめ[1]【〈駿《馬】足の速い馬。「しゅんば」とも。

じゅんめん[0]【純綿】混じりものの無い もめん(の製品)。

じゅんもう[0]【純毛】混じりものの無い毛織物。

じゅんゆう[0]【巡遊】―する(自サ) 各地を旅行して回ること。

じゅんよ[1]【旬余】「十日余り」の意の漢語的表現。

しゅんよう[0]【春陽】(ぽかぽかと暖かい)春の陽気。「―の候」

じゅんよう[0]【準用】―する(他サ) 正式の適用範囲に準じて、適用すること。

じゅんようかん[0]【巡洋艦】軍艦の一種。戦艦より軽快・快速で、航続力が大きい。 かぞえ方 一艘・一隻

じゅんようし[3]【順養子】江戸時代、兄の養子となった弟などが、自分の跡継ぎとしては兄の子を迎えたこと。また、その人。

じゅんら[1][0]【巡〈邏】―する(自サ) 〔「邏」も、巡と同義〕見回って歩く△こと(役の人)。パトロール。

しゅんらい[0]【春雷】(冬の終りを告げる)春先のかみなり。寒冷前線により起こる。

しゅんらん[1]【春〈蘭】林の中などに自生し、また庭に植えられる多年草。早春に咲く花は薄緑色。ほくろ。じじばば[2]。〔ラン科〕 かぞえ方 一本

じゅんらん[0]【巡覧】―する(自サ) 各地を見て歩くこと。

じゅんり[1]【純利】「純益」の俗称。

じゅんり[1]【純理】純然たる理論。「―的[0]」

じゅんりょう[0]【純良】―な 混じりけが無くて、品質がよい様子だ。「―バター[5]」

じゅんりょう[3][0]【純量】正味(の目方)。

じゅんりょう[0] ―な ❶【〈淳良】利害打算の念が無く、人がいい△こと(様子)。❷【順良】すなおで善良な△こと(様子)。 派 **―さ**[0]

しゅんれい[0]【〈峻嶺〉】高くてけわしく切り立っている山。

じゅんれい[0]【巡礼】―する(自サ) 幾つかの決められた聖地や霊場を順次に参拝して歩く△こと(人)。「―に出る/―者[3]」 表記 「順礼」とも書く。

じゅんれき[0]【巡歴】―する(自サ) △各国(各地)を次つぎに回って歩くこと。

しゅんれつ[0]【〈峻烈】―な/―に きびしくて、妥協を許さない様子だ。「―に批判する」 派 **―さ**[0]

じゅんれつ[0]【順列】〔数学で〕幾つかのものの集まりから定まった個数のものを取り出して、順番を考慮に入れて並べる時の並べ方。〔順番の異なるものは違った順列と見なす〕 **―くみあわせ**[0]-[0]【―組合(わ)せ】〔数学で〕順列と組合せ。〔俗に、一定の物を順序を変えて並べたり組み合わせたりして変化を持たせる意にも用いられる。例、「港・恋・夢、の―から成る歌謡曲」〕

じゅんろ[1]【順路】平常それに沿って行くのが順序で(もあれば近道でも)ある道筋。

じゅん わくせい③【準惑星】太陽系の天体で、惑星に準ずるもの。惑星との違いは、その重力によって公転軌道からほかの天体を弾き出していないこと。冥王星など。

しょ（処・初・所・書・庶・暑・署・緒・諸）→【字音語の造語成分】

しょ①【所】「事務所・研究所・撮影所」などの略。「―の規定により支給／本―①・当―」⇩【造語成分】

しょ【書】㊀①⓪文字を書いたもの。「良寛の―（＝筆跡）」㊁①文字の書き方。書法。「―を習う／―を善（ヨ）くする／―家・―画・―道・楷（カイ）―・草―」㊂①本。書物。「座右の―／―庫・―籍・蔵―・良―・辞―」㊃①用件を書いたもの。「（一）―（＝手紙）を呈す／―状・―類・信―・封―・遺―・報告―⑤⓪」⇩【造語成分】

しょ①【暑】夏のあつさ。〔広義では、小暑・大暑の総称。狭義では、夏の土用の十八日間を指す〕「―を避ける／―気・酷―・残―・避―・寒―」⇩【造語成分】

しょ①【署】「警察署・消防署・税務署」などの略。「―までご同行願います／―の方針」⇩【造語成分】

しょ①【緒】〔「いとぐち」の意〕物事の初め。「ちょ」とも。「〔事業が〕―につく〔＝軌道に乗り始める〕／―言・―戦・端―」⇩【造語成分】ちょ

じょ（女・如・助・序・叙・徐・除）→【字音語の造語成分】

じょ①（ヨヂ）【女】「娘」の意の漢語的表現。「―三人あり／―婿（セイ）・少―・処―・長―・次―・養―」↕息（ソク）・男 ⇩【造語成分】じょ・にょ

じょ【序】〔もと、戸口の意〕㊀⓪前書き。〔広義では、物事の初め〕「―文・自―・後―①」↕跋（バツ）㊁⓪①順。「長幼の―／―列・秩―・順―」

じょ①【〈恕】「思いやりの気持」の意の漢語的表現。「忠―・仁―・寛―」

じょ①【自余】このほか。そのほか。 表記「〈爾余」とも書く。

しょ あく①【諸悪】いろいろな悪事。「―の根源」

しょ い①（キ）【所為】㊀〔超人間的な者の〕しわざ。「悪魔の―」㊁ある結果をまねいた原因・理由。「こたびの出奔（シュッポン）は激情にかられた―」

じょ い⓪①（ヂヨ）【女医】女性の医者。

じょ い①（キ）【叙位】―する（他サ）位を授けられること。〔昔は、五位以上の位階を授けられたことを指した〕

しょい あげ⓪（ショヒ）【〈背負〉い上げ・〈背負〉い揚げ】おびあげ。

しょい こ⓪（ショヒ）【〈背負〉い子】束ねたまきなどを、背中に背負うための長方形の枠。「しょいご」とも。

しょい こ・む③（ショヒ）【〈背負〉い込む】（他五）負担になる物事を引き受け（させられ）る。「やっかいな役を―」

しょい ちねん③【初一念】思い立った、最初の一念。

しょい なげ⓪（ショヒ）【〈背負〉い投げ】「せおいなげ」の口頭語的表現。「―を食う（＝もう少しというところでそむかれ、ひどい目にあう）」

しょ いん①（ヰン）【所員】その研究所・事務所などに勤めている、正式の要員。

しょ いん⓪（ヰン）【書院】〔もと、書斎・学者の居室の意〕床の間のわきに窓付きの張り出しのある客間。〔出版社の名前としても使われる〕 **―づくり**④【―造（り）】玄関・床の間・棚・ふすま・障子のある家の構造。伝統的な和建築の作り方。

しょ いん⓪【書淫】㊀本ばかり読んでいる△こと（人）。㊁（度を超して）書物を愛好する△こと（人）。ブックマニア④。

しょ いん①（ヰン）【署員】その警察署・税務署などに勤務している人。

しょ いん①（ヰン）【諸員】その組織の多くの△役員（人びと）。

じょ いん⓪（ヂヨ）【女陰】女性の陰部。「にょいん」とも。↕男根

ジョイント〔joint〕〘一〙⓪㊀機械・木工器具などの、継ぎ目の部分。㊁〔列車の車両の〕連結装置。〘二〙（造語）合同の。「―コンサート⑤・―リサイタル⑥」

しょう（上・小・井・升・少・召・正・生・匠・声・床・抄・肖・姓・尚・性・承・招・昇・〈昌・松・沼・青・政・昭・星・省・相・《荘・〈哨・宵・将・従・消・症・祥・称・笑・〈陞・商・唱・〈捷・渉・清・章・紹・訟・勝・掌・晶・焼・焦・硝・粧・装・証・詔・象・傷・奨・照・詳・〈頌・〈嘗・彰・精・〈誦・障・〈廠・憧・〈漿・衝・賞・償・〈檣・礁・〈觴・鐘）→【字音語の造語成分】

しょ・う⓪（ショフ）【〈背負〉う】（他五）㊀「せおう」の口頭語的表現。「重荷をしょって歩く」㊁〔「しょってる」の形で〕うぬぼれて、ほかの人とは違う世界の人間のように思っている。「あいつ、しょってやがる／しょってるわね」

しょう①（セウ）【小】↕大 ㊀△比較の対象とする（一般に予測される）ものと比べて小さい方。また、そのもの。「大は―を兼ねる／―事・―心・―宇宙・―都市③・狭―・群―・中―・最―」㊁〔「小人」の略〕子供。「―（＝二世の方の）デュマ」㊂「小の月」の略。㊃「小便」の略。⇩【造語成分】

【―の虫を殺して、大（ダイ）の虫を助ける】その時点において最重要の目的を達成するためには、眼前の小さな物事を犠牲にすることも必要だ。〔「助ける」は「生かす」とも〕

しょう①（シヤウ）【生】「いのち」の意の古風な表現。せい。「―あるうちに／―類・―涯・一―・―七―」⇩【造語成分】

しょう①（セフ）【〈妾】〔もと、「こしもと」の意〕〘一〙めかけ。「―宅・―腹・妻―・愛―」〘二〙（代）〔漢文体の文章で〕女性の自称。わらわ。

しょう①（シヤウ）【性】㊀ある傾向・特徴を持った性質。「―（＝性分）が合わない／苦労―・貧乏―・凝り―・心配―」㊁五行（ゴギヤウ）を人の生年月日に配当したもの。「水の―」⇩【造語成分】しょう・せい

しょう①（シヤウ）【《荘】〔もと、いなか・別荘の意〕荘園（シヨウエン）。〔もと荘園であった所の地名にも用いる〕 表記「〈庄」とも書く。⇩【造語成分】しょう・そう

しょう①（シヤウ）【将】軍隊の指揮官。大将。〔武官の階級の名にも用いる〕「―に―たる（＝大将中の大将である）人物／―軍・―帥（イ）・―校・王―・主―・武―」⇩【造語成分】

【―を射んと欲すれば《先（ま）ず馬を射よ】目的物をうまく手に入れるには、急がずに、その周囲の者を手なずけてから、おもむろに目標に△向かった方が効果がある（向かうのが上手なやり方だ）。

しょう①【称】〔もと、軽重を計る意〕㊀高く評価して、ほめること。「海内（カイダイ）随一の―がある（＝…のほまれが高い）／―賛・―美」㊁名前（を付けること）。「…の―を与える／…の―で呼ばれる／―号・名―・通―・自―・俗―・総―」⇩【造語成分】

しょう①（シヤウ）【商】ある数を他の数で割って得た値。↕積 ⇩【造語成分】

しょう①（シヤウ）【章】㊀〔音楽や言語の〕一定の発想に貫かれる、ある程度の長さを持った一まとまり。〔かぞえる時にも使う〕「…という―を設ける／―を改めて述べる／―節・序―」 かぞえ方 ㊀かぞえるときは、すべて「ショウ」 ㊁記章・勲章。「―を△受ける（授ける）」⇩【造語成分】

しょう①（シヤウ）【〈笙】雅楽用の管楽器。十七本の竹の管を環状に植えるように並べて吹き口を付けたもの。笙の笛。 かぞえ方 一本

しょう[1]【証】❶証拠。「後日の―として/―言・―書・―明・確―・考―・立―」❷何かの事実を証明する旨を記載した小さい(一枚の)書類。証明書。「検疫済の―/学生―[0]・受領―・免許―[3][0]・保険―[0]」

しょう[1]【〈鉦】丸くて平たい金属の打楽器。雅楽や芝居の囃子などに使う、たたきがね。 かぞえ方 一本

しょう[1]【衝】〔もと、どこへ行くにもそこを通らねばならない大道の意〕要所。「―に当たる(=ⓐ何かをするのに大切な場所である。ⓑ重要な任務を受け持つ)/要―」⇩【造語成分】

*しょう[1]【賞】❶斯道奨励や地域・マスコミ等の景気づけ、あるいは個人・組織の努力顕彰のために贈られる金品や栄誉。「―を贈る/―にはいる(=一定の資格にかなうものとして、賞を贈られる)/―を△もらう(受ける)/―を辞退する/―金・―品・―与・懸―・努力―[3]」❷功績の著しい人や技能の特別すぐれた人たちに与えられる栄誉(の証明書)。〔広義では、その副賞としての品物やお金をも指す〕「―という名のいかなる―ももらったことがない/学士院―[4]・ノーベル―・勲―」⇩【造語成分】

しょう[1]【《少〈輔】〔「しょうゆう」の変化〕大輔の下の官。⇩大輔

しょう[0]【子葉】発芽したばかりの植物から最初に出る葉。「本葉[0]」が出ると枯れる。「単―植物[7]・双―植物[7]」

しょ

［処］❶そこに居る。「処世」❷世間に出ないで、家に居る。「処士・処女・出処進退」❸そのものの性状・事情に応じて、適宜に振り分ける。「処刑・処置・処罰・処分・処理」❹「所」の古い用字。「居処・処々」

［初］❶はじまり。早い時期。「初日・初期・初夏・最初・太初・当初・明治初」❷最初の。「初対面・初段」❸何かを始めたばかりの。「初心」

［所］❶ところ。「居所・住所・場所・名所・近所」❷特定の設備を持った場所。「便所・行在所・停留所」❸特定の任務のために設けた機関。「役所・事務所・駐在所・出張所」❹特別の施設。「撮影所・療養所」❺動詞の上につけて、その関する内容、及ぶ結果を表わす。「所感・所見・所収・所存・所用・所労」 表記 ❶〜❹は、「処」とも書いた。⇩(本文)しょ【所】

［書］■一 筆記用具でかく。「書記・書写・書法・血書・手書・朱書・清書・大書・墨書」■二 文書・手紙などをかぞえる語。⇩(本文)しょ【書】

［庶］❶〔小分け△をしない(が出来ない)意味で〕雑多な。「庶務・庶政」❷大衆。人民。「庶人・庶民・衆庶」❸妾腹の子。「庶子・庶出」↕嫡

［暑］❶夏。あつい季節。「処暑・小暑・大暑」❷夏の土用十八日間。「暑中」⇩(本文)しょ【暑】

［署］〔もと、手分けの意〕❶特定の任務を持つ現業官庁。「本署・分署・支署・警察署・税務署」❷書類の末に、名前を書く。「署名・連署」⇩(本文)しょ【署】

［緒］⇩(本文)しょ【緒】

［諸］同類の物について内容を問題とせず、△幾つか(幾つも)あることを表わす。多くの。「諸君・諸国・諸種・諸問題」

じょ

［女］❶おんな。「女王・女子・女権・女流・女店員・婦女・男女・侍女・妻女」↕男 ❷おんなの俳人などが、俳号の下に添える語。「加賀の千代女」⇩(本文)じょ【女】

［如］物を形容する字音語を受けて、動詞・形容動詞を作る。「欠如・突如・躍如・鞠躬如」

［助］❶たすける。「助言・助勢・助力・援助・救助・賛助・内助」❷主となるものの控えとなって働く。「助手・助役」

［序］⇩(本文)じょ【序】

［叙］❶順序立てて述べる。「叙述・叙景・叙事・自叙・倒叙」❷位につける。「叙位・叙勲・昇叙」

［徐］急がずに何かをする。ゆっくり。「徐々・徐行・緩徐」

［除］❶のぞく。「除外・除去・除籍・除名・解除・控除」❷古いものをやめて、新しいものに従う。「除夜」❸割り算をする。「除法・除算・被除数・加減乗除」

しょう[0]【止揚】―する(他サ)〔弁証法で〕矛盾・対立する概念を、矛盾・対立を残しながら一つに統一すること。揚棄。アウフヘーベン。

しょう[0]【私用】❶公務・社用と関係の無い、プライベートな用事。「―の電話」↕公用❷ ❷―する(他サ) 公に属する物を自分の△事(物のよう)に使うこと。「官物を―する」

*しょう[0]【使用】―する(他サ)〈(なに)ニ)なにヲ―する〉具体的な用途に応じて何かを使うこと。「燃料にガスを―する/集会に講堂を―する/―中・―料・―済み[0]」 ―しゃ[2]【―者】❶その品物を使う人。「―印[4]」❷その商品を買って使う人。利用者。ユーザー。❸給料を支払って人を働かせる者。雇主。↕使用人 ―にん[0]【―人】〔銀行・会社・店などで〕使われている人。↕使用者❸ ―りょう[2]【―料】何かを使用する対価として支払う料金。「駐車場の―」 ―りょう[2]【―量】使った量。「△電気(ガス・水道)の―」

しょう[0][1]【枝葉】〔草木の枝と葉〕物事の主要でない部分。「―末節[1]-[0]、[0]-[0]」

しょう[1][0]【姿容】「すがたかたち」の意の漢語的表現。

しょう[0]【試用】―する(他サ) ためしに使ってみること。「―期間・―品[0]」

しょう[0]【飼養】―する(他サ) 魚や家畜を飼っておくこと。「―池[2]」

しょう[0]【仕様】何かを、どんな方法でどんな順序でやるか、ということ。【―が無い】どう△処理(処置)したらいいか、分からない。「この有様ではどうにも―/なまけ者で―」⇩しょうがない ―がき[0]【―書(き)】やりかたの順序を書いた文書。「しようしょ[4]」とも。〔狭義では、複雑な設計の製品の内容を説明したり図面を書いたりした書類を指す〕

じょう（上・丈・冗・成・条・〈杖・状・定・〈帖・乗・城・浄・《娘・剰・常・情・盛・場・畳・蒸・静・縄・壌・嬢・錠・〈擾・譲・醸）↓【字音語の造語成分】

じょう[1]【上】❶品質・出来ばえなどが他よりいいこと。上等。↕下 ❷〔書物の〕「上巻」の略。⇩中・下 ❸「差し上げます」の意で、立場の上の人への進物の包み紙などの上に書く語。⇩【造語成分】じょう・しょう

じょう[1]【冗】むだ。「―を省く/―員・―談・―費」⇩【造語成分】

じょう[1]【〈丞】〔昔の役所で〕上から三番目の地位(の

しょう――じょう

し

人）。「すけ」の次。⇩四等官 表記 役所によって丞・尉・判官・掾などと書き分けた。

じょう【条】 ■一 ①「一つ、…」のように項目ごとに、改行して書いたもの。「この—の規定により／箇—・逐—・—項」■二（接助）㊀〔候文で〕…の次第です△から（が）。「…（に）候—」㊁逆接を表わす。「冬とは△言う（言い）—〔＝冬ではあるが〕」⇩【造語成分】

じょう【状】 ①⓪ ㊀手紙。「この—持参の者／御—①・本—・案内—・—差・—袋」㊁ありさま。「その—言うべからず〔＝ひどい様子は何とも形容のしようが無い〕／—況」⇩【造語成分】

じょう【定】 ㊀①⓪「その通り」の意の古語的表現。「知らぬが—か〔＝知らないということが本当か〕／案の—」㊁①禅定。「—に入る」⇩【造語成分】

じょう【〈帖】 ①⓪〔もと、木簡・竹簡と違って、布に書いた

しょう

［上］ ㊀目上。「上人」㊁ある範囲。「身上」⇩じょう

［小］ 自分に関係するものにつける謙称。「小官・小社・小生・小店」⇩（本文）しょう【小】

［井］ 井桁の形。「天井」⇩せい

［升］〔「ます」の意〕尺貫法における容積の基本単位。約一・八〇三九リットルに等しい。〔十升を一斗、十分の一升を一合と称する〕 かぞえ方 三升は「サンジョウ（サンショウ）」・何升は「ナンジョウ（ナンショウ）」

［少］ ㊀すくない。すこし。「少額・少数・少量・軽少・多少」↕多 ㊁若い。「少年・少女・幼少・年少・老少」㊂同じ役向きで、低い方の官。「少尉・少佐・少将・少納言」

［召］ 用事があるから来るようにと、下の者を呼び寄せる。「召集・召還・召喚・召致・応召」

［正］ ㊀ただしい。まともだ。「正面・正直・正気」㊁端数の無いことを表わす。「正午・正時・正（＝ちょうど）十時」㊂同じ位のうち、上であることを表わす。「正二位」〔古くは「じゃう」〕↕従 ⇩（本文）しょう【生】

［生］ うまれる。「四生・死生・出生・誕生」⇩（本文）しょう【生】

［匠］〔もと、木工（の職人）の意〕㊀特定の技術・専門にすぐれ、人に教える能力を持っている人。「宗匠・師匠・番匠・鷹匠」㊁学芸のすぐれた人。「巨匠・名匠」㊂新しいアイデアと技術で新しい物を作り出すこと。「意匠」

［声］ こえ。「声明・連声・大音声」⇩せい

［床］ ㊀寝どこ。〔病院のベッド数をかぞえる時にも用いられる〕「起床・病床・臨床・温床・同床異夢」㊁何かを支える土台となるもの。「銃床・河床・鉱床」

［抄］〔もと、ぬきとる意〕㊀ぬきがき△する（したもの）。〔広義では、「集」と同じ意味で書名にも用いられる〕「抄出・抄訳・抄録・詩抄」㊁その書物の△注釈書（講義の筆録）。「抄物」㊂本を書き写す。「抄書・手抄」㊃紙を漉く。「抄紙」 表記 ㊀〜㊂は、「〈鈔」とも書く。

［肖］ ㊀似ている。「不肖」㊁似せる。「肖像」

［姓］ ㊀血筋。一族。「素姓」㊁うじ。苗字。「姓氏・八姓・百姓」

［尚］ ㊀重んじる。たっとぶ。「尚古・尚武・好尚」㊁趣味などの程度が高い。「高尚」

［性］ 男女の別。「女性」⇩（本文）しょう【性】

［承］ ㊀△上の人から（前のものを）受ける。「継承・口承・相承」㊁他の言うことを受け入れる。「承知・承諾・了承」㊂〔漢詩で〕起句を受ける句。第二句。「起承転結」

［招］ ㊀こちらに来てほしいと、人を呼ぶ。「招待・招請・招致・招聘」㊁⇩召

［昇］ のぼる。あがる。「昇降・昇進・昇天・昇段・昇給・上昇」

［〈昌］ さかん。「昌平・繁昌・隆昌」

［松］ マツ。「松柏・松竹梅・青松・老松」

［沼］ ぬま。「沼沢・池沼・湖沼」

［青］ あおい（色）。「緑青・紺青・群青」⇩せい

［政］ 政治。「摂政」⇩せい

［昭］ ■一㊀あきらか。「昭々」㊁あきらかにする。「顕昭」■二元号「昭和」の略。⇩明・大・平・令

［星］ ほし。「明星」⇩せい

［省］ ㊀内閣の中央官庁。「文部科学省・財務省」㊁〔中国で〕最上級の行政区画。「河南省」㊂はぶく。「省略・省力・冠省」

［相］〔最高の行政官の意〕例、「相国・丞相」「大臣」の意で、漢語を作る。「首相・外相」

［《荘］ かざる。「荘厳」⇩（本文）しょう【荘】

［〈哨］ 物見（の兵隊）。見張り。「哨戒・哨舎・哨兵・歩哨・前哨戦」

［宵］ よい。よる。「春宵・徹宵」

［将］〔自衛隊で〕最上位の階級。「陸将・海将・空将」⇩（本文）しょう【将】

［従］ ㊀逆らわずに、したがう。「追従」㊁縦。「合従」㊂落ち着いていること。「従容」⇩じゅう

［消］ ㊀（きえて）無くなる。「消失・消長・消滅・雲散霧消」㊁火をけす。すっかり無くす。「消火・消灯・消防・消化・消毒・消費・抹消」

［症］ 病気の△現われ（状態）。「症状・炎症・重症・合併症・狭心症・既往症」

［祥］〔もとは、広くしるしの意〕めでたい事（の前ぶれ）。「祥瑞・嘉祥・吉祥・発祥」

［称］ ㊀対応する。「対称」㊁代名詞の呼び名。「遠称・近称・他称・人称」⇩（本文）しょう【称】

［笑］ ㊀にっこりする。わらう。わらい。「笑声・苦笑・冷笑・微笑・大笑」㊁「お笑い草までに」という意で、他人に何かを贈る時の称。「笑納・笑覧」

［〈陞］ 位が上がる（ようにはからう）。「陞進・陞級」 表記「昇」とも書く。

［商］ ■一㊀するかしないか、どれくらいかかるかなどについて諮る。「商議・商量」㊁あきなう。あ

きない。「商業・商品・商売・行商・通商」❸商人。あきんど。「商魂・豪商・紳商・雑貨商」㊁(略) 商学部・商業高校。⇩(本文)しょう【商】

［唱］シャウ ❶となえる。「唱和・高唱・提唱・万歳(バンザイ)三唱」❷うたう。「唱歌・合唱・重唱・斉唱・低唱・独唱・輪唱」

［〈捷〉］セフ ❶ちかい。「捷径・捷路」❷すばやい。「敏捷」❸戦いにかつ。「捷報・大捷」 表記 ❸は、「勝(ショウ)」とも書く。

［渉］セフ ❶水のある所を歩いてわたる。「渉禽(キン)類・徒渉・跋(バッ)渉」❷関係する。「渉外・干渉・交渉」

［清］シャウ けがれが無く、きれい。「六根清浄」⇩せい

［章］シャウ 〔もと、音楽の終りの名から、詩歌の一句切りの称〕❶首尾のある書き物。「文章・詞章」❷箇条に分け(て述べ)たもの。「憲章・法三章」❸持主・所属・分担などを明らかにするしるし。「印章・帽章・肩章・腕章・記章」❹国家に尽くすところがあった事を賞する記章。「勲章・褒(ホウ)章」⇩(本文)しょう【章】

［紹］セウ ❶人と人との仲をとりもつ。引き合わせる。「紹介」❷人のあとを受け継ぐ。「紹述」❸中国の地名。「紹興酒」

［訟］ 裁判に訴える。「訟廷・訴訟」

［勝］ ❶戦いにかつ。「勝敗・勝負・勝利・勝因・勝運・勝算・大勝・全勝」↕敗 ❷すぐれた(けしき)。「勝地・形勝・景勝・名勝」

［掌］シャウ ❶手のひら。たなごころ。「掌握・掌中・合掌・落掌」❷仕事として取り扱う。「職掌・車掌・分掌」

［晶］シャウ 〔もと、透明で光がある意〕水晶・方解石のような、その鉱物特有の形。「結晶」

［焼］セウ やく。やける。「焼却・焼香・燃焼・全焼・半焼・類焼」

［焦］セウ ❶こげる。こがす。「焦土・焦熱・焦眉(ビ)」❷いらいらする。「焦心・焦慮・焦躁(ソウ)」

［硝］セウ 硝酸カリウム。「硝石・硝薬・硝煙・煙硝」

［粧］シャウ 身なりを美しく飾り立てる。よそおう。「粧飾・化粧・美粧」

［装］シャウ 衣装を身にまとう。よそおう。「装束・衣装」

［証］ ⇩(本文)しょう【証】

［詔］セウ みことのり。「詔勅・詔書・大(タイ)詔」

［象］シャウ ❶目に見える物の形。現われた形。「印象・気象・現象・具象・天象・万象」❷何かを形に表わす。「象徴・象形文字」

［傷］シャウ ❶きず。「傷痍(イ)・傷病・死傷・負傷・重傷・打撲傷・擦過傷」❷きずつける。「傷害・殺傷・中傷」❸△つらい(悲しい)思いをする。「傷心・感傷・悲傷」

［奨］シャウ すすめ(て、やらせ)る。「奨学・奨励・推奨・勧奨・選奨・報奨」

［照］セウ ❶てる。てらす。「照射・照度・照明」❷太陽の光。かがやき。「残照・日照・反照・晩照」❸よく見比べる。「照応・照会・参照・対照」❹写真。「小照」

［詳］シャウ ❶くわしい。「詳細・詳密」❷くわしく調べる。「詳報・詳記・詳論」❸細かいところまで分かる。「不詳・未詳」

［〈頌〉］ 〔もと、君主の美徳・成功をほめた詩の意〕ほめたたえる。「頌歌・頌辞・頌徳」

［〈嘗〉］シャウ ❶なめる。味わう。「臥(ガ)薪嘗胆」❷その年に新しく収穫した穀物を神に供える祭り。「新嘗(ジョウ)会(エ)・新嘗(ジョウ)祭」

［彰］シャウ 〔もと、あきらかの意〕りっぱさが外に現われる(ようにする)。あらわす。「顕彰・表彰」

［精］シャウ ❶たましい。「精霊(リョウ)」❷雑念を払ってその事だけをする。「精進(ジン)・精舎(ジャ)」

［〈誦〉］ 書いた物を見ないで、その内容を△口に出す(高い声で言う)。「愛誦・吟誦・暗誦・口誦・朗誦」

［障］シャウ ❶じゃま(になるもの)。じゃまをする。「障壁・障害・支障・万障・故障・罪障」❷ふせぐ。へだてる。しきり。「障子(ジ)・保障」

［〈廠〉］シャウ ❶壁の無い建物。「廠舎」❷工場。「工廠・造兵廠」

［憧］ 理想の存在としてあこがれる。「憧憬(ショウケイ／ドウケイ)」

［〈漿〉］シャウ 〔もと、飲み物の意〕何かの中に含まれている水分。「漿果・血漿・脳漿」

［衝］ ❶強い勢いでぶつかる。「衝突・衝天・衝撃・衝動」❷衝突。「緩衝・折衝」⇩(本文)しょう【衝】

［賞］シャウ ❶ほめる。「賞讃(サン)・激賞・恩賞」❷美しさや、よさをよく味わう。「賞美・賞味・鑑賞」⇩(本文)しょう【賞】

［償］シャウ ❶つぐなう。「償金・償還・賠償・弁償・代償・補償」❷何かをした努力に報いる。「報償・無償」

［〈檣〉］シャウ 〔帆柱の意〕ヨットなどのマストをかぞえる語。

［礁］セウ 水面に出ていない岩。「岩礁・暗礁・座礁・環礁・漁礁・離礁」

［〈觴〉］シャウ さかずき。「濫(ラン)觴」

［鐘］ ❶銅製のたたきがね。「鐘鼓」❷つりがね。「鐘銘・時鐘・半鐘・晩鐘・梵(ボン)鐘」

ものの意〕❶折り本。〔かぞえる時にも使われる〕「―仕立てにする」❷「法帖」の略。〔固有名詞の下につけても用いられる。例、「秋萩(アキハギ)―」〕⇩【造語成分】

じょう[1]【城】(ジャウ) 大がかりなとりで。「―を構える／―の内」⇩【造語成分】

じょう[0]【情】(ジャウ) ❶何かを見たり聞いたりして起こる、心の動き。感情。「△懐旧(恩愛)の―／―のこわい(=我慢強く、他の意志や感情に動かされるところの少ない)人／―熱・至―・人―・非―」❷好き嫌い・快不快などの感情。「好悪(コウオ)の―／―操・―緒・表―」❸人間関係が深まるにつれて、高まってくる(ことが期待される)あたたかい感情。情愛。「―が移る／―が深い／―にもろい／―に厚い人／親子の―／―(=まごころ)のこもった贈り物／真―・同―・薄―」❹(特定の)相手を他人と思わなくなる気持。愛情。「―交・―事・―人・恋―・痴―」❺(経験した者のみに分か

る〕事実。「—を明かす/—状・—報・事—・実—・政—」【—を通じる】❶おおやけにできない間柄の者同士が愛しあう。❷敵に内情を漏らす。⇩【造語成分】せい

じょう①【場】〔もと、祭りの場 の意〕〔何かが行なわれている〕その場所。「威風—を圧する/称賛の声が—に満ちる/—内・工—・劇—・市—・入—・出—・登—・上—・退—・運動—・特売—⓪」⇩【造語成分】

じょう①【嬢】女の子。「—や/お—さん」〔未婚の女性の名の下につけたり また、その代名詞のようにして使ったりもする〕⇩【造語成分】

じょう⓪【錠】❶〔「鎖」の変化〕扉・戸・ふたなどに取りつけて、他人に開けられないようにするための金具。「—を△おろす(外す)/—をかける(=鍵をかけて、錠があかないようにする)/南京—・箱—・手—・施—」❷錠剤。〔かぞえる時にも使われる〕「舌下—③(=舌の下に入れて、粘膜から吸収させる錠剤)」かぞえ方 ❶は一本

じょう①《尉》〔能楽で〕白髪の、老人の男性。おきな。〔白い灰になった炭火の意にも用いられる〕⇩姥

じょう①【〈掾】浄瑠璃の太夫の芸名につける称号。〔その上に国名を冠して使う〕「少—①・大—①・竹本播磨—」

じょう①⓪【次葉】〔書物などで〕問題としているページの次のページ。↕前葉

じょう⓪【自用】自分の使用。自分用。

じょう⓪【滋養】栄養(となる食品)。「—強壮剤⓪」

しょうあい⓪【〈鍾愛】—する(他サ)〔「鍾」は、集める意〕〔理屈抜きで〕深くかわいがること。

じょうあい⓪ [一]【情合(い)】互いに通じ合う、こまやかな気持。「夫婦の—」[二]【情愛】親しい人に対する深い思いやりの気持。「—こまやかな」

しょうあく⓪【掌握】—する(他サ)〔手の中に握り持つ意〕支配権を完全に握って、自分の威令が行なわれるようにすること。「政権を—する/最近は部下を—出来ない上司が多くなった/権力—」

しょうあん⓪①【硝安】「硝酸アンモニウム」の略。

じょうあん⓪【浄暗】神事が行なわれる夜の、物音一つしない暗ヤミ。
表記「安」は、借字。

しょうい① [一]【小異】わずかな違い。「—を捨てて、大同に就く」[二]【少異】—する(自サ) 少し違うこと。

しょうい①【少尉】〔陸海空軍の〕最下級の尉官。

しょうい①【傷〈痍】〔「痍」も「傷」と同意〕「きず・けが」の意の漢語的表現。「—軍人④」

じょうい①【上衣】⇩うわぎ

じょうい①【上位】序列が高い(方にある)こと。他よりも上の方の△位(位置)。「—に立つ/—を占める/—互換性(=⇩互換性)」⇩中位・下位

じょうい①【上意】↕下意 ❶主君の命令・お考え。「ご—②」❷上に立つ人や政府の考え。「—下達」

じょうい①【情意】〔知と違って〕感情と意志。〔狭義では、感情を指す。例、「—形容詞」〕 **—とうごう**①-⓪【—投合】—する(自サ) お互いの気持がぴったり合うこと。

じょうい①【〈攘夷〉】〔「攘」は、排斥の意〕〔幕末に〕開国・通商を求める外国人を侵入者と考え、追い払おうとしたこと。「—論③・尊王—」

じょうい①【譲位】—する(自サ) (君主が)その地位を譲ること。「—を迫る」

じょういき⓪【浄域】神社・寺院の境内など、けがれがあってはいけない、神聖な地域。

しょういだん③【焼〈夷弾】〔「夷」は、皆殺しの意〕高熱を出して燃える薬剤を装置した爆弾。空中から投下して、あたりを焼き払うのに使う。

しょういん⓪【小引】「(短い)序文」の意の漢語的表現。

しょういん⓪【承引】—する(他サ) 「承諾」の意の古風な表現。「御寮人様にも同じ御ォ誘いを試みたところ、早速、御—」

じょう

[上] [一]❶うえ。「上下・上方・上甲板・上半身・頂上」❷その場所(で)。「路上・途上・史上・紙上・席上」❸関係する範囲を表わす語。…の点で。「一身上の理由/教育上ゆゆしき問題/都合上(=都合(がよくないの)で)」[二]❶外観がいい。「上々・上品」❷順序が前のもの。〔狭義では、二つまたは三つのうちの第一のものを指す〕「上巻・上述・上代・上旬」❸序列が先の方。〔狭義では、最高位(の人)を指す〕「上位・上官・上座・上司」[三]❶あがる。あげる。「上昇・上棟式」❷乗る。「上船・上車」❸公衆の面前に出して、見てもらう。「上演・上映」❹上級の裁判所に提出する。「上訴・上告」❺たてまつる。「上書・進上・返上・献上・奉上」❻△中央の(緯度の高い)地へ行く。「上京・上洛・北上・東上」[四](略) ❶〔漢字音の〕上声。「平上去入」❷上野国。「上州」⇩(本文)じょう【上】

[丈] ❶成年男子の身長。「丈夫」❷長老の称。〔歌舞伎俳優の芸名の下につけて敬称としても用いられる。例、「菊五郎丈」〕「岳丈(=妻の父)」❸尺貫法における長さの単位で、十尺(=約三・〇三メートル)を表わす。「丈余・丈六・方丈」❹しっかりしている。「丈夫・頑丈・気丈」

[冗] 長すぎて、退屈する。「冗長・冗漫」⇩(本文)じょう【冗】

[成] ❶なる。実現する。「成仏」❷なす。作り上げる。「成就」⇩せい

[条] ❶小枝。「枝条・柳条」❷細い筋になって見えるもの。〔帯・杖・弦・道・線路・噴水・滝・砂煙や蛇などをかぞえる語〕「一条の雨/涙数条:条理・教条・信条」❸東西の町筋。「九条」⇩(本文)じょう【条】

[〈杖] つえ。「杖刑・戒杖・錫杖・禅杖・鉄杖・白杖」

[状] ❶文書。「賞状・免状・公開状」❷形。かっこう。「形状・帯状・液状・球状・棒状・粒状・粉状」❸実際の様子。「状態・罪状・行状」⇩(本文)じょう【状】

[定] ❶きまった。「定石・定紋」❷さだめる。「一定・勅定・評定・約定・必定」⇩(本文)じょう【定】

[〈帖] [一]❶屏風・楯・幕などをかぞえる語。〔幕は、二張りが一帖〕❷海苔・紙などを何枚ずつかまとめてかぞえる語。〔海苔は十枚、美濃紙は四十八枚、半紙は二十枚、西洋紙は十二枚が一帖〕[二]俗に、「畳」の代用字。「四帖半」⇩(本文)じょう【帖】

[乗] ❶のる。のせる。「乗車・乗船・乗馬・乗員・乗客・陪乗」❷のりもの。〔車をかぞえる時にも用いられる。例、「万乗」〕「下乗」❸歴史書。「史乗・野乗

乗〔=野史〕」 ❹掛け算をする。「乗法・二乗・三乗・加減乗除・連乗・階乗」

【城】 [一]❶しろ。「城壁❷・城塞・城郭・城主・城兵・牙城・居城・古城・本城・落城・金城鉄壁」 ❷みやこ。「王城❷・宮城・都城・不夜城・城壁❷」 [二](略) 山城国。「城市・城州」 ⇩(本文)じょう【城】

【浄】 にごり・けがれが無くて、きれい。「浄土・浄財・浄書・清浄・不浄」

【《娘】 むすめ。「娘子軍」

【剰】 ありあまる。「剰余・過剰・余剰」

【常】 [一]❶ふだん。つね(に)。「常温・常軌・常習・常備・常用・恒常・日常・非常・平常」 ❷常勤の。「常雇い・非常勤」 ❸特に変わったところが無い。普通。「常人・常識・尋常・通常・異常」 ❹日常守るべき道徳。「五常」 [二](略) 常陸国。「常州・常磐・常総」

【情】 ⇩(本文)じょう【情】

【盛】 さかん(な)。「繁盛」 ⇩せい

【場】 演劇の一場面。「一場の夢」 ⇩(本文)じょう【場】

【畳】 ❶重ねる。重なる。「畳語・重畳」 ❷たたみ。〔かぞえる時にも用いられる。例、「六畳・四畳半」〕 表記 ❷は、「〈帖」とも書く。

【蒸】 ❶熱気が立ちこめる。熱せられた水が気体となって上る。「蒸気・蒸発・蒸留・蒸溜」 ❷むす。「燻蒸」

【静】 しずか。「静脈・寂静」 ⇩(本文)せい【静】

【縄】 ❶なわ。「縄文・捕縄・結縄・自縄自縛」 ❷大工が使う、すみなわ。「準縄」

【壌】 ❶耕作に適する土。「土壌・沃壌」 ❷大地。「天壌・霄壌」

【嬢】 ❶未婚の女性。〔名前の下につけて敬称としても用いられる〕「愛嬢・令嬢・老嬢」 ❷その職についている女性であることを表わす。「案内嬢・鶯嬢」 ⇩(本文)じょう【嬢】

【錠】 ⇩(本文)じょう【錠】

【〈擾】 入りみだれる。「擾乱・騒擾・紛擾」

【譲】 ❶主張をゆずる。行動をひかえめにする。「譲歩・委譲・謙譲」 ❷物・権利をゆずる。「譲位・譲渡・譲与」

【醸】 酒をつくる。かもす。「醸造・醸成・吟醸」

しょういん[0]【松韻】 「松に吹く風の音」の意の古風な表現。松籟。

しょういん[0]【勝因】 △勝つ(勝った)原因。↔敗因

しょういん[0]【証印】—する(自サ) 証明の印(を押すこと)。

じょういん[0]【上院】 〔二院制の議会で〕特権階級の代表者や(公選された)地域の代表者によって構成される議会。〔日本のかつての貴族院に相当する〕 ↔下院

じょういん[0] [一]【冗員】 (役所の)むだな人員。 [二]【剰員】 その組織で余分な人員。

じょういん[0]【乗員】 ❶その船・航空機・列車などに乗務する人。乗務員。 ❷「乗客」の意の漢語的表現。〔広義では、「乗員❶」をも含む〕

しょうう[1] [一]【小雨】 「こさめ」の漢語的表現。「—決行〔=こさめの時は決行する〕」 [二]【少雨】 降雨量が少ないこと。〔「寡雨[1]」の改称〕 ↔多雨

じょううち[0]【常打(ち)】 いつも決まった所で興行すること。「—館[4]・—小屋[0]」

しょううちゅう[3]【小宇宙】 宇宙を小規模にして表わしたようなまとまりを有する△もの(世界)。ミクロコスモス。例、人間など。 ↔大宇宙

しょううん[0]【商運】 商売の上での運。「—に恵まれる」

しょううん[0]【勝運】 勝ちに恵まれる運(命)。「—に見放される」

じょうえ[1][0]【浄《衣】 ❶△白布(白絹)の狩衣。 ❷僧が、祈禱などをする時に着た、白い衣服。 [かぞえ方] ❶❷とも一着

しょうえい[0]【照影】 〔映った影 の意〕絵画や写真による肖像。

じょうえい[0]【上映】—する(他サ) 映画を映写して客に見せること。「—時間」

しょうえき[1]【〈漿液】 動植物の体内にある、透明な液。しる。 ↔粘液

じょうえつ[0]【上越】 〔上州・越後の略〕群馬県と新潟県(の境目あたり)。「—の山やま」

しょうエネ[0]【省エネ】 〔←省エネルギー[4]〕 エネルギー資源が不足するのを防ぐため、石油・電力・ガスなどの使用を節約すること。〔転じて、むだな労力をはぶく意にも用いられる〕

しょうえん[0]【小宴】 小人数の(簡単な)酒宴。〔自分が主催する宴会を謙遜して言うのにも用いられる〕「—をもうける」

しょうえん[0]【招宴】 ❶招待して開く宴会。「—を催す」 ❷—する(他サ) 宴会に招待すること。

しょうえん[0]【《荘園】 奈良時代から室町時代にかけて、貴族・社寺が私有した土地。 表記 「〈庄園」とも書いた。

しょうえん[0]【消炎】 炎症を除き去ること。「—剤[0][3]・—薬[3]」

しょうえん[0]【硝煙】 火薬△の(が発火する時に出る)煙。「—反応[5]」 **—だんう**[5]【—弾雨】 火薬のにおいがあたりに漂い、敵・味方の弾丸が降る雨のように戦場を飛び交う、近代戦の情景。

＊**じょうえん**[0]【上演】—する(他サ)〈なにヲ—する〉 劇を舞台で演じて客に見せること。

じょうえん[0]【情炎】 止めど無く燃え上がる欲情。

しょうおう[0]【照応】—する(自サ) 一つの物△と他の物と(の前後の部分)が相互に関連し、うまく対応していること。「首尾—[1]-[0]」

しょうおう[3][1]【〈蕉翁】 松尾芭蕉の敬称。

しょうおく[0]【小屋】 小さな家。〔自宅を謙遜して言うのに用いることが多い〕

しょうおん[0]【消音】 ❶内燃機関の爆音や機械・ピストルなどの音を出さないようにすること。「—装置[5]」 ❷外部からの雑音を消したり、そこで出す音が外に聞こえないようにすること。「—室[3]」

じょうおん[0]【常温】 ❶特別熱したり 冷やしたりしない、自然のままの温度。〔化学では、一般にセ氏二〇度プ

ラスマイナス五度の範囲」㊁その△場所で（物として）の一定の温度。〔狭義では、一年間の平均の温度を指す〕

しょうか①【上下】㊀「身分のじょうげ」の意の古風な表現。〔狭義では、統治者と人民を指す〕「―心を一（ツイ）にして」㊁⇨じょうげ㊃ ㊂―する（自サ）意見や言葉をやりとりすること。「議論を―する」

しょうか①【小火】被害の少ない小規模の火事。ぼや。↔大火

しょうか①【小過】取るに足りないあやまち。↔大過

しょうか⓪①【小暇】忙しい日常生活の中に生じた、わずかなひま。「―を利用しての観劇」

しょうか⓪【昇華】―する（自他サ）㊀△固体から直接に気体（気体から直接に固体）となる現象。㊁ある混沌（トン）の状態から純粋なものに高めること。また、高まること。「古典的な美に―される」

しょうか①【将家】代々の武将の家柄。「―に生まれる」

****しょうか**⓪【消化】―する（自他サ）〈なにヲ―する〉㊀（動物が）食べた物を胃で溶かし、腸の働きを通じ、細胞が吸収しやすい状態に変化させること。こなすこと。「―（＝こなれ）の悪い食べ物／―力③」㊁取り入れた知識や習俗の持つ意味を完全に理解して、身についたものとすること。〔△商品を値崩れさせないで（仕事を余す所無く）処理することをも指す〕「未―の知識」 ―えき③【―液】唾（ダ）液・胆汁など消化作用を営む体液。アミラーゼ・ペプシン・リパーゼなどの酵素を含む。 ―き③【―器】〔↑消化器官⑤④〕食物を摂取・消化・吸収する作用を営む器官。口・咽頭（イントウ）・食道・胃・腸など。 ―せん⓪【―腺】消化器に付属し、消化液を分泌する腺。脊椎（セキツイ）動物では、肝臓・膵（スイ）臓が主。 ―ふりょう④【―不良】㊀食べ物が堅過ぎたり体力が衰えていたりして、消化が十分に行なわれないこと。㊁取り入れる対象が難しかったり受け入れる側の能力が貧困であったりして、そのものが十分に△理解（会得）出来ないこと。

しょうか⓪【消火】―する（自他サ）㊀燃えている火を消すこと。㊁火災を消すこと。また、火事が消えること。「―剤③⓪」 ―き③【―器】消火剤の入った円筒形の器具。持ち運びが出来、火災発生の初期に、中の消火剤を撒布（サンプ）すると、効果がある。 ―せん⓪【―栓】消火用の水道栓。かぞえ方 一本

しょうか⓪【消夏・〈銷夏】〔「銷」は、消す・無くすの意〕暑さをしのぐこと。暑さよけ⓪。「―法⓪」 表記 「消」は、代用字。

しょうか①【商科】大学の、商業に関する学科。商学部④③。「―大学④」

しょうか①【商家】㊀商人の家柄。「―の生まれ」㊁商店。かぞえ方 ㊁は一軒

しょうか①【唱歌】一時代前の小学校の教科の一つで、オルガン・ピアノなどに合わせて歌を歌ったこと。また、そのための歌曲。

しょうか①【〈娼家】娼婦をかかえ、客を遊ばせる家。

しょうか①【証歌】茶道具や香木の銘をつけるにあたり、根拠として引用する和歌。

しょうか①【〈頌歌】神仏・君主の徳や英雄の功績などをほめたたえる歌。

しょうか①【〈漿果】液果。↔堅果

しょうが①【小我】個人的な欲望や迷いにとらわれた、自己。↔大我

しょうが⓪【生〈姜】畑に作る多年草。横に伸びる根は、辛みが強く、日本料理には不可欠。ジンジャー。〔ショウガ科〕「筆―③・新―③・ひね―③」 表記 「生〈薑」とも書く。かぞえ方 一片・一本。小売の単位は一束・一把（イチワ）・一袋

じょうか①【条下】〔法律書や辞書などの〕その項目に該当する部分。

じょうか①【城下】諸侯・大名の居城のある市街（のそば）。「―の盟（チカイ）」（＝敵に首都まで攻め込まれてする、屈辱的な降伏の約束）」 ―まち③【―町】諸侯・大名の居城を中心として発達した町。

じょうか①⓪【浄化】―する（他サ）△清浄（きれい）にすること。「環境を―する／―装置④・政界―」 ―そう③【―槽】〔↑屎尿（シニョウ）浄化槽〕〔下水道の無い地域で水洗便所を使用する場合〕汚水を浄化して河川などに放出するための装置。

じょうか①【浄火】神前にささげる、けがれの無い火。神聖な火。

じょうか①【情火】燃え上がって、抑えることの出来ない情欲。

しょうかい⓪【〈哨戒】―する（自他サ）〔「哨」は、物見・番兵の意〕飛行機や船で敵襲を警戒すること。「―機③・―艇⓪」

****しょうかい**⓪【商会】商店の称号。「山本―」

****しょうかい**⓪【紹介】―する（他サ）Ⓐ〈だれニだれ・なにヲ―する〉〔「紹」は、つなぐ・取り持つの意〕未知の人同士を引き合わせること。「会社の同僚に妻を―する／―状⓪・自己―」Ⓑ〈だれニなにヲ―する〉一般には知られていないものの内容を解説して人びとに知らせること。「海外文学の―」

しょうかい⓪【詳解】―する（他サ）通説・通行本よりも詳しい解釈（を建前とすること）。〔古典の注釈書の名に多く用いられる〕↔略解

しょうかい⓪【照会】―する（他サ）不明な点を問い合わせ（て、確かめ）ること。

しょうがい①【生害】―する（自他サ）「殺害・自害」の意の古風な表現。

しょうがい①【生涯】その人が（社会人として）生きている間。〔副詞としても用いられる。例、「―〔＝死ぬまで〕独身で通す」〕「―をささげる／―にわたる／△数奇（スウキ）（七十年）の―を終える／―（＝生きている間）の思い出として／公―③〔＝公人としての一時期〕」 ―がくしゅう⑤【―学習】学校卒業後も生涯継続して行なわれる学習。具体的には、職業上の必要や新時代に適応するための知識・技能の習得やレジャー活用のための学習などを指す。

しょうがい⓪【渉外】△外部（外国）と交渉したり連絡したりすること。「―係⑤」

しょうがい⓪【傷害】―する（他サ）㊀事故や災害にあったりして、けがをすること。㊁人を傷つけること。「―を負わせる／―罪③」 ―ちし⑤【―致死】殺意は無かったが、結果として死なせたこと。「―罪⑥」 ―ほけん⑤【―保険】けがなどで肉体に傷害を受けた場合に、一定金額の支払いを受けることが出来る保険。

***しょうがい**⓪【障害】㊀物事を予定通り進める上で邪魔になるもの。「重大な―にぶつかる／―になる／―を△除く（乗り越える）」㊁身体の一部に正常に機能しないところがあること。「身体―者・胃腸―④・意識―④・視覚―・言語―」㊂ハードル。㊃〔↑障害走③・障害競走⑤〕〔陸上競技や競馬で〕定められた距離の途中に障害物を置き、それを飛び越して走る競走。「―レース⑤・―物競走⑦」 表記 もとの用字は、「障〈碍」。「障」も「碍」もさしつかえる意。「障害」は幕末から。「障〈礙」とも書く。

じょうかい⓪【上階】〔高層建築で〕その階より上の

階。↕下階

じょうかい [0]【常会】（国会の）定期の集会。定例会議[5]。

じょうかい [0]【情懐】心の中でじっと暖められている（さまざまの）思い。

じょうがい [1]【場外】その催し物が行なわれている△場所（会場）のそと。「―にあふれ出た観衆／―ホームラン[7]」↕場内

しょうかいは [3]【小会派】小人数の団体や党派。

しょうかく [0]【昇格】―する（自サ） 格式・階級や資格・成績が上がること。「―試験・―人事・―運動[5]（＝…を昇格させるための運動）」↕降格

しょうがく [0]【小学】❶〔中国で〕文字・音韻に関する△研究（方面）。❷「小学校」の略。 **―せい** [3]【―生】小学校に学ぶ子供。児童。

しょうがく [0]【小額】■一【小額】小さい単位の金額。「―紙幣[5]」↕高額 ■二【少額】少ない金額。↕多額

しょうがく [0]【正覚】〔仏教で〕妄想を断ち切って得られる、最高の悟り。 **―ぼう** [4]【―坊】アオウミガメの異称。〔俗に、大酒飲みの意にも用いられる〕

しょうがく [0]【商学】商業に関する学問。「―士[3]・―博士[5]」

しょうがく [0]【奨学】❶学術研究を助けること。「―資金[5]」❷学業の継続を援助すること。「―生[3]」 **―きん** [0]【―金】学業継続のために△貸与（支給）する補助金や助成金。

じょうかく [0]【城郭・城〈廓】〔幾重にも外囲いを作った〕城。「天然の―（＝要害）／―を構える（＝警戒して、寄せつけない態度をとる）」[表記]「城〈墎」とも書く。

じょうかく [0]【城閣】城の物見。

しょうがくせつ [3]【小楽節】⇩楽節

しょうかち [0][1]【消《渇】〔漢方で〕のどが かわき小便が通じないという病気。〔古くは、女性の淋病の意にも用いられた〕

しょうがつ [4]【正月】❶一年の第一の月。〔副詞的にも用いられ、アクセントは[0]。雅名は、むつき〕❷年の初めの祝いをする期間。〔普通、「松の内」を指す〕「（お）―の晴れ着／―気分[5]／目の―（＝きれいな物を見て楽しむこと。同様においしい物を食べて、また、おもしろい話を聞いて楽しむことを、それぞれ『舌の―』『耳の―』という）」

しょうがっこう [3]【小学校】義務教育として初めの六年間の課程を教育する学校。[かぞえ方] 一校

しょうがない [4]（形）〔「仕様が無い」の変化〕これといった対処の方法がなく、困り果てる様子だ。「事ここにいたっては今さらじたばたしても―／年を取ったせいか疲れて―／あの男は△怠け者（飲んべ）で―」[文法] 助動詞「そうだ（様態）」に続くときは「しょうがなさそうだ」の形になる。また「すぎる」と結びついて複合動詞をつくるときは「しょうがなさすぎる」の形になる。

しょうかん 【小官】■一[0] 地位の低い官（吏）。↕大官 ■二[1]（代） 官吏が自分を謙遜して呼ぶ言い方。

しょうかん [0]【小寒】二十四（節）気の一つ。太陽暦一月六日ごろ。この日 寒に入り、寒さがきびしさを加える。〔「寒の入り」から「明け」までの三十日間の前半をも指す〕

しょうかん [0]【小閑】「わずかのひま」の意の漢語的表現。[表記]「少閑」とも書く。

しょうかん [0]【召喚・召還】―する（他サ） ■一【召喚】裁判所が特定の個人を一定の場所へ呼び出すこと。よびだし。「―状[0][3]」 ■二【召還】派遣した人を呼びもどすこと。「大使を―する」

しょうかん [0]【昇官】―する（自他サ） 官吏の等級△をあげる（があがる）こと。

しょうかん [0]【将官】陸海空軍の将校を、大きく三つに分けた中の最上級のもの。佐官の上。

しょうかん [0]【消閑】「ひまつぶし」の意の漢語的表現。「―の具」

しょうかん [0]【商館】外国商人の営業所。〔主として、江戸時代の言い方〕「オランダ―[5]」

しょうかん [0]【傷寒】「チフスなどの激しい熱病」の意の漢語的表現。

しょうかん [0]【償還】―する（他サ） 借りた金・公債を返すこと。「負債の―／―期限[5]」

しょうがん [0]【賞〈翫・賞玩】―する（他サ） ❶そのよさを認めて△大事に（珍重）すること。❷おいしいといって食べること。〔古語では「しょうかん」〕

じょうかん [0]【上官】〔その人から見て〕上級の官。うわやく。↕下僚 ⇩上司

じょうかん [0]【上〈浣】「上旬」の意の古風な表現。〔「浣」は洗う意。昔、中国の官吏は常直し、十日に一度帰宅して洗濯したりして休養したので十日間を「浣」と言った〕⇩下浣 [表記]「上〈澣」とも書く。

じょうかん [0]【上〈燗】ちょうどいい、酒の燗。

じょうかん [0]【冗官】むだな△官職（役人）。[表記]「剰官」とも書く。

じょうかん [0]【乗艦】―する（自サ） 軍艦に乗りこむこと。また、乗りこんだ軍艦。

じょうかん [0]【城館】中世、地方に住んだ豪族が居宅用に構えた大邸宅。

じょうかん [0]【情感】そのもの全体に漂う情緒的なもので、接する人を感動させないではおかないようなしみじみとしたよさ。「△日本人的な（豊かな・みずみずしい）―／―（＝感情）たっぷりに朗読する」

しょうかんしゅう [3]【商慣習】商業取引上の慣習。

しょうかんのん [3]【《聖観音】〔←聖観世音〕〔千手観音・馬頭観音・如意輪観音などと違って〕最も普通の観音。[表記]「正観音」とも書く。[かぞえ方] 一尊

じょうかんぱん [3]【上甲板】船・軍艦などの、一番上にある甲板。

しょうき [1]【小器】度量・人物の小さい△こと（人）。↕大器

しょうき [0][1]【正気】❶正常な精神状態。「そんな事をするとはとても―の沙汰とは思えない」↕狂気 ❷正常な感覚・意識。「―に返る／―を失う／―づく[4]」

しょうき [1]【匠気】芸術家や学者が大衆をあっと言わせることをねらってする くふうや自己顕示欲。

しょうき [1]【抄記】―する（他サ） 抜き書き△すること（したもの）。

しょうき [1]【省記】―する（他サ） 記述を簡略化すること。また、その記述。

しょうき [1]【将器】大将となるべき、りっぱな才能・人物。

しょうき [1]【笑気】「一酸化二窒素[7]」の異称。吸入すると、顔の筋肉をけいれんさせるので、この称がある。吸入麻酔用。〔化学式 N_2O〕「―ガス[4]」

しょうき [1]【商機】商人が取引の上で金もうけをする、いい機会。「―を逸する」

しょうき [1]【勝機】勝てるチャンス。「―をつかむ」

しょうき[1][0]【詳記】―する（他サ） 詳しく書きしるすこと。また、詳しい記録。↕略記

しょうき[1]【〈瘴気〉】 かつて、ひどい風土病を起こさせると恐れられた、熱帯地域特有の湿気と暑さ。「むせかえる夏草の―」

しょうき[1]【〈鍾馗〉】 魔除ヨけの意味で、端午タンゴの節句に飾る人形。黒装束で、抜剣を持ち、あごひげが濃い。〔もと、中国では貧乏神を追い払うという神〕

しょうぎ[0]【床〈几〉】〔「几」は、もと「脇息キョウソク」の意〕昔、陣中・狩場などで使った、折りたたみ式の腰掛け。表記「床机」とも書く。かぞえ方 一台

しょうぎ[1]【省議】 その省内の統一意見(を決定するための幹部間の会議)。

しょうぎ[0]【将棋】 八十一区画を設けた盤に向かいあって二十ずつの駒コマで陣を構え、一手ずつ駒を動かして敵陣の王を詰めるゲーム。「―を指す/―指し[3]・―盤[0]・詰め―・はさみ―・飛び―」表記 もとの表記は、「将戯・象棋」。 **―だおし**[4]【―倒（し）】〔立てた将棋の駒を少しずつ間を置いて前後に並べ、一端の駒の上部を押すことによって次つぎに駒が倒れていくところから〕混雑している所で一人が倒れたために、あおりを食っておおぜいの人が折り重なって倒れること。

しょうぎ[1]【商議】―する（他サ）〔「商」は、はかる意〕「重要事項について関係者の間で評議すること」の意の古風な表現。 **―いん**[3]【―員】 研究所・財団法人・取引所などの諮問機関のメンバー。重要議案の決議にあずかる。

しょうぎ[1]【〈娼妓〉】 もと、公認の売春婦。公娼。

しょうぎ[1]【勝義】〔仏教で、最高の真理 の意〕〔転義や比喩的用法でなく〕その言葉の持つ、本質的な意味・用法。

じょうき[1][0]【上気】―する（自サ） 頭に血がのぼったような感じになり、ぼんやりとした状態になる。「―した顔」

じょうき[1]【上記】―する（自サ） 前に書きしるしてある△こと（文句）。↕下記

じょうき[1]【条規】 △条文（法令）の規定。

じょうき[1]【乗機】 その人が乗り△込む（込んでいる）航空機。

じょうき[1]【浄机】（ちりなどなく）きれいに片づけられた机。「明窓メイソウ―〔=さっぱりとして落ち着いた書斎〕」表記「浄〈几〉」とも書く。

じょうき[1]【常軌】 普通の（人の）やり方。「―を逸する〔=普通でない事をする〕」

じょうき[1]【蒸気】❶液体が蒸発して気体となったもの。〔ドライアイス・しょうのうなどの固体についても言う〕❷水蒸気。「―機関車[5]・―圧[3]」❸「小型の蒸気船」の意の古風な表現。「ぽんぽん―・陸オカ―〔=汽車〕」 **―せん**[0]【―船】 蒸気機関の動力で運転する船。汽船。かぞえ方 一艘ソウ・一隻セキ・一杯

***じょうぎ**[1]【定規】❶直線を引いたりなどするためにあてがう用具。〔広義では、曲線をえがく「雲形定規」をも含む〕「三角―[5]・T字―」❷物事を判断する規準。「杓子シャクシ―〔⇩杓子定規〕」表記「定木」とも書く。かぞえ方 ❶は一本

じょうぎ[1]【情宜・情〈誼・情義〉】 いつも誠意をもって知人・師弟などとつきあおうとする気持。

じょうきげん[3]【上機嫌】―に（な）〔表情や態度に現われた〕機嫌が非常にいい様子。↕不機嫌

しょうきち[0]【小吉】❶小さなしあわせ。❷〔占いで〕縁起のよい事が少しあること。

じょうきどう[3]【上気道】 人間の息の通路のうち、気管支・喉頭コウトウ・咽頭イントウ・鼻腔ビコウなど。

しょうきゃく[0]【正客】 何人かの客のうちで、正座ショウザにすえるべき客。主賓。〔狭義では、茶会での主賓を指す〕⇩御詰オツメ

しょうきゃく[0]【消却・〈銷却〉】―する（他サ）〔消してしまう意〕❶莫大バクな△量（額）を使うこと。❷「返却」の意の古風な表現。

しょうきゃく[0]【焼却】―する（他サ）「不要な物を焼いてしまうこと」の意の漢語的表現。「―消毒[5]・―炉[4]」

しょうきゃく[0]【償却】―する（他サ）❶（すっかり）借金などを返すこと。「―期間[5]・買入れ―[5]〔=その会社が、自分の発行した株式を買い入れて、失効の手続きを行なうこと〕」❷「減価償却」の略。

じょうきゃく[0]【上客】❶その会場で、上座にすえるべき客。❷その店にとって、（たくさん）高額の品を買ってくれるような、大事な客。上得意。

じょうきゃく[0]【乗客】 乗り物に△乗る（乗っている）客。

じょうきゃく[0]【常客】 いつも来る客。「じょうかく」とも。

しょうきゅう[0]【昇級】―する（自サ）❶【昇級】 等級が上がること。「―試験[5][6]」↕降級 ❷【昇給】 給料が上がること。「―をストップする/定期―」↕降給

じょうきゅう[0]【上級】 △上の（すぐれた）等級。「―生[3]」⇩中級・下級：初級・中級

しょうきゅうし[3]【小休止】―する（自サ） 少しの間、休むこと。小休[0]。

しょうきょ[1]【消去】―する（自他サ）〔△必要（関係）の無いものを〕消し去ること。また、消え去ること。「―法[0]」

しょうきょう[0]【商況】 取引が盛んであるかどうかの状況。

***しょうぎょう**[1]【商業】 自分で作ったり仕入れたりした商品をその原価に もうけを見込んだ値段を付けて売り、差額として得た利益を基本収入とする事業。あきない。「―主義[5]・―放送[5]〔=民間放送〕・―新聞[5]・―都市[5]」⇩農業・工業 **―ぎんこう**[5]【―銀行】 △個人（企業）から受け入れた預金を資金として△短期の投資（融資）などを行なう、最も普通の銀行。 **―どうとく**[5]【―道徳】 営利を追求しながらもなおかつ良識ある人間としてそれだけは守ることを要求される行為規準。

じょうきょう[0]【上京】―する（自サ）〔もと、地方から京都へ行く意〕東京へ行くこと。出京。↕離京

****じょうきょう**[0]【状況・情況】 時間の経過するに従って変化していくものとしてとらえられる、その場や地域の様子や、それによって影響される、そこに身を置く人の条件。「与野党の勢力が逆転し新たな政治的―が生じる/―を踏まえた対策を練る/絶望的な―に立たされる/―判断〔=局面の分析〕を誤る/―に応じて柔軟に対応する」 **―しゅぎ**[5]【―主義】 原理・原則を立て通すのではなく、その場その場の状況において身の振り方・行動を決めていく主義。日和見ヒヨリミ主義。 **―しょうこ**[5]【―証拠】 事実の有り無しを間接的に立証する証拠の称。表記 法律では、「情況証拠」と書く。

じょうきょう[0]【常況】 ふだんそういう状態であること。「心神喪失の―にある」

しょうきょうと[3]【小京都】 京都の市街に似た、古い町並や景色・風情などが残る町。「北陸の―、金沢」

しょうきょく[0]【小曲】 短い楽曲。↕大曲

***しょうきょく**[0]【消極】〔もと「陰極」の意〕自分から

進んで働きかけたり 改めたりはしないこと。「—姿勢を一擲する／—性[0]」↕積極 [派]—さ[0] —てき[0]【—的】—な —に ↕積極的 ❶失敗を恐れ、控えめを主義とする様子だ。「—な態度」❷明るさや躍動が見られず、どちらかというと陰湿な様子だ。

しょうきょく[0]【勝局】〔碁・将棋の〕勝った勝負。↕敗局

じょうきょく[0]【浄曲】「浄瑠璃」の別称。

しょうきん[0]【正金】正貨。〔俗に、現金の意でも用いられる。例、「—（即時）払い」〕

しょうきん[0] ❶【奨金】何かの奨励のために与えられるお金。奨励金[0]。❷【賞金】何かの賞として与えられる金銭。「—を獲得する」

しょうきん[0]【償金】他人・外国に与えた損害のつぐないとして払われる金銭。賠償金。

じょうきん[0]【常勤】—する（自サ）原則として定められた業務時間中は常にその職務についていることが義務づけられていること。「—職員[6][5]」↕非常勤

しょうきんるい[3]【渉〈禽類】水辺にすみ、浅い水中を歩き回って、えさを求める鳥類。くちばし・首・足が長い。例、ツル・サギなど。

しょうく[1]【承句】〔漢詩で〕絶句などの第二句。⇩起句・転句・結句

しょうく[1]【章句】文章の段落と区切り(ごとに、その古典の大意を明らかにすること)。「中庸—」

じょうく[1][0]【冗句】❶余計な繰り返しや形容の言葉。❷おどけた文句。〔❷は、joke の音訳〕

じょうぐ[1]【乗具】乗馬の用具。鞍・手綱など。

じょうくう[0]【上空】❶空(の高い所)。❷〔その地点の〕上方の空。

しょうくうとう[0]【照空灯】夜、飛行中の航空機を照らし出すためのサーチライト。[かぞえ方] 一基：照明は一灯

しょうぐん[0]【将軍】Ⓐ全軍を指揮し率いる司令官。また、陸海軍の将官、特に大将を指す。「—自ら最前線に立つ／乃木—・冬—」Ⓑ征夷大将軍の略。「最後の—徳川慶喜」 —け[3][0]【—家】❶征夷大将軍(の家柄)。❷〔朝廷を公家と言うのに対して〕幕府の称。

しょうげ[1]【障〈碍】「障害」の意の古風な漢語的表現。[表記] 本来の用字は、「障〈礙」。

じょうげ[1]【上下】❶かみとしも。うえとした。〔狭義では、裃や、上着とズボンのように上下でそろいになったものを指す。後者の対義語は「三つぞろい」〕❷身分・階級などの高いものと低いもの。「—の別／—関係[4]」❸のぼりとくだり。「—線共に不通」❹—する（自サ）あがったりさがったりすること。「胸が大きく—する／関脇と平幕の間を—する／物価の—」⇩しょうか(上下) —どう[3]【—動】上下に揺れる△震動(こと)。震源に近い地震の時に感じる。↕水平動

しょうけい[0]【小径】〔山や庭などの〕細いみち。こみち。[表記]「小〈逕」とも書く。[かぞえ方] 一本

しょうけい[0]【小計】—する（他サ）〔三つ以上に分かれているものの〕数量を合計する中間段階として、一部分のものを合わせた数量を求めること。また、その結果。↕総計

しょうけい[0]【小景】△小さな(ちょっとした)風景画。

しょうけい[0]【少憩・小憩】—する（自サ）ちょっと休むこと。

しょうけい[0]【承継】—する（他サ）「跡を継ぐ」意の古風な表現。〔現在では主に法律用語として用いられる〕

しょうけい[0]【〈捷径】「近道」の意の漢語的表現。〔てっとりばやい方法の意にも用いられる〕

しょうけい[0]【勝景】すぐれた、いい景色。

しょうけい[0]【象形】〔物の形に似せて作る意〕漢字の構成法の一つ。物の形をかたどった漢字。例、山・月・鳥・魚など。⇩六書 —もじ[5]【—文字】表意文字の一つ。物の形をかたどった文字。一字で一単語を表わす。例、エジプトの古代文字や、漢字のうち象形によるもの。絵画文字[4]。

しょうけい[0]【憧憬】—する（自他サ）あこがれること。

じょうけい[0]【上掲】—する（他サ）〔紙面や本で〕その場所より△上に掲げた(前に出した)こと。「—した事例からも分かるように／—の写真」

*__じょうけい__[0]【情景・状景】それを見たりその様子を思い浮かべたりする人の心に、何かを訴えるところのある場面。

じょうけい[0]【場景】〔劇などで〕(接する人に何らかの印象を残すような)その場面の様子。

しょうげき[0]【笑劇】見物人を笑わせ楽しませることを目的とする、こっけいな劇。ファース。

しょうげき[0]【衝撃】❶突然の、激しい打撃。❷強い刺激によって受ける心理的動揺。「深刻な—を与える／—から立ち直る／—的な事件」❸〔物理で〕急に物体に加えられた力。 —は[4][3]【—波】〔↑圧縮衝撃波[8][7]〕流体中に生じた急激な圧力変化が超音速で伝わる現象。超音速で弾丸・航空機が飛ぶ場合や、爆発時に聞かれる。ジェット機の速度が急にゆるくなった時に翼が激しく振動するのも、同一現象。

しょうけつ[0]【〈猖〈獗】—する（自サ）〔手がつけられないほど荒れ狂う意〕その社会(生活)にとって歓迎すべからざるもの、たとえば流行病・賊徒や狭隘なナショナリズムなどの勢いが激しくて防ぎきれないこと。「—をきわめる」

じょうけつ[0]【浄血】病気などの無い、きれいな血(にすること)。「—作用[5]」

しょうけん[0]【小見】視野の狭い見方・考え。〔自分の考えの謙遜表現としても用いられる〕

しょうけん[0]【正絹】本絹。「—ネクタイ[5]」

しょうけん[0]【商圏】その企業が商取引を行なう地域的範囲。

しょうけん[0]【商権】商業上の権利。

しょうけん[0]【証券】〔もと、借用証書の意〕株式、公・社債券などの有価証券や送り状、荷物預り証などの証拠証券や免責証券の総称。「—会社[5]・—取引所[9][0]」[かぞえ方] 一通・一枚

しょうげん[0]【正舷】〔釣り船の〕へさきにある座席。[表記]「将舷」とも書く。

しょうげん[0][3]【証言】—する（他サ）❶事実を証明する△こと(言葉)。❷〔法律で〕証人が陳述すること。また、その言葉。「—を△求める(裏付ける・拒む・引き出す)／—台[0]」

しょうげん[0]【詳言】—する（他サ）詳しく説明したりすること。↕略言

**__じょうけん__[3]【条件】❶ある物事が成立するために不可欠な事柄。「—を△出す(付ける)／—が△そろう(整う・厳しい)／(一定の)—を満たす／難しい—を並べ立てる／—を呑ませる／付帯—」❷〔数学で〕Ⓐ変数を含む命題の称。変数に具体的な数や図形などが代入されると、その真偽が定まる。例、「xは正の数である」「Fは対角線の長さが等しい四角形である」。「—を満足する(=変数にそれを代入すると、命題が真となる)／収束の判定—／—式[3]・初期—・境界—」Ⓑ必要十分条件。「未知数 x の満たすべき—」 —つき[0]【—付(き)】その物事が成立するためには、提示された条件が満たされることが不可欠だという前提が

あること。「―の賛成だ」 **―づ・ける**[6]【―付ける】（他下一） その物事を成立させるための不可欠な条件とする。「独立国家としての存立を―国家機構」 **―とうそう**[5]【―闘争】 絶対に反対するというのでなく、ある条件が満足させられれば譲歩してもいいという線で進める闘争。 **―はんしゃ**[5]【―反射】 刺激E（=たとえば、餌）を動物D（=犬）に与えると、反応H（=唾液が出る）が見られる。〔以上が大前提〕Eを与えると同時に、Eと無関係の刺激B（=ベルの音）をDに与え続けると、やがてBを与えただけでもDはEを与えたと同様のHを反射的に起こすようになること。 **―はんのう**[5]【―反応】 条件反射と同じ仕組みで後天的に獲得された個体の反応。

じゅうぶん―[5]【十分―】〔数学・論理学で〕その条件が成立していると判断するに足る論理的根拠を与える他の条件の、元の条件に対する称。「PならばQ」が真の時、PはQであるための十分条件。 **ひつよう―**[5]【必要―】〔数学・論理学で〕その条件が成立しているならば必然的に成立しているはずの他の条件の、元の条件に対する称。「PならばQ」が真の時、QはPであるための必要条件。例、「aとbは共に正である」という命題をPとし、「aとbの積は正である」という命題をQとした場合。〔日常的な用法では、それが△事実であると判断する(成り立つ)上で必要な「条件❶」を指す〕

じょうげん[0]【上弦】 新月から次の満月に至るちょうど中間の、右半分が光る半月。陰暦七、八日ごろの月。〔月の入りには弦が上方に見えるから言う〕↔下弦

じょうげん[0]【上限】↔下限 ❶〔数や値段などについて〕どこまで△ふえる(多くなる)かの限界。「―を設ける/―価格を超える」 ❷〔歴史的な事物について〕どこまでさかのぼれるかの限界。

しょうこ[1]【小鼓】「こつづみ」の漢語的表現。

しょうこ[1]【尚古】〔「尚」は、たっとぶ意〕昔はよい時代だったとし、昔の文物・制度をたっとぶこと。「―思想[4]」

しょうこ[1]【称呼】 ❶「そのものに与えられた名前」の意の古風な表現。 ❷―する（他サ） そのものの名前をはっきり口に出して言うこと。「指差し―」

しょうこ[1]【商〈賈】〔「商」は行商人、「賈」は店売りの商人の意〕「商売」の意の古風な表現。

****しょうこ**[0]【証拠】〔「こ」は、「拠」の呉音〕事実を裏付ける上で確実な証明になると判断される材料。「むきになって否定するのはかえって事実であった―だ/話題になるのは人気のある―/―を△残す(隠す・挙げる)/物的―がそろう/―が固まる/―の隠滅/―品[0]・―文書・―集め」 **―がため**[4]【―固め】 証拠となる物や事柄を十分に整えること。 **―だ・てる**[5]【―立てる】（他下一） 証拠を挙げて証明する。

じょうきょう―[5]【状況―】⇩状況証拠

しょうこ[1]【照顧】―する（他サ） 反省する点はなかったか自分の行動を顧みること。「脚下―（=自分自身の足もとを顧みよ）」

しょうこ[1]【〈鉦鼓】 雅楽や念仏の時などに使う、青銅製、皿形の楽器。物につるしたりしてたたく。

しょうこ[1]【鐘鼓】 かねとたいこ。

しょうご[1]【正午】〔「午」は「午の刻」の意〕昼の十二時（=午後零時）。まひる。

じょうこ[1]【上古】〔歴史の時代区分で〕太古と中古の間の時代。〔日本史では通常、大和・奈良時代を指す。また、時には、蘇我氏滅亡=六四五年までを指す〕

じょうご[1]【〈漏斗】〔こぼれず よく入るので、上戸の意か〕口の小さな容器にはめて液体を注ぎ入れる用具。口は円形で、下方へ行くに従ってつぼんで 先は管状。 表記「〈漏斗〉」(漢語表記)とも書く。 かぞえ方 一本

じょうご[1]【上戸】（体質的に）酒がたくさん飲める△こと(人)。酒飲み。「底無しの―だ/怒り―（=酒に酔うと怒りやすくなる性質(の人)）・泣き―（=酒に酔うと泣く癖(のある人)）・笑い―（=(酒に酔うと)よく笑う癖(のある人)）」↔下戸

じょうご[0]【冗語・剰語】 言わなくてもいい、よけいな言葉。

じょうご[0]【畳語】 同じ単語・語根を重ねた複合語。例、木ぎ・泣く泣く・ぴいぴい。

しょうこう[0]【小康】 病気・戦乱などが治まって、しばらくの間無事・平和であること。「―(状態)を保つ/一時―を得ております」

しょうこう[0]【小稿】 自分の原稿の謙称。

しょうこう[0]【少考】―する（自サ） ちょっと考えること。また、自分の考えの謙称。

しょうこう[0][1]【昇〈汞】〔「汞」は、水銀の意〕塩素と水銀の化合物。白色・半透明の結晶。猛毒があり、熱すると昇華する。防腐・消毒用。塩化第二水銀[7]。 **―すい**[3]【―水】 昇汞に食塩を加えて水に溶かしたもの。消毒用。

しょうこう[0]【昇降】―する（自サ） のぼりくだり。あがりおり。 **―き**[3]【―機】 エレベーター。 **―ぐち**[3]【―口】（あがりおりの）出入口。 **―だ**[3]【―〈舵】 航空機の尾翼についている、機首を上げ下げさせる役目の可動部分。

しょうこう[1]【将校】 陸海空軍の少尉以上の武官。

しょうこう[0]【消光】―する（自サ） たいした事もせずに、毎日を過ごすこと。〔手紙文で、自分の起居について言う言葉〕

しょうこう[0]【消耗】―する（自他サ） 使って、無くすこと。〔「しょうもう」は、類推読みによる新語形〕⇩しょうもう

しょうこう[0]【症候】 その病気になったことを示す病状。 **―ぐん**[3]【―群】〔病因が不明であったり単一でなかったりする時に〕病名に代わるものとして名付けられる称。症候が複数であることを特徴とする。シンドローム。「頸肩腕―[9]・過換気―[7]」

しょうこう[0][1]【商工】〔もと、商人と職人の意〕商業と工業。 **―かいぎしょ**[8][0]【―会議所】 その都市の商工業者が集まって作った団体。集会・調査・調停などを行なう。〔長を「会頭」と言う〕 **―ぎょう**[3]【―業】 商業と工業。「―地帯[8][7]」 **―しょう**[3]【―省】「通商産業省（=現在の経済産業省）」の旧称。

しょうこう[0]【商港】 商船が出入りし、旅客の乗り降り、物資の積みおろしの出来る港。

しょうこう[0]【焼香】―する（自サ） 仏や死んだ人の霊前で香をたいて拝むこと。

しょうごう[0]【称号】 ❶呼び名。「裕仁と命名、―は迪宮」 ❷功績を顕彰し、栄誉・資格を認定するための、特別の呼び方。「千二百年前、日本の留学僧雲仙が、中国仏教界の最高の― “三蔵法師” を受けた/バイオリン製作者として最高のマイスターの―を持つ/名誉市民の―」 ❷そのものの名前を呼ぶこと。「弥陀の―」

しょうごう[0]【商号】 商人が営業上自分の店を表わすために使う名称。屋号など。

しょうごう[0]【照合】―する（他サ） 〔和語「照らし合わせる」を字音語化したもの〕△合っている(同じもの)かどうかを、比べ合わせてみること。「△副本(写真)を原本と―する」

じょうこう[0]【上向】―する（自サ） ❶高い方向へ向かうこと。「景気が―する」 ❷労働者が、給与などの条件のよい職場をめざして次つぎに変わること。「―移動[5]」

じょうこう③【上皇】天皇の譲位後の尊称。太上天皇⑥。

じょうこう⓪【条項】〔法律・規則・契約などの〕箇条書にした、一つひとつの文。「禁止―が盛り込まれる」

じょうこう⓪【乗降】―する（自サ） 乗り物の乗りおり。「―客③・―口③」

じょうこう⓪【情交】―する（自サ） 二人の交際が進んで、肉体的関係を持つようになること。

じょうごう⓪【定業】〔仏教で〕前世から定まっているという報い。

じょうごう⓪【乗号】掛け算を表わす記号。「×」〔「・」が用いられることもある。計算機の分野では、Xとの混同を避けるため「*」が用いられる〕↔除号

しょうこうい③【商行為】営利の目的で品物の売買・交換をすること。

しょうこうねつ③【《猩紅熱》】感染症の一つ。多くは子供がかかり、皮膚に紅色の発疹が出来る。

しょうこく⓪【小国】↔大国 ㊀国土が狭い国。㊁経済力・軍事力もあまり無い国。

しょうこく①【生国】「うまれ故郷」の意のやや古風な表現。「しょうごく」とも。

しょうこく①【相国】太政大臣の唐名。「平へ―③（=平清盛の異称）」

じょうこく⓪【上告】―する（自サ） ㊀上に申し立てること。㊁上訴の一つ。第二審の判決に不服がある時に、上級の裁判所に対して最後の審理を求めること。―しん④③【―審】上告裁判所（=最高裁判所または高等裁判所）の審理。第三審。

じょうこく⓪【上刻】昔の時法において、特定の一時（=今の二時間に当たる）を三等分した最初の四十分間。「巳の―（=午前九時から同四十分まで）」⇩中刻・下刻

しょうこくみん③④【少国民・小国民】次の時代をになう、少年・少女。〔おもに、第二次世界大戦中に国威発揚の一環として用いられた〕

しょうこと⓪【「為せん事」の変化】どうしたらいいかの方法。「―（=しかた）無しに」

じょうごや⓪【定小屋】その劇団が上演する常設の興行場。かぞえ方 一軒

しょうこり⓪④【性懲り】うわべだけでなく、心の底から懲りること。「―も無く（=いくら△失敗しても（怒られても）本当に懲りないで）」

じょうごわ⓪【情《強》】―な 「強情」の意の古風な表現。

しょうこん⓪【性根】一つの事を△長く（最後まで）やり続ける根気。

しょうこん⓪【招魂】死んだ人の霊を招いて祭ること。「―祭③・―社③」

しょうこん⓪【商魂】商売する以上は常に利益をあげることを第一とすべきだとする、商人に求められる心構え。「―に乗せられる/―たくましさ」

しょうこん⓪【傷痕】「きずあと」の漢語的表現。

しょうごん⓪【《荘厳》】―する（他サ）〔「荘」も「厳」も飾る意〕〔仏教で〕仏像・寺院をきれいに飾ること。また、その飾り。

じょうこん⓪【上根】〔仏教で〕順当に悟りを開くことが出来たり、初志通りになんでも出来る能力を持っていること。↔下根

しょうこんゆ③【松根油】松の根から得られる無色の油。独特のにおいがある。〔第二次世界大戦中ガソリンの代用とされた〕

しょうさ①【小差】わずかの違い。↔大差

しょうさ⓪【少佐】〔陸海空軍の〕最下級の佐官。

しょうさ①【勝差】勝ち数と負け数とから計算される、二チーム間の成績の差。

しょうさ①【証左】〔「左」も「証」と同義〕証拠。

しょうざ⓪【正座】〔正客がすわる〕正面の座（席）。

じょうざ⓪【上座】「かみざ」の意の古語的表現。↔下座

じょうざ⓪【常座】能舞台で、「シテ」「ワキ」などが、登場するとまず立ち止まり、うたい出す場所。

しょうさい⓪【小才】わずかばかりの才能。貧弱な才能。↔大才

しょうさい⓪【商才】商売をする上での才能。「―にたけた男」⇩学才・世才

しょうさい⓪【詳細】―な/―に 細かな点（までもらすことなく取り上げること）。また、その様子。「―を極める/―は後日改めて知らせる/―な説明/―にわたる」

しょうざい⓪【商材】〔売り手側から見た〕商品。「情報―」

じょうざい⓪【定斎】昔、夏まけ・日射病などにきくといわれた、煎じ薬。「―売り③・―屋⓪（=⇩じょさいや）」

じょうさい⓪【城西】城の西側（の地区）。「じょうせい」とも。〔東京では、新宿区・世田谷区・渋谷区・中野区・杉並区など〕↔城東

じょうさい⓪【城塞・城《砦》】「しろ・とりで」の意の漢語的表現。

じょうざい⓪【浄財】宗教団体・政治団体・社会事業・学校などに寄付する、けがれの無いお金。〔寄付される側からの言い方〕

じょうざい⓪【浄罪】〔宗教で〕罪をはらい除き、もとのきれいな心身に戻ること。

じょうざい⓪【常在】―する（自サ） いつもそこに△ある（居る）こと。「局の―員/―戦場」

じょうざい⓪【錠剤】粉薬を丸くて平たい形に固めた薬剤。タブレット㊀。⇩散剤・液剤 かぞえ方 一錠・一剤

しょうさく⓪【小策】小細工をした、つまらない策略。小刀細工。

しょうさく⓪【《蕭索》】―たる/―と ものさびしい様子だ。

じょうさく⓪【上作】㊀すぐれた出来ばえ。出来のいいこと。↔下作 ㊁豊作。

じょうさく⓪【上策】一番いい△方法（手段・はかりごと）。↔下策

じょうさし③④【状差し】柱・壁に掛けて手紙・葉書などを差しておく入れ物。かぞえ方 一本

しょうさつ⓪【小冊】小冊子㊀。「―ながら内容は豊富」↔大冊

しょうさつ⓪【笑殺】―する（他サ）〔「殺」は、「すっかり…する」の意で添える語〕㊀大いに笑わせること。「満場の観客を―した」㊁笑って相手にしないこと。

しょうさつ⓪【焼殺】―する（他サ） 焼き殺すこと。「害虫を―する」

しょうさつ⓪【《蕭殺》】―たる/―と〔「殺」は、「すっかり…する」の意で添える語〕〔晩秋の景色などが〕大変寂しい様子だ。

しょうさっし③【小冊子】㊀小形の薄い書物。小冊。㊁パンフレット。

じょうさま①【上様】勘定書・領収書などで、受取人の名前の代りに使う敬称。〔「うえさま」は、本来俗用であるが、口頭語としてはかなり一般化している〕

しょうさん⓪【消散】―する（自他サ） 消えて無くなるこ

と。(むだに使って)無くすること。

しょうさん⓪【称賛・称〈讃〉】―する(他サ) 〔人のすぐれた行為・業績などを〕言葉でほめ、心の底から感嘆すること。「―に値する」 表記 「賞〈讃〉」とも書く。

しょうさん⓪【勝算】 勝つ見込み。「―の無い試合」

しょうさん⓪【硝酸】 窒素化合物で無色の液体。激臭があり、空気中で煙を出す。金属の溶媒・酸化剤用。〔化学式 HNO_3〕 **―アンモニウム**⑧ 無色の△結晶(粉末)。酸化剤・爆薬の原料などに使う。硝安。〔化学式 NH_4NO_3〕 **―えん**③【―塩】 硝酸の中の水素が金属元素と置き換えられた化合物。 **―カリウム**⑥⑤ 無色の結晶。溶剤・花火・火薬・肥料・防腐剤などに使う。硝石。硝酸カリ⑤。〔化学式 KNO_3〕 **―ぎん**③【―銀】 銀を硝酸に溶かして造った物質。写真の材料の原料・銀めっき・試薬・消毒薬などに使う。〔化学式 $AgNO_3$〕

じょうさん⓪【蒸散】―する(自サ) 植物の中にある水分が蒸発して発散すること。

じょうざん⓪【乗算】―する(他サ) 掛け算。乗法。〔「乗法」に比し、珠算や計算機の分野でよく用いられる〕 ↕除算

しょうさん しょうし⑤【少産少死】 〔その国で〕出生率が低いと同時に死亡率も低いこと。「―の高齢化社会」

じょうざんの だせい①-⓪【常山の蛇勢】 〔中国の常山にすむヘビは、からだのどの部分を打っても他の部分が助けて反撃を加えたところから〕各部隊が互いに連絡を保ち、随時敵の来襲・攻撃に対処する態勢を取り得る陣法。〔広義では、文章が引き締まっていて、どこにもすきの無い意にも用いられる〕

しょうし①【小子】 「未熟な子供」の意の漢語的表現。〔多く、自分の謙称としても用いられる〕

しょうし①【小史】 ❶何かの事件や一定の分野の歴史について簡略に述べた書物(の名)。「慶安―・日本開化―」 ❷〔「史」は、書記の意〕作家などが雅号に添える言葉。「鏡花―」

しょうし①【小〈祠〉】 小さいほこら。

しょうし①【小誌】 小さな雑誌。ページ数の少ない(貧弱な)雑誌。〔自分の関係する雑誌の謙称としても用いられる〕

しょうし①⓪【少子】 その△夫婦(社会)に子供の数が少ないこと。「―社会④」 **―か**⓪【―化】―する(自サ) その社会の総人口に占める子供の人口の割合が低下すること。

しょうし①【生死】 ⇩しょうじ

しょうし①【抄紙】 紙をすくこと。紙すき。「―機③」

しょうし①【尚歯】 〔「尚」はたっとぶ、「歯」は年齢の意〕高齢者を大切にすること。「―会③〔=高年者(を慰安するため)の会合〕」

しょうし①【将士】 〔将と士卒の意〕「将兵」の意のややかたい表現。

しょうし①【笑止】―な 〔とんでもない事だ、また、気の毒だの意の「勝事」の変化という〕(当人はまじめにやっているようだが)はたから見ればばかげていて、笑わずにはいられない△こと(状態)。「―の至り/―千万」

しょうし⓪【焼死】―する(自サ) 焼け死ぬこと。「―者③・―体⓪」

しょうし①【証紙】 金を払ったことや品質などを証明するために書類や品物にはりつける紙片。「選挙のポスターに―をはる」 かぞえ方 一枚

しょうし① ❶【〈頌詞〉】 徳やそのもののよさなどをほめる言葉。頌辞。 ❷【〈頌詩〉】 徳・業績をほめる詩。 ❸【賞詞】 功績をほめる言葉。賞辞。

しょうじ⓪【小字】 一つの△文書(書物)内で字の大きさに二通りの書き分けがある場合、小さく書かれた方の文字。↕大字

しょうじ①【小事】 全体から見て、さほど大切でない事。「大事の前の―/―に拘泥しない」 ↕大事

しょうじ①【少時】 ❶おさない時。 ❷わずかな時間。〔❶❷とも、古風な表現〕

しょうじ①【正時】 分・秒などの端数のつかない、ちょうどの時刻。十二時・一時・二時など。

しょうじ①【生死】 ❶生きることと死ぬこと。 ❷「輪廻」の意の、具体的事象に即した表現。「―流転」〔❶❷とも「しょうし」とも〕

しょうじ①【商事】 ❶商法の適用を受ける営利的行為。「―契約④」 ❷「商事会社」の略。 **―がいしゃ**④【―会社】 ⇩会社

しょうじ① ❶【〈頌辞〉】 ⇩頌詞 ❷【賞辞】 ⇩賞詞

***しょうじ**⓪【障子】 〔↑明り障子〕縁や廊下と居室との仕切りにし、かつ明りを取り入れるための建具。縦・横に桟を渡して出来る小さい枠に紙を張ったりしたもの。〔古くは、家の中の仕切りに使った、ふすま・からかみ・ついたてなどの総称〕「鼻の―〔=鼻の穴の、間の仕切り〕/―紙⓪③・―張り⓪・ガラス―④」 かぞえ方 一枚

じょうし①【上〈巳〉】 〔最初の巳の日の意〕五節句の一つ。陰暦三月三日に行なった桃の節句。「じょうみ」とも。

じょうし①【上司】 「上役」の意の漢語的表現。〔本来は、官公庁における上役を指すが、現在では、民間組織における上役をも指す〕 ↕下僚 ⇩上官

じょうし①【上使】 江戸幕府から将軍の意を伝えるために諸大名につかわされた使者。

じょうし①【上肢】 〔上部にある肢の意〕腕。手。↕下肢

じょうし①⓪【上〈梓〉】―する(他サ) 〔版木としての梓に文字を彫って刷る意〕「出版」の意の古風な表現。

じょうし①【城市】 「城下町」の別称。

じょうし①【城〈址〉】 しろあと。 表記 「城〈趾〉」とも書く。

じょうし①⓪【情史】 「恋愛を主題にした物語」の意の古風な表現。

じょうし⓪【情死】―する(自サ) 現世では叶わない恋と思い定めてする心中。

じょうじ①【常時】 「つねひごろ」の意の漢語的表現。

じょうじ①【情事】 恋愛関係にある二人の、性愛に伴う行為。〔特に、夫婦ではない男女の交わりについて言うことが多い〕

じょうじ⓪【畳字】 同じ△かな(漢字)を繰り返し書く代りに使う符号。「ゝ・ゞ・々・〳〵」など。〔古くは、畳語・熟語の意に用いられた〕

しょうじい・れる⑤⓪【《請(じ)入れる】(他下一) 客などを家の中に案内する。招き入れる。 表記 「招じ入れる」とも書く。

***しょうじき**③【正直】 ❶―な 何かを隠して言わなかったりうそ・ごまかしを言ったりすることが(出来)ない△こと(様子)。「三度目の―〔=三度目には、本当に実現すること〕/―〔=正直に〕言って/―なところ〔=正直に言って〕/―〔=正直に言って。実を言えば〕困っているんだ/事実が―に〔=いつわり無く〕物語る/ばか―・―者⓪」 派 **―さ**④⓪ ❷〔大工の使う〕下げ振り。

じょうしき[0]【定式】 いつもその日に行なわれるしきたりになっていること。「大みそかーの清めの湯/ー能[4]」 **ーまく**[4]【ー幕】 歌舞伎の舞台に使われる引き幕で、縦に三色〔=黒・柿・萌葱〕の縞が入ったもの。

***じょうしき**[0]【常識】〔common sense の訳語〕健全な社会人なら持っている△はずの(ことが要求される)、ごく普通の知識・判断力。「ーに欠ける/ーを(はるかに)超えた/ーを覆す/ーはずれ[5]/ー以上に一歩も出ない/ー論[4]〔=一応視野が広くて首肯出来るが、専門的見地からすると成立しないと思われる考え(方)〕」 **ーか**[0]【ー家】 常識を備えている人。〔ひらめきを有しない人や、冒険をしない平凡な人の意にも用いられる〕 **ーてき**[0]【ー的】ーな ーに 〔「専門的」ではなく〕だれでも△知っていて(考えつくような程度にとどまり)特に鋭いとか優れているとか変わっているという印象を与えない様子だ。「ーな解釈/ーに言って」

じょうしぐん[3]【《娘子軍】〔「娘子」は、むすめ・女子の意〕Ⓐ女性△が指揮する(によって構成される)軍隊。Ⓑ女性の集団。また、娼妓の一群。〔類推読みで「ろうしぐん」とも言う〕

しょうしたい[0]【硝子体】 角膜や水晶体の後ろにあって眼球の中を満たし、網膜に包まれたゼリー状の組織。「ガラス体」とも。

しょうしつ[0]【消失】ーする(自サ) ❶〔今まであった物が〕そこから無くなること。「美術館から名画がーする」 ❷〔時期が来て〕それまで有効であった権利などが無くなること。

しょうしつ[0]【焼失】ーする(自他サ)〔価値あるものが〕焼けて無くなること。また、焼いて無くすること。「ー面積[5]」

じょうしつ[0]【上質】ーな 品質が上等である様子だ。「ーなユーモア/ー紙[4]」 派 **ーさ**[0]

じょうじつ[0]【情実】 公正な処置を妨げる、個人的な関係や感情。「ーを排する」

しょうしみん[3]【小市民】 資本主義発達の所産である、サラリーマン〔教員をも含む〕・自由業者などの中産階級。プチブル。

しょうしゃ[1]【小社】 小さな△やしろ(会社)。〔自分の勤める神社や会社の謙称にも使う〕

しょうしゃ[1]【〈哨舎】 見張番の居る小屋。

しょうしゃ[1]【商社】 商事会社。〔狭義では、貿易商社を指す〕「外国ー[5]」

しょうしゃ[1]【勝者】 勝った△人(方)。↔敗者

しょうしゃ[1]【傷者】「負傷者」の古風な表現。

しょうしゃ[0]【照射】ーする(自他サ) 日光などが照りつけること。また、X線や太陽灯などを当てて照らすこと。「恐慌は、貨幣形態がいかにして成立したかを逆にーする〔=照らし出す〕/ー線量[4]」

しょうしゃ[1]【〈廠舎】 軍隊が演習先で泊まるための、簡単な造りの建物。 かぞえ方 一棟

しょうしゃ[1]【〈瀟洒】ーな ーに どろくさいところが無く、気がきいている様子だ。「ーな建物」 表記 「〈瀟灑〉」とも書く。

しょうじゃ[1]【精舎】〔余念無く仏道を修行する建物の意〕「寺」の異称。「祇園ー」

***じょうしゃ**[0]【乗車】 ❶ーする(自サ)〈なにニーする〉 列車・電車・自動車など車で走る交通機関に乗ること。「ー拒否[4]・無賃ー[4]」↔下車・降車 ❷その人の乗る車。「ー番号[4]」 **ーぐち**[3]【ー口】↔降車口 ❶〔駅の構内などの区分で〕これから乗る人が使用する方。❷〔ワンマンバスの出入口で〕乗る際に使用する方。 **ーけん**[3]【ー券】 列車・電車・バスなどに乗るために、お金を支払って受け取る切符。 かぞえ方 一枚

じょうしゃ[0]【浄写】ーする(他サ) きれいに書き写すこと。

しょうしゃく[0]【小酌】 ❶小人数の酒盛り。 ❷ーする(自サ) ちょっと酒を飲むこと。

しょうしゃく[0]【焼〈灼】ーする(他サ) 組織の病的な部分を焼いて取り除く△こと(外科の治療法)。

しょうしゃく[0]【照尺】 小銃などのねらいを正確にするために、銃身の手前に取り付けた装置。

しょうじゃ ひっすい[1]-[0]【《盛者必衰】〔仏教で〕△勢いの盛んな(栄える)者も、いつかは必ず衰えるということ。〔盛者は、古くは「じょうしゃ」〕

しょうじゃ ひつめつ[1]-[0]【生者必滅】〔仏教で〕この世に生まれたものは、いつかは死ぬものだということ。「ー会者定離」

しょうじゅ[1]【《聖衆】〔仏教で〕極楽浄土の菩薩たち。「ー来迎」

しょうじゅ[1]【〈頌寿】 八十歳・九十歳などの長寿を祝うこと。

じょうしゅ[0]【上酒】 上等の酒。「なかなかのーだ」

じょうしゅ[1]【城主】 ❶その城の持主。 ❷江戸時代、武士の格式の一つとして居城を持っていた大名。

じょうしゅ[1]【情趣】 そのものに接した人に感じさせる、ほのぼのとした△よさ(味わい)。「ーを解さない」

じょうじゅ[1]【成就】ーする(自他サ)〔「就」も「成」と同じく「なる」意〕願望していた事△が実現する(を実現させる)こと。「この事がーするまでは結婚しません/念願ー」

しょうしゅう[0]【召集】ーする(他サ) 用事があると言って、関係する人びとを集めること。〔狭義では、国会議員・警官・在郷軍人に対するそれを指す〕「ーに応じる/ー令[3]」

しょうしゅう[0]【招集】ーする(他サ) 会議のために関係者に集まってもらうこと。「ーをかける/株主総会をーする」

しょうしゅう[0]【消臭】 悪いにおいを消すこと。「ー液[3]・ー剤[3][0]」

しょうじゅう[0]【小銃】 携帯用の銃で、ピストルより大きいもの。〔俗に、鉄砲と言う〕「自動ー[4]」 かぞえ方 一挺・一丁

じょうしゅう[1]【上州】「上野国」の漢語的表現。今の群馬県全域にあたる。「ーのからっ風/ー牛[3]」

じょうしゅう[1]【城州】「山城国」の漢語的表現。今の京都府南東部にあたる。

じょうしゅう[1]【常州】「常陸国」の漢語的表現。今の茨城県の大部分にあたる。

じょうしゅう[0]【常習】ーする(他サ)〔警告や厳密な検査・取締りにかかわらず〕好ましくない行為を繰り返すこと。〔元来は普通に行なわれる慣行の意で、善悪には無関係であった〕「麻薬をーしていた罪を認めた/過去三回無免許運転で取り調べを受けており、ーで悪質だとして逮捕された/ー的な飲酒/ー賭博(罪)」 **ーはん**[3]【ー犯】 Ⓐ犯罪行為を常習とする△人(こと)。「すりのー」 Ⓑ規律違反や約束違反を懲りずに繰り返す人。「遅刻のー」

じょうしゅう[1]【《濃州】〔「じょう」は漢音〕⇩のうしゅう

じょうじゅう[0]【常住】ーする(自サ) ❶〔仏教で〕滅んだり変わったりすることなく永久に存在すること。↔無常 ❷そこを日常の生活の場として住んでいること。〔❶は、副詞としても用いられる〕 **ーざが**[5]【ー座〈臥・ー〈坐臥〉】(副) 日常の振る舞い。つねに。〔「行住座臥」の誤り〕 **ーふめつ**[0]-[0]【ー不滅】〔仏教で〕いつも変わらず、滅びることの無いこと。

しょうしゅつ[0]【抄出】ーする(他サ) 他の書物から必要

な部分を抜き書き△すること(したもの)。
しょうしゅつ⓪【(妾出】 妾の子として生まれること。また、その人。妾腹。
しょうじゅつ⓪【詳述】―する(他サ) 何かの△事情(経過・理由)を詳しく説明すること。↔略述
じょうじゅつ⓪【上述】―する(他サ) △上(前)に述べたこと。
じょうしゅび③【上首尾】―な 物事がうまいぐあいに行く様子。↔不首尾
しょうしゅん⓪【(頌春】 新春を迎えたことを祝うこと。年賀状などに書く言葉。
しょうじゅん⓪【昇順】 (コンピューターで)データ整理をするとき、コード番号や数値が小さいほうから大きいほうへと並べること。↔降順
しょうじゅん⓪【照準】―する(自サ) (「照」は調べ合わせる意。「準」は比べ合わせる意) ㊀(古)準拠。㊁望遠鏡のレンズの中心が正しく目標に向かうように、また、銃砲弾が標的に的中するように、方向・角度を定めること。「―(=ねらい)を定める／―誤たず見事に命中した／―装置⑤・―線⓪」
じょうじゅん⓪【上旬】 月の最初の十日間。⇩中旬・下旬
しょうしょ①【小暑】 二十四(節)気の一つ。太陽暦七月七日ごろ。そろそろ暑さが身にこたえる時分の意。
しょうしょ⓪【抄書・(鈔書】―する(他サ) 書物や文書の一部を抜き書き△すること(したもの)。
しょうしょ⓪①【消暑・(銷暑】 何らかの手段で(夏の)暑さを防ぐこと。銷夏。[表記]「消」は、代用字。
しょうしょ⓪【証書】 事実を証明するために作った文書。「卒業―」[かぞえ方] 一通・一枚 ―めん③【―面】 証書の文面。
しょうしょ⓪【詔書】 天皇のお言葉を書いた文書。「国会召集の―」
しょうじょ①【小序】 (自分の著作物に対する)(短い)序文。
しょうじょ①【少女】 若い女の子。おとめ。〔普通、十歳前後から十六、七歳ぐらいまでを言う〕「―時代④・―趣味④・―好み④・―小説④」⇩少年
しょうじょ①【昇叙・(陞叙】―する(自他サ) 上位に叙せられること。
じょうしょ⓪【上書】―する(自サ) 意見を述べるために、書面を君主に奉ること。また、その書面。
じょうしょ⓪【浄書】―する(他サ) 他人に手渡す前に草稿などを読みやすいようにきちんと書きなおすこと。
じょうしょ①【情緒】 「じょうちょ」の古語的表現。
じょうじょ①【乗除】―する(他サ) 乗法と除法。「加減―」
しょうしょう①【少々】(副) 分量・程度などが少なくて、大して△問題(負担)にはならない様子。「―お待ちください／最後に塩を―加える／―のことでは驚かない」
しょうしょう⓪【小照】 (自分自身の)顔かたちや姿を写しとった小さな絵や写真。
しょうしょう①【少将】 (陸海空軍の)最下級の将官。〔古くは、近衛府の次官を指した〕
しょうしょう⓪【(蕭々】―たる (雨が降ったり風が吹いたりして)肌寒く、寂しさを感じる様子だ。「風―たる冬木立」
しょうじょう③①【(猩々】 ㊀酒をよく飲むという、想像上の動物。〔大酒飲みの意にも用いられる〕㊁類人猿の一種。オランウータン。[かぞえ方]㊁は一頭 ―ばえ③【―(蠅】 ショウジョウバエ科に属する小形のハエの総称。キイロショウジョウバエは、遺伝学の実験材料に用いられる。 ―ひ③【―(緋】 黒みを帯びた深紅色。
しょうじょう⓪【小乗】 戒律などの形式を重んじ、人が自分自身で悟りを開くことを目標とする、仏教の教え。↔大乗 ―てき⓪【―的】―に ↔大乗的 ㊀小乗の精神にかなう様子だ。㊁目先(自分)の事やつまらない形式・因習にこだわり、大局には心が行き届かない様子だ。
しょうじょう③【症状】 病気・傷の状態。「同様の―を訴える／自覚―・禁断―」
しょうじょう⓪【商状】 △商業(商取引)の状況。
しょうじょう⓪【清浄】―な △きたならしさ(邪念)が無く、きれいな様子だ。「―潔白・―無垢」
しょうじょう⓪③【賞状】 ほめた言葉を書いて(優秀な成績をあげた人や功労のあった人などに)与えられる書状。[かぞえ方] 一通・一枚
しょうじょう⓪【(霄壌】 (「霄」は天、「壌」は地の意) 天と地。「―の差(=あまりにも違い過ぎ、直接比較出来ないたとえ)」
しょうじょう⓪【(蕭条】―たる (目に映る自然の眺めが)単調で、殺風景な様子だ。「―たる冬景色」
*じょうしょう⓪【上昇】―する(自サ) 〈なにニ〉―する △上(程度の高い方)へ移行すること。「物価の―が△著しい(鈍化する)／―傾向を示す／室内温度が五十度に―した／人気―中」 ―きりゅう⑤【―気流】 地表が熱せられたり前線の変化によったりなどして空気が上昇したもの。「―に乗る(=運が向いて来て、万事好調に運ぶ意にも用いられる)」 ↔下降気流
じょうしょう⓪①【丞相】 (「丞」も「相」も輔佐の意。もと、中国で、天子を助けて政務をとった大臣を指した)左大臣・右大臣の異称。〔読みくせは「しょうじょう」〕「菅―(=右大臣であった菅原道真の特称)」
じょうしょう⓪【城将】 城を守る大将。
じょうしょう⓪【常勝】―する(自サ) 戦うと、いつも勝つこと。「―街道をひたはしりに走る／―将軍⑤」
じょうじょう⓪③【上々】―な 率直に喜べるほど期待を上回る様子だ。上乗。「人気は―／売れ行きは―(=とてもいい)」 ―きち③【―吉】 ㊀最もめでたいこと。㊁(もと、歌舞伎役者などのランクで)出来ばえがこの上もなくすぐれていること。
じょうじょう⓪【上乗】 ㊀(仏教で)「大乗」の称。㊁―な 上々。
じょうじょう⓪【上場】―する(他サ) ㊀証券取引所での立会売買を公認して行なうこと。「東証(=東京証券取引所)第一部に―された銘柄株／―会社⑤・―株③」㊁「上演」の意の古風な表現。
じょうじょう①⓪【条々】 一つひとつの箇条。
じょうじょう⓪【常情】 普通の人間ならだれでも持っているはずの△感情(人情)。
じょうじょう⓪【情状】 そういう結果になったことについての事情。 ―しゃくりょう⓪―⓪【―酌量】―する(自サ) 裁判官が判決に際し、同情すべき事情を考慮して刑罰を軽くすること。
じょうじょう⓪【(嫋々】―たる ㊀なよなよする様子だ。㊁音声が低く長く響く様子だ。「余韻―⓪―⓪」
しょうじょうせぜ⑤【生々世々】 この世でも、また生まれ変わる後のちの世でもその事情に変わりがないことを表わす。〔古くは「しょうじょうせせ」〕
しょうしょく①【小職】 (官職についている人が)役人としての自分をへりくだって表現する語。

しょうしょく [0]【少食】―な 普通の人に比べて、一回の食事の量が少ない様子だ。こじょく。「―家[0]」↕大食 [表記]「小食」とも書く。

じょうしょく [0]【常食】―する(他サ) (主食として)日常食べる△こと(食べ物)。

しょうじる [0]【生じる】[一](自上一) (芽などが)生える。「枝先につぼみが―」[二](自他上一)〈(だれ・なに**カラ**なに**ヲ**)―〉今まで予期しなかった状態が、そこに認められるようになる。「特別の事情が―〔=起こる〕/△狂い(無理・変化・疑惑)が―/効力が―〔=発生する〕/損害を生じさせる/事故を―〔=起こす〕/△支障(混乱)を―」 生ずる[0][3](サ変)。

しょうじる [0][3]【《請じる】(他上一) ❶請じ入れる。❷(自分の所へ)招く。招待する。請ずる(サ変)。[表記]「招じる」とも書く。

じょうじる [0]【乗じる】[一](自上一) ❶「乗り物などに乗る」意の古風な表現。❷その場の状況などを巧みに利用して、有利な立場を採る。「△勝ち(機・すき・弱み)に―」[二](他上一) 掛ける[一]❻。乗ずる[0][3](サ変)。

しょうしん [0]【小心】―な 気が小さい様子だ。「―翼々たる〔=気が小さくて何かにおびえているかのように周囲に気を使っている〕サラリーマン意識」

しょうしん [0]【小身】「身分の低い△こと(人)」の意の漢語的表現。「―の旗本」↕大身

しょうしん [0]【正真】確かにそのものであり、それ以外の事情が全く考えられないこと。本当。「―の品物」 ―しょうめい [0]-[0]【―正銘】△その物(本物)であることは疑いようのないほど、明白である様子。

しょうしん [0]【昇進】―する(自サ) 上位の△官職(地位)に進むこと。[表記]「〈陞進」とも書く。

しょうしん [0]【焦心】―する(自サ) 自制心や的確な判断を失うほどあせりを感じること。

しょうしん [0]【焼身】―する(自サ) 自分のからだを火で焼くこと。 ―じさつ [5]【―自殺】―する(自サ) 仏教徒が仏法を守るために、自分のからだを火で焼いて自殺すること。〔広義では、仏教徒以外の抗議のための死についても言う〕

しょうしん [0]【傷心】❶―する(自サ) 心をいためること。悲しむこと。❷悲しみ・ショックで打ちひしがれた心。

しょうしん [0]【衝心】「脚気衝心」の略。

しょうじん [0]【小人】❶誘惑にすぐ負けて初志を見失いがちであったり 初めから人生に大きな目的を持ち合わせていなかったりする人。「―閑居して不善をなす〔=小人は暇をもて余して、ついよくない事をするものだ〕」↕君子・大人 ❷「子供・こびと」の意の漢語的表現。「―国[3]」↕大人 ⇩しょうにん

しょうじん [0]【消尽】―する(他サ) 残りが無くなるまで使うこと。

しょうじん [0]【焼尽】―する(自他サ) あとに何も残らないほどすっかり焼くこと。また、焼けること。

しょうじん [0]【傷人】人に傷を負わせること。「強盗―罪」

しょうじん [1]【精進】―する(自サ) ❶一心に仏道を修行し、心身を清く保つこと。〔狭義では行いを慎むことを指し、広義では一切の誘惑を断ち その事だけに打ち込むことを指す〕❷美食・肉食を避け、粗食・菜食をすること。「―料理〔=菜食の料理〕・―日[3]」 ―あげ [0][3]【―揚(げ)】野菜類の揚げ物。[かぞえ方]一枚 ―おち [0][6]【―落(ち)】精進の期間が終わって、魚や肉を食べる ふだんの食事に戻ること。しょうじんあけ[0]。 ―けっさい [5]【―潔斎】―する(自サ) 神や仏に祈願したり 奉仕したり するために、身を清めて行いをつつしむこと。 ―もの [0]【―物】肉類を使わない食べ物。↕なまぐさもの

じょうしん [0]【上申】―する(自サ) 上級の官庁や上役に、意見・事情を申し述べること。「―書[0][5]」

じょうじん [0]【常人】身分・意識状態・感覚や力量が普通の人。

じょうじん [0]【情人】恋愛の対象として深い仲にある人。「じょうにん」とも。

しょうじんぶつ [3]【小人物】度量・人物の小さい人。

*__じょうず__ [3]【上《手】〔「手」は、手『=能力』のすぐれた人の意〕❶―な やり方がうまい△こと(人・様子)。「―なうそ(をつく)/―に歌う/聞き―・話し―」↕へた ❷〔「お―」の形で〕△お世辞(場のとりもち)がうまいこと。「お―〔=お世辞〕を言う/お―者[0]」 [表記]⇩付表「上手」 【―の手から水が漏れる】日ごろ何でも上手にやれる人でも、たまには小さい失敗をすることがある。

じょうず [1]【上図】〔書物などの説明で〕「上図」とことわった上の方に置かれる図。↕下図

しょうすい [0]【小水】「小便」の不快感を避けるための表現。〔医師・看護師が患者によく用いる〕「お―[0]」

しょうすい [0]【将帥】軍隊を指揮し率いる将軍。

しょうすい [0]【〈憔悴〉】―する(自サ) 〔心痛・病気のために〕やつれること。「―しきった顔」

しょうずい [0]【祥〈瑞】何かめでたい事の起こることを予測させる前ぶれ。

じょうすい [0][1]【上水】❶鉄管などを通して配られる、飲料などに用いられるきれいな水。↕汚水 ❷「上水道」の略。 ―どう [3]【―道】飲料・工業・消火用の水を管で導いて供給する設備。水道。⇩下水道・中水道

じょうすい [0]【浄水】衛生上無害にした水。また、そのようにすること。「―装置[5]・―場[0]」〔古くは、手洗い水の意にも用いられた〕 ―き [3]【―器】蛇口などに取り付けて、水道の水をきれいにする器具。 ―ち [3]【―池】(飲み水などに使う)きれいな水をためておく池。

しょうすう [3]【小数】❶小さな数。❷〔数学で〕絶対値が一より小さく、零でない実数を位取り記数法で表わしたもの。〔広義では、整数ではない実数を位取り記数法で表わしたものを指す。整数の部分が零でない場合、これを「帯小数[5][3]」という。なお、特に断わらなければ、十進法によるものを指す〕「有限―・無限―・循環―・―第五位・―部分〔=広義の小数から、整数の部分を除いて考えたもの。例、2.35 の―は 0.35〕・―展開・十進―・二進―」 ―てん [3]【―点】〔位取り記数法で〕その数の整数部分と小数部分とを区切るために、両者の境目〔=一の位と小数第一位の間〕に打つ点。ポイント。〔一般の英文や横書きの日本文の中ではピリオド「.」を、縦書き日本文において漢数字で表記する時は、中黒「・」を用いる。例、〇・一五。フランスやドイツではコンマ「,」を用いる。なお、イギリスではピリオドよりも位置が上の「中黒」に近い点を用いることがある。例、3・14。⇩コンマ❸〕

しょうすう [3]【少数】数が少ない(方に属する)こと。また、そのもの。「―意見△にとどまる(を切り捨てる)/―派[0]・―党[0]・―精鋭主義・―民族[5]」↕多数

じょうすう [3]【定数】〔古〕その人その人によって決まっている運命。⇩すう(数)❷ [表記]この意味で「常数」と書くのは誤り。

じょうすう [3]【乗数】〔掛け算で〕ある数に掛ける方の数。↕被乗数 ―こうか [5]【―効果】〔経済政策で〕新しい投資や財政支出などの増加が波及効果を生んで、終極的に社会全体の所得が何倍かに増加すること。

じ

** * は重要語，[0] [1]… はアクセント記号，品詞の指示の無いものは名詞および いわゆる連語。

じょうすう③【常数】〔物理学などで〕「定数❷」の、やや古い表現。

しょう・する③【抄する】（他サ）❶抜き書きする。❷文献から抜き出して別の文献に載せる。表記「鈔する」とも書く。

しょう・する③【称する】（他サ）❶（名を）言う。唱える。❷〔本当はそうでないのに〕…だと言う。「遺族と称して金品をだまし取る」❸ほめる。称す①（五）。

しょう・する③【証する】（他サ）証明する。証す①（五）。

しょう・する③【頌する】（他サ）❶功績をほめたたえる。❷何かのよさを言葉を尽くして言う。「新春を―」

しょう・する③【誦する】（他サ）声を出して読む（言う）。唱える。誦す①（五）。「朗々と―」

しょう・する③【賞する】（他サ）❶よい事をした、ご苦労であったと、その行いをねぎらう。❷〔美しいものを〕見たり聞いたりなどして楽しむ。「月を―/花を―」賞す①（五）。

しょうせい①【小生】（代）〔手紙文などで〕男子が自分を謙遜して言う語。〔立場の上の人に対しては使わない〕

しょうせい⓪【小成】わずかばかりの成功。「―に安んじる」

しょうせい⓪【招請】―する（他サ）〔社会的地位の高い人などに〕頼んで来てもらうこと。「―講演⑤」

しょうせい⓪【将星】〔中国で、大将になぞらえられる星の意〕「将軍」の異称。「居並ぶ―/―墜つ」

しょうせい⓪【笑声】「笑いごえ」の意の漢語的表現。

しょうせい⓪【勝勢】勝ちそうな形勢。↔敗勢

しょうせい⓪【照星】照準を定めるため、銃口に近く銃身に固着させた、三角形の小片。

しょうせい⓪【鐘声】「（寺の）鐘の鳴りひびく音」の意の漢語的表現。

じょうせい①【上世】「大昔」の意の古風な表現。

じょうせい①【上声】〔中国語で〕四声の一つ。高く平らに発音するもの。「じょうしょう①」とも。

じょうせい⓪【上製】やや高級な需要者に向けて作ったもの（こと）。↔並製

じょうせい⓪【城西】⇩じょうさい

***じょうせい**⓪【情勢・状勢】現在どういう状態であるかということ（から察知される、近い将来の展開）。「―は流動的だ/国際―をにらむ/こうした―を踏まえる/しばらく―を見守る/―判断が甘い/―分析⑤・社会―・政治―」

じょうせい⓪【醸成】―する（他サ）麴を発酵させて、酒などを造ること。〔次第次第に、ある機運・情勢を作り出すことの意にも用いられる〕

しょうせいこん③⓪【招婿婚】母系制の社会で、婿を取る形でなされる婚姻。

しょうせき①【硝石】⇩硝酸カリウム

しょうせき⓪【証跡】証拠となる形跡。

じょうせき⓪【上席】順位が上の座席。かみざ。〔広義では、上の等級（席次）の意にも用いられる〕↔末席

じょうせき⓪【定席】❶〔会議室・飲食店などで〕その人が決まってすわる場所。❷常設の寄席。

じょうせき⓪ ❶【定石】〔碁で〕その局面で最善とされる、一定の打ち方。〔広義では、決まったやり方をも指す〕❷【定跡】〔将棋で〕その局面で最善とされる、決まった指し方。

しょうせつ⓪【小雪】二十四（節）気の一つ。太陽暦十一月二十三日ごろ。根雪とはならぬ程度の雪に見舞われる時分の意。

しょうせつ⓪【小節】❶楽譜の中で、縦線で仕切った、楽曲の一部分。❷ささやかな節操・節義。「―にこだわる」

しょうせつ⓪【小説】〔ノベルの訳語〕作者の構想力によって、登場人物の言動や彼等を取り巻く環境・風土などを意のおもむくままに描写することを通じて、虚構の世界をあたかも現実の世界であるかのように読者を誘い込むことを目的とする散文学。読者は、描出された人物像などから各自それぞれの印象を描きつつ、読み進み、独自の想像世界を構築する。「事実は―よりも奇なり/歴史―④・時代―④・恋愛―⑤・風俗―・推理―」かぞえ方 一編 **―か**⓪【―家】小説を書くことを仕事としている人。**し―**②【私―】作者の身辺に起こった出来事などをそのまま材料とした、現代日本独特の小説。「わたくし小説」とも。**しんきょう―**⑤【心境―】自己の心境の描写を通して美的世界を追究しようとした小説。**たいが―**④【大河―】〔フ roman-fleuve の訳語〕激動する社会、混乱する時代思想の中で、さまざまな階層の人とかかわりを持ちながら生きた主人公が、何を考えどのような苦楽を味わったかを、雄大な構想のもとにじっくりと描き上げた長編小説。**ちゅうかん―**⑤【中間―】純文学と大衆文学の中間に位置する小説。第二次世界大戦後盛んになった、いわゆる風俗小説を指していう。**わたくし―**⑤【私―】❶主人公が「私は」という一人称で物語る形式の小説。イッヒロマン④。〔「私」は、必ずしも作者自身ではない〕❷⇩ししょうせつ

しょうせつ⓪【消雪】―する（自サ）〔雪の多い地方で〕通行のさまたげとなる路面の積雪を溶かして無くすこと。舗装の内側に電線を通したり 地下水をくみ上げて流したりする。「―道路・―パイプ」

しょうせつ⓪【章節】長い文章などの章や節の区切り。

しょうせつ⓪【詳説】―する（他サ）詳しく説明すること。また、その説明。↔略説

じょうせつ⓪【常設】―する（他サ）機能が発揮出来るようにいつも設けてあること。「―の映画館/―委員会・―欄④・―展④③」 **―かん**④③【―館】毎日映画を上映する映画館。かぞえ方 一軒・一館

じょうぜつ⓪【饒舌】・【冗舌】―な よく話題がつきない（口がまわる）ものだとあきれるほどおしゃべりな様子。表記「冗」は、代用字。

しょうせっかい③【消石灰】⇩水酸化カルシウム

しょうせっこう③【焼石膏】石膏を熱して得られる白い粉。白墨・壁の原料、また彫刻の材料用。

しょうせん⓪【省線】もと、鉄道省（=現在の国土交通省）の管轄下にあった鉄道線。〔主として電車線について言った〕「―電車⑤」

しょうせん⓪【商船】〔軍艦などと違って〕客船・貨物船の称。「―隊⓪」かぞえ方 一艘・一隻

しょうせん⓪【商戦】商業上の競争。「歳末―」

しょうぜん⓪【小善】ちょっとした善行。

しょうぜん⓪【承前】〔雑誌の続き物などで〕前号の文を受けて、それに続くこと。

しょうぜん⓪【悚然】―たる ―と こわい目にあったりして、ぞっとする様子だ。表記「竦然」とも書く。

しょうぜん⓪【悄然】―たる ―と 〔「悄」は、静かで物寂しい形容〕元気を無くしている様子だ。「―（=しょんぼり）と立ち去った/孤影―」

しょうぜん⓪【蕭然】―たる ―と 物寂しい様子だ。

じょうせん⓪【乗船】❶―する（自サ）船に乗ること。↔下船 ❷乗った船。表記 ❶は、「上船」とも書く。

しょうせん⓪【情宣】〔「情報・宣伝」の略〕労働組合で、組合員への情報提供や外部へ向けての宣伝などの活動。「―活動」

しょうせんきょく⑤【小選挙区】議員の定員が一人の、小さい選挙区。⇩大選挙区・中選挙区

しょうぜんてい③【小前提】〔三段論法で〕第二の前提。⇩三段論法

しょうそ①【勝訴】―する（自サ）訴訟に勝つこと。↕敗訴

じょうそ①【上訴】―する（自サ）㊀上級の機関・立場の上の人などに訴えること。㊁上級裁判所に対して、判決・決定に不服であることを申し立てること。控訴・上告・抗告の総称。

しょうそう⓪【少壮】まだ若くて、これからやるぞという意気が盛んなこと。「―有為」

しょうそう⓪【尚早】その事をするのに時期が熟していないこと。「時期―」

しょうそう⓪【焦燥・焦〈躁】―する（自サ）目的の事がなかなか実現しないので、気があせること。「―〔＝いらだち〕の色が隠せない／―感③」

しょうぞう⓪【肖像】その人の顔かたちや姿に似せて写した像。〔広義では、彫像を含む〕「―画⓪」 ―けん③【―権】自分の顔や姿を無断で撮影されたり絵にかかれたり公表されたりすることを拒否出来る権利。人格権の側面と財産権の側面が考えられている。

しょうぞう⓪【尚蔵】―する（他サ）「大事に保管する」意の古風な表現。

じょうそう⓪【上奏】―する（他サ）〔明治憲法下で〕大臣や議員などが、天皇に事実・意見を申し上げて決裁を仰いだこと。

じょうそう⓪【上層】㊀重なったものの上の方。「―気流⑤・―雲③〔＝巻雲・巻積雲・巻層雲・高積雲・高層雲の総称。⇩雲級〕」⇩中層・下層 ㊁上の階級。「会社の―部／―階級⑤」↕下層

じょうそう⓪【情操】美しいもの、純粋なもの、崇高なものを見たり聞いたりしてすなおに感動する、豊かな心（の働き）。「―を養う／―教育⑤」

じょうぞう⓪【醸造】―する（他サ）発酵作用を応用して酒類・醤油などを造ること。「―酒③」

しょうそく⓪【消息】〔「往来〔＝手紙〕」の意〕その時点において、どのような状態△で暮らしているか（に置かれているか）についての情報・〔杳として―が知れない／―を絶つ〔＝連絡が無くなる〕／―文④⓪〔＝手紙文〕」 ―し④③【―子】尿道や膀胱の拡張・探査に使う棒。ゾンデ。 ―すじ④③【―筋】その方面の事情に詳しい人。 ―つう⓪【―通】その方面、特に政界・外交界の情勢に詳しい人。

しょうぞく①【装束】特別の場合に備えて、身じたくをすること。また、その着物。「晴れの―／白―・死に―・火事―③」〔古くは「そうぞく」とも言い、衣冠・束帯などを整えた礼服を指した〕

じょうぞく⓪【上〈蔟】―する（自サ）十分成熟したカイコを、繭を作らせるためにまぶしに移すこと。

しょうそつ⓪【将卒】将校と兵。将兵。

しょうそん⓪【焼損】―する（自他サ）焼けてこわれること。焼いてこわすこと。「変圧器の―」

しょうたい⓪【小隊】〔陸軍で〕編制上の単位の一つ。⇩中隊・大隊

しょうたい①【正体】㊀本来の姿を隠して人前に現われているものの実体。「―を現わす／幽霊の―見たり枯れ尾花」㊁自分の置かれた状況などが的確に判断できる状態。「―が無くなる／―無く酔う」

*しょうたい①【招待】―する（他サ）〈だれヲなに・どこニ―する〉何かの催しに客を呼ぶこと。「―状⓪③・―客⓪③〔＝招待された人〕・―者③〔＝客を招待した人〕」〔古くは、「しょうだい」〕

しょうたい⓪【消退】―する（自サ）症状などが消えて無くなること。「発疹が（自然に）―する」

しょうだい①⓪【昭代】「太平無事の世」の意の漢語的表現。

じょうたい⓪【上体】からだの腰から上の部分。上半身。「―を起こす」

じょうたい⓪【上〈腿】ひざの上から、ものつけ根までの部分。「―部③」↕下腿

**じょうたい⓪【状態・情態】われわれが見たり聞いたりさわったり感じたりすることが出来る物事を、ある時点を中心として切り取ってとらえた時の、形や性質がどのようであるかということ。「中だるみ―を呈する／ひどい―だ／混乱―・整頓―・生活―・健康―・心理―」

じょうたい⓪ ㊀【常体】文末を「だ・である」で終える表現。↕敬体 ㊁【常態】混乱などが起きる前の、△普通（いつも）のありさま。

じょうだい①【上代】〔日本史の時代区分で〕太古と上古とを含めた称。〔狭義では、上古に限る。例、「―歌謡⑤」〕

じょうだい①⓪【城代】㊀主君に代わって城を守った武士。㊁江戸時代、国持ち大名の留守中、一切の政務をつかさどった家老。城代家老⑤。

しょうたく⓪【〈妾宅】めかけを住まわせておく家。別宅。↕本宅

しょうたく⓪【沼沢】ぬまとさわ。「―地③④」

*しょうだく⓪【承諾】―する（他サ）〈なにヲ―する〉相手から頼まれたり説得されたりして、承知したと引き受けること。「申し出を―する」

*じょうたつ⓪【上達】―する（自サ）㊀〔訓練・練習などの結果〕学芸・技術が進むこと。「目覚ましい―を示す」㊁上の方の人に届くこと。「下意―」

じょうだま⓪【上玉】〔上等の宝玉の意〕上等の商品。〔俗に、美人の女性・芸者などを指す〕

しょうたん③⓪【小胆】―な 気が小さくて度胸が無い様子だ。↕大胆

しょうたん⓪【賞嘆・賞〈歎】―する（他サ）性質や出来ばえの良さなどをほめること。表記「称嘆・称〈歎」とも書く。

しょうだん⓪【昇段】―する（自サ）〔武術・碁・将棋などで〕段位があがること。↕降段

しょうだん⓪【商談】―する（自サ）商売・取引に関する相談。「―をまとめる」

じょうたん⓪【上端】上の方のはし。↕下端

じょうだん⓪【上段】㊀上の段。㊁床を一段高くしてある所。㊂上座。㊃刀や槍を振りかぶって構えること。「―の構え／大―」㊄段位が上であること。「―者③」⇩中段・下段

じょうだん③【冗談】〔むだ話の意〕本筋・用談からはずれて言う、その場で相手を△楽しませる（驚かす）ような言葉。「―ばかり言って笑わせる／―とも本気ともつかない口ぶり／―半分に言う／―臭い⑥」運用 相手の発言に対して「ご冗談△を（でしょう）／冗談じゃない」などの形で、そんなばかげた話をまともに聞いてはいられないという気持を表わすのに用いられる。例、「ぼくがうそつきだなんて、ご冗談でしょう／冗談も休み休み言え〔＝あまりふざけたことを言うな〕」 ―ぐち③【―口】ふざけ

た話。「―をたたく(=冗談を言う)」

じょうだん⓪【常談】(ジャウ) 「日常的に話題にされるようなありふれた話」の意の古風な表現。「―平話」

しょうち①【小知・小〈智】(セウ) あさはかな知恵。わずかばかりの才知。

しょうち①【召致】(セウ)―する(他サ) 呼び△寄せ(つけ)ること。

**しょうち⓪【承知】―する(他サ)〈なにヲ(なんだト)―する〉 ❶情報に接して、△内部の(詳しい)事情を知っていること。「ご―(=ご存じ)の通り/百も―している(=分かっている)/無理を―で/すべて―の上で」 ❷(して)いいと認めること。「要求を無理に―させる/悪口を言うと―しない(=許さない)ぞ」

運用 「承知していない」の形で、正規の手順を経て伝えられていないから話題として取り上げる価値がない、という気持を表わすことがある。例、「社長は海外に生産拠点を移すと言ったそうだが、私は承知していない」 ―のすけ⓪④【―〈之助】 承知したということを、人の名前にたとえて言う表現。「おっと合点(ガッテン)、―だ」

しょうち①【招致】(セウ)―する(他サ) 自分の所で何かをするように、働きかけること。「―運動」

しょうち①【勝地】 景色のいい土地。名勝地。

じょうち①【上知・上〈智】(ジャウ) 学習の必要を認めないほど知的能力がすぐれている△こと(人)。

じょうち①【常置】(ジャウ)―する(他サ) いつでも機能を発揮出来るように、会などを作っておくこと。「―委員会」

じょうち①【情致】(ジャウ) 接する人・その物・事がらに感じられるおもむきやおもしろみ。「―を尊ぶ」

じょうち①【情痴】(ジャウ) 異性への愛欲のために理性を失うこと。「―文学」

しょうちくばい④【松竹梅】〔寒さに耐える、めでたいものとしての〕松と竹と梅。〔三つの等級を示すものとしても用いられる〕

しょうちゃく⓪【勝着】〔碁・将棋で〕勝ちを制する決め手となった、(最後の)「手❷㈣Ⓐ」。↔敗着

しょうちゅう⓪①【掌中】(シャウ) てのひらの中。手中。「―に収める(=△得がたい(何としてもほしかった)ものを(完全に)自分の物とする)」 ―のたま⓪-②、①-⓪【―の玉】 最も大切にしているもの。「―(=最愛の子供)を失う」

しょうちゅう③【焼酎】(セウチウ) 穀類・サツマイモなどを蒸留して造った、アルコール分の強い酒。かぞえ方 小売の単位は一本・一瓶

じょうちゅう⓪【条虫・〈絛虫】(デウ) 寄生虫の一つ。からだは平たくて多くの節から成り、さなだひもに似る。駆除しにくい。サナダムシ。かぞえ方 一匹

じょうちゅう⓪【常駐】(ジャウ)―する(自サ) 常に駐在していること。

しょうちょ①【小著】(セウ) ページ数の少ない著作。「―ながら力作」〔自分の著書の謙称としても用いられる〕

じょうちょ①【情緒】(ジャウ) 〔本来の字音はジャウショ。「じょうちょ」は類推読み〕 ❶その△もの(場)に接した時に受ける、特有の情趣。「―豊か/港―」 ❷〔態度・行動にすぐ現われるかどうかの観点から見た〕怒り・悲しみ・喜びなどの感情。「―がすさむ/―(不)安定」〔❶は、正しくは「情調」と言う〕 ―しょうがい④【―障害】(シャウ) 外界の刺激に応じて普通の意味の反応を示すことが出来ない精神状態。

しょうちょう①【小腸】(セウチャウ) 胃と大腸の間にある消化器官。長さ六～七メートルの曲がりくねった管で、消化・吸収の働きを持つ。

しょうちょう①【省庁】(シャウチャウ) 文部科学省のように「…省」と呼ばれる機関と、気象庁や金融庁のように「…庁」と呼ばれる機関。

しょうちょう⓪【消長】(セウチャウ)―する(自サ) 勢いが盛んになったり衰えたりすること。「国運の―」

*しょうちょう⓪【象徴】(シャウ)―する(他サ)〈なにヲ(なにデ)―する〉〔その社会集団の約束として〕言葉では説明しにくい概念などを具体的なものによって△表わす(代表させる)こと。また、そのもの。シンボル。「ハトは平和の―/―性⓪」 ―し③【―詩】 直接にはつかみにくい内容を、象徴的方法により暗示的に表現する詩。 ―しゅぎ⑤【―主義】 △深い(内面的な)内容を象徴によって表現しようとする、芸術上の主義。サンボリスム。シンボリズム。 ―てき⓪【―的】―な―に ある物事を象徴する様子だ。

じょうちょう⓪【上長】(ジャウチャウ) △年齢(地位)の点で自分よりも上の人。

じょうちょう⓪【冗長】(チャウ)―な―に 〔文章・話が〕やたらだらだらと続く様子だ。↔簡潔

じょうちょう⓪【情調】(ジャウテウ) そこに身を置いてみたいと願う環境にあって味わう(ような)、ロマンチックな気分。〔最近では、同じ意味で「情緒」と書く向きが多い〕「異国―④・江戸―③」

じょうちょう①【場長】(ヂャウチャウ) その工場・試験場などの長。

しょうちょく⓪【詔勅】(セウ) 詔書と勅書の総称。

じょうちょく⓪【常直】(ジャウ)―する(自サ) 勤務(の延長)として毎日宿直すること。「―の守衛」

しょうちん⓪【消沈・〈銷沈】(セウ)―する(自サ) 〔積極的にやろうとする〕元気を失うこと。「意気―する」

しょうつき①⓪【祥月】(シャウ) 〔一周忌以後にめぐって来た〕故人の亡くなった月と同じ月。 ―めいにち⑤【―命日】 一周忌以後の祥月の命日。

じょうっぱり④⑤【情っ張り】(ジャウッ)―な 強情(ゴウジョウ)をはる△こと(様子)。また、その人。

じょうづめ⓪④【定詰め】(ヂャウ) 勤めとしていつも一定の場所に詰めている△こと(人)。

じょうづめ⓪④【常詰め】(ジャウ) △緊急事態のため(勤務の性質上)昼夜の区別無くそこに詰めている△こと(人)。

しょうてい(セウ) ❶⓪①【小弟】 自分の弟(の謙称)。〔男同士の手紙文などで、自分の謙称としても使う。この場合の対義語は、大兄(タイケイ)〕 ❷⓪【少弟】 自分よりずっと年下の弟。

じょうてい⓪【上帝】(ジャウ) 〔天上の神の意〕造物主たる絶対唯一の神。〔狭義では、ユダヤ教のヤハウェの特称〕

じょうてい⓪【上程】(ジャウ)―する(他サ) 議案を会議にかけること。

じょうてい⓪【乗艇】―する(自サ) 潜航艇・救助艇などに乗ること。

しょうてき⓪(セウ) ❶【小敵】 弱い敵。↔大敵 ❷【少敵】 わずかの敵。「―たりとも侮らず」

じょうでき⓪【上出来】(ジャウ)―な 出来ばえがいい様子。↔不出来

じょうてもの⓪【上手物】(ジャウ) 〔下手物(ゲテモノ)に対して〕精巧で高価な工芸品。

しょうてん(セウ)【小店】 ❶⓪ 小さな店。 ❷① 自分の店を謙遜(ケンソン)して言う語。

しょうてん⓪【小〈篆】(セウ) 印鑑などに使われる、漢字の一体。〔大篆を少し長方形にして簡略にしたもの〕

しょうてん⓪【召天】(セウ)―する(自サ) 〔天に召される意〕〔キリスト教で〕信者が死ぬこと。

しょうてん①⓪【声点】(シャウ) 漢字の四声を示すために、一つひとつの字の四隅(ヨスミ)に付けた小さな丸。〔濁音には二つ施す。後には、かなで表わす和語にも加えられた〕

しょうてん⓪【昇天】—する(自サ) ❶天にのぼること。「旭日—」❷(キリスト教で)キリストの死去。〔広義では、教徒や一般人の死の婉曲表現としても用いられる〕

***しょうてん**①【商店】 商品を売る所。みせ。「—街③」 かぞえ方 一軒・一店

***しょうてん**①【焦点】❶レンズ・反射鏡などに平行に入って来た光線が△屈折(反射)して集まる点。❷(多くの人の)注意・関心が集まる中心点や問題点。「防衛問題に—を絞った国会の集中審議/—を合わせる/—が定まる/—がぼやける」 **—きょり**⑤【—距離】 鏡・レンズの中心から焦点までの距離。

しょうてん⓪【衝天】 天をつくばかりに元気が盛んであること。「—の意気/怒髪—」

しょうでん⓪【小伝】 ごく簡単にまとめた伝記。

しょうでん⓪ ㊀【召電】 人を呼び寄せるための電報。㊁【招電】 招待のために打つ電報。

しょうでん⓪【昇殿】❶—する(自サ) 許されて、拝殿の奥まで入ること。「—参拝」❷殿上。❸。

しょうでん①【《聖天】「歓喜天」の異称。

しょうでん⓪【詳伝】 詳しい伝記。↔略伝

じょうてん⓪【上天】❶「そら・上帝」の意の古風な表現。❷—する(自サ) 昇天。

じょうでん⓪【上田】 土地が肥えていて、作物がよく出来る田。↔下田

しょうてんいん③【小店員】 少年の店員。「小僧」の改称。

じょうてんき③【上天気】 よく晴れた、いい天気。

しょうてんち③【小天地】 狭く限られた環境。〔狭義では、宇宙に対して、人間界を指す〕

しょうと①【省都】〔中国で〕省の、政治上の中心地。

しょうと①【商都】 商業の盛んな大都市。

しょうど①【焦土】❶焼けこげた黒土。❷家屋や周囲の草木などがすっかり焼けて、一面に焼け野原となること。「—と化する」

しょうど①【照度】 物体のその面が受ける光の強さ。単位はルクス。

じょうと①【城都】〔「城」も、都と同意〕一国の首府や、大名の居城のあった土地。みやこ。

じょうと①【譲渡】—する(他サ) 財産や権利を他の所有に帰せしめること。「一切の統治権を完全かつ永久に日本に—する/株式の—/△有償(無償)—」・—性預金」

じょうど①【浄土】〔仏教で〕仏・菩薩の居る清浄な国土。〔狭義では、極楽浄土を指す〕↔穢土 **—きょう**⓪【—教】 阿弥陀仏による救済を信じ、念仏によって極楽往生することを目的とする、仏教の一派。浄土門。 **—しゅう**③【—宗】 法然を開祖とする浄土教の一派。 **—しんしゅう**④【—真宗】 親鸞を開祖とする、浄土教の一派。略して「真宗」。

じょうど①【壌土】〔「壌」も土の意〕最も耕作に適する土。粘土分を二五～三七・五パーセント含むもの。

しょうとう⓪【小刀】 小さな刀。〔狭義では、大刀に対して、わきざしの称〕 かぞえ方 一本

しょうとう⓪【小党】〔議会で〕属する議員の少ない政党。「—乱立」

しょうとう⓪【消灯】—する(自サ) △あかり(電灯)を消すこと。「—時間⑤」↔点灯

しょうとう⓪【《檣頭】「帆柱の先」の意の漢語的表現。

しょうどう⓪【商道】 商業道徳。「—を重んじる老舗」

しょうどう⓪【唱導】—する(他サ) ❶〔仏教で〕法を説いて、人を仏道に引き入れること。❷△革新(精神)運動の指導者となること。❸人より先に主張すること。 表記 ❸は、「唱道」とも書く。

しょうどう⓪【衝動】 △なぜ(なんのために)するのか自分でも分からずに、発作的に行動する心の動き。「—的に/一時の—(=はずみ)にかられる/—が起こる/内的—」

しょうどう⓪【《聳動】—する(他サ) あっと驚かせるようなニュースで、世間の人心を強くゆさぶること。「一世の耳目を—△する(させる)」

じょうとう⓪【上棟】「むねあげ」の意の漢語的表現。「—式③」

***じょうとう**⓪【上等】—に/—な ↔下等 ❶等級が上である△様子(もの)。❷すぐれていい△様子(もの)。 **—へい**③【—兵】 もと陸軍の、兵の階級の一つ。一等兵の上。

じょうとう⓪【城東】 城の東側(の地区)。〔東京では、江東区・墨田区・江戸川区など〕↔城西

じょうとう⓪【城頭】 その城(の出入り口)のあたり。

じょうとう⓪【常《套】 同じような場合にいつも決まって取られるやり方。〔陳腐さを批判した言い方〕 —句③〔=きまり文句〕・—語⓪・—手段⑤」

じょうどう①⓪【成道】—する(自サ) 〔仏教で〕悟りを開くこと。

じょうどう⓪【常道】 原則に従ったやり方。「憲政の—/—論③」

じょうどう⓪①【情動】〔次に何かの行動を引き起こすほどの〕強く急激な喜怒哀楽の情。

しょうとく⓪【生得】 生まれつきそういう性質であること。「—の才/—筆不精で」

しょうとく⓪【《頌徳】 功績・徳行をほめたたえること。「—碑③④」

***しょうどく**⓪【消毒】—する(他サ) 〈なにデなにヲ—する〉 薬品や(太陽の)熱で、病原体を殺したり 繁殖を防ぐこと。「アルコールで傷口を—する/—薬④・—剤④⓪・日光—」

じょうとくい③ ㊀【上得意】 ⇩じょうきゃく(上客) ㊁【常得意】 その店でいつも買ってくれる客。 かぞえ方 ㊀㊁とも 一人：一軒

****しょうとつ**⓪【衝突】—する(自サ) 〈なに・だれト—する〉 二つ以上の物がぶつかること(によって、いろいろの不具合が起こること)。「電柱に—する〔=つきあたる〕/列車がバスと—する〔=ぶつかる〕/意見の—〔=くい違い〕/—を招く/正面—⑤・三重—⑤・武力—〔=兵器を使用しての争い〕」

しょうとりひき④③【商取引】 商業上の取引行為。「活発な—」

しょうどん⓪【焼鈍】—する(他サ) 「やきなまし」の意の漢語的表現。

しょうない①【省内】 その省の内部。「—切っての経済通」

じょうない①【場内】 その△場所(会場)の内部。「—アナウンス」↔場外

しょうなごん③【少納言】 太政官の三等官。⇩大納言・中納言

じょうなし⓪【情無し】 人情の無い△こと(人)。

しょうなん⓪③【小難】 △小さな(ちょっとした)災難。

じょうなん⓪【城南】 城の南側(の地区)。〔東京では、大田区・品川区・目黒区など〕↔城北

しょうに①【小児】 (小さな)子供。 **—か**⓪【—科】 小児の内科的病気を治す、臨床医学の一部門。 かぞえ方 施設は一軒 **—びょう**⓪【—病】 小児に特

し

有の病気。例、百日ぜき。「―的〔=現実から遊離した極端な〕理想主義」 ―まひ④【―麻〈痺】 脳の病気、外傷や脊髄の病気、また、ある種のウイルスのために、おもに乳幼児に起こる、手足の麻痺。後遺症を伴う。ポリオ。

しょうに①―【少弐】 大宰府の次官で、大弐の下。

しょうにく⓪―【正肉】〔ニワトリなどで〕骨・皮・内臓などを取り去った、正味の肉。

じょうにく⓪―【上肉】〔肉屋で〕スライスして売る食肉の中で、赤身が多く品質の上等なもの。⇩中肉・並肉

しょうにゅうせき③【〈鍾乳石】 鍾乳洞の内部につららのように垂れ下がった石灰岩。水に溶けた炭酸石灰が再び固まったもの。

しょうにゅうどう③【〈鍾乳洞】 石灰岩地が△雨水(地下水)におかされて出来た地下洞。天井から鍾乳石が垂れ、床には石筍が立ち、底には多く地下水が流れる。石灰洞。

しょうにん①―【上人】 一心に仏道を修行し、知徳を兼ね備えた僧。〔広義では僧の敬称として、また、僧位の一つとしても用いられる〕 ■【《聖人】 仏の再来かと思われるほど知徳の高い僧(の尊称)。 かぞえ方 ■■とも 一人・一方

しょうにん⓪―【小人】 入場料金表などにおける、「こども」の漢字による表記。「しょうじん」とも。〔主として小学生を指す〕⇩大人・中人

*しょうにん⓪―【承認】―する(他サ)〈(だれ ニ)なに ヲ―する〉 ❶△正当(事実)性を認めて、肯定の意志を表明すること。❷相手の言い分を承知すること。「―を△得る(とりつける・求める)」 ❸国際法上の資格・地位にかなっている事を認めること。

しょうにん⓪【昇任・〈陞任】―する(自サ) 上級の任務・地位にのぼること。↕降任

*しょうにん①―【商人】 商業をいとなむ人。 ―かたぎ⑤【―〈気質〉】 商人に特有の気質。商売かたぎ。

*しょうにん⓪【証人】 何かの事実を証明する人。〔法律では、裁判所または国会に呼び出され、実際に見聞した事実を申し述べる人を指す〕「―を△喚問(尋問)する／―席に立つ／―台⓪・生き―」

じょうにん⓪―【常任】―する(自他サ) いつもその任務を任せ(られてい)ること。「―委員⑤・―理事⑤・―指揮者」

しょうにんずう③―【少人数】 ⇩こにんずう(小人数)

しょうね⓪③―【性根】〔「心根」に対する語〕その人の行動のささえとなる、心の持ち方。根性。「―を据えてかかれ」 ―だま⓪【―玉】「性根」を強めて言う語。

しょうねつ⓪―【焦熱】 ❶そこにあるすべてのものを焼き尽くしてしまうような熱さ。❷〔←焦熱地獄⑤〕〔仏教で〕八大地獄の一つ。この世で悪行を犯した亡者が、猛火の中に投げ入れられて日夜苦しむという。炎熱。

*じょうねつ⓪―【情熱】 目前の目的・対象に全身全霊を傾け尽くして悔いを感じない ひたむきさ。「△飛行機の研究(幼児教育)に―を注ぐ／ジャズに―を傾ける／バスケットボールに―を燃やしている中学三年生」 ―てき⓪【―的】―な 感情を燃え上がらせ(ているのが感じられ)る様子だ。「―に△語る(歌う)／―な△歌声(民族芸術・女性・医療活動・ひとみ)」

*しょうねん⓪―【少年】 人を年齢によって分けた区分の一つ。小学生から中学・高校生くらいまで(の男子)。〔広義では少女を含む。少年法では、二十歳未満の者を指す〕⇩青年・壮年・老年 ―いん③―【―院】 家庭裁判所から保護処分として送られた非行少年を収容して、矯正教育を授ける施設。〔刑事処分に付された者は少年刑務所に収容〕 ―かんべつしょ⑨⓪【―鑑別所】 犯罪少年を家庭裁判所の審判前に収容する機関。医学・心理学などの専門知識でその資質を鑑別する。略して「鑑別所⑤⓪」。 ―だん③【―団】 少年の修養団体。社会に奉仕し善良な公民となることを目的とする。ボーイスカウト。

しょうねん①⓪―【正念】〔仏教で〕何ものによっても乱されることのない、ひたむきな信心。 ―ば⓪【―場】〔「性根場⓪」の変化〕〔歌舞伎などで〕俳優にとって、どうしても失敗することが許されない、最も大事な場面。〔もはや失敗することが許されない土壇場の意にも用いられる。例、「―を迎える／―に立たされる」〕

しょうねん①⓪【生年】「年齢」の意の古風な表現。

じょうねん①―【情念】〔社会とか個人に対する〕消しがたい、愛憎などの感情。

しょうのう①【小脳】 脳髄の一部。大脳の下部、延髄の後方にあり、随意筋を調節し、からだの平衡を保つ。

しょうのう⓪―【小農】 家族だけでする小規模の農業。⇩中農・大農

しょうのう⓪【笑納】―する(他サ)〔多く「ご―」の形で〕つまらない物ですが、お笑いぐさまでに受け取ってくださいという意味を込めて、何かを贈る時の挨拶の言葉に用いる。「ご―ください」

しょうのう①③【〈樟脳】 クスノキの木材片を蒸留して出来る白色の結晶体。芳香があり、セルロイド・無煙火薬などの原料。また防虫剤にする。

じょうのう⓪【上納】―する(他サ) 政府や権威筋へ定められた物を納めること。〔古くは、年貢米の意にも用いられた〕「―金⓪」

じょうのう⓪―【上農】 収入が多くて暮らし向きのよい農家。

しょうのつき①-②―【小の月】 一か月の日数が、太陽暦で三十日以下、陰暦で二十九日の月。〔太陽暦の二・四・六・九・十一の五か月〕↕大の月

しょうのふえ①-⓪、③―【〈笙の笛】 ⇩しょう(笙)

しょうは①―【小破】―する(自他サ) △少し(一部分が)破損すること。↕大破

しょうは①―【〈翔破】―する(自サ)〔航空機・鳥などが〕目的地まで無事に飛ぶこと。

しょうは①―【照破】―する(他サ) 鋭く見通すこと。「すぐれた眼力をもって―する」

じょうは①―【条〈播】―する(他サ)「すじまき」の漢語的表現。

じょうば【乗馬】 ❶⓪―する(自サ) 馬に乗ること。「颯爽たる―姿」 ❷①乗る馬。

しょうはい⓪【勝敗】 勝つか負けるか。「―の鍵／―が左右される／―を競う／―を決する／―は時の運」

しょうはい⓪― ■【賞杯・賞〈盃】 優勝者などの栄誉を記念するために与えられる金属性の置物。多く、両手付きのジョッキを象る。カップ。 ■【賞〈牌】 賞として与えられる記章。メダル。

*しょうばい①―【商売】―する(他サ)〈なに ヲ―する〉 売り買いの営業。あきない。〔俗に、職業・専門の意にも用いられる〕「―屋⓪」 ―がたき⑤【―敵】 商売上の競争者。 ―がら⓪【―柄】 ❶商売の種別。❷商売で養われた習性。 ―げ⓪【―気】 金銭上の利益を、どんな時にも忘れない気質。〔職業意識の意にも用いられる〕〔口頭語的表現は、「商売っ気⓪」〕「もっと高いねだんをつけても良さそうなのに、―の無い人だ」 ―にん⓪【―人】 物の売買を職業とする人。〔俗に、専門業者の意から、専門家の意にも用いられ、狭義では水商売の女性、特に芸者を指す〕

どの常緑樹を指す。国訓カシワは落葉樹〕マツ・カヤ・ヒノキなどの常緑樹。常磐木の代表とされる。

しょうはく⓪【衝迫】（何かの刺激を受けて）急に心の中にわき起こり、どうしても抑えることの出来ない強い欲求。

じょうはく⓪【上白】上等の△白米（白砂糖）。

じょうはく⓪【上〈膊〉】ひじから上の部分。二の腕。「—部④」↕下膊 **—こつ**④③【—骨】ひじから上の部分を形作る骨。「じょうはっこつ」とも。

じょうばこ⓪【状箱】手紙を入れて△おく（使いに持たせてやる）箱。

しょうばつ①【賞罰】賞と罰。「—無し」

***じょうはつ**⓪【蒸発】—する（自サ）液体が、熱を加えられたりして、気体となること。〔俗に、人に気づかれずに、居なくなる意にも用いられる〕

しょうはブロック⑤【消波ブロック】波の勢いを弱めるために海岸・河口などに積み重ねて置かれる護岸用のコンクリート製ブロック。〔テトラポッドに代表される〕

じょうはりの かがみ⓪-③【浄〈玻璃の鏡〉】〔「玻璃」は、ガラスの意〕地獄の閻魔の庁にあって、死者の生前の行為を映し出すという鏡。〔相手にごまかされない眼識の意にも用いられる〕

しょうはん⓪【小藩】江戸時代、△領地の狭い（石高の少ない）藩。↕大藩

しょうばん⓪【相伴】—する（自サ）その座に正客に伴われて行き、客の一人として接待を受ける△こと（人）。〔本来その立場にはないのに、利益の一部を受けるという恩恵に浴する意にも用いられる〕「お—にあずかる」

じょうばん⓪【上番】「△出勤（当直）」の意の古語的表現。〔軍隊では、歩哨や見張りなどの勤務につくことを指した〕↕下番

じょうばん⓪【常〈磐〉】常陸・磐城。今の茨城県の北東部と福島県東部地方。

じょうはんしん③【上半身】からだの腰から上の部分。「かみはんしん③」とも。「—を起こす」↕下半身

****しょうひ**⓪①【消費】—する（他サ）〈なにヲ—する〉目的を遂げたり欲望を満たしたりするために、有用なものを、使って無くすこと。「時間を—する／—が伸びる／個人—を刺激する／米の—量」⇩生産 **—きげん**④【—期限】加工食品などについて、適切な保存のもとでは、品質の劣化や衛生

くみあい④【—組合】〔旧制で〕購買組合の一つ。日用品を共同で安く生産者・問屋から買い入れて、組合員に分けた組織。 **—ざい**③【—財】食料品や消耗品などのような品物。〔自動車・家庭電気器具・家具などは「耐久消費財」という〕「日用—」↕生産財 **—しゃ**③【—者】その品物を使ったり食べたりする側の人。 **—しゃきんゆう**⑤【—者金融】個人向けに（使途に制限を加えずに）小口の現金を貸し付けること。またそれを行なう民間の金融業者。銀行や公的機関に比べると、一般に金利が高い。 **—しゃ ちょう**④【—者庁】消費者の利益や安全を守るという視点から国民生活に関わる諸事万般を監視する中央官庁。二〇〇九年内閣府の外局として発足。〔消費者庁長官を置く〕 **—ぜい**③【—税】物品購入・サービス受容などすべての消費に対して課される税。狭義では、一九八八年に制定された消費税法による、製造から小売りに至る各段階ですべての物品・サービスの消費に対し課税される税を指し、広義では、消費の最終段階で課税される直接消費税〔=入場税・自動車税など〕と、生産・流通の段階で課税されて消費者が負担する間接消費税〔=酒税・たばこ税・関税など〕をも指す。

しょうび①【称美】—する（他サ）〔「称」「賞」「美」は、いずれもほめる意〕❶りっぱなものだと言って、ほめること。称賛。 ■【賞美】❶△きれいだなあ（すぐれている）と言って、鑑賞すること。❷おいしいと言（い合）って食べること。

しょうび①【焦眉】〔まゆ毛を焦がすほど火が迫る意〕事態が差し迫って一刻の猶予もない状態に置かれること。「—の急／震災の復興は—の課題だ」

しょうび①【〈薔薇〉】「ばら」の漢語的表現。「そうび」とも。

じょうひ①【上皮】からだの表面をおおう細胞群の称。〔消化管の内壁も外界につながるので、その内面をおおうのもまた上皮〕

じょうひ①【冗費】むだな費用。むだづかい。

じょうび①【常備】—する（他サ）いつでも使えるように△準備（用意）しておくこと。「—食③・—薬③・—兵力④」

じょうびたき③【《尉〈鶲〉】冬の初め日本に来る小鳥。スズメくらいの大きさで、黒褐色の翼のまん中に白い部分がある。〔ヒタキ科〕 かぞえ方 一羽

しょうひつ⓪【省筆】—する（自サ）❶〔文章を書く時に言わなくても済む語句を省略すること〕❷…

しょうひょう⓪【商標】製造者・販売業者が自分の商品の独自性を主張するために、商品につける一定の記号。トレードマーク。「登録—」

しょうひょう⓪【証票】何かを証明するための紙片など。 かぞえ方 一枚

しょうひょう⓪【証〈憑〉】「証拠」の意の古風な表現。

しょうびょう⓪【傷病】けがや病気。 **—へい**③【—兵】戦争でけがをしたり病気になったりした兵士。

じょうひょう⓪【上表】君主に奉る意見書。「—文③⓪」

しょうひん⓪【小品】絵画・彫刻などの、小形の部類に属する作品。〔広義では、短い写生文などをも指す〕↕大作❷

***しょうひん**①【商品】売るために△作られた（陳列された）物。〔具体的な形を持たないサービス・情報や、金融関係のものをも指す〕「—化⓪・—価値⑤」 **—きって**⑤【—切手】商品券。 **—けん**③【—券】表記の金額に相当する商品がその△店（加盟店）で買えるという約束でその△店（加盟店）で発行する無記名有価証券。 かぞえ方 一枚

***しょうひん**⓪【賞品】賞として与えられる品物。

***じょうひん**③【上品】—な／—に △清潔で（洗練されていて）、接する人に好ましい感じを与える様子だ。「—な味／—な言葉づかい／（お）—ぶる」↕下品 派 **—さ**⓪③

しょうふ⓪【生〈麩〉】小麦粉から麩を作る時に底によどんだ粉をかわかしさらしたもの。糊の材料。 表記 もとの用字は、「〈漿麩〉」。「正〈麩〉」とも書く。

しょうふ①【〈娼婦〉】売春を業とする女性。

しょうぶ①【尚武】❶武事をたっとぶこと。❷軍備を盛んにすること。

しょうぶ①【〈菖蒲〉】❶水べに生える多年草。葉は細長く、強いかおりがある。初夏、葉の間からがまのような穂をつける。古くから邪気を払うものと言われ、端午の節句に葉を軒に差したりふろに入れたりする。〔ショウブ科（旧サトイモ科）〕「—の節句〔=五月五日の節句〕／—湯③」❷ハナショウブの俗称。 かぞえ方 ❶は一株・一本

***しょうぶ**①【勝負】—する（自サ）〈だれト—する〉（命や生活を賭けて）勝ち負けを争うこと。また、その勝ち負け。「—を賭ける／—をつける／—がつく／—の世界のきびしさ／—あり／—

無し[1]-[1]、[4]〔=引き分けだ〕／一本―・三本―・真剣―」り。

―ごと[0]【―事】勝敗を争う遊びやかけごと。**―し**[3]【―師】❶ばくち打ち。❷危険を顧みないで思いきった事をやり、成功をねらう人。**―づよ・い**[5]【―強い】(形) 実際の勝負の場において、ふだん以上の力を発揮して勝利を収める様子だ。「―選手」派**―さ**[4][5]

じょうふ[1] ジャウ【上布】カラムシからとった糸で織った、上等の麻布。「薩摩(サツマ)―」

じょうふ[1] ヂャウ【丈夫】〔中国古代の周の制度で、成年男子の身長を一丈としたことから〕責任と自覚をもって行動する、一人前の男子。ますらお。

じょうふ[1] ヂャウ【定府】江戸時代に、大名とその臣下のうち、常に江戸に住み勤務した者の称。⇩参勤交代

じょうふ[1] ジャウ【城府】「都市(の外囲い)」の意の古風な表現。「人を遇するに―を設けず〔=だれとでも分け隔て無くつきあう〕」

じょうふ[1] ジャウ ❶【情夫】愛人関係にある夫以外の男性。❷【情婦】愛人関係にある妻以外の女性。

****じょうぶ**[0] ヂャウ【丈夫】―に・―な ❶からだの各部分に異状が無く、病気にならない様子だ。達者。❷〔物が〕しっかりしていて、すぐに崩れたり 壊れたりはしない様子だ。「―な△箱(布地)」派**―さ**[0]

じょうぶ[1] ジャウ【上部】↕下部 Ⓐ物の上の方の部分。「塔の―に展望台を設ける」Ⓑ権威・権限などの点で上だと認められるもの。「―団体[4]・―機関[4][5]」**―こうぞう**[4] ザウ【―構造】〔史的唯物論で〕社会の経済的構造を基盤として、その上に成立する政治・哲学・法律・宗教・芸術など。↕下部構造

しょうふう[0]【松風】「まつかぜ」の意の漢語的表現。

しょうふう[0][3] セウ【〈蕉風】〔俳諧(ハイカイ)で〕さび・しおり・ほそみを主体とする、松尾芭蕉(バショウ)の俳風。⇩談林 表記「正風(シャウフウ)」とも書く。

しょうふく[0] セフ【〈妾腹】めかけの子(であること)。「―の子」

しょうふく[0]【承服】―する(自サ) 承知して従うこと。「―出来ない」表記「承伏」とも書く。

しょうふく[0] セウ【招福】幸せを招き入れようとすること。「―祈願[5]」

しょうふく[0] セウ【照復】―する(自サ)〔官庁などで〕他の官庁の見解等を得ようとして照会すること。また、そのやりとり。

しょうふく[0] セフ【〈懾伏】―する(自サ)〔「懾」は、恐れて気をのまれる意〕相手の威勢に恐れて従うこと。表記「〈慴伏」とも書いた。

じょうふく[0] デウ【条幅】画仙紙を半分に切って、掛け軸に作ったもの。

じょうふく[0] ジャウ【浄福】信仰生活に入ることによって得られる安らぎ。幸福。

じょうぶくろ[3] ジャウ【状袋】書状を入れる袋。「封筒」の意の古風な表現。

しょうふだ[0] シャウ【正札】かけねなしの値段を書いて、品物につけた札。**―つき**[0]【―付(き)】正札のついている△こと(品)。〔定評のある△人(物)の意にも用いられる〕

じょうぶつ[1] ジャウ【成仏】―する(自サ) 煩悩(ボンノウ)を解脱(ゲダツ)して仏果を得ること。〔広義では、死んで仏となることをも指す〕

しょうぶん[0] セウ【小文】ちょっとした文章。〔自分の文章の謙称としても使われる〕

しょうぶん[0][1] シャウ【性分】△生まれつき備わっている(幼い時期に形成された)と考えられる、その人に一生つきまとう性格。「楽天的でみんなにかわいがられる得な―だと人からは見られている／頼まれると、いやとはいえない―／頭を下げるのが嫌いな―だったもので損ばかりしていた」

じょうぶん[0] ジャウ【上分】上納にあてるために取り分けておく分。

じょうぶん[0] ジャウ【上聞】その事が天皇・君主などに聞こえること。「―に達する／―に入れる」

じょうぶん[0] デウ【条文】〔法律・規約などの〕箇条書の文章。

じょうふんべつ[3] ジャウ【上分別】従うべき、いい考え。

しょうへい[0] セウ【招〈聘】―する(他サ) 礼儀を尽くして人を招くこと。

しょうへい[0] シャウ【〈昌平】国が繁栄し、世の中が平和な状態であること。

しょうへい[1][0] セウ【〈哨兵】見張りの兵士。「―に立つ」

しょうへい[1] シャウ【将兵】将校と兵士。

しょうへい[0] シャウ【傷兵】戦闘でけがをした兵士。

じょうへい[0] ジャウ【城兵】城を守る兵士。

しょうへいが[0] シャウグワ【障〈屏画】びょうぶ・ついたて・ふすま・戸などに描(カ)いた絵。かぞえ方 一枚

しょうへき[0] シャウ ❶【障壁】Ⓐしきり(の壁)。「―画[0]〔=障屏(ヘイ)画と壁画とを併せた称〕」Ⓑ意志の疎通や、自由な行き来の妨げとなるもの。「―にさえぎられる／―を乗り越える」❷【〈牆壁】かきとかべ。〔しきり・へだてになるものの意にも用いられる〕

じょうへき[0] ジャウ【城壁】❶〔中世の欧州や古代中国において〕各都市の四周に壁のように高く繞(メグ)らした、石・土の構築物。外敵の侵攻や盗賊の侵入に備えた。❷〔中世の日本において〕城の外周に設けた構築物。普通、下部は石垣。上部は土壁で、「狭間(サマ)[2]」と称する小窓をつけ、矢・銃砲をそこから放った。

しょうへん[0] セウ【小片】小さな△きれはし(かけら)。「氷の―」

しょうへん[0] セウ【小変】たいしたことではない△変化(事件)。

しょうへん[0] セウ【小編・小〈篇】ごく短い文学作品。

しょうへん[0] シャウ【掌編・掌〈篇】コント。

しょうべん[3] セウ【小便】―する(自サ) ❶尿道を経て体外に排泄(ハイセツ)される、淡黄色で臭い液体。また、それを排泄すること。〔俗語的表現は「しょんべん」〕「―臭い〔=まだ子供のように未熟なところや世間慣れしないところがある〕」↕大便 ❷〔俗〕売買の約束を中途で破ること。

じょうへん[0] ジャウ【上編・上〈篇】書物などの最初の編。⇩中編・下編(ゲヘン)

しょうぼ[1] セウ【召募】―する(他サ) 呼びよせ募ること。

***じょうほ**[1] ジャウ【譲歩】―する(自サ)〔道を譲り、他人を先へ行かせる意〕自分の主張を押し通さず、相手の考え△を聞き入れる(に従う)こと。「―を重ねる」

しょうほう[0][1] シャウハフ【唱法】歌曲・歌謡曲などの歌い方。

しょうほう[1] シャウハフ【商法】❶商売のしかた。「士族の―〔=不慣れな商売のしかた。不慣れで失敗するたとえ〕」❷商行為について規定した法規。

しょうほう[0]【勝報】・セフ【〈捷報】勝ったという知らせ。「―相次いで至る」↕敗報

しょうほう[0] シャウ【詳報】詳しい知らせ。↕略報

しょうぼう[0] シャウボフ【正法】〔仏教で〕Ⓐ正しい教えである、仏法。Ⓑ〔↑正法時(ジ)[3]〕仏の教法の行なわれる時期とされる、釈尊の死後五百年間。⇩像法・末法(マッポウ)

しょうぼう[0] セウバウ【消防】❶火災の発生を予防し、また、発生した火災の消火に当たること。「―車[3]・―団[3]〔=市

町村の自治的な消防組織」・ー署⑤⓪・ー庁」 ❷ー消防署員・消防車」などの略。 ―し③【―士】 消防を仕事とする公務員。 ―ちょう③（チャウ）【―庁】 ❶総務省の外局で、消防・防火・救急・防災に関する行政や研究を行なう機関。 ❷東京都の行政機関である、東京消防庁。

しょうぼう⓪（セウバウ）【焼亡】―する(自サ) 「焼失」の意の古風な表現。〔古くは「じょうもう」〕

じょうほう⓪③（ジャウハウ）【上方】 何かの上の△方(ホウ)（位置・部分）。↕下方(カホウ)

じょうほう⓪（ヂャウハフ）【定法】 ❶決まったおきて。「ー通り島流しの刑を言い渡された」 ❷そういう場合には そうすることになっている方法。「ー通りバントで送る」

じょうほう⓪（ハフ）【乗法】 ❶〔数学で〕「掛け算」の意の理論的用語。「ーの結合法則/多項式のー/整数全体はーに関して閉じている〔＝整数どうしの積は整数になる〕」↕除法 ❷〔馬の〕乗り方。

** **じょうほう**⓪（ジャウ）【情報】 ある事柄に関して知識を得たり判断のよりどころとしたり するために不可欠な、何らかの手段で△伝達（入手）された種々の事項（の内容）。〔個別の事項が生のまま未整理の段階にとどまっているというニュアンスで用いられることもあり、知識に比べて不確実性を包含した用語〕「ーを△収集する（つかむ）/ーを△提供する（交換する・流す）/ーが入り乱れる/行政機関が保有する個人ーの保護/遺伝ーを担うDNA/ー誌③・ー活動⑤・ー網③・ー機関⑤⑥・ー量③・ー科学・ー源③・気象ー・未確認ー」 ―かいじ⑤【―開示】〔行政機関や公益法人などが〕求めに応じて、持っている情報の内容を△公開して見せること。 ―かがく⑤（クワー）【―科学】 情報処理・情報理論など情報の伝達・処理・蓄積・検索の原理や技術について研究する学問の総称。〔狭義では、コンピューターを駆使するものに限定される〕 ―かしゃかい⑥（ークワ ークワイ）【―化社会】 あらゆる分野でコンピューターを駆使して大量の情報が収集・処理・蓄積され、その結果として（商品としての）情報の価値が飛躍的に高まり、情報産業が大きな比重を占めるに至った社会。情報社会。〔アメリカで言う「脱工業化社会①-⑥」と同義〕「高度ー」 ―こうかい⑤【―公開】 情報開示。「ー制度⑨」 ―さんぎょう⑤（ゲフ）【―産業】 各種の情報を収集△整理（処理）し、（利用者の求めに応じて）それらを提供するサービス業。〔狭義ではデータバンクや情報処理関係のものを指すが、広義では通信・報道関係をも含む〕 ―しょり⑤【―処理】 与えられた さまざまなデータを取捨選択・分類整理し、使いやすい形に加工したり目的とする情報を得たりすること。 ―りろん⑤【―理論】 情報や通信の本質・原理およびそれに伴う諸問題を取り扱う数学的理論。⇩サイバネティックス

じょうほく⓪（ジャウ）【城北】 城の北側（の地区）。〔東京では、豊島区・練馬区・板橋区・北区・荒川区など〕↕城南

じょうぼく⓪（ジャウ）【上木】―する(他サ) 「上梓(ジョウシ)」の意の改まった表現。

しょうほん⓪（シャウ）【正本】 ❶〔副本・写本に対して〕原本。せいほん。 ❷歌舞伎(カブキ)の台帳。脚本。 ❸〔浄瑠璃(ジョウルリ)などの〕省略の無い完全な本。

しょうほん⓪（セウ）【抄本】 ❶抜書きにした本。〔狭義では、戸籍原本の一部を抜書きにした書類を指す。↕謄本〕 ❷「写本」の意の古風な表現。「古ー②」 表記「〈鈔本」とも書く。 かぞえ方 ❶は一通

しょうほん⓪【証本】 専門的な研究者の間で最も権威がある本文を伝えるとされる古写本。 かぞえ方 一本・一部・一冊

じょうぼん⓪（ジャウ）【上《品】〔仏教で〕極楽往生の仕方を三つに分けたうちの、最上位。その中をさらに上生(ジョウショウ)・中生(チュウショウ)・下生(ゲショウ)の三段階に分ける。〔広義では、最上の段階を指す〕「ーの仏」⇩下品(ゲボン)・中品(チュウボン)

じょうぼん⓪（ジャウ）【常凡】―な ありふれていて特別な特徴の無い様子だ。「ーな小説に過ぎない」

しょうま①（セウ）【消磨】―する(自他サ) すりへらすこと。また、すりへること。

じょうまい⓪（ジャウ）【上米】 上等の米。

じょうまえ⓪（ヂャウマヘ）【錠前】 「錠」の意の口頭語的表現。

しょうまきょう⓪（セウー キャウ）【照魔鏡】〔悪魔の本性を照らし出すという鏡の意〕社会・人物の裏面をあばき出して映すもの。

しょうまん⓪（セウ）【小満】 二十四（節）気の一つ。太陽暦五月二十一日ごろ。草木が繁茂して天地に充満する時分の意。

じょうまん⓪【冗漫】―な/―に 表現にむだな部分が多く、長たらしい様子だ。「ーなメロドラマ」 派 ―さ⓪

しょうみ①（シャウ）【正味】 ❶風袋(フウタイ)・目減りなどを除いた、中身（だけの目方）。 ❷卸売の値段。「ーは八掛(ハチガケ)〔＝定価の八割〕だ」

しょうみ①（セウ）【笑味】―する(他サ)〔多く「ごー」の形で〕つまらない物ですがお笑いぐさまでに食べてみてくださいという意味を込めて、何か食べ物を贈る時の挨拶(アイサツ)の言葉に用いる。「ごーください」

しょうみ①（シャウ）【賞味】―する(他サ) おいしいと言って食べること。 ―きげん④【―期限】 加工食品などについて、適切な保存のもとでは、期待される品質が保持されているという期限。⇩消費期限

じょうみ①（ジャウ）【上〈巳〉】 ⇩じょうし（上巳）

じょうみ①③（ジャウ）【情味】〔もと、趣の意〕人情味。

しょうみつ⓪（シャウ）【詳密】―な/―に 〔解説・説明や表現が〕よく行き届いていて、もれているところが少しも無い様子だ。「ーな調査報告書」 派 ―さ⓪

じょうみゃく⓪（ジャウ）【静脈】 からだの表面近くにあって、皮膚の上からは青黒く見える血管。心臓にもどる血液を運ぶ。「ー注射⑤」↕動脈 ―りゅう④（リウ）【―〈瘤〉】 血行障害などによって、静脈が拡張して膨れあがっている部分。下肢や食道に生じやすい。

しょうみょう③（セウミヤウ）【小名】↕大名 ❶鎌倉・室町時代、領地が大名(ダイミョウ)より少なかった武士。 ❷江戸時代、一万石以下の領主。

しょうみょう⓪（シャウミヤウ）【声明】 葬式や仏教上の儀式の際に、仏の徳をたたえて僧が節をつけて唱えるもの。梵唄(ボンバイ)。〔キリスト教の賛美歌に当たる〕

しょうみょう⓪（ミヤウ）【称名】 仏の名号を唱えること。 表記「唱名(シヤウミヤウ)」とも書く。

じょうみょう⓪ ❶（ヂヤウミヤウ）【定命】〔仏教で〕前世(ゼンセ)から決まっている寿命。 ❷（ジヤウミヤウ）【常命】「ごく普通に生きてきた人の寿命」の意の古風な表現。

じょうみん⓪（ジャウ）【常民】〔民俗学で〕代々社会の底辺に生きて来た名も無い人びとを呼ぶ称。「ー文化⑤」

しょうむ①（シャウ）【商務】 商業上の事務。「ー部長④・ー長官④」

じょうむ①【乗務】―する(自サ) 交通機関に乗り込んで運転や客の世話などの業務を扱うこと。「ー員③」

じょうむ①（ジャウ）【常務】 ❶毎日の、普通の事務。 ❷〔←常務取締役①-⓪・常務執行役員①-⑥〕〔会社・銀行などで〕日常普通の△事務（業務）を取り締まる役（の人）。社長や専務（取締役）をたすける。

** * は重要語，⓪①… はアクセント記号，品詞の指示の無いものは名詞および いわゆる連語。

しょうめ③【正目】「正味❶」の意の古風な表現。

しょうめい⓪【召命】〔キリスト教で〕罪の世界に生きていた者が、神に呼び出されて救われること。「宗教改革における—観」

**しょうめい⓪【証明】—する（他サ）〈（だれニ）なにヲ—する／（だれニ）なんだト—する〉その事柄が△論理的に正しい（事実に合っている）ことを明らかにすること。また、その手続き。「ピタゴラスの定理を—する／—書・—力③・△身分（成績・納税）—」

*しょうめい⓪【照明】❶—する（他サ）〈どこ・なにヲ—する〉電灯などで照らして明るくすること。また、そのための道具。「—器具⑤・間接—⑤」❷舞台の効果を高めるため△に使う光線（の光線の使い方）。「新しい—が当てられる〔＝新たな角度からの検討が試みられる〕／—係⑤・舞台—」

しょうめつ⓪【生滅】—する（自サ）生まれることと死ぬこと。

しょうめつ⓪【消滅】—する（自他サ）その存在が消えて無くなること。また、消し去ること。「一夜にして—した伝説の大陸アトランティス／権利の—／自然—④」

*しょうめん③【正面】❶その物の「側面❶」のうちで、最も主要な機能を持つ（とされる）面。〔たとえば、建物では玄関のある方、からだや乗り物では前の側〕「絵のある方が花瓶の—だ／後ろの—〔＝正面の反対側〕だあれ／—玄関⑤・—（の）入口・真っ—・—衝突⑤〔＝双方の正面と正面とがぶつかること〕・—図③」❷—する（自サ）対象とするものの「正面❶」に△正しく（直接）向き合う位置関係にあること。「—から眺める／—席③」❸（すもうで）東方を左にして土俵に向かう座席の側。—きって③-①【—切って】（副）遠慮したり悪びれたりしないで、相手にまともに面を向けて事をする様子。「—述べる／—反対は出来ない／—抗議出来ない弱み」

しょうもう⓪【消耗】—する（自他サ）〔本来の字音はセウカウ。「しょうもう」は類推読み〕それを道具として使った結果、その△物（部分）が無くなったりその働きが減ったりすること。また、そうさせること。「兵力の—／きょうは—した〔＝疲れた〕／機械の—〔＝傷み〕が少ない」—せん⓪【—戦】互いに資源や体力を浪費しながら、相手が先に力尽きるのを待つ戦い。「競合他社と値引きによる—を繰り広げる」—ねつ③【—熱】体温の上下が一日に一度以上に及び、体力が減ってしまう熱病。—ひん⓪【—品】使った分だけ減っていく品物。鉛筆・紙など。〔予算項目としては、比較的価格の低い器具類や雑誌なども含まれる〕⇩備品

しょうもく⓪【条目】並べて書き出した△項目（文書）。

しょうもつ⓪【抄物】抜書きしたもの（の注釈書）。「しょうもの」とも。

しょうもの⓪【抄物】室町時代、五山の僧などが古典を講釈したものの筆記録。口語的要素の多いものが国語資料として重視される。

じょうもの⓪【上物】上等の品物。↕下物

しょうもん⓪①【声聞】〔仏教で〕仏の説教を直接に聞き、また死後にのこした教えを学び、羅漢になることを目的とした修行者（たち）。

しょうもん⓪【掌紋】てのひらの汗腺の出口に相当する部分が、線・点状に高くなって見えるもの。指紋と同じように人ごとに異なり一生変わらないので、個人の識別や現場検証などに用いられる。

しょうもん⓪【証文】証拠の文書。証書。「—を巻く〔＝証文に書いてある貸し金の取り立てをやめる〕」かぞえ方 一通

しょうもん⓪【照門】小銃の照尺につけた、V状の切れ目。

しょうもん⓪【（蕉門】松尾芭蕉の門人。「—の十哲」

じょうもん⓪【定紋】その家の印としての紋。

じょうもん⓪【城門】その城の△門（出入口）。

じょうもん⓪【縄文】土器につけられた、縄やむしろの編み目のような模様。「—土器⑤・—文化⑤」—じだい⑤【—時代】日本の考古学上の時代区分。紀元前一万年ごろから、弥生時代の始まる紀元前三世紀ごろまで。縄文土器が製作・使用された時代。

しょうもんし③【唱門師】中世、経を唱え、祈祷・祝福芸を行なって門付をした、民間の陰陽師。「しょうもんじ」とも。

しょうや⓪【（庄屋】江戸時代、代官の指揮下で村の行政事務を取りしきった者の称。今の村長に相当。〔関西での言い方。東国では、名主。北陸などでは、肝煎〕

しょうやく①【生薬】〔漢方で〕主として植物の一部、または全体を△なまのまま（いくらか加工をした）形で乾燥させたもの。医薬のほか香味料・香辛料としても広く用いられる。また、くまのい・まちみつ・じゃこうなど動物質のものや、まれに鉱物質のものもある。

しょうやく⓪【抄訳】—する（他サ）原文を、一部分だけ抜き出したり省略したりした翻訳。↕全訳・完訳

しょうやく⓪【硝薬】「火薬」の意の古風な表現。

*じょうやく⓪【条約】〔箇条書にした約束の意〕国家間に結ばれて、国際上の権利・義務を規定する約束（の条文）。「—に△うたう（盛り込む・照らす）／（平和）—を結ぶ／—の締結」

じょうやど⓪【上宿】上等の宿屋。

じょうやど⓪【常宿】その人がいつも泊まる宿屋。表記「定宿」とも書く。

じょうやとい③【常雇い】長い期間にわたり（月給などをもらったりして）雇われること。また、その立場にある人。農家の作男など。「—工⓪」

じょうやとう⓪【常夜灯】夜の間、いつもつけておく灯火・灯明。かぞえ方 一灯

しょうゆ⓪【（醤油】日本特有の調味料。塩味に数種の味を加味。ダイズに小麦を加えて作ったこうじに塩水を加えて発酵させ、熟成したものからしぼった黒茶色の液。〔古代紫の色をしているところから通語ではムラサキとも言う。また、口頭語では「（お）したじ」とも〕「—味③・酢—②・からし—④・しょうが—④」表記「正油」は、借字。かぞえ方 一本・一点

しょうゆう⓪【小勇】一時の見えなどから、自分の力を顧みず大事を決行すること。↕大勇

しょうゆう①【少（輔】⇩しょう（少輔）

しょうゆうせい③【小遊星】⇩小惑星

しょうよ①【賞与】❶ほめて、金品を与えること。また、その金品。❷決まった月給などとは別に（業績に応じて）六月・十二月などに支払われる、まとまったお金。ボーナス。

じょうよ①【丈余】一丈〔＝約三メートル〕余り。「—の雪」

じょうよ①【剰余】❶必要とされる限度以上にあって、余ったもの。❷〔数学で〕ある自然数を、もう一つの自然数で割った時に残る数。余り。〔多項式の割り算の時にも言う〕—かち④【—価値】〔マルクスの学説で〕労働者が生産過程で作り出す価値〔＝交換価値⑤〕から労働力の価値〔＝賃金〕を差し引いた価値。資本主義経済で、企業利潤・利子・地代などの唯一の出所とされる。余剰価値。⇩価値❷・労働力 —きん⓪【—金】企業の資産額のうち

で、法律で定められた資本金を超える金額。

じょうよ①ジャウ【譲与】―する（他サ） 財産や物品の所有権を他に帰属させること。〔法律では、公的機関による無償のものを指す〕「国連・関係国政府等に対する必要な物品の―、無償貸し付け」

しょうよう⓪セウ【小用】❶ちょっとした用事。❷小便。こよう。「―に立つ」

しょうよう⓪セウエフ【小葉】❶小さい葉。❷植物の複葉を構成する各部分の葉。

しょうよう⓪【従容】―たる ―と〔くつろいだ態度を失わぬ意〕〔生命の危険な場合などに〕ふだんと同じように落ち着いている様子だ。「―として死地に赴く」

しょうよう⓪ヤウ【称揚】―する（他サ） そのものの価値を認めて、ほめること。「勇敢な行為を―する」 表記「賞揚シヤウヤウ」とも書く。

しょうよう⓪シヤウ【商用】❶商売上の用事。「―で出張する」 ❷商業に使うこと。「―文③⓪・―語⓪」

しょうよう⓪セウエウ【〈逍遥〉】―する（自サ） 特に何をするという決まった目的も無く、気分転換のために山野や川辺を歩くこと。

しょうよう⓪【〈慫慂〉】―する（他サ） そうする方が君のためだと言って、勧めること。「作品の発表を―する」

しょうよう⓪シヤウ【賞用】―する（他サ） いい品だと言って使うこと。

じょうよう⓪【乗用】 人が乗るのにそれを使うこと。 ―しゃ③【―車】〔トラック・ライトバン・バスなどと違って〕五、六人くらいの人を乗せることを目的とした普通自動車。 かぞえ方 一台

じょうよう⓪ジヤウ【常用】―する（他サ） ❶▵いつも（ふだん）使うこと。「寝つきが悪いので、ごく少量だが催眠剤を―している」 ❷継続して使うこと。「中学入学以来の―辞書」 ―かんじ⑤【―漢字】 ⇩漢字 ―たいすう⑦⑤【―対数】 ⇩対数

じょうよう⓪ジヤウ【常用・常〈傭〉】―する（他サ） 〔日雇い・臨時雇いなどの一時雇用と違って〕特に期限を定めず、続けて工員などを雇っておくこと。 表記「用」は、代用字。

しょうようじゅりん⑤セウエフ【照葉樹林】 カシ・シイ・クスノキなどのような常緑の広葉樹が一帯に生えている樹林。葉は光沢のある深緑色。亜熱帯から温帯に見られる。日本では関東以西に発達。

しょうよく⓪セウ【少欲】 わずかの欲。「―知足ソクチ」 ↕大欲 表記「少」は「小」、「欲」は「〈慾」とも書く。

じょうよく⓪①ジヤウ【情欲・情〈慾〉】 抑えきれない性的欲望。

しょうらい⓪セウ【招来】―する（他サ） 何かが原因となって、結果としてある事態をもたらすこと。「▵インフレ（暗黒時代）を―する」

しょうらい⓪【松〈籟〉】「まつかぜ」の意の漢語的表現。「風が―を響かせる」 ⇩松韻

****しょうらい**シヤウ【将来】 ■①これから先（の時）。〔副詞としても用いられる〕「―に▵禍根（不安）を残す／―（の必要）に備える／―に暗い影を投げかける／君たちの―を▵考える（占う・左右する・祝福する）／―のある身／▵遠い（近い）―」 ■⓪―する（他サ）〈なにヲ―する〉 ❶（外国から）持って来ること。「▵磁器（経巻）を―する」 ❷その状態を引き起こすこと。「危機を―する／無償で奉仕してこそ幸福が―されるのだ」 ―せい⓪【―性】 これから先▵発展する（りっぱになる）という見込み。「―のある事業／―を見越す」

しょうらい⓪シヤウ【《請来》】―する（他サ） 〔平安時代の高僧が〕仏像・仏経などを請い受けて中国から持って来たこと。

じょうらい①ジヤウ【上来】 以前（から）。「―のごとく〔＝前に述べたように〕…」

じょうらく⓪ジヤウ【上〈洛〉】―する（自サ） 地方から京都へ行くこと。上京。入洛ジユラク／ニユウラク。

しょうらん⓪セウ【笑覧】―する（他サ） 〔多く「ご―」の形で〕つまらない物ですがお笑いぐさまでに御覧くださいの意味を込めて、自分の作品などを立場の上の人に見てもらう時の挨拶アイサツの言葉に用いられる。「ご―に供キヨウします〔＝お目通しいただければ幸いです〕」

しょうらん⓪セウ【照覧】―する（他サ） 神仏がご覧になること。「―あれ」

じょうらん⓪ジヤウ【上覧】―する（他サ） 天皇・将軍などがご覧になること。「―に供する／―に達する／―ずもう」

じょうらん⓪ゼウ【〈擾乱〉】―する（自サ） 秩序の乱れ（ること）。騒ぎ。

しょうり①セウ【小吏】 地位の低い官吏。小役人。

しょうり①セウ【小利】 小さな利益。 ↕大利・巨利

***しょうり**①【勝利】・セフ【〈捷利〉】―する（自サ）〈だれ・なにニ―する〉 戦争・試合や競技・闘争に勝つこと。勝ち。「―につながる／…の―に終わる／―を▵収める（もたらす）／―投手④」 ↕敗北

しょうり①シヤウ【掌理】―する（他サ） 「全体をつかんで管理する」意の古風な表現。

じょうりヂヤウ【場裏・場〈裡〉】（造語） ▵場所（会場）の内。「競争―・国際―」

じょうり①デウ【条里】 碁盤の目のように区切られた、市街の区切り。「―制⓪〔＝大化の改新の際に行なわれた土地の区画法〕」

じょうり①デウ【条理】 話や行動の上に一本通っていなければならない筋道。「―をわきまえる」

じょうり①ジヤウ【情理】 人情と道理。「―を尽くして〔＝相手の立場や心情を十分に顧慮した上で、道理の上からは最低限こうでなければならぬと〕説く／―兼ね備えた〔＝人情をわきまえている一方、筋も通っている〕名文」

じょうりく⓪ジヤウ【上陸】―する（自サ） 船や海から陸に上がること。〔文物・商品が、新たにその風土に進出してくる意にも用いられる〕「台風が四国に―する」

しょうりつ⓪【勝率】 試合に勝った割合。〔野球などでは、勝ち数を勝ち・負けの合計数で割った数値を指す〕

しょうりつ⓪【〈聳立〉】―する（自サ） 「高くそびえ立つ」意の漢語的表現。

***しょうりゃく**⓪シヤウ【省略】―する（他サ）〈なにヲ―する〉 ❶繰り返すまでも無いと思われる部分を、表出しないで済ませること。「以下―・引用―」 ❷表現▵しなくても分かってもらえる（しない方がよい）と思われる部分を、表出しないで済ませること。「―〔＝圧縮〕表現」

しょうりゃく⓪シヤウ【商略】 商売上の▵策略（かけひき）。

じょうりゃく⓪①ジヤウ【上略】―する（自サ） 前の文を略すこと。 ⇩下略カリヤク／ゲリヤク・中略：前略・後略

しょうりゅう⓪【昇竜】 天にのぼろうとする竜（のように何人ビトも止トめ難い勢い）。

じょうりゅう⓪ジヤウリウ【上流】 ❶〔川の流れで〕（源から河口にいたる全体の中で）源に近い方。「流れをせきとめて―にダムをつくる」 ⇩下流・中流 ❷その社会を構成する階層のうち、社会的地位や経済力が高い方。「―階級⑤・―社会⑤」 ⇩中流・下層

じょうりゅう⓪リウ【蒸留・蒸〈溜〉】―する（他サ） 〔「溜」は、したたる意〕液体を沸騰させ、出来た蒸気を冷やしてまた液体とすること。 表記「留」は、代用字。 ―しゅ③【―酒】 発酵した酒を蒸留してアルコール分を多くしたもの。例、ウイ

スキー・焼酎。 ーすい③【ー水】井戸水や水道の水を蒸留して、混合物を取り去った水。試薬や注射液などに使用される。

しょうりょ①【焦慮】ーする(自サ) あせって気をもむこと。「ーの色が濃い」

しょうりょう ❶③⓪【小量】気持が狭いこと。狭量。↔大度 ❷⓪③【少量】わずかの量。「ーの砂糖/塩をー加える/多品種ー生産」↔多量・大量

しょうりょう⓪【将領】将軍(やかしらぶんの人)。「諸ー②」

しょうりょう⓪【商量】ーする(他サ) どうすべきか、また、いい悪いについて、いろいろな場合を考えること。

しょうりょう⓪【渉猟】ーする(他サ) ❶知識を得ようとして、あれこれと広く浅くあさること。「博覧ー」❷調査・研究や著述などのために多くの本を読むこと。「戦国武将に関する文献をーする」

しょうりょう①⓪【精霊】死者の霊魂。(み)たま。「ー送り⑤・ー迎え⑤」 ーえ③【ー会】「盂蘭盆会」の異称。 ーだな⓪③【ー棚】盂蘭盆に供え物をして精霊を祭る棚。 ーとんぼ⑤【ー〈蜻蛉〉】〔「猩々とんぼ」の変化という〕アカトンボの異称。 ーながし⑤【ー流し】盆の十三日に迎えた精霊が十五(十六)日に冥界に帰るのを送ること(行事)。灯籠流し。(川などへ供え物を流す) ーばった⑤【ー〈飛蝗〉】野原などに居る大形のバッタ。頭はとがりからだはやせ、キチキチという音を立てて飛ぶ。からだは緑または褐色。〔バッタ科〕 かぞえ方 一匹

しょうりょく⓪【省力】ーする(自他サ) 機械化・共同化などによって、作業の手間や労働力のむだなどを取り除くこと。「ー化⓪」

じょうりょく⓪【常緑】秋に落葉せず、一年じゅう緑の葉が見られること。 ーじゅ④【ー樹】常緑の木。例、マツ・スギなど。ときわ木。↔落葉樹

しょうりん⓪【小輪】(キクやアサガオなどの)花の輪郭が(普通より)小さいこと。「ーの花」↔大輪

しょうりん⓪【照臨】ーする(自サ) (神仏が天上から人間界を見下ろすこと、の意)「(貴人が)来訪すること」の意の尊敬語。「ーを仰ぐ」

しょうるい①【生類】「動物、特に鳥獣」の意の漢語的表現。「ー憐れみの令」

じょうるい⓪【城塁】「小さなしろ・とりで」の意の漢語的表現。

じょうるり⓪【浄瑠璃】三味線に合わせて語る、一種の語り物。〔室町時代の御伽草子の一つである『十二段草子⑥』の女主人公「浄瑠璃姫」の名からという。狭義では、義太夫の特称〕

しょうれい⓪【省令】その省の大臣がその省の事務に関して出す、行政上の命令。

しょうれい⓪【症例】その病気の症状の例。「ーが少ない病気」

*__しょうれい__⓪【奨励】ーする(他サ)(だれニなにヲーする) よい事だから、それをするようにと、一般の人に言うこと。「貯蓄をーする/斯道ーのために/ー金⓪・ー賞③」

しょうれい⓪【〈瘴癘〉】他の土地から来た人が、慣れない現地の気候・風土のためにかかりやすい、伝染性の熱病。例、マラリアなど。「ーの地」

じょうれい⓪【条例】地方公共団体(=都道府県・市町村など)が日本国憲法第九十四条に基づいて、法律の範囲内で制定出来る、自主的な法規。

じょうれん⓪【常連】❶いつも連れだって、行動を共にする仲間。❷興行場・飲食店などの常客。 表記 ❷は、「定連」とも書く。

しょうろ①【松露】四、五月ごろ海岸の松林でとれる、小形のキノコ。球形で、かさ・柄の区別が無く灰色を帯びた茶色。食用。〔ショウロ科〕 かぞえ方 一株

しょうろ①【捷路】「近道」の意の漢語的表現。

じょうろ①〔ジャルロ(ポ jarro)の変化という〕草木に水をそそぎかける道具。「じょろ①」とも。 表記 「如《雨露》」は、借字。 かぞえ方 一本

しょうろう⓪【鐘楼】つりがねのある堂。〔古くは「しゅろう」〕 かぞえ方 一宇

じょうろう⓪③【上〈臈〉】年功を積んだ上位の僧または、上位の女官(御殿女中)を指した語。〔広義では、身分の高い女性を指す。「女郎」は、この変化〕↔下臈

しょうろうびょうし⑤【生老病死】⇩四苦

しょうろく⓪【抄録】❶ーする(他サ) 書き抜くこと。❷抜書き。

しょうろく⓪【詳録】ーする(他サ) 詳しい記録(をとること)。

じょうろく⓪①【丈六】〔立像のたけが一丈六尺(=約四・八五メートル)ある意〕座高が八尺の、仏の座像。

しょうろん⓪【小論】規模の小さな論文・論説。〔自分の論文・論説の謙称としても用いられる〕

しょうろん⓪【詳論】ーする(他サ) 細かい点まで詳しく論じること。また、その議論。

しょうわ⓪【小話】❶ちょっとしたエピソード。〔書名に用いられることが多い〕❷こぼなし。

しょうわ⓪【笑話】こっけいな内容の話。笑い話。

しょうわ⓪①【唱和・(倡和)】ーする(自他サ) ❶一人の人が言ったあとで、同じ文句をおおぜいの人が一緒に言うこと。「万歳をーする」❷だれかが作った詩歌に対して、応答の意味でほかの人が詩歌を作ること。

じょうわ⓪【情話】悲恋や人情の機微を主題にした話。多く大衆文芸に見られる。「佐渡ー③」

しょうわくせい③【小惑星】主として火星と木星の公転軌道の間にあって、太陽の周囲を回る小さな天体。小遊星。アステロイド。〔その数は数十万個に達し、日本の探査機「はやぶさ」が訪れた「イトカワ」もその一つ〕

しょうわのひ⓪-①【昭和の日】「国民の祝日」の一つ。四月二十九日。昭和天皇の誕生日。

しょうわる⓪【性悪】ーな 性質・性格がひねくれていてよくない様子だ。「ーで手に負えない」

じょうわん⓪【上腕】「上膊」の、新しい言い方。

しょえい⓪【書影】書物を下に敷いて、元の形の通りに文字などを写しとったもの。

しょえん⓪【初演】ーする(他サ) 最初の演奏(上演)。「本邦ー」

しょえん⓪【所演】ーする(自サ) 芸能などを演じること。「大家ーの能」

じょえん⓪【助演】ーする(自サ) 〔映画・演劇で〕主役を助けて出演すること。また、その人。「ー者②」↔主演

ショー①〔show=見せること〕❶見世物・踊りを中心とした演芸。「ーガール」❷展示会。「ファッションー」❸映画(の上映)。「ナイトー」

しょおう①【諸王】❶多くの王。❷昔、親王の宣下が無く、臣籍にも入らなかった皇子・皇孫。

じょおう②【女王】❶Ⓐ女性の君主。また、王妃。クイーン。「ビクトリアー」Ⓑスポーツ界・芸能界などで、第一人者である女性。「銀盤のー」❷内親王の宣下の無い、女性の皇族。旧皇室典範では天皇から五世以下の女性

の皇族、現制度では三世以下の嫡男系嫡出の女性の皇族。⇩内親王 **―ばち**[2]**【―蜂】** 社会生活を営むハチの中で、卵を生むハチ。〔ミツバチなどでは一群中に一匹だけおり、交尾は一生に一度だけという〕

ショーウインドー[4]〔show window〕 店先などに設けた、商品陳列用の飾り窓。

ジョーカー[1]〔joker=道化師〕 トランプで最高の切り札。ばば。

しょおく[1]（ヲク）**【書屋】**「書斎」の意の古風な表現。〔書斎の名として多く用いられる〕

ジョーク[1]〔joke〕 冗談。しゃれ。

ショーケース[3]〔show case〕 商品の陳列棚。[かぞえ方] 一本

ジョーゼット[1]〔Georgette=もと、商標名〕 強くよった絹糸を使った薄い布地。伸縮性に富み、婦人服などにする。ジョーゼット クレープ[7]。

ショーツ[1]〔shorts〕 ❶身軽な服装の短いズボン。ショートパンツ。❷女性用の短い下ばき。[かぞえ方] ❶❷とも一枚・一点

ショート〔short〕 ■一（造語）↕ロング ❶長さ・距離が短い。「―カット・―パンツ[4]」 ❷時間・期間が短い。「―タイム[4]」 ■二[1]〔←shortstop〕〔野球で〕遊撃手。「―強襲のヒット」 ■三[1]―する（自サ）〔←short circuit〕 電流が強すぎたためにヒューズがとぶこと。短絡。

ショートカット[4] ■一〔short cutting の日本語形〕 短く切った髪の形。■二〔shortcut〕 ❶手軽で早い方法。近道。「現代人の―の合理主義」 ❷〔航空機が〕短くて近道になるコースを取ること。「危険をおかして―をする」

ショートケーキ[4]〔shortcake〕 洋菓子の一つ。スポンジケーキの台の間や表面にクリームをたくさん入れたり かけたりした上に、イチゴなどを載せたもの。

ショートショート[4]〔←short short story〕 ちょっと気のきいた小話。

ショート ステイ[5]〔和製英語 ←short + stay=短期入所〕 在宅介護を受けている高齢者や障害者を、福祉施設などが一時的に預かるサービス。

ショートトラック[5]〔short track〕〔アイス スケートで〕トラック一周が一一一・一二メートルの室内リンクを数名が滑って着順を争う競技。

ショートニング[1][0]〔shortening〕 ケーキ類を作る時に使う、植物性の脂肪。

ショート プログラム[6]〔short program〕 フィギュアスケート競技のシングルとペアの種目の一つで、フリー スケーティングの課題競技。ジャンプ・スピン・ステップなど六つまたは七つの技とそれらをつなぐコネクティング ステップから成る。振りつけも音楽も自由だが、制限時間は約二分四〇秒。

ショービニスム[4]〔フ chauvinisme〕 極端な愛国主義。△国粋(排外)主義。ショービニズムとも。

ショーマン[1]〔showman〕 ❶観衆を少しでも喜ばせようとするやり方を心得ている芸人。❷場あたりの演技ばかりねらう人。 **―シップ**[5]〔showmanship〕 ❶観衆を少しでも喜ばせようとする、芸人のやり方。❷おおぜいの人に自分をよく見せて効果をあげようとする才能。

ショール[1]〔shawl〕 おもに女性が用いる肩掛け。[かぞえ方] 一枚

ショールーム[3]〔showroom〕 (商品の)陳列室。

しょか[1]**【初夏】** 夏の初め。はつなつ。〔陰暦では四月を指す〕⇩晩夏・盛夏

しょか[1]**【書架】**「本だな」の意の漢語的表現。

しょか[1][0]**【書家】** 書道の専門家。〔広義では、芸術の一環として書道に励む人をも含む〕

しょか[1]**【諸家】** ❶その方面で名の知られた人たち。「―自選の作品」 ❷由緒（ユイショ）のある家いえ。「―人名録」

しょが[1]（グワ）**【書画】** 墨で書いた文字と画。「―骨董（コットウ）」 [かぞえ方] 一幅（イップク） **―カメラ**[3] 手元の資料を撮影し、プロジェクターやテレビなどに映し出す装置。オーバーヘッド カメラ[8]。オー エイチ シー(ＯＨＣ)。

じょか[1]**【序歌】** ❶はしがきを添えた歌。❷序文の代りの歌。

ジョガー[1]〔jogger〕 ジョギングをする人。

しょかい[0]（クワイ）**【初会】** ❶初めて面会すること。〔狭義では、遊女がその客の相手を初めてすることを指した〕 ❷第一回の会(合)。〔狭義では、発会を指す〕↕納会❶

しょかい[0]（クワイ）**【初回】** 最初の回。第一回。「―金[0]〔=分割払いの、第一回の払込金〕」

しょかい[0]（クワイ）**【所懐】** 常日ごろ心の中にいだいている考えや思い。「日ごろの―の一端を述べる」

***じょがい**[0]（ヂョグワイ）**【除外】**―する（他サ）〈(なにカラ)なにヲ―する〉 △範囲(規定)の外におくこと。別にすること。 **―れい**[2]**【―例】** 原則にあてはまらない例。

じょがい[0]（ヂョ）**【除害】**―する（他サ） 害になるものを取り除くこと。「亜硫酸ガスの―設備」

しょがく[1]**【初学】** その△学問(技芸)を初めて学ぶこと。また、学び始めたばかりであること。「―の人/―者[2]〔=その専門の学問に初めて接する人〕」

しょがく[1]**【諸学】** いろいろな(分野の)学問。「―百科〔=社会全般にわたる事項〕」

じょがくせい[2]（ヂョ）**【女学生】** 女学校や女子高等学校の学生・生徒。

しょかつ[0]**【所轄】**―する（他サ） 管轄(の範囲)。「―の警察署/―税務署[6][7][0]」

じょがっこう[2]（ヂョガクカウ）**【女学校】** 〔旧制度で〕女子に中等教育を施した学校。

しょかん[0]**【初刊】** 最初の刊行(を行なうこと)。⇩再刊

しょかん[0]（クワン）**【初巻】** 全集物や定期刊行の雑誌などの最初の一巻。第一巻。

しょかん[0]**【所感】** その時、そのような状況に立ったことで、何かに触発されるなどしていだいた感想。「年頭―」

しょかん[0]（クワン）**【所管】**―する（他サ） その事務を、そこの責任として取り扱う△こと(権限)。「―官庁[4]」

しょかん[0]**【書簡・書〈翰】**「手紙」の意の漢語的表現。「―文[2][0]」 **―せん**[0]**【―箋】**「便箋」の別称。

しょがん[0]（グワン）**【所願】** △願う(願った)こと。「―成就を祈る」

じょかん[0]（ヂョクワン）**【女官】** 宮中に勤める、女性の公務員。

じょかんさ[2]（ヂョ）**【除感作】** 過敏な人に抗原を少しずつ量をふやしながら注射して、過敏な反応が起こらないようにすること。脱感作[3]。〔「減感作[3]」の旧称〕

しょかんせん[2]**【初感染】** 呼吸器系統、特に肺が初めて結核菌におかされること。略して「初感[0]」。

しょき[1]**【初期】** 何かが始まって間もない時期。⇩中期・末期 **―か**[0]（クワ）**【―化】**―する（他サ）〔コンピューターで〕メモリーやディスクの内容を消去し、再度使えるような状態にすること。 **―びどう**[3]（オ）**【―微動】** 地震が始まる時に起こる、かすかな揺れ。

しょき[1]**【所期】** そうしようと考えること。「―の目的を△達する(果たす)/―のごとく」

しょき[1]**【書紀】**「日本書紀[4]」の略。略して「紀」。

しょき[0][1]**【書記】** ❶―する（他サ） 文字を書きしるすこと。❷文書の作成や、事務を受け持つ△役(職員)。 **―かん**

しょき ②【―官】 もと、長官を輔佐して事務を助けた役人。**―きょく**②【―局】 政党・労働組合などで、日常の事務を扱う機関。**―ちょう**②【―長】 書記局の長。

しょき①【庶幾】―する(他サ)〔「庶」も「幾」も、こい願う意〕「その状態の実現を希望すること」の意の古風な表現。

しょき①⓪【暑気】 夏の暑さ。「―払い③」**―あたり**③【―《中り》】 暑気のために食欲不振などを起こすこと。

じょぎ①【女義】「女義太夫⓪⑤④」の略。

しょきゅう⓪【初級】〔芸事・稽古事などで〕上達の最初に達する段階。「―会話」⇩上級・中級

しょきゅう⓪【初球】〔野球で〕その打者に対して投手が投げる最初の球。第一球。

しょきゅう⓪【初給】❶就職して最初にもらう給料。❷初任給。

じょきゅう⓪【女給】〔明治時代から第二次世界大戦前まで〕カフェー・バーなどで客の接待をした女性。〔今のホステスに当たる〕

じょきょ①【除去】―する(他サ) そのものの△存立(存在)にとって好ましくないものを除き去ること。

しょきょう①【書経】 五経の一つ。中国周代に成立した、為政家の言行録。孔子の編という。もとの書名は「尚書」。「古文尚書」は今日、逸書。

しょぎょう⓪【所業】❶行為のあり方。「彼の生んだ芸術もさることながら、その―、風采も人を驚かすものだった／科学は人間の―(=所産)である」❷指弾されるべき行為。「空き缶やその他のくずを街や野山に捨てる、不心得の―は後を絶たない／人の仮面をかぶった鬼畜の―／恩をあだで返す―」表記「所行」とも書く。

しょぎょう①-⓪、⓪-⓪【諸行】〔仏教で〕宇宙間の万物。**―むじょう**①-⓪、⓪-⓪【―無常】〔仏教で〕万物は流転するものであり、永久に変わらないというものは世の中に一つも無いこと。

じょきょう⓪【助教】〔大学・高専で〕教員の職名の一つ。講師と助手の間に位置し、研究・教育に従事する。

じょきょうじゅ②【助教授】「准教授」の旧称。

じょきょうゆ②【助教諭】 教諭が不足している場合に、正式の免許状を持たずに教壇に立つ小・中学校の職員。「代用教員」の改称。

じょきょく①【序曲】 オペラの開幕前の音楽。プレリュード。オーバチュア。〔広義では、ソナタ形式・短楽章の交響楽を指す。また、一連の事件などの始まりの意にも用いられる〕

じょきん⓪【除菌】―する(他サ) 有害な細菌を取り除くこと。「エアクリーナーで―する」

ジョギング⓪〔jogging〕〔からだのかたさをほぐしたり健康法などの目的で〕ゆっくり走ること。ジョッギング⓪とも。

しょく（色・拭・食・《属・植・殖・触・飾・嘱・〈蝕・織・職）→【字音語の造語成分】

しょく ㊀⓪【食】❶食べること。「―が細い(=少食だ)／衣―住・―欲・―用・―料・飲―・大―・間―」❷Ⓐ食事。「―が進む／パン―・―費・―堂」Ⓑ食事の回数をかぞえる語。「一泊二―つきの宿泊代」❸食べ物。食物。「主―・副―」㊁①【〈蝕】 その天体(の光)が他の天体にさえぎられて見えなくなること。「日―」⇩【造語成分】しょく(食)・しょく(蝕)・じき(食)

しょく①【〈燭】❶ともしび。「―を取る／―台・華―」❷「燭光」の略。

***しょく**⓪【職】〔「それを専らとする」の意〕❶その人の担当業務。「本校に―を奉じて(=勤めて)三十年／―務・―責・公―・官―・在―・名誉―」❷生活を支えるための仕事。「―を△求める(失う)／手に―がある(=生活を支えるだけの技術を身につけている)／無―・就―」⇩【造語成分】

しょく①【初句】〔詩歌・文章の〕最初の句。

しょく⓪①【私欲・私〈慾】 自分だけが利益を得ようとする欲心。「―をまじえず公正に判断する／私利―を捨て去る」

じょく（辱）→【字音語の造語成分】

しょくあたり⓪③【食《中り》】 食べ物による中毒。

しょくあん⓪【職安】「公共職業安定所」の略。

しょくい①【職位】 組織や団体などでの役職や地位。

しょくいき⓪【職域】 その職業の受持ちの△範囲(場所)。

しょくいく⓪【食育】❶食生活の面から見た育児。❷心身共に健康な生活を営むために不可欠な、食生活全般に関する教育。

しょくいん⓪【職印】 公文書に使う、その官職を表わす印。役印。

しょくいん②【職員】❶官庁・学校などに籍を置き、そこで働く人。「―室③(=学校で、先生の控え室)・―会議⑤」❷〔教員・技術者などに対して〕事務の仕事をする人。「―組合⑤」**―ろく**③【―録】 現在、官職にある者の職名・姓名などをしるした書物。

しょぐう⓪【処遇】―する(他サ) 人をある立場から評価して、しかるべき地位を与えること。「与えられた―に満足しない」

しょくえん②【食塩】 調味料や加工・保存料として精製された塩。また、医学用語としての塩。主成分は塩化ナトリウム。「―水③・―注射⑤(=血圧の増進や解毒などのために食塩水を静脈や皮下に注射すること)」

しょくえん⓪【職縁】〔「血縁」「地縁」に対して〕職場を通じて結ばれる人間関係。「―社会⑤」

しょくおや⓪【職親】❶職を求める身体障害者などを、親の代りになって世話をし、職業の指導をする人。「―制度⑤」❷職人などが技術の習得のために決めた仮の親。

しょくがい⓪【食害・〈蝕害】―する(他サ) 害虫などが農作物を食い荒らすこと。表記「食」は、代用字。

****しょくぎょう**②【職業】❶生活を支える手段としての仕事。職。「安定した―に就く」❷生活を支えるに足る、特殊な技能や専門。「―軍人⑤・―科⓪・―別⓪」**―あんていしょ**⑨⓪【―安定所】⇩公共職業安定所 **―いしき**⑤【―意識】 それぞれの職業に特有な△注意力(好奇心)。**―てき**⓪【―的】―に 職業として行なう様子だ。**―びょう**⓪【―病】 その業務のおかれる特殊な条件が要因となって起こる病気。例、キーパンチャーの腱鞘炎、採掘現場で働く人の塵肺など。

しょくけ③【食気】 くいけ。

しょくげん⓪【食言】―する(自サ)〔前に言った言葉を口の中にしまう意〕前に言った事や約束と違った事を言うこと。うそをつくこと。「―行為」

しょくご⓪【食後】 食事のあと。「―の果物」↔食前

しょくさい⓪【植栽】―する(他サ) 植物を栽培すること。また、栽培されている植物。「漆・桑・楮各百万本の―／―の緑が美しい」

しょくざい⓪【食材】 料理の材料となる食品。

しょくざい⓪【殖財】 財産をふやすこと。「―の道」

しょくざい⓪【贖罪】―する(自サ) ❶お金や品物を出して罪を許してもらうこと。❷〔神への罪から救うために〕キリストが、全人類に代わって十字架にかかって死んだこと。とくざい。

しょくさん[0]【殖産】〔生産物をふやす意〕その国や地方の産業を盛んにすること。〔広義では、個人の利殖の意にも用いられる。例、「―の早道としての投資信託」〕

しょくし[1]【食思】「食欲」の意の医学用語。「―不振[1]-[0]」

しょくし[1]【食指】「ひとさしゆび」の意の漢語的表現。「―を動かす〔=ほしいという気を起こす〕」

****しょくじ**[0]【食事】―する（自サ）〔生命を維持するために〕生活習慣として、主食と副食物とを組み合わせて食べること。また、その食べ物。「―にありつく／―を抜きにする／不規則な―／定時に―をする／五十人分の―〔=食べ物〕／―代[0]・―中[0]」

しょくじ[0]【食餌】病気を治すものとしての食べ物。「―療法[4]」

しょくじ[0]【植字】―する（自サ）〔活版印刷で〕文選工が拾っておいた活字を、原稿の通りに組んで行くこと。〔関係者の通語は、「ちょくじ」〕「写真―」

しょくしゅ[0][1]【触手】下等動物の口の近くにある棒状の突起。触覚の役をし、食物を捕らえたりする。【―を伸ばす】その物を得ようとして、それに向かって働きかける。

しょくしゅ[0][1]【職種】△職業（職務）の種類。

しょくじゅ[0]【植樹】―する（自サ）木を植えること。「―祭[3]」

しょくじょ[1]【織女】「たなばた❶」の意の漢語的表現。「―星[3]」

じょくしょ[1]【〈溽暑】大変蒸し暑いこと。夏の季語。

しょくしょう[0]【食傷】―する（自サ）❶食あたり。❷同じような△食事（もの）の繰り返しで、いやになること。「―気味[0]」

しょくしょう[0]【職掌】つとめ。職務。「―柄(ガラ)[0]〔=（そういう）職業の関係上〕」

しょくしん[0]【触診】―する（他サ）からだの内部に異状や故障が無いかどうかを、手でさわってみて診断する△こと（方法）。⇩聴診・視診・問診・打診

しょくじん[0]【食人】△極限状況（宗教的儀礼）のため、人肉を食うこと。カニバリズム[4]。

しょくじん[0]【食尽・〈蝕甚】〔日食や月食で〕太陽や月が最も多く欠ける時。表記「食尽」は、代用字。

しょくず[0]【食酢】食用にする酢。

しょく・する[3]【食する・〈蝕する】❶（他サ）「食べる」意の漢語的表現。❷（自サ）その天体（の光）がほかの天体にさえぎられて見えなくなる。食す[2]（五）。

しょく・する[3]【嘱する】（他サ）相手を見込んで、何かを△頼む（期待する）。嘱す[2]（五）。「後事を―／将来を―」表記「《属する」とも書く。

じょくせ[1]【《濁世】〔仏教で、にごったこの世の意〕現世。浮き世。

しょくせい[0]【食性】動物がその周囲からとる食物に対する習性。食物の種類、好き嫌いの程度など。

しょくせい[0]【食青】食品に色をつけるための青い粉。「しょくあお[0]」とも。

しょくせい[0]【植生】その地域に生えている植物の全体。

しょくせい[0]【職制】❶その職務を行なう上で必要な指揮・監督権の確立と、それに伴う身分に関する制度。❷係長・課長以上の管理職。

しょくせいかつ[3]【食生活】日常生活のうちで、毎日の食事に関係のある面。「―の改善／バランスのとれた―」

しょくせき[0]【職責】職務上の責任。「―が重い／―を果たす」

しょくぜん[0]【食前】食事の前。「―に服用」↕食後

しょくぜん[0]【食膳】食物を載せる膳。「―を賑(ギニ)わす／―に供する〔=料理して出す〕」かぞえ方 一膳

しょくせんき[3]【食洗機】〔「食器洗浄機」の略〕食器を自動的に洗う機械。食器洗い機。

じょくそう[0]【〈褥瘡】「とこずれ」の意の漢語的表現。表記「〈蓐瘡〉」とも書く。

しょくたい[0]【食滞】「食もたれ」の意の医学用語。

しょくだい[0]【〈燭台】（持ち運びの出来る）装飾的なろうそく立て。かぞえ方 一台・一本

しょくたく[0]【食卓】その上で食事をする、足の付いた机。テーブル。「―に上(ノボ)る秋の味覚／海の幸が―を飾る／―の用意をする〔=食卓に食器を並べるなどして、食事に備える〕／家族で―を囲む／―塩(エン)[4]」かぞえ方 一脚・一卓

しょくたく[0]【嘱託】❶―する（他サ）〔ある条件で〕その仕事をしてもらうこと。「―殺人[5]」❷〔正規の職員ではなく〕頼まれて、会社や団体の仕事をする人。表記 もとの表記は、「《属託」。

しょくち[0]【初口】「初めの方」の意の古風な表現。

しょくち[1]【諸口】いろいろの△口座（項目）。〔狭義では、簿記の仕訳の時に、相手方の勘定が二つ以上の科目にまたがっていることを指す〕

じょくち[1]【辱知】「（その人に）親しくつきあってもらって

しょく

【色】❶いろ（あい）。「暗色・間色・顔色・血色・原色・染色・脱色・暖色・天然色・政治色〔=政治に関係する傾向〕」❷美貌(ボウ)。「容色・麗色・才色兼備」❸性的な欲望。「好色・酒色・女色・男色」❹…らしい様子。特色。「異色・地方色・時代色・郷土色・国際色」❺特定の政治的傾向。「協調色・政党色」

【拭】よごれをふきとる。ぬぐう。ふく。「拭浄・払拭」

【食】やしなう。「食(ショ)客(カッ/キャク)」⇩（本文）しょく【食】

【《属】その一点に心や目をかける。「属望(ボウ)・属目(モク)」表記「〈矚」とも書く。

【植】❶うえる。「植物・植林・植毛・移植」❷開発のために、人民を新しい土地に移す。「植民・入植」❸活字を版に組む。「植字・誤植」

【殖】❶ふえる。ふやす。「殖産・繁殖・生殖・利殖」❷豊富にあること。「学殖」❸⇩植❷

【触】手や角(ツノ)など△が（で）何かにさわる。「触手・触角(ショッカク)・触覚(ショッカク)・感触・接触・抵触」

【飾】❶かざる。「装飾・修飾・服飾・満艦飾」❷〔髪かざりの意から〕頭髪。「落飾」

【嘱】言葉を添えて仕事をその人に頼む。「嘱託・委嘱」

【〈蝕】虫が食う。むしばむ。「侵蝕・蚕蝕・腐蝕」表記 今日では一般に「食」を用いる。⇩（本文）しょく【蝕】

【織】はたをおる。また、おったもの。「織女・織機(ショッキ)・染織・紡織」

【職】それを仕事としている人。「住職・神職・僧職・畳職・鳶(トビ)職」⇩（本文）しょく【職】

じょく

【辱】❶はずかしめる。「侮辱・屈辱・汚辱・凌(リョウ)辱」❷はじ。「恥辱・国辱・雪辱」❸かたじけなくする。「辱知・辱友」

しょくさん――じょくち

じ

いること」の意の謙遜(ケンソン)語。「—の間柄」

しょくちゅうしょくぶつ [6]【食虫植物】 昆虫などの小動物を捕らえて、その栄養分を吸収する植物。モウセンゴケ[3]・ムシトリスミレ[5]・ウツボカズラなど。食肉植物。

しょくちゅうどく [0]【食中毒】 食べ物による中毒。

しょくちょう [0]【食鳥】 食用になる鳥。ニワトリなど。

しょくちょう [0]【職長】 その職場の長。

しょくつう [0]【食通】 〔うまい物をいろいろ食べて〕食べ物のうまい・まずいについて詳しいこと。また、その人。

しょくど [1]【〈埴土】 粘土分を五〇パーセント以上含み、耕作には適さない土。

*__しょくどう__ [0]【食堂】 ❶その家の中で、食事をするための部屋。 ❷手軽な料理を、いろいろ出す店。「—を開く/簡易—・大衆—[5]・△社員(学生)—・—車[3]」

しょくどう [0]【食道】 消化器の一部で、のどから胃に連なり食物を嚥下(エンゲ)する部分。

しょくどうらく [3]【食道楽】 ⇩食い道楽

しょくにく【食肉】 ❶[0] 人間が調理して食べる動物の肉。〔狭義では、哺乳動物の肉を指す〕 ❷(造語) 動物を捕らえて生のまま食べること。「—獣[4]・—類[4]」 **—しょくぶつ** [6]【—植物】 ⇩食虫植物

*__しょくにん__ [0]【職人】 特殊技能を持って衣食住の実生活面の必要に応(タコ)える労働者。〔自分の仕事を職業として割り切っている人、の意にも用いられる。例、「物書きとして—に徹する」〕 **—かたぎ** [5]【—〈気質〉】 部外者には変り者だと受け取られやすいが、自分の技能には絶対の自信と誇りを持っている、職人にありがちな性格的な傾向。

しょくのう [0][2]【職能】 ❶そのものが全体の組織の中で受け持っている働き。「国会の—/副詞の—/—給[3]」 ❷仕事の性質から見た職業。「—(別)代表」

*__しょくば__ [0]【職場】 勤務先。仕事をする場所。「—に復帰する/—を失う/—結婚[4]・—放棄」

しょくばい [0]【触媒】 自分は少しも化学的変化をこうむらず、単に他の化学反応(の速度)に影響を及ぼす物質。「—作用[5]」

しょくはつ [0]【触発】—する(自他サ) ❶何かに触れるとすぐ爆発すること。「—水雷[5]」 ❷何らかの刺激を与えて△行動を起こ(その気に)させること。「友人の成功に—されて」

しょくパン [0][3]【食パン】 主食にするパン。〔狭義では、底の四角な型に入れて焼いたものを指す〕〔口語形は「しょっパン[0][3]」〕 ⇩菓子パン かぞえ方 一斤。スライスしたものは一枚。三斤一続きのものは一本

しょくひ [0]【食費】 〔生活費の一部としての、また宿泊費とは別に計算される〕食事の費用。

しょくひ [0]【植皮】—する(自サ) 表皮の一部を切り取り、傷ついたりしたからだの部分に植えつけること。

*__しょくひん__ [0]【食品】 △そのまま(手をかけて料理した上で)食べることが出来るものの総称。〔広義では、飲み物を含む〕「—を輸入する/—衛生[5]・—売場[5]・—成分表[0]、[0]-[0]」 ⇩食物 **—てんかぶつ** [7]【—添加物】 見かけをよくしたり 腐らせないようにしたり などするために、食品に混ぜるもの。からだに有害な物質が含まれることがある。

しょくふ [1][0]【織布】 布を織ること。また、その織られた布。「—機[3]」

しょくふく [0]【職服】 職務を行なうために着る服。〔狭義では、仕事服・作業服を指す〕

__しょくぶつ__ [2]【植物】 木や草のように、一か所に固定し、空気や土や水から養分をとって生きていく生物。「—界[4][3]・—学[4]・—体[0]・種子—・観葉—・高山—」↕動物 **—えん [4]【—園】 生態を公衆に見せ、かたわら資源保護・研究をはかるため、多くの植物を系統的に集めた施設。「大学付属—」 **—しつ** [4]【—質】 ❶植物体を形づくっている物質。 ❷植物性。 **—せい** [0]【—性】 ❶植物だけに見られる性質。「—神経(=交感神経)」 ❷植物から得られるものであること。「—染料・—食品・—たんぱく質[10]」 **—にんげん** [5]【—人間】 〔呼吸・循環器系機能は保たれているが〕大脳の傷害により、意識や運動能力を失ってしまい寝たきりになった人。 **—ゆ** [4]【—油】 植物の実・種などからとった油。菜種油・ごま油・大豆油・オリーブ油など。

しょくぶん [0]【食分・〈蝕分】 日食・月食の際の、太陽や月の欠ける程度。 表記 「食」は、代用字。

しょくぶん [2]【職分】 ❶その職務にある者として当然しなければならないこと。つとめ。「自らの—をわきまえる」 ❷〔能楽で〕それぞれの伎芸(ギゲイ)の専門家。

しょくべに [0]【食紅】 食品に赤い色をつけるための、紅色の粉。

しょくへん [0]【食偏】 漢字の部首名の一つ。「餅・飲・飯・館」などの、左側の「飠・食」の部分。「じきへん」とも。〔多く、食物や飲食に関係のある漢字がこれに属する〕

しょくほう [0]【触法】 その行為が法に反すること。「—少年[5](=罪を犯した少年のうち、十四歳にならないもの。刑事上の責任を負わない)」

しょくぼう [0]【嘱望・《属望・〈矚望】—する(他サ) 才能・性格を見込んで、その人の将来を期待すること。

しょくみ [0][3]【食味】 食べ物の味(のつけ方)。「京の—」

しょくみん [0]【植民・殖民】—する(自サ) 国外にある未開拓の新たな土地に、経済的開発を目的として移住・定着すること。また、その移住民。「—政策[5]」 **—ち** [3]【—地】 移住者が経済的に開発した国外の土地。〔狭義では、新しく属領となった国外の地域を指す〕 **—ちしゅぎ** [6]【—地主義】 帝国主義的な先進国が自国の植民地を原料・商品市場として利用すると共に、住民を政治的・軍事的に抑圧・支配し、また他国の植民地や発展途上国を侵略して勢力の拡大を図ろうとする政策や思想。

しん—ちしゅぎ [8]、[1]-[6]【新—地主義】 第二次世界大戦後、先進国が軍事的手段によらずに植民地的経営を図ったり 自国の勢力圏を広げたり すること。

しょくむ [1]【職務】 その組織の一員として義務づけられている仕事。「—に専念する/—上の秘密/—怠慢・—権限[4][6]」 **—きゅう** [3]【—給】 年功・勤惰などに関係無く、職務の内容に応じて支払う給与。 **—しつもん** [4][5]【—質問】—する(自サ) 様子の不審な通行人などに対して、警察官が職務上行なう質問。「不審尋問」の改称。

しょくめい [0]【職名】 組織や団体で、職務(や資格)を表わす名称。

しょくもう [0]【植毛】—する(自サ) ❶〔からだの毛の必要な部分に〕毛を植えつけること。「—術[3]」 ❷ブラシ・じゅうたんなどに、毛を植えこむこと。

しょくもく [0]【嘱目・《属目・〈矚目】—する(自サ) 〔「属」は、着ける意〕 ❶将来△どういう言動をするか(どのように伸びるか)を期待して見守ること。「万人—の的」 ❷「目に触れること」の意の漢語的表現。寓目(グウモク)。「—の風景」

しょくもたれ [3][0]【食〈靠れ】 食べた物がよく消化しないで、胃にたまっている△こと(感じ)。食滞(ショクタイ)。

*__しょくもつ__ [2]【食物】 食品をそのまま(数種類組み合わせて)食用に適するように調理・加工したもの。食べ物。例、米・みそ・ダイコンは食品、御飯・みそ汁は食物。〔広義では、飲み物を含む〕 **—せんい** [5]【—繊維】 食物成分の中で、胃では、消化出来ないか、消化の困難な物質。食物繊維の適量な摂取により、便通をよくし、動脈硬化・糖尿

病・直腸ガンなどの防止に効果があるといわれる。 **―れんさ**[5]【―連鎖】 生態系の中で、例えば植物プランクトンを動物プランクトンが食べ 動物プランクトンをイワシが食べイワシをブリが食べるというような、食べられる生物と食べる生物の、一つながりの関係。

しょくやすみ[3]【食休(み)】―する(自サ) 〔からだに良いことだとして〕食事を済ませたあとで、しばらく休むこと。

しょくゆ[0]【食油】 食用のあぶら。食用油(アブラ)。

しょくゆうじょう[0]【〈贖宥〉状】 〔歴史学で〕宗教改革のきっかけとなった免罪符。

しょくよう[0]【食用】 食べ物として使う(ことが出来る)こと。「―に供される/―油(アブラ)[5]・―菊(ギク)[3]」 **―がえる**[5]【―〈蛙〉】 からだの長さは二〇センチにも達する大きなカエル。牛のような太い声で鳴く。肉は美味。ウシガエル。〔アカガエル科〕 かぞえ方 一匹

しょくよう[0]【食養】 〔←食養生[3][5]〕「食餌(ジ)療法」の意の古風な表現。

しょくよく[0][2]【食欲・食〈慾〉】 空腹を満たすために、積極的に何かを食べたいと思う気持。「暑さで―が△無い(衰える)/―旺盛(オウセイ)・―不振[0]-[0]、[2]-[0]」

****しょくりょう**[2]【食料】 食用と△する(なる)もの。食べ物。 **―ひん**[0]【―品】 〔主食以外の〕食品。肉類・野菜類・果実類の総称。「―店[5]〔＝缶詰・乾物・卵・豆類、その他すぐおかずになるものを売る店〕」 かぞえ方 一点

しょくりょう[2]【食糧】 〔何日間で食べるというように計画的に用意される〕主食(としての米・麦など)。「三日分の―/―事情[5]」 **―ねんど**[5]【―年度】 穀物の取り入れを基準にした年度。〔日本では、おもに米穀年度を指す〕

しょくりょう[0]【職漁】 趣味としてではなく、職業として魚をとること。「―船[0]・―者[3]」

しょくりん[0]【植林】―する(自サ) 〔←植樹造林[4]〕 山・野原に、苗木を植えて林を作ること。

しょくれき[0]【職歴】 それまでどういう△職業(職務)に就いて来たか、の経歴。

しょくろく[0]【食〈禄〉】 ⇩俸禄(ホウロク)

しょくん[1]【諸君】 ❶何人かの人をまとめて指す称。❷男性が改まった気持で多数の人に呼びかける時に使う語。〔「君たち」よりは敬意が強く、「皆さん」よりはもったいぶった表現。立場の上の人に対しては使わない〕「満場の―/―の健闘を祈る」

じょくん[0]【叙勲】―する(自サ) 〔それぞれの社会活動で功績のあった人たちに〕勲章を与えること。「春の―」

しょけ[1][0]【所化】 〔仏教で、教化された者の意〕寺で修行中の僧。

しょけい[0]【処刑】―する(他サ) 刑、特に死刑を行なうこと。「―台」

しょけい[0]【初経】 ⇩初潮(ショチョウ)

しょけい[0]【書契】 後日の証として書きつけられたもの。また、その文字。「―以前[4]〔＝文字が発明される以前の大昔〕」

しょけい[0]【書〈痙〉】 手を酷使する職業の人や、過度の緊張状態にある人が、手の痛み・けいれんなどで まともに字が書けなくなる症状。

しょけい[1]【諸兄】 〔幾人かの兄の意〕男性が何人かの同性に対して敬意を含めて呼びかける時に使う語。皆さん。↕諸姉

しょげい[1]【書芸】 芸術にまで高められた書道。

じょけい[0]【女系】 母方の系統。母系❶。↕男系❶ **―かぞく**[4]【―家族】 代々婿を迎えることによって続いてきた家系。〔転じて、女性が多いか、優位を占める家族構成の意にも用いられる〕

じょけい[0]【叙景】―する(他サ) 景色を詩や文章などに表わすこと。「―文[2][0]」

しょけいし[2]【諸兄姉】 「多くの先輩たち」の意で呼びかける語。

しょげかえ・る[3][0]【しょげ返る】(自五) すっかりしょげて、元気をなくす様子。 表記 「〈悄気返る」は、借字。

しょげこ・む[0][3]【しょげ込む】(自五) しょげて、すっかり元気をなくす。 表記 「〈悄気込む」は、借字。

しょけつ[0]【処決】―する(他サ) 〔自分自身に対して〕きっぱりした処置をとること。

じょけつ[0]【女傑】 胆力・行動力にすぐれる女性。

しょ・げる[2](自下一) 期待に反する思わしくない結果になり、積極的に何かをしようとする気力を失う。 表記 「〈悄気る」は、借字。

しょけん[0]【初見】 初めて△見る(会う)こと。「―演奏[4]〔＝初めて見た楽譜ですぐ演奏すること〕」

しょけん[0]【所見】 ❶その時その場所でその人が見たもの。「銀座―〔＝…で見た景色〕/X線写真による―〔＝観察結果〕」❷何かについての、その人の具体的な意見。「―を述べる」❸どこか△でそれを見た経験(にそれが出ている記憶)。「他に―が無い」

しょけん[0]【書見】―する(自サ) 「読書」の意の古語的表現。「―台[0]」

しょけん[1]【諸賢】 〔賢明な あなたがたの意〕読者や聴衆に対して呼びかける語。皆さん。

しょげん[0]【緒言】 その△論文を執筆する(書物を刊行する)に至った主旨や経緯を述べた文。〔「ちょげん」とも。「序言・前書き」と同義に用いられる〕

じょけん[0]【女権】 女性が男性と対等の資格で、教育を受け、政治に関係し、社会活動をなしうる権利。「―拡張[0]-[0]・―論者[4]」

じょげん[0]【助言】―する(自サ) わきから助けになるような事を言ってやること。「―を与える」〔古くは、「じょごん」〕

じょげん[0]【序言】 まえがき。⇩緒言(ショゲン)

じょげんど[2]【〈恕限度〉】 人体に害を与えるような条件の限度。保健上許されている有害物質などの限度。たとえば、二酸化炭素の恕限度を示す値〔＝恕限値[2]〕は〇・一パーセントといわれる。

しょげんひょう[0]【諸元表】 鉄道の車両などの番号・大きさ・重さ・定員などを記入した一覧表。

しょこ[1]【書庫】 書物を入れておく△建物(部屋)。

しょこう[0]【初更】 昔の時法において、戌(イヌ)の刻。今の午後七時ごろから九時ごろまでに当たる。⇩五更

しょこう[0]【初校】 原稿をもとに組まれた(最初の)校正刷り(の校正)。「―ゲラ[0]・―本(ボン)[0]」 ⇩再校

しょこう[1]【諸公】 何人かの大臣・代議士たちの集まりに対して呼びかけたり、それらをまとめ呼ぶ時の称。〔複数の相手に対して、男性同士が使用する敬称としても用いられる〕

しょこう[1]【諸侯】 封建時代の国主。〔日本では、「大名」という〕

しょこう[0]【〈曙光〉】 まっくらな中に見え始める、夜明けの光。〔前途に見え始める、わずかな希望の意にも用いられる。例、「解決の―」〕

しょごう[1][0]【初号】 ❶〔定期刊行物の〕最初の号。第一号。❷〔←初号活字[4]〕 号数で表わす活字の中で最大のもの。

しょごう[1]【諸豪】 ❶いろいろな豪族。「京極(キョウゴク)氏、浅井氏などの―」❷いろいろな つわものたち。「プロレス界の

―」

じょこう⓪【女工】女子の工員。「―哀史」↔男工

じょこう⓪【徐行】―する（自サ）〔電車・自動車などが〕危険に備え、速力をゆるめて進むこと。「―区間④」

じょごう⓪【除号】割り算を表わす記号。「÷」〔斜線「／」を用いることもある〕↔乗号

しょこく①【諸国】多くの国。「―行脚・中東―」

しょこん⓪【初婚】〔再婚と違って〕初めての結婚。

ショコラ①〔フ chocolat〕チョコレート。

しょさ①【所作】〔その場に応じての〕たちいふるまい。 **―ごと**⓪【―事】❶芝居の中に仕組まれた、特殊の表情を表わす踊り。❷歌舞伎の中の、おもに、長唄に合わせて踊る踊り。

しょさい⓪【所載】その文献に記載されていること。

しょさい⓪【書斎】〔個人の家で〕読書・研究・執筆をするための部屋。

しょさい⓪【書債】まだ書いていない手紙の返事や、頼まれたままで果たしていない揮毫。〔広義では、同じ状態の原稿を指す〕「―を果たす」

しょざい⓪【所在】❶どこにあるか。「△責任（問題）の―を明らかにする／県庁―地〔＝…の置かれている土地〕」❷どこに居るか。「―〔＝居所〕をくらます」❸問題としてとりあげる人や物事などの存在するところ。「―の〔＝至る処の〕敵を破る」 **―な・い**④【―無い】（形）そこにいても、する事が△無い（無くて退屈だ）。「所在が無い」とも。[派]**―さ**④ **―げ**⓪④⑤ [文法]助動詞「そうだ（様態）」に続くときは「所在なさそうだ」の形になる。

じょさい⓪【如才】〔古語「如在」の変化。鄭重に神を祭るという意であったが、後にもっともらしく上辺だけを取りつくろうという意になった〕〔「―（が）ない」など否定表現と呼応した形で〕（本心からかどうかはともかく）見かけの上では相手に不快感を与えることなくふるまう様子だ。「―の無い受け答え」 **―な・い**④【―無い】（形）（相手の気持・立場などを敏感に察し）相手に好感をいだかせる応対が出来る様子だ。〔要領のよさが目立つという点で、軽い侮蔑・皮肉の意を込めることもある〕「―人だ」[派]**―さ**④ **―げ**④⑤⓪ [文法]助動詞「そうだ（様態）」に続くときは「如才なさそうだ」の形になる。また「すぎる」と結びついて複合動詞をつくるときは「如才なさすぎる」の形になる。

じょさい⓪【助祭】〔カトリック教会で〕司祭の次の位。

じょさいどうき④【除細動器】心臓に強い電気ショックを瞬間的に与え、心臓の不規則な動きを元に戻す装置。心停止となった患者の救命装置としては、エーイーディー（AED）がある。

じょさいや⓪【《定斎屋》】〔「定斎屋⓪」の変化〕夏に、暑さ中りなどの薬を一対の薬箱に入れてかつぎ、ひきだしの鐶をやかましく鳴らしながら売り歩いた行商人。

しょさつ①【書冊】「書物」の意の古風な表現。

しょさつ⓪①【書札】「手紙」の意の古風な表現。「―礼③〔＝昔の書簡文での形式的な挨拶の部分を集めたもの〕」

しょさん⓪【初産】初めてのお産。「しょざん」とも。ういざん。はつざん。 **―じ**②【―児】その母親から初めて生まれる子供。

しょさん⓪【所産】△生産（うみ出）されたもの。「研究の―〔＝結果〕」

じょさん⓪【助産】出産を助け、妊婦・産児の看護や保健指導などをすること。「―所⓪④」 **―し**②【―師】免許を受けて助産の仕事を職業とする人。〔「助産婦」の改称〕[かぞえ方]営業者としては一人：一軒 **―ぷ**②【―婦】「産婆」の改称。「助産師」の旧称。

じょさん⓪【除算】―する（他サ）割り算。除法。〔「除法」に比し、珠算や計算機の分野でよく用いられる〕↔乗算

しょし①【処士】時の支配者に仕えたことの無い、民間の人。「野の―」

しょし①【初志】何かやろうと思い立った、最初の考え。「―を貫徹する」

しょし①【所司】室町時代、侍所の長官。 **―だい**②⓪【―代】❶所司の代理として侍所の事務を扱った者。❷江戸時代、京都の警衛・政務を取り扱った者。

しょし①【所思】その人が何かについていだいている思いや考え。「―の一端を述べる」

しょし①【書〈肆〉】「本屋・書店」の意の古風な表現。

しょし①【書誌】❶特定の人・題目に関する文献の（解説付きの）目録。「西鶴―」❷貴重な古文献の伝来の事情や外観・内容などについての記述。 **―がく**②【―学】❶図書館員の教養として要求される、書物の形態の歴史や書物分類の原理に関する知識など。❷個々の書誌についての累積的知識。

しょし①【庶子】❶嫡出でない子。↔嫡子 ❷〔民法の旧規定で〕父が自分の子として認めた私生子。

しょし①【諸子】❶孔子・孟子以外で、一家の説を立てた古代中国の（哲）学者たち（の著書・学説）。❷一堂に集まった△目下（年下）の人に対する敬称。現在の「諸君」にあたる。〔代名詞としても用いられる〕「―は」 **―ひゃっか**①-①、③-【―百家】中国の、春秋戦国時代〔＝前七七〇～前二二一〕の多くの学派。

しょし①【諸氏】自分と何らかの意味でかかわりのある人たちに対する敬称。皆さん。

しょし①【諸姉】〔幾人かの姉の意〕何人かの女性に対して敬意を含めて呼びかける時に使う語。皆さん。↔諸兄

しょじ①【所持】―する（他サ）自分の物として持っていること。〔多く、外出先で自分の持ち物として主張出来る場合を指す〕「拳銃を不法に―する／―金⓪〔＝その時、自分用として持ち合わせているお金〕・―品⓪〔＝その時の携行品〕」

しょじ⓪【書字】文字、特に漢字を書くこと。「―〔＝どれだけの語をどれだけ正しく漢字で書けるかの〕能力③」

しょじ①【諸事】いろいろな用事。すべての物事。「―節約・―万端」

じょし①【女子】〔「子」は、人の意。「女子子」の略〕女として生まれた人の称。長幼は問わない。〔「女の子」は、字音語では「女児」と言う〕「三人の―〔＝娘〕を儲けた／―学生③〔＝女子の大学生〕・―〔＝若い女性の〕教育③・―〔＝女性の〕従業員⑤」↔男子 **【―と小人とは養い難し】**下使いの人間は男女を問わず概して、眼前の事象しか見えないので、優しく扱っても厳しくしかっても、妙になれ過ぎたり怨んだりする不結果を招きがちで、対応がむずかしいものだ。 **―かい**⓪【―会】〔俗に〕会話や飲食などを楽しむために、女性だけで集まること。また、その集まり。 **―だい**⓪【―大】〔←女子大学③〕女子だけを学生とする大学。「―生③〔＝ⓐ女子大学の学生。ⓑ女子の大学生〕」

じょし①【女史】〔やや古風な言い方〕女性の学者・芸術家・評論家・政治家などを尊敬して呼ぶ語。〔女性に対する侮蔑を含意して用いられることもある〕

じょし⓪【助詞】〔日本語文法で〕助動詞と共に付属語として用いられる語類。自立語相互の文法的な関係を示したり 文の陳述に関係したり する。活用はしない。⇩じょじ（助辞）❸❶

じょし[0]【序詞】❶序として書かれた言葉。〔広義では、プロローグをも指す〕❷〔和歌・擬古文の修辞で〕問題の語句を言い出す前口上として用いられる、二句以上の修飾語。必ずしも連体的であるとは限らず、多く問題の語句と同一部分を直上の文節に含む。

じょじ[1]【女児】女の子供。↕男児

じょじ[0] [一]【助字】〔漢文法で〕意味を添えるために語や句の後に用いる語。助語[1]。例、「矣・乎」など。[二]【助辞】❶〔日本語文法で〕助詞と助動詞との総称。⇩てにをは ❷助字。

じょじ[1]【序次】「順序」の意の古風な表現。

じょじ[0]【叙事】事件・事実を客観的に述べしるすこと。「―文[2][0]」↕叙情 ―し[2]【―詩】神話・伝説・古代英雄の事跡・歴史上の事件などを、物語のように述べた詩。エピック。⇩抒情詩・劇詩

しょしき[0]【書式】証書・願書・届け書などの、決まった書き方。

しょしき[1][0]【諸式・諸色】何かを成立させるのに必要な物。「結納の―/―(=物価)が上がる」

じょしつ[0]【除湿】―する(自サ) (室内の)湿気を取り除くこと。「―器[3]」

しょしゃ[1]【書写】❶―する(他サ)〔「写」も書く意〕筆で書くこと。「経文を―する」❷〔小・中学校で〕毛筆・硬筆による習字。「国語科―」

しょしゃ[1]【諸車】乗用車と運送用の車のすべて。「―通行止」

じょしゃく[0]【叙爵】―する(自サ) 爵位を授けられること。〔古くは、従五位下の位を授けられたことを指した〕

しょしゅ[1]【諸種】いろいろな種類(にわたること)。

じょしゅ[0]【助手】❶その人の仕事を円滑に進める上で、身近にいて手助けをする役の人。「カメラマンの撮影―をつとめる/運転―[5]・―席[0][2](=自動車の運転席の隣の席)」❷〔大学・高専で〕おもに、研究・授業の準備などの補助業務に従事する教員。〔以前の「助手」で研究・教育に従事する者は、「助教」と改称〕

しょしゅう[0]【初秋】秋の初め。はつあき。〔陰暦では七月を指す〕⇩中秋・晩秋

しょしゅう[0]【所収】その本に収められていること。「―作品」

じょしゅう[0]【女囚】〔俗に〕女性の受刑者。↕男囚

しょしゅつ[0]【初出】最初に出る(出現する)こと。「近世初期の文献に―の言葉」↕再出

しょしゅつ[0]【所出】「生まれ(た)所・出所」の意の漢語的表現。「―(=出どころ)を明らかにする」

しょしゅつ[0]【庶出】嫡出でないこと。↕嫡出

じょじゅつ[0]【叙述】―する(他サ)〔事情を知らない人に分かってもらうように〕物事の事情や自分の考えなどを、順を追い臨場感をもって書きしるすこと。

しょしゅん[0]【初春】春の初め。はつはる。〔陰暦では正月を指す〕⇩仲春・晩春

しょじゅん[0]【初旬】上旬。

しょしょ[1]【処暑】二十四(節)気の一つ。太陽暦八月二十三日ごろ。朝晩、次第に冷気を覚える時分の意。

しょしょ[1] [一]【所々】〔一、二か所ではない〕あの所やこの所。「―方々(=あちらこちら)」[二]【諸所】いろいろな場所。表記 [一]は「処々」、[二]は「諸処」とも書く。

しょじょ[1]【処女】〔家に居る女性の意〕[一][1] 少女期を過ぎた女性が、性的経験をまだ持たないこと。また、その女性。⇩童貞 [二](造語) ❶その地域に人がまだ入ったことの無い。「―林[2](=原始林)・―峰[2](=まだだれも頂上をきわめたことの無い山)」❷その人にとって初めての。「―作[2]・―演説[3]・―(=その船が進水後 最初にする)航海[3]」 ―ち[2]【―地】まだ人の手の入っていない土地。〔広義では、調査・研究のまだ行なわれていない学問分野などをも指す〕 ―まく[2]【―膜】女性の膣口部にある薄い膜状のひだ。性交や激しい運動などによって裂けたり 磨耗したりする。

しょしょう[0]【所掌】国や地方公共団体が法令に基づく職務としてその事柄を取り扱うこと。「―事項」

しょしょう[0]【書証】〔裁判などで〕書面の内容を証拠資料とすること。⇩人証・物証

しょじょう[0]【書状】手紙。書簡。「―を認める」 かぞえ方 一通・一束

じょしょう[0]【女将】「おかみ(女将)」の文字読み。

じょしょう[0]【序章】〔論文・小説などの〕序にあたる章。↕終章

じょしょう[0]【叙唱】⇩レシタティーブ

じょじょう[0]【如上】前に述べたこと。「―のような結論が得られる」表記「叙上」とも書く。

じょじょう[0]【抒情・叙情】直接相手の心に訴えるように表わすこと。「―的文章・―性[0]」↕叙事 ―し[2]【―詩】外界の事象によって誘発された作者の感動を直接に表現した詩。リリック。⇩叙事詩・劇詩

じょじょうふ[2]【女丈夫】〔男まさりの女性の意〕すぐれた能力と、強い意志を持った女性。「じょじょうぶ」とも。

じょしょく[0]【女色】〔人を迷わす〕女性の性的魅力。「―におぼれる/―(=女)を遠ざける」

じょじょに[1]【徐々に】(副) 見た目にはゆるやかであるが、確実に事が進行している様子。「小児の糖尿病が―増えている/彼の名声も―忘れられてゆくだろう」

しょしん[0]【初心】❶何かをやろうと思い立った当初の真な気持。「―忘るべからず/―に返れ/―を貫徹する(見失う)」❷(専門の)学芸・技術の習い始め。「―者[2]」

しょしん[0]【初診】その病人やけが人についての、最初の診察。「―料[2]」⇩再診

しょしん[0]【初審】第一回目の審判。第一審。

しょしん[0]【所信】その人がその問題について、こうだと信じているところ。「―を明らかにする(表明する)」

しょしん[0]【書信】「手紙」の意の古風な表現。

しょじん[1]【庶人】庶民。「しょにん」とも。

じょしん[0]【女神】「めがみ」の意の漢語的表現。

じょじんき[2]【除塵機】気流の中の水分や固体の粒子を機械の力で気流から分離する装置。

じょすう[2]【序数】物の順序を示す数。順序数[3][4]。⇩基数 ❶ ―し[2]【―詞】序数を表わす数詞。順序数詞[4]。例、「一の宮・二世・三校(=第三校の意)・四男・五階・六月」における「一・二・三・四・五・六」。「一つには健康、二つには、仕事」における「一つ・二つ」。また、「第一・二つ目・(台風)三号:四番(打者):五位・六等」などのように、造語成分を加えて用いることが多い。

じょすう[2]【除数】〔割り算で〕ある数を割る方の数。↕被除数

じょすうし[2]【助数詞】〔日本語や中国語で〕かぞえられる物がどんな種類の物であるかを表わす、下位の造語成分。〔物によって使う言葉が異なる〕「一枚・二台・三脚」などの「枚・台・脚」。

しょずり[0]【初刷(り)】その著作などを出版物として最初に刷ること(刷ったもの)。「―本[0]」↕あと刷り

しょ・する[2]【処する】[一](自サ) ある状況に身を置き、適

** * は重要語, [0] [1]… はアクセント記号, 品詞の指示の無いものは名詞および いわゆる連語。

切に対応する。「世に―道／△難局（問題）に―」 ㊁（他サ） ❶適切に処理する。「事を―」 ❷その環境に応じた適宜な態度をとる。「身を―／身の処し方」 ❸その刑を宣告する。「厳罰に―／過料に処せられる／被告人を死刑に―（=ⓐ死刑を宣告する。ⓑ死刑を執行する）」 処す①（五）。

しょ・する②【書する】（他サ）「書く」意の訓読語的表現。書す①（五）。

しょ・する②【署する】（他サ）〔本人であることの印として〕自分の氏名を書く。署名する。署す①（五）。

じょ・する②【序する】（他サ）はしがきを書く。表記「叙する」とも書く。

じょ・する②【叙する】（他サ）❶爵・位・勲等などを授ける。❷述べたいと思う事を文章で表現する。「情景を―／史的展開を―」 叙す①（五）。

じょ・する②【〈恕する】（他サ）〔思いやりの心で〕ゆるす。

じょ・する②【除する】（他サ）「割る❻」意の漢文訓読語的表現。除す①（五）。

しょせい⓪【処世】世間の人とうまくつきあいながら、生活していくこと。「―術②・―〔=世渡り〕の道」 **―くん**②【―訓】世渡りする上で失敗しないための（消極的な）教え。例、「長いものには巻かれろ」。

しょせい⓪【初生】生まれたばかりであること。「―雛(ビナ)④」 **―じ**②【―児】⇩新生児

しょせい⓪【所生】❶〔古〕生みの△親（子）。❷生んだ子。また、△生み出された（作り出された）もの。「淀君(ヨドギミ)―の〔=…が生んだ〕子／作家―の〔=…が作り出した〕言葉」

しょせい⓪【書生】〔学業習得中の者、の意〕❶自分の進もうとする学問の道で研鑽(ケンサン)を積んでいる者。「白面の―／生涯、一―の信念を貫く／貧―・老―」 ❷Ⓐ明治期から、昭和初期にかけての学生の称。「まだ―っ気が脱(ヌ)けない／―上がり・―芝居」 Ⓑ郷里の先輩などの家に寄食し、玄関番などをしながら目標の勉学にいそしんだ者。「―部屋(ベヤ)⓪／伯爵(ハクシャク)令嬢と―との恋」 **―っぽ**⓪〔実社会の裏面を知らない小僧っ子という意で〕「書生❶」を侮蔑(ブベツ)を含意して言う語。〔口頭語的表現では「しょせっぽ⓪」とも言う〕「先生というより―といった感じの人」 **―ろん**②【―論】理論に傾きすぎて現実にあわない議論。

しょせい⓪【書聖】書を書く点で古今に匹敵する者が無いとされるすぐれた人。「―王羲之(オウギシ)」

しょせい①【庶政】各方面の政治。「―を一新する／内外の―」 表記「諸政」とも書く。

しょせい①【諸生】（その人から教えを受けた）多くの△門弟（生徒・学生）。

しょぜい①【諸勢】たくさんの軍勢。「―を引き連れる」

じょせい⓪【女声】〔声楽で〕女性の声。「―合唱④」 ↕男声

***じょせい**⓪【女性】〔「おんな」の改まった言い方〕おとなになった、女の人の称。「理想的な―／―誌②・―ホルモン④・―警察官⑦・―専用車両⑧」 ↕男性 **―ご**⓪【―語】女性特有の言い回しや単語。丁寧語として「お」を多用したり、感動詞の「あら」とか終助詞の「わ」を使用するなど。 **―てき**⓪【―的】―に ―な ↕男性的 ❶伝統的・文化的価値観の上で、やさしさ・美しさ・包容力などの、女性により多く見られるとされる特質がうかがわれる様子だ。❷〔男性について〕伝統的・文化的価値観から見て、いかにも男性にふさわしくない、決断がつかなかったり弱よわしい感じを与えたりする様子だ。

じょせい⓪【女婿】娘の夫。娘むこ。

じょせい⓪【助成】―する（他サ）研究・事業の完成を助けること。「―金⓪」

じょせい⓪【助勢】―する（自サ）手助けし、力を添える△こと（人）。助力。

しょせき⓪【書跡・書〈蹟〉】「ふでのあと」の意の漢語的表現。「―は帝王と相類す」

しょせき⓪①【書〈蹟〉】書籍と墨跡との総称。

しょせき①⓪【書籍】〔個人の知識の源泉となり、生活を豊かにするものとしての〕本。〔普通、写真・フィルムは除く〕

じょせき⓪【除籍】―する（他サ）△名簿（戸籍・学籍・登録簿）から名を除き、そこでの△身分（登録）を抹殺すること。「―処分④」

しょせつ⓪【所説】その人の（述べる）説。

しょせつ①【諸節】季節の変わり目などのいろいろな行事。「月齢および―を記入する欄」

しょせつ①【諸説】いろいろの△意見（うわさ）。「―入り乱れる／―紛々(フンプン)」

じょせつ⓪【序説・叙説】本論や本題への導入として説く△説（研究）。序論。

じょせつ⓪【除雪】―する（自サ）積もった雪を取り除くこと。「―車③②・―作業」

じょせつ⓪【〈絮説〉】―する（他サ）〔「絮」は、連綿として絶えない意〕「くどくど説明する」意の漢語的表現。

しょせん⓪【所詮】（副）〔「詮ずる所」の意の漢語的表現〕あれこれ論じたところで、結局はそれでしかないと結論づける様子。「庶民にとって、マイホームは―絵に描(カ)いた餅(モチ)でしかないのではないか／―かなわぬ望みだとあきらめるしかない」

しょせん⓪【初選】その人として初めて△当選（入選）すること。

しょせん⓪【緒戦】❶その△戦い（試合）の初め。❷最初の△戦闘（試合）。第一戦。「ちょせん」とも。表記「初戦」とも書く。

じょせん⓪【除染】放射性物質で汚染された土壌・設備や衣服などからその放射性物質を取り除くこと。

しょそう⓪①【諸相】いろいろな△観点から見た（面を内包する）、そのものの現実の姿。

しょぞう⓪【所蔵】―する（他サ）自分の（所の）物として、しまっておく△こと（もの）。「―者②・―品⓪」

じょそう⓪【女装】―する（自サ）男が女の△服装（扮(フン)装）をすること。↕男装

じょそう⓪【助走】―する（自サ）〔陸上競技で〕よく△飛べ（投げられ）るように、踏切の所まで走ること。「―路②」

じょそう⓪【助奏】―する（他サ）普通の伴奏のほかに加える、別の楽器による旋律的で装飾的な補助の演奏。オブリガート④。

じょそう⓪【序奏】楽曲の導入部としての演奏（曲）。〔ゆるやかなものが多い〕イントロダクション。イントロ。「―曲②」

じょそう⓪【除草】―する（自サ）雑草を取り除くこと。「―機②・―剤②⓪」

じょそう⓪【除霜】―する（自サ）❶霜に当たって枯れるのを防ぐため、△大事な（弱い）植物などを何かで囲うこと。しもよけ。❷〔電気冷蔵庫の〕しもとり。

しょそく⓪【初速】〔「初」は計り始めの意〕その物の運動を観測し始めた時刻における速度。〔観測開始の時刻、すなわち基準時刻をどこに取るかによって変わり得る。また、静止している物体は、速度ゼロと見る〕「弾丸の―」

しょぞく⓪【所属】―する（自サ）❶団体や大きな組織の一員となって、その命令系統に従うこと。「△会社（球団）に―する」 ❷公共団体の管轄を受けること。「大学―の建物／政府―の財産」

しょぞん⓪【所存】一個人としての考えを「その積り」とし

て述べる語。「より一層努力をしてまいる―であります」

じょそんだんぴ④―【女尊男卑】 女性が男性の上位にあるとする△考え方(慣行)。↔男尊女卑

しょた①【諸他】 (そのほかにも)あれこれ幾つもかぞえ上げられること。「―の理由は別として」

しょた①【諸多】 いろいろと多くあるもの。

*****しょたい**①②【所帯】 〔もと、その人が持っている財産や社会的地位の称〕❶下宿、寄宿や親がかりでなく、独立生計の下に住居を持つこと。また、そこで営まれる生活。「―を持つ(=狭義では、結婚を指す)/ひとり―・新―・女―」 ❷世帯。 表記 ❶も、もとは「世帯」と書いた。 **―じ・みる**⑤【―染みる】(自上一) いつも家計のやりくりばかり考えて金を出し惜しんだり 覇気が無くなったりする。 **―どうぐ**④―【―道具】 一家の日常生活に必要な道具。 **―もち**②③【―持(ち)】 一家を構えて暮らす△こと(人)。「―がいい(=家計のやりくりがうまい)」 **―やつれ**④【―〈窶(れ)】―する(自サ) 苦しい家計のやりくりのため苦労が絶えず、やつれて見えること。

しょたい⓪【書体】 ❶同じ文字を書き表わす際の、字形の様式。Ⓐ漢字の楷・行・草体などの別。Ⓑ書写体・印刷体、明朝・清朝・宋朝の区別など、活字の字体。 ❷その字を書いた人の性格や、その時の気分などが知られる、特徴的な書き方。「きちんとした―」

しょだい①⓪【初代】 一つの系統の最初の代(の人)。第一代。「―大統領/―の校長」

じょたい⓪―【女体】 女性のからだ。「にょたい」とも。

じょたい⓪―【除隊】―する(自サ) 服役中の兵が、服役を解除されること。↔入営・入隊

しょだいぶ②【諸大夫】 ❶昔、親王・摂関家・大臣家などの事務官をつとめた家柄の人。 ❷武家の、五位の侍。

しょたいめん②【初対面】 その後何らかのかかわりが△生じた(生じると予測される)人と、はじめて会うこと。

しょたく⓪【書卓】 「勉強や書き物をするための机」の意の漢語的表現。

しょだち⓪①【初〈太刀〉】 最初に斬りつける太刀。最初の一太刀。 表記 ⇩付表「太刀」

しょだな⓪【書棚】 いつも取り出せるように書物を並べておく棚。本棚。 かぞえ方 一本

しょだん⓪【処断】―する(他サ) きっぱりと△処置(処理)すること。「法の―が下される」

しょだん⓪【初段】 ❶最初の段。 ❷〔武道・碁・将棋などで〕段位として与えられる最初のもの。また、それを得た人。

しょだん⓪【初弾】 初めに撃った弾丸。第一弾。

しょだん⓪【書壇】 書道関係者の社会。師弟関係などによるつながり。「―で重きをなす」

じょたん⓪【助炭】 枠に紙を張り、火鉢の上におおって火もちをよくする用具。

じょだん⓪【序段】 一段ごとに章名をつけない、昔風の随筆などの、書き始めの段落。「徒然草の―」

******しょち**①【処置】―する(他サ)〈なにヲ―する〉 ❶ある判断を下して、その扱いを取り決めること。また、その扱い。「適切な―を△講ずる(とる・施す)/寛大な―に従う」 ❷△傷(病気)などに対して手当てをすること。また、その手当て。「応急―」

しょち①【書痴】 読書にばかりふけって世事に無関心である△こと(人)。

しょちゅう⓪①【書中】 文書の中。手紙の中。

しょちゅう⓪【暑中】 ❶夏の暑さの間。 ❷夏の土用の十八日間。「―見舞④」 **―きゅうか**④―【―休暇】 〔学校などの〕夏期の休暇。夏休み。

じょちゅう⓪―【女中】 〔もと、女性を敬う語〕他人の家に住みこんで奉公する女性の総称。〔狭義では、家事の手伝いや、旅館・料理屋などで働く女性を指した。例、「―奉公」〕〔お手伝いさんや旅館の接客係などの旧称〕

じょちゅう⓪―【除虫】 害虫を取り除くこと。「―剤②」 **―ぎく**②【―菊】 マーガレットに似た多年草。夏、△白(赤)の花を開く。蚊取線香や殺虫剤の原料。〔キク科〕 かぞえ方 一本

しょちょう⓪―【初潮】 最初の月経(があること)。初経。

しょちょう⓪―【所長】 事務所・出張所などの長。

しょちょう⓪―【署長】 警察署・税務署などの長。

じょちょう⓪―【助長】―する(他サ) ❶悪い傾向を一層強くさせること。「増税が購買欲の低下を―する」 ❷何らかの手段を講じて能力などを高くさせること。「表現力を―する指導」

しょっかい⓪―【職階】 職務の種類と責任の重さによって定められた等級。「―制⓪・―給③」

しょっかく⓪―【食客】 何かの関係でその家に入りこみ、(時どきちょっとした用事を申しわけ程度にするだけで)食べさせてもらっている人の称。「しょっきゃく⓪」とも。

しょっかく⓪―【触角】 昆虫などの頭の先にある、ひげのようなもの。触覚・嗅覚の働きをする。 かぞえ方 一本

しょっかく⓪―【触覚】 手足や皮膚で物にさわった時に、そこにどんな物があるかなどを知る感覚。

しょっかん⓪―【食間】 〔食前・食後に対して〕食事と食事との間。「―に飲む薬」

しょっかん⓪―【食感】 食べ物を口に入れた時に感じられる、その物に独特の舌触りや歯ごたえなど。「こりこりしたアワビの―が好きだ」

しょっかん⓪【食管】 「食糧管理⑤」の略。「―法⓪〔=米の配給制度を決めた法律〕」

しょっかん⓪―【触感】 何かにさわった時の、△つめたい(あたたかい・すべすべした・ざらざらした)などの感じ。

*****しょっき**⓪―【食器】 食事に使う器具や道具。茶わん・皿・はしなど。「―(戸)棚」

しょっき⓪①―【織機】 布を織る機械。はた(おりき)。

ジョッキ①⓪〔jug の変化〕 持ち手のあるビール用の大きなコップ。

ジョッキー①〔jockey〕 ❶〔競馬の〕騎手。 ❷ディスクジョッキーの略。

しょっきり⓪【初っ切(り)】 ❶本場所以外の大ずもうで余興として行なう、コミカルなすもう。〔もと興行ずもうで最初に行なった三番勝負の称〕 ❷物事をする最初。〔❷は俗用〕

しょっきん⓪―【〈蜀錦】 ⇩蜀江の錦

ショッキング①―な〔shocking〕 はっとさせる様子だ。「―な事件/―ピンク⑥」

*****ショック**① ■〔ド Schock〕 急に血圧低下・心搏数の増加・意識障害を招き、衰弱すること。「―死③」 ■〔shock〕 ❶直接そのものが感じる、物理的な衝撃。「―に強い時計」 ❷息づまるように感じる、心の動揺。「―を受ける/カルチャー―」 **―りょうほう**④―【―療法】 ❶物理的な打撃や衝撃を治療に用いること。 ❷旧社会主義経済が市場経済に移るために採る大胆な方法。価格の自由化、補助金カットによる財政均衡化、国有企業による独占から民営に移す、貿易を自由化するなど。

しょっけん⓪―【食券】 その食堂やバザー主催者側が発行する、食事の引換券。 かぞえ方 一枚・一冊

しょっけん⓪―【職権】 自分の職務を行なうために用いることが許される権利。 **―らんよう**⓪-⓪【―濫用・―乱用】 公務員が法令の定めを超えて職権を行使するこ

と。

しょっこう⓪【〈燭光】〔ともしびの光の意〕かつて用いられた光度の単位で、特定のろうそく・ランプが一定の条件下で燃焼する時の光度を表わした。〔光源の種類により幾つかの種類があったが、いずれも現在の一カンデラに大体等しい〕

しょっこう⓪【職工】「工場労働者」の古い言い方。

しょっこうの にしき⓪-①【〈蜀江の錦】㊀昔、中国の蜀で作った、精巧な錦。㊁京都西陣で織り出した錦の一種。〔㊀㊁とも「蜀錦ショッキン」とも〕

じょっちゃん①【《嬢ちゃん】「お嬢さん」の意の古風な表現。

しょっちゅう①（副）〔「始終」「初中」の変化と考えられる〕△いつもと言ってよい（何かにつけ目立つ）ほど、同じことが頻繁に繰り返されている様子。「仕事中に―あくびばかりしている／彼の家には―いろんな人が出入りしている／あの子は病気で―学校を休む」

しょっつる⓪〔「ひしお汁④」の変化という〕秋田地方独特の調味料。△イワシ（ハタハタ）を生のままかめに入れて十分に塩をきかせて漬け、床下などに深く埋め、しみ出た「上水ウワズミ⓪〔=うわ澄み〕」をこしてしょうゆの代りとするもの。表記「〈塩汁〉」とも書く。 **―なべ**⑤【―鍋】薄めたしょっつるでナメコ・ノビルや他の野菜と豆腐・ハタハタなどを煮て食べる料理。表記「〈塩汁〉鍋」とも書く。

しょってたつ④【〈背負〉って立つ】（他五）その社会や組織の命運を左右する中心的存在として、重責を担う。「日本の将来を―／会社を―」

しょってる⓪【〈背負〉ってる】⇩しょう（背負う）㊀

ショット①〔shot〕㊀発射。射撃。㊁〔テニス・ゴルフで〕打ったたま。㊂〔映画で〕一場面（の撮影）。「ロング―」㊃〔ウイスキーなどの〕ひと口で飲める分量。「シングル―」 かぞえ方 ㊀は一本

ショットグラス④〔shot glass〕〔ウイスキー用の〕一オンス〔=約三〇cc〕程度入る、小さいコップ。

しょっぱい③【《塩っぱい】（形）「塩からい」の意の口頭語的表現。「―味噌汁／―〔=けちな〕おやじ／―〔=しわがれた感じのする〕声／―顔をする〔=しかめっつらをする〕」 派 **―さ**③

しょっぱな⓪【初っ《端】「何かをし始めたばかりの状態」の意の口頭語的表現。「会議は―から荒れ模様だった」

しょっぴく③【しょっ引く】（他五）「しょびく」の口頭語的表現。

ショッピング①⓪―する（自サ）〔shopping〕買い物（をすること）。「―を楽しむ／―センター⑥・ウインドー⑤〔=⇩ウインドー㊁〕・ネット―④」 **―モール**⑥〔shopping mall〕遊歩道や歩行者専用の買い物広場のある、空間的にも気分的にもゆとりのある商店街。

ショップ⓪①〔shop〕店。商店。「コーヒー―・フラワー―・ペット―④」

しょて①⓪【初手】〔将棋で〕最初に指す手。〔広義では、何かをする最初をも指す〕

しょてい⓪【所定】そうすることに決まっていること。「―の様式」

じょてい⓪【女帝】女性の皇帝・天皇。

しょてん⓪【初点】灯台に初めて明りをつけること。「―明治二年」

しょてん⓪【書店】本を△売買（出版）する店。本屋。〔店の名前としても使われる〕 かぞえ方 一軒・一店

しょでん⓪【初伝】稽古事ケイコゴトがある程度進んだ段階でもらう、最初の伝授。⇩中伝・奥伝・皆伝

しょでん⓪【初電】㊀始発の電車。↔終電 ㊁その事についての、最初の電報。

しょでん⓪【所伝】㊀口伝や文書で伝えられた事柄。「某家―の資料」㊁伝え。「―によれば」

しょでん⓪【書伝】文書や書物などの形をとって、昔から書き伝えられてきたもの。

じょてんいん②【女店員】〔商店の〕女性の店員。

しょど①【初度】繰り返し行なわれる（事が予測される）物事の第一回目。

しょとう⓪【初冬】冬の初め。はつふゆ。〔陰暦では十月を指す〕⇩仲冬・晩冬

しょとう⓪【初登】―する（自サ）まだだれも登ったことが無いと言われる高山の頂を、初めて極めること。初ハツ登はん③。

しょとう⓪【初等】最初の等級。「―数学」⇩高等・中等 **―きょういく**④【―教育】小学校の教育。

しょとう⓪【初頭】時代・時期などの初め（のころ）。「二十一世紀―①-③」

しょとう⓪①【〈蔗糖】〔本来の字音はシャトウ。「しょとう」は類推読み〕甘蔗〔=サトウキビ〕から作った砂糖。

しょとう①【諸島】その地方に散在する、△幾つか（多く）の島じま。「伊豆―」

しょどう⓪【初動】㊀事態が悪化しないうちに、時機を失せず活動を開始すること。「―消防・―捜査④」㊁最初の行動。「戦闘の―／―期②」

しょどう①【書道】精神を集中し、心をこめて文字を書き習うことによって形象美を追求する一種の実技。「―家カ⓪・―塾②・前衛―」

しょどう①【諸道】㊀諸芸。㊁諸方面。万事。「貧は―の妨げ」㊂〔昔の地方区画で〕幾つかの道ドウ。

じょどうし②【助動詞】㊀〔日本語文法で〕おもに動詞に付属して叙述に何らかの意味的な限定を加える語。㊁〔auxiliary verb の訳語〕〔英文法などで〕will, can など、動詞の意味に何らかの限定を加える語。⇩付録「口語助動詞活用表」

***しょとく**⓪【所得】利益としてとらえられる収入。〔狭義では、税の申告の時、総所得金額から必要経費や所定の控除額などを差し引いた金額を指す〕「―をあげる／―の伸び／―は頭打ち／可処分―〔=⇩可処分所得〕」 **―ぜい**③【―税】一か年の所得額を標準とし、一定の割合でかけられ、直接国に納める税。「―がかかる」 **―せいさく**④【―政策】政府が指導して国民の△所得（賃金・利潤など）や商品価格の水準を決めること。

しょなのか②【初七日】〔「しょなぬか②」の変化〕死後七日目（に行なう法事）。

じょなん⓪【女難】男性が、異性関係で△受ける災難（トラブルを起こすこと）。〔やや古風な表現〕「―の相あり」

じょにだん②【序二段】〔すもうで〕序の口の次の、二段目の階級。⇩三段目・序の口

しょにち⓪【初日】㊀〔催し物や興行物の〕最初の日。「―を出す〔=負け続けていた力士が、その日初めて勝つ〕」 **―カバー**④〔「カバー」は切手の貼ハられた封筒の意〕新発売の〔記念〕切手が貼られ、発行当日の消印のあるもの。

しょにん⓪【初任】官公庁・会社などに採用され、初めてその△任（職）につくこと。 **―きゅう**②【―給】その△任（職）について最初に支給される給料（の額）。「―調整」

しょにん①【諸人】世間一般の人びと。「―周ネアマく之コレを知る」

じょにん⓪【叙任】―する（他サ）位を授け、官に任じること。

しょねつ⓪①【暑熱】暑苦しい、夏の暑さ。

しょねん⓪【初年】〔ある時代の〕初めのころ。「明治―」

―へい②【―兵】 旧日本陸軍の兵士で、入営してから一年以内の者。

じょのくち⓪【序の口】 ❶始まったばかりのところ。発端(ホッタン)。「…などは―で(=始まったばかりで(これから先の本番が大変だ))/(まだ)ほんの―だ」 ❷すもうの番付で最下級の地位。また、その地位の力士。⇩幕下・三段目

しょは①【諸派】 さまざまな党派や流派。〔狭義では、政党と認定される法律上の要件を満たしていない、小さな政治団体〕

しょば⓪ 〔「場所」の倒語〕露天商ややしなどの通語で、縄張りなどを指す。「―代⓪(=夜店・露店などを出すために払わせられる場所使用料)」

じょはきゅう②【序破急(キフ)】 〔舞楽・能楽で〕演じ方、特にテンポが異なる、初め・中・終りの三つの構成部分。〔調子の違いが見られる構成物の、初めと中と終りの意にも用いられる〕

しょはつ⓪【初発】 ❶初め。始まり。「天地―の時」 ❷最初に発生すること。「―患者」 ❸始発。

しょばつ①【処罰】―する(他サ) 刑罰に処すること。「―を受ける」

しょはん⓪【初犯】 初めて罪を犯すこと。また、その罪や人。↕再犯・重犯❷

しょはん⓪【初版】 書籍の最初の版。第一版。↕再版 ❷・重版

しょはん①【諸般】 いろいろのこと。「―の準備を整える/―の(=考え合わせられるあれこれの)情勢に照らして」 運用 「諸般の事情により」などの形で、書面・挨拶(アイサツ)などで、何かについて相手の了承を得ようとするとき、その具体的な事情の説明を避けて言うのに用いられることがある。例、「このたび諸般の事情により閉店のやむなきにいたりました」

しょばん⓪【初盤】 初めてレコードに吹き△込まれること(込まれたもの)。「本邦―の交響曲」

じょばん⓪【序盤】 〔碁・将棋などで〕対局が始まったばかりで、態勢を整えつつ相手の出方を窺(ウカガ)う時期(の局面)。「早くも―で躓(ツマズ)いた/―戦⓪」 ⇩中盤・終盤

しょひ①【諸費】 個々に名目をあげるほどのことはないさまざまな経費。「諸経費」とも。

しょび・く②(他五) 〔「そびく」の変化〕「容疑者や犯人を連行する」意の俗語的表現。口頭語では、「しょっぴく」。

しょひょう⓪【書評(ヒヤウ)】 〔読者のために〕新刊の書物の内容を紹介・批評した文章。「―欄②」 かぞえ方 一本

じょびらき②【序開(き)】 始まり。発端(ホッタン)。

しょびん⓪【初便】 ❶初めて△出した(届いた)たより。❷〔航空機・船などの〕一つの航路に初めて出発するもの。

ジョブ①〔job=仕事・作業〕 コンピューターが処理する仕事の単位。

しょふう⓪【書風】 〔個人・流派・時代を特徴づける〕文字の書きぶり。「晩年円熟の―/自由奔放な―」

しょふく⓪【書幅】 文字を書いた掛け軸。

じょふく⓪【除服(ヂョ)】―する(自サ) 〔喪服を脱ぐ意〕喪の期間が終わること。

しょぶつすうはい④【庶物崇拝】 呪物(ジュブツ)崇拝。⇩フェティシズム

*__しょぶん__①【処分】〈なに・だれヲ―する〉 ❶―する(他サ) △余分(不要)なものとして始末すること。「古雑誌を―する/薬殺―・廃棄―」 ❷―する(他サ) 〔規律・規則を破った者を〕罰すること。「―を受ける/厳重な―/停学―」 ❸〔法律で〕具体的事実や行為についての行政権・司法権の発動として法律上の効果を発揮させる行為。「行政―・仮―」

じょぶん⓪【序文】 著者がその本を書いた動機・趣旨などを述べたり〔=自序〕その本が多くの人に読まれることを願って著者の努力をほめたり〔=他序〕するために、本の初めの部分に添える文章。序。↕跋文(バツブン)

しょへき⓪①【書癖】 ❶読書を好む癖。❷書物をむやみに集める癖。❸書きぐせ。筆ぐせ。

ショベル①〔shovel〕 ❶⇩シャベル ❷〔←shovel loader〕 動力で土・砂などを(掘って)すくうための、バケットのついた土木工事用の機械。 かぞえ方 ❷は一台

しょへん⓪【初編・初〈篇〉】 最初の一編。第一編。↕終編

しょほ①【初歩】 学問・技術の習いはじめの段階。「―的なミス」

しょぼ・い②(形) 「あまりにも△みじめだ(お粗末だ)」という印象を接する人に与える様子だ」の意の口頭語的表現。「―みなり/あんまり―ことを言うな/財布の中身が―」

しょほう⓪【処方(ハウ)】―する(他サ) 医師が患者に与える薬の名・分量などを書いて、指示△すること(したもの)。 **―せん**⓪【―箋】 医師が処方を書きしるした文書。〔何かの処理法とか解決方式の意にも用いられる〕

しょほう⓪【所報】 その研究所・観測所などで発行する刊行物。「国語研究所―」

しょほう⓪【書法(ハフ)】 ❶〔筆順・点画・組立てなど〕漢字・かなの書き方。〔狭義では、書道を指す。例、「―の家」〕 ❷かな・ローマ字で文を書く時の語の付き離れや、文の初め・固有名詞における大小の書き分けなどに関する表記法。「分別―」 ❸書き表わし方。「楽譜の―」

しょほう①【諸方(ハウ)】 あちこち。ほうぼう。

しょほう①【諸法(ハフ)】 ❶いろいろの△法律(法則)。❷(ホフ)〔仏教で〕宇宙の一切の現象。

しょぼう⓪【書房(バウ)】 〔書斎の意〕書店(の名前に使う言葉)。

じょほう⓪【叙法(ハフ)】 叙述・表現の方法。「俳句の―」

じょほう⓪【除法(ヂョハフ)】 「割り算」の意の理論的用語。「―は乗法の逆演算である」 ↕乗法

しょぼく・れる⓪④(自下一) ひどくみすぼらしかったり気力をなくしていたりして、接する人にみじめだという印象を与える。「しょぼくれた姿をして」

しょぼしょぼ①(副) ❶―と 小雨がいつ止(ヤ)むともなく降り続く様子。❷―する 目がよく開(ア)かない感じで、物が見えにくい状態になる様子。「疲れて目が―する」 ❸―する 元気が無くて、いかにも弱よわしく見える様子。「背を丸めて―歩く」

しょぼた・れる⓪④(自下一) ❶びしょぬれになる。❷〔服装などが〕古くなったり 汚れていたりして、いかにも みじめに見える。

しょぼつ・く⓪(自五) ❶雨が少しずつ降る。❷目がよく開(ア)かない。「しょぼついた目つき」〔❷の他動形は、しょぼつかせる⓪⑤(下一)〕

しょぼぬ・れる④⓪【しょぼ〈濡れる〉】(自下一) ⇩そぼぬれる

しょほん①【諸本】 〔書誌学で〕同一の作品で本文に異同のある、いろいろな写本・刊本。「万葉集の―の系統」

じょほん⓪【序〈品〉】 ❶お経の序の部分。❷法華経(ホケキョウ)二十八品(ホン)中の第一品(ポン)。「じょほん」とも。

しょぼんと②(副)―する すっかり元気を無くして、いかにもみじめに見える様子。「―して生彩のない姿」

じょまく⓪【序幕】 〔演劇で〕初めの△幕(場面)。〔広義では、何かの始まりを指す〕 ↕終幕

じょまく⓪【除幕(ヂョ)】―する(自サ) 銅像・記念碑などが出来あがった時に、おおいかぶせた幕を取り除いて、関係者に

じ

** * は重要語, ⓪ ①… はアクセント記号, 品詞の指示の無いものは名詞および いわゆる連語。

披露すること。「―式③」

じょみゃく⓪【徐脈】脈拍数が異常に減少する状態。脳に必要な血液が送られず、めまいや失神を起こすこともある。

しょみん①【庶民】特別の地位・資格・権能などを持たない、一般の人たち。〔特に資産は持っていないが、健全な勤労者を指す〕「―性⓪」 **―ぎんこう**④【―銀行】俗に、「質屋」の異称。一六銀行。 **―てき**⓪【―的】―な ❶〔特権階級と目される人たちの〕物の考え方・態度などが、庶民と変りが無いように見える様子だ。❷庶民が親しみを持てる感じがする様子だ。「浅草は―な町」↔貴族的

しょむ① [一]【処務】事務の取扱い。庶務。「―規定③④」 [二]【所務】役所・研究所などの事務。

しょむ①【庶務】❶種々の事務。❷諸係に属さない事項の〔雑〕事務。「―係③・―部②」

しょめい⓪【書名】書物の名。「―目録④」

しょめい⓪【署名】❶―する（自サ） 書類に自分の名前を書くこと。「―捺印⓪-⓪・―運動④」❷書類に書いた、自分の姓や名前。サイン。

じょめい⓪【助命】―する（自サ）〔殺されるはずの人の〕命を助けること。「死刑囚の―嘆願」

じょめい⓪【除名】―する（他サ） その組織・団体から強制的に脱退させること。「―処分④」

しょめん⓪【書面】❶文書。「―で申し入れる」❷手紙。「―の趣」 かぞえ方 ❶❷とも一通

じょも①【除喪】喪の期間を終えること。「じょそう⓪」とも。〔広義では、喪の期間を繰り上げて終わらせる意にも用いられる〕⇨服喪

しょもう⓪【所望】―する（他サ）〔して〕ほしいと望むこと。「お代わりを―する／お料理の本を絵本がわりに見る五歳の長男は、私が作ったことのない料理をしばしば―する／イスパニアの商人カルモナは鉄砲三百丁と引換えに姫を―する」

しょもく①⓪【書目】❶書物の名前。❷書物の目録。

＊**しょもつ**①【書物】「本」の意の、やや改まった表現。 かぞえ方 一冊・一巻・一部・一本

しょや①【初夜】❶初めての夜。〔狭義では、結婚式当日の夜を指す〕「入院―」❷〔昔の時法で〕戌の刻（=午後七時ごろから午後九時ごろ）。初更。〔広義では、日没後から夜半までを指す〕⇨中夜・後夜 **―けん**②【―権】〔昔、各地の民俗で〕結婚式の直後に、部族の長などが新郎に先立って新婦と寝ることが認められたこと。

じょや①【除夜】おおみそかの夜。「―の鐘」

しょやく⓪【初訳】―する（他サ） その文献（作品）について初めての翻訳（をすること）。「本邦―」

じょやく⓪【助役】❶主任者を助ける役（の人）。❷市・町・村長を助けた、上級の公務員。〔二〇〇七年四月から、副市長・副町長・副村長と改称〕❸駅長の事務を助ける役（の人）。

＊**しょゆう**⓪【所有】―する（他サ）〈どこニなにヲ―する〉自分に属するものとして、自由な使用（処分）が認められること。「土地の―者／―物②・私的―・―地②」 **―かく**②【―格】〔文法で〕「わたしの本」の「わたし」、「会社の施設」の「会社」など、所有・所属の関係を表わす格。属格⓪。 **―けん**②【―権】何かを自分の物として使用・収益・処分することの出来る権利。

じょゆう⓪【女優】女性の俳優。↔男優

しょよ①【所与】〔問題（解決）の前提として〕与えられること（与えられたもの）。「―の条件」

しょよう⓪【初葉】❶ある時代区分の初めの一時期。⇨中葉・末葉 ❷本の第一枚。初丁⓪。

しょよう⓪【所用】❶その人が用いること。「本人―の間は…」❷他をさしおいてもかかすことのできない用事。「―あって欠勤する」

しょよう⓪【所要】ある物事をするのに必要な（かかる）こと。「―の経費／―時間④」

＊＊**しょり**①【処理】―する（他サ）〈なにヲ―する〉事件または事務などをさばいて、始末をつけること。「―を誤る／データの―に追われる／化学―・終戦―」 **―けい**⓪【―系】〔コンピューターで〕利用者が入力したプログラムを処理して実行することをつかさどるプログラム。「フォートランの―」

しょりゅう⓪【庶流】庶子の系統。〔広義では、次男・三男などで分家した家筋を指す〕↔嫡流

じょりゅう⓪【女流】〔社会的に活動している〕女性。「―作家④・―棋士④」

しょりょう⓪【所領】領地（として持つこと）。「―地②」

じょりょく⓪①【助力】―する（自サ） 力を添えること。手助け。「―を求める（頼む）」

しょりん⓪【書林】〔売るべき本が多くある所の意〕書店（の名前につける言葉）。

じょりんもく②【如鱗木】魚のうろこのような木目。例、ケヤキ。

＊**しょるい**⓪【書類】公的な性質を帯びた事柄を書き記した文書（について関連するものをまとめたもの）。「―の提出を求められる」 かぞえ方 一通・一枚・一束 **―せんこう**④【―選考】・―（銓衡）履歴書・成績証明書・推薦状などだけで、入学や採用の（第一次）判定を行なうこと。 **―そうけん**④【―送検】―する（他サ） 被疑者の身柄を拘束しないで、起訴すべきかどうかの判断材料として、被疑者の取り調べ調書などを警察から検察庁に送ること。

ショルダー①〔shoulder=肩〕洋服の肩の部分。 **―バッグ**⑤〔shoulder bag〕肩から掛けて持って歩く（ハンドバッグ型の）かばん。 かぞえ方 一点・一本

じょれつ⓪【序列】年齢・成績などの、一定の基準に従って並べた順序。「―化⓪」

じょれん⓪【鋤簾】土・砂・小石などをかき寄せる、長い柄のついた用具。 かぞえ方 一本

しょろう⓪【初老】肉体的な盛りを過ぎ、そろそろからだの各部に気をつける必要が感じられるおよその時期。〔もと、四十歳の異称。現在は普通に六十歳前後を指す〕

しょろう⓪【所労】「（精神的な）疲れによる病気」の意の漢語的表現。「―のため…」

じょろう⓪②【女郎】〔「上臈」の変化といい、「女性」の意の漢語的表現〕❶昔、女性一般をも指した語。「雪―」❷昔、遊郭などに居た遊女。〔口頭語では短呼して「じょろ②」とも言う〕「―買い②・―屋⓪」 **―ぐも**④【―〈蜘蛛〉】黒地に黄のしまがある、大形のクモ。〔コガネグモ科〕 かぞえ方 一匹

しょろん⓪【所論】論じる対象とする事柄。「彼の―は疑わしい」

しょろん⓪【書論】書道・書法に関する議論。

じょろん⓪【序論】その本の導入部分として述べる論。〔古くは「緒論」とも言った〕↔本論

しょわけ①【諸訳】「こみいった事情（事柄）」の意の古風な表現。「恋の―」

ジョンブル①〔John Bull〕典型的な英国人の称。

しょんぼり③（副）―と／―する 気持の張りを失って気の毒なくらい元気を無くしている様子。「試合に負けて―帰ってきた／友達もいなくて―としている」

しら [一]①② 全く関知していないということ。「―を切る（=知らぬ存ぜぬといった態度を押し通す）」 [二]【白】（造語）❶

白い。「—あや・—壁・—玉・—菊(ギク)」❷特別の色を塗ったり味をつけたりしない。加工しない。「—干し[0]・—木」❸全くの。「—きちょうめん[4]」

しらあえ[0](—アヘ)【白《和え》】白ゴマと豆腐とをすり交ぜて味をつけ、これに野菜などを和えたもの。

しらあや[0]【白〈綾〉】白地の綾織物。

じらい[1]【《爾来》】(副)「それ以来」の意の古風な表現。「守護を滅し、—その地を支配してきた」

じらい[0](—ヂ)【地雷】地中にうずめ、その上を通る人を殺したり戦車などを破壊したりするための爆薬。地雷火(カ)[2]。「—を取り除く」 かぞえ方 一本 **—げん**[2]【—原】たくさんの地雷をうずめた地帯。表記「地雷源」とも書く。

しらいと[0]【白糸】❶白い糸。「しろいと」とも。「—威(オドシ)[5]」❷生糸(キイト)など、糸状で白いものの称。「滝の—〔=滝の美称〕」

しらうお[0][2](—ウヲ)【白魚】近海でとれる、小形でほっそりした硬骨魚。からだは半ば透き通り、味は淡泊。〔シラウオ科〕「—のような〔=(若い)女性特有の白くて細い〕指」 かぞえ方 一匹。小売の単位は一舟

しらうめ[2]【白梅】白い花の咲く梅。⇩紅梅・黄(ウオ)梅

しらが[3]【白《髪》】❶年をとったり急に苦労をしたりしたために、白くなった頭髪。「—頭[4]・若—」❷婚礼の贈り物に使う、麻の繊維を髪の毛のように細くしたもの。表記⇩付表「白髪」 かぞえ方 ❶は一本・一筋 **—こぶ**[4]【—昆布】細かく刻んだ、白髪のように見える白色の昆布。**—ぞめ**[0]【—染(め)】白髪になった髪を黒く染める△こと(薬剤)。**—ねぎ**[4]【—〈葱〉】ネギの白い部分を繊維にそって白髪のように細長く切ったもの。薬味などに用いる。

しらかし[0][2]【白〈樫〉】春、薄茶色の花を開き、秋、殻のある実を結ぶ常緑高木。木材は器具用・薪炭用。〔ブナ科〕 かぞえ方 一株・一本

しらかば[0]【白〈樺〉】高原・寒地に自生する落葉高木。早春、薄黄色の花穂をつける。皮は白く、はがれやすい。材は細工用。「しらかんば[3]」とも。〔カバノキ科〕 かぞえ方 一株・一本 **—は**[0]【—派】明治末年から大正の初め、文芸雑誌「白樺」を中心にして活躍した、人道主義的作家の一派。

しらかべ[0]【白壁】しっくいで塗った白い壁。〔豆腐の異称としても用いられた〕

しらかみ[0]【白紙】❶色の白い紙。❷何も書かれていない紙。はくし。

しらかゆ[2][0]【白〈粥〉】〔雑炊(ゾウスイ)・茶がゆ・もちがゆ[0]などと違って〕白米だけでたいた粥。「しらがゆ」とも。

しらかわよふね[5](—カハ)【白河夜船】熟睡していて何が起こったか全く知らないこと。「しらかわよぶね」とも。〔京都を見物してきたとうそを言った者が、名所白河について尋ねられ、川の事だと思い、夜中に船で通ったから知らないと答えた話に基づくという〕表記「白川夜船」とも書く。

しらき[0]【白木】削ったり細工したりしただけで、漆などを塗らない木。

しらぎく[2]【白菊】白い花の咲く菊。

しらく[0]【刺〈胳〉】—する(他サ) 静脈を切って悪い血を取り出す△こと(手術)。

しらくも[0]【白雲】❶白く見える雲。❷子供の頭の皮膚に出来る感染症。白癬(ハクセン)。

しら・ける[3]【白ける】(自下一)❶色が薄くなって白っぽく見える。あせる。「写真が—」❷興がさめる。「座が—〔=(今まで、愉快だった)その場の空気がこわれる〕/しらけた感じが漂う」 名 しらけ[3]「—の世代」

しら・げる[3]【《精げる》】(他下一)玄米をついて白くする。〔細工物の仕上げについて言うこともある〕

しらこ[0][3]【白子】❶タラやフグなどの雄の腹にある、白く柔らかい精液のかたまり。食用。❷⇩アルビノ かぞえ方 ❶は一腹(ヒトハラ)

しらさぎ[0]【白〈鷺〉】田のドジョウなどを食べに来る、最も普通に見られるサギ。小形で、からだが白く、背中に蓑毛(ミノゲ)がある。ダイサギ・コサギなど。〔サギ科〕 かぞえ方 一羽

しらさや[0]【白〈鞘〉】白木で作った、刀の鞘。

しらじ[0](—ヂ)【白地】❶陶磁器などの、まだ焼かないもの。❷書いたり染めたりしていない、白い△紙(布地)。「しろじ」とも。

しらしむべからず【知らしむべからず】(都合の悪い事は)知らせるべきでない。〔「民はよらしむべし、—」『=為政者の定めた方針に民衆を従わせることは出来ようが、数多い人民のすべてに制定の理由などをいちいち教えることは不可能だ』」の成句を曲解したものという〕

しらしめゆ[4]【白絞油】❶菜種油を精製した薄黄色の油。❷ダイズ・ワタの実から精製した油。

しらしら[1][3]【白々】(副)—と ❶東の空がほのかに明るくなって次第に夜の明けていく様子。❷ほの白さが目立つ様子。「夕闇の中に梅の花が—と浮かび上がる」〔❶❷とも「しらじら」とも〕 **—あけ**[0]【—明(け)】夜が次第に明けていくころ。

しらじら[3]【白々】(副)—と ❶⇩しらしら ❷しらじらしく思われる様子。「彼の本心がわかって—とした気分になる」 **—し・い**[5](形)❶含むところがあって、知っていて知らないふりをする様子だ。「—〔=はっきりうそだということが分かる〕うそをつく」❷その事が自分の心情にぴったりとこなくて、空虚な感じを与える様子だ。「—お世辞を言われる」 派 **—さ**[4][3][0]

しらす[0]【白子】〔白子(シロコ)の意〕カタクチイワシ・アユ・シラウオ・ウナギなどの幼魚。からだが無色透明の状態のものの総称。**—ぼし**[0]【—干(し)】カタクチイワシなどの幼魚を(塩水で煮て)乾した食品。ちりめんじゃこ。

しらす[0][1]〔白砂の意〕■一【白州】❶〔玄関前・庭園などで〕白い砂や小石を敷き詰めた所。❷江戸時代の奉行所(ブギョウショ)に設けられた、裁判を行なう場所で、白い砂の敷かれていた所。庶民の着席場所。「お—で裁きを受ける」■二火山灰が積もって出来た土。雨で崩れやすい。「—台地」表記■二のもとの用字は、「白〈洲〉」。■二は普通、「シラス」と書く。

しらず【知らず】■一[0]分からない。「余人は—〔=別として〕/—日本の運命やいかに〔=いったい…はどうなることだろうか〕」■二(造語)❶その人としては経験したことが無いことを表わす。「△寒さ(負け・こわいもの)—」❷どこ△まで(へ)行き着くか分からないことを表わす。「天井—/八幡(ヤワタ)の藪(ヤブ)—」 **—しらず**[4][0]【—知らず】(副)自分でもそれと気づかないうちに、いつの間にか そう△して(なって)いる様子。「—のうちに影響を受けている/—して思い出の場所に来ていた/—メロディーを口ずさんでいた」表記 もとは「〔不知〕〔不識〕」と書いて、返り読みをした。

じら・す[2]【《焦らす》】(他五)相手の期待する事をわざと遅らせたりして、じれさせる。

***しらせ**[0]【知らせ・《報せ》】❶知らせること。通知。「急の—だった/町内会からのお—/虫の—」❷変事の前兆。

***しら・せる**[0]【知らせる・《報せる》】(他下一)〈だれニ(なにデ)なにヲ—〉〔起こったこと・決まったこと・自分の考えなどを言ったり書いたりして〕他人が知るようにする。知らす[0](他五)。「△危険(急)を—/目で—」 **【虫が—】**⇩虫の知らせ

しらた[0]【白太】〔「太」は、「丸太」の「太」と同義〕❶木

材としての白い杉。❷辺材。↕赤身❸❷

しらたき【白滝】❶[2][0] まっ白に見える滝。❷[2] こんにゃくを、ところてんのように小さい穴から突き出して、糸のように細くしたもの。〔糸ごんにゃくよりも細い〕 かぞえ方 ❷は一把・一束・一玉

しらたま[0]【白玉】❶色の白い玉。〔狭義では、真珠を指した〕❷白玉粉をこねて作った、小さなだんご。 **—こ**[4][0]【—粉】 もち米(とうるちをまぜたもの)を細かにひき、さらして乾燥させたもの。

しらちゃ[2][0]【白茶】 薄い茶色。 **—・ける**[4](自下一) 濃かった色があせて薄茶になる。

しらつち[0]【白土】❶色の白い土。❷陶土。❸しっくい。

しらつゆ[0][2]【白露】〔白く光って見える〕つゆ。

しらとり[0][2]【白鳥】❶羽の白い鳥。❷ハクチョウ。

しらなみ[0]【白波】❶白く見える波。❷〔中国で、盗人を「白波」と言ったことから〕「盗賊」の異称。「—稼業・—五人男[8]」 表記 「白《浪」とも書く。

しらに[3]【白煮】❶白身の魚のあらなどを塩だけで△煮ること(煮たもの)。うしおに。❷〔しょうゆを用いずに〕砂糖と塩だけで△煮ること(煮たもの)。「サツマイモの—」

しらぬ【知らぬ】「知らない」の文語形による表現。「何を聞かれても、—で通せ」 **【—が仏】** 実情を知れば腹も立ち 人との間にいざこざも起こるだろうが、知らないからこそ腹の立つこともなく、にこにこと仏のような顔をしていられるのだ。〔自分がみんなにばかにされていたり のけ者にされていたりすることを知らないため平気でいる人をあざける意を含めて用いることもある〕 **【—存ぜぬ】**[0]-[3] ❶本当に何も知らないことを強調した表現。「こんなことも—では受かる大学も受からない」❷何を尋ねられてもかたくなに知らないふりをする様子。「答弁の矛盾を問われても最後まで—で通す」❸見て見ぬふりをすること。「お年寄が立っているのに、若者は—だ」 **—かお**[0]【—顔】❶全く面識の無い相手。❷知らんぷり。「しらんかお」とも。「今さら—も出来まい/—の半兵衛を決めこむ〔=全然知らないふりをする〕」

しらぬい[0][2]【︿不知︿《火】 陰暦七月の末の夜、九州の八代海の海上に見える火。夜光虫のせいとも、漁船の火が点滅するように見えるものともいう。「しらぬひ」とも。

しらは[0]【白刃】 さやから抜いた刃。ぬきみ。

しらは[0]【白羽】 まっ白な、矢の羽。 **【—の矢が立つ】** 多くの中から特に選び出されて△犠牲となる(名誉を担う)。

しらはえ[0]【白︿南風︿】❶つゆの晴れたあとの青空を吹く南風。❷六月ごろ吹く南西風。〔❶❷とも、船乗りの語〕⇩黒はえ

しらばく・れる[5](自下一) 知っていて知らないふりをする。〔口頭語の強調形は「しらっぱくれる[6]・しらばっくれる[6]」〕

シラバス[1]〔syllabus〕〔大学などで〕開講される各科目の講義内容や開講期間中の進度などについて、事前に立てられた計画(を記したもの)。〔学生は開講前にそれを見ることが出来る〕

しらはた[0]【白旗】↕赤旗 ❶〔紅白、二組に分かれた〕白組の旗。〔昔は、源氏の旗〕❷降伏・列車通過可能などを表示する白い旗。「—を掲げて我が陣に下って来た」〔「しろはた」とも〕

しらはだ[0]【白肌・白《膚】❶色白の肌。❷しろなまず。

しらはり[0]【白張(り)】〔↑白張ぢょうちん[5]〕白紙を張っただけで、油も引かず何も書かない、葬式用のちょうちん。

しらびょうし[3]【白拍子】〔もと、雅楽の拍子の名〕平安朝の末に始まった遊女の歌舞。また、その歌舞を演じた遊女。〔後には、売春婦の異称としても用いられた〕

シラフ[1] ⇩シュラーフザック

しらふ[1]【《素《面・白《面】 酒に酔っていない普通の時(の状態)。また、その顔。

ジラフ[1]〔giraffe〕⇩きりん(麒麟)❷

シラブル[1]〔syllable〕 音節。

しらべ[3]【調べ】❶調べること。「事故の原因について—がつく〔=十分に調べられる〕/在庫—[4]〔=在庫品の点検〕」❷音楽の調子。「楽の—」❸「調べの緒」の略。 **—おび**[4]【—帯】「調べ❸」のように、一つの軸から他の軸に掛ける帯状のもの。回転動力を伝えるための働きをする。 **—がわ**[3]【—革】 革製の調べ帯。 **—ぐるま**[4]【—車】 調べ帯を掛けて動力を伝える車。 **—のお**[5][0]【—の緒】 小鼓の両面の縁にかけて胴にまといつけるひも。鼓を打つ時、手で締めたり 緩めたり して調子をとる。

***しら・べる**[3]【調べる】(他下一) ❶〈(なにデ)なに・だれヲ—〉分からない事や不確かな事などを、他人に聞いたり 参考書や実物などを見たり あれこれ見比べたり して、確かめる。「△問題(答案)を—/船内をくまなく—〔=捜す〕/被告を—〔=罪を犯したかどうかを確かめるために、質問する〕/帳簿を—〔=ごまかしが無いかどうかを確かめる〕/辞書で—/足で—〔=出向いて、実地に〕—」❷〈なにヲ—〉〔音をいろいろに出して〕楽器の調子を合わせる。「鼓を—」❸〈なにヲ—〉音楽を演奏する。

しらほ[0]【白帆】 船に張った白い帆。

しらまゆみ[3]【白真弓】〔白身の意という〕センダンの丸木で作った弓。

しらみ[0]【︿虱・︿蝨】 哺乳動物にとりついて血を吸う、小形の平たい昆虫。灰白色で、羽・目は退化して無い。不潔な所に発生し、感染症の媒介をする。ヒトジラミ[3]・ケジラミなど種類が多く、「観音・仏子」など異称も多い。〔シラミ目〕 かぞえ方 一匹 **—つぶし**[4]【—潰(し)】 物事をかたっぱしから残らず△調べる(片付ける)こと。

しら・む[2]【白む】(自五) 白く△なる(見える)。「東の空が—〔=明るくなる〕/座が—〔=しらける〕」

しらやき[0]【白焼(き)】 魚肉などを、塩を振ったり しょうゆにつけたり しないで△焼くこと(焼いたもの)。「ウナギの—」

しらゆき[2]【白雪】 まっしろな雪。「富士の—」

しらゆり[2]【白︿百合︿】 白い花の咲くユリ。〔キリスト教では、聖母マリアの象徴として描かれることがある〕

しらん[1]【紫︿蘭】 湿原などに生え、また庭などにも植える多年草。初夏に赤紫色の花をふさのようにつける。根は薬用。〔ラン科〕 かぞえ方 一本

しらんぷり[2]【知らん振(り)】—する(自サ)〔「知らぬふり[0]-[2]」の変化〕「知っているのに知らないようなふりをすること」の意の口頭語的表現。「—を装う/—を通す」

***しり**[2]【尻】❶腰の後ろ下で、すわる時や腰掛ける時に下に位置する、ふくらみのある部位。肛門と尾骨があるあたり。「長いことすわっていて—が痛くなった/—を落としてかがみ込む/頭隠して—隠さず」❷衣服の「尻❶」に当たる部分。「ズボンの—が抜ける〔=長い間着ていたために穴があく〕/—当て」❸和服の腰から下のすその方の部分。「—をからげる/—をはしょる」❹茶わん・瓶・なべなどの下底部の外側。「なべ—を焼く/糸—」❺進んでいくものの、後ろの方。「人の—について行く/女の—を追いまわす〔=気に入った女性にしつこくつきまとう〕」❻長く続いているものの末端。「—〔=びり〕からかぞえた方が早い/杖の—〔=先〕/どん—・幕—・帳—・言葉—・沼—」 表記 「︿臀」とも書く。 **【—が暖まる】** 同じ場所に長い間いる。 **【—が重い】** △動作が鈍く(落ち着き払って)なかなか動こうとしない状態だ。 **【—が軽い】** ❶△気軽に(軽はずみに)物事をする様子だ。❷〔女が〕浮気だ。 **【—が来る】** 本来自

分の負う理由の無い物事のあと始末や苦情・抗議などを持ち込まれる。【―から抜ける】すぐに忘れてしまう。【―が長い】他人の家に長居する様子だ。【―が割れる】隠していた悪事などが分かってしまう。ばれる。【―に敷く】妻が、家庭内での主導権を握る。【―に火がつく】物事がさし迫って、落ち着いていられない状態になる。【―に帆を掛ける】急いで逃げ出す。【―を上げる】訪問した所を辞去する。【―を落ち着ける】今まで方々を渡り歩いていた人が、一か所にすっかり落ち着く。【(我が)―を食らえ】新羅の王から「我が尻を食らえ」とののしられた日本の使節が、逆に新羅の王に「我が尻を食らえ」とおうむ返しに言って、かの国王を辱めた故事。男子の反骨を示すたとえ。【―を据える】何かをするために、一つ所に長くとどまる。【―を〈叩く〉】❶せっかんのために子供の尻を強く打つ。❷激励・督励の意味をこめた、強い言葉を掛ける。「尻を叩かれて〔=他からの督励でやむなく〕立ち上がる」【―を〈拭う〉】他人のした不始末のかたをつける。【―を〈捲る〉】自分はどうなってもよいという気持で、断固として妥協を拒否したり 居直った態度をとったりする。【―を持ち込む】当事者によって解決されない問題などについて、間接に関係のある人に責任を取るように求める。「尻を持って行く」とも。【―を割る】悪事を露見させる。

しり①【私利】自分だけの利益。「―私欲をはかる」

じり①【事理】物事の道理。わけ。「―明白①-⓪」

*しりあい⓪【知(り)合(い)】交際して、相互の実情・気心などを相当の程度まで知っていること。また、そういう関係にある人。動 知り合う③(自五)

しりあがり③【尻上(がり)】❶あとになるほど、物事の状態がよくなること。「―の好調子」❷語尾の音調が高くなること。❸「逆上がり」の俗称。〔❶❷の対義語は、尻下がり〕

しりあし⓪②【《後足》】あと足。後ろ足。「―を踏む〔=ためらう〕」表記「尻足」とも書く。

シリアス①―な〔serious〕いいかげんに扱ってはならない様子だ。「―な〔=人生の一面を鋭く突いて笑っているだけではすまされない〕コメディー/日常生活にとって―〔=切実〕な問題/―ドラマ」

しりあて⓪③【尻当(て)】〔ひとえ物や子供のズボンなどで〕補強のために尻に縫いつける布。いしきあて。

シリアル① ■一〔cereal〕オートミールやコーンフレークスなど、穀類を加工した食品。そのまま、または、ミルクなどをかけて食べる。セリアルとも。■二〔serial〕連続。逐次。「―ナンバー〔=通し番号〕」 ―プリンター⑥〔serial printer〕〔コンピューターで〕処理した結果を一字ずつ印字する印刷機構。

シリーズ①②〔series=連続。組〕❶体裁・傾向の似た一続きのもの。〔狭義では、叢書および、それに属する各冊を指す〕「―物⓪・名画―」❷〔スポーツで〕覇権を賭け、続けて行なう数試合。「日本―・ワールド―」

シリウス①〔ラ Sirius〕大犬座の恒星。冬の夜空に青白い光を放つ。古代エジプトではソティスの名で崇拝された。

しりうま⓪【尻馬】人が乗った馬の後ろに乗ること。【―に乗る】他人のすることに便乗して、無批判に何かをする。

しりえ⓪③【《後(え)・《後《方】〔「え」は方向・方角の意〕「後ろの方」の意の古風な表現。「―に瞠若たらしめる〔=あまりにもすばらしくて、他の追随を許さず、ただ目を見張らせるだけだ〕」

しりおし⓪③【尻押(し)】―する(他サ)❶人が△歩く(坂道を上がる)後ろから押すこと。〔広義では、後援の意にも用いられる〕❷朝のラッシュ時、客を、後ろから押してこみあう車内に入れてやる△こと(係)。押し込み。↔はぎ取り

じりおし⓪―【じり押(し)】じりじりと△少しずつ〔粘り強く〕押すこと。〔粘り強く交渉する意にも用いられる〕

しりおも⓪【尻重】―な めんどうくさがって、積極的には何もしない様子。また、その人。ものぐさ。

しりがい②③⓪【〈鞦〉】〔「しりがき」の変化〕馬の尾からくらにかける組紐。⇩おもがい・むながい

しりかくし③【尻隠(し)】自分の過失を隠すこと。

シリカゲル③〔silica gel〕珪酸ナトリウムを塩酸などで中和し、沈澱物を析出・乾燥して得られる海綿状で吸着力の強い物質。脱水剤・乾燥剤・吸着剤として用いられる。

しりからげ③【尻《絡げ・尻〈紮げ〉】―する(自サ)衣服のすそをまくって、その端を帯にはさむこと。しりはしょり。

しりがる⓪【尻軽】―な ❶気軽に何でも引き受けてする様子。また、その人。〔広義では、言動の軽がるしい様子をも指す〕❷女の浮気なこと。「―女⑤」

じりき⓪―【地力】付け焼き刃でなく、自分自身で もともと持っている△力(能力)。「―を発揮する」

じりき⓪【自力】❶本人自身の力。「雪崩で遭難したが―で脱出した/―更生⓪-⓪、④」❷〔仏教で〕本人が主体的な立場で修行し、成仏すること。↔他力

しりきり⓪【尻切(り)】尻切れ。 ―ばんてん⑤【―半〈纏〉】丈が尻の上のあたりまでしかない、短いはんてん。かぞえ方 一枚

しりきれ⓪【尻切(れ)】❶後ろの方が切れていること。〔狭義では、中途でちぎれていることを指す〕❷「尻切れ草履」の略。 ―ぞうり⑤―【―《草履】❶はきふるして、かかとの部分が破れた草履。❷かかとの部分が切れたように見える短い草履。あしなか⓪。表記 ⇩付表「草履」 ―とんぼ⑤【―〈蜻蛉〉】し始めた物事を最後までやり通すことが出来ず、途中で終りとなってしまうこと。「―に終わる」

しりくせ⓪【尻癖】❶大小便などをもらす癖。❷〔多く「―が悪い」の形で〕「だれかれの嫌いなく情交を持つこと」の意の俗語的表現。

しりげ⓪【尻毛】尻に生えた毛。「―を抜く〔=他人の油断しているすきに何かしでかして驚かす〕」⇩鼻毛

しりけん⓪【《手裏剣】「しゅりけん」の口語形。

しりこそばゆ・い⑥【尻〈擽い〉】(形)〔心にもないお世辞を言われたり ふさわしくない環境に置かれたり して〕居心地が悪くてその場から逃げ出したくなる感じだ。〔口頭語では「しりこそばい⑤」〕

しりこだま⓪【尻子玉】昔、肛門の口にあると想像された玉。〔かっぱにこれを抜かれると、虚脱状態になると言われた〕

しりごみ③④⓪【尻込(み)】―する(自サ)Ⓐ△実際にやってみる(前へ出る)ことをためらうこと。「おじけづいて―する」Ⓑ直接に関係することをいやがり避けようとする態度を示すこと。「委員長に推薦されても―して断わる」表記「《後込み」とも書く。

シリコン① ■一〔silicon〕珪素。■二〔silicone ← ラ silex=火打ち石〕珪素を基にし、炭素・水素などを結合して作った樹脂状の化合物。絶縁体や繊維の防水加工などに広く用いられる。シリコーン③。

しりさがり③【尻下(がり)】↔尻上がり ❶あとになるほど、物事の状態が悪くなってゆくこと。❷語尾の音調が低くなること。

じりじり①(副)―と ❶物事の進んでいく様子が、少しずつではあるが、確実に認められる様子。「―と後退する/―と

値上りしている」㊁その表面を焦がすほどの強い熱気が対象に加わる様子。「太陽が—(と)照りつける/くしにさした肉を炭火で—と焼く」㊂—する 期待通りに事態が進展せず、気持ばかりがあせる様子。「報告が来るのを—して待つ」

しりすぼまり③【尻〈窄まり】—に・—な ㊀△上(先)が広くて、下や末が狭い様子だ。㊁初めは勢いがよくて次第に衰えてゆく様子だ。竜頭蛇尾。「しりつぼみ・しりすぼみ⓪③」とも。

***しりぞ・く**③【退く】(自五)㊀〈どこヲー/どこカラ/どこニー〉(前進をやめ)あとへ下がる。後退する。「一歩—/退いて〔=思った事をすぐには行動に移さずに〕考えるに」↕進む ㊁〈どこ・なにヲー/どこ・なにカラー〉貴人の前や公的な場所から(宿・家に)帰る。「御前を—」㊂〈どこ・なにヲー/どこ・なにカラー〉今まで勤めていた仕事・職場をやめ(て、家に居)る。「第一線△を(から)—」

しりぞ・ける④【退ける】(他下一)㊀後ろの方へ下がらせる。後退させる。「人を—〔=密談するために、使用人などを遠ざける〕」↕進める ㊁自分を破ろうとする者を打ち負かして、元居た位置に追いやる。「挑戦(者)を—/△誘惑(敵軍)を—」㊂今までの仕事や地位を△やめさせる(やめさせて、低い仕事・地位に移す)。㊃受け入れることを断わる。「△主張(要求・訴え)を—/頭から—〔=こばむ〕」表記 ㊃は、「《斥ける」とも書く。

じりだか⓪【じり高】相場が次第に上がること。↕じり安

しりだこ⓪③【尻〈胼胝】サルの尻の、皮が厚くて毛の無い部分。

しりつ①【市立】市が設立し、管理・運営すること。いちりつ。「—病院④」

しりつ①【私立】個人・団体などが設立したもの。わたくしりつ。「—(学)校・—大学④」⇨公立・国立

じりつ⓪①【〈而立】〔論語から出た語で、三十にして立つ意〕「三十歳」の異称。⇨志学・不惑・知命・耳順

じりつ⓪【自立】—する(自サ)㊀親からの経済的援助などを受けず、社会人として自分一人の力で生計を立てること。「障害者の—を支援する」㊁他に依存することなく、自分自身の判断に基づいて責任を持った行動をとること。「一人前のセールスマンとして—する/民族の—/—性⓪」—**ご**⓪【—語】〔文法で〕名詞・動詞・形容詞・形容動詞・副詞・連体詞・接続詞・感動詞などのように、一単語で一文節を形作ることがあるものの称。↕付属語

じりつ⓪【自律】—する(自サ)自分で決めた規則に△従う(従い、わがままを抑える)こと。「—的改革が求められる」↕他律 —**しんけい**④【—神経】間脳を中枢として、不随意筋の運動や腺の分泌を受け持つ神経。交感神経と副交感神経から成る。—**しんけいしっちょうしょう**④-⓪-【—神経失調症】自律神経の機能が低下して起こる諸症状。息切れ・めまい・不眠・だるさや下痢・嘔吐など。—**せい**⓪【—性】自律的な態度・性格。

じりつ⓪【侍立】—する(自サ)天皇などのそばに、つきそって立つこと。

しりつき⓪③【尻付(き)】尻の△かっこう(様子)。

しりっぺた⓪【尻っぺた】「尻」の意の口頭語的表現。⇩ほっぺた

しりっぽ④⓪〔「尻」と「しっぽ」の混合形〕㊀尻の方。㊁〔動物・〈凧の〕「しっぽ」の幼児語。

しりつぼみ③⓪【尻〈窄み】—に・—な しりすぼまり。

しりとり③【尻取(り)】前の人の言った言葉の末尾の文字〔=漢字でも、かなでも〕で始まる新しい言葉を順々に言い続けていく遊戯。

しりぬ・く③【知り抜く】(他五)〔内部・裏面の事情までも〕十分に知る。「学校経営のからくりを—」

しりぬぐい③【尻拭(い)】—する(自サ)他人の不始末の責任を取らされること。

しりぬけ⓪【尻抜(け)】—する(自サ)㊀見聞きするはしから忘れてゆく△こと(人)。㊁一見しめくくりをつけたように見えて、肝心な点が欠けていること。「規制が—になる」

しりはしょり③【尻端《折り】—する(自サ)〔体を動かしやすいように〕着物のすそを外に折って、帯にはさむこと。〔口頭語的表現は、「しりっぱしょり④」〕

しりびと⓪【知り人】「知合い」の意の古風な表現。

しりびれ⓪【尻〈鰭】魚の腹の後部、尾びれの前にあるひれ。

しりひろがり⓪③【尻広がり】〔「尻すぼまり」からの類推〕△先(下)に行くに従って、広がりが大きくなること。

じりひん⓪【じり貧】「少しずつ△貧乏(悪い状態)になること」の意の口頭語的表現。「—をたどる」↕どか貧

しりふり⓪③④【尻振(り)】㊀尻をふり動かすこと。「—ダンス」㊁ハンドルを取られて、自動車が左右に揺れ動くこと。スキッド。〔㊁は俗用〕

しりめ③⓪【尻目】まともに顔を向けず目のはしでちょっと見ること。「—にかける〔=無視したに等しい態度を取る〕/…を—に〔=相手をちょっと見るだけで、問題にせず進む様子〕」表記「《後目」とも書く。

しりめつれつ①-⓪【支離滅裂】—に・—な〔話や行動などに〕全体としてのまとまりが無く、筋道も立たない様子だ。

しりもち③【尻餅】すべったりころんだりして△地面(床)に尻をつくこと。【—をつく】平衡を失って、尻から地面に着く。〔航空機が着陸に失敗し、後尾が先に地面に着いてしまう意にも用いられる〕「つるりとすべって—」

じりやす⓪【じり安】相場が次第に下がること。↕じり高

しりゅう⓪【支流】㊀本流△に流れ入る(から分かれる)川。えだがわ⓪。↕本流 ㊁分派。

じりゅう⓪【時流】その時どきの社会に見られる、考え方や行動の一般の傾向。「—に△投じる(乗る・従う・逆らう)/—を抜く」

しりゅうど②【《知《人】〔雅〕〔「知り人」の変化〕知合い。「しりうど」とも。

しりょ①【思慮】—する(他サ)将来どうなるか、また、自分はどう行動したらいいか、についての判断(の力)。「—ある行動/—が足りない/—に富んだ人物/—に欠ける/—深い④・無—②・—分別」

しりょう①【史料】㊀歴史研究の材料。文献・絵画・彫刻や遺構・遺物など。㊁資料。

しりょう⓪【死霊】死人の霊魂、または怨霊。↕生霊

しりょう⓪【思量】—する(他サ)あれこれと、比べ合わせて、考えること。〔多く、法曹関係の用語〕表記「思料」とも書く。

しりょう①【試料】分析・調査などの材料に使う見本。サンプル。

***しりょう**①【資料】研究・判断を行なう基礎となる材料。「—をそろえる/—に使う/—館②・調査—・歴史—」かぞえ方 一点

しりょう①【資糧】人が生きていく上に直接役立ち、また精神生活上すぐれて拠りどころとなるもの。〔狭義では、食糧を指す〕

しりょう①【飼料】家畜に与える食物。かいば。

じりょう①⓪【寺領】寺院の領地。

しりょうず②ヅ―ズ【指了図】 将棋を指し終わった時の盤面の駒(コマ)の位置を図に書いたもの。「本日の―」

しりょく⓪①【死力】〔それをしおおせれば死んでも構わないと覚悟を決めて出す〕ありったけの力。「―を尽くす」

しりょく⓪①【視力】 物を見る、裸眼の能力。「―が弱まる／―検査④」

しりょく①⓪【資力】 人を動かし事業を仕上げる基盤としての財力。

じりょく①【磁力】 磁石が鉄などの金属を引き付ける力。〔磁石の磁極どうし、磁石と電流の間、電流どうしの間に働く力についても言う〕「―計⓪」

しりん⓪①【四隣】 その場所を中心として相接している所。隣国・隣県・あたり近所などを指す。

じりん⓪【辞林】「辞書」の別称。〔固有名としても用いられる〕 表記 「字林」とも書く。

シリング①〔shilling〕 もと、イギリスの通貨(の単位)。一シリングは一ポンドの二十分の一。シル(リング)とも。 表記 「志」は、音訳。

シリンダー⓪〔cylinder〕 蒸気機関や内燃機関などの、ピストンが往復する筒形の部分。〔広義では、ポンプや輪転機の円筒部分を指す〕 **―じょう**④オ―ヂャウ【―錠】 鍵(カギ)の本体がシリンダーの形をしているもの。取っ手が錠になっているものが多い。

****し・る**⓪【知る】(他五)〈(なにデ)なに・だれヲ―／なんだト―〉㊀なんらかの情報や直接の体験などによって、新たな事態に気づいたりその物事の意味内容・性質および適用範囲・是非善悪などを把握(して記憶)する。「子を持って―親の恩／恥を―／推して―べし〔=説明を加えなくとも、当然分かるだろう〕／世界的に知られたピアニスト／そんな事があろうとは―由も無い／なす術(スベ)を知らない／五十にして天命を―／妥協を知らない男」㊁〔「知っている」の形で〕あることについてすでに記憶にとどめている状態にある。「昔のことをよく知っている人／彼はスポーツに関することなら何でも知っている」 表記 「《識る」とも書く。 運用 ⑴「知ったことじゃない／知ったこっちゃない」などの形で、他人の身の上にかかわる事柄について、自分にはいっさい関係のないことだと突き放した気持で言うのに用いられる。例、「彼がこの先どうなろうと(おれの)知ったことじゃない」 ⑵語調を強めた「知らない」の形で、(若い)女性が、親しい相手からのからかい気味の言動に対して、意地悪な人だという気持を込めて言うのに用いることがある。例、「そんな変なことばかり言って(わたし)知らない」 ⑶「…(ても)知らないぞ」などの形で、相手の好ましくない言動について、どんな結果になっても自分には弁護する気はないと、暗に警告する気持を込めて用いられることがある。例、「うそをついたことがばれても知らないぞ」

【―人ぞ―】㊀水準以上の有識者なら誰(ダレ)でも知っているはずだ。㊁よほどの消息通でない限り、めったに知っている人は無いはずだ。

***しる**①【汁】㊀動物・植物の生命体の組織の中に含まれている水分。〔狭義では、食品や染料・工業用に利用出来る果汁や樹液などを指す〕「―の多い果物／うまい―を吸う〔=ⓐ利益の大部分を自分が独占する。ⓑ他人の労力・犠牲において利益を得る〕」㊁澄ましじる・みそしるなど、飲んで味わうことを目的とした料理。「―の実／さつま―ジル・付け―ジル」 かぞえ方 ㊁は一膳(ゼン)・一杯

シルエット①〔フ silhouette ← Silhouette=フランスの蔵相の名〕㊀横顔などを、何かに映った影のように、黒一色で表わしたもの。影(絵)。㊁ドレスの、立体的な輪郭または外形。

シルキー①―な〔silky〕 絹のように柔らかい様子だ。「―タッチのナイロン」

しるく①【《著く】〔文語形容詞「しるし」の連用形〕(他に比べて)はっきりと。「夜目(ヨメ)にも―道路標識が見える」

シルク①〔silk〕 絹。絹糸。絹布。「―スクリーン印刷」

シルク ハット④〔silk hat〕 男子の洋式礼装用の帽子。山は高い円筒形で、縁は少し反り上がり、黒色の絹で表面をおおってある。

シルク ロード④〔Silk Road〕 アジアの内陸部を横断してヨーロッパに通じる古代の東西通商道路。紀元前二世紀末から発達し、△漢の長安(洛陽(ラクヨウ))を発して今の甘粛(カンシュク)省・タリム盆地を通り、パミール高原からペルシャを経てローマに達する。絹の道①。

しるけ③【汁気】 △生の野菜・果実(煮物などの料理)に含まれている水分。「古くなって―の抜けたダイコン／煮詰まって―が無くなる／―の無い〔=汁物の付いていない〕食事」

しるけ・し③②【《著けし】(形ク)〔文語形容詞の残存形〕いちじるしい。

シルケット①③〔silket〕 もめん繊維を水酸化ナトリウムで処理して、絹のようなつやを出したもの。擬絹糸②。

しるこ⓪③【汁粉】 餡(アン)を溶かした汁の中に、もちなどを入れた食品。「お―⓪・いなか―ジルコ・懐中―ジルコ⑤・氷―ジルコ」 かぞえ方 一杯

ジルコニウム④〔zirconium〕 ジルコンなどに含まれる金属元素(記号Zr 原子番号40)。原子炉の構造材料として不可欠。

ジルコン①〔フ zircon〕 金剛石のようなつやを持ち、△無色(薄黄色など)の鉱石。きれいな物は宝石用。

****しるし**⓪【印】㊀△心覚え(関係者の間の約束)として、問題となる箇所であることがすぐにわかるようにするために、書いたり刻み付けたりした点(=・)や丸(=○)、ばつ(=×)、「レ」などの形。「赤鉛筆で―をつける／○―マルジルシをする／×―バツジルシ」㊁△抽象的な概念を表わす具体的な形のあるもの。「平和の―(=象徴)、ハト／ハート型は多く愛情の―とされる」㊂容易にはうかがい知れない内部の実態を示すものとして、何らかの形をとって外に現われたもの。「一向に改心の―も見えない／だまっているのはうそをついた―だ／お近づきの―に食事でも／妊娠の―」 表記 「《標」とも書く。 運用 「ほんのお印です／印ばかりの…ですが」などの形で、近づき・感謝・謝罪などの気持を表わしただけの△わずかな(粗末な)ものだという気持で、人に物を進呈するときの挨拶(アイサツ)の言葉として用いられる。 **―ばんてん**④【―半《纏】 襟や背中などに屋号・氏名などの印を染めたはんてん。はっぴ。 表記 「印半天」とも書く。 かぞえ方 一枚

しるし⓪【《首】〔確実に討ち取った証拠となるもの、の意〕(自分が戦おうとする敵方の)くび。「御(ミ)―頂戴(チョウダイ)」 表記 「〔首級〕」(漢語表記)とも書く。

しるし⓪【《徴】㊀ききめ。「薬の―が現われた」㊁きざし。「平和の―が見え始める」 表記 ㊀は、「《験」とも書く。

じるし【印】(造語)㊀端的に表現することがはばかられる語を、婉曲(エンキョク)に指し示す語。「まる―(=お金)・わ―(=猥本(ワイホン)。春画)」㊁人の名の一部に添えて、親しみなどを表わす語。「や―(=弥三郎)」

***しる・す**②⓪(他五)㊀【《印す】〈なに・どこニ なにヲ―〉何かの形を、そこに△つける(残す)。㊁【記(る)す】〈なにニ なにヲ―〉書き留める。「心に―(=忘れないようにする)」 表記 本表=「記す」。㊁は、「《識す」とも書く。

ジルバ①〔jitterbug から〕 第二次世界大戦後、アメリカから伝わったジャズダンスの一種。男女が目まぐるしく近づい

たり離れたりして、大げさな身ぶりで踊るもので、テンポが速くて奔放。

シルバー[1]〔silver〕❶銀。❷銀色。❸銀の器物。❹高齢者(向け)。「―の方の参加を期待する／―向け建築」

―ウイーク[6]〔和製英語 ←silver + week〕「十一月三日の文化の日を中心とする、休暇・催し物の多い一週間」の通称。⇩ゴールデンウイーク **―シート**[5]〔和製英語 ←silver + seat〕〔電車の車両などで〕一定の位置に設けられた、高齢者や身体障害者などのための優先席。

―フォックス[5]〔silver fox〕銀ギツネ。

しるべ[3][0]【《標》】〔「知る辺」の意〕「案内・手引き」の意の、やや改まった表現。「地図を―に進む」 表記「《導》」とも書く。

しるべ[3][0]【知(る)辺】知合い。知人。「―を頼って上京する」

しるもの[0][3][2]【汁物】❶和食の献立を構成する要素としてのみそ汁や吸い物。〔けんちんじる・のっぺいじる・かすじるなども含む〕❷みそ汁・吸い物・スープなど、汁料理の総称。

シルリング[1]〔shilling〕シリング。略してシル[1]。

しるわん[0][2]【汁〈椀】吸い物などを入れる椀。

しれい[0]【司令】―する(他サ) 軍隊や艦隊などを掌握して指揮・監督すること。また、その人。「方面―・―官[2]・―塔[0]・(総)―部」

しれい[0]【指令】―する(他サ) ある組織内において、このように△すべし(すべからず)と、上の人が下の者に行動を指図すること。〔拒否・批判することは許されない。法律では、(上級)官庁の通知・命令を指す〕「―通りに動く／―書[0][4]・罷業―」

じれい[0]【事例】❶〔法律の解釈などについての〕前例となる事実。❷〔理論△などの裏付けとなる(を組み立てるための)〕個々の場合についての実例。ケース。「多くの―をあげる／―研究」

じれい[0]【辞令】❶応対の時に用いられる、必ずしも実質の伴わない表現。「外交―・社交―」❷〔←辞令書[0][4]〕官職の任免・昇降などの旨を書いて本人に渡す文書。

かぞえ方 ❷は一枚・一通

ジレー[1]〔フ gilet=チョッキ〕婦人服用のそで無し胴着で、胸のあたりに飾りがある。かぞえ方 一枚

しれき[0]【詩歴】詩作を続けて来た経歴。

じれき[0]【寺歴】寺として続いて来た経歴。

しれごと[0]【《痴(れ)言》】「ばかげた言葉」の意の古風な表現。

じれこ・む[0][3]【《焦(れ)込む》】(自五) いらだつ。

しれつ[0]【歯列】歯(の)並び。「―矯正法[0]、[0]-[0]」

しれつ[0]【〈熾烈】―な ―に 〔もと、火勢・日ざしの強い形容〕どんな力をもってしてもとどめることが出来ないほど、勢いが強く激しい様子だ。「戦いは―を極めた」 派 ―さ[3][0]

じれった・い[4]【《焦れったい》】(形) 実現を待ち望んでいる事柄がどうしてもっと早く出来ないのかと思って、いらだちを感じる様子だ。「―ね。急がないと列車に乗り遅れるよ」 派 ―さ[4] ―げ[0][5][4] ―が・る[5]

ジレッタント[2]〔フ dilettante〕⇩ディレッタント

しれっと[2](副)―する 普通なら冷静さを失うような事があったのに、何事も無かったかのように平然としている様子。「どんなに大酒を飲んでも―している」

しれもの[0]【《痴(れ)者》】ばかもの。あほう。

し・れる[0]【知れる】(自下一) ❶〔知られては困る事が〕多くの人の知るところとなる。「新聞に出たので、すぐ世間に知れた／人に知れないように変装して行った／人知れず手渡す」❷得た情報や経験などを通して、△何で(どうで)あるかを知っている状態になる。「気心の知れた人／得体タイ の知れぬ奴ヤツ／うそをついてもすぐに―(=発覚する)／何を考えているのか底が知れない」 **しれきった**【知れきった】分かりきった。「何を今更―ことを言い出すのだ」 **しれた**【知れた】❶言うまでもない。「―事△よ(さ)」❷たいしたことではない。「高が―(=人にいばれるほど(で)は無い。どちらかというと水準以下の)」 **しれない**【知れない】どういう事態になるか予測出来ない。「どんな事が起こるかも―／あすは雨になるかも―／本当かも―／どんなに心配したか―(=分からない)」

し・れる[2][0]【《痴れる》】(自下一)〔文語動詞の残存形〕一時、ばかのようになる。「痴れたる者ども」 ⇩よいしれる

しれる[0]【知れる】〔文語動詞「知る」の已ィ然形 + 文語の完了の助動詞「り」の連体形〕知っている。「われらの―ごとく」

じ・れる[2]【《焦れる》】(自下一) じれったく思って、がまん出来なくなる。

しれわた・る[4]【知れ渡る】(自五) 各方面(の人)に知られる。「世間に―／一般に知れ渡った事実」

しれん[1]【試練・試錬・試〈煉】心の強さや力の程度をためす△ための(ような)苦難。「厳しい―を受ける／―を経る／―にさらされる／―の厳しさ／時の―に耐える(=長い年月を経てなお独自の存在理由を失わない)」

ジレンマ[2]〔dilemma=二つの仮定・命題〕「薬Aを投与することによって、症候Xは治まるが、新たな副作用が予測される〔大前提〕。投与しなければ、症候を抑えることは期し難い〔小前提〕。結局、Aを投与しても投与しなくても、症候を完全に治すことは不可能だ〔帰結〕」とするような物の考え方。両刀論法。〔俗に、板ばさみの意にも用いられる〕「―に△陥る(立つ・突き当たる)／―がつきまとう」

しろ[2]【代】❶何かのために取っておく場所。「のり―・とじ―」❷代りになるもの。「みたま―」❸何かの材料となるもの。「薪タキギ の―」❹分け前。「取り―[0]」❺代金。「飲み―・食い―・身の―」❻田。「―を掻カく／―掻き」 表記 ❸は、「《料》」とも書く。

*__しろ__[1]【白】❶色の一つ。雪・砂糖などの色。〔すべての色を反射することによって感じられる〕❷色の白いもの。「―(=白い上着・上っ張りなど)を着る／―うさぎ[3]・―帯」❸〔碁石の〕白の方。〔後手で戦う〕「―を握る／―優勢」❹罪の疑いが△無い(無くなる)こと。潔白。無罪。〔❶～❹の対義語は、黒〕

*__しろ__[0]【城】Ⓐ防御・攻撃の拠点として築いた堅固な△施設(建造物)。「―が落ちる／―を明け渡す」Ⓑむやみに他人の入ることを許さない、堅く守っている独自の領域。「自分の―にこもっているあの人の私生活は全くわからない」

かぞえ方 一城ジイチジョウ

しろあと[0]【城跡・城〈址】昔、城のあった跡。

しろあめ[0]【白〈飴】熱した水飴をさましながら幾度も引き伸ばして白色にしたもの。

しろあり[0]【白〈蟻】アリに似た白色の昆虫。暗い所にすみ、木材を食い、建物に大きな害を与える。〔シロアリ目モク〕

かぞえ方 一匹

しろあん[0]【白〈餡】白インゲン・白ササゲなどで作った白色の餡。

**__しろ・い__[2]【白い】(形) 白の色が認められる状態だ。「―布／一面の―雪景色／色の―肌／―歯を見せる(=にっこり笑う)」 派 ―さ[1] ―め[2]【―目】△冷淡な(憎らしさを表わす)目。「―で見(られ)る」 表記「白い《眼》」とも書く。

―もの[2]【―物】「雪・白髪ガシラ」の意の婉曲エンキョク表現。

しろいし[0]【白石】囲碁に使う、白い色の石。↕黒石

しろいと[0]【白糸】⇩しらいと❶

しろう⓪【〈屍蠟〉】水中や湿った土地に長い間置かれた人間の死体が、蠟のような脂肪に変わったもの。

じろう①【次郎・《二郎》】❶同胞の中で、二番目の男の子。次男。〔人名としても使われる〕❷同類の中で第二(のもの)。「筑紫二郎〔=筑後川の異称〕・奈良—〔=大阪で、東に出る積雲の名〕」⇩太郎・三郎　**—がき**②【—柿】実の形が平たい晩生の甘柿。

じろう⓪【耳漏】「みみだれ」の医学用語。

じろう⓪【〈痔瘻〉】直腸や肛門の周囲に穴があき、うみが出る痔。穴痔。

しろうお②⓪【白魚】琵琶湖などに産する、小さい透明な淡黄色の魚。シラウオとは別。〔古くは「いさざ⓪」〕〔ハゼ科〕「—のおどりぐい」 表記「《素魚》」とも書く。 かぞえ方 一匹

***しろうと**②①【《素《人》】↕くろうと ❶△専門家(職業人)としての訓練を受けていない人。「—離れした腕/—目にも分かる/—扱い⑤」❷職業としてではなく、(趣味で)その事をする人。アマチュア。「—芸・—下宿」❸〔水商売の女性と違って〕一般の女性。「—に手を出すな」 表記 ⇩付表「素人」　**—くさ・い**⑥【—臭い】(形)やり方や出来映えなどがいかにも素人がやっていることだという印象を受ける様子だ。 派 **—さ**⑤　**—だまし**⑤【—〈騙(し)】見かけはいかにもりっぱで素人の目を引き付けるが、少し目の肥えた人が見れば、すぐに価値の無いものと分かる代物。

しろうま⓪【代馬】代掻きに使われる馬。

しろうり⓪②【白〈瓜】畑に作る一年生のつる草。果実はマクワウリに似て、薄緑色。漬物にする。〔ウリ科〕 かぞえ方 一本

しろおび⓪【白帯】❶白い地の帯。❷柔道で、まだ段位の無い人が締める帯。↕黒帯

しろかき③【代〈掻(き)】—する(自サ)田植えの前に水田に水を入れ、(馬を使って)田の土を掻き起こして、ならすこと。

しろかげ⓪③【白鹿毛】馬の毛色の一つ。全体が薄茶色で黄色を帯び、四足は白色で黄ばむ。「しらかげ」とも。

しろがすり③【白〈絣】白地に△紺(黒)の絣のある模様(の木綿織物)。↕紺がすり 表記「白〈飛白〉」とも書く。

しろがね⓪【《銀】〔「白金」の意〕「ぎん」の和語的表現。〔狭義では、銀貨を指した。また、古くは「しろかね」〕「—造りの太刀」 表記「白《銀・白金」とも書く。

しろく⓪【四六】❶四と六。❷「四六判・四六駢儷体」の略。

—じちゅう⓪【—時中】〔「二六時中」の新しい言い方で、二十四時間の意〕❶一昼夜にわたって何かが行なわれることを表わす。❷始終。　**—ばん**⓪【—判】❶もと、印刷用紙の寸法。一〇九センチに七九センチの大きさのもの。❷〔縦六寸二分、横四寸二分の意〕もと、書籍の判型の名。縦約一九センチ、横一三センチ。B6判よりやや大きい。　**—べんれいたい**①-⓪、⓪-⓪【—〈駢儷〉体】四字・六字の対句で書いた、漢文の一体。四六文③。

しろく①【四緑】九星の一つ。木星に配当し、方位は南東。

しろくま⓪【白熊】クマの一種。北極地方にすみ、毛色は純白。北極熊。 かぞえ方 一頭・一匹

しろくろ【白黒】❶①白と黒。「目を—させる〔=⇩目〕」❷①正しいかまちがっているか。特に、無罪か有罪か。❸⓪〔写真・映画などで〕着色しないこと。くろしろ。

しろこ⓪【白子】⇩アルビノ

しろざけ⓪【白酒】三月の節句に使う甘酒。濃厚・白色で、独特の香気がある。 かぞえ方 飲む単位は一本

しろざとう③【白砂糖】よく精製した、上等の砂糖。⇩黒砂糖・赤砂糖

しろじ⓪【白地】白い色の地色。「—に赤く日の丸染めて」

しろした⓪【白下】〔白砂糖の原料に使う〕粗製の砂糖。

しろしめ・す④【知ろし《食す】(他四)〔文語動詞の残存形〕❶お知りになる。❷お治めになる。しらす。

しろしょうぞく③【白装束】まっ白の服装。〔死を決意した人や死者などが着る。昔は花嫁の衣装でもあった〕 かぞえ方 一着

しろじろ③【白々】(副)—と　その白さがきわだつ様子。「—とした城壁が杉の緑に映える」

じろじろ①(副)—と　何かに目を向けて、興味本位に無遠慮に眺め回す様子。「人の顔を—見るな/家の中を—のぞかれていやだ」

しろずみ⓪【白炭】❶堅く焼いた炭。外側が白く粉をふいたように見える。はくたん。❷石灰などで白く染めた、茶の湯用の枝炭。

しろそこひ③【白底〈翳】⇩はくないしょう

しろたえ⓪②【白《妙】❶〔雅〕〔白い栲の意〕白い布で覆われたかのような状態。❷白。白色。「—の富士の高嶺」

しろタク⓪【白タク】〔↑白ナンバーのタクシー〕自家用車でタクシーの仕事をするもの。〔日本では法律で禁止〕

シロップ①〔オ siroop〕❶砂糖を溶かし、果物・香料を入れた液。シラップとも。「コーヒー—」❷砂糖に少量の水を溶かしたものを沸騰させ、砂糖中のたんぱく質分を除いて得た、水あめに似たもの。甘味が強く、味付けに用いられる。シヤリベツ。 かぞえ方 ❶は一本

しろっぽ・い④【白っぽい】(形)❶白い色を帯びている様子だ。↕黒っぽい ❷〔古本屋などの通語で〕しろうと好みがする様子だ。 派 **—さ**④

しろづる⓪【白〈蔓】フジのつるの皮をむいたもの。生け花の材料に使われる。

しろながすくじら⑥【白長須鯨】肉から鯨油をとるクジラ。約三〇メートルに成長する。略して「白長須③」。〔ナガスクジラ科〕 かぞえ方 一頭

しろなまず③【白〈癜】皮膚の色素が足りなくなるために白い斑紋が出来る皮膚病。しらはだ。

しろナンバー③【白ナンバー】〔白地のナンバープレートの意〕運輸業者以外の使用する自家用車の俗称。

しろぬき⓪【白抜(き)】染色・印刷で、模様や文字を地色を抜いて白く表わすこと。また、その模様・文字。

しろね⓪②【白根】土の中にあって白くなった、野菜類の根・茎。

しろねずみ③【白〈鼠】❶ネズミの一種。毛色が白い。❷主人の家に忠実で功労の多い番頭。↕どぶ鼠・黒鼠

しろバイ⓪【白バイ】〔交通取締りの警察官が乗る〕白く塗ったオートバイ。 かぞえ方 一台

しろはた⓪【白旗】⇩しらはた

しろば・む③【白ばむ】(自五)白色を帯びる。

しろぶさ⓪【白房】〔すもうで〕土俵の上方から吊り下げた屋根の南西部から垂らした白い房。もと「白柱③」のあった位置。⇩青房・赤房・黒房

しろぶどうしゅ④【白〈葡萄〉酒】白ワイン。 かぞえ方 一本

しろぼし②【白星】〔すもうなどの成績一覧表などで〕勝ちを示す、中を塗りつぶさない、丸いしるし。〔物事が済んだことや成功・勝利のしるしの意にも用いられる〕↕黒星

シロホン①〔ド Xylophon の変化〕木琴。シロフォン①とも。

しろまめ⓪【白豆】ダイズの一種。豆はみそ・しょうゆ・豆

腐・葉子などを作るのに用い、茎・葉は家畜のえさとする。〔マメ科〕

しろみ [一] ⓪③【白み】白い色を帯びた△状態(度合)。[二] ②③⓪【白身】〔白い部分の意〕❶卵の中身のうち、外側の白い部分。卵白(ランパク)。↕黄身 ❷食肉の身の、脂の多い白い部分。あぶらみ。⇩赤身 ❸身の白い種類の魚。タイ・スズキ・ヒラメなど。「―の魚」⇩青身・赤身 ❹木材の「白太(シラタ)❶」。↕赤身[二]❸ 表記 [二]を「白味」と書くのは借字。

しろみず ②(ミヅ)【白水】米をとぐ時に出る白く濁った水。とぎみず。とぎじる。

しろみそ ⓪【白味〈噌〉】白豆と米のこうじとで造った味噌。色が白っぽくて甘い。⇩赤味噌

しろみつ ⓪【白蜜】❶白砂糖を溶かして濃く煮た液体。↕黒蜜 ❷はちみつ。

しろむく ⓪【白無〈垢〉】上着・下着全体が白一色の着物。〔清浄を意味するものとされ、もとは、慶事に用いた。今でも神主(カンヌシ)の服装はこれ〕「―の花嫁姿」 **―てっか** ⑤(クワ)【―鉄火】見かけはおとなしそうだが、実際は悪事を平気でする者。

しろめ ②③⓪【白目・白《眼》】目の玉の白い部分。「人を―で見る〔=正視せず横目で△冷淡な(軽蔑(ケイベツ)した)態度を示す〕」⇩黒目

しろめ ⓪①【白〈鑞〉】⇩はんだ 表記「白目」とも書く。

しろもの ⓪【代物】〔もと、商品・代金の意〕〔ある評価の対象となる〕もの、または人。「とんだ―〔=どうしようもなく悪いもの〕をつかまされた/やっかいな―/たいした―〔=驚くべき存在。大変な悪人・美人など〕だ」

しろもの ②【白物】〔衣服や織物で〕白の布地のもの。「―と色物は一緒に洗わない」↕色物❶ **―かでん** ⑤【―家電】〔白色の物が多かったことから〕電子レンジや洗濯機・冷蔵庫などの俗称。

じろり ②(副)―と (目の玉を大きく動かして)けわしい目つきでにらむ様子。「相手の顔を―とにらみ返す」

しろワイン ③【白ワイン】透明に近い淡黄色をしたワイン。主として、△白ブドウ(赤ブドウの果皮を除いたもの)から作る。白葡萄(ブドウ)酒。かぞえ方 小売の単位は一本

しろん ⓪【史論】歴史に関する△評論(理論)。

しろん ⓪【至論】道理にかなっていて、だれも反対出来ないような論。

しろん ⓪【私論】自分だけの意見(を主として述べた評論)。

しろん ⓪【試論】〔△予備的に(序説として)述べた〕小論文。〔「…―」の形で、論文の題目とし、自分の論文を謙遜(ケンソン)するのにも用いられる〕「彼の学会での発表は―の域を出ていない」

しろん ⓪【詩論】詩に関する△評論(理論)。

じろん ⓪(ヂ)【持論】その人の基本的立場によって支えられている考え。

じろん ⓪【時論】❶時事に関する議論。❷その時の世論。

***しわ** ⓪【〈皺〉】皮膚・紙・布などの表面がたるんだり縮んだりして出来た、(不規則な)細かい筋。〔財政などの矛盾や無理な条件の意にも用いられる〕「―が寄る/―を寄せる/―を伸ばす」表記「〈皴〉」とも書く。かぞえ方 一本・一筋

しわ ① [一]【史話】歴史に関する随想的な評論。[二]【詩話】詩に関する随想的な評論。

しわ・い ②(シハイ)【〈吝〉い・〈嗇〉い】(形)〔東北から四国までの方言〕けちだ。

しわが・れる ⓪(シハガレル)【〈嗄〉れる】(自下一) なめらかさが失われ、低く不快な感じを与える声になる。しゃがれる。「しわがれた声」

しわくちゃ ⓪【〈皺苦茶〉】―に(―な) ひどく皺が寄った様子だ。「顔を―にする〔=喜び・悲しみで泣いたような顔になる〕」表記「苦茶」は、借字。

しわくび ②⓪【〈皺首〉】皺のよった(老人の)首。

しわけ ⓪ ―する(他サ) [一]【仕分(け)】用途・性質などによって分けること。「仕入れた商品を―する」動 仕分ける③(他下一) [二]【仕訳】〔簿記で〕項目を分けてしるすこと。 **―ちょう** ⓪(チヤウ)【―帳】〔簿記で〕項目を分けて貸し・借りを日付の順に書き付ける帳面。

しわざ ⓪【仕業】(自分にとって)不結果を招く、相手や第三者の行為。「みんなきさまの―〔=やった事〕だな/あいつの―に違い無い」

しわしわ ①【〈撓々〉】(副)―と 物のしなう様子。しなしな。「―とたわむ枝」

しわしわ ⓪【〈皺々〉】―な(―に) しわばかりが目立つ様子だ。「よごれて―になったワイシャツ/―の顔」

じわじわ ①(副)―と ❶液体が組織内の細かいすきまを通って拡散していく様子。「インクのしみが―と広がっていく/水が―と地面に吸い込まれる」❷少しずつではあるが、物事が確実に進んでいく様子。「―と売れ出す/―と人気を盛り返す/―痛んでくる/―敵陣に迫る/―責める」

しわす ⓪(シハス)【師《走》】(陰暦)十二月の異称。「しはす」とも。表記 ⇩付表「師走」

しわのばし ③【〈皺伸ばし〉】〔皺を伸ばすことから〕老人の気晴らし。

しわば・む ③【〈皺ばむ〉】(自五) 皺が寄る。「皮膚が―」

しわばら ⓪【〈皺腹〉】皺のよった(老人の)腹。

しわぶき ⓪②(シハ)【〈咳〉】せき(ばらい)。

しわほう ⓪②(ハフ) [一]【指話法】〔聾(ロウ)者どうし、また聾者と健常者との間で〕指で作る形によって種々の音節を表わして話をする方法。⇩手話 [二]【視話法】〔発音障害者などに〕発音の際の唇や舌などの動きを図に表わして、発音法を習得させる方法。

しわ・む ②【〈皺む〉】(自五) 皺がよる。「ひたいを皺ませて」 他動 皺める③(下一)

しわよせ ⓪【〈皺寄せ〉】物事のうまく行かないことから起こる悪い影響が、△他(末端)に及ぶこと。「―を受ける/赤字財政の―」

じわり ②③(副)―と 目立たず穏やかにではあるが事が確実に進んでいる様子。〔強調形は「じわっと②・じんわり」〕「てのひらに―と汗がにじむ/相手に―と圧力をかける」

じわり ⓪(ヂ)【地割(り)】―する(他サ) 地所の割付け。地面を区画して割り付けること。

じわりじわり ②-②(副)―と 「じわじわ」の意を強調して言う語。

しわ・る ②【〈撓る〉】(自五) 力が加わって、たわむ。しなう。

じわれ ⓪(ヂ)【地割(れ)】―する(自サ) 日照りや地震などのために、地面に割れ目が出来ること。また、その割れ目。

しわんぼう ⓪②(シハンバウ)【〈吝ん坊〉】〔東北から四国までの方言〕けちんぼう。「しわんぼ②」とも。

しん 〈忄〉・申・伸・臣・芯・身・辛・〈辰・信・侵・津・神・唇・娠・〈宸・振・浸・〈疹・真・針・深・紳・進・森・診・寝・慎・新・〈賑・審・請・震・薪・親 →【字音語の造語成分】

***しん** ① [一]【心】表面から全容は見えないが、軸となってそのものの成立を支えているもの。「―〔=精神面〕、体〔=体力面〕共に充実する/―〔=心の底〕から尊敬する/―〔=からだのまん中〕まで凍るような寒さ/―〔=根本の

性質」はいい人だ/ああ見えても、ーはなかなか強い/ー〔=神経〕が疲れる/ー〔=最も力をよく伝えることが出来る部分〕に当たる/バットのー〔=中心部〕まで腐っている/まっー」 表記「根本(コンポン)」「中心部」などの意では、「芯」とも書く。⇩【造語成分】 ［二］【芯】❶トウシングサの髄の部分。「ランプのー〔=火をつける平紐(ヒラヒモ)の部分〕/蠟燭(ロウソク)のー〔=火をつける糸の部分〕を切る」❷物の中心にある堅い部分。「鉛筆のー/ーのある御飯/リンゴのー〔=種のまわりの、普通は食べない部分〕/襟ー・帯ー」 ［三］【芯】伸びる主幹の先端につく芽。「ーを摘む」 表記「心」とも書く。

しん[1]【臣】けらい(としての身分)。〔自称としても使われた〕「ーら一同/ー下・ー民・ー服・君ー・人ー・家ー・忠ー」⇩【造語成分】じん

しん[1]【信】❶信用。「ーをおく〔=信用する〕/ーを問う〔=自分を信用しているかどうかを尋ねる〕」❷信仰(心)。「ーを起こす/ー心(ジン)・ー徒・篤ー・迷ー」⇩【造語成分】

しん[1]【神】❶「精神」の意の古風な表現。「ーを悩ます/ー経・失ー」❷人間では出来ない、不思議な能力(の状態)。「技、ーに入(イ)る〔=すばらしい腕前だ〕/ー速・ー謀」❸「神道(シントウ)」の略。「ー式・ー仏混淆(コンコウ)」⇩【造語成分】しん・じん

しん[1]【真】❶本当。まこと。「ーのやみ/ー〔=本物〕に迫る/ー偽・ー実・ー相・ー価・ー情・ー空・ー犯人[3]・写ー・正(ショウ)ー・迫ー」❷真理。「ー善美」❸「真書〔=楷書(カイショ)〕・真打ち」の略。⇩【造語成分】

しん[1]【寝】夜、寝ること。「ーにつく〔=睡眠のために、床に入る〕/ー室・ー台・ー具・ー食・就ー・不ー番」

しん[1]【新】↔旧 ❶新しい△こと(もの)。❷「新暦」の略。⇩【造語成分】

しん[1]【〈箴】いましめ(の言葉)。「ー言」

しん[1]【親】❶血縁関係。「大義ーを滅す」❷親族。身より。「ー戚(セキ)・ー類・近ー・肉ー」【ーは泣き寄り他人は食い寄り】不幸があった時に、身内の者は故人に対する哀悼の気持から集まるが、他人は、習俗としての、振舞にあずかることを期待して集まってくる。⇩【造語成分】

しん[1]【〈讖】〔もと、未来記の意〕予言。「ーを成した〔=事実を予見した。言った通りであった〕」

じん（人・刃・仁・〈壬・尽・迅・臣・甚・神・陣・尋・腎・〈塵〉→【字音語の造語成分】

ジン[1]〔gin〕トウモロコシ・オオムギ・ライムギに、ネズの実その他の野草などを交ぜて造った、強い蒸留酒。色は無色で透明。「ーライム[3]」 かぞえ方 一本・一瓶(ヒトビン)

じん[1]【人】天、地、人の三段階で等級を示すときの、第三位。「ー賞・ー位」⇩天・地 ⇩【造語成分】

じん[1]【仁】❶人間関係、特に相手の立場を重んじる心的態度。〔儒教の根本徳目とされる〕「身を殺してーを成す/ー慈・不ー[0][1]・智(チ)ー勇」❷「〔徳行・見識の持主としての〕人」の意の古風な表現。「このー・ごー〔=お方〕」⇩【造語成分】に

じん[1]【陣】❶相手方を攻撃し、また相手方の攻撃を防ぐために、味方を配置△すること(したもの)。「背水のーをしく/ーを取る/ー営・円ー・堅ー」❷状況の変化に即応できる態勢を布(シ)いて屯(タムロ)している一群の人びと。「報道ー」❸戦い。戦役。「夏のー」⇩【造語成分】

しんあい[0]【親愛】ーな 親しみを感じている様子だ。「ーなる読者に告げる/ーの情がこめられる/ー感[3]」

じんあい[0]【仁愛】相手の気持をおしはかる、やさしい心。

じんあい[0]【〈塵埃〉】空気中に浮かんでいる、固体の細かい粒。火山灰・煤煙(バイエン)・繊維類などさまざまなものがある。人間の肺に吸い込まれたり 皮膚に付いたりすると健康に害を与えることがある。

しんあつ[0]【針圧】動脈から出血した時、動脈の下部の組織に針を通して血を止めること。

しんあん[0]【新案】新しい考案。 **ーとっきょ**[5]【ー特許】「実用新案特許[9]」の略。

しんい[1] ［一］【神威】神の△威光(威力)。 ［二］【神意】神の意志。

しんい[1] ［一］【真意】本当の△気持(意味)。「若かった私は先生のー〔=奥底に秘められた深い意味〕をくみ取ることが出来なかった/君のー〔=偽らぬ気持〕が僕には理解出来ない/ーを△つかみかねる(問う)」 ［二］【深意】深い意味。

しんい[1]【〈瞋恚〉】〔自分の気持に反するものに対して(激しく)怒ること。怒り。「しんに」とも。「ーのほむら」

じんい[1]【人位】臣下・人間としての地位。「ーをきわめる〔=人間として最高の地位につく〕」

じんい[1]【人為】〔自然のままではなく〕人間の力が加わること。人工。↔自然 **ーてき**[0]【ー的】ーな/ーに 人間が操作を加えてそうなった様子だ。「相場をーに吊(ツ)り上げる」

しんいき[0]【神域】神社の境内。

しんいき[0]【震域】地震の震動が感じられた地域。

しんいり[0]【新入(り)】新しく組織や集団などの一員になること。また、その人。

しんいん[0]【心因】精神的・心理的な原因。「ー性反応[7]〔=激しい失意・不平不満などから一時的に肉体的・精神的な異状が現われるもの〕」

しんいん[0]【神韻】説明はしにくいが、どことなくすぐれている、芸術作品の感じ。「ー縹渺(ヒョウビョウ)」

しんいん[0]【真因】(事件の)本当の原因。「ーを△探る(突き止める)」

しんいん[0]【新院】〔前から上皇である方を「本院」と言うのに対して〕最近譲位して、上皇になられた方。

じんいん[0]【人員】❶〔ある集団に属する〕人の数。「ー点呼・参加ー・過剰ー」❷従業員の数。「ー整理[5]〔=解雇〕」

じんう[1]【腎〈盂〉】腎臓内の、尿を集めて膀胱(ボウコウ)へ送る空所。「ー炎[3]」

しんうち[1]【真打(ち)】〔もと、寄席などで、最後に出演する、一番格の上の人〕落語家の、最高の階級。〔その世界で、出場の期待される花形・大物を指す。例、「ー登場」〕⇩前座(ゼンザ)・二つ目❷ 表記「心打ち」とも書く。

しんうん[0]【進運】〔世の中全体の〕進歩・向上の傾向。「時代のーに伴い」

しんえい[0]【新鋭】〔↑新進気鋭〕その△分野(戦線)に新しく進出してきて、当たるべからざる勢いを示すこと。また、その存在。「ーのチーム/最ー・ー機[3]・ー部隊[5]〔=まだ戦闘に参加せず、士気の盛んな部隊〕」⇩古豪

しんえい[0]【親衛】国王・権力者などの身辺の護衛。「ー兵[3]・ー隊[0]」

じんえい[0]【人影】「ひとかげ」の漢語的表現。「ーまばら」

じんえい[0]【陣営】❶敵に対する攻撃・守備の態勢を取るための拠点とするために構築物を設けること。また、それを設けた所。「(野外に)ーを張る/ーを構える/我(ワ)がーに引き入れる〔=自分の方の味方とする〕」❷相対立する勢力の一方の側。「保守ーと革新ーの対決」

しんえつ[0][1]【信越】信濃(シナノ)・越後(エチゴ)。長野・新潟の両県。「ー地方[5][6]・ー線[0]」

しんえつ[0]【親閲】ーする(他サ) 整列した△軍隊(軍艦)を儀礼的に視察し、親しく士気を鼓舞すること。

しんえん[0]【〈心猿〉】欲情が盛んになり抑えがたい心の状態を、落ち着きのないサルにたとえた言葉。「意馬(イバ)ー」

しんえん[0]【神〈苑】❶神社の境内にある庭園。❷深山の中にあるような感じのするこうごうしい庭園。

しんえん[0]【深〈淵】❶深いふち。「―に臨むがごとき心境」❷奥深くて容易には実情の知りがたい△所(もの)。「人生の―をのぞく」

しんえん[0]【深遠】―な 内容に深みがあり、簡単には理解出来ない様子だ。「―な学理」派 **―さ**[0]

じんえん[0]【人煙】人が炊事などのためにたてる煙。「―まれな〔=人里から離れた〕山中」

じんえん[1]【腎炎】⇩腎臓炎

しんおう[0]【心奥】「心の奥底」の意の漢語的表現。「―よりの感激」

しんおう[0]【深奥】―な 奥△深い様子(深くて、はかり知れない所)。「―部[3]」

しんおう[0]【震央】震源の真上に当たる、地上の地点。

じんおく[0]【人屋】人の住む家。人家。

しんおん[0]【心音】心臓の鼓動の音。

しんおん[1]【唇音】くちびるを使って出す音。例、「ぱ・ば・ま」などの子音。⇩舌音

しんおん[0][1]【針音】レコード プレーヤーなどの(ピックアップの)針が、回転するレコード盤に触れて出す音。

しんか[1]【心火】激しく起こる、怒り・しっとなどの感情。

しんか[1]【臣下】君主に奉仕する者。家来。

しんか[1][0]【神化】―する(自他サ) 神と見なして、あがめる対象とすること。また、あがめる対象になること。

しんか[1]【神火】❶神社の境内で、夜たく火。清浄のしるしとされる。❷不思議な火。〔狭義では、伊豆大島の三原山の噴火の火や、有明海の不知火などを指す〕

しん

［心］ ■一❶こころ。気持。「心眼・心魂・心身・心理・小心・人心・信心・本心・自尊心」❷ものごとの大事なところ。まんなか。「心棒・核心・中心」■二(略)心臓。「心不全・強心剤」⇩(本文)しん【心】

［申］ ❶もうす。「申告・申請・上申・内申書」❷十二支の第九。さる。「庚申・壬申」

［伸］ ❶のびる。のばす。「伸張・伸縮・屈伸」❷述べる。「追伸・二伸」

［臣］ ⇩(本文)しん【臣】

［芯］ ⇩(本文)しん【芯】

［身］ ❶からだ。「身心・身体・長身・全身・八頭身」❷社会的環境の中に置かれた自分。「身上・身代・一身・前身・立身」

［辛］ ❶からい(食べ物)。「甘酸辛苦鹹・香辛料」❷つらい。「辛酸・辛苦・辛辣」❸刀の中身。「刀身」❸十干の第八。庚の次、壬の前。かのと。

［〈辰］ ❶十二支の第七。たつ。「戊辰」❷日。日がら。「佳辰・嘉辰・吉辰・誕辰・良辰」❸天体。「星辰・北辰」

［信］ ■一❶約束にそむかないように行動する。まこと。「信義・背信」❷思いこんで疑わない。「信条・信念・確信・自信」❸手紙(に代わる伝達の手段)。「信書・信号・通信・電信・花信」■二(略)信濃国。「信州・信越」⇩(本文)しん【信】

［侵］ 少しずつ他の領分に入りこむ。おかす。「侵食・侵入・侵犯・侵略」

［津］ ❶船着き場。つ。「河津・入津」❷あふれでる。「津液・興味津々」

［神］ ⇩(本文)しん【神】

かみ。「神仏・神体・神道・神霊・神殿・神話」

［唇］ 〔もと、驚く意。「脣」と通じて〕くちびる。「唇歯・口唇・紅唇」

［娠］ みごもる。はらむ。「妊娠」

［〈宸］ 〔もと、家の軒の意から〕奥深い、天子の居所。〔天子に関係のある事柄に冠する語。例、「宸襟・宸翰・宸筆」〕「紫宸殿」表記 古くは、「震」とも書いた。

［振］ ❶ふる。「振動・振鈴・振幅・共振」❷ふるう。「振興・振張・不振」❸〔野球で〕バットをふる。「強振・三振」

［浸］ ❶ひたす。ひたる。「浸水・浸食・浸出液」❷しみこむ。「浸潤」

［〈疹］ 皮膚に生じる小さな吹き出物。「湿疹・蕁麻疹・発疹・風疹」

しんか[1]【真価】本当の値うち。「―を△発揮する(見せる)/―の見せどころ/―が問われる」

しんか[1]【深化】―する(自他サ) 深まること。また、深めること。「不安の―/対立が―する〔=深刻になる〕/解釈を―する〔=さらに深める〕」

しんか[1]【進化】―する(自サ) 生物が何世代もかけて形態や機能の分化・変異の過程を積み重ねながら、より環境に適した状態になること。〔広義では、事物が望ましい方向に変化することをも指す〕↕退化 **―ろん**[3]【―論】生物はすべて原始的な種類の生物から進化してきたという説。ダーウィンが唱えた。

じんか[1]【人家】〔無人の野山・原始林などに対比して〕人が住んで△いる(いた)家。かぞえ方 一戸・一軒

シンカー[1]〔sinker〕〔野球で〕投手の投げたボールが、ホームプレートに近づいて急に沈むように落ちるもの。

シンガー[1]〔singer〕歌手。声楽家。「ジャズ―」 **―ソングライター**[8]〔singer-songwriter〕自分で作詞・作曲し、その歌を歌う歌手。

しんかい[0]【神階】昔、朝廷から神社に奉った位階。神位[1]。

しんかい[0]【深海】↕浅海 ❶海の深い所。「―の神秘を探る」❷Ⓐ深い海。Ⓑ地理学では、二百メートルを超える深さの海。海洋学では、二千メートル以上の深さの海。前者の例、「―魚[3]」。

しんがい[0]【心外】―な ―に 意外な事をされて裏切られたような気持になる様子だ。「―な顔をする/まことに―です」

しんがい[0]【侵害】―する(他サ) 相手の権利や利益を不当におかし、損害を与えること。「基本的人権の―/重大な―をもたらす/プライバシーの―」

しんがい[0]【震害】地震が起こったために出る被害。

しんがい[0]【震〈駭】―する(自サ) 驚いて、震え△あがる(あがらせる)こと。「一世を―△させる(する)」

じんかい[0] ■一【人界】〔天上界などと違って〕人間の住む現実の世界。■二【〈塵界】〔「人界」をちりの世と見立てた語〕ちりのようによごれた、いとうべき世界。俗界。

じんかい[0]【〈塵芥〉】「ちり・ごみ」の意の漢語的表現。かぞえ方 一本

じんがい[0][1]【人外】人の住む世界の外。 **―きょう**[0]【―境】だれも人間が住まず、俗世間のにおいが全く感じられないような所。

【 】の中の教科書体は学習用の漢字，〈 は常用漢字外の漢字，〈〈 は常用漢字の音訓以外の よみ。

【真】生まれたままのすなおさを保っている。「純真・天真」⇩(本文)しん【真】

【針】❶ぬいばり。「針葉樹・針小棒大・運針」❷〔時計・磁石など〕計器のはり。「長針・磁針・指針」 表記 医療用のはりは、多く「〈鍼」と書く。例、「鍼灸」。

【深】❶ふかい。ふかさ。「深海・深呼吸・水深」↕浅 ❷普通の人はそこまで到達しがたい。「深山・深窓・深遠」❸夜になってから久しい。「深更・深夜」❹色が濃い。「深紅色」〔古くは「じん」〕

【紳】〔礼服用の大幅の帯の意から〕社会的地位や教養が高く、人間的にも学ぶべきところのある人。「紳士・貴紳」

【進】❶〔上の段階〈へ〉すすむ。「進学・進級・昇進・特進」❷〔新しい△もの(所)を目がけて〕すすむ。「進退・進行・進出・進展・進歩・進化・急進・前進・突進」❸相手に何かを差し上げたり 何かをするようにすすめたりする。「進呈・進物・進言・勧進」

【森】❶枝と枝とが重なるように、木ぎが茂っている。「森々・森羅・森林」❷静まりかえっている。「森閑」❸ざわめきが無い。おごそか。「森厳」

【診】〔もと、脈をとり見る意〕医者が患者の病状を判断する。脈を(とって)みる。「診察・診断・打診・聴診・内診・往診・誤診」

【寝】⇩(本文)しん【寝】

【慎】つつしむ。用心する。「慎重・謹慎・戒慎」

【新】あたらしい。「新案・新旧・新古・新年・新暦・新進・新勢力・維新・一新・革新・斬新」⇩(本文)しん【新】

【〈賑】❶にぎわう。「殷賑」❷ほどこす。「賑恤」

【審】■一規準に合っているかどうかを判定する。「審査・審議・審判・審美眼・不審」■二(略) ❶審理。「第一審」❷審議会。「中教審」❸審判員。「主審・副審・球審・塁審」

【請】願う。こう。「普請」⇩せい

【震】❶(雷鳴で)地響きがする。「震動」❷地震。「震災・震源地・激震・余震」❸身をふるわして怒る。「震撼」

【薪】たきぎ。まき。「薪炭・薪水・臥薪嘗胆」

【親】❶おや。「親権・両親」❷したしい。したしく交わる。「親交・親友・親日・懇親」❸本人がする。「親書・親展」〔狭義では、天皇の国務について言う。例、「親任・親政」〕⇩(本文)しん【親】

じんがい⓪【〈塵外】俗世間のわずらわしさから離れた所。

じんかいせんじゅつ⑤【人海戦術】おおぜいの人を惜しみ無く使い、△一気に(短期間で)目的を達成するやり方。

しんかいち③【新開地】新しく開けて畑や街になった土地。

しんがお⓪【新顔】新しく、その社会△の仲間入りをした(に現われた)人。↕古顔

しんかき①【真書き】楷書を書くための、穂先の細い筆。

しんかく⓪【神格】神としての資格。神という地位。「天皇を―化する」

しんがく⓪【心学】江戸時代、神・儒・仏を総合し、やさしい説明と通俗なたとえで説いた道徳教育。道学。

しんがく⓪【神学】キリスト教の教理や信仰生活の意義について研究する学問。 **―し**③④【―士】大学の神学部を卒業した人に与えられる称号。

しんがく⓪【進学】―する(自サ) 上級の学校に進むこと。「―熱をかりたてる／―指導」 **―こう**④③【―校】入学試験に合格するために上位の成績が求められる学校に進学する生徒の多い学校。〔主に高等学校について言う〕

*__じんかく__⓪【人格】❶その人の物の考え方や行動の上に反映する、人間としてのありかた。〔好ましいか、好ましくないかという観点から見たもの〕「―者③④(＝ⓐりっぱな人格を備えており、多くの人の模範とされる人。ⓑ人柄がよいという点で敬愛される人)・―的⓪(＝人柄の点で)・二重―」❷能力と自覚を備えた一人前の人間として認められること。また、その存在。「―を無視する／―形成期⑦(＝人間形成期)」 **―か**⓪【―化】―する(他サ) 人間以外のものを、仮に意志のある人間と見なすこと。 **―けん**④③【―権】私権の一つ。各人の存在や人格に付随する利益に関する権利。生命・身体・自由・名誉・プライバシー・肖像などに関する権利を指す。

じんがさ⓪③【陣〈笠】昔、下級の兵たちが戦場でかぶとの代りにかぶった笠。〔俗に、雑兵や平代議士の意にも用いられる。例、「―連④⓪」〕

しんがた⓪【新型】新しい型。「パソコンの―モデル／―のインフルエンザ」 表記 「新形」とも書く。

しんがっこう③【神学校】〔キリスト教で〕神学を教え伝道師を養成する学校。

しんかなづかい⑤【新仮名遣(い)】「現代仮名遣い」の俗称。⇩かなづかい

じんがね⓪【陣鐘】昔、陣中で合図に鳴らした半鐘。

しんかぶ①【新株】〔旧株に対して〕増資の際に新しく発行する△株式(株券)。子株。

しんから①【心から】(副) その感情が、心底から発したもので、どうしてもぬぐい去ることができないほど強い様子。「彼のことが―憎い／昨夜の地震は―こわかった」

しんがら⓪【新柄】新しく考案して売り出される柄。

しんがり⓪【《殿》】退却する軍隊の最後尾にあって、敵の追撃を防ぐ部隊。後備え。〔「同じような行動をする者のうちで、最後尾に位置する者」の婉曲表現としても用いられる。例、「行列の―に立つ」〕

しんかん⓪【心肝】〔心臓と肝臓の意〕こころの底。また、まごころ。「―に入る(＝心の底から感じる)／―を砕く(＝いろいろと苦心する)／―に徹する(＝心の底までこたえる)」

しんかん⓪【信管】爆弾・弾丸などを炸裂させるために、△弾頭(弾底)に付けてある装置。「―を取り外す」

しんかん⓪①【神官】「かんぬし」の意の漢語的表現。

しんかん⓪【〈宸翰】天皇が自分で書かれた文書。

しんかん⓪【森閑・深閑】―たる ―と あたりに、物音のしない様子だ。「―とした空気」

しんかん⓪【新刊】新しく刊行△すること(された本)。「―案内・―書コーナー」

しんかん⓪【新患】その△医院(病院)での新しい患者。「―外来担当の医師」

しんかん⓪【新館】別に新しく建てた建物。⇩本館・旧館・別館

しんかん⓪【震〈撼】―する(自他サ) 激しい勢いで天下・海・川などを震い動かすこと。〔大きな事件を引き起こすなどし

て、天下の人をひどく驚かす意にも用いられる〕「世界を―させた事件」

しんがん⓪【心眼】物事を見きわめる、鋭い心の働き。「―を開く」↕肉眼

しんがん⓪①【心願(ガン/グワン)】❶神仏に対して心から立てた願。❷ぜひとも成就させたいと真剣に願っていること。

しんがん⓪【真〈贋〉】本物とにせ物。「―を見極める」

じんかん⓪【人間】〔「じん」も「かん」もそれぞれの漢字の漢音〕世間。世の中。「―に流布する」

しんかんせん③【新幹線】主要幹線の輸送力の増強と高速化を目ざしての新路線。〔東海道新幹線は一九六四年に開通〕「ミニ―⑤〔=在来線を活用して走らせる新幹線で、従来の新幹線に比べて車体が小さい〕」

しんき①【心気】その時どきの気持ちの持ちよう。「―冴(サ)え渡る〔=何かの刺激を受けて、一切のわだかまりが無くなり、気力が充実する〕」

しんき①【心〈悸〉】心臓の鼓動。―こうしん①-⓪【―〈亢進・―高進・―〈昂進〉】心臓の鼓動が激しく感じられる症状。

しんき①【心機】その時どきの状況に応じた心のはたらき。―いってん①-⓪【―一転】何かがきっかけになって、望ましい精神状態になること。

しんき①【辛気】―な〔関西地方方言〕何か心に引っかかるものがあって、いやでたまらない様子だ。―くさ・い⑤【―臭い】（形）「辛気だ」の意の強調表現。「―〔=煩わしくて堪え難い〕仕事」派―さ④

しんき①【神気】気力（を支える根元として存在する精神）。

しんき①【神器】❶祭礼に用いる器具。❷「神器(ジンギ)」の新しい語形。

しんき①【新奇】―な 新しくて変わっている△こと（様子）。「―をてらう〔=目新しさで俗受けをねらう〕」派―さ③

しんき①【新規】―な ―に ❶今まで△と違った方式（手をつけなかった方面）で何かをする△こと（様子）。「―まき直し〔=初めに戻って、新しくやり直すこと〕を図る／―性にこだわる／―開店」❷今までとは違った客が△来る（注文する）△こと（様子）。❸今まであったものを別途に使うのではなく、全く新しいものにする△こと（様子）。「―採用を△見送る（控える）／―購入・―参入」

しんき①【新〈禧〉】〔「禧」は、福の意〕新年に際し、相手の幸福を願うこと。「恭賀―④」

しんぎ①【心技】心の持ち方の面と、技術・技能の面。

しんぎ①【信義】いったん約束した事は、時間がたって環境が変わっても、その通りに実行すること。「―を守る人はきわめて少なくなった／―を破る／―にそむく／国際的―」

しんぎ①【神技】「神わざ」の漢語的表現。「―に近い」

しんぎ①【真偽】事実に合っているかいないか。「―の程は定かでない／―を確かめる」

しんぎ①【真義】〔そのものの存在の〕本当の意義。「能楽の―」

しんぎ①【《清規》】〔禅宗で〕日常の作法・動作についての細則。「百丈(ハジョウ)―〔=中国の書物の名〕」

しんぎ①【審議】―する（他サ）提出された原案△が（で）いいかどうかを、何人かの人が集まって検討すること。「―を△重ねる（尽くす）／―に応じる／―会③⓪・―未了①-⓪」

しんぎ①【心木】心棒。

じんき⓪【人気】その地方の人びと一般に見られる気風。「―が△いい（悪い）」

じんぎ①【仁義】〔儒教の実践道徳で根本とされる、仁と義の意〕❶社会生活に最も必要な基本的道徳。人や物に対する愛や筋の通った行動など。「―にはずれる」❷任侠(ニンキョウ)の世界に生きる人たちの間などで行なわれる、独特な作法を踏まえた初対面の挨拶(アイサツ)。「―を切る」❸任侠の世界に生きる人たちの間特有の、道徳・おきて。「―を知らない」〔❷❸は、「辞儀」の変化〕

じんぎ①【神〈祇〉】〔「神」は天神、「祇」は地祇〕天地の神がみ。「―官③」

じんぎ①【神器】「三種の神器」の略。

しんぎく⓪【新菊】❶新しく芽を出した菊。❷シュンギクの変化。

しんきげん③【新紀元】⇩一新紀元(イッシンキゲン)

しんきじく③【新機軸(ジク)】今までには無かった、新しい△計画（くふう）。「―を出す」

ジンギスカンなべ⑦【ジンギスカン鍋】たれをつけた羊肉を鉄板の上などで焼いて食べる料理。ジンギスカン③④とも。表記「成吉思汗鍋」とも書く。

しんきゅう⓪【進級(キフ)】―する（自サ）等級・学年が進むこと。

しんきゅう①【新旧(キウ)】❶新しいものと古いもの。新古。「―入りまじった／―思想・―大臣」❷太陽暦と太陰暦。

しんきゅう①【親旧(キウ)】「昔なじみ」の意の古風な表現。

しんきゅう⓪【〈鍼灸〉・針〈灸〉(キウ)】はりときゅう。「―師③・―院③」

しんきょ①【新居】今度△移った（建てた）ばかりの家。新宅。〔狭義では、結婚して初めて持つ家を指す〕↕旧居

じんきょ①【腎虚】過度の房事による、男子の全身衰弱。

*しんきょう⓪【心境(キヤウ)】（その事をするに至った）その時の気持。「―の変化／静かな―／―を語る／―の程を示す／―小説〔=⇩小説〕」

しんきょう①⓪【信教(ケウ)】（その）宗教を信じること。「―の自由」

しんきょう⓪【神橋(ケウ)】神社の境内や社殿にかけられた橋。

しんきょう⓪【神鏡(キヤウ)】❶三種の神器の一つである、「八咫鏡(ヤタノカガミ)」の漢語的表現。❷神霊として祭る鏡。

しんきょう⓪【進境(キヤウ)】進歩・上達した様子や程度。「―（は）著しい／著しい―を見せる」

しんきょう①【新教(ケウ)】プロテスタント。↕旧教

しんぎょう①⓪【心経(ギヤウ)】〔↑般若心経(ハンニャシンギョウ)④〕「般若波羅蜜多(ハラミタ)心経⑧」の所説を二六二字に要約したもの。諸法は皆空であることを説く。

しんぎょうそう③、①-①-①【真行草(ギヤウサウ)】漢字の書体。真書〔=楷(カイ)書〕・行書・草書。〔生け花・造園などでは、真は厳粛で端正、草は型にとらわれず自由、行はその中間を指す意に用いられる〕

しんきょく⓪【新曲】新しく作った△歌曲（楽曲）。↕古曲

しんきょくめん④【新局面】新しい局面。「―を迎える」

しんきろう③【〈蜃気楼〉】〔「蜃」は、ハマグリの意。大ハマグリの吐く気によって現われるものと解したことから〕△熱（冷気）のために大気中で光が異常に屈折し、空中や地上に何か物があるように見える現象。

しんきん⓪【心筋】心臓を構成する筋肉。「―梗塞(コウソク)⑤〔=心筋の組織が死んで、血が流れなくなる病気〕」

しんきん⓪【信金】「信用金庫」の略。

しんきん⓪【〈宸襟〉】「天子の御心(ミココロ)」の意の漢語的表現。「―を△安んじ奉る（悩ます）」

しんきん⓪【真菌】微生物の一種。病気を引き起こす基になるカビ。―しょう⓪③(シヤウ)【―症】真菌がふえて起こる病気（による症状）。抗生物質でバクテリアが死ぬと、代り

に体内の真菌がふえ、内臓を冒す。治りにくい。

しんきん⓪【親近】❶ーする(自サ) その人のそばに親しみ近づくこと。❷身寄り。「ー者③」 **ーかん**③【ー感】 その人を身近な存在だと感じる気持。「ーを覚える」

しんぎん⓪【〈呻吟〉】ーする(自サ) 非常な苦痛のあまり、思わず声にならない声をもらすこと。〔創作・経営に苦心する意にも用いられる〕

シンク①〔sink〕 台所・手洗い場・庭などに設けられた排水設備。

しんく①【辛苦】ーする(自サ) つらい目にあって、苦しい思いをする△こと(様子)。「戦中戦後は物心両面にわたってーを重ねた/幼いころ親に死なれ、筆舌に尽くしがたいーをなめた/艱難(カンナン)ー・粒々(リュウリュウ)ー」

しんく①【深紅・真紅】 濃い紅色。まっか。「ーの優勝旗」

しんぐ①【寝具】 布団・まくらなど、寝る時に使うもの。

じんく①【甚句】 七・七・七・五の四句から成る、俗謡の一つ。「秋田ー・すもうー」

じんく①【神供】 神前に差し上げるお供え物。

しんくい③【身口意】〔仏教で〕日常生活の根本をかたちづくる、すべての行動(=身)と言語(=口)と精神(=意)。

しんくう⓪【真空】 その空間に気体が一切存在しないと認められるような状態。〔組織の正常な機能が失われ、異常なまでに空虚が感じられる状態のたとえとしても用いられる。例、「ー地帯」〕 **ーかん**⓪【ー管(クヮン)】 真空のガラス管の中に二つ(以上)の電極を封入したもの。整流・検波・増幅・発振などの働きがあり、ラジオ・テレビなどに用いられる。 かぞえ方 一本 **ーポンプ**⑤ 空気を排除して真空をつくるポンプ。

しんぐう③⓪【新宮】 もとの神宮から神霊を移した神社。わかみや。⇩本宮

じんぐう③【神宮】 神社の中で、特に、「神宮」の号を奉って国家が尊敬したもの。〔狭義では、伊勢の神宮を指す〕 **ーじ**③【ー寺】 神仏習合の現れとして神社に付属していた寺院。宮寺(グウジ)①。

ジンクス①〔jinx=縁起が悪い物事〕〔勝負事の世界などで〕関係者の間で、ある事柄と他の事柄との間に、理由はわからないが、ある種の対応関係があると信じられていること。また、その事柄。「ーを破る」

シンクタンク④〔think tank〕 政治・行政や企業経営などに対して適切な助言・指導をするために、調査分析・予測・開発などを行なう、専門家による組織。

しんぐみ⓪【新組(み)】 印刷で、古い紙型・前の組版を使わないで、新しく文選・植字して版を組むこと。また、その版。

シングル①〔single=一つだけで、対を成さないもの〕❶ひとり用(のもの)。〔狭義では、独身(者)を指す〕「ーベッド」↕ダブル ❷〔←single hit〕〔野球で〕一塁まで行ける安打。単打。↕ロングヒット ❸〔←米 single hand catching〕〔野球で〕野手が自分の所に飛んで来たたまを片手で捕えること。「逆ー」 ❹〔←single breasted〕洋服の前の合せ目が浅いもの。ボタンは一列。片前。↕ダブル ❺ウイスキーを飲む時の単位。ウイスキーグラス一杯分、約三〇ミリリットル。 **ーはば**④【ー幅】 織物の幅の一種。約七一センチ。⇩ダブル幅 **ーばん**⓪【ー盤】 歌謡曲などが両面に各一曲ずつ入っているレコード。 **ーマザー**⑤〔single mother〕 未婚のまま出産したり 夫と離婚・死別したり などして、子供を一人で育てている母親。

シングルス①〔singles の日本語形〕〔テニス・卓球などで〕一人対一人で行なう試合。単試合。シングルズ・シングルとも。↕ダブルス

シンクロ⓪ シンクロナイズ(ド スイミング)の略。

シンクロナイズ⑤ーする(自他サ)〔synchronize〕❶ほかのものに合わせて同時に起こること。また、起こすこと。❷〔映画で〕画面と音響とを一致させること。また、一致すること。❸〔写真で〕フラッシュの発光とシャッターの開く瞬間とを一致させること。また、一致すること。略してシンクロ。

シンクロナイズド スイミング⑩⑨〔synchronized swimming〕 音楽に合わせて泳ぎ、その美しさを競う競技。略してシンクロ。水中バレエ⑤。〔アーティスティック スイミングに改称〕

しんくん①【神君】 偉大な君主の尊称。〔狭義では、江戸時代、徳川家康(イエヤス)の死後の尊称〕

しんくん⓪【新訓】↕古訓・旧訓 ❶漢文体もしくは漢字ばかりで書かれたその古典の△一(数)時代後の読み方。❷その漢字について昔は そう読まれなかった訓。例、「家」を「うち」、「汚」を「よごす」など。

しんぐん⓪【進軍】ーする(自サ) 軍隊が進撃すること。「ーラッパ」

じんくん⓪【人君】 万民の上に立つ君主。

じんくん⓪【仁君】 仁徳のある君主。

しんけ①【新家】 分家。新宅。

しんけい①【神経】 ❶からだのすみずみに行き渡っている、糸のように細く長いもの。脳からの命令を各部に伝え、また、外界の接する部分に受けた刺激を脳に伝える。「歯のーを抜く/運動ーが発達している(=スポーツが上手になる素質

じん

【人】 ❶〔知・情・意を備えた、行為主体としての〕ひと。「人格・人心・人物・天地人」 ❷〔活動したり在住したりする社会・地域・国籍などで区分して考えた時の〕ひと。「芸能人・現代人」⇩(本文)じん【人】

【刃】 ❶やいば。はもの。「凶刃・白刃・兵(ヘイ)刃・利刃」 ❷はもので傷つけ死に至らせる。「自刃」

【仁】 ⇩(本文)じん【仁】

【〈壬〉】 十干(ジッカン)の第九。辛(シン)の次、癸(キ)の前。みずのえ。「壬申(ジンシン)」

【尽】 ❶全部(を出しきる)。「尽忠報国・蕩(トウ)尽・一網打尽」 ❷月の終りの日。「三月尽」

【迅】 風のごとく来たり、風のごとく去る。「迅速・疾風迅雷(シップウジンライ)・獅子(シシ)奮迅」

【臣】 君主に仕える者。家来。おみ。「大臣」

【甚】 はなはだしい。はなはだ。「甚大・深甚・幸甚」

【神】 かみ。「神祇(ジンギ)・神宮・神社・海神・水神・竜神・明神・守護神」⇩しん

【陣】 ❶社寺の本堂の奥の一画。「外(ゲ)陣・内陣」 ❷むらがり。集団。「筆陣・論陣」 ❸ひとしきり。「一陣の風・陣痛」⇩(本文)じん【陣】

【尋】 ❶長さの単位(=六尺)。ひろ。「千尋(センジン/チヒロ)」 ❷たずねる。「尋問(=訊問)・尋訪(ジンボウ)」 ❸普通。なみ。「尋常」

【腎】 ❶❶必要欠くべからざるもの。「肝腎」 ❷精液。「腎虚・腎水」 ❷(略) 腎臓。「腎盂(ジンウ)炎・腎不全・副腎」

【〈塵〉】 ❶ちり。ほこり。ごみ。「塵埃(ジンアイ)・塵芥(ジンカイ)・黄(コウ)塵・砂塵」 ❷〔けがれたものと考えられる〕俗世。「塵外・世塵・俗塵」 ❸〔仏教徒の修行を妨げるものとして考えられた〕欲望の起こる基。「塵労・六(ロク)塵」

を持っている〕/—過敏・—系⓪・—症⓪・—性胃炎⑦」❷状況の変化に応じて、的確に対処のしかたを変える自在性を持つ、鋭敏な精神の働き。「細かい—を使う/—をとがらせる/—が太い〔=たいていの事には驚かない性質だ〕/—にさわる〔=その人の神経を必要以上に刺激して、いらだたせる〕/それは君の—〔=気のせい〕さ/—が鈍い」 かぞえ方 ❶は一本 —しつ③【—質】—な/—に ❶情緒が不安定で、快・不快の感情に支配されやすい性質だ。❷普通の人が構わないような事までいちいち気に病む性質だ。 —すいじゃく⑤【—衰弱】極度の不安などが原因で、気力が落ち思考力が働かなくなったり注意力が散漫になったりする症状。ノイローゼ。 —せん⓪【—戦】宣伝や謀略などを使って敵側の精神状態の安定をかき乱し不満感・不安感を増大させ、結局は戦意を喪失させる戦法。 —つう⓪【—痛】〔気候の変り目などに〕ある部分の神経が急に激しく痛む病気。「肋間—」

しんけい⓪【〈晨鶏】〔古〕〔「晨」は朝の意〕夜明けを知らせるニワトリ。「—暁を告げて」

じんけい①【仁兄】〔手紙文で〕友人・同輩を親しんで呼ぶ称。

じんけい⓪【仁恵】下の立場にある人の心情を思って、かける恵み。

じんけい⓪【陣形】戦闘の隊形。〔碁・将棋の構えについても言う〕

しんげき⓪【進撃】—する(自サ) 敵陣へ向かって、積極的に攻撃して行くこと。「快—〔=よい成績〕を続ける」⇩迎撃

しんげき⓪【新劇】〔歌舞伎など旧派の演劇と違って〕西欧近代劇の影響を受けた、新しい手法による演劇。現代人の生活感覚を反映させるのがねらいという。

しんけつ①⓪【心血】その人の精神と肉体(のすべて)。「—を△注ぐ(捧げる)」

しんけつ⓪【審決】特許庁や公正取引委員会などの行政機関が裁判に準じた手続きを経て下す判断。「独禁法—」

しんげつ①【新月】❶〔陰暦で〕その月の第一日の月。〔広義では、その月の初めの夜に見える月を指す〕❷東の空にのぼったばかりの月。

じんけつ⓪【人傑】見識がすぐれ、実力を持つ人。

しんけん⓪【神剣】❶神△から授かった(に供える)剣。❷三種の神器の一つである「天叢雲剣」の漢語的表現。

しんけん⓪【神権】❶神の権威。❷神から授かり、委任された権力。「帝王—説⑦」

*__しんけん__⓪【真剣】❶〔木刀・竹刀などに対して〕実際に人を殺傷出来る刀剣。「—勝負⑤〔=負けると生命を失うことになる勝負。失敗が致命的な損失につながる試練の意にも用いられる〕」❷—な/—に ごまかしや遊びの気持が全く無く、全力をあげて何かをする様子だ。「—な表情で聞き入る/環境問題に—に取り組む」 派 —さ⓪③ —み⓪③

しんけん⓪【新見】△従来とは異なる発想や視点に基づくことによって(新資料の検討を通して)得られた、新しい物の見方や考え方。

しんけん⓪【新券】未使用△の(に近い)きれいな紙幣。ぴん札。

しんけん⓪【親権】親が(未成年の)子を教育・監督・保護するために持つ権利や義務。「—者③」

しんげん⓪【進言】—する(他サ) 立場の上の人に意見を述べること。

しんげん⓪【森厳】—な 思わず襟を正すほど荘厳な様子だ。

しんげん⓪【〈箴言】いましめの言葉。〔広義で、「格言・金言」をも指す〕

しんげん⓪【震源】地下の、地震がそこで発生したとされる場所。「—地③」

じんけん⓪【人絹】〔↑人造絹糸⑤〕レーヨン(で織った織物)。↔本絹

じんけん⓪【人権】人間に当然与えられるとされる権利。例、生命を保障され、自由・名誉などを享受する権利。「—を△保障する(傷つける)/—が△守られる(踏みにじられる)/—擁護⑤・—侵害⑤、⓪-⓪」 —じゅうりん⓪-⓪【—〈蹂躙〉】人権を無視するような不当・苛酷な取扱いをすること。

しんけんざい③【新建材】木材・壁土などの代りに用いられる、プリント合板・石膏ボードなどの建築材料。軽くて丈夫な上に取扱いに手間がかからない利点のある反面、(燃えると)有毒ガスを出すものがある。

じんけんひ③【人件費】何らかの労務に従事する人の報酬にあてる経費。「—をまかなう」

しんげんぶくろ⑤【信玄袋】楕円形の厚紙を底に敷き、口をひもでしめる布製の大きな袋。明治時代に流行。合切袋。〔現在のボストンバッグのように、旅行用具などを入れて持ち歩くのに用いられた〕

しんけんぽう③【新憲法】〔旧憲法に対して〕「日本国憲法」の称。〔昭和二十二年施行〕⇩旧憲法

しんこ①【真個】—たり〔副詞としても用いる〕真実であること。またそのようす。「—の自由」

しんこ⓪新《香》「しんこう(新香)」の口頭語的表現。「お—」

しんこ⓪【〈糝粉】❶白米を、水に浸してやわらかくしたものをよくかわかした後、細かい粉にした製品。食用。〔広義では、蒸した米を材料とした物をも指す〕❷〔↑しんこもち③〕しんこを水でこね、蒸してついた食品。「—細工④」 表記「新粉」とも書く。

しんご⓪【新語】❶新しく(作られて)使われ出した言葉。「一九九〇年代の—」❷〔既習語に対して〕その教科書のその冊になって初めて出て来る語彙。新出語⓪。

じんご①【人後】他人の△後ろ(あと)。「—に落ちない〔=他の人に負けない〕」

じんご①【人語】(動植物などは話すことのない)人間の言葉。「—を解する△犬(馬)」

*__しんこう__⓪【信仰】—する(他サ)〈なにヲ—する〉神や仏など絶対的存在としてとらえられるものを、心の迷いなどを救う究極の拠りどころとして、理屈を超えて信じること。「各所に馬頭観音像が立ち、土地の人びとの—を集めている/—心③・—生活・—者③・固有—・山岳—⑤・浄土—・庶民—・民俗—」

しんこう⓪—する(他サ) ❶【侵攻】敵地に攻め入ること。❷【侵〈寇〉】外国の領土をおかすこと。

しんこう⓪【振興】—する(他サ) 学術・産業などが盛んになるように方法を尽くすこと。「流通経済の—を図る」

しんこう⓪【深更】「真夜中」の意の漢語的表現。

しんこう⓪【深厚】—な 心の奥底から出たもので、うそ・偽りではない様子だ。「—な謝意を表する」

しんこう⓪【深紅】濃い紅(の絵の具)。「—色③」

しんこう⓪【深耕】—する(他サ) 田畑を深く耕すこと。

*__しんこう__⓪【進行】—する(自他サ) ❶目的地に向かって移動すること。「—中の列車」❷予定の線にそって、物事がはかどること。「議事の—をはかる/—係⑤」❸病状が悪化すること。「—性の胃癌」

しんこう⓪【進攻】—する(他サ) 敵陣へ攻め入ること。

しんこう⓪【進航】—する(自サ) 船が航海して行くこと。

しんこう⓪【進講】ーする（他サ） 天皇などに、学術上の話や時事問題などを申し上げること。

しんこう⓪【新香】〔もと、新漬けの香の物の意〕「漬物」の美称。

しんこう⓪【新興】 既存の勢力に取って代わって、新しい勢力が擡頭（タイトウ）すること。「ー階級⑤・ー宗教⑤」

しんこう⓪ 〓【親交】 親類同然の親しい交わり。〔広義では、国家間また機関どうしについても言うことがある〕「故人とーのあった四人の方をお招きしました／ーを重ねる」

〓【深交】 お互いに許し合った、深い交わり。「ーを結ぶ」

*しんごう⓪【信号】㊀ーする（自他サ）〈だれ・どこニ（なにデ）ーする〉 一定の光・形・色・音などを使って、意志を通じさせること（方法）。シグナルとも。「ーを送る」㊁鉄道・道路などに設置され、人や車の通行を規制するための信号機（交通標識）。「自動ー④・青ー・赤ー」

しんごう⓪③【神号】 神の称号。

**じんこう⓪【人口】㊀Ⓐ一定地域内の住民の数。「ー調査・ー密度⑤・ー政策・ー密集地帯」Ⓑある観点から分類された同じ領域に属するととらえられる人間の数。「産業ー・昼間ー・就学ー」㊁〔人びとの話題になる意〕世間の評判。「ーに膾炙（カイシャ）する〔=そのものの持つよさ（おもしろさ）が世間に知れ渡る〕」

*じんこう⓪【人工】 自然物や自然の状態に人間が手を加えて新たなものを作り出す（別の状態に変える）こと。「ー林③・ー降雨⑤」↔自然㊁㊀・天然 ーえいせい⑤【ー衛星】 人間が打ち上げた衛星。〔普通は、地球の周囲を回る物体を指す。目的や用途によって軍事衛星④、科学衛星④・商業用衛星⑦と呼び、商業用衛星は通信衛星・気象衛星などに分かれる〕 ーえいよう⑤【ー栄養】㊀口から食べ物を取れない時に皮下（静脈内・直腸）などに注射して与える、ぶどう糖・生理食塩水など。㊁母乳以外の、乳児を育てるための、牛乳・練乳・粉乳や重湯（オモユ）など。 ーききょう⑤【ー気胸】〔←人工気胸療法⑧〕肺結核の治療法の一つ。胸膜腔（ワコ）に空気を注入して肺の冒された部分を押しつぶし、結核菌の活動を抑えた方法。略して「気胸」。 ーげんご⑤【ー言語】⇩言語 ーこきゅう⑤【ー呼吸】 口から息を吹き込んだりして、仮死に陥ったものを生き返らせること。 ーしば③【ー芝】 芝生の芝の色合や感触に似せて作られた合成繊維製のマット。野球場やテニスコートなどに用いる。 ーじゅせい⑤【ー授精】⇩授精 ーしんぱい⑤【ー心肺】 心臓などの手術の時、心臓・肺臓の働きを代替させる装置。 ーちのう⑤【ー知能】 電子計算機に、高度の判断機能を持ったプログラムを記憶させ、大量の知識をデータベースとして備えて、推論・学習など人間の知能の働きに近い能力を持たせようとするもの。エーアイ（ＡＩ）。 ーてき⓪【ー的】ーな 自然物や自然の状態に人間の手が加えられて（い）る様子だ。「ーに雨を降らせる」 ーとうせき⑤【ー透析】 腎臓の働きを代行する装置で、血液中の老廃物を除き必要な電解質などを補給する治療法。

じんこう⓪①【《沈香》】 熱帯産の香木（を地中に埋め、腐らせて作った香）。「ーも焚（タ）かず、屁（ヘ）もひらず〔=特に、よいところも悪いところも無く、平凡きわまるたとえ〕」

しんこきゅう③【深呼吸】ーする（自サ） 肺の中に出来るだけ多くの空気が出入りするように、深く息を吐いたり吸ったりすること。

*しんこく⓪【申告】ーする（他サ）〈だれニ なにヲーする〉 その人の所属する組織・団体などに規定に従って必要な事項を届け出ること。特に、法律上の義務として行政官庁に届け出たり報告したりすることを指す。「扶養家族の異動をーする／所得税の確定ー」

しんこく①【神国】 神が基を開き、また国難に際しては神が守る、という国。「ー日本」

*しんこく⓪【深刻】ーな ㊀危機がさし迫っていて、その対応に真剣に取り組まなければならない状態だ。「ーな財政危機に陥る／防災対策を怠っていたことが、今回のーな事態を招いた／事態はーを極める」㊁無視するわけにはいかない問題が生じる（潜んでいる）可能性があると予見して、どうすべきか突き詰めて考え込む様子だ。「国家の将来をーに憂える／人に言えないーな悩みを抱えている」 派ーさ⓪「問題（悩み）のー」 ーか⓪【ー化】ーする（自サ） 深みにはまりこんで、大変な事が起こりそうであること。「事態がーする」

しんこく⓪【新穀】 その年にとれた穀物。〔狭義では、新米を指す〕「ー感謝の日」

しんこく⓪【親告】ーする（他サ） ㊀上の立場にある人が自ら告げること。㊁被害者やその親族が告訴すること。 ーざい④【ー罪】 被害者の告訴・請求を公訴の条件とする犯罪。〔名誉毀損（キソン）罪など〕

しんこしゃ③【新古車】 新車と中古車。また、新車同然の中古車。

じんこつ⓪【人骨】 人間の骨。 かぞえ方 一片・一体

じんこっき③【人国記】 もと、風土によって形成された、住民の特徴的な気質などを国別〔=地方別〕に記した書物。〔広義では、府県別の、出身人物の評論記をも指す〕

しんこっちょう③【真骨頂】 そのものの本領（本来の姿）。「ーを見せる（発揮する）」

シンコペーション④〔syncopation〕 同じ高さの強拍音と弱拍音とが結ばれて、強弱が転換し曲に変化を与えるようにする技巧。また、そのリズム。ジャズに多い。切分音③。略してシンコペ⓪。

しんこん⓪①【心魂】〔その人にとって精神のすべてであるこころとたましい〕「ーを傾ける／ーに徹して〔=肝に銘じて〕忘れない」 表記「神魂」とも書く。

しんこん⓪①【身魂】〔その人自身のすべてである〕からだと心。「ーをなげうって〔=全身全霊で〕」

しんこん⓪【新婚】 結婚したばかり（の夫婦）であること。「ー旅行⑤・ー生活⑤・ーさん⓪」

しんごん⓪【真言】㊀〔仏教で〕真理を伝える、仏の言葉。㊁呪文（ジュモン）。 ーしゅう③【ー宗】 陀羅尼（ダラニ）と称する呪文の祈禱（キトウ）の力で即身成仏（ジョウブツ）させることを宗旨とする、仏教の一派。空海を始祖とする。密教。

*しんさ①【審査】ーする（他サ）〈なにヲーする〉 問題となっている人の成績・履歴などや物の品質などを調べて、合否・等級などを定めること。「ー員③・ー権③・論文ー・資格ー」

しんさい⓪【神采】 神を思わせるようなけだかい姿。

しんさい⓪【神祭】 神道の儀式による祭り。

しんさい⓪【震災】 地震による（広範囲にわたる）災難（災害）。

しんさい⓪【親祭】ーする（自サ） 天皇などが自ら祭りを主宰すること。

しんさい⓪【親裁】ーする（他サ） 天皇などが自ら裁決すること。「ーを仰ぐ」

しんざい⓪【心材】 木の幹の内部の、赤黒い部分。年輪が年を経て堅くなったもの。赤身㊂。⇩辺材

しんざい⓪【浸剤】 細かく切った薬物に熱湯をかけ（を熱湯にひたし）て薬用成分を浸出した薬剤。ふりだし。

じんさい⓪【人災】 人間の不注意やしかるべき対処を怠ったことなどが原因で起こる災難や災害。「今度の風水害も半ば以上はーと言えよう」↔天災

じんざい⓪【人材】 働きのある、役に立つ人物。「—が求められる/優秀な—を確保する/—銀行⑤」 **—はけんぎょう**⑥【—派遣業】 労働者派遣法に基づき、自社で雇用している労働者を他の企業の要請に応じて派遣し、就業させる事業。

しんさく⓪【振作】—する（他サ） 人心に何か刺激を与え、もとのような盛んな状態にさせること。

しんさく⓪【真作】〔偽作や贋作ガンサクではなく〕紛れもなくその作者自身が作った作品。

しんさく⓪【新作】—する（他サ） 新しく作品を作ること。また、その作品。「—能④・—舞踊」↔旧作

***しんさつ**⓪【診察】—する（他サ）〈だれヲ—する〉 医師が患者の症状を尋ねたり 患部を調べたり すること。「—を受ける/病人を—する/—室④③・—券④③・—料④」

しんさつ⓪【新札】❶新たに発行された紙幣。「—切替え」❷まだ折り目やしわなどがなく ぴんとした新しい紙幣。新券。

しんさん⓪【心算】 心の中での計画。心づもり。

しんさん⓪【辛酸】 種々さまざまの苦労。「—を（つぶさに）なめる〔=ありとあらゆる苦労を経験する〕」

しんさん⓪【神算】 相手側のすべての計略の上に出る、すぐれたはかりごと。「—鬼謀⓪-⓪」

しんざん①【〈晋山】〔「晋」は進む、「山」は寺の意〕その僧が初めて ある寺の住職となること。「—式③」

しんざん①【深山】 人里離れた、山の奥の方。「—幽谷」

しんざん⓪【新参】↔古参 ❶新しく奉公すること（になった人）。今参り③。「—者ノモ⓪」❷仲間に加わってから間もない△こと（人）。新入り。「—の劇団員」

しんし①【心思】「心中にいだく△思い（考え）」の意の古風な表現。

しんし⓪【伸子】 洗張りや染色の時に、布幅が縮まないように適当な間隔で両端を刺し留めていく細い竹の棒。「—張バリ⓪」 表記 「〈簇・〈籡」とも書く。

しんし①【臣子】 主君の家来であると同時に、親の子であるという二重の身分関係を担っている、士シである者。

しんし①【《参《差】—たる/—と 高低・長短・遅速などの差が目立って、ふぞろいな様子だ。

しんし①【唇歯】 くちびると歯。「—音オン」 **—ほしゃ**①-①【—〈輔車】〔「輔」はほお骨、「車」は歯ぐきの意〕利害関係が密接で互いに助け合わねばならない間柄にあること。

しんし①【振子】「ふりこ」の意の漢語的表現。

しんし①【真姿】 うわべだけでは分かりにくい、本当の有様。

しんし①【真摯】—な 他事を顧みず、一生懸命やる様子だ。まじめ。 派 **—さ**③⓪

しんし①【紳士】 上品で礼儀正しい（ことが期待される）男の人。ジェントルマン。「—服③」↔淑女 **—きょうてい**④【—協定】❶非公式の国際協定。❷相手を信頼して行なう口約束。 **—てき**⓪【—的】—な/—に〔紳士らしく〕上品で礼儀正しく、相手の立場を重んじる様子だ。「—な態度」 **—どう**③【—道】 紳士の守るべき道徳。 **—ろく**③【—録】 地位・資産のある人びとの名簿。

しんし①【進士】 平安時代、官吏の登用試験に受かった人。文章生モンジョウショウ。「しんじ」とも。

しんし①【親子】「おやこ」の漢語的表現。「ご—の間」

しんじ①【心耳】❶心で聞くこと。❷心房の、外側の湾曲部分。〔「心房」と同義にも用いられる〕

しんじ①【心事】 その人が心中で何を思っているか、その事柄。

しんじ①【臣事】—する（自サ） 臣として仕えること。

しんじ⓪チ【芯地・心地】 帯・襟・洋服などの芯にする厚いきれじ。

しんじ①【信士】↔信女シンニョ ❶在俗のまま仏門に入った男子。❷仏式で葬られた男子の戒名につける称号。普通、「居士コジ」の下。「しんし」とも。

しんじ①【神事】 神を祭ること。祭り。〔古くは「じんじ」〕

しんじ①【神璽】❶三種の神器の一つである「八尺瓊勾玉ヤサカニノマガタマ」の漢語的表現。❷天皇の印。

しんじ⓪【新字】❶その国で新たに作られた文字。❷その教科書のその冊になって初めて出てくる漢字。

じんし①【人士】 水準以上の教養を持っている人。「関心を持たれる—〔=方がた〕の来場を歓迎する/都ト—」

じんじ①【人事】❶△人間（個人）としてなしうる事柄。「—を尽くして天命を待つ」❷〔官庁や会社などで〕その成員の採用・退職や身分に関する事柄。「—に介入する/—の停滞/—上の秘密/—異動④」❸社会生活上の出来事。「—にわずらわされる」 **—いん**③キン【—院】 国家公務員の職階・任免・給与などの総合調整や公務員試験や不利益処分の審査などを取り扱う行政機関。〔長は、人事院総裁③-⓪〕「—勧告⑥」 **—ふせい**①-⓪【—不省】〔「不省」は、覚えず、の意〕昏睡コンスイ状態に陥って意識不明となること。

じんじ①【仁慈】 いつくしみ。恵み。

しんじいけ③【心字池】〔心の字の形に造った池の意〕みぎわの線の出入を複雑にし、それに沿って植木の変化をあんばいした日本庭園の池。

しんしき⓪【神式】 神道の儀式。⇩仏式

しんしき⓪【新式】 新しい△形式（様式）。↔旧式

シンジケート④〔syndicate=弁護する〕❶共同販売を行なうための企業連合。❷国債・公社債・株式などの発行に際し、その募集・販売を引き受ける金融団体。〔俗に、麻薬・賭博バクト・暴力・売春などを背景とする大規模な犯罪組織をも指す〕

しんじたい⓪③【新字体】⇩字体

しんじだい③【新時代】 新しい時代。「日豪—を画する/—を（切り）開く/—を迎える」

しんしつ⓪【心室】 心臓の内部の下半分。血液を送り出す働きがある。心室内は右心室と左心室に分かれ、右心室は肺動脈に、左心室は大動脈につながる。⇩心房

しんしつ⓪【寝室】（家族が）寝るための部屋。 かぞえ方 一室

しんじつ①【信実】 利害打算を離れた誠実な心。まごころ。

***しんじつ**①【真実】❶—な/—に あらゆる点から見て、それだけが偽ったり 飾ったりしたところの無いそのものの本当のすがたであるととらえられる△事柄（様子）。「—を△追求する（伝える）/—の愛とは何か/—な△愛情（気持）/—に生きる/—性⓪」↔虚偽 派 **—さ**⓪ **—み**④⓪【—味】 ほんとうらしさ。「描かれている状況の—」❷（副） うそいつわりなく、心からそう思っている様子。「—うれしい/—申し訳ない」

しんじつ⓪チツ【親〈昵】—する（自サ） その人と親しくつきあっていること。

じんじつ⓪【人日】〔人に配当された日の意〕もと五節句の一つで、陰暦正月七日の称。

じんじつ⓪【尽日】❶一日じゅう。❷その△月（季節）の最後の日。

しんしゃ①【深謝】—する（他サ） 心から△感謝する（わびる）こと。

しんしゃ⓪【新車】〔中古車に対して〕新しい車。

しんしゃ①【親〈炙】—する（自サ） 尊敬する人と実際に交際して、直接その感化を受けること。

しんじゃ①【信者】その宗派の宗旨を信仰する人〔「信徒」よりは用法が広い。また、俗にその人に対する崇拝者・ファンの意にも用いられる〕

じんしゃ①【仁者】道徳的に見て、理想的な人格を持っている人。〔狭義では、困窮者の味方になり、常に同情的立場を失わぬ人を指す〕

***じんじゃ**①【神社】神道（シントウ）の神を祭ってある建物。やしろ。[かぞえ方] 一社

ジンジャー①〔ginger〕㊀夏から秋にかけて、茎の先に白い芳香のある花をつける栽培植物。観賞用。〔ショウガ科〕㊁ショウガ。特に、干したショウガの粉。「—ビスケット」[かぞえ方] ㊀は一本　**—エール**⑤〔ginger ale〕ショウガを加えた清涼飲料。

しんしゃく①⓪【〈斟酌〉】—する（他サ）㊀先方の事情を考慮に△入れる（入れて穏便に取りはからう）こと。「年少の点を—する／採点に—（＝手心）を加える」㊁あれこれの条件・情勢を考え合わせて、適当に処置すること。「収入に応じて会費を—する／何の—（＝遠慮）もあるものか」

じんしゃく⓪【人爵】人が定めた爵位。⇔天爵

しんしゅ①【神酒】神に供える酒。（お）みき。

しんしゅ①【進取】今までの慣習にかかわらず、意欲的に新しい事をすること。「—の気性に富む／—性⓪・—的⓪」⇔退嬰（タイエイ）

しんしゅ⓪【新酒】その年の新米で造った酒。⇔古酒

しんしゅ⓪【新種】㊀新たに発見された生物の種。「—の チョウ」㊁新たに作出された（園芸）品種。「—のりんご」

しんじゅ①【神授】神から授かること。「王権—説」

しんじゅ⓪【真珠】アコヤガイなどの中に出来る、丸い小さなたま。白く美しく光り、装身具として珍重される。[かぞえ方] 一玉・一粒。古くは一枚　**—がい**③（ガヒ）【—貝】アコヤガイの異称。

しんじゅ①【親授】—する（他サ）天皇が勲章などを自分で授けること。「—式③」

***じんしゅ**⓪【人種】㊀人類を皮膚・髪の色など生物学的な特徴に基づいて大きく分けた種別。「—による差別を撤廃する」㊁俗に、生活環境・生活様式などによる、人の大まかな分類。「自分の利益をはかることしか考えられない—とはつきあえない／どちらかと言えば怠け者に属する—」

しんしゅう①（シウ）【信州】「信濃（シナノ）国」の漢語的表現。今の長野県全体にあたる。「—鎌⑤・—そば⑤・—紬（ツムギ）⑤・—味噌（ソ）⑤」

しんしゅう⓪（シフ）【侵襲】㊀侵入し襲うこと。「細菌の—による炎症」㊁〔特に、医学で〕手術・検査・投薬などによって、体が通常の状態では生じない損傷を受けること。また、その刺激。「手術の—によるストレス／低—医療⑦」

しんしゅう①（シウ）【神州】〔神の国の意〕㊀〔中国・日本で〕自国の尊称。㊁神・仙人の住む国。

しんしゅう①【真宗】⇩浄土真宗

しんしゅう⓪（シウ）【新収】—する（他サ）図書館などの公共団体で、新しく買い入れること。「—図書」

しんしゅう⓪（シウ）【新秋】秋の初め。〔陰暦では七月を指す〕

しんじゅう⓪（ヂユウ）【心中】—する（自サ）〔もと、相愛の男女が変わらぬ愛情を示し合う意〕㊀Ⓐ親に反対されるなどしてこの世で添えないことを悲観した相愛の二人が、せめて来世では一緒になろうと、同時に自殺すること。情死。「来世を契って—する」Ⓑ生活苦に耐えられなくなるなどして家族が一緒に死ぬこと。「無理—・一家—」㊁何かに異常とも思えるほどの情熱や執念をいだき、他をすべて犠牲にしてもそのことに打ちこもうとする気持をいだくこと。「会社と—する覚悟で新製品を開発する」

しんじゅう⓪【臣従】—する（自サ）臣下として従うこと。⇔君臨

しんしゅく⓪【伸縮】—する（自他サ）伸びたり縮んだりすること。「—自在のつばさ／—性のある／期間を適宜に—（＝伸ばしたり 縮めたり）する」

しんしゅく⓪【振粛】〔ゆるんだ規律を引きしめて〕厳正・活発な気風を、その社会に取り戻すこと。「綱紀の—」

しんしゅつ⓪【侵出】—する（自サ）他の勢力範囲に侵入して行くこと。

しんしゅつ⓪【浸出】—する（自他サ）液体の中につけて薬の成分を溶け出させること。「—液④」

***しんしゅつ**⓪【進出】—する（自サ）〈どこ・なにニ—する〉勢力を拡張△して（するために）、新しい市場や活動の場所に乗り出すこと。「—を△図る（抑える）／—が目ざましい／予想を上回る—ぶりを見せる／やっと決勝に—出来た」

しんしゅつ⓪【新出】—する（自サ）その教科のその学年の教科書になって初めて△出る（出す）こと。「—漢字⑤・—語⓪」

しんしゅつ⓪【〈滲出〉】—する（自サ）にじみ出ること。「—性⓪・—液④」　**—せいたいしつ**⑦【—性体質】乳幼児の皮膚・粘膜がデリケートで湿疹（シッシン）が出来やすく、風邪をひきやすい体質。アレルギー性体質。

しんじゅつ①【〈心術〉】どういう心構えで△事（人生）に臨むか、という心の持ち方。

しんじゅつ⓪【〈賑恤〉】—する（他サ）貧民や被災者に、援助のため金品を施すこと。[表記]「振〈恤」とも書く。

しんじゅつ①【〈鍼術・針術〉】金属製の細い針を、患部から離れた所に刺して治療する医術。はり。

じんじゅつ①【仁術】仁を具現するとされる術。「医は—〔＝損得を度外視し、奉仕的に治療することが期待される医学〕」

しんしゅつ きぼつ⓪-⓪【神出鬼没】目に見えない鬼神のように行動が自在で、あちらこちらに姿を現わして活動してはすぐに居なくなって、容易に所在がつかめないこと。

しんしゅん⓪【新春】はつはる。新年。「—を迎える」

しんじゅん⓪【浸潤】—する（自サ）しみこんで△ぬれる（広がる）こと。〔社会的に見て好ましくない現象が広がる意にも用いられる〕「肺—③」

しんしょ①【心緒】「心の中（に思っていること）」の意の古風な表現。「しんちょ」とも。「英雄の—乱れて麻のごとし」

しんしょ①【信書】個人の手紙。「—の秘密」

しんしょ⓪【新書】㊀新本。㊁文庫本よりは一回り大きく、B6判よりは少し小さい判型で、もと、解説的な教養書を中心とした叢書（ソウショ）。〔最近は、比較的軽い読み物をも含む〕「—判（バン）⓪」

しんしょ①【親書】—する（自他サ）自分で手紙を書くこと。また、その手紙。〔狭義では、天皇・元首などの手紙や文章を指す。例、「—を送る」〕

しんしょ①【親署】—する（自サ）貴人が自ら署名すること。また、その署名。

しんじょ①【神助】神の助け。「天祐（テンユウ）—」

しんじょ⓪①【寝所】「寝室」の意の古風な表現。

しんじょ①【〈糝薯〉】△魚類（鳥類）の肉をたたき、すりおろしたヤマノイモを加えて蒸した食品。吸い物の実などに用いる。

じんしょ⓪③（ヂン）【陣所】敵に対する攻撃・守備の態勢を取ってとどまる所。

じんじょ①【仁〈恕】情け深くて思いやりがあること。

しんしょう⓪（オ）【〈心証〉】㊀その人の言動が他人に与える印

象。「―をよくする」❷訴訟事件の審理中に、裁判官が、状況証拠から得た確信。

しんしょう[0]【心象】見たり 聞いたりした事が基になり、ある形を取って心の中に現われるもの。「―風景[5]」

しんしょう[1]【身上】❶生活の経済的基盤としての資産(の状態)。「―を築く/―を△はたく(つぶす)」❷生活のよりどころとしての所帯。「―を持つ/―道具」〔❶❷とも、古くは「しんしょ[1]」とも〕❸家政のとりかた。「―が△いい(悪い)」 **―もち**[3]【―持(ち)】❶財産家。金持。

しんしょう[0]【身障】「身体障害」の略。「―者〔=⇩身体障害者〕」 **―じ**[3]【―児】〔↑身体障害児[7]〕先天的・後天的にからだの一部に障害があって、慎重な配慮の下(モト)に学校教育を受けさせる必要のある児童。

しんしょう[0]【辛勝】―する(自サ) 競技などで、接戦のあげくやっと勝つこと。↕大勝・圧勝・楽勝

しんしょう[0]【真症】感染症などで、検査の結果、確かにそうだと診断された病気。↕疑似症

しんしょう[0]【紳商】〔商人の中での紳士の意〕へつらったり 小さなかけひきをしたり しない大商人。

しんじょう[0]【心情】人が何か出来事にあった時に起こる喜怒哀楽の情が、まだ言葉になって表出されていないもの。特に、抑えきれない悲しみや苦しみなど。〔ある人の心中の葛藤(カットウ)に対し、他の人が同情・共感・理解する場面で使われることが多い〕 **―てき**[0]【―的】―な 論理的にではなく、感覚的・感情的な面に関する様子だ。「―には理解出来る」

しんじょう【身上】❶[0][1] そのものの持つ持ち味。「まろやかなのどごしが―の酒/和やかさがこのセミナーの―だ/―の粘りで辛勝/堅い守りが―」❷(造語) その人の経歴や家族状況。「―書[0][5]・―調査[5]」

しんじょう[0]【信条】信仰の箇条。〔広義では、正しいと信じて実行している事柄をも指す。例、「生活上の―」〕

しんじょう[0]【真情】❶偽らない、本当の気持。「―を吐露する/―流露」❷実情。

しんじょう[0]【進上】―する(他サ)「進じること」の意の漢語的表現。

じんしょう[0]【人証】証人の申立てを証拠とすること。「にんしょう」とも。⇩物証・書証

じんじょう[0]【尋常】―な・―に 社会通念や社会慣習にか

決出来ない/彼はどこか―でないところがある/いざ―に勝負しろ/ここではひとまず―に〔=礼儀として〕詫(ワ)びておいた」 **―いちよう**[0]-[0]【―一様】―な・―に △やり方(あり方)に、通念とは格別変わったところが見られない様子だ。〔近代においては、否定表現を伴って用いられることが多い。例、「―の手段では動かされない人物」〕 **―しょうがっこう**[7]【―小学校】旧制の小学校。満六歳で入学し、修業年限は最初(一八八六年)四年、一九〇七年から六年。

しんじょうさい[3]【新〈嘗祭】⇩にいなめさい

しんしょうひつばつ[0]-[0]【信賞必罰】賞罰を正確・厳重にすること。

しんじょうほう[3]【新情報】それまで知らなかったことについての新しい情報。↕旧情報

しんしょうぼうだい[0]-[0]【針小棒大】小さい事を大げさに言うこと。「―に言う」

しんしょく[0]【侵食・侵〈蝕】―する(他サ) 他(の領域)を次第に侵すこと。

しんしょく[1]【神色】〔非常の事に出あった時の〕顔色。「―自若(ジジャク)として」

しんしょく[1]【神職】職務として「かんぬし」になっている人。神事をつかさどる人。

しんしょく[0]【浸食・浸〈蝕】―する(他サ) ❶水がしみこんで次第にそこを崩したり 腐らせたり などすること。❷風・水などの力により、陸地が削り減らされること。「―作用[5]」 表記 ❷は、「侵食」とも書く。

しんしょく[1]【寝食】日常生活に不可欠だとされる睡眠と食事。「―を忘れる〔=睡眠や食事を規則的にとることがほとんど無いほど、その時どきの仕事や自分の勉強に打ち込む〕/―〔=日常生活〕を共にする」

しんしょくみんちしゅぎ[8]、[1]-[6]【新植民地主義】⇩植民

***しん・じる**[3]【信じる】(他上一) ❶〈なに・だれヲ―〉あらゆる点から見て、それが真実で疑う余地がないと思いこむ。「△神(あの世)の存在を―/天動説が正しいと信じて疑わない時代があった」❷〈なにヲ(なんだト)―〉その事に関する自分の判断が正しいと思い、他の考えを入れる余地が全く無いものとする。「成功を信じて出発/―ところに従って行動する/彼がそんな事をするなんて信じられない」❸〈なに・だれヲ―〉ま

積極的に受け入れる。「君を信じて〔=信用して〕頼むんだ/信ずべき筋〔=出所が確かな方面〕の情報」❹〈なに・だれヲ―〉神や仏などの絶対的な力に心から従って、その教え通りにしようとする。信ずる(サ変)。

しん・じる[3][0]【進じる】(他上一)〔敬愛する相手に〕何かをあげる。進ずる(サ変)。「甘酒進じょ〔=あげよう〕」

しんしん[0]【深々】(副)―と ❶〔夜が更けたり 雪が降ったりして〕あたりが静まりかえる様子。「―と夜が更ける」❷寒さが身にしみ通るように感じられる様子。「夜になると―と冷え込んでくる」

しんしん[0]【〈駸々】(副)―と〔馬が速く走る意〕△時間が速く過ぎる(物事の進みが速い)ことを表わす。

しんしん[1]【心身】心もからだも。「健康な―をつちかう/―をむしばむ/―ともに△健全(爽快(ソウカイ)・疲れる)/―障害児教育[10]」 表記「身心」とも書く。 **―しょう**[0][3]【―症】心理的な影響により、不整脈・頭痛・めまい・潰瘍(カイヨウ)などの疾患の現われる症状。精神身体症[7]、[1]-[0]。

しんしん[1][0]【心神】精神。 **―こうじゃく**[1]-[0]、[0]-[0]【―耗弱】―する(自サ) 精神の障害のために、普通人としての責任を負う能力の無いこと。「―者[8]」 **―そうしつ**[1]-[0]【―喪失】精神の障害のために、法律的意思行為に対して全く責任を持ち得ないこと。心神耗弱より程度が重い。「―者[8]」

しんしん[0]【津々】―たる・―と (絶えず)あふれ出る様子。「興味―(たるものがある)〔=興味が尽きることが無い〕」

しんしん[0]【森々】―たる・―と 木ぎがうっそうと茂っている様子だ。「―として山深く」

しんしん[0]【〈搢紳】〔笏(シャク)を紳(オオビ)に搢(ハサ)む意〕身分の高い官吏。〔広義では、社会的地位を有する人を指す〕 表記「〈縉紳」とも書く。

しんしん[0]【新進】新しくその社会に進出してきて注目の的となっている△こと(人)。「―作家・―気鋭[0]-[0]〔=その分野に登場したばかりで△勢いが盛んである(将来が期待される)こと〕」

しんじん[3][1]【信心】―する(他サ)「信じる❹」こと。また、信じて疑わぬ気持。「―家[0]/鰯(イワシ)の頭も―から〔=イワシの頭のような価値の無いものでも信じる心が深ければ神仏同様にありがたく思われる〕」

しんじん[0]【神人】❶神と人。「―融合の境地」❷人で

人の別称としても用いられる〕

しんじん⓪【真人】 完全無欠の人格を持った人。〔狭義では、仏や仙人の別称としても用いられる〕

しんじん⓪【深甚】—な 通りいっぺんの「なみなみならぬ」という形容では済まされない様子だ。「—なる〔=心からの〕謝意/—な〔=てひどい〕打撃」

しんじん⓪【新人】㊀新たに(その社会に)現われた人。新顔。ニューフェース。「—歌手・大型—」㊁化石現生人類と現生人類。クロマニョン人④はこれに属する。⇩猿人・原人・旧人

しんじん⓪【審尋・審〈訊〉】—する(他サ) ㊀詳しく尋問すること。㊁裁判所が訴訟当事者や利害関係者などにそれぞれ陳述の機会を与えて問いただすこと。

じんしん⓪【人心】㊀人の心。「—面(オモテ)のごとし〔=人の顔が各人によって異なるように、人の心は さまざまだ〕」㊁民衆の心。「—を新たにする/—を失う〔=上に立つ人が、民衆に信用されなくなる〕/—をつかむ」

じんしん⓪【人臣】 皇帝・主君につかえる臣下。「位—を極める」

じんしん⓪【人身】㊀人間のからだ。㊁個人の身分。 **—こうげき**(オ)⑤【—攻撃】 個人の私行を攻撃すること。 **—じこ**⑤【—事故】 人がけがをしたり 死んだりする事故。〔特に、交通事故や工事現場の事故についていう〕 **—ばいばい**⑤【—売買】 人間を品物のように売買すること。〔奴隷売買など〕

じんじんと①(副)「じんと㊁」の強調表現。

しんしんとう(オ)③(タウ)—【新新刀】 幕末・明治以降に新しく作られた刀。⇩古刀・新刀

じんじんばしょり⑤(ヂンヂン)— 〔「じんじん」は、「じじい」の変化〕着物の後ろのすそから少し上の所をつまんで、帯の結び目にはさみこむこと。

しんじんるい③【新人類】〔旧世代から見て〕価値観や感性が全く異なり、同じ人間とは思われない新世代の若者を指す称。

しんすい⓪【心酔】—する(自サ) それがいいものだと思って、些細(サイ)(サ)な点まで見習おうとすること。「西洋文化に—する」

しんすい①⓪【神水】㊀神に供える水。㊁霊験のある水。〔古くは「じんずい」〕

しんすい⓪【浸水】—する(自サ) ㊀水にひたること。㊁水が入りこむこと。また、その水。

しんすい⓪【深〈邃〉】—な「奥△深い(深くて、静かな)」意の漢語的表現。

しんすい⓪【進水】—する(自サ) 新しく造った艦船を水上に浮かべること。「—式③」

しんすい⓪①【薪水】 たきぎと水。〔広義では、燃料や飲料・食料を指す〕「—の労をとる〔=他人のために炊事その他の日常の雑事をする〕」

しんずい⓪【神髄・真髄】 そのものでなくては味わえない、独特の△よさ(長所)。

じんすい⓪【尽〈瘁〉】—する(自サ) 〔「瘁」は、心身を労する意〕公共の仕事のために、自分を顧みずに尽くすこと。

しんすいせい⓪【親水性】 水に溶けやすい性質。

じんずう⓪(ヅウ)—【神通】〔仏菩薩(ブツ)(ボサツ)の象徴としての〕何ものにも妨げられることの無い、不思議な力を持っていること。〔「じんつう」は、「通力(ツウ)(リキ)」などへの連想に支えられた、文字読みによる新語形〕「—力(リキ)③」

じんすけ①【甚助】「腎張(ジン)(バリ)〔=情欲が盛んで、しっと深い性質〕な男」を人名のようにして言った語。表記「腎助」とも書く。

じん・する③(ヂン)(スル)【陣する】(自サ) 陣を取る。陣取る。

しんせい⓪【心性】 精神のありかた。

しんせい⓪【申請】—する(他サ) 〔国や公共団体などの機関に〕許可・認可などを願い出ること。「奨学金を—する/—書⑤⓪」

しんせい⓪【神性】 神の△性質(性格)。

しんせい⓪【神聖】—な 〔△宗教(信仰)上の理由で〕むやみに近づいたりけがしたりすることが禁止され、別格の扱いを受ける△こと(様子)。「—な山/学園の—をけがす/—視する」派—さ⓪ **—かぞく**⑤【—家族】 聖家族。

しんせい⓪【真正】—な まさにそのものにほかならない様子だ。「—な△登記(譲渡)であるかどうかが問われる」

しんせい⓪【真性】㊀生まれつきの性。「人間の—は善だ」㊁疑い無く問題の菌を保有するための症状であること。「—(の)赤痢」↕仮性

しんせい⓪【新生】㊀生まれたばかりであること。㊁—する(自サ) 何かがきっかけになって△信仰生活(第二の人生)に入ること。 **—じ**③【—児】 生まれたばかりの赤ん坊。初生児。〔普通、生後一、二週間程度の乳児を指す〕 **—だい**③【—代】 地質時代のうち、最新の時代。中生代のあとの、最も新しい年代。今から約六千六百万年前に始まり現在まで。その前期を古第三紀、中期を新第三紀、現代を含む後期を第四紀と言う。

しんせい⓪【新制】 新しい△制度(体制)。↕旧制 ⇩六三制

しんせい⓪【新政】 新しい機構の上に立った政治。

しんせい⓪【新星】㊀突然輝いて現われる恒星。㊁その社会に入って急に人気の高まった人。〔狭義では、芸能人について指すことが多い〕

しんせい⓪【親政】 昔、天皇自身が親しく政治の最高責任者となったこと。また、その政治。

じんせい①【人世】 (人の)世の中。世間。

***じんせい**①【人生】㊀人間がこの世に生きていくことと、その生き方。「—意気に感ず〔=人間は、金銭や名誉のためにではなく、自分を理解してくれる人のあたたかい気持に感じて仕事を△する(引き受ける)ものだ〕/—論③・—訓」㊁人間がこの世に生きている(期)間。「第二の—〔=今までの生活を清算して入る、新しい生活体制〕」 **—かん**③(クワン)—【—観】 人生をいかに生きるべきかについての基本的な考え方。 **—くん**③【—訓】 人の生き方について説いた短い教え。⇩格言 **—けいけん**⑤【—経験】〔順調に人生を送ってきた人にはわからない〕実社会で多くの困難を克服してきた経験。〔言外に真偽を見極めたり いざというときの覚悟ができたりしている意を含むことがある〕「—の豊かな人」 **—の たつじん**①-⓪【—の達人】 盛んな時でもおごらず逆境にあってもくじけず、つねに平常心を失うことなく、理想的な生き方をしている人。

じんせい⓪【人性】 人間としての性質。

じんせい⓪【仁政】 人民の立場を思いやって行なう政治。善政。↕悪政

じんぜい⓪【人税】 住民税・給与所得税などのように、その人自身がその地域に居住したり 労働によって報酬を得たりしたことに対してかけられる税。↕物税

しんせいがん③【深成岩】 岩漿(ガン)(ショウ)が地下深部で冷却凝固して出来た火成岩の総称。花崗(カ)(コウ)岩など。

しんせいしゅ③【新清酒】「合成酒」の別称。

しんせいめん③【新生面】 その専門についての新しい領域。「—を開いた研究/政治の—を開く」

しんせかい③【新世界】㊀ヨーロッパ人にとって、新しく発見された大陸。新大陸。〔狭義では、南北アメリカの称〕㊁新たに開かれた広い△生活(活躍)の場所。↕旧世界

** * は重要語，⓪①… はアクセント記号，品詞の指示の無いものは名詞および いわゆる連語。

新天地。

しんせき⓪①【臣籍】臣民としての身分。〔皇族がその身分を離れる時に言う語。例、「—降嫁」〕

しんせき⓪【真跡・真〈蹟】まちがいなく、その人が実際に書いた筆跡。真筆。表記「真〈迹」とも書く。

しんせき⓪【親戚】「親類」のやや改まった表現。

じんせき⓪【人跡】〔人の足跡の意〕人がそこを通ったこと（をしるした跡）。「—まれな/—未踏の（＝だれもまだ足を踏み入れたことの無い）」 **—ろ**④【—路】人が草を踏みしめたり小枝をかき分けたりして通った跡が、おのずから道のようになっているもの。

シンセサイザー④〔synthesizer〕電子発振器を使って音を合成して作り出す装置。〔多く、鍵盤楽器の形をとる〕

しんせつ⓪【臣節】臣下としての節操。「—を全うする」

しんせつ⓪【深雪】深く積もった雪。

しんせつ⓪【新設】—する（他サ）〔設備や制度などを〕新しく設けること。「—校④③」

しんせつ⓪【新雪】❶新しく降った雪。❷新年になって初めて降った雪。はつゆき。

しんせつ⓪【新説】それまでに提唱されなかった△学説（意見）や、初めて聞く話。「—を唱える」↕旧説

*__しんせつ__①【親切・深切】—な/—に 弱い立場にある人や困った目にあっている人の身になって、何かをしたりやさしく応対したりする△こと（様子）。また、その態度。「—を尽くす/—な計らい/小さな—/—に教えてくれた/—にする/ちょっとした—心」派**—さ**④ **—ぎ**④⓪【—気】親切にしようとする気持。「—を起こす」

しんせっきじだい⑥【新石器時代】石器時代の最盛期。みがいた石器や土器も使われ、狩猟・農牧を営んだ。〔日本では、縄文文化の時期に当たる〕↕旧石器時代

しん・ぜる③⓪【進ぜる】（他下一）「差し上げる」意の古風な表現。「君に一献進ぜよう」

しんせん⓪【神仙】修行の結果、神通力を得た仙人。

しんせん⓪【神〈饌】神（を祭る時）に供える酒食。

しんせん⓪【振〈顫・震〈顫・震戦】からだの一部が不随意的にふるえること。 **—まひ**⑤【—麻〈痺】パーキンソン病。

しんせん⓪【深浅】❶深いことと浅いこと。❷濃いことと薄いこと。

しんせん⓪【新選・新〈撰】新たに編纂すること。〔多く書名に冠して用いられる〕表記「選」は、古くからある代用字。

*__しんせん__⓪【新鮮】—な/—に ❶〔魚・肉や野菜が〕生きの良さを保っている様子だ。❷汚れなどが感じられず、さわやかさを保っている様子だ。「—な△空気（少女）」❸新しさが感じられる様子だ。「—なアイデア」派**—さ**⓪ **—み**⓪

しんぜん⓪【神前】神の前。「—結婚⑤」

しんぜん⓪【浸染】—する（自他サ）❶しみこんで染まること。〔広義では、次第に感化されることをも指す〕❷染める物を染料の溶液にひたして染色する△こと（方法）。

しんぜん⓪【親善】〔国や組織・団体などが〕相互の理解を深め、仲よくすること。「—が深まる/—外交⑤」

じんせん⓪【人選】—する（自サ）多くの中から、その仕事をするのに適当な人を選ぶこと。「—に当たる/—を急ぐ」

じんぜん⓪【〈荏〈苒】（副）〔古〕❶月日が移り行く（ままに、何もしないでいる）ことを表わす。❷はかどらず、物事が延びのびになることを表わす。

しんぜんび③、①-①-①【真善美】〔理想を具現した最高の状態としての〕真と善と美。

しんそ①【神祖】〔偉大な功績のある先祖の意〕❶天照大神の尊称。❷江戸時代、徳川家康の尊称。

しんそ①【親疎】親しい人と疎遠な人。「—の別無く/—高下（＝その人が自分と親しいかどうか、また、その人の△身分（地位）が自分より上かどうか）にかかわらず」

しんそう⓪【神葬】神式で行なう葬儀。 **—さい**③【—祭】神式で行なう葬式と、死者の霊をまつる祭り。〔両者は一体不分離〕

*__しんそう__⓪【真相】〔必ずしも明らかにされていない〕事件の要因や経過などについての本当のすがた。「—を△追及する（衝く・国民の前に明らかにする・解明する）/—に迫る/—隠し」

しんそう①⓪【真草】真書（＝楷書）と草書。

しんそう⓪【真〈槍】実戦に使う本当の槍。↕たんぽ槍

しんそう⓪【深窓】広い家の中の奥まった部屋。「—に育つ（＝上流階級の娘が実社会から隔離されたまま成人する）/—の令嬢」

しんそう⓪【深層】奥深い所にあって、容易には観察できない部分。「意識の—をさぐる/地球の—部/—心理」 **—がくしゅう**⑤【—学習】—する（他サ）⇩ディープラーニング **—すい**③【—水】太陽光が届かない水深二百メートルより深い所にある海水。低温・清浄で、無機栄養塩類が豊富に含まれる。「海洋深層水⑦」とも。〔海洋学では、水深約一千～四千メートルにある巨大な水塊を言う〕

しんそう⓪【寝装】寝具とその付属品。「—店③」

しんそう⓪【新装】新しい△外観（服飾）。「—成った新宮殿/—開店」表記「新《粧」とも書く。

しんぞう⓪【心像】記憶や直観によって思い浮かべられた、ものの姿。イメージ。

*__しんぞう__⓪【心臓】❶血管系統の中心となる大事な器官で、からだじゅうに新しい血を送り出す。両肺の間にはさまれ、「心尖部③（＝拍動を感じる場所）」は左下を向いてとがっている。「—に疾患があって無理がきかない/—麻痺⑤・—移植⑤」❷その機械や組織・機関などを動かす原動力となる中枢部。「船の—部に致命的な故障が起きる」❸物事に対処する心のはたらき。「—が強い（＝物事に動じない）/—が弱い（＝気が弱い）/—だ（＝ずうずうしい）」 **—やぶり**⑤【—破（り）】心臓機能を破壊するほどの運動を要する、長い急勾配。「—の坂」

しんぞう⓪【新造】❶—する（他サ）新しくつくること。「—語⓪・—船⓪」❷⇩ごしんぞう ❸見習いの遊女。

じんぞう⓪【人造】人の手で△つくる（合成する）こと。また、その物。「—バター・—湖③」 **—せんい**⑤【—繊維】絹・麻・羊毛・綿などの天然繊維以外の有機原料（＝パルプなど）から作り出した繊維。レーヨン・アセテートなど。

じんぞう⓪【腎臓】尿を分泌・濾過する器官。脊柱の両側に一対ある。「—病⓪」 **—えん**③⓪【—炎】腎臓に起こる炎症。むくみや、血尿・蛋白尿・血圧上昇を伴い、重症は尿毒症を併発し、死に至る。「腎炎」とも。

しんそく⓪【神速】その人のする事が人間わざとは思われないくらい速いこと。「—果敢な行動」

しんぞく①【真俗】❶僧と俗人。❷仏道に関する事と世俗の生活に関する事。

しんぞく①【親族】△血統（結婚）によってつながる人びと。親類。〔法律では六親等内の血族および配偶者、三親等内の姻族を指す〕

じんそく⓪【迅速】—な/—こ 〔物事の進行や人の行動などが〕瞬

時も滞ること無く進行したりすばやく物事が処理されたりする様子だ。「郵便物を—に処理する/—果敢・無常—⓪-⓪〔=⇩無常〕」 派—さ⓪

しんそこ①【心底】❶心の底(で思っていること)。「—から/—〔=心底から〕恐ろしい」❷一番下の底。表記❷は、「真底」とも書く。

しんそつ⓪【真率】—な 生まじめで、人前を飾るところが無い様子だ。派—さ⓪

しんそつ⓪【新卒】〔←新卒業者⑤〕その年に新しく学校を卒業した△こと(人)。⇩既卒・旧卒

じんた①〔語源未詳〕宣伝・映画館・サーカスなどに使われる、街の楽隊。

じんだ①【糂粏】・〈糂汰〉〔もと、ぬかみその意〕こうじとぬかに塩を加えてならした食品。

*__しんたい__①【身体】「〔精神の宿るものとしての〕人のからだ」の意の改まった表現。「—を鍛える」〔古くは、「しんだい・しんてい」〕 **—けんさ**⑤【—検査】❶検査対象者の発育・健康状態について検査すること。❷検査対象者の所持品や服装などについて、不審の点が無いかどうか調べること。 **—しょうがいしゃ**⑦【—障害者】視覚障害・音声〔言語機能障害や△聴覚(平衡)機能障害や肢体不自由などのため、日常生活を送るのに支障を感じる人たち。略して「身障者」。「—福祉」 表記「身体障〈碍者〉」とも書く。 **—そうけんき**⑦【—装検器】音の反射を利用して、からだに隠している金属などを着物の上から見つける器械。空港などで使われる。 **—はっぷ**①-①、①-⓪【—髪膚】〔古〕からだはもちろんの事、一本の髪の毛、皮膚に至るまで。「—これを父母に受く」

しんたい⓪①【神体】神霊が宿るものとして祭ってあるもの。かぞえ方 一柱

しんたい①【進退】❶—する(自サ) 進むことと退くこと。「—の自由を失う/—谷まる」❷〔非常の事に際して〕右するか左するかの、行動や態度(の決定)。去就。「—を誤る/—を共にする〔=上の人や仲間と一緒に官をやめたりする〕」〔古くは、「しんだい」〕 【—維れ《谷まる》】進むことも退くことも出来ない状況にある。〔「詩経」からの引用。「谷」は、窮まるの意〕 **—うかがい**⑤【—伺(い)】過失があった時、辞職すべきかどうかの処置を上司に仰ぐこと。また、そのために差し出す文書。 **—りょうなん**①-⓪【—両難】進むことも退くこともむずかしい状態。

しんたい⓪【新体】新しい体裁。 **—し**③【—詩】明治期における近代詩の称。〔漢詩と区別してこう呼ばれた〕

しんだい①【身代】〔自分の自由にする意の「進退」の変化〕一身に属する財産。「—を△築く(つぶす)」 **—かぎり**⑤【—限り】昔、身代全部を債権者に与えて債務にあてたこと。

しんだい⓪【寝台】寝る時に体を横たえるのに使う台。ベッド。「—車③・—券③」

じんたい①【人体】生きている人のからだ。かぞえ方 一基・一台

じんたい⓪【靭帯】関節の運動を安全にしたり制限したりする、強い丈夫な繊維性の組織。

じんだい⓪【人台】洋服などを着せてみせるための、人の胴の型。ボディー。かぞえ方 一体

じんだい⓪【甚大】—な 程度がひどい様子だ。「被害—だ」派—さ⓪

じんだい①⓪【神代】神武天皇の即位以前。かみよ。 **—すぎ**③【—杉】長年の間、水や土の中に埋もれていた杉材。工芸品や装飾用。 **—もじ**⑤【—文字】日本で神代に作られたと称する、一種の音節文字。

じんだいこ③【陣太鼓】陣中で鳴らす太鼓。

しんたいそう③【新体操】音楽に合わせて、ボール・縄・輪・リボン・棍棒を使ってそれぞれに演技する体操競技。

じんだいめいし⑤【人代名詞】人を指して言う代名詞。「私・君・彼・だれ」など。

しんたいりく③【新大陸】↕旧大陸 ❶かつて、南北アメリカ大陸の異称。新世界❶。❷新しく開拓△された(されるべき)大陸。

しんたく⓪【信託】—する(他サ) ❶信用して依託すること。❷一定の目的に従い他人に財産の管理・処分をさせること。「—会社⑤・—銀行⑤」 **—とうち**⑤【—統治】国際連合の信託を受けた国が一定の領土を統治すること。

しんたく⓪【神託】「託宣」の、改まった表現。

しんたく⓪【新宅】❶新しく建て、移り住んだ家。新居。↕旧宅 ❷「分家・別家」の異称。

しんだく⓪【新濁】〔「本濁」に対して〕漢字の音で、「東国」「本国」のゴクのように、連濁などによって発音が濁音になったもの。

しんたつ⓪【申達】—する(他サ) 上級官庁から下級官庁へ文書で指令を出すこと。

しんたつ⓪【進達】—する(他サ) 官庁への上申を取り次いで届けること。

シンタックス①③〔syntax〕⇩統語論

じんだて④⓪③【陣立(て)】軍勢の配置。陣ぞなえ③。

しんたん⓪①【心胆】〔意志・感情を支配するもとだととらえられる〕心ときも(ったま)。「—を寒からしめる〔=相手を心から恐れさせる〕/—を練る〔=苦心する〕」

しんたん⓪【浸炭・〈滲炭〉】—する(他サ) 鋼鉄へ炭素分を加えて、品質をよくすること。表記「浸」は、代用字。

しんたん①【震旦】〔もと、インドから中国を指した称の、中国における音訳〕「中国」の、中世における異称。〔「天竺〔=インド〕」と共に、古代日本人にとって最も代表的な外国であった。古くは、「しんだん」〕

しんたん⓪【薪炭】〔燃料とする〕たきぎと炭。「—商③」

*__しんだん__⓪【診断】—する(他サ)〈なにヲ(なんだト)—する〉❶診察・検査を行なった上で、病気の有無や病状などについて最終的な結論を出し、必要な処置を決めること。「—を△受ける(下す)/健康—⑤・—書⑤⓪」❷機械や組織の運営法などに欠陥があるかどうかを調べて、適切な判断を下すこと。「企業—」

しんだんかい③【新段階】今までと違った新しい段階。「—に入る/—を△画す(迎える)」

しんち⓪①【新地】❶新開地(に出来た遊郭)。❷新たに得た領地。

じんち①【人知・人〈智〉】人間の知恵。「—の発達/—の及ぶ所ではない/—ではかり知れない」

じんち①【陣地】敵の来襲に備え、軍隊を配置してある地帯。「—を構える」

しんちく⓪【新築】❶—する(他サ) 新しく家を建てること。❷新しく建てた家。「—祝い⑤」

じんちく⓪①【人畜】❶人間と、人間生活に深いかかわりをもつ家畜と。「幸いに—に被害は無かった/—無害⑤」❷〔人間でありながら畜生にも劣る奴の意〕品性の劣った人。〔侮蔑を含意して用いられる〕

しんちしき③【新知識・新〈智識〉】進歩した、新しい知識(を持つ人)。

しんちゃ⓪【新茶】その年に出た新芽を摘んでつくった茶。

しんちゃく⓪【新着】—する(自サ)〔注文した本などが〕届いたばかりであること。また、その物。「—図書⑤」

しんちゅう①【心中】〔思いや感情が宿るものとしての〕心

の中。「―ひそかに期する/―〔=不幸などにあって打ちひしがれた相手の気持は〕察するに余りある/―〔=いろいろな事があって かき乱された自分の心境は〕穏やかでない」

しんちゅう[0]【真〈鍮】 銅と亜鉛との合金。黄色で、展性・延性に富み、用途が広い。黄銅。「―色[0]」

しんちゅう[0]【進駐】―する(自サ) 他国の領土内に兵力を進め、そこに ある期間とどまっていること。「各地に―する/―軍[3]」

しんちゅう[0]【新注・新〈註】 新しい注釈。↕旧注・古注

じんちゅう[0]【尽忠】 忠義を尽くすこと。「―報国[0]-[0]」

じんちゅう[1]【陣中】 ❶陣地の中。❷戦場(で交戦している間)。「―見舞い[5]〔=ⓐ戦場をたずね、軍人を慰問すること。ⓑ大車輪で仕事をしている人を慰問すること〕」

しんちょ[1]【〈心緒】 「しんしょ」の新しい語形。

しんちょ[1]【新著】 その人の新しい著述。また、その本。↕旧著・前著

しんちょう[0]―する(自他サ) ❶【伸長】 長さや力など△が伸びる(を伸ばす)こと。❷【伸張】 勢力や物体△が伸び広がる(を伸ばし広げる)こと。表記 ❷は、「伸〈暢」とも書く。

しんちょう[0]【身長】 からだの高さ。せたけ。

しんちょう[0]【深長】―な 表面からは容易にとらえられないほど深く長い状態。「意味―〔=含みが多く、真意がくみとりかねる様子〕」

しんちょう[1]【《清朝】 ❶中国の清の王朝。❷⇩せいちょう

***しんちょう**[0]【慎重】―な・―に 〔「慎」も「重」と同じく、おもんじる意〕その時どきにまず何をすべきかに留意し、やり過ぎたりやり残したりすることが無いように気をつける様子だ。「―な△構え(態度)/―の上にも―を期する/―派[0]」↕軽率 派 ―さ[0][3]「―を△加える(要する)」

しんちょう[0]【新調】―する(他サ) 衣類・装身具・家具などを新しく作ること。また、そのもの。「洋服を―する」

じんちょうげ[3]【《沈丁《花】 〔名香である沈と丁子のにおいがする花の意〕庭木にする中国原産の常緑低木。春先、内側が白、外側が赤紫色の香気の強い花を開く。「ちんちょうげ」とも。〔園芸品種には白などもある〕〔ジンチョウゲ科〕 かぞえ方 一株・一本

しんちょく[0]【進捗】―する(自サ) 〔「仕事などが」まかどること。「作業の―状況」

しんちん[0]【深沈】―たる・―と ❶沈着な様子だ。❷人びとが段々寝静まって、物音がしなくなり、夜が更けていく様子だ。

しんちんたいしゃ[5]【新陳代謝】―する(自サ) ❶古いもの〔=陳〕が去り〔=謝〕、新しいものが代わって現われること。❷生物体が生存・活動に必要な物を体内に取り入れ、不必要な物を出すこと。

しんつう[0]【〈心痛】―する(自サ) 〔最悪の事態まで考えて〕心を悩ますこと。

じんつう[0]【神通】 ⇩じんずう

じんつう[0]【陣痛】 〔「陣」は、襲う・ひとしきりの意〕出産の時に周期的に起こり、かつ漸増する△腹部(腰部)の痛み。〔物事が出来あがるまでの、他人には容易に察することのできない苦労の意にも用いられる〕

しんづけ[0]【新漬㋘】 新しく漬け△ること(た漬物)。↕古漬け

しんて[0]【新手】 新しい方法。「商売の―」

しんてい[0][1]【〈心底】 「心の底」の意の漢語的表現。「―から尊敬する/―を見透かす」

しんてい[0]【真諦】 〔もと仏教で、最高の真理の意。その場合の読みは「シンタイ」〕そこに そのものの本質が遺憾無く発揮されていると見られる最高の状態。「ギリシャ美術の―〔=極致〕」

しんてい[0]【進呈】―する(他サ) ❶希望者や特定の条件を備えている人に、(特典として)何かを上げること。「先着百名様に特製のカップ―/最優秀作品賞三本に各二十万円が―される/内容見本―・無料―」❷「差し上げる❷」のやや改まった表現。「彼の食欲はすさまじい。〝牛飲馬食〟ということばを―し〔=奉り〕たいくらいです」

しんてい[0]【新帝】 新しく即位した皇帝。↕前帝

じんてい[0]【人定】 〔裁判官が証人に対して〕その人であることを確認すること。「―尋問[5]」

ジンテーゼ[3]〔ド Synthese〕 総合。統合。

しんてき[0]【〈心的】―な 心に関する様子だ。「―作用・―傾向」↕物的 ―がいしょうごストレスしょうがい[0]-[0]-[5]【―外傷後ストレス障害】 ⇩ピーティー エスディー(PTSD)

しんてき[0]【神的】―な 神あるいは神に類する者にかかわる様子だ。「―な存在以外の何物でもない」

じんてき[0]【人的】―な 人に関する様子だ。「―な被害が少ないのが幸いだった/―証拠・―関係・―資源」↕物的

シンデレラ[3]〔Cinderella=灰まみれ娘〕 普通では望めない幸運を何かのきっかけでつかんだ△状態(人)。〔継母にいじめられていたが、ガラスの靴が縁で王子と結婚して幸福を得た、西洋の童話の女主人公の名から〕「―ボーイ[6]・―ストーリー[7]」

しんてん[0]【伸展】―する(自他サ) 発展して、規模が大きくなること。また、そうすること。「事業が―する/国力の―をはかる」

しんてん[0]【神典】 神道の聖典とされる古事記・日本書紀など。

しんてん[0]【進展】―する(自サ) ❶事件が推移し、局面が展開すること。「目ざましい―を見せる/急―を遂げる/捜査が―しない」❷進歩・発展。「文化の―に寄与する」

しんてん[0]【親展】 〔本人が開き見る意〕名あて人自身が手紙を開封することを求める言葉。

しんでん[0]【神田】 その収穫で祭事・造営などの費用をまかなうものとして、神社に付属している田。

しんでん[0]【神殿】 神を祭ってある建物。「古代ギリシャの―の遺跡」

しんでん[0]【寝殿】 昔、一家の主人が起居した表座敷。〔狭義では、昔、天皇が寝起きされた御殿を指した〕 ―づくり[5]【―造㋷】 中古、貴族の住宅に採用された建築様式。寝殿の東・西・北にある対屋を廊下でつなぎ、南の庭には池があり、釣殿がこれに臨むような配置をとったもの。

しんでん[0]【新田】 新しく開墾した田。↕本田

しんでん[0]【親電】 その国の元首が個人の資格で打つ電報。

しんでんず[3]【〈心電図】 心臓の収縮によって生じる電流を誘導してオシログラフに記録させたもの。心臓病の正確な診断には不可欠。〔これを計るのが「心電計[0]」〕

しんてんち[3]【新天地】 ❶新たに生きる場所(としての処女地)。「かつて北米大陸に―を求めた人びとは、夢と希望をいだいて西へ西へと向かった/ブラジルやカナダなどに―を求めて海外移住した日本人」❷新たなる活躍が期待され△る土地(所)。「国内でリストラになった彼は国際協力奉仕機関に―を求めた」

しんてんどうち[5]【震天動地】 〔異変・大事件が起こっ

て〕天地を震動させること。

しんと[0]（副）―する 物音一つせず、あたり全体が静まりかえっている様子。〔強調表現は「しいんと」〕「人影もなく―した境内／会場は水を打ったように―なった／一同―なる」

しんと[1]【信徒】信者（の代表）。「世界に約六億人の―を持つといわれるカトリック教会の最高指導者／大仏さんのほこりを払う〝お身ぬぐい〟がこのほど行なわれ、―らは汗みれになりながら、大仏さんに積もったちりを払った」

しんと[1]【神都】伊勢神宮のある三重県伊勢市の異称。

しんと[1]【新都】新しく定められた都。↕旧都

しんと[1]【新渡】新たに外国から渡来した△こと（物）。↕古渡（コワタリ）

しんど[1]【心土】作土の下層の土。底土。

しんど[1]【深度】深さの度合。「―計[0]」

しんど[1]【進度】物事の進みぐあい。「―表[0]」

しんど[1]【震度】ある場所においてその地震を感じた程度。以下の十の階級に分けられる。〔括弧内は、現在の震度階級にほぼ相当する、震度の旧称〕0（無感）、1（微震）、2（軽震）、3（弱震）、4（中震）、5弱・5強（強震）、6弱・6強（烈震）、7（激震）。震度4、5弱、5強ではある程度の被害が予測され、6弱以上では、地割れ、山崩れ、建物の倒壊など、かなり大きな災害につながる。⇩地震・マグニチュード

じんと[0]（副）―する ❶思わず涙がこぼれそうになるほど△感激（感動）する様子。「胸に―来るあたたかい言葉」 ❷瞬間的にしびれるような冷たさや痛みを感じる様子。「水が冷たくて指が―痛い」〔❶❷とも強調表現は「じいんと」「じんじんと」〕

しんど・い[3]（形）〔西日本方言〕〔「しんど」は「辛労」の変化「しんどう」に基づくものか〕 ❶ひどく疲れたと感じる様子だ。 ❷めんどう（で、するのがいや）だ。 派 ―さ[3]

しんとう[0]【心頭】心（の中）。「怒り―に発する〔＝激しい怒りを抑えきれなくなる〕」 【―を滅却（メッキャク）すれば、火もまた涼し】 どんな火の熱さでも、精神集中によって無いものと思うことが出来れば、苦しさを感じなくなるものだ。〔「心頭、火を滅却すれば、また涼し」の誤読といわれる〕

しんとう[0]【神灯】△神前（神社）に供える灯火。「ご―」

しんとう[1]―タウ【神道】 シャーマニズムと祭天〔＝太陽崇拝〕の一形態としての天照大神（アマテラスオオミカミ）に対する祖神祭祀（ソシンサイシ）〕の結合した、古代日本以来の特殊な信仰。「しんどう」とも。〔狭義では、神道に基づく宗教を指す。終戦時まで国家の保護を受けていたので「国家神道[4]」とも、神社を背景にしているので「神社神道[4]」とも言われ、皇室の祖先である天照大神や国民の先祖である神がみの崇拝を中心とする〕

きょうはー[4]―ケウ【教派―】 個人を教祖とし、教会や実践活動を通じて布教する新興宗教。多く幕末以降に神道から脱化したもので、明治政府によって天理教・金光（コンコウ）教をはじめ十三派が公認されていた。

しんとう[0]【浸透・〈滲透】―する（自サ） 液体がしみとおること。〔広義では、物の考え方・感じ方などが段々広い層の内部にゆきわたることを指す〕 表記 「浸」は、代用字。 **―あつ**[3]【―圧】 セロハン膜などの「半透膜[3]」で仕切った容器の一方に溶液、他方に純粋な溶媒を入れた時、両側に現われる圧力の差。

しんとう[0]―タウ【新刀】 新しく作った刀。〔狭義では、慶長年間以後に作られた刀を指す〕⇩古刀・新新刀

しんとう[0]―タウ【震〈盪】―する（自他サ） 〔△左右（上下）にひどく振り動かす意〕組織がだめになる程度の ひどい衝撃を受けること。「脳―」 表記 「震」は「振」、「〈盪」は「〈蕩」とも書く。

しんとう[0]【親等】 親族関係において、続き柄の近さを区分して示したもの。〔親子は一親等、兄弟は二親等〕

しんどう[0]【伸銅】 銅を棒・板・管・線などの形に加工すること。「―所[0][5]」

しんどう[0]【神童】 知能発達の異常に早い子供。「十で―、十五で才子、二十（ハタチ）過ぎればただの人」

*****しんどう**[0]―する（自サ）〈（なにデ）―する〉 ❷【振動】 揺れ動くこと。〔物理学では、物体の位置や物理量の値が一定の範囲内を周期的に往復する動きを指す。例、「―数[3]」〕 ❷【震動】 小刻みに揺れ動くこと。

しんどう[0]―ダウ【新道】 〔旧道に対して〕新しく開いた道。

じんとう[0]【人頭】 ❶人の頭。 ❷「（ひとまとまりの集団の）人数」の意の漢語的表現。「―税」 **―ぜい**[3]【―税】 収入の有無にかかわらず、一人いくらという割でかける税。「にんとうぜい」とも。

じんとう[0]―ヂン【陣頭】 戦闘する部隊のまっ先。「―指揮を取る〔＝長たる人が△戦場（職場）の第一線にあって、△戦闘（仕事）の指揮をする〕」

じんどう[0]―ダウ【人道】 ❶人間として従い行なうべき道。「―（上、ゆゆしき）問題〔＝人道上から見のがすことの出来ない、重要な問題〕」 ❷歩道。⇩車道 **―しゅぎ**[5]【―主義】 人種間や階級間の差別を無くし、人類全体の幸福の実現を最大の目的とする主義。ヒューマニズム。 **―てき**[0]【―的】―な ―に 博愛の精神にかない、人間的なあたたかみがある様子だ。

しんとく[0]【神徳】 神の△すぐれた力（おかげ）。

しんどく[0]【真読】―する（他サ） その経文（キョウモン）を省略せずに全部読むこと。↕転読

じんとく[0]【人徳】 その人が生まれながらに備えている、人柄の良さ。

じんとく[0][1]【仁徳】 弱い者・困っている者に心から援助の手を伸べる、博愛の美徳。「にんとく」とも。

しんどしゃく[3]【身度尺】 からだの部分・部位を基準にしてはかる、古代人の生活上の尺度。丈（エッ）・尋（ヒロ）・咫（アタ）・握（カッ）など。

じんとり[3][4]ヂン―【陣取（り）】 子供の遊びの一つ。二組に分かれて相手の陣を奪い合う。

じんど・る[3]ヂン―【陣取る】（自五） 〔ある場所△に陣地を構える（を占める）意〕何かをするのに有利な場所を、他に先立って確保する。

シンドローム[4]〔syndrome〕 症候群。

シンナー[1]〔thinner〕 揮発性の混合溶剤。塗料に混ぜて薄めたり、衣服のしみぬきなどに使う。引火しやすく、また、吸うと幻覚を生じる。「―遊び[5]」

しんない[0]【新内】〔←新内節（ブシ）[0]〕 豊後（ブンゴ）節から分かれ出た、浄瑠璃（ジョウルリ）の一派。濃艶（ノウエン）を特徴とする。

しんなり[3]（副）―と ―する △本来（それまで）のかたさや張りが無くなって柔らかくなる様子。「古くなったキャベツが―する」

しんに[1]【真に】（副） いかなる意味においても間違い無くそうであると判断される様子。「知識が―自分のものとなる」

しんに[1]【〈瞋恚〉】〔古〕「しんい」の変化。「―のほむら」

しんにち[0]【親日】 〔他国（人）が〕日本（人）と親しくすること。「―派[0]・―家（カ）[0]」 ↕反日

しんにゅう[0] 〔「之繞（シニョウ）」の変化〕漢字の部首名の一つ。「進・遠・送」などの、左下の部分。もと「辵」、「辶・辶」は繞になる時の字形。「しんにょう」とも。〔道を行くことを表わす〕「…に―をかける〔＝…よりも もっと程度が甚だしい〕」

*****しんにゅう**[0]ニフ【侵入】―する（自サ）〈どこニ―する〉 他の領域に不法に入ること。「不法―[4]」

しんにゅう[0]ニフ【浸入】―する（自サ） 〔大水などによって〕建

物や土地に水が入ること。

しんにゅう⓪ニフ【進入】―する（自サ）進んで行って、その場所に入ること。「―禁止⓪-⓪」

しんにゅう⓪ニフ【新入】新しくその組織の一員と△成ること（成った者）。「―（学）生・―社員⑤」

じんにゅう⓪【人乳】〔ミルクなどと違って〕人間の乳。

しんにょ①【信女】⇔信士シンジ ❶俗人で仏門に入った女性。❷仏式で葬られた女性の戒名につける称号。普通、「大姉ダイシ」より格が一段下。

しんにょ①【真如】〔仏教で〕万物に備わる、永久不変の真理。「―の月」

しんにょう⓪ネウ【〈之繞〉】⇨しんにゅう

しんにん⓪【信任】―する（他サ）その人を信用して物事を任せること。「―を△得る（取りつける）／―が厚い／―投票⑤」

―じょう⓪ジャウ【―状】派遣される△外交使節（労働団体の代表）が正当な資格を持つことを証明する文書。

しんにん⓪【新任】―する（他サ）新しくその任務に△つくこと（ついた人）。「―の教師／―大使・―学長」⇔旧任・先任

しんにん⓪【親任】―する（他サ）もと、天皇が親署し、官に任命したこと。「―官③・―式③」

しんねこ⓪ 男女が差し向かいで、むつまじく話し合うこと。〔俗語的表現〕

しんねりむっつり⑤⑦（副）―する 自ら積極的に口をきこうとせず、接する人が△陰気だ（不機嫌だ）といった印象を受ける様子。また、そのような性格（の人）。

しんねん①【信念】理屈を超えて、かたく思いこむ心。「―に忠実／―を△貫き通す（崩さない）／必勝の―」

しんねん①【新年】新しい年。「―を迎える／―宴会⑤・謹賀―」

しんの①【真の】（連体）本当の（意味での）。「彼こそ―学者だ」

しんのう③ワウ【親王】天皇の、男子の子または孫。⇔内親王

じんのう③ワウ【人皇】にんのう。

シンパ① シンパサイザーの略。

しんぱ①【新派】❶新しい流派。⇔旧派 ❷（⇔新派劇③）明治中期に歌舞伎カブキに対抗して興った、当代の世相を演じる劇。

じんば①【人馬】人と馬。「―一体・―殺傷」

しんぱい①⓪【心肺】❶心臓と肺。「しんはい」とも。「―機能⑤・―停止①-⓪、⓪-⓪」❷「人工心肺」の略。

しんぱい⓪【心配】―な ―する（他サ）〈なにヲ―する〉〈なんだト―する〉気にかかることがあって好ましくない結果になるのではないかと心を悩ますこと。「一点も取れないのではないかと―していた／大規模なスキー場を造っても、人が来てくれるかどうかが―／―の△し通し（種）／―顔ガオ⓪・―事ゴト⓪・―性ショウ⓪」

運用 何らかの意図があって自分に示してくれた相手の好意などをやんわりと断わる意を表わすのにも用いられる。例、金品の付け届けなどに対して「こんな御―は要りません」。

しんぱい⓪【親拝】―する（自サ）「（天皇が）拝礼・参拝すること」の意の尊敬語。

じんぱい⓪ヂン【〈塵肺〉】長期間にわたって吸入された粉塵が肺に沈着し、呼吸器障害を起こす職業病。れんが・セメント業などに見られる。肺塵症⓪③。

じんばおり③ヂン【陣羽織】昔、陣中でよろい・具足の上に着た、そでの無い羽織。かぞえ方 一枚

しんぱく⓪【心拍・心〈搏〉】心臓の鼓動。「―数④③」 表記「拍」は、代用字。

シンパサイザー④〔sympathizer=同情者〕特定の政治運動・労働運動などに共鳴し、陰で後援する人。略してシンパ。〔狭義では、左翼的・急進的な運動へのそれを指す〕

シンパシー①〔sympathy〕同情。共感。「―を感じる」

しんばしら③【真柱】❶塔などの中心になる柱。❷天理教の首長。表記 ❶は、「心柱」とも書く。

しんばつ①【神罰】神が下す罰。

しんぱつ⓪【進発】―する（自サ）部隊が出発すること。

しんぱつじしん⑤デー【深発地震】震源の深さが三百キロメートルより深い地震。〔七十～三百キロメートル未満のものを「やや深発地震」と言う〕⇨浅発地震

しんばりぼう④⓪バウ【心張(り)棒】戸・窓が外から開けられないように、内側からするつっかい棒。かぞえ方 一本

シンバル①〔cymbals〕打楽器の一つ。一対のへこんだ金属の円盤で、これを打ち合わせて鳴らす。シンバルズ①。

しんぱん⓪【新盤】新しく発売された音盤（＝レコード）。

しんぱん⓪【侵犯】―する（他サ）他の領土・権利などをおかすこと。「領空を―する」

しんぱん①⓪【信販】「信用販売」の略。

しんぱん⓪【新版】❶新しく出版された書物。新刊。❷古い出版物の△版（体裁）を新しくしたもの。改版。⇔旧版

***しんぱん**⓪①【審判】❶―する（他サ）〈なに・だれヲ―する〉〈なんだト―する〉事件の審理・判断をすること。「―を△下す（受ける・仰ぐ）／―に耐える／歴史の―／最後の―（＝キリスト教の信仰で、この世の終りに神が人類の罪を審判するという考え方）／―官③」❷〔競技で〕優劣・順位などを決める役（の人）。「しんばん」とも。「―員③」

しんぱん⓪①【親藩】江戸時代、将軍家の近親の諸侯。

しんび①【審美】美・醜を識別すること。「―眼③⓪」 **―がく**③【―学】「美学」の旧称。 **―てき**⓪【―的】―な 美しいものを徹底的に追求する様子だ。

***しんぴ**①【神秘】―な 人間の知恵では推しはかれないような不思議さ。「自然の―／生命の―／―性⓪」派 ―さ⓪③ **―しゅぎ**④【―主義】〔「科学主義④」と違って〕直観力によって△神（絶対者）を直接に体験しようとする主義。ミスチシズム。 **―てき**⓪【―的】―な 不思議で、普通の常識・学理ではかり知れない様子だ。

しんぴ①【真皮】二つの層から出来ている皮膚の、内側の方。⇔表皮

しんぴ①【真否】真実かそうでないか。

じんぴ①【〈靱皮〉】〔植物体の〕外皮の下にある柔らかな内皮。あまかわ。

シンビジウム④〔ラ Cymbidium〕ラン科の多年草の総称。原産地は、インド・タイなどの北部山岳地帯で、日本に自生するシュンランやカンランを含む。

しんぴつ⓪【〈宸筆〉】天皇の御筆跡。

しんぴつ⓪【真筆】まちがいなくその人の自筆であること。真跡。⇔偽筆

しんぴつ⓪【親筆】身分の高い人が自分で書いた筆跡。

しんぴょう⓪【信〈憑〉】―する（自サ）〔物事が〕確かで、信頼出来ること。「―性⓪」

しんぴん⓪【神品】第一等の傑作。〔主として、絵画・彫刻などについて言う〕

しんぴん⓪【新品】△作られた（買った）ばかりの品物。「―同様」⇔古物コブツ・中古品・中古チュウブル

じんぴん⓪【人品】その人から自然に感じられる、上品な様子。「―骨柄コツガラいやしからぬ紳士」

しんぷ①【深部】〔組織や人びとの心などの〕奥深い部分。「肺の―」

しんぷ①【神父】カトリック教会の司祭。⇨牧師

しんぷ①【神符】神社で出す守りふだ。「ご―」

しんぷ[1]【新付・新附】 新たにつき従うこと。「—の民ミタ」

しんぷ[1]【新婦】 はなよめ。↕新郎

しんぷ[0]【新譜】 新しい曲譜(の楽曲)。

しんぷ[1]【親父】 「ちちおや」の意の漢語的表現。「ご—」

ジンフィーズ[3]〔gin fizz〕 カクテルの一種。ジンに、炭酸水・レモン・砂糖などを加えた飲料。ジンフィズ[3]とも。

しんぷう[0]【新風】 〔因習が支配しているその社会の人の目を見はらせるような〕新しい△やり方(考え方)。「学界に—を送る/政治に—を吹き込む/教育界に—をもたらす」

シンフォニー[1]〔symphony〕 交響曲。シンホニーとも。

シンフォニック[4][1]—な〔symphonic〕 交響楽的な(形式である)様子だ。「—なメロディー/—ジャズ[7]」

しんぷく[0]—する(自サ) ❶【心服】 心から尊敬し服従すること。 ❷【信服】 信じきって服従すること。 ❸【臣服】 臣下として服従すること。 表記 ❷は、「信伏」とも書く。

しんぷく[0]【心腹】 ❶胸と腹。「—の疾ヤマイ〔=ⓐ容易に治しがたい病気。ⓑ除くことの困難な敵〕」 ❷物事に対する態度を決める心と腹。「—をはかりかねる」

しんぷく[0]【振幅】 振動する物体の、静止の位置から振動する最も遠くまでの距離。〔電磁波・音波などについては、変動の幅の半分を指す〕「—を大きくする」

しんぷく[0]【震幅】 地震計に感じた地震の揺れ幅。

しんふぜん[3]【心不全】 心臓の機能障害によって血液の供給が十分に行なわれなくなる病気。

じんふぜん[3]【腎不全】 腎臓の機能障害によって排尿が十分に行なわれなくなる病気。

しんぶつ[1]【神仏】 ❶信仰の拠ョりどころとしての神や仏。「—に供える」 ❷神道シントウと仏教。「—混淆コンコウ」

じんぶつ[1]【人物】 ❶〔観察・描写・評論などの対象としての〕人。「危険な—/登場—[5]・—評[0][4]・—像[4]〔=(閲歴や業績なども含めた)人となり〕」 ❷△人格(能力)の点で水準以上にある人。「—を保証する/なかなかの—〔=見所のある人〕だ/—〔=人材〕を集める」 ❸写生画の題材としての人。「—画[0]」 ⇩静物❶・風景❷

シンプル[1]—な〔simple〕 ❶むだなところが無い様子。「—〔=質素〕な生活」 ❷入り組んだ所や変化・屈折などが無い様子。「—な屋根/—な柄/—な〔=飾りけが無い〕洋服/—〔=単純〕な考え」 派—さ[4][0]

**しんぶん[0]【新聞】 〔新しいうわさ・ニュースの意〕社会の新しい出来事を△速く(解説や批判などを加えて)報道する定期刊行物。〔多くは、日刊〕「話題が—の紙面をにぎわす/—社[3]・—記事[5]・—配達[5]・—記者[5]・—がみ[0]〔=読み終わって不用になった新聞紙シ〕」 かぞえ方 一部・一紙：一枚 —し[3]【—紙】 ❶新聞。ニュースペーパー。 ❷新聞がみ。 かぞえ方 一枚 —じれい[5]【—辞令】 新聞に載っただけで、当事者のあずかり知らない、人事などに関するうわさ話。 —だね[0]【—種】 新聞の(社会面の)記事になる材料。「—になる」

じんぶん[0]【人文】 人類の文化に関する事柄。「じんもん」とも。「—の発達/—の学/—地理[5]〔=山川・海陸や気候などを研究する自然地理に対して、経済・産業・交通などの社会現象を、自然と人類の関係において研究する部門〕」 —かがく[5]クヮ—【—科学】 ❶「文化科学」の異称。 ❷文化科学の中で、特に、哲学・言語学・文芸学・歴史学の称。↕社会科学 —しゅぎ[5]【—主義】 ルネサンス初期にイタリアに起こった思想。教会中心の考え方に対し、ギリシャ・ローマの文化の研究を通して、人間性の解放・向上をはかった。人本主義。

じんぷん[0]【人〈糞〉】 人間の排泄ハイセツした糞。 —にょう[3]ネウ【—尿】 人間の糞と尿。しもごえ。

しんぶんすう[3]【真分数】 狭義の分数のうちで、分子が分母より小さいものの称。例、2/3。↕仮分数

しんぺい[1]【新兵】 新しく兵隊となった者。↕古参兵

じんべい[1]【甚平】 筒袖ツツソデで、ひざぐらいの長さの、男の夏の室内着。腰のあたりに、つけひもがある。「じんべえ・じんべ[1]」とも。 表記 「甚〈兵衛〉ジンベエ」とも書く。 かぞえ方 一枚 —ざめ[3]【—〈鮫〉】 暖かい海にすむ、大形のおとなしい魚。魚類の中では最大で、全長一〇メートル以上になる。体は灰色で、白い斑点がある。小魚やプランクトンを食べる。「じんべえざめ」とも。〔ジンベイザメ科〕 かぞえ方 一尾・一匹

しんぺん[1]【身辺】 〔個人の〕身のまわり。「—を△清潔にする(整理する)/—雑事・—小説」

しんぺん[1]【神変】 普通の人間にははかり知れない不思議な変化。「—不思議[1]-[0]」〔古くは「じんぺん」〕

しんぺん[0]【新編】 ❶〔同じ書名の出版物について〕新たに編集すること。また、その出版物。「—日本の歴史」 ❷古典などを筆者が独自の視点に基づいて書き替えた作品。「—源氏物語」

**しんぽ[1]【進歩】—する(自サ) △よい(望ましい)方に次第に進んで行くこと。「—の跡がうかがわれる/—性[0]」↕退歩 —てき[0]【—的】—な ↕保守的 ❶進歩している様子だ。 ❷社会の不合理を、社会制度の改革によって解決しようと考える態度をとる様子だ。⇩革新的

しんほう ハフ【進法】(造語) 数詞に添えて、その数を「基数❷」として採用する命数法・記数法であることを表わす語。〔なお、計算機関係の文献に「二進数・十進数」といった用語が頻出するが、数自体にこうした種別があるわけではない。正しくは「二進(法によって)表記した数」などとすべきものである〕「そろばんは、五の珠の所が二—、一の珠の所が五—になっている/二—・三—[0]・五—[0]・八—[0]・十—・十二—・十六—・二十—[0]・六十—・万—[0]」

しんぼう[0]バウ【心房】 心臓の内部の上半分。静脈からの血液を受けて心室へ送る働きがある。心房内は右心房と左心房に分かれ、右心房は大静脈から、左心房は肺静脈から血液を受ける。⇩心室 —さいどう[5]【—細動】 不整脈の一つ。心房が震えるように細かく動いて、正常に収縮しない状態のこと。心室の収縮も不規則になる。「発作性—[0]-[5]」

しんぼう[1]バウ【心棒】 車輪の軸となる木。しんぎ。〔活動の中心となるものの意にも用いられる〕 かぞえ方 一本

しんぼう[1]バウ【辛抱】—する(自サ) 環境の苦しさに耐え抜いて、向上心を持ち続けること。「あと一年の—だ〔=持ちこたえれば、展望が明るくなる〕/どこへ行っても—〔=満足に勤めることが〕出来ない人」 —づよ・い[6]【—強い】(形) 辛抱する気構えがある様子だ。 —にん[0]【—人】 辛抱△強い(強く働く)人。

しんぼう[0]バウ【信望】 多くの人に信頼され、尊敬されること。「—を集める/世人の—を得る/—が失われる」

しんぼう[0] ❶【神謀】 常人の予断を許さない、すぐれたはかりごと。 ❷【深謀】 先ざきのことまでを考えた、深いはかりごと。「—遠慮をめぐらす」

しんぽう[0]【信奉】—する(他サ) 〔ある主義・教えなどを〕最上のものと信じて従うこと。「—者[3]」

しんぽう[0]【神宝】 ❶神聖な宝物。 ❷神社の宝物。

しんぽう[0]【針峰】 針のように鋭い、岩だけの峰。

しんぽう ハフ【新法】 ❶[1][0] 新しい法令。 ❷[0] 新しい方法。

じんぼう[0]バウ【人望】 △りっぱな(好ましい)人として、その社会の人から尊敬されること。「—を集める」

しんぼく[0]【神木】 その神社の境内に生えている木。〔狭

義では、その神社に古くからあり、△ゆかりの深い（神霊の宿ると信じられる）木を指す〕

しんぼく⓪【親睦】—する（自サ）〔親しさを増すために〕仕事などの目的を抜きにして、室外・室内の遊び事や飲食を共にすること。「—を△図る（深める）／—会④③⓪」

シンポジウム④〔symposium〕〔同じ問題についての〕意見や研究結果の発表会。また、そのような論文集。 かぞえ方 発表については、一題

しんぼち①【新《発《意】〔仏教で〕出家して間もない人。

じんぼつ⓪—【陣没・陣〈歿〉】—する（自サ）戦陣で死ぬこと。戦死。

しんぼとけ③【新仏】〔仏式で〕死んでからそれほど時日のたっていない人。〔広義では、その盂蘭盆で初めて霊が迎えられる仏を指す〕

シンボリズム④〔symbolism〕象徴主義。

シンボリック④③—な〔symbolic〕そのものをよく象徴している様子だ。「—な存在」

シンボル①〔symbol〕㊀象徴。㊁符号㊀。 **—マーク**⑤〔和製英語 ←symbol＋mark〕その組織・団体など△に属すること（の主義・主張・精神など）を象徴的に示す記号。

しんぽん⓪【新本】㊀〔「既刊本⓪」と違って〕新刊の本。新書。㊁発売後、他人の手に渡ったことの無い、新しい本。↔古本

じんぽんしゅぎ⑤【人本主義】㊀人文主義。㊁人道主義。

しんまい⓪【神米】神に供える米。洗米。

しんまい⓪【新米】㊀ことし収穫し（て初めて市場に現われ）た米。⇩古米 ㊁その事に関係した時日が浅く、十分に慣れていない△こと（人）。〔㊁を「新前⓪」と言うのは、「お前」→「おまい」への誤れる回帰に基づく〕

じんまく①—【陣幕】陣屋のまわりに張り渡す幕。

じんましん③【〈蕁麻〈疹】〔「蕁麻」はイラクサの異称。葉に触れると激しい痛みを感じる〕皮膚に赤いぶつぶつが急に現われて、激しいかゆみと若干の発熱を感じる急性皮膚病。サバ・イカなどを食べたり急に冷たい空気に触れたり漆にかぶれたりして起こる。肝臓の障害や新陳代謝の異常などからも起こる。

しんまゆ⓪【新繭】〔初めて市場に現われた〕ことしの繭。

しんマルサスしゅぎ⑦、①-⑤【新マルサス主義】人口調節・社会悪防止のために、避妊を行なうことを主張する主義。

しんみ①③⓪【新味】今までに無い、新しい感じ・趣。新しみ。「—がうかがわれる／—を加える／—の薄い／—が無い／—に乏しい」

しんみ①【親身】父母・兄弟などの、近い関係にある親族。「—も及ばぬ介抱／—になって（＝肉親同様に△あたたかい気持で〔心から本人を思う気持から〕）相談に乗る」

しんみち⓪①【新道】㊀新しく開いた道路。㊁その地域での繁華街で、幅の狭い一続きの町。〔多く、飲食店が立ち並んでいる所を指す〕 表記「新《路」とも書く。

しんみつ⓪【親密】—な 親しい関係にある様子だ。↔疎遠 派—さ⓪ —げ⓪

じんみゃく⓪【人脈】〔山脈・鉱脈・水脈のもじり〕利害関係・主義主張・同郷・姻戚などのどこかで一脈のつながりのある、一群のエリートたち。〔縦の関係にも横の関係にも言う〕「—をたどる」

しんみょう⓪①—【身命】「しんめい」の古語的表現。

しんみょう⓪①—【神妙】—な ㊀普通の人がまねの出来ないような事をして、感心な様子だ。「—な心がけ／—に（＝陰ひなたなく）奉公する」㊁△いつも（今まで）の態度からは予想されないほど、おとなしい様子だ。「—にしている／—にせい／—に縄にかかる」派—さ⓪

じんみらいざい④【尽未来際】〔仏教で〕時間の続く限りその事情が変わらないことを表わす。略して「尽未来③」。

しんみり③（副）—と—する 人の世のはかなさやつらさなどを今さらのように感じ、もの悲しい気分にひたる様子。また、その場の雰囲気がもの悲しい感じになる様子。「故人を思い出して—する／昔のことを—と語り合う／戦時中の苦労話に座が—とする」

しんみん③【臣民】君主に従属するものとしての国民。

じんみん③【人民】㊀国家・社会を構成する人。国民。㊁平等な権利を持ち、国家などの強権に対抗する主体としての人。「—裁判⑤／—投票」 **—こうしゃ**⑤【—公社】一九五八年から八二年まで存在した、現代中国の基本的な経済的な地域△共同体（組織）。〔広く農工商にわたり、多くは教育・軍事などの単位をも兼ねる〕 **—せんせん**⑤【—戦線】ファシズムに反対するあらゆる団体・個人の共同戦線。中心勢力は左翼にある。

しんめ①【神《馬】〔もと、「じんめ」。神の乗る馬の意〕神社に奉納された馬。「しんば①」とも。

しんめ⓪【新芽】新しく出てきた芽。「—が萌え出る」

しんめい⓪【身命】その人の命。「しんみょう」とも。「—をなげうって」

しんめい⓪【神明】〔「明」も、神の意〕㊀〔人がすることをすべて見通している〕かみ。「天地—に誓う」㊁伊勢神宮の特称。「—造⑤」〔各地に神明宮が勧請された〕

じんめい⓪【人名】その人その人につけられた名前。「—簿③・—事典⑤・—帳⓪・—用漢字（＝⇩漢字）」

じんめい⓪【人命】かけがえの無い、人の命。「—にかかわる問題／—が奪われる／—救助⑤・—尊重」

シンメトリー③〔symmetry〕釣合の取れていること。均整。〔狭義では、左右対称を指す〕

じんめん⓪【人面】㊀人の顔。㊁人の顔のように見えるもの。「—魚③」〔㊀㊁とも「にんめん」とも〕 **—じゅうしん**⓪-⓪【—獣心】顔は人でも心はけだもの同様であること。恩・情け・恥を知らない者をののしって言う言葉。「にんめんじゅうしん」とも。

しんめんもく③【真面目】その物の本来の姿。「—（＝本領）を発揮する」

しんモス⓪【新モス】カナキンを染めた、モスリンの代用品。

しんもつ⓪【進物】「贈り物」の改まった言い方。「ご—⓪」

しんもん⓪【審問】—する（他サ）事情を明らかにするためにその人に質問すること。

じんもん⓪【人文】⇩じんぶん

じんもん⓪【尋問・〈訊問】—する（他サ）〔裁判官・警察官などが〕職務上の必要から口頭による質問を行なうこと。「—に答える／人定—」 表記「尋」は、代用字。

しんや①【深夜】夜ふけ。「—に及ぶ折衝／—料金④・—バス④・—番組④」⇩白昼・早朝

しんや⓪【新家】「新宅」の意の古風な表現。

じんや⓪③—【陣屋】対敵行動の拠点として設けた宿泊設備。〔狭義では、代官の居所や小藩の諸侯の居所を指す〕

しんやく⓪【新約】㊀新しい△約束（契約）。㊁〔←新約聖書⑤〕キリスト教の聖典の一つ。キリストを通してなされた、神の新しい契約をしるす。↔旧約

しんやく⓪【新訳】新たになされた翻訳。〔広義では、古典の現代語訳をも指す〕↔旧訳

しんやく①【新薬】 新しく製造・発売された薬。

しんやま⓪【新山】 新しく材木や鉱物をとる山。

しんゆう⓪(イウ)【心友】 心から信じ合っている友。

しんゆう⓪【真勇】〔一時の勇気でない〕本当の勇気。

しんゆう⓪(イウ)【深憂】—する(自サ) 事態を深刻にとらえ、放っておくわけにはいかないと心配すること。また、その心配。

しんゆう⓪(イウ)【親友】 小さい時は常に行動を共にし、長じては何事をも打ち明けることの出来る友人。「無二の—」

しんよ①【神〈輿〉】「みこし」の漢語的表現。

しんよう(オ)⓪【信用】 ㊀—する(他サ)〈だれ・なにヲ—する〉 △誤り(うそやごまかし)がないと信じて、その人の言をそのまま受け入れたり 事の処理をすべて任せたり しようとする気持をいだくこと。「君の言葉を—する/あの△人(店)は—できない」 ㊁「信用㊀」に価するという評価。「—が△厚い(損なわれる)/店の—を△高める(回復する・傷つける・落とす)/—を△得る(失う)」 ㊂支払い能力の裏付けがあることをもとにして行なう取引の状態。クレジット。「—で買う」 **—がし**⓪【—貸(し)】—する(自サ) 貸し主が借り主を信用して、無担保でする貸付。 **—きかん**⑤⑥(クワン)【—機関】 その人の信用を利用して融資する機関。信用組合・銀行など。 **—きんこ**⑤【—金庫】 非営利の組合組織の金融機関。預金・定期積金の受入れや会員に対する貸付、手形の割引などの業務を扱う。信用組合のうちの一部が昇格したもの。 **—くみあい**⑤(アヒ)【—組合】 協同組合の一つ。組合員に、事業に必要な資金を貸し付け、また貯金の便宜を得させる。 **—けいざい**⑤【—経済】 信用が経済生活の特徴をなす経済組織。貨幣経済のさらに発達したもの。 **—じょう**⓪(ジャウ)【—状】 その銀行が取引先の依頼によって発行する、信用保証の証書。〔おもに、海外での支払に関して言う〕「商業—⓪・旅行—⓪」 かぞえ方 一通 **—とりひき**⑥⑤【—取引】 売買した代金の決済をあとで行なう取引。 **—はんばい**⑤【—販売】 月賦など、後払いで商品を渡す販売。信販。クレジット。

じんよう(オ)⓪(ヂン)【陣容】 ㊀陣の構え方。「—を整える」 ㊁会社・団体などを構成する、主要なメンバー。「—を△一新する(固める)」

しんようじゅ(オ)③(エフ)【針葉樹】 葉が針のように細長い種類の木。例、マツ・スギ。↕広葉樹

しんらい⓪【信頼】—する(他サ)〈だれ・なにヲ—する〉 その人やものが、疑う余地なく△いざという時に頼る(判断の拠ョりどころとする)ことができると信じて、全面的に依存しようとする気持をいだくこと。また、その気持。「生徒にも父兄にも—されている先生/皆の—を裏切る行為/—できる△数字(情報・報告)/航空機の安全性に対する—が失われる/全幅の—を置いている/—感③・—関係⑤・—性⓪」

しんらい⓪【新来】 新しく来た△こと(もの)。「—患者」

じんらい⓪【迅雷】 急に激しく鳴る雷。「疾風—の勢い」

しんらつ⓪【辛辣】—な 〔舌に残るからさがある意〕ものの言い方・批評が手きびしくて、相手に強い△刺激(反響)を与える様子だ。 派 **—さ**⓪

しんらばんしょう(オ)①-⓪(シャウ)【森羅万象】 〔限り無く存在する有形物の意〕宇宙間に存在する一切のもの。目に見え、耳に聞こえ、鼻でかぎ、手で触れ得るものすべて。

しんり①【心理】 その時どきの外界の刺激に対応する、その人の心の動きや意識のありかた。「—的効果/子供の—/異常—・群集—」 **—がく**③【—学】 人間・動物の意識と、その行動との相関関係を研究する科学。「児童—⑥・応用—・動物—⑦」 **—しょうせつ(オ)**④(セウ)【—小説】 事件の筋を追うことを主眼とせず、登場人物の心理を細かく解剖・分析して描いた小説。 **—てき**⓪【—的】—な 微妙な心の動き△に関係がある(を、生理的・物理的なものより重視する)様子だ。 **—りょうほう(オ)**④(レウハフ)【—療法】 治療者と患者とのコミュニケーションを基礎とし、心理学的方法を用いて病気を治療する方法。精神分析療法・行動療法・催眠療法など。精神療法。

しんり①【心裏・心〈裡〉】〔他人には容易にはうかがい知れない〕心の内。

しんり①【真理】 ㊀正しい道理。「一面の—」 ㊁その物事に関して、例外無くあてはまり、それ以外には考えられないとされる知識・判断。「—〔=学問〕探究の学徒」

しんり①【審理】—する(他サ) 訴訟事件に関して裁判官が事実関係を調べ、その上でどういう法規を適用するかの立場を明らかにすること。「—を進める」

じんりき⓪【人力】 ㊀じんりょく。 ㊁〔↑人力車④③〕人を乗せ、車夫が引っぱって走る二輪車。

しんりゃく⓪【侵略・侵〈掠〉】—する(他サ)〈どこヲ—する〉 他国に攻め入って、その領土を奪い取ること。「—戦争⑤」

しんりゅう⓪(リウ)【新柳】 新芽の出た春の柳。

しんりょ①【神慮】 神の心。〔狭義では、天子の心を指した〕

しんりょ①【深慮】 読みの深い考え。

しんりょう(オ)①⓪(リヤウ)【神領】 神社に付属している土地。

しんりょう(オ)⓪(レウ)【診療】—する(他サ) 患者を診察したり必要な治療を施したりすること。「夜間—・二十四時間—・巡回—活動・—所(ジョ)⑤⓪」 **—ほうしゅう(オ)**⑤(シウ)【—報酬】 患者が健康保険を使って治療や投薬を受けたとき、患者の加入している保険組合などから医療機関に支払われるお金。

しんりょう(オ)⓪(リヤウ)【新涼】 初秋の△涼しさ(涼しい気候)。

しんりょうないか(オ)⑤(レウクワ)【心療内科】 内科的症状が現われる心身症などを治療対象とする、臨床医学の一部門。内科的治療とともに心理療法も行なう。

しんりょく①【心力】 心の△働き(全能力)。心の力。

しんりょく①【神力】 人間では出来ない事を実現させる、神の偉大な働き。「しんりき①」とも。

しんりょく⓪【深緑】 濃い緑(色)。

しんりょく⓪【新緑】 初夏の若葉の、みずみずしい緑。「—が燃える/—に萌モえる」

じんりょく①【人力】〔自然力②・神力・仏力(ブツリキ)などと違って〕人間の力。「じんりき」とも。「—の及ぶところにあらず/—に頼る」

じんりょく①⓪【尽力】—する(自サ) その事の実現のために力を尽くすこと。〔多く、他人のために骨を折ることについて言う〕「—を賜わる/運営に—する」

しんりん⓪【森林】 陸地のあり方の一つとして、ある範囲にわたって(背の高い)樹木が茂り、上部では枝や葉が重なり合って空を覆うばかりの状態になっている地域。〔狭義では、自然に生育した樹木によるものを指し、広義では、植林によるものをも指す〕「—を保全する/—地帯⑤・—開発⑤・—軌道⑤」 **—かんりしょ**⓪⑧(クワン)【—管理署】 国有・公有林の管理や経営、民有林の指導などに関する実務を取り扱う役所。〔「営林署」の改称〕 **—よく**③【—浴】 森林内に入り散歩などして清浄な大気にひたること。

しんりん⓪【親臨】—する(自サ) 皇族、特に天皇がその△式場(会場)に出席すること。

じんりん⓪【人倫】〔古くは、禽獣(キンジュウ)に対比して、人間一般の意〕社会の綱紀を維持するに足る実践道徳。「私は今日までに—に悖(モト)る〔=反する〕ことをしたことは無い」

しんるい⓪【進塁】—する(自サ) 〔野球で〕次のベースに進むこと。

＊**しんるい**⓪【親類】㊀おじ・おばや いとこやおい・めいなどの血縁関係や婚姻関係でつながりがある人で、別の世帯に属する人。親戚シンセキ。「遠くの―より近くの他人／―縁者⑤」㊁〔生物の世界で〕同類だと見なされるもの。「△ネコはトラ（カキツバタはアヤメ）の―だ」 かぞえ方 ㊀は一軒 **―がき**⓪【―書き】〔結婚の時などに取りかわすための〕親類との関係や、その住所・氏名などを書いた書類。 **―づきあい**⑤ヅキアヒ【―付き合い】親類同士の交際。親戚づきあい。「―が悪い／あの人とは―〔=親類同様の親しい交際〕をしている」

＊**じんるい**①【人類】㊀霊長類のなかで、直立二足歩行をする種の総称。「―学」㊁〔ほかの動物と区別される〕人間。〔人全般を言う〕「―始まって以来の△激動期（変化の時代）／―愛③」

しんれい⓪【心霊】㊀肉体を離れて存在すると考えられる、心の主体。魂。㊁〔←心霊現象⑤〕現代の科学では説明出来ない、神秘的な精神現象。例、夢まくら・虫の知らせ・千里眼・テレパシー・霊界通信など。「―術③」

しんれい⓪【神霊】㊀神の（不思議な）徳。「在天の―」㊁人が死んで神となったもの。たましい。「先祖の―をまつる」

しんれい⓪【振鈴】鈴を振り鳴らして合図する△こと（音）。

しんれい⓪【浸礼】〔キリスト教で〕全身を水に浸す儀式。洗礼の一種。バプテスマ③。

しんれい⓪【新令】新しく出た△命令（法令）。

しんれい⓪【新例】今まで無かった例。「スト前収拾の―を開く」

しんれき⓪【新暦】太陽暦。略して「新」。↔旧暦

じんれつ⓪ヂン【陣列】軍隊の配列・配置。陣の立て方。

しんろ① ■一【針路】〔羅針盤の針の向きから決めた〕船舶の進むべきみち。コース。「―を北に転じる」 ■二【進路】これから進んで行く方向。「（人生の）―を誤る／―を北に取る／―指導④」↔退路

しんろう⓪ラウ【心労】―する（自サ）㊀心づかい。心配。「ご―をおかけしてすみません」㊁精神的に耐えがたいほど心配したり思い悩んだりすること。また、その悩み。「―のあまり倒れた」

しんろう⓪ラウ【辛労】―する（自サ）ひどい苦労。

しんろう⓪ラウ【新郎】はなむこ。↔新婦

じんろう⓪ヂンラウ【〈塵労】俗世間のわずらわしい骨折り。〔仏教では、煩悩ボンノウを指す〕

しんろく⓪①【神《鹿】神社の境内などで飼われ、保護の加えられているシカ。

じんろく⓪【甚六】〔「順禄ジュンロク」の変化という。いい環境に育ち、競争心を持ち合わせぬ意〕おっとりして、世間知らずの長男。「総領の―」

しんろせん③【新路線】△政治（運動）の、新しい路線。「―を打ち出す」

しんわ⓪【神話】㊀天地の創造を擬人的に説明し、森羅万象に宿る霊の存在や、民族の祖神の活躍を述べる物語。〔古代人・未開社会人の間では、骨肉間の結合を固めるために絶対必要なものとして疑われなかった〕㊁△かつて（長い間）絶対と信じられ、驚異の的とさえなっていた事柄。〔多く、現在は俗信に過ぎないという観点で用いられる〕

しんわ⓪【親和】―する（自サ）㊀互いに仲よくすること。「―の心が流れる」㊁ある物質が他の元素と化合しやすいこと。「―力③・―度③」

じんわり③（副）―と「じわり」の強調表現。「―と温かさが伝わってくる」

す…ス

す（子・主・守・素・須・数）→【字音語の造語成分】

す【素】（造語）㊀ただ△そうする（その物）だけで、ほかの行為や物が加わらないことを表わす。「―通り・―泊り・―うどん・―茶①〔=空カラ茶〕・―飯シメ⓪①・―はだか・―足・―手デ・―肌・―顔ガオ・―話バナシ・―見ケン⓪」㊁取るに足りない。〔地位も財産も無いことを表わす〕「―町人・―浪人」〔「素」の字音ともいう〕

す（助動・特殊型）〔東京方言〕「です」の圧縮表現。〔若者言葉として用いられる〕「ねぇん―よ／行ってもいい―か／悪い―」 文法 (1)接続は「です」に準ずる。(2)「これ、うまいっす」などと「っす」の形になることもある。一般的ではないが、「俺も行くっす」など動詞に接続して用いることもある。

す⓪①【州・〈洲】水底にたまった土砂が高く盛り上がって、川・海・湖などの水面に現われ出た所。「三角―」 表記 「州」は、代用字。

＊＊**す**①【巣】㊀Ⓐ鳥・けもの・虫・魚などが、中に入ってすむために作った所。「軒先にツバメが―をかける／―立ダち・―ごもり②⓪」Ⓑ人の住みか。「愛の―〔=⇩愛〕／空キア―ねらい」Ⓒクモが糸を張りめぐらして、獲物を待ち伏せする網。「―を張る」㊁悪事をたくらむ者どもが活動の拠点とする所。「不良の―／繁華街に―を張るならず者」

す①【酢】わずかに酢酸を含む、液体の調味料。すっぱい味をつけるのに使う。「―漬け・二杯―ズ・三杯―ズ・甘―ズ」 表記 「〈醋」とも書く。

す⓪①【〈簀】㊀細板・割り竹やアシなどをあらく編んだ敷物。すのこ。㊁すだれ。「葦ヨシ―ズ」㊂馬の尾の毛や針金を使って目を細かく編んだ網。「水嚢スイノウの―」 表記 ㊁は、「〈簾」とも書く。

す⓪①【〈鬆】㊀ダイコン・ゴボウや煮過ぎた豆腐などの芯シンに出来る、細かく通った穴。〔味が悪くなる〕㊁鋳物を鋳る時に空気が入って出来た空洞。〔質がよくない〕

ず（図・豆・事・頭）→【字音語の造語成分】

ずヅ（接頭）普通の程度を超えていて、△人目を奪う（あきれ返る）ほどだの意を表わす。「―抜ける・―太ブトい」

ず ■一（助動・特殊型）否定の意を表わす助動詞「ぬ」「ない」の文語形。「あら―・べから―・知ら―」 文法 （文語の残存形式）動詞、動詞型活用の未然形に接続する。 ■二助動詞「ぬ」の連用形。「何も食わ―に寝ている／…と言わ―…と言わ―／…を問わ―〔=⇩問う〕」

＊**ず**⓪ヅ【図】㊀物の形状・状態や、他の物との関係を視覚に訴えて分かりやすく説明するために、文字や記号によらず、点や線などを用いて、「面㊃」の上にかいたもの。〔絵（図）・地図・図表などが、その代表。狭義では、設計図・図形を指す〕㊁〔あまり好ましくない〕光景。〔「ざま」とほとんど同義〕「見られた―では無い」㊂自分がそうしようと思った計画。「―に当たる」 かぞえ方 ㊀は一枚 **【―に乗る】**思い通りになったと思って、つけあがる。「いい気になって―と必ずいつか失敗する」 ⇩【造語成分】と

ず⓪ヅ【頭】「あたま」の意の古風な表現。「―寒足熱・―痛・―脳・―突き⓪」**【―が高い】**礼を尽くすべき時にそれをしないいばった態度だ。 ⇩【造語成分】とう

すあえ⓪②アヘ【酢《和え】酢を加えた、野菜などのあえもの。 表記 「酢〈韲え」とも書く。

すあげ⓪【素揚げ】―する（他サ）〔料理で〕材料に衣や粉を付けずに、そのまま揚げること。また、揚げたもの。「△クワイ（ギンナン・ムカゴ）を―して塩を振る」

すあし①⓪【素足】㊀はだし。㊁足袋・靴下を履かない

足。「—に靴を履く」

すあぶらソース[5]【酢油ソース】⇩フレンチ ドレッシング

すあま[0]【素甘】〔洲浜の変化〕粳を蒸してついたものに白砂糖を交ぜた紅白の式菓子。〔もと、ふちが洲浜の形に似た「飴ちまき[3]」の称〕

すあわせ[2]【素〈袷】〔晩春とか初秋の、いきな和服の着方で〕袷を素肌に着ること。

ずあん[0]【図案】美術・工芸作品を制作する際の、色・模様の組合せ・配置などの意匠。デザイン。「—化[0]」

すい（水・出・吹・垂・炊・帥・粋・衰・〈悴・推・酔・遂・睡・〈翠・穂・《誰・〈錐・〈錘・〈邃）→【字音語の造語成分】

す・い[1]【酸い】(形)「すっぱい」の意のやや改まった表現。「—木の実/—も甘いもかみ分ける〔=『酸い』を『粋』にかけた表現。『粋❷』な人柄だ〕」

すい[1]【水】〔東京方言〕砂糖・蜜を入れただけの氷水。↕種物 ⇩【造語成分】

すい[1]【粋】❶最高水準（にあるもの）。「△東西文化（現代科学）の—/流行の—」❷—な 世間の裏面や人情の機微に通じていて、物分かりのいい△こと（様子）。「—をきかす/—を通す/—な扱い/—人・無—」❸—な 花柳界で遊んだ経験が豊富で、その方面の事情に明るい△こと（様子）。いき。〔❷❸の対義語は、やぼ〕【—は身を食う】「粋❸」な人は、どうかすると、その遊びに夢中になって、身代を滅ぼし、家庭を崩壊させる。⇩【造語成分】

ずい（随・〈瑞・髄）→【字音語の造語成分】

ずい[1]【〈蕊】雄しべ・雌しべの総称。表記「〈蘂」とも書く。

ずい[1]【髄】❶骨の中にある、黄色い脂のような組織。骨髄。「骨の—まで〔=心の底まで。どこからどこまでも全部に滲透している様子〕」❷茎・根の中心にある、柔らかい部分。しん。❸茎の中空の部分。⇩【造語成分】

すいあ・げる[4]【吸(い)上げる】(他下一) 吸って上へ上げる。「ポンプで水を—/△声（意見）を—〔=よく聞いて、それを施策の上に反映させる〕」名吸い上げ[0]

【〈葦の—から天井のぞく】⇩葦

すいあつ[0]【水圧】水の圧力。「—機[4][3]」

すいい[1]【水位】一定の基準面から川・湖沼・海・ダムなどの水面までの高さ。「夜来の降雨で—が上がる/—計[0]」

すいい[1]【推移】—する(自サ)〔「推」も移る意〕時のたつにつれて、そのものの状態が変わること。〔広義では、事の進行に関係無く時間が経過していくことをも指す〕「事態の—を見守る」

ずいい[1][0]【随意】—な —に 自分のしたい事を何の制約もない状態でする様子だ。「色は—に選択してください/—科目[4]」

運用「ご随意に」の形で、相手がしようとしていることについて、それがどんな結果になろうとも一切自分はかかわらないと突き放した態度をとるのに用いられることがある。例、「そんなに行きたいなら、どうぞご随意に」 **—きん**[0]【—筋】動物の骨格を結びつけて固定し、意識のままに収縮・運動する筋肉。手や足の筋肉など。⇩不随意筋

すいいき[0]【水域】特定の海・川の一部に何かの基準や目的で設けたりした区域。

ずいいち[1]【随一】同類の中で第一等に位置づけられること。〔古語では、多くの中の一つを指した〕「当代—の作家」

スイーツ[2]〔sweets〕食後のデザートやおやつとして食べる甘い物。とくに洋菓子類をさす。

スイート[2]〔sweet〕❶—な 程よい甘みやかおりが感じられて快い様子だ。「—なオレンジ/二人の—な〔=甘美な〕生活」❷恋人。「マイ—へのプレゼント」 **—ピー**[4]〔sweet pea〕エンドウに似た一年草。初夏、白・赤・紫などの蝶形の花を開く。観賞用。スイトピー[3]とも。〔マメ科〕かぞえ方 一本 **—ホーム**[5]〔sweet home〕楽しい我が家。 **—ポテト**[5]〔sweet potato〕サツマイモ。〔サツマイモをおもな原料とした洋菓子の名としても用いられる〕 **—メロン**[5]〔和製英語 ←sweet＋melon〕⇩メロン

スイート[2]〔suite〕スイートルームの略。 **—ルーム**[5]〔和製英語 ←suite＋room〕〔ホテルで〕寝室・居間・応接間などに仕切られた一続きの大きな部屋。略してスイート。

ずいいん[0]【随員】高官に随行する人。

すいうん[0]【水運】水路による交通・運搬。

すいうん[0]【衰運】衰えていく運命・傾向。「—をたどる」↕盛運

ずいうん[0]【〈瑞雲】めでたいものとされる、紫色や五色の雲。

すいえい[0]【水泳】〔人間が〕スポーツとして水中を泳ぐ△こと（術）。「オリンピックの—競技/—教室[5]・—帽[3]・寒中—・模範—[4]」

すいえき[1]【〈膵液】膵臓から分泌される消化液。胆汁とともに、脂肪を消化する。

すいえん[0]【水煙】❶「みずけむり」の漢語的表現。❷塔の九輪の一部。火炎状の装飾。

すいえん[0]【水鉛】⇩モリブデン

すいえん[0]【垂〈涎】—する(自サ)〔本来の字音はスイゼン。「すいえん」は類推読み〕⇩すいぜん

すいえん[0]【炊煙】炊事をしている所から立ちのぼるけむり。

すいえん[1]【〈膵炎】膵臓に起こる炎症。膵臓炎。

すいおん[0]【水温】水の温度。⇩気温・地温

すいか[1]【水火】❶火と、それを消すものとしての水。「—の仲〔=非常に仲の悪いたとえ〕」❷出水と火事。「—の難」❸水におぼれ、火に焼かれるような、堪えがたい苦痛。「—も辞せず」

すいか[1]【水禍】❶水害。❷おぼれて死ぬこと。

すいか[0]【《西〈瓜】〔「すい」は「西」の唐音、西域原産のウリの意〕畑に作る一年生つる草。実は丸くて大形で緑色。水分が多くて甘く、夏の代表的な果物とされる。〔ウリ科〕〔季語としては、秋〕表記 俗に、「水〈瓜」とも書く。かぞえ方 一玉。売買の単位は一俵・一箱

すいか[1]【垂下】—する(自他サ) たれさがること。たらすこと。

すいか[1]【《誰何】—する(他サ)「だれか」と呼びかけて確かめること。

すいかい[0]【水塊】海水の広がりの中で、その部分だけが周囲の海水とは温度・成分などが異なっているところ。「貧酸素—[6]〔=⇩青潮〕・暖—[3]」

すいがい[0]【水害】洪水や高潮などのために人畜の生命が奪われたり住居・耕作地が損害を受けたりすること。水難。水禍。「—に見舞われる」

すいがい[0]【水涯】「川や湖などのほとり」の意の漢語的表現。

すいかずら[3]【〈忍冬〉・〈〈葱冬〉】山野に生える、常緑のつる性植物。初夏に咲くじょうご状・くちびる形の花は、はじめ白色・淡紅色、後に黄色に変わる。葉・茎は漢方薬。ニンドウ。〔スイカズラ科〕かぞえ方 一本

すいがら[0]【吸(い)殻】吸い終わって、捨て置かれたたばこ。〔広義では、灰などの かすをも指す〕

すいかん[0]【水干】❶のりを使わず、水に浸して板に張って干した絹。❷狩衣の一つ。「菊とじ[0]〔=縫い目にとじつける菊形の飾り〕」を付け、胸ひもがある。〔もと、民間のふだん着。後に、公家の私服、少年の晴れ着〕

すいかん⓪ー【吹管】化学・冶金(ヤキン)学などの実験用具で、直角に曲がった金属製の管。一端を口に当てて炎に空気を吹きつけ、炎を金属の分析に適した状態にする。［かぞえ方］一本

すいかん⓪【酔漢】「男のよっぱらい」の意の漢語的表現。

すいがん⓪【酔眼】酒に酔ったときの目つき。「—朦朧(モウロウ)」

すいがん⓪【酔顔】酒に酔ったときの顔つき。

ずいかん⓪【随感】感じたまま(の感想)。「—録③」

すいき【水気】❶①⓪空気中に感じられるみずけ・しめりけ。❷⓪「水腫(スイシュ)」の古語的表現。

ずいき⓪【芋茎】〔語源未詳。文学作品では多く「随喜」にかけて用いられる〕サトイモの葉柄。赤紫色で食用。いもがら。

ずいき⓪①【随喜】—する(自サ)〔仏教で〕喜んでありがたがること。 **—のなみだ**①-①、⓪-①【—の涙】ありがた涙。「—をこぼす」

ずいき①⓪【瑞気】めでたいと感じられる雲。また、その様子。

すいきゃく⓪【酔客】自分の家庭以外の所で酒を飲み、よっぱらった人。「すいかく⓪」とも。

すいきゅう⓪ー【水球】七名ずつの二チームが、泳ぎながらボールを敵のゴールに投げ入れ合う競技。ウオーター ポロ。

すいぎゅう⓪ー【水牛】東南アジアの水辺にすむ、ウシの一種。全身黒く、角は横に長く張り出している。耕作・運搬に利用され、黒色の角は印材となる。〔ウシ科〕［かぞえ方］一頭

すいきょ①【推挙】—する(他サ)ある官職・地位・仕事に適当な人として、その人を上の人に勧めること。推輓(スイバン)。［表記］もとの用字は、「吹挙」。

すいぎょ①【水魚】水と魚。 **—のまじわり**①-⓪、①-④【—の交(わ)り】〔水を離れれば魚は死んでしまうように〕離れることの出来ない親友としての交際。

すいきょう⓪ー【水郷】川や湖に沿った村・町(で、景色のいい所)。「すいごう」とも。

す

【子】〔「す」は「子」の唐音〕一定の物の名に添えて、漢字二字の熟語を作る接尾語。特別な意味は持たない。「杏子(アンズ)・椅子・香子(キョウズ)・金子・銀子・繻子(シュス)・扇子・緞子(ドンス)・付子(ブス)・払子(ホッス)・柚子(ユズ)・容子・様子・綸子(リンズ)」

【主】あるじ。「座主・法主(ホッス)・坊主(ボウズ)」⇩しゅ

【守】まもる。「留守」⇩しゅ

【素】⇩(本文)す【素】

【須】もちいる。必要とする。「須要・必須」

【数】「すう」の古語的表現。「数万・数献(コン)・数輩・数人」

【事】ものごと。「好事家」⇩じ

【頭】⇩(本文)ず【頭】

ず

【図】⇩(本文)ず【図】

【豆】(ヅ)❶まめ。「大豆」❷(略)「伊豆(イズ)」の略。「豆州」

すい

【水】㊀❶みず。「水圧・水滴・断水・蒸留水・飲料水」❷液。「水薬・化粧水・レモン水」❸川など、自然の地形により、水がたまり流れる所。〔かぞえる時にも用いられる〕「水辺・水害・山水」❹「川」の漢語的表現。「墨水(ボクスイ)〔=墨田川(スミダガワ)、今の隅田川〕」㊁(略)❶水素。「水爆・炭水化物」❷水曜日。⇩(本文)すい【水】

【出】〔もと、でる意〕だす。「出師・出納(スイトウ)」

【吹】ふいて、管楽器を吹き鳴らす。「吹奏・吹鳴・鼓吹」

【垂】❶たれる。たらす。「垂直・垂涎(スイゼン)・垂範・懸垂・胃下垂」❷辺地。「辺垂」［表記］❷は、「陲」とも書く。

【炊】飯をたく。「炊煙・炊事・炊婦・一炊・自炊・雑炊(ゾウスイ)」

すいきょう①ー【酔狂】—な 他人には奇をてらっているとしか見えないような(ばかげた)ことをあえてする様子だ。［派］—さ③⓪［表記］「粋狂・酔興(スイキョウ)」とも書く。

すいぎょく⓪【翠玉】⇩エメラルド

すいきん⓪【水禽】「みずとり」の漢語的表現。「—類③」

すいぎん⓪【水銀】常温で液体をなす、唯一の金属元素〔記号Hg 原子番号80〕。銀白色で、他の金属と合金を作る。温度計・気圧計やアマルガム用。「—寒暖計⓪⑦・—柱(チュウ)⓪」 **—とう**⓪【—灯】真空の放電管の両端に入れた水銀に電流を通して発光させる人工太陽灯。照明・治療用。［かぞえ方］一灯

すいきんくつ③【水琴窟】日本庭園の技法の一つ。地中に埋められた甕(カメ)に共鳴して響く水滴の音を楽しむ装置。洞水門(ドウスイモン)。〔江戸時代の庭師の考案と言われる〕

すいくち⓪【吸(い)口】❶(きせるの)口で吸う部分(用具)。❷Ⓐ両切りたばこの口にくわえる厚紙の部分。フィルター付きのものもある。Ⓑもと、ある種の両切りたばこを吸う時に使った、厚紙製のキャップ。❸吸い物に浮かせて香味をつけ加えるもの。〔ユズ・木の芽など〕

すいくん⓪【垂訓】〔宗教家・政治家が〕何か重大事に当たって、みんなの処すべき方針を教えること。「山上の—」

すいぐん⓪【水軍】水上での戦闘を主とした昔の軍隊。また、武装集団。

すいけい⓪【水系】川の本流とそれに合流する支流によって構成される、地表の水の流れの系統。「アマゾン—・利根(トネ)川—」

すいけい⓪【推計】—する(他サ)一部の調査・資料などを基にして、そのものの全体像や将来像を推論し算出すること。 **—がく**③【—学】一定の手続きで選び出した標本から全体の状態を推測する統計理論。

すいけん⓪【水圏】地球の表面のうち、水でおおわれている部分。〔陸地の約二・五倍〕

すいげん⓪③【水源】山腹などからわき出して川の流れの元となる所。〔広義では、水道水の供給源をも指す〕「—地③・—涵養林(カンヨウリン)⑦」

すいこう⓪ー【水耕】植物の栽培法の一つ。土を用いず、生育に必要な成分を水溶液で与えるもの。「—法⓪・—栽培⑤」

すいこう⓪ー【推考】—する(他サ)❶推測して考えること。❷「推敲」の新しい表記。

［帥］軍隊をひきいる(将軍)。「元帥・将帥・統帥・総帥」
［粋］混じりけがないこと。「純粋・精粋」⇩(本文)すい【粋】
［衰］おとろえる。「衰運・衰亡・衰弱・衰微・老衰・盛衰」
［〈悴］つかれる。やつれる。「憔(ショウ)悴・尽悴」表記「〈瘁」とも書く。
［推］❶前へおす。また、移動する。「推進・推敲(コウ)・推参・推移・推力」❷おしはかる。「推察・推考・推定・推断・推量・推測・推理・類推・邪推」❸よいものとしてすすめる。「推賞・推奨・推薦・推挙・推輓(バン)」❹おしいただく。「推戴・推服」
［酔］❶酒によう。「酔漢・酔眼・酔態・微酔・乱酔・泥酔・宿酔」❷熱中する。何かに憑(ツ)かれる。「心酔・陶酔」❸意識を失う。「麻酔」
［遂］やりとげる。「遂行・未遂・完遂・既遂」
［睡］ねむる。「睡眠・仮睡・熟睡・午睡・昏(コン)睡・半睡・微睡」
［〈翠］❶みどり。もえぎ色。「翠玉〔=エメラルド〕・翠色・翠黛(タイ)・翠巒(ラン)・翠柳・翠緑」❷カワセミの雌。「翡(ヒ)翠」
［穂］❶ほ。「穂状・花(カ)穂・出穂」❷灯火・灯明などをかぞえる語。
［《誰］だれ。「誰何」
［〈錐］❶大工道具のきり。「立錐」❷錐体。「円錐・角錐」
［〈錘］〔もと、はかりのおもりの意〕紡績機械の付属物。つむ。〔かぞえる単位としても用いられる〕「紡錘」
［〈邃］(奥)深い。「深邃・幽邃」

ずい

［随］❶したがう。「随行・随員・付随・追随・夫唱婦随」❷…のままに、何かをする。「随意・随所・随時・随筆・気随」
［〈瑞］■一めでたい△こと(しるし)。「瑞祥・瑞兆・瑞雲・瑞相・奇瑞」■二(略)スイス(瑞西)・スウェーデン(瑞典)。
［髄］❶中枢神経。「脊(セキ)髄・脳髄」❷物事の中心。「真髄・精髄」⇩(本文)ずい【髄】

すいこう[0](カウ)【推〈敲】―する(他サ) 文章の字句を何度も練り直すこと。〔「僧は推(オ)す月下の門」の句を、「推」より「敲『=たたく』」とした方がいいか、何度も練り直したという故事から〕

すいこう[0](カウ)【遂行】―する(他サ) 自分に与えられた義務を最後まで成し遂げること。「△責務(任務)を―する」

すいごう[0](ガウ)【水郷】⇩すいきょう

ずいこう[0](カウ)【随行】―する(自サ) 立場の上の人に付き従う△こと(人)。おとも。「高官に―する/―記者・―員[3]」

ずいこう[0](クワウ)【〈瑞光】 めでたい事の前兆である、いろどりのある光。

すいこみ[0](スヒ)【吸(い)込(み)】❶吸い込むこと。❷〔下水道の完備しない地域で〕下水を吸い込ませるために掘った穴。

すいこ・む[3](スヒ)【吸(い)込む】(他五) ❶何かを吸ってその中に入れる。「有毒ガスを吸い込んで中毒症状を起こす/―力の強い掃除機」❷〔「(…に)吸い込まれる」の形で〕強い力、超自然的な力が働いて人などが引き入れられるように感じる。「吸い込まれそうな△青く澄んだ空(深い谷底)」

すいこん[0]【水根】 水生植物が水中に出す根。

すいさい[0]【水彩】〔←水彩画[0]〕 水で溶いた絵の具でかいた絵。↔油彩

すいさい[0]【水際】「水のほとり」の意の漢語的表現。

すいさつ[0]【推察】―する(他サ)〔いろいろの事情から考えて〕他人の事情・心中を、多分そうであろうと見当を付けること。「―に難くない」

すいさん[0]【水産】 川・海・湖・沼などからとれる△こと(物)。 **―ぎょう**[3](ゲフ)【―業】 水産物の供給・養殖・加工などを営む事業。 **―ちょう**[3](チヤウ)【―庁】 水産業に関する行政事務を扱う、農林水産省の外局。 **―ぶつ**[3]【―物】 川・海・湖・沼などの水中からとれる、魚・貝・海藻など。

すいさん[0]【炊〈爨】―する(自サ)〔「爨」も「炊」と同義〕飯をたくこと。「飯盒(ハンゴウ)―[5]」

すいさん[0]【推参】■一―する(自サ) 自分からおしかけて訪問すること。〔失礼をわびる気持を含んだ表現〕■二―な 他人のぶしつけなふるまいを、「無礼な」ととがめる様子。〔古風な表現〕「―者(モノ)[0]」

すいさん[0]【推算】―する(他サ) いちいちかぞえたり 確実な材料によったり しないで、大まかにかぞえること。

すいざん[0]【衰残】 肉体的・精神的に老い衰えて、かつての勢いのあったころのおもかげが全く感じられないこと。〔自身を謙遜(ケンソン)していうのにも用いられる〕「―の身」

すいさんか[0](クワ)【水酸化】 水酸基を結合して水酸化物となること。 **―カリウム**[7][6] 水に溶けると熱くなる白色の結晶体。アルカリ性が強い。試薬・中和剤・カリせっけん・カリガラスの原料。苛性(カセイ)カリ。〔化学式 KOH〕 **―カルシウム**[8] 生(セイ)石灰に水を注いで出来る白色の粉末。肥料・化学工業用。消石灰。〔化学式 $Ca(OH)_2$〕 **―ナトリウム**[8] 湿ると溶けやすい白い粉。化学薬品・せっけん・製紙・写真などに使う。苛性ソーダ。〔化学式 NaOH〕 **―ぶつ**[5]【―物】 水酸基を含む無機化合物の総称。

すいさんき[3]【水酸基】 酸素一原子と水素一原子とから成る原子団。〔化学式 OH〕

すいし[0]【水死】―する(自サ) 水中で死ぬこと。

すいし[1]【出師】 戦争のために軍隊を送り出すこと。「―の表」

***すいじ**[0]【炊事】―する(自サ) 食物の△煮たき(調理)をすること。「単身赴任だが―洗濯〔=広義では、家事一般を指す〕を苦にしない/―場(バ)[0]・―当番[4]・共同―[5]」

ずいじ[1]【随時】(副) 前もって日時・順番などを定めることなく、△必要に応じて(状況をみて)何かをする(ことが出来る)様子。「患者は―診療を受けることが出来る/社内報を―発行する/アルバイトを―募集する」

すいしつ[0]【水質】 湖水・川の水・工業用水・飲料水などの品質・成分。「―検査[5]」

ずいしつ[0]【髄質】〔生物の器官で〕表層部におおい包まれて内部を充満する組織。生毛(ウブゲ)を除く体毛や、副腎(フクジン)・大脳などに見られる。↔皮質

すいしゃ[1]【水車】 粉ひき用や、足踏みの灌漑(カンガイ)用のみずぐるま。〔広義では、水力タービンをも指す〕「―小屋[0]」 かぞえ方 一基

すいじゃく[0]【垂〈迹】〔中世の神道(シントウ)説で〕それぞれの神は皆、仏菩薩(ブツボサツ)が人びとを救うために現われたものだと説明したこと。「本地(ホンジ)―〔=⇩本地垂迹〕」

*すいじゃく[0]【衰弱】―する（自サ） 年を取ったり 病気になったりして、△やせ衰えた（気力・活力が失われた）状態になること。「―が激しい/胃腸の機能が―する/神経―」

すいしゃべん[3]【水〈瀉便】 しゅうっと出る、激しい下痢。

すいしゅ[1]【水手】「水夫」の改称。

すいしゅ[0]【水腫】 からだの組織の間や体内の空所に、異常に多量の漿液（ショウエキ）・リンパ液がたまること。むくみ。

ずいじゅう[0]【随従】―する（自サ） ❶身分の高い人につき従う△こと（人）。随身。❷人の言う事を聞いて、それに従うこと。

**すいじゅん[0]【水準】〔「水盛（モ）り」の意〕地位・階級・品質・価値などの高さ（の標準）。「（世界一の）―に達する/―を△超える（上回る・下回る）/―が低い/―（＝レベル）が高い/文化―[4]・知的―[0]-[0]、[4]・高―[3]」 ―き[3]【―器】 土地の傾斜・高低を測定する道具。 ―ぎ[3]【―儀】 土地の測量に使う、水準器を付けた望遠鏡。

ずいじゅん[0]【随順】―する（自サ） その人の言う事に逆らわず、従うこと。

すいしょ[0]【水書】―する（自他サ） 泳ぎながら扇や板に字や絵をかいて見せること。

ずいしょ[1]【随所・随処】 至るところ。どこにでも。「―に△見られる（うかがわれる）」

すいしょう（シヤウ）[1]【水晶】 石英が六角柱状に結晶したもの。普通、無色透明。印材・装身具・光学器械用。「―時計（ドケイ）[5]」 表記「水精」とも書く。 ―たい[0]【―体】 眼球の瞳孔（ドウコウ）の後ろにある、凸レンズ形の透明体。膜に包まれ光線を屈折させる。

すいしょう（シヤウ）[0]【推奨】―する（他サ） いい△物だから一度使って（人だから一度会って）みるように、人に勧めること。

すいしょう（シヤウ）[0]【推賞】―する（他サ） あれはすばらしいものだぞと、人に向かってほめること。 表記「推称（スイショウ）」とも書く。

すいじょう（ジヤウ）[0]【水上】 ❶〔人間の活動がそこで行なわれるものと見た〕水面（に近い水中）。「―スキー[6]/―競技部[7]」↔陸上 ❷〔人間の生活が行なわれる場としてとらえた〕海・湖・川など。「―生活者[8]（＝船を住まいとして生活する人たち）」 ❸〔古〕水のほとり。 ―けいさつ[5]【―警察】 港湾や河川などの犯罪・交通・衛生に関する取締りをする警察。

ずいしょう（シヤウ）[0]【〈瑞祥】 めでたいしるし。〔古くは、ただしるしの意にも用いられた〕

すいじょうき[3]【水蒸気】 ❶水が蒸発して気体となったもの。〔広義では、湯気を含む〕 ❷「水蒸気❶」が冷えて煙のように見えるもの。

すいしょく[0]【水色】 ❶水の色。❷海・川・湖などの景色。

すいしょく[0]【水食・水〈蝕】―する（他サ） 水が地表を次第に破壊する△こと（作用）。 表記「食」は、代用字。

すいしょく[0]【〈翠色】 木の葉や樹木におおわれた山の緑色。

すいしん[0]【水深】 海や湖などの水面から△底（水中のその点）までの深さ。「―五十メートルに沈む貨物船」

*すいしん[0]【推進】―する（他サ）〈なにヲ―する〉 ❶力を加えて前方へ進めること。❷積極的に△対策を立てる（当事者を支援する）などして、支障なく目的を達成させようとすること。「…の―を図る」 ―き[3]【―器】 エンジンと直結して、船・航空機・車を進める部品・装置。〔プロペラ・スクリューのほかに、最近ではロケット・ジェット噴射式のものもある〕 ―りょく[3]【―力】 物事をはかどらせ、実行させる力。

すいじん[0]【水神】 水に関して民生に深い関係のあるものとして信仰される神。沼・淵（フチ）の主であったり 水難・火災の防除の神とされたり 米作・飲み水の神であったりする。

すいじん[0]【粋人】 ❶風流を好む人。❷「粋（イス）❷❸」な人。

ずいじん[0]【随身】 ❶「随従❶」の古風な表現。❷昔、上皇・摂関・大臣などの貴人が外出する際、武装して護衛した近衛府（コノエフ）の舎人（トネリ）。 ―もん[3]【―門】 矢大神・左大神を左右に配した、神社の表門。〔お寺の仁王門に当たる〕

すいすい[1]（副）―と ❶ぶつかったりつかえたりしないで、空中・水中を軽快に進んで行く様子。「夕ぐれに―飛ぶ赤トンボ/水を切って―泳ぐ」 ❷途中で邪魔が入ることなく、事が順調に運ぶ様子。「ことが―と運ぶ」

すい・する[3]【推する】（他サ）「おしはかる」意の漢語的表現。

すいせい[0]【水生・水〈棲】―する（自サ） ❶水中にはえ育つこと。❷〔動物が〕水中にすむこと。↔陸生 ―しょくぶつ[6]【―植物】 水底・水中に根をのばして生育する植物の総称。 ―どうぶつ[5]【―動物】 水中で生活する動物の総称。

すいせい[0]【水声】「川の水や、やり水の流れる音」の意の漢語的表現。

すいせい[0]【水性】 水に△溶ける（溶かして使う）こと。「―ペイント[5]」⇩油性

すいせい[0]【水星】 太陽系の惑星で、最も太陽に近いもの。約三か月で太陽を回る。

すいせい[0]【水勢】 水の流れる勢い。

すいせい[0]【衰勢】 勢いが衰え（かかってい）る状態。

すいせい[0]【〈彗星】 太陽系内の天体で、太陽に近付くにつれ、尾を引くなどして急速に明るさを増し、その後暗くなって次第に遠ざかって行くもの。尾を引くものは「ほうきぼし」とも呼ばれ、昔は不吉の前兆とされた。コメット。〔すぐれた才能の持ち主が前触れ無しに突然現われることのたとえとしても用いられる。例、「―の如（ゴト）く現われた天才棋士」〕⇩ハレー彗星

すいせいがん[3]【水成岩】⇩堆積（タイセキ）岩

すいせいむし[5]【酔生夢死】―する（自サ）〔後世に名を残そうと思っていったんは発奮・努力を試みた人が〕結果的には社会になんら貢献をせずに、無目的な一生を終えること。

すいせき[1][0]【水石】 ❶泉水や庭石。「―の美」 ❷水盤に入れたり 盆の上に「水石❶」を模したりする石。

すいせん[0]【水仙】 暖地の海岸に自生し、庭に植える多年草。早春、長い茎の先に△白（黄）色の六弁の花を開く。葉は細長い。種類が多い。〔ヒガンバナ科〕 かぞえ方 一本・一輪

すいせん[0]【水洗】―する（他サ） 水で△洗う（洗い流す）こと。「―便所[5]・―トイレ[5]」

すいせん[1]【垂線】〔幾何学で〕一つの△直線（平面）と直角に交わる直線。

*すいせん[0]【推薦】―する（他サ）〈なにニ だれヲ―する/だれニ だれヲ―する〉（求めに応じて）その条件を満たしていて△適任（適当）だと判断される人や物を勧めること。「代表に山田さんを―する/部長の―で海外支社に赴く/―入学・―図書」 ―ぼたい[5]【―母体】⇩母体

すいぜん[0]【垂〈涎】―する（自サ）〔食べたくて、よだれを流す意〕そのものがほしくてたまらないでいること。「すいせん」とも。また、「すいえん」は類推読み。「―の的（マト）」

すいそ[1]【水素】 物質中で最も軽い気体元素〔記号H 原子番号1〕。無色・無臭・無味で、アンモニアなどの合成原料として使われる。 ―ばくだん[4]【―爆弾】 原子爆弾

を起爆剤として用いる、高性能の爆弾。水素により超高温の熱核融合を起こさせた時に発生する高エネルギーを利用する。略して「水爆」。［かぞえ方］一発

すいそう⓪【水草】❶水と草。「—を追う民」❷⇩みずくさ

すいそう⓪【水葬】—する（他サ）❶航海中に死んだ人の遺体をズックに包み、重りをつけて水底に沈めて葬ること。⇩火葬・土葬・風葬 ❷宗教上の理由から、（火葬にした）遺骨を川などに流す葬り方。

すいそう⓪【水槽】水をためておく、（方形で大形の）入れ物。［かぞえ方］一基

すいそう⓪【吹奏】—する（他サ）管楽器△で（を）演奏すること。「—楽団⑤」 **—がく**③【—楽】管楽器を主体とし、打楽器を加えた合奏。また、その音楽。

すいぞう⓪【膵臓】胃の後方にあり、消化液の膵液やホルモンのインスリンを分泌するやや扁平で細長い臓器。⇩消化腺

ずいそう⓪【随想】人生や社会の一断面について心に浮かんだ着想をテーマに、学問的な考察を加味してまとめた文章。「—録③・科学—」

ずいそう⓪【瑞相】（めでたい）しるし。

***すいそく**⓪【推測】—する（他サ）〔〈なにカラ〉なにヲ〈なんだト〉—する〕〔今までに知っている△知識（資料）を基にして〕物事の全体・将来などについて、多分こうであろうと考えること。「—がつく／—の域を出ない」

すいぞくかん④③【水族館】水中にすむ動物を飼って公衆に見せる施設。〔口頭語形は、「すいぞっかん③」〕

すいそん⓪【水村】川や湖のほとりにある（景色のいい）村。水郷

すいそん⓪【水損】水害による損失。

すいたい⓪【衰退・衰〈頽〉】—する（自サ）徐々にその機能が衰えたり活力が失われたりする状態に△ある（陥る）こと。「自動車産業の—が各国経済に与える影響／新聞のジャーナリズムとしての機能の—／精神文明の—」

すいたい⓪【推戴】—する（他サ）団体の長や、会議などの△座長（議長）に適任だとして、その人を決めること。

すいたい⓪【酔態】酒に酔った時の心もと無い様子。

すいたい⓪【〈翠黛〉】〔緑のまゆずみの意〕遠くかすんで見える、緑色の山。

すいたい⓪【錐体】〔幾何学で〕平面内の多角形・円などの図形（A）とその平面外の一点（B）とを結びつけて出来る立体図形。例、角錐・円錐。〔Aをその錐体の底面と言い、Bを頂点と言う。また、AのふちとBを結んで得られる面を「側面」と呼ぶ〕

すいたく⓪【水沢】（草などが生えている）水がわずかに流れているさわ。「—植物」

すいだし⓪【吸（い）出し】❶吸い出すこと。❷〔↑吸出し膏薬⑤〕できもののうみを吸い出させるためにはる膏薬。

すいだ・す③【吸（い）出す】（他五）吸って外へ出す。

すいだま⓪【吸（い）玉】うみなどを吸い出す用具。鐘状のガラス器具にゴムの袋をつけたもの。すいふくべ。

すいだん⓪【推断】—する（他サ）まわりの情勢をよく調べ、道理から考えて、こうこうでなければならないと認めること。「—を下す」

すいち①【推知】—する（他サ）おしはかって知ること。

すいちゅう⓪【水中】水の中。「—植物⑥・—撮影⑤・—花③・—めがね⑤・—音波探知機⓪-⑥」⇩水面・水底 **—よくせん**⑤【—翼船】スピードが増すにつれて、船体の下部に取り付けてある固定翼が船体を浮かび上がらせ、快速を出す仕組みの、小型の高速艇。ハイドロフォイル⑤。［かぞえ方］一艘・一隻

すいちゅう⓪【水柱】「みずばしら」の漢語的表現。

すいちょう⓪【水鳥】水辺に生息し、水中を泳ぐことができる鳥。〔古語では、酒の字の構成が三水に酉であるところから酒の異名〕

ずいちょう⓪【瑞兆】めでたい前兆。

ずいちょう⓪【〈瑞鳥〉】鶴・鳳凰などの、めでたい鳥。

すいちょうこうけい⓪-⓪【〈翠帳紅〈閨〉】〔翠帳を垂れ、紅色に飾った寝室〕高貴な女性の寝室。

***すいちょく**⓪【垂直】—に〔垂は「たれる」、直は「まっすぐ」の意〕❶鉛直。「—に立てる／—離着陸機⑨⑧・—尾翼⑤」↔水平 ❷〔幾何学で〕直線と△直線（平面）の成す角が直角であること。〔平面どうしについても言う〕「—二等分線・—線④③⓪」 **—しこう**⑤【—思考】ある問題の解決に当たって、従来一般にそうすべきだとされてきた手順を追って、論理的に結論を導こうとする考え方。↔水平思考 **—とび**⓪【—跳び】その場に立ったまま、真上に跳び上がる運動。［表記］「垂直飛び」とも書く。

すいつ・く③【吸（い）付く】（自五）❶吸って、ぴたりとくっつく。❷ぴたりとくっついて、離れないでいる。

すいつけたばこ⑤【吸（い）付け〈煙草〉】火をつけ、すぐ吸えるようにして人に差し出すたばこ。

すいつ・ける④【吸（い）付ける】（他下一）❶何かを吸うようにして、引きつける。❷たばこを人のたばこの火などに当て、吸って火をつける。❸〔そのたばこを〕いつも吸う。

***スイッチ**②①〔switch〕❶〔電気回路の〕開閉器。〔電灯の場合は、点滅器〕「—を△入れる（切る）／—△オン（オフ）／二段階切替え—」❷転轍機。ポイント。❸—する（他サ）〔〈だれ・なにカラ〉だれ・なにニ〈だれ・なにヲ〉—する〕今までの△もの（状態）を他の△もの（状態）に切り替える。「左投手から右投手に—する／若者の心を知ろうとするなら頭の中を—する必要がある」 **—バック**⑤—する（自サ）〔switchback〕❶列車が急勾配の途中の駅などで、いったん停止した後、バックして一段高い別の線路に移り終えるや、再び進行方向に向かって進行すること。また、その線路。❷⇩カットバック **—ヒッター**⑤〔switch hitter〕〔野球で〕左右いずれの打席でも打てる打者。

すいっちょ② ⇩うまおい❸

すいづつ⓪【吸（い）筒】昔、飲料を入れて持ち歩いた筒形の入れ物。今の水筒に当たる。

すいてい⓪【水底】川・池・沼などの水の底。「—に沈んだ古代都市／—トンネル⑤・—土砂⑤」⇩水面・水中

***すいてい**⓪【推定】—する（他サ）〔〈なにカラ〉なにヲ〈なんだト〉—する〕❶はっきりとは分からない事を、周囲の状況からおしはかって、こうであろうと判断すること。「—年齢⑤」❷〔法律で〕ある事実に関して反証が成り立つまでは、それを正当と仮定すること。「—相続人⓪」

すいてき⓪【水滴】❶（したたり落ちる）しずく。❷すずりにつぐ水を入れておく、水入れ。水柱。

すいでん⓪【水田】水をたたえた田。みずた。「青あおとした—の広がる日本の原風景」［かぞえ方］一枚

すいてんほうふつ⓪-⓪【水天〈彷彿〉】—たる —と 遠くの水と空との接する境が見分けにくいこと。「—たる眺め」

すいと①【水都】△川（運河）や湖のある、景色のよい都市。水のみやこ。「—ベネチア」

ずいと①⓪（副）遠慮のない態度で近寄るなどする様子。「戸口から—入ってくる／—膝を進める」

すいとう⓪【水痘】ウイルスによる子供の急性の感染症の

す

一つ。皮膚の粘膜に赤色・円形の発疹(ハッシン)が出来、中に水のような液がたまる。みずぼうそう。

すいとう[0]【水筒】飲料水を入れて持ち歩くための容器。

すいとう[0]【水稲】水田に栽培するイネ。↕陸稲

すいとう[0]【出納】—する(他サ) ᐞ金銭(物品)の出し入れ。「(金銭)—簿・—係[5]」

すいどう[0]【水道】❶「上水道」の略。「—を引く/—料[3]・—工事[5]・—屋[0]」❷〔船の通り道としての〕海峡。「浦賀—」

すいどう[0]【(隧道】〔「隧」は、斜めに下って入る墓道の意〕トンネルの意の漢語的表現。〔鉄道関係などでは、「ずいどう」とも言う〕

ずいとくじ[1]【随徳寺】〔直接に、また一目散(イチモクサン)に、という意の副詞「随と」を、寺の名のように言った古風な表現〕あとをくらますこと。「—を決める〔=出奔して、あとをくらます〕/一目散—」

すいとりがみ[4]【吸取紙】インクで書いたものの上から押し当てて、書いた跡を速くかわかすための、厚手の紙。 かぞえ方 一枚

すいと・る[3]【吸(い)取る】(他五) ❶吸い ᐞ出し(込ませ)て、取る。❷他人の金銭・利益を、何かの理由にかこつけて責め取る。せびりとる。

すいとん[0]【水団】〔「とん」は「団」の唐音〕小麦粉のだんごを主たる具材にした汁。

すいとん[0]【水(遁】水を利用して身を隠すという幻術。「—の術」⇩火遁

すいなん[0]【水難】❶水害。❷水上であう災難。沈没・難破・溺死(デキシ)など。「—救助・—事故」

すいにん[0]【推認】—する(他サ) 何かを根拠にして、推測・判断すること。

すいねん[0]【衰年】年をとって体力が衰える年齢。

すいのう[0]【水(嚢】❶馬の尾・針金で作った網を張ったふるい。みずこし。❷帆布製のバケツ。携帯用。 かぞえ方 ❶は一枚

すいのみ[0]【吸(い)飲(み)】病人が寝たまま液体を飲むために使う、長い口の付いた容器。 表記 「吸い(呑み」とも書く。

すいば[1][0]【酸葉・(酸模)】〔「酸い葉」の意〕植物のスカンポの古風な表現。 表記 「(酸模)」は漢語表記。

すいばいか[3]【水媒花】花粉が水面や水中を流れていって、受粉する花。水生植物に多い。⇩虫媒花・風媒花・鳥媒花

すいばく[0]【水爆】「水素爆弾」の略。

すいはん[0]【垂範】—する(自サ) 手本を示すこと。「率先—[0]-[0]」

すいばん[0]【水盤】〔生け花に使う〕底が浅くて広い ᐞ陶器(鉄器)の皿。

すいばん[0]【推(輓・推(挽】—する(他サ)〔車を押したり引いたりする意〕「推挙・引立て」の意の改まった表現。

ずいはん[0]【随伴】—する(自他サ) ❶立場の上の人のお供をすること。また、供を従えること。❷(間接的な)関係があること。

すいはんき[3]【炊飯器】釜(カマ)の代りに御飯をたく器具。多く、事前にタイムスイッチを仕掛け、自動的にたく。「電気—[6]・ガス—[5]」 かぞえ方 一台

すいはんきゅう[3]【水半球】地球の「半球❷」のうちで、海の占める面積が最大となるものの称。その中心〔=極〕は、ニュージーランド南東沖の南緯四八度、西経一七九度三〇分にあり、全面積の九一パーセントが海で、地球の全海洋の六四パーセントを含む。↕陸半球

すいひ[0]【水肥】液状の化学肥料。みずごえ。〔以前は人糞(ジンプン)・尿などをも指した〕

すいび[1]【衰微】—する(自サ) 昔見られた盛んな勢いや華やかな活動が、跡形も無く失われようとすること。「長期にわたる戦争で国力が—した民族/政府の命によって禁止され、—の一途をたどった」

すいひつ[0]【水筆】穂に芯(シン)を入れず、根もとまで墨を含ませて書く筆。

ずいひつ[0]【随筆】平易な文体で、筆者の体験や見聞を題材に、感想をも交え記した文章。エッセー。「—風の短編小説/—家[0]」

すいふ[1]【水夫】❶「船乗り・かこ」の意の漢語的表現。❷雑役をする下級船員。「水手」の旧称。

すいふ[1]【水府】「水戸(ミト)(藩)」の別称。

すいふ[1] ❶【炊夫】雇われて、ある施設の炊事をする男性。❷【炊婦】雇われて、ある施設の炊事をする女性。

すいふく[0]【推服】—する(自サ) 尊敬して、心から従うこと。

すいふくべ[3][4]【吸(い)(瓢】「すいだま」の旧称。

すいふろ[0]【水風呂】〔「すえふろ」の変化という〕〔蒸しぶろに対して〕水をわかした普通のふろ。

すいぶん[1]【水分】❶物の中に含まれている水(の量)。みずけ。❷液体。特に、果物・野菜に含まれる汁。

ずいぶん[1]【随分】(副)—な —と その事に関して予測される常識的な程度をはるかに超えている様子。「—暑くなった/昔に比べると—とふけ込んだものだ/彼も—苦労したようだ/— ᐞ勝手な(変わった)人だ」 運用 (1)「随分な」などの形で、「随分ひどい」の意で相手のひどい態度を責めるのに用いられる。例、「随分な話さ/随分な男だ/まあ、随分ね」 (2)「随分お大切に/随分ごきげんよう」などの形で、「くれぐれも」の気持を込めた別れの挨拶(アイサツ)の言葉として用いられた。

すいへい[0]【水平】—な 〔もと、「水秤(ミズバカリ)」の意〕〔その直線・平面が〕地球の表面において容器に入れた水が静止した時の水面と平行である ᐞこと(様子)。〔鉛直線と直角に交わる〕「—を保つ/—飛行[5][6]・—尾翼[5]・—距離」↕鉛直・垂直 **—うんどう**[5]【—運動】戦前、「全国水平社[1]-[3]、[7]」の指導のもとに、差別からの解放を中心方針として進められた「被差別部落[5]」の人びとの運動。 **—しこう**[5]【—思考】ある問題の解決に当たって、従来考えられたただ一つだけの手がかりにこだわらず、全く異なったいろいろな角度から手がかりを得ようとする考え方。↕垂直思考 **—せん**[0]【—線】❶海上に見える水と空との境界線。❷水平な直線。 **—どう**[3]【—動】〔震央から離れていて〕地面が前後左右にだけ揺れ動く地震。↕上下動 **—めん**[3]【—面】水平な平面。

すいへい[1]【水兵】海軍の兵士。 **—ふく**[3]【—服】水兵の(上着をまねた)服。セーラー服。 かぞえ方 一着

すいへん[0]【水辺】川・湖・池などのすぐそばの所。

すいほ[1]【酔歩】酔ってふらふら歩く足どり。千鳥足。「—蹣跚(マンサン)[1]-[0]」

すいほう[0]【水泡】「水のあわ」の漢語的表現。「—に帰する〔=せっかく努力したことが、むだになる〕」 **—おん**[3]【—音】⇩ラッセル

すいほう[0]【水(疱】〔↑水疱疹(シン)[3]〕皮膚の表面に出来る水ぶくれ。

すいぼう[0]【水防】水害の防止。「—訓練[5]」

すいぼう[0]【衰亡】—する(自サ) 盛期を過ぎ、ᐞ自己崩壊(外圧)により、他の存在に取って代わられること。「文明が—する/製造業の—」

すいぼく[0]【水墨】〔↑水墨画[0]〕⇩すみえ

すいぼつ[0]【水没】—する(自サ) ᐞ水が出た(ダムにより人造

湖が出来る)ために、その物が水の中に隠れて見えなくなること。

すいま①【水魔】水害を悪魔にたとえて言う語。

すいま①【睡魔】〔仏道修行のじゃまになるものとしての〕眠け。「—に襲われる(=眠けがさす)/—と戦う」

ずいまく①【髄膜】脳と脊髄を包む膜の総称。 **—えん**④⓪【—炎】「脳膜炎」の改称。

すいまつ⓪【水〈沫〉】❶みずしぶき。❷水のあわ。みなわ。

すいみつ⓪【水密】中に入れた水を全く漏らさず、また入ってくる水の圧力に耐える力。「—扉ヒ④」

すいみつ⓪【水蜜】〔←水蜜桃ウト⓪〕水けが多くて甘みの強いモモ。実は大きくて白いものが多い。

すいみゃく⓪【水脈】❶地下を流れる水の道。❷「みお」の漢語的表現。

***すいみん**⓪【睡眠】—する(自サ)❶ね(む)ること。眠り。「—を取る/—不足・—薬③・レム—(=⇩レム睡眠)」❷それまで続けていた活動を(一時的に)休止すること。「資金不足で支援活動が—状態になる/—口座⑤(=長い間利用されていない銀行口座など)」

スイミング②〔swimming〕水泳。「—クラブ⑥」

ずいむし①②【髄虫・〈螟虫〉】〔髄虫の意〕イネなどの茎の髄に食い入る大害虫。小さなイモムシの形をして、成長すると、蛾ガになる。メイチュウ。〔「メイガ⓪①」科の昆虫の幼虫〕 かぞえ方 一匹

すいめい⓪【水明】山から見おろした川の水が反射して輝いて見えること。「山紫—の地」

すいめい⓪【吹鳴】—する(他サ)❶吹き鳴らすこと。「—楽器⑤」❷高く鳴らすこと。「サイレンが—する/汽笛の—」

すいめつ⓪【衰滅】—する(自サ)〔組織体(を支えていた精神的なもの)が〕生き残る力を失い、やがて滅びること。

すいめん⓪【水面】水の表面。「—に映る富士の姿/—に波紋が広がる」⇩水中・水底 **—か**③【—下】❶(水面からは見えない)水の中。❷公表されることがなく、一部の関係者にしかその実態をとらえることのできないところ。「—で行なわれている外交交渉」

すいもの⓪【吸〈い〉物】スヒ 食事の時に出す、塩・しょうゆで味をととのえた、透明な汁物。

すいもん⓪【水門】水の流れを制限するために、貯水池・水路などに設ける門。「—を△開く(閉じる)」

すいやく①【水薬】「みずぐすり」の漢語的表現。

すいよ①【酔余】酒に酔った△あと(あげく)。

すいよ①【睡余】眠りから覚めたあと。

すいよう⓪【水溶】オ 水に△溶ける(溶けている)こと。「—性⓪」 **—えき**③【—液】ある物質を水に溶かした液体。

すいよう③【水曜】エウ 一週の第四日。火曜の次、木曜の前。水曜日③。〔週の始まりを月曜日とすれば、一週の第三日〕

すいよう⓪【衰容】オ「やつれた△姿(顔)」の意の漢語的表現。 表記「〈悴容〉」とも書く。

すいようえき③【水様液】ヤウ ❶水のように無色・透明の液体。❷眼球内にある無色・透明の液体。

すいよく⓪【水浴】—する(自サ)「水浴び」の漢語的表現。

すいよせる④【吸〈い〉寄せる】スヒ (他下一) △吸って(吸うように)、近くへ寄せる。〔人の気持・視線などをひきつける意にも用いられる〕「静電気が起きてほこりを—」

すいらい⓪【水雷】多量の爆薬を詰め水中で爆発させて、敵方の艦船を破壊する装置。「魚形—・機械—」

すいらん⓪【〈翠巒〉】〔「巒」は、連山の意〕緑色の樹木におおわれた山。

すいり①【水利】❶水上運送の便利。❷水を飲料・灌漑カンガイなどに使うこと。「—権③」

すいり①【推理】—する(他サ) 既知の事実を基にして未知の事柄をおしはかること。 **—しょうせつ**④【—小説】セウー 犯罪事件の捜査・発覚の過程についての推理を骨組とする小説。ミステリー。〔探偵小説の改称〕

すいりく①【水陸】水面と陸地。「—両用①-⓪」

すいりゅう⓪【水流】リウ 川上・ダムから流れてくる水の流れ。「—をせき止める」

すいりゅう⓪ リウ ❶【垂柳】シダレヤナギ。❷【〈翠柳〉】青あおと枝を垂らしたヤナギ。

すいりょう⓪③【水量】リャウ 〔川や湖・貯水池にたたえられた〕水の量。「—豊かな大河」

すいりょう⓪【推量】リャウ —する(他サ) ❶ある根拠・理由や、確かな論理的要請などに基づいて、込み入った事情や人の心の中などをおしはかること。❷〔文法で〕ある事柄について、経験や勘に頼って客観性を欠いた判断を下したり想像したりすることを表わす表現形式。現代日本語では、「…△だろう(でしょう)」や、「…ようだ」「…らしい」などを用いて表わされる。

すいりょく①【水力】❶流水の力。水の圧力。❷流水の落下によって生じるエネルギー。 **—タービン**⑤「水力❷」を機械的エネルギーに変える水力原動機。 **—はつでん**⑤【—発電】「水力❷」を原動力とし、発電機を運転して電気を発生させる発電。

すいりょく①【推力】〔飛行機やロケットなどを〕おし進める力。

すいりょく①⓪【〈翠緑〉】「緑色」の意の古風な表現。

すいれい⓪【水冷】〔エンジンなどを〕水で冷やすこと。「—式⓪」↔空冷

すいれん①⓪【水練】水泳(の練習)。〔古語では、水泳の達人をも指す〕「畳の上の—(=役に立たないことのたとえ)」

すいれん①【睡〈蓮〉】池・沼に葉の浮かぶ多年草。初夏の朝、ハスに似て小形の白・赤・紫などの花を開き、午後にはしぼむ。ヒツジグサ・コウホネなど。〔夜咲く種類もある〕〔スイレン科〕 かぞえ方 一本

すいろ①【水路】❶「送水路」の略。❷川・湖・海などで、船が航行する(ように指定された)水面。❸〔水上競技で〕競泳のコース。「長—・短—」

すいろん⓪【推論】—する(他サ) 推理(によって自分の論を構成すること)。また、その論。

すいわ⓪【水和】—する(自サ) 水を交ぜ(てあ)ること。「—剤③⓪」

スイング②〔swing〕❶—する(他サ)〔バット・腕・からだなどを〕(大きく)振ること。〔ボクシングでは、腕を大きく横に振って打つことを指す〕❷ジャズの演奏形式の一つ。聞いているうちに、自然にからだを左右に揺り動かしたくなるようなリズム感を与えるもの。スウィングとも。 **—アウト**⑤〔swing out〕〔野球で〕空振りの三振。

すう(枢・崇・数・〈趨〉)→【字音語の造語成分】

***すう**⓪【吸う】フス (他五)〈(なにカラ)なにヲ—/(なにデ)なにヲ—〉〔液体・気体や粉状・粒状の物を〕引きつけるような力で、何かの中に取り入れたり何かの中から取り出したりする。「スープを—/新鮮な空気を—/根から水を—/磁石が鉄を—(=引きつける)/布団が湿気を—(=帯びる)/スポンジが水を—/たばこを—(=のむ)/パイプを—(=パイプで、たばこをのむ)/乳房を—/口を—(=接吻セップンする)/指を—(=しゃぶる)/うまい汁を—(=⇩うまい❶)/吸い出し」

すう①【数】❶物の多少をかぞえたもの。かず。「—においてまさる/—(=おおぜいであること)をたのんで/—的優勢・周波—」❷〔もと、運命の意〕そのものが結局どのように落ち着

くかということ。「勝敗の―〔=どちらが勝つか〕は判じ難い／自然の―〔=道理〕である／もとよりその―なり〔=そうなるべき理法だ〕／―奇」 ㊂〔古代中国で〕教養としての数学。「礼・楽・射・御・書・―〔⇒六芸ゲイ〕」 ㊃〔数学で〕自然数およびその概念を順次拡張して得られる整数・有理数・実数・複素数などいずれか一つの範囲を定めて数学のある理論を展開する時に、その範囲に属する一つひとつの要素の称。「―の概念」 ㊄〔言語学で〕「数❶」を表わす文法形式。「単―・複―」 ⇩【造語成分】すう・す

スウェット②⓪〔sweat=汗〕 ❶綿やポリエステルを素材とし、吸湿性と伸縮性に富んだ衣料用の生地。スエットとも。 ❷スウェットシャツ・スウェット パンツの略。また、これらが上下一組となったスウェット スーツの意でも用いる。 **―スーツ**⑤〔sweat suit〕 スウェットでできた上下一組の衣類。多く運動着、普段着、寝間着などとして用いる。

すうがく⓪【数学】 数・量・図形・関数などの性質や相互の関連およびそれらの間に成立する法則を研究する学問。〔得られた結果の全体を論理的体系にまとめる努力が行なわれる。扱う対象により、代数・幾何・解析の三大部門に分かれる〕「―に強い／初等―④・高等―⑤・―者③④」

すうき①【枢機】〔抽象的な物事について〕それに失敗すると、全体のかっこうがつかなくなったり重みが無くなったりすることになる、大事な事柄。〔狭義では、国家の根本にかかわる政務などを指す〕 **―けい**⓪③【―卿】〔ローマ カトリック教会で〕教皇を輔佐ホサする最高の僧職。教皇の選挙権を持ち、教会行政の要務に任じる。「すうききょう」とも。

すうき①【数奇】―な 運・不運が繰り返すなど、波瀾ハランに富む様子だ。「さっき」とも。「―な運命をたどる」

すうけい⓪【崇敬】―する(他サ) 本当にりっぱだなあと思い、心から尊敬すること。「―の念を表わす」

すうこう⓪【崇高】―な その存在が極めて高い境地にあり、とても近寄り難い感じを与える様子だ。「―な理想／―美③」 派―さ⓪

すうこう⓪【数行】 細長く続くものの幾筋か。「涙ナンダ―下クダる」〔古くは「すこう」〕

すうこう⓪【趨向】 物事の成行きが、ある方向を取って動きつつあること。「―性⓪」

すうこく⓪【数刻】「数時間」の意の古風な表現。

スーザホーン④〔sousaphone←Sousa=人名〕 肩にかついで歩いて演奏するようにしたらっぱ。吹奏楽団の最低音の楽器。スーザフォン③とも。

すうし⓪【数詞】 数ズカを表わすために用いられる語。⇩基数詞・序数詞 かぞえ方 一本・一台

*__すうじ__⓪【数字】 ❶数ズカを書き表わすために用いる、狭義の記号。「漢―・和―・アラビア―・算用―・洋―・ローマ―・有効―」 ❷「数値」の、統計学や実生活における表現。「戦後二番目の悪い―を記録する／視聴率の―に一喜一憂する／具体的な―を示す／―を並べる／―に明るい〔=物事の程度とか増減の度合などをはっきり数字で示すことが出来る様子だ〕／天文学的―」

すうじ①【数次】〔できごとなどが〕数度にわたること。「―の大戦」

すうしき⓪【数式】「式❸Ⓐ」と、「式❸Ⓑ」のうち数学関係のものの総称。「―抜きに物理学を説明するのはむずかしい／―処理」

すうじく⓪【枢軸】 活動の中心となる、重要な部分。 **―こく**④③【―国】第二次世界大戦中、日本・ドイツ・イタリアの三国同盟の側に属した国。

すうしん⓪【崇信】―する(他サ) この上も無いものとして敬い信じること。

すうすう①(副)―と ❶空気が狭いすきまをゆるやかに通り抜けて行く様子。「風が―通る／―と安らかな寝息をもらす」 ❷―する 何かしら△肌寒さ(冷たさ)を感じる様子。「背中が―する／ハッカ味の飴アメで、口の中が―する」

ずうずうし・い⑤【《図《々しい】(形) 普通の人なら自分の置かれた立場・状況などから遠慮してしない方がいいと思うことを、気にすることもなくする様子だ。「ずうずうしく、酔って友人の家に泊まり込む／人の物を無断で使うとは―やつだ」 派―さ⑤

ずうずうべん⓪【ずうずう弁】〔東北地方や出雲イズモ地方の〕鼻にかかった発音(をする言葉)。 表記 「弁」の旧字体は「辯」。

すうせい⓪【趨勢】 物事がこれからどうなっていくかの様子。「時代の―〔=成行き〕」

すうた①【数多】「数が多いこと」の古風な表現。

すうたい②【素謡】 はやしを伴わない謡。

ずうたい①【《図体】〔「ずう」は、接頭辞「ず」の長呼〕〔並の程度を超えた大きさとしてとらえられた〕「からだ」の口頭語的表現。「―ばかり でかい」

すうだん⓪【数段】(副) 比較する両者の程度にかなりの差が認められる様子。「実力に―の差がある」

すうち①【数値】 記数法・命数法によって具体的に表現された数。〔狭義では、(十進)位取り記数法によるものを指す〕「答えの―を出す／$\sqrt{2}$ を―で表わすと約 1.4142／測定結果の―／―計算・―解析・―解法」 ⇩数字❷

ずうち⓪③【頭打ち】 ⇩あたまうち❶

すうちょくせん③【数直線】〔数学で〕直線上に基点ともう一つの点〔=単位点〕とをとり、この二点を基準にして等間隔の目盛りを付けて整数と対応させ、さらに直線上の各点に実数を一つずつ対応させたもの。基点は「原点」とも称し、実数の零に、単位点は実数の一にそれぞれ対応させる。

スーツ①〔suit=一そろいの衣服〕 ❶〔婦人服で〕上下 同じ服地で作ったツーピース。 ❷「背広」の意の新しい言い方。「ダーク―」 かぞえ方 ❶❷とも一着

スーツケース④〔suitcase〕 着替えなどを入れて持ち歩く、旅行用のかばん。

すうど①【数度】「度数❶」が複数であること。一般に二、三回から七、八回。「…することー に及ぶ／十―」〔古くは「すど」〕

すうとう⓪【数等】(副) 何かと比較して、はっきりした△上下(優劣)の差が認められる様子。「足軽よりは―上だけれども、士族中の下級であることには変わりはない／ちょっと手を加えただけで―格が上がったように見える」

すうどん②【素《饂飩】〔関西で〕かけうどん。〔具が無く、うどんと汁だけなので言う〕

スーパー①〔super=上に。すぐれた〕 ㊀(造語) 特に△すぐれている(大きい)。「―タンカー⑤」 ㊁ ❶スーパーインポーズ・スーパーヘテロダイン・スーパーマーケットの略。 **―インポーズ**⑦〔superimpose〕〔映画で〕画面の上に字幕を重ねること。また、その字幕。 **―コンピューター**⑦〔supercomputer〕 大量のデータに対する大規模な科学技術計算などを短時間で行なう、超高速の電子計算機。 **―サブ**⑤〔和製英語 ←super＋sub〕 実力はあるが、控えに甘んじている△選手(人物)。 **―バイザー**⑤〔supervisor〕 ❶管理職。監督者。 ❷指導員。 **―ヘテロダイン**⑧〔superheterodyne〕〔ラジオなどで〕電波の周波数を中間周波数に変えて増幅し、これを検波して聞くもの。 **―マーケット**⑤〔supermarket〕 食料品を中心とする日用品を普通の小売店よりは安い値段で売るセルフサービス スタイルの、比較的広い店。スーパーストア⑥。 **―マン**③〔superman〕 超人。

すうはい⓪【崇拝】―する(他サ) △りっぱな存在(すごい物)だと思って、心から感服すること。「―する人物像/偶像―・―者③・舶来品―」

すうひょう⓪【数表】 対数や三角関数などの関数値を、独立変数の値から引けるように配置した表。〔広義では、統計データ・測定データなどの一覧表をも指す〕

スープ①〔soup〕 西洋料理の最初に出す汁物。肉・野菜などの成分を煮出した汁。⇩コンソメ・ポタージュ

スーベニア③〔souvenir〕 ❶思い出(の品)。記念(品)。❷〔観光地で〕みやげ物。「―ショップ」

すうみつこもんかん⑥【枢密顧問官】 旧憲法下、国家・皇室の重大事について天皇のおたずねに答えた最高の官職。〔二十四人で「枢密院④」を構成した〕

ズーム①〔zoom〕 ❶―する(自サ) ズームレンズを用いて被写体の像を拡大したり 縮小したり する操作。❷ズームレンズの略。

ズーム レンズ④〔zoom lens〕 焦点距離を連続的に変化させることの出来るレンズ。 かぞえ方 一本

すうよう⓪【枢要】―な (社会)全体の中で中心的役割を果たす、大切な部分である△こと(様子)。「―の位置」

すうり【数理】 ❶① 数学を応用して何かを△説明(解明)する理論。「彼は―の〔=数学を応用する〕(方面の)才能がある/細胞増殖の―/―言語学⑥・―統計学⑥・―物理学⑥・―科学④〔=数学および数学を応用する観点から見た他の科学〕」 ❷(造語) 数学の。「―哲学⑤④〔=数学の基礎や方法論などを検討する、哲学の一分科〕」

***すうりょう**③【数量】〔もと、個数と分量の意〕単位つきの数値〔=名数❷〕で表わされた、ものの量。〔狭義では、物の個数(に助数詞を付けたもの)や、物体の物理的な広がりを単位つき数値で表わしたものを指す。この場合は、同種の数量同士を足し合わせることが可能〕「単価に―を掛けて合計額を算出する/―的関係・―化・―割引」

すうれつ⓪【数列】〔数学で〕一定の規則に従って定められる一連の数。〔自然数△全体(の一部分)で定義された関数と同義。かつては、「級数」と称した〕「―がゼロに収束する/等差―・等比―・有限―・無限―」

とうさー④【等差―】 隣り合う どの二項を取ってみても、後項から前項を引いた時に一定不変の数値〔=公差〕が得られる数列。例、1・3・5・7…。**とうひー**④【等比―】 隣り合う どの二項を取ってみても、後項の前項に対する比が一定不変の値〔=公比〕を持つ数列。例、1・2・4・8・16…。

***すえ**⓪【末】 ❶〔本に対して〕続いている物の、一番△先(おしまい)の部分。「野の―〔=はて〕/歌の本―〔=上の句と下の句〕/木―〔=梢〕」 ❷ある期間の終り。「△月(年)の―/―は不遇で終わった」↕初め ❸(はるか)先の時期。「―〔=将来が〕頼もしい/―長く〔=いつまでも長く〕」 ❹〔↑末の世〕仏法の衰えた時代。「世も―〔=終り〕だ」 ❺〔その家系で〕後に生まれた人。「―〔=一番下〕は男です/平家の―〔=子孫〕」 ❻〔「…―、…」の形で接続助詞的に〕(紆余曲折を経て)たどりついた最終的な結果。「いろいろ迷った―進学することにした/議論の―妥協案が成立/接戦の―優勝を決める」

ずえ①【図会】 ❶【図会】 何かの部門に関する本で、絵・図表を主体にしたもの。「日本名所―・風俗―⑤・日本国勢―」 ❷【図絵】「絵・図面」の意の古語的表現。

スエーター②〔sweater〕 ⇩セーター

スエード⓪〔フ suède〕 子ヤギ・子ウシの裏皮をけば立てたもの。柔らかいので、靴・手袋などに用いられる。

すえおき⓪【据(え)置(き)】 ❶据えつけておくこと。❷本来△変動(異動)することが期待されるものが、期待に反して変動したり 異動したり しないこと。「定価を―にする/その問題は―となった」 ❸〔年金・貯金・債券などを〕一定の期間、償還・払いもどしをしないこと。「一年―」

すえお・く③⓪【据(え)置く】(他五) ❶物を備えつけておく。❷(変更せずに)そのままの状態にしておく。「△価格(金利・料金)を―」

すえおそろし・い⑥【末恐ろしい】(形) 今の状態から見て、その人の将来が どうなることかと気にかかる様子だ。〔予想される結果が好ましい場合にも、好ましくない場合にも用いられる〕 派―さ⑥⑤

すえしじゅう③【末始終】(副) 「のちのち(まで)」の意の古風な表現。将来ずっと。「―しっかり頼みますぞ」

すえずえ②【末々】 ❶(副) のちのち(まで)。❷「子孫・庶民」の意の古風な表現。

すえぜん⓪②【据(え)膳】 すぐ食べられるように準備して、人の前に食膳を置くこと。また、その食膳。〔すっかり準備して、すぐ仕事に取りかかれるようにする意にも用いられる〕「―食わぬは〔=女から仕掛けられた誘惑にしりごみするのは〕男の恥/上げ膳―」

すえたのもし・い⑥【末頼もしい】(形) 今の状態から見て、その人が将来、高い評価が得られる人物になるだろうと期待されて、前途を見届けたい気持だ。「―才能の持主」 派―さ⑥⑤ ―げ⓪⑦⑥

すえつかた③⓪【末つ方】〔雅〕〔「つ」は、「の」の意の文語の助詞〕そのものの末の方。「時は三月―〔=月末〕」

すえつ・ける④【据(え)付ける】(他下一) そこで△使う(使える)ように、道具・機器などを一定の場所に置く。 名 据え付け⓪

すえっこ⓪【末っ子】 兄弟姉妹のうち、最後に生まれた子。

すえながく③【末永く・末長く】(副) 望ましい状態がいつまでも続いてほしいと願う気持を表わす。「―お幸せに/―ご交誼のほどを」

すえのあき④【末の秋】〔雅〕晩秋。

すえのよ④【末の世】 ❶〔雅〕後世。❷⇩末❹

すえひろ⓪【末広】 ❶〔祝い事の進物に使う〕扇子。❷⇩中啓

すえひろがり④⓪【末広がり】 ❶次第に末が広がること。〔繁盛が約束され、めでたい意にも用いられる〕 ❷「扇子」の異称。

すえふろ⓪【据(え)風呂】 風呂おけに かまどを取りつけたもの。⇩五右衛門ぶろ

***す・える**⓪【据える】(他下一) ❶〈どこ ニ なに ヲ―〉その場所に△置く(置いて、動かさないようにする)。「機械を―/判を―〔=押す〕/灸を―〔=もぐさを置いて、灸をする〕/正面に―/視点を―」 ❷〈なに・どこ ニ だれ ヲ―〉すわらせる。「上座に―/会長に―〔=会長の地位に就任させる〕」 ❸〈なに ヲ―〉 落ち着かせる。「腰を―〔=ⓐすわりこんで、動かな

すう
【枢】〔戸のくるるの意〕物事の かなめ。「枢機・枢要・枢軸・中枢」
【崇】〔もと、山の高い意〕たっとぶ。「崇高・崇拝・尊崇」
【数】 ❶二、三から七、八の。「数回・数行・数日・数人・数年」〔古くは「す」〕 ❷はかりごと。手段。「権謀術数」 ⇩(本文)すう【数】
【〈趨〉】 ❶貴人の前を小走りに歩む。「拝趨」 ❷おもむく。「趨勢・帰趨」

いでいる。ⓑある地位にそのまま居て、なかなかやめようとしない態度をとる。ⓒ他の事に心を動かさないで、落ち着いて物事をする」/腹を—〔=ⓐ落ち着く。ⓑ覚悟を決める〕/腹に据えかねる〔=憤慨する事があったりして、がまん出来ない状態だ〕/目を—〔=目玉を動かさないで、じっとしている〕」

す・える②【饐える】(自下一) 飲食物が腐って、すっぱくなる。

すおう②①【素〈襖】(アヲ) 江戸時代、武士の礼服。直垂(ヒタタレ)のような布地で、五つ紋の衣服。表記「素〈袍(スハウ)」とも書く。

すおう②①【〈蘇《芳】(ハウ) ❶茎にとげがあり、黄色の花を開く低木。材は染料用、昔は楊弓(ヨウキュウ)にもした。インド・マレー原産。〔マメ科〕 ❷黒色を帯びた紅色。表記「〈蘇枋〉・〈蘇《方」とも書く。かぞえ方 ❶は一株・一本

すおどり②【素踊り】(ヲドリ) 衣装・かつらなどを付けないで踊る踊り。

ずおも⓪【頭重】(ヅ) ❶頭の方が重いこと。❷他人になかなか頭を下げない態度。❸相場が上がりぎみでありながら、上がらずにいる状態。

スカ①〔ska〕 一九六〇年代にジャマイカで生まれた音楽形態。リズム アンド ブルースの影響を受けつつ、二拍目と四拍目を強調したリズムを特徴とする。

すか② 〔肩すかしを食わされる意〕あてがはずれること。「—を食う」

すが【〈菅】(造語) スゲの。「—原(ラワ)⓪・—枕(ラマク)③」

ずが①【図画】(グワ) ❶絵図。❷描いたもの。絵。「—工作」

***スカート**②〔skirt=すそ〕 ❶〔洋装で〕女性が身に着けて、腰から足にかけて包む筒状の衣服。「—丈(ケタ)④・ロング—⑤・ミニ—④・吊(リッ)—④〔=肩に掛けた帯状のきれで支えたスカート〕」 ❷列車・電車・自動車などの前面下部をおおう鉄板。障害物をはじき飛ばすためのもの。かぞえ方 ❶は一枚・一本・一点

スカーフ②〔scarf〕 薄い絹布などで作ったマフラーやネッカチーフなど。〔広義では、結びネクタイをも指す〕「赤い—を首に巻く」かぞえ方 一枚

スカーレット②〔scarlet〕 深紅色(の染料)。緋(ヒ)。

スカイ(造語)〔sky〕 空。「—ブルー・—ライン」

すがい①【酢貝】(ガヒ) ❶貝、特にアワビの酢の物。❷酢に入れると、貝のふたが溶けてくるくる回り出す、小さな巻貝。昔、子供の遊び物とされた。表記「〈醋貝」とも書く。

ずかい⓪【図解】(ヅ) —する(他サ) 絵図を入れて説明を補い助けること。〔図による説明を主とした本の名にも用いられる〕

ずがい①⓪【頭蓋】(ヅ) 〔脊椎(セキツイ)動物の〕頭脳をおおいつつむ骨。頭のはち。〔医学では、とうがい〕 **—こつ**②【—骨】 頭を形作る骨の総称。

スカイダイビング④〔skydiving〕 落下傘降下による空中スポーツ。地上の目標点により近く着地することを競う。

スカイブルー⑤〔sky blue〕 空色。

スカイライン④〔skyline=地平線〕 山・建物などが空に接する輪郭線。〔広義では、山の上につくったドライブ ウエーを指す〕

スカウト②〔scout=斥候〕 ❶ボーイ スカウト・ガール スカウトの略。❷—する(他サ) 〔スポーツ界や芸能界などで〕有望な人材を探して勧誘すること(を業・職務とする人)。

すがお①【素顔】(ガホ) 〔俳優の〕ふんそうしていない時の顔。〔女性などの化粧しない時の顔や、酒飲みが酒を飲んでいない時の顔の意にも用いられる〕「日本の—〔=飾らぬ、ありのままの状態〕」

すがき⓪①【酢〈牡蠣〉】 むきみのカキを酢に浸した料理。

すが・く②【巣がく】(自五) クモが、巣を張る。

すがごも②⓪【〈菅《薦】 スゲで編んだこも。かぞえ方 一枚

すかさず⓪【透かさず】(副) 好機をとらえて、時をうつさず積極的な行動に出る様子。「敵が暴投というすきを見せたところを—衝(ツ)いた/ルアーが光ると—ガブッと食いつくということになる」

すかし【透かし】〔二〕⓪ ❶すきま(△)のある(を作った)所。❷紙を明りに透かすと見える△模様(文字)。「—模様④」〔三〕(造語) 動詞「透かす」の連用形。 **—おり**⓪【—織(り)】 透いて見える、薄い紋織りの絹布。 **—ぎり**⓪【—《伐(り)】 木と木の間を透かすために△木(枝)を切ること。 **—ぼり**⓪【—彫(り)】 装飾のため、表から裏まで通るように彫った細工。

すか・す⓪(自五)〔東京・神奈川方言〕きどる。すます。「すかしてんじゃないよ」

***すか・す**⓪(自他五)〔一〕【透かす】〈なにヲ—〉 ❶何か△の間から(を通して)向こうの物を見る。「△木の間(ガラス)を透かして見る」 ❷空気が流通したり向こうが見えたりするように、適度にすきまを開けた状態にする。「雨戸を—/枝を—〔=込んでいる枝を切って、まばらにする〕」〔⇩透かし〔二〕〕〔二〕【《空かす】〈なにヲ—〉 そこを満たすべき物を欠く。「手を空かして次の仕事を待つ/子供たちが家で腹を空かして〔=空腹な状態で〕待っている」〔三〕「音を立てずに おならをする」の俗語的表現。

すか・す⓪【〈賺す】(他五) ❶機嫌を取り、慰める。「なだめたりすかしたり」 ❷子供の機嫌を取って、うまく何かをさせる。

すかすか 〔一〕⓪—に—な みっしり詰まっているはずのところが、すきまの目立つ様子だ。「骨が—になる/殻(カラ)ばかり立派で中身は—のカニ」〔二〕①(副)—と 物をすっぱりと切る様子。「いばらを—と切りはらう」

ずかずか①(副)(ヅカヅカ)—と 他人の領域に△無遠慮(無神経)に入り込んでくる様子。「人の家に土足で—と上がり込む/人の心の中に—と踏み込んでくる」

すがすがし・い⑤【《清《々しい】(形) さわやかで、気持がよく、自分の心まで洗われるような感じだ。「—山の空気」 派 —さ⑤④ —げ⑤⑥⓪

****すがた**【姿】〔一〕① ❶他の(同種の)ものとの弁別に役立つ、視覚によるそのものの全体的な印象。一般に、動植物を中心とした自然物について用いられる。「時どき—を△見せる(見かける)鳥/女の—〔=かっこう〕になる/—を消す〔=ⓐ居なくなる。隠れる。ⓑそのものの存在が見られなくなる〕/霧が晴れて富士山が—を現わす/—のいい役者/アユの—△ずし(焼き・煮)/後ろ—・晴れ—」 ❷物事の内実を反映するものとして、その時どきの現象から受け取られる印象。「医学界のありのままの—を描き出す/病める文明社会の—/これこそ望ましい農業の—だ」〔二〕(造語) ある種類の衣類をつけた服装。「寝間着—・ランニング—・山—・旅—・あで—」 **—かたち**①-⓪【—形】〔外形からの印象としての〕顔の作りやからだつき。「—は父親そっくりだ」 **—み**③⓪【—見】 全身を映す、大形の鏡。

すがたり②【素語(り)】 三味線の伴奏無しで浄瑠璃(ジョウルリ)を語ること。

すかたん⓪③〔西日本方言〕 ❶あてがはずれること。❷見当違いな事や、まぬけな事をした人をののしって言う語。

スカッシュ②〔squash〕 ❶果汁に砂糖を加え、△冷水(ソーダ水)を注いだ飲み物。「レモン—」 ❷壁に囲まれたコートで、二人の競技者が壁に向かってラケットで交互にボールを打ち、得点を争う競技。

すかっと②(副)—する ❶見事な切れ味をみせる様子。「—切れるハサミ」 ❷何のわだかまりもなくさわやかな気持にさせ

られる様子。「—した気性で人から好かれる/言いたいことを言って気分が—した」

スカトロジー③〔scatology〕 糞尿(フンニョウ)趣味。略してスカトロ⓪。

すがめ①⓪【〈眇〉】 ❶片方の目が小さかったり つぶれていたりすること。 ❷横目で何かを見る。また、その目つき。ひがめ。

すが・める③⓪【〈眇める〉】(他下一) 〔弓を射たり 鉄砲を撃ったりする時に〕確実に矢弾が目標に当たるように、片目をつぶって注視する。「ためつ、すがめつ」

すがやか②【《清やか》】—な —に 〔歌・俳句などで〕すがすがしい様子だ。「—な朝」

すがら(接尾) ❶「初めから終りまでずっと」の意を表わす。「夜(ヨ)も—」 ❷「何かをする△途中(ついで)」の意を表わす。「道—」 ❸「ただそれだけ」の意を表わす。「身—」

ずがら⓪【図柄】(ヅ) 〔織物や絵などの〕図案の柄。模様。図様(ズヨウ)。

スカラー②〔scalar〕 〔数学・物理学で〕方向を持たず、大きさだけで決まる量。「スカラー量」とも。例、長さ・体積・密度・温度。

スカラーシップ⑤〔scholarship〕 奨学金(の受給資格)。スカラシップ④とも。

スカラップ③〔scallop=ホタテガイ(の殻)〕 ❶衣服の襟・袖口(ソデグチ)・裾(スソ)などのふちをホタテガイのふちのような波形に△すること(したもの)。 ❷ホタテガイの貝殻(に似たなべ)に入れた西洋料理。スカロップとも。

すがりつ・く④【〈縋り付く〉】(自五) それを逃がしたり 放したりすると大変だと、△縋る(必死の覚悟で頼る)。「恋人の△首(胸)に—/母親に—」

スカル②〔scull〕 細長くて軽快な、レース用のボート。シングル〔=一人乗り〕とダブル〔=二人乗り〕とがある。スカール②とも。 かぞえ方 一艇(テイ)

すが・る⓪(自五) 鼻緒などがすげられる。

すが・る⓪【〈縋る〉】(自五) ❶〔頼りにする人などの〕からだの部分などをつかまえて、放すまいとする。「杖(ツエ)に縋って歩く」 ❷〔独立出来なくて困っている人が〕有力者や親切な人の同情や援助を求め(て、それに依存す)る。「他人に—/彼が生きているという望みに縋って〔=生きているという可能性をよりどころとして〕生きてきた」

すがる⓪① ❶ジガバチ・アブの古名。 ❷シカの古名。 表記 ❶の古来の用字は「{〈蜾蠃〉}」。

スカルプケア⑤〔scalp care〕 育毛のために、頭皮の皮脂や汚れを落とし、マッサージを施すこと。

すが・れる⓪③【《末枯れる》】(自下一) ❶草木の葉先・こずえが、冬に近づいて枯れ始める。 ❷(盛りが過ぎて)気力・活力が失われる。「すがれた〔=覇気の感じられない〕声の調子」 表記 「〈闌れる・《尽れる》」なども書く。

ずかん⓪【図鑑】(ヅ) 同類の物の違いをすぐ識別出来るように、写真や絵を集めて説明した本。「鳥類—⑤・魚類—④・植物—⑤」

スカンク②〔skunk〕 イタチに似ている小動物。毛は黒色で体側に太い白線が前後方向にあり、追いつめられると肛門(コウモン)の付近から臭い液を放つ。北米産。〔スカンク科〕 かぞえ方 一匹

ずかんそくねつ①-⓪【頭寒足熱】(ヅ) 頭を熱くせず、足を暖め(てよく眠)る健康法。

すかんぴん④【素寒貧】—な —に 大変貧乏で、からだ以外に何も持たない△様子(人)。

すかんぽ⓪②【{〈酸模〉}】 山野に自生する多年草。大形の葉を持つ。芽は赤紫色で若葉と共に食べられるが、かむと酸っぱい。スイバ。〔タデ科〕 表記 「{〈酸模〉}」は漢語表記。 かぞえ方 一本

すき②【好き】—な —に 〔動詞「好く」の連用形の名詞用法〕 ❶自分の感覚や感情に合うものとして心が引きつけられ、積極的に△受け入れよう(接し続けよう)とする気持にさせられる様子だ。「△フランス料理(クラシック音楽・サッカー)が—だ/—な女優/彼には—な人〔=恋人〕ができたようだ/自分が—でやっていることだから、疲れるのは苦にならない/—嫌い」↔嫌い ❷〔「—△な(に)」の形で〕他から束縛などを受けることなく、意の赴くままに行動する(ことが容認される)様子だ。「いつでも—な時にすればいい仕事/休日ぐらいは—なようにさせてもらいたい/用事が済んだら、—にしてよい/—な事ばかり言って困ったものだ」 ❸物好きな様子。特に、好色な様子を指す。「—の道」 文法 ❶で、一般にその対象となる事物・事柄は「…が」で表わされるが、近年は「…を」で表わされることも多くなった。 運用 ❸は「君も好きだねえ」などの形で、物好きな、また、好色な相手を、からかい気味に批評するのに用いられることがある。

すき⓪【隙】 〔「透き」の意〕 ❶何かと何かとの間の、あいている部分。「戸の—〔=間〕から手を出す/割り込む—〔=余地〕も無い/—〔=合間(アイマ)〕を見て出かける」 ❷緊張が続いている間に生ずる、ちょっとした気のゆるみ。「一分の—〔=つけこむ余地〕も無い構え/油断も—も無い〔=⇩油断〕/つけこむ—を与えない/—を△見せる(つく)/—をうかがう〔=相手の油断をねらって待ち構える〕」 表記 「《空き」とも書く。

すき⓪【〈漉き〉】 紙を漉くこと。「別—⓪・特—」 表記 「《抄き」とも書く。

すき 一⓪【〈鋤〉】 土地を掘り起こす時などに用いる農具。普通は、幅の広い刃にまっすぐな柄をつけた、櫂(カイ)に似た形をしている。 かぞえ方 一挺(チョウ)・一丁・一本 二⓪【〈犂〉】 家畜に引かせて、土地を掘り起こす農具。 かぞえ方 一本・一挺 三(造語) すき焼き。「—なべ・鳥—⓪・魚—⓪・うどん—②」

すき②【《数寄》】 〔「好き」の意の借字〕風流の道、特に茶の湯や和歌などに熱心なこと。「—を凝らす〔=建物や庭園などに、風流の趣を可能なだけ施す〕」 表記 付表には「数寄屋・数奇屋」を例示。

すぎ【過ぎ】(造語) ❶その時刻・時期や年齢を多少過ぎていることを表わす。「三時—に帰る/四十—の男性だった」 ❷その程度が度を超していることを表わす。「食べ—・働き—・飲み—」

すぎ⓪【杉】 野山に生える日本特産の常緑高木。幹は直立して高く、鉾(ホコ)形に伸びる。葉は小さくて針の形。材は、軟らかく木目が通り、工作がしやすく建築・器具・船材用として重要。〔ヒノキ科(旧スギ科)〕「—板⓪・—材⓪・—並木③」 表記 「〈椙」とも書いた。 かぞえ方 一株・一本

ずき①【逃亡中の罪人に対する】(キツ) 〔逃亡中の罪人に対する〕警察からの注意。〔通語〕「—が回る」

すきあぶら③【〈梳(き)油〉】 髪を梳く時に使う固形の油。

すぎあや⓪【杉〈綾〉】 布地で、杉の葉のようにV字形を連続させた模様。また、そのような織り方。魚の骨のようにも見えるので、「ヘリンボーン〔←herringbone=ニシンの骨〕」とも言う。

スキー②〔ski〕 靴にしめつけて、雪の上を滑走・移動するように、細長い木などで作った用具。また、それを付けて雪上を滑走するスポーツ。「—場(ジョウ)⓪・サンド—⑤・水上—⑥」 かぞえ方 用具は一台

スキーイング②〔skiing〕 スキー△術(をすること)。

スキーマ②〔schema〕 ❶概要。大意。 ❷〔心理学で〕記憶として蓄積される知識の体系的な枠組。 ❸データベース

スキーム②〔scheme〕全体の構造のこと。また、それらを記述したファイル。将来像をふまえた計画。
スキーヤー②〔skier〕スキーをする人。
すきいれ⓪【〈漉き入れ〉】紙に透かしなどを漉きこむこと。表記「《抄き入れ」とも書く。
すきいろ⓪【透き色】日に透かして見た時の反物の色合。
すきうつし⓪【透き写し】━する（他サ）⇩しきうつし
すきおこ・す④【〈鋤き起こす〉】（他五）鋤キですいて土を起こす。
すきおり⓪【透き織り】紋絽ロ・紋紗シャのように、広く透かして織△ること（った織物）。
すぎおり⓪ー【杉折】杉の木のへぎ板の箱。
すきかえし⓪ー【〈漉き返し〉】漉き返して再製した紙。薄墨紙④。宿紙シュク②。「すきがえし⓪」とも。表記「《抄き返し」とも書く。
すきかえ・す③ー【〈漉き返す〉】（他五）不要の紙を溶かして、もう一度紙に作る。表記「《抄き返す」とも書く。
すきかえ・す③ー【〈鋤き返す〉】（他五）鋤キですいて土を掘り返す。名鋤き返し⓪
すきかげ⓪③【透き影】㊀すきまから見える影。㊁暗い所から明るい方を透かして見た時に見える姿。
すきかって③②【好き勝手】━に「好き㊀」の意の強調表現。「人の迷惑も考えず━な事ばかりする」
すききらい②③⓪ー【好き嫌い】好きなものだけに心が傾き、嫌いなものを受けつけないこと。「食べ物の━を言う／━（＝よりごのみ）が激しい」
すきぐし⓪【〈梳き櫛〉】髪の毛を梳く、歯の目の細かな櫛。かぞえ方一本・一枚
すきげ⓪【〈梳き毛〉】髪の形を整えるために、髪の中に入れる毛（の束）。梳き櫛グシにはさんで、毛を梳くのにも使う。
すきごころ③【好き心】生活に直接結びつかない何かに傾斜する心。〔主として、好奇心・風流心・好色心などを指す〕表記風流心の場合は、「《数寄心」とも書く。
すぎこしのいわい⓪-⓪【〈逾越《節〉】ユダヤ民族がエジプトをのがれ出た記念の祝日。過越の祭⓪-⓪。
すきこのみ⓪【好き好み】その人その人の好み。
すきこの・む④【好き好む】（他五）「好く」と「好む」と、同義の語を重ねた強調表現。「好き好んで（＝特に望んで）苦労する者は居ない」
すきこ・む③【〈漉き込む〉】（他五）模様や文字が現われるように異質の材料を入れて紙をすく。名漉き込み⓪ 表記「《抄き込む」とも書く。
すきこ・む③【〈鋤き込む〉】（他五）肥料などを加えながら田畑を鋤スキで耕す。
すぎさ・る③⓪【過ぎ去る】（自五）時間が経過し、以前あった△状態（物）がそこに見られなくなる。「△嵐アラシ（冬）が━／過ぎ去った（＝二度と来ることの無い）青春」
すぎし①【過ぎし】（連体）過ぎ去った。「━日の古都のおもかげ」
すきしゃ②㊀【好き者】ものずきな人。㊁【《数寄者】茶道を好む人。表記付表には「数寄屋・数奇屋」を例示。
すぎじゅう②ー【杉重】杉の薄い板で作った重箱。
すきずき②【好き好き】人それぞれに好みが違うこと。「〈蓼で食う虫も━〉」⇩たで㊀
ずきずき①（副）━と━する 傷・できものなどが脈を打つように痛む様子。〔強調表現は「ずきんずきん」〕「朝から頭が━する」
すきっと②（副）つかえていた物が取れた時のような、すっきりした気分になる様子。「外の冷気にふれて頭が━する」
スキット②〔skit〕寸劇。〔語学教育などで用いられることが多い〕
スキッド②━する（自サ）〔skid〕急ブレーキを掛けた時の、自動車の横すべり。しり振り。
スキッパー②〔skipper〕㊀ヨットなど、小さな船の船長。艇長テイチョウ。㊁（スポーツの）主将。
すきっぱら⓪【《空きっ腹】「すきはら」の口頭語的表現。
スキップ②━する（自サ）〔skip〕かわるがわる片足で軽く跳ぶ二拍子のステップ。心が浮き立った時など子供がよくやる。「━を踏む」
すぎど⓪②【杉戸】杉の鏡板の戸。
すきとおし⓪ー【透き通し】〔塀や腰板の一部などを透かしたりくりぬいたりして外が部分的に見えるようにすること。また、そのもの。「━になっている（＝世俗の影響や雑念からすっかり解放された清浄で素直な）心」
すきとお・る③ー【透き通る】（自五）㊀薄い紙や布などを通して、△中（向こう）にある物がよく見える。「透き通った肌」㊁高く澄んだ声・音が、あざやかに聞こえて来る。表記「透き《徹る」とも書く。
すぎな⓪【杉菜】至るところに生える多年生のシダ植物。胞子茎ホウシケイであるツクシが枯れたあとで同じ根から出、緑色で細い針金状をなす。〔トクサ科〕かぞえ方一本
すきなべ⓪【〈鋤鍋〉】すき焼き用の、底の浅い鉄鍋。
すぎなり⓪【杉《形】杉の木がそびえている形。上がとがって下が広がった形。「お盆にまんじゅうを━に盛る」
すきはら⓪【《空き腹】腹がへっていること。くうふく。〔口頭語的表現は「すきっぱら」〕「━を抱える」
すぎはら⓪【杉原】㊀杉の生えている野原。㊁〔←杉原紙ガミ④〕コウゾを原料として作った厚紙。奉書よりやや薄くて柔らかい。すぎわら。
すきほうだい③ー【好き放題】━に 自分の好きな通りにする様子だ。
＊**すきま**⓪【隙間・透き間】〔「透き間」の意〕㊀透いて△いる（出来た）場所。「━だらけの家」㊁あいた時間。すき。「━を見て手つだう」 **━かぜ**③【━風】建具などの隙間から吹き込む風。「二人の間に━が吹き込む（＝二人の間の人間関係がよそよそしくなる）」
すきみ⓪【透き見】のぞきみ。
すきみ⓪【〈剝き身】魚肉などを薄く切ったもの。
スキミング⓪②〔skimming〕クレジットカードなどの磁気データを盗み取り、偽造する犯罪の手口。
スキムミルク④〔skim milk〕⇩脱脂粉乳
すぎむら⓪【杉《叢】杉の多く生えた所。
すきもの⓪【好き者】㊀ものずきな人。好事家コウズカ。㊁好色家。
すぎもの⓪④【過ぎ者】その人の結婚などの相手が、本人に比べて不釣合なほど種々の点ですぐれていること。また、その相手。「お前には━だ」
すきや⓪【透き《綾】〔←すきあや⓪〕地合ジアイの非常に薄い絹織物。
すきや⓪【《数寄屋・《数奇屋】茶の湯のために建てた茶室。表記⇩付表「数寄屋・数奇屋」 **━づくり**④【━造り】茶室風に造った、しょうしゃな建物。**━ぼうず**④【━坊主】江戸幕府の茶会に関する事務万端をとりしきった小役人。〔時に大名に賄賂ワイロを強要し、不当な権勢を振るうこともあった〕
すきやき⓪【〈鋤焼き〉】〔「すき」は薄く切った肉の意という〕牛などの剝き身を、焼きながら豆腐・野菜を添え、割り下で煮るなべ料理。表記「《寿喜焼き」とも書く。
スキャット②〔scat〕〔ジャズなどで〕それ自身意味のない音

節を繰り返しはさんで歌う歌い方。また、その歌。

スキャップ②〔scab〕スト破り。

スキャナー②⓪〔scanner=走査機〕図・写真・文書などを光学的に走査し各点の明暗(や色)を電気信号に変換することにより、画像をコンピューターに入力する装置。「イメージ—⑥・バーコード—⑦」

スキャニング⓪②—する(他サ)〔scanning〕スキャナーを使って画像をデータ化すること。スキャンとも。

スキャンダラス②—な〔scandalous〕金銭や恋愛関係などに関する不祥事により、世間のうわさになる様子だ。

スキャンダル②〔scandal〕㊀よくないうわさ。醜聞。㊁社会的地位のある人の不正事件。「—を生む」

スキャンティー②〔scanties. scanty=ぎりぎりの〕極端に短いパンティー。

スキューバ②〔scuba ← **s**elf-**c**ontained **u**nderwater **b**reathing **a**pparatus〕自動水中呼吸器。圧縮空気タンクと圧力自動調節弁つきの送気管とから成る。「—ダイビング⑤」⇨アクアラング

すぎゆ・く③【過(ぎ)行く】[一](自五)㊀過ぎて行く。△通って(通り越して)行く。㊁時が移っていく。[二](自四)〔雅〕「死ぬ」の婉曲(エンキョク)表現。

ずきょう⓪(ヅキャウ)【誦経】〔「じゅきょう」の変化〕故人の回向(エコウ)や病気の祈禱(キトウ)などのために、お経を読むこと。また、僧に読経(ドキョウ)してもらうこと。 **—りょう**②(レウ)【—料】誦経の礼として僧にする布施(フセ)。誦経(物)。

スキル②①〔skill〕反復訓練の結果習得した技能・技術。「—を上げる(身につける・高める)/—学習」

＊＊**す・ぎる**【過ぎる】[一]②(自上一)㊀〈どこヲ—〉〔進行するものが〕ある地点や場所へ△移る(移って行く)。〔(踏むようにして)、他の地点や場所を△踏んで〕「三十八度線を—/頂上を—」㊁〈なにヲ—〉時間が△移る(移って、その時期・期限がおしまいになる)。「むなしく日が—/盛りを(が)—/喧嘩(ケンカ)過ぎての棒ちぎり(木)〔=⇨けんか〕/過ぎた事〔=過去の事〕」㊂〈だれ・なにニ—〉普通の水準を越す。「お前には過ぎた〔=良過ぎて、だれが見ても不釣合だと思う〕女房だ/△遅き(無責任)に—〔=あまりにも…だ〕/△遠慮(度)が—/過ぎたるは及ばざるがごとし〔=物事にはほどよい程度があるということ〕」【…に過ぎない】(ただ)…であるだけのことだ。「△一片の紙切れ(氷山の一角・一例・杞憂(キユウ)・推測・便法)—」[二]〔「動詞連用形＋—」の形で、接尾語的に〕度を越す。「いくら強調しても、し—ことは無い/言い—・長—・知らな—」

文法 ⑴[一]㊀は、「賞味期限を過ぎる」「賞味期限が過ぎる」と「…を」「…が」のどちらも用いられる。前者の「を」は通過点を表わすととらえられる。⑵[二]は、「この子は知識がない」に対して「この子は知識がなさ過ぎる」と、形容詞「ない」に続くときは「なさ過ぎる」の形になる。一方、「ものを知らな過ぎる」のように打ち消しの助動詞「ない」に続くときは語幹に直結して「…な過ぎる」となる。

すぎわい⓪(スギハヒ)「食っていくための職業」の意の古風な表現。なりわい。

すぎわら⓪(ハラ)【杉原】すぎはら。

スキン①〔skin〕[一](造語)㊀皮膚。「—ローション④」㊁皮革。「バック—」[二]②コンドーム。

ずきん①②(ヅ)【頭巾】頭にかぶったり顔をおおったりするための布。「防寒—⑤⑥・防災—⑤⑥・おこそ—・ほうろく—⑤⑥」 かぞえ方 一枚

スキンシップ④〔skinship=kinship(親族関係)からの発想による、日本での造語〕親が、自分の子供を人任せにしないで、自分で身のまわりの世話をして育てることによって、愛情が子供に伝わるとされること。〔広義では、人事管理を円滑にするものとしての、職場を離れた上役と下役との私的な交友関係をも指す〕

ずきんずきん②-②、②(ヅキンヅキン)(副)—と—する「ずきずき」の意の強調表現。

スキンダイビング④〔skin diving〕足にゴムのひれをつけるなどして、スポーツとしてする潜水。素潜り。

スキンヘッド④〔skinhead=はげ頭〕つるつるに剃(ソ)り上げた坊主頭。

す・く⓪(他五)〔透かす意〕[一]枝のこみあっている部分を除いたり密生した作物を間引いたりして適度なすきまを作る。「枝を—」[二]【《剝く》】薄く切る。「魚の身を—」[三]【《鋤く》】固まっている田畑の土を掘り返して細かくする。「畑を—〔=鋤(スキ)で耕す〕」[四]【《梳く》】櫛(クシ)などでもつれ合っている髪の毛を△とかす(とかして整える)。「髪を—」

す・く①⓪【好く】(他五)好きだと思う。〔現代語では、おもに受身・否定の形で使う〕「人に好かれるたちだ/いけ好かない/総すかん/好き合った仲」↔嫌う **すいた**①⓪【好いた】(連体)異性として心が引かれる。〔古風な表現〕「—殿御(ゴトノ)」 **すいたらし・い**⑤【好いたらしい】(形)接する人に好感を与える様子だ。〔多く恋愛感情を伴って用いられる〕「あの人は—お方だ」

＊**す・く**⓪(自五)[一]【透く】間に何かを通して、△向こう側(内側)が見える状態にある。「透いて見える/枝が透いている〔=枝のすきまを通してその向こうが見える〕」[二]【《空く》】そこを満たす物△が少なくなって(の一部が無くなったりして)、あきが出来る。「空いた電車/腹が—〔=前回の食事から時間が長くたつなどして、何か食べたいという欲求を感じる〕/手が—〔=その時さし迫ってする事が無い状態にある〕/胸が—ような〔=胸につかえていた不愉快さなどがすっかり無くなるような〕壮挙」〔大部分の対義語は、こむ〕

す・く⓪【《結く》】(他五)網を編む。「網を—」

す・く⓪【《漉く》】(他五)紙の原料となる繊維を水にといて、簀(ス)の上に薄く均等に敷く。また、同じ様にして薄く平たいものを作る。「△紙(海苔(ノリ))を—」 表記 「《抄く》」とも書く。

＊＊**すぐ**①【《直ぐ》】[一]—な あくまでも△まっすぐ(まっ正直)な様子だ。「—な性格」[二](副)—に ㊀何かがあってから時間を置かずに次の事が行なわれる様子。「着いたら—連絡してくれ/食べて—動くのはよくない」㊁ちょっとしたきっかけで新たな事態が展開する様子。「—怒り出す性格/どんなにごまかしても—分かる/—に人の言葉を信じてしまう」㊂そこまで、時間をかけずに行き着ける距離にある様子。「目的の家は—そこです/角を曲がって—の店/—近くのスーパー」

ずく(ヅク)【《尽く》】(接尾)〔一辺倒の意〕〔「名詞＋—」の形で〕それ以外の△手段(方法)は用いていないこと。「納得—で/金(カネ)—・腕—・相談—・談合—・権柄(ケンペイ)—・力—」

ずく①(ヅク)[一]【〈木菟〉】ミミズクの略。[二]【《銑》】「ずく鉄」の略。

すくい(スクヒ)【救(い)】[一]⓪㊀救われること。「—を求める〔=ⓐ手を伸べて助けてくれるように頼む。ⓑ加勢・援兵を依頼する〕/—の手を求める」㊁△どん底にある(悲惨な思いをしている)人の気持を幾分でも解放させるもの。「せめてもの—/—の無い△映画(小説)」[二](造語)動詞「救う」の連用形。「芯(シン)まで腐り切った—ようの無い人間」 **—あ・げる**⑤【—上げる】(他下一)助け出して、安全な所に移す。 **—がた・い**⑤【—難い】(形)㊀どんな点から見ても、評価できる点が無い様子だ。「—駄作」㊁〔理解させる〕方法が無い様子だ。「—連中」㊂済度する方法が無い様子だ。 **—だ・す**④【—出す】(他五)危険・困難から助け

出す。 **—ぬし**③【—主】❶危機的状況から救ってくれた人。❷「救世主」の意の和語的表現。

すくい あ・げる⑤【〈掬い上げる】（他下一） 掬って、上の方に持って行く。

スクイズ②〔←squeeze play. squeeze＝しぼり出す〕〔野球で〕打者と三塁走者とが示し合わせ、投手が投球すると同時に、走者が本塁めがけて走り出し、打者はバントして走者を生還させる連繋（レンケイ）プレー。

すくい だ・す④【〈掬い出す】（他五） 掬って、外に出す。

すくい なげ⓪【〈掬い投げ】〔すもうで〕自分の差した手で、相手のまわしをつかまずに、からだを掬い上げるようにして投げるわざ。

すく・う⓪【救う】（他五）〈（なにカラ）だれ・なにヲ—〉△危険（困窮）状態や悪い環境、貧しい境遇などにある人に力を貸したり 励ましたりして、そこからのがれられるようにする。「△危機（窮状）を—／貧民を—／青少年を不良化から—／世を—〔＝世の中の悪い状態を直す〕」 表記「《済う」とも書く。 **すくわれ ない**⓪【救われない】 希望が無くて、明るい気持になれない。〔⇩救い❸〕

すく・う⓪【〈掬う】（他五） 液状・粉末状のものの表面に軽くさわるようにして、その△表面（中）にある物やその一部を取り出す。 名 掬い⓪ 表記「《抄う」とも書く。「足を—」⇩足

すく・う②【巣くう】（自五） ❶鳥などが、巣を作ってすむ。❷〔良民の秩序・生活に反するような者どもが〕根城を構える。〔好ましくない考えややっかいな病気が、人の心やからだに しつこくこびりついて離れない意にも用いられる。例、「心に—よこしまな考え」〕

スクーター②⓪〔scooter＝もと、片足を乗せて走る おもちゃのスケート〕 オートバイよりは軽便で、またがらないで乗れる自動二輪車。モーター スクーター⑥とも。 かぞえ方 一台

スクーナー②〔schooner〕 マストが二本以上の△中（小）型の帆船。 かぞえ方 一艘（イッソウ）・一隻（イッセキ）

スクープ②—する（他サ）〔scoop〕 他の新聞社を出しぬいて、大きなニュースをつかむこと。また、その記事。特種（トクダネ）。

スクーリング⓪〔schooling〕〔通信教育の学生のための〕面接授業。

スクール ❶②〔←school figure〕〔スケートで〕基本的な型のフィギュア。「一九九一年廃止」 ❷（造語）〔school〕学校。「モデル—⑤・—カラー⑤〔＝校風〕・—バス⑤」 **—ゾーン**⑤〔和製英語 ←school＋zone〕 幼稚園・小学校などの通学路指定区域。

スクエア③〔square〕 ❶正方形。四角形。「—ネック」 ❷広場。特に交差点に設けられた四角い広場。 ❸スクエアダンスの略。 **—ダンス**⑤〔square dance〕 ⇩ダンス

すぐき①【酸茎】「スグキナ⓪③〔＝カブの一種〕」を酸っぱく漬けた漬物。京都市の特産。

すぐ さま①【《直ぐ様】（副）「すぐ❸❶」の意の強調表現。「知らせを聞いて—かけつけた」

すぐ・す②【《過す】（他四）〔雅〕過ごす。

すく すく①②（副）—と 目に見えて△植物がたけを伸ばし（子供が健康に）育つ様子。

すく せ②⓪【《宿世】〔仏教で〕前世（からの因縁（インネン））。〔「過世」と書いて「すぐせ」とするのは誤り〕

ずく てつ⓪【〈銑鉄】（ヅク）「銑鉄（センテツ）」の異称。

すくな・い③【少ない】（形） ↕多い ❶同種の他のものに比べて、より小さい数量だ。〔それと同じ数量を引くと、比較する対象の方に余りがある状態を指す〕「都会に緑が少なくなった／回転面に油を塗って摩擦を少なくする／多かれ少なかれ」 ❷何かの数量、見聞や経験の度合が予測されるほどには達していない様子だ。「放射能漏れの心配は—／夏の天候不順で収穫が—／実現の可能性が—」 派—さ③ **—げ**⓪④③ **すくなく ない**③-①【少なくない】 積極的に多いとは言えないが、必ずしも少ないとは判断できない状態だ。「△不安（医学の発展に資する所）は—」 表記「〈尠い」とも書く。

すくなから ず④⑤【少なからず】（副） その数量や程度が、△多い（はなはだしい）とは言えないまでも無視するわけにはいかないととらえられる様子。「同じような例が—発見された／—驚かされた」

すくなから ぬ⑤④【少なからぬ】（連体） その程度を、たいしたことではないと無視するわけにはいかないと判断する様子。「—影響が予想される」

すくなく とも③【少なくとも】（副） その事態に関する最低の基準として見積もったり 言及したりする様子。少なくも③。「—一時間はかかる／—彼よりましだ／—この程度の日本語は分かっていてほしい」

すくな め⓪【少な目】—な —に やや少ないくらいの程度だ。「—に見積もる」 ↕多目

ずくにゅう⓪【〈木〈菟〉入】（ヅクニフ）〔←ずく入道③〕 太っていてなんとなく好感の持てない、坊主頭の人。

すくね⓪【《宿〈禰】〔雅〕〔もと、臣下を親しんで言った称〕天武天皇の代に定められた姓（カバネ）の一つ。

すくみ あが・る⑤【〈竦み上がる】（自五） 恐れて、小さくなる。縮み上がる。

すく・む⓪【〈竦む】（自五） ❶緊張のあまり、からだが自由に動かなくなる。「身の—思い／足が—／立ち—」 ❷小さくなる。すくまる⓪（五）。

ずくめ（接尾） それ以外の状態が そこには見られないこと。「うれしい事—の一か月／黒—の服装／結構—」 表記 歴史的かなづかいを「づくめ」とし、「尽くめ」と当てる習慣もあった。「現代仮名遣い」では「くろづくめ」のように「づ」を用いて書くこともできるとする。

すく・める⓪【〈竦める】（他下一） からだの その部位を縮める。「首を—／肩を—〔＝困惑・不賛成・あきらめなどを示すために、西洋人らしいしぐさをする〕」

すくよか②【《健よか】—な —に すくすくと△育つ（伸びる）様子だ。

スクラッチ③〔scratch＝ひっかく〕 ❶つめなどで、ひっかいたりこすったりすること。「—宝くじ」 ❷〔ゴルフなどで〕ハンデをつけないで行なう試合。 ❸〔ポピュラー音楽で〕ターンテーブル上でレコードを手で押さえたり、回したりして、効果音やノイズを作り出す手法。 **—カード**⑥〔scratch card〕 表面を硬貨などで削ると、点数や当たりなどの表示が現われるくじ。

スクラップ③〔scrap＝断片〕 ❶—する（他サ） 新聞・雑誌などの記事を△切り抜くこと（切り抜いたもの）。 ❷〔←scrap iron〕 くず鉄。 かぞえ方 ❶は一枚 **—アンド ビルド**⑨〔scrap and build〕 工場設備や行政機構などで、古くなって使いづらい設備や組織を捨てて、新しい設備や組織を作ること。 **—ブック**⑥〔scrapbook〕〔新聞・雑誌の〕切抜帳。 かぞえ方 一冊

スクラブ②〔scrub〕 毛穴の汚れをとるための細かい粒子が入った洗顔剤。

スクラム②⓪〔scrum〕 ❶〔ラグビーで〕試合再開にあたり、レフェリーの命じた地点で両軍のフォワードが肩を組んで押し合い、間に投げ入れられたボールを後方へけり出すこと。 ❷おおぜいが△腕（肩）を組み合わせて横隊をつくること。「—を組む〔＝強力な相手に対抗するために、堅く団結する〕」

スクランブル[3]〔scramble〕❶〔もと、急いで動く意〕やって来た敵機を迎えうつための緊急発進。❷〔かきまぜる意〕盛り場などの交差点で、一時すべての車の交通をとどめ、通行人が縦・横・斜め いずれの方向へも自由に横断出来ること。「―方式[7]・―交差点[0][9]」 **―エッグ**[7]〔scrambled eggs〕西洋風の、ふわふわしたいり卵。

すぐり[1]【酸《塊】山地に生える落葉低木。葉の付け根にとげがある。小さく赤い実は甘ずっぱい。数種ある。〔スグリ科(旧ユキノシタ科)〕 かぞえ方 一本

スクリーナー[3]〔screener〕顕微鏡で医学的検査を行なう人。

スクリーニング[0][3]〔screening〕審査・選考などにより適格なものや条件に合うものを選別すること。ふるい分け。

スクリーン[3]〔screen〕❶〔映画の〕映写幕。銀幕。〔映画(界)の意にも用いられる〕❷写真製版に使うガラス板。黒色・網目状の線を引き、網目版などに使う。❸謄写版に使う、枠に張った、目のあらい絹の布。スクリン[2]とも。❹枠にカーテンのような布を張った、簡単なついたて。かぞえ方 ❶は一連。❷~❹は一枚 **―プロセス**[7]〔screen process〕特殊撮影の一つ。スクリーンの後ろから映す背景と、その前で行なう演技とを一つの画面に構成しながら撮影する方法。

スクリプター[3]〔scripter〕映画撮影の現場で、進行を記録する係。

スクリプト[3]〔script=書いたもの〕❶映画・放送用の台本。「―ライター」❷ローマ字の書体で、手書体のもの。

スクリュー[2]〔screw=ねじ。らせん(状の物)〕(船の)推進器。スクルー[2]とも。かぞえ方 一本

すぐる[2]【過ぐる】(連体)「過ぎ去った」の意の古風な表現。「―三月」

すぐ・る[2](他五) 多くの ものの中から(すぐれたものを)選び出す。「精兵を―/えり―」

すぐれもの[0]【優れ物・《勝れ物】同種の物の中で、今までに無い長所や便利さを備えていて、利用価値があると認められる製品。

***すぐ・れる**[3]【優れる・《勝れる】(自下一)〈なにニ〉―〉❶才能・価値などが普通よりも はるかに望ましい段階にある。「すぐれた人材/△健康(天気)がすぐれない/人並ミナすぐれた頭脳を持つ/音感にすぐれた少女」❷〔「すぐれて[2]」の形で副詞として用いる〕他の要素をさしおいて第一に取り上げるべきだと判断される様子。「すぐれて政治的な問題」 文法「すぐれる」と評価の対象となる事柄を表わすのに「…が」「…に」も用いられる。

スクロール[3][0]―する(他サ)〔scroll〕コンピューターの画面内の表示内容を左右・上下に動かすこと。

スクワット[3]〔squat〕❶上半身を伸ばしたまま、ひざだけで行なう屈伸運動。❷パワー リフティングの種目の一つ。肩にバーベルをかつぎ、しゃがんだ姿勢から立ち上がる競技。

すけ[2]【《佐】〔「次官」の意〕昔の四等官の第二。長官の輔佐サホ官。⇩四等官 表記 役所によって、「〈輔・〈弼・《介・〈亮・〈祐」などと書いた。

すけ【助】■一[0][2] ❶加勢。❷〔寄席で〕真打シンウチの補助。❸女や情婦の称。■二(造語) 卑小な存在だととらえられる人の特徴をとらえて称した表現。〔一般に侮蔑ブベツを含意して用いられる〕「雲―・露ロ―[0]〔=明治時代の語で、当時敵方であったロシア人を称した語〕・でこ―〔=でこ坊〕・飲み―〔=のんべえ〕・ちび―[2]〔=背の低い奴〕・ねぼ―」

すげ[0]【〈菅】水辺に生える多年草で、非常に種類が多い。茎は三角形で、葉は細長い。種類によっては、葉を かさ・みの・むしろなどに使う。〔狭義では、カサスゲ[0][2]を指す〕〔カヤツリグサ科〕 かぞえ方 一本

ずけ[1][2]ケツ【漬(け)】⇩づけ(漬)■三

ずけい[0]ト|ツ【図形】❶視覚的にとらえられるように何かをかいた形。かいたもの。「ステンドグラスにかかれた―/―化[0]」❷〔幾何学で〕考えている平面・曲面・空間の一部分を占め、一まとまりを形作っているもの。〔一般に、位置と形と大きさを持つ〕「平面―・立体―・空間―」

スケーター[2][0]〔skater〕スケートをする人。

スケーティング[0][2]〔skating〕スケートをすること。

スケート[0][2]〔skate〕❶靴に取りつけて氷上を滑走する鉄製の用具。また、それを付けてすべる運動競技。❷ローラースケートの略。 **―ボード**[5]〔skateboard〕スキー板状の合板の前後に車輪を付けた遊び道具。両足で立ったりして滑走する。サーフローラー[4]。略してスケボー[0]。 **―リンク**[5]〔和製英語 ←skating + rink〕スケート場。アイスリンク。 かぞえ方 一面

スケープゴート[5]〔scapegoat〕いけにえ。〔上役の代りに罪を負わされる部下の意にも用いられる〕

スケーラビリティー[5]〔scalability〕コンピューターのシステムで、データ量の拡大に柔軟に対応できる拡張性のあること。

スケール[2]〔scale=寸法。尺度〕❶何かの大きさの程度。規模。「―が大きい」❷物さし(の目盛り)。〔狭義では、(鋼鉄の)巻尺や地図などの縮尺を指す〕❸音階。 **―メリット**[5]〔和製英語 ←scale + merit〕規模を大きくすることで得られる利益や効果。規模効果。

すげか・える[0][4][3]カヘル|ー【《挿(げ)替える】(他下一) すげてあったものを取り替える。つけかえる。「鼻緒を―/首を―/幹部を―〔=ある人をやめさせて、代りに別の人をその位置につかせる〕」 名 すげ替え[0]「頭の―」

すげがさ[0][3]【〈菅笠〉】スゲで編んだ笠。 かぞえ方 一枚・一蓋イッカイ

スケジュール[2][3]〔schedule〕時間表。日程(表)。予定(表)。「―を組む/ハード―[5][6]〔=その通り実行するのが大変つらく思われるほど過密な予定〕」

ずけずけ[1]ヅケヅケ(副)―と 相手に向かって耳の痛い批評や非難を、当人の前で遠慮無く述べ立てる様子。〔口頭語的表現〕

すけそうだら[5][3]【助宗〈鱈・助〈惣鱈〉】すけとうだら。

すけだち[0]【助〈太刀〉】―する(自サ)〔はたし合い・あだ討ちなどの〕助力(をする人)。 表記 ⇩付表「太刀」

スケッチ[2]―する(他サ)〔sketch=略画〕❶写生すること。また、そのようにして描かれた絵。❷大体の印象を軽いタッチで写し取ったもの。〔広義では、そのような小品や小曲を指す〕 かぞえ方 ❶❷とも 一点 **―ブック**[5]〔sketchbook〕写生帳。 かぞえ方 一冊

すけっと[0]【助っ《人】〔東北・関東方言〕〔「助人スケビト」の変化〕加勢して手助けをする人。

すけとうだら[5][3]ータウ|ー【《介党〈鱈】・【〈鯳】日本海・オホーツク海にすむ深海魚。マダラより少し小さく、からだの横に、黄色を帯びた黒い線がある。サイドカーのような形でつながった卵「たら(の)こ」と共に、食用。すけそうだら。明太メンタイ。 かぞえ方 一尾・一匹

すげな・い[3]【素気無い】(形) 相手の心情に対する思いやりが全く感じられないような応対をする様子だ。「すげなく断わられる」 派 **―さ**[3][2] **―げ**[3][4][0] 文法 助動詞「そうだ(様態)」に続くときは「すげなさそうだ」の形になる。また「すぎる」と結びついて複合動詞をつくるときは「すげなさすぎる」の形になる。

すけばん[0]【助番】〔「すけ」は女性の意の隠語〕「女の番

長」の意の俗語的表現。

すけべい②【助平】ナ 好色な△様子(者)。〔口頭語形は「すけべ②」〕 派―さ③ 表記「助〈兵衛〉スケベエ」とも書く。 **―こんじょう**⑤ジャウ【―根性】 もしかしたら△よいものが当たる(もうけになる)かもしれないと思って、新しい物事に手を出したがる、欲張りな心。

す・ける⓪【助ける】(他下一)〔東北から中国・四国までの方言〕たすける。

す・ける⓪【透ける】(自下一) 透いた状態になっている。「垣根が透けて見える」

す・げる⓪【《挿げる】(他下一) 本体に付属部分をはめこんだりさしこんだりする。「下駄ゲタの緒ォを―/人形の首を―」

スケルツォ②〔イ scherzo〕明朗・軽快で調子の速い曲。多く、ソナタやシンフォニーの一楽章をなす。諧謔カイギャク曲。

スケルトン②〔skeleton=骸骨ガイコツ〕㊀建造物の骨組。㊁〔ガス ストーブなどの〕放熱用の陶器。㊂冬季オリンピック競技種目の一つ。鉄製の刃の滑走部分と台座だけのそりにうつぶせに乗り、頭を前方にして氷上を滑走する競技。そりの形状が骨組だけのことから命名された。

スコア②〔score〕㊀得点(の記録)。「―カード④・タイ―④」㊁総譜(表)。

スコアブック④〔scorebook〕得点表。試合経過記録表。

スコアボード④〔scoreboard〕〔運動競技の〕得点を示す掲示板。スコアボールド④とも。 かぞえ方 一面

スコアラー②〔scorer〕競技の△記録係(得点者)。

スコアリング ポジション⑧〔scoring position〕〔野球で〕得点可能圏。多く二塁を指す。

すご・い②【《凄い】(形) ㊀心の底から恐ろしいと感じさせる様子だ。「―雷鳴がとどろく/―目でにらまれる」㊁全く予測できなかった事態に遭遇して、ひどく驚く様子だ。「朝夕は―渋滞が起きる道路/台風が接近して海がすごく荒れる/―人気」 派―さ① ⇩すごく

ずこう⓪【図工】「図画・工作」の略。

すごうで⓪【《凄腕】 ほかの人が出来ないような物事を、やってみせる実力を持っていること。「―のマネージャー」

スコート②〔skirt〕〔テニスやゴルフなどで〕女性がはくショートスカート。

スコープ〔scope〕㊁② ㊀能力・活動などの範囲。㊁視野。「社会的―」㊁〔造語〕見る器械・装置。「シネマ―・ペリ―・カレード―(=万華鏡)」

スコール②〔squall〕にわか雨などを伴う、突然の強風。熱帯の海上でしばしば見られる。

スコーン②〔scone〕小麦粉・牛乳などを混ぜて焼きあげるビスケットに似た小形のパン。紅茶にそえられる。

すごく①②【《凄く】(副)「とても・非常に」など、程度がはなはだしい様子を表わす意の口頭語的表現。〔若い世代に好んで用いられる。また、「すごくきれい」を「すごいきれい」などと、「すごい」を副詞的に用いることがある。強調表現は「すっごく③」〕「―暑かった/―おこられた/―おもしろい」

****すこし**②【少し】(副) 数量・程度が△わずかである(たいしたものではない)様子。「―後ろに下がってくれ/隠し味に塩を―加える/もう―の辛抱/―ずつ良くなる」 表記「〈些し」とも書く。 **―く**②③(副)「少し」の漢文訓読に基づく表現。 **―も**⓪(副)〔否定表現と呼応して〕肯定出来る要素が全く無い様子。「―(=ちっとも)おもしろくない」

***すご・す**【過ごす】㊁②(他五)〈なにヲ―〉㊀時間を費やす。「楽しい一時ヒトトキを―/楽しい夏休みを―(=送る)/その日その日を―(=ⓐ暮らす。ⓑ生活する)」㊁度を越して何かをする。「酒を―(=飲み過ぎる)/一つお過ごし(=お飲み)ください」㊂〔「動詞連用形+―」の形で、接尾語的に〕本来なら何らかの対処をすべき時に、△何もせず(気付かず)にそのまま…し続ける。「寝―・見―・やり―」

すごすご①(副)ト〔目的が遂げられず〕元気を無くして、その場を離れる様子。「―(と)引き下がる/負け犬のように―(と)帰る」 表記「〈悄々〉」とも書く。

スコッチ②〔Scotch=スコットランドの〕㊀〔← Scotch whisky〕英国、スコットランド特産のウイスキー。スカッチとも。㊁〔← Scotch tweed〕スコットランド産の毛織物。斜め織りの毛織り。 かぞえ方 ㊀は一本・一瓶ヒトビン

スコットランド⑤〔Scotland〕⇩付録「世界の国名一覧」イギリス **―ヤード**⑧〔Scotland Yard〕「ロンドン警視庁」の異称。〔所在地である通りの名に由来〕

スコップ②〔オ schop〕 柄の短い、シャベル形の器具。〔シャベルと同義にも用いられる〕 かぞえ方 一本

すこぶる③【〈頗る】(副) 何かの状態が予想以上の程度である様子。「今日は―ご機嫌だ/あの本は―おもしろいという評判だ」 **―つき**⓪【―付き】「大変」と言ってもまちがいないほどであること。〔口頭語的表現〕「―の美人/―の好調/―の豪邸」

すごみ③⓪【《凄み】㊀すごい△様子(所)。「すぐれた表現力に―さえ感じられる」㊁すごい言葉。おどし文句。「―を△きかせる(並べる)」 表記「《凄味」は、借字。

すご・む②【《凄む】(自五) △おどすような(恐ろしい)様子を見せる。

すごも・る③【巣籠る】(自五) 鳥や獣が、巣から出ないままでいる。〔狭義では親がえさを取って帰るのを雛ヒナや仔コが待つことを指し、広義では虫の冬眠を指す〕 名 巣籠もり②⓪「―消費(=災害時などに難を避けて自宅に籠もるために、物品を買い込むこと)」

すごもんく③【《凄文句】 おどしてこわがらせる文句。

すこやか②【健やか】ナニ 特に病気・故障が無く、健康である様子だ。〔広義では、精神の健全をも指す〕 派―さ③④

スコラてつがく⑤④【スコラ哲学】〔ラ schola=学校〕ヨーロッパ中世の哲学。キリスト教義を形式論理で組織立てようとしたので、「煩瑣ハンサ哲学」とも言われる。

すごろく⓪【《双〈六】㊀紙の上で、二つのさいころを振って、早く上がりに行き着くことを競う遊び。上がり双六。㊁盤の上で、二つのさいころを振り、早く敵の陣地へ自分の駒コマを入れることなどを競う、昔の遊び。黒白各十五個の円形の駒を用いる。本ホン双六③。〔黒は水牛の角・シタン、白は象牙ゾウゲで作る。また、ルールはバックギャモンと同じ〕

スコンク②〔skunk〕 零敗レイハイ。

すさ②①【〈苆・《寸〈莎】 壁土に交ぜてつなぎとする、わら・アサ・紙などの細片。

すざく①⓪【《朱〈雀】〔古代中国で〕四神の一つ。鳥の姿に見立てられ、南方をつかさどる。「しゅじゃく」とも。

すさび⓪【《遊び】 △いやされない心(退屈な環境)を満たすべく、何か稽古事ケイコゴトなどを心のままにすること。慰みごと。「老いの―/筆の―/手―」

すさ・ぶ【《荒ぶ】㊁⓪(自五)㊀Ⓐもとの△よい(繁栄)状態が失われ、荒れたままに放置される。「工場閉鎖で―町」Ⓑ吹きすさぶ。「競り声と潮風―朝の河岸カシ」㊁Ⓐ細かい注意が要求される芸などが、荒れて粗雑になる。Ⓑ好ましくない面に度をこしてのめりこむ。「酒色シュショクに―」㊂〔「動詞連用形+―」の形で、接尾語的に〕何かの勢いが激しくなって、収まりそうにもなくなる。「吹き―嵐アラシ」

***すさまじ・い**④【《凄まじい】(形)㊀何かの状態が予測をはるかに超える段階に達し、ただ呆然ボウゼンとするばかりの様子

だ。「人気スターの登場で場内が—熱気を帯びる/—△形相（爆音・早業）」❷常識的な判断基準からひどく逸脱していて、あきれる様子だ。「あれで大スターとは—/—ばかりのわび住まい」派—さ[3] —げ[0][5]

すさ・む[0]【《荒む》】（自五） 精神的な打撃を受けたことなどが原因で、健全な生活形態が失われ、絶望と不安から無気力になったり自暴自棄の状態に陥ったりする。「心が—/荒んだ△生活（人生・世相）」

すさ・る[2][0]【《退る》】（自五）「しりぞく」意の古風な表現。

ずさん[0]【〈杜撰〉】—な 〔「ずざん」の変化。典拠などの記述に誤りが多いことの意〕押さえるべき大事な点に手抜かりが多く、いいかげんである様子だ。「—な工事」派—さ[0]

すし[2][1]【〈鮨・〈鮓】❶塩に漬けて発酵させた魚肉。〔昔の「すし」は大部分、これ〕❷握りずし・押しずし・散らしずし・五目ずしなどの総称。「—屋[2]」表記❷は、「《寿司》」という好字による借字を用いることが多い。

**すじ　【筋】　❶[1]❶何かの組織（の中にあって、それ）を支える、堅くて細長い（一続きの）もの。「—の多いカブ/肩の—（=筋肉）が凝る/足の—（=腱）を違える/—肉」❷細長く続いて見える△もの（部分）。「手の—/毛の—が一本一本見える/額に—を立てる（=怒ったために、ふだんは見えない血管が怒張する）/洋服の赤い—（=しま）/鼻—」❸具体的な存在の△現在までの状態を規定する（将来を決定づける）一連のつながり。「学者の—（=家系）/—がいい（=将来伸びる素質がある）/槍—[0]・球—・血—」❹何かについて考えたり 話したり 書いたり などする際に見られる一貫した論理。「—の通った（=確かな理由・根拠に基づいていて、納得しやすい）△値上げ（内容・話・考え方・申し出）/—を通す（=だれもが納得する手順を踏む）/—が通る/芝居の—（=一貫性のある話の順序）/君、それを僕ん所へ持って来るなんて—が違うよ（=ⓐ踏むべき△手順（手続き）を踏んでいないやり方だ。ⓑそうすることは見当違いだ）/—道・—書・粗—」❺（碁・将棋で）手順。「詰み（=詰むための）—[2]・読み—[2]」❻…側の関係者。「確かな—（=確かな消息通）からの情報/師匠—の（=師匠と言ってもさしつかえない）人/財界—」❼意図。「ねらい—」❽（川や道などに）沿った△所（一帯）。「街道—・関西—（=方面）」❾「すじかまぼこ」の略。かぞえ方❶❷は一本 ❷（造語）△細長い（長く続く）ものをかぞえる語。「矢が二、三—立つ/一—の△髪の毛（糸・道・川）/一—の△光が差す（煙が立ち上る）」表記❷は、「《条》」とも書く。

ずし[1]【図示】—する（他サ） 図（面）で示すこと。図に書いて見せること。「数量を—する」

ずし[1]【〈厨子〉】❶書物などを入れる、移動可能の戸棚。❷仏像を安置する、堂の形をした仏具。龕。表記「厨」の本来の字体は「〈廚」。かぞえ方❶❷とも一基

すじあい[0][3]【筋合】❶そう△する（される）に値する、たしかな理由や根拠。「余計な指図や干渉を受ける—は無い」❷間柄。「今さら頼める—（=義理）ではない」

すじかい[0]【筋交(い)】❶斜め（に交差していること）。❷建物などを強くするため、柱と柱の間に、斜めに交差させて取りつける材。表記「筋《違い」とも書く。

すじがき[0]【筋書】❶事実の筋道を書きしるしたもの。❷演劇・映画の内容のあらましを書きしるしたもの。❸考えてしくんだ△段取り（手順）。

すじがね[0]【筋金】〔支えとして〕物に△はめ（張っ）た金属の筋。「—入りの（=十分に鍛えられ、容易なことでは自説や、それまでの自分の生き方を曲げない）闘士」

すじかまぼこ[3]【筋〈蒲鉾〉】おでんなどの具材の一つ。サメなど白身のすり身に軟骨を加えてゆでて作った蒲鉾。すじ。かぞえ方 一本

ずしき[0]【図式】❶図取りのしかた。❷△物事（概念）の関係を端的に示すために、文字や記号・図形などで構成した図。「—的に割り切る/—化[0]」

すじぐも[0]【筋雲】筋状に見える巻雲の俗称。

すじこ[3][0]【筋子】サケの（卵巣に入ったままの）卵。また、それを塩漬けにした食品。⇨イクラ

すじだて[0]【筋立て】話の筋の立て方。あらすじ。

すしだね[0]【〈鮨種】すしに使われる魚・貝などの材料。表記「《寿司種」とも書く。

すじちがい[3]【筋違(い)】—な —に ❶すじかい❶。❷道理にはずれていたり 手続きに背いたりしている様子。「—の反対論/—な言い分」❸筋肉を△急に（無理に）動かしたため、痛みや不具合を感じること。

すしづめ[0]【〈鮨詰(め)】入れ物にぎっしり詰めたすしのように、多くの人や物が、すきまも無く入っていること。「—の電車に乗る/—に詰めこむ/—状態[5]」表記「《寿司詰め」とも書く。

すじにく[2]【筋肉】〔牛肉・豚肉など〕食肉で、アキレス腱などの腱や筋膜などの部位。筋ばってかたい肉。おでんや煮込み料理などに使う。

すじば・る[3]【筋張る】（自五）❶筋肉が堅く突っぱって△いる（見える）。❷態度・話が堅苦しくなる。

すじぼね[0]【筋骨】❶筋と骨。❷軟骨。

すじまき[0]【筋〈播(き)】並んだうねに種をまくこと。条播。

すじみち[2]【筋道】〔それに従えば、納得してもらえる〕正しい△考え方（話し方）の順序や、物事の道理。「—を立てて話す/それが—というものだ」

すじむかい[3]【筋向(か)い】斜めに向かいあうこと。筋向こう[3]。

すじめ[3][0]【筋目】❶〔はかま・スカートなどの〕折り目。❷血統。「—の正しい家（柄）」❸筋道。

すしめし[0][2]【〈鮨飯】「すし❷」に使う、酢などの調味料で味をつけた飯。すし米[0]。酢めし。しゃり。表記「《寿司飯」とも書く。

すじもみ[0][4][3]【筋〈揉(み)】筋肉をもみほぐして治療する△こと（あんま）。

すじや[0][2]【筋屋】〔鉄道で〕ダイヤを専門に作成する人の称。

ずしゅう[1]【豆州】「伊豆国」の漢語的表現。今の静岡県伊豆半島と東京都伊豆諸島にあたる。「とうしゅう」とも。

すじょう[0]【素性・素姓】〔「種姓」の、直音化・連濁化した語。「素」は、借字〕その人の生まれた家柄（の良さ）。生まれ。〔広義では、育ち・経歴までを含めて言う〕「—は争われないものだ/—のいい（=信用が置ける。ごまかしの無い）品/—の怪しい女/—を明かす」

ずじょう[0]【図上】△地図（図面）の上。「—作戦[4]」

ずじょう[0]【頭上】❶あたまの上部。❷そのものの△真上（上方）。「軍用機が、旅客機の—を飛ぶ異常接近（=ニアミス）があった/—注意（=工事中、落下物があるといけないから、そこを避けて通れ、という注意）」

ずしり[2][3]（副）—と △肉体的（精神的）にこたえるような重みが実感される様子。〔強調形は「ずっしり」〕「取り上げて見ると—と重かった/一家の生計が—と肩にかかってくる/彼の一言が—と相手の胸にこたえた」

すじろん[2]【筋論】現実の状況に適合するかどうかといった点を無視して、純粋に論理だけに基づいて進めた議論。

「—としてはそうなる」

すす①【〈煤】❶煙の中に含まれる黒色の粉末。油煙。❷ちり・ほこりが たまって天井や壁のすみなどにくっついた、黒い糸状のもの。〔火を使っている所では、「すす❶」とまじって特に顕著に見える〕❸「すす色」の略。

すず⓪【鈴】△金属(陶器)製の中空の球に小さな玉・石などを入れ、振って鳴らすもの。〔神楽(カグラ)用のものは、小さな鈴をたくさん取りつけて柄を振って鳴らす〕

すず①【〈錫】 金属元素の一つ〔記号Sn原子番号50〕。少し青みを帯びた銀色で、柔らかくよく伸びるので箔(ハク)にしたりチューブにしたりする。また、さびにくいので、食器を作ったり鉄板にメッキしてブリキを作ったりする。「—色⓪」

ずず②【《数《珠】「じゅず」の変化。

すすいろ⓪【〈煤色】 黄色を帯びた薄黒い色。

すずかけ⓪ ■一【〈篠懸(け)】山伏が衣服の上に着る麻の法衣(ホウエ)。■二【鈴掛(け)】〔←すずかけの木⑥〕並木として植える落葉高木。葉は大きくて、てのひらの形に浅く切れ、秋、丸い実が三、四個ずつぶら下がるように生(ナ)る。プラタナス。〔スズカケノキ科〕 かぞえ方 一株・一本

ずずかけばと⑤【《数《珠掛(け)〈鳩】 家に飼うハトの一種。からだは白く、首の後ろに黒い輪がある。〔ハト科〕 かぞえ方 一羽

すずかぜ②【涼風】(初秋のころの)涼しい風。

すすき⓪【《薄】秋の七草の一つ。野山に生える多年草。大きな株になり、白い尾のような花穂(=尾花)は風に吹かれて光り、詩歌の好題材。もと、屋根をふくのに使った。〔イネ科〕 表記 「〈芒」とも書く。 かぞえ方 一株・一本(イッポン/ヒトモト)

すすぎ⓪【《濯(ぎ)】❶すすぐこと。「洗濯物の—が不十分だ」❷外出先から帰宅した人などが、家に上がる前によごれた足を洗うために使う△湯(水)。

すずき⓪【〈鱸】 近海にすみ、春・夏には川にものぼる、中形の魚。銀色を帯びた青色で口が大きく、うろこが小さい。塩焼き・刺身などにして美味。幼魚をセイゴ、少し大きくなったものをフッコと言う。〔スズキ科〕 かぞえ方 一尾・一匹

すす・ぐ⓪(他五) ■一【《濯ぐ】❶(きれいな水の中で揺り動かして)よごれを洗い落とす。「洗濯物を—」❷(りっぱな行いをして)恥・不名誉などのつぐないをする。そそぐ。「汚名を—」 ■二【〈漱ぐ】 うがいをする。 表記 ■一❷は、「《雪ぐ」とも書く。

すす・ける⓪③【〈煤ける】(自下一) ❶煤がついて、黒くよごれる。❷古くなって、煤色になる。

すずこ③⓪ 「すじこ」の変化。

すずこんしき③【錫婚式】 結婚十周年を祝う式。

すずし⓪【《生】〔雅〕生糸(で織った絹織物)。⇩ねりぎぬ 表記 「{〈生糸}・{〈生絹}」とも書く。

****すずし・い**③【涼しい】(形) ❶(今までの)不快な暑さが感じられない気温になり、快適に過ごせる状態だ。〔一般に夏の終わりから秋にかけての空気が多少冷ややかに感じられる気候の状態を指す〕「—風が吹く/—模様(=涼しさを感じさせる着物の模様。多く、水色)」❷澄みきっていて、接する人に心地よさを感じさせる様子だ。「—ひとみ/—目もと/—鈴の音(ネ)」 派 —さ③② —げ⓪④③ —かお③-⓪(カホ)【—顔】 問題とする事柄について、自分には関係がないことだという気持を表わす顔。「人の物を無断で使って—をしている」

すずしろ⓪【《清白・{〈蘿蔔}】 春の七草の一つ。ダイコンの古名。

すすたけ②⓪【〈煤竹】 ❶煤けて赤黒い色になった竹。「—色⓪」❷煤払いに使う竹。すすだけ⓪②。

すすど・い③(形)〔関東以西の方言〕することが敏捷(ビンショウ)で、抜けめが△無い(無く、どちらかというと警戒を必要とする様子だ)。

すずな⓪【〈菘】 春の七草の一つ。カブの古名。

すずなり⓪【鈴《生り】〔「神楽(カグラ)鈴③」にたくさん鈴が付いているように〕果実が一本の枝にたくさん実って、こぼれそうに見えること。〔客が出入口におおぜいぶら下がっている昔の市街電車などをも指した〕

すすはき③⓪【〈煤掃(き)】 すすはらい。

すすば・む③【〈煤ばむ】(自五) 煤ける。

すすはらい③-(ハラヒ)【〈煤払(い)】—する(自サ) 〔家の中の〕煤やほこりを払って大掃除をすること。多くは年末に行なう。煤はき。

すすぼ・ける④【〈煤ぼける】(自下一) 長年の煤とほこりで△染まって(染まったように)一面に黒ずんだ色になる。

すすほこり③【〈煤埃】 煤△と(のついた)埃。

すすみ【進(み)】■一⓪ ❶進む程度。「この時計は—が激しい(=速く進み過ぎる)」❷進歩・上達の度合。「この子は勉強の—がおそい」 ■二(造語) 動詞「進む」の連用形。 —・でる④【—出る】(自下一) 進んで前へ出る。

すずみ【涼み】■一③ 涼むこと。納涼。「夕—」 ■二(造語) 動詞「涼む」の連用形。 —だい⓪【—台】 屋外で涼むための△腰かけ(台)。

****すす・む**【進む】■一⓪(自五) ❶〈(どこ・なにカラ)どこ・なにニ—〉前に向かって出る。また、先へ動いたり行ったりする。「山道を一歩一歩前へ—/行列が—(=ⓐ人びとが行列して進む。ⓑ前の人の番が次つぎにすみ、自分の番に近くなる)/△我が時計が—(=遅れるのとは逆に標準よりも速くなる)/(信じる)道を—/遅々として進まない」❷〈(なにニ)—〉より△望ましい(程度の高い)状態に向かう。「△順調(とんとん拍子)に—/研究が—/社会保障の進んでいる国/位が—(=高くなる)/工事が—(=はかどる)/学年が—/世の中が—(=発達する)/文科に—(=進学する)/進んだ(=進歩した)技術/△準備(開発・作業)が—」❸積極的にする状態になる。「気が進まない/食事が—(=たくさん食べられる)/病気が—(=今までより悪くなる)/近視の度が—」⇩すすんで ■二〔「動詞連用形+—」の形で、接尾語的に〕次つぎに先を…する。「読み—/突き—」〔■一❶の大部分の対義語は、退く〕〔⇩進み■二〕

すず・む②【涼む】(自五) 涼しい風にあたって、一時暑さを避ける。〔⇩涼み■二〕

すずむし②【鈴虫】 コオロギに似た小形の昆虫。触角は白く長く、雄は、秋、羽をすりあわせて、リーンリーンと澄んだ声で鳴く。〔コオロギ科〕 かぞえ方 一匹

すずめ⓪【〈雀】 家の近くで一番普通に見られる小形の野鳥。背中は茶色に黒の斑点(ハンテン)があり、腹は白い。イネなどの穀物を荒らす一方、害虫もよく食べる。〔スズメ科〕〔おしゃべりな人や、特定の場所の消息通の意にも用いられる〕「—百まで踊り忘れず(=小さい時の記憶・習慣は年をとった後までも忘れられないたとえ)」 かぞえ方 一羽・一匹 —いろ⓪【—色】 スズメの羽のような黒茶色。 —いろどき⓪【—色時】 夕暮れ時分。 —おどり④-(ヲドリ)【—踊(り)】 編みがさをかぶり、スズメをまねた服装・かっこうで踊る踊り。 —ずし③【—〈鮨・—《寿司】 △フナ(小鯛(コダイ))の腹にすし飯を詰めて押した鮨。形がスズメに似ている。 —のなみだ⑤、⓪-①【—の涙】 もうちょっとほしいのだが現実にはわずかな△分量(額)しか無くて、物の用に足りないこと。「—ほどの見舞金」⇩蚊の涙 —ばち③【—蜂】 大形のハチ。からだは赤褐色で、胸部は黒い。太い腹部は黒茶色と黄褐色のしまになっている。〔スズメバチ科〕 表記 「〈胡蜂」とも書く。 かぞえ方 一匹 —やき⓪【—焼(き)】 ❶内臓を取り除

いたスズメの肉を骨とともによくたたいて照り焼きにしたもの。❷(背開きにした)フナをくしに刺して、つけ焼きにしたもの。

すす・める [0]【進める】(他下一) ❶〈(どこ・なにカラどこ・なにニ)なに・だれヲ―〉進むようにする。「△時計(歩み)を―」❷〈(なにニ)なにヲ―〉物事を一歩先の状態にまで、持って行く。はかどらせる。「△話(工事・交渉・事・運動・合理化・協議・調査)を―」

***すす・める [0](他下一)** 〈だれニなにヲ―/だれニなんだト―〉 ■一【勧める】❶「…した方がいい。…すると良い事がある」と相手に積極的に言う。「△出席(一読)を―」❷お△上がり(使い)くださいと言って、客の前に出す。「△食事(たばこ・座布団)を―」 [名]勧め[0] ■二【薦める】役に立つ△人(もの)だから使ってみるようにという自分の意見を伝えて、その実行方を促す。 [表記] ■二は、「《奨める」とも書く。

すずやか [2]【涼やか】―な ―に すっきりとしてさわやかな印象が感じられる様子だ。「目もとの―な少年」

すずらん [2]【鈴〈蘭】 北海道など、寒い土地に生える多年草。初夏、小さな鈴に似た、白い花を開く。においがいい。〔キジカクシ科(旧ユリ科)〕 [かぞえ方] 一本

すずり [3]【〈硯】 墨を水でするための道具。「―箱[3]・―石[3]」 [かぞえ方] 一石 **―ぶた [3]【―蓋】** ❶硯箱のふた。❷祝儀の席などで、口取りの肴をのせる、広いふた。また、その肴。

すすりあ・げる [5]【〈啜り上げる】(自下一) ❶息を吸って、鼻汁を再び鼻へ入れる。❷しゃくりあげる。

すすりな・く [4][0]【〈啜り泣く】(自五) 泣き声を忍ばせつつ、時どき鼻をそっとすすり上げるようにして、泣く。 [名]啜り泣き[0]

すす・る [0]【〈啜る】(他五) 〔ところてん・そば・かゆや、熱い茶などを〕強く吸うようにして、飲み込む。〔音を伴うことが多い〕「生血を―/白魚の踊り食いを―/鼻水を―〔=垂れた鼻汁を、息と一緒に吸う〕/鼻を―〔=鼻水を啜る〕」

すずろ [0]【《漫(ろ)】(副)―なる ―に 〔雅〕そぞろ。

すすんで [0]【進んで】(副) 自分から積極的に何かをしようとする様子。「―参加する/―いやな仕事を引き受ける」

ずせつ [0]【図説】―する(他サ) 図を多く入れて説明△すること(したもの)。

***すそ [0]【裾】** ❶〔袖以外の〕衣服の末端の部分。また、物の下端。「―模様・―幅[0]・―線[0]」❷山のふもと。❸川しも。❹長くのばした髪の毛の末の方。

すそあがり [3]【裾上(がり)】 裾の形を整えるために、裾を折り返して縫った部分(の長さ)。「―五センチ」

ずぞう [0]【図像】 ❶仏・菩薩などの像を白描で描いたもの。❷⇩イコン

すそうら [0]【裾裏】 着物の裾の裏(につける布)。

すそがり [0]【裾刈(り)】「裾❹」を刈ること。

すそご [0]【裾濃】 〔よろいやかさねなどの〕下になるにつれて濃くした、色の取合せ。

すそさばき [3]【裾〈捌(き)】 和服で動く時の、裾が楽に開く状態。「―をよくする/―がきれいだ」 ⇩におい■二❷

すその [0]【裾野】 火山などのふもとに広がる、ゆるく傾斜した野原。「富士の―/―の広い〔=広い範囲にわたる〕協力関係/文化の―を広げる」

すそまえ [0]【裾前】 着物の裾の、前の部分。「―の乱れを直す」

すそまわし [3]【裾回(し)】 〔袷の着物で〕腰のあたりから下に付ける裏布。

すそみじか [0][3]【裾短】―な ―に はかまや着物の裾を引き上げて短めに着る様子だ。「―に着る」

すそもの [0]【裾物】 〔取引で〕下等な品物の称。

すそもよう [3]【裾模様】 ❶女性の礼装などの裾の方につけた模様。❷裾の方に模様をつけた着物。

すそよけ [0]【裾《除(け)】 ⇩けだし(蹴出し)

すそわた [0]【裾綿】 衣服の裾に綿を入れて仕立てること。また、その綿。

ずだ [1]【頭〈陀】 〔払い除く意の梵語の音訳〕仏道修行(のための行脚)。「―袋」

スター [2][1]〔star=星(形のもの)〕 花形。人気△俳優(歌手・選手)。「―プレーヤー[5]」

スターシステム [4]〔star system〕 スター中心に制作・演出する、映画・演劇などの興行方法。

スターター [2][0]〔starter〕 ❶競走・列車などの出発の合図をする人。❷〔航空機・自動車などの〕エンジンの始動機。

スターダム [2]〔stardom〕 人気スターの地位。「―にのし上がる」

スターティング [0][2]〔starting〕 ❶出発。「―ポイント[7]〔=出発点〕」❷先発。「―メンバー[7]〔=競技で、試合開始に先立って発表される、両軍のメンバー。スタメン〕」

***スタート [2][0]〔start〕** ■一―する(自サ) ❶〈(どこ・なにヲ)―する/(どこ・なにカラ)―する〉出発(点)。「―から遅れをとる/―ダッシュ[5]〔=短距離競走で、出発時の力を込めた疾走〕」❷新たな組織・制度などが発足する。「△新会社(新制度)が―する」■二(感) △出発(開始)の合図として発するかけ声。「よーい、―」 **―ライン [5]〔和製英語 ←start+line〕**〔陸上競技などで〕スタートする位置を示す線。「人生の―」

スターリング [2]〔sterling〕 イギリスの正貨であるポンドの別称。「―地域[7]」

スタイ [2] 乳児・幼児用よだれかけ。〔特に、プラスチック製で食べこぼしを受けるポケットがついたもの〕

ずだい [0]【図題】 △図案(絵画)の表題。

スタイリスト [4]〔stylist〕 ❶身なりに凝り、おしゃれをする人。❷文章のスタイルに凝る人。❸俳優やモデルの衣装・アクセサリーなど一切をそろえたり整えたりする職業(の人)。

***スタイル [2]〔style〕** ❶姿。かっこう。「―がいい」❷文章・服装・建築などの形式・様式を指す。「ニュー―[4]・アメリカン―[7]」❸その人なりの、あることのやり方。「△演奏(サッカー・生活)の―」 **―ブック [5]〔stylebook〕** 洋服の新しい型を図示した本。ファッションブック。「―から抜け出したような」 [かぞえ方] 一冊

スタウト [2]〔stout〕 苦味の強い黒ビール。

すだ・く [2]【《集く】(自五) ❶集まる。群がる。❷(虫が)鳴く。

スタグフレーション [5]〔stagflation〕 不況下でインフレーションが進行する現象。

すだこ [0][2][3]【酢〈蛸】 タコの肉をゆでて酢にひたした料理。

すたこら [2](副)―と 長居は無用だと言わんばかりに、足早に通りすぎる様子。「―(さっさ)と逃げ出した」

スタジアム [2]〔stadium〕 ❶競技場。「メイン―[5]」❷野球場。 [かぞえ方] ❶❷とも一面

スタジオ [0]〔studio〕 ❶〔芸術家の〕仕事場。❷撮影所。❸放送・録音のための設備を持った部屋。

すたすた [1][2](副)―と あたりに気を配る素振りも見せず足早に歩く様子。「大股で―(と)歩く/わき目もふらずに―と通り過ぎて行った」

ずたずた ■一[0]―に いくつにも断ち切られて、容易にもとの状態には戻せないような状態になる様子。「―に引き裂かれたノート/台風で―に寸断された鉄道網」■二[1](副)―と

「ずたずた❷」に同じ。「―となる」

すだち[0]【酸〈橘】〔「酢橘(スタチバナ)」の意〕ミカン科の常緑低木。実はユズより小さく、でこぼこが少ない。酢を絞りとるのに使う。徳島県の名産。[かぞえ方]一株・一本

すだち[0][3]【巣立(ち)】ひなが成長して巣を離れること。〔父母のもとや学校を離れて社会に出る意にも用いられる〕

すだ・つ[2]【巣立つ】(自五)巣立ちをする。「この雑誌から後の有名作家が何人も巣立って行った」

スタッカート[4]〔イ staccato〕〔楽譜で〕一音符ごとに音を切って短く歌い、また奏する△こと(記号)。断音[0]。断奏[0]。↕レガート

スタック[2]―する(他サ)〔stack=積み重ねる〕❶容器などを重ねる(こと)。❷コピー機で、複数の原稿を複数部コピーする時に、ページごとにまとめて排出する機能。⇩ソート

スタック[2]―する(自サ)〔stuck〕自動車などの車輪が空回りするなどして動けなくなること。「トラックが泥道で―する」

スタッドレス タイヤ[7]〔studless tire〕滑り止め用の鋲(ビョウ)〔=スタッド〕の無い冬用タイヤ。〔積雪路・凍結路でも走行できるように特殊ゴムを使用し、溝の形状などにくふうが加えられている〕

スタッフ[2]〔staff〕❶団体の幹部。❷一つの仕事を仕上げるために、各部門を分担している人びと(の顔触れ)。〔映画・演劇では、△俳優(キャスト)以外の、演出・照明などの係を指す〕「―を△置く(設ける)/編集―」

すだて[0][3]【〈簀立(て)】満潮の時、海中に簀を立て回しておき、干潮になった時逃げおくれた魚を捕らえる△こと(仕掛け)。

スタティック[2][3]―に―な〔static〕↕ダイナミック ❶運動を伴わず力だけで作用する様子だ。❷絶えず変化する物事を静態としてとらえる様子だ。静的。

スタビライザー[4]〔stabilizer〕〔船舶・航空機などで〕揺れや姿勢を安定させる装置。安定板。

ずだぶくろ[3]―【頭〈陀袋】❶行脚(アンギャ)僧が物を入れて首にかける袋。❷何でも入れられるような、ぶかっこうな袋。

すだま[0]【{〈魑魅}】〔雅〕山林・木石の精。

スタミナ[0]〔stamina〕ねばり。持久力。「―が無い/―〔=精力をつけるための〕料理」

スタ メン[0]〔野球で〕スターティング メンバーの略。

すた・る[0]【廃る】(自五)「廃れる」の方言・古風な表現。「男が―〔=名誉が失われる〕」[名]廃り[0]「はやり―」

すだれ[0]【〈簾】〔「簀垂(スダ)れ」の意〕❶掛け垂らす簀。「―越し・―障子[4]」❷すしを巻いたりする時に使う小形の簀。巻簀(スマキ)[0]。[かぞえ方]❶❷とも一枚

すたれもの[0]【廃(れ)物】利用価値が無くなったりはやらなくなったりして、顧みられなくなったもの。

***すた・れる**[0]【廃れる】(自下一)❶時代の風潮に合わなくなって、そのものが使われなくなったりその事が行なわれなくなったりする。↕はやる❶「ぜんまい式時計が廃れて、クォーツ式時計が普及するようになった/廃れた伝統芸能を復活させる」❷それまで何らかの形で保たれていた面目や名誉が失われる。「のれんが―」⇩すたる [名]廃れ[0]

スタン ガン[2]〔stun gun=気絶させる銃〕先端を相手に接触させると、電気ショックが起きる器具。米国で護身用に開発された。高電圧銃[6]。

スタンザ[2]〔stanza〕〔西欧の詩作技法で〕脚韻を踏む行の定められた一つの節。〔一般に四～△八(九)行から成る〕

スタンス[2]〔stance〕❶〔野球・ゴルフなどで〕たまを打つ際の、足の開きぐあい。立ち幅。❷Ⓐ当局者として取るべき姿勢。「積極的な―を取る/基本的―に何ら変化はない」Ⓑ観点。「長い―で見れば」

スタンダード[4]―な〔standard〕標準(的)。 **―ナンバー**[7]〔standard number〕流行に関係なく、いつの時代にも好んで演奏される軽音楽の曲目。

スタンディング オベーション[8]〔standing ovation〕観客が一斉に立ち上がって拍手喝采(カッサイ)すること。

スタンド[0]〔stand〕❶(造語)物を載せたり立てたりする台。「インク―・エッグ―[5]・ナプキン―[6]・ブック―[5]」❷[0]❶駅の構内や街頭に設けられた売店。「―に寄る/ガソリン―」❷〔競技場の〕ひな壇式の観覧席。「満員の―/アルプス―・メイン―」❸停止中の自転車・オートバイなどを倒れないように支える、バネ付きの台。❹〔酒場・飲食店で〕カウンターに向かった客の椅子(スイ)席(だけの小規模な料飲店)。「―バー[5]・ミルク―」❺「電気スタンド」の略。 **―アローン**[6]〔stand alone〕❶独立。孤立。❷コンピューターがネットワークに接続せずに単独で処理をしている状態。 **―イン**[5][4]〔stand-in〕映画のスター役を、代りにする人。吹替え。 **―カラー**[5]〔stand-up collar の日本語形〕首に沿って立ち上がった、折り返しのない襟。立ち襟。 **―プレー**[6][5]〔grandstand play の、日本での省略形〕〔自分の存在を示すための、わざとらしい△動作(態度)の意にも用いられる〕

スタントマン[4][2]〔stunt man. stunt=離れわざ〕映画・テレビで、危険な役を出演者に代わって演じる特殊技能者。

スタンバイ[2]〔stand-by〕❶〔航海用語で〕出動用意の意。❷〔放送関係で〕Ⓐ準備完了の意の合図。Ⓑ予備番組(の出演者)。❸―する(自サ)待機。

スタンプ[2]〔stamp=印判〕❶何かを確認したり証明するために、インクを付けて押すゴム印。「―台[0]・―帖(チョウ)[0]」❷(郵便物の)消印。❸郵便切手・収入印紙・証紙などの総称。「―コレクター[6]〔=切手収集家〕」❹〔SNSで〕相手とのやりとりの中で使うイラストなどの画像。 **―インキ**[5]〔stamp ink〕〔ゴム印などの〕印判に使う、濃いインク。スタンプインクとも。

スチーム[2]〔steam〕蒸気(暖房装置)。

スチール[2]❶―する(自サ)〔steal〕〔野球で〕盗塁。「ホーム―[5]」❷〔steel〕❶鋼鉄。「―ギター[5]」❷鋼鉄製の△器具(武器)。「―サッシュ[5]」❸〔still〕映画中の一場面を、宣伝のために大きく印画紙に焼きつけたもの。スチル[2]とも。「―写真[5]」[かぞえ方]❸は一枚

スチュワーデス[3]〔stewardess〕旅客機の中で乗客の案内や世話をする係の女性。「客室乗務員」の旧称。エアホステス[3]。〔現在では、キャビン アテンダントということが多い〕

スチュワード[3]〔steward〕旅客機の中で乗客の案内や世話をする係の男性。〔現在では、キャビン アテンダントということが多い〕

すちょうにん[2]―【素町人】いやしい町人。〔昔、武士が町人を軽蔑(ケイベツ)して言った言葉〕

スチレン[2]〔styrene〕⇩スチロール

スチロール[3]〔ド Styrol〕合成樹脂の一種。電気の絶縁体・家庭用品に使う。スチレン。「―樹脂[6]・発泡―」

すっ【素っ】(接頭)〔「す」の変化〕ただ△その状態である(そうするばかりだ)ということを表わす。「―裸(パダカ)・―飛ばす・―剝(ペ)がす[4]」

ずつ【《宛】(副助)〔個数を意味する「つ」の畳語という〕❶その数量が、関係するすべてのものに均(ヒト)しく割り当てられることを表わす。「机といすを一つ―用意する/三人に一冊―〔=三人で一冊の割合で〕見せる/二人―組む〔=二人で一組となる〕/二人に一本―の割合で配る/一人―に聞

いて歩く/毎週一冊—ぐらいは新刊書を読む」❷一回に行なわれる量が一定量に限られることを表わす。「毎日少し—練習する/毎晩十分—でも縄跳びをしている/一人—通る」［文法］数量を表わす名詞、「少し」などの程度や量を表わす副詞、副助詞「くらい・ばかり」に接続する。格助詞は「ずつ」のあとにつく。

ずつう[0]【頭痛】 頭部の痛み。「—がする/—〔=心配。悩み〕の種/—鉢巻だ〔=めんどうな事が起こって、対策に大いに心を悩ます〕」

スツール[2]〔stool〕 よりかかる所の無い、小さな腰掛け。［かぞえ方］一脚

すっからかん[5]—に 〔「すっかり無くなる」と「あっけらかん」の混合語〕期待される中身が全く無くて、ただ驚くばかりである様子。「給料日前で財布の中は—だ」

すっかり[3]（副）〔近世語「すかり[2]」の強調形〕その△事（状態）が余すところなく全体に及んでいると認められる様子。「—おとなになった/—食べてしまった/連絡するのを—忘れていました/—お見限りだね/—お世話になりました」［文法］口頭語では「これで今月の小遣いは△すっかりだ(すっかりになった)」などと「すっかり無くなる」の意に用いられる。

ズッキーニ[3]〔イ zucchini〕 カボチャの一種。実の形はキュウリに似て、果皮は濃緑色や黄色。若い実や花を西洋料理に用いる。〔ウリ科〕［かぞえ方］一本

すっきり[3]（副）—と —する 不快の要因が取り除かれて、気分が晴ればれとする様子。「眠気がとれて頭が—する/説明を聞いても もう一つ—しない/—とした秋晴れ」

ズック[1]〔オ doek〕 ❶麻やもめんの糸で織った、厚地の布で、運動靴・テント・帆布などを作る。❷「ズック靴」の略。［かぞえ方］❶は一枚。❷は一足

すっくと[1][3]（副）〔「すくと[1][2]」の強調形〕意を決したかのように、背筋を伸ばして勢いよく立ち上がる様子。

すづけ[0][3]【酢漬（け）】 酢に△漬けること（漬けた食品）。「カブの—/アジの—」

ずっこ・ける[4]（自下一）〔東京方言〕〔「ずりこける」の変化〕 ❶ずり落ちて、不具合になる。❷はめをはずす。

すっこ・む[3]（自五）「ひっこむ」のくだけた口頭語的表現。

ずっしり[3]（副）—と 「ずしり[2][3]」の強調形。「—と金貨の詰まった袋」

すったもんだ[4]、[1]-[0]【擦ったく揉んだ】—する 意見の相違などで話がまとまらず、なかなか決着がつかないこと。〔口頭語的表現〕「—の末、やっと議案は可決した」

すってん ころり[3]-[2]（副）—と ものの見事にころぶ様子。「すってんころりん[3]-[2]、[3]-[3]」とも。

すってんてん[5]（何かに使ってしまって）他の事に使える金が全くない状態。〔口頭語的表現〕「株で失敗して—になる/競馬ですって—になる」

すっと[1][0]（副）❶何の抵抗もなく一瞬のうちに何かが行なわれる様子。「手を—差し出す/目の前から—消える/—眠りに落ちる」❷—する それまでのつかえがすっかり取れて、気分が良くなる様子。「言いたいことを言って胸が—する」

***ずっと**[0]（副）❶△時間的（空間的）な隔たりや程度の差が、一般に予測されるところをはるかに超えている様子。「考えていたより—△いい（小さい）/分かったのは—後になってからだ/引っ越してきたのは—以前のことだ/学校は町の中央から—離れた所にある」❷物事が、ある時点や地点から、△とぎれる（途中でとどまる）ことなく続いている様子。「一別以来—会っていない/同じ会社に—つとめている/松林が—続いている/さあ、—〔=遠慮なく〕奥にお通りください」

すっとこどっこい[5][7] 人をののしって言う言葉。面と向かって言う場合には悪意のみがこもるが、第三者についてはの愛敬交りで言うこともある。馬鹿野郎。「おい、この—/あの—が今では社長か」

すっとば・す[4]【すっ飛ばす】（他五）〔東京方言〕がむしゃらに△進ませる（走らせる）。

すっと・ぶ[3]【すっ飛ぶ】（自五）〔東京方言〕勢いよく飛ぶ。

すっとぼ・ける[5]（自下一）〔東京方言〕相手をあきれさせるほど、とぼける。「—な」

すっとんきょう[3]【素っ頓狂】—な 〔「す頓狂[2]」の変化〕「非常にとんきょうな様子だ」の意の口頭語的表現。「—な声を出す」［派］—さ[5][0]

***すっぱ・い**[3]【酸っぱい】（形） 梅干やレモンを口に含んだときに感じられる味だ。古くは「酸い」とも。「—食べ物は苦手だ/口を酸っぱくして〔=いやになるほど繰り返して〕注意する」［派］—さ[3] —み[0][4] —が・る[4]

すっぱだか[3]【素っ裸】〔「素裸」の強調形〕普通なら身につけている物を、すっかり取ってしまった状態。〔無一物の状態、胸中になんら包み隠すところのない心境のたとえとしても用いられる〕「—になって冷水摩擦をする/上半身—」

すっぱぬ・く[4]【素っ破抜く】（他五）〔「すっぱ」は忍者の意〕秘密や、本人が言ってもらいたくないと思っている事をおおぜいの人の前で公表し、意外性で人を驚かせる。［名］すっぱ抜き[0]

すっぱり[3]（副）—と ❶見事に断ち切る様子。❷それまで続けていた事を、そこでやめて二度としない様子。「酒を—断つ/この世界から—足を洗う〔=⇩足〕」

すっぴん[0]【素っぴん】「化粧などをせず素顔のままであること」の俗称。「—でも十分美しい女優」

ずっぷり[3]（副）Ⓐ水や湯にすっかりつかる様子。「雨で—ぬれる」Ⓑその世界に深くのめりこむ様子。「歌舞伎の世界に—漬かる」

すっぽか・す[4]（他五） 自分が義務として行なうべき仕事などをしないでそのままにしておく。〔口頭語的表現〕「約束を—〔=破る〕」［名］すっぽかし[0]

すっぽぬ・ける[5]【すっぽ抜ける】（自下一） ❶すっぽりと抜ける。〔広義では、すっかり忘れてしまうことや、そこに居るはずの者がこっそり抜け出すことをも指す〕「紙袋の底が—」❷〔野球で多く、投手の投げたボールが〕コントロールを失って、目的の△所（コース）からはずれる。［名］すっぽ抜け[0]

すっぽり[3]（副）—と ❶その物全体が何かにおおわれた状態にある様子。「雪に—（と）埋もれた山里/高気圧が日本列島を—覆う形になる」❷何かの拍子にうまい具合に抜けたり収まったりする様子。「大根を—引き抜く/栓が—とはまる」⇩すぽっと

すっぽん[0]【〈鼈〉】❶日本南部の泥沼や川にすむ、カメの一種。甲羅は丸く柔らかで、かみついたら離れない。吸い物にして、美味。〔スッポン科〕❷花道の七三〔=舞台へ三分、揚げ幕へ七分〕にある穴。役者をせり出したりする。［かぞえ方］❶は一匹 【月と—】⇩月❶

すっぽんぽん[5]—な —に 「すっぱだかの状態」の俗称。

すで[1][2]【素手】❶何かをする際に、△手を保護する（手のすべるのを防ぐ）物を何もつけていないこと。「—で鍋を火からおろす/—で魚をつかむ」❷何かをする際に、手に持つことが必要とされる物を持っていないこと。特に戦いに際して武器を手にしていないこと。「—で敵に立ち向かう/—で〔=資本をほとんど用意していない状態で〕商売を始める」❸期待されるものを持たずに△帰る（訪れる）こと。「海外視察から—で〔=何の収穫も無しに〕帰国する」

ステアリン[0]〔フ stéarine〕 固体の脂肪の一番普通の成分。白色粉末。ろうそく・製革用。 **—さん**[0]【—酸】 脂

肪の主成分。無臭の白い結晶体。せっけん・軟膏（ナンコウ）などの原料。

ステアリング⓪②〔steering〕自動車の方向転換装置。〔自動車のハンドルの切れぐあいの意にも用いられる〕

ステイ②─する（自サ）〔stay〕よその土地や家などにしばらく滞在すること。「ショートー・ホームー」

すていし⓪【捨（て）石】❶単調を破るために、庭の所どころに据えておく石。❷水勢をそいだり護岸のためなどに、水中に投げ入れる石。❸〔碁で〕作戦上打つむだ石。〔他日の利用のためにする、むだなように見える△投資（行為）や、大事を行なう上での やむをえない犠牲の意にも用いられる〕

スティック②〔stick〕─する（自サ）❶棒（の形のもの）。「リップー〔＝棒状の口紅〕・アイスー」❷〔ホッケーなどの〕打棒。❸〔料理で〕セロリ・ニンジンなどの野菜を細い棒の形に切ったもの。「野菜ー」 かぞえ方 ❶〜❸とも一本

すていん⓪【捨（て）印】証拠となる書類の欄外などに、訂正などを予想して念のために押しておく印。

すてうり⓪【捨（て）売（り）】─する（他サ）捨て値で売ること。投売り。

ステー②〔stay〕アンテナ・煙突・電柱などを固定するための△支索（支柱）。

ステーキ②〔steak〕厚めに切った肉や魚を焼いた料理。特にビーフステーキの略。略してテキ。「サーモンー・ラムー」 かぞえ方 一枚

ステークス②〔stakes〕賞金付き競馬。

ステークホルダー⑤〔stakeholder〕企業に対して利害関係を持つ者。株主・従業員・取引先・地域社会など。

ステージ②〔stage〕❶舞台。「ーに立つ／ー衣装・ーマネージャー」❷壇。❸段階。 かぞえ方 ❶は一面 **ーダンス**⑤〔stage dance〕人に見せるために、舞台で踊るダンス。

ステーショナリー②〔stationery〕文房具。

ステーション②⓪〔station〕❶駅。「ービル⑥・ーホテル」❷特定の仕事をする待機場所。「サービスー」❸放送局。「キーー」 **ーコール**⑥〔←station-to-station call〕〔国際電話で〕発信人が申し込んだ電話番号の電話口に、だれが出ても、すぐにその時から通話料をかぞえる制度。⇩パーソナル コール

ステータス②〔status〕社会的地位や身分。「ーシンボル⑥〔＝社会的に高い地位の象徴とされる別荘・ヨットなど〕」

ステートメント②〔statement〕声明（書）。

ステープラー②〔stapler〕⇩ホッチキス

ステープル ファイバー⑥〔staple fiber〕略してスフ。⇩スパン レーヨン

すておく③⓪【捨（て）置く】（他五）そのままにしておく。放置する。

すておぶね③【捨（て）小舟】〔雅〕乗り捨てた小舟。〔たよりない境遇の身の上の意にも用いられる。例、「寄る辺なぎさのー」〕

すてがな⓪【捨（て）仮名】自分が意図したのと同じ語形を読み手に期待するために示す、漢字の一部分の読み仮名。例、門（ド）〔＝「モン」でなく「カド」であることを示す〕。〔語の終りに付ける場合が最も多く、初め・中がこれに次ぐ。また、広義では、送り仮名をも含む〕 表記 ⇩付表「仮名」

すてがね⓪【捨（て）金】❶むだなお金。❷△利益（返済）を予想せずに提供するお金。

すてがね⓪【捨（て）鐘】時の鐘を鳴らすに先立って、注意のためにまず三回つき鳴らした鐘。

すてき⓪【素敵・素適】─な〔「すばらしい」の「す」＋「てき（的）」〕心をひきつけられるほど すぐれている様子。「ーなブローチ」 **ーに**⓪（副）「滅法」の意の古風な表現。「今年のチームはー強いぜ」

すてご⓪【捨（て）子】扶養の義務のある人が、幼児をそっと捨てておくこと。また、その子。 表記 「《棄て《児」とも書く。

すてごま⓪【捨（て）駒】❶〔将棋などで〕その後の展開を見据えてあえて駒を捨てること。また、その駒。❷組織や他人の利益のために使捨てにされる人物。

すてさる③【捨（て）去る】（他五）△思い切りよく（未練も無く）捨てて、それから離れる。

すてぜりふ③【捨て〔台詞〕】〔もと、歌舞伎（カブキ）役者が登場・退場の時などに言う即興の短いせりふ〕立ち去る時に、脅迫・侮蔑（ブベツ）などの意を込めて吐き捨てるように言う言葉。「ーを吐く」

ステッカー②〔sticker〕❶目印のために貼（ハ）りつける、のりの付いたラベル。❷駐車違反票。❸建物の壁などに貼りつける、小さな宣伝ビラ。

ステッキ②〔stick＝棒〕洋風のつえ。 かぞえ方 一本

ステッチ②─する（自サ）〔stitch〕刺繍（シシュウ）やふち飾りなどの、針目（を入れること）。

ステップ②〔step〕❶─する（自サ）ある足取りで進むこと。❷〔ダンスの〕足の踏み方。❸〔列車・バスなどの〕踏み段。❹雪の斜面などを登る時に作る足場。 **ーアップ**⑤─する（自サ）〔step up〕〔成績・地位・技術・利率などが〕次の段階に上がって行くこと。

ステップ②〔steppe〕シベリアなどの草原（地帯）。

ステディー②〔steady＝安定した。着実な〕決まった相手とだけの交際。また、その相手。

すててこ⓪ ❶ゆったりした ひざ下までのズボン下。❷〔←すててこ踊り⑤〕鼻をつまんで捨てるまねをしながら踊る、こっけいな踊り。 かぞえ方 ❶は一枚

すてどころ⓪【捨（て）所】捨てる△場所（時期）。「ここが命の一だ／心の憂（ウ）さの一」

*__すでに__①【既に】（副）その時点において、事がそれ以前に△完了（確定）していることが判断される様子。「目がさめると一日は高く昇っていた／気が付いた時には一手遅れであった／ーご承知のことと思いますが／今ごろあわてても時ー遅しというところだ／時（トキ）今ー春の盛り」 表記 「《已に」とも書く。 **ーして**①（接）そうしている間に。そのうち。

すてね⓪【捨（て）値】損得を無視した、安い値段。「ーで買った／ーで手放す」

すてばち⓪【捨（て）鉢】─な ─に 何かと意に添わないことがあって、どうでもいいという気分になり 考え方や対処のしかたに前向きの姿勢が失われること。「ーな△気分（調子）になる」

すてぶち⓪【捨（て）扶《持》】役に立つことを期待しないで与える賃金・給料など。

すてみ⓪【捨（て）身】自分の生命を投げ出すほどの覚悟で、全力をそそぐこと。「ーで事に当たる／ーの覚悟」

すてもの⓪【捨（て）者】〔捨てられ者の意〕それ自体全く価値が無く、また何の役にも立たない存在（としてだれからも注目されない者）。

**__す・てる__【捨てる】■⓪（他下一）❶〈（どこニ）なにヲー〉不要△の物として（だと言って）その場所に置いたり 投げ出したりする。「ごみをー／生命をー〔＝さし出す〕／権利をー〔＝行使しない〕／まんざら捨てたもんじゃない〔＝不要のように見えても、意外と利用価値があるものだ〕」↔拾う ❷〈なにヲー〉△どうでもいい（無関係の）物として、まともに対応せずにいる。「最後まで勝負を捨てない」❸〈なにヲー〉関心を失って、△交際（関係）を絶つ。「世をー〔＝（家を離れ）俗世間と没交渉の生活に入る〕」❹〈なにヲー〉それに対する執着を断ち切る。「大学教授の職をさらりとー／家をー／△私心（わだかまり）をー／名を捨てて実（ジツ）を取る／小異を捨てて大

同に就く」【捨ててかかる】△どうでもいい(なげやりな)態度をとる。㊁〔「動詞連用形＋—」の形で、接尾語的に〕❶使って古くなった物を、不要品として扱う。「読み—」❷不要なものでもあるかのように無造作に扱う。「脱ぎ—/かなぐり—」 表記「《棄てる」とも書く。

ステルス②〔stealth=隠密〕〔戦闘機・ミサイルなどで〕電波吸収材を塗ったり、形状を工夫するなどしてレーダーによる探知捕捉を困難にさせること。「—技術/—爆撃機」

ステレオ〔stereo〕㊀(造語)❶立体。「—映画⑤・—スコープ⑥」❷立体(音響)装置。「—録音⑤・—放送⑤」↕モノラル ㊁⓪〔←stereo record〕〔音楽再生や放送などで〕二チャンネル(以上)のスピーカーから音響を再生することによって音像の定位感や臨場感を大きく持たせる方式。↕モノラル **—カメラ**⑤〔←stereoscopic camera〕立体写真機。 かぞえ方 一台 **—タイプ**⑤〔stereotype〕❶⇩ステロ版 ❷〔「ステレオタイプ❶」から〕型にはまった行動・思考様式。

ステロイド③〔steroid〕ステロイド核のある有機化合物の総称。性ホルモン・副腎(フクジン)皮質ホルモン・胆汁酸など。

ステロ ばん⓪【ステロ版】〔stereotype の訳語〕紙型に鉛の合金を流し込んで作った原版を用いた印刷版。新聞・辞書などの印刷に用いられる。鉛版。

ステン カラー④〔和製洋語 ←フ soutien＋英 collar〕ワイシャツの襟のように折り返した、婦人服の襟。

ステンシル②〔stencil〕型紙で模様を染めつける△こと(時の型)。

ステンド グラス⑤〔stained glass〕種々の色ガラスを組み合わせて、模様・風景などを表わしたガラス板。

ステンレス②〔←stainless steel. stain=さび、less=無い〕さびない はがね。不銹鋼(フシュウコウ)。

***スト**①②—する(自サ) ストライキの略。「—を△構える(打つ・回避する)/—権を認める/—破り・ゼネ—・ハン—・半日—」

ストア②〔store〕販売店。「チェーン—・ドラッグ—」

ストイック③②—な〔ラ Stōic(us)=ストア派の(学徒)〕禁欲的で、感情に動かされず、苦楽を超越△する様子(した人)。

すどうふ②【酢豆腐】〔落語で、半可通の主人公が腐った豆腐を食わされて、こう言ったところから〕知ったかぶりをして人に笑われる者の称。

ストーカー⓪②〔stalker〕相手はいやがっているのに、後を追ったり 待ちぶせをしたり して、しつこくつきまとう偏執狂的な人。

すどおし⓪【素通(し)】❶度の無い眼鏡。❷先方がすっかり見えること。❸電球のガラスが透明であること。

ストーブ②〔stove〕石炭・石油をたいたりなどして室内を暖めるもの。「ガス—・電気—」 かぞえ方 一台 **—リーグ**⑤〔stove league〕プロ野球のシーズン オフに行なわれる、花形選手の争奪戦。

ストーマ②〔stoma=「口」の意のギリシャ語に由来〕手術によって腹につくった排泄(ハイセツ)口。人工肛門(コウモン)や人工膀胱(ボウコウ)。⇩オストメイト

ストーム②〔storm=あらし。動乱〕〔学生用語で〕旧制高等学校の学生が行なった、一種の青春誇示運動。夜などに、寄宿舎内や街頭などを(群れをなして)騒ぎ歩いたこと。

すどおり⓪【素通(り)】—する(自サ)(前を)通り過ぎるだけで、立ち寄らないこと。「重要な問題なのに—する〔=取り上げないままに終わる〕」

ストーリー②〔story〕❶物語。話。「—テラー⑥」❷筋(の運び)。筋書。

ストール②〔stole〕婦人用の長い肩掛け。 かぞえ方 一枚

ストーン サークル⑤〔stone circle〕中心部から円周部に放射状に巨大な石を並べ、全体として環状になっているもの。新石器時代の遺跡とされる。環状列石。

ストッキング②〔stockings〕長靴下。 かぞえ方 一足

ストック②〔stock〕❶—する(他サ) ため て△おくこと(あるもの)。〔狭義では、在庫品や、スープの原料にする肉の煮出し汁を指す〕「知識の—」❷春、菜の花に似た、赤・紫・白の花をふさのようにつける多年草。観賞用。あらせいとう。〔アブラナ科〕❸株。「レジャー—⑤」❹貨幣供給量・外貨準備高など、ある時点で存在する財の総量。↕フロー かぞえ方 ❷は一本 **—オプション**⑤〔stock option〕自社株をあらかじめ決められた価格で購入できる権利。自社株式購入選択権。 **—ヤード**⑤〔stockyard〕資材・資源などを一時保管しておく場所。一時保管所。

ストック②〔ド Stock (シュトック)の変化〕スキーのつえ。 かぞえ方 二本で一組

ストッパー②⓪〔stopper〕❶機械などの停止装置。❷〔バレーボールで〕敵の攻撃をネットぎわで防ぐ選手。❸Ⓐ〔野球で〕救援投手。Ⓑ〔サッカーで〕相手のセンター フォワードをマークする守備側の選手。

ストップ②〔stop〕↕ゴー ❶—する(自他サ) 止まること。また、止めること。「ノン—」❷止まれ(のしるし)。「連勝に—をかける/—!〔=止まれ。やめよ〕」 **—ウオッチ**⑥〔stop-watch〕〔競技などで〕計り始めの時点を0に設定し目標に到達した瞬間に止め、所要時間を秒以下まで精確に明示出来るようにした時計。

すどまり②【素泊(まり)】その旅館・山小屋などに泊まるだけで、食事をしないこと。

ストやぶり③【スト破(り)】〔組合の一員が〕ストライキ(の約束)を破るような行動をとること。また、その人。〔広義では、会社側に雇われて暴力的に妨害する△こと(者)をも指す〕

ストライカー③〔striker=打つ人〕〔サッカーなどで〕攻撃力があり、得点能力の高い選手。

ストライキ③—する(自サ)〔strike〕普通は受身の立場にある労働者や学生などが、不当処分や低過ぎる待遇などに反対する意思表示として、勤務や聴講をボイコットすること。略してスト。「—に踏み切る」

ストライク③〔strike〕❶〔野球で〕投手の投げた球のうち、本塁上で、打者の わきの下から ひざ頭の上部までの間を、地面に触れずに通過したもの。また、打者が から振りやファウルしたもの。「—ゾーン」⇩ボール ❷〔ボウリングで〕一度の投球でピンを全部倒すこと。 **—ゾーン**⑥〔strike zone〕❶〔野球で〕ストライクとなる範囲。打者の体格とホーム ベースを基準として審判が見極める。(表示板では)Sで表示される。❷主として嗜好(シコウ)面で、自分が好んで受け入れられる範囲。守備範囲。「好みは分かれるが、自分にはこの味は—だ」❸狙いどおりの結果を得るための△要件(規準)。「売れる商品の—を見極める」

ストライド③〔stride〕歩幅(の大きいこと)。「—走法⑥〔=中・長距離競走などで、歩幅を広くとった走り方〕」

ストライプ③〔stripe〕縞(シマ)。 かぞえ方 一本

ストラック アウト⑥〔struck out=ストライク アウトの過去分詞形〕〔野球で〕三振。

ストラップ③〔strap〕つりひも。「携帯—」

ストラテジー③④〔strategy=戦略〕△事業や販売活動(言語行動)などで、目標達成のための高度な方法・手段。

ずどり⓪③【図取(り)】—する(自他サ) 物の形を図に書くこと。また、その図面。「—算③」

ストリーキング③〔streaking〕人通りの多い町中などを

全裸で走り抜けること。

ストリート③〔street〕 街路。「―ガール⑥〔=街娼〕・メインー」 **―ファッション**⑥〔street fashion〕 街に集まる若者たちの間で生み出されるファッション。

ストリーミング③⓪〔streaming〕 ネットワークを利用した音楽や動画のデータ配信で、サーバーからのデータを受信しながら、受け手側で再生できるようにする技術。

ストリーム③〔stream〕 流れ。「メインー⑥〔=主流派〕・―配信⑥〔=ストリーミングによる配信〕」

ストリキニーネ⑤〔←オ strychnine〕「マチン❶」の種に含まれている、苦い味と激しい毒を持つアルカロイド。神経を刺激するための薬。

ストリッパー③〔stripper〕 ストリップをして見せるのを職業とする踊り子。

ストリップ③〔←striptease〕 踊りながら、衣装を一枚ずつ脱ぎ捨て、バタフライを取った瞬間 演技を終える扇情的な芸。「―ショー⑥⑤」

ストリング③〔string=緒〕 ❶弦楽器(の糸)。❷弦楽器の演奏者。

ストリングス③〔strings〕 オーケストラの弦楽器部。また、その演奏者。

ストレージ③⓪〔storage〕〔コンピューターで〕データを記録・保存するハードディスクや光磁気ディスク ドライブなどの記憶装置の総称。ストレジ⓪とも。

ストレート③ ■〔straight=まっすぐ・直線的〕 ❶ーな ーに 途中で挫折したり 屈折したりしないで進む様子。「―で〔=第一回目の受験で〕受かる/風が―に〔=まともに〕吹きつける/―〔=まっすぐ〕なたま/話を―に〔=単刀直入に〕切り出す」 ❷異質のものを交えずに何かが連続して行なわれる様子。「―で勝つ〔=一敗もしないで、規定の勝数を得る〕/―の〔=ストライクが一つも無い〕フォアボール」 ❸〔野球で〕直球。「―ボール⑥」 ❹〔ボクシングで〕腕をまっすぐ伸ばして相手を打つ攻め方。「左―・右―」 ■〔straight=純粋の〕〔コーヒーや洋酒を飲む時に〕他の物をまぜたり 水や氷などで薄めたり しないで飲むこと。

ストレス〔stress〕 ❶②外界から与えられた刺激が積もり積もった時に防衛反応として示す、生体の肉体上・精神上の不具合。「―がたまる/―を解消する」 ❷②③強さのアクセント。↔ピッチ **―テスト**⑤〔stress test〕 製品・システムなどに大きな負荷をかけて、安全性や耐久性を調べること。例、金融危機に備えた金融機関の資産査定、災害時を想定した原子力発電所の耐性試験など。

ストレッチ③〔stretch〕 ❶直線コース。「ホームー〔=決勝線前の直線コース〕」 ❷ボートの一こぎする距離。 ❸「ストレッチ体操」の略。 **―たいそう**⑥【―体操】 筋肉や関節などを伸ばす体操。ストレッチング③⓪。

ストレッチャー③⓪〔stretcher〕 傷病者を寝かせたまま運ぶ、車付きのベッド。

ストレプトマイシン⑥〔streptomycin〕 土の中の放線菌からとった抗生物質の一種。ペニシリンのきかない、ペスト・結核などにきくとされる。植物の殺菌剤としても用いられる。略してストマイ⓪。マイシン。

ストロー②〔straw=麦わら。わら〕 コップなどに入った飲み物を口へ吸いこむための管。 かぞえ方 一本 **―ハット**⑤〔straw hat〕 むぎわら帽。かんかん帽。

ストローク③〔stroke〕 ❶〔テニス・ゴルフなどで〕ボールを打つこと。 ❷〔ボートで〕オールの一こぎ。 ❸〔ボートで〕整調。 ❹〔水泳で〕手足の一かき。 ❺行程❷。

ストロフルス④〔ラ strophulus〕 子供がかかるじんましんに似た皮膚病。

ストロベリー④〔strawberry〕(加工した食品としての)イチゴ。「―のジャム」

ストロボ⓪〔Strobo=もと、商標名〕〔写真で〕閃光放電管を使ってシャッターと同調して光を出させる装置。

ストロンチウム⑤〔ラ strontium〕 銀白色の金属元素〔記号Sr原子番号38〕。特殊な合金や真空管用のゲッターとして用いる。核反応の際に出来る放射性同位元素ストロンチウム90は、人体に有害。

すとん②(副)ーと それほど重くない物が落ちたり 倒れたりする様子。また、その時立てる軽い音の形容。「―と腰を下ろす/―と腑に落ちる」

ずどん②(副)ーと ❶鉄砲などを発射する音を表わす。 ❷重い物がぶつかったり 倒れたりする様子。また、その時立てる鈍い音の形容。「前を行く人に―と突き当たる」

***すな**⓪②【砂】 海岸や川の岸などにある、岩石や鉱物質の粒。〔直径約〇・一～二・〇ミリメートルの大きさのもの〕「―がさらさらと指の間からこぼれていく/―をかむようだ〔=無味乾燥で、少しもおもしろくない〕/―をかます〔=すもうで、相手を倒し、土俵にはわせる〕」 表記 「《沙」とも書く。

すなあらし③【砂嵐】〔砂漠などで〕砂を含んだ強い風が吹き荒れる現象。

スナイパー②〔sniper〕 狙撃手。

すなえ⓪【砂絵】 ❶地面などに砂を少しずつ落としてかいた絵。江戸時代、大道芸人が行なった。 ❷紙の上に糊で絵をかき、その上に砂をふりかけて作る絵。砂書き⓪。

***すなお**①【素直】ーな ーに ❶他人の言うことを、逆らわずに受け入れる様子だ。「―な子/―に忠告を聞く/好意を―に受ける/―に〔=あきらめて、いさぎよく〕白状する」 ❷変な癖や奇を衒ったところの無い様子だ。「―な髪の毛/―な字/―な踊り」 派 **―さ**③ 表記 「素直」は比較的新しい表記。古くは、「〈淳・素・朴・質」などをスナオと訓じた。

すなかぶり③【砂《被り】〔すもうで〕土俵のすぐそばの見物席。〔口頭語形は「すなっかぶり④」〕

すなぎも⓪【砂肝】 ニワトリの胃の一部。食用。 表記 「砂《胆」とも書く。

すなけむり③【砂煙】 砂が舞い上がって煙のように見えるもの。「―が上がる」

すなご⓪【砂子】 ❶〔雅〕砂。 ❷金銀の箔を粉末にして、ふすま・色紙などに吹きつけたもの。

すなゴム⓪【砂ゴム】〔←砂入りゴム⑤〕 タイプで打った字などを消すための、ざらざらした堅い消しゴム。砂消しゴム③。

すなじ⓪【砂地】 砂の多い土地。

すなずり⓪【砂擦り】 魚の腹の下の肥えた部分。

スナック②〔snack=軽い食事〕 ❶(間食として食べる)ポテトチップ・ポップコーンなどの袋菓子。スナック菓子⑤。 ❷スナック バーの略。 **―バー**⑤〔snack bar〕 軽食も出すしくみのバー。〔アメリカでは軽食堂を指す〕

スナッチ②〔snatch=一動作〕 重量挙げの一種目で、一気に頭上に持ち上げるもの。⇩ジャーク

スナップ②〔snap〕 ❶シャツなどの前やそで口などを合わせて止めるのに使う円形の小さな金具。突起を穴に入れて止める。 ❷野球でボールを投げたり ゴルフでボールを打ったりする時などに、手首の力をきかすこと。 ❸スナップショットの略。「―写真⑤」 かぞえ方 ❸は一枚 **―ショット**⑤〔snapshot〕 動く対象の自然な表情・動作を瞬間的にとらえて写すこと。また、その写真。早撮り写真。

すなどけい③【砂《時計】 一定時間に落下する砂の量が常に等しいことを応用した短時間測定器。胴のくびれたガラス器の孔を通して、均質の微粒子を落下させる。三分計・五分計などが普通。まれに、一時間計・一年計も。

表記⇩付表「時計」

すなど・る③【《漁る》】(他五)〔雅〕魚や貝を捕る。名漁り⓪④

すなば⓪【砂場】❶△子供が遊ぶため(跳躍競技や鉄棒の着地用)に砂をたくさん入れた一区画。❷砂の多い土地や、砂の採取場。

すなはま⓪【砂浜】砂ばかりの浜べ。

すなはら⓪【砂原】砂地の野原。

すなぶくろ③【砂袋】❶砂の入っている袋。消火・水防用。❷「砂嚢(サノウ)❸」の和語的表現。表記「砂〈嚢〉」とも書く。

すなぶね⓪③【砂船】川の砂を掘り取る船。また、それを運ぶ船。表記「砂舟」とも書く。

すなぶろ⓪【砂風呂】〔温泉地の蒸気などで〕適度に熱せられた砂で、全身を温める設備。

すなぼこり③【砂〈埃〉】細かい砂のほこり。

すなやま⓪【砂山】砂の山。砂丘。

すなわち②(スナハチ)【《即ち》】(接)❶前の語句を承ウけ、その趣旨を別の観点から取り上げて説明することを表わす。「戦前の封建的遺制―家父長権だの戸主権だのが大手を振ってまかり通る/米国商業飛躍への節目になったのが、一九二九年、―大恐慌の年だった/玄関わきで草をむしっていたのが―〔=自分が会おうと思っていた、ほかならぬ〕西郷隆盛(サイゴウタカモリ)であった」❷二つの物事の間に無視出来ない深いかかわりがあることを表わす。「動―騒に馴ナれた日本人は、静―寂を本能的にこわがる国民になってしまったようだ」❸後文が、前文の叙述を承けた当然の帰結であることを表わす。「会員は反対者ばかり、―彼としても打つ手は無かった/戦えば―勝つ」表記「《乃ち・《則ち》」とも書く。

スニーカー②⓪〔sneakers の日本語形〕綿布・皮革製の運動靴。

ずぬ・ける⓪③(ヅ)【ずぬける】(自下一)〔「ず」は接頭語〕普通の物より、ずっとすぐれている。なみはずれる。表記「頭抜ける・図抜ける」は、借字。

すね②【〈臑〉】足のひざから足首までの称。「親の―をかじる〔=⇨親〕」表記「〈脛〉」とも書く。【―に〈疵(キズ)〉を持つ】〔隠している悪事など〕指摘されると困る事がある。【―から火が出る】極端に貧乏なたとえ。

すねあて⓪【〈臑当て〉・〈脛当て〉】臑を保護するために着けるもの。かぞえ方一足

スネークウッド⑤〔snakewood〕南米産の、ヘビのうろこの形のような紋のある木。ステッキ用として珍重される。〔クワ科〕かぞえ方一株・一本

すねかじり③【〈臑齧〉り・〈脛齧〉り】親や保護者から学資や生活費をもらっている△境遇(人)。表記「〈臑噛〉り・〈脛噛〉り」とも書く。

すねもの⓪【〈拗ね〉者】❶世を拗ねた人。ひねくれもの。「いみじき世の―」❷よく拗ねる人。

す・ねる②【〈拗ねる〉】(自下一)❶〔自分の気持が分かってもらえないので〕わざと逆らった態度をとる。「拗ねてばかりいる子供」❷不平不満・反対の態度を率直に表明することはしないで、何かにつけて意地を張る。「世を―〔=拗ねて、世を捨てた態度をとる〕」

ずのう⓪(ヅナウ)【図〈嚢〉】地図などを入れる、箱形をした革製のかばん。

ずのう①(ヅナウ)【頭脳】❶頭(の働き)。「回転の速い―/―明晰(メイセキ)①-⓪・―的プレー」❷他より抜きんでてすぐれた才能の持ち主。「最高の―がそろったと自負する教授陣/海外流出が憂えられる日本の―」

スノー〔造語〕〔snow〕雪。「―コート④・―タイヤ④」

スノーケル②〔snorkel〕⇩シュノーケル

スノーボート④〔snow boat〕雪の上を走らせる(エンジンの付いた)そり。人の乗る部分がボートの形に似ている。かぞえ方一台

スノーボード④〔snowboard〕スキーより幅の広い一枚の板の上に両足を乗せ、雪の斜面を滑り降りる競技。また、その板。略してスノボ⓪。かぞえ方一台

スノーモービル④〔snowmobile〕前輪がそり、後輪がキャタピラの小型の雪上車。

すのこ③【〈簀〉の子】小形の簀で、蒸籠(セイロウ)の底に敷いたり、のり巻を巻くのに用いたりするもの。かぞえ方一枚 **―いた**④【―板】細い板を、間をすかして並べて打ちつけたもの。台所の流しや風呂(フロ)の洗い場などで使う。かぞえ方一枚 **―えん**③【―縁】和風建物の濡縁(ヌレエン)で、角材を、間をすかして張ってあるもの。

スノッブ②〔snob〕人前をよく見せようとして、上品ぶったり文化人ぶったりする俗物。

スノビズム③〔snobbism〕むやみに流行を追ったり上品ぶったり教養のあるふりをしたりする俗物根性。

すのもの②【酢の物】魚肉・野菜を酢にひたした料理。

スパ①②〔spa〕温泉。鉱泉。また、それらのある(高級)保養施設。

スパーク②―する(自サ)〔spark〕火花が飛ぶこと。また、その火花。

スパークリングワイン⑧〔sparkling wine〕炭酸ガスを含むワイン。シャンパンなど。発泡ワイン。

スパート②―する(自サ)〔spurt〕急に速力を出すこと。「ラスト―」

スパーリング⓪―する(自サ)〔sparring〕〔ボクシングで〕頭を保護する道具をつけ、重いグローブを使って行なう、試合形式の練習。また、その練習をすること。「公開―」

スパイ②①―する(他サ)〔spy〕(敵の陣営や国内に潜入し)相手の機密情報を探り調べること。また、その人。間諜(カンチョウ)。「―行為・産業―」

スパイカー②〔spiker〕〔バレーボールで〕スパイクする人。

スパイク②〔spike=滑り止めの金具〕一❶―する(他サ)靴底につける鉤(カギ)状または釘(クギ)状の金具。「ホームベースに滑り込むときに―する〔=野球などで、スパイクで他の選手を、誤って傷つける〕ことがある/―タイヤ〔=滑り止めの鋲(ビョウ)を打ちつけたタイヤ。現在は使用禁止〕」❷〔←spike shoes〕底に「スパイク一❶」をつけた、スポーツ用の靴。二―する(他サ)〔バレーボールで〕味方がネットぎわに打ち上げたボールを、ジャンプして相手方に強く打ちこむ攻撃法。かぞえ方一❷は一足

スパイシー②―な〔spicy〕料理で、香辛料がきいている様子だ。「―なインド料理」

スパイス②〔spice〕香辛料。かぞえ方一点

スパイラル②〔spiral=らせん形〕❶らせん状に進行する状態。「デフレ―」❷〔フィギュアスケートで〕らせん形を描くように滑ること。「デス―④」

スパゲッティ③〔イ spaghetti=複数形〕細くて穴の無いパスタ。〔普通、乾燥した物が市販される〕「―をゆでてミートソースをかける/―専門店・ミート―⑥」かぞえ方一本。小売の単位は一束・一袋

すばこ①【巣箱】鳥・ミツバチが巣を作りやすいように、人間がこしらえる箱。

スパコン⓪スーパーコンピューターの圧縮表現。

すばしこ・い④(形)(好機を逃さず)すばやく行動する様子だ。〔口頭語形は「すばしっこい⑤」〕

すぱすぱ①②(副)―と ❶たばこを、立て続けに吸う様子。

す

ずばずば①(副)—と ❶鋭い切れ味で物を小気味よく切っていく様子。❷遠慮なく言いたいことを△言う(言って相手を責め立てる)様子。「だれかれかまわず—文句を言う」 ❸その言動が、ねらったところを次つぎに衝(ツ)く様子。「—核心を衝く質問/速球が低目に—決まる」

すはだ①【素肌】 ❶おしろいなどを付けない、生地(ジキ)の肌。❷(一部分)むき出しにした肌。❸下着を着ず、上着・ズボンなどを直接身に着けた状態。

すはだか②【素裸】 全くの はだか。まるはだか。表記「素《膚」とも書く。〔口頭語形は「すっぱだか」〕

スパッツ②〔spats〕 ❶靴の上部につける、短いゲートル。❷伸縮性に富んだ素材で作った、脚にぴったりつく△パンツ(タイツ)。 かぞえ方 ❶は一足。❷は一枚・一本

スパナ②〔spanner〕 ナット・ボルトの頭などをはさんで回す工具。 かぞえ方 一挺(チョウ)・一丁

すばなし②【素話】 ❶茶菓を口にせずに話だけをすること。❷舞台装置や鳴り物などを使わずに演じる落語。表記「素《咄・素《噺」とも書く。

すばなれ②【巣離(れ)】—する(自サ) 巣立つこと。動 巣離れる④(自下一)

ずばぬ・ける④【ずば抜ける】(自下一) とび離れてすぐれている。「ずば抜けた運動神経」 文法 多く「…ずばぬけている」また「ずばぬけた+体言」の形で使われる。

すはま⓪【《洲浜・州浜】 ❶洲が海中に突き出て、雲形定規のような曲線形をなす浜。❷〔←洲浜台③〕洲浜の輪郭をした台で、飾り物を載せるもの。表記「州」は、代用字。

スパム メール④〔spam mail〕 電子メールで、ダイレクトメールなど宣伝目的や勧誘のために不特定多数に対して大量に送られるメール。迷惑メール。

すばや・い③【素速い・素早い】(形) ❶一つの動作が終わって、次の動作に移るのに、むだな時間を要さない様子だ。「すばやく出動の準備をする」 ❷判断力がすぐれ、新しい情勢にいち早く対処出来る様子だ。「相手のミスを見てすばやく攻撃に転じる」 派 —さ③②

***すばらし・い**④【素晴らしい】(形) ❶見聞きしたり 考えたりしたことが非常にすぐれていて、思わず感嘆するほどだ。「山頂からの—眺め/思いつきは—が実現にはかなり困難が伴うだろう/—成績」 ❷これほどのことが実現出来るのかと思われるほど、程度がまさっている様子だ。「すばらしく速い」ニアモーターカー」 派 —さ③

すぱり②(副)—と ❶鋭い切れ味を見せて物を一度で断ち切る様子。〔口頭語形は「すぱっと②」〕「竹を—と割る」 ❷ためらわず決断する様子。

ずばり②(副)—と ❶物事の核心や真実、相手の急所などを、ねらいたがわず衝(ツ)く様子。「不調の原因を一言(ヒトコト)で—(と)言ってのける/本心を—(と)見抜かれた/こちらの弱いところを——衝いてくる/そのもの—〔=まわりくどい言い方をせず、端的に核心に触れることを表わす〕」 ❷「ずばり❶」の強調表現。「過去のしがらみを—(と)断ち切る」

すばる①【《昴】〔統一 されるの意の文語動詞「すばる」の名詞用法に基づく〕牡牛(オウシ)座にある星団の名。肉眼では六個見える。プレアデス③。

スパルタしき きょういく⑦—【スパルタ式教育】〔古代ギリシャのスパルタで始められたことから〕きびしい鍛練を主とする教育法。「スパルタ教育⑤」とも。

スパン②①〔span〕 ❶梁(ハリ)や橋脚などの支点間の距離。❷何かを始めてから完了するまでの△時間(期間)。「—の長い△計画(仕事)」

ずはん⓪—【図版】 印刷して書物に載せた図。 かぞえ方 図そのものは一点。かかれたものや印刷されたものは一枚

スパンコール④〔spangle の変化〕 ドレスや衣装などの装飾に使う金銀などの飾りの縫い付け。

スパン レーヨン④〔spun rayon〕 レーヨンの短い繊維を紡績して糸にしたもの。綿と羊毛の中間的なもの。現在ではすべてレーヨンと呼ばれる。旧称、ステープル ファイバー。

スピーカー②⓪〔speaker〕 ❶電気信号を音に変える装置。ラジオ・テレビなどの音が出る所。❷ラウドスピーカーの略。〔俗に、自分が仕入れたうわさ話などを好んで あちこちに広める人を指す〕 かぞえ方 ❶は一本

スピーチ②〔speech〕 改まった会合の席上などでする演説。「テーブル—」

スピーディー②—に—な〔speedy〕 滞らず、軽快に何かが行なわれる様子。「—な会話」

****スピード**⓪〔speed〕 ❶速力。速度。「—を上げる/—が鈍る/ハイ—・フル—」 ❷〔速度が〕速いこと。「—とスリルを求める/—審議・—ボール⑤」 —**アップ**⑤—する(自サ)〔speedup〕 速力を増すこと。能率を上げること。 —**ガン**④⑤〔speed gun〕〔野球で〕投手の球の速さを測る機械。 —**ダウン**⑤—する(自サ)〔和製英語 ↑speed + down〕 速力を落とすこと。

スピカ①②〔Spica〕 乙女(オトメ)座のアルファ星。春の宵、南の空に見える。

すびき⓪③【素引(き)】—する(自サ) 矢をつがえず、弓の弦(ツル)を引いてためすこと。

すびき⓪③【巣引(き)】—する(自サ) 飼い鳥が巣を作って、ひなを育てること。

すびつ①【《炭《櫃】「いろり・ひおけ」の意の古風な表現。

スピッツ②〔ド Spitz (発音はシュピッツ)の英語読み〕 ❶口と耳の先端がとがった犬種の一つ。❷「スピッツ❶」に由来する日本原産の中型犬。白くて毛が長い。「日本スピッツ⑤」とも。 かぞえ方 一匹

ずひょう⓪(ヅヘウ)【図表】 数量的な関係や法則を、理解を助けるために、図を描き 数字や文字を記入して分かりやすく表わしたもの。例、グラフ、列車のダイヤ。「—入り・計算—・統計—」

スピリチュアル③②〔spiritual〕 ❶—な 精神的な。霊的な。❷米国で生まれた宗教的民謡。黒人霊歌。

スピリット②〔spirit〕 ❶精神。「ファイティング—」 ❷ジンやウオッカなど、アルコール分の強い洋酒。スピリッツとも。

スピロヘータ④〔ド Spirochäte の変化〕 微生物の一つ。からだは細長いらせん状。 —**パリダ**⑦〔ラ spirochaeta pallida〕 梅毒の病原体であるトレポネマ パリズムの旧学名。

スピン②—する(自サ)〔spin=つむぐ〕 旋回。〔狭義ではスケートなどで片足先で立って こまのように回ることや、飛行機の錐揉(キリモミ)降下を指し、広義では 急ブレーキをかけた時に自動車の後輪が空転して回ることを指す〕

スピン オフ④〔spin-off〕 ❶会社の一部を分離し、独立した別会社として経営させること。「分社化」とも。❷副産物。特に、好評を博したテレビ番組・映画・小説などから派生してできた続編。「人気映画の—企画」

スピンドル②〔spindle〕 ❶主軸。❷機械油の一種。スピンドル油(ユ)⑤。

スフ① ステープル ファイバーの略。スパン レーヨンの旧称。⇩スパン レーヨン

ずふ①(ヅ)【図譜】 同類の動植物の図を広く集め、分類して説明した本。「鳥類—⑤」

スフィンクス②〔Sphinx〕 古代エジプト・アッシリアで作られた、人面獣身の怪物の石像。〔なぞ(の人物)を意味する場合は、小文字〕

【 】の中の教科書体は学習用の漢字，〈 は常用漢字外の漢字，《 は常用漢字の音訓以外の よみ。

スプートニク②④〔ロ Sputnik=衛星〕旧ソ連が打ちあげた人類最初の人工衛星の名前。

スプール②〔spool〕カメラのフィルムを巻き取る枠。

スプーン②〔spoon〕❶さじ。スプンとも。「ティー—④」❷ゴルフのクラブの一つ。ウッドの三番。❸擬餌鉤(ギジバリ)で、「スプーン❶」に似た金属板が付いたもの。かぞえ方 ❶~❸とも一本 **—レース**⑤〔←egg-and-spoon race〕大形のしゃもじの上にボールを載せ、落とさないようにして走る競走。

すぶた①【酢豚】中華料理の名。角切りの豚肉にかたくり粉をまぶして油で揚げ、いためたタマネギ・タケノコなどを加えて、酢・砂糖などで調味し、水で溶いたかたくり粉を入れ、からめたもの。

ずぶと・い③(ッ)【ず太い】(形)〔「ず」は接頭語〕大胆な性格で、危機的な状況に陥っても全くと言っていいほど落ち着いている様子だ。「神経が—」派 **—さ**③② 表記「ず」を「図」と書くのは、借字。

ずぶぬれ⓪(ッ)【ずぶ〈濡れ〉】びしょ濡れ。

ずぶの①(ップ)(連体)全くの。「—しろうと」

スプラウト③〔sprouts〕食用とする植物の新芽。もやし・かいわれ菜など。

スプラッシュ③〔splash〕水・泥などをはね飛ばすこと。しぶきを飛ばすこと。

スプラッター ムービー⑦〔splatter movie〕血が飛び散るような残酷描写の多い恐怖映画。スプラッタ ムービーとも。略してスプラッタ(ー)。

すぶり⓪【素振り】実際に対戦相手に立ち向かうかっこうをして、木刀・ラケット・バットなどを振る△こと(運動)。

ずぶり②(副)(—と) ❶水の中や泥などに沈み込む様子。「沼地に—とはまって足が抜けなくなる」❷とがった物を柔らかい物に突き刺す様子。「畳に太い針を—と突き立てる」

スプリング〔spring=ばね・泉・春〕❶⓪ばね。「—の(よくきいた椅子(イス)/—カメラ⑥」❷③跳躍。❸③春・秋に着る、薄い外套(ガイトウ)。スプリング コート。❹③「春本・春画」の婉曲(エンキョク)表現。〔❸❹は日本での特用〕かぞえ方 ❶は一本 **—ボード**⑥〔springboard〕跳躍・飛込みの踏切りに使う板。飛び板。〔次の段階へ飛躍する はずみとなるものの意にも用いられる〕かぞえ方 一枚

スプリンクラー③〔sprinkler〕❶畑や庭に立てて水を噴き出させ、土に水をやる装置。❷天井に取りつけ、火事の時、自動的に水を噴き出す仕掛け。

スプリンター③〔sprinter〕短距離△走者(泳者)。

スプリント③〔sprint〕❶陸上競技・水泳競技・スピードスケート・自転車競技などの、短距離レース。❷全力疾走。また、力泳。

スフレ①〔フ soufflé〕❶卵白を泡立て、魚肉・白ソースなどを加えて天火で焼いた料理。❷泡立てた卵白を焼いた軽い菓子。温かいうちに食べる。

スプレー②③〔spray〕❶—する(他サ)「スプレー❷」を使って塗料を吹きつけること。❷噴霧器。霧吹き。❸—する(他サ)霧吹き式に、押すと中から薬剤などが噴き出る入れ物(に入ったもの)。また、それを用いて薬剤などを吹きかけること。「ヘアー—〔=スプレー式の整髪剤〕」

スプレッド③〔spread〕❶ジャムなど、パンやクラッカーに塗るものの総称。❷値幅。利ざや。金利差。「—取引」 **—シート**⑥〔spreadsheet〕ソフトウェアの一つ。数値・文字列・計算式を入れた表が作成できる。表計算ソフト。

スプロール げんしょう⑥(シャウ)【スプロール現象】〔sprawl=むやみに広がる〕大都市郊外部が無秩序・無計画に発展する現象。「スプロール化現象⑦」とも。

ずぶろく⓪(ッブ)〔東北・関東・中部方言〕酒に酔って正体の無い△こと(人)。

すべ①②【《術》】〔問題解決のための〕手段・方法。〔多く、否定の表現をとり、呼応がある〕「なす—を知らず〔=どうしたらいいか、全く見当がつかない〕」

スペア②〔spare〕予備(の品)。〔「余分」の意にも用いられる〕「—を用意する/—インク④/—キー③④/—タイヤ④」

スペアリブ④〔spareribs〕豚の骨付きのばら肉。赤身が多く軟らかい。煮込み・ロースト・バーベキューなどに用いる。

スペイン かぜ③【スペイン〈風邪〉】一九一八年、米国から起こり、世界各国に広がった悪性の感冒。スペインで大きく報じられたことからの名。表記 ⇩付表「風邪」。スペインを「西班牙」と書くのは、音訳。

スペース②⓪〔space〕❶あいている場所。空間。余地。❷紙面の余白。「多くの—を割く/—が無い」❸間隔。字間。行間。「—を詰めて書く」❹宇宙空間。「—トラベル⑥」 **—シャトル**⑤〔space shuttle〕地球と宇宙空間とを往復でき、何度も使える、有人宇宙連絡船。宇宙空間での種々の実験や軌道上の宇宙ステーションへの乗員の輸送・資材の補給のほか軌道へ各種人工衛星を運ぶことを目的とする。アメリカ航空宇宙局〔=NASA〕が開発。二〇一一年七月、一三五回の打上げをもって計画終了。

スペード⓪〔spade〕〔トランプで〕黒い剣の印(で点数を表わした札)。♠

すべからく③【《須らく》】(副)〔漢文訓読に由来する語。多く「—…べし」の形で〕ぜひとも(次の事をすべきだ)。「青年は—勉学に励むべし」

スペキュレーション④〔speculation=思弁〕❶投機。❷スペードのエースが最強の、トランプ遊びの一種。

すべくくる④⓪【統べ《括る》】(他五)とりしまる。しめくくる。

スペクタクル②〔spectacle=光景〕〔映画・演劇の〕壮大・豪華な場面。

スペクトル②〔フ spectre〕光がプリズムを通り抜ける時に出来る、違った色の縞(シマ)。「日光の—は赤・だいだい・黄・緑・青・あい・すみれの七色からなる連続—である」

ずべこう③(オ)【ずべ公】〔「ずべ」は、「ずぼら」の意の「ずべら」の変化という〕不良少女。

スペシャリスト④〔specialist〕高度の専門的知識・技能を持った人。

スペシャル②〔special〕特別。特製。「これは—だ/—ランチ⑤/—サービス⑤」

すべすべ ↕ざらざら [一]①(副)(—と/—する)〔「すべ」は「滑」の意〕物の表面にしわやでこぼこが無く、全体になめらかな感触が得られる様子。「—した肌」[二]⓪(—な/—に)「すべすべ[一]」に同じ。「—な肌/温泉で—になる」

すべた⓪〔ポ espada=トランプの札でスペードと同源〕〔スペードがマイナスの点であることが多いことから〕醜い女性の蔑称(ベッショウ)。特に、娼婦(ショウフ)に対する蔑称。

スペック②⓪〔spec←specification〕❶仕様(書)。設計(書)。❷工業製品などの性能。「ハイ—④」〔❷は日本での特用〕

すべっこ・い④【滑っこい】(形)なめらかで、よく滑るだろうと感じられる様子だ。「—△葉(肌)」

**すべて①【全て・《総て・《凡て】〔「総(ス)べて」の意〕[一](副)同種・同類だととらえられる範囲内のものを一つも漏らさず対象として取り上げる様子。「見るもの聞くもの—珍しい/やれることは—やってみた/神様は—お見通しなのだ」[二]省略や漏れが全く無く、問題とする事柄のあらゆる点に及んでいること。「大学生活の—を語る/事件の—をはっきりさせる/金(カネ)が—だ〔=生きていく上で万能だ〕と思っている

人/—の道はローマに通ず」

すべらか [2]【滑らか】(—な・—に) 表面に大きな抵抗を感じない様子だ。なめらか。すべやか。「渓流に洗われる—な岩肌」 派 —さ [3][4]

すべら・す [3]【滑らす】(他五) 〔「滑る」の使役動詞形〕 ❶すべるようにさせる。「そりを—」 ❷抑制がきかず、結果として滑るようなことをする。「雪道で足を滑らしてころぶ/うっかり口を—」 滑らせる(他下一)。

すべり【滑り】 ❶ [3] 滑ること。「—が△いい(悪い)織物」 ❷(造語) 動詞「滑る」の連用形。 表記 「〈辷り」とも書く。 **—あと** [4]【—跡】 土砂や草・雪などの表面を足やからだの一部や乗り物などが滑って付けた跡。 **—い・る** [4]【—入る】(自五) ❶滑ってはいる。 ❷そっとはいる。 **—こ・む** [4]【—込む】(自五) ❶滑るようにして、内に入る。「そっと部屋に—」 ❷〔野球で〕塁を走り越さないため、また、タッチを避けるため、滑って△手(足)をベースにつける。 ❸もう少しで遅れそうな時刻に、やっと到着する。 名 滑り込み [0] **—だい** [3]【—台】 子供が上から滑りながら降りて遊ぶ台。 **—だし** [0]【—出し】(滑り)はじめ。出だし。「—はよかったが/まず上々の—だ」 動 滑り出す [4](自五) **—どめ** [0]【—止め】 ❶坂道などに駐車した自動車のタイヤにあてがう石や、足が滑らないように階段などに当てる物など。 ❷受験の際、目的の学校を失敗した時の用意に、別の学校も受験しておくこと。また その学校。

スペリング [2][0]〔spelling〕〔ローマ字などの表音文字による〕単語の書き表わし方。つづり(かた)。

す・べる [2]【統べる】(他下一) 全体をまとめて△一つに(支配)する。「百般の人事を—」 表記 「《総べる」とも書く。

***すべ・る** [2]【滑る】(自五) ❶〈どこヲ—〉 接触を保ちつつ、物の面を抵抗なく速く移動する。「ゲレンデをスキーで—」 ❷〔水・油などのために〕足場が ひどく不安定になり、立(ち止ま)っていられなくなる。「雪道ですべってころんだ」 ❸〔水・油などのために〕手がかりが無くなり、持っていられなくなる。 ❹〈なにヲ—/なにニ—〉 その位置を保てなくなる。「委員長を—/入学試験に—〔=落ちる〕/…の座を滑り落ちる」 表記 「〈辷る」とも書く。〔⇩滑り❷〕 運用 受験などに際しては避けるべき言葉とされる。【口が—】⇩口❷❶ 【言葉が—】⇩言葉 【筆が—】⇩筆❷❶

スペル [2]〔spell=言葉を つづる〕 スペリングの通称。

ずべ・る [2](自五) 「なまける・ずるける」の意の俗語的表現。

スポイト [0]〔オ spuit〕 インク・薬液などを外部との空気圧の差を利用して吸い上げて、他に移し入れるのに使う装置。頭部にはゴムなど伸縮性のある物がついている。 かぞえ方 一本

スポイル [2](—する)(他サ)〔spoil〕 扱い方を誤るなどして、その物の本来の性能が発揮できない状態にすること。〔狭義では、人を甘やかし過ぎてだめにすることを指す〕

スポーク [2]〔spoke〕 車輪の輻ャ。 かぞえ方 一本

スポークスマン [2][5]〔spokesman=代弁者〕 政府・団体の意見を報道関係へ発表する係の人。

****スポーツ** [2]〔sports〕 日常の仕事を離れて楽しむ、諸種の運動・球技や登山など。「学業と—を両立させる/ウインター— [7]・—カー [4]・—用品 [5]・—医学 [5]・—科学 [5]・—クラブ [5]」 **—シャツ** [5]〔sports shirt〕 スポーティーなシャツ。△半そで(長そで)で共襟トモエリのあるようなシャツ。 **—ちょう** [4]【—庁チャウ】 文部科学省の外局で、スポーツの振興、スポーツに関する行政などを行なう機関。 **—の ひ** [2]-[1]【—の日】「国民の祝日」の一つ。十月の第二月曜日。〔二〇二〇年「体育の日」を改称〕 **—マン** [4]〔sportsman〕 スポーツを△職業(趣味)とする人。 **—マンシップ** [7]〔sportsmanship〕 フェアプレーをし、勝負にこだわらない、明るい健康な態度・精神。

スポーティー [2](—な)〔sporty〕〔洋装で〕運動をするのにふさわしい様子だ。軽快。「—なポロ シャツ」 ⇩ドレッシー 派 —さ [4][0]

すぼし [0][3]【素干(し)・素《乾(し)】(—する)(他サ) ❶魚などを味をつけずにそのまま天日などで干すこと。 ❷魚などを日光や火にあてずに干すこと。かげぼし。

ずぼし [0]【図星ツ】 的の中心の黒点。「—をさす〔=推測して、大事な点をずばりとつく〕/—だ〔=指摘された通りで、寸分違ガタわぬ様子だ〕」

スポット [2]〔spot=地点〕 ❶テレビ・ラジオなどの番組の間にはさむ、短い放送。「—広告 [5]・—ニュース [5]」 ❷スポットライトの略。「—を当てる」 ❸⇩エプロン❷ **—ライト** [5]〔spotlight〕 一部分を特に明るく照らし出すための△光線(照明器具)。「—を浴びる〔=世間の注目を受ける〕」

すぼっと [2](副) 案じることもなく、意外なほど簡単に抜けたり 収まったり する様子。「栓センが—抜ける/穴に—落ちる/ボールがミットに—おさまる」

すぼま・る [0][3]【〈窄まる】(自五) 前よりも一層すぼんだ状態になる。

すぼ・む [0]【〈窄む】(自五) ❶△ふくらんだ(中空の)物が、縮んで小さくなる。「△花(風船)が—」 ❷△広がった(開いた)物が狭くなる。「先のすぼんだズボン/傷口が—」

すぼ・める [0]【〈窄める】(他下一) すぼむようにする。「傘を—/外国人のように肩をすぼめてみせた/口を—」

ずぼら [0](—な・—に) △守るべき約束を守らず(なすべき仕事を果たさず)生活態度に しまりの無い様子だ。「あいつは近ごろ だんだん—になってきた」 派 —さ [0]

すぼり [0]【素掘(り)】 周囲の土の崩れを防ぐ工事無しで、地面を掘り下げること。

***ズボン** [2][1]〔フ jupon から〕 洋風の衣服の一部として、下半身に はくもの。またから下は二またになっている。「—つり [2]・替え—」 かぞえ方 一枚・一本 **—した** [2]【—下】 ズボンの下にはく ひざ下までの下着。 かぞえ方 一枚

スポンサー [2][0]〔sponsor〕 ❶ラジオ・テレビの、商業放送番組の提供者。広告主。 ❷お金を出してくれる人。

スポンジ [0]〔sponge の文字読み〕 ❶海綿。 ❷海綿状のゴム製品。あかすり・クッションなどに使う。「—で食器を洗う/卓球の—バット」 **—ケーキ** [5]〔sponge cake〕 小麦粉・卵・砂糖を交ぜて焼いた、柔らかな西洋菓子。 **—ボール** [5]〔sponge ball〕 軟式野球用のゴム製のたま。軟球。

***スマート** [2](—な・—に)〔smart〕 ❶体つきがすらりとしている様子だ。「—な肩」 ❷身だしなみやスタイルがよく、しゃれた感じを与える様子だ。「背広を—に着こなす」 ❸言葉が明快で、好感を与える様子だ。「尋ね方が—だ」 派 —さ [4] **—グリッド** [6]〔smart grid〕 電力の流れをIT技術によって供給側・需要側の両方から制御・最適化した次世代送電網。 **—ばくだん** [5]【—爆弾】〔smart bomb〕 レーザーやジーピーエス(GPS)などによる操作で目標に誘導される爆弾。 **—フォン** [4]〔smartphone〕 パソコンに準じる機能を持った携帯電話。ネットワーク機能やスケジュール管理機能などを持ち、多くのソフトウェアを使うことが可能。スマートホンとも。また、略してスマホ。

***すまい** [1]【住(まい)ヒスマ】〔動詞「住まう」の連用形の名詞用法〕 ❶(造語) 住んでいる(所の)状態を表わす。「いなか—イズマ [4]・ホテル—イズマ [4]・ひとり—イズマ [4]」 ❷ [1] その人の住んでいる△所(家)。「—を現在地に移したのは、三十年前だった/お—はどこですか/わび—イズマ・仮—イズマ」 表記 「住居」の

「居」は、借字。

スマイル②〔smile〕微笑。笑顔。「アルカイック―」

すま・う②【住まう】(自五)(ずっとその場所に)人間が住んでいる。⇩相㊂Ⓐ

すまき⓪【〈簀巻(き)】❶簀で巻くこと。❷江戸時代の私刑で、からだを簀で巻いて水中に投げ入れたもの。

すまごと③②⓪【須磨琴】弦が一本だけの琴。

すまし【澄(まし)】[一]③❶濁りを無くすこと。❷杯洗の水。❸気どり。「―顔⓪」❹〔↑すましじる④〕味噌汁を「椀」と言うのに対し、吸い物の称。表記 ❹は、「《清まし》」とも書く。「{清汁}」は義訓。[二](造語)動詞「澄ます」の連用形。 **―や**⓪【―屋】気位が高くて、まわりの人たちから超然としているような顔つき・態度をいつも示す人。

すまじき②〔「するまい」の意を表わす文語形「すまじ」の連体形〕(出来ることなら)しない方がよい。「―ものは宮仕え」

****すま・す**【済(ま)す】[一]②(他五)❶〈なにヲ―〉(省略や故障などが無く)予定の行事や仕事を行なう。「手続きを―〔=終える〕/二時までに済まそう〔=全部やってしまおう〕/借金を―〔=完全に返し終える〕」❷〈なにヲ(なにデ)―〉不十分ではあるが、期待される△手続き(行為)を終えたものと見なす。「夕食をうどんで―〔=間に合わせる〕/昼食抜きで―/証文無しで―〔=貸借関係の成立を相互が認める〕」❸何か仮の扱いで、問題が解決されたことにする。「笑って済まされる問題ではない/△ひとごと(ただごと)では済まされない〔=…として楽観し去ることは許されない〕」[二]〔「動詞連用形+―」の形で、接尾語的に〕どんな点から見てもそのようにする。「弁護士に成り―/医者のふりをして治療をし―」

すま・す②【澄(ま)す】[一](他五)❶濁り・曇り・雑音などを除いて、まじりものの無い状態にする。「濁り(水)を―」❷雑念を除いて、純粋な状態にする。「心を―/耳を―〔=精神を集中させて聞く〕/目を―〔=ひたすらそのものを見る〕」[二](自五)そんなつまらない事△はどうでもいい(とは一切関係が無い)という顔をして、気取る。「(女の子が)つんと―〔=他人の思惑など気にかけないというような態度をとる〕/いつも人の物を使って澄ました〔=平気な〕顔をしている/いくら催促しても、澄ました〔=全く気にしない〕ものだ」[三]〔「動詞連用形+―」の形で、接尾語的に〕雑念を去ってそのことに集中する。「行ない―・研ぎ―・聞き―」〔[二]〜[三]は「澄ませる③(下一)」とも〕表記 [一]は「《清ます》」、[三]は「済ます」とも書く。〔⇩澄まし[二]〕

すま・せる③【済(ま)せる】(他下一)〔「済む」の使役形〕済ます。「△きれいごと(間に合わせ)で―」

スマッシュ②―する(自サ)〔smash〕〔テニス・卓球・バドミントンなどで〕相手のコートに、たたきつけるように激しくボールを打ちおろすこと。また、その打球。打込み。

すまない②【済まない】どんなに言葉を尽くしても△謝罪(感謝)の意を表わしきれないという気持をいだく様子だ。〔くだけた口頭語形では「すまん」とも。また、丁寧表現は「すみません」〕「あの人には―ことをした/わざわざ来てもらって―ね」⇩すみません 派 **すまなさ**③② **すまなげ**⓪④③ **すまながる**④

運用 (1)「すまない(わ)」などの形で、身内、また同等以下の相手に対して、謝罪や感謝の気持を表わす挨拶の言葉としても用いられる。例、「すまない、勘弁してくれ/すまないね、恩に着るよ」(2)「すまないが」などの形で、身内、また同等以下の相手に対して、ちょっとした事を依頼するときのことわりとして用いられる。例、「すまないがお茶を持ってきてくれないか」

スマホ⓪ スマートフォンの圧縮形。「歩き―はひとりよがりで極めて危険かつ悪質な行為であることを自覚すべきだ」

すみ②【炭】❶木が燃えたあとに黒く残ったもの。❷木材を蒸焼きにした黒色の燃料。木炭。「―を焼く〔=つくる〕/―をおこす/―屋②・―かご⓪②・堅―・桜―」かぞえ方 ❷は一本。売買取扱い単位は一俵

すみ【済(み)】[一]②処理・受付などが済んだこと。〔記号的にも用いられる〕「用―につき処分した/代―⓪」[二](造語)…の手続きが済んでいること。「試験―⓪」

***すみ**①【隅】かどの内側で、それ自体は△直接(あまり)役に立たない場所や部分。「部屋の―/重箱の―を楊枝で△ほじくる(つつく)〔=⇩重箱〕」表記「《角》」とも書く。【―から―まで】すべての隅に至るまで残る所なく。【―に置けない】意外な△才能(行動力・世間知)を持っていて、その存在をばかにすることが出来ない。

すみ②【墨】❶上質のすすに膠をまぜ香料などを加えて短時間煮詰めたものを、普通直方体状に固めた黒いもの。必要のたびごとにそれをすって書画を書く。〔木炭のスミと区別して、「摺墨⓪」とも言う〕「朱―⓪〔=朱色の汁を作るための固形絵の具〕・藍―⓪②〔=藍色の固形絵の具〕」❷すずりに水を入れて、「墨❶」をすって作った黒い汁。「一面に―を流したような空」❸黒い色(のもの)。「―の衣〔=墨染め〕/釜の―〔=底につく、黒色のすすのようなもの〕/イカの―〔=体内にある、黒い汁〕」❹「すみなわ」の略。「―を打つ」かぞえ方 ❶は一挺・一丁・一本

すみ①②【酸味】すっぱい味。さんみ。

すみあら・す④⓪【住(み)荒(ら)す】(他五)住人にデリカシーが無く、建物・建具を普通以上に汚したり傷つけたりする。

すみいと⓪【墨糸】墨つぼの中をくぐらせて、墨汁を含ませる糸。すみなわ。かぞえ方 一本

すみいろ⓪【墨色】書き、または染めた墨の、つや・濃度のぐあい。

すみうち⓪④③【墨打(ち)】―する(自サ)墨縄で線をつけること。

すみえ⓪【墨絵】絵の具を使わず、墨だけで書いた絵。水墨。↕色絵 かぞえ方 一幅・一枚

すみか①【住(み)《処》】❶住む(べき)所。すまい。「ついの―/仮の―/―を探す」❷〔人間にとって好ましからぬものの〕住んでいる所。「悪魔の―/狐狸の―/紙魚の―」表記「〈棲・〈栖」とも書いた。「住家」の「家」は、借字。

すみか・える④⓪③【住(み)替える】(他下一)❶住む場所を替える。❷住込みの奉公人などが、勤め先を取り替える。名 住み替え⓪

すみかき③④【炭〈掻(き)】炭をかきよせる鉄製の器具。かぞえ方 一本

すみがき⓪④【墨書(き)】―する(他サ)墨だけで絵を書くこと。また、その絵。表記「墨描き」とも書く。

すみがね⓪②【墨金・墨{曲尺}】曲尺。

すみがま⓪【炭窯・炭〈竈】(木を蒸焼きにして)木炭を作るかま。

すみき・る③⓪【澄(み)切る】(自五)❶〔空気や水などが〕すっかり澄む。「澄み切った△青空(瞳)」❷俗世の欲望や邪心がすっかり無くなる。「澄みきった心境」

すみこみ⓪【住(み)込(み)】雇われて、主人の家や勤め先に寝泊まりすること。また、その人。⇩通い 動 住み込む③⓪(自五)

すみじ⓪【墨字】晴眼者の使用する、普通の文字。↕点字

すみずみ②【隅々】あちらの隅からこちらの隅に至るまで、あらゆる方面。「―まで詳しく知っている」

すみそ②【酢味〈噌】あえものに使う、酢を交ぜた味噌。「イ

カの―あえ」

すみぞめ⓪【墨染(め)】❶黒い色に染めること。❷黒い色の僧衣。❸ねずみ色の喪服。

すみだわら③(ーダハラ)【炭俵】木炭を△詰める(詰めた)俵。かぞえ方 一俵(イッピョウ)

すみつき【墨付(き)】❶⓪④墨のつきぐあい。〔筆跡の意にも用いられる〕❷⓪②⇩おすみつき

すみつぎ⓪④③【墨継(ぎ)】❶短くなった墨をはさむもの。墨ばさみ。❷「墨❶」の無くなった筆に墨を再び含ませて、文字や線を続けて書くこと。

すみつ・く⓪③【住(み)着く】(自五) 引き続き、その場所に住む。

すみっこ①②【隅っこ】「隅」のくだけた口頭語的表現。「頭の―に入れておく」

すみつぼ⓪【炭(壺)】火消しつぼ。

すみつぼ⓪【墨(壺)】❶墨汁を入れて たくわえる容器。❷大工道具の一つで、墨汁を含ませた真綿を入れておく壺と、そこをくぐらせる墨縄とから成る。

すみてまえ③(ーマヘ)【炭手前】〔茶の湯で〕炉に炭をついだりかきたてたりして火加減をよくすること。また、その作法。

すみとり③④【炭取(り)】木炭を小出しにして入れておく△かご(箱)。

すみながし③【墨流(し)】△墨汁(顔料)を水面に垂らした時に出来る乱れた波模様(を、紙や布に染めつけること)。

すみな・す③【住(み)成す】(自五)〔雅〕住んでいる人の様子がそのように見える。「心細く―/心にくく―」

すみなら・す④⓪【住(み)慣(ら)す】(他五) 長年その家に住んで、居心地のいい状態にする。

すみな・れる④⓪【住(み)慣れる】(自下一) 住んで、その家・土地に慣れる。

すみなわ⓪②(ーナハ)【墨縄】木・石の表面に直線を引く大工道具「墨壺(スミツボ)」の一部。墨を付着させて引き出し、ぴんと張ってはじくようにして直線を引くもの。すみいと。

すみび⓪【炭火】木炭で起こした火。

すみぶくろ③【墨袋】イカやタコの墨が入っている内臓。

すみません④【済みません】「すまない」の意の丁寧表現。〔くだけた形は「すいません」、より丁寧に「あいすみません」〕「こんなにご親切にしていただいてどうも―/遅れて―でした」 運用「すみません(が)」などの形で、ちょっとした質問・依頼・要請などを相手に切り出すときの挨拶(アイサツ)の言葉として用いられる。例、「すみません、駅はどちらでしょうか/すみませんがここに荷物を置かせてください/すみません、その本を見せてください」

すみやか②(ーな ーに)【速(や)か】出来るだけ時間をかけずに△行なう(行なわれる)様子だ。「―に行なう/―な処置を取る/―な回復」 派―さ④③

すみやき⓪【炭焼(き)】❶木を焼いて木炭を作る△こと(人)。❷肉などを炭火で焼いた料理。網焼き。

すみれ⓪【(菫)】道ばたなどに生える小さな多年草。春、長い茎の先に、紫色などの花を横向きにつける。花びらは五枚。類似した種類が多い。〔スミレ科〕 かぞえ方 一本(イッポン|ヒトモト)

―いろ⓪【―色】スミレの花のような濃紫色。

すみわけ⓪【(棲)(み)分(け)】生活・行動の類似する生物が、共生するために、棲む場所や期間を異にすること。動 棲み分ける④(自下一)

すみわた・る④⓪【澄(み)渡る】(自五)〔空・水面や心などが〕限りなく澄んだ状態である。

****す・む**①【住む・(棲む)】(自五)〈どこニ―〉〔人が〕決まった場所で暮らす。〔広義では、動物についても言う〕「両親と一緒に住んでいます」【住めば都】どんな所でも住み慣れてみると、それなりのよさがあるものだ。

****す・む**①【済む】(自五) ❶仕事や行事が、予定通りに進行して終わった状態になる。「手続きが―/婚礼はめでたく済んだ」 ❷〈(なにデ)―〉当面の問題に関しては決着がついた状態になる。「けがが無くて済んだのが何よりだ/罰金は一万円で済んだ/気が―〔=腹立ちがおさまる〕までなぐってくれ/済んでしまったことはしかたがない」 運用「…で済む問題ではない/…で済むと思っているのか」などの形で、相手の無責任な言動や態度について非難したり 何らかの償いを要求したりするのに用いられることがある。

***す・む**①【澄む】(自五) ❶曇りや濁りが無くな(って、美しく感じられ)る。「澄んだ〔=あざやかな〕色/澄んだ音色/心が―〔=欲念・邪念・雑念が無くなって、純一無雑の心になる〕」↕濁る ❷〔よく回っているこまが〕止まったように見える。❸清音で△ある(発音する)。↕濁る 表記 ❸は、「《清む」とも書く。

ズム(接尾)〔英語の名詞語尾 -ism にならった造語で、特定の動詞の連用形(=イ段のみ)や、イ段で終わる語に接続する〕主義。「がんばり―・ゆっくり―」

スムージー②〔smoothie〕冷やした果実・ヨーグルト・アイスクリームをミキサーにかけてつくるシャーベット状の飲み物。

スムーズ②(ーな ーに)〔smooth〕滞らず、すらすらと△進む(はかどる)様子だ。スムース②とも。

すめ【《皇】(接頭)〔雅〕天皇に関する物事の上に添えて言った語。「すべ(ら)・すめら」とも。「―大神(オオミカミ)」

すめがみ②【《皇神】〔雅〕皇室の先祖の神。

すめし⓪【酢飯】⇩すしめし

すめら【《皇】(接頭)〔雅〕すめ。 ―みこと④⓪ 天下を統治する天皇。〔「すめらぎ・すめろぎ・すべらぎ」とも言う〕

すめん⓪①【素面】❶〔剣道で〕面を着けないこと。❷「しらふ」の意の通語。

ずめん⓪(ーヅ)【図面】土木工事・建築・機械などの構造や設計を示した図。「―を引く」

すもう⓪(スマフ)【(相撲)】〔土俵の中で〕二人が、力やわざによって勝負を争う競技。土俵の上で、まわしをつけて取り組み、相手のからだを地につけるか、土俵の外に出すかすれば勝ちとなる。「―にならない〔=力が違いすぎて、勝負にならない〕/―に勝って勝負に負ける〔=九分九厘まで勝っていながら、最後の土壇場で負ける〕/水入りの大―(ズモウ)/力―(ズモウ)④・―巧者(ゴウシャ)④・横綱―(ズモウ)⑤・女―(ズモウ)④」 表記 ⇩付表。「(角力)・(角(觝))」とも書く。 かぞえ方 取組は一番

―とり②【―取(り)】すもうをとる職業の人。力士。

スモーカー②〔smoker〕たばこを吸う人。喫煙者。「ヘビー―⑤」

スモーキング②〔smoking〕たばこを吸うこと。喫煙。「―ルーム⑦・ノー―」

スモーク ❶②〔smoke=煙〕❶効果のために、舞台などに出す煙。ドライアイスで作る。❷煙の色。灰色。 ❷(造語)〔←smoked〕薫製の。「―ハム⑤・―サーモン⑤・―チーズ⑤」

すもぐり②【素潜(り)】呼吸のための器具など使わないで水中に潜ること。閉息潜水⑤。息こらえ潜水⑥。

すもじ①【酢文字】「すし」の女房詞(コトバ)。「お―」

スモック②〔smock〕❶布にひだを寄せ、美しくかがる手芸。❷仕事着。うわっぱり。 かぞえ方 ❷は一着

スモッグ②〔smog. smoke (煙) と fog (霧) の混交〕工場や暖房から出る煤煙(バイエン)や排気ガスが空に立ちこめ、霧・もやのようになったもの。「―公害」

すもどり②【素戻(り)】用事を足さないで、そのまま戻ること。

すもも[0]【〈李〉】 春、白い花を開く落葉高木。小形の実は、モモよりすっぱい。生で食べるほか、ジャムや果実酒などにする。中国原産。〔バラ科〕 かぞえ方 一株・一本

スモン びょう[0]―ビヤウ【スモン病】〔smon=subacute (=亜急性) + myelo (=脊髄セキズイ) + optico (=視覚性の) + neuropathy (=神経病)〕 下痢・腹痛が続いた後、足がしびれる病気。重症の場合は、下半身が麻痺ヒマし、失明する。原因は整腸剤キノホルム[3]の服用によるものといわれる。

すやき[0]【素焼(き)】 ❶低い熱で、うわぐすりをかけないで焼いた器。また、その焼き方。どやき。〔土器と、「本焼き[0]」以前の未完成品との称〕 ❷〔保存・加工のために〕魚などをただ焼いてだけおくこと。しらやき。

すやすや[1]、[1]-[1](副)―と 気持よさそうに安らかに眠っている様子。「―眠る女の子の寝顔」

すよう[0]―エウ【須要】―な ⇩しゅよう

ずよう[0]ヅヤウ【図様】「図柄」の意の古風な表現。

すよみ[0]【素読(み)】―する(他サ) 原稿や引用文献との照合を済ませた後に、△すらりと読んで文意が通じるか(まだ誤植が残っていないか)どうかを調べてみること。

すら(副助) ❶どのように事態が進んでもあり得ないだろうと思っていたことが実現し、極限に近い状態にまで達している、ととらえられることを表わす。「異民族に征服され母国語を話すこと―禁じられた/不眠不休で看護にあたってくれた医師の話を聞き、感動―〔=さえ〕覚えた」 ❷せめてこの程度のことはと期待される事態の実現が危ぶまれる客観的状況にある、と判断されることを表わす。「ライフラインの復旧の目途―たっていない/三十歳になるのにデートの相手―なく焦っていた」 文法 体言(名詞、またそれに準ずる句)、用言・助動詞「れる/られる・せる/させる」の連用形、副詞、格助詞(「が」を除く)に接続する。副助詞「も」の前につく。意志を表わす助動詞「よ/よう」とともに用いられるときは、「…よ/よう+と+すら」の形になる。

ずら(終助)〔神奈川・静岡・山梨・長野・愛知方言〕推量・想像を表わす。「どこへ行く―〔=のだろう〕」

スラー[2][1]〔slur〕〔楽譜で〕高さの違う二つ以上の音符を結び、なめらかに△歌え(演奏せよ)という意味を表わす、弓なりの曲線。〔その奏法が、レガート〕 ⇩タイ❸

スライサー[2]〔slicer〕 パン・肉・チーズなどを薄く切る機械。薄切り器。

スライス[2]―する(他サ)〔slice〕 ハム・肉などを薄く切ること。また、その一切れ。薄切り。「―ハム[5]・―チーズ[5]」

スライダー[0][2]〔slider〕〔野球で〕変化球の一つ。投手の方から見て、右投手なら左へ、左投手なら右へ、水平に滑るように曲がるたま。

スライディング[0]〔sliding〕 ❶―する(自サ) すべること。滑走。 ❷―する(自サ) すべりこみ。 ❸〔競漕キョウソウ用ボートで〕こぐたびに座席が一定間隔すべるようになっているもの。⇩フィックス **―システム**[7]〔sliding system〕 物価の変動に応じて賃金などを上げ下げする制度。スライド制[0]。

スライド[0]〔slide〕 ❶―する(自他サ) すべること。すべらせること。 ❷物価の変動に応じて年金などの額を上げ下げすること。「―制」 ❸―する(自サ)〔野球で〕すべりこみ。 ❹台付きのフィルムに光をあててスクリーンに映し出す装置。幻灯(機)。 ❺〔←slide rule〕 計算尺。スライディング スケール[8]。 ❻顕微鏡の検鏡板。 かぞえ方 ❺❻は一枚 **―ショー**[4]〔slide show〕 複数の画像を、一定の時間ごとに切り替えて順番に表示する機能。「卒業式で―を流す」

ずらか・る[0][3](自五) そこに居るのが当然だと思われる人が、何かの事情ですきを見て逃げ出す。〔俗語的表現〕「授業を―」

*__ずら・す__[2](他五) ❶〈なにヲ(どこニ)―〉〔押したり引いたりして〕すべるように動かして(同じ向きのまま)少し位置を変える。「机を右へ―」 ❷〈なにヲ(なにニ)―〉〔予定した行事について〕行なう△日にち(時刻)だけを変更する。「日どりを一日―/時期を―」 ❸全体の枠組みは変えないで他の要素をわりこませたり順序を入れかえたりする。「話題を―/式次第を―」 ずらせる[3](下一)。

すらすら[1]、[1]-[1](副)―と 途中でつかえることなく、事が順調に進む様子。「―と答える/―暗記している」

ずらずら[1](副)―と いやになるほど長くつらなっている様子。「くだらないことを―書きつらねる」

スラッガー[2]〔slugger〕〔野球で〕長打をよく打つ強打者。

スラックス[2]〔slacks〕(もと女性用のゆるい形の)ズボン。〔男物としては、上着と対ではない替えズボンを指すこともあった。現在では、センタープレスの入ったジャケットに合わせるパンツなどを言うことが多い〕 かぞえ方 一枚・一本

スラッシュ[2]〔slash〕 ❶洋服の襟元や袖口ソデグチなどの装飾的な切り込み。 ❷言葉の区切りなどを示す斜線。「/」

スラット[2]〔slat=細長い薄板〕 航空機の失速を防ぐために、主翼の前のへりに付けられた小さな翼。スロット翼[4]。

スラップスティック[6]〔slapstick〕 どたばた喜劇。〔スラップスティックは、道化が相手役を打つ棒のこと〕

スラブ[1]〔Slav〕 ヨーロッパの東部・中部に住む民族。ロシア人・ポーランド人・ブルガリア人など。

スラム[1]〔slum〕(大都市で)貧しい人びとがかたまって住む区画。貧民街。「―街[3]・―化[0]」

すらり[2](副)―と ❶引き締まったからだつきで、背の高さが目立つ様子。「振袖フリソデ姿の―とした女性」 ❷何の抵抗感もないままに事が行なわれる様子。「刀を―と抜く/―と障子が開く/―と成立する」〔口頭語形は「すらっと[2]」〕

ずらり[2](副)―と 同じ種類のものが、人目を引かんばかりに、その場に△そろって(列をなして)いる様子。〔口頭語形は「ずらっと[2]」〕「会場に新車を―と並べて展示する/お偉方が―顔をそろえる」

スラローム[3]〔slalom〕〔スキーで〕回転競技。

スラング[2]〔slang〕 ❶隠語。 ❷俗語。

スランプ[2]〔slump〕 ❶一時的に調子がくずれ、いつもの時の△技能(能力)が発揮出来ない状態。「―に陥る」 ❷一時的に取引がふるわない状態。

すり[1]【{〈掏摸〉}】〔往来・車中など(人混み)で〕人にさわったはずみを利用して、こっそりと懐中物や携帯品を抜き取る△こと(者)。 表記 「{〈掏摸〉}」は漢語表記。また、それを働く者は「{〈掏児〉}」。

すり[2]【刷(り)】 ❶印刷(の出来ばえ)。「―見本[3]」 ❷印刷したもの。「校正―リズ・三―リズ[0]・三色―リズ[0]」

ずり[2]【〈砰・〈硑】 ❶掘りくずして坑外に運び出す土。 ❷捨ててある鉱滓コウサイ。ぼた。「―山ヤマ[0]」

ずりあが・る[4]【ずり上(が)る】(自五) ❶正規の位置より少し上へ上がる。 ❷少しずつ高い地位へ上がる。

すりあし[0][2]【〈摺(り)足】 足の裏を地面に摺りつけるようにして静かに歩くこと。

すりあわせ[0]―アハセ【〈摺(り)合(わ)せ】 妥協できる点があるかどうかを検討するために、それぞれの意見や情報を持ち寄って比較すること。

すりあわ・せる[5][0]―アハセル【擦(り)合(わ)せる】(他下一) ❶やすりでこすっておいて、金属性の物同士がうまくはめ込まれるようにする。 ❷双方を突き合わせて調整する。「案文を―」 擦り合わす[4](五)。

スリー[2]〔three〕 ❶三。「―シーズン[4]・―スピード[5]・ビッ

グー⑤」❷〔野球で〕スリー ボール。「―ツー」

スリーウエー⑤〔three-way＝三通り〕❶家庭用のコンセント・電池と車のバッテリーなど、三通りの電源で動作すること。「―テレビ受信機」❷高音・中音・低音など、三つの音域を受け持つこと。「―スピーカー⑧」〔❶❷ともスリーウェイ④とも〕

スリークォーター④❶〔←three-quarter backs〕〔ラグビーで〕ハーフバックの後ろ、フルバックの前に位置する四人の選手。❷〔three quarter〕〔野球で〕球をななめ上から投げること。

スリーサイズ④〔和製英語 ←three＋size〕体型を判断する基準となる（女性の）からだの三部分のサイズでバスト・ウエスト・ヒップのサイズを指す。

スリーディー④【3D】〔D←dimension＝次元〕三次元。立体であること。特に、映像を三次元的〔＝立体的〕に再現する方式。3D映像。**―プリンター**⑦〔←three dimension printer〕データをもとに、断面を積み重ねるような方式で、立体の物を作る機器。部品の試作品、建築模型、臓器モデルなど、さまざまな分野で活用される。

スリーピース④〔three-piece〕⇩三揃ミツゾロい〔婦人服では、コート・スカート・ジャケットの一組をも指す〕かぞえ方一着

スリーピング バッグ⑦〔sleeping bag〕登山用などの寝袋。

スリーブ②〔sleeve〕そで。「ノー―・ドルマン―」

スリープ②〔sleep〕睡眠。眠り。眠ること。**―モード**⑤〔sleep mode〕〔コンピューターで〕一定時間使用しない機器を停止し、消費電力を少なくする機能。

すりいも②⓪【〈擂り芋】ヤマノイモをすりおろして味をつけた料理。

スリーラン②④〔←three-run homer〕〔野球で〕ランナーが二人いる時のホームラン。スリーラン ホームラン⑧。スリーラン ホーマー⑥。

すりうす③【《磨り臼】ひきうす。「するす②」とも。

すりえ⓪ヱー【〈擂り餌】小鳥に与える、すりつぶしたえさ。表記「〈擂り餌」とも書く。

ずりお・ちる④【ずり落ちる】（自上一）ずれて△落ちる（下がる）。「眼鏡が―」

すりおろ・す④【〈擂り下ろす】（他五）おろしがねなどを用い、すって細かくする。「大根を―」

すりか・える④③⓪カヘル【〈掏り替える】（他下一）黙って別の（悪い）ものに、内容を取り替える。「問題を―」名掏り替え⓪「論理の―」

すりかす⓪③【擦り〈滓】マッチの火をつけたあとに残る軸木。

すりがね⓪②【擦り〈鉦】〔歌舞伎カブキのはやしなどで使う〕すって鳴らす小形の鉦。

すりガラス③【《磨り〈硝子〉】表面を金剛砂などですって不透明にしたガラス。つや消しガラス。くもりガラス。

すりきず②【擦り傷】何かにこすって出来た傷。「―をつくる」表記「擦り〈疵」とも書く。

すりきり⓪【〈摺り切り】粉状・粒状の物を、さじや入れ物のふちまで、平らにならして、ちょうど一杯にすること。「―一杯」↕山盛り

すりき・る③【擦り切る】（他五）❶こすって切る。❷金を使い果たす。

すりき・れる④【擦り切れる】（自下一）〔多年使用の結果〕表面に傷がついたり 組織がよれよれになったり縮れたりする。「当時は繊維自体が貴重品で、母から娘へ、―まで着るのが普通でした／擦り切れた△表紙（レコード）」

すりこぎ③【〈擂り粉木】すり鉢でものをすりつぶす棒。〔サンショウの木で作ったものが上等。商家では「あたり木」と言うことが多い〕かぞえ方一本

すりこみ⓪【刷り込み】〔imprinting の訳語〕〔生まれた動物の仔コが〕自分と接した最初の動物を親と見なし、それに甘え、依存した行動をとること。

すりこ・む③⓪（他五）■一【擦り込む】こすって中に入れる。「クリームを―〔＝こするようにして、一面に塗る〕／薬を―」■二【刷り込む】別の性質を持つ何かを印刷面に加えて刷る。「挿絵を―」名すりこみ⓪

すりだ・す③⓪【《磨り出す】（他五）みがいて△つや（模様）を出す。名磨り出し⓪

すりつ・ける④【擦り付ける】（他下一）こするようにくっつける。「鼻を―」

スリット②〔slit〕上着のわき、スカートのすそなどに入れる切れ込み。歩きやすさと装飾を兼ねる。

スリッパ①②〔slipper(s)〕西洋風の上履き。スリッパー②とも。かぞえ方一足

スリップ②①〔slip〕■一❶女性の洋装の下着の一種。衣類のすべりを良くするために着用する。「ロング―／ブラ―〔＝スリップにブラジャー機能を持たせたもの〕」❷〔書店で〕新刊本の間にはさむ細長い紙片。「注文―・補充―」かぞえ方❶❷とも一枚 ■二―する（自サ）滑る（こと）。〔狭義では、道路が滑りやすかったり 急ブレーキをかけたり したために、自動車・自転車が横滑りすることを指す〕

すりつぶ・す④【〈擂り潰す】（他五）❶すって細かく砕く。擂り砕く。❷もとの形が分からなくなるほど、使い減らす。❸再び回復出来ないほど、財産を使い減らす。

すりぬ・ける④⓪【擦り抜ける】（自下一）❶触れるか触れないかの勢いで通り抜ける。「人ごみの間を―」❷何かとうまくごまかしてのがれる。

すりばち②⓪【〈擂り鉢】すりこ木ですって食品を細かくつぶし砕くのに使う鉢。あたりばち。

すりばん⓪【擦り半】〔←擦り半鐘③〕近火の時、続けざまに半鐘を鳴らす△こと（音）。

すりひざ⓪②【擦り膝】ひざがしらで畳をすりながら進むこと。表記「《磨り膝」とも書く。

すりへら・す④⓪【《磨り減らす】（他五）❶酷使するなどして、物をすりへった状態にする。「靴の底をすり減らして尋ね回る」❷苛酷カコクな状況に身を置くなどして、それ以上たえられない状態にいたらせる。「瀬戸際の外交交渉に神経を―／心身を―」

すりへ・る③【《磨り減る】（自五）❶激しくこすられた結果、本来あった厚みが失われる。「靴の底が―／表面がすり減った俎マナイタ」❷苛酷カコクな状況に置かれるなどして、本来の機能が十分に発揮できない状態にいたる。「むずかしい人間関係に神経がすり減ってぼろぼろになる」

すりほん⓪【刷り本】❶版木で刷った本。版本。❷印刷しただけで、まだ製本していない本。表記「〈摺り本」とも書く。

すりみ③【〈擂り身】すりつぶした魚肉。

スリム①ーに｜ーな〔slim〕❶からだつきが ほっそりしている様子だ。❷〔洋裁で〕からだに ぴったり合って、ほっそりした様子だ。「―スカート」

すりむ・く③【擦り《剝く】（他五）堅い物にすりつけられて、外皮がむけた状態になる。「転んでひざを―」名擦り剝き⓪ 自動擦り剝ける④（下一）

すりもの②【刷り物】「印刷物」の意の和語的表現。

ずりょうヲ⓪リヤウ【《受領】〔事務引継ぎを受ける意〕平安

時代、地方長官の称。「じゅりょう」とも。

すりよ・る③【擦(り)寄る】(自五) ❶すれあうほどに近寄る。「官庁に—〔=強い依頼心があって近づく〕業者/権力に—」 ❷いざりよる。 他動 擦り寄せる④(下一)

スリラー①〔thriller〕 読者や観衆にスリルを感じさせる場面を多く盛り込んで作った映画・小説など。スリル物⓪。

スリリング①②—な〔thrilling〕 △ぞっと(はっと)するような感じがする様子だ。

スリル①〔thrill〕 △ぞっと(はっと)するような感じ。「—を味わう」

スリング②〔sling〕 ❶つり包帯。三角巾(キン)。 ❷赤ん坊を包み込むような形状にして、抱いたり 背負ったり できる布。ベビー スリングとも。

***す・る**①【刷る】(他五)〈なにニ なにヲ—〉〔全く同一の文字や絵柄をそのとおりに写すために〕版や型を利用し、紙や布などの面△に(を)こすりつけたり 押しつけたりして、文字や絵柄を必要な枚数再現する。「浮世絵版画を—」 表記「〈摺る」とも書く。

す・る①【〈剃る】(他五) 「そる」の意の古風な表現。

す・る①【〈掏る】(他五) 〔往来・車中など(人混み)で〕人に触れたとたんに、こっそり懐中物・携帯品などを抜き取る。「こんだ電車で財布を掏られた」

***す・る**①【擦る】(他五)〈(なにデ)なにヲ—〉〔つぶしたり 傷つけたりするのが目的で〕強くこする。〔結果としてそうなった状態をも指す〕「やすりで—〔=みがく〕/マッチを—/墨を—/もみを—〔=もみがらを取り除く〕/△すり鉢(石うす)で—〔=原形が無くなるまで砕く〕/財産を—〔=△ひどく(すっかり)減らす〕/△みそ(ごま)を—〔=へつらう〕」 表記「〈摺る・《磨る」とも書く。みそ・ごまの場合は、一般に「〈擂る」と書く。

****する**⓪【《為る】 [一](他サ) ❶〈なにヲ(なにニ)—〉ある状態や結果が△現われる(起こる)ように、からだを動かしたり 心を働かせたり する。「部屋の掃除を—/出かけようと—/—ことなすこと〔=することすべて。やること全部〕気にくわない/後輩を仲間に—〔=引き入れる〕/居眠り(を)—/身震い—/うっかり—」 ❷〈なにヲなんだト—〉 …という状態を考える。「遠足を楽しみにして待つ/何をもって生きがいとしたものか/今も生きているとすれば、八十になったはずです/長男とすれば〔=…の立場に立ってみれば〕不満もあろう/彼の作品としては〔=…の平均水準から考えると〕出来が悪い方だ/私としたことが〔=ほかならぬ、この私が(そんな事をして)〕とんだ粗相をいたしました」 ❸〈なにヲ—〉 △社会(団体)生活上、ある立場・状態に身を置く。「今何をして〔=どんな△仕事(商売・研究)をして〕おいでですか/教師をしています」 ❹〈なに・だれヲなにニ—〉 なんらかの状態をとるように決定づける。「今度は行くことに—〔=決心する〕/僕は、お汁粉に—〔=決めた〕/子供を医者に—〔=医者の職業につかせる〕/だれを議長に—〔=えらぶ〕か/品物をお金に—〔=現金に換える〕」 ❺〔「お＋動詞連用形＋—/ご…—」などの形で、接尾語的に〕立場の上の人にかかわりのある自分の動作を述べることを表わす〔=謙譲表現〕。「先生もお呼び—ことにした/こちらからお電話します/ぜひご一緒したいものです」 [二](自サ) ❶外界の刺激やある状態が、目・耳・皮膚などの感覚に受け止められる。「稲光が—〔=見える〕/音が—〔=聞こえる〕/寒けが—〔=感じられる〕/頭痛が—/よいにおいが—/どきどき—」 ❷ある状態をとる。「がっちりしている/あかぬけのした服装/さっぱりした人/百円—〔=という値段になる〕」 ❸時間が経過する。「三日(も)—〔=たつ〕と」

ず・る① ❶(自五) ずれて、下がる。 ❷(他五) 「引きずる」の口頭語的表現。「足をずって歩く/マントの裾(スソ)を—」

【耳に—】⇩耳❶ 【目に—】⇩目

ずる① 「ずるい△こと(人)」の意の口頭語的表現。「—を決めこむ/—休み③・—がしこい⑤」

***ずる・い**②【〈狡い】(形) うそをつくなどして何かにつけて不都合な点を隠したり 有利な立場を失うまいとしたり する様子だ。また、そのような性質を備えている様子だ。「ずるく立ち回る/何かと理由をつけていやな役を逃れるとは—人間だ/—〔=卑劣な〕手を使って人を陥れる」 派—さ①

スルー②—する(他サ)〔through=通り抜けて〕 ❶〔サッカーで〕回って来たボールをわざと受けずに、そのまま通過させること。 ❷俗に、無視すること。「好き勝手なことを言うけれど—していい」

スルー パス④〔through pass〕〔サッカーなどで〕相手守備陣の間を抜いてボールを送ること。

ずるがしこ・い⑤【〈狡賢い】(形) 悪知恵にたけていて、何かにつけてずるく立ち回る様子だ。

ずる・ける③⓪【〈狡ける】(自下一) なまける。おうちゃくをする。

する する①(副)—と ❶なめらかに△すべって(のびて)いく様子。「—と幕が上がる/—と縄ばしごが下りてきた」 ❷何の抵抗感もなく動作がなされる様子。「細い穴を—と通り抜ける/帯が—ととける」

ずる ずる [一]①(副)—と—する ❶多少の抵抗感を伴いながら、すべったり 引かれたり していく様子。「裾(スソ)を—引きずって歩く/ベルトがゆるんでズボンが—落ちそうになる」 ❷歯止めがきかず、事態が心ならずも望ましくない方向に進んでいく様子。「—負け続ける/ストが—(と)長引く/結論を—(と)先に延ばす」 [二]⓪—な—に しまりのない様子だ。いつまでもそのままの状態が続くこと。「帯がほどけて—になる/—の関係」

べったり⑤(副)—な—に それとの けじめを はっきりさせないでいるうちに、そこから離れがたい状態になってしまう様子だ。「—友だちのアパートに居続ける」

ズルチン⓪①〔ド Dulzin〕 フェナセチンを原料とした、砂糖の代用品。現在では使用禁止。

すると⓪(接) ❶そうすると。 ❷それでは。

****するど・い**③【鋭い】(形)〔形容動詞「尖(ド)なり」の変化〕↕鈍い ❶刃物の先が、とがって△いる(いて、よく切れる状態だ)。「—小刀/—〔=ⓐ判断がすばやい。ⓑ判断力がすぐれている〕頭/—〔=ⓐどんな小さな音でも聞き落とさない。ⓑどんな音でも的確に聞き分けられる〕耳/△感覚(鑑識眼)が—〔=すぐれている〕」 ❷勢いが激しくて、相手に反撃する隙(キス)を与えない様子だ。「—太刀先/出足鋭く攻め立てる/—〔=物を見抜く力があって、こわいような感じのする〕目つき/鋭く△対立する(問題点を衝(ツ)く)」「この論文は難はないが、—の欠ける点が物足りない」 派—さ③②

するめ⓪【〈鯣】 イカを開いて内臓を取り、そのまま干したもの。 かぞえ方 一枚。小売の単位は一束・一把(イチワ)。

するり②(副)—と わずかなすきまなどを、何の抵抗感もなく、一気に通り抜ける様子。〔攻撃や批判を、その場でうまくかわす意にも用いられる〕「—と抜け出す/—と入り込む」

ずるり②(副)—と ❶やや重みのあるものが、締まりなく抜けたり 垂れたり する様子。「ちょっと引っぱると根が—と抜けた/枝が—と垂れ下がる」 ❷やや重みのある物がすべったり 引きずられたりする様子。「砂利道で—と足を滑らせる」

ずれ【擦(れ)】(造語) 何か△に(で)すれること。「靴—・世間—・手—・悪(ワル)—」

ずれ② ❶ずれる△こと(程度)。「—が ひどい」 ❷ずれて、△正しい(比較する)ものと合わないこと。「時間の—/△意味(意識・政治感覚)の—〔=くいちがい〕」

すれ あ・う③—アフ【擦(れ)合う】(自五) 互いにこすれ合う。「車体が—」 名 擦れ合い⓪

スレート[0]〔slate〕屋根がわらなどに使う粘板岩。「石盤❶」とも。〔人工のものは天然繊維や人工繊維にセメントを交ぜて作る〕かぞえ方 一枚

すれからし[0]【擦(れ)枯(ら)し】底辺の生活で社会の裏面を知り過ぎたりして、昔の純真さをすっかり失った状態(にある人)。〔口頭語形は「すれっからし[0]」〕

ずれこ・む[3][0]【ずれ込む】(自五) 予定していた物事が終わらず、次の区切りの時期まで延びる。「来月に―」名 ずれ込み[0]

すれすれ[0]―な―に ❶もう少しで触れるほど、△近づく(近づいている)こと(様子)。「高速道路は海面―を走っていた」❷もう少しで限度を超す△こと(様子)。「―のところで助かった/法律違反―の行為」

*__すれちが・う__[4][0]―チガフ【擦(れ)違う】(自五)〈なに・だれトー〉❶互いにすれ合うほど近くを通って、それぞれ反対の方向へ行く。「上り列車と下り列車が―」❷行き違う。名 擦れ違い[0]「―の人生/議論の―」

スレッド[2][0]〔thread〕インターネット上の、メーリングリストや掲示板などにおいて、設定された特定のテーマに関連してなされる一連の発言。

す・れる[2]【擦れる】(自下一)〔「擦る」の可能動詞形〕❶すった状態になる。❷こすれて、原形がそこなわれる。「セーターの袖口ソデグチが―」❸多くの人に接したりして、元の純真さが失われる。表記「《摩れる・《磨れる」とも書く。

*__ず・れる__[2](自下一)❶〈(どこニ)―〉所定の位置から、△上下(左右)に少しはずれた状態になる。❷〈(なにニ・なにト)―〉Ⓐ基準や標準から(少し)離れ、正しくない状態に△ある(なる)。「△時期(タイミング)が―」Ⓑ判断の対象とするものなどが両者の間で食い違う。「論点が―」

スレンダー[2]―な〔slender〕やせてすらりとしている様子だ。〔一般に(女性の)好ましい体型について用いられる〕「―な女性」

ずろう[0]―ッ【〈杜漏】―な〔杜撰ズサン脱漏の意〕仕事があらっぽくて、手抜かりが多い様子だ。派 ―さ[0]

すろうにん[2]―ラウー【素浪人】実力はもちろんのこと、お金も後援者も無く、取り上げて言うに足りぬ浪人(を卑しめていう語)。

スロー[2]―な―に〔slow〕動きやテンポが△おそい(のろい)様子だ。「―な曲/―カーブ[4]・―テンポ[4]」

スローイン[0][4]〔throw-in〕〔サッカーなどで〕フィールド外に出たボールを、競技場内に投げ込むこと。最後にボールに触れた選手の相手側のチームの選手が行なう。

スローイング[0]〔throwing〕〔スポーツで〕ボールなどを投げること。

スローガン[2]〔slogan〕(ある団体の)主義・主張などを簡潔に言い表わした言葉。標語。「―△を(に)掲げる/―を並べる」

ズロース[2]〔drawers の変化〕女性用の、ゆったりした短い下ばき。かぞえ方 一枚

スロースターター[5]〔和製英語 ←slow + starter〕〔比喩的に〕エンジンのかかり方が遅い人の称。

スローダウン[4]―する(自他サ)〔slowdown〕❶速度を落とすこと。減速。❷能率を下げること。サボタージュ。

スロービデオ[4]〔和製英語 ←slow + video〕動きをスローモーションに変えて再生する装置や機能。

スロープ[2]〔slope〕傾斜。勾配コウバイ。斜面。

スローフード[4]〔slow food〕伝統的な食材や料理を守り、食生活を見直そうとする考えに基づいて作られた食事。↕ファストフード

スローボール[4][2]〔slow ball〕〔野球で〕ゆるいたま。

スローモー[2]―な―に〔スローモーションの、日本での省略形〕何をするにも動作が緩慢で普通の人より時間のかかる様子だ。スロモー[2]とも。

スローモーション[4]〔slow motion〕〔映画・ビデオなどで〕撮影・録画時のスピードが、映写・再生する時よりもずっと速いために異常にゆっくり見える動作。〔俗に、終始のろのろして見える動作をも指す〕

スローライフ[4]〔和製英語 ←slow + life〕ゆったりとマイペースで人生を楽しもうというライフスタイル。

ずろく[0]―ッ【図録】図を集め、説明の主役とした本。

スロット[2]〔slot〕自動販売機・公衆電話などの料金投入口。**―マシン**[6]〔slot machine〕賭博バクトを目的とした遊技器具。コインを入れてレバーを引くと複数の絵柄が回転する。停止したときの絵柄の組み合せによりコインが増えたり減ったりする。

スロットル[2]〔throttle〕〔エンジンなどの〕空気を通す弁。しぼり弁。「フル―〔=エンジン全開。全力〕」

すわ[1]ハ(感)「そら、たいへんだ」の意で、思わず発する語。「―、一大事」

ずわいがに[2][3]【ずわい〈蟹】〔「楉イズワ」は、若い小枝の意〕海にすむ、大きなカニ。ゆでると薄いだいだい色になる。雄の足には肉が多く付いている。石川・福井・京都・鳥取諸府県のものが美味で有名。マツバガニ[3]。エチゼンガニ[3]。〔ケセンガニ科(旧クモガニ科)〕

スワッピング[0][2]〔swapping〕❶〔コンピューターで〕主記憶装置に記憶させる情報が入り切らない場合に、主記憶中にある(他の)使用していない情報を補助記憶装置〔=磁気ディスクなど〕にいったん移動し、空いた場所に目的の情報を記憶させること。❷夫婦交換(パーティー)。

スワップ[2]〔swap〕スワップ取引。デリバティブの一つ。異なる形の金利や異なる通貨によって債務を交換する。

スワラジ[0][2]〔ヒンドスターニー svarāj〕自治の意の、インド独立運動の標語。

すわり【座(り)・〈坐(り)】[一][0]❶座ること。「―ごこち[0]・―机エヅク[4]・居―」❷【据(わ)り】安定。落着き。「―のいいいす」[二](造語)動詞「座る」の連用形。**―こ・む**[4]【―込む】(自五)❶中に入って座る。❷ある場所に座ったまま、動かない姿勢を構える。〔広義では、デモンストレーションの一つとして、要求貫徹までその場所に座り込むことを指す〕名 座り込み[0] **―だこ**[4]正座の生活を続けたために足の△甲(くるぶし)に出来るたこ。

*__すわ・る__[0]【座る・〈坐る】(自五)〔もと「据える」の自動形〕❶〈(どこ・なにニ)―〉ひざを折り曲げ腰をおろして席につく。〔広義では、あぐらをかくことも、いすに掛けることも含む〕「きちんと―/どっかと―/長い間座って、しびれる」↕立つ ❷〈(どこ・なにニ)―〉△物(人)がしっかりとある位置を占める。「あとがまに―」❸ある△場所(位置)に、動かないでいる。「船が―〔=座礁する〕/判が―〔=おされる〕/首が―〔=ぐらぐらしていた赤ん坊の首が、しっかりする〕/目が据わる〔=酔ったり 気持がたかぶったりして、前方を見つめたまま目玉が動かない状態になる〕/肝が据わる〔=落ち着いていて、めったな事には動じない〕/腰が据わる〔=当分動かないという姿勢をとる〕/覚悟が―〔=どんな事が起こっても驚かない心の用意が出来る〕/鼻が座っている〔=顔の中で目立つ存在である〕」❹積極的には、△ほかの場所に出かけ(仕事をし)ないでいる。「座ってする〔=自分の家に仕事場を構えてする〕職業」表記 ❸は、多く「据わる」とも書く。〔⇩座り[一]〕

スワン[1]〔swan〕白鳥。

すん(寸・〈駿)→【字音語の造語成分】

すん[1]【寸】❶長さ。寸法。「―が詰まる/原―」❷「一寸」

の意の圧縮表現。「蛇は―にして人を呑む」 ⇩【造語成分】

すんいん⓪【寸陰】 わずかな時間。「―を惜しむ」

すんか①【寸暇】「わずかのひま」の意の漢語的表現。「―を盗んで/―もない多忙ぶり/―を惜しむ」

すんかん⓪【寸感】 ちょっとした感想。「観劇―」

ずんぎり⓪【ずん切(り)】 ㊀輪切り。筒切り。 ㊁筒形の茶入れや花器。

ずんぐり③(副)―と ―する せいが低くていかにも太っているように見える様子。「―したからだつき」 **―むっくり**⑤⑦(副)―と ―する 「ずんぐり」の強調表現。

すんげき⓪【寸隙】 (あいている)わずかの時間。

すんげき⓪【寸劇】 短い劇。スキット。

すんけん⓪【寸見】―する(他サ) ちょっとのぞいて見ること。「―所感」

すんげん⓪【寸言】 短くて鋭い、批評の言葉。

すんごう⓪【寸〈毫〉】「ほんのわずか(ばかり)」の意の漢語的表現。「―も△惜しまず(疑わず)」

すんこく⓪【寸刻】 (あいている)わずかの時間。寸時。「―を惜しんで研究に打ち込む」

すんし①【寸志】〔「わずかばかりの誠意」の意〕心ばかりの贈り物。〔進物に書き添える言葉として用いられる〕

すんじ①【寸時】 (あいている)ごくわずかな時間。「―も惜しんで読書する」

すんしゃく⓪①【寸尺】 ㊀〔長さの単位である「寸」と「尺」の意から〕「長さ・寸法」の意の古風な表現。 ㊁〔「間」「丈」に比べてはるかに短いところから〕長さがわずかしか無いこと。「―〔=ごく狭い土地〕を争う激戦」

すんしゃく⓪【寸借】―する(他サ) 少額の金を借りること。「―詐欺⑤〔=うまい言葉で、いろいろな人から寸借して返さないこと〕」

> すん
>
> 【寸】 ㊀ごくわずか。「寸時・寸秒・寸暇・寸志・寸前・胸三寸」 ㊁尺貫法における長さの単位で、十分の一尺〔=曲尺で約三・〇三センチ。鯨尺で約三・七八センチ〕を表わす。〔十分に等しい〕 かぞえ方 三寸は「サンズン」・何寸は「ナンスン(ナンズン)」 ⇩(本文)すん【寸】
>
> 【〈駿〉】(略) 駿河国。「駿州・駿府」

すんしゅう①【〈駿州〉】「駿河国」の漢語的表現。今の静岡県中部・東部にあたる。「しゅんしゅう」とも。

すんしょ①【寸書】「寸楮」の意の古風な表現。

すんしんしゃくたい⓪-⓪【寸進尺退】 少し進んで、たくさん退くこと。得るものが少なく、失うものが多いこと。

すんずん⓪【寸々】―に 「ずたずた」の意の漢語的表現。「―に切り裂く」

ずんずん①(副) 〔仕事や行動が〕少しも滞らずに、勢いに乗って進む様子。「―先へ歩いて行った」

すんぜん⓪【寸前】 〔決定的な事態が△出現(実現)する〕ちょっと手前。「遭難死―で救出された/成功の―に倒れた/すでに倒産―だった」 文法 「ゴール寸前で転倒してしまった」などと接続助詞的にも用いられる。

すんぜんしゃくま⑤【寸善尺魔】 世の中にはよい事が少なく、とかく〔都合の〕悪いことが多いということ。

すんたらず③【寸足らず】 普通より寸法が短い△こと(もの)。「―の机」

すんだん⓪【寸断】―する(他サ) ずたずたに断ちきること。「台風で交通網が―された」

すんちょ①【寸〈楮〉】〔短い手紙の意〕自分の手紙の謙称。寸書。

すんづまり⓪【寸詰(ま)り】―な ―に (規定よりも)寸法が短い様子。「―の胴体」

すんで⓪ 「既」の強調形。 **―に**①③⓪(副) もう少しのところで決定的な事態になりかねなかった、ととらえられる様子。〔強調表現は、「すんでの事に⑥」「すんでのところで⑦」〕「―轢かれるところだった」

すんてつ⓪【寸鉄】 ㊀短い刃物。「身に―も帯びず〔=武器を何も持たないで〕敵陣に使いする」 ㊁短いが、真理をうまく言いあてた言葉。警句。「―人を刺す〔=思わず、人の心に強い印象を植えつける〕」

すんど①【寸土】「わずかな土地」の意の古風な表現。

ずんと①⓪(副)「ずっと」の口頭語的強調表現。

ずんどう⓪ ㊀「ずんど切り」の略。 ㊁―な 途中でくびれたりすることなく上から下まで一様に太い状態。「―な体形/―鍋」 表記 一般に「寸胴」と書く。

ずんどぎり⓪【《寸《胴切(り)】 ㊀ずんぎり㊀。 ㊁一節つきの竹の花筒。 ㊂大木を途中から切って茶室の庭に飾るもの。

すんなり③(副)―と ㊀―する 見るからにほっそりしていてかっこうのいい様子。「―(と)した指/―(と)した足」 ㊁邪魔が入ることなく事が運び、期待通りの決着をみる様子。「提案は―と受け入れられた/このまま―とは決まらないだろう」

すんびょう⓪【寸秒】 〔それだけ早ければ何かが成就し、遅ければ失敗するという〕きわどいわずかな時間。「―を争う」

すんびょう⓪【寸描】 短い△描写(観察)。

すんぴょう⓪【寸評】―する(他サ) 短い批評。

すんぷ①【〈駿府〉】 静岡市の旧称。

すんぶん⓪【寸分】(副) 「ごく短い△時(長さ)」の意の漢語的表現。「十年前と―たがわぬ光景/兄と―たがわぬ〔=よく似ている〕顔/―もすきの無い服装」

ずんべらぼう④⓪ 〔「ずべらぼう」の変化〕「のっぺらぼう」の俗語的表現。〔広義では、「しまりの無い人」〕

***すんぽう**⓪【寸法】 ㊀基準と△して定まっている(するために測る)長さ。「洋服を仕立てるためにからだの―を測る/―が合わない/目―②」 ㊁前もって立てておく段取り。「あの峠で昼飯という―だ」

すんれつ⓪【寸裂】―する(自他サ) 「ずたずたに△裂く(裂ける)」意の漢語的表現。

すんわ⓪【寸話】 短い△話(談話)。「財界―」

せ…セ

せ(世・施)→【字音語の造語成分】

せ【《畝》】(造語) 尺貫法における〔土地の〕面積の単位で、三十歩〔=三十坪=約〇・九九一七四アール〕を表わす。「一反は十―」

せ①【《夫》】〔雅〕女性から男性を親しんで呼んだ言い方。せこ。「我が―の君」↔妹 表記 「《兄・背》」とも書く。

****せ**【背】 ㊀⓪①せなか。「山を―〔=後ろ〕にする/山の―〔=尾根〕/―を向けたまま返事をした/包丁の―で肉をたたく」 ㊁①立っているものの、高さ。「せい」とも。「―の順/―の高い人」 【―に腹は替えられぬ】当面の大事のためには、他の事は一切構っていられない。【(敵に)―を見せる】戦意を喪失して敗走する。【―を向ける】㊀とりあわない顔をする。 ㊁そむく。「△世間(政治)に―」

せ⓪①【瀬】 ㊀↔ふち ⇩浅瀬 ㊁流れが急で、なかなか渡れない所。〔なんとか その事が出来る場合の意にも用いられる。例、「逢(ウォー)―」〕 表記 ❷の用字は、もと「〈灘」。

ぜ（是）→【字音語の造語成分】

ぜ（終助）〔おもに男性が使う語〕親しい間柄にある相手に念を押したり注意を促したりすることを表わす。「じゃ頼む―/いいか、ぼくが先にやってみる―/さあ、行こう―/あいつもそう言ってた―」 文法 名詞、活用語の終止形に接続する。

ぜ①【是】〔「道理にかなった」の意〕よいと認められる事。正しい事。「…が―か非か/―を―とし、非を非とする」⇩【造語成分】

せあかごけぐも⑤【背赤後家〈蜘蛛〉】オーストラリア原産の毒グモ。体は黒色で丸くてつやがあり、背中に赤い帯状の模様を持つ。〔日本でも一九九五年に発見された〕〔ヒメグモ科〕 かぞえ方 一匹

せい（井・世・正・生・成・西・声・制・姓・征・性・青・斉・政・星・牲・省・凄・逝・情・清・盛・婿・晴・〈棲・勢・歳・聖・誠・精・製・誓・静・請・整・醒）→【字音語の造語成分】

せい①【正】❶正しい△こと(道)。「―に帰す/―解・―義・―道・―理〔=正しい道理〕・公―・中―」❷△筋道(歴史的立場)から言って、正しいもの。「―閏(ジュン)・―妻・―系・―統・―史」❸〔副に対して〕同類の中で、おもなもの。「―副二通・―式・―殿・―賓⓪・―攻法・―読本③」❹「正編」の略。❺〔数学で〕Ⓐ零より大きい△こと(実数)。「―(の)数/―の向き/―の値をとる関数」Ⓑ「正号」の略。「計算結果の符号が―となる」↔負❶ ❻〔物理学で〕陽極に生じる電荷の性質。↔負❷ ❼〔弁証法で〕ある判断を導くための大前提となる最初の命題。↔反〔❺❻の同義語は、プラス〕⇩【造語成分】

せい①【生】■❶生きていること。「―の歓喜/―物・―存・―化学」❷命。「この国に―を享(ウ)ける〔=生まれる〕/―を盗む〔=死すべき命を長らえて生きる〕/余―」❸生きること。「―への執着/人―・―死・長―」■修業中であるという意で使う、男子の謙称。「―等(ラ)」⇩【造語成分】

せい①【制】❶人民が守るべきものとして△政府が(法律で)定めたもの。「厳しい―を破る」❷制度。「特別区には長として区長と、区議会の―とがある/旧―・体―・専―・共和―・定年―・六三―」⇩【造語成分】

せい①【姓】⇩みょうじ❷「…の―を名乗る/荒木の―を冒す〔=荒木を名乗る〕/―名・旧―・改―・同―同名」⇩【造語成分】せい・しょう

***せい**①【性】❶生まれつき(の性質)。「習い、―〔=性質〕となる/―格・―質・―癖・心―・天―」❷からだの特質から来る、男女・雌雄の区別。「―別・―転換」❸成熟した男女が持つ、相手との肉体的な結合を欲求としていだく本能。「―の目覚め/―欲・―教育」❹性行為。性交。セックス。「―を売る/―生活③・―交渉③」❺〔インドヨーロッパ語族などで〕「性❷」に対応した、語尾変化のしかたや、代名詞・冠詞の使い方など。〔無生物名詞にまで及ぶ〕「男―・女―・中―」⇩【造語成分】

せい①(キセ)【〈所為】ある(好ましくない)結果を引き起こすもとになった△原因(理由)。「失敗を人の―にする/年の―で忘れっぽくなる」⇩おかげ 運用

せい①【勢】軍隊。「敵の―/多―(ゼイ)に無―(ブゼイ)/総―(ゼイ)・軍―(ゼイ)・手―(ゼイ)」⇩【造語成分】

せい①【精】❶まじりけの無いこと。〔狭義では、「エキス❶」を指す〕「―〔=最も純粋な部分〕を採る/―華・―髄・―鋭・―良」❷〔童話・民話などの世界で〕物に宿る不思議な力が、小人・女などの姿を取って現われ、超現実的な活動をするもの。「森の―」❸活動体のエネルギーの根源である元気や集中力。〔昔は魂の活動する状態と考えられた〕「―が尽きる/―も根も尽き果てる/―を出す〔=一生懸命働く〕/―が出る/―を入れる/―神・―力・―励・―勤・―兵」❹精液。「―を漏らす/遺―・夢―」⇩【造語成分】

せい①【静】顕著な動きが感知されない状態。「―中、動あり/―止・―物・―養・安―・平―・冷―」↔動 ⇩【造語成分】せい・じょう

せい①【背】〔「せ」の変化〕身長。せたけ。「―比べ」

ぜい（税・〈箴・説）→【字音語の造語成分】

ぜい①【税】〔もと、「みつぎもの」の意〕税金。「法人―がかかる/―負担が増す/―収・―額・―率・―関・―込み・―抜き・国―・地方―・免―・減―・脱―」

ぜい①【〈贅】〔瘤(コブ)などのように、からだに付いている不要の物の意〕△金(手間ひま)をおしげもなく使う△こと(様子)。「―を尽くす」

せいあ①【井〈蛙】〔井戸の中のカエルの意〕知識が狭く見通しのきかない人。「―の見(ケン)」

せいあい⓪【性愛】（男女間などの）性的な愛情。「―関係・異常―」

せいあくせつ④③【性悪説】人の本性は悪であり、善のように見えるのは偽りであるとする荀子(ジュンシ)の説。↔性善説

せいあつ⓪【制圧】―する（他サ）強い力で相手を押さえつけて、反抗の余地を与えないこと。「武力で―する/癌(ガン)―」

せいあん⓪【成案】〔草案・試案などと違って〕ある計画・方針についての、完結した△考え(文案)。「―を得る」

せいい①(ヰ―)【勢威】〔権勢と威力の意〕自然に人びとが従ってくるほどの、強い勢い。「―を誇る」

***せいい**①【誠意】良心の命じるままに行動し、相手の気持・希望・立場などをくみ取って真剣に事に当たろうとする気持。まごころ。「―を示す/―をもって解決に当たる/―が見られない」

せいいき⓪(ヰキ―)【西域】中国の玉門関・陽関から西の地域の称。「さいいき」とも。

せいいき⓪(ヰキ―)【声域】その人が出しうる声の、高低の範囲。〔女声をソプラノ・メゾソプラノ・アルト、男声をテノール・バリトン・バスに分ける〕

せいいき⓪(ヰキ―)【聖域】〔侵してはならないとされる〕神聖な△地域(区域)。

せいいく⓪―する ■【生育】（自他サ）育てること。また、育つこと。「水稲の―状況」■【成育】（自サ）育って大きくなること。「ホタルの―する川/マリモの―地」

せいいたいしょうぐん①―③(シャウ―)【征〈夷大将軍】❶蝦夷(エゾ)征討のためにつかわされた将軍。❷兵馬の権力を握った、幕府の主権者の職名。

せいいつ⓪【斉一】―な ―に どれもみな一様である様子だ。

せいいっぱい③【精一杯】（副）出来る限りの力を尽くす様子。「―努力したが及ばなかった/―おまけしましょう」

せいいん⓪(ヰン―)【正員】〔客員などと違って〕正規の（恒常的な）構成員としての資格が与えられている人。

せいいん⓪【成因】何かが出来あがる原因。

せいいん⓪(ヰン―)【成員】団体を構成している人。メンバー。

せいう①【晴雨】晴れと雨。「―兼用①―⓪」―けい⓪【―計】〔晴雨と気圧とは、密接に関係することから〕気圧計の別称。バロメーター。

セイウチ⓪【{海象}・{海馬}】〔ロ sivuch〕オットセイに似た、大形の海獣。北極海に群棲(セイ)する。太くてあらいあごひげと長い二本の牙(キバ)を持つ。肉・脂肪・牙が利用される。〔セイウチ科〕 かぞえ方 一頭

せいうん[0]【青雲】〔青空の意〕人から仰がれるような高い徳。 **―のこころざし**[0]-[0]【―の志】 社会的に高い評価を受けるような人間になりたいという気持。「―をいだく」

せいうん[0]【星雲】 薄い雲のように見える、星や星間物質の集団。「オリオン座大―・暗黒―」

せいうん[0]【盛運】 栄える運命。↔衰運

せいえい[0]【清栄】〔手紙文で〕相手の健在を祝う挨拶の言葉。「貴家ますますご―の段お喜び申し上げます」

せいえい[0]【盛栄】 商売などが栄えること。〔手紙文などで、相手の会社などの繁栄を祝う挨拶の言葉にも用いられる。例、「貴社ますますご―のこととお喜び申し上げます」〕

せいえい[0]【精鋭】 敵に勝る資性・長所と、敵をうちひしぐ鋭い攻撃力とを持っていること。また、そういう兵士や艦船。

せいえき[1][0]【精液】 男性の生殖器から分泌する 精子を含む液。

せいえん[0]【声援】―する（他サ） 声をかけて△激励(応援)すること。「―を送る」

せいえん[0]【凄艶】―な ぞっとするほど美しい様子だ。

せいえん[0]【清宴】 心を知りあった者同士が しみじみ語りあってする宴会。「月下に―を張る」

せいえん[0]【清〈婉〉】・【清艶】―な 上品で、あでやかな様子だ。「―な美女/山桜の―なにおい〔=色つや〕」

せいえん[0]【盛宴】 盛んな宴会。

せいえん[0]【製塩】―する（自サ） 食塩を作ること。「―業[3]・天日―」

せいおう[0]【西欧】 ❶ヨーロッパの西部。 ❷〔明治・大正期において〕欧州の称。「―〔=西洋〕文化・―風[0]」

せいおうぼ[3]【西王母】 中国上代の、想像上の女性。長命を与える力を持つと信じられ、漢の武帝に三千年に一度実るという桃の実を献じたという。

せいおん[1]【正音】 その時代において標準的なものと扱われた字音。〔平安時代においては、漢音の特称〕⇩呉音

せいおん[0]【声音】（個々にまたその時どきによって変わる）こえ。

せいおん[1][0]【清音】〔日本語で〕濁音や半濁音であることを示す符号をつけない かなで表わす音。特に、カサタハ各行の音。〔音声学的には有声音に対する無声音〕⇩濁音

せいおん[0]【聖恩】 その天皇の与える恩恵。

せいおん[0]【静穏】―な 何事も起こらず、静かな様子だ。

せいか[1]【正価】 かけ値無しの値段。「―販売[4]」

せいか[1]【正貨】〔紙幣やアルミ貨などと違って〕それ自身、実質上の価値を持つ金銀の貨幣。

せいか[1]【正課】「必修科目」の旧称。

せいか[1]【生花】 ❶〔造花と違って〕自然のままの、生きた花。「なまばな」とも。 ❷華道の形式の一つ。形を重んじ、決まった型に生ける。生け花。

せいか[1]【生家】 その人の生まれた家。

***せいか**[1]【成果】 その目的にかなった、よい結果。「―をあげる/―を収める/多くの―を得る/―が生かされる」

せいか[1]【声価】 その人や物に対するよい評判。「―〔=評価〕を高める」

せいか[1]【青果】〔↑青果物[3]〕野菜と果物類の総称。「―市場[4]」

せいか[1]【盛夏】 夏の最中。暑さの盛り。盛暑。〔陰暦では五月、陽暦では七、八月の交〕⇩初夏・晩夏

せいか[1]【聖火】 神聖だとされる火。〔狭義では、オリンピック大会で、会のシンボルとして会期中燃やし続ける火を指す。例、「―リレー[4]」〕

せいか[1]【聖歌】 宗教歌。〔狭義では、キリスト教の賛美歌を指す〕「(少年)―隊」

せいか[1]【精華】 そのものの真価を見るべき代表的な長所。「武士道の―〔=武士道精神の最も端的な表れ〕」

せいか[1]【製菓】（職業として）菓子を作ること。「―会社[4]・―業[3]」

せいか[1]【製靴】（職業として）くつを作ること。「―業[3]」

せいか[1]【請暇】 休ませてくれと願い出ること。また、その結果もらった休暇。

せいか[1]【〈臍下〉】 へその下。「―丹田[1]-[0]〔=人間のへその下三寸の所。漢方で、元気の集まる所とされる〕」

せいが[1]【清雅】―な 俗離れがしていて、それを見たり聞いたりする人の魂が洗われる感じがする△こと(様子)。

せいが[0][1]【聖画】 宗教画。

せいが[0][1]【静〈臥〉】―する（自サ） 病人などが、床について安静にしていること。

せいかい[0]【正楷】 楷書を基本にした活字書体の一種。名刺などに用いられる。正楷書体[0]。

せいかい[0]【正解】 ❶正しい△解釈(解答)。 ❷―する（自サ） 正しく理解すること。↔曲解・誤解 ❸結果的に見て、適切であったと判断される対応の しかた。

せいかい[0]【政界】〔不合理と金権とが物を言う〕政治家の社会。「―の刷新」

せいかい[0]【盛会】 出席する人が多く、にぎやかな会(合)。「―裏に終わる」

せいかい[0]【精解】―する（他サ）〔専門的な知識が無いと理解出来ない文献について〕一言一句、詳しく解釈すること。また、その解釈。〔書名にも用いられる。例、「枕草子―」〕

せいかいけん[3]【制海権】〔国が〕軍事・通商などについて、海上の△交通(活動)を支配している状態にあること。海上権。「―を△持つ(失う)」⇩制空権

せいかがく[3]【生化学】 生物を構成する物質や生物の生活現象などを化学的に研究する学問。生物化学。

せいかく[0]【正格】〔活用などが〕規則正しいこと。↔変格

****せいかく**[0]―に―な ■一【正確】 △事実にあっている(規則正しい)点で、信用出来ると判断される△こと(様子)。「―を期する/―な△時計(記述・記憶)/―性[0]」 ■二【精確】 ❶考えが細かい点まで行き届くと同時に、大綱においてまちがっていない様子だ。「―な英語の知識」 ❷精密で、めったに故障が起こらない様子だ。「―な機器」 [派]―さ[0]

****せいかく**[0]【性格】 ❶物の考え方・感じ方や行動によって特徴づけられる、その人独特の性質(の傾向)。「△明るい(飽きっぽい・几帳面な)―/―がひねくれている/―的に〔=性格の点から言って〕合わない/―像[4]」 ❷その物事を他と区別する、本質的な特徴。傾向。「―が△変わる(あい

―――

せ

〔世〕 ❶よ。よの中。「世界・世相・世間・世人・世態・末世」 ❷人の生きている期間。代。「世代・来世・後世・二世・三世」 ⇩せい

〔施〕 ❶ほどこす。「施主・施肥・施物・施薬・施療・布施」 ❷おこなう。「施行」 ⇩し

ぜ

〔是〕〔よいものとする意〕 ❶その組織体の行動方針。「国是・社是・店是」 ❷道理にかなっている。正しい。「是認・是非善悪・是々非々・昨非今是」 ❸正す。「是正」 ⇩(本文)ぜ【是】

―――

まい)/国際的な—を帯びる/アマチュア的—が濃い」 **—はいゆう**[5]【—俳優】 特異な性格の人物をうまく演じる俳優。

せいかく[0]【製革】—する(自サ)（職業として）動物の皮を加工すること。「—業[4]」

せいかく[0]【醒覚】—する(自サ)「覚醒」の意の古風な表現。

せいがく[0]【声楽】 人間の声によって人生の哀歓や崇高美・悲壮美などを聞き手に感じさせる音楽。〔普通、浪曲や演歌などは含まない〕「—家[0]・—曲[4][3]」↕器楽

せいがく[0]【聖楽】 キリスト教の宗旨に基づいた、荘重な音楽。

ぜいがく[0]【税額】 税金の額。

せいかげき[3]【正歌劇】 ⇩グランド オペラ

せいかぞく[3]【聖家族】 聖母マリア・聖ヨセフ・イエス キリストの三人から成る、家族の原型。神聖家族。

****せいかつ**[0]【生活】—する(自サ) ❶生物が生きていて、からだの各部分が活動△する（している）こと。「—反応」 ❷社会に順応しつつ、何かを考えたり行動したりして生きていくこと。「火事で家を失いしばらく友人の家で—する/恵まれた—を送る/庶民の—実感とかけ離れた優雅な暮らし/—水準が向上する/キャンプ—」 ❸〈(なにデ)—する〉 家計を同じくする者が何らかの収入に支えられて暮らしていくこと。「年金だけで—するのは容易ではない/—〔=生活費〕を切りつめる/—力のある大学生/—費」 **—おん**[4]【—音】 人間が生活するためにどうしても出さざるを得ない雑音。戸を繰る音、自動車・電車・電話・テレビの音、建設現場・工場の音など。 **—かん**[4][3]【—感】 その△人(物)の持つ全体的な雰囲気の中に、気さくな庶民の日びの生活のにおい・感覚と、ごく自然な かげりとが おのずから現われていて、好ましい感じ。「—にあふれる女優」 **—きゅう**[4][3]【—給】 健康で文化的な生活を営むことが出来るようにという趣旨で支給される給与。⇩能率給 **—きょうどうくみあい**[9]【—協同組合】 生産者と消費者を直結し、組合員に品物を安く供給するための団体。略して「生協」。 **—く**[4][3]【—苦】 収入が足りなくて起こる、生活上の苦しみ。 **—じかん**[5]【—時間】 一日二十四時間を使われ方で分類したもの。「生理的—・労働—・社会的文化的—」 **—しゃ**[4][3]【—者】 ごく普通の生活を営む、大多数の人たち。 **—しゅうかんびょう**[0]【—習慣病】 食べ過ぎ・運動不足・飲酒・喫煙など、日ごろの好ましくない習慣が要因となって引き起こされる病気。例、糖尿病・高血圧症・脳卒中・心臓病など。 **—たい**[0]【—体】 生活機能を有する人および動植物の総称。 **—たいど**[5]【—態度】 生きる目標をどこに置くか、毎日の生活のリズムをどのように設定するか、他人・社会とのかかわりはどうあるべきか、自分をどうやって磨き高め豊かにしていくか、などの基本的問題について△考えた上で（何も考えないまま）過ご

せい

［井］ ❶いど。「井蛙・鑿井・油井」 ❷いげたの形（のように整っている）。「井然」 ❸人が集まって住んでいる所。「市井」

［世］ ❶よ。よの中。「厭世・在世・人世・時世・辞世・絶世・渡世・当世・遁世・乱世・治世・処世」 ❷大きな変化によって区切られる、まとまった時間の単位。〔中国では昔十年・三十年を指した〕「世紀・隔世」 ❸ひとりの人が家督・統治権を相続する期間（を一単位とかぞえる語）。一代。「終世・累世・一世・日系二世・万世一系」 ❹歴史上の時代区分。「上世・中世・近世」 ❺地質時代の区分で、「紀」と「期」の間。「更新世・完新世・沖積世」〔地層の成層年代区分の「統」に対応する〕

［正］ ❶ただす。「正誤・是正・改正・矯正・校正・修正・訂正」 ❷どちらから見ても、そうであることにまちがい無い。「正当・正反対」 ❸特定の官職の主任。「検事正」 ❹〔多角形・多面体などが〕どの△辺（角・面）も等しい。「正方形・正三角形・正多面体」 ⇩（本文）せい【正】

［生］ ❶植物の芽が出る。はえる。「生長・野生・寄生・自生」 ❷植物が…前からのいのちを持つ。「十年生のツゲ」 ❸うまれる。うむ。「生殖・生産・生誕・生地・生母・再生・更生・卵生・胎生」 ❹〔物事が〕起こる。「生起・発生」 ❺なま。十分に熟さない。「生硬・生石灰」 ❻勉学中の人の称。〔狭義では、生徒を指す〕「学生・書生・小生・留学生・門下生」 ⇩（本文）せい【生】

［成］ ❶△大体の（完全な）形が出来あがる。なる。「成人・成長・成立・完成・落成・大成・晩成」 ❷まとまった形に仕上げる。（作り）なす。「成果・成功・作成・養成」

［西］ [一]にし。「西方・西部・西洋・西戎・西欧・鎮西・泰西」 [二]（略） ❶西洋。「西人・西暦・西紀・西哲・西諺」 ❷スペイン（西班牙）。スペイン語。「米西戦争・西和辞典・日西辞書」

［声］ ❶おと。〔狭義では、こえ〕「声音・声楽・声帯・声量・音声・歓声・嬌声・吟声・混声・男声・怒声・肉声・発声・奇声・大声」 ❷こえを出す。「声援・声優・声明」 ❸評判。「声名・声誉・悪声・名声」 ❹中国語の声調。「四声」

［制］ ❶（特定の）行動をやめさせる。「制限・制止・規制・節制・抑制・自制」 ❷行動の制限・規制に関する とりきめ。「制札・制度・制定・統制」 ❸その地域を武力で押さえつける。「制覇・制海権・制空権」 ⇩（本文）せい【制】

［姓］ 婚姻の単位としての、血族の集団。「四姓・同姓・異姓」 ⇩（本文）せい【姓】

［征］ 行く。〔狭義では、討伐に向かう、または討伐のために兵をつかわす意〕「征途・東征・遠征・出征」

［性］ ❶物事の性質・傾向。「植物性・引火性・一般性」 ❷…の状態。…の程度。…さ。「安全性・一過性・危険性・可能性・確実性・重要性」 ⇩（本文）せい【性】

［青］ あおい（色）。「青山・青松・青天・青銅」〔方角では東、季節では春、また若年の意にも用いられる。例、「青竜・青春・青年」〕

［斉］ でこぼこが無いように△そろえる（整える）。「斉唱・一斉・斉家」

［政］ ❶〔役人が〕〔もと、規則正しく事を行なう意〕それぞれの関する方面で民生を安んじる。「政治・行政・善政・財政・農政・郵政」 ❷政治。「政見・政界・政府・政略・政権・国政・圧政・院政・失政」 ❸政体。「王政」

［星］ ほし。〔重要な人物の意にも用いられる。例、「巨星・将星」〕「星雲・星座・遊星・惑星・衛星・北極星」

［牲］ 神に捧げる生き物。いけにえ。「犠牲」

【省】❶それでよかったかどうかを、自分でよく考える。「省察・反省・自省・内省・三省・猛省」❷元気かどうかを実際にたずねる。「帰省」❸不要の部分をやめる。「省(セイ・ショウ)略・省文」

【凄】△物すごくて(物さびしくて)、ぞっとする。「凄然・凄惨・凄絶」

【逝】遠くへ行って、再びもどることが無い。ゆく。〔狭義では、人の死を指す〕「逝去・長逝・急逝・夭(ヨウ)逝・永逝」

【情】おもむき。「風情(ゼイ)」⇩(本文)じょう【情】

【清】[一]❶水がきれいだ。澄む。「清流・清冽(レツ)・清澄」❷けがれが無くて、気持がいい。「清潔・清純・清新・清楚(ソ)・清遊・清貧・清廉」❸さっぱりして、気分がいい。「清涼・清適・清爽(ソウ)・清風」❹きれいにする。「清算・清掃・清書・粛清」[二](略) 清音。「清濁 決しがたい」↕濁

【盛】さかん(な)。「盛会・盛時・盛況・盛典・隆盛・旺(オウ)盛・全盛・最盛期」

【婿】むすめの夫。むこ。「女婿」

【晴】はれる。はれ。「晴天・晴曇・晴朗・快晴」

【〈棲】鳥獣や魚などが巣・穴にすむ。すみか。〔広義では、人間についても言う。例、「同棲・隠棲・幽棲」〕「棲息」

【勢】[一]❶いきおい。「勢力・威勢・権勢・火勢・水勢・優勢・劣勢」❷物事のなりゆき。「情勢・形勢・大勢・時勢・運勢」[二](略) 伊勢(イセ)国。「勢州」⇩(本文)せい【勢】

【歳】その年。「歳暮」⇩さい

【聖】❶〔儒教で〕知徳がすぐれ、すべての人から指導者と仰がれる人。「聖人・聖賢・大聖」❷〔キリスト教で〕高徳の人、または信仰の対象とされることを表わす。「聖母・聖像・聖書・聖夜(ヤ)・聖ヨハネ・聖家族」❸天皇に関する表現に添える。「聖上・聖徳・列聖」❹神聖。「聖域・聖火・聖地」❺それぞれの専門の分野で最高の評価を受けている人の称。「歌聖・楽(ガク)聖・詩聖・棋聖」

【誠】まこと。いつわりのない心。「誠意・誠心・誠実・至誠・赤誠」

【精】❶しらげる。「精白・精米・精麦(バク)」❷綿密に仕事をする。「精細・精選・精緻(チ)・精通・精密・精巧・精読・精算」❸純良・上質のものにする。「精製・精錬」⇩(本文)せい【精】

【製】〔もと、布を裁って衣服をつくる意〕❶つくる。「製造・製法・作製・精製・粗製」❷…でつくった△こと(物)。「和製・官製・自家製」❸…をつくる。「製糖・製粉・製靴(カ)」

【誓】ちかう。ちかい。「誓願・誓約・誓紙・祈誓・宣誓」

【静】しずか。しずまる。「静座・静穏・静閑・静態・静寂・静粛・静聴・静謐(ヒツ)・閑静・鎮静・沈静・動静」⇩(本文)せい【静】

【請】❶たのむ。「請託・請願・懇請・請求・請暇・申請」❷願う。こう。

【整】ととのえる。ととのう。「整然・整理・整備・整列・整頓(トン)・均整・補整・調整」

【醒】❶酒の酔いがさめる。「醒酔」❷眠りからさめる。「覚醒・警醒」

ぜい

【税】⇩(本文)ぜい【税】

【〈筮】筮竹(チク)で占う。〔かぞえる時にも用いられる。例、「一筮立てる」〕「卜(ボク)筮」

【説】とく。「遊説」⇩せつ

す毎日の生活のしかた。「野球だけではいけない、人間性が大事だと、自宅隣に建てた寮で礼儀や―を教え、野球を通じた人づくりに徹した」 **―どうわ**[5]【―童話】〔文芸的なものと違って〕児童を中心とした現実的な生活を描いた子供向けの物語。 **―なん**[4]【―難】物価騰貴・収入減少・無職などのために、生活が困難なこと。 **―ねんれい**[5]【―年齢】⇩暦(レキ)年齢 **―はんのう**[5]【―反応】❶死の近い病人がまだ生きているかどうかを確認する手掛りとなる反応。心音・脈拍など。❷変死体について、その損傷が生存中に受けたものかどうかを確認する手掛りとなる反応。 **―ひ**[4][3]【―費】住居費・食費・光熱費など、生活をする上で不可欠な費用。 **―ほご**[5]【―保護】国や地方公共団体が生活に困窮する者を経済的な面その他で保護すること。「―を受ける/―法[0]」

せいかっこう[3]【背格(カク)好(コウ)】・【背(恰好)】身長とからだつきから見た、その人の特徴的な姿。「せかっこう」とも。

せいかん[0]【生還(クワン)】―する(自サ) ❶(危険をきりぬけて)生きて帰ること。❷〔野球で〕走者が本塁にかえって得点すること。ホーム イン。

せいかん[0]【性感】性的な快感。「―帯(タイ)[0]」

せいかん[0]【清閑】―な 世間の わずらわしさから離れて静かな△こと(様子)。〔手紙文などで「(立場の上の人の)閑暇・余暇」の意の尊敬語として用いられることもある〕「―な たたずまい」

せいかん[0]【清鑑】〔すぐれた鑑識の意〕〔手紙文などで〕自分の作品などを「(立場の上の人が)見る」意の尊敬語。「ご―を請う」

せいかん[0]【盛観(クワン)】だれが見ても、りっぱだと感じられる様子。また、その ながめ。

せいかん[0]【精(悍)】―な 表情などにたくましさがみなぎっていて、どんな危険や困難にも立ち向かっていくといった印象を与える様子だ。「―な顔つき」[派]**―さ**[0]

せいかん[0]【精管(クワン)】精巣で作られた精子を尿道に送る管。輸精管[0]。

せいかん[0]【静観(クワン)】―する(他サ) それに直接参加せずに成行きを静かに見守ること。「当面は―の構え」

せいがん[0]【正眼】〔剣道で〕敵の目に切っ先を向けること。中段の構え。↕大上段 [表記]「青眼」とも書く。

せいがん[0]【晴眼】はっきり見える目。 **―しゃ**[3]【―者】目の見える人。〔視覚障害者の側から言う語〕

せいがん[0]【誓願(グワン)】❶―する(他サ) 誓いを立て、神仏に祈願すること。❷悲願。「弥陀(ミダ)の―」

せいがん[0]【請願(グワン)】―する(他サ) 希望通りにしてもらいたいと立場の上の人や役所に(書類で)願い出ること。「国会―」 **―じゅんさ**[5]【―巡査】もと、請願によって、その個人の警護に当たった巡査。〔現在、制度としては存在しない〕

ぜいかん ⓪【税関】△港(空港)や国境で、船や貨物の取締り、関税の徴収などの事務を扱う役所。

せいがんざい ③⓪【制〈癌剤】⇩抗癌剤

せいかんぶっしつ ⑤【星間物質】恒星間の宇宙空間に散在する物質。中性水素ガスを主とする星間ガスと、少量の宇宙塵とから成る。

***せいき** ①【世紀】❶一続きの年月。時代。「民族共生の—/宇宙開発の—」❷百年を一期とした年代区画。例、一九〇一年から二〇〇〇年までは二十世紀。〔誤って、一九〇〇年から一九九九年までと取る向きもある〕 **—の** ① 一世紀に一度しか現われないほどの(すぐれた)。「—英雄・—祭典・—傑作」 **—まつ** ③【—末】懐疑・絶望・享楽などの風潮が現われたヨーロッパ、特にフランスの十九世紀の終り。〔その社会の没落期の意にも用いられる〕「—的な△不安(頽廃した風潮)」

せいき ①【正気】〔人びとがそれぞれの立場においてベストを尽くした時〕天地の間にみなぎるものと考えられる、くもりのない、おおらかな気分。

せいき ①【正規】正式△なきまり(に決められていること)。「—の△手続き(卒業資格・職員)/—の教育を受けずに/—採用」

せいき ①【生気】〔人や草木に見られる〕接する人にいかにも生命感にあふれているという印象を与える、△活力(気力)。「夕立が来て、ぐったりしていた庭の草木が—を取り戻した/—を失う/—の無い顔/—がよみがえる」

せいき ①【生起】—する(自サ) 新たな状態が出現したり事件が起こったりすること。

せいき ①【西紀】西洋の紀元。西暦。

せいき ①【性器】動物、特に人間の生殖器。

せいき ①【〈旌旗】「はた・のぼり」の意の漢語的表現。

せいき ①【清規】❶会の規則などの美称。❷⇩しんぎ(清規)

せいき ①【盛期】盛りの時期。「リンゴ収穫の—/すでに—を過ぎた/最—」

せいき ①【精気】天地万物の存在・活動を根源的に支えるとされるもの。〔精力・精神や、エキスの意にも用いられる〕

せいぎ ①【正義】道理にかなっていて、正しいこと。「—の人/—感△に駆られる(が強い)」 **—は** ⓪【—派】不正を憎み、情実を排し、正義を守ることだけを考え(て行動す)る、純粋な心の持主。

せいぎ ①【盛儀】盛大な儀式。

せいきゃく ⓪【政客】〔一家言ある〕政治家。「せいかく⓪」とも。

せいきゅう ⓪【制球】—する(自サ)〔野球で〕投手が自分の思い通りにボールを投げることが出来ること。コントロール。「—力③」

せいきゅう ⓪【性急】—な/—に 前後の状況をよく見きわめてから行動に移るだけのゆとりが無い(ため、マイナスの事態を招きかねない)様子だ。「—な(=早まった)改革/—な△決定(結論)」 派—さ⓪

***せいきゅう** ⓪【請求】—する(他サ)〈だれニなにヲ—する〉当然の権利として、そうしてくれと求めること。〔狭義では、返却・貸与に関するそれを指す〕「—を容れる/訴訟の—権/—額③・—書⑤⓪」

せいきょ ①【逝去】—する(自サ)「死去」の意の丁重な表現。

せいきょ ①【盛挙】盛ん(で、みごと)な企て。

せいぎょ ①【生魚】❶生きている魚。活魚。❷(新鮮な)なまの魚。鮮魚。

せいぎょ ①【成魚】成体の段階まで育った魚。⇩稚魚・幼魚

せいぎょ ①【制御・制〈禦】—する(他サ) 好ましくない△方向へ進む(変化を示す)ことがないように、意志や機械の力で制約を加えたり必要な手段を講じたりすること。「欲望を—する/ブレーキの—がきかなくなる/自動—装置」 表記「制〈馭」とも書く。

せいきょう ⓪【正教】その社会で正しいとされる宗教。↔禁教

せいきょう ⓪【生協】「生活協同組合」の略。

せいきょう ⓪【政況】政界の様子。特に、政治家の動き。「—とみに活発」

せいきょう ⓪①【政教】政治と宗教。「—分離⑤、⓪-⓪、①-⓪」

せいきょう ⓪【清興】俗事を離れた、風雅な遊び。〔手紙文などで、「(立場の上の人の)楽しみ」の意の尊敬語として用いられることもある〕

せいきょう ⓪【盛況】その催し物が盛大に行なわれていたりその物事に活気があったりする様子。「未曽有の—を呈する/—を極める/満員の—」

せいきょう ⓪【聖教】聖人の教え。〔狭義では、儒教・キリスト教を指す〕

せいきょう ⓪【精強】勢いが鋭くて強いこと。

せいぎょう ⓪【正業】〔非合法な手段によるものではなく〕まともな手段によって収入の得られる職業。かたぎの仕事。「—につく」

せいぎょう ⓪【生業】生活のもとでを得るための職業。家業。

せいぎょう ⓪【成業】—する(自サ) ❶学校を卒業すること。❷学業や事業を為し遂げること。

せいぎょう ⓪【盛業】本業や商売が大変うまくいっていること。また、その事業・商売。

せいきょういく ③【性教育】子供・少年の発達段階に応じた、正しい性の知識を与えるための教育。

せいきょうと ③【清教徒】十六世紀後半、イギリス国教会に反抗して起こった新教徒の一派。ピューリタン。

せいぎょき ③【盛漁期】盛んに魚がとれる時期。

せいきょく ⓪【正極】↔負極 ❶電気の陽極。プラス。❷〔磁石の〕北を指している極。

せいきょく ⓪【政局】△政界(政治)の成行き。「—が△混迷する(不安定になる)/—を揺さぶる/—を担当する(=政権を握る。新しく政府を組織する)」 運用 政治家・報道関係者では「政局に△する(なる)」の形で、「政争△を引き起こす(が起こる)」の意に用いられ、首相交代や解散総選挙など、政界の勢力分野に影響を及ぼすような局面を言う。

せいぎょく ⓪【青玉】⇩サファイア

せいきん ⓪【生菌】生きたままの細菌。乳酸菌のように、殺菌しないまま食用などに供する菌。

せいきん ⓪【精勤】—する(自サ) 休んだり遅刻や早退をしたりすることが(少)なく、まじめに△仕事(学業)に励むこと。「—者③・—賞③」

****ぜいきん** ⓪【税金】租税として納めるお金。「—がかかる/国民の—でまかなわれる/高い—を課する」

せいきんは ⓪【星〈菫派】明治時代、星・菫に託して恋愛をうたった、ローマン派の詩人。

せいく ①⓪【成句】ある意味を表わすのに、それを直接そう表現するよりも、間接に装飾的に言った方がその内容を端的に表わすと見られる、慣用的な表現。例、突然の出現を「天から降ったか地から湧いたか」と言うなど。〔広義では、「人間万事塞翁が馬/二兎を追う者は一兎をも得ず」など、ことわざやそれに類するものをも指す〕「故事—」

せいく①【聖句】㊀神聖な言葉。㊁聖書の中の文句。

せいくうけん③【制空権】〔国が〕軍事・通商などについて、上空の△交通(活動)を支配している状態にあること。⇩制海権

せいくらべ③【背比(べ)】どちらの背が高いかを比べて見ること。「どんぐりの—〔=⇩どんぐり〕」

せいくん⓪【請訓】—する(自サ)〔外国駐在の大使・公使などが〕自分の意見だけでは処理出来ない問題について、本国の政府に命令・指示を求めること。↕回訓

せいけい⓪【正系】正しい系統。↕傍系

せいけい⓪【生計】〔労働などによって得られる収入によって支えられる〕日びの暮らし。「女手一つで△立派に(どうにかこうにか)—を立てている/ルポライターで—を立てる/—の道を絶たれる/—費③」

せいけい⓪【成形】—する(他サ) 形を作ること。

せいけい⓪【成型】—する(他サ) 型にはめ、プレスで押して作ること。

せいけい⓪【西経】地球の西半球にある点の経度を表わす数値〔=零度から一八〇度まで〕の前に添える語。↕東経

せいけい⓪【政経】「政治・経済」の略。

せいけい⓪【整形】—する(他サ) あるべき姿・形の実現を図ること。「—手術⑤」 **—げか**⑤(クヮ)【—外科】骨格・関節・筋肉などの機能の不具合や外形上の不整を治療する、医学の一分科。⇩形成外科 〔かぞえ方〕施設は一軒

****せいけつ**⓪【清潔】—な —に ばいきん・きたないものやよごれを取り除き、きれいにしてある様子だ。「△手(身辺)を—にする/—な〔=およそけがれとは無縁で、いい感じを与える〕娘さん/—な〔=ごまかしが無く、信頼出来る〕政治/—感④③」↕不潔 〔派〕**—さ**⓪

せいけん⓪【生繭】「なままゆ」の意の漢語的表現。

せいけん⓪【政見】〔政治家としての〕政治に関する意見。「—演説⑤・—放送⑤」

せいけん⓪【政権】国の政治を行なう権力。「—の座に就く/—を△担当する(握る)/—のたらい回し/軍事—」

せいけん⓪【聖賢】〔理想的な人間像としての〕聖人と賢人。

せいげん⓪【正弦】⇩サイン (sine)「—曲線⑤・—波③」

せいげん⓪【西〈諺】西洋の ことわざ。

****せいげん**③【制限】—する(他サ) 〈なにヲなにニ—する〉 ここまではい、これ以上はいけないという限界(を定めること)。「—を△加える(設ける・受ける・緩める)/—速度⑤・—時間」

ぜいげん⓪③【税源】税金を徴収するもと(となる所得・財貨)。

ぜいげん⓪【〈贅言】—する(自サ) むだな言葉(を言うこと)。贅語⓪。「—を要しない」

せいご⓪【〈鮬】スズキの幼魚。

せいご①【正誤】㊀誤りを正すこと。「—表⓪」 ㊁正しいことと誤り。「—一覧」

せいご⓪①【生後】生まれてのち。「—一週間の赤ん坊」

せいご⓪【成語】㊀故事に基づいて出来たり 有名な古人が言い出したり した熟語で、△気のきいた(含みのある)表現として何かというと引用されるもの。「故事—」 ㊁「慣用句」の異称。

ぜいご⓪ アジの側線にある、とげに似たうろこ。「ぜご⓪①・ぜんご⓪」とも。

せいこう(ォ)⓪【正〈鵠】「せいこく」の慣用読み。

せいこう⓪(カウ)【生硬】—な 表現が未熟で、十分に練れていない様子だ。「—な文章」 〔派〕**—さ**⓪

****せいこう**⓪【成功】—する(自サ) ㊀〈なにニ—する〉 仕上げようと思った通りに出来あがること。「実験に—する/画期的な—を収める/—をもたらす」 ㊁最初の目的通りに、富や社会的地位を得ること。「実業界で—する/—者③」

せいこう⓪(カウ)【性交】—する(自サ) 成熟した男女が(時を置いて)性的な欲望を満たすために肉体的に結合すること。セックス。

せいこう⓪(カウ)【性向】本来備わっていると見られる傾向。〔ケインズの学説では、平均すればその辺に落ち着く特定の社会での割合を指す〕「消費—④〔=人びとがその所得のうちから消費支出に回す平均的な割合〕・貯蓄—④〔=人びとの総所得から、消費性向を除いた部分〕」

せいこう⓪(カウ)【性行】〔善悪の観点から見た〕その人の性質や ふだんの行為。

せいこう⓪(カウ)【政綱】〔政府・政党が決めた〕政治上の重要方針。

せいこう⓪(クヮウ)【清光】清らかな(月の)光。

せいこう⓪(カウ)【盛行】—する(自サ) その社会に広く行なわれること。「ナショナリズムの—」

せいこう⓪(カウ)【精巧】—な —に 細かな点まで注意が行き届き、よく出来ている様子だ。〔派〕**—さ**⓪

せいこう⓪(カウ) ㊀【製鋼】—する(自サ) 鋼鉄を作ること。作られた鋼鉄。㊁【精鋼】精錬した鋼鉄。

せいごう⓪(ガウ)【正号】〔記数法で〕その数が正であることを明示するために数字の前に付ける記号。正の符号。プラス。「+」〔「売上げの伸び率は+9%」、「昨日との温度差は+2度」のように、基準値からの増加分を表わす場合以外は、省略されることが多い〕↕負号

せいごう⓪(ガフ)【整合】—する(自他サ) 不ぞろいな点が△無く(無いように)、きちんと合っていること。また、合わせること。〔広義では、理論などの内容に矛盾が無いことを指す〕「—の美/—の取れた/—を△保つ(に乏しい)」 〔表記〕「斉合」とも書く。 **—せい**⓪【—性】〔consistency=一貫性の訳語〕〔論理学で〕一つの理論体系の構成要素の間に何ら矛盾が認められず、論理的に首尾一貫していること。「—に欠ける」

せいこうい③(カウヰ)【性行為】性欲を満たすための行為の総称。〔狭義では、性交を指す〕

せいこううどく⓪-⓪、⑤(カウ)【晴耕雨読】—する(自サ) 〔晴れた日は耕作し、雨の日は読書すること〕都会を離れて悠々自適する読書人の理想の生活を表わす語。

せいこうとうてい⓪-⓪(カウ)【西高東低】シベリア沿岸に高気圧がはり出し、太平洋岸に低気圧がある気圧配置。代表的な日本の冬型気象で、日本海側は雨か雪になり、太平洋側は晴れる。↕東高西低

せいこうほう③⓪(ハフ)【正攻法】奇襲などを行なわず、正々堂々とする攻撃方法。〔オーソドックスな物事のやり方の意にも用いられる〕

せいこく⓪【正〈鵠】〔的の真ん中の黒点の意〕急所。要点。「—を射る〔=急所を衝(ツ)く〕/—を得る/—を失する」

せいこつ⓪【整骨】骨つぎ。

ぜいこみ⓪【税込(み)】〔給料や、その時払う代金・料金などに〕税金が含まれていること。↕税別 ⇩税引き

せいこん⓪【成婚】結婚(が成り立つこと)。「ご—記念」

せいこん①⓪【精根】目的を達成する上で不可欠だととらえられる根気強さや それを支える体力。「—尽き果てて敗れた」

せいこん①⓪【精魂】事を成就させようとして注ぎ込む全身全霊の力。「—をこめた仕事/—を傾ける」

せいごん⓪【誓言】誓いの言葉。

せいさ①【性差】男女の性という観点から見た、生理・身

せ

** * は重要語，⓪ ①… はアクセント記号，品詞の指示の無いものは名詞および いわゆる連語。

体・心理・行動などの違い。

せいさ[1]【精査】―する(他サ) 細かな点まで詳しく調べること。

せいざ[0]【正座・正〈坐〉】―する(自サ) 足をくずさず、姿勢正しくすわること。⇩あぐら

せいざ[0]【星座】 天球上の恒星を、目に見える配置の形に基づいて幾つかのグループに区分けしたもの。神・英雄の名をつけたり 動物に見たてて名づけたり する。星宿。 [かぞえ方] 一座

せいざ[0]【静座・静〈坐〉】―する(自サ) 心を落ち着けて きちんとすわっていること。

せいさい[0]【正妻】〔内妻などに対して〕本妻。〔一夫多妻では、最もおもだった妻を指す〕

***せいさい**[0]【制裁】―する(他サ)〈だれヲ―する〉 守らなければならない法律・道徳や社会慣習、仲間のとりきめなどにそむいた者に、当然受けるべきむくいとして、△肉体的(精神的)苦痛を与えること。「―を加える/―措置をとる/経済―」

せいさい[0]【聖祭】〔カトリック教会の〕祭儀。「ミサ―[3]」

せいさい[0] ■一【精彩】 見る人の目を奪うばかりの、彩りの美しさ。「彼の新作の前では老大家の作品は―を失って〔=色あせて〕見える」 ■二【生彩】 そのものの内面的な充実ぶりをうかがわせるような生命感や躍動感。「―に満ちた音を聞かせる、若わかしい演奏/△プレー(投打)に―を欠く」

せいさい[0]【精細】=に=な 細かな点にまで注意が行き届いている様子だ。「―な訳注を付ける」

せいざい[0]【製材】―する(自サ) 丸太から木材を作ること。「―所[5][0]」

せいざい[0]【製剤】 ❶薬を作ること。「―会社(ガイシャ)[5]」 ❷作った薬。「血液―」

せいさく[0]【制作】―する(他サ) 絵画・彫刻などの芸術作品を個人が、映画・演劇・放送番組などを何人かが協力して作り上げること。「共同―・―物(ブツ)[4]」

***せいさく**[0]【政策】 ❶〔政府・政党の〕政治上の方針と、それを推進するための手段。「インフレ阻止の有効な―を打ち出す/農業―のかじ取り/金融―」 ❷団体などの目的にあった運営方針。「営業―」 ―きんり[5]【―金利】 中央銀行が一般の銀行に融資をするときの金利。上げ下げすることで、景気の調節をする。

***せいさく**[0]【製作】―する(他サ)〈(なにデ)なにヲ―する〉 ❶道具・機械などを使って型にはまった物を(大量に)作ること。また、その道具・機械を作ること。「―所(ヨジ)[5][0]」 ❷制作。

せいさつ[0]【生殺】 生かすことと殺すこと。「―与奪(ヨダツ)の権〔=相手を殺そうと生かそうと、物を取りあげようと与えようと、自分の思うままに出来る偉大な力〕を握る」

せいさつ[0]【制札】 してはならないことを箇条書にして、道ばた・寺社の境内などに立てる ふだ。

せいさつ[0]【省察】―する(他サ) 〔「省」も「察」も明らかにする意〕自分の行為・生活・性質などをふりかえってみて、善悪・是非を考えること。

せいさつ[0]【精察】―する(他サ) 詳しく△観察(考察)すること。

せいさん[0]【正〈餐〉】〔洋食で〕正式の献立による食事。ディナー。

****せいさん**[0]【生産】―する(他サ)〈(なにカラ)なにヲ―する〉 ❶人間生活に必要な品物を作り出すこと。「―を手控える/―が落ちる/―意欲を阻害する/―業[3]・―地[3]・―者[3]・―力[3]・―物(ブツ)[3]・―量[3]・国民総―」⇩消費 ❷〔作品などを〕作り出すこと。 ―がく[3]【―額】 ❶生産物資の量を金銭に換算した総額。 ❷生産高。 ―ざい[3]【―財】 それを作るべき各種の原材料や機械・工場設備などの称。↕消費財 ―しゅだん[5]【―手段】 生産の手段として使う一切の物的材料。労働力は除き、土地・建物を初め、工場の諸装備および石油・石炭・硫黄などを含む。 ―せい[0]【―性】 ❶原材料の量や労働者の数に対して、製品の生産される割合。 ❷どれだけ多く生産するかという度合。「―を△上げる(高める)/―が低い/―向上運動」 ―だか[3]【―高】 ❶生産量。産出量。 ❷生産額。 ―てき[0]【―的】=な ❶生産に関係のある様子だ。 ❷それが基になって、あらたな物がうみ出される様子だ。「―な学説」

せいさん[0]【成算】 この方法でやれば必ず成功するに違いないという見通し。「十分―がある」

せいさん[0]【青酸】 有毒で揮発しやすい、無色・酸性の液体。 ―カリ[5] 白色針状の結晶物。猛毒があり、メッキや試薬に用いられる。シアン化カリウム。〔化学式 KCN〕

せいさん[0]【凄惨】=な 〔もと、目・心を慰めるものが何も無い意〕むごたらしくて思わず目をおおいたくなる△こと(様子)。「戦いは―をきわめた/―な最期をとげる」 [派]―さ[0][3]

せいさん[0]【清算】―する(他サ) 今までの貸し借りをすっかり整理して、後始末をつけること。〔今まで続いて来た、不本意な関係に結末をつける意にも用いられる。例、「疑惑を―する」〕

せいさん[0]【聖算】 ❶天皇の年齢。 ❷天皇の考え。

せいさん[0]【聖〈餐〉】 聖餐式の食事。 ―しき[3]【―式】 〔キリスト教で〕キリストが十字架にかけられる前夜の最後の食事を記念して行なう儀式。

せいさん[0]【精算】―する(他サ) 〔運賃などについて〕最終的な計算をすること。↕概算

せいざん[0]【生残】―する(自サ) 生き残ること。「―者[3]」

せいざん[1]【青山】 木の青あおと茂った山(で、自分の墓をつくる所)。「人間(ジンカン〔ニンゲン〕)到(イタ)る処(トコロ)(に)―あり〔=⇩にんげん〕」

せいし[1] ■一【世子】 △諸侯(大名)のあとつぎの子。 ■二【世嗣】「あとつぎ」の意の漢語的表現。

せいし[1]【正史】 政府で編修した歴史。⇩外史

せいし[1]【正使】 主となる使者。↕副使

せいし[1][0]【正視】―する(他サ) 対象をまともに見ること。 [運用] 一般に、見るに堪えない状況に接したり 身にやましいところがあったりして、対象をまともに見ることができないことを表わすのに用いられる。例、「正視するに忍びない被災地の惨状/期待を裏切って師の顔を正視することができない」

せいし[1]【生死】 ❶生きるか、死ぬか。また、生きているか、死んでいるか。「―が岐(ワカ)れる一線/―の境をさまよう/―にかかわる/―不明」 ❷〔「―を共にする」などの形で〕互いにまかりまちがえば、死ぬかも知れない危険な状態に身を置く。

せいし[1]【生〈祠〉】 高徳を慕うあまり、その人の生存中から神としてまつる やしろ。

せいし[0]【制止】―する(他サ) そうしてはいけないと止めること。

せいし[1]【姓氏】〔もと、かばねとうじの意〕「みょうじ」の意の古風な表現。

せいし[1]【青史】〔紙のない時代、あぶった青竹に文字を記したことから〕「歴史(書)」の意の古風な表現。

せいし[1]【聖旨】(臣下がうけたまわる)天皇のおぼしめし。

せいし[1]【精子】 成熟した雄性の生殖細胞。卵子と結合して個体が生まれるもととなる。精虫。

せいし[0]【製糸】 繭から生糸をとること。「―業[3]」

せいし[0]【製紙】 木の繊維やパルプなどから紙を作ること。「―業[3]・―工場[4]」

せいし[1] ■一【誓詞】 誓いの言葉。 ■二【誓紙】 誓詞を書いた紙。 [かぞえ方] ■二は一通・一枚

せいし⓪【静止】—する(自サ) ❶動きを止めた状態を保ち、前と同じ位置にあること。「カメラが登場した当初、モデルはカメラの前で長時間—していなければならなかった/ヘリコプターがかなり低空で—飛行をする/—画(放送)・—軌道(面)」↔運動 ❷静止軌道に乗ること。「通信衛星が東経一三六度の赤道上空約三万六千キロの位置に—するのに成功した」 **—えいせい**④(エイ—)【—衛星】 赤道上空をほぼ二十四時間で公転する人工衛星。地球の自転と同じ角速度で同方向に移動するので、地球上からは静止しているように見える。三個を用いると全世界をカバーする通信回線が可能なので、衛星通信に多く用いられる。

せいし①【静思】—する(自サ) ほかの事に気をとられず、落ち着いて考えること。

せいし⓪【整枝】—する(自他サ) 庭木・果樹・街路樹などの不要の枝を切り取ること。

せいし⓪【整肢】 義肢を作ったり手術を行なったりして、不自由な手足の運動を楽にしてやること。「—療育④」

せいじ⓪【正字】 ❶点画(テンカク)の正しいとされる文字。↔略字・俗字・誤字 ❷借用ではなく、漢字の表意的用法として期待される用法。例、「米」がコメ、「英」がスグレタモノの意を表わすなど。〔これに対して、アメリカ・イギリスの意に使うのは借字〕「—法⓪(=正書法)」 ↔当て字・借字

せいじ⓪【青磁】 鉄分のある青緑色のうわぐすりをかけて焼いた磁器。あおじ。 表記「青〈瓷」とも書く。

せいじ①【政事】 政治に関する事柄。政治上の事務。

せいじ⓪(チ—)【政治】 住みやすい社会を作るために、統治権を△持つ(委託された)者が立法・司法・行政の諸機関を通じて国民生活の向上を図る施策を行なったり治安保持のための対策をとったりすること。「—不信を招く/—上の対立/—意識④・—観③・—性⓪・—学③・—活動④・—体制④・—団体④・—問題・議会—・官僚—⑤」 **—か⓪【—家】 国会議員・地方議会議員など、自分の政見を直接政策の上に反映させることの出来る立場にある人。〔俗に、政治的手腕を持つ人や、根回しの上手な人の意にも用いられる〕 **—けっしゃ**④【—結社】 政権の獲得・維持・拡大などの、政治的活動を行なうために作る結社。 **—せいめい**④【—生命】 政治家としての立場を保ちつづけること。「—を△賭(カ)ける(絶たれる)」 **—ちり**④【—地理】 国家の特性を、自然環境・社会環境との関連で研究する地理学の一部門。 **—てき**⓪【—的】—な/—に ❶政治にかかわりがある様子だ。「—色彩が強い/—配慮を加える/—な問題」 ❷理論だけで決めるのでなく、実情に応じて物事をうまく取りまとめる様子だ。「—解決をはかる」 ❸意見の調整やかけひきが上手な様子だ。「—手腕にたける」 **—はん**③【—犯】 政治の秩序をおかす犯罪。 **—りょく**③【—力】 政治的な交渉で物事を動かす力。

せいじ①【盛事】 盛んな△事業(行事)。

せいじ①【盛時】 ❶その人がまだ若くて、血気の盛んな時。❷〔その国などの〕勢力の盛んな時。

*__せいしき__⓪【正式】—な/—に 〔手続き・名称・資格などにおいて〕必要とされるものが全部備わっていて、その効果や結果が△権威のある(動かしがたい)ものとして認められる様子だ。また、そのやり方。「—に退職届を出した/婚約はまだ—のものではなかった/—に話を通す/『農協』の—〔=略式でない〕名称は『農業協同組合』である」 ↔略式

せいしき⓪【制式】 決められた様式。きまり。

せいしき⓪【清〈拭】—する(他サ) 布などでふいて、きれいにすること。〔狭義では、風呂(フロ)に入れない病人のからだを、熱いタオルでふき清めることを指す〕「窓ガラスの—」

せいしき⓪【整式】 「多項式」の、学校教育における称。〔ただ一つの項から成る式すなわち単項式を多項式から除外し、多項式と単項式の総称として整式を用いる流儀もある。整式同士の和・差・積は整式となるが、商は一般に整式でなくなることから、整数との類似性による命名〕

せいしつ⓪【正室】 〔貴人の〕本妻。正妻。↔側室

せいしつ⓪【声質】 甲高(カンダカ)いとか野太いとか、澄んでいるとか濁っているとかの、特徴的な声の質。

**せいしつ⓪【性質】 ❶個々人の言動・態度などを通して観察される、意志・感情の表われ方。「生まれつき△おとなしい(臆病(オクビョウ)な)—の子供だった/意外にものに動じない—を持っていた」 ❷その物を多角にとらえて認められる、特有の性能・性状。「ナイロンは熱に弱い—があるのが欠点だ」

せいじつ⓪【聖日】 〔キリスト教で〕日曜日。

*__せいじつ__⓪【誠実】—な/—に 言動にうそ・偽りやごまかしが無く、常に良心の命ずるままに行動する様子だ。「—な人柄/—に対応する」 派 **—さ**⓪④ 「—に欠ける」 **—み**⓪④

せいしぼさつ④【勢至〈菩薩〉】 阿弥陀(アミダ)三尊(サンゾン)の一つ。阿弥陀仏(アミダブツ)の右方にあって、知恵を表わすほとけ。略して「勢至①」。 かぞえ方 一尊・一体

せいしゃ①【生者】 生きているもの。↔死者

せいじゃ①【正邪】 正しいことと△まちがった(悪い)こと。

せいじゃ①【盛者】 ⇩しょうじゃひっすい

せいじゃ①【聖者】 ❶〔キリスト教で〕殉教者・偉大な信徒の美称。❷偉大な宗教者。

せいしゃえい③【正射影】 ⇩射影

せいじゃく⓪【静寂】—な 〔物音や人の気配が無く〕あたりが静かな△こと(様子)。「—を破ってドラムが響き渡る」 派 **—さ**⓪

ぜいじゃく⓪【〈脆弱】—な 基礎・中心になるものがこわれやすくて、扱いに注意を要する様子だ。「—な構造/—な〔=弱い〕からだ/—な〔=すぐ崩れやすい〕地質」 派 **—さ**⓪

せいしゅ⓪【清酒】 ❶もろみを除いた、澄んだ酒。↔濁酒 ❷米から造る、日本固有の酒。日本酒。 かぞえ方 ❶❷とも小売の単位は一本・一瓶・一樽(ヒトタル)

せいじゅ①【聖寿】 天子の寿命。

せいしゅう①(シウ—)【勢州】 「伊勢(イセ)ノ国」の漢語的表現。今の三重県中部・北部にあたる。

せいじゅう⓪(ジウ—)【成獣】 生殖能力を備える段階にまで成育したけもの。

せいじゅう⓪【西〈戎】 〔西方の異文化の人の意〕昔、中国でチベット族やトルコ族など西方の異民族の称。⇩東夷(トウイ)・北狄(ホクテキ)・南蛮

せいじゅう⓪【製〈絨】 毛織物を作ること。

ぜいしゅう⓪(シウ—)【税収】 税金による国家などの収入。「—が落ち込む/—の伸び悩み」

せいしゅく⓪【星宿】 「星座」の意の古風な表現。

せいしゅく⓪【静粛】—な/—に 声や物音を抑えて静かに△している(何かをする)様子だ。 派 **—さ**⓪

せいじゅく⓪【成熟】—する(自サ) ❶果物や穀物が生長して、食用に適する状態に達すること。❷人間の精神・肉体が発達して、独立した営みが可能な状態に達すること。「最近の子は—が早い/革命の条件が—していない〔=まだ十分整っていない〕/—期④・—児④」

せいしゅつ⓪【正出】 ⇩嫡出(チャクシュツ)

せいしゅん⓪【青春】 ❶〔五行説で春に青色を当てることから〕春の異名。⇩玄冬・朱夏・白秋 ❷〔夢・野心に満ち、疲れを知らぬ〕若い時代。〔主として、十代の後半から二十代までの時期を指すことが多い〕「第二の—/—期③」

せいじゅん⓪【正〈閏】 〔平年とうるう年の意〕正統のものと正統でない系統のもの。「南北朝—論」

せいじゅん⓪【清純】ーな 〔少女などが〕世の中のけがれにそまらないでいつまでも保っていてもらいたいと思われるほど、純真な△こと(様子)。派ーさ⓪

せいしょ①【成書】すでに著述として公にされたもの。

せいしょ⓪【清書】ーする(他サ) ❶下書きなどの訂正や書き入れなどを本文に繰り入れたりして、きちんときれいに書き直すこと。「ー本(ボン)⓪」 ❷〔練習用のものと違って〕提出用にきれいに書くこと。また、そのもの。「おー⓪」

せいしょ①【盛暑】夏の一番暑い盛りの時季。盛夏。

せいしょ①【聖書】❶聖典。❷キリスト教の聖典。バイブル。「旧約ー・新約ー」

せいしょ①【誓書】誓いの文書。誓紙。

せいじょ①(ヂョ)【清女】「清少納言(セイショウナゴン)⑤」の別称。

せいじょ①(ヂョ)【聖女】清純・高潔をそのまま具現したような、理想的な女性。〔多く、宗教的な事業に生涯をささげる女性を指す〕

せいじょ①(ヂョ)【整除】ーする(他サ) 〔数学で〕ある自然数が、もう一つの自然数を割り切ること。「三は十二をーする」

せいしょう(オ)⓪【正称】正式の称号。

せいしょう(オ)⓪(シヤウ)【正賞】本来の賞。金や品物が添えられる場合の賞状を言う。⇩副賞

せいしょう(オ)⓪【青松】緑のマツ。「白砂(ハクシャ)ー①-⓪」

せいしょう(オ)⓪(シヤウ)【斉唱】ーする(他サ) ❶いっせいに唱えること。❷おおぜいで同じ旋律を歌うこと。⇩合唱

せいしょう(オ)⓪(シヤウ)【政商】政治家と結託して大もうけをたくらむ商人。

せいしょう(オ)⓪(シヤウ)【星章】〔軍帽などについている〕星の形の△しるし(記章)。

せいしょう(オ)⓪(シヤウ)【清祥】〔手紙文で〕相手が健康で幸福であることを喜ぶ意味の挨拶(アイサツ)の言葉。「ごーのことと拝察申し上げます」 表記 「清勝(セイショウ)」とも書く。

せいじょう(オ)⓪(デウ)【正条】筋を整えること。 **ーうえ**⓪(ウヱ)【ー植(え)】イネの苗の列を整え、株と株との距離を正しくして、まっすぐになるように植えること。

***せいじょう**(オ)⓪(ジヤウ)【正常】ーな ーに △普通(いつも)と同じで、間違いや故障の無い様子だ。「ー化にこぎつける」↔異常

せいじょう(オ)⓪(ジヤウ) [一]【性状】❶人の性質とふだんの行い。❷物の性質と状態。 [二]【性情】〔持って生まれた〕性質・気質。

せいじょう(オ)⓪(ジヤウ)【政情】政界の様子。政治の成行き。「ーが落ち着く/ー不安を起こす」

せいじょう(オ)⓪(ジヤウ)【清浄】ーな ーに よごれた所が少しも無く、きれいな様子だ。「ーな空気」派ーさ⓪ **ーやさい**⑤【ー野菜】下肥(シモゴエ)などを使わず化学肥料だけで作った野菜。現在では、無農薬野菜や水耕栽培による野菜などについていう。

せいじょう(オ)⓪(ジヤウ)【聖上】「今上陛下」の意の婉曲(エンキョク)表現。

せいじょうき(オ)③(デウ)【星条旗】アメリカ合衆国の国旗。独立当初の十三州を表わす十三本の赤・白の横線と、青地に州の数だけの白星〔現在は五十個〕とから成る。

せいしょうねん(オ)③(セウ)【青少年】青年と少年。〔十二歳から二十代後半くらいまでの男女〕

せいしょく⓪【生色】いきいきとした△顔色(様子)。「ほほにーが戻ってきた」

せいしょく⓪【生食】ーする(他サ) 〔火を通さず〕なまのままで食べること。「ー野菜⑤」↔火食

せいしょく⓪【生殖】ーする(他サ) 生物が自分の分身を作って、種族の保存をはかること。「ー細胞⑤」 **ーき**④③【ー器】〔↑生殖器官⑤⑥〕生物が有性生殖を営む器官。「せいしょっき③」とも。

せいしょく⓪【声色】❶声や顔の様子。「ーを和らげる」 ❷〔人の生業につくことを妨げるものとしての〕頽廃(タイハイ)的な音楽と女色。「ーにふける」

せいしょく⓪【聖職】キリスト教の僧職。〔広義では、教師・牧師など、単なる労働者・サラリーマン以上の奉仕が期待される職業をも指す〕「ー者④③」

せいしょく⓪【製織】糸から織物を作ること。「ー機械」

せいしょほう(オ)⓪(ハフ)【正書法】社会で一般に正しいものと認められている、言葉の書き表わし方。たとえば、英語をアルファベットで、日本語を漢字やかなで書く場合など。オーソグラフィー④⑤③。

せいしん⓪【生〈辰】「誕生日」の意の古風な表現。

せいしん⓪ーな [一]【生新】いきいきとして新しい△こと(様子)。「ーの気」 [二]【清新】新鮮で△気持(感じ)のいい△こと(様子)。「ーの気風」派ーさ⓪

せいしん⓪【成心】ある立場からの、とらわれた見方。先入観。「ーをもって臨む」

せいしん⓪【西進】西方へ進むこと。

せいしん⓪【星〈辰】星(の総称)。

せいしん⓪【誠心】うそ・いつわりの無い心。「ー誠意(=まごころをもって)事に当たる」

****せいしん**①【精神】❶〔物質的な存在の肉体に対して〕外界の諸事象を認知したり 種々の事態に応じて(論理的に)物事を考えたり 折にふれて喜怒哀楽の感情をいだいたりする根源にあるととらえられる心の働き。「ーを集中して事にあたる/ーが錯乱する/不安定なー状態/ー安定剤⑦⓪・ー障害⑤・ー力③」 ❷生まれ育った環境や社会状況に影響されながらも、人それぞれに形成される独自の人生観・社会観や行動様式の基にある基本的な考えや心構え。「△高邁(コウマイ)な(柔弱な・寛容の・不撓(フトウ)不屈の)ー/反骨のーを貫く/ー一到何事か成らざらん(=心をこめて一生懸命にすれば、どんな事でも出来ないことがあろうか)/愛社ー」 ❸そのものの存在価値や社会的意義を認めさせる上で不可欠だととらえられる、最も重要なもの。「憲法のー/△建学(創業)のーを忘れてはいけない」 **ーえいせい**⑤(エイー)【ー衛生】精神上の抑圧・病的状態を除き、健康な社会生活を営ませるための管理法。 **ーか**⓪(クワ)【ー科】精神疾患を診断・治療する、臨床医学の一部門。 **ーか**⓪【ー家】快楽の充足より精神の修養に重きを置く、意志の強い人。 **ーかがく**⑤(クワー)【ー科学】「文化科学」の異称。 **ーかんてい**⑤【ー鑑定】ーする(他サ) 被告人に責任能力があるかどうかを判断するため、裁判所から委嘱を受けた精神科医が行なう診察・検査。 **ーしゅぎ**⑤【ー主義】物質よりも精神を尊重する考え方。「戦争はーでは出来ない」 **ーちたい**⑤、①-⓪【ー遅滞】⇩知的障害 **ーてき**⓪【ー的】ーな ーに 精神に関する様子だ。「ーに参ってる/ーな生活」⇩肉体的・物質的❷ **ーねんれい**⑤【ー年齢】知能検査の結果、各個人の知能の発達程度を判断するための尺度。↔暦(レキ)年齢 **ーはくじゃく**⑤【ー薄弱】「知的障害」の旧称。 **ーびょう**(オ)⓪(ビヤウ)【ー病】精神の働きが異常を示す病気。 **ーぶんせき**⑤【ー分析】対話・連想などの方法により表面の意識を分析して、潜在意識内のコンプレックスを見いだそうとする心理学的方法。フロイトの提唱による。 **ーぶんめい**⑤【ー文明】物質文明に偏せず、豊かな心を保つ文明。 **ーぶんれつびょう**(オ)⓪、①-⓪(ビヤウ)【ー分裂病】⇩統合失調症 **ーりょうほう**(オ)⑤(レウハフ)【ー療法】⇩心理療法 **ーろうどう**(オ)⑤(ラウー)【ー労働】〔肉体労働と違って〕頭脳を主として使う労働。管理・事務・研究・教育などの労働。 **ーろん**

[3]【―論】精神主義に基づく議論や主張。
せいじん[0]【成人】❶―する(自サ)〔法律上の権利・義務などの観点から見て〕社会の一員とされるおとな(となること)。〔社会通念上では、満二十歳以上を指す。民法上では二〇二二年四月より満十八歳以上になる〕「―式[3]」❷満十八歳以上の称。「―映画[5]」⇩成年 **―きょう(ォ)いく**[5](ケウ)【―教育】休みの△日(時間)などを利用して、成人に対して行なう社会教育。 **―のひ**[6]、[0]-[1]【―の日】「国民の祝日」の一つ。一月の第二月曜日。〔もと、一月十五日〕 **―びょう(ォ)**[0](ビャウ)【―病】四十歳以上の人がかかりやすい糖尿病・高血圧症・心臓病・癌(ガン)などの病気。⇩生活習慣病
せいじん[0]【西人】「西洋人」の意の江戸時代の称。
せいじん[0]【聖人】知徳のすぐれた理想的人物。〔きまじめな人や、清酒の異称としても用いられる〕「―君子」⇩賢人
せいず[0](ヅ)【星図】恒星の位置や明るさをしるした図。
せいず[0](ヅ)【製図】―する(他サ)〔設計図などを作るために〕器具を使って図面を引くこと。また、その図面。
せいすい[0]【西〈陲】国の西のはずれ。
せいすい[0]【清水】清らかな水。しみず。↕濁水
せいすい[0]【盛衰】一時期盛んであったものが、△おごりのため(時運が移って)やがて衰えること。「栄枯―は世の習い」
せいすい[0]【精粋】雑な物や劣った物を除き去った、最もよい部分。
せいすい[0]【静水】静止して動かない水。↕流水
せいずい[0]【精髄】それを欠くとその物全体の意義が無くなる、最も重要な部分。
せいすう[3]【正数】〔数学で〕正の実数。↕負数
せいすう[3]【整数】〔数学で〕自然数と、零と、零から順に一ずつ引いて得られる数との総称。〔一未満の端数(ハスウ)を持たない実数として特徴づけられ、整数という名称もこれに由来する〕「―論[3]/4.5の―部分は4/―どうしの和、差、積も―」
せい・する[3]【制する】(他サ)❶押さえ(て、自分に従わせ)る。「△手(目)で―/機先を―/△大勢(タイセイ)(天下)を―〔=支配する〕/勝ちを―〔=自分のものとする〕/△過半数(多数)を―〔=獲得する〕/死命を―〔=他人の生死に関する急所を押さえて、自分の思い通りにする〕/怒りを―〔=怒りたい気持を抑える〕」❷制定する。制す[1](五)。

せい・する[3]【征する】(他サ)服従しない者を平らげようとして攻める。
せい・する[3]【製する】(他サ)形のある物をつくる。製す[1](五)。
ぜい・する[3]【〈贅する】(自他サ)余分△な(かと思われる)事を言う。「敢(エ)て―必要は無かろう」
せいせい[3]【清々】(副)―と ―する それまでの不快やわだかまりなどが解消して、気分がさっぱりと晴れやかになる様子だ。
せいせい[0]【生々】❶絶えず活動を続ける様子。「―発展」❷次つぎに別の状態に移り変わっていき、その変化が無限に続く様子。「―流転」
せいせい[0]【生成】―する(自他サ)物としての形△が現われる(を現わす)こと。「地球上に―する〔=生じる〕無数の動植物/新しい薬品を―する〔=作る〕」
せいせい[0]【《済《々】―たる ―と 人数がそろって、盛んな様子だ。「多士―」
せいせい[0]【精製】―する(他サ)↕粗製 ❶念を入れて作ること。❷粗製品を加工し、最終段階まで仕上げること。「石油からガソリンを―する」
せいせい[0]【整斉】―たる ―と △整いそろう(整えそろえる)様子だ。「―花冠[5]・―花序[5]」
せいぜい[1]【精々】(副)〔中世語「精誠(セイゼイ)」〔=誠意を尽くすこと〕」の変化という〕❶出来る限りの努力をする様子。「―がんばってくれたまえ/―勉強いたします〔=商人の用語〕」⇩勉強 運用 ❷どんなに多く見積もったところで、それが限度だと判断される様子。「―新聞を読むのが関の山という生活/どんなにがんばっても一日十軒回るのが―だ」
ぜいせい[0] ❶【税制】税金のかけ方・取り方に関する制度。「―改革[5]」❷【税政】税金の割当て・取立てに関する行政上の事務。
ぜいせい[0]【〈噬〈臍】〔へそをかもうとしても口が届かないことから〕後悔してもどうしようもないこと。
せいせいどう(ォ)どう(ォ)[3]-[3]、[3]-[0](ダウダウ)【正々堂々】―たる ―と ❶ひきょうなやり方をせず、態度がりっぱな様子だ。「―と戦う」❷軍陣の立て方がりっぱで、非難の余地が無い様子だ。
****せいせき**[0]【成績】△仕事(試験)などの出来ぐあい。「かんばしくない―/所期の―を上げる/予想以上の―を収める/―が下がる/―表[0]」
せいせき[0]【聖跡・聖〈蹟】❶神聖な遺跡。❷天皇行幸のあと。表記「聖〈迹」とも書く。

せいぜつ[0]【凄絶】―な たとえようもなく、すさまじい△こと(様子)。「―をきわめた戦闘」派―さ[0]
せいせっかい[3](セキクワイ)【生石灰】石灰岩を焼いて白色のかたまりにしたもの。酸化カルシウムの俗称。きいしばい[3][2]。
せいせん[0]【生鮮】―な〔なまの食品が〕とったばかりで、新しい様子だ。「―食品[5]〔=野菜や魚類・肉類〕・―度[3]」
せいせん[0]【征戦】敵を攻め戦うこと。
せいせん[0]【政戦】❶(総)選挙の時における、政権をめぐっての争い。❷政治と戦争。
せいせん[0]【清泉】きれいにすんだ泉。
せいせん[0]【聖戦】神聖な目的のためにする(と称して戦う)戦争。
せいせん[0]【精選】―する(他サ)〔もと、適任者を選ぶ意〕同類の中で品質の最もいい物を選ぶこと。「―品[0]」
せいぜん[0]【生前】その人の生きていた時。↕死後
せいぜん[0]【西漸】―する(自サ)〔東方に興った文化・文物などが〕段々西方へ△影響を与え(行なわれ)ていくこと。↕東漸
せいぜん[0]【凄然】―たる ―と ❶冷えびえとした感じがする様子だ。❷いかにももののさびしい様子だ。
せいぜん[0]【整然・井然】―たる ―と 秩序正しく乱れたところが無い様子だ。「行動は―としている」
せいせんしょくたい[0]、[1]-[0]【性染色体】生物の性の決定に関係する染色体。哺乳動物では一般にX染色体〔=雌雄共通〕とY染色体〔=雄のみ〕から成る。
せいぜんせつ[3]【性善説】人の本性は善であり、不善となるのは欲におおわれるためだとする孟子(モウシ)の説。↕性悪説
せいそ[1]【清〈楚】―な ―に〔女性の服装・姿などが〕飾りけが無く、さっぱりしている中に、美しさが感じられる様子だ。「―な身なり」派―さ[3]
せいそ[1]【精粗】細かいこととあらいこと。詳しいことと大ざっぱなこと。
せいそう(ォ)[0](サウ)【正装】―する(自サ)儀式・訪問用の正式の服装。また、それを着ること。↕略装
せいそう(ォ)[0]【成層】段をなして重なること。「―岩[3]」 **―けん**[3]【―圏】対流圏の上層で気温のほぼ一定した大気圏。地上十キロ前後から始まる。↕対流圏

せいそう⓪【政争】❶政見の相違に関する争い。❷政権の奪いあい。「—に明け暮れる/—の具とする」

せいそう⓪【星霜】「(多くの)年月」の意の古風な表現。「幾—を重ねる(=何年もたつ)/幾—を経て」

せいそう⓪【〈悽愴〉】—な ひどい損害を受けたりして、痛ましい様子だ。表記「凄〈愴」とも書く。

せいそう⓪【清掃】—する(他サ) きれいに掃除すること。「—車③・—作業員⑥」

せいそう⓪【清爽】—な 空気などがさわやかな様子だ。

せいそう⓪—する(自サ) ❶【盛装】華やかに△着飾ること(着飾った服装)。❷【盛〈粧】手を抜かずにした化粧。〔広義では、「厚化粧」の意にも〕

せいそう⓪【精巣】動物の雄の、精子を作り、雄性ホルモンを分泌する器官。ヒト・哺乳類では睾丸とも言う。

せいぞう⓪【聖像】聖人の肖像。

***せいぞう**⓪【製造】—する(他サ)〈なにカラ〉なにヲ—する〉原材料や粗製品を、加工したり組み立てたりして、製品を(大量に)作ること。「—業③・—元⓪・—品⓪・—法⓪」

—ぶつ せきにん⑦【—物責任】△製品(製造物)の欠陥によって、消費者が生命・身体・財産に損害を受けたとき、製造業者などに賠償する責任を負わせること。一九六〇年代に米国で制度化され、日本でも、一九九四(平成六)年、製造物責任法として制定。ピーエル(PL)法。

せいそく⓪【正則】❶正しい△規則(法則)。「—を踏む」❷—な 規則通りである様子だ。正式。↔変則

せいそく⓪【生息・〈棲息〉】—する(自サ) 人間や動物が生きながらえ、そこで生活すること。〔人間以外の動物に限定して用いることもある〕「—地④③」

せいぞく①【正続】正編と続編。

せいぞく①【聖俗】❶聖人と俗人。❷宗教的なことと世俗的なこと。

せいぞろい③【勢〈揃い〉】—する(自サ) ある目的のもとに、△軍勢(多くの人)が一か所に集まること。「せいぞろえ③」とも。

せいぞん⓪【生存】—する(自サ)〔「せいそん」の変化〕生物が生き(残)ること。「—が確認される/—を脅かす/死者十名、—者二名/—権を△保障する(侵害する)」 **—きょうそう**⑤【—競争】自分の方が長く生き延びようとして、弱い他の生物をおしのけるために起こる競争。「企業間の—」

せいた⓪【背板】❶丸木を角材や板に引いたあとに残る、皮の付いた部分。薪などにする。耳板⓪。❷いすの背もたれ。❸本棚などの裏側に張る板。

せいたい⓪【正体】❶漢字の字体のうち、その時代、体制によって標準と認められたもの。⇩異体・通体・俗体 ❷仮名の字体のうち、その時代、普通教育や伝達の場で最も広く用いられたもの。⇩異体仮名・変体仮名

せいたい⓪【正対】—する(自サ) 相手に対して、真っ正面に向くこと。「相手からの要求に—して回答する」

せいたい⓪【生体】〔おもに人間の〕生きているままのからだ。「—解剖⑤・—反応」↔死体 **—いしょく**⑤【—移植】生きている人の臓器を提供してもらい、患者に移植すること。生体肝移植など。生体臓器移植⑧。 **—にんしょう**⑤【—認証】指紋・声紋・虹彩・指の静脈など、人それぞれによって異なる肉体的特徴を登録したデータと照合することで、本人か否かを識別するシステム。防犯システムや銀行のATMなどで用いられている。

せいたい⓪【生態】生物が自然界に生きている、実際の状態。〔広義では、生活しているものの、ありのままの姿をも指す。例、「学生の—」〕 **—けい**⓪【—系】特定の地域の生物と、それを取り囲む物理的環境を総合して統一体としてとらえた概念。⇩食物連鎖

せいたい⓪【成体】生殖作用を営むことが出来る程度に成熟した動物。

せいたい⓪【声帯】のどの中央部にある発声器官。弾力のある二条の靱帯から成る。 **—もしゃ**⑤【—模写・—〈摸写〉】有名な芸人や、その世界での特徴のある著名人などのこわいろを使ってみせる△こと(話芸)。

せいたい⓪【青〈黛〉】〔青い色(の顔料)の意〕「まゆずみ」の意の漢語的表現。

せいたい⓪【政体】国家の主権がだれにあり、どのように運用されるかの別から見た政治形態。「立憲—・専制—」

せいたい⓪【聖体】△神聖な(キリストの)からだ。

せいたい⓪【静態】静止している(ものとしてとらえた)状態。↔動態

せいたい⓪【整体】骨格のゆがみを直し、身体の均整をとることによって、健康増進などをはかること。「—術③」

せいたい⓪【〈臍帯〉】「へその緒」の医学用語。さいたい。

せいだい⓪【正大】—な 物の見方・考え方などにかたよったところが無く、一点のやましさも感じられない△こと(様子)。「公明—(=⇩公明正大)」

***せいだい**⓪【盛大】—な/—に 集会や事業が大規模に行なわれて、活況を呈している様子だ。派—さ⓪

せいだい ❶①⓪【盛代】国力が盛んで、各方面に活気のみなぎる時代。❷①【聖代】すぐれた君主が統治して、よく治まった時世。

せいたか⓪【背高】—な 背が高い△こと(人)。「近頃—なタクシーが増えた/—のっぽ」 **—あわだちそう**⓪【—泡立〈ち〉草】秋、川原の土手・荒れ地などに群がって生え、小さな黄色い花をたくさん付ける多年草。高さ二〜三メートルになる。北アメリカ原産の帰化植物。〔キク科〕

せいたく⓪【請託】—する(他サ) 特別の配慮を頼みこむこと。↔受託

せいだく①【清濁】❶清いことと濁ったこと。❷清音と濁音。❸君子と小人。善人と悪人。「—あわせのむ(=度量が大きくて、どんな人でも受け入れる)」

***ぜいたく**③【〈贅沢〉】—な/—に ❶(自己満足にひたるために)衣食住や趣味・娯楽などに他から見れば△むだ遣いだ(分に過ぎている)と思われるほどの多くのお金をかけること。また、そういう様子だ。「今の収入で、—さえしなければ、生活に困ることはない/ファーストクラスでの海外旅行は私にとって一生に一度の—だ/—な暮らしにあこがれてつい公金に手を付ける/親の遺産で—三昧に遊び暮らす/—品」↔質素 ❷望みうる最高の条件が満たされ、この上ない満足感にひたれる、自分にとって願ってもないこと。また、そういう状態だ。「仕事を忘れて音楽に身をゆだねる—なひととき/芸達者ぞろいの—な配役」派—さ④

せいたけ①【背丈】「せたけ」の長呼。せい。

せいだ・す①-①【精出す】(自五) 一生懸命に△働く(努力する)。

せいためんたい⓪【正多面体】⇩多面体

せいたん⓪【生誕】—する(自サ)〔第一級の学者・宗教家・芸術家などが〕生まれること。「…—百年/(…)—の地」

せいたん⓪【西端】領土や区画など特定の範囲において最も西側の位置。「与那国島は日本最—に位置する」↔東端

せいたん⓪【製炭】木炭を作ること。「—業③」

せいだん⓪【政談】❶政治に直接関係ある談論。❷当時の政治・裁判事件などを題材にした物語。「大岡—」

せいだん⓪【星団】恒星の密集した集団。

せいだん⓪【清談】〔金銭・暮らしむきや人のうわさ話とは関係の無い〕趣味・芸術・学問・信念などについての話。

せいだん⓪【聖断】天皇がくだす裁断。聖裁⓪。

せいだん⓪【聖壇】神をまつる壇。

せいたんきょく③【聖〈譚曲】⇩オラトリオ

せいたんさい③【聖誕祭】⇩クリスマス

せいち①【生地】その人の生まれた土地。

せいち①【聖地】Ⓐ神・仏・聖人などに関係のある、神聖な土地。「―巡礼」Ⓑある物事に強い思い入れのある人が訪れてみたいとあこがれる、ゆかりの場所。「恋人たちの―／△野球(アニメ)ファンの―」

せいち①【精緻】―な 細かい点まで注意が行き届いていて、よく出来ている様子だ。派 ―さ③

せいち⓪【整地】―する(他サ) △建築(作物の種まき・植えつけ)のために地ならしをすること。「―作業」

ぜいちく⓪【筮竹】易の占いに使う、五十本の竹製の細くて平たい棒。かぞえ方 一本

せいちゃ⓪【製茶】㊀―する(自他サ) 茶の葉を加工すること。「―工場④」㊁飲めるように加工した茶の葉。

せいちゃく⓪【生着】移植された細胞や器官が、移植後に本来の機能を発揮する状態になること。「―率・―不全」

せいちゅう⓪【正中】㊀物の中心。まんなか。「―線⓪」㊁―する(他サ) 北半球においては「南中」と同義。南半球においては、天体が子午線の南極以北の部分を通過すること〔=「北中」と言うべきもの〕と同義。赤道上では、子午線通過と同義。〔広義では、子午線通過を指す〕

せいちゅう⓪【成虫】昆虫の子が変態・成長して、親と同じ形になったもの。↕幼虫

せいちゅう⓪【〈掣《肘】―する(他サ) 何かにつけていらない手出しをして、自由な行動を妨げること。「―を加える」

せいちゅう⓪【誠忠】忠義一筋であること。「―の人」

せいちゅう⓪【精虫】精子。〔運動性があるので、このように言われる〕

せいちょう⓪【正調】〔歌い方などで〕正しく受け伝えてきた調子。「―追分」↕変調

***せいちょう⓪**【生長】―する(自サ)〈なにカラ〉なにニ―する ㊀〔草木などが〕育つこと。㊁生まれ育つこと。㊂【成長】からだや心が育って、一人前の状態に△なる(近づく)こと。〔時日の経過と共に、高い段階に発展し長足の進歩を遂げる意にも用いられる。例、「高度―を遂げる／―性⓪・経済―」〕 **―かぶ③**【成長株】先行きの発展が期待される会社の株。〔将来、大成することが見込まれる人の意にも用いられる〕 **―つう⓪**【成長痛】成長過程の子供に見られる足の痛み。〔正式な病名ではない〕 **―てん③**【成長点・生長点】植物の茎・根の先端にあり、細胞分裂を活発に行なって、新しい組織を作る部分。

せいちょう⓪【成鳥】成長して、生殖力を持つようになった鳥。

せいちょう⓪【声調】㊀話をする時や歌を歌う時の調子。㊁その詩歌独特のよみぶり。㊂〔中国語などの〕音節ごとの高さの変動の決まり。

せいちょう⓪【性徴】男女の、からだの上の特徴。 **いちじ―④**【一次―】男女の、生まれたときから見られる生殖器の相違。 **にじ―③**【二次―】成年に達すると、男はひげが生え声変わりが起こり、女は乳房が大きくなるなどの相違。

せいちょう⓪【政庁】政務を執り行なう役所。

せいちょう①【清朝】〔←清朝活字⑤〕活字の書体の一つ。筆で書いた楷書体のような書体のもの。清朝体⓪。例、**新明解**〔誤って、「しんちょう」と言う〕

せいちょう⓪【清澄】―な 澄みきった様子だ。「―を保つ／―な空気」派 ―さ⓪

せいちょう⓪【清聴】―する(他サ) ㊀自分の話を「相手が聞く」意の尊敬語。〔講演の締めくくりの挨拶の言葉として用いられる〕「ご―を感謝します」㊁【静聴】私語したりせず、静かにして聞くこと。「―、―」〔=静聴することを求める掛け声〕

せいちょう⓪【整腸】腸の調子を整えること。「―剤③⓪・―薬③」

せいちょう⓪【整調】〔ボートで〕コックスと向かい合ってすわり、オールのピッチを整える役のこぎ手。

せいつう⓪【精通】―する(自サ) ㊀その物事について、細かなところまでよく知っていること。「△憲法(新しい法律)に―する」㊁成人のしるしである女子の初潮に相当する、男子の最初の射精。

せいてい⓪【制定】―する(他サ) 法律・規則などを新たに作ること。

せいてい⓪【聖帝】「聖天子」の別称。

せいてき⓪【性的】―な 性(欲)に関する様子だ。「―衝動⓪-⓪・―魅力」 **―しょうすうしゃ⑦**【―少数者】⇩セクシュアル マイノリティー

せいてき⓪【政敵】政治上、対立的立場にある相手。

せいてき⓪【清適】〔手紙文で〕相手の健康を喜ぶ挨拶の言葉。「ご―の段お喜び申し上げます」

せいてき⓪【静的】―な 静かな様子だ。動かないものとして考えた様子だ。↕動的

せいてつ⓪【西哲】西洋の、すぐれた思想家・哲学者。

せいてつ⓪【聖哲】〔聖人と哲人の意〕知徳がすぐれ、物事の道理に通じている人。

せいてつ⓪【製鉄】鉄鉱を溶かして銑鉄を作ること。「―所⑤⓪・―業④」

せいてん⓪【青天】晴れた日の、青く抜けるように見える空。 **―のへきれき⓪-⓪**【―の〈霹靂】晴れた日に突然鳴り渡るかみなり。〔思いがけない事変や打撃の意にも用いられる〕 **―はくじつ⓪-⓪**【―白日】㊀よく晴れ渡った天気。㊁△隠す(疑われる)点が全く無いこと。「―の身となる〔=疑いが晴れて、無罪であることが明らかになる〕」

せいてん⓪【晴天】晴れた△天気(空)。⇩雨天・曇天

せいてん⓪【盛典】盛大な儀式。

せいてん⓪【聖典】その宗教で神聖視され、批判を許されない書物。イスラム教のコーラン、キリスト教のバイブルなど。「アダム スミスの『国富論』は自由市場の信仰者の―となった／仏教―」

せいでん⓪【正伝】事実に基づいた正しい伝記。

せいでん⓪【正殿】㊀⇩表御殿 ㊁〔拝殿と違って〕神社の本殿。

せいてんかん③【性転換】―する(自サ) ㊀遺伝的に決定された雌雄の性が成長の途中で逆転すること。㊁△男性(女性)が性ホルモンの投与や外科手術等により別の性の形態に近づけたり変えたりすること。

せいでんき③【静電気】ある物質にくっついたまま、その場所を離れない電気。〔摩擦などで生じる〕↕動電気

***せいてんし③**【聖天子】徳の高い天子。聖帝。

せいと①【生徒】中学校・高等学校に籍を置き、授業を受ける者。⇩児童・学生

せいと①【征途】戦争・遠征への道。「―に上る／―につく」

せいと①【聖徒】キリスト教徒。〔Saint の訳語としても用いられる〕

せいど①【西土】〔日本から見て西方にある〕西洋・インドなどの異称。

****せいど①**【制度】組織・団体を運営したり社会の秩序を

維持したりするための決まり。「―が△出来る(設けられる)/―を△つくる(確立する)/入試―を改める/―品[0]〔=価格・信用維持のため、販売価格を指定して小売店に売らせる商品〕・―化[0]」 ―ひろう[4]〔ラウ〕【―疲労】 ある制度が社会変化の中で役割を果たさなくなってくること。「経団連は終身雇用が―を起こしていると明言した」

せいど[1]【精度】〔計算・器械・測定・仕事などの〕精密さの度合。〔具体的には、有効数字の桁数(ケタスウ)で表わされる。誤差が小さいこととは、形式上別の概念〕「器械の―が落ちる/測定の―が一桁向上する/―が要求される仕事/高―計算・倍―変数」

***せいとう**[0]〔タウ〕【正当】―な ―に まさに道理に適(カナ)っている様子だ。「―な理由無しに/―に評価される/―性[0]・―化[0]」 ↕不当 [派]―さ[0] ―ぼうえい[5]〔バウエイ〕【―防衛】 急に不正な暴行を加えられた時に△自分(他人)の生命や権利を守るために、やむをえず相手に害を加える行為。法律上の責任は問われない。

せいとう[0]〔タフ〕【正答】―する(自サ) 正しく答えること。また、その答え。「―率が高い」 ↕誤答

せいとう[0]〔タウ〕【正統】❶いくつかの系統に分かれているものの中で、創始者の直系△の(と認められる)立場にあるもの。「源氏の―に生まれる/南朝の―性を主張する/画壇の―をもって任ずる最大の流派/―を主張し合った挙句、二つの宗派に分裂した」 ❷―な ―に 伝統を受け継ぎ、本来の様式を正しく伝えている様子だ。「―な△作風(芸風)/ウイスキーは味と香りをたのしむため、ストレートで飲むのが―だといわれる/彼は―派の人間だからやり方を変えようとしない」

せいとう[0]〔タウ〕【征討】―する(他サ) 武力で対抗する者を、政府軍が実力で討ち静めること。

せいとう[0]〔タフ〕【青〈鞜〉】〔blue stocking=青色の靴下の訳語〕女流文学者によって発行された月刊誌。女性解放を主張した。 ―は[0]【―派】 ❶十八世紀の中ごろ、ロンドンのサロンに集まり、婦人参政権運動などを唱えた女性たち。ブルーストッキング。 ❷明治時代末、平塚らいてうを中心として、機関誌「青鞜」によった女流文芸家のグループ。女権伸張に功績があった。

***せいとう**[0]〔タウ〕【政党】 共通の政見を実行に移すために政権を取ることを目標として結ばれた政治的団体。 ―せいじ[5]〔ヂ〕【―政治】 政党内閣によって行なわれる政治。 ―ないかく[5]【―内閣】 政党の党首が、与党の党員を擁して作る内閣。

せいとう[0]〔タウ〕【精到】―な ―に 詳しくて、行き届いている様子だ。「―な研究」

せいとう[0]〔タウ〕【精糖】 粗糖の色をとって精製した白砂糖。 ↕粗糖

せいとう[0]〔タウ〕【製糖】 砂糖を作ること。「―業[3]」

せいどう[0]〔ダウ〕【正道】 その場限りのごまかしやいい加減では無く、正々堂々としたやり方。「―を△行く(踏み外す)」 ↕邪道・奇道

せいどう[0]【生動】―する(自サ) 〔描かれたものなどに〕今にも動き出さんばかりの勢いが感じられること。「激しく―する〔=変化を続ける〕社会を活写する/気韻―・―感[3]」

せいどう[0]【制動】―する(他サ) 運動体、特に車輪を急速に止め、また、速力を落とすこと。ブレーキ。「―機[3]」

せいどう[0]【青銅】 銅と錫(スズ)との合金。建築用金物・美術用品などに用いる。からかね。ブロンズ。 ―きじだい[6]【―器時代】〔考古学で〕石器時代と鉄器時代との中間の時代。青銅の器具を使った。

せいどう[0]〔ダウ〕【政道】 政治(のやり方)。「御―[0]」

せいどう[0]〔ダウ〕【聖堂】 ❶孔子を祭った堂。「湯島―」 ❷〔キリスト教で〕教会。

せいどう[0]【精銅】 ❶銅を精錬すること。「―所(ヨジ)[5][0]」 ❷粗銅を精錬して得られる、精度の高い銅。

せいとく[0]【生得】 ある特定の才能などを生まれつきそなえていること。「しょうとく」とも。「―の生まじめさ」

せいとく[0]【盛徳】〔個人に備わった〕りっぱな徳。

せいとく[0]【聖徳】 天子の徳。

せいどく[0]【精読】―する(自サ) 細かい所まで注意してよく読むこと。 ↕乱読

せいとん[0]【整頓】―する(自他サ) 〔「頓」は乱れる意。また「つくろう」意と取れば、「整」と同義〕散らかっている部屋や物などを片づけて、見た目にきれいにすること。また、きれいになること。

せいどん[0]【晴曇】 晴天と曇天。

せいなる[1]、[1]-[1]【聖なる】(連体) 信仰の対象となる神など、それ自身に感じ取られる。「―教え/―火/―泉」

せいなん[0]【西南】 西と南との中間にあたる方角。〔風向などでは、南西〕「にしみなみ[3]、[0]-[0]」とも。ひつじさる。「―戦争」

せいなんせい[0]【西南西】 西と南西との中間の方角。

せいにく[0]【精肉】 十分に吟味した上等の肉。上肉。〔肉屋の用語〕「―店[4][3]」

ぜいにく[0]【〈贅肉〉】(ふとり過ぎて)余分についた脂肪。「―を落とす/―が付く」

せいにゅう[0]【生乳】 しぼったままの牛乳。〔市販の牛乳は、これに多少の加工をしたもの〕

せいねん[0]【生年】 ❶その人の生まれた年。「―月日」 ↕没年 ❷生まれてから、それまで経過した年月。

せいねん[0]【成年】 物の考え方やからだが十分に発達し、一人前の社会人としての能力が備わるものと認められる年齢。〔民法では満二十歳(二〇二二年四月より満十八歳)に達することを指す〕「まだ―に達しない」 ⇩成人 ―こうけんせいど[0]-[5]、[9]〔コウ〕【―後見制度】 認知症の人・知的障害者など、日常生活に必要な判断能力が不十分だと認められる人を法律的に保護する制度。 ―ひこうけんにん[0]-[1]-[0]〔コウ〕【―被後見人】 成年後見制度により保護を受ける人。「禁治産者」の改称。

***せいねん**[0]【青年】 人を年齢によって分けた区分の一つ。普通、二十歳ごろから三十代前半までの人を指す。「―団[3]・万年―[5]〔=いつまでも年をとらないように見える人〕」 ⇩少年・壮年・老年

せいねん[0]【盛年】 気力・体力が充実し疲れを知らない、元気な年ごろ。「―重ねて来(タ)らず」

***せいのう**[0]【性能】〔機械などの〕使用目的に合うように発揮される能力。「高―」

せいのう[0]【精農】 農業に従事することを誇りに思い、農事改良などを進んでする農民。

せいは[1]【制覇】―する(自他サ) 対立する者を武力などでおさえつけて支配者の立場になること。〔競技などで優勝する意にも用いられる。例、「全国―を目ざす」〕

せいは[1]【政派】 ❶政党ではないが、政治目的を追求する党派。 ❷政党の中の党派。

せいはい[0]【成敗】 成功と失敗。また、成功するか失敗するか。「―は時の運」

せいばい[1]【成敗】―する(他サ) 〔もと、裁断の意〕 ❶重い罪を犯した罰として、打ち首にすること。 ❷処罰。「けんか両―」

せいはく[0]【精白】―する(他サ) 穀物をついて、外側を覆う皮や膜のようなものを取り去り、おいしく食べられるように△すること(したもの)。〔狭義では、精米を指す〕「―米[0]」

せいはく⓪【精薄】「精神薄弱」の略。⇩知的障害

せいばく⓪【精麦】━する（他サ）麦をついておいしく食べられるように白く△すること（したもの）。「━機④③」

せいはつ⓪【整髪】━する（自サ）❶男性が理髪店に行って、伸びた髪の毛を刈り整えること。理髪。「━料④（=ⓐ整髪のための化粧品。ⓑ整髪に要する料金）・━剤④⓪」❷△乱れた（洗った）髪の毛を、くしなどできちんと整えること。「━スプレー⑥」

せいばつ①【征伐】━する（他サ）△服従しない（反抗する）者を攻め平らげること。「敵を━する／これから鬼の━に」

せいはん⓪【正犯】一定の犯罪の主たる実行者として刑事上の責任を問われる者。「共同━・単独━」⇩共犯

せいはん⓪ ❶【製版】━する（自サ）活字を組んで、印刷の版面を作ること。また、そのもの。「写真━④」❷【整版】〔活版と違って〕一枚の板に彫った印刷方法。木版。「━本⓪」

せいはんごう①-①-①【正反合】〔弁証法で〕ドイツの哲学者ヘーゲルの弁証法の中心概念。一つの判断（=正）と、これに矛盾する他の判断（=反）とが、一段高い総合的判断（=合）に統合される過程。〔この過程を「止揚（アウフヘーベン）」と言う〕

せいはんたい③【正反対】━な ━に 現在当面するものと全く相容れない傾向が見られる様子だ。「━な性格」

せいひ①【正否】正しいか、正しくないか。「事の━を弁別する」

せいひ①【成否】成功するかしないか。「━を△トする（占う）鍵/━は今後の動きにかかる」

せいび①【精美】━な △すぐれていて（純粋で）美しい△こと（様子）。「━な玉の器」

せいび①【精微】━な 細かい所までよく整っている△こと（様子）。「━△な（を尽くした）定義づけ」

*せいび①【整備】━する（他サ）〈なにヲ━する〉すぐ△使える（行動出来る）ように準備を整えること。「法制の━を図る／━を急ぐ／試合に備えてグラウンドを━する／条件が━される」

ぜいびき⓪【税引㋖】〔勤労所得などで〕源泉徴収による税金分が差し引かれていること。「税びき」とも。⇩税込み

せいひつ⓪【静△謐】━な 事件が無くて、穏やかな△こと（様子）。派━さ⓪

せいひょう⓪-【青票】〔国会などで〕反対投票に使う、青い△木の札（たま・紙）。↔白票❷

せいひょう⓪【製氷】━する（自サ）氷を作ること「━会社⑤・━所⑤⓪・━機③・━皿③」

せいびょう⓪-【性病】性行為を通して伝染する、性器に生じる病気。

せいびょう⓪-【聖△廟】聖人を祭ってある所。聖堂。〔狭義では、孔子・菅原道真の廟を指す〕

せいびょう⓪-【精兵】❶強い弓を引くすぐれた兵士。「せいへい」とも。❷精鋭。

せいひれい③【正比例】━する（自サ）〔数学で〕「比例❶Ⓑ」の強調表現。↔反比例

せいひん⓪【清貧】権力や世俗的な営利栄達を求める気持がなく、貧乏であるが何らやましいところはないんだという信念に支えられて生活すること。「━に甘んじる」

*せいひん⓪【製品】原料や材料を加工して大量に作られた商品。「金属━・半━・━化⓪・外国━」

せいふ①【正負】〔数学で〕Ⓐ正号と負号。Ⓑ正数と負数。

**せいふ①【政府】❶行政を行なう△国家（州）の機関。「時の━/現━・暫定━」❷⇩内閣

せいぶ①【西部】その地域の△うちで西寄りの部分（西に隣る地域）。〔狭義では、アメリカ合衆国の西寄りの地方を指す。例、「━劇③」〕↔東部

せいぶ①【声部】楽曲のハーモニーを構成する声音の各部分。例、合唱のソプラノ・アルト・テノール・バスなど。パート。

せいふう⓪【清風】〔涼しい風の意〕清新な空気。「━を送る」

せいふく⓪【制服】ある集団に属する人が着る物として定められている服装。 ━ぐみ⓪【━組】〔△軍隊（自衛隊）で〕実戦を担当する人びと。↔背広組

せいふく⓪【征服】━する（他サ）❶容易には従おうとしない異民族や他国などを武力で服従させること。「かつてチンギスハンは広大な地域を━した/━者④③」❷困難を克服して、意のままに扱うことが不可能だと思われていたことを実現すること。「人類が月に到達したくらいで宇宙を━したなどと思うのは誤りだ」

せいふく⓪【清福】〔精神的な幸福の意〕〔手紙文などで〕相手の幸福を祝う挨拶の言葉。「ご━をお祈り申し上げます」

せいふく⓪【整復】━する（他サ）骨折・脱臼などを、もとの正しい状態に直すこと。

せいぶつ①【生物】生きて活動する物。いきもの。〔動物・植物・菌類などの総称〕↔無生物 ━しげん⑤【━資源】〔家畜・水産物・木材・石油・ミドリムシなど〕自然資源のうちで生物由来のもの。⇩バイオマス ━たようせい①-⓪-【━多様性】ある生態系において多種多様な動植物が存在していること。 ━へいき⑤【━兵器】病原性を示す微生物を爆弾などによって撒布する兵器。細菌兵器。〔生物毒素兵器禁止条約で国際的に開発・生産・貯蔵が禁止されている〕⇩ビーシー（BC）兵器

せいぶつ①【静物】❶写生画の題材としての、花・果物・器物など。「━画⓪」❷「静物画」の略。⇩人物❸・風景❷

ぜいぶつ⓪【△贅物】むだだとしか思えないような、よけいな物。

せいふん⓪【製粉】━する（他サ）〔小麦粉などの〕粉を作ること。「━所⑤⓪」

せいぶん⓪【正文】国家間で結ばれる条約などの、解釈の基準となる原文。〔必ずしも一か国語とは限らない〕

せいぶん①【成分】その物を構成している個々の△物質（元素）。「有毒な━が含まれているキノコ／文の━（=文を組み立てる各部分。主語・述語・修飾語など）／有効━・主━・造語━」

せいぶん⓪【成文】話合いで決まっている事柄を、箇条書や文章として△書くこと（書いたもの）。「━化⓪」 ━ほう⓪③【━法】文書により公布された法律。

せいぶん⓪【省文】講義の速記などの時、複雑な漢字の字画を一部省いて書くこと。また、その漢字。「離」を「离」、「歴」を「厂」、「魔」を「广」とするなど。省筆。〔いわゆる「抄物書⓪」も、その一種〕

せいへい⓪【政柄】〔「柄」は権力の意〕政治を行なう権力。「━を握る」

せいへい⓪【精兵】⇩せいびょう❶

せいへき⓪【性癖】その人の言動・態度などに表われる、性質上のかたより・くせ。

せいべつ⓪【生別】━する（自サ）生き別れになること。↔死別

せいべつ⓪【性別】男女・雌雄の区別。

ぜいべつ⓪【税別】商品・サービスの価格に消費税などの税金が含まれていないこと。「━価格⑤」↔税込み

せいへん⓪【正編・正△篇】同一の主題のもとに、最初に

編纂された書物。↔続編

せいへん⓪【政変】通常のルールによらない、政権の交替。〔広義では、内閣の更迭をも指す〕「—が起こる」

せいぼ①【生母】生みの母。実母。⇩養母・継母・義母

せいぼ⓪【歳暮】❶「年末」の意の古風な表現。「さいぼ」とも。↔歳旦 ❷⇩おせいぼ

せいぼ①【聖母】キリストの母、マリアの称。「—像③」

せいほう⓪【西方】基準になる地域から見て、西の方(の地域)。「さいほう」とも。↔東方

せいほう⓪【製法】製造する方法。

せいぼう⓪【声望】よい評判と人望。「—家⓪」

せいぼう⓪ ❶【正帽】儀式や公式外出時にかぶる帽子。↔略帽 ❷【制帽】ある集団に属する人がかぶる物として定められている帽子。

ぜいほう⓪【税法】課税・徴収などに関する法律。

せいほうけい⓪③【正方形】四辺の長さがすべて等しく、四つの内角がすべて直角である四角形。ましかく。正四角形。

せいほく⓪【西北】西と北との中間にあたる方角。〔風向などでは、北西〕「にしきた⓪」とも。いぬい。「—隅」

せいぼく⓪【清(穆)】〔「穆」は、おだやかの意〕〔手紙文で〕相手が無事に過ごしていることを喜ぶ挨拶の言葉。「ご—のこととお喜び申し上げます」

せいほくせい⓪【西北西】西と北西との中間の方角。

せいほん⓪【正本】❶原本の内容を完全に記載し、原本と同等の効力を持つ文書。❷転写・副本の原本。「しょうほん」とも。

せいほん⓪【製本】—する(他サ) 印刷した物・紙などをとじかがったりして、書物の形にすること。

せいまい⓪【精米】—する(他サ) おいしく食べられるように玄米をついて白くすること(した米)。「—機③・—所⑤⓪」

***せいみつ**⓪【精密】—な 不正確な点が少しも無いように何かをする様子だ。「—検査⑤〔=不審な点が少しでもあれば、とことんまでその事実や原因を突き止める検査〕・—機械⑤⑥〔=時計・カメラなどのように、細かい部品から成っており、少しの狂いも許されない機械〕・—画⓪」派—さ⓪

せいみょう⓪【精妙】—な 〔器械や物の仕掛けなどが〕細かい所まで、よく出来ている様子だ。

せいむ①【政務】行政上の事務。「—をとる」 **—かん**③【—官】その省の大臣の補佐役として、特定の政策および企画に加わり、その任に当たる職。正称、大臣政務官①-③,⑦。〔二〇〇一年 政務次官に代えて設置〕 **—じかん**④【—次官】⇩次官

ぜいむ①【税務】税の取立てに関する事務。 **—しょ**③④⓪【—署】国税局の地方出先機関。

****せいめい**①【生命】❶生物の活動を支える、根源の力。いのち。「人間の—は貴い/…に—を吹き込む/たくましい—力/—を奪う/—が失われる/政治—」❷物の存立・価値を支えるための、一番大切なもの。「商人の—は誠実さにある」 **—かん**③【—感】(若く)みずみずしい生命の、充実した力や、溌剌とした雰囲気がそこにみなぎっている感じ。「—にあふれた詩」 **—せん**⓪【—線】❶そのものの存立のためには絶対におかされてはならない限界点。❷掌の筋の中で、生命の長さに関係があるといわれる筋。 **—たい**⓪【—体】生物に固有の活動を営む機能を備えた、個々の動物・植物・菌類など。 **—ほけん**⑤【—保険】契約者が決められた金額を一定期間継続的に払い込み、被保険者がその期間内に死亡または一定の年齢に達した時に一定の金額を支払う約束の保険。 **—りょく**③【—力】生物の、苦しみや困難に耐え、生き続けようとする力。「—にあふれる(満ちる)/雑草の—」

せいめい⓪【声名】世間やその社会から受けるよい評判。「—頓に上がる/…の—を集める」

せいめい⓪【声明】—する(自他サ) ❶自分の立場・考えをはっきりと人びとに知らせること。❷政治・外交上の問題についての、意見の発表。「—を出す(採択する)/共同—・—書⑤⓪」

せいめい①【姓名】家を表わす名字と、個人を表わす名。氏名。 **—はんだん**⑤【—判断】姓名を表わす漢字(かな)の音や字画の組合せなどによってその人の運勢を占うこと。

せいめい⓪【清明】二十四(節)気の一つ。太陽暦四月五日ごろ。清新明暢の気が充満する時分の意。

せいめい⓪【盛名】そのものに関して、りっぱであるという評判。「—を馳せる」

せいめん⓪【生面】❶⓪③〔新しい面目の意〕今までに見られなかった、新しい境地(やり方)。「新—」❷⓪「初対面」の意の古風な表現。「—の人」

せいめん⓪【製麺】うどん・そばなどの麺類を製造すること。「—所⑤⓪」

せいもく⓪【井目】碁盤の線の上にしるした九個の黒点〔に一つずつ石を置くこと〕。表記「聖目・星目・制目」とも書く。

ぜいもく⓪【税目】税金の種目。所得税・法人税など。

せいもん⓪【正門】〔通用門と違って〕正面の門。表門。

せいもん⓪【声門】声帯の間にある、息の通る狭いすきま。普通に息をする時は開いて三角形に見え、声を出す時に狭くなる。「—閉鎖音⑦」

せいもん⓪【声紋】声の周波数を機械に掛けて分析した結果得られる、縞のような模様。指紋のように、個人によって異なる。「犯人と—が一致した」

せいもん⓪【誓文】誓いの文(書)。 **—ばらい**⑤【—払(い)】陰暦十月二十日えびす講の日に、関西で行なわれた呉服屋などの安売り。〔もと、客商売の者が結果としては客をだますようにして利を得て来た日ごろの罪をはらうための行事に基づく〕

せいや①【征野】「戦場」の意の古風な表現。

せいや①【星夜】星の光の明らかな夜。星月夜。

せいや① ❶【清夜】涼しくさわやかな夜。❷【晴夜】空のよく晴れ渡った夜。

せいや①【聖夜】クリスマスの前夜。クリスマス イブ。

せいや①【静夜】静かな夜。

せいやく⓪【成約】—する(自サ) 契約が成り立つこと。

せいやく⓪【制約】❶無秩序・恣意的活動の幅を規制する条件や、成立・行動の自由を制限する枠。「貿易の自由化と言っても種々の—が課せられている/—からしばらく解放される/自由な販売活動が法的な—を受ける」❷—する(他サ) 自由な運営や活発な運動を妨げること。「自衛隊の海外での活動に関しては、取材や報道が—される恐れがあるとしている/新しい時代の主役は、年齢に—されることなく人生をエンジョイする人たちだ」

せいやく⓪【製薬】薬剤を作ること。また、その薬剤。「—会社⑤」

せいやく⓪【誓約】—する(他サ) 固く約束すること。また、その約束。「—が交わされる/—書⑤⓪」

せいゆ⓪①【声喩】声・鳴き声・音をそのまま言葉にしてまねること(まねたもの)。オノマトペ。例、「かあかあ・どしん」など。

せいゆ⓪【聖油】〔カトリック教会で〕洗礼後などに使われる、かおりのよい塗り油。

せいゆ⓪【精油】❶植物からとれる、油状の香料。香水の原料。❷—する(自サ) 石油を精製すること。また、その石油。

せいゆ⓪【製油】—する(自サ) △原油から石油(動植物から食用油など)を作ること。

せいゆう⓪イウ【西遊】—する(自サ) △西方(西洋)へ旅行すること。「さいゆう」とも。

せいゆう⓪イウ【声優】外国映画の吹替え・放送劇やアニメのアテレコなどに 声だけで出演する俳優。

せいゆう⓪イウ【清遊】—する(自サ) 俗事から解放されて風雅な遊びを楽しむこと。また、その遊び。〔手紙文などで「(立場の上の人の)楽しみや旅行」の意の尊敬語として用いられる〕

せいよ①【声誉】「声望と名誉」の意の古風な表現。

せいよう①ヤウ【西洋】〔先進国としての〕欧米諸国。「—画⓪・—料理⑤・—思想⑤」↕東洋 **—し**③【—紙】⇩洋紙 **—しき**⓪【—式】物のやり方・様式が西洋のそれと全く同じである様子。 **—ふう**⓪【—風】物の考え方・やり方や様式が西洋のそれを受け継いでいる様子。

せいよう⓪ヤウ【静養】—する(自サ) 心身を静かにして療養すること。

せいよう⓪【整容】姿を整えること。

せいよく⓪【制欲・制〈慾〉】—する(自サ) 欲情を抑えること。

せいよく⓪①【性欲・性〈慾〉】特定の相手を求める肉体的欲望。肉欲。

せいらい①【生来】❶「うまれつき」の意の漢語的表現。「—のものぐさ」❷(副) 生まれた時からずっとそうである様子。「—人の情ジョウを知らず」 表記 ❶は、「性来」とも書く。

せいらん⓪ ❶【青《嵐》】「あおあらし」の意の漢語的表現。❷【晴《嵐》】夏の晴れた日、山に立つ霞カスミのようなもの。

せいらん⓪【清覧】〔手紙文などで〕自分の作品などを「(立場の上の人が)見る」意の尊敬語。「ご—を請う」

せいり①【生理】❶生きていることに伴うからだの働き。「—現象④(=あくびなど、自然に起こる反射的な現象)」❷月経。「—休暇④・—用品④」 **—がく**③【—学】生物、特に人の生活機能・生活現象を研究する学問。 **—しょくえんすい**⓪-③【—食塩水】体液、特に血液と浸透圧が等しくなるように作った食塩水。 **—てき**⓪【—的】—に —な からだの△機能(構造)に関係がある様子だ。〔理屈でそうするのでなく、本能的にそうなる意にも用いられる。例、「—嫌悪」〕⇩心理的

せいり①【整理】—する(他サ) 〈なにヲ(なにニ)—する〉❶乱雑な状態にあるものに秩序を与えて、すぐ利用出来るようにしたり事がうまく進むようにしたりすること。「問題(点)を—する/—魔③—券③・身辺—・交通—・未—②」❷不必要な要素を省いたり 統廃合を行なったりして新秩序を作り、仕事の能率化を図ること。「行政—・区画—・人員—」 **—や**⓪【—屋】❶多重債務者に複数の債務を一つにしてやると持ちかけ、実際の仕事に見合わない手数料をだまし取る悪徳業者。❷倒産した会社に乗り込んで、債権回収をして手数料を取る業者。

ぜいり①【税吏】「国税庁・税務署などで、税務事務にかかわる公務員」の意の古風な表現。

ぜいりし③【税理士】一定の資格を持ち、納税事務の代行・税務相談などを行なうことを業とする人。

****せいりつ**⓪【成立】—する(自サ) 論理的・形式的に必要な条件が満たされて、その存在が認められること。「△和解(合意・時効・交渉)が—する/予算案が—する(=承認される)/会議が—する(=公的に開かれる状態になる)」

ぜいりつ⓪【税率】税金を割り当てる割合。「—を引き上げる/累進—⑤」

せいりゃく⓪【政略】△政治上の(政権を取るための)策略。〔広義では、単にかけひきの意にも用いられる〕「—結婚⑤」

せいりゃく⓪【省略】—する(他サ) しょうりゃく。

せいりゅう⓪【青竜】⇩せいりょう **—とう**⓪タウ【—刀】昔、中国人が使った、薙刀ナギナタのような形の刀。柄ツカに青い竜の飾りがある。かぞえ方 一口ヒトフリ・一口イッコウ・一本

せいりゅう⓪リウ【清流】川などの清い流れ。↕濁流 かぞえ方 一本

せいりゅう⓪リウ【整流】—する(他サ) 電気の交流を直流に変える作用。「—器③」

せいりょう⓪リヤウ【声量】その人が△出す(出せる)声の大きさ・強さの度合。「—が豊かだ」

せいりょう⓪【青《竜》】〔古代中国の考えで〕四神の一つ。青い竜に見立てられ、東方の守護神。「せいりゅう」とも。

せいりょう⓪リヤウ【凄涼】—たる —と 恐怖を感じるほど寂しい様子。「—とした暗夜の海原」

せいりょう⓪リヤウ【清涼】—な 涼しくて、気持がいい様子だ。 **—いんりょう**⑤レウ【—飲料】炭酸ガスを含み、さっぱりした感じのする飲み物。〔法的にはアルコールを(一パーセント以下しか)含まない飲料の総称〕「—水⑦」 **—ざい**③⓪【—剤】さっぱりした気持になるために飲む薬。〔俗悪の社会に住む人びとの気持をすがすがしくさせるものの意にも用いられる。例、「この話は一服の—になった」〕

せいりょう⓪リヤウ【精良】—な すぐれて良い様子だ。

****せいりょく**①【勢力】他を抑え、自分の思う通りに行動させる力。「—が強まる/—を△伸ばす(増す・そがれる)/大きな—を振るう/—の扶植を図る/—下に置く/—圏④③・—範囲・—家⓪・反対—」

せいりょく①【精力】仕事を次つぎと為ナし遂げてゆき、疲れを知らない活(動)力。「—を△傾ける(集中する・注ぐ)/—的に仕事をこなす/—家⓪」 **—げんたい**①-⓪【—減退】性的な能力が衰えること。 **—ぜつりん**①-⓪【—絶倫】—な 精力がなみはずれて強いこと。

せいるい⓪【声涙】声と涙。「—ともにくだる(=強く感激した結果、涙ながらに話す)」

せいれい⓪【政令】〔憲法・法律の規定を実施するために内閣が出す命令。「—指定都市(=⇩指定都市)」

せいれい⓪【聖霊】〔キリスト教で〕神の超自然的な力を人格化したもの。〔洗礼を受けた人に宿るものとされる〕 **—こうりんさい**⑦カウー【—降臨祭】キリストの復活後五十日目(=第七日曜日)に、聖霊が降臨したことを記念する祝日。

せいれい⓪【精励】—する(自サ) 一生懸命仕事や学業に励むこと。「刻苦—」

せいれい⓪【精霊】❶死者の霊魂。❷山川・草木など種々の物に宿ると考えられる神霊。精。「—崇拝⑤(=⇩アニミズム)」

せいれき⓪【西暦】キリストの誕生の年〔実際は生後四年目とされる〕を紀元とする、西洋の暦。西紀。

せいれつ⓪【凄烈】—に —な すさまじくて激しい様子だ。「—な戦闘」 派 **—さ**⓪

せいれつ⓪【清〈冽〉・清〈洌〉】—な △流れる(わき出る)水がきれいで、冷たい様子だ。 派 **—さ**⓪

せいれつ⓪【整列】—する(自他サ) きちんと順序正しく△並ぶ(並べる)こと。

せいれん⓪【清廉】—な 心が清くて私欲が無い△こと(様子)。〔役人などが賄賂ワイロなどによって動かされない時などに

言う語〕「—の士/—潔白⓪-⓪」派—さ⓪

せいれん⓪【精練】—する(他サ) ❶動植物の繊維から交じり物を取り除き、次第に純度を高めること。「—工場⑤」❷兵隊をよく訓練して、次第に実戦に出られるように鍛えること。

せいれん⓪【精錬・精〈煉】—する(他サ) 鉱石などから交じり物を取り除き、次第に純度を高めること。「—所ヨジ⑤⓪」

せいれん⓪【製錬】—する(他サ) 鉱石から目的とする金属を取り出して、利用価値のあるものにすること。また、その工程。「—所ヨジ⑤⓪」

せいろう⓪オ【青楼】「遊女屋」の意の古風な表現。「—に身を売る」

せいろう⓪ラウ【晴朗】—な 〔春や秋の〕空が一面に澄み渡り、雲・風などが無い様子だ。〔広義では、楽天的で曇りの無い性格や生活態度を指す〕「天気—」派—さ⓪

せいろう⓪オ【《蒸籠】 かまの上に載せて、赤飯などを蒸す器具。木製・円形の枠の底にすのこをしいたもの。「せいろ⓪」とも。

ぜいろく⓪④【〈贅六】〔「才六」の変化という〕抜け目が無いということで、江戸っ子が上方カミガタの者をあざけって言う言葉。表記「《才六」とも書く。

せいろん⓪【正論】 筋道の通った、正しい△議論(主張)。〔多くは、実際には採用されたり 行なわれたり することが無い〕「—を吐く」

せいろん⓪【政論】 時の政治に関する議論。

ゼウス①〔Zeus〕 ギリシャ神話の最高の神。ローマ神話のユピテル〔=ジュピター (Jupiter)〕に相当する。

セージ①⓪〔sage〕 サルビア(の葉)。西洋料理の香辛料。

***セーター**①〔sweater〕 上半身に着る、毛糸を編んで作った、保温性の高いシャツ状の着衣。多く頭からかぶって着るものを指す。スエーターとも。かぞえ方 一枚・一点・一本

せえの①(感) 力を合わせて重い物を動かす時などにかける掛け声。

セーフ①〔safe=安全な〕↔アウト ❶〔野球で〕走者が塁に生きること。「△悠々(辛うじて)—/滑込み—〔=やっと間に合う意にも用いられる〕」❷〔テニスなどで〕ボールが、決められた線内に入ること。

セーブ①—する(自他サ)〔save〕 ❶浪費を極力抑えて力をたくわえること。「レースの前半ではスピードを—して後半にそなえる」❷〔野球で〕勝っているチームの救援投手がリードを守りきること。「—ポイント」❸〔コンピューターのプログラムなどで〕入力されているデータを記憶媒体に保存すること。

セーフガード④〔safeguard〕 ＷＴＯ〔=世界貿易機関〕協定に基づく緊急輸入制限。特定品目の輸入が急増して国内生産者に重大な損害を与えるおそれのある場合、その品目の輸入を一時的に制限する措置。

セーフティー①—な—に〔safety〕 安全(だ)。「—にいく/—ゾーン⑥」**—ネット**⑥〔safety net〕 ❶〔サーカスなどの〕安全ネット。❷安全策。特に、経済の一部での破綻ハタンが社会経済全体に波及するのを防ぐ安全対策など。**—バント**⑥〔safety bunt〕〔野球で〕打者自身が一塁に生きるためにするバント。**—ビンディング**⑥〔safety binding の文字読み〕〔スキーで〕無理な力が加わると、すぐはずれる仕掛けの締具グシメ。略してセーフティー。

セーブル①〔sable〕 黒テン(の毛皮)。

セームがわ③⓪ガハ【セーム革】〔ド Sämischleder に基づくか〕 △ヤギ(カモシカ)のなめし革。

セーラー①〔sailor〕 ❶海員。〔狭義では、水兵を指す〕❷〔↑セーラー服③〕水兵服に似た、女学生などの通学服。かぞえ方 ❷は一着

セール①〔sale〕 売出し。「クリスマス—⑥・バーゲン—」

セールス①〔sales〕 販売。「—プロモーション⑦〔=販売促進〕・—ポイント⑤〔=販売上の、うたい文句〕」**—マン**④〔salesman〕 外交(販売)員。

せおいなげ⓪オヒ【背負(い)投(げ)】〔柔道で〕相手の襟とそでを取り、そのからだを自分の背に乗せて投げるわざ。「—を食らう〔=思わぬひどい目にあう〕/—を食らわす」

***せお・う**②オフ【背負う】(他五)〈(どこ)ニ なにヲ—〉 ❶〔運ぶべき荷物などを〕背中に乗せる。「母を背負って病院へ向かう」❷苦しい仕事や条件を引き受けて、責任を持つ。「一身に—/△借金(責任の一半・課題)を—」

せおよぎ②【背泳(ぎ)】 ⇩はいえい(背泳)

セオリー①〔theory〕 ❶理論。学説。〔広義では、仮説をも指す〕❷自分の見解や確立した方法。「恋愛に—はない/—通りに進める」

****せかい**①【世界】〔「世」は三世サンゼにわたる意。「界」はすべての地域にまたがる意〕 ❶人間が住んでいたり行ってみたりすることが出来る、すべての所。〔狭義では、地球上に存在するすべての国家・住民社会の全体を指す〕「—一チイ②、①-②・—記録④・—保健機関・第三—〔=⇩第三世界〕」❷そのものとその同類で形作っている、なんらかの秩序があると考えられる集まり。「若者の—〔=仲間〕/魚の—/学問の—〔=学問の領域内〕/広い—〔=世間〕を狭くする/自分の—〔=視野〕でしか物を考えない」**—いさん**④キ【—遺産】 ユネスコで採択した条約に基づき、人類共有の財産として保護すべきものとしてリストに登録された文化遺産と自然遺産。**—かん**②クワン【—観】 世界とはこういうものだ、その中で人はこう生きるものだという、世界・人生に対する見方。**—きおくいさん**⑦、①-④キ【—記憶遺産】 ユネスコが世界的に重要なものとして登録し、保存や公開を促進する歴史的な史料。「世界の記憶」とも。**—ぎんこう**④カウ【—銀行】 戦災国の復興や発展途上国の開発のために、世界の国ぐにが出資している、国際的な金融機関。本部、アメリカのワシントン。国際復興開発銀行⑬。略して「世銀」。**—ぞう**②ザウ【—像】 その人の世界観の反映としての、世界の姿。**—たいせん**④【—大戦】 第一次世界大戦および第二次世界大戦の称。**—てき**⓪【—的】—な—に 規模や、比較の対象が世界全般にわたって考えられる様子だ。「—な〔=世界で第一流の〕音楽家/—に知られた」**—ぼうえききかん**①-⑤クワン【—貿易機関】 ガットの後を受けて発足した国際連合の関連機関。略称、ダブリューティーオー(ＷＴＯ)。**—れんぽう**④パウ【—連邦】 民族的対立や戦争の悲惨を無くす目的で提唱された国境撤廃運動。世界国家④。世界政府④。

せがき⓪①【施餓鬼】〔仏教で〕餓鬼道ガキドウに堕オちた死者や無縁の死者のためにする供養。

せか・す②【《急かす】(他五)〔人を〕いそがせる。急かせる③(下一)。「車を—〔=速く走らせるように運転手に頼む〕」

せかせか①(副)—と—する 何をあせっているかと思わせるほど、落ち着かない言動をする様子。「—話す/—と歩きまわる/そう—されるとこちらまで落ち着かない」

せかっこう②カクカウ【背格好】・カウ【背〈恰好】 ⇩せいかっこう

ぜがひでも①-①、④【是が非でも】(副)「ぜひ❷」の強調表現。

せが・む②(他五) 無理に頼む。ねだる。

せがれ⓪【〈倅】 ❶自分のむすこの謙称。❷他人のむすこや、少年を軽い親しみを込めて言う語。❸「陰茎」の卑俗な異称。表記「〈忰・〈倅・〈伜」とも書く。

せがわ⓪ゲ【背革】 洋とじの書物の背中にはる革。「—装

③⓪」 表記「背皮」とも書く。

セカント①②〔secant〕〔「切る」意のラテン語から〕〔直角三角形で〕コサインの△逆数(逆比)。正割。〔記号 sec〕

セカンド ㊀(造語)〔second〕二番目(の)。「—バッグ」 ㊁⓪〔second〕❶〔ボクシング・決闘などの〕介添人。セコンドとも。❷〔自動車の変速装置で〕第二速。㊂⓪①〔野球で〕❶〔←second base〕二塁。❷〔←second baseman〕二塁手。 **—オピニオン**⑥〔second opinion〕第二の意見。特に、診断や治療法について、主治医以外の医師の意見(を聞くこと)。 **—ハウス**⑤〔second house〕週末休息用の小住宅。別荘。 **—バッグ**⑤〔和製英語 ←second + bag〕補助的に使う小さな かばん。提げ手がなく、直接手で抱えて持つ。 **—ハンド**⑤〔secondhand〕古物。中古(品)。略してセコハン。 **—ラン**⑤〔second-run〕〔映画で〕二番館(の興行)。↕ファーストラン

せき〔〈勺・夕・斥・石・赤・昔・析・席・脊・隻・寂・惜・戚・責・跡・〈碩・積・績・籍〕↓【字音語の造語成分】

せき①〔東北・関東方言〕余地。「考える—は無い」

****せき**①【席】〔ワラを編んで作った物を「薦(セン)」と言うのに対して、ガマなどで作った敷物の意〕❶くつろいで休む時の寝具や座具。「—をしく/枕(チン)—」❷すわる場所。〔座席をかぞえる時にも用いられる〕「—の定まるのを待って/—を△はずす〔立つ・離れる〕/—を蹴(ケ)って立つ〔=怒ってその場を立ち去る〕/—を改める〔=話合いの場所などを変える〕/—次・—順・上—・末—・出—・欠—・指定—・枡(マス)—」❸多くの人が集まって何かをする場所。「宴会の—へ出る/一—設ける/公開の—〔=場所〕で/この—〔=ここ〕では言えない/宴—・酒—」⇩【造語成分】【—の暖まる《暇(いとま)》が無い】忙しくて、ろくに席についていられないことのたとえ。

せき①【積】〔数学で〕二つ(以上)の△数(式)を掛けて得られる△数(式)の、元の二つ(以上)の△数(式)に対する称。「二と三の—は六である/相乗—・連乗—」↕商 ⇩【造語成分】

***せき**①【籍】❶戸籍。「—を入れる/本—・離—・復—」❷〔人や物などの〕正式に△承認(登録)された所在。「…に—を置く/地—・軍—・僧—・船—」⇩【造語成分】

せき②【〈咳】〔「堰(セキ)・関」と同源〕風邪を引きかけたり むせたりした時などに、肺の中の空気が急に強く吐き出される現象。「—が出る/—をする」

せき①【〈堰】水流を△せき止める(調節する)ために、川や水路の中に設けられたしきり。「—を切ったように〔=ⓐ多くの人間が一度になだれこむ形容。ⓑそれまで たまりにたまっていたものが、抑えが取れたため、一時に強い勢いで外にあふれ出る形容〕」 表記「〈坊・〈汐」とも書く。

せき①【関】〔「しきり・へだて」の意〕❶関所。「箱根の—/人目の—〔=恋を妨げる人目〕」❷関取。「谷風—(ゼキ)」

せきあえず④③(セキアヘ—)【《塞(き)《敢(え)ず】どうしても△せきとめる(がまんする)ことが出来ない。「涙—〔=涙が次から次へとこぼれて来る〕」

せきあく⓪【積悪】それまでに何回も行なって来た悪事。↕積善

せきあ・げる④⓪【〈咳(き)上げる】(自下一) ❶しきりにせきをして、止めることが出来ない状態になる。❷「しゃくりあげる」意の改まった表現。

せきあ・げる④⓪【《塞(き)上げる】(他下一) 流れをせき止めて、水かさを増す。表記「〈堰き上げる」とも書く。

せきいり⓪【席入(り)】茶会の席に入る△こと(時の作法)。

せきい・る③⓪【〈咳(き)入る】(自五) せきこむ。

せきいん⓪【石印】❶石に彫った印。❷「石版印刷」の略称。「—本(ボン)⓪」

せきうん⓪【積雲】晴れた夏の午後など、五百〜二千メートルの上空に現われる雲。底は平らで、上は丸い塊状。綿雲(ワタグモ)。⇩雲級

せきえい②⓪【石英】〔石の花の意〕(酸性火成岩の)花崗岩(カコウガン)・「流紋岩③」のほか、変成岩・堆積岩(タイセキガン)に含まれる鉱物で、多く六角柱の結晶を成し、先は六角錐(スイ)状。成分は「二酸化珪素(ケイソ)⑤」で、ガラスのような つやがある。

せき

【〈勺】〔正音はシャク、セキは俗音〕一合の十分の一。「一勺〔=わずかばかりの分量〕」

【夕】ゆうがた。「夕日・夕陽・朝夕・旦(タン)夕・一朝一夕」

【斥】❶しりぞける。おしのける。「排斥・擯(ヒン)斥」❷のみ。「斥候(セッコウ)」

【石】㊀❶いし。「石材・石造・石灰(セッカイ)岩・鉱石・金石・化石・人造石・玉石混淆(コ)」❷⇩いっせき〔一石〕 ㊁(略) 石見(イワミ)国。「石州」

【赤】❶あかい(色)。〔狭義では、共産思想を指す。例、「赤軍・赤化(セッカ)」〕「赤飯・赤面・引赤〔=皮膚が何かの刺激を受けて、赤くなること〕」❷純粋の。「赤心・赤誠」❸からだのほかに何物も無い。「赤手・赤貧・赤裸々」

【昔】過ぎ去った年月・日時。むかし。「昔時・昔日・昔年・往昔・古昔」

【析】〔もと、木を割る・引き裂く意〕各部分に分ける。「析出・分析・解析」

【席】よせ。「席亭・上(カミ)席・演芸昼席・一席・定席」⇩(本文)せき【席】

【脊】せぼね。「脊索・脊柱・脊椎(ツイ)・脊髄」

【隻】❶ただ一つ。「隻影」❷対(ツイ)となる相手を失った、片一方。「隻手・隻腕・隻脚(セッキャク)・隻眼」❸艦船をかぞえる語。❹昔、魚鳥をかぞえた語。しゃく。

【寂】静まりかえっている。「寂然」⇩じゃく

【惜】残念に思う。おしむ。「惜春・惜別・惜敗・愛惜・痛惜」

【戚】❶したしむ。身内。「外戚・親戚・姻戚」❷心配(してかなしむ)。「休戚」

【責】❶せめる。「叱(シッ)責・譴(ケン)責・問責・自責」❷その位置にある者としての義務。「責任・責務・重責・職責」

【跡】❶人の歩いたあと。「軌跡・足跡・人跡・追跡」❷物事の行なわれたあと。「遺跡・旧跡・形跡・古跡・筆跡・行跡・事跡」表記❷は、「〈蹟・〈迹」とも書く。

【〈碩】大きい。すぐれている。「碩学・碩才」

【積】❶一か所に集めて、高く重ねる。高く重なる。「積雪・積悪・山積・累積・蓄積」❷前まえからつもりつもった。「積年・積弊・積怨(エン)」❸〔広さの意〕平面の広さや立体の大きさ。「面積・地積・体積・容積」⇩(本文)せき【積】

【績】❶糸をつむぐ。「紡績」❷物事を仕上げた結果。「成績・事績・治績・功績・業績」

【籍】書物。「漢籍・経籍・史籍・書籍・典籍」⇩(本文)せき【籍】

結晶・色などにより瑪瑙(メノウ)・水晶・ひうち石などと言う。陶器・ガラスの原料。「—ガラス[5]」

せきえい[0]【隻影】 ただ一つの、ものの姿。片影。「—無し/—を認めず〔=そのあたりに何一つ見えない〕」

せきえいぐん[3]【赤衛軍】 ソビエト革命政府が設けた軍隊。⇩赤軍

せきエチケット[3]【〈咳エチケット】 唾液の飛沫(ヒマツ)による感染を防ぐため、咳やくしゃみの際に、マスク・ハンカチ・ティッシュ・袖などで口・鼻をおおうこと。

せきえん[0]【積怨】 「積もる恨み」の意の漢語的表現。

せきが[0]【席画】 集会の席上で、注文に応じて絵をかくこと。また、そのかかれた絵。

せきがいせん[0]【赤外線】 スペクトルの赤色線の外部にある、目には見えない輻射(フクシャ)線。大気を通す力・熱作用が大きく、医療・乾燥・写真などに用いられる。「—写真」

せきがき[0]【席書き】 集会の席上で、注文に応じて書画を書くこと。また、その書かれたもの。

せきがく[0]【〈碩学】 その道の権威と仰がれる大学者。

せきがし[0]【席貸し】—する(自他サ) 一定の時間を限り、料金を取って席を貸すこと。貸席。

せきかっしょく[3]【赤褐色】 赤みを帯びた褐色。〔口語では「せっかっしょく」〕

せきがはら[3]【関が原・関ヶ原】 〔関が原の戦いが、天下の運命を決するきっかけとなったことから〕勝敗や運命の定まる△戦い(場合)。

せきがん[0]【隻眼】 ㊀「片目」の意の漢語的表現。↕双眼 ㊁〔一つの見方の意〕⇩一(イッ)隻眼㊁

せきぐん[0]【赤軍】 旧ソビエト ロシアの正規軍。

せきご[0][1]【隻語】 ごくわずかの言葉。「片言(ヘンゲン)—[5]」

せきこ・む[3][0]【〈咳き込む】(自五) せきが続けざまにひどく出る。せきいる。

せきこ・む[3][0]【《急き込む】(自五) 興奮して早口になる。「急き込んで話す」

せきさい[0]【積載】—する(他サ) 〔船・車などに〕荷物を積むこと。「—量[3]」

せきざい[0][2]【石材】 土木・建築・彫刻や墓石の材料にする石。「—店[3]」

せきさく[0]【脊索】 動物の脊柱(セキチュウ)の基礎を形作る、軟骨のようなひも状のもの。「—動物[5]」

せきさん[0]【積算】—する(他サ) ㊀累計(すること)。㊁予算額などを見積もること。「—の基礎/—法[0]」

せきし[1]【赤子】 「あかご」の漢語的表現。「—の母を慕うごとし〔=ⓐあかごが母の乳房を求めるように、その欲するところがごく自然だ。ⓑ人民が君主を、父母に対するように敬慕する形容〕」

せきじ[1]【昔時】 「その時点から見て むかし」の意の古風な表現。「今となっては—を偲(シノ)ぶよすがも無い」

せきじ[0]【席次】 ㊀座席の順序。㊁成績の順位。

せきじ[0][2]【関路】 関所に通じる道路。

せきしつ[0]【石室】 古墳の内部の、棺や副葬品を納めるための周囲を石で囲んで造った部屋。

せきしつ[0]【石質】 〔材料として見た時の〕石の性質や品質。

せきしつ[0]【《雪質】 〔スキーなどに適するかどうかという観点から見た〕積もった雪の性質。「ゆきしつ」とも。「—が不良だ」〔「雪」を「せき」とよむのは、「せきだ」と同様の事情か〕

せきじつ[0]【昔日】 「(遠い記憶となった)むかし」の意の古風な表現。「—のおもかげ無し」

せきしゅ[1]【赤手】 「素手(スデ)」の意の漢語的表現。手に何も持たないこと。徒手。「—空拳(クウケン)〔=だれの助けもなく、全く独力であること〕」

せきしゅ[1]【隻手】 「かたて」の意の漢語的表現。↕双手

せきしゅう[1]【石州】 「石見(イワミ)国」の漢語的表現。今の島根県西部にあたる。「—瓦(ガワラ)[5]・—半紙[5]」

せきじゅうじ[3]【赤十字】 ㊀白地に赤い十字形を表わした、赤十字社の記章。㊁〔←赤十字社[5]〕博愛の精神に基づき、有事には傷病兵や災害者の救護、平時には一般の治療・予防を行なうほか、国交の無い二国間の交渉の斡旋(アッセン)などの事業をする、世界的組織の団体。

せきしゅつ[0]【析出】—する(自他サ) ㊀液体・気体から、ある物質が結晶の形になって分かれ出て来ること。㊁統計的な資料などを分析して、全般的な傾向などを知ること。「成長のパターンを—する」

せきしゅん[0]【惜春】 ゆく春を惜しむこと。「—賦[3]」

せきじゅん[0]【石〈筍】 鍾乳洞(ショウニュウドウ)の床に石灰分を含んだ水がしたたり落ちて、たけのこ状に積もったもの。かぞえ方 一本

せきじゅん[0]【席順】 会議・宴席などで、だれの次にだれがすわるかという順序。

せきしょ[3]【関所】 ㊀昔、おもな道路・国境に設けて、そこを通ろうとする旅人に不審な点はないかなどについて調べた場所。略して「せき」。「箱根の—/—手形[4]・—破り[4]」㊁困難ではあるが次の段階に進むために通らなければならないところ。「演技力審査の—を突破してオーディションに合格する」かぞえ方 一関(イッカン)

せきじょう[0]【席上】 その集会の場(で)。「記者会見の—で説明をする」

せきしょく[0]【赤色】 ㊀あか(いろ)。㊁共産主義。「—革命[5]」 —インターナショナル[9] 第三インターナショナルの別称。 —テロ[5] 共産主義者が行なう暴力行為。

せきしん[0]【赤心】 相手を心から信用して、全く疑うこともなく裏切ることもない純粋な気持。「—を推して人の腹中に置く」

せきずい[2][0]【脊髄】 脳とからだの各部を連絡し、刺激伝達や知覚・反射運動を受け持つ器官。背骨の中を通って延髄に続く、灰白色の繊維状のもの。「—炎[3]」

せきせい[0]【赤誠】 利害打算の気持を交えることが無く、ただ一途(イチズ)に敬愛する人のために尽くす、純粋な心。

せきせいいんこ[5]【背黄青〈鸚哥〉】 愛玩(アイガン)用の、小形のインコ。頭・背中は黄色、胸・腹は緑色、尾は藍(アイ)色で、両ほおに青色の斑点(ハンテン)がある。〔インコ科〕かぞえ方 一羽

せきせつ[0]【積雪】 降り積もった雪。「—量[4]」

せきぜん[0]【寂然】—たる —と 寂しい感じをどうしても否定出来ない様子だ。「じゃくねん」とも。「—として人煙を離れた山道」

せきぜん[0]【積善】 それまでに何度も行なって来た善行。「—の家には必ず余慶あり〔=善行を積めば子孫まで幸福が及ぶ〕」↕積悪

せきそう[0]【積層】—する(他サ) 性質の違う板(の形のもの)を積み重ねること。「—合板[5]」

せきぞう[0]【石造】 石材で△作ること(作ったもの)。

せきぞく[0]【石〈鏃】 石で作ったやじり。石器時代に使われたもの。

せきだ[0] 「雪駄(セッタ)」に同じ。〔「せった(雪駄)」を「せきた」の変化と誤った推測をし、かつ「駄」を文字読みしたことによって生じた語〕 表記 「席駄」は、借字。

せきだい[0][2]【席代】 席料。

せきだい[0]【席題】 〔和歌や俳句で〕会の当日、その場で題を出すこと。また、その題。↕兼題(ケンダイ)

せきた・てる[4]【《急き立てる】(他下一) 物事を早くす

るように△命令(要求)する「急き立てられる思い」

***せきたん**③【石炭】 黒い石に似た燃料。太古の植物が地下にうずもれ、地熱と圧力のために次第に分解して炭化したもの。「—がら⓪〔=石炭のたきがら〕」 かぞえ方 売買単位は一叺(ヒトカマス) **—ガス**⑤ 石炭を空気に触れさせずに熱した時に出来る、有毒のガス。燃料・灯火用。 **—さん**⓪【—酸】 防腐・消毒に使う、△無色(白色)の結晶体。特有の臭気があり、針状。コールタールから作り、染料・ベークライトを合成する原料としても重要。フェノール。

せきちく⓪【石竹】 庭に植える多年草。夏の初めナデシコに似て赤・うす紅・白などの花をつける。中国原産。〔ナデシコ科〕 かぞえ方 一本 **—いろ**⓪【—色】 石竹の花のような、薄い紅色。ピンク。

せきちゅう⓪【石柱】 ❶石造りの柱。 ❷鍾乳石(ショウニュウセキ)と石筍(セキジュン)とが連なって出来た石灰の柱。

せきちゅう⓪【脊柱】 高等動物のからだの中軸を成す骨格。三十二～三十四の椎骨(ツイコツ)の連結から成る。 **—かんきょうさくしょう**⓪-⓪【—管狭〈窄症】 脊柱管〔=背骨にある神経の通り道〕が狭くなる病気。腰や肩などにしびれや痛みが出る。

せきちん⓪【赤沈】 「赤血球沈降速度」の略。血沈。

せきつい⓪【脊椎】 ❶脊柱を作っている、多くの骨。 ❷脊柱。「—動物」 **—カリエス**⑤ 脊椎が結核菌によって侵される病気。疼痛(トウツウ)を感じ、治った後、脊柱が変形し、弓形に曲がる。 **—どうぶつ**⑤【—動物】 からだの支持器官として脊椎を持つ動物の総称。魚類・両生類・爬虫(ハチュウ)類・鳥類・哺乳類などに分けられる。

せきてい⓪【石庭】 (大部分を)石と砂だけで作った庭。多く、禅寺(の塔頭(タッチュウ))に見られ、象徴的な意味合いが込められている。「いしにわ」とも。「竜安寺(リョウアンジ)の—」

せきてい⓪【席亭】 ❶「寄席」の意の改まった表現。 ❷寄席の経営者。

せきてん⓪【《釈〈奠】 〔「釈」は供物を奉る、「奠」は祭祀(サイシ)の供物をすすめる意〕孔子および その門人を祭ること。また、その祭り。

せきとう⓪【石塔】 石造の五輪の塔。〔広義では、墓石をも指す〕 かぞえ方 一基

せきどう⓪【赤道】 ❶地軸の 中央を垂直に横切る平面〔=赤道面〕が地球の表面と交わって作ると考えた、仮定上の線。「—直下の太平洋に浮かぶガラパゴス諸島/—儀③」 ❷地球の赤道面が天球と交わって出来る大円。 **—さい**③【—祭】 船が赤道を通る時に、船の上でする祭り。「せきどうまつり⑤」とも。

せきとく⓪【《尺〈牘】 「書簡」の意の古風な表現。

せきとして①【寂として】(副) 声や物音がとだえて、あたりが静まりかえる様子。「—声無し」

せきとめこ④【〈堰(き)止(め)湖】 山崩れや地滑りによる土砂や土石流、火山噴火による溶岩流などによって、川がせき止められてできた湖。

せきと・める④⓪【《塞(き)止める】(他下一) 〔流れなどを〕さえぎり止める。「今まで心地よく流れていた談話が急に塞き止められた/伝染病の蔓延(マンエン)を—」 表記 「〈堰き止める」とも書く。

せきとり⓪③【関取】 〔すもうで〕十両以上の力士。

****せきにん**⓪【責任】 ❶自分の分担として、それだけはしなければならない△任務(負担)。「—を果たす/親としての—/—はあげて相手側にある/—ある地位/説明—」 ❷不結果・失敗に基づく損失や制裁(を自分で引き受けること)。「最高—を負う/—を△取る(持つ・明らかにする・追及する)/—の一端がある/—の一半を背負う/—が△伴う(重い)/…の—に帰する/—の所在が明確でない/—体制を取る」 **—かん**③【—感】 責任を重んじる気持。「—が強い人」 **—しゃ**③【—者】 その事に関して責任を負うべき人。「—に任命する/—を置く/△最高(現場)—」 **けいじ—**④【刑事—】 ⇩刑事責任 **みんじ—**④【民事—】 ⇩民事責任

せきねつ⓪【赤熱】—する(自他サ) まっかに熱すること。また、熱せられること。

せきねん⓪【昔年】 今となっては(遠い)過去となった年月。

せきねん⓪【積年】 〔一般に「—の」の形で〕積もった年月。「—の病弊を深める/—〔=多年〕の恨み」

せきのやま⑤【関の山】 仮に多く見積もっても、超すことが無いと思われる限度。「一矢(イッシ)を報いるのが—〔=せいぜい〕だ」

せきはい⓪【惜敗】—する(自サ) 惜しいところで△試合(勝負)に負けること。 ↔大敗 ⇩辛勝

せきばく⓪【寂〈寞】—たる —と 〔物音が何もしない意〕ものさびしくて、気持が満たされない様子だ。「—とした風景」

せきばらい③【〈咳払(い)】—する(自サ) ❶ここに人が居るのだということを示すために、わざと「えへん」と声を出して、咳をすること。 ❷発声準備のためや自分の 態度を落ち着かせたり する必要などから、のどの調子を整えるように軽く咳をすること。

せきはん③②⓪【赤飯】 祝儀(シュウギ)・物日(モノビ)に炊くアズキを加えて蒸したこわめし。

せきばん⓪【石版】 ❶平版印刷に使う原版の一つ。ドイツ特産の石灰岩に、脂肪性のインクで書いて作る。〔現在は、多く金属版を使用〕「—画⓪〔=石版によって刷られた版画作品。リトグラフ〕」 ❷「石版印刷」の略。 かぞえ方 ❶は一枚 **—いんさつ**⑤【—印刷】 「石版❶」を原版とした印刷(技術)。

せきばん⓪【石盤】 ❶スレート。 ❷粘板岩の薄い板に枠をつけたもの。昔、子供の筆記用。 表記 「石板」とも書く。 かぞえ方 ❶❷とも一枚

せきひ⓪【石碑】 その土地に関係のある人や物事を永久に記念するために、必要な事柄を彫りつけて建てた石。いしぶみ。〔狭義では、墓石を指す〕 かぞえ方 一基

せきひつ⓪【石筆】 ❶黒色の粘土を固めて筆の形にしたもの。書画用。 ❷蠟石(ロウセキ)を筆の形に作ったもの。「石盤❷」に書く。 かぞえ方 ❶❷とも一本

せきひん⓪【赤貧】 きわめて貧しいこと。「—洗うがごとし〔=所有物が一つも無いような極端な貧乏の形容〕」

せきふ⓪【石〈斧】 おのの形をした石器。武器・農耕用。 かぞえ方 一本

せきふだ⓪②【席札】 〔宴席などで〕その人のすわる席を示すために置く名札。 かぞえ方 一枚

せきぶつ⓪【石仏】 石材で作ったり 岩の表面に彫りつけたりした仏像。いしぼとけ。「大同の—」 かぞえ方 一体

せきぶん⓪【積分】—する(他サ) 〔数学で〕 ❶独立変数 x が一定の範囲を動く時に、関数のグラフと x 軸との間に出来る図形の面積などを求めること。また、その結果。〔これを「定積分③」と言う。関数値に x の微小な変位を掛けて足し合わせたものの極限値として得られる〕「断面積を表わす関数を—すると体積が得られる/定—の値は、被—〔=積分される〕関数の原始関数が その区間の両端でとる値の差として求められる/—値③・—変数⑦⑤」 ❷与えられた関数に対し、微分するとちょうどその関数になるような関数〔=原始関数〕を求めること。また、その結果。〔これを「不定積分④」と言う〕「二次関数を—すると三次関数になる/

** * は重要語，⓪ ①… はアクセント記号，品詞の指示の無いものは名詞および いわゆる連語。

—定数」⇩微分 —がく③【—学】積分について研究する、解析学の一分科。 —ほう⓪ハフ【—法】積分を求める計算法。 —ほうていしき⑦ハウ—【—方程式】未知関数の入った関数を被積分関数とする積分が含まれている方程式。

せきへい⓪【積弊】〔積年の弊害の意〕(先人が)長い間無反省に行なって来た事に伴う弊害。

せきべつ⓪【惜別】別れを惜しむこと。「—の情」

せきぼく⓪【石墨】純粋の炭素から成る、黒くて柔らかい鉱物。鉛筆の芯シ・るつぼ・電極などに用いられる。黒鉛。

せきまつ⓪【席末】宴会などの末席。

せきむ①【責務】責任と義務。義務を果たすべき責任。「—が重い／—を△負わせる(果たす)」

せきめん⓪【石綿】⇩いしわた —スレート⑥ いしわたとセメントを交ぜて水で練り、薄板状にしたもの。屋根ふきや防音板などに使用。

せきめん⓪【赤面】—する(自サ) 恥ずかしさなどで顔を赤くすること。「照れ臭くて—する／—の至り」

せきもり②⓪【関守】〔雅〕関所を守った役人。

せきや①【関屋】〔雅〕関守が住む小屋。

***せきゆ**⓪【石油】地中からわき出る、液体・油状の燃料。炭素・水素の化合物で特有の臭気を持つ。原油を精製してガソリン・重油などを得るほか、途上に種々の合成物を作るので重要。「—を掘り当てる／—コンビナート⑦・—こんろ④・—ストーブ⑤」 —かがくこうぎょう⑦—クワ—ゲフ【—化学工業】石油または天然ガスからプラスチック・ゴム・洗剤・繊維などの化学製品を作る工業。 —にゅうざい④【—乳剤】石油にせっけん水を交ぜて乳状にしたもの。駆虫剤・消毒剤用。

セキュリティー②〔security=安全〕予想される犯罪行為に対し安全を確保する△こと(ための対策や設備)。「—システム⑥・—チェック⑥」

せきよう⓪—ヤウ【夕陽】「夕日」の意の漢語的表現。

せぎょう⓪—ギャウ【施行】—する(他サ)〔「せ」も「ぎょう」も字の呉音〕〔仏教で〕僧・貧民に物を施すこと。

せきらら⓪【赤裸々】—な・—に〔「何も身につけていない」意の「赤裸セキラ①」の強調形〕何ら包み隠すところが無い様子だ。「—な描写／—に私の考えるところを申し上げますと」

せきらんうん③【積乱雲】積雲が発達して、山や塔の形のようになって見えるもの。夏に多く、雷雨や雹ヒョを伴う。入道雲。雷雲。夕立雲⑤。雲の峰。⇩雲級

せきり①【赤痢】「赤痢菌⓪・赤痢アメーバ⑤」により大腸が冒される感染症。下痢が激しく粘液性の血便が出る。

せきりょう②—レウ【席料】座敷・会場の借り賃。席代。

せきりょう⓪—リヤウ【脊〈梁〉】〔←脊梁骨ツコ③〕せぼね。せすじ。「—山脈⑤」

せきりょう⓪—レウ【寂〈寥〉】—たる・—と 心を満たすものが無くて、ものさびしい様子だ。「—感③」

せきりょう⓪—レウ【責了】「責任校了」の略。最後の校正を印刷所に責任を持たせて、校了とすること。

せきりょく②【斥力】磁石の北極どうしのように二つの物体が互いにはねかえそうとする力。↔引力

せきりん⓪【赤〈燐〉】赤茶色・粉状で、無毒の燐。黄燐と異なり、空気中では発火しない。安全マッチ製造用。

せぎ・る②【瀬切る】(他五)〔水の流れを〕せき止める。

せきるい⓪【石塁】敵などを防ぐために、石を積み上げて土手のようにしたもの。

せきれい⓪【〈鶺鴒〉】水辺にすむツバメに似た小鳥、ハクセキレイ③・セグロセキレイ④・キセキレイ②などの総称。からだは黒灰色、腹は白色または黄色。河原の石にとまり、長い尾を上下に動かすのが特徴。いしたたき。〔セキレイ科〕 かぞえ方 一羽

せきろう⓪—ラフ【石〈蠟〉】⇩パラフィン

せきわけ⓪【関〈脇〉】〔すもうで〕力士の階級の一つ。大関の下、小結の上。また、その人。せきわき。

せきわん⓪【隻腕】「かたうで」の意の漢語的表現。

せぎん⓪【世銀】「世界銀行〔=国際復興開発銀行〕」の略。

せ・く①【咳く】(自五)〔「塞セく」と同源〕せきをする。

せ・く①【急く】(自五)〔早くしようと思って〕あせる。急ぐ。「気が—」

せ・く①【塞く】(他五)〔流れなどを〕さえぎり止める。 表記「堰く」とも書く。

せぐくま・る④【跼る】(自五)〔「背くぐまる」の変化〕からだを前へ曲げる。かがむ。 表記「背ぐくまる」とも書く。

セクシー①—な・—に〔sexy〕性的魅力のある様子だ。「—ガール⑤」 派—さ③⓪

セクシュアル①—な〔sexual〕性的衝動を感じ(させ)る様子だ。性的。「—な魅力／—なものをすべて否定する感情」 —ハラスメント⑦〔sexual harassment〕性的嫌がらせ。特に職場などで、当人がいやがる性的な言葉を口にしたり行動に表わしたりすること。セクシャル ハラスメント⑥とも。また、略してセクハラ。 —マイノリティー⑧〔sexual minority〕レズビアン・ゲイ・バイセクシュアル・トランスジェンダーなど多様な性のそれぞれ(に属する人びと)。「性的少数者」とも。〔多数を占めるヘテロセクシュアルに対しての少数者を意味する〕

セクショナリズム⑤〔sectionalism〕自分の縄ばりに立てこもって、ほかの人の手出しをしりぞける傾向。

セクション①〔section=分割(した部分)〕❶専門的な役割を負わされて、組織の機構を構成するそれぞれの部門。「営業部をアジア・ヨーロッパ・アメリカ担当の三つの—に分ける」❷〔新聞などの〕欄や面。「ホーム—④〔=家庭欄〕」 —ペーパー⑤〔section paper〕方眼紙。

セクター①〔sector〕産業や組織などをいくつかの部門に分けたときのそれぞれ。「第三—〔=半官半民企業〕」

セクト①〔sect=宗派・学派・党派など〕△その社会(一つの組織)の中で、主張を同じくする者の分派。「—主義④〔=セクショナリズム〕」

セクハラ⓪ セクシュアル ハラスメントの略。

せぐりあ・げる⑤【せぐり上げる】(自下一) しゃくりあげる。

セクレタリー①〔secretary〕書記。秘書。

せぐろ⓪【背黒】❶背中が黒いこと。❷ウグイの幼魚。 —いわし④【—〈鰯〉】カタクチイワシの異称。

***せけん**①【世間】一般の人びとが集まって形作る社会。また、それを形作る人びと。〔仏教語としては、人間社会の意〕「—を驚かせる事件／—がうるさい／—〔=世の中〕を騒がす／—の目が厳しい／—が広い〔=ⓐつきあいが広い。ⓑ物知りだ〕／—晴れて〔=ほかの人たちに気がね無く。公然と〕夫婦となる／—様〔=よその人たち〕に対して申し訳が無い／出シュ世—」 —し②【—師】「世渡りがうまくて、要領よく立ち回る人」の意のやや古風な表現。「なかなかの—だ」 —しらず④【—知らず】実社会の事情に暗い△こと(人)。世間見ず②。 運用 自分や自分の子供などの見聞の狭さを謙遜ソンして言うこともある。例、「何分ナニにも世間知らずですから、よろしくお導きください」 —ずれ⓪【—擦れ】—する(自サ) 実社会で苦労したため、純真さが薄れ、ずる賢いところが目につくこと。 —ち②【—知・—〈智〉】おとなとして世の中をうまく渡っていく上での判断と身の処し方。「正直

ばかりでは通用しないとか、世の中には裏があるとか、事を成功させるためには根回しや付け届けが必要であるとかの、学校では教えてくれない種類の処世術を指す」 **—てい**⓪【—体】世間に対する体裁。「—を(とり)つくろう/—をはばかる」 **—てき**⓪【—的】—な・—に 世間一般に通用する様子だ。「—な△常識(考え方)」 ❶その時の社会一般に通用する。❷⇩世俗的 **—なみ**⓪【—並】一般の人と同じ程度。 **—ばなし**④【—話】最近の出来事・流行や人のうわさなど、互いに直接利害関係の無い種類の話。雑談。 **—ばなれ**④【—離(れ)】—する(自サ) 物の考え方や行動のしかたの規準が、世間一般の習わし・おもわくや儀礼などをどうでもいい事に考える傾きがあり、自分のしたい事に夢中になっていること。

ぜげん⓪【《女〈衒】江戸時代、遊女奉公の手引きをした人。

せこ①〔「夫子(セコ)」の意〕〔雅〕女性から、親しい関係にある男性を呼んだ語。「せ」とも。↕妹(モイ) 表記「《兄子・背子」とも書く。

せこ①【世故】〔「故」は、「こと」の意〕冠婚葬祭などつきあいの俗事を適当にこなし、裏面の事情を承知の上で世渡りしていく、社会人としての要領。「—にたける〔=世間知が身につく〕」

せこ①【《勢子】〔狩猟や漁で〕△鳥獣(魚)を狩り出す人。

せこ・い②(形)〔「世故い」の意〕目先の△利益(効果)にとらわれて、他から見れば度量がせまいと思われることをする様子だ。「千円の会費を出しおしむとは—ヤツだ/—話だ」

セコイア②〔sequoia=もと、人名〕北アメリカ大陸の太平洋岸の山地などに自生する巨大な常緑樹。世界最大で、材は建築用。〔新第三紀後期に世界中に繁茂した〕〔スギ科〕⇩メタセコイア・埋もれ木 かぞえ方 一株・一本

せこう⓪【施工】—する(他サ) 工事を実際に行なうこと。しこう。

せこう⓪【施行】—する(他サ) 「しこう」の、法律語としての読み。

セコハン⓪〔セカンド ハンドの変化であるセコンド ハンドの略〕中古品の俗称。

セコンド⓪〔second〕⇩セカンド❷❶

せさい⓪【世才】世渡りの才能。⇩学才・商才

せさ・す②⓪【《為さす】(他下二)〔雅〕〔サ行変格の動詞「す」の未然形「せ」+助動詞「さす」〕❶させる。❷なさる。

せし①【セ氏】〔「摂氏」の新しい表現〕「—温度③」↕カ氏

せじ①【世事】世の中の△出来事(しきたり)。「—に△うとい(明るい)」

せじ⓪【世辞】〔「世事」の変化〕⇩お世辞 **—もの**⓪【—者】世辞の巧みな人。

セシウム②〔cesium〕金属元素の一つ〔記号Cs原子番号55〕。銀白色で柔らかい。放射性のセシウム一三七は人体に有害。

せし・める③(他下一) △機会をのがさず行動して(うまく立ち回って)自分の物とする。「競馬で大穴を当て大金をせしめた」

せしゅ①【施主】〔寺・僧などに物を施す人の意〕その日の供養(クヨウ)の依頼主。〔広義では、建築・造園工事などの依頼主をも指す〕

せしゅう⓪【世襲】—する(他サ) その家に属する財産・格式・職掌などを、祖父・父から子や孫へと受け継ぐこと。「政治の—/—候補④・—社長④・—否定」

せじょう⓪【世上】〔その人が現在、その中に住んでいる〕世の中。「—〔=現在、世の中に〕行なわれている風説」

せじょう⓪【世情】裏もある、複雑な人間社会の事情。「—に通じている/—にうとい」

せじょう⓪【施錠】—する(自サ) 開口部に鍵(カギ)を掛けること。↕解錠

せじん①【世人】〔自分や身近な者を除いた〕世間の人。世の中の人。

せじん⓪【世〈塵】世の中の、わずらわしい事柄。「—〔=わずらわしい事が多い世の中との交渉〕を避ける」

せすじ①⓪【背筋】❶背骨の部分の筋肉。「—をぴんと伸ばす/—が寒くなる〔=恐怖感などに急に襲われ、背の真ん中あたりに寒いような異状を感じる〕」 ❷〔裁縫で〕背中にあたる縫い目。

ゼスチャー①〔gesture〕⇩ジェスチャー

せぜ①【世々】△それまで経て来た(これから経るであろう)幾つかの世代や時代。「生々(ショウジョウ)—」

ぜせい⓪【是正】—する(他サ) 望ましくない点を改めること。「△欠陥(不均衡・不合理・格差)を—する」

せせこまし・い⑤(形) ❶その場所が狭過ぎて、いかにも窮屈に感じられる様子だ。「—家が立ち並ぶ裏通り」 ❷寛容さに欠ける様子だ。「貧乏人から借金を取り立てる—高利貸し」 派 **—さ**⑤④

セセッション②〔secession=分離〕十九世紀末ウィーンに起こった、旧様式からの離脱を目的とする芸術革新運動。虚飾を排し、簡明・直截(チョクセツ)を宗(ムネ)とする。

せせなぎ⓪ 家のまわりに作った排水溝。「せせなげ⓪」とも。

ぜぜひひしゅぎ⑤【是々非々主義】よいことをよい、悪いことを悪いとする、公平無私な主義。

せせらぎ⓪ 浅瀬を流れる水の音。また、その流れ。

せせらわら・う⑤【せせら笑う】(他五) あざけりわらう。 名 せせら笑い④

せせりばし④【〈挵り箸】出されたおかずを行儀悪くあれこれとつつくこと。

せせ・る②【〈挵る】(他五) ❶鳥などが餌(エサ)をついばむ(ようにして、食べる)。「舌先で歯を—」 ❷〔雅:北陸から九州までの方言〕いじる。もてあそぶ。❸〔中国・四国の方言〕さわる。

せそう⓪②【世相】種々の社会現象を通じてうかがわれる、世の中の大きな流れと時代的な特徴。「—の反映」

せぞく⓪①【世俗】俗世間(一般の人)。「—化⓪」 **—てき**⓪【—的】—な・—に 世間一般の人が、それを何の違和感も無く△行なっている(受け入れている)様子だ。「金もうけなど—な事には関心が無い/—に言えば、成功の部類に入るが」

せそん①【世尊】「釈迦(シャカ)」の尊称。

せたい⓪①【世代】せだい。

せたい①②【世帯】〔多く〕生計を共にし、同じ住まいで生活している家族。「所帯」とも。「子供が結婚して—を別にした/—あたりの所得/二—住宅」 **—ぬし**②【—主】世帯の中心となる人。所帯主。

せたい⓪①【世態】世の中のありさま。「—人情」

***せだい**①⓪【世代】❶ある年齢層。ジェネレーション。「団塊の—/戦後—・同—」 ❷親・子・孫、それぞれの代。「三—が同居」 **—こうたい**④【—交代】❶有性生殖を行なう世代と無性生殖を行なう世代とが交代に現われる現象。スギゴケなどに見られる。世代交番。❷それまでの地位や職務から、年をとった者が退き、若い者に代わること。 表記「世代交替」とも書く。 **—こうばん**④【—交番】⇩世代交代❶

せたけ①【背丈】「身長」の意の和語的表現。せい。「一年間でずいぶん—が伸びたのには驚いた」

セダン①〔sedan〕四人～六人乗りの乗用車で、四ドアのもの。現在最も普通の形式。⇩クーペ

せ

せち（節）→【字音語の造語成分】

せち①【世知・世〈智】人とうまくつき合い、その世界で自分の身を処していく上での要領。「―にたけた苦労人」 ―**がら・い**④【―辛い】（形）❶利害得失にこだわる人が多く、いろいろと煩わしく感じられる様子だ。「―世の中」 ❷大様さに欠け、細かい勘定にこだわる様子だ。派 ―**さ**③

せつ（切・折・刹・拙・窃・殺・接・設・雪・摂・節・〈截・説）→【字音語の造語成分】

せつ①【切】―なる 心からそれを欲する様子だ。「待望すること―なるものがある／―言・―実・親―・痛―」⇩切に・切なる⇩【造語成分】せつ・さい

せつ①【拙】❶―なる つたない様子だ。「―、言うべからず／―劣・―速・古―・稚―・巧―」❷〔才能の乏しい意〕自分（の）の謙称。〔代名詞として「わたくし」の意にも用い、「―妻・―宅・―稿」のように複合語としても使う〕

せつ①【節】〔竹の区切り目としての、ふしの意〕❶Ⓐ間断無く流れる一生のうち何かとの出会いや何かの行事によって記憶される、幅を持った時間。「その―は△お世話になりました（よろしく）／時―・当―」Ⓑ気候の変化に着目した区分。「二十四―気・―季」Ⓒふし目となる物日。「―供・―句・四旬―」Ⓓ〔プロ野球やサッカーなどの〕年ごとに定められた、日程の区分。❷自分が正しいと信じる主義・主張や信条。「―を屈する〔＝貧困やさまざまな圧力のために、それまでの自己の信条を保持することを心ならずも断念する〕／―を枉げる／―を折る／―を全うする／―を守る／―に死する〔＝主義・主張を捨てよと強制された場合に、信条を貫き通し、結果的に、潔く死を選ぶ〕／―操・高―⓪」❸鎖の一単位としての、一つの輪。❹詩・文章や書物の構成上の一区切り。〔予算編成上では、目の下〕❺主語・述語を備えた語の連続が、文の一部分となったもの。⇩【造語成分】

***せつ**①【説】❶意見。主張。学説。「…の―を裏付ける／…という―も強い／―を成す／一―・異―・新―・珍―・小―・伝―」❷漢文の一体。「愛蓮―」⇩【造語成分】

せつ①【〈癤】皮脂腺または毛嚢の中に化膿菌が入って生じるできもの。

ぜつ（舌・絶）→【字音語の造語成分】

せつあく⓪【拙悪】―な へたで、とりえが無い様子だ。

ぜついき⓪【絶域】遠く離れた△土地（外国）。

せつえい⓪【拙詠】「へたな詩歌の意」自分の詩歌の謙遜語。

せつえい⓪【設営】―する（他サ）〔↑設立経営〕ある仕事をするために必要な施設・建物を用意すること。〔俗に、会などの準備をする意にも用いられる〕

せつえん⓪【雪〈冤】―する（自サ）無実を明らかにすること。

せつえん⓪【節煙】―する（自サ）たばこを吸い過ぎないように気をつけること。

ぜつえん⓪【絶遠】きわめて遠いこと。

ぜつえん⓪【絶縁】―する（自サ）❶縁を切ること。❷伝導体の途中に絶縁体を入れて電流を断ち切ること。「―材⓪」 ―**たい**⓪【―体】電気・熱を伝えない物体。絶縁物③。不導体。例、ゴム・エボナイト・雲母など。↔導体

ぜつおん②【舌音】舌さきを積極的に使って出す音。例、[r][t][s]など。⇩唇音

せっか⓪【石化】―する（自サ）堆積物が埋蔵されて硬化し、堆積岩になること。

せっか⓪【赤化】―する（自他サ）❶物の色が赤くなること。❷左翼思想に△かぶれる（化させる）こと。

せっか①⓪【赤禍】〔資本主義社会から見て〕共産主義が起こすわざわい。

ぜっか①【舌禍】❶自分の言った事がもとになって他人を怒らせたりなどして受けるわざわい。❷他人の悪口・中傷などによって自分が受けるわざわい。⇩筆禍

ぜっか①【絶佳】―な〔景色が〕すばらしい様子だ。「風景―の地」

せっかい①⓪【切開】―する（他サ）医者が治療の目的で患者の患部をメスなどで切り開くこと。「―手術⑤・帝王―」

せっかい①【石灰】生石灰・消石灰の総称。セメント・肥料・消毒剤用。 ―**がん**③【―岩】方解石〔＝炭酸石灰〕が集まって出来た堆積岩。大理石は、これの一種。石灰・セメント製造の原料・石材用。石灰石③。 ―**すい**③【―水】消石灰〔＝水酸化カルシウム〕の水溶液。消毒・殺菌用。 ―**ちっそ**⑤【―窒素】カーバイドと窒素とを千度の熱で化合させて出来た灰白色の粉。肥料用。 ―**どう**③【―洞】⇩しょうにゅうどう（鍾乳洞） ―**にゅう**③【―乳】消石灰を水に溶かした、乳白色の液。中和剤・消毒剤用。

せっかい①【節介】⇩おせっかい

せつがい⓪【殺害】―する（他サ）「さつがい」の古風な表現。

せつがい⓪【雪害】降る雪のためにこうむる損害。

ぜっかい⓪【絶海】陸から遠く離れた海。「―の孤島」

***せっかく**⓪【折角】（副）❶好ましい結果を期待して、△その事を実現させよう（何かを効果的に利用しよう）と努力する様子。〔多く、期待に反する結果になったことを残念がったり相手にそうさせたことを謝罪したりする際に用いられる〕「―用意した料理がすっかり冷えてしまった／―ここまで来たのだから、寄って行こう／―の努力が水の泡だ／―の日曜日だというのに朝から雨だ／―お出でいただいたのにあいにく留守で／―だからお参りして行こう／―だが、先約があるので参加できません」〔「―の」「―だ」の場合、アクセントは④〕❷相手に対し、精一杯努力するよう期待する気持を表わす。「―ご自愛のほど願います／―勉強したまえ」

せっかく⓪【石〈槨】❶棺を入れる石造りの箱。❷周囲を石でかこんで中に死体を納めた室。

せっかく⓪【〈刺客】⇩しかく

せっかしき⓪【接架式】〔図書館で〕利用者が書架の所まで入って来て直接本を自由にひき出すことを認める方法。開架式。

せっかち①―な―に 思い立った事をすぐ実行しなければ気が済まなかったり 物事の結末に至るまでじっくり待つことが出来なかったり する△性格（様子）だ。〔はたから見て、もう少し落ち着いていた方がいいのに、という批評を含んだ表現〕「―な人／―に△決めつける（結論を下す）」派 ―**さ**⓪④

せっかん―する（他サ）❶⓪【切〈諌】言葉・理を尽くしていさめること。❷①【折〈檻】❶〔子供などを〕きびしくしかり、将来をいましめること。❷体罰を与えてこらしめること。「―を加える」

せっかん⓪【石棺】〔古墳で〕石造りの棺。「せきかん」とも。

せっかん①【摂関】摂政と関白。「―政治⑤・―家③・―制⓪」

せっかん⓪【積寒】「積雪寒冷」の略。「―地帯⑤⑥」

せつがん⓪【切願】―する（他サ）△心から（熱心に）願うこと。

せつがん⓪【接岸】―する（自サ）❶船が、岸や陸地に△近づく（横づけになる）こと。❷台風や潮流などが、海の方から海岸に近づくこと。

ぜつがん②【舌〈癌】舌の側面に出来る癌。

せつがん レンズ⑤【接眼レンズ】顕微鏡・望遠鏡など

で、目に接する部分のレンズ。接眼鏡⓪。↕対物レンズ　かぞえ方 一枚

せっき⓪【石器】石を簡単に加工して作った道具。石斧・石鏃など。先史時代の遺物の一つ。かぞえ方 一点　**―じだい**④【―時代】〔考古学で〕金属の使用を知らず、石器を武具や工作具として使った時代。

せっき①【赤旗】❶赤い旗。❷危険を知らせる旗。❸共産党・労働組合などの旗。あかはた。

せっき①【節気】気候の変わり目(を示す二十四の日)。例、春分・夏至・秋分・冬至など。

せっき①【節季】❶年末。「―大売出し」❷商店の決算期としての盆と十二月。「―仕舞④」

せつぎ①【節義】君臣・父子・夫婦の間で守るべき正しい筋道を踏みはずさず、初志を貫くこと。

ぜつぎ①【絶技】非常にすぐれた演技。

せっきゃく⓪【隻脚】「かたあし」の意の漢語的表現。

せっきゃく⓪【接客】―する(自サ) 客に接すること。「―中」　**―ぎょう**④【―業】特に、一定時間、つききりで客にサービスする職業。芸者・幇間・「ホステス❸」のほかに、美容・理髪・マッサージなど。

せっきょう③【説教】―する(自サ) 教義・信仰に関する話を説き聞かせること。〔目下の者にする、堅苦しい教訓的な話や注意・小言の意にも用いられる。例、「またお―が始まった」〕

せっきょう⓪【説経】❶―する(自サ) 経文の趣旨を説き聞かせること。❷〔←説経節⓪〕江戸時代の初め、経文の趣旨を、節をつけ三味線に合わせておもしろく語った語り物。説経浄瑠璃⑤。

ぜっきょう⓪【絶叫】―する(自サ) ありったけの大きな声を出すこと。

＊**せっきょく**⓪【積極】〔もと「陽極」の意〕自分から進んで事を行なうこと。陰に対して陽、静に対して動、肯定・能動などの性質。「―論④・―策④③」↕消極　派 **―さ**⓪　**―せい**⓪【―性】物事を積極的に行なう傾向。「―を△示す(欠く)／―が乏しい／―に欠ける」　**―てき**⓪【―的】―な ―に △新しい(明るい)ものを志向し、前向きなところが見られる様子だ。「―(な)姿勢を△打ち出す(見せる)／―に取り組む」↕消極的

＊**せっきん**⓪【接近】―する(自サ)〈どこ・なにニ―する〉離れていたものが、何か△に(のそばまで)近づくこと。「台風が本土に―／実力が―〔＝その差が縮まる〕／あいつには―しない〔＝つきあわない〕方がいい」

せっく⓪【節句】〔祝日に特別の食物を神に供え、自分たちも食べたことから〕五節句(の一つに当たる日)。表記 本来の用字は「節供」。　**―ばたらき**④【―働(き)】普通の人が休む節句にわざと忙しそうに働くこと。「なまけものの―」

せっ・く②(他五) 自分の要求がかなえられるまで、しつこく催促する。「せっつく」とも。

ぜっく⓪【絶句】[一]起承転結の四句から成る漢詩の一体。「五言―・七言―」[二]―する(自サ) ❶何かを言おうとしている途中で言葉につまること。〔狭義では、俳優が舞台で、せりふを忘れてつかえることを指す〕❷非常な悲しみなどのために声をつまらせること。

せつぐう⓪【接遇】―する(自サ)〔←応接処遇〕〔役人や鉄道の関係者などが〕仕事の上で一般の人と応接すること。

セックス①〔sex〕❶性。❷―する(自サ) 性欲を満たす行為。性交。　**―チェック**⑤〔sex check〕〔国際競技大会で〕女子選手に対する性別検査。特定のホルモンの値などにより判定する。

せっくつ⓪【石窟】岩をくりぬいた住居。いわや。

せっけ①【摂家】摂政・関白に任命される家柄。

ぜっけ⓪【絶家】―する(自サ) 相続人が無くて家が絶えること。また、その絶えた家。

＊**せっけい**⓪【設計】―する(他サ)〈なにヲ―する〉△土木(建築)工事や機械製作などの計画(を図面・仕様書などで

せち

［節］⇩せつ❹「お節料理」

せつ

［切］❶刃物できる。「切開・切除・切断・切腹」❷さしせまる。「切迫・切実・切々」⇩(本文)せつ【切】

［折］❶おる。おれる。「曲折・屈折」❷わける。「折衷・折半」❸くじく。くじける。「折衝・挫折」❹責める。「折檻」

［刹］梵語。「セツ」の仮借。「刹那」

［拙］⇩(本文)せつ【拙】

［窃］ぬすむ。「窃盗・窃取・剽窃」

［殺］ころす。「殺生」⇩さつ

［接］❶つづく。つなぐ。「接合・接触・接骨・連接」❷会う。「接見・接待・面接」❸近づく。「接近・接収・接戦・隣接・直接」

［設］もうける。「設営・設計・設備・設立・開設・建設・常設・公設」

［雪］❶ゆき。「雪上・雪中・雪害・雪景・白雪・新雪・降雪・残雪」❷すすぐ。「雪辱・雪冤」

［摂］[一]❶自分の扱うものとして、執り行なう。「摂政・摂理」❷自分のものとして、取り入れる。「摂取・摂生」[二](略) 摂津国。「摂州」

［節］❶〔竹のふしのような〕くびれ。「関節・末節」❷音楽の調子。ふし。「曲節」❸気候のかわりめ。「季節・二十四節」❹一年に何回かある物日。「節日・節句・佳節」❺度を超さないようにする。「節制・節約・節倹・節度」❻昔、他国へ行く使者が証拠として示したしるし。「符節・使節」❼もと、「ノット」にあて用いた。⇩(本文)せつ【節】

［〈截〉］きる。たつ。「截然・直截」〔「さい」は、慣用による読み〕

［説］とく。「説明・説得・説話・解説・演説・力説」⇩(本文)せつ【説】

ぜつ

［舌］❶した。「舌端・舌頭・舌癌」❷言葉。「舌禍・舌戦・舌代・舌鋒・弁舌・筆舌・毒舌・悪舌・長広舌」

［絶］[一]❶(糸を)たつ。「断絶・中絶・根絶」❷たえる。無くなる。「絶望・絶無・絶縁・廃絶」❸やめる。「絶交・絶食・絶版・絶筆・義絶・杜絶」❹へだたる。「絶海・隔絶」❺他よりかけはなれてすぐれる。「絶対・絶世・絶品・絶倫・冠絶」❻他よりかけはなれて。「絶大・絶妙・絶頂・絶讃」[二](略) 絶句。「五絶・七絶」

せっき――せっけい

せ

具体化すること〉。「若手の建築家に新しいコンセプトの美術館を━してもらう／━図③・生活━〈=今後の生き方や生活形態の計画〉」

せっけい⓪【雪渓】真夏のころまで残雪に埋められる、高山の谷間や斜面。

せっけい⓪【雪景】何らかの感情を催すような雪△の降っている(におおわれた)情景。

ぜっけい⓪【絶景】他に比べるものも無い、すぐれた景色。

せっけいもじ⑤【〈楔形文字〉】⇩くさびがたもじ

せつげつか③【雪月花】日本の四季の、代表的なながめとされている、雪と月と花。「せつげっか」とも。

せっけっきゅう③【赤血球】血球の一つで、血液の主成分。血色素を含み、血液を赤色にし、酸素の運搬・老廃物の排除などの働きをする。↔白血球 **━ちんこうそくど**③-⑤【━沈降速度】決まった時間に赤血球が、ガラスの細い管を沈降する速度。病気・健康状態の診断に応用する。赤沈。血沈。

*__せっけん__⓪【石〈鹼〉】あか・よごれを落とすために使う洗剤。油脂に水酸化ナトリウムを加えて作り、水に溶けやすい。シャボン。「浴用━⑤・洗濯━⑤・薬用━⑤」かぞえ方 一本・一箱

せっけん⓪【席《巻・席〈捲〉】━する(他サ)〔むしろを巻くように かたはしから領土を攻め取る意〕ものすごいスピードで、至るところを自分の勢力範囲にすること。

せっけん⓪【接見】━する(自他サ)身分の高い人が公式に客に会うこと。〔法律では、勾留中の被告人が弁護士など外部の人と会うことを指す〕例、「━室③」

せっけん⓪【節倹】━する(他サ)日常生活のむだづかいをやめて、質素な暮らしを心がけること。

せつげん⓪【切言】━する(他サ)相手を思って△心から(言葉を尽くして)忠告すること。

せつげん⓪【接舷】━する(自サ)船が舷側を岸壁や他の船の舷側に近く寄せること。

せつげん⓪【雪原】㊀雪が積もった広い所。㊁氷原。

せつげん⓪【節減】━する(他サ)むだな使用をやめ、減らすことの出来る部分を減らすこと。「△労力(出費)を━する」

ゼッケン①〔ド Decke (=馬の鞍下に敷く毛布)の変化という〕〔スキー・スケート・陸上競技などの選手が〕胸や背中につける登録番号などを記した布。また、その番号。「━番号②」かぞえ方 一枚

ぜつご①【絶後】これから先に、再び同じような例が無いと思われること。「空前━〈=⇩空前絶後〉」

せっこう⓪【斥候】〔敵の様子を監視する意〕部隊から差し向けられて敵の動きや敵陣の様子などを探り監視すること。また、その将兵。「━を放つ／将校━」

せっこう⓪【石工】「石工」の意の改まった表現。

せっこう⓪【石〈膏〉】天然に産する硫酸石灰の結晶。白色の結晶で、セメント・白墨・彫刻材料などに使う。「━像③・━細工⑤」かぞえ方 一片

せっこう⓪【拙攻】へたな攻撃。

せっこう⓪【拙稿】〔へたな原稿の意〕自分の原稿の謙遜語。

せつごう⓪【接合】━する(自他サ)何かの面を他の面につぎあわせること。また、くっつくこと。「━剤③⓪」

ぜっこう⓪【舌耕】講演行脚などをして、生活の資金を得ること。⇩筆耕

ぜっこう⓪【絶交】━する(自サ)交際を絶つこと。「友だちと━する／━状⓪・━状態」

ぜっこう⓪【絶好】他に比べる物が無いと思われるほどよいこと。「━の機会をつかむ／━のチャンスが訪れる／━のタイミング／━の入門書」

ぜっこうちょう③【絶好調】━な 体調・気力の充実度などが最高によい様子。

せつごせん⓪【摂護腺】「前立腺」の旧称。

せっこつ⓪【接骨】「ほねつぎ」の意の漢語的表現。「━医④・━医院⑤」

ぜっこん⓪【舌根】㊀舌のつけ根。㊁〔仏教で〕六根の一つとしての、舌。

せっさ①【切〈磋〉】━する(自サ)〔あらい玉を削り、大きな石を切りみがいて〕完成品を作ること。 **━たくま**①-①【━〈琢磨〉】━する(自サ)志を同じくする者が、互いの欠点や誤りを直しあって向上をはかること。

せっさく⓪【切削】━する(他サ)金属を切りけずること。「━工具⑤」

せっさく⓪【拙作】〔へたな作品の意〕自分の作品の謙遜語。

せっさく⓪【拙策】㊀客観的に見て、まずい計画。㊁自分の計画の謙遜語。

せつざん②【雪山】四季を通じて雪の消えない高山。〔狭義では、ヒマラヤ山脈を指す〕

ぜっさん⓪【絶賛・絶〈讃〉】━する(他サ)最大級のほめかたをすること。「━を浴びる」表記「賛」は、代用字。

せっし①【摂氏】〔「摂」は、Celsius の、中国での音訳の第一字〕摂氏温度の略。〔セ氏の旧表記〕 **━おんど**④【━温度】セルシウス氏の考案した温度目盛り。水の氷点を〇度、沸点を百度とする〔記号℃〕。⇩華氏温度

せつじ⓪【接辞】〔言語学で〕語根に付いて語〈=単語〉を構成する要素。独立した単語とは認められないもので、接頭辞・接尾辞〈=伝統的には接頭語・接尾語とも〉、助動詞、また活用語尾などが相当する。

せっしつ⓪【雪質】⇩せきしつ

せつじつ⓪【切実】━な ━に ㊀身にしみて(大事だと)感じる様子だ。「期待が━だ／━な問題」㊁(どうしても必要で)抑えることの出来ない様子だ。「━な△感情(要求)／━感④」 派 ━さ⓪

せっしゃ⓪【拙者】(代)昔、ある地位にある人〔たとえば、武士・医者など〕が「自分」の意で使った謙称。

せっしゃ⓪【接写】━する(他サ)〔写真で〕レンズをその物に近づけて写すこと。「━装置④」

せっしゃ①【摂社】本社の祭神と縁の深い神を祭った神社。〔格式は末社より上〕

せっしやくわん①-⓪【切歯〈扼腕〉】━する(自サ)〔歯ぎしりをし、腕まくりをしてくやしがる意〕これ以上事態は黙過出来ないなどと、あるいは憤慨しあるいは慨嘆して、無力な立場にあるもどかしさを訴えること。

せっしゅ①【拙守】〔野球などで〕まずい守備。↔好守

せっしゅ①⓪【窃取】━する(他サ)〔「窃」は盗む意、「こっそり」の意に解するのは誤り〕盗んで、自分の物とすること。

せっしゅ①⓪【接種】━する(他サ)微生物・ワクチンなどを生体・培地に植え付けること。「予防━」

せっしゅ①【摂取】━する(他サ)からだを保つために栄養などを取り入れること。〔精神や文化を高めるために他から何かを学ぶ意にも用いられる〕「たんぱく質を━する／━量③」

せっしゅ⓪【節酒】━する(自サ)飲む酒の量を適度に減らすこと。

せつじゅ①【接受】━する(他サ)㊀外国の外交官を受け入れること。「━国③」㊁公文書類などを受け付けること。

せっしゅう⓪【接収】━する(他サ)国家や軍などの権力をもって個人や敗戦国の所有物を取り上げること。「家屋が━された／━解除

せっしゅう①【摂州】〔「摂津(セッツ)国」の漢語的表現〕今の大阪府北西部と兵庫県南東部にあたる。

せっしょ①【切所】山道などの切り立った所。

せつじょ①【切除】―する(他サ) 治療のため、悪い部分を切り取ること。「△肺葉(病根)を―する」

せっしょう⓪【折衝】―する(自サ)〔敵が突いて来るほこ先をくじき止める意〕利害の一致しない者同士の間に行なわれる問題解決のための交渉(をすること)。「外交―」⇩樽俎(ソン)

せっしょう①【殺生】㊀―する(他サ)〔仏教で〕前の世で自分の親であったとされる動物の命を断つ△こと(罪)。「―戒③」㊁―な 人を自然に死に至らせたり いつまでも苦しめたりするように、やり方がひどい様子だ。「そんな―な」 **―きんだん**①-⓪【―禁断】〔一定の地域で〕狩猟・漁獲を禁じること。

せっしょう①⓪【摂政】天皇が△幼少(病弱など)の時、代わって政治を行なう△こと(人)。

せつじょう⓪【雪上】(降りつもった)雪の上。「―車③」

ぜっしょう⓪【絶唱】❶すばらしい出来ばえで、だれがよんでも感銘を受ける詩歌。❷―する(他サ) 情感のこもった、聞き手に深い印象を与えるような歌い方(をすること)。

ぜっしょう⓪【絶勝】すばらしくながめのいい土地。「―の地」

*__せっしょく__⓪【接触】―する(自サ) ❶〈なにニ―する/なにト―する〉触れあうこと。さわること。「―事故⑤・―感染」❷〈だれニ―する/だれト―する〉(親しく)つきあうこと。「―を深める」 **―かんせん**⑤【―感染】患者や患者の触れたものにさわったり、患者のせきを浴びたりして、病気がうつること。

せっしょく⓪【節食】―する(自サ)〔健康・食糧事情などのために〕食事を一定量内に制限すること。

せつじょく⓪【雪辱】―する(自サ) 以前はずかしめられた相手に対して、なんらかの方法で見返すこと。「―を果たす」〔狭義では、以前負けた相手に勝つことを指す。例、「―戦⓪」。「―を晴らす」は誤り〕

ぜっしょく⓪【絶食】―する(自サ) 病気・治療などのために食事をしないこと。「―療法⑤」

セッション①〔session〕❶会議などの全日程の一区切り。「午後の―」❷軽音楽などで、数人が集まって演奏すること。「ジャム―」

せっすい⓪【節水】―する(自サ) 水のむだづかいをやめること。

*__せっ・する__⓪【接する】㊀(自サ)〈なにニ―/なにト―〉❶二つの物の境が(重なり合わず、また、間を置かず)隣り合う。「円に―直線/往来に―(=面した)窓/林に接した(=続いている)畑」❷ある時点において、それとなんらかの関係を持つ。「多くの人に―(=会う。会って知合いになる)/訪客に―(=訪客の相手をする)/かつて接した(=取り扱った)ことの無い難事件/急報に―(=急報を受け取る)」㊁(他サ)〈なにニなにヲ―〉❶くっつきそうになるまで近づける。「ほおを接して語る/ひたいを接して話す(=内緒話をする)/踵(キビス)を接して(=あとからあとから引き続き)至る」❷つなぐ。「ひもの両端を―」 接す⓪(五)。

せっ・する③⓪【摂する】(他サ) ❶代わって行なう。代理する。❷兼ねる。

せっ・する⓪③【節する】(他サ) 限度を超さないようにする。控えめにする。節す⓪(五)。「食を―/酒を―/時間を―(=時間がかかりすぎないようにする)」

ぜっ・する⓪③【絶する】(自他サ) △可能な(通常の)段階をはるかに超えている。絶す⓪(五)。「言語に―(=表現が出来ない)/想像△を(に)―(=想像が出来ないほどの)苦心/古今に―(=例が無いほど、すぐれている)」

せっせい⓪【摂生】―する(自サ)〔「摂」は、養う意〕食欲・性欲を程ほどに抑え、弱いからだでも長生き出来るように健康に気を配ること。

せっせい⓪【節制】―する(自他サ) 度を超しがちな食欲や飲酒・喫煙の量を抑えて、からだを壊さないようにすること。

せつぜい⓪【節税】法の許す範囲内で納税負担を軽くするように工夫すること。

ぜっせい⓪【絶世】〔「世に絶(スグ)れる」の意〕世の中にまたと無いほど、すぐれていること。「―の(=すばらしい)美人」

せつせつ⓪【切々】―たる/―と ❶心から欲し、抑えることの出来ない様子だ。「―たる願い/―の情/帰心―」❷強い△共感(同情)を相手に与える様子だ。「悲しみは―と胸に迫る」

せっせと①(副) △目的達成のために(必要に迫られて)労を惜しまずに何かをする様子。「―働いて金をためる/健康のために海藻類を―食べる」

せっせん①【折線】ジグザグ形につながった線。おれせん。

せっせん⓪【拙戦】―する(自サ)〔負けないですむのに負けるような〕へたな△試合(戦闘)をすること。また、その試合・戦闘。

せっせん⓪【接戦】―する(自サ)〔もと、近接戦の意〕互いの力量がほぼ同等で、最後までせりあう△戦い(試合)をすること。「―に追い込む」

せっせん①【接線】〔幾何学で〕△曲線(曲面)上の一点に触れる直線。**表記** もとの表記は、「切線」。

せっせん①【雪線】真夏でも雪が消えない高さの地点〔=平均気温零度〕を連ねた線。

せつぜん⓪【截然】―たる/―と △区別(差別)がはっきりしている様子だ。〔「さいぜん」は類推読み〕

ぜっせん⓪【舌尖】〔舌の先の意〕(舌先を操ってする)よどみのない弁説。「―鋭く(=激しい口調で)詰め寄る」

ぜっせん⓪【舌戦】相手の主張に負けまいとして、口頭でやり返すこと。↔筆戦

せっそう⓪【拙走】〔野球で〕まずく△走る(走塁する)こと。

せっそう①⓪【拙僧】僧の謙称。〔代名詞的に用いる〕

せっそう⓪【節奏】リズムの意の古風な表現。

せっそう⓪③【節操】自分の正しいと信じる主義・意見を、堅く守って変えないこと。「―の無い、当今の学者」

せつぞう⓪【雪像】雪を固めて人物・動物・建物などの形を塑像のように作ったもの。「雪祭りの―」

せっそく⓪【拙速】まずくても出来あがりの速いこと。「―主義におちいる」↔巧遅

せつぞく⓪【接続】―する(自他サ) ❶Ⓐある物と他の物が結びついて、一定の機能・効果・結果などが表われるようになること。また、そのようにすること。「アンプにスピーカーを―する」Ⓑ〔日本語文法で〕文法的な機能の異なる単語と単語が結びつくこと。また、その法則。たとえば、打消の助動詞「ない」は「書かない」「食べない」などと動詞の未然形と結びつくことなど。❷交通機関の異なる体系が、そこで連絡すること。「―列車⑤」 **―ご**⓪【―語】〔文法で〕文章の中で、接続詞・接続助詞その他、文の接続に使われる言葉。 **―し**④③【―詞】〔文法で〕△語句(文章)を続けるために使う言葉。例、そして・しかし。 **―じょし**⑤【―助詞】〔日本語文法で〕前件が後件にどんな文法的な関係で続くかを表わすのに用いられる助詞。口語では、「**と**・**ば**・**て**・**し**・ので・から・**が**・けれども・のに」など。〔太字は、文語にも用いられるもの〕 **―すいいき**⑤【―水域】領海の外側に接する一定範囲の公海海域。〔沿岸国が一定の権限を行使することができる〕

ぜっそく⓪【絶息】―する（自サ）「絶命」の意の古風な表現。

せっそくどうぶつ⑤【節足動物】多数の環節ごとに節のある足を持つ動物。たいてい小形で左右相称。例、昆虫・クモ・カニなど。

せった⓪【雪《駄】竹の皮の草履の裏に獣の皮をはり、かかとに金物を打ったもの。せきだ。表記「雪《踏」とも書く。 かぞえ方 一足

セッター①〔setter〕❶猟犬の一種。耳が垂れて、毛が長い。イギリス原産。❷〔バレーボールで〕攻撃の中心となって、トスをする選手。かぞえ方 ❶は一頭・一匹

せったい①【接待】―する（他サ）退屈させたり失礼だと感じさせたりしないように、客をもてなすこと。〔広義では、顧客を食事に誘ったり催し事に招待したりすることをも指す〕「―ゴルフ⑤・―係(ガカリ)⑤」

せつだい⓪【設題】―する（自サ）問題を設けること。また、その問題。

ぜったい⓪【舌〈苔】舌の表皮がはげて、表面にこけのようにたまったもの。熱病・胃腸病の時に見られる。

ぜったい⓪【絶対】■一 他に対立するものが無いこと。「―の地位／―の〔=何物にも制限されない〕権力／―性⓪」↕相対 ■二（副）―に どんな場合でも、その事がまちがいなく成立すると断定する様子。「―〔=決して〕そうじゃない／―〔=到底〕だめだ／―〔=必ず〕出席するよ／―〔=どんな事があっても〕反対／―服従⓪-⓪」表記「絶待」とも書く。「絶体」は誤り。 **―あんせい⓪-⓪【―安静】重い病人やけが人を、寝たままの姿勢で長時間休息させ、外界との交渉を絶たせること。 **―おんかん**⑤【―音感】耳で聞いただけで、それがどの高さの音であるかを聞き分ける感覚。訓練によって養うことが出来る。 **―おんど**⑤(ヲンド)【―温度】絶対零度を基点にとり、温度間隔はセ氏温度目盛りと同じにとった温度目盛り（による温度）〔記号K〕。ケルビン（温度）。〔セ氏温度に二七三・一五を加えたものに等しい〕 **―くんしゅ**⑤【―君主】❶国家の全権限を持つ君主。「―制⓪」❷集団の中で絶対的な権力を持つ人。「わが社の―」 **―し**③【―視】―する（他サ）他を顧みず、それだけを△最高（最善）のものとして見ること。 **―しゃ**③【―者】何ものにも依存せず何ものにも制約されないで存在するもの。例、神。 **―しゅぎ**⑤【―主義】❶客観的・絶対的な基準があることを認める主義。❷絶対的な権力をふるう、政治の行き方。例、ファシズム・天皇制。 **―すう**③【―数】他のものの数との差や比ではなく、純粋にそのものが幾つあるかという数。「生徒の―が減少する」↕相対数 **―たすう**⑥【―多数】〔議決・表決などで〕対立する他のすべてを合わせても及ばないほどの多数を占めること。 **―ち**③【―値】❶〔数学で〕その実数の表記から「符号❷」を取り去った残りの部分。〔正数であることを示す正号は普通省略されるため、正数の絶対値はその数自身とみなされ、負数の絶対値は符号のみを変えた正数となる。0の絶対値は0と規約する。数直線においてその実数に対応する点と原点との距離に等しい〕「−2の―△は（をとると）2」❷絶対量の数値。↕相対値 **―てき**⓪【―的】―な ―に 何ものにも束縛・制限されないで存在し、作用する様子だ。「―な権力を持つ」 **―めいれい**⑤【―命令】無理であることが分かっていても従わなければならない命令。至上命令。 **―りょう**③(リヤウ)【―量】他の数量との差や比ではなく、純粋にそのものがどれだけあるかという数量。「食糧の―を確保する／輸出の―」↕相対量 **―れいど**⑤【―零度】理想気体〔=理論的な法則に適合する気体〕をどんどん冷やしていった時、その体積が理論的に零となる温度。セ氏零下二七三・一五度に等しい。〔これより低い温度は考えられないことによる命名〕

ぜつだい⓪【舌代】口上の代りに書いた挨拶(アイサツ)文。

ぜつだい⓪【絶大】―な 規模・程度が他よりもずっと大きい様子だ。「―な△ご支援（人気）」

ぜったいぜつめい⓪-⓪【絶体絶命】―な〔絶体も絶命も、九星でいう凶星の名〕追いつめられて、どうしても生きる道が残されていないピンチにある△こと（様子）。

せったく⓪【拙宅】自分の家の謙遜(ケンソン)語。

せつだん⓪【切断・〈截断】―する（他サ）一続きの物を、どこかで断ち切ること。

ぜったん⓪【舌端】（物を言う）舌の先。「―火を吐く〔=鋭い弁舌で自説を主張する〕」

せっち⓪【接地】―する（自他サ）❶あるものの、下へ伸びている部分が地面に直接つくこと。「タイヤの―面積が大きい／飛行場外に―〔=着陸〕した／このタイヤは―性が良い〔=横滑りしにくい〕／―部分」❷⇩アース❶

せっち⓪【設置】―する（他サ）❶機械・設備などを備え付けること。「非常ベルを―する／原子炉を―する」❷ある目的で一定の機関・設備などを作ること。「大学―基準」

せっちゃく⓪【接着】―する（自他サ）何かほかの物がくっつくこと。また、くっつけること。「―剤④⓪」

せっちゅう⓪【折衷・折中】―する（他サ）あいいれない二つのものから良い点を少しずつ取って、別のものを作ること。「―案③・和洋―」

せっちゅう⓪【雪中】積もった雪の中。「―行軍⑤」

せっちょ①【拙著】〔不出来な本の意〕自分の著作の謙遜(ケンソン)語。

ぜっちょう⓪(チヤウ)【絶頂】高い山を登りつめた、一番の高所。〔変化の激しいものについて、最高の状態の意にも用いられる。例、「得意の―／人気―・―期③」〕

せっちん⓪①③【雪《隠】〔「せついん」の変化〕「便所」の意の古風な表現。 **―だいく**⑤【―大工】へたな大工。〔侮蔑(ブベツ)を含意する〕 **―づめ**⓪【―詰め】❶〔将棋で〕王将を隅に追いこんで詰めること。❷相手を追い詰めること。

せっつ・く⓪③【《責っ付く】（他五）「せつく」の口頭語的な強調表現。

せってい⓪【設定】―する（他サ）❶よるべきものとして、新たに取りきめること。また、その取りきめ。「△規則（目標・ルール）を―する〔=新たに定める〕／状況を―する〔=仮に、そのようなものと考える〕／問題を―する〔=作る〕」❷根拠地となるものを作ること。「選挙事務所を―する」

セッティング⓪―する（他サ）〔setting〕❶据えつけること。❷映画や演劇で、舞台装置を作ったり大道具を配置したりすること。❸物事を準備したり事がうまく運ぶ段取りをつけたりすること。「国際会議を―する」

せってん①【接点】❶〔幾何学で〕接線が△曲線（曲面）と共有する点。〔広義では、二つの物事が接触する点を指す。例、「東西文明の―サマルカンド／―を△求める（見いだす）」〕❷〔写真で〕カメラにストロボを接続する所。表記 ❷は「切点」とも書いた。

せつでん⓪【節電】―する（自サ）電気の使用量を減らすこと。

***セット**①〔set〕■一❶幾つかで一組となる道具など。〔狭義では、ステレオ装置・化粧道具や、応接間用の家具一式や全集本・そろいの事典などを指す〕「ワン―③〔=一そろい〕・コーヒー―⑤〔=コーヒーを入れる道具一式〕」❷〔テニスなどで〕幾つか取ればその試合の最終勝利が決まる、試合の一区切り。「フル―」❸舞台装置。〔狭義では、映画撮影のための諸設備・装置を指す。例、「オープン―」〕■二―する

（自他サ） ❶〈どこ・なにニなにヲ―する〉 その時が来れば△作動する(使用出来る)ように、すべての条件を整えておくこと。「五時に鳴るように時計を―する/テーブルを―する」 ❷〈なにヲ―する〉 パーマのかかっている髪に、ローションをつけ、カーラーで巻いて、その形を整えること。 ❸〔ある種の猟犬が〕獲物を発見したという姿勢を取ること。

せつど①【節度】 ❶人に迷惑をかけないように、自分がそうしたいと思う事でも、良識の許す程度に抑制すること。「―を△守る(失う・欠く)/―のある行動を期待します」 ❷〔古〕出征を命じられた軍人が、その印として朝廷から賜わる太刀・旗・鈴など。「―使③〔=朝廷から正式に派遣された地方△警備(鎮定)の役人〕」

ゼット① ❶【Z・z】 英語アルファベットの第二十六字。 ❷【z】〔数学で〕yに次ぐ第三の未知数を表わすために用いる記号。 ❸【z】〔漫画などの文字表現で〕連ねて書き、いびきの音や寝ているさまを表わす。

セットアップ④―する(他サ)〔setup〕 ❶〔機械などの〕組み立て。据えつけ。 ❷〔コンピューターで〕ソフトウェアやハードウェアを使用できるように準備すること。

せっとう⓪(タウ)【窃盗】―する(他サ) 〔「窃」も盗む意〕他人の財物を盗む△こと(者)。「―犯③」

せつどう⓪【雪洞】 雪を掘って作った横穴。

ぜっとう⓪【舌頭】 〔物を言う〕舌の先。〔弁舌の意にも用いられる〕

ぜっとう⓪(タウ)【絶倒】―する(自サ) 〔もと、喜怒哀楽の感情が極度に高まり、ふだんの落ち着きを無くす意〕笑いくずれること。「抱腹―する〔=⇩抱腹〕」

ぜっとう⓪(タウ)【絶島】 〔↑絶海の孤島〕陸地や他の島と遠くはなれた島。

せっとうご⓪【接頭語】 〔文法で〕造語成分の一種。複合語の前の方の要素のうち、それ自体は単語として独立することの無いもの。敬意を添える「お」「おん」「ご」「み」や、「ど根性」の強調を表わす「ど」など。接頭辞③⓪。↕接尾語 ⇩造語成分

セットオール④〔和製英語 ↑set＋all〕〔卓球・テニス・バレーボールで〕それまでに取ったセットの数がどちらも同じであること。

ゼットき③【Z旗】 緊急事態に置かれていることを知らせる信号旗。〔日本海海戦の時、旗艦「三笠(ミカサ)」に掲げられた信号旗に基づく〕「―を掲げる〔=緊急の事態を乗りきるために、全員に今までにない大奮闘を要求する〕」

*__せっとく__⓪【説得】―する(他サ)〈だれヲ―する〉 自分の意志や主張を十分に△話し(伝え)て相手に納得させること。「―(工作)を続ける/犯人の―に当たる/―性△を持つ(の乏しい)/―的な意見」 **―りょく**④【―力】 相手を説得するに足る、裏付けと話術。「―が△無い(ある・乏しい・弱い)/―に△欠ける(乏しい)/―を△欠く(持つ)」

セットプレー⑤④〔set play〕〔サッカーやラグビーなどで〕ルールによって中断した状態から試合を開始するプレー。

セットポイント④〔set point〕〔テニスなどで〕そのセットの勝負を決める最後の一点。

セットポジション⑤〔set position〕〔野球で〕投手が投球直前に要求される姿勢の一つ。打者に面して立ち、軸足を「プレート㊃Ⓑ」につけ、他の足を前方に置き、ボールを両手でからだの前面に持ち、完全に動作を静止する。〔一秒を待たずに走者を牽制(ケンセイ)すると、ボークを取られる〕

せつな①【刹那】 〔「ちょっとの間」の意の梵(ボン)語の音訳〕きわめて短い時間。「目の前で何かが光ったと思った―〔=瞬間〕気を失ってしまったんです/―的⓪」↕劫(コウ) **―しゅぎ**④【―主義】 その瞬間の感覚・生活を充実させて生きようとする考え方。〔刹那的な快楽主義の意に用いられることが多い〕

せつな・い③【切ない】（形） 〔「切なり」の変化〕自分の置かれた苦しい立場・境遇を打開するうまい手段が見出せず、堪え難いほど辛く思う気持だ。「恋人を失い―思いにかられる/―声で苦しい胸のうちを明かす」 派 **―さ**③ **―げ**⓪ 文法 助動詞「そうだ(様態)」に続くときは「切なそうだ」の形になる。また「すぎる」と結びついて複合動詞をつくるときは「切なすぎる」の形になる。

せつなる①-①【切なる】（連体） 心からその実現を希望することを表わす。「―願い」

せつに①【切に】（副） 心からその実現を希望する様子。「無事に帰ることを―願っている/―ご自愛を祈ります」

せっぱ①【切羽】 刀のつばが つかとさやに接する場所に添える、薄い金物。 **―つま・る**①-②【―詰(ま)る】（自五） 最後のところまできてしまって、もうどうにもしかたが無くなる。「借金に追われ切羽詰まって公金に手をつけた」

せっぱ①【説破】―する(他サ) 〔禅宗で〕議論をして、相手を言い負かすこと。「そもさん、―」

せっぱく⓪【切迫】―する(自サ) ❶問題の△時期(刻限)が近づくこと。「試験の期日が―する」 ❷重大な事態が近づいて、緊張すること。「―した空気がみなぎる/―感④③」

せっぱく⓪【雪白】 降ったばかりの雪のようにまっしろな△こと(状態)。

せっぱん①【折半】―する(他サ) お金や品物などを半分に分けること。

ぜっぱん⓪【絶版】 ❶何らかの事情で、その本の以後の印刷・販売を中止すること。 ❷印刷用の版を廃棄すること。

**__せつび__①【設備】―する(他サ)〈どこニなにヲ―する〉 ある物事を行なうのに必要な建物・機械・道具など(をそなえつけること)。「―が整っている/学校放送の―がある/―投資」

せっぴ⓪【雪庇】 山の稜線(リョウセン)の風下の谷側に ひさしのように張り出した積雪。

ぜつび①【絶美】―な きわめて美しい様子だ。

せつびご⓪【接尾語】 〔文法で〕造語成分の一種。複合語の後の方の要素のうち、それ自体は単語として独立することの無いもの。複数を表わすとされる「たち」「ども」「ら」「など」「等(トウ)」や、名詞を作る「さ」「み」、いわゆる形容動詞を作る「げ」「的」など。接尾辞③⓪。↕接頭語 ⇩造語成分

せっぴつ⓪【拙筆】 〔へたな筆跡の意〕自分の筆跡の謙遜(ケンソン)語。

ぜっぴつ⓪【絶筆】 故人が△臨終(最後)に書いた筆跡や作品。

ぜっぴん⓪【絶品】 他に比べるものが無いほど すぐれた品物や作品。

せっぷ①【節婦】 道徳的な見地から言って世人の模範となる女性。夫の死後も、独力で子供を育てた人や、労苦をいとわず、老父母に孝養を尽くした人など。

せっぷく⓪【切腹】―する(自サ) 〔武士が、責任を取るため、また、(武士としての体面を保ちうる)刑罰として科せられるなどして〕自分で腹を△切って(切る形で)死ぬこと。〔作法が決まっていた〕

せっぷく⓪【説伏】―する(他サ) 相手を説き伏せて自分の意見に従わせること。

せつぶん⓪【拙文】 〔まずい文章の意〕自分の文章の謙遜(ケンソン)語。

せつぶん⓪【節分】 〔季節の分かれ目の意〕立春・立夏・立秋・立冬の前日の称。〔狭義では、立春の前日を指す。二月三日ごろ。豆まきをする〕

せっぷん⓪【接吻】―する(自サ)〔親愛・尊敬の気持などを表わすために〕唇を相手の唇や頰ホオ・手などにつけること。キス。

ぜっぺき⓪【絶壁】壁のように切り立ったがけ。

せっぺん①⓪③【切片】広がりを持っていたもののきり離された(ほんの)一部分。

せっぺん⓪【雪片】降ってくる、雪の一ひら。

せつぼう⓪【切望】―する(他サ) 心からそのように望むこと。「△支援(協力・健康・健闘)を―する」

せっぽう③①【説法】―する(自サ)〔仏教で〕宗門の教理を説き聞かせること。「釈迦シャカに―〔=こちら以上に相手がよく知っている事だから今さら言う必要は無い〕」

*__ぜつぼう__⓪【絶望】―する(自サ)〈なに(・だれ)ニ―する〉 何としても実現したいと願っていたことが不可能だとわかって、希望△を全く失う(が全く無くなる)こと。「人生に―する／―の淵フチに追いやる／―感をいだく／―視(されている)／―的⓪」

ぜっぽう⓪【舌鋒】鋭い弁舌を、刀などのとがった切っ先にたとえた語。「鋭い―」

せつまい⓪【節米】―する(自サ) 食べる米を節約すること。

ぜつみょう⓪【絶妙】―な 比べる物が他に無いほど上手な様子だ。「―な語り口／―のタイミング／やりとりが―」派―さ⓪

ぜつむ①【絶無】(それと同類の事物が)全く無いこと。「解決の方策が―とは言えない」

__せつめい__⓪【説明】―する(他サ)〈だれニなにヲ(なんだト)―する〉〈だれニなんだト―する〉 それがどういう△ものであるか(事情で存在し、また起こったか)を、相手に分かるように(順序を立てて)言ったり書いたりすること。「―を△加える(受ける)／…の―がつかない／―的に言うとこうなる／―書⑤⓪」 **―ぶん③⓪【―文】〔文芸的な文章と違って〕事理・事件を説明する文章。

*__ぜつめい__⓪【絶命】―する(自サ) 命が絶えること。死ぬこと。

*__ぜつめつ__⓪【絶滅】―する(自他サ) △同類(そのもの)が地球上から姿を消す(ようにする)こと。〔広義では、その現象が再び起こることの無いようにすることをも指す〕「―の危機に瀕ヒンする／―を図る／―種④」 **―きぐしゅ**⑥【―危惧種】絶滅のおそれが極めて高い野生の動植物の「種シュ㊀」。

せつめん⓪【雪面】一帯をおおっている降り積もった雪(の表面)。

せつもう⓪【雪盲】積雪の反射、特に強い紫外線の刺激によって起こる、目の炎症。

せつもん⓪【設問】―する(自サ) 問題を作って、相手に尋ねること。「―〔=出された問題〕の意味をよく考えて解答せよ」

*__せつやく__⓪【節約】―する(他サ)〈なにヲ―する〉 無くても済ますことの出来るものは省き、切り詰めることの出来るものは出来るだけ切り詰めること。「△電力(経費・時間)の―に努める／△労力(紙・水)を―する」

せつゆ①【説諭】―する(他サ)〔悪い事を改めるように〕言って聞かせること。

せつよう⓪【切要】―な ほかの事よりもずっと大事な様子だ。

せつよう⓪【節用】〔←節用集③。「節用」は、しょっちゅう使う意という〕室町時代の中ごろ作られ、明治時代まで一般の間に広く行なわれた、いろは引き・意義分類体併用の実用国語辞書。

せつよく⓪【節欲】生活上のさまざまの欲望をほしいままにせず、適度に抑える(ように心がける)こと。〔狭義では、性欲についてのそれを指す〕表記「節慾」とも書く。

せつり①【摂理】〔キリスト教で〕最終的に人を善へ導く、神の意志。

せつり①【節理】〔もと、筋道の意から、もくめを指した〕火成岩の横断面に見られる、種々の模様をなした割れ目。「板状―・柱状―」

*__せつりつ__⓪【設立】―する(他サ)〈どこニなにヲ―する〉 今まで無かった制度や会社・団体などの組織を作ること。「学校法人を―する／―者④③」

せつりゃく⓪【節略】―する(他サ)〔一定の方針に基づき〕分量をある程度減らすこと。

せつりょう⓪【雪稜】雪をかぶった、高い山の尾根。

ぜつりん⓪【絶倫】―な 才幹が普通の人の水準から飛び抜けてすぐれている様子だ。「△武勇(精力)―にして」

セツルメント①〔settlement〕 細民街に住み、そこの住民と個人的に接触しながら生活の向上を図る社会運動。また、そのための授産所・託児所・診療所などの設備。

せつれつ⓪【拙劣】―な〔やり方や出来あがった結果が〕劣る様子だ。「―な政策」派―さ⓪

せつろく⓪【節録】―する(他サ) 全体の中から必要な事柄だけを抜いて書くこと。また、その記録。

せつろん⓪【切論】―する(他サ) △しきりに(熱心に)論じること。

せつろん⓪【拙論】〔十分に意を尽くさない議論の意〕自分の△議論(論文)の謙称。

せつわ⓪【説話】民間に語り伝えられた物語・神話・伝説・童話などの総称。「―文学④・仏教―⑤」

せと①【瀬戸】㊀狭い海峡。㊁「瀬戸物・瀬戸際ワギ」の略。「―の火鉢」

せど①②【背戸】㊀家の△裏口(裏門)。㊁家の後ろの方。

せどう①【世道】生活する上で、人間が守っていくべき道徳。「―人心①-⓪」

せどうか②【《旋頭歌》】和歌の一体。上の句と下の句が共に五・七・七の三句から成るもの。

せとぎわ⓪【瀬戸際】〔瀬戸と海との境の意〕勝敗・成否などの分かれ目。「―に立つ／…するか否かの―に直面する」

せどぐち②【背戸口】裏の出入口。

せとびき⓪【瀬戸引き】ほうろうを焼き付けること。また、そのようにしたなべ・皿などの鉄製品。

せともの⓪【瀬戸物】㊀瀬戸焼。㊁やきもの。陶磁器。「―鉢バチ⓪」

せとやき⓪【瀬戸焼き】愛知県瀬戸市を中心に産出される陶磁器。

せどり⓪【瀬取り】海上で船から船へ積み荷を移すこと。主に親船の積み荷を小船に移すことや、その小船をいう。

せどり⓪【競取り】同業者の間に立って品物を取り次ぎ、売買の差益を得ること。また、それを生業ナリワイとする人。多く、古書の掘り出し物を探し当て、それを転売して利益を得る△こと(人)。

せな①【《背》】「せなか」の意の古風な表現。

*__せなか__⓪【背中】㊀(動物の)胸・腹と反対の側。背。「―を向ける〔=背を向ける〕」㊁そのものの正面に対して反対側の方(の面)。「本の―」【―が見える】先を行く競争相手にあと少しで追いつく。逆転の射程圏内に入る。「今期業績好調により最大手の背中が見えてきた」 **―あわせ**④【―合(わ)せ】㊀互いに背中と背中とを向き合わせるように位置すること。「彼の家と私の家は―だ／あの夫婦は何年たっても―の〔=仲が悪い〕ままだった」㊁なりゆき次第で取り返しのつかない事態に転じるおそれがあること。「死と―の大冒険」

ぜに①【銭】〔呉音ゼンの変化したもの。もと、貨幣の意〕㊀

せ

江戸時代、大判・小判〔金〕、丁銀・豆板〔銀〕に対比して、銅・鉄製の小額貨幣の称。一文を単位とし、円形で中央に穴がある。❷価値ある△行為(品物)の見返りとしてのお金。「—の取れる芸／—(=収入)になる／安物買いの—失い／—入れ[2][0]」[かぞえ方]❶❷とも一枚

ぜにがた[0]【銭形】 銭の形(に切って、神前に供える紙)。

ぜにかね[1]【銭金】 「銭」と「金」と、同義の語を重ね用いた、一種の強調表現。「—(=お金(がほしいとか、ほしくないとか))の問題では無い／—ずく[0](=なんでもお金で解決しようとすること)」

ぜにがめ[0]【銭亀】 イシガメの子。

ぜにこ[0][3]【銭こ】〔東北・関東方言〕お金。「ぜんこ」とも。

ぜにさし[3][2][4]【銭差(し)・銭〈緡〉】 銭の穴に通してたばねた縄。

セニョーラ[2]〔ス señora〕 奥様。夫人。ミセス。

セニョール[2]〔ス señor〕 親しみの気持を込めて、男性に呼びかける語。ミスター。

セニョリータ[3]〔ス señorita〕 親しみの気持を込めて、未婚の女性に呼びかける語。ミス。

ぜにん[0]【是認】—する(他サ) △いいとして(そうであると)認めること。↔否認

せぬい[0]【背縫(い)】 衣服を背筋の所で縫い合わせること。また、その縫い目。

せぬき[0][3]【背抜(き)】〔夏向きの男物の洋服などで〕肩の部分にしか裏ぎれを使っていないこと。また、その上着。

ゼネコン[0]〔←general contractor〕 土木工事・建築工事の一切を請け負うことが出来る、経営規模の大きい総合建設業者。

ゼネスト[0]〔←general strike〕 統一指令の下(モト)に行なわれる、大規模なストライキ。総同盟罷業。〔全国全産業にわたるものと、特定一産業部門に限るものとがある〕「—を打つ」

ゼネラリスト[4]〔generalist〕 多方面に知識・技能・経験を有する人。ジェネラリストとも。↔スペシャリスト

ゼネレーション[3]〔generation〕 ⇩ジェネレーション

せのきみ[1]【背の君】〔雅〕夫。[表記]「《兄の君・《夫の君」とも書く。

せのび[1]【背伸(び)】—する(自サ) つま先で立って、高く見せようとしたり 高い所の物に届こうとしたりすること。せいのび[1]。〔自分の力以上のことをしようと無理をする意にも用いられる〕

せば[1]〔雅〕❶…であるとすれば。「然(シカ)りと—」❷現実には無かった事を、仮にあったものと仮定することを表わす。「行かざりし—(=行かなかったならば)」

セパード[2]〔shepherd〕 ⇩シェパード

せばま・る[3]【狭まる】(自五) せまくなる。「△対立(幅)が—」↔広がる

せば・める[3]【狭める】(他下一) せまくする。隔たりを少なくする。「選択(の自由)を—／範囲を—」

セパレーツ[3]〔separates〕 ❶上・下に分かれ、他の服と組み合わせても着られるように作った婦人服。❷上下に分かれた女性用の水着。[かぞえ方]❶は一着。❷は一枚

セパレート[3]〔separate〕 ❶〔ステレオ装置・家具などで〕一組の道具を、自由に組み合わせて使えるように作ったもの。❷セパレートコースの略。 **—コース**[6]〔separate course〕〔短・中距離トラック競技で〕一人ひとりに区分された走路。↔オープン コース

せばんごう[2]【背番号】 スポーツの選手がユニホームの背中に付ける番号。〔狭義では、野球選手のそれを指す〕

せひ[1][0]【施肥】—する(自サ) 植物に肥料を与えること。「しひ」とも。

*__ぜひ__[1]【是非】❶いいか悪いか(について、あれこれ論じること)。「…の—を(改めて)問う／—は問わない／—を論じる／みんなが反対するなら、—も無い(=やむを得ない)／—に及ばず」❷(副) 他人はどうあれ、自分の気持としてはその事の実現を強く希望する様子。「—お願いします／君には—聞いてほしいのだ」[運用]❷で、相手の気持を付度(ソンタク)して儀礼的に「ぜひ…てください」などの形でそれを認める言い方になることがある。例、「『今日の会合に私も参加していいでしょうか』『ぜひ参加してください』」 **—とも**[1](副)「是非❷」の強調表現。

セピア[1]〔sepia〕 黒茶色(の絵の具)。「—色になった写真」

せびく[0]【背低】—な〔根の広がりや幹の太さに比して〕木の背丈が(著しく)低い様子だ。〔広義では、成人が体躯(タイク)のたくましさに比べてきわだって背の低いことを指す〕

せひょう[0]【世評】 世間の△評判(うわさ)。

せびらき[2]【背開(き)】 魚を背から切り開くこと。せわり。

せび・る[2](他五) どうしても何かを(して)くれと頼む。ねだる。「子供に小遣いをせびられる／しつこく—」

せびれ[0]【背〈鰭〉】 魚の背中にある ひれ。

せびろ[0]【背広】〔civil clothes の日本語形からか〕男子の通常服。正式には上着・ベスト・ズボンの三つぞろいから成る。サック コート。[表記]「背広」は、音訳ともいう。[かぞえ方]一着 **—ぐみ**[0]【—組】〔△軍隊(自衛隊)で〕実戦に携わらず、事務を担当する職務の人びと。「防衛省の—」↔制服組

せぶし[0]【背節】 背中の肉で作ったかつおぶし。

せぶみ[0][3]【瀬踏(み)】—する(自サ)〔瀬の深さを測る意〕物事をする前に、まずちょっとためすこと。

ゼブラ[1]〔zebra〕 ⇩しまうま

ゼブラゾーン[4]〔zebra zone=シマウマ区域〕〔路上に縞(シマ)模様がかいてあるところから〕横断歩道。

セブン[1]〔seven〕 ❶七。七つ。「ラッキー—(=⇩ラッキーセブン)」❷〔ラグビーで〕七人制のスクラム。

せぼね[0]【背骨】 脊柱(セキチュウ)を組み立てている骨。「—に叩(タタ)き込む(=二度と忘れることが無いように△覚える(教える))」[かぞえ方]一本・一片

**__せま・い__[2]【狭い】(形)↔広い ❶使用目的などに照らして、十分な広がりがないととらえられる様子だ。「テニスコートは作れるが野球をするには—校庭／—アパートに親子四人が住む／就職口が—(=限られている)」❷△比較の対象とする(一般に予測される)状態と比べ、広がりが認められない様子だ。「—△庭(川)／肩身が—(=⇩肩身)／分布が—植物」❸何かに向ける意識や知識などの及ぶ範囲が小さい様子だ。「視野が—／心が—／度量が—(=小さい)」[派]—さ[1] —げ[0][3]

せまい[0]【施米】—する(自サ) 困窮者や僧に、米を施し与えること。また、その米。

せまきもん[1]-[1]【狭き門】〔聖書にある言葉〕❶修行や信仰などの方法にきびしい関門があって、これを越えることがむずかしいたとえ。❷〔競争相手が多くて〕入学や就職などが むずかしい△こと(所)。

せまくるし・い[5]【狭苦しい】(形) 狭くて圧迫感を受ける感じだ。「—エレベーター／ごみごみと狭苦しく立てこむ」[派]—さ[5][4] —げ[5][6][0]

*__せま・る__[2]【迫る】〔「狭い」と同源〕❶(自五)〈なに・だれニ—〉❶間隔が無くなって、もう少しで届きそうになる。「目と鼻の先まで—(=ⓐ△こちらが相手(相手がこちら)に近づく。

せ

** * は重要語, [0] [1]… はアクセント記号, 品詞の指示の無いものは名詞および いわゆる連語。

ⓑその時期がすぐ間近まで来ている)/期限が半年後に―/△事件の核心(真)に―/命、旦夕に―〔=⇩旦夕〕/悲しみが胸に―」 ❷すぐそばまで近づき、自分を圧倒するばかりの勢いである。「危険が―/飢えと寒さが身に迫って来た」 [二](他五) ❶〈だれニ―〉 威圧する勢いで相手を苦しめる。「あの手この手で―/飢えに迫られる」 ❷〈だれニなにヲ―〉 相手がそうせざるを得ないところまで追い詰める。「△決断(実行)を―/△解決(回答)を迫られる/必要に迫られる」 表記 「〈逼る」とも書く。

セミ(接頭)〔semi=半ば〕 ある程度その性質を持っていること。「―スチール車・―ドキュメンタリー・―プロ」

せみ[0]【〈蟬】 ❶セミ科の昆虫の総称。夏、羽をたたんで木にとまり、雄は高い声で鳴きたてる。「―の抜け殻/―が羽化する/みんみん―・にいにい―」 ❷高い所に物を引き上げるために使う、小さな滑車。 かぞえ方 ❶は一匹

ゼミ[1][0] ゼミナールの略。「自主―」

せみくじら[3]【背〈美鯨】 前頭部にこぶ状の隆起がある大きな鯨。ひげ状の角質・皮・肉はみな有用。〔セミクジラ科〕 かぞえ方 一頭

セミコロン[3]〔semicolon〕 欧文の句読点の一つ。コンマとピリオドとの中間の役割を持つ。「;」

せみしぐれ[3]【〈蟬〈時雨〉】 たくさんのセミが、こちらで鳴きやんだかと思うと、あちらでまたひとしきり盛んに鳴く状態を時雨にたとえた言葉。 表記 ⇩付表「時雨」

セミダブル[3]〔和製英語 ←semi + double〕 ダブルベッドに準ずる大きさの、二人用の寝台。

セミナー[1]〔seminar〕 大学生・社会人などを対象にして、特定の課題について開く△研修会(講習会)。〔狭義では、ゼミナールを指す〕「経営―」

ゼミナール[3]〔ドSeminar〕 大学で行なう「演習❷」の通称。

セミばん[0]【セミ判】〔セミ=semibrownie の略〕 ブローニー判の半分の大きさのフィルムの型。四・五センチ × 六センチ。

セミプロ[0]〔←semiprofessional〕 形式上はアマチュアでありながら、実質的には職業化していること。また、その人。

せむい[2]【施無畏】〔仏教で〕衆生の恐れ・心配を除いてやること。

ゼムクリップ[4][3]〔Gem clip. Gem=商標名〕 針金を曲げて、トランペットの管のような形にした、小さなクリップ。

せむし[0][3] 背骨が突起して弓状に曲がる病気(の人)。〔侮蔑を含意して用いられることがある〕 表記 「〔〈傴〈僂〉〕」とも書く。

せめ[2]【責め】〔動詞「責める」の連用形の名詞用法〕 ❶こらしめなどのために与えられる、肉体的・精神的な苦痛。「水火の―にあう/火―・水―」 ❷責任。任務。「業者の―に帰する/…の―に任じる〔=…を自分の任務として、すること〕/―を△負う(果たす・免れる)/―をふさぐ〔=求められた仕事をともかくこなして、責任を果たす〕」

せめあう[3]【攻め合う】(自五) 互いに(相手方の陣営を)攻める。 名 攻め合い[0]

せめあう[3]【責め合う】(自五) 互いに相手を非難する。

せめあぐむ[4]【攻め〈倦む】(自五) 攻めてもなかなか降参せず、戦闘が長引く。

せめいる[3][0]【攻め入る】(自五) 攻撃を加えて、△敵陣(敵国)内に侵入する。

せめうま[2]【責め馬】 馬を乗りならすこと。また、その乗りならされた馬。

せめおとす[4]【攻め落とす】(他五) 攻めて敵の城を取る。

せめおとす[4][0]【責め落とす】(他五) 責めて圧伏する。〔広義では、やや強引に承知させることや自分の意に従わせることを指す〕

せめかける[4][0]【攻め懸ける】(他下一) △いっせいに(おおぜいの軍隊が)攻め寄せる。

せめぎあう[4]【〈鬩ぎ合う】(自五) 互いに負けまいと争う。

せめく[3][2][0]【責め苦】 何かで責め立てられる、ひどい苦しみ。「地獄の―」

せめぐ[2]【〈鬩ぐ】 [一](自五) △恨む(含む)ところがあって、互いに争う。「兄弟牆に―〔=うちわもめをする〕」 [二](他五) 何か不十分なところがあるなどの理由で、苦しめる。「我が身を―」

せめくち[2]【攻め口】 攻める方法。「理詰めな―/―を考えて、やってみる」

せめぐち[2]【攻め口】 そこから攻めれば、攻撃が容易に行なわれるはずの所。「―を見つける」

せめこむ[3]【攻め込む】(他五) 敵の備えを打ち破って、その陣地や領土に侵入する。

せめさいなむ[5]【責め《苛む》】(他五) ひどい苦しめ方をする。

セメスター[2][1]〔semester〕〔二学期制の〕一学期。

せめだいこ[3]【攻め太鼓】〔昔の戦闘で〕攻撃の合図に打ち鳴らした太鼓。

せめたてる[4][0]【攻め立てる】(他下一) 休むひま無く、激しく攻撃する。

せめたてる[4][0]【責め立てる】(他下一) しきりに責める。「やいのやいのと―」

せめつける[4][0]【責め付ける】(他下一) きびしく責める。

せめて[1](副) 決して十分とは言えないが、最低限その程度でも△実現(期待)出来たらと願う様子。「―こちらの気持だけでも汲んでください/―もう一度だけでもお会いしたいものだ」 **―も**[1](副)〔多く「―の」の形で〕不本意な状況の中で、その事だけが辛うじて満足できるものである様子。「読書が―の慰安である/遺骨が帰ったのが―(の慰め)だ/―の救いは子供たちが元気なことだ」

せめどうぐ[3]【攻め道具】 攻撃の道具。攻め具[2]。

せめどうぐ[3]【責め道具】 拷問の道具。責め具[2]。

せめのぼる[4]【攻め上る】(自五) 地方から都へ攻めて行く。

せめよせる[4][0]【攻め寄せる】(自下一) 〔おおぜいの攻撃軍が〕敵の陣営に近づく。

せめよる[3]【攻め寄る】(自五) 近くまで、攻めて△来る(行く)。

***せめる**[2]【攻める】(他下一)〈だれ・どこヲ―〉〔戦闘・試合・論争などで〕圧倒的な勢いで相手方の陣営に迫ったり相手の無防備な所や弱点をねらったりなどして、打ち負かそうとする。「△一気に(積極的に・じわじわと)―」〔俗に、ねらいをつけて果敢に挑戦するの意でも用いる。例、「紅葉の山を―/タブーに踏み込む攻めている番組」〕 ↔守る❶

***せめる**[2]【責める】(他下一) ❶〈だれヲ―〉 怠慢・約束の不履行・あやまちなど、相手の非を指摘して、強く反省をうながしたり つぐないを求めたりする。「自らを―」 ❷〈だれヲ―〉 きびしく催促する。しつこく求める。「借金を早く返せと責められる/子供に責められて おもちゃを買う」 ❸〈だれヲ―〉 肉体的・精神的な苦痛を与える。「いろいろ責めて泥を吐かせる」 ❹〈なにヲ―〉 馬を乗りならす。

セメン[0] セメンシナ・セメントの略。

セメンシナ[2]〔ラ semen cinae=支那(ナシ)の種子〕 シュンギクに似た多年草。つぼみから精製した回虫駆除薬をサントニンと言い、それをかつては、セメン・セメン円[2]とも称した。〔キク科〕⇩シナ [かぞえ方] 一本

セメント[0]〔cement〕 土木・建築などで、その基盤を固めたり、構築物を強固にするために使われる石灰質の粉。砂や砂利に交ぜて、水を加え、コンクリートとして用いる。乾くと、非常に硬くなる。〔広義では、歯科医がむし歯の穴に詰める物をも指す〕「―を打つ／―瓦(ガワラ)[5]・―ブロック[6]・白―[3]」

せもじ[0]【背文字】 洋装本の背に△印刷して(書いて)ある書名や著者名など。

[かぞえ方] 取扱いの単位は一袋

せもたれ[2]【背〈凭れ】 いすの後ろに当たる部分で、背中をもたせかけるもの。

せもつ[1][0]【施物】 貧窮者や僧に施す品物。

せやく[0]【施薬】―する(自サ) 施しの薬(を与えること)。

せよ[1]【施与】―する(他サ) 困窮者や僧に何かを施し与えること。

セラー[1]〔cellar=穴蔵〕 (葡萄(ブドウ))酒を一定の温度で貯蔵しておく室(ムロ)。「ワイン―」

ゼラチン[0]〔フ gélatine〕 ❶にかわを精製した△無色(薄い黄色)のもの。たんぱく質の一つで、熱湯に溶け、冷えれば固まる。フィルム・止血・製薬のほか食品原料に使われる。「粉―[3]・板―[3]」 ❷〔↑ゼラチン ペーパー[5]〕 舞台照明に使う、色つきの透明紙。

ゼラニウム[3]〔geranium〕 鉢植えにして観賞する多年草。テンジクアオイ[5]の類で、春から秋にかけて、赤・白・淡紅色などの五弁・多弁花を開く。〔フウロソウ科〕 [かぞえ方] 一本

セラピー[1]〔therapy=治療〕 心理療法や物理療法など、現代医学で盛んになった新しい治療法。〔狭義では、心理療法(psychotherapy)を指す〕「アロマ―・アニマル―[5]」

セラピスト[3]〔therapist=治療専門家〕 精神病患者などの社会復帰の療法を専門に行なう人。

セラミックス[3]〔ceramics〕 天然原料を精製して純度を高めたり人工的に合成した材料を使って耐熱性や強度を向上させたりした陶磁器質の物質。

せり[2]【〈芹】 水辺に生える多年草。独特のかおりがあり、茎・葉・根ともに食用となる。春の七草の一つ。〔セリ科〕 [かぞえ方] 一本

せり[2]【《迫(り)】 舞台や花道の一部を切り抜き、その部分だけ上下する仕掛け。せりだし。

せり【競(り)】 ❶[2] 買い手が多数で品数に制限がある時、高値をつけた者に買う権利を与える仕組みの取引。せりうり。「魚を―にかけるための作業／幻の名画が―に出た」 ❷(造語) 動詞「競る」の連用形。「―人(ニン)[0]・―値[2][0]」 [表記]「〈糶り」とも書いた。

せりあ・う[3][0]【競(り)合う】(自五) 互角の相手と勝敗を争う。「せりあいながら勝利をもぎとる／彼と―にはまだ力の差がありすぎる」 [名] 競り合い[0]

せりあが・る[4][0](自五) ❶【《迫(り)上(が)る】 ❶自然の力につきあげられるようにして、高い所まで移動する。「波打ち際の海中にあった船も、いまは砂丘の上にせりあがった／火口壁にせりあがった溶岩／―時に左腕をわきに添え、右腕を広げる雲竜(ウンリュウ)型の土俵入り」 ❷下から少しずつ上がる。「舞台が―」 ❷【競(り)上(が)る】 競争の結果、値段がつり上がる。「競売は百万リラで始まったが、八百万リラ、一千万リラとせりあがった」

せりあ・げる[4][0](他下一) ❶【《迫(り)上げる】 ❶下から少しずつ押し上げる。「大道具を舞台に―」 ❷段々と大きくする。「声を―」 ❷【競(り)上げる】 競争して値段を次第に高くする。

ゼリー[1]〔jelly〕 ❶ゼラチンを溶かし味をつけて、型に流し込んで固めた透明な菓子。〔広義では、それに似た薬品をも指す〕「宝石のようなーの詰合せ／―状の蛙(カエル)の卵が水中に漂っていた」 ❷果物の汁に砂糖を加えて煮詰め、冷やし固めた菓子。

せりいち[2]【競(り)市】 せりうりの市。「△翡翠(ヒスイ)(鯛(タイ))の―」 [表記]「〈糶り市」とも書く。

セリウム[2]〔cerium〕 鉄に似た希土類元素の一つ〔記号Ce原子番号58〕。ライターの石に使う。

せりうり[0]【競(り)売(り)】 せり。 [表記]「〈糶り売り」とも書く。

せりおと・す[4]【競(り)落(と)す】(他五) 「せり」で、入手する。「ルノアールの名画を二百三十一万ドルでせり落とした」

せりがい[0]【競(り)買(い)】 多数の買い手が競争して高い値段をつけて買うこと。

せりか・つ[3][0]【競(り)勝つ】(自五) 接戦の末、勝つ。「予選リーグに出場した日本はきわどいところでせり勝った」 [名] 競り勝ち[0]

せりし[2]【〈糶(り)師】 〔せり市で〕せりの進行を担当する△役(人)。

せりだし[0]【《迫(り)出し】 〔劇場で〕奈落(ナラク)で準備をした大道具や役者を、舞台の上へ押し上げて出す△こと(仕掛け)。⇩すっぽん❷

せりだ・す[3][0]【《迫(り)出す】(自五) △内部(下部)にある物が、自然に押されるように表層に移動し、目につくまでになる。「大規模な火砕流で崩れた斜面に、新たな溶岩ドームがせり出しているのが確認された／おなかが―」

せりふ[0]【〈台詞〉】〔語源は未詳〕 ❶俳優が舞台で劇中の人物として言う言葉。〔俗に、改まった時に言う(きまりきった)言葉をも指す〕「―をとちる／芝居の―」 ❷【〈科白〉】 結果として相手を傷つけたり不快感を与えたりするような言葉。「あいつの―(=言い分)は聞きたくもない／そんな―(=言いぐさ)が気にくわない／捨て―(ゼリフ)」 ―まわし[4]【―回(し)】 「せりふ❶」の言い方。

せりま・ける[4][0]【競(り)負ける】(自下一) 接戦の末、負ける。「前回優勝のチームが八四対八五で―波瀾(ハラン)があった」 [名] 競り負け[0]

せりもち[0]【《迫(り)持(ち)】 ⇩アーチ❶

せりょう[0]【施療】―する(自サ) ❶貧乏な人たちの病気を無料で治すこと。「―患者」 ❷患者に対して、何らかの治療を行なうこと。〔❷の「施」は「施す④」の意〕

せる(助動・下一型) ❶Ⓐだれかにある行為を要求・命令し、その通り実行するように強制する意を表わす。「学生にレポートを書か―／子供を使いに行か―」 Ⓑそうなることを期待して意図的に行なったことが、予測通りの結果を得る意を表わす。「手入れをして、見事な花を咲か―／人工的に雨を降ら―実験」 Ⓒ意図的にそうしたわけではないのに、結果としてそのような(好ましくない)事態を招く意を表わす。「親を悲しま―のは良くない／不注意で子供を死なせてしまった」 ❷Ⓐ相手がそうすること△に許可を与える(を許容する)意を表わす。「本人の希望を入れて娘を留学さ―／これはだれにでも使わ―というわけにはいかない」 Ⓑ相手がそうすることを△放任(黙認)する意を表わす。「あの男は言わせておけばきりがない／子供じゃないのだから好きなようにさせておこう」 ❸何かが原因となって、そのような結果を導くにいたる意を表わす。〔明治以後、西欧語の翻訳から生じた用法だとも言われる〕「夏の天候不順が害虫を大量に発生させた／

蒸気機関の発明は産業を飛躍的に発展させた」❹〔「せられる」の形で〕天皇・皇族などの動作に対する最上級の尊敬を表わす。「熱心に聞かせられた」

文法 (1)五段・サ変動詞の未然形（サ変動詞は「さ」の形）に接続する。(2)(a)一般に使役の助動詞と称される「せる」「させる」の用法は多岐にわたり、一見矛盾するような事柄が「せる」「させる」を用いて表わされることがある。「部下を北海道に出張させる」などと相手がそれに応じた行動をとることを前提として何らかの指示・命令や要求をする行為、つまり相手に対する強制力の強い行為を表わす用法があり、これが「使役」と名づけられるいわれである。その一方、「図書室の本を自由に読ませる」「言いたいことを言わせておく」など、相手の行為を黙認・容認ないしは放任する場合にも用いられる。「子供を危ない道路で遊ばせる」「娘をイタリアに留学させる」などは、それ以外の情報が全くない場合には一義的に解釈することができない。つまり、前者については親が子供に道路で遊ぶように指示したともとれるし、道路で遊ぶのを黙認していたとも解釈できる。また、後者は本人の意向にかかわりなくイタリア留学を命じたとも、本人の希望をいれて必ずしも賛成しなかったがイタリア留学を容認したとも解釈される。また、学生が学校に対して抗議行動を起こした際の、「学生の不満を募らせたのは、学長たる私の不徳の致すところであります」などといった表現においても、学校側が学生に不満をいだくようにそそのかしたわけではないのに、使役表現が用いられる。このように、ある事柄の要因に直接または間接にかかわる人の存在が認められる表現に、相手に対する強制力にかかわりなく使役の形式が広く用いられる。(b)「子供を学校に行かせる」「花子を山田君と結婚させる」などと何らかの指示を受ける人を「…を」で表わす。一方、「子供に行かせる」のように、同じ文中に異なる機能を表わす格助詞「に」が用いられていない表現では、「に」で表わすこともある。指示する行為が「本を読む」「歌を歌う」のように行為の対象を表わす「…を」が用いられる文では、指示される人は「児童に本を読ませる」「息子に歌を歌わせる」などと「…に」で表わさせる。以上の(2)(a)(b)は、「させる」についても同様である。⇩させる

運用 ❷Ⓐは、「…せて△もらう（いただく）」などの形で、相手の許可を得て何かをする意を表わす。例、「課長に断わって先に帰らせてもらう」また、相手の許可を必要としない場合にも、謙譲表現として用いられる傾向があるが、使用場面によっては聞き手に△卑屈（不遜ソン）な表現だと受け止められることがある。

せ・る①【競る】（他五）〔自分が優位に立とうとして争う意〕❶競って…する。「ゴール寸前まで—」❷品物を手に入れようとして、相手より高い値をつける。「オークションで名画を—」 表記 ❷の元の用字は「〈糶る」。〔⇩競り❸〕

セル① ❶〔セル地（←オ serge）の省略形〕縦横ともに梳毛糸ソモウシを使って織った毛織物。❷セルモーターの略。❸〔←celluloid〕アニメーションの原画を描く透明なセルロイド。「—画⓪」 ❹〔cell=小部屋〕〔コンピューターで〕表計算ソフトの集計の単位。縦横の罫線で区切られたます目。

セルフ①〔self〕自己。自身。「—ポートレート⑦〔=自画像・自撮りの写真〕」

セルフ ケア④〔self care〕日常の健康を自分自身で管理すること。

セルフ コッキング④〔self-cocking〕フィルムを巻くとシャッターが自動的に押せる状態になること。

セルフ コントロール⑦〔self-control〕自動制御。

セルフ サービス④〔self-service〕❶〔飲食店などで〕客が自分で、注文した飲食物を店員から受け取って自席まで運び、済んだ食器も返しに行く販売方式。❷〔スーパーマーケットなどで〕買った品物を自分で勘定場まで運び、そこで勘定を済ます販売方式。

セルフ タイマー④〔self-timer〕〔撮影者自身も中に入って映るように〕自動的に写真機のシャッターを切る装置。

セルフ マネージメント⑤〔self-management〕〔よい結果を出したり、問題を解決したりするために〕自分の行動や感情を自分自身で管理すること。自己管理。「—能力を身につける／—支援⑪」

セルモーター③〔和製英語 ←cell + motor〕〔自動車などのエンジンを始動させるための〕蓄電池で動かす電動機。セル。

セルライト③〔cellulite〕皮下脂肪の塊。また、その塊を原因とする肌の凹凸。

セルロイド③〔celluloid=もと、商品名〕硝酸繊維素に樟脳ショウノウを交ぜ、圧縮して作った物質。燃えやすい。フィルム・おもちゃ・眼鏡枠用。

セルロース③〔cellulose〕繊維素。セルローズとも。

セレクション②〔selection〕選択。選抜。

セレクト②—する（他サ）〔select〕よりわけ（て捨て）ること。「—スイッチ」 **—ショップ**⑤〔和製英語 ←select + shop〕店が独自の観点で品ぞろえをする店。

セレナーデ③〔ド Serenade=愛人の住む窓の下で歌う、甘美な歌曲〕（小）夜曲。〔セレナードは、フランス語形〕

セレブ①—な〔celeb=セレブリティー celebrity の略〕❶（マスコミで話題にされるような）有名人。❷財力のある、上流社会の人。また、そのような雰囲気を漂わせている△様子（人）。「（上流社会の人専用であるかのような）—なホテル」

セレモニー①〔ceremony〕儀式。式典。 **—ホール**⑥〔ceremony hall〕葬儀を行なう式場。葬儀場。

セレン①〔ド Selen=「月」の意のギリシャ語に由来〕希有元素の一つ〔記号Se原子番号34〕。硫黄に似た化学性を持ち、可燃性で、水には溶けない。光電池・整流器などに使われる。セレニウム③。

セロ①〔cello〕⇩チェロ

せろ①【世路】（苦難の多い）人生での生き方。「せいろ」とも。

ゼロ①【《零】〔フ zéro〕❶Ⓐ個数が一つも無い△こと（状態）。〔基数詞の一つ〕「得点は三対—／—から出発する／—歳（八か月）・—乗ジョウ」Ⓑ（普通は正の）連続量として表わされるものの量が全く無いこと。「十点満点で—（点）／あの人の人格は—〔=無い〕に等しい／彼は経済観念が—に近い／—パーセント・—回答③・視界—」❷一番目のもう一つ前であること。〔序数詞の一つ〕「—番線ホーム」❸連続量（を数値で表わす時）の基点として採用する量であること。「—メートル地帯〔=水面と同じ高さの地帯〕・—ベクトル」❹〔数学で〕零レイ④。〔「ゼロ❶❷❸」に対応〕「関数の値が—になる」❺「ゼロ④」を表わすアラビア数字0の名称。例、108.05（空位を表わす）、東京都区内への電話は（03）。〔❸の用例のうち、「ゼロメートル地帯」は「零レイメートル地帯」とすることが出来ない〕⇩零イ 表記 アラビア数字では0、漢数字では〇と書く。

ゼロ エミッション④〔zero-emission〕家庭や工場などから捨てられるごみの類などを再利用などに回して廃棄物をゼロにすること。

ゼロ きごう③【ゼロ記号キガウ】〔文法で〕記号〔=音声〕としては何も表わされていないが、その位置に何らかの言語的な機能を果たす要素があると仮定されるときの、その要素に対する呼称。例、「雨が降る」の文の場合、「降る」の後には「だ」に当たる辞が存在し、断定の陳述の働きをしていると

考えるなど。零記号。〔記号∅〕

ゼロさいじ③【ゼロ歳児】 満一歳までの乳幼児。「零歳児」とも。「―保育⑥」

ゼロックス②〔Xerox=商標名〕 電子複写機⑥(で複写したもの)。

セロテープ③〔和製英語 ←Cellotape=商標名〕 セロハンで作った粘着テープ。

セロトニン⓪〔serotonin〕 化学伝達物質の一つ。脳の神経伝達や精神の安定などに作用する。

ゼロはい⓪【ゼロ敗】 零敗。スコンク。

セロハン①〔フ cellophane=もと、商品名〕 ビスコースを細いすきまから帯状に流し出して固めた、無色透明の紙状の物。包装用。

ゼロベース③〔zero-based〕 実績や歴史的経緯にこだわらず、あらかじめどのような前提も取らないこと。「―で交渉を始める」

セロリ①〔celery〕 畑に作るヨーロッパ原産の一、二年草。ウドに似た若い茎は薄黄色で独特のかおりがあり、なまでも食べられる。セロリー①とも。〔セリ科〕 かぞえ方 一本。小売の単位は一束・一把

せろん①【世論】 世間の多くの人の意見。「よろん」とも。

***せわ**②【世話】―する(他サ)〈だれヲ―する/だれニなにヲ―する〉〔形容詞「せわしい」の語幹という〕その人自身の力では出来ない事を、力・知恵などを貸して助けること。「いらぬお―〔=おせっかい〕だ/―になる〔=…の援助を受ける〕/―を焼く〔=手数をいとわず援助する〕/―が焼ける〔=手数がかかる〕/いい医者を―する〔=紹介する〕/祖父の―をする〔=そばに居て、いろいろめんどうを見る〕/―好き⓪・―人⓪」 【―が無い】 ❶何かをするのにめんどうな手間がいらない状態だ。「洗濯といっても、洗濯機でするのだから―」 ❷あきれてあれこれ言う気も起こらない様子だ。「自分から言い出しておいて反対するなんて―」

せわ②【世話】 世間一般の人がそう言ったりしたりする事柄。「下にも〔=世間の人が普通に〕申します通り/―に〔=俗語で〕砕いて申しますと」 **―きょうげん**③【―狂言】〔歌舞伎で〕世話物の狂言。 **―ば**⓪【―場】〔歌舞伎で〕庶民の、日常生活を演じる場面。 **―もの**⓪【―物】〔歌舞伎・浄瑠璃などで〕当時の世態を描写し、おもに町人を主人公としたもの。↕時代物

せわし・い③【《忙しい》】(形) ❶用事が次から次とあって、落ちついて休んだりものを考えたりするひまもない。いそがしい。「―毎日」 ❷一つの動作が終わるとすぐ次の動作に移って、ゆとりが無い様子だ。「忙しくまばたきをする」 派 ―さ③② ―げ⓪③④ ―が・る④

せわしな・い④【《忙しない》】(形) 「せわしい❷」の強調表現。「―世の中/忙しなく飛び回る」 派 ―さ④ ―げ④⑤⓪ ―が・る⑤ 文法 助動詞「そうだ(様態)」に続くときは「せわしなさそうだ」の形になる。

せわた⓪【背《腸》】 ❶エビの背にある黒い筋状の腸を指す俗称。 ❷サケの背骨の下にある腎臓の俗称。これで作った塩辛を「めふん」と称し珍味とする。

せわにょうぼう③【世話女房】 家事をうまくきりまわし、よく夫のめんどうを見る妻。

せわやき⓪④【世話焼(き)】 ❶何かにつけて他人のめんどうを見ようとする△こと(人)。 ❷組織や催し物などの設立や運営のために尽力する△こと(人)。

せわやく⓪【世話役】 世話をする役(の人)。世話人。

せわり⓪【背割(り)】 ❶魚の背筋を切り開くこと。 ❷建築後割れることを防ぐため、柱などの目立たない側を縦に引き割っておくこと。

せん〈千・川・仙・占・先・〈尖・宣・専・染・泉・浅・洗・〈穿・扇・栓・〈閃・旋・船・戦・煎・羨・腺・詮・践・〈僭・箋・銭・〈銑・潜・線・〈賤・選・遷・薦・繊・鮮〉 ↓【字音語の造語成分】

せん①【千】 ❶百の十倍を表わす数詞。「一―〔=千の強調表現〕・三―世界」〔十の三乗に等しい〕 ❷〔予測・予想をはるかに超えるほど〕数が多いこと。「―億①・―古・―秋・―里・―客万来・―軍万馬・―載一遇」 ⇩万 表記 ❶の大字は「〈仟・〈阡」。 かぞえ方 ❶三千・何千

せん①【先】 ❶ほかのものよりさき。「―を越される〔=先手を取られる〕/―史・―天・―入・―行・―見・―遣・―進」 ❷以前。〔「前」よりは早い時点・時期を指すことが多い〕「―に/もう―」 ❸先番❷。 ⇩【造語成分】

***せん**①【栓】〔もと、(門をしめる)木くぎの意〕 ❶Ⓐ穴にさしこんで、中身が漏れないようにするもの。「鼻に―をする」 Ⓑ物の口に付けて中身が漏れないようにするもの。「ビールの―〔=王冠〕を抜く/コルク―・―抜き」 ❷外界の物が中に入って来るのを防ぐための物。「耳に―をする/耳―⓪」 ❸水道管・ガス管などの末端に付ける開閉装置。コック。「水道の―をひねる/給水―・消火―・共用―」

せん①【詮】〔「〈為む」の意の借字〕 ❶手段。方法。「―が尽きた」 ❷しただけの効果。「―が無い」 ⇩【造語成分】

せん①【〈撰】 ❶詩文を作ること。「―文・―碑①」 ❷本を作ること。述作。著作。「百人一首は定家の―/―集・―著・―述・―進⓪・勅―・私―・自―・新―⓪」

****せん**①【線】 ❶糸のように細長く続くもの。「ふちに白い―の入った帽子/―の太い〔=考える事も度量も大きい〕政治家/ズボンの―〔=折れ目〕がはっきりしなくなった/―香・―路・電―」 ❷Ⓐ行動を決定づける方向・筋道。「彼の提案の―で話をまとめる/実行の―に落ち着く/△要綱(答申)の―に沿って/答申案の―を貫く/最低の―は崩さない/基本―②⓪」 Ⓑその範囲内にある限りそのものであり、それを越すとそのものでなくなるとされる、目に見えない仕切り。「どこで―を引くか/守らなければならない―を超えている/一―を引く/―を異にする〔=別の部類に属する〕」 ❸〔幾何学で〕時間と共に(連続的に)動く点の描く図形。〔位置・形・長さはあるが、幅も厚さも(したがって太さも)持たない〕「点と―/―を引く/面と面が交差すると一般に―が出来る/直―・曲―・折れ―・垂―・抛物―・実―・破―・点―」 ⇩点 かぞえ方 ❸は一本 ⇩【造語成分】

せん①【選】 ❶選ぶこと。「俳句の―に△当たる(もれる)/虚子―/―出・―択・―抜・―挙・互―・決―・改―」 ❷多くの中から選んだもの。「―に入る/現代文学―」 ⇩【造語成分】

せん①【〈磚】 土を焼いて△方形(長方形)にした、平たい板。建築材料。

せん①【繊】 せんぎり。いとぎり⓪。せんろっぽん。「―に切る」 表記 「千」とも書く。 ⇩【造語成分】

ぜん〈全・前・善・〈喘・然・禅・漸・〈髯・膳・繕〉 ↓【字音語の造語成分】

ぜん①【全】 全体。「一にして―、―にして一」 ↕個 ⇩【造語成分】

ぜん①【前】 ❶「ある時点よりまえ」の意のやや古風な言い方。以前。〔「先」に比べて、直前を指すことが多い〕「―中す通り/震災―は」〔法令では、基準とする時間よりも前。その日を含まない〕 ❷(連体) 現在より一つまえの。「―校長」 ⇩【造語成分】

ぜん①【善】 ❶よい△こと(もの)。好ましいこと。「―は急げ/―意・―行・―良・慈―」 ❷正しいこと(を行なう人)。 ❸道徳の理想。「最高―」(❶❷❸

の対義語は、悪〕⇩【造語成分】

ぜん[1][0]【禅】〔もと、「静」の意〕❶〔仏教で〕精神を統一し、無我の境地に入って物事の真の姿を求めること。❷「禅宗・座禅」の略。「―僧」⇩【造語成分】

ぜん[1]【漸】徐々に進む様子。「―を追って/―次・―進・―増・―減」

ぜん[0]【膳】❶食物をのせる台。「―に上(ボノ)る〔=料理として膳に出る〕/お―[0]・銘々―[3]」❷飯・菜を「膳❶」にのせて出す料理。膳部。「一の―/二の―/食―・配―・本―」
かぞえ方 ❶の一人の使用分は一客 ⇩【造語成分】

せんあいせん[3]-(アピー)【先相先】〔碁で〕半目(ハンモク)の差の相手と打つ時、一回先番で打ち、あとは互いに先番となること。

ぜんあく[1]【善悪】〔事柄の〕いい事と悪い事。「―のけじめをつける/―〔=していい事と悪い事の区別〕をわきまえる」

せんい[1]【船医】航海中、船に乗り組んで勤務する医師。

せんい[1]【戦意】△戦おうとする(戦いを続ける)気持。「―を失う/―喪失[1]-[0]」

せんい[1]【遷移】―する(自サ)〔自然科学で〕系がある状態から他の状態へ移ること。「―確率」

****せんい**[1]-(ヰ)【繊維】❶生物体を組織する、細かい糸のような物。不燃建築における鉄筋・鉄骨に似た役割を果たす。❷織物・紙の材料となる「繊維❶」。〔広義では、それと同じ用途を持つ人造製品を指す〕「―性の物質/―工業[4]」
表記 医学関係では「線維」とも。かぞえ方 ❶は一本

―そ[3]【―素】植物の細胞の壁を形づくり、また「繊維❶」を作っている主要成分。セルロース。

ぜんい[1]【善意】↔悪意 ❶他(の物)に対して持つ好意または好意的な見方。❷他人のためになるようにと思う心。「―の押しつけ」❸他の人・物のいい面を主として見た見方。〔法律では、問題となる事情が存在する事を知らないでする行為者の意思を指す〕

―ぎんこう[4]-(カウ)【―銀行】点字訳・理髪・大工・演芸などの技術や労力など、善意の提供を預託・登録した人たちが、それを必要とする向きにボランティアにより提供する機関。〔現在ではボランティアセンター〕

せんいき[0]-(ヰキ)【戦域】戦闘の区域。

ぜんいき[0]-(ヰキ)【全域】❶その地域・区域の全体。「関東―」❷すべての△領域(分野)。「自然科学の―」

せんいちや[4]【千一夜】〔アラビアンナイトの一名「千一夜物語」から〕長く続く読み物や放送番組の題目などにつける言葉。「千夜一夜[5]」とも。「科学―・スター―」

せん

【千】⇩(本文)せん【千】

【川】かわ。「河川・大(イタ)川・山川・百川・名川」

【仙】❶人里離れた所で菜食をし、不老不死の術を得た人。「仙人・仙術・仙骨・神仙」❷第一級の詩人・歌人の称。〔狭義では、脱俗の風がある人を指す。例、「詩仙・酒仙」〕「歌仙」

【占】❶うらなう。「占星術・占術・卜(ボク)占」❷しめる。「占拠・占領・占有・独占」

【先】❶さき。「先頭・先導・祖先・率先・優先・機先」❷…にさきだつ。「先験的・先入観・先遣隊・先行車・先史時代」❸なくなった。「先祖(ソ)・先王(ノウ)・先考・先君・先賢」❹まえの。〔「前」よりは、やや堅い表現〕「先兆・先蹤(ショウ)・先場所」❺相手方。「先方」
⇩(本文)せん【先】

【尖】❶とがる。とがっている。「尖鋭・尖端・尖塔」❷先。「尖兵(ペイ)・舌尖」

【宣】❶人民に広く知らせる。〔狭義では、天子や神の言葉を知らせることを指す。例、「宣旨(ジ)・宣下(ゲ)・託宣」〕「宣伝・宣教・宣揚」❷公衆の前で述べる。「宣言・宣誓・宣戦」

【専】[二]❶一つの事だけをして、ほかの事は全くやらない。もっぱら。「専一・専攻・専心・専任・専門・専属」❷ひとりじめにして、他に触れさせない。「専制・専売・専断」[三](略) 専門学校。「医専・女専・経専・高専」

【染】そめる。そまる。「染色・染料・汚染・感染」〔古くは「ぜん」〕

【泉】[二]❶いずみ。「泉水・源泉・鉱泉」❷めいど。「泉下(カ)・黄泉」[三](略)❶温泉。「アルカリ泉」❷和泉(イズミノ)国。「泉州」

【浅】❶あさい。「浅海・浅学・浅薄(パク)・深浅」↔深 ❷色が薄い。「浅紅・浅緑」

【洗】〔もと、足をすすぐ意〕あらう。「洗濯・洗顔・洗面・洗剤・洗練・洗滌(デキ)・洗脳・洗髪・洗礼・水洗」

【穿】穴があく。穴をあける。「穿孔・穿鑿(サク)」

【扇】〔もと、門のとびらの意〕❶おうぎ。「扇子(ス)・扇面・軍扇・白扇・鉄扇」❷あおる。「扇情・扇動・扇風(プウ)機」表記 ❷は、「煽」とも書いた。

【栓】⇩(本文)せん【栓】

【閃】ぴかりと光る。「閃光・電光一閃」

【旋】❶ぐるぐるまわる。「旋回・旋盤・旋風・螺(ラ)旋」❷もと(の場所)にもどる。「凱(ガイ)旋」❸中をとりもつ。「周旋・斡(アッ)旋」

【船】ふね。汽船。「船舶・船室・船体・船長・船員・乗船・造船・客船・漁船・帆船・宇宙船」

【戦】❶たたかい。いくさ。「戦争・戦闘・戦乱・戦地・戦果・会戦・合(カッ)戦・苦戦・接戦・冷戦・白兵戦・持久戦」❷競技。試合。「リーグ戦・観戦・熱戦」❸競争。「商戦・舌戦・論戦・宣伝戦」

【煎】❶煮つめる。「煎薬・煎茶」❷あぶる。「煎餅(ベイ)・香(コウ)煎」

【羨】うらやむ。うらやましい。「羨望・羨慕」

【腺】〔会意・形声によって作った国字〕生物体の内にあって、分泌(ピツ)・排泄(セツ)を受け持つ器官。「汗腺・耳下腺・乳腺・唾(ダ)液腺・甲状腺・リンパ腺・前立(ゼンリツ)腺・扁桃(ヘントウ)腺」

【詮】❶詳しく解き明かす。「詮衡・詮索」❷定義・真理を明らかにする。「所詮・名詮自性(ミョウセンジショウ)」
⇩(本文)せん【詮】

【践】〔足で踏む意〕❶位につく。「践祚(ソ)」❷実際に行なう。「実践」

【僭】下の者が勝手な行動をする。「僭越・僭上・僭主」

【箋】〔詩歌・手紙を書き記すための、細長い上等の紙の意〕❶特定の用途にあてる紙。「便箋・付箋・用箋・書簡箋・処方箋」❷〔古文献の〕注釈。「箋註(チュウ)」

［銭］ ❶（金属）貨幣。かね。「金銭・銅銭・古銭・口銭・借銭」 ❷明治以後の通貨の単位。一円の百分の一。「銭湯」 ❸昔の通貨の単位。一貫の千分の一。一文(モン)。かぞえ方 ❷❸かぞえるときは、すべて「セン」

［〈銑］ ずく鉄。「銑鉄・溶銑」

［潜］ [一]❶（水の中に）もぐる。かくれる。ひそむ。「潜水・潜行・潜航・潜入・潜在・潜伏」 ❷心を一つの事にひそめる。「潜心・沈潜」 [二]（略）潜水艦。「原潜・対潜砲・防潜網」

［線］ ❶一つのように見える面を、二つの異なる領域に分かつ境目。「火線・戦線・前線・水平線・地平線・非常線」 ❷車両の通る道筋。〔かぞえる時にも用いられる〕「本線・幹線・支線・路線・単線・複線・車線」 ❸目に見えない光線（に似たもの）。「X(エックス)線・紫外線・赤外線・宇宙線」 ❹電線。「動力線」 ⇩（本文）せん【線】

［〈賤］ ❶社会的身分が低い。「賤民・貴賤・卑賤・微賤」 ❷△根性（行い）が軽蔑(ケイベツ)すべきだ。「賤劣・賤業」

［選］ （略）選挙。「選管・当選・落選・再選・三選・市議選・参院選」 ⇩（本文）せん【選】

［遷］ ❶よそへ移る。「遷宮(グウ)・遷座・遷都」 ❷罰として、低い官に移す。「左遷」 ❸時が移り変わる。「遷延・変遷」

［薦］ 〔もと、牧草・草で作った座席の意〕人のために紹介し、すすめる。「推薦・自薦・他薦」

［繊］ [一]細くて、一本だけでは弱そうだ。「繊維・繊毛・繊細・繊弱・繊手」 [二]（略）繊維。「化繊」 ⇩（本文）せん【繊】

［鮮］ [一]❶魚・野菜などの食品の生きがいい。あたらしい。「鮮魚・鮮度・鮮血・新鮮・生鮮」 ❷あざやか。あざやかな。「鮮紅・鮮明・鮮麗・鮮烈」 [二]かつて、「朝鮮」の略語。

ぜん

［全］ ❶すべて（の）。「全体・全部・全権・全力・全勝・全集・全訳」 ❷…の範囲すべてにわたる。「全世界・全国・全校」 ❸全部で。「全十二巻」 ❹欠点やまちがいが無い。「全人・全美・完全・万全・安全・十全・保全」 ❺ことごとく。すっかり。「全快・全壊・全焼・全滅」 ❻純粋で、ほかの要素が交じっていない。「全乳」 ⇩（本文）ぜん【全】

［前］ [一]❶空間的にまえの△方（部分）。「前面・前衛・前輪・庭前・面前・衆前」 ❷△時間的に（順序が）まえに位置すること。「前者・前項・前史・前半・前半生」 ❸過去。「前歴・前例・従前・空前」 ⇩先 ❹〔発達段階から言って〕まえの時期に属する。「前近代的」 [二]（略）❶紀元前。「前十世紀」 ❷午前。⇩（本文）ぜん【前】

［善］ ❶能力・効果を十分に出しきる。上手であること。「善処・善用・善戦・善感」 ❷仲よくする。「善隣・親善」 ⇩（本文）ぜん【善】

［〈喘］ 呼吸が困難で、△ぜいぜい（はあはあ）言う。「喘息・喘鳴・余喘」

［然］ ❶漢字一字の副詞の後に付いて、その通りであることを表わす。「偶然・当然・必然・未然・自然」 ❷漢字一字の形容語の後に付いて、その状態であることを表わす。「暗然・隠然・果然・同然・平然・冷然・超然・毅(キ)然・猛然・率然・沛(ハイ)然」 ❸名詞の後に付いて、いかにも…であるように見える意を表わす。「得意然と語る／学生然として」

［禅］ ゆずる。「禅譲」 ⇩（本文）ぜん【禅】

［漸］ ⇩（本文）ぜん【漸】

［〈髯］ ひげ。特にほおひげ。「銀髯・紅髯・白髯・美髯」

［膳］ ❶出来あがった飲食物（を供える）。〔椀(ワン)に盛った食物をかぞえる時にも用いられる。例、「一膳めし」〕「膳部・御(ゴ)膳・大膳職(ダイゼンシキ|ダイゼンショク)」 ❷箸(ハシ)二本を一そろえとしてかぞえる語。〔主に料理に関するものに用いられる〕 ⇩（本文）ぜん【膳】

［繕］ つくろう。「修繕・営繕」

せんいつ⓪【専一】—に —な 一つの事にだけ心を集中する△こと（様子）。「御自愛—に〔=自分のからだを大事にする事を第一としてください〕」

ぜんいつ⓪【全一】—な △完全な（統一ある）一体である△こと（様子）。

せんいん⓪【船員】 船舶の乗組員。

ぜんいん⓪【全員】 その組織に属するすべての人員。

せんうん⓪【戦雲】 戦争が始まりそうなけはい。「—暗くたれこめる〔=雨雲になぞらえた言い方〕」

せんえい⓪【先鋭・〈尖鋭】—な 〔「尖」も「鋭」もするどい意〕 ❶〔刃物などの先が〕鋭くとがっている様子だ。 ❷思想・行動が急進的であり、体制側を容赦無く攻撃する様子だ。「—な青年活動家／—化⓪・—分子⑤」 表記「先」は、代用字。

せんえい⓪【鮮鋭】—に —な 微妙なところまで感じ取ったり再現したりする様子だ。「—なレンズ／—な録音」

ぜんえい⓪【前衛】 ❶前方の護衛。 ❷〔テニス・バレーボールなどで〕前方を守る競技者。 ❸階級闘争の第一線に立つ指導者。 ❹芸術などのやり方が非常に新しいこと。アバンギャルド。「—絵画⑤・—書道⑤・—的⓪・—性⓪」 〔❶❷の対義語は、後衛〕

せんえき①【染液】 色を染めるための液。

せんえき⓪【戦役】 「（ある期間持続する）戦争」の意の古風な表現。「日露—④」

せんえつ⓪【〈僭越】—な △身分（分際）を越えて、出過ぎた事をする△こと（様子）。「先輩の前であんな態度をとるのは—のそしりを免れない」 派—さ⓪ 運用「僭越△ですが（ながら）」などの形で、おおぜいの前で話をしたり 大きな役割を与えられて何かをするときの謙遜(ケンソン)の気持を表わす挨拶(アイサツ)の言葉として用いられることがある。例、「ご指名により僭越ながら乾杯の音頭をとらせていただきます」

せんえん⓪【遷延】—する（自他サ） 延び延びになること。長びくこと。

せんおう⓪【専横】—な 〔権力者などが〕支配的地位にあるのをいいことにして、わがままをどこまでも押し通す△こと（様子）。「—な上役／会長の—を許さない」 表記「〈擅横」とも書く。

ぜんおん⓪【全音】 半音の二倍の音程。長音階では、ミ～ファ・シ～ド以外の音程。↔半音

ぜんおんかい③【全音階】 五つの全音と二つの半音とから成る音階。↔半音階

ぜんおんぷ③【全音符】 音符の最も 基本的な単位。記

号「０」」

せんか①ー【専科】専門の学科課程。「声楽―」

せんか①【泉下】〔「黄泉(コウセン)の下」の意〕人が死んでから行くという、地下の世界。

せんか①クヮ【旋渦】「(激しい)渦巻」の意の古風な表現。「時勢の―中に巻き込まれる」

せんか①【船架】修理する船舶を陸上に引き上げる設備。

せんか①クヮ【戦火】戦争(による火災)。「―が収まる」

せんか①クヮ【戦果】戦闘の成績・成果。「―があがる」

せんか①クヮ【戦渦】戦争の混乱の中。「―に巻きこまれる」

せんか①クヮ【戦禍】戦争による災害・災難。「―が拡大する」

せんか①⓪クヮ【選果】―する(自他サ) 果物の実を選び分けること。

せんか①クヮ【選科】〔本科に対して〕一部の学科だけを選んで学習するコース。「―生③」

せんか①【選歌】―する(自サ) 歌を選ぶこと。また、選んだ歌。

せんが⓪グヮ【線画】❶線ばかりでかいた絵。❷「線画❶」を撮影したアニメ映画。

ぜんか①クヮ【前科】以前に刑罰を受けたことがあること。〔組織などに損害を与えるような失敗をしたことがあることのたとえにも用いられる〕「―三犯(パン)/―者(モノ)⓪」

ぜんか①クヮ【善果】〔よい行いの結果である〕よい報い。「善因―」

ぜんか①【禅家】ぜんけ。

せんかい⓪【仙界】仙境。

せんかい⓪【浅海】↔深海 ❶底の浅い海。❷海岸から比較的近い、深さ二百メートルまでの間(の海)。

せんかい⓪クヮイ【旋回・旋〈廻〉】―する(自サ) ❶円を描いて、ぐるぐる回ること。❷〔航空機が〕△右(左)に円を描くように方向を変えること。「急―③」

せんがい⓪①グヮイ【選外】選に入らないこと。「―佳作」

ぜんかい⓪①クヮイ【全会】その会合に出席している人全員。「―一致で可決する」

ぜんかい⓪クヮイ【全快】―する(自サ) 病気が治って、元通りの健康な状態になること。

ぜんかい⓪【全開】―する(自他サ) 〔栓・窓などを〕全部開くこと。〔持てる能力を最大限に発揮させることの意にも用いられる。例、「エンジン―」〕

ぜんかい⓪クヮイ【全壊・全潰】―する(自サ) 建物などが原形をとどめないまでにつぶれること。「―家屋⑤」⇩半壊

ぜんかい①クヮイ【前回】この前の回。⇩今回・次回

せんがいき③ーグヮイ【船外機】ボートなどの船体のそとに取りつけることの出来る小形の動力装置。

せんがき⓪【線描き】物の形を線で表わすこと。特に、日本画のかき方の一つ。

せんかく⓪【先覚】❶世人に先んじて必要を悟り、いち速くそのことを実行したり研究したりする人。「―者③④」❷学問・見識のある先輩。

せんがく⓪【先学】その人と同じ分野の学問を、その人よりも先に開拓・研究した人。↔後学

せんがく⓪【浅学】自分の学問の未熟なことの謙遜(ケンソン)語。「―非才の身」

ぜんかく⓪【全角】〔印刷で〕活字一字分。「―あき」⇩半角

ぜんがく①【全学】大学全体。「―投票⑤・―集会⑤」

ぜんがく⓪【全額】全部の金額。「―払いもどし」

ぜんがく⓪【前額】「ひたい」の意の漢語的表現。「―部」

ぜんがく⓪【禅学】禅宗の教義を研究する学問。

ぜんがくれん④③【全学連】「全日本学生自治会総連合④-⑥-③」の略。

せんかし③ーークヮ ❶【仙貨紙】コウゾを材料とした、厚くて強い和紙。からかさなどに使用。❷【仙花紙】すきかえして作った下等な洋紙。［かぞえ方］❶❷とも一枚

せんかた⓪【詮方・《為ん方》】〔「為(セ)む方」の意〕なすべき方法。せんすべ。「―尽きて降参した」 **―な・い**⑤【―無い】(形) 事態に適切に対処する方法が全くなく、あきらめなければならない状態だ。「ないものねだりをしても―/せんかたなく歩いていった」［派］**―さ**⑤ ［文法］助動詞「そうだ(様態)」に続くときは「せん方なさそうだ」の形になる。また「すぎる」と結びついて複合動詞をつくるときは「せん方なさすぎる」の形になる。

せんかん⓪ークヮン【専管】―する(他サ) 一手に管轄すること。「―水域⑤」

せんかん⓪ークヮン【選管】「選挙管理委員会」の略。

せんかん⓪【戦艦】強力な攻撃力・防御力を持ち、海上兵力の中心となる軍艦。戦闘艦。〔現在は、航空母艦が中心〕［かぞえ方］一艘(イッソウ)・一隻(イッセキ)

せんかん⓪【潜〈函〉】建物・橋などの基礎工事をするために、地下に作る箱。鉄筋コンクリートで作り、圧縮空気を満たす。ケーソン。

せんかん⓪【潜艦】「潜水艦」の略。

せんかん⓪ークヮン【〈潺湲〉】―たる ―と 「小川や遣水(ヤリミズ)がさらさらと流れる△様子(音)」の意の古風な表現。「せんえん」とも。

せんがん⓪【洗眼】―する(自サ) 〔水・薬液などで〕目を洗ってよごれをとること。「―薬③」

せんがん⓪【洗顔】―する(自サ) 顔を洗うこと。「―料③」

ぜんかん①⓪ークヮン【全巻】❶数巻から成る書物や映画の全部。❷その書物のすべての部分。

ぜんかん①⓪ークヮン【全館】❶すべての館。❷その建物全体。「―冷房⑤」

ぜんかん⓪ークヮン【前官】退官する時の官職。「―礼遇〔＝⇩礼遇〕」

ぜんかん⓪【善感】―する(自サ) 種痘などの効果を示す跡がつくこと。↔不善感

ぜんがん⓪【前〈癌〉】このまま進むと癌になるおそれがあると考えられる状態にあること。「―症状⑤」

せんき⓪【〈疝気〉】〔漢方で〕下腹部を中心として内臓の痛む病気。「―持ち⓪⑤」 **―すじ**③④ースヂ【―筋】疝気の起こる筋。〔筋道をとり違える意にも用いられる〕

せんき①【戦記】戦争・試合などの記録。「―物語⑥」

せんき①【戦機】❶戦争が起こりそうなけはい。❷両方とも十分に準備を整えてまさに戦いを始めようとする構え。「―熟す」

せんぎ①【先議】―する(他サ) 先に審議すること。「―権③」

せんぎ①―する(他サ) ❶【〈僉議〉】〔「僉」は、皆、悉(コトゴト)くの意〕関係者が一堂に寄り集まって、さし迫った問題についてどう対処すべきか論議すること。❷【詮議】〔「詮」は、事理を解明する意〕本当に罪を犯したかどうかを明らかにすること。「―立(ダ)て⓪」

ぜんき①【全期】❶すべての期間。❷その期間全体。

ぜんき①【前記】―する(他サ) その箇所の前にしるすこと。また、そのしるした箇所。↔後記

ぜんき①【前期】ある期間を幾つかに分けた△初め(前半)の時期。〔狭義では、一つ前の時期、ことに決算期を指す〕⇩後期・中期

せんきゃく⓪【先客】先に来ている客。

せんきゃく⓪【船客】船に乗る客。

せんきゃくばんらい⓪-⓪【千客万来】―する(自サ) 多くの客が次から次へと来ること。

せんきゅう[0]【仙宮】 仙人の住む宮殿。

せんきゅう[0](キフ)【船級】 船が航海に耐えられる程度に応じてその船に与える等級。

せんきゅう[0](キウ)【選球】—する(自サ) 〔野球で〕打者が、ボール・ストライクや、ヒットがねらえる球かどうかなどを見分けること。「—眼[3]」

せんきょ[1]【占居】—する(自サ) その場所を占めるものとして、そこに居ること。

せんきょ[1]【占拠】—する(他サ) 〔不法に〕ある場所を自分のものにして、他人を寄せつけないこと。「建物を—する」

せんきょ[1]【船〈渠〉】 ⇩ドック❶

****せんきょ**[1]【選挙】—する(他サ)〈だれヲ—する〉 何かの任に当たる人を、その資格・条件に合った人の中から選び出すこと。「—を控える/激しい—戦を展開する/—違反を犯す/—区[3]・—屋[0]・—管理委員会[8]」 **—うんどう**(オ)[4]【—運動】 選挙に当選するために行なう勧誘・演説などの行為。「—が展開される」 **—けん**[3]【—権】 選挙に参加して投票する権利。 **—にん**[0]【—人】 選挙権を有する人。「—名簿[6]」 **—ぼたい**[4]【—母体】 ⇩母体

せんぎょ[1]【鮮魚】〔食用にする〕△なまの(新しい)魚。

せんきょう(オ)[0](キヤウ)【仙境】 仙人の住む土地(のような俗界を離れた別世界)。桃源郷。 表記 「仙郷」とも書く。

せんきょう(オ)[0](ケウ)【宣教】—する(自サ) その宗教をのべ広めること。 **—し**[3]【—師】 キリスト教を外国に広めるために、本国から差し向けられた人。

せんきょう(オ)[0](ケウ)【船橋】 ⇩ブリッジ❶

せんきょう(オ)[0](キヤウ)【戦況】 戦争・戦闘の様子。

せんぎょう(オ)[0](ゲフ)【専業】 ❶専門の△仕事(事業)。「—主婦[5]」 ❷一つの職業にのみ従うこと。「—農家[5]」 ⇩兼業 ❸国家が許可した独占事業。

せんぎょう(オ)[0](ゲフ)【〈賤業】〔職業に貴賤は無いと考えられる中でも〕恥ずべきものとされる職業。「—婦[3]〔=売春婦〕」

せんきょく[0]【戦局】 その時どきの△戦争(勝負事)の局面。「—が悪化する」

せんきょく[0]【選曲】—する(自サ) 多くの楽曲の中から、△よい(適当)と思うものを幾つか選ぶこと。

せんきょく[0]【選局】—する(自サ) 〔受信機を調節して〕放送局を選ぶこと。「—ダイヤル[5]・—ボタン[5]」

ぜんきょく[0]【全曲】 その曲の全体。「—演奏」

ぜんきょく[0][1]【全局】 ❶局面全体。 ❷〔碁・将棋で〕対局の全体。

せんぎり[0][3]【千切(り)・繊切(り)】 ダイコンなどを細く△切ること(切ったもの)。せん。繊六本(センロッポン)。

せんきん[0]【千金】 千両。〔多額のお金の意にも用いられる〕「春宵(シュンショウ)一刻値(アタイ)—〔=⇩春宵〕」

せんきん[0]【千〈鈞〉】 〔「一鈞」は三十斤の意〕きわめて重い△こと(もの)。「—の重み」

ぜんきん[0][3]【前金】 あらかじめ△代金を払うこと(払う代金)。「まえきん」とも。

ぜんきんだい[3]【前近代】 ❶△非合理的(封建的・閉鎖的)で、古い感じを与えること。 ❷資本主義文化の特徴をまだ備えていないこと。「—的」

せんく[1][0]【先駆】 ❶普通の人より早くその必要をさとり、実行した人。パイオニア。「—者[3]」 ❷前駆。

せんく[1]【線区】 鉄道の線路を区間によって分けたもの。「全国で二百以上の—がある」

せんく[1][0]【選句】—する(自サ) いい俳句を選ぶこと。また、選んだ俳句。「—者[3]」

せんぐ[1]【船具】 船の用具。例、帆・錨(イカリ)など。

ぜんく[1]【前駆】—する(自サ) 複数の車馬が連続して走行するときに先頭を走り先導役をつとめること。先駆け。「—のオートバイ」 **—しょうじょう**(オ)(オ)[4](—シヤウジヤウ)【—症状】 その病気の前触れとして現われる症状。

せんぐう[3][0]【遷宮】—する(自サ) 神殿を建て替える時、神霊を移す△こと(儀式)。「仮(カリ)—[3]〔=本殿から仮殿(カリドノ)へ移すこと〕・正(ショウ)—[3]〔=仮殿から新宮へ移すこと〕」

せんくち[0]【先口】 初めの順番。初めに△申し込む(言い出す)こと。前口(マエクチ)。 ↕後口(アトクチ)

ぜんくつ[0]【前屈】—する(自他サ) からだのその部分△が普通より前に曲がっている(を前に曲げる)こと。 ↕後屈

せんくん[1][0]【先君】 ❶先代の主君。 ❷「亡父・祖先」の意の古風な表現。

せんくん[0]【戦訓】 行なった戦闘から受ける教訓。「—を生かす」

ぜんぐん[0]【全軍】 ❶幾つかの部隊で組織されている軍隊の全部。 ❷その軍隊の全員。 ❸〔スポーツで〕一つのチーム全体。

せんぐんばんば[5]【千軍万馬】 ❶多くの軍兵(グンビョウ)と軍馬。 ❷〔多くの戦闘を経験して〕(戦いの)かけひきの上手なこと。「—の古強者(フルツワモノ)」

せんげ[1]【宣下】—する(自他サ) 何かを命令する天皇のお言葉が下ること。「院号—」

せんげ[1][0]【遷化】—する(自サ) 高僧が死去すること。

ぜんけ[1][0]【禅家】 禅宗に属する、寺・僧(の総称)。

せんけい[0]【扇形】 扇を開いた時の形。おうぎがた[0]。〔幾何学では、二本の半径とその間の円弧によって囲まれた、円の一部を指す〕

せんけい[0]【船型】 船の形。船の輪郭を表わす模型。

せんけい[0]【線形】 線の形。細い筋の形。

せんけい[0]【線型】 〔数学で〕一次式の性質を持つこと。「—代数学・—空間・—微分方程式」

ぜんけい[0]【全形】 ❶全体の形。 ❷完全な形。

ぜんけい[0]【全景】 ❶全体のながめ。「丘の上から見る町の—」 ❷〔映画で〕ある場面の背景全体を画面に取り入れたもの。

ぜんけい[0]【前掲】—する(他サ) 〔本で〕その場所よりも前に△記事(例)として出したこと。

ぜんけい[0]【前景】 手前の方に見える景色。 ↕後景

ぜんけい[0]【前傾】—する(自サ) からだが、前の方に傾くこと。

せんけつ[0]【先決】—する(他サ) 〔どうするかを〕先に決めておくこと。 **—もんだい**[5]【—問題】 ほかの問題の前に、まず決めておくべき問題。

せんけつ[0]【専決】—する(他サ) その人だけの考えで決め(て処理す)ること。「—処分[5]・—事項[5]」

せんけつ[0]【潜血】 糞便(フンベン)中にわずかに交じる、胃腸部内からの出血。「—反応[5]」により、胃腸の炎症や潰瘍(カイヨウ)・癌(ガン)などを早期診断する。〔広義では、小便の中に見られる出血をも指す〕

せんけつ[0]【鮮血】 〔からだから出たばかりの〕真っ赤な血。

せんげつ[1]【先月】 今月の前の月。〔副詞的にも用いられる〕 ↕来月

ぜんげつ[1][0]【前月】 〔任意の月から見て〕以前の月。〔先月の意で使うこともある。副詞的にも用いられる〕

せんけん[0]【先見】 将来がどうなるか、前もって見通すこと。「—の明/—性[0]」

せんけん[0]【先遣】—する(他サ) 本隊より先に少人数を派遣すること。「—(部)隊」

せんけん[0]【先賢】 すぐれた業績を残した、昔の人。 表記 「《前賢」とも書いた。

せんけん⓪【専検】旧制度で、「専門学校入学資格検定試験⑤-⑫、⑤-⑬、⑤-⑤、⑤-⑤-⑥」の略。

せんけん⓪【専権】思うさまに権力をふるうこと。

せんけん⓪【浅見】あさはかな考え。〔自分の考えを謙遜ケンソンして言うこともある〕「—短慮」

せんけん⓪【〈嬋娟〉】—たる —と 「あでやかで美しい様子」の意の古風な表現。

*__せんげん__③【宣言】—する(他サ)〈(だれニ)なにヲ—する〉△個人(団体)が、自分の意見や方針を世間に対して公式に発表すること。また、その言葉。「開会を—する/—に盛り込む/—が採択される/開会—・独立—」

ぜんけん⓪【全権】委任された事柄に関するすべての権限。「—を握る」 **—いいん**⑤-ヰヰン【—委員】全権の委任状を持ち、国家を代表して派遣される委員。 **—たいし**⑤【—大使】〔↑特命全権大使⑨〕第一級の外交使節。外国に駐在してその国との外交に当たる。大使。

ぜんけん①⓪【前件】↕後件 ❶前後に続く二つの事項のうち、前にあげた方。❷〔日本語文法で〕「兄は政治家になり、弟は作家になった」のように並列・対比的な事柄を述べる表現や、「冬になれば雪が降る」などのように前提となる条件(原因や理由となる事柄を含めて)とその帰結とを表わす文で、前の方に述べる事柄。「前項」とも。

ぜんけん⓪【前賢】今の人の模範となるような業績を残した、昔の人。

ぜんげん⓪【前言】❶その人が前に言った言葉。「—を△ひるがえす(取り消す)」❷〔古〕昔の人の言葉。

ぜんげん⓪【善言】聞いた人の手本となるようなよい言葉。「—嘉行カコウ〔=人の手本となるような、よい行い〕」

ぜんげん⓪【漸減】—する(自他サ) だんだん減っていくこと。また、減らしていくこと。「—傾向をたどる」↕漸増

せんけんてき⓪【先験的】—な 〔カントの哲学において〕後天的な経験に先立つものとして、論理的に認識・概念などが要請される様子だ。

せんげんばんご⑤【千言万語】非常に数多くの言葉。「—を費やす」

せんこ①【千古】❶おおむかし。「—のなぞ」❷永遠。「—不滅の英雄」 **—ふえき**①-①【—不易】永遠に変わらないこと。

せんご①【先後】—する(自サ)「時間や順番のあとさき」の意の古風な表現。

せんご⓪【戦後】戦争の終わったあと(の虚脱状態や急激な社会変動の一時期)。〔狭義では、第二次世界大戦後を指す〕「—派⓪」↕戦前

ぜんこ①【全戸】❶そのうちに属する家族全体。❷〔その村や町の〕全部の家。「—流失」

ぜんこ①【前古】「はるかむかし」の意の古風な表現。「—未曽有ミゾウ①-⓪〔=昔からまだ一度もあったためしが無いこと〕」

ぜんご【前後】**一**① ❶前と後ろ。「国賓を乗せた車の—にパトカーが付く/—の考えも無く〔=そうしたらあとでどういう結果になるかという思慮を失って〕/—を忘れる〔=『酔い・興奮・怒りなどのために』自分がどのような状況に置かれているか分からなくなる〕/—関係から△事実無根(誇大広告)と解釈した」❷—する(自サ) 順序が逆になること。「話が—するが」❸—する(自サ)〔多く「—して」の形で〕どちらが先かあとか、分からないくらい、間マをおかずに事が行なわれる様子を表わす。「(相)—して到着」**二**〔接尾語的に〕問題の時期・年代を正確には指摘出来ないが、おおよそ今挙げるところからそう隔たってはいないことを表わす。〔広義では、年齢・時間、さらには物の数量についても言う。例、「五時—には到着するだろう/まだ三十—の課長/十台—続いたかな」〕 **—ふかく**①-⓪【—不覚】—に —な 意識を失って、前後の状況が全く分からなくなる様子だ。「—になるまで飲む」

ぜんご①【善後】〔事件などの〕後始末をつけること。「—処置④」 **—さく**③【—策】後あとしこりを残さないような後始末の方策。

せんこう⓪-カウ【先考】「今は亡き父」の意の漢語的表現。↕先妣センピ

せんこう⓪-カウ【先行】—する(自サ) 問題にするものより一歩先に立つこと。「彼は常に—して進んだ/三点を—する〔=先に点を取る。⇩アヘッド〕/一勝四敗と黒星が—して〔=負けが込んで〕います/—文献⑤〔=同一テーマで、それより以前に発表された参考文献〕・—者③」

せんこう⓪【先攻】—する(自サ)〔スポーツで〕先に攻撃する△こと(方)。↕先守・後攻

せんこう⓪-カウ【専行】—する(他サ)〔上役の命令を受けず〕自分だけの判断で行なうこと。「独断—」

せんこう⓪【専攻】—する(他サ) ある学問の分野を専門に研究すること。また、その範囲。「—科目⑤」

せんこう⓪【浅紅】うすくれない。ピンク。「—色ショク③」

せんこう⓪【〈穿孔】❶—する(自他サ) 孔アナを△あける(があく)こと。「—機③」⇩鑽孔サンコウ ❷あけられた孔。

せんこう⓪-クワウ【〈閃光】瞬間的にぴかっと光る光。 **—でんきゅう**⑤-キウ【—電球】写真撮影に使われた電球。中に線状や箔ハク状のアルミニウム・酸素がつめてあり、瞬間的に強烈な光を出す。フラッシュ。[かぞえ方] 一本

せんこう⓪【戦功】戦争でたてた功績。

せんこう⓪-カウ【潜行】—する(自サ) ❶人目に触れないようにして△外出(行動)すること。❷水中をもぐって行くこと。「—時間」 **—うんどう**⑤【—運動】秘密裏リに行なう運動。地下運動。

せんこう⓪-カウ【潜幸】—する(自サ) 天皇が多くの人に知られないように行幸されること。

せんこう⓪-カウ【潜航】—する(自サ) ❶ひそかに航海すること。❷水中をもぐって進むこと。「—艇⓪」

せんこう①-カウ【線香】香気を含んだ草の粉を線状に細く固めたもの。火を付け、立てて仏前に供えたりする。〔広義では、蚊取線香をも含める〕「—をあげる/—立て③」[かぞえ方] 狭義の線香は一本。渦巻状の蚊取線香は一巻ヒトマキ。 **—だい**⓪【—代】❶線香の代りに仏前に供えるお金。香料。❷〔関西で〕芸者・遊女の揚げ代。花代。 **—はなび**⑤【—花火】こよりに火薬をひねり込んだ花火。〔俗に、最初は、はなばなしい活動をするが、さめやすい性質(の人)の意にも用いられる〕[かぞえ方] 一本

せんこう⓪-カウ【選考・〈銓衡】—する(他サ)〔「銓」も「衡」も諮ハカり選ぶ意〕△その(どの)人が適任かどうかについて、能力・人柄などをよく調べること。「人事—委員会」[表記]「詮衡」とも書く。「選考」は、代用字。

せんこう⓪-クワウ【選鉱】—する(自サ) 掘り取った鉱石をより分けること。「—夫③」

せんこう⓪-カウ【遷幸】—する(自サ) 天皇が、自分の意志でなく都から他の土地に移られること。

せんこう⓪-カウ【繊巧】—な 細工が細かくて巧みな様子だ。「—な工芸品」

せんこう⓪【鮮紅】△きれいな(あざやかな)赤色。「—色③」

ぜんこう①⓪-カウ【全校】❶その学校全体。「卒業式には—生徒が出席する」❷すべての学校。「県下の—」

ぜんこう①⓪-カウ【前項】↕後項 ❶直前に取り上げた項目。❷〔数学で〕二つの項のうちの前の方。

ぜんこう⓪-カウ【善行】社会を明るくし、人心を自オノズカら感化するような、よい行い。「—の主/小さな—/—を△積む(施

す)/嘉言―」

ぜんごう⓪①【前号】↕次号 ❶前の号(の刊行物)。❷〔法令の各条文の中で〕一応の独立規定のうちで、前にあるもの。

ぜんごう⓪③ ■一【前業】〔仏教で〕〔この世の幸・不幸を決定するものとしての〕前世における行為。■二【善業】〔仏教で〕後によい結果を受ける原因となるよい行い。↕悪業

せんこく⓪【先刻】■一「さきほど」の意の改まった表現。「―お見えになりました/―は失礼しました」■二(副) その時点においては、事がすでに完了している様子。「―ご承知のことと思いますが/そんなことは―見破られていたのだ」

*せんこく⓪【宣告】―する(他サ)〈だれニなにヲ(なんだト)―する〉❶△決定的な(憂慮すべき)事態であることを相手にはっきりと伝えること。また、その言葉。「不治の―を受ける/癌の―はショックだった/今度同じあやまちをしたら責任を取ってもらうと彼に―しておいた」❷判決を言い渡すこと。また、その判決。「懲役五年を―する/死刑―・破産―」

せんこく⓪【線刻】―する(他サ)〔絵画・彫刻などで〕線としてとらえた物の輪郭(をなぞること)。「―絵④」

せんごく⓪【戦国】❶国じゅうのどこかで戦いがあり、庶民の平和な生活が脅かされる世の中。❷〔↑戦国時代⑤〘=一五世紀後半～一六世紀半ば〙〕各地の△大名(諸侯)がさらに勢力を拡張し、究極は天下の覇権を取るべく互いに戦った時代。〔広義では、同業者による生存競争が激しくて、うっかりしていると他にしてやられる時世の意にも用いられる〕「―の世」

ぜんこく①【全国】国全体。国じゅう。「―的な広がりを見せる/―紙④③・―区④③」

せんごくどおし⑤【千石〈簁・千石通(し)】米とぬかのふるい分けや穀類の選別に使う農具。万石簁。

せんごくぶね⑤【千石船】米千石を積むことの出来た、江戸時代の大型の和船。帆二十六反、櫓十七、八挺を備えたという。

せんこつ⓪【仙骨】〔仙人の骨相の意〕いかにも人間離れした、非凡な風采・人相。「―を帯びる」

せんこつ①【薦骨・仙骨】〔「薦」は、重ねる・敷物の意〕背骨の下端にある三角形の骨。

ぜんこん⓪③【善根】よい報いを受ける原因となる、よい行い。〔古くは「ぜんごん」〕「―を施す」

せんざ①【遷座】―する(他サ) 天皇または仏像・神体の座をよそへ移すこと。

ぜんざ⓪【前座】〔落語・講談などで〕本番開始前に見習いとして口演を務める△こと(まだ修業中の芸人)。〔番付には載らず、本番開始後は師匠の座布団の世話や番付めくりなどをする〕「―を務める〔=中心となる出し物や講演に先立って、何かを演じる〕」⇩二つ目❷・真打

センサー①〔sensor〕音・光・温度・形などを感知して△電子(電気)的に信号を発する装置。検知器。感知器。 [かぞえ方] 一本

せんさい⓪【先妻】〔現在の妻ではなく〕前に妻であった女性。もとの妻。↕後妻

せんさい⓪【浅才】あさはかな才能。〔多く、自分の才能を取るに足らないものだと謙遜して言う〕

せんさい⓪【戦災】戦争による災害。〔おもに火災によるものが多い〕「―孤児⑤・―者③」

せんさい⓪【戦債】戦費をまかなうための国債。

せんさい⓪【繊細】―な/―に ❶きめが細かくて、優美な様子だ。「白い―な指」❷感情が細かくて、鋭い様子だ。「―な神経を逆なでするような発言」↕がさつ [派]―さ⓪⑤

せんざい⓪【千載】「千年」の意の古風な漢語的表現。[表記]「千歳」とも書く。 ―いちぐう⓪-⓪【―一遇】千年に一度しか会えない△こと(ほどの恵まれたよい機会)。「―のチャンス」

せんざい⓪【《前栽】〔雅〕❶庭先に植えた草や木。❷植込みのある庭。

せんざい⓪【洗剤】衣類・食器・野菜などを洗う時、湯・水に溶かして使う薬剤。「中性―」

せんざい⓪【煎剤】植物質のものを煎じ出した薬剤。

せんざい⓪【潜在】―する(自サ) 外には現われず、内部に、目立たないで存在すること。「―失業⑤⑥・―的⓪」↕顕在 ―いしき⑤【―意識】自分では少しも意識しないが、その人の行動や考えに影響を及ぼしている心の働き。

ぜんさい⓪【前菜】⇩オードブル

ぜんざい①③【善〈哉】〔いいと言ってほめる意〕❶つぶしあんをまぶしたもち。汁粉のように おわんに入れて食べる。❷〔関西などの方言〕つぶしあん入りの汁粉。いなかじるこ。

*せんさく⓪【〈穿鑿〉】―する(他サ)〈なにヲ―する〉〔穴をあける意〕❶根掘り葉掘り尋ね、細かい点まで知ろうとすること。「―好き⓪」❷〔第三者が〕その事に関し△とやかく言う(みだりに臆測する)こと。[表記]「詮索」とも書く。

せんさく⓪【詮索】―する(他サ)〔「穿鑿」の変化〕どこに△ある(居る)か、捜し求めること。

センサス①〔census〕国勢調査。「工業―」

ぜんさつ⓪【禅刹】禅宗の寺。

せんさばんべつ①-⓪【千差万別】多くのものがそれぞれ違っていること。「多種多様」の強調形。

ぜんざん①【全山】❶そのやま全体。満山。❷すべての山。❸〔規模の大きな寺について〕お寺全体。

せんざんこう③【〈穿山甲】からだが黒茶色の硬いうろこでおおわれ、口が突き出て、長い舌でアリを食べる哺乳動物の総称。アジア・アフリカにすむ。〔センザンコウ科〕 [かぞえ方] 一匹

せんし①【先史】有史以前。文献によって知ることが出来ない昔。 ―がく③【―学】遺品・遺跡によって文献以前の歴史を研究する学問。史前学。 ―じだい④【―時代】文献資料の全く伝わらない時代。有史以前の人類の生きていた時代を指す。

せんし①【先師】その人の、なくなった先生・師匠。

せんし①【〈穿刺】患部に中空の針を刺し、中の液を吸い取ること。肋膜炎の治療などに行なう。

せんし①【戦士】「兵士」の意の美称。「産業―⑤〔=『産業界の最前線に活躍する人』の意の美称〕」

せんし①【戦史】戦争の歴史。

せんし⓪【戦死】―する(自サ) 戦闘に参加して死ぬこと。「―者を出す」

せんし①【選士】えりすぐった△兵士(人びと)。

せんじ①【宣旨】〔古〕天皇のお言葉を述べ伝えること。〔狭義では、その文書を指す〕

せんじ①【戦時】戦争△をしている(が続いている)時。「―中・―体制④」↕平時

せんじ【煎(じ)】■一⓪③ ❶煎じること。❷かつおぶし製造の際、沈澱する汁を煎じ詰めたもの。〔ダイズの煮汁を指すこともある〕いろり⓪。[表記]「〈煎汁〉」とも書く。■二(造語) 動詞「煎じる」の連用形。「―薬④」 ―だ・す④【―出す】(他五) 漢方薬を煎じて成分をしみ出させる。 ―つ・める⑤【―詰める】(他下一) ❶成分が出尽くすところまで漢方薬を煎じる。❷考えをまとめて、結論の要点を取り出す。〔徹底的に論じることの意にも用いられる〕「今の私は、老母と妻、そして二人の子供たちの愛情に包ま

** * は重要語, ⓪①… はアクセント記号, 品詞の指示の無いものは名詞および いわゆる連語。

れて暮らしている。煎じ詰めれば〔=言ってみれば〕幸せな境遇にある／双方の対立は、煎じ詰めれば〔=結論的に言うならば〕、政権発足時の背信行為にさかのぼる」

ぜんし①【全市】❶その市全体(の人)。❷〔その都・道・府・県に属する〕すべての市。

ぜんし①【全姿】全体の姿。

ぜんし①⓪【全紙】❶製紙工場で、すき上がった紙をA判・B判などの寸法に合わせて切ったままの、大きい紙。たとえば、新聞紙を一枚広げた大きさ。全判。❷すべての新聞。❸(その新聞の)紙面全体。

ぜんし①【前史】❶〔ある時期の〕前半の歴史。「明治―」❷〔当面問題になっている時期の歴史と違って〕その記述に深い関係を持つ、それ以前の歴史。「資本主義発達―」❸先史。

ぜんし①【前肢】〔四足ある動物の〕まえあし。↕後肢

ぜんし①【前〈翅】昆虫の翅(ハネ)のうち、前部にある一対(イッツイ)。⇩後翅

ぜんじ①【漸次】(副) 時間の経過と共に、その傾向や程度、また状況が少しずつ変化していくことを表わす。「この時期を越えれば日本経済も―回復するだろう／その比率は―△増大(減少)する傾向にある」

ぜんじ①【全治】―する(自サ) ⇩ぜんち

ぜんじ①【禅師】高徳の禅僧に朝廷から賜わる称号。

せんしつ⓪【泉質】温泉の化学的性質。例、単純温泉・炭酸水素塩泉など。

せんしつ⓪【船室】船の中で、乗客の使用にあてる△部屋(客室)。キャビン。「一等―・二等―」

せんじつ⓪【先日】昨日・一昨日などよりもさらに少し前のある日。このあいだ。〔副詞的にも用いられる〕「―はわざわざお越しいただきありがとうございました／―来(イライ)④〔=この間(から)〕」

ぜんしつ⓪【禅室】❶座禅をする部屋。❷禅僧の居間。❸仏門に入った貴人の敬称。

ぜんじつ⓪【前日】その日の、すぐ前の日。〔副詞的にも用いられる〕「出張のため―に現地に入った」

ぜんじつ せい⓪【全日制】⇩ぜんにちせい

センシティブ①―な〔sensitive〕❶感覚が敏感である様子だ。❷(微妙な問題を含んでいて)取り扱いに慎重を要する様子だ。

せんしばんこう①-⓪【千思万考】―する(自サ) 考えられるすべての△事柄について(方面から)考え尽くすこと。

せんしばんこう①-⓪【千紫万紅】さまざまの色(の花が咲き乱れる様子)。「全山紅葉して―」

せんしばんたい①-⓪【千姿万態】いろいろの、違った姿・形。

センシビリティー④〔sensibility〕感受性。鋭敏さ。

センシブル①―な〔sensible=感知し得る〕❶感覚が鋭い様子だ。❷感受性が強い様子だ。

せんじもん③【千字文】違う漢字を千字集めて詩の形に作った、漢字教育・習字用教科書。〔中国から伝わり、日本でも明治期まで使用〕

せんしゃ⓪【洗車】―する(自サ) 自動車に水を掛けて洗うこと。

せんしゃ①【戦車】装甲した車体にキャタピラと火器とを備えて、(水)陸を自由に走り回る近代兵器。タンク。 かぞえ方 一台・一両

せんじゃ①【〈撰者】❶〔古〕書物・文章の作者。著者。❷歌集・詩集などの編纂(サン)者。

せんじゃ①【選者】多くの作品の中から、評価基準に基づいてすぐれたものを選ぶ人。

ぜんしゃ①【前車】❶その車の前方を走る車。↕後車 ❷前に通った車。「―の轍(テツ)を踏む〔=⇩轍〕」

ぜんしゃ①【前者】前後して取り上げた二つのもののうち、前の方のもの。↕後者❷

せんしゃく⓪【〈疝〈癪】〔「疝」も「癪」も胸腹部の急な痛みを表わす〕〔漢方で〕胸部や腹部の突発的な激しい痛み。さしこみ。

せんじゃく⓪【繊弱】―な 細くて弱よわしい様子だ。

ぜんしゃく⓪【前借】―する(他サ)「まえがり」の意の漢語的表現。

せんしゃくていしょう⓪-⓪【浅酌低唱】ほどよく酒を味わいながら、小声で詩歌などを口ずさむこと。

せんじゃ まいり④【千社参(り)】その地方にある一千の神社に次つぎにお参りして、祈願する△こと(人)。〔その人が持って行って、参詣(ケイ)の記念に社殿にはる紙の札を、「千社札③」と言う〕

せんしゅ①【先守】―する(自サ)〔野球で〕先に守備をする△こと(方)。後攻。↕先攻

せんしゅ①【先取】―する(他サ) 相手より先に取ること。「―点③」

せんしゅ①【船主】船の持主。

せんしゅ①【船首】船体の前方の部分。へさき。↕船尾

せんしゅ①【〈僭主】非合法手段で△支配者の地位についた(君主の位を奪った)者。タイラント。

***せんしゅ**①【選手】ある資格を持って、競技(試合)に出場し技能を競う人。〔力士や騎手などについては言わない〕「―を養成する／―交替①-⓪・―宣誓①-⓪・―生命④・サッカー―⑤・正―③・補欠―④」⇩アスリート **―けん**③【―権】最優秀△選手(チーム)としての覇権。また、それを決定する大会や試合。「全日本―六連勝／―保持者」**―むら**⓪【―村】〔↑オリンピック選手村⓪〕〔オリンピックで〕選手・役員の宿泊や休養の設備を整えた区画。

せんしゅ①【繊手】「(女性の)か弱い手」の意の漢語的表現。

センシュアル①―な〔sensual〕肉感的である様子だ。

せんしゅう⓪【千秋】「千年」の意の古風な表現。「一日―の思い／―万歳〔=長寿を祝う語〕」**―らく**③【―楽】〔何日か続いた法会(ホウエ)の最後の日にはいつも雅楽の「千秋楽」という曲を奏したことから〕演劇・すもうなどの興行の、最後の日。略して「らく」。また、「らくび」とも。 表記 「千〈穐楽」とも書く。

せんしゅう⓪【先週】今週の前の週。〔副詞的にも用いられる〕⇩来週

せんしゅう⓪【専修】―する(他サ) 限定してその事だけを△研究(学習)すること。**―がっこう**⑤【―学校】⇩学校

せんしゅう①【泉州】「和泉(イズミ)国」の漢語的表現。今の大阪府南西部にあたる。「―瓦(ガワラ)⑤・―タオル⑤・―たまねぎ⑤⑦・―水なす①-⓪・―毛布⑤」

せんしゅう⓪【〈撰修】―する(他サ)「編修」の意の古風な表現。

せんしゅう⓪【選集】「△著作集(作品集)」の意の漢語的表現。❶【〈撰集】すぐれた作品を集めて編集した歌集。「勅―③・私―②」

せんじゅう⓪【先住】❶―する(自サ) そこに以前から住んでいること。↕現住 ❷〔その寺の〕前の住持。↕後住(ゴジュウ) **―みん**③【―民】新たに移住してきた民族などよりも以前から、その土地に住んでいた民族。先住民族⑤。⇩原住民

せんじゅう⓪【専従】―する(自サ) その仕事だけをおもな仕

事として従事する△こと(人)。「組合―者・農業―者」

せんじゅう [0]【煎汁】 漢方薬を煎じた汁。

ぜんしゅう [1]【全州】 ❶その州の全体(の人)。 ❷すべての州。「アメリカ―」

ぜんしゅう [0]【全集】 その△人(方面)の著作全部を集め(ることを建前とし)た書物。「生前の―とは おかしなものだ」

ぜんしゅう [0]【禅宗】 座禅によって悟りを開き、人生の真意義を悟ろうとする、仏教の一派。

せんじゅ かんのん [4]【千手観音】 衆生をひろく救うために千本の手を備えるという観音。

ぜんじゅく [0]【全熟】 〔半熟に対して、卵などを〕かたくなるまでゆでること。「―卵[4]」

せんしゅつ [0]【選出】―する(他サ) 〔選挙や話合いによって〕組織の代表者などを選び出すこと。「議長に―される」

せんじゅつ [1][0]【仙術】 仙人の術。

せんじゅつ [0]【戦術】 ❶戦闘に勝つための手段・計略。「―的核兵器」 ❷争議などにおいて、ある目的を達するための手段・方法。「新しい―を打ち出す/―転換」

せんじゅつ [0]【〈撰述】―する(他サ) 「著述」の意の古風な表現。

ぜんじゅつ [0]【前述】―する(他サ) ある事柄について、前に述べた△こと(部分)。 ↕後述

せんしゅ ぼうえい [1]-[0]【専守防衛】 軍隊または それに類する組織が自国の防衛に従事することに専念し、他国への侵略は行なわないことを基本とすること。

せんしゅん [0]【浅春】 「春の初め」の意の古風な表現。

せんしょ [1][0]【選書】 ある目的にかなう書物を選んで集めた本のシリーズ。また、その中の一冊。

せんじょ [1]【仙女】 女の△仙人(魔法使い)。「せんにょ」とも。

ぜんしょ [1][0]【全書】 ❶その方面の関係事項に広くわたって記事を集めた書物。「六法―・百科―」 ❷その出版社で出す学術的教養書のシリーズ。また、その中の一冊。

ぜんしょ [1]【前書】 ❶すぐ前にしるした文章。 ❷すぐ前に引いてある書物。 ❸その人がすぐ前に出した手紙。

ぜんしょ [1] ❶【善処】―する(自他サ) 相手の意向を聞いた上で、公事として処理すること。〔政治家の用語としては、さし当たってはなんの処置もしないことの表現に用いられる〕「―(方)を求める」 ❷【善所・善処】〔仏教で〕来世に生まれて行くべき所としての極楽を指す。

せんしょう [0]【先勝】 ❶―する(自サ) 〔何回かする試合で〕先に勝つこと。 ❷急用・訴訟などによいとする日。「せんかち[0]・さきがち」とも。 ⇩六曜

せんしょう [0]【先〈蹤】 「先例」の意の古風な表現。

せんしょう [0]【船〈檣】 「ほばしら」の意の漢語的表現。

せんしょう [0]【戦勝】・【戦〈捷】―する(自サ) 戦争に勝つこと。「―国のおごり」 ↕戦敗

せんしょう [0]【戦傷】 戦闘中に受けた傷。 **―し** [3]【―死】 戦傷のために死ぬこと。

せんしょう [0]【〈僭称】―する(他サ) 臣下でありながら武力をもって王と名乗ったり 実力が無いのに世界一だと勝手に言ったりすること。

せんしょう [0]【選奨】―する(他サ) これはよい物だと言って、世間にすすめること。

せんしょう [0]【鮮少】―な きわめて少ない様子だ。「被害の及ぶ所―ならず」 表記「〈尠少」とも書く。

せんじょう [0]―する(他サ) ❶【洗浄】 洗い清めること。 ❷【洗〈滌】〔「せんでき」の、類推読み〕〔患部・局部を〕洗ってきれいにすること。「―器[3]・胃―[2]」

せんじょう [0]【扇情・〈煽情】―する(他サ) ❶情欲をあおること。 ❷世人の感情・関心をあおり立てること。「―的な発言」

せんじょう [0]【戦場】 戦争が△行なわれている(行なわれた)場所。征野。〔生命を賭けた働き場所の意にも用いられる〕「―と化する/古―」

せんじょう [0]【〈僭上】―する(自サ) 臣下が、△武力(富力)に任せて君主の生活様式をまねしたり 使用人が実力に任せて主人に代わってさしずしたりすること。

せんじょう [0]【線上】 線の上。「―の一点/捜査―に浮かぶ/飢餓―の〔=今にも飢え死にしそうな状態にある〕人びと」

せんじょう [0]【線条】 「すじ・線」の意の漢語的表現。

せんじょう [0]【繊条】 〔細い糸の意〕 ⇩フィラメント

ぜんしょう [1]【全章】 ❶その章全体。 ❷全部の章。

ぜんしょう [0]【全勝】―する(自サ) 全部の試合・勝負に勝つこと。「―者[3]・―優勝[5]」 ↕全敗

ぜんしょう [0]【全焼】―する(自他サ) 火事により建物などが全部焼けてしまうこと。丸焼け。 ↕半焼

ぜんしょう [1][0]【前生】 〔仏教で〕この世に生まれる前の生涯。

ぜんしょう [0]【前〈哨】 休んでいる軍隊の前方に、警戒のため配置する部隊。 **―せん** [0]【―戦】 ❶敵味方の前哨の兵の間で行なわれる小ぜりあい。 ❷本格的活動に先立って行なわれる、手はじめの活動。

ぜんじょう [0]【禅定】 〔仏教で〕Ⓐ精神を統一して、何ものにも妨げられない環境で真理を考えること。Ⓑ仏門に入り仏道を修めること。Ⓒ山伏などが、霊山に登り修行すること。「―に入る」

ぜんじょう [0]【禅譲】―する(自サ) 天子がその地位を子供などに世襲させず、徳のある者に譲ること。

せんじょうち [3]【扇状地】 河川が山地から低地に移る所などで、土砂や石などが積もって出来る扇を開いた形の地形。

ぜんしょうとう [0]【前照灯】 ↕尾灯 ⇩ヘッドライト

せんじょう ばんたい [0]-[0]【千状万態】 さまざまのありさま。

せんしょく [0]【染色】―する(他サ) 〔糸・布などの〕色を染めること。また、その染めた色。 **―たい** [0]【―体】 細胞核が分裂する時に現われる、ひものような物質。生物によって数・大きさが一定し、遺伝子を含む。 かぞえ方 一本

せんしょく [0]【染織】―する(他サ) 〔糸・布を〕染めることと、織ること。

ぜんしょく [1][0]【前職】 〔現職に対して〕その人の以前の△職業(職務)。

せん・じる [0][3]【煎じる】(他上一) 薬草などを煮、その成分をにじみ出させる。〔⇩煎じ❸〕

せんしん [0]【先進】 年齢・地位・技術などの点において数日の長があること。「―的な試み/―性[0]」 ↕後進 **―こく** [3]【―国】 工業化・国土開発が進んで、自立的な経済力のある国。 ↕後進国

せんしん [0]【専心】―する(自サ) 心をその事に集中して行なうこと。

せんしん [0]【潜心】―する(自サ) 「一心不乱」の意の古風な表現。

せんしん [0]【線審】 ❶〔バレーボールなどで〕ボールがラインの外に出たかどうかなどを審判する人。ラインズマン。⇩主審・副審 ❷〔野球で〕打球がライト・レフト線の外側に切

れたかどうかを審判する人。⇩塁審・球審

せんじん⓪【千尋・千〈仞〉】〔「尋」は古代中国で八尺、日本では六尺を表わす単位〕非常に△高い(深い)こと。ちひろ。「—の谷」

せんじん⓪【先人】❶すぐれた点・おとった点などいろいろな面で現代人と比べられる昔の人。↕後人 ❷「祖先・亡父」の意の古風な表現。

せんじん⓪(ヂン)【先陣】❶本陣の前に位置する部隊。さきて。↕後(ゴ)陣 ❷さきがけ。「—争い⑤/—を切る」

せんじん⓪(ヂン)【戦陣】「陣をかまえて戦闘を行なう場所」の意の古風な表現。「—訓③」

せんじん⓪(ヂン)【戦〈塵〉】❶戦場でからだに受ける、ちりや砂ぼこり。「—を洗い落とす」❷戦争の騒ぎ。「—をよその、静かな生活」

ぜんしん⓪【全身】その人のからだの、頭のてっぺんから足の裏に至るまで。「—の血のめぐりを良くする/—これ胆/—像③・—大⓪・—麻酔⑤」↕半身 **—ぜんれい**⓪-⓪【—全霊】その人の持っている体力・精神力のすべて。「—をささげる/—を傾ける/—を打ち込む」

ぜんしん⓪【前身】〔仏教で、前世の身の上の意〕その組織や団体などに発展・変化する以前の形や、現在の状態・境遇とは掛け離れた以前の経歴など。↕後身

ぜんしん⓪【前進】—する(自サ)↕後退 ❶ ❶まえへすすむこと。「—を△図る(見せる)」❷以前にくらべて、行動が積極的になったり 活発になったり すること。「—が見られる」

ぜんしん⓪【前審】裁判で、その時の審理より前に行なわれた審理。「—を覆(クツガエ)す」

ぜんしん⓪【前震】大地震の前ぶれと△思われる(判断された)地震。⇩本震・余震

ぜんしん⓪③【善心】❶善良な心。❷〔仏教で〕⇩菩提心(ボダイシン)❶

ぜんしん⓪【漸進】—する(自サ)〔無理をせず〕順を追って進むこと。「—的⓪」↕急進

ぜんじん⓪【全人】知識・感情・意志のいずれにも偏らない、すべての方面が円満に発達した人。「—教育⑤」

ぜんじん⓪【前人】△今まで(昔)の人。「—未到の〔=今までだれも到達したことの無い〕境地」

せんしんばんく⑤【千辛万苦】—する(自サ) さまざまの苦労(をすること)。

センス①〔sense〕❶物事の微妙な△感じ(よさ)を知る心の働き。「—抜群のデザイン/都会的な—が光る」❷普通の人なら当然持っているはずの感覚。常識。「—の無い人」

せんす⓪【扇子】「おうぎ」の意の漢語的表現。かぞえ方 一本

ぜんず①(ヅ)【全図】対象とする地域の全体を(一枚に)収めた地図や図面。「日本—」

せんすい⓪【泉水】庭に作ってある池。〔広義では、造園された庭をも指す〕

せんすい⓪【潜水】—する(自サ) 水中にもぐること。「—夫③・—病⓪」 **—かん**⓪【—艦】海中にもぐったまま航行出来る軍艦。かぞえ方 一艘(イッソウ)・一隻(イッセキ) **—ぼかん**⑤【—母艦】潜水艦乗組員の休養、燃料・糧食の補給などにあたる軍艦。かぞえ方 一艘(イッソウ)・一隻(イッセキ)

ぜんすう③【全数】全部の数量。「—調査⑤」

せんすじ①⓪(スヂ)【千筋】細い縦じまの模様(の織物)。

せんすべ①-①、①-②、④【《為ん》《術》】なすべき手段。しかた。「—無し」

せん・する③【宣する】(他サ)〔正式の会議で決まった事や自分の意見などを〕皆の前で正式に△言う(知らせる)。宣す①(五)。「△開廷(開会)を—」

せん・する③【〈僭する】(他サ) 富力・武力に任せて はばかるところなく、立場の上の人の生活様式をまねする。

せん・する③【〈撰する】(他サ) 書物を書く。

せんずるところ③【詮ずる所】ああでもない こうでもないといろいろ考えてみた、その結論(としては)。要するに。

ぜんせ①【前世】〔仏教で〕この世に生まれる前の身分や生涯。「ぜんぜ・ぜんせい」とも。⇩三世(サンゼ)

*__せんせい__③【先生】〔もと、相手より先に勉学した人の意〕指導者として自分が教えを受ける人。〔狭義では教育家・医師を指し、広義では芸術家や芸道の師匠などをも含む〕

運用 (1)「先生と言われるほどのばかでなし」という成句があるように、必ずしも先生と呼ばれるのにふさわしくない人に対して、その自尊心をくすぐるために、また、軽い侮蔑(ブベツ)・からかいの気持を込めて用いられることがある。例、「先生、先生とおだてたら至極ご満悦の体(テイ)であった」(2)教師が生徒に対して、一人称の代名詞として用いることもある。例、「先生のあとについて来てください」

せんせい⓪【先制】—する(他サ) 相手より先に陣地を占領したり 得点したり して、あとの戦局展開を有利にすること。「—攻撃⑤」

せんせい⓪【宣誓】—する(他サ)〔規律を守って〕堂々と戦うというような決意や、自分は うそを言わないという誠意を皆の前で述べる△こと(言葉)。〔後者は特に議会・法廷で証言を行なう場合に必要とされる〕

せんせい⓪【専制】—する(自他サ) 団体の長が△部下(仲間)の意見を考慮に入れず、独断で事を処理すること。「—的に行なう」表記「〈擅制」とも書く。 **—せいたい**⑤【—政体】君主ひとりの意志によって自由に国家を統治する政体。

せんせい⓪【戦勢】戦争・試合・勝負の形勢。

せんせい⓪【潜性】〔遺伝で〕すぐ次の代ではその性質が現われないこと。また、その性質。旧称、「劣性❷」。「—遺伝」↕顕性

せんぜい⓪【占〈筮〉】—する(他サ) 筮竹を使って、人の吉凶・禍福を占うこと。

ぜんせい⓪【全盛】一番盛んな△時期(状態)にあること。「—期③」

ぜんせい①【前世】❶ぜんせ。❷昔。

ぜんせい⓪【善政】人民の幸福や社会の福祉を考えると共に、是非曲直を正す、よい政治。「—をしく」↕悪政

ぜんせいき③【前世紀】❶△今の(その)一つ前の世紀。「—の遺物」❷この地球が人間の支配下に置かれる以前の時代。「—の怪物」

せんせいじゅつ③【占星術】星(の運行)を見て、人間の運命や将来を占う術。ホロスコープ。「—師⑥」

ぜんせいどう③(オ)【全制動】〔スキーで〕Ⓐ両スキーをV字形に開いて、滑る速度をゆるめること。Ⓑ「全制動滑降」の略。 **—かいてん**⑦(クワイ)【—回転】「全制動」の姿勢のまま、方向を換えるために回転する技術。プルーク ボーゲン⑤。 **—かっこう**⑦(クワッカウ)【—滑降】「全制動」の姿勢のまま、まっすぐ滑る技術。プルーク ファーレン⑤。

せんせいりょく③【潜勢力】現在 表面立ってはいないが、やがて支配的になるだろうと思われる根強い力。

ぜんせいりょく①-①、③【全精力】持っている限りの精力。「—を投入する」

センセーショナル③〔sensational〕—な/—に 刺激が強くて、人びとの興味を惹(ヒ)きつけるに足る様子だ。〔扇情的の意に用いることもある〕「—な△事件(話題)」

センセーション③〔sensation=感動〕大評判。

ぜんせかい①-①、③【前世界】今の世界が出来る前の世

界。有史以前の世界。

せんせき⓪【泉石】〔見る人を慰めるための〕池と庭石。

せんせき⓪【船籍】その船がどこ(の国)に属するかを示す登録△先(記録)。「—原簿」

せんせき⓪【戦跡・戦〈蹟〉】△戦争(戦闘)が行なわれた跡。

せんせき⓪【戦績】△戦い(試合)の成績。

ぜんせつ①【前節】❶文章やスポーツなどの、前の節。「—で述べたように/—で活躍した選手」❷ある期間を二つに分けた初めのほう。「競輪の—」

せんせん【先々】(造語) 前の前の。前々。「—月③⓪・—週⓪」

せんせん⓪【先占】—する(他サ) 他人より先に占有すること。〔法律では、所有者の無い動産を占有することを指す。例、「無主物の—」〕

せんせん⓪【宣戦】—する(自サ) 相手国に対して、戦争開始の宣言をすること。「—布告⓪-⓪」

せんせん⓪【戦線】戦闘の△最前線(区域)。〔広義では、政治運動や社会運動における闘争の場・形態・方針を指す。例、「—統一⑤」〕

せんせん⓪【〈潺々〉】—たる —と 「水がさらさら流れる△様子(音)」の意の古風な表現。

せんぜん⓪【戦前】↔戦後 ❶△開戦(戦争)以前。❷第二次世界大戦の前。「—派⓪」

ぜんせん⓪【全線】❶その列車の進行する線路のすべての部分。「—不通⓪-⓪・—開通⑤、⓪-⓪」❷すべての戦線。

ぜんせん⓪【前線】❶敵に近く向きあって延びている陣地。第一線。❷性質の違った二つの気団の相接する面が地表と交わる所。不連続線の一種。

あきさめ—⑤【秋雨—】冷たい空気が一面に押し出してきて暖かい空気と接し、秋の雨を降らせる時の「前線❷」。

おんだん—⑤【温暖(ヲン)—】寒気団の前面に発生し、本降りの雨を降らせ気温を上げる「前線❷」。

かんれい—⑤【寒冷—】寒気団の後面や大陸高気圧の前面に発生し、にわか雨を降らせ気温を下げる「前線❷」。

ていたい—⑤【停滞—】一か所に止まっているように見えるほど、ゆっくり動く「前線❷」。梅雨・秋の長雨の原因となる。

ばいう—④【梅雨—・〈黴雨—〉】梅雨のころに、日本付近に停滞する「前線❷」。

ぜんせん⓪【善戦】—する(自サ) (非力なものが)全力を尽くして戦うこと。「—むなしく敗れる/—をたたえる」

ぜんぜん【前々】(造語) 前の(そのまた)前。先々。「—週⓪③・—条③」

*ぜんぜん⓪【全然】(副) 〔否定表現と呼応して〕あらゆる点から見て、その否定的な状態が認められる意を表わす。「—変わらない/—なっていない/—だめだ/このところ売上げが—だ(=まったく良くない)」〔古くからあった否定表現を伴わず、「非常に」の意を表わす用法も最近は多くなった。例、「—おもしろい」〕

せんせんきょうきょう(オ)⓪-⓪【戦々恐々・戦々〈兢々〉】—たる —と ❶大事が起こらないようにと、自らをいましめつつしむ様子だ。「—として薄氷を履(フ)むがごとし」❷大事に立ち至ることが無いように自重自戒に努める様子だ。表記「恐」は、代用字。

せんそ①【践〈祚〉】—する(自サ) 前の天皇が崩御または譲位した時、後継者が直ちに天皇の位につくこと。〔一定の時期が過ぎてから、即位礼を行なう〕

*せんぞ①【先祖】❶家系の初代。❷一家の現存者以前の人びと。「—の位牌(ハイ)を汚す/—代々」

—がえり④【—返(り)】(ガヘリ) 親に現われていない、祖父母などの遺伝上の特徴が子の上に現われること。

せんそう(オ)⓪【船倉(サウ)・船〈艙〉】船内で、貨物を積んでおく場所。〔狭義では、上甲板の下にあるものを指す〕

せんそう(オ)⓪【船窓(サウ)】船の窓。

せんそう(オ)⓪【船装(サウ)】—する(他サ) 航海が出来るように、船に装備をとりつけること。〔艤装(ギソウ)の改称〕

**せんそう(オ)⓪【戦争(サウ)】❶—する(自サ) 〈どこ・だれト—する〉△国家間の争い(紛争)を解決するための武力行使(をすること)。「—が起きる/—に△訴える(かり出される・巻きこまれる)/—をしかける/冷たい—(=冷戦)」❷△業者間(社会生活上)の、激しい競争。「受験—・交通—」❸順を追って事を処理するひまも無いほど事態がさし迫っていること。また、その混乱状態。「観光シーズンのホテルは毎日が—だ」

—はんざいにん⓪【—犯罪人】戦勝国が、再び戦争することのむだを戦敗国に知らせる目的で、有罪と判定した政治責任者・捕虜虐待者。略して「戦犯」。

ぜんそう(オ)⓪【前奏】独唱や独奏に入る前の、伴奏楽器だけで演奏する部分。また、その演奏。序奏。〔広義では、何かが始まる前触れの意にも用いられる。例、「事件の—」〕

—きょく③【—曲】❶歌劇や組曲などのはじめに演奏される楽曲。❷独立した器楽曲として自由な形式で作られた曲。プレリュード。〔俗に、大事件の起こることを予想させる小さな出来事の意にも用いられる〕

ぜんそう(オ)⓪【禅僧】禅宗の僧。

ぜんぞう(オ)⓪【漸増】—する(自他サ) だんだんふえていくこと。↔漸減

ぜんそうほう(オ)⓪-(ハフ)【漸層法】修辞法の一つ。同種の語句を重ねて次第に表現内容を強調していって、△読み手(聞き手)に強い印象を与えるような効果をねらう方法。漸層⓪。

せんそく⓪【洗足】—する(自サ) 足を洗う△こと(湯水)。

せんそく⓪【栓塞】血栓のために血管がふさがること。「動脈—⑤」

せんそく⓪【船側】船の側面。

せんぞく⓪【専属】—する(自サ) 〔芸能人などが〕ある一つの会社・放送局などだけと契約し、他社・他局とは関係しないこと。「—歌手⑤」

ぜんそく⓪【全速】「全速力」の略。「—で走る」

—りょく④【—力】出せる限りの速力。フル スピード。全速。「—を出す/—で走る」

ぜんそく⓪【〈喘息〉】激しい咳(セキ)が急に出、ひどい時には呼吸困難を起こす病気。気管支喘息。「—持ち④」

ぜんそん①⓪【全村】❶その村全体(の人)。村じゅう。❷その国・県・郡に属するすべての村。

ぜんそん⓪【全損】❶まるぞん。❷〔法律で〕海上保険の目的物である船や積み荷が全く無くなること。

センター①■〔center=中央〕❶その方面の中心地。「ビジネス—⑤」❷同種の技術・業務を扱う機関のうちで、最も中心的なもの。「癌(ガン)—③」■〔野球で〕❶〔←center field〕本塁から見て外野の中央(の守備位置)。中堅。❷〔←center fielder〕「センター■❶」を守備する選手。中堅手。■〔バスケットボール・バレーボールなどで〕中央の位置(の選手)。

—ポール⑤〔center pole〕〔競技場などの〕中央に立てた、旗を掲げるための柱。

—ライン⑤〔center line〕〔競技場や道路などの〕中央の線。

せんたい⓪【船体】汽船・飛行船の、水面や空中に浮くための構造・機能を備えた本体。

せんたい⓪【船隊】二隻 以上の 船によって 組織された集団。「—を組む」

せんたい[0]【選対】「選挙対策委員会[9]・選挙対策本部[8]」の略称。

せんたい[0]【〈蘚苔〉】コケの意の漢語的表現。「―植物[6]・―類[3]」

せんだい[0]【先代】❶以前の代。❷当主の前の主人。❸襲名した芸能人などの、一つ前の代の人。「―小ｺさん」

せんだい[0]【船台】造船の時、船体を載せる台。

***ぜんたい**【全体】[一][0] 他と区別される形を備え、それ自身一体化されているととらえられるもののすべて(に及ぶ範囲)。「―が船の形をした変わった建物/町の―が見渡せる丘/部分部分はよくわかるが、―の構成が今一つわからない論文/新資料の発見で、事件の―像〔=全貌ゼンボウ〕が最近やっと明らかになった/―会議[5]・―集会[5]・―討議[5]」↕部分 [二](副) ❶[0] 問題とする事柄について、発端から現状に至るまでを包括的にとらえて言及する様子。「―われわれは最初からまちがっていたのではないか/―君が悪いからさ」⇩一体[二]❶ ❷[0][1]「一体全体」の略。 **―しゅぎ**[5]【―主義】個人の自由・幸福よりも社会集団・国家の利益の方が重要であるとし、それに奉仕することを強要する主義。↕個人主義

ぜんだい[1]【前代】以前の時代。 **―みもん**[1]-[0]【―未聞】今まで聞いたことが無いような△変わった(あきれた)こと。「―の珍事」

せんだい ひら[3]【仙台平】宮城県仙台地方特産の、精巧な絹織物。はかま地用。

***せんたく**[0]【洗濯】―する(他サ)〈なにヲ―する〉汚れた下着やふだん着などを洗って、きれいに△し、乾かす(する)こと。「―がきく〔=材質上・設備上 洗濯が可能である〕/―は洗濯機が出来て楽になった/命の―〔=日ごろの仕事から解放され△雄大な自然(すぐれた芸術品)などに接して、崇高な気持になったり△新しい(明日の)仕事に対する意欲を高めたりすること。『心の洗濯』『充電』もほぼ同義〕/―機センタクキ[4][3]/―物センタクモノ...

ぜんだま[0]【善玉】↕悪玉 ❶性質のよい人。❷よい働きをする存在。「―コレステロール」〔❶は、昔の草双紙ソウシクサなどで、善い役の者の顔を、㊛と示したことから〕

センタリング[0]―する(自サ)〔centering〕〔サッカー・ホッケーなどで〕横からゴールの前近くにいる選手にボールをパスすること。センターリング[0]とも。

せんたん[0]【仙丹】〔古〕不老不死の霊薬。

せんたん[0]【先端・〈尖端〉】❶長く伸びた物の とがったはし。↕後端 ❷時代・流行の先頭。「時代の―を切る〔=さきがける〕/流行の最―/―技術[5]〔=ハイテク〕」 表記 ❷の意味で「先」と書くのは、代用字。 **―てき**[0]【―的】―な 流行などの先頭に立つ様子だ。「―基盤科学技術[11]〔=異なる科学技術の分野の間で共通に利用出来る基盤となり、また、いっそう発展させる鍵カギとなる技術〕」

せんたん[0]【戦端】戦いのいとぐち。「―を開く〔=戦争を始める〕」

せんたん[0]【選炭】―する(自サ)〔炭鉱で〕粗悪な石炭を取り除いて、いい石炭を選び集めること。「―婦[3]」

せんだん[0]【〈栴檀〉】❶庭に植える落葉高木。夏の初め、薄紫の花を開く。皮・実は薬用。〔センダン科〕❷ビャクダンの異称。「―は二葉フタバより芳カンバし〔=大きくなってからりっぱになる人は、小さい時分からすぐれたところがあるものだ〕」 かぞえ方 ❶❷とも一株・一本

せんだん[0]【専断・〈擅断〉】―する(他サ)〔元来は仲間・部下に相談すべきところを〕自分だけの考えで、処理すること。

せんだん[0]【船団】一隊となって行動を共にする船の集団。「捕鯨―」

ぜんだん[0][1]【全段】いくつかの段に分けられているもののすべて。「―抜き[0]〔=新聞の紙面の、上端から下端までを全部通して、その△記事(広告)に使うこと〕」

ぜんだん[0][1]【前段】前の△段(区切り)。↕後段

せんだん まき[0]【千段巻(き)】❶槍ヤリの柄などを、籐トウや麻でなんべんも△巻くこと(巻いたもの)。❷弓の籐の巻き方の一つ。

センチ [一]❶(接頭)〔centi-=もとラテン語で、「百」の意〕国際単位系における単位名の接頭辞で、基本単位の百分の一であることを表わす〔記号 c-〕。「―メートル・―グラム」❷[1] センチメートルの略。 [二][1]―な センチメンタルの略。「(お)―な気持になる」

せんち[1]【戦地】❶現在、戦争が行なわれている地。「―に赴く」❷軍隊が出征している地。

ぜんち[1]【全治】―する(自サ) 病気・けがなどがすっかり治ること。「ぜんじ」とも。「―二週間」

ぜんち[1]【全知・全〈智〉】❶完全な知恵。❷全部の人の知恵。「人類の―を集める」 **―ぜんのう**ゼンノウ[1]-[0]【―全能】❶何でも知っており、何でも出来ること。「―の神」❷その人の持っている、すべての力。「―を傾ける」

センチグラム[4]〔フ centigramme〕⇩グラム

ぜんちし[3]【前置詞】〔英語・ドイツ語・フランス語などの文法で〕名詞・代名詞の前に置かれ、他の語との意味的な関係を示す言葉。

ぜんちしき[3]【善知識・善〈智識〉】〔もと、良友の意〕人を導いて仏道に入らせる(きっかけとなる)人。「ぜんぢしき」とも。〔狭義では、高僧を指す〕

センチメートル[4] ⇩メートル

センチメンタリスト[7]〔sentimentalist〕ちょっとした事にも感じやすく、涙もろい人。

ぜんだつ[0]【先達】❶修行のため修験者シュゲンジャが奈良県の大峰山に入る時の案内者。「せんだち[0][1]」とも。❷それぞれの方面の先輩や案内人。

せんだつ[0]【〈蟬脱〉】―する(自サ)〔「〈蟬蛻〉ゼイセン」〔=セミのぬけがら〕」の変化〕昔からの因習や世俗的な束縛から脱ヌけ出すこと。〔広義では、世間一般のしきたりにかまわず超然としていることをも指す〕

せんだって[5][0]【先だって】〔「さきだって」の変化〕きょうからさほど遠ざかっていない過去の△ある日(一時点)。〔多く副詞として用いられ、アクセントは[0]〕「―はありがとうございました/―起きた出来事」 表記「先達て」と書くのは、借字。

ぜんだて[0][4]【膳立(て)】―する(自サ) ❶必要な分だけの食事を用意すること。❷上の人がそこに来ればすぐ何かに着手出来るように、下の者が用意万端整えること。〔広義では、下準備の意にも用いられる〕「お―[0]」

センチメンタリズム⑦〔sentimentalism〕やるせない感情を強く表現しようとする主義。感傷主義。

センチメンタル④〔—な・—に〕〔sentimental〕ちょっとした事を見たり聞いたりするにつけ、すぐ自分の心情と結びつけて、しんみりしたり涙もろくなったりする様子だ。略してセンチ。「—な〔=悲哀や憂愁などに満ちた〕詩」

センチメント④①〔sentiment=情緒〕❶〔道理や事実を重んじる感覚に対するものとしての〕感情。❷感傷。

せんちゃ⓪【煎茶】湯をついで、香りと味を楽しむ、最も普通の茶の葉。⇩玉露(ギョクロ)・番茶 かぞえ方 一杯：一本・一缶

せんちゃく⓪【先着】—する(自サ) 先に着くこと。また、先に着いた人。「—順⓪」

せんちゅう⓪【箋注・箋〈註】「注釈」の意の古風な表現。

せんちゅうは⓪【戦中派】〔戦前派・戦後派のもじり〕第二次世界大戦の間に、多感な青年時代を送った世代の人びと。

ぜんちょ①【前著】△すぐ(ちょっと)前に書いた著書。↕新著

せんちょう(チヤウ)⓪【〈尖頂】とがった頂。

せんちょう(チヤウ)【船長】❶①その船を船主から預かり、航海に関する一切の指揮をする人。❷⓪船首から船尾までの長さ。⇩船幅

ぜんちょう(チヤウ)①【全町】❶その町全体(の人)。町じゅう。❷その市・郡に属する全部の町。

ぜんちょう(チヤウ)⓪【全長】その物の全体の長さ。

***ぜんちょう**(テウ)⓪【前兆】何か大きな出来事が起こる前に、その事を知らせるように世人の目・耳などに触れる何ものか。「不吉な—」表記「前徴」とも書く。

せんつう⓪【〈疝痛】疝気の痛み。発作(ホッサ)性の腹痛。

ぜんつう⓪【全通】—する(自サ)〔鉄道・バス路線などの〕全線が開通すること。

せんて⓪【先手】❶他より先に行なうこと。❷機先を制すること。❸〔碁・将棋で〕初めに△打つ(指す)人。「—を△打つ(取る)」〔❶❸の対義語は、後手(ゴテ)〕

せんてい⓪【先帝】先代の皇帝。

せんてい⓪【〈剪定】—する(他サ) 花や実がよくつくようにしたり木全体の形を整えたりするために、果樹・茶・クワや植木の枝の一部を切り取ること。

せんてい⓪【船底】「ふなぞこ」の意の漢語的表現。

せんてい⓪【選定】—する(他サ) 多くの中から選んで、それに決めること。「調査項目を—する」

ぜんてい⓪【全訂】—する(他サ) 全部訂正△すること(したもの)。

ぜんてい⓪①【前帝】以前、皇帝の位にあった人。↕新帝

ぜんてい⓪【前庭】家の前の方の庭。 **—きかん**(クワン)⑤⑥【—器官】解剖学などで、ある部位の前部。特に、平衡感覚のある内耳の一部。

***ぜんてい**⓪【前提】ある物事が成り立つための、△前置き(土台)となる条件。「前提条件」とも。「…という—に立つ」

せんでき⓪【洗〈滌】—する(他サ) ⇩せんじょう(洗滌)

ぜんてき⓪【全的】—な・—に 「全面的・全般的」の略。

せんてつ⓪【先哲】昔のすぐれた思想家・学者。前哲。

せんてつ⓪【〈銑鉄】鉄鉱を溶鉱炉で溶かして作ったばかりの、炭素分を多く含む鉄。製鋼の材料とする。ずくてつ。

ぜんてつ⓪【前〈轍】前に進んで行く車のわだち。「—を踏む〔=前の人の失敗を繰り返す〕」

ぜんでら⓪【禅寺】禅宗の寺。禅刹(ゼンサツ)。禅林。

せんてん⓪【先天】その人が生まれる前からその△性質(体質)を持っていること。〔哲学では、経験に基づくものでないことを指す〕「—性⓪」↕後天 **—てき**⓪【—的】—な・—に 生まれた時からその性質を持っている様子だ。アプリオリ。「—な心臓障害」↕後天的

せんてん⓪【旋転】—する(自他サ) くるくる△回る(回す)こと。

****せんでん**⓪【宣伝】—する(他サ) ❶〈(だれ ニ)なに ヲ —する〉そのもののよさなどを分かりやすく説明してその存在を広く人びとに知ってもらおうとすること。「はでな—に釣られて買ってしまう/鳴り物入りで—する/—文句⑤」❷あることを事実以上に大げさに言いふらすこと。「彼女との仲を妙に—されて迷惑している/社内の—屋」

ぜんてん①【全点】その△商店(デパート)で売っているすべての品物。「—五割引」

ぜんてんこう(オ)③【全天候】悪天候下でも△使用(飛行)に堪える。「—機⑤・—カメラ⑦〔=完全防水のため、雨天・水中でも使用可能のカメラ〕・—型競技場」

センテンス①〔sentence〕文。文章。

セント①〔cent〕アメリカ合衆国やカナダの通貨の単位。一セントは一ドルの百分の一。

セント(造語)〔Saint, St., S.〕聖徒。聖者。〔その名に冠して用いる〕表記「仙」は、音訳。

せんと①【遷都】—する(自サ) 都を他の地に移すこと。表記「《聖」とも書く。

せんど①【先度】「せんだって」の意の古風な表現。

せんど①【先途】〔これから先、どういう運命になるか、の意〕❶運命の分かれ目(になる大事な場合)。「ここを—と戦う」❷〔古〕行く先の道。「—程(ホド)遠し」❸昔、それぞれの家柄で決まっていた、最高の官職。

せんど①【繊度】繊維や糸の細さの度合。⇩デニール・番手❷

せんど①【鮮度】〔野菜・魚などの〕新鮮さの度合。「—が落ちる/—のいい〔=入ってきたばかりの確実な〕情報」

ぜんと①【全都】❶みやこ全体(の人)。❷東京都全体。

ぜんと①【前途】❶目的地までの距離。「—遼遠(リョウエン)だ」❷その人やものの将来。「国家の—を△占う(危ぶむ)/—を誤る/—は明るい/—に△光明を見いだす(暗雲を投げかける)/難関が—に立ちはだかる/—洋々・—多難」

ぜんど①【全土】その土地全体。全国。「日本—」

せんとう(オ)⓪【仙《洞】〔「仙人のすみか」の意〕上皇の御所。〔広義では、上皇をも指す〕

せんとう(オ)⓪【先登】〔もと、まっさきに敵陣に攻め入る意〕まっさきに進むこと。さきがけ。

せんとう(オ)⓪【先頭】列を作って進むものの一番さき。「春闘の—に立つ/首長を—に立てる/—を△切る(行く)」

せんとう(タフ)⓪【〈尖塔】細長くて、先のとがった塔。

せんとう(オ)⓪【戦闘】—する(自サ) 武器を持った軍隊同士が、相手方が退却・降伏・絶滅するまで攻撃を繰り返すこと。「—機③・—開始⓪-⓪・—具③・—準備」 **—いん**(キン)③【—員】戦闘に参加する将兵。「非—」 **—ぼう**(オ)③【—帽】もと、日本の陸軍で、実戦・訓練時に用いた略式の布帽。その上に鉄帽を重ねてかぶる。略帽。

せんとう(タウ)①【銭湯】〔湯銭〘=入浴料〙を取って入浴させたことから〕「公衆浴場」の俗称。表記「洗湯」とも書く。かぞえ方 一軒

せんどう(ダウ)⓪【先導】—する(他サ) 先に立って案内すること。「—役を果たす/—車③・—者③」

せんどう(オ)⓪【扇動・〈煽動】—する(他サ) 大衆の心理をうまくつかんだ言葉で、ある行動を起こすようにしむけること。「大衆を—する/—的⓪」

せんどう③【船頭】❶その小形船の長。「—多くして、船、山に登る〔=あれこれさしずする人が多いため、かえって物事の進行が妨げられるたとえ〕」 ❷その小形船の持主で、運搬を職業とする人。

せんどう⓪【羨道】「えんどう」の誤読。

ぜんとう①⓪【全島】そのしま全体(の人)。

ぜんとう⓪【前灯】⇩ヘッドライト

ぜんとう⓪【前頭】頭の前面。「—部③」↕後頭 **—よう**③【—葉】大脳半球の一部であって、中心溝より前方にある部分を言う。哺乳動物の中では高等なものほど、この部分がよく発達しており、人間では特に著しい。

ぜんとう⓪【漸騰】—する(自サ) 相場や物価がだんだん高くなること。↕漸落

ぜんどう①⓪【全道】北海道地方全体(の人)。

ぜんどう⓪【善導】—する(他サ) 教えさとして、望ましい方へと導くこと。

ぜんどう⓪【禅堂】座禅をする堂。

ぜんどう⓪【蠕動】—する(自サ) ❶うごめくこと。❷消化に伴って起こる、胃腸の運動。

セントエルモの ひ④-①【セントエルモの火】〔St. Elmo=船乗りの守護聖人〕〔高山や海で〕先のとがった物が空中放電のために火花を出したり 輝いたりする現象。

セント バーナード⑥〔Saint Bernard〕スイス原産の大形の犬。寒さに強く、嗅覚(キュウカク)が鋭いので、アルプス山中で旅人の遭難救助に活躍する。かぞえ方 一頭

セントポーリア④〔ラ Saintpaulia〕熱帯アフリカ東部原産の多年草。高さ一〇センチぐらいで葉・茎ともに多肉、スミレに似た花をつける。多くの園芸品種がある。〔イワタバコ科〕かぞえ方 一株

セントラル(造語)〔central〕中央の。 **—ヒーティング**⑥〔central heating〕一か所で石油やガスを燃やし、建物の全部の部屋をあたためる装置。火災予防と住み心地のよさのために考案された。中央暖房⑤。集中暖房⑤。

ゼントルマン①〔gentleman〕⇩ジェントルマン

せんな・い③【詮無い】(形)〔「為(セ)ん無い」の意〕それをすることによって△得られる(報いられる)事が何も無い様子だ。「今さら悔んでも—〔=むだな〕事だ」文法 助動詞「そうだ(様態)」に続くときは「せんなさそうだ」の形になる。また「すぎる」と結びついて複合動詞をつくるときは「せんなさすぎる」の形になる。

せんなり⓪【千《生(り)》】たくさん群がって実がなる△こと(もの)。「—びょうたん⑤」

ぜんなん⓪③【善男】〔↑善男子③〕仏法に帰依(エキ)した男性。「—善女⑤〔=仏法を信じる(多くの)男女〕」

ぜんに①【禅尼】仏門に入った女性。↕禅門

せんにく⓪【鮮肉】〔缶詰など加工したものでは無い〕食材とする生の肉。

せんにち①④【千日】❶千度重ねた日数。「—参り」❷多くの日数。〔副詞的にも用いられ、アクセントは①⓪〕 **—て**④⓪【—手】〔将棋で〕ほかの手を指すと不利になるので、双方とも同じ手を繰り返して指すほかなく、勝負の決まらない状態。

ぜんにち⓪【全日】〔午前から午後までの〕一日じゅう。「ぜんじつ」とも。「—スト」 **—せい**⓪【—制】高等学校の授業のしかたの一つ。三年間、昼間に授業する。「ぜんじつせい」とも。⇩定時制・通信制

せんにゅう⓪【先入】最初に△覚え(知っ)たこと。 **—かん**③【—観】〔あとからの見聞についての正しい判断を妨げる〕当初からの思いこみ。先入見③。先入主③。「—にとらわれる」

せんにゅう⓪【潜入】—する(自サ) 人に知られないように、こっそり入りこむこと。

ぜんにゅう⓪【全入】〔↑全員入学〕入学を希望する者全員に入学を許可すること。「高校—運動」

ぜんにゅう⓪【全乳】〔脱脂乳に対して〕脂肪分をぬきとっていない牛乳。

せんにょ①【仙女】⇩せんじょ

ぜんにょ①【善女】〔↑善女人③〕仏法に帰依(エキ)した女性。「善男—⑤〔=仏法を信じる(多くの)男女〕」

せんにん①【千人】一人の千倍。〔多数の意味に用いられることもある〕「目明き— 盲(メクラ)—〔=⇩目明❷〕」 **—ばり**⑤【—針】出征軍人の無事を祈るために、千人の女性が一針ずつ縫って贈ったお守りの腹巻など。さらしもめんに赤い糸で縫い玉を作った。かぞえ方 一枚 **—りき**⓪【—力】千人分の力があること。〔千人の助けを得たほど心強い意にも用いられる。例、「君が居てくれれば—だ」〕

せんにん③【仙人】山中で修行し、不老不死の術を得、神通力を持つと言われる人。〔無欲で、世間離れのした人の意にも用いられる〕

せんにん⓪【先任】その任務に先についていた△こと(人)。「—者③」↕新任

せんにん⓪【専任】—する(他サ) かけもちでなく、その仕事だけを受け持つ△こと(人)。「—講師⑤」↕兼任

せんにん⓪【選任】—する(他サ) 適当な人を選んで、その職務につかせること。

ぜんにん⓪【前任】前にその任についていた△こと(人)。「—地③・—者③」↕後任

ぜんにん③【善人】うそをついたり 人をだましたり することの出来ない人。〔広義では、お人よしをも指す〕↕悪人

せんぬき③④⓪【栓抜(き)】瓶の栓を抜く器具。

せんねつ①⓪【潜熱】❶内にひそんで表面に出ない熱。❷物質が△融解(気化)する時に吸収する熱。

せんねん①【千年】長い年数のたとえ。 **—き**③【—紀】〔西暦で〕千年を一期とした年代区画。「紀元前二—〔=紀元前二〇〇〇年から、紀元前一〇〇一年まで〕」

せんねん⓪【先年】以前の年。〔「前年」よりは遠い時点を指す。副詞的にも用いられる〕

せんねん③⓪【専念】—する(自サ) ❶その事だけに かかりきりになること。「研究に—する」 ❷ただその実現だけを祈ること。「病気平癒(ヘイユ)を—する」

ぜんねん⓪【前年】ある時点を基準として、すぐ前の年。〔「先年」よりは近い時点を指す。副詞的にも用いられる〕

せんのう③【先王】先代の君主。「せんおう」とも。

せんのう⓪【洗脳】—する(他サ) 〔捕虜などになった外国人に対し、教育を重ねて、共産主義に同調共鳴するように思想の改造をしたことから〕新しい主義・思想を繰り返し吹き込んだりして、それ以外の考え方を捨てさせること。

ぜんのう⓪【全納】—する(他サ) 全額を納めること。

ぜんのう⓪【全能】人知を超えた能力を備え、なんでも出来ること。「全知—の神」

ぜんのう⓪【前納】—する(他サ) 期日よりも前に税金などを納めること。〔期日により報奨金が もらえる場合もある〕

ぜんば⓪【前場】〔取引所で〕一回目〔=多く午前〕の立会い(相場)。↕後場(ゴバ)

ぜんぱ①【全波】すべての波長〔=短波・中波・長波〕の電波。オール ウエーブ。

せんばい⓪【専売】❶—する(他サ) 一手に販売すること。❷塩・たばこなど、特定の商品についての、政府の独占事業。二〇〇一年までに廃止。 **—とっきょ**⑤【—特許】「特許❷」の旧称。〔俗に「おはこ」の意にも用いられる〕

*せんぱい⓪【先輩】❶その人より△年齢(経験)などの多い人。〔狭義では、その人と同じ分野ですぐれた業績をあげている人の敬称としても用いられる〕❷同じ学校・勤務先などに、前から入っている人。❸自分と同じ学校を先に卒業した人。「大—③」⇩後輩・同輩

せんぱい⓪【戦敗】戦争に△負ける(負けた)こと。「—国③」↕戦勝

ぜんぱい⓪【全敗】—する(自サ) 全部の試合・勝負に負けること。↕全勝

ぜんぱい⓪【全廃】—する(他サ) そのことに関してすべてを廃止すること。「△定期昇給(喫煙コーナー)を—する」

せんぱく⓪【浅薄】—な 学問・思慮に奥深いところが無く、すぐぼろを出す様子だ。「—な考え方」派—さ⓪

せんぱく①【船舶】「ふね」の意の総称的表現。

ぜんぱく⓪①【前(膊)】「前腕」の、もとの呼称。下膊(カハク)。
—こつ④③【—骨】尺骨(シャッコツ)・橈骨(トウコツ)の総称。

せんばつ⓪【選抜】—する(他サ) 多数の中からよいものを選びぬくこと。「—試験⑤⑥・—チーム⑤」

せんぱつ⓪【先発】—する(自サ) ❶順次移動するものの中で、他より先に出発すること。「—を志願する/—隊⓪」↕後発 ❷〔野球で〕試合開始時から出場すること。「—メンバー⑤・—投手⑤」

せんぱつ⓪【染髪】—する(自サ) 白髪などを染めること。

せんぱつ⓪【洗髪】—する(自サ) 髪を洗うこと。「—料④」

せんぱつじしん⑤(ヂー)【浅発地震】震源の深さが△六十(七十)キロメートル未満の、浅い地震。⇩深発地震

せんばづる④【千羽鶴】❶折り紙で、ツルの形をたくさん折って糸でつないだもの。❷たくさんのツルを表わした模様。

ぜんばらい③(バラヒ)【全払(い)】全部のお金を払うこと。

かぞえ方 ❶は一本

せんばん【千万】■①⓪(副) あらゆる方面にわたってもれなく手が尽くされている様子。「—心を砕く/—忝い(カタジケナイ)〔=何から何までありがとう〕」■〔接尾語的に〕その程度がひどくて、ありがたくないと感じられる様子。「迷惑—・卑怯(ヒキョウ)—・笑止—・無礼—」

せんばん⓪【先番】❶何かを先にする順番(にあたること)。❷〔碁・将棋の対局で〕先手(の番)。先。

せんばん⓪【旋盤】工作機械の一つ。加工すべき物を回転させ むらなく削ったりする機械。「—工⓪③」かぞえ方 一台

せんばん⓪【線番】針金・電線などの太さを示す番号。

せんぱん①【先般】(副)「さきごろ・このあいだ」の意のやや改まった表現。「—△開催された(の)会議で/—来③」⇩今般・過般

せんぱん⓪【戦犯】「戦争犯罪人」の略。

ぜんはん⓪【前半】前の方の半分。「ぜんぱん」とも。↕後半
—せん⓪【—戦】競技・試合の前半の部分。↕後半戦

ぜんぱん⓪【全判】すき上がった紙を規定の寸法に切ったもの。「A—・B—」

ぜんばん⓪【全盤】〔碁・将棋で〕勝負の全経過。

ぜんぱん⓪【全般】(同類のもの)全部を取りあげて扱う様子。「—にわたって/—の問題/—的⓪」

ぜんはんき③【前半期】△一期(一年)を二分した、前の半期。↕後半期

ぜんはんせい③【前半生】人生の前の半分。〔たいてい四十歳までを言う〕↕後半生

せんび①【船尾】船体の後方の部分。↕船首
—とう(オ)⓪【—灯】船尾に掲げる灯火。

せんび①【戦備】戦争の準備。「—を整える」

せんぴ①【先(妣)】「今は亡き母」の意の漢語的表現。↕先考

せんぴ①【先非】「前非」の意の古風な表現。「—を悔いる」

せんぴ①【戦費】戦争の費用。

ぜんび①【全美】—な すべてが整っていて全く欠陥が無い△こと(様子)。

ぜんび①【全備】❶あるべきものが全部あること。❷完全な装備。「—重量④」

ぜんび①【善美】❶善と美。「真—」❷(お金を存分に使い)りっぱに作ってあること。「—を尽くした建築」

ぜんぴ①【前非】過去に犯した△罪(悪事)。「—を悔いる」

せんびき⓪【線引(き)】❶都市計画などで地図上に線を引いて該当地域を指定すること。❷条件を満たしているかどうかを判断する基準として、連続的な数値に△上限(下限)を設定すること。「合格点の—」
—こぎって⑥【—小切手】小切手の表面に二本の平行線を引いたもの。支払先が限られる。横線(オウセン)小切手。

せんぴつ⓪【染筆】—する(自サ) 筆で字・絵をかくこと。「—料④」

せんびょう⓪(ベウ)【線描】物の形を線だけで描くこと。せんがき。デッサン。「—画⓪」

せんぴょう⓪(ピャウ)【選評】❶—する(他サ) 多くの同類の中からいいものを選んで、その批評をすること。❷選者としての批評。

ぜんぴょう⓪(ベウ)【全(豹)】〔猛獣のヒョウの皮全体の模様の意〕「物事の全体の様子」の意の古風な表現。「—一斑(イッパン)」↕一斑

せんびょうし③(ビャウ)【戦病死】—する(自サ) 戦争に行って病気で死ぬこと。

せんびょうしつ③(ビャウ)【腺病質】神経過敏でからだが弱く、胸が薄く、貧血などを起こしやすい(子供の)体質。

せんびん⓪【先便】ある時点を基準として、少し前に出した手紙。

せんびん⓪【船便】ふなびん。

ぜんびん⓪【前便】すぐこの前に出した手紙。

せんぶ①【先負】急用・訴訟に悪いという日。「せんまけ⓪」とも。⇩六曜

せんぶ①【宣(撫)】—する(他サ) 占領地の人民に本国政府の方針を知らせ、人心を安定させること。「—班③」

せんぷ①【先夫】以前その女性の夫であった人。前夫①。

せんぷ①【宣布】—する(他サ) ❶公式に多くの人に告げること。❷広く全体に行き渡らせること。「国威の—」

*ぜんぶ①【全部】△その物(それ)の属する同類のすべてに行き渡り、例外や漏らし残すところが無いこと。↕一部

ぜんぶ①【前部】前の△方(部分)。↕後部

ぜんぶ①【膳部】膳にのせて出す料理。

せんぷう⓪【旋風】「つむじかぜ」の意の漢語的表現。〔突発的に(その)社会に大きな△変動(反響)を与えるもとになるもの の意にも用いられる。例、「学界に一大—をまきおこす研究発表」〕

せんぷうき③【扇風機】モーターによる羽根車の回転によって風を吹き送る△装置(器具)。かぞえ方 一台

せんぷく⓪【先腹】先妻が産んだ△こと(子)。⇩当腹

せんぷく⓪【船幅】船の幅(の一番広い所)。⇩船長

せんぷく⓪【船腹】❶船の、胴体に当たる部分。「—に穴をあけられる」❷船の内部(の、積み荷を置く場所)。❸(数が多いか少ないかという点から見た)輸送機関としての船。「自国—」

せんぷく⓪【潜伏】—する(自サ) 〔表面からは見えない所にひ

そむ意〕 ❶探し手に見つからないように隠れること。「地下―中」 ❷からだの中に入りこんだ病原体が、ある期間まだ病気を起こすには至らないこと。「―期④」

ぜんぷく⓪【全幅】〔「全面積」の意〕あらゆる点でそのような状態にあり、それ以外の不純な要素は全く認められないこと。「―の信頼を△置く(寄せる)」

せんぶり⓪【千振】〔千度振り出してもまだ苦い意〕 ❶山や野原に生える二年草。秋、花びらが五枚の、白い花を開く。苦みが強く胃の薬にする。〔リンドウ科〕 ❷トンボに似た昆虫。からだは黒く、触角は むち状。〔センブリ科〕 かぞえ方 ❶は一本。❷は一匹

せんぶん⓪【〈撰文】―する(自サ) 碑文・序文などの文章を頼まれて作ること。また、その文章。

せんぶん⓪【線分】〔幾何学で〕直線上の相異なる二点の間にある部分。〔その二点を、線分の「端点」と呼ぶ。端点まで含めたものを線分と呼ぶのが普通であるが、含めないこともある〕「有向―」 かぞえ方 一本

ぜんぶん⓪【全文】 判決文・声明文などの文章の全体。

ぜんぶん⓪【前文】 ❶前にしるした文。 ❷〔綱領・規約などの〕前書き。 ❸〔手紙文で〕最初に書く、時候や見舞いなどの挨拶(アイサツ)的な文句。

せんぶんりつ③【千分率】 その数量が全体の中で占める割合を、全体を千として表わしたもの。千分比③。〔単位は、パーミル〕 ⇩百分率

せんべい①【煎餅】 Ⓐ水でといた小麦粉に甘味料などを加えて、薄くのばして焼いたもの。「瓦(カワラ)―・南部―④」 Ⓑむした米の粉をひらたくのばして焼き、しょうゆなどで味をつけたもの。多く、関東地方のものを指す。「塩―」 かぞえ方 一枚 **―ぶとん**⑤【―布団】〔使い古して汚れたりすり切れたりした〕薄くて粗末な布団。

せんぺい①【先兵・〈尖兵】 縦隊の前方を進んで敵状を探り、敵の攻撃を警戒する小部隊。〔先鞭(センベン)をつけるもの、すなわち先駆けの意にも用いられる〕 表記「先」は、代用字。

せんべつ⓪【選別】―する(他サ) ある基準でより分けること。

せんべつ⓪【〈餞別】 遠い所に△旅行(転任・引越しなど)する人に対して別れのしるしに贈るお金や品物。

せんべん⓪【先〈鞭】 先駆けの功名をねらって、ほかの人よりも先に馬にむち打つこと。「―をつける〔=他に先んじて着手する〕」

ぜんぺん⓪【全編・全〈篇】 △詩文(書物)の全体。

ぜんぺん⓪【前編・前〈篇】〔二つか三つに分かれたもののうち〕一番前の編。⇩後編・中編

せんぺんいちりつ⓪-⓪、①-⓪【千〈篇一律・千編一律】 どれもが一様に変化に乏しく、おもしろみの無いこと。〔古くは、「せんべんいちりつ」〕

せんぺんばんか⑤(クワ)【千変万化】―する(自サ) いろいろさまざまに変化すること。

せんぼう⓪(バウ)【羨望】―する(他サ) 自分の現状にくらべて掛け離れてすぐれたものを見聞きした時に、強いうらやみの気持を持つこと。「―の的となる/―に堪えない」

***せんぽう**⓪(バウ)【先方】 相手の△方(人)。むこう。↕当方

せんぽう⓪(バウ)【先〈鋒】 部隊の先頭に進むもの。先陣。〔ある運動・主張を他より先に行なう人の意にも用いられる。例、「反対運動の―/急―」〕

せんぽう⓪(バフ)【旋法】 音階や旋律の型。

せんぽう⓪(バフ)【戦法】 戦闘・競技・勝負事のやり方。「捨て身の―に出る」

ぜんぼう⓪(バウ)【全貌】 物事の全体の△姿(様子)。「―を△明らかにする(突き止める)/―が明るみに出る」

ぜんぽう⓪(バウ)【前方】 ❶前の方。↕後方 ❷前が方形であること。 **―こうえんふん**⑦(エン)【―後円墳】 古墳の一形式。円形の主体の前に△方形(台形)の塚を備えたもの。上から見た形は、典型的な鍵穴に似る。例、(伝)仁徳(ニントク)天皇陵〔=大山(ダイセン)古墳〕。

ぜんほうい③(ハウヰ)【全方位】 ❶あらゆる方角。 ❷関係するすべての方面。「―外交⑥」

せんぼうきょう⓪(バウキヤウ)【潜望鏡】 潜航中の潜水艦などが、外界を見るために使う長い筒形のプリズム式望遠鏡。二個の直角プリズムとレンズとから成る。ペリスコープ。

せんぼく⓪【占〈卜】「うらない」の意の漢語的表現。

せんぼつ⓪【戦没・戦〈歿】―する(自サ) △戦闘員(非戦闘員)が戦争によって死ぬこと。「―者④③」

せんぼつ⓪【潜没】―する(自サ) ❶水中にもぐりこむこと。 ❷潜水艦が潜航すること。

ぜんぽん⓪【善本】 ❶内容がすぐれている上に、校正が行き届き、造本のりっぱな本。 ❷〔書誌学で〕保存がよかったり本文の系統が古かったりする稀覯本(キコウボン)。〔両方を兼ね備えるものは、まれ〕

せんぼん しめじ⑤【千本占地】 シメジの異称。

せんまい①【千枚】 枚数が千であること。また、枚数が多いたとえ。「―田」 **―づけ**⓪【―漬(け)】 薄切りにした「聖護院(ショウゴイン)かぶら⑥」を昆布と重ねて、みりん・こうじなどで漬けた、京都名産の漬物。 **―どおし**⑤(ドホシ)【―通(し)】 何枚も重ねた紙を刺し通して穴をあける錐(キリ)。 かぞえ方 一本 **―ばり**⓪【―張(り)】 何枚も張り重ねて厚くした△こと(もの)。「つらの皮―〔=極めてあつかましいこと〕」

せんまい⓪【洗米】〔神に供えたり 魔よけにまいたりする〕きれいに洗った精米。あらいごめ。

せんまい⓪【〈饌米】 神前に供える洗米。

ぜんまい⓪【〈薇】 山野に生える、ワラビによく似た多年生のシダ植物。春先、渦巻の形に曲がって全体に白い綿毛をかぶった黄茶色の若芽を出す。若芽が開く前に採り食用とする。〔ゼンマイ科〕 表記「〈紫〈萁」(漢語表記)とも書く。 かぞえ方 一本

ぜんまい⓪【〈発条・〈撥条】 渦巻状に曲がった弾力のある鋼鉄。ばね。「―仕掛け(のおもちゃ)」 表記「〈弾機・〈弾発」などとも書く。 かぞえ方 一枚 **―ばかり**⑤【―〈秤】 ばね・ぜんまいの伸縮によって重さを計るはかり。 かぞえ方 一台

せんまん③【千万】 数の多いたとえ。「―言(ゲン)を費やす/―人といえども我(ワレ)行かん」 **―むりょう**⑤(リヤウ)【―無量】 ❶数が多くて かぞえきれないこと。 ❷はかり知れないこと。無量。

ぜんみ①【禅味】 禅に特有の、世間離れのしたおもしろみ・風格。「―を帯びる」

せんみつ⓪【千三】〔↑千三屋⓪〕 ❶〔千のうち三つしか商談が成立しない意〕地所の売買・貸し金の周旋をする職業の人。 ❷〔千に三つしか本当の事が無い意〕うそばかり言う人。

せんみょう⓪(ミヤウ)【宣命】〔漢文体で書かれた詔勅と違って〕宣命体で書かれた、天皇の△命令(言葉)。 **―たい**⓪【―体】 古代日本語を漢字だけで書きしるす時の、一つの表記法。漢文のような返り読みはせず、助詞・助動詞・活用語尾などは万葉がなで小さく書いた。

せんみん③⓪【〈賤民】〔差別待遇のはなはだしい社会の制度において〕奴隷など最下層とされるもの。

せんみん⓪【選民】 神によって選ばれたすぐれた民族。〔ユダヤ人が旧約聖書に基づいて自分たちを言った語から〕「―意識⑤」

車掌④」 ❷〔↑専務取締役①-⓪〕 社長を助けて、その会社の業務を総括的に見る取締役。普通、何人かの取締役の中から選ばれる。

せんめい⓪【鮮明】―な ―に ❶色があざやかで接する人の印象に強く残る様子だ。「―な色」 ❷はっきりしていて、他とまぎれない様子だ。「記憶に―だ／印刷が不―だ／旗幟(シキ)―」 派―さ⓪⑤

せんめい⓪【〈闡明】―する(他サ) 今まではっきりしなかった△道理(意義)を明らかにすること。

ぜんめい⓪【〈喘鳴】(気管に異常のある人が)呼吸をするときに発するぜいぜいという音。

せんめつ⓪【〈殲滅】―する(他サ) 皆殺し(にして滅ぼすこと)。

ぜんめつ⓪【全滅】―する(自他サ) そこに△ある(居る)もの全部が存立出来なくなる(ようにする)こと。「一挙に―を図る／風邪で一家そろって―だ(=寝込んだ)／大水で畑の作物が―だ(=全部水浸しになり、だめになった)」

せんめん⓪【洗面】―する(自サ) 顔を洗うこと。「―道具⑤・―台⓪」 **―き**③【―器】 洗面に使う湯・水を入れるうつわ。 **―じょ**⑤⓪【―所】 洗面設備のある所。〔便所の婉曲(エンキョク)表現としても用いられる〕

せんめん⓪③【扇面】 扇(の地紙・表面)。「―写経⑤」

ぜんめん⓪③【全面】 すべての△面(方面・部門)。 **―てき**⓪【―的】―な ―に その事が例外なくあらゆる△方面(部門)にわたる様子だ。「―に廃止する」

ぜんめん⓪③【前面】 前の方。表の方。「―に立ちはだかる、数かずの難問／財政問題が―に立ちふさがる」

せんもう⓪【旋毛】 渦巻になった毛。つむじ。

せんもう⓪【繊毛】 ❶細い毛。 ❷細胞の表面から出る、細い糸状の突起。「―運動⑤」

せんもう⓪(マウ)【〈譫妄】 外界からの刺激に対する反応は失われているが、妄想・興奮・うわごとなどの続く意識障害。

ぜんもう⓪(マウ)【全盲】 視界が狭くなり、ほとんど何も見えない状態(の人)。⇩半盲

****せんもん**⓪【専門】 その事を研究・担当するだけで、他の部門にはかかわらないこと。また、その科目・事柄。「―が分かれる／―外の分野でも一家言を持つ／―的な色彩が強すぎる／―馬鹿(バカ)⑤(=専門の知識は深く持っているけれども、世間一般の常識はほとんど皆無に等しい状態の人を軽蔑(ベツ)

家】その方面に関する高度の△知識(技能)を有する人。エキスパート。 **―ご**⓪【―語】 ❶特定の社会で、仕事をする便宜上から用いられる特有の単語。職業語⓪。〔隠語は、これの一種〕 ❷議論のむだを無くし、より精密な思考が出来るように、概念を規定しつつ使用する、学問・芸術上の用語。専門用語。術語。 **―し**③【―士】 専門学校卒業者に与えられる称号。〔一九九五年から実施〕 **―がっこう**⑤(ガクカウ)【―学校】 ⇩学校

ぜんもん⓪【前門】「おもてもん」の意の漢語的表現。「―の虎(トラ)、後門(コウモン)の狼(オオカミ)(=一つの災難をのがれたかと思うと、引き続き別の災難がやってくることのたとえ)」 ↕後門

ぜんもん⓪【禅門】 ❶禅宗(の宗門)。 ❷仏門に入った男子。 ↕禅尼

ぜんもんどう③(ダフ)【禅問答】 禅宗の坊さんが行なう問答(のように、当事者以外には、何を言っているのか分からない問答や、押えどころの無い返事)。⇩こんにゃく問答

せんや①【先夜】 昨日よりも少し前の日の夜。

せんや①【戦野】 戦場(の野原)。

ぜんや①【全野】「すべての分野」の意の漢語的表現。

ぜんや①【前夜】 ❶昨夜。 ❷特定の日の前の夜。「革命の―(=革命が起こる直前(の状態))」 **―さい**③【―祭】 特定の行事の前夜に景気をつけるために行なう催し。

せんやく⓪①【仙薬】 ❶不老不死の薬。 ❷霊薬。

せんやく⓪【先約】 ❶それより先に(別の人と)した約束。 ❷少し以前にした約束。

せんやく⓪①【煎薬】 煎じ出して飲む漢方薬。せんじぐすり④。

ぜんやく⓪【全訳】―する(他サ) 外国語で書かれた原文全部を翻訳すること。また、古典を現代語に訳すこと。完訳。↕抄訳

ぜんやく⓪【前約】 すぐ前にした約束。

ぜんゆ①【全癒】―する(自サ) 病気・けがなどがすっかり治ること。

せんゆう⓪(イウ)【仙遊】―する(自サ) わずらわしい世俗をのがれ、景勝の地に赴き、自然の美しさを心ゆくまで味わうこと。

せんゆう⓪(イウ)【占有】―する(他サ) 自分だけの所有とすること。「―権③」

せんゆう⓪(イウ)【専有】―する(他サ) その△物(場所)をひとりで所有すること。「―率③」 ↕共有

隊生活における同僚。

せんゆうこうらく⓪-⓪(イウ)【先憂後楽】 人の上に立つ者は常に△国家(組織)の将来が不結果になることの無いように深く配慮すべきであり、また施策が報いられてその恩恵を楽しむのは他の後でよいという教訓。〔水戸家ゆかりの名園、東京の「小石川後楽園」も、同一発想の命名〕

せんよう⓪【占用】―する(他サ) 〔公共の使用物を〕特定の人がある期間自分の目的のために使うこと。「道路の―」

せんよう⓪(ヤウ)【宣揚】―する(他サ) 盛んであることを、はっきりと他に示すこと。「国威―」

せんよう⓪【専用】―する(他サ) ❶その人だけが使用すること。「社長の―車」 ❷そればかり使うこと。「国産品を―する」

ぜんよう⓪【全容】「全貌(ゼンボウ)」の言い替え。

ぜんよう⓪(エフ)【前葉】〔書物などで〕問題としているページの前のページ。↕次葉

ぜんよう⓪【善用】―する(他サ) △うまく(よい事のために)使うこと。「余暇―」 ↕悪用

ぜんら①⓪【全裸】 まるはだか。⇩半裸

ぜんらく⓪【漸落】―する(自サ) 相場や物価がだんだん下がること。↕漸騰

せんらん⓪【戦乱】 戦争のために、その地域の秩序が乱れること。「―の巷(チマタ)」

せんり①【千里】 非常に遠い所のたとえ。「―を遠しとせず／―の行(コウ)も足下(ソッカ)に始まる」 **―がん**⓪③【―眼】 遠い所の出来事や未知の事物の存在などを直覚的に知りうる超能力(を持っている人)。 **―のこま**①-①【―の駒】 一日によく千里を走るという名馬。〔才能のずば抜けてすぐれた人をたとえる場合に用いられる〕

せんり①【〈賤吏】「(うだつの上がらない)下級官吏」の意の漢語的表現。〔侮蔑(ブベツ)を含意して用いられることがある〕

せんりつ⓪【旋律】〔メロディーの訳語〕音の高低・長短の変化が連続して響いて来て、まとまった主題を表わし ある感じを与えるもの。ふし。

せんりつ⓪【戦慄】―する(自サ) こわさのために震えること。「―が全身を走った／―すべき事実」

ぜんりつせん⓪【前立腺】 男性の膀胱(ボウコウ)の下に位置し、精子の運動を促進する器官。「摂護腺」の改称。

せんりひん⓪【戦利品】 戦争の際、敵側から奪い取った

物。「—の返還を求める」

せんりゃく[0]【戦略】戦争・政治闘争・社会運動などで、敵に勝つための△大局的(総合的)な方法や計略。「—性[0]・—家[0]・—的決定・高等—」

ぜんりゃく【前略】❶[0][1]—する(他サ)前の文句を省略すること。❷[1]〔手紙文で〕前文を略する意で、冒頭に用いる言葉。⇩後略・中略

せんりゅう[1]【川柳】俳句と同形式の短詩で、日常生活に題材を求めて人情・世態などを鋭くとらえ、滑稽・風刺・機知を宗とするもの。季語・切れ字などの制約はない。かぞえ方 一句

ぜんりゅうふん[3]【全粒粉】小麦を粉にする際、表皮・胚芽などを取り除かずに作ったもの。

せんりょ[1]【千慮】問題とする事柄について、十分に考えをめぐらすこと。 **—のいっしつ**[1]-[0]【—の一失】(賢者と言われるような人にも)慎重に考えをめぐらした末にやったことであっても思いがけない失敗はあるものだということ。

せんりょ[1]【浅慮】思慮が浅いこと。あさはかな考え。

せんりょう[1]【千両】❶きわめて高価なこと。〔価値の大きい意にも用いられる〕❷正月、縁起物として生け花などにする常緑小低木。赤・黄の実が木の葉の上部につく。〔センリョウ科〕かぞえ方 ❷は一株・一本 **—やくしゃ**[5]【—役者】演技がすぐれ、一座の中心となる役者。〔その催し物の場で、華麗であると同時に重みのある演技をする人の意にも用いられる〕

***せんりょう**[0]【占領】—する(他サ)〈どこヲ—する〉❶他国を武力で圧伏し、その領土を自軍の支配下に置くこと。「敵側の戦略上の拠点を—する/—軍[3]」❷一定の場所を特定のものが占め、他の人が使用できない状態にすること。「二人分の席を—する/全集が本棚を—している」

せんりょう[3]【染料】糸・布・皮などを染める材料。

せんりょう[3]【線量】放射線の量。

せんりょう[0]【選良】〔選出された、りっぱな人の意〕「代議士」の異称。〔理想像を述べたもので、現実は異なる〕

ぜんりょう[0][3]【全量】全体の△重量(容積)。

ぜんりょう[0]【善良】—な 性質がおとなしく、悪気が無い様子だ。派 —さ[0]

ぜんりょうせい[0]【全寮制】入学者全員に寮生活を義務付けること。「—高等学校」

(続ける)力。「—を誇示する軍事大国/—増強」Ⓑ目的を達成するのに必要な人員。「新製品開発のために新—を増強する」

ぜんりょく[0]【全力】ある限りの力。「—を△集中する(注ぐ・尽くす・投入する)/—を挙げて取り組む/—投球[5]〔=全力を傾けて何かをする意にも用いられる〕」

ぜんりん[0]【前輪】乗り物の、前の方の車輪。↕後輪

ぜんりん[0]【善隣】隣の家や隣国と仲よくすること。また、その家や国。「—外交[5]・—友好[5]・—関係樹立」

ぜんりん[0]【禅林】(僧が集まって修行を積む場としての)禅宗の寺。

せんるい[1]【〈蘚類】蘚苔類の中で、最も体制の進んだ一類。ミズゴケ・スギゴケのように、茎・葉の区別が明らかなもの。

せんれい[0]【先例】❶以前からあった、同種の例。前例。「—にならう/—が無い/—を見ない」❷将来 同種の事柄の基準となるような例。「—を△開く(確立する)」

せんれい[0]【洗礼】キリスト教で、信者となる時の儀式。頭上に水を注いだり 水に浸ったりする。〔△精神的(人間的)成長のために受けることが必要な経験の意や初体験の意にも用いられる。例、「彼はマルクス主義の—を受けていた/戦火の—を受けた」〕

せんれい[0]【船齢】船が進水してからたった年数。

せんれい[0]【鮮麗】—な あざやかで、人目をひく(ように美しい)様子だ。「—な色彩」

ぜんれい[0]【全霊】全精神。⇩全身全霊

ぜんれい[0]【前例】❶前にあげた例。❷⇩先例❶「—が無い/—を破る」

せんれき[0]【戦歴】戦闘に参加した経歴。

ぜんれき[0]【前歴】それまでの△歴史(経歴)。「審査委員は公務員の—のない者のうちから選ぶ/ほぼ全員が非合法活動の—があるとしている/現場に残された指紋から犯人の一人が—〔=前科〕のある者と判明した/結核の—がある」

せんれつ[0]【戦列】戦闘に参加する部隊の列。〔闘争のために団結する組織の意にも用いられる〕「—に加わる/—を離れる」

せんれつ[0]【〈賤劣】—な いやしくて、これといったとりえも無い△こと(様子)。

せんれつ[0]【鮮烈】—な 印象などがあざやかで、強い感じを

ぜんれつ[1]【前列】前の列。「—に並ぶ/最—」↕後列

せんれん[0]【洗練・洗〈煉】—する(他サ) 目に見えない所にもいろいろくふうをこらし、全体として むだの無い出来ばえに仕上げること。「—された〔=スマートな〕紳士/—された〔=上品な〕趣味/—された〔=完成度の高い〕技術」

ぜんれん[0]【前連・前〈聯】❶〔漢詩の律で〕第三・第四の対句。❷〔詩で〕前節。表記「連」は、代用字。

***せんろ**[1]【線路】汽車・電車などのレールの道。軌道。「—工事[4]・—工夫[4]・鉄道—[5]」かぞえ方 一本

せんろっぽん[3]【繊六本・千六本】〔繊蘿蔔の唐音である「せんろうぽ」の変化。蘿蔔はダイコン〕ダイコンを四、五センチの長さの細い筋に△切ること(切ったもの)。千切り。

ぜんわ[0]【禅話】禅の講話。

ぜんわん[0]【前腕】腕の、肘から手首までの部分。前膊。「—骨[3]」

そ…ソ

そ〈狙・阻・祖・租・素・措・粗・組・疎・〈疏・訴・塑・想・〈鼠・遡・礎・〈蘇〉→【字音語の造語成分】

そ【《十】(造語)〔雅〕十を表わす数詞。「三—一文字・四—(路)・八—」

そ(終助)〔雅〕強く念を押す気持を表わす。「な行き—〔=⇩な(副)〕/な来—の関/此は誰—〔=これは一体だれであるか。⇩たそがれ〕」

そ[1]【〈其】(代)〔雅〕それ。表記「《夫」とも書く。

ソ[1] ❶「ソ連(邦)」の略。「日—交渉」❷〔イ sol〕〔音楽で〕長音階の第五音、短音階の第七音の名。

そ[1]【祖】〔本来、祖父の意〕その家の先祖や、そのものごとの開祖。「医学の—/—国・皇—・鼻—・元—」

そ[1]【素】⇩【造語成分】そ(素)❷ 【互いに—】〔数学で〕二つ(以上)の自然数の最大公約数が一であること。「八と十五は—/四と六は—ではない」

そ[1]【粗・〈麁】—なる あらっぽくて、ぞんざいな様子だ。「おおね—/—雑・—漏・—野・精—」↕密 ⇩【造語成分】

ぞ(曽)→【字音語の造語成分】

分に言い聞かせる意を表わす。「あれ、変だ―／きょうは負けない―／そんな事をだれが信じよう―〔＝だれも信じない〕」❷〔△対等(目下)の者に対して多く男性が〕自分の考えを強く主張することを表わす。「うそをついたら承知しない―／先に行く―」 文法 活用語の終止形に接続する。
■二(副助) ❶排他的にその物事を取り上げて強調することを表わす。「ここ―〔＝一番〕という時には必ず打つ頼りになる打者／彼―まさしく救国の英雄」 ❷〔「△だれ(何・どこ)＋―」などの形で〕不定の人・もの・場所などを表わす。「だれ―／何―／どこ―」 文法 体言(名詞、またそれに準ずる句)に接続する。

そあく [0]【粗悪】―に つくりが雑で、質がよくない様子だ。「―品[0]」 派 ―さ[0]

そあん [0]【素案】 たたき台として会議に提出△される(された)案。 表記 「礎案」とも書く。

そい [1]【素意】 平素からいだいている△志(願望)。

そい [1]【粗衣】 「粗末な衣服」の意の古風な表現。「―粗食[1]-[0]」

ぞい【沿い】(造語) …に沿うこと。「川―の散歩道／線路―に歩く」 表記 「添い」とも書く。

そいつ [0]【〈其《奴》】(代) 〔「其奴(ソヤツ)」の変化〕「その者・それ」の意の、ぞんざいな言い方。〔憎悪・侮蔑(ブベツ)などの気持を込めた場合にも、親しみの気持を込めた場合にも使われる〕「―はどこのだれだ／―〔＝それ〕を貸してくれないか／―〔＝ⓐその者。ⓑそのこと〕だけは許せない」 ⇩あいつ・こいつ・どいつ：こそあど

そいと・げる [4]―ソヒ【添い遂げる】(自下一) ❶一生夫婦として過ごす。❷望み通り夫婦になる。

そいね [0]―ソヒ【添い寝】―する(自サ) 寝ている人のそばに、一緒に寝てやること。そいぶし[0]。

そいん [0]【素因】 ❶ある結果をもたらす原因。もと。❷その病気になりやすい素質。

そいん [0]【疎音】 「ひさしく行き来しないこと。また、その状態」の古風な表現。

そいん [0]【訴因】 〔刑事裁判で〕検察官による起訴の原因となる事由(の告示)。

そうオ (双・〈匝・争・壮・早・走・宗・奏・相・草・荘・送・倉・〈叟・捜・挿・桑・掃・曽・曹・巣・爽・窓・創・喪・痩・葬・装・僧・想・〈蒼・層・〈槍・〈漕・〈箏・総・〈綜・〈聡・遭・槽・〈瘡・踪・操・〈艘・燥・霜・〈叢・贈・騒・藻・〈躁) →【字音語の造語成分】

そうウサ 〔「然(サ)」の変化〕■一[0][1](副) ❶話し手から見て、聞き手により近いと意識される所で観察される事象や状態を指し示す様子を表わす。「―いう〔＝そのような〕結び方は初めて見たね／―〔＝そのように〕黙っていられたんじゃ、どうしようもない／冗談で言ったんだから―怒るなよ／『これあなたの傘ですか』『はい、―です』」 ❷聞き手である相手が発言した事柄に含まれる事象や状態を指し示す様子を表わす。「いきなり―言われても即答しかねる／―いうひどい仕打ちを受けたとは知らなかった／―思ったのはいつごろですか」 ❸話し手が発言した事柄に含まれる事象や状態を、聞き手にも了解されているものとして指し示す様子を表わす。「―〔＝そのように〕は言ったけれど、実現にはまだ時間がかかる／―いう事情で、帰国せざるを得なかった／私には―としか思えなかった」 ❹〔否定表現と呼応して〕実際には一般に予測されているほどの程度ではないと判断する様子。「事件は―簡単には解決しそうもない／実用化は―遠くないだろう／熱帯とはいっても高原だから―きびしい気候ではない」〔「―だ・―です・―と・―は・―かしら」など、広義の名詞(代名詞)のアクセントは[1]〕 ⇩ああ・こう・どう：こそあど ■二[1](感) ❶相手の発言を(軽い驚きの気持を込めて)△肯定的に(半信半疑の気持で)受け止めて、発する語。「―、けっこう面白い

そ

【狙】 ❶サル。「狙公」 ❷目標をねらう。機会をうかがう。「狙撃」

【阻】 ❶通過・進行のじゃまをする。「阻止・阻害」 ❷人馬が通れないほどけわしい。「険阻」

【祖】 ⇩(本文)そ【祖】

【租】 〔もと、田租の意〕 ❶租税。税金。「地租・免租」 ❷賃借りする。「租借・租界」

【素】 ❶生地のままで、手を加えてない状態。〔飾り・着色が無い意。狭義では、白色の意に用いられる〕「素材・素質・素絹・質素・緇(シ)素」 ❷それ以上に△分析出来ない(割りきれない)、もとになるもの。本来的な。「素数・素因・素粒子・元素・要素・音素」 ❸他人の意思や外的原因によって強制されない、恒常的状態。「素意・素志・素行・平素」 ❹〔化学で〕元素の名につける語。「酸素・水素・窒素・炭素」 ⇩(本文)そ【素】

【措】 しかるべき位置に置く。はからう。「措置・措定・挙措」

【粗】 「粗末な」の意で、他人への贈り物に冠して用いられる謙称。「粗品(シナ)・粗茶・粗菓・粗景」 ⇩(本文)そ【粗】

【組】 〔もと、冠を結び、印(イン)をつなぐくみひもの意〕 ■一 ❶〔縦糸・横糸で〕複雑な物をくみ立てる。「組織・組閣」 ❷組織。「改組」 ■二(略) 組合。「労組・日教組」

【疎】 ❶通す。通る。「疎通」 ❷分け隔てをする。うとんじる。「疎外・疎遠・親疎」 ❸まばら。はなれる。「疎音・疎開・疎密・疎林」 ❹内容が充実せず、計画などがぞんざいだ。「疎略・空疎」 表記 もと、「〈疏」と同字。

【〈疏】 ❶通す。通る。「疏水」 ❷箇条書にして述べる。「上疏」 ❸古人の注をさらに注釈する。「注疏」

【訴】 △判決をあおぐために(同情を求めて相手に)うったえる。うったえ。「訴訟・訴状・訴因・訴追・告訴・哀訴・起訴・刑訴・公訴・控訴・直訴・愁訴・勝訴・提訴・本訴・上訴・敗訴・民訴・免訴」

【塑】 ❶△粘土(せっこう)で作った物の形。「塑像・彫塑」 ❷力によって形の変わること。「可塑性」

【想】 おもう。「愛想」 ⇩そう

【〈鼠】 ネズミ。「鼠賊・鼠輩・窮鼠・首鼠・殺鼠剤」

【遡】 さかのぼる。立ち返る。「遡上・遡及・遡行・遡求・遡源」 表記 「〈溯」とも書く。

【礎】 土台石。いしずえ。「礎材・礎石・基礎・定礎」

【〈蘇】 ■一 ❶シソ。また、紅色の染料を取る熱帯産の植物。「紫蘇」 ❷よみがえる。「蘇生」 ■二(略) ❶ソビエト連邦。❷中国の江蘇省。❸木曽(ソキ)川。「蘇東」

ぞ

【曽】 かつて。以前。「未曽有」 ⇩そう

ね／—、本当かね」❷相手の発言やその場の状況などがきっかけとなって何か△を思い出して(に気が付いて)発する語。「『雨が降りそうだね』『—、君に傘を借りたままだったよ』」

運用 [二]❶で、相手の問いかけに対して即座に対応できない時に間を持たせるのに用いることがある。例、「君この計画どう思う」「…そうですねえ、よろしいのではないでしょうか」

***そ・う** ①⓪（ソフ）【沿う】（自五）❶〈なに・どこニ—〉基準になるものから離れない位置にある状態を保つ。「しばらく川に沿って電車が走った／既定方針に沿って事を進める」❷〈なにニ—〉期待されるところから外れない状態を保つ。「△意向(期待)に—よう努力します／御希望には必ずしも沿わないかもしれませんが」 表記 ❷は、「添う・《副う」とも書く。

そ・う ⓪①（ソフ）【添う】（自五）❶すでに何かがあるところに、また別のものが加わる。「趣が—(=増す)」❷そばについて、離れないでいる。「影の形に—ごとく／一夜でも添って(=夫婦になって)みたい」

そう ①（サウ）【壮】❶体力が充実し、意気が上がって見える状態。「何ぞ—なる／志を—とする(=志が盛んであることを認める)／—烈・悲—・勇—」❷〔もと、三十歳の意〕元気盛んな△ころ(若者)。「—にして一家を成す／—丁・—者・—年」⇩【造語成分】

そう ①【宗】おおもと。もと。「—とする／—家・—社・大—」⇩【造語成分】

そう ①（サウ）【相】❶外に現われた形(によって知られる内面の姿)。〔狭義では、人相・手相・骨相を指す〕「転落の—／—好(ゴウ)・—貌(ボウ)・面—・家—・実—・真—・様—・皮—・異—」❷Ⓐ〔物理学・化学で phase の訳語〕明確な境界により周囲とは区別された物質の集まりで、どの部分をとっても均一な状態となっているもの。例、水の中に浮いている氷は一つの相、水も一つの相。「固—・液—・気—・溶—・

そう

【双】（サウ）❶〔二つで一組のものの〕両方。「双肩・双方・双眼鏡」❷ならぶ。「双生児・双璧(ヘキ)・無双」

【〈匝〉】（サフ）何かの周りを一回まわること。「トロイの城壁を三匝する」

【争】（サウ）あらそう。奪い合う。「争議・争奪・争覇(ハ)・競争・抗争・政争・闘争・紛争・論争・戦争」

【壮】（サウ）規模が大きくて、りっぱだ。「壮観・壮大・壮快・壮図(ト)・壮挙・壮麗」⇩(本文)そう【壮】

【早】（サウ）❶〔朝の〕時刻がはやい。「早暁・早朝」❷〔その季節の〕時期がはやい。「早春」❸時期が普通よりはやすぎる。「早婚・早熟・尚早(ショウ)」❹急いで事をすます。「早急(ソウキュウ|サッキュウ)・早々」

【走】❶はしる。「走者・走馬灯・滑走・疾走・帆走・奔走・助走」❷にげる。「逃走・敗走・遁走(トン)」

【宗】❶祖に次いでたっとばれる人。「祖宗」❷その世界でたっとばれる存在。「宗匠・宗主国・詞宗・詩宗」⇩(本文)そう【宗】

【奏】❶君主に申しあげる。「奏上・奏請・奏聞(モン)・上奏・執奏」❷楽器をならす。かなでる。「奏楽・演奏・吹奏・合奏・独奏・伴奏」

【相】（サウ）[一]❶よく見て、占う。「相法」❷たがい。たがいに。「相互・相違・相応・相対・相愛・相思」❸前のものを受ける。「相続・相伝・相承」[二](略)相模(サガミノ)国。「相州」⇩(本文)そう【相】

【草】（サウ）❶くさ。「草本・草木・草原・草根木皮・雑草・薬草・毒草」❷十分に仕上げがしてない。「草屋・草堂・草庵(アン)」❸原稿。「草案・草稿・起草」⇩(本文)そう【草】

【荘】（サウ）❶おごそか。「荘厳(ゴン)・荘重(チョウ)」❷郊外にある別宅。〔別荘・アパートなどの名としても用いられる〕「別荘・山荘」❸〔中国での〕店。「銭荘(セン)(=昔の両替店・銀行)・雀荘(ジャン)」

【送】❶物をおくり届ける。「送金・送電・送風・運送・放送・輸送・郵送・電送」❷人を見おくる。「送迎・送行・送別・送葬・目送・葬送」

【倉】（サウ）❶〔もと、穀物の貯蔵所の意〕くら。「倉庫・穀倉・正倉・営倉・船倉・弾倉」❷にわか。「倉皇・倉卒」

【〈叟〉】その年齢の男の老人であることを表わす。「八十二叟・三番叟(サンバ)」

【捜】さがす。「捜査・捜索・博捜」

【挿】（サフ）❶間に入れる。「挿入・挿話」❷さす。「挿花(カ)・挿頭(トウ)」

【桑】（サウ）植物のクワ。「桑園・桑田」

【掃】（サウ）❶ほうきではく。「掃除(ジ)・清掃」❷じゃまな物をすっかり除く。とり払う。「掃海・掃討・掃射・一掃」

【曽】❶もう一代先の。「曽祖・曽祖父・曽孫」❷かつて。以前。「曽遊・未曽有(ミゾウ|ミソウ)」

【曹】（サウ）[一]❶〔もと、原告側・被告側の人の意〕裁判に関係する人たち。「法曹」❷役所。「曹司(ゾウシ)」❸〔自衛隊で〕下士官の階級。「陸曹・海曹」[二](略)ソーダ(曹達)。「重曹」⇩(本文)そう【曹】

【巣】（サウ）❶鳥のす。「営巣・卵巣・帰巣性」❷賊の根拠地。「巣窟(クツ)・賊巣」

【爽】（サウ）❶さわやか。「爽快・爽涼・爽秋・清爽・颯爽(サツ)」❷しらしら明け。「昧爽(マイ)」

【窓】（サウ）❶まど。「窓外・車窓・明窓浄机(キ)」❷〔まどのある所の意〕起居する部屋。「深窓・学窓・同窓・獄窓」

【創】（サウ）❶きず。⇩瘡❶「創傷・創痍(イ)・刀創・絆創膏(バンソウコウ)」❷初めて作る。「創始・創造・創作・創立・創業・独創」

【喪】（サウ）❶もにこもる。も。「喪家」❷葬礼。「大喪・国喪」❸失う。「喪失・喪心・喪神」

【痩】やせる。やせほそる。「痩身・痩軀(ク)・痩地」

【葬】（サウ）❶棺を土中に埋める。ほうむる。「葬儀・葬列・密葬・土葬・火葬・風葬・鳥葬」❷葬儀。「国葬・社葬」

【装】（サウ）[一]❶よそおう。「仮装・扮装(フン)・変装・男装・女装」❷〔飾りとなる物を〕身につける。とりつける。「装飾・装甲・装備・装身具」❸仕掛ける。「装置・装塡(テン)・装薬」[二](略)❶装丁。「革装(カワ)・和装・洋装」❷装塡(テン)。「二連装」⇩(本文)そう【装】

【僧】⇩(本文)そう【僧】

【想】（サウ）❶ああではなかろうか、こうではなかろうかと心の中で思う。「想像・想起・想到・夢想・予想・空想・瞑想(メイ)・妄想(モウ)・連想・無念無想」❷過ぎ去った事を思い出す。「回想・追想」❸考え。「感想・着想・思想」⇩(本文)そう【想】

【〈蒼〉】（サウ）❶〔木の葉・海・空などの〕深い青色。「蒼海・蒼天・蒼白」❷草木が茂る。「蒼氓(ボウ)・

鬱(ウツ)蒼」❸古びる。「蒼然」

【層】❶建物が何階も重なる。「高層建築・五層の天守閣」❷幾重にも重なった△もの(一つ一つ)。「層雲・一層・大層・地層・上層・下層・階層・電離層」❸階層。「中間層」❹地層。「鉱層・炭層・断層」⇩(本文)そう【層】

【〈槍】(サウ) やり。「槍術・刀槍・長槍・短槍」

【〈漕】(サウ) ❶こぐ。「漕艇・漕手・競漕・力漕」❷舟で荷物を運ぶ。「回漕」

【〈箏】(サウ) 十三弦の琴(コト)。そうのこと。「箏曲・第一箏」

【総】〔もと、何本かの糸を集めて、一か所でしばる意〕[一]❶そこで一つにまとめる。「総括・総計・総合」❷全体をとりしまる。「総轄・総裁・総理・総督・総監・総長・総務」❸全体の。「総意・総員・総会・総数・総体・総代・総称・総額・総力・総動員」❹全体△についての(をしめくくる)。「総論・総則・総選挙・総点検」❺全体がそうであること。「総二階・総入れ歯・総天然色」[二](略) 上総(カズサノ)国・下総(シモウサノ)国。「総武・房総・総州」

【〈綜】❶いりまじる。「錯綜」❷⇩総[一]❶「綜合・綜括」

【〈聡】〔もと、聴覚が鋭い意〕さとい。かしこい。「聡明・聡敏」

【遭】(サウ) 出くわす。であう。「遭遇・遭難」

【槽】(サウ) 〔もと、かいばおけの意〕❶液体を入れる容器。〔かぞえる時にも用いられる〕「水槽・浴槽」❷おけの形に似たもの。「歯槽」

【〈瘡】(サウ) ❶できもの。かさ。「痘(トウ)瘡・疱(ホウ)瘡」❷刀きず。「金瘡・刀瘡」

【踪】人や動物などのあしあと。みちすじ。「失踪・踪跡」

【操】(サウ) ❶手に取る。「操觚(コ)」❷手に持って、うまく扱う。「操作(サ)・操縦・操車・操船・操業・操舵(ダ)」❸みさお。「操行・操守・志操・情操・節操・貞操」

【〈艘】〔もと、船の総称〕艦船をかぞえる語。

【燥】(サウ) かわく。「乾燥・焦燥」

【霜】(サウ) ❶しも。「霜害・秋霜・晩霜・風霜」❷年月がたつ。「星霜」

【〈叢】❶集まる。集める。「叢書・叢話・神経叢」❷くさむら。「叢生・叢林・淵(エン)叢」

【贈】おくる。「寄贈」⇩ぞう

【騒】(サウ) ❶さわぐ。「騒音・騒擾(ジョウ)・騒動・騒乱・騒然・狂騒・喧騒・物騒」❷〔もと、うれえる意〕詩を作って、浮世をよそに暮らす。「騒客(=詩人)・騒人・風騒」

【藻】(サウ) ❶水草。「藻類・海藻・褐藻・紅藻」❷〔もと、美しい模様がある意〕美しい文章。「詞藻・詩藻・文藻」

【〈躁】(サウ) 急に騒がしくなる。「躁鬱(ウツ)病・焦躁」⇩(本文)そう【躁】

ぞう

【造】(ザウ) ❶つくり上げる。こしらえる。「造営・造花・造化・造語・造作・造船・改造・醸造・偽造・人造・木造・石造」❷至る。到達する。「造詣」❸にわか。「造次」

【象】(ザウ) すがた。かたち。「象眼・有(ウ)象無象」⇩(本文)ぞう【象】

【像】(ザウ) △思い描いた(絵・写真などに表わされた)人・物などのすがたかたち。「現代の若者像/理想像・想像・画像・現像」⇩(本文)ぞう【像】

【増】⇩(本文)ぞう【増】

【憎】にくむ。「憎悪(オ)・愛憎」

【雑】(ザフ) まともな用途には使われない。「雑巾(キン)・雑木(キ)」⇩(本文)ぞう【雑】

【蔵】(ザウ) ❶自分の物として持っている。「蔵書・蔵版・蔵本・蔵弆(キョ)〔=所蔵〕・愛蔵・私蔵・所蔵・尚蔵・珍蔵・秘蔵・密蔵」❷使わないで、△しまって(取って)おく。「収蔵・死蔵・包蔵・貯蔵・埋蔵・退蔵」❸くら。「土蔵・宝蔵・経(キョウ)蔵」❹〔仏教で〕すべての物をおおい包む物の意。「三蔵・大蔵経・地蔵尊」⇩(本文)ぞう【蔵】

【贈】❶△好意(謝礼)としておくる。「贈答・贈呈・贈与・贈賄・寄贈(ソウ/ゾウ)」❷死後朝廷から官位をおくられる。「贈位・追贈・贈正五位」

【臓】(ザウ) はらわた。「内臓・心臓・肝臓・肺臓・腎(ジン)臓・五臓六腑(ロップ)」

―転移」Ⓑ〔動物学で、fauna の訳語〕ある地域に現在生息するものの全種類。〔植物にも転用して用いられる〕「動物―④・植物―④」❸〔言語学で〕Ⓐ動詞の表わす動作が継続的であるか、完了的であるかなど、動作の過程が時間的に見てどのようなものであるかに対応する、動詞の形。〔対応する英語はアスペクト (aspect)〕「動詞『住まう・移ろう・語らう』は、『住む・移る・語る』に、継続―の接尾辞『ふ』を添えたものが元の形である/完了―・未完了―・反復―」Ⓑ「態」の別称。「能―〔=能動態〕・所―⓪〔=受動態〕・使役―③」⇩【造語成分】そう・しょう

そう①(サウ)【草】「草書」の略。「真行―・―書・―体・略―」⇩【造語成分】

そう①(サウ)【曹】「ともがら」の意の漢語的表現。「汝(ナンジ)が―〔=お前ら〕/我が―〔=われら〕」⇩【造語成分】

そう①(サウ)【装】よそおい。外観。「―を新たにする/服―・旅―・盛―・軍―・武―・新―」⇩【造語成分】そう・しょう

そう①【僧】仏教教団に身を置いて修行を△積む(積み衆生済度(シュジョウサイド)につとめる)ことを(生涯の)仕事とする人(たち)。「托鉢(タクハツ)の―/―尼・―俗・―衣・―院・禅―・高―・破戒―」

そう①(サウ)【想】作品・計画についての構想。「―を△練る(改める・得る・新たにする)」⇩【造語成分】そう・そ

***そう**①【層】重なり。「△研究(選手)の―が厚い〔=深みや広がりがあって、手薄でない〕/―を成す/――相重なる」⇩【造語成分】

そう①(サウ)【〈躁】「躁病」の略。↕鬱(ウツ) ⇩【造語成分】

そう①(サ)【《左右】「様子・知らせ・指示」の意の古語的表現。「吉―〔=いい知らせ〕」

ぞう(造・象・像・増・憎・雑・蔵・贈・臓)↓【字音語の造語成分】

ぞう①【象】 熱帯産の巨大な獣。全身、灰色で、長い牙(キバ)と自由に屈伸する長い鼻を持つ。〔ゾウ科〕「―の群れ/―使い③・インド―・アフリカ―」 かぞえ方 一頭 ⇩【造語成分】ぞう・しょう

ぞう①【像】〔形・姿の意〕㊀神仏・人・獣などの形に似せて作っ(かい)たもの。「ブロンズ製の―/仏―・銅―・木―・肖―・偶―」 ㊁光の反射・屈折の結果見える物体の形。「―を結ぶ/実―・虚―」 かぞえ方 ㊀は一体・一軀・画像は一図・一枚 ⇩【造語成分】

ぞう①【増】 多く△なる(する)こと。「五千万円の―/―加・―減・―進・―補・―激・―倍・自然―②」 ↔減

ぞう①【雑】 一定の分類に入りきらないものをまとめて言う語。「―の歌」 ⇩【造語成分】

ぞう①【蔵】 その△機関(人)が、その物を持っていること。所蔵。「法隆寺―」 ⇩【造語成分】

そうあい⓪【相愛】―する(自サ) 互いに愛しあっていること。「相思―の仲」

ぞうあく⓪【増悪】―する(自サ) ㊀病状が進んで悪くなること。㊁ふえて悪化すること。「不安の―」

そうあげ⓪④【総揚(げ)】―する(他サ) 居るすべての芸者・遊女を呼んで遊ぶこと。

そうあたり③【総当(たり)】 ㊀参加者全部と試合をすること。「―制⓪」 ㊁からくじが無く、全部に何かが当たるようになっている△こと(くじびき)。

そうあん⓪【草案】〔成案と違って〕組織体の公式発表とするものの原案として、部内の関係者が検討の対象にするもの。「―を起草する」

そうあん⓪【草庵】 草ぶきの家。草のいおり。

そうあん⓪【創案】―する(他サ) 初めて考え出すこと。また、考え出されたもの。「企画を―する」

そうあん⓪【僧庵】 僧の住むいおり。「―を営む/―に暮らす」

そうい⓪【相違】・【相異】―する(自サ) 互いに異なること。ちがい。「案に―して/見解の―の一言で片づける/性格の―が原因で離婚した/―点③」 ―ない④【―無い】(形)〔「…に―」の形で〕㊀相手の問いかけなどに対して、全くその通りだと全面的に肯定することを表わす。「『犯行現場にあったこの靴はあなたのですか』『―と思います』」 ㊁自分の判断に間違いないと確信をいだいていることを表わす。「これは縄文時代の土器に―」 文法 助動詞「そうだ(様態)」に続くときは「相違なさそうだ」の形になる。また「すぎる」と結びついて複合動詞をつくるときは「相違なさすぎる」の形になる。

そうい①【創(痍)】 刃物などで受けた傷。〔手ひどく受けた損害の意にも用いられる。例、「満身―」〕

そうい①【創意】 独創的な考え。新工夫。「―(工夫)を生かす/―工夫を△凝らす(尽くす)」

そうい①【僧衣】 僧としての職服。僧服。「そうえ」とも。

そうい①【僧位】 朝廷から贈られた、僧の位階。法印・法眼・法橋など。

そうい①【層位】 地層の上下関係。下位の古い地層から上位の新しい地層へと重なる状態。層序①⓪。「―学③」

そうい①【総意】 全員の意思。「会員の―で決定する」

ぞうい①【贈位】―する(自サ) 死後に位階を贈ること。また、その位階。

そういう⓪(連体) そんな(ふうな)。「―話」

そういえば④【そう言えば】 何かがきっかけとなって、前に述べたことについて付け加えるべき点があることに気付くことを表わす。

そういっそう①-⓪【層一層】(副)「一層」の強調表現。さらにいっそう。

そういん⓪【僧院】 ㊀寺(の建物)。㊁修道院。「尼になって―に入る」

そういん⓪【総員】〔ある団体の〕すべての人数。全員。「―起こし五分前」

ぞういん⓪【増員】―する(自他サ) 人数・定員△をふやす(がふえる)こと。↔減員

そううつびょう⓪【躁鬱病】 興奮状態と憂鬱状態とがかわるがわる現われる精神障害。⇩双極性障害

そううら⓪【総裏】〔↔総裏付き⓪〕 衣服の裏全体に、裏地が付いていること。

そううん⓪【層雲】 二千メートル以下の空に現われる雲。層状をなし、霧雨を降らせることがある。霧雲。⇩雲級

そうえ①【僧(衣)】 ⇩そうい

ぞうえい⓪【造営】―する(他サ) 〔「営」も「造」と同じく、つくる意〕社寺・宮殿などを建てること。

ぞうえいざい③⓪【造影剤】 X線で写した時に、内臓や血管がはっきり見えるようにするために、飲んだり注射したりする薬。

ぞうえき⓪【増益】―する(自他サ) ㊀利益がふえること。「―が見込まれる」↔減益 ㊁増し△加わる(加える)こと。

そうえん⓪【桑園】「桑畑」の意の漢語的表現。

そうえん⓪【(蒼鉛)】 かすかに赤みを帯びた灰白色のもろい金属元素〔記号Bi 原子番号83〕。合金用。ビスマス①。 ―ざい③⓪【―剤】 蒼鉛の化合物で作った薬。収斂・防腐の作用があり、医薬品として用いられる。

ぞうえん⓪【造園】―する(自サ) 石・砂・木・草などの材料をうまく使って庭園などを造ること。「―業③・―術③」

ぞうえん⓪【増援】―する(他サ) 人数を増して、助力を強化すること。「―部隊(を送る)」

ぞうお①【憎悪】―する(他サ) そのものの存在や、その事態の存続をそれ以上許してはおけないという気持になること。「いわれなき迫害に対して激しい―を燃やす」

そうおう⓪【相応】―に ―する(自サ) 限度以内でまかなえたり 限度以内にとどまったりして、そのものの体面や力量に十分見合う△こと(様子)。「彼に―した(=能力に見合った)役/身分―な暮らしをする/力―の(=能力の範囲内で出来るだけの)仕事をする/それ―におもしろい」

そうおく⓪【草屋】 屋根を草・わらでふいた、粗末な家。〔自分の家の謙遜語として使うことが多い〕

そうおん①【(宋音)】「唐音㊀」の別称。

そうおん⓪【相恩】 親子代々、恩義を受けていること。「―の主君」

そうおん⓪【騒音・(噪音)】 ㊀日常生活の心の平静をかき乱す、不愉快で不必要に大きな音。「宣伝カーから流れるけたたましい―/離着陸時の―を何とかしてほしい/―で先生の声もよく聞こえません/―源③・―コンター⑤(=対策区域)」 ㊁振動数が不規則で、不愉快な感じを与える音。↔楽音

そうか①【挿花】 生け花(の一技法)。

そうか①【喪家】 △喪中(最近葬式のあったばかり)の家。「―の狗(=喪中で取り込んでおり家人にえさを与えてもらえない犬のように、やつれ果てて元気のない様子)」

そうか⓪①【装荷】 電話がよく聞こえるように、回路の途中にコイルをさしはさむこと。「―ケーブル」

そうか①【僧家】 ㊀寺院。「そうけ」とも。㊁僧侶。

そうが①【(爪牙)】 つめときば。「―をとぐ/虎狼の―にかかる(=残酷非道な者の犠牲となる)/―の(=手先となって使われる)臣」

そうが⓪【(草画)】 略筆の水墨画。

そうか⓪【挿画】「挿絵」の意の漢語的表現。

そうが⓪【装画】「装丁❶」に使用してある絵。

ぞうか⓪【造化】❶造物主。❷生滅・変形してやむことの無い天地・万物。「—〔=自然〕の妙」

ぞうか⓪【造花】〔生花と違って〕紙・布・糸・ビニールなどで作った、人工の花。

***ぞうか**⓪【増加】—する(自他サ)〈なにカラなにニ—する〉〔以前に比べて、数量・程度が〕ふえて多くなる(ようにする)こと。「—の傾向にある/—が見込める」↕減少

ぞうか⓪【増価】—する(自他サ) ❶値段が高くなる(ようにする)こと。❷時価の騰貴に伴い、所有する財産の価額が自然に上がること。

ぞうか①【雑歌】歌集の部立ての一つ。〔万葉集では、相聞・挽歌以外の歌、勅撰集では四季・恋など以外の歌を指した〕

そうかい⓪【壮快】—な 心身に与える刺激が強烈で、思わず自分もやってやろうという勇気が体内に満ちあふれてくる様子だ。❷【爽快】じめじめしていたものや、体内にたまっていたおり・こだわりなどがふっきれて、生新の気をおぼえる様子だ。「気分—・—感③」派—さ⓪ —み⓪【爽快味】(肉体労働やスポーツなどで汗を流したあとのように)適度の疲れに伴い、頭の中のもやもやが全く無くなり、からだじゅうに しみわたる さっぱりした快さ。

そうかい⓪【掃海】—する(自サ) 海中に敷設された機雷を取り除き安全にすること。「—艇⓪」

そうかい⓪【僧階】僧の階級。⇩僧位

そうかい⓪【滄海】青い海。「—変じて桑田となる〔=世の中の移り変りのはなはだしいことのたとえ。『滄桑の変』とも〕」表記「蒼海」とも書く。

そうかい⓪【総会】❶社団法人・組合などの意思決定のために、成員全部によって開かれることになっている会合。「株主—⑤・社員—④」❷〔部会に対して〕関係者全員の集まり。「役員—・生徒—」⇩委員会 —や⓪【—屋】わずかな株を持って株主総会に出席し、いやがらせをしたり「さくら」となって議事の進行に協力したりして金をゆすり歩くことを常習としている者。

そうがい①⓪【窓外】窓の外。「—の景色」

そうがい⓪【霜害】〔農作物・樹木などが〕晩霜のために受ける損害。

そうがかり③【総掛(か)り】❶全員で事に当たること。❷総攻撃。❸必要経費の総計。表記「総懸かり」とも書く。

そうかく⓪【総画】一つの漢字の画数の合計。「—引⓪・—索引⑤・—順⓪」

そうがく⓪①【宋学】中国宋代〔=九六〇～一二七九〕の儒学。朱子により大成された。程朱学③。⇩朱子学

そうがく⓪【奏楽】—する(自サ) 音楽を演奏すること。また、演奏する音楽。「—裏に開会」

そうがく⓪①【相学】人相・手相などで、人の性質・運命・家相・地相などを判断する術。

そうがく⓪【総額】全体の額。全額。「予算—」

ぞうがく⓪【増額】—する(他サ) 金額をふやすこと。↕減額

そうかつ⓪①【総括】—する(他サ) ❶全体を一まとめにして扱うこと。「—責任者⑦」❷個々のものに関してではなく、全般にわたること。「—質問⑤⑥」

そうかつ⓪【総轄】—する(他サ) 全体をまとめて、取り締まること。「事務を—する」

そうがな⓪【草仮名】漢字の草書体をさらに略して出来た、かなの役目をする文字。ひらがな、およびその変体がなの称。表記 ⇩付表「仮名」

そうかへいきん④【相加平均】⇩平均

そうがら⓪【総柄】総模様。「—の着物」

そうがわ⓪【総革】その物が全部革で作って(おおって)あること。

そうかん⓪【壮観】—な 規模が大きく、すばらしいながめ(である様子だ)。「機上から見たヒマラヤの山やまは一大—だった」派—さ⓪

そうかん⓪【相姦】—する(自サ) 社会通念において関係することが禁じられている男女が肉体関係を持つこと。インセスト。「近親—・母子—・父子—」

そうかん⓪【相関】—する(自サ) 二つの物が密接に関係を持っていること。「人口は—的に減少しつつある/—表⓪・—図」 —かんけい⑤【—関係】一方が変化すると、他方もそれにつれて変化するという関係。 —ず③【—図】❶〔数学で〕二種類の変数の間に相関関係があるか否かを点を置いて示した図。散布図。「変数 x と y の—を描け」❷〔物語の登場人物、競合商品やライバル会社など〕互いに影響し合いながら活動し営みを続ける要素どうしを一枚の図の中に配置し、相互の因果関係が分かるように示すもの。

そうかん⓪【送還】—する(他サ)〔捕虜・抑留者・密航者などを〕本国へ送りかえすこと。「強制—」

そうかん⓪【挿管】—する(自他サ)〔医療で〕体の中に管を入れること。「気管に—して呼吸を助ける」

そうかん⓪【創刊】—する(他サ) 新聞・雑誌などの定期刊行物を新たに刊行すること。↕終刊

そうかん⓪【僧官】朝廷から贈られた僧の官名。僧正・僧都・律師の中がそれぞれ大・小・権などに分かれる。

そうかん⓪【総監】軍隊や警察などの大きな組織を指揮・監督すること。また、その官職。「警視—」

そうがん⓪【双眼】「人間の左右の目」の意の漢語的表現。↕隻眼 —きょう⓪【—鏡】両眼にあてて見る装置の望遠鏡。かぞえ方 一台・一面

ぞうかん⓪【造艦】—する(自他サ) 軍艦を設計して造ること。

ぞうかん⓪【増刊】—する(他サ)〔雑誌などで〕定期の刊行以外に臨時に刊行する△こと(もの)。「臨時—・—号③」

ぞうかん⓪【贈官】—する(自サ) 朝廷から死後に官職を贈ること。また、その官職。

ぞうがん⓪【象眼・象嵌】—する(他サ) ❶金属・陶磁器・木材などの面に模様を刻んで金・銀などをはめ込むこと。また、そのはめ込んだ物。❷〔印刷で〕鉛版などの訂正したい部分を切り抜き、別の活字などをはめ込んで訂正すること。表記「象含」とも書いた。

そうき①【早期】❶早い時期。「—成立を図る/—達成」❷その傾向が△あまり進まない(まだ一般的にならない)時期。「—診断①-⓪、④・—発見」

そうき⓪【送気】何かの中に空気を送りこむこと。「—管⓪・—筒⓪」

そうき①【想起】—する(他サ) 前にあった事を思い起こすこと。

そうき①【総記】全体を総括する△記述(部門)。〔狭義では、図書の十進分類法における「全体にまたがるもの」「特定の類に属さないもの」を指す〕

そうぎ①【争議】〔意見を主張し争って議論する意〕「労働争議」の略。「—権③」

そうぎ①【葬儀】死者を葬る儀式。 —しゃ③【—社】葬儀を引き受ける職業の店。

そ

ぞうき①【造機】機関・機械の設計や製造。

ぞうき①【雑器】芸術的な意図で作られたのではなく、日常手軽にだれもが使用する什器として作られた食器・台所用品・生活用具など。「ざっき」とも。

ぞうき①【臓器】内臓の器官。「―移植④」

ぞうき⓪【雑木】〔炭・まき以外の用途には使えない〕いろいろの樹木。かぞえ方 一本 **―ばやし**④【―林】雑木が生えている林。「武蔵野の―」

そうきゅう⓪【早急】―に(な) ⇩さっきゅう

そうきゅう⓪【送球】㊀―する(自サ)〔野球で〕ボールを捕って塁上に送ること。㊁―する(自サ)〔バスケットボール・フットボールで〕パス。㊂⇩ハンドボール

そうきゅう⓪【蒼穹】〔「穹」は弓形になっている意〕「あおぞら」の意の漢語的表現。

ぞうきゅう⓪【増給】―する(自他サ)給料がふえる(ようにする)こと。↔減給

そうきゅうきん⓪【双球菌】球菌の一種。球形の細菌が二つつながったもの。例、肺炎の病原菌。

そうきょ①【壮挙】スケールの大きい仕事(の試み)。

そうぎょ①【草魚】川にすむ、コイに似た魚。水草やアシ・マコモなどを食べて育つ。〔コイ科〕かぞえ方 一匹

そうきょう⓪【躁狂】㊀まるで気が狂ったように騒ぐこと。また、その状態。㊁発作的にあばれる病的な症状。

そうぎょう⓪【早暁】「明け方」の意の漢語的表現。

そうぎょう⓪【創業】―する(自サ)㊀事業を始めること。㊁営業を始めること。「―は易く、守成は難し/―の人」㊂会社(店)の創立。「―(=創業以来)三十年/―者③」

そうぎょう⓪③【僧形】頭を剃った僧の姿。

そうぎょう⓪【操業】―する(自サ)〔工場で〕機械などを動かして、仕事をすること。「―短縮⓪-⓪⑤」

ぞうきょう⓪【増強】―する(他サ)〔人員・設備などをふやし〕組織の機能を強める(盛んにする)ために、その内部の構造を充実させること。「兵力の―/生産力を―する」

ぞうきょう⓪【蔵経】「大蔵経」の略。

そうきょういく③【早教育】子供が学齢に達する以前から教育を始めること。

そうきょく①⓪【箏曲】琴を演奏するための曲。もと、琴の伴奏でうたう歌。

そうきょくせいしょうがい⑦【双極性障害】躁状態と鬱状態の二つが交互に、または、躁状態が周期的に現れる気分障害の一つ。

そうきょくせん⓪③④【双曲線】〔幾何学で〕平面上において、二定点からの距離の差の絶対値が一定である点を連ねて出来る曲線。〔二つの弓を弦を外側にして向かい合わせた時の二つの弧のような形で、双方とも無限の遠方まで伸びて直線〔=漸近線⓪〕に近づく。直円錐を頂点を通らない垂直面で切った時の切り口や反比例のグラフは、双曲線の一部〕⇩円錐曲線

そうぎり⓪【総桐】全体が桐の材木で出来ていること(もの)。「―だんす⑤」⇩前桐・三方桐

そうきん⓪【走禽】飛ぶ力は(ほとんど)無いが、足が発達してよく走る鳥。ダチョウなど。「―類③」

そうきん⓪【送金】―する(自サ)お金を送ること。また、そのお金。「国もとに―を絶やさない」↔着金

ぞうきん⓪【雑巾】ふき掃除や汚れた物をふく時に使う布。「―がけ⓪・―バケツ⑤・ぬれ―③」

そうく①【走狗】〔狩猟に追い使われる犬の意〕権力者の手先となって働く者。「狡兎死して―烹らる〔=⇩狡兎〕」

そうく①【痩軀】「やせたからだ」の意の漢語的表現。

そうぐ①⓪【葬具・喪具】葬儀に必要な用具。

そうぐ①【装具】㊀武装の時、身につける道具。たま入れ・帯剣など。㊁障害者などが装着する器具。

そうぐう⓪【遭遇】―する(自サ)思いがけない人や物事に出あうこと。「思わぬ困難に―する/敵と―する」

そうくずれ③【総崩れ】㊀敵の攻撃によって部隊の隊形が崩れてばらばらになり、集団としての戦力を失うこと。㊁同じ選手団の一員として競技に参加した者が全員敗れること。

そうくつ⓪【巣窟】賊徒などの ねじろ。

そうけ①【宗家】本家。「そうか」とも。「表千家の―」

そうけ①【僧家】そうか㊀。

ぞうげ⓪【象牙】ゾウの上あごの、長大な二本の門歯。彫刻材として珍重された。アイボリー。「輸入禁止の―/―細工④」 **―のとう**⑤、⓪-①【―の塔】〔フ la tour d'ivoire の訳語。芸術至上主義の境地の意〕現実を拒否することに意義があるかのような研究態度や、それを支えている学問の場。〔多く批判や皮肉を含意して用いられる〕「―にこもる」 **―やし**④【―椰子】熱帯地方に産する常緑高木。実は人の頭ぐらい、中にある種は鶏卵の大きさ。胚乳は乳白色・石質で堅く、ボタンやステッキの柄などに使う。〔ヤシ科〕かぞえ方 一株・一本

そうけい⓪【早計】早まった考え。「―に過ぎる」

そうけい⓪【総計】―する(他サ)たくさんに分かれているものの数量を全部合計すること。また、その結果。「男女―一万五千人をかぞえた」↔小計

そうげい⓪【送迎】―する(他サ)送り迎え。「車で―する」

ぞうけい⓪【造形・造型】―する(自サ)芸術作品としての形を作ること。 **―びじゅつ**⑤【―美術】芸術作品として評価される、絵・彫刻・工芸品・建築などの総称。

ぞうけい⓪【造詣】〔「造」も「詣」も至る意〕その分野についての知識・理解が人並以上に深く、すぐれていること。「和時計の歴史に関する―が深い」

そうげいこ③【総稽古】総ざらい㊀。

そうけだつ④【総毛立つ】(自五)こわさのために、ぞっとする(貧血を起こし、鳥肌が立ったような感じになる)。表記「寒気立つ」とも書く。

ぞうけつ⓪【造血】―する(自サ)血液を造り出すこと。「―剤⓪④・―作用⑤・―薬④」

ぞうけつ⓪【増血】―する(自サ)血が(を)増すこと。「―剤⓪④」

ぞうけつ⓪【増結】―する(他サ)車両を増して列車に連結すること。「三両―・―車④③」

そうけっさん③【総決算】―する(他サ)それまでのすべての決算を、その時点でする こと。〔最後の締めくくりの意にも用いられる。例、「著者生涯の研究の―の書」〕

そうけん⓪【双肩】その上に物事をしっかり担う役を負っている、左右の肩。〔責任を負うべき存在の意に広く用いられる。例、「家族の世話は、まだ若い彼の―にかかっていた/日本の将来を―に担う」〕

そうけん⓪【壮健】―な〔高年の人が〕肉体的にも精神的にも健全な様子だ。「ご―で何よりです」派 **―さ**⓪

そうけん⓪【送検】―する(他サ)犯罪の被疑者の身柄や調書を、起訴手続きのために検察庁へ送ること。

そうけん⓪【創見】それまでには無い、独創的な意見。

そうけん⓪【創建】―する(他サ)建物・組織などを初めて作ること。「江戸時代に―された寺」

そうけん⓪【想見】―する(他サ)考えて(想像して)みること。

そうけん⓪【総見】―する(他サ)〔後援の意味で〕団体の全

員がその興行物を見物すること。

そうげん[0]【草原】❶くさはら。❷ステップ▤。

ぞうげん[0][3]【造言】根拠の無い言葉。デマ。

ぞうげん[0][3]【増減】―する(自他サ) ふえたり 減ったり すること。また、ふやしたり 減らしたり すること。

ぞうご[1]【雑言】「ぞうごん」の新しい語形。

そうこ[1]【倉庫】品物を保管・貯蔵する建物。「―荒し[4]」 かぞえ方 一棟(イットウ)・一戸前(ヒトトマエ)

そうこ[1]【〈蒼古】―たる ―と 長い歴史を経て来た物の持つしっとりとした奥深い趣が、接する者に崇高な思いさえ感じさせる様子だ。

そうこ[1]【操〈觚】(木の札に)文字を書くこと。〔「觚」は、中国古代 紙の発明以前に文字を書いた木の札の意〕「―者[3]〔=文筆家。ジャーナリスト〕・―界[3]〔=文筆業者の社会。文壇〕」

そうご[1]【壮語】―する(自サ) えらそうな言葉(を言うこと)。「大言―」

***そうご**[1]【相互】関係者のそれぞれ(が主体的に行動すること)。「―依存関係が強い/―理解を深める/―乗入れ・―作用[4]」 **―がいしゃ**[4]【―会社】社員相互の救済を目的とすることを建前とした保険会社。 **―ぎんこう**[4]【―銀行】無尽を中心とした、中小企業向けの金融機関。〔現在は、普通銀行に転換〕

ぞうご[0]【造語】―する(自サ)〔新しい事物・概念に対応し〕既存の単語・造語成分を組み合わせて新しい複合語を作ること。また、そのもの。例、戦争犯罪人・情報化時代。「―力[3]」 **―せいぶん**[4]【―成分】その複合語を構成する、上位・下位の部分。例、「相互」における「相」と「互」など。〔この辞書では、接頭語・接尾語よりも実質的な意味を持っているものを指す。また、字音語の造語成分は、原則として奇数ページの左上の別枠に示した〕

そうこう[1]【《然う〈斯う】(副) あれやこれや。「―するうちに出掛ける時間になった/―している間に」 文法 多く、「そうこうする」の形で用いられる。

そうこう[0]【壮行】遠くへ△出発する(旅立つ)人の前途を祝し、励ますこと。「―の辞/―会[3][0]」

そうこう[0]【走行】―する(自サ) 自動車などが走ること。「―距離[5]」

そうこう[0]―する(自サ) ❶【奏功】しようと思った事を目的通りに為し遂げること。❷【奏効】ききめが現われること。

そうこう[0]【草《冠】漢字の部首名の一つ。「くさかんむり」の意の字音語「草冠(サウクワン)」の変化したもの。〔和製漢語「草合(サウカフ)」の変とも言う〕

そうこう[0]【草稿】❶下書き。「―本[0]」 ❷原稿。

そうこう[0]【送行】「壮行」の意の古風な表現。

そうこう[0]【送稿】―する(自サ) 原稿を△編集係(印刷所)へ送ること。

そうこう[0]【倉皇・〈蒼惶〉】―たる ―と 〔急の事で〕ふだんの落ち着きを失う様子だ。「―として〔=あわてて〕飛び出していった」

そうこう[1]【桑港】サンフランシスコの異称。

そうこう[0]【装甲】―する(他サ)〔よろいを着て防備する意〕敵弾を防ぐために船体・車体に鋼鉄板を張ること。「―車[3]」

そうこう[0]【操行】規律に従ったかどうかなどの観点から見た、その人の生活態度。「―点[3]」

そうこう[0]【〈糟糠〉】かすとぬかの意で、無価値な物や、粗末な食事。 **―のつま**[0]-[1]【―の妻】若い時から貧苦を分かち合い、共に老いた妻。「―は堂よりくださず〔=年をとったとか容色が衰えたとかの理由で、離縁してはならない〕」

そうこう[0]【霜降】二十四(節)気の一つ。太陽暦十月二十三、四日ごろ。朝晩の気温が下がり、霜が降り始める時分の意。

そうごう[0]【相好】〔もと、仏の顔かたちの特色を指した。⇩三十二相〕顔の様子。「―を崩す〔=今までしかつめらしい顔をしていた人が、急ににこにこする〕」

****そうごう**[0]【総合・〈綜合〉】―する(他サ)〈なにヲ―する〉関係する幾つかのものを集めて、一つの統一体となるようにすること。「いろいろ―して考えると/―的[0]・―性[0]・―雑誌[5]・―口座[5]・―病院[5]」 ↕分析 **―がくしゅう**[5]【―学習】小学校・中学校・高等学校で、学習指導要領に定められた「総合的な学習の時間」の通称。各教科に課せられた指導事項にとらわれない総合的な学習活動を目指したカリキュラム。 **―げいじゅつ**[5]【―芸術】各種芸術の要素を織り込んで調和させた芸術。映画・演劇・オペラなど。 **―しょく**[3]【―職】企業で、それなりの経験や知識・技能を必要とされる種々の職務に当たる職。一般職よりも給与面では有利になることが多い。⇩一般職 **―だいがく**[5]【―大学】幾つかの学部から成る、規模の大きい大学。ユニバーシティー。↕単科大学

ぞうごう[0]【贈号】―する(自サ) 死後に名前を贈ること。また、その名前。

そうこうげき[3]【総攻撃】―する(他サ) 全軍が一体となって同時に攻撃すること。

そうこうしゅ[1]-[1]-[1]【走攻守】〔野球の〕走塁・打撃・守備。特に打者に求められる基本能力の総称。「すべてそろうと高い評価を得る。「―三拍子そろった名選手」

そうこく[0]【相克・相〈剋〉】―する(自サ) ❶対立や矛盾するなど相いれないものが相手に勝とうとして争うこと。❷〔五行思想で〕木は土に、土は水に、水は火に、火は金に、金は木に勝つこと。↕相生(ソウジョウ)

ぞうこく[0] ❶【造石】酒やしょうゆの醸造高(ダカ)。「―高[4][0]」 ❷【増石】―する(他サ) 酒の醸造高をふやすこと。↕減石

そうこん[0]【《爪痕】つめをかけたあと。「生なましい台風の―」

そうこん[0]【早婚】普通考えられている適齢期よりも早い時期に結婚すること。↕晩婚

そうこん[0]【草根】「草の根」の意の漢語的表現。 **―もくひ**[5]【―木皮】(漢方医が薬剤として使う)草の根や木の皮。

そうこん[0]【創痕】「刃物などの切り傷のあと」の意の漢語的表現。

そうごん[0]【荘厳】―な ―に 〔宗教的な建物・儀式などの雰囲気が〕威圧的・感動的で、そこに臨む人を別世界に誘う感じがある様子だ。 派 ―さ[0]

ぞうごん[0]【雑言】種々のひどい悪口。「悪口(アッコウ)―」

そうさ[1]【走査】―する(他サ)〔テレビで〕送ろうとする像を線に分け、その線上の各点の明るい暗いを電気の強い弱いの形に変えて順々に送ること。「―線[0]」

そうさ[1]【捜査】―する(他サ)〔どこに△あるか(居るか)捜し調べる意〕犯人を捜し、犯罪の真相を取り調べること。「―の手が及ぶ/―を進める/公開―・―陣[3]」 **―きかん**[4][5]【―機関】法律で犯罪捜査権を有する機関。

***そうさ**[1]【操作】―する(他サ)〈(なにデ)なにヲ―する〉 ❶仕事を△する(させる)ために、機械などの機能を十分にわきまえた上で、動かすこと。「ハンドルを―する」 ❷普通の方法では出来そうもない△物事(仕事)を達成するために、ものの運び

方をくふうすること。「資金をうまく―する/株価を―する」

ぞうさ ①⓪ ザウ【造作】〔「造」も「作」も、何かをする意〕「手間がかかる」意の古風な表現。「とんだ―〔=お手数〕をお掛けしました/ご―〔=おもてなし〕にあずかりまして/無―」 表記「雑作（ザフサ）」は、借字。 **―な・い** ④【―無い】(形) たいした労力や時間を要することなく事をなしとげる様子だ。「五〇キロの荷物を造作無く担ぎ上げる」 文法 助動詞「そうだ(様態)」に続くときは「造作なさそうだ」の形になる。また「すぎる」と結びついて複合動詞をつくるときは「造作なさすぎる」の形になる。

そうさい ⓪ サウ【相殺】―する(他サ) 貸し借り・長短・損得など、相反するものを差引きしてゼロにすること。〔「そうさつ」は誤読〕

そうさい ⓪ サウ【葬祭】葬儀(と先祖の霊を慰める祭礼)。⇩冠婚葬祭

そうさい ⓪【総裁】〔つかさどる意〕ある機関や団体の△長(代表者)。また、その職務。「―公選⓪-⓪」

そうざい ⓪【総菜・〈惣菜】(家庭生活の)毎日のおかず。副食物。「―料理⑤・―屋⓪」

***そうさく** ⓪【捜索】―する(他サ)〈どこヲ―する〉 ❶どこに△あるか(居るか)捜し求めること。「―願を出す/―隊⓪」 ❷〔法律で〕証拠物件・被疑者などを捜し求めること。令状に基づいて行なわれる、強制処分の一つ。「家宅―④」

***そうさく** ⓪ サウ【創作】―する(他サ)〈なにヲ―する〉 ❶創意で何か新しい物を作り出すこと。〔俗に、作り話・うその意にも用いられる〕「―料理⑤」 ❷〔翻訳・注釈・翻案などと違って〕独自の発想に基づいて、△作品(作中の人物)を作り出すこと。「―活動⑤・―力④」

ぞうさく ⓪③④ ザウ【造作】〔もと、製作・建築(物)の意〕 ❶―する(他サ) 建物の内装としての建具のほか、畳・床（ユカ）・敷居・鴨居（カモイ）・柱・欄間（ランマ）・床（トコ）の間などをつくり付けること。「戦後、新建材などの―になっていたが、五年がかりで古い建具をさがし出し、昔風の町家に造り直した/庭に勉強部屋を―する」 ❷Ⓐ器物の作り具合。「その台の脚部には透かし彫がほどこしてあり、手の込んだ―がうかがえる」 Ⓑ顔の作りとしての目鼻立ち。「ハンサムとは言い難いが、女好きのする―だった」

ぞうさく ⓪【増作】―する(他サ) 作物の収穫がふえること。また、ふえた作柄。↔減作

そうさくいん ③【総索引】 ❶全集などの各巻にわたる事項索引。 ❷その文献に出ているすべての言葉の使用場所を(前後の語句も含めて)示した索引。コンコーダンス③。

そうさつ ⓪ サウ【相殺】―する(他サ) ⇩そうさい(相殺)

ぞうさつ ⓪【増刷】―する(他サ) 発行部数が不足した時、追加して印刷すること。ましずり⓪。「―に次ぐ―」

***そうざらい** ③ ザラヒ【総〈浚(い)】―する(他サ) ❶関係あるすべての事を漏れ無く取り上げること。 ❷それまでに習った事を全部さらってみること。〔狭義では、演劇などで開場前日にする、全員立会いのけいこを指す〕

そうざん ① サウ【早産】―する(他サ) 月足らずで出産すること。「―児③」↔遅産

ぞうさん ⓪【増産】―する(他サ) 産額を増すこと。↔減産

ぞうざんうんどう ⑤ ザウ【造山運動】褶曲（シュウキョク）や断層活動などによって山地を形成する地殻変動。

そうし ① サウ【壮士】 ❶血気盛んな男。「―ひとたび去って、また帰らず」 ❷定職を持たず、時の権威におもねらず自己の信ずる政治運動に奔走する青壮年。〔もと、自由民権運動の活動家を指したが、後には他人の依頼を受けて、脅迫・談判などを職とする無頼の徒を指すようになった〕

そうし ① サウ【相思】互いに慕い思うこと。「―相愛の仲」 **―じゅ** ③【―樹】熱帯地方で並木・生け垣にする常緑高木。〔マメ科〕 かぞえ方 一株・一本

そうし ① サウ 〔もと「《冊子」と書いて、とじた本の意〕 ■一【草子・草紙】挿絵を入れた、江戸時代の初期以降の啓蒙（ケイモウ）的な小説およびそれに続く一群の小説。「仮名―（ゾウシ）・御伽（オトギ）―（ゾウシ）・浮世―（ゾウシ）」 ■二【草紙・草子・双紙・《冊子】 ❶雅文や擬古文で書かれた物語・随筆などの称。「枕（マクラノ）―（ソウシ）・花月（カゲツ）―（ゾウシ）」 ❷江戸時代、読み売りの瓦版（カワラバン）や、挿絵を多く入れた通俗的な読み物。「絵―（ゾウシ）・草（クサ）―（ゾウシ）」 表記 ■二は「《造紙」とも書いた。

そうし ⓪ サウ【荘子】 ❶中国の周の時代の思想家。老子のあとを継いで、その説を発展させた。 ❷「荘子❶」の残した書物の名。「そうじ」とも。

そうし ①⓪ サウ【創始】―する(他サ) 新たに物事を始めること。また、物事の起こり。「―者③」

そうし ① サウ【《繰糸】―する(自サ) 〔機械で〕繭から生糸にすること。

そうじ ⓪ サウ【相似】 ❶―する(自サ) 〔形・型・性質が〕そっくり写したように、よく似ていること。〔幾何学では、拡大・縮小して重ね合わせた時一致する図形の相互の関係を指す〕「―形⓪」⇩合同 ❷〔生物で〕発生やつくりは違っていても、外観の等しい器官。昆虫の羽とコウモリの羽など。⇩相同

そうじ ⓪【送辞】〔卒業式で〕在校生代表が、卒業生に対して贈るはなむけの言葉。

***そうじ** ⓪ サウヂ【掃除】 ❶―する(他サ)〈どこヲ―する〉ごみやほこりなどを取り除いて、きれいにすること。〔害毒を流すものを根絶一掃する意にも用いられる〕「部屋を―する/掃き―③・ふき―③・大―」 ❷「くみとり」の意の婉曲（エンキョク）表現。「―屋⓪」 表記 古くは、「掃地・掃治」とも書いた。

ぞうし ⓪【増資】―する(自サ) 資本をふやすこと。その資本。↔減資

ぞうじ ① ザウ【造次】〔「造」はにわかの意〕ほんのわずかな時間。「―顛沛（テンパイ）〔=『顛沛』は、つまずいて倒れる間の意。ほんのわずかの時間のたとえ〕」

そうしき ⓪ サウ【相識】「知合い」の意の古風な表現。「―の仲」

***そうしき** ⓪ サウ【葬式】「葬儀」の意の日常語的表現。

そうしき ③④【総指揮】全部の部隊を掌握して指揮すること。「―官④」

ぞうしき ⓪ ザフ【雑色】 ❶平安時代以降、蔵人所（クロウドドコロ）や院・御所に属して雑役を務めた職。また、その職の者。 ❷鎌倉・室町幕府の雑役を務めた職。また、その職の者。

そうじしょく ③【総辞職】―する(自サ) 関係者全員が辞職すること。〔狭義では、内閣総理大臣をはじめ全閣僚が同時に辞職することを指す〕「―に追い込む」

そうした ⓪ サウ (連体) そんな。「―事態の起こらないように努力します」

そうしたら ④ サウ そのことがきっかけとなって、何かが起こることを表わす。

そうしつ ⓪ サウ【喪失】―する(他サ) 〔それまでその存立を支えていた大事なものを〕失うこと。「△自信(記憶)―」

そうして ⓪ サウ【《然して】(接) ❶そのような△事をしたのに引き続いて(手段や方法をとって)以下の事が行なわれることを表わす。〔「そして」に比べ、前述の事柄が後述する事柄の原因・理由であることを明示しようとする気持を含意することが多い〕「勤めの帰りにデパートに寄った。―これを見つけたのです/彼はまず相手の弱点を握った。―脅（オド）しにかかった」 ❷前の表現を受けて、そのままそれに付け加えて述べようとする、話し手の意図を表わす。「兄は特待生だった。―

弟も劣らず秀才だ」〔❶❷の口頭語的表現は「そして」〕

そうォじて[0][1]【総じて】(副) 細かな点は問題にしないで、全体としてとらえるとそのような結論に達する様子。「大事件は—ありがたくないものである」

そうォじまい[3]（ジマヒ）【総仕舞(い)】—する(他サ) ❶全部を済ますこと。❷全部を△売り(買い)切ること。

そうォじめ[0][4]【総締(め)】 全体を集めた計算。総計。

そうォしゃ[1]（サウ）【壮者】 心身共に充実した働き盛りの者。「老いたりとはいえ—をしのぐ心意気を示す」

そうォしゃ[1]【走者】 ❶リレーの各パートを走る人。「第一—・最終—」 ❷〔野球で〕ランナー。「—一掃・—残塁」

そうォしゃ[1]【宗社】〔宗廟（ソウビョウ）と社稷（シャショク）の意〕「国家」の意の古風な漢語的表現。

そうォしゃ[1]【奏者】 ❶演奏する人。「オルガン—」 ❷武家で、取次ぎをする役(の人)。

そうォしゃ[1]（サウ）【相者】「人相見（ミ）」の意の漢語的表現。

そうォしゃ[1]（サウ）【掃射】—する(他サ) 機関銃などで、△空中(地上の高所)から目標物に向かって連続して弾丸を発射すること。「戦闘機の機銃—」

そうォしゃ[0]（サウ）【操車】—する(自サ)〔鉄道で〕列車の編成・車両の入替えなどをすること。「—場（ジョウ）[0]・—係（ガカリ）[4]」

ぞうォしゃ[0]【増車】 車両の△数(運転回数)をふやすこと。↕減車

そうォしゅ[1]（サウ）【双手】 両方の手。もろて。「—をあげて賛成〔=大賛成〕する」↕隻手

そうォしゅ[1]【宗主】 大本として仰ぎ尊ばれる△首長(もの)。

—けん[3]【—権】 ❶諸侯の上に立って統治権を握る権能。❷他国を支配・管理する権力。 **—こく**[3]【—国】 植民地・属国に対して、本国の称。

そうォしゅ[1]（サウ）【〈漕手】 ボートの こぎて。↕舵手（ダシュ）

そうォしゅ[1]（サウ）【操守】 信念を堅く守り、決心した事をむやみに変えないこと。節操。

そうォじゅ[1]【送受】—する(他サ) 送信することと受信すること。「〔電話の〕—器[3]」

ぞうォしゅ[0]（ザウ）【造酒】 酒を造ること。「—業[3]・—家[0]」

そうォしゅう[0]（サウシウ）【早秋】 まだ夏のなごりが感じられる秋の初め。

そうォしゅう[1]（サウシウ）【相州】「相模（サガミノ）国」の漢語的表現。今の神奈川県の大部分にあたる。「—牛[3]・—だるま[5]・—物（モノ）[0]・—落花生[7]」

そうォしゅう[0]（シウ）【爽秋】 さわやかな秋。「—の候」

そうォしゅう[0]（シウ）【総収】「総収入」の略。

そうォしゅう[1]（シウ）【総州】「上総（カズサ）・下総（シモウサ）」の総称。「上総」は今の千葉県中央部。「下総」は今の千葉県北部と茨城県南西部にあたる。

そうォじゅう[0]（サウ）【操縦】—する(他サ) 自分の思う通りに機械や人を動かすこと。「あの車の—性はあまりよくない/—士[3]・—桿（カン）[0]・—法[0]・—席[3]」

ぞうォしゅう[0]（シウ）【増収】—する(自サ) 収入・収穫がふえること。「—分」↕減収

ぞうォしゅうわい[3]（シウ—）【贈収賄】 一方が賄賂（ワイロ）を贈り、他方がそれを受け取ること。

そうォじゅく[0]（サウ）【早熟】—な ❶身体・精神の発達が普通より早い様子だ。「—な子供」❷果物や穀物の熟し方が普通より早い△もの(様子)。↕晩熟 派—さ[0]

そうォしゅつ[0]（サウ）【早出】—する(自サ) ❶朝早く家を出ること。❷定刻よりも早く出勤すること。はやで。

そうォしゅつ[0]（サウ）【創出】—する(他サ) それまで無かったものを、初めてつくり出すこと。「新たな文化の—」

そうォしゅつ[0]【〈簇出】—する(自サ)〔「簇」はむらがる意〕新たなものごとが(群れをなして)おびただしく現われること。「ぞくしゅつ」とも。

そうォじゅつ[1]（サウ）【〈槍術】 やりを使う武術。

そうォしゅん[0]（サウ）【早春】 暦の上では春になったが、まだ薄ら寒さの感じられる時分。

そうォしょ[0]（サウ）【草書】 書体の一つ。速く書けるように、続けてなめらかに書くもの。⇩楷書（カイショ）・行書

そうォしょ[0][1]【〈叢書】・（サウ）【双書】 広い意味で同じ分野に関する事柄を同一の形式や体裁に従って編集・刊行した、一連の書物。シリーズ。表記「双」は、代用字。

ぞうォしょ[0]（ザウ）【蔵書】 書物を所蔵すること。また、その書物。「—をひもとく/—家[0]〔=趣味・コレクションとして(いい)本をたくさん集めて持っている人〕・—票[0]〔=⇩エクスリブリス〕」

そうォしょうォ[1]（シヤウ）【宗匠】 和歌・俳句・茶道など芸能の師匠。かぞえ方 一点・一冊

そうォしょうォ[0]（サウ）【相承】—する(他サ) 技術・精神などが次代の者によって順々に受け継がれること。「父子—」〔古くは「そうじょう」〕

そうォしょうォ[0]（サウ）【相称】 二つの△もの(部分)の釣合がとれていること「シンメトリ—・左右—」

そうォしょうォ[0]（サウシヤウ）【創唱】—する(他サ) ❶初めて唱えること。❷初めて歌うこと。

そうォしょうォ[0]（サウシヤウ）【創傷】 刃物などで、からだに受けた傷。

そうォしょうォ[0]（サウ）【総称】—する(他サ) 同類のもの全体を一まとめにして言う△呼び方(名前)。絵画・彫刻・建築などを造形美術と言い、ヒト・サル・イヌ・クジラなどを哺乳動物と言うなど。⇩汎称（ハンショウ）

そうォじょうォ[0]（ジヤウ）【奏上】—する(他サ) 天皇に申し上げること。

そうォじょうォ[0]（サウジヤウ）【相生】〔五行思想で〕木から火、火から土、土から金（ゴン）、金から水、水から木が生じるということ。↕相剋（ソウコク） 表記「相性」とも書く。

そうォじょうォ[0]（サウ）【相乗】—する(他サ) ❶〔数学で〕二つ以上の数を掛け合わせること。❷幾つかの因子が累積して働き合い、個々の総和以上の大きな力が生じること。 **—こうォか**[5]（カウクワ）【—効果】 二つ(以上)の要因が重なり合ったり影響し合ったりして(好ましい)結果をもたらすこと。また、その結果。「春闘の前半、鉄鋼業界が高めの回答を引き出したことが、他の業界へと—をもたらした/大衆文化の世界では、異質の才能の出会いが互いに—〔=良い影響〕を呼び起こすということがある」 **—さようォ**[5]【—作用】 二つ(以上)の要因が重なった時に働く、総和以上の強力な作用。「発癌（ハツガン）物質の取りすぎが危険なことはもちろんだが、他の物質との—も見逃せない/消費税の導入と政治献金疑惑の拡大が—を起こす形で、急激に政治不信が広がっている」 **—せき**[3]【—積】〔数学で〕幾つかの数を掛け合わせて得られる数の、元の幾つかの数に対する称。⇩連乗 **—へいきん**[5]【—平均】 ⇩平均

そうォじょうォ[0]（サウヂヤウ）【葬場】 葬儀用の施設を整えた建物。

そうォじょうォ[1]（ジヤウ）【僧正】 僧官の一つ。大僧正の次の階級。

そうォじょうォ[0]（ジヤウ） ❶【層状】 幾重にも層になって重なった状態。❷【総状】 ふさのような形。「—花序[5]」

そうォじょうォ[0]（サウゼウ）【騒〈擾】—する(自サ) ❶不平分子が集まり騒いで、社会の秩序を乱すこと。「—罪[3]〔=『騒乱罪』の旧称〕」❷その組織の綱紀が紊乱（ビンラン）し、威令が全く行なわれず、混乱に陥ること。

ぞうォしょうォ[0]（シヤウ）【増床】—する(他サ) ❶病院のベッド数をふやすこと。❷デパートなどの売り場の面積を広げること。

そうじて —— ぞうしょう

ぞうしょう[0]（ザウシヤウ）【蔵相】 大蔵大臣〔=現在、財務大臣〕の別称。

そうじょうのじん[0]-[1]、[6]-[1]（ジヤウ）【〈宋襄〉の仁】 敵に対する不必要な思いやり。〔中国、春秋時代〖=前七七〇〜前四〇三〗に宋の襄公が敵の楚ソに無用の哀れみを掛け、かえって負けることになったという故事に基づく〕

ぞうじょうまん[3]-[1]（ジヤウ）【増上慢】 まだ十分に悟りもしないし実力も無いのに、△悟った(実力がある)と思って自信を持ち過ぎる△こと(者)。

そうしょく[0]-[1]（サウ）【草食】—する(自サ) 〔動物が〕草をおもな食物とすること。「—獣[4]」⇔肉食 ❷ —けい[0]【—系】〔俗に〕恋愛に消極的でおとなしいこと。「—男子[7]」⇔肉食系

*そうしょく[0]-[1]（サウ）【装飾】—する(他サ)〈(なにデ)なに・どこヲ—する〉何かを加えることによって、その物△の値打ちを引き立たせる(を実質以上に美しく見せかける)こと。また、そのもの。「—を施す/—品[0]・—音[4]・—的[0]・—性[0]・室内—」

そうしょく[0]【僧職】 僧としての職務。

ぞうしょく[0]【増殖】—する(自他サ) ふえて多くなること。また、ふやして多くすること。 —ろ[4]【—炉】〔原子力発電で〕運転で消費した核燃料より多量の新しい核燃料が生成されるように設計された原子炉。「高速—」

そうしん[0]【送信】—する(他サ) 無線△電信(電話)で、他に電波を送ること。「—機[3]」⇔受信

そうしん[0]-[1]（サウ）【喪心】—する(自サ) ❶(正常の)意識を失うこと。❷失神。「—状態[5]」 表記「喪神」とも書く。

そうしん[0]【痩身】 見た目にやせていると感じられるからだ。「—長軀ク・—術[3]」

そうじん[0]-[1]（サウ）【騒人】〔「騒」は漢詩の一体〕「風騒の人」の意の漢語的表現。騒客ソウカク[0]。

*ぞうしん[0]【増進】—する(自他サ)〈(なにヲ)—する〉〔体力や能力などが〕増加して、より好ましい状態に進む(ようにする)こと。「食欲が—する/△能率(学力)の—/△健康(福利)を—する」⇔減退

そうしんぐ[3]-[1]（サウ）【装身具】 装飾の目的でからだや衣服に付けるもの。指輪・ブローチなど。アクセサリー。

そうず[0]（ソウヅ）〔「案山子カカシ」の古称ソオドの変化に基づくという〕中央を支点にした太い筒が、流れ落ちる水を受け傾いて水をこぼすと、反転した筒が石などをたたいて高い音を出す仕掛け。ししおどし。 表記「〈添水〉」は義訓。「僧都」は借字。

そうず[1]（ソヅ）【僧都】 僧官の一つ。僧正の次の階級。

そうすい[0]【送水】—する(自サ) 水道管やポンプなどで水を送ること。「—路ロ[3]」

そうすい[0]【総帥】 全軍を指揮する人。総大将。「巨大コンツェルンの—〔=全体のトップに立つ〕A氏」

ぞうすい[0]【増水】—する(自サ) 川・湖などの水かさが増すこと。「—期[3]」⇔減水

ぞうすい[0]-[1]（ザフ）【雑炊】〔「増水ゾウスイ」の変化〕野菜などを刻みこんで、しょうゆ・みそなどで味つけしたかゆ。おじや。〔最近は、魚介・肉類などを入れたものも多い〕

そうすう[3]【総数】 全体の数。

そうすかん[4][3]【総すかん】〔「すかん」は関西方言で、「好かん」の意〕〔多く「—を△食う(食らう)」の形で〕関係者の全員から△嫌われる(拒否される)こと。〔口頭語的表現〕

そうする[3]【奏する】(他サ) ❶天皇に申し上げる。❷かなでる。「琴を—」❸よい結果を現実にもたらす。「功を—〔=成功する〕/効を—〔=ききめがある〕」 奏す[1](五)。

そうする[3]（サウスル）【相する】(他サ) 物事の姿やありさまを見て(吉凶などを)判断する。

そうする[3]（サウスル）【草する】(他サ) ❶下書きを作る。❷原稿を書く。「一文を—」 草す[1](五)。

ぞうする[3]（ザウスル）【蔵する】(他サ) ❶(内部に)持つ。❷中にしまっておく。❸自分の物として持つ。「なお多くの問題を蔵している」 蔵す[1](五)。

そうせい[0]-[1]（サウ）【双生】—する(自サ) ❶一度に二児が生まれること。❷同種の樹木が対ツイになって生えていること。〔「沙羅サラ双樹」が有名〕

そうせい[0]-[1]（サウ）【早世】—する(自サ) 若くして死ぬこと。

そうせい[0]-[1]（サウ）【早生】 ❶(農業で)わせ。⇔晩生 ❷普通より早く生まれること。 —じ[3]【—児】 早産で生まれた子供。

そうせい[0]-[1]（サウ）【早成】 ❶早く成し遂げること。❷早く大人びること。⇔晩成

そうせい[0]-[1]（サウ）【早逝】—する(自サ) 「早死に・若死に」の意の漢語的表現。

そうせい[0]【奏請】—する(他サ) 天皇に奏上して裁可を請うこと。

そうせい[0]-[1]（サウ）【創世】 神話の始まりにしるされている、世界の出来始め。 —き[3]【—記】 旧約聖書の第一巻。世界創造の物語からヨセフの死までを記録する。

そうせい[0]-[1]（サウ）【創生】—する(他サ) ❶新たに肯定的なものを作り出すこと。「未来を—する/新品種の—」❷既存のものに新たな価値を作り出すこと。「地方—[1]-[0]、[2]-[0]」

そうせい[0]-[1]（サウ）【創成】—する(他サ) 初めてその物事△をつくり上げる(がつくられる)こと。「彼は現代の原子物理学を—した一人だ」

そうせい[0]-[1]（サウ）【創製】—する(他サ) その菓子・料理などを、初めて作り出すこと。「宝永元年—」

そうせい[0]-[1]（サウ）【〈蒼生〉】「人民・国民」の意の古風な表現。

そうせい[0]【〈叢生・〈簇生〉】—する(自サ) 草木などが群がり生え(てい)ること。

そうぜい[0]【総勢】 軍勢・団体の全部の人(の数)。

ぞうせい[0]-[1]（ザウ）【造成】—する(他サ) 手を加えて、すぐ人間が使えるようにすること。「山林の—/宅地—」

ぞうせい[0]【増勢】 △ふえている(ふえそうな)形勢。

ぞうぜい[0]【増税】—する(自サ) 税金の額を増すこと。「—に踏み切る」⇔減税

そうせいじ[3]-[1]（サウ）【双生児】「ふたご」の意の漢語的表現。 いちらんせい—[9]【一卵性—】 一個の卵ランが受精して生まれた双生児。二児は常に同性で、心身共に酷似する。⇩シャム双生児 にらんせい—[8]【二卵性—】 双生児のうち、二個の卵ランが別々に受精し、同時に胎児となって成長したもの。

そうせき[0]【送籍】—する(自サ) 〔民法の旧規定で〕結婚・養子縁組などに伴って、戸籍を相手の家の戸籍に送り移すこと。

そうせき[0]【踪跡】「ゆくえ(を追うこと)」の意の漢語的表現。「—をくらます/—不明」

そうせき[0]【僧籍】 僧として△の身分(登録された籍)。

そうせきうん[4]【層積雲】 二千メートル以下の空に現われる(下部は黒みを帯びる)白色の雲。冬季によく見られる。曇り雲[4]。うね雲[0][3]。重なり雲[5]。⇩雲級

そうせつ[0]-[1]（サウ）【創設】—する(他サ) 機関・施設などを新たに作ること。「—者[4][3]」

そうせつ[0]【総説・〈綜説〉】—する(他サ) 〔学術的な著述の冒頭に〕全体をまとめて論じる△こと(部分)。⇔各説

そうせつ[0]-[1]（サウ）【霜雪】「霜と雪」の意の漢語的表現。〔「しらが」の形容としても用いられる。例、「頭カシラに—を置く」〕

そうぜつ [0]【壮絶】—な 他に比べもののないほど勇ましい様子だ。「—な戦い」 派 —さ[0]

ぞうせつ [0]【造設】—する(他サ) 施設などをつくりもうけること。「道路を—する/胃瘻の—」

ぞうせつ [0]【増設】—する(他サ) それまでの施設・設備では足りないとして、さらに新しい物を作ること。

そうせん [0]【操船】—する(自他サ) 船を安全に目的どおりに進ませること。

そうぜん [0]【〈蒼然〉】—たる —と ❶暮れかかって、物すべてがもやがかかったように見える様子だ。「暮色—として」 ❷古くなって、すすけたり色あせたりして見える様子だ。「古色—」

そうぜん [0]【騒然】—たる —と ❶おおぜいの人が騒がしくする様子だ。「—として聞き取れない/場内—」 ❷騒がしくて、何かが起こりそうな様子だ。「物情—」

ぞうせん [0]【造船】—する(自他サ) 設計して船を造ること。「—所[5][0]・—業[3]」

そうせんきょ [3]【総選挙】 衆議院議員の議員全体の選挙。〔任期満了や解散によって行なう〕

そうそう ■[0][1](副) そうだと肯定するにしても限界があるものだという意を表わす。〔多く否定表現を伴って用いられる〕「いくら好きだって—(は)食べられまい/—長いことではあるまい」 ■[1](感) ❶忘れていたことを思い出した時に使う言葉。「—、いつかの千円を返してくれないか」 ❷相手の言った言葉に同意する時に使う言葉。「—、その通りだ」

そうそう【早々】■[0](副)—に (していた事をやめて)急いで次の行動に移る様子。「—に(して)立ち去れ/台風が近づいたので仕事を—に切り上げる」 ■〔接尾語的に〕そのことが実現したばかりなのに、早くも次のことが起こる様子。「帰る—呼びつけられた/新年—交通事故にあうとは」

そうそう [0]【〈匆々〉・〈怱々〉】 あわただしい△こと(様子)。「烏兎—〔=毎日のあわただしい生活のうちに、月日がいつの間にかたってしまうこと〕」 表記「〈忩々〉」とも書く。

そうそう [0]【草々】・【〈匆々〉】 ❶十分に時間の無いこと。「—の間」 ❷手紙文の終りに書き添える挨拶の言葉。〔「ぞんざいな走り書きで ごめんこうむります」という意で、「前略」と照応して用いられることが多い〕 運用「お草々様でした」などの形で、客の謝礼の言葉に対し、準備が間に合わずもてなしが不十分であったと主人側が謙遜して言う挨拶の言葉として用いられる。

そうそう [0]【草創】〔「草」も、初めの意〕 ❶物事の起こり始め。「—期[3]」 ❷寺・神社を初めて建てること。

そうそう [0]【〈淙々〉】—たる —と 音を立てて水が流れる様子だ。また、その音の形容。

そうそう [0]【葬送】—する(他サ) 死者が永の旅路に出るのを見送ること。「—行進曲[7]」 表記「送葬」とも書く。

そうそう [0]【〈蒼々〉】—たる —と ❶遠くの山や岸が一帯にかすんで青く見える様子だ。 ❷草木がすきま無くしげる様子だ。

そうそう [0]【層々】—たる —と 幾重にも重なりあう様子だ。「—累々[0]-[0]」

そうそう [0]【〈錚々〉】—たる —と 〔もと、耳に快い金属音、ことに楽器音のさえた形容〕その分野で飛び切りすぐれた技量を持っており、肩を並べる者が多くは無い存在であることを表わす。「—たる△人物(メンバー)」

そうぞう [0]【送像】—する(自他サ) テレビの画面を電波で受像装置に送ること。↕受像

そうぞう [0]【創造】—する(他サ) ❶神が宇宙や、人間・動物の祖先を造り出すこと。「天地—」 ❷新しいものを造り出すこと。「—力を伸ばす/—性[0]」 ↕模倣

そうぞう [0]【想像】—する(他サ)〈なにヲ(なんだト)—する〉 実際に△見え(聞いたことの)ない物事について、多分こういうものだろうと頭の中で考えること。「彼が敵側に回るであろうことは—に難くない/この先どうなるのか—もつかない/—を絶する/—をたくましゅうする/—上の人物/—力を働かせる」

そうぞうしい [5]【騒々しい】(形) △静かな状態を破るいろいろの音や声がして(平和を乱す事件が起こったりして)、落ち着かない雰囲気をあたりに漂わす様子だ。「人気スターの登場で場内がにわかにそうぞうしくなった/お—ことで〔=火事見舞いの言葉〕」 派 —さ[5][4] 表記 古くは「〈忩々〉し(い)」。

そうそうのへん [0]-[1]【〈滄桑の変〉】 ⇩そうかい(滄海)

そうそうろうろう [0]-[0]【〈蹌々踉々〉】—たる —と 〔「蹌踉」のそれぞれの字を重ねた形〕ひどくよろめく様子だ。

そうそく [0]【相即】 どちらが本〔=原因〕でどちらが末〔=結果〕か区別がつきにくいほど、深い関係をもっていること。「—不離[5]」

そうそく [0]【総則】 全体にわたっての規則。↕細則

そうぞく [1]【宗族】 本家と分家の全体。一門。

*__そうぞく__ [0]【相続】—する(他サ)〈なにヲ—する〉 △遺産(家督)を受け継ぐこと。「—税[4]・—人[0]・—財産」

そうぞく [1]【装束】 ⇩しょうぞく

そうぞく [1]【僧俗】 僧と俗人。

そうそつ [0]【倉卒・草卒】・【〈匆卒〉】 急なことで、十分に時間が無い様子。「—の間」 表記「〈怱卒〉」とも書く。

そうそふ [3]【曽祖父】 祖父母の父。ひいおじいさん[4]、[1]-[2]。

そうそぼ [3]【曽祖母】 祖父母の母。ひいおばあさん[4]、[1]-[2]。

そうそん [0]【曽孫】 「ひまご」の意の漢語的表現。

そうだ(助動・—な —に型) ❶〔伝聞の助動詞と呼ぶ〕他から伝え聞いた事を表わす。「午後から雨になる—/彼は神田の生れだ—/試験はかなりむずかしいそうよ」 ❷〔様態の助動詞と呼ぶ〕「そういう様子だ」「今にもそう△する(なる)様子だ」の意を表わす。「食べたそうに見ている/うれしそうな顔/それはとてもおもしろそうね/品がよさそうなら、買いなさい/少しも楽しくなさそうな様子/まだ終わりそうもない」 文法 (1)❶は活用語の終止形に接続する。ただし、助動詞は「れる/られる・せる/させる・ない(・ぬ)・た・だ・たい(・たがる)」のみと接続する。❷は動詞、助動詞「れる/られる・せる/させる」の連用形、形容詞(形容詞型活用の助動詞)・形容動詞の語幹に接続する。ただし、形容詞「ない/良い」に接続する際は「なさそう」「良さそう」となる。 (2)❶は、「今夜は雨が降るそうだ」「思ったよりよく売れたそうだ」「連休中はどこへも行かないそうだ」などと、終止形で用いられる以外には、「事故があったそうで、電車が遅れている」などと、連用形が用いられるだけである。

そうだ [1]【操〈舵〉】—する(他サ) かじをとって船を進めること。「—手[3]・—器[3]」

そうたい [0]【早退】—する(自サ) いつもより早く、学校や会社から帰ること。

そうたい [0]【相対】 他と関連させてみて、初めてそのものの存在が考えられること。「—的な問題/—評価[5]・—数[3]・—値[3]・—量[3]」 ↕絶対 表記「相待」とも書く。

—せいげんり [7]【—性原理】〔物理学で〕どんな観測者も他の観測者に比べて絶対的な役割を演ずることは無い、すなわち相対的であり、物理法則は観測者によらず不変である、という原理。観測者相互の関係としてどのようなものを考えるかにより、種々の相対性原理が存在する。「アイン

シュタインは、特殊―と一般―とを考えた／ガリレイの―」 ―せいりろん⑦【―性理論】アインシュタインが、自らの考えた相対性原理と光速不変の原理などに基づいて展開した理論。空間と時間とは別々のものでなく、互いに結びつけられて四次元の世界を構成する、また空間・時間はのびちぢみする、と説く。

そうたい⓪【草体】草書の書体。⇩楷体カイタイ・行体

そうたい⓪【僧体】〔髪の毛をそった〕僧の△姿（形）。僧形ソウギョウ。法体ホッタイ。↕俗体

そうたい⓪【総体】㊀〔部分や側面だけではなく〕物事を構成する全体。㊁（副）―に そのもの全般にわたって、同じような傾向がうかがわれる様子。「―年をとると、物の言い方がゆっくりになるようだ」

そうだい⓪【壮大】―な 他に肩を並べるものがあまり無いほど規模が大きい様子だ。「―なシーンが売り物の大作映画／雪と氷に彩られた自然の―な美しさ」派―さ⓪

そうだい⓪【総代】〔行事・公的交渉への出席者の資格として考えられた〕同じ関係にある人たち全員の代表。

*__ぞうだい__⓪【増大】―する（自他サ）数量がふえたり価格が上がったりすること。また、そうさせること。「△失業者（コスト）の―を招く／需要の―」↕減少

そうだか⓪③【総高】総額。

そうだがつお④【宗太〈鰹〉】体長三〇センチくらいの海産魚。背中は青緑色。うずわ（がつお）。（サバ科）表記「〈惣太〈鰹〉」とも書く。かぞえ方 一尾・一匹

そうだち⓪【総立ち】ひどく興奮したり何かに注目したりして、その場にいる全員（と言ってよいほどの人びと）が立ち上がること。「逆転さよならホームランに観客が―になる」

そうたつ⓪【送達】―する（他サ）文書などを通じて、一定の通知や情報を個々人に送り届けること。〔狭義では、訴訟に関する書類を裁判所が送付することを指す〕

そうだつ⓪【争奪】―する（他サ）実力でもって取り合うこと。「―戦⓪」

そうたん⓪【操短】―する（自サ）「操業短縮」の略。

*__そうだん__⓪【相談】―する（他サ）〈だれニ（なにヲ）―する〉〈だれト（なにヲ）―する〉自分だけでは△よく分からない（決めかねる）事について、他△に意見を求める（と話し合う）こと。「友人に―に乗ってもらう／値段と―だ〔＝値段次第の話だ〕／これを彼に分からせるのは土台無理な―〔＝話。事柄〕である／―相手・―役・―事ゴト⓪・―窓口・人生―」 ―ずく⓪ 何事も一方的に決めるのではなく、相談の上で決めること。「―でやったこと」表記「相談〈尽く〉」とも書く。 ―やく⓪【―役】㊀相談相手として選ぶ人。㊁会社などで、重要問題の助言や調停に任ずるために置かれる役職（の人）。

そうだん⓪【装弾】―する（自サ）銃砲に弾丸をこめること。

そうだん⓪【僧団】〔特別の修行をする〕僧の団体。

そうだん⓪【〈叢談】物語・話を集めた本。

ぞうたん⓪【増反】―する（自サ）△作付面積（農作地の面積）をふやすこと。↕減反

ぞうたん⓪【増炭】―する（自サ）石炭の産出量をふやすこと。↕減炭

そうち①【送致】―する（他サ）㊀送り届けること。㊁〔法律で〕事件の書類・被疑者などを、捜査機関から他の官署へ送ること。

*__そうち__①【装置】㊀―する（他サ）〈（どこ・なにニ）なにヲ―する〉ある目的のために機材をその場所に取りつけたり作りつけたりして、△作動（効果を発揮）するようにさせること。また、その機材。「濾過器ロカキを―する／自動記録―・冷暖房―」㊁「舞台装置」の略。 ―さんぎょう④【―産業】石油化学・鉄鋼など巨大な自動化設備をそなえた産業。

ぞうち⓪【増置】―する（他サ）今までよりも多く置くこと。

ぞうちく⓪【増築】―する（他サ）建増し（すること）。

そうちゃく⓪【早着】―する（自サ）〔列車などが〕定時より早く着くこと。↕延着

そうちゃく⓪【装着】―する（他サ）器具などを取りつけること。「アクアラングを―する／チェーン―の車」

そうちょう⓪【早朝】朝早く。⇩深夜・白昼

そうちょう①【〈宋朝】㊀中国の宋の王朝。㊁〔←宋朝活字〕活字の書体の一つ。肉が細く、縦に長い。例、新明解

そうちょう⓪【荘重】―な ゆったりとした重おもしい印象を与える様子だ。「―な楽ガクの音ネが流れる」派―さ⓪

そうちょう①【曹長】もと、陸軍の下士官の階級の一番上。軍曹の上。

そうちょう①【総長】㊀全体を管理する長官。「参謀―・国連事務―」㊁一部の私立の総合大学の長。学長。〔旧制帝国大学の大学長の呼称でもあった〕

ぞうちょう⓪【増長】―する（自サ）㊀だんだんいい気になって、人を見下したふるまいをすること。㊁次第にはなはだしくなること。「ぜいたくの風フウが―する」

ぞうちょう⓪【増徴】―する（他サ）税金などを今までより多く徴収すること。

そうで⓪【総出】全員が出ること。「村民―の大歓迎」

そうてい⓪【壮丁】成年に△達した（達し、兵役や労役にあたる）青年。

そうてい⓪【送呈】―する（他サ）人に物を送って、さしあげること。

そうてい⓪【装丁】―する（他サ）㊀△印刷（書写）した紙をとじて表紙をつけ書物の形にすること。装本⓪。㊁造本上の意匠や技術。表記 もとの用字は、「装訂」。書誌学者によれば、「装（釘・装〈幀）」は誤用。「幀」の音は、「トウ」。

そうてい⓪【想定】―する（他サ）仮に、こういう状況・条件であると、決めること。「―の域を出ない」

そうてい⓪【〈漕艇】〔競技用の〕ボートをこぐこと。

ぞうてい⓪【贈呈】―する（他サ）㊀進呈㊀。「展覧会の招待券を―する」㊁選ばれた有資格者に、賞や認定証などを与えること。「今年度学会賞が―された／文部科学大臣賞が選出され賞状と副賞を―／―式③・―者③」

そうてん①⓪【争点】争いのもとになっている重要な点。「―がぼやけ気味／―が浮き彫り（に）される／―整理」

そうてん⓪【早天】「明け方（の空）」の意の漢語的表現。

そうてん⓪【装填】―する（他サ）〔銃砲やカメラ・撮影機などに〕弾丸やフィルムなどを詰めこむこと。

そうてん⓪【〈蒼天】「青空」の意の漢語的表現。

そうてん⓪①【総点】得点の総計。総得点。

そうでん⓪【相伝】―する（他サ）〔親から子、子から孫へと〕次つぎに伝えること。「一子―」

そうでん⓪【送電】―する（自サ）△電報（電力）を（第一次変電所まで）送ること。「―線⓪・―ロス」↕受電

そうでん⓪【桑田】「桑畑クワバタケ」の意の漢語的表現。「―変じて滄海ソウカイとなる〔＝「滄海変じて桑田となる」の異表現。⇩滄海〕」

そうと①㊀【壮途】〔希望・期待に満ちた〕勇ましいかどで。「―につく」㊁【壮図】大規模な計画。

そうと①【僧徒】僧（の仲間）。

そうとう⓪【双頭】二つ並んでついている頭。「―の鷲ワシ〔＝二つの権威を一身に兼ねていること（の象徴としての旧ロシア帝室などの紋章）〕」

そうとう[0]【争闘】—する(自サ) 相手に勝ち、倒そうとすること。

*__そうとう__[0]【相当】❶—する(自サ)〈なに・だれニ—する〉〔何かの程度・状態が〕他の物とちょうど釣合がとれること。「子供に—した〔=ふさわしい〕仕事/それ—の処置」❷そのものとほぼ同等の資格や働きを持つこと。「佐官および—〔=それに準ずる〕官/それに—する〔=あたる〕英語は無い/—数(の)」❸(副)—に・—な その程度が普通ではないと判断される様子。「—変わったデザインだ/ここから—な距離だ/—な〔=かなりいい〕家庭に育った人だ/これまで—に苦労してきたようだ」 運用 ❸は、普通の人の感覚ではとうていできそうにもないことをやってのけた人に対する非難や皮肉の気持を込めて用いられることがある。例、「借金を踏み倒してまで海外旅行に出掛けるとは相当な△人(心臓)だ」

そうとう[0]【掃討・掃〈蕩〉】—する(他サ) (残っている)敵などをすっかり平らげること。

そうとう[0]【想到】—する(自サ) いろいろ考えた結果、その点に考え及ぶこと。

そうとう[0]【総統】 軍事面・政治面すべてにわたる最高職(にある人)。「大—[3]」

そうどう[0]—【相同】〔生物で〕外観は違っていても、発生やつくりの等しい器官。人の手と鳥のつばさなど。⇩相似❷

そうどう[0]【草堂】「わらぶきの家」の意の古風な表現。〔書斎の号や、自宅を謙遜して言うのにも用いられる〕

そうどう[0]—【僧堂】 僧の△座禅(寝食)をする堂。

*__そうどう__[1]—【騒動】 人びとが騒ぎ立て(秩序が乱れ)ること。特に、権力争い。「お家—・学校—」

ぞうとう[0]—【贈答】—する(他サ) 詩歌・手紙・贈り物などのやりとりをすること。「—歌[3]・—品[0]」

そうどういん[3]—【総動員】—する(他サ) 全員を△動員する(事に当たらせる)こと。「(自分の)持てる知識を—して〔=全部出して〕解決しようとした」

そうとうしゅう[3]—【曹《洞宗》】 禅宗の一派。日本に伝えたのは道元で、本山は永平寺・総持寺にある。「そうどうしゅう[3]」とも。曹洞[0]。

そうどうせん[0]—【双胴船】 船を二つ並べたような胴体構造の船。

そうどうめいひぎょう[7]—【総同盟罷業】 ⇩ゼネ スト

そうとく[0]【総督】 植民地の政治・軍事を総監督する△こと(職)。また、その人。

そうどく[1]—【〈瘡毒〉】 かさ。梅毒。

そうとも[1]—(感) ほんとにその通りだ。全くそうだ。

そうどり[0]【総取(り)】—する(他サ) 選挙・競技・賭け事において、トップの者が票・点数・賭けの対象などを全て手に入れること。「アメリカ大統領選挙は二州を除いて各州の勝者がその州の選挙人を—する仕組みだ/親の—〔=特定の条件で賭け事の親がその場に出ている全ての点数を取ること〕」

そうトンすう[3][5]【総トン数】 ⇩トン数

そうなめ[0]【総〈嘗め〉】❶全体をおおいつくすこと。「火は早くも商店街を—にした〔=商店街全部を焼きつくした〕/賞を—にする」❷対抗する相手を全部負かすこと。

*__そうなん__[0]—【遭難】—する(自サ)〈(なにデ)—する〉 山・海に行ったり乗り物・航空機を利用したりしている間に事故にあうこと。「川の増水で—する/—者[3]」

そうに[1]【僧尼】 僧とあま。

ぞうに[0]—【雑煮】 野菜・肉類などの入ったみそしる、または、すましじるなどに餅を入れたもの。多く、正月に食べる。「—餅[3]」

そうにゅう[0]—する(他サ) ❶【装入】 中に入れて仕掛けること。「フィルムを—する」❷【挿入】 中や間にさし入れて、ある効果を期待すること。「—句[3]・—薬[3]」

そうにょう[0]—【走〈繞〉】 漢字の部首名の一つ。「起・越・趣」などの、左下の「走」の部分。〔走り方や進むことに関係する漢字であることを表わす〕

ぞうにん[0]—【雑人】「身分の低い人」の意の漢語的表現。

そうにんかん[3]—【奏任官】〔旧憲法で〕三等から九等までの高等官の称。

そうねん[0]—【壮年】 人を年齢によって分けた区分の一つ。社会で活動する、身も心も盛んなころ。三十代中期から四十代の後半ぐらいまで。⇩少年・青年・老年

そうねん[0]—【早年】 通念から言えば、そうなるには まだまだ若過ぎる年齢。

そうねん[1][0]—【想念】 瞬間瞬間に、ふと心に浮かんではまた消えていく考え。

そうは[1]—【争覇】—する(自サ) 支配者になることを競争すること。〔優勝を争う意にも用いられる。例、「—戦[0]」〕

そうは[1]【走破】—する(自サ) 予定の道のりを走り通すこと。

そうは[1]—【〈掻爬〉】—する(他サ) からだの中の病的組織などを取り出すこと。〔狭義では、人工流産を指す〕

*__そうば__[0]—【相場】❶品物の時価。市価。〔俗に、世間一般の評価の意から通念の意にも用いられる。例、「夏は暑いものと—が決まっている」〕❷〔取引で〕現物の取引をせず、市価の高下によって行なう投機的取引。「—が△下がりに下がる(上がり下がりする)/—師[3]」

ぞうは[0]【増派】—する(他サ) 軍隊・救援隊などを増員して派遣すること。

そうばい【層倍】(造語)〔「双倍」「増倍」の変化〕倍。「薬九—[0]-[2]、[0]-[0]〔=⇩薬〕」

ぞうはい[0]【増配】—する(他サ) 配給量・配当額などを増すこと。↕減配

そうはく[0]—【〈蒼白〉】—な・—に〔恐怖・寒さやけがの出血などのために〕顔色が青ざめて見える様子だ。「顔面—になる」

そうはく[0]—【〈糟粕〉】 酒のかす。「古人の—をなめる〔=昔の人の作った物の形をまねるだけで、独創を出すことが出来ないたとえ〕」

そうはつ[0]—【双発】 発動機を二つ備えている△こと(航空機)。⇩単発・多発

そうはつ[0]—【早発】—する(自サ) 定時より早く発車すること。↕遅発 **—せいちほう**[7]—【—性痴〈呆〉】「統合失調症」の旧称。

そうはつ[0]【総髪】 昔、医者や山伏などが結った髪の結い方。髪の毛全体を伸ばして、後ろで束ねるもの。そうがみ[0]。

ぞうはつ[0]【増発】—する(他サ) 車両の発車回数や紙幣・公債の発行枚数を増すこと。

そうばな[0]【総花】 花柳界などで、客が一同に出す祝儀。〔重点的ではなく、関係する者全体に少しずつ行き渡らせる意にも用いられる。例、「—式の予算案」〕

そうはん[0]—【相反】 互いを成り立たせようとすることで矛盾をきたす関係にあること。「利益—[1]-[0]〔=自らの利益を追求することで、社会的・道義的責任を果たせなくなること〕」

そうばん[0]—【早晩】(副) おそかれ早かれ。

ぞうはん[0]—【造反】—する(自サ)〔「謀叛」の意〕体制の内部で、そのあり方を批判(し、反体制行動を)すること。

ぞうはん[0]【増版】—する(他サ) 再版・三版と版を重ねること。

ぞうはん[0]—【蔵版】 所蔵の版木(で刷った本)。

そうび[1]—【壮美】❶壮大な美しさ。❷崇高な感じを起

こさせる美。

そうび①ー【装備】—する(他サ) 戦闘・登山などのために武器や用具などを準備すること。また、その機材。「重—」

ぞうび①ー【薔薇】バラの意の「しょうび」の変化。

ぞうひびょう⓪【象皮病】熱帯地方に多い病気で、皮膚が厚くなり、足・陰部などが肥大する。主として「フィラリア虫④」の寄生による後遺症として起こる。

そうひょう⓪ー【総評】❶—する(他サ) 総まとめの批評。❷「日本労働組合総評議会」の略称。

そうびょう⓪ー【宗廟】その時の国王の祖先を祭ったおたまや。

そうびょう⓪【躁病】人前で気が大きくなり、多弁を弄したりむやみに興奮したりする躁状態を特徴とする精神障害。⇩鬱病

ぞうひょう⓪【雑兵】〔武家時代の軍隊で〕最下級の身分の歩兵。

そうひん⓪【送品】—する(他サ) 品物を送ること。「—にかかる手数料」

そうびん⓪【聡敏】—な 頭の回転がはやくて、判断力にすぐれている こと(様子)。

ぞうひん⓪ー【贓品】⇩ぞうぶつ(贓物)

ぞうびん⓪【増便】—する(自他サ) 船・航空機・自動車などの、定期便の回数をふやすこと。↕減便

そうふ⓪①【送付・送附】—する(他サ) 〔品物・書類 などを〕先方に送り届けること。

そうふ⓪【総譜】❶演奏するすべての楽器(パート)の譜を一つにまとめた(指揮者用の)楽譜。スコア。❷〔碁で〕対局の初めからの経過が分かるように示した棋譜。

ぞうふ①⓪ー【臓腑】〔五臓と六腑の意〕内臓(全体)。

そうふう⓪【送風】—する(自サ) 風や空気を吹き送ること。「—機③・—管⓪」

そうふく⓪ー【双幅】二つで一組になっている掛け軸。

そうふく⓪【僧服】⇩僧衣

ぞうふく⓪【増幅】—する(他サ) ❶電力や電圧・電流の振幅を、入力時より増大させること。「—器④③」 ❷好ましくない事柄が一段と悪い方向に向かうこと。「うわさは広まるうちに何倍にも—されるものだ」

ぞうぶつ⓪ー【贓物】「盗品」の意の古風な表現。ぞうひん。「—故買」

ぞうぶつしゅ④③ー【造物主】〔神話で〕生物を含めたすべての自然界を造ったとされる神。造物者④③。

そうへい⓪【僧兵】法敵折伏の名のもとに戦闘に従事した、大寺の僧。〔狭義では、平安末期以後、勢力を振るった延暦寺・興福寺のそれを指す〕

ぞうへい⓪ー【造兵】兵器・弾薬を製造し、修理すること。「陸軍—廠」

ぞうへい⓪ー【造幣】貨幣を鋳造すること。「—局③」

ぞうへい⓪【増兵】—する(自サ) 兵隊の人数を増すこと。

そうへき⓪ー【双璧】〔一対の玉の意〕まさり劣りの無い、二つのすぐれたもの。

そうべつ⓪①【総別・惣別】(副)「総じて」の意の古風な表現。

そうべつ⓪【送別】—する(他サ) 転任・退職したり遠方へ旅立ったりする人を、残された人たちが激励・惜別の意をこめて送ること。「—会④③⓪」↕留別

そうべつ⓪【層別】—する(他サ) 調査などの際、対象をほぼ同じ階層の集団に分けること。

そうほ①ー【相補】—する(自他サ) 補いあうこと。「—関係④」

ぞうほ①【増補】—する(他サ) 前に出た書物の不十分なところを補うこと。「—(訂正)版」

ぞうぼ⓪【増募】—する(他サ) 定員を増やしたり金額の枠を広げたりするなど、募集の規模を大きくすること。

そうほう①【双方】〔一対となり〕関係しあう両方。

そうほう⓪①ー【走法】陸上競技での走り方。

そうほう⓪①ー【奏法】〔音楽で〕演奏のしかた。

そうほう①【相法】人相・家相・地相などを見て、吉凶を占う方法。

そうぼう⓪ー【双眸】「左右両方のひとみ」の意の漢語的表現。「—に強い決意の色をみなぎらせる」

そうぼう⓪ー【怱忙】忙しくて、ゆっくり落ち着くひまがない様子。「—の間」

そうぼう⓪【相貌】❶〔普通でない〕顔つき。「彼の—は世界で最も賢い哲人をしのばせるに充分である」❷〔普通でない〕様子。「末期的—」

そうぼう⓪ー【僧坊・僧房】寺院に付属した、僧とその家族が住む家。

そうぼう⓪【想望】—する(他サ) ❶慕い仰ぐこと。❷心待ちに待つこと。

そうぼう⓪【蒼氓】〔「氓」は、民の意〕「人民」の意の古風な表現。

そうぼう⓪【蒼茫】—たる —と どこまでも青あおとして広がっている様子だ。「—たる大海原」

ぞうほう⓪【増俸】—する(自サ) 給料を増すこと。↕減俸

ぞうほう⓪ー【蔵鋒】書道で、筆の先をとがらさないで書くこと。〔才能を表面に出さない意にも用いられる〕⇩露鋒

ぞうぼう⓪【像法】〔↑像法時③〕正法時の後、一千年間、信仰が次第に形式に流れるが、なお教法の存する時期。⇩正法・末法

そうほうこう③【双方向】通信などで、受け手も送り手になることが出来るような方式。「—的⓪」

そうぼうべん③【僧帽弁】心臓の左心房と左心室を仕切る弁膜。心室が収縮すると閉じ、血液が左心房へ逆流するのを防ぐ。表記「弁」の旧字体は「瓣」。

そうほん⓪ー【草本】❶「草」❷❶の植物学における称。「一年生—・二年生—・多年生—」⇩木本 ❷草稿。

そうほん⓪【送本】—する(自サ) 書物を送ること。

ぞうほん⓪ー【造本】—する(他サ) 割付け・装丁・製本などを含む、本の作り方。

そうほんけ③【総本家】おおもとの本家。

そうほんざん③【総本山】一宗の各本山をまとめる寺院。〔多くの下部機構を持つものの上部に位して支配力を有するところの意にもたとえられる。例、「漢学の—」〕

そうまい⓪ー【草昧】世の中が未開で、文化もまだ発達していないこと。

そうまくり③【総捲り】—する(他サ) 〔残らず捲る意〕❶残らず批評すること。❷有名な人物のゴシップなどをかたっぱしから暴露すること。❸全部のせること。「利殖術—」

そうまとう⓪【走馬灯】⇩まわりどうろう

そうみ⓪①【総身】からだじゅう。全身。「大男—に知恵が回りかね」

そうむ①【総務】組織体全体の運営に関する事務を処理すること(人)。「—的な仕事/—部③・—長官④」 **—しょう**③ー【—省】行政の基本制度の管理・運営、地方自治・消防防災・電気通信・郵政事業などを担当する中央官庁。総務庁・自治省・郵政省を統合して二〇〇一年発足。〔長官は、総務大臣④。別称は総務相③〕

そうむけいやく④ー【双務契約】当事者双方が互いに

義務を負担する契約。↕片務契約

ぞうむし[1]【象虫】 ゾウムシ科に属する甲虫の総称。頭がゾウの鼻のように長くなっている。幼虫はマメ・穀類・クワなどの害虫。かぞえ方 一匹

そうめい[0]【〈滄溟〉】 果てしなく広がる海。

そうめい[0]【〈聡明〉】―な/―に 〔「聡」は耳が、「明」は目がさといこと〕物事や人情などに対する判断力・洞察力にすぐれ、自分の置かれている環境で第一になすべき事を十分に自覚している様子だ。派―さ[0]

そうめい きょく[3]【奏鳴曲】 ソナタ。

そうめつ[0]【掃滅・〈剿滅〉】―する(他サ) 敵をすっかり滅ぼしてしまうこと。「―作戦[5]」

そうめん[1]【《素麺》】 〔「《索麺〈麪〉》」の変化〕小麦粉をこね、線状に伸ばして乾かした食品。表記「《索麺》」とも書く。かぞえ方 一本：一束・一把・一箱・一袋

そうもう[0]【草〈莽〉】 〔「莽」も草の意〕在野の立場にあること。「―の臣〔=在野の人。民間人〕」

そうもく[0]【草木】 草と木。植物。「山川―」

ぞうもつ[0]【臓物】 食用にする、魚・鳥・牛・豚などの内臓。もつ。「鳥の―を抜く」

そうもよう[3]【総模様】 衣服全体に模様のある△こと(もの)。総柄。「―の振り袖」

そうもん[0]【桑門】 〔「沙門」と同義の梵語の音訳語で〕「僧」の異称。

そうもん[0]【奏聞】―する(他サ) 「奏上」の意の古風な漢語的表現。

そうもん[0]【相聞】 万葉集の部立ての一つ。贈答歌で、恋愛歌が多い。

そうもん[0]【僧門】 僧(の身分)。「―に入る」

そうもん[0]【総門】 外構えの正門。

そうやく[1]【創薬】―する(他サ) 新しい薬を作ること。「ゲノム―[4]〔=遺伝子情報を利用して新しい薬を作ること〕」

そうやく[0]【装薬】―する(自サ) 弾丸を発射するための火薬(を詰めること)。

そうゆ[0]【送油】―する(自サ) 〔パイプを通して〕原油などを送ること。「―管[0]」

そうゆう[0]【曽遊】―する(自サ) 〔「遊」は旅行の意〕以前に一度行ったことがあること。「―の地」

ぞうよ[1]【贈与】―する(他サ) 物品を贈り与えること。「―税[3]」

そうよう[0]【〈掻痒〉】 かゆい△こと(所をかくこと)。「隔靴―の感〔=靴の上から、かゆい所をかいても届かず、じれったいこと〕」

そうらん[0]【争乱】 内乱が起こって、世の中が乱れること。「―の世」

そうらん[0]【奏覧】―する(他サ) 天皇にお見せすること。

そうらん[0]【総覧・〈綜覧〉】 ❶―する(他サ) 全体にわたって目を通すこと。❷関係事項の相互の関係が見渡せるようにくふうして表示した本。

そうらん[0]【総〈攬〉】―する(他サ) 政治を一手に握りおさめること。

そうらん[0]【騒乱】 事件が起こって、混乱が長びき、人心が大いに動揺して民生が不安にさらされること。「―が起こる」 **―ざい**[3]【―罪】 多人数が集合して暴行・脅迫を行ない、公共の平穏を侵害する罪。〔一九九五年、「騒擾罪」からの変更〕

そうり[1]【総理】 〔全体に関する最も重要な業務を処理する意〕「内閣総理大臣」の略。総理大臣[4]。「―府[3]〔=二〇〇一年に内閣府に統合〕」

***ぞうり**[0]【《草履》】 鼻緒をすげた、底が平らの履物。「わら―[3]・ゴム―[3]・革―[3]」表記⇩付表「草履」かぞえ方 一足 **―とり**[3]【―取(り)】 武家の主人に仕え、その履物を持って供をした下男。 **―むし**[3]【―虫】 単細胞の微生物の一つ。草履に似た楕円形で、池・溝・沼・田などに広く分布し、遺伝学の実験に用いられる。

そうりつ[0]【創立】―する(他サ) 〔学校・会社などの組織・団体を〕初めて作ること。「―者[4][3]・―記念日[6]」

そうりょ[1]【僧侶】 〔「侶」は、仲間の意〕出家して仏道を修行する人。

そうりょう[1]【送料】 物を送るために必要な料金。

そうりょう[0]【爽涼】―な/―に 夏の早朝とか初秋などの、さわやかで涼しい様子だ。派―さ[0]

そうりょう[3][0]【総量】 全体の量。〔特に、重量・質量などによく用いる〕「排気ガスの―規制」

そうりょう[0][1][3]【総領・〈惣領〉】 〔跡をつぐ者としての〕長男・長女。「―は女だ/―の甚六〔=長男・長女は、弟妹に比べておっとりしているものが多い〕/―息子」

ぞうりょう[0]【増量】―する(自他サ) 分量がふえること。また、ふやすこと。↕減量

そうりょうじ[3]【総領事】 領事の中で最高の官職。「―館の館長を勤める」⇩領事・領事館

そうりょく[1]【走力】 〔体力を評価する目安の一つとして〕その人が基準とする距離をどれだけの時間で走れるかということ。

そうりょく[1]【総力】 ある団体の持っている、すべての力。「―を△あげて取り組む(結集する)/―戦[0]」

そうりん[0]【相輪】 五重の塔などの最上部にある、金属製の飾り。露盤・九輪などから成る。

そうりん[0]【僧林】 僧の集まり住む、大きな寺。

そうりん[0]【〈叢林〉】 低木の密生した林で、下草が一面に茂っている所。

ぞうりん[0]【造林】―する(他サ) 木を植えて、森林に仕立てること。

ソウル[1]〔soul〕 ❶魂・精神。❷〔←soul music〕アフリカ系アメリカ人特有のもの悲しいリズムの音楽に教会音楽やジャズなどが融合した音楽。ソウル ミュージック[4]。

そうるい[0]【走塁】―する(自サ) 〔野球で〕走者が先の塁へ走ること。⇩盗塁・残塁

そうるい[1]【藻類】 緑藻・紅藻・珪藻・褐藻などの総称。たいてい水中・海中に生じる。

そうルビ[0]【総ルビ】 文章の中の漢字にすべて振りがなを施すこと。⇩ぱらルビ

ソウル フード[4]〔soul food〕 Ⓐアメリカ南部の黒人の伝統的な料理。Ⓑある地域で日常的に食べられ、人びとにとって心の拠り所のように思われている△食べ物(食品)。「カレーライスは日本人の―だ」

そうれい[0]【壮齢】 「壮年」の意の古風な表現。

そうれい[0]【壮麗】―な/―に 規模が大きい上に、美しいという印象を人に与える様子だ。「豊かな歴史と―な建築群をもつオアシス都市/―、艶美を極める楽曲」派―さ[0]

そうれい[0]【葬礼】 「葬儀」の改まった表現。

そうれつ[0]【壮烈】―な 見聞きする人に強烈な感動を与える様子だ。「―な最期を遂げる」派―さ[0]

そうれつ[0]【葬列】 ❶死者を埋葬地まで送り進む人の列。❷告別式で死者に別れを告げる人の列。

そうろ[1]【走路】 競技者が走る道。コース。

そうろう【候】 [一][3](自五) ❶伺候する。❷(身分の高い人の)そばに居る。❸「有る・居る」の丁寧語。[二]〔接尾語的に〕❶〔「動詞連用形＋―」の形で〕丁寧の気持を添える敬語。「参り―」❷…でございます。「今期の決

そ

算も黒字で—と景気のいい話だ」〔一二とも、多く文語の手紙文で用いられる〕 —**ぶん**[0][3]【—文】 文末の丁寧表現「ます」に当たるところに「候」を使う、文語の手紙文。

そうろう[0]【早老】 年のわりに早く老いこむこと。

そうろう[0]【早漏】 性交時、射精が早く起こること。

そうろう[0]【〈蹌踉〉】—たる —と よろめいて足どりがおぼつかなくなる様子。「—としてさまよい出る」

そうろん[1][0]【争論】—する(自サ) 言い争うこと。

そうろん[0]【総論】 全体にわたる論。「—賛成、各論反対」↔各論

そうわ[0]【送話】—する(自サ) 電話で先方へ音声を送ること。↔受話 —**き**[3]【—器】〔電話機で〕音声を送る装置。↔受話器 かぞえ方 一台

そうわ[0]【挿話】 本筋と直接関係の無い短い話。談話の途中に織りこんで、聞き手の緊張をほぐしたり 退屈を防いだりする。エピソード。

そうわ[0]【総和】—する(他サ) 全体を合わせたもの。

ぞうわい[0]【贈賄】—する(自サ) わいろを贈ること。↔収賄

そうわく[0]【総枠】 問題とする事柄全体の規模。「事業予算の—/法定労働時間の—」

ぞうわく[0]【増枠】—する(他サ) 割当ての枠をふやすこと。

そえ[0]【添(え)】〔動詞「添える」の連用形の名詞用法〕❶添える△こと(もの)。❷ひかえ。たすけ。輔佐。

そえうま[0]【《副(え)馬》】 馬車などで、中心となる馬のわきに添えて走らせる馬。

そえがき[0]【添(え)書(き)】—する(自サ) ❶書画などに、その由来や証明の意を書いて、添えておく△こと(文書)。❷追って書き。

そえぎ[0]【添(え)木】 ❶草や木などが倒れないように、支柱として添えた木。❷骨折部分などを保護・固定するために患部に当てる堅い板。表記「《副え木》」とも書く。

そえじょう[0]【添(え)状】 相手の所に遣わす人に持たせたり 贈り物などに添えたりする、その事情や趣旨などを書き記した手紙。かぞえ方 一枚・一通

かぞえ方 ❶❷とも一本

そえぢ[0]【添(え)乳】—する(自サ) 子供に添い寝して乳を飲ませること。「そえぢち[0]」とも。

そえもの[0]【添(え)物】 ❶付け加えたもの。❷景品。〔どうでもいい存在の意にも用いられる〕

*__そ・える__[0]【添える】(他下一)〈なに・だれ ニ なに ヲ—〉 本体となるものに△何かを加える(一緒に付けてやる)。「手紙を添えて渡す/彩りを—/力を—/口を—(=口添えをする)/…に花を—(=それ自身十分に△美しい(良い)ものの上に、なお美しさや良さを加える)」 表記「《副える》」とも書く。

そえん[0]【疎遠】—な —に 訪問や文通がほとんど行なわれず、互いの近況が分からない様子だ。「—になっている親戚の名前を騙る詐欺師」↔親密 派—さ[0]

ソーイング[0]〔sewing〕 裁縫。縫い物。「—マシン」

ソーシャル(造語)〔social〕 ❶社会的。「—ワーカー」 ❷社交的。「—ダンス(=社交ダンス。⇩ダンス)」 —**ダンピング**[5]〔social dumping〕 低賃金で生産費を安くし、商品を外国市場に安売りすること。 —**ネットワーキングサービス**[13]〔social networking service〕⇩エスエヌエス(SNS) —**ワーカー**[5]〔social worker〕 社会福祉、教育、保健・医療などの分野で福祉活動に従事する人。特に、職業として社会福祉活動に従事する専門家。社会福祉士・精神保健福祉士など。

ソース[1] ■一〔sauce〕 西洋料理で、食品にかけたり からめたりする液体の調味料。「ウースター—・ホワイト—」 ■二〔source〕 出どころ。「ニュース—」

ソーセージ[3][1]〔sausage〕 ひき肉に薬味を加え、豚の腸などに詰めて、湯煮あるいは薫製した食品。腸詰。かぞえ方 一本・一連

ソーダ[1]〔オ soda〕 ❶食塩と硫酸とを熱して作る、白色の△粉末(結晶)。ガラス・せっけん製造・洗濯用。炭酸ソーダ。❷「ソーダ水」の略。「クリーム—」 表記「曹達」は、音訳。

ソーター[1][0]〔sorter〕 コピーした紙を一部ごとにまとめたり配送品を行き先ごとに分けたり する装置。

ソーダ クラッカー[5]〔soda cracker〕 ビスケットの一種。重曹を加えて焼いたクラッカー。

ソーダ すい[3]【ソーダ水】 炭酸水。また、それに甘味や香りを加えた清涼飲料。

ソーダ ばい[3]【ソーダ灰】 不純なソーダの粉。ガラス・紙・せっけんなどの原料。

ソート[1][0]—する(他サ)〔sort=仕分けする〕 ❶〔情報処理で〕大量のデータを一定の順序にそろえて配列すること。「数値データを大きさの順に—する」 ❷コピー機で、複数の原稿を複数部コピーする時に、原稿を一部ごとにまとめて排出する機能。⇩スタック

ソーホー[1]【SOHO】〔← small office home office〕 パソコンを活用して自宅などで行なう勤務形態。

ソーラー(造語)〔solar〕 太陽の(光線や熱を利用した)。「—ハウス[5]」 —**カー**[3][5]〔solar car〕 ガソリンに代えて太陽電池で動かす自動車。自動車のボンネットや屋根の上などに、太陽電池を取り付けて得られた電気でモーターを回し、その力で車輪を回転させて走る。 —**システム**[5]〔solar system〕 冷暖房や給湯などに太陽熱を利用する装置。〔広義では、太陽光発電の装置をも指す〕

ソール[1]〔sole〕 (靴・スリッパなどの)底。

ソールド アウト[5]〔sold out〕 売り切れ。劇場などの札止め。

ゾーン(造語)〔zone〕 ❶地域。「デ杯アジアオセアニア—」 ❷範囲。「ストライク—・ゼブラ—・ラッキー—」

そか[1]【粗菓】 粗末な菓子。〔菓子を他人に贈ったり 客にすすめたりする時に「粗末な物ですが」と謙遜して言うのに用いられる〕

そか[1]【遡河・〈溯河〉】—する(自サ) 魚などが△海から川の(下流から上流の)方へ さかのぼること。「—性[0]・—魚[2]」

そかい[0]【租界】 清朝末期から第二次世界大戦末期まで、中国にあった、治外法権の外国人居留地。

そかい[0]【素懐】 平素からの願い。また、志。

そかい[0]【疎開】—する(自他サ) 空襲などに備えて、都市に集中している住民が地方に引っ越しすること。「学童—」

そがい[0]【阻害・阻〈碍〉】—する(他サ) 〔もとの用字は、「阻碍」。「碍」も、さしつかえる意〕物事の運行をじゃますること。「—をもたらす/△産業の発達(生産意欲)を—する」

そがい[0]【疎外】—する(他サ) 自分(たち)とは相容れない人間だとして、その人を排除しようとすること。「自分だけ—される(=のけ者にされ(たと感じ)る)/—感(=仲間はずれにされたという感情)をいだく/人間—(=⇩人間疎外)」

そがい[1][0]【〈鼠害〉】 家の柱をかじったり 家具類を糞尿で汚したり 畑を荒らしたり する、ネズミによる被害。

そかく[0]【組閣】—する(自サ) 内閣を組織すること。「—に当たる/—本部[4]」

そかく[0]【疎隔・阻隔】—する(自他サ) ❶両者の関係がまずくなり、親しみが薄くなること。「感情の—を来たす」 ❷敬遠して、近づけないこと。

そがれる[3]【《殺がれる》】〔「そぐ」の受身形〕何かが原因となって あることに向けていた意欲や情熱がなくなる。「△興味(気勢)を—」 表記「《削がれる》」とも書く。

そがん ⓪①【訴願(グワン)】—する(他サ) 国会・行政官庁などに訴えて、△違法(不当)処分の取消しや変更を求めること。

ソギ ①【SOGI】〔←Sexual Orientation and Gender Identity〕⇩ソジ

そぎいた ⓪②【《殺(ぎ)板】 薄く削った板。〔屋根をふくのに使う〕

そぎだけ ②【《殺(ぎ)竹】 先を鋭く削った竹。

そぎとる ③⓪【《殺(ぎ)取る】(他五) 刃物で薄く削り取る。表記「《削ぎ取る」とも書く。

そきゅう ⓪【訴求(キウ)】—する(自サ) 〔広告や販売などで〕商品をうまくPRし、買ってもらうように客に働きかけること。

そきゅう ⓪【遡及(キフ)・〈溯及】—する(自サ) 過去にさかのぼること。〔誤って「さっきゅう」と言う向きもある〕「—力②・—効②」

そく

[即] ❶つく。「即位・即応・即物的・不即不離」 ❷その△時(場で)すぐ。「即座・即席・即時・即刻(ソッコク)・即日・即夜・即断・即興(ソッキョウ)・即死・即決(ソッケツ)・即答・即妙」⇩(本文)そく【即】

[束] ❶くくって、動かないように△する(したもの)。「束髪・束脩(シュウ)・束縛・結束・拘束・約束」 ❷たばねたものをかぞえる語。〔半紙は十帖(ジョウ)二百枚を指し、イネは十把(パ)を指す。また、蟇目(ヒキメ)の矢二十本を指した〕「二束三文」 ❸矢の長さを計る単位。〔手を握った時の、人差し指から小指までの長さ〕「十三束(ソク)三伏(ミツブセ)」 ❹百を単位とした語。

[足] ❶あし。「足跡・足下(ソッカ)・義足・土足・一挙手一投足・洗足・人足・発足」 ❷歩く(速さ)。「遠足・禁足・長足・俊足・御足労」 ❸たりる。「不足・満足(ソク)」 ❹たす。「充足・補足」 ❺(すぐれた)弟子(テシ)。「逸足・高足」 ❻両足にはく一対の物をかぞえる語。「スパイク一足・くつ下二足・わらじ一足」 かぞえ方 ❻三足(サンゾク)・何足(ナンゾク)

[促] ❶うながす。「促進・促成・催促・督促」 ❷つまる。「促音」

[則] ❶一般△に通じる(の人の従うべき)きまり。〔一つ…、一つ…と掲げた事柄をかぞえる場合にも使う〕「規則・原則・校則・鉄則・法則・犯則」 ❷のっとる。「則天去私」

[息] ❶いきをする。いき。呼吸。「大息・嘆息・喘(ゼン)息」 ❷生活を続ける。「消息・棲(セイ)息」 ❸休む。「安息・休息・姑(コ)息」 ❹やめる。やむ。「息災・終息」 表記 ❹の「終息」は、「終〈熄」とも書く。⇩(本文)そく【息】

[捉] つかまえる。「把(ハ)捉・捕捉」

[速] ❶すみやか。「速記(ソッキ)・速答・速報・速力・早(サッ)速・遅速・敏速」 ❷はやさ。「音速・風速・時速・秒速」

[側] ❶そば。「側近(ソッキン)・君側」 ❷一方のかわ。「左側・右側」 ❸△正面(背面)でないかわ。わき。「側壁・側面・側溝(ソッコウ)・舷(ゲン)側」

[測] ❶はかる。「測候(ソッコウ)・測量・観測・目測」 ❷おしはかる。「臆(オク)測・推測・不測・予測」

[塞] ふさぐ。ふさがる。「塞源・閉塞・逼(ヒッ)塞・梗(コウ)塞・栓塞・塡(テン)塞」

ぞく

[俗] ⇩(本文)ぞく【俗】

[族] ❶同一祖先から分かれ出た点で、他と区別される一類。「一族・家族・血族・眷(ケン)族・氏族・種族・親族・同族・民族」 ❷社会構成上の、世襲的な身分。〔上流の階層について言う〕「王族・皇族・華族・貴族・士族」 ❸動物分類上、一つの同類として他から区別されるもの。「ネコ族・水族館」 ❹同じ考えや行動をする仲間(としてレッテルが貼(ハ)られるもの)。「暴走族・社用族」〔❸❹は俗用〕

[属] 〔もと、連続の意〕 ❶本体・上位のものに依存して存在する。「属国(ゾッコク)・属性・所属・専属・従属・付属」 ❷下の身分関係を持つ。「属吏・属僚・軍属・隷属」 ❸広い意味での同類。「眷(ケン)属・金属」 ❹〔生物の分類で〕原則として、いくつかの「種」をあわせたもの。「キツネ属」⇩科 ⇩(本文)ぞく【属】

[続] つづく。つづける。「続開(ゾッカイ)・続行(ゾッコウ)・続発・継続・接続・断続・連続」⇩(本文)ぞく【続】

[賊] 組織を破る(者)。「賊軍・賊臣・賊徒・海賊・義賊・逆賊・乱臣賊子」⇩(本文)ぞく【賊】

そぎょう ⓪①【祖業(ゲフ)】 祖先が起こして今まで伝えて来た事業。

そく(即・束・足・促・則・息・捉・速・側・測・塞) →【字音語の造語成分】

そく ①【即】 ■一(接) 前にあげたことと後にあげることが、結論的には同一視できるものだと判断される関係にあることを表わす。「英語—国際語とは限らない/今や癌(ガン)—死の病(ヤマイ)という時代ではない/色(シキ)—是空〔=⇩色(シキ)〕・生—死」 ■二(副) 「すぐさま」の意の漢語的表現。相手に何かを促す際に用いられることが多い。「—返却」⇩【造語成分】

そ・く ①【《退く】(自四) 〔雅〕しりぞく。

そく ①【〈仄】 〔漢詩で〕上声・去声・入声(ニッセイ)の称。

そく ①【息】 〔もと、未成年の子女の意。例、「—女」〕「むすこ」の意の漢語的表現。〔「男(ダン)」よりは、客観的描写に用いられる〕「安井氏の—/令—」↔女(ジョ) ⇩【造語成分】

そ・ぐ ①【《殺ぐ】(他五) ❶〔物の先を〕勢いよく刃物で斜めに切り落とす。「△耳(鼻)を—」 ❷すっかり無くすようにする。「勢いを—」⇩そがれる 表記「《削ぐ」とも書く。

ぞく(俗・族・属・続・賊) →【字音語の造語成分】

ぞく【俗】 ■一 ⓪—な ❶世間普通(に行なわれていること)。〔平凡、また価値の低いものという意で使うことが多い〕「—な考え方/—語・—謡・—説・—称・雅—」 ❷世間一般の人の興味・関心の的である様子。〔狭義では、金銭・名誉などに関する事をも指す〕「有名人ほど—である事が多い/—人・—物・低—・超—」⇩俗に ■二❶⓪〔出家した人から見て〕出家していない人。「—にかえった僧/—名(ミョウ)」 ❷①〔上から強制されたものではなく〕日常生活の中で自然に生まれたならわし。「東国の—/民—・習—・風—」

ぞく ①【属】 ❶〔四等官の第四の意〕明治から第二次世界大戦終了時まで続いた日本の官制で、判任文官の称。属官。〔三級事務官の旧称〕「文部—」 ❷生物分類上の一段階を成す区分で、共通の特徴を持つ幾つかの「種(シュ)❷」を合わせたもの。「科」の下位区分。「分類上、キツネとタヌキは—を異にする」⇩【造語成分】

ぞく ①【〈粟】 〔古〕もみのままの米。「—を食(ハ)む〔=仕官して、なにがしかの禄(ロク)をもらう〕」

ぞく ①【続】 「続編」の略。⇩【造語成分】

ぞく ⓪【賊】 ❶(むりやり)他人の物をうばい取るなど罪を犯す者。「—を捕らえる/—徒・盗—・義—・山—・女—」 ❷国家の秩序を乱す者。反逆者。「—と呼ばれる/—軍・—

将・逆━・国━」⇩【造語成分】

ぞくあく⓪【俗悪】━な ━に 低級で、見聞きするのに堪えない様子だ。「━に流れる/━を極める」派**━さ**⓪

そくあつ⓪【側圧】何かの側面に加わる圧力。

そくい②ソクヒ 飯粒を練って作った、強いのり。表記「〈続飯〉」は、意味を考えた借字。

そくい①【即位】⊖━する(自サ) 君主が位につくこと。⊜即位礼を行なうこと。「━式③」⇩践祚セン ソ

そくいん⓪【〈惻隠〉】〔「惻」も「隠」も、傷イタむ心の切なる形容〕同情する気持をいだくこと。「━の情」

ぞくうけ⓪【俗受け】━する(自サ) 社会の大多数を占める一般庶民に訴えかける力があって、積極的に受け入れられること。「明らかに━をねらった娯楽小説」

そくえい⓪【即詠】━する(他サ) その場で題を出されたりその場の景色を見たりなどして、詩歌を作ること。即吟。

ぞくえい⓪【続映】━する(他サ) ⊖前の映画に引き続き、次の映画を上映すること。⊜その映画が好評のため、予定より日延べして上映を続けること。

そくえん⓪【測鉛】水中に投げ入れて深さを測る器具。

ぞくえん⓪【俗縁】⊖俗人としての縁故(関係)。⊜僧の、親類・縁者。

ぞくえん⓪【続演】━する(他サ) ⊖前の出し物に引き続き、次の出し物を上演すること。⊜その出し物が好評のため、予定より日延べして上演を続けること。

そくおう⓪【即応】━する(自サ) ⊖修正無しに、そのまま目的にかなうこと。「時代の要求に━した教育」⊜情勢の変化をよく見きわめ、機敏に対処すること。「事態に━して臨機の処置をとる/時代(の流れ)に━する/━性⓪」

そくおん⓪【足温】足をあたためること。「━器③」

そくおん②【促音】日本語の発音で、次の音が発せられる直前の状態を保ったまま一拍分の間を置く発音行為。〔一拍分全く音声が発せられない場合と、「ざっし(雑誌)」の「ざ」と「し」の間のように弱い音声が発せられる場合とがある。現代では普通、「ッ・っ」を用いて表記する〕⇩撥ハツ音

そくおんびん③【促音便】音便の一つ。用言の「持ちて・ありて」などがそれぞれ「持って・あって」となる類の変化。〔広義には副詞の「やはり」が「やっぱり」、名詞の「とと」が「とっと」になるような変化をも含む〕

そくが①⓪グワ【側〈臥〉】━する(自サ) ⊖だれかの横に寝ること。⊜わきを下にして寝ること。

ぞくが⓪グワ【俗画】△一般(大衆)受けのする絵。

ぞくがく⓪【俗学】世間に広く行なわれているだけで、真の評価に値しないととらえられる学問。えせ学問。

ぞくがく⓪【俗楽】⊖〔雅楽に対して〕民間に発達した音楽。琴・三味線や尺八などの音曲。義太夫ギダユウ・小唄コウタ・常磐津トキワズ・清元など。⊜低俗な楽曲。

ぞくがん⓪【俗眼】俗人の△目のつけどころ(観察)。

そくぎん⓪【即吟】━する(他サ) ⇩即詠

ぞくぐん⓪【賊軍】国家・政府に反逆する軍隊。「勝てば官軍、負ければ━」↔官軍

ぞくけ⓪③【俗気】自分が今持っている以上に、もっとお金や名誉などがほしいという気持をあらわに示す生活態度。〔口頭語形は、「ぞっけ」〕

そくげん⓪【塞源】━する(自サ) 〔悪の(起こる)〕根源をふさぐこと。「抜本バツポン━⓪-⓪〔=⇩抜本〕」

ぞくげん⓪【俗言】「世間のうわさ」の意の漢語的表現。

ぞくげん⓪【俗諺】世間で普通に使われることわざ。

ぞくご⓪【俗語】話し言葉の中で、内容的に卑猥ワイにわたったり下品に流れたりする点があるため、人前でおおっぴらには使用することがはばかられる表現。⇩卑語

そくざ①【即座】〔多く「━に」の形で〕それをするだけの条件がそろった時に、ためらわずに何かをすること。「━に返答する/パリに着いた━は西も東もわからなかった」

そくさい⓪【息災】〔「息」は、やめる意〕⊖〔仏教で〕災難を防ぐこと。⊜━な ━に 無事なこと。「━に暮らしている/━で何よりだ/無病━①-⓪」 **━えんめい**⓪-⓪【━延命】無事で長生きすること。

ぞくさい⓪【俗才】世渡りの才能。世才。

ぞくさい⓪【続載】━する(他サ) その作品のあとを続けて載せること。

そくさん⓪【速算】━する(他サ) (そろばんで)手早く計算を行なうこと。「━術③・━表⓪」

そくし⓪【即死】━する(自サ) 事故などにあい、その場ですぐ死ぬこと。「ほとんど━状態であった」

そくじ①【即時】それをするのに前もって予備的な時間を取らないこと。「━払バライ④・━解決・━通話④」

ぞくし①【賊子】父の名をけがす不孝の子。〔狭義では、謀反人を指す。例、「乱臣━」〕

ぞくじ⓪【俗字】⊖正字ではないが、手書き用の字体として世間で普通に用いられるもの。通体。俗体。「当用漢字の字体には━を母胎としたものもある」↔正字 ⊜漢字の、正しくないとされる使い方。「醤油」を「正油」、「波瀾」を「波乱」とするなど。

ぞくじ①⓪【俗耳】世間一般の人びとの耳。「仏の道を━に入りやすい〔=庶民にわかりやすい〕言葉で語る」

ぞくじ①【俗事】〔正規の仕事と違って〕社会生活の上で必要な、人との交際やこまごまとした雑用。

そくしつ⓪【側室】〔貴人の〕めかけ。↔正室

そくじつ⓪【即日】何かがあったその日(すぐに)。「━帰郷/━開票⑤」

そくじつ⓪【即実】事実に即すること。「━的⓪」

そくしゃ⓪【速写】━する(他サ) すばやく△写す(写生する)こと。「━画⓪」

そくしゃ⓪【速射】━する(他サ) 弾丸をすばやく続けて発射すること。 **━ほう**⓪③ハウ【━砲】一分間に六、七発以上発射出来る砲。かぞえ方 一門

ぞくじゅ①【俗儒】為政者におもねるだけで、社会の進歩に対する見識や人生一般への見通しの乏しい学者。

そくしゅう⓪シウ【束〈脩〉】入門の時、弟子入りのしるしとして先生に差し上げる礼物レイモツ。

そくしゅう⓪シウ【速修】━する(他サ) 〔語学や技術を〕短い期間に修得すること。

ぞくしゅう⓪シウ【俗臭】いかにも俗物が考えたりしたりするようなことだととらえられる△様子(こと)。「━芬々フンプンたる△坊主(学者)」

ぞくしゅう⓪シフ【俗習】世間一般のならわし。

ぞくしゅつ⓪【続出】━する(自サ) 〔同じような物事が〕次から次へと△現われる(起こる)こと。「故障(者)が━する」

ぞくしゅつ⓪【〈簇〉出】━する(自サ) 〔本来の字音はソウシュツ。「ぞくしゅつ」は類推読み〕⇩そうしゅつ「━する流行語」

そくじょ①ヂョ【息女】身分のある人の娘。〔相手の娘の敬称としても用いられる〕

ぞくしょ⓪①【俗書】⊖よく売れているかもしれないが、△思想的(学問的)な価値には乏しい本。〔内容のくだらない本の意にも用いられる〕⊜俗筆。

ぞくしょう⓪【俗称】⊖━する(他サ) 正式でない名称だが、世間でそのように言うこと。また、その名称。⊜僧の、出家する以前の名前。俗名。

ぞくしょう⓪【族称】明治維新以降第二次世界大戦終了時まで、国民の階級上の区別とされた、平民・士族・

華族の別。

ぞくじょう⓪ジャウ【俗情】❶世間の様子や人情。「―にうとい」❷世俗的ないやしい心情。

*__そくしん__⓪【促進】―する(他サ)〈なにヲ―する〉〔「促」は、すみやかの意〕積極的な対策を講じるなどして、目的の実現を早めようとすること。〔広義では、結果としてある傾向を強める役割を果たす要因となったと とらえられることについてもいう〕「△経済開発(販売)の―をはかる/野生動物保護運動を―する/育毛―剤」

そくしん⓪【測深】海の深さや海底の様子などを調べること。「―機③」

ぞくしん⓪【俗信】民間に行なわれる迷信的な信仰。

ぞくしん⓪【続伸】―する(自サ) 前日に引き続いて相場が上がること。続騰。⇔続落

ぞくしん⓪【賊臣】主君にそむく臣下。

ぞくじん⓪【俗人】❶〔高遠な理想を実現させるためには全てを犠牲にしても惜しくはないなどといった考えは持たず〕世間的な立身出世にあこがれたり 自分の家族の幸福を願ったりして生きる、ごくありふれた常識感覚を身につけている人。❷出家していない人。

ぞくじん⓪ヂン【俗〈塵】世間のわずらわしさ。「―を避ける」

ぞくじんしゅぎ⑤【属人主義】どこに住みどこで事件が発生しても、その人の属する国籍地の法律が適用されるという主張。⇔属地主義

そくしんじょうぶつ⑤ジャウー【即身成仏】生きているまま仏に成れると考える、真言ゴン宗の教義。

そく・する③【即する】(自サ)〔理論やたてまえにとらわれることなく〕その時どきによって変わる現実の事態に合う対処をする。即す②(五)。「△現実(変化)に―/実際に即して考える」 表記 この意味で「則する」と書くのは、誤り。

そく・する③【則する】(自サ) 何かをする際に、理論・規則・方針など、△基準(規範)となるものをよりどころとする。則す②(五)。「建築基準法に―」

*__ぞく・する__③【属する】(自サ)〈なにニ―〉❶ある(勢力)範囲や、その集団の中に入る。「…の△陣営(責任)に―」❷〔他のものにではなく〕その部類に入る。「クジラは哺乳類に―/異例(の事)に―〔=異例である〕/旧聞に―〔=なってしまった〕」属す②(五)。

ぞく・する③【賊する】(他サ)「そこなう」意の漢語的表現。「国を―〔=害する〕者」

ぞくせ⓪①【俗世】俗世間。「ぞくせい⓪」とも。

そくせい⓪【即製】―する(他サ) その場の必要に応じてすぐ〔間に合わせに〕作ること。

そくせい⓪【促成】―する(他サ) 植物を人工的に早く生長させること。**―さいばい**⑤【―栽培】―する(他サ) 果樹・野菜の発育を促成すること。また、その栽培法。

そくせい⓪【速成】―する(自他サ) 短期間に仕上△げ(が)ること。「―教授・―教育」

ぞくせい⓪【俗姓】僧の、出家する前の名字。「ぞくしょう」とも。

ぞくせい⓪【族生・〈簇生】―する(自サ)〔「簇生」の本来の字音はソウセイ。「ぞくせい」は類推読み〕⇒叢生ソウセイ

ぞくせい⓪【族制】家族・氏族などの、血縁関係による集団制度。

ぞくせい⓪【属性】〔ほかの物には無く〕その物△に(の同類に共通して)備わっている性質。例、物の色・形・大きさなど。

そくせき⓪【即席】❶〔仕入れ、仕込みなどに手間をかけないで〕その場ですぐ作れること。「―に俳句を作る/―料理⑤〔=あり合せの材料で手軽に作った料理〕」❷インスタント。「―ラーメン⑤・―じるこ⑤」

そくせき⓪【足跡・足〈迹】❶「あしあと」の漢語的表現。❷今まで、その人がしてきた△事(業績)。「大きい―を残す/故人の―を振り返る」

ぞくせけん③【俗世間】〔もと、出家しない者たちで構成される世の中の意〕⇔出世間シュッセケン 醜い事や情実の方が、まっとうな人や事を圧倒していることが多いものと考えられる実社会。略して「俗世」。

ぞくせつ⓪【俗説】世間に広く行なわれてはいるが、学問的には必ずしも信頼出来ない説。

そくせつぼう④ーバウ【測雪棒】積雪の深さを測るために道路の両わきに一定の間隔を置いて立てておく、目盛りのついた棒。

そくせん⓪【即戦】十分に訓練を積んでおり、すぐ戦えること。「―力③」

そくせん⓪【側線】❶列車の運行にいつも使う「本線❶」以外の線路。〔貨物の積替え用や待避線など〕❷両生類や魚類のからだのわきにある感覚器。〔魚類では、体側中央部、鰓エラ わきから尾にかけて帯状に延びるうろこ状のものを指す〕

そくせんそっけつ⓪-⓪ソクー【速戦即決】―する(自サ) 戦争で、速攻し勝敗を一気に決めてしまうこと。〔一気に実行に移して物事を解決してしまう意にも用いられる〕

ぞくそう⓪【俗僧】僧でありながら、俗人以上に俗っぽい人。

ぞくそう⓪サウ【賊巣】盗賊のすみか。

そくそく⓪【〈惻々〉・側々】―たる〔悲しみなどを〕身にしみて感じる様子。

ぞくぞく①、①-①(副)―と ―する ❶からだが震えるほど寒気を感じる様子。「熱があるのか背中が―する」❷身震いするほど恐怖を感じる様子。「谷底をのぞきこむと背筋が―する」❸期待や喜びで、からだが震えそうなほど興奮する様子。

ぞくぞく⓪【続々】(副)―と あとからあとからひっきりなしに続く様子。「―と入場する/新型機種が―と登場する」

そくたい⓪③【束帯】昔、天皇以下諸官吏の正式の服装。

そくだい⓪【即題】❶席題。❷自分で作曲しながら、即座に演奏すること。「―曲③」

ぞくたい⓪【俗体】❶僧でない、普通の人の姿・かっこう。⇔僧体 ❷〔漢字の字体のうち〕正体セイタイではないが、世間一般に〔筆記用に〕行なわれる字体。「職」を「耺」とするなど。⇒正体

そくタイプ③【←「速」+type】日本語速記用のタイプライター。裁判所などで使用。

そくだく⓪【即諾】―する(他サ) その場ですぐ承諾すること。

そくたつ⓪【速達】〔←速達郵便⑤〕〔特別の料金をとり〕普通郵便に優先して届ける郵便。「―便⓪」

そくだん⓪―する(他サ) [一]【即断】その場ですぐ決めること。「―を許さぬ/―即決」[二]【速断】❶すばやく判断すること。❷早まって判断すること。

ぞくだん⓪【俗談】❶世間話。❷俗言。

そくち⓪【測地】―する(自サ) 土地を測量すること。

ぞくち⓪【属地】付属の土地。**―しゅぎ**④【―主義】国籍のいかんにかかわらず、その人が住みその事件が発生した国の法律が適用されるという主張。⇔属人主義

ぞくちゅう⓪【族〈誅】中国の古制として、ある人が罪を犯した場合に、その父母・妻・子までも殺して見せしめにしたこと。〔一族・九族までも殺したという説もある〕

ぞくちょう⓪チャウ【族長】❶一族の長。❷家長。

ぞくちょう⓪テウ【続〈貂】〔テンの皮が不足したところに犬

の尾をつぐ意〕すぐれた先人の仕事のあとに、才能の劣る自分がわずかばかりの事を付け加える時に使う謙遜(ケンソン)語。
運用「はからずも続貂の栄にあずかり」などの形で、前任者から仕事を引き継ぐときの挨拶(アイサツ)の言葉として用いられる。

ぞくっと[2]（副）―する　寒気や恐怖、また、強い感動などのために、からだが一瞬震えるような感じがする様子。

ぞくっぽ・い[4]【俗っぽい】（形）　いかにも通俗的と感じられる様子だ。派―さ[4]

そくづみ[0]【即詰(み)】〔将棋で〕王将が逃げる余地が無くなり、負けること。

*__そくてい__[0]【測定】―する（他サ）〈（なにデ）なにヲ―する〉❶計測❷。「食品の放射性物質を独自に―する生協商品検査センター／航走距離と針路によって船の位置を―する／△体力（体重・跳力）を―する／高度を―する／―値(チ)[3]・―器[3]」
❷一定の基準に基づく実測の結果、そのものの過去や現在・将来について価値判断を下すこと。「科学的に―する」

ぞくでん[0]【俗伝】世間に広く行なわれている言い伝え。

*__そくど__[1]【速度】❶進む速さ。スピード。「―を△加える（増す・上げる・速める・落とす）／―が△遅い（鈍る）／△最高（瞬間）―・―計[0]」❷〔物理で〕運動する物体の速さと方向と向きとを合わせ考えた量。ベクトル量の一種。

そくど[1]【測度】❶度数・尺度を測ること。❷〔数学で〕長さ・面積・体積・質量など、全体の数量が全体を構成する各部分の数量の和になっている、という性質を持つ量。

ぞくと[1]【賊徒】❶盗賊の仲間。❷朝敵の者ども。

そくとう[0]（タフ）―する（自サ）■【即答】聞かれて、すぐその場で答えること。「―を避ける」■【速答】さっさと答えること。

ぞくとう[0]（タウ）【属島】△その国（大きな島）に属する島。

ぞくとう[0]【続投】―する（自サ）〔野球で〕投手が交替せず引き続いて投球すること。〔定められた任期が過ぎた後も（再選されて）同じ人が引き続きその職務を続ける意にも用いられる〕⇩継投

ぞくとう[0]【続騰】―する（自サ）　相場や物価が引き続いて上がること。続伸。↕続落

そくどく[0]【速読】―する（他サ）　普通よりも速い速度で読むこと。「―術[4]」↕熟読

ぞくに[0]【俗に】（副）　△正式な（定義された）呼称ではないが、世間一般に広く通用している様子。「―サラ金と言われる金融業者」

ぞくねん[0]【俗念】　個人としての快楽・利益追求や地位・名誉に対する欲望のみ強く、弱者への同情やより高いものを希求する念が欠如した精神状態。

そくのう[0]（ナフ）【即納】―する（他サ）〔注文を受けて〕その場ですぐ納めること。

そくばい[0]【即売】―する（他サ）〔展示会・展覧会などで〕品物をその場で売ること。「―会[3][0]」

ぞくはい[0]【俗輩】マスコミに動かされるだけで、自分自身を何かで高めるという意欲の全く見られない俗人。

そくばく[0]【{若干}・{許多}】（副）〔雅〕〔「そこばく」の変化〕⇩そこばく

*__そくばく__[0]【束縛】―する（他サ）〈（なにデ）なにヲ―する〉　行動の自由を制限すること。「行動を―する／時間に―される」

そくはつ[0]【束髪】明治時代以後、昭和初期まで流行した、女性の洋髪の一つ。

ぞくはつ[0]【続発】―する（自他サ）　続けざまに起こること。また、起こすこと。

ぞくばなれ[3]【俗離(れ)】―する（自サ）　世間の多くの人とは違い、無欲でこだわる所が見られないこと。世間離れ。

そくび[1]【そ首】（卑しむべき）あいつの首。〔口頭語形は、「そっくび[1][3]」〕表記「素首」は、借字。

そくひつ[0]【速筆】物を書くのが速いこと。↕遅筆

ぞくひつ[0]【俗筆】なんら風格らしいものが見られない、下品な筆跡。俗書。

ぞくぶつ[0]【俗物】社会的に高い地位を得たい、金持になりたい、人から良く思われたい、といった欲求のみが念頭にあって、ややもすれば△利己的な（虚栄心にかられた）言動に陥りやすい傾向にある人。〔侮蔑(ブベツ)を含意して用いられる〕「あいつは全くの―だよ／―性[0]」

そくぶつてき[0]【即物的】―な／―に　❶〔ザッハリッヒの訳語〕〔哲学で〕観念的・抽象的な考えを排除し、客観的な観察を通して物事のあり方をとらえる様子だ。❷理念にとらわれることなく、当面している問題に適切に対処しようとする様子だ。「―な△人間（考え方）」

そくぶん[0]【側聞・〈仄聞〉】―する（他サ）　人のうわさを通じて間接的に聞くこと。

ぞくぶん[0]【俗文】内容の低俗な文章。

ぞくへい[0]【賊兵】賊軍の兵士。

そくへき[0]【側壁】側面の△壁（仕切り）。

ぞくへん[0]【続編・続〈篇〉】前の編の続き。↕正編

そくほ[1]【速歩】「はやあし」の漢語的表現。

そくほう[0]【速報】―する（他サ）〔定期の△刊行（ニュース）を待たず〕情報が入るや否や、すばやく知らせること。また、その知らせ。「中間―が出る／選挙―」

ぞくほう[0]【続報】―する（他サ）〔前に知らされた情報に関して〕その続きを知らせること。また、その情報。

ぞくほん[0]【俗本】通俗的で、俗受けのする本。

そくみょう[0]（メウ）【即妙】即座の機転。機知。「当意―」

ぞくみょう[0]（ミヤウ）【俗名】↕法名　❶僧の、出家する前の名。俗姓。❷〔故人の〕生きていた時の名。↕戒名〔❶❷とも「ぞくめい」とも〕

ぞくむ[1]【俗務】世の中に生きている以上、逃れるわけにはいかない雑務。

ぞくめい[0]【俗名】❶〔学名・和名などと違って〕動植物などの、日常の社会生活で一般に行なわれる名称。例、オイランソウはクサキョウチクトウの俗名であるなど。❷俗悪な名声。❸⇩ぞくみょう

ぞくめい[0]【賊名】△賊徒（盗賊）であるという名。

そくめん[3][0]【側面】❶立体的な形状のものの、上面・底面を除いた面（の一つ）。「△角柱（円錐(エンスイ)）の―／ふたと―に模様のある宝石箱」❷〔立体的なものについて〕正面から見て左右の位置にあたる面。「ビルの―」❸中心や正面からはずれたところ。「―〔＝わき〕から援助する」❹様ざまな見方ができる物事のうちの、一つの面。「温和そうな彼の、残忍な―をかいま見る思いがした」　―かん[3]（クワン）【―観】一般に予測される観点からではなく、独自の観点からする観察。プロフィール❷。

そくや[1]【即夜】何かがあったその夜（すぐ）行動に出ることを表わす。

ぞくよう[0]【俗用】❶〔理想とする生き方とはかけはなれた〕自己の生活を支える上で欠かせない本務や親類づきあいなどに対する自嘲(ジチョウ)的表現。❷用法が拡大したり縮小したりして、本来の用法との関連性は希薄になっているが、社会的な慣用として許容されている表現。

ぞくよう[0]（エウ）【俗謡】❶流行歌・歌謡曲や、演歌のような、通俗的な歌。❷「小唄(コウタ)」の異称。

ぞくらく[0]【続落】―する（自サ）　相場や物価が毎日続けて下がること。↕続伸・続騰

ぞくり[1]【俗吏】公僕であることを忘れて、ただ人民にいば

るだけを能とする公務員。木っ端役人[4]。

ぞくり[1]【属吏】 実権のある人の支配下にある官吏。

ぞくりゅう[0]【俗流】 ❶俗物の仲間。物事の本質・真のよさを理解し得ない、つまらない連中。❷形骸をまねするだけで、本質を理解していない第二流の存在。

ぞくりゅう[0]【〈粟粒】 あわつぶ。「―大の〔=きわめて狭い〕土地」 **―けっかく**[5]【―結核】 結核菌による敗血症で、あわつぶ大の結節を臓器の中に作るもの。

そくりょう[0][2]【測量】―する(他サ) 地形や土地の位置・面積などを測(り地図を作)ること。「―術[3]・三角―」

ぞくりょう[0]【属僚】 下役。下級官僚。

ぞくりょう[0]【属領】 本国に付属している領地。

そくりょく[2]【速力】 そのものの走る速さ(を単位時間で走れる距離で表わしたもの)。スピード。「―を上げる」

ぞくるい[0]【俗累】 社会生活を営む上で逃れることのできない、世俗の煩わしい物事。

ぞくろん[0]【俗論】 見解が狭く、着眼の低い論。

そぐわな・い[3](形) △いつも(その時)の状態から見て、接する人に違和感を与える様子だ。「△現状(実態)に―〔=適応しない〕」 [派]**―さ**[4][3]

そくわん[0]【側湾・側〈彎】―する(自サ) 脊柱が、左・右のわきの方に湾曲すること。「―症[0]」

そけい[0]【祖型】 もとにな(ってい)ると推定され)る型。「漢字の―となる甲骨文字」 [表記]「祖形」とも書く。

そけい[1][0]【素〈馨】 庭に植える常緑低木。初夏に咲く、白くてにおいのいい花は、香油・香水の原料。〔モクセイ科〕 [かぞえ方] 一株・一本

そけい[0]【粗景】 商店で、「景品」の意の謙遜語。

そけいぶ[2]【〈鼠蹊〉部・〈鼠径部】 ももののつけね(のあたり)。 [表記]「径」は、代用字。

そげき[0]【狙撃】―する(他サ) (命じられて)目標とする特定の人物だけをねらいうつこと。「―兵[3]」

ソケット[2][1]〔socket=あな。受け口〕 電球・真空管の口金を△ねじ(さし)込む受け口。

そ・げる[2]【《削げる・《殺げる】(自下一) 物の面が、刃物で一気に削がれたような形状になる。「頰の肉が―」

そけん[1]【素絹】 ❶粗末な絹。すずし。❷素絹で作った僧服。

そけん[0][1]【訴件】 訴訟の事件。

そけん[0]【訴権】 〔主として民事訴訟で〕裁判所に訴える権利。

そげん[0]【遡源・〈溯源】―する(自サ) 「もとにさかのぼること」の意の漢語的表現。

そこ[0]【〈其《処・〈其《所】(代) ❶〔話し手・聞き手の間が隔たっている時〕話し手から見て、聞き手△により近いと意識される(の居る)場所・場面や箇所を指す語。「今すぐ―へ行きます/ここからは何も見えないが、―からは何か見えるかい/―の本を取ってくれないか/『背中で痛いのはここかい』『そう、――』」 ❷〔話し手・聞き手が同じ場所にいる時〕話し手・聞き手からそれほど離れていないと意識される場所を指す語。「―の店に寄って行こう/ちょっと―まで出かけてくる」 ❸話し手・聞き手が発言した事柄のある箇所を、聞き手にも了解されているものとして、その△点(事態・事柄)だと、指す語。「―をどう解決するかが難問だ/―まではよかったが/―へ〔=ちょうどその時〕じゃまが入った/―が〔=その点に関すると〕やはり子供だ/―は〔=その点に関してはなんといっても〕横綱だからなんとか体勢を立て直した/―はそれ〔=そうはいっても、やはり〕/―へ行くと〔=その点に関すると〕/―へ持って来て〔=前に述べた事態に加えて〕」 ⇩あそこ・ここ・どこ::こそあど

****そこ**[0]【底】 ❶ある程度以上の深さをもつ器物や、くぼんだ地形などの一番下の所。〔器物では多く内側の部分を指すが、まれに外側の表面を指す場合もある〕「△瓶(海・地)の―/―積み・川―・谷―・舟―・靴―・上げ―」 ❷その物の奥深くにあって、外からは知ることの出来ないもの。「構想の―を流れる考え方/―(が)知れない〔=際限が分からない〕不気味さ/―を割って〔=心中を包み隠さずに〕話す/―を払う〔=すっかり出しきって無くなる〕/―の見え透いた〔=⇩見え透く〕」 **【―が浅い】** 見かけだけで、本来望まれる学識や教養に欠ける様子だ。〔多く、軽い侮蔑を含意して用いられる〕「―△考え(人間)」 **【―が割れる】** 隠しておきたいことが見破られてしまう。 **【―を入れる】** 「底をつく❶」に同じ。 **【―をつく】** ❶〔相場で〕底値になる。❷すっかり貯えが無くなって、もう少しで皆無に近くなる。「外貨が―」 ❸段々ひどい状態になり、破綻寸前に近づく。「不況が―」

そご[1]【祖語】 同じ系統に属する幾つかの言語の祖先に当たる(と考えられる)言語。

そご[1]【〈齟齬〉】―する(自サ) 「くいちがい」の意の漢語的表現。「―をきたす」

そこあげ[0]【底上(げ)】―する(他サ) 低い水準を高めること。「国民生活の―」

そこい[0][1]【底意】 心の中に思っていて、人に知らせない何か。「―を見抜く/―なく」

そこいじ[0]【底意地】 表面的には隠れて見える、その人が本来持っている意地。「―を張る」 **―わる・い**[6]【―悪い】(形) 〔何か含むところがあって〕何かにつけて、意地の悪いことをする様子だ。〔「底意地が悪い」の形でも用いられる〕「―上役」 [派]**―さ**[5]

そこいら[2](代) 「そこら」の意の口頭語的表現。 [表記]「〈其《処いら・〈其《所いら」とも書く。

そこいれ[0]【底入(れ)】―する(自サ) 相場が下がり続けて、それより下がる見込みが無くなること。

そこう[0]【素行】 〔健全かどうかという観点から見た〕日常生活における行動の型。「―が修まらない」

そこう[0]【粗〈肴】 粗末な料理。〔客にすすめる料理を「粗末な物ですが」と謙遜して言うのに用いられる〕「粗酒―」

そこう[0]【粗稿】 ひとまず書き終えただけで推敲がなされていない原稿。〔自分の原稿を謙遜して言うのに用いる〕

そこう[0]【粗鋼】 圧延・鍛造などの加工をしていない鋼。〔統計などで使われる語〕「―生産高」

そこう[0]【遡行】―する(自サ) ❶【遡行】 川ぶちを歩いたり船に乗ったりして川をさかのぼって行くこと。❷【遡航】 船で川をさかのぼって行くこと。❷は特に、中国の長江に限って「〈溯江」と書く。 [表記]「遡」はすべて、「〈溯」とも書く。

そこう[0]【礎稿】 彫琢する土台となった原稿。

そごう[0]【疎剛】―な 物の表面が粗くて堅い様子だ。

そこうお[0]【底魚】 海の底にすむ魚。例、カレイ・アンコウなど。そこもの[0]。

そこうしょう[0]【〈鼠咬〉症】 ネズミにかまれて起こる疾患。

そこかしこ[3]【〈其《処《彼《処】(代) あちらこちら。

そこがた・い[4]【底堅い】(形) 〔相場で〕下がりそうな気配を見せながらも、何とか持ちこたえている様子だ。 [派]**―さ**[3]

そこきみわる・い[6]【底気味悪い】(形) △本心(実態)がはっきりとらえられず、気味が悪いと思う様子だ。 [派]**―さ**[5]

そこく①【祖国】 祖先以来住んでいる、自分の国。母国。〔また、他の大陸などに移住した民族にとって、彼らの先祖がもと住んでいた国を指す〕

そこごもり③⓪【底籠(もり)】 まるで地の底から発するように、音が低くこもって聞こえること。「—した羽音」

そこざさえ⓪(ザサヘ)【底支え】—する(他サ)〔景気・金額などが〕ある基準よりも下落しないように支えること。「株価の—になる」⇩下支え

そこそこ⓪(副) ❶辛うじて基準に達するか達しないかの程度にとどまる様子。「年金で—暮らしていけるといいのだが/—の成績を残す/まだ四十—だというのに髪は真っ白になっていた/募集期間中の応募者数は一割—」❷〔「—に」の形で〕その事を十分に済ませたとは言えない段階で切り上げ、次の行動に移る様子。「食事も—に(して)出かける/挨拶(アイサツ)も—に立ち去る」運用 ❶で、自分に関するよい評価に対して、謙遜(ケンソン)や照れ隠しの気持を込めて用いられる。例、「高校のときは、そこそこ成績がよかった/『今期の売り上げはいかがでしたか』『そこそこ好調でした』」

そこぢから③⓪【底力】 ふだんは分からないが、いざという時に発揮される強い力。「—を発揮する/—のこもった声」

そこつ⓪【粗〈忽】■一—な/—に そそっかしい様子だ。「—者(モノ)⓪」 派—さ⓪ ■二⇩粗相(ソソウ)

そこつち⓪【底土】 耕土や地層の下層の土。↔上土(ウワツチ)

そこづみ⓪【底積(み)】 物の下に△なること(なった積荷)。↔上積み

そこで⓪【〈其《処で】(接) ❶〔すぐ前の話を受けて〕そういう次第で。「—僕は答えてやった」❷話題を巧みに転じる時の言葉。「—〔=ところで。さて〕君に尋ねる事がある」

そこな②【〈其《処な】(連体)「そこに居る」意の古風な表現。〔多く、相手を見下して言う場合に用いる〕「—やつ」

***そこな・う**(ソコナフ)【損(なう)】■一③(他五)〈なにヲ—〉❶機能が(完全に)失われた状態にする。「一物も—〔=こわす〕こと無く/一兵も損なわずに〔=損傷させないで〕」❷本来持っていた正常な状態を失う。「機嫌を—/健康を—/純真な性格が損なわれる/△意欲(イメージ・信頼関係・品位)を—〔=…が、極端に言えばゼロに近い状態になる〕」■二〔「動詞連用形+—」の形で、接尾語的に〕❶…する△事に失敗する(機会を失う)。「やり—・聞き—・食べ—」❷もう少しで△危ない(ひどい)目にあいそうになる。「死に—・おぼれ—」表記 ■二❷は、「《傷う」とも書く。

そこなし⓪【底無(し)】 ❶どこまで深いか分からないこと。「—の沼」❷そこぬけ。「—ののんべえ」

そこなだれ③【底〈雪崩〉】 斜面に積もった雪の全体が一気に崩れ落ちる現象。全層雪崩⑤。表記 ⇩付表「雪崩」

そこなみ⓪【底波】 海底に立つ波。

そこぬけ⓪【底抜(け)】〔底が抜けて、無い△こと(もの)の意から〕生活態度や物の考え方などが常識で許容される限度を超えていて、接する人をあきれさせるほどであること。「—の大酒飲み/—の△楽天家(お人好(ヨ)し)/—に明るい人」

そこね⓪②【底値】〔相場で〕最低の値段。

そこ・ねる③【損ねる】(他下一)「そこなう■一❶」の、少しくだけた言い方。「機嫌を—」

そこのけ【〈其《処《退け】〔接尾語的に〕…もかなわないほどの△技術(技量)がある様子。「先生—の上達」

そこはかとなく⑥(副) 明確にはとらえられないが、何となくそのような雰囲気が感じ取られる様子。「—温かみのある作品」

そこばく⓪【〈若干〉・〈許多〉】(副)「何ほどか」の意の古風な表現。△数量(程度)を特定出来ない様子。「そくばく」とも。〔多い意にも少ない意にも使う〕「—の悲しみを覚える」

そこひ⓪【底〈翳・〈内障〉】〔「底翳(ソコヒ)」の意〕外見は異状が無くて、眼球の内に故障のある眼病の総称。「黒—・白—・青—」

そこびえ⓪【底冷(え)】—する(自サ) 寒くて、からだの奥底まで冷えるように感じること。「—のする夜」

そこびかり③⓪【底光(り)】—する(自サ) 必ずしも表面には出ない△光(よさ・すぐれた力)。

そこびきあみ④【底引(き)網】 先がすぼまった袋網。海の底に垂らし、引きずるようにして船で引き、魚類をとる。トロール。表記「底〈曳き網」とも書く。

そこほん⓪【底本】 同音語の「定本」との混同を避けた言い方。

そこまめ⓪【底豆】 足の裏のまめ。表記「底〈肉刺〉」とも書く。

そこもと②【〈其《許】(代)〔雅〕↔ここもと ❶そこ(のところ)。❷そなた。あなた。

そこら②【〈其《処ら】(代)〔口頭語的表現〕❶その周辺。「—を探したが見つからなかった」❷だいたいその程度。「二升か—は軽く飲める/三時間か—で着く」❸それに関係する事柄。「—の事情を心得て交渉にあたる」

そこわれ⓪【底割(れ)】—する(自サ)〔相場で〕底値と考えられていた値よりも更に下がること。

そさい⓪【〈蔬菜】〔「蔬」は野菜の意〕(副食物にする)野菜。あおもの。

そざい⓪【素材】 ❶造形美術の材料や芸術作品の題材となるもの。「表現—」❷加工製品の原料で、元来の性質が比較的に生かされているもの。〔単に原材料の意にも用いられる〕「—を生かした味に仕上げる」❸まだ製材されていない木材。原材。

そざい⓪【礎材】 土台になる材料。基礎材。

そざつ⓪【粗雑・疎雑】—な/—に ❶細かい所まで注意が行き届いていない様子だ。「—な△頭(文章・仕事)/—に扱う」❷作り方が雑で、複雑な目的や細かな用には役立たない様子だ。「—な機械」 派—さ⓪

そさん⓪【素〈餐】 仕事もせずに俸禄(ホウロク)を得ること。⇩尸位素餐(シイソサン)

そさん⓪【粗〈餐】 粗末な食事。〔会食に先立つ挨拶(アイサツ)として、主人側が客に「粗末なものでお口に合わないと思いますが」と謙遜(ケンソン)の意をこめて言うのに用いられる。また、同様の趣旨で招待状にも用いられる。例、「—を差し上げたく存じます」〕

***そし**①【阻止】—する(他サ)〈(なにデ)なにヲ—する〉じゃましてやめさせるようにすること。「実力で—する」表記「〈沮止」とも書く。

そし①【祖師】 一宗の開祖。〔狭義では、日蓮(ニチレン)宗で日蓮を指す〕 **—き**②【—忌】 祖師の忌日(キニチ)に行なう法会(ホウエ)。

そし①【素子】 まとまった電気回路・機械回路の中で、それ自身の機能が全体の機能において本質的に重要な意味を持つ個々の構成要素。〔電気回路では、真空管やトランジスタのようにエネルギーを発生・変換するものを「能動素子⑤」、抵抗・コイル・コンデンサーなどを「受動素子④」として大別する〕

そし①【素志】 前からそうしたいと思っている△考え(希望)。「—を貫く/—を達する」

ソジ①【SOGI】〔←Sexual Orientation and Gender Identity〕 性的指向と性自認。人それぞれの性の多様なあり方を認め、尊重して行こうとする考え方を表わす語。ソギとも。

そじ①【素地】〔きじ・したじの意〕学問や芸事などの基礎。〔素養と同義にも用いられる〕「―に乏しい」

そじ①【措辞】詩歌・文章における、言葉の使い方。言いまわし。

ソシアリスト④〔socialist〕社会主義者。

ソシアリズム④〔socialism〕社会主義。

ソシアル（造語）〔social〕ソーシャル。

＊＊**そしき**①【組織】〔縦糸と横糸とから成る、織物の織り方の意〕㊀同じ系統の一群の細胞が集まって、特定の生理作用をなす構造。「△神経（筋肉）―」㊁―する（他サ）〈なにヲ―する〉個々のものが何らかの秩序をもって全体を構成すること。また、その秩序ある全体。特に、官庁・会社・団体・組合などを指す。「―を運営する／―の改革をはかる／法人―のアマチュア団体／支援団体を―する／―を挙げて取り組む／下部―を伸ばす／―票⓪③・―体⓪」**―てき**⓪【―的】―に（な）㊀要素的なものが一定の秩序をもって集まり、全体を構成する様子だ。㊁〔個人としてではなく〕その「組織」に負わされた役割（の責任）として何かをする様子だ。「問題に対する―な取組みが必要だ」**―ろうどうしゃ**⑥【―労働者】労働組合に加入している労働者。

そしつ⓪【素質】あるものになる△傾向（能力）としての性質。〔ある職業に△ふさわしい（好ましい）として要求される〕性質の意にも用いられる〕「詩人の―／音楽の―」

そして⓪（接）「そうして」の口頭語的表現。

そしな⓪【粗品】㊀他人に贈る品物を「粗末な物ですが」と謙遜ケンソンして言う語。「そひん」とも。㊁粗景。

そしゃく⓪【〈咀嚼】―する（他サ）食べ物をかみ砕き、やがて自分の血とし肉とすること。〔人の言った事や他人の書いた文章の意味をよく考えて、自分なりに理解する意にも用いられる〕

そしゃく⓪【租借】―する（他サ）他国の領土内の地域を借りて、ある期間統治すること。

そしゅ①【粗酒】粗末な酒。〔相手に贈ったり客にすすめたりする酒を「粗末な物で恐縮ですが」と謙遜ケンソンして言うのに用いられる〕

そしゅう⓪【〈楚囚】〔「楚」は、体刑に苦しむ意〕「とらわれの身」の意の漢語的表現。「―の詩」

そじゅつ⓪【祖述】―する（他サ）大体は先生の学説を受け継ぎ、それを少しだけ補って研究を進めること。

＊**そしょう**⓪【訴訟】―する（自サ）〈だれニ―する〉訴え出ること。〔法律では、裁判所に裁判を請求することを指す〕「―を起こす／―に持ち込む／―事件・民事―・刑事―」

そじょう⓪【〈俎上】「まないたの上」の意の漢語的表現。【―に載せる】その場の話題として取り上げ、縦横に論じる。**―のうお**⓪-⓪【―の魚】相手に活殺カッサツの権を握られ、今や死を待つだけの運命にある者。

そじょう⓪【訴状】訴訟を起こす文書。

そじょう⓪【遡上・〈溯上】―する（自サ）川上の方に向かってさかのぼって行くこと。

そしょく⓪【粗食】―する（自サ）粗末な食事（をすること）。

そしらぬ⓪【素知らぬ】（連体）（内心意図することがあって）△知っているのに知らない（気付いているのに気付かない）ふりをすることを表わす。「友だちが困っているのに―ふりもできない」

そしり③【〈謗り】他人の事を悪く言うこと。「怠慢の―は免れない」表記「〈譏り・〈誹り」とも書く。

そし・る②【〈謗る】（他五）（陰で）他人の事を悪く言う。↔ほめる 表記「〈譏る・〈誹る」とも書く。

そしん①【祖神】その△人（部族）の祖先で、神として祭られているもの。

そすい⓪【疎水・〈疏水】灌漑ガイ・発電などのための水を通す目的で、人工的に設けた水路。

そすう②【素数】〔数学で〕1より大きい自然数で、その数自身と1以外の自然数では割り切れない数。

そせい⓪【粗製】㊀作り方が粗雑であったり粗悪な材料を使ってあったりすること。㊁原料を一次加工して中間段階まで仕上げること。「―品⓪」↔精製 **―らんぞう**⓪-⓪【―乱造・―濫造】―する（他サ）粗悪品をやたらにたくさん作ること。「作品の―で評判を落とした」

そせい⓪【組成】―する（他サ）幾つかの要素・成分から組み立て（られ）てあること。「化学的―」

そせい⓪【〈蘇生・〈甦生】―する（自サ）生き返ること。また、そのようにすること。「―の思いをする／組織の―（=再活性化）」

そぜい①⓪【租税】△国家（地方公共団体）が、経費にあてるために国民から強制的にとるお金。税（金）。

そせき⓪【礎石】建物の土台としてすえる石。いしずえ。〔大事業の基となる仕事の意にも用いられる〕

そせん①【祖先】「先祖」の意の改まった表現。〔「先祖」は「御先祖様」のように具体的な用例を伴って、「祖先」は「祖先の霊に」というように抽象的な意味に区別して使うことが多い〕**―すうはい**④、①-⓪【―崇拝】祖先の霊を崇拝して祭ること。

そそ①【〈楚々】―たる（―と）〔若い女性が〕清潔で美しく見える様子だ。「―たる風情／―とした着物姿」

そそう⓪【阻喪・〈沮喪】―する（自サ）〔「沮」は、くじける意〕気力がくじけて元気がすっかり無くなること。「意気―」表記「阻」は、代用字。

そそう①【祖宗】〔もと、始祖と中興の祖と、の意〕その伝統を伝える代々の先人。

そそう①【粗相】―する（自サ）人前で恥をかくような失敗や軽率な行為をすること。そこつ。〔狭義では、大小便をもらすことを指す〕「―のないようにする／とんだ―を致しまして（=迷惑をかけた相手に謝罪する言葉）」

そぞう⓪【塑像】△粘土（せっこう）細工の像。

＊**そそ・ぐ**⓪【注ぐ】㊀（自五）〈どこ・なにニ―〉ある所に向かって次から次へと流れる。「川の水が海に―／雨が―（=降る）」㊁（他五）〈なにニなにヲ―〉目標からそれないように、何かを流し掛ける。「火に油を―（=ⓐ火に油をかけて一段と火力を強いものにする。ⓑ勢いのあるものにさらに勢いを加えるようにする）／花瓶に水を―（=入れる）／水さしに水を―（=つぐ）／涙を―（=流す）／△心血（力・全力）を―（=傾ける）／（鋭い）目を―」表記「〈灌ぐ」とも書く。

そそ・ぐ⓪【〈雪ぐ】（他五）すすぐ。「△屈辱（汚名）を―」表記「〈濯ぐ」とも書く。

そぞく①【〈鼠賊】「こそどろ」の意の漢語的表現。

そそくさ①（副）―と―する 何かにせき立てられるかのように慌ただしく行動する様子。「会が終わると―と帰って行った」

そそけだ・つ④【そそけ立つ】（自五）㊀そそける。㊁恐怖のため身の毛がよだつ。

そそ・ける⓪③（自下一）〔髪の毛などが〕乱れる。

そそっかし・い⑤（形）〔性格的に〕思慮を欠いた言動をしがちで、失敗を招きやすい様子だ。「パスポートを忘れて空港に来るなんて―にも程がある／そそっかし屋⓪」派―さ⑤④

そそのか・す④【唆す】（他五）〔自分自身では△出来ない（手を下したくない）事を〕相手に△すすめて（をおだてて）、やらせる。「△暴動（けんか）を―」名唆し⓪ 文法「民衆に反乱をそそのかす」などと、そそのかす対象となる事柄を「…を」で表わす場合と、「民衆をそそのかして反乱を起こさせる」などと、そそのかされる人を「…を」で表わす場合とがある。

そ

そそりた・つ④【そそり立つ】(自五) 見上げるほど高くそびえる。

そそ・る⓪(他五) ある事がきっかけとなって、反射的に感情・行動を起こさせる。「涙を—〔=誘う〕/食欲を—〔=進める〕料理/興味を—本」

そぞろ⓪【《漫(ろ)】(副)—に —な ❶心にかかっていることがあって、当面すべきことに集中できないでいる様子。「明日は会えると思うと△気(心)も—だ」 ❷その場の△状況(雰囲気)につられて、気づかぬうちにそういう△心情になって(行動をとって)いる様子。「—涙する/—に悲しくなる」 —あるき④【—歩(き)】—する(自サ) あてもなくあちこちと歩くこと。 —ごころ④【—心】 ❶有意的にそうしようという気持は無いが、周囲に引きずられてそうなる心の状態。 ❷抑えようとする気持の方が弱く、誘惑に負けそうになる心の状態。

そだ⓪【粗〈朶】 切り取った木の枝。たきぎなどに使う。

そだい⓪【粗大】—な あらっぽくて大まかな様子だ。「—ごみ②〔=不用として捨てられたテレビや電気洗濯機などの称〕」

そだち③【育(ち)】 ❶育った環境や育つ時の教育。「いい—だ/氏より—〔=⇩氏〕/山家ヤマガ—・温室—」 ❷〔農作物などの〕育ち方。「例年より—が△いい(悪い)」 —ざかり④【—盛(り)】 小学校高学年から中学生高校生ぐらいの、成長のめざましい時期。伸び盛り③。

**そだ・つ②【育つ】(自五) 〔生命のあるものが〕時の経過とともに大きくなって、親から独立して生命を維持することができたり 次の世代を作り出す機能を備えたりした状態になる。「子供が—/稲が順調に—」

そだて【育(て)】■一③ 育てること。「産みの親より—の親」 ■二(造語) 動詞「育てる」の連用形。 —あ・げる⑤【—上げる】(他下一) 一人前の△働き(活躍)が出来るところまで育てる。

**そだ・てる③【育てる】(他下一)〈だれ・なにヲ—〉 育った状態にする(ための必要な手段を講じる)。「母親一人の手で—/地方文化を—/後継者を—/苗を—」 〔⇩育て■二〕

そち①【《帥】 「そつ(帥)」に同じ。

そち①【〈其《方】(代) 〔雅〕〔「ち」は方角の意〕 ❶そっち。そちら。 ❷なんじ。おまえ。

そち①【措置】—する(他サ) 事務上必要な手続きを含めた、ある事態への対処のしかた。「△予算(暫定・思い切った)—を講じる/△異例の(断固たる・万全の・法的)—を取る」 —にゅういん③【—入院】 精神疾患者が自分や他人を傷つけるおそれがあるとき、強制的に入院させること。

そちこち②③【〈其《方〈此《方】(代) あちらこちら。

そちゃ①【粗茶】 粗末な茶。〔客にすすめる茶を、「粗末なものですが」と謙遜ケンソンして言うのに用いられる〕

そちら⓪【〈其《方】(代) 〔「ら」は接辞〕「そっち」のやや改まった言い方。「出口は—です/—〔=あなた〕(様)とご一緒させてください」 ⇩あちら・こちら・どちら

そつ (卒・率) ↓【字音語の造語成分】

そつ⓪ 〔語源未詳〕何かをする時に起こりがちな、不注意な点やむだな点。「—が無い/何でも—無くやってのける」

そつ①【卒】 ❶「卒業」の略。「高校—⑤」 ❷「卒去」の略。「昭和五年—」 ⇩【造語成分】

そつ①【《帥】 昔、大宰府ダザイフの長官。「そち」とも。「大宰権ダザイノゴンノ—①-④」

そつい⓪【訴追】—する(他サ) 検察官が、特定の事件について公訴を提起し、維持すること。起訴。

そつう⓪【疎通・〈疏通】—する(自サ) 〔意思・気持などが〕相手によく理解され、通じること。「双方の間で意思の—を欠く/意思の—をはかる」

そっか①【足下】 ■一❶「あしもと・あしのした」の意の改まった表現。「—に七百三十八人の力士を従えて頂点に立つ、横綱としての責任感」 ❷「おそば・座右」の意で用いる手紙の脇付ワキヅケ。 ■二(代) 明治期まで用いられた同等(以下)に対する第二人称。「—は何藩の者か/謹呈—之英国公使之命ニ従ヒ、長崎ニ行クヲ免ンズ」

ぞっか⓪【俗化】—する(自サ) (もと見られたよさが失われ)俗っぽくなること。

ぞっか⓪【俗歌】 低俗な△流行歌(歌謡)。⇩俗謡

ぞっかい⓪【俗界】 交際・因習・人の評判などに束縛される、わずらわしい世間。「—を捨てる」

ぞっかい⓪【俗解】 通俗的な解釈。

ぞっかい⓪【続開】—する(他サ) 引き続いて開くこと。「会議を—する」

そっかん⓪【速乾】 すぐかわくこと。「—インク・—性⓪」

ぞっかん⓪【俗間】 「(俗)世間」の意の古風な表現。

ぞっかん⓪【属官】 各省の下級官吏の旧称。⇩属

ぞっかん⓪【続刊】—する(他サ) 〔新聞・雑誌・叢書ソウショなどを〕続けて発行すること。

そっき⓪【速記】—する(他サ) 〔記号を使って〕話した通りの言葉をそのまま漏れなく書き取ること。「—術③・—者③」 —ろく③【—録】 速記したものを、みんなが読める形にした記録。

ぞっき⓪ 〔十把パ一からげで売買する意〕きわめて格安で仕入れた品を、見切り品として売ること。「—に出す/—本ボン⓪・—屋⓪」

ぞっき⓪【俗気】 「ぞくけ」の変化。

そっきゅう⓪【速球】 〔野球などで〕速いたま。「—投手」 ↕緩球

そっきょ①【卒去】—する(自サ) 〔本来は「しゅっきょ」〕身分の高い人が死ぬこと。

そっきょう⓪【即興】 ❶その場の興味。座興。「—で演奏する/—性を持つ」 ❷即吟。即詠。 —きょく③【—曲】 準備無しにその場で考えて演奏する楽曲(の内容を持つ幻想的楽曲)。 —し③【—詩】 その場△の情景を感興のおもむくまま(で、求められるまま)にまとめあげた詩。 —しじん⑤【—詩人】 〔昔、西欧で国王の宴会などで〕即座に胸にうかぶ詩興を歌った詩人。

*そつぎょう⓪【卒業】—する(自サ)〈なにヲ—する〉 〔事業を完了する意〕 ❶〔より高い程度の課程に進んだり ある資格を得たり するために〕規定のその学科課程を終えること。「学業には—はあるが、学問にはこれで—ということは無い/—式③・—証書⑤・—生③・—演奏⑤・—製作⑤・—旅行⑤」 ↕入学 ❷思うところがあって、それまで続けてきたことをやめること。「教師づとめを—して作家稼業に専念することにした」 —ろんぶん⑤【—論文】 大学卒業に当たって、提出して審査を受ける論文。略して「卒論」。

そっきょぎ③【測距儀】 目標物までの距離を測定する機器。

ぞっきょく⓪【俗曲】 三味線などに合わせて歌う「俗謡❷」。端唄ハウタ・都々逸ドドイツなど。

そっきん⓪【即金】 他日や後の時を待たず、その場で現金△で(を)支払うこと。

そっきん⓪【側近】 団体の長や貴人などのそば近く居る△こと(人)。「—の奸カン/—筋スジ③・—政治」

ソックス①〔sock(s)〕 くるぶしの上あたり(から膝ヒザ下あたりまで)をおおう靴下。 かぞえ方 一足

*そっくり③ ■一(副) そのもの全部△を対象として何かが行なわれる(についてある状態が認められる)様子。「参考書を—写す/落としたお金が—戻ってきた/古い街並が—そのま

まのすがたで残っている」■二―に/―な 比較の対象となるものと、どこからどこまでよく似かよっている様子だ。「声まで先生に―だ／本物―に作る／母親―の顔立ち」

そっくりかえ・る⑤―(カヘル)【反っくり返る】(自五)「反り返る」の強調形。

そっけ⓪③【素っ気】そのものを思わせる何ほどかの△要素(におい)。「味も―も無い(=なんの△おもしろみ(味わい)も無い)」 **―な・い**④【―無い】(形)❶対応の仕方などが冷たくて、相手に対する気配りが全く感じられない様子だ。「―返事が返って来た／そっけ無く別れる」❷接する人に感興をいだかせる点が何も無い様子だ。「ごく粗末な―食事」[派]**―さ**④ [文法]助動詞「そうだ(様態)」に続くときは「そっけなさそうだ」の形になる。また「すぎる」と結びついて複合動詞をつくるときは「そっけなさすぎる」の形になる。

ぞっけ⓪―(ゾク)【俗気】「ぞくけ」の口頭語的表現。

そっけつ⓪―(ソク)【即決】―する(他サ)❶即座に△裁決(決定)すること。❷弁論終了後、すぐ判決を言い渡すこと。「―裁判⑤」

そっけつ⓪―(ソク)【速決】―する(他サ)短時間で決定すること。

そっこう⓪(ソクカウ)【即行】―する(他サ)何かを見たり聞いたり△して(したあとで)、すぐに行なうこと。〔近年は副詞的に用いる向きもある〕

そっこう⓪(ソクカウ)■一【即効】△飲んで(付けて)から比較的短時間できさめが現われること。「―薬③・―性⓪」[表記]「即功(ソクコウ)」とも書く。■二【速効】速いききめ。「―性を発揮する／―性肥料⑦」↔遅効

そっこう⓪―(ソク)【速攻】―する(他サ)(相手の攻撃態勢が整わないうちに)すばやく攻撃すること。

そっこう⓪―(ソク)【側溝】△道路(線路)のふちに作ってある、排水用の溝。

そっこう⓪―(ソク)【測候】気象の観測。 **―じょ**⑤⓪【―所】(その地方の)気象・地震を観測する所。

ぞっこう⓪(ゾクカウ)―する(他サ)■一【続行】続けて行なうこと。■二【続航】❶航海を続けること。「―不能」❷あとに続いて、船を進めること。

ぞっこう⓪(ゾクカウ)【続稿】以前に自分が書いたものの△未完の部分を続けて(を補訂するために)書く原稿。

そっこく⓪―(ソク)【即刻】(副)その場で直ちに対処する様子。「真相の調査に―着手する」

ぞっこく⓪―(ゾク)【属国】他国の主権の下に属する国。

ぞっこつ⓪―(ゾク)【俗骨】俗人(通有の性質)。

ぞっこん⓪③(副)〔「そっこん」の強調形〕その者の持つ魅力にしんそこから引きつけられている様子。〔口頭語的表現〕「彼女の美貌(ビボウ)と気性に―まいっている」

そつじ⓪①【率〈爾】(副)必然性がないのに事が唐突になされる様子。〔一般に「―ながら」の形で、人に声をかけたりものを尋ねたりする時に用いられる〕「―ながら(=突然で失礼ですが)ちょっと伺います」[表記]「卒〈爾」とも書く。

そつじゅ①【卒寿】〔「卒」の俗字「卆」が「九十」のように見えるところから〕九十歳(の長寿の祝い)。

そっ・する⓪③【卒する】(自サ)〔「しゅっする」の変化〕「死ぬ」の改まった表現。

そっせん⓪【率先】―する(自サ)(上の地位にある人が)先頭に立って物事を行なうこと。「―して力を尽くす／―垂範」

そつぜん⓪【卒然】(副)―と「だしぬけ」の意の漢語的表現。[表記]「率然」とも書く。

そっち③【〈其《方】(代)〔「そち」の変化〕❶聞き手△がいる(により近い)方向・方角や、その方向にある場所や事物(や人)などを指す語。「すぐに―へ行きます／北は―だと思う／―の(=そこにある)本を見せてくれ」❷(目の前にいる)親しい間柄にある聞き手を指す語。「―は何を飲む／―はそれでいいだろうが、こっちはそうはいかない／―の言い分ばかり聞いているわけにもいかない」❸二つの物のうち、聞き手により近い方を選んで指す語。「『君はどっちがいいかい』『―にする』」⇩あっち・こっち・どっち **―のけ**⓪【―《退(け)】❶考慮に入れないこと。「宿題は―で遊ぶ」❷「そこのけ」のより口頭語的な表現。「本職(も)―の腕前」

そっちゅう⓪【卒中】△脳出血(脳血栓)のために突然倒れる病気。脳卒中。

***そっちょく**⓪【率直】―に/―な 正しいと思った事をそのまま口に出し、飾りけが無い様子だ。「―な言い方をすれば／―に言って」[表記]「卒直」とも書く。

そっと⓪(副)〔「そと」の強調形〕❶人に気付かれないようにひそかに事をする様子。「後ろから―忍び寄る／裏口から―△出て行く(見送る)／あたりを―うかがう」❷そのものをいたわるように、注意深く扱う様子。「表面を―なでる／―抱きしめる／―見守る／しばらく―しておいた方がいい」❸⇩ちっとやそっと〔❶❷の強調形は、「そうっと⓪」〕

ぞっと⓪(副)―する ❶恐怖や不快感から、思わず鳥肌が立つ感じがする様子。「逃げるのが一瞬遅れていたらと思うと―する」❷〔「―しない」の形で〕「どこから見ても積極的に評価できないと感じられる様子だ」の意の口頭語的表現。

そっとう⓪―(タウ)【卒倒】―する(自サ)〔脳貧血・脳出血などのために〕突然意識を失って倒れること。

そつどく⓪【卒読】―する(他サ)❶本を△急いで(ざっと)読むこと。↔熟読・味読 ❷読み終えること。読了。

そっぱ①【反(っ)歯】〔「反り歯(バ)」の転〕⇩出っ歯(パ)

ソップ①〔オ sop〕スープの古風な表現。

そっぷ①〔ソップと同源〕〔スープに使う「がら」を連想させるところから〕力士で、やせた体型の者。「―型(ガタ)」↔あんこ❸

そっぽ①〔「外方(ソッポウ)」の変化〕「よその方」のやや俗語的表現。「―を向く(=△協調しない(無視した)態度をとる)」

そつろん⓪【卒論】「卒業論文」の略。

***そで**⓪【袖】〔衣(ソ)手の意〕❶〔衣服の〕左右の両腕をおおう部分。〔狭義では、たもとや、よろいの、肩から腕をおおう部分を指す〕「―をまくる」❷門の両側にある垣根、机の両側にある引出しなど。❸〔舞台で〕ウイング。❹書物のカバーの両端を内側に折り返した部分。**【―にすがる】**頼みこんで助けを求める。**【―にする】**〔袖を身と分かつことから〕今までの(親しい)関係を絶って、粗末に扱う。**【―振り合うも多生(たしょう)の縁】**道で見知らぬ人と袖が触れ合うような些細なことも、決して偶然ではなく、この世に生まれる以前からの深いつながりによるものだ。[表記]「触り合う」とも書く。**【―を絞る】**涙で袖がびしょびしょになるほど泣く。**【―を連ねる】**△行動(進退)を共にする。⇩れんべい(連袂) **【―を通す】**(新しい)衣服を着る。**【―を引く】**そっと△注意する(誘う)。

そてい⓪【措定】―する(他サ)〔哲学で〕△対象(客体)として規定すること。

そつ

【卒】❶人に使われ身近の用を足す者。「従卒」❷下級の軍人や、見張番。「兵卒・獄卒」❸おえる。「卒業」❹△準備(前触れ)無しに、いきなり何かをする。「卒中・卒倒」⇩率 ⇩(本文)そつ【卒】

【率】❶引きつれる。「率先・引率・統率」❷深く考えないで何かをする。「率然・率爾(ジ)・軽率」〔❶は、「《帥」と同意〕[表記]❷は、「卒」とも書く。

そでうら⓪【袖裏】袖の裏に使うきれ。

ソテー①〔フ sauté〕バターなどを引いた鍋ナベで、肉や魚などをいため焼きにした料理。

そでがき⓪②【袖垣】門・建物のそばに添うように、短く結った垣根。目隠し用。また景観を増すために造られる。

そでがた⓪【袖型】和服の袖の丸みを表わす型。

そでがらみ③【袖〈搦(み)〉】江戸時代、長い棒の先に、とげの出た、曲がった鉄の棒を数本つけた道具。犯人の袖にからませて引き倒すのに用いた。錑モジり③。

そでぐち⓪【袖口】袖の手首に当たる部分。

そでぐり⓪【袖〈刳(り)〉】袖を付けるために、身ごろを刳るように切った部分(の寸法)。アームホール。

そでした⓪【袖下】❶〔和服で〕八口ヤツクチから袖の下端まで(の長さ)。❷洋服の袖の脇ワキから続く縫い目のある部分。

そでしょう⓪シヤウ【袖章】制服の袖につける記章。

そでたけ⓪②【袖丈】❶衣服の袖の、肩から手首に向かっての長さ。❷たもとの長さ。

そでだたみ③⓪【袖畳(み)】和服の略式の畳み方。着物の背中を内へ二つに折り返し、両袖を合わせて畳む。

そてつ⓪【〈蘇鉄〉】庭の外周によく植える常緑樹。太い黒褐色の幹には葉の付け根が堅くて厚いうろこ状に残り、頂から鳥の羽のような形の、大きな堅い葉を四方に出す。〔ソテツ科〕 かぞえ方 一株・一本
そでつけ⓪②【袖付(け)】衣服の袖が身ごろにつく部分。

そでなし⓪【袖無(し)】袖の無い△衣服(羽織)。

そでのした⑤【袖の下】〔和服の袖の下から相手に、そっと渡す△こと(もの)〕「わいろ」の異称。「―を△つかませる(使う)」

そでびょうぶ③ビヤウ【袖〈屏風〉】袖を広げて屏風代わりにし、顔など見られたくないものを隠すこと。

そでやま⓪【袖山】〔和服で〕肩から袖口の上の部分までで、畳む時に折れ目になる部分。

そてん⓪【素点】筆記試験などの採点結果に表わされたままの点数で、五段階評定や偏差値などに直す前のもの。

**そと①【外】❶囲みや△仕切り(区切り)に限定されない、広い部分。「窓の―を眺める/庭の―に出る」❷表に現われて見える部分。「不満を―へ表わす」❸その建物から出た△所(通り)。「―は寒い」❹自分の家でない、別の場所。「―〔=よそ〕で食事する」❺「そとづら」の略。〔❶〜❸の対義語は、中・内〕

そとあるき③【外歩(き)】―する(自サ)❶「外出」の意の和語的表現。❷販売・用事などで、出歩くこと。
そとう⓪タウ【粗糖】精製していない甘蔗カンシャ糖。原料糖。↕精糖
そどう⓪①【粗銅】銅の鉱石を溶かしたものを、転炉で還元して得られる銅。品位九三〜九八パーセント程度。
そとうみ⓪【外海】「がいかい(外海)❶」の和語的表現。↕内海ウチウミ
そとおもて③【外表】きれの表を外にして△折る(畳む)こと。↕中表
そとがけ⓪【外掛(け)】〔すもうで〕組んだまま相手の△右足(左足)に、自分の△左足(右足)を外から掛けて倒すわざ。↕内掛け
そとがこい③ガコヒ【外囲(い)】建築物・構築物などの、外部の囲い。
そとがま⓪【外〈竈〉】ふろのかまが、浴槽から離れて取り付けられた構造のもの。⇩内釜❷
そとがまえ③ガマヘ【外構(え)】❶門・垣・塀など、建築物の外側にある構築物の配置・様子。❷外観。
そとがわ⓪ガハ【外側】外の方向に向いた面。↕内側 ⇩側ガワ❷
そどく⓪【素読】―する(他サ)内容の理解は抜きにして、古文、特に漢文の文字づらだけを声に出して読むこと。
そとすう③【外数】ある条件によってかぞえた数のうち、合計に含めないもの。がいすう③。↕内数ウチスウ
そとぜい⓪【外税】商品の表示価格に消費税が含まれていず、購入の際に加算して払うこと。また、その消費税。↕内税
そとづら⓪【外面】↕うちづら ❶「外面ガイメン❷」の和語的表現。❷△世間(外部)の人に与える、愛想のよしあしなどの印象。
そとで⓪【外出】―する(自サ)外出ガイシュツ。そとあるき。
そとのり⓪【外《法》】器物などの△外回りで計った長さ(直径)。↕内法ウチノリ
そとば⓪【《卒》《塔婆》】〔高顕所・霊廟レイビョウの意の梵ボン語の音訳〕石や磚センを積んで造った供養塔。もと、仏舎利を安置したり報恩のためなどに造られたが、後世は、墓石の後方に立てる板製のものを指す。「そとうば②」とも。表記「《卒》都婆・《率》〈堵婆〉」とも書く。かぞえ方 一本・一基
そとびらき③【外開(き)】部屋・建物の△内側から向こうへ押して(外側から手前に引いて)あける、ドアや窓の構造。↕内開き
そとぶろ⓪【外風呂】↕内風呂 ❶建物の外に、別に据えつけてある風呂。❷銭湯や「もらい湯⓪」の称。
そとべり⓪【外減(り)】減った量の、残った量に対する比率。〔狭義では、穀物を臼ウスなどでつく前と後の量に関して言う〕↕内減り 表記「外《耗り》」とも書く。
そとぼり⓪【外堀】城郭の周囲にめぐらした堀。〔堀が二重にあるときは、その外側の方を指す〕【―を埋める】ある目的を達成するために、無関係なように見える周辺△の障害を取り除く(部分から着手する)。↕内堀 表記「外〈濠〉」とも書く。
そとまご⓪【外孫】娘が嫁に行った先で産んだ子。↕内孫
そとまた⓪【外股】足先を外側にして歩く△歩き方(癖)。↕内股❷
そとまわり③マハリ【外回り】❶〔同心円状の物の〕外側を回ること。「山手線の―」↕内回り ❷会社からよそへ出かけて取引先などを回ること。❸対外的であること。「―の仕事」
そとみ⓪②【外見】その物や人を外部から見た△様子(感じ)。「―だけでは分からない/―がいい」
ソドム①〔Sodom〕〔旧約聖書で〕住民の不道徳・不信仰の故に神の火に焼かれたという都市。〔転じて、罪悪・不道徳の充満する都市の意にも用いられる〕
そとむき⓪【外向(き)】❶外側に向けること。❷家庭外に関すること。「―の用事」
そとゆ⓪②【外湯】〔内湯に対して〕〔温泉場バの旅館などの〕建物の外に作られた(共同の)浴場。
そとわく⓪【外枠】↕内枠 ❶〔競馬で〕外側の枠。「―を割り当てられる」❷割り当てられた数量の範囲外。
そとわに⓪【外〈鰐〉】両膝リョウヒザが不自然に左右に開き、足先が外に向く歩き方。↕内鰐
ソナー①〔SONAR〕〔←sound navigation ranging〕音波や超音波を使って船舶や魚群への距離や方位を測定する水中音響探信機。
そない⓪―な〔関西方言〕そのよう。⇩あない・こない・どない
そなえ③ヘソナ【供(え)】❶③②⓪〔←供え物⓪〕神仏に供える物。くもつ。「お―」❷(造語)動詞「供える」の連用形。
―もち③【―餅】神に供える鏡餅。お供え。かぞえ方 二

重・三重

そなえ【備え】 ㈠③② 将来起こるかもしれない危険に対処するために、道具をそろえたり 気持を固めたりすること。〔「用意」のやや改まった表現〕「─あれば、憂い無し/外敵に対して─〔=守備態勢〕を固める/堂々の─〔=軍勢の配置〕を示す」 ㈡(造語) 動詞「備える」の連用形。 **─つ・ける**⑤【─付ける】(他下一) 必要な物品をその場所に用意しておく。名 備え付け⓪

そな・える③【供える】(他下一) 神仏や貴人に(必要な)物を差し上げる。〔⇩供え㈡〕

そな・える③【備える】(他下一) ❶〈どこニなにヲ─〉必要な物を、前もって(使えるように)用意する。「教室に辞書を─」 ❷〈なにニ─〉何かに対処出来る心構えを持つ。「△冬(必要・仕事)に備えて/△危機(万一)に─」 ❸〈なにニなにヲ─〉 徳・才能などを生まれながらに自分のものとして持つ。有する。「資質を─」 表記 ❸は、「《具える」とも書く。〔⇩備え㈡〕

そなた①②【〈其《方】(代) 〔雅〕 ❶そっち。 ❷おまえ。

ソナタ①〔イ sonata〕 普通、ソナタ形式に始まり、四楽章から成る、器楽の独奏曲。奏鳴曲。

ソナタ けいしき④【ソナタ形式】 ソナタ・交響楽などの第一楽章の形式。主題の提示・展開・再現の三部形式をとる。

ソナチネ⓪〔イ sonatine=sonatina の複数形〕〔三楽章以下で〕内容・形式ともに小規模な形式のソナタ。

そなれ まつ④③【〈磯馴〉れ松】〔雅〕海風のために枝・幹が海岸の地面をはうように生えている松。

*__そなわ・る__③【備わる】(自五)〈(なにニ)─〉 ❶(いつでも使えるように)必要な物が用意してある。「名実ともに─/内容・形式が─〔=そろっている〕」 ❷身についたものとして持つ。「資格が─/自然に─人品」 ❸そのグループに加わる。列する。「員に─〔=ⓐ(何もしないが)その地位にある。ⓑスタッフに加わる〕」 表記 ❷は、「《具わる」とも書く。

そにん⓪①【訴人】─する(自サ) 〔もと、告訴人・原告の意〕「訴え出ること」の古風な表現。

ソネット①〔イ sonetto〕 十四行から成る短詩。

そね・む②【《嫉む】(他五) 〔他人の幸運や長所を見て〕自分にはそれが望み得ないことを不満に思い、相手に悪い事が起こればいいと思う。名 嫉み③

その①【園】 ❶〔雅〕花などを植える、一区切りの△地面(庭園)。 ❷何かをする場所の美称。「学びの─〔=学園〕」 表記 「〈苑」とも書く。

その⓪ ㈠【〈其⦅の】(連体) ❶話し手から見て、聞き手により近いと意識される事物を指し示すことを表わす。「─本、ちょっと見せて/─ファイルを取ってくれ」 ❷聞き手である相手が発言した事柄を指し示すことを表わす。「─話、一体だれから聞いた/君に言われるまでもなく、僕も─ことは考えていた/─問題を一緒に検討しよう」 ❸話し手が発言△した(しようとする)事柄を、聞き手にも了解されているものとして指し示すことを表わす。「飼犬が一匹いる。─名はクロだ/郵便局へ行き、─足で病院へ向かった/正面に銀行があり、─隣にデパートがある」⇩あの・この・どの:こそあど 文法 ❶では、「その人その人の考え」などの「その人その人」のように同じ名詞を繰り返して用いることによって、「それぞれの人」と文脈的に同じ意味を表わすことがある。 ㈡(感) 言葉につまった時などの つなぎとして用いられる語。「実は─」

その うえ⓪【〈其⦅の上】(接) それでなくても十分だと認められるところに、さらにそれを強める後件が加わることを表わす。「彼はまだ若い。─からだが丈夫だ」

その うち⓪【〈其⦅の内】(副) 近いうち。近日。「いずれ─(に)伺います」 運用 口頭語で、相手からの提案や勧誘などに対して「そのうち(ね)」などの形で相づちをうつとき、婉曲な断りの言い方になることがある。また、興味がなく、気乗りしないという気持を含意することがある。例、「『今度一度食事でもしませんか?』『そのうちね』」

そのかみ③(副) 〔雅〕〔「其の上」の意〕今からみるとはるかにさかのぼった昔の事だととらえられる様子。「─唐との交易が盛んだった折」 表記 「〈当時〉」とも書く。

その かわり⓪【〈其⦅の代⦅わり】 前者と後者とで△功罪相半ばする(貸し借りの釣合が取れる)ことを表わす。「頭はいいが、─変り者だ/─次はこっちの無理を聞いてくれよ」

その かん③【〈其⦅の間】 そのことに関する事態が持続しているあいだ。

その ぎ③⓪【〈其⦅の儀】 「その事」の意の古風な表現。「─ならば/─ばかりはご容赦願いたい」

その くせ⓪【〈其⦅の癖】(接) 前件で述べている事柄とは相容れない後件とを、非難の気持をこめて結びつけることを表わす。「彼はたばこは百害あって一利なしと説いている。─自分では平気で吸っている」

その ご⓪【〈其⦅の後】 それからのち。以後。「そののち⓪④」とも。

ソノシート③〔和製英語 ← Sonosheet=もと商標名〕〔プレーヤーにかけて聞く〕ビニール製の ごく薄いレコード。

その じつ⓪【〈其⦅の実】(副) 〔皮相の観察や通念とは違って〕真相は次の通りである、と指摘することを表わす。

その すじ③【〈其⦅の筋】 ❶ある物事を管轄する官庁。〔狭義では、警察を指す〕 ❷その向き(の人)。「─の専門家」

その せつ③【〈其⦅の節】 自分と直接的に なんらかのかかわりのある事が△行なわれた(行なわれると予測される)時。「─はお世話になりました/こちら方面にお出ィでになった─は是非ともお立ち寄りください」

その た②【〈其⦅の他】 そのほか(のもの)。 運用 俗に、行事などに参加しているだけで主催者側からはほとんど無視されている存在を、「所詮その他おおぜいに過ぎない」などと、皮肉ったり 自嘲したり して言うのに用いられる。

その て③【〈其⦅の手】 ❶そういう△手段(計略)。「─は食わない」 ❷その種類。「─は売切れです」

その でん③【〈其⦅の伝】 「その△やり方(考え)」の意のくだけた口頭語的表現。

その ば⓪【〈其⦅の場】 実際に何かが行なわれている、問題の△場所(場面)。「─の状況を見て判断する/─になってみないと、なんとも言えない」 **─かぎり**④【─限⦅り】 その時だけであと△長続き(一切関係)しないこと。 **─しのぎ**④【─〈凌⦅ぎ】 その時だけ、なんとか切り抜けること。「─の対策」 **─で**⓪(副) 問題のあったその△場所(場面)において時を移さず対処する様子。「後で言うよりも─しかることが大事だ」 **─のがれ**④【─逃⦅れ】 その場さえ切り抜けられたらよいという(いいかげんな)態度。一時のがれ。

その はず⓪【〈其⦅の〈筈】 そうあって当然なこと。もっとも。「それも─」

そのはち ぶし⓪【〈薗八節】 豊後節から分かれた、浄瑠璃の一派。

その ひ③【〈其⦅の日】 その当日。〔副詞的にも用いられ、アクセントは⓪〕「─は都合が悪い」 **─かせぎ**④【─稼⦅ぎ】 日やとい。 **─ぐらし**④【─暮⦅らし】 その日の収入を全部その日の生活費に充てなければならないような、貧乏な暮らし。〔将来に対する、はっきりした希望・見通しが無く、一日一日がなんとか過ごせればいいという、生活態度の意にも用い

られる〕

そのへん⓪【〈其の辺】❶遠くない所を漠然と指す語。「―〔=この近所〕でお茶でも飲んで行きますか/―〔=この付近〕に置いといたはずだ」❷その程度。「―でやめておかないと、大変な事になるぞ/たしか一万円か―だったと思う」❸それに関する△事(事情)。「―〔=その点〕がよく分からない/―はよく呑(ノ)み込んでいますから御安心なすって/―のところはよろしく願いますよ」

そのほう(オ)③―ハウ【〈其の方】(代)❶その方向。❷江戸時代、武士が目下の者に対して呼びかけた語。おまえ。

そのほか②【〈其の外】主要なものを挙げたあとに、まだ残りがあることを表わす。

そのまま【〈其の〈儘】[一]⓪(副)❶状況の変化にかかわらず、それまでの状態に少しの変化も見られない様子。「現状を―残す/出て行ったきり―十年も帰ってこない」❷普通に予測される過程を経ないで直ちに次の事が行なわれる様子。「帰って来るなり、―寝込んでしまった」[二]④―な/―に 基準とするものに比べて、ほとんど違いが見られない様子だ。「昔の姿―に祭りを再現する/死んだ親父(オヤジ)―の風貌(フウボウ)」

そのみち⓪【〈其の道】その(専門の)方面。〔狭義では、色欲の方面を指す〕「―の達人」

そのむかし⓪【〈其の昔】ずっと昔。「昔、昔、―」

そのもの【〈其の物】[一]④③ほかの物ではなく、問題になっている、当の物。「―ずばり」[二]〔接尾語的に〕純粋にそれだけを取り上げて言う言葉。それ自体。「彼は誠実―だ/考え方―〔=自体〕がまちがっている」

そのよう(オ)③―ヤウ【〈其の様】―な/―に ❶聞き手により近く存在する事物や状態を、それと同様だと考えられる事物・状態を含めて、例示的に指し示すことを表わす。「―な物はどこででも買えるだろう/いくつになっても―では困る」❷聞き手である相手が発言した事柄を、それと同様だと考えられる事柄を含めて、例示的に指し示すことを表わす。「―に考えるのは君一人じゃない/―な〔=あなたが今言ったような〕ことは、やたらに口にすべきではない」❸話し手が発言した事柄を、聞き手にも了解されているものとして、それと同様だと考えられる事柄を含めて、例示的に指し示すことを表わす。「…。―なわけで、中止のやむなきに至りました/再三申し上げましたが、―に事態は楽観を許さぬものがあります」〔❶❷❸とも、「その・そう」の婉曲(エンキョク)な言い方としても用いられる〕⇩あのよう・このよう・どのよう:こそあど

そ

そは①【粗葉】おいしくないたばこ。〔相手にすすめるたばこを「粗末なものですが」と謙遜(ケンソン)して言うのに用いられる〕

そば①【〈岨】〔「そわ」の変化〕その場所が断崖(ダンガイ)絶壁・急斜面などの地形。「―道(ミチ)②」

***そば**①【《側】❶空間の隔たりが無いこと。あるものの、すぐ△横(近く)。かたわら。「―に付き添う」❷〔「…―から」の形で〕時間の隔たりが無いこと。「教わる―から忘れる」❸はた[一]。「―から口を出す」 表記 「《傍」とも書く。

そば①【〈稜】〔物のかどの意〕はかまの ももだち。

そば①【〈蕎麦〉】❶〔←そばむぎ。「そば」は角(カド)のある意〕畑に作る、茎の赤い一年草。実からそば粉をとる。〔タデ科〕「―粉③・―まんじゅう③」❷〔←そばきり②〕ソバの実の中に入っている白い粒を粉にしたものを水でこねて延ばし、細長く切った食品。ゆでて食べる。〔狭義では「日本そば④」を指し、広義では「中華そば」をも含む〕「―屋②・盛(モリ)―・掛け―」 かぞえ方 ❶❷とも一本。❷は食べる単位としては一杯。特にざるそばやもりそばなどの場合は一枚。取扱いの単位は一束・一把(イチワ):一袋・一箱・一たま

そはい⓪①【〈鼠輩】「こそこそと陰で策動するような、取るに足りない人間」の意の古風な表現。

そばがき②【〈蕎麦〉〈掻き】そば粉を熱湯で堅く練って、熱いうちに食べるもの。そばねり⓪②。

そばかす③⓪【〈雀斑〉】〔「そばがら」の意〕おもに顔面に点在する、茶色の色素のまだらの点。

そばがら⓪【〈蕎麦〉殻】ソバの実をとったあとの殻。まくらなどに詰める。

そばだ・つ③【〈聳つ】(自五)〔稜(ソバ)立つ意〕周囲(の物)より一段高く見える。 表記 「〈峙つ」とも書く。

そばだ・てる④【〈敧てる】(他下一)(その方へ向けて)高く立てる。「耳を―〔=物音のする方に耳を向けて、聞き取ろうとする〕/まくらを―〔=寝ている人が耳をそばだてる〕」 表記 「《側てる・〈欹てる」とも書く。

そばづえ⓪③―ヅヱ【《側〈杖】〔けんかのそばに居たため、その杖に打たれたという意から〕自分に直接関係の無い事のために意外な災難にあうこと。「―を食う」 表記 「《傍〈杖」とも書く。

そばづかえ③―ヅカヘ【《側仕㋓】貴人のそば近く仕える△こと(人)。そば役⓪。「お―④」

そばどころ③⓪【〈蕎麦〉《処】❶(いい)ソバのとれる土地。❷(上等の)そばを食べさせる店。〔看板に書く時の称〕

そばめ⓪③【《側女・《側《妻・〈妾】〔側妻の意〕「めかけ」の意の古風な表現。

そばめ③【《側目】❶近くに寄って、わきから見ること。❷第三者の目。

そば・める③【《側める】(他下一)まともに見ることができず、横目で何かを見ようとする。「目を―」

そばゆ②⓪【〈蕎麦〉湯】そばをゆでた湯。

そばようにん(オ)③【《側用人】〔江戸幕府で〕将軍のそばに仕え、将軍と老中との間を取り次いだ職名。また、その人。

そはん⓪【粗飯】たいしたごちそうでもない食事。〔客にすすめる食事を、「粗末なものですが」と謙遜(ケンソン)して言うのに用いられる〕

ソビエト①②③〔ロ sovyet=会議〕❶〔歴史的には〕ロシア革命の時、ロシア各地で行なわれた労働者・農民・兵士の代表者から成る評議会形態の革命組織。❷〔(一九九一年まで)〕立法・行政を一元化したソビエト連邦の基本的国家統治組織。

***そび・える**③【〈聳える】(自下一)〈どこニ―〉〔高峰や高層建築物が〕他を見おろすように高く立つ。〔抜群にすぐれていて、他の追随を許さない意にも用いられる〕「(高く)聳え立つ」 文法 「湖の南にそびえる山が富士山だ」などと連体形が体言を直接修飾する用法はあるが、文末の述語として用いるときは、日常の談話では「湖の南に富士山がそびえている」などと「…ている」の形で用いられる。

そびやか・す④【〈聳やかす】(他五)高く△する(立てる)。「肩を―〔=⇩肩〕」

そびょう(オ)①⓪―ベウ【祖〈廟】先祖を祭る みたまや。

そびょう(オ)⓪―ベウ ―する(他サ)[一]【粗描】あら筋だけを大まかに書くこと。[二]【素描】デッサンの意の漢語的表現。

そびら⓪【《背】「背中」の意の古風な表現。

そび・れる(下一型)〔「動詞連用形+―」の形で、接尾語的に〕何かをする機会をのがす。「言い―」

そひん⓪【粗品】⇩そしな

***そふ**①【祖父】父母の父。

ソファー①〔sofa〕二人以上がゆったりと腰をかけて、くつろぐための、クッションのきいた長椅子(イス)。 かぞえ方 一台

ソファーベッド④〔sofa bed〕ソファーの背もたれを倒すとベッドになるように作った家具。

ソフィスティケート⑤②―な/―する(他サ)〔sophisticate〕洗練

されて、しゃれた味わいのある様子だ。「―されたデザイン」

ソフィスト[2]〔sophist〕詭弁(ベン)家。〔広義では、理屈っぽい人を指す〕

そふく[0][1]【粗服】△粗末な材料(安い生地(ジ))で作った衣服。

ソフト[1] ❶―な/―に〔soft〕やわらかな様子だ。「―な感じ/―コンタクトレンズ」↔ハード ❷〔←ソフト帽[3]〕フェルトで作った、柔らかな中折れ帽子。❸ソフトボールの略。❹ソフトウェアの略。〔広義では何かを収める構造体に対する、それを満たす内容の意に用いられる。例、「立派な建物は造られたが、肝腎(ジン)の―面の手当てがなされてない」〕⇩ハード

ソフトウェア[4]〔software=軟らかい商品〕コンピューターの利用者に提供される汎用(ハンヨウ)プログラムの総称。ソフトウエア[5]とも。また、略してソフト。〔「ビデオの―」のように広義では、磁気テープなどに記録した音楽や映像を含み、さらには、これらの機器類を利用する技術をも指す〕↔ハードウェア

ソフトクリーム[5]〔soft ice cream から〕軟らかくクリーム状にしたアイスクリーム。

ソフトターゲット[4]〔soft target〕ショッピングモール・駅・民間人のように、日常的な警備や警戒が手薄であるため、軍事攻撃やテロの対象として狙われやすい施設や場所や人など。〔国家首脳・原発・軍事基地などの警備が厳重な人や場所はハードターゲット[4]と呼ばれる〕

ソフトドリンク[5]〔soft drink〕アルコール分を含まない飲み物。清涼飲料。

ソフトフォーカス[4]〔soft focus〕特殊なレンズや紗(シャ)などを使って焦点を△ぼかすこと(ぼかした写真)。

ソフトボール[4]〔softball〕野球のボールよりも柔らかでやや大形のボールでする野球の一種。また、そのボール。

ソフトランディング[4]〔soft landing〕↔ハードランディング ⇩軟着陸

そふぼ[2]【祖父母】祖父と祖母。

ソフホーズ[3]〔ロ sovkhoz〕旧ソ連などの国営農場。ソホーズ[2]とも。⇩コルホーズ

ソプラノ[0]〔イ soprano〕〔音楽で〕❶女声の高音域(の歌手)。高音部。「第一―歌手・―記号」❷高音部を受けもつ管楽器。

そぶり[1]【素振(り)】顔色・動作などによってそれと知られる気配。「引き受けてもいいという―を見せる」[文法] 一般に「…そぶり」と連体修飾語(句)に続けて用いられる。

*__そぼ__[1]【祖母】父母の母。

そほう[0][1]ハフ【祖法】祖先が取り決め、代々受け継がれてきた、家訓など。

そほう[0]ハウ【粗放・疎放】―な/―に〔物の考え方や行動のしかたが〕綿密でなく、いいかげんな様子だ。[派]―さ[0] ―のうぎょう[4]ゲフ【―農業】資本や労力をあまりつぎこまず、自然のままに収穫を待つ農業様式。↔集約農業

そぼう[0]【粗暴】―な/―に〔態度・行いなどが〕乱暴でデリカシーに欠ける様子だ。[派]―さ[0]

そほうか[0]【素封家】代々続いた家柄の資産家。

*__そぼく__[0]【素朴・素〈樸〉】―な/―に ❶都会人のように、洗練されたところは無いが、真情を行動で裏づける意味で人に訴えるところのある様子だ。〔思ったところや気づいた事を、飾らずに口にのぼせ、行動に表わす意味にも用いられる。例、「―な問いを発する」〕❷華やかさや手の込んだ細工はほとんど見られないうちに、太古・原初の持つ大らかさや ほのぼのと心あたたまる豊かさが しみじみと感じ取られる様子だ。「手作りの―な生活/―な味/幼い日の―な遊びの世界/―な信仰/昔から伝わっている―な民謡の数かず/―な土地柄/―な白木造り」[派]―さ[0]

そぼぬ・れる[4][0]【そぼ〈濡れる】(自下一) 濡れて、みすぼらしい姿になる。「しょぼぬれる」とも。

そぼふ・る[3]【そぼ降る】(自五)〔雨が〕強い勢いではないが、時間がたつとびっしょり濡(ヌ)れてしまう程度に降る。「秋雨が―/―雨」

そぼろ[0] ▬な ❶〔糸状のものが〕乱れからまって、容易にはほぐせない状態だ。「―髪(ガミ)[3]」❷みすぼらしい状態(の衣服)だ。「―な形(ナリ)」❸細かい状態だ。「―にする」▬煮た魚肉をすりつぶして味をつけ乾燥させた食品。おぼろ。

そほん[0]【粗〈笨〉】―な/―に〔「笨」も「粗」と同義〕大まかで、細かい所まで注意が行き届かない様子だ。「―な計画」[派]―さ[0]

そま[0][1]【〈杣〉】「杣山・杣木・杣人」の略。

そまぎ[0]【〈杣木〉】杣山の△木(材木)。

そまごや[0]【〈杣小屋〉】きこりの住む小屋。

*__そまつ__[1]【粗末】―な/―に ❶見るからに△みすぼらしく(安っぽく)感じられる様子だ。「―な△食事(着物)」⇩お粗末 ❷△いいかげん(投げやり)な態度で、人や物を扱う様子だ。「お金を―にすると罰(バチ)が当たる」[派]―さ[3]

そまびと[0][2]【〈杣人〉】杣木を切る職業の人。きこり。

そまやま[0]【〈杣山〉】切り取るための木を植えつけた山。

そま・る[0]【染まる】(自五) Ⓐしみこんで、その色△がつく(になる)。「朱(ケア)に染まって〔=全身血だらけになって〕倒れる」Ⓑ好ましくない思想・気風の影響を受けて、すっかりその傾向を持つようになる。「悪に―」

そまん[0]【粗漫・粗慢・疎慢】―な やり方に心がこもっておらず、出来ばえがよくない様子だ。

そみつ[0]【粗密・疎密】〔密度の〕あらいことと細かいこと。「―波[3]」

そみんしょうらい[1]-[0]、[4]シャウ―【〈蘇民将来〉】❶疫病(ヤクビョウ)よけの護符にしるした言葉。❷福徳を祈った、護符の一種。

そ・む[0]【染む】(自五)「染まる」の古風な表現。〔多く否定表現の形で用いられる〕「意に―結婚ではなかった/心に染まぬ〔=本当はしたくもない〕結婚/気に染まない話」

*__そむ・く__[2]【背く】(自五)〈なに・だれニ―〉〔表だつものに背を向ける意。↔面(モオ)向く〕その社会において正・プラスとされるものに従わず、それに反した行動を取る。「光に―〔=背中を向ける〕/約束に―〔=約束を破る〕/親に―〔=反抗する〕/国王に―〔=謀反を企てる〕/世を―〔=出家する〕/△期待(国際信義・道理)に―」[表記]「〈叛く」とも書く。

そむ・ける[3]【背ける】(他下一) まともに△見る(向かう)事が出来なくて、顔・目を他へそらす。「目を―」

ソムリエ[0][2]〔フ sommelier〕〔レストランなどで〕ワインに関する専門知識を持ち、客の相談に応じてワインを選んだりサービスをしたりする(資格のある)人。

そめ[0]【染(め)】〔動詞「染める」の連用形の名詞用法〕❶染めること。❷「染め色」の略。

ぞめ【初(め)】(造語) ❶初めて…すること。「食い―・渡り―」❷新年になって最初に、その動作をすること。「書き―・笑い―[0]・歌い―[0]」

そめあがり[0]【染(め)上(が)り】❶染め上がること。❷染め上げた出来ばえ。

そめあが・る[4]【染(め)上(が)る】(自五) 思った通りの色に染まる。[他動]染め上げる[4](下一)

そめいよしの[4]―ヰ―【染井《吉野》】サクラの一園芸品種。生長が早く花が美しいので、各地で栽培される。春、葉に先立って花が咲く。吉野桜[4]。

そめいろ[0]【染(め)色】染めて出した色。

そ

そめかえ・す③【染め返す】(他五) ❶色がさめたものを再び染める。❷違った色に染める。染めかえる④③(下一)。名染め返し⓪

そめがすり③【染め絣】 染め出したかすり。

そめがた⓪【染め形】 染め出す模様(の型紙)。

ぞめ・く②【《騒く】(自四)〔雅〕浮かれ騒ぐ。名ぞめき③

そめこ⓪【染め粉】 染色の材料としての粉。

そめだ・す③【染め出す】(他五) 染めて色・模様などを表わし出す。名染め出し⓪

そめつけ⓪【染め付け】 ❶染め△つけること(つけた色や模様)。❷あい色の模様を△染めた布(焼きつけた磁器)。↕色絵 動染め付ける④(他下一)

そめなおし⓪【染め直し】 染め△返すこと(返した物)。動染め直す④(他五)

そめぬ・く③【染め抜く】(他五) 模様の部分を白く残して染める。名染め抜き⓪「—紋④」

そめもの⓪【染め物】 布などを染めること。また、その織物。

そめもよう③【染め模様】 染め出した模様。

そめもん⓪【染め紋】〔書き紋・縫い紋と違って〕染め抜きにした紋所。

そ・める⓪【初める】(下一型)〔「動詞連用形＋—」の形で、接尾語的に〕その動作・状態が行なわれ始める。「見—・思い—・咲き—」

*そ・める⓪【染める】(他下一)〈なにニ〉なにヲ—〉 液体に浸したり塗ったりして、色や模様をつける。「髪を—/歯を—〔=⇩お歯黒❶〕/内乱によって国土を血に染めた」【手を—】⇩手 【筆を—】⇩筆■二❶ 【頰を—】⇩ほお

そめわけ⓪【染め分け】 ❶—する(他サ) 染め△分けること(分けた物)。❷花びらが、染め分けたように違った色が混じっている花。

そめわ・ける④【染め分ける】(他下一) 二つ以上の色を分けて染め出す。

そも①【《抑】(接)〔雅〕〔「其も」の意〕「一体」という気持で、事物の由来を説きおこす言葉。そもそも。

そもう⓪【〈梳毛】 繊維の長い獣毛〔特に、羊毛〕の縮れを伸ばし、長さをそろえて平行に並べること。また、そのようにした獣毛。「—機②・—糸②」

そもさん①【《作〈麽《生】〔禅宗で〕さあどうだ。〔相手の返事・説明を促す言葉。もと、中国 宋代の口頭語〕

そもじ①(代)〔「其ッ文字」の意。「そなた」の文字詞〕「あなた」の意の女房詞。

そもそも①【《抑】■一(副) 問題となる事柄を論じるのに先立って、その根源にさかのぼって事を説き起こす様子。「—君の方が言い始めたことだ/—の始まりは/真実の愛とは—何なのでしょう」■二(接) 以下に述べることが、話題の中心となる事柄を理解してもらう上で前提となることである意を表わす。「—このたびの外遊は一年前から計画されていたことでありまして」表記 もとの用字は、「《抑〻」。

そや①【粗野】—な/—に 言動があらっぽく相手の感情などを考慮に入れないので、人に嫌われがちな様子だ。↕優雅❶

そや①【《征矢】 昔、戦場で使った矢。表記「《征〈箭」とも書いた。

そやつ⓪①【〈其《奴】(代)「その者」の意の古風な口頭語的表現。

そよ①(副)—と 一瞬かすかに物が揺れる程度に風が吹く様子。〔多く否定表現をともなって用いられる〕「凪でも—ともしない/—との風も無い、真昼の暑さ」

そよう⓪【素養】 それを持っていることが望まれる、一定水準以上の教養。

そよが・す③【《戦がす】(他五)〔「そよぐ」の使役動詞形〕風がそよそよと吹き、草木などをわずかに揺する。「心を—〔=外界の刺激が心を動かす〕」

そよかぜ②【《微風】 静かに吹く風。びふう。

*そよ・ぐ②【《戦ぐ】(自五) 風が吹き、草や木の葉などに当たって、わずかに揺れたりざわざわと音を立てたりする。名戦ぎ③

そよそよ①(副)—と 風がそれとわかる程度に静かに吹く様子。「春風が—と気持良い」

そよふ・く③⓪①【そよ吹く】(自五) 風がそよそよと、わずかに吹く。「—風」

そら①(感)〔もと、「其レは」の意〕相手の注意を強く喚起したり自分自身の気持を引き締めたりすることを表わす。「—見ろ/—また始まった/—と言えば〔=一言△合図(命令)があれば〕すぐ出発する用意が出来ている」

**そら【空】■一① ❶〔自分が立っている所と違って〕手の届かない、はるかに高い空間。「—の旅/—飛ぶ円盤」❷その人が現在その中に身を置いている境遇。〔自分に関連して思い出す対象として言うこともある〕「旅の—/故郷の—〔=望郷の対象としての故郷の方〕」❸〔一般に「—で」の形で〕よりどころとするものに頼らないこと。「平家物語の一節を—で語る」❹〔移りやすいものと見た〕天候。「女心と秋の—/男心と秋の—」❺〔落ち着いているかどうかという観点から見た〕心の状態。「生きた—も無かった/うわの—」❻〔雅〕何かに心を奪われるなどして自分の置かれた立場や状況を見失う様子。「心も—に/足も—に」■二(造語) ❶△わざと(偽って)そのふりをすること。「—〔=仮病〕を使う」「—とぼける」❷真実ではないことについて、あたかもそうであるかのように感じとること。「他人の—似/—耳・—喜び③」表記 ■一❸は「《暗で」とも書く。

そらあい⓪【空合】「空模様や事の成行き」の意の古風な表現。「曇った—」

そらいろ⓪【空色】 ❶薄い「青■一❶」の色。❷空模様。

そらうそぶ・く⑤【空〈嘯く】(自五) ❶天を仰いでうそぶく。〔いかにも得意気で、生意気な形容〕❷△無関係だ(全く関知しない)というふりをする。

そらおそろし・い⑥【空恐ろしい】(形) 現状から推測して、将来好ましくない結果になるのではないかと危ぶまれる様子だ。

そらおぼえ③【《暗覚え・空覚え】 ❶「暗記」の意の古風な表現。❷うろ覚え。

そらごと⓪【空言】 偽り。うそ。表記「《虚言」とも書く。

そら・す②【反らす】(他五)〈なにヲ—〉〔「反る」の使役動詞形〕そるようにする。反らせる③(下一)。「胸を—」

*そら・す②【《逸らす】(他五)〈なにヲ(どこニ)—〉 ❶手中に△収めていた(収めるはずであった)物事を、手でちょっと触っただけでその行方を見失ってしまう。「タカを—〔=逃げられる〕/たまをわきへ—〔=こぼす〕/チャンスを—〔=つかまえそこなう〕/的を—〔=ねらいからはずす〕」❷元来 目標とするものとは違った方向に、その人の目や関心を向け(させ)る。「子供から目を—〔=離す〕な/話を急に—〔=都合が悪くなったり言いたくなかったりする場合に、急に話題を転じて、その場をごまかす〕」❸相手の物の考え方やその時の心の持ちようなどが分からず、親身な対応をすることが出来なくて、気まずい思いを与える。「人をそらさぬ〔=相手の気持をうまくつかんだ〕応対ぶり」

そらぞらし・い⑤【空々しい】(形) 心にもない事を言ったりまともに応じなかったりして、誠実さが全く感じられない様子だ。「—おせじ/いまさら知らん顔をするなんて—」派—さ⑤④ —げ⑤⑥⓪

そらだのみ③【空頼み】—する（自サ） あてにならない頼み。

そらで⓪②【空手】 神経痛などで、手が痛むこと。

そらどけ⓪【空解け】〔雅〕帯・ひもなどが、自然にゆるんで解けること。

そらとぼ・ける⑤【空〈惚ける】（自下一） わざと知らないふりをする。名空惚け⓪

そらなき⓪【空泣き】—する（自サ）〔子供などが〕おとななどの関心を引くために（ふざけて）泣くまねをすること。

そらなみだ③【空涙】 悲しくもないのに、涙を流して見せること。また、その涙。

そらに⓪③②【空似】 血縁関係が無いのに、顔つきがよく似ていること。「他人の—」

そらね⓪②【空音】❶実際は鳴っていないのに、聞こえてくるおと。「琴の—」❷ニワトリが鳴く時間でもないのに、時を作る声を人がして見せること。「鶏の—／—をはく〔=うそをつく〕」

そらね⓪【空寝】—する（自サ） 寝たふりをすること。たぬき寝入り。

そらねんぶつ③【空念仏】 仏を信じる心が無く、ただ口だけで念仏を唱えること。また、その念仏。からねんぶつ。

そらはずかし・い⑥【空恥ずかしい】（形） 将来、あり得る場面を想像するだけでも恥ずかしくてたまらなくなる感じだ。

そらまめ②【空豆・《蚕豆》】 畑に作る越年草。親指の第一関節までぐらいの大きさの実は、堅くて太いさやに入っていて、食用。〔マメ科〕表記「《天豆」とも書く。かぞえ方 一本。豆の小売りの単位は一袋

そらみみ⓪【空耳】❶声・音がしないのに、聞こえたような気がすること。「呼ばれたような気がしたが、—だったか」❷聞いても聞かないふりをすること。「—をつかう」

そらめ⓪②【空目】❶本当は見えないのに、見えたような気がすること。❷うわめをつかうこと。「—づかい④」❸見ないふりをすること。「—をつかう」

そらもよう③【空模様】 天候の様子。雲行き。〔事件の成行きの意にも用いられる〕

そらゆめ⓪【空夢】❶見もしないのに、本当に見たかのようにこしらえて他人に語る夢。❷現実世界の吉凶などにはかかわりのない夢の世界だけの夢。❸空想。

そらわらい③【空笑い】—する（自サ） おかしくもないのに、作り笑いをすること。

そらん・じる④【〈諳じる】（他上一）〔=「そらにする」の変化〕「暗誦する・暗記する」意の和語的表現。そらんずる④（サ変）。「四書五経や漢詩の一節を—／戦前の唱歌や流行歌をそらんじ、歌に合わせて踊り出す人もいた」

そり②【反り】〔動詞「反る」の連用形の名詞用法〕❶平らな物が曲がり△返ること（返った様子）。❷刀身の曲がりぐあい。「—が合わない〔=ⓐ刀の反りが、さやと合わない。ⓑ気質が違っているため、仲がうまくゆかない〕／—を打つ〔=腰の刀がすぐ抜けるように、反りの向きを変える〕／—を返す〔=『反りを打つ』に同じ〕」

そり①【〈橇】 積雪や氷の上を滑らせるように作った乗り物。多く馬・犬・トナカイなどに引かせて、人や物を運ぶ。かぞえ方 一台

そりあじ②⓪【〈剃り味】 ひげなどを剃る時に、かみそりが肌に触れる感じ。

そりあと⓪③【〈剃り跡】 かみそりで、ひげなどを剃った跡。

そりかえ・る④③【反り返る】（自五）❶「反る」の強調表現。❷いばって、上体を後ろの方に反らせる。

ソリスト②〔フ soliste〕❶独唱者。独奏者。❷〔バレエで〕ソロを踊る舞踊手。

ソリッド ステート⑥〔solid-state〕〔テレビ・ラジオなどで〕真空管の代りにトランジスタ・ＩＣなどで回路を構成したもの。

そりはし②【反り橋】 中央が高く反った橋。太鼓橋。

そりみ⓪③【反り身】❶〔△得意そうに（いばって）、また、すもうで〕からだを後ろの方へ反らし、胸をはること。「—になる」❷刀身の反りが普通よりも大きいと認められるものの称。「—の剣」

そりや ㊀⓪「それは」の口頭語的表現。それでは。そりゃあ。㊁①（感） そら。それ。相手の注意を強く喚起したり自分自身に気合を掛けたりすることを表わす。

そりゃく⓪【疎略・粗略】—に・—な 物事のやり方や人への応対がぞんざいで、内容がいいかげんな様子だ。「—な扱い」

そりゅうし②【素粒子】 他の物の複合体ではない、物質・電磁場を構成する基礎となる粒子。例、陽子・中性子・中間子など。

ソリューション②〔solution〕❶問題を解決すること。解決法。❷経営の分野で、顧客の要望に応じて情報技術を生かしてさまざまな問題を解決すること。また、そのためのシステムを構築すること。❸溶解。または溶液。

そりん⓪【疎林】 木と木の間から向こうの空が透けて見える程度にまばらに生えている林。

***そ・る**①【反る】（自五）❶平らな物が、弓形に曲がる。「本の表紙が—」❷からだの一部が後ろの方に曲がる。「指がよく—／胸が—」

そ・る①【〈剃る】（他五） 髪・ひげなどを、かみそりなどで根もと近くから切り落とす。

ゾル①〔ド Sol〕 コロイド成分の粒子が液体の中に分散し全体が流動的な状態。⇩ゲル

ソルフェージュ③〔フ solfège←ラ solfa=（音名の）ソ・ファ〕 母音またはドレミの音名で歌われる、声楽の音程・リズムを含めた基本練習の一つ。

ゾルレン①〔ド Sollen（ゾレン）〖=…すべきこと〗の文字読み〕↔ザイン ❶道徳的義務。❷〔哲学で〕当為。

それ①（感）〔代名詞「其」と同源〕自分の言動に相手を注目させたり自分自身に気合を掛けたりすることを表わす。「—見たことか／—とばかりに〔=知らせを聞くや否や直ちに〕現場に駆けつけた」

それ①【《夫れ】（接） 漢文訓読調の文章の言い出しなどに使う言葉。「—孔子は聖人にして／もし、—〔=あるいはまた。なお（次の点になるとどうであろうか）〕／そこは—〔=その点になると、よくしたもので〕」

それ⓪（代）「某」の意の古語的表現。「—の年〔=ある年〕」

それ⓪【〈其れ】（代）❶話し手から見て、聞き手により近いと意識される事物自体を指す語。「—は僕のものだ／—を貸してください」❷聞き手である相手が発言した事柄を指す語。「—はだれから聞きましたか／—とこれとは別問題だ／—もそうだ〔=その通りだと思う〕／ああ、—— 〔=相手の言葉などがきっかけで、自分が言いたいことを思い出した時の言葉〕／—はない△でしょう（ですよ）〔=⇩ない 運用〕」❸話し手が発言△した（しようとする）事柄を、聞き手にも了解されているものとして、指す語。「朝から雨が降っていた。—を今でもはっきり覚えている／—〔=今からする話〕は去年のきょうのことです／—〔=その時〕以来／—は—として〔=そのことはさておいて〕／—はそうと〔=話題を転じる時の言葉〕」❹話し手自身が直前に述べた語句を指すのに用いる語。「君の関心と僕の—とは違うね」⇩あれ・これ・どれ：こそあど

運用 ❸は「それこそ」の形で、話題とした事柄の程度がはなはだしいものであることを強調するのに用いることがある。例、「いつもは暇なのに、なぜか昨日はそれこそ目が回るほど忙し

かった」

それい⓪【祖霊】先祖の霊魂。〔特に、三十三年目の供養を終わり、個性を失って一般化したものを指す〕

ソレイユ②〔フ soleil〕❶太陽。❷植物のヒマワリ。

それが⓪〔雅〕そのことの。「—証拠には/—しるしに」

それかあらぬか⑤、⓪-②そのためかどうか(は分からないが)。

それがし②【《某》】(代)〔古〕❶名のはっきりしない△人物(事物)を指す言葉。なんとか。❷わたくし。

それから⓪(接)❶その次に(は)。そして。「会社の帰りに銀行へ寄った。—デパートへ行った」❷そのあと。それ以来。「彼とは去年の四月に会った。—一度も会っていない」❸(同種のものを)それに加えて。「青森・岩手・秋田—山形と東北四県を回ってきた」〔「—は・—も」など名詞的用法の場合のアクセントは④〕

それきり④【〈其れ切り】❶そのものだけで終わり、あとに続くものが無いことを表わす。「いなくなれば—のことだ/—沙汰無しだ」❷それで全部だ。「手持ちのお金は—か」〔❶❷とも強調形は「それっきり」。また副詞的用法の場合のアクセントは⓪〕

それしき⓪【〈其れ式】そのものの程度を低いと見ることを表わす。「なんだ—〔=それくらい〕の事が出来ないのか」

それしゃ②【〈其れ者】〔もと、ある事に通じた人の意〕「芸者」の意の婉曲表現。「—上がり④」

それじゃ③(接)「それでは」の口頭語的表現。「それじゃあ③」とも。

それそうおう⓪【〈其れ相応】—な ある事物や人に△ふさわしい(釣り合う)△こと(様子)。「—の働きをする」

それそうとう⓪【〈其れ相当】その人の△能力(経歴・業績・行為)などに見合う何かが行なわれたり与えられたりすること。

***それぞれ**②【〈其々〉・《夫《々】(副)対象となる一群のものの一つ一つを問題として取り上げる様子。「物には—取り柄がある/人—に考え方が異なる」

それだから③(接)「それであるから」の圧縮表現。「—して」

それだけ【〈其れ丈】■一④(前に述べたことを受けて)問題をその範囲に限定すること。「問題は—では終わらない/—はごめんこうむる」■二⓪(副)❶物事の程度を「その程度」と限定して示す様子。「—うまく出来れば十分だ/言いたいことま—のことか」❷与えられた条件の程度に応じてそれ相応の結果がみられる様子。「発見が遅れると—回復もむずかしくなる/一部局の長として—のことをきちんとやっている」

—に④(接)前で述べた事柄の△状態(程度)に応じた当然の結果として次の結論が導かれることを表わす。「彼は家が貧しかった。—人一倍苦労しなければならなかった」

それだま⓪【《逸れ弾】的や目標に当たらなかった銃弾。流れ弾。

それっ①(感)❶大勢の気をそろえたり気合を入れる時の掛け声。❷自分自身に気合を掛ける語。「—とばかりに駆けつけた」

それっきり⑤【〈其れっ切り】「それきり」の強調形。〔副詞的用法の場合のアクセントは⓪〕

それで⓪(接)❶そのような理由で。❷前に述べた話を受けながら、新しい話題に転じる時に使う言葉。そこで。❸相手の話を先へ促す時に使う言葉。そして。[文法]❸は、くだけた口頭語的表現では「…で」だけで用いられることもある。例、「で、どうなったのかね」

それでは③(接)❶それなら。❷話の△初め(終り)の切り目を表わす言葉。[運用]❷は、自分の方から話を切り上げようとする意を示すのに用いられることがある。くだけた言い方では「それじゃ」とも。例、「それでは(これで)」

それでも③(接)そうであっても。だが。

それどころ③【〈其れ《処】〔「—か/—ではない」などの形で〕△前に述べた(相手の)発言を受けて、もっと大事なことがあるのだという気持を込めて、その発言を否定することを表わす。「食事に行かないかって、今は忙しくて—じゃないよ」

それとなく④(副)こちらの意図が相手には悟られないようにして何かをする様子。「相手の意向を—聞いてみる」

それとはなしに⑤、③-①(副)他のことにかこつけるなどして、さり気なく何かをする様子。「話のついでに—言っただけなのに、気が付いたようだ」

それとも③(接)二者択一を示す語。あるいは。もしくは。

それなのに③(接)△それ(そう)であるのに。

それなら③(接)そういうわけなら。

それなり⓪❶途中で放置され、△未処理(未解決)のままの状態が続いていること。「あの件は—になっている」❷十分ではないが、予測された程度に応じたものだと評価できる様子を表わす。「—に△おもしろい(意義がある)/—の価値はある」**—けり**⑤最後の決着を付けず、それきりおしまいにすること。そのままほうっておくこと。「—になってしまう」

それに⓪(接)すでにある事物や事柄にさらに何かが加わることを表わす。「雨が一段と激しくなり—強い風が吹き出した/色紙とはさみ、—糊を用意しなさい」**—しては**⑤そのことを半ば認めはするものの、反面、それ△と矛盾する(を否定する)面も認められることを表わす。「彼かもしれないが、—背が低い」**—しても**⑤前に言った事を受けて、それはそれとして認めるとしても、の意を表わす。「—到着が遅い」⇩しかし[文法] **—つけても**④⑤そのことに付随して、何かが話題に上ることを表わす。「—若いころ遊ばなかったことが悔やまれる」

それは⓪(感)ひどく△感動(驚嘆)して、なんと形容したらいいか表現に迷うことを表わす。「あの人は—〔=非常に〕美しい方でした/——、どうも恐れ入ります」

それほど⓪【〈其れ程】(副)取り立てて問題とするに値する程度である様子。「—おっしゃるなら、お引き受けしましょう/いいという評判だったが—でもなかった」

それゆえ⓪③【〈其れ故】(接)「それだから」のやや改まった表現。

***そ・れる**②【《逸れる】(自下一)〈(なに・どこカラなに・どこニ)—〉△予定した進路(期待した目的地・位置)から離れて、違った所に△進む(行く)。「わき道に—/話が—/進路を—」

ソロ①〔イ solo〕❶独唱・独奏。また、楽曲中のその部分。❷一人だけですること。「—ホーマー③〔=走者が居ない時に打った本塁打〕・—公演」

ゾロアスターきょう⓪【ゾロアスター教】ペルシャ〔=今のイラン〕のゾロアスター(Zoroaster=ドイツ語では、ツアラトゥストラ③)が始めた、極端な二元教。太陽・光明・火を善として、これを崇拝した。主体はアフラマズダ④と言われる。一時期中国にも行なわれ、「拝火教⓪」と言われた。

そろい【〈揃い】■一⓪②③揃うこと。揃ったもの。「—の衣装/夫婦お—で見舞いに来てくれた/今年の展覧会は傑作—だ/三つ—」■二(造語)動詞「揃う」の連用形。

—ぶみ⓪【—踏み】〔すもうで〕中入り後、幕内の力士が全部土俵の上に上がって、しこを踏むこと。「三役—〔=本場所の最後の日に、三役の力士が土俵に上がって、しこを踏むこと〕」**—もそろって**②-②【—も〈揃って】よくも揃ったものだとあきれるほど、似たり寄ったりのもので占められる様子。「—ぐずばかりだ/—駄作ばかりだ」**—もの**⓪【—

物】何冊か揃って「一部❷」をなす物の称。

*そろ・う②【揃う(ソロフ)】(自五)❶二つ以上のものの状態が同じになる。「足並がー/揃って〔=見たり 聞いたりする人のすべてが例外無く〕舌を巻く/粒がー」❷必要なものが△一か所に集まる(全部そこにある)。「△条件(証拠・役者・多彩な顔ぶれ)がー/一通り揃っている」〔⇩揃い❸〕

そろう⓪【疎漏・粗漏】ーな/ーに 物事のやり方が大ざっぱで、抜けた所がある△こと(様子)。派 ーさ⓪

*そろ・える③【〈揃える(ソロヘル)】(他下一)〈なにヲー〉❶「揃う❶」ようにする。「△履物(歩調・口)をー」❷「揃う❷」ようにする。「△頭数(資料)をー」名 揃え②③

そろそろ①(副)ーと ❶速度をゆるめて少しずつ(慎重に)△進んでいく(事を進める)様子。「手すりにつかまってーと歩く/こわれないようにーと持ち上げる」❷事態が経過して、問題とする△時(状態)が間近に迫っている様子。「ーー十二時だ/今日のところはーおしまいにしよう/家を出てからーー年近くになる/花もー終わりだ/彼女もーお年ごろだ」 運用 ❷は、「(それでは)そろそろ」などと言いさして、自分の帰宅や、予定の終了の時刻が迫っていることを、相手に知らせるのに用いられることがある。

ぞろぞろ①(副)ーと ❶△おおぜい(たくさんのもの)が列をなして△引き続く(ゆっくり移動する)様子。「子供がー(と)ついて来た/出席者がーと帰って行く/アリがー(と)はいまわる」❷好ましくないものが、あとからあとから引き続いて現われる様子。「間違いがー見つかる/ぼろがー出てくる」❸衣服を(だらしなく)ひきずる様子。「裾(ソス)をーひきずって歩く」

ぞろっぺえ④ーな/ーに〔関東・中部方言〕△だらしない(そそっかしい)△こと(人・様子)。

そろばん⓪【《算盤・《十露盤】❶〔中国・日本で〕一定個数の珠(タマ)を縦棒に通したものを多数横に並べた形の計算用具。〔昭和前期までは五つ珠、現在は四つ珠〕「ーをはじく〔=損得を計算△する(して、かかる)〕/ーが合わない〔=計算して、損になる〕」❷「算盤❶」を使ってする、日常の計算技術。「読み書き、ー」 かぞえ方 ❶は一台・一丁 ーずく⓪【ー《尽(ヅク)く】何事でも損得を考え、損にならないようにすること。 ーだか・い⑥【ー高い】(形) 何かにつけて勘定高い。派 ーさ⑤

ぞろめ⓪【ぞろ目】〔「揃(ソロ)い目」の強調形か〕❶二個のさいころを振って、同じ数が出ること。❷〔連勝式の競馬などで〕同枠内の馬が一、二着になること。

そろり②③(副)ーと 人に気付かれたりしないように、慎重にゆっくりと動作する様子。「戸がーと開く/後ろからーと近寄る/ーーと歩く」

ぞろり②③(副)ーと ❶一つながりに長くつながっている様子。「重役たちがーと社長のあとに続く」❷長い衣服をひきずるように無造作に着る様子。〔特に重たげな高価な着物をさり気なく着こなしている様子に言う〕「錦紗(キンシャ)の柔らか物をーと着て」

そわ①【〈岨(ソハ)】⇩そば(岨)

そわ・せる③【添わせる(ソハセル)】(他下一)〔「添う」の使役形〕❶添うようにする。❷夫婦にする。添わす②(五)。

そわそわ①(副)ーと/ーする 期待や不安のあまり、当面のことに意識が集中せず、落ち着かない(態度を見せる)様子。「彼女に会えると思うとーして仕事が手につかない」

そわつ・く⓪(自五) そわそわする。

そわ・る⓪【添わる(ソハル)】(自五)「付け加わる」の古風な表現。

ソワレ①〔フ soirée〕❶夜会(服)。❷夜間興行。

そん(存・村・孫・尊・損・遜・〈樽)→【字音語の造語成分】

そん①【村】町(チョウ)と共に郡(グン)を構成する最小の地方公共団体。むら。⇩【造語成分】

そん①【孫】ある人からみて何代目かの子孫。「三代ー」⇩【造語成分】

*そん①【損】ーな/ーに ❶交換・売買・仕事などをしたあとで、必要な経費を差し引いた結果、お金が残らなかったり かえって出費の方が多かったりする△こと(様子)。「ーを覚悟で売りに出す/ーな取引/ー得・ー益・ー失・欠ー・大ー(ゾン)」❷せっかくそれだけの労力・お金・時間をかけてした割には報われるところが少ない△こと(様子)。「そんなことはやるだけーだ/つまらない芝居でわざわざ観(ミ)に行ってーをした」❸努力しているのに好ましい評価を得られなかったり 立場上不利な状況に置かれたりして、期待する満足感・充足感を得られない△こと(様子)。「長男に生まれたばっかりにいつもーな役回りをさせられる/ーな性分〔=なんの得にもならないと分かっている事でも、しないと気が済まない性格〕/口下手でーをする」↔得・益 ⇩損する

ぞん(存)→【字音語の造語成分】

そんい①【尊意】「貴意」より高い敬意を表わす尊敬語。

ぞんい①【存意】「(自分の)思うところ」の意の古風な表現。

そんえい⓪【尊影】「(立場の上の人の)肖像」の意の尊敬語。

そんえき①【損益】何かをしたことに伴う、費用と収入。

そんか①【尊家】「貴家」より高い敬意を表わす尊敬語。

そんかい⓪ークワイ【村会】「村議会③」の△旧称(略称)。

そんかい⓪ークワイ【損壊】ーする(自他サ) こわれてくずれること。また、こわすこと。「器物ー」

**そんがい⓪【損害】❶災害・事故・他の行為などによって物が無くなったり 傷ついたりして、金銭上の損失を被ること。また、人間が死傷したり 好ましくない事態に陥ったりすること。「敵国にーを与える/台風で膨大なーを被る/彼に

そん

【存】そこに△ある(生きている)。「存否(ピ)・存在・存立・存置・存続・既存・共存(ソン／ゾン)」

【村】むら。また、いなか。「村落・村夫子(ソンプウシ)・山村・農村・漁村・寒村・離村」⇩(本文)そん【村】

【孫】まご。「子孫・嫡孫・外孫・曽孫(ソウソン)・児孫」⇩(本文)そん【孫】

【尊】〔もと、古代中国で祭りに使った酒器の意〕❶たっとぶ。たっとい。「尊称・尊重・尊大・尊卑(ピ)・自尊」↔卑 ❷神仏や天皇など、たっとぶべき存在。〔仏像をかぞえる時にも用いられる。例、「脇立ちの二尊」〕「釈尊・至尊・地蔵尊・釈迦(シャカ)三尊(サンゾン)」❸接頭語「御」に当たる漢語的表現。「尊顔・尊体・尊命・尊堂・尊公・尊父(プ)」

【損】⇩(本文)そん【損】

【遜】❶へりくだる。「謙遜・不遜」❷劣る。「遜色」

【〈樽】たる。「樽俎(ソ)」

ぞん

【存】❶△生かして(大事に取って)おく。「存生(ジョウ)・存命・温存・生存・保存」❷そういう考えを心に持つ。考え。「存意・存外・存知・存分・存念・異存・所存・一存」

裏切られたのは大—だ/人的—・—賠償」❷—する(他サ)相手を殺傷したり物を破損したりすること。 **—ほけん**⑤【—保険】偶然の事故で生じた損害を救済する目的の保険。火災保険・海上保険など。略して「損保」。

ぞんがい⓪①—グヮイ【存外】(副)—に/—な「思いのほか」の意のやや古風な表現。「やってみたら—やさしかった/—の道理」

そんかん⓪【尊〈翰・尊〈簡】「貴翰」より高い敬意を表わす尊敬語。

そんがん⓪【尊顔】「(立場の上の人の)顔」の意の尊敬語。「—を拝する/—に接する」

そんき①【尊貴】❶—な/—の 生まれが一般の人よりも格段に上である△様子(人)。「—の身分」❷他人に侵されることの無い独特の存在理由を持っていること。「生命の—」

そんき①【損気】損であること。〔「短気」に続けて用いられ、「気」は「短気」に音を合わせるために添えたもの〕「短気は—〔=短気を起こすと結局損になるものだ〕」

そんぎ①【存疑】〔断案を保留する意〕自分の考えを述べた後に、「以上についてはなお調べ残した点や考え足りない点があるかも知れないが」という意味で付け加える語。

そんきょ①【〈蹲踞〉・〈蹲居〉】—する(自サ)〔すもうや剣道で〕競技に入る前の、向かい合う姿勢。つま先立ちで深く腰をおろし、上体を正す。

そんきん①⓪【損金】損をして失ったお金。〔税法上は、支出と認められる売上原価や販売費・一般管理費などを含む〕↕益金

ソング(造語)〔song〕歌。「テーマー・コマーシャル—」

そんけい①【尊兄】(代)〔男性同士が手紙文などで〕等輩(以上)の相手に対する敬称。

*__そんけい__⓪【尊敬】—する(他サ)〈だれヲ—する〉その人の言動・業績の中に非凡な点のあることを認め、自他の模範に足る存在として仰ぎ見ること。「—をあらわす(失う・一身に集める)/△芸術家(和尚オショウ・先輩)を—する」 **—ご**⓪【—語】尊敬表現に専用する語。 **—ひょうげん**⑤—ヘウ—【—表現】話し相手や話中の人物に対する敬意を表わすために、その人の動作を述べる時の表現。例、「お帰りになる」。

そんげん⓪③【尊厳】侵すべからざる権威と、他の何ものをもっても代えることの出来ない存在理由。「—性⓪」 **—し**③【—死】人間として、自分の意志で死を迎えること。現在の医療技術では回復が不可能で死を迎えるしかないが、自らの意志で死を迎えようとする考え。リビングウイル。⇩安楽死 【法の—を傷つける】法を守る立場にある人が、著しく法の権威を損ねるような行動をする。

そんご①【孫呉】古代中国、春秋戦国時代〔=前七七〇〜前二二一〕の兵法家の、孫子と呉子。

そんこう①【尊公】(代)〔もと男性同士が〕等輩(以上)の相手に対する敬称。

そんこう⓪—カウ【損耗】—する(自他サ)⇩そんもう

そんごう③⓪—ガウ【尊号】国王やその配偶者・親、また神として祭られる者をたっとんで呼ぶ時の称号。

__そんざい__⓪【存在】—する(自サ)〈どこ・なにニ—する〉❶客観的な事実としてそこにある(とされる)こと。また、そのもの。「かつて地球に—した生物の化石/霊魂の—を証明する/まだ一部に偏見が—する」❷個々それぞれにその△価値(役割)が認められて、そこに位置を占めること。また、その人やもの。「今となっては—する意味が無い法人組織/たった一作でその—を認められた作家/彼の—を抜きにしてはこの計画はありえない/誰からも尊敬される偉大な—〔=人物〕/—意義・—理由〔=無視することが出来ないと人びとが認める、そのもの独自の価値〕」 **—かん③【—感】まぎれもない独自の存在理由があって、それに接する人に無視できないものだと印象づけるもの。また、その印象。「—のある役者」

*__ぞんざい__⓪③—な/—に 物事のやり方や取扱い方が△丁寧でない(いいかげんな)様子だ。「—なもの言い/道具を—に扱う」 表記「存在」は、借字。

そんし①【損紙】使えなくなった用紙や不良印刷物の総称。

ぞんじ【存(じ)】■一①③⓪⇩ごぞんじ 表記「存《知」は、借字。■二(造語)動詞「存ずる」の連用形。 **—あ・げる**⑤【—上げる】(他下一)「知る・思う」意の謙譲・丁寧語。 **—より**⓪【—寄(り)】「考え」の意の古風な表現。 **—よ・る**④⓪【—寄る】(自五)「思いつく・気がつく」意の謙譲・丁寧語。

*__そんしつ__⓪【損失】❶自分が持っている利益や財産が△減る(無くなる)こと。「—が大きい」❷有能な人物・優秀な人材が死んだりそこを去ったりして大きな痛手をこうむること。「彼の夭折ヨウセツは、国家の大きな—だ」

そんしゃ①【村社】村の鎮守のやしろ。

そんじゃ①【尊者】徳の高い僧を尊敬して言う語。

そんじゅく⓪【村塾】村・郷里の人びとを教育する、個人の学校。

そんしょ①【尊書】「貴書」より高い敬意を表わす尊敬語。

そんしょう⓪【尊称】特定個人の盛徳・功業・名望などをたたえる気持を表わすための、実名以外の呼び方。例、徳川家康イエヤスを「権現様・神君」と言うなど。

そんしょう⓪—シャウ【損傷】—する(自他サ)〔機械・器具やからだなどを〕こわされたり傷つけられたりすること。また、こわしたり傷つけたりすること。「—を受ける/船体に—を与える/靱帯ジンタイを—する」

そんじょう⓪—ジャウ【尊〈攘】「尊王攘夷ソンノウジョウイ」の略。

ぞんじょう⓪—ジャウ【存生】「この世に生きている」意の古語的表現。「—のみぎり〔=故人が生きていた△間(当時)〕」

そんしょく⓪①【遜色】基準とするものと比べて、劣っているととらえられる様子。「外国製品と比べて少しも—が無い」

そんじょ そこら⑤—ヂョ—【〈其《処ら】〔「そんじょ」は、「その定ヂヤウ」の変化形「そんぢゃう」の短呼〕そこいら(にあるありふれた)。「—の…とは〔=どこにでもある…とは〕わけが違う」

そん・じる【損じる】■一③⓪(他上一)△今まで作動していた(完全であった)ものに決定的な打撃や損傷を与え、そのものを駄目にする。「△茶器(国益)を—/名声を—〔=傷つける。汚す〕/父の機嫌を—〔=そこねる。悪くする〕」■二(上一型)〔「動詞連用形＋—」の形で、接尾語的に〕へたなので、失敗する。「一つかじを取り損じれば/し—・書き—・受け—」 損ずる③(サ変)。名損じ⓪

そんすう⓪【尊崇】—する(他サ)純粋な心で神仏などをたっとぶこと。

そん・する③【存する】■一(自サ)❶実際にその場所にある。「なお疑問が—〔=まだ問題がある。残る〕」❷生きている。生きながらえる。❸…を決定するものは…である。…は…次第である。「幸福は満足に—/事の成否は君の胸中に—」■二(他サ)失わずに保つ。「美風を—〔=残している〕/昭和の趣を—」

そん・する①【損する】(自サ)損な結果になる。「損して得取れ〔=ちょっと見た目には損であっても、最終的に得になる方がよい〕」↕得する

ぞん・ずる③⓪【存ずる】(自サ)❶「△知って(覚えて)いる」意の古風な謙譲・丁寧語。「知らぬ存ぜぬの一点張り/その

ような事は△よく存じています（全く存じません）」 ❷そのように△考える（思う）」意の古風な謙譲・丁寧語。「おめでとう存じます」 存じる[3][0]（上一）。〔⇩存じ❸〕

そんせい[0]【村勢】 その村の人口・産業などの総合的状態。「—一覧[5]」

そんぜん[0]【尊前】 「（神・貴人の）前」の意の尊敬語。

そんそ[1]【〈樽俎〉】〔酒だるといけにえを載せる△台（まないた）の意〕宴会の席上。「—折衝[4]〔=ⓐ外交上の談判。ⓑ（酒席の間、談笑裡に行なう）相手方との談判〕」

そんそう[0]【村荘】 いなかにある別荘。

そんぞう[0]【尊像】 「（立場の上の人の）肖像」の意の尊敬語。

そんぞく[0]【存続】—する（自他サ） 国家などの組織体や、法律・権利などの抽象的なものが引き続き存在する（ように取り計らう）こと。「—を図る／—期間」

そんぞく[1]【尊属】 父母と同列以上にある、立場の上の血族。「直系—」↕卑属

そんたい[1][0]【尊体】 「（立場の上の人の）からだ・肖像」の意の尊敬語。

そんだい[1][0]【尊台】（代） 「貴台」より高い敬意を表わす敬称。

そんだい[0]【尊大】—な —に 〔「尊」は、高い意〕〔そうするほどの地位や能力も無いのに〕必要以上に自己を顕示し、他を見下すような言辞を弄する様子だ。「—ではないか、二人の態度は」 派—さ[0]

そんたく[1][0]【〈忖度〉】—する（他サ） 〔「忖」も「度」もはかる意〕 自分なりに考えて、他人の気持をおしはかること。「相手の立場や気持を—する」〔近年、特に立場が上の人の意向を推測し、盲目的にそれに沿うように行動することの意で用いられることがある。例、「政治家の意向を—し、情報を隠蔽する」〕

そんたく[0]【尊宅】 〔手紙文などで〕「（あなたの）お宅」の意の尊敬語。

そんち[1]【存置】—する（他サ） その施設・機関・制度を、引き続き残しておくこと。↕廃止

ぞんち[1]【存知】—する（他サ） そういう事実を知っていること。

そんちょう[1]【村長】 地方公共団体である村の長。

そんちょう[0]【尊重】—する（他サ） 〔「重」も「尊」と同じく、たっとぶ意〕△おかす（無視す）べからざるものとして、相応の扱いをすること。「△他人（少数）の意見を—する／△本人の意志（相手の立場）を—する」

ゾンデ[1]〔ド Sonde〕 ❶消息子。 ❷ラジオゾンデの略。

そんどう[0]【村童】 村の子供。

そんどう[0]【村道】 村の費用で建設・管理する道路。

そんどう[1]【尊堂】（代） 〔手紙文などで〕同等（以上）の相手に対する敬称。

そんとく[1]【損得】 損失と利得。「—抜きで〔=自分に損になるかもしれない事でも人のために〕する仕事」

そんな[0]（連体） 「そのような」の口頭語的表現。「—わけで／—ことでは／—ばかな話があるか／—ことは何でもない」 ⇩あんな・こんな・どんな：こそあど 運用 相手の発言に対して「そんなことはない」と否定したり、「そんなひどい話はない」などと驚きや怒りを込めて用いたりすることがある。前者の例、『ご迷惑だったかしら』『いいえ、そんな』」後者の例、『徹夜してでもこの仕事を仕上げてもらいたい』『そんな』」

—こんな[6] あれやこれや。「—で」 **—に**[0]（副） ❶（前述の事柄を受けて）その程度が予測を上回るものであったことを強調して言う様子。「—寒い所とは知らなかった」 ❷〔否定表現と呼応して〕取り立てて言うほどの程度・数量では無い様子。「この辺は—うるさくない」

そんなら[3]（接） 「それなら」のぞんざいな口頭語的表現。

ぞんねん[3]【存念】 いつも心の中にそうでなければならぬと思っていること。

そんのう[0]【尊王・尊皇】 天皇をたっとんで、天皇を統治の中心と考えること。 **—じょうい**[5]【—〈攘夷〉】〔幕末に〕天皇の尊厳を傷つけるものとして幕府をしりぞけ、開国を迫る外国人を排撃しようとした△こと（思想）。略して「尊攘」。

そんぱい[0]【存廃】 その施設・制度を残しておくか、やめてしまうか。

そんぴ[1]【存否】 ❶引き続き残しておくか、思いきってやめるか。存廃。「審議会制度の—を諮る」 ❷（該当するものが）あるかどうか。有無。 ❸生を全うするかどうか、残るかそれとも滅びるか。「—〔=健在であるかどうか〕を尋ねる」

そんぴ[1]【尊卑】 身分の高いものと低いもの。「貴賤—」

ゾンビ[1]〔zombie〕 死体でありながら動き回り、人間を襲い苦しめる架空の存在。恐怖映画やコンピューター ゲームなどの題材。〔死んでいるのか生きているのか判然としない状態のたとえとしても使われる。例、「—企業[4]〔=実質的に経営破綻しているが金融支援などで存続している企業〕」〕

そんぷ[1]【尊父】 〔手紙文などで〕「（あなたの）父」の意の尊敬語。「ご—様にはお変りもなく」

そんぷうし[3]【村夫子】 いなかでは文化人と言われる人。〔軽い侮蔑を含意して用いられることもある〕「—然としたご仁」

ソンブレロ[3][4]〔ス sombrero〕 スペイン人やメキシコ人がかぶる、つばの広い帽子。

ぞんぶん[0][3]【存分】—な —に 思い残すところ無く徹底的に何かをする様子だ。「ご—に願います／今日はわたしのおごりだから—にやってくれ〔=好きなだけ飲み食いしてくれ〕」

そんぼ[1]【尊母】 〔手紙文などで〕「（あなたの）母」の意の尊敬語。

そんぽ[1]【損保】 「損害保険」の略。

そんぼう[0]【存亡】 引き続き存在するか、このまま滅びてしまうか（の運命）。「危急—の秋」

そんみん[0]【村民】 その村の住民。

そんめい[0]【尊名】 「（あなたの）名前」の意の尊敬語。「ご—はかねがね承っております」

そんめい[0]【尊命】 〔手紙文などで〕「（あなたの）命令」の意の尊敬語。

ぞんめい[0]【存命】—する（自サ） この世に生きていること。「父—中はお世話になりました」

そんもう[0]【損亡】 損害を受け、利益が無くなること。

そんもう[0]【損耗】—する（自他サ） 〔本来の字音はソンカウ。「そんもう」は類推読み〕〔使ったり傷んだりして〕減ること。また、減らすこと。「—をきたす／体力の—を防ぐ」

そんゆう[0]【村有】 村の所有。「—地[3]・—林[3]」

そんよう[0]【尊容】 〔手紙文などで〕「（あなたの）姿」の意の尊敬語。

そんらく[1][0]【村落】 〔「落」も「村」と同義〕農村・漁村などで、何戸かの家が集まっている地区。「—共同体」↕都市

そんり[1]【村吏】 村（の）役人。

そんりつ[0]【存立】—する（自サ） 〔相応の価値を有するものとして〕独立して存在すること。「—を危うくする」

そんりょう[1][3]【損料】 衣服・器具などを借りた場合の借り賃。

そんろう[0]【尊老】 ❶高齢者を敬うこと。 ❷高齢者を敬って言う語。

そ

た…タ

た（太・他・多・汰・︿吒）→【字音語の造語成分】

た（助動・特殊型）❶その事柄がすでに実現し、結果が現われているものと△認められる（見なす）という主体の判断を表わす。「きのう雨が降っ―/新聞はもう読んだ/この辺は昔は寂しかったろう/私がやったら出来なかっ―/今度会っ―時に話そう/済まなかっ―ね〔=本当に済まないね〕/あしたは月曜だっ―っけ/帽子をかぶっ―〔=かぶっている〕人/絵にかい―〔=かいてある〕ような景色」❷〔終助詞的に〕軽い命令を表わす。「さあ子供はあっちへ行っ―/どい―、どい―」

文法 (1)動詞、形容詞、形容動詞、助動詞（伝聞の助動詞「そうだ」を除く）の連用形（五段型、形容詞型、形容動詞型の活用語の一部では音便形）に接続する。

(2)(a)経験的な事実として過去に属するととらえられる事柄は修辞法の一つとしての史的現在を除けば、一般に「…た」で表わされる。「た」を過去の助動詞と呼ぶのはこのことに基づく。しかし「た」の用法は多岐にわたる。

(b)「今田中さんへの礼状を書き上げた」「駅の階段を上がるとすぐに電車が来た」などの「た」は眼前に展開した事態として表わされている際には「過去」ではなく「完了」と呼ぶべきであろう。(a)と合わせて「た」を過去・完了の助動詞とも呼ぶのはこうした事由による。

(c)「今度の企画会議は明後日の三時からだったね」「今日は夜、木村君と会う約束があったな」などの「た」は文脈から明らかに未来に関する事柄を表わすのに用いられている。この種の「た」は実現していない事柄であっても（恣意的な変更の許されない）確定的だと判断されることを表わしており、多く、既成の事実だと思われていることを確認する意を含意する表現に用いられる。

(d)「よし、これで勝った」と、将棋で相手に勝てる手を発見したときなどに現実にはまだ「勝つ」以前の段階であるのに勝利を確信して「勝った」と「た」を用いて表わすことがある。この種の「た」の用法も(c)と同様に「勝つ」ことに確信をいだき、必ず実現するということを表わしている。

(e)「そこにいては邪魔だ。どいた、どいた」「用のない者は帰った、帰った」などと実質的に命令表現と異なるところのない用法の「た」がある。これは、前述(c)(d)の延長線上にある用法であり、「どく」ことや「帰る」ことを確定的なことだととらえての表現だと解される。

(f)「た」は「帰った」「登った」その他多くの何らかの点で移動を含意する動詞の用法に多く見られる。たとえば、会社のオフィスなどで、「金子さんはまだいらっしゃる?」「いや、今日は家に用事があると言ってさっき帰ったよ」の「帰った」は「帰る」行為を開始した、つまり会社を出たということを表わしているだけで、家についたかどうかまでは言及していない。また、「佐藤さんは三日前に白馬岳に登ったまま消息を絶った」の「登った」も「登る」行為を始めたということで山頂に到着したという意味は含意していない。このように、動詞の表わす意味にも関連することだが、行為の開始が認知される状況にあれば、その状況を「た」で表わすことができる。

(g)「あの眼鏡をかけた人」「いつも黒のスーツを着た女性」など、連体修飾句に用いられる「た」はほとんど例外なく「…ている」に置き換えても意味に変わりがない。この種の「た」はある行為が開始され、そのままの状態を継続しているという点で「…ている」に置き換えることが可能になると解される。

た①《誰》（代）〔雅〕だれ。「―が〔=だれの〕・―そ〔=だれか〕」

***た**①【他】❶自分（や相手）ではないもの。「自―の区別がつかない」❷そのもの（や同類）ではないもの。（その）ほか。〔ほかの△人（所・もの）などを指す〕「―に例を見ない/―無し〔=ほかの事ではない〕/―国・―郷・―方面②・排―」❶❷の対義語は、自ジ ⇩【造語成分】❸「他動詞」の略。

た①【多】多い△こと（もの）。「―を頼んで〔=多いのをいいことにして〕/―言・―方面・雑―・繁―」↔少【―とする】無視出来ないものと認める。「努力を―〔=大変御苦労だと思う〕/好意を―〔=大いにありがたいと思う〕」

***た**①【田】イネ・イグサ・ハスなどを植えるために、（表面を平らにして畔アゼをめぐらし）水がたたえられるようにした耕地。たんぼ。「―を植える〔=田にイネを植える〕/我ワが―に水を引く〔=⇩我田引水ガデンインスイ〕」⇩畑ハタケ かぞえ方 一枚

だ（打・︿朶・︿妥・唾・蛇・堕・惰・駄）→【字音語の造語成分】

だ■一（助動・―に・―な型）その事柄を△指定（断定）する主体の判断を表わす。「あすは休み―/これは真理である/病気なので行けない/君ならば出来る/試験はあすから―/私は卓球―〔=…を選ぶ〕/あとは決行するのみ―/だから注意したの―/適任者は君―/花〔=桜〕は何と言っても吉野―/この本は私の―」⇩だろう 文法 (1)体言（名詞、またそれに準ずる句）、副詞、格助詞「に・から・まで・へ・と（・が・を）」、副助詞「だけ・ばかり・ずつ・のみ・は・も」に接続する。形式名詞化した要素と結びつき、「ものだ・ことだ・はずだ・わけだ」のような形で助動詞相当の働きをすることがある。「だろう」となる場合、「う・よう・です・ます」を除く活用語の連体形に接続する。形容動詞および形容動詞型の助動詞の「だ」は活用語尾として扱われる。(2)丁寧な表現は「です」。

■二（終助）一言ひとこと△相手を説得しよう（自分の言う事を噛カみしめよう）という主体の気持を表わす。「これは―ね/僕は―、なんとしても―、納得出来なかったんだ」文法 文や文節の末尾に接続する。ただし、断定の助動詞、形容動詞の語尾「だ」のあとにはつかない。「ね・よ・な」などの終助詞をあとに伴う。

だあ①（感）意外な事に出あって、驚いたりあきれたりして発する声。「―となる」

たあい⓪「たわい」の回帰形。「―無い④・―が無い」表記「他愛」は、借字。

ダーク①―な〔dark〕❶暗い印象がつきまとう感じだ。「―なイメージ」❷黒ずんだ色に見える様子だ。「―な色合でコーディネートする/―スーツ〔=黒っぽい色の背広。礼装の代用にもなる〕」

ダーク ホース④〔dark horse〕〔競馬で〕穴馬。〔秘めた実力があると見られ、競争相手になりうる可能性がある人の意にも用いられる〕

ターゲット①〔target〕❶〔銃砲や爆弾などの〕標的。❷〔売りこみの対象にする購買者やマスコミの取材する相手などの〕目標となる人。「新聞記者の―になる」❸フェンシングの有効命中面。

ターコイズ①③〔turquoise〕⇩トルコ石

ダース《打》（造語）〔ダズン（dozen）の変化〕十二個で一組として、品物をかぞえる語。「半―〔=六個〕」⇩グロス

たあそび②【田遊び】〔多く正月に〕稲作の一年を模擬的に演じて、豊作を願う神事芸能。

タータン①〔tartan〕二色以上で幅も多様な、格子じまの毛織物。「―チェック⑤」

ダーツ① ■一〔dart〕〔洋裁などで〕ふくらみを持たせるために、縫い目が表に現われないようにひだを取って縫う縫い方。「―分③」■二〔darts〕木製の丸い的をねらって、投げ矢を投げるゲーム。「―ボード④」

ダーティー①―な〔dirty〕法律や社会通念を無視した行動をして、卑劣で許しがたいという印象を与える様子だ。「―な金/―なやり方」

タートル ネック⑤〔turtle neck, turtle=ウミガメ〕セーターなどの、首を包みこむ高い襟。とっくり(襟)。

ターニング ポイント⑥〔turning point〕分岐点。「人生の―〔=転換期〕」

ターバン①〔turban〕インド人やイスラム教徒の男性が頭に巻く布。〔広義では、ターバン形の帽子などをも指す〕

ダービー①〔←the Derby stakes, Derby=人名〕ロンドンで毎年六月に行なわれる、サラブレッドの三歳馬による最大の競馬。〔広義では、それにならって各国で行なわれる競馬をも指す。また、俗に、プロ野球などで一位争いのたとえとしても用いられる。例、「ホームランー・ハーラー―」〕

タービン①〔turbine〕羽根車の翼に強く当てた△蒸気(水・ガス)の力で軸を回転させる原動機。かぞえ方 一台・一基

ターボ(造語)〔turbo〕タービン(式)。

ターボジェット④〔turbojet〕ジェット エンジンの一種。燃焼ガスが噴出する時のエネルギーの一部を、圧縮機に直結したタービンを回すのに利用して、後方へ排気を急激に噴出させて推力とする。⇩ラムジェット

ターボプロップ⑤〔turboprop〕飛行機などのエンジンの一つ。エンジンの燃焼によって噴出するガスのエネルギーをプロペラを回転させるのに用いて推力とするもの。

ターミナル①〔terminal〕❶鉄道・バスなどの路線の終着△駅(点)。「バスー・ーデパート・ーステーション・ービル⑥〔=空港で、航空管制塔や税関などの集中する建物〕」❷〔電池・電気機器・電気回路などの〕外部との接続口(の金具)。端子。❸〔コンピューターで〕端末装置。 **―ケア**⑥〔terminal care〕治癒の可能性の無い末期患者に対して、延命よりも、残された人生を平穏かつ充実して過ごせるように、肉体的苦しみや精神的不安をやわらげるために行なう医療。終末(期)医療。

ターム①〔term〕用語。〔狭義では、専門語を指す〕「テクニカルー」

ダーリン①〔darling=最愛の人〕△夫婦の(愛人)関係にある二人の間で、互いに呼びかける言葉。「マイ―」

タール①〔tar〕❶石炭・木を乾留する時に出来る、黒色のねばねばした液。塗料用。❷コール タールの略。

ターレット①〔turret=城の、小さな塔〕〔撮影機で〕回転させることで切りかわる、望遠・標準・広角のレンズを取り付けた部分。〔俗に、タレット旋盤の意にも用いられる〕

ターン①―する(自サ)〔turn〕❶回転(すること)。❷進路を変えること。❸〔水泳で〕折り返すこと。「クイック―」

ターンオーバー④〔turnover〕❶〔バスケットボールやアメリカンフットボールなどで〕エラーや反則などにより、ボールの保持権が相手にわたること。❷両面焼きにした目玉焼。❸皮膚の表皮組織が(定期的に)代謝すること。

ターンテーブル④〔turntable〕❶電子レンジで、温めたり焼いたりするために食品をのせて回す部分。❷レコード プレーヤーの、レコードをのせて回す部分。❸鉄道や駐車場などで、車両の向きをかえる円盤状の台。

たい(大・太・代・台・体・対・〈苔・待・怠・耐・胎・退・帯・泰・堆・袋・逮・替・貸・隊・滞・態・〈頽・戴)↓【字音語の造語成分】

たい【《度い》】(助動・形型)その事柄の実現を強く望む行為の主体の気持を表わす。「…し―のは山やまだが/映画が見―/外へ出たかろう/ぼくも行きたくなった/来たければ来い」派 **たさ たげ たそう** 文法 (1)動詞、助動詞「れる/られる・せる/させる」の連用形に接続する。(2)(a)「水を飲む」ことを希望する場合に、「水を飲みたい」「水が飲みたい」のどちらが適切かということが問題になる。規範的には、「が」を用いるべきだとされる。しかし、「が」を用いるときわめて不自然になる場合もあり、「これを君にあげる」ことを望む時に、「これを君にあげたい」の方が自然である。(b)「…を～スル(『本を読む』『英語を話す』など)」というように「を」を必要とする構造の文では、述語に「たい」がついて「シたい」となっても、「を」がそのまま保存される傾向にある。また、文脈の理解のしやすさという点から、むしろ「を」の方が好ましいという構文になる用法も少なくない。「田中君を課長に推薦する」「子を大学に行かせる」などのように、その行為が他に及ぶ事柄を希望する場合には、「を」がそのまま用いられ、「田中君を課長に推薦したい」「子を大学に行かせたい」となるのが普通である。この文脈で対象を「が」によって示すと、主語(たとえば前の文では部長、後の文では親)との紛らわしさが出てくることも「を」をそのまま用いる一因だと考えられる。また、「先生に作文を直してもらう」ことを希望する場合なども、「先生に作文が直してもらいたい」とは言わないのが普通である。これは「ダレにナニをしてもらう」という表現の型が固定しており、それを崩すことに違和感があるからだろう。

た

【太】大きい。第一の。「太郎冠者(カジャ)・太夫(ユウ)」

【他】忠実でない。「他意・他心」⇩(本文)た【他】

【多】⇩(本文)た【多】

【汰】水で洗って選び分ける。「沙汰・淘(トウ)汰」

【〈咤】しかる。「千咤(ダ)の鞭(ムチ)をうけねばならぬ/叱(シッ)咤」

だ

【打】❶うつ。たたく。「打撃・打倒・打撲・打電・殴打・乱打」❷〔野球・ゴルフなどで〕ボールを打つ。〔かぞえる時にも用いられる。例、「第二打」〕「打者・投打・快打・本塁打」❸動詞に冠して、語調を整える。「打開・打算」

【〈朶】一かたまり。「一朶の雲を起こす/一朶の暗き髪を束(ツカ)ねながらも…/万(バン)朶の桜」

【妥】❶無理がない。おだやか。「妥当」❷折り合いをつける。「妥協・妥結」

【唾】つば。つばき。つばをはく。「唾液・唾棄・咳(ガイ)唾・涕(テイ)唾」

【蛇】❶ヘビ。「蛇足・長蛇・蛇蝎(カツ)」❷(ヘビのように)まがりくねっていること。「蛇行」⇩じゃ

【堕】❶好ましくない状態に△陥る(陥らせる)。「堕落・堕罪」❷胎児をおろす。「堕胎」❸気が緩み怠ける。「堕弱・怠堕」表記 ❸は「惰」とも書く。

【惰】おこたる。なまける。「惰弱・惰性・惰眠・惰気・怠惰・懶(ラン)惰」

【駄】❶馬の背に荷物をつけて運ばせる。〔荷物をかぞえる時にも用いられる〕「駄賃・駄馬」❷〔「駄馬」が、荷役に使うだけで、乗馬にならないところから〕いかにも安っぽくて、感心出来ない様子だ。「駄句・駄作・駄菓子(ガシ)」

(c)以上のように「が」を用いるより、「を」を用いる方が自然な場合があり、それは次のようにまとめることができる。(i)希望・欲求の対象となるものが人の場合 (ii)構文上、希望・欲求の対象を示す以外の格助詞を必要とする場合
なお、分離点や通過点を示す「を」や「漢語＋する」によって表わされる行為の対象を示す「を」もそのまま用いられる傾向がある。

(d)「…が～たい」が現われやすいのは、構文上は、希望・欲求の対象が「動詞＋たい」の直前に示され、しかも、その行為が他の人に影響を及ぼさないような場合である。これは一面から見れば、「(何か)食べたい／飲みたい／買いたい」など、「～たい」で表わされる欲求が明確に意識され、その対象を明示するために「が」が用いられるのだと考えることもできる。このことは「ほしい」が「…がほしい」の形をとり、「…をほしい」が一般には許容されていないことと関連があるととらえられる。

【運用】「…たいと思う」の形で、話者の希望を直接述べて、聞き手に押しつけるような印象を与えることを緩和しようとする意図が含まれることがある。例、「ここでわたしの考えを述べたいと思います」

たい

［大］ ■一同類の中で△規模が大きい(等級が一番上だ)。「大火：大尉」 ■二元号「大正」の略。⇩明・昭・平・令

［太］ ❶偉大な存在だ。大きい。「太陽・太陰・太虚・太極・太鼓」 ❷同類の中で、程度が最も進んでいる。「太古・太初・太平」 ❸身分が最も尊貴だ。「太子・太守」

［代］ ❶かわる。かえる。「代謝・交代」 ❷時代。よ。「永代・世代・希代」

［台］ ❶うてな。「台閣」 ❷貴人の動作に冠する敬語。「台覧」 ❸だい(台)。「舞台・屋台」 ❹「颱」の代用字。「台風」

［体］ ❶(解剖学で)生物の△器官(組織)。「脳下垂体・水晶体・黄体」 ❷Ⓐ一まとまりの△生物(もの)。「個体・群体・成体：動物体・前葉体・病原体」 Ⓑ△幾つかのもの(何人かの人びと)が一まとまりとなって、ある機能を果たすもの。「団体・共同体・自治体・組織体・弱体・解体❶❷：体制」 ❸構造物の、付属物を除外した本体。「車体・船体・機体・艦体」 ❹立体。「直方体・柱体・錐体・球体・体積」 ❺Ⓐ物体。「落体・動体・天体・媒体・被写体」 Ⓑ物質の状態。また、その状態にある物質。「固体・液体・気体・流(動)体・粉体」 Ⓒ物質。「(半)導体・絶縁体・単体❷・同位体・染色体・抗体」 ❻(自分自身で)実際に、経験することを表わす。「体験・体得・体認」 ⇩(本文)たい【体】

［対］ ■一❶向かいあう(もの)。「対生・対質・対座・応対」 ❷(並べて)くらべる。〔比や、点数をくらべる場合にも用いられる。例、「五対七」〕「対照・対比・絶対・相対」 ❸(競争)相手や敵としての関係を持つ。〔組合せの相手を示す場合にも用いられる。例、「東軍対西軍」〕「対抗・対等・対立・対校試合・対空射撃」 ❹比較や交渉の対象を示す。「対英・対米・対日」 ■二(略)対馬国。「対州」 ⇩(本文)たい【対】

［〈苔〉］ 植物のコケ。「青苔・緑苔・舌苔」

［待］ ❶(来た)人をもてなす。あつかう。「待遇・歓待・招待・接待・優待・虐待・特待生」 ❷△来る(頼りになる)ものとして、まつ。「待機・待避・待望・待命・期待」

［怠］ なまける。おこたる。「怠業・怠惰・怠慢・倦怠・勤怠・過怠金」

［耐］ 時間の経過、環境の変化、外界からの刺激にかかわらず、本来の性質を持ち続ける。「耐圧・耐久・耐湿・耐水・耐震・耐火・耐熱・耐乏・忍耐」

［胎］ ❶子供がやどる、母親の腹。〔医学的には子宮の称〕「胎中・胎内・胎盤・母胎」 ❷子供が母親の腹にやどる。みごもる。「胎児・胎生・胎動・胎教・懐胎・受胎」

［退］ ❶その場所から△しりぞく(しりぞかせる)。「退却・退去・退出・退陣・退歩・進退・敗退・撃退」 ❷△積極的(進歩的)行動を取らない。「退化・退屈・退嬰・減退・衰退」 ❸(組織に)関係することをやめ(させ)る。「退役・退会・退学・退官・退校・退団・退任・退部・退寮・退職・引退・中退・勇退・脱退・辞退」

［帯］ ■一❶おび(のように巻きつけて、身体の部分を保護するもの)。「着帯・包帯・丁字帯」 ❷ある共通の性質を持って連続し、他と区分される地域。「一帯・地帯・火山帯」 ❸緯度・気候の差や植物の分布による区分としての地帯。「熱帯・寒帯・温帯」 ❹地層。「化石帯」 ■二❶〔外出時に〕道具・武器などの必要品を持つ。「帯剣・帯刀・携帯」 ❷自分に属する物として持つ。「帯分数・妻帯・所帯」 ❸その△気味

タイ①〔tie＝結び・ひも〕 ❶ネクタイの略。「―ピン・ノ―」 ❷「タイ記録」の略。「―スコア④〔＝同点〕」 ❸〔楽譜で〕同音の二つ(以上)の音符を結んで、一つの音にする弧線。⇩スラー 【表記】❷「対」は、音訳。

たい①【体】 ■一❶Ⓐそこに存在し、行動するものとしての、人間や動物の からだ全体。「―を預ける〔＝すもうで、相手に乗りかかるような姿勢になる〕／―を引く〔＝間合いが取れるようにやや後ろへ下がる〕／―をかわす〔＝位置を変えて、そのものとの衝突を避ける〕／―位・―腔・―育・―格・―質・―力・―温・母―・生―・死―・遺―・巨―・聖―・健康―・献―・軟―・動物・仏―・神―・身―・人―・肉―」 Ⓑ(ヒトの)からだの部分。「五―・胴―・上―・肢―」 ❷Ⓐ個々のものを他と区別して特徴づける、目に見える形。「△政党(組織)の―を成す〔＝見られて、恥ずかしくない形になる〕／―系・―現・字―・明朝―・教科書―・異―・字・簡―・字・変―・がな・書―・草―・形―・政―・具―」 Ⓑすがた。かっこう。〔姿勢・構えの意にも用いられる〕「童―・俗―・僧―・法―・正―・自然―・死に―」 Ⓒ形式。スタイル。体裁。様式。「文―・散文―・口語―・書簡―・敬―・漢文訓読―・新―・詩・編年―・紀伝―」 ❸個々のものの内容を満たし、その働きのささえとなっていると考えられる実質。「名は―を表わす／―用・―言・実―・主―・客―」 ■二⇩いったい(一体)■三 ⇩【造語成分】

たい①【対】 ❶双方の関係が互いに逆であることを表わす。「『善』の―は『悪』／―義語」 ❷双方が互いに他方を相手とすることを表わす。「日本―中国／―日感情」 ❸双方の置かれた立場などに差別のないこと。「アマチュアの棋士がプロの有段者と―で戦う」 ❹「タイ(tie)❷」の音訳。「―スコア」 ❺〔雅〕「対の屋」の略。「東の―」 ⇩【造語成分】

たい①【隊】 ❶何らかの目的で二人以上の人が集まって作る、統制のとれた団体行動がとれる組織。「―商・―長・―員・本―・先発―・探検―・軍―」 ❷「隊❶」が整列・行進などをする時の、一定の並び方。「―形・―列・―伍・横―・縦―・編―・飛行」 【―を組む】 ❶共同目的のためにグループを作る。 ❷集団が△縦(横)に並ぶ。

（要素）を有する。「帯電」❹行動を共にする。「帯同・連帯」

［泰］ ❶おちついていて何事も無い。安らか。「泰然・泰平・安泰」❷⇩太❶「泰西」❸⇩太❷「泰初」

［堆］ ❶一か所にたくさん積む。「堆積・堆肥」❷海中の山・丘。「大和堆」❸ふくろ。〔ふくろに入った物をかぞえる時にも用いられる〕「風袋・郵袋」

［袋］ ❶およぶ。「逮夜」❷追う。「逮捕」

［逮］

［替］ ❶入れかわる。「交替・代替」❷衰える。「隆替」

［貸］ かす。「貸借・貸費・貸与・賃貸」↕借

［隊］ ⇩（本文）たい【隊】

［滞］ ❶とどこおる。「滞貨・滞積・滞納・渋滞・停滞・沈滞」❷引き続き、そこにとどまる。「滞欧・滞在・滞空」

［態］ ❶様子。「形態・姿態・醜態・世態・生態・状態・様態」❷何かをする時の身構え。「態勢・態度」⇩（本文）たい【態】

〈頽〉 時期が来て衰える。「頽勢・頽齢・衰頽・廃頽」

［戴］ ❶頭の上に何かをのせる。「戴冠式・不倶戴天・頂戴」❷組織の長になってもらう。「推戴・奉戴」

だい

［大］ [二]❶△程度（規模）が普通以上だ。「大歓迎・大繁盛・大地震」❷同じ系列の官職などの中で最高位だ。「大僧正・大経師」❸「大きい」意味の美称。「大日本・大英帝国」❹徳がすぐれている。「大王・大師・大臣・大徳」❺ほぼ…くらいのおおきさ。「たまご大」[三]（略）大学。「旧帝大・私大・短大」⇩（本文）だい【大】

［内］ うち。特に、宮中。「内裏・参内・境内」⇩ない

［代］ ❶時代・時期（の範囲）。「上代・古代・近代・現代・一九九〇年代」❷年齢の範囲。「二十代」❸かわり△に（の）。「代詠・代演・代議・代休・代言・代作・代用・代理・代行・代替・代弁・代議士」❹しかるべきポストのかわりをつとめる人。「所司代・師範代」❺地質時代の区分で、最上位の区分。「古生代・中生代・新生代」〔地層の成層年代区分の「界」に対応する〕⇩（本文）だい【代】

［台］ ❶台地。「高台・駿河台」❷高く作った構築物。「露台・番台・灯台❶・天文台」❸板の下に何本かの足をつけて高くしたもの。「踏み台・飯台・縁台」❹（板の上に）一本の足をつけて高くしたもの。「燭台・灯台❷・譜面台」❺物事の基礎となるもの。「台紙・台帳・台本・土台」❻年齢・値段・時間の範囲を示す語。「大台・百円台・六時台」❼車両・機械をかぞえる語。❽（製本・印刷の用語で）十六ページ分をまとめて呼ぶ称。「台割り」⇩（本文）だい【台】

［弟］ おとうと。「兄弟」⇩てい

［第］ ❶物事の順序。〔順序をかぞえる接頭語としても用いられる。例、「第三の男」〕「次第」❷〔もと、古代中国の官吏登用試験の意〕試験。「及第・落第」❸やしき。「聚楽第」

［題］ ⇩（本文）だい【題】

たい①【態】〔言語学で〕主語が、動詞の表わす動作の主体になっているか、客体になっているか、の区別に対応する、動詞の形。〔言語や文法体系により、使役・可能なども態の一つと認める場合がある。また、「相」という用語を用いることもある〕「能動―（＝主語が動作の主体となっている形）・受動―（＝主語が動作の客体となっている形。受身）」⇩【造語成分】

たい①【〈鯛】 深い海にすむ中形の硬骨魚。からだは平たくてさくら色。種類が多く、マダイは味がよく、めでたい時に使う。〔タイ科〕「エビで―を釣る（＝⇩えび❶）／腐っても―（＝⇩腐る[二]❶）」 かぞえ方 一尾・一匹・一枚：一本

たい①【他意】（隠している）ほかの考え。〔狭義では、ふたごころを指す〕「別に―はありません」

だい（大・内・代・台・弟・第・題）→【字音語の造語成分】

だい①【大】❶△比較の対象とする（一般に予測される）ものと比べて、大きい方。また、そのもの。「―は小を兼ねる／声を―にする（＝大きくする）／…による所―である／―小・―地・―脳・巨―・最―・絶―・雄―」❷年の多いこと。「―（＝おとな）五百円、小（＝子供）二百円／―（＝並び称される人のうち、父親の方の）デュマ」❸「大の月」の略。❹その社会で水準以上であること。「よく―を成す（＝りっぱな存在になる）／―（＝傑出した）学者③・―（＝すぐれた）音楽家・―（＝スケールの大きい）人物」❺「大便」の略。〔❶～❸、❺の対義語は、小〕⇩【造語成分】【―なり小なり】程度の差はあるにせよ、概してそのような傾向が認められる様子。「―人間にはうぬぼれがある」

だい【代】❶①△家（店・会社）の長として、その地位にある△期間（人）。「あの人の―になってから急に繁盛した／初―・先―・当―・歴―・累―・譜―」❷①その人の一生。世。「孫子の―まで忘れない／人は一―、名は末―」❸⓪①それを買ったり 利用したり するのにいるお金。「お―・足―・―価・―金・―償」❹「代表電話」の略。⇩【造語成分】だい・たい

***だい**①【台】❶その上に△人が乗って（物を載せて）適当な高さを取るためのもの。「―にのぼって号令を掛ける」❷物を据えたりする土台（になるもの）。「カステラを―にしたケーキ／宝石の―／―座」⇩【造語成分】だい・たい

***だい**①【題】〔もと、「ひたい」の意〕❶作品の内容を△読者（観客）に知らせるための名前。「内―・外―・表―・音楽・無―」❷作品のテーマやそれを詠み込んだりすることが要求される事柄。「―知らず（＝その和歌の詠まれた事情が分からないこと）／―詠・兼―・即―」❸それを△扱う（解決する）ことが求められている事柄。課題。問題。〔問題などの数をかぞえる時にも用いられる〕「本―・命―・例―・宿―」

ダイアジン③⓪〔diazine〕サルファ剤の一種。肺炎などの細菌性の症状にきく。

たい あたり③【体当たり】―する（自サ）❶△相手（物など）に自分のからだをぶつけること。「―をくらわす／―でドアを開ける」❷〔普通の意味では△対抗する（負かす）ことが出来ない相手に〕非力な者が全力でぶつかって行くこと。「―の（＝全身全霊を傾けて取り組んだ結果、観衆に大きな感動を与えるような）演技」

たい あつ⓪【体圧】からだを横たえた時に、からだに接した

部分にかかる圧力。「—を分散し、褥瘡(ジョクソウ)を防ぐ寝具」

たいあつ⓪【耐圧】圧力の大きさに耐えること。「—力④」

タイアップ③—する(自サ)〔tie-up〕提携。協同。

ダイアリー①〔diary〕日記(帳)。

ダイアル⓪〔dial〕⇩ダイヤル

ダイアローグ④①〔dialogue=対話〕〔芝居や映画での〕会話。↕モノローグ

たいあん⓪【大安】〔←大安日(ニチ)③〕旅行・結婚式・引越し・開店などをするのに縁起がいいとされる日。「だいあん」とも。「—吉日(キチジツ)」⇩六曜

たいあん⓪【対案】ある相手の案に対して出す、別の案。

だいあん⓪【代案】代りに提出する案。「—を示す」

たいい①(ヰ)【大尉】〔陸海空軍の〕尉官の最上級。

たいい①【大意】かいつまんで述べる あらすじ。

たいい①(ヰ)【体位】❶体格・健康・運動能力などの水準から判断した、総合的な からだの強さ。「—の向上を目指す」❷〔何かをする時の〕からだの位置・姿勢。「—を入れかえる」

たいい①(ヰ)【退位】—する(自サ) 君主の地位を退くこと。

だいい①【題意】題によって表わされている事柄の意味。

たいいき⓪(ヰキ)【帯域】〔「帯状の範囲」の意〕〔電波の〕同一の増幅器などを通過することができる周波数の範囲。バンド。「百キロヘルツの—幅」

たいいく①【体育】❶「体位❶」の向上を目的とする教育。⇩徳育・知育 ❷「体育❶」を行なう学科。「体操」の改称。「—館④③・—科⓪」 **—かい**④③⓪(クワイ)【—会】〔大学などの学生のサークルで〕スポーツ関係のサークル〔=多く野球部・ラグビー部など「…部」と称されることが多い〕が作る全学的な組織。「—系のたくましい体型」 **—のひ**①-①【—の日】「スポーツの日」の旧称。〔もと、十月十日〕

だいいし⓪【台石】土台の石。

だいいち【第一】■一 ①-② ❶順序の最初に当たること。最初。「まず—に何をやるか/—に国語の問題に取りかかった/—陣」❷順位の最初に当たること。「—の目的は/何事も忍耐が—〔=最も大切〕だ/世界—の金持/安全—」 ■二 ①〔副〕ほかの事はともかくとして、まず。「—〔=何よりも〕あの声が気にくわない」 **—いんしょう**⑤(シヤウ)【—印象】そのものに最初に接した時に得た直観的な印象。 **—ぎ**①-②【—義】❶それを欠くと、本質を見そこなうおそれのある、大事な事柄。「—的な問題」❷何よりも最優先して心がけなければならないこと。 **—じさんぎょう**⑥、①-④(ゲフ)【—次産業】⇩産業 **—じせかいたいせん**①-②-④、①-④、⑨【—次世界大戦】一九一四年から一九一八年まで、ドイツ・オーストリア・トルコ・ブルガリアの同盟側がイギリス・フランス・ロシア・アメリカ・日本などの連合国と戦った大規模な戦争。 **—にんしゃ**⑤、①-③【—人者】その社会で最もすぐれた人。 **—にんしょう**⑤、①-③【—人称】⇩一人称 **—りゅう**①-⓪(リウ)【—流】その社会で最もすぐれている△こと(人)。

だいいっせい①-⓪【第一声】何かの「節目❷」に当たって、その人が最初に発する言葉。「帰国—・就任—」

だいいっせん①-⓪【第一線】戦場で敵に最も近い地帯。最前線。〔広義では、現在、その社会で最も重要な、活発に活動出来る立場をも指す。例、「—で活躍する/—を退く」〕

だいいっぽ①-①【第一歩】何かへ向かってまず一歩進み始めること。「△再出発(実現・再建)の—を踏み出す」

だいいっぽう①-⓪【第一報】継続的に行なわれる何かについての最初の△知らせ(報道・報告)。「—に接する/—が入る」

たいいほう⓪(ヰハフ)【対位法】〔音楽で〕二つ(以上)の違った旋律を同時に組み合わせる作曲技法。

たいいん⓪【大隠】権力におもねることを拒み、俗世の名声や地位にも全く未練・執着を残さない人。「—は△朝市(チョウシ)(市(イチ))に隠る〔=真の隠者は、山林・山奥などではなく、かえってごみごみした市中に起居して、それとなく浮世を睥睨(ヘイゲイ)しているものだ〕」

たいいん⓪【太陰】「月」の異名。 **—れき**③【—暦】陰暦。↕太陽暦

たいいん⓪(ヰン)【退院】—する(自サ) ❶入院患者が、治療を終えてその病院を出ること。↕入院 ❷議員が△衆議(参議)院から帰ること。↕登院 ❸少年院・婦人補導院に収容された人が、処分終了によりそれぞれの施設から出ること。

たいいん⓪【退隠】—する(自サ)〔今まで宮仕えの身であった人が〕定年などで勤務をやめ、悠々自適の生活に入ること。

たいいん⓪(ヰン)【隊員】その隊のメンバー。

ダイイン③〔die-in〕核兵器の開発や戦略的配備などに対する大衆抗議運動の一つ。集会参加者全員が地面に横たわり、犠牲者の姿になぞらえるもの。

だいいん⓪【代印】—する(自サ) 本人の代りに別な人の△印を押すこと(押す印)。

ダイイングメッセージ⑥〔dying message=死んで行く者の伝言〕殺されたと考えられる人が、その現場に何らかの形で犯人を推測させる手がかりを△残すこと(残したと思われるもの)。

たいう①【大雨】「おおあめ」の漢語的表現。

だいうちゅう③(チウ)【大宇宙】〔人間自身を、小宇宙と言うのに対して〕宇宙そのもの。マクロコスモス。↕小宇宙

たいえい⓪【退〈嬰〉】〔「嬰」は、守る意〕旧来のものをそのまま受け継ぐだけで、積極的に新しいものを取り入れる意気込みの無いこと。保守。「—的⓪」↕進取

だいえい⓪【題詠】前もって決めてある題によって歌・俳句などをよむこと。また、その歌・俳句。

たいえき①【体液】体内を満たす液体。血液・リンパ液・脳脊髄(セキズイ)液などの総称。

たいえき⓪【退役】—する(自サ) 陸海空軍の軍人が兵役を退くこと。「—軍人」

ダイエット①—する(自サ)〔diet=カロリー・栄養成分などを規定した食事〕〔健康や美容のために〕食事の量・質に制限を加えること。また、そのための食品。〔広義では、体重を減らすための運動をも指す〕「—中・—食⑤」

たいえん⓪【耐炎】火がついても、炎を出して燃えないこと。「—性⓪・—繊維⑤」

だいえん⓪(エン)【大円】❶大きな円。「—を描く」❷〔幾何学で〕球の中心を通る平面と、球の表面とが交わって出来る円。⇩大圏

だいえん⓪【代演】—する(自他サ) 事故などで出られなくなった人に代わって△出演(演奏)すること。

***たいおう**⓪【対応】—する(自サ)〈なにニ—する〉❶ある種類に属する一つひとつが、他の種類の一つひとつに対して決まった関係にあること。「—関係(が認められる)」❷二つの事物の間に均衡が保たれること。「気力に—する〔=相当する〕だけの体力が無い」❸状況の変化、それぞれの相手に応じて、それにふさわしい行動をとること。「—を△急ぐ(誤る)/具体的な—を迫られる/新たな—に迫られる/—策を講じる」

たいおう⓪【滞欧】—する(自サ) ヨーロッパに滞在すること。「—八か月」

だいおう③(ワウ)【大王】❶王の敬称。「閻魔(エンマ)—」❷偉大な王。「アレクサンドロス—」 **—いか**③【—〈烏賊〉】世界最大のイカ。全長は一五メートルを超えるものもある。

日本近海の深海にも生息する。食用には向かない。〔ダイオウイカ科〕 かぞえ方 一匹

だいおうじょう[3]【大往生】─する(自サ) 臨終に際して△苦痛の様子(心の乱れ)が無く、安らかに死ぬこと。〔広義では、寝たきりにもならず、十分に長生きをして、天寿をまっとうすることをも指す〕

ダイオード[3]〔diode〕 二極の半導体素子で、「オームの法則[1]-[0]〔=電圧は電流に正比例する〕」に従わない特性を示すものの総称。整流・検波などの作用がある。

ダイオキシン[3]〔dioxin〕 ごみ焼却の灰、自動車の排ガス中などに検出される毒性の強い有機塩素化合物。内臓障害を起こすほか、発癌性などが問題となっている。

***たいおん**[1]【体温】 Ⓐその人・動物のおかれた環境や健康状態に応じて変化するからだの温度。日本人は普通セ氏三六度五分内外。「基礎─〔=⇩基礎体温〕」 Ⓑ皮膚に触れるなどしてからだに伝わってくるぬくもり。「添い寝している子供の─が伝わってくる」 **─けい**[0]【─計】 体温を計る温度計。 かぞえ方 一本

だいおん[0]【大恩】 非常に深い恩。

だいおんじょう[3]【大音声】 遠くまで響き渡る大きな声。「─を上げる」

たいか[1]【大火】 被害・焼失面積などの規模の大きな火事。「─に見舞われる」 ↕小火

たいか[1]【大家】 ❶△家柄のいい(財産のある)家。「たいけ」とも。 ❷その道で特にすぐれた業績を上げ、多くの人から師と仰がれる人。権威。「斯道の─/古─[2]〔=古来その道の師表として仰がれる、卓越した芸術家〕」

たいか[1]【大過】 目立った失敗。「─無く過ごす」 ↕小過

たいか[1]【大〈廈】 〔「〈廈」は、「ひさし」の意〕「(現在のビルディングに相当するような)大きな建物」の意の古風な表現。「─の倒れんとする、一木の支うる所に非ず〔=大勢が傾きかけてきた時には、一人の力では到底、支えることが出来ない〕/─高楼[1]-[0]」

たいか[1][0]【対価】 他人に労力や財産などを△与えた(利用させた)報酬として受け取る利益。「─を求める」

たいか[0]【耐火】 高温の火を浴びても焼けたり 溶けくずれたりしないこと。「─力[3]・─性[0]」 **─れんが**[4]【─〈煉瓦】 高熱に耐える(黄みがかった)白色の煉瓦。

たいか[1]【退化】─する(自サ) ↕進化 ❶進歩が止まって、もとの未分化な状態にもどること。あともどり。 ❷生物のある器官が用いられなくなったため、その機能を失って、簡単になり、また、無くなること。

たいか[1]【滞貨】 ❶運べないために駅などにたまった貨物。 ❷売れないで手もとに残っている商品。「─一掃」

タイガ[1]〔ロ taiga〕 北ヨーロッパ・シベリア・北アメリカの亜寒帯北部に広がる針葉樹林帯。

たいが[1]【大我】 ↕小我 ❶〔仏教で〕我見・我執を離れた、自由自在な心の境地。 ❷〔哲学で〕宇宙の、唯一絶対の真理。「だいが」とも。

たいが[1]【大河】 「大きな川」の意の漢語的表現。 **─しょうせつ**[4]【─小説】 ⇩小説

だいか[1][0]【代価】 ❶品物の値段。 ❷ある事を成就する代りに受けなければならない犠牲・損害。代償。「─を払う」

だいか[1]【台下】 ❶台の下。 ❷貴人の敬称。〔手紙の脇付としても用いられる〕

だいか[1]【題下】 (決められた)題目に従って。「『行く春』の─で歌を詠む」

だいが[0]【題画】 詩や言葉などを書き添えた絵。

タイガー[1]〔tiger〕 トラ。

たいかい[0]【大会】 ❶多人数の会。「演芸─[5]・野球─[4]」 ❷ある組織の最も△大きい(重要な)行事として行なう会合。「─を乗り切る」

たいかい[0]【大海】 「広い海」の意の漢語的表現。「だいかい」とも。「井の中の蛙、─を知らず」

たいかい[0]【退会】─する(自サ) ある会をやめて、会員でなくなること。 ↕入会

***たいがい**[0]【大概】 [一]細かい肉づけは省いた、大事な骨組の部分。「作法の─〔=あらまし〕を論ずると…/詠歌の─」 [二](副) ❶多少の例外はあるにしても、全般的にみてそうとらえられる様子。「夜は─家に居る/─そんな事だろうと思った/─の生徒はその辞書を持っている」 ❷常識的にみて許容される程度の範囲内にあると考えられる様子。「─あきらめたらどうだ/─の所で切り上げよう/─の事では驚かない」 運用 [二]❷は、「大概にしろ」などの形で、相手の場所柄をわきまえない言動をいさめる言葉として用いられることがある。例、「冗談も大概にしろ」

たいがい[1]【体外】 そのもののからだの外。「─受精[5]」 ↕体内

たいがい[0]【対外】 △外部(外国)を対象にすること。「─的[0]・─貿易[5]・─関係[5]」 ↕対内

だいかいてん[3]【大回転】 〔←大回転競技[7]〕〔スキーで〕アルペン種目の一つ。滑降競技に回転競技の要素を加えたもの。

だいがえ[0]【代替え】 「だいたい(代替)」の口頭語的表現。

***たいかく**[0]【体格】 発育状況や栄養状態から見た、からだのかっこう。「△立派(貧弱)な─/親ゆずりの─に恵まれる/がっしりした─/─検査[5]〔=身体検査〕」

たいがく[0]【退学】─する(自サ) 〔学生・生徒が〕卒業前に、その学校をやめること。また、学校側でそのように処分すること。「中途─・─処分[5]」

だいかく[0]【台閣】 〔「たいかく」の変化〕高いりっぱな建築物。「─に列する〔=選ばれて、大臣になる〕」

だいがく[0]【大学】 ❶社会の第一線に立つべき人を養成する学校。高校の上。「─の門戸を開放する/─生[3][4]・─人[4]・駅弁─・市民─」 ❷四書の一つ。士たる者の行為の目標を示したもの。 **─いも**[4]【─芋】 サツマイモを乱切りにして油で揚げたものに、蜜を絡ませ、いりゴマをふりかけた食品。 **─いん**[4]【─院】 「大学❶」の卒業生を対象にし、専門の学問・技術を授ける教育機関。修士課程と博士課程がある。「─生[5]」 **─いんだいがく**[7]【─院大学】 組織の内部に学部を持たず、大学院または研究所だけからなる高等教育研究機関。 **─ノート**[5] B5判大の横罫の入ったノート。〔もと大学生の講義筆録用に作られたもの〕

だいがくせつ[3]【大楽節】 ⇩楽節

たいかくせん[0][4][3]【対角線】 〔幾何学で〕多角形の、隣り合わない二つの頂点を結ぶ線分。

だいかぐら[3]【《太《神《楽】 獅子舞・品玉などの雑芸。 表記 ⇩付表「神楽」。「代《神《楽」とも書く。

だいがし[0]【代貸(し)】 貸元の代理(が務められる人)。「彼は、…派の─的存在だ〔=政党の派閥で、その首領の代理ができる実力者だ〕」

ダイカスト[3]〔die casting の日本語形〕 溶かしたアルミニウム・亜鉛などの合金を金型〔=ダイ〕に鋳込む〔=カストする〕工法。または、その製品。〔狭義では、強力な水圧などの動力を用いる物を指す〕

だいかぞく[3]【大家族】 ❶何世代かの人びとによって構成される、多人数の家族。「─制[0]」 ❷子供の数の多い

たいがため③【体固め】レスリングの決めわざの一つ。

たいかつ⓪【大喝】—する(自サ) 不心得を注意するために、相手が一瞬びっくりするような大声でしかること。「教師に—された/—一声」〔古くは「だいかつ」〕

だいがっこう③【大学校】大学程度の学校で、学校教育法によらないもの。「防衛—・気象—」

たいかのかいしん①-⓪【大化の改新】六四五年に、中大兄皇子(ナカノオオエノオウジ)が中臣鎌足(ナカトミノカマタリ)らと蘇我(ソガ)氏を滅ぼし〔=乙巳(イッシ)の変〕、天皇家の力を強固にした改革。

だいがわり③【代替(わ)り】—する(自サ) 君主・戸主や経営者などが△次の代(後継者)と替わること。

たいかん⓪【大〈旱〉】「ひどく長続きするひでり」の意の漢語的表現。 **—のうんげい**⓪-⓪【—の雲〈霓〉】〔「霓」は、虹の意〕大ひでりの時に、雨の前兆である雲・にじを待ちこがれるように、物事・時期の到来を切望することのたとえ。

たいかん⓪【大官】高い官職(の人)。↕小官

たいかん⓪【大患】❶大病。❷大きな心配事。「デフレの進行は天下の—といえよう」

たいかん⓪【大観】❶—する(他サ) 細かいところにとらわれず、広く全体を△見渡す(見渡して大局を判断する)こと。❷幅・奥行のある、規模の大きな△景色(眺め)。

たいかん⓪【大鑑】△同類の(それに関する)ものを一度に見ることが出来るように一冊に集めたもの。「邦楽—⑤」

たいかん⓪【体幹】〔哺乳類などで〕運動機能の中心となる部分。胴体や、腹筋・背筋などの筋肉部分をさす。「腹筋・背筋の筋力を高める—トレーニング」

たいかん⓪【体感】❶—する(他サ) からだ△が(で)感じること。「—温度⑤」❷内臓に加えられた刺激によって起こる感覚。飢え・渇き・吐きけなど。

たいかん⓪【耐寒】寒さに耐えること。「—行軍・—試験⑤⑥・—訓練」

たいかん⓪【退官】—する(自サ) 官職をやめること。↕任官

たいかん⓪【退館】—する(自サ) 図書館・博物館・美術館などから△利用者(見学者)が退出すること。⇩入館

たいがん⓪【大願】大きな願い。〔古くは「だいがん」とも〕「—成就⑤」

たいがん⓪【対岸】向こう岸。「—の火災視する〔=自分に関係のない事柄として、傍観する〕/—の出来事」

だいかん⓪【大寒】二十四(節)気の一つ。太陽暦一月二十日ごろ。一年じゅうで最も寒さの厳しい十五日間。〔小寒の次、立春の前〕

だいかん①【代官】〔もと、代理の役人の意〕江戸時代、郡代の次の位で、直接民政を取り扱った地方官。

だいがん⓪【代願】—する(自サ) その人に代わって神仏に祈願したり 願い出たり する△こと(人)。

たいかんしき③【戴冠式】ヨーロッパの帝王が、即位後初めて伝来の王冠を頭にかぶり、即位した事実を内外に広く示す儀式。

たいき①【大気】地球を取り巻く空気の全体。「—圏③(外④)・—汚染④」 **—ちゅうびしょうりゅうしじょうぶっしつ**⓪-⑨【—中微小粒子状物質】⇩ピーエムにてんご(PM2・5)

たいき①【大器】〔大きな入れ物の意〕すぐれた器量(の人)。↕小器 **—ばんせい**①-⓪【—晩成】すぐれた器量の人は往々にして遅れて大成するということ。「彼は—型(タガ)の人間だ」

たいき①【待機】—する(自サ) いざという時の用意を整えて機会が来るのを待つこと。「自宅—を命じられる」 **—じどう**④【—児童】保育所に入所する条件を満たしているのに、満員で空きがないなどの理由で入所できない児童。 **—でんりょく**④【—電力】〔電化製品で〕電源を切ったあとにも消費される電力。時刻表示やリモコン操作の待機などに使われる。

たいぎ①【大義】❶人間として踏みはずしてはならない、最も大事な道。❷国家・君主に対する忠誠。「—親(シン)を滅(メッ)す〔=大義と、親・兄弟の身の保全と二者択一すべき時には、後者を捨てる〕」❸「大義名分」の略。「—の無い戦争」 **—めいぶん**①-⓪【—名分】❶人として、また臣下として守らねばならない実践道徳の窮極の一線。❷他に対してうしろめたさを感じないで、何かをやってのけるだけの恥ずかしくない理由。「—が立つ/—を欠く」

たいぎ①【大儀】▣—な ❶(立場の下の人の)骨折りをいたわる言葉。「ご—〔=ご苦労〕でした/お役目—」❷疲れていたり 体力・気力が十分でなかったり して、積極的に何かをする気になれない状態だ。「年を取ると何をするのも—でしかたがない/寒くて起きるのが—だ」▣その△組織体(社会)にとって、めったに経験しない重大な出来事。

たいぎ①【体技】❶格技や、体力を利用して行なう軽業(カルワザ)・曲芸。❷体力と、それを使う技術。「—の向上」

だいぎ⓪【代議】—する(他サ) ❶その人に代わって相談すること。❷公選された人たちが、その組織を代表して必要な事項について評議すること。「—員③・—制⓪」 **—し**③【—士】〔人民から公選され、人民を代表して国会を組織する人の意〕「衆議院議員」の通称。〔俗に、選良と言う〕

だいぎ⓪【台木】❶つぎ木の台にする木。❷物の台にする木。 かぞえ方 ❶❷とも一本

たいぎご⓪【対義語】なんらかの意味で対立する意味を持った二つの語のそれぞれ。例、長い↕短い、多い↕少ない、高い↕低い、表↕裏、左↕右、ふとる↕やせる、あける↕しめるなど。対語。「ついぎご」とも。反意語。反義語。反対語。アントニム。〔広義では、「父」に対する「母」、「親」に対する「子」、「海または川」に対する「山」、「白」に対する「赤または黒」などをも指す。ただし、二字の漢語に「不・非」を冠したものは普通この中に含まない〕

だいきち⓪【大吉】❶〔おみくじなどで〕運勢が非常にいいこと。↕大凶 ❷〔↑大吉日(チニ)④〕この上なく縁起のいい日。

だいきぼ③【大規模】—な/—に 規模が大きい△こと(様子)。「—な△建築(調査・農業)/こんな—になるとは思わなかった」

たいきゃく⓪【退却】—する(自サ) 戦闘に負けて△後方へ下がる(その場を逃げ出す)こと。「—に次ぐ—」

たいぎゃく⓪【大逆】君主や親を殺すような、最大の罪悪。「だいぎゃく」とも。「—罪④・—事件⑤」

たいきゅう⓪【待球】〔野球で〕打ちやすいボールが投げられるまで待つこと。「—主義」

たいきゅう⓪【耐久】❶△ある(その)期間、△苦難(試練)にめげず、持ちこたえること。「—競技⑤・—レース⑤」❷長持ちすること。「—力が乏しい/—性のある車」 **—しょうひざい**⑦【—消費財】⇩消費財

だいきゅう⓪【大弓】長さ二・二三〇センチ弱の、本式の弓。「—の的〔=黒丸を中心に同心円が二重・三重に描かれた大きな的〕」↕半弓

だいきゅう⓪【代休】〔↑代替休日⑤〕休日に働いた代りとして、本来出勤すべき日に取る休暇。

たいきょ①【大挙】❶規模の大きな企て。❷—する(自サ)〔一般に「—して」の形で〕多人数がそろって事に当たること。「支持者が—して応援にかけつけた」 文法 ❷は、副詞的に用いられることもある。例、「日系企業が毎外に大挙進

出する」

たいきょ①【太虚】「(はてしなくひろがる)大空」の意の漢語的表現。〔中国古代の哲学では、宇宙の本体と考えられた〕

たいきょ①【退去】—する(自サ)〔当人の意志に反して〕ある場所から他の場所へ移ること。立ちのき。

たいきょ①【退居】—する(自サ) 賃貸物件や不法占有した場所から出ていくこと。「—を迫られる/即刻—せよ」

たいぎょ①【大魚】 大きな魚。「—を逸(ツイ)する〔=大きな△手柄(利益)をあげる好機をのがす〕」

たいきょう⓪(ケウ)【胎教】 胎児によい感化を及ぼすように、母が見聞きする物を選択し、精神の平静を保つこと。

たいきょう⓪(キヤウ)【退京】—する(自サ) △都(東京)から立ち去ること。

たいきょう⓪(キヤウ)【滞京】—する(自サ) △都(東京)に滞在すること。「—中はお世話になりました」

たいぎょう⓪(ゲフ)【大業】〔国家や民族の命運にかかわるような〕偉大な事業。

たいぎょう⓪(ゲフ)【怠業】—する(自サ) サボタージュ。

だいきょう⓪【大凶・大〈兇〉】❶運勢が非常に悪いこと。⇔大吉 ❷この上ない△罪悪(悪人)。

だいきょうじ③(キヤウ)【大経師】〔朝廷御用の、経師屋の長の意〕表具師。経師。

たいきょく⓪【大曲】 大規模な楽曲。⇔小曲

たいきょく⓪【大局】❶〔碁で〕盤面を全体から見た時の勝負の形勢。❷物事を全体的に見渡した場合の、動きや成行き。「—を誤る/—的視野に立つ/—的見地」

たいきょく⓪【太極】〔中国哲学で〕万物の生じる、宇宙の本体。「—拳(ケン)④③」

たいきょく⓪【対局】—する(自サ)〔正式に〕碁・将棋の勝負をすること。「—者④③・—数④⑤・—成績⑤」

たいきょく⓪【対極】 反対の極(点)。

だいきらい①(キラヒ)【大嫌い】—な/—に 非常に嫌いな様子だ。

タイきろく③【タイ記録】〔タイ=tie〕〔運動競技などで〕今までの最高記録と等しい記録。 表記 「対記録」の「対」は、音訳。

たいきん⓪【大金】 多額のお金。「—を注(ツ)ぎ込む」

たいきん⓪【退勤】—する(自サ) 勤務を終えて、勤め先を出ること。⇔出勤❶

*__だいきん__①【代金】 品物を手に入れたり 何か仕事をしてもらったりした際に、相手に支払う金銭。「—が不足する/—を後払いにする」 **—ひきかえ**①-⓪(カヘ)【—引(き)換(え)】 代金と引換えに品物を渡すこと。

たいく①【体〈軀〉】 大きさの大小やたくましさの有無などの点からみた、からだ・からだつき。「堂々たる—の男」

たいぐ①【大愚】 どの点から見ても愚か者であること。また、その人。「—は大賢に似たり/—に徹する」⇔大賢 運用 自分自身を謙遜(ケンソン)して言うのにも用いられる。「勝手なことを申し上げましたが大愚の言とご笑殺下さい」

だいく①【大工】 木造家屋の建築・修理をする職人。また、その仕事。「日曜—・たたき—・—仕事④」

たいくう⓪【対空】 空中からの攻撃などに応じて、地上から何かすること。「—射撃⑤」

たいくう⓪【滞空】—する(自サ) 航空機などが空中を飛び続けること。「—時間⑤」

たいぐう⓪【対偶】❶二つで一そろいのもの。対(ツイ)。夫婦・左右など。❷〔論理学や数学で〕仮設と終結を持つ型の命題に対し、終結の否定を仮設とし 仮設の否定を終結として得られる命題の称。〔「PならばQ」の対偶は、「QでないならばPでない」。前者が真(シン)ならば後者も真。対偶の対偶は元の命題であり、結局両者の真偽は一致するので、二つで一そろいと見なして 対偶と呼ぶ〕 ⇩逆・裏

たいぐう⓪【待遇】❶—する(他サ)〈だれヲ—する〉 家・店に来る人の事情や気持などをくんで、家人・店員が応対すること。「—〔=サービス〕の悪い旅館」 ❷働く人の経歴・努力・意欲などをくんで、会社や官庁などが与える地位・給与など。「—の良い会社に移る/—改善⓪-⓪、⑤・—問題⑤・部長—〔=部長相当の処遇を受ける意〕・特別—⑤」 **—ひょうげん**⑤(ヘウ)【—表現】 話し相手や話中の人物と話し手との相対的な身分・年齢などによって変わる表現法。尊敬表現・謙譲表現・丁寧表現など。

だいくげいじゅつ④【第九芸術】〔サイレント映画を第八芸術と言うのに対して〕トーキー。

*__たいくつ__⓪【退屈】—な/—する(自サ) ❶差しあたって心を集中させるものが無くて、時間を持て余す△こと(様子)。「—な日曜日/ちょうど—していたところだ/—を紛らす/—しのぎ⑤」 ❷〈なにニ—する〉 心をときめかす変化やおもしろみに乏しくて、それに興味が持てない△こと(様子)。「—な△仕事(小説)/—な〔=共通の話題に乏しく、一緒に居てもつまらない〕人/長話に—する」

たいくばり③【体配(り)】 どちらからの攻撃にも対処出来るように気をつけて姿勢を構えること。

たいぐん⓪【大軍】 多数の軍勢。「雲霞(ウンカ)のごとき—」

たいぐん⓪【大群】(動物などの)大きな群れ。

たいけ①【大家】 金持の家。「たいか」とも。「ご—②」

たいけい⓪【大兄】(代) 同等またはやや年上の友人に対する敬称。〔手紙文などで男性同士が使う。この場合の対義語は、小弟〕

たいけい⓪【大系】 ある方面の著作を広く集めた一群の書物に名づける名称。「漢文—」

たいけい⓪【大計】 大がかりな計画。「国家百年の—」

たいけい⓪【大慶】 大変めでたいこと。「—の至り」

たいけい⓪【体刑】❶リンチや、直接肉体的苦痛を与えた昔の刑罰。❷〔罰金刑と違って〕自由刑。

たいけい⓪【体形】(動物の)からだの形。「整った—」

たいけい⓪【体系】❶個々別々のものを統一した組織。「路線バスの料金—を改める/賃金—⑤」 ❷一定の考え方で矛盾の無いように組織された、理論や思想の全体。「—化する/学問—・哲学—」 **—てき**⓪【—的】—な/—に 体系が整っている様子だ。システマチック。「—な研究/基礎と応用を—に解説」

たいけい⓪【体型】 体格の型。肥満型・やせ型など。

たいけい⓪【隊形】〔横隊・縦隊・笠(カサ)形などの〕隊の形。「—を整える/戦闘—」

だいけい⓪【台形】〔幾何学で〕一組の相対する二つの辺が平行な四辺形。〔梯形(テイケイ)の改称〕〔広義では、平行四辺形を含み、狭義では、平行四辺形を除外する〕 **とうきゃく—**⑤【等脚—】〔幾何学で〕台形のうち、平行な二辺以外の相対する非平行の二辺の長さが等しいもの。「—の二本の対角線の長さは等しい」

だいげいこ③【代稽古】 師範の代理として、武芸・芸能の稽古を弟子につける△こと(人)。

*__たいけつ__⓪【対決】—する(自サ) ❶〈だれト—する〉 法廷で、原告と被告とをつきあわせて、審判すること。❷〈だれ・なにト—する〉 相争う二者を相対△し(させ)て、どちらが△強いか(正しいか)をはっきり決めること。「世紀の—/—が△避けられる(深まる)/—姿勢を打ち出す」

だいけつ⓪【代決】—する(他サ) 代理の決裁(をすること)。

たいけん⓪【大圏】 地球の中心を通る平面が地表と交わってなす円。⇩大円 **—こうろ**⑤(カウ)【—航路】 大圏に

沿った航路。地球上の二つの地点間の最短航路。〔航空路の場合は、「大圏コース⑤」とも言う〕

たいけん⓪【大権】旧憲法で、天皇が行なう統治権。

たいけん⓪【大賢】きわめて賢い△こと(人)。「―は大愚に似たり」↕大愚
*たいけん⓪【体験】―する(他サ)〈なにヲ―する〉直接自分自身が経験すること。また、その経験。「―を△生かす(ふまえる)/戦争―を語る/―学習⑤・―談③・初ハツ―③」

たいけん⓪【帯剣】―する(自サ) 剣を腰に下げること。また、その剣。〔かぞえ方〕一本
たいげん⓪【大言】―する(自サ) いばって言う(大げさな)言葉。 ―そうご⑤【―壮語】―する(自サ) 実現出来そうもない事を、口でだけさも出来そうに言うこと。また、その言葉。

たいげん①【体言】〔日本語文法で〕概念を表わす言葉の中で、活用の無いもの。名詞・代名詞の総称。↕用言 ―どめ⓪【―止め】〔和歌・俳句などで〕句の最後を体言で終えること。名詞止め⓪。

たいげん⓪【体現】―する(他サ) 抽象的な事柄を具体的な形に表わすこと。

だいけん⓪【大検】「大学入学資格検定⑫、⓪-⑧」の略。高等学校の教科内容についての学力を試験し、合格すれば大学受験資格が与えられる制度。二〇〇五年度より、「高等学校卒業程度認定試験」に変更。

だいげん⓪【代言】㊀―する(自他サ)〔法廷などで〕本人に代わって言い分を述べること。㊁〔↑代言人⓪〕「弁護士」の旧称。「三百―」

だいげん⓪【題言】㊀題字。㊁絵の上にかく言葉。

だいげんすい③【大元帥】全軍を率いる総大将(としての元首)。

たいこ①【太古】㊀原始時代。㊁〔有史以前の〕大昔。〔歴史の時代区分で、上古の前の時代を指す〕 ―だい③【―代】地質時代の最初に置かれる時代。四十億年から二十五億年ぐらい以前を指す。始生代。

*たいこ⓪【太鼓】木製や金属製の胴の両面に皮を張り、撥バチで打ち鳴らす楽器。「―をたたく(=他人の言うことに無批判に同調する)/和―・陣―・大―・小―」〔かぞえ方〕一面 ―いしゃ③【―医者】口ばかり上手で、医療はそれほどでない医者。 ―ばし⓪【―橋】半円形のそり橋。 ―ばら⓪【―腹】丸く張り出した腹。 ―ばん⓪【―判】大きな判。「―を押す(=決してまちがいないと保証する)」 ―もち③【―持(ち)】酒宴の席で、おもしろおかしいことを言ったり芸事のまねや余興をしたりして客と芸者との間を取り持つことを職業とする男。幇間ホウカン。〔他人が喜ぶようなことや心にもないお世辞を言って自分の立場を有利にしつつ世の中をうまく渡る者の意にも用いられる〕

たいご①【大悟】―する(自サ) すっかり悟ること。「だいご」とも。「―一番(=すっかり悟ったのを機にして)」 ―てってい①-⓪【―徹底】―する(自サ) すっかり悟って全く迷いが無くなること。

たいご⓪【対語】対義語。「ついご」とも。

たいご①【隊伍】〔隊が〕縦横にきちんと並ぶこと。また、その組・列。「―を組んで堂々行進する」

だいこ⓪ ダイコンの口頭語的表現。

だいご①【醍醐】〔古〕牛乳やヒツジの乳から作った、チーズに似た食品。 ―み③⓪【―味】㊀〔何人ナンピトにも理解出来、他の何ものにも代えることの出来ない深い奥行を持つところから〕この世で最高の、仏の教え。㊁その物事を深く経験して得られるよさで、他の何ものにも代えることの出来ないもの。「読書の―/釣りの―を味わう」

たいこう①【大公】〔ヨーロッパで〕㊀君主の一族の男に対する敬称。㊁小さい国家の君主。「―国③・モナコ―」

たいこう⓪【大功】「大きな手柄」の意の漢語的表現。

たいこう⓪【大行】㊀「大きな仕事」の意の漢語的表現。㊁行きて再び還カエらぬこと。「―天皇⑦(=なくなった直後で、まだおくり名の決まらない間の先代の天皇の称)」「―は細謹サイキンを顧みず」大きな仕事を為ナし遂げようとする人はわずかな欠点などをいちいち取り上げないものだ。〔表記〕「細謹」は「細〈瑾〉」とも書く。

たいこう⓪【大綱】㊀ある事柄のうちで重要な点。「―については異議無し/―を△決める(定める)」㊁大体の骨組。アウトライン。「計画の―を示す」↕細目
たいこう①【太閤】現関白の父である前関白に対する敬称。〔豊臣秀吉トヨトミヒデヨシの特称として用いられる〕

たいこう⓪【体高】動物の体の大きさを測る基準の一つ。胴体を地面と平行にして、伸ばした四肢を地面に付けたときの、肩から地面までの高さ。手足の無い魚の場合には背から腹まで。「首は長いが―は低い」

たいこう⓪【体腔】動物の胸や腹の内部で、諸種の内臓が入っている所。〔医者の間では、「たいくう」と言うことが多い〕

たいこう⓪【対向】―する(自サ) 向かい合うこと。「―車線⑤」 ―しゃ③【―車】自分の進行方向から来る車。

**たいこう⓪【対抗】㊀―する(自サ)〈だれニ―する〉互いに負けまいと競争すること。「―手段をとる/―意識⑤」㊁〔競馬・競輪で〕本命に次いで優勝の可能性の高い△馬(選手)。「―馬バ③」

たいこう⓪【対校】㊀〔造語〕他の学校と対抗して行なうこと。「―試合アイ⑤」㊁⓪―する(他サ) ㊀原稿や前回の校正と引き合わせて校正すること。㊁ほかの(系統の)本と比べ合わせて、その異同を調べること。

たいこう⓪【退行】―する(自サ) ㊀㊀〔ある段階まで発達・進化していた者が〕病気などの障害で、原始・幼稚の状態にまで戻ること。㊁惑星が天球を西に向かって運行すること。㊁㊀銀行員が、その日の業務を終えて職場を離れること。㊁今まで勤めていた銀行をやめること。↕入行
たいこう⓪【退校】―する(自サ) ㊀学校を去ること。㊁退学。

たいごう⓪【大剛】ずぬけて強い△こと(人)。「だいごう」とも。〔古くは、「だいこう」〕〔表記〕「大豪」とも書く。

だいこう①【乃公】(代)「我がはい」の意の古風な表現。「―出イでずんば(=このおれ以外のだれにそれが出来るものかと気負う)の意気で」⇩夫子フウシ
だいこう⓪【代行】―する(他サ) その人に代わって、その役割を行なう△こと(人)。「運転―サービス」

だいこう⓪【代香】―する(自サ) 代理の焼香(をする人)。

だいこう⓪【代講】―する(自サ) その人に代わって講義や講読をする△こと(人)。

だいごう③⓪【題号】書物・雑誌などの名前。

だいこうかいじだい⑦【大航海時代】ポルトガル・スペインを初めとし、西欧各国がヨーロッパ以外に新天地を求め、競って航海した時期。十五世紀から十七世紀前半にかけて行なわれ、植民地支配の魁サキガケとなった。発見時代⑤。

たいこうし③【大公使】大使と公使。

たいこうしょく③【褪紅色・退紅色】「ももいろ」の意の漢語的表現。

たいこうたいごう⑤⑦【太皇太后】天皇の祖母で、もと、皇后だった方。「たいこうたいこう」とも。

たいこうぼう③【太公望】㊀周の文王に用いられ、武

王を助けて中国を統一した賢臣、呂尚(リョショウ)。❷釣りをする人の異称。〔呂尚が文王に召し出されるまで毎日釣りをし悠々自適していたことから〕「―をきめこむ」

たいこく⓪【大国】↕小国 ❶国土の広い国。❷国力の強い国。「―意識⑤・―主義⑤」

たいごく⓪【大獄】重大な(政治)犯罪事件で、多くの人が捕らえられること。「安政の―」

だいこく⓪④【大黒】❶〔↑大黒天④③。シバの神の化身。もと、まっ黒で怒りの相を示した〕Ⓐ台所の神で僧の飲食を満たす者とも、戦いの神で人を加護する者とも、墓を守る神とも言われる。Ⓑ福徳の神。後世、七福神のひとりとして、頭巾(ズキン)をかぶり、右に打出の小槌(コヅチ)、左に大きな袋を持ち、米俵の上に乗った形として祭られる。❷僧の妻。梵妻(ボンサイ)。道念。 **―ずきん**⑤【―頭巾】周囲がふくれている、円形で低い頭巾。 **―ばしら**⑤【―柱】❶家の中央にある、太い柱。❷一家・団体の中心となる人。 **―ぼうし**⑤【―帽子】大黒頭巾に似た帽子。頂上に玉ぶさなどをつける。

だいごれつ①-①【第五列】敵軍・敵国にまぎれこんで、味方の(軍事)行動を助ける△組織(人)。第五部隊④。

だいこん⓪【大根】❶畑に作る一年草。長くて白い根をおろしたり 煮物にしたり 漬けたりする。「だいこ」とも。〔アブラナ科〕❷〔芝居が〕へたな△こと(人)。「―役者⑤」 かぞえ方 ❶は一本 **―おろし**⑤【―下(ろ)し】❶おろしがねですりおろしたダイコン。おろしだいこん。❷ダイコンなどをおろす器具。おろし(がね)。

たいさ⓪【大佐】〔陸海空軍の〕佐官の最上級。

たいさ①【大差】△大きな(ひどい)違い。「―無い/―がつく」↕小差

たいざ⓪【対座・対(坐)】―する(自サ) 向かい合ってすわること。

たいざ⓪【退座】―する(自サ) ❶退席。❷退団。

だいざ⓪【台座】△物(仏像)をすえておく台。

たいさい⓪【大才】すぐれた才能(の人)。↕小才

たいさい⓪【大祭】❶主要な行事となる大きな祭り。「八幡(ハチマン)神社の秋期―」❷天皇の御親祭。

たいさい⓪【体菜】しゃくしな(杓子菜)。

たいざい⓪【大罪】〔五逆・謀反や火付けなどの〕重い罪。「だいざい」とも。

*__たいざい__⓪【滞在】―する(自サ)〈(なに**カラ**なに**マデ**)どこ**ニ**―する〉よそに行って、そこに二、三日以上の期間居ること。「月初めから月末までホテルに―する/―客③・長期―」

だいざい⓪【題材】芸術作品や学術研究のテーマとなるもの。「童話を―に採った劇」

たいさいぼう③【体細胞】生物体を構成する細胞のうち、生殖に関係する細胞〔=卵(子)や精子など〕以外のすべての細胞。

たいさく⓪【大作】❶文芸などのすぐれた作品。❷絵画や彫刻などの△大形の(大規模な)作品。↕小品

**__たいさく__⓪【対策】好ましくない事態の出現を解決するために取る、また、相手の態度や事件の成行きに応じて取る、手段・方策。「―を急ぐ/不況―を打ち出す/―を△講じる(練り直す・立てる)/抜本的―が取られる/安全―」

だいさく⓪【代作】―する(他サ) その人に代わって△作ること(作ったもの)。「恋文を―する」

たいさつ⓪【大冊】△大きな(厚い)書物。↕小冊

たいさん⓪【耐酸】酸におかされにくいこと。「―性⓪」

たいさん⓪【退散】―する(自サ) ❶逃げ去ること。❷集まっていた人びとが、引き上げて帰って行くこと。「客は早々に―した」

たいざん①【大山】「大きな山」の意の漢語的表現。「―鳴動して鼠(ネズミ)一匹〔=大騒ぎをしたわりに、たいした収穫のないたとえ〕」

たいざん①【泰山】〔「たいさん」の変化〕❶高くて大きな山。❷中国山東省にある名山。「―の安きに置く〔=どんな事があってもくずれない態勢に安定させる〕」

だいさん⓪【代参】―する(自サ) その人に代わって参拝する△こと(人)。

だいさん①-⓪【第三】❶三番目。❷当事者以外のもの。 **―インター**⑤ 先進諸国の革命および植民地諸国の解放を通じて世界革命の実現を目指す、共産主義者の国際的結合。一九一九年、モスクワに結成され、四三年解散。略称、コミンテルン。 **―かいきゅう**⑤【―階級】フランス革命当時、支配階級に対抗した、中産市民・自由農民・職人などの階級。〔第一は僧侶(ソウリョ)、第二は貴族〕 **―き**①-①【―紀】地質時代の一つ。新生代を第四紀と二つに区分していた時の名称。現在では更に第三紀を二分割し、前期を「古第三紀①-①-①」、後期を「新第三紀③-①」と言う。前期は約六千五百万年前から約二千三百万年前で、哺乳類と被子植物が栄えた。また、後期は約二千三百万年前から約二百五十八万年前で、類人猿が現われ、アルプス造山運動が最盛期を迎えたとされる。「―層⑤、①-③」⇩新生代・第四紀 **―ごく**①-①【―国】当事国以外の国。 **―ごくじん**⑥、①-④【―国人】敗戦後の一時期、在日朝鮮人・同中国人を指して言った語。三国人。 **―じさんぎょう**⑥、①-④【―次産業】⇩産業 **―しゃ**①-①【―者】当事者以外の者。「―(の手)に渡る」 **―せいりょく**⑤【―勢力】直接その事柄に関係していずれにも属さない△人(国)など。 **―せかい**⑤【―世界】先進資本主義諸国を第一世界、社会主義諸国を第二世界、とするのに対して、アジア・アフリカおよび中南米などの発展途上国の称。 **―セクター**⑤〔sector=分野・部門〕国・地方公共団体と民間企業の共同出資で設立される事業体。地域開発を主目的とする。 **―ていこく**⑤【―帝国】❶〔キリスト教で〕霊魂と肉体との調和した、来たるべき世界。❷ナチス統治下のドイツの称。 **―にんしょう**⑤【―人称】⇩三人称 **―のひ**①-①【―の火】原子核反応による熱エネルギーの別称。〔石炭・石油による火を第一、電気による火を第二とする説や、原始人が発明した火を第一、ダイナマイトを第二とする説などがある〕

たいさんぼく③【泰山木】庭木にする常緑高木。初夏、白くてハスに似た大きな かおりのいい花を開く。〔モクレン科〕 表記 「大山木」とも書く。 かぞえ方 一株・一本

たいし①【大死】己を無にして仏法を修めること。「―一番①-②〔=一度、死んだつもりにな(って努力す)ること〕」

たいし①【大志】大きな志。「少年よ、―を抱(ダイ)け」

たいし①【大使】「特命全権大使」の略。 **―かん**③【―館】大使が駐在国で事務をとる所。

たいし①【太子】皇太子。〔狭義では、「聖徳(ショウトク)太子⑤」を指す〕 **―どう**⓪【―堂】聖徳太子を祭る堂。

たいし①【隊士】その部隊に属する△武士(兵士)。

たいじ①⓪【対(峙)】―する(自サ)〔「峙」は、そばだつの意〕❶〔山や海峡の両岸などが〕向かい合って、負けまいとするかのように位置すること。❷にらみ合ったまま、動かないで対立すること。「両国が国境を接して―する/死と―した経験」

たいじ①【胎児】生まれるまで母の腹の中で育っている子供。

たいじ①⓪【退治】―する(他サ) 害を与えるものを殺して、

（すっかり）無くすること。〔俗に、早く済ませてしまいたい仕事などを一気にかたづけることを指す〕「根こそぎ―する/ビルのねずみ―/鬼―③」 表記 古くは「対治」とも書いた。

だいし①【大姉】❶〔俗人で〕仏門に入っている女性。❷女性の「法名ホウミョウ」の下につける称号。⇩居士コジ

だいし①【大師】❶仏・菩薩ボサツの尊称。❷朝廷から高僧に賜わる号。〔狭義では、「弘法コウボウ大師⑤」を指す。例、「―様①・―講⓪③」〕

だいし⓪【台紙】写真・図などをはりつける、厚めの紙。

だいし⓪【台詞】「せりふ（台詞）」の文字読み。

だいし①-①【第四】四番目。「だいよん」とも。**―かいきゅう**④キフー【―階級】無産階級。プロレタリアート。⇩第三階級 **―き**①-①【―紀】⇩だいよんき

だいし⓪ ■【題詩】❶ある題によって作った詩。❷題目として（書物の巻頭に）しるす詩。■【題詞】❶題字。❷和歌などの題△を表わす（になる）言葉。

だいじ⓪【大字】❶一つの△文書（書物）内で字の大きさに二通りの書き分けがある場合、大きく書かれた方の文字。↕小字 ❷漢数字の一・二・三などの代りに書く、「壱・弐・参」などの文字。改まった場合や改竄カイザンを防ぐ目的などで用いられる。

だいじ①【大寺】その時代における有力な寺。

だいじ【大事】■①③❶重大な事態。また、重要な事。「―が起こる/国家の―/お家エイの―」❷一つ扱いを誤ると、その存否にかかわりかねない深刻な出来事。「―に至らない/―を取る〔＝慎重な態度で臨む〕」❸他のすべてに優先してしなければならない大切な△事（事業）。「―を企てる/―をなしとげる」↕小事 【―の中に小事なし】大きな事をなしとげようとする時には、小さな事をいちいち問題にすることはない。【―の前の小事】❶大きな事をなしとげようとする時には、小さな事は犠牲にしてもやむを得ない。❷大きな事を行なう前には、どんな小さな事にも油断してはならない。■③⓪―に―な ❶〔かけがえの無いものなので〕△こわさない（無くさない）ように気をつける様子だ。「△からだ（親）を―にしろ/命の次に―な品」❷おろそかにしたりまちがえたりすると、大変なことになる様子だ。「そこが―〔＝重要〕な点だ/君に―な話がある」〔アクセントは「―な⓪」「―に③」となる〕 運用 ■は、「お大事に⓪」などの形で、病気見舞の際にいたわりの気持を込めて言う挨拶アイサツの言葉となる。また、手紙文の末尾に添えて、相手の健康を祈る言葉としても用いられる。―な・い**④【―無い】（形）現状から推測して、心配する（ほどの）ことはないと判断する様子だ。「応急手当てをしただけだが、たぶん―だろう」 文法 助動詞「そうだ（様態）」に続くときは「大事なさそうだ」の形になる。

だいじ①【大慈】仏の広大無辺な慈悲の心。**―だいひ**①-①【―大悲】すべての人の苦しみを救い、漏れることなく恵みを与える、仏、特に観世音カンゼオンの慈悲。

だいじ⓪【題字】書物の巻頭や石碑の上部に書く、短い言葉。題言。〔多くは漢文〕 表記「題辞」とも書く。

ダイジェスト①―する（他サ）〔digest＝消化する〕ある著作物や編纂ヘンサン物の内容を要約△すること（したもの）。

だいしきょう③ケウー【大司教】〔カトリック教会で〕教会を支配する、最高位の僧職。

だいじしん③ヂー【大地震】「おおじしん」の新しい言い方。

だいしぜん③【大自然】人間の存在が小さく見えるような、規模の雄大な自然のたたずまい。「―の懐にいだかれる」

たいした①【大した】（連体）〔「大」は、「大層」「大変」の意〕❶水準よりかけ離れて程度がはなはだしい様子を、驚きの気持を込めて表わす。〔いい意味にも悪い意味にも使う〕「―人出だ/―〔＝すばらしい〕美人だ/ちっとやそっとの事では動じない―男だ〔＝肝が据わっていると感心する意にも鈍感だと皮肉る意にも用いられる〕」❷〔否定表現と呼応して〕取り立てて言うほどのことはない、の意を表わす。「彼の英語は―〔＝それほどの〕ものではない/―〔＝特別りっぱな〕帽子でもない/―〔＝重大な〕不都合はない」

たいしつ⓪【体質】❶その人に生まれながらに備わっているからだの性質。「―を改善する/虚弱―・特異―」❷その組織・団体などが備えている性質。多く、客観的に見れば欠陥としてとらえられる場合を指す。「官僚的―の会社/国債への依存―が強まる」 **―てき**⓪【―的】―に―な 何かの原因などが、そのものの体質に深い関係がある様子だ。「アルコールを―に受け付けない」

たいしつ⓪【対質】―する（自サ）〔訴訟で〕被告・証人などをつきあわせていろいろ尋ねること。

たいしつ⓪【耐湿】湿気に耐えること。「―性⓪」

たいしつ⓪【退室】―する（自サ）部屋から出て行くこと。↕入室

だいしっこう③カウー【代執行】〔法律で〕都市計画などの場合、行政上の決定に従わない者に代わって、国や地方公共団体の行政機関が、決まった通りの処置をすること。

たいして①【大して】（副）〔「大した」の副詞形。否定表現と呼応して〕取り立てて言うほどでもない程度だととらえられる様子。「―おもしろくもない/―勉強もしないのに、よく合格したもんだ」

たいして【対して】⇩対する

たいしぼう③バウー【体脂肪】体内に蓄積された脂肪。皮膚の下にある皮下脂肪や内臓の間にある内臓脂肪など。「―計⓪・―率④〔＝体重に占める体脂肪の割合〕」

たいしゃ①【大社】第一等の格式の神社。〔狭義では、出雲イズモ大社を指す。例、「―教⓪」〕

たいしゃ①【大赦】恩赦の一つ。政令によって罪の種類を定めその刑罰の赦免を行なうこと。有罪の言渡しを受けた者は、刑の執行が赦免されて前科とならない。言渡しを受けない者は免訴になったり不起訴になったりする。

たいしゃ⓪【代〈赭】❶粉末状の赤鉄鉱の顔料。❷茶色を帯びただいだい色。赤土色アカツチイロ⓪。たいしゃ色ロイ⓪。

たいしゃ⓪【代謝】―する（自サ）〔「謝」は去る意〕新旧の交替。「新陳―〔＝⇩新陳代謝〕・基礎―〔＝⇩基礎代謝〕」 **―きのう**④オー【―機能】細胞内の原形質が老廃物を出して、栄養分を摂取し補充する作用。

たいしゃ⓪【退社】―する（自サ）❶その会社をやめること。↕入社 ❷仕事を終え、その△会社（神社）から帰ること。↕出社

だいしゃ⓪【代車】自動車を修理や車検などに出しているあいだ、代りに使う自動車。「―を借りる」 かぞえ方 一台

だいしゃ⓪【台車】❶鉄道車両の車体を支え、車軸・ばね・車輪などの付いている、独立の走行装置。❷荷物を近くの場所まで運ぶための、車の付いた台。 かぞえ方 ❶❷とも一台

だいじゃ①【大蛇】大きなヘビ。うわばみ。

たいしゃく①【貸借】❶―する（他サ）貸すことと借りること。貸し借り。「金銭の―関係がある」❷〔簿記で〕貸方と借方（の仕訳）。「―対照表①-⓪〔＝⇩バランスシート〕」

たいしゃくてん④③【《帝釈天】仏教を守護する、天上界の王。阿修羅アシュラと戦い、いつも退けた。略して「たいしゃく⓪」。天帝釈。

だいしゃりん③【大車輪】❶器械体操の一種。鉄棒を使って大きく回転する技。❷―に―な〔完成を目前に控えて〕一同が力をそろえて）一生懸命に働く様子だ。

たいしゅ⓪【大酒】―する（自サ）「おおざけを飲むこと」の意の漢語的表現。「―家⓪」

たいしゅ①【太守】➊一国以上を領有した大名。国守大名。➋〔昔、中国で〕郡の長官。

たいじゅ①【大儒】（儒教の）大学者。

たいじゅ①【大樹】➊大きな木。「寄らば―の陰〔=同じ頼るなら、しっかりしたものに頼れ〕」➋〔↑大樹将軍④〕「将軍」の別称。

だいしゅ⓪①【大衆】〔古〕多くの僧。僧徒。

***たいしゅう**⓪【大衆】〔一つの集団としてとらえた多くの人びと〕権力・財力や特権などを持たない、その社会を構成する大多数の人。「一般―⑤・勤労―⑤・―食堂⑤・―文芸⑤・―小説⑤」 **―か**⓪【―化】―する（自他サ） 一般民衆の間に広く行なわれるようになること。「―したスポーツ」 **―ぎょ**③【―魚】イワシやサバ、サンマなど、食材として比較的安価な魚。 **―せい**⓪【―性】一般民衆に受け入れられやすい性質。 **―てき**⓪【―的】―な （専門的な知識や高度の教養を必要とせず）大衆に受け入れられやすい条件を備えている様子だ。「ゴルフも日本では―なスポーツになった/―な読み物」 **―ぶんがく**⑤【―文学】〔純文学と違って〕おおぜいの読者を対象とした、楽しく読ませることをねらいとした文学作品。

たいしゅう⓪【体臭】➊その人から発散される、特有のにおい。➋独自の雰囲気をかもし出す表現（法）。

たいしゅう①【対州】「対馬国」の漢語的表現。今の長崎県対馬全島にあたる。「―馬③・―焼⓪」

たいじゅう⓪【体重】からだの重さ。「―計⓪」

だいじゅうのう③【台十能】下に台を取りつけた十能。略して「台十③」。

たいしゅつ⓪【退出】―する（自サ） 貴人の前や役所などから引き下がって、自宅に帰ること。

たいしゅつ⓪【帯出】―する（他サ）〔図書室・図書館などで〕そこに備え付けてある物を△室外（館外）に持ち出すこと。「禁―」

たいしょ①【大所】関連する事柄について全体的に広く見渡せる立場。 **―こうしょ**①-①、④【―高所】個々の細かい事は問題にせず、広い視野に立って問題とする物事をとらえようとする立場。「―から判断する/―に立つ」

たいしょ①【大書】―する（他サ） ➊文字をとりわけ大きく書くこと。➋（注目すべき事柄として）誇張して書くこと。「特筆―する〔=⇩特筆大書〕」

たいしょ①【大暑】二十四（節）気の一つ。太陽暦七月二十三日ごろ。一年じゅうで最も暑い時分の意。

たいしょ①【太初】天地の開けた初め。

***たいしょ**①【対処】―する（自サ）〈なにニ―する〉ある事態に対応して処理すること。「―を迫られる/難局に素早く―する」

たいしょ①【対〈蹠〉】〔本来の字音はタイセキ。「たいしょ」は類推読み。「蹠」は足の裏の意〕正反対の位置（にあること）。「―点③〔=地球の反対側の地点〕」 **―てき**⓪【―的】―な・―に 正反対△の（で妥協を許さない）様子だ。

たいしょ①【泰初】〔すべての物事について〕そのそもそものはじまり。

だいしょ⓪【代書】➊―する（他サ）「代筆」の意の古風な表現。➋〔↑代書人⓪〕「司法書士」の旧称。「―士③」

だいしょ⓪【代署】―する（自サ） 本人に代わって△する署名（署名すること）。

だいじょ①【大序】時代物の浄瑠璃の一段目の冒頭の場面。〔登場人物についての基本的な対立が示され、語り方は荘重。内裏や社寺の境内の場面が多い〕

たいしょう①【大将】➊〔陸海空軍などの〕将校の最高位。〔古くは、近衛府の長官を指した〕➋〔武家社会で〕全軍、または一軍を統率する指揮官。「討手の―として都に上る/総―③」➌「組織や団体などの長（に相当する実力者）」の俗称。「うちの―/お山の―〔=⇩お山の大将〕」 運用 男性同士の間で、親しみを込めて同等や立場の下の者△に呼びかける（を指す）語として用いられることがある。「おい、大将元気か/大将〔=おやじさん〕熱燗をもう一本たのむ/こちらの大将を紹介してくれよ」

たいしょう⓪【大笑】―する（自サ） 大笑い。「呵々―する」

たいしょう⓪【大勝】・【大〈捷〉】―する（自サ） 大差をつけて勝つこと。「―を博する」↕辛勝

たいしょう⓪【大詔】国家の重大事件について、天皇が国民に告げる詔勅。「宣戦の―/―渙発⓪-⓪」

たいしょう⓪【大賞】その部門で、年間を通じて最も優秀な成績をあげた△個人（団体）に与える賞。グランプリ。

たいしょう⓪【対症】眼前の症状に対処すること。 **―てき**⓪【―的】―な ➊根本的に治療せず、眼前の症状をおさえることばかりにとらわれる様子だ。➋抜本的な対策をせず、その場しのぎの（改善）処置で済ませる様子だ。 **―りょうほう**⑤【―療法】原因にまでさかのぼって根本的に治療する暇が無い場合に、とりあえず眼前の症状を除くように治療する方法。〔その場しのぎの対処のしかたの意にも用いられ、抜本的な対策を怠っていることへの批判を含意することが多い〕⇩原因療法

たいしょう⓪【対称】➊二つの図形が、一つの△直線（点・平面）を挟んで向き合う位置にあり、その△直線を折り目として折り返す（点を中心として半回転する・平面に関して鏡像を作る）ことにより、両者が完全に重なり合うこと。シンメトリー。順に「線対称」・「点対称」・「面対称」と言う。「左右が―の文字/―的⓪・―移動⑤〔=対称の位置に移動すること〕・―軸③〔=線対称の折り目となる直線〕・―図形⑤〔=自分自身と対称な図形=対称移動によって不変な図形〕」 ➋〔文法で〕二人称。⇩自称・他称

****たいしょう**⓪【対象】それに向けて何らかの行為・精神活動を行なったり 感覚器官を働かせたりする人や物事。「少年少女を―とした雑誌/古代社会を研究―とする」 **―か**⓪【―化】―する（他サ） 客観的な視点に立って問題として取り上げ、観察・分析などの対象とすること。「自己を―して見つめなおす」

***たいしょう**⓪【対照】➊―する（他サ）〈なにトなにヲ―する〉共通の基盤に立つ二つ（以上）のものについて、相互の異同などを知るために比較△する（しやすいように示す）こと。「原文と翻訳とを―する/―言語学⑦・貸借―表①-⓪」 ➋性質の違いがきわだつこと。「―〔=取合せ〕の妙」 **―てき**⓪【―的】―な・―に 二つのものを対照した場合に、相互の違いがきわだつ様子だ。「兄弟なのに性格は―だ」⇩対比的

たいしょう⓪【隊商】隊を組んで砂漠などを往来する商人。キャラバン。

たいじょう⓪【退城】―する（自サ） 城から引き下がること。

たいじょう⓪【退場】―する（自サ） ➊△その場（舞台）から立ち去ること。↕登場・出場 ➋△その場（会場）を出ること。↕入場

たいじょう⓪【帯状】⇩おびじょう **―ほうしん**⑤【―〈疱疹〉】帯状疱疹ウイルスの感染によって起こる、痛みを伴う水泡性発疹。皮膚神経に沿って帯状に生じる。ヘルペス。

だいしょう①【大小】➊大きいか小さいか。「規模の―

** * は重要語，⓪①… はアクセント記号，品詞の指示の無いものは名詞および いわゆる連語。

を問わず」 ❷〔武士が持つ〕一そろいの大刀と脇差。

だいしょう⓪【代将】〔海軍で〕将官の職に当たる大佐。また、大佐と少将の間に位する将校。准将。

だいしょう⓪【代償】❶他人に与えた損害の埋め合せとして、それに相当する金品や労力を提供すること。❷代価❷。「高価な—を払う/—を伴う」

だいじょう⓪【大乗】広く人間全般の救済を説く、仏教の教法。↕小乗 **—てき**⓪【—的】—な ↕小乗的 ❶大乗の精神にかなう様子だ。❷私情や眼前の事柄にとらわれないで、大局的立場から物事を行なう様子だ。

だいじょう⓪【台状】全体が小高くて、その上が平らな形。「—の小山」

だいじょうかん③【《太政官】❶現在の内閣に相当する、江戸時代までの朝廷における最高官庁。長官は「太政大臣⑤」。「だじょうかん」とも。❷⇩だじょうかん❶

たいしょうごと⑤③【大正琴】二本の金属の糸を張り、鍵盤を備えた、簡単な弦楽器。大正の初めに発明された。〔かぞえ方〕一面

たいしょうすう③【帯小数】〔数学で〕整数部分も小数部分も零でない実数を位取り記数法で表わしたもの。

だいじょうだん③【大上段】相手を威圧する、上段の構え。〔相手をすっかり見くびった態度の意にも用いられる〕「—に構える/—に振りかぶる」↕正眼

だいじょうふ③【大丈夫】金銭の誘惑に負けたり権威に屈したりしない、志の高い男子。「だいじょうぶ」とも。

***だいじょうぶ**③【大丈夫】[一]—な 危険や損失・失敗を招くおそれが無いと断定できる状態だ。「この建物なら地震があっても—だ/彼に任せておけば—だ」[二](副) よい結果になることを△請けあう(信じて疑わない)様子。〔感動詞的な意味合いを含むことが多い〕「—君なら成功するよ/なに—、あしたは晴れるさ」

だいじょうみゃく③【大静脈】全身の静脈にある血液を集めて右心房に入る、静脈の根幹。⇩大動脈

たいしょく⓪【大食】—する(自サ) 普通の人以上に多く食べること。大食い。「—漢・無芸—①-⓪」↕少食 **—かん**④【—漢】大食いの人。おお(めし)ぐらい。「たいしょっかん③」とも。

たいしょく⓪【耐食・耐〈蝕】〔金属や木材が〕腐食に耐えること。「—性⓪」

たいしょく⓪【退職】—する(自サ) それまでの勤めを△やめる(やめさせられる)こと。「定年を前に—する/—金⓪」↕就職 **—ねんきん**⑤【—年金】公務員・会社員が、退職後毎年受け取る権利がある一定額のお金。〔公務員の場合は、もと、恩給と言った〕

たいしょく⓪【〈褪色・退色】—する(自サ) 紫外線などの影響でインク・紙・布などの色があせること。

だいじり⓪【台尻】銃床の下部の、幅の広い所。

たい・じる③⓪【退治る】(他上一)〔「退治」を動詞化した語〕「退治する」のやや古風な表現。

たいしん⓪【大身】身分の高い△こと(人)。「—の旗本」↕小身

たいしん⓪【大震】「大地震」の意の漢語的表現。「—火災⑤」

たいしん⓪【対審】—する(他サ)〔訴訟で〕対立する当事者を法廷に立ち会わせて審理すること。

たいしん⓪【耐震】強度の地震でも簡単にはこわれたり狂ったりしないこと。「—建築⑤・—性⓪」

たいじん⓪【大人】❶俗人には及びもつかないすぐれた人格や学識を備え、まわりの人から一目置かれる存在。〔師父・学者の姓名の下に付けても用いられる。⇩うし〕❷巨人。「—国③(=経済的・軍事的大国)」↕小人

たいじん⓪【対人】❶他人に対すること。「—関係⑤」❷人間に対すること。「—地雷⑤・—賠償保険⑨」

たいじん⓪【対陣】—する(自サ) 敵と向かい合って陣取ること。

たいじん⓪【退陣】—する(自サ) ❶軍隊を後ろへ下げること。❷陣営を立ち去ること。❸公の責任ある地位をやめること。「内閣に—を迫る/—を求める/—に追い込む」

たいじん⓪【滞陣】—する(自サ) 同じ所に長く陣を取ること。

だいしん⓪【代診】—する(自サ) 主任の医師に代わって診察する△こと(人)。

だいじん①【大尽】Ⓐ「大金持」の江戸時代における称。Ⓑ遊郭でお金を惜しまず使う上客。「—風を吹かす/—遊び⑤」

だいじん①【大臣】〔もと「おほまへつぎみ」と言った「大臣」の音読〕各省庁の長官と無任所大臣の総称。

だいじんぐう⑤【大神宮】伊勢の神宮。

だいしんさい③【大震災】巨大地震による、広域におよぶ大きな災害。

だいしんどちか⑥⑦【大深度地下】地下四十メートル以上の深さ。〔法律上、一部の大都市では、土地所有権から切り離され、補償なしで公共事業に利用できる〕

だいじんぶつ③【大人物】自ら恃むところがあり、毀誉褒貶に超然とし、する事のスケールが並はずれて大きい人。「なかなかの—だ」

ダイス①⓪ [一]〔dice=幸運によって与えられるものの意〕さいころ。〔広義では、とばく一般を指す〕[二]〔dies の日本語形〕回しながら円柱状の鉄の棒に雄ねじの山を切り刻む鋼鉄の刃がついた雌ねじ状の工具。⇩タップ[二]❷〔[一][二]とも die の複数形〕

だいす⓪【台子】茶の湯で使う、四本柱の棚。風炉・茶碗・茶入れ・水指・柄杓などを飾る。

だいず⓪【大豆】畑に作る一年草。実はアズキより大粒で、黄色くて丸い。熟す前の青い状態のものは枝豆として賞味される。みそ・しょうゆ・豆腐を作り、油をとる。〔マメ科〕〔古来ただ「マメ」と言うのは、これ〕〔かぞえ方〕一本。豆の小売の単位は一袋

たいすい⓪【大酔】—する(自サ) 酒にひどく酔うこと。

たいすい⓪【耐水】△水を通さない(水に濡れても変質しない)特長を備えていること。「—のライター/—性にすぐれた塗料/—紙③」⇩ウオータープルーフ

たいすう③【大数】❶〔確率論で〕きわめて多くの試行回数。「—の法則」❷〔和算で〕きわめて大きい数。「だいすう」とも。〔『塵劫記』の一本により、兆以上の数詞を次に記す。兆・京・垓・秭・穣・溝・澗・正・載・極・恒河沙・阿僧祇・那由他・不可思議・無量大数『=⇩無量大数』〕

たいすう③【対数】〔真数と仮数を対応するように並べて表にしたことに由来〕〔数学で〕一以外の正定数(=a)が固定されている時、それを何乗すれば与えられた正数(=y)になるか、というその指数(=x)の称。すなわち、$y=a^x$ となる時の x を、「a を底とする、y の対数」と言う。記号 $x=\log_a y$ 例、「10を底とする、100の対数は2」。〔二数の積の対数はそれぞれの対数の和になることから、数値計算に用いられ、計算尺にも応用される〕「七桁の—表(=常用対数の仮数を七桁まで載せた数表)/式の両辺の—をとる(=考える)/自然—・—計算⑤・—関数⑤⑦・—方眼紙」

じょうよう—⑤⑦【常用—】〔数学で〕底を十に

とった時の対数。〔数値計算に普通用いる対数の意〕

だいすう③【代数】❶世代の数。❷〔←代数学③〕。未知の数の代りに文字を使うことから〕未知の数を文字で表わすことによって方程式を立ててそれを四則演算と開法によって解いたり解の性質を研究したりする、数学の一部門。〔現在では、数の集合だけでなく、四則(の一部分)と同様の性質を持つ演算が定義されている一般の集合をも研究対象とする〕「—的に解く/線型—〔=連立一次方程式を研究する代数学の一分科〕」 **—ほうていしき**⑦【—方程式】左辺が未知数の多項式で右辺が零という形に表わされる方程式。〔代数学における主要な研究対象の一つ〕

だいすき①【大好き】—な —に 非常に好きな様子だ。

たい・する③【体する】(他サ)〔「体」は、かなう意〕その事の真に意味するところを悟り、本道から外れないように、行動する。体す①(五)。「△仁(真)を—人/△意(意向・意思・趣旨・精神)を—」

*****たい・する**③【対する】(自サ)〈なに・だれニ—〉❶Ⓐ向かい合△う(って立つ)。「山に—部屋/道を挟んで交番と対しているので、何かと心強い/風車に—ドン キホーテ」Ⓑある態度を持って△面会者(対抗者)の相手をする。「親切な態度で客に—〔=接する〕/強豪Aに—〔=挑戦する〕のは新進B」❷思考・判断・関心などを向ける対象とする。「不時の災害に対して備えを怠らない/薬に—〔=関する〕いろいろな疑問/政治に—〔=かかわる〕関心/その質問に—〔=まともに対応する〕答えにはならない/政府の決定に対して抗議する」❸比較・対照したり基準と比べ(て明確な異なりが認めら れ)る。「出荷額に—受注額の比/昨年度に対し、一・五倍の増/千円に対して五十円の手数料/明に—〔=明の対極にある〕暗」 対す①(五)。

たい・する③【帯する】(他サ)〔刀剣などを〕腰につける。身に△つける(つけて持つ)。「大小を—」

だい・する③【題する】(他サ)❶表題などを△決める(決めてそれを書く)。❷題字を書く。

たいせい⓪【大成】—する(自他サ)❶才能を伸ばして、その方面で押しも押されもしない人になること。「一流の工芸家として—する日も遠くはない」❷長い間かかって一つの仕事を仕上げること。❸多くの資料・関係項目を集めて、一つの△組織(本)を作ること。また、そのもの。全集。「集—」

たいせい⓪【大声】「おおごえ」の漢語的表現。 **—しっこ**⑤【—疾呼】—する(自他サ) 大声でしきりに叫ぶこと。

たいせい⓪【大政】日本全土の統治権。 **—ほうかん**⓪-⓪【—奉還】慶応三年〔=一八六七〕十月、徳川慶喜(ヨシノブ)が政権を天皇に返上し、武家政治のピリオドが打たれたこと。

たいせい⓪【大勢】❶大局的に見た△形勢(動向)。「着実にシュートを決め前半で大差をつけ、試合の—を決めた/両国の関係正常化は—の赴くところ/Y氏を後継総裁に推す声が—となっている/—に影響は無い」❷その組織を構成する人たちの支配的多数。「新しい間接税を必要とする意見が—を占める/野党側の—は国会召集に応じられない、という姿勢を崩していない」

たいせい⓪【大聖】非常に徳の高い聖人。「—孔子・—釈尊」

たいせい⓪【体制】❶生物体の各部分がそれぞれの機能を営みつつ、全体としての統一を保っている、その組織。❷〔社会を一つの生物に見立てた上で〕その組織を運営する上での指導方針や、政治構造のあり方。「(協力)—の確立/—に組み入れる/集団指導—を定める/—固め⑤・資本主義—・社会主義—・救急医療—」❸ある政治的権力に支配されている状態。「—が揺らぐ/ファシズム—・—側⓪〔=その組織を現在支配・運営している方。狭義では、政府・与党側〕・—派⓪〔=支配者側のグループ〕」

たいせい⓪【体勢】〔ある行動や動作に入るための〕からだ全体の構え。「相手のまわしを引きつけて有利な—になる」

たいせい⓪【対生】—する(自サ) 一対(イッ)の葉が茎の同じ所から反対の方向に生じること。⇩互生・輪生

たいせい⓪【耐性】耐寒性・耐熱性など、環境条件の変化や化学物質などに対する抵抗性。〔狭義では、薬物の連用による薬効の低下現象、抗生物質の連用による細菌の抵抗力などを指す〕「—が出来る/—菌⓪」

たいせい⓪【胎生】子が母体内で適当の発育をとげ、個体となって生まれること。「—動物⑤」↕卵生

たいせい⓪【退勢・△頽勢】衰えていく形勢。「—を挽回(バンカイ)する」 表記「退」は、代用字。

たいせい⓪【泰西】〔日本から見て〕先進国としての西洋。欧米。「—名画⑤」↕泰東

*****たいせい**⓪【態勢】事に臨むに当たって必要な準備を整えたり いつでも対応できるような心構えを持ったりした状態。「—を立て直す/共闘—を組む/—が固まる/(防御の)—をとる」

たいぜい⓪③【大勢】「おおぜい」の意の古風な表現。

たいせいよう③【大西洋】ヨーロッパ・アフリカと南北アメリカとの間にある大洋。

たいせき①【体積】三次元空間で、その△立体(物体)が占有する部分の大きさ。かさ。「△立体(球)の—/—が大きい」

たいせき⓪【対席】—する(自サ)❶ある会合で、その人と向かい合う席を占めること。❷なんらかの関係がある二人の人が同一の会合に出席すること。

たいせき⓪【退席】—する(自サ) 席を立って(会合などから)帰ること。退座。

たいせき⓪【堆石】高く積まれた石。〔狭義では、氷河によって運搬された岩石を指す〕

たいせき⓪【堆積】—する(自サ)❶物が幾重にも高く積み重なること。❷土砂が風雨・水・氷河などの力で運ばれて、ある場所にたまること。 **—がん**④【—岩】一度生成した岩石のかけらが水底に沈み たまって出来た岩石。水成岩。石灰岩・石炭など。

たいせき⓪【滞積】—する(自サ) 貨物輸送や案件審議がはかどらず、たまるばかりであること。

******たいせつ**⓪【大切】—な —に ❶使い過ぎたり 粗末に扱ったりしないように気をつける様子だ。「△物(資源)を—にする/頂戴(チョウダイ)した品を長く—に使わせていただきます」❷それを、何よりも重んずべきものだと判断する様子だ。「人間にとって一番—なもの/—な△思い出(友だち)」 派 **—さ**⓪④

運用「(おからだ)ご大切に」などの形で、手紙文などで、相手の健康を気遣う挨拶(アイサツ)の言葉として用いられる。

たいせつ⓪【大雪】二十四(節)気の一つ。太陽暦十二月七日ごろ。雪が降り続いたり 春まで根雪が残ったりする時分。「だいせつ」とも。

たいせつ⓪【帯説】字音語の熟語を構成する漢字のうち、対極的な用法を持つ一方がその文脈においては積極的に意味を持たないもの。例、「緩急❸」・「恩讐(オンシュウ)❷」・「難易❷」における「緩」・「恩」・「易」。

たいせん⓪【大戦】大規模な戦争。〔狭義では、△第一次(第二次)世界大戦を指す〕

たいせん⓪【対戦】—する(自サ) 相対して△戦う(試合をする)こと。「—成績⑤」

たいぜん⓪【大全】一冊ですべてが分かるように関係のある

著作・事物を全部集めた書物。「料理法—[6]」

たいぜん [0]【泰然】—たる —と 落ち着いて、物事に動じない様子だ。「—自若[0]-[0]」

だいせん [0]【題〈簽】 和装本などで、書名を印刷したり書いたりして表紙にはる、小さな紙・布。〔俗に、書名の意に用いることもある〕「書—[3]」

だいせんきょく [5]【大選挙区】 議員定数が二名以上の選挙区。⇩小選挙区・中選挙区

だいぜんしょく [3]【大膳職】 もと、宮中の食事をつくった役所。「だいぜんしき[3]」とも。

だいぜんてい [3]【大前提】〔三段論法で〕結論を導き出す上の根本となる第一の前提。〔推論したり予測したりする時に、それが否定されれば、その推論や予測が全く無意味になるという大切な条件の意にも用いられる〕⇩小前提

たいそ [1]【太祖】〔中国・朝鮮の〕王朝初代の帝王。

たいそう [1]【大層】(副)—な 〔予測に反し〕度が過ぎている と思われる様子。「—お喜びのご様子です/—なにぎわいだこと/若僧のくせに—な口をきく」⇩ごたいそう —らし・い[6](形) 言動がいかにもおおげさだと感じられる様子だ。「—ことを言っていた割には無様な結果に終わった」

たいそう [0]【大宗】〔「一番おもなもの」の意〕その方面での最高権威者。「歌壇の—」

たいそう [0]【大葬】 天皇の葬儀。〔広義には上皇・皇后・太皇太后・皇太后・上皇后の葬儀も含む〕〔表記〕「大喪」とも書く。

たいそう [0][1]【太宗】〔中国・朝鮮の〕帝王の祖先中、その功績が太祖に次ぐ人。

***たいそう** [0]【体操】❶—する(自サ) 健康を増進し、体力をつけるために、からだの各部分を決まった順序に動かしてする運動。「頭の—/徒手—・器械—・ラジオ—[4]」❷「体育❷」の旧称。

たいぞう [0]【退蔵】—する(他サ) 利用価値のある物資を使ったり売りに出したりせずにしまっておくこと。「—物資[5]」

だいそう [0]【代走】—する(自サ)〔野球で〕その走者に代わって走る△こと(走者)。ピンチランナー。「—者[3]」

だいぞうきょう [0]【大蔵経】 仏教聖典の総称。一切経。蔵経。

だいそうじょう [3]【大僧正】 僧官の最高の位。僧正の上。

たいそく [0]【大息】—する(自サ)「おおいき」の意の漢語的表現。

たいそく [0]【体側】 からだの△側面(わき)。

だいそつ [0]【大卒】「大学卒業(者)」の略。

だいそれた [3]【大それた】(連体) 思い上がりもはなはだしく、その身分にある者としてあるまじき言動をする。「—〔=とんでもない〕考え」

たいだ [1]【怠惰】—な —に すべきことをしないで、むだに時間を過ごしている様子だ。「—な生活」↕勤勉 〔表記〕「怠堕」とも書く。

だいだ [1][0]【代打】〔野球で〕それまでの打者に代わって、その回の打者になる△こと(人)。ピンチ ヒッター。「—者[3]」

***だいたい**【大体】❶[3][0] 細かなところは除いた、主要な部分。「事件の—を述べる/—は賛成できる/—において意見が一致した」❷[0](副) ❶細かな点は問題にしないで、主要な部分だけに目を向けて物事をとらえる様子。「構想は—まとまった/事件は—片付いた」❷物事の根本に立ち返って、あらためて問題に言及する様子。「—手続きからしてまちがっている/—私がそんなことを言った覚えはない」

だいたい [0]【大隊】〔陸軍で〕編制上の単位の一つ。二～四個中隊から成る。⇩中隊・小隊

だいたい [0]【大〈腿】 足のつけ根からひざまでの部分。ふともも。「—部[3]」 —こつ[3]【—骨】 ふともも部分にあって、上半身を支えている骨。〔かぞえ方〕一本

だいたい [0]【代替】—する(他サ) 他の物で代えること。かわり。「—品[0]・—物[3]・—バス[5]」

だいだい [3]【〈橙】〔冬黄熟した実も、木にある限り翌年の夏にはまた緑色になるので、代々、緑の意〕庭などに植える常緑高木。実はミカン類くらいの大きさで、形は球に近い。正月の飾りにし、皮はマーマレードに使う。〔ミカン科〕「—酢[3]」〔かぞえ方〕一株・一本 —いろ[0]【—色】 赤みがかった黄色。

だいだい [1]【代々】(副) 何代も続いて△いる(行なわれる)様子。「—医者の家だ/親子—受け継がれてきた味/先祖—[1]-[1]」

だいだいかぐら [5]【《太》々《神》《楽》】 伊勢神宮へ奉納されるかぐらの中で、規模の最大のもの。「だいかぐら」とも。〔表記〕⇩付表「神楽」

だいだいてき [0]【大々的】—な —に 普通よりも規模が大きい様子だ。「—に売り出す」

だいだいり [3]【大内裏】〔平城京・平安京の〕皇居とその周囲の諸官省のある区域。⇩内裏

だいたすう [4][3]【大多数】 ほとんど全部と言ってよいくらい、そこで占める割合が多いこと。また、その数量。

たいだん [0]【対談】—する(自サ) 二人で向かい合って△話す(相談する)こと。⇩ていだん

たいだん [0]【退団】—する(自サ) 劇団・青年団などの団体を退くこと。退座。↕入団

だいたん [3]【大胆】—な —に ❶〔普通の人ならこわがったり遠慮したりして出来ないような事を〕思い切ってやってのける様子だ。「彼は—にも単身敵陣に乗り込んだ/—に発言する」↕小胆 ❷常識から言って考えられないような、思い切った事をする様子だ。「一文無しで大陸横断するとは—〔=無謀。むちゃ〕過ぎるよ/—な〔=常識を破った〕服装」 —ふてき[3]-[0]【—不敵】—な —に ⇩不敵❷

だいだんえん [3]【大団円】〔「団円」は、結末の意〕劇・小説などで、すべての筋がぐあいよく解決する、最後の場面。〔悲劇の場合は、特にカタストロフィーと言う〕

たいち [0][1]【対地】 空中の物体から地上に向かって何かが行なわれること。「—速度[4]・—攻撃[4]」

たいち [0]【対置】—する(他サ) 対照する位置に置くこと。

だいち [1]【大地】〔無限の広がりをもっておおう天と違って〕動植物がその上で生存・繁茂し、鉱物がその中に存在する広がり。普通、土壌の連続として認識される。

だいち [1]【大知・大〈智】 眼前の小さな現象にとらわれず、世間の移り変りや物事の先ざきまでの成行きを見抜いた上でのすぐれた知見。

だいち [0]【代地】 代りの土地。かえ地。代替地。

だいち [0]【代置】—する(他サ) あるものの代りに置くこと。

だいち [0][1]【台地】 周囲よりも高くなっていて、広く平らな土地。

たいちょ [1]【大著】❶ページ数や冊数の多い(というだけの)著述。❷内容のすぐれた著述。

たいちょう [0]【体長】 その動物のからだの長さ。

たいちょう [0]【体調】 からだの調子。コンディション。「—がいい/—を△崩す(整える)/—が思わしくない」

たいちょう [0]【退庁】—する(自サ) 勤務を終えて、役所から帰ること。↕登庁

たいちょう [0]【退潮】❶「ひきしお」の意の漢語的表現。❷勢力が衰えること。「中国派の—が目立つ/—を

△示す(食い止める)/—のきざし/景気—」

たいちょう[0]（チャウ）【隊長】 その隊を統率し、指揮する人。「機動隊の—/探検—」

だいちょう[1]（チャウ）【大腸】 消化器官の一つ。小腸に続き、肛門(コウモン)に至る。 **—カタル**[5] 大腸のカタル性炎症。下腹が痛み、激しい下痢をする。⇩カタル **—きん**[0]【—菌】 哺乳類の腸内に多数存在する桿菌(カンキン)。膀胱(ボウコウ)炎・腎盂(ジンウ)炎などを引き起こすこともあるが、多くは無害でビタミン合成など生理的に必要な機能を果たすほか、その存否は水質検査などによく応用され、衛生学上も重要である。

だいちょう[0][1]（チャウ）【台帳】 ❶商家の勘定をしるした元帳。❷土台となる帳簿。原簿。「配給—・土地—」 ❸〔芝居の〕脚本。台本。 かぞえ方 ❶〜❸とも 一冊

タイツ[1]〔tights〕 腰から下と脚部全体をくるみ、からだの線をそのまま表わすように作った衣服。〔バレエ・サーカスなどで使う〕 かぞえ方 一枚

だいつう[0]【大通】 遊芸や遊興の方面に非常に詳しい△こと(人)。

たいづき[0]【隊付(き)】 ある部隊に属していること。

**たいてい[0]【大抵】(副) ❶個々の細かな点は問題にしないで、全体の傾向を大ざっぱにとらえる様子。「彼の予想は—はずれる/一日中—眠っている/出掛けると—二、三日は帰ってこない/—の場合あてはまる」 ❷普通の人の常識で考えられる程度にとどまっている様子。「そうえり好みしないで—なところでがまんするんだね/ここまで築き上げるのは(並)—ではなかったでしょうね/—の事じゃ承知すまい」 運用 ⇩たいがい 運用 例、「ふざけるのも大抵にしろ」

たいてい[0]【大帝】 その時まで弱小であった国勢を盛んにし、一代にして強国の列に入る程度に盛んにするなど、大いに治績のあがった帝王。「明治—・ピョートル—」

たいてい[0]【退廷】—する(自サ) △法廷(朝廷)から引き下がること。 ↕出廷・入廷

たいてき[0]【大敵】 勢力が強く、手ごわい△敵(相手)。〔広義では、おおぜいの敵をも指す〕「油断—」 ↕小敵

たいてき[0]【対敵】 ❶敵に向かうこと。「—行動[5]」 ❷相手とする敵。

たいてん[0]【大典】 ❶「大礼」の意の改まった表現。「御—[0]〔=即位礼〕」 ❷重大な法典。「不磨〔=不朽〕の—」

たいてん[0]【退転】—する(自サ) 〔仏教で〕修行を怠り、悪い方にあともどりすること。

たいでん[0]【帯電】—する(自サ) 物体が電気を帯びること。

だいてん[0]【大〈篆】 古代中国の古銅器や太鼓形の石に刻みこまれた漢字の書体。小篆の基になった。

タイト[1]—な〔tight〕 ぴったりからだに合った様子だ。「—なシルエット/—スカート[5]」

たいと[1]【泰斗】〔←泰山北斗[1]-[1]〕 その方面の大家として仰ぎ尊敬される人。権威者。

たいど[1]【大度】—な/—に 自分の考えに必ずしも賛成しない相手の考えや態度などを受け入れる包容力のある△こと(様子)。「寛仁(カンジン)—」 ↕小量

**たいど[1]【態度】〔「度」は、心理の反映としてのそぶり、の意〕 ❶その人の考えや感情が隠そうとしても自然に現われ出る、その時の言動や表情。「△よそよそしい(穏やかな)—で話をする/感謝の念を—で示す/投げやりな気持が—に出る/—が大きい〔=威張った態度が鼻について、不快感を催すようだ〕/店員の接客—がなっていない/生活—〔=⇩生活態度〕」 ❷その時どきの情勢に△応じて(対処して)どう行動すべきかの意向や方針。「増税案に反対する—を改めて強調した/相手側の提案に対する—を明らかにする予定である/いまだ—を決めかねている」

たいとう[0]（タウ）【大盗】 部下をおおぜい持った盗賊のかしら。だいとう。

たいとう[0]【台頭・〈擡頭】—する(自サ) ❶〔今まで勢力のあったものに代わって、新しいものが〕勢力を得て、進出して来ること。「武士の—/機運が—する」 ❷〔上奏文や昔の文章で〕直接、天子・将軍に関する表現を普通の行より一字高く上げてしるすこと。 表記 「台」は、代用字。

たいとう[0]（タウ）【対当】—する(自サ) 等価値のものとして釣り合うこと。「—額[3]」

***たいとう**[0]【対等】—な/—に 二人の人や二つの物の間に優劣・高下の区別の無い△こと(様子)。「—な立場に立つ/—の資格/—の条件」

たいとう[0]（タウ）【帯刀】—する(自サ) 刀を腰に帯びること。また、その刀。 **—ごめん**[0]-[0]【—御免】 江戸時代、功労のある町人・農民に帯刀を許したこと。

たいとう[0]【泰東】 東洋の美称。 ↕泰西

たいとう[0]（タウ）【〈駘〈蕩】—たる/—と ゆったりとして、のどかな感じがする様子だ。「春風—〔=⇩春風駘蕩〕」

たいとう[0]（タウ）【〈頽唐】—たる/—と 剛毅(ゴウキ)の気風が失われて△病的(不健全)になる様子だ。

たいどう[0]【胎動】—する(自サ) 母胎の中の胎児が動くこと。〔その組織の内部から少しずつ表面化して来る、ある△運動(動き)の意にも用いられる。例、「地方自治再出発の—が聞かれる」〕

たいどう[0]【帯同】—する(他サ) 一緒に仕事をするものとして部下などを連れて行くこと。

だいとう[0]（タウ）【大刀】〔小刀(ショウトウ)・脇差(ワキザシ)などに対して〕長い方の刀。 かぞえ方 一口(ヒトフリ/イッコウ)・一本

だいどう[0]【大同】 ❶大体同じこと。 ❷—する(自サ) 目的を同じくする多数のものが合同すること。 **—しょうい**[5]（セウ）【—小異】 細かな違いはあっても、全体的にはほとんど変わりが無いこと。 **—だんけつ**[0]-[0]、[5]【—団結】—する(自サ) 多数の党派・団体が小さい意見の違いなどを越えて団結すること。

だいどう[0]（ダウ）【大道】 ❶幅の広い道路。「天下の—」 ❷道ばた。「—易者[5]・—芸人[5]・—商人[5]」 ❸人間として当然守るべき、根本の道徳。「たいどう」とも。「—廃(スタ)れて仁義あり〔=道徳が行なわれなくなると世の中に虚偽が多くなって仁義を唱える必要が生じてくる〕」

だいどうみゃく[3]【大動脈】 動脈の根幹。心臓の左心室から出、全身に血液を運ぶ。〔鉄道・道路など交通路の主要幹線をも指す〕 ⇩大静脈

だいとうりょう[3]（リヤウ）【大統領】 共和国の元首。国民から選挙されて、一定期間で交替する。 運用 劇場において、「いよう、大統領」の形で、すぐれた演技を見せた役者に対して、称賛の気持を込めてかける掛け声として用いられる。

たいとく[0]【体得】—する(他サ) 〔人に教わったり本で読んで覚えたりするばかりでなく〕実際に自分で経験してみて、むずかしさ・こわさや真の意味などをよく理解すること。

たいどく[1]【胎毒】〔母胎内で受けた毒の意〕赤ん坊の頭や顔などに出来る皮膚病。くさ(瘡)。

だいとく[0]【大徳】 徳の高い(長老の)僧(の敬称)。「だいとこ」とも。

だいどく[0]【代読】—する(他サ) 長官名義の式辞などを、代理として参列した下役が読むこと。

***だいどころ**[0]【台所】 家の中で食物を調理する所。「だいどこ[0]」とも。〔内部での金銭上のやりくりの意にも用いられる。例、「一家の—『=家計』を預かる/会社の—は火の車だ」〕

タイトル①〔title〕❶(表)題。❷学位などの称号。肩書。❸(映画の)字幕。❹選手権(保持者としての資格)。 **ーバック**⑤〔和製英語 ←title＋back〕映画などの字幕の背景。 **ーページ**⑤〔title page〕前表紙と本文の間にあって、書名・著者名などが印刷してあるページ。とびら。 **ーマッチ**⑤〔title match〕〔ボクシング・レスリングなどで〕選手権をかけた試合。選手権争奪戦。

たいない①【体内】そのものからだの内部。「ーにとどまったたまを摘出する/ー受精⑤」↔体外 **ーどけい**⑤【ー《時計》】個体の生活のリズムが光・温度などの外的条件と生物の生理条件との総合によって決定され、一定の周期を持つということ。また、それをつかさどると考えられる、生物体内のしくみ。朝起きて夜寝るのは、その一典型。 表記 ⇩付表「時計」

たいない⓪【対内】△内部(国内)に対すること。「ー的⓪」↔対外

たいない①【胎内】(子を孕(ハラ)んだ女性の)腹の中。 **ーくぐり**⑤【ー《潜り》】❶大仏の胎内や自然の洞穴をくぐり抜けること。❷やっと人がくぐれるほどの洞穴や石室。 **ーぶつ**③【ー仏】仏像の中に納めてある、小さな仏像。

だいなごん③【大納言】❶太政官(ダイジョウカン)の次官。⇩中納言・少納言 ❷アズキの一品種。大粒で赤い。大納言あずき⑥。

だいなし⓪【台無し】ーに・ーな 根本的な打撃を受けて、存立の基盤が失われる様子だ。「一生をーにする/せっかくの計画がーだ/今までの努力がーだ」

ダイナマイト④〔dynamite〕ニトログリセリンを珪藻土(ケイソウド)などに吸収させて取り扱いやすくした爆薬。 かぞえ方 一本

ダイナミズム④〔dynamism〕その物のさまざまな要素が力学的に作用し合って、それ独特の立体的な構造を形作っていること。また、そのようにとらえられた構造。

ダイナミック④ーに・ーな〔dynamic〕内に強い力を持って躍動する様子だ。「ーな△走り(踊り)/二十四時間ーに躍動する大都会/ースピーカー⑧(=音量を大きくすることが出来る拡声器)」↔スタティック 派ーさ⑥

ダイナモ⓪〔dynamo〕発電機。

だいなん⓪③【大難】大きな災難。

だいに①【大弐】大宰府(ダザイフ)の次官で、小弐の上。

だいに①-①【第二】❶最上の次。❷二番目。 **ーぎてき**①-⓪【ー義的】ーに・ーな 他にもっと根本的なことがあって、それほど重要ではない様子だ。 **ーくみあい**④【ー組合】(争議が長びいた場合などに)会社側の切りくずし工作などによって従来の組合に対抗して組織する組合。 **ーじさんぎょう**⑤,①-③【ー次産業】⇩産業 **ーじせかいたいせん**①-④,①-①-④【ー次世界大戦】一九三九年ドイツのポーランド侵略に始まる、枢軸国と連合国との戦争。ヨーロッパ・アジアを主戦場として戦われ、一九四五年枢軸国側の降伏によって終結した。⇩太平洋戦争 **ーにんしょう**①-②,④【ー人称】⇩二人称

たいにち⓪【滞日】ーする(自サ) 外国人が日本に滞在すること。

たいにち⓪【対日】(造語) 日本(人)に対する。「ー不信を増す/ー感情」

だいにちにょらい⑤【大日如来】宇宙を照らす太陽で、万物の慈母と説かれる、真言宗の本尊。

だいにゅう⓪【代入】ーする(他サ)❶(数学で)式の中のある変数をすべて、一定の数値や他の式などで置き換えること。例、「2x＋3 の x に5をーすると、式の値は13になる(=『2x＋3 に x＝5 をーする』とも言う)」。❷(所与の語釈を)そのまま任意の文脈にあてはめて、当否を確かめること。

たいにん⓪【大任】責任の重い大切な任務。「ーを果たす」

たいにん⓪【体認】ーする(他サ) 実際に自分で経験して、重要さ・必要さなどがよく分かること。「親のありがたみをーする」

たいにん⓪【退任】ーする(自サ) その職務を退くこと。↔就任

だいにん⓪【大人】入場料金表などにおける、「おとな」の漢字による表記。たいじん。⇩小人(ショウニン)・中人(チュウニン)

だいにん⓪【代人】本人の代りの人。名代(ミョウダイ)。

だいにん⓪【代任】ーする(自サ) 現職者に事故のあった場合に、臨時に当人に代わって任命される△こと(人)。

ダイニング①〔dining〕食事。「ーカー⑤⑥・ールーム⑥・ーキッチン⑥(=調理場兼食堂。ディーケー(DK))」

たいねつ⓪【耐熱】❶高温の熱△の中にあっても(を受けても)変質しないこと。「ー鋼⓪④・ー性⓪・ーガラス⑤・ー皿(ザラ)④」❷暑さにへこたれず何かをすること。「ー行軍」

たいねん⓪【《諦念》】〔「たい」は「諦」の呉音〕⇩ていねん

だいの①【大の】(連体)❶普通の程度を超えた。「ー仲よし/ーファン」❷一人前の人間としての分別をわきまえた。「ー大人」 **ーおとこ**①-③【ー男】成人した、一人前の男。「ーが三人かかっても動かせない大石/ーがゴキブリをこわがるとは」

たいのう⓪①【滞納】ーする(他サ) 期限を過ぎても税金・会費などを納めないこと。「ー者③」 表記「怠納」とも書く。

だいのう⓪①【大脳】脳髄の一部。頭蓋骨(ズガイコツ)内の大部分を占め、精神作用をつかさどる主要な器官。「ー半球⑤(=大脳の大きな部分を占め、精神作用をつかさどる上で最も大きな機能を負うところ)」 **ーひしつ**⑤【ー皮質】大脳の表面を形作る、灰白色の部分。成分は主として神経細胞から出来ており、感覚・意識などの中枢として働く。

だいのう⓪【大農】❶(アメリカなどで見られる)広大な耕地で機械を使ってする、大規模な農業経営。「ー式⓪」❷広い土地を所有し、小作人などを使って農業を行なった農家。⇩小農・中農

だいのう⓪①【代納】ーする(他サ)❶本人に代わって納めること。❷金銭の代りに物で納めること。

だいのじ③【大の字】〔「大」という文字のかっこう〕両手・両足を広げたかっこう。「ーに(なって)寝る」

だいのつき①-②【大の月】一か月の日数が、太陽暦で三十一日、陰暦で三十日の月。〔太陽暦の一・三・五・七・八・十・十二の七か月〕↔小の月

だいのむし①-⓪【大の虫】相対的に見てより重要なもの。「小の虫を殺してーを生かす(=やむをえない場合は、それほどでないものは犠牲にしてでも大切なものは救わなければならない)」

たいは①【大破】ーする(自他サ) 修復が不能なほどめちゃくちゃに△こわす(こわれる)こと。↔小破

だいば⓪【台場】〔江戸時代の末に〕海防に備えて作った砲台。「品川ー⑤」

ダイバー①〔diver〕❶潜水夫。❷(水泳で)飛込み種目の選手。❸レジャーとして、ダイビングする人。「スカイー」

ダイバーシティー③〔diversity=多様性〕❶企業活動や社会生活の中で、人種・性別・年齢・障害の有無・文化などを問わずに人材を活用し、共存していくこと。❷⇩生物多様性(❶❷ともダイバシティーとも)

たいはい⓪【大杯・大〈盃〉】「大きなさかずき」の意の漢語的表現。

たいはい⓪【大〈旆】❶△天皇(将軍)の旗。❷堂々たる△旗印(主張)。

たいはい⓪【大敗】—する(自サ) 大差で負けること。「—を喫する」↕惜敗

たいはい⓪【退廃・〈頽廃】—する(自サ) 質実剛健の気風が失われて、柔弱・不健全になること。デカダン。「道義の—/—的⓪」 表記「退」は、代用字。

だいばかり③【台〈秤】〔天秤(テンビン)・ぜんまい秤・竿(サオ)秤などではかれない重い物を〕台に載せて重さをはかる秤。かんかん。 かぞえ方 一台

たいはく⓪①【大白】「大杯」の意の古風な表現。「—を挙げる」

たいはく⓪【太白】❶金星。太白星④③。❷精製して、まっ白な砂糖。❸太い絹糸。

だいはちぐるま⑤【大八車】大きな荷車の一種。〔八人が運ぶ分量の荷を一度に運ぶ意という〕略して「だいはち⓪」。 かぞえ方 一台

だいはちげいじゅつ⑤【第八芸術】〔文学・音楽・絵画・演劇・建築・彫刻・舞踊に次ぐ芸術の意〕サイレント映画。

たいばつ①【体罰】言う事をきかなかったり 悪い事をしたりした子供に対して、こらしめとして肉体的な苦痛を与えること。「学校での—は禁止されている」

だいはつ⓪【大発】「大型発動機艇⓪⑨」の略。

たいはん⓪③【大半】〔もと、三分の二の意。ちなみに、残る三分の一は小半(ショウハン)〕全体の半分をはるかに超えた数量。「…に—を割く/—を占める」

たいはん⓪【大藩】△領地の広い(石高(コクダカ)の多い)藩。↕小藩

たいばん⓪【胎盤】胎児を包む袋を母胎の子宮に結びつける、円板状の肉塊。栄養補給や呼吸などを行なう。

だいばんじゃく③【大盤石・大〈磐石】〔大きな岩の意〕物事の基礎がしっかりしていて、少しぐらいの事では動かないこと。「—の備え」

たいひ⓪①【対比】—する(他サ) 相互の違いを明らかにするために二つ(以上)の物を比べること。「予算と実績を—する」 **—てき**⓪【—的】—な/—に 対比することによって、正反対と言ってよいほどきわだった差異が認められる様子だ。「ドイツ人とフランス人との国民性は—だ」⇩対照的

たいひ①—する(自サ) ❶【退避】危険を避けるために、一時その場所を去ること。「高齢者や子供を—させる/—訓練④・—勧告(カンコク)④」 ❷【待避】〔鉄道や山道などで〕他の車・車両が「本線❷」を通り過ぎるのを、わきへどいて待っていること。「—線⓪・—駅③・—所(ジョ)⓪④」

たいひ①⓪【堆肥】草・わら・ふん尿などを積み重ねて腐らせた肥料。つみごえ。

たいひ⓪【貸費】学資などの費用を貸すこと。「—生③」

たいび①【大尾】連載していた読み物などの終り。

だいひ①【大悲】衆生(シュジョウ)の苦しみを救う、仏の慈悲の心。「大慈—〔=⇩大慈大悲〕・—観音」

だいびき⓪【代引(き)】〔↑代金引換〕代金と引換えに品物を渡すこと。「だいびき」とも。「—手数料⑥」

タイピスト③〔typist〕タイプライターで文書を印字するのを業務とする人。

だいひつ⓪【代筆】—する(他サ) 本人に代わって△書くこと(書いたもの)。↕自筆・直筆(ジキヒツ)

たいひょう⓪—【体表】そのもののからだの表面。「—呼吸⑤」

たいびょう⓪—【大病】—する(自サ) 治るのに時間のかかる病気。大患。⇩重病

だいひょう⓪①—【大兵】体格がいい△こと(人)。「—肥満⓪-⓪、①-⓪」↕小兵(コヒョウ)

****だいひょう**⓪—【代表】—する(他サ)〈だれ・なにヲ—する〉❶その組織・団体などの意見・意思などを反映する者として構成員の中から選ばれ、公の△席(場)に参加する資格が与えられること。また、その人。「△会社(住民・親族)を—して挨拶(アイサツ)する/右—山田花子/—権・—者・—取締役⓪」❷関係するものの中で最も高い能力を持つものとして選ばれ、公式の競技会などに参加できる資格を認められること。また、その△人(もの)。「国内予選を勝ち抜きオリンピック—に決まる/合唱コンクールの県の—校」❸関係する一群のものに共通する特徴・特質などをそなえ、その典型として第一に認められるものであること。また、そのもの。「日本の映画界を—する俳優/マンガに—される現代の文化/まじめ人間の—格」 **—さく**③【—作】❶その作家の作風を端的に表わしている作品。❷その作家として最高の傑作。 **—てき**⓪【—的】—な 全体を代表するものと認められる様子だ。「…派の—歌人」 **—でんわ**⑤【—電話】それにかければ、二つ以上ある回線の、空いているものにつながる電話番号。大(イダイ)代表。 **—りじ**⑤【—理事】その団体の執行機関の最高責任者として理事会を統轄するとともに、対外的には組織を代表する役(の人)。

タイピン⓪〔tiepin〕ネクタイピン。

だいひん⓪【代品】代りの品。代用品。

タイピング⓪—する(自他サ)〔typing〕〔タイプライターやコンピューターなどの〕キーを打つこと。「タッチ—」

ダイビング①⓪—する(自サ)〔diving〕❶〔水上競技で〕飛込み。❷〔飛行機の〕急降下。「スカイ—」❸潜水。「スキン—・スキューバ—」

たいふ①【大夫】❶〔古代中国で〕士の上、卿(ケイ)の下にあった職。❷五位の通称。〔古くは、三位(サンミ)以上をも指した〕

たいふ①【大〈輔】【太夫・大夫】⇩たゆう

たいぶ①【大部】❶書物の分量が多いこと。「—の〔=ページ数・冊数の多い〕著述/—の〔=語数の多い〕文書」❷「大部分」の意の古風な表現。

たいぶ⓪【退部】—する(自サ) 所属している部をやめること。「—届④」↕入部

***タイプ**①〔type〕❶同じ種類のものに普通に見られる形。型。❷共通の特性によって区別される種類。類型。「あの人は私の(好みの)—だ/学者—」❸—する(他サ) タイプライター(を打つこと)。「英文—」

****だいぶ**⓪【大分】(副) 物事の程度・数量が無視出来ない段階にまで至っている様子。「病気が—よくなった/古くなって—傷んでいる/時間に—遅れてしまった」

***たいふう**③【台風・〈颱風】夏から秋の初めにかけて南洋の海上に発生して、中国・日本などを襲う強い暴風雨。〔気象学では、最大風速毎秒一七・二メートル以上の熱帯低気圧を指す。発生から消滅までは約一週間から一か月。毎年、発生順に番号が付けられる〕タイフーン③(typhoon)。〔突然現われて、やたらに叱(シカ)りつけたり 悪口を言ったかと思うとさっとその場を立ち去る意のたとえにも用いられる〕「—一過」 **—のめ**③-①【—の目】台風の中心(近く)に出来る、風のない晴れた地域。〔激動するものの中心(人物)の意にも用いられる〕

だいぶきん③【台布巾】食卓をふく布巾。「だいふきん」とも。

だいふく④【大福】❶金持で幸運に恵まれること。❷〔↑大福餅(モチ)④〕つきたての餅を薄く伸ばし、その中にあんを包みこんだもの。 **—ちょう**⓪—【—帳】商家伝来の金銭出納帳。勘定項目を分けず、取引順に書き続けたものが多

い。「今だに—式の勘定だ」 かぞえ方 一冊

たいぶつ⓪【対物】 物に対すること。「—〔=担保物などに対する〕信用」 **—レンズ**⑤〔顕微鏡・望遠鏡などで〕物体に面しているレンズ。↔接眼レンズ

だいぶつ⓪【大仏】 大きな仏像。「奈良の—／—開眼（カイゲン）」 かぞえ方 一枚 ⓪-⓪・—殿④」

だいぶつ⓪【代物】 「代品」の意の改まった表現。「—弁済」

だいぶぶん③【大部分】 全体に近い、ほとんどの部分。

タイプライター④〔typewriter〕 キーをたたいて即座に紙に文字を印字出来る器械。タイプライタ④とも。また、略してタイプ。 かぞえ方 一台

タイブレーク④〔tie break〕 テニスの競技方法の一つ。試合が長引くのを防ぐため、ゲームカウントがタイ（六対六、または八対八）の時、二ポイント以上の差をつけて七ポイントを先取した方をそのセットの勝者とすること。

だいぶん⓪【大分】（副） 普通 許容される程度を少なからず上回っていることを表わす。「親父（ジオヤ）は又—のやかまし屋である／お倉さんは赤い手絡（ガラテ）の時代さえ通り越して、—と世帯（ショタイ）じみた顔を、帳場へさらしているだろう」

たいぶんすう⑤③【帯分数】〔数学で〕自然数の右隣に真分数を書いて、両者の和を表わしたもの。例、$2\frac{1}{3}$〔=二と三分の一。二箇（カ）三分の一〕。

たいへい⓪【太平・泰平】—な 世の中が平和な△こと（様子）。「天下—」 **—らく**③【—楽】〔雅楽の曲名にかけて〕「かってなことを のんきに言っていること」の口頭語的表現。「—を並べる」

たいへいよう③（ヤウ）【太平洋】 世界最大の大洋。アジア・オーストラリアと南北アメリカの間にある。「—プレート⑧・—高気圧⑨」 **—せんそう**⑦（サウ）【—戦争】 第二次世界大戦の後半、日本とアメリカ・イギリス・フランス・オランダ・中国など連合国との間に行なわれた戦争。〔一九四一年十二月八日～一九四五年八月十五日。なお、日本側ではこれを「大東亜戦争⑥」と呼んだ〕

たいべつ⓪【大別】—する（他サ） 大きく分けること。↔細別

****たいへん**⓪【大変】 ❶〔驚くべき変事の意〕その国家・社会にとっての重大事件。「このたびの—〔=悪い出来事〕」 ❷—に—な ❶軽く扱うわけにはいかないほど事態が△深刻（重大）な状態だ。「—な事が持ち上がった／—な役目を仰せつかった／今すぐ手当てをしなければ経済的にますます—こな

る」 ❷何かをするのに、並なみならぬ努力を要したり 苦労したりする様子だ。「ここまで運ぶだけでも—だった／—な力の入れ方だ／一人で生きていくのも—なことだ／慣れない土地で暮らすのは何かと—だ」 ❸（副）—に 並の程度をはるかに超えている様子。「—結構です／—お世話になりました／—にすばらしい」 派 **—さ**⓪

たいべん⓪【胎便】 赤ん坊が生後二、三日間排泄（ハイセツ）する黒ずんだ緑色の大便。かにばば。かにくそ。

だいへん⓪【代返】—する（自サ）〔学生語で〕教室で出席を取る時、欠席した学生に代わって返事をすること。

だいべん③【大便】 消化された食べ物のかすが肛門（コウモン）から出るもの。くそ。うんこ。↔小便

だいべん⓪【代弁】—する（他サ） ❶本人に代わって弁償すること。❷正規の人に代わって事務をとる△こと（人）。❸本人に代わって意見を述べたり 弁解したりすること。「—者③」 表記 「弁」の旧字体は❶❷「〈辨」、❸「〈辯」。

たいほ①【退歩】—する（自サ） 今まで進んで来た程度より低い△能力（状態）になること。↔進歩

たいほ①【逮捕】—する（他サ）〔「逮」は、追いつく・つかまえるの意〕警察・検察が、犯人・容疑者をつかまえること。「—に△乗り出す（踏み切る）／—状⓪③」

たいほう⓪（ハウ）【大方】〔度量の大きい人、また、学識のある人の意〕「世間一般の人」の意の古風な表現。「—の教示を乞（コ）う」 ⇩おおかた❷❶

たいほう⓪（ハフ）【大法】 大事な法律。「天下の—」

***たいほう**⓪（ハウ）【大砲】 大きな弾丸を発射する兵器。〔俗に野球で、大量にホームランを打てる強打者の意にも用いられる〕 かぞえ方 一門。弾丸は一発

たいぼう⓪（バウ）【大望】 ❶凡俗な人には企て及ばぬ、大きな目標。「二大会連続の四冠をねらったが、二位に終わり、—は夢となった」 ❷「大望（タイモウ）」に同じ。

たいぼう⓪（バウ）【待望】—する（他サ） それが△実現（出現）する日を待ちこがれること。「—の本／—久しい」

たいぼう⓪（ボフ）【耐乏】 物資が少なくて暮らしにくいのを がまんすること。「—生活⑤」

だいぼうあみ③【大謀網】 網の一つ。立て網に属し、楕円（ダエン）形で、口の小さな袋網。イワシ・サバ・ブリ・ニシンなどをとるのに使う。

たいぼく⓪【大木】 大きい木。「見上げるような—／うどの—〔=⇩うど〕」

たいほん⓪【大本】 ものごとのあり方の根本にある原理・原則。「民主主義の—」

だいほん⓪【台本】〔映画・芝居・放送などの〕脚本。 かぞえ方 一冊：一本

だいほんえい③【大本営】 もと、戦時に天皇の下に置かれた最高の統帥本部。

だいほんざん③【大本山】 ❶総本山。❷〔末寺・別院と違って〕総本山の下にあって末寺を管掌する本山。

たいま①【大麻】 ❶伊勢神宮や諸神社から授与するおふだ。❷アサ。❸アサから製した麻薬。マリファナ。 **—ゆ**③【—油】「大麻❷」の種からとった油。

タイマー①〔timer〕 ❶競技などで時間を計る人。❷タイムスイッチ。「セルフ—」

たいまい⓪【〈玳瑁〉・〈瑇瑁〉】 ウミガメの一種。体長約一メートル。甲羅はハート形で黄色く、黒いまだらのある うろこが重なる。べっこう細工の原料。〔ウミガメ科〕 かぞえ方 一匹

たいまい⓪①【大枚】 金額の多いこと。また、そのお金。「—はたいて買ったマイホーム／毎月—のお金を送る」

たいまつ①【〈松明〉】〔「焼（タキ）松」の意〕松・竹・葦（シア）などを束ねたものの先に火をつけ、照明用にしたもの。 表記 古来の用字は「《続松」。「〈松明〉」は色葉字類抄 以来 用いられる。

***たいまん**⓪【怠慢】—な 心がけが悪く、なすべき仕事を△きちんと（期日通りに）やらない様子だ。「—のそしりを免れない／職務—」 派 **—さ**⓪

だいみょう③（ミヤウ）【大名】 武家時代、広い領地を持っていた武士。〔江戸時代では、知行（チギョウ）一万石以上を指す〕「外様（トザマ）—・譜代—・—華族〔=⇩華族〕・—行列⑤」 ↔小名 **—りょこう**⑤（カウ）【—旅行】 費用を惜しまない、ぜいたくな旅行。〔視察に名を借りるなどして、公費で行なう観光旅行の意にも用いられる〕

タイミング⓪〔timing〕 ころあいを はかって、動きを合わせること。「いい—／—を合わせる／—が悪い／グッド—④」

タイム①〔thyme〕「タイム〔=ヨーロッパ原産の常緑低木。シソ科〕」の全体を、かわかしたもの。薬用・香味料に用いる。 かぞえ方 一株・一本

タイム①〔time〕 ❶時間。「ノー—・パート—」 ❷その選手が、その△競走（競泳）に要した時間。「よい—を出す」 ❸試合・競技などの一時中止（の時間）。「—を要求する」

ロスー[3]〔←loss of time〕 ❶むなしく費やされた時間。❷サッカー・ラグビーなどで、負傷による中断時間やゴールキックの準備時間などの合計を指す。その分だけ試合時間の延長が認められる。インジャリー タイム[6]とも。また、サッカーはアディショナル タイムと言う。

だいむ[1]【代務】 他人に代わって事務を行なうこと。「管長―」

タイムアウト[4]〔timeout〕〔スポーツで〕選手の交代、反則の処理などのためにとられる短い中断時間。試合時間には加えない。

タイムアップ[4]〔和製英語 ←Time is up.〕 規定の時間が終わること。時間切れ。

タイムカード[4]〔timecard〕 出退勤の時間を記録するカード。

タイム カプセル[4]〔time capsule〕 その時代の文化を示す見本を収めた容器。一定の年月が経過した後、取り出す了解のもとに地中に埋める。

タイムキーパー[4]〔timekeeper〕 (競技や番組の)時間を計ったり△記録(調整)したり する人。

タイム スイッチ[4][5]〔time switch〕 設定しておいた一定の時刻になると、自動的に電流が流れたり 切れたりするようにした装置。タイマー。

タイム スタンプ[5]〔time stamp〕〔コンピューターでファイルに記録される〕日付と時刻の情報。

タイム スパン[5]〔time span〕 特定の時間の幅。

タイム スリップ[4][5]―する(自サ)〔和製英語 ←time + slip〕〔SFで〕登場人物が未来や過去のある時点に一瞬のうちに移動すること。

タイム セール[4]〔和製英語 ←time + sale〕 スーパーマーケットなどで時間限定で行なわれる特売。

タイムテーブル[4]〔timetable〕 (交通機関の)時刻表。時間割。予定表。

タイム トライアル[5]〔time trial〕〔自転車のトラック競技などで〕一人ずつ走り、その所要時間で順位を争う競技。

タイム トラベル[5]〔time travel〕 時間を超えて、過去や未来に旅をすること。時間旅行。タイム トリップとも。

タイム トンネル[4]〔time tunnel〕〔SFで〕そこを通り抜けると、自由に△未来(過去)の世界へ行かれるという、空想上のトンネル。

タイム マシン[5]〔time machine〕〔SFで〕人を乗せ、現在から過去や未来へ自由に航行出来るという想像上の飛行体。イギリスの空想小説に由来。

タイム ラグ[4]〔time lag〕 ある現象に対する反応が起きるとき、現象と反応の間の時間のずれ。

タイムリー[1]―な/―に〔timely〕 ちょうど いい時に行なわれる様子だ。「―な企て/―ヒット[6]」

タイム リミット[4]〔time limit〕〔何かをするにあたって許された〕ぎりぎりの日限・時限。「―が近づく/―を迎える」

タイム レコーダー[5]〔time recorder〕〔工場・会社などで〕△出社(退社)時刻をカードに記入する器械。

だいめ[3]【代目】 代替りすること。「―披露[4]」

たいめい[0]【大命】 △国王(天皇)の命令。「組閣の―を受ける/〔旧憲法で、組閣の〕―降下[5]」

たいめい[0]【待命】―する(自サ) ❶命令の下るのを待つこと。❷〔公務員・会社員などが〕身分はありながら、一定の職務を持たない(で家に居る)こと。

だいめい[0]【題名】 書物・作品などの表題。

だいめいし[3]【代名詞】 ❶人・事物・場所・方角などを表わす際に(実際に指し示す動作を伴って)具体的に意味を表わす言葉の代りに用いる語。「わたし・これ・どこ」など。人を指し示す人称代名詞と、事物・場所・方角を指し示す指示代名詞とがある。❷〔「…の―」の形で〕…といえばまずそのものが思い出される代表例。「日本の『列車の時刻』は 以前から正確の―だ」

たいめん[0]【体面】 ❶その地位や身分に応じた外観のりっぱさ。〔身なり・家の構え・交際の状況など〕「―を△とりつくろう(傷つける)/―が保てない」 ❷名誉。「学校の―を汚す/国家の―(=面目)を保つ」

たいめん[0]【対面】―する(自サ) 人と顔を合わせること。「はからずも―する/生き別れになった親子の―が実現する」 ―**こうつう**[5]【―交通】 人は右側、車は左側を通るために、人と車とが道路の同じ側で向き合うこと。

たいもう[0]【大望】 その△年ごろ(身分)では普通考えない、大きな志望。「たいぼう」とも。「―をいだく」

たいもう[0]【体毛】 (普通 衣類で おおい隠されている)身体部位に生えている毛。

だいもく[0]【題目】 ❶書物や論文で△扱ってある(扱うべき)内容を短い言葉で表わしたもの。表題。❷討議・研究・施策の主題や項目。 ❸⇩おだいもく

だいもん[1]【大門】 〔その区域の〕外構えの正門。

だいもん[1]【大紋】 ❶大形の紋。 ❷大形の家紋を染めた直垂(ヒタタレ)。

だいもんじ【大文字】 ❶[3] 大きく太く書いた文字。 ❷[3] 堂々と自己の主張を述べた大文章。 ❸[0][3]〔←大文字の火〕 八月(=陰暦七月)十六日の夜、京都市東山、如意岳(ニョイガタケ)の中腹に、大の字の形に たく、かがり火。

タイヤ[0]〔tire〕 車輪の外側にはめる輪。主成分はゴム。「―がパンクする/スタッドレス―」 かぞえ方 一本

たいや[1][0]【逮夜】 〔「逮」は、およぶ意。多く「お―[0]」の形で〕 ❶あすは茶毘(ダビ)に付するという前夜。 ❷仏事を営む忌日(キニチ)の前夜。

ダイヤ ❶ダイヤモンドの略。「―の指輪」 Ⓐ[1][0]小粒や小さい塊で、価値あるものの称。「黒い―(=石炭)/黄色い―(=数の子)/赤い―(=アズキ)」 Ⓑ[0][1]〔トランプで〕赤い菱形(ヒシガタ)のしるし(で点数を表わした札)。◆ ❷[1]ダイヤグラムの略。「猛吹雪で―が乱れる/臨時―が組まれる」

たいやき[0]―【(鯛焼(き))】 タイの形をした型に溶いた小麦粉を流し込み、中にあんを入れて焼いた菓子。

たいやく[0]【大厄】 ❶重大な災難。 ❷最も注意すべき厄年。男性は四十二歳、女性は三十三歳という。⇩厄年

たいやく[0]【大役】 責任のある、大事な役目。「―を仰せつかる」

たいやく[0]【大約】 正確ではないが、大体の状態。およそ。

たいやく[0]【対訳】―する(他サ) △原文(原語)とそれを訳したものとを並べ△示すこと(示したもの)。「―辞書[5](=(意味の説明を最小限にとどめて)訳語を幾つか列挙しただけの辞書)」

だいやく[0]【代役】―する(自サ) 〔劇・映画などで〕故障の起こった本人の代りに出る役(の人)。また、その役をすること。

ダイヤグラム[4]〔diagram=(幾何学的図形による)図表〕 列車運行表・行事予定表など。略してダイヤ。

ダイヤモンド[4]〔diamond〕 ❶宝石の一つ。純粋な炭素の結晶物。強く美しい つやを持ち、硬度が最も高い。金剛石。略してダイヤ。 ❷〔野球で〕内野。 かぞえ方 ❶は一顆(イッカ)・一粒(ヒトツブ)。古くは一枚 ―**こんしき**[7]【―婚式】 結婚して六十年目、または七十五年目の祝い。 ―**ダスト**[7]〔diamond dust〕 酷寒時に、空気中の水蒸気が微小な氷の結晶となって、きらきら、ダイヤモンドのように輝きながら落下したり 浮遊したり する現象。細氷(サイヒョウ)。

*ダイヤル⓪〔dial=日時計〕㊀計器やラジオの文字板・目盛り。「―を合わせる」㊁―する(自サ) 電話の数字盤。また、電話をかけるために数字盤を操作すること。「―を回す/―ボタンを押す/一一〇番に―する」〔ダイアルとも〕 ―イン⑤〔和製英語 ←dial+in〕〔会社などで〕外部からの電話が個々の電話に直接つながる方式。

たいゆう⓪【大勇】口先や見かけだけでない、真の勇気。「―は怯(キョウ)なるがごとし」↔小勇

たいよ①【貸与】―する(他サ) 貸し与えること。

たいよう⓪【大洋】果てしなく広い海。〔一般に太平洋・大西洋・大陸を包囲する大海などを指す〕 ―しゅう③【―州】―〈洲〉 オセアニア。⇩付録「世界の国名一覧」

たいよう⓪【大要】㊀本筋に直接関係のないところを除いた、大切な部分。㊁あら筋をまとめたもの。あらまし。

*たいよう①【太陽】㊀光り輝き、その光と熱によって地球上の生命に恵みを与えてくれる天体。〔天文学上は恒星の一つ〕「―光発電⑦/―崇拝⑤」㊁将来に期待をいだき、明るい気持を持ち続けたり希望の実現を信じて疑わなかったりする心情。「心に―を持て」 ―けい⓪【―系】太陽、およびそれを中心として運行する天体の集団。 ―でんち⑤【―電池】太陽熱を電気エネルギーに変える装置。無人灯台や人工衛星の電源に利用される。 ―とう⓪【―灯】水銀灯。 ―ねつ③【―熱】太陽光線による輻射(フクシャ)エネルギー。 ―ねん③【―年】地球が太陽の周囲を一回りする時間。三六五・二四二二日に等しい。 ―ふう③【―風】太陽から放出される、プラズマの流れ。 ―れき③【―暦】地球が太陽の周囲を一回りする時間を基準として定めた暦。陽暦。↔太陰暦 へいきん―じつ⑦【平均―日】⇩平均太陽日

たいよう①【体用】〔主として、仏教で〕本体とその作用。

たいよう⓪【態様・体様】「ありさま・様子」の意の法律用語。

*だいよう⓪【代用】―する(他サ)〈なにニなにヲ―する/なにデなにヲ―する〉 本来使うべきものの代りに△まにあわせとして〔臨時に〕使うこと。 ―きょういん⑤【―教員】「助教諭」の旧称。 ―じ③【―字】常用漢字表(かつては当用漢字表など)に無い音・訓を用いた表記漢字を、同音で意味の類似した常用漢字(当用漢字など)で書きかえること。また、その文字の通称。「輿論ヨ」を「世論」とするなど。代用漢字⑤。 ―しょく③【―食】〔第二次世界大戦の戦中・戦後に〕米の代りに食べた主食。めん類やイモ・カボチャなど。 ―ひん⓪【―品】そのものの代りに使う品物。

たいようねんすう⑤⑦【耐用年数】その施設や機器が本来の機能を持続し得る年数。〔減価償却の基準となる〕

たいよく⓪【大欲・大〈慾〉】↔少欲 ㊀常人より桁(ケタ)はずれに大きな欲望。㊁非常に欲が深いこと。だいよく⓪。「―は無欲に似たり〔=ⓐ『大欲㊀』の人は、小さな利益など眼中に無いので、一見、欲が無いように見える。ⓑなんでもかんでも自分の物にしようとしてねらうと、集中力が散漫になり、かえって大物を失うことがあり、結果的に得るところの少ないことがあるものだ〕」

だいよん⓪【第四】⇩だいし ―き①-①【―紀】地質時代の一つ。新生代を三つに区分した最後の時代〔=約二百五十八万年前から現在まで〕。ほぼ現在に近い地質になり、人類や現存する哺乳動物が出現。更新世と完新世に分ける。「だいしき」とも。⇩第三紀

*たいら⓪【平ら】―な/―に ㊀高低やでこぼこが無い様子だ。㊁⇩おたいら ―か②③―な/―に ㊀世の中が平和で、何事もない様子だ。㊁満足して、安らかな様子だ。「彼の心中―でなかった」㊂⇩たいら㊀

だいら【平】(造語) 山間の平地。「松本―・善光寺―」

たいらがい③【平貝】二枚貝の一種。大きな貝柱があり、食用にする。タイラギ⓪の俗称。〔ハボウキガイ科〕 かぞえ方 一枚

たいらぐ③【平らぐ】(自五) 戦争・騒ぎがやんで、平和な状態になる。

たいらげる④【平らげる】(他下一) ㊀敵や反抗する者を全部負かして、平和な状態にする。㊁「△出された〔饗された〕料理を残らず食べきる」意の口頭語的表現。

たいらん⓪【大乱】革命・内乱などが起こって、無秩序状態になること。

タイラント①〔tyrant〕㊀僭主(センシュ)。㊁専制君主。暴君。圧制者。

たいり①【大利】「大きな利益」の意の漢語的表現。↔小利

だいり⓪①【内裏】㊀昔、天皇の住居とした宮殿。〔天皇の称としても用いられた〕「里(サト)―③〔=平安時代、摂関の邸宅に一時設けられた仮皇居〕・大(ダ)―〔=⇩だいだいり〕」 ㊁〔↑内裏びな④〕天皇・皇后の姿に似せた、男女一そろいのひな。「―さま④」

**だいり⓪【代理】―する(他サ)〈だれ・なにヲ―する〉 その人に代わって事件・事務などを処理すること。また、その人。「―を立てる/―人⓪・―店③⓪・―業③」 ―しゅっさん④【―出産】子供のできない夫婦の代わりに、代理母といわれる女性に人工授精をして、妊娠・出産してもらうこと。

だいリーグ③【大リーグ】アメリカのプロ野球で最上位に位置づけられるリーグ。メジャーリーグ④とも。

だいりき⓪【大力】すぐれて強い力(の持主)。「―無双」

**たいりく⓪【大陸】㊀地球上の広大な陸地。「五―」㊁日本から見た中国、イギリスから見たヨーロッパ。⇩島㊀ ―かんだんどうだん⑨、⓪-⓪【―間弾道弾】⇩アイシービーエム(ICBM) ―せいきこう⑦、⓪-⓪【―性気候】大陸に特有な、昼夜・夏冬の気温の変化の激しい気候。↔海洋性気候 ―だな⓪④【―棚】りくだな(陸棚)。 ―てき⓪【―的】―な ㊀大陸に特有である様子だ。㊁細かいところにこだわらない、おおような様子だ。

だいりせき③【大理石】〔「大理(ターリー)」は、中国雲南省にある、この石の産地〕石灰岩が変質して再び結晶した白い石。磨くと美しいつや・文様が出る。建築・彫刻用。マーブル。「―像⑤」

**たいりつ⓪【対立】―する(自サ)〈だれ・なにト―する〉 相容(イ)れない二つのものが自分の立場を主張して譲らないこと。「―が△表面化する〔深まる・むき出しになる・解消される〕/―の溝を広げる/―をさらけ出す/真っ向から―する/△意見〔利害〕が―する/―候補」 ―じく④【―軸】対立する議論の争点を軸と捉え、正負のようにどちらの立場を支持するかを視覚的に概念化したもの。「論者の立場を明確にするため―を定める/資本主義対社会主義という―が崩れた」

たいりゃく⓪【大略】(副) 細かい点はさておき、大体においてはそうであるととらえられる様子。「同人行末(ユクスエ)の義に関しては―御同意の事と存じ候えば」

たいりゅう⓪【対流】―する(自サ)〔液体・気体の〕熱せられた部分の密度が小さくなって上に移り、密度の大きい冷たい部分と入れかわる運動。 ―けん③【―圏】地上およそ十(数)キロメートル以下の、空気が対流している範囲。↔成層圏

たいりゅう⓪【帯留】―する(自サ) ㊀旅先などでしばらく

の期間とどまっていること。「外国人の長期―を制限する／―地[3]」❷物事がさばけないでそこに残っていること。「コンテナ車両の―状況」

たいりょう[0]（レフ）❶【大猟】その時の獲物が多いこと。↕不猟 ❷【大漁】その時の漁獲高が多いこと。↕不漁

たいりょう[0]（リヤウ）【大量】❶一度に扱う数量の規模が大きいこと。「―に出回る／―点をあげる／（蚊が）―に発生する／―生産[5]〔＝流れ作業により一時に大量の製品を作ること〕・―処分[5]」↕少量 ❷度量が大きいこと。

たいりょう[0]（レウ）【退寮】―する（自サ） 寮を出て、他の所に移ること。↕入寮

たいりょく[1]【体力】からだの、運動能力・抵抗力・耐久力などの総合的な力。「―をつける／―が△衰える（弱る）／―的に無理だ／―増強[1]-[0]・―測定[5]」⇩意力・知力

たいりん[0]【大輪】〔キクやアサガオなどの〕花の大きさが（普通より）大きいこと。また、その花。「だいりん」とも。↕小輪

タイル[1]〔tile＝屋根がわら〕 ふろ場などの床や壁に張るための、土・石類の粉末を板状に焼いたもの。「ビルの外壁の―がはがれて落下する／―張（バ）り[0]」 かぞえ方 一枚

たいれい[0]【大礼】〔皇室の〕重大な儀式。即位礼・成婚式など。大典。 **―ふく**[3]【―服】 国家的な儀式の時などに一定の身分以上の人が着る、金モールなどで飾ったきれいな服。

たいれい[0]【〈頽齢】 体力などにはっきりおとろえが見える老齢。

ダイレクト[1]（―な／―に）〔direct〕 直接。「―に返球する／―スパイク[7]・―セール[6]〔＝セールスマンなどを使う直接販売〕」 **―メール**[6]〔direct mail〕 直接、個人あてに郵便で送る商品広告（による宣伝販売）。ディー エム（DM）。

たいれつ[0]【隊列】 隊を組んだ人の作った列。「―を乱す／（…の）―に加わる」

たいれん[0]【対〈聯】 同形式で意味が違っている、二つの句。「ついれん[0]」とも。

たいろ[1]【退路】 退却の道。逃げ道。「―を△絶つ（遮断される）」↕進路

たいろう[0]（ラウ）【大老】〔長老の意〕江戸時代、老中の上席で、将軍を輔佐（ホサ）して政治の実務を総轄した官職。

たいろう[0]（ラウ）【大〈牢】〔もと中国で、ウシ・ヒツジ・イノシシなどの供物の意〕「りっぱな料理」の意の古風な表現。「―の珍味」

だいろっかん[1]-[0]（ロク）【第六感】〔五感の働き以外による意から〕直観的に何かを感じとる心の働き。勘。

たいろん[0]【対論】―する（自サ） △向かい合って（対抗して）議論すること。また、その議論。

*__たいわ__[0]【対話】―する（自サ）〈だれト―する〉 向かい合って話すこと。また、その話。「―が行なわれる／―を△進める（阻む）／―に欠ける／―劇[3]」

だいわり[0]【台割（り）】 ページ物の印刷の際、印刷機一台で一回に印刷される分の版面数を区分すること。

だいわれ[0]【台割（れ）】〔相場が下落して〕百円台から九十円台になるなど、一つ下の段階に落ちること。

たいわんぼうず[5]（バウ）【台湾坊主】❶「円形脱毛症（エンケイダツモウショウ）[0]-[0]、[7]」の俗称。頭髪が丸く固まって抜ける。❷二月ごろ、台湾付近に発生して本州南岸沿いに北上する低気圧。日本に大雪をもたらす。

たいん[0]【多淫】―な 性的欲望が旺盛（オウセイ）で、積極的に機会を求めてはその欲望を満たそうとする△こと（様子）。

たいん[0]【多飲】―する（他サ） 嗜好（シコウ）品や薬などを飲み過ぎること。

ダイン[1]〔dyne＝「押す」意のギリシャ語に由来〕 CGS単位系における力の単位で、一グラムの質量を持つ物体に作用して一秒間に秒速一センチメートルの速度変化を生じさせる力を表わす〔記号 dyn〕。〔十万分の一ニュートンに等しい〕

たう[1]【多雨】 降雨量が多いこと。「高温―」↕少雨

たうえ[3]（ウヱ）【田植（え）】 稲の苗を水田に移し植えること。

たうち[3]【田打（ち）】 春の初めなどに田を打ち返すこと。

ダウへいきん[3]【ダウ平均】〔←ダウ式平均株価[10]、[0]-[6]〕 増資の権利落ちなどによる下落を修正して計算した、その日の株価の平均値。修正平均株価の代表的なもの。アメリカのダウ ジョーンズ（Dow Jones）社が始めた。⇩日経平均

だうま[0][1]【駄馬】 ⇩だば

タウリン[1]〔ド Taurin〕 筋肉に多く存在する物質で、血中コレステロールを下げたり、疲労回復や肝臓の解毒作用を強化するなどさまざまな働きをする。魚介類に豊富に含まれる。

タウン〔造語〕〔town〕 町。都市。「―ウエア[5]〔＝外出着〕・―ハウス〔＝数戸で共用敷地を持ち、各戸が地面に接している集合住宅〕・―ミーティング[4]〔＝政治家と一般市民が対話する集会〕・ベッド―〔＝⇩ベッド タウン〕」

ダウン[1]―する（自他サ）〔down＝下へ〕 ❶下げること。下がること。「この不景気で年収も大幅に―した／イメージ―・コストー」↕アップ ❷〔ボクシングで〕パンチを食らって△倒れる（倒れて戦闘不能に陥る）こと。〔俗に、過労や病気で倒れて、まともに仕事が出来ない状態になる意にも用いられる〕

だうん[1][0]【〈朶雲】〔古〕相手の手紙の敬称。「―拝読」

ダウンサイジング[4]〔downsizing〕 ❶コスト削減や効率化のために企業規模を小さくすること。〔家族の人数が少なくなり、家を小さく作りかえる意としても用いられる〕 ❷大型コンピューターから小型のパソコンに変更することによる、システムの小型化。

ダウンジャケット[4]〔down jacket, down＝鳥の羽毛〕 防寒用上着。撥水（ハッスイ）性に富んだ布地に水鳥の綿毛を詰め、キルティングが施してある。 かぞえ方 一着

ダウンバースト[4]〔downburst〕 積乱雲から突然吹き降ろす気流が、地面にぶつかって四方八方に爆発的な強風を起こすこと。航空機事故や災害の原因となる。

ダウンロード[4]〔download〕〔コンピューターのネットワーク上で〕サーバーから個々のコンピューターにデータを転送すること。↕アップロード

たえ[1]（タヘ）【《妙》】―なる 人間の手になるものとは思われないほど、上手な様子だ。「―なる楽（ガク）の音（ネ）」

たえ[1]（タヘ）【〈栲】〔雅〕カジの木などの繊維で織った布。〔広義では、布の総称〕「白―」

たえい・る[3]【絶（え）入る】（自五）〔一時〕息が絶えてしまう。△死ぬ（死んだような状態になる）。

たえがた・い[4]（タヘ）【堪（え）難い】（形） その人にとってあまりにも苦痛であったり嫌悪感に襲われるようなことであったりして、その状況△に身を置く（を受け入れる）ことにがまんができない感じだ。「―△寒さ（炎暑）が続いた／三代続いた旅館を人手に渡すことは、かれにとって―ことであった／―孤独にさいなまれる／皆の前で―屈辱を味わわされた」 表記 「耐え難い」とも書く。

だえき[0]【唾液】「つば（き）」の意の（一般化した）医学用語。「―腺（セン）[0]」

たえしの・ぶ[4]（タヘ）【堪（え）忍ぶ】（自五） つらいのをがまんする。

たえず[1]【絶えず】（副） その事がどんな場合にもとぎれるこ

と無く△繰り返される(持続する)様子。「いつ見破られるかと―不安であった/―世間の目にさらされている/―注意を怠らない」

たえだえ⓪③②【絶え絶え】―に/―な 続いてきたことがとぎれがちになり、今にも絶えてしまいそうに思われる様子だ。「―に聞こえる虫の音/息も―にゴールインする」

たえて①【絶(え)て】(副) ❶続いてきた事態がいったん中断してから長く時間がたつ様子。「一別以来―久しく会っていない/―ご無音に打ち過ぎました」 ❷〔否定表現と呼応して〕「全く…でない」意を強調して表わす。「そんな話は―聞かない/妹が電話をくれるなんて―無かったことだ」

たえは・てる④【絶(え)果てる】(自下一) ❶すっかり絶える。 ❷完全に呼吸が止まり、死ぬ。

たえま③【絶(え)間】〔時間・空間が〕全体としては連続した状態にあるととらえられるものの切れ目。「―なく降り続く雨/雲の―」 **―な・い**④【―無い】(形) 途中で切れることなく、何かが△空間的(時間的)に続いている状態だ。「―努力」 文法 助動詞「そうだ(様態)」に続くときは「絶え間なさそうだ」の形になる。また「すぎる」と結びついて複合動詞をつくるときは「絶え間なさすぎる」の形になる。

*__た・える__②【堪える】(自下一)〈なにニ―〉 ❶苦しみ・つらさや、△退屈(いや)な事や、孤独などをがまんする。「傷の痛み△に(を)―/屈辱に―/乏しきに堪え、研究を続けた」 ❷強い刺激や外部からの力にへこたれず、持ちこたえる(能力を持つ)。「△高温(批判・風雪)に―/…の任に―」 ❸退屈したり途中で放棄したりしないで、最後までその事を続けさせるものを内に秘めて持つ。「鑑賞に―〔=値する〕/驚くに堪えた〔=全く驚いた〕話だ/文学上の表現に―〔=表現能力を持つ〕日本語」 表記 ❷は、「耐える」とも書く。 【…に堪えない】 ❶不快感を催すなどして、まともにそうすることが出来ない。「見る―/聞く―」 ❷心からそういう気持を持つことを禁じ得ない。「△遺憾(寒心・憂慮)―/感―〔=深く感動する〕」

*__た・える__②【絶える】(自下一) 続いてきた動作・作用・状態が、そこでおしまいになる。「送金が―/食糧が―〔=尽きる〕/息が―〔=死ぬ〕/仲が―〔=縁が切れる〕/道が―〔=そこで切れる〕」 **たえざる**③【絶えざる】 引き続き休み無く行なわれる。「―研究」 **たえない**②【絶えない】 その状態がなかなか無くならない。「△黒いうわさ(心配)が―/△紛争の根(苦情)が―」

だえん⓪【〈楕円・〈橢円】〔「楕」=「橢」は、小判形の木の△器(枠)の意〕〔幾何学で〕円柱を平面で斜めに切った時の切り口として得られる閉曲線(によって囲まれた図形)。長円。〔平面上で、二定点からの距離の和が一定である点の軌跡として特徴づけられる〕「人工衛星が―軌道に乗る」〔俗には、楕円の長い方の軸を中心にして回転した立体図形『=回転楕円体』をも指す。例、「ラグビーのおもしろさはボールが―形をしていることにある」〕 ⇩円錐曲線

タオ①〔中国・道〕 中国の老荘思想や道教の基本思想で、宇宙の根本原理。

たおこし②【田起(こ)し】―する(自サ) 田植えの前や稲刈りの後に、田の土を掘り返すこと。

**__たお・す__②【倒す】(他五) ❶〈なに・だれヲ―〉 立っているものを横にする。「うっかり花びんを倒してしまった/転轍機を倒してポイントを切り替える」 ❷〈なに・だれヲ―〉 存在を脅かすべく、△足もと(根もと)からひっくり返す。「一刀のもとに―〔=殺す〕/敵を―〔=滅ぼす〕/あばら屋を―〔=こわす〕/優勝候補を―〔=負かす〕」 ❸〈なにヲ―〉 借金を返さないで、貸し主に損を与える。 表記 人を殺す意の時は、「〈斃す・〈殪す」とも書く。

たおやか②【〈嫋やか】―な (女性が)優美な姿・しぐさを示したり 気立てをそなえていたりする様子だ。

たおやめ⓪【手〈弱女】 見るからにたおやかな女性。 **―ぶり**⓪【―振(り)】 古今和歌集に見られるような女性的な優美な歌風。 ↔ますらおぶり

たお・る②【手折る】(他五) 〔持ち帰って生けるために〕花や枝などを手で折る。〔評判の女性を手生けの花とする意にも用いられる〕

*__タオル__①〔towel〕 ❶小さな「わな❷」状のけばを布面に織り出した、厚手の綿織物。吸湿性に富み、肌に柔らかみを感じさせる。タオル地③。 ❷タオル地で作った西洋風の手ぬぐい。「バス―③・ハンド―」 かぞえ方 ❷は一枚・一本 【―を投げる】〔ボクシングで〕試合中、選手が負傷して試合続行が見込めない時や、敗色濃厚でだれの目にもノックアウトが予想される時などに、その選手の側のセコンドがリング内にタオルを投げ入れて、試合の放棄を表明する。〔転じて、戦意喪失の意にも用いられる〕

タオルケット④〔和製英語 ←towel＋blanket〕 厚いタオル地で作った(夏用の)掛け布団。 かぞえ方 一枚

だおれ【倒れ】(造語) いいぞ いいぞという前触れだけで、△期待される実体(実質)が伴わないこと。「△掛け声(看板・計画・構想・評判)―」

**__たお・れる__③【倒れる】(自下一)〈(なにデ)―〉 ❶△立っていたものが(立っていることが出来なくなって)横になる。「台風で木が―」 ❷△外から加えられた強い力によって(内から支える力が無くなって)、本来の機能を失った状態になる。「凶弾に―〔=死ぬ〕/過労で―〔=病気になる〕/内閣が―〔=反対派などにとってかわられる〕/商店が―〔=つぶれる〕」 表記 人が死ぬ意の時は、「〈仆れる・〈斃れる」とも書く。 運用 新築・開店などに際して避けるべき言葉とされる。

たか【高】■一②① ❶ある単位で示した総生産量(を金銭に換算した額)。また、何か△に充てる(から得た)金銭の総額。「水揚げの―が減る/収穫―④・石―・現在―・残―・売上げ―」 ❷見積もった最高値。「―が知れている〔=大体程度が分かっている、としてその内容を軽く見る意〕/―の知れたもの/―を括る〔=たいしたことはないと思って相手を見くびる〕」 ⇩高が ■二(造語) ❶高い(こと)。「―げた・五十円―」 ↔安 ❷悠々と何かをすることを表わす。「―枕・―楊枝」

たか⓪【〈鷹】 大形の猛鳥で、鳥獣を捕食する。威厳があり、鷹狩りに使われる。〔タカ科〕「―の羽③〔=鷹の羽をかたどった家紋〕」 かぞえ方 一羽。昔は一連とも言った。

たか①【多寡】 多いか少ないか。多少。

たが②【〈箍】 おけの周囲にはめる、竹や金属で作った輪。「―がゆるむ〔=ⓐ(年をとったりして)しっかりしたところが無くなる。ⓑ当初あった緊張感が無くなる〕/自由時間の行動に―をはめる/―を締める〔=気持や規律を引き締め直す〕/―を外した無礼講」 表記 「〈輪」とも書いた。 かぞえ方 一本

たが【《誰が】〔雅〕 ❶だれが。 ❷だれの。「―為に鐘は鳴る」

だが①(接) 今まで述べてきた事とは相容れない事柄を、下へ続けようとする時に使う言葉。「―ね」 文法 丁寧な表現は「ですが」。

たかあがり③【高上(が)り】 ❶(飛んで)高く上がること。 ❷上座につくこと。 ❸―する(自サ) 費用が予想より高くつくこと。

たかあし⓪【高足】 ❶〔雅〕歯の高いげたをはいて行なう田楽。 ❷竹馬。 ❸〔膳などの〕足が高いこと。「―のお膳」 **―がに**④【―〈蟹】 日本近海にすむ、世界最大のカニ。体

に赤褐色で 長い足を広げると三メートル以上になる 食用。〔クモガニ科〕 かぞえ方 一尾・一匹・一杯

ダカーポ ②〔イ da capo〕〔音楽で〕曲の初めに戻って再び演奏することを示す楽譜上の印〔記号 D.C.〕。

たか・い ②【高い】(形) ❶基準とする位置から上の方向への隔たりが△比較の対象とする(一般に予測される)ものより大きいと認められる状態だ。「背が—/—ビルが立ち並ぶ/空高く鳥が舞う/頭ズが—〔=⇩頭〕/鼻が—〔=⇩鼻〕/敷居が—〔=⇩敷居〕」 ❷そのものの程度を示す数値が△比較の対象とする(一般に予測される)ものより大きいと認められる状態だ。「△温度(熱・湿度・気圧・緯度)が—」 ❸そのものが、△比較の対象とする(一般に予測される)ものよりすぐれていると認められる状態だ。「△能力(身分・価値・気密性・精度)が—/高く評価する/さすが君は目が—〔=⇩目〕」 ❹そのものの影響などの及ぶ範囲が△一般に予測される(比較の対象とする)ものより大きいと認められる状態だ。「△声(音・評判・知名度)が—/悪名高き人物/解散間近のうわさが—」 ❺その△もの(こと)に対して支払う金銭が△一般に予測される(比較の対象とする)ものより額として大きい状態だ。「△値段(物価・税金)が—/—授業料を払う/—買物だった〔=結果として損をした〕」 ↕安い 〔❶〜❹の対義語は、低い〕 ⇩おたかい

たかい ⓪【他界】—する(自サ) 〔仏教で、人間界以外の世界の意〕「死ぬこと」の意の婉曲エンキョク表現。

たがい ⓪【互(い)】—に ❶関係のある△ひとりひとり(一つ一つ)。〔多く二つの物事について言うことが多い〕「—の利益をはかる」 ❷〔「—に」の形で、副詞的に〕 Ⓐ二人(以上)、また、二つ(以上)のものが同時に、また、順を追って同じことをする様子。「—に△ののしり合う(歩み寄る)/—に挨拶アイサツを交わす」 Ⓑ二人以上、また、二つ以上のものが同じような状況に置かれる様子。「震災のときは—にひどい目にあった」 ⇩おたがい 表記 例外=「互い」 【—に素そ】 ⇩素 **—せん** ⓪②【—先】〔ほぼ同等の強さの人が何局か続けてする碁で〕かわるがわる先手となること。 **—ちがい** ④⓪【—違(い)】 性質の△異なる(相反する)ものがそれぞれ一つおきに置かれること。

だかい ⓪【打開】—する(他サ) 〔行き詰まった状態について〕あらゆる方法を尽くして△解決への(通れる)道を見いだすこと。「—策を立てる/△危機(局面)を—する」

たか いびき ③【高〈鼾】 大きないびき(をかいて、安心して寝ること)。

たが・う ②【《違う】(自五) その人が予期する△状態(内容)と食い違う。「期待に違わず〔=期待通りの出来ばえで〕学術的に第一級の水準のものだ/原本と寸分違わぬ複製本/寸分違わず〔=わずかの狂いも無く〕二つの紙片は符合した/ねらい違わず〔=ⓐ目標に的中する。ⓑ期待する条件にぴたりと一致する〕/日ごろの主張に—〔=と矛盾する〕行動」 他動 違える ③(下一) 「約束を—〔=すっぽかしたり 忘れたりする〕」

たかが ①②【高が】(副) どんなに高く評価してもその程度は知れたものだと軽視する様子。「—百円くらいを出し惜しみするな/—二十歳にもならない青二才だとあなどってはいけない/—スポーツなどと言うと、村八分になりかねない」

たか がり ⓪【〈鷹狩(り)】 飼いならしたタカを放して鳥を捕らえさせる狩猟。

たかき ①【高き】〔文語形容詞「高し」の連体形〕高い方(の位置)。「—より低きに流れる」 ↕低き

たかく ②③⓪【多角】(造語) 多方面。「—的⓪・—化⓪」 **—けい** ②③⓪【—形】 三本以上の線分で囲まれた平面図形。三角形・四角形・五角形・六角形・八角形など。多辺形。「たかっけい」とも。「凸—③⓪・凹—③⓪」 **—けいえい** ④【—経営】〔一つの企業が〕主事業のほかに、違った種類の事業を併せて行なう△こと(経営法)。 **—ぼうえき** ④【—貿易】 輸出入の均衡を図るため、多国間で行なう貿易。

たがく ⓪【多額】—な (金)額の多い△こと(様子)。「—な借金を負う/—納税者⑥」 ↕少額

たかく しょうじょう ④【他覚症状】 医学的な検査や医師の診断によって、病気であることが分かること。 ↕自覚症状

たか ぐもり ⓪【高曇(り)】 空の高い所に薄く雲がかかっていて、全体にわたって曇ること。

たかげた ⓪【高下《駄】 あしだ。

たかさ ①【高さ】 高い△こと(程度)。「丈の—をはかる/—は高いが、床面積の小さいビル」

たかさご ⓪【高《砂】 ❶謡曲の曲名で、マツの精である老夫婦が高砂・住吉両神社の境内にある名松の由来を語ったりするもの。祝言能として有名で、婚礼の席でもよくうたわれる。「—や⓪〔=婚礼の披露宴に仲人ナコウドなどがうたう謡曲の出だし〕」 ❷台湾の別称。

だがし ②⓪【駄菓子】 マメ・アワなどの雑穀を主材料にし、おもに黒砂糖で味をつけた、大衆的な菓子。「かりんとう・ねじりぼう・いちりだま⓪」の類。「—屋⓪」

たかしお ⓪【高潮】 台風などの影響で押し寄せて来る高い波。台風の通過時と満潮時とが重なる時に危険が最も大きい。〔「津波」と異なり、一過性であることが多い〕

たか しまだ ③【高島田】 日本髪ガミの結い方の一つ。根〔=結い上げる基トモの部分〕を高く盛り上げて結った島田。高髷タカマゲ。「文金—に白無垢シロムクの花嫁姿」

たか じょう ⓪【〈鷹匠】 江戸時代、朝廷・徳川家・大名などに仕えて、鷹狩りのタカを飼った役。

たかせ ぶね ④【高瀬舟】 浅瀬用の、底が平たくて浅い川舟。

たかぞら ③【高空】 空(の高い所)。

たかだい ⓪【高台】〔町中の〕周辺よりちょっと高い台地。

たかだか 【高々】(副) ❶③—と その高さがひときわだつ様子。「両手を—と上げる/声明文を—と読み上げる」 ❷②⓪ 最大限に見積もっても問題とするには及ばない数量や程度にとどまる様子。「—千円の違いなら、こっちの方がいい/芸のないタレントは人気が続くのも—二、三年だろう」

たかたか ゆび ④【高々指】〔福島から熊本までの各地方言〕中指。

たか だすき ③【高〈襷】 襷タスキでそでを上の方にからげること。

たか ちょうし ③【高調子】 ❶声や音楽などの、調子の高いこと。 ❷相場が上がり気味なこと。

だかつ ⓪【蛇〈蝎・蛇〈蠍】 生活上の脅威となる、毒ヘビやサソリ。「—のごとく〔=先天的に受けつけないもののように〕嫌う」

たかつき ⓪【高〈坏】 食物を盛る、足のついた台。

だがっき ②【打楽器】 打って音を出す楽器。太鼓・ドラム・鐘など。 ⇩弦楽器・管楽器

たかっ けい ②【多角形】 ⇩たかくけい

たかて こて ⓪-⓪【高手小手】 高い位置でくくられた手。「—に縛り上げる〔=後ろ手にしたひじを上に曲げさせた、不自然な苦しい状態に縛り上げる〕」

たか どの ⓪【高殿】 ❶大きな御殿。 ❷△二階(三階)建て

の家。

たかとび ❶⓪③【高跳(び)】 走り高跳・棒高跳の総称。❷⓪【高飛(び)】ーする（自サ）〔罪を犯した者やとがめを受けそうな者が〕逃げ延びる目的で遠方に行くこと。

たかどま⓪④【高土間】〔昔の芝居で〕花道の後ろ、桟敷の前のやや高い客席。

たかな⓪②【高菜】 畑に作る二年草。カラシナとよく似た野菜。葉・茎に辛みがあり、食用。〔アブラナ科〕 かぞえ方 一本・一束・一把イチワ

たかなみ⓪【高波】 高く打ち寄せる波。大波。 表記 「高《浪」とも書く。

たかな・る③【高鳴る】（自五） ❶高く鳴り響く。「ー太鼓」 ❷〔喜び・希望・期待などで〕興奮して、胸がどきどきする。「ー胸を押さえて」 名 高鳴り⓪④「胸のー」

たかね②【高値】（ふだんよりもかなり）高い値段。上値ウワネ。〔狭義では、株などの取引で、その日の最も高い値を指す〕「ーを△つける（呼ぶ・抑える）」↕安値

たかね⓪【高〈嶺】 高い山（の頂）。「ーの月」 表記 「高根」は、借字。 **ーおろし**④【ー〈颪】 高い山から吹きおろす、冷たい強い風。 **ーの はな**⑥、⓪-②【ーの花】 ほしいけれども、遠くから眺めるだけで、今の自分の力では手に△取る（入れる）ことの出来ないもの。〔家柄や身分などが高過ぎて結婚の相手に望んでも実現できそうもない女性を、男性の側から指すのにも用いられた〕

たがね⓪【〈鏨】 鉄板・岩石などを切ったり 穴をあけたりするのに使う鋼鉄製の のみ。 表記 「〈鑽」とも書く。 かぞえ方 一本

たが・ねる③【〈綰ねる】（他下一） 集めて一つにまとめる。つかねる。

たかのぞみ⓪③【高望(み)】ーする（自サ） 身分・能力を超えた、大きな望み。

たかは⓪【〈鷹派】 相手と妥協せずに自分たちが正しいと判断する主張に基づいて強硬に事を進めようとする考え方を持つ人たち。〔広義では、武力解決派を指す〕↕鳩ハト派

たかば⓪③【高歯】 下駄ゲタの歯の高いもの。あしだ。「ーの下駄」 かぞえ方 一足

たかばなし③【高話】（第三者にも聞こえるほど）大きい声で話をすること。

たかはりちょうちん⑤【高張《提《灯】 さおの先に高く掲げる提灯。たかはり⓪④。 かぞえ方 一張ヒト

たかひく①②⓪【高低】 高い所と低い所（とがあって、不安定・不公平なこと）。

たかびしゃ⓪【高飛車】ーな・ーに 自分が優位に立っているということを、相手に有無を言わせず押しつけるような様子だ。「ーに出る／ーな態度」

たかひも⓪【高〈紐】 よろいの胴の前の部分と後ろの部分とを結ぶ紐。

たかふだ⓪【高札】 ❶⇩こうさつ（高札）❶ ❷入札した中で、最も高い値を付けた札。

たかぶ・る③【高ぶる】（自五） ❶病的に緊張した状態になる。「神経がー〔=興奮する〕／感情がー〔=いらいらする〕」 ❷自分のりっぱな状態△を自慢する（についていばる）。「ほとんどーところの無い人だ」 名 高ぶり⓪④「△気持（心・神経）のー」 表記 「〈昂ぶる・〈亢ぶる」とも書く。

たかべ⓪【〈鰖】 夏を中心とした時期に海でとれる魚。背中は青黒く、背びれ近くを前後方向に黄色い筋が走る。普通、焼いて食べる。〔タカベ科〕 かぞえ方 一尾・一匹

たかまが はら④【高《天(が)原】 ❶〔日本神話で〕空の上にあり、神がみが住むという国。 ❷〔神道で〕霊魂の永住する天上。「たかまのはら④」とも。

たかまきえ③【高〈蒔絵】 漆地に金銀の粉で模様を盛り上げるように塗った蒔絵。

たかまくら③【高枕】〔枕をしない不安定な状態と違って、枕をして安眠する意〕 ❶〔敵の来襲や不時の事態に備える、着衣のままの仮睡状態と違って〕寝間着に着かえ、枕をして、気を許して寝ること。枕を高くする。 ❷〔日本髪を結った時にする〕高く作った枕。

たかまげ⓪【高〈髷】 高島田。

＊＊たかま・る③【高まる】（自五） 物事の程度が目立って△強く（高く）なる。「△一般の関心（非難の声・評価・うねり・危機感・意欲・緊張・警戒心・重要性・不満）がー」↕低まる 名 高まり⓪④「気分のー／ーを見せる」

たかみ⓪【高み】 高い所。「ーの見物〔=第三者の立場に立って、事態を傍観すること〕」↕低み 表記 「高見」は、借字。

たかむら②【〈篁】〔雅〕〔「むら」は草むらと同源〕竹の林。 表記 「《竹〈叢」とも書く。

たかめ⓪【高目】 ❶ーな・ーに （やや）高いと思われる△程度（様子）だ。「ーな机」↕低目・安目 ❷〔野球で〕ストライクゾーン△内の（よりも）高い所。「ーを突く」↕低目

＊＊たか・める③【高める】（他下一）〈なにヲー〉（努力して、程度の）高い状態にする。「△関心（質・生産性・意識・自己・機能・競争力・信用・女性の地位）をー」↕低める

たかもも⓪【高《股】 股の上方。

たがやさん③ 東南アジア原産の常緑高木。夏、黄色い花が集まり開く。材は堅く、器具用。〔マメ科〕 表記 「〈鉄樹〉・〈鉄刀木〉」（漢語表記）とも書く。 かぞえ方 一株・一本

＊たがや・す③【耕す】（他五）〈どこ・なにヲー〉〔「田返す」の変化〕田畑をくわなどで掘り返して、作物が育ちやすいようにする。「土壌をー」

たかようじ③【高〈楊枝】 人前をはばからず爪マツ楊枝をくわえている状態。「ーを使う〔=食後に、さも満腹そうに爪楊枝を使う〕／武士は食わねどー〔=武士は体面を重んじるゆえに、食事をしない時でも時には高楊枝を使ってみせなければならないことがあるものだ〕」

＊たから③【宝】 ❶世の中に数が少なくて きわめて（高価で）大切な品物。「ー捜し／ーの山」 ❷その人にとって、かけがえの無い、大切な△もの（事）。「子供は国のー／ーの持ち腐れ」⇩おたから **ーくじ**③【ー〈籤】 地方公共団体などで売り出す抽選付きの券。当たればお金や品物がもらえる。 かぞえ方 一本・一枚 **ーづくし**④【ー尽(く)し】 さまざまの宝を列挙した△もの（模様）。 **ーぶね**④③【ー船】 宝を積み、七福神を乗せた船の絵。〔「長き夜の」で始まる回文の歌を書き添えてあり、正月二日の夜、まくらの下に敷いて寝ると、よい初夢を見るといわれる〕〔俗に、高価な物を積み込んだ船を指す〕 **ーもの**⓪⑤【ー物】 宝とする物。「ほうもつ」とも。

だから①（接） ❶後件が、前件の論理上当然の帰結であることを表わす。「あの人はおせっかいすぎる。ー、みんなに嫌われるのだ」 ❷そのような望ましくない結果が自分には前もって予測出来るものであったことを表わす。「ー言わないことじゃない」 文法 丁寧な表現は「ですから」。 **【ーと言って】** 前件を一応肯定はするが、結論には必ずしも賛成しないことを表わす。

たからか②【高らか】ーな・ーに （誇らしげに）声を高く張り上げる様子だ。「ーに響くファンファーレ」

たかり⓪【《集り】 相手の弱みにつけ込むなどして無理やり相手に金品を出させたり 支払いさせたりすること。

たか・る⓪【《集る】（自五） ❶見つけたえさに、虫などが集

まる ❷〔△真相（状況の展開）を知りたいという期待感をいだいて、何人かの者が〕直接に かかわりたくはないが、何となくそこから離れないでいる。❸自分がほしい物を持っている人に△それをねだって（無理じいして）手に入れる。「後輩にたかられる（＝おごらされる）／不良にたかられる」

たがる（助動・五型）〔自分以外の者が〕…したいとしきりに思う（様子をする）。「読み━・見━・食べ━」 文法 (1)動詞、助動詞「れる／られる・せる／させる」の連用形に接続する。(2)一般には自分以外の人が「…したい」という気持をいだいていると、自分には判断される言動や態度を表わすのに用いられる。自分自身に関しても、過去を回想して「子供のころはおもちゃを買ってもらいたがって母親を困らせたそうだ」などと用いられる。

たかわらい③（ワラヒ）【高笑（い）】━する（自サ） 遠慮無く大きな声で笑うこと。「ばかの━」

たかん⓪【多感】━な ちょっとした事にも感じやすく、傷つきやすい様子だ。「━な青年／多情━」

だかん⓪（クワン）【△兌換】━する（他サ）〔「兌」は、取り替える意〕紙幣を正貨と引き換えること。 **━けん**②【━券】〔↑兌換銀行券⑥〕兌換紙幣。 **━しへい**④【━紙幣】 銀行が正貨と引き換えることを約束して発行する紙幣。↕不換紙幣

***たき**⓪【滝】 がけなどから急に強い勢いで落ちる水の流れ。「汗が━のように流れ落ちた／━に打たれる」 かぞえ方 一本

たき①【多岐】〔道が幾つにも分かれていて、どれが本筋か分からない意〕〔その事柄が〕いろいろな面に関係があり、解決・処理が簡単には出来ないこと。〔広義では、多方面の意をも指す〕「━にわたる／━亡羊（ボウヨウ）（＝亡羊の嘆（タン））」

たぎ①【多義】 一つの言葉が多くの意味を持って△いる（いて、紛らわしい）こと。「━語⓪・━性⓪・━的⓪」

だき①【唾棄】━する（他サ）〔つばを吐き捨てる意〕一顧だに値しない不快なものとして嫌悪感をいだくこと。「━すべき男」

だき①【△舵機】 船の かじ。

だき①【惰気】 緊張を欠く、心の状態。何をするのも面倒な気分。「━満々」

だきあ・う③（アフ）【抱（き）合う】（他五） 互いに相手を抱く。「抱き合って再会をよろこんだ」

たきあが・る④【炊（き）上（が）る】（自五） 炊いていた御飯などが、出来あがる。 他動 炊き上げる④（下一）

たきあわせ⓪（アハセ）【炊（き）合（わ）せ】 別々の味加減・火加減で煮た魚や野菜を一つの器に盛り合わせたもの。

だきあわせ⓪（アハセ）【抱（き）合（わ）せ】 ❶二つの物を巧みに組み合わせること。❷〔↑抱合せ販売⑥〕客のほしがる商品を、売れない商品と一緒でなければ売らないこと。 動 抱き合わせる⑤（他下一）

たきおとし⓪【△焚（き）落（と）し】 たきぎを燃やしたあとに残る、炭のような物。おき。

だきかか・える⑤（カカヘル）【抱（き）抱える】（他下一） そのものに腕を△回す（回して、倒れたり 落ちたり しないように支える）。

だきかご⓪【抱（き）籠】 夏の夜 涼しく寝るために抱きかかえる竹籠。竹夫人（チクフジン）。

たきぎ⓪【薪】〔「焚（タ）き木」の意〕燃料にする細い枝や割り木。まき。 かぞえ方 一本・一束・一把（イチワ） **━こり**③【━《伐】 きこり。 **━のう**③（オ）【━能】 社寺の境内などで、かがり火をたいて行なう野外能。

だきぐせ⓪【抱（き）癖】 赤ん坊を何かにつけて抱いて甘やかしたために、抱かないとすぐぐずりだす癖をつけてしまうこと。

たきぐち⓪【△焚（き）口】〔ふろ・かまど・ストーブなどで〕そこから石炭や薪（キマ）を入れて燃やす所。

たきぐち⓪【滝口】〔滝の落ち口の意。清涼殿（セイリョウデン）の東北方の御溝水（ミカワミズ）を滝口と言い、そこに詰め所があったことから〕昔、蔵人所（クロウドドコロ）に属して御所を守護した武士。

たきこみごはん⑤【炊（き）込（み）御飯】 肉・魚・野菜などを一緒に炊き込んだ御飯。

たきこ・む③【炊（き）込む】（他五） 米と一緒に肉・魚・野菜などを入れて炊くこと。

だきこ・む③【抱（き）込む】（他五） ❶抱いて腕の中に入れる。❷（悪い計画の）味方に入れる。 名 抱き込み⓪

タキシード③〔tuxedo ↑ 米語 Tuxedo coat＝ニューヨーク州のタキシードパークにあった社交クラブの会員服の名〕男子の、夜間用の略式の礼服。背広形で、燕尾（エンビ）服の代用。

たきじま⓪【滝《縞】 大小の筋が並んだ縞。 かぞえ方 一着

たきし・める④【△焚（き）《染める】（他下一）（香（コウ）を）焚いて（衣服などに）しみこませる。 表記 「《薫き《染める」とも書く。

だきし・める④【抱（き）締める】（他下一） 腕に力を入れて強く抱く。

だきすく・める⑤【抱（き）《竦める】（他下一） 抱きしめて、相手を身動き出来ないようにする。

たきだし⓪【炊（き）出（し）】 火事などの非常の時に、その場で飯を炊き、人びとに配ること。 表記 「△焚き出し」とも書く。

だきつ・く③【抱（き）付く】（自五） 抱いて、相手のからだから離れないようにする。 表記 「抱き着く」とも書く。

たきつけ⓪【△焚（き）付（け）】 薪（キマ）などへ火を移すために、最初に燃やす紙くず・小枝など。

たきつ・ける④【△焚（き）付ける】（他下一） ❶燃やすための火をつける。❷うまい言葉をかけて、そうする気持になるようにしむける。

たきつせ⓪【滝津瀬】〔雅〕浅瀬になっている急流。 表記 「津」は、借字。

たきつぼ⓪【滝《壺】 滝の落ちる真下の深くなっている所。

だきと・める④【抱（き）止める】（他下一） だれかが△走り出そうとする（腕を振り上げて何かをしようとする）ところを、力ずくで押さえる。 表記 「抱き留める」とも書く。

だきと・る③【抱（き）取る】（他五） 一人で歩行出来ない状態にある者や大事な品物を、抱きかかえるようにして受け取る。

だきね⓪【抱（き）寝】━する（他サ） 子供などを、抱いて寝ること。

たきのみ⓪【滝飲（み）】 口を上に向けてぐいぐい飲むこと。

たきび⓪【△焚（き）火】━する（自サ） ❶暖を取るために焚く火。❷庭先などで、掃き集めた落ち葉などを焚くこと。「炉辺の━」

たきぶえ⓪【炊（き）殖（え）】━する（自サ） 炊いたために、量が ふえること。「米が━する」

たきもの⓪ ❶【△焚（き）物】 たきぎ。❷【《薫（き）物】 ねり香（コウ）。また、それをくゆらすこと。 表記 ❷は、「《薫」とも書く。

だきゅう⓪（キウ）【打《毬】 騎馬で二組に分かれ、まりを叉手網（サデアミ）ですくって穴の中に投げ込み合う、ポロに似た昔の競技。

だきゅう⓪（キウ）【打球】 たまを打つこと。また、打ったたま。「━の速さ」

たきょう⓪①（キヤウ）【他郷】 よその土地。他国。

****だきょう**⓪（ケフ）【妥協】━する（自サ）〈だれ・なにト━する／だれ・なにニ━する〉〔「妥」は穏やかの意〕両方の意見が対立している場合、互いに折れ合って穏やかに話をまとめること。〔広義で

た

は、相手の権力などに屈して、いいかげんなところで自分の主張をごまかすことを指す〕「―を図る/―が成立する/―の産物/―点を見いだす/―案②・―的⓪」

たきょくか ⓪【多極化】クワ―する(自サ) 中心的な存在となるものが一つ、または二つと限定されず、三つ(以上)に分散して互いに対立する関係にあること。「―する政局」

たぎ・る ②【〈滾る】(自五) ❶急流のため、水がしぶきを上げたり 高く波立ったり する。「たぎり落ちる△水(急流)」 ❷沸騰する。「鉄瓶の湯がたぎっている」 ❸感情が激して、熱いものが胸の中にわき起こる。「血が―」

たく 〈宅・〈托・択・沢・卓・拓・度・託・〈琢・濯・〈謫・〈鐸〉 →【字音語の造語成分】

タク (造語) タクシーの略。「白―・円―⓪〔=大正時代末からはやった、一円均一の料金で走ったタクシー〕・メー―⓪〔=『円タク』に対して、メーター付きのタクシー〕」

***た・く** ⓪(他五) ■一【〈焚く】〈なにヲ―〉 ❶燃料△を(として)燃やす。「△火(落ち葉)を焚いて当たる/石炭を―/ストーブを―〔=火を入れる〕/ふろを―〔=沸かす〕」 ❷香ウコに火をつけてかおらせる。「香を―」 表記 ❷は、「《焼く・《薫く・〈炷く」とも書く。 ■二【炊く】〈(なにデ)なにヲ―〉 ❶水につけた米に熱を加えて食べられる状態にする。「飯を―〔=米を炊く〕」 ❷〔近畿・中国・四国・九州北部の方言〕煮る。

たく ⓪【宅】 ❶〔役所・店・会社などと違って〕その人の起居する所。「―にはおらぬ/―扱い③・―配・社―・私―・自―・邸―」 ❷妻が他人に対して自分の夫を呼ぶ言い方。主人。

たく ⓪【卓】〔足の高い台の意〕「机・テーブル」の汎ハン称。〔かぞえる時にも用いられる〕「―をたたいて/―上・円―・食―・座―」 かぞえ方 一脚・一卓 ⇩【造語成分】

タグ 〔tag〕 ❶① ⇩タッグ ❷⓪〔コンピューターなどで〕データの集まりや終わりを示す記号。情報の意味付けや分類などに用いられる単語を指すことが多い。「―付ッけ」

だく 〈諾・濁〉 →【字音語の造語成分】

***だ・く** ⓪【抱く】(他五) ❶〈(どこニ)なにヲ―〉 かかえるようにして胸もとに持つ。「人形を抱いて寝る/よしよしと言って抱き上げた/とりが卵を抱いて〔=あたためて〕いる」 ❷「(愛する)人と同衾キンドウする」意の婉曲エンキョク表現。「抱いてちょうだい」

だく ①【駄句】 △つまらない(まずい)俳句。

だくあし ⓪②【〈跑足】 馬の少し急な歩き方。だく①。

たくあん ②【沢〈庵】〔↑沢庵漬ケツ⓪。沢庵は、製法を伝えた僧の名〕 生干しのダイコンを塩を交ぜたぬかに漬けた漬物。たくわん。 かぞえ方 一本。製造の単位は一樽タルヒト

たぐい ⓪【類(い)】ヒタグ 〔動詞「類う」の連用形の名詞用法〕 同じ△程度(種類)のもの。「―無き/―まれだ/カエルの―〔=同類〕」 表記 「《比い」とも書く。

だくい ①【諾意】 承諾の△意志(意向)。

たくいつ ⓪【択一】 〔二つ以上のものの中から〕一つだけを選ぶこと。「二者―を迫られる」

たくいつ ⓪【卓逸】 能力・技能・仕事や作品の出来ばえなどが、群を抜いてすぐれていること。「意趣―」

たぐ・う ②【類う】フタグ(自五) 「(同じ程度の物が)並ぶ」意の古風な表現。 表記 「《比う」とも書く。

たくえつ ⓪【卓越】エツ―する(自サ) 普通の人の及びもつかないほどすぐれていること。「―した才能の持ち主/―風ウフ⓪④〔=その地域で一定期間に最も多く吹く風〕・―性⓪」

たぐ・える ③【類える】ヘルタグ(他下一) 並べて比べる。 表記 「《比える」とも書く。

だくおん ②⓪【濁音】 〔日本語で〕カ・サ・タ・ハ各行の音に対して、ガ・ザ・ダ・バ行の各音。〔音声学的には無声音に対する有声音〕「『渋柿』の『がき』は、『かき』が―化したものだ」 ⇩清音

―ぷ ③【―符】 ⇩濁点

たくさい ⓪【卓才】 普通の人には及びもつかないほどすぐれた才能。

****たくさん** ■一⓪(副) 数量が多い様子。「―食べてください/しなければならない事が―ある/―の人が集まる」〔「―の」の場合、アクセントは③〕 ■二③―な 〔一般に「―だ」の形で〕もう十分で、それ以上はいらないという気持になる様子だ。「これ以上のもめごとはもう―だ/お説教なんか―だ」 表記 「沢山」、また、古くは「卓散」と当てるが、語源未詳で漢語とはとらえがたい。

たくしあ・げる ⑤【たくし上げる】(他下一) 邪魔になる衣服の先端を手で引き上げる。

***タクシー** ①〔taxi〕〔△流しながら(駐車場で待って)随時、客を乗せる〕貸切自動車。⇩ハイヤー・バス かぞえ方 一台

たくしき ⓪【卓識】 普通の人では考えつかない、すぐれた見識。

たくしこ・む ④【たくし込む】(他五) ❶外に出てしまいそうな下着などを、手で中に押しこむ。「シャツのすそをズボンの中に―」 ❷〔お金を〕かき集めて、自分の物とする。

たくじしょ ④⓪【託児所】 保護者に代わり、乳幼児を預かり保育する民間の施設。⇩保育所

だくしゅ ⓪①【濁酒】 日本酒の一種。粗製でこさないため、白く濁っている。どぶろく。にごり酒。↕清酒

たくしゅつ ⓪【卓出】―する(自サ) 同類の中で、ずばぬけてすぐれて見えること。

たくしょ ①【〈謫所】 配所。

たくじょう ⓪【卓上】ジャウ △机(食卓)の上。「―に花を飾る/―日記⑤・―電話⑤・―計算機⑦」

たくしょく ⓪【拓殖】―する(自サ) 〔未開の外地などを〕開墾し植民すること。

たくしん ⓪【宅診】―する(自サ) 医者が自宅に設けた診察室で患者を診察すること。↕往診

だくすい ⓪【濁水】 濁った水。↕清水

たく・する ③【託する・〈托する】(他サ) ❶自分△が(では)出来ない事の実行を他に頼む。「親類に子供を託して〔=預けて〕外出する/後事を―〔=自分が居なくなったあとの事を頼む〕/△夢(運命・最後の望み)を―/伝言を―〔=ことづける〕」 ❷(直接に表わすことが遠慮される事を)何かの形を借りて表わす。「心情を詩歌に―〔=詩歌の形を借りて表わす〕/病に託して〔=かこつけて〕任をのがれる」 託す②(五)。

たく・する ③【〈磔する】(他サ) 「はりつけの刑にする」意の漢語的表現。

たく・する ③【〈謫する】(他サ) 流罪にする。〔広義では、左遷することをも指す〕

だく・する ③【諾する】(他サ) 承知する。

だくせ ①⓪【濁世】 〔仏教で〕(けがれの多い)この世。〔古くは、「じょくせ」〕

だくせい ⓪【濁声】 濁った声。だみごえ。

たくせつ ⓪【卓説】 普通の人では考えつかない、すぐれた説。「名論―⓪-⓪」

たくぜつ ⓪【卓絶】―する(自サ) 同類のものが及びもつかないほどすぐれていること。

たくせん ⓪【託宣】 △人の口を借り(夢に現われ)たりして告げられる、神の意思。神託。〔巧妙な論理で構築された、いかにももっともらしい言説を批判的に指す意にも用いられる。例、「あの先生、例によってご―をのたまっているが、信じたものやら」〕

たくぜん ⓪【卓然】―たる ―と その人の志や業績などのレベルがずばぬけて高く、ほかと全く比べものにならない様子だ。

たくそう⓪【宅送】ーする（他サ）　荷物を、頼まれた家まで配達すること。「ー業③」

たくそう⓪【託送】ーする（他サ）　運送屋などに頼んで、送ってもらうこと。「ー（契約）書」

たくぞう⓪【宅造】「宅地造成」の圧縮表現。「ー業者⑤・ー法⓪③〔＝宅地造成等規制法〕」

だくだく①（副）ーと　〔汗や血が〕止めど無く流れ出る様子。「炎天下の作業で汗がー（と）流れる」⇩どくどく

だくだく⓪【諾々】ーと　人の言うことに無定見・無批判に従う様子だ。「唯々ー」

たくち⓪【宅地】　そこに家を建てる（が建っている）土地。「ー造成・ー開発」↕農地

だくてん③⓪【濁点】　清音のかななどの右肩に打って、濁音で発音することを表わす符号。にごり。濁音符。「゛」〔もと、漢字のアクセントを示す「声点」から起こった〕

タクト①〔ド Takt〕〔音楽で〕Ⓐ拍子。小節。Ⓑ指揮棒。「ーをふる〔＝指揮をする〕」 かぞえ方 Ⓑは一本

ダクト①〔duct〕　建物内部の配管。冷暖房用や電線・水道用。

たくはい⓪【宅配】ーする（他サ）　商品・荷物などを、注文先や依頼先まで配達すること。「ー便⓪」

たくはつ⓪【〈托鉢】ーする（自サ）　僧尼が修行のため はちを持って経文を唱えながら人家を回り、米やお金をもらって歩くこと。「ーに出る／ー僧④」

たくばつ⓪【択伐】ーする（他サ）　一定の目標にねらいをつけて森林の木を切り出すこと。

たくばつ⓪【卓抜】ーな ーする（自サ）　普通の人には まねが出来ないほどずばぬけて すぐれている こと（様子）。「ーなアイデア／着眼ー」 派 ーさ⓪

だくひ①【諾否】　承諾するか、しないか。「ーを決める」

タグボート③〔tugboat, tug＝引っ張る〕　引き舟。

たくぼく⓪【〈啄木】　キツツキの漢語的表現。

たくほん⓪【拓本】　石碑の碑面や鏡の刻銘・紀年や石仏・魚の全形などを、原寸大のまま和紙に摺り写すこと。また、そのもの。〔多く、対象に紙・布を貼り、墨・絵の具を含ませたたんぽでたたいて摺り取る間接法が用いられる〕「ーをとる」 かぞえ方 一枚

たくま①【〈琢磨】ーする（他サ）　玉や 石を すりみがくこと。⇩切磋琢磨

たくまし・い④【〈逞しい】（形）❶〔筋骨が発達しているなどして〕見るからに強そうで、どんな危険や困難にも立ち向かっていくという印象を与える様子だ。「ー若者／苦境をたくましく克服する」❷他人から何と思われようと気にかけるふうもなく貪欲に事を進める様子だ。「ー〔＝旺盛な〕食欲／商魂ー」 派 ーさ④③ ーげ④⑤⓪

たくましゅう・する④【〈逞しゅうする】（他サ）　何ものにも制約されることなく、何かをする。「想像をー／猛威をー〔＝流行病・台風などが荒れ狂う〕」

タグ マッチ③〔tag match〕⇩タッグ❸

たぐま・る⓪③（自五）　着物・シャツなどが、どこかにひっかかって、きちんと伸びない状態になる。「着物がー」

たくみ⓪ ㊀【巧み】ーな　技術の限りを使って本来の目的を達する（達したものと思われる）様子だ。「言葉ーに〔＝うまく〕売りつける／特徴をーに〔＝見事に〕とらえる／ーな話術」 ㊁【巧み】　細かいところまで手を抜かずに、くふうを凝らすこと。趣向。「ーを凝らす〔＝家作・工芸品などの製作に細かいところまでくふうする〕」 ㊂【《匠】　木などで物を作る（腕のすぐれた）職人。〔狭義では、大工・彫刻師を指す〕「飛騨のー」 表記 ㊂は、「《工」とも書く。

たく・む②【《巧む】（他五）　人為的にある効果をねらって何かをする。「巧まざる〔＝言葉や行動に自然に現われる〕ユーモア」 表記 「《工む」とも書く。

たくら・む③【《企む】（他五）❶〔「巧む」と同源〕よくない計画を考える。「荒稼ぎ（大もうけ・陰謀・襲撃・世界征服）をー」❷自分の属する陣営に有利な計画を考える。「騒ぎを起こそうと（廃止を阻止しようと・危険からの脱出を）ー／大増税（改憲）をー」 名 企み⓪④

たくらん⓪【〈托卵】　鳥が他の種類の鳥の巣に卵を産み、その巣の親鳥に世話をまかせてしまう習性。ホトトギス・カッコウなどに見られる。

たぐりこ・む④【手繰（り）込む】（他五）　手繰って手元へ寄せる（入れる）。

たくりつ⓪【卓立】❶ーする（自サ）　レベルが ずばぬけて高く、他と比較にならないこと。❷プロミネンス❶。

だくりゅう⓪【濁流】　（風雨のあとの）水かさが多く、濁った川の流れ。↕清流

たく・る（五型）〔「動詞連用形＋ー」の形で、接尾語的に〕❶奪い取る。「ひっー・ふんだくる」❷いい加減にやめれ

たく

［宅］　⇩（本文）たく【宅】

［〈托］　❶（手のひらに）物を載せる。「托鉢・托葉・花托・茶托」❷よりかかる。「托生」❸⇩託　⇩たくする（託する）

［択］　えらび出す。「採択・選択・二者択一」

［沢］　❶さわ。「山沢・沼沢」❷（水けが）たくさんある。「潤沢・贅沢」❸めぐみ。「恩沢・恵沢」❹つや。「光沢・手沢」

［卓］　❶他より高い。「卓然・卓立」❷ずばぬけてすぐれている。「卓越・卓逸・卓眼・卓才・卓爾・卓識・卓出・卓説・卓絶・卓抜・卓論・卓見」⇩（本文）たく【卓】

［拓］　❶土地を切りひらく。「拓殖・開拓」❷でこぼこしている文字や形を墨などで写し取る。「拓本・手拓・魚拓」

［度］　はかる。「支度」⇩ど

［託］　❶信用して仕事を任せる（物を預ける）。「託児・託送・委託・依託・寄託・供託・結託・嘱託・信託・請託・付託・負託」❷かこつける。「託宣・仮託・神託」⇩たくする（託する）

［〈琢］　玉をみがく。「琢磨・彫琢」

［濯］　汚れを洗い落とす。すすぐ。ゆすぐ。「洗濯」

［〈謫］　官吏が罪を問われて遠方へ流される。「謫居・謫所・流謫」

［〈鐸］　昔、中国で祭器などに使ったといわれる、青銅製・鐘形の鈴。「木鐸・銅鐸」

だく

［諾］　㊀❶呼ばれて「はい」と返事をする。「応諾・唯々諾々」❷ひきうける。承知する。「諾否・快諾・承諾」㊁（略）ノルウェー（諾威）。

［濁］　㊀❶にごる。「濁水・濁流・清濁」↕清　❷けがれている。「濁世・汚濁」㊁（略）濁音。「濁点・連濁・本濁・新濁」

ばいいのに 続けて、すること。「塗り―」

たぐ・る②【手繰る】（他五）〔糸状のものを〕両手をかわるがわる動かして、手元へ繰り寄せる。「凧を―／話の糸を―／記憶を―〔=一つひとつたどって思い出す〕／そばを―」

だく・る②【駄句る】（自他五） つまらない俳句を作る。〔自嘲的表現として用いられる〕

たく・れる⓪（自下一）〔近畿以西の方言〕〔下に着ている物が〕たくしあげた状態になる。

だくろう⓪【濁浪】（風雨のあとの）濁った波。

たくろん⓪【卓論】 普通の人には及びもつかないほど、水準の高い論説。

たくわえ③④ [一]【《貯(え)】 貯金。「―が△ある（尽きる）／―を使い果たす／老後の―」 [二]【蓄(え)】 △たくわえること（たくわえた物）。

*__たくわ・える__④③【蓄える】（他下一） ❶〈なにヲ―〉〔必要に応じて効果が発揮出来るようなものを〕身につけておく。「△知識（鋭気・活力・実力）を―」 ❷〈（どこ・なにニ）なにヲ―〉 将来 必要になって来るという見通しの下に、ある量を取っておく。「△天水（小銭）を―／食糧を―」 ❸〈（どこ・なにニ）なにヲ―〉 第三者の目から見れば必要とも思われないものを始末せずにそのままにしておく。「口ひげを―〔=そらずに、はやしておく〕／妾を―〔=正妻のほかに囲っておく〕」 表記 ❷は、「《貯える」とも書く。

たくわん②【沢〈庵】「沢庵」の口頭語形。

たけ【〈茸】（造語） キノコ。「―狩り・松―」

たけ②【丈】〔「高い」と同根〕人間や走り歩く動物の、背の高さ。〔広義では、雪だるまや草などの高さをも含む〕「着物の―〔=長さ〕／思いの―〔=思っている事のすべて〕を打ち明ける」〔古くは「たき」とも〕

*__たけ__⓪【竹】 ❶イネ科タケ亜科植物のうち、節〔=ふしとふしとの間〕が長めで、中空であるものの総称。茎は建築・器具・細工物に使い、若い芽〔=たけのこ〕は食用。「―を割ったような〔=性質がさっぱりして、こだわりの無い〕性格／―細工」 ❷同種のものに三段階の等級をつけるときの松に次ぐもの。〔一般に梅がこれに次ぐ〕 かぞえ方 ❶の自生の状態は一むら。切り出した後は一本

たけ①【他家】（親類にもあたらない）よその家。↔自家・当家

だけ【岳】 [一]（造語） 山。 [二]②（ふもとから仰ぎ見る）高い山。「浅間の―」

だけ（副助）〔「丈」の変化〕 ❶その程度をもって限度とすることを示す。「いい―取りなさい／やれる―やろう」 ❷その事柄が許容される限度であることを表わす。「これ―は確かだ／君に―話す／二人―でやろう」 ❸△やった（思った）事に応じて、その結果が十分なものであることを表わす。「わざわざ行った―のことはあった／がんばった―あって成績が上がった／練習すればする―進歩する」 文法 (1)体言（名詞、またそれに準ずる句）、副詞、活用語の連用形および連体形、「が」以外の格助詞、副助詞「など」、接続助詞「て」の後につく。ただし、連用形に接続する活用語は、用言・助動詞「れる／られる・せる／させる」などに限られ、連体形に接続する場合も、助動詞「う／よう・だ」にはつくことはなく、形容動詞型の活用語は用法が限定される。連体修飾要素に接続する場合には、体言や活用語連体形などについて、「…だけ＋の＋名詞」となる。格助詞には前につく場合も後につく場合もある（「が」については「だけが」のみ）。副助詞「は・しか」には前について「だけは・だけしか」となる。(2)手段・方法を表わす格助詞「で」と複合する場合、「だけで」（「この薬だけで治る」）は「他の手段・方法が不要であること」を、「でだけ」（「この薬でだけ治る」）は「それ以外の手段・方法がないこと」を、それぞれ表わす。

たげい⓪【多芸】―な 多くの芸能に通じ、実際にやってみせることが出来る△こと（様子）。「―多才⓪-⓪」 運用 ⇩まで 運用

たけうま⓪【竹馬】 二本の竹のそれぞれに足を乗せる横棒をつけ、それに乗って歩く、子供の遊び道具。高足。〔昔は、竹ざおにまたがるようにして走り回るものを指した〕 かぞえ方 一本

たけえん⓪【竹縁】 竹を並べたぬれ縁。

たけがき⓪【竹垣】 竹の垣根。

たけがり⓪【〈茸狩(り)】 山や林に行って、キノコを捜してとること。

たけかんむり③【竹冠】 漢字の部首名の一つ。「笛・策・算」などの、上部の「⺮」の部分。〔多く、竹の種類や加工品に関係のある漢字がこれに属する〕

*__だげき__⓪【打撃】 ❶強く打ちたたくこと。 ❷〔野球で〕打者が、打って出ること。バッティング。「―戦⓪・―率③」 ❸すぐには立ち直れないような損害・痛手を相手に与えること。また、その損害・痛手。「△決定的な（深刻な・大きな・大）―を与える／壊滅的―を受ける／父の死で―〔=ショック〕を受けた」 かぞえ方 ❸は一発・一本

たけくぎ⓪②【竹〈釘】 細工物に使う竹の釘。⇩金釘・木釘 かぞえ方 一本

たけくらべ③【丈比(べ)】 せいくらべ。

たけざいく③【竹細工】 竹を材料として細工をすること。また、その製品。

たけざお⓪【竹〈竿】 竹で作った竿。 かぞえ方 一本

たけす⓪【竹〈簀】 竹で作ったすのこ。 かぞえ方 一枚

たげた①【田下《駄】 泥田で作業する時、足の埋没を防ぐために使う、大形の下駄。 かぞえ方 一足

たけだけし・い⑤【《猛《々しい】（形） ❶見るからに強そうで、敵などに勇敢に立ち向かおうとする意志が感じられる様子だ。「猛々しく吠える野獣／―顔つき」 ❷恥じることなく開き直った態度をとったととらえられる様子だ。「それは盗人―というものだ」 派 ―さ⑤④

たけつ⓪【多血】 ❶血液の量が多いこと。 ❷血の気が多く、すぐ怒ったり 感激したりすること。 ―しつ③【―質】 ヒポクラテス以来行なわれて来た、気質の四分類の一つ。刺激に対する反応は速いが、現われ方が弱いので、活発と移り気とが相伴う。一口で言えば、陽気。⇩気質

だけつ⓪【妥結】―する（自サ）〔「妥」は、穏やかの意〕意見の対立している両者が、互いに歩み寄って交渉をまとめ、約束を取り結ぶこと。「交渉が―した」

たけづつ⓪【竹筒】 竹を横に切って、節をくりぬいて作った筒。 かぞえ方 一本

だけど①（接）〔「だけれども」の圧縮表現〕前文の内容と相容れない事柄を述べることを表わす。〔口頭語的表現〕「フランスに行きたい。―金がない」 文法 丁寧な表現は「ですけれど(も)」。

たけとんぼ③【竹〈〈蜻蛉〉〉】 竹を薄く削ってプロペラ形に作り、中央に軸をさしこんだおもちゃ。両手で軸をはさみひねって飛ばす。 かぞえ方 一本・一点

たけなが⓪【丈長】―に―な ❶丈が長い△こと（様子）。「―奉書⑤」 ❷和服を長めに着付ける△こと（様子）。「―に着る」

たけなわ⓪【〈酣・〈闌】―な〔比較的短い期間しか続かない状態について〕ピーク時にある△こと（様子）。「齢―〔=少し盛りを過ぎた時〕なり／今や宴―だ／春―」

だけに〔副助詞「だけ」に格助詞「に」の加わったもの〕 ❶前件から予測されるとおりの結果であることを表わす。「輸入品―値段も高い／横綱―さすがに強い」 ❷前件から予測されるのとは異なった結果となり、意外だという気持が一

段と強さを表わす。「一期待していた失望が大きい」

たけのこ[0]【〈筍・竹の子】うろこ状の皮に幾重にもおおわれた竹の若芽。食用。[かぞえ方] 一本:皮は一枚 **ーいしゃ**[4]【ー医者】〔やぶ医者のもじり〕(若くて)未熟な医者。 **ーせいかつ**[5]【ー生活】皮を一枚ずつはいでいくように、少しずつ売り食いすること。

たけのそのう[4]【竹の園《生】「皇室」の雅称。

たけべら[0]【竹〈篦】竹を削って作ったへら。[かぞえ方] 一本

たけみつ[0]【竹《光】〔刀工「国光・兼光」などをもじった言い方〕竹を削って刀身に代えたもの。〔切れない刀をあざけって言うのにも用いられる〕

たけやぶ[0]【竹〈藪】竹が群生している所。〔古くは「篁」〕

たけやま[0]【〈茸山】毎年決まってキノコの生える山。

たけやらい[3]【竹矢来】竹を粗く組んで作った囲い。

たけやり[0]【竹〈槍】竹の一端を斜めに削って槍の代りとしたもの。「ー戦術[5]〔=戦車や火炎放射器などに対し、竹槍で立ち向かうような、時代遅れの物のたとえ〕」[かぞえ方] 一本・一筋

たけりたつ[4]【〈哮(り)立つ】(自五) ❶荒あらしくほえたてる。❷興奮して、大声でわめきたてる。[表記] ❷は、「《猛り立つ」とも書く。

た・ける[0]【炊ける】(自下一) 米が煮えて、食べられる状態になる。

た・ける[2](自下一) ❶【《長ける】経験を積み、その状態が進む。「世故にー/奸知に長けた/臈長けた女性/年長けて〔=ⓐ成人して。ⓑ高齢になって〕/権謀術数に長けている」 ❷【〈闌ける】たけなわになる。「秋ー/日たけて〔=高くのぼって〕」

たけ・る[2](自五) ❶【〈哮る】すごい声でほえる。「ほえー」 ❷【《猛る】感情が高ぶって、自制心を△失う(失って荒あらしい行動に走る)。「ー心を抑える/荒波がー/感情がー」

たけん[0]【他見】ーする(他サ) 指定した以外の人△が見る(に見せる)こと。「ー無用[0]-[0]」

たげん[0]【多元】多くの要素があること。「ー性[0]」 **ーてき**[0]【ー的】ーな 一つの事象が、多くの根源から成るとする立場に立つ様子だ。 **ーほうそう**[4]【ー放送】数か所の△放送局(実況現場)から送られる内容をまとめて一つの番組を構成して行なう放送。 **ーろん**[2]【ー論】二つ以上の根源的な実在や原理があるという立場に立って宇宙の諸現象を説こうとする説。

たげん[0]【多言】ーする(自サ) 口数多く言うこと。「ーを要しない〔=くどくどしい説明はいらない(ほど自明だ)〕」

だけん[0]【駄犬】雑種の、見向きもされない犬。

たこ[1]【{〈胼胝}・〈胝】絶えずそこを使うため、からだの特定の部位の皮膚が堅くなって、いぼのように盛り上がったもの。「耳にーが出来る〔=⇩耳〕/すわりーダコ・ペンーダコ」

たこ[1]【〈凧・{紙〈鳶}】細い竹の骨に紙を張り、糸をつけて空に揚げて遊ぶもの。いか(のぼり)。「ー揚げ[2]・洋ーダコ[0]・連ーダコ[0]」 [かぞえ方] 一枚

たこ[1]【〈蛸・〈鮹・{〈章魚}】❶海にすみ、胴の下部にある頭に相当する部分から、吸盤を持つ足〔=腕〕が八本直接生えている軟体動物の総称。外敵に襲われると、すみを吐いて逃げる。食用。〔タコ科〕「真ーダコ[0][2]・飯ーダコ」 ❷〔↑蛸胴突き[3]〕土をつき固め、また、くいを打ち込むのに使う用具。[かぞえ方] ❶は一匹。干物は一連

たご[2][1] ❶水・肥料を入れるおけ。❷こえたご。[表記] 普通、「{担〈桶}」と書く。

たこあし[0]【〈蛸足】❶タコの足のように作った器物の足。⇩猫足・蝶足 ❷タコの足のように一つの元から多くのものが枝分かれ△している(する)こと。「ー大学[5]・ー配線[5]」 [表記] ❶は、「〈蛸脚」とも書く。

たこう[1]【他行】その銀行以外の銀行。

たこう[0]【多幸】ーな その人の人生や生活にしあわせな出来事が多い△こと(様子)。〔多く手紙文などで、「ごーを祈ります」などの形で、年頭や、人生の節目にあたる人への挨拶の言葉として用いられる〕

だこう[0]【蛇行】ーする(自サ) ヘビがはうように、S字形をつなぎ合わせた形をつくっていくこと。「ー運転[4]・ー河川[4]」

たこうしき[2]【多項式】〔代数学で〕変数として着目している(幾つかの)文字の累乗と定数との積の形をした有限個の「項❷Ⓐ」から成る「式❸Ⓐ」。整式。例、x^3-2x-5 は x の多項式、$ax^2+2bxy+cy^2$ は x と y の多項式。〔広義では項が一つしか無いもの、すなわち単項式も含むが、狭義ではこれを除外する〕

たこく[0][1]【他国】よその△国(土地)。他郷。〔狭義では、外国を指す〕「ー者[0]」 ↕自国

たこくせききぎょう[6]【多国籍企業】事業活動の大部分を多数の国ぐににまたがって進めている企業。〔狭義では、その株主構成が国際的で、企業の投資・経営方針が多国籍的な意思決定機関によって決定されるものを指す〕

タコグラフ[3]〔tachograph〕バスやトラックなどに取り付けて、速度や走行距離などの運行記録をとる装置。また、その記録。

たごさく[0]【田〈吾作】〔いつも肥たごばかりかついでいるという意を人名化したもの〕昔、農民やいなか者の称。〔侮蔑を含意した〕

タコス[1]〔ス tacos〕〔メキシコ料理で〕水で溶いたトウモロコシの粉の薄焼き〔=トルティーヤ〕に、肉・魚介・野菜などを挟んだもの。辛味をきかせたトマトソースで食べる。

たこつぼ[0][2]【〈蛸壺】海中に沈めてタコを捕らえる、素焼きの壺。

たこにゅうどう[3]【〈蛸入道】〔タコの頭のように見える胴がなめらかなことから〕❶タコの俗称。❷坊主頭の人。〔軽い侮蔑を含意することがある〕

たこはいとう[3]【〈蛸配当】〔タコが自分の足を食うことから〕会社がその信用を保つために、株主に配当すべき利益が無いのにやりくりして配当すること。略して「たこはい[0]」。

たこべや[0]【〈蛸《部屋】〔一度入ったら蛸壺に入ったタコのように抜け出せないことから〕もと、北海道にあった飯場の称。〔賃金の上前をはねたり 逃げようとする者に暴力をふるったり するなどの虐待が行なわれた〕 [表記] ⇩付表「部屋」

たこぼうず[3]【〈蛸坊主】「蛸入道」の別称。

タコメーター[3]〔tachometer, tacho=速度の〕エンジンの回転速度を計り表示する装置。[かぞえ方] 一基

たこやき[0]【〈蛸焼ⓚ】水で溶いた小麦粉の中に、細かく切ったタコを入れ、ネギ・調味料を加え、半球形の型に流し込んで焼いたもの。ソースなどをかけて食べる。

タコライス[3]〔和製英語 ←taco + rice〕沖縄料理の一つ。ご飯にタコス風の具を載せたもの。

たこん[0]【多恨】ーな 悩みや悲しみの多い様子だ。「多情ー」

たごん[0]【他言】ーする(他サ) (もらしてはいけないことを)他人に話すこと。「たげん」とも。「ー無用[0]-[0]」

たさい[0]【多才】ーな 各方面に才能を発揮する△こと(様子)。「そのーぶりを称賛される/多芸ー」

た

たさい⓪【多彩】—な —に ❶色彩の多く美しい様子だ。❷△各種（各方面）にわたっていて、にぎやかで人目をひく様子だ。「—な顔触れがそろう」

たざい⓪【多罪】❶罪の多いこと。❷〔手紙文などで〕非礼をわびるのに使う言葉。「妄言—〔=かってなことを言って失礼しました〕／—の至り」

ださ・い②（形）服装や身のこなしなどが、見るからにやぼったく感じられる様子だ。〔俗語的表現〕「—男」

たざいたいせい④【多剤耐性】細菌やウイルスなどが、複数の薬剤に対して抵抗力を持つようになること。「—菌⓪」

だざいふ②【《大宰府》】昔、筑前（チクゼン）の国に置かれた官庁。九州・壱岐（イキ）・対馬（ツシマ）を支配し、外交・国防を受け持った。〔長官は、大宰帥（ダザイノソツ）〕〔古くは、「ださいふ」〕

たさいぼう②-①【多細胞】〔生物学で〕特定の機能を果たす一つ一つの細胞が非常に多く寄り集まって一つの個体を成すもの。「—生物⑥」⇩単細胞

たさく⓪【多作】—する（他サ）❶作品を多く作ること。「—家⓪」↕寡作 ❷農作物を多く作ること。「—農③」

ださく⓪【駄作】鑑賞するに値しない つまらない作品。↕秀作

たさつ⓪【他殺】人手にかかって殺されること。「—体⓪」↕自殺

たさん⓪【多産】❶△一代に（一度の出産で）子供や卵をたくさん産むこと。「—系⓪・—種②」❷産物が、たくさんとれること。「リンゴの—地帯」

ださん⓪【打算】—する（他サ）利害・損得などを見積もること。「—が働く」 **—てき**⓪【—的】—な —に 物事をするに当たって、何よりもまず自分の損得を考えて行動する様子だ。

たざんのいし①-②【他山の石】〔よその山から出た石であっても使い方次第で、玉（ギョク）をみがくのに役立つものだ、の意〕たいして役に立ちそうにないと見えても生かし方次第で役立つもの。〔単に、手本・模範の意に解するのは誤り〕

たし【《度し》】（助動・形ク型）「たい」の文語形。文法 動詞、助動詞「る／らる・す／さす」の連用形に接続する。

たし⓪【足（し）】〔動詞「足す」の連用形の名詞用法〕まだ不十分なところを補うもの。「生活費の—に内職をする／そんなに勉強したって何の—になる〔=役に立つ〕ものか」

たし① ❶【他紙】△よそ（ほか）の新聞。❷【他誌】△よそ（ほか）の雑誌。

たし①【《多々》】—たる —と すぐれた人材が多い様子だ。〔誤って「多士さいさい」とも言う〕

たし①【多子】子供が多いこと。「—家庭③」

たじ①【他事】❶当面直接関係の無い事柄。「—を顧みるいとまが無い」❷他の人に関すること。「—ながら〔=あなたには直接関係の無いことですが〕ご安心ください」

たじ①【多事】❶仕事が多くて、忙しいこと。「—多端①-⓪」❷事件が多くて、世の中が騒がしいこと。「—多難」

だし②【〈山車〉】祭礼の時に引き歩く、装飾した車。「—を引く」表記 ⇩付表 かぞえ方 一台

だし②【出（し）】❶煮出し（汁）。「昆布と鰹節（カツオブシ）で—を取る／—の利かない まずいすまし汁」❷自分の利益のために利用する△物事（人）。「顧客を—にして高級レストランで食事する」❸〔端午の節句で〕のぼりの頭部の飾り物。表記 ❶は、「〈出汁〉」とも書く。

だしいれ②【出（し）入（れ）】—する（他サ）出すことと入れること。しゅつにゅう。出納（スイトウ）。

だしおき⓪【出（し）置（き）】中に収めておくべきものを、容器から出してそのままにして置くこと。

だしおし・む④【出（し）惜しむ】（他五）〔損をするのを嫌って〕出すことを惜しむ。名 出し惜しみ⓪「—しないで見せろよ」

****たしか**①【確（か）】❶—な —に 〔「た」は、もと接辞。「しか」は「しっかり」と同源〕❶まちがいやあいまいなところがなく、十分に信用出来ると判断される様子だ。「—な△情報（証拠）がほしい／—な△人物（品）／お届けの品—にお預りしました／△身元（出所（デドコロ））は—だ／—に約束した」❷そのもの本来の機能が正常に発揮されていて信頼がおける様子だ。「この時計は—ですか／まだ目は—だ／七十になったが、まだ腕は—だ〔=衰えを見せていない〕／気を—に持ってください」❷（副）断言は出来ないまでも、まずまちがいないと思い込む様子。「—こんな話でした／彼なら—大学をやめたはずだ／入荷は—明日だと思います」派 —さ③「腕前の—」表記「〈慥か〉」とも書く。運用 ❷❶「確かに」は、相手の話を聞いて、納得したときの相槌（アイヅチ）の言葉としても用いられる。また、「確かにXだが、（しかし、）Yだ」の形で、相手の主張や判断を肯定する態度を示しつつ、核心部分では同意できない部分があるときに用いられることがある。例、「確かに彼は世間で評判

*__たしか・める__④【確（か）める】（他下一）〈（だれ二）なにヲ—〉本当にそうであるかどうかを△見届ける（はっきりさせる）。「真偽を—」名 確かめ⓪④③

だしがら⓪【出（し）殻】❶出し汁を取ったあとの かす。❷茶がら。

たしき⓪【多識】知識が一つの専門に偏らず、各方面に行き渡っている△こと（様子）。博識。「博学—の士」

たしざん②【足（し）算】—する（他サ）二つ（以上）の△数（式）を足すこと。加法。寄せ算。↕引き算

だししぶ・る④【出（し）渋る】（他五）〔払うべきお金などをなんとかして出すまいとする。

だしじゃこ⓪【出しじゃこ】⇩煮干し

だしじる⓪【出（し）汁】煮出し（汁）。

たしだか⓪【足（し）高】不足を補うこと。またその金額。

たじたじ⓪（タヂタヂ）（副）—と —する 〔「たぢろぐ」と同源〕相手の勢いに圧倒されて思わずひるみ、しりごみする様子。「最初に一発殴られて—となる／言いまくられて—の体（テイ）であった」〔アクセントは「—と・—の」は⓪、「—する」は①〕

たしつ⓪【他室】他の部屋。↕同室

たしつ⓪【多湿】—な 湿度が高い△こと（様子）。「高温—」

たじつ①【他日】その当日以外の日。〔一般に未来のある日を指すが、古くは、過去のある日をも指した〕「—を期して再出発する」

だしなげ⓪【出（し）投（げ）】〔すもうで〕相手が△押そう（寄ろう）とした時、自分のからだを開き、△上手まわし（下手まわし）をつかんで 相手を前のめりにさせて 倒す わざ。それぞれ上手出し投げ・下手出し投げと言う。

たしなみ⓪④【〈嗜（み）〉】〔動詞「嗜む」の連用形の名詞用法〕❶好きで親しむ芸事（などの一応の心得）。「華道の—がある」❷人前で でしゃばったり失敗しないように日ごろから言動に気を配ること。「—が無い」

たしな・む③【〈嗜む〉】（他五）❶素養や つきあいのため、ふだんからその事を習っておく。「歌道を—〔=趣味として学ぶ〕／尺八を—〔=好きで、習う〕／酒を—〔=ⓐ『酒が好きで飲む』の上品な言い方。ⓑつきあい程度に飲む〕」❷悪い結果にならないよう、行動に気をつける。「少しは嗜んだらどうだ」

たしな・める④【〈窘める〉】（他下一）それはいけないことだと、穏やかに言葉で注意したり しかったり する。「非礼を窘

だしぬ・く[3][0]【出(し)抜く】(他五) すきに乗じ、また、だまして、他人よりも先に何かをする。
だしぬけ[0]【出(し)抜(け)】—に 相手の意表をついて、その場で急に何かする△こと(様子)。「—に議事打切りの動議を出す/—の質問に返答に窮した」
たしまえ[0]【足(し)前】不足分を補う△金額(分量)。
だしもの[3][2]【出(し)物】その△日(期間)に上演する作品(の種類)。 表記「《演し物」とも書く。
たしゃ[1]【他社】ほかの会社。「—の商品とくらべる」 かぞえ方 一本
たしゃ[1]【他者】なんらかの意味で自分と対立する存在として考えられる自分以外の人。第三者。
たしゃ[1]【多謝】—する(自サ) ❶厚く礼を述べる意を表わす語。❷丁重に謝罪する意を表わす語。多罪。「妄評—」〔❶❷とも手紙文などで用いられる〕
だしゃ[1]【打者】〔野球で〕バッター。「—一巡・強—」
だじゃく[0]【惰弱】—な (ぐずぐずしていて)いくじがない様子だ。↕剛健 表記「〈懦弱」とも書く。
だじゃれ[0]【駄〈洒《落】少しも感心出来ない、つまらないしゃれ。
たしゅ[1]【多種】種類が多いこと。 **—たよう**[1]-[0]【—多様】—な/—に とても同一には扱えないほど、いろいろさまざまな様子だ。
だしゅ[1]【〈舵手】かじを取る人。↕漕手
たしゅう[1][0]【他宗】その宗派以外の宗派。↕自宗
たじゅう[0]【多重】幾つも重ねること。「音声—放送・—人格[4]・—債務者[6]」
たしゅつ[0]【他出】—する(自サ)「外出」の意の古風な表現。
たしゅつ[0]【多出】—する(自他サ) 出る△分量(回数)が多いこと。
たしゅみ[2]【多趣味】—な 趣味とするものが多い様子だ。「—な人」↕没趣味
だじゅん[0]【打順】〔野球で〕バッターとなる順序。
たしょ[1]【他書】何らかの点で比較の対象とするほかの本。「—に例を見ない斬新な国語辞典」
たじょ[1]【他序】その人の本を世間に広めるために、恩師や先輩などが推奨の意を含めて書く序文。↕自序
たしょう[0]【他生】〔仏教で〕現世を「今生」と言うのに対し、自分が生まれ変わる前の過去の境界と、これから生まれ変わるであろう未来の境界の称。
たしょう[0]【他称】〔文法で〕三人称。⇩自称・対称
たしょう[0]【多少】❶多いか少ないか。多寡。「—にかかわらず〔=どんなに多くても少なくても〕配達します」❷(副)〔意味の実質は「少」にある。⇩帯説〕その数量・程度などがそれほどのものではない様子。「塩を—多めに入れる/—名の知れた人/—見にくい箇所がある」 **—とも**[0][4](副) あまり多くは期待しないが、まったく無いよりは良いという気持をいだく様子。「—お役に立てればと思います」
たしょう[0]【多生】〔仏教で〕生き物の宿命として、動物・人間・天人などとして何回も生まれ変わること。「袖振り合うも—の縁〔=⇩袖〕」 表記 用例の意味で「他生」と書くのは俗用。
たしょう[0]【多祥】めでたいことの多いこと。「ご—を祈る」
たしょう[0]【多照】日照時間が多いこと。「高温—」
たじょう[0]【多情】—な ❶神経が鋭敏で、ちょっとした事にも感じやすい様子だ。「—な青年時代/—多感[0]-[0]」❷特定の相手に対する愛情が次つぎと移りやすい様子だ。「—な人」 **—たこん**[0]-[0]【—多恨】—な 物事に感じやすく、心に悩みが絶えない様子だ。 **—ぶっしん**[0]-[0]【—仏心】移り気ではあるが、薄情なことが出来ない性質。
だじょうかん[2]【《太政官】〔もとの読みは、ダイジャウクワン〕❶現在の内閣に相当する、明治初年設置の最高官庁。〔「だいじょうかん❶」と区別して「だじょうかん」と言われる。長官は「太政大臣[4]」〕❷⇩だいじょうかん❶
たしょく[0]【多色】なん種類もの色。「—刷り[0]」
たしょく[0]【多食】—する(他サ) ふだんよりも、また、ほかの人よりもたくさん食べること。 **—しょう**[0]【—症】⇩過食症
たじろ・ぐ[3](自五) ❶直面するものに威圧されて、後退する。「困難に—」❷相手の力に押されて、よろめく。 名 たじろぎ[0][4]
たしん[0]【他心】❶他人の心。❷ふたごころ。他意。「—を抱く」
だしん[0]【打診】—する(他サ) ❶からだを指でたたいたりして、その音で内臓を診察すること。「—器[2]」⇩視診・触診・問診・聴診 ❷本格的な交渉に入る前に、それとなく当たって、相手の動きや大体の様子を前もって探る。「意向を—する」
だじん[0]【打陣】〔野球で〕打者の顔ぶれ。
たしんきょう[0]【多神教】複数の神を信仰の対象とする宗教。↕一神教
た・す[0]【足す】(他五) 必要を満たすべく、同質△の(と認められる)物を加える。「一に一を—/足して二で割る式〔=実質への考慮が少ない形式論〕/塩を—/書き—・言い—」【用を—】⇩用
たず[1]鳥のツルの雅称。 表記「田《鶴」は、借字。
だ・す[1]【出す】❶[1](他五) ❶〈どこ・なにニ なにヲ—〉内部や見えない所から、外部やみんなに見える所へ△移す(行かせる)。「舟を—〔=出帆させる〕/使いに—〔=やる〕/小包を—〔=送る〕/警報を—〔=一般に知らせる〕/不足分を—〔=支払う〕/願書を—/膿を—/クリーニングに—」❷〈どこ・なにニ なにヲ—/だれ ニ なにヲ—〉内部にあるものを外部に示す。「口に—〔=言葉に表わす〕/名前を—〔=明示する〕/展覧会に—〔=出品する〕/市場に—〔=出荷する〕/酒を—〔=客に(求めに応じて)供する〕/証拠を—〔=はっきり示す〕/金を—〔=ⓐ投資する。ⓑ醸金する〕/鉄を—〔=産出する〕山/全貌を明るみに—/前面に—/△知恵(精)を—」❸〈なにヲ—〉今まで無かったものを新たに存在させる。「△赤字(新記録)を—/△特色(持ち味・新味)を—/実力を出しきる/注文を—〔=付ける〕/△けが人(死傷者)を—〔=が生じる〕/被害を—〔=が発生する〕/△火(火事)を—〔=おこす〕/速力を—〔=増す〕/暇を—〔=⇩暇〕」❹〈(だれニ)なにヲ—〉主体の意向が反映しているものを公にする。「△意見(疑問・一つの線・代表・命令・答え・裁定・報告書・声明)を—/批判が出される/雑誌を—〔=発刊する〕/描き—・暴き—・あぶり—・あふれ—」❷〔「動詞連用形+—」の形で、接尾語的に〕…し始める。「笑い—・歩き—・荒れ—」
【足を—】⇩足 【口を—】⇩口❶❷ 【手を—】⇩手
***たすう**[2]【多数】数が多い(方に属する)こと。また、そのもの。「—を△占める(制する)/—に上る/質問が—寄せられる/圧倒的—・大—」↕少数 **—けつ**[2]【—決】賛成者が最も多い意見や議案を、そのグループや会議などの全員の(一致した)意見と見なすやり方。〔少数意見が反映されないというニュアンスを伴うことがある〕「—で押し切る」
だすう[2]【打数】〔野球で〕打者として打席に立った回数から、四死球・犠打などになった回数を引いたもの。
***たすか・る**[3]【助かる】(自五) ❶悪くすると死ぬおそれのある危険な状態からまぬかれる。「もう少しで溺れるところを

た

助かった」❷負担・苦痛などが無かったり少なかったりして、楽である。「月にせめて十万円あると—のだが/暑さがやわらいで—」 運用 「助かった」などの形で、相手の援助・協力などに対する感謝の気持を表わすのにも用いられる。例、「手伝っていただいて、お陰で助かりました」

たすき⓪③【〈襷】❶和服のまま立ち働く時に、そでをたくし上げておくために背中で斜め十文字になるように掛けるひも。「帯に短し—に長し〔=⇩帯❶〕」❷斜めにうち△違えること(違えた模様)。❸目印として一方の肩から斜めに掛けた細い布。 かぞえ方 ❶❸は一本 **—がけ**⓪【—掛(け)】❶たすきを△掛けること(掛けて かいがいしく働く姿)。❷斜めに交差した形。

たずき③⓪【《便・〈活計〉・〈方便〉】⇩たつき

タスク①〔task〕❶課された仕事。課業。❷〔コンピューターで〕処理される作業の単位。 **—フォース**④〔task force=機動部隊〕プロジェクト チーム。

たすけ【助(け)】[一]③❶助ける△こと(人)。「—を求める声/ちっとも—にならない/吹雪で道を見失い、大声で—を呼んだ/手—・人—」❷〔△精密(正確)を期したり 効率化を図ったり するために〕補助となる役割を果たすもの。「文を読みやすくするために、句読点など いろいろな符号の—を借りる」[二](造語) 動詞「助ける」の連用形。 **—て**⓪【—手】困っている時に力を貸してくれる人。 **—ぶね**④③【—船】救いの船。〔困っている時に力を貸してくれるものの意にも用いられる。例、「見るに見かねて—を出す」〕

たす・ける③【助ける】(他下一)〔「た」は、もと接辞〕❶〈だれヲ—〉力を添えて、危険や死をのがれさせる。「きょうのところはお助けください〔=見のがしてください〕」❷〈だれ・なにヲ—〉力を添えて、△事がはかどる(うまく行く)ようにしてやる。「家業を—〔=手伝う〕/貧者を—〔=経済的に援助する〕/若い主人を—〔=後見する〕」 表記 「《援ける・《救ける・《扶ける・《佐ける」とも書く。〔⇩助け[二]〕

たずさ・える④③【携える】(他下一)❶△手に(身につけて)持つ。「一瓢を—/大金を—」❷(手を取って)連れて行く。「子を携えて帰省する/手を携えて〔=ⓐ相談しあって。ⓑ協同で〕行なう」

*__たずさわ・る__④【携(わ)る】(自五)〈なにニ—〉ある仕事に△従事(関係)する。「△教育(政治・文筆)に—」

ダスター①〔duster〕❶台ぶきん。ぞうきん。❷〔←duster coat〕ほこりよけ用の、少し短いコート。❸ごみ・台所のくずを投げ入れて捨てる装置。❹粉をまく器具。散粉機③。 かぞえ方 ❶は一枚。❷は一着

ダストシュート④〔和製英語 ←dust + chute〕高層のアパートなどの中からごみを投げ入れて落とす、筒形の穴。ダスター。

たずねあ・てる⑤【尋(ね)当てる】(他下一) 居場所の分からない人や、ありかの分からない建物などを捜し求めて見つける。

たずねあわ・せる⑥【尋(ね)合(わ)せる】(他下一) それが事実であるかどうかを、聞いて確かめる。

たずねびと③【尋(ね)人】 行くえが分からなくなって、捜されている人。自分が捜している人。

たずねもの⑤④⓪[一]【尋(ね)者】⇩お尋ね者 [二]【尋(ね)物】「捜し物」の意の古風な表現。

**__たず・ねる__③【尋ねる】(他下一)❶〈どこヲ—〉/〈どこニ〉なに・だれヲ—〉どこに△ある(行った)か、見つかるまで調べ△る(て歩く)。捜し求める。「原理を—〔=明らかにする〕/歴史に—〔=…を調べて明らかにする〕」❷〈だれニなにヲ—〉分からないことを人に聞く。「安否を—」❸〈どこニだれヲ—/どこヲ—〉人に会うために、その家に行く。訪問する。 表記 ❸は、「訪ねる」とも書く。

だ・する②【堕する】(自サ) 好ましくない傾向に陥った状態のまま、脱出出来ないでいる。「観念論に—」

たせい⓪①【他姓】他人の姓。「—をおかす〔=名乗る〕」

たぜい⓪【多勢】多くの人。おおぜい。「—に無勢」

だせい⓪【打製】石をたたき割って器具を作ること。「—石斧④・—石器④」↕磨製

だせい⓪【惰性】△なかなか やめられない(新しい方針に切り替えることが出来ない)習慣。〔物理学では、「慣性」を指す〕「—に流される/—を△断ち切る(排する)/—だけで生きているような生活/—的⓪」

だせき⓪【打席】〔野球で〕バッター ボックス(に立つこと)。また、そこに立つ回数。

たせつ⓪【他説】ほかの人の説。

たせん⓪【他薦】—する(他サ) 本人以外の人がその人を候補者として推薦すること。↕自薦

たせん⓪【多選】—する(他サ) 同じ人を同一の選挙に何回も選出すること。「—の弊害」

だせん⓪【打線】〔野球で〕打力の面から見た打者の陣容。「火をふく—」

だせん⓪【唾腺】つばを分泌する腺。

たそ①【《誰そ】(感)〔雅〕だれ(か)。「汝は—」⇩たそがれ

だそう⓪【惰走】—する(自サ) 惰性で走り続けること。

たそがれ⓪【〈黄〈昏〉】〔暗くなって来て顔の区別が出来ないので、誰そ彼、つまり「お前はだれか」と尋ねる意〕夕やみ。〔人生などの盛期を大分過ぎた意にも用いられる〕「—どき⓪〔=夕方〕」↕かわたれどき

だそく⓪【蛇足】〔昔、中国でヘビを描くのに足まで描いて失敗したことから〕十分完成しているものの あとに付け加えるよけいなもの。〔他人のすぐれた仕事や発言の上に、自分が何か付け足す時の謙称としても用いられる。例、「—ながら…」〕

たそん⓪【他損】〔自分自身の責任ではなく〕他人のしたことが原因で、損害を受けたり けがをしたり すること。↕自損

たた①【多々】(副) 数え上げればきりがないほどたくさんある様子。「言いたい事は—ある/—益々弁ず〔=ⓐやるべき仕事が多ければ多いほど、持ち前の才能を発揮して見事に処理する。ⓑ多ければ多いほどよい〕」

ただ【〈只】(造語) それ以外の何ものでもないことを表わす。「—今・—中・—戻り」

*__ただ__①[一]【〈只】❶それをすることによって、相手から当然△要求されるはずの代価(受けるはずの報酬)が無いことを表わす。「—〔=無料〕より高いものはない/—では△済まない(おかない)ぞ〔=何か仕返しがあるものと覚悟しろ〕/—同然で売る」❷そのもののあり方としてごく普通の状態にあること。「はたち過ぎれば—の〔=平凡な〕人/—(で)さえ寒いのに/—のからだではない〔=普通の人以上にからだに気をつけなければならない状態だ〕」[二]【《唯】(副)❶そのことだけがすべてであって、取り立てて言うべきことがほかに無い様子。「何も言わず—泣いてばかりいる/今は—悲しいだけだ」❷比較の対象とするものの中で、ごくわずかだととらえられる様子だ。「生還したのは—一人/休んだのは—(の)一回だ」[三]【《但】(接) 前に述べた事柄について、全面的な肯定を保留する言葉。「—〔=ただし〕わがままなのが欠点だ」 表記 [一]は、「《唯」とも書く。また[二]は、「《徒」とも書く。[三]は、常用漢字表では、「但し」のみを掲出。 運用 [三]は、「X～。ただ、Y」の形で、Yに否定的な内容を述べるときは、先行するXで述べた肯定的な内容以上に、

そのことがらを特に懸念していることを含意する。例「演技力はある。ただ、気分にむらがあるので出来不出来の差が大きいのも事実だ」

ダダ① ダダイズム・ダダイストの略。

だだ①【駄々】〔「だだ」は和語の擬声語。従って「駄々」は借字〕相手が怒りださないのをいい事にして、温情に満ちた提言を事ごとに△拒否(否定)すること。「ーをこねる〔=親などに甘えた子供が、わがままを言い張って事ごとに逆らったり困らせたりする〕」

ただい⓪【多大】ーな 数量・程度が普通を超えている様子だ。「ーの〔=大きな〕戦果/ーの困難を伴う/ーなエネルギーを要する」

だたい⓪【堕胎】ーする(自サ) 人工的に胎児を流産させること。

ダダイスト③〔dadaist〕 ダダイズムを奉じる芸術家。

ダダイズム③〔dadaism=もと「どう」に当たるフランス語の馬への掛け声に基づくという〕 第一次世界大戦の末期におこった芸術上の運動。伝統的形式美に極端に反抗した。シュールレアリスムの母胎。

ただいま【〈只今〉】[一]②「今[二]❶」の意を強調したり あらたまって言ったりする語。「今日ーから禁煙する/ーまでに判明した死傷者の数は次の通り/ーの地震は、東京では震度2でした/ー留守にしております」 表記「《唯今」とも書く。 運用「はい、只今」などの形で、只今参りますの意で、相手からの催促に対して、すぐに応じる用意があると答える言葉として用いられる。[二]④(感)「只今帰りました」の省略表現。 **ーかえりました**②-④【ー帰りました】(感) 外出先から帰った時に言う挨拶の言葉。〔同等以下には「ただいま」とも言う〕

たた・える⓪③【《称える・〈讃える】(他下一) すぐれた業績やりっぱな行為に対し、それをほめる言葉を述べ、その△人(物)を祝福する。「徳をー/御名をー」

たた・える⓪③【〈湛える】(他下一) ❶液体で、そこを満たす。「水を湛えた人造湖/杯に酒をー」 ❷表情などを通してある感情に満ちていることが十分に感じられる。「目もとは純真さをー/満面に笑みをー」

たたかい⓪【戦(い)】 戦うこと。〔狭義では敵味方に分かれての武力行使『=戦争』をいう〕「ーに明け暮れた戦国武将/覇権を賭けてのー/労使のー〔=闘争〕/マラソンは孤独とのーである」 表記「闘い」とも書く。

**たたか・う⓪【戦う】(自五)〔もと、叩き合う意〕 ❶〈だれ・なにトー〉 紛争を解決するために、武力などに訴えて相手を屈服させようとする。「労働組合が経営者側とー〔=ストライキなどの手段に訴えて闘争する〕」 ❷〈だれ・なにトー〉〔スポーツ・勝負事などで〕自分が優位に立とうとして、相手と勝ち負けを争う。試合する。 ❸〈なにトー〉 志をくじく諸条件、たとえば困難・悪徳・因習・誘惑などに負けずに、目的を達成しようとする。 表記「闘う」とも書く。

たたかわ・せる⓪【戦わせる】(他下一)〔「戦う」の使役形〕激しいやりとりをする。戦わす⓪(五)。「△意見(議論)をー」

たたき【〈叩(き)】[一]③ ❶肩・背・尻を鞭で打った、昔の刑罰。 ❷Ⓐ魚の身を包丁で叩くように小さく切った料理。「アジのー」 Ⓑ魚の身・鳥肉・牛肉などをサクのまま表面をあぶり、刺身にしたもの。「△カツオ(和牛)のー」 ❸【〈和土〉・〈三和土〉】 セメントなどで固めた土間。〔もとは、花崗岩が風化して出来た「たたきつち③」に石灰・にがりを交ぜてつき固めた〕 表記❶❷は、「〈敲き」とも書く。[二](造語) 動詞「叩く」の連用形。 **ーあ・う**④【ー合う】(他五) 互いに叩く。〔取るに足りないようなことを互いに言い合う意にも用いられる。例、「むだ口をー」〕 **ーあ・げる**⑤【ー上げる】(他下一) 下積み時代の苦労を経て、一人前△となる(の技術を獲得する)。名叩き上げ⓪ **ーうり**③【ー売(り)】〔大道商人の〕投げ売り。「バナナのー」 動叩き売る④⓪(他五) **ーおこ・す**⑤【ー起(こ)す】(他五) ❶戸を叩いて目をさまさせる。 ❷寝ているところを無理に起こす。 **ーおと・す**⑤【ー落(と)す】(他五) 叩いて落とす。〔人をある地位から無理に失脚させる意にも用いられる〕 **ーがね**③【ー〈鉦】 伏せて、撞木で叩き鳴らす仏具。 表記「〈敲き鐘」とも書く。 **ーこ・む**④【ー込む】(他五) ❶「入れる」意の、ぞんざいな言い方。 ❷〔芸事・技術・思想などを〕忘れる事が無いように、しっかりと教え込む。 **ーだい**⓪【ー台】 批判・検討を加えて、よりよくするための原案。〔自分の案を謙遜して言うのにも用いられる。例、「私の計画案はーとしてお考えください」〕 **ーだいく**④【ー大工】 未熟な大工。たたき。 **ーだ・す**④【ー出す】(他五) ❶叩いて外に追い出す。 ❷銀などの金属を叩いて、模様が浮き出るようにする。 **ーつ・ける**⑤【ー付ける】[一](他下一) ❶激しく叩く。 ❷壊れるように、何かを堅い物へ目がけて投げつける。「相手の腕をつかんで道路に叩き付けてやった/辞表を上役にー〔=あいそを尽かしたのだという態度で、突きつける〕」[二](自下一) 叩くように強く降る。「大粒の雨がー」 **ーなお・す**⑤【ー直す】(他五)〔原義は、曲がったものを叩いて元のまっすぐな状態に戻す意〕手のつけられない性質・すさんだ気持などを、厳しい訓練などを通してあるべき状態に戻す。 **ーのめ・す**⑤(他五) 二度と立ち上がれなくなるまで叩いたり殴ったりする。〔競争相手を回復出来ないほど徹底的にやっつける意にも用いられる。例、「完膚なきまでにー」〕 **ーふ・せる**⑤【ー伏せる】(他下一) 叩いてねじ伏せる。〔徹底的にやりこめて屈服させる意にも用いられる〕

**たた・く②【〈叩く】(他五) ❶〈(なにデ)なにヲー〉〔刺激を与えたり 音を生じさせたりするために〕繰り返し打つ。「太鼓をー/屋根をー雨の音/石橋を叩いて渡る〔=⇩石橋❶〕/手を叩いて人を呼ぶ/包丁の背でゴボウを叩いて柔らかくする/尻をー〔=⇩尻〕/漱石の門をー〔=教えを請うためにたずねる〕/専門家の意見をー〔=聞いてみる〕」 ❷〈なに・だれヲー〉 相手が音を上げるまで、連続的に何か激しい事をする。「陰口をー/むだ口をー/△ライバル(出端)をー〔=徹底的に攻撃する〕/一丁叩いてやるか〔=ⓐきびしく仕込んでやろうか。ⓑきびしく△攻撃(非難)してやろうか〕/処理の不手際を新聞で連日叩かれる/買いー〔=値切って負けさせる〕」 表記「〈敲く」とも書く。〔⇩叩き[二]〕

ただごと⓪【〈只事】〔否定表現と呼応して〕事態が普通ではないことを表わす。「ーではない/ーでは済まされない」 表記「《唯事・《徒事」とも書く。

ただし①【但(し)】(接) すぐ前の文で述べた事柄について、補足的な説明・条件・例外であることを示す、言い出しの言葉。「ー今回は例外の措置です/ーは①〔=それとも〕」 **ーがき**⓪【ー書】「但し」で始まる追加の文。〔広義では、補足的な説明を指す〕「ー〔=条件〕付き」

**ただし・い③【正しい】(形) ❶ものの道理・法に合っていて違和感が感じられない様子だ。「人としてー道を踏み外さないよう心がけている/ー茶の作法」 ❷真理・事実などに合っていて、偽りやまちがいが無い。「ー答えを得るのが難しい問題/事実が誇張された報告でー理解を妨げる」 ❸規準に合っている様子だ。「文法上はー」 ❹ゆがんだり 曲がったりしていないで、本来望まれる形が整っている様子だ。「ー〔=きちんとした〕姿勢」 派ーさ③②

*ただ・す②(他五)[一]【正す】〈なにヲー〉❶△まちがって(曲が

** * は重要語，⓪①… はアクセント記号，品詞の指示の無いものは名詞および いわゆる連語。

って)いる点などを直し改め、また、そうなる傾きのあるものを、そうならないように気をつける。「誤りを―〔=直す〕/襟を―〔=厳粛な気持になる〕/姿勢を―〔=ⓐきちんとする。ⓑ⇩綱紀〕/行いを―〔=道から、はずれないように気をつける〕」❷筋道に合っているかどうかをはっきりさせる。「是非を―/大義名分を―/筋を―」[二]【《糾す・〈糺す】〈(だれ)ニ(なに)ヲ―〉本当にそうであるかどうか調べて、事の真偽や事実の有無をはっきりさせる。「もとを糺せば〔=もとはと言えば〕/罪を―〔=本当に罪を犯したかどうかを調べてみる〕」[三]【《質す】〈(だれ)ニ(なに)ヲ―〉△本当にそうであるかどうか(分からない点)を、聞いてはっきりさせる。「△意向(真意・責任)を―」

たたずまい③⓪【〈佇まい】 さりげなく かもし出される雰囲気。「静かな―を見せる」

たたず・む③【〈佇む】(自五) 立ち去ることが出来ないで、立ったままそこにしばらく居る。

ただ ただ①、①-①【《唯《々】(副) 「ただ[二]」の意の強調表現。「―悲しいの一言に尽きる/―息を呑ノむばかりだ/―申し訳なく思っている」

ただちに①【直ちに】(副) ❶その時点で、時を置かずに行動に移る様子。「―攻撃を開始する/経営陣は―退陣せよ」❷間にほかのものを介在させないで他とつながる様子。「これ以上の無理は―死につながるおそれがある/部屋の前から―海が広がっている」

だだっ こ②【駄々っ子】 わがままを言う子供。〔わがままな性格で、状況をわきまえずに勝手なことを言う人を批判的に言うこともある〕

だだっ ぴろ・い⑤【〈だだっ広い】(形) 必要以上に、また、あきれるほど広い。

ただ なか②【〈只中】〔「まんなか」の意〕最中。「試合は今や熱戦の―にある」⇩まっただなか

ただならぬ④【《徒ならぬ】 普通でない。「―顔色/―〔=何事かが△起こったような(起こりそうな)〕雲行き/―〔=特別深い関係にある〕あなたの事だから/―〔=相思相愛の〕仲/犬猿も―〔=イヌとサルどころの話ではない、非常に悪い〕仲」 表記 「〈啻ならぬ」とも書く。

ただ に①【《唯に】(副) それだけに△限られる(過ぎない)という判断を表わす。〔古めかしい否定表現に用いられることが多い〕「―之ᴸを改進と云ィふ可ヘからず」 表記 「〈啻に」とも書く。

ただ のり⓪【〈只乗り】―する(自サ) 乗り物に運賃を払わないで不正に乗ること。

ただ ばたらき③【〈只働き】―する(自サ) 報酬を△得られない(求めない)働き。〔働いても効果が現われない意にも用いられる〕

ただ ぼうこう③【〈只奉公】「ただばたらき」に同じ。

***たたみ** [一]⓪【畳】〔もと、必要な時必要な場所に敷いて使ったござの意〕❶和室内に敷きつめ、その上で日常起居する、厚い敷物。「―の上で死ぬ〔=横死・変死ではない自然死をする〕/古―ダタミ③」❷げた・草履などの表につける薄い敷物。 かぞえ方 ❶は一畳ジョウ・一枚 ―いわし④【―〈鰯】 カタクチイワシの幼魚を日に干して、海苔ノリのように平らにしたもの。軽くあぶって食べる。 かぞえ方 一枚 ―おもて④【―表】 藺草イグサの茎で織り、畳の表面にとりつける薄くてすべすべしたもの。 かぞえ方 一枚 ―がえ⓪ガヘ【―替ⓔ】―する(自サ) 畳表を取替えること。 ―すいれん④【―水練】〔畳の上で行なう、泳ぎの練習の意〕実地に役立たない練習。畑水練。 ―べり⓪【―《縁】 畳のふち(につける布)。 [二]【畳ⓜ】(造語) 動詞「畳む」の連用形。 ―か・ける⑤【―掛ける】(自下一) 相手に考えたり反対したりする時間を与えず、次から次へと一方的に働きかける。 ―こ・む④【―込む】(他五) ❶たたんで中に入れる。❷心の中に深くしまっておく。❸たたみ掛ける。

ただ みる①-①【《唯見る】〔雅〕これといった目的もなくひたすら見る。「―〔=見渡す限り〕一面の焼野原」

***たた・む**⓪【畳む】(他五)〈なにヲ―〉❶広がっている物を、機能をこわさないように折り重ねて小さくする。「△布団(ハンカチ)を―/胸にたたんで〔=心の中におさめ、表面に表わさないで〕だれにも言わない」❷開いている物を閉じる。「傘を―〔=すぼめる〕/店を―〔=商売をやめる〕」❸道に石などを敷く。「石を畳んだ道」[⇩畳み[二]] 運用 開店などに際しては避けるべき言葉とされる。

【畳んでしまえ】 のしてしまえ。殺してしまえ。

ただ もどり③【〈只戻ⓡ】 何もせずに、△そのまま(むなしく)戻ること。すもどり。

ただ もの⓪【〈只者】〔「ありふれた凡俗な人」の意〕〔一般に「―ではない」の形で〕その人の容貌ヨウボウや態度などから、何か大きなことをする人物だと感じさせるものがある様子だ、の意を表わす。「眼光炯々ケイケイとして―ではないと思わせる」

***ただよ・う**③タダヨフ【漂う】(自五)〈(どこ)ニ―〉❶水面や空中に浮かんで、不安定な状態で揺れ動いたり 水の流れや風の向きに従って分からないほどのゆるやかな動きで移動したりする。「波間に―小舟/青い空に―白い雲」❷その場の状況から、接する人に何らかの△気分(予感)をいだかせるものが感じられる。「△しらけたムード(なごやかな雰囲気)があたりに―/両国の間に暗雲が―〔=関係が険悪になる〕」

ただよわ・す④タダヨハス【漂わす】(他五) 〔「漂う」の使役動詞形〕❶漂うようにする。❷ある感情が顔(の一部)に現われる。「面に憂いの色を―/口辺に微笑を―」 漂わせる⑤(下一)。

たたら⓪【〈〈蹈鞴〉〉・〈踏〈鞴〉】 足で踏んで空気を送る、大形のふいご。「―を踏む〔=目標から外れたり かわされたりしてよろめく足を、なんとかして その場に踏みとどまろうとする〕」

だだら あそび④【だだら遊ⓑ】〔足踏みする「たたら」を無意味なものと見ての表現〕遊里で、成金が大金を浪費して遊ぶこと。 表記 「だだら」を「駄々羅」と書くのは、借字。

たたり【〈祟ⓡ】 [一]① 祟ること。「あとの―が〔=どういう罰を受けるか〕恐ろしい/飲み過ぎの―で〔=飲み過ぎが原因となって〕胃潰瘍イカイヨウになる」 [二](造語) 動詞「祟る」の連用形。 ―め⓪④【―目】 祟りにあう時。「弱り目に―」

たた・る⓪【〈祟る】(自五) ❶神仏・死者の霊などが、人間に災いを与える。❷不自然・無理・不勉強などが原因となって悪い結果が起こる。「ゆうべの徹夜が祟って頭が痛い/不況に祟られてさんざんだ」[⇩祟り[二]]

ただれ め⓪【〈爛ⓡ目】 充血して爛れた目。

ただ・れる⓪【〈爛れる】(自下一) 皮・肉の組織がくずれて、じくじくする。〔肉体・精神の健全さを失う意にも用いられる。例、「酒に爛れた生活」〕 名 爛れ⓪

た たん⓪【多端】〔「端」は、事の意〕事件・仕事が多いこと。また、それにかまけて ゆっくり出来ないこと。「多事―」

たち【立ⓒ】(接頭) 「現実に…する」などの気持を表わす言葉。「―至る・―まさる・―別れる・―渡る・―返る」

たち(接尾) 〔人間の〕複数を示す言葉。「子供―」〔人間以外の動植物や光・石などを擬人化して、その複数をも表わす。古くは、これらは「…ども」と言った。例、「虫―のお祭り」〕 ⇩ら(等) 表記 「《達・立ち」は、ともに借字。

たち①【《質・《性】 「性質・体質・品質」の意の口頭語的表現。「□□っているのに黙っているなんて、―が悪いよ」

たち【⁽太刀⁾】〔「断ち」の意という〕［一］①長くて大きい刀の称。〔大刀の意にも用いられる。例、「木━・助━」〕 かぞえ方 一口・一本 ［二］(造語) 刀を抜いて相手に斬りかかる回数をかぞえる語。「突然一━あびせかけた/一━に斬って捨ててしまう/毎日幾━ぐらいおけいこ願えますか」 表記 ⇩付表。もとの用字は「大刀」で、平安以降のものと区別することがある。

【一━恨む】⇩ひとたち

たち[2]【立ち】〔演劇界の通語で〕「立ちげいこ」の略。

たち[1]【《館】〔雅〕〔「立ち」の意〕❶小規模な城。たて。「高━」 ❷貴人の△宿舎(邸宅)。

たちあい【立(ち)会い】［一］[0] ❶たちあう△こと(時の態度)。❷〔すもうで〕対戦する両力士が、土俵で立ち上がった瞬間。❸立会人。〔古くは、「お━」の形で、大道商人から見た客の称〕 ❹〔かつて会員が取引所に集まって株券売買取引を行なったことから〕取引所で一定時間内に売買取引をすること。 表記 ❷は、「立ち合い」とも書く。 ［二］(造語) 動詞「立ち会う」の連用形。 ━えんぜつ[5]【━演説】意見の違う人が同じ場所で交互に演説し、第三者たる公衆に是非を訴えること。 ━にん[0]【━人】後の証拠にするため、その場に立ち会ってもらう人。 運用 ［一］❸は、「さあ、おたちあい」の形で、大道商人などが客を呼び集める際の掛け声として用いられる。

たちあ・う[3][0]【立(ち)会う】(自五) ❶△証拠人(参考人)となるために、その場に居て事の成行きを見守る。❷勝負をつける(ために、双方が立ち上がる)。 表記 「立ち合う」とも書く。〔⇩立会い［二］〕

たちあがり[0]【立(ち)上(が)り】〔動詞「立ち上がる」の連用形の名詞用法〕❶地面からまっすぐ上に出ている物。「水道(管)の━」 ❷動作をし始め△ること(たところ)。「━ざま一発たたかれる/━のいい〔=電源を入れてから、操作出来る状態になるまでの時間が短い〕コンピューター」

たちあがり[0]【裁(ち)上(が)り】〔着物を〕裁ち△終えること(終えた状態)。

たちあが・る[0][4]【立(ち)上(が)る】(自五) ❶腰を上げて、立つ。起立する。〔狭義では、力士が、仕切りの姿勢から取組の姿勢に入ることをも指す〕「立ち上がって答えた」 ❷上の方へ立つ。「もうもうと━土ぼこり」 ❸打ちのめされかかった状態にあった者が、活気をとりもどす。❹それまで目立った動きを見せなかったものが行動を起こしたり 停止状態にあったものが操作可能になったりする。「△防衛(闘争)に━/コンピューターが━」

たちあ・げる[0][4]【立(ち)上げる】(他下一) ❶ある目的のために組織を作って活動が始められる状態にする。「NPOを━」 ❷コンピューターを起動させる。

たちい[2][1]【立(ち)居】日常の立ったりすわったりする動作。 表記 「《起ち居」とも書く。 ━ふるまい[2]-[0]【━振(る)舞(い)】なにげなく行なっているふだんの一つひとつの動作。たちふるまい。

たちいた[3][2]【裁(ち)板】裁ち物をする板。

たちいた・る[4]【立(ち)至る】(自五) 重大な事態になる。「新たな局面に立ち至った」

たちい・る[0][3]【立(ち)入る】(自五) ❶〔関係の無い者が〕ある場所の中へ入る。「領海内に━」 ❷自分に直接関係の無い事柄に△関係(干渉)する。「プライベートなことには立ち入らない」 名 立ち入り[0]「━禁止[0]-[0]・━検査[5]・━調査[5]」 運用 ❷は、「立ち入ったことを伺いますが」などの形で、相手のプライバシーにかかわる事柄を聞く際に「失礼だとは思うが」という気持を表わす前置きの言葉として用いられることがある。

たちうお[2]【⁽太刀⁾魚】〔立ち泳ぎをする魚、の意〕海にすむ硬骨魚。形は刀のように細長く銀白色。食用。〔タチウオ科〕 表記 ⇩付表「太刀」 かぞえ方 一尾・一匹

たちうち[0]【⁽太刀⁾打(ち)】━する(自サ) ❶刀を抜いて斬り合うこと。❷互角の勝負をすること。「とても━出来ない」 表記 ⇩付表「太刀」

たちうり[0]【立(ち)売(り)】━する(他サ) 駅の構内や道ばたに立って物を売ること。

たちおうじょう[3]【立(ち)往生】━する(自サ) 〔弁慶が立ったままで死んだという事から〕❶〔列車などが〕何かの原因で途中で止まり、目的地まで行くことも出発点に引き返すことも出来ない状態でいること。❷質問攻めにあったりやじられたりして、どうしたらいいか分からず その場で棒立ちになること。

たちおく・れる[5]【立(ち)後れる】(自下一) △立ち上がり(出発・発展)がおくれる。〔狭義では、力士の立ち上がりが相手よりおくれたことをも指す〕 名 立ち後れ[0]「━が目立つ」 表記 「立ち遅れる」とも書く。

たちおよぎ[3]【立(ち)泳(ぎ)】からだを水面と垂直に立てた姿勢で手足を動かして泳ぐ泳ぎ方。遠泳の時、からだを休めるのに使ったりする。

たちかえ・る[3][0]【立(ち)返る】(自五) ❶もとの所へもどる。「春━〔=年が改まる〕」 ❷本来△無心(白紙)であった状態や正規とされる状態にもどる。「…の△時点(原点)に━/△本心(初心)に━/平和が━」

たちかか・る[4][0]【立(ち)掛(か)る】(自五) ❶立とうとする。❷相手に手向かって行く。たちむかう。

たちかぜ[2][3][0]【⁽太刀⁾風】刀を振った勢いで生じる風。〔激しく斬り込む刀の勢いの意にも用いられる。例、「━鋭く斬りまくる」〕 表記 ⇩付表「太刀」

たちかた[3]【立方】〔歌舞伎・日本舞踊で、地方に対して〕舞ったり踊ったりする方の人。

たちがれ[0]【立(ち)枯(れ)】━する(自サ) 草木が立ったままで△枯れること(枯れたもの)。 動 立ち枯れる[0][4](自下一)

たちかわ・る[4][0]【立(ち)代(わ)る】(自五) 〔「たち」は接頭語〕代わる。交替する。 名 立ち代わり[0]「入れ代り━」 表記 「立ち替わる」とも書く。

たちき[0]【立(ち)木】❶〔鉢植えなどと違って〕地面に生えている木。❷材木にする前の、山に生えているままの木。

たちぎえ[0]【立(ち)消(え)】━する(自サ) 火が十分に燃え上がらず途中で消えること。〔仕事・計画などがいつのまにか途中でやめになる意にも用いられる〕

たちぎき[0]【立(ち)聞(き)】━する(他サ) 物かげに立って盗み聞きをすること。

*たちき・る[3][0]【断(ち)切る】(他五) ❶〈(なに)デ なにヲ━〉紙・布などを切って二つ以上にする。❷〈なにヲ━〉つながりを切って、好ましくない関係を無くする。「△固定観念(腐れ縁・悪循環)を━」 ❸〈どこヲ━〉道路を破壊したりして、敵の行動を妨げる。「△退路(補給路)を━」 名 断ち切り[0] 表記 「断ち〈截る」とも書く。また❶は、「裁ち切る」とも書く。

たちぎれ[0]【裁(ち)《布】仕立てるために、裁った布。 表記 「裁ち切れ」とも書く。

たちぐい[0]【立(ち)食(い)】━する(他サ) ❶〔正式にはすわって食べるべきところを〕すわるひまが無く立ったままで何かを食べること。❷いすなどを備え置かず、(カウンターの前で)立って食べること。「━のそば」 表記 「立ち〈喰い」とも書く。

たちぐされ[0]【立(ち)腐(れ)】━する(自サ) ❶〔柱・立ち木などが〕害虫などのために立ったまま腐ること。❷〔半分出来あ

がった〕建物が、その後の工事や手入れが行なわれず荒れはてること。

たちくず③【裁ち〈屑〉】布・紙などを裁ったあとの残り。

たちくらみ⓪【立(ち)〈眩(み)〉】—する(自サ) 立ち上がった時にめまいがすること。「たちぐらみ」とも。

たちげ②【立(ち)毛】田畑に今作ってある農作物。〔主として稲について言う〕

たちげいこ③【立(ち)稽古】〔演劇の通語で〕「本読み❷」が終わったあと、本稽古に入る前に、扮装無しで動作・表情を付けて俳優が練習すること。

たちごし⓪②【立(ち)腰】〔すもうで〕腰を少し浮かせて立った姿勢。

たちこ・める④⓪【立(ち)込める】(自下一) 〔煙・霧などが〕あたり一面をおおう。「暗雲が—/異臭が—」 表記「立ち籠める・立ち〈罩める〉」とも書く。

たちさき⓪【〈太刀〉先】刀のきっさき。〔敵に斬りかかったり 議論をしかけたりする時の勢いの意にも用いられる〕 表記 ⇩付表「太刀」

たちさばき③【〈太刀〉〈捌(き)〉】刀の使いこなし方。 表記 ⇩付表「太刀」

たちさ・る⓪③【立(ち)去る】(自五) (二度と帰らないつもりで)そこからどこかへ行く。

たちさわ・ぐ④【立(ち)騒ぐ】(自五) がやがや騒ぐ。

たちしごと③【立(ち)仕事】店員・工員などのように、ほとんど終日立ったままでする仕事。

たちしょうべん③【立(ち)小便】—する(自サ) 〔男子が〕便所以外の場所で小便をすること。

たちすがた③【立(ち)姿】❶立っている姿。❷舞の姿。

たちすく・む④⓪【立(ち)〈竦む〉】(自五) 〔恐ろしさに〕立ったままの状態で動けなくなる。

たちすじ②③【〈太刀〉筋】太刀の使い方(の素質)。 表記 ⇩付表「太刀」

たちせき⓪②【立(ち)席】立ったままでよいという約束で、その△演芸場に入る(乗り物に乗る)こと。また、その△入った(乗った)人のいる場所。「—特急券」↔座席

たちだい⓪②【立(ち)台】⇩おたちだい

たちだい⓪②【裁(ち)台】布や紙を裁つ時に使う、大きくて厚い木の板。裁ち板。 かぞえ方 一枚

たちつく・す④⓪【立(ち)尽(く)す】(自五) 何かに△衝撃を受けてどう対処してよいかわからず(惑動して我を忘れ)、その場に身動きもしないで立ったままで居る。「その歌手は一節を歌っただけで歌詞を忘れ、舞台で立ち尽くした/めちゃめちゃになった家具が散乱する現場に—家族ら/まさかの逆転を喫してベンチ・選手ともぼうぜんと立ち尽くした」

たちづめ⓪【立(ち)詰(め)】立ったままの状態を続けることを余儀無くさせられる状態にあること。「新幹線が混んでいて東京から京都まで—だった」

たちどおし⓪【立(ち)通(し)】その間ずっと立ったままの状態を続けること。 動 立ち通す③⓪(自五)

たちどころ に⓪【立(ち)所に】(副) し終わったかし終わらないかのうちに、その場で明らかな結果が現われる様子。「薬を飲んだら—痛みが止まった/—答えが返ってきた」

たちどま・る⓪④【立(ち)止(ま)る】(自五) 歩くのをやめて、その場に止まる。

たちとり④③【〈太刀〉取(り)】❶昔、切腹の介錯をした人。❷死刑囚の首を斬った人。❸たちもち❷。 表記 ⇩付表「太刀」

たちなお・る④⓪【立(ち)直る】(自五) ❶倒れそうになったものが、またしっかり立つ。❷もとの△よい(元気な)状態にもどる。「敵に—すきを与えない/景気が—/△ショック(不調)から—」 名 立ち直り⓪「急速な—を見せる」

たちながし③【立(ち)流(し)】立ったままで使える、(足のついた)流しの台。〔現在、最も普通の流し〕

たちなら・ぶ⓪④【立(ち)並ぶ】(自五) ❶並んで立つ。❷力・才能などが対等である。「—〔=匹敵する〕ものが無い」 表記 建物の場合には「建ち並ぶ」とも書く。

たちの・く③⓪【立(ち)《退く》】(自五) 今まで住んでいた所から居なくなる。 名 立ち退き⓪「—料④」 表記 ⇩付表「立ち退く」

たちのぼ・る⓪④【立(ち)上(ぼ)る】(自五) 〔煙などが〕空へ上がる。

たちのみ⓪【立(ち)飲(み)】—する(自他サ) ❶△すわるひまが無く(正式にはすわって飲むべきところを)立ったままで何かを飲むこと。❷いすなどを備え置かず、(カウンターの前で)立って飲む形式(の店)。「—の居酒屋」

****たちば**①③【立場】❶立っている場所。「足の—も無いほどの混雑」❷ものの見方・考え方や言動、対人関係に制約を加えたり 種々の責任や義務を負わせたりする、その△人(組織)の置かれている境遇や社会的地位・役割など。「△対等の(有利な)—に立つ/微妙な—に置かれる/不利な—に追い込まれる/—上〔=立場から言って〕、やむを得ない/—が無くなる/—を失う/お互いの—を尊重する」

たちばさみ③【裁(ち)〈鋏〉】布地裁断用のはさみ。一〇〜二〇、三〇センチ。らしゃばさみ③。

たちはだか・る⑤【立ちはだかる】(自五) ❶先へは進ませまいと両手を広げ足も踏んばってそこに立つ。「門の前に立ちはだかって入ろうとする者を追い返す/テレビカメラの前に立ちはだかって無言の抗議をする/太平洋北端に—〔=居すわる〕高気圧」❷前途をはばむ困難・障害などが、そこにある。「目の前に大きな山が立ちはだかり、探検隊の行く手をはばむ/交渉を進める上でことばの障害が—」

たちはたら・く⓪⑤【立(ち)働く】(自五) からだを動かして、いろいろとよく働く。

たちばな②【〈橘〉】ミカン(の類)の古称。「右近の—」

たちばなし③【立(ち)話】—する(自サ) 互いに立ったままの状態で話し込むこと。また、その話。

たちはばとび③【立(ち)幅跳(び)】〔助走しないで〕立っているその地点からいきなり跳ぶ幅とび。⇩走り幅とび 表記「立ち幅飛び」とも書く。

たちばん⓪③【立(ち)番】その場所に立って見張りをする△こと(人)。

たちふさが・る⑤⓪【立(ち)塞がる】(自五) 何かのはざまや通路に立って、そこ△を通り抜けよう(から入ろう)とする人のじゃまをする。

たちふるまい⓪③【立(ち)振(る)舞(い)】たちいふるまい。

たちぶるまい③【立(ち)振(る)舞(い)】旅に出発する際に別れを惜しんだり道中の無事を祝ったりしてする△ごちそう(宴会)。

たちぼう⓪【立(ち)棒】境や塀の代りなどのために、一定の高さと間隔で立て並べた棒杭。

たちまさ・る④【立(ち)勝る】(自五) どんな点から見てもまさる。「赤が立ち勝って〔=他の要素を圧倒して、断然〕輝く」 表記「立ち《優る》」とも書く。

たちまじ・る④⓪【立(ち)交(じ)る】(自五) 違うグループに△交じる(加わる)。

たちまち⓪【〈忽ち〉】(副) ❶短時間のうちに△事が完了する(ある状態が出現する)様子。「—売り切れる/一年なんて—(のうちに)過ぎてしまう/横になると—深い眠りに落ちた」❷何かを機に新たな事態が一気に展開する様子。「—起こ

る一発の銃声/言いかけて―口をつぐんだ」

たちまち づき[4]【立(ち)待(ち)月】〔立っている間ₘに月が出るのを待つ意〕陰暦十七日の夜の月。〔「立ち待ちの月[0]-[2]、[7]」とも言う〕⇩居待ち月・寝待ち月

たちまよ・う[4][0]ₘₐᵧₒₕᵤ【立(ち)迷う】(自五)〔煙などが〕立ちのぼってあたりに漂う。

たちまわりₘₐₕₐᵣᵢ【立(ち)回(り)】[一][0]―する(自サ)❶たちまわること。❷芝居で、乱闘をする場面。たて(殺陣)。〔何人もの人が入り乱れてする つかみあいのけんかの意にも用いられる〕「大ₒₒ―」[二](造語)動詞「立ち回る」の連用形。「―先」

たちまわ・る[0][4]ₘₐₕₐᵣᵤ【立(ち)回る】(自五)❶あちこちを歩き回る。❷必要と思われるところから情報を集め、自分が有利になるようにする。「如才無く―」❸〔犯人が〕逃走中に、ある場所に寄る。❹芝居で、立回りをする。〔⇩立回り[二]〕

たちみ[0]【立(ち)見】―する(他サ) 立ったままで見る△こと(場所)。「―席[3]〔=ⓐ舞台・映写幕から一番遠くて、料金の安い立ち見の席。ⓑ歌舞伎ₖₐᵦᵤₖᵢで、一幕ごとに料金を払って見る席〕」

たちむか・う[0][4]ₘᵤₖₐₕᵤ【立(ち)向(か)う】(自五)〔正面に向かって立つ意〕物ともしないという意気を見せて、対処・行動しようとする。「真正面から―/難局に―政府」

たちもち[3][0]【〈太刀〉持(ち)】❶昔、主君の太刀を持ってそば近く仕えた小姓。たちとり。❷横綱の土俵入りの時、太刀を持って従う力士。⇩露払い❸ 表記 ⇩付表「太刀」

たちもど・る[4]【立(ち)戻る】(自五)「戻る」のやや改まった表現。「出先から―/△原点(現実)に―」

たちもの[2]【断(ち)物】 願ₘᵢₙなどをかけて、普通の人が食事に必ずとる塩・茶などをある期間とらないこと。また、その塩や茶など。

たちもの[2]【裁(ち)物】 布や紙などを△型に合わせて(寸法通りに)切ること。また、その切った紙や布。「―板ₜₐᵢ[5][4]」

たちやく[0]【立(ち)役】〔歌舞伎ₖₐᵦᵤₖᵢで〕主演級の善人の男役。〔広義では、女形・子役以外の男役を指す〕

たちゆ・く[0][3]【立(ち)行く】(自五) 商売や生活が〔どうにか〕成り立ってゆく。〔多く否定表現と呼応して用いられる〕「資金繰りの目途が立たず、このままでは店が立ち行かない」

だちょうₒ[0]ₜₑᵤ【〈駝鳥〉】 アフリカの草原などにすむ足の長い鳥。鳥のうち最大で、よく走るが、飛べない。羽は装飾に使う。〔ダチョウ科〕かぞえ方 一羽

たちよみ[0]【立(ち)読(み)】―する(他サ)〔本屋の店先で〕売品である本や雑誌を買わずに、立ったまま読むこと。

たちよ・る[0][3]【立(ち)寄る】(自五)❶何かのそばに行って立つ。「木かげに―」❷目的地に行く途中、ある所に寄る。

たちわざ[0]【立(ち)業】〔柔道やレスリングで〕立っている姿勢で仕掛ける技。↕寝業 表記「立ち技」とも書く。

たちわ・る[3][0]【断(ち)割る】(他五) 切ったり 割ったりして、二つ(以上)に分ける。 名 断ち割り[0]

だちん[0]【駄賃】〔駄馬で物を運ぶ時の運賃の意〕〔使いに来た子供などの〕労をねぎらうため、礼に与える△お金(菓子)。〔広義では、おとなの場合も含む〕「ゆきがけの―〔=⇩ゆきがけ〕」

たちんぼうₒ[0]ᵦₐᵤ【立(ち)ん坊】 ある時間ずっと立ったままでいること。「立ちんぼ[0]」とも。〔狭義では、人集めに来たトラックなどに乗って現場に行き、その日一日 土木工事などに従事する日雇い労働者を指す〕

たつ(達) →【字音語の造語成分】

** **た・つ**【立つ】[一][1](自五) ❶〈(どこ ニ)―〉〔棒状のものが〕倒れたりせず、頭部を上にした状態で地上の一点に位置を占める。〔動物は足でからだを、樹木は根で幹を支える〕「大地を踏みしめて、すっくと―/△極点(エベレスト山頂)に―/△街角(門前)に―/△壇上(舞台)に―/鯉幟ₖₒᵢₙₒᵦₒᵣᵢが―〔=掲げられる〕/三十にして―〔=独立する〕/世に―〔=一本立ちになって、何とか暮らしていく〕/背が―〔=普通に立って首が水面から出る程度の深さだ〕/むっくり―」↕すわる ❷〈(なに ニ)―〉△存在理由(活動の態勢にあること)が認められる。「顔が―〔=面目が何とか保たれる〕/筆が―〔=人に読ませる文章が書ける〕/弁が―〔=雄弁だ〕/理屈が―〔=人がなるほどと思う理屈を言う〕/見分けが―〔=つく〕/役に―〔=有用な働きをする〕/正義のために―〔=立ち上がる〕/受けて―/案内に―〔=案内役を引き受ける〕/知事選に―〔=立候補する〕」 ❸〈(どこ ニ)―〉 何かの作用や刺激による変化・変動に伴い、何ものかが積極的な状態にあることが認められる。「△家(銅像・学校)が―〔=建設される〕/会社が―〔=設立される〕/市ₜᵢᵢが―〔=開かれる〕/蚊柱が―〔=現われる〕/人気が―〔=出る〕/風が―〔=起こる〕/泡が―〔=出る〕/波が―〔=激しくなる〕/ふろが―〔=湯が沸く〕/気が―〔=たかぶる〕/歯が―〔=突き刺さった状態になる〕/歯が―〔=⇩腹〕/とげが―〔=突き刺さった状態になる〕/歯が立たない〔=⇩歯❶〕/煙が―〔=ⓐ高い所へ上がる。ⓑ漂う〕/虹ₙᵢᵢが―〔=高い所へかかる〕/春―〔=春になる〕/年―〔=新年になる〕/時が―〔=経過する〕/人目に―〔=人の注意の的となる〕/予定が―〔=決まる〕」 ❹〈(なに ニ)―〉〔ある人や組織体が〕特定の状態にあることが認められる。「優位に―〔=を占める〕/△苦境(窮境)に―/守勢に―〔=ⓐ守る一方になる。ⓑ攻撃を受ける立場になる〕/政府側に―〔=の味方をする〕/上に―者」 ❺〈(なに・どこ ヲ)―〉 そこを離れて、他へ移る(状態が認められる)。「食事の途中で何回も席を―〔=離れる〕/あす成田を―〔=出発する〕/―鳥、跡を濁さず〔=他に移ろうとする水鳥は、水を濁したり 波を立てたりしないで、静かに水面から去るものだ〕/いつの間にか三時間たった〔=過ぎた〕/いつまでたっても/炭火が―〔=燃えつきる〕/立ち去る」 表記 建立の意では「建つ」、出発の意では「《発つ」、経過の意では「《経つ」、❷の用例「正義…」以下は「《起つ」とも書く。[二]〔「動詞連用形＋―」の形で、接尾語的に〕あらゆる点・方面にわたって、特定の状態にあることが認められる。「たけり―・たぎり―・いきり―・煮―・煮え―・燃え―・沸き―」

* **た・つ**[1](他五) [一]【断つ】〈(なに デ)なに ヲ―〉 刃物などを使って、区切ったり 部分に分けたり 不要部分を取り除いたりなどする。[二]【絶つ】〈なに ヲ―〉 △続いて(つながって)いるものを、そこで ぷつりと切る。「行くえを―〔=行くえが分からなくなる〕/交わりを―〔=絶交する〕/酒を―〔=やめる〕/退路を―〔=さえぎる〕/悪を―〔=すっかり滅ぼす〕/命を―〔=ⓐ自殺する。ⓑ殺す〕」 表記 [一]は「〈截つ」、[二]は「断つ」とも書く。

た・つ[1]【裁つ】(他五) 衣服に仕立てるために、寸法に合わせて布を切る。

たつ[0] [一]【竜】「りゅう(竜)」の和語的表現。[二]【〈辰】十二支の第五。竜を表わす。〔昔、方位では 東から三〇度南寄りを、時法では 午前七時ごろからの約二時間を指した〕

だつ(脱・奪) →【字音語の造語成分】

だ・つ【立つ】(接尾・五型)〔多く「名詞＋―」の形で〕その様相を帯びる。「おも立った人びと/浮き足―・秩序―・紫―〔=紫がかる〕」

たつい[1]【達意】 その人の言おうとする事がよく他人に通じること。「―の文章」

** * は重要語, [0] [1]… はアクセント記号, 品詞の指示の無いものは名詞および いわゆる連語。

だつい①⓪【脱衣】―する（自サ）衣服を脱ぐこと。「―場⓪・―籠③・―室③」

だつえい⓪【脱営】―する（自サ）兵営から逃げ出すこと。

だっか⓪【脱化】―する（自サ）❶昆虫などが殻を脱いで形を変えること。❷ある物のまねをして、形だけを変えること。

だっかい⓪【脱会】―する（自サ）今まで属していた会をぬけること。「―届⑤」

だっかい⓪【奪回】―する（他サ）〔敵に奪われていた陣地などを〕奪い返すこと。「政権の―を目ざす」

たっかん⓪【達観】―する（他サ）❶眼前の成行き・小さな失敗などにとらわれず、全体の情勢を広い視野に立って見渡すこと。❷細かい、つまらない事を超越して、物の本当に成り行く姿を見定めること。「人生を―する」

だっかん⓪【奪還】―する（他サ）相手の手中に帰したものを、こちらが実力で もう 一度取り返すこと。「選手権を―する」

たつき③⓪【《便・〈活計〉・〈方便〉》】「（生計の）手段」の意の古風な表現。「たずき」とも。

だっきゃく⓪【脱却】―する（自他サ）好ましくない態度や、古くから離れられないでいた思想や慣行からすっかりぬけ出すこと。「不況からの―を図る／旧思想を―する」

たっきゅう⓪【卓球】中央に網を張った卓上で、セルロイドのボールを打ち合う屋内競技。ピンポン。

だっきゅう⓪【脱臼】―する（自サ）関節において、それを構成する骨が本来ある位置からずれること。

たっきょ①【〈謫居】―する（自サ）〔「謫」は、罪を責める意〕罪を犯した罰として遠方に流されてその地に住むこと。

ダッキング⓪―する（自サ）〔ducking=もぐること〕〔ボクシングで〕上体をかがめて、相手の攻撃をよけること。

タック①〔tuck〕〔洋裁で〕布をつまんで縫いつけたひだ。

タッグ①〔tag〕❶荷札。❷商品の値段・種類・製造会社などを記して下げる札。❸〔プロレスなどで〕組になった選手が交替で一人ずつ試合をすること。タグ マッチ。「―を組む〔=組になって活動する〕／―チーム④・―マッチ④」〔❶～❸ともタグとも〕

ダッグアウト④〔dugout〕〔野球で〕ベンチ❷。

タックスフリー⑥〔tax-free〕無税であること。税金がかからないこと。免税。

ダックスフント⑤〔ド Dachshund=アナグマ狩り用の犬〕胴長で足が極端に短い種類の犬。元来、キツネ猟に使ったが、現在はペットとしても飼われる。かぞえ方 一匹

タックス ヘイブン⑤〔tax haven=税の避難所〕〔外国人や〕外国から進出してきた企業に対して、税金を軽くしている国または地域。租税回避地。タックス ヘブン⑤とも。

たづくり②【田作り】❶田を耕作すること。❷〔材料のイワシが田を作る肥料になる意という〕ゴマメの異称。

タックル①―する（自サ）〔tackle=組みつく〕❶〔ラグビーなどで〕ボールを持って走る敵に飛びついて倒したりすること。❷〔サッカーで〕相手の足もとに飛びこんでボールを奪うこと。

たっけい⓪【〈磔刑】はりつけの刑。

たっけん⓪【卓見】すぐれた△意見（見識）。

たっけん⓪【達見】△全体（将来）を十分に見通した、すぐれた考え。

だっけん⓪【奪権】―する（自他サ）失った権利・権力を、もう一度手に入れること。

だっこ①【抱っこ】―する（他サ）「抱く」意の幼児語的表現。「おんぶに―」

だっこう⓪【脱〈肛】―する（自サ）直腸の粘膜が肛門外にぬけ出ること。

だっこう⓪【脱稿】―する（他サ）原稿を書き終えること。↕起稿

だっこく⓪【脱穀】―する（他サ）❶穀粒を穂から取り去ること。「―機④③」❷もみがらを穀粒から取り去ること。

だつごく⓪【脱獄】―する（自サ）受刑者が刑務所からぬけ出すこと。「―囚④③」

だっこん⓪【脱魂】強い衝撃を受けたり 思いも寄らない出来事に遭遇したり して、しばらく魂を抜かれたように ぽかんとしている△こと（状態）。「放心―」

だつサラ⓪【脱サラ】―する（自サ）〔↑脱サラリーマン⑤〕サラリーマンをやめて、独立した仕事を始めること。「―組⓪」

だっさん⓪【脱酸】―する（自サ）金属を精錬する際に混入した酸素を化学変化によって取り去ること。

たっし⓪【達し】△官庁から人民に（上官から下級の官に）通知すること。また、その通知。「お―」 表記「達示」は、借字。

だっし⓪【脱脂】―する（自サ）脂肪分を取り去ること。―にゅう③【―乳】脂肪分をぬきとった牛乳。おもに病人用。―ふんにゅう④【―粉乳】脱脂乳を濃縮・乾燥して粉末にしたもの。ヨーグルトの原料などにする。スキムミルク。―めん③【―綿】脂肪分を取り去って消毒したわた。

だつじ⓪【脱字】書き落とした文字。

たっしき⓪【達識】すぐれた判断力や広い知識に基づき、物事の全体を見通してする物の見方。

だっしつ⓪【脱失】ある感覚をまったく感じなくなる症状。「嗅覚―⑤・味覚―④」

たっしゃ⓪【達者】―な／―に ❶からだの各部分に異状が無く、元気でいる△こと（様子）。「―△が（で）何よりだ」❷からだのある部分の働きがすぐれて△いる（いて衰えない）様子だ。「口の―な〔=口がよく回る。弁のよく立つ〕男」❸ある方面の能力がすぐれている様子だ。「英語が―だ」❹心臓が強くて、抜けめの無い様子だ。「あいつはなかなか―な奴だ」 運用 ❶は、「どうぞお達者で」などの形で、高齢者に対する別れの挨拶の言葉として用いられることがある。

ダッシュ①〔dash=突進。突撃〕❶文章の中で使う短い線。接続・言い換えの記号として用いられる。ダーシ①とも。「―」❷〔数学・化学などで〕ローマ字の右肩に打つ記号。例、「A′」の「′」。❸―する（自サ）短距離をものすごい勢いで走ること。〔チャンスと見て、全力を尽くして事に当たる意にも用いられる〕「スタート―⑤」

だっしゅ①【奪取】―する（他サ）敵や相手の手中にあるものを△力ずくで（無理に）自分のものにすること。「大量得点を―する〔=積極的に攻撃して獲得する〕」

だっしゅう⓪【脱臭】―する（自サ）いやなにおいをぬき去ること。「―剤③⓪」

だっしゅつ⓪【脱出】―する（自サ）△危険な（居たくない）場所から逃げ出すこと。

ダッシュボード④〔dashboard〕〔自動車などで〕フロントガラスの下の計器盤やスイッチ類を集中配置した部分。

だっしょく⓪【脱色】―する（自他サ）△染めた（付いている）色をぬき去ること。色抜き。「―剤④⓪」

たつじん⓪【達人】長年の修練・努力・くふうの結果、その道において理想的な域にまで達したととらえられる人。「武芸の―／人生の―〔=⇩人生の達人〕」

だっすい⓪【脱水】―する（自他サ）❶水分を取り去ること。「―機③」❷〔化学で〕有機化合物中の水素と酸素を二対一の割合で取り除くこと。❸〔医学で〕からだの水分が異常に少なくなること。「―状態⑤」

***たっ・する**⓪【達する】■（自サ）❶〈どこ・なにニ―〉進み進

んで、ある場所・段階にまで至る。「目的地に―〔＝行き着く〕／目標額に―〔＝…を満たす〕／上聞に―〔＝天皇のお耳に入る〕／幸福に―〔＝…をつかむ〕道／…の△域(水準)に―／△過半数(基準・限界・合意)に―」❷〈なにニ―〉修練を積み、普通の人の及ばない芸の境地にまで進む。「書道に―」■二(他サ)❶〈なにヲ―〉目的の事をしおおせる。「△望み(所期の目的)を―〔＝果たす〕／書は―のみ〔＝手紙の最大の目的は、相手に当方の意志を伝えるにある。文字の巧拙は二の次だ〕」❷〈だれニなにヲ―〉命令や通知を、一般や下の者に広く知らせる。達す[0](五)。

だっ・する[0][3]【脱する】■一(自サ) のがれ出る。ぬけ出す。「△束縛(足踏み状態)から―／隊列を―〔＝離れる〕／…の△域(窮状)を―」■二(他サ) 入れることを忘れる。ぬかす。「文字一行分を―」脱す[0](五)。

たつせ[1]【立つ瀬】 人前での立場。「―が無い〔＝不本意な事をされたりそういう目にあったりして、立場や面目を失う〕」

***たっせい**[0]【達成】―する(他サ)〈なにヲ―する〉目的の物事を完全になしとげること。「△課題(使命)を―する／△悲願(目標)が―される／一朝一夕で―されるものではない」

だつぜい[0]【脱税】―する(自サ) 納めなくてはならない税金(の一部)を、不正な方法により納めないで済ますこと。

だっせん[0]【脱線】―する(自サ) 電車・列車などの車輪が線路からはずれること。〔話が横道にそれることや行動が常軌をはずれる意にも用いられる〕

だっそ[1]【脱〈疽〉】 からだの組織の一部分が生活力を失って死滅すること。壊疽(エソ)。

だっそう[0]【脱走】―する(自サ) 集団生活を義務づけられている者や捕らえられている者が、監視者の油断につけこみ逃げ出すこと。〔広く、逃げ出す意に用いた〕「―兵[3]・集団―[5]」

だつぞく[0]【脱俗】―する(自サ) 俗世間の人が求める名誉や利益などに、全くとらわれることがない様子。「彼の字には―の風がある」

たった[0](副)〔「唯(タダ)」の変化〕〔予想・期待に反して〕数量がきわめて少ないことを強調して言う語。「広い家に―一人で暮らしている／連休といっても―三日しか休めない／負けてくれたのは―の十円だ」 **―いま**[4]【―今】(副)〔「ただいま」の転〕まさに「今」としか言いようがないほど、何かを△してから(するまでに)間(マ)が無い様子。「―〔＝今しがた〕帰ったばかりです／―〔＝今すぐ〕出て行け」

たつたあげ[0]【竜田揚(げ)】 鳥肉や魚肉に、醬油(ショウユ)・味醂(ミリン)で下味をつけ、片栗粉をまぶして、油で揚げたもの。

***だったい**[0]【脱退】―する(自サ)〈なにヲ―する〉ある団体・組織の一員であることを自分の意志でやめること。「―声明[5]」

たつたひめ[3]【竜田姫】〔春の女神(メガミ)を「佐保姫(サオヒメ)」と言うのに対して〕秋の女神の称。表記「立田姫」とも書く。

だったら[1](接) 相手の述べたことを受けて、それに関する自分の考え・主張を述べることを表わす。「―君が無理して行くことないよ」

タッチ[1]〔touch〕❶Ⓐ―する(自サ) 手で軽く触れること。「―成らず、セーフ／ワン―の〔＝手を触れたか触れないか程度のわずかな〕差／ノー―」Ⓑ〔ラグビーで〕タッチラインから外側の区域。〔ボール(を持った選手)がそこの区域へ出ることをも指す〕「―に蹴(ケ)り出す／―キック[4]」❷―する(自サ) その事に関係すること。「他人の家庭生活には―しないことにしている」❸楽器の弾き方、鍵盤(ケンバン)の押し方や筆・のみなどの使い方に見られる、力の入れぐあい。「見事な―／あらい―／やわらかな―」❹感触。「カシミヤ―」

タッチアウト[4]〔和製英語 ←touch + out〕〔野球で〕ボールを走者に触れて、アウトにすること。

タッチタイピング[4]〔touch-typing〕〔タイプライター・ワードプロセッサー・コンピューターなどで〕文字盤のキーの配置をマスターしていて、いちいち目で確かめたりすることなく打つこと。ブラインドタッチ。

タッチダウン[4]―する(自サ)〔touchdown〕❶〔ラグビーで〕攻撃側のけり込んだボールを、防御側の選手が自軍のゴール内で押さえること。❷〔アメリカンフットボールで〕ボールを△持って(パスして)相手のゴールラインを突破すること。得点は、6。

タッチパネル[4]〔touch panel〕〔コンピューターで〕指先などで触れることにより、コンピューターに指示したり入力したりできる操作盤。

だっちゃく[0]【脱着】―する ■一(他サ) はずしたりつけたりすること。着脱。「―式のバッテリー」■二(自サ) 吸着している物質が、加熱などによって離れる現象。↔吸着

たっちゅう[0]【《塔》《頭》】〔「ちゅう」は、「頭」の唐音〕❶高僧の墓所に建てられた塔(を守る、小さな庵(イオリ))。❷本寺の境内にある△小さい寺(建物)。子院。

だっちょう[0]【脱腸】(チヤウ)―する(自サ)〔医学で〕ヘルニアの一種で、腸の一部が本来おさまっているべき部分からはみ出すこと(による障害)。

タッチライン[4]〔touchline〕〔サッカー・ラグビーで〕長方形の競技場の長い方の辺として引いた線。〔ラグビーでは、その線のうち二本のゴールラインに挟まれた部分を指す〕

ダッチロール[4]―する(自サ)〔Dutch roll〕 航空機が、横ゆれ、横滑りなど横方向への異常な動きを繰り返し、蛇行する状態。

たっつけ[0]【裁(っ)着(け)】 ひざの下と足首の所をひもで縛り、脚絆(キャハン)のようにした(旅行用の)はかま。すもうで、呼出しその他の雑用係などが着用。いがばかま。ゆきばかま。

たって(接助)❶〔「たとて」の変化〕その事柄を例外としないことを表わす。「今さら言っ―〔＝ても〕もうおそい／死んだって〔＝死んでも〕放すものか／いくら親しく―〔＝ても〕礼儀は守るべきだ」❷〔「と言ったとて」の変化〕それを事実と認めるにしても、全面的に肯定するものではないという主体の気持を表わす。「大きいっ―それほどじゃないよ／きれいだっ―いやだ／今から帰るっ―電車も無い」文法❶は、動詞に接続する場合は「た」の接続に準じ、形容詞型活用語に接続す

たつ

［達］❶妨げるものが無く、そこまで行ける。「四通八達」❷相手方まで届く(ようにする)。「達意・到達・配達・伝達」❸目的通りに事が運ぶ。「達成・栄達・調達」❹つまずきや遅滞が無く上手に出来る。「達人・達者・熟達・上達・練達」❺さとる。大局を見通す。「達観・達見」

だつ

［脱］❶身につけていた物を取り去る。ぬぐ。「脱皮(ピ)・脱帽・脱衣場」❷属性の一部を取り除く。ぬく。「脱脂・脱色・脱臭・脱毛」❸ぬかす。「脱落・脱漏・誤脱」❹離れにくい従来の環境や束縛からのがれる。「脱却・脱退・脱出・脱会・脱党・脱公害」❺世間一般(のしきたり)にこだわらない。「洒(シャ)脱・超脱」❻はずれる。「脱線・脱臼(キュウ)・脱輪」

［奪］力ずくで取る。「奪回・奪還・奪取・奪三振・強奪・争奪・略奪」

る場合は連用形に接続する。❷は、体言(名詞、またそれに準ずる句)、活用語の終止形に接続する。形容動詞は語幹に接続することもある。〔「…ったって」の形になる〕

たって ①(副)〔理を断タって、の意〕相手の意向や都合がどうであれ、その事を実現してくれるように切望する様子。「―お望みとあれば、お目にかけます/―のお願いだ/いやなら―〔=それでも、無理に〕というわけではない」 表記 「達て」は、借字。

だって [一]①(接)〔自分の行為を非難する相手の言葉に対して〕「それは実情を知らない人の言う事だ」と、反駁ハンパクすることを表わす。〔口頭語的表現。くつろいだ雰囲気の中で用いる〕「〔遅刻の理由を問われ〕―家は早く出たのに事故で電車が来ないんです/―君も一緒にいたよね」 [二](副助) ❶△特殊(代表的)な場合を例示し、他の場合も同様であるということを表わす。「私―〔=でさえ、やはり〕いやです/安いの―〔=でも〕結構使える/そんな事は親に―〔=さえ〕話せません」 ❷同様の事物を列挙する。「君―僕―〔=われわれは皆〕同じさ/洋服―靴―〔=身のまわりの物は〕みんな兄貴のお古だ」 ❸〔△疑問(最小単位)を表わす語に付いて〕例外無くそうであることを表わす。「なん―出来る/どこへ―行ける/だれ―知らない/彼はいつ―家に居ない/一度―来ない/一日―休んだことはない/一円―借りはしない」 文法 [二]は、体言(名詞、またそれに準ずる句)、用言・助動詞「れる/られる・せる/させる」の連用形、形容動詞語幹、「が・より」を除く格助詞、副詞、接続助詞「て」、副助詞「だけ・など」などに接続する。

だっと ⓪①【脱〈兎〉】追われて、逃げて行くウサギ。「―の勢い〔=非常に速くて、つかまえることの出来ないたとえ〕」【初めは処女のごとく終わりは―のごとし】⇩はじめ

たっと・い ③【尊い・貴い】(形)〔「たふとい」の変化〕「とうとい」の、やや改まった表現。

だっとう ⓪ダッタウ【脱党】―する(自サ) その党に所属することをやめること。「―行為」↕入党 ⇩離党

たっと・ぶ ③【尊ぶ・貴ぶ】(他五)〔「たふとぶ」の変化〕❶尊敬に値するものとして大事に扱う。「親を―/神様のごとく尊ばれる/―べき〔=称賛に値する〕行為/その気持は―べきだ」 ❷その場合において最も大事なものと△する(考える)。「命よりも名を―〔=たとえ、命を捨てても名誉を汚さないようにする〕/兵は神速を―〔=戦いに勝つ最も大事な方法は、機敏な行動だ〕/謀ハカリゴトは密なるを―〔=計画をうまく実行するには、秘密を守ることが一番大事だ〕」 表記 ❷は「《尚ぶ》」とも書く。

たづな ⓪【手綱】手に持って操作する綱。〔狭義では、馬のくつわにつけるものを指す。また、失敗やかってなまねをしないように、始終与える注意や監視の意にも用いられる。例、「ちょっと―をゆるめると、すぐこれだ/―を(引き)締める」〕

たつのおとしご ⓪【竜の落(と)し子】海にすみ、直立して泳ぐ小さな魚。からだは堅い甲でおおわれ、顔は馬に似、尾が細長く、ひれが小さいところから竜に似るとされた。雄は袋の中に雌が生みつけた卵をかえす。〔ヨウジウオ科〕 かぞえ方 一匹

たっぱ ⓪〔立端の意という〕建物の、問題になる部分の高さ。また、樹木の高さ。〔背の高さの意にも用いられる。例、「―があって〔=背が高くて〕見映えのする役者」〕

タッパーウェア ⑤〔Tupperware=商標名〕食品などを保存するためのポリエチレン製の容器。軽くて、ふたをすると汁などがこぼれないのが特長。タッパウェア④とも。

だっぱん ⓪【脱藩】―する(自サ) 江戸時代、武士が自分の藩をぬけ出して浪人となること。

だっぴ ⓪【脱皮】―する(自サ) 〔動物学で〕昆虫・ヘビなどが古い表皮を脱ぐこと。〔今まで持っていた古い△考え(習慣)を捨てて、新しいものに変わる意にも用いられる。例、「―を図る」〕

たっぴつ ⓪【達筆】―な のびのびとしていて、風格を感じさせる字(である様子)。「あまり―過ぎて、よく読めない」

タップ ①⓪ [一]〔tap=樽タルの飲み口〕❶水道の飲み口。蛇口。❷回しながら丸い穴に雌ねじの山を切り刻む、鋼鉄の刃がついた雄ねじ状の工具。⇩ダイス[二] ❸電気を分けてとるための、中間のさしこみ。 [二]〔tap=軽くたたく音〕❶〔←tap dance〕靴のつま先とかかとで床を踏み鳴らしながらリズミカルに踊るダンス。タップ ダンス。❷―する(他サ) タッチパネル上のアイコンやボタンを軽くたたくこと。

たっぷり ③(副)―と ❶必要を満たしてなお余裕がある様子。「コーヒーにミルクを―入れる/筆に墨を―含ませる/―休養をとった/お金はないが時間だけは―ある/いい話を―(と)聞かせてもらった」 ❷どんなに少なく見積もっても、それだけの数量は十分にある様子。「ひととおり読むだけで―二日はかかる/―ひと汗かかされた」 ❸〔接尾語的に〕言動や態度などから、その要素が十分に感じ取られる様子。「自信―に請け合う/ユーモア―に話す/あきらめたと言いながら未練―の様子だ/皮肉―につぶやく」

ダッフル コート ⑤〔duffel coat〕フードの付いた、スポーティーな丈の短目のコート。

たつぶん ⓪【達文】意味がよく通る、分かりいい文章。達意の文。

だつぶん ⓪【脱文】△印刷された(書かれた)文章のぬけ落ちた文句。

だっぷん ⓪【脱〈糞〉】―する(自サ) 大便をすること。

たつへん ⓪【立(つ)偏】漢字の部首名の一つ。「端・竦・竣」などの、左側の「立」の部分。〔多く、人の立つ意に関係のある漢字がこれに属する〕

たつべん ⓪【達弁】よどみのない達者な弁舌。能弁。↕訥弁トツベン 表記 「弁」の旧字体は「〈辯〉」。

だつぼう ⓪【脱帽】―する(自サ) 帽子を脱ぐこと。〔相手の力量が並のものではないことを認めて、心から敬意を表する意にも用いられる。例、「君にはとてもかなわない、―する〔=降参する〕よ」〕⇩着帽

だっぽう ⓪ハフ【脱法】一見合法的に見えるが、その実質は法律の禁止事項を犯していること。「―行為⑤」

だっぽく ⓪【脱北】―する(自サ) 北朝鮮〔=朝鮮民主主義人民共和国〕の住民が他国へ逃げ出すこと。「―者④③」

たつまき ⓪【竜巻】局地的に起こる激しい空気の渦巻の力により、海水・砂・人畜・家・船などが巻き上げられる現象。つむじかぜ。

たつみ ⓪ [一]【〈巽〉】〔「辰タツと巳ミとの中間の方位」の意〕「南東」の意の古風な表現。 [二]【〈辰巳〉】江戸深川の遊郭。「―上がり④〔=普通より一オクターブぐらい高くて、上品とは言えない声の形容〕」

だつもう ⓪【脱毛】―する(自他サ) ❶毛が抜け落ちること。「―症⓪③」 ❷美容の目的で不要の毛を抜くこと。「―剤③⓪」

***だつらく** ⓪【脱落】―する(自サ)〈なにカラ―する〉 ❶全体を構成する一部としてそこにあるはずのものが、何かの事情で抜けたり落ちたりすること。「ゆるんだねじが軸から―する/製本のミスで数ページの―〔=落丁〕があった」 ❷力不足などが原因で、△仲間と行動を共にする(競争相手についていく)ことができなくなること。「販売戦線から―する/頂上を目前にしてパーティーから―者が出る」

だつりゃく ⓪【奪略・奪〈掠〉】―する(他サ) 「略奪」の意の古

風な表現。

だつりゅう⓪(ーリウ)【脱硫】重油・煙などに含まれている硫黄(イオウ)分を取り除くこと。「ー装置⑤」

だつりょく⓪【脱力】からだの力がぬけること。「ー感④③」

だつりん⓪【脱輪】ーする(自サ) ❶〔自動車・飛行機などの〕車輪が△走行(飛行)中にはずれること。❷走行中の自動車などが、道路わきの溝などに車輪を踏みはずすこと。落輪⓪。❸電車・列車などが脱線すること。

だつろう⓪(ーラウ)【脱〈牢】ーする(自サ)「脱獄」の意の古風な表現。

だつろう⓪【脱漏】ーする(自サ) 写し誤りなどによって、本来あるべき部分がそこに見られないこと。「はなはだしいー/ー部分」

たて(造語)〔プロ野球などの通語で〕同じ相手に立て続けに連敗すること。三回以上の場合に使う。「三ーを食う」〔近年、相手を連敗させる意〖=連勝〗にも用いる。例、「開幕戦で三ーする」〕

たて【立(て)】(造語) ❶最高席次の。筆頭の。「ー女形(オヤマ)③・ー作者③」 ❷新たに何かが作り出されたばかりであることを表わす。「焼きーのパン/炊きーのご飯」

たて②①【〈殺陣〉】〔芝居・映画で〕乱闘の場面での身のこなし方や刀などの使い方。たちまわり。

たて①【盾・〈楯】❶敵の刀・やりや、矢・投石などを防ぎ、からだを隠すための板。「木立をーに取って〔=盾として利用し〕戦う/ーの反面〔=物事の、隠れた一面〕」 ❷自説を合理化したりなどするための(一見筋の通った)理由づけ。「△法律(人権)をーに取って起訴を免れようとする/病気をー〔=いい口実〕にして役職を辞する」 かぞえ方 ❶は一枚

**たて①【縦】↕横 ❶△鉛直(上下)の方向(の長さ)。「地震のー揺れ/横の物をーにもしない〔=ものぐさのたとえ〕/ーから見ても横から見ても〔=どっちから見ても〕/ー穴(式)住居・ー割り行政・ー坑」 ❷その人から見て、そのものを通常見る方向から見て、左右の方向と直角に交わる方向(の長さ)。「門の字はーの画から書き始める/首をーに振る〔=承知した、よいという意志を示す〕/ー書き・ー笛」 ❸ものどうしが前後に接して(連続的に)続く方向。「旗手を先頭にーに並ぶ/ー一列になって進む船団」 ❹〔そのもののあり方に(本来)方向性が認められるものについて〕その方向に平行な方向。「和紙をーに裂く/柄(ガラ)をーに織り出す/木目(モクメ)に沿ってーに線を引く」 表記「〈竪」とも書く。 【ーの関係】社会構造のとらえ方の一つ。自分から見て相手との△身分(上下)関係によって自分の取るべき態度や行動のしかたが左右されるものと意識される対人関係。

たて①【《館】「たち」の変化。「高ー(ダテ)⓪」

たで⓪【〈蓼】❶イヌタデ・ヤナギタデ⓪・ハルタデ⓪など、タデ科(カ)の名を持つ植物の総称。多く一年草で、秋に紅色の花穂(カスイ)をつける。❷道ばた・湿地に生える、茎・葉に辛みのある一年草。ヤナギタデの変種で、香辛料に用いる。〔❶❷ともタデ科〕「ー食う虫も好きずき〔=人の好みはさまざまで、外部からは分からないものだ〕」 かぞえ方 一本

だて(造語) [一]【立(て)】❶意図するところがあって、他から見ればそうする必要の無いと思われる事をすることを表わす。「とがめー・かばいー・隠しー」 ❷車につける牛馬の数。「四頭ーの馬車」 ❸船につける櫓(ロ)の数。「八挺(チョウ)ー」 ❹一回の興行に何本△上演(上映)するかを表わす。「…と…の二本ー」〔広義では、一つの物事に、いくつかの項目・条件などを並行して立てることを表わす。例、「二本ーの税制改革案」〕 [二]【建(て)】❶何階まであるか、何世帯を対象にしているかなどの面からみた家の建て方。「平屋ー・三階ー・二戸ー〔=二世帯用の一軒家〕」 ❷〔為替相場で〕どの通貨を基準にするか、ということ。「円ー・ドルー」

だて⓪【〈伊達〉】ーな/ーに ❶はでな行動をして、ことさらに人目をひこうとする様子。「ーな〔=威勢のいい〕若い衆/ー男(オトコ)③」 ❷内容を充実させることには意を用いず、外見(だけ)を飾る様子。「ーの〔=しゃれ者の〕薄着/ーに〔=無目的に〕英語を習っているのではない/ー〔=見え〕や酔狂でやっているのではない」

たてあな⓪【縦穴・〈竪穴】縦に掘った穴。「ー住居⑤」↕横穴 かぞえ方 一本

たてあみ⓪【立(て)網】一定の魚群の通路に置き、入って来る魚類を捕らえる網。表記「建て網」とも書く。

たていし②【立(て)石】庭石や道しるべなどとして立ててある石。

たていた⓪【立(て)板】立てかけた板。「ーに水〔=よどみなく話すことのたとえ〕」

たていと⓪【縦糸】〔織物で〕織る△人(方向)から見て「縦」に通っている糸。↕横糸・緯糸(ヌキイト) 表記 古来の用字は「《経」。「《経糸」とも書く。

たてうり⓪【建(て)売り】区画した宅地に家屋を新築して売ること。また、その家屋。「ー住宅⑤」↕注文建築

たてか・える(ーカヘル)(他下一) [一]⓪④③【立(て)替える】いずれは返してもらう含みで金を一時、当人に代わって支払う。[二]④【建(て)替える】古い家などをこわして、新しく別の建物を建てる。改築する。「ビルにー」 名 たて替え⓪

たてがき⓪【縦書(き)】文を書く場合に、行を上から下へと順に書く△こと(書き方)。〔中国文や普通の日本文は右行から始める〕↕横書き

たてか・ける④⓪【立(て)掛ける】(他下一) 上端を他の物にささえさせて立てる。「傘を壁にー」

たてがた⓪【縦型】箱のような形で、上下の方向に長いもの。

たてかぶ②【建(て)株】取引所で売買されている株。「ー会社(ガイシャ)⑤」

たてがみ⓪【〈鬣】〔立つ髪の変化〕ウマ・ライオンの、首の後ろに生えている毛。

たてかん⓪【立(て)看】「立て看板」の略。

たてかんばん③【立(て)看板】線路・道路沿いや店先などに(垂直に)立てた看板。略して「立て看」。かぞえ方 一枚

たてぎょうじ③(ーギャウー)【立(て)行司】すもうの行司の中で、最高位の人。

たてぎょく②【建(て)玉】〔取引で〕売買の契約をした株式・米など。

たてき・る③⓪【立(て)切る】(他五) ❶戸・障子などをすっかりしめる。❷立て通す。「操をー」 表記 ❶は、「《閉て切る」とも書く。

*__たてぐ__②【建具】建物の内装のうち、部屋の内外の仕切りとなる戸・ふすま・障子などの称。「ー師③・ー屋⓪」

たてぐみ⓪【縦組(み)】活字を縦の行になるように組むこと。↕横組み

たてこう⓪(ーカウ)【縦坑】垂直に掘り下げた坑道。↕横坑 表記「〈竪坑・立て坑」とも書く。かぞえ方 一本

たてごと②⓪【〈竪琴】ハープ。

たてこ・む⓪③【立(て)込む・建(て)込む】(自五) ❶ある場所に人がたくさん入って、込みあう。❷すぐに応じきれないほど、一時に用事がたくさん重なりあう。「お待たせして失礼しました。立て込んでおりまして」 ❸家がぎっしり立ち並ぶ。

たてこも・る④【立(て)籠(も)る】(自五) ❶外出しないで、家の中に居る。❷城・陣地を堅く守って、敵に対抗する。籠城(ロウジョウ)する。

たてざん②⓪【〈竪桟】戸の左右の かまちに平行な桟。↕

横桟

たてし②【殺陣師】たての型を考案し、俳優などに、たての専門的技術を教える人。

たてじ⓪【縦地】織物で、縦糸の通っている方向。

たてじく⓪【縦軸】〔数学で〕原点で直角に交わる座標軸のうち、縦の方のもの。↔横軸

たてじま⓪【縦縞】縦に織り出した縞模様。↔横縞

だてしゃ②⓪【伊達者】❶だてな身なりを好む人。ダンディー。❷見えを張る人。

たてしゃかい③【縦社会】集団構成の原理として、相互の「縦の関係」が重視される社会。

だてすがた③【伊達姿】いきに飾り立てた姿。

たてつ・く①⓪③【盾突く】(自五)〔盾築ツく意〕立場の上の人の言うことに一言ひとこと反論したりして、すなおに従わない態度をとる。表記「楯突く」とも書く。

たてつけ⓪【立(て)付(け)】〔いい・悪いの観点から見た〕戸・障子の開閉のぐあい。「—の悪いふすま」表記「建て付け」とも書く。

たてつづけ⓪【立(て)続け】短い時間に間マを置かずに同じような事が続いて行なわれること。「—に負けてしまった」

たてつぼ②【立坪】〔土砂などの〕六尺立方の体積。「りゅうつぼ」とも。

たてつぼ②【建坪】その建物が占めている土地の面積を坪数で表わしたもの。〔「総建坪④」と言う時は、二階以上および地下室などの床面積分をも含むことがある〕⇩延べ坪・地坪ジツボ

たてとお・す③⓪【立(て)通す】(他五) ある態度を変えないで、最後まで持ち続ける。「義理を—」

たてなお・す(他五)❶⓪④【立(て)直す】❶もとのようにきちんとした状態に直す。「イメージ(景気・態勢)を—」❷古いものを引っこめて、代りに新しい、いいものを作る。「計画を—」❷④⓪【建(て)直す】古い家をこわして新しく建てる。改築する。名たて直し⓪「威信の—/経済の—を図る」表記❶は、「建て直す」とも書く。

たてなが⓪【縦長】—に〔同種のものの中で〕横に比べて縦の長さが目立つこと(様子)。「—の顔(字を—に書く)」

たてなみ⓪【縦波】↔横波 ❶進行方向に向かって立つ波。❷音波などの振動の方向と波の進行方向が同じであるような波。

たてぬき⓪【経緯】縦糸と横糸。

たてね②【建値】生産者が卸売業者に対して公表する販売価格。建値段③。

たてば③⓪【立(て)場】❶〔つえを立てて休む所の意〕昔、かごかき人足が駅路で休んだ所。❷廃品回収業者が集めた品物を買い取る問屋。表記「建て場」とも書く。

たてひき②⓪【立(て)引(き)】意地を張って争うこと。表記「達引き」は、借字。

たてひざ②【立(て)膝】片膝を立ててすわること(姿勢)。

たてぶえ⓪【縦笛】縦にして吹く笛。尺八・クラリネット・リコーダーなど。

たてふだ②【立(て)札】高札コウサツ❶。かぞえ方 一枚

たてまえ②【点前】〔茶の湯で〕抹茶をたてる作法。てまえ。⇩おてまえ

*__たてまえ__【建(て)前】❶⓪〔和風建築で〕「むねあげ」の俗称。❷③表向きの基本方針。「…の—を取る(崩す)/—と本音の違い/—上、私も賛成せざるをえなかった」表記❶は、「立て前」とも書く。

だてまき⓪【伊達巻】❶女性用の幅の細い帯。帯の下に締めて、着くずれを防ぐ。だてじめ⓪。❷魚肉のすり身を交ぜて厚く渦巻形に巻いた卵焼。かぞえ方 ❶❷とも一本

たてまし⓪【建(て)増(し)】—する(他サ) 既にある建物の一部に更に部屋などを付け加えて建てること。増築。動建て増す③⓪(他五)

たてまつ・る【奉る】❶④(他五)〔尊敬・恭順の意を表わすために〕物を差し上げる。❷〔「動詞連用形+—」の形で、接尾語的に〕主体の謙譲の気持を表わす。「頼み上げ—」運用❷は、いかにも敬意を表わしているかのように見せるため、その人を実権を伴わない高い地位にすえる意にも用いられる。例、「最古参の会員を会長に奉る」

たてみつ⓪〔すもうで〕まわしの股マタの間を通り、腹と背を結ぶ部分。表記「縦褌」と書く。

たてむすび③【縦結(び)】同じ所で二回結んだひもの先の一方が裏返しに出て来る上に、斜めになったり縦になったりする結び方。⇩かた結び・こま結び

だてめがね③【伊達眼鏡】必要がないのに、おしゃれのためにかける眼鏡。表記⇩付表「眼鏡」

*__たてもの__②③【建物】人が居住・執務・作業したり文化・娯楽を享受したり ものを貯蔵・飼育したり するなどの目的で建てた物。建築物④。「—登記簿⑦・—保険⑤」

たてや②【建屋】設備などをおさめ入れておく建物。「原子炉—⑥」

たてやく⓪【立(て)役】❶〔芝居などで〕中心になる役。主役。❷「立役者」の略。

たてやくしゃ③【立(て)役者】一座の中心となる、重要な俳優。〔物事の中心となって活躍する重要な人物の意にも用いられる〕

たてゆれ⓪【縦揺れ】—する(自サ) ↔横揺れ ❶船などが前後に揺れること。ピッチング。❷〔地震で〕上下に揺れること。

たてよこ①【縦横】❶縦と横。「—十文字」❷縦糸と横糸。たてぬき。表記「竪横・経緯」とも書く。

だてら(接尾) その人の身分(分際)を超えて、何かをすることを非難・軽蔑ベツして言う語。

**__た・てる__【立てる】❶②(他下一) ❶〈(どこニ)なにヲ—〉何かが立つようにする。「ひざを—/国旗を—(=掲げる)/家を—(=造る)/暮らしを—(=生計をはかる)/志を—(=高い望みを持つ)/操を—(=守り通す)/顔を—(=なんとか面目が保てるようにとりはからう)」❷〈(どこニ)なにヲ—〉今までに無かった状態がはっきり現われる(皆の前に見えたり 聞こえたりする)ようにする。「泡(湯気・寝息)を—/音を立てて崩れる/波を—(=起こす)/風波を—(=争いを起こす)/腹を—(=⇩腹)/願ガンを—(=新たに起こす)/お伺いを—(=明確な指示を仰ぐ)/誓いを—(=はっきり示す)/のこぎりの目を—(=鋭くする)/つめを—(=からだに突きさす)/のどに小骨を—(=のどに小骨が引っかかって違和感を覚える)/角カドを—(=穏やかに済まさず、相手に突っかかる)/異を—(=違った事を(違っていると)言い張る)/目くじらを—(=⇩目くじら)/計画(予定・方針)を—(=決定し、具象化する)/名を—(=ⓐ世間の人に知られるようにする。ⓑ評判を流す)/神経をぴりぴり立てて(=⇩ぴりぴり❶❷)/戸を—(=しめる)」❸〈なにニだれヲ—〉ある位置につかせる。「弟を—(=ⓐ即位させる。ⓑ立候補させる。ⓒ代理人としてつかわす)/兄貴として—(=それ相応の待遇をする)/追い—」表記❶の建物の場合には、「建てる」とも書く。❷「戸を—」は、「閉てる」とも書く。❷〔「動詞連用形+—」の形で、接尾語的に〕そこまでする必要があるのかと思われるほど、大げさに何かが行なわれていると感じられる。「はやし—・まくし—・書き—・取り—・暴き—」

た・てる[2]【《点てる》】(他下一)〔「立てる」と同源〕茶碗に入れた抹茶に湯をそそぎ、茶筅でかきまぜて飲める状態にする。〔広義では、茶を客に勧めることをも指す〕「薄茶を―」 表記 古くは、「《調てる」とも書いた。

た・でる[2][0](他下一) ❶おできなどを薬湯で蒸す。❷船底をあぶって、かわかす。

たて わり[0]【縦割(り)】―する(他サ) ↔横割り ❶縦に割ること。❷その組織内での、同一部署の上下関係(だけで物事が動き、横の連絡が取られていないこと)。「―行政[5]」

だてん[0]【打点】❶〔野球で〕安打などによって、味方にもたらした点。「打数五、―四/―王[2]」 ❷〔バレーボールで〕スパイクする時、ジャンプしてボールに手が当たる高さ。「―が高い」

だでん[0]【打電】―する(自他サ) 電報を打つこと。↔受電

だと〔終助詞的に〕何を根拠にしてそのようなことを言うのか、また、そんなことがあるはずがないなどと、到底信じられないといった驚きの気持を表わす。〔口頭語的表現〕「あの男が犯人―。ばかばかしいにもほどがある」

たとい[0][2]【《縦】(副)「たとえ」の古い言い方。「多感多恨にして日夜心神を労する吾輩如き者は―猫といえども主人以上に休養を要するは勿論の事である」 表記 「〈仮令〉・〈縦令〉」とも書く。

たとう[0]【多頭】❶一つのからだに頭が幾つもあること。八岐大蛇や、ギリシャ神話のヒドラなど。❷一つの組織体に複数の指導者が居ること。「―政治[4]」 ❸家畜の飼育頭数が多いこと。「豚の―飼育」

たとう[2]【〈畳紙〉】〔←たとうがみ[2]〕❶和服などをたたんでしまっておくための、折り目をつけた厚手の包み紙。❷昔、外出の時に、たたんで懐中した紙。懐紙。 かぞえ方 ❶❷とも一枚

たどう[0]【他動】↔自動 ❶他から働きかけられること。また、他に働きかけること。「―的[0]」 ❷「他動詞」の略。

―し[2]【―詞】〔日本語の文法で〕その動作が動作主〔=文法上は一般に主語〕以外のものを対象として行なわれ、それに変形・変質・位置の移動や(心理的な)摂取、知的・物質的な生産、現象の出現など、何らかの影響・変化を及ぼす動詞。例、「岩を砕く」の「砕く」、「白地を赤く染める」の「染める」、「石を投げる」の「投げる」、「パンを食べる」の「食べる」、「友人の死を悲しむ」の「悲しむ」、「ビルを建てる」の「建てる」、「未来社会を思い描く」の「思い描く」、「光を発する」の「発する」など。〔構文上目的語を必要とする動詞を意味する英語〘=transitive verb〙の訳語〕↔自動詞

だとう[0]【打倒】―する(他サ)〔勝負事で〕〔二度と立ち直れないほど〕相手を手ひどく△負かす(倒す)こと。

***だとう**[0]【妥当】―な ―する(自サ)〈なにニ―する〉〔「妥」は、穏やかの意〕実際のいろいろな場合によくあてはまり、判断・処置が正当と認められること。「―な線/この仮説に―する例証/―性を△欠く(裏付ける)」

タトゥー[2]〔tattoo〕入れ墨。

たとうかい[2]【多島海】多くの島が点在する海域。〔特にエーゲ海を言う〕

たとえ[2][0]【《縦】(副)〔「たとい」の変化〕後に述べる事柄は、どんな条件のもとでもそれにかかわりなく成立するということを言う際に、その条件の一つとして仮定する様子。「―本当のことを言っても信じてもらえないだろう/―除名されようが追放されようが正しい事は言う/―そうだとしても」 表記 「《設・〈仮令〉・〈縦令〉」とも書く。

たとえ[3][2]【《喩(え)・〈譬(え)】何かにたとえて言うこと。また、何かにたとえて言われた話(に用いられる決まり文句)。「適切な―ではないかもしれないが/貧すれば鈍すの―△に漏れず(を地で行く)/―を引いてわかりやすく説明する/―話[4]」 表記 「《例え」とも書く。

たとえば[2]【例えば】(副) 論旨をわかりやすく説明するために、具体的な例をあげる様子。「どんなに偉い人でもまちがいをおかすものだ。―こんな話がある/―百万円あったとする、君ならどうするか」

***たと・える**[3]【《喩える・〈譬える】(他下一)〈なにヲなにニ―〉ある事柄や事物を分かりやすく説明するために、それとよく似たところのある身近な物事や具体的な例を引合いに出す。「人生を川の流れに―/たとえて言えば空気みたいな存在だ」 表記 「例える」とも書く。

たどく[0]【多読】―する(他サ) 本を数多く読むこと。「―主義[4]」

たどたどし・い[5]【〈辿々〉しい】(形)〔動作・口のきき方などが〕十分な自信が無かったりまだ習熟していなかったりなどして、なめらかさを欠く様子だ。「―発音」 派 ―さ[5][4]

たどりつ・く[4]【〈辿(り)着く】(自五) △苦労して(捜しまわって)やっとそこまで行く。「三時間かかって頂上に辿り着いた」

***たど・る**[0][2]【〈辿る】(他五)〈なにヲ―〉 ❶△目的物の行くえ(それが出て来た源)を知ろうと跡を追っていく。「△足どり(過去の記録)を―」 ❷一定の道筋に沿ってある方向に向かって進んで行く。「話の筋道を―/同じような経過を―/家路を―〔=帰宅のコースをとる〕/地図を辿って捜し当てる/△衰退の一途(下降線)を―」 ❸それからそれへとつながりを求めて関係を追っていく。「△記憶(縁故)を―」

たどん[0]【《炭団】〔「どん」は、「団」の唐音〕❶炭の粉を丸くこね固めた燃料。「―に目鼻〔=容貌の醜いたとえ〕」 ❷〔すもうなどで〕「黒星」の俗称。「―を重ねる」

たな[0]【《店】❶〔←みせ棚〕「みせ」の意の古風な表現。「―を出す/お―・大―」 ❷貸家。借家。「気に入った―が二軒あったが/―借[0]・―賃・―子」

***たな**[0]【棚】❶Ⓐ板(状のもの)を横に渡して(飾ったり陳列したりするために)物を載せる場所。「―を吊る/―板・違い―・飾り―[3][0]・陳列―[4][0]・網―」 Ⓑ〔多く「…だな」の形で〕物を収納するために何枚かの棚板を△設けた(設けて扉を付けた)家具。また、そのそれぞれの棚板。「読んだ本を―におさめる/食器―・本―・戸―」 ❷植物のつるをはわせるため、竹などを編んで、木の枠の上に取りつけたもの。「フジ―・ブドウ―[0]・ヘチマ―[0]」 ❸階段状の地形の中で、急傾斜の所に比べて、傾斜の比較的ゆるやかな所。岩壁の傾斜がゆるんだ所や、谷に沿った階段状の部分、また、陸地のゆるい傾斜が海中に延びている所など。「大陸―」 ❹ふなべりの内側につけた棚板。ふなだな。 かぞえ方 ❶は一枚・一本 【―からぼたもち】こちらから積極的に働きかけなくても思いがけないしあわせがやって来ることのたとえ。略して「たなぼた」。【―に上げる】❶その物を重要視せず、ほうっておく。❷自分に不利な点や不都合な事には わざと触れないでおく。

たなあげ[0]【棚上(げ)】―する(他サ) ❶問題を一時保留して、解決・処理をあとに延ばすこと。「△問題(難問)を―(に)する」 ❷〔需要調節のため〕商品を貯蔵して、市場へ出さないこと。❸形の上では考慮・敬意を払いながら、実際上は無視すること。「社長を―にして、専務が独裁する」

たないた[0]【棚板】❶棚として使われる板。❷船棚として使われる板。

たなうけ[0]【《店請(け)】借家人の身元の保証(を引き受ける人)。

たなおろし[0]【《店卸(し)】―する(自他サ) ❶決算・整理のた

め、手持ちの商品などを帳簿と引き合わせて、その数量を調べ、価格を計算すること。❷他人の欠点を一つひとつかぞえあげて、悪口を言うこと。表記「棚卸し」とも書く。

たなぐも⓪【棚雲】空を一面におおっている雲。〔「たなびいている雲」を指す地方もある〕

たなこ⓪【《店子》】〔家主から見た〕借家人。〔江戸時代によく使った表現〕「―を抱える」

たなご⓪【〈鱮〉】川にすむフナに似た小形の魚。春に、ひれの先が赤く変わる。食用。〔コイ科〕かぞえ方 一尾・一匹

たなごころ③⓪【《掌》】〔「手の心」の意〕てのひら。「―を反(カエ)す〔=ⓐ容易に出来るたとえ。ⓑ簡単に変わるたとえ〕/―を指す〔=物事が明瞭(メイリョウ)で、疑問が全く無いたとえ〕/―のうち〔=物事が自分の思う通りになること〕」

たなざらえ③(ザラヘ)【棚〈浚(え)〉】―する（自他サ）整理のため、店の商品を全部出して安く売ること。「たなざらい」とも。

たなざらし⓪③【《店〈晒(し)〉》】商品が売れずに、店先にいつまでも晒されていること。また、その商品。〔いったん検討の対象として取り上げられたものの、結局うやむやになってしまう意にも用いられる〕「―に△なる（される）」

たなだ⓪【棚田】山や丘の傾斜地に、階段状に作った田。

たなちん②【《店賃》】やちん。

タナトス①〔ギ Thanatos=死の神〕〔精神分析で〕人を自己破壊〔=死〕に向かわせる本能。

たなばた⓪【〈七夕〉・棚機】〔棚機の意という〕❶〔↑たなばたつめ④⑤〕機を織る女性。〔狭義では、旧暦七月七日の夜、年に一度だけ彦星(ヒコボシ)と会うという星の名。琴座のいちばん目立つ星を指す。織女星〕❷〔↑たなばた祭り⑤〕五節句の一つ七夕(シチセキ)の俗称。旧暦七月七日の夜、織女星にあやかって女児の手芸の上達を祈った祭り。織女星の祭り。表記 ⇩付表

たなび・く③【棚引く】（自五）〔「た」は、もと接辞〕雲・煙・かすみなどが横に長く引いた形で空中に漂う。

たなふだ⓪②【棚札】店の棚に張りつける、商品の名前や価格などを記した札。「電子―④⑤」かぞえ方 一枚

たなぼた⓪【棚ぼた】〔「棚からぼたもち」の略〕願っても無い幸運に思いがけず恵まれること。「―式のもうけ」

たなん⓪【多難】―な △災難（困難）の多い様子だ。「―の道を歩む/前途―」

*__たに__②【谷】❶両側が台地や山にはさまれて低くくぼんだ地形の、細長い一続きの土地。「―風・―川(ガワ)・―渡り③・―間(マ)・―底」❷波の低い所や、かわら・トタン板などの、へこんだ所。〔広義では、屋根の斜面が合う所を指す〕

きあつの―⓪-②【気圧の―】⇩気圧の谷

だに（副助）〔雅〕比較的 軽いものを例示して、それが そうなのだから、それ以外のものは当然であるということを表わす。「夢に―見ず/一目―会ひたきものを/さなき―」

だに②【〈蜹〉・〈蟎〉・〈壁〈蝨〉〉】丸くてごく小形の虫。人や家畜の皮膚に食いついて血を吸う。〔クモ類の節足動物〕「町の―〔=良民の生活を脅かす、不良・たかり・暴力団〕」

たにあい⓪(アヒ)【谷《間》】両側とも山のそばだっている谷の底の方の土地。

表記「〈蜱〉」とも書く。かぞえ方 一匹

たにあし⓪【谷足】〔スキーで〕斜面に横向きに立った時の下方の足。↕山足

たにおり⓪(ヲリ)【谷折(り)】〔折り紙などで〕折る人に見えている面が内側になるように折る折り方。↕山折り

たにかぜ②【谷風】日中、山腹の空気が暖まり、密度が小さくなるので、谷底の方から山腹に沿って吹き上げる風。↕山風

たにがわ⓪(ガハ)【谷川】谷あいを流れる ささやかな流れ。

たにく⓪【多肉】―な （果）肉が多い様子。「―葉(ヨウ)③・―質③・―果③・―茎(ケイ)植物⑦」

たにし①【田〈螺〉】多く水田にすむ、黒茶色で丸みがある巻貝。日本にはマルタニシ・オオタニシ・ナガタニシ・ヒメタニシの四種がいる。卵胎生。食べられる。〔タニシ科〕かぞえ方 一枚

たにそこ⓪【谷底】谷の一番深い所。

たにぶところ③【谷懐】山に囲まれた谷あい。

たにま⓪③【谷間】谷（のようになっている所）。「ビルの―〔=高層ビルにはさまれて、一日じゅう日のささない空間〕/好景気の―〔=及ばない所〕」

たにまち⓪【谷町】〔すもう界で〕力士のひいき筋（の支援を受けること）。

*__たにん__⓪【他人】❶自分以外の人。ほかの人。「―の疝気(センキ)を頭痛に病む〔=自分に直接関係の無いことについてよけいな心配をする〕/―の空似(ソラニ)/―にすがる/―の手をわずらわす/―を押しのける/―任せ④」❷親族・親類でない人。「遠くの親類より近くの―/―の飯(メシ)を食う〔=他人の中でもまれて実社会の処世術を身に付ける〕/赤の〔=なんの血縁関係も無い〕―」❸自分となんの関係も無く、利害を共にする必要の無い人。「―〔=局外者〕の出る幕じゃない/まだ―だ〔=夫婦関係を結んでいない〕/―扱い④」

―ぎょうぎ④(ギヤウ―)【―行儀】―な 「他人❸」同士のように よそよそしくふるまう様子だ。

たにんずう②【多人数】人数が多いこと。また、その人たち。〔口頭語では「たにんず②」とも〕↕小(コ)人数・少人数

たぬき①【〈狸〉】❶中形の哺乳動物。目のまわりにふちがあり尾が太い。昔、人を化かすと考えられた。毛は毛筆用。〔イヌ科〕「取らぬ―の皮算用〔=自分のものにもならないうちに、それを何に使おうなどと、計画を立てること〕」❷（年をとって）人を自分の思う通りにあやつる ずるい人。「―じじい⑤・―ばばあ⑤」❸てんぷらの揚げ玉を種に入れた うどん・そばの称。かぞえ方 ❶は一匹

―じる④【―汁】❶タヌキの肉にゴボウ・ダイコンなどを入れた みそしる。❷こんにゃく・赤アズキ・豆腐を、みそで煮た汁。

―ねいり④【―寝入(り)】眠っていないのに、眠ったふりをすること。そら寝。

**__たね__①【種】❶生長すれば親の植物と同じ単体になる、小さな粒。〔穀類・豆類では実、ウリ・果物類では核(サネ)を指し、広義では、動物の子および それを生む元になる精子をも指す。広義の例、「一粒―(ダネ)」など〕❷父方の血筋。〔広義では、牛馬の父系を主とした血統・品種をも指す〕「―違いの兄弟/―がいい」❸喜怒哀楽・心配・苦・不和などを起こす基になる、ちょっとした事。「△波紋（インフレ）の―をまく」❹話したり 書いたり 考えたり するための材料や手品・奇術などを成立させるための仕掛け。「―が尽きる」❺料理などの材料（として汁物に入れるもの）。また、すし屋で、すし飯の上に載せる魚や貝の称。「おでんの―/―物(モノ)」表記「〈種子〉」とも書く。また、人間の場合は「〈胤〉」とも書く。

たねあかし③【種明(かし)】―する（自サ）手品などの仕掛けを見せて△説明する（教える）こと。〔事情を説明して相手の不審を解く意にも用いられる〕

たねあぶら③【種油】菜種からしぼった油。食用・灯火用。

たねいた⓪【種板】〔写真で〕撮影用の△ガラス（セルロイド）板。乾板。

たねいも⓪【種芋】土に埋めて発芽させるためのイモ。

たねうし⓪②【種牛】牛の繁殖・改良のために飼う雄牛。

たねうま⓪【種馬】馬の繁殖・改良のために飼う雄馬。〔俗に、種付けの当事者としての男性の称〕

たねおろし③【種下ろし】たねまき。

た

たねがしま[3]【〈種子〉島】〔この島に漂着した〕ポルトガル人から伝えられた火縄式の小銃。[表記]「種が島」とも書いた。[かぞえ方] 一挺(チョウ)・一丁

たねがみ[0]【種紙】蚕卵紙。

たねがわり[3]-(ガハリ)【種変(わ)り】❶母は同じで父が違う△こと(兄弟姉妹)。たねちがい。❷授粉のくふうなどによって、植物の変種を生じること。また、その変種。

たねぎれ[0]【種切(れ)】-する(自サ) △種(材料)が無くなること。「話が―になる」

たねせん[0]【種銭】❶銭を鋳る時、鋳型の模型となる銭。❷お金をふやそうとする時、元となる金銭。

たねちがい[3]-(チガヒ)【種違(い)】たねがわり❶。

たねつけ[0]【種付(け)】-する(自サ)〔家畜などで〕いい品種をつくるために、いい雄を雌と交尾させること。「―馬[4]」

たねとり[3][2]【種取(り)】❶来年まくために種を取っておくことや、子を生ませるために養っておく家畜など。❷「新聞などの記事の材料を捜し歩く△こと(人)」の古風な表現。

たねび[0][2]【種火】いつでも燃やせるように用意しておく火種。

たねほん[0]【種本】それを参考にして自分の著作や講義などのもとに△する(した)他人の著書。

たねまき[2]【種〈蒔(き)〉】-する(自サ) 種をまくこと。〔狭義では、稲のもみを苗代(ナワシロ)にまくことを指す〕

たねもの[2][0]【種物】❶草木の種。「―商[4]」❷そば・うどんに、卵・肉・てんぷらなどが入っているもの。⇩かけそば・かけうどん・もりそば ❸氷水に、シロップ・アズキなどを入れたもの。↕水(イス)

たねもみ[2]【種〈籾〉】種としてまくために選んだ籾。

たねん[0]【他年】将来の、いつかの年。後年。

たねん[0]【他念】ほかのことを考える気持。余念。「修行よりほかに―(が)無い」

たねん[0]【多年】長い年月。ながねん。「―にわたる研究の成果/―の辛苦に報いる」 **―そう**[0](サウ)【―草】多年生草本。⇩年生

たねんせい[0]【多年生】⇩年生

だの(副助) ❶代表的な例をあげることによって、全般的にそういう傾向があることを表わす。「寂しい―つらい―と不平ばかり言っている/お菓子―果物―、ずいぶん食べたね」❷総括的な例や両極端の例をあげることによって、いろいろな方面にわたることを表わす。「嫌い―好き―と言わないで何でも食べなさい/行く―行かない―はっきりしない人だね」[文法]体言(名詞、またそれに準ずる句)、また、動詞および動詞型活用の助動詞・形容詞の終止・連体形に接続する。形容動詞および形容動詞型の助動詞には、語幹に直結する。

たのう[0](オ)【多能】-な ❶多くの芸能に通じている△こと(様子)。「多芸―」❷多方面について、能力・才能があること。「―多才」

たのうだひと[2](オ)【頼うだ人】〔狂言などで〕(自分の生活の頼みとして仕える)主人。

たのかみ[1]【田の神】稲田を守り、豊穣(ホウジョウ)をもたらす神。農神[0]。作り神[3]。〔農耕の始まる春に山から里に降りて来、秋口は山に戻るものとされる〕

****たのし・い**[3]【楽しい・《愉しい》】(形) 充足感が味わえるものとして、その状態を積極的に受け入れたい、出来ることならそれを持続したい気持だ。「狭いながらも―我が家/気の合った友人と―一時(ヒトトキ)を過ごす/―ショッピング/毎日を楽しく過ごす」[派]**―さ**[3][2] **―げ**[0][3][4] **―が・る**[4]

たのしま・せる[5]【楽しませる・《娯しませる》】(他下一)〔「楽しむ」の使役形〕楽しい思いをさせる。楽します[4](五)。「△目(耳)を―」

***たのしみ**[3][4][0]【楽しみ】❶楽しいと思う△こと(対象)。「苦労の連続で何の―もない一生を送った/読書を毎日の―とする/健康を損ね、山登りの―が奪われる」❷〔「―に(する)」などの形で〕さぞや楽しいことだろうという期待感をもって、そのことの実現を待ち望むこと。「秋の収穫を―に畑を耕す/孫の成人を―にしている」[運用]「お楽しみに」の形で、今後展開される事態について、その内容をわざと述べないで、相手に期待感をいだかせる効果をねらった宣伝文句として用いられることがある。例、「福引の一等に何が当たるかお楽しみに/二人の運命やいかに。次回をお楽しみに」

***たのし・む**[3]【楽しむ】(他五)〈なにヲ―〉❶△その状況に身を置く(何かをする)ことによって、楽しいという気持をいだく。「毎日の生活を―/ローンの返済に追われ、マイホームを―余裕がない/△釣り(盆栽・パソコン)を―/人の失敗を楽しんでいるなんて悪趣味だ」❷「(将来のことを)楽しみにする」意のやや古風な言い方。「弟子の成長を―師匠/花が咲きそろうのを―」

だのに[1](接) 前文に述べた事柄から予測される事態と矛盾することを述べることを表わす。なのに。〔口頭語的表現〕

たのみ【頼(み)】❶❶[3] 頼むこと。また、その内容。「君に折り入って―があるのだが/せっかくの―だから/―を聞き入れる」❷[1][3] たより。「―とするのは君ひとりだ」 **―すくな・い**[6]【―少(な)い】(形) あまりたよれるところがなく、心細く感じられる様子だ。 **―のつな**[1]-[2]【―の綱】その人がたよりとする最後のもの。絶対信頼して、よりかかるもの。❷(造語) 動詞「頼む」の連用形。 **―い・る**[4]【―入る】(他五) 頼みこむ。 **―こ・む**[4]【―込む】(他五) ぜひ、そうしてくれと言って、熱心に頼む。

****たの・む**[2]【頼む】(他五) ❶〈だれニなにヲ―/だれニなんだト―〉相手を信用して、△力を貸してくれる(自分の代りに何かをしてくれる)ように、申し入れる。「頭を下げて―/―よ君、助けてくれ/祖母に△赤ん坊(留守)を頼んで出掛ける」❷〈なにニ/だれヲ―〉問題の解決のために、専門的な技能を備えた人に来てもらうことを要請する。「知り合いの大学生を娘の家庭教師に―/至急△応援部隊(修理・救急車)を―」❸〈なに・だれヲ―〉いざという時に期待に応(コタ)えてくれると信じて、その力を当てにする。「自らを―/数を頼んで〔=多勢をいいことにして〕大きな態度に出る/これからは年金なんて『―に足らず』だ」[表記]❸は、「〈恃む〉」とも書く。〔⇩頼み❷〕

たのも[1]【田《面》】「田の△表面(上)」の意の古風な表現。

たのもう[3](タノマウ)【頼もう】(感) 昔、武士などが案内を請う時の言葉。〔取次ぎの者は「どうれ」と答えた〕

たのもし[0]【頼《母子》】〔↑頼母子講[0][4]〕〔形容詞「頼もしい」の語幹の、漢字による表記〕現在の「無尽❷」の西日本における称。

***たのもし・い**[4]【頼もしい】(形) △精神的に(肉体的に)たくましい感じがして、いざという時たよりになると期待される様子だ。「彼女の存在はチームにとって―限りだ/末(エス)―」[派]**―さ**[4][3] **―げ**[0][5][4] **―が・る**[5]

たは[1]【他派】ほかの(党)派。

****たば**【束】❶[1] 細長い物や平たい物を、ひもや紙などで一まとめにくくったもの。「―になって、かかる〔=おおぜいの者が一緒になって、一人に対抗する〕」❷(造語) たばねたものをかぞえる語。「一(ヒト)―・二(フタ)―」

だは[1]【打破】-する(他サ) ❶相手を攻撃して負かすこと。❷社会の進展の妨げとなっている因習・偏見や根強い障

害を取り除くこと。「△事態(女性軽視の風潮)を―する」

だば①【駄馬】❶荷をつけて運ばせる馬。荷馬。だうま。❷牽引力や脚力が弱く、役に立たない馬。だうま。

たばい⓪【多売】―する(他サ) たくさん売ること。「薄利―」

たばか・る③【《謀る》】(他五)〔「た」は接辞。もと、対処をくふうする意〕❶だまそうとして、策略を練る。❷策略で相手をだます。名謀り⓪④

***たばこ**⓪【〈煙草〉・〈烟草〉・〈莨〉】〔ポ tabaco〕畑に作る一年草。南米原産。広い葉をかわかして同名の嗜好品を作り、火をつけて吸う。未成年者は吸うことを禁じられ、多飲は発癌の基とされる。〔ナス科〕「―を吹かす／―にする〔=一休みする〕／―屋⓪・葉―・巻き―・かぎ―・刻み―」 かぞえ方 嗜好品は一本。小売の単位は一箱・一缶・一袋 ―せん⓪③【―銭】たばこを買うぐらいのお金。〔取り立てて言うほどもないわずかなお金、また、わずかばかりの謝礼の意にも用いられる〕「―にも事欠く暮らし／これはわずかだが―にでもしてくれ」 ―ぼん⓪【―盆】刻みたばこを吸うのに必要な火入れ・灰吹きなどを載せる盆。

たばさ・む③【手挟む】(他五) わきの下あたりに押さえつけるようにして持つ。

たばし・る③【〈迸る〉】(自四)〔雅〕〔「た」は接辞〕激しい勢いで飛び散る。「あられ―」

タバスコ⓪②〔Tabasco〕アカトウガラシを主原料として作ったソース状香辛料の商標名。

***たはた**①【田畑・田〈畠〉】〔口頭語的表現は「でんぱた」〕(見渡す限りの)たんぼとはたけ。〔広義では、農地一般を指す〕 かぞえ方 一枚

たはつ⓪【多発】❶―する(自サ) 多く発生すること。「最近は地震が―する／事故―地点・―性神経炎」❷〔航空機で〕二つ以上の発動機。⇩双発・単発

たばね【束ね】❶③⓪ ❶△たばねること(たばねたもの)。❷全体を取り締まる△こと(役の人)。「村の―／一家の―」❷(造語) 動詞「束ねる」の連用形。 ―がみ⓪③【―髪】後ろで束ねた頭髪。

たば・ねる③【束ねる】(他下一) ❶髪や△細長い(平たい)物を、ひもや紙で束に△する(して、一つにまとめる)。❷ある組織の中心となって取り仕切る。「町内を―」〔⇩束ね❷〕

たび①【〈足袋〉】〔もと、シカ・イノシシの一枚革で作った履物「半靴」を「単皮」と言ったところから〕和服の時、防寒・礼装用に足にはく、つま先が二つに分かれた袋形の布。「白―・地下―」 表記 ⇩付表 かぞえ方 一足。商品の場合は一点とも。

たび【度】❶②〔一般に「…―(ごと)に」の形で〕…とき(はいつも)。「見る―に思い出す」❷(造語) 回数をかぞえる語。〔和語の数詞にのみ付く〕「ひと―・幾―」

***たび**②【旅】―する(自サ)〈どこヲ―する〉❶判で押したような毎日の生活の枠からある期間離れて、ほかの土地で非日常的な生活を送り迎えること。「―に出る／―を続ける／果てしない―／放浪の―／―心・―支度・一人―③」❷差し当たっての用事のために遠隔地に赴くこと。「今度は長い―になる／―回りの行商」【―の恥は〈掻き捨て〉】顔見知りが居ないという理由で、ふだんは恥ずかしくて出来ない事も旅先ではしがちなものだ。【―は道連れ世は情け】物慣れない旅先ではよい道づれのあることが頼もしいし、世渡りにはその時どきの人情が大切なものだ。【かわいい子には―をさせよ】⇩かわいい

だび①【〈茶毘〉】〔梵語の音訳〕火葬。「―に付する」 表記「〈茶毗〉」の「毗」は「毘」の異体字(動用字)。

タピオカ⓪〔オ tapioca〕食用でんぷん。南米原産のキャッサバ⓪という植物の根茎からとる。さごやし⓪②。「―ドリンク⑥」

たびかさな・る⓪⑤【度重なる】(自五) 多過ぎると感じられるほど、何度も続いて起こる。「―事故」

たびかせぎ③【旅稼㋖】❶旅興行して稼ぐこと。❷出稼ぎ。

たびがらす③【旅〈烏〉】一か所に定住せず一生を旅に送る人が自嘲した称。〔狭義では、渡世人を指す〕「しがない―の身」

たびげいにん③【旅芸人】旅興行の芸人。

たびこうぎょう③【旅興行】地方を回ってする、芝居・すもう・サーカスなどの興行。

たびごころ③【旅心】❶旅に出た時に味わう、しみじみとした気持。仕事から解放されてほっとした気持と、かすかな物寂しさ、人なつかしさなどの交錯した感情。❷都会生活者などが、単調な生活に飽き、変化を求めるために、旅に出たいと思う心。

たびさき⓪【旅先】旅行△して(の途中)行き着いた所。

たびじ⓪【旅路】「旅をすること。また、その道中」の意の古風な表現。「三日の―／死出の―／心の―」

たびじたく③【旅支度】―する(自サ) 旅行に持って行く物や着る物の準備(を整えること)。

たびしょ③【旅所】祭礼の時、みこしをしばらくとどめておく所。「お―⓪」

たびずまい③【旅住㋮い】―する(自サ) 旅先の△住居(暮らし)。

たびそう⓪【旅僧】行脚の僧。

たびだ・つ③【旅立つ】(自五) ❶旅に△出る(出発する)。❷〔「あの世へ旅立つ」の略〕「死ぬ」の、婉曲表現。名旅立ち⓪

***たびたび**⓪【度々】(副) 一回や二回でなく、繰り返し△行なわれる(起こる)様子。「自治体のヤミ給与は、これまでも―問題となった／―の警告も無視された」

たひつ⓪【他筆】他人が△書くこと(書いたもの)。↕自筆

たびづかれ③【旅疲㋹】❶自分の家を離れて旅にあるため、精神的・肉体的に疲労を感じること。❷家に帰って、旅行の疲れを感じること。

たびにっき③【旅日記】旅行中に見聞したことや、その時どきの感懐を書いた日記。

たびにん⓪【旅人】各地を渡り歩く侠客など。

たびね⓪【旅寝】―する(自サ) 旅先で寝ること。

たびのそら④、⓪-①【旅の空】旅先(の見知らぬ土地)。

たびはだし③【〈足袋〉〈跣・〈足袋〉〈裸足〉】足袋のまま履物を履かないで外を歩くこと。「火事だと聞いて―で表に飛び出した」 表記 ⇩付表「足袋」

たびびと⓪【旅人】旅に出て、他の土地で起居する人。

たびまくら③【旅枕】〔雅〕昔、旅先で寝、不安な夜を過ごしたこと。

たびまわり③【旅回㋷】―する(自サ) 芸人・商人などが、この地からあの地へと各地方を回って歩くこと。

たびもの⓪【旅物】列車などで送られて来た魚・野菜類。レールもの⓪。↕地物

たびやつれ③【旅〈窶〉㋹】―する(自サ) 旅の不自由な起居のため、やつれて見えること。

たびょう⓪【多病】―な 病気がちである△こと(様子)。「才子―」

たびらこ⓪【田平子】ホトケノザの植物学上の名称。

ダビング⓪―する(他サ)〔dubbing〕❶すでに録音・録画してあるものを、別のレコードやテープ・CDなどに再録すること。❷〔放送・映画で〕せりふ・音楽・効果音など別々に録音したものを一本にまとめること。

タフ[1]―な〔tough〕 非常に体力があって、少々の事ではへたばらない様子。「―な神経の持主」 [派] **―さ**[0][2]

タブ[1][0]〔tab〕 ❶〔衣服の肩やそで口などにつけた装飾用の〕垂れ布。垂れ飾り。 ❷タイプライターやパソコンの入力において、一定の位置まで文字を移動し、表のようにそろえる△機能(キー)。

たぶ[1]【他部】 △よそ(ほか)の部。

だふ[1]【〈懦夫〉】〔「懦」は、意気地無しの意〕無気力で頼りない男。「―をして起ﾀたしむ」

タブー[2][1]〔taboo〕 ❶△神聖(不浄)なものとして禁制されること。また、そのもの。禁忌。 ❷その事に言及するとよくないということがその社会や席で暗黙のうちに認められている事柄。「議員の間では宗教問題を―視していた」

タフ ガイ[2][3]〔tough guy〕 疲れを知らない、たくましい男。不死身の男。

たぶさ[1][3]【〈髻〉】 もとどり。

たふさぎ[2][0]【{〈犢鼻〈褌〉}】 男性用の下ばきの古称。〔広義では、女性用をも指した〕

タフタ[1]〔フ taffetas〕 琥珀ｺﾊｸ織の絹織物。婦人服・リボン用。

だぶ だぶ [一][1](副)―と―する ❶十分すぎる量の液体が(音を立てて)注がれたり揺れたりする様子。「ソースを―とかける/ビールを飲みすぎておなかが―する」 ❷むだな肉がつきすぎて、締まりなく太っている様子。「運動不足で腹のまわりが―してきた」 [二][0]―な―に ❶衣服が大きすぎて、見るからに締まりなく感じられる様子だ。「ズボンが―でみっともない」 ❷「だぶだぶ[一]❶」に同じ。「―のおなか」

だぶつ・く[0](自五) ❶だぶだぶする。 ❷〔お金・商品・求職者など〕同類のものがたくさんあって余る。 [名]だぶつき[0] 「商品の―」

たぶね[0]【田舟】 ❶刈り取った稲や肥料・苗などを載せ、水田の中を押して運ぶ、舟の形に類似した物。 ❷水郷などで、日常の交通や農作物の運搬に用いる、吃水ｷｯｽｲの浅い舟。

たぶの き[1]【〈椨・たぶの木】 暖地の海岸に多く分布する常緑高木。器具材・船材に使われるほか、神木となることもある。「たぶ[1]」とも。イヌグス[0][2]。〔クスノキ科〕 [かぞえ方] 一株・一本

だふや[2]【だふ屋】〔「だふ」は、「札」の倒語による通語〕入場券・切符などをプレミアムを付けて売る商売の人。

たぶらか・す[4]【〈誑かす】(他五) うまいことを言って人の心を迷わす。だます。

ダブリュー[1] [一]【W・w】 英語アルファベットの第二十三字。 [二]【W】 ❶〔←world〕 ワールド〔=世界〕の、の意の略字。「―杯〔=ワールドカップ〕・―シリーズ」 ❷〔←week〕 ウイーク〔=週・週間〕の略字。「G―〔=ゴールデンウイーク〕」 ❸〔←double〕 ダブル〔=二重・二倍〕の意を表わす略字。「―ベッド」 ❹〔←waist〕 ウエストの寸法を表わす記号。 ❺〔←west〕 西を表わす記号。 ❻〔←width〕 物の寸法で幅を表わす記号。 ❼〔←woman〕女性。↕エム(M) ❽〔←watt〕 仕事率・電力の単位ワットの記号。 ❾〔←ド Wolfram〕 タングステンの元素記号。〔[一][二]ともダブル[1]とも〕

ダブリュー エイチ オー[8]【WHO】〔←World Health Organization〕 世界保健機関。国連専門機関の一つ。

ダブリュー シー[5]【WC】〔←water closet (=水を使う小部屋)〕 (公衆)便所。

ダブリュー ティー オー[7]【WTO】〔←World Trade Organization〕 ⇩世界貿易機関

ダブ・る[2](自五) 〔「ダブル『=double』」を動詞化した語〕 ❶重複する。〔狭義では、他の映像と二重になってうつることを指す〕「時どき映像が―ようになったテレビ」 ❷「落第する」意の古い学生語。 ❸〔野球で〕ダブル プレーをする。 [名]ダブり[3] [表記]「Wる」とも書く。

ダブル[1]〔double=二重。二倍〕↕シングル ❶二人用(のもの)。「―の部屋を頼む/―ベッド」 ❷ダブルスの俗称。 ❸ワイシャツのそでの折返しのあるもの。 ❹〔←double-breasted〕 洋服の前の合せ目が深いもの。ボタンは二列。両前。 ❺ウイスキーを飲む時の量の単位。グラスの底から指二本分程の量、約六〇ミリリットル。

ダブル カラー[4]〔和製英語 ←double + collar〕 二重折りの襟。

ダブル キャスト[4]〔double cast〕 同じ役に二人の俳優を用意しておき、交替で出演させること。

ダブル クリック[5][4]―する(自サ)〔double-click〕〔コンピューターで〕マウスのボタンを二度続けて押すこと。

ダブルス[1]〔doubles の日本語形〕〔テニス・卓球などで〕二人ずつ組んで行なう試合。複試合。↕シングルス

ダブル スクール[5]〔和製英語 ←double + school〕 大学や短大で勉強するかたわら、資格取得などのために専門学校などに同時に通うこと

ダブル スコア[5]〔double score〕 勝者の得点が敗者の得点の二倍になること。また、その得点。「―で勝つ」

ダブル スタンダード[7]〔double standard〕 適用する対象によって基準を変えること。二重基準。

ダブル スチール[5]〔double steal〕〔野球で〕二人の走者が同時に盗塁すること。重盗。

ダブル チェック[4]―する(自サ)〔double check〕 二重に確認を行なうこと。

ダブル はば[3]【ダブル幅】 織物の幅の一種。シングル幅の二倍。約一・四二メートル。

ダブル パンチ[4]〔double punch〕〔ボクシングで〕二回連続のパンチ。〔俗に、続けざまに△負ける(ショックを受ける)意にも用いられる。例、「不況と円高の―を受ける」〕

ダブルブッキング[4]〔double-booking〕〔ホテルの部屋、列車や航空機の座席などで〕予約を重複して受け付けてしまうこと。

ダブル プレー[5][4]〔double play〕〔野球で〕△二人の走者(打者と走者)を一連のプレーで連続してアウトにすること。重殺。併殺。ゲッツー。

ダブル ベース[4]〔double bass〕 ⇩コントラバス

ダブルヘッダー[4]〔doubleheader〕〔野球で〕同じ二チームどうしが同じ日に試合を二回すること。

ダブル ベッド[4]〔double bed〕 二人用の、大型の寝台。

タブレット[1]〔tablet=銘板〕 ❶額ｶﾞｸ❸。 ❷錠剤。 ❸〔鉄道の単線区間で〕駅長が運転士に渡す通行証。通票[0]。 ❹タブレットPCの略。 **―ピーシー**[8]【―PC】 液晶画面からなる一枚の板状のパソコン。視認性と携帯性に優れる。

ダブレット[1]〔doublet〕 同一語源に属するが、変化や伝来の経路が異なるために全く無関係であると思われている一対ｲｯﾂｲの語。コップとカップ、トロッコとトラック、「殆ﾎﾄﾝﾄﾞ」と「ほとほと」、「競う」と「気負う」など。

タブロイド[3]〔tabloid〕 新聞の半分の大きさ(の型)。

タブロー[3][1]〔フ tableau〕 ❶〔板・カンバスにかかれた〕絵。 ❷完成した絵画作品。↕エチュード

たぶん[0]【他聞】 内密の話などを、他人に聞かれること。「―をはばかる」

***たぶん**【多分】 [一][0] ❶他と比べて、そのものの占める△数量(可能性)が大であると認められること。「―の寄付をいただ

きまして恐縮です/…の恐れが―にある」❷⇩御(ゴ)多分

[二]①(副) そうなる可能性が十分にあると予測する様子。「明日は―晴れるだろう/―そうなるに違いない」 表記 [二]❷を、「多聞」と書くのは誤り。 文法 [二]は多く、文末に推量の意を表わす「だろう」「ようだ」「らしい」などの語を伴う。

だぶん⓪【駄文】 書くことに意味の無い、くだらない文章。〔自分の文章の謙遜(ケンソン)語としても使われる〕

たべあわせ⓪(アハセ)【食べ合(わ)せ】⇩食い合わせ❶

たべかす⓪③【食べ〈滓】❶食べ残して、捨てられたもの。❷物を食べたあと、口内に残っている食べ物のかす。

たべごたえ⓪(ゴタヘ)【食べ応え】 食べることで十分な満足感を得られること。「一口でも十分な―がある」

たべごろ⓪【食べ頃】 食べて一番おいしい時分。

たべざかり③⓪【食べ盛(り)】 △成長期なので(一日じゅう元気一杯はね回るので)一番腹がすく年ごろ(の者)。

たべずぎらい④(ギラヒ)【食べず嫌(い)】 食わずぎらい。

タペストリー②①〔tapestry〕 色糸で風景などを織り出した厚い織物。壁掛け。 かぞえ方 一枚

たべつ・ける④【食べ付ける】(他下一) いつも食べていてその味に慣れている。「食べ付けない御馳走(ゴチソウ)」 名 食べ付け⓪

***たべもの**③②【食べ物】 動物が生命を維持するのに必要な、穀物・野菜や肉など(を料理したもの)の総称。〔広義では果物を含み、狭義では飲み物を含まない〕 **―や**⓪④【―屋】(大衆的な)飲食店。

****た・べる**②【食べる】(他下一)〈なにヲ―/なにデ―〉〔文語「賜(タ)ぶ」(下二)の変化〕(日常的な行為として)食物をとる。〔一般に口に入れた物をかんでから体内に収める行為を指す。⇩食う・飲む〕「好き嫌いを言わず何でも―/朝から何も食べていない/収入が少なく、親子四人が食べて(=生計を維持して)いくのが精一杯だ」

だべ・る②【駄《弁る】(自五)〔「駄弁」を動詞化した言葉〕むだなおしゃべりをする。〔口頭語的表現〕 表記 「弁」の旧字体は「〈辯」。

たへん⓪【田偏】 漢字の部首名の一つ。「略・畔・町」などの、左側の「田」の部分。〔多く、田地や農耕に関係のある漢字がこれに属する〕

たべん⓪【多弁】―な ―に 口数が多い△こと(様子)。「―を費やす」 表記 「弁」の旧字体は「〈辯」。

だべん⓪【駄弁】(時間つぶしの)くだらないおしゃべり。「―を弄する」 表記 「弁」の旧字体は「〈辯」。

たへんけい⓪②【多辺形】⇩多角形(タカクケイ)

たぼ①【〈髱】 日本髪の後方に張り出た部分。「つと」とも。〔昔、職人社会などで、品評の対象としての女性を指した。例、「すごい―が行くぜ」〕

だほ①【〈拿捕】―する(他サ)〔「拿」も、つかまえる意〕〔外国・敵国の船を〕実力行使により捕らえること。

たほう②(ハウ)【他方】 ほかの△方向(方面)。「―(=他の者)の言い分も聞く/概して言えばまじめだが、―(=もう一方から見ると)なかなかユーモアもある男だ」

たぼう⓪(バウ)【多忙】―な 仕事が多くて、くつろぐひまが無い△こと(様子)。「―な毎日を送る/―を極める/―にまぎれる」 派 **―さ**⓪

たぼう⓪(バウ)【多望】―な 将来の望みが多い△こと(様子)。「前途―①-⓪」

だぼう⓪(バウ)【打棒】〔野球で〕バット(で、ボールを打つこと)。「―大いに振るう」

たほうとう⓪(タフ)【多宝塔】 下層が正方形で、上層が円形の二層の塔。屋根は方形で相輪をつける。内部に釈尊の像などを安置する。釈尊が法華経(ホケキョウ)を説いた時に地上からわき出たという塔をかたどって作った塔。 かぞえ方 一基

たほうめん②(ハウ―)【多方面】―な 多くの方面(にわたっている様子)。「―にわたる」

だぼく⓪【打撲】―する(他サ) 身体が何かに強くたたかれたりぶつかったりすること。その部分が痛んだりはれたりする。「―傷を△負う(受ける・与える)/全身―」

だぼシャツ⓪ 長く太いそでのついた丸首シャツ。

だぼはぜ⓪【だぼ〈鯊】 川口付近にすむ、小形のハゼ。佃煮(ツクダニ)などにする。ちちぶ②⓪。〔広義では、食用にならないハゼ類の総称〕 かぞえ方 一匹

だぼら⓪【駄《法〈螺】 でたらめだとしか言いようがない大げさな話。〔口頭語的表現〕

だほん⓪【駄本】 それを読んでも、時間つぶしにしかならない、くだらない本。

たま【《卵・玉】(造語) 卵(タマゴ)。「かに―・燻(クン)―(=薫製たまご)」

たま【《魂・霊】(造語) 人や物に宿ると考えられている霊的な存在。「―祭り・言(コト)―(ダマ)・人―(ダマ)」

***たま**⓪【《偶】(副)―に そのような事例に出あうことがめったになく、例外的なことだととらえられる様子。たまさか。「―こ雪が降ることもある/―に逢うとけんかばかりしている/―には連絡してくれ/―の日曜日にはのんびりしていたいね」

****たま**②【玉】❶かど△が取れた(を取った)小さな立体で、美しく高貴で装飾品となるもの。大部分は鉱物質だが、真珠のように動物質、琥珀(コハク)のように植物質の物もある。「―に瑕(キズ)(=完全といっていいくらいだが、ほんのわずかな欠点があること)/艱難(カンナン)汝(ナンジ)を―にす(=⇩艱難)/掌中の―(=⇩掌中の玉)/―をころがすような(=澄んできれいな)声/抜けば―散る(=ピカリと光る)氷の刃(ヤイバ)」❷丸い形のもの。〔具体的には、電球・弾丸・レンズ・球根、球技のボールや、遊技などに使う小さい丸いものの通称として用いられる。また、ゆでたうどん・そばの一かたまりや果実・野菜・卵をかぞえる時にも用いられる〕「大砲の―/パチンコの―/―(=電球)が切れる/―入れの競技/―の(=大粒の)汗/水―模様/⑤・百円―(ダマ)⓪(=硬貨)」❸Ⓐ(打ち出すことから)「ホッチキスなどの針」の俗称。Ⓑきんたまの省略形。「―を握られる(=人に弱味を握られている)」Ⓒ「△金もうけ(遊び相手)の対象としての若い女性」の俗称。Ⓓ何らかの意味で話題になる人。〔多く、低い評価を与える場合に言う〕「彼は社長になどなれる―ではない」❹たもあみ。 表記 ❶は「《璧・《珠」、❷のうち、球形の物は「球」とも書く。また、鉄砲の「たま」は、「弾・《丸・〈弾丸〉・〈銃丸〉」とも書く。 かぞえ方 ❷は打ったり投げたりする場合は一球

だま② 継粉(ママコ)の称。〔口頭語的表現〕「小麦粉が完全に溶けずに―になる」

たまあし⓪【球足】〔野球・ゴルフなどで〕打った球の速さ・距離。「―が速い」

たまいし⓪②【玉石】 石垣・庭などに使う丸い石。

たまいと⓪【玉糸】「玉繭(タママユ)❷」から製した、太くて節の多い糸。上等の織物には使えず、銘仙織などに使う。

たま・う(タマフ)【《給う】〔雅〕[一]②(他五)(立場の上の人が)くださる。「おほめの言葉を―」[二]〔「動詞連用形+―」の形で、接尾語的に〕尊敬すべき相手の動作であることを表わす。お…なさる。…あそばす。「泣き―・立ち―」〔「たもう」とも〕 表記 「《賜う」とも書く。

たまえ(タマヘ)【《給え】〔「たまう」の命令形から〕…する△方がい い(ことが好ましい)と、やんわり言った形をとった命令を表わす。 文法 動詞、受身・使役の助動詞「れる/られる・せる/させる」の連用形に接続する。 運用 現在では、一般に、上下関係が公的に認められている場で、おもに男性が用いる

古風な表現になっている。例、「来たまえ／ここに座りたまえ」

たま おくり[3]【《魂送(り)】 盂蘭盆(ウラボン)の最後の日〔=七月△十五(十六)日または八月十五日〕に、祖霊をあの世に送り返すこと。精霊(ショウリョウ)送り。↕魂迎え 表記「霊送り」とも書く。

たま がき[2]【玉垣】 神社の周囲にめぐらした垣。

だまか・す[3]【〈騙かす】(他五) 「だます」のくだけた口頭語的表現。

たま かずら[3](カヅラ)【玉〈鬘・玉〈蔓】 ❶たくさんの玉をひもに通して頭にかけた飾り。❷かもじ。❸けまん(華鬘)。表記「玉《葛」とも書く。

たまき[1][0]【《環】 〔雅〕玉で作ったゆびわなど環状のもの。

たま ぐし[2]【玉串】 ❶神前にささげるための、サカキの小枝に△しで(木綿(ユウ))を付けたもの。「―料[4]」 ❷サカキの美称。

たま くら[2]【手枕】 〔雅〕てまくら。かぞえ方 ❶は一本

だまくらか・す[5]【〈騙くらかす】(他五) 「だま(か)す」の強調形。

たま・げる[3]【《魂《消る】(自下一) 信じられないようなことが起きてひどく驚く。〔強調表現は「おったまげる[5]」〕「五月になって雪が降るとはたまげたな」

**たまご[2][0]【卵・玉子】 〔玉子(タマゴ)の意〕 ❶鳥・魚・虫などの雌が産む、丸い形のもの。孵(カエ)ると、子になる。殻をかぶったものと、そうでないものとがある。〔狭義では、ニワトリの卵を指す〕「―に目鼻〔=色が白くて かわいらしい子供の顔のたとえ〕」 ❷そのまま成熟・発達すれば本格的になるもので、未成熟・未発達な段階にあるもの。「△弁護士(医者)の―／台風の―」 表記 調理が進むと「玉子」となることが多い。かぞえ方 ❶は一玉(ヒトタマ)。小売の単位としての一パックは一点

―いろ[0]【―色】 ❶「卵❶」の殻の色。薄い褐色を帯びた白色。❷鶏卵の黄身の色。薄い黄色。

―ざけ[3]【―酒】 燗(カン)をした日本酒に鶏卵を入れかき交ぜた飲み物。風邪(カゼ)にきくという。

―とじ[3](トヂ) 野菜・肉などの煮物の煮上がりに、よくかき交ぜた鶏卵を流し入れて上一面をとじた料理。

―パン[0][3][4] 卵を扁平(ヘンペイ)にした形の、堅く焼いた菓子パン。表記「卵〈麺包〉・卵〈麺〈麭〉」とも書く。

―やき[0]【―焼(き)】 鶏卵をかき交ぜ、味をつけて焼いた料理(を作るための小さな四角いフライパン)。

【コロンブスの―】 ⇩コロンブス

たま さか[0](副) ❶思いがけず、そのような機会を得る様子。「町中で―幼なじみに会った」 ❷⇩たま(偶) 表記「《偶さか」とも書く。

たま ざん[2]【《珠算】 しゅざん。表記「玉算」とも書く。

だまし【〈騙(し)】 ━[3] だますこと。「―の手口／子供―」 ━(造語) 動詞「騙す」の連用形。

―うち[0]【―討(ち)】 ―する(他サ) 油断させておいて、不意に殺すこと。〔相手を偽って、ひどい目にあわせる意にも用いられる〕

―え[3][0](エ)【―絵】 ❶目の錯覚を利用した、見方によってさまざまなものに見える絵。❷実在するかのように実物そっくりに描写した絵。また、その技法。トロンプルイユ[5]。

―こ・む[4][0]【―込む】(他五) すっかりだます。

―と・る[4]【―取る】(他五) だまして自分の物にする。

たましい[1](タマシヒ)【魂】 ❶生きている動物の、生命の原動力と考えられるもの。死後は、肉体を離れるといわれる。「うれしさに―天外を飛ぶ〔=すっかり夢中になる〕／仏作って―入れず〔=九分九厘まで仕事を完成していながら、最後に最も大切な点を欠くことのたとえ〕／一寸の虫にも五分(ブ)の―」 ❷仕事をささえるものとしての、人間の精神。気力。「―を入れ替える／―のすわった〔=ⓐ落ち着いた。ⓑ大胆な〕人／武士の―〔=刀の美称〕」 表記「《霊」とも書く。

たま しずめ[3](シヅメ)【《魂鎮(め)】 生きている人の魂が△抜け出す(抜け出した)のを呼び戻し、長寿を祈ること。

たま じゃり[0]【玉〈砂利〉】 大粒の砂利。庭や道に敷くのに用いる。表記 ⇩付表「砂利」

*__だま・す__[2]【〈騙す】(他五)〈だれヲ―〉 ❶キツネ・タヌキが人を化かす。❷人の気を引くようなうそを言って、真実だと思い込ませる。「騙されたと思って一か月使ってみてください／人を騙して金を取る」 ❸(言うことを聞かない)子供の気を引くような事を言って、こちらの思う通りにさせる。「泣く子を―〔=泣きやます〕／機械を騙し騙し〔=慎重に注意して〕使う」 表記 ❸は、「〈賺す」とも書く。〔⇩騙し━〕

たま ずさ[2](ヅサ)【玉《章】 〔雅〕手紙。

たま たま[0](副) そのような事態に出あったり 言動をとったりしたことは、△まったくの偶然(元来めったにないこと)であるととらえられる様子。「地震があった時―外出中であった／旅先で―手に入れたバッグを今も愛用している／―人に勧められて碁を始めた／山奥の一軒屋だから、―訪れるものはと言えば道に迷った登山者ぐらいのものだ」 表記「《適」と書くのは、古来の用字。「《偶・《偶々」とも書く。

たま たま[1]【《卵《々】 「(ニワトリの)卵(タマゴ)」の幼児語。

たま だれ[0]【玉垂(れ)】 「玉で飾ったすだれ」の意で、「すだれ」の美称。「たますだれ[3]」とも。

たま つき[2][4][3]【玉突(き)】 ビリヤードの和語的表現。〔追突された自動車が、そのはずみで至近間隔の前車に追突する(ことが何度か繰り返される)意にも用いられる。例、「―追突[5]・―事故[5]」〕 表記「〈撞球〉」とも書く。

たま つくり[3]【玉造(り)】 玉をみがいて細工する△こと(職人)。

たま つばき[3]【玉〈椿】 ツバキの美称。

たま てばこ[3]【玉手箱】 昔、浦島太郎が竜宮から持ち帰ったという箱。〔物を大切にしまっておく箱の意にも用いられる〕「あけてくやしい―〔=中には(期待していた物が)何も入っていなくて、がっかりすることのたとえ〕」

たま とり[4][3]【玉取(り)】 幾つかの玉を空中に投げ上げては受け止めてみせる芸。しなだま。

たま な[2][0]【玉菜・球菜】 キャベツの異称。

たま ねぎ[3]【玉〈葱】 世界各地で栽培されている多年草。食べる部分は球形の白い鱗(リン)茎で、独特のにおいがある。〔ヒガンバナ科(旧ユリ科)〕 かぞえ方 一本・一玉。小売の単位は一袋

たま の[0]【玉の】(連体) 玉のように美しい様子の。「―〔=きれいな〕かんばせ／―〔=つややかな〕肌」

たまの お[3](ヲ)【玉の緒】 〔雅〕玉を通したひも。〔玉=魂の連想で、命の意にも用いられる〕

たまの こし[0]【玉の〈輿〉】 貴人の乗るりっぱな輿。「―に乗る〔=シンデレラのように、富貴の人と結婚して一躍、高い地位(と幸福)を得る〕」

たま のり[3][4]【玉乗(り)】 大きな玉の上に乗って、足で玉をころがしながら曲芸をする△こと(人)。表記「球乗り」とも書く。

たま のれん[3]【《珠《暖〈簾】 ガラスなどで作った小形の珠や管を太めの糸に通して下げた暖簾。夏日、珠の相触れる音と輝く色で耳目を楽しませる。

たま はき[3]【玉〈帚・玉〈箒】 ❶ホウキグサの異称。❷正月の初子(ハツネ)の日に蚕室をはくのに使ったほうき。❸不要なものをはらい除くのに使うもの。〔特に、酒の異称としても用いられる。例、「酒は憂いの―／憂いを払う―」〕

たま ぶさ[2]【玉《総】 先を玉のように丸めた ふさ。

たま ぶち[2][0]【玉縁】 ❶美しく縁取りしたもの。❷布の裁ち目やポケット・ボタン穴などの縁取りに施した飾り。

たまへん⓪【玉偏】漢字の部首名の一つ。「珍・現・理」などの、左側の「王」の部分。〔多く、玉や宝などに関係する漢字がこれに属する。「王」は「玉」の古形であるが、近年は「おうへん」と言う向きもある〕

たまぼこ②【玉〈鉾】〔雅〕鉾（ホコ）の美称。

たままつり③【《魂祭り】死者の霊を祭る行事。〔狭義では、お盆の仏事を指す。古くは大みそかに行なった〕 表記「霊祭り」とも書く。

たままゆ⓪②【玉〈繭】❶〔雅〕繭の美称。❷カイコ二匹が共同して作った繭。

たまむかえ③ー【《魂迎え】ーする（自サ）お盆の十三日の夜に、死者の霊を家に迎える儀式。盂蘭盆（ウラボン）。精霊（ショウリョウ）迎え⑤。↔魂送り 表記「霊迎え」とも書く。

たまむし②【玉虫】❶堅い殻をかぶった細長い昆虫。からだは光沢のある金色を帯びた緑色で美しい。〔タマムシ科〕❷「玉虫色」の略。 かぞえ方 ❶は一匹 **ーいろ**⓪【ー色】光線のぐあいにより緑色や紫色に光って見える△染め色（織り色）。「ーに光る布／ーの（=見方によって、どのようにも解釈出来る△あいまいな（都合の良い））表現」

たまむすび③【玉結び】❶〔裁縫で〕縫った糸が抜けないように、糸のはしに玉を作る結び方。❷⇩こまむすび ❸江戸時代の元禄（ゲンロク）頃に流行した女性の髪型。後ろに垂らした髪のはしを折り返して丸く結ぶ。

たまも⓪②【玉藻】〔雅〕藻の美称。

たまもく⓪②【玉目・玉〈杢】渦のようになった、細かな木目。ケヤキなどに多い。

たまもの⓪【《賜物】❶天や神仏からいただいた物。〔他から受ける恩恵の意にも用いられる〕「私の今日あるは彼の（援助の）ー（=おかげ）だ」❷苦しい試練のあとに得られる、よい結果。「努力のー」 表記 古来の用字は、「《賜」。

たまや②【霊屋】（祖先の）霊魂を祭る堂。霊廟（レイビョウ）。

たまゆら⓪②【玉〈響】〔雅〕（振り返って思い起こせば）その状態がほんの短い間の、はかないものであること。〔「玉響（タマユラ）」と書かれるが、厳密には語源未詳で、多く、幾つかの玉が触れ合って出すかすかな音の形容だと解釈されている〕「ああ、ーの幸福も今日で終わった／ーの青春」

たまよけ⓪【弾《除け】弾丸の命中を防ぐ△こと（もの）。 表記「玉《除け」とも書く。

たまよび⓪【《魂呼び】臨終に当たって、その人の魂を呼び戻し蘇生（ソセイ）させようとする呪術（ジュジュツ）的習俗。〔多く、屋根などに登って、名前を大声で呼ぶ〕

*__たまらな・い__⓪【《堪らない】（形）△これ以上の満足感は得られない（これほどひどい状態はあるまい）と思われるほど程度がまさっている様子だ。「今日食べた料理のうまさはーね／仕事のあとの一杯はー（=なんとも言えない いいものだ）／こう暑くてはー（=我慢できない）。強調表現は『たまったもんじゃない』〕／将来のことが不安でー」⇩たまる（堪る） 文法「△形容詞（形容動詞連用形）＋て＋たまらない」の形で使われることが多い。

たまり【〈溜〔ま〕り】❶⓪〔動詞「溜まる」の連用形の名詞用法〕❶たまった状態（にあるもの）。「水ー」❷人が屯（タムロ）している所。❸（すもうで）審判委員・力士などが控えている土俵下。❹みそからしたたった汁。❺（↔たまりじょうゆ④）Ⓐしょうゆの一種。もろみの中にかごを入れ、その中にたまった汁を調味料としたもの。Ⓑダイズだけで作ったしょうゆ。❷〔造語〕動詞「溜まる」の連用形。 **ーば**⓪【ー場】仲間がいつも居て、雑談などにふけっている△店（所）。 **ーみず**③ー【ー水】雨水などがたまった水。↔湧き水

たまりか・ねる⑤【《堪り兼ねる】（自下一）もうこれ以上がまんが出来なくなる。「たまりかねて泣き出す」

だまりこく・る⑤【黙りこくる】（自五）意地を張って、いつまでも黙ったままでいる。

だまりこ・む④【黙り込む】（自五）△相手の勢いに圧倒されて（自分の弱みをさらけ出さないように）黙った状態を続ける。「△急（へん）にー」

*__たま・る__⓪【《堪る】（自五）〈なにデ〉ー〉〔「溜（タ）まる」と同源〕〔一般に否定表現や否定的内容の表現と呼応して〕そのままの状態で、我慢していることが出来る。〔多く後に否定表現を伴ったり「ーか・ーものか・ーもんか」の形で反語的に用いられたりする〕「負けてーか／これぐらいでへこたれてーものか（=決してへこたれたりはしない）／幽霊などあってーもんか（=あるなんて、ばかげた話だ）」⇩たまらない

*__たま・る__⓪【〈溜〔ま〕る】（自五）〈なに・どこニ〉ー〉〔「堪（タ）まる」と同源〕未処理・未使用の分が、累加したままの状態を保つ。「△貯金（借金）がー（=額がふえる）／不満がー／仕事がー（=滞る）一方だ」 表記「お金がたまる」は「《貯まる」とも書く。〔⇩溜まり❷〕

*__だま・る__②【黙る】（自五）❶物を言うのを△やめる（やめた状態を保つ）。「黙って（=断りなしに）休む／こんな事をされて黙って（=抗議を申し入れずには）おれない／黙れ（=ⓐ△うるさい（聞くに堪えない）から、もうしゃべるのをやめよ。ⓑお前の知った事ではない、△余計な口をきくな（ちっとは分（ブン）を心得よ）」❷何もしないでいる。「子供のけんかを黙って見ている（=傍観する）／黙っていても（=特別、手をかけなくとも）一万円には売れる」

たまレタス③【玉レタス】キャベツのように葉を巻く種類のレタス。サラダなどにして食べる。⇩サラダ菜

たまわ・る③【《賜〔わ〕る】（他五）❶「（立場の上の人から）もらう」意の謙譲語。「殿様から賜わった刀」❷「（立場の上の人が下の者に）与える」意の尊敬語。「陛下の賜わった杯」 表記 本表=「賜る」 運用 ❶は、手紙文や式典の挨拶（アイサツ）などで、「いただく・頂戴（チョウダイ）する」より一段と恐れ多いという気持を込めた謙譲語として用いられる。例、「△ご祝辞（日ごろご愛顧）を賜わり、あつくお礼申し上げます」

たみ①【民】❶国家・社会を組織する（一人ひとりの）人。人民。❷〔主君に従属する存在としての〕臣民。

ダミー①【dummy】❶（裁縫で）人台（ジンダイ）。❷替え玉（の人形）や、身代わり（の会社）をも指す。例、「ー会社（ガイシャ）④」❸〔ラグビーで〕パスすると見せかけて、相手をだますこと。

たみぐさ②【民草】〔雅〕人民。「たみくさ」とも。

だみごえ⓪（ゴエ）【《濁声】△にごった感じの、きたない（なまりのあると感じられる）声。

だみん⓪【惰眠】❶なまけて、眠ってばかりいること。❷特別に何をするということもなく、月日を過ごすこと。「この数年というものーをむさぼってばかりいる」

ダム①【dam】発電・水利などのため、水流をせきとめて水を貯（タ）める施設。〔広義では、堰堤（エンテイ）によって作られた貯水池・人工湖をも含める〕

たむけ【手向〔け〕】❶③❶神仏にささげること。❷△別れる（別れて行く）人に記念として物を贈ること。また、その贈ったもの。はなむけ。「卒業生一同にーの言葉を贈る」 **ーのかみ**⓪-①【ーの神】旅人が手向けをする道祖神。❷〔造語〕動詞「手向ける」の連用形。 **ーぐさ**③【ー草】神仏に手向けるもの。〔狭義では、「ぬさ」を指す〕

たむ・ける③【手向ける】（他下一）❶神仏にささげる。「仏前に香華（コウゲ）をー」❷遠くに旅立つ人に、物を贈る。〔⇩手向け❷〕

ダムサイト③【damsite】ダムの建設用地。

たむし⓪【田虫】白癬（ハクセン）の一種。赤色・輪状のあとをつけて広がる非常にかゆい皮膚病。

タムタム①⓪〔tam-tam〕 銅鑼(ドラ)を基にした、オーケストラ用の金属製の打楽器。

ダムダム だん④【ダムダム弾】〔dum dum=もとインドの造兵廠(ショウ)の名〕 小銃弾の一種。弾頭に鉛が入れてあり、命中するとひどい傷を与える。戦争に使用することは一九〇七年に禁止された。

たむろ・する①⓪【《屯する》】(自サ) 〔「たむろ」は、陣営の意〕何人かの人がそこに集まる。「学生が三々五々屯している」

ため② ■一【《為》】 なんらかの意味でその存在にとってプラスになるようにと念じてすること。「あなたの―〔=あなたの△将来(便益)〕を思ってやった事だ/適度な運動は健康の―になる〔=効果がある〕/情けは人の―ならず〔=⇩情け〕/しゃべると―にならぬぞ〔=ひどい目にあうぞ〕」【―にする】 自分に都合の良いように事を運ぼうとしたり 相手を攪乱(カクラン)させようとしたり するような下心を持って、それを行なう。 ■二〔形式名詞的に〕 ❶その事を目的とすることを表わす。「受験の―上京する/家を建てる―に整地する/目先の利益の―に/念の―に断わっておくが」 ❷その物事が原因・理由であることを表わす。「風邪の―会社を休む/天気が悪い―延期された」 ❸そのものの立場から見て、どうであるかを表わす。「僕の―には〔=僕にとっては〕恩師に当たる人だ」 文法 ⑴❶で「…ため(に)」はその目的とする事柄を表わすのに動詞が用いられる場合には一般に意志的動作を表わす動詞が用いられる。例、「海外旅行をするために貯金する/生きるために働く」一方、「ように」は、その目的とする事柄を表わすのに動詞が用いられる場合には一般に意志性が強くない意を表わす動詞や、可能表現・否定表現などの用いられる傾向がある。例、「雨が降るようにお祈りする/健康が保てるように気を配る」 ⑵❷で原因・理由を表わす部分に動詞が用いられている際には一般にその動詞は「…たため(に)」の形で用いられる。例、「電車の事故があったため(に)約束の時間に遅れた/父親が死んだために大学を中退した」

ため⓪【〈溜〉め】〔動詞「溜める」の連用形の名詞用法〕 ❶ためておく△こと(場所)。〔狭義では、こえだめを指す〕 ❷からだの特定の部位に、その時が来るまで秘められる、ばねの力や回転力・瞬発力の累積した状態。「腰の―が無くなる」

***だめ**②【駄目】 ■一〔碁で〕勝負が終わった時、どちらのがわの地にも属していない所。〔ここに置くのを「駄目石⓪②」という〕 ■二―な ❶いくらやってもむだで、しかたがない△こと(様子)。「―を承知でもう一度頼んでみよう」 ❷いくら努力しても出来ない△こと(様子)。「今月中に仕上げることは―だとあきらめる」 ❸そうすることを禁じる△こと(様子)。「まだ歩いては―だ〔=いけない〕/そんな事をしちゃ―よ」 ❹好ましくない結果△になる(が予想される)こと。また、その様子。「彼は教師としては―〔=不適格〕だ/このままにしておくと、彼は―〔=救いがたい状態〕になる/きのう炊いた御飯が―になる〔=腐る〕」 運用 ■二❸は、親しい間柄で、相手の申し出を無造作に断わるのにも用いられる。例、「『これ使ってもいいかしら』『だめ』/『今日映画に行かないか』『だめ』」【―を押す】 念のために、確かめる。⇩だめおし 【―を出す】 演劇などで、俳優に演出上の注意を与える。

ため いき③【〈溜〉め息】 △心配(失望)したり 自分の力ではとうていかなわないと思ったり する時などに大きくつく息。また、それらの悲観が喜びに変わった時につく大きな息。前者の例、「―まじりに言う」、後者の例、「ほっと―をつく」。

ため いけ⓪【〈溜〉め池】 灌漑(カンガイ)・消火などのために用水をためておく、人工の池。

ダメージ②①〔damage〕 ❶戦意を喪失するような痛手。「決定的な―を与える」 ❷損害。「精神的な―を受けた」

ため おけ⓪(ヲケ)【〈溜〉め〈桶〉】 肥料を入れておく桶。

だめ おし⓪【駄目押(し)】―する(自サ) ❶〔碁で〕駄目石を置いて詰め、地とまぎれないようにすること。 ❷まちがいないと分かっていても、相手に後で言いのがれなどされぬように、なお念を入れ(て確かめ)ること。 ❸〔球技などで〕勝敗の大勢が決した後、さらに得点して、勝利を確定的にすること。「最終回に―の二点を加える」 ❹〔すもうで〕勝負が決まったあとに さらに相手を押したり 倒したり すること。好ましくないとされる。

ため がき⓪【《為書》】 書画などの署名の付近に、△だれ(なん)のために書いたか、というような事情を書いた短文。

ため ぐち⓪【ため口】 〔「ため」はぞろ目の意の賭博用語からとされる〕対等な関係であるかのような、くだけた言葉づかいの意の俗語的表現。「先輩に―をきく」

ため こ・む③【〈溜〉め込む】(他五) 〔お金や有用な品などを〕盛んに溜める。

ためし③【《例(し)》】 今まで実際に△やった(起こった)ことがあること。「こんな大火事は今まで見た―〔=経験〕が無い」

ためし【試(し)】 ■一③ 試すこと。「ものは―だ、ちょっとやってみよう」 【―に】③(副) どんな結果が得られるかと、軽い気持で実際にやってみる様子。「―一度聞いてみよう」 ■二〔造語〕 動詞「試す」の連用形。 ―**ぎり**⓪【―斬(り)】―する(他サ) 昔、刀の切れ味を試すために△罪人など(暗やみにまぎれて通行人)を斬ったこと。 ―**ざん**③【―算】 験算。

***ため・す**②【試す】(他五)〈なに・だれヲ―〉 〔実力・価値・真偽などを〕自分でやってみて調べる。「能力を―/△真価が(力量を)試される」 〔⇩試し■二〕

ため すじ③②(スヂ)【《為筋》】 いざという時に何かとめんどうを見てくれる方面。〔狭義では、ひいき筋を指す〕

だめ だし⓪【駄目出(し)】 ❶〔映画や演劇〕監督や演出家が俳優の演技に欠点があるとしてやり直しを命じること。 ❷部下のやった仕事などに対して、不備を注意したりやり直しを命じたり すること。「起案文について部長から―を食った」

ためつ すがめつ①-③、①-⓪、①-②【矯めつ〈眇めつ〉】―する △正体(そのものの良さ)を確かめるために、あらゆる角度から念入りに見ることを表わす。「遺跡から出土した骨を、調査事務所の片隅で独り―数時間/新聞に載った国際マラソンの写真を―眺める」

ために②【《為に》】(接) 「そのために」の意の改まった表現。

ため ぬり⓪【〈溜〉め塗(り)】 赤黒く塗る漆の塗り方。もと、皇室用の乗り物の色。

だめ もと⓪【駄目元】 〔「だめでもともと」の略〕どう見てもうまく事が運ぶとは思えないがという気持で、万一をあてにして事に当たること。「―で大穴ねらいの馬券を買う」

***ためら・う**③(タメラフ)【〈《躊躇》〉う】(自他五)〈なにヲ―〉 そう△したい(しよう)と思うのだが、失敗を恐れるなどして実行に踏みきれない状態でいる。「返答を―/―ことなくその場で返事をした」 名 ためらい⓪③

***た・める**⓪【〈溜〉める】(他下一) ❶〈(どこ・なに ニ)なにヲ―〉〔いざという時に効果を上げるように〕お金や水などを むだに使わないで、そこにとどめておく。「水を―〔=流さないでおく〕/お金を―〔=たくわえる〕/十分ためて〔=満(マン)を持(ジ)して、こらえにこらえてから〕打つ」 ❷〈なにヲ―〉 必要な処理を怠り、何かを未処置のまま残す。「仕事を―」 表記 「お金をためる」は、「《貯める》」とも書く。

た・める②【矯める】(他下一) ❶形の悪いものを直して、かっこうをよくする。〔具体的には、曲がっているものはまっすぐにし、伸び過ぎて趣の無いものは曲げて、よい形にすることを指す」「角(ツノ)を矯めて牛を殺す〔⇩角〕」❸片目をふさいで、よくねらう。❹悪い△習慣(性質)を直す。

ためん【他面】㊀⓪(副) 問題としている面とは別の、ほかの面。㊁⓪①問題となっている事柄を、それとは別の観点からとらえて論じようとする様子。

ためん⓪【多面】 多くの方面。「—性⓪」 **—てき**⓪【—的】—な/—に 物のあり方・見方がいろいろの方面にわたっている様子だ。「—な活動/一つの現象を—にとらえる」

ためん たい⓪【多面体】〔幾何学で〕四つ以上の平面多角形〔=面〕によって囲まれた立体。例、四面体・角柱。 **せい—**⓪【正—】 四つ以上の合同な正多角形によって囲まれ、どの頂点に集まる面の数も等しい、へこみの無い多面体。正四面体・正六面体〔=立方体〕・正八面体・正十二面体・正二十面体の五種類があり、これ以外には存在しない。

たも【《給も】(終助) 昔、上流階級の女性が「たもれ」の圧縮表現として使った語。「取って—」

だも(副助)〔「だにも」の圧縮表現〕「だに」の強調表現。「禽獣(キンジュウ)—主の恩を知る」

たも あみ⓪【〈攩網】 魚などをすくい上げるのに使う、柄のついた小形の網。たも①。たま。

たも・う(タモウ)②【《給う】⇩給(タマ)う 表記「《賜う」とも書く。

たもう(タモウ)⓪【多毛】〔医学で〕内分泌腺(ナイブンピツセン)の障害で、からだの毛が異常に多く生えること。「—症⓪」

たもう さく(タモウサク)②【多毛作】 同じ田や畑で、時期をずらして一年に三回以上、作物をつくること。⇩二毛作

たもくてき②【多目的】—な/—に そのものの目的が多方面にわたる様子だ。「—ダム⑥〔=治水・灌漑(カンガイ)・発電・観光など、いろいろな目的に使えるダム〕・—ホール⑥」

***たも・つ**②【保つ】㊀(自五) ある状態が変わらずに、長く続く。もつ。㊁(他五)〈なにヲ—〉❶以前と変わらぬ状態を持ち続ける。「△平和(安静・威信)を—」❷無くしたり傷つけたりしないままで持ちこたえる。「△健康(体面・若さ)を—」

たもと③【〈袂】〔手元の意という〕❶和服のそでの下方の、袋のようになった部分。〔広義では、「そで」を指す〕「—を連ねる〔=行動を共にする〕/—を分かつ〔=ⓐ別れる。ⓑ仲間と絶交する〕/—を絞る〔=ひどく泣く〕」❷〔山や橋の〕中心部・根幹部からはずれた部分。「山の—〔=ふもと〕/橋の—〔=両端およびその付近〕」 **—くそ**③【—〈糞】 袂の底にたまるごみ。

だもの⓪【駄物】 まったく評価に値しないもの。

たもれ【《賜もれ】(終助)〔文語動詞「たまはる」が変化した「たもる」の命令形〕「…してください」の意の古風な表現。たも。「行って—」

たや・す②【絶(や)す】(他五) ❶存続させないようにする。「△子孫(運動)を—」❷無くなったままにしておく。「火を絶やさない〔=きらさない〕ようにする」

たやす・い③⓪【〈容易〉い】(形)〔「た」は、もと接辞〕さほど負担に感じることなくその事をやってのける様子だ。「口に言うのは—が実現するのは難しい/彼は意見をたやすく〔=いとも簡単に〕変える男で信用できない」 派 **—さ**②⓪

たゆう(タイフ)①【《大《輔】〔「大輔(タイフ)」の変化〕大宝令(タイホウリョウ)によって設けられた、太政官(ダイジョウカン)の統率する八省における次官。〔明治初頭においては、次官の上、長官の下の各省の職員を指した〕⇩少輔(ショウ) 表記 神祇(ジンギ)官では、「〈大副〉」と書いた。

たゆう(タイフ)①【太《夫・《大《夫】〔もと、五位の通称〕❶狂言・浄瑠璃(ジョウルリ)などを演じる者(の中で上に立つ人)。❷歌舞伎(カブキ)の女形(オヤマ)。❸江戸時代、最上位の遊女。かぞえ方 ❶〜❸とも一人・一枚 **—もと**⓪【—元】 演芸の興行主。

たゆた・う(タユタウ)③(自五) ❶水に浮いている物などが止まらずに、あっちに行ったりこっちへ来たりする。❷決しかねて、心があれこれと迷う。名 たゆたい⓪③

たゆ・む②【〈弛む】(自五) 続けることがいやになって、努力を怠る。「弛まぬ努力/倦(ウ)まず弛まず」 名 弛み⓪③「—ない努力」 文法「弛まぬ研究を続ける」「弛まず研究する」などとあとに否定表現を伴い、連体修飾句または連用修飾句として用いられる。

たよう(タヨウ)⓪【他用】❶ほかの用事。❷ほかの事に使用すること。「—に供する」

たよう(タヨウ)⓪【多用】❶用が多いこと。「ご—中、恐縮ですが」❷—する(他サ) そのものを多く使用すること。「漢語を—したかたくるしい文章」

たよう(タヤウ)⓪【多様】—な/—に いろいろの種類がある様子だ。「—な生き方がある/—性⓪・—化⓪」

たよく⓪【多欲・多〈慾】—な/—に 欲ばりで、飽くことを知らない△こと(様子)。

たより①【便り】〔「頼り」と同源〕❶何かに関する情報。「開花の—が伝えられる/風の—〔⇩風㊁〕」❷〔近況を知らせる〕手紙。

たより①【頼(り)】 自分が困った時などにそのものがあればなんとかやっていける存在。「まさかの時に—になる/懐中電灯の灯(ヒ)を—に夜道を歩く/—にする」 **—な・い**④【—無い】(形) ❶いざという時に頼ることの出来る△人(所・もの)が無い様子だ。「—孤児の身の上」❷いざという時に頼りに出来るか疑わしく不安をいだかせる様子だ。「—英語で外国人と応対する/—人間/—〔=あいまいな点が多く頼りにならない〕話だ」 派 **—さ**④ **—げ**⓪⑤④ 文法 助動詞「そうだ(様態)」に続くときは「頼りなさそうだ」の形になる。また「すぎる」と結びついて複合動詞をつくるときは「頼りなさすぎる」の形になる。

***たよ・る**②【頼る】(自他五)〈なに・だれ ニ—/なに・だれ ヲ—〉〔「た」は、もと接辞〕自力で対処・解決できない事態におちいった時に、△助け(支え)になってくれるものと信じて、他の人や物(の力)によりかかろうとする気持をいだく。「叔父を頼って上京する/頼れるのは君しかいない/杖(エツ)に頼って歩く/勘に—捜査」

たら ㊀(接助) ❶後に表現される出来事(に気づくこと)が、前に表現される出来事に引き続いて起こることを表わす。「部屋に入っ—、服を脱がされた/霧が晴れ—、富士山が見えた」❷ある事柄が完了・成立したことを仮定する。「一度許し—深みにはまってしまうわよ」 文法 接続は過去の助動詞「た」に準ずる。㊁(副助)〔「…と言ったら」の変化〕❶予想外だという気持をこめて、話題として取り上げることを表わす。「田中さん—案外親切なのね/あの子っ—親の言うことなんか、ちっともきかないんだから/この時計っ—もうこわれちゃった」❷普通考えられる程度を超えていることを表わす。「おもしろいっ—ないんだ/きたないっ—話にならない」 文法 体言(名詞、またそれに準ずる句)、活用語の終止形に接続する。形容動詞には「…ったら」の形で語幹に接続することもある。㊂(終助) ❶じれったいという気持をこめて、早く自分の要求通りにするように相手に促すことを表わす。「早くしろっ—」❷婉曲(エンキョク)に「…したらどうか」と命令したり勧告したりすることを表わす。「ぐずぐずしないで、さっさとやっ—/ひまなら、あなたも少し手伝っ—/もう少しわかりやすく説明し—」❸その状態にあいそを尽かしたりなどする気持を表わす。「あの人のほめようっ—/あいつっ—さあ/私っ—」 文法

❶は 動詞の命令形に接続する ❷は 動詞・助動詞「れる／られる・せる／させる」の連用形（五段活用の一部では音便形）に接続する。❸は、体言（名詞、またそれに準ずる句）、形容動詞語幹に接続する。❶❸は、多く「…ったら」の形で用いる。

たら①【〈楤〉】 タラノキの異称。「—の芽／—穂(ボ)」

たら①【〈鱈〉】 北日本および北洋でとれる深海魚。うろこが細かく、腹は白くてふくれている。身や卵は食用。特に白子は珍重される。また、肝臓から肝油をとる。〔狭義では、マダラを指す〕〔タラ科〕「スケトウ—(ダラ)・ひ—(ダラ)・棒—(ダラ)」 表記「〈大口魚〉」とも書く。 かぞえ方 一尾・一匹。時に一本

ダラー①〔dollar〕「ドル」の、原音に近づけた語形。

たらい⓪【〈盥〉】〔「手洗(タラ)ひ」の変化〕湯・水を入れて、ものを洗う、丸くて平たい容器。「金(カナ)—(ダライ)・洗濯—(ダライ)⑤」

—まわし④【—回(マハ)し】 ❶足で、盥を回す曲芸。❷—する（他サ）〔その△人（機関）が最後まで責任を負おうとしないで〕次つぎに他に受け渡しすること。「政権を—する／急患が病院を—にされて危なく命を落とすところだった」

ダライラマ④〔蒙古(モウコ) Dalai=大海、Lama=主になる人。チベット語で師匠を意味する blama に由来〕 チベットのもとの国王で、チベット仏教の教主を兼ねる人。表記「達頼〈喇嘛〉」は、音訳。

だらかん⓪【だら幹】〔←堕落幹部〕 だらしのない（組合の）幹部。

だらく⓪【堕落】—する（自サ） ❶〔仏教で〕仏に仕える、ひたむきな心を失って、俗人と同じような、欲に満ちた生活をすること。「—僧③」 ❷生活の規律を乱し、品性が卑しくなること。

だらけ（接尾） あたり一面に、好ましくないそのものだけが認められること。「泥—③・借金—⑤・血—⓪④・傷—③⓪」

だら・ける③⓪（自下一） ❶何かしてやろうという、緊張した気持が無くなる。「暑さでからだが—／朝からだらけた気分になる」 ❷なまける。「だらけてばかりいるな」 ❸きちんとしたかっこうを無くする。「だらけたかっこう／だらけた字」

たらこ③⓪【〈鱈子〉】 ❶スケトウダラの卵を塩漬けにした食べ物。普通、一腹が二列に並んでおり、生のまま、また、焼いたりして食べる。❷大きな黒い皮をかぶった、マダラの卵。煮付けて賞味する。たらのこ①。 かぞえ方 ❶❷とも一腹

たらし③【《滴》】（容器を傾けて）こぼれるようにした、液体の一つひとつの粒をかぞえる語。「一(ヒト)—」

だらし・い（接尾・形型） いかにも…らしい様子で 感じが悪い。「未練—・貧乏(ビンボウ)っ—(タラシイ)⑧／ビンボッタラシイ⑦」

たらしこ・む④【〈誑し込む〉】（他五） 甘言を使うなどして、相手を意のままに従わせようとする。

だらしな・い④（形）〔「だらし」は「しだら」の倒語と言われる。「ない」は形容詞を形作る接尾語〕〔「だらしがない」の形でも用いられる〕 ❶〔生活態度・物事のやり方に〕望ましい秩序が認められない様子だ。「△金（時間）に—／—服装／だらしなく散らかったままの部屋」 ❷期待される精神力（や肉体的な力）の強さが発揮されず、むなしく挫折したととらえられる様子だ。〔相手に対する軽い侮蔑(ブベツ)を含意して用いることがある〕「一度や二度の失敗であきらめるとは—／これくらいの仕事で音(ネ)をあげるなんて—ぞ」 文法 助動詞「そうだ（様態）」に続くときは「だらしなさそうだ」の形になる。また「すぎる」と結びついて複合動詞をつくるときは「だらしなさすぎる」の形になる。

たら・す②【垂らす】（他五）〔液体や布・紐(ヒモ)状のものなどを〕垂れるようにする。「よだれを—／幕を—／釣り糸を—」

たら・す②【〈誑す〉】（他五）「甘言を弄(ロウ)するなどしてだます」の口頭語的表現。 名 たらし③「男—④・女—」

たらず【足らず】（造語） ❶十分△な量に達して（に発達して）いないことを表わす。「舌—・月—」 ❷その量まではいかないが、ほぼそのぐらいの数であることを表わす。「一時間—の道のり／十人—で」

たらたら①（副）—と ❶ねばり気のある液体が切れ目なくしたたり落ちる様子。❷いいかげんにやめてもらいたいと思うほどしつこく言い続ける様子。「不平—」

だらだら①（副） ❶—と ねばり気の強い液体が続けざまに流れ落ちる様子。「よだれを—流す」 ❷—と／—する しまりの無い状態で、いつ終わるとも知れず続けられる様子。「—した文章／—勉強していても効果は上がらない」 ❸—と／—する なだらかな傾斜が長く続く様子。「ふもとまで—と続く山道／—坂(ザカ)④・—下(クダ)り⑤」

たらちね⓪【垂乳根】〔雅〕母親。〔広義では、父母を指す〕

タラップ①②〔オ trap〕 △船（航空機）に乗り降りするための△はしご（階段）。

だらに⓪①【〈陀羅尼〉】〔善法を保って悪法をさえぎる力の意の梵(ボン)語の音訳〕呪文(ジュモン)として唱える、経文中の長い、梵語のままの句。

たらのき①【〈楤の木〉】 山野に自生する落葉小高木。茎・葉に鋭いとげがある。若芽は山菜として食用。たら。〔ウコギ科〕 かぞえ方 一株・一本

たらのめ④⓪【〈楤の芽〉】 ⇩たらぼ

たらばがに③【〈鱈場〈蟹〉】〔タラの漁場でとれたということから〕北洋でとれる、カニによく似たヤドカリ類の節足動物。大形で肉は美味。〔タラバガニ科〕 かぞえ方 一匹

たらふく⓪【〈鱈腹〉】（副）〔「足(タ)らふ」＋「く」〕満腹でもうこれ以上は入らないというところまでたくさん食べる様子。〔口頭語的表現〕「—食べる」

たらぼ⓪【〈楤穂〉】 タラノキの若芽。独特の えぐみがある。食用。たらのめ。〔口頭語形は「たらっぽ⓪」〕

たらり②（副）—と ねばり気のある液体が一 したたり、ゆっくり垂れる様子。「油が—とたたる」

だらり②（副）—と 重たげに垂れさがる様子。「手が—と垂れている／舌を—と垂らす／—の帯〔=女性の帯の結び方の一つ。両端が長く垂れるように結ぶ〕」

たらればば⓪〔「もし…だったら」「もし…していれば」の意〕「あのときああしておけばよかったのに」「彼が協力してくれていればうまくいったのだが」などと、現実とは相反することを想定することの口頭語的表現。「ればたら」とも。

運用 物事に失敗したあとに「やり方に問題があったのだ」などと後悔めいたことをくどくどと述べることへの非難の気持を表わすのに用いられる。例、「今になって たらればの話などしてもはじまらない、次善の策を考えるべきだ」

たらわぬ⓪—【足(タラ)らわぬ】〔雅〕十分で無い。

タランテラ②〔イ tarantella〕 イタリアの南部、タラント地方から起こった舞踏曲。八分の三拍子で、テンポが急速。

たり【《人》】（造語） 人をかぞえる語。「み—①・よっ—」

たり ■（接助） ❶〔それだけに限定されるわけではないが、という気持を含意して〕ある動作を例示的にあげることを表わす。「見—聞い—した事／小説を書い—詩を作っ—していろ／うそをつい—などしてはいけない／ひまな時は本を読んだりしています」 ❷その事柄が交互に△行なわれる（起こる）ことを表わす。「寝—起き—の状態／暑かっ—寒かっ—の陽気／腕を曲げ—伸ばし—する運動」 文法 (1)❶は一般に「…たり…たりする」の形で用いられるが、場面や状況から後半の「…たり」が聞き手や読み手に容易に推測しうる事柄だと判断できる場合には前半のみの「…たり」の形だけにすることもある。例、「昨日の日曜日は一日中子供と遊んだりし

てかえって疲れてしまった」(2)「…たり…たり(して)」の形で副詞的にある事柄を例示することもある。例、「今月は住民税を払ったり 洋服を新調したり 何かと出費が多かった」
■二〔終助詞的に〕軽い命令を表わす。「どい―、どい―」

たり（助動・ラ変型）〔文語の助動詞〕❶〔「とあり」の変化〕その事柄が肯定的に認められるという主体の判断を表わす。「往年の名馬―〔=である〕/三国に冠たる富士の山/世界の覇者たれと選手を激励した」❷〔「てあり」の変化〕その事柄がすでに実現し、その結果が現在までも及んでいるという主体の判断を表わす。「海底に沈み―/月澄み渡りたる秋の夜」 文法 ❶は、名詞の後につく。タリ活用形容動詞の「たり」は活用語尾として扱われる。❷は、動詞、動詞型活用の助動詞の連用形に接続する。

ダリア①〔dahlia=もと、人名〕庭に植える多年草。背が高くなり、夏・秋のころ、あざやかな さまざまな色の大輪の花を開く。メキシコ原産。ダリヤとも。〔キク科〕 かぞえ方 一本

タリウム①②〔thallium=「緑の小枝」の意のギリシャ語に由来。スペクトルが緑色であることによる〕希少金属元素の一つ〔記号Tl原子番号81〕。鉛に似て軟らかく、白色。有毒。硫酸塩の形で殺鼠(サッソ)・殺虫剤として用いられたが、今は各種の合金として使われるほか画像診断にも利用される。

たりき⓪【他力】↔自力 ❶他人の助力。❷〔仏教で〕一切の人を救おうとして立てた、阿弥陀仏(アミダブツ)の願いの力に頼って成仏(ジョウブツ)すること。「―本願④〔=阿弥陀仏を頼って成仏を願うこと。誤って、だれかが してくれることを期待して、自分は何もやらない(でいる)意にも用いられる〕」

たりつ⓪【他律】自分の意志によるのでなく、他からの命令・強制によって行動すること。「―的⓪」↔自律

だりつ⓪【打率】〔↑安打率〕〔野球で〕打数に対する安打の割合。

たりとも〔連語として副助詞的に〕それが例外でないということを表わす。「一刻―油断が出来ない/小敵―侮らず」 文法 体言(名詞、またそれに準ずる句)に接続し、副詞的に用いる。

たりほ⓪【垂(り)穂】〔雅〕〔イネなどの〕実って、垂れている穂。

たりゅう⓪【他流】〔武芸・芸事などで〕その人の属していない流派。「―試合④」

たりょう⓪【多量】―な 分量が非常に多いこと(様子)。「出血―で危篤状態になる」↔少量 ⇩大量

だりょく⓪【打力】〔野球で〕打撃の力。

だりょく⓪【惰力】惰性の力。〔安易に流れる習慣の意にも用いられる〕

＊＊**た・りる**⓪【足りる】〔自上一〕❶〈(なに)ニ―〉十分(で)ある。必要なだけある。「六時間眠れば睡眠は―か/指に足りない〔=指の大きさほどもない〕一寸法師/互いに足りない〔=欠点のある〕所を補い合う/少し足りない〔=頭の働きが十分でない〕奴(ヤツ)/△自覚(突っ込み・認識)が足りない」❷〈なにニ―〉…する(だけの)値うちが十分ある。「信頼するに―男/△問題とする(取る)に足りない」❸…するに十分である。まにあう。「五千円あれば一週間は何とか―/用が―/事―」

たる〔文語の助動詞「たり」の連体形〕仮にも…としての△資格(立場)を備えている、の意を表わす。「議員―者は」【…―を失わない】⇩失う

た・る⓪【足る】〔自五〕〔雅:西日本方言〕❶足りる。「賞するに―/くふうが足らぬ/頼むに足らず/怪しむに足らない〔=(別に)おかしいことはない〕」❷満足する。「―ことを知れ」

たれり②【足れり】△それ(これ)で十分だ。

＊**たる**【〈樽】■一⓪液体や粉のように、それ自体は形を持たない物をこぼれないように詰め、ふたをして保存しておく、円筒状・木製の入れ物。「―入り⓪・―酒(ザケ)⓪」■二(造語)みそ・しょうゆや桜の葉をまとめてかぞえる語。

ダル①〔dull=鈍い〕退屈な様子だ。「―ゲーム③」

だる・い②【《怠い】〔形〕△病気(疲労)などで、からだ全体に力が入らなかったり からだ(の一部)を思うように動かせなかったり する感じだ。「熱があってからだが―/歩きすぎて足が―」 派 ―さ① ―げ⓪②

たるがき⓪②【〈樽柿】あいた酒樽に詰めておき、アルコール・温湯または炭酸ガスで渋を抜いて甘くしたカキ。

タルカム⓪①〔talcum〕赤ちゃんの湯上がりなどに使う、タルク。「―パウダー⑤〔=汗知らず〕」

たるき⓪【垂木・〈棰】〔垂る木の意〕屋根板などをささえて、棟から軒に渡す木。 かぞえ方 一本

タルク①〔talc〕化粧用の打ち粉。滑石(カッセキ)。

タルタル ソース⑤〔tartar sauce〕マヨネーズに、ピクルスやタマネギ・パセリなどをみじん切りにして加えたソース。魚肉料理やサラダに用いる。

タルト①〔フ tarte〕果物入りのパイ。タート①とも。

だるま⓪【《達磨】〔南インド香至(コウジ)国の王子で、中国に渡り禅宗を始めた人の名の音訳〕❶面壁九年、緋(ヒ)の衣を着て座禅した達磨大師にちなんで作った丸い形の△置物(おもちゃ)。〔人間が まっかに染まった状態や、丸い形の物をも指す。例、「―ストーブ⑤・血―・火―」〕❷起上りこぼしを兼ねた おもちゃ。縁起物としては目玉を白いままにしておき、念願のかなった時に入れる。 かぞえ方 ❷は一体 **―き**③【―忌】〔禅宗で〕だるまの忌日(キニチ)〔=十月五日〕に行なう法会(ホウエ)。

＊**たる・む**⓪【〈弛む】〔自五〕❶ぴんと張っていた物が、だらりとなる。「目の皮が―〔=眠くなる〕」❷緊張を欠き、だらしなくなる。「練習中にけがをするのは気持が弛んでいる証拠だ」 名 弛み⓪ 他動 弛める⓪〔下一〕

たるや〔「や」は感動の意を表わす終助詞〕信じがたいほど意外だという気持をこめてある事柄を話題にすることを表わす。「その独創性―〔=に至っては〕画期的でして/しかも、この強盗の目的―〔=と言えば〕ほとんど空の紙入れを奪うことだったのです」

たれ〔造語〕「くそたれ・はなたれ」などから類推して、侮蔑(ブベツ)を含意して人をののしる語。「ばか―・あほ―」

たれ〔雅〕〔文語助動詞「たり」の命令形〕そうあることを相手に強く希望する意を表わす。「日本一の職人―」

たれ①【《誰】〔代〕〔雅〕だれ。

たれ②【垂れ】〔動詞「垂れる」の連用形の名詞用法〕❶かば焼・てり焼などに使う、味をつけた汁。❷Ⓐ帯の おたいこの下にさがった部分。Ⓑ駕籠(カゴ)のむしろ戸。Ⓒ〔剣道で〕「腰■一」をおおう防具。❸漢字の部首の分類の一つ。上方から左方にかけて形作られる部分。例、「雁」の「厂」〔=がんだれ〕」や「病」の「疒」〔=やまいだれ〕」など。

だれ①【誰】〔代〕〔「たれ」の変化〕Ⓐ対象として取り上げる人について、名前や実体が△分からない(はっきりと特定できない)ことを表わす。「あそこにいるのは―ですか/―あろう〔=…以外の何者でもない〕/―の絵かしら/―の目にも明らか」Ⓑ対象として取り上げる人について意図的に名前を明示しないことを表わす。「どこの―というほどの人ではない」
運用 Ⓐは、自分に疑いがかけられた時などに「誰が!」の形で自分がそんなことをするなんてありえないことだと強く反駁(ハンバク)する意を表わすのに用いられる。

だれか①【誰か】〔代〕どの人ということが特に△決まって(分かって)いな[…]ことを表わす。「―〔=だれかが〕来たようだ」

—〔=だれかを〕呼んでくれ」〔古くは「たれか」〕 **—さん**① だれの事かすぐ分かる人について、からかってわざと名前をはっきり言わない言い方。「—は—と仲がいいからねえ/—〔=君〕とは違うよ」

たれがし②①【《誰がし】〔雅〕なにがし❶。「何の—」

だれかれ①【誰彼】（代） だれだれと特定しないで何人かの人を表わす。「—の区別無く〔=どの人に対しても同じように〕/—無しに〔=だれにでも〕ぐちを言う」

だれぎみ⓪【だれ気味】—な/—に 全員が△一様に（近ごろずっと）なんとなくだれている様子だ。

たれこみ⓪【垂れ込み】〔警察の通語で〕密告。動 垂れ込む③⓪（他五）

たれこ・める④⓪【垂れ籠める】（自下一） ❶〔雲などが〕低く一面に広がる。「暗雲が—」 ❷〔雅〕とばり、またはすだれを垂れて閉じこもる。

たれさが・る④⓪【垂れ下がる】（自五）〔線状のものなどが〕高い所から垂れた状態になる。「電線が—」

だれしも①【誰しも】「だれも」の意の強調表現。だれでも。〔古くは「たれしも」〕

だれしらぬ①、①-⓪【誰知らぬ】 何かについて、一人として知らない。「—者が無い〔=みんなが知っている〕」

だれそれ①【誰《某】（代） 話題に取り上げる人について、特に名前をはっきり言わない言い方。「なんの—とかいう人」

だれだれ①【誰々】 二人以上の人について、名前などを限定しないことを表わす。〔疑問の場合にも使われる〕「今度当選したのは—ですか」

タレットせんばん⑤【タレット旋盤】〔turret=張り出した小塔・旋回砲塔〕 タレット〔=旋盤の上の方に置いて、いろいろの工具を取り付ける台〕が回って、いろいろな加工が続けて出来るようにした旋盤。

たれながし⓪【垂れ流し】—する（他サ） ❶大小便を始末出来ないで、放っておくこと。❷倫理感の不足のために工場が汚水や廃液を、排出すべきでない所へ排出して、周囲に迷惑をかけること。

たれなが・す④⓪【垂れ流す】（他五） ❶大小便を始末出来ずに、排出する。❷害を及ぼす恐れのあるものを、無責任に流す。「情報を—/放射能を—」

たれまく⓪【垂れ幕】 表題・標語・檄(ゲキ)などを書いて、高い所から垂らす細長い布。「交通安全運動の—」

たれめ⓪【垂れ目】（細い目の）目じりが下がっていること。また、その目。

だれもかも①-①【誰も《彼も】 すべての人が皆。「だれもかれも①-①」とも。

た・れる ■一②（他下一）〔「垂れる」と同源〕排泄(ハイセツ)物をからだの外に出す。「くそを—〔=する〕/屁(ヘ)を—〔=ひる〕」 表記 「《放れる」とも書く。 ■二（造語） 人に嫌われる言動をする。「あく—・甘っ—」

***た・れる**②【垂れる】 ■一（自下一）〈(どこ・なに)ニ)—〉 ❶物の一端が、他端よりも著しく下方に位置する。「雲が低く—/実がたくさんなって枝が—/天井が—〔=一部分が低く下がる〕」 ❷〔何かにたまった液状の物が〕それ自身の重みで〔何かを伝って〕糸を引くように落ちる。「水が—」 ■二（他下一） ❶〈(どこ・なに)ニ)なにヲ—〉 細長い物を、上端でささえ、下へ下げる。「犬が舌を—/糸を—〔=釣りをする〕」 ❷〈だれニ なにヲ—〉〔各自に徹底するように〕地位・能力の上の者が、何かを与えたりしてみせたりする。「あわれみを—〔=かける〕/教えを—〔=与える〕/範を—〔=模範となることを実際にしてみせる〕/名を後世に—〔=残す〕」

だ・れる②（自下一） 緊張・活気を欠き、物事に対する一貫した関心が無くなる。「連休の後は気持が—/失策が続き、だれた試合になった」 名 だれ②

タレント⓪〔talent〕 テレビやラジオに出演して人気のある俳優・歌手・アナウンサー・大学教授・文化人など。

タロいも⓪【タロ芋】〔ポリネシア taro〕 熱帯地方で栽培される多年草。塊茎〔=イモ〕・葉柄を食用とする。多くの品種があり、日本のサトイモもこの類。〔サトイモ科〕

たろう①【太郎】 ❶兄弟の中で、一番目の男の子。長男。〔人名としても普通に使われる〕「一姫二—」 ❷同類の中で第一（のもの）。「坂東(バンドウ)—〔=利根川の異称〕」⇩次郎・三郎(サブロウ) **—かじゃ**②④【—《冠者】〔狂言などで〕大名の召使の中で、一番古参の者。

だろう〔助動詞「だ」の未然形＋助動詞「う」〕△そうである（そうなる）ことが十分に推量・想像出来ることを表わす。「この感激は決して忘れない—/もうすぐ帰る—と思います/それじゃだめだと言った—〔=言ったはずだが、と相手に確認する気持を表わす〕」 文法 (1)丁寧な表現は「でしょう」。(2)一般に推量の意を表わす場合には下降調のイントネーションで、また、相手への「確認」を求める意を表わす場合には上昇調のイントネーションで発音する。 運用 口頭語では、相手に自分の予測が正しかったことを確認させる言葉として感動詞的に用いられることがある。例、「『君が言った通り、ぼくなんか招かれざる客だったよ』『だろう、だから行かないほうがいいと言ったんだ』」

タロット②①〔tarot〕 太陽・月・悪魔などの寓意画を描いた、二十二枚の札からなる占い用のカード。タロット カードとも。

タワー（造語）〔tower=塔〕（人の住まない）細長くて高い建物。「—クレーン⑤・—ビル④・東京—・コントロール—」

タワーマンション④〔和製英語 ←tower + mansion〕 超高層のマンション。略してタワマン⓪。 かぞえ方 一棟(ヒトムネ)

たわい⓪①〔「体」の長呼「たあい」の変化か〕〔「—△が（も）無い」の形で〕 ❶〔それまでの状態と打って変わって〕何かがきっかけとなって無抵抗と言ってよい状態になる様子だ。「あんな暴れ者も眠ってしまえば—が無い/—も無く勝負がついた」 ❷他に対する影響力が全く認められない様子だ。「いい年をして—の無いことばかり言っている」 **—な・い**④【—無い】（形） たわいが無い状態だ。「遊び疲れてたわい無く眠っている/たわい無く〔=容易に〕追い返される/—冗談ばかり言う」 表記 「他愛無い」とも書く。 文法 助動詞「そうだ（様態）」に続くときは「たわいなさそうだ」の形になる。また「すぎる」と結びついて複合動詞をつくるときは「たわいなさすぎる」の形になる。

たわけ③⓪【《戯け・〈白痴〉】〔動詞「戯ける」の連用形の名詞用法〕 ❶ふざけてばかげたことをすること。「—をつくす/—もいいかげんにしろ」 ❷〔←たわけ者⓪〕ばか（もの）。「この—め」

たわ・ける③【《戯ける】（自下一） 「本気だとは思われない言動をする」意の古風な表現。

たわごと⓪【《戯言】 根拠の無い、でたらめな言葉。ばかばなし。

たわし⓪【〈束子〉】〔「束にしたもの」の意という〕わら・シュロの毛などを束ねたもの。器物を洗ったり みがいたりするのに使う。

たわ・む②【〈撓む】（自五）〔細長い棒や枝が〕力を加えられて、そり曲がった状態になる。「雪で木の枝が—/大車輪で鉄棒が—」 名 撓み③⓪「天井の—」

たわむれ⓪【戯れ】 本気になってやった△こと（もの）ではなく、軽い気持でしたこと。「酔余の—〔=⇩いたずら❸〕/運命の—〔=⇩いたずら❶〕/造化の—〔=いたずら半分に作ったものの意で異様なものを指す〕」

たわむ・れる④【戯れる】(自下一) ❶物をいじったりそばに近づいたりして遊ぶ。「子犬がまりに―〔=じゃれる〕」❷おもしろい事を言ったりしたりして、しばらく時間をつぶす。❸(異性などを相手に)浮気遊びをする。〔広義では、からかったり いたずらしたり することをも指す〕

たわ・める③【〈撓める】(他下一) たわむようにする。

たわやめ⓪【手《弱女】〔雅〕たおやめ。

たわら⓪③【俵】わら・ヨシなどを編んで作り、米・炭などを入れる、太い円筒状の袋。かぞえ方 一枚:一俵

タワリシチ③②〔ロ tovarishch〕仲間。同志。

たわれめ⓪【《戯れ女】〔雅〕遊女。

たわわ⓪ たわむほどである様子だ。「枝も―に実る」

たん(丹・反・旦・担・単・炭・胆・〈耽・探・淡・短・嘆・端・綻・誕・壇・鍛・〈譚)→【字音語の造語成分】

タン①〔tongue〕〔牛などの〕舌の肉。「―シチュー」

たん

［丹］ ［一］❶朱色。「丹青・丹頂」❷ねり薬(の名)。「煉丹・仙丹」❸まごころ。「丹心・丹誠・丹精・丹念」［二］(略) 丹波国・丹後国。「丹州」

［反］ ❶成人一人分の和服が作れる、布の長さ。一反は長さ一〇メートル強に、幅約三四センチ。〔毛織物・ゴム布や書道用の画仙紙半切についても言うことがある〕❷昔の長さの単位で、六間〔=約一〇・九二メートル〕を表わす。❸尺貫法における、田畑・山林の面積の単位で、十畝〔=約九・九一七四アール〕を表わす。反歩。「一町は十反」 表記 ❷❸は、「《段」とも書く。

［旦］ あさ。「旦夕・旦日・元旦・歳旦」

［担］ ❶かつぐ。「担架」❷仲間のひとりとして引き受ける。「担当・担任・負担・分担・荷担」

［単］ ❶ただそれ一つだけ。「単一・単価・単記・単騎・単身・単数・単体・単独・単行本・単細胞」❷一本調子で、変化が無い。「単純・単調・簡単」❸物事の土台となる一まとまり。「単位・単元・単語」⇩(本文)たん【単】

［炭］ ［一］❶すみ。木炭。「薪炭・活性炭」❷石炭。「炭価・炭坑・炭鉱・炭車・炭層・炭山・炭田・亜炭・無煙炭」［二］(略)〔化学で〕炭素。「炭化・炭酸・炭水化物」

［胆］ ❶消化器官としての胆嚢。「胆管・胆汁・胆石・臥薪嘗胆・肝胆」❷心(の中)。「胆勇・心胆・魂胆・落胆・豪胆・放胆」⇩(本文)たん【胆】

［〈耽］ ふける。心をうばわれる。「耽溺・耽読・耽美」

［探］ ［一］さぐる。「探求・探究・探検・探索・探勝・探知・探訪・探照灯」［二］(略) 探偵。スパイ。「露探〔=かつてのロシアの軍事スパイ〕」

［淡］ ［一］❶色がうすい。「淡彩・淡紅色・濃淡」❷あっさりしていて、こだわりが無い。「淡々・淡泊・枯淡・冷淡・恬淡」❸塩分を含まない。「淡水・淡湖」［二］(略) 淡路国。「淡州」

［短］ ❶みじかい。「短期・短剣・短小・短命・短波・長短・最短」❷不十分だ。「短所・短慮」⇩(本文)たん【短】

［嘆］ ⇩(本文)たん【嘆】

［端］ ❶きちんとして、正しく見える。「端座・端正・端麗」❷幾つかに区分して考えられる事柄。「一端・多端・万端」⇩(本文)たん【端】

［綻］ 縫い目がほどける。ほころびる。ほころぶ。「破綻」

たん①【単】❶〔テニス・卓球などで〕シングルス。↕複 ❷〔競馬・競艇などで〕「単勝(式)」の略。↕複・連 ⇩【造語成分】

たん①【胆】きも(ったま)。「―、甕のごとし/―、斗のごとし〔=⇩斗〕/―がすわる〔=どんな事があっても、びくともしない様子だ〕/―力・大―」⇩【造語成分】

たん①【短】欠点。「長を取り―を捨てる」↕長❸ ⇩【造語成分】

たん①【嘆・〈歎】❶ᐞ大変な(すばらしい)ことだ、これ以上がまん出来ない、などという心の感動を口から出すこと。「―を発する/慨世の―/―声・―息・―賞・詠―・感―・驚―・慨―」❷悲運・逆境を他に訴えること。「髀肉の―(をかこつ)〔=⇩髀肉〕/―願・悲―・嗟―」

たん⓪【〈痰】のど・気管から出る粘液性の分泌物。「―がからむ/所構わず―を吐く人/―を切る〔=除く〕」

たん①【端】❶中央から最も遠い位置。〔観点により、キワ・ハシ・末・先とも、ハジメ・本とも取れる。地域的には、ハズレ〕「―を開く〔=物事が、そこから始まる〕/西―⓪・東北―⓪・先―・末―・極―・一―・舌―」❷物事の始まるきっかけ。「石油危機に―を発する/―緒・戦―・発―」⇩【造語成分】

だん(旦・団・男・段・断・弾・暖・談・壇・〈檀)→【字音語の造語成分】

だん①【男】❶むすこ。↕女 ❷男爵の略。⇩【造語成分】だん・なん

***だん**①【段】〔もと、断ち切る意〕［一］❶一歩進むごとに、次第に高く登れるような構造にしたもの。階段・石段と梯子段とがある。〔かぞえる時にも用いられる〕「―が急に作ってあるんで降りる時には注意した方がいいよ/―階・―差」❷上下にᐞ重ねた(並べた)もの(の一つひとつ)。〔整理だんすの引出しをかぞえる時にも用いられる〕「(寝台車の)上の―が好きだ/三―に積む/二―組み・全―抜き・三―式ロケット」❸長く続く物を分ける一区切り。例、琴の楽節など。「文章の―〔=段落〕を切る/物語の最後の―〔=場面。条〕」❹武道・書道・碁・将棋の上達の度合を示す等級で、級の上。〔初段から八段・九段・十段に至る。それ以上は名人位〕「―が違う〔=大変な差がある〕/―違い・昇―・有―者」❺五十音図の、横の配列。〔段の相違は、母音の相違に対応する〕「五―活用」⇩行❹ ［二］〔形式名詞的に〕変化していく物事の一局面であることを表わす。「いざという―〔=場合〕になると/この―〔=ᐞ点(事)〕についてはよろしくお願い申し上げます/知っている―〔=どころの話〕ではない/寒いのなんのという―ではない〔=普通の意味でいう寒さなど問題にならないくらい、ひどい寒さだ〕」⇩【造語成分】

だん①【断】ᐞなんであるか(どうするか)などについて、はっきりと結論をくだすこと。「―〔=決行〕の一字有るのみ/ᐞ明快な(一罰百戒の)―〔=裁決〕を下す/―〔=決定〕を迫られる/―行・―定・決―・判―・専―・果―・武―・速―・診―」⇩【造語成分】

だん①【暖】あたたかみ。「―を取る〔=燃えている物や熱い物に近づいたりなどして、からだをあたためる〕/―地・―流・温―・寒―・―炉」 表記 「〈煖」とも書く。⇩【造語成分】

だん①【談】はなし。「見聞者の―によれば/―〔=話題が〕たまたま…に及ぶや/―判・―合・―笑・相―・面―・雑―・

【誕】❶うまれる。「誕生・誕辰・降誕・生誕」❷でたらめ。「虚誕・荒誕・妄誕」
【壇】土で築いた台。「土壇場」⇩だん
【鍛】きたえる。「鍛練・鍛鉄・鍛工」
【〈譚】伝承性・虚構性に富んだ物語。「冒険譚・艶笑譚」

だん

【旦】梵語「ダン」の仮借。「旦那・若旦那・大旦那・旦那芸」
【団】❶球・円のように、角が無い。まるい。「団子・団々・団欒・大団円」❷一かたまり。〔かぞえる時にも用いられる。例、「一団の△霞(火の玉・群れ・水仙)/錦一団」〕「団塊・団地」❸ある目的を持った人びとの集まり。「団員・団体・一団・集団・兵団・劇団・消防団」
【男】[一]おとこ。「男女・男子・男性・男装・男尊女卑・好男子」↕女 [二](略) 男爵。⇩(本文)だん【男】
【段】❶方法。「手段・算段」❷そのあたりだけ きわだって光彩を帯びていること。「賢王 世を去り、天下一段の光明を失ふ/赤松の間に二三段の紅を綴った紅葉」❸じゅうたん・だんつうなど、特殊な織物の面積をはかる単位。⇩(本文)だん【段】
【断】❶たちきる。「断簡・断裁・断酒・断絶・断続・断水・断層・断念・断腸・断片・横断・縦断」❷強い決意を表明する様子。「断固・断然」⇩(本文)だん【断】
【弾】〔もと、はじき弓の意〕❶はずむ。「弾性・弾力」❷罪を指摘して、激しく責め立てる。「弾圧・弾劾・指弾・糾弾」❸弦楽器などをひき鳴らす。「弾琴・弾奏・連弾」❹銃砲のたま。「弾雨・弾丸・弾着・弾頭・弾道・弾幕・弾薬・銃弾・敵弾・爆弾・砲弾・流弾・不発弾」❺政策・事業・企画などで連続して打ち出すものをかぞえる語。「不況対策の第二弾/シリーズ第三弾」
【暖】あたたまる。あたためる。「暖房・暖炉」表記「〈煖」とも書く。⇩(本文)だん【暖】
【談】[一]ものがたり。「怪談・講談・冒険談・経験談」[二](略) 談話。「車中談」表記[一]は、「〈譚」とも書く。⇩(本文)だん【談】
【壇】仲間うち意識によってささえられる、同じ学芸に従事する人たち。「歌壇・俳壇・文壇・画壇・楽壇・劇壇・論壇」⇩(本文)だん【壇】
【〈檀】植物のマユミ。「檀紙・白檀・栴檀」

縁—・美—」⇩【造語成分】

*だん①【壇】〔土を盛り上げて作った祭場の意〕ほかよりは高く作った場所。「—に上る/演—・教—・花—・仏—・登—・降—」⇩【造語成分】だん・たん

たんあたり③【反当(た)り】一反につき。「—二石」表記「《段当たり」とも書く。

*だんあつ⓪【弾圧】—する(他サ)〈だれ・なにヲ—する〉権力・武力によって、反対勢力などを抑えつけること。「—に堪える/自由主義者への—を加える」

だんあん⓪【断案】❶最終的に決定した案。❷〔論理学で〕結論。

**たんい①【単位】[一]① ❶同種の量を数値で表わして比較するために基準として選ぶ、特定の大きさの量。例、メートル・坪・貫・秒・アンペア・ルクス・カロリー・馬力・(メガ)トン。〔一般の量は単位量の実数倍として表わされるが、同種の量でも複数個の単位により、二メートル三〇センチのように表わされることがある。広義では、相対値を示すパーセントやppm、対数比を示すデシベル・ホンなども単位に含める〕「—体積〔=その時に単位として採用している体積の大きさ〕あたりの重さ/秒—〔=秒刻み〕で測定する/人口を万—で示す/億—〔=億という単位を用いて表わすのが適当な巨額〕の金が動く/—系・天文—・虚数—」⇩計る[二]❶ ❷高等学校以上で、学習量をはかる基準の量。❸△ある組織を構成する(何かをする時の)基本的な一まとまり。「申込みの—は百株/月—〔=月ぎめ〕の契約/有権者十六万人を—として一人の議員を選ぶ/教科書は学校—で採択する方が良い/作業—」[二](造語)〔数学で〕「一」(と類似)の性質を持つ。「—ベクトル・—行列・—分数・—円〔=半径が1の円〕」

きほん—④【基本—】❶〔一つの単位系で〕その種類の量を数値で表わす時に 基本として選ぶ単位 例 国際単位系において、長さという量の基本単位はメートル。平方メートルは面積を表わす組立単位。❷その単位系全体の基本の量として選んだ幾つかの量の「基本単位❶」。例、MKSA単位系においては、基本の量として長さ・質量・時間・電流の四つを選び、それぞれの「基本単位❶」としてメートル・キログラム・秒・アンペアを採用する。従って、この四つがこの単位系の「基本単位❷」。 じつよう—⑤【実用—】CGS単位系における電磁気関係の単位は、実用的見地からするとその大きさが不適当なので、実生活上で代りに用いるように制定された単位。例、アンペア・オーム・クーロン・ボルトなど。〔一九〇八年採択。MKSA単位系では、理論・実用 両面における差は解消された〕

だんい①【段位】「段[一]❹」で表わすくらい。「—の高下を問わない/独自に—を発行する/独自の—を認定」

だんい①【暖衣・〈煖衣】暖かい着物。「—飽食①-⓪〔=⇩飽食〕」

たんいけい⓪【単位系】長さ・質量・時間などの基本単位を定め、他の量の単位をこれらの基本単位の乗除で表わした体系。

エムケーエスエー—⓪、⑦-⓪【MKSA—】メートル(metre)・キログラム(kilogramme)・秒(second)・アンペア(ampere)の四つを「基本単位❷」にとり、それらの乗除により面積・体積・速さ・電圧など他の単位を表わす単位系。たとえば速さは m/s を単位とする。

こくさい—⓪【国際—】メートル法を基礎にしたMKSA単位系をさらに拡張した単位系で、長さ・質量・時間・電流の基本単位としてそれぞれメートル・キログラム・秒・アンペアを採用し、これに、絶対温度・物質量・光度の単位としてケルビン・モル・カンデラの三つを加えた七つを基本とするもの。〔一九六〇年の国際度量衡総会で採択され、自然科学の分野での標準として用いられている。正式名称は Système International d'Unités (フランス語)。略称、エスアイ(SI)〕

シージーエス—⓪、⑤-⓪【CGS—】センチメートル(centimetre)・グラム(gramme)・秒(second)の三つを「基本単位❷」にとり、それらの乗除により面積・体積・速さなど他の単位を表わす単位系。たとえば速さは cm/s を単位とする。

たんいせいしょく④【単為生殖】雌が△受精(受粉)なしで単独に新個体を生ずる現象。ミツバチ・アリマキなどの

た

動物、ドクダミ・シロバナタンポポ⑤などの植物に見られる。

たんいち⓪【単一】〔↑単一型乾電池⓪-③〕筒形の乾電池のうち、最も大きいもの。約一・五ボルト。

たんいつ⓪【単一】ーな ❶ただ一つ(一人)である△こと(様子)。「ー行動をとる」 ❷そのものだけで、他の交じり物が無い△こと(様子)。「ー組合⑤」

だんいん⓪ーキン【団員】団体を組織している(一人ひとりの)人。

だんう①【弾雨】雨のように激しく飛んでくる弾丸。「砲煙ー⑤」

だんうん⓪【断雲】「ちぎれ雲」の意の漢語的表現。

たんおん①⓪【単音】❶音声を分析して得られる、最小の単位。「ー文字⑤」 ❷ハモニカで、音を出す穴が一列に並んでいるだけのもの。↕複音

たんおん①⓪【短音】(その言葉の中で)短い持続時間で発音される音。〔カーに対するカ、オーに対するオなど〕↕長音

たんおんかい③【短音階】ラ音を主音として、第二・三音間と第五・六音間が半音(程)、他の各音間が全音(程)をなす音階。第一音をラの高さに歌う。↕長音階

たんか①【担架】傷病者を載せて運ぶ用具。二本の棒の間にズックなどが張ってある。かぞえ方 一台・一本

たんか①【単価】〔卸・小売など、物の売り買いの慣習に応じた〕ある商品一単位の値段。

たんか⓪ークワ【炭化】ーする(自サ) 燃焼や腐敗によって、ほかの成分が分解して炭素だけになること。例、植物が石炭になるもの。「ー物ツブ③」 **ーカルシウム**⑥ カーバイド。 **ーすいそ**④【ー水素】エチレン・ベンゼンなど炭素と水素だけから成る化合物の総称。

たんか①【炭価】石炭の値段。

たんか①⓪【〈啖呵〉】〔「〈痰火カタン」の変化という〕ぽんぽん相手に投げつける調子で言う、威勢のいい言葉。〔狭義では、夜店の商人が述べる口上や、浪曲の会話を指す〕「ーを切る」

たんか⓪ークワ【淡化】ーする(自サ) △色彩(様相)が薄くなること。

たんか①【短歌】和歌の形式の一つで、五・七・五・七・七の五句から成る歌。↕長歌

たんか①【〈譚歌】物語によって作詞した歌曲。バラード。

べてを依頼すると共に、寺の財政を助ける家。❷施主。

タンカー①〔tanker〕石油などを積んで運ぶ船。油送船。かぞえ方 一隻イッセキ

だんかい⓪ークワイ【団塊】(鉱物などの)ひとかたまり。「白雲のー/ーの世代〔=第二次世界大戦直後のベビーブームの時に生まれた世代〕」

***だんかい**⓪【段階】❶能力・難易などの差によって分けた区切り。❷変化する物事の、変化の一つの△過程(場面)。「総仕上げのーに来ている/微妙なーにさしかかる/新ーを迎える/アイデアのーにとどまる/準備ー・ー的削減」

だんかい⓪【暖海】水温の高い海。

だんがい⓪【断崖】きり立った、険しいがけ。「ー絶壁⓪-⓪」

だんがい⓪【弾劾】ーする(他サ) 公の責任ある地位にある人の犯した不正の事実などを暴露して責任を追及すること。「ー演説⑤」 **ーさいばんしょ**⑨⓪【ー裁判所】罷免の訴追を受けた裁判官を裁くため、衆参両院の議員で組織する裁判所。

たんかいとうオ⓪【探海灯】海面を捜査する時などに使うサーチライト。かぞえ方 一灯

たんかだいがく④ークワ【単科大学】単一の学部だけで独立した大学。例、医科大学。↕総合大学

たんがら⓪【炭殻】石炭を燃やしたあとのから。「たんから」とも。

たんかん⓪ークワン【胆管】肝臓から分泌する胆汁を十二指腸に運ぶ管。

たんがん⓪【単眼】昆虫やクモや多足類などの持っている、簡単な構造の目。↕複眼

たんがん⓪ーグワン【単願】ーする(他サ) 受験の際に、一校、または一つの学部や学科だけに願書を提出すること。↕併願

たんがん⓪ーグワン【嘆願・〈歎願】ーする(他サ) 普通では実現出来ないことを、特に事情を話してぜひともそうしてくれと頼むこと。「ー書⓪⑤」

だんかん⓪【断簡】古文書のきれはし。「ー零墨ボクレイ⓪-⓪」

だんがん⓪ーグワン【弾丸】❶銃砲につめて発射するたま。「ー列車⑤〔=弾丸のように高速で走る列車〕」 ❷昔、中国で、弓にかけてはじき、鳥類にあてて捕らえたたま。かぞえ方 ❶❷とも 一発 **ーこくしのち**⑤-①、⓪-①-①【ー黒子

たんき①【単記】ーする(他サ) ❶その△事(条項)だけを単独に記すこと。↕併記 ❷候補者の中から一人だけ選んで投票用紙にその氏名を書くこと。↕連記 **ーとうひょう**オ④ーヘウ【ー投票】一枚の選挙用紙に、選びたい人を一人だけ記す投票。

たんき①【単騎】馬に乗って一人だけで行くこと。

たんき①【短気】ーな 性分で、△出来あがり(終り)が待てず、すぐ催促したり 怒ったりする△こと(様子)。「ーは損気」

たんき①【短期】期間が短いこと。「ーの留学(生)/ー国債」↕長期 **ーだいがく**④【ー大学】修業年限△二年(三年)の大学。略して「短大」。

だんき①【暖気・〈煖気】「暖かみ」の意の漢語的表現。

だんぎ①【談義・談議】ーする(自サ) ❶△物事の道理(仏教の教理)を、よく分かるようにかみくだいて説き聞かせること。また、その話。説教。「下手タヘの長ー〔=⇩下手〕」 ❷うちとけた雰囲気で話し合い、議論すること。「教育ー」 ❸〔「おー」の形で〕(型にはまった)訓戒や小言。

たんきかん③【短期間】短い期間。

たんきゅう⓪ーキフ【単級】〔分校などで〕学校の児童全部を学年によって分けず、一学級に編成したもの。

たんきゅう⓪ーキウ【探求・探究】ーする(他サ) ❶捜し求めること。「ー書⓪⑤」 ❷事物の真の△姿(あり方)は何かということを探り、見きわめること。「△方策(方途・道)をーする/旺ウォ盛なー心」

だんきゅう⓪ーキウ【段丘】〔地理学で〕川・湖・海の岸に沿って階段状に発達した地形。「河岸カガンー④」

たんきょり③【短距離】❶長短を論じることもないほど短い距離。「ー通勤者には交通費が支給されない」 ❷〔運動競技で〕短い距離で行なわれる競走・競泳。「ー競走⑤〔陸上競技では、四百メートルまで。スケートでは五百メートルまで〕・ー競泳⑤〔五十メートルと百メートルと二百メートルがある〕」⇩中距離・長距離

だんきん⓪【断金】結びつきが非常に強いこと。〔二人が心を合わせると、その鋭さは硬い金属も断つほどだという「易経」の言葉から〕「ーの交わり〔=破れることの無い、親友の交わり〕」

***タンク**①〔tank〕❶水・ガス・油などをたくわえる大きな容器。「ガソリンー・ガスー・ーローリー」 ❷〔第一次世界大戦中に、イギリス陸軍で実態を隠すためにつけた名称〕戦車。

【 】の中の教科書体は学習用の漢字，〈 は常用漢字外の漢字，△ は常用漢字の音訓以外の よみ。

たんく①【短句】字数の少ない句。〔連歌ガ・俳諧カイでは、七・七の句を指す〕↔長句

たんく①【短〈軀〉】「背が低いからだつき」の意の漢語的表現。↔長軀

ダンクシュート④〔和製英語 ←dunk + shoot〕〔バスケットボールで〕ボールをバスケットの真上からたたき込むように行なうシュート。

タングステン④③〔tungsten〕金属元素の一つ〔記号W 原子番号74〕。灰白色できわめて硬く、融点が高い。電球のフィラメントや真空管のグリッドなどに用いる。 **―こう**⓪⑤【―鋼】タングステンを含む鋼。工具・永久磁石・銃身用。

たんぐつ⓪【短靴】日常用いる、足首まで入る浅い靴。↔長靴グツ 〔かぞえ方〕一足

タンクトップ④〔tank top〕夏に着る、水着風の〔ニットの〕シャツ。ランニングシャツ風の襟ぐりの物と、肩ひもで吊ッる物とがある。〔かぞえ方〕一枚

タンクローリー④〔tank lorry. lorry=トラック〕ガソリン・プロパンガスなどを詰めて運ぶタンクを備えたトラック。〔かぞえ方〕一台

ダンケ①(感)〔ド danke〕「ありがとう」の意の、旧制高校生などを中心とした学生語。

たんけい⓪【短径】楕円ダエンの短軸(の長さ)。〔卵形のような立体についても用いる〕↔長径

たんけい⓪【短〈檠〉】〔「檠」は、「行灯アンドン」の意〕たけが低い行灯。

たんけい①【端渓】中国広東カントン省、端渓産のすずり石。上質なので珍重される。

たんげい⓪【端〈倪〉】―する(他サ)〔物事の限界の意〕〔「―すべからず」の形で〕奥行がどこまで深いか、はかり知れないことを表わす。「―すべからざる人物」

だんけい⓪【男系】㊀父親・祖父、また子供の中で男の子の方をたどって得られる家系。↔女系 ㊁その家の男子が嫁をとることによって受け継がれていく家系。

*__だんけつ__⓪【団結】―する(自サ) 目的を達成するために、一人ひとりは弱い者同士が団体を作り、強い力を持って行動すること。「―を図る/―を訴える/一致―する/―力④・―権④③・―心④③・大同―」

たんけん⓪【探検・探険】―する(他サ) 危険を冒して、未知の地域に踏み込み、実地に調べてみること。「―家⓪・―隊⓪・―旅行⑤」

たんけん⓪【短見】表面に出て来ない真実を正しく見抜いていない、皮相な見解。

たんけん③⓪【短剣】↔長剣 ㊀短い剣。 ㊁あいくち。

たんげん③⓪【単元】㊀それだけで一まとまりを成して、他と区別される実体。「―株③〔=売買の対象とする株式の最低単位〕」㊁学習内容の単位として使われる、一まとまり〔の教材の題目〕。ユニット。

たんげん⓪【端厳】―な 姿勢を正し態度が堂々としていてきびしさがあるので、その人の前ではめったなまねが出来ない様子だ。

だんげん③⓪【断言】―する(自サ)〔しっかりした根拠に基づいて〕まちがいなくこれこれだ、と相手に向かって言い切ること。

たんこ①【淡湖】淡水の湖。↔鹹湖カンコ

たんこ①【短呼】―する(他サ)「女房ニョウボウ」を「にょうぼ」、「女郎ジョロウ」を「じょろ」と言うなど、発音の便宜上、本来は長くのばして発音する部分を短く発音すること。

タンゴ①〔ス tango=ダンス〕アルゼンチンから始まった甘美で情熱的な四分の二拍子の舞踏曲。〔歯切れのいいリズムを持つ〕「アルゼンチン―・コンチネンタル―」

たんご⓪【単語】〔言語学で〕ひとつ、また、ふたつ〔以上〕の形態素からなり、ひとつの意味を表わすととらえられる要素。〔広義では、接辞をも指す〕「―帳⓪・重要―」

たんご①【端午】〔「端」は初、「午」は五〕五月の初め、すなわち上旬の五日。 **―のせっく**①-⓪【―の節句】陰の気を払うため、ショウブ・ヨモギを軒にさしてする節句。男子の節句。菖蒲アヤメの節句。

だんこ①【断固】―たる|―と 困難・反対があってもおしきってする様子だ。〔強調表現は「断々乎③」〕「―たる△決意〔姿勢・態度〕」 表記「断然」と同義の「断〈乎ダンコ〉」の新しい用字。「乎」は副詞・形容動詞を形づくる語。⇩確固・牢乎ロウコ

だんご⓪【団子】穀類の粉を湯でねり、これて丸めて△蒸した〔ゆでた〕食品。また、挽肉ヒキニクなどで作ったものも言う。「月見の―/―に目鼻〔=丸い顔の形容〕/肉―③」〔かぞえ方〕一本・一串クシ **―じょう**ジャウ⓪【―状】㊀丸く固まった物の形容。㊁離れているべきものがくっついて一団となっている形容。「―に連なって」 **―っぱな**③【―っ鼻】ぺしゃんこで丸く大きな鼻〔の人〕。

たんこう⓪カウ【単行】㊀ひとりで行くこと。 ㊁△一回だけ〔単独で〕行なうこと。 **―ほう**⓪③ハフ【―法】特殊な、狭い範囲について取り決めた法律。 **―ぼん**⓪【―本】〔全集・叢書ソウショの一つとしてではなく〕それだけを独立して出版する本。〔かぞえ方〕一点・一冊・一部

たんこう⓪カウ【炭坑】石炭を掘り出すための穴。「―夫」

たんこう⓪クワウ【炭鉱・炭〈礦〉】石炭を掘り出す鉱山。

たんこう⓪クワウ【探鉱】〔地質学やボーリングなどを利用して、科学的に〕鉱床・石炭層・石油層のある所を捜すこと。

たんこう⓪【鍛工】鍛冶カジを職とする人。

たんこう⓪カウ【鍛鋼】鍛えたはがね。

だんこう⓪カウ【団交】―する(自サ)「団体交渉」の略。

だんこう⓪【男工】男子の△工員〔職工〕。↔女工

だんこう⓪カウ【断交】―する(自サ) その相手との交際を一切やめること。絶交。〔狭義では、国交断絶を指す〕

だんこう⓪カウ【断行】―する(他サ) どんな△反対があっても〔不利な条件でも〕初めの方針通り行なうこと。「値下げを―する」

だんこう⓪カウ【断郊】―する(自サ) 郊外や野原を横切ること。 **―きょうそう**⑤キャウ【―競走】クロスカントリー。

だんごう⓪ガフ【談合】―する(自サ) ㊀何人か集まって相談すること。「膝ヒザとも―〔=自分の判断だけではどうしようもない時には、だれとでも相談してみるがいい〕」㊁〔←談合△入札〔請負〕⑤〕△入札〔請負〕の価格を事前に話し合ってしまうこと。〔古くは「だんこう」〕 **―ずく**⓪ヅク 相談ずく。 表記「談合〈尽く〉」とも書く。

たんこうしき③カウ【単項式】〔数学で〕変数として着目している〔幾つかの〕文字の累乗と定数との積のみから成る式。例、変数 x と y に着目した時の $3x^2y$ ⇩多項式

たんこうしょく③ ㊀【淡紅色】うすくれない色。うすあか。 ㊁クワウ【淡黄色】うすい黄色。

たんこうるい③【単孔類】哺乳動物の一つ。排泄ハイセツも生殖も一つの孔で行なわれる。例、カモノハシ。

だんごく⓪【断獄】裁判をして、△有罪である〔死罪に値する〕と判定すること。

だんごく⓪【暖国】気候の暖かな△国〔地方〕。

たんこぶ③⓪【たん〈瘤〉】「こぶ」の意の口頭語的表現。「目の上の―〔=自分の活動のじゃまになる〔立場の上の〕人〕」

たんごん⓪【端厳】―なる〔古〕〔仏像などの〕顔かたちがきれ

いで整っている様子。「―微妙(ミョウ)⓪-⓪」

だんこん⓪【男根】陰茎。ペニス。「―崇拝⑤」⇔女陰

だんこん⓪【弾痕】大砲などの たまのあたったあと。「城壁に残る―」

たんさ①【探査】―する（他サ）今まで調査の及ばなかった所や物の実情を、新しい機器や方法を使用して調査すること。「火星―機」

たんざ⓪【単座】航空機などで、座席が一つしか無いもの。「―（＝一人乗りの）戦闘機」⇔複座

たんざ①【端座・端〈坐〉】―する（自サ）姿勢をくずさずにすわること。正座。

だんさ⓪①【段差】㊀（勝負事で）段位の差。「―があり過ぎる」㊁道路や通路の間に高低の差のある所。〔主として歩道と車道との境や、掘り下げた工事区間などを指す〕

ダンサー①〔dancer〕㊀ダンス ホールで客の相手をして踊ることを職業とする女性。㊁西洋式の舞踊を職業とする人。「バレエ・フラメンコ―」

たんさい⓪【単彩】一色の顔料だけを用いて、その濃淡によって描くこと。「―画⓪」

たんさい⓪【淡彩】あっさりした彩色。「―画⓪」

たんさい⓪【短才】才能の乏しいこと。〔自分の才能の謙遜(ケンソン)語としても用いられる〕「浅学―の身（＝自分のような、才能の無いもの）」

だんさい⓪【断裁】―する（他サ）㊀△紙（製本）のふちを裁ち落とすこと。「―機③」㊁△書類（本）の破棄に際し、そのままでは利用出来ないように、ずたずたに切ってくず紙とすること。「―処分⑤」

だんざい⓪【断罪】㊀―する（自サ）（裁判で）有罪の判断を下すこと。「―に処する」㊁（古）打ち首にすること。

たんさいぼう③【単細胞】単一の細胞。〔俗に、単純な人間の意にも用いられる〕「―植物⑧（＝バクテリア・菌類など）・―動物⑦（＝アメーバ・ゾウリムシなど）」⇩多細胞

たんさく⓪【単作】年間を通して、その田畑から一種類の物が一回しかとれないこと。「―地帯⑤⑥」⇩二期作・二毛作・多毛作・混作

たんさく⓪【探索】―する（他サ）いろいろ手を尽くして、人の居場所・物のあり場所など、問題となっているものの所在を捜すこと。「古代史を―（＝研究）する／宇宙―（＝探検）」

たんざく⓪④【短冊・短《尺》】㊀和歌・絵などを書く細長い紙。〔「冊」は、文字を書くための紙の意〕㊁〔←短冊形(ガタ)⓪〕幅の狭い長方形。「ダイコンを―に切る」［かぞえ方］㊀は一枚

たんさつ⓪【探察】―する（他サ）「探索・調査」の意の漢語的表現。

たんさん⓪【単三】〔←単三型乾電池⓪-③〕筒形の乾電池のうち、単二に次ぐ大きさのもの。約一・五ボルト。

たんさん⓪【単産】〔←産業別単一労働組合〕その産業ごとの労働組合。私鉄総連・鉄鋼労連など。

たんさん⓪【炭酸】㊀炭酸ガス（＝二酸化炭素）を水に溶かすと生じる弱い酸。〔化学式 H_2CO_3〕㊁「炭酸水」の略。 **―いんりょう**⑤【―飲料】⇩清涼飲料 **―ガス**⑤「二酸化炭素」の俗称。⇩二酸化炭素 **―カルシウム**⑦〔化学で〕△動物の骨や貝殻の成分（大理石・石灰岩などの主成分）である白い固体。工業用・肥料用。〔化学式 $CaCO_3$〕 **―し**③【―紙】カーボン。 **―すい**③【―水】炭酸ガスを含む△水（飲料水）。「ウイスキーを―で割る」 **―せん**③⓪【―泉】炭酸ガスを多量に含む温泉・鉱泉。 **―ソーダ**⑤ソーダ。

たんざん①⓪【炭山】石炭の出る鉱山。

たんし①【単糸】よりを かけない一本だけの糸。⇔撚糸(ネンシ)

たんし⓪【短詩】短い（形の）詩。「―形⓪」⇔長詩

たんし⓪【短資】「短資金③④」の略。⇩コール㊀

たんし①【端子】⇩ターミナル㊀

たんし①【〈譚詩〉】物語（形式の）詩。バラード。

だんし①【男子】〔「子」は、人の意〕男という性を持って生まれた人の称。長幼は問わない。〔「男の子」は、字音語では「男児」と言う〕「―の一言だ／―（＝男らしい男）として恥ずかしくない行動をとる／成年―」⇔女子

だんし①【弾指】㊀―する（他サ）「つまはじき（する）」意の漢語的表現。「―される」㊁きわめて短い時間のたとえ。〔古くは「たんじ」〕「―の間(カン)」

だんし①【〈檀紙〉】紙面にちりめんのようなしわがある、厚手の和紙。［かぞえ方］一枚・一帖(イチジョウ)

だんじ①【男児】男の子供。また、男性。「―出生／日本(ニッポン)―⑤」⇔女児

たんしあい③【単試合】⇔複試合 ⇩シングルス

タンジェント①〔tangent＝「接する」意のラテン語に由来〕〔直角三角形で〕一つの鋭角の大きさが与えられた時、その角の対辺の長さの その角と直角との間にある辺の長さに対する比（の値）の称。正接⓪。〔記号 tan〕⇩三角比

たんしき⓪【単式】⇔複式 ㊀△単純な（中心となるものが一つの）形式。「―火山⑤（＝火口が一つの円錐(エンスイ)形の火山）」㊁（簿記で）単一の形式。 **―いんさつ**⑤【―印刷】タイプライターで活字を印字し、オフセット印刷をする印刷法。

だんじき⓪【断食】―する（自サ）一定の期間や特定の日・時間帯に、食物 特に肉食を断つこと。「―の行(ギョウ)／―療法⑤・―日(ビ)④」

たんじく⓪【短軸】楕円(ダエン)の周上に両端があり、長軸と直交する線分のうち、最長のもの。〔長軸の中点 すなわち楕円の中心を通る〕

だんじこ・む④⓪【談じ込む】（自五）相手に苦情・要求などを強い調子で申し入れる。

たんじじつ③【短時日】わずかの日数。⇔長年月

たんじじてん④【単字字典】漢和辞典の前身に当たる字典。親字だけを見出しとし、熟語は原則として含まない。

タンシチュー③〔stewed tongue の日本語形〕牛の舌を煮込んだ料理。

たんしつ⓪【炭質】△石炭（木炭）の品質。

たんじつ⓪【旦日】「あす（の朝）」の意の漢語的表現。

たんじつ⓪【短日】日照時間が△短い（短くなる）こと。「―植物⑥（＝キク・コスモスなど、日が短くなるころ、花をつける植物）」

たんじつげつ④【短日月】わずかの月日。

だんじて①⓪【断じて】（副）確信をもって断言する様子。「―そんな事は無い／―あいつが悪い／―許せない」

たんしゃ⓪【単車】〔サイドカーと違って〕一人乗りのオートバイやスクーターの称。［かぞえ方］一台

たんしゃ①【炭車】石炭を運ぶ車。［かぞえ方］一台・一両

だんしゃく①⓪【男爵】爵の第五位。

たんシャリベツ④【単舎利別】〔「単」は、simplex の訳。「舎利別」はシロップの中国における音訳〕白砂糖を蒸留水に溶かした液。苦い薬などの甘み付けに用いた。

だんしゅ⓪【断酒】―する（自サ）飲酒の習慣をきっぱりとやめること。

だんしゅ⓪【断種】―する（自サ）手術などによって生殖能力を失わせること。

たんしゅう①【丹州】㊀「丹波(タンバ)(ノ)国」の漢語的表現。今の京都府中部と兵庫県中東部にあたる。㊁「丹後(タンゴ)国」の漢語的表現。今の京都府北部にあたる。

たんしゅう⓪【反収・段収】一反あたりの作物の平均収穫。

たんしゅう①【《但州》】「但馬国」の漢語的表現。今の兵庫県北部にあたる。

たんしゅう①【淡州】「淡路国」の漢語的表現。今の兵庫県淡路島全島にあたる。

たんじゅう⓪【胆汁】〔生物学で〕肝臓から分泌する、苦い消化液。 ―しつ③【―質】ヒポクラテス以来行なわれて来た、気質の四分類の一つ。刺激に対する反応が速くて強いので、激しい感情が言動に反映しやすい。一口で言えば、短気。⇩気質

たんじゅう⓪【短銃】ピストル。〔かぞえ方〕一挺・一丁

だんしゅう⓪【男囚】〔俗に〕男性の受刑者。↔女囚

だんしゅう①【《騨州》】「飛騨国」の漢語的表現。今の岐阜県北部にあたる。

たんしゅく⓪【短縮】―する(自他サ) 時間・距離・規模などについて、本来のそれよりも減らすこと。また、そのようになること。「労働時間の―/―授業⑤」

たんしゅん⓪【探春】春の△景色(趣)を尋ねて郊外に行くこと。

*たんじゅん⓪【単純】―に/―な ㊀構造・形式・働きなどがこみいっていないこと。また、そのような様子だ。「―な計算/―な〔=考えの浅い〕人だ」↔複雑 ㊁そのものだけで、ほかの要素を交えないこと。「―な色彩/―林③/―音③」㊂条件・制限が無いこと。「―承認」〔派〕―さ⓪ ―か⓪【―化】―する(自他サ) 単純に△なる(する)こと。 ―ご⓪【―語】単語のうちで、それ以上造語成分などに分析することが出来ないもの。↔複合語 ―せん③⓪【―泉】わずかの塩類だけを含む鉱泉。 ―へいきん⑤【―平均】㊀その日の株価の総計を株式の銘柄数で割った平均の株価。増資の権利落ちによる変化を修正しない。単純平均株価。↔修正平均 ㊁相加平均。算術平均。

たんしょ⓪【探書】―する 書物を捜し求めること。「―欄③」

たんしょ①【短所】〔人や物の〕働きに伴って見られる、よくない面。〔狭義では、性格の欠点を指す〕「―を改める」↔長所

たんしょ①【端緒・端初】△そこから物事が始まる(それによって物事が解決する)きっかけ。「たんちょ」とも。「―が開かれる」

だんじょ①【男女】男性と女性。「―の別/―共学①-⓪・―混声合唱団」 ―どうけん①-⓪【―同権】男女両性が社会生活の上で同等の権利を持つこと。

たんしょう⓪【単勝】〔←単勝式⓪〕〔競馬や競艇などで〕一着だけを当てること。単。「―式⓪」↔複勝・連勝㊁

たんしょう⓪【探勝】―する(自サ) 名勝の地を△見て歩く(見に行く)こと。

たんしょう⓪【短小】―な その物が(普通より)短くて小さい(ので、十分な機能を果たすことが出来ない)様子だ。「軽薄―」↔長大

たんしょう⓪【短章】△短い(短めの)詩文。

たんしょう⓪【嘆賞・〈歎賞〉】・【嘆称・〈歎称〉】―する(他サ) 感心して、そのすばらしさを手放しでほめること。

*たんじょう⓪【誕生】㊀―する(自サ)〈(どこ ニ)―する〉Ⓐ〔胎生動物が、また広義では卵生動物が卵からかえって〕生まれること。「―日③〔=その人が生まれた日(と同じ日付で、満一歳以降毎年めぐって来る日)〕」Ⓑ新しく制度・組織・施設などが出来て、効力を発したり活動を始めたりすること。「アフリカに新しい独立国が―した」㊁第一回の誕生日の称。「この二月で―を迎えたばかりだ」 ―せき③【―石】その月に誕生した人が幸福のシンボルとして用いる宝石。たとえば、ダイヤモンドが四月生まれに用いられるなど。 ―ぶつ③【―仏】釈尊が誕生した時の姿を表わした仏像。花祭りに甘茶を掛ける。⇩天上天下

だんしょう⓪ ㊀【男〈妾〉】「男めかけ」の意の漢語的表現。ジゴロ。 ㊁【男〈娼〉】男色を売る男。かげま。

だんしょう⓪【断章】詩文の断片。

だんしょう⓪【談笑】―する(自サ) △笑いながら(うちとけて)話合いなどをすること。「―裏に」

だんじょう⓪【壇上】壇の上。「―で立往生する」

たんしょうとう⓪【探照灯】サーチライト。

たんしょく⓪【単色】㊀その物全体がその色一色だけであること。㊁太陽光線をプリズムで分析して得た一つひとつの色。三原色に橙・緑・藍・菫を加えた七種の色。

たんしょく⓪【淡色】目立ったり目に強い刺激を与えたりすることのない色。「―野菜⑤〔=ダイコン・ハクサイなど〕」

だんしょく⓪【男色】男性の同性愛。「なんしょく」とも。

だんしょく⓪【暖色】〔絵画などで〕見る人に暖かな感じを与える色。赤・黄など。温色。↔寒色

だんじり⓪④【〈車楽〉・〈楽車〉】〔大阪・兵庫で〕祭礼用の屋台。「だし」に類する。〔表記〕「〈山車〉・〈檀尻〉」とも書く。

たん・じる⓪③【嘆じる・〈歎じる〉】(自他上一)㊀嘆く。悲しむ。㊁いきどおる。㊂感心する。嘆ずる⓪③(サ変)。

だん・じる⓪③【断じる】(他上一)㊀思惑や迷いを振り払い、自分の信念をもってその事をする。断行する。「断じて行なえば鬼神もこれを避く」㊁ためらうことなく、そうだと△言い切る(取り決める)。「それをすぐさま、おごりたかぶりと―のは当たらないと思う/罪を―〔=審理の結果、有罪の判断を下す〕」 断ずる③⓪(サ変)。

だん・じる⓪③【弾じる】(他上一) 弦を指で はじいてひく。弾ずる③⓪(サ変)。「琴を―」

だん・じる③⓪【談じる】(他上一)㊀「話す」意の漢語的表現。「談じ合う④〔=相談する〕」㊁談判する。「当局に談じて改善を求める/談じ込む」 談ずる③⓪(サ変)。

たんしん⓪【丹心】純粋でうそいつわりのない気持。

たんしん⓪【単身】だれも連れずに、自分ひとり。「―敵地に乗り込む/―赴任⓪-⓪、⑤」

たんしん⓪【短信】㊀短い手紙。㊁新聞・雑誌などの短いニュース。「財界―」

たんしん⓪【短針】時計の短い方の針。時針。↔長針

たんしん⓪【誕〈辰〉】〔「辰」は、時の意〕「誕生日」の意の漢語的表現。

たんじん⓪【炭〈塵〉】炭坑内に浮遊する、石炭の細かな粉。「―爆発⑤」

*たんす⓪【〈箪笥〉】△引出し(戸)の付いた、衣服などを入れておくための家具。〔かぞえ方〕一棹・一点

ダンス①〔dance〕舞踏・舞踊と、劇場で上演する西洋風の踊り、との総称。「モダン―・タップ―・アクロバチック―」 しゃこう―④【社交―】〔宴会・ダンスホールなどで〕音楽に合わせて、男女が一組になって踊るダンス。ソーシャルダンス⑤。 スクエア―⑤〔square dance〕レクリエーションに、野外などでする、アメリカ式のダンス。それぞれ並んだ男女二人が向かい合い、絶えず組合せを変えながら踊る。 フォーク―④〔folk dance〕レクリエーションのために、集団で踊るダンス。

たんすい⓪【炭水】㊀石炭と水。㊁炭素と水素。 ―かぶつ⑤【―化物】炭素と水が化合して成ったような分子式を持つ栄養素。でんぷん・糖類を主内容とする。「含水炭素」の改称。 ―しゃ③【―車】蒸気機関車の後部にある、石炭と水とを積んだ付属車。〔かぞえ方〕一台

た

たんすい⓪【淡水】湖などの天然の水で、塩分を含まないもの。「―湖③・―魚ギョ③」↔鹹水カンスイ ⇨汽水・塩水

だんすい⓪【断水】―する(自他サ)〔△工事(水不足・災害)のため〕水流や水道△が止ま(を止め)ること。

たんすいろ③【短水路】〔競技用プールで〕直線距離が二十五メートルのもの。↔長水路

たんすう③【単数】↔複数 ❶数が一つ(で)あること。❷〔文法で〕一人、または一つを表わす言葉と、それに応じた文法形式。

ダンス ホール④〔dance hall〕社交ダンス用の(有料の)ダンス場。

たんせい⓪①【丹青】〔赤と青の意〕絵の具(の色)。色彩。「―〔=絵画〕に妙を得たり」

たんせい①【丹精・丹誠】―する(自サ)〔まごころの意〕誠心誠意そのことに打ち込むこと。「―を△凝らす(尽くす)/―込めて△作る(育てる)/父が―した盆栽/彼の―になる大作」

たんせい⓪【嘆声・(歎声)】❶ためいき。❷感心して出す声。

たんせい①―な ❶【端正】〔「端」も「正」と同じく、ただしい意〕一つひとつの動作が作法にかなって見える様子だ。「挙止―」❷【端整】〔「端」は、美しい意〕顔かたちの均整が取れていて、見る人に好感を与える様子だ。

たんぜい⓪【担税】租税を負担すること。「―力③」

だんせい⓪【男声】〔声楽で〕男性の声。「―合唱⑤」↔女声

*だんせい⓪【男性】おとなになった、男の人の称。「頼もしい―/―美③・―軍③〔=男側(のチーム)〕・―ホルモン⑤」↔女性 ―ご⓪【―語】男性特有の言い回しや単語。「おれ」「おまえ」や「…だぞ」の類。―てき⓪【―的】―な↔女性的 ❶伝統的・文化的価値観の上で、体つきや見た目の線が太く鋭かったり力強かったりなど、男性により多く見られるとされる特質がうかがわれる様子だ。❷〔女性について〕伝統的・文化的価値観から見て、男性のものとされるたくましさや行動力を備えた、さっぱりした性格を持っている様子だ。

だんせい⓪【弾性】〔物理学で〕固体に力を加えた時の形や、大きさの ひずみが、力をゆるめると もとにもどる性質。―たい⓪【―体】弾性を持つ物体。例、ゴム・スプリングなど。

たんせき⓪①【旦夕】〔朝晩の意〕朝晩ごとに、もしくは朝となく晩となく。「―〔=しょっちゅう〕愛玩ガン措オかなかった盆栽」―に迫る 今夕か明朝が限りという切迫した状態になる。「命イノチ―」

たんせき①⓪【胆石】〔医学で〕胆汁の成分から形成される結石。―しょう⓪④シャウ【―症】〔医学で〕胆嚢タンノウに結石を生じ激痛を伴う病気。

だんぜつ⓪【断絶】―する(自他サ) ❶なんらかの点でつながりを持って△いた(いることが期待される)二つの物事の関係が全く断ち切れること。「―が深まる/新旧の―を生む/―を埋める/国交―」❷今まで続いて来た流れが、そこで絶えること。「一家―」

たんせん⓪【単線】❶一本の線。❷〔鉄道で〕同一の線路を上り下りの列車が共用するもの。⇨複線

たんぜん③【丹前】着物より少し長く、広袖ソデで厚い綿入れの衣服。くつろいだ時に着る、防寒用の室内着。また、夜着にもする。どてら。かぞえ方 一枚

たんぜん⓪【端然】―と たる 姿勢などがくずれず、きちんとしている様子だ。

だんせん⓪【断線】―する(自サ)〔電〕線が切れること。

だんぜん⓪【断然】(副) ❶断固たる決意や確信に満ちた判断を示す様子。「一念発起ホッキしたように―酒を止めた/何と言われようと―断わる/―そんなはずは無い」❷△他〔相手〕とは絶対的な差があると断言する様子。「売上げは―他社を引き離している/年齢の若い方が―有利だ」

たんそ①【炭疽】家畜法定伝染病の一つ。土中の炭疽菌〔=かびの一種〕によって起こる、急激な敗血症。ウシ・ヒツジ・ウマなどに多く、また人もかかる。―びょう⓪ビヤウ【―病】葉・茎・果実などに黒褐色の斑点ハンテンが出来る、植物の病気。落葉・落果の原因となる。

たんそ①【炭素】〔化学で〕非常に重要な元素の一つ〔記号C 原子番号6〕。遊離してはダイヤモンド・石墨・木炭などとなり、化合しては種々の有機物となる。―ぼう③⓪バウ【―棒】アーク灯に使う、棒状の炭素電極。

たんそう⓪【炭層】石炭の存在する地層。

たんぞう⓪ザウ【鍛造】―する(他サ) 工具・金属性の型などを用いて材料の△一部(全部)を圧縮したり 打ちたたいたりして、鍛錬・成型を行なうこと。「―ロット⑤」↔鋳造

だんそう⓪サウ【男装】―する(自サ) 女性が男性の△服装(扮装フンソウ)をすること。「―の麗人」↔女装

だんそう⓪サウ【断想】折にふれて浮かんだその時どきの△考え(感想)。

だんそう⓪【断層】❶地殻の割れ目に沿って地層がずれ、食い違う現象。また、それによって出来た地層の食い違い。「―地震⑤・活―」❷生活環境などの相違によって生じるものの見方・考え方のずれ。「世代間の―」―さつえい⑤【―撮影】コンピューター断層撮影。⇨シーティー

だんそう⓪【弾奏】―する(他サ) 弦楽器をひくこと。

だんそう⓪サウ【弾倉】銃器の、たまを入れておく部分。

たんそく⓪【探測】―する(他サ) 自動観測器から観測データを無電装置で送らせて、大気や宇宙などの諸現象を調べること。「―気球⑤」

たんそく⓪【嘆息・(歎息)】―する(自サ)「なげいてため息をつく」の改まった表現。〔自分をめぐる暗澹タンたる過去・現在および将来について絶望の思いを深くする意にも用いられる〕

だんぞく⓪【断続】―する(自他サ) 切れたり続いたりすること。「―的⓪」

だんそんじょひ⑤ヂヨ【男尊女卑】個人差は全く無視し、一般的に女性は男性に従属するものであるとする△考え方(慣行)。↔女尊男卑

たんだ①【単打】〔野球で〕シングル ヒット。

たんだ①【短打】〔野球で〕はでな長打をねらわずに、〔バットを短く持って〕地道にヒットを打っていく時のシングル ヒットの称。「―戦法④・―主義④・長―③」↔長打

たんたい⓪【単体】❶〔↑単一個体〕〔生物学で〕それだけで一個の独立した生命体と見なしうる個体。❷〔化学で〕一種類の原子(から成る分子)だけで出来ている純粋な物質。例、気体酸素・ダイヤモンド・金など。

たんだい⓪【探題】❶昔、詩歌の会で、各人の題をくじ引きで定めたこと。❷鎌倉・室町時代、重要な地方の政務を、その地にあって統轄した長官。「六波羅ロクハラ―・九州―」

たんだい⓪【短大】「短期大学」の略。「女子―」

**だんたい⓪【団体】共通の目的を持つ人が集まって作った集団。「―生活⑤・宗教―⑤・―旅行⑤・圧力―」―こうしょう⑤カウセフ【―交渉】〔資本家・経営者などに対して〕労働者が団結して、対等の立場で労働条件の改善などについて交渉すること。〔広義では、公害企業に対する住民団体や管理者側に対する学生団体のそれなどをも含む〕「―権⑦」

だんたい⓪【暖帯】熱帯と温帯との中間の地帯。

だんだら[0]【段だら】〔「段々」の変化〕いろいろな色の横縞が見えること。「—縞[0]・—染め[0]」

たんたん[0]【〈坦々〉】—と —たる ❶〔道路などの〕平らな様子だ。❷変わった事が無く、無事に過ぎる様子だ。「試合は—と進み、九回を迎えた／—たる半生」

たんたん[0]【〈眈々〉】—と —たる（鋭い目つきで）すきあらばとねらう様子だ。「虎視—」

たんたん[0]【淡々】—と —たる ❶くどいところが無く、あっさりした様子だ。「—と△読む（歌う）／—とした△叙述（口調・文章・表情）」❷気負いや構えたところが全く見られず、自然で落ち着いた態度である様子だ。

だんだん[0]【団々】—と —たる ❶月などがまるい様子だ。「—たる名月」❷露が多い様子だ。「露—」

*****だんだん**【段々】 ━❶[3][1] いく段かの階段・石段など（と同じようにとらえられる地形）。「神社の—をかけ上がる／—畑[5]（=山の斜面などに階段状に作る畑）」❷[1]「順を追ってことを進める」の意の古風な表現。「—のおもてなし、痛み入ります／—（=あれこれ）考えてようやく分かってきた」
━[0]（副）—に —と 事態がその方向に向かって、少しずつではあるが確実に進んでいく様子。「—寒くなってくる／真相が—に明らかにされていく／出発の日が—（と）近づいてきた」〔「—と」「—に」のアクセントは[3][0]〕

タンタンメン[3]【担々麺】〔中国・担担麺=担いで売り歩いた麺料理の意〕中国、四川料理の一つ。醬油・ラー油・ゴマなどで調味し、ひき肉、ザーサイのみじん切りなどをのせた、中華そば。表記「〈坦々〉麺」は、誤り。

たんち[1]【探知】—する（他サ）〔機械を使ったりひそかに方法を尽くしたりして〕探り当てること。「電波—機〔=レーダー〕・魚群—機・逆—」

だんち[0]【団地】❶同種の建物・産業を立地させるために開発された、一団の土地。❷多くの人に住む家を供給するために、一地域に集合的に建てられた△公営（民営）のアパート群など。〔広義では、一か所に画一的に建てられた一戸建てなどの建売住宅群をも指す〕

だんち[1]【暖地】気候が温暖な△土地（地方）。↕寒地

だんち[1]【段ち】「段違い❶」の略。〔俗語的表現〕「—に△大きい（速い）」

だんちがい[3]【段違い】❶程度・能力などが非常にかけ離れていて、比較にならないこと。「—にすぐれている」❷二つの物の高さが違うこと。「—平行棒[8][0]〔=女子体操競技種目の一つ〕」

だんちゃ[0][1]【〈磚茶〉】粉茶を薄板状におし固めたもの。たんちゃ[0][1]。〔現在でも、シベリア・モンゴルでは、これを常用〕

だんちゃく[0]【弾着】銃砲の弾丸が△当たる（落ちる）こと。また、その場所。「—点[4][3]・—距離[5]」

たんちょ[1]【端緒】「たんしょ」の新しい語形。

たんちょう[0]【丹頂】〔←丹頂鶴[5]=頂の赤いツル〕形態優美で純白色のツル。ほお・のどは灰黒色で翼の端は黒色。頭の上は皮膚が露出して赤い。特別天然記念物。

たんちょう[0]【単調】—な 退屈するほど起伏・変化に乏しい△こと（様子）。「—を避ける／—な響き／—な仕事」

たんちょう[0]【探鳥】山野で野鳥を観察すること。バードウオッチング。

たんちょう[1]【短調】短音階による楽曲の調子。↕長調

だんちょう[0]【団長】団と名のつく集まりの長。

だんちょう[0]【断腸】〔はらわたがちぎれるような気がする意〕こらえきれない悲しみ。「—の思い」

だんつう[3][0]【〈緞通・段通〉】〔「毯子=もうせん」の唐音〕敷物用の厚い織物。かぞえ方 一枚・一点

だんつく[1]〔「つく」は擬人化する意の造語成分。⇩どんつく・ぽんつく〕「いい気な旦那」の意で、自分の△亭主（主人）を指して言う語。〔軽い侮蔑を含意する〕

たんつぼ[0]【〈痰壺〉】痰を吐いて入れる容器。

たんてい[0]【探偵】—する（他サ）〔犯人・容疑者の罪状や、被調査者の経歴・行動などを〕こっそり調べる△こと（人）。「—小説[5]・私立—[4]」

たんてい[0]【短艇・端艇】❶はしけ。❷ボート。

*****だんてい**[0]【断定】—する（他サ）〈なにヲなんだト—する〉 AはBで△ある（ない）という、確信に満ちた判断（をすること）。「—を下す／『だ』は—の助動詞と呼ぶ／—的[0]」

ダンディー[1] —な〔dandy〕〔男性が〕服装や身のこなしが洗練されていて、人との応対の仕方などにそつの無い△こと（様子）。「—な△紳士（着こなし）」

たんてき[0]【端的】—な —に ❶明白な様子だ。「…を—に△示す（物語る）／…に—に表われる／—な現われ」❷てっとり早い様子だ。「—に△言えば（言って）」

たんでき[0]【〈耽溺〉】—する（自サ）不健全な遊びに夢中になり、それ以外の事を顧みないこと。「酒色に—する」

たんてつ[1]【鍛鉄】❶不純物を除き、十分に鍛えた鉄。❷錬鉄。

たんてん[1][0]【端点】〔幾何学で〕線分や半直線の端にある点。〔その点を越えると線の外に出てしまうような境目の点〕

たんでん[0]【丹田】⇩せいか（臍下）

たんでん[0]【炭田】炭層が多く、石炭採掘の行なわれている地域。

たんと[0]（副）「たくさん」の意のやや古風な表現。「—召し上がれ」

だんと[1][0]【〈檀徒〉】檀家の人びと。

たんとう[0]【反当】反あたり。「—収量[5]」

*****たんとう**[0]【担当】—する（他サ）〈なにヲ—する〉 ❶責任を持って、その仕事を引き受けること。「政権を—する」❷組織の△一員（一グループ）が、特定の地域や分野などを自分の仕事として受け持つこと。また、その人。「—者[3]」

たんとう[0][3]【短刀】人を刺すのに使う、短い刀。↕長刀 かぞえ方 一口・一本

たんどう[0]【胆道】肝臓から分泌される胆汁が十二指腸に排出されるまでの経路をまとめて言う称。詳しくは「肝管[0]・胆嚢・胆嚢管[0]・総胆管[0][3]」などを含む。

だんとう[0]【断頭】刑として人の首を斬ること。—だい[0]【—台】罪人をのぼらせて首を斬る台。ギロチン。「—の露と消えた」

だんとう[0]【弾頭】砲弾・誘導弾の先の部分の、爆発する所。「核—」

だんとう[0]【暖冬】普通の年よりずっと暖かな冬。「—異変[5]」

だんどう[0]【弾道】発射された弾丸が空中を通過する時に描く曲線。「—弾[0][3]・—兵器[5]」 —ミサイル[6] 高高度まで打ち上げ、弾道を描いて標的に落下するミサイル。アイシービーエム（ICBM）など。「弾道弾」とも。⇩巡航ミサイル

たんとうちょくにゅう[0]-[0]【単刀直入】—に〔単身で敵陣に切り込む意〕前置きや遠回しの表現を避け、直接に本題に入る様子。「—に質問する」

たんどく[1]【丹毒】〔医学で〕連鎖球菌が傷口から入って起こる、急性・化膿性の炎症。患部が赤くはれ、激痛を伴う。

たんどく[0]【単独】❶仲間（の協力）などは無く、ただその

△人(組織)だけで何かをすること。「―行動[5]・―犯[4][3]・―機関[5][6]」❷他との関連が無いこと。「―に現われる現象」 **―せいはん**[5]【―正犯】犯罪の実行をただ一人で行なうこと。略して「単独犯」。↕共同正犯

たんどく[0]【〈耽読】―する(自他サ)〔文学書などを〕夢中になって読みふけること。「歴史小説を―する」

だんトツ[0]〔↑断然トップ〕「一位にあって、二位以下をはるかに引き離した状態」の俗称。 表記「断トツ」と書くことが多い。

だんどり[0][3]【段取(り)】物事を段階を追ってやっていく手順。「―を決める/―をつける/―がつく/結婚の―」

タンドリー チキン[6][7]〔tandoori chicken〕インド料理の一つ。鶏肉をヨーグルトと香料に半日ほど漬け込み、タンドールと呼ばれる壺形のかまどで焼いたもの。

だんな[0]【旦那・〈檀那】〔「布施」の意の梵(ボン)語の音訳。ドナーと同源〕❶施主。❷(商家などの)主人。「大(オオ)―と若―/―様[4][0]・―衆」❸商人にとって、得意先(の主人)。❹(他人の)夫を呼ぶ語。「隣の家の―さん、アメリカに出張するそうだ」 運用 (1)「旦那(さん)」などの形で、面識は無いが身なりの整った男性に対して呼びかける語としても用いられる。やや古風。例、「旦那、どちらからお見えですか」(2)「うちの旦那」などの形で、自分の夫を話題にして言うときにも用いられることがある。例、「うちの旦那はいつも帰りが遅いの」 **―げい**[3]【―芸】商店の主人などが、なぐさみに習う芸。 **―でら**[0]【〈檀那寺】菩提寺(ボダイジ)。

たんなる[1]【単なる】(連体)ただの。「―寂しさではなく/―好奇心から」

たんに[1]【単に】(副)言動などの根拠や目的がそれだけのことであって、他には何も無いと判断される様子。「―個人の利益のためばかりではない/ただ―嫌いだから、というわけではない/―聞いてみたまでだ」

たんに[0]【単二】〔↑単二型乾電池[0]-[3]〕筒形の乾電池のうち、単一に次ぐ大きさのもの。約一・五ボルト。

タンニン[1][0]〔オ tannin〕フシの中に多量にある、薄黄色の粉。インク・染料などの原料。味は渋い。 表記「単寧」は、音訳。

たんにん[0]【担任】―する(他サ)学級などを、その責任者として受け持つこと。また、その人。受持ち。

だんねつ[0]【断熱】―する(自サ)外部との間に、熱の出入りが無い(状態にする)こと。「―材[0][4]・―性[0]」

たんねん[1]【丹念】―な/―に 心をこめて丁寧にする様子だ。「―に調べる/手作業による―な仕上げ」

だんねん[3]【断念】―する(他サ)やむを得ない事情で、自分の希望などを不本意ながらすっぱりあきらめること。

たんのう(オ)[0]【胆〈嚢】(ナウ) 肝臓から分泌する胆汁を一時たくわえる袋。

たんのう(オ)[0]【堪能】❶―な/―に〔「かんのう」の誤読〕学芸にすぐれている様子だ。「語学が―だ」❷―する(自他サ)〔「足んぬ」の変化〕十分満足すること。「秋の味覚△に(を)―する」

たんぱ[1]【短波】波長が十メートル以上で百メートル未満の電波。電離層で反射されるため、遠距離通信に用いられる。〔周波数は、三メガヘルツより大で、三十メガヘルツ以下〕⇩中波・超短波・長波

たんはい[0]【炭肺】〔医学で〕炭坑労働者に多い、慢性の呼吸器病。石炭の粉を吸入するために起こる塵肺(ジンパイ)の一つ。「たんぱい」とも。

たんばい[0]【探梅】―する(自サ)梅林まで行って、梅の花を観賞すること。

たんはき[4][3]【〈痰吐(き)】痰壺(タンツボ)。

たんぱく[1]【淡泊・淡白】―な/―に ❶物事の感じ・味・色がしつこくない様子だ。↕濃厚❶❷ ❷物事にこだわらず、さっぱりしている様子だ。「―な人柄/―な態度」 派 **―さ**[0][4]

表記「〈澹泊」とも書く。

たんぱく[1]【〈蛋白】〔卵の白身の意〕蛋白質から成るもの。「―が乏しかった当時のことで、イナゴやタニシをとって―源の補いとした」 **―しつ**[4][3]【―質】動物体を形作っているおもな成分。重要な栄養素の一つ。プロテイン。〔多数のアミノ酸がつながったものを主体とする高分子化合物〕 **―せき**[4][3]【―石】オパール。

たんばぐり[3]【丹波〈栗】クリの一品種。実は大形。

だんばしご[3]【段〈梯子】幅の広い段をつけたはしご。

たんぱつ[0]【単発】❶発動機をただ一つ備えている△こと(航空機)。⇩双発・多発 ❷一回ずつ発砲するたびに、玉ごめする方式。「―銃[4]」 ❸〔野球で〕一つのヒットだけに終わり、得点に結びつかないこと。〔ただ一つの企画だけで、後続が無い意にも用いられる〕〔❷❸の対義語は、連発〕

たんぱつ[0]【短髪】短めに刈り整えた髪。⇩長髪

だんぱつ[0]【断髪】―する(自サ)❶ちょんまげを結っていた長い髪を短く切ること。「引退力士の―式/―令[4]」❷女性が髪を短く切ること。また、その短く切った髪型。

タンバリン[1]〔tambourine=タンブールと同源〕打楽器の一つ。枠に革を一枚張り、周囲に鈴をはめて革をたたき、振り鳴らすもの。タンブリンとも。

たんばん[0]【単板】木材を薄くはいで一枚の板にしたもの。⇩合板(ゴウハン)

たんパン[0]【短パン】(運動用の)ショート パンツ。

だんぱん[1]【談判】―する(自サ)要求を押し通すために、相手と話し合うこと。かけあい。〔相手への非難・抗議を含む場合もある〕「膝(ヒザ)詰め―・―破裂〔=交渉が不結果に終わり、当事者間が前よりも一層険悪な状態になること〕」

たんび[1]【〈耽美】美を最高のものと考え、ただそれだけを追求すること。「―主義[4]〔=唯美(ユイビ)主義〕・―的[0]」

たんび[1]【嘆美・〈歎美】―する(他サ)△感心(感動)してほめること。

だんぴ[1]【断碑】割れた石碑。「宇治橋―」

だんぴつ[0]【断筆】「筆を断つこと〔=執筆活動をやめる〕」の意の漢語的表現。

たんびに[3]【《度に】〔「度(タビ)に」の口頭語形〕何かをする時に決まってそうなる傾きのあることを表わす語。「見る―思い出す」

たんぴょう(オ)[0]【短評】(ビヤウ) 簡単で短い批評。

だんびら[0]【段平】〔「だびらびろ」の変化という〕(身の幅広い)刀。

たんぴん[0]【単品】❶△生産(販売)の対象とする商品が一種類だけのこと。〔機械による大量生産をせず、手作りで一品ずつ作る意にも用いる。例、「受注後の―生産」〕❷〔他の品物とセットになっている品物に対し〕その品物△一個(一種類)だけであること。「―ではお売り出来ません」

ダンピング[0][1]―する(他サ)〔dumping. dump=ごそっとかたまりを投げおろす〕商品を△生産費(コスト)以下で投売りをすること。捨売り。

たんぶ【反歩・《段歩】(造語)田畑や山林の面積の単位「反」の別称。「五―」

タンブール[3]〔フ tambour〕❶太鼓。❷ししゅうに使う円形の枠。❸自動的に曲線を描く装置。タンバー[1]とも。

ダンプカー[3][4]〔dump truck の日本語形〕荷台を傾けたり底を開いたりして、積んでいる物をおろす仕掛けのある(大型の)トラック。略してダンプ[1]。⇩ダンピング かぞえ方 一台

たんぷく[1]【単複】❶〔文法で〕単数と複数。「―同形

[1]-[0]」 ❶〔テニス・卓球などで〕シングルスとダブルス。❸〔競馬などで〕単勝と複勝。

だんぶくろ[3][0]【段袋】〔「駄荷(ダニ)袋」の変化〕❶布製の大きな袋。❷〔明治時代語〕洋服の太いズボン。

タンブラー[1]〔tumbler=もと コップの代りに用いられた牛の角は、置くとひっくり返ったことから〕取っ手の付いていない、底の厚い大形のコップ。

タンブリン[1]〔ド Tamburin〕⇨タンバリン

タンブリング[1]〔tumbling〕数人で、手をつなぎ、肩に乗りなどして いろいろの形を表わす体操。

たんぶん[0]【単文】❶簡単な文。❷〔文法で〕一つの文の中に、主語・述語の対応関係が一つしか認められないもの。↕複文

たんぶん[0]【短文】短い文。↕長文

だんぺい[0]【団平】底が平たくて丈夫な運漕(ソウウン)用の船。「―ぶね[5]」

たんぺい きゅう[0][3](キフ)【短兵急】―に ―な 〔短刀などで敵に肉薄する意〕だしぬけに何かを言いかけたり 結論を出したりする様子。「―に処理すべき問題ではない」

たんぺき[0][1]【丹〈碧】赤と青。丹青。

たんべつ[0]【反別・《段別】❶田を一反ごとに分けること。❷地積の名称。町・反・畝(セ)・歩(ブ)。 **―わり**[0]【―割(り)】田畑の反別をもとにして割り当てる租税。

ダンベル[0][1]〔dumbbell〕⇨あれい(亜鈴)

たんべん[0]【単弁】ひとえの花弁。「―花[3]」↕重弁
表記 「弁」の旧字体は「〈瓣」。

たんぺん[1][0][3]【短辺】長方形の辺のうち、短い方。

たんぺん[0]【短編・短〈篇】〔小説・映画などで〕短く完結していること。また、そのもの。⇩長編・中編

だんぺん[3][0]【断片】本来一つにまとまった物事のごく小さなきれはし。 **―てき**[0]【―的】―な ―に 〔知識や記憶などが〕量が少なく、しかも飛び飛びなので、相互の関連や全体像などが分からない様子だ。

だんぺん[3][0]【断編・断〈篇】文章の、きれぎれになった一部分。

たんぼ[0]【《田〈圃】「田」の意の口頭語的表現。「―道(チミ)[3]」

たんぼ[1]【旦暮】❶朝と晩。❷(朝から晩までの)短時間。

たんぽ[1] 布などに綿を包んで丸くしたもの。拓本をとるときなどに使う。 **―やり**[3]【―〈槍】たんぽを先に付けた槍。↕真槍(シンソウ)

たんぽ[1]【担保】❶債務の不履行に備えて債権者に預け、債務弁済の手段に供されるもの。「家作(カサク)を―に入れる」 ❷抵当権の対象になるもの。❸―する(他サ) 事前に決めた約束などが実行されることを保証すること。

たんぽ[1]【《湯《婆】〔「たん」も「ぽ」も、それぞれの漢字の唐音〕ゆたんぽ。

たんぽう(オ)[0](ハウ)【単方】〔医学で〕他の薬剤を配合せず、純粋にその薬剤だけで薬を作ること。↕複方

たんぽう(オ)[0](バウ)【探訪】―する(他サ) 社会の実情や事件の真相を調べる目的で、そこへ実際に行ってみること。「たんぽう」とも。「―記[3]・―記者[5][6]」

だんぼう(オ)[0](バウ)【暖房・〈煖房】―する(自他サ) (冬に) 火力などで室内を暖める△こと(装置)。「―器具[5]・―設備[5]・―中[0]・中央―〔=セントラル ヒーティング〕・冷―完備・床(ユカ)―」↕冷房

だん ボール[3]【段ボール】波形の厚紙を芯(シン)にして、△両面(片面)にボール紙をはりつけたもの。梱包(コンポウ)用。「―の箱」 かぞえ方 一枚

たんぽぽ[1]【{〈蒲公英}】〔異称「ツヅミ草」にちなみ、鼓を打つ音に基づく〕野原に自生する多年草。葉のふちにはぎざぎざがあり、春、キクに似た黄色の花を開く。白い毛を有する実は風に吹かれて飛ぶ。若葉は食用、根は薬用。種類が多い。都会地近辺のものは、大部分がセイヨウタンポポ。〔キク科〕 かぞえ方 一本

タンポン[1]〔オ tampon〕〔詰めて血を止めたり 傷を治したりするための〕(薬剤を含ませた)脱脂綿、またはガーゼ。綿球(メンキュウ)。

たん ほんい[3](キ)【単本位】単一の△もの(貨幣)を本位とすること。↕複本位

たんま[1]〔「待った」の倒語の変化か〕子供の遊びの中で「タイム❸」を要求する意の語。

だんまく[0]【弾幕】「煙幕」になぞらえた語。「―が張られる〔=たくさんの弾丸がいっせいに△飛んで来る(破裂する)〕」

たん まつ[0]【端末】〔↑端末装置[5]。「端」も「末」と同義〕比較的大きな電子計算機と通信回線で接続して、入出力やプログラムの作成・実行などを行なう個々の装置。ターミナル。「―機[4][3]」

だん まつま[3][4]【断末魔・断末摩】〔「末摩」は、支節・死穴の意の梵(ボン)語の音訳。それに触れて命を断つ意〕臨終(の時の苦痛)。〔普通でない死にぎわについて言うこともある〕「―の苦しみ」

たんまり[3](副)―と お金などが、当座は必要としないほど十分にある。〔口頭語的表現〕「―もらう/―もうける」

だんまり[0]【《黙り】〔「黙り」の変化〕❶〔外部の者に秘密などについて〕(発言を求められても)黙っていること。「事故の責任問題については―を決め込む」 ❷〔歌舞伎(カブキ)で〕互いに相手がどこに居るかが分からずに、黙ったまま暗中に手探りなどで行なう△演出方法(場面)。

たん み[1][0]【淡味】あっさりした△味(趣味)。

たん めい[0]【短命】―な 〔多くの人がまっとうする寿命を保つことが出来ないで〕生まれてから命を終えるまでの期間が短い△こと(様子)。「―に終わる/―〔=短期間で崩壊した〕政権」↕長命

タンメン[1]【《湯麺】〔中国・湯麺〕塩味のスープに、油でいためた野菜を入れた中華そば。

だん めん[3]【断面】物体の切り口の面。〔複雑な事物をある観点から見た時の状態の意にも用いられる。例、「実社会の―」〕 **―ず**[3](ヅ)【―図】物体を仮に一つの平面で切断し、その内部構造を表わした図。 **―せき**[3]【―積】その立体を一つの平面で切った時に生じる切り口〔=断面〕の面積。

たんもう(オ)[0]【短毛】〔動物の〕毛が短いこと。「―種[3]」

たんもの[0]【反物】❶一反ずつになっている織物。❷呉服。「―屋[0]」

だんもの[4][3][0]【段物】段を追って長く続く語り物。

たんや[1]【短夜】(夏の)短い夜。みじかよ。↕長夜

だんやく[0]【弾薬】銃砲にこめる弾丸と火薬。「―庫[3][4]」

たんゆう[0]【胆勇】胆力と勇気。

だんゆう[0](イウ)【男優】男性の俳優。↕女優

たんよう(オ)[0](エフ)【単葉】❶一枚の葉。❷飛行機の主翼が一枚であること。「―機[3]」↕複葉

たんらく[0]【短絡】―する(自他サ) ❶「ショート❸」(すること)。❷直接的には結びつかない前提から非論理的な結論を性急に導き出すこと。〔事の是非善悪を考える暇も無く直接行動に出る意にも用いられる〕「―的思考」

だんらく[0]【段落】文章中の意味の上での大きな切れ目。また、そのような切れ目から次の切れ目までの間の一まとまり

の部分。〔物事の区切りの意にも用いる。⇩一段落〕

だんらん⓪【団〈欒】—する（自サ）〔「団」も「欒」も丸い。車座に円居(マドイ)する意〕家族など親しい者同士が集まり、なごやかに時を過ごすこと。「一家—」

たんり①【単利】「単利法」の略。↕複利 **—ほう**⓪—(ハフ)【—法】期間の末ごとに、元金のみに対して利息を計算していく方法。↕複利法

たんり①【単離】—する（他サ）〔化学で〕混合物中から目的とする物質だけを分離し取り出すこと。

たんりゃく①【胆略】緻密(チミツ)な計画を立てる頭脳と、それを大胆に行動に移す実行力（の両方を持っていること）。

だんりゅう⓪—(リウ)【暖流】赤道付近から温帯へ流れる、高温度の海流。例、黒潮。↕寒流

たんりょ①【短慮】—な —に その場の雰囲気によって行動し、慎重さに欠ける様子だ。「後になって自分の—〔=考えの至らなさ〕を反省した/それはあまりに—な〔=気短で、不当な〕振舞というもの」

たんりょく①【胆力】たいていの出来事に驚いたり 恐れたりしないで、物事をやってのける精神力。「—のある人」

たんりょく⓪【淡緑】「うすみどり」の意の漢語的表現。

*__だんりょく__⓪【弾力】弾性体が外力に抵抗して元通りの形に返ろうとする力。**—せい**⓪【—性】状況の変化にすなおに適応出来る△力（性質）。「—に富む考え方/—を△持たせる（欠く）」 **—てき**⓪【—的】—な —に 外界の変化に応じて柔軟に対応出来る様子だ。「—に考える/—な考え方/—な運用」

だんりん⓪【談林】〔寺の学問所の意の「檀林」の変化〕松尾芭蕉(バショウ)の俳風以前に行なわれた、こっけいみを帯びた俳風。西山宗因が開いた。「—風⓪」⇩蕉風(ショウフウ)

たんれい⓪【淡麗】—な —に 〔日本酒などで〕糖分や酸度が低く、口当りがなめらかですっきりしている△こと（様子）。また、そのような酒。「—辛口⓪-⓪」

たんれい⓪【端麗】—な —に 〔人の容姿が〕ごてごてと飾り立てたところが全く無く、あか抜けしている様子だ。「容姿—」

たんれん①【鍛錬・鍛練】—する（他サ）金属を打ち鍛えること。〔訓練を積んで、体力・精神力を鍛えたり 技術をみがいたりして、困難に勝つ力をつける意にも用いられる〕

だんろ①【暖炉・〈煖炉】〔洋間などで〕石炭や薪(マキ)などをたいて部屋を暖める、壁に設けた炉。

だんろん⓪【談論】—する（自サ）自分の意見を述べ、また、人と議論のやりとりをすること。「—風発⓪-⓪〔=談論が盛んに行なわれる様子〕」

だんわ⓪【談話】❶—する（自サ）くつろいで話をすること。また、その話。「—室③」❷新聞記者などに話して聞かせる、政府当局などの意見。

ち…チ

ち（地・池・治・知・値・恥・致・遅・痴・稚・置・質・緻）
→【字音語の造語成分】

ち【千】（造語）〔雅〕百の十倍。せん。「—よろづ・もも—」

ち①【地】❶〔天に対して〕人間を始め、動植物の生存をその上で支えている、面の広がり。〔狭義では、海・湖など水におおわれた所を除き、広義では地球の表面全体を指す〕「—〔=陸地〕の果て/—の底/—を這(ハ)う△虫（草）/一敗—にまみれる〔=⇩一敗〕/—に着いた〔=着実な。⇩足❶〕運動の展開/—〔=地面〕を割って芽が出る/—に堕(オ)ちた〔=すっかり失われた〕議会への信頼/—を掃(ハラ)う〔=昔あったものが、すっかり無くなってしまう〕/—形・—質・—層・—理・大—・陸—・土—・着—」❷「地❶」の限定された部分。「その—〔=地方〕の名産/—〔=領土〕を割(サ)く/—を接する〔=二つの領地・所有地が隣り合う〕/労使、—〔=立場〕を変えると/御(オン)—〔=あなたの住んでおられる土地。貴地〕/—区・—点・—名・—宅・農—・産—」❸〔荷物・本・掛け物などの〕本来、下である部分。「天—無用〔=⇩天地無用〕」↕天 ❹天、地、人の三段階で等級を示す時の、第二位。「—賞⓪・—位」⇩天・人

ち①【治】❶平和であること。「—に居て乱を忘れず」❷〔りっぱな〕政治。「延喜(エンギ)天暦(テンリャク)の—〔=理想的な政治の代表〕」⇩【造語成分】ち・じ

ち①【知・〈智】❶情勢の変化に応じて的確に判断・処理出来る、頭の働き。知恵。「—余って勇足らず/—仁勇・—恵・—才・—機・—明・—奸(カン)—」❷計略。「—をめぐらす/—謀・—略」⇩【造語成分】

**__ち__⓪【血】人間や動物の多くが生きている限り、体内をめぐる、赤色の体液。△栄養（老廃）分を運ぶ重要な役割を受け持ち、体外に流出すると固まって傷口を防ぐ。また、大量に失うと死に至る。「—の通った農政の確立/…に—を通わせる/—のにじむような先覚者の努力/—沸き、肉躍る〔=感激・興奮して、よし自分も負けずに何かやってみようと奮いたつ気分になる〕/頭に—がのぼる〔=興奮する〕/—で—を洗う〔=ひどく争って、親類同士が殺しあったりする〕/—と汗の結晶〔=非常に苦しい努力と忍耐とを重ねて出来あがった結果〕/—のめぐりが悪い〔=理解力が鈍い〕/—をすする〔=昔の武士の慣習で、互いに指などを切った血をすすりあい、兄弟としてやっていくなどの誓いを立てる〕/—を吐く思い〔=苦しくてたまらない当事者の思い〕/—が騒ぐ〔=興奮して、じっとして居られなくなる〕/—が上(ノボ)る〔=逆上する〕/—の出るような努力/—も涙もない〔=冷酷で少しも思いやりがない〕/—を引く〔=先祖の子孫にふさわしい才能を持つ〕/—を見る〔=争いの結果、死傷者が出る〕/—を分けた子〔=実子〕」

ち①【乳】❶ちち。「—房(ブサ)・—離(バナ)れ・—兄弟」 かぞえ方 一滴(テキ) ❷旗・幕・羽織・わらじなどの ふちにつけて、ひも・竹などを通す、小さな輪。❸つりがねの表面にたくさん並んでいる、ぼつぼつ。

ち①【〈茅】チガヤの異称。

ちあい⓪—(アヒ)【血合】〔カツオ・ブリなどの魚肉の〕背肉と腹肉の間にある暗赤色の部分。

チアガール③〔和製英語 ←cheer＋girl〕⇩チアリーダー

チアノーゼ③〔ド Zyanose〕酸欠のためつめ・唇などの部分が青黒く見えること。

ちあゆ⓪【稚〈鮎】孵化(フカ)したばかりのアユ。体が糸のように細く、透き通って見える。

チアリーダー③〔cheerleader〕そろいのはでな服装をし、踊りながらポンポンを振って応援をする（若い女性の）グループ。

ちあん⓪【治安】庶民の日常生活の安全が保障される程度に、騒乱・犯罪などの予防措置がとられている状態。「—が△いい（悪い）/—の維持が△警察（軍隊）の手にゆだねられる/—上・—当局④・—部隊④・—要員④」

ちい①【地衣】コケのうちで、おもに岩や木の幹などの表面に薄く一面につくものをまとめた呼び名。「—類②・—帯⓪〔=地衣類だけが見られる高山の地帯〕」

**__ちい__①—(ヰ)【地位】（その）社会の中で果たす役割から見た位置。「第一党の—を保つ/女性の—が高まる/—が低下する/—を奪われる/—の向上を図る/責任ある—〔=（官）職〕/教師の—〔=身分〕/輸出品の中で重要な—〔=役割〕を占める電気製品/文学史上の—〔=評価〕/社会的—」

ちい①【地異】天災のうち、直接地表が変化するもの。例、地震・噴火・津波・大水など。「天変―」

*ちいき①【地域】地形や行政管轄などの観点から、なんらかの意味でひとまとまりのものとして他と区別される土地。「―的⓪・―性⓪・―別⓪」 ―しゃかい④【―社会】一定の地域に成立し、利害を共通にする生活共同体。都市・町村など。⇩コミュニティー

チーク①[cheek] 頰ほお。「―ダンス④・―シャドー④」

チーク①[teak] 東南アジア特産の落葉高木。材は薄い黒茶色で堅く、船材・建築・家具などに使う。〔シソ科(旧クマツヅラ科)〕「―材⓪③」かぞえ方 一株・一本

ちいく①⓪【知育】知能を伸ばす教育。⇩徳育・体育

**ちいさ・い③【小さい】(形)↔大きい ㊀〔目に見える形を備えていて、互いに比較することができるものについて〕問題となるものが比較される他方に包み込まれた(とみなされる)状態だ。「―島国/手のひらにおさまる―カメラ/沖に小さく見える船」㊁数量や程度・規模が△比較の対象とする(一般に予測される)ものを下回っている様子だ。「一日の売上高が―が堅実な商売/△声(損害・格差)が―/―(=人口が少ない)村/二つ―(=年下の)弟/心の―(=度量の狭い)人/大臣にしては人物が―(=器量が劣る)/気が―(=臆病オクビョウな)人」㊂事柄の重要さや他への影響などが一般に予測される程度内におさまり、とくに問題にするには及ばない様子だ。「二次災害のおそれは―/重要案件の処理をすませ―問題が残るだけだ/彼は―ことにこだわる癖がある」派―さ③ ―げ⓪③④

ちいさがたな④【小(さ)刀】脇差ワキザシ。鞘巻サヤマキ。

ちいさな①【小さな】(連体) 小さい。「―親切」

ちいさやか③【小さやか】(―な/―に) 小さく見える様子。

チーズ①[cheese] 牛乳を発酵ハッコウさせて固めた食品。表記「△乾酪」は、借字。かぞえ方 一本・一点。スライスしたものは一枚。小売の単位は一箱

チータ①[cheetah=もとヒンディー語] アジア南部やアフリカ産の、ヒョウの一種。全身は薄茶色で黒い斑点ハンテンがある。短距離では哺乳動物で最も速い。インドでは、ならしてカモシカ狩りに使った。チーターとも。〔ネコ科〕かぞえ方 一頭

チーフ①[chief=主な(者)] 作業をする(小人数の)△集団(職場)の中心となる者。主任。「―アンパイア(=主審)・―ディレクター」

ち

【地】⇩(本文)ち【地】

【池】㊀いけ。「池沼・池畔・貯水池・浄水池・養魚池・酒池肉林」㊁水などをたたえておく所。「墨池・電池」

【治】㊀△乱れないように(乱れているものを)うまくおさめる。「治国・治世・治安・自治・法治国」㊁病気をなおす。なおる。「治癒ユ・治療・根治ジ・療治ジ」⇩(本文)ち【治】

【知】㊀しる。しらせる。「知識・知覚・知見・知己・知遇・知日家チニチカ・関知・察知・周知・承知・通知・認知・報知・未知・予知」㊁しっている人。友人。「知遇・知人・知友・旧知」㊂その部署の長として、おさめる。「知事・知行ギョウ・領知」表記「△智」の代用字としても用いられる。⇩(本文)ち【知】

【値】㊀あたい。ねだん。「価値」㊁数値。「平均値・絶対値」

【恥】㊀はじる。はじ。「恥辱・羞シュウ恥・破廉恥・厚顔無恥」㊁陰部。「恥部・恥骨・恥毛」

【致】㊀つれて△行く(来る)。「引致・招致・誘致・拉ラ致」㊁ある状態に達する。「致命傷・一致・合ガッ致・極致・傷害致死」㊂自然の風物の持つおもむき。「雅致・風致」

【遅】㊀スピードがおそい。「遅速・遅々・巧遅」㊁おくれる。「遅延・遅刻・遅参・遅滞・遅払バライ」

【痴】〔「△癡」の俗字〕㊀正常な判断力や識別の能力が足りない。「痴愚・痴鈍・痴人・痴呆ホウ・白痴・音痴」㊁何かに夢中になって、常軌を逸する。〔狭義では、色情のとりこになることを指す〕「痴漢・痴情・痴態・痴話・書痴」

【稚】まだ子供の段階にある。「稚気・稚魚・稚鮎アユ・稚拙・幼稚・丁デッ稚」

【置】㊀(適当な場所に)おく。「置換・位置・安置・拘置・留置・配置・布置・放置」㊁適当な手段を講じる。「処置・措置」

【質】証拠。「言質」⇩しつ

【緻】きめが細かい。「緻密・巧緻・細緻・精緻」

チーフ メート④[chief mate] 商船の一等航海士。

チーム①[team] ㊀団体競技で勝敗を争う、それぞれの組。㊁共同作業を行なう、数人から成る集団。「―カラー④」〔㊀㊁ともティーム①とも〕

チーム プレー⑤④[team play] 〔勝利を得たり仕事の円滑を期するために〕チームの各員に要求される連携プレー。「―に徹する」

チームワーク④[teamwork] チームの一員としての自覚と連帯感が一人ひとりに要求される団体行動。「―が取れている」

ちいん⓪【知音】〔古〕(心の底から理解し合った)親友。〔広義では、知人を指す〕

ちうみ⓪【血膿】血の交じった膿。

*ちえ②【知恵・(智慧)】㊀生まれつき備わった頭脳の働きとしてとっさの判断や的確な処理が出来る能力。「―の発達を促す教育」㊁Ⓐ当面の問題を△解決する(乗り越える)ための、よい考え。「―を△集める(貸す・絞る・出し合う)/…(する)だけでは―が無さ過ぎる」Ⓑ新しいものを追求し、分からないことを解決していく能力。「庶民の―と風土がつくりあげた料理/植物たちの生きる―/自らの体験から学んだ人生の―(=教訓)/一匹のサルの新しい―(=経験)が全島に広がる」 ―しゃ②【―者】頭のよく働く者。 ―づ・く③【―付く】(自五)〔よちよち歩くぐらいの子供が〕成長するにつれて一日一日と頭の働きが進む。 ―ねつ②【―熱】小児の乳歯が生えるころ起こる熱病。 ―のわ④③⓪【―の輪】幾つかの輪を、うまくつなぎ合わせたり抜き離したりして遊ぶもの。 ―ば②【―歯】成人してから最後に生える、(四枚の)奥歯。親知らず。 ―ぶくろ③【―袋】㊀「知恵㊁Ⓐ」の宿るところとされる頭脳。㊁仲間うちでの知恵者や、特定の人のブレーン。 ―まけ⓪【―負け】知恵があるため、あれこれと考え過ぎてかえって失敗すること。

ちえ①【千重】〔雅〕数多く重なっていること。

チェア①[chair] (背もたれのある)いす。「アーム―・ハイバック―⑥」

チェア パースン③[chair person] 議長・司会者・委員長などの呼称。〔「チェアマン」に代わる語〕

チェアマン①②[chairman] ⇩チェア パースン

ちええ①(感) 〔江戸時代から明治初期にかけて〕感激した

** * は重要語，⓪①… はアクセント記号，品詞の指示の無いものは名詞および いわゆる連語。

時などに、思わず出す声。「—かたじけない」

チェーサー①⓪〔chaser=追いかけるもの〕ウイスキーや強い酒を飲む時に添える水・炭酸水・アルコール度数の低い酒など。チェイサーとも。

チェーン①〔chain=くさり〕❶〔自転車の〕ペダルを踏んだ力を後輪に伝える、環状のくさり。❷〔自動車の〕タイヤに取りつけて、積雪地でも走れるようにしたくさり。❸ヤードポンド法で距離をはかるくさり。長さ六六フィート〔=約二〇・一二メートル〕。❹映画などの興行網や、同一資本による直系の商店・劇場。かぞえ方 ❶〜❸は一本

チェーンストア⑤〔chain store〕小売店の営業形態の一つ。同一業種の小売店多数を傘下に集め、仕入れ・人事管理などを集中的に行ない、販売の実績を上げさせる仕組みのもの。連鎖(商)店。

チェーンスモーカー⑤〔chain smoker〕一本のたばこを吸い終わるとすぐに次の一本に火を付けるというように、たえまなくたばこを吸う人。

チェーンソー③②〔chain saw〕エンジンを使って木を切る、自動式ののこぎり。刃の部分がチェーン状になっている。チェンソー①②。かぞえ方 一台

チェーンブロック⑤〔chain block〕くさり・歯車を組み合わせて重い物を巻き上げる装置。

ちえきけん③②【地役権】〔法律で〕他人の土地を自分の便益に使用することが出来る権利。地役①。

チェス①〔chess=チェックと同源〕六種類十六個ずつの駒(コマ)を使い、二人でする、将棋に似た遊び。西洋将棋⑤。

ちぇすと①(感)〔語源未詳〕〔鹿児島方言〕意気が上がったり 気勢を上げたり などする時に、思わず口をついて出す掛け声。

チェスト①〔chest〕❶胸。胸囲。❷整理だんす。

チェダーチーズ④〔Cheddar cheese〕硬質のナチュラルチーズの一つ。白色または赤みがかった黄色で、ほのかな酸味がある。イギリスのサマーセット州チェダー村が原産。

ちぇっ①(感)〔「ちぇ①」の強調形〕自分の△意図(期待・関心)に反した事に出あって いまいましく思う気持を表わす声。

チェッカー①〔checker〕[一]❶十二個ずつの駒(コマ)を使って二人でする遊び。西洋碁。〔チェス盤を用いる〕❷〔「チェッカー[一]❶」の盤の文様に似た〕市松模様。[二]❶〔「チェック[二]❶する△もの(人)」。❷スーパーマーケットなどのレジ係。—フラッグ⑥〔checker flag〕〔オートレースで〕出発・ゴールの合図に振る、市松模様の旗。

チェック①〔check〕[一]❶小切手。「—ライター④」❷チェッカー[一]❷。「はでな—の背広」[二]—する(他サ)〔阻止・抑制の意〕❶照合の印として、✓などを付けること。〔引合せ検査の意にも用いられる〕❷〔相手の攻撃などを〕牽制(ケンセイ)したり食いとめたりすること。

チェックアウト④〔check-out〕↔チェックイン [一]❶—する(自サ)〔ホテルなどで〕勘定を済ませて、部屋を引き払うこと。❷〔一泊分の料金で〕ホテルの部屋に居られる最終時間。

チェックイン④③〔check-in〕[一]↔チェックアウト ❶—する(自サ) ホテルに泊まる手続きを済ませること。❷〔一泊分の料金で〕ホテルの部屋に入ることの出来る時間。[二]航空機の搭乗手続き。

チェックオフ④〔checkoff〕組合費などを給与から天引きすること。

チェックポイント④〔checkpoint〕何かをするに当たって△点検(チェック)すべき箇所。「マラソンコースの—」

チェリー①〔cherry〕❶さくらんぼ。❷桜の木。

チェリオ①(感)〔cheerio=もと、元気を出せの意〕〔「ごきげんよう」の意〕別れの挨拶(アイサツ)や乾杯の時などに言う言葉。〔大正時代に多用された語〕

チェリスト②〔cellist〕チェロ演奏者。

チェレスタ②〔イ celesta〕鉄片を小型ハンマーで打つ仕掛けの小型鍵盤(ケンバン)楽器。澄んだ かわいい音を出す。かぞえ方 一台

チェロ①〔cello←violoncello〕腰掛けて両足の間に立てて弾く、四弦の弦楽器。バイオリンより大形。セロとも。かぞえ方 一挺(チョウ)・一丁

ちえん⓪【地縁】住む土地から生じる縁故関係。⇩血縁

ちえん⓪【遅延】—する(自サ) 物事の完成・結末が長引いたり 期待される時期・時刻よりも到着が遅れたりすること。「△工事(電車)が—する」

チェンジ①—する(自他サ)〔change=交換〕❶変えること。変わること。「イメージ—」❷〔野球で〕攻める方と守る方が、かわること。❸〔チェンジコートの略〕〔テニスなどで〕コートをとりかえること。

チェンジアップ④〔change-up〕〔野球で〕投手が時どき投げるゆるいボール(などで変化させること)。

チェンバロ⓪①〔イ cembalo〕⇩ハープシコード

ちおん⓪【地温】(ヂオン) △地表(地中)の温度。⇩気温・水温

*__ちか__①②【地下】土地のうち、地面から隠れて見えない部分。「—にもぐる〔=地下運動を行なう〕/—に眠る〔=なくなった〕父/—組織③・—出版物⑤」⇩地上・地中 —うんどう③【—運動】秘密に行なう、非合法の△社会(政治)運動。—けい②【—茎】地中にある植物の茎で、根のように見えるもの。ハス・サツマイモの根茎、ジャガイモの塊茎(カイケイ)、サトイモの球茎、ユリの鱗茎(リンケイ)など。—しげん③【—資源】地下にある、鉱物などの資源。—しつ②【—室】建物の地下の部分に設けた部屋。—すい②【—水】自然に地中にたまった水。井戸水など。—てつ⓪【—鉄】大都市の地下にトンネルを作って敷設した鉄道。メトロ。—どう②(ダウ)【—道】地下に設けられた歩道。かぞえ方 一本・一筋・一条

ちか①②【地価】❶土地の売買価格。「—が落ち着く/—の暴騰を招く」❷土地台帳に記載した土地価格。

ちか①②【治下】ある政権や国家権力の△支配(統治)のもと。「立憲—〔=政治下〕の国民」

**__ちか・い__②【近い】(形)〈どこ・なに・だれニ—〉対象との空間的な隔たりが△比較(一般に予測)されるものに比べて小さい。〔時間的な隔たりや二つの物事の関係についても言う〕「我が家は駅に—/月は地球にいちばん—天体だ/—将来/サルは人間に—動物だ/△ゼロ(不可能)に—〔=…と言ってもよいくらいだ〕/—〔=血縁関係をたどるのが容易な〕親類/—うち〔=近日中〕に伺います/目が—〔=近視だ〕/緑に—青」↔遠い 派 —さ②① 文法「近い」が何らかの意味で場所を表わす名詞を修飾する時は、相対的な観点から「私の家に近い駅」のようにも用いられるが、多くの場合は、「近い場所」の意を表わす「近く」を用いて「近くの店」のように表現するのが一般である。⇩近く

ちかい(ヒチカ)【誓い】[一]⓪誓う△こと(言葉)。「—を新たにする/—を立てる/—を守る/—を破る/仏の—〔=広く人類を救おうとする、仏の願い〕」[二]〔造語〕動詞「誓う」の連用形。—ごと⓪【—言】誓いの言葉。

ちかい⓪【地階】〔高層建築の〕地下に作られた階。〔ground floor などの訳として、「一階」の意に使うこともある〕

*__ちがい__(ヒチガ)【違い】[一]⓪違うこと。「—が出る/格段の—

〔=相違〕/思惑の—〔=思惑が外れること〕/建前と本音の—/筋—」 **—な・い**④【—無い】(形) 何かが△実現すること(事実であること)について、全く疑う余地がないと判断する様子だ。「あの男が犯人であるに—」 文法 助動詞「そうだ(様態)」に続くときは「違いなさそうだ」の形になる。 [二](造語) 動詞「違う」の連用形。 **—だな**③⓪【—棚】二枚の棚板を左右食い違いにつった棚。 **—め**⓪【—目】違った箇所。

ちがい⓪【稚貝】幼生の時期を終え、貝の形になって間もない小さな貝。「ホタテの—」

ちがい ほうけん④【治外法権】〔国際法で〕特定の外国人が、滞在する国の裁判権に従わない権利。元首・外交使臣・駐留軍隊・軍艦などに認められる。

*__ちか・う__⓪【誓う】(他五)〈だれ・なにニなにヲ—〉△神仏(他人・自分自身)に対して、ある行為の実行を堅く決意する。「誓って申し上げますが/将来を誓った〔=将来夫婦になろうと約束した〕仲/愛(情)を—」 [⇩誓い[二]]

**__ちが・う__【違う】[一]⓪(自五)〈なにト—〉❶その物には無い属性や特徴を、それと比較される他の物が持っていると認められる。「図柄は同じだが色が—ネクタイ/事、志と—/寸分違わない/△性格(ニュアンス・様子・わけ)が—/これ君のと—か〔=君のではないか〕/いや—〔=そうではない〕」 ❷かなり共通点を持つが、なお全く同一物とは認められないところがある。「一味—/金持は違ったものだ」 ❸△正しい(初めに決めた)ものと同じでない状態だ。「それでは話が—じゃないか/番号が違って〔=まちがって〕いる」 [二]〔「動詞連用形+—」の形で、接尾語的に〕いくつかの方向から交差する。「行き—・すれ—」 [⇩違い[二]]

ちが・える⓪【違える】(他下一) ❶違うように△する(させる)。 ❷正常の位置からはずれた状態にする。「筋を—」 ❸まちがう。「行司が差し違えた/聞き—」

ちかく②①【近く】[一]❶近い所。「—が火事だ/—の家」 ❷おおよその(程度の)年・月・日・時刻などであることを表わす。「六十歳—の男性/三か月—中国にいた/日がのびて七時—まで明るい」 [二](副) 現時点から日時のあまり経過しないうちに何かが行なわれる様子。「—行なわれる会議で決まるだろう/—決行する」

ちかく⓪ [一]【地核】地球の中心部にある、高熱・高圧の部分。 [二]【地殻】地球の外側の堅い部分。「—変動④」

ちかく⓪【知覚・△智覚】—する(他サ) 感覚器官が外界の事物をとらえ、それが何であるかを見分けること。また、その働き。視覚・聴覚・嗅覚・味覚・触覚など。「—作用④・—表象④・—麻痺④」 **—しんけい**④【—神経】感覚神経。

ちがく①【地学】❶地理学。特に、人文地理学の旧称。 ❷地質学・鉱物学・地震学などの総称。〔学科目としては、天文学・気象学をも含む〕

ちか ごろ②【近頃】[一]〔昔と対比してとらえた〕近い過去から現在に至る間(の時点)。「—の若者の風潮だ/—ではもう見かけない道具」 [二](副)〔「近頃例を見ない」の意で〕「非常に・大変」の意の古風な表現。「—迷惑な話だ」

ちかし・い③【近しい】(形) よく行き来するなどして親しくつきあっている間柄だ。「お近しく願っています」 派 **—さ**③② 表記 「《親しい」とも書く。

ちがたな②③【血刀】人などを斬って、まだ血のついている刀。

ちか ちか①②(副)—と —する ❶光が(せわしなく)明滅する様子。「星が—(と)またたく/信号が—する」 ❷光線などの刺激が強すぎて、目に痛いように感じられる様子。「まぶしくて目が—(と)する」

ちか ぢか②⓪【近々】(副) ❶それがごく近い将来に実現される予定である様子。「—発表するらしい」 ❷—と そのものの存在が間近に感じられるほど距離が迫っている様子。「レンズを通して遠くの山やまが—と見える/—とのぞきこむ/—と船を寄せる」

ちか づき⓪【近付(き)】親しく交際△すること(している相手)。知合い。「ちょっとした事から—になる/せっかくお—頂きましたのに…」

*__ちか づ・く__③⓪【近付く】(自五) ↕遠ざかる ❶〈どこ・なにニ—〉あるものが何かに向かって△移動(進行)し、段々両者の間隔が狭まる。〔時間についても言う〕「火星が地球に最も—日/△嫁ぐ日(タイムリミット)が—/△大詰め(核心・限界)に—/一歩一歩と—〔=接近する〕」 ❷〈だれニ—〉積極的に交際を求める。 他動 近付ける④⓪(下一)

ちかって⓪②【誓って】(副) 違背すれば神罰を受ける覚悟で、そう断言する様子。「—約束する/—うそは言わない」

ちかば⓪【近場】比較的近い場所。近間。

ちかま⓪②【近間】—な 近い所(にある様子)。「—を探す/—にある店」

ちか まわり③【近回(り)】❶—する(自サ) 近道を通ること。↕遠回り ❷その場所の付近一帯。

ちか みち②【近道】—する(自サ) ❶目的地に着くまでに、他よりも時間のかからない道筋。↕遠道 ❷目的を達成するための、手っとりばやい方法。「立身出世の—」 表記 「近《路」とも書く。

ちかめ【近目】[一]②「近(視)眼」の和語的表現。↕遠目[二]❷ [二]⓪ 普通より近い△程度(所)。「たまを—へ投げる」 ↕遠目[二] 表記 [一]は、「近《眼」とも書く。

ちがや①【〈茅《草】〔「かや」は草の雅称〕野原や道ばたに群生する多年草。春、銀白色に輝く花をつける。昔はこれで火口を作ったり屋根をふいたりした。漢方で強壮剤とする。〔イネ科〕 表記 「〈茅・〈茅萱〉」とも書く。 かぞえ方 一本

ちかよ・る③⓪【近寄る】(自五) 何らかの目的が△あって(あるかのように)対象となる人や物の近くに移動する。「近寄って男の顔を確かめてから話を始めた/こわごわ火口に近寄って中をのぞく」 他動 近寄せる④⓪(下一)

__ちから__③【力】〔△それ自身の営みとしてそのものが持続したり変化したりする(そのものが他のものに影響や変化を与える)作用を可能にしている根源だととらえられるもの〕❶〔自然物やその生産物について〕物体の位置・状態を変化させる作用〔=重力・引力・圧力など〕や、生物の生命の維持、成長、位置の移動などの作用の根源。「風の—を利用した発電装置/水の—で浸食された海岸/人類を破滅させる—を持つ恐るべき核兵器/成長する—を失って枯れた大木/数千キロ飛び続ける渡り鳥のたくましい—」 ❷〔個々の人間や組織・集団について〕活動を支える上で不可欠な、肉体面での成長などを促す作用や、精神面での意志・欲求を実現させようとする積極的な心の働きの根源。「若い—が体じゅうにみなぎる/持てる—のすべてを注いだ労作/大国の—に屈する/—の△外交(論理)で押しまくる/—の限り戦う/—の限界を悟る/目的達成に—を△入れる(尽くす・傾ける)〔=集中して努力する〕/—を△付ける(落とす)/—を合わせて〔=協力して〕事にあたる/わたしの—になって〔=助力して〕ほしい/—を△貸す(借りる)/—を△入れ(込め)て言う/—のある文章/—比べ・—自慢」 ❸何に起因するかは明確ではないが、他に影響を及ぼすことは疑いないととらえられる働き。「目に見えない—に支配される/女の涙には男を動かす—がある」 **【—を貸す】困っている人を助ける。「どなたか力を貸して

くださいﾞ」

―あし③【―足】足に力をこめること。また、その足。「―を踏む(=すもうで、四股(シコ)を踏む)」 ―いっぱい④【―一杯】(副) 持てる力の限りを尽くして事にあたる様子。「腕も折れよとばかり―投げる/―がんばります」 ―うどん④【―〈饂飩〉】かけうどんに餅(モチ)を入れたもの。 ―おとし④【―落(と)し】がっかりして物事を行なう気力が無くなること。 ―がみ③【―紙】⇩けしょうがみ ―こぶ③【―〈瘤〉】こぶしに力を入れ、ひじを曲げた時に、二の腕に出来る、筋肉の隆起。「―を入れる(=重要な事と考え、熱心に援助する)」 ―しごと④【―仕事】強い力が必要な、肉体労働。 ―ずく⓪ヅク【―《尽(く)》】腕力・暴力などをふるって、目的を果たすこと。「―で押さえつける」 ―ぜめ⓪【―攻(め)】策を用いず武力にのみ頼って真っ向から攻めること。 ―ぞえ⓪ゾヘ【―添(え)】助け(ること)。個人的な援助。 ―だのみ④【―頼(み)】助けてくれるものとしてたよりにすること。 ―だめし④【―試(し)】自分の△能力(体力・技術)を試してみること。「―に受験する」 ―つ・きる⑤【―尽きる】(自上一) 最後の力を振り絞っていたものの、目的を果たす前に終わる。「長い闘病の末に―(=亡くなる)/プレーオフまであと一歩のところで―(=敗退する)」 ―づ・く④【―付く】(自五) 力が加わる。元気がつく。 ―づ・ける⑤【―付ける】(他下一) 励ましたり慰めたりして、元気が出るようにする。「声援に力付けられる」 ―づよ・い⑤【―強い】(形) ㊀見るからに力がこもっているという印象を与える様子だ。「―足取りで行進する/―経済成長を続ける/―タッチで描かれた障壁画」 ㊁いかにも頼りがいがありそうで心強く感じられる様子だ。「被災者に首相が―メッセージを送る」 派―さ④ ―げ⓪⑤ ―なげ⓪④【―無げ】―な 力の無い様子だ。 ―ぬけ⓪【―抜(け)】―する(自サ) 力が抜けて無くなること。落胆。 表記「力《脱け》」とも書く。 ―ぬの③【―布】△縫い合わせた(ボタンを付けた)所が破れないように裏から当てる布。力ぎれ⓪⑤③。 ―まかせ④【―任(せ)】―に (加減をしないで)ありったけの力を出して物事をする様子だ。「―に引っ張る」 ―まけ⓪【―負(け)】―する(自サ) ㊀力が段違いのために負けること。㊁力の入れ方を間違えたために負けること。 ―みず③ミヅ【―水】力士がすもうを取る前に、口に含んで力をつける水。けしょうみず②。 ―もち③【―持(ち)】力の強い△こと(人)。 ―わざ⓪【―業】㊀力(のいる)仕事。肉体労働。㊁強い力を頼みにしてする業。

ちかん⓪クワン【弛緩】―する(自サ)「しかん」の変化。

ちかん⓪クワン【痴漢】(夜道や電車の中などで)性的な行為をする男。「―に注意/―は犯罪だ」

ちかん⓪クワン【置換】―する(他サ) 置き換え(ること)。〔数学では順列の並べ方を変えることを指し、化学では化合物のある原子(団)を他のものに置き換えることを指す〕

ちき①②【知己】㊀自分(の気持・考え)をよく理解してくれる人。「彼は私をまるで十年来の―でもあるかのように、あたたかく迎えてくれた/―の言(ゲン)」 ㊁知合い。知人。

ちき①⓪【稚気・〈穉気〉】おとなになってもまだ残っている、子供っぽい気分。「―満々」

ちぎ①【地〈祇〉】地の神。地神。⇩天神

ちぎ①【遅疑】―する(自サ) しようかしまいか決しかねて、ぐずぐずすること。「―逡巡(シュンジュン)する」

ちぎ①【千木】古代の建築や神社建築で、屋根のむねの両端にX字形に交差させた長い木材。 かぞえ方 一本

***ちきゅう**⓪キウ【地球】われわれ人類が住む、ほぼ球形の天体。太陽系の惑星で、三番目に太陽に近いもの。月を衛星に持ち、一年で太陽を回る。「―上・―規模」 ―ぎ②【―儀】〔「儀」は、模型の意〕地球の模型。 かぞえ方 一台

ちぎょ①【池魚】池の魚。「―の殃(ワザワイ)(=思いがけない災難にあうこと。特に火事で類焼すること)」

ちぎょ①【稚魚】卵からかえってまもない魚。⇩幼魚・成魚

ちきょう⓪ケフ【地峡】二つの海に挟まれている細長い陸地。二つの陸地をつなぐ頸(クビ)のように見える。「パナマ―④⑤」

ちぎょう⓪ギヤウ【知行】昔、武士の俸禄(ホウロク)として支給された領地。 ―とり②【―取(り)】知行によって生活した武士。

ちきょうだい②キヤウー【乳兄弟】うばによって育てられた子と、うばの子との間柄。

ちぎり⓪③【〈扛秤〉】一貫目以上の重いものをはかる、大きなさおばかり。ちぎばかり③。

ちぎり⓪③【契(り)】〔動詞「契る」の連用形の名詞用法〕㊀約束。「二世(ニセ)の―(=来世までも変わらない夫婦の約束)/―を結ぶ(=夫婦として変わらない約束をする)」 ㊁生まれる前からそうなっている定め。

ちぎり③⓪【乳切(り)】〔↑ちぎりき⓪③〕「杖(ツエ)・棒」の意の古風な表現。「棒―」 表記「千切り」とも書く。

ちぎりえ③⓪エ【〈ちぎり絵〉】細かくちぎった色紙を台紙に貼(ハ)って描いた絵。 表記「千切り絵」とも書く。

ちぎ・る②(他五) ㊀一続きになっている物の一部分を、力を加えてもぎ取る。「引き―④」 ㊁手で押さえて引っぱったりなどして細かくする。「紙を―/パンをちぎって食べる」 表記「千切る」は、借字。

ちぎ・る②【契る】㊀(他五) 将来まで決心を変えまいと約束する。 ㊁(自五) 肉体的な交わりを行なう。

ちぎれぐも④【ちぎれ雲】ちぎれたかのように他の雲と離れて浮かぶ小さな雲。

ちぎれちぎれ④ 幾つにも細かく分かれること。また、その様子。「―の雲/―に(なる)」

ちぎ・れる③(自下一) 強い外力を受け、ものの一部が本体から離れる。「ひどい寒さで耳がちぎれそうだ」 表記「千切れる」は、借字。

チキン①②〔chicken=若鶏(ワカドリ)〕㊀(食用としての)ニワトリの肉。かしわ。「―カツ④・ロースト―⑤」 ㊁臆病(オクビョウ)な者を蔑(サゲス)んで言う語。「―レース④」

ちぎん⓪【地銀】「地方銀行」の略。

チキンライス④〔和製英語 ←chicken + rice〕細かく刻んだタマネギと鶏肉を材料にした炒(イタ)め御飯。塩・トマトケチャップなどで味をつける。

ちく(竹・畜・逐・蓄・築)→【字音語の造語成分】

ちく【築】(造語) (新たに)建築されたものであることを表わす。「―(=建築後)五年」⇩【造語成分】

ちく①②【地区】(ある目的のために特に指定された)一定の地域。「文教―・風致―」

ちく①【馳駆】―する(自サ) 馬に乗って駆け回ること。〔他人△の世話をする(と競争する)ために奔走する意にも用いられる〕

ちぐ①【痴愚】「おろかな人」の意の漢語的表現。

ちくいち②【逐一】(副) すべてを漏らさず順を追って取り上げていく様子。「事件の詳細を―検討する/そのつど―報告する」

ちぐう⓪【知遇】無名の人がその才能・見識などを知名の士に認められて、出入りを許されること。「当代一の碩学(セキガク)の―を得る」

ちくおんき③【蓄音機】レコードプレーヤーのかつての呼称。 かぞえ方 一台

ちくかん⓪【竹簡】〔紙の無い時代に〕紙の代りに使われ

た、竹を細長く削って作った札。

ちくけん[0]【畜犬】その家で飼っている犬。「―税[3]」

ちくご[0]【逐語】〔文脈を無視して〕原文の一語一語を機械的に解釈・翻訳などすること。逐字。「―的[0]」 **―やく**[0][3]【―訳】直訳。

ちくこう[0]【築港】⇩ちっこう

ちぐさ[1] ［一］【千草】❶種々の草。❷〔雅〕〔←千草色[0]〕もえぎ。 ［二］【千《種】〔雅〕種類が多いこと。「ちくさ[1]」とも。

ちくざい[0]【蓄財】―する(自サ) お金をためること。また、その財産。

ちくさつ[0]【畜殺】―する(他サ) 肉・皮などをとるために、牛・豚などを殺すこと。屠殺(トサツ)。 **―じょう**[0]【―場】食肉用として飼っていた獣を殺し、処理する公営の施設。

ちくさん[0]【畜産】食肉・皮などを取る目的で家畜を飼う産業。「―業[3]・―大学[5]・―物(ブツ)[3]」

ちくし[1][2]【竹枝】その土地特有の風俗・人情を詠じた漢詩。〔広義では、同趣の民謡をも指す〕

ちくし[1][2]【竹紙】❶竹の幹の内側の薄皮。❷薄い雁皮(ガンピ)紙。〔唐紙の異名ともいう〕 かぞえ方 ❶❷とも一枚

ちくじ[1][2]【逐次】(副) 時間の経過に従って、何かが行なわれたり段階的に変化していったりする様子。「両国の関係は―改善されていくだろう/―刊行物[6]」 **―せいぎょ**[4]【―制御】〔コンピューターで〕主記憶装置に記憶しているプログラム内の命令を並んでいる順に一つずつ読み取って実行していくこと。〔現在大多数のコンピューターが採用している基本原則。対応する英語は sequential control〕 **―つうやく**[4]【―通訳】発言の区切りごとに次つぎと訳していく通訳。↕同時通訳

ちくじ[0]【逐字】逐語。「―的[0]・―訳[3]」

ちくじつ[0]【逐日】(副)「日を追って」の意の漢語的表現。「―甚(ハナハダ)暑(アツ)相成(アイナリ)」

ちくしゃ[1][2]【畜舎】家畜を飼っておく小屋。家畜小屋。

ちくしゅう[1]【《筑州】「筑前(チクゼン)・筑後(チクゴ)」の総称。「筑前」は今の福岡県北部・西部、「筑後」は今の福岡県南部にあたる。

ちくしょう[3]【畜生】［一］❶〔仏教的世界観で〕前世(ゼンセ)における悪行の報いで人間以外に生まれたとされる動物。「―同然」❷〔動物一般を、人間より劣った存在とする考え方から〕まともな人間とは言えない者。〔侮蔑(ブベツ)を含意する〕「あん―(チキショウ)」 ［二］(感) 止めることの出来ない怒り・悔しさなどを発散させるための語。 **―どう**[3]【―道】〔仏教で〕六道の一つ。現世の悪行の結果、死後繰り返す、畜生としての境遇。「―に堕(オ)ちる〔=父子(母子)や兄弟などの近親の間柄で相姦(ソウカン)が行なわれる〕」 **―ばら**[0]【―腹】一度に二人(以上)の子を生むこと。〔侮蔑(ブベツ)を含意して用いられる〕

ちくじょう[0]【逐条】箇条の順に一つずつ逐(オ)うこと。「―的に検討を加える/―審議[5]」

ちくじょう[0]【築城】―する(自サ) 戦闘・防御に必要な城や陣地を作ること。

ちくせき[0]【蓄積】―する(他サ) 〔資本・知識・エネルギーなどを〕いざという時役立てるために、たくわえておくこと。〔また、疲労の持ち越しなどについても言う。例、「疲労の―」〕

ちくぞう[0]【蓄蔵】―する(他サ) 外に出さず、しまっておくこと。「―貨幣[5]・―庫[3]」

ちくぞう[0]【築造】―する(他サ) 城・石垣・堤防など、堅固な構築物をつくること。「古墳の―年代/―物(ブツ)[3]」

ちくちく[1][2](副)―と ❶―する 針などで断続的に刺す(ような痛みを感じる)様子。「アザミの刺(トゲ)が―とする/良心が―痛んだ」 ❷いやみなどを小出しに言って相手を非難する様子。「―と悪口を言う」

ちくてい[0]【築庭】―する(自サ) 庭園を造ること。

ちくてい[0]【築堤】―する(自サ) 堤を築くこと。また、築いた堤。

ちくでん[0]【逐電】―する(自サ) 〔電(イナズマ)を逐(オ)うように急ぐ意から〕そこに居られない事情が起こったため、ほかの土地に逃げ隠れること。出奔。〔古くは「ちくてん」とも〕

ちくでん[0]【蓄電】―する(自サ) 電気を蓄積すること。 **―き**[3]【―器】⇩コンデンサー **―ち**[3]【―池】必要に応じていつでも充電して、何度でも使える仕掛けの電池。バッテリー。「鉛(ナマリ)―[6]」

ちくねん[0]【逐年】(副)「年を追って」の意の漢語的表現。「高齢者が―増加する傾向がある」

ちくのうしょう[0]【蓄《膿症】「副鼻腔(フクビコウ)[3]〔=鼻腔から奥に通じているひろがり〕」にうみがたまる病気。

ちくはく[0]【竹《帛】「書籍」の意の古風な表現。「名を―に垂れる〔=歴史上に功績が残される〕」

ちぐはぐ[1][0]―に・―な 〔「ちぐ」ははんぱの意。「はぐ」は語調を整えるために添えたもの〕 ❶一そろいのものを構成する個々のものの間に調和が認められず、不ぞろいだという印象を与える様子だ。「スーツとネクタイが―だ/―な部品」 ❷期待したことと結果とがひどく違っていて△いらいらさせられる(不運を嘆きたくなる)感じだ。「―な反応が返ってくる/選手の気持がまとまらず―な攻撃が目立つ」

ちくはつ[0]【蓄髪】―する(自サ) 剃髪(テイハツ)した僧が、還俗(ゲンゾク)して再び髪を伸ばすこと。

ちくばのとも[1]-[1]、[2]-[1]【竹馬の友】幼年時代からの(親しい)友人。〔多く男性同士について言う〕

ちくび[1][2]【乳首】❶乳房の先に突き出た、(乳の出る)球状の部分。「ちちくび」とも。❷赤ん坊にくわえさせる、「乳首❶」の形をしたゴム製品。

ちくふじん[3]【竹夫人】夏、涼をとりながら寝るために抱く、竹のかご。抱きかご。

ちくり[2][3](副)―と 針など先のとがった物で軽く刺したりそのような痛みを与えたりする様子。「とげが―と指にささった/針の先が―とする/―といやみの一つも言ってやりたい」

ちくりょく[2]【畜力】車や耕具を引く、家畜の(労働)力。

ちくりん[0]【竹林】竹の生い茂った林。「―の七賢[0]-[0]〔=中国の晋(シン)時代に、俗世を避けて清談したという七人の隠者〕」

ちく・る[2](他五)「密告する」の俗語的表現。「担任教師に―」

ちく

［竹］ タケ。「竹馬の友/竹簡・竹紙・竹林・爆竹・筮竹(ゼイチク)・孟宗(モウソウ)竹」

［畜］ ❶肉・毛などを利用したり労働力を提供させたりする目的で動物を飼う。「牧畜・飼畜」❷動物。〔狭義では、❶の目的で飼われるものを指す〕「畜生(チクショウ)・畜産・家畜・有畜・人畜無害」

［逐］ ❶おいはらう。また、逃げる。「逐電・駆逐・放逐」❷あらそう。「角逐」❸順をおって何かをする。「逐一・逐次・逐日(チクジツ)・逐語訳・逐条審議」

［蓄］ たくわえる。たくわえ。「蓄財・蓄積・蓄音機・蓄電池・貯蓄・蘊蓄(ウンチク)」

［築］ 基礎を固めた上に、何かをきずく。「築港(チッコウ)・築城・築造・増築・建築・新築・修築・改築・構築」⇩(本文)ちく【築】

ちくるい[2]【畜類】❶家畜。❷けだもの。畜生。

チクルス[1]〔ド Zyklus〕❶連続演奏会。連続音楽会。「ベートーベン―」❷一連の歌曲集。ツィクルス。

チクロ[1]〔←cyclohexyl sulfamic natrium〕白色の人工甘味料。砂糖の五十倍ぐらい甘いがからだに有害なので使用禁止となった。

ちくろく[0]【逐《鹿】〔「中原の鹿」〖=帝位〗を逐ォう〖=争う〗意から〕議員の地位などを得ようとして、莫ﾊﾞ大な金・時間・労力を投入して争うこと。「―戦[0]」⇩中原ﾁｭｳｹﾞﾝ

ちくわ[0]【竹輪】〔←ちくわかまぼこ[4]〕すりつぶした魚肉を竹ぐしに丸く棒状に塗りつけて、焼いたり蒸したりして作った食品。くしを抜いた切り口が竹の輪切りに似る。「焼き―」⇩板つき❷ かぞえ方 一本 **―ぶ**[3][0]【―〈麩】小麦粉をこねてちくわの形にして蒸したもの。おでんの具材などにする。かぞえ方 一本

チゲ[1]〔朝鮮 jjigae=鍋物〕朝鮮の伝統的な料理の一つ。唐辛子で味付けをしたスープをベースとして、野菜、魚介類、豆腐などを入れた鍋料理。「豆腐―」

ちけい[0]【地形】その土地の様子。山が川に臨むとか、丘がなだらかに続くとかなど。「―図[2]」

チケット[2][1]〔ticket〕❶乗車券・入場券・食券・預り証などの、証拠となる紙片。切符。❷物品を分割払いで購入するための券。かぞえ方 ❶❷とも一枚

ちけむり[2]【血煙】人を斬ｷった時などに、ほとばしって飛び散る血を煙にたとえた語。「―をあげる」

ちけん[0]【地検】「地方検察庁」の略。

ちけん[0]【治験】❶治療のききめがあること。❷〔←治療試験[4]〕動物実験を終えた新薬を、厚生労働省の製造承認を得るために、人間に使ってみる△こと（実験）。「―例[2]・―談[2]」 **―やく**[2]【―薬】「治験❷」を行なう新薬。

ちけん[0]【知見・〈智見】〔知識と見解の意〕獲得・蓄積された専門的知識と、一連の現象をいかに考えるかという総合的観点。「最新の―を盛り込んだ画期的な業績」

ちけんしゃ[2]【地権者】その土地の所有権者。

ちご[1]【稚《児】〔もと「乳子」の意。「児」一字で表記される純然たる和語であったが、コと訓ﾖまれるのを避けるために加えた「稚」の部分は、次第に字音語であるかのような印象を与えるようになった〕❶社寺の行列に美装して加わる男女の児童。〔これに形を借りて神が降臨するものと考えられた〕❷男色の相手役としての少年。「よか―」「お―さん」

表記 ⇩付表「稚児」

チゴイネル[2]〔ド Zigeuner〕⇩ロマ

ちこうｵ[0]【地溝】平行する断層の中間の地帯が陥没して出来た、細長いくぼ地。「大―帯[0]」

ちこうｵ[0]ｶｳ【治効】治療のききめ。

ちこうｵ[1][2][0]ｶｳ【知行】知識と行為。 **―ごういつ**ｵ[2]-[0]、[1]-[0]、[0]-[0]ｶﾞﾌｰ【―合一】本当に知る、ということは必ず実行を伴うものであるという倫理説。

ちこうｵ[0]ｶｳ【遅効】少し時間がたってから薬などのききめが現われること。「―性肥料[6]」↕速効

ちこく[0][2]【治国】昔の天子・諸侯の理想としての、良い政治。 **―へいてんか**[0]-[3]、[2]-[3]【―平天下】昔の天子の理想としての、一国の平和な治政。

ちこく[0]【遅刻】―する（自サ）集合・出社など、決められたその時刻に遅れること。

ちこつ[0]【恥骨】生殖器のすぐ上にある、下腹の骨。

チコリー[1]〔chicory〕ヨーロッパ原産の多年草。サラダ菜に似て、苦味が強い西洋野菜。地中で白く育てた若い葉を食す。チコリ[1]とも。〔キク科〕かぞえ方 一株・一本

ちごわ[0]【稚《児輪】稚児の髪の結び方。振分け髪を、左右に輪を作って頭上に上げたもの。おちご[0]。表記 ⇩付表「稚児」

ちさ[1][2][0]【〈〈萵苣〉〉】野菜のチシャ。

ちさい[0]【地裁】「地方裁判所」の略。

ちざい[1][0]【知財】「知的財産（権）」の略。「―法（=知的財産基本法）」

ちさがり[2]【乳下(が)り】❶〔和裁で〕羽織の乳ﾁをつける位置としての肩山からの寸法。❷〔洋裁で〕首の付け根から乳首までの寸法。

ちさん[0]【治山】災害を防ぐため、木を山に植えたりなどすること。「―治水」

ちさん[0]【治産】（自分の）財産の管理や処分。「禁―」

ちさん[0]【遅参】―する（自サ）刻限に遅れて参上すること。

ちさん[0]【稚蚕】若いカイコの子。

ちざん[0]【遅産】予定日より二週間以上遅れた出産。↕早産

ちさんちしょうｵ[0]-[0]ｾｳ【地産地消】ある産地で生産されたものを、その地元で消費すること。

ちし[1]【地誌】その地方の地理のほか、伝説・習俗等、その地方に関係ある事柄を広く収録した書物。

ちし[1]【知歯・〈智歯】いちばん奥にある歯。親知らず。〔分別がついてから生えるので言う〕

ちし[1]【致仕】―する（自サ）〔「致」は、返上の意〕老齢に達したため、辞職すること。〔七十歳の異称としても用いられる。昔、中国の定年は七十歳であった〕

ちし[1]【致死】その事が直接の原因となって、△死ぬ（死なせる）結果になること。「過失―罪[5]」 **―りょう**ｵ[2]ﾘﾔｳ【―量】その量を飲むと必ず死んでしまう、薬品の最少の量。

ちじ[1]【知事】〔「知」は、治める意〕❶都道府県の首長。〔現在は公選、任期は四年〕❷〔禅宗の〕寺院で寺務をつかさどる役僧。

ちしお[0]ｼﾎ【血潮・血〈汐】〔斬ｷられたりけがをしたりして〕からだからほとばしり出る血。〔熱血・熱情の意にも用いられる〕「―に染まった旗」

ちしき[1]【知識・〈智識】❶ある範囲の事柄について△知って（理解して）いることや内容。「―（=情報）が得られる/多くの―を詰め込む/―の切り売り/―欲[3]」❷〔古〕「善知識」の圧縮表現。転じて、単に友人。 **―かいきゅう**[4]ｷﾌ【―階級】〔普通以上の教育を受け〕事務室内での仕事や知的活動に従事する、社会の中堅。インテリ。 **―じん**[3]【―人】知識・教養があるとされる人たち。インテリゲンチア。

ちじき[2]【地磁気】地球自身の磁気と、それによって生じる磁場ﾊﾞ。

ちじく[0]ﾁｸ【地軸】地球の中心を貫くと想像された線。〔地学では、地球の自転の中心軸を指す〕「―を揺るがす響き」

ちしつ[0]【地質】地層の状態や土地の性質。「―学[3]・―図[3]・―調査[4]」 **―じだい**[4]【―時代】地球生成から現代に至るまでのうちで、地殻変動の様相を手がかりに観察されるような、非常に古く長い時代の称。

ちしつ[0]【知〈悉】―する（他サ）その事について、細かい点まで十分に知っていること。

ちじつ[0][1]【遅日】なかなか暮れない（春の）一日。

チジミ[0]〔朝鮮 jijimi〕朝鮮料理で、お好み焼きに似た食べ物。小麦粉に卵などを加えた生地に、野菜や魚介類などをまぜ合わせて薄く焼き、酢味噌に似たものをつけて食べる。表記 メニューなどでは「チヂミ」と書かれることが多い。

ちしゃ[1][2][0]【〈萵】緑色でしゃもじ形の葉を持つ一年草。サラダ菜・レタスやカキヂシャ[0]などの種類

がある。「ちさ」とも。〔キク科〕 かぞえ方 一株。葉は一枚 表記 「〈萵苣〉」(漢語表記)とも書く。

ちしゃ ①【治者】 ❶国・地方を治める人。❷主権者。

ちしゃ ①【知者・〈智者〉】 ❶知恵のある賢い人。❷その方面の知識を持っている人。

ちじゅん ⓪【稚純】―な 一人前のおとなでありながら、その言動・身だしなみ・生活態度などがまるで幼い様子だ。

ちしょう(ォ) ⓪(シャウ)【地象】 地震・山崩れ・地滑り・陥没など、土地に起こる異変現象。↕天象

ちしょう(ォ) ⓪(シャウ)【知将・〈智将〉】 知恵があり、作戦のうまい大将。

***ちじょう(ォ)** ⓪(ジャウ)【地上】〔天上に対して〕 ❶人間が住み、動植物が生きる場としての地面(の上の空間)。「機体が―に降り立った/地下三階―三十階のビル/―茎(ケイ)②・―植物⑤」 ⇩地下・地中 ❷人間の生きる現実の世界。「―の楽園」 **―けん** ②【―権】 他人の所有地を借りて、そこを使う権利。 **―デジタルほうそう(ォ)** ⑧(ハウー)【―デジタル放送】 地上波によるデジタルテレビ放送。従来のアナログ放送よりも映像が美しく、用途も多様であるとされる。二〇一一年七月二四日に一部地域を除いて完全に移行した。略して地デジ。

ちじょう(ォ) ⓪(ジャウ)【痴情】 性的な交渉などに迷う心。「―のもつれ/―の果てに/―関係④」

ちじょう(ォ)い ②、①-①-①(ージャウ)【知情意】 円満な人格の発達に欠くことの出来ない知性・感情・意志。

ちじょく ⓪【恥辱】 体面を傷つける、不名誉なこと。はじ。

ちじん ⓪【地神】 地の神。地祇(ギチ)。↕天神

ちじん ⓪【知人】 なんらかの関係で互いに知っている人。知合い。知己。「友人―に勧められて再婚を決意した/―関係」

ちじん ⓪【痴人】 おろかな人。

ちしんじ ②【遅進児】 先天性の病気などのために学力の進み方のおそい児童。「―対策・学業―」

****ちず** ①(ヅ)【地図】 その地域の山・川・海などの状態や都市の分布などを、縮尺して平面に表わした図。「地形図・地質図・海図」など種々のものがある。「―が塗りかえられる(=その社会における勢力分布などが、従前とは一変したものとなる)/絵―⓪②」 かぞえ方 一枚・一葉(イチヨウ)・一舗(ポ)

ちすい ⓪【治水】―する(自サ) 洪水にならないように堤防を築いたり 水の流れを制御したり 灌漑(カンガイ)の便をよくしたりすること。「―工事④」

ちすいかふうくう ⑤(クワー)【地水火風空】〔仏教で〕 一切の物が、それから生じると考えられる、もと。五大。⇩四大

ちすじ ⓪(スヂ)【血筋】 ❶血液が からだの内部をめぐる筋道。❷血統。「―は争えない」 ❸血統の続いた親族。血縁。

ち・する ②【治する】(他サ) ❶〔国などの領地を〕治める。❷病気をなおす。

ちせい ⓪【地勢】 高低や山川の配置などを中心として見た、その土地の自然界の ありさま。

ちせい ①【治世】 ❶よく 治まった世の中。↕乱世 ❷君主として世の中を治める△こと(期間)。

ちせい ①【治政】 ❶善政が行なわれ、平和が保たれること。❷統治者が、その支配地を治めること。「徳川の―」

ちせい ①【知性】 物事の理屈がすぐ理解出来る能力。理知。 **―てき** ⓪【―的】―な その人のもつ知性が感じられる様子だ。「―な顔立ち」

ちせいがく ②【地政学】 地形的条件がその国の政治や外交政策などに及ぼす影響を研究する学問。

ちせき ⓪【地積】 土地の面積。

ちせき ⓪【地籍】 その土地の所有者・地番・地目(チモク)・境界・面積などを登録したもの。「―台帳④(=土地台帳)・―調査④」

ちせき ⓪【治績】 その△国(地方)をよく治めたという実績。「―大いにあがる」

ちせつ ⓪【稚拙】―な ―に 経験が少なかったりして、未熟な点が目につく状態。「―な文章」 ↕老巧 派 **―さ** ⓪③

ちそ ①②【地租】〔旧法で〕その人の所有地に課した直接税の称。〔現在の固定資産税に当たる〕 **―わり** ⓪【―割(り)】 地租を標準として割り当てる地方税。

ちそう(ォ) ⓪(サウ)【地相】 土地のありさま(からなされる、吉凶の判断)。

ちそう(ォ) ⓪【地層】 土地を掘った時に分かる、岩石・土砂・化石などの積み重なり。

ちそう(ォ) ⓪【〈馳走〉】―する(他サ) ⇩ごちそう

ちそく ⓪【遅速】 おそいか速いか。

ちぞめ ⓪【血染(め)】 血で染まり、真っ赤になること。

チター ①〔ド Zither〕 南ドイツ・オーストリア・スイスの弦楽器。木製の平らな胴の上に、五～六本の旋律用の弦と三十本程度の伴奏用の弦を張ったもの。右手親指にはめたツメと他の指でひく。ツィター。

ちたい ①【地帯】 ある広がりを持つ、一定の場所・地域。「安全―・工業―・山林―」

ちたい ⓪【遅滞】―する(自サ) 〔期限・予定などより〕遅れること。

ちたい ⓪【痴態】 ばかげた△ふるまい(かっこう)。

ちだい ⓪①【地代】 「じだい」の古風な表現。

ちだい ⓪(ダヒ)【血〈鯛〉】 マダイによく似たタイ。赤いあざやかな色で、背中に青い斑点(ハンテン)がある。 かぞえ方 一尾・一匹

チタニウム ③〔titanium〕 ⇩チタン

ちたび ①【千度】〔雅〕幾度も繰り返すこと。

ちだまり ⓪③【血〈溜(ま)り〉】 体外に流れ出た血がたまっているところ。「床に―ができる」

ちだるま ②⓪【血《達磨》】 血を浴びて、赤い達磨のように全身まっ赤に染まること。

チタン ①②〔ド Titan〕 砂鉄に含まれる金属元素の一つ〔記号Ti 原子番号22〕。軽くて強いので航空機材・耐食材料・合金成分として広く用いられる。また、化合物としても染料・顔料など、用途が広い。チタニウム。

****ちち** ①②【父】 ❶その人の男親。〔キリスト教では、「神」の意を表わす〕 ↕母 ❷その△方面(分野)で歴史に名を残した偉大な先駆者。「アメリカ民謡の―、フォスター/建国の―孫文」

***ちち** ②①【乳】 ❶乳房内の乳腺(ニュウセン)から分泌する、白い色の液。「母の―がまだ恋しい年ごろ」 ❷乳房。

ちち ①②【遅々】―たる ―と 〔何か事情があって〕物事の進行が思ったよりおそく、気にかかる様子だ。「△仕事(研究)が―として進まない/―とした歩みを続ける/春日(シュンジツ)―(=春の、日が長くてうららかな様子)」

ちぢ ①【千々】〔雅〕 ❶数が多いこと。「―に砕ける」 ❷種々さまざま。「心が―に乱れる」

ちちうえ ②(ウヘ)【父上】 父親の敬称。↕母上

ちちおや ⓪【父親】 父(である親)。↕母親

ちちかた ⓪【父方】 父親の血筋を引いた方。↕母方

ちぢか・む ⓪【縮かむ】(自五) 寒さや恐怖・緊張などのために、からだ(の各部分)が自由に伸ばせなくなる。

ちちぎみ ②【父君】 (他人の)父の敬称。「ふくん」とも。↕母君

ちちくさ・い ④【乳臭い】(形) ❶乳のにおいが感じられる様子だ。❷未熟さ・幼稚さが目立つ様子だ。「高校生にも

なって―ことを言うものじゃない」 派 ―さ[3]

ちちくび[2]【乳首】「ちくび」の新しい表現。

ちちく・る[3]（自五） 男女が（人の見ていない所で）ふざけあう。いちゃつく。 表記 「乳繰る」は、借字。

ちちご[0]【父御】 相手の父の敬称。↕母御

ちぢこま・る[0][4]【縮こまる】（自五）「縮まる❶」の口頭語における強調形。「寒さのために―」

ちちのひ[1][2]【父の日】 父親の愛に感謝する日。〔六月の第三日曜日〕

ちちはは[2][1]【父母】 父と母。両親。ふぼ。

ちぢま・る[0]【縮まる】（自五） ❶縮んだ状態になる。❷短くなったり 小さくなったり する。「△距離（差・寿命・所要時間）が―」

ちぢみ【縮（み）】 [一][0] ❶縮むこと。「―を防ぐ加工」 ❷〔←縮み織り[0]〕 表面に小じわを織り出す織り方（の織物）。「明石（アカシ）―」 [二]（造語） 動詞「縮む」の連用形。 ―あが・る[5]【―上（が）る】（自五） 恐ろしさのあまり極度に緊張して、一気に身が縮んだ感じになる。

*__ちぢ・む__[0]【縮む】（自五） ❶〈（なにカラなにニ）―〉 組織を満たしていた成分の張りが無くなったり 中身が減ったり などして、△面積・体積が小さく（長さが短く）なる。「風船が―／背が―〔＝低くなる〕／着物の丈が―〔＝短くなる〕／身の―〔＝恐縮・緊張して小さくなる〕思い」 ❷〈（なにカラなにニ）―〉 一時△伸びて（膨張して）いたものが、もとの大きさに戻る。「伸びたり縮んだり」 ❸絞り染めにして、しわが寄る。〔❶～❸の多くの対義語は、伸びる〕 〔⇩縮み[二]〕

*__ちぢ・める__[0]【縮める】（他下一）〈（なにカラなにニ）なにヲ―〉 △長さを短く（広がりを少なく）する。「△命（先頭との差・格差・幅）を―／着物の丈を―／戦線を―〔＝縮小する〕／眉（マユ）の間を―〔＝眉の間にしわを寄せる〕」

ちちゅう[0]【地中】 土地のうち、草木の根が伸び広がる表面に近い部分。⇩地上・地下

ちぢれげ[0]【縮（れ）毛】 細かく縮れた毛。

ちぢ・れる[0]【縮れる】（自下一） ❶しわが寄って縮まる。❷髪の毛などが 細かくうねったり 巻いたり した状態になる。

ちちんぷいぷい[2]-[0]（感） 〔「ちちんぷいぷい御代（ゴヨ）の御宝（オンタカラ）」の略〕子供が手足などを痛めた時、親などが痛みをまぎらすようになでさすって言う言葉。

ちつ〈秩・窒・〈蟄〉 →【字音語の造語成分】

ちつ[1][2]【〈帙】 和装の書物を包む、おおい。厚紙に布をはったりして作る。 かぞえ方 一帙（イッチツ）・一套（イットウ）

ちつ[1][2]【〈膣・〈腟】 女性の生殖器の一つ。子宮から体外に通じる筋肉の管。交接器と産道を兼ねる。

チッカー[1]〔ticker〕 ❶相場を間断なくテープに記録する、電信式報知機。一九七〇年代ごろまで海外で使われた。ティッカー[1]とも。❷テレビや電光掲示板にニュースなどの文字列を流す方式。ニューステイッカー[4]。 かぞえ方 ❶は一台

チッキ[1]〔チェックの変化〕託送手荷物（引換証）。

ちっきょ[1]【〈蟄居】 ❶―する（自サ） 家にとじこもって外出しないこと。❷江戸時代、武士に与えた謹慎刑。

チック[1] コスメチックの略。

ちっこう[0]【竹工】（チクコオ） 竹を使ってする工芸。また、それを職業とする人。

ちっこう[0]【築港】（チクカウ）―する（自サ） 船舶の停泊に必要な工事を港湾に施すこと。また、そうして出来た港。「ちくこう」とも。

**__ちつじょ__[1][2]【秩序】 物事が正しい状態を保つために守るべき、一定の△順序（きまり）。「―が整う／新―を作り出す／流通―を乱す／―立った輸出／―正しい／無―[2][3]」

ちっそ[1]【窒素】 無色・無味・無臭の気体元素〔記号N 原子番号7〕。空気の体積の約五分の四を占めるが、呼吸・燃焼作用に関与しない。たんぱく質・チリ硝石の主要成分であり、肥料・爆薬用。 ―ひりょう[4]（レウ）【―肥料】 窒素分の多い肥料。例、油かす・チリ硝石など。

ちっそく[0]【窒息】―する（自サ） 息が詰まったり 酸素が無くなったりして、呼吸が止まること。「―死[4][3]・―状態[5]」

ちっちゃ・い[3]（形）「小さい」の口頭語的表現。 表記 「《小っちゃい」とも書く。

ちっちゃな[3]（連体）「小さな」の口頭語的表現。 表記 「《小っちゃな」とも書く。

ちつづき[2]【血続（き）】 血筋が続いている△こと（間柄）。

ちっと[3][1]（副）「ちと」を促音化した強調形。ちょっと。〔多く、口頭語として用いられる〕「―（は）よくなった／それは―ばかり迷惑だ／―は〔口頭語形で『ちったあ』とも〕わかってほしい／―はまじめに考えたらどうだ／―の間」 ―も[3]（副）〔否定表現と呼応して〕否定する意を強調して言う語。「―人の言う事を聞いていない／―おもしろくない」 ―やそっと 「わずか」の意をより強調して言う語。ちょっとやそっと。〔否定表現を伴って用いられる〕「―の事では驚かない／―で出来ることではない」

チップ[1] [一]〔tip＝かすかにさわる〕 ❶サービス業に従事する人や芸人などに客が慰労などの気持を含めて臨時に与える、少額のお金。〔外国の、収入の多くをチップに頼っている人のいる社会では、与えることが習慣となっている〕「―をはずむ」 ❷―する（自サ） ファウル チップの略。 [二]〔chip＝木材を細かく切った△もの（切れ端）〕 ❶（賭博（バクト）などの）点数をかぞえる札。「ポテト―[4]」 かぞえ方 ❶は一枚 ❷何かを薄く切ってから揚げにしたもの。❸ボール ペン・フェルト ペンなどの芯（シン）（の先）。

ちっぽけ[3]―な 小さくて、たいして価値があるとは見えない様子。〔口頭語的表現〕「―な△建物（会社）」

ちてい[0]【地底】 大地の奥深い所。

ちてい[0]【池亭】 池のほとりに建つ あずまや。

ちてき[0]【知的】―な ―に ❶（主として）知識・知性・知力に関係がある様子だ。「―好奇心が強い／―能力[4]・―所有権[5]」 ❷ものの見方・考え方などが、感情に左右されない確かな知性に基づいていると感じられる様子だ。「―な会話」 ―ざいさんけん[6]【―財産権】 著作物・図案意匠やデザイン、特許・実用新案・商標など、知的活動によって得られたものを保護する権利。工業所有権・著作権などがある。知的所有権。略して「知財」。 ―しょうがい[4]（シヤウ）、[0]-[0]【―障害】 知能の発達が年齢に比べて著しく遅れている状態。〔精神薄弱・精神遅滞に代わる名称〕

ちデジ[0]【地デジ】「地上デジタル放送」の略。

ちてん[1][0]【地点】 地球上の、特定の場所。「通過―[4][5]・折返し―[6][7]・観測―[5][6]・到達―[5][6]」

ちと[1]（副）〔「ちょっと」の意の古めかしい表現〕 ❶ちょっと[一]❶。「―分けてもらいたい／―お伺いしたい儀がありまして」 ❷ちょっと[一]❷。「―困ったことになった／私には―高尚過ぎる」

ちとう[0]（タウ）【池〈塘】 ❶池のつつみ。土手。❷湿原の泥炭層にできる池。「尾瀬（オゼ）の―」

ちどうせつ[2]【地動説】 太陽が地球を回るのでなく、地球が太陽のまわりをめぐるのだという説。↕天動説

ちとく[0]【知得】―する（他サ） 知ること。「職務に関して―した秘密は漏らしてはならない」

ちとく[0]【知徳・〈智徳】 知識と徳行。「―合一（ゴウイツ）[0]-[0]」

ちとせ[0][2]【千《歳】 ❶千年。❷永遠。 ―あめ[3]【―〈飴】 七五三の祝いに売られる、紅白に染めた棒形の飴。

［かぞえ方］一本

ちどめ⓪【血止め】 傷口の出血を止める△こと(薬)。

ちどり①【千鳥】 〔もと、鳥の群棲(グンセイ)する意〕 ❶水辺などにすむ小形の鳥。コチドリ・シロチドリなど。ジグザグ形に向きを変えながら歩き、夜澄んだ声で鳴く。〔チドリ科〕 ❷「千鳥足・千鳥がけ・千鳥模様」の略。［かぞえ方］❶は一羽 **―あし**③【―足】 酒に酔ってよろめきながら歩くこと。 **―がけ**⓪【―掛け】 ジグザグに糸をかがること。

ちどん⓪【遅鈍】―な 動作がおそく、頭の回転が鈍い様子だ。↔鋭敏 ［派］―さ⓪

ちなまぐさ・い⑤【血〈腥い〉】(形) 多くの人が殺傷されるなどして、なまぐさい血のにおいが漂っているかのように感じられるほど陰惨な様子だ。「テロ行為による―事件が多発する」 ［派］―さ④ ―げ⑤⑥⓪

ちなみに⓪【《因に》】(接) 少々本筋から離れた事柄を今まで述べた事柄に関連して、参考までに言い添える時に使う言葉。「新大統領は親日家だ。―彼は日系人だ」

ちな・む②【《因む》】(自五) 〔「血並(ナ)む」の意〕 もとを尋ねるとそれに関係がある(というので、行なう)。「雛(ヒナ)祭りに因んだ(=関係した)催し/生まれた年に因んで(=…を記念して)名をつける」

ちにく⓪【血肉】 「けつにく」に同じ。

ちにち⓪【知日】 外国人として日本の実情をよく知っていること。「―家(カ)⓪」⇩親日

ちぬだい②【〈茅渟鯛〉】(ダヒ) クロダイの異称。「ちぬ①」とも。

ちぬら・れる⓪【血塗られる】(自下一) 〔文語動詞「ちぬる」〔=いけにえ(敵)の血を祭器に塗って神を祭る〕の受動形から〕 戦いなどで多くの血が流される。「血塗られた歴史を持つ古城」 ［表記］「〈釁られる」とも書く。

ちねつ⓪【地熱】 地球の内部の熱。「じねつ」とも。「―発電」

> **ちつ**
> 【秩】 ❶物事の順序。「秩序」 ❷〔順序づけられた〕官職・地位。「官秩」 ❸主君から受ける給与。「秩米・秩禄(ロク)」
> 【窒】 [一]ふさがる。「窒息」 [二](略) 窒素。「窒化物」
> 【〈蟄〉】 虫や、ある種類の動物が冬眠する。「蟄居・蟄伏(チップ)・啓蟄」

④」

ちのあめ⓪-①【血の雨】 飛散する血を雨にたとえた表現。【―を降らす】 殺傷事件などで、多量の血が流される。

ちのう①【知能・〈智能〉】 頭の働き。知恵の程度。 **―けんさ**④【―検査】 メンタルテスト。 **―しすう**④⑤【―指数】 知能検査で得られた結果(=精神年齢)を実際の年齢で割り一〇〇を掛けて示す。〔略号 I.Q.〕 知能検 **―はん**②【―犯】 ずるく立ち回って行なう犯罪。詐欺・横領など。〔広義では、手口の巧妙な殺人事件を指す〕↔強力(ゴウリキ)犯

ちのう⓪①(ナウ)【〈智嚢〉・知〈嚢〉】 「ちえぶくろ」の意の漢語的表現。

ちのうみ⓪-①【血の海】 からだから流れ出てあたり一面に広がった血。

ちのけ⓪【血の気】 生き生きと血の通っている様子。「―が引く/―の多い(=まだ若いため、冷静な判断が出来ず、すぐかっとなりやすい)青年」

ちのしお①-②(シホ)【地の塩】 〔キリスト教の教えで〕塩が食物の腐るのを防ぐように、この世の不正や腐敗を見逃すことの出来ない健全な人びとをたとえて言う語。

ちのなみだ⓪-①【血の涙】 ❶涙が無くなり、代りに血が出るほどの、非常な悲しみ。「―を流して嘆き悲しむ」 ❷堪えがたいほどのつらい思い。

チノパンツ③〔chino pants=中国人のパンツ〕 厚手の綾織(アヤオ)りの綿布で作ったズボン。略してチノパン⓪。

ちのみご③【乳飲(み)子】 まだ乳を飲んでいる幼児。乳児。あかご。 ［表記］「乳飲み《児・乳〈呑み子」とも書く。

ちのみち⓪【血の道】 女性特有の病気。

ちのめぐり⓪【血の巡(り)】 血が血管の中を循環すること。「―(=頭の働き)の悪い人」

ちのり⓪【血〈糊〉】 体外に出て凝固しかかった血。

ちのり⓪①【地の利】 土地の形勢や位置が、ある事をするのに有利なこと。「―を得る/―は人の和にしかず」

ちはい⓪【遅配】―する(自他サ) 配達・支給などが、予定の期日より遅れること。

ちばし・る③【血走る】(自五) 〔不眠・興奮などのために〕眼球が充血する。

ちはつ⓪【遅発】―する(自サ) 定時より遅れて△出発(発車)すること。↔早発

ちはつ⓪【〈薙髪〉】―する(自サ) 〔「薙」は草を除く意〕⇩ていはつ(剃髪)

ちばなれ②【乳離(れ)】―する(自サ) 乳児が成長して、ほかの食べ物も食べられるようになる△こと(時期)。ちちばなれ③。離乳。〔子供が父母の膝下(シッカ)を離れ、独立して生活を営む意にも用いられる〕

ちはらい②(ハラヒ)【遅払(い)】 給与・代金の支払いが期日よりも遅れること。「ちばらい」とも。

ちはん①【池畔】 「池のほとり」の意の漢語的表現。

ちばん⓪【地番】 その土地ごとに登記所が付けた番号。「―変更④⓪-⓪」

ちび① ❶Ⓐ背が低い者。「クラスで一番―だ」 Ⓑ〔同種の物の中で〕形の小さいものについて言うこともある。「―猫」 ↔のっぽ ❷幼い子供を親しみを込めて指す語。「うちの―も幼稚園に行くようになった/―っこ⓪②・お―さん②」 ［運用］❶は、親しみの気持を込めて用いられる反面、軽い侮蔑(ブベツ)を含意することもある。

ちびちび①(副)―と 思い切りが悪く、少しずつ何回にも分けて何かをする様子。「―と酒を飲む/金を―と使う」

ちひつ⓪【遅筆】 文章・手紙などを書くのに普通の人よりも時間がかかること。↔速筆

ちひょう⓪(ヘウ)【地表】 △地球(土地)の表面。「―水②」

ちびょう⓪(ビヤウ)【乳〈鋲〉】 門の扉などに飾りとして打ちつける、丸くふくらんだ金具。

ちびりちびり②-②、①-①(副)―と 少しずつ何回にも分けてその事を繰り返す様子。「―酒を飲む/借金を―返す」

ち・びる② [一]【〈禿びる〉】(自上一) 先がすり切れる。「ちびた筆の穂先」 [二](他上一) ❶出すべきものを出しおしむ。 ❷小便を少し(ずつ)漏らす。〔❶❷とも口頭語的表現。また、[一][二]とも五段活用としても用いられる〕

ちひろ①【千《尋》】 〔雅〕〔一尋の千倍の意〕はかり知れない深さ。〔古くは「ちいろ」〕「―の海底」

ちぶ①【恥部】 「陰部」の別称。〔広義では、出来るなら他人、特に外国人などに見せたくない、社会構造の裏面を指す。例、「政財界の―」〔=公金の不正支出や贈収賄など〕〕

ちぶさ①【乳房】 人や哺乳動物の雌の胸△に(から腹にかけて)ある、乳を出す突起状の器官。

チフス①〔オ typhus〕 チフス菌の侵入によって起こる感染症。腸が最も侵されやすい。古くはチブス①とも。 ［表記］「窒

扶〈斯」は、音訳。

ちぶつ[1]【地物】❶地上にある、すべての物体。❷地上にあって、敵(の砲火)から身を隠すべき物。

ちへい[0]【地平】❶(広い)大地の平面。「新たな―(=視野)を拓(ヒラ)く/―のかなた」❷一つの地点で土地が水平なこと。「―面[2]」 **―せん**[0]【―線】大地の果てと天とが接して、一本の線のようになって見える所。

ちへど[0]【血《反吐】胃から吐く血。「―を吐いてがんばる」

ちへん[0]【地変】「地異」の意の古風な表現。「天災―」

ちほ[1]【地歩】自分のいる地位。立場。「確たる―を占める/着々と―を固める」

ちほう[2][1]【地方】❶人間生活にかかわりのある土地を何かの基準で区分した、それぞれの地域。「アジアのある―では/関東―[5]・九州―[5]」❷首都およびそれに準ずる大都市以外の土地。いなか。「最近は―分権がしきりに叫ばれている/―に転勤が決まる/―都市[4]・―銀行」↕中央❸地方公共団体。「―債[2]・―競馬」❹〔もと、軍隊で〕軍以外の一般社会。民間。 **―かんちょう**[4]【―官庁】〔中央官庁に対し〕管轄区域や権限が地方内に限られている官庁。地方行政官庁[8]。↕中央官庁 **―ぎかい**[4]【―議会】地方公共団体の議事機関。都道府県議会・市町村議会など。 **―ぎょうせい**[4]【―行政】都道府県・市区町村など地方公共団体が直接関係する行政。 **―ぎんこう**[4]【―銀行】全国の大・中都市に本店があり、その地方を中心に営業活動を行なっている銀行。略して「地銀」。⇩都市銀行 **―けんさつちょう**[7][6]【―検察庁】地方裁判所が受け持つ検察事項を扱う役所。略して「地検」。 **―こうきょうだんたい**[2]-[5]、[1]-[5]、[8]【―公共団体】都道府県・市区町村など、一定の地域を基盤とする公共団体。 **―こうふぜい**[6]【―交付税】地方の財政を助けるために、国家が地方公共団体に渡すお金。 **―こうむいん**[6]【―公務員】地方公共団体に所属し、その職務に従事する職員。「公吏」の改称。 **―さいばんしょ**[8][0]【―裁判所】下級裁判所の一つで、大部分の事件の第一審はここで行なう。略して「地裁」。 **―じ**[2]【―時】その地点の子午線を基準として定めた△時刻(時法)。〔平均太陽が子午線を通過する時刻を正午とする〕「経度が等しい二地点の―は一致する」⇩標準時 **―じち**[4]【―自治】地方公共団体の行なう政治。 **―じちたい**[2]-[0]、[1]-[0]、[0]【―自治体】「地方公共団体」の別称。 **―しょく**[2]【―色】その地方の風土・民俗から受ける、独特の感じ。ローカル カラー。「―豊かな祭り」 **―ぜい**[2]【―税】地方公共団体が徴収する税金。↕国税 **―だんたい**[4]【―団体】「地方公共団体」の略。 **―ちょうかん**[4]【―長官】地方官庁の最高位の者。「都道府県知事」の旧称。 **―ばん**[0]【―版】日本全国を販売地域とする新聞(=全国紙)で、それぞれの販売地域に関する記事を掲載する紙面。 **―ぶんけん**[2]-[0]、[1]-[0]、[4]【―分権】中央政府が、各地方の自治権・独立性を認めること。↕中央集権 **―ろうどういいんかい**[9]、[2]-[6]【―労働委員会】各都道府県に設置される「都道府県労働委員会」の△旧称(通称)。略して「地労委」。⇩労働委員会

ちほう[0]【痴〈呆】日常生活に必要な知能が欠けてしまっている△こと(人)。「―症[0](=認知症と改称)」

ちぼう[0]【地貌】土地によって異なった印象を与える地勢。

ちぼう[0]【知謀・〈智謀】上手な作戦。

チマ[1]〔朝鮮 chima〕朝鮮の女性がチョゴリと共に用いるスカート。みずおちのあたりを ひもで結び、くるぶしまでをおおう。 [かぞえ方] 一枚

ちま・う(造語・五型)〔東京方言〕「てしまう」の変化。「すっかり食べちまった/いやんなっ―/もう少しだからやっちまおう/そんな無理をすると死んぢまうぞ」

ちまき[0]【〈粽】〔茅巻の意〕ササなどの葉に巻いて蒸したもち菓子。五月五日の節句の日などに食べる。「―笹(ザサ)[3]」 [かぞえ方] 一本

ちまた[0]【〈巷】❶〔分かれ道の意〕分かれめ。「生死の―を彷徨(ホウコウ)する(=しばらくの間、生きるか死ぬかの危い状態を続ける)」❷人のおおぜい通る所。まちなか。「―(=民衆)の声/―(=世間)のうわさ」❸人がおおぜい出入りして、何かをする所。場所。「戦火の―」

ちまちま[1](副)―と ―する 小さいなりに全体がまとまっているという印象を与える様子。「造作の―(と)した顔/―とおかずが詰まっている弁当/―暮らす」

ちまつり[2]【血祭(り)】〔昔、中国で、出陣の際、いけにえの血をささげて軍神を祭ったことから〕出陣の際、スパイ・とりこなどを殺し、士気を高揚させたこと。〔威勢よく初戦の相手を片づける意にも用いられる〕「(初陣(ウイジン)の)―にあげる」

ちまなこ[0]【血眼】のぼせて、充血した目。ちめ。「―になって(=夢中になり、ほかの事を忘れて)捜す」

ちまみれ[0]【血《塗(れ)】―な ―に その部分が血にまみれている様子だ。「―の包帯」

ちまめ[0]【血豆】肉刺(マメ)に血の交じったもの。

ちまよ・う[3]【血迷う】(自五)〔「血」は、借字。もと、どうしたらよいか分からずに、道を右往左往する意〕のぼせて、わけの分からない事を言ったり したりする。

ちみ[1]【地味】土地の生産力。「よく肥えた―」

ちみ[1]【〈魑魅】山の精。すだま。 **―もうりょう**[1]-[0]【―〈魍魎〉】さまざまの化け物。魑魅魍魎。

ちみち[0]【血道】血の通う道。血脈。【―を上げる】❶恋愛・道楽などに熱中する。「何もかもほうり出して三年に一度の例大祭に―」❷異常だと思われるほどの熱意をもってその事に当たる。〔軽い皮肉を含意する〕

ちみつ[0]【緻密】―な ―に ❶物の組織・繊維が細くて、きれいな様子だ。❷細かいところまで行き届いていて、手を抜いていない様子だ。「―な分析が功を奏する」 [派] **―さ**[0][3]

ちみどろ[0]【血みどろ】―な ―に ❶からだのどこもかしこも血にまみれている様子だ。「両軍入り乱れて―の戦いを繰り広げる」❷対立するものどうしが鎬(シノギ)を削って争う様子だ。「三社が―になって新製品の売込みに狂奔する」

ちみゃく[0]【遅脈】おそくうつ脈。

チムニー[1]〔chimney=煙突〕❶ランプのほや。❷〔登山で〕岩壁の間に縦に走る、狭い裂け目。その中をくぐって登る。

ちめ[2][1]【血目】(のぼせて)充血した目。 [表記] 「血《眼」とも書く。

ちめい[0]【地名】土地の呼び名。

ちめい[0]【知名】―な マスコミなどを通じ、その人の名が一般の人に知られている△こと(様子)。〔元来は称賛に値する人について用いられた〕「―の士/―度を高める」

ちめい[0][1]【知命】〔論語から出た語で、五十にして天命を知る意〕「五十歳」の異称。〔天職と自己の能力の限界とを共に悟る年齢〕⇩而立(ジリツ)

ちめい[0]【致命】命を無くす結果に つながること。 **―しょう**[0][2]【―傷】死の原因となる傷。〔その△世界の(立場にある)人間として再起出来ないようになった原因の意にも用いられる〕 **―てき**[0]【―的】―な ❶生命の危険に直接つながる様子だ。「―な大けが」❷もとの状態に戻すこと

がもはや(ほとんど)不可能で、最悪の事態に至るしかないと判断される様子だ。「―な一点を失った/今回の取引の失敗は会社にとって―(な打撃)だった」

ちもう⓪【恥毛】 陰部に生える毛。陰毛。

ちもく①⓪【地目】 土地の種類を表わす名前。〔田・畑・宅地・山林・道路など〕

チモシー①〔timothy=もと、人名〕 多年生の牧草。高さ一メートルにもなり、よく繁殖する。ヨーロッパ・シベリア原産。おおあわがえり⑤。〔イネ科〕 かぞえ方 一本

ちもん⓪【地文】 〔「大地のありさま」の意〕〔↑地文学②〕 地学・気象学などの総称。

ちゃ (茶) → 【字音語の造語成分】

ちゃ ❶「ては」の口頭語的表現。「行っ―だめだ/そう言っ―身も蓋(フタ)も無いが/これを見―いけない」⇩じゃ㊀ ❷「といったら」を圧縮した口頭語的表現。「おもしろいっ―ない」

***ちゃ**⓪【茶】 ❶「茶❷」を製するために畑に植える背の低い常緑樹。晩秋に白い花を開く。茶の木。〔ツバキ科〕「―を摘む」 ❷日常的な飲料とする代表的な嗜好品(シコウヒン)の一つ。「茶❶」の若葉から作る。〔木の種類・栽培法・製法により、玉露(ギョクロ)・煎茶(センチャ)・紅茶などに分かれる。また、広義では茶に類する飲料をも指す。例、ハブ茶・麦茶・玄米茶など〕「―にする/―を入れる/―柱(バシラ)・粗―」 ❸抹茶をたてること。点茶。茶の湯。「―をたてる」 ❹「茶色」の略。⇩お茶 かぞえ方 ❷は袋入りのものは一本。缶入りのものは一缶 ⇩

> **ちゃ**
>
> 【茶】 ⇩(本文)ちゃ【茶】
>
> **ちゃく**
>
> 【着】 ❶身につける。〔衣服および鎧(ヨロイ)をかぞえる時にも用いられる〕「着衣・着用」 ❷くっついて離れないでいる。「愛着・吸着・密着・粘着・執(シュウ)着・土着・膠(コウ)着」 ❸目的の場所につく。とどく。〔到着の順位をかぞえる時にも用いられる〕「着岸・着荷(チャクニ・チャッカ)・着席・到着・終着・先着・発着・落着・東京着」 ❹〔碁・将棋で〕盤上で△碁石を配置する(駒を動かしたり 持ち駒を打ったりする)こと。「勝着・敗着」
>
> 【嫡】 ❶本妻。「嫡妻」 ❷本妻の生んだ子。世継ぎ。「嫡出・嫡子・嫡男・嫡孫・嫡流」↕庶

【造語成分】さ

チャージ①〔charge〕 ❶―する(他サ)〔サッカー・ラグビーなどで〕反則の一つ。相手の選手に体当りなどして攻撃の妨害をすること。〔単に、体当りの意にも用いられる〕 ❷―する(他サ) Ⓐ車などに燃料を詰め込んだり バッテリーに充電したりすること。Ⓑ電子マネーやプリペイドカードに使用者が事前に入金すること。 ❸〔ホテル・キャバレーなどで〕料金(の請求)。

チャージャー①〔charger〕 充電器。「ソーラー―」

チャーシュー③①【〈叉〉《焼》】〔中国・叉焼〕 やきぶた。「―麺(メン)③」

チャーター①―する(他サ)〔charter〕 専用の約束で、船・航空機・バスなどを雇い入れること。「―船⓪・―機③」

チャーチ①〔church〕 教会❶。

チャート⓪①〔chart〕 地図・海図などの、図面。

チャーハン①【〈炒飯〉】〔中国・炒飯〕〔中華料理で〕炒(タイ)め御飯。

チャーミング①―な〔charming〕 魅力のある様子だ。魅惑的。「―な笑顔」

チャーム①―する(他サ)〔charm=魔力。魅力〕 魅すること。人の心を迷わすこと。「―ポイント④」

チャイナ① ㊀〔China〕「中華人民共和国」の称。中国。㊁〔china〕(陶)磁器。「ボーン―④」⇩ジャパン㊁

チャイム①〔chime〕 ❶音階に合った音を出す、一組の鐘。❷〔玄関などの〕呼出し用のベル。

チャイルドシート⑤〔和製英語 ←child + seat〕 自家用車などに取り付けることが出来る、幼児用の座席。

***ちゃいろ**⓪【茶色】 黒みを帯びた濃い黄色。⇩褐色 **―・い**⓪(形) 茶色が認められる様子だ。「―靴/茶色く塗る」

ちゃ・う(造語・五型)〔東京方言〕「てしまう」のややくだけた口頭語的表現。「見ちゃった/いやんなっ―よ/困っ―な/大変な物もらっちゃって」

ちゃうけ⓪【茶請(け)】 ⇩お茶うけ

ちゃうす⓪【茶臼】 茶の葉をひいて抹茶をつくる石臼。

チャウダー①〔chowder〕 西洋料理の一つ。魚や貝をおもな材料にして、ジャガイモ・タマネギなどの野菜と煮込んだ、濃いスープ。

ちゃえん⓪【茶園】 茶畑。「さえん」とも。

チャオズ①〔中国・餃子〕 ⇩ギョーザ

ちゃか①【茶菓】 ⇩さか

ちゃかい⓪【茶会】〔作法にのっとって行なわれる〕茶の湯の会。茶事。「―に招かれる/―記②」

ちゃがけ⓪【茶掛(け)】 茶席に掛ける掛け物。

ちゃがし②【茶菓子】 お茶を飲む時に食べる菓子。「お―③⓪」

ちゃか・す②(他五) ❶まじめな事も、冗談めかして言う。❷冗談にかこつけて言いくるめる。表記「茶化(クワ)す」は、借字。

ちゃかちゃか①(副)―と・―する 何かに追い立てられているかのように、言動に落ち着きがなく、せわしない感じがする様子。「雑事に追われ―と動き回る/めんどうな仕事を―やってしまう」

ちゃかっしょく②【茶褐色】 黒色を帯びた茶色。

ちゃがま⓪【茶釜】〔茶の湯で〕湯を沸かす釜。かぞえ方 一口(イック)

ちゃがゆ⓪【茶〈粥〉】 水の代りに、煎茶(センチャ)を煎じた汁を入れて炊いた粥。

ちゃがら⓪【茶殻】 茶を煎(セン)じ出した残り。ちゃかす⓪。

ちゃき①【茶気】 ❶茶道の心得。❷浮世離れした気質。❸ちゃめっけ。

ちゃき①【茶器】 ❶茶の湯に使う器具の総称。茶道具。❷茶をたてるのに使う道具。

ちゃきちゃき⓪〔「嫡々(チャクチャク)」の変化〕 生まれなどが純粋にその流れを受けていること。「―の江戸っ子」

ちゃきん⓪【茶巾】〔茶の湯で〕茶わんをふく△麻(もめん)のふきん。「―さばき④・―しぼり④・―ずし②」 かぞえ方 一枚

ちゃく (着・嫡) → 【字音語の造語成分】

ちゃくい①【着衣】 着ている衣服。「―が乱れる」

ちゃくい①【着意】―する(自サ) ❶注意すること。❷くふうを凝らすこと。着想。

ちゃくえき⓪②【着駅】 △その人が到着した先の(荷物を受け取る)駅。「―払(バラ)い⑤」↕発駅

ちゃくがん⓪【着岸】―する(自サ) 岸・岸壁に着くこと。

ちゃくがん⓪【着眼】―する(自サ) 大事な点を見落とさず注意すること。「すばらしい―〔=ⓐ観察。ⓑアイデア〕」 **―てん**③【―点】 目のつけどころ。

ちゃくざ⓪①【着座】―する(自サ) 会食などで(定められた)席につくこと。

ちゃくし①【嫡子】 ❶家督を相続する嗣子(シシ)。あとつぎ。❷嫡出子。↕庶子

** *は重要語，⓪①… はアクセント記号，品詞の指示の無いものは名詞および いわゆる連語。

ちゃくしつ[0]【嫡室】「正室」の別称。

ちゃくじつ[0]【着実】―に・―な 確実に自分のペースで物事を行ない、信用出来る△様子(性質)だ。〔確実とほとんど同義にも用いられる。例、「輸出は―に伸びている」〕 派 ―さ[0][4]

ちゃくしゅ[1]【着手】❶―する(自サ) 手をつけること。とりかかること。「△内閣改造(事業)に―する」 ❷〔碁・将棋で〕その時に打った手。「―非凡」

ちゃくしゅつ[0]【嫡出】正妻から生まれること。正出。↕庶出 ―し[4]【―子】正妻が生んだ子。↕非嫡出子

ちゃくじゅん[0]【着順】到着の順。「―に並ぶ」

ちゃくしょう[0]【着床】―する(自サ) 受精した卵(ラン)が、子宮に落ち着いて母体から栄養を受ける状態になること。

ちゃくしょく[0]【着色】―する(自サ) 〔全体または表面などに〕色をつけること。「人工―・―料[4]〔=色をつけるための食品添加物〕」

ちゃくしん[0]【着信】❶人・物が目的地に到着した知らせ。❷―する(自サ) 通信が届くこと。また、その通信。「―専用の〔=先方からかかるだけで、こちらからはかけられない〕電話」↕発信

ちゃくじん[0]【着陣】―する(自サ) 陣地に到着すること。

ちゃくすい[0]【着水】―する(自サ) 〔航空機・鳥などが〕水面に降りること。↕離水

ちゃく・する[3]【着する】■(自サ) ❶目的地などに到着する。❷その事に執着する。■(他サ) ❶衣服などを身につける。❷その物に視線を向け注意深く見る。表記「《著する」とも書いた。

ちゃくせい[0]【着生】―する(自サ) 他の物に付着して生えること。「―植物[6]」⇩寄生

ちゃくせき[0]【着席】―する(自サ) 座席につくこと。「全員―する」

ちゃくせつ[0]【着雪】―する(自サ) 水分の多い雪が電線などにくっつくこと。

ちゃくせん[0]【着船】―する(自サ) 船が港に入ること。また、そのついた船。

ちゃくそう[0]【着装】―する(他サ) ❶衣服を身につけること。❷〔機械などの部分を〕本体に取りつけること。装着。

ちゃくそう[0]【着想】―する(自サ) 目的通りに事を進めるために、〔見落とされがちな点などにも目を向けて〕くふうした方法や手段。「―の奇抜さ」

ちゃくそん[0]【嫡孫】嫡子から生まれた嫡子。

ちゃくたい[0]【着帯】―する(自サ) 妊娠して、五か月目に岩田帯をしめること。「―式[3]」

ちゃくだつ[0]【着脱】―する(自サ) その部分に何かをつけたりはずしたりすること。「フードがファスナーで―可能なジャケット」

ちゃくだん[0]【着弾】―する(自サ) 発射されて、たまが目的の物や地点に届くこと。また、そのたま。

ちゃくち[0]【着地】❶着陸(する場所)。❷品物が到着した土地。「―払(バライ)[4]」↕発地 ❸―する(自サ) 〔△ジャンプ(体操)競技で〕演技終了の際に、〔よろめいたりぐらついたりせずに〕降り立ってフィニッシュを決めること。

ちゃくちゃく[0]【着々】(副)―と 目的の達成に向けて、順を追って一つ一つ確実にこなしていく様子。「準備は―と進んでいる」

ちゃくちゃく[0]【嫡々】嫡子から嫡子へと家を継いで△行くこと(来た、由緒正しい家筋)。嫡流。

ちゃくでん[0]【着電】―する(自サ) 電信が到着すること。また、その到着した電信。

ちゃくなん[2]【嫡男】嫡出の長男。

ちゃくに[0]【着荷】「ちゃっか」の意の口頭語的表現。

ちゃくにん[0]【着任】―する(自サ) 新しい△任地(任務)につくこと。「―早々事件が持ち上がる」

ちゃくはつ[0]【着発】❶到着と出発。❷弾丸が目的物に届いた瞬間に爆発すること。「―信管[5]」

ちゃくばらい[3][0]【着払(い)】配達された商品の代金を受取人が払う△こと(販売法)。〔送料のみについて言うこともある〕

ちゃくひつ[0]【着筆】❶―する(自サ) 文を書き始めること。❷文章の書き方。書きぶり。「気のきいた―」

ちゃくひょう[0]【着氷】―する(自サ) ❶飛んでいる航空機や航行中の船などに、冷たい雪や波しぶきが氷になってくっつくこと。❷〔スケートで〕ジャンプをした後に氷面に降り立つこと。

ちゃくふく[0]【着服】❶着ている衣服。着衣。❷―する(他サ) 〔「着」も「服」も、身につける意〕〔公金などを〕人が知らない間に、ごまかして自分の物としてしまうこと。

ちゃくぶん[2]【着分】「一着分」の略。「―十万円のスーツ地」

ちゃくぼう[0]【着帽】―する(自サ) ❶帽子をかぶること。⇩脱帽 ❷〔工事の危険から頭を守るために〕安全用のヘルメットをかぶること。

ちゃくメロ[0]【着メロ】〔←着信メロディー[5]〕携帯電話に着信があったことを知らせる音や音楽。〔商標名〕

ちゃくもく[0]【着目】―する(自サ) 将来の発展性や事柄の重大性に目をつけること。「共通点に―して分類する」

ちゃくよう[0]【着用】―する(他サ) 衣服や装身具などを身につけること。「礼服―には及ばない」

チャクラ[1]〔サンスクリット cakra〕インドの身体観で、会陰部から頭頂部までの各所に存在する、生命エネルギーの集結部。ヨガなどで用いられる。

ちゃくりく[0]【着陸】―する(自サ) 航空機などが空中から降下して地上につくこと。↕離陸

ちゃくりゅう[0]【嫡流】総本家の血筋。〔正統の流派の意にも用いられる〕「源氏の―」↕庶流

チャコ[1]〔チョークの変化〕洋服などの生地を裁つ時、目じるしをつけるのに使う、堅いチョーク。白・赤・青などの色がある。かぞえ方 一本・一枚

チャコール グレー[6]〔charcoal gray〕黒みを帯びた灰色。

ちゃこし[0][3]【茶漉(し)】茶の汁を漉す小さな網。

ちゃさじ[0]【茶匙】❶茶を急須(キュウス)などにすくい入れる時に用いる、小さな道具。ちゃみ[1]。❷紅茶・コーヒーを飲む時に用いる小さじ。ティースプーン。❸茶杓(シャク)❶。かぞえ方 一本

ちゃじ[1]【茶事】茶会。「正午の―」

ちゃしつ[0]【茶室】茶会をする部屋。数寄屋(スキヤ)。「―建(ダテ)[0]」

ちゃしぶ[0]【茶渋】〔茶わん・急須(キュウス)などに付いて残る〕茶を煎(セン)じた汁のあく。

ちゃしゃく[0]【茶杓】❶抹茶(マッチャ)をすくい取る小さなさじ。❷〔茶の湯の〕湯をくみ取るひしゃく。茶びしゃく[2]。かぞえ方 ❶❷とも一本

ちゃじゅ[1]【茶寿】〔「茶」が「廿」と「八十八」に分けられるところから〕百八歳(の長寿の祝い)。

ちゃじん[0]【茶人】❶茶の湯を好む人。❷風流な人。

ちゃせき[0]【茶席】茶をたてる席。茶室。

ちゃせん[0]【茶筅】抹茶(マッチャ)をたてる時、茶を練ったりかき回して泡をたてたりする用具。小さな竹筒の下半分を細く割って穂のようにしたもの。かぞえ方 一本 ―がみ[2][0]【―髪】❶男性の髪の結い方。髪を後ろで束ね、束ねたま

げの先が茶筅のように見えるもの。たぶさ。㊁女性の髪の結い方。髪を後ろに束ね、ひもで結んで垂らしたもの。

ちゃそば⓪【茶〈蕎麦〉】 そば粉に抹茶(マッチャ)をまぜて打ったそば。

ちゃだい⓪【茶代】㊀茶店に休んだ時、飲んだ茶の代金として払う金。㊁旅館・飲食店などで、心づけの金。

ちゃたく⓪【茶〈托〉】 茶わんをのせて客にすすめる、平たい小さな木などの受け皿。かぞえ方 一枚・一客

ちゃだち⓪【茶断(ち)】―する(自サ)〔神仏に願(ガン)をかけたために〕一定の期間 茶を飲まないこと。⇩塩断ち

ちゃだな⓪【茶棚】 茶道具をのせておく棚。

ちゃだんす⓪【茶〈簞笥〉】 茶器・飲食器などを入れておく、棚のある家具。かぞえ方 一棹(ヒトサオ)・一本

ちゃち①―な 粗末な作りであったり 実質が伴わなかったりして、高い評価が与えられない様子だ。〔口頭語的表現〕「―な居酒屋」派―さ②

ちゃちゃ①【茶々】㊀他人の話に割りこんで(ひやかし気味に)勝手なことを言う様子。「二人だけで話しているところに―を入れる」㊁〔京阪方言〕茶。

ちゃっか⓪【着火(チャククワ)】―する(自サ) 火がつくこと。火をつけること。 **―てん**③【―点】 空気中で物に熱を加える時、自然に火を出して燃えはじめる最低温度。

ちゃっか⓪【着荷(チャク)】―する(自サ) 荷物がつくこと。また、その荷物。ちゃくに。

ちゃっかり③(副)―と ―する 抜けめなく機会をのがさず、本来は関係ない自分の利益をはかる。〔口頭語的表現〕「遅く来たのに―席をとっている」

ちゃっかん⓪【着艦(チャク)】―する(自サ)㊀飛行機が航空母艦の甲板におりること。㊁軍艦が港に到着すること。⇩発艦

ちゃっきょう⓪【着京(チャクキヤウ)】―する(自サ)〔他の土地から出てきた人が〕△東京(京都)に着くこと。

ちゃっきん⓪【着金(チャク)】―する(自サ)〔相手から送られた〕代金が到着すること。↕送金

チャック①㊀〔chuck〕工具・加工物などを堅くつかむ回転万力(マンリキ)。㊁ファスナーの日本における、もと商標名。

ちゃづけ⓪【茶漬(け)】 冷や飯を食べる時や酒を飲んだあとやおかず無しで急いでかき込む時などに、飯に熱い茶を△かけること(かけたもの)。「ほんの―ですが〔=粗末な食事の意の謙称〕」

ちゃっけん⓪【着剣(チャク)】―する(自サ) 銃の先に剣をつけること。

ちゃっこう⓪【着工(チャク)】―する(自サ) 工事にとりかかること。「―式③」↕竣功(シュンコウ)

ちゃづつ⓪【茶筒】 茶の葉を入れておく筒。かぞえ方 一本・一缶

チャット⓪①―する(自サ)〔chat=雑談・おしゃべり〕 コンピューターネットワークで、同時に複数の人がメッセージをやりとりすること。

ちゃつぼ①⓪【茶〈壺〉】 茶店などで、茶の葉を入れておく壺。

ちゃつみ⓪③【茶摘(み)】 茶の木から、芽や葉を摘み取る△こと(人)。「―歌(ウタ)③」

ちゃてい⓪【茶亭】「茶店(チャミセ)」の意の漢語的表現。

ちゃてい⓪【茶庭】 茶室に付属する庭。飛び石や灯籠(トウロウ)を配したもの。路地。露地。

ちゃてん⓪【茶店】 茶を売る店。かぞえ方 一軒・一店

ちゃどう①【茶道(ダウ)】㊀茶をたてる作法。茶の湯によって精神を修養し礼法を学ぶ、一種の芸道。千利休が大成した。「さどう」とも。㊁茶坊主。

ちゃどうぐ②【茶道具(ダウー)】 茶器。

ちゃどころ②⓪【茶所】 茶の名産地。

ちゃのこ⓪【茶の子】㊀お茶うけ。㊁仏事の△供物(配り物)。㊂〔農家などで〕朝食前に仕事をする時にとる、簡単な食事。⇩お茶の子

ちゃのま⓪【茶の間】 家族が集まって、食事をしたりくつろいだりする部屋。普通、台所の隣にある。

ちゃのみ③⓪【茶飲(み)・茶〈呑(み)〉】㊀よく茶を飲む△こと(人)。㊁〔←茶飲みぢゃわん④〕茶を飲む器。 **―ともだち**④【―友《達》】㊀何かというと一緒になって、遠慮なく話し合う親友。㊁年をとってから結婚した夫婦。〔広義では、老後の夫婦をも指す〕表記 ⇩付表「友達」 **―ばなし**④【―話】 一緒に茶を飲みながらする、気楽な話。世間話など。

ちゃのゆ⓪【茶の湯】 客を茶室に招き入れ、茶をたててすすめる△こと(作法)。茶道。

ちゃば①【茶葉】「ちゃよう(茶葉)」の口頭語的表現。

ちゃばおり②【茶羽織】 腰の上あたりまでの(女性が着る)短い羽織。〔元来は茶人が用いた〕かぞえ方 一枚

ちゃばこ⓪【茶箱】 葉茶を入れるために、内側に錫(スズ)を張ったりなどして防湿した木箱。かぞえ方 一点・一箱

ちゃばしら②⓪【茶柱】 番茶を茶わんについだ時、縦に浮かぶ茶の茎。〔俗に、茶柱が立つと、何かよい事があるとされる〕

ちゃばたけ②【茶畑】 茶の木を栽培している畑。

ちゃぱつ⓪【茶髪】(日本の若者が)黒い髪を△染めて(脱色して)茶色にすること。また、その髪。

チャパティ①〔ヒンディー chapati〕 インドやネパールの一部などで主食とされる、小麦粉を練り、発酵させずにせんべい状に薄く焼いたパン。かぞえ方 一枚

ちゃばな⓪【茶花】 茶席の床の間などに生ける四季折おりの花。

ちゃばなし②【茶話】「茶飲み話」の意の古風な表現。

ちゃばら⓪【茶腹】 茶をたくさん飲んだ時の腹ぐあい。「―も一時(イットキ)〔=わずかばかりのものでも一時の空腹しのぎにはなる〕」

ちゃばん⓪【茶番】〔茶を煎(セン)じる役の意〕その場にある品物を持ち、身振りで、こっけいなことを演じる座興。茶番狂言④。「売名のための単なる―〔=ねらいなどが見えすいていて、まともに評価する気にもなれない行動〕だ」―劇②

ちゃびん⓪【茶瓶】㊀茶を煎(セン)じる△かま(土瓶)。㊁茶道具一そろいを入れて持ち歩く道具。㊂〔近畿・中国・四国の方言〕やかん。「はげ―〔=はげあたま〕」

ちゃぶくろ②⓪【茶袋】㊀茶を詰め、湯の中に入れて煎(セン)じ出す袋。㊁茶の葉を保存しておく、紙製の袋。

チャプスイ①【《雑》《砕》】〔中国・雑砕〕 豚肉の薄切りに野菜を交ぜていため、スープでさっと煮て かたくり粉を加えた料理。

ちゃぶだい⓪【《卓》〈袱台〉】 折りたたみの出来る脚のついた、座って食事をするための食卓。「―返し〔=ⓐ(怒りにまかせて)ちゃぶ台をひっくり返すこと。ⓑまとまりかけていた話を、土壇場で取止めにすること〕」かぞえ方 一脚

チャペル①〔chapel〕(学校などの構内に設けた)キリスト教の礼拝堂。「―の鐘」かぞえ方 一堂

ちゃほ①【茶舗】 茶を売る店。

チャボ①【〈矮鶏〉】〔インドシナ半島の古い地名 Champa(=占城)の変化〕ニワトリの一品種。小形で足は短く、尾は長く直立する。愛玩(アイガン)用。かぞえ方 一羽

ちゃほうじ②【茶〈焙じ〉(ハウジ)】 焙じ茶をつくるために火にかけてあぶる用具。

ちゃぼうず[2]（バウー）**【茶坊主】** ❶武家であって、茶の湯の進行・司会をつとめた者。茶道。〔頭をそっていたので「坊主」と言う〕 ❷権力者にこびへつらい、その威を借りていばる者を、ののしって言う語。

ちやほや[1]（副）ーと ーする 御機嫌をとったり おだてたりして、その人をいい気にさせる様子。「ーされて天狗（テング）になる」

ちゃぼん[0]**【茶盆】** 茶器をのせる盆。〔かぞえ方〕一枚

ちゃみ[1]**【茶味】** 茶道のあじわい。〔広義では、俗塵（ゾクジン）を離れた風趣をも指す〕

ちゃみせ[0]**【茶店】**〔道ばた・公園などにあって〕腰かけて茶を飲み、菓子を食べる店。〔かぞえ方〕一軒

ちゃめ[1]**【茶目】**ーな〔語源未詳〕 ❶無邪気ないたずらをする様子だ。「おーな人／ーっ気（ケ）[0]」 ❷ふざけたことを言ったりまねをしたりして、人を笑わせること。また、その人。「ーっ子[0]」 〔派〕**ーさ**[2]「ー加減」

ちゃめし[0]**【茶飯】** ❶茶の汁で炊き、塩味をつけた飯。 ❷少量のしょうゆと酒とを交ぜて炊いた飯。桜飯。

ちゃや[0]**【茶屋】** ❶製茶を売る店。茶舗。 ❷茶店。 ❸客に遊興・飲食をさせる家。「ー遊び[3]」 〔かぞえ方〕❶〜❸とも一軒・一店 **ーざけ**[2][0]**【ー酒】**「茶屋❸」で飲む酒。

ちゃよう[0]（エフ）ー**【茶葉】** 飲用とする茶の葉。「ちゃば」とも。

ちゃら[1] 金銭の貸し借りを清算すること。〔広義では、「もめていた物事を白紙に戻すこと」の俗語的表現。例、「話をーにする」〕

ちゃらちゃら[1]（副）ーと ーする ❶薄っぺらな金属性のものが触れ合ったりして音を立てる様子。また、その音の形容。 ❷言動がうわついていたり 服装が派手過ぎたりして軽薄な印象を与える様子。

ちゃらっぽこ[0]「でたらめ（を言う人）」の古風な表現。

ちゃらんぽらん[0]ーな ーに 定見が無くて言動がその場の思いつきに終始する様子。信用できない印象を与える様子。「ーを言う／ーなやり方」

ちゃり[1]「ちゃりんこ」の略。「ママー[0]〔＝買い物など日常生活の用途に使われる形の自転車〕」

ちゃり[1]**【茶利】**〔ひやかす、ふざける意の動詞「茶る」の連用形の名詞的用法〕 ❶滑稽なことばや身振り。 ❷〔人形浄瑠璃（ジョウルリ）で〕滑稽な演技や演出（のなされる場面）。「茶利場[0]」とも。 ❸〔文楽人形で〕滑稽な表情の首（カシラ）。

チャリティー[1][3]〔charity〕 慈善。 **ーショー**[5][3]〔charity show〕 利益を慈善事業に寄付する目的で行なう興行。

ちゃりょう[0]（レウ）ー**【茶寮】** 茶室。〔料理屋・喫茶店などの名前につけても用いられる〕

ちゃりんこ[0]〔もと、子供のすりを言う隠語〕「自転車や小型オートバイ」の俗称。略して「ちゃり」。

チャルメラ[0]**【〈哨吶〉】**〔ポ charamela〕 らっぱに似た木管楽器。穴が七つある。〔かぞえ方〕一本

チャレンジ[2][1]ーする（自サ）〔challenge〕 挑戦（を申し出ること）。「司法試験にーする／ーラウンド[5]〔＝選手権争奪試合〕」

チャレンジャー[2][1]〔challenger〕（選手権試合などの）挑戦者。

ちゃわかい[2][0]（クワイ）ー**【茶話会】** ⇩さわかい

***ちゃわん**[0]**【茶〈碗〉】** 茶をついだり 飯を盛ったりする陶磁器製の容器。〔昔は、陶磁器の総称としても用いられた〕「飯ー（ヂャワン）[3]・茶飲みー（ヂャワン）・湯飲みー（ヂャワン）・夫婦ー（メオトヂャワン）」 〔かぞえ方〕一客 **ーむし**[2][0]**【ー蒸（し）】** 溶いた卵に出し汁を合わせ、（下煮した）鶏肉・シイタケ・ミツバ・ぎんなんなどを加えて、一人分ずつ茶わんごと蒸して作る料理。

ちゃん（接尾） 内輪の人を呼ぶ時につける言葉。〔「さん」よりも砕けた言い方〕

チャン[1]〔←chian turpentine という〕 ⇩ピッチ❺

ちゃん[1]〔各地の方言〕父親を指す幼児語。

ちゃんこりょうり[4]（レウー）**【ちゃんこ料理】** 力士が毎日食べる、独特の なべ料理。大きななべに ぶつ切りの魚や野菜などを入れて煮る。「ちゃんこなべ[4]・ちゃんこ[1]」とも。

***チャンス**[1]〔chance〕（好）機会。「ーを△生かす（ねらう・失う）／受験のーを与える／ーメーカー[4]・メイクー」

ちゃんちゃらおかし・い[7]（ヲカシイ）ー（形）「あまりにばかばかしくて△聞いた（見た）だけで吹き出したくなる様子だ」の意の口頭語的表現。「五十をすぎてプロのゴルファーを目指すなんてー」

ちゃんちゃん ━[3]「おしまい」の意の幼児語。「ーにする」 ━[1]（副）ーと なすべきことを一つひとつ てきぱきと処理していく様子。

ちゃんちゃんこ[3]（子供用の）そでなし羽織。そでなし。〔かぞえ方〕一枚

ちゃんちゃんばらばら[3]-[0]〔芝居や映画などで〕刀を振りまわして立ちまわること。また、その時に発する音。たちまわり。〔俗語的表現。略して「ちゃんばら」〕

***ちゃんと**[0]（副） ❶何かを根拠として、そのことが疑う余地のないことだという確信をいだく様子。「書留はー届いたそうだ／君の言いたいことはー分かっている／うそをついたことがー顔に出てる」 ❷ーする そのものに期待される△基準（あり方）に照らして、外れるところがないと判断される様子。「仕事をーこなす／ー並んで順番を待つ／この子は五分とーしていられない／ーした△商売（家柄）」

チャンネル[0]〔channel〖＝ルート〗の文字読み〕 ❶電信・電話や放送の通信路（として割り当てられた、一定の周波数の電波域）。「第一ー」 ❷Ⓐ「チャンネル❶」を選ぶ受信機・受像機のつまみ。「ー権[4]」 Ⓑ問題とする事柄について の選択の幅。「実社会で役立つ講座を増やし学生の選択のーを増やす」

ちゃんばら[0]「ちゃんちゃんばらばら」の短呼。「ー映画[5]」

チャンピオン[1]〔champion〕 ❶選手権保持者。「ボクシングのフライ級ー／ーフラッグ[7]〔＝優勝旗〕・ーシップ[6]〔＝選手権〕」 ❷第一人者。

ちゃんぷるう[1] 沖縄料理の一つ。野菜・豆腐・豚肉などをいっしょにいためた料理。「ちゃんぷる」とも。「ゴーヤー」 〔表記〕多く「チャンプルー」と書く。

ちゃんぽん[1]〔ごった煮の意の中国語チャンホウから〕 ❶肉・野菜などを入れて、中華風のスープで煮た麺（メン）料理。〔元来、長崎料理〕 ❷本来区別して扱われるはずの二種類以上のものを無秩序にいっしょにしてしまう△こと（様子）。「酒とビールをーに飲む／日本語と英語をーに話す」

ちゆ[1]**【治癒】**ーする（自サ）（手当ての結果）病気が治ること。

ちゅう〔中・仲・虫・沖・宙・忠・抽・注・昼・柱・衷・酎・〈厨・鋳・駐〉〕→【字音語の造語成分】

ちゅう（フチ）「…という」の意の口頭語的表現。「なんーこった〔＝なんということだ〕／男ーものは／分かったーに〔＝というのに〕」 ⇩つう

ちゅう[1]（ウチ）**【中】** ❶まんなか。「北ー南の三峰／ー央・ー軸・ー日（チニ）」 ❷かたよらない△こと（所）。「ーを失わず／ーを取る／ー正・ー立・ー道」 ❸よくも悪くもないこと。「めでたさもーぐらいなり」 ❹中巻。 ⇩上・下 ⇩【造語成分】

ちゅう[1]（ウチ）**【宙】**〔もと、大空の意〕 ❶地面を離れた所。空中。「ー〔＝空中〕に舞う／△計画（予算・構想）がーに浮く〔＝未解決・未決定のまま放っておかれる〕／ーを飛んで〔＝大変急いで〕帰った／ー返り・ーぶらりん」 ❷書かれたものを

見ないで、言うべきことをきちんと言うこと。「―」（＝そら）で言えるように、よく覚える」【―に迷う】〔「中有に迷う」の変化〕どんな結果になるのか見通しの立たない状態になる。⇩【造語成分】

ちゅう①【忠】❶人との約束や職務に対して責任を持った言行をすること。「職に―／―実・―信」❷自己の属する主君・主人・国家に対して果たすべき任務を尽くすこと。「―義・―犬・―僕・―誠・不―」⇩孝

ちゅう⓪【注・〈註】分かりにくい言葉の下に書き入れたりして、その読みや意味などを説明したりする言葉・文。「―を付ける／―解・―釈・頭―・脚―・割―・傍―」 表記 「注」は「註」よりも古くからの用字。⇩【造語成分】

ちゅう①【酎】「焼酎」の略。「―ハイ」

ちゅう①【〈誅】罪悪ある者を△討つ（殺す）こと。「―に伏する／―伐・―戮・族―・天―」

ちゅう⓪【知友】❶互いに心を深く知り合っている友。❷友達の間柄に当たる知合い。「―関係」

ちゅう①⓪【知勇・〈智勇】知恵と勇気。「―兼備①-①」

ちゅうい①【中位】まんなか、または中程度の△くらい（位置）。⇩上位・下位

ちゅうい①【中尉】〔陸海空軍の〕尉官の第二位。

ちゅうい①【注意】―する（自他サ）❶〈なに・だれヲ―する／なんだト―する〉何かをする際の心がけとして、△思わぬ失敗をしない（大事な点や微妙な変化などを見落とさない）ように気を配ること。「仕上げに細心の―を払う／―を△喚起する（促す・怠る）／台風の動き△に（を）―する／風邪をひかないように日ごろから―する／―深い人／―力③」❷〈なにニ―する／なんだト―する〉起こりうる危険や災害から身を守るために、慎重に行動したり周囲の状況に十分に気を配ったりすること。「車に―して道を渡る／すりが多いというので、財布に―する／落石―・頭上―・要―人物」❸〈だれニ（なにヲ）なんだト―する〉相手の自覚を促すために、△よくないことだからやめる（好ましくない事態に陥らないために気を付ける）ようにと言うこと。「二度と遅刻をしないようにと厳重に―する／塀にいたずら書きをしてはいけないと近所の子供に―する／先生から服装を―される」 **―じんぶつ**④【―人物】〔危険分子・不良などということで〕当局から行動を注意されている人物。 **―ほう**③【―報】被害の起こるおそれがある時に、万一の準備が必要なことを注意する知らせ。〔警報よりは軽い〕「大雨―・強風―・濃霧―」

ちゅういん⓪【中陰】ちゅうう（中有）。

チューインガム⑤③〔chewing gum〕口がさびしい時や退屈しのぎなどに、口中に入れてかむ嗜好品。南米産のサポディラ⓪（sapodilla）の木の樹液に薄荷・砂糖などを交ぜて固めたもの。略してガム。 かぞえ方 一枚

ちゅういんふごう⑤【注音符号】北京官話に基づき、一九一八年制定された中国の標音記号。二十一の声符〔＝子音。ㄅㄆㄇなど〕と十六の韻符〔＝母音。ㄧㄨㄩなど〕から成る。現在では、台湾以外ではほとんど使われない。ボポモフォ⓪。

ちゅうう①【中有】〔仏教で〕人が死んでから次の生を受けるまでの四十九日間。「―に迷う」

ちゅうえい⓪【中衛】❶〔九人制バレーボールで〕前衛と後衛とを連結し、攻守両面を受け持つ競技者。❷〔サッカー・ホッケーなどで〕ハーフバック。

ちゅうおう③【中央】❶まんなか。「―部③」❷働きの上で中心となっている△位置（もの）。「―〔＝政府〕の指示に従う／―暖房⑤」❸首都。「―語⓪・―紙③」↕地方 **―かんちょう**⑤【―官庁】国家機関として全国に及ぶ権限を持つ行政官庁。内閣・各省庁・行政委員会など。中央行政官庁⑨。↕地方官庁 **―しゅうけん**⑤、③-⓪【―集権】政治上の権力が、中央官庁に統一集中されること。↕地方分権 **―しょりそうち**⑦【―処理装置】〔コンピューターで〕主記憶装置に記憶している機械語プログラムを少しずつ読み取りその指示に従って演算や処理を実行し制御していく中枢となる電子回路。中央演算処理装置⑪。〔コンピューターの中で最も重要な部分。対応する英語は central processing unit. 略称、シーピーユー（ＣＰＵ）〕 **―ろうどういいんかい**⑩、③-⑥【―労働委員会】厚生労働省の外局で、労働者が団結することを擁護し、労働関係の公正な調整を図る機関。略して「中労委」。⇩労働委員会

ちゅうおう⓪【中欧】中部ヨーロッパ。欧州の中部。

ちゅうおし⓪【中押（し）】〔碁で〕勝負の明らかな場合、途中でやめること。「―勝ち⓪」

ちゅうおん⓪【中音】高くも低くもない音（声）。〔狭義では、テナーまたはアルトを指す〕「―部③」⇩高音・低音

ちゅうか①【中華】❶〔外国との交渉が少なかった時代に〕自国を、世界の中心にある、最もすぐれた国と見なし

ちゅう

【中】 ━❶…の△なか（範囲）。「例外中の例外／十中八九」❷ちょうど今…していることを表わす。「休業中」❸期間。「不在中・冬季中」❹あたる。「十発五中〔＝命中〕・的中・中毒」 ━（略）❶中学校。❷〔野球で〕中堅（手）。❸中華料理・中国語・中国。「中印国境・日中辞典・和洋中」❹中毒。「アル中」⇩（本文）ちゅう【中】

【仲】❶人と人との間。なか。「仲介・仲裁」❷兄弟の順の二番目。「仲兄・伯仲」❸その季節を三つに分けた第二の時期。「仲夏・仲秋」

【虫】むし。「虫害・回虫・昆虫・幼虫・成虫・益虫・害虫・寄生虫・三葉虫」

【沖】❶高く上がる。「沖天」❷水が流動する。「沖積世」

【宙】大空。「宇宙・碧宙〔＝青空〕」⇩（本文）ちゅう【宙】

【忠】⇩（本文）ちゅう【忠】

【抽】ぬき出す。「抽出・抽象・抽籤」

【注】━❶液体を流し入れる。「注水・注射・注入」❷そらさずに、一点に集める。「注意・注目・傾注」━（略）注文。「受注・発注」⇩（本文）ちゅう【注】

【昼】ひる。ひるま。「昼間・昼光色・昼夜・昼食・昼飯・白昼」

【柱】はしら。「柱石・支柱・円柱・鉄柱・電柱・門柱・氷柱」

【衷】❶まん中。「折衷」❷心の中。「衷心・衷情・苦衷・微衷・私衷」

【酎】⇩（本文）ちゅう【酎】

【〈厨】台所。「厨房・厨芥・庖厨」 表記 「〈廚」とも書く。

【鋳】金属を溶かし、型に流し込んで器物を作る。いる。「鋳金・鋳造・鋳鉄・改鋳」

【駐】一時、車・軍隊などをとどめておく。「駐車・駐在・駐屯・駐留・進駐」

たこと。〔狭義では、漢民族のそれを指し、またその呼称としても用いられる〕「—思想④」 ❷中国❸。 ❸「中華そば」の略。「冷し—」 ❹「中華料理④」の略。「今夜の食事は和食はやめて—にしよう」 **—そば**④【—〈蕎麦〉】 小麦粉を梘水で練り、細く切った食品。また、それを熱いスープの中に入れて具を添えた料理。 **—なべ**④【—鍋】 浅くて底の平たくない大鍋。二つの取っ手がある。 **—ふう**⓪【—風】 中華料理△の(に似た)方式。 **—まんじゅう**④【—〈饅〉《頭》】〔中華風の〕皮が厚くて白い大形の蒸し饅頭。マントー。

ちゅうか①【仲夏】〔古〕夏の半ば。〔陰暦では五月を指す〕

ちゅうかい⓪【仲介】—する(他サ) 直接 接触することが出来ない事情にある両者の間に立って、間をとりもつこと。なかだち。〔国際法では、居中調停を指す〕「—の労をとる」

ちゅうかい⓪【注解・〈註解〉】—する(他サ) ❶ある文章に含意される意図などを考慮しつつ説明したり 大局的立場に立って解説を加えたり すること。 ❷注釈。

ちゅうかい⓪【〈厨芥〉】 炊事場から出る、料理に使われた野菜などの くず。

ちゅうがい①【中外】 ❶うちとそと。内部と外部。 ❷国内と外国。「—の事情に通じる」

ちゅうがい⓪【虫害】 害虫の被害。

ちゅうがえり③【宙返(り)】—する(自サ) ❶とんぼがえり。 ❷飛行機が空中でする垂直方向の回転。

ちゅうかく⓪【中核】 その物事の中心にあり、組織の形成に重要な部分。「—に据える」 **—し**④③【—市】 政令指定都市に準じた自治権限が認められている市。人口二十万以上で、その地域で中核的な都市機能を備えていることが条件。

ちゅうがく①【中学】「中学校」の略。 **—せい**③④【—生】 中学校の生徒。

ちゅうがくねん③④【中学年】 小学校三、四年の異称。⇩高学年・低学年

ちゅうがた⓪ ❶【中型】 形の相似している物のうちで、中ぐらいの方。 ❷【中形】 ❶他と比べて、形の中ぐらいの方。 ❷ゆかた地。絣よりは大きい模様を染め出したもの。〔ゆかたの別称としても用いられる〕

ちゅうがっこう③【中学校】 小学校の課程を修了した後に、普通教育を施すための学校。現在は三年制の義務教育。

***ちゅうかん**⓪【中間】 ❶二つの物の間△に(で)あること。「—点③・—搾取⑤」 ❷特徴がはっきりせず、対立するいずれにも入れ兼ねること。「—層③・—派⓪・—読物⑥」 ❸ある期間の途中。「—発表⑤・—報告⑤」 **—かんりしょく**⑦【—管理職】 業務の現場にいて部下を直接管理する責任者。一般に、会社の課長や係長などをさす。 **—し**③【—子】 素粒子の一つ。もと、陽子と電子との中間の質量をもつものを呼んだことからの称。メソン。 **—しゅくしゅ**⑥⑤【—宿主】〔寄生虫で〕成虫になって最後に宿主とするものを「最終宿主」と呼ぶのに対して、幼虫のときに寄生する動物。 **—しょうせつ**⑤【—小説】⇩小説 **—しょく**③【—色】 原色に白などをまぜて柔らかい感じにした色。↕原色 **—せいさんぶつ**⑦【—生産物】〔それぞれの生産工程で〕他の財貨を生産するために使用・消費される原料や材料。

ちゅうかん⓪【昼間】「ひるま」の漢語的表現。「—人口⑤」 ↕夜間

ちゅうき⓪【中気】「中風」のやや古風な表現。「—の親分役で舞台に立つ」

ちゅうき①【中期】 △まんなか(なかごろ)の時期。⇩前期・後期:初期・末期

ちゅうき①【注記・〈註記〉】—する(他サ) 注を△つけること(つけたもの)。

ちゅうき①⓪【駐機】—する(自サ)(次の飛行にそなえて)飛行機を空港にとめておくこと。「—場」

ちゅうぎ①【忠義】—な 主人・国家に対し、誠意をもって務めを果たす△こと(様子)。「—を尽くす/—な家来」 **—だて**⓪【—立(て)】—する(自サ) 忠義らしい余計なふるまいをすること。

ちゅうきゃく⓪【注脚・〈註脚〉】「注釈」の意の古風な表現。

ちゅうきゅう⓪【中級】 中ぐらいの△程度(等級)。⇩上級・下級:上級・初級

ちゅうきゅう⓪【〈誅求〉】—する(他サ) 重税を無理に取り立てなどして、人民に対して人情味を持ち合わせない態度に出ること。「苛斂—至らざる無し」

ちゅうきょう⓪【中共】「中国共産党」の略。〔かつては、国家としての中国をも指した〕

ちゅうきょう⓪【中京】 名古屋市の異称。

ちゅうきょり③【中距離】 ❶〔交通機関で〕短距離と長距離の間にある距離。一般に起点から、百から二百キロメートルの距離を指す。「—列車」 ❷〔運動競技で〕短距離と長距離の間の距離で行なわれる競走・競泳。「—競走⑤」〔陸上競技では、八百から二千メートルまで〕・—競泳⑤〔四百メートル・八百メートルがある〕」⇩短距離・長距離

ちゅうぎり⓪【中《限》】〔相場で〕売買契約の翌月の末に現品を受け渡す取引。⇩先限・当限

ちゅうきん⓪【忠勤】 忠実に勤めること。「—を励む」

ちゅうきん⓪【鋳金】—する(自サ) 金属を鋳型に溶かしこんで(美術)器物を造ること。 かぞえ方 作品は一点

ちゅうきんとう③【中近東】 中東。

ちゅうくう⓪【中空】 ❶何もさえぎる物の無い、空の中ほど。なかぞら。 ❷—な〔筒形の物について〕詰まっていることが期待される内部が、くりぬいたように空っぽになっている△こと(様子)。

ちゅうぐう③【中宮】 平安時代、皇后の称。〔二人の后が並立するようになってからは、皇后に次ぐ后の称〕

ちゅうくん⓪【忠君】 天皇に忠義を尽くすこと。 **—あいこく**⓪-⓪、⑤【—愛国】 天皇に忠義を尽くし、日本を愛すること。

ちゅうけい⓪【中啓】 親骨の上端を外へそらした儀式用の扇。たたんでいても半ば開いているように見える。すえひろ。

ちゅうけい⓪【中景】〔絵画などで〕近景と遠景との間に位置する景色。

ちゅうけい⓪【中継】—する(他サ) ❶他局の放送をその放送局でなかつぎして放送すること。 ❷〔↑生中継〕スタジオ以外の現場での実況放送を直接その放送局が放送すること。

ちゅうけい⓪【仲兄】「二番目の兄」の意の漢語的表現。

ちゅうけん⓪【中堅】〔大将が自分で率いる軍隊の意〕 ❶Ⓐその組織で、首脳部に次ぐ地位にある働き盛りの人たち。「—社員⑤」 Ⓑ現在それほど上位の存在ではないが、堅実な業績を上げ、将来が注目される存在。「—出版社⑦」 ❷〔野球で〕センター。中堅手③。

ちゅうけん⓪【忠犬】 主人のためによく尽くす犬。

ちゅうげん⓪【中元】〔もと、一月十五日の上元、十月十五日の下元と共に三元の一つ。盂蘭盆を行なった七月十五日の称〕七月初旬から十四、五日までにする、得意先や恩顧を受けた人への物品の贈答。「お—⓪」

ちゅうげん[0]【中原】 広い野原の中央。【—に鹿を《逐おう》】 多くの人が競争して一つの目的物を得ようとする。〔政権の座や国会議員の争いの意にも用いられる〕

ちゅうげん[0]【中間】〔侍と小者との中間の意〕武家の召使の男。表記「仲間」とも書く。

ちゅうげん[0]【忠言】—する(自サ)「忠告」の意の古風な表現。「—耳に逆らう〔=忠言は とかく耳に痛いので、すぐに気持よくは聞き入れにくいものだ〕」

ちゅうこ【中古】❶[1]〔日本歴史の時代区分で〕上古と近古との間。〔主として平安時代を指し、時に鎌倉時代をも含む〕 ❷[0][1]「中古品」の略。 **—しゃ**[3]【—車】 ある期間使用した後、売りに出された△自動車(自転車)。 **—ひん**[0]【—品】(売買の対象とされる)だれかが一度使った品。セコハン。↔新品

ちゅうこう[0]【中耕】—する(他サ) 作物の生育中に、まわりの土を浅く耕すこと。中打ち。

ちゅうこう[0]【中興】—する(他サ) 衰えかけていたものをもう一度盛んにし、しばらくの間 前のような繁栄を続けさせること。「—の祖」

ちゅうこう[0]【忠孝】 よく君に仕えることとよく親に仕えること。「—両全」

ちゅうこう[0]【昼光】 太陽の光による昼間の明るさ。「—灯[0]〔=日光に似た光を放つ電灯〕」 **—しょく**[3]【—色】 昼間の太陽光線に似せた色や明るさ(の照明)。

ちゅうこう[0]【鋳鋼】 鋳造した鋼鉄。

ちゅうこうねん[3]【中高年】 中年や高年。〔もとの「老年」の婉曲表現〕「—層[5]」

ちゅうこく[0]【中刻】〔昔の時法において〕特定の一時〔=今の二時間に当たる〕を三等分した中間の四十分間。「申の—〔=午後三時四十分から四時二十分まで〕」 ⇩上刻・下刻

***ちゅうこく**[0]【忠告】—する(自サ)〈だれ ニ なんだ ト—する〉 心から相手のことを思い、△早く悪いところを直す(危険な事はしない)ようにと、個人的な立場から言い聞かせること。また、その言葉。「—に従う/—に耳を貸さない」

ちゅうごく[1]【中国】❶〔近国・遠国に対して〕昔、京都から比較的近い距離にあった国ぐに。 ❷「中国地方」の略。 ❸「中華人民共和国」の略。「—語[0]・—文学[5]」⇩中華 **—ちほう**[5]【—地方】 本州西部にあり、南は瀬戸内海に、北は日本海に面する地域。東は近畿地方に接し、南は瀬戸内海を隔てて四国と、西は関門海峡を隔てて北九州と相対する。

ちゅうごし[0]【中腰】〔必要に応じてすぐに立ち上がれる程度に〕ひざを折って腰を落とした姿勢。

ちゅうこん[0]【忠魂】❶忠義を尽くす心。 ❷忠義のために戦死した人の霊魂。「—碑[3]」

ちゅうさ[0]【中佐】〔陸海空軍の〕佐官の第二位。

ちゅうざ[0]【中座】—する(自サ) 話を△聞いて(して)いる途中で座を立つこと。

***ちゅうさい**[0]【仲裁】—する(他サ)〈なに ヲ—する〉 争う両者の間に入ってとりなし、仲直りさせること。「—に入る/—裁定[5]・—人[0]」

ちゅうざい[0]【駐在】❶—する(自サ) 公務員などが、派遣された任地に一定期間とどまっていること。 ❷駐在所(の巡査)。 **—しょ**[5][0]【—所】 巡査が家族とともに住み、受持ち区域の警備に当たる所。

ちゅうさつ[0]【(誅殺)】—する(他サ)〔上の人が、下の者を〕罪を犯したことを理由にして殺すこと。

ちゅうさつ[0]【駐(箚)】—する(自サ) 大使・公使などが外国に派遣され、しばらくその土地に居ること。

ちゅうさんかいきゅう[5]【中産階級】 国民の大多数を占める、自作農・公務員・会社員・中小商工業者など、有産階級と無産階級の中間層。

***ちゅうし**[0]【中止】—する(他サ)〈(なにデ)なに ヲ—する〉 進んでいた仕事・催し物・試合・計画などが(中途で)とりやめになること。「雨のため祭りを—する/旅行が—になる」 **—ほう**[0]【—法】〔文法で〕連用形の一用法。「薬局に寄り、帰宅する」の「寄り」が「寄って(から)」を意味するなど。

ちゅうし[1]【忠士】 忠義を重んじる武士。

ちゅうし[0]【忠死】—する(自サ) 忠義のために死ぬこと。

ちゅうし[1]【注視】—する(他サ) どうなるかという関心をもって、じっと見つめること。「世界の—を浴びる/動向を—する」

ちゅうじ[1]【中耳】 鼓膜と内耳とにはさまれた部分。「—炎[3][0]」⇩内耳・外耳

ちゅうじき[0]【昼食】「ひるめし」の意の古語的表現。表記「中食」とも書く。

ちゅうじく[0]【中軸】 物の中央を貫く軸。〔組織の中心(となる人)の意にも用いられる〕

***ちゅうじつ**[0]【忠実】—に—な ❶主人・上司などの言いつけ通りにまじめに務めを果たす様子だ。「自己に—/—に履行する」 ❷もとのものの持つ雰囲気を大体そこなわずに写し伝える様子だ。「—に訳する」派 **—さ**[0] **—げ**[4][5][0]

ちゅうしゃ[0]【注射】—する(他サ) 皮膚に刺した針を通して薬液を体内に入れること。「予防—[4]・—薬[3]・—液[3]・—針[4]」かぞえ方 一本・一筒

ちゅうしゃ[0]【駐車】—する(自サ) 運転者が車を△離れた(すぐに発進することが出来ない)状態で、自動車などを同じ場所に(ある時間以上長く)とめておくこと。「—場[0]・—禁止[0]-[0]・違法—[4]」

ちゅうしゃく[0]【注釈・(註釈)】—する(他サ) 本文の注意すべき語句をとりあげて、その意味や用法を説明△すること(したもの)。〔「全注釈」は、この意味で語義にはずれる。「全釈」ならよい〕「—を△つける(加える)/—的に書き添える/—書[5][0]」

ちゅうしゅう[0]【中秋・仲秋】❶陰暦の八月十五夜。「—の名月」 ❷〔古〕秋の半ば。〔陰暦では八月を指す〕⇩初秋・晩秋

ちゅうしゅうしゃ[3]【中習者】 美容師の実習生。決まった期間を終わって試験に通れば美容師の資格が得られた。〔一九九八年に廃止〕

ちゅうしゅつ[0]【抽出】—する(他サ)〔ある操作を施して〕多くの物の中から、必要△な物だけを(に応じて)選び出すこと。「任意—・見本—法[0]-[0]」

ちゅうしゅん[0]【仲春】〔古〕春の半ば。〔陰暦では二月を指す〕⇩初春・晩春

ちゅうじゅん[0]【中旬】 月の十一日から二十日までの十日間。⇩上旬・下旬

ちゅうじゅん[0]【忠順】—な 忠実で従順な△こと(様子)。

ちゅうじょ[1]【忠(恕)】 自分に対しては忠実で、他人に対しては思いやりの気持に富むこと。

ちゅうしょう[1]【中小】〔同種の物の中で〕規模が中程度、または、それ以下であること。「—のメーカーが多い酒造業界/—の河川」 **—きぎょう**[5]【—企業】〔大企業に対して〕経営規模が中程度(以下)の企業。中小企業基本法では、資本金や従業者数で定める。「—体[0]・—庁」 **—きぎょうちょう**[6]【—企業庁】 経済産業省の外局の行政機関。中小企業の振興政策を管轄する。 **—けいえいしゃ**[7]【—経営者】 中小企業の経営者。

ちゅうしょう[0]【中称】〔文法で〕話し手からそれほど遠く

ない事物・場所などを指す言葉。例、それ・そこ・そっち。⇩近称・遠称

ちゅうしょう⓪【中傷】—する(他サ)〔「中」も「傷」も、他動詞「やぶる」の意〕根拠の無い悪口などを言って、他人の名誉を傷つけること。「個人的—」

*__ちゅうしょう__⓪【抽象】—する(他サ)〈なにヲ—する〉個々の事物や事象から、それらの範囲の全部のものに共通な要素を抜き出し、「およそ…と言われるものはこのようなものである」と頭の中でまとめあげること。「—性⓪・—化⓪・—画⓪」↕具象・具体 ⇩捨象 **—がいねん**⑤【—概念】具体的な個々の事物や事象そのものではなく、そこから共通の属性を抽出してとらえたもの。 **—げいじゅつ**⑤【—芸術】物体の△線(面・色彩)だけを取り出して、それを中心として作り上げた芸術作品。アブストラクト。〔現代美術の大きな傾向の一つ〕 **—てき**⓪【—的】—な —に ↕具象的・具体的 ❶同類のもの一般を、頭の中で取り出して考える様子だ。❷具体的な個々の事象を離れ、現実の問題との対応関係がとらえにくい様子だ。「—な議論」 **—ろん**③【—論】具体的な事実から遊離しているため、実際問題の解決にはあまり役に立たない議論。↕具体論

ちゅうじょう①【中将】〔陸海空軍の〕将官の第二位。〔古くは、近衛府の次官を指した〕

ちゅうじょう⓪【衷情】〔苦しい立場にある人の〕偽らぬ心の中。「—を訴える」

ちゅうしょく⓪【昼食】「ひるめし」の意の改まった表現。「—携行の事/—会④③⓪」⇩朝食・夕食

ちゅうしん⓪【中心】❶まんなか。〔円・球の中心は、周囲から等しい距離にある位置を指し、紙・布の中心は半分に折って折れ目になる位置を指す〕「的の—/台風の—付近の最大風速」❷回転をささえる軸。❸ある組織(体)の運営について、周辺に対して最も大きな影響を及ぼす部分。「業界の—人物/—的な役割を演じる」❹問題として取り上げる、最も△大事だ(重点を置くべきだ)とするところ。「君の議論は—(=的)をはずれている/△経済(政治)の—△政策(改革)の—に据える/—地/実績—に人を選ぶ」 **—しど⑤【—示度】台風の中心が示す「中心気圧⑤」の数値。「—九八〇ヘクトパスカル」

ちゅうしん⓪【中震】家が激しく揺れ、すわりの悪いものが倒れる程度の地震。現在の震度4にほぼ相当する。⇩震度

ちゅうしん⓪【忠心】忠義の心。

ちゅうしん⓪【忠臣】忠義な臣下。

ちゅうしん⓪【忠信】忠実で二心の無いこと。

ちゅうしん⓪【注進】—する(他サ)耳新しい情報を急いで立場の上の人に知らせること。運用 何かにつけて上役に得意気に告げ口をする人を侮蔑して、「また彼のご注進が始まった/何でもすぐご注進だからあの人の前ではうかつにものを言えない」などと言うことがある。

ちゅうしん⓪【衷心】心の奥底から本当にそう思うこと。「—からおわびいたします/—忸怩たるものがある(=心の中で恥ずかしくてたまらない)」

ちゅうじん⓪【中人】⇩ちゅうにん

ちゅうすい⓪【虫垂】盲腸の下部に連なる細長い突起。〔虫様突起の改称〕 **—えん**③⓪【—炎】大腸菌などにより虫垂に起こる炎症。俗に「盲腸炎」と言う。

ちゅうすい⓪【注水】—する(自サ)❶ホースなどで水をかけること。❷何かの中に水を注ぎ入れること。

ちゅうすいどう③【中水道】汚水を処理して、水まきなどに再利用する施設。上水道とは別に、二重に配管される。⇩上水道・下水道

ちゅうすう⓪【中枢】〔「枢」は開き戸をあけたてするのに無くてはならない「くるる」の意〕物事の中心にあり、末端の各部に指令を発する、最も大事な働きをなす部分。「会社の—/脳—・—部③」 **—しんけい**⑤【—神経】目・耳・手足などからだの各部分の刺激を受け、それを筋肉などへ伝達する働きをする神経の系統。脊椎動物の脳髄・脊髄など。↕末梢神経

ちゅう・する③【沖する・〈冲する】(自サ)〔煙などが〕天までまっすぐ高くあがる。

ちゅう・する③【注する・〈註する】(他サ)❶本文の中のむずかしい語句を取り出して、その意味・用法を説明する。❷説明を書きしるす。注す①(五)。

ちゅう・する③【〈誅する】(他サ)罪のある者として殺す。

ちゅうせい①【中世】〔歴史の時代区分で〕古代と近世との間の時代。〔日本史では通常、近古を指す。また、時に中古をも含める〕

ちゅうせい⓪【中正】—な —に〔考え方などが〕一方にかたよらないで、正しいと認められる様子だ。「穏健で—な道/—を失する」 派—さ⓪

ちゅうせい⓪【中性】〔相対立する性質のどちらにも属さない中間の(性質)〕❶Ⓐ〔ドイツ語などの文法で〕男性・女性以外の性。Ⓑ〔俗に〕男性と女性のどちらの特徴も現われ方が少なく、両性の雰囲気を持っていること。「—的な魅力のある役者」❷酸性でもアルカリ性でもないこと。「—洗剤⑤」 **—し**③【—子】陽子と共に原子核を構成する素粒子の一つ。電気を帯びておらず、原子核の破壊に利用される。「—爆弾⑥」 **—し**③【—紙】褪色やインクのにじみ防止のために炭酸カルシウムなど中性の材料を使った紙。「酸性紙」と違って劣化しにくいが、コストは高い。 **—しせん**⓪【—子線】放射線の一つ。原子核が壊れるときに高速で飛び出す中性子。透過力が非常に強い。 **—しぼう**⑤【—脂肪】グリセリンと脂肪酸の結合した単純脂質。動物の皮下や臓器に蓄えられ、エネルギー源となるが、過剰になると脂肪肝など種々の疾病の原因となる。

ちゅうせい⓪【忠誠】二心を持たず、△主人(国家)のために働くこと。まごころ。「—を誓う/—心③」

ちゅうぜい⓪【中背】ほどよい背たけ。「中肉—」

ちゅうせいだい③【中生代】地質による時代区分の一つ。古生代に次ぐ時代(=約二億五千万年〜六千六百万年前)。ソテツ類・シダ類が繁茂し、巨大な爬虫類が栄えた時代。

ちゅうせき⓪【沖積】—する(自サ)流水のために土砂などが積み重なること。「—層・—土④・—平野⑤」 **—せい**④③【—世】⇩完新世(=完新世)に堆積した地層。沖積統④。❷河川による低地の堆積物。 **—そう**④③【—層】❶沖積世

ちゅうせき⓪【柱石】〔柱と土台石の意〕△何かをするのに(その組織にとって)かけがえのない、大事な人。

ちゅうせつ⓪【忠節】初志を曲げずに忠義を尽くすこと。「—を誓う」

ちゅうぜつ⓪【中絶】—する(自他サ)中途で△絶える(やめる)こと。〔狭義では、妊娠中絶を指す〕

*__ちゅうせん__⓪【抽選・抽〈籤】—する(自サ)くじびきによって多くの中から取り出すこと。表記「選」は、代用字。

ちゅうせんきょく⑤【中選挙区】大選挙区と小選挙区との中間に位するもの。

ちゅうそ①【注〈疏・〈註疏】本文についての詳しい説明。表記「〈註疎」とも書く。

ちゅうそう⓪【中層】上層と下層の間の層。「—(=四〜五階ぐらいの高さの)アパート⑥」⇩高層 **—うん**③【—

雲〕 層積雲・層雲・乱層雲の総称。⇩雲級

ちゅうぞう（チウザウ）[0]【鋳造】—する(他サ) 金属を溶かし、型に流して器具を作ること。↕鍛造

ちゅうそつ[0]【中卒】〔↑中学卒業者〕中学校を卒業しただけで、上の段階の学校に行かなかった者。

チューター[1][0]〔tutor=家庭教師〕❶研究会などでの講師・報告者。❷〔大学などで〕留学生に相談相手としてつける学生。

ちゅうたい[0]【中退】—する(自サ) 「中途退学[4]」の略。「大学を—する」

ちゅうたい[0]【中隊】〔軍隊で〕編制上の単位の一つ。三～四小隊から成る。⇩大隊・小隊

ちゅうたい[0]【柱体】〔幾何学で〕平行な二つの平面の一方の中にある多角形・円などの図形上の各点からもう一方の平面におろした垂線の集まりと、その二つの平面とによって囲まれる立体図形。例、角柱・円柱。〔柱体の表面のうち、二つの平面のそれぞれに含まれる部分を「底面」、垂線により構成される部分を「側面」と呼ぶ〕

ちゅうたい[0]—(チウ)【〈紐帯】〔本来の字音はヂウタイ。ひもと帯の意〕二つのものの連絡を密にする上で大切なもの。「じゅうたい」とも。「両国を太い—で結ぶ条約」

ちゅうだち[0]【中裁(ち)】 十歳から十五、六歳の者が着る和服の仕立て。⇩本裁ち・四つ身

ちゅうだん[0]【中段】❶中(ほど)の段。❷〔剣道などの武道で〕高過ぎも低過ぎもしない、中間の構え方。⇩上段・下段

ちゅうだん[0]【中断】—する(自他サ) 続いていた物事が、なんらかの事情でそこで△中止される(中止する)こと。

***ちゅうちょ**[1]—(チウ)【〈躊躇〉】—する(自他サ)〈なにヲ—する/なにニ—する〉 そうすることに気おくれがしたり 決心がつかなかったりして、ぐずぐずすること。

ちゅうちょう（チヤウ）[0]—【注腸】 薬液などを肛門(コウモン)から腸に注入すること。

ちゅうっぱら[0]【中っ腹】—な 腹が立ちかけ、やっと抑えている状態だ。「—で席を立った」

ちゅうづり[0]—(チウ)【宙釣(り)・宙〈吊(り)】 途中まで釣り上げたような形で、ぶら下がること。「がけから—になる」

ちゅうてい[0]【忠貞】 誠実で、節操も堅いこと。

ちゅうてつ[1][0]—(チウ)【鋳鉄】 鋳造に適する、鉄の合金。〔一・七～七パーセントの炭素を含む〕

ちゅうてん[0]【中天】 上を見て視野におさまる範囲の空。「—にかかる月」

ちゅうてん[1]【中点】〔数学で〕△線分(曲線)を二等分したまんなかの点。

ちゅうてん[0]【沖天・〈冲天】 高く天に上ること。「—の勢い」

ちゅうでん[0]【中伝】 △修業(得道)のおよそ半ばの段階で与える伝授。⇩初伝・奥伝・皆伝

ちゅうと[0]【中途】❶△時間的(空間的)に一定の△期間(範囲)にわたって継続して行なわれる物事の、完了に至る前の段階・状態。「—でやめる/坂の—の店/—休場・—退場・—駅[3]・—覚醒(カクセイ)」❷決まった時期に行なわれる物事の、本来の始まりの時期を過ぎた段階。「—入社[4]・—採用[4]」 **—はんぱ**[4]【—半端】—な/—に 物事を積極的に打ち切るのでも続行するのでもない、どっちつかずの状態だ。「—な形で終わる」

ちゅうとう（オ）[0]【中東】 エジプト・アラビア半島・イラン・イラク・シリア・イスラエル・トルコなど、西アジアからアフリカ北東部にかけての地域。中近東。⇩極東・近東

ちゅうとう（オ）[0]【中等】❶上等と下等との間。なみ。❷高等と初等との間。「—教育[5]」⇩初等・高等 **—きょういくがっこう**（ケウ—ガクカウ）[9]【—教育学校】 小学校の課程を修了した後に、六年間の中等普通教育・高等普通教育・専門教育を一貫して施すための学校。

ちゅうとう（オ）[0]【仲冬】〔古〕冬の半ば。〔陰暦では十一月を指す〕⇩初冬・晩冬

ちゅうとう（オ）[0]【柱頭】❶柱の上部(の特殊な彫刻のある部分)。❷めしべの頂で、花粉のつく所。かぞえ方❶は一基

ちゅうとう（タウ）[0]—【〈偸盗】❶〔仏教で〕十悪の一つとされる盗み。❷「ぬすびと」の意の漢語的表現。

ちゅうどう（ダウ）[0]—【中道】❶極端に走らず、穏当なこと。「—政治[5]・—路線[5]」❷何かが完成する以前の段階。中途。

***ちゅうどく**[1]【中毒】—する(自サ)〈(なにニ)—する〉 害のある物を飲食したり 有毒の薬品などを吸ったり したために、機能障害を引き起こすこと。〔また、それに由来する依存症状や、俗にある物事に熱中したり 習慣化したり してやめられなくなることのたとえとしても用いる〕「—性の強い麻薬/食—・自家—・慢性アルコール—〔=⇩アルコール依存症〕・スマホ—」

ちゅうどしま[3]【中年〈増】〔中ぐらいの年増の意〕若さの盛りは過ぎたが、まだ老け込むにはかなり間のある年ごろの女性。〔現在では花柳界以外ではあまり用いられない〕

ちゅうとろ[0]【中とろ】〔すし屋などで〕マグロの身で、脂が中ぐらいに乗ったもの。

ちゅうとん[0]【駐屯】—する(自サ) 軍隊が、ある土地に長くとどまっていること。「—地[3]・—兵[3]」

チューナー[1][0]〔tuner〕テレビ受像機の、高周波増幅と周波数変換のための装置。〔本来は、広く無線受信機の同調装置を指す〕「FM—[5]」

ちゅうなごん[3]【中納言】 太政官(ダイジョウカン)の次官、大納言に次ぐ官職。⇩大納言・少納言

ちゅうなんべい[3]【中南米】 中米と南米の総称。「—音楽[7]〔=ラテン音楽〕」

ちゅうにかい[3]【中二階】❶普通の二階の高さより少し低い二階。❷一階と二階との中間にこしらえた階。

ちゅうにく[0]【中肉】❶太り過ぎでもなければ、やせ過ぎでもない、ほどよい肉づき。「—中背(ゼイ)[0]-[0]」❷〔肉屋で〕スライスして売る赤身の食肉の中で、品質が比較的上等なもの。⇩上肉・並肉

ちゅうにち[1]【中日】❶彼岸の七日間のまんなかの日。春分・秋分の日。⇩なかび ❷中国と日本。

ちゅうにち[0]【駐日】(外国の政府関係者が)日本に駐在すること。「—大使[5]・—米軍」

ちゅうにゅう（ニフ）[0]—【注入】—する(他サ) 液体を容器の中や組織の中へ入れること。〔広義では、人・物をある場所にたくさん送り込んだり ある対象に知識を詰め込んだり することを指す。例、「—教育[5]」〕

ちゅうにん[0]【中人】〔入場料金表などの年齢区分で〕大人(ダイニン)と小人(ショウニン)との間。小学生のほかに中学生も含む。ちゅうじん。⇩大人・小人

ちゅうにん[0]【仲人】❶仲裁人。❷仲介人。なこうど。

チューニング[0]—する(自他サ)〔tuning〕❶ラジオやテレビで、周波数を合わせて、△聞きたい(見たい)放送局を選ぶこと。❷楽器の音程を正確に合わせること。調律。音合せ。❸自動車のエンジンなどの調整。

ちゅうねん[0]【中年】 人を年齢によって分けた区分の一つ。五十代から六十代の前期にかけての年。「—ぶとり[5]」⇩青年・壮年・老年・初老

ち

ちゅうのう⓪ナウ【中脳】脳髄の一部。間脳の後方、小脳の上部にあり、視覚・聴覚の働きを調節するほか、大脳から脊髄(セキズイ)に伝わる運動神経の道筋に当たる。

ちゅうのう⓪【中農】自分の農地を持ち、中規模の程度の農業を営む△こと(農家)。〔多く自作農がこれに相当した〕⇩大農・小農

ちゅうのり⓪チウ【宙乗(り)】芝居・曲芸などで、△針金(滑車)を使ってからだを空中につり上げる仕掛け。また、その演技。

ちゅうは①【中波】波長が百メートル以上で千メートル未満の電波。近距離のラジオ放送に用いられる。〔周波数は、三百キロヘルツより大で、三メガヘルツ以下〕⇩長波・短波

チューバ①〔tuba〕金管楽器の一つ。最も低い音の出る、大きならっぱ。

ちゅうハイ⓪チウ【酎ハイ】〔「ハイ」はハイボールの下略〕焼酎(ショウチュウ)を炭酸飲料で割った飲み物。「缶—③」 表記 「チューハイ」とも書く。

ちゅうばいか③クワ【虫媒花】昆虫の媒介によって受粉する花。⇩鳥媒花・風媒花・水媒花

ちゅうばつ⓪【誅伐】—する(他サ) 罪のある者を攻め討つこと。

ちゅうはば⓪【中幅・中《巾》】大幅と小幅との中間の布の幅。四五センチぐらい。⇩小幅・大幅

ちゅうはん⓪チウ【昼飯】「ひるめし」の意の漢語的表現。

ちゅうばん⓪【中盤】(碁・将棋などで)序盤を終え、本格的な戦いに入った時期(の局面)。「選挙は早くも—に入った/—戦⓪」⇩序盤・終盤

ちゅうび⓪【中火】(料理で)調理する際の、つよ火ととろ火の中間の火力。

チューブ①〔tube=くだ。筒〕❶絵の具・練り歯磨などを詰めた、くだになった入れ物。❷タイヤの内側にあって、空気を保っておくゴムのくだ。❸管楽器。❹(サーフィンで)波が砕けようとするとき、内側にできる中空部分。 かぞえ方 ❶❷は一本

ちゅうぶ①【中部】❶中央の部分。「関東—」❷「中部地方」の略。 **—ちほう**④ハウ【—地方】本州中央部にあり、南は太平洋、北は日本海に面する地域。東は関東地方、西は近畿地方、北東の一部は東北地方に、それぞれ接する。

ちゅうぶう⓪【中風】卒中の後遺症による、からだの麻痺(マヒ)。中気。〔口頭語では普通、「ちゅうぶ⓪・ちゅうふう⓪」と言う〕「—で口がよくきけない」

ちゅうふく⓪【中腹】頂上とふもとの中間。

ちゅうぶらりん⓪チウ【宙ぶらりん】—に・—な ❶空中にぶら下がっていること。❷どっちつかずの中途半端な状態。 表記 「中(チュウ)ぶらりん」とも書く。

ちゅうぶり⓪【中振(り)】(↔中振り袖(ソデ)③)女性の和服で、中程度の長さの振りそで。

ちゅうぶる⓪【中古】新品ではないが、その物として当分十分に使える△こと(物)。ちゅうこ。↔新品

ちゅうへい⓪チウ【駐兵】—する(自サ) 兵士を、ある地点にとどめておくこと。また、その兵。

ちゅうべい⓪【中米】「中央アメリカ」の漢字表記語。

ちゅうへん⓪【中編・中《篇》】❶長編と短編との間の分量(の作品)。❷三編から成るものの、まんなか。⇩上編・下編:前編・後編

ちゅうぼう⓪バウ【《厨房》】「台所・調理場(バ)」の意の漢語的表現。「—用品⑤」

ちゅうぼく⓪【忠僕】忠義な下男。

ちゅうぼそ⓪【中細】(毛糸やシャープペンシルの芯(シン)の同類の中で)中くらいの細さ(のもの)。⇩ごくぼそ・ごくぶと

ちゅうぼん⓪【中《品》】(仏教で)極楽往生の仕方を三つに分けたうちの、中位。その中をさらに上生(ジョウショウ)・中生(チュウショウ)・下生(ゲショウ)の三段階に分ける。〔広義では、中程度の段階(のもの)を指す〕⇩上品(ジョウボン)・下品(ゲボン)

ちゅうみつ⓪チウ【《稠密》】—な 〔一地域に〕家・人口などが多く集まっている△こと(様子)。「人口—」 派 —さ⓪

*__ちゅうもく__⓪【注目】—する(自他サ) ❶〈なに・だれ・どこニ—する〉△見落すことがないように(強い関心をいだいて)目をそちらへ向けてよく見ること。「黒板に—する/先生の顔を—する」❷〈なに・だれニ—する〉〈なに・だれヲ—する〉その事柄を無視できないとして、今後の成り行きなどに関心をいだき、情報を聞き逃すまいと気を付けること。「—に値する/世間の—を浴びる/—の的になる/活躍ぶりが—される」

ちゅうもん⓪【中門】❶(社寺で)楼門と拝殿との間の門。❷(寝殿造(ヅクリ)で)表門と寝殿との間の門。

*__ちゅうもん__⓪【注文・《註文》】—する(自他サ) ❶〈だれニなにヲ—する〉品質・数量・形・寸法などを指定して、作らせたり届けさせたりすること。「—を取ってくる/ご—の品/—服③」❷〈だれニなんだト—する〉何かを△させる(してもらう)時に、特に△条件をつける(希望を言う)こと。「—を出す/厳しい—をつける」 **—けんちく**⑤【—建築】住もうとする人が自分で立てたプランのもとに設計して、建てさせる住宅。↔建て売り **—とり**③【—取(り)】得意先を回って注文を聞く△こと(人)。 **—ながれ**⑤【—流(れ)】客の注文によって調えた品物が、注文した当人に引き取られないままになっていること。また、その品。

ちゅうや①【中夜】〔昔の時法で〕亥(イ)の刻(=午後九時)から丑(ウシ)の刻(=午前三時ごろ)までの間。〔広義では、もの皆眠る深夜を指す〕⇩初夜・後夜(ゴヤ)

ちゅうや①チウ【昼夜】昼と夜。「—をおかず(=昼はもちろんのこと、夜も休まないで)/—(=休むひまなく)心を砕く/—を問わず/—を分かたぬ(=昼夜の区別無く行なわれる)復旧作業/一(ツイ)—」 **—おび**④【—帯】表と裏を別の布地で仕立てた女帯。腹合(ハラアワセ)帯。⇩丸帯 かぞえ方 一本 **—けんこう**①-⓪カウ【—兼行】そのものの完成を急いで、昼も夜も休まず仕事を続けること。「—の突貫工事が続く」

ちゅうゆ⓪【注油】—する(自サ) 機械などに油をさすこと。

ちゅうゆう⓪【忠勇】—な 忠義で勇敢な様子。「—無双」

ちゅうよう⓪【中庸】❶—な どちらにもかたよらず、中正な△こと(様子)。「—を守る」❷四書の一つ。中正不易(フエキ)の徳を述べた書物。

ちゅうよう⓪エフ【中葉】ある時代区分の中ごろに当たる一時期。⇩初葉・末葉

ちゅうようとっき⑤ヤウ【虫様突起】「虫垂(チュウスイ)」の旧称。

ちゅうりく⓪【《誅戮》】—する(他サ) 罪のある者を殺すこと。

*__ちゅうりつ__⓪【中立】—する(自サ) ❶△当事者(当事国)のどちらにも味方せず、また敵対しないこと。「—(性)を保つ/—国④③」❷かたよらないこと。「—的な考え方」❸局外中立。

チューリップ①〔tulip〕庭に植える多年草。春、葉の間から出た茎に、赤・黄・白などの大形のきれいな花を開く。トルコ原産。〔ユリ科〕 かぞえ方 一株・一本

ちゅうりゃく①⓪【中略】—する(他サ) (文章の)中間を省くこと。⇩前略・後略:上略・下略(ゲリャク)

ちゅうりゅう⓪リウ【中流】❶川の流れの、川上と河口との中間のあたり。〔古くは、川の両岸からほぼ等距離のあたりをも指した〕⇩上流・下流 ❷その社会において、社会

的な評価や生活水準が中程度だととらえられる階層。〔日本人の多くは中流と意識する傾向がある〕「―階級[5]」⇩上流・下層

ちゅうりゅう[0]【駐留】―する(自サ) 軍隊が、ある地域に長く滞在すること。「―軍[3]」

ちゅうりょう[0]【忠良】―な 忠実で善良な性質・人柄である△こと(人)。

ちゅうりょく[1][0]【注力】―する(自サ) 何かの目標達成のために、持てる力をそそぐ。「―を強化する/△景気回復(研究開発)に―する」

ちゅうりん[0]【駐輪】―する(自サ) 自転車・オートバイなどを同じ場所に(長く)とめておくこと。「―場[0]」

ちゅうれい[0]【忠霊】 忠義のために死んだ人の霊。「―塔[0]」

ちゅうれん[0]【柱〈聯】「はしらかけ」の意の漢語的表現。

ちゅうろう[0]【中老】❶六十代の半ばから後半へかけての年(の人)。❷〔武家で〕家老の次席の重臣。❸〔武家で〕老女の次席の奥女中。

ちゅうろう[0]【中〈﨟】 上﨟の次席。

ちゅうろう[0]【柱廊】 屋根とそれを支える柱があるだけで、壁の無い廊下。

ちゅうろうい[3]【中労委】「中央労働委員会」の略。

ちゅうわ[0]【中和】―する(自他サ)〔化学で〕酸とアルカリとが合して、それぞれの特性を失うこと。〔広義では、違った性質の物質が融合して、それぞれその作用を失うことを指す〕

チューンナップ[4]―する(他サ)〔tune up〕 自動車などで、部品を取り替えたり 改造したり して、性能を高めること。

チュニックコート[5]〔tunic coat〕 腰のあたりまでの長さの、女物のコート。略してチュニック[1]。かぞえ方 一着

ちょ(〈猪・著・貯・緒) →【字音語の造語成分】

ちょ[1]【著】 本を書きあらわすこと。また、その本。「太田氏―/―作・―者・―述・編―・共―」⇩【造語成分】

ちょ[1]【緒】〔「しょ」の変化〕仕事の始まり。「―についたばかり」

ちよ[1]【千代】〔雅〕千年。非常に長い年月。「―万代(ヨロズヨ)[1]-[0]・幾―・八(ヤ)―」

ちょい[1](副)「ちょっと[一]」の意のやや俗語的な表現。「もう―で終わる/―待ち〔=ちょっと待って〕/―役[0]〔=映画・演劇などで、端役(ハヤク)〕・―借(ガ)り[0]」

チョイス[1]―する(他サ)〔choice〕 目的にあった(最善の)ものを選ぶこと。また、選ばれたもの。「ベスト―」

ちょいちょい[一][1](副) その事が、何かにつけて繰り返される様子。「―家に遊びに来る/悪い癖が―出る/どこでも―見かける顔だ」[二](感) 民謡のはやし言葉。

ちょいと[一][0][1](副)「ちょっと[一]」のくだけた表現。「―見たところでは変わった点もない/―いい男だね/―やってくれるじゃないか〔=意外にもなかなかやるじゃないか〕」[二][1](感)〔女性が〕人に呼びかける時の語。〔やや古風な言い方〕

ちょう(丁・弔・庁・兆・町・長・挑・重・〈挺・帳・張・彫・眺・釣・頂・鳥・朝・〈脹・貼・超・〈喋・腸・跳・徴・〈暢・嘲・潮・澄・調・〈諜・聴・懲) →【字音語の造語成分】

ちょう[1]【超】(造語) ❶△基準の(限度だと予測される)数量をこえた状態にあること。「一億人―の人口」❷〔「―+形容詞・形容動詞」などの形で、接頭語的に〕程度がはなはだしいことを強調する意を表わす。〔口頭語的表現〕「―おもしろい/―丈夫だ/―熟睡した」⇩【造語成分】

ちょう[1]【丁】 もと「重(チョウ)」で、自然数の倍、すなわち偶数を意味したもの(の代用字)。↕半 ⇩【造語成分】

ちょう[1]【庁】 ❶役所。「閻魔(エンマ)の―/官―・退―・―舎」❷平安時代、「検非違使庁(ケビイシノチョウ)」の略。「―の使」⇩【造語成分】

ちょう[1]【兆】 ❶〔もと、カメの甲で行なった占いの意。⇩【造語成分】ぼく(卜)・せん(占)〕きざし。「疫病(ヤクビョウ)蔓延(マンエン)の―/―候・吉(キッチョウ)―」❷一億の一万倍を表わす数詞。〔十の十二乗に等しい〕「負債が三―円を超えて経営が行き詰まった/一―円〔この場合の『一』は、千円・百円・十円の場合と異なり、省略できない〕」⇩京(ケイ)

ちょう[1]【町】 ❶村(ソン)と共に郡(グン)を構成する地方公共団体。まち。❷市または区の小区画の称。⇩【造語成分】

ちょう[1]【〈疔】 顔・頭・尻(シリ)などに出来る、急性で悪性のはれもの。「面―」

ちょう[1]【長】 ❶身分が最も上で、△何人か(おおぜいの人)を指揮する立場にある人。「一家の―〔=筆頭者〕/万物の―〔=人間〕/―官・市―・町―・校―・駅―・家―・工場―」❷年齢や立場などが上であること。「―幼、序あり/―老・―上」❸すぐれた点。「一日(イチジツ)の―がある/一〔=長所〕を採り短を捨てる」↕短 ⇩【造語成分】

ちょう[1]【朝】 ❶朝廷。「―に仕える/―を廃する〔=国家の大事のために、しばらく天子が△臣下(外国使臣)との接見をとりやめる〕/―賀・―見・―敵・―議」❷君主一代が統治する期間。御宇(ギョウ)。「仁徳天皇の―」❸在官して、政治の要路にあること。「―野の名士」↕野(ヤ) ⇩【造語成分】

***ちょう**[1]【腸】 消化器の一つ。胃の幽門から肛門(コウモン)に至る、曲折した細長い管状の内臓。大腸と小腸に分けられる。はらわた。「―を断(タ)つ/十二指―・直―・灌(カン)―」

ちょう[1]【徴】 きざし。兆。「変事の―/―候」⇩【造語成分】

ちょう[1]【〈蝶】 四枚の大きな羽でひらひらと昼間飛ぶ昆虫。〔止まる時は羽を直立して閉じるものが多い〕多く、花の蜜(ミツ)を吸い、羽が美しい。ちょうちょう。〔鱗翅目(リンシモク)〕「―よ花よと育てる〔=良家で、子を過保護に育てる〕/もんしろ―・あげは―」かぞえ方 一羽・一匹・一頭

ちょう[1]【調】〔古代の税制で〕税として納める、その土地の産物。「租庸―」⇩【造語成分】

ちょう[1]【〈寵】 特にかわいがること。「主君の―を受ける/にわかに―を失う/―愛・―姫(キ)・―児・恩―」

ちょうあい[一][0][3]【帳合】 ❶(現金・商品と帳簿とを)照合して、合っているかどうかを確かめてみること。❷帳簿に記入して損益を計算すること。❸帳簿を通しての△取引(取引先)。[二][0]【丁合】〔製本の工程で〕印刷の済んだ折り丁をページの順にそろえること。【―を取る】❶折り丁をかぞえる。❷本に落丁が無いかどうかを調べる。表記 [二]は、「〈帖合」とも書く。

ちょうあい[0]【〈寵愛】―する(他サ) 権力者が身のまわりの特定の者をかわいがること。

ちょうあし[0][1]【〈蝶足】 膳(ゼン)の足がチョウの羽を広げたようになっているもの。⇩たこ足・猫足

ちょうい[1]【弔意】 その人の死を悼む心。「―を表する」

ちょうい[1]【弔慰】―する(他サ) その人の死を悼み、遺族を慰めること。「―金[0]」

ちょうい[1]【潮位】 基準となる所から測った、海面の高さ。「満潮時の―/―が上がる」

ちょういん[0]【調印】―する(他サ) 協議がまとまり、双方の△代表者(関係者)が条約の文書に署名し、印を押すこと。「正式―にこぎつける」

ちょうえき[1]【腸液】 腸の粘膜に分布する腺(セン)から分泌される消化液。

ちょうえき⓪【懲役】 自由刑の一つ。罪人を刑務所内に拘置し、一定の労役に服させるもの。「無期―①-⓪」

ちょうえつ⓪【超越】―する(自サ) 普通考えられる基準・程度を、はるかに超えること。「人力を―する/世俗を―する」 **―てき**⓪【―的】―な ―に その事象の存在(理由)などについて、人間の理解力や自然科学の法則などでは説明することができないものだと判断される様子だ。「神は―な存在だ」

ちょうえん⓪【長円】 (幾何学で)「楕円」の別称。「―形⓪」

ちょうえん①【腸炎】 細菌の感染や食中毒のために、腸の粘膜などに起こる炎症。 **―ビブリオ**⑥、⓪-⓪(ラ vibrio=螺旋菌) 魚・貝を生食した時に、食中毒を起こす原因となる細菌。症状は赤痢に似ている。

ちょうおん①【長音】 (その言語の中で)長い持続時間で発音される音節。(カに対するカー、オに対するオーなど。その「ー」だけを指すことも)「―符号⑤」 ↕短音

ちょうおん⓪【朝恩】 天子から受ける恩恵。

ちょうおん【調音】―する(自サ) ❶①舌や口蓋や歯茎などを使って発音する△こと(音)。「―器官⑤」 ❷⓪ 楽器の音程を整えること。⇩調律

ちょうおん①【聴音】 音を△聞く(聞き分ける)こと。「―機③」

ちょうおんかい③【長音階】 ドを主音として、第三・四音間と第七・八音間が半音(程)で、その他の各音間が全音(程)をなす音階。↕短音階

ちょうおんそく③【超音速】 音の速さ(=毎時、約千二百キロ)よりも速いこと。ジェット飛行機が標準としているもの。「―ジェット旅客機⑫⑪、③-⑥、③-⑤(=SST)」 ⇩音速

ちょうおんぱ③【超音波】 振動数が一万六千ヘルツ以上の音波。人間の耳には聞こえない。「―診断⑥」

ちょうか①【弔花】 人が死んだ時に贈る△花(花輪)。

ちょうか①【町家】 ❶町人の家。商家。❷町の中にある家。「―が立て込むあたり」

ちょうか①【長靴】 (もと軍隊で) 膝のあたりまである、革製のながぐつ。

ちょうか①【長歌】 和歌の一体。五・七の句をつらねてゆき、最後を五・七・七の句で結ぶ。叙事詩に多く用いられる。「ながうた」とも。(万葉集などでは、反歌を伴うことが多い) ↕短歌

ちょうか①【釣果】 釣りの△結果(えもの)。

ちょうか①【朝家】 (古)帝室。皇室。

***ちょうか**⓪【超過】―する(自他サ) (なにヲ―する) (数量・時間などが)定められた枠を超えること。「予定(時間)を―する/―料金④・―勤務(手当)・貸出し―⓪-⓪、⑤(=⇩オーバーローン)」

ちょうが①【頂芽】 茎の先端に出る芽。↕腋芽

ちょうが①【朝賀】―する(自サ) 昔、諸侯・臣下が天子に拝賀したこと。

ちょうかい⓪【町会】 ❶「町議会」の△略(旧称)。❷「町内会」の略。

ちょうかい⓪【朝会】 (学校などの)朝礼の会。

ちょうかい⓪【懲戒】―する(他サ) 不正・不当な行為を再び繰り返さないように罰を加えること。「―処分⑤・―免職⑤」

ちょ

[〈猪] イノシシ。「猪突・猪口」

[著] ❶はっきりと知られる。「著明・著聞・顕著」 ❷著作物。本。「新著・旧著・名著・大著・遺著・拙著」 ⇩(本文)ちょ【著】

[貯] たくわえる。たくわえ。「貯蓄・貯蔵・貯金・貯水池」

[緒] 絶えず続く思い。「情緒」 ⇩(本文)しょ【緒】

ちょう

[丁] ■一 普通、「町」より小さい、市街地の区分。(城下町で士分の住居区域を指したこともある)「横丁・一丁目」 ■二❶豆腐や料理・飲食物の注文の品数をかぞえる語。 ❷「張(=和装本の二ページ)」の代用字。「丁数・丁付け」 ❸「挺」の代用字。「ピストル三丁・駕籠一丁」 ⇩(本文)ちょう【丁】

[弔] 死者をとむらう。「弔慰・弔意・弔辞・弔問・弔電・哀弔・慶弔」

[庁] 特定の外局。「検察庁・警視庁・文化庁・資源エネルギー庁・中小企業庁」 ⇩(本文)ちょう【庁】

[兆] ⇩(本文)ちょう【兆】

[町] (もと、田のあぜ(道)の意) ❶市街(の区分)。(城下町で士分以外の居住地を指したこともある)「町家・町人・町会・町村」 ❷尺貫法における長さの単位で、六〇間(=約一〇九メートル)を表わす。(三六町を一里と称する) ❸尺貫法における面積の単位で、一〇反(=約九九・二アール)を表わす。(田畑や山林の面積を表わすのに用いた)「町歩」 ⇩(本文)ちょう【町】

[長] ■一❶時間的にながい。「長期・長久・長寿・長命・悠長」 ❷空間的にながい。「長針・長征・長途・長髪」 ❸空間的なながさ。「身長・波長・体長・全長」 ❹年齢が△多い(多くなる)。「年長・成長」 ❺最年長。「長男・長女・長兄」 ❻のびる(ようにする)。「長音・延長・助長・消長」 ■二(略) 長門国。「長州・薩長連合」 ⇩(本文)ちょう【長】

[挑] 戦いを仕掛ける。いどむ。「挑戦・挑発」

[重] ❶おもい。おもたい。「軽重」 ❷大切だ。大事だ。「貴重・重宝・重用」 ❸落ち着きや威厳がある。「荘重・鄭重・慎重・自重」 ❹大切にする。おもんじる。「尊重・偏重」 ❺かさねる。かさなる。「重祚・捲土重来・重陽・重複」

[〈挺] ❶墨・ろうそく・銃・櫓など、細長い棒状の物をかぞえる語。「八挺櫓」 ⇩いっちょう(一挺) ❷かご・人力車などをかぞえる語。 表記 「丁」は、代用字。

[帳] ❶カーテン。「帳台・開帳・几帳・紙帳」 ❷帳面。「帳簿・帳場・記帳・台帳・手帳・日記帳・えんま帳」

[張] (もと、弓に弦をはる意) ■一❶△伸びきって(たるんだところが無く)広がる。「拡張・緊張・伸張・怒張」 ❷大きなことを言う。「誇張」 ❸自分の意見を強く述べる。「主張」 ■二琴・弓など、弦をはった物や、幕・かやなど張り渡した物や、製本した紙数をかぞえる語。 ■三(略) 尾張国。「張州」

[彫] ❶ほったりきざんだりして芸術品を作る。「彫刻・彫金・彫塑・彫像・彫琢・木彫」 ❷

ほったりきざんだりして芸術品に仕上げる。「彫玉」

【眺】 遠くをながめる。「眺望」

【釣】 さかなをつる。つり。「釣魚・釣果・釣友」

【頂】 ❶頭のてっぺん。「頂光・頭頂・灌頂・丹頂」❷その物のてっぺん。「頂上・頂点・山頂・絶頂」

【鳥】 とり。「鳥獣・鳥瞰・鳥類・鳥声・益鳥・候鳥・飛鳥・野鳥・白鳥・始祖鳥・不死鳥・一石二鳥」

【朝】 ❶あさ。「朝夕・朝暮・元朝・早朝・今朝・明朝」❷王朝。「朝廷・明朝・清朝」❸天子の治める国、日本。「本朝・帰朝・入朝」❹外国使臣や諸侯が、朝廷に来て天子を拝する。「朝貢・来朝」⇩(本文)ちょう【朝】

〈脹〉 (腹が)ふくれて、大きくなる。「脹満・膨脹」

【貼】 ❶のりで はる。「貼付」❷包んだ薬をかぞえる語。

【超】 ❶ある限度をこえる。「超越・超過・超満員・出超・入超」❷普通の人とかけ離れている。「超然・超俗・超人的」❸〔ultra, super の意〕比較を絶している。「超特急・超大国・超能力・超短波」⇩(本文)ちょう【超】

〈牒〉 ❶官庁間の往復文書。「牒状・移牒・通牒」❷札。「符牒」

【腸】 ⇩(本文)ちょう【腸】

【跳】 足で地をけり、とび上がる。「跳躍・跳梁」

【徴】 ❶めじるし。証拠。「象徴・性徴・特徴・表徴・符徴・明徴」❷召し出す。「徴集・徴兵・徴用」❸とりたてる。とりあげる。「徴収・徴税・徴発・増徴・追徴」⇩(本文)ちょう【徴】

〈暢〉 つかえずに、よく通る。「暢達・流暢・明暢」

【嘲】 あざわらう。「嘲笑・嘲罵・嘲弄・自嘲」

【潮】 ❶海の水。うしお。「潮流」❷しおのさしひき。「潮候・潮汐・干潮・満潮」❸時により移り変わりが はなはだしくて、個人の抵抗出来ないもの。「思潮・風潮」

【澄】 〔水・空気などが〕きれいにすむ。「澄明・清澄・明澄」

【調】 [一]❶うまいぐあいに(話や間柄を)ととのえる。「調教・調練・調合・調節・調停・調和」❷つりあいがとれ、うまく進行する。「好調・順調・協調・同調・低調・不調」❸ととのえ作る。「調製・調達・調度・調理」❹実地についてしらべる。「調査・調書」[二]❶その音を主音とする音階。「ハ調」❷音数によって組み立てられた、詩歌のリズム。「七五調」❸〔詩・歌・文章などで〕そのものを代表する特色。「正調・古今調・万葉調の歌」❹口調。「講談調」❺風。「近代調」⇩(本文)ちょう【調】

〈諜〉 ❶しゃべる。「諜々」❷スパイ。「諜報・間諜・防諜」

【聴】 ❶人の話や音楽などをきく。「聴覚・聴講・聴取・聴衆・視聴・謹聴・傾聴・静聴・拝聴」❷ききいれる。ゆるす。「聴許」

【懲】 こらす。こらしめる。「懲役・懲戒・懲罰・膺懲・勧善懲悪」

ちょうかく [0]【弔客】 その人の死をとむらいに来る人。「ちょうきゃく」とも。

ちょうかく [1][0]【聴覚】 耳が音波の刺激を受けて起こす感覚。「—器[4][3]」

ちょうがた [0]【〈蝶形】 チョウが羽を広げた時の形。

ちょうカタル [3]【腸カタル】 腸炎。

ちょうかん [0]【長官】 ❶官庁・組織の長。「—室[3]・消費者庁—」❷〔↑地方長官〕知事の旧称。

ちょうかん [0]【鳥〈瞰】・【鳥観】—する(他サ)〔「瞰」は見おろす意〕空中・高い所から見おろすこと。**—ず** [3]【—図】 上から見おろした状態の△地図(絵図面)。**—てき** [0]【—的】—な 全体を上から見おろすような様子だ。

ちょうかん [0]【朝刊】 日刊新聞で、朝発行する新聞。↕夕刊

ちょうき [1]【弔旗】 弔意を表して掲げる旗。〔黒布をつけたり 半旗にしたり する〕

ちょうき [1]【長期】 長い期間。「—にわたる/—的な視野に立つ/—欠席[4]・—欠勤[4]・—予報[4]・—化[0]・—計画[4]」↕短期

ちょうき [1]【〈寵〈姫】 君主などの寵愛を受けた女性。

ちょうぎ [1]【朝議】 朝廷の評議。

ちょうぎかい [3]【町議会】 〔地方公共団体としての〕町の相談ごとを決める会。

ちょうきゃく [0]【弔客】 ⇩ちょうかく

ちょうきゅう [0]【長久】 〔国家・子孫などが〕日月の続くように絶えず永く栄えること。「武運—[1]-[0]」

ちょうきょ [1]【聴許】—する(他サ) 聞き入れること。許すこと。

ちょうきょう [0]【調教】—する(他サ) △馬(犬・猛獣など)を訓練すること。「—師[3]」

ちょうきょり [3]【長距離】 ❶起点と終点との距離の隔たりが大きいこと。また、その距離。一般に交通機関では二百キロメートル以上を運行する列車を指す。「—バス[5]・—通勤[5]・—電話[5]」❷〔運動競技で〕長い距離で行なわれる競走・競泳。「—競走[5]〔陸上競技では、三千・五千・一万メートルとマラソン〕・—競泳[5]〔千五百メートル〕・—選手[5]」⇩短距離・中距離

ちょうきん [0]【彫金】—する(自サ) たがねで金属に彫刻をすること(技術)。「—師[3]・—工[0][3]」

ちょうきん [0]【超勤】—する(自サ) 「超過勤務[4]」の略。「—手当[5]」

ちょうぎん [0]【丁銀】 江戸時代通用した、ナマコ形の銀貨。

ちょうく [1]【長句】 字数の多い句。〔連歌・俳諧では、五七五の句を指す〕↕短句

ちょうく [1]【長駆】—する(自サ) 〔遠くまで馬を走らせる意〕長い距離を(馬や車で)走ること。「地元から—応援に駆けつけた/一塁から—ホームイン」

ちょうく [1]【長〈軀】 「背が高いからだつき」の意の漢語的表現。「痩身—」↕短軀

ちょうぐう [0]【〈寵遇】—する(他サ) 特別に目をかけて かわいがること。

ちょうけい [0]【長兄】 一番上の兄。

ちょうけい [0]【長径】 楕円の長軸(の長さ)。〔卵形のような立体についても用いる〕↕短径

ちょうけい [0]【長計】 ❶遠い将来のことまで考えた計

画。❷すぐれた計画。

ちょう(ォ)けし ⓪ 【帳消(し)】(チヤウ) ❶〔債務が済んで、帳面の記入を消すことから〕（債権者側が債権を放棄することなどによって）債務を無いものとすること。棒引き。❷△損をした分と得をした分（良い点と悪い点）を互いに差し引いて結果として損得などが無いこと。「エラーを―にする本塁打／学歴詐称が露見して清潔な政治家の評判が―になった」

ちょう(ォ)けつ ⓪ 【長欠】(チヤウ) ―する（自サ）「長期△欠席（欠勤）」の略。「―者(シャ)④③」

ちょう(ォ)けん ⓪ 【長剣】(チヤウ) 長い剣。↕短剣

ちょう(ォ)けん ⓪ 【朝見】(テウ) ―する（自サ） 天子に拝謁すること。

ちょう(ォ)けん ⓪ 【朝憲】(テウ) 国家の威厳・秩序を守るために、これだけは破ってはならないという おきて。「―紊乱(ビンラン)の儀」

ちょう(ォ)げん ⓪ 【調弦】(テウ) ―する（自サ） 演奏の前に演奏者が弦楽器の各弦の音の高さをととのえること。

ちょう(ォ)こ ① 【長呼】(チヤウ) ―する（他サ） 本来「ひろ」であったと思われる「披露」を「ひろう」と言うなど、習慣として一音節の語の部分を一拍分のばして発音すること。

ちょう(ォ)こう ⓪ 【兆候】・【徴候】(テウ) 何かが起こる前ぶれ。きざし。「沈下の―が現われる／―が△出る（見える）／回復の―を見せる」

ちょう(ォ)こう ① 【長江】(チヤウカウ) 〔長い川の意〕中国で、揚子江(ヨウスコウ)の称。

ちょう(ォ)こう ⓪ 【長考】(チヤウカウ) ―する（自サ） 長い時間をかけて考えること。「盤面をにらんで―一時間に及ぶ」

ちょう(ォ)こう ⓪ 【長講】(チヤウカウ) 長い時間かかる△講演（講談）。「―一席」

ちょう(ォ)こう ⓪ 【彫工】(テウ) 彫刻を業とする人。

ちょう(ォ)こう ⓪ 【頂光】(チヤウクワウ) ⇩後光

ちょう(ォ)こう ⓪ 【朝貢】(テウ) ―する（自サ） 外国人がやって来て、その国の君主にみつぎ物を奉ること。

ちょう(ォ)こう ⓪ 【調光】(テウクワウ) ―する（他サ） 照明の明るさを調節すること。また、その調節した明かり。

ちょう(ォ)こう ⓪ 【調香】(テウカウ) ―する（他サ） 二種以上の香料を調合して香水を作ること。

ちょう(ォ)こう ⓪ 【聴講】(チヤウカウ) ―する（他サ） 講義を聞くこと。「―生③」

ちょう(ォ)ごう ⓪ 【調号】(テウガウ) 〔楽曲の調子を示すために〕楽譜の初めに書くシャープ・フラットの記号。

ちょう(ォ)ごう ⓪ 【調合】(テウガフ) ―する（他サ）〔薬剤・香料・陶土など〕二種類以上の素材を一定量 交ぜ合わせて、新しい△性能（性質）のものを作り出すこと。

ちょう(ォ)こうぜつ ③ 【長広舌】(チヤウクワウ) 〔「広長舌」の変化〕長ながとした弁舌。「―をふるう」

ちょう(ォ)こうそう ③、①-⓪ 【超高層】(テウカウ) 〔ビルなどが〕高さが百メートル以上にもなり 階数も多くなること。

*ちょう(ォ)こく ⓪ 【彫刻】(テウ) ―する（他サ）〈どこ・なにニなにヲ―する〉 感動を受けたものの形や、心に浮かぶ△理想（幻想）の線刻などを素材に彫ったり 目に見える形に整えたりして、他者の共感を求めること。また、その作品。「氷の―／岩壁に仏像を―する／―を施した欄干／―家⓪」 かぞえ方 作品は一点

ちょう(ォ)こく ⓪ 【超克】(テウ) ―する（自サ）（困難や先駆者の業績を）乗り越えて、それに負けまいとすること。

ちょう(ォ)こく ⓪ 【肇国】(テウ) はじめて国を建てること。建国。

ちょう(ォ)こっかしゅぎ ①-④、⑥ 【超国家主義】(テウコク) 極端な国家主義。

ちょう(ォ)こん ⓪ 【長恨】(チヤウ) いつまでも忘れることの出来ない終生の恨み。

**ちょう(ォ)さ ① 【調査】(テウ) ―する（他サ）〈なにヲ―する〉 ある事情を明らかにするために調べること。「―を進める／本格―に乗り出す／―結果が出る／―団③・―会③⓪・―費③」

ちょう(ォ)ざ ⓪ 【長座・長〈坐〉】(チヤウ) ―する（自サ） 人の家を訪問して、長時間そこに居ること。長居(ナガイ)。

ちょう(ォ)ざい ⓪ 【調剤】(テウ) ―する（自他サ） 薬剤を調合すること。調薬。「―師③・―薬局」

ちょう(ォ)ざい ⓪ 【聴罪】(チヤウ) 〔キリスト教で〕罪の告白を聞くこと。「―師③」

ちょう(ォ)ざめ ⓪① 【〈蝶鮫〉】(テフ) 北半球の各地に分布するサメに似た大きな魚。日本では、北海道の石狩川などをさかのぼって産卵するものがあったが、現在は見られない。卵を塩漬けにしたものがキャビア。〔チョウザメ科〕 かぞえ方 一匹

ちょう(ォ)さんぼし ⑤ 【朝三暮四】(テウ) 目の前の利益にばかりこだわって 結果が同じになるのを知らないこと。また、全体を見失うこと。〔昔中国で、サルにトチの実を朝に三つ暮に四つ与えると言ったら怒ったので、それでは朝四つ暮三つにしようと言ったら喜んだという故事に基づく。また、言葉の上でだけうまく話して、他人をごまかす意にも用いられる〕

ちょう(ォ)さんりし ⑤ 【張三〈李四〉】(チヤウ) 〔張家の三男と李家の四男の意〕どこにでも居る、平凡な人物。落語に出てくる熊公(クマコウ)八公の類。

ちょう(ォ)し ① 【弔詞】(テウ) 悔み（の意味）を述べる言葉。

ちょう(ォ)し ① 【長子】(チヤウ) 最初に生まれた子。〔長男の特称としても用いられることがある〕⇩次子・末子

ちょう(ォ)し ① 【長姉】(チヤウ) 一番上の姉。

ちょう(ォ)し ① 【長詩】(チヤウ) 数十句・数百句から成る長い詩（形）。↕短詩

ちょう(ォ)し ⓪ 【〈銚子〉】(テウ) ❶〔酒を入れた時の〕とくり。「お―をつける〔=とくりに入れた酒の、燗(カン)をする〕」❷昔、酒を杯につぐ時に使った長い柄のついた金属製の器。 かぞえ方 ❶は一本

**ちょう(ォ)し ⓪ 【調子】(テウ) ❶楽曲の基礎になる音階の種類や特性。〔音楽の節回しや、音の高低のぐあいが、聞く人に感動を与える〕「―を合わせる〔=話題の取上げ方や表現のしかたに気をつけて、相手の気に入るようにする〕／―を取る／―っぱずれ⑤〔=ⓐ（そのものだけが）正しい調子に合わないこと。ⓑ言動がその場の雰囲気にそぐわないこと〕」❷その人の言葉や文章が持っている、独特の言い回し。「―〔=格調〕の高い作品」❸動いているものの△動き方の（進み）ぐあい。「―〔=やり方〕を変えてやってみる／―を下げる〔=ⓐ俗受けをねらって程度を落とす。ⓑ本来の調子を出さないで、済ます〕／からだの―〔=コンディション〕を整える／その―、その―〔=その△やり方（要領）でずっとやれ〕／いつもの彼とは―〔=全体的な様子。ぐあい〕がなんとなく違う」❹物事が進行する時の勢い。はずみ。「―が出る／―に乗る〔=ⓐ仕事などが順調に進む。ⓑおだてられて、いい気になって物事を行なう〕」 運用 ❶は、「調子がいい」などの形で、その場の雰囲気で心にもないことを言って人の気を引くのが得意な人の行為について、侮蔑(ブベツ)を含意して用いることがある。例、「あんな大見得を切って、調子がいい奴(ヤツ)だ／上役の前で調子のいいことばかり言っている」

―づ・く ④ 【―付く】（自五） ❶はずみがつく。❷得意になって、うわついた行動をする。

―もの ⓪ 【―者】〔おだてられるなどして〕無責任に△軽率なことをしがちな（その場の雰囲気に調子を合わせようとする）人。「お―」

―よく ⓪-① 【―良く】 その場の雰囲気や相手の意向に合わせて、要領よく行動する様子。「―お世辞を言う／周囲の情勢を見て―賛成にまわる」

ちょう(ォ)し ① 【聴視】(チヤウ) ―する（他サ） テレビを見聞きすること。「―者③・―料③」

―かく ③ 【―覚】 ⇩視聴覚

ちょうじ[0][1]【丁子・丁字】㊀〔チョウジ(=熱帯産のフトモモ科の常緑高木)〕からとる香辛料。クローブ。㊁〔←丁子油[3]〕丁子のつぼみ、または、実からとった油。

ちょうじ[1][0]【弔事】〔死去・葬儀などの〕お悔みごと。↔慶事

ちょうじ[0]【弔辞】みんなの前で△述べる(読む)弔詞。「声涙ともにくだる―を述べた」

ちょうじ[1]【〈寵児】㊀親などに特別にかわいがられる子。㊁時流に乗って高い評判を得て世間にもてはやされる人。「文壇の―」

ちょうじく[0]【長軸】楕円の周上に両端がある線分のうち、最長のもの。

ちょうしぜん[3]、[1]-[0]【超自然】科学の理論・法則を超えて存在し、人間の理性による認識を拒むような神秘的な事柄。「純粋な知性は自然と―の交点に立つ」

ちょうじめ[0][4]【帳締〈め〉・帳〆】帳面に書いた(金額を、計算し終わること。

ちょうしゃ[1]【庁舎】役所の建物。

ちょうしゃ[1]【聴者】話を聞く人。聞きて。↔話者

ちょうじゃ[0][1]【長者】「金持」の意の漢語的表現。「億万―[5]・―番付[4]」

ちょうしゃく[0]【長尺】㊀〔材木・鋼材などで〕標準以上の長さ(の物)。「ちょうじゃく」とも。㊁映画のフィルムの長いこと。「―物[0]」

ちょうしゅ[1]【聴取】―する(他サ)㊀(事情をよく)聞くこと。「事情―・―書」㊁ラジオ放送を聞くこと。「―者参加番組・―率[3]」

ちょうじゅ[1]【長寿】㊀平均寿命よりも長生きすること。「―の祝い/不老―」㊁一般に予測されるよりも長持ちしたり 長く続けて行なわれたり すること。「テレビの―番組」

ちょうしゅう[1]【長州】「長門国」の漢語的表現。今の山口県北部・西部にあたる。

ちょうしゅう[0]【長袖】長いそでの着物を着、非生産的・非活動的な生活をする人たち。僧・公家など。―しゃりゅう[0]【―者流】△世情にはうとい(たくましく生きることを知らない)公家や僧たち。〔多く侮蔑を含意する〕

ちょうしゅう[0]【徴収】―する(他サ)国家や公共団体が税金・手数料などを、団体が会費を、法規や規約に基づいて取り立てること」

ちょうしゅう[0]【徴集】―する(他サ)国家や公共団体が必要とする△人(物品)を強制的に集めること。

ちょうしゅう[0]【聴衆】△演説会(音楽会)などに集まった人びと。

ちょうじゅう[0]【弔銃】国葬の時や、(戦功のあった)軍人の葬儀などの時に、とむらう気持をこめてうつ銃。

ちょうじゅう[0]【鳥銃】鳥をうつ小銃。

ちょうじゅう[0]【鳥獣】〔狩猟の獲物や観賞の対象などとしての〕鳥とけだもの。禽獣。「―の捕獲を禁止する/―保護区[6]・―戯画[5]」

*ちょうしょ[1]【長所】〔人や物の〕働きに伴って見られるよい面。「―を△持つ(生かす)」↔短所

ちょうしょ[1]【調書】〔犯罪容疑者について〕調べた結果をしるした記録。かぞえ方 一本・一通

ちょうじょ[1]【長女】同胞の女の子の中で、一番上のもの。⇩次女・三女

ちょうしょう[0]【弔鐘】死者をとむらうために打ち鳴らす鐘。〔時代の趨勢に流され、消えゆくものへの訣別のたとえにも用いられる〕

ちょうしょう[0]【長〈嘯】―する(自サ)声を長く引いて、詩歌などを吟じること。

ちょうしょう[0]【徴証】〔分析した結果得られる〕推論の根拠。「内部―[4]」

ちょうしょう[0]【嘲笑】―する(他サ)ばかにして笑うこと。「―を浴びせかける/さんざん―を浴びる」

ちょうしょう[0]【〈寵妾〉】君主などの気に入りの側室。愛妾。

ちょうじょう[0]【長上】㊀立場が上(の人)。㊁年上(の人)。

ちょうじょう[0]【長城】長く延長して築かれた城塁。〔狭義では、「万里の長城[1]-[3]」を指す〕

ちょうじょう[0]【重畳】㊀―する(自サ)幾つにも重なるようにあること。「山岳―(=山また山)」㊁よい事ずくめで、この上もなく満足する様子。〔感動詞的にも用いられる〕「ご無事で何より―(=大変けっこう)です」

*ちょうじょう[3]【頂上】㊀Ⓐその山の最高所。「いただき」とも。「ふもとから五時間かけて―に登りつく」Ⓑ組織・団体などの最高責任者。「―会談[5](=サミット)」㊁それより上に行くことは望めそうもない、最高の状態。「彼の人気も今が―だ」

ちょうじょう[0]【〈牒状】㊀仲間内に指令や情報を伝える文書。回状。㊁訴状。

ちょうじょうげんしょう[5]【超常現象】心霊現象などのような、現代の科学では説明不可能な現象。

ちょうしょく[0]【朝食】「あさはん」の意の漢語的表現。⇩昼食・夕食

ちょうじり[0]【帳尻】㊀帳簿の終りの部分。㊁決算の結果。「―が合う/―を合わせる」

ちょうしん[0]【長身】背が高いこと。また、そのからだ。「―をもて余す/―痩軀[5]」

ちょうしん[0]【長針】時計の長い方の針。分針。↔短針

ちょうしん[0]【調進】―する(他サ)注文に応じてつくり納めること。「商品券―」

ちょうしん[0]【聴診】―する(他サ)患者の呼吸音・心音などを聞きとって、異常の有無を確かめること。「―器[3]」⇩視診・触診・問診・打診

ちょうしん[0]【〈寵臣】気に入りの臣下。

ちょうじん[0]【釣人】釣りをする人。太公望。

ちょうじん[0]【鳥人】飛行家や、スキーのジャンプ競技・陸上の棒高跳の選手の異称。

ちょうじん[0]【超人】普通の人とは かけ離れた、すぐれた能力を持つ人。スーパーマン。―しゅぎ[5]【―主義】人類一般が超人となることを理想とする、ニーチェの主義。―てき[0]【―的】―な 普通の人の能力を はるかに超えている様子だ。「―な記憶力」

ちょうしんけい[3]【聴神経】聴覚を受け持つ神経。

ちょうしんせい[3]【超新星】大質量の恒星が一生の最後に起こす大爆発。星が急激に明るく輝く。

ちょうしんるこつ[0]-[0]【彫心〈鏤骨】―する(自サ)〔芸術作品、特に詩文などを〕非常に苦心して作ること。「ちょうしんろうこつ」とも。

ちょうず[0][1]【〈手水〉】△手(顔)を洗う水。てみず。「―(=便所)に立つ」―ば[0]【―場】㊀〔便所のそばの〕手洗い水を使う所。㊁便所。―ばち[3]【―鉢】手洗い水を入れておく鉢。

ちょうすいろ[3]【長水路】コースの長さが五〇メートル(以上)のプール。↔短水路

ちょうすう[3]【丁数】〔和装の〕書物の枚数。紙数。

ちょうする③(テウスル)【弔する】(他サ) 死者の霊をとむらうこと。

ちょう・する③(テウスル)【朝する】(自サ) 臣下が朝廷に参じたり外国の使臣が朝廷にみつぎ物をさし出したりすること。

ちょう・する③【徴する】(他サ) ❶△証拠(根拠)を求める。「史実に徴して」 ❷求める。「意見を—」 徴す①(五)。

ちょう・する③【〈寵する】(他サ) 主君などが、目をかけ特別にかわいがること。寵す①(五)。

ちょう・ずる③⓪(チヤウズル)【長ずる】(自サ) ❶成長する。「—に及んで」 ❷すぐれる。まさる。「△スポーツ(手練手管)に—」 ❸年上である。長じる⓪③(上一)。

ちょうせい⓪(チヤウ)〔地方公共団体としての〕[一]【町制】町の構成・権限などを定める制度。[二]【町政】町の行政。

ちょうせい⓪(チヤウ)【町勢】 その町の人口・産業などの総合的情勢。「—一覧⓪-⓪、⑤」

ちょうせい⓪(チヤウ)【長生】—する(自サ) 「ながいき」の意の漢語的表現。

ちょうせい⓪(チヤウ)【長征】—する(自サ) 長い道のりにわたって行軍を続け△ながら(て)敵を攻撃すること。

ちょうせい⓪(チヤウ)【長逝】—する(自サ) 「死ぬこと」の意の婉曲(エンキョク)表現。

ちょうせい⓪(テウ)【朝政】 朝廷の政治。

ちょうせい⓪(テウ)【調製】—する(他サ) 注文に応じて、必要な物を作ること。

***ちょうせい**⓪(テウ)【調整】—する(他サ)〈(なにデ)なにヲ—する〉〔ぐあいの悪い所を直したり 過不足をならしたり などして〕不都合のない状態へ持っていくこと。「—がつく/—に乗り出す/—を△図る(行なう)/意見の—/—室③・—池(チ)③」 運用「調整中」の形で、公共の時計・エレベーターなどが故障していたり 点検中であったり することの婉曲(エンキョク) 表現としても用いられる。

ちょうぜい⓪(チヤウ)【町税】 地方公共団体としての町が、住民に割り当てて取る税金。

ちょうぜい⓪【徴税】—する(自サ) 税金を(強制的に)納めさせること。「—令書⑤」

ちょうせき①(チヤウ)【長石】 火成岩の主要成分で、不透明な鉱物。色は白色など。陶磁器の原料とするほか、ガラスなどにも用いる。

ちょうせき①(テウ)【朝夕】「あさゆう」の英語的表現。「—(=毎日)薬餌(ヤクジ)に親しむ」

ちょうせき⓪(テウ)【潮〈汐】「しお(の干満)」の意の漢語的表現。

***ちょうせつ**⓪(テウ)【調節】—する(他サ)〈(なにデ)なにヲ—する〉 あれこれ方法を尽くして、ちょうどいい調子や状態(を保つよう)にすること。「自動的に温度を—する機種/音量—」

ちょうぜつ⓪(テウ)【超絶】—する(自サ) 他と比較にならないほど、とびぬけてすぐれていること。「—技巧」

***ちょうせん**⓪(テウ)【挑戦】—する(自サ) ❶〈だれニ—する〉 相手に対して、積極的に戦いをしかけること。「—を受けて立つ/—を退ける/—的⓪・—状⓪」 ❷〈だれニ—する〉(チャンピオンに)試合を申し込むこと。 ❸〈なにニ—する〉 危険や失敗を恐れず、困難な事に立ち向かうこと。「新記録に—する」

ちょうせん③(テウ)【朝鮮】 アジア大陸の東部に突き出た半島。また、その民族をさす呼称。 **—あさがお**⑥(ガホ)【—朝顔】 夏、白色・じょうご状の花を開く一年草。実は薬用。有毒植物。きちがいなすび⑤。まんだらげ。〔ナス科〕 かぞえ方 一本 **—にんじん**⑤【—人《参》】 漢方薬に使う多年草。薄黄色い根で、人間が立っている形に似ている。煎(セン)じて飲むと、からだが温まる。強壮薬として古来重んじられる。〔ウコギ科〕 かぞえ方 一本 **—ぶな**⑤【—〈鮒〉】 中国・朝鮮産の淡水魚。雄は、けんかする時、色が美しく変わる。〔キノボリウオ科〕 かぞえ方 一尾・一匹

ちょうせん⓪(チヤウ)【腸線】 ネコ・ヒツジなどの腸から作った糸。外科手術などに使う。⇩ガット

ちょうぜん⓪(テウ)【超然】—たる —と 普通の人なら何らかの興味をいだくような物事に全く関心を示さず、どう△なっても(言われても)平気でいる様子だ。「時流に—としている」

ちょうそ①【重〈祚】—する(自サ) ⇩じゅうそ

ちょうそ①(テウ)【彫塑】 ❶彫刻と塑像。 ❷彫刻を原型とする塑像(を作ること)。

ちょうそう⓪(テウサウ)【鳥葬】 宗教上の理由により、遺体を山頂などに運んで放置し、タカなどの餌食(ジキ)にする葬り方。

ちょうぞう⓪(テウザウ)【彫像】 彫刻した像。

ちょうそく⓪(チヤウ)【長足】〔「はやあし」の意〕足の進め方が早いこと。「—の進歩を遂げる(=非常に進歩が速い)」

ちょうぞく⓪(テウ)【超俗】 俗世間の事にかかわらず、ゆうゆうとしていること。「—的⓪」

ちょうそん①(チヤウ)【町村】 ❶町と村。 ❷地方公共団体としての町と村。「—合併⑤、①-⓪、⓪-⓪」 **—くみあい**⑤(アヒ)【—組合】 ある事を処理するために幾つかの町村が協議して設ける組合。

ちょうだ①(チヤウ)【長打】—する(自サ)〔野球で〕二塁打以上の安打。ロング ヒット。↔短打

ちょうだ①(チヤウ)【長蛇】 巨大なヘビ。〔とらえることが出来れば大きな手柄になるような大物や、普通考えられないほど長いもののたとえにも用いられる。前者の例、「—を逸す〔=大物を手に入れ損なう〕」、後者の例、「—の列」〕

ちょうだい⓪(チヤウ)【長大】—な ↔短小 ❶長くて大きい様子だ。「—な山脈」 ❷背が高くて大きい様子だ。

ちょうだい⓪(チヤウ)【帳台】 一段高い台に帳(トバリ)をめぐらした、貴人の座所・寝所。

ちょうだい(チヤウ)【頂戴】 [一]⓪—する(他サ) ❶(立場の上の人からもらった物を目の上まで差し上げ、頭を低く下げて△敬意(感謝の気持)を表わすこと。 ❷「もらう[一]❶」の謙譲・丁寧語。「お目玉を—する/手当を過分に—した」 [二]③⓪ ❶〔主として女性や子供が〕親しい相手に対して何かを△依頼(要請)する意を表わすのに用いる語。〔述語に相当する働きを表わす〕「このお菓子、もっと—」 ❷〔「…△て(で)—」の形で補助動詞として〕「頂戴[二]❶」に同じ。「その本、貸して—」 運用 [一]❷は「十分頂戴いたしました」などの形で、ご馳走(ソウ)になった際、さらに料理を勧められるのをことわったり食事が済んで謝意を表わしたりする時の挨拶(アイサツ)の言葉として用いられる。 **—もの**⓪【—物】 他人からの贈り物。いただきもの。

ちょうたいそく③(チヤウ)【長大息】—する(自サ) 大きなためいき(をつくこと)。

ちょうたく⓪(テウ)【彫〈琢】—する(他サ)〔宝石類を刻みみがく意〕何度も手を入れ、文章や詩を、満足するまで直すこと。

ちょうたつ⓪(チヤウ)【〈暢達】—な〔文字や文章などが〕のびのびしていて、いじけたところが無い様子だ。

ちょうたつ⓪(テウ)【調達】—する(他サ) 必要な資金や物資を集めて来ること。「ちょうだつ」とも。「旅費を—する」

ちょうだつ⓪(テウ)【超脱】—する(自サ) 俗世間の慣行や時代の動向から超越して、独特の高い境地にあること。

ちょうたん①(チヤウ)【長短】 ❶長いことと短いこと。余ることと足りないこと。 ❷長所と短所。「人それぞれ—あり」 ❸長さ。「—を計る」

ちょうたん⓪(チヤウ)【長嘆・長〈歎】—する(自サ) 大きなため

息をついて呼くこと 長大息

ちょうたんぱ [3] 【超短波】 波長が一メートル以上で十メートル未満の電波。FM放送・テレビ放送・医療などに用いられる。〔周波数は、三十メガヘルツより大で、三百メガヘルツ以下〕⇩短波・マイクロ波

ちょうチフス [3] 【腸チフス】 チフス菌が腸に侵入することによって起こる感染症。「腸チブス[3]」とも。

ちょうちゃく [0] 【《打〈擲】―する(他サ) 「懲らしめ・憎みなどのために人をぶつこと」の意のやや改まった表現。

ちょうちょ [1] 「蝶々」を短呼した口頭語。ちょう。

ちょうちょう [0][1] 【丁々】(副)―と 音を立てて物を続けざまに打つ様子。また、その響きの形容。表記「《打《々」とも書く。 **―はっし** [5] 【―発止】(副)―と 刀などを互いに激しく打ち合わせて戦う様子。また、その刀の立てる音の形容。「はっしと」とも。〔互いに譲らず激しく議論を戦わす意にも用いられる。例、「―と渡り合う」〕

ちょうちょう [0][3] 【〈喋々〉】―と ―する(自サ) しきりにしゃべる様子だ。「―喃々[0]-[0]、[0]-[3]〔=男女がうちとけてしきりに語り合う形容〕」

ちょうちょう [1] 【町長】 地方公共団体である町の長。

ちょうちょう [1] 【長調】 長音階による楽曲の調子。↕短調

ちょうちょう [1] 【〈蝶々〉】 「ちょう」の口頭語形。

ちょうちん [3] 【《提《灯】・【挑《灯】 ろうそくを中にともす、折りたたみのきく(携帯用の)照明具。「鼻から―〔=空気を含んで丸くふくれた鼻汁〕を出す/―に釣鐘〔=形は似ていても、内容は全く比べものにならないたとえ〕」 かぞえ方 一挺・一丁・一張・一点・一本 **―もち** [3] 【―持(ち)】 ❶提灯を持って人の前に立つ△こと(人)。❷(自ら進んで)他の宣伝につとめたり手先に使われたりする△こと(人)。〔多く侮蔑を含意して用いられる〕 **―や** [0] 【―屋】 ❶提灯を作り、売る△人(家)。❷筆で字を書く時、一度書いた字の上をさらに(何回も)なぞって形を整える△こと(人)。

ちょうつがい [3] 【〈蝶《番(い)】 ❶開き戸・ふたなどが一端を軸として開閉出来るように、取りつける金具。❷関節(のつなぎ目)。

ちょうづけ [0][4] 【丁付(け)】―する(自サ) 〔(和装の)書物の〕△枚数(ページ数)の記入。

ちょうつけ [0][4] 【帳付(け)】―する(自サ) ❶帳面に金額や記録をつける△こと(役の人)。❷買物の代金や飲食代などを帳面につけさせておいて、月末などにまとめて支払うこと。

ちょうづめ [0] 【腸詰(め)】 ソーセージ。

ちょうづら [0] 【帳面】 帳面づら。「―が合わない」

ちょうてい [0] 【長〈汀】 「長く続くみぎわ」の意の漢語的表現。「―曲浦[5]〔=長く続く、景色のよい海辺〕」

ちょうてい [0] 【長弟】 弟の中で最年長の者。また、自分のすぐ下の弟。

ちょうてい [0] 【長堤】 「長く続く土手」の意の漢語的表現。「錦織りなす―に」

ちょうてい [0] 【朝廷】 天子・君主が政務をとる所。

ちょうてい [0] 【調停】―する(他サ) 対立する両者の間に入って、仲直りをさせること。仲裁。「―役を買って出る/紛争の―にあたる/―委員[5]・―委員会[6]」

ちょうてき [0] 【朝敵】 朝廷の敵。

ちょうてん [1] 【頂点】 ❶〔幾何学で〕△多角形(多面体)の△辺(稜)の端点。〔角の辺の端点についても言う。円錐・角錐などの錐体では、底面を成す図形と結ばれる特別の一点を指す〕「多角形の―には二本の辺が集まり、多面体の―には三本以上の稜が集まっている」❷いただき。絶頂。〔物事の、行ける所まで行き進んだ状態の意にも用いられる。例、「不満が―に達する/―までのぼりつめる」〕

ちょうでん [0] 【弔電】 悔みの電報。

ちょうでんどう [3] 【超伝導】 ある種の△金属(合金)の電気抵抗が、一定の温度以下ではゼロになる現象。表記「超電導」とも書く。

ちょうと [1] 【長途】 長いみちのり。

***ちょうど** [0] 【丁度】(副) 〔「ちゃんと」と同源〕 ❶実際に何かを行なった結果が、基準となる数量・刻限や何かが行なわれる状況と一致する様子。「―よいところへ来た/―こちらからも電話しようと思っていたところだ/―六時に駅に着いた」 ❷話題になっている物の形や性質などが、既知の物と同じだと言ってよいほどよく似ている様子。「この果物は、―鳥のキーウィの形をしているので、そう呼ばれるようになった/顔は白くて―陶器の肌のようだ」

ちょうど [1] 【調度】 ❶日常使う、身のまわりの道具類。「―品[0]・家具―」 ❷〔古〕弓矢。

ちょうとう [0] 【長刀】 ❶長い刀。↕短刀 ❷なぎなた。かぞえ方 ❶❷とも一口・一本

ちょうどうけん [0] 【聴導犬】 聴覚障害者の介助をするために特別の訓練を受けた犬。

ちょうとうは [3] 【超党派】 一党一派の△利害打算(意見の差異)を乗り越え、関係者全員が一致してその事に当たること。「―外交[6]」

ちょうどきゅう [0][3]、[1]-[0] 【超〈弩級】 〔「弩級」を上回る意〕並みはずれて巨大であること。「―艦[0]」 表記「〈弩」は、音訳。

ちょうとっきゅう [3] 【超特急】 特急よりも速い列車。〔ものすごく速く何かをすることの意にも用いられる。例、「―で仕上げる」〕

ちょうな [3] 【〈手〈斧〉】 木材のあら削りに使う工具。ておの。「―始め[4]」 かぞえ方 一本・一挺

ちょうない [1] 【町内】 ❶地方公共団体である町の中。❷その町(の中)。 **―かい** [3] 【―会】 町内に組織される地域住民の自治組織。略して「町会」。

ちょうなん [1][3] 【長男】 同胞の男の子の中で、一番上の者。⇩次男・三男

ちょうにん [1][0] 【町人】 江戸時代の社会階層の一つ。商人・職人。⇩武士・百姓

ちょうにん [0] 【重任】―する(他サ) ⇩じゅうにん❷

ちょうネクタイ [3] 【〈蝶ネクタイ】 襟もとにつけるチョウの形のネクタイ。 かぞえ方 一本

ちょうねんげつ [3] 【長年月】 長い月日。「―を△かける(要する)」 ↕短時日

ちょうねんてん [3] 【腸捻転】 大腸や小腸の一部がねじれて非常に苦しむ病気。

ちょうのうりょく [3] 【超能力】 普通では出来ないと考えられる事を実行することの出来る、特別な能力。「―を持つ」

ちょうは [1] 【長波】 波長が一キロメートル以上で十キロメートル未満の電波。船舶や航空機の通信に用いられる。〔周波数は、三十キロヘルツより大で、三百キロヘルツ以下〕⇩中波

ちょうば [3][0] 【丁場】 ❶宿駅と宿駅との距離。「ほんのひと―だ/第二幕は長―だ〔=長時間を要する〕」 ❷長い距離にわたる工事などの受持ち区域。表記❶は、「町場」とも書いた。

ちょうォば [0](チャウ)【帳場】〔商店・宿屋などで〕帳付・勘定などをする所。

ちょうォば [0](テウ)【跳馬】革でおおった馬の背の形の台を跳躍する、体操競技の種目。また、その用具。

ちょうォば [1](テウ)【嘲罵】—する(他サ) ばかにして笑い、悪口を言うこと。

ちょうォばいか [3](テウクワ)【鳥媒花】鳥〔=メジロやヒヨドリなど〕が受粉を助ける種類の花。例、ツバキ・サザンカなど。⇩虫媒花・風媒花・水媒花

ちょうォはつ [0](チャウ)【長髪】長く伸ばした頭髪。〔狭義では、男性のそれを指す〕

ちょうォはつ [0](テウ)【挑発・挑〈撥〉】—する(他サ) ことさらに敵対行為や欲情を起こすようにしむけること。「—行為[5]・戦争—者[8][7]」 **—てき** [0]【—的】—な (いかにも)人を挑発するような様子だ。「—な発言」

ちょうォはつ [0]【徴発】—する(他サ) (戦時中)人や物を強制的に軍のために使うようにすること。

ちょうォはつ [0](テウ)【調髪】—する(自サ) 髪を刈ったり 結ったりして、形をきれいにすること。「—師[4][3]」

ちょうォばつ [1][0]【懲罰】—する(他サ) 会社・団体などの構成員が犯した△不正(不当)な行為に対して、会社・団体などが制裁を加えること。「—委員会[6]」

ちょうォはん [1](チャウ)【丁半】❶〔さいころで〕丁と半。❷Ⓐ二つ振ったさいころの目の合計が偶数か奇数かで勝敗を決める ばくち。Ⓑ投げた硬貨の表が出るか裏が出るかを当てる ばくち。

ちょうォばん [0](チャウ)【丁番・〈蝶番〉】蝶番(チョウツガイ)の、大工の仲間における通語。

ちょうォび [1](テウ)【〈掉尾〉】「とうび」の、もとの形。

ちょうォびけい [3](チャウ)【長尾鶏】⇩ながおどり

ちょうォひょうォ [0](チャウヘウ)【帳票】〔経理事務などで〕伝票・帳簿などの総称。

ちょうォひょうォ [0](ヘウ)【徴表】類似の物事の中で、そのものを他から区別してはっきりとつかむための手がかりとなる特徴・性質。メルクマール。

ちょうォひょうォ [0]【徴〈憑〉】事実を証明する材料となる物。

ちょうォふ [0][1](テフ)【貼付・貼附】—する(他サ) はりつけること。〔「てんぷ」は、慣用音による読み〕 表記 「張付(チャウフ)」とも書く。

ちょうォぶ (チャウ)【町歩】(造語) 田畑や山林の面積の単位「町」の別称。「五—」

ちょうォふく [0]【重複】—する(自サ) 一つあればよい物事が、もう一つよけいにあること。ダブること。「じゅうふく」とも。

ちょうォぶく [0](テウ)【調伏】—する(他サ) ❶〔仏教で〕法力により、敵・悪魔を降参させること。❷のろい殺すこと。

ちょうォぶつ [0](チャウ)【長物】〔「長」は多い。つまり余計な物の意〕最小限度の生活必需品以外の雑多な事物の称。〔「長過ぎて用をなさないもの」などと解するのは誤解〕「晋(シン)の王恭(オウキョウ)が〝吾(ワレ)平生(ヘイゼイ)—無し〟と言ったのは、簡素な生活態度を理想として希求しての言であった/無用の—〔=場所ふさぎの役立たず〕」

ちょうォぶん [0](テウ)【弔文】人の死を悼む文。

ちょうォぶん [0](チャウ)【長文】字数・語数の多い文。↔短文

ちょうォへい [0]【徴兵】—する(自他サ) 国家が法律により、国民〔=普通は成年男子〕を強制的に集めて、一定期間、兵役につかせること。「—検査[5]・—忌避[5]・—制[0]」

ちょうォへいそくしょうォ [0][6][5](チャウヘイソクシヤウ)【腸閉塞症】腸管腔の一部分がふさがる、急性の病気。「腸閉塞[3]」とも。イレウス[2]。

ちょうォへき [0](チャウ)【腸壁】腸を形づくる筋肉などの内側。

ちょうォへん [1][0](チャウ)【長辺】長方形の辺のうち、長い方。

ちょうォへん [0](チャウ)【長編・長〈篇〉】詩歌・文章・映画などの長いもの。⇩中編・短編 **—しょうォせつ** [5](セウ)【—小説】複雑な事件・内容を含み、人生の全体を観察させるような構想の、長い小説。ノベル。

ちょうォべん [1](テウ)【調弁】—する(他サ) 兵士や馬などの食糧を、戦地で用意すること。 表記 「弁」の旧字体は「〈辨〉」。

ちょうォぼ [0](チャウ)【帳簿】金銭の収支や物品の出し入れなどの必要事項を記入する帳面。「—をつける/裏—[3]」 かぞえ方 一冊

ちょうォぼ [1](テウ)【朝暮】「あさゆう」の意の漢語的表現。〔多く、副詞として使う〕

ちょうォぼ [1]【徴募】—する(他サ) 兵隊などを(強制的に)集めること。「新兵—」

ちょうォほうォ [0](テウハウ)【弔砲】〔元首や皇族・重臣などの葬儀の時に〕死んだ人をとむらう気持をこめてうつ空砲。 かぞえ方 一発

ちょうォほうォ [1]【重宝】❶希少価値があって、大切な宝。「じゅうほう」とも。「家代々の—」 ❷(テウハフ)【調法】—な —する(自他サ) 何かにつけて役に立つ△こと(様子)。「—な万能ナイフ/この辞書は用例が多くて—している/手先が器用なので皆から—がられる〔=便利な存在として認められている〕」 派 —さ[0][3]

ちょうォほうォ [0](テフ)【〈諜報〉】相手方の情報を探って味方に知らせること。また、その情報。「—機関[5]・—員[3]」

ちょうォぼうォ [0](テウバウ)【眺望】—する(他サ) いちだんと高い所から(遠くを)ながめること。また、それによって受ける印象。「—絶景・—台[0]」

ちょうォほうォきてき [0]、[1]-[0](テウハフ)【超法規的】緊急を要する事態の解決などのために、法律に反することを容認する様子だ。

ちょうォほうォけい [0][3](チャウ)【長方形】すべての角が直角な四角形。矩形(クケイ)。〔広義では正方形を含み、狭義では除外する〕

ちょうォぼん [0](テウ)【超凡】—な 普通の人がとても及ばないほどすぐれている様子だ。

ちょうォほんにん [3](チャウ)【張本人】❶そもそもその事件の起こるもとを作った人。❷首謀者。❸賊の首領。かしら。

ちょうォまん [1](チャウ)【〈脹満〉】ガス・液体がたまって腹がふくれる病気。

ちょうォみ [1](テウ)【調味】—する(他サ) 食べ物をおいしくするために味をつけること。 **—りょうォ** [3](レウ)【—料】調味のために使う、塩・しょうゆ・砂糖・みりんなどや香辛料の総称。「化学—を使用していない食品」

ちょうォみん [0](チャウ)【町民】町の住民。

ちょうォむすび [3](テフ)【〈蝶結(び)〉】チョウの形になる ひもの結び方。⇩こま結び

ちょうォめい [0](チャウ)【町名】町の名前。「—地番変更」

ちょうォめい [0](チャウ)【長命】—な 生まれてから命を終えるまでの期間が、多くの人がまっとうする寿命より長い△こと(様子)。〔組織などが、長い期間存続する意にも用いられる〕「—の家系」↔短命

ちょうォめい [0]【澄明】—な 〔水・空気などが〕澄み切って明るい様子だ。 派 —さ[0]

ちょうォめん [3](チャウ)【帳面】物事を書きつけるために、何枚かの同型の紙をとじたもの。ノート。 かぞえ方 一冊 **—づら** [0]【—面】帳面に記載された、表面上の数字。略して「ちょうづら」。「—を合わせる」

ちょうォもく [0](テウ)【鳥目】〔形が鳥の目に似ているところから〕穴のあいた、昔のお金。〔金銭の意にも使われた〕

ちょうもん⓪ー【弔問】ーする(他サ) 死者の遺族をたずねて悔みを言うこと。「ー客③・ー外交⑤」

ちょうもん⓪ー【聴聞】ーする(他サ) ❶説法・法話や講釈・演説を聞くこと。❷行政機関が、行政上の決定をするにあたり、利害関係者の意見を聞くこと。「ー会③」❸〔キリスト教で〕信者の懺悔(ザンゲ)を聞くこと。「ー僧③」

ちょうもんのいっしん⓪ー⓪ー【頂門の一針】 頭上に針をさすように、痛いところをつく教訓。

ちょうや①ー【長夜】 ❶(冬の)長い夜。↔短夜 ❷夜通し。「ーの宴/ーの夢をさます〔=目ざましい出来事が起こり、安逸に流れていた人の目をさめさせる〕」

ちょうや①ー【朝野】 ❶政府に関係のある者と民間の人。「ーの名士を一堂に会する」❷全国民。「ーをあげての歓迎/信をーに問う」

ちょうやく⓪ー【跳躍】 ❶ーする(自サ) とびあがること。❷〔陸上競技で〕高とび・幅とび・三段とび・棒高とびの総称。

ちょうやく⓪ー【調薬】ーする(自サ) 調剤。

ちょうゆう⓪ー【町有】 町の所有。「ー財産⑤」

ちょうゆう⓪ー【釣友】「釣り仲間」の意の漢語的表現。

ちょうよう⓪ー【長幼】 年上の人と年下の者。「ーの序〔=年下の者は年上の人に敬意を払うべきであり、むやみに先を越してはいけないという、孟子(モウシ)の教え。五倫の一つ〕」

ちょうよう⓪ー【重用】ーする(他サ) ⇩じゅうよう

ちょうよう⓪ー【重陽】 九月九日の節句。

ちょうよう⓪ー【徴用】ーする(他サ) 非常の場合、国家が国民を強制的に集めて、一定の仕事につかせること。

ちょうらい①ー【朝来】(副) 〔「今朝来(コンチョウライ)」の省略表現〕けさほどから(ずっと)その事が続いている様子。

ちょうらく⓪ー【凋落】ーする(自サ) ❶草木の葉がしぼんで落ちること。「ーの秋」❷今まで盛んであったものがおちぶれること。「旧家のー」

ちょうり①ー【調理】ーする(他サ) (おおぜいの人のために)食物を料理すること。「素材を生かしてーする/ー人⓪・ー師③・ー場⓪・ー法⓪」

ちょうりつ⓪ー【調律】ーする(他サ) 楽器、特に、ピアノ・オルガンや打楽器の音を標準の音に合わせること。調音。「ー師④③」

ちょうりゅう⓪ー【潮流】 △潮の干満に伴う(内海と外海との間に出来る)海水の移動。〔世の中の進み行く方向の意にも用いられる。例、「時代のーに乗る」〕

ちょうりょう⓪ー【跳梁】ーする(自サ) 〔「梁」も、はねる意〕❶我がもの顔に走り回ること。❷〔好ましくない者が〕かってにふるまうこと。「ー跋扈(バッコ)」

ちょうりょく①ー【張力】 物体が、外部からの引っ張る力に抵抗して、収縮しようとする力。〔シャボン玉が出来たり、草木の葉に水滴がたまるのは、この力〕「表面ー」

ちょうりょく①ー【潮力】 海水の干満によって生じる水位の差が生み出すエネルギー。「ー発電⑤〔=⇩海流発電〕」

ちょうりょく①ー【聴力】 音を聞き取る能力。

ちょうるい①ー【鳥類】「とり❶」の総称。脊椎(セキツイ)動物の一類で、多くは空中を飛ぶ。かぞえ方 一羽。一匹とかぞえる向きもある。

ちょうれい⓪ー【朝礼】 仕事や授業を始める前に行なう、朝ごとの行事。打合せや精神統一などのために行なう。

ちょうれいぼかい⓪ー⓪ー【朝令暮改】ーする(自サ) 定めたあとから次つぎと法令が改められ、よりどころとならないこと。

ちょうれん①ー【調練】ーする(他サ) 兵士を訓練すること。

ちょうろう⓪ー【長老】 学識・経験が豊かで、その社会で尊敬される人。特に仏教では住職・高僧を指し、キリスト教会では名誉職を指す。 **ーきょうかい**⑤ー【ー教会】 〔キリスト教で〕新教の一派。長老の団体を教会の機関とする。日本では日本基督(キリスト)教会が有名。

ちょうろう⓪ー【嘲弄】ーする(他サ) ばかにしてからかうこと。

****ちょうわ**⓪ー【調和】ーする(自サ)〈なにトーする/なにニーする〉 一つの物△が他の中に置かれた(を他と比べてみた)場合、互いの性質、特に、色・形・音などが、衝突しないで、新しい△美しさ(よさ)を見せること。「街並△と(に)ーする外灯/ーのとれた/ーを図る/ー点を見いだす/…のーを欠く」

チョーク① ❶[chalk] 石膏(セッコウ)または白亜を短い棒状に固めた物。黒板などに書くのに使う。さまざまな色がある。はくぼく。かぞえ方 一本 ❷[choke]〔自動車エンジンの〕空気調節用の弁。

ちよがみ②【千代紙】 色刷りにした(手工用の)紙。「ー細工(ザイク)⑤」

ちょき① 〔じゃんけんで〕「はさみ❷❸」。指を二本出す。「ぱあ」に勝ち、「ぐう」に負ける。⇩ぐう・ぱあ

ちょきぶね⓪③【猪《牙船】 江戸で作られた、少し細長い川舟。屋根は無く、船足が速い。略して「ちょき①」。かぞえ方 一艘(イッソウ)・一隻(イッセキ)

***ちょきん**⓪【貯金】ーする(自他サ)〈なにヲーする〉 ❶無駄に使わずに、お金をためること。また、その金。「お小遣をーする/ー箱②・たんすー④」❷郵便局・農業協同組合などに金銭を預けること。また、そのお金。「ー通帳④」

ちょく(直・勅・捗) →【字音語の造語成分】

ちょく【直】 ㊀①正しいこと。まっすぐ。「ーをーとする/ー行(チョッコウ)・ー系(チョッケイ)・ー射・ー進・ー球(チョッキュウ)・垂ー・鉛ー」㊁⓪①ーな ❶率直で人の言うことなどに従順に従う様子だ。「ーな(=正直な)人」❷安直だ。「ーな考え」(❶❷とも古風な表現) ⇩【造語成分】

ちょく①【勅】 天皇のお言葉。みことのり。「ーを拝す/ーなれば、いとも畏(カシコ)し/ー語・ー旨①⓪・ー書・ー裁・ー額・ー命・ー令⓪・詔ー・神ー」

ちょく①【《猪口】 〔「鍾(ショウ)」または「酎」の字音の変化という〕❶陶器の小さな杯。「ちょこ」とも。❷「ちょく❶」の形に似てやや大きい器。酢の物・前菜などを盛る。「そばー⓪」

ちょくあけ⓪【直明(け)】 宿(シュク)明け。

ちょくえい⓪【直営】ーする(他サ) 〔普通ならば下請けや子会社などに経営させるところを〕その会社や本社などが直接経営すること。「食品メーカーーのレストラン」

ちょくおう⓪ー【直往】ーする(自サ) まっすぐに進んで行くこと。「ー邁進(マイシン)」

ちょくおん②【直音】 母音音節〔=「あ・い・う・え・お」〕および「単独子音+母音」という形の音節〔=「か・き・く・け・こ」など〕の称。〔日本語の発音で最も多用される音節〕⇩拗

ちょく

【直】 ❶直接に。「直行・直結・直下」❷宿直。「二直一休制〔=二人が宿直して、一人が休養する制度〕」❸工場での作業の組。「四直三交代〔=四つの組が、順々に三交代で勤務すること〕」⇩(本文)ちょく【直】

【勅】 ⇩(本文)ちょく【勅】

【捗】 作業が順調に進む。はかどる。「進捗」

(ヨウ)音・促音・撥(ハツ)音

ちょくがく[0]【勅額】天皇が書かれた額。

ちょくがん[0]グワン【勅願】天皇の祈願。「—寺[0]」

ちょくげき[0]【直撃】—する(自他サ) 直接△射撃(爆撃)すること。命中させること。〔台風などが、その土地をまともに襲う意にも用いられる〕「—弾[4]」

ちょくげん[0]【直言】—する(他サ) (上の)人に対して、遠慮せずに言うこと。

ちょくご[1]【直後】〔時間的・空間的に〕すぐあと。「地震—の現地の状況/車の—を横断する」↔直前

ちょくご[0]【勅語】天皇の意思表示の言葉。

ちょくさい[0]【直裁】—する(他サ) ❶直ちに裁決すること。❷本人が自分で裁決すること。

ちょくさい[0]【直〈截】—な 「ちょくせつ」の変化。「簡明—」

ちょくし[1]【直視】—する(他サ) ❶わき見をせず、正面を見つめること。「前方を—する」❷△過大(過小)評価などの先入観を全く抜きにして、真実を正しく見つめること。「△現実(事実)を—する/困難を—する(=恐れないで、対処する)」

ちょくし[1]【勅使】天皇のお使い。

ちょくじ[0]【《植字】「しょくじ」の職場用語。〔「食事」とまぎれるからという〕「写真—[4]・—工[0][3]」

ちょくしゃ[0]【直写】—する(他サ) 飾らずに ありのままを写すこと。

ちょくしゃ[0]【直射】—する(自他サ) ❶さえぎる物が無く、正面から照りつけること。「—日光[4]」❷低く、直線に近い弾道で発射すること。↔曲射

ちょくしょ[1]【勅書】天皇の意思をしるした公文書。

ちょくじょ[1]【直叙】—する(他サ) 感想などをまじえず、そのまま(飾らずに)事実だけを述べること。

ちょくじょう[0]ジャウ【直上】❶すぐ上。まうえ。↔直下 ❷—する(自サ) まっすぐに のぼること。

ちょくじょう[0]ジャウ【直情】その人の本来の感情。 **—けいこう**[0]-[0]カウ【—径行】—な 感情のおもむくままに行動すること。「—な性格」

ちょくじょう[0]チヤウ【勅定・勅〈諚】「みことのり」の意の漢語的表現。

ちょくしん[0]【直進】—する(自サ) ❶直ちに進むこと。❷まっすぐに進むこと。

ちょくぜい[0]【直税】「直接税」の略。

****ちょくせつ**[0]【直接】(副)—する 間に隔てる物が何も無い状態で対象に接する様子。「本人から—事情を聞く/—の〔=結果にすぐ結びつく〕原因/学校から—(に)〔=ほかへ寄らず〕伺います」↔間接 **—こうどう**[5]カウ【—行動】目的を貫徹するための罷業・暴力などの行為。 **—ぜい**[4]【—税】負担する者から直接取り立てる税。所得税・相続税など。↔間接税 **—せんきょ**[5]【—選挙】有権者の直接の投票によって行なわれる選挙。↔間接選挙 **—てき**[0]【—的】—な 直接△である(になされる)様子だ。↔間接的 **—わほう**[5]ハフ【—話法】〔文法で〕他人の言葉を、その言いまわし通りに引用する表現法。日本語では普通かぎ括弧(「 」)を付けて表わす。↔間接話法

ちょくせつ[0]【直〈截】—な ❶ためらわずに、すぐ裁決する様子だ。❷もってまわった表現ではなく、見たり 感じたりしたことをずばりと言い切る様子だ。「—的[0]」

ちょくせつ ほう[0][4][3]ハフ【直説法】〔インドヨーロッパ語族などで〕動詞の法の一つ。ありのままに言い切る語法。⇩法❶㊃

ちょくせん[0]【直線】一つながりの まっすぐな線。糸をぴんと張った時の形。〔幾何学では、両方の向きに どこまでも延びているものを指すが、日常語では線分のことを言う〕「一—に進む/等速—運動・半—・—図形[5]・—コース[5]・—的[0]」↔曲線 [かぞえ方]一本 **—きょり**[5]【—距離】二点間の最短距離、すなわち二点を結ぶ線分の長さ。 **—び**[3]【—美】直線で表わされた、力強い美。

ちょくせん[0]【勅〈撰】—する(他サ) 勅命によってすぐれた詩歌などをえらび集め書物を作ること。「—集[3]」↔私撰

ちょくぜん[0]【直前】〔時間的・空間的に〕すぐ前。↔直後

ちょくそう[0]【直送】—する(他サ) 〔産物・製品などを〕直接相手へ送ること。「産地—の品」

ちょくぞく[0]【直属】—する(自サ) ❶直接に属すること。「文部科学省—の機関」❷直接、その△指揮(監督)を受けること。「—上官」

ちょくだい[0]【勅題】❶勅額。❷天皇の出される詩歌の題。特に、新年の歌会始(ウタカイハジメ)の題。

ちょくちょう[0][3]チヤウ【直腸】大腸の最終の部分。下端は肛門(コウモン)に続く。

ちょくちょく[1](副)—と あまり間隔をおかずに同じ行為や状態が繰り返される様子。〔口頭語的表現〕「—無断で休まれるので困る/これからも—顔を見せてくれ/モーターが—故障する」

ちょくつう[0]【直通】—する(自サ) 乗換え・中継なしに目的地や相手に通じること。「—列車[5]・—電話[5]」

ちょくとう[0]【直登】—する(自サ) 〔登山で〕迂回(ウカイ)することなく、岩壁・氷壁・急な稜線(リョウセン)などを一直線に登ること。

ちょくとう[0]タフ【直答】—する(自サ) ❶人づてでなく、直接に答えること。「じきとう」とも。「—を求める」❷即答。「—を避ける」

ちょくとう[0]タフ【勅答】—する(自サ) ❶天皇のお答え。「—使[3]」❷天皇の問いに対する返答。「—申し上げる」

ちょくどく[0]【直読】—する(他サ) 漢文などを、上から下へまっすぐに音読すること。「—直解[0]-[0]〔=直読して、そのまま文脈を理解すること〕」

ちょくな[0][1]【直な】⇩ちょく(直)❷

ちょくにんかん[3]クワン【勅任官】〔旧憲法で〕親任官と、一等・二等の高等官の称。〔狭義では、親任官を除く〕

ちょくはい[0]【直配】—する(他サ) 〔中間のマージンを少なくするために〕生産者から直接消費者に配達すること。

ちょくばい[0]【直売】—する(他サ) 〔中間のマージンを少なくするために〕生産者から直接消費者に売ること。

ちょくはん[0]【直販】—する(他サ) 生産者が消費者に直接に販売すること。「—システム・産地—」

ちょくひ[1]【直披】〔「披」は、開く意〕⇩じきひ「ご—[2]」

ちょくひつ[0]【直筆】—する(他サ) ❶書体の一つ。筆をまっすぐに立てて書くこと。「懸腕—」❷報道・論評などで、事実を隠したり 飾ったり しないで書くこと。

ちょくほうたい[0]【直方体】〔幾何学で〕面がすべて広義の長方形であるような六面体。れんが・マッチ箱のような形(のもの)。〔広義では立方体を含み、狭義では除外する。底面が長方形をなす四角柱と同じ〕

ちょくめい[0]【勅命】天皇が下される命令。みことのり。

ちょくめん[0]【直面】—する(自サ) ❶(まともに)向かうこと。「日の出に—して左は北」❷困難な事態に出あって、避けることが出来ないこと。「△死(危機・試練)に—する」

ちょくやく[0]【直訳】—する(他サ) 〔言語体系の違いや文脈を無視して〕原文の一語一語を単純に置きかえて訳すこと。また、その訳。逐語訳。↔意訳

ちょくゆ[0][1]【直喩】「まるで…のよう△だ(な)」などの語を

ち

使い、あからさまに二つのものを比較してたとえること。例、「山のような波」。↕隠喩

ちょくゆしゅつ[3]【直輸出】―する(他サ) 国内の生産物を、他国の商人の仲介を経ず直接輸出すること。「じきゆしゅつ[3]」とも。

ちょくゆにゅう[3]【直輸入】―する(他サ) 外国の生産物を、他国の商人の仲介を経ず輸入すること。「じきゆにゅう[3]」とも。

ちょくりつ[0]【直立】―する(自サ) ❶背筋を伸ばしてまっすぐに立つこと。「―不動の姿勢をとる」 ❷高くそびえること。「大空に―する時計台」

ちょくりゅう[0]【直流】❶―する(自サ) まっすぐ流れること。また、その流れ。↕曲流 ❷方向の一定した電流。↕交流

ちょくれつ[0]【直列】〔電圧を高めるために〕電池などの違った極を次つぎにつなぐこと。また、電気回路の素子(=抵抗・コンデンサーなど)を一列につなぐこと(つなぎ方)。また、そのようにつないだもの。↕並列

ちょげん[0]【著減】―する(自サ) 目立って減ること。↕著増

ちょげん[0]【緒言】⇩しょげん

チョコ[1] チョコレートの略。「板―[0]・棒―[0]」

ちょこ[1]【〈猪《口】「ちょく」の変化。

ちょこう[0]【著効】〔医学で〕治療や薬がすぐれた効果を現わすこと。

ちょこざい[0][3]【〈猪《口オ】―な 〔「ちょこ」は擬態語。ちょっとした才能しか持っていない意で、侮蔑を含意する〕「こなまいき」の口頭語的表現。「―な事を言う」

ちょこちょこ[1](副)―と―する ❶(小さいものが)小またに走る(歩く)様子。「幼な子が―ついてくる/―ばしり[5]」 ❷ちょっと休んだかと思うとすぐ動き出して、少しもじっとしていることがない様子。「あちこち―動き回って活動を続けている」 ❸少しずつ、小まめに事をする様子。「―手紙を出す/部屋の模様を―変える」 **―っと**[4](副) 物事を手間をかけず短時間ですませる様子。「―やってしまう」

ちょこっと[2](副) 「ほんの少しばかり」の意の口頭語的表現。「―顔を出して、すぐに帰ってしまった」

ちょこなんと[3][0](副) 小さな人や犬猫などが、いかにももっともらしくそこでじっとしている様子。

ちょこまか[1](副)―と―する じっとしていることがなく、たえずこまめに動き回る様子。

チョゴリ[1]〔朝鮮 jeogori〕朝鮮民族独自の衣装の、短い上着。チョコリとも。かぞえ方 一枚・一着

チョコレート[3]〔chocolate〕❶カカオの実を煎って粉としたもの。また、これに砂糖・粉乳などを加えて練り固めた菓子。ショコラ。略してチョコ。❷〔↑チョコレート色[0]〕こげ茶色。かぞえ方 ❶は一枚・一粒。小売の単位は一袋・一箱

ちょこんと[2](副) ❶その存在だけが、小さいながら目にとまる様子。「小犬が―座っている/ベレー帽を―かぶっている」 ❷ちょっとした動作がいかにも気軽(無造作)に行なわれる様子。「バットに―当てる/―頭を下げる」

ちょさく[0]【著作】―する(自他サ) 書物を書き著わすこと。また、その書物。「―者[3][2]・―集[3]」 **―か**[0]【―家】著作を業とする人。「ちょさっか」とも。 **―けん**[3][2]【―権】自分の著作物が他人に勝手に利用(複製・翻訳・上演・上映など)されないように、原作の無断使用を禁止する権利。死後も一定期間存続する。「―使用料[7]、[3]-[2]、[2]-[2]」 **―ぶつ**[3]【―物】文芸・学術・美術・音楽・建築などに現わされた精神的労働の所産。〔図書のほかに、映画などをも含む〕

ちょしゃ[1]【著者】その本を著作した人。作者。

ちょじゅつ[0]【著述】―する(自他サ) 書物を書き著わすこと。また、その著書。「―家[0]」

ちょしょ[1]【著書】その人が著作した書物。

ちょすい[0]【貯水】―する(自サ) 使うために、水をためておくこと。 **―ち**[2]【―池】用水をためておく人工の池。

ちょぞう[0]【著増】―する(自サ) 目立ってふえること。↕著減

ちょぞう[0]【貯蔵】―する(他サ) 物を、後のち使えるように、とっておくこと。「―庫[2]」

ちょだい[0]【著大】―な―に 同類の物よりきわだって大きい様子だ。

ちょたん[0]【貯炭】―する(自サ) いつでも使えるように、石炭をたくさんためておくこと。また、その石炭。「―場[0]」

*__ちょちく__[0]【貯蓄】―する(他サ)〈なにヲ―する〉 不時の用意にとっておく現金・預貯金や株券・債券など。表記「〈儲蓄」とも書く。

ちょっか[1]【直下】❶すぐ下。ました。「赤道―」↕直上 ❷―する(自サ) まっすぐに△おりる(落ちる)こと。「急転―」 **―がたじしん**[6]【―型地震】(人の住む)特定地域の直下で起こる震源の浅い地震。都市の場合、地震の規模は大きくなくても被害を広げるおそれがある。

ちょっかい[1] ❶猫などが用心しながら前足を使って、ちょっと物をかき寄せること。「―をかける(=うまく行くかと思って、ためしにやって見る)」 ❷おせっかい。「―を出す(=ⓐ横から口を出す。ⓑ軽い気持で人の気を引こうとする)」〔❶❷とも口頭語的表現〕

*__ちょっかく__[0]【直角】❶―な―に 水平面と鉛直な方角との間の角度△である(をなす)様子だ。「この先の角を―に折れると駅に出る」 ❷〔幾何学で〕平角の半分の大きさ(の角)。九〇度に等しい〔記号∠R〕。 **―さんかくけい**[7][8]【―三角形】内角の一つが直角である三角形。「ちょっかくさんかっけい[7]」とも。

ちょっかく[0]【直覚】―する(他サ) 推理や思考などによらず△聞いた(見た)だけで、すぐ△それが何であるか(何が起こったか)を了解すること。直観。 **―てき**[0]【―的】―な―に 一目ですぐ分かる様子だ。

ちょっかつ[0]【直轄】―する(他サ) 中間の機構を通さずに、上級の組織が直接に管轄すること。「―学校[5]」

ちょっかっこう[3]【直滑降】―する(自サ) スキーで斜面をまっすぐにすべりおりること。

ちょっかん[0]【直〈諫】―する(他サ) 上司など立場の上の人に向かって直接その非をいさめること。↕諷諫

*__ちょっかん__[0]―する(他サ)〈なにヲ―する/(なにヲ)なんだト―する〉 ❶【直観】判断・推理によらず、直覚的に物事の本質をとらえること。「―的[0]・―教育[5](=現在の視聴覚教育のように、実物を見せたり聞かせたりして、生徒自身の観察・経験を促進する教育)」 ❷【直感】推理・経験によらず、感覚的に物事の真相をとらえること。「―が働く/―的[0]」

ちょっかん[0]【勅勘】「天皇から受けるとがめ」の意の漢語的表現。「―を被る/―の身」

チョッキ[0]〔ポ・フ jaque の変化か〕上着の下、ワイシャツの上に着る短い胴着。ベスト。かぞえ方 一枚

ちょっきゅう[0]【直球】〔野球で〕カーブせず、まっすぐなコースをとるボール。「投げおろしの―」↕変化球

ちょっきり[3](副) 数量が一定の基準に達していて、少しの過不足もない状態。「―一万円」

ちょっきん[0]【直近】該当する事項に最も近いこと。「―四半期の売上高」

ちょっくら③(副)「ちょっと」の意を表わす東北・関東・中部方言。「—買物に行ってくる」 **—ちょっと**③-①、③-⓪、⑤(副)「ちょっくら」の強調した口頭語的表現。

ちょっけい⓪【直系】ほかの人を間に置かず、その人から純粋に親子・師弟などの関係で続く系統。↔傍系

ちょっけい⓪【直径】〔幾何学で〕両端が△円周(球面)上にあり、その△円(球)の中心を通る線分。また、その長さ。さしわたし。「径」とも。〔広義では、その図形内の二点間の距離の最大値を指す。日常語では、円・球・円柱に類似した物に関しても用いられる。例、「幹の—が二メートルの大木」〕

ちょっけつ⓪【直結】—する(自他サ) 他を仲立ちとせず、直接に結びつくこと。

ちょっこう⓪【直交】—する(自サ)〔幾何学で〕二つの△線(平面)が直角に交わること。〔二つの△線(平面)が、△交点(交線)において成す角が直角であることを指す。線と平面との関係についても言う〕 **—ざひょう**⑤【—座標】△平面(空間)において、互いに直交する△二(三)本の直線を基準とする座標(系)。 **—しゃえい**⑤【—射影】正射影。

ちょっこう⓪【直行】❶—する(自サ) 途中で△止まったり(寄り道したり)しないで、まっすぐ目的地に行くこと。「現地に—する/パリー便」❷—する(自サ) 情勢を観望したり 情実に動かされたりしないで、思った通りの事を行なうこと。❸汚れたところの無い、正しい行い。「—の士」

ちょっこう⓪【直航】—する(自サ) 船や航空機が、途中どこにも寄らず、直接、目的地へ行くこと。

***ちょっと**①【〈一寸〉・〈鳥渡〉】■一(副) ❶数量・程度がわずかであって、問題にするほどでもない様子。「残りが—しかない/毎日—ずつ読んでいる/—見たところでは本物と区別がつかない/一万円と—持っている/一時間—で着く/—黙っていてくれ/—出掛けてくる」❷たいしたことではないとばかりに無視するわけにもいかない程度である様子。「—いい男ね/こう見えてもこの界隈(カイワイ)では—は名を知られている/その話—おかしいと思う/—珍しい品を手に入れた」❸〔否定表現と呼応して〕その可能性はほとんど無いと判断する様子。「私には—出来そうに無い/普通には—考えられないことだ」■二(感) 同等以下の相手に呼びかける語。「—君/——待ってくれ」 表記「〈一寸〉」は意味を考えた、「〈鳥渡〉」は音を生かした当て字。後者は、比較的新しい用字。

運用 ■一❸で、相手の依頼・指示などに対する応答の発話で言いさしとなる時には、肯定的に答えることをためらったり婉曲(エンキョク)な否定となったりすることが多い。例、「この仕事を明日までに片付けてくれ」「それはちょっと…」 ■二で、語気を強めて「ちょっと! 何するの?」などと言う場合は、相手の行動に対する非難や制止などを表わすことがある。 **—した**⓪(連体)❶ごく普通△の(にありがちな)。「—事でけんかになる/—風邪で寝込む/—親切」❷たいしたことではないとばかりに無視するわけにもいかない程度の。「—△財産(見物(ミモノ))/—物でしょう/—腕前だ」 **—み**⓪【—見】ちょっと見た△ところ(感じ)。「—にはいいが」

ちょっぴり③(副)「少し(ばかり)」の意のやや くだけた口頭語的表現。「けさがたほんの—雨が降った/—塩からい」

チョップ①〔chop〕❶肋骨(ロッコツ)のついた、肉の切身(の焼肉料理)。「ポーク—④・ラム—③」❷—する(自サ)〔テニスなどでボールを、プロレスで相手を〕切りつけるように強く鋭く打つこと。

ちょとつ①【〈猪突〉】—する(自サ) イノシシのように向こう見ずに突進すること。「—△盲進(猛進)①-⓪」

ちょびひげ⓪【ちょび〈髭〉】鼻の下に少し生やした髭。

ちょぶん⓪【著聞】—する(自サ) 世間によく知られていること。ちょもん。

ちょぼ① ❶しるしに打つ、小さい点。ぽち。〔点のように小さいものをかぞえる時にも用いられる。例、「一(ヒト)—のラジウム」〕❷歌舞伎(カブキ)の脚本の地(ジ)の文を語る義太夫(ギダユウ)。

ちょぼ①【〈樗蒲〉】ばくち。とばく。 **—いち**②⓪【—一】一個のさいころで勝負を争うばくち。

ちょぼくれ⓪ 二つの小さな木魚をたたきながら、あほだら経などをうたう、物乞いの僧。

ちょぼちょぼ ■一①(副)—と ❶△点が(物が点状に)散らばって存在する様子。〔「—だ」の場合のアクセントは⓪〕「そり残した髭(ヒゲ)が—残っている」❷「物事が適宜間をおいて少しずつなされる様子」の口頭語的表現。「レッスンを—続けています」■二⓪—な —に「比較されるものどうしが、評価に値しないという点では似たようなものである様子」の意の口頭語的表現。「A君はだらしがない点ではB君と—だ」

ちょめい⓪【著名】—な その世界でずばぬけた存在として広く名前が知られている様子だ。派 **—さ**⓪② **—じん**②【—人】その世界△で(を代表する存在として)名前が知られている人。〔必ずしも偉大な存在を意味しない〕

チョリソー①〔ス chorizo〕香辛料をきかせた辛みの強いソーセージ。かぞえ方 一本

ちょりつ⓪【〈佇立〉】—する(自サ) しばらく立ったまま、動かないでいること。

ちょろ・い②(形)「全くと言っていいほど手間隙(マヒマ)かけずに事をすませる様子だ」のやや俗語的表現。「—仕事/そんな—〔=手ぬるい〕やり方ではだめだ」 派 **—さ**①

ちょろぎ①【《長呂木》・〈草石蚕〉】地下茎を食用にする多年草。小さな巻貝の形に似る。食紅に漬けたものを黒豆に添えて正月に食べる。〔シソ科〕かぞえ方 一本

ちょろず⓪【千《万》】〔雅〕限りなく多い。せんまん。

ちょろちょろ①(副)—と —する ❶わずかな量の水が流れたり小さな炎をあげながら火が燃えたりする様子。「始め—中ぱっぱ赤子(アカゴ)泣くとも蓋(フタ)取るな〔=かまどの火で飯を炊く時の上手な炊き方を言う語〕」❷小さな物がせわしなくあちらこちらへと動き回る様子。「庭先を—走り回るリス」

ちょろっか①—な「いいかげん」の意の口頭語的表現。

ちょろまか・す④(他五) 小細工を弄(ロウ)して、公金などを横領する。〔やや俗語的。広義では、不当な手段で利益を得る意にも用いられる〕

ちょろりと②(副)❶少量の液体が流れ出る様子。❷小さな物が一瞬すばやい動きを見せる様子。「舌を—出す/秘密を—もらしてしまった」〔強調形は「ちょろっと②」〕

ちょん① ❶〔芝居の始まり、終りなどの〕拍子木を打つこと。また、その音。「—になる〔=ⓐ何かの事情で、そこで終りになる。ⓑくびになる〕」❷句読点や、何かの印、その場面で頻用する字の代用記号としての「、」。❸知恵が少し足りない△こと(人)。 **【—の間(ま)】**ほんのちょっとのあいだの短い時間。

チョンガー①〔朝鮮 chonggak (総角=もと、成人式をあげる前の、髪の結い方)〕「未婚男子」の意の(軽い侮蔑(ブベツ)を含意した)やや古風な俗称。

ちょんぎ・る③【ちょん切る】(他五)「むぞうさに切る」の口頭語的表現。「首を—〔=解雇する〕」

ちょんちょこりん⑤⓪ ❶「頭や着衣などに付いている、目立ったごみ」の幼児語。「だれかさんの頭に—が止まっている」❷「出来そこない・おっちょこちょい」を侮蔑(ブベツ)を含意して指す称。「あの—めが」

ちょんぼ①「思わず犯した失敗」の意の口頭語的表現。

ちょんぼり③(副) そこにあるものが小さかったり わずかであ

ったりして、ほとんど目にとまらない様子。

ちょんまげ [0]【《丁〈髷】 明治以前に男性が結った、小さな髷。

ちらか・す [0]【散(ら)かす】(他五) 物をきちんと整理整頓しないで、広げたままにしておく。「散らかし放題の部屋」

ちらか・る [0]【散(ら)かる】(自五) 物がきちんと整理整頓されない状態に広がる。

ちらし [0]【散(ら)し】❶散らすこと。❷開店披露や大売出しなどのために配る、広告文を書いた紙。❸〔↑散らしずし[3][4]〕すし飯の上に、魚肉・卵焼・味をつけた野菜などをのせた料理。❹〔↑散らし書き[0]〕手紙・和歌などの文句を散らして書くこと。❺かるたをまき散らして取ること。

*__ちら・す__【散(ら)す】■一 [0](他五) ❶〈(どこ・なに)ニ)なにヲ―〉散るようにする。「花を―雨/かるたの札を―〔=ⓐばらばらにまく。ⓑ配る〕/兵を四方に―/気を―〔=注意を散漫にする〕/火花を―〔=⇩火花❶〕/まき―」❷〈なにヲ―〉化膿したはれ物を、手術・切開などをしないで抑える。「盲腸を―」❸〈どこヲ―〉散らかす。■二〔「動詞連用形＋―」の形で、接尾語的に〕❶無秩序にその動作を重ねることを表わす。「食い―・読み―・書き―」❷荒あらしく行動することを表わす。「どなり―・わめき―」

ちら ちら [1](副) ❶―と―する (光って)見えるかと思うと次の瞬間には見えなくなる状態が繰り返される様子。「雪が―(と)舞う/星が―(と)またたく/画面が―する」❷―と 視線をちょっと何かに向ける動作を繰り返す様子。「―(と)横目で見る」

ちらつか・せる [0][5](他下一) ❶ちらちらと(相手に)見せる。❷おどしたり、報酬の給付額を示すなどして何かをさせようとする。「△武力行使(餌・げんなま・刃物・ポスト)を―」

ちらつ・く [0](自五) ❶ちらちら降る。「小雪が―」❷ちらちら(光って)見える。「目の前に母の顔が―」 [名]ちらつき[0]

ちらっ と [2](副) 「ちらりと[2]」の強調形。「―見る」

ちらば・る [0]【散(ら)ばる】(自五) ❶一か所にあったものが、あちこちに離ればなれになる。「全国に散らばっている同期生に声を掛ける」❷物があちらにもこちらにもある。広く分布する。❸散らかる。

ちら ほら [1](副)―と―する あちらにも少し、こちらにも少し、その存在が認められる様子。「桜が―咲き始めた/不安の声も―聞かれる」

ちらめ・く [3](自五) ちらちらする。

ちらり [2](副)―と ❶そのものの姿を、一瞬△視線を向けてとらえる(思い浮かべる)様子。「隣を―と盗み見る/その思いが―と脳裏をかすめた」❷その事を、何かの折にちょっと耳にする様子。「その話はどこかで―と聞いたことがある」 **―ほらり** [2]-[2]、[1]-[1](副)―と ちらほら。

ちらん [1]【治乱】 世の中が治まることと乱れること。「―興亡、夢の中」

チリ [1]〔chili=トウガラシの意のメキシコインディアン語に由来〕 メキシコ産の赤トウガラシ。「―ソース[3]」

ちり [1] なべ料理の一つ。魚肉・豆腐・野菜などを、湯を多く入れたなべで煮て、ポン酢などをつけて食べる。「ふぐ―」

ちり [0][2]【〈塵】❶非常に小さく△粉末(粒子)状に砕けた物体の破片で、少し堆積した状態や光線のぐあいで初めて肉眼に認められるもの。「空中に浮かんでいる―/夕日を受けてきらきら光る―/脱穀の済んだ後に残る―の山/大仏の―払い/―も積もれば山となる/―ほども〔=少しも〕悪いと思わない」❷小さなごみ。「―一つ落ちてないように掃除する/―の世〔=俗世間のわずらわしさやよごされた精神生活〕を逃れる」 [かぞえ方] 一葉・一本

*__ちり__ [1]【地理】❶山川・海陸・気候・人口・都市・産業・交通などを中心に見た、土地の状態。「―学[2]・自然―・人文―」❷その土地の様子。「この辺の―に非常に明るい/―的な広がり」

ちりあくた [3]【〈塵芥】 ちりやごみ。〔値打ちの無いものの形容に言う〕「せっかくの書物を―同然に扱う」

ちりがみ [0]【〈塵紙】 鼻紙・落し紙に使う、粗末な紙。ちりし。〔現在のティッシュ ペーパーに相当する〕

ちりくも [0]【《繊雲】 目を凝らして見なければ分からないほど淡く小さい雲。

ちりけ [0]【〈身柱〉・〈天柱〉】❶ぼんのくぼの、灸をすえる所。❷小児の疳。

ちりし [2]【〈塵紙】 ちりがみ。

ちりし・く [3]【散(り)敷く】(自五) △花(葉)が散って、一面に敷いたようになる。

チリしょうせき [3]【チリ硝石】 硝酸塩から成る鉱物。南米チリの特産。肥料・硝酸の原料。硝酸ソーダ[5]。

ちり ちり ■一 [1](副)―と―する 毛や繊維などが焼けて△縮れる(縮れたようになっている)様子。■二 [0]―な 「ちりちり■一」に同じ。「髪の毛を―にする/葉が―に縮む」

ちり ぢり [0]【散(り)散(り)】―に―な 散らばる様子だ。「仲間が―になって互いの消息も分からなくなった/―ばらばら[0]-[0]」

ちり づか [0]【〈塵塚】❶ごみを捨てる所。❷捨てたごみがたまって小高くなっている所。

ちりっ ぱ [0]【〈塵っぱ】〔東京方言〕ちり。「―一つない」

ちり とり [3][4]【〈塵取(り)】 はき集めたごみ・ちりをすくい取る掃除用具。ごみとり。

ちり なべ [0]【ちり鍋】 ちり。

ちり のこ・る [4]【散(り)残る】(自五) ほかの物が散ったあとまで、散らないで残る。

ちりば・める [4]【〈鏤める】(他下一)〔散り嵌める意〕堅い物を彫った所に、金銀・宝石などを一面にはめこむ。〔広義では、全体の中に、きわ立つ何かを点在させる意にも用いる。例、「短い文章の中に多くの教訓が鏤められている」〕

ちりめん [0]【《縮〈緬】 縦糸に普通の生糸、横糸によりの強い生糸を使って平織りにし、ぬるま湯に入れて縮ませた絹織物。 **―じゃこ** [5]【―〈雑魚〉】 イワシの稚魚を煮て(かために)干した食品。「ちりめんざこ[5]」とも。⇩しらすぼし **―じわ** [0]【―〈皺】 縮緬のように細かな皺。

ちりゃく [1]【知略・〈智略】 相手の行動を予測してのはかりごと。

ちりょ [1]【知慮・〈智慮】 人の気づかないところまで見通す知恵。「―が浅い/―をめぐらす」

*__ちりょう__ [0]【治療】―する(他サ)〈なにヲ―する〉 手当てをして病気・けがなどを治すこと。また、その手当て。「虫歯を―する/―を△施す(受ける)/―法[0]・―試験[4]〔=⇩治験❶〕」

ちりょく [1]【地力】 土地の生産力。

ちりょく [1]【知力・〈智力】 知恵の働き。「あらん限りの―をしぼる」⇩意力・体力

ちり れんげ [3]【散(り)〈蓮華】 短くてハスの花弁のような形をした、小さな陶器のさじ。れんげ。 [かぞえ方] 一本

**__ち・る__ [0]【散る】(自五)〈(どこ・なに)ニ)―〉❶一緒に△あった物(居た人)が離ればなれになる。「花が―〔=枝を離れて地面に落ちる〕/波が―〔=白く砕ける〕/ガラスの破片が―〔=砕けて、方々に飛ぶ〕/雲が―〔=消え去る〕/毒が―〔=うみが無くなって、はれが引く〕」❷一面に広がる。「インクが―〔=にじんで広がる〕/気が―〔=心が一点に集中しなくなる〕」❸〔桜の花は一気に散ることから〕いさぎよく△戦死する(敗退する)。「若くして花と散った/あえなく第一回戦で―」 [運用] ❸から、受験生に対しては避けるべき言葉とされる。また、入学試験の不合格を知らせる通知の婉曲表現と

して「桜散る」など用いられることもある。

チルド①〔chilled=冷やされた〕食品の鮮度・風味を保ち、かつ解凍の手数を省くために、零度前後の低温に冷やすこと。また、そのようにした食肉や加工食品。「―ビーフ④・―食品④・―輸送④」

ちれい⓪【地霊】大地に宿る霊的な存在。

ちろうい②ー(ヰ)【地労委】「地方労働委員会」の略。

ちろちろ①(副)―と 炎や木漏れ日などの小さな光が細かく揺れ動いて見える様子。「―燃える」

ちろり①【《銚釐》】〔灰にさして〕酒をあたためる、金属製・筒状の器。かぞえ方 一本

チロリアンハット⑥〔Tirolean hat, Tirolean=オーストリア西部からイタリア北東部、チロル地方(風)の〕登山帽として用いられる、縁の狭いフェルト帽。大抵、羽飾りを付ける。

ちわ①【痴話】情交する二人の、うちとけてする話。 **―げんか**③ー(クヮ)【―〈喧嘩〉】―する(自サ) 痴話の果てにおこる喧嘩。

ちん(沈・《枕・珍・朕・陳・賃・鎮)→【字音語の造語成分】

ちん①【朕】(代)〔もと、我の意〕昔、帝王・天皇の自称。〔秦(シン)の始皇帝から始まった〕

ちん①【〈狆〉】家の中で飼う、小形の犬。毛が長く、つぶれたような平たい顔に丸くて大きい目がある。かぞえ方 一匹

ちん①【《亭》】〔「亭」の唐音〕庭園のあずまや。

ちん①【珍】珍しい△こと(もの)。「―中の―／―とする(=珍しいと思う)に足る／―客・―品・―本・―重(チョウ)・―味」⇩【造語成分】

ちん①【〈鴆〉】好んで蛇を食うという、伝説上の鳥。猛毒を持ち、南方にすむという。「―毒①・―酒(シュ)①」

ちんあげ⓪【賃上(げ)】―する(自サ) 賃金をそれまでの水準より上げること。「―闘争⑤」↔賃下げ

ちんあつ⓪【鎮圧】―する(他サ) ㊀警察や軍隊を動員して、反乱・暴動などを抑えること。㊁耕地をすきおこし、地面を押さえつけること。「―器④③」

ちんうつ⓪【沈鬱】―に ―な 気持が沈んでふさぎこむ様子だ。「―な顔色」派―さ⓪

ちんか⓪【沈下】―する(自他サ) ㊀(重みで)沈み下がること。「地盤―」㊁物を沈めること。 **―きょう**⓪ー(ケウ)【―橋】川が増水した場合には、水没することを前提に欄干をなくするなどして流されにくくした橋。「ちんかばし③」とも。潜水橋⓪。潜り橋③。「四万十(シマント)川の―」

ちんか①ー(クヮ)【珍果】貴重品として扱われ、一般の人はめったに口にすることができない果物。

ちんか①ー(クヮ)【珍菓】特定の店や地域でしか作られていない、めったに味わえない菓子。

ちんか⓪①ー(クヮ)【鎮火】―する(自他サ) 火事が消えること。また、火事を消すこと。

ちんがい⓪【鎮〈咳〉】せきをしずめること。「―剤③⓪」

ちんがし⓪【賃貸(し)】―する(他サ) 料金を取って貸すこと。↔賃借り

ちんがり⓪【賃借(り)】―する(他サ) 料金を出して借りること。「ピアノの―」↔賃貸し

チンキ①〔←オ tinctuur〕生薬(ショウヤク)の、アルコールによる浸出液。「ヨード―」表記「丁幾」は、音訳。

ちんき①【珍奇】―な 珍しくて変わっている様子だ。

ちんきゃく⓪【珍客】思いがけず訪ねてきてくれた客。

ちんきん⓪【沈金】蒔絵(マキエ)細工の一つ。絵柄を毛彫りにした漆器に金粉をはめこんだもの。「―蒔絵⑥⑤」

ちんきん①【賃金】㊀借り賃。賃銭。㊁ちんぎん。

ちんぎん⓪【沈吟】―する(自他サ) ㊀〔詩歌を作る時に〕苦心して(何度も)低く口に出して、言ってみること。㊁どうしたものかと困って、思わず(心の中で)、うめき声を出すこと。

***ちんぎん**①【賃金】労力を提供したものが、報酬として受け取るお金。「―カット・―ベース・△高(低)―」表記「賃銀」とも書いた。 **―てっそく**⑤【―鉄則】ラッサールのたてた法則。資本主義制度のもとでは、賃金は労働者の生活維持に必要な程度だけしか得られないという説。

ちんくしゃ⓪【〈狆〉くしゃ】〔狆がくしゃみをしたような顔の意〕〔人の〕目・口・鼻が小さくひとつにまとまったような愛嬌(アイキョウ)のある顔だち。

チンクゆ③⓪【チンク油】〔ド Zink=亜鉛〕亜鉛華とオリーブ油などの植物油とを混ぜ合わせて作る、湿疹(シッシン)用の白いどろりとした塗り薬。

ちんけ①―な 変わっているだけで、これといって評価する点が認められない様子だ。〔口頭語的表現〕「―な(=とるに足らない)男」

ちんけいざい③⓪【鎮〈痙〉剤】けいれんの際に使う鎮静剤。

チンゲンさい③【《青《梗菜》】〔中国・青梗菜〕中華料理に用いる代表的な中国野菜。白菜に似て葉が広く緑色。〔アブラナ科〕

ちんご①【鎮護】―する(他サ) 国家を兵乱・災禍から守ること。

ちんこう⓪ー(カウ)【沈降】―する(自サ) 下の方に沈んで行くこと。「赤血球―速度・―海岸」

ちんころ③【〈狆〉ころ】「狆(チン)・小犬」の愛称。

ちんこん⓪【鎮魂】㊀「たましずめ」の意の漢語的表現。「―歌③・―祭③」㊁死者の霊を慰めること。「原爆で命を奪われた人たちの―の記録」 **―きょく**③【―曲】死者の霊魂にささげるミサ曲。レクイエム。

ちんざ①【鎮座】―する(自サ) 神霊がその場所を自分の土地として、長くとどまること。〔俗に、その場所にどっかりとすわっている意にも用いられる〕

ちんさげ⓪【賃下(げ)】―する(他サ) 賃金をそれまでの水準より下げること。↔賃上げ

ちんし①【沈思】―する(自サ) 深く考えこむこと。「―黙考①⓪」

ちんじ①【珍事・〈椿事〉】思いがけない(大変な)出来事。

ちんしごと③【賃仕事】〔家庭に居る人が〕一つ幾らの安い賃金で細ごました仕事を請け負う内職。

ちんしゃ①【陳謝】―する(他サ) 事情を述べて、あやまること。「―の意を表する」

ちんしゃく⓪【賃借】―する(他サ)「ちんがり」の意の漢語的表現。「―権④③・―料④③」

ちんしゅ⓪【珍種】〔動植物で〕珍しい種類。「―の蝶(チョウ)」

ちんじゅ⓪【鎮守】その地域(の住民)を災害から守る神。「―の森」 **―ふ**③【―府】㊀古代、蝦夷(エゾ)鎮圧のため要地に置かれた役所。「―将軍」㊁旧日本海軍で、所属海軍区を総轄した機関。「呉(クレ)―」

ちんしゅう⓪ー(シフ)【珍襲】―する(他サ)「珍蔵」の意の古風な表現。

ちんじゅう⓪ー(ジウ)【珍獣】地球的規模で、生息数の少ない珍しい哺乳動物。「―と言えばパンダだ」

ちんじゅつ⓪【陳述】―する(他サ) ㊀意見・考えを口で述べること。「最終―・―書⓪⑤」㊁〔日本語文法で〕文表現において、表現の対象とする事柄と対応する客観的側面に対して、肯定・否定、断定・推量など表現主体(=話し手・書き手)の下す判断や、理解主体(=聞き手・読み手)に対する問いかけ・命令など、表現意図にかかわると認められる

側面。〔多く述部の形式に現われる〕—の ふくし⓪-⓪【—の副詞】否定表現・推量表現など、特殊な陳述の仕方が述部に期待される副詞。例、「決して(…ない)/とても(…ない)/たぶん(…だろう)」。〔照応関係は時代により推移する〕

ちんしょ①【珍書】類書の少ない珍しい書物。

ちんしょう⓪【沈鐘】水の底に沈んでいるという伝説のある鐘。「—伝説⑤」

ちんじょう⓪【陳情】—する(他サ) 役所・当局に実情を述べて、対策を考えてくれるように願うこと。「—団③」

ちん・じる③⓪【陳じる】(他上一) 持説などをはっきりと述べる。陳ずる⓪③(サ変)。

ちんすい⓪【沈酔】—する(自サ) 酒に酔いつぶれること。

ちん・する①-⓪(他サ)「電子レンジで食品を△温める(調理する)」意の口頭語的表現。〔「チン」と音がして済んだことを知らせることからいう〕

ちん

【沈】❶しずむ。しずめる。「沈下・沈没・沈殿・浮沈・轟沈・爆沈」❷気分が塞ぐ。落ち込む。「沈滞・沈鬱・沈痛・消沈」❸物事に深入りする。「沈潜・沈湎」❹態度が落ち着いている。「沈着・沈静・沈勇・沈思黙考」

【《枕】まくら。「枕頭・枕席・陶枕」

【珍】変わっている。おかしい。「珍奇・珍事・珍妙」⇩(本文)ちん【珍】

【朕】⇩(本文)ちん【朕】

【陳】❶ならべて見せる。「陳列・出陳」❷時間がたって、古くなる。「陳腐・新陳代謝」❸理由を示してのべる。「陳謝・陳述・陳情・開陳」

【賃】❶お金を出して人をやとう。「賃金・賃銀・賃銭」❷代価として払うお金。「賃貸し・賃餅・家賃・船賃」

【鎮】❶動いたり乱れたりしないように△おさえる(治める)。「鎮圧・鎮火・鎮護・鎮魂・鎮守・鎮静・鎮定・鎮撫」❷重しとなるもの。「文鎮・風鎮・重鎮」❸(中国で)地方の中心都市。もと、人口五万以上の都市。「武漢三鎮・景徳鎮」

ちんせい⓪【沈静】—な —する(自サ) 一時の物騒がしさや激しい勢いが収まり、もとの静けさに戻る△こと(様子)。「—な趣」

ちんせい⓪【鎮静】—する(自他サ) 苦痛・興奮・騒動などが静まる(ようにする)こと。「暴動は—化の方向/—剤③⓪」

ちんぜい①⓪【鎮西】〔昔、九州地方の行政・軍事上の中心官庁であった「鎮西府③」が福岡に置かれたことから〕九州地方の称。

ちんせき⓪【《枕席】〔まくらと敷物の意〕ねどこ。「—に侍る(=女性が(半ば職業的に)男性と共寝をする)」

ちんせつ⓪【沈設】—する(他サ) 海中などで使う種々の施設をある深さの海底に沈めること。

ちんせつ⓪【珍説】珍しい△話(意見)。

ちんせん⓪【沈船】沈んだ船。「—引揚げ」

ちんせん⓪【沈潜】—する(自サ)〔水の底に沈み隠れる意〕思索を深め、自分が志す精神世界に集中すること。

ちんせん①【賃銭】労力の提供に対する礼金や物の使用料として受け取る金銭。

ちんぞう⓪【珍蔵】—する(他サ) 珍しがって大事にしまっておくこと。

ちんたい⓪【沈滞】—する(自サ) 活気が無く、ふるわないこと。「教育の—を招く/—ムードが漂う」

ちんたい【賃貸】❶⓪①—する(他サ)「ちんがし」の意の漢語的表現。「—価格⑤・—料③」❷①「賃貸住宅⑤」の略。

ちんだい⓪【鎮台】❶昔、その地方の鎮守として駐在した常備軍隊。❷明治の初め、各地におかれた軍隊。後の「師団」に当たる。

ちんたいしゃく③【賃貸借】相手に自分の持ち物を使用(させて利益をあげ)させ、相手がそれに賃金を支払う契約。「—契約」

ちんたら①—と「動作が緩慢で積極的な意欲が感じられない様子だ」の意の口頭語的表現。

ちんだん⓪【珍談】めったにありそうもない、思わずふき出すような話。

ちんちくりん⓪⑤—な〔「ちくりん」は背の低い意。「ちん」は調子を整えるために冠した語〕△背が低くて(着物のたけが足りなくて)おかしく見えることをあざける言葉。

ちんちゃく⓪【沈着】■一—に 事に臨んで冷静な判断・行動がとれ、常に落ち着いた態度を失わない様子だ。派—さ⓪③ ■二—する(自サ)〔溶けた成分などが〕底の方にたまって付着すること。「色素が皮膚に—する」

ちんちょう⓪【珍重】❶—する(他サ) 珍しい物として大切にすること。❷〔古〕めでたいこと。「まずは—」派—がる⑤

ちんちょうげ③【沈丁《花】⇩じんちょうげ

チンチラ⓪〔chinchilla〕❶柔らかく光沢のある毛皮を持ったリス大の小動物。〔チンチラ科〕❷金色や銀色の毛を持つペルシャ猫の中の一種。❸「チンチラ❶」に似た毛質を持つウサギの一種。チンチラうさぎ⑤。

ちんちろりん⑤ ■一❶マツムシの俗称。❷茶わんに投げ入れたさいころの目の出方によって勝負を争う賭博。■二(副)マツムシの鳴き声を表わす語。

ちんちん①(副)—と 鉦などを叩いて、金属性の音を立てる様子。また、その音の形容。「—電車」

ちんちん⓪【沈々】(副)—と 夜がふけて静まりかえっている様子。「晴夜—として」

ちんちん① ■一—する(自サ) 犬がすわったままでからだを直立させること。■二〔関西方言〕❶(↑ちんちんかもかも⑤)男女の仲のきわめて良いこと。〔性行為の意にも用いられる〕❷嫉妬。■三「陰茎」の幼児語。

ちんちんでんしゃ⑤【ちんちん電車】市街地を走る路面電車。〔「ちんちん」は発車の際などに鳴らす鐘の音〕

ちんちんもがもが⑤〔大阪方言〕片足とび。けんけん。

ちんつう⓪【沈痛】—な 深い△悲しみ(心配)の中にあり、いたいたしい様子だ。「—なおももち」

ちんつう⓪【鎮痛】患部の痛みを抑え、楽にさせること。「—作用⑤・—剤③⓪」

ちんてい⓪【鎮定】—する(自他サ)〔暴動や反乱などを〕しずめて落ち着かせること。また、落ち着くこと。

ちんでん⓪【沈《澱・沈殿】—する(自サ)〔「澱」は、おり・かす・よど(む)の意〕液体中の交じり物が底に沈んでたまること。「—物③」表記「殿」は、代用字。

ちんと①⓪(副) 落ち着きはらった態度で、すましている様子。「—とりすまして座っている」

ちんとう⓪【《枕頭】「まくらもと」の意の漢語的表現。「—の書(=毎日欠かさず寝る前に日課として読む本)」

ちんとんしゃん①-①-①(副) 三味線を弾いて、それが鳴る様子。また、その音の形容。

ちんどんや⓪【ちんどん屋】人目を引く服装をし、楽器を鳴らしながら宣伝・広告する人。ひろめや。「あいつは—

〔＝自己宣伝をつとめてする人〕だ」

ちんにゅう⓪【△闖入】―する(自サ) 他人の領域に断りなしに突然入りこむこと。「―者③」

ちんば①【△跛】❶片足が悪くて、左右の釣合のとれた歩行が出来ない△こと(人)。〔侮蔑を含意して用いられることがある〕 ❷対のもので、(長さなど)そろうべき物がそろっていない△こと(状態)。「箸の一方の先が折れて―になる」

チンパンジー③〔chimpanzee〕 アフリカ産の類人猿。人になれやすく学習能力に富む。くろしょうじょう③。チンパン①。〔ヒト科〕 かぞえ方 一頭・一匹

ちんぴら⓪ △子供(小物)でありながら、えらそうな言動をするもの。〔広義では、不良少年・不良少女をも指す〕「―やくざ」

ちんぴん⓪【珍品】❶めったにお目にかかれない貴重品。❷〔歌舞伎で〕演技のしくじりの称。

ちんぶ①【鎮〈撫〉】―する(他サ) 反乱・暴動などを治めて、人民を安心させること。

ちんぷ①【陳腐】―な ありふれていて、おもしろみが感じられない様子だ。「―な言葉の羅列」 派―さ③

ちんぶん⓪【珍聞】 珍しい話。

ちんぷんかんぷん⑤―な 「何がなんだか、わけの分からない△こと(言葉)」の意の口頭語的表現。「ちんぷんかん③」とも。

ちんべん⓪【陳弁】―する(他サ) 事情を述べて弁解すること。「―これ、つとめる」 表記 「弁」の旧字体は「〈辯〉」。

ちんぽ①「陰茎」の幼児語。

*__ちんぼつ__⓪【沈没】―する(自サ)〈(どこ)ニ―する〉 (船などが)水中に沈むこと。〔俗に、(用事の途中で)遊びに夢中になり、仕事の事を全く忘れることや、その場に酔いつぶれる意にも用いられる〕「日本海に―した貨物船」

ちんぽん⓪【珍本】 伝存数が少なかったり 他に類のない形式・内容を備えていたり する本。「―をあさる」

ちんまり③(副)―と―する 小さいながら、それなりのまとまりが感じられる様子だ。「―とした庭/前作より―した印象だ」

ちんみ①⓪【珍味】❶めったに味わえない、おいしいごちそう。「山海の―」 ❷酒の さかなとして、乙な味のする食品。 かぞえ方 ❷は一点

ちんみょう⓪【珍妙】―な どことなく変わっていて、おかしい様子だ。「―なヘア スタイル」 派―さ⓪③

ちんむるい①-⓪【珍無類】―な この上もなく珍しい△こと(様子)。

ちんめん⓪【沈〈湎〉】―する(自サ) (△悩み(不満)などをまぎらすために)何かと言っては酒を飲み、不健康な生活をすること。

ちんもく⓪【沈黙】―する(自サ) 黙りこむこと。〔社会的活動を一時中止している意にも用いられる〕「―を守る/―を破る」【―は金】 黙っていることが、時には雄弁よりも上策だということわざ。「―、雄弁は銀」

ちんもち①【賃餅】 賃銭をとって餅をつくこと。また、その餅。

ちんもん⓪【珍問】 相手の意表を突く質問。「奇問―」

ちんゆう⓪【沈勇】 落ち着いていて、勇気のあること。

ちんゆう⓪【珍優】 △変わった(こっけいな)演技を見せる俳優。

ちんりょう①③【賃料】 不動産や物品を借りるために支払う料金。地代・家賃・レンタル料など。

ちんりん⓪【沈〈淪〉】―する(自サ) 〔「淪」も沈む意〕 おちぶれること。

ちんれつ⓪【陳列】―する(他サ) 人びとに見せるために、参考となる物品を並べておくこと。「―窓⑤・―品⓪」

ちんろうどう③【賃労働】 労働に従事する対価として(それに見合う)賃金を受け取ること。また、そのような労働。賃金労働⑤。

ちんわん⓪【《枕腕》】〔書道で〕机に伏せた左手の上に、筆を持った右手を乗せて書く運筆法。細字を書くのに適する。

つ…ツ

つ(通・都)→【字音語の造語成分】

つ(接尾)〔一から九までの和語の数詞、および疑問の数詞「いく(幾)」の下に添えて〕物の数や年齢などを表わす時に使う語。〔古語の助数詞に由来する。適用範囲は、助数詞「個」よりも広く、特定の助数詞を持たないものや、抽象的なものにまで及ぶ。ただし、多細胞生物の個体や乗り物類について用いることは、現代ではほとんど無い〕「星が一―も〔＝全く〕見えない/腎臓は二―ある/パイを四―に分ける/歳は幾―ですか」

つ(接助) 〔助動詞「つ」に基づくという〕〔「…つ…つ」の形で〕何らかの意味で対比的な動作・作用が、連続的に行なわれることを表わす。〔「たり」よりは用法が固定的〕〔濁音化して「づ」形になることがある〕「と―おい―/追い―追われ―/抜き―抜かれ―/差し―差され―/組んづほぐれ―〔＝現代仮名づかいでは『組んずほぐれつ』〕/行き―戻り―する/持ち―持たれ―」 文法 対比・対義的な動詞の連用形に接続し「AつBつ」の形で用い、全体で名詞句相当の働きをする。直前で撥音便を起こす場合は「…づ」となる(「組んづほぐれつ」など)。

つ(助動・下二型)〔文語の助動詞〕過去に行なわれた動作・作用の結果が後あとまで続いていることを表わす。「なよ竹のかぐや姫と付け―/思ひつるやうにもあるかな/はじめよく御覧じつれば」 文法 活用語の連用形に接続する。助動詞「る/らる・す/さす」にはあとにつき、「めり・べし・む・らむ・けむ」には前につくのが基本である。

つ①【津】〔雅〕船着き場。また、みなと。

ツァー①〔ロ tsar' ←Julius Caesar〕 帝政時代のロシア皇帝。ツァーリ①・ツァール①とも。

ツアー①〔tour＝回遊〕 ❶〔団体による〕観光旅行。「―を組む/ヨーロッパ―・パッケージ―」 ❷簡単な旅行。「スキー―・サイクリング―」

ツアー コンダクター⑥〔tour conductor〕 団体旅行に同行し、交通機関・宿泊などの手続き、観光案内などを行ない、旅行を滞りなく進める役の人。添乗員。略してツアコン⓪。

つい(対・追・椎・墜)→【字音語の造語成分】

つい(接頭)〔雅〕〔「つき」の変化〕〔動詞に冠し〕「ちょっと・そのまま」などの気持を表わす。「―くぐる④」

*__つい__①(副) ❶△時間(空間)的な隔たりが、取り立てて言うほど意識されることがない様子。「―今しがた来たところだ/―一年前の出来事/―目と鼻の先の所にある」 ❷その場の状況に影響されて、△そのつもりもなかった(普通ならやらない)ことをしてしまう様子。〔強調形は「ついつい①」〕「おだてられて―その気になる/忙しくて―忘れてしまった/甘い物を見ると―手が出る」 文法 (1)「つい」と類似した副詞に「うっかり」がある。どちらも不注意などが原因で好ましくない結果を招く様子を表わすのに用いられる。(2)「つい」は、「…なければいけない」また「…てはいけない」と意識しながらも「からだに悪いと知りながら つい飲み過ぎてしまった/半額セールの

に、その場の状況などに影響されて自制心を失ったり 衝動にかられたりした場合に多く用いられる。(3)「うっかり」は、「…なければいけない」また「…てはいけない」と、その人なりに注意を怠らないつもりでいたのに何かの事情に妨げられて、心にすきが生じる場合に多く用いられる。例、「雑用に追われてうっかり電話を掛け間違えた/塗りたてのペンキにうっかり触ってしまった」(4)(3)の何かの事情の一つとして(2)の自制心を失ったり 衝動にかられたり することもありうるから、両者を「ついうっかり」の形で重ねて用いることもある。例、「ついうっかり秘密をもらしてしまった」

つい⓪【対】❶同種の物が左右に程よく配置されて調和を保っていること。〔幟(ノボリ)・行灯(アンドン)・花瓶・榊台(サカキダイ)などについて言う。かぞえる時にも用いられる〕❷同種の形状・色相・性質で統一されている二つの物。「—の着物/—の布団/一—の茶わん」❸「対句」の略。「—を用いる」

つい①【《終》】(ヒツ) ⇩ついの

ツイート⓪②—する(自他サ)〔tweet=さえずり〕ツイッターに短い文章を投稿すること。また、その文章。つぶやき。

ツイード⓪〔tweed〕〔英国スコットランド産の、手で紡いだ太い毛糸を用いた手織りの服地、の意〕目のあらい毛織りの服地。スコッチ。

つ
【通】 初めから終りまで全部。「通夜」⇩つう
【都】 すべて。「都合・都度(ド)」

つい
【対】 ⇩(本文)つい【対】
【追】 ❶(あとを)おう。おいかける。「追撃・追求・追及・追随・急追」❷死んだ人に対して何かをする。「追悼・追善・追想」❸あとから、△もう一度(つけ加えて)する。「追加・追訴・追伸・追録・追体験・追試験」
【椎】 槌(チツ)(のような形をしているもの)。「椎骨・椎間板・脊椎(セキツイ)・腰椎(ヨウツイ)」
【墜】 おちる。おとす。「墜死・墜落・撃墜・失墜」

ついえ⓪【費(え)】(ツヒエ)〔動詞「費える」の連用形の名詞用法〕「むだな出費」の意のやや古風な言い方。

つい・える③【費える】(ツヒエル)(自下一)むだに使われて△減る(過ぎる)。〔やや古風な言い方〕「財産が—/時間が—」

つい・える③【《潰える》】(ツヒエル)(自下一)❶〔戦争で〕負けて、総くずれになる。❷〔せっかく立てた(事業の)計画・希望などが〕失敗して、すっかりだめになる。

ついおく⓪【追憶】—する(他サ) 過ぎ去った日や亡くなった人との交際(のあれこれ)などをなつかしく思い出すこと。

*__ついか__⓪【追加】—する(他サ)〈なにヲ—する〉あとから△付け加える(付け加えて、不足を補う)こと。「—予算④」

ついかい⓪【追懐】(クワイ)—する(他サ) 昔を思いなつかしむこと。追憶。「—の情」

ついかん⓪【追刊】—する(他サ)〔予定以外の物を〕あとから続けて刊行△すること(したもの)。

ついかんばん⓪【椎間板】 椎骨と椎骨との間にある円板状の軟骨。衝撃を吸収する役割を果たしている。—ヘルニア⓪-⓪ 腰椎の椎間板が後ろに飛び出して痛む症状。中年の人がなりやすい。

ついき⓪【追記】—する(他サ) 本文のあとから△書き加えること(書き加えた文章)。

ついきそ③④【追起訴】—する(他サ) 刑事事件が第一審裁判所に係属中、その事件と合わせて審理することを求めて、同じ被告人の別の犯罪を起訴すること。

**__ついきゅう__⓪—する(他サ) ■一【追究】(キウ)〈なにヲ—する〉〔分からない事を〕どこまでもつきつめて△明らかに(研究)しようとすること。「真理を—する」表記「追窮(ツイキユウ)」とも書く。■二【追求】(キウ)〈なにヲ—する〉❶〔目的の物が手に入るまで〕あらゆる手段を尽くすこと。「理想を—する/利潤の—」❷「追加請求④」の略。「超過分を—する」■三【追及】(キフ)❶〈だれヲ—する〉逃げる者を追うこと。❷〈だれ・なにヲ(なんだト)—する〉〔事件の責任などを〕どこまでも追いつめること。「事故の責任—が行なわれる/—の手をのばす/—を△深める(かわす)/—集会⑤」

ついきゅう⓪【追給】(キフ)—する(他サ) 給与の△不足分(増加分)をあとから支給すること。また、その給与。

ついく⓪【対句】〔詩や文章の中で〕類似の構造を持つ二つの句を重ね用いること。また、その双方。例、「人生は短く、芸術は長し」。〔口調を整え、説得力を増すための表現と言われる〕

ついげき⓪【追撃】—する(他サ) 逃げる敵のあとを追いかけて攻撃すること。

ついご⓪【対語】❶⇩対義語(タイギゴ) ❷対句の△上下(前後)句で、同じ位置にあり、なんらかの意味で関連を有する単語。

ついごう⓪【追号】(ガウ) 人の死後におくる称号。諡(オクリナ)。

ついこつ①【椎骨】〔脊椎(セキツイ)動物で〕脊柱(セキチュウ)を形成する一つひとつの骨。〔人の場合は三十二〜三十四個〕

ついし⓪【追試】❶—する(他サ) 他人が前に行なった実験の結果を、果たしてその通りかどうか もう一度ためしてみること。❷「追試験」の略。

ついし⓪【墜死】—する(自サ) 高い所から落ちて死ぬこと。

ついじ⓪【《築地》】(ヂ) 柱を立て、板を芯(シン)として泥で塗り固め、かわら屋根をふいた塀。築地塀(ベイ)③。

ついしけん③④【追試験】 病気・事故などで試験を受ける事が出来なかった者や不合格者に対し、あとで特別にする試験。

ついしゅ⓪【《堆朱》】 朱の漆を厚く塗り重ねて、そこに模様を彫刻したもの。

ついじゅう⓪【追従】—する(自サ) 人の△言った(した)事にそのまま従うこと。「ワンマン経営者に—する管理職」

ついじゅく⓪【追熟】—する(自サ) 果実を熟す前に収穫し、一定期間貯蔵して完熟させること。

ついしょう⓪【追従】(ヲ)—する(自サ)〔「しょう」は、「従」の漢音〕人のご機嫌をとること。「お—を言う/—笑い⑤」

ついしん⓪【追伸・追申】〔付け加えて申し述べる意〕手紙で、日付やあて名を書き終わったあとに、さらに付け加えて書く時の初めの言葉。また、その文。二伸。ピーエス(PS)。

つい・す①【対す】(自他サ) 対応させる。調和する。

ついずい⓪【追随】—する(自サ)〔人の行った跡を追って行く意〕他人の言動を無批判にまねすること。「現状に—する/—を許さない〔=まねしようと思ってもついていけないほど、高い境地にある〕/—者③」

ツイスト⓪〔twist=ひねる〕❶ロックのリズムに合わせて腰をくねらせるようにして踊る踊り。手を組まず向かい合って踊る。❷〔球技で〕球に回転を与えること。❸ドーナツ風に味つけした ねじりパン。

ついせき⓪【追跡】—する(他サ) 逃げて行くもののあとを追い

かけること。〔何かの経過したあとを克明にたどって調査・研究する意にも用いられる〕 ―ちょうさ⑤(テウ―)【―調査】卒業生のその学校卒業後の活動状況や、販売後の商品の利用状況などを、その個々について調べること。

ついぜん⓪【追善】―する(他サ) 死者の冥福(メイフク)を祈り△仏事(その人にちなんだ催し事)を行なうこと。「―供養⑤・―興行⑤」

ついそ①【追訴】―する(他サ) 〔初めに訴えた事柄に〕追加して訴えること。

ついぞ①(ツヒ)【《終ぞ】(副) 〔否定表現と呼応して〕〔意外なことに出会った時に〕以前から今に至るまで一度もそのような経験が無かったと改めて思い起こす様子。「この辺では―見かけない顔だ/そんな無茶な話は―聞いたことがない」

ついそう⓪【追送】―する(他サ) ㊀〔前のもので用が足りなかったりして〕もう一度あとから送ること。㊁「去ってゆく人を見送ること」の意の漢語的表現。

ついそう⓪(サウ)【追想】―する(他サ) △過ぎ去った日(亡くなった人)の事を思い出してしのぶこと。

ついぞう⓪【追贈】―する(他サ) 死んだ人に位を贈ること。

ついそうけん③【追送検】 被疑者を検察庁に送ったのちに新たに余罪などが判明したとき、それについての捜査書類を検察庁に送ること。

ついたいけん③【追体験】 小説中の出来事や他者の経験などを、自分の体験として生き生きと味わうこと。

ついたけ⓪【対丈】 和服を仕立てる時、布を着丈に仕立てること。

ついたち④【〈一日〉】〔「月立ち」の変化〕月の第一日。〔副詞的にも用いられ、アクセントは⓪〕⇩みそか 表記⇩付表。「〈朔・〈朔日〉」とも書く。

ついたて⓪【《衝立】〔←衝立障子⑤〕室内に立てて仕切りにする家具。 かぞえ方 一基

ついちょう⓪(テウ)【追弔】―する(他サ) 死者の生前をしのんで弔うこと。「―会③」

ついちょう⓪【追徴】―する(他サ) 不足額をあとから取り立てること。「―金⓪」

ツイッター⓪〔Twitter=商標名〕〔インターネットで〕短文で近況や考えを投稿し、互いに共有してコミュニケーションを図るサービス。〔その投稿を「ツイート」「つぶやき」などと言うが、普通名詞 twitter は「さえずり」「おしゃべり」の意〕

ついて①【就いて】〔「…に―」の形で、接続助詞的に〕㊀⇩つき㊀「上記の件に―は」㊁⇩つき㊁「ひとりに―五円」 ―は①〔接続詞的に〕前述した事柄を理由として相手に了解を求めたり依頼したりすることを表わす。「―寄付をよろしく」

ついで⓪【《序で】〔順序・次第の意〕何かをする時、都合よく一緒に他の物事をする事が出来る△機会(状態)。「お―の節にお持ち下さい/―があり次第/事の―に/―ながら申し添えます」 ―に⓪(副) 何かをする機会を利用して、それとは直接関係の無い事を併せて行なう様子。「―これもお願いします」

ついで⓪【次いで】(接) 事が終わって、すぐ続けて何かが行なわれることを表わす。「会長の挨拶(アイサツ)、―乾杯とする」

ついてまわ・る①-⓪、①-(マハル)【付いて回る】(自五) どこでどんな行動をしようと、絶えず△いっしょに動く(不幸など良くない事に見舞われ、心細い生活を余儀無くされる)。

ついて・る①(自下一)〔「ついている」の圧縮表現〕幸運に恵まれている。〔口頭語的表現〕「競馬で大穴を当てるとは―男だ/このところは何をやってもついてない」⇩つく(付く)[二]㊁

つい・でる③【《序でる】(他下一) 「順序に従って△置く(並べる)」意の雅語的表現。

ついと②⓪①(副)「つと」の強調表現。「―立ち上がって出て行く/目の前を―通り過ぎた」

ついとう⓪(タウ)【追討】―する(他サ) 〔「追」は、指名の意〕賊徒であることを宣言して討つこと。

ついとう⓪【追悼】―する(他サ) 死者の生前の事を思い出して、その死を悲しむこと。「―会③⓪・―文③⓪」

ついとつ⓪【追突】―する(自サ) 〔乗り物などが〕前の乗り物に後ろから衝突すること。「―事故⑤」

ついな⓪【追《儺】 節分の夜行なう、豆まきの行事。⇩おにやらい

***ついに**①(ツヒ)【《遂に】(副) ㊀さまざまの紆余(ウヨ)曲折を経たあげくに、〔予期されていた〕最終の事態に立ち至る様子。「―その日がやって来た/―研究を完成させた」㊁〔否定表現と呼応して〕期待していた事態が、結局実現していないままで終わった様子。「彼は―現われなかった/―確かめることが出来なかった」 表記「《終に・《竟に」とも書く。

ついにん⓪【追認】―する(他サ) 過去にさかのぼってその事実を認めること。「現状を―する」

ついの①⓪(ツヒ)【《終の】 最終的な段階であることを表わす。「―すみか④、①-①/―別れ①-③(=死)」⇩ついに

ついのう⓪(ナフ)【追納】―する(他サ) 不足額をあとから追加して納めること。

ついば・む③【《啄む】(他五) 〔突き食(ハ)むの意〕〔鳥が〕くちばしでつついて食う。

ついひ⓪【追肥】 種をまいたり植えかえたりしたあとに与える肥料。おいごえ。補肥。↔基肥

ついび①⓪【追尾】―する(他サ) 先行するもののあとをつけること。「―電報④(=受信者が不在の場合、移動した先を追って届けるように指定した電報)・赤外線―ミサイル」

ついふく⓪【対幅】 一対になっている書画の掛け物。

ついふく⓪【追福】―する(他サ) 「ついぜん」の意の古風な表現。

ついふくきょく④【追復曲】〔音楽で〕同一の旋律が繰り返され、次つぎに前のものを追いかけるようにして進む形式の楽曲。カノン。

ついほ①⓪【追補】―する(他サ) 〔著作物などで〕追加すべき事柄を補うこと。「資料を―する」

ついぼ①【追慕】―する(他サ) △過ぎ去った良い時代(なくなった親しい人)を思い出して、もう一度昔に返ることが出来ればと思うこと。

***ついほう**⓪(ハウ)【追放】―する(他サ) ㊀〈どこカラ(どこニ)だれ・なにヲ―する〉△不必要な(害のある)ものとしてその社会からしめ出すこと。「汚職―・悪書―・国外―」㊁〈どこカラだれヲ―する〉公職・教職から、適格でないとして退かせること。パージ。「公職―」

ついや・す③(ツヒヤス)【費やす】(他五) かけがえの無いものを△惜しみなく(むだに)使う。「五年の歳月を―/時間を―だけ損だ/これ以上言葉を費やしてもむだだ/精力を―」

ついらく⓪【墜落】―する(自サ) 航空機や高所に居た人などが、バランスを失って空中を落下すること。「―事故⑤」

ついり⓪【〈梅雨〉入り】「つゆいり」の意の古風な表現。

ついろく⓪【追録】―する(他サ) あとから書きしるす△こと(したもの)。

ツイン②〔twin=ふたご〕対(ツイ)になったもの。「―ベッド④(=シングルベッドを二台並べて使う△こと(もの)。⇩ダブル ベッド)・―ルーム④(=ホテルで、ツインベッドを備えた部屋)」

つう【通・痛】→【字音語の造語成分】

ツー①〔two〕㊀二つ(の)。㊁〔野球で〕Ⓐツーストライク。「スリー―」Ⓑツーボール。「―ワン」

(**つう**①【通】 ❶芸能・花柳界・趣味・道楽などに関する面について、△特殊な知識を持って(内部の事情に詳しく通じて)いること。また、その人。「—を振り回す/歌舞伎の—/消息—・野球—⓪」 ❷—な 人情の機微、特に男女間の関係について、自己の体験上、思いやりのあること。「—なはからい」 ❸通力。「—を失う」⇩【造語成分】つう・つ

つう〔近畿地方を除く各地の方言〕…という。「薬—ものは」⇩ちゅう

つういん⓪【通院】—する(自サ) 治療のため患者が病院などへ通うこと。

つういん⓪【痛飲】—する(他サ) いやというほど酒を飲むこと。

つううん⓪①【通運】 荷物などを運送すること。また、荷物。

つうか①【通貨】 一国内で通用が認められる貨幣(と等価値の機能を持つもの)。 **—しゅうしゅく**①-⓪、④【—収縮】⇩デフレーション **—ぼうちょう**①-⓪、④【—膨張・—膨〈脹】⇩インフレーション

つうか⓪【通過】—する(自サ) ❶そこで止まることなく、さらに先へ進んで行くこと。「ロケットが日本上空を—する/列車が目の前を—する/特急の—駅」 ❷ある関門を、無事に通って次の段階に進むこと。〔議会では議案の可決を、官庁では願書の許可を言う〕「法案が—する/検査を—する」 **—ぎれい**④【—儀礼】 その社会の成員が節目ふしめで経験しなければならないとされる儀礼。入学・卒業・成人式や、結婚・出産の祝いや、家督の相続・葬送・供養など。イニシエーション④。 **—てん**③【—点】 より大きな目標達成の過程として、目安程度に認識される記録や事象。「大学合格はまだ—に過ぎない」

つうかあ⓪③「発想法が似ていたり 共通の経験にささえられたりしていて、ちょっと話を始めればすぐ相手に内容が分かること」の口頭語的表現。「あいつとあいつは—だ/—の仲」 表記「ツーカー」と書くことがある。

つうかい⓪【痛快】—な —に 〔胸のすくような事を見たり聞いたりして〕非常に気持のいい様子だ。「—な冒険物語」 派 **—さ**⓪ **—が・る**⑤

つうかく⓪【痛覚】 おもに皮膚に痛いと感じる感覚。

つうがく⓪【通学】—する(自サ) 〔学生・生徒として〕学校へ通うこと。「自転車で—する/—生③④・—定期券⑦・—路④・—服④」

つうが・る③【通がる】(自五) ❶ある事柄に詳しく通じている人のようにふるまう。❷人情の機微について思いやりのある人のようにふるまう。

つうかん⓪【通巻】 その雑誌・全集などを、初めから全部かぞえた時の計算(で)。「—三十八号」

つうかん⓪【通患】 ❶一般に通じた心配。❷一般に共通する弊害。

つうかん⓪【通関】 関税法の規定に従って、物品の輸出入の許可を得て、税関を通過すること。「—手続きを済ます」

つうかん⓪【通観】—する(他サ) そのものの概要をつかむために、歴史的変遷の姿や分布の全体像などにわたって広く見渡すこと。

つうかん⓪【痛感】—する(他サ) 身にしみて強く感じること。「責任を—する」

つうき⓪【通気】 部屋などの内外の空気が流通すること。「—性のいい服/—孔⓪③」

つうぎょう⓪【通暁】—する(自サ) 〔ある事柄について〕非常に詳しい知識を持っていること。「西洋思想に—する」

つうきん⓪【通勤】—する(自サ) 勤務先へ通うこと。「—電車⑤・—時間⑤」

つうく①【痛苦】「堪え切れないほどの、ひどい苦しみ」の意の古風な表現。

つうけい⓪【通計】—する(他サ) 最終的に累計すること。また、その結果。

つうけい⓪【通経】 その時期になっても見られない月経を薬によって通じさせること。「—剤③⓪」

つうげき⓪【痛撃】—する(他サ) てきびしく攻撃△すること(されて受けるひどい打撃)。「—を△与える(受ける)」

つうげん⓪【通言】 通人の使う粋な言葉。

つうげん⓪【痛言】—する(他サ) てきびしい△言葉(直言)。

つうご⓪【通語】 その社会や職業の人たちの間だけで通用する(ように取り決めた)単語。

つうこう⓪【通交・通好】—する(自サ) 国家間で親しく交際すること。

***つうこう**⓪【通行】—する(自サ) ❶〈どこヲ—する〉道路を通ること。「一方—・—人⓪・—止め⓪」 ❷〈(どこニ)—する〉世間に広く用いられること。「—の辞書」

つうこう⓪【通航】—する(自サ) 船舶が通行すること。

つうこく⓪【通告】—する(他サ) 〔公に決まった△事柄(処分など)を〕文書などで相手に知らせること。

つうこく⓪【痛〈哭】—する(自サ) ひどく△泣(嘆)き悲しむこと。

つうこん⓪【通婚】—する(自サ) (それぞれの民族に固有の)人間行動の一環としてとらえた、結婚。〔学術用語〕「—圏③」

つうこん⓪【痛恨】—する(他サ) 〔取り返しのつかない事として〕非常に残念に思うこと。「千載の—事」

つうさん⓪【通算】—する(他サ) 全体を通して計算△すること(したもの)。「—打率⑤」

つうさんしょう③【通産省】「通商産業省」の略称。

つうし①【通史】 ❶古代から現代まで通して叙述した歴史。❷特定の一時代の通時的記録。「昭和—」

つうじ⓪【通じ】 ❶相手の気持を悟ること。理解。❷大小便、特に大便が出ること。便通。「—が無い/お—②」

つうじ①【通事・通辞・通詞】 江戸時代における通訳官・翻訳官の総称。

つうじつ⓪【通日】 一月一日から続けてかぞえた日数。「二月二十日、—五十一日」

つうじて⓪【通じて】(副) 物事の全体を通して何かが認められる様子。「—独断と偏見に満ちた言説」⇩通じる❷❸

つうじてき⓪【通時的】—な 文化・社会現象を時の流れに従った推移・変遷の相において本質を把握しようとする態度だ。↕共時的

つうしゃく⓪【通釈】—する(他サ) 文章をその流れに従って説明をほどこし、全体にわたって解釈△すること(したもの)。

つう
【通】 ❶とおる。「通行・通風・開通・不通」 ❷行き来する。「通学・通運・通商・交通」 ❸知らせる。連絡をとる。「通告・通報・内通・私通・密通」 ❹初めから終りまで通す。「通計・通読・通算・通史」 ❺一般に広く行きわたる。「通例・通常・普通・共通」 ❻手紙・書類・郵便物をかぞえる語。「各通」⇩(本文)つう【通】
【痛】 ❶いたい。いたむ。「痛覚・痛感・頭痛・苦痛・心痛・神経痛・鎮痛剤」 ❷非常に。「痛快・痛飲・痛切」

** *は重要語，⓪①… はアクセント記号，品詞の指示の無いものは名詞およびいわゆる連語。

〔参考書的注釈書の名として用いられることが多い〕

つうしょう[0]【通称】正式の名前ではないが、一般に通用している名前。

つうしょう[0]【通商】—する(自サ) 外国と商業取引をすること。 —さんぎょうしょう[7]【—産業省】もとの商工省を中心にして、昭和二十四年に出来た中央官庁。通商貿易・産業行政に主眼をおいた。略称、通産省。〔長官は通商産業大臣[9]。二〇〇一年「経済産業省」に改組〕

つうじょう[0]【通常】特別の事情のない、普通の(場合に行なわれる)ものであること。〔副詞としても用いられる〕「—の通り営業する/—の人間なら/—十時に開館/—国会[5]・—会計[5]」

ツーショット[3]〔two-shot〕二人でいる場面(を写した写真)。〔俗に男女などが二人きりになること〕「親子で—におさまる」

*つう・じる[0]【通じる】㊀(自上一) ❶〈どこ・なにカラ〉どこ・なにニ—〉何かを伝って一方から他方へ到達出来る状態になる。「山頂へ—道/電話が—〔=ⓐ電話で連絡が取れる。ⓑ電話が架設される〕/電流が—〔=回路を通って流れる〕/大便が—〔=体外へ出る〕」❷〈どこ・なに・だれニ—/なに・だれト—〉一方から他方に何かが伝わり、つながりがつく状態になる。「先方に話が通じていない/冗談が通じない人/ここでは英語が通じない/隣国と—〔=交流がある〕/敵方に—〔=内通する〕/人情の機微に—/気心が通じ合う」❸〈なにニ—〉関係者以外には分からないはずの情報を得ている。「その辺の事情に—〔=詳しい〕」❹〈なにニ—/なにト—〉限定された範囲よりもはるかに広い方面にまで関連がある。「現代にも—問題/一脈相—ものがある〔=⇩一脈❶〕」 ㊁(他上一) ❶〈だれニなにヲ—/だれトなにヲ—〉つながりをつける。「よしみを—〔=親しく交わる〕/相手に意志を—/刺を—〔=名刺を差し△上げる(上げて面会を申し込む)〕/気脈を—〔=相手方とひそかに連絡をとる〕/情を—〔=密通する〕」❷〔「…を通じて」の形で〕ある状態がその範囲のすべてにわたることを表わす。「一年を通じてあたたかい」❸〔「…を通じて」の形で〕何かを間に立てて仲介とすることを表わす。「あらゆる機会を通じて〔=利用して〕/ラジオやテレビを通じて〔=…により〕知らせる」 通ずる[0](サ変)。

**つうしん[0]【通信】—する(自他サ)〈だれトなにヲ—/だれニなにヲ(なんだト)—する〉❶様子を知らせる△こと(手紙)。❷〔郵便・電信・電話などで〕情報を交換し、連絡をとること。「—教育・—工業[5]・—筒[0]〔=通信文書を入れて飛行機などから地上に投下するために用いる円筒〕」 —いん[3]【—員】〔新聞社・雑誌社などで〕その地方に△勤務(出張)し、事件などを本社に知らせる係の社員。 —えいせい[5]【—衛星】マイクロウエーブを使う長距離通信の中継局となる人工衛星。 —きかん[5]【—機関】〔郵便・電信・電話などの〕通信を媒介する種々の機関。 —きょういく[5]【—教育】教材を郵送し、レポートを添削しつつ一定の課程の修了を認める教育。多く夏期にスクーリングを行なう。 —しゃ[3]【—社】新聞社・雑誌社・放送局などにニュースを集めて提供する会社。 —せい[0]【—制】通学出来ない人たちが通信教育で単位を取りうる教育制度。職業的技能の履修を主とするものや、放送を利用するものもある。⇩全日制・定時制 —はんばい[5]【—販売】—する(他サ) 商品をカタログ・広告で客に選ばせ、電話・郵便などで注文を取って販売すること。また、その販売法。 —ぼ[3]【—簿】「通知表」の旧称。 —もう[3]【—網】❶通信社・新聞社・放送局などがニュースを集めるために各地に設けた通信組織。❷電話やデータ通信など加入者間を結ぶ通信のネットワーク。「次世代—」

つうしん[0]【痛心】—する(自サ) ❶心配すること。❷〔責任を感じて〕心苦しく思うこと。「犠牲者を出し—に堪えない」

つうじん[0]【通人】通である人。

つうすい[0]【通水】—する(自他サ) 水路や管に水△を通す(が通る)こと。「農業用水の—を開始する/—量[3]」

つうせい[0]【通性】同類のものに共通の性質。

つうせき[0]【痛惜】—する(他サ) 〔人の死などを〕心から残念に思うこと。「—の念に堪えません」

つうせつ[0]【通説】世間で普通に認められている説。「—にこだわる」

つうせつ[0]【痛切】—な/—に やがて自分にはね返ってくるものと受け止め、強く身にしみて感じる様子だ。「—にその必要を感じる」 派—さ[0]

つうせん[0]【通船】❶船が特定の航路・運河・川などを通過するのを認めること。「—料[3]」❷はしけ。

つうそく[0]【通則】❶△同類(その社会)一般に通じる規則。❷〔同一法規の中で〕全体に通じる規則。↔細則

つうぞく[0]【通俗】—な/—に 分かりやすくて、専門的な知識などを持ち合わせていない人にも受け入れられる(ように配慮されている)様子だ。「—性[0]・—化[0]・—小説[5]」 —てき[0]【—的】—な/—に 通俗△を意図している(のものだととらえられる)様子だ。「—解説書」

つうだ[1]【痛打】—する(他サ) ❶二度と立ち直れないほどの打撃を△相手(敵)に与えること。また、その打撃。❷〔野球で〕非常に鋭くていい当りの打撃(をすること)。

つうたい[0]【通体】漢字の字体のうち、正体とはされないが、長く使われ、正体同様にとらえられているもの。例、「竝」に対する「並」、「决」に対する「決」など。⇩正体

つうたつ[0]【通達】❶—する(自サ) 官庁が所管の機関・職員に対してする通知。「—を△出す(破棄する)」❷〔物事に〕深く通じていること。熟達。

つうたん[0]【痛嘆・痛歎】—する(自サ) ひどく嘆き悲しむこと。

ツーダン[1]〔two down を耳で聞いたままの形〕〔野球で〕二死。ツーダウン[3][1]とも。ツーアウト[3]。

**つうち[0]【通知】—する(他サ)〈だれニなにヲ(なんだト)—する〉〔必要な事柄を〕知らせること。知らせ。 —ひょう[0]【—表】学校から、児童・生徒の保護者に生徒の学業成績・身体状況・出席日数などを知らせる書類。〔通信簿・通知簿[3]・通信箋[3]の改称〕 かぞえ方 一通

つうちょう[0]【通帳】預貯金・掛売り・掛買い・配給などの、月日・金額・数量などを書き込む帳面。 かぞえ方 一通

つうちょう[0]【通牒】—する(他サ) ❶上級官庁から下部の機関に発する通達。❷相手国に対して一方的に発する書面による通告。「最後—」

つうつう[0]「ある事に関する情報が、相手側になんでも筒抜けになる様子」の口頭語的表現。

つうてい[0]【通底】—する(自サ) 現象的には無関係に見える物事が、底流部分において共通するものを持っていること。

つうてん[1]【痛点】皮膚の表面に多数散在している、痛さを感じる部分。

つうでん[0]【通電】—する(自他サ) 電流△を通す(が通る)こと。「八時間—した時の暖房能力/—性[0]・—率[3]」

つうどく[0]【通読】—する(他サ) 初めから終りまで(ざっと)読み通すこと。

ツートップ[3]〔two-top〕❶〔サッカーで〕フォワードに二人

配置すること。またその二人。「この試合は田中と佐藤の一」❷ある分野で並び称される代表的な二つの存在。双璧。「この業界はA社B社が一だ」

ツートン カラー⑤〔two-tone color〕〔同色系の濃淡や互いに調和する色どうしの〕二種類の色の組合せ。「一のワンピース」

つうねん⓪【通年】一年間を通して△かぞえる(する)こと。「一で四単位の講義／一営業⑤」

つうねん①【通念】ある事柄に関し社会一般が共通に持っている考え。「社会一」

つうば①【痛罵】—する(他サ) ひどく△ののしる(非難する)こと。

ツーバイフォー こうほう⑦【ツーバイフォー工法】〔←two-by-four method〕北アメリカで始められた木造住宅の工法。柱を使わず、断面が二インチ×四インチの木材を枠組みにして、厚いベニヤ板を張って、壁と床板を作る工法。施工が簡単で、工期も短い。

つうはん①⓪【通販】「通信販売」の略。

ツーピース③〔←two-piece dress〕かぞえ方 一着・一点 上着とスカートで一そろいになる婦人服。↔ワンピース

つうふう⓪【通風】—する(自サ) 風を通して、室内の空気を入れ替えること。「一に注意／一孔⓪③」 **—き**③【一機】通風をよくするために取りつける装置。ベンチレーター。

つうふう⓪【痛風】尿酸の排泄(ハイセツ)が不十分なために、関節のまわりに尿酸がたまって、ひどく痛む病気。多く足の親指が痛むことから始まる。〔おいしいものの食べ過ぎが原因という俗説が広まり、「帝王病⓪」と言われた〕

つうふん⓪【痛憤】—する(自サ) ひどく憤慨すること。

つうぶん⓪【通分】—する(他サ) 〔数学で〕二つ以上の△分数(分数式)の値を変えないで、各分母を等しくすること。

つうへい⓪【通弊】同類のもの全体に通じて見られる弊害。

つうべん①【通弁】「通訳」の江戸時代の称。表記「弁」の旧字体は「〈辯」。

つうほう⓪【通報】—する(他サ) 〔(緊急の)事態や様子について〕告げ知らせること。知らせ。「気象一」

つうぼう⓪【通謀】—する(自サ) 二人以上の者が示し合わせて、悪事を計画すること。

つうぼう⓪バウ【痛棒】〔座禅で〕雑念のなかなか去らない者を打つための棒。「一大一を食らう〔=てひどくしかられる〕／一を食らわす〔=きびしくしかる〕」

つうもん しょう⓪③【通門証】自由に門を出入り出来る許可証。

つうやく⓪【通約】—する(他サ) 〔数学で〕「約分」の、やや古い言い方。

つうやく①【通訳】—する(他サ) 互いの言語が違うために話が通じない人の間に立って双方の言葉を翻訳し、交渉や会話の仲立ちをする△こと(人)。「一してもらう／外務省の一／英語の一をする／同時一」

つうゆう⓪イウ【通有】同類のものが共通に持っていること。「東洋人一の心理／一性⓪」↔特有

*__つうよう__⓪【通用】—する(自サ) ❶〈だれ・どこニ—する〉〔役に立つものとして〕広い範囲に使われること。❷〈だれ・どこニ—する〉△正式に(価値あるものとして)認められていること。「この切符の一〔=有効〕期限はきょうまでだ」❸〈なにト—する〉〔二つの物を〕他の場合に使っても役立つこと。 **—じたい**⑤【一字体】常用漢字表にかかげる字体。 **—もん**③【一門】〔正門に対して〕関係者が毎日の出入りに使う、小さい方の門。

つうよう⓪ヤウ【痛〈痒】痛みやかゆみ。「一を感じない〔=直接、何の△影響(苦痛)も受けない。いたって平気だ〕」

ツーラン①〔←two-run homer〕〔野球で〕ランナーがひとり居る時のホームラン。「一ホーマー⑤」

つうらん⓪【通覧】—する(他サ) 全体にわたって目を通すこと。

つうりき①【通力】神仏・仙人・魔物などが持っている、超人間的な能力。神通力(ジンズウリキ)。

ツーリスト①③〔tourist〕旅行者。観光客。 **—ビューロー**⑥〔tourist bureau〕旅行者のための案内所。

ツーリズム③〔tourism〕観光(業)。旅行(業)。

ツーリング⓪〔touring〕〔自動車やオートバイを使っての〕周遊旅行。

ツール①⓪〔tool〕道具。

つうれい⓪【通例】[一]〔その社会に属する人にとって〕生活習慣として、ごく一般のならわし。「旧暦で祝うのが一だ」[二](副)〔その社会において〕特別の事情が無い限りそうすることが社会慣習となっている様子。「銀行は一三時で閉じる」

つうれつ⓪【痛烈】—に—な 相手を完膚なきまでやっつける様子だ。「一に攻撃する／一を極める／一な皮肉」 派 **—さ**⓪

つうろ①【通路】❶歩行者の通る道。道路。「狭い一を自動車がふさぐ」❷出入り・通行のための空間。通り道。「群集をかき分けて一を作る」 かぞえ方 ❶は一本

つうろん⓪【通論】❶世間一般に認められている論。「それは天下の一だ」❷〔ある分野に属する事柄について〕全体にわたって広く論じた書物。「言語学一」

つうろん⓪【痛論】—する(他サ) 〔批判的な立場で〕きびしく論じること。また、その論。

つうわ⓪【通話】—する(自サ) 電話で話をすること。「最近は海外にいる人と携帯電話で一できるようになった／一〔=通話料を計算する単位とする時間〕三分／一料③」

*__つえ__①ヱ【杖】❶手で持って歩行時の支えとする△竹(木)の棒。ステッキ。「五十は家に一つく〔=家の中で杖をつく〕／一をひく〔=散歩する〕／一とも柱とも頼む〔=たよりにする〕／一をついて歩く」❷昔、罪人を打ちこらした竹製の刑具。 かぞえ方 ❶❷とも一本

ツェツェ ばえ②バヘ【ツェツェ〈蠅】〔tsetse=南部アフリカで「蠅」の意〕中部アフリカにいるハエの一種。人・家畜の血を吸い、眠り病を媒介する。〔ツェツェバエ科〕 かぞえ方 一匹

つえはしら①-⓪ヱ【〈杖柱】倒れないための支えとする、杖と柱。「一と頼む〔=たよりになる ただひとりとしてすがる〕」

つか②【〈束】〔動詞「つかむ」の語幹〕❶上代の長さの単位。握りこぶしを作った時の、四本指の幅。❷〔←束柱(ツカバシラ)③〕〔建築で〕梁(ハリ)と棟(ムネ)の間や縁側の下に立てる短い柱。❸〔印刷で〕製本した時の、本の厚み。「一を出す／一見本」

つか②【〈柄】❶刀剣の、手で握る部分。❷筆の軸。

つか②【塚】❶土を小高く盛り上げたもの。「一里一(ヅカ)」❷土を小高く盛り上げて造った墓。〔広義では、単に墓を指す〕 かぞえ方 ❶❷とも一基

つが②⓪①【〈栂】山地に自生する常緑高木。材は堅く、建築・家具用。樹皮からタンニンをとる。とが。〔マツ科〕 かぞえ方 一株・一本

つかあな⓪【塚穴】死体を葬るための穴。墓穴。

つかい⓪ヒ【使(い)】[一]⓪ ❶使う△こと(もの・人)。使い方。「人一(ヅカイ)が荒い／むだ一(ヅカイ)・小一(ヅカイ)・忍術一・魔法一」❷外回りの用を足すこと。「一に出す」❸命令・口上などを伝え、または用を足す△こと(ために行く人)。使者。 表記 「遣い」とも書く。 [二](造語) 動詞「使う」の連用形。 —

つ

あるき④⓪【―歩き】―する(自サ) 言いつけられた用を足すために、あちこちへ行く△こと(人)。 ―がって④【―勝手】使った時のぐあい。「―が悪い」 ―き・る④【―切る】(他五) 少しも残らないように全部使う。 名使い切り⓪ ―こな・す⑤(他五) その物の持つ価値や性能を△自由自在に(十分に発揮出来るようにうまく)使う。「六か国語を―/コンピューターを―」 ―こ・む④【―込む】(他五) ❶〔他から預かったお金・公金を〕かってに私用に使う。 ❷予定額より多くお金を使う。 ❸長い間使ってすっかりそれに慣れる。「よく使い込んだ万年筆」 名使い込み⓪ 表記 「遣い込む」とも書く。 ―さき⓪【―先】❶使いに行った(出)さき。 ❷お金の使いみち。 ―すて⓪【―捨て】 使ったあと、修理・詰めかえなどをしないで、捨ててしまうこと。また、そのように作られているもの。「―カイロ⑥・―マスク⑥」 動使い捨てる⑤(他下一) ―だて⓪【―立て】―する(他サ) 自分はそこに居たままで、人にどこかに出向くような用事を頼むこと。「部下を気安く―する上役」 運用 「お使い立てして△申し訳ない(すまない)」などの形で、同等(以下)の相手に用事を頼む時の挨拶(アイサツ)の言葉として用いられる。例、「使い立てしてすまないが、郵便局まで行ってきてくれないか/お忙しいところお使い立てして申し訳ございません」 ―て⓪【―手】❶〔道具などを〕(上手に)使う人。「―が悪ければ名器もむだだ/槍(ヤリ)の―」 ❷お金をむやみに使う人。 表記 「遣い手」とも書く。 ―で⓪ 使ってみて感じる量の多さ。「―のある石鹸(セッケン)」 ―ばしり⓪④【―走り】―する(自サ) 立場の上の人から言いつけられたこまごました用を足すために、あちこち走り回る△こと(人)。「つかいはしり」とも。〔口頭語的表現は「使いっ走(パシ)り⓪⑤」〕 ―はた・す⑤【―果(た)す】(他五) すっかり使ってしまう。「△財産(燃料・気力)を―」 ―ふるし⓪【―古し】 前には使われていたが、古くなって、現在はその人が(あまり)使用していない物。 ―ふる・す⑤【―古す】(他五) ❶見るからに長い間使われていたという感じを与える。 ❷よく使われたために、新鮮みを失う。「使い古された表現」 ―みず⓪②【―水】 雑用に使う水。 ―みち⓪【―道】❶使う方法。「―がわからない」 ❷使う目的に応じたそれぞれの面。「人はそれぞれ―がある」 表記 「使い《途」とも書く。 ―もの⓪【―物】❶使って役に立つ物。「△こわれやすくて(失敗ばかりしていて)―にならない」 ❷〔一般に「お―」の形で〕進物。「お―にするから のし紙をかけてほしい」 表記 「遣い物」とも書く。 ―りょう②⓪【―料】❶自分が使うためにとっておくもの。 ❷使用料。 ―わ・ける⑤【―分ける】(他下一) ❶同じものを、目的に応じてそれぞれ異なる役割を負わせて使う。「お座敷を昼は客間、夜は寝間として―」 ❷選択可能ないくつかの種類があるものについて、状況や目的に応じてそれぞれに最もふさわしいものを選んで使う。「相手によって敬語を―/場所によって大工道具を―」 名使い分け⓪

つがい⓪【《番(い)】 二つそろって一組となったもの。雌と雄、夫婦など。 ―どり②【―鳥】 雌雄がいつも一緒にいる鳥。

つかいと⓪③【《柄糸】 刀の柄に巻く組糸。

**つか・う⓪【使う】(他五) ❶〈(なにニ)なに・だれヲ―〉 ある事のために、それを働かせる。「△頭(気・神経・からだ)を―/金を―/人を―〔=ⓐ言いつけて(自分の)用をさせる。ⓑ雇う〕」 ❷〈なにニ なにヲ―〉 ある事のために、それを△材料(道具・手段)として役に立てる。「だしに―/英語を―〔=話す〕/居留守を―/わいろを―〔=買収する〕」 ❸〈なにヲ―〉 それで何かをした結果、その量を減らす。「紙をむやみに―」 ❹〈なにヲ―〉 それでもって、特定の行動をする。「弁当を―〔=食べる〕/湯を―〔=入浴する〕」 ❺〈なにヲ―〉 自分の思う通りに操る。「人形を―」 表記 一部の用法は「遣う」とも書く。〔⇩使い❸〕

【足を使って】 ⇩足

つが・う⓪②【《番う】(自五) ❶二つのものが一組になる。 ❷〔鳥や獣が〕交尾する。

つかえ③②【〈痞】 〔動詞「痞える」の連用形の名詞用法〕胸がふさがって苦しいこと。「胸の―がおりる」

*つか・える③(自下一) ❶【《支える】〈(どこ・なにニ)―〉〔行き詰まったりじゃまな物があったりして〕先へ進めない状態になる。「頭が天井に―/パンがのどに―/どぶが―/事故で車がつかえている」 表記 ⇩付表「差し支える」。「〈閊える」とも書く。 ❷【〈痞える】 〔ある感情や気持が高ぶって〕胸が詰まったように苦しくなる。「胸が―」

つか・える③⓪【仕える】(自下一) ❶主君・主人などのそばに居て、不自由が無いように働く。「病床の親に―/神に―〔=奉仕する〕身」 ❷〔身分・俸給を得るために〕(役人として)勤める。 名仕え⓪② 「宮―(ヅカエ)」

つか・える⓪【使える】(自下一) 〔「使う」の可能動詞形〕 ❶何か すぐれた点があって(いつか)役に立つ。「この辞書は なかなか―/あの男は―」 ❷剣術などの腕がすぐれている。

つが・える③⓪【《番える】(他下一) ❶二つの物を組み合わせる。「矢を―〔=射るために、弓の弦(ツル)にあてがう〕/言葉を―〔=固く約束する〕」

つかがしら③【《柄頭】 刀の柄の頭部(につける金具)。

つかさ⓪【《司】 もと、役所・役人・役目の意。「菓子―」

つかさど・る④【《司る・《掌る】(他五) 職務や役目として担当する。「国の政治を―/体温調節を―器官」

つか・す②⓪【尽かす】(他五) 出しきってすっかりなくす。「あいそを―〔=好意や信頼がすっかりなくなる〕」

つかず はなれず②-③【付かず離れず・《即かず離れず】 二つの物事が、付きすぎも離れすぎもせず、ほどよい関係を保つこと。

つかた【つ方】(造語) 〔雅〕 ❶…のころ。「昼―⓪」 ❷…の方。「末―・下(シモ)―」

つかつか①②(副)―と ためらう様子も見せず、大股(オオマタ)で進み出る様子。「―と歩み寄る」

つかぬ こと②【付かぬ事】 それまでの話と関係の無いこと。だしぬけのこと。「突然―を言い始めた」 運用 「つかぬ事を伺いますが」などの形で、急に△話しかける(話を変える)時に、失礼な事をお尋ねしますが、の意で言うのに用いられる。

つかね【《束(ね)】(造語) たばねた書類などをかぞえる語。

つか・ねる③【《束ねる】(他下一) ❶「たばねる」のやや古い表現。「髪を―/高閣に―〔=書物などをたばねて、高い所に置いたままにしておく〕」 ❷うでを組み合わせる。「手を―〔=⇩手〕」

つかの ま⓪【《束の間】 〔「束❶」から〕わずかの間。「―の快楽/―の出来事/―まどろむ」

つかぶくろ③【《柄袋】 刀の柄にかける袋。

つかまえどころ⓪【〈摑まえ所】 どこを摑まえたら、そのものの本質とか相手の真意とかが押さえられるかという点。「―の無い〔=のらりくらりした〕返事ばかりする」

*つかま・える⓪【捕まえる・《捉まえる・〈摑まえる】(他下一) 〈だれ・なにヲ―〉 △逃げよう(そこから去ろう)とするものを押さえて、逃がすまいとする。「△犯人(虫)を―/タクシーを―〔=見つけて呼び止める〕/朝から何度電話しても彼をつかまえられない〔=連絡をとることが出来ない〕/しっぽを―〔=⇩しっぽ❶〕/勉強している人間を摑まえてそんなに酒を飲ませるなんて」

つかま・す[3][0]【〈摑ます】(他五)〔「摑む」の使役動詞形〕つかむようにさせる。「偽物をつかまされる〔=買わされる〕」

つかまつ・る【《仕る】〔雅〕[一][4](他四)「行く・する」の謙譲語。[二][4](自四)「仕える」の謙譲語。[三]〔「動詞連用形＋—」の形で、接尾語的に〕謙譲の意を表わす。「存じ仕ります」

つかまり だち[0]【〈摑まり立(ち)】—する(自サ) 幼児が戸・障子などに摑まって、やっと立てるようになること。

つかま・る[0]【〈摑まる】(自五) ❶摑まえられる。「犯人が—／いつも出掛けていてなかなか摑まらない〔=連絡のとりようがない〕人」 ❷しっかり取りつく。「つり革に—」 表記 ❶は、「捕まる・《捉まる」とも書く。

つかみ【〈摑(み)】[一][3] ❶摑むこと。「なべ—[3]」 ❷〔建築で〕破風の合う部分を固める板。[二]〔造語〕手で一回摑んだ分量をかぞえる語。「炉に枯れ枝を一—くべる」 [三]〔造語〕動詞「摑む」の連用形。 **—あ・う**[4]【—合う】(自五) ❶互いに摑む。 ❷取っ組み合ってけんかする。名 摑み合い[0]「果ては—のけんかになった」 **—あらい**[4]【—洗(い)】—する(他サ)〔編物・絹織物などを〕もまないで、手で摑んでは放す動きを繰り返す洗い方。 **—かか・る**[5]【—掛(か)る】(自五)〔摑むような勢いで〕激しく組みつく。 **—きん**[0]【—金】 使途の明細などをはっきり示さず、およその見当で相手に△与える(預ける)金。つかみがね[3][0]。 **—どころ**[0]【—所】 そのものの価値評価などをする場合に基準となると考えられる点。とらえどころ。「—の無い人間／—の無い〔=要点のよく分からない〕話」 **—どり**[0]【—取(り)】—する(他サ) ❶手で△むぞうさ(無作法)に物を取ること。 ❷手で一度に摑めただけの物を取ること。 **—なげ**[0]【—投(げ)】〔すもうで〕組み合ったまま相手が寄って来る時、上から相手のまわしを摑んでからだ全体を上げ、下へ落とすようにして投げ出すわざ。

つかみほん[3]【《束見本】 出版に先立ち、その本の確定ページ数を、刊行する通りに製本して、装丁の具合を確かめたり宣伝用に回したりするもの。

****つか・む**[2]【〈摑む】(他五)〈なにヲ—〉 ❶欲しいと思う対象に手を近づけて、手中に収める。「雲を—ような〔=とりとめもない〕話／大金を—〔=手に入れる〕／十万円摑ませる〔=賄賂として贈る〕」 ❷大事な点や物を確実に捕らえる。「△手がかり(金づる・幸せ・人心・きっかけ・証拠・実態・情報)を—／しっぽを摑まれる〔=悪事・秘密やごまかしなどを見抜かれる〕」 表記 「〈攫む」とも書く。〔⇩摑み[三]〕

つから・す[3]【《疲らす】(他五) 労力を費やさせるなどして疲れるようにさせる。

つか・る[0]【漬(か)る】(自五) ❶【《浸(か)る】何かが液体の中に△入る(入って、全体がおおわれてしまう)。「床まで水に—／ぬるま湯にどっぷり—」 ❷漬物に十分味がしみ込んで、食べごろになる。「漬かり過ぎ」

つかれ【疲れ】[一][3] 疲れること。「—を覚える／(旅の)—を取る／気—・看病—[5]・湯—」 [二]〔造語〕動詞「疲れる」の連用形。 **—は・てる**[5]【—果てる】(自下一) すっかり疲れて、何をする気力も無くなる。 **—め**[0][3]【—目】 使い過ぎたために、目がかすんだり痛んだりする状態になること。また、その症状。

***つか・れる**[3]【疲れる】(自下一)〈なにニ—〉 使い過ぎて、そのものの本来の機能が(極端に)低下したり失われかけたりした状態になる。また、その結果これ以上使うのは無理だと思う気持になる。「朝から働きづめで疲れた／—と病気をしやすくなる／疲れた油／気が—〔=(極端な)緊張の結果、堪えられなくなる〕」 ⇩くたびれる〔⇩疲れ[二]〕 運用 口頭語で人物について言うときは、その人物の言動にうんざりさせられる様子を表わす。例、「彼にはいつも愚痴ばかり聞かされて疲れる」

つか・れる[3]【〈憑かれる】(自下一)〔「憑く」の受動形〕自分以外の心霊などの力によって、言動が支配された状態になる。「悪魔に憑かれたような」

つかわしめ[0]【使わしめ】〔文語動詞「使ふ」の使役形「使はしむ」の名詞形〕神仏の使いと言われる動物。「お稲荷さまの—〔=キツネ〕」

つかわ・す【遣(わ)す】[一][0][3](他五) ❶〔身分の高い人から低い者へ〕物を与える。「ほうびを—」 ❷〔目下の者に命じて〕行かせる。「使者を—」 [二]〔補動・五型〕「…てやる」意の古風で尊大な表現。「許して—」

つき【付(き)】〔「…に—」の形で、接続助詞的に〕 ❶それを△話題(論題)とすることを表わす。ついて。「この点に—〔=関して〕」 ❷それを理由とすることを表わす。「雨天に—〔=のために〕」 ❸割当てなどの単位とすることを表わす。ついて。「一人に—百円」 表記 「就き」とも書く。

****つき**[2]【月】 ❶地球の衛星。太陽の光を受けて、(夜)輝く。太陽に対する位置によって、種々の形を見せながら、約一か月で地球を一周する。「—とすっぽん〔=ひどく実質の違っているたとえ〕／—に叢雲花に風〔=よい事にはとかく邪魔が入りやすく、望ましい状態は長続きしないものだ〕／—〔=月の光〕が明るい／木星の—〔=衛星〕／—に降り立つ／三日—」 ❷一年の十二分の一〔=約三十日間〕(を単位とした時間の長さ)。「—を追うごとに／—がかわる／—に一度集まる」 ❸〔人間の〕妊娠期間。「—満ちて男児出生／—足らず」 かぞえ方 ❶の月の光は一幅・一本・一条

つき【付(き)】〔動詞「付く」の連用形の名詞用法〕[一][2] ❶付きぐあい。「おしろいの—／—〔=火の付きぐあい〕の悪いライター」 ❷好い運。「—が回る〔=運がよくなる〕／—に見放される」 [二]〔接尾〕…の様子。「顔—・手—」 [三]〔造語〕〔複合語の後の要素として〕 ❶何かにそのものが付いていること。また、その△もの(人)。「保証—・折紙—・こぶ—・条件—」 ❷…に所属する△こと(人)。「大使館—・社長—秘書」

つき[2]【尽(き)】〔動詞「尽きる」の連用形の名詞用法〕尽きること。終り。「運の—」

つき[2]【〈坏】 昔、飲食物を盛る器。「高—」

つき[0]【突(き)】 ❶〔刀や槍で〕突くこと。〔かぞえる時にも用いられる〕 ❷〔剣道で〕相手ののどを竹刀で突くこと。 ❸〔すもうで〕立ち上がると同時に、平手で相手の胸・肩のあたりを突くこと。

つき[2]【〈搗(き)】 搗くこと。「—〔=搗き方〕の足りない餅／七分—の米」

つき[2]【〈槻】 ケヤキの古名。

つぎ[0] 着物や布のやぶれを補い縫うこと。また、そのための布地。「ズボンに—をあてる」 表記 「継ぎ」と書くことが多い。

****つぎ**[2]【次】 ❶あとにすぐ続く△こと(もの・所)。「—の世代／—に控える／この—／—から—へと続く」 ❷昔の宿場。宿駅。「東海道五十三—」

つきあい[3]【付(き)合(い)】 ❶一定の距離を置いて、会えば話を交わしたり機会があれば飲食を共にしたりするなどの、親しい関係を持つこと。交際。「二十年来の—／兄弟同様の—／親戚—」 ❷心からの衝動に基づくのではなく、社交上の立場から行動を共にすること。「—〔=義理〕でゴルフを始める」 ❸何かの縁により、かかわりを持つ(ようになる)こと。「仕事柄、毎日、本とお—をしている／野球との—は小学校二年の時から／人と酒との—は深い」 表記 「〈交際〉」とも書く。

*つきあ・う③ アフ【付(き)合う】(自五) ❶〔だれトー〕〔利害関係は二の次にして〕互いに行き来したりして、親しい間柄を保つ。「彼女と―〔=交際する〕ようになって三年になる」❷〔だれトー／だれ・なにニー〕社交上の必要や義理から、他人と行動を共にする。「遅くまで課長に―／姉の買い物に―」

つきあかり③【月明(か)り】月の光(で明るいこと)。

つきあ・げる④【突(き)上げる】(他下一) 下の方から突いて押し上げる。〔団体の下部の者が幹部に圧迫を加えて、特定の言動をとるように仕向ける意にも用いられる〕「―ような揺れを感じた」名突き上げ⓪「組合の―を食う／強い―」

つきあたり⓪【突(き)当(た)り】❶突き当たること。❷〔道・廊下などの〕行きどまりの所。「―の部屋」

つきあた・る④【突(き)当(た)る】(自五) ❶〔進んで行く方向に立ちはだかる物に〕強い勢いでぶつかる。衝突する。❷先をさえぎられて、進んで行く方向に、そのまままっすぐ行けなくなる。行き詰まる。「ジレンマに―／厚い壁に―〔=乗り越えなければならない困難な問題に出会う〕」〔❶の他動形は、突き当てる④(下一)〕

つぎあて⓪【継(ぎ)当(て)】服などの破れた部分に、布を縫いつけること。また、縫いつけた布。「ひざの―」

つきあわ・せる⑤ アハセル【突(き)合(わ)せる】(他下一) ❶くっつきそうになるほど近づける。「ひざ突き合わせて語り合う〔=隔てなく懇談する〕」❷二つの物の対応する部分を比べ合わせて、異同を調べる。「原文と―」❸当事者双方を同席させて、それぞれの言い分を聞きただす。突き合わす④(五)。名突き合わせ⓪

つぎあわ・せる⑤ アハセル【継(ぎ)合(わ)せる】(他下一) 別々の物を△つなぎ合わせ(縫いつけ)て一つにする。名継ぎ合わせ⓪ 表記「接ぎ合わせる」とも書く。

つぎいと⓪③【継(ぎ)糸】つぎをするのに使う糸。

つきうごか・す⑤【突(き)動かす】(他五) 〔突いて動かすの意〕何かに強い衝撃や刺激を与えて動かす。「恩師の一言に突き動かされて博士論文を完成した」

つきおくれ③【月遅れ】その月よりも△遅れること(遅れたもの)。「―の正月〔=新暦より約一か月ずらして行なう旧暦の正月〕／―の雑誌〔=月刊雑誌で、今月号より以前に出た号。バックナンバー〕」表記「月後れ」とも書く。

つきおと・す④【突(き)落(と)す】(他五) ❶突いて落とす。〔ひどい環境や暗い気持などに陥らせる意にも用いられる。例、「不幸のどん底に―」〕❷〔すもうで〕相手の差し手をかかえ込むようにして、両手で相手のからだをひねりながら、横から下へ突いて倒す。名突き落とし⓪

つきかえ・す③ カヘス【突(き)返す】(他五) ❶〔突かれたのに対し〕こちらからも突く。❷〔差し出された物を〕受け取ることは出来ないと、不快感をあらわにして返す。つきもどす。

つきかげ⓪【月影】❶月の光。❷〔雅〕月の光で障子などに映し出された、人や物の姿。

つきがけ⓪【月掛(け)】毎月決まった額を積み立てていくこと。また、その金銭。「―貯金⑤」

つきかず③⓪【月数】△何かをするのに(何かが出来るのに)かかる月の数。

つぎがみ⓪【継(ぎ)紙】(色や質の異なった物を)継ぎ合わせた紙。歌などの料紙に使う。表記「接ぎ紙」とも書く。

つきがわり③ ガハリ【月替(わ)り】❶次の月になること。「あしたから―で五月だ」❷一か月ごとに陳列品・演目や任務などを替えること。表記「月代わり」とも書く。

つぎき⓪【接(ぎ)木】―する(他サ) 木の枝・芽を切り取って他の木の幹や枝に接ぎ△合わせること(合わせて育てた木)。

つききず②【突(き)傷】△突いて(突かれて)出来た傷。⇩打ち傷・切り傷

つきぎめ⓪【月《極め・月決め》】一か月を単位としてする△約束(契約)。「―駐車場⓪」

つきき・る③【突(き)切る】(他五) ❶つっきる。❷すっかり突く。突き終わる。

つぎぎれ⓪【つぎ切(れ)】つぎに使う布。「つぎきれ」とも。表記「継ぎ切れ」とも書く。

つきくず・す④ クヅス【突(き)崩す】(他五) ❶突いて崩す。「壁を―」❷激しく攻撃して、敵の防備を打ち破る。

つぎくち⓪【《注(ぎ)口》】容器の上端の近くに設けた口。中に入っている液体を、そこから他に注ぎ移す。

つきげ⓪【月毛】少し赤みを帯びた葦毛(アシゲ)(の馬)。表記「鴾毛」とも書く。

つきごし⓪【月越(し)】―する(自サ) 問題の事柄が次の月にまたがること。

つぎこ・む③【《注(ぎ)込む》】(他五) ❶液体を器の中にそそぎ入れる。❷何かをするために、多くの費用を出したり人を使ったりする。「△大金(国費)を―」

つきごろ②【月頃】この数か月間。表記「月《来》」とも書いた。

つぎざお⓪ ザヲ ❶【継(ぎ)《棹》】棹が取りはずしの出来る三味線。↔延べ棹 ❷【継(ぎ)《竿》】二本以上継ぎ合わせて使う釣り竿。↔延べ竿 かぞえ方 ❷は一本

つきさ・す③【突(き)刺す】(他五) ❶先の鋭い物を何かに勢いよく当てて、その物の内部に入り込むようにする。「剣を―／注射針を腕に―」❷鋭いもので心やからだに痛み・苦しみを与える。「心を―一言(ヒトコト)／冷気が肌を―」自動突き刺さる④(五)

つきじ⓪ ヂ【《築地》】「埋立地」の意の古風な表現。

つきしたが・う⑤ シタガフ【付(き)従う】(自五) ❶お供をする。❷強力なものの下に属する。表記「付き《随う》」とも書く。

つきしろ⓪【月白】月が出る時に空が明るくなり、白く見えること。

つきずえ⓪ ズヱ【月末】その月の終り(の数日間)。げつまつ。⇩つきはじめ

つきすぎ⓪【《即き過ぎ》】本来もう少し距離・間隔を置くべきなのに、そのものに密着し過ぎて、変化・おもしろみ・妙味に乏しいこと。動即き過ぎる④(自上一)

つきすす・む④【突(き)進む】(自五) (障害をものともせず)勢いよく進む。

つきせぬ③【尽(き)せぬ】(連体) いつになっても尽きることのない。「―思い出」

つきそい⓪ ソヒ【付(き)添(い)】付き添う△こと(人)。「保護者の―が必要です／―人(ニン)⓪」

つきそ・う③ ソフ【付(き)添う】(自五) (世話をするために)その人のそばに付いている。「病人に―」

つぎだい⓪ ❶【接(ぎ)台】接ぎ木の台にする方の木。台木。↔接ぎ穂 ❷【継(ぎ)台】踏み台。

つきたお・す④ タフス【突(き)倒す】(他五) ❶突いて倒す。❷(すもうで)相手を強く突いて倒す。名突き倒し⓪

つきだし⓪【突(き)出(し)】❶(すもうなどで)突いて外へ出すこと。❷(日本料理で)最初に出す軽い酒のさかな。お通し。(西洋料理のオードブルに当たる) ❸初めてその業界に入ること。

つきだ・す③【突(き)出す】(他五) ❶突いて外へ出す。「ところてんを―／一気に土俵の外へ―」❷△その部分が目立つ(それが相手に届く)ように、前の方へ出す。「あごをぐいと―」❸(民間人が)犯人などを警察・交番に強制的に連れて行く。

つぎた・す③⓪(他五) [一]《注(ぎ)足す》 水などの足りない分を注ぎ加える。「ビールをー」 [二]【継(ぎ)足す】 足りないところをあとから加える。

つきた・てる④【突(き)立てる】(他下一) ❶先の鋭いものを何かに突き刺して立てる。「刀を畳にー/路肩に標識をー」 ❷(繰り返し)勢いよく突く。「槍(ヤリ)で敵勢をー」

つぎた・てる④【継(ぎ)立てる】(他下一) 〔先に進むために〕宿駅(シュクエキ)で新たに馬や人足を雇う。 名 継ぎ立て⓪

つきたらず③【月足らず】 十か月たたないうちに生まれる△こと(胎児)。

つきづき②【月々】 どの月にも△決まって(同じように)何かが行なわれること。〔副詞的にも使う〕「ー〔＝毎月〕二十万の上がり」

つぎつぎ②【次々】(副)ーに・ーと 同じような事が間を置かずに引き続いて起こる様子。「ーと事件が起こる/ベテラン選手もー引退していく/新しい住宅がーと建つ」

つきづき・し④(形シク) 〔雅〕何かに△似合わしい(ふさわしい)様子だ。

つきっきり⓪【付(き)っ切り】 〔「付き切り⓪」の強調形〕絶えず付き添っていること。「ーの看護」

つきつ・ける④【突(き)付ける】(他下一) ❶〔当方の言い分を受け入れさせようとして〕確かな ききめのあるものを相手の目の前に突き出す。「ピストルをー/証拠をー」 ❷相手に拒む余地を与えずに何かを渡す。「△抗議文(絶縁状・要求)をー」

つきつ・める④【突(き)詰める】(他下一) ❶どういう経過をたどってどういう最後に到達するかまでの結論を、はっきりと打ち出す。「突き詰めた〔＝極端な〕言い方をすれば」 ❷いちずに思い込む。

つぎて⓪【継(ぎ)手】 ❶〔金属・木材などの〕接合部分。つぎめ。 ❷△家業(家督)を継ぐ人。 ❸〔碁で〕離れた石の群れを続けるために打つ手。 表記 ❶は、「接ぎ手」とも書く。

つき・でる③【突(き)出る】(自下一) ❶突き破って出る。「針がー」 ❷他の部分よりも、かけ離れて出る。「ひたいが突き出ている」

つきとお・す③(トホス)(他五) [一]【突(き)通す】 突いて裏まで通す。「槍(ヤリ)をー」 [二]《吐(き)通す》 最後まで言い張る。「うそをー」

つきとお・る③(トホル)【突(き)通る】(自五) 突き刺したものが反対側まで抜ける。「針がー」

つきとば・す④【突(き)飛(ば)す】(他五) 手荒く突いたり 激しくぶつかったりしてはね飛ばす。

つきと・める④【突(き)止める】(他下一) 〔今まで分からなかったものを〕徹底的に調べて、はっきりさせる。「△事実(原因・真相・全貌(ゼンボウ)・所在)をー」

つきなみ⓪【月並】 [一]毎月決まってその事をすること。「ー(の)会」 [二](ーな・ーに) 型にはまっていて、平凡な様子だ。「ーな文句」 表記「月《次」とも書く。 **ーちょう**(テウ)⓪【ー調】 型にはまって平凡な調子(の俳句)。

つぎに②【次に】(接) 前に述べた事柄に、時間的に、また序列の上で、引き続く事柄を述べることを表わす。「到着後初めに入国審査、ー手荷物検査が行なわれる/必要なのは第一に気力、ー体力/受賞をまず信じられなかった。ーこれは夢に違いないと考えた」

つきぬ・ける④【突(き)抜ける】(自下一) ❶突き破って反対側へ出る。 ❷通り抜ける。 ❸(今までの常識を打ち破るように)ひときわ ぬきんでている。「突き抜けた作品」

つぎね⓪【接(ぎ)根】 老木の腐った根を切り取り、代りに若木の根を接ぐことによって老木を蘇生(ソセイ)させること。また、その根。

つきの かつら⓪-⓪、④【月の《桂】 〔古代中国の伝説で〕月の中に生えているというカツラの大木。 **【ーを折る】** 昔、中国で、官吏の登用試験に及第したことを美化した表現。

つきの・ける④【突(き)《退ける】(他下一) 手荒く押しのける。

つぎの ま②⓪【次の間】 ❶おもな座敷の隣についている小部屋。 ❷主君の居る部屋の次の部屋。

つきのめ・す④【突(き)のめす】(他五) 強い力で突き倒して、相手が再び起き上がれないようにする。「悲しみに突きのめされる〔＝突然の大きな悲しみによって再び立ち上がろうとする気力を全く失わされる〕」

つきの もの⑤【月の物】 「月経」の意の古風な表現。

つきの わ⓪④【月の輪】 ❶〔雅〕月、特に満月の輪郭。 ❷〔仏教で〕袈裟(ケサ)の胸のあたりにつける環状の装飾。 ❸ツキノワグマの のどにある三日月形の白い毛。 ❹わらを輪にしたかま敷き。 **ーぐま**④【ー熊】 本州の深山にすむ、黒色のクマ。のどに三日月形の白い毛がある。クロクマ。〔クマ科〕 かぞえ方 一頭

つぎは⓪【継(ぎ)端】 話などをそこで終わりにせず、さらに言い続ける機会。つぎほ。「話のーに困る」

つぎば⓪【継(ぎ)歯】 ❶削ったあとに人造の歯を継ぎ足すこと。また、その継ぎ足した歯。 ❷こまげたなどの歯が減った時に、にかわや接着剤で継ぎ△足すこと(足した部分)。〔❶❷とも「つぎは」とも〕

つぎはぎ⓪【継(ぎ)《接(ぎ)】ーする(他サ) ❶衣服に何か所かつぎが当たっていること。「ーだらけのズボン」 ❷独創性が無く、他人の書いたものを少しずつ寄せ集めて文章を作ること。「ー細工(ザイク)の文章」

つきはじめ③【月初(め)】 その月の△初めの数日間(上旬)。 ⇩つきずえ

つきは・てる④【尽(き)果てる】(自下一) 全く尽きる。「精も根もー」

つきはな・す④【突(き)放す】(他五) ❶△突いて(押して)離れさせる。 ❷人情・義理を捨てて、相手との関係を絶つ。〔自立を促すために、子供や弟子などに対して甘えを許さない態度をとる意にも用いられる〕

つきばらい③(バラヒ)【月払(い)】 月ごとに(分割して)支払うこと。 ⇩年(ネン)払い・日払い

つきばん⓪②【月番】 一月交替で当番をする△こと(人)。

つきひ②【月日】 ❶月と日。 ❷〔月や日を単位としてかぞえるような(長い)時間。歳月。「楽しいー〔＝毎日の生活〕を送る」

つきびと⓪【付(き)人】 芸能人などに付き添って世話をする人。付け人。

つきべり⓪【《搗(き)減り】ーする(自サ) 米などを搗いたために分量が減ること。また、その分量。 表記「《舂き減り」とも書く。

つきへん⓪【月偏】 漢字の部首名の一つ。「服・朕・朋」などの、左側の「月」の部分。〔多く、月の状態や時間を表わす漢字がこれに属する。「月」として、「月(にくづき)」と区別することがある〕 ⇩にくづき

つぎほ⓪ [一]【接(ぎ)穂】 接ぎ木をする時、台木に接ぐ木。↕接ぎ台 [二]【継(ぎ)穂】 いったん切れた話を続ける△機会(手がかり)。「話のーを失う」

つきまいり③(マヰリ)【月参(り)】ーする(自サ) 毎月一回決まって社寺に参詣(サンケイ)すること。月もうで。

つきまち⓪【月待(ち)】 特定の月齢の日に、村人が飲食を共にして、月の出を待ち、拝む行事。〔多く、講の形を取る〕

つきまと・う④(マトフ)【付(き)《纏う】(自五) ❶〔好ましくな

いものが〕ずっと離れないでいる。「実力よりも学歴の―社会／変な人につきまとわれる」❷心中を支配するマイナスの要素がぬぐい切れないで、そこにある。「△…のおそれ（…という感じ・黒いうわさ・暗い影・疑問や不安）が―」

つきまわり[3]【月回り】❶月ごとに役割などが回ってくること。❷その月の巡り合せ。「―が悪い」

つきみ[3][0]【月見】❶月の美しさをながめて楽しむこと。観月。〔狭義では、陰暦八月十五日と九月十三日の夜のそれを指す〕❷かけ△うどん（そば）に卵を割って落としたもの。「―そば[4]」 **―そう**[0]【―草】❶白い花が咲く二年草。または多年草。❷河原・土手などに自生する「オオマツヨイグサ[5]・マツヨイグサ[3]」などの俗称。花は黄色。宵待草。〔❶❷ともアカバナ科で、夕方花が咲き翌朝しぼむ。前者は、しぼむと赤く変わる。今日では前者を見かけることはまれ〕

つきめ[3][0]【尽き目】尽きる△時節（場合）。「運の―」 [かぞえ方] ❶❷とも一本

つきめ[0]【突き目】目を何かで突いたために、痛むこと。

つぎめ[0]【継ぎ目】❶物と物とを継ぎ合わせた所。「―を隠す／レールの―」❷家督相続（をする人）。

つきめいにち[3]【月命日】〔祥月命日以外の〕毎月の、故人が亡くなった日と同じ日。

つきもうで[3]【月詣で】―する（自サ）月参り。

つきもど・す[4]【突き戻す】（他五）❶突かれてこちらに来たものを、逆に突いて元へ戻す。「土俵中央に―」❷⇩突き返す❷

つきもの[2]【付き物】本体について必ず（といってよいほど）ついてまわるもの。〔本体に付属して用をなすもの、いつも取り合わせて用いられるもの、同類に通有の属性・特徴として認められるものなどを指す〕「青年に冒険は―だ」

つきもの[2]【〈憑き物】人に異常な言動をさせる心霊・魔物など（の働き）。「―が落ちたような思い」

つぎもの[0]【継ぎ物】〔衣服で〕破れをついで縫う△こと（必要のある物）。

つきやく[0]【月役】月経。月の物。

つきやぶ・る[4]【突き破る】（他五）❶強い力で△突いて（押して）破る。「△壁（行詰り）を―」❷激しく攻撃を加えて、敵の防備を破る。

つきやま[0]【《築山】庭園に山をかたどって小高く土を盛り上げた所。[表記]⇩付表「築山」

つきゆび[0]【突き指】―する（自サ）指先に強く物が当たったり強くぶつけたりして、指の関節がはれあがって痛むこと。

つきよ[2]【月夜】月の明るい夜。「―に釜を抜かれる〔=ひどく油断していることのたとえ〕／―に提灯〔=不必要な物のたとえ〕」↔闇夜 **―がらす**[4]【―〈烏】月夜に浮かれて鳴くカラス。

つきよみ[0]【月読（み）】〔雅〕〔夜を支配する神といわれる「月読命[0]」の略〕月。

***つ・きる**[2]【尽きる】（自上一）❶次第に減っていって、最後に無くなる。「△種（力・運）が―／不満が尽きない」❷そこで終わる。「林が尽きて広い道へ出る／あいそが―〔=⇩あいそ❷〕／命脈が―／話題が尽きない」❸〈なにニ―〉それで全内容が言い尽くされる。「かわいいの一言に―〔=以外の何物でもない〕／文字通り幸運の一語に―」

つきわり[0]【月割（り）】❶月の数に△分けること（分けた、一月当りの平均）。❷月賦。

つ・く（造語・五型）〔擬声語・擬態語に付いて〕その物音・動作・様子が認められる。「がた―・べた―・ぶら―・いら―」

****つ・く**[1]（自五）■一【付く】❶〈なに・どこニ―〉そこに、他から移ってきたものや生じたものなどが、そのまま離れずに存在する状態になる。「レンズに埃が―／ほっぺたにご飯粒が―／△傷（しみ・跡・癖）が―／△花（実）が―／植えかえた木の根がついた／列のあとに―／△前の走者（授業）に付いていけない／付かず離れずの態度をとる／気が―〔=⇩気〕」❷〔「（好）運が付く」の意で、多く「ついている」の形で〕幸運にめぐまれる。「朝からいいことずくめで付いている／最近何をやっても付いていない」❸〈だれニ―〉その人を助ける役割を担うものとして身近に置かれる。「彼には△看護師（弁護士・家庭教師・秘書）が付いている」❹〈なにニ―〉そのものの一部としてそこに加えられる。「△手当（予算）が―／△付録（おまけ・スペアの部品）が付いてくる／肩書が―」❺〈なに（ニ）―〉何らかの操作がなされた結果、△意図した通りの（望ましい）状態になる。「△炭（ライター）に火が―／電気が―〔=ともる〕／気が―〔=⇩気〕／お燗が―／道が―〔=開かれる〕／△見当（予想）が―／かたが―〔=決着する〕／連絡が―」❻〈なに・だれニ―〉要素が加わった状態になる。「△力（勢い・加速度）が―」❼〈なに・だれニ―〉数値や名称などとの間に対応関係が認められる状態になる。「売値が―〔=売値が示される〕／一個千円に―〔=相当する〕／高いものに―」❽〈なにニ―〉感覚器官に強い刺激をもって受け止められる。「目に―〔=⇩目〕／耳に―〔=⇩耳〕／鼻に―〔=⇩鼻〕」■二【着く】❶〈どこニ―〉〔移動した結果〕目的の場所まで行き、そこに△居る（ある）。「船が港に―／夕方宿に―／荷物が―／帰り―」❷〈どこ・なにニ―〉曲げたり伸ばしたりした結果、（先端が）そこまで届いた状態になる。「足が―くらいの深さ／頭が鴨居に―／穂先が垂れて地面に―」❸〈なにニ―〉（その場所まで移動して）そこに位置を占めた状態になる。「△スタートライン（座）に―／食卓に―〔=すわる〕／△同じ（対話の）テーブルに―〔=一堂に会して、交渉を正式に持つ〕／準備が整いましたので、席にお着きください」■三【就く】❶〈なにニ―〉新たに責任のある地位や立場に身を置く。「政権の座に―／△王位（重役のポスト・管理職・役職）に―／会長の任に―〔=そのポストに収まる〕」❷それまでとは異なる新たな状態に身を置くことになる。「床に―〔=寝る〕／眠りに―／緒に―〔=仕事をし始める〕／△壮途（帰途）に―」❸〈なに・だれニ―〉その方に身を寄せて、離れないようになる。「塀に就いて〔=沿って〕曲がる／先生に就いて習う／弱い方に―〔=味方する〕」■四【〈憑く】〈だれ（ニ）―〉心霊・魔物などがその人の精神を支配し、異常な言動をさせる。「キツネが―」[表記] ■一❶の一部の用法は「着く」とも書く。■三❶の「王位につく」は「《即く」とも書く。また、■三❷の「帰途につく」は「着く」とも書く。

つ・く[0]【漬く】（自五）❶「水かさが増して、その位置まで物をひたした状態になる」意の古風な表現。「床まで水が―」❷〔漬物が〕ほどよく味がしみて、食べごろになる。⇩漬かる

***つ・く**（他五）■一[0]【突く】❶〈〈なにデ〉なに・だれヲ―〉△棒状（針状）の物の先端や柄のある物の先を何かに勢いよく当てて、強い衝撃を与える。「槍で―／鐘を―〔=ついて鳴らす〕／判を―〔=押す〕／まりを―〔=はずませる〕／意気天を―〔=天にぶつからんばかりの勢いだ〕／鼻を―〔=⇩鼻〕／〔将棋で〕7六歩と―〔=駒を進める〕」❷〈〈どこ・なにニ〉なにヲ―〉からだのささえにするために、細長い物の先を堅い場所に当てる。「杖を―／頬杖を―／手を突いてあやまる」❸〈なに・どこヲ―〉鋭くねらう。「△本塁（ホーム）を―／△コーナー（内角・外角）を―」[表記]❶～❸の一部は「《衝く」とも書き、❶の「鐘をつく」は「〈撞く」とも書く。■二[0]【《衝く】〈なにヲ―〉❶天候の悪条件を冒して行なう。「逆風を衝いて四四メートルのペナルティーゴールを決める／吹雪を衝いて〔=困難を物ともせず〕進む」❷人の気づかな

【】の中の教科書体は学習用の漢字，︿は常用漢字外の漢字，︽は常用漢字の音訓以外のよみ。

い点を鋭く指摘したりする。「△意表(盲点・本質・核心・痛い所・虚・矛盾・税の不公平感)を—」 ❸先方の状態を見てとって勝負に出る。「制球の乱れを—」

[三]①【〈搗く】〈なにデ〉なにヲ—〉 穀をかぶったりしたままの穀物をうすに入れてきねで強く打ち、砕きつぶしたり殻を除いたりする。「米を—〔=精米する〕/餅を—〔=うすで搗いて、餅を作る〕/しりもちを—〔=⇩しりもち〕」 表記「〈舂く」とも書く。

[四]①〈なにヲ—〉〔狭い口を通して(急に)〕強く出す。「ところてんを—/息を—/一息を—/ため息を—〔=はく〕/へどを—〔=はく〕/△うそ(悪態)を—〔=言う〕」 表記 ところてんは「突く」とも書き、それ以外は「《吐く」とも書く。

つ・ぐ⓪【次ぐ】(自五) ❶間を開けず、あとに続く。「退却に—退却」 ❷間を開けず、その次に位する。「昨年に—豊作」

【底を—】⇩底 【胸を—】⇩胸

つ・ぐ⓪【告ぐ】(他下二) 「告げる」の文語形。「国民に—」

つ・ぐ⓪【《注ぐ】(他五) 〔器などの中に液体を〕そそぎ入れる。「△お茶(酒)を—」

***つ・ぐ**⓪【継ぐ】(他五) ❶〈なに・だれヲ—〉〔親と子、師と弟子、前任者と後任者などの間で〕後者が前者のあとを受けて、同じ△体制(規模・精神・方式)や、遺産などを保ち続けるようにする。「△後(跡目・遺志)を—」 ❷〈なにニなにヲ—/なにトなにヲ—〉 連続していない物を、一続きにする。くっつける。「木に竹を—〔=異質な物を無理に加えて、うまくいかないたとえ〕/炭を—〔=あとから足す〕」 ❸〈なにヲ—〉〔衣服の破れを〕つくろう。 表記 ❷は、「接ぐ」とも書く。

づ・く【付く】(造語・五型) ❶…の傾向が△生じる(出てくる)。「色気—・調子—・おじけ—・産気—」 ❷ひとしきり盛んに…をする。「すっかりゴルフづいたA君/柄にも無く小説づいている」

***つくえ**⓪【机】 書物を読んだり字を書いたりするための台。「—に向かう/学習—⑤」〔古くは、飲食の器物を載せる台をも指した〕 かぞえ方 一脚・一基

つくし⓪【〈土筆〉・〈天花菜〉】 スギナの地下茎から出る胞子茎。春先、土手などに生える。穂は筆の先に似て、先は丸い。食べられる。〔古くは「つくづくし③」〕 かぞえ方 一本

づくし【尽(く)し】(造語) (昔、教育上の目的などで)同類に属する物をなるべく多く列挙したもの。「国—・町—・紋—・字—」

つくしじろう④【〈筑紫《二郎】 筑後川の異称。⇩坂東太郎・四国三郎 表記「〈筑紫次郎」とも書く。

***つく・す**【尽(く)す】[一]②(自他五) 〔もと、まったく無い状態にする意〕 ❶〈(なにニ)なにヲ—〉 事態の進展や局面の打開を図ったりあとに悔いを残すことが無いようにしたりするために、△考えられる限りの方法・手段(持てるすべての力)を出し切る。「事件の真相究明に全力を—/手を尽くして患者の治療に当たった/拙速を避け、論議を—/礼を尽くして会長に迎える/先端技術の粋を尽くした医療施設/△最善(誠意)を—/悪事の限りを—/贅を尽くした豪華な宮殿」 ❷〈だれ・なにニ—〉 私心をまじえず、意義のあることだと信じられることに全力を注ぐ。「地域の発展に尽くした功労者を顕彰する/献身的に夫に—」 ❸〔「意を尽くす」の圧縮表現〕余すところ無く表現する。「簡にして尽くした報告/筆舌に〔=言葉では〕尽くし難き困難」 [二]〔「動詞連用形+—」の形で、接尾語的に〕 ❶すべての領域・内容に及んで、それ以上する△必要がない(ことが出来ない)ことを表わす。「広場を埋め—人の波/日本人のアイデンティティーを余すところ無く語り—/内部事情を知り尽くした者の犯行/この調子で乱獲を続ければ捕り—のも時間の問題だ」 ❷予測される次の動作・状態に移ることなく、その動作・状態が持続することを表わす。「あまりの惨状に、茫然と立ち—」

つくだに⓪【〈佃煮】 魚・貝・のりなどを調味料で味濃く煮詰めて、長く保存出来るようにしたもの。

つくづく②③【《熟】(副)—と ❶何らかの感慨をいだきながら、飽きることなく何かを見つめる様子。「亡き友の写真を—と見入る/大人びた口をきくようになった我が子を—と眺めた」 ❷あれこれと△思いをめぐらした(経験を思い起こした)末に、自分なりの結論に達し、全くその通りだと深く感じ入る様子。「世の中が—いやになった/自然災害の恐ろしさを—と思い知らされた/信じられるのは自分だけだと—思った」

つくつくぼうし⑤〔「ほふし」は、法師の意〕夏の半ば過ぎから鳴く小形のセミ。色は黒く、黄緑色の斑紋がある。オーシーツクツクと次第に速度を速めて鳴く。〔セミ科〕 かぞえ方 一匹

つぐな・う③【償う】(他五) ❶相手に与えた損失などを、それに相当する金銭や物品を提供することによって補う。「納期が遅れて与えた損害を—〔=弁償する〕」 ❷自分の犯した罪などによって生じた精神的負担を、それに見合うようなことをすることによってなくす。「過去の過ちを—/罪償って余りある善行」 名 償い⓪

つくねいも③⓪【〈捏(ね)〈薯・〈仏掌〈薯〉】 畑に作る、トロロイモの一種。指の太い手袋に似ている。ナガイモの変種。〔ヤマノイモ科〕

つくねやき⓪【〈捏(ね)焼(き)】 たたいた魚肉や鳥肉に鶏卵を交ぜて焼いた料理。

つく・ねる③【〈捏ねる】(他下一) 手でこねて(丸い物を)作る。〔古くは、手をこまぬく意にも用いられた〕

つくねんと⓪(副)—する 〔手をこまぬく意の動詞「つくねる」の語幹+「然」⇩【造語成分】」からか〕何をするでもなく、ただひとりじっとしている様子。「男がひとりカウンターに—腰をおろしていた」

つくばい⓪【〈蹲】 茶室の入口などに低く作ってある手水鉢(のある所)。

つくば・う③【〈蹲う】(自五) ひざを曲げ、かかとの上にしりをおろしたかっこうをする。

つくばね⓪【《衝羽根】〔羽根つき用の〕羽根。はご。

つくぼう⓪②【突棒】 江戸時代、罪人を捕り押さえるのに用いた、丁字定規風の道具。頭部は鉄製で歯をたくさんつけ、それをそでなどにからみつけた。そでがらみ。

つぐみ⓪【〈鶫】 秋、シベリアなどから日本に来る代表的な渡り鳥。形はスズメに似て、一部分白い。〔ヒタキ科〕 かぞえ方 一羽

つぐ・む⓪②【〈噤む】(他五) 口を閉じた状態を保つ。「口を—〔=本来何らかの発言をすべき立場であるのに、思惑があったり勇気に欠けていたりして、黙ったままでいる〕」

つくもがみ③【〈九十九〉髪】 老女の白髪。

つくり【作(り)】[一]③ ❶形ある物の外観と、出来具合や構造、組織。「鉄筋四階 地下一階のマンション風の—/男女の体の—や働き/頑丈な—の机」 ❷Ⓐ手順を踏んで目的の物に仕上げること。「素人の—〔=製作〕なので、不具合な所が少し残る/庭—・陶器—・玉造」 Ⓑ見映えのするように仕上げること。「入念な—〔=化粧〕/タイの—〔=刺身。活作〕/若—」⇩おつくり 表記「造り」とも書く。 [二](造語) 動詞「作る」の連用形。 —あ・げる⑤【—上げる】(他下一) ❶すっかり作ってしまう。 ❷実際には無い事を△ある(あった)事のように見せかける。「架空の事件を—」 —か・える⑤④⓪【—変え

る】(他下一) ❶〔古い物の代りとして〕新しく作る。❷〔前からある物を利用して〕手を加えて、別の物を作る。「小説を戯曲に―」 ―ごえ④ゴエ【―声】 わざと△自分の声と違えた〔特定の人や動物の声などをまねた〕声。 ―ごと⓪【―事】 何かの必要上、無い事をあるようにこしらえた事柄。うそ。〔狭義では、主として作者の空想・想像によって作り上げた話を指す。例、小説など〕 ―ざかや④【―酒屋・造(り)酒屋】 酒を醸造して売る店。 ―じ③⓪【―字】 ❶個人的なうそ字。❷「国字」の江戸時代における称。 ―だ・す④【―出す】(他五) ❶新しい状態をもたらす。❷新しい事物を△作る(考え出す)。「新型の機械を―」 ❸〔商品として〕生産する。 ―た・てる⑤【―立てる】(他下一) 〔服装や化粧などについて〕人目につくように、はでによそおう。 ―つけ⓪【―付(け)】 〔家具など〕取りはずしの出来ないように△作ること(作ったもの)。動作り付ける⑤⓪(他下一) ―な・す④【―成す】(他五) それらしく、似せて作る。「本物らしく―」 ―ばなし④【―話】 実際には無い事を、あったかのように、うそで固めた話。〔狭義では、事実を参考にして作者の虚構を交えて作った話、つまりフィクションの意にも用いられる〕 ―み③⓪【―身】 ❶魚の切身。❷刺身。 ―もの⓪【―物】 ❶Ⓐ人の手が加わった物。Ⓑ農作物。❷Ⓐ祭礼の見世物。Ⓑ能楽の舞台装置として用いる道具。❸Ⓐ本物に似せて作った物。「彼女の涙は―〔=にせもの〕ではない」 Ⓑ事実そのものではなく、虚構によって作り出された△事柄(作品)。 ―わらい④ワラヒ【―笑(い)】―する(自サ) 〔迎合・照れ隠し・ごまかしなどのために〕△おかしく(うれしく)もないのに、笑ってみせること。

つくり③【〈旁】 左右の構成要素に分かれる漢字の右側にある部分。共通の音を受け持つことが多い。例、「清」「精」の「青」、「銅」「胴」の「同」など。⇩偏

づくり【作(り)・造(り)】(造語) ❶それを材料として作(って)あ)ること。「粘土―のお面」 ❷方法を尽くして、そのものを作ること。「国―・人―・村―・イメージ―・条件―・秩序―・体制―・ルール―」

**つく・る②【作る・造る・創る】(他五) ❶〈(どこ ニ)なに ヲ―〉(その人独自の精神活動の結果を)形のあるものにする。「数かずの名曲を作った音楽家/歌や詩を―/草稿を―/作った仏に魂を入れる」 ❷〈(どこ ニ)なに ヲ―/なに デ なに ヲ―〉(苦労・努力を重ねて)役立つものに仕上げる。「ありあわせでおかずを―/野菜を―〔=栽培する〕/田を―〔=耕す〕/人間を―〔=育てる〕/日曜大工で作った犬小屋」 ❸〈(どこ ニ)なに ヲ―〉 今まで無かった状態を新しく存在させる。「△法律(ルール・組織)を―/町に学校を―/財産を―/子供を―〔=生む〕/世界新記録を―/△こぶ(あざ)を―〔=作ってしまう〕」 ❹〈なに ヲ―〉 手を加えて、もとと違った形(や価値)の物にする。「年よりも若く―〔=若く見せかける〕/顔を―〔=化粧する〕/魚を―〔=料理する。特に、刺身にする〕」 ❺〈なに ヲ―〉 意図的に、そのような△形(状態)に見せかけるようにする。「笑い顔を―〔=無理に笑う〕/話を―〔=△おもしろくする(ごまかす)ために、事実と違った話をする〕」〔⇩作り■二〕 文法 「作る」をはじめ、建造物・物品(芸術作品)などを建造・製造・制作する行為を表わす動詞は、その行為が完了した結果作り出されたものを「…を」によって表わす。従ってその行為の開始から完了までの時点では、現実には存在しないということになる。

*つくろ・う③ツクロフ【繕う】(他五)〈なに ヲ―〉 ❶△破れ(こわれ)た物を直し、再び使える状態にする。❷世間の人に△いい感じを与える(軽蔑ケイベツされない)ように、体裁をよくする。「△身なり(世間体・体面・当面・表面・うわべ)を―/声を―〔=整える〕」 ❸うっかりして損ねた相手の機嫌や何でもない事で招いた叱責シッセキを、大事に至らぬうちに、うまく処理する。「上役の前を繕ってやる」 名繕い⓪③

っけ(終助) ⇩け

つけ【付け】〔「…に(格助詞)―」の形で、接続助詞的に〕後述する事柄が、その状況や状態と深い関係にあることを表わす。「何かに―(て)仕事を怠けたがる/雨に―風に―子を思う親/善きに―悪アしきに―話題に上る」

つけ ■一②【付(け)・《附(け)】 ❶付けること。❷勘定書。「―を回す/…に―が回る〔=『余波❷』がおよぶ〕」 ❸代金などをあとでまとめて支払うことにして、帳簿に付けておくこと。■二(造語) いつも…しなれた。「買い―の店/かかり―の医者」

つげ⓪【〈黄〈楊〉・〈柘植〉】 庭に植える常緑小高木。材は堅く黄色で、印材やくしなどにする。〔ツゲ科〕「―櫛シグ⓪」 かぞえ方 一株・一本

つげ⓪【告(げ)】 ❶知らせ。❷〔一般に「お―」の形で〕託宣。「神のお―」

づけ【付(け)】(造語) ❶付けること。「さん―で呼ぶ/糊リノ―」 ❷…の日付。「四月一日―で発令」

づけ【漬(け)】 ■一(造語) △つけること(つけたもの)。〔狭義では、漬物の名に添える〕「一夜―・浅―・茶―・氷―・みそ―」 ■二①②〔すし屋などで〕マグロの赤身を醤油ショウユに軽くつけたもの。「ずけ」とも。〔狭義では、マグロの赤身、また、その握りずしを指す〕

つけあい⓪アヒ【付(け)合(い)】 〔連歌レンガ・俳諧ハイカイで〕二人以上で、次つぎと前句マエクに付け句をすること。

つけあが・る④⓪【付(け)上(が)る】(自五) 相手が△おとなしい(やかましく言わない)のをいいことにして、いばったり思い上がった行動をしたりする。

つけあわせ⓪アハセ【付(け)合(わ)せ】 肉・魚の料理に添える野菜や海藻など。動付け合わせる⑤⓪(他下一)

つけい・る③⓪【付(け)入る】(自五) 〔もと、敵の隙スキに乗じて攻める意〕何かをするのに、相手の弱みなどをいい機会としてのがさずにうまく利用する。

つけうま⓪【付(け)馬】 飲食費や遊興費をその場で払えない客に付いて、それを受け取るために客の家まで行く人。つきうま。

つけうめ⓪【漬(け)梅】 ❶塩漬けのウメの実。❷梅干。

つけうり⓪【漬(け)〈瓜】 ❶シロウリの変種。漬物用。❷漬物に△する(した)ウリ。

つけおとし⓪【付(け)落(と)し】―する(他サ) △帳面(書付け)に、書くべき事柄などを忘れて書いていないこと。「付け落ち⓪」とも。 動付け落とす④(他五)

つけおび③⓪【付(け)帯】 お太鼓に結んだ部分と、締める部分とを別々に作ってある帯。帯を締めた後、結んだ部分をさしはさむ。

つけか・える④③カヘル【付(け)替える】(他下一) ❶今までの物の使用をやめて、別の物△を(に)つける。「ボタンを―/手帳を―」 ❷他行間タコウカンの決済において現金を動かさず、帳簿上の為替資金の移動をもって替える。名付け替え⓪

つけぎ②⓪【付(け)木】 ヒノキなどを薄く切った端に硫黄イオウを塗り、火を移す時に使うもの。かぞえ方 一本

つけく②⓪【付(け)句】 〔連歌レンガ・俳諧ハイカイで〕前句マエクに付けた句。↕前句

つけぐすり③【付(け)薬】 皮膚に△付ける(はる)薬。⇩飲み薬・塗り薬

つげぐち⓪【告(げ)口】―する(自サ) 他の人の秘密・過失などをそっと別の人に告げること。「△先生(上司)に―する」

【】の中の教科書体は学習用の漢字，〈 は常用漢字外の漢字，《 は常用漢字の音訓以外の よみ。

つけくわ・える⑤⓪【付け加える】(他下一) すでにある物の上に、さらに添え加える。[自動] 付け加わる⑤⓪(五)

つけげ⓪②【付け毛】 美しく見せるために、頭髪に付け加える別の毛(を付けること)。

つけげいき③【付け景気】 表面だけ景気がいいように見せかけること。

つけげんき③【付け元気】 うわべだけ元気そうなふりをすること。空(カラ)げんき。

つけこ・む⓪③【付け込む】(自五) ❶つけいる。「相手の油断に―」 ❷(仕訳(シワケ)をせずに)帳簿に記入する。「付込(ツケコミ)帳⓪」

つけこ・む③【漬け込む】(他五) 漬物を(よく漬かるように)漬ける。

つけさげ⓪【付け下げ】 △肩山(袖(デツ)山)を頂点として、前身ごろと後ろ身ごろの両方に、裾(スソ)から上向きの模様をつけた着物。訪問着に代わるものとして着用される。[かぞえ方] 一着・一枚・一点

つけざし⓪【付け差し】 自分が口を付けた△杯(きせる)を相手に渡してのませること。〔江戸時代、情人に対する粋(キイ)なしぐさとされた〕

つけじる⓪【付け汁】 なべ物の実や、うどん・そば・てんぷらなどを付けて食べる、味のついた汁。

つけだい⓪②【付け台】 〔すし屋で〕握って客に出すすしをのせる、カウンターの奥に設けられた細長い台。

つけたし⓪【付け足し】 ❶すでに行なわれたことの不備を補うために付け加える△こと(物)。「―の説明をする」 ❷⇩つけたり

つけだし⓪【付け出し】 ❶記入し始めること。❷売掛金の請求書。❸〔すもうで〕最初の前相撲から始めるのではなく、実力が認められ、いきなり幕下などの位置に格づけされること。「幕下十枚目格―」

つけた・す⓪③【付け足す】(他五) すでにある物の上に、さらに補い加える。

つけだ・す⓪③【付け出す】(他五) ❶記入し始める。❷売掛金の請求書を書きつけてさし出す。❸荷物を馬などの背中に付けて送り出す。

つけたり⓪【付けたり・《附》】 〔「付けたり」の意〕主たる役割を負ったものに添えられた、それほど重要ではないもの。つけたし。〔本来の目的を隠すための名目や口実とするものの意にも用いられる。例、「彼女に会いたかっただけで音楽会は―だ」〕

つけつけ②①(副)―と 無遠慮に相手に突きかかるような調子でものを言う様子。〔「ずけずけ」のやや古風な表現〕「―文句を言う」

つけどころ⓪【付け所】 特に注意を向ける(べき)点。「さすが目の―が違う」

つけとどけ⓪【付け届け】―する(自他サ) 義理や謝礼・依頼の気持でする贈り物(を贈ること)。「盆暮れの―を欠かさない」

つけな⓪【漬け菜】 漬物に(適)した菜。特にトウナ。

つけね⓪【付け値】 買手の方で品物に付けた値段。↕言い値

つけね⓪③【付け根】 〔主となる物とつながっている物で〕そのつながっているもとの所。「△足(葉)の―」

つけねら・う⓪―【付け狙う】(他五) あとをつけて、常に様子をうかがう。「ひそかに―」

つけび②【付け火】 「放火」の意の和語的表現。

つけひげ⓪②【付け髭】 作った髭(を付けること)。

つけびと⓪【付け人】 ❶付き人。〔狭義では、十両以上の関取の身のまわりの世話をする、若いすもう取りを指す〕 ❷監督として、そばに付けておく人。

つけひも⓪【付け紐】 (子供の)着物の胴に縫い付けてある紐。

つけふだ②【付け札】 ❶商品の一つひとつに付けた値段札。❷「付箋(フセン)」の意の古風な表現。[かぞえ方] ❶は一枚

つけぶみ⓪【付け文】―する(自サ) 恋文(を、人に気づかれずに相手に渡るようにすること)。[かぞえ方] 一通

つけペン⓪【付けペン】 〔万年筆と違って〕いちいちインクを付けながら書くペン。

つけまげ⓪【付け髷】 別に作った髷(を付けること)。「つけわげ⓪」とも。

つけまわ・す④⓪―【付け回す】(他五) どこまでも、しつこくあとをつけて行く。

つけめ③【付け目】 ❶めあて。ねらい。❷〔相手の弱点として〕つけこむところ。「そこが―で」

つけめん⓪【付け麺】 つけ汁につけて食べる中華そば。

つけもの⓪【漬け物】 野菜を塩・ぬか・味噌(ミソ)・酒かすなどに漬けた食品。こうのもの。「白菜の―/―屋⓪」 [表記] 本表=「漬物」

つけやき⓪【付け焼き】 しょうゆなど△を塗ってから(につけておいたものを)焼くこと。また、そうした鳥獣魚肉や餅(モチ)。

つけやきば③【付け焼き刃】 元来力の無い者が、その場をうまくごまかすために、いかにもあるように見せかけたり にわか仕込みの勉強で急場をしのごうとしたりする△こと(ための態度・勉強)。

**つ・ける【付ける】 ■②(他下一) ❶〈なに・どこニなにヲ―〉何かを他から移してきたり生じさせたりして、そこに存在させる。「胸にブローチを―/レンズにフィルターを―/手袋を―/屋根の上に覆いを―/△元気(力)を―/薬/△作法(早起きの習慣)を身に―/ウメが△花(実)を―/家計簿を―」 ❷〈だれニだれヲ―〉その人を助ける役割を担うものとして身近に置く。「病人に付添いを―/被告人に国選弁護人を―/部下を付けて海外に出張させる」 ❸〈なにニなにヲ―〉そのものの一部としてそこに加える。「△住宅手当(予算)を―/巻末に索引を―」 ❹〈(なにデなに・だれニ)なにヲ―〉必要な操作をすることによって、意図した通りの状態にする。「マッチでストーブに火を―/△電気(ガス・クーラー・テレビ)を―/電話で彼に連絡を―」 ❺〈なに・だれニなにヲ―〉数値や名称などとの間に対応関係が認められる状態にする。「△値段(成績)を―/生まれた子供に名前を―」 ❻〈なにニだれヲ―〉責任のある地位や立場に、ふさわしい人を置く。「新人女優を主役に―/民間人を大臣の座に―/三着に付けてゴールインする」 ❼〈なに・だれヲ―〉見失わないようにあとを追う。「あとを付けたが、うまくまかれた/犯人を―」 ❽〔連歌(レンガ)・俳諧(ハイカイ)で〕前の句に不即不離の関係を持つ句を詠む。 [表記] ❶の「手袋をつける」は「着ける」とも書く。❹の一部は「《点ける」とも書く。❻は、「地位につける」は「就ける」、「王位につける」は「《即ける」とも書く。 ■〔❶❷❸は「動詞連用形+―」の形で、接尾語的に〕 ❶いつもしていて、それに慣れる。「やりつけない仕事/見せられつけている」 ❷強い勢いでそれをする。「しかり―」 ❸感覚器官でとらえて、それを探り出す。「聞き―・見―・嗅(カ)ぎ―」 ❹…を与える。「意義―(ヅケ)ル・位置―(ヅケ)ル・秩序―(ヅケ)ル・特徴―(ヅケ)ル」

つ・ける⓪【漬ける】(他下一) ❶【《浸ける】 液体の中にそのもの△全体(の一部)を入れたままの状態にする。「洗濯物を洗剤に―/指先を水に―」 ❷味をしみ込ませるために、肉・野菜などの類を味噌(ミソ)・しょう油・砂糖・ぬか床などの中に入れる。「魚の切り身を酒粕(サケカス)に―」

***つ・げる**⓪【告げる】(他下一)〈(だれニ)なにヲ―〉〔△大事(公

的)なことを〕(多くの人びとに)知らせる。「別れを―/暇(イトマ)を―〔=別れの挨拶(アイサツ)をする〕/時を―鐘の音/季節の到来を―/風雲急を―〔=緊迫した事態を感じさせる〕/新時代の到来を―」

っこ(接尾) ■一❶相対する者が同じ動作・作用を△同時(交互)にすることを表わす。「教え―する/笑わし―無しよ/恨み―無し/うその つき―」❷二人以上の者が互いに何かを△する(競う)ことを表わす。「にらめ―する/引っ張り―する/かけ―」❸〔「―無い」の形で〕どう考えてもそのようなことはありえないという判断を表わす。「どうせ分かり―無い/ひとりで出来―無い」■二【っ子】❶特定の状態にある人を表わす。「売れ―・はやり―」❷その土地で生まれ育ち、特有の気質を備えている(ことを誇りとしている)人を表わす。「土地―/江戸―/博多―/浜〔=横浜〕―」❸取るに足りない卑小な存在であることを表わす。「人―・小僧―・ちび―・娘―」 表記 ■二❶は、「っ《児・っ〈妓」とも書く。

っこ・い(接尾・形型) その特徴的な性質が強く感じられる様子だ。「脂(アブラ)―・やに―・粘(ネバ)―」 派 **―さ**

****つごう**(オー/ガフ)【都合】 ■一⓪❶〔何かをする際に、影響を与えるような〕(総合的)事情。「―がいい/―が悪い/その時の―〔=ぐあい〕で/万事―よく〔=支障なく〕行く/―〔=折〕よく家に居た/自分の―ばかり考える〔=すべて損をしたくない、楽をしたいという観点から、本人のかってな立場だけを中心として物を考える〕」❷―する(他サ)〈なに二なにヲ―する〉内部で操作をして、ある事を優先的に実現させること。「何とか時間を―して会に出る/どうしても金が―〔=やりくり。捻出(ネンシュツ)〕出来ない/―△がつく(をつける)」■二①⓪(副) 対象となる数量を、すべて合わせて計算する様子。「―五千円の△買物(損)になる」 運用 ■一❶は、「都合により」などの形で、相手の意向に反するようなことをする際に、事情の具体的な説明を省略して、文書や張紙で△通知(通告)するのに用いられることがある。例、「都合により△来月からの公演は中止(本日は休業)いたします」

つごもり⓪【〈晦・〈晦日〉】〔雅〕〔「月隠(ゴモ)り」の意〕陰暦の、月の末。みそか。

つじ⓪【〈辻】❶道が十字形に交差した所。十字路。❷みちばた。街頭。「―馬車⓪・―演説③」❸〔中国地方から大分・熊本・宮崎の方言〕頂上。山頂。「峠の―」

つじうら⓪【〈辻《占】〔昔、街頭に立って、通行人の言葉で吉凶を判断した事から〕❶小さな紙片に書いた、吉凶の占い。❷吉凶の前兆。

つじかご⓪②【〈辻〈駕籠〉】 昔、町の辻に待っていて、客を乗せた駕籠。 かぞえ方 一挺(チョウ)・一丁

つじかぜ⓪【〈辻風】〔「つむじ風」の略か〕(町なかを吹き渡る)つむじ風。

つじぎみ⓪②【〈辻君】〔雅〕夜鷹(ヨタカ)。ストリート ガール⑥。

つじぎり⓪【〈辻斬(り)】 江戸時代、武士が自慢の刀の切れ味を試したり 興味本位に腕試しと称したり して夜間、通行人を斬り捨てたこと。

つじごうとう③(オー/ガウタウ)【〈辻強盗】 道ばたで通行人を襲う強盗。

つじせっぽう③(オー/ポフ)【〈辻説法】 道ばたで通行する大衆に対してする説法。

つじつま⓪【〈辻褄〉】〔上下左右、うまく合うべき着物の縫い目の意〕一貫すべき、物事の初めと終り。「話の―が合わない〔=ⓐ前後矛盾している。ⓑ他の人の証言と違う〕/―を合わせる」

つじどう⓪(オー/ダウ)【〈辻堂】 道ばたにある小さな仏堂。

つじばん⓪②【〈辻番】 辻番所(に勤務して、街路の警護に当たった人)。

つじばんしょ⑤③【〈辻番所】 江戸時代、江戸市中の諸藩の屋敷町の辻に設けて、付近を警備させた所。略して「辻番」。

つじふだ②⓪【〈辻札】 辻に立てた制札。

つじまち⓪【〈辻待(ち)】―する(自サ) 道ばたで客を待つこと。「―車夫⑤」

つた⓪②【〈蔦】 塀・石垣などにはわせる多年生の落葉つる植物。葉はブドウに似て、秋、紅葉する。〔ブドウ科〕

づたい(ヅタヒ)【伝(い)】(造語) 伝って行くこと。「海岸―・線路―・川―・屋根―」

つたいあるき④⓪(ツタヒ)【伝(い)歩き】―する(自サ) ❶〔赤ん坊が、歩き始めるようになって〕たんす・壁などを伝って歩くこと。❷間隔を置いて伝って歩くこと。

つた・う⓪(ツタフ)【伝う】(自五) △点在(連続して存在)する物に沿って離れず、至近距離を次から次へと移動する。「大粒の涙が頬(ホオ)を―/瓶の口を伝って牛乳が垂れる/梢(コズエ)を伝いながらウグイスがさえずる」

つたえ(ツタヘ)【伝え】 ■一⓪③❶伝言。❷言い伝え。伝説。■二(造語) 動詞「伝える」の連用形。 **―う・ける**⑤【―受ける】(他下一) 受け継ぐ。 **―き・く**④⓪【―聞く】❶昔からの言い伝えとして聞く。❷うわさに聞く。

***つた・える**⓪(ツタヘル)【伝える】(他下一) ❶〈なに・どこ二なにヲ―〉 伝わるようにする。「△振動(真実・奥義)を―/仏法を日本に―/後世に―」❷〈だれ二なにヲ―〉 必要な事柄を、人を介して知らせる。「意向を―/ご主人様によろしくお伝えください/△優勢(劣勢)が伝えられる〔=…という情報が入る〕」〔⇩伝え■二〕

つたかずら③(カヅラ)【〈蔦《葛】 つるくさの総称。 表記「〈蔦〈蔓〉」とも書く。

つたな・い③【拙い】(形) ❶能力が劣っていたり 技芸が未熟であったりして、△一人前と認められない(人に見せるのがためらわれる)様子だ。「―文章だが切々と訴えるものがある」❷運に見放されているとしか思われない様子だ。「果報―/武運拙く討死にした」 派 **―さ**③② 運用 ❶は、自分の能力や技芸の程度を取るに足りないものだと謙遜(ケンソン)・卑下して言うのに用いられることがある。例、「拙い芸をお見せいたしました/拙い私をお導きくださいまして、感謝の念に堪えません」

つたもみじ③(モミヂ)【〈蔦〈紅葉〉】 紅葉したツタの葉。 表記 ⇩付表「紅葉」

***つたわ・る**⓪(ツタハル)【伝わる】(自五) ❶〈なに・どこ二―/なに・どこヲ―〉 Ⓐ何かを経由して、そこまで移動して来る。「縁側を伝わり段梯子(ダンバシゴ)を登って二階へ上がる」Ⓑ何かを媒介にして、そこにあるものが主体に感じ取られる。「△熱(気持)が―/肌に伝わって来る〔=直接感得される〕」❷〈なに・だれ・どこ二―〉 Ⓐある所に起こった物事が、多くの人により他の所に移る。「漢字は中国から伝わった」Ⓑある時代に起こった物事が、後の人によって受け継がれ、発展する。Ⓒある時代・ある所に起こった事柄が、他の人や後の人に語り継がれる。「都市伝説として伝わっている」

っち(造語)〔東京などの方言〕「たち」の変化。「おれ―②・手前(テメエ)―」

****つち**②【土】❶地球上の陸地の表面を、厚い層を成しておおうもの。大地。「△故郷(異国)の―を踏む」❷岩石が徹底的に砕かれて、直接「土❶」を形づくる物。土壌。「よく肥えた―/異国の―となる〔=異国で死ぬ〕/―がつく〔=すもうで、負ける〕」❸地面。地上。「草が―をはう/―を掘る/―一升金(カネ)一升〔=土地の値段が非常に高いことのたとえ〕」

つち②①【〈槌・〈鎚】 物をたたく工具で、柄のついた物。「打

ち出の小―／木―・金―・大―⓪」

つちいじり③【土《弄り》】―する(自サ) ❶〔子供などが〕土をいじって遊ぶこと。❷趣味としての園芸。

つちいっき③【土一〈揆〉】〔室町時代の〕農民の暴動。百姓一揆。

つちいろ⓪【土色】❶土の色。灰色がかった△黒茶色(赤茶色)。〔地方によっては、灰色など〕 ❷つちけいろ。

つちか・う③【培う】■一(自五)「生育を促すために根元に土をかける」意の古い言い方。「麦に―」 ■二(他五)養い育てる。「健康な心身を―／基礎が培われる」

つちくさ・い④【土臭い】(形) ❶土のにおいがする。「収穫したばかりの―大根」 ❷洗練されたところがなく、いなかびている様子だ。「上京したばかりの―娘」〔「やぼ」の意にも、「野趣に富む」の意にも用いられる〕 派―さ③

つちぐも⓪【土〈蜘蛛〉】 ❶土台石や木の根元などに細長い袋を作って地中にすむ、赤黒いクモ。ジグモ。アナグモ⓪・フクログモ④とも言う。〔ジグモ科〕 ❷古代、日本に住んで大和朝廷に服さず異民族視された人びとの蔑称。かぞえ方 ❶は一匹

つちくれ⓪【土《塊》】 土のかたまり。表記 古来の用字は、「《塊》」。

つちけいろ⓪【土気色】 血の気を失った顔色。黄色を帯びた灰色。「つちいろ」とも。

つちけむり③【土煙】 土・砂が風に吹き上げられて、煙のように見えるもの。

つちつかず③【土付かず】〔すもうで〕全勝。

つちのえ③【〈戊〉】〔「土の兄ェ」の意〕十干の第五。丁の次、己の前。

つちのと③【《己》】〔「土の弟ト」の意〕十干の第六。戊の次、庚の前。

つちふまず③【土踏まず】 足の裏のくぼんだ部分。⇩へんぺいそく

つちへん⓪【土偏】 漢字の部首名の一つ。「地・坂・塩」などの、左側の「ｭ」の部分。「どへん」とも。〔「土」は大地の意。多く、大地に関係のある漢字がこれに属する〕

つちぼこり③【土〈埃〉】 風に吹き散らされる、土砂を含んだほこり。

つちやき⓪【土焼㋖】 素焼きの土器。

つちよせ⓪【土寄㋝】―する(自サ) 作物が少し育ってから、その根もとに土をかき寄せること。

つちろう⓪【土〈牢〉】 地下に造った牢屋。

つっ【突㋡】(接頭)〔東京などの方言〕〔「突き」の変化〕「強い勢いで・一斉に・急に」などの意を表わす。「―返す・―ぱしる・―込む・―ぱねる」

つつ(接助) ❶前件と後件とが並行して矛盾無く行なわれることを表わす。「酒を飲み―(=ながら)談じる／当時をなつかしみ―(=ながら)酒をくみかわした／諸般の事情を考慮し―(=て)事業計画を立てる／成功を期待し―(=て)今後の経過を見守る」 ❷〔多く「も」を伴って〕両立しにくい前件と後件とがともに成立することを表わす。「失礼とは知り―も(=知っていても(あえて))お願いするのです／彼への同情の念はあり―も、処分を下した」 ❸〔「―ある」の形で〕現在、その動作・作用が始動の局面にあること、あるいは、変化が完遂に向けて進行中であることを表わす。「編集部では既に第九版の刊行準備を始め―ある／国民生活は向上し―あるというが、それは単なる消費面でしかない」 文法 動詞、助動詞「れる／られる・せる／させる」の連用形に接続する。

***つつ**②⓪【筒】 ❶丸く長くて中がからの物。円筒。「竹の―／花火―③・丸―⓪」 ❷〔小銃・大砲などの〕銃身。砲身。〔古くは、小銃・大砲その物をも言った。例、「短―」〕 ❸井戸側。かぞえ方 ❶❸は一本。❷は一挺・一丁

つづ①【《十》】〔雅〕とお。〔「十九」の意で用いるのは、本来は誤り〕

つつい⓪【筒井】「丸く掘った井戸」の意の古風な表現。

―づつ③【―筒】 筒井を囲む枠。

つつうらうら①-⓪、①-②【津々浦々】〔「津」は港の意〕全国至るところ(の港や浦)。「つづうらうら」とも。

つつおと⓪【筒音】〔雅〕小銃や大砲の発射音。

つっかい⓪③〔「突っ支ヵい」の意〕〔棒などを〕物に当ててささえとする△こと(物)。つっぱり。「つっかえ⓪③」とも。「―をする／―棒⓪」 動つっかう③(他五)

つっかえ・す③【突㋡返す】(他五)「突き返す」の口頭語的表現。

つっか・える④③(自下一)「つかえる(支える)」の口頭語的表現。

つっかか・る④【突㋡掛㋕る】(自五) ❶障害がよけられず、先へ進めない状態になる。引っかかる。「敷居に突っ掛かってころぶ」 ❷相手を敵対視するかのように、強く逆らう態度をとる。反抗する。 ❸相手に乱暴な言葉を△返す(返して、争いをしかける)。くってかかる。「あの男は人の言葉じりをとらえて、すぐ―」

つっかけ⓪【突㋡掛㋘】〔↑つっかけぞうり⑤〕足のつま先にひっかけて履く、手軽な履物。〔昔、職人が履いたものという。⇩サンダル〕かぞえ方 一足

つっか・ける④【突㋡掛ける】(他下一) ❶履物をむぞうさに履く。❷突然、強い勢いでぶつける。

つつがな・い④【〈恙無い〉】(形)〔「つつが」は病気の意〕病気や異状が無く、いつもと変わりがない様子だ。「五年間の海外勤務を終え、恙無く帰国した／恙無く暮らす／恙無しや父母」 文法 助動詞「そうだ(様態)」に続くときは「恙なさそうだ」の形になる。

つつがむし③【〈恙虫〉】 ケダニ⓪の幼虫。からだはきわめて小さく、人体の血を吸い、「つつがむし病⓪」を媒介する。

つづき【続㋖】■一⓪ 続く△こと(もの・ぐあい)。「―はまたあした」 ■二(造語) 動詞「続く」の連用形。 ―あい⓪【―合㋑】 つづきがら。 ―がら⓪【―柄】 親族としての、つながりぐあい。 ―もの⓪【―物】 完結するまでに何回か回を重ねる、小説・映画や、△テレビ(ラジオ)ドラマなど。

つつきまわ・す⓪⑤【つつき回す】(他五) あちらこちらから繰り返し突く。「寄ってたかって―」

つつぎり⓪【筒切㋷】 輪切り。

つっき・る③【突㋡切る】(他五)〔障害をものともせず〕最短距離で目ざす所へまっすぐに通り抜ける。

つつ・く②(他五)〔「突き突く」の変化〕 ❶繰り返し、軽く突く。「鳥が木の実を―／なべを―(=はしを使って、中の物を食べる)／わき見をしている友達を―(=注意する)／弱い者をつついて(=いじめて)泣かす」 ❷〔欠点などを〕わざわざ取り上げて問題にする。「重箱の隅を楊枝で―」 ❸そばであれこれ言って、ある事をさせるようにしむける。そそのかす。

****つづ・く**⓪【続く】(自五) ❶〈(なに・どこカラ)なに・どこマデ)―〉時間的に休止が無く、空間的に空白が無く、同じ状態が見られる。「ゆるやかに―尾根／目白押しに―／△上昇傾向(豊作・低調・混乱・小康・低迷・横這い状態)が―」 ❷〈(なにニ)―〉〔ある事柄が前の事柄のあとに〕間を置かずに起こる。「不幸が―(=絶え間なく起こる)／あとが続かない」 ❸〈(なに・どこカラ)なに・どこニ―／なに・だれ・どこニ―〉切れ目なく接する。つながる。「国道に―(=通じる)道／五ページから十ページへ―(=連絡する)／彼に―(=彼のあとに従う)同志三人」 ❹〈なに・だれ・どこニ―〉すぐ次の順位を占める。「東京

に—大都市」〔⇩続き■三〕 文法 「続いて」の形で接続詞的に用いられることがある。例、「会長の挨拶(アイサツ)が終わった。続いて来賓の祝辞があった」 運用 不幸が続くことを忌んで、葬儀などに際しては避けるべき言葉とされる。

つつぐち⓪【筒口】(銃砲の)筒先。

つづけざま⓪【続(け)様】 続けて同じ事が繰り返される△こと(様子)。「—のくしゃみ/—に出張を命じられる」

つづけじ⓪【続(け)字】 速く書くために、漢字やかなの字間を離さず、続けて書いた字。

*つづ・ける⓪【続ける】(他下一) ❶〈(なに・どこカラなに・どこマデ)なにヲ—〉 途中で断念・放棄すること無く、時の進行のまま変わらずに同じことを△する(繰り返す)。「△旅(地道な努力・検討・説得)を—」 ❷〈なにヲ—〉〔時間の変化にかかわらず〕以前と同じ状態にあることが認められる。「△足踏み(小康状態・低迷・難航)を—」

つっけんどん③【突(っ)〈慳貪〉】—な/—に 相手に敵意をいだいているのかと思われるほど、言動が冷淡であったりぶっきらぼうであったりする様子だ。「—な答え」

つっこみ⓪【突(っ)込(み)】 ❶突っ込むこと。❷これ以上出来ないというところまで△徹底してする(力を尽くす)こと。「まだまだ—が足りない」 ❸一つひとつを区別せず、全部を一まとめとして売買すること。❹〔漫才などの話芸で、「ぼけ」に対して〕次から次へと話題を展開したり 相手の発言を攻めたりすること。また、その役。「—を入れる/—所(ドコロ)〔=相手をさえぎって、確認を求めたくなる、疑わしく不可解な点〕満載の答弁」

*つっこ・む③【突(っ)込む】■一(自五) ❶〈なに・どこニ—〉 何かの中に激しい勢いで入る。「敵陣に—〔=突撃する〕/車が暴走して角の店に—」 ❷問題を深く追求して核心に迫るようにする。「突っ込んだ話合い」 ■二(他五) ❶〈なに・どこニなにヲ—〉 何かの中に△勢いよく(むぞうさに)入れる。「のどの奥に指を—/ポケットに手を突っ込んで歩く」 ❷〈なにヲ—〉 深く問題点を指摘して鋭く追及する。 ❸〈なにニなにヲ—〉 深く関係する。「他人の事に首を—」

つっころば・す⑤【突(っ)転ばす】(他五) 強く突いて相手を倒す。

つつさき⓪【筒先】 ❶筒の先。❷△鉄砲(大砲)のたまの出る口。❸消火用のホースの先(を握って消火にあたる消防士)。

つつざき⓪【筒咲(き)】 花弁が筒の形をして咲く△こと(花)。アサガオの花など。

つつじ⓪【〈躑躅〉・〈杜鵑〉花・〈映山紅〉】 庭などに植える△常緑(落葉)低木。五月ごろ、赤・紫・白などの、美しい花を開く。種類が多い。〔ツツジ科〕 かぞえ方 一株・一本

つつしみ【慎(み)】 ■一⓪ ❶慎むこと。❷〔雅〕物忌み。 ■二(造語) 動詞「慎む」の連用形。 —ぶか・い⑥【—深い】(形) 自分の置かれた立場や状況をわきまえて、何事につけても言動を控え目にする様子だ。 派 —さ⑤

*つつし・む③【慎む・謹む】(他五) ❶〈なにヲ—〉 身の程をわきまえて万事につけて出過ぎたことをしないように心がける。「△身(行い)を—」 ❷〈なにヲ—〉 調子に乗り過ぎた行動をして身の破滅を招いたりすることが無いように、自ら戒める。「△酒(女・口)を—」 ❸相手に対して深く敬意を表わす。⇩つつしんで〔⇩慎み■二〕

つつしんで③【謹んで】(副) 〔「つつしみて」の変化〕相手の気持や立場を十分に尊重し、ひたすらそれに応じる用意がある、という気持を表わす。「—△お受け致します(お詫(ワ)び申し上げます)」

つつそで⓪【筒袖】 たもとが無い、筒のような形の袖(の衣服)。

つった・つ③【突(っ)立つ】(自五) ❶△ぴんと(まっすぐに)立つ。❷何もせず、立ったままでいる。「何時(イツ)までもぼんやり突っ立ってるんじゃないぞ」

つった・てる④【突(っ)立てる】(他下一) ❶〔先の鋭い物を〕力強く突き△刺す(刺して立てる)。❷勢いよく(まっすぐに)立てる。

つっつ・く③【突(っ)突く】(他五) 「つつく」の口頭語的表現。

つつっと②(副) すばやく、すべるように進む様子。「目の前を—走りぬける」

つつっぽ⓪【筒っぽ】 「つつそで(の着物)」の意のややくだけた表現。

つっと①(副) 「つと」の強調表現。「脇(ワキ)から—手を伸ばして取った」

つつどり②【筒鳥】 初夏にシベリア・中国から日本に来、冬南方へ移る渡り鳥。カッコウより少し小さく、ホトトギスより少し大きい。鳴き声は、からの筒を打つようにポンポンと聞こえる。〔カッコウ科〕 かぞえ方 一羽

つつぬけ⓪【筒抜け】 「筒の底が無くて、中に入れた物が下に落ちるの意から〕 ❶話し声や秘密にすべき事柄がみな漏れて、すぐ他に伝わること。❷止まらないで、みな通り抜けること。「いくら忠告しても右から左へ—だ」

つっぱし・る④【突(っ)走る】(自五) 〔東京などの方言〕 ❶自動車などが速いスピードで走る。「バイクで山道を—」 ❷自分でも抑えることの出来ないほどの勢いで、ある方向へ進む。「悪の道を—」

つっぱな・す④【突(っ)放す】(他五) ❶急に突き放す。❷相手にしないで、冷淡に扱う。「甘える子を—」

つっぱ・ねる④【突(っ)〈撥ねる〉】(他下一) 〔要求・申込みなどを〕手きびしく受け付けない態度をとる。

つっぱり⓪【突(っ)張(り)】 ❶倒れないようにささえとしたり外から入られないように内側からかったりする柱・棒など。「—を支(カ)う」 ❷〔すもうで〕つっぱって相手を土俵の外に出すわざ。❸「つっぱる■二❷Ⓑ」△こと(人)。「—グループ」

つっぱ・る③【突(っ)張る】■一(他五) ❶棒などを物に押し当てたりして、万一の時に倒れないようにする。「小屋を丸太ん棒で—」 ❷〔すもうで〕腕を伸ばし、足に力を入れて、てのひらで勢いよく相手を突き出そうとする。■二(自五) ❶〔足腰の筋などが〕強く張って堅くなる。❷Ⓐ相手に対抗し、自分の主張を引っ込めず、どこまでも通そうとする。Ⓑ〔若者などが〕虚勢を張り、自分には何も怖いものはないんだ、といったふうを装った言動をする。

つっぷ・す③【突(っ)伏す】(自五) 勢いよくうつぶせになる。

つつまし・い④【《慎ましい》】(形) ❶何事につけても謙虚に振る舞う様子だ。〔誤って、「つましい」と同義に用いる向きもある。例、「—食事」〕「慎ましく意見を述べる」 ❷礼儀正しく、控え目な様子だ。「慎ましく会釈する」 派 —さ③ —げ④⑤⓪

つつましやか④【《慎ましやか》】—な/—に △慎ましい(慎ましく見える)様子だ。「—な生活」

つづまやか③【《約(や)か》】—な/—に 「簡略・簡素・質素・控え目」の意の古風な表現。

つづま・る⓪【《約まる》】(自五) ❶短くなったり 小さくなったりする。縮まる。❷簡潔になる。手軽になる。

つつみ【包(み)】 ■一③ 〔紙・ふろしきなどで〕△包むこと(包んである物)。〔かぞえる時にも用いられる〕「小—(ミッ)・ふろしき—」 ■二(造語) 動詞「包む」の連用形。 —かく・す⑤【—隠す】(他五) ❶包んで、見えなくする。❷〔本心や秘密を〕人に知られないようにする。「包み隠さず

話す」 ーがね③【ー金】 紙包み❷。つつみきん⓪③。 ーがまえ④【ー構㋓】 漢字の部首名の一つ。「包・匁モンメ・勺シャク」などの「勹」の部分。〔「句」に代表させて「くがまえ」とも言う〕 ーやき⓪【ー焼㋖】 魚・肉・野菜などを、草木の葉やぬらした和紙・ホイルに包んで焼くこと。また、その食品。

つつみ③⓪【堤】❶〔川・湖などで〕水があふれないように、岸に土や石を盛り上げたもの。土手。❷〔雅〕水をたたえた池。

つづみ⓪③【鼓】❶革を張って打ち鳴らす楽器の総称。❷中央がくびれた胴の両端に革を張り、手で打ち鳴らす楽器。 かぞえ方 ❶❷とも一挺チョウ・一丁

***つつ・む**②【包む】(他五) ❶〈なにデなにヲー/なにニなにヲー〉 一枚の紙や布を使い、形にそって一面におおうようにする。「オブラートでー」 ❷〈なにヲー〉 まわりをすっかり取り囲む。「夜霧に包まれて歩く/△悲しみ(なぞ・熱気)に包まれる」 ❸〈なにヲー〉〔ある感情を〕心の中に隠す。「包みきれないうれしさ」 ❹〈なにヲー〉 お金を直接相手に渡す場合に、むき出しでは失礼だという考え方に従って、畳んだ紙の中に入れて差し出す。「謝礼に五万円ー」〔⇩包み[三]〕

つづ・める⓪③【《約める》】(他下一) ❶主要でない部分を切り捨てて、短くする。縮める。「約めて〔=簡単に〕言えば」 ❷簡略にする。「約めた〔=節約した〕生活」

つつもたせ③【〈美人局〉】〔語源は未詳だが、もとから詐欺の意に用いられる〕妻・情婦に情交させ、夫・情夫がそれを種にして相手の男から金銭をゆすり取る、一種の恐喝行為。 表記 「〈美人局〉」は漢語表記。

つづら⓪【〈葛籠〉】 衣服などを入れる かご。ツヅラフジやタケで編んで作る。 かぞえ方 一合ゴウ・一荷カ

つづら⓪【《葛》】❶つるを ひもとして利用出来る植物。〔狭義では、ツヅラフジを指す〕 ❷クズの異称。 ーおり⓪【ー折㋷】 何回もくねくねと折れ曲がった坂道。 表記 「〈九十九〉折」とも書く。 ーふじ③【ー藤】 山野に自生する、多年生の落葉つる植物。黒い実を結ぶ。つるで籠カゴを作る。〔ツヅラフジ科〕 かぞえ方 一本

つづり【〈綴㋷〉】[一]③⓪ ❶△とじること(とじたもの)。「一ヒトーの帳簿」 ❷スペリング。「ー字⓪③」 [二](造語) 動詞「綴る」の連用形。 ーあわ・せる⑥【ー合㋻せる】(他下一) 綴って一つにまとめる。綴り合わす⑤⓪(五)。 ーかた⓪④【ー方】 ❶アルファベットをつなぎ合わせて語をしるす方法。「ローマ字のー」 ❷〔もと、小学校で〕文章を作る練習。作文。

つづ・る⓪【〈綴る〉】(他五) ❶ひも・糸などをつなぎあわせ(て、一続きのものにす)る。「着物の破れをー」 ❷言葉を続けて文章を作る。「書きー」 ❸アルファベットをつなぎ合わせて語をしるす。〔⇩綴り[三]〕

つづれ⓪【〈綴㋹〉】 破れをつぎはぎした衣服。ぼろ。 ーおり⓪【ー織㋷】 つづれにしきをまねて、色糸で模様を織り出した織物。帯地・肩掛け用。 かぞえ方 一枚 ーにしき④【ー錦】 花鳥・人物などの模様を大柄に織り出した錦。一見、きれを綴り合わせたように見える。

って [一]〔格助詞的に〕 ❶引用を示す格助詞「と」の変化「て」の強調表現。「彼が主役だー言ってましたよ/しきりにうまいかー聞いていた/行くなーさ/あいつが正直者だー(だれが信用するもんか)」 ❷「という」の圧縮表現。「あした帰るー話だよ/腕は日本一だーうわさだ/かわいそうだーのは、惚ホれたーことよ」 ❸「というのは」の圧縮表現。「人間ー本当に分からないもんだなあ/お前ー意外に話せるんだなあ」 [二]〔接続助詞的に〕「といって」の圧縮表現。「映画を見に行くー出かけましたよ/なんだーまたそんな古くさい事を持ち出すんだ/いなか者だからーばかにするな/どこへーあても無い/今から行ったー〔=としても〕まにあいっこないよ」 [三]〔終助詞的に〕 ❶「…ということだ」の変化。他から聞いた話として述べるのに使う。「妹も行きたいー/あしたは雨だーさ/この本とってもおもしろいー」 ❷相手の言葉を反芻ハンスウし、そんなばかな事はあり得ないという意を表わす。「えっ！ 死んだー/なんだー、悪い冗談はやめろ」 ❸△絶対に(二度と)そうするものかという主体の気持を表わす。「だれが行くかー/あんな店でなんか食うかー」〔[一][二][三]とも親しい間柄で用いられる〕

って②【《伝》】❶てづる。「ーを求めて上京する」 ❷ことづて。人づて。 表記 「《伝手》」とも書く。

つと②【〈苞〉】❶わらなどを束ねて、中に物を包んだもの。わらづと。 ❷〔雅〕みやげ。「家ーヅト」

つと②【〈髱〉】 ⇩たぼ

つと①⓪(副) 突然、思ってもみないすばやさで動作がなされる様子。〔強調形は「つっと」〕「ー立ち上がるとそのまま出て行った/ー目の前から姿を消した」

つど①【都度】 たび(ごと)に。「顔を合わせると、そのー文句を言われる」

つどい②⓪③【集㋑】 集まり。人を集めてする催し物。「同級生のー〔=クラス会〕/映画のー〔=映画会〕」

つど・う②【集う】(自五) 何かをする目的で、人が一所に集まる。

つとに①②【〈夙に〉】(副) ❶〔雅〕朝早く(から)何かが行われる様子。「ー起き夜ヨワに寝イね」 ❷現在の事態を、かなり早い時期からすでにその△下地があった(傾向が著しかった)ととらえる様子。「彼はー〔=幼い時から〕天才の誉れ高かった/ーその名を知られた作家/弊害はー言われている」

つとま・る③【勤まる】(自五) その職務に堪え(て勤めることが出来)る。「…に△船長(議長)は勤まらない」 表記 「務まる」とも書く。

****つとめ** [一]③【勤㋱】〔報酬などの条件を契約によって定め〕その組織の一員として課せられた仕事をすること。「ーの関係でいつも帰りが遅くなる/ーに出る/会社ーヅトメ」⇩おつとめ [二]③【務㋱】〔社会的・道徳的に〕当然のこととして、そうすることが求められる行為。「△親(子・嫁・夫)としてのー」 [三]【勤㋱】(造語) 動詞「つとめる」の連用形。 ーあ・げる⑤⓪【ー上げる】(他下一) (その期間)与えられた△職務(任務)をきちんと最後まで果たす。「定年までー」 表記 「務め上げる」とも書く。 ーぐち⓪③【ー口】 勤めるところとして捜している役所・会社など。「ようやくーが見つかった」 ーさき⓪【ー先】 勤めている役所・会社など。 ーにん⓪【ー人】 役所・会社などに勤めている人。サラリーマン。 ーむき⓪【ー向㋖】〔勤務先での〕勤務の内容に関する△こと(面)。

つとめて②〔雅〕(つぎの)早朝。

つとめて②【努めて】(副) 無理をしてでもそうしようと努力する様子。「ー平静を装う/それだけはー避けたいところだ」 表記 「《勉めて》」とも書く。

***つと・める**③(自他下一) [一]【勤める】❶〈どこニー〉〔報酬などの条件を契約によって定め〕その組織・団体の一員として課せられた仕事をする。「△会社(県庁・病院)にー」 ❷〈どこニー/なにヲー〉 組織・団体の職務や、引き受けた役割を責任をもって行なう。「NPO法人の理事長を勤めた/党の幹事長をー」 [二]【務める】〈なにヲー〉 自分に△与えられた任務・役割(課せられた義務)として そのことを怠りなく行なう。「舞台で大役を務めた/司会役をー/△刑期(兵役)をー」 [三]【努める】〈なにニー〉 自分に課せられた役割として、精一杯の努力をし所期の目的を果たそうとす

る。「技術の向上に—／△計画の実現（反対派の説得）に—／サービスに—／人前で泣くまいと—」 表記 ■二は「務める」とも書く。また■一❷は「努める」とも書く。■三は「《勉める」とも書く。〔⇩つとめ■三〕

ツナ[1]〔tuna〕 マグロの身。「—フレーク[4]」

***つな**[2]【綱】 Ⓐ物を縛ったり 何かをつなぎとめたり するのに使う丈夫で細長いもの。植物の△繊維（皮）や針金などを長くよりあわせて作る。「—で船を岸辺の杭につなぐ」 Ⓑいざというときによりすがって頼みとするもの。「△頼み（命）の—」 かぞえ方 一本・一筋 【—を張る】 横綱になる。

つなうち[0]【綱打(ち)】 ❶面前で繊維を縒ョって太い綱を作り上げる作業。神事などの儀式で行なわれる。 ❷〔大相撲で〕部屋を挙げて横綱の締める綱を作る行事。

つながり[0]【〈繋(が)り】 ❶繋がること。 ❷関係。きずな。「血の—は全く無い／△秘書（マネージャー）と—をつける」

***つなが・る**[0]【〈繋(が)る】（自五） ❶〈（なに・どこカラ）なに・どこニ—／なに・どこト—〉 別々の二つ以上のものがどこかの部分で結合した結果、一つに続いたものになる。「神経が—／電話が—〔＝やっと通じた〕／今のおれは首がつながって〔＝現在の職にとどまることが出来て〕やれやれ／血はつながって〔＝続いて〕いないが、深い きずなで結ばれた娘／太いパイプが—〔＝密接な連絡が保たれる〕」 ❷〈なにニ—〉 ある事が要因となって、全く予測されなかったような結果を招くことになる。「ちょっとした気の緩みが大事故に—／若い時の努力が将来の成功に—／楽しく歩くことが健康に—」

つなぎ[0]【〈繋(ぎ)】 ❶次に移るまでのあいた時間をつぶすために、かりに行なう△こと（仕事）。「次の幕までの—に手品をする」 ❷粘りけの無い物を固まらせるための材料。「そばの—にヤマノイモを入れる／—目ҳ[0]」 ❸オーバーオール。

***つな・ぐ**[0]【〈繋ぐ】（他五） ❶〈（なに・どこニ）なにヲ—／なにトなにヲ—〉 継いだりひも・縄などで結わえたり して 一続きにし、離れないように△する（しておく）。「犬を—／獄に—〔＝牢屋ロウヤに入れる〕」 ❷〔同類の物を〕結びつけて、（長く）一続きの物にする。「糸を—」 ❸〈なにトなにヲ—〉 離れている物を結びつけて、互いに△意志が通じる（連絡がとれる）ようにする。「手を—」 ❹〈なにヲ—〉〔とぎれそうな物を〕なんとか持ちこたえるようにする。「△命（急場・期待と願望・一筋の希望）を—／信頼を繋ぎ止める」

つなぐ[2]【綱具】 綱を利用した器具。綱と結合した滑車など。

つな・げる[0]【〈繋げる】（他下一） つないで一続きの（長い）物にする。「ひもを三本—／他人の説を適当につなげて書いたいいかげんな論文」

つなで[0]【綱手】〔雅〕船につないで引く綱。

つなとり[4][0]【綱取(り)】〔すもうで〕大関が横綱昇進をかけて優勝をねらうこと。「—の場所」

つなひき[2]【綱引(き)】 ❶—する（自サ） 綱の両端を多人数で引き合って勝負を争う競技。〔対立関係にあるものどうしが、互いに優位に立とうとして張り合うことも指す。例、「与党と野党の—」〕 ❷綱をつけて車などを引くこと。 表記 「綱〈曳き」とも書く。

つなみ[0]【津波】 海底地震などによる地殻変動や暴風雨の影響で、非常に波長の長い波が急に発生して陸地に何回も押し寄せて来ること。被害は港湾部に多い。「地震—[4]・暴風—[5]」 ⇩高潮タカシオ・かいしょう（海嘯） 表記 「津《浪」とも書く。「〈海〈嘯〉」は、厳密には、満潮時 特定の河口に見られる現象に限られる。

つなわたり[3]【綱渡(り)】—する（自サ） 空中に張った綱を渡る軽業。〔危険を冒してする意にも用いられる。例、「そんな—〔＝危険なこと〕はやめた方がいい」〕

つね[1]【常】 ❶ごくあたりまえの事として、ありがちなこと。「人の—〔＝ごく普通の心理〕として、こわい物を見たがる」 ❷日常ごく普通に見られる状態。ふだん。「朝、散歩するのを—〔＝日課〕とする」 ❸どこにでも普通に見られ、特別変わったところが無いこと。 ❹いつも変わらない状態にあること。「出席—ならず〔＝出席したり しなかったり する〕」

つねづね[2]【常々】 ■一何事も起こらない平凡な日び。「—の心がけが大切だ／偉い人は—からして違う」 ■二（副） 日びの生活の中で△折にふれ（日常的に）繰返し行なわれる様子。「—出家したいと思っていた／早寝早起きを—心がけている」

つねなみ[0]【常並】 世間一般。

つねに[1]【常に】（副） その事態が、状況の変化などにかかわりなく、同じように持続する様子。「方針は—一貫している／弱者は—しいたげられてきた」

つねひごろ[1]-[0]【常日頃】〔同義的な語を二つ重ねた強調表現〕これといった変化もなく繰り返される一日一日。〔副詞的にも用いられる〕「—考えていたことを本にまとめる／—からの心がけが大切だ」

つね・る[2]【〈抓る】（他五） つめや指の先で肌を強くつまんでねじる。「頰オホを—」

***つの**[2]【角】 ❶動物の△頭（鼻）の部分にある、堅く長く突き出たもの。「鹿の—」 ❷角に似た形のもの。「コンペイトーの—／アシの—」 かぞえ方 ❶は一本 【—を折る】 今までの強い態度を引っ込める。【—を出す】 女性が、嫉妬シットする。〔能で、嫉妬した女の生霊リョウが鬼になることから〕 【—を矯ためて牛を殺す】 欠点を無理に直そうとして、かえって、そのものをだめにしてしまう。

つのがき[0]【角書(き)】 本や論文などの題名の上に、その内容を示すような事柄を小さく二行に分けて書いた文字。

つのかくし[3]【角隠(し)】 結婚式の時に和装の花嫁が頭にかぶる、飾りの白い布。

つのぐ・む[3]【角ぐむ】（自四）〔雅〕角のようにとがった、アシなどの芽が出始める。

つのざいく[3]【角細工】 獣の角を材料とした細工（物）。

つのだ・つ[3]【角立つ】（自五） ❶かどだつ。 ❷きわだつ。

つのだらい[3]-ダラヒ【角〈盥】 左右に柄のつき出た漆塗りの盥。昔、手を洗ったり 歯を黒く染めるために口をすすいだり する時に使った。

つのだる[0][2]【角〈樽】 二つの大きく高い柄をつけた△朱（黒）塗りの樽。祝儀の時などに酒を贈るのに使う。柳樽。

つのつきあわ・せる[7]、[2]-[5]アハセル【角突(き)合(わ)せる】（他下一） 仲が悪くて、衝突をする。〔「角突き合う[5]（自五）」とも言う。名詞形は「角突き合い[0]」〕

つのぶえ[0]【角笛】 獣の角で作った笛。猟師や牧童などが使う。

つのへん[0]【角偏】 漢字の部首名の一つ。「解・触・觴ショウ」などの、左側の「角」の部分。〔多く、動物の角に関する漢字がこれに属する〕

つのまた[0]【〈鹿角菜〉】〔「角叉」の意〕 波の荒い岩の上に群がり付く紅藻類。二また状に何回も枝分かれする。ふのりと共に漆喰シックイに使う。〔スギノリ科〕

つのめだ・つ[4]【角目立つ】（自五） 互いに興奮して、感情的に対立する。

つのら・す[3]【募らす】（他五）〔「募る」の使役動詞形〕何かをきっかけとして、その感情をいっそう高まらせる。つのらせる[4]（下一）。「△悲しみ（憤り・怒り・不安）を—」

つの・る[2]【募る】 ■一（自五） ❶何らかの感情や欲求が徐々に強まり抑えきれないほどの状態に達する。「△不安（不公平感・不信感）が—／エベレスト登頂への夢が—一方だ／

民衆に独裁体制打破への欲求が―」❷何かの程度が一段と高まる。「台風が接近し雨風が―中を出かける/△吹き(降り・言い)―」■二(他五) 何かの目的をしとげるために必要な資金・人員や物資などを、広い階層にわたって集める(運動を推し進める)。「△寄付(会員・ボランティア)を―」

つば[1]【唾】「つばき」の口頭語的表現。「所嫌わず―を吐く」【―を付ける】❶これは自分の△物だ(領域だ)ということを他に宣言する動作をする。❷⇩まゆつばもの

つば[1]【〈鍔】❶刀剣の柄(ツカ)と刀身との間にはさむ、平たい鉄板。❷釜(カマ)のまわりに薄く突き出た部分。❸帽子の△まわり(前方)にひさしのように差し出た部分。表記「〈鐔」とも書く。かぞえ方❶は一枚

つばき[3]【唾】―する(自サ)〔つばの意の「つ」+「吐き」〕自然に口の中にたまる、無色透明の粘液。消化を助ける。つば。〔古くは「つわ」〕「手に―する〔=ⓐ力わざをする前に、すべらないように、てのひらにつばを塗りつける。ⓑいよいよ仕事に取りかかる意気込みを示す〕/天に―す〔=⇩天〕」

つばき[1]【〈椿・〈山茶〉】庭に植える常緑△高木(低木)。葉は楕円(ダエン)形で厚くつやがある。春先、赤・白などの大輪の花を開く。種からは油がとれる。ワビスケなど種類が多い。観賞用。〔ツバキ科〕かぞえ方 一株・一本 ―あぶら[4]【―油】ツバキの種からとった油。髪油用。食用。

つばぎわ[0]【〈鍔際】❶刀身と鍔との接する所。つばもと。❷せとぎわ。

つばくら[0]【〈燕】〔雅〕〔↑つばくらめ[3]〕つばめ。

つばくろ[0]【〈燕】〔関東以西の方言〕つばめ。

*つばさ[0]【翼】❶鳥が空中を飛ぶための器官。他の動物の前足に当たる。はね。❷航空機の翼(ヨク)。かぞえ方 ❶❷とも一枚

つば ぜりあい[3]【〈鍔《迫(り)合(い)】―する(自サ) 刀を鍔の所で打ち合わせて互いに押しあうこと。〔全く互角に激しく勝敗を争う意にも用いられる。例、「―を演じる」〕

つばな[0]【〈茅花】チガヤ(の花)。

つばめ[0]【〈燕】翼・背が黒く、腹が白い渡り鳥。日本には四、五月ごろに来て、秋に去る。代表的な益鳥。〔ツバメ科〕かぞえ方 一羽 ―がえし[4]【―返(し)】剣法の一つ。振り出しかかった刀の先を急に逆方向に翻して斬(キ)る技。―のす[0]-[1]、[5]【―の巣】⇩燕巣(エンズ)

つばもと[0]【〈鍔元】⇩つばぎわ❶

【若い―】⇩若い

**つぶ【粒】■一[1]〔古語「つび[1]」の変化。もと、陰核と同義・同形であったため、同音の衝突を避けて変化したもの〕❶指先でつまめる程度の大きさの、球状の物。〔普通、穀物の実を指す。多くは球形で堅い〕「―〔=粒としての もとの形〕が無くなるまで煮る/米―・ごはん―・豆―・アワ―・ケシ―・雨―・大―・小―・―餡(アン)・―状[0]」❷二つ以上の同類の物を取りそろえて一組とするときに、形・大きさ・質などが共通していることが望まれる、それぞれ。「―をそろえる/―ぞろい」❸Ⓐ〔東北・関東・中部方言〕タニシ。Ⓑ〔伊勢の方言〕巻貝のバイ。つぶがい。「―焼き[0]」■二(造語)「粒■一❶」および丸薬・丸形の飴(アメ)、ブドウなどをかぞえる語。また真珠や雨・水滴・涙・魚や虫の卵などをもかぞえる。

つぶ あん[0]【粒〈餡】アズキの粒をつぶさずに作ったあん。⇩こしあん

つぶ ぎん[0]【粒銀】江戸時代、豆粒の形をした銀貨。豆板銀。

つぶさ に[1]【《具に】(副) 物事の具体的な一つひとつが、大小漏れなく△取り上げられる(経験の対象とされる)様子。「現状を―説明する/微妙な変化を―観察する/―辛酸を嘗(ナ)める」表記「《備に」とも書く。

つぶし【潰(し)】■一[0] △潰すこと(潰したもの)。「―がきく〔=本来の職以外の事をしても、うまくやる能力がある〕/時間―に本屋に入る」■二(造語) 動詞「潰す」の連用形。―あん[0]【―〈餡】アズキなどを煮て、皮ごと潰して作った餡。⇩こしあん ―ねだん[4]【―値段】❶金属製品などの、地金とした時の値段。❷器具などの、△原(材)料としての値段。

*つぶ・す[0]【潰す】(他五)〈(なにデ)なにヲ―〉❶〔外部から力を加えて〕原状が認められないようにしたり 元来の機能を失わせたりする。「ぺちゃんこに―/農用地を―/ジャガイモを擂(ス)り―〔=もとの形を無くす〕/身上(シンショウ)を―〔=財産をすっかり使い果たす〕/顔を―〔=面目をすっかり失わせるような事をする〕/目を―〔=見えなく△なる(する)〕/声を―〔=ⓐがら声になったり しわがれ声になったりする。ⓑ声が出なくなる〕/無理な登板を強いて新人投手を―/きもを―〔=びっくりして、心の平静を失う〕/△メダル(鐘)を―〔=溶かして、地金にする〕/酔い―〔=酔わせて、正気を失わせる〕/鶏(トリ)を―〔=ニワトリを、食べるために殺す〕」❷あいている所を、他のものでうめる。「時間を―〔=△持て余している(偶然あいた)時間を、何か他の事をして過ごす〕/塗り―」〔⇩潰し■二〕

つぶ そろい[3]【粒〈揃(い)】一組のグループなどについて、期待通りの能力や条件を備えた人がそろっていること。「あの製薬会社の研究員は―だ」

つぶだ・つ[3]【粒立つ】(自五) 物の表面に粒がたくさん出来る。あわだつ。

つぶ つぶ[0]【粒々】多くの粒(の一つひとつ)。また、粒状のもの。「表面に―のある壁紙/―オレンジ入りのジュース」

つぶて[0]【〈礫・〈飛〈礫〉】△投げるものとしての(投げられた)小石。「―を打つ〔=小石を投げる〕/ナシの―〔=⇩なしのつぶて〕/闇夜(ヤミヨ)の―/人―・雪―[3]」

つぶや・く[3]【〈呟く】(他五) 小声で△ひとりごと(不平)を言う。名 呟き[0]

つぶ より[0]【粒《選(り)】多くの中から、すぐれたものを△抜くこと(抜いたもの)。「―のエリートを集めたコンクール」

つぶら[0]【《円(ら)】―な まる(くてかわい)い様子だ。「―な瞳(ヒトミ)」派 ―か[2]

つぶ・る[0]【〈瞑る】(他五) 目を閉じる。「つむる」とも。「目を―〔=ⓐ死ぬ。ⓑ不正などを、見て見ないふりをする〕」

*つぶ・れる[0]【潰れる】(自下一)〈(なにデ)―〉❶力を加えられて、形がくずれたり 本来の機能が失われたりする。「地震で家が―/胸が―〔=ひどい悲しみや恐怖などで、衝撃を受ける〕/きもが―〔=びっくりする〕/酔い―」❷〔使い△過ぎ(方が悪く)て〕その物が役に立たなくなる。「鋸(ノコギリ)の目が―〔=すりへって切れなくなる〕/声が―〔=ⓐ出なくなったり しわがれ声になったりする。ⓑ修練の結果、謡や浪花(ナニワ)節独特の発声が身につく〕/会社が―〔=倒産する〕/面目が―〔=他に対し顔向けが出来なくなる〕/目が―〔=失明する〕」❸〔容易に得られないものが〕むだに使われる。「チャンスが―/時間が―」名 潰れ[0]「やすりの目の―」

っぺ(接尾) ❶△都会人で(洗練されて)ない人であることを表わす。〔侮蔑(ブベツ)を含意する〕「いなか―・在郷(ザイゴ)―」❷身辺の人の名前につけて親しみを表わす。「達(タツ)―」運用 新築・開店などに際しては避けるべき言葉とされる。

つべ こべ[1](副)―と 相手に向かって、ああでもない こうでもないと、へ理屈や言い訳を言う様子。「―言うな」

つべた・い[0]【《冷たい】(形)「つめたい」の口頭語的表現。

ツベルクリン[0]〔ド Tuberkulin〕結核菌を培養して作ったワクチン。結核感染の有無の診断用。

つぼ[0]【坪】■一〔雅:中部地方・四国の一部の方言〕中庭。

■三〔尺貫法における△面積(体積)の単位〕❶宅地や建物の面積の単位で、一間(ケン)四方の面積(=約三・三〇六平方メートル)を表わす。〔田畑・山林の場合は、「歩(ブ)」と称した〕「一—は十合」❷立坪(リュウツボ)。❸錦(ニシキ)や印刷・製版の面積の単位。一寸四方。❹タイル・皮革の面積の単位。一尺四方。

*つぼ⓪【〈壺】❶口が狭くて胴体が丸くふくらんだ器。「茶—」❷正式の日本料理で使う、小さくて深い器。野菜の料理などを盛って出す。つぼざら。❸灸(キュウ)をすえる場所。灸点。❹見込み。ずぼし。「思う—にはまる〔=⇩思う壺〕」❺事を円滑に進める上で不可欠だととらえられる大事な点。要点。「—を△押さえる(心得る)」 表記 ■一は、「〈壺」とも書いた。 かぞえ方 ❶は一口(イッコウ)・一点。❷は一客。❸は一か所

っぽ(造語)❶その△土地出身の(境遇にある)男であることを表わす。〔親愛、また侮蔑(ブベツ)を含意して用いられることがある〕「薩摩(サツマ)—③⓪・水戸(ミト)—⓪・書生—」❷その状態にあることを強調して表わす。「から—・の—」

つぼあたり③【坪当(た)り】坪に割り当てて計算すること。一坪につき。

っぽ・い(接尾・形型)何かを△する(含む)度合が強い。「いたずらっぽく笑う/飽き—・忘れ—・水—」 派 —さ

つぼがり⓪【坪刈(り)】田畑の全体の収穫量を推定するために、一坪の稲を刈ってみること。

つぼざら⓪【〈壺皿】❶⇩壺❷ ❷〔ばくちで〕さいころを伏せておおうもの。

つぼすみれ③【〈壺菫〉】山野に自生する小形の多年草。葉は心臓形で、柄は長い。春、内側に紫色の筋がある白い花を開く。〔スミレ科〕 かぞえ方 一本

つぼにわ⓪(ニハ)【坪庭】周囲を建物に囲まれた(小さい)中庭。 表記 「〈壺庭」とも書く。

つぼね⓪【《局】❶宮殿内の、別々に仕切った部屋。曹司(ゾウシ)①。❷「局❶」に住む女官。❸〔「おつぼね様」の形で〕俗に、その職場をしきる、先輩格の女性社員。

つぼま・る⓪【〈窄まる】(自五)つぼんだ状態になる。つぼむ。

*つぼみ⓪③【〈蕾・〈莟】〔動詞「蕾む」の連用形の名詞用法〕花がこれから開こうという状態になったもの。〔華やかな将来が期待される若者の意にも用いられる〕「—がつく/—がふくらむ/—の花を散らす/悪を—のうちに摘み取る〔=未然のうちに防ぐ〕」

つぼ・む⓪(自五)■一【〈窄む】〔(細長いものが)先の方から〕狭く小さくなる。すぼむ。■二【〈蕾む】〔花が〕つぼみを持つ。

つぼ・める⓪【〈窄める】(他下一)つぼむようにする。

つぼやき⓪【〈壺焼(き)】❶サザエ△を殻のまま(の身を切ったものに味をつけ、殻に入れて)焼いた料理。さざえのつぼやき。❷サツマイモを壺形の器に入れて蒸焼きに△すること(したもの)。

**つま ■一①【妻】〔夫に対して〕その人と結婚している女性。女房。〔古くは、夫と書き、男性をも指した〕↕夫 ■二②〔料理で〕刺身などのそばに添える海藻・野菜など。「刺身の—〔=他を引き立てるだけで、それ自身には価値の乏しいもののたとえにも用いられる〕」■三①【妻】入母屋(イリモヤ)の屋根で、両端の三角になった壁面。切妻。

つま② ■一【《端】へり。はし。■二【〈褄】衣服のおくみの、襟先から下の部分のふち。「—を取る〔=すその長い着物の褄を、手で引き上げて歩く〕/左—(ヅマ)を取る〔=芸者になる〕」

つまいた⓪【妻板】建物の側面の板。

つまおと⓪【爪音】❶琴をひく音。❷馬のひづめの音。

つまがけ⓪【爪掛(け)】❶つまかわ。❷雪国で使う、わらで作ったスリッパの形の雪ぐつ。

つまかわ⓪(カハ)【爪皮】下駄などのつま先に掛けて、泥・雨水などを防ぐもの。つまがけ。 表記 「爪革」とも書く。

つまぎ⓪【爪木】〔雅〕たきぎとするために折り取った木。

つまぐし②【爪〈櫛】歯の細い櫛。

つまぐ・る③【爪繰る】(他五)〔じゅずなどの玉を〕爪(ツメ)、または指の先で順に送って動かす。

つまこ①【妻子】妻と子。さいし。

つまごい⓪(ゴヒ)【妻恋】離れて生活している△夫婦(雌雄)が相手を恋しがること。 表記 「《夫恋」とも書く。

つまごと②【妻琴】〔爪(ツマ)琴の意〕琴の別称。〔どこからともなく聞こえてくる琴の音の意にも用いられる〕

つまさき⓪【爪先】❶足の指の先。「靴の—/—立(ダ)つ⑤」❷手の指の先。「—でぴんとはじく」 —あがり⑤【—上(が)り】ゆるやかな登り道(になること)。

つまさき⓪【〈褄先】和服の褄のはし。

つまさ・れる④(自下一)愛情や同情の念をおさえられず、ひどく心が動かされる。「身に—〔=人の不幸・苦しみなどを他人事(ヒトゴト)とは思えないように感じる〕」

つまし・い③【《倹しい】(形)ぜいたくな生活をする余裕がなく、倹約につとめる様子だ。「—暮らし」 派 —さ②③

*つまず・く⓪③(ヅマ)(ヅク)【〈躓く】(自五)〔爪(ツマ)突く意〕❶〈なにニ—〉歩く時、足先が物に当た(って、よろけ)る。「敷居に—」❷〈(なにデ)—〉途中で障害にあって失敗する。「スタート早々に—/人事問題で—」 名 躓き⓪

つまだか⓪【〈褄高】着物の褄を高く上げること。

つまだ・つ③【爪立つ】(自五)爪先で立って伸び上がるようにする。つまさきだつ。 名 爪立ち⓪「—で歩く」

つまだ・てる④【爪立てる】(他下一)足の爪先を立てる。

つまど②【妻戸】❶〔寝殿造(ヅクリ)で〕建物の四すみの両開きの板戸。❷家のはしにある開き戸。 かぞえ方 ❶❷とも一枚

つまどい⓪③(ドヒ)【妻《訪(い)】〔雅〕妻を求めて女性に言い寄る。 —こん③【—婚】昔の結婚形態の一つ。夫が妻と離れて住み、夜 妻の所へ通うこと。

つまど・る③【〈褄取る】(他五)衣服の褄を手で持ち上げる。すそをからげる。

つまはじき③【爪《弾(き)】—する(他サ)❶指先を親指の腹にかけて弾くこと。❷他人を軽蔑(ケイベツ)して、排斥すること。「近所の人の—にあう」

つまびき⓪【爪弾(き)】—する(他サ)〔三味線・ギターなど〕弦楽器の糸を、指の先で弾くこと。 動 爪弾く③(他五)

つまびらか③【《詳らか】—な —に 細かいところまで省かずに、詳しく扱う様子。「—でない〔=細かい点までは分からない。はっきりしない〕/—にする〔=調べて事情をはっきりさせる〕」 表記 「《審らか」とも書く。

つまみ【《摘まみ・《撮み・〈抓(み)】■一⓪❶つまむこと。❷そこをつまんで機器を操作する部分。❸「つまみもの」の略。「お—」■二(造語)手で一回つまんだ量をかぞえる語。「一(ヒト)—の塩を加える」■三(造語)動詞「つまむ」の連用形。 —あらい④(アラヒ)【—洗(い)】—する(他サ)よごれた部分だけを、つまんで洗うこと。 —ぐい⓪(グヒ)【—食(い)】—する(他サ)❶箸(ハシ)を使わずに、指先でつまんで食べること。❷こっそりと盗み食いをすること。〔俗に、公金を横領する意にも用いられる〕 —だ・す④【—出す】(他五)❶つまんで外へ出す。❷むぞうさに(仲間から)外へ追い出す。 —な⓪【—菜】間引くために抜き取った菜。 かぞえ方 小売の単位は一束・一把(ワ)・一袋 —もの⓪【—物】△食事の初め(酒のさかな)に出す、簡単な食べ物。

*つま・む⓪【《摘まむ・《撮む・〈抓む】(他五)〈(なにデ)なにヲ

―〔自分の思う所へ動かすために〕小さい物を、指先や二本の棒状の物ではさみ、軽く押さえる。「二口―〔＝取って食べる〕／鼻を―〔＝ⓐ鼻が高くなるようにという呪(マジナ)いに、洗濯ばさみなどで鼻をはさむ。ⓑいやなにおいを防ぐために、指で鼻孔を押さえる〕／キツネにつままれたような〔＝キツネに化かされたようなわけの分からない〕話だ」〔⇩摘まみ㊂〕

つまようじ③【爪〈楊枝(ヤウ―)〉】〔歯にはさまった物を取るための〕小形の楊枝。小楊枝。〔かぞえ方〕一本

***つまらない**③〔動詞「つまる」の否定形の形容詞的用法〕その人や物に、これといった△評価に値する(興味や関心をいだかせる)点が見出(ミイダ)せず、積極的にかかわろうとする気持になれない様子だ。つまらぬ。〔口頭語形は、「つまらん・つまんない」〕「―△小説(映画)／―〔＝取るに足りない〕事を気にする／こう物価が上がるのでは、貯金しても―／来てくれないと私―わ」〔派〕**つまらなさ**④③ **つまらなげ**⑩⑤④ **つまらながる**⑤ 〔運用〕「つまらない物ですが」などの形で、贈り物をする際などに謙遜(ケンソン)を表わす挨拶(アイサツ)の言葉としても用いられる。例、「つまらない物ですがお収めください」

つまり〔動詞「詰まる」の連用形の名詞用法〕㊀③【詰(ま)り】何かの終わり。「とどの―／どんづまり」㊁①(接)Ⓐ△前文(直前の語句)を受けて、以下はその意味を敷衍(フエン)したり要約したりするものだという関係にあることを表わす。「今や親兄弟はもちろん友人にまで見放された。―(は)誰(ダレ)も相手にしてくれる人がいなくなったということだ」ⒷⒶの副詞的用法。「うまく説明できないということは、―分かっていないということだ」

***つま・る**②【詰(ま)る】(自五) ❶〈なにニ―〉物が限度まで入り、それ以上入れる余地がない状態になる。「出発まで日が―／あんがたっぷりつまったたい焼き／会場に聴衆が―」❷〈なにニ―／なにデ―〉途中で何かにさえぎられて先に進めない状態になる。「下水がごみで―／餅(モチ)がのどに―／返答に―〔＝うまく答えられなくて窮する〕／息が―〔＝ⓐ呼吸が出来なくなる。ⓑ息も出来ないほど緊張する〕／気が―〔＝緊張を強いられる〕」❸〈なにニ―〉限度(近く)に達しゆとりのない状態になる。「△金(暮らし)に―」❹望ましい長さや間隔の無い状態になる。「寸が―／着物の丈が―／目のつまった綿布」❺議論などの結論が出る方向に進む。「話し合いが詰まってきた」 **―ところ**②【―所】(副) 途中の経過はいろいろ考えられるが、最終的な結果として、こうなるだろうと、判断される様子。「―国民の判断で『決着』をつけるより

つまんない②「つまらない」の口頭語的表現。「―の」なさそうだ」

****つみ**①【罪】㊀❶△道徳(宗教・法律)上、してはならない行い。「△悪質な(大きな)―を犯す／―深い〔＝宿命として、悪い事をしがちな〕人間」❷△道徳(宗教・法律)にそむいた不正行為に対する処罰。「…の―に△当たる(問われる)／―を断じる〔＝⇩断じる❸〕／…の―を受ける／―に服する／無実の―を着せられる／―をかぶる」❸よくない結果に対する責任。「―を他人にかぶせる／―を着る」㊁―な ―に 相手を本当に思うならしてはいけない事をする様子。「―な〔＝相手を傷つけるような無慈悲な〕事を言うな」【―が無い】無邪気だ。純真だ。「子供は―」

つみ②【詰(み)】〔動詞「詰む」の連用形の名詞用法〕〔将棋で〕王将が逃げられなくなって負けること。「雪隠(セッチン)―⓪・即(ソク)―(ヅミ)⓪」

つみあ・げる④【積(み)上げる】(他下一) ❶積んで高く重ねる。「段ボールを―」❷段階を追って、物事を少しずつ重ねていく。「△実績(友好)を―」〔名〕積み上げ⓪

つみいし⓪【積(み)石】積み重ねた石。〔古くは礎(イシズエ)の意にも用いられた〕

つみいれ⓪【摘(み)入(れ)】「つみれ」の古風な表現。

つみかえ⓪―【積(み)替(え)】❶積んである物をおろして、もう一度積み直すこと。❷積んである物を別の場所に移し積むこと。〔動〕積み替える④③⓪(他下一) 〔表記〕「積み換え」とも書く。

つみかさ・ねる⑤【積(み)重ねる】(他下一) ❶物を下の方から積んで段々に高くする。幾重にも重ねる。「切り石を幾段にも―」❷〔自分に課せられた仕事を〕順を追って着実に行ない、所期の成果をあげる。「△実績(地道な努力)を―／反省に反省を―」〔自動〕積み重なる⑤(五) 〔名〕積み重ね⓪「△討議(努力)の―」

つみき⓪【積(み)木】❶材木を積むこと。積んだ材木。❷木片を積み重ねて物の形を作るおもちゃ(で遊ぶこと)。

つみきん②⓪【積(み)金】△たくわえる(たくわえた)お金。積み△立てる(立てた)お金。

つみくさ⓪【摘(み)草】―する(自サ) 春の野に出て草(花)を摘むこと。

つみごえ⓪【積(み)肥】「堆肥(タイヒ)」の意の和語的表現。〔表記〕「《堆肥」とも書く。

つみこ・む③【積(み)込む】(他五) 〔船や貨車・トラックなどに〕荷物を積んで入れる。〔名〕積み込み⓪

つみ・する①-⓪【罪する】(他サ)「罰する」意の古風な表現。

つみだ・す③【積(み)出す】(他五) 〔船や貨車などに〕荷物を積んで送り出す。〔名〕積み出し⓪

つみた・てる④⓪【積(み)立てる】(他下一) 〔何かをする目的で〕お金を少しずつ何回かにわたってたくわえる。「△建築資金(旅行の費用)を―」〔名〕積み立て⓪「―金⓪」

つみつくり③【罪作(り)】―な ―に ❶△無抵抗(純真)な人をだますような悪い行いをする△こと(人)。❷〔生き物を殺すような〕無慈悲なことをする△こと(様子)。「―な奴(ヤツ)だ」

つみとが①【罪《科】罪ととが。罪悪。

つみと・る③【摘(み)取る】(他五) 生え始めた草や新芽などをつまんでとる。「タラノキの若芽を―／悪の芽を―〔＝取り除く〕」

つみに⓪【積(み)荷】〔船・車などに〕積んで運ぶ荷物。また、それを積み込むこと。「―が終わり次第、出航」

つみのこし⓪【積(み)残(し)】荷物や乗客が多過ぎたり時間が遅れることを恐れたりして、載せるべきものの一部を載せ残して車や船が出ること。また、残されたもの。〔動〕積み残す④(他五)

つみびと⓪【罪人】罪のある人。ざいにん。

つみぶか・い④【罪深い】(形) 人として行なってはならないことをし、とうてい償いきれるものではないと思われる様子だ。「―行い」〔派〕**―さ**③

つみほろぼし③【罪滅(ぼ)し】―する(自サ) 何かよい行いを(少し)して、今まで重ねて来た罪のうめ合わせをすること。「せめてもの―に」

つみれ⓪〔「摘入れ」の意〕すった魚肉を丸めて汁でゆでた食品。つみいれ。

つ・む①【詰む】(自五) ❶詰まる。「目の詰んだ〔＝目を細かく織ってある〕生地」❷〔将棋で〕王将が逃げられない状態になる。「三八手で詰んだ」

***つ・む**⓪【摘む】(他五)〈(なにデ)なにヲ―〉草(の先)や木の芽などを指先にはさんで取る。「△茶(タラの芽)を―／野で△花(若草)を―」〔表記〕「〈剪む・〈抓む」とも書く。

つ・む⓪【積む】㊀(他五) ❶〈(なに・どこニ)なにヲ―〉置いてある物の上に、さらに置いて高くする。「ごちそうを山と―〔＝たくさん並べる〕／金をいくら積まれても〔＝出すと言われて

【芽を―】⇩芽

も〕いやだ」❷〈なにヲ―〉精神を高める行為を重ねる。「△経験(善根)を―」❸〈なにニなにヲ―〉船・車などに荷を載せる。[二](自五)「積もる」意の古風な表現。「降り―雪」
【積んでは崩す】❶いろいろ細かく計画を練る形容。❷むだな事を繰り返す形容。

つむ①【〈錘】〔「つみ」の変化〕△綿(真綿・獣毛)から繊維を引き出して糸を紡ぎながら巻き取る装置(の付属品)。表記 古くは「〈紡車〉」と書いた。「〈紡〈錘〉」は、近代の用字。

つむぎ⓪ [一]【〈紬】〔動詞「紡ぐ」の連用形の名詞用法〕紬糸で織った絹布。[二]【紡ぎ】「紡ぐ」の連用形。かぞえ方 [一]は一点 **―いと**④③【〈紬糸】△くず繭(真綿)を紡いでよりをかけた絹糸。 **―だ・す**④【紡ぎ出す】(他五) ❶紡ぎ始める。❷多くの要素を吟味して丁寧に作り上げる。「言葉を―/論理を―/作品を―」

つむ・ぐ②⓪【紡ぐ】(他五) △綿(真綿・獣毛)から繊維を引き出し、よりをかけて糸にする。「真綿(から糸)を―」〔⇩つむぎ[二]〕

つむじ⓪【〈旋毛〉】人の頭髪や馬の毛で渦を巻いたような状態に生えている所。「―を曲げる〘=わざと人に逆らい、意地悪な行動をする〙」 **―かぜ**③【《旋風】つむじのように、渦を巻いて吹く強い風。つむじ。表記「〈飄」とも書く。 **―まがり**④【―曲(が)(り)】―な 性質がひねくれている△こと(人)。

つむり③【《頭】「あたま」の意の古風な表現。⇩おつむ

つむ・る⓪【〈瞑る】(他五)「つぶる」の変化。「目を―」

***つめ**⓪【爪】❶△人(動物)の指の背の先に生じる、角のように堅い物。表皮の変形したものとされる。「―を切る/―に火をともす〘=非常にけちなことのたとえ〙/―のあかほど〘=きわめて少量のたとえ〙/―のあかを煎(せん)じて飲む〘=すぐれた人にあやかるように、その人の言行を少しでもまねることのたとえ〙/能ある鷹(たか)は―を隠す〘=⇩能〙/―あと」❷琴爪(ことづめ)。また、それと同じ働きをし、弦楽器の演奏に用いられる爪の形をしたもの。義爪(ぎそう)・義甲・ピックなど。❸物を引っ掛けて止める仕掛けの物。鉤(かぎ)や、足袋のこはぜなど。❹機械の先に付いた部品で、爪の形のもの。「耕耘(こううん)機の―」❺辞書などをひくときのアルファベットや五十音の目安として、小口(こぐち)に△切込みを入れた(しるしを印刷した)もの。爪見出し。サムインデックス⑤。かぞえ方 ❶は一本・一枚。❷❸は一枚。❹ま一本など。【―で拾って箕(み)でこぼす】苦労して貯えたものを、一時に浪費してしまう。【―を研ぐ】けものが、準備を整えて獲物を待ち構えるたとえ。

つめ②【詰(め)】❶詰める△こと(物)。❷〔橋などの〕△終端(末端)。❸〔将棋で〕勝負が決まりそうな局面。〔最後の仕上げの意にも用いられる。例、「―を△急ぐ(怠る)/―が甘い」〕

づめ【詰(め)】(造語) ❶詰めて(限度まで)中に△入れること(入れた物)。「箱―・瓶―・氷―・膝(ひざ)―」❷そればかりが目立つこと。「規則―〘=ずくめ〙・理―」❸同じ状態の続くこと。「立ち―・働き―」❹その場所に勤めて仕事をすること。「警視庁―の記者」

つめあと⓪【爪痕】❶爪を立てたあと。爪でひっかいた傷あと。❷災害のあと。「生なましい台風の―〘=台風の残した被害のあと〙」

つめあわせ⓪【詰(め)合(わ)せ】一つの箱や籠(かご)に二種類以上の物を詰めこむこと。また、その物。「お菓子の―/―食料品」動 詰め合わせる⑤⓪(他下一)

つめいん⓪【爪印】〔印鑑の代りに〕親指の腹に△朱肉(墨)をつけて押す印。拇印(ぼいん)。

つめえり⓪【詰(め)襟】〔学生服や旧軍隊の制服のように〕外側へ折り返さずに立っている襟。また、そういう仕立ての洋服。立ち襟⓪②。

つめか・ける④⓪【詰(め)掛ける】(自下一) そこがいっぱいになるほど、おおぜいでいっせいに押し寄せる。〔そば近く迫り寄る意にも用いられた〕「安売りにつめかけた客/記者が―」

つめがた⓪【爪形】❶爪のあと。❷爪の形。

つめきり③【爪切(り)】伸び過ぎた爪を切る道具。

つめき・る③⓪【詰(め)切る】[一](自五) 不時の用に備えて、ずっとそこに居る。[二](他五) いっぱいになるまで詰める。名 詰め切り⓪

つめくさ⓪ [一]【爪草】庭や道ばたに生えている小さい一、二年草。茎は根もとから枝分かれし、葉は線形。春から夏にかけて、白い小さな花をつける。〔ナデシコ科〕[二]【詰草】ガラス器を運ぶ際の詰め物に用いられた草。⇩クローバー かぞえ方 [一][二]とも一本

つめこみしゅぎ⑤【詰(め)込(み)主義】〔初等・中等教育で〕理解・消化よりも、暗記を重んじる△主義(教育方法)。詰込み教育⑤。「―の学習」

つめこ・む⓪③【詰(め)込む】(他五) そこに入れられる限度までいっぱいに入れる。「乗客を詰め込んだ〘=無理にいっぱい乗せた〙満員バス/ごちそうを―〘=たくさん食べる〙/知識を―〘=ⓐ無理に教え込む。ⓑ覚え込む〙」名 詰め込み⓪

つめしょ③②【詰(め)所】特別の勤務で出向いた人たちが集まって、緊急の用に備えて待機する場所。「警備員の―」

つめしょうぎ③【詰(め)将棋】与えられた譜面で、決められた駒(こま)を使って、王手を連続的にかけて、王将を詰める方法を研究する将棋。

****つめた・い**⓪③【冷たい】(形) ↕熱い ❶雪や氷に触ったときのように、そのものに触れて、刺すような痛みが感じられたり皮膚の感覚が失われるように感じられたりする様子だ。「―水/風が―/救助隊が駆けつけたときには遭難者はすでに冷たくなっていた〘=死んでいた〙/冷たく冷やしたスイカ」❷人や物事に対して無視する態度をとったり心配りを欠いた対応をしたりする様子だ。「―目で見る/冷たく扱われる/関係が冷たくなる」派 **―さ**③⓪ **―が・る**④ **―せんそう**⓪-⓪【―戦争】〔cold war の訳語〕⇩冷戦

つめばら⓪【詰(め)腹】やむを得ずする切腹。「―を切らされる〘=強制的に辞職させられる〙」

つめみがき③【爪磨(き)】爪の表面をきれいに磨く△こと(もの)。⇩マニキュア・ペディキュア

つめもの②【詰(め)物】❶〔荷造りで〕中に入れた物がこわれないように、一緒に箱に詰め込む紙片など。パッキング。❷野菜・魚・鳥などの中に別の調理品を詰め込んだ料理。スタッフ。❸(虫歯の)穴をふさぐために詰める物。

つめよ・せる⓪④【詰(め)寄せる】(自下一) 近くまで押し寄せる。

つめよ・る⓪③【詰(め)寄る】(自五) ❶攻撃するために、敵の近くに迫る。❷相手からの誠意ある返答を求めて、半ば脅迫的な態度をとる。

****つ・める**②【詰める】[一](自下一)〈どこニ―〉前もってある場所に出向いて、必要に備えて待機する。「警備本部に―/首相官邸に詰めている記者」[二](他下一) ❶〈(なに・どこニ)なにヲ―〉何かの中に(限度まで)入れる。「箱に菓子を―/かばんに書類を―/ボンベにガスを―/後から来る人のために前に詰めてください/根(こん)を―〘=⇩根〙」❷〈なにヲ―〉途中を何かでさえぎって、先に進めない状態にする。「土を詰めて穴をふさぐ/息を―〘=警戒・緊張のために、しばらく呼吸を止める〙」❸〈なにヲ―〉限度や限界を設けて、それをこえないようにする。「△暮らし(経費)を―」❹〈なにヲ―〉(望ましい)長さや間隔のない状態にする。「着物の丈を―/目を

詰めて編んださる／指を━〔=ⓐ約束・誓いのしるしに、小指などを切る。ⓑ関西方言で、ドアなどで指をはさむ〕」 ❺〈なに・だれヲ━〉 逃げ道がない状態にする。「王将を━」 ❻〈なにヲ━〉 議論などを結論が出る方向に進める。「△交渉(論議・細目)を━」 ㊂〔「動詞連用形＋━」の形で、接尾語的に〕 ❶場所をいっぱいにする。「じゅうたんを敷き━」 ❷絶え間なく…する。「毎日通い━」 ❸相手を窮地に追いこむ。「追い━・問い━」

つめ・る②【〈抓る〉】(他五) 「つねる」の古風な表現。

つもごり⓪【〈晦〉】〔近畿・中国方言〕つごもり。

***つもり**⓪【積(も)り】〔動詞「積もる」の連用形の名詞用法〕 ❶(話し手自身の)何かを実現させようとする意志・意向。「勉強する━で部屋に籠(コモ)る」 ❷実際はそうでないのに、そう△した(であるかの)ような気持。「死んだ━で働く」 ❸前もっての計算。見積り。 表記 ❶❷を「〈心算〉」と書くのは、近代の表記。 文法 ❶は「僕は留学するつもりだ」「私は結婚するつもりが△ある(ない)」のように、一般に話し手自身の意志・意向を表わす表現に限られる。(1)話し手以外の人の意志・意向について「田中君は中国に留学するつもりで中国語を学んでいる」と話し手以外の人について断定的に「つもり」が用いられているのは、当人から確実な情報が得られる場面だけである。(2)相手の意志・意向については「君は会社をやめるつもりか」「今夜彼と会うつもりだね」などと問いかけの形をとったり確認を求めたりする表現で用いられる。(3)第三者(場面によっては相手を含めて)の意志・意向については「彼は結婚する△つもりだろう(ようだ・らしい)」や「…するつもりに違いない」「…つもりかもしれない」といった推量・推測の形をとって用いられる。(4)「彼を傷つけるつもりではなかった」などと自分の行為が好ましくない結果を招いた場合に用いられるときは、意図的に行なったものではないという気持を強調する意がこめられる。

***つも・る**②【積(も)る】㊀(自五) ❶〈なに・どこニ━〉 △小さい(細かい)物が上へ上へと△重なる(重なって高くなる)。「雪が━」 ❷物事が段々たまって、△多(大き)くなる。「借金が━／━胸の思い」 ㊁(他五)〈なにヲ━〉 ❶予想を立てる。見積もる。「高く積もっても千円の品」 ❷多分そうだろうと見当をつける。「人の心を━〔=おしはかる〕」

***つや**⓪【艶】 ❶滑らかな物の表面に感じられる、美しく光るような印象。〔広義では、声などについて、張りがあって美しい形容としても用いられる〕「絹のような━のある栗(リク)色の毛／磨くほどに━の出てくる漆器」 ❷話に面白みを添える、情味や色気。「━の無い話／━種(ダネ)」 ❸相手をうれしがらせる、見せかけのお世辞や、粉飾した表現。「事実に━を付けて話す」

つや①【通夜】 ❶仏堂にこもって一晩じゅう祈願すること。❷死者を葬る前に、家族や親しい人たちが(法要を営んだ後)棺の前で一晩過ごすこと。「つうや」とも。「お━②」 表記 ❶は、「〈光沢〉」とも書く。

つやけし⓪【艶消(し)】㊀艶を消すこと。㊁━な・━に せっかくのおもしろみをうちこわす△こと(ような言動をする様子だ)。「━な話」 **━ガラス**⑤ すりガラス。

つやごと⓪【艶事】 情事に関した事。

つやだし⓪【艶出(し)】 つやを出す△こと(ための物)。「━ワックス」

つやだね⓪【艶種】 情事についての興味本位な話題。

つやっぽ・い④【艶っぽい】(形) ❶なまめかしく色気のある様子だ。「━まなざし」 ❷恋愛にかかわる様子だ。「━話」 派━さ④

つやつや①【艶々】(副)━と・━する つやがあって見るからに△美しく(生き生きと)感じられる様子。「血色のいい━(と)した顔」 **━し・い**⑤(形) いかにもつやがあって美しい感じだ。「━黒髪」 派━さ④

つやぶきん③【艶布巾】 器具をみがいて艶を出すのに使うふきん。〔昔は、いぼた蠟(ロウ)の液をしみこませて使った〕

つやめ・く③【艶めく】(自五) ❶つやつやして見える。❷色気が感じられる。

つやもの⓪【艶物】 浄瑠璃(ジョウルリ)などで、恋愛や情事を題材としたもの。

つややか②【艶やか】━な・━に 艶がよくて美しい様子だ。「━な髪」 派━さ④③

つゆ①【《汁》】 ❶水分。水け。「果物の━」 ❷だしにしょうゆを加えて、味をつけたもの。「△うどん(そば)の━」 ❸吸い物(の汁)。 表記 「《液》」とも書く。

***つゆ**⓪②【〈梅雨〉】 「ばいうの季節」の意の和語的表現。「━が明ける／━に入る」 表記 ⇩付表

***つゆ**①②【露】㊀❶夜半または早朝、戸外にある物の表面に付く小さな水滴。〔気象学では、水蒸気が冷えて液体となったものとされる〕「━が降りる／━を結ぶ／袖(ソデ)の━〔=涙〕／朝━・夜━」 ❷〔雅〕その事柄がほんのわずかに認められる程度のものであること。「━も、物(モノ)空に翔(カケ)らば、ふと射殺(イコロ)し給(タマ)へ／━の情(ナサケ)をかけ給へ／━の〔=はかない〕命／刑場の━と消える」 ㊁(副) 〔否定表現と呼応して〕ほんのわずかな可能性も無いと強く否定する意を表わす。「こんな結果になろうとは、━思わなかった／彼の言葉を━疑わなかった」〔「露いささかも」は、㊁の強調表現〕

つゆあけ⓪【〈梅雨〉明(け)】━する(自サ) つゆの季節が終わること。「━を待ちかねる／━宣言」 表記 ⇩付表「梅雨」

つゆいり⓪【〈梅雨〉入(り)】━する(自サ) つゆの季節になること。入梅(ニュウバイ)。「ついり」とも。 表記 ⇩付表「梅雨」

つゆくさ⓪【露草】 道ばたに生じる一年草。夏、青紫色の小さな花を開く。つきくさ⓪。ほたるぐさ③。〔ツユクサ科〕 かぞえ方 一本

つゆけ・し③②【露けし】(形ク)〔雅〕露を帯びて見える状態だ。 派━さ③②

つゆざむ⓪【〈梅雨〉寒】 つゆ時にしばらく続く、季節外れの寒さ。 表記 ⇩付表「梅雨」

つゆじも⓪【露霜】 露が凍って霜のようになったもの。水霜。

つゆぞら⓪③【〈梅雨〉空】 つゆの季節の、雨雲が空一面をおおっている空模様。 表記 ⇩付表「梅雨」

つゆのま①【露の間】〔雅〕ごく短い時間。わずかの間。

つゆはらい③【露払(い)】━する(自サ) ❶先に立って導く△こと(人)。❷最初に遊芸を演じる△こと(人)。❸横綱の土俵入りの時、先に立って土俵に上がる力士。⇩太刀(タチ)持ち❸

つゆばれ⓪【〈梅雨〉晴(れ)】 ❶つゆの期間が過ぎて晴れること。❷つゆの期間中に時どきある晴れ間。 表記 ⇩付表「梅雨」

つゆびえ⓪【〈梅雨〉冷(え)】 つゆの間に、気温が急に下がること。「━が△する(続く)」 表記 ⇩付表「梅雨」

****つよ・い**②【強い】(形) ↕弱い ❶〈なにニ━〉 対立関係にある相手や、困難や障害にうち勝つすぐれた能力がある様子だ。「一回戦から━チームに当たる／水泳で━からだをつくる／△気(性格)が━／勝負事に━」 ❷勢いがあって、容易には衰えそうにない様子だ。「━風が吹いている／━△指導力(関心・希望)／△風当り(責任感)が━」 ❸否定・無視出来ないものとして、ある傾向が認められる様子だ。「△反対意見(疑い・影響力・警戒心・不安)が━」 ❹〈なにニ━〉 その面に関してすぐれた能力を発揮したり豊富な知識を持ち合わせたりしている様子だ。「国家経済に━首相／数学に━／逆境に━／寒さに━体質」 派━さ① ━げ⓪③②

つよが・る③【強がる】(自五) 強いように見せかける。強いことを誇る。名強がり③④⓪「―を言う/単なる―だ」

つよき⓪【強気】↕弱気 ━(ナ) 必ず勝てる・成功すると思って、△積極的(高圧的)な態度をとる様子だ。また、その態度。「―で押す/―に△転じる(満ちた)/―の姿勢を崩さない」 ━〔取引で〕相場が上がると予想する△こと(人)。

つよごし⓪【強腰】(ナ) 態度が強くて、相手に譲ろうとしない△こと(様子)。「―の姿勢をくずさない/―だ」↕弱腰

つよび⓪【強火】 火力の強い火。⇩とろ火・中火

つよふくみ③【強含(み)】〔取引で〕相場が多少上がる傾向にあること。「つよぶくみ」とも。↕弱含み

つよま・る③【強まる】(自五)〔状態の推移や時間の経過とともにものの度合・程度が〕強くなる。「△不満感(意識・危機感・規制・発言力・対立・反感)が―/…の△きざし(傾向・動き・機運)が―」↕弱まる 名強まり③

つよみ③【強み・強味】↕弱み ➊強さ(の程度)。「彼の参加で一段の―を加えた」 ➋実力などがあって△他との競争に負けない(誇りに出来る)点。「語学の出来るのが―だ/金のあるのが―だ」 表記「強味」は、借字。

つよ・める③【強める】(他下一)〈なにヲ―〉〔ものの度合・程度を〕強くする。「△警戒色(期待感・緊張・発言権・疑惑・結束・働きかけ・語気)を―」↕弱める 名強め③⓪

つら②【面】 ➊「顔」の意のやや俗語的表現。〔軽い侮蔑(ブベツ)を含意して用いられることがある〕「どの―下げて(=厚かましくも)/馬―(ヅラ)・紳士―(ヅラ)⓪(=いかにも紳士であるかのような様子)」 ➋物の表面。「上(ウワ)っ―・川―(ヅラ)・帳面―(ヅラ)」

つらあて⓪【面当(て)】 快く思っていない人を困らせてやろうとして、その人の前で、わざと△意地悪(皮肉)な事を言ったりしたりすること。

つら・い ━⓪②【《辛い】(形) ➊その状況に身を置くことが苦痛に感じられて、出来ることなら自分としては△その状態から離れたい(そうしないで済ませたい)感じだ。「―憂き世/冬の寒い朝は起きるのが―/子を失った彼を見るのが―/別れが―」 ➋相手にとって堪えがたいほどに扱いがひどい。「部下に辛く当たる」 ━〔「動詞連用形＋づらい」の形で、接尾語的に〕〔する方の側に〕何らかの障害があって、そう△したい(しよう)と思っても思うように事を運ぶことができない状態だ。「年を取って細かい字が読みづらくなった/言い―(ヅラ)話/分かり―(ヅラ)地図」 派―さ⓪①「待つ身の―」 ―げ⓪③② ―が・る③

つらがまえ③【面構(え)】 普通と違って△強(悪)そうな顔つき。

つらだましい③【面魂】 不屈の精神の現われている顔。

つらつき⓪【面付(き)】「顔つき」の意のやや俗語的表現。

つらつら①(副) 問題となる事柄について、見過ごしてきた点はないか、一面的な見方をしてきたのではないかなどと、改めて広い視野に立って考えを深める様子。「―思うに、現在の日本には小人のみ多く、大人(タイジン)はごく少ない」 表記 も との用字は、「《熟〻」。

つらな・る③【連なる】(自五) ➊一列に並んで続く。「車列が―」 ➋△団体(組織)の一員として参加する。「祝賀式に―(=出席する)栄を得た/委員の末席に―(=『委員のひとりとなる』意の、へりくだった言い方)」 ➌関係が及ぶ。「国際問題に―事件」 名連なり⓪④「山の―」 表記「《列なる」とも書く。

つらにく・い④【面憎い】(形) ➊顔を見るだけでも憎い。➋見るからに憎らしい顔をしている様子だ。 派―さ③ ―げ④⑤⓪

つらぬ・く③【貫く】(他五) ➊〈(なにデ)なに・どこヲ―〉突いた先が中を通り抜けて、反対側まで出る。「矢が的の中心を貫いた」 ➋〈どこヲ―〉端から端まで切れ目なく通る。 ➌〈なにヲ―〉外圧に押されてくじけたり撤回したり方針をまげたりしないで、終わりまでやりぬく。「△原則(自主性・主張・基本方針・目的)を―/△初志(信念・孤高)を貫き通す」

つらね③【連(ね)】〔動詞「連ねる」の連用形の名詞用法〕歌舞伎(カブキ)で、登場人物が自己紹介や物の由来を述べるための、数人で分けて言ったりする長いせりふ。懸詞(カケコトバ)を用いたりする。

つら・ねる③【連ねる】(他下一)「連なる➊➋」ようにする。「△車(軒)を―/…に名を―/袖(ソデ)を―(=おおぜいの人が威儀を正して、その場所に着席する)/袂(タモト)を連ねて(=何人かが一緒に)辞職する/供を―(=おおぜい連れる)」 表記「《列ねる」とも書く。

つらのかわ⑤【面の皮】 顔の皮膚。「―が厚い(=厚かましい)/―をはぐ(=ずうずうしい奴(ヤツ)に恥をかかせてやる)/いい―だ(=⇩いい(良い) 運用(1))」

つらま・える③⓪【《捉(ら)まえる】(他下一) つかまえて逃げられないようにする。〔「つかまえる」と「とらえる」との混交〕⇩とらまえる

つらよごし③⓪【面汚(し)】 その人の属する仲間や社会の名誉を傷つけること。〔その人に対するののしりを含意する〕「汚職事件で逮捕されるとは党の―だ/お前のような奴(ヤツ)は我が家の―だ」

つらら⓪【〈氷柱〉】 水のしずくが凍って棒状に垂れ下がったもの。 表記「〈雪柱〉」とも書く。 かぞえ方 一本

つら・れる⓪【釣られる】(自下一)〔「釣る」の受動形〕 ➊誘われるようにして、何かの行動に出る。「太鼓の音に―」 ➋だまされる。「甘言に―」

つり⓪ ━【釣(り)】 ➊(魚を)釣ること。「―の醍醐(ダイゴ)味/魚―/海―(ヅリ)・沖―(ヅリ)・ふかせ―(ヅリ)⓪③・―客②・―道具③」 ➋「つり銭」の略。「お―」 ━【〈吊(り)】 ➊つるす△こと(ひも)。「ズボン―・宙―(ヅリ)」〔蚊帳(カヤ)をかぞえる時にも用いられる〕 ➋〔すもうで〕相手を吊ること。

つりあい⓪【釣(り)合(い)】 ➊つりあうこと。「―の取れた体格」 ➋二つ以上の力が物体に作用して、物体が静止している状態。平衡。「―が取れる/―を△取る(保つ)」

つりあ・う③【釣(り)合う】(自五)〈なに・だれト―/なに・だれニ―〉 比較する二つのものや部分の△重さ(力・形・性質など)がひどくかけ離れることなく、安定した状態を保つ。「上着の色とネクタイとがよく―(=調和が取れている)/和洋よく釣り合った建築物/釣り合わぬは不縁の基(モト)」

つりあ・げる④(他下一) ━【釣(り)上げる】 魚を釣って取る。「大物を―」 ━【〈攣(り)上げる】 攣って上へあげる。「目を―(=目じりを上にあげて、怒った様子になる)」 ━【〈吊(り)上げる】 △相場(物価)を人為的に高くする。「せり値を―」 名つりあげ⓪ 自動つりあがる④(五) 表記 ━は「〈吊り上げる」、━は「釣り上げる」とも書く。

つりいと⓪【釣(り)糸】 ➊釣りざおの先につけて魚を釣る糸。 ➋物をつるすのに使う糸。 表記 ➋は、「〈吊り糸」とも書く。 かぞえ方 ➊➋とも一本

つりおとし⓪【〈吊(り)落(と)し】〔すもうで〕相手のまわしをつかみ、相手のからだを持ち上げておいてから下へ落として倒すわざ。 動吊り落とす④(他五)

つりがき⓪【釣(り)書】〔「釣」は、「蔓(ツル)」と同義〕〔見合いの時などに取り交わす〕親族書(ガキ)⓪。簡単な系図を主内容とする。 かぞえ方 一通

つりかご⓪ ━【〈吊(り)籠】 ➊△つるすように作った(つるした)籠。 ➋気球・飛行船の下に吊り下げて人が乗り込む所。 ━【釣(り)籠】 釣った魚を入れて下げる籠。びく。

つりがね[0]【〈吊(り)鐘】〔寺の鐘楼に〕つるしてある鐘、梵鐘。「—形[0]」 表記「釣り鐘」とも書く。 かぞえ方 一口 **—そう**[0]【—草】吊り鐘のような形の花をつける草の俗称。ツリガネニンジン[5]・ホタルブクロなど。 表記「釣り鐘草」とも書く。 かぞえ方 一本

つりかわ[0]【〈吊(り)革】〔電車・バスなどで〕立っている客がからだをささえるためにつかまる、輪のついた(革製の)ひも。 表記「釣り革」とも書く。

つりぐ[0][2]【釣(り)具】釣りの道具。

つりこ・む[3]【釣(り)込む】(他五) ❶うまい事を言って相手の気を引き、自分に有利な行動をさせるようにする。「宣伝に釣り込まれて、つい買ってしまった」 ❷興味を起こさせて、相手を自然に引きつける。「話に釣り込まれて、時のたつのを忘れる」〔❶❷とも多く「釣り込まれる[5]」の形で用いられる〕

つりざお[0]【釣(り)〈竿】魚を釣るための竿。 かぞえ方 一本

つりさ・げる[4]【〈吊(り)下げる・釣(り)下げる】(他下一) 何かで吊るようにして、下げる。 自動 つり下がる[4](五)

つりし[2]【釣(り)師】魚を釣る人。〔多く、趣味で行なっているが、腕前のいい人について言う〕

つりしのぶ[3]【釣(り)忍(ぶ)】シノブをたばねて、井桁やいかだ、玉などに作り、軒下につるして涼味を楽しむもの。

つりせん[0]【釣(り)銭】それに要する代価より大きい単位のお金で支払った場合、精算して返す残りの金銭。略して「(お)つり」。

つりだい[0]【〈吊(り)台・釣(り)台】物を載せて、二人が棒で担いで運ぶ台。 かぞえ方 一台

つりだ・す[3](他五) 〘一〙【釣(り)出す】〔だまして〕誘い出す。 〘二〙【〈吊(り)出す】〔すもうで〕相手のまわしをつかみ、からだを持ち上げて土俵の外へ出す。 名 つりだし[0]

つりだな[0]【〈吊(り)棚・釣(り)棚】❶天井から吊り下げた棚。❷床わきに設ける棚。

つりだま[0]【釣(り)球】〔野球で〕バッターの打ち気を誘うような、高目のたま。

つりて[0] 〘一〙【釣(り)手】その魚を釣った人。 〘二〙【〈吊(り)手】❶蚊帳などを吊るためのひも(と鐶)。❷つりかわ。❸何かを吊り上げる時に、綱などを結びつける部分。 かぞえ方 〘二〙❶〜❸とも一本

つりてんぐ[3]【釣(り)天〈狗】魚釣りが上手だと自慢する人。

つりてんじょう[3]【〈吊(り)天井・釣(り)天井】固定せずにつるしておき、落として人を殺す仕掛けの天井。

つりどうろう[3]【釣(り)灯籠】軒先などにつるす灯籠。

つりどこ[0]【〈吊(り)床・釣(り)床】❶特に段を設けて高くせず、普通の畳を敷いたままの、略式の床の間。かべどこ[0]。❷ハンモック。

つりとだな[3]【〈吊(り)戸棚】天井から壁の途中まで吊り下げるような形で作りつけた戸棚。

つりどの[0]【釣(り)殿】昔、寝殿造で、東または西の廊の南端にある、池に臨んだ建物。

つりばし[0]【〈吊(り)橋・釣(り)橋】❶かけはずしの出来る橋。❷空中に綱を張り渡し、それに通路を吊りさげた橋。 かぞえ方 ❶❷とも一本

つりばり[0]【釣(り)針】魚を釣るための、先の曲がった針。 表記「〈鉤」とも書く。 かぞえ方 一本

つりびと[0]【釣(り)人】海や川で釣りをしている人。

つりひも[0]【〈吊(り)紐〉】吊り下げるために取りつけた紐。 かぞえ方 一本

つりぶね[0] 〘一〙【釣(り)船】魚を釣るために出す小船。 かぞえ方 一艘・一隻 〘二〙【〈吊(り)船】船の形をした、上からつるして使う花瓶。おもに竹製。

つりぼり[0]【釣(り)堀】魚を飼っておき、料金を取って釣らせる所。

つりめ[0]【〈攣(り)目】目じりのつり上がった目。 表記「〈攣り《眼・〈吊り目・〈吊り《眼」などとも書く。

つりわ[0]【〈吊(り)輪】吊り下げた二本の綱に、輪を付けた体操用具(を使った競技)。 表記「〈吊り《環」とも書く。

***つ・る**[0] 〘一〙【釣る】(他五)〈(なにデ)なにヲ—〉 Ⓐ〔魚や虫などを〕針や糸などにひっかけ(て取)る。「蝦で鯛を—〔=⇩えび❶〕/トンボを—」 Ⓑ相手の気を引くような物を見せたり与えたりして、意のままに扱えるようにする。「巧言で釣って悪の仲間に引き入れる」 〘二〙【〈吊る】(他五) ❶〈(なに・どこニ)なにヲ—〉端を引っぱるようにして支え、落ちないようにする。「△蚊帳(ハンモック)を—/棚を—〔=高い所に設ける〕/橋を—〔=高い所にかけ渡す〕/首を—〔=首をくくって、死ぬ〕」 ❷〈だれヲ—〉〔すもうで〕相手のまわしをつかんで持ち上げる。「いったん内掛けを掛けておいて—」 〘三〙【〈攣る】(自五) ❶筋が急に縮まり、一時うまく動かせなくなる。「足が—/引き—」 ❷〔引っ張られたように不釣合に〕そのものの一部が極端に上がる。「目のつった人」

つる[2][1] 〘一〙【〈鉉】❶なべ・土瓶などの上に弓形に渡した取っ手。❷ますに斜めに渡し、斗掻の標準とする鉄線。 〘二〙【弦】弓に張り渡す糸。ゆみづる[0]。 かぞえ方 〘一〙〘二〙とも一本

***つる**[2][1]【〈蔓】❶細長く伸びて、地にはったり物にからまったりする茎。❷「つる❶」のような形の物。「眼鏡の—〔=耳にかける部分〕」 ❸「つる❶」のように(複雑にからみ合いながらも)一本の筋道をたどれるもの。「イモの—〔=イモとイモをつなぐ細いひげ根〕/—〔=手づる。手がかり〕をたどって犯人を捜す」 かぞえ方 一本

つる[1]【鶴】秋、シベリアなどから渡って来るツル科の鳥の総称。足・くちばし・首が長い、大形の水鳥。タンチョウヅル・ナベヅルなど種類が多い。長生きをするめでたい鳥とされる。「—は千年亀は万年/—の一声〔=直ちに皆を従わせる、△権力(権威)のある人の一言〕」 かぞえ方 一羽

つるおと[0]【弦音】矢を放した時、弦の鳴る音。

つるかめ[1]【鶴亀】〘一〙ツルとカメ。どちらも長寿なので、めでたいものとされる。 〘二〙(感) 縁起直しに言う言葉。「ああ、——」 **—ざん**[4]【—算】〔数学で〕鶴〔=二本足〕何羽かと亀〔=四本足〕何匹かの個体数の合計と足の本数の合計とが分かっている時に、鶴と亀それぞれの個体数を求める、初等的な解き方。例えばすべての亀が前足を引っ込めた状態を想定してみるなど、考え方に工夫を凝らして、四則応用問題の一つとして解き、連立方程式を用いない。

つるぎ[0][3]【剣】〔雅〕両刃の刀剣。けん。 **—たち**[3]【—〈太刀〉】〔雅〕つるぎ。 表記 ⇩付表「太刀」 **—のやま**[6]【—の山】〔仏教で〕切っ先の部分を上にした剣を植えつけた山。地獄にあるという。

つるくさ[0]【〈蔓草】茎が蔓になって、他の物にからみつく草の総称。

つるし【〈吊し】〘一〙[0] ❶吊すこと。❷既製品、または古着として売っている洋服。 〘二〙(造語) 動詞「吊す」の連用形。 **—あげ**[0]【—上(げ)】おおぜいで特定の人を問いつめて、きびしくその非を責めること。「—を食う」 動 吊し上げる[5](他下一) **—がき**[3]【—柿】渋柿の皮をむき、吊して甘くなるまで干したもの。ほしがき。 かぞえ方 一本

つる・す[0]【〈吊す】(他五)〔ひも・綱などで〕つって垂らす。〔⇩吊し〘二〙〕

つるだち[0]【〈蔓立(ち)】草の茎が蔓になるもの。

つるっぱげ⓪【つるっ〈禿げ〉】〔「つるはげ⓪」の強調形〕つるつるに禿げ(てい)る状態。また、その状態にある△頭(人)。〔侮蔑ブベツを含意して用いられることがある〕

つるつる ㊀①(副)[―と][―する] 何の抵抗も無く、滑らかにすべる様子。「―すべる凍った斜面/うどんを―とすすり込む」㊁⓪[―な][―に] 表面がきわめて滑らかですべりのよい状態にある様子だ。「ワックスをかけて表面を―にする/温泉で肌が―だ/―の頭」

つるはし②⓪【鶴〈嘴〉】堅い土を掘り起こすのに使う鉄製の道具。細い金具の両端がツルのくちばしのようにとがっている。［かぞえ方］一本・一挺チョウ・一丁

つるばみ⓪【〈橡〉】〔雅〕どんぐり(を煮て、その汁で染めた濃いねずみ色)。「―色」

つるべ⓪【釣《瓶》】井戸の水をくむために、△縄(さお)をつけておろすおけ。 **―おとし**④【―落(と)し】急に落ちる形容。「秋の日は―(=秋の日没ははやい)」

つるべうち⓪【《連べ打(ち)・釣《瓶打(ち)】―する(他サ)〔「つるべ」は連ねる意の文語動詞「つるぶ②」の連用形〕横に並んだ鉄砲の打ち手が、順々に休みなく打つ形容。〔野球で、続けざまにヒットを浴びせることをも指す〕［表記］「つるべ」を「釣《瓶」と書くのは、借字。

つる・む②(自五) ㊀(けものなどが)交尾する。〔広義では、人間の性行為をも指す〕㊁《連む》〔文語動詞「つるぶ」の転〕つれだって行動する。「つるんでどこへお出かけ」

つるりと②③(副) ㊀表面が見るからに滑らかそうな様子。「むきたてのゆで卵のように―したほっぺた」㊁(一瞬)勢いよくすべる様子。〔「つるっと」とも〕「足が―すべる/―頭をなでる」

つれ ㊀⓪【連(れ)】(動詞「連れる」の連用形の名詞用法) ㊀仲間として、一緒に行動する△こと(人)。㊁〔能・狂言で〕シテ・ワキに伴って登場し、演技を助ける人。㊂(造語) ㊀連れていること。「子供―ヅ⓪・二人―ヅ⓪」㊁…のような(能力の低い)者。…ども。「足軽―ヅ(=足軽ふぜい)など恐れるに足らない」［表記］㊀㊁は普通、「ツレ」と書く。

つれあい⓪【連(れ)合(い)】[アヒ] ㊀つれそう相手。配偶者。〔夫婦の一方が他方を呼ぶ称〕㊁「連れ㊀㊀」になった者。

つれあ・う③【連(れ)合う】[アフ](自五) ㊀夫婦になる。つれそう。㊁一緒に△行動(旅行)をする。

つれこ⓪【連(れ)子】再婚する人が婚家に連れて行く、前の配偶者との間の子。「つれご」とも。

つれこ・む③【連(れ)込む】(他五)〔仲間を〕一緒に連れて入り込む。〔狭義では、旅館などに△情人(恋人)を連れて入ることを指す〕［名］連れ込み⓪

つれさ・る③【連(れ)去る】(他五) △だまして(有無を言わさず)人をどこかへ連れて行く。「幼児を―」

つれしょん⓪〔「連れ小便③」を圧縮した俗語的表現〕〔主として男子の学生仲間で〕外出の途中、一人が(便所に行き)小便をし始めると、他の人もつられて、そうすること。

つれそ・う③【連(れ)添う】[ソフ](自五) 夫婦にな(ってい)る。

つれだ・す③【連(れ)出す】(他五) △一緒に連れて(うまく誘って)外へ出す。「△町へ(散歩に)―」

つれだ・つ③【連(れ)立つ】(自五) 一緒に行く。「どこへでも連れ立って行く」

つれづれ⓪【〈徒然〉】[―な][―に] 何もする事が無くて、どう時間を過ごしたらよいのかと思う△こと(様子)。「旅先の―を慰める/秋の夜の―に歌を詠ヨむ」

つれて⓪【連れて】〔一般に「…に―」の形で〕一方の状態の変化に並行して、他方の状態も変化する事を表わす。…に従って。…と共に。「つれ⓪」とも。「△時(日)がたつに―」

つれな・い③(形) 温情・同情を願う相手の気持を全く無視するかのように行動する様子だ。「いくら懇願しても、だめだという―返事を繰り返すばかりだ」［派］―さ③ ―げ⓪④③ ［文法］助動詞「そうだ(様態)」に続くときは「つれなさそうだ」の形になる。また「すぎる」と結びついて複合動詞をつくるときは「つれなさすぎる」の形になる。

つれびき⓪【連(れ)弾(き)】〔邦楽で〕琴・三味線などを一緒に弾くこと。合奏。〔主として、義太夫ギダユウの三味線弾きで使われる〕

つれもど・す④【連(れ)戻す】(他五) いったんよそに出た人を連れ伴って、もとの所に帰らせる。

つ・れる⓪【連れる】(他下一) 一緒について来させる。伴う。「連れて△行く(来る)」

つ・れる⓪(自下一) ㊀【釣れる】〔「釣る」の可能動詞形〕魚が、釣り針にかかって取れる。「きょうは大物がおもしろいように―」㊁【〈攣れる〉】㊀つりあがる。「目が―」㊁ひきつった状態になる。「袖デ付けがつれている」

つわぶき②【〈橐吾〉・〈石〈蕗〉】[ツハブキ] 庭の日かげなどに植える、フキに似た形の常緑多年草。葉は大きく厚く、つやがある。晩秋、長い茎に黄色い花を開く。観賞用。〔キク科〕［かぞえ方］一本

つわもの⓪【《兵》】[ツハモノ] 〔強者の意〕㊀兵士。軍人。㊁勇士。猛者サモ。〔その方面で水準以上の手腕を発揮する人の意にも用いられる。例、「その道ではなかなかの―だ」〕⇨さむらい

つわり⓪【〈悪阻〉】[ツハリ] 〔「芽が出る・食に偏りが出る」の意の文語動詞「つはる」の連用形の名詞用法〕妊娠の初期、吐きけとともに食物の好き嫌いの激しくなる状態。多く酸味を好む。⇨おそ(悪阻)

つん【突ん】(接頭)〔東京などの方言〕「突き」の変化。〔多くぞんざいな調子で言う場合に使われる〕「―のめる・―出す③」

ツングース③〔Tungus〕東シベリア・中国東北部に分布する、モンゴロイドの一種族。

つんけん①(副)[―と][―する] 応対の態度にとげとげしさが感じられ、不機嫌さが露骨に現われている様子。「―とした調子で言う」

つんざ・く③【〈擘く〉・〈劈く〉】(他五)〔「突き裂く」の変化〕破り裂く。「耳を―(=突き破るほどの)砲声」

つんつるてん⓪④[―な][―に] ㊀衣服のすそが短く、ふつうはおおわれている(手や)足が露出している様子だ。「―のズボン」㊁つるっぱげ。

つんつん①(副)[―と][―する] ㊀態度に不機嫌さがはっきり現われていて、とりつくしまもないと感じられる様子。「何が気に入らないのか―している」㊁好ましくないにおいが、連続的に鼻を強く刺激する様子。「―鼻にくる」㊂茎や穂が突っ立つように勢いよく伸びている様子。「―伸びた麦の穂」

つんと⓪(副)[―する] ㊀周囲を全く無視しているかのようにとりすました態度を見せる様子。㊁好ましくないにおいが鼻の奥を強く刺激する様子。「アンモニアの―くるにおい」

つんどく⓪【積ん読】〔積んで置く意〕書物を買って積んでおくばかりで読まないこと。〔「通読・精読」などのもじり〕「―主義⑤」

ツンドラ⓪〔ロ tundra〕夏、コケ類や背の低い植物が生長するだけで、他の時期は大部分氷に閉ざされる原野。北極海沿岸地方に多い。凍土帯。凍原。

つんのめ・る④(自五)「のめる」の意の口頭語的な強調表現。

つんぼ①【〈聾〉】耳が聞こえない△こと(人)。〔侮蔑ブベツを含意して用いられることがある〕「―の速耳(=ⓐ聞こえないのに、聞こえたふりをし、早合点すること。ⓑ用事の時はよく聞こ

―さじき ④【―《桟敷》】❶〔芝居で〕舞台に遠く、せりふのよく聞こえない桟敷。❷重要な事情を知らされない、疎外された状態。「―に置かれる」 表記 ⇩付表「桟敷」

て…テ

て ■一（接助）❶一連の動作・作用が行なわれることを表わす。「早起きし―体操をした/本を読んで感想を書く」❷二つの出来事・状態が共存することを表わす。「女がピアノをひい―〔=ひく一方で〕男が歌を歌った/安く―〔=安い上にしかも〕おいしい」❸どんな原因・理由で、その動作・作用が行なわれたかを表わす。「金が無く―行かれない/母に呼ばれ―目がさめた/雨降っ―地固まる」❹どんな状態で、その動作・作用が行なわれるかを表わす。「歩い―通う/目を開い―よく見ろ/喜んで協力する」❺結びつきにくい二つの出来事がともに成立することを表わす。「見―〔=見たのに〕見ぬふりをする/何度も注意され―〔=注意されたが〕まだやめない」❻以下に述べる事柄を導き出す補足的な説明を提示し、あとの叙述に結びつける。「ホテルの前には大きな池があっ―、そこでボートを浮かべたり 釣りをしたりすることもできる/事故があっ―、そのために電車が遅れた」❼動作の局面や様態、また、事物の授受などを表わす補助動詞を続ける役割を果たす。「咲い―いる/張っ―ある/読んでみる/貸し―やる」 文法 動詞、形容詞、動詞型活用の助動詞の連用形に接続する。ただし、五段活用の活用語に接続する際には音便形に接続することがあり、ガ行・ナ行・マ行・バ行の五段動詞ではその影響で「で」となる。

■二（終助詞的に）❶事実の認否、事の可否について、相手に確かめることを表わす。「もうごらんになっ―/よろしくっ―/この辺でうちの子を見かけなくっ―」❷話し手が自分の判断や意見を、（押しつけがましく）述べることを表わす。「この色の方がお似合いになっ―よ/私、知らなく―よ/そんなこと、なさらなくてもよく―よ」❸「てください・てくれ」の意で、親しい間柄の相手に気軽にものを頼むときに用いられる表現。「僕にも見せ―/ちょっと待っ―/また来―ね/そんなにおこらないでよ」〔■二❶❷は主として女性語で、比較的上品な言い方とされる〕 文法 接続は■一に準ずる。「…って」となることがある。

■三❶〔格助詞として〕引用を表わす格助詞「と」の口頭語的な変化。「なん―言った?/たしか田中さん―聞いた気がする」❷〔副助詞として〕人や物を話題として提示する。「田中さん―、いい人ね/人生っ―、不思議なものね」❸「という」の圧縮表現。「人間―ものは勝手なもんだ/安田さん―人は実にいい人ね」 文法 接続は格助詞「と」に準ずる。「…って」となることがある。

**て【手】 ■一①❶人やサルの胴体上部から左右に分かれ伸びている部分で〔つけ根は、肩の両端〕、何かをつかんだり 持ったり 投げたり 打ったり 引いたり 掻(カ)いたり などする時に使う部位。先端の五つに分かれた所が指、指につながる 物を握った時の内側が てのひら、外側が手の甲、屈伸自在の部分が手首、手首から肩のつけ根までが腕。〔以上の各部分をも「手」と言うことがある〕「食事の前に―を洗う/―に入れる〔=自分のものとする〕/―の舞い足の踏む所を知らず〔=非常にうれしい時の形容〕/相手の本心が―に取るように〔=自分が直接見たり 聞いたり するように明瞭(メイリョウ)に〕分かる/―にする〔=ⓐ自分で持つ。ⓑ自分の物とする〕/―に入る〔=自分の物となる〕/―に落ちる〔=ⓐその人の物となる。ⓑ受け取る〕/―が長い〔=盗癖がある〕/―が後ろに回る〔=悪事を働き、警察につかまる〕/―が付く〔=ⓐ一部分をだれかが使って(しまって)いる。ⓑ主人が召使の女性と関係を持つ〕/―に唾(ツバ)する〔=△何かをしようとして(何か起こるのを待ち設けて)大いに張り切っている形容〕/―に―を取る〔=手を握り△あう(あって行動を共にする)〕/―の切れるような〔=新しくて、しわ一つ無い〕一万円札/―を合わせる〔=ⓐ合掌する。ⓑ感謝したり 懇願したり する。ⓒわざを比べあう〕」❷道具や器物の部分で、つかみ持つように出来ている所。「急須(ス)の―/かばんの持ち―/取っ―」❸自分の手元にあり、掌握するもの。〔狭義ではトランプの持ち札、将棋の手駒(テゴマ)や指揮下の部隊を指す〕「兵を二―に分ける/―の者/新(アラ)―・大―・搦(カラメ)―」❹その局面における有効な△働き(動作)。Ⓐ〔碁・将棋などで〕自分の番になった対局者が、石を打ったり 駒(コマ)を動かしたりして行なう、一回分の動作。「思い切った―を打つ/プロの棋士は何十―も先まで読んでいる/―になる〔=有効な手として成立する〕/次の一―/―筋・―詰り・―数(テカズ)・―順」Ⓑ〔すもうなどで〕勝ちを決めるわざ。「ただいまの決まり―は、上手投げ/すもうの四十八―・決め―」Ⓒ何かを実行するための(有効な)手段や方法。「今の―で行こう/―を尽くす/―を代え品を代えて△説得(おどかし)にかかった/その―〔=策略〕は食わぬ」Ⓓ無難に仕事をこなす腕前や、何かをする能力。「―が上がる〔=ⓐ上達する。ⓑ酒がたくさん飲めるようになる〕/―に負えない〔=自分の力では処理出来ない〕/―に余る〔=自分の能力を上回っているために処理しきれない〕/―が△落ちる(下がる)〔=技量が衰える〕」❺Ⓐ仕事の原動力としての人間。「―〔=労働力〕が足りない/猫の―も借りたいほど、忙しい/―を貸す/―があく〔=仕事が一段落して△ひまになる(人手が余る)〕/―が離せない/捜査の―が及ぶ〔=容疑者に対する探索が行なわれる〕/そこまでは―が回らない」Ⓑ望ましい結果を得る上で必要な物事を進める手順。「―がかかる〔=それをするのに いろいろめんどうな事が多くある〕/―を抜く/―の込んだ〔=細かい細工がしてある〕仕事/―を加える〔=ⓐ『手を入れる❶』。ⓑ修理・補修する〕」❻筆跡。「―を変えて書く/これは疑い無く彼の―だ」❼方向。「行く―に火が見える/山の―・上(カミ)―・右―」❽同類のものが幾種かある中で、特定のひとつ。「この―はもう売り切れです/あの―がほしかったんだがなあ/一番―・古―・若―・厚―(デ)」❾(相手から攻撃されて受けた)傷や損失。「深―(デ)を負う/痛―(デ)」❿勢い。「火の―があがる〔=⇩火の手〕/水の―が止まる」 かぞえ方 ❶❷は一本。❺Ⓐは一人・一枚。❻は一筆(イッピツ)。

【―が付けられない】❶なすべき手段・方法がない。どうしようもない。❷乱暴きわまる。

【―が出る】抑制や我慢をしきれずに暴力をふるう。また、積極的にかかわりを持つ。「生意気な口調に思わず―〔=殴る〕/高めの速球に―〔=スイングする〕/人のおやつに―〔=盗る〕」

【―が届く】❶細かいところまで配慮がしてある。「かゆい所に―〔=⇩かゆい〕」❷購入・入手などの可能な範囲内にある。❸もう少しで、その高齢に達する。「七十に―」

【―が入(はい)る】❶犯罪捜査のために警察官が来る。❷訂正・補筆される。

【―が離れる】❶仕事が一段落する。❷子供が成長して世話にわずらわされることがなくなる。

【―が早い】❶処理の手順に むだが無く、速く仕事を終える様子だ。❷

すぐに相手に手を出す傾きがある。Ⓐ暴力を振るう。Ⓑ肉体関係を持つ。【―取り足取り】つきっきりで懇切丁寧に人を指導する様子。【―に汗を握る】スリルがあり、見ていてはらはらしたり興奮したりする形容。「―熱戦」【―に掛ける】㊀直接△世話(処理)する。㊁自分の手で殺す。【―に付かない】何かほかの事に気を取られ、その事に集中出来ない。【―も足も出ない】相手との間に開きがありすぎて、自分としては全く対処の方法が無い。〔「手も足も出せない」も同義〕【―を上げる】㊀殴ろうとして、こぶしを振り上げる。㊁自分の力以上のことに出会い、降参する。【―を入れる】㊀〔すでにある程度まで出来上がっている物に〕次の段階の工程を施したり補足・補強や訂正・追加を試みたりして、より完全な状態に仕上げる。【―を打つ】㊀何かに対処する方法をとる。「△思い切った(あらゆる・次の・必要な・新たな・早急に)―」㊁話合いの結果、それで解決した事にする。【―をかざす】暖を取るために、直接熱源に手を向ける。「△火鉢(焚火ビタキ・ストーブ)に―」【―を切る】関係を絶つ。【―を下だくす】自分が直接その事をする。【―を組む】㊀腕組みをして△考え込む(いるだけで、直接には何事にも手を下ダクさない)。㊁並んで歩く人同士が腕を組み合わせる。㊂両方のてのひらをいろいろな形に組み合わせて、何かの象徴にする。㊃他の人と心を合わせて、一つの仕事をする。【―を〈拱こまぬ〉く】自分からは何もしないで、ただ見ている。「手をこまねく」とも。【―を締しめる】手締めをする。【―を染める】何かの仕事にとりかかる。【―を出す】㊀暴力を振るう。㊁何かに関係を持つ。「ひとの女に―」㊂今までやらなかった仕事を新たに始めたり欲しいものを自分の手もとに収めたりする。「研究に―」【―を《束かっ》ねる】腕組みを△する(したまま、手を下げないでそばで見ている)。【―を付ける】㊀何かに取りかかる。㊁使いはじめる。「取っときの貯金に―」㊂他人のものを使いこむ。「店のお金に―」㊃肉体関係を持つようになる。「下女に―」表記「手を着ける」とも書く。【―を通す】初めてその衣服を着る。【―を取る】㊀相手の手を握って、愛や友情を確かめる。㊁弱者の手を持って、誘導する。㊂〔「手を取って」の形で〕一対一で、倦ウむこと無く教える様子。【―を引く】㊀手を取る㊁。「孫の手を引いて毎日散歩に出る」㊁それまで出しかけていた手を引っ込める。「やすどをしそうになったので思わず手を引いた」㊂それまで交渉・関係のあった人や事・組織から(背反し)離脱する。「事件から―」【―を広げる】今までやらなかった仕事にまで関係するようになる。【―を結ぶ】㊀堅く手を握る。㊁仲良くする。【―を焼く】〔火を消そうとして、やけどをする意〕対処や処理に△てこずる(苦労する)。「不法駐輪に―/反抗的な態度に―/原発問題に―政府」【―を休める】仕事や作業を小休止する。「少し手を休めて聞いてください」【―を汚ょごす】㊀めんどうな事を自分自身でする。㊁きれい事ばかりしていた人が体面にかかわらず、今まで軽蔑ケイベツしていた事をする。【―を煩わす】自分ひとりで出来なくて、手伝ってもらうなどして人にめんどうをかける。「お忙しいところお手を煩わせてすみません」【…の―が動く】…が積極的に働きかける。【…の―にかかる】㊀…の世話になったり取り扱われたりする。㊁…に殺される。

■二(造語) ㊀〔動詞の連用形について〕その動作をする人。「引き受け―が無い/書き―・話し―・もらい―・やり―」㊁手を使う一回分の動作(をかぞえる語)。「急いで五―ほどたぐりあげる」㊂手に持てる程度の。「―鏡・―みやげ」㊃手で何かをすることを表わす。「―車グルマ・―遊スサビ・―塩・―酌ジャク・―漉スキ」㊄自分で作ったことを表わす。「―製・―料理・―作ヅクり・お―盛り」

■三(接頭)〔形容詞の上について〕普通より程度がひどいことを表わす。「―厳しい・―狭ゼマ・―ぬるい・―ひどい」

で(弟)→【字音語の造語成分】

で ■一(格助) ㊀その動作・作用が、どんな場所・場面において行なわれるかを表わす。「教室―の学習態度/最終審査―はねられた/法廷―黒白コクビャクを争う」㊁〔「…において」の意の文語「にて」の変化〕その動作・作用の主体を表わす。「野党側―強い反対を示した/気象庁―は台風警報を出した/ここは私たち―引き受けます」㊂その動作・作用が、どんな方法・手段や材料を用いて行なわれるかを表わす。「鉛筆―書く/手料理―ごちそうする/米―酒をつくる/ラジオ―聞いた話/濡ヌれ手―粟アワをつかむ」㊃その動作・作用が、どんな原因・理由により行なわれるかを表わす。「病気―休むかもしれない/受験準備―忙しい/おかげ―助かった/そういうこと―今は手一杯だ」㊄その動作・作用がどういう状態において行なわれるかを表わす。「みんな―やろう/フルスピード―走った/三つ―百円/千円―つりをくれ」㊅動作・作用の行なわれる期限・期間を表わす。「申込みはあす―(=あすを限りとして)締め切る/三日―(=三日間のうちに)仕上げる」㊆〔多く「―は」「―も」の形で〕動作や状態がどんな時点において問題にされるかを表わす。「今日コンニチ―は、月旅行はもはや夢ではなくなった/現在―は疑惑もいだいていない」文法 体言(名詞、またそれに準ずる句)、格助詞「まで」、副助詞「だけ・など」などに接続する。

■二(接助) 接続助詞「て■二」の変化。「読ん―みる/泳い―いる」文法 接続は接続助詞「て」に準ずる。「泳いで/死んで/飛んで/読んで」など、終止形が「ぐ/ぬ/ぶ/む」になる五段活用動詞の連用形に接続する。意味・用法は接続助詞「て■二」に準ずる。

■三①(接) それで。〔話し言葉に使う〕「会議は九時から始まりました。―、どんなことが決まりましたか」運用 ■三は、「で」で言いさして、相手の要領を得ない発言を聞かされることのいらだちや不満の気持を表わすのに用いることがある。

で 助動詞「だ」の連用形。「きょうは十日―、金曜日だ/外国人―(=でありながら、しかも)日本に居る人/兄は政治家―(=であって、一方)弟は芸術家だ」

で ■一⓪【出】〔動詞「出る」の連用形の名詞用法〕㊀ある場所に出ること。「人の―が少ない/―(=自分が出演する△順番(時間))を待つ」㊁出る△状態(度合)。「△ガス(水道)の―が細い」㊂どこ△から出たか(で出来たか)ということ。「―が違う/―はたしかか」㊃〔その人が〕どこで生まれたか、どこを出たか、どういう経歴かということ。「北海道の―/商人の―/大学―」■二(造語)〔一般に「動詞連用形＋―」の形で〕…したあとで充実感が感じられること。「使い―がある/読み―がない」

てあい⓪―アヒ【手合(い)】㊀十把ジッパ一からげにされる程度のもの。〔仲間・連中の意にも品物の意にも用いられる〕「マナーを知らない―が多すぎる/この―の物ならどこのスーパーにもある」㊁〔碁・将棋などで〕手合せ。「大―」

であい―アヒ【出会(い)・出合(い)】■一⓪㊀その人や物と△思いがけず(初めて)会うこと。「この一冊の本との―がわたしの人生を変えた/あの人との―から一年がたつ」㊁川・谷・沢の流れが合流する所。表記「出〈逢い〉」とも書く。■二(造語) 動詞「出会う」の連用形。―がしら④【―頭】ある場所でぱったり会った△ばかりである(はずみに何かをする)こと。「―でだれか分からなかった/―に人にぶつかる」

*であ・う②【出会う・出合う】(自五) ㊀〈だれ・なにニ―〉

だれト—〉予期しない人や思いがけない出来事・場面・場合に会う。❷〈だれニ—／だれト—〉場所を決めて外で会う。❸その場に現われて、戦う。「者ども出会え」表記「出〈逢う〉」とも書く。〔⇩出会い[三]〕

てあか[3]【手〈垢〉】人がさわったために、その物についた汚れ。「—のついた〔=その人が長い間愛用して使い慣らした〕辞書／—のついた〔=すでに言い古された〕決り文句」

てあき[3]【手空(き)】〔仕事が△出来る(したい)のに〕仕事が無くて、ひまな状態(にある人)。てすき。「—の人に頼む」表記「手明き」とも書く。

てあし[1]【手足】手と足。「—となって〔=よく命令を聞いて〕働く／—を伸ばす〔=ゆっくりと休む〕」 **—くちびょう**[0]、[1]-[0]【—口病(ビヤウ)】掌(テノヒラ)・足の裏・口の中に水疱(スイホウ)のできる、子供の病気。ウイルスによって感染する。 **—まとい**[4]【—〈纏(い)〉(マトヒ)】⇩足手纏い

であし[0]【出足】❶その場所へ出かける人の、集まりぐあい。「—が遅い／雨で—が鈍る／—好調」❷行動開始の態勢。「—をくじかれる」❸〔自動車が〕△走り出す(追い越す)までの時間。「—が速い〔=短い時間で始動する〕」❹〔すもうで〕相手の方へ踏み出すこと。「—鋭く攻め立てる」❺〔柔道などで〕わざを掛けるために出した足。

てあそび[2]【手遊(び)】暇つぶしなどのために、何かを手に持って遊ぶこと。〔狭義では、おもちゃ・ばくちの意にも使われる〕

てあたり[2]【手当(たり)】手に△触れること(触れた時の感じ)。 **—しだい**[5]【—次第】(副)△手に触れる所(身近)にある物や人に対して、えりごのみをしないで片っぱしから何かをする様子。「—に読む」

てあつ・い[0][3]【手厚い】(形)相手の△気持(立場)を十分に察して、誠意のこもった対応をする様子だ。「—△看護(もてなし)」派 **—さ**[3][2][0]

***てあて**[1]〔もと、予測して準備しておく意〕[一]【手当】労働の報酬として与えるお金。〔狭義では、基本給のほかに支給するお金を指す。例、「—がつく／家族—」〕[二]【手当(て)】—する(他サ)〈なに・だれヲ—する〉❶(万一の時の)用意。「後任の—をしておく／補助員の—がつく」❷病気・けがや新たな事態などに対応する処置。「—を受ける／—が講じられる／応急—」

テアトル[1][2]〔フ théâtre〕劇場。映画館。演劇。

てあぶり[2]【手〈焙(り)〉】手を暖めるのに使う小形の火鉢。

てあみ[0]【手編(み)】—する(他サ)〔「機械編み[0]」と違って〕(自分の)手で編むこと。また、その編んだ物。

てあら[0]【手荒】—な／—に 手荒い様子だ。「—なこと〔=暴力を振るうこと〕はするな」

てあら・い[0][3]【手荒い】(形)その人や物に対する配慮を欠き、乱暴な扱いをする様子だ。「美術品なのだから手荒く扱ってはいけない／—洗礼を受けた〔=この世に生きることの厳しさをいやというほど思い知らされる目にあった〕」派 **—さ**[3][2][0]

てあらい[2]【手洗(い)(アラヒ)】❶(用便後)手を洗うこと。また、それに使う湯水(を入れる器)。❷「便所」の意の婉曲(エンキョク)表現。「お—[3]・—所(ジョ)[0][5]」 **—ばち**[3]【—鉢】手を洗うように廊下などの外に置いた鉢。ちょうずばち。

てある[2](五型)〔接続助詞「て」に補助動詞「ある」のついたもの〕動詞・助動詞の連用形につき、その状態であることを示す。「部屋が用意し—」⇩ある[四]

である[2](五型)〔断定の助動詞「だ」の連用形「で」に補助動詞「ある」のついたもの〕主語と述語の間に論理的△整合性(関連性)があることを表わす言葉。「だ」の意のやや荘重な表現。「これは花—／ここは日本—」

であるく[0][3]【出歩く】(自五)〔家を留守にして〕あちこち出掛けていく。

であれ (たとえ)…であるにしても。であっても。「なん—かん—／ニンジン—〔=でも〕ホウレンソウ—〔=でも〕食べる」

てあわせ[2]【手合(わ)せ(アハセ)】—する(自サ)❶相手となって勝負をすること。また、その勝負。❷取引の契約をすること。運用❶は、「お手合せ△願いたい(願えませんか)」などの形で、スポーツや碁・将棋などで相手になってくれるよう頼むのに用いられることがある。

てい(丁・体・低・呈・廷・弟・定・底・抵・邸・亭・帝・訂・貞・庭・〈挺・逓・停・偵・堤・提・程・艇・〈鼎・締・諦・〈蹄)→【字音語の造語成分】

てい[1]【丁】❶十干(ジッカン)の第四。丙(ヘイ)の次、戊(ボ)の前。ひのと。❷〔十干の順に従って〕△幾つかある物事(四段階)のうちで、第四位のものの称。「甲乙丙—」⇩【造語成分】

てい[1]【体】外見から見てとれるそれらしい様子。「ご満悦の—であった／ほうほうの—で引き下がる／所長と言っても—のいい留守番役だ／一応は論文の—を成している／職人—〔=風〕の男」⇩ていよく 表記「《態」とも書く。

てい[1]【低】「低い△こと(ところ)」の意の漢語的表現。「高(コウ)より—と〔=高い所から低い所に水が流れるように〕／—音・—物価・高—・最—」

てい[1]【呈】「さしあげること」の意の改まった表現。「目録—・—目録〔=目録をさしあげます〕・—上・進—」⇩【造語成分】

てい[1]【弟】「おとうと」の漢語的表現。「兄(ケイ)たり難(ガタ)く—たり難し〔=優劣が付けにくい〕／—妹・義—・同母—」↕兄 ⇩【造語成分】てい・だい

てい[1]【底】❶〔字音語の「的」、副助詞的用法の「ほど」と、ほぼ同義〕…の程度の(ひどい)状態。「利益のためには友人を売りかねぬ—の男」❷〔数学で〕Ⓐ底辺。底面。Ⓑ対数を考える時に基準として採用する、一以外の正定数の称。「常用対数の—は十」⇩対数(タイスウ) ⇩【造語成分】

てい[1]【艇】比較的小型の舟。〔ヨット・潜水艇などをかぞえる時にも用いられる〕「—を走らす／—庫・舟—・艦—・一—身」

でい(泥)→【字音語の造語成分】

でい[0][1]【出居(キ)】〔「いでゐ」の変化〕昔、応接間・客間に当てられた座敷の称。〔農村には、今でも見られる〕

ていあつ[0]【低圧】↕高圧 ❶弱い圧力(の状態)。❷低い電圧。❸気圧が低い状態。また、その気圧。「—部[4]」

***ていあん**[0]【提案】—する(他サ)〈だれ・なにニ なにヲ(なんだト)—する〉❶会議にかけるために△原案(議案)を出すこと。また、その案。「—を行なう／—が出される」❷相手の意見を求めたり同意を誘ったりするために、ある案を出すこと。また、その案。

ティー[1] [一]【T・t】英語アルファベットの第二十字。「T字路」[二]【T】元号「大正」の略記号。「—10年」[三]【t】〔←ton〕トンの記号。「2—トラック」〔[一]〜[三]ともテー[1]とも〕

ティー(造語)〔tea〕❶紅茶。「—バッグ・レモン—・ミルク—」❷〔飲用としての〕茶。「—スプーン・—タイム・—カップ[3]・—パーティー・—ルーム」

ティー[1]〔tee〕〔ゴルフで〕各ホールの第一打を打つときにボールをのせる、頭部が皿状のピン。「—ショット[3]」

で
［弟］ 年少者。「弟子」⇩てい

ていい①【定位】—する(自サ) 事物の位置・姿勢を一定にすること。また、その一定の位置・姿勢。「—感③」

ディー① 一【D・d】 英語アルファベットの第四字。 二【D】❶〔音楽で〕ニの英語音名。ドイツ語音名のデー。イタリア語音名のレ。❷〔←depth〕〔物の寸法で〕奥行きを表わす記号。❸〔←dining room〕間取りで食堂を表わす記号。「2—K⑤〔=二部屋とダイニングキッチン〕」❹〔←director〕ディレクター。「チーフ—」❺〔←フ déci〕デシの記号。〔一二ともデー①とも〕

ディーエイチエー⑥【DHA】〔←docosahexaenoic acid〕イワシ・サバ・サンマなどの青ざかなに豊富に含まれている脂肪酸の一つ。血栓を予防するなどの働きがある。ドコサヘキサエン酸⓪。

ディーエヌエー⑤【DNA】〔←deoxyribo nucleic acid〕遺伝子の本体と考えられる高分子化合物。デオキシリボ核酸⑦。「—バンク⑦・—指紋法⓪・—鑑定⑦」

ティーエヌティー⑤【TNT】〔←trinitrotoluene〕高性能の爆薬の一つ。黄色または褐色。「—火薬」

ディーエム⓪【DM】ダイレクトメールの略。

ティーオービー⑤【TOB】〔←take-over bid〕特定の企業を買収する目的などで、株の公開買い付けをすること。市場価格より高めに株価を設定することで、大量の株を購入することが可能となる。

ディーケー③【DK】一〔和製英語←dining＋kitchen〕調理室を兼ねた食堂。「2—」二〔←don't know〕アンケートで「分からない」と答える△こと(人びと)。「—グループ」

ティーケーオー⑤【TKO】〔←technical knockout〕テクニカル ノックアウト。

ディージェー③【DJ】〔←disk jockey〕ディスクジョッキー。

ティーシャツ⓪【Tシャツ】頭からかぶって着用する丸首のシャツ。形がTの字に似ていて、カジュアル ウエアとして好まれる。〔かぞえ方〕一枚

ティーじょうぎ③【T定規】丁字定規。

ティーじろ③【T字路】丁字路。

ティースプーン④〔teaspoon〕茶さじ。

ディーゼル①〔ド Diesel=人名〕「ディーゼル エンジン・ディーゼル車」の略。 **—エンジン**⑤〔diesel engine〕軽油・重油を爆発させて運転する内燃機関。ディーゼル機関⑤。 **—しゃ**④【—車】ディーゼル エンジンで運転する自動車・列車。ディーゼル カー④⑤。

ティータイム③〔teatime〕〔午後の〕お茶の時間。

ティーチイン④〔teach-in〕大きな社会問題・政治問題について、直接それを専門に扱わない人たちが徹底的に意見を交換しあう集会。〔狭義では、大学で行なわれる全学的な抗議集会を指す。アメリカのベトナム政策批判集会が、その始まり〕

ティーチングマシン⑦〔teaching machine〕プログラム学習に使われる学習課程を制御するための機械。

ディーディーティー⑤【DDT】〔←dichloro-diphenyl-trichloroethane〕第二次世界大戦後 用いられた有機塩素化合物の強力な殺虫剤。無色で特異臭のある結晶。日本では、現在、使用禁止。

ティーパーティー③〔tea party〕西洋風のお茶の会。〔サンドイッチにコーヒー程度の軽食で済ませる〕

ティーバッグ③〔tea bag〕熱湯にひたせばすぐ飲めるように、一人分ずつの紅茶や緑茶などを、透過性の、薄い紙などの袋に入れたもの。

ティービー③【TV】〔←television〕テレビ。ティーブイとも。

ディーピーアイ⑤【dpi】〔←dots per inch〕一インチ幅の中の画素数で表わした解像度の単位。パソコンのディスプレーやプリンターの印刷の精細さを示すのに用いる。

ディーピーイー⑤【DPE】〔和製英語←developing, printing, enlargement〕写真の現像・焼付け・引伸し(をする店)。

ティーピーオー⑤【TPO】〔日本における略語←time, place, occasion〕〔服装などについて〕適切なものを選ぶ際の判断基準という観点から見た、時・場所・場合〔=式・行事・会合などの種類〕。また、それらを考慮に入れた、使い分け。「—によってネクタイを選ぶ/—に合った服装」

ディーブイ③【DV】〔←domestic violence〕⇨ドメスティック バイオレンス

ディーブイディー⑤【DVD】〔←digital versatile disc=もと、digital video disk の略。商標名〕映像と音声とを記録した光ディスク。直径一二センチで、記録容量の大きい二層構造のものもある。

ディープキス④〔deep kiss〕唇を重ね、互いの舌を口の中でからめるキス。フレンチ キスとも。

ディープラーニング④〔deep learning〕コンピューターによる機械学習の一つ。神経細胞を模した演算ユニットを持つ多層のパターン認識を通じて、人間の脳と同じような過程を踏んで学習を重ねることで、コンピューター自体がより正確で効率的な判断をする。深層学習。

ディーラー⓪①〔dealer〕❶販売業者。「中古車—」❷証券取引で、自己勘定で売買し、その売買差益を得る業者。「為替—」❸トランプの配り手。

ディーリング⓪〔dealing〕銀行・証券会社などが自己負担で有価証券や外国為替の取引を行なうこと。「—ルーム」

ティールーム③〔tearoom〕喫茶室。喫茶店。

ティーン〔造語〕英語で「-teen」と呼ばれる年代。十三、四歳から十八、九歳まで。「ハイ・ロー—」

ていいん⓪【定員】❶〔官庁・学校などの〕規則で決められた構成員の人数。❷乗り物・興行場などに収容出来る、決まった人数。

ティーンエージャー④〔teen-ager〕十代の少年少女。

ていえん⓪【庭園】〔りっぱな屋敷の〕観賞価値のあるにわ。

ていおう③【帝王】皇帝・王の総称。〔限られた一時期、ある世界に君臨する者の意にも用いられる。例、「夜の—」〕 **—せっかい**⑤【—切開】—する(他サ)〔ド Kaiserschnitt の訳語〕難産の時、産婦の腹を切開して胎児を出す手術(を行なうこと)。帝王切開術⑦。

ディオニソス③〔ギ Dionysos〕ギリシャ神話の酒神。〔ローマ神話のバッカス〕 **—てき**⓪【—的】—な 文化・芸術活動が、現実的・動的・激情的な傾向を持つ様子だ。↔アポロ的

ていおん⓪【低音】低い△音(声)。〔狭義では、バスを指す〕「—歌手⑤・—部③」⇨高音・中音

ていおん⓪【低温】低い温度。「—殺菌⑤」↔高温 **—やけど**⑤【—〔火傷〕】湯たんぽ、カイロ、床暖房など比較的低温の熱に長時間接することで起こるやけど。

ていおん⓪【定温】一定の温度。 **—どうぶつ**⑤【—動物】「恒温動物」の旧称。↔変温動物

***ていか**⓪【低下】—する(自サ)〔(なに)ニ—する〕物事の程度が△低い(好ましくない)方へ向かって進むこと。「血圧が五〇に—する/機能が急に—する/モラルの—が懸念される」

ていか⓪【定価】ある品物の、決まっている値段。

ていかい ⓪ 【低回・〈低徊〉】―する(自サ) 考え事をしながら、庭園などを行ったり来たりすること。 **―しゅみ** ⑤ 【―趣味】 傍観者の立場で、ゆったりと自然・芸術・人生を味わおうとする態度。

ていかいはつこく ⑥⑤ 【低開発国】 ⇩発展途上国〔後進国の改称〕

ていがく ⓪ 【低額】 少ない金額。↕高額

ていがく ⓪ 【定額】 一定(の)額。「―貯金⑤」 **―こがわせ** ⑥ 【―小〈為替〉】 最低五十円から最高千円まで、決められた金額の送金に利用出来るゆうちょ銀行の為替。 表記 ⇩付表「為替」

てい

【丁】 ㊀一人前の男。「丁年・壮丁」 ㊁使われて仕事をする男。「園丁・馬丁」 ⇩(本文)てい【丁】

【体】 ⇩(本文)てい【体】

【低】 ⇩(本文)てい【低】

【呈】 あらわれる。あらわす。「呈示・露呈」 ⇩(本文)てい【呈】

【廷】 ㊀裁判をする所。「法廷・退廷」 ㊁昔、政治をとった所。「廷臣・朝廷・宮廷」

【弟】 師について習う者。でし。「高弟・師弟・子弟・門弟」 ⇩(本文)てい【弟】

【定】 ㊀さだめる。さだまる。「決定・確定・未定」 ㊁きまった。「定温・定率・定常・一定」

【底】 ㊀そこ。「底流・底辺・海底・徹底」 ㊁すっかり。「払底」 ㊂もとになるもの。「底本・基底」 ㊃達する。いたる。「底止」 ⇩(本文)てい【底】

【抵】 ㊀あたる。相当する。「抵当」 ㊁さからう。「抵抗・抵触」 ㊂おおよそ。「大(タイ)抵」

【邸】 大きな住宅。屋敷。「邸宅・邸内・官邸・公邸・私邸」

【亭】 ㊀宿場の建物。〔料理屋などの名前にも用いられる〕「亭主・旗亭・旅亭・料亭」 ㊁文人・落語家などの号を表わす。「古今亭(ココンテイ)志ん生」

【帝】 [一]㊀みかど。皇帝。「帝王・帝位・大(タイ)帝・先帝」 ㊁天上の神。「上帝・天帝」 [二](略) 帝国主義。「反帝」

【訂】 まちがいをただす。〔その回数をかぞえる時にも用いられる〕「訂正・改訂・校訂・補訂」

【貞】 ㊀みさおがただしい。「貞潔・貞淑・貞女・貞節・貞操・貞婦・忠貞・不貞」 ㊁女性に接しない。「童貞」

【庭】 ㊀にわ。「庭園・庭前・校庭」 ㊁一家の中。「庭訓(キン)・家庭」

【〈挺〉】 先になって進む。ぬけ出る。「挺身・挺進」

【逓】 ㊀かわりばんこ。順々。「逓信・逓送」 ㊁次第に。「逓減・逓増・逓次」 ㊂宿場。「駅逓」

【停】 [一]㊀とまる。とどまる。「停止・停車・停滞・停留場」 ㊁やめる。やめさせる。「停学・停戦・停会・調停」 [二](略) 停留所。「バス停・電停」

【偵】 こっそり様子をさぐる(人)。「偵察・探偵・内偵・密(ミッ)偵」

【堤】 つつみ。どて。「堤防・突堤・墨堤(=墨田川、つまり今の隅田川の堤)・防波堤」

【提】 ㊀さし出す。かかげる。「提案・提起・提言・提供・前提」 ㊁助けあう。「提携」 ㊂引きつれる。「提督」

【程】 ㊀ほど。「程度」 ㊁(ある範囲内での)きまり。「規程」 ㊂空間的な隔たり。「行程・射程・里程・旅程」 ㊃物事の順序立った進行の経過や予定。「過程・日(ニッ)程・課程・教程」

【艇】 ⇩(本文)てい【艇】

【〈鼎〉】 〔かなえ、すなわち三本足の鉄のかまの意〕三者が向かい合う。「鼎座・鼎談・鼎立」

【締】 ㊀しっかりとむすぶ。「結締」 ㊁とりきめをする。「締結・締約・締盟」

【諦】 真実を曇りの無い眼(メ)で見る。真理。「諦観・妙諦・要諦」

【〈蹄〉】 ひづめ。「蹄鉄・有蹄類」

でい

【泥】 ㊀どろ。「泥岩・泥水・泥中・泥土・泥濘(ネイ)・泥板岩・雲泥・汚泥・春泥」 ㊁どろのような状態になっているもの。「泥剤・泥炭・泥流・金(キンコン)泥・銀泥・朱泥」 ㊂こだわる。なずむ。「拘泥」 ㊃正体を失う。「泥酔」

ていがく ⓪ 【停学】 罰として、学生・生徒の登校を一定期間停止すること。「―処分⑤」

ていがくねん ③④ 【低学年】 小学校で、下の学年〔=一、二年〕。⇩高学年・中学年

でいかざん ③ 【泥火山】 〔火山活動で〕ガスとともに噴出したどろで作られた小さな丘。八幡平(ハチマンタイ)や阿寒(アカン)で見られる。

ていかん ⓪ 【定款】 社団法人・株式会社などの組織や業務に関する基本的な規則(をしるした文書)。

ていかん ⓪ 【諦観】―する(他サ) ㊀本質をよく見きわめること。 ㊁俗世に対する希望(欲望)を絶ち、超然とした(生活)態度をとること。

でいがん ⓪ 【泥岩】 泥が固まって出来た堆積(タイセキ)岩。

ていき ① 【定期】 ㊀期限(期間)が一定していること。「―で出演する/―刊行物・―演奏会⑥」 ㊁一定の期間有効な(通勤・通学用の)一定区間の割引乗車券。定期券③。「―入れ③」 ㊂「定期預金・定期取引」の略。 かぞえ方 ㊁は一枚 **―しょうきゅう** ④ 【―昇給】 〔サラリーマン社会で〕毎年一定の時期に昇給すること。略して「定昇」。 **―せん** ⓪ 【―船】 定まった航路を決まった時刻に航海する船。 **―てき** ⓪ 【―的】―に・―な 決まった期間をおいて、何かが繰り返し行なわれる様子だ。「―な催し」 **―とりひき** ④⑤ 【―取引】 〔取引所で〕一定の期限後に商品の受渡しをする取引。 **―びん** ⓪ 【―便】 決まった場所の間を定期的に行なう連絡・輸送(の交通機関)。 **―よきん** ④ 【―預金】 ⇩預金

ていき ① 【提起】―する(他サ) ㊀会議・学界・論壇などに新しい問題を出して、注意を喚起すること。「課題(重要な問題)を―する」 ㊁訴訟を起こすこと。

ていぎ ① 【定義】―する(他サ) ある事物について、それを表わす用語の意味や適用される範囲を、これだけの条件を満たすものだと定めること。「―を下す/―を緩やかにする」

ていぎ ① 【提議】―する(他サ) 会議などに論議(議案)を提出して、賛成・承諾を求めること。また、その論議(議案)。

ていきあつ ③ 【低気圧】 大気のうち、高い気圧の部分によって周囲を取り囲まれた、一団の低い気圧の部分。雨を伴いやすい。〔広義では、機嫌の悪いことや、変動の前の不

気味な様子の意にも用いられる)「南岸(ナンガン)—・爆弾—」↔高気圧

おんたい—⑦(ヲン)【温帯—】 温帯で発生する低気圧。日本には春から秋にかけて通過するものが多い。略して「温低」。 ねったい—⑦【熱帯—】 熱帯地方に発生する低気圧。主として海上で発生し、移動性のものが多い。発達すれば、台風・ハリケーン・サイクロンなどになる。略して「熱低」。

ていきゅう⓪(キフ)【低級】—な/—に 程度が低かったり質が劣っていたりする様子だ。「—な趣味」↔高級 派—さ⓪

ていきゅう⓪(キウ)【定休】 商店や美術館・博物館等の公共施設などで、定期的に業務を休むこと。また、その日。「水曜—/—日(ビ)③」

ていきゅう⓪(キウ)【庭球】 ⇩テニス

ていきゅう⓪(キフ)【〈涕泣】—する(自サ) (「涕」は、涙の意)涙を流して泣くこと。

*ていきょう⓪(オ)【提供】—する(他サ) ❶〈だれ・なにニなにヲ—する〉自分の持っている資料・物品・設備や、労力・技能などを他の利用に供すること。「情報を—する」 ❷スポンサーとして商業放送番組に出資すること。「一社—④」

ていきん⓪【庭《訓】 (古)(「キン」は、古代の漢音クヰンの変化)家庭で特に留意してする教育。「—往来⑤」

ていきん⓪【提琴】 バイオリンの意の漢語的表現。

ていぎん⓪【低吟】—する(他サ) 詩歌の文句をだれに聞かせるともなく低い声で歌うこと。↔高吟

テイクアウト④〔takeout〕 ⇩テークアウト

ていくう⓪【低空】 空の、比較的地上から近いととらえられる部分。↔高空 —ひこう⑤(カウ)(オ)【—飛行】—する(自サ) 航空機が一般に飛行する高さより低い高度を飛ぶこと。〔生徒・学生などが、落第点すれすれの成績を取ることをも指した〕

テイクオフ④〔takeoff〕 ⇩テークオフ

ディクテーション③〔dictation〕 〔外国語の〕書取り。

ていけ⓪【手生(け)】 自分で花を生けること。「—の花(=俗に、落籍して妻・めかけとする芸者や遊女など)」

デイケア③〔day care〕 在宅介護を受けている高齢者や障害者を、昼間だけ病院や老人保健施設が預かり、リハビリテーションなどを行なうこと。通所リハビリテーション⑧。デイ ケアとも。⇩ナイト ケア

ていけい⓪ ㊁【定形】 一定の形。「—を保つ/—郵便物⑦」 ㊂【定型】 一定の型。「—詩③」

ていけい⓪【〈梯形】 「台形」の旧称。

ていけい⓪【提携】—する(自サ) 協同して事業を行なうこと。タイアップ。「業務—」

ていけつ⓪【貞潔】—な/—に 〔夫の身の上にどういう変事・変化がある時でも〕貞操が堅く、人に後ろ指をさされるような事を一切しない様子だ。〔やや古風な表現〕

ていけつ⓪【締結】—する(他サ) 条約・協定・協約などを結ぶこと。

ていけつあつ④③【低血圧】 最高血圧が成人で九〇～一〇〇以下の状態。疲れ・だるさ・頭痛などを訴えやすい。略して「低血⓪」。「—症⓪⑥⑤」↔高血圧

ていけん⓪【定見】 はっきりした、自分自身の意見。「日和見(ヒヨリミ)主義で—を欠く代議士」

ていげん⓪【低減】—する(他サ) ❶減る(ようにする)こと。❷値段が安くなる(ようにする)こと。

ていげん⓪【逓減】—する(自他サ) 〔ある要素がふえるに対応して〕もう一方の要素が減る(ようにする)こと。↔逓増

ていげん⓪③【提言】—する(他サ) 自分の考え・意見を会議などに出して賛成を求めること。また、その内容。〔「提議」よりは会議の規模が小さい〕「—を行なう」

ていこ①【艇庫】 ボートをしまっておく倉庫。

ていご①【〈牴牾〉】—する(自サ) 「互いに△相容(イ)れない(くい違う)こと」の意の古風な表現。

ていこう⓪(カウ)(オ)【定稿】 完成した原稿。決定稿。↔未定稿

**ていこう⓪(カウ)(オ)【抵抗】 ㊀—する(自サ)〈(なにデ)だれ・なにニ—する〉 自分(たちの組織)より強い力をもつ相手に対して、屈することなく主義主張を貫こうとしたり 戦いを挑んだり すること。「父はナチに—して非業の死を遂げた/野党の激しい—にあい廃案に追い込まれる/国内の—勢力を一掃する/—運動⑤・無—」 ㊁その△もの(こと)に違和感を覚え、そのまま受け入れるには ためらいを感じること。「夫は家事を分担することに初めはやや—を感じたようだった/—感」 ㊂❶〔物理学で〕Ⓐ力の作用に対して反対の方向に作用する力。Ⓑ導体が電流の通過を拒む性質(の度合)。基本単位は、オーム。❷「抵抗器」の略。 —かん③【—感】 ❶その△もの(こと)にかかわることにためらいを覚える気持。「欧米人は刺身を食べることに—があるようだ」 ❷何かに力を加えたときにそのものから受ける、反発してくるような感じ。「柔らかすぎるより多少—のあるベッドの方が寝ごこちがいい」 —き③【—器】 回路の途中で、電流の強さを調節する器具。かぞえ方 一台 —りょく③【—力】 外部から加えられる力や刺激などに△反発する(耐えうる)力。「からだに—をつける/高熱に—のある素材」

ていごう⓪(ガウ)(オ)【亭号】 菊亭・金原亭・古今亭(ココンテイ)・三遊亭(サンユウテイ)など、「亭」のつく号。

ていこく⓪【定刻】 △一定の(決められた)時刻。「珍しく—通りに全員集まった/—より早く着く」

ていこく⓪【帝国】 ❶Ⓐ一つの国が強大となり、他の幾つかの国を合わせて さらに大きな国家となったもの。「大英—」 Ⓑかつての「大日本帝国」の略称。「—海軍⑤」 ❷専制政治が行なわれる国の異称。「第三—」 —しゅぎ⑤【—主義】 他の小国の権益・存立を犠牲にしても、自国の領土・権益の拡大や伸張をはかろうとする侵略的傾向。〔狭義では、伸張した経済力が国際市場を独占しようとする勢いを見せることを指す〕 —だいがく⑤【—大学】 旧制の国立総合大学。東京・京都・東北・九州・北海道・大阪・名古屋・台北・京城(=現在の、韓国(カンコク)のソウル)の、九つの大学があった。第二次世界大戦後は、台北・京城を除き、新制の国立大学となった。略して「帝大」。

ていさ①【艇差】 〔ボート レースで〕ボートとボートとの距離。「—一艇身」

ていざ⓪①【〈鼎座・〈鼎坐〉】—する(自サ) 鼎(カナエ)の足のように、三人が三角形を作るように向かい合ってすわること。

デイサービス③〔和製英語 ←day + service〕 在宅介護を受けている高齢者を、昼間だけ特別養護老人ホームなどの施設が預かり、入浴・食事・日常動作訓練・レクリエーションなどを行なうこと。通所介護④。デー サービスとも。

ていさい⓪【体裁】 ❶外から見た時の感じ。「店先の—をつくろう/洋服が大きすぎて—が悪い/—上⓪」 ❷世間の人から見られた時の かっこう。「ひどく—(=世間体)を気にする/—を構う」 ❸一個の存在として備えるべき、一定の△形(形式)。「やっと会としての—が整った/詩の—を△なす(整える)」 ❹実質の裏づけの無い、飾った言葉。「お—ばかり言う男」 —ぶ・る⑤【—振る】(自五) ❶みえをはる。❷もったいぶる。

でいざい⓪【泥剤】 どろどろに練り合わせた薬。

ていさつ⓪【偵察】—する(他サ) 敵や相手の△動き(様子)をこっそり探ること。

ていし⓪①【底止】―する(自サ)〔「底」は、至る意〕(行ける所まで行って)とどまること。「―するところを知らず」

*__ていし__⓪【停止】―する(自他サ)〈なにヲ―する〉❶(移動しているものが)中途で止まること。また、止めること。「信号の手前で一時―する」❷活動をやめ(させ)ること。「機能△が(を)―する/発行―を命じられる/△支払(取引)―」

ていし⓪①【諦視】―する(他サ) 細かな動きをも見落とさないように、よく見ること。「現実を―する」

ていじ①⓪【丁字】丁の字(の形)。 **―けい**⓪【―形】丁の字の形。 **―じょうぎ**④【―定規】製図用の、丁字形の大きな定規。丁定規。T定規。 かぞえ方 一本 **―たい**⓪【―帯】丁字形の包帯。頭部・陰部を巻く時に使う。 **―ろ**③【―路】丁の字の形になった道路。T字路。

ていじ①【低次】↔高次 ❶程度・水準が低いこと。 ❷〔数学で〕次数が低いこと。

*__ていじ__⓪①―する(他サ)〈だれニなにヲ―する〉 ❶【呈示】相手に分かるように、差し出して、見せること。 ❷【提示】❶証拠となるような物などを持って行って見せること。 ❷当局の意向を反映する何かを相手側に示すこと。「回答を―する/方針が―される」

ていじ①【定時】❶前から決まっている一定の時刻。「―運転④・―退社④」 ❷一定の時期。定期。「―総会④」 **―せい**⓪【―制】高校教育で、夜や午前・午後などの、一定の時に授業する課程。「―高校⑥」⇩全日制 通信制

ていじ①【逓次】(副)―に 順を追って物事を進めていく様子。「翌年度―繰越額に充アてる」

ていじ⓪【〈綴字】表音文字を使って言葉を書き表わすこと。「てつじ」とも。つづり字。スペリング。「―法⓪」

デイジー① ❶【DAISY】(←**D**igital **A**ccessible **In**formation **Sy**stem) 目の不自由な人や読書が困難な人のための、デジタル録音図書の国際標準規格。カセットテープに比べ、収録時間が長く高音質で、検索が容易。「―図書⑤」 ❷[daisy] ⇩デージー

ていしき⓪【定式】一定の△方式(儀式)。「―化される」

ていしせい③【低姿勢】相手に対する△弱気な(控えめな)態度。「―に出る」↔高姿勢

ていしつ⓪【低湿】―に 低地で湿気が多い様子だ。 ↔高燥

ていしつ⓪【低質】―に〔石炭や鉱石などの〕不純物などが多くて、品質が落ちる様子だ。「―炭⓪」

ていしつ⓪【帝室】「皇室」の意の古風な表現。

ていじつ⓪【定日】あらかじめ定めた日。「―払バらい手形」

ていじほう⓪【定時法】⇩時法

ていしゃ⓪【停車】―する(自サ) 車をわずかの時間止めること。「各駅―・一時―・臨時―・非常―・急―・―時間④」↔発車 **―じょう**⓪【―場】駅の施設のある所。「停車場バ⓪」とも。

ていしゅ①【亭主】〔もと、その家の主人の意〕❶「夫」の意の口頭語的表現。「―持ち⓪」↔かかあ ❷茶の湯で、客を接待する人。主人。 【―の好きな赤〈烏〈帽子】たとえ異様なものでも△主人(権力者)が好めばそれに従うものだ。 **―かんぱく**④【―関白】夫が家庭内で非常にいばっていること。↔かかあ天下

ていしゅう⓪【定収】「定収入」の略。

ていじゅう⓪【定住】―する(自サ) ❶住所・住居を決めること。 ❷一定の場所に居住していること。「―地③」

ていしゅうにゅう③【定収入】決まって入ってくる収入。略して「定収」。

ていしゅうは③【低周波】周波数の低い電波・電流・音波。〔電波の場合普通、一万数千ヘルツ以下〕↔高周波 **―こうがい**⑥【―公害】低周波の振動によってからだに異常を生じさせる公害。人間の耳では聞きとりにくいか全く聞こえない音による空気の振動が頭痛・不眠・吐き気・圧迫感を引き起こす。高速道路、大型機械、家電製品などが発生源となる。

ていしゅく⓪【貞淑】―に〔妻としての〕貞操を守る様子だ。〔やや古風な表現〕↔不貞 派 **―さ**⓪④

ていしゅつ⓪【呈出】―する(他サ) ❶ある△物(状態)を人の目に触れるようにすること。「反対の結果を―する/入館証を―する(=出して見せる)」 ❷⇩提出

*__ていしゅつ__⓪【提出】―する(他サ)〈だれニなにヲ―する〉△求めに応じて(他に示す必要があって)、公的なものとして何かを差し出すこと。呈出。「△証拠物件(検査品・辞表・予算・書類)を―する」

ていじょ①【貞女】〔夫が不身持ちであったり留守がちであったりする時でも〕いったん縁づいた夫に対して、貞操を正しく守っている妻。〔やや古風な表現〕

ていしょう⓪【低床】乗り物の床が低いこと。 **―バス**⑤ 客室床面を低くし、乗降口との段差を△なく(低く)したバス。⇩ノンステップ バス

ていしょう⓪【低唱】―する(他サ) 低い声で歌うこと。↔高唱

ていしょう⓪【定昇】「定期昇給」の略。

ていしょう⓪【提唱】―する(他サ) ❶他に先立って、新しい意見・主張を発表し、そのよさや必要を説明すること。「会議を―する(=開催の必要を説く)/―者③」 ❷〔禅宗で〕宗旨の大綱を示して説法すること。

ていじょう⓪【呈上】―する(他サ)「差し上げること」の意の漢語的表現。

ていじょう⓪【定常】―な 内部的には動きのある物理的な系について、粒子の平均速度など、特定の物理量に着目すると、時間がたってもそれが変わらない様子だ。「―状態⑤・―電流⑤」 **―は**③【―波】波形が進行せず、一定の場所で振動するもの。

ていじょうぎ③【丁定規】⇩ていじじょうぎ(丁字定規) 表記「丁定木」とも書いた。

ていしょく⓪【定食】❶〔食堂・料理店で〕いくつかの料理を組み合わせてセットにした食事。「―屋⓪」 ❷特に、洋食で、コースにより組合せの決まっている料理。⇩一品料理

ていしょく⓪【定植】―する(他サ) 苗床から植物を移して、本式に植えること。↔仮植

ていしょく⓪【定職】一定の職場で毎日つとめる職業。「―が無い」

ていしょく⓪【抵触・△牴触】―する(自サ)〔「抵」もふれる意〕❶関連する物事の間に矛盾が生じること。「日頃の信条と―する行為」 ❷規定されている△制限(禁止)事項に触れること。「法律に―する」 表記「△觝触」とも書く。

ていしょく⓪【停職】―する(他サ) 懲戒処分の一つ。公務員などを一年以内の一定期間職務に従事させないこと。〔その期間は無給〕

ていしん⓪【廷臣】朝廷に仕え、官に任じられた役人。

ていしん⓪―する(自サ) ❶【挺身】一身を犠牲にする覚悟で事にあたること。「民族独立運動に―する」 ❷【挺進】味方の軍隊に率先して敵に突き進むこと。「―隊⓪」

ていしん⓪【艇身】〔接尾語的に〕ボートの長さ。「三―の差」

ていじん⓪【梯陣】魚鱗ギョリンに展開した陣形。航空機

** * は重要語，⓪ ①… はアクセント記号，品詞の指示の無いものは名詞およびいわゆる連語。

の編隊や艦隊に普通用いられる。⇩魚鱗❷

ていしんしょう[3]【逓信省】「郵政省」などの旧称。

でいすい[0]【泥酔】―する(自サ)〔「泥」は南海にすむという伝説上の虫の名。水中にある時は活発で、水の無い所では酔って正体を無くすという〕ひどく酒に酔って、正体が無くなること。

ディスインフレーション[6]〔disinflation〕経済政策や景気循環によりインフレーションでもデフレーションでもなくなった状態。また、その経済政策。略してディスインフレ[3]。〔戦後、急激なデフレによる経済変動を避けながらインフレーションの進行を計画的にくいとめるための経済政策の意で用いられた〕

ていすう[3]【定数】❶Ⓐ選出などにより構成される、組織の「定員❶」。「参議院議員の―は二四五人である」Ⓑ定足数。「―に足りない/―に達する」❷Ⓐ〔自然科学で〕それぞれの△基本的法則に含まれる(対象に特有の性質を表わす)一定の数値。前者の例は「万有引力―[9]」、後者の例は「弾性―[5]」。Ⓑ〔数学で〕数式を用いて考察を進めていく時に、一貫して変わらない数(を表わすと考える文字)。「ある区間で微分係数が常に零となる関数は、その区間で―(関数)である/積分―[5][7]・比例―・―項[3]」↕変数〔❷は、「常数」「定数」の統一的改称〕

ディスカウント[3]―する(他サ)〔discount〕割引❶。「―セール[7]〔=安売り〕・―ショップ[7]」

ディスカッション[3]―する(自他サ)〔discussion〕議論すること。また、その議論。

ディスク[1][0]〔disk=円盤〕❶レコードの別称。「―ジョッキー」❷「磁気ディスク」の略。「ハード―」〔かぞえ方〕一枚

コンパクト―[6]〔compact disk〕⇩シーディー(CD)

■**じき―**[3]【磁気―】〔コンピューターで〕補助記憶用の媒体として用いる、磁性材料を塗った円盤。磁気円盤。ディスク。〔磁気テープと同様に、磁気信号の形でデータを保持するが、円盤上のどの場所に対してもデータの読み書きが即座に行なえる長所がある〕「―△ドライブ(駆動装置)」

ハード―[4]〔hard disk〕〔コンピューターで〕(金属などの)かたい物質で出来ている磁気ディスク。〔一般に、記憶容量が大きい〕

ひかりじき―[6]【光磁気―】レーザーの熱による磁性の反転を応用した磁気ディスク。読み書き共に可能。エムオー(MO)ディスク[5]〔←magneto-optical disk〕。MO[3]。〔現在は製造されていない〕

ひかり―[4]【光―】円盤の表面に微細な凹凸の形で記録した信号を、レーザーの反射で読み取る仕組みの記録媒体。例、CD・CD-ROM・レーザーディスク・DVD。

フロッピー―[6]〔floppy disk〕〔コンピューターなどで〕小型・軽量でやわらかく、持ち運びの出来る薄い磁気ディスク。ディスケット[3]。〔現在は製造されていない〕「マイクロ―〔=直径三・五インチのもの〕・ミニ―〔=直径五・二五インチのもの〕」

レーザー―[5]〔laser disk〕映像や音の信号を記録した光ディスク。略してエル ディー(LD)。

ディスクジョッキー[4]〔disk jockey〕❶楽曲を次つぎとかけながら、話し手が軽いおしゃべりをする放送番組。また、その担当者。略してディージェー(DJ)。❷クラブやディスコで音楽をかけたり「スクラッチ❸」をしたりする人。クラブDJ。

ディスコ[1]〔←フ discothèque〕営業として音楽を流して客に自由な踊りを楽しませた所。ディスコテーク[4]。

ディスコグラフィー[4][5][3]〔discography〕音楽作品を作曲家別・演奏家別・ジャンル別などに網羅的に分類した目録。

テイスト[0][1]〔taste〕⇩テースト

ディストリビューター[5]〔distributor〕❶卸売業者。販売代理店。❷分電器。配電器。

ディスプレー[1][4]〔display〕❶―する(他サ)陳列(品)。展示(品)。❷―する(自サ)鳥などが求愛行動の一つとして通常とは異なる特別のはでな動作をすること。また、その動作。〔広義では、動物一般の威嚇動作をも含む〕「雄のクジャクが雌の前で美しい羽を開いて見せる―」❸コンピューターの出力装置の一つで、(テレビの)画面の形をした表示装置。〔タッチパネルを備え、入力装置として使えるものもある〕「キャラクター〔=文字表示用の〕―・グラフィック〔=図形表示用の〕―」〔❶❷❸ともディスプレイとも〕

ディスポーザー[3]〔disposer〕台所から出る生ごみなどを細かく砕いて下水へ流す電気装置。

てい・する[3]【呈する】(他サ)❶(贈り物として)差し上げる。「一書を―」❷相手の言動に対する評価や見解を、はっきりした形で示す。「新内閣の政策に△疑問(苦言・賛辞)を―」❸ある状態を示す。「△…の観(活況・末期症状・様相・惨状)を―」呈す[1](五)。

てい・する[3]【訂する】(他サ)「直す」意の漢語的表現。訂す[1](五)。

てい・する[3]【△挺する】(他サ)(危険や困難を顧みず)△他に先んじて(一身を犠牲にする覚悟で)事を行なう。挺す[1](五)。「暴漢の前に飛び出して身を挺して我が子をかばった」

てい・する[3]【締する】(他サ)〔交わりを〕結ぶ。

ていせい[0]【低声】低い声。忍んで低く出す声。↕高声

ていせい[0]【帝政】皇帝による政治。また、その制度。「―ロシア[5]」

ていせい[0]【訂正】―する(他サ)文章や文字の誤りを直すこと。

ていせいぶんせき[5]【定性分析】化学分析の一つ。物質の成分を確かめること。↕定量分析

ていせき[0]【定席】図書館・居間などで、その人が決まってすわる席。

ていせき[0]【定積】△面積(体積)を一定にしておくこと。「―比熱[5]〔=体積一定の条件下で物質を単位温度変化させるのに必要な熱量〕」

ていせつ[0]【定説】その分野の専門家の間で正しいと広く認められている学説。「―を△破る(覆す)」

ていせつ[0]【貞節】―に―な 女性が貞操をよく守る△こと(様子)。〔やや古風な表現〕

ていせん[0][1]【〈汀線】海面や湖面と陸地との境界線。

ていせん[0]【停船】―する(自他サ)船が止まること。船を止めたままにしておくこと。

ていせん[0]【停戦】―する(自サ)戦闘行為を一時やめること。「―協定[5]・―期間[5][6]」

ていぜん[0]【庭前】〔家の中からながめた〕にわ。にわさき。

ていそ[1]【定礎】〔主として公共の使用する洋風建築で〕着工に先立って土台石を据えること。「―式[3]」

ていそ[1]【提訴】―する(自他サ)訴訟を起こすこと。↕応訴

ていそう[0]【貞操】〔「正しい操(ミサオ)」の意〕女性が配偶者以外の男性と性的関係を結ばないこと。〔やや古風な表現〕

―たい[0]【―帯】十字軍の騎士が従軍の時に、その妻に使わせたという錠前つきの金属製のバンド。

ていそう[0]【逓送】―する(他サ)〔運輸系統や申合せに基づき〕郵便物・荷物などを引きついで、順次に送ること。「村人の―によりワインを敵軍から隠す」

ていぞう[0]【逓増】―する(自他サ)〔ある要素が加わるに対応して〕もう一方の要素が多くなる(ようにする)こと。↕逓減

ていそく[0]【低速】普通よりおそい速度。↕高速

ていそく[0]【定則】一定の規則。

ていぞく[0]【低俗】─な ─に〔好みや言説・傾向などが〕品性の卑しさや思慮の足りなさを見せつけるだけであって、精神を高めたり 充実感を与えたり するものではありえない様子だ。「─な笑い/学園祭の─化」 派 **─さ**[0]

ていそくすう[4][3]【定足数】議事を進め議決するのに必要な最小限の人数。「─を割る」

ていた・い[3]【手痛い】(形) 受けた損害やショックが大き過ぎて、再び立ち直れないと思われる様子だ。「相場の下落で─損失を受ける/─エラーが敗戦につながる/手痛くしっぺ返しされる」 派 **─さ**[3][2]

*__ていたい__[0]【停滞】─する(自サ)〈(どこ ニ)─する〉 調子よく進行しないで、もたもたしていること。「─が続く/─を破る/─と後退を余儀無くされる/景気が─する/人事の─」 **─ぜんせん**[5]【─前線】⇩前線

ていだい[0]【帝大】「帝国大学」の略。

ていだい[0]【提題】❶〔ド Behauptung の訳語〕〔論理学で〕真偽を検証すべき命題。❷〔文法で〕話の中心となったり きっかけとなったり する主題を提示すること。また、その主題。〔日本語では「象は鼻が長い」のように、係助詞「は」で示されることが多い〕

ていたいおんしょう[0]【低体温症】❶体温が著しく低くなった症状。ひどくなると凍死する。〔人間では直腸温が三五度以下の場合〕❷〔俗に〕平熱が低いこと。また、冷え性。

ていたく[0]【邸宅】「(りっぱな)やしき」の意の漢語的表現。「大─[3]」

ていたらく[3]【体たらく】〔「体たり」の未然形 + 接辞「く」〕△情け無い(言いようも無いほどひどい)ありさま。〔自嘲を込めても使われる。例、「わたしとしたことがこの─だ」〕 表記 もとの用字は「為体」。

ていだん[0]【梯団】移動する大部隊を区分した、一つひとつの群れ。

ていだん[0]【鼎談】─する(自サ) 三人で向かい合って話すこと。⇩対談

でいたん[0]【泥炭】石炭の中で最も質が悪く、土のかたまりのように見えるもの。〔古くは、「すくも[0]」〕「─層[3]」

ていち[0]【低地】(周囲の土地より一段と)低くなっている(平坦な)土地。↕高地

ていち[0]【定置】─する(他サ) その場所に動かないように(仕掛けて)置くこと。「─網[3][0]」 **─ぎょぎょう**[4]【─漁業】漁具を定置して行なう漁業。

ていちゃく[0]【定着】─する(自他サ) ❶その場所にとどまること。また、とどめること。「庭に植えた苗木が─する」 ❷今まで無かった言葉やものの考え方・生活態度・制度などがその社会全般に広まって違和感が無くなること。「助教授に代わる准教授という名称が─してきた/定期検診の─を図る」 ❸〔写真で〕現像した乾板・フィルム・印画紙に残存する感光性を無くすこと。「─液[4]」

でいちゅう[1]【泥中】(汚ない)どろのなか。 **─の はちす**[1]-[0]【─の蓮】汚れた環境にあってよく清らかさを保つことのたとえ。

ていちょう[0]【丁重・鄭重】─な ─に 相手の心情や現在おかれている環境を十分思いやって礼を失することが無いように対応する様子だ。「─な挨拶/─に(=大事に)扱う」 派 **─さ**[0] 表記 「丁」は、代用字。

ていちょう[0]【低調】─な ─に 物事の進みぐあいや内容などの程度が、期待される段階に達していないととらえられる様子だ。「応募作品は全般に─であった/△売れ行き(客の出足)が─だ/─が続く/─な(=盛上がりに欠ける)試合(ぶり)」 派 **─さ**[0][3]

ティッシュ[1]〔tissue〕❶(金糸・銀糸を織り込んだ)薄地の織物。❷〔←tissue paper=薄紙〕袋や箱に収まっていて、一枚ずつ取り出せるようにした、ちり紙などに用いる薄い紙。ティッシュー[1]とも。ティッシュ ペーパー[4]。

ていっぱい[2]【手一杯】─な ─に その△事(仕事)だけに追われ、他を顧みる余裕が無い様子だ。「自分のことだけで─です/─に(=もうこれが限度だというところまで)仕事を広げる」

ていてい[0]【亭々】─たる ─と 樹木が高くまっすぐにそびえ立つ様子だ。

ディテール[2][1]〔detail〕❶細目。詳細。❷〔美術で〕部分(画)。〔デテールとも〕

ていてつ[0]【蹄鉄】馬のひづめの下につけて、ひづめの摩滅を防ぐ鉄。 かぞえ方 一脚

ていてん[1]【定点】❶〔幾何学で〕決まった位置の点。❷各国が協同して、気象・海洋の観測を行なうため、海上に定められた地点。〔広義では、気象に限らずある決まった点の意にも用いられる〕「─観測[5]」

ていでん[0]【逓伝】─する(他サ) 幾つかの中継点を経由して、郵便物・荷物などを引きつぎ目的地まで届けること。

ていでん[0]【停電】─する(自サ) 変電所・送電線などに事故があったりして電気の供給がとだえること。「落雷で─し、電車が止まった」

ていと[1]【帝都】「皇居のある都会」の古風な表現。〔明治以後は、東京を指した〕

ていど[1]【底土】「心土」に同じ。

__ていど__[0][1]【程度】❶△基準(比較の対象)とするものと比べたときの、性質・状態や価値などの度合。「─が高い/△損害(実力)の─が分からない/─の差こそあれ」 ❷その事に関して△許容(期待)できる限界。「いたずらにしても─がある/ご馳走してくれるそうだが、けちな彼のことだから─が知れている」 運用 (1)予想される最小程度のものである、という話し手の態度を表わすことがある。例、「火事になったと言っても壁をこがした程度だった」 (2)「この程度/その程度/あの程度」の形で、その人の能力や資質は水準が低いと考え、対象とする人や事物について嘲笑する気持を込めて、これといって評価する点はないという判断を表わす。例、「所詮、あいつはその程度の男だ」 **─もんだい[4]【─問題】その事に関して程度の限界が問題にされること。「いくら選挙には金がかかるからと言っても─だ」

でいど[1]【泥土】❶「どろ(でぬかっている所)」の意の漢語的表現。❷全く評価のしようのない物。全く価値のない物。

ていとう[0]【低頭】─する(自サ) つつしむ気持や敬意を表わすために、頭を低く下げること。「─して謝意を表する」

ていとう[0]【抵当】〔「抵」も当たる意〕借金が返せない時のために差し出す品物・権利。例、質草など。「(土地を)─に入れる」 **─けん**[3]【─権】担保に提供された不動産について、他の債権者に先立って弁済を受けられる権利。「─設定」 **─ながれ**[5]【─流れ】借りたお金が返せないために、抵当物が貸した人の所有になること。

ていとく[0]【提督】艦隊の司令官。アドミラル。

デイトレード[4]〔day trade〕一日のうちに株の売買を完了させ利鞘を得る株式取引。オンライン取引の普及により個人投資家に広がった。デー トレード[4]とも。

ていとん[0]【停頓】─する(自サ) 事業・交渉などが途中で行き△詰まる(詰まって、はかどらない)こと。

ディナー[1]〔dinner〕❶〔西洋料理で〕正式の食事。フルコースの料理。正餐。❷一日の食事のうちで、主となるも

の。一般に夕食を指す。晩餐(バン)。「―タイム④」

ディナーショー④②〔和製英語 ←dinner＋show〕ホテルなどを会場とし、食事とともにコンサートやトークショーなどを楽しむ催し。

ていない①【廷内】その法廷の内。

ていない①【邸内】そのやしき内。

ていねい①【丁寧・(叮嚀)】―に・な〔もと古代中国で、警戒警報のため軍陣で用いた銅鑼(ドラ)の意〕㊀相手の(立場・気持)を考えて、真心のこもった応対をする様子だ。「ご―なご挨拶(アイサツ)痛み入ります／―に頭を下げる」㊁隅ずみまで注意が行き届き、落ち度の無いことを期待する様子だ。「―に調べてみる／物を―に扱う」 派―さ⓪③ 運用 ㊀は、「ご丁寧に(も)」などの形で、そこまで念を入れてしなくてもいいと思われるようなことをした人について、皮肉やからかいの気持を込めて言うことがある。例、「電話で済むのに、ご丁寧に(も)三時間もかけて家までやって来たよ」 **―ご⓪【―語】㊀聞き手に敬意を表わして、丁寧に言う時の言い方。多く文の終りに見られる。例、「行きます／私です」。㊁上品に美しく言い表わそうとする時の言い方。例、「お水ください／お米」。〔㊀㊁とも、広義の敬語に属する。また、㊁を「美化語」として、丁寧語と区別する説もある。⇨尊敬語・謙譲語〕 **―たい**⓪【―体】文末を「です・ます」で結ぶ口語文の文体の一つ。ですます体⓪。⇨敬体

でいねい⓪【泥(濘)】「ぬかるみ」の意の漢語的表現。

ていねん⓪【丁年】㊀一人前として認められる年齢。満二十歳。㊁一人前の男子。

ていねん⓪【定年・停年】〔官庁・会社などで〕退官・退職するきまりになっている一定の年齢。「―制⓪」

ていねん⓪【諦念】物事の道理を悟り、(迷)いを去る(あきらめの境地に達する)こと。

ていのう⓪【低能】―な 脳の発達が普通より遅れており、知能の働きが劣って見える(様子(人)。 派―さ⓪

ディバイダー⓪②〔dividers〕製図用具の一つ。開閉出来る二本の脚の先が針状になっていて、線分の計測や分割などに用いる。

ていはく⓪【停泊・(碇泊)】―する(自サ) 船がいかりをおろして止まること。 表記「停」は、代用字。

ていはつ⓪【(剃髪)】―する(自サ)〔仏門に入って〕頭髪をそり落とすこと。薙髪(チハツ)。「―式④」

ていばん⓪【定番】〔特定の商品番号、の意〕流行に関係無く、通年変動なくよく売れる商品。衣料品を主として、食品にも言う。〔いつも決まりきっていて、新鮮みの感じられない意にも用いられる〕

でいばんがん③【泥板岩】⇨けつがん(頁岩)

ティピカル①―に・な〔typical〕典型的。代表的。

ていひょう(ヒャウ)⓪【定評】多くの人からそうだと認められている(よい)評判・評価。「日本人の手先の技術の巧みさは―がある」

ていふ①【貞婦】〔やや古風な表現〕人妻なるものの見本とあおがれるような貞女。

ディフェンス⓪〔defense〕防御。守備(陣)。

ディフェンダー⓪〔defender〕〔サッカーで〕ゴールキーパーの前に位置し、主に守備を行なう選手。バックスとも。

ディプロマ⓪〔diploma〕教育機関の課程修了証明書。国や機関によって扱いが異なる。

ディベート⓪〔debate＝討論(する)〕ある話題について、肯定側と否定側の二組に分かれて討論をすること。

ディベロッパー③②〔developer〕㊀土地開発業者。㊁現像液。〔デベロッパーとも〕

ていへん①【底辺】㊀〔数学で〕三角形の頂点に対する辺。㊁複雑な構造体や高度に抽象的な存在の基底部。「昔から続いている日本との修好関係の―には相互信頼がある／―の広い〔＝愛好者人口の多い〕棋界／トップから―〔＝初心者〕まで女性スポーツ愛好家が激増／社会の―〔＝最下層〕で生きる人間模様／―〔＝下層社会〕の人たち」

*__ていぼう__(バウ)⓪【堤防】増水や高潮による害を防ぐために、川・湖の岸や海岸などに沿って土や石を高く盛り上げたもの。「―が決壊する／―を築く」

ていぼく⓪【低木】背の低い木。幹は太くならないものが多く、一つの根から細い枝が分かれ生える。例、ツツジ・ヤツデ・ナンテン。〔灌木(カンボク)の改称〕⇔高木

ていほん⓪①【定本】㊀現存の古典の本文の中で、最も原姿に近いものと考えられたもの。〔一般に、異本を比較校合(キョウゴウ)した結果その研究者によって定められたものを指す〕㊁〔近代文学で〕著者が訂正・加筆した決定版(とされるもの)。⇔稿本㊀

ていほん⓪①【底本】校訂・翻訳などの土台になる本。〔広義では、種本の意にも用いられる。また、定本と区別して「そこほん」とも言う〕

ていまい⓪【弟妹】おとうとと いもうと。⇔兄姉

ていめい⓪【低迷】―する(自サ) ㊀雲が低くたれこめて、去りやらぬこと。「暗雲―〔＝何か事件が今にも起こりそうな、不気味な状態〕」㊁好ましくない状態から抜け出せずに、ぐずぐずすること。「景気が―する／一進一退の―状態を続ける」

ていめい⓪【締盟】(同盟(条約)を結ぶこと。「―国③」

ていめん①③【底面】㊀底の面。㊁〔幾何学で〕水平面上に置かれた立体の一つの面がその水平面と接している時のその面。〔柱体・錐(イス)体に関しては、それが置かれている状態とは無関係に、側面でない面を指す。⇨柱体・錐体〕

ディメンション②〔dimension〕㊀広がり。容積。㊁次元。「―の違い」

ていやく⓪【定訳】文学作品などで、特に問題とするほどの誤訳も無いということで、標準となる翻訳。

ていやく⓪【締約】―する(他サ) (約束(条約)を結ぶこと。

ていゆ⓪【提喩】大きな概念を表わす語でそれに含まれるものを示したりまたその逆に、それに含まれるものでその概念全体を示したりする方法。「花見」の「花」が「桜」を示し、「衛星」の一つである「月」で「木星の月」のように「衛星」全般を示すなど。提喩法⓪・シネクドキ②〔synecdoche〕とも。

ていよう(エウ)⓪【提要】ある学問や知識体系の概要を(述べること(述べた本)。「生物学―」⇨綱要・撮要

ていよく③【体良く】(副)〔「体裁よく」の意〕都合よく事を運ぶために、いかにももっともらしい理由づけなどをする様子。「―断わられた」

ていらく⓪【低落】―する(自サ) 下がること。低くなること。特に物価が安くなること。「株価―」

ていらず②【手入らず】㊀(手数(人手)がかからないこと。㊁まだ一度も使っていないこと。「―の漆塗りの盆」㊂一度も手入れをしていないこと。

ティラミス①〔イ tiramisù＝私を励まして〕洋菓子の一つ。コーヒーやリキュールをしみこませたスポンジケーキに生クリームを加えたマスカルポーネを重ね、表面にココア パウダーなどをふりかけたもの。

ていり①【低利】低い利率。安い利息。⇔高利

ていり①【廷吏】法廷の雑務に従う職員。

ていり①【定理】〔数学で〕公理系から出発して真であることが証明される命題のうちで、重要なものの称。「ピタゴラスの―」

でいり⓪③①【出入り】―する(自サ) 出たりはいったりすること。「ではいり」とも。「人の―の激しい家/お金の―〔=支出と収入〕/―口(グチ)③⓪」 ㊁―する(自サ) その家を得意先として、しょっちゅう訪れ、その方面の△仕事(商売)はいつもその人が引き受けること。「―の商人/御(オ)―禁止/―筋③」 ㊂もめごと。〔狭義では、暴力団どうしなどのけんかを指す。また古くは訴訟をも指した〕「女―④〔=女性関係のもめごと〕」 **―ば**⓪【―場】〔演劇で〕けんかの場面。

ていりつ⓪【低率】 低い△比率(利率)。「―税④」 ↔高率

ていりつ⓪【定立】―する(他サ) ある判断を導き出すための論理を展開する上で、その前提としてある命題を定めること。⇩論理㊀

ていりつ⓪【定律】〔物理・化学で〕「法則」の旧称。「ボイル-シャルルの―」

ていりつ⓪【定率】 一定の比率。

ていりつ⓪【鼎立】―する(自サ) 〔有力な〕三者が互いに対立すること。

ていりゅう⓪【底流】 ㊀水面とは勢いの違う川底・海底の流れや、地底の水の流れ。〔表面からは察知されない内面の動きをも指す〕「静かな流れに見えるが、―ではひそかに主導権争いが続いている」 ㊁現象面の背後に潜み、個人や社会の動向を左右する可能性のある、動かしがたい物の見方・考え方。「民族の自主回復の推進を求める―〔=輿論(ヨロン)〕が形成されつつある/―〔=支配的傾向〕として存在した、政治目的を達成する手段としての『戦争』という考え方は、もう命脈が尽きた」

ていりゅう⓪【停留】―する(自サ) それまで動いていたものが何かの必要上とまること。 **―じょ**⑤⓪【―所】 バス・路面電車などが止まり、客が乗り降りする一定の場所。停留場⓪。

でいりゅう⓪【泥流】 火山の爆発や山津波の時などに流れ下る、石を交えた多量のどろみず。

ていりょう⓪③【定量】 一定の分量。 **―ぶんせき**⑤【―分析】 化学分析の一つ。物質の各成分の分量を測定すること。 ↔定性分析

ディル①〔dill〕 南ヨーロッパ、西アジアから中央アジア原産の一年草。細い茎にこまかく分かれた柔らかな葉が出る。葉や種をピクルスやスープなどの香辛料として使う。イノンド②とも。〔セリ科〕 かぞえ方 一本

ていれ③【手入れ】―する(他サ) ㊀③ 現状に手を加えて、よい状態に整えること。「庭の―/肌の―」 ㊁①③ 犯罪の捜査や犯人の検挙のために、警察官が現場に入りこむこと。

ていれい⓪【定例】 その社会に以前から行なわれているしきたり(として何事も無い時にも決まって開かれること)。慣例。「―〔=毎月何日とか毎週の何曜日かに決まって行なわれる〕閣議⑤」

ディレクター⓪②〔director〕 ㊀その部局を管理・統轄する最高責任者。 ㊁映画・演劇・テレビなどの△監督(演出家)。

ディレクトリー⓪②〔directory〕 ファイルを階層的に配置し、管理しているコンピューターのシステムの中で、各ファイルの位置する階層。

ていれつ⓪【低劣】―に(な) 人間の品位が低かったり物の性質などが悪かったりして、非常に見劣りのする様子だ。「―な趣味」 派**―さ**⓪

ディレッタンティズム⑥〔dilettantism〕 学問や芸術を趣味本位でやること。道楽。趣味(本位)。

ディレッタント②〔フ dilettante〕 文学・美術の愛好家。好事家(コウズカ)。ジレッタントとも。

ていれん⓪【低廉】―な 物の値段が安い様子だ。

ていろん⓪【定論】 その社会に属する多くの人が正しいと認めている論。

ティンパニー①〔イ timpani〕 オーケストラに使われる、半球形の打楽器。二個以上を二本のばちでたたき奏する。 かぞえ方 一台

てうえ③⓪【手植(え)】 〔一般に「お―⓪」の形で〕〔記念行事の一環として〕身分のある人が樹木などを自分の手で植えること。「お―の松」

てうす⓪【手薄】―に(な) ㊀自由に使える物・お金や人手が△少ない(少なくて何ほどの事も出来ない)様子だ。「警備が―だ」 ㊁厚みに欠ける様子だ。薄手。 ㊂層が薄くて、まだ不十分な様子だ。「この方面は研究が―だ」 派**―さ**⓪③

デウス①〔ポ Deus〕〔キリシタンの用語で〕天帝。神。

てうち③⓪【手打(ち)・手討(ち)】 ㊀機械を使わずに、うどん・そばなどを手で作ること。 ㊁話合いが成立した時などに、関係者一同が確認するしるしとしてそろって手拍子を取ること。「―式③」 ㊂昔、主人である武士が、非があったとして家来などを自分で斬(キ)り捨てたこと。 ㊃〔野球やテニスなどで〕ひざや腰のバネを使わず、腕力や手先だけでボールを打つこと。「ボールをただ当てにいって、―になった」

てえ〔東京方言〕という。て。「世間―ものが許さない/そうする―と」

デー〔造語〕〔day〕 ㊀昼。日中。「―ゲーム③・―サービス③〔=⇩デイサービス〕」 ㊁一日。「―トレード④〔=⇩デイトレード〕・―パック③〔=日帰り程度の荷物の入る背負い袋〕」 ㊂何かにちなんで設けられる、特別の一日。「防火―③」〔㊀〜㊂ともデイとも〕

テークアウト④〔takeout〕〔食堂や料理店で〕調理された食品をその店で食べずに持ち帰ること。テイクアウトとも。

テークオフ④〔takeoff〕 ㊀〔航空機などの〕離陸。 ㊁〔跳躍競技の〕踏切り。 ㊂〔発展途上国の〕経済の成長段階における、発展への飛躍期。〔㊀〜㊂ともテイクオフとも〕

デージー①〔daisy〕 植物のヒナギク。デイジーとも。

テースティング⓪〔tasting〕 ワインやウイスキーなどの飲み物の質のよしあしを鑑定すること。試飲。また、広く試食や味見。テイスティングとも。

テースト⓪①〔taste〕 ㊀食べ物や飲み物の味わい。「まろやかな―」 ㊁衣装・装身具や家具などの好み。「ヨーロピアン―の雑貨」 ㊂〔音楽や絵画などで〕あるスタイルや雰囲気。「ジャズ―の曲/印象派の―を持つイラスト」〔㊀〜㊂ともテイストとも〕

テーゼ①〔ド These=課題〕 初めに立てられた命題。〔広義では、政治活動の綱領をも指す〕 ↔アンチテーゼ

データ①⓪〔data〕 ㊀推論の基礎となる事実。 ㊁その事柄に△関する(関して集めた)個々の事実を、記号〔=数字・文字・符号・音声など〕で表現したもの。〔最も狭い意味では、数値で表現したものを指し、広義では、参考となる資料や記事のことをも言う。また、コンピューターの分野では、処理できる対象すべてを指す。従って、プログラム自体もデータであるが、狭義では除外する〕「個人―を保護する/―を△集める(示す)/万全の―がそろう/―処理④・実験―・数値―・文字―」

データ センター④〔data center〕 インターネット上のサービスを行なうサーバーを大規模に集積し、ユーザーに貸与したり保守・管理を行なったりしている施設。

データ つうしん④【データ通信】〔コンピューターで〕通信回線を通じて、データを送ったり受け取ったりすること。⇩モデム

データ バンク④〔data bank=データを扱う銀行〕 その領

域における各種のデータを収集・整理して保管しておき、利用者の求めに応じてそのデータを提供する機関。〔データベースの意に用いることもある〕

データベース④〔data base〕〔コンピューターで〕その領域において、相互に関連のある大量のデータを整理した形で補助記憶装置に蓄積しておき、必要に応じて直ちに取り出せるようにした仕組み。「オンライン―を構築する」

データマイニング④〔data mining〕大量に蓄積された未加工のデータから、言語処理や統計学等の技法を適用し、ある傾向の情報などを見付け出すための技術・手法。顧客動向の分析などに応用される。

データりょういき④【データ領域】〔コンピューターで〕主記憶装置の中の、狭義のデータを記憶するために用いられる部分。データ メモリー④。↔プログラム領域

デート①―する（自サ）〔date=日付、年月日〕交際している相手と日時を決めて、（各自の家以外の場所で）会うこと。また、その約束。「おすすめの―スポットを紹介」

テーピング⓪―する（他サ）〔taping〕（けがをした）関節・筋肉・靱帯（ジンタイ）などを固定するように絆創膏（バンソウコウ）などで巻くこと。

*__テープ__①〔tape〕❶幅が狭くて長いひも・紙片など。〔歓送迎用や競技の決勝線に張ったりなどする〕「―カット」❷電信受信用の幅の狭い紙。❸磁性体の粉末を塗布した「テープ❶」。「―にとる／磁気―・録音―」❹〔←tape measure〕巻尺。 かぞえ方 ❶～❹とも一本・一点

テープカット④―する（自サ）〔和製英語 ←tape＋cut〕道路や橋の開通式、催し物の開会式などで、祝賀行事の一環として入口に張った紅白のテープを切ること。

テープデッキ④〔tape deck〕磁気テープを使って録音・再生する装置。普通、オーディオ装置の一部として組み込まれ、再生時にはアンプを必要とする。

*__テーブル__⓪〔table〕❶いすに掛けた人が△食事（向かい合って話）をしたり 物を載せておいたりするのに用いる、足のある台。「家族がそろって―を囲む／サイド―・ナイト―④」⇩デスク ❷表。「タイム―〔=時刻表〕」 かぞえ方 ❶は一脚・一卓 【―に着く】 交渉・審議などをする正規のメンバーの一員として、その席に加わる。「官民の代表者が同じ―」 **―ウェア**⑤〔tableware〕食卓用の食器具類。皿・グラス・スプーン・ナイフなど。テーブルウエア⑥とも。 **―クロス**⑤〔tablecloth〕机・食卓にかける布。テーブルかけ④。テーブルクロース⑥とも。 かぞえ方 一枚・一点 **―スピーチ**⑥〔和製英語 ←table＋speech〕いす席の祝賀会・披露宴などでする短い話。卓上演説。 **―スプーン**⑥〔tablespoon〕（スープ用の）大さじ。 **―センター**⑤〔和製英語 ←table＋center〕テーブルの中央部に敷く布。 かぞえ方 一枚 **―タップ**⑤〔table tap〕長いコードのついた移動用のコンセント。普通、プラグの受け口が二つ以上ある。 **―チャージ**⑤〔和製英語 ←table＋charge〕レストランなどで席料として支払う料金。 **―マナー**⑤〔table manners の日本語形〕食器をガチャガチャいわせないとか、クチャクチャ音を立てて物を食べないとか、全員が参加出来るような会話にしたりするなどの、会食時の基本的な作法。

テープレコーダー⑤〔tape recorder〕「テープ❸」に音声を記録し、また、それを再生する装置。単独で使用が可能。〔口頭語的な略称は、テレコ〕 かぞえ方 一台

テーベー③〔←ド Tuberkulose〕肺結核。

テーマ①〔ド Thema=問題〕❶作品の主題。❷〔論文・演説などの〕中心的△課題（構想）。「広大な―に取り組む」❸楽曲の中心となる旋律。曲全体の基調となり、統一する働きを持つ。楽想。

テーマソング④〔和製洋語 ←ド Thema＋英 song〕主題歌。

テーマパーク④〔和製洋語 ←ド Thema＋英 park〕特定のテーマに基づいて、催し物・展示物・遊戯施設などが総合的に構成された娯楽施設。

テーマミュージック④〔和製洋語 ←ド Thema＋英 music〕映画・演劇・放送プログラムの主題音楽。テーマ音楽④。

デーモン①〔demon〕❶悪魔。悪霊。デモンとも。❷芸術活動などを助け、インスピレーションや活力を与える霊。ダイモーン③。

テーラー①〔tailor〕❶（紳士服の）仕立て屋。❷背広の襟（エリ）と同じ襟の型。「―カラーのジャケット」 **―メード**⑤〔tailor-made=和製英語であるオーダー メードにあたる英語表現の一つ〕洋品店で特別にしつらえてもらった衣服。「―のスーツ」 **―メードいりょう**⑧【―メード医療】個々人の特性に合わせた医療。オーダーメード医療。特に遺伝子情報に基づく個別医療を指すことがある。

デーリー①〔daily=日びの〕日刊（紙）。デイリーとも。〔多く、新聞紙名として用いられる〕⇩マンスリー・クォータリー

テール①〔tael〕中国の旧式銀貨の単位である「リャン（両）」の、外国人側の称呼。また、重さの単位で、一テールは約三七グラムに相当。

テール（造語）〔tail〕❶動物の尾。「牛の―スープ／ポニー―」❷自動車や電車などのうしろの部分。「―ランプ」

テールエンド④〔tailender の日本語形〕〔競技で〕最下位。びり。

テールライト④〔taillight〕電車・自動車などの後尾につける、赤い標識灯。尾灯。テールランプ。↔ヘッドライト

テールランプ④〔tail lamp〕テールライト。

ておい⓪【手負（い）】戦って傷を△受けること（受けた状態）。「―のクマ」

ておくれ②【手遅（れ）・手後（れ）】事件の処置や病気の手当てなどが間に合わなくて、成功や回復の見込みが無くなること。「―になる」

でおく・れる⓪④【出遅れる】（自下一）△出かける（動き出す）のが遅れる。 名 出遅れ⓪

ておけ⓪③【手（桶）】手で持ち運び出来るように、取っ手のついた桶。

ておし⓪【手押（し）】〔動力源を機械や牛馬の力に頼らず〕人間の手で押して操作すること。「―車（グルマ）④・―ポンプ④」

ておち③【手落（ち）】手続き・やり方などに不十分な点が△ある（あって、目的を達しない）こと。また、その不十分な点。てぬかり。

デオドラント②③〔deodorant〕におい消し。防臭剤。「―スプレー」

ておどり②【手踊（り）】❶すわって手だけを動かす踊り。❷三味線に合わせてする踊り。❸手に何も持たないでする踊り。❹おおぜいそろってする踊り。

ておの⓪【手（斧）】⇩ちょうな

ており⓪【手織（り）】❶〔手動式の簡単な織機を用いて〕△自分（人間）の手で織ること。また、その織物。❷自分の家で織ること。また、その織物。

デカ（接頭）〔フ déca-=「十」を意味するギリシャ語に由来〕国際単位系における単位名の接頭辞で、基本単位の十倍であることを表わす〔記号 da-〕。「―メートル〔=一〇メートル〕」

でか①「巡査・刑事」の意の隠語。 表記 「〔刑事〕」を当てることがある。

てがい⓪【手飼（い）】△自分（自宅）で飼うこと。また、その

もの。

でか・い②(形)「大きい」意のややくだけた口頭語的表現。

でがいちょう②【出開帳】本尊を他の土地に運んでする開帳。↕居開帳

てかがみ② ■一【手鏡】手に持って使う、柄の付いた小さな鏡。かぞえ方 一面・一枚 ■二【手《鑑》】鑑賞・鑑識のために古筆切を集めて貼りつけた厚い大型(方形)の折本。かぞえ方 一帖

*てがかり②【手掛(かり)】❶物によじのぼったりする時、からだをささえるために手をかける所。❷捜査や調査を進めるためのきっかけとなるもの。端緒。「—を△求める(つかむ・与える)」表記「手懸かり」とも書く。

でかか・る③⓪【出掛(か)る】(自五)今にも出ようと△する(している)。「のどまで出掛かった言葉をのみこんだ」表記「出懸かる」とも書く。

てがき⓪③【手書(き)】「巧みに字を書く人」の意のやや古風な表現。

てかぎ⓪【手〈鉤〉】端に鉤をつけた棒。大きい魚や荷物などを持ち上げるのに使う。かぞえ方 一本

てがき⓪【手書(き)・手描(き)】—する(他サ)〔印刷でなく〕△自分(人間)の手で△書くこと(書いたもの)。「—の年賀状/—よりきれいで、修正も自在なワープロソフト/—体⓪」

てかけ③ ■一【手掛(け)】〔椅子などの〕手を掛けるところ。■二【〈妾〉】「めかけ」の古称。

でがけ⓪【出掛(け)】出ようとする時。「でかけ」とも。出しな⓪。

てが・ける③【手掛ける】(他下一)実際に自分が扱う。「長年手掛けて来た仕事にそろそろ決着をつけよう」表記「手懸ける」とも書く。

*でか・ける⓪【出掛ける】(自下一)〈どこ・なにニ—〉△家(国)を出て、他へ行く。⇩おでかけ

てかげん②【手加減】❶物の取扱い方のこつ。「味のつけ方に—がいる/—の難しい大工道具」❷—する(自他サ)物事を一律にきびしくするのでなく、その場に応じて適当にはからうこと。手ごころ。「—を加える」❸手に感じる重さや握りぐあいなどで、その物の分量や中身をはかること。⇩目分量

てかご⓪①【手籠】手にさげる小さな籠。

てかず①【手数】❶てすう。「いろいろお—をかけました」❷碁・将棋などの、手の数。

でか・す②【出《来す》】(他五)❶不本意な事態を招く。「はれものを—〔=つくる〕/ズボンにしみを—〔=つける〕/大失敗を—〔=やらかす〕」❷能力以上と思われる事を為し遂げる。〔❶❷とも口頭語的表現〕 でかした②【出《来し》た】〔感動詞的に〕「よくやった」とほめる言葉。

てかせ①【手〈枷〉】手にはめて、自由に使えないようにする刑具。表記 もとの用字は、「〈梏・〈杻」。「手《械》」とも書く。 —あしかせ①-⓪、①-③【—足〈枷〉】手足に枷をはめられて身動きがとれなくなるように、思い通りの行動が出来なくなること。また、そのような状況を引き起こすもの。「親の期待が—となって私を縛る」

でかせぎ⓪【出稼(ぎ)】一時、故郷を離れ、他の土地・国に行って稼ぐこと。「冬場の—/—農民⑤」

てがた⓪【手形】❶てのひらに墨を塗って物に押した形。手の形。❷後日の証としててのひらに墨を塗って文書に押したあと。❸〔取引で〕ある時期に一定の金額を支払うことを示した証券。「—を振り出す/—を落とす〔=⇩落とす㊃〕/—交換④」かぞえ方 ❸は一枚・一通 —わりびき④【—割引】銀行で手形をその記載金額から支払期日までの利子を引き去って買い入れること。

でかた【出方】❶②ある事に対する態度。出よう。「…の—一つにかかる/相手の—を見る」❷⓪劇場・すもう茶屋などで、客の案内を職業とする男。

てがた・い③⓪【手堅い】(形)❶見栄をはったり 奇をてらったりするところがなく、地道な方法で事をすすめる様子だ。「—商売/—手法で書かれた論文」❷〔取引で〕相場が下落する危険が無い。派 —さ③

てがたな②【手刀】てのひらの側面で物を切るようなしぐさをすること。【—を切る】〔すもうで〕行司から懸賞金などが手渡される時、三回軽くてのひらで物を切るようなしぐさをして受け取る。〔勝利の三神に、まん中・右・左、あるいは左・右・中の順に挨拶する意という〕

でがたり⓪【出語(り)】〔歌舞伎で〕浄瑠璃語りが舞台に出て語ること。

デカダン⓪②—な—に〔フ décadent〕十九世紀末期に起こった、フランス象徴派の芸術家に見られる、唯美的・反社会的な傾向。また、その傾向が見られる様子だ。頽廃派(の芸術家)。〔広義では、さほど積極的な芸術活動をするわけでもないが、生活傾向だけは頽廃的である人をも指す〕

デカダンス②③〔フ décadence〕虚無的・頽廃的な風潮や生活態度。

てかてか ■一①(副)—と—する 物の表面が、油を塗ったかのように光る様子。「襟があかじみて—光っている」■二⓪—な—に「てかてか■一」に同じ。「—に固まる/袖口が—に光っている」

でかでか③(副)—と〔多く「—と」の形で〕「あきれるほど大きくて、よく目立つ様子」の意の口頭語的表現。「看板に字を—と書く/新聞に—と掲載する」

*てがみ⓪【手紙】他人に送る通信文。特に、封書。「△恩師(旅先から家族)に—を書く/お礼の—を出す/—文③⓪・—用語④・絵—②」かぞえ方 一通・一本

てがら③【手柄】人にほめられるような、りっぱな△働き(仕事)。功績。いさお。「—を立てる」 —がお⓪【—顔】手柄を立てたような、自慢そうな顔つき。

てがら③【手絡】女性が丸まげの根もとなどに巻く色染めの布。

でがらし⓪【出〈涸〉(ら)し】何杯も入れたあとの、本来の旨さがほとんど失われてしまったお茶。

てか・る②(自五)〔額などが〕「表面に油が浮き出たような感じにてかてか光る」意の俗語的表現。名 てかり⓪

てがる⓪【手軽】—な—に めんどうな手続きがいらず、軽い気持で△処理(対処)出来る様子だ。「—な料理/旅行のお—プラン」派 —さ⓪ —・い⓪③(形)めんどうがかからない様子だ。「手軽く出来た」

デカンター⓪②〔decanter〕ワイン・リキュールなどを入れて食卓に置くガラス製の瓶。栓つきで、装飾の施されたものが多い。デカンタ⓪②・ディキャンタ⓪②とも。

てき(的・笛・摘・滴・適・敵・〈擲〉)→【字音語の造語成分】

てき【的】(造語)〔名詞や造語成分に添えて〕「そのものではないが、それに似た性質を持つ」「何かに関する」「何かの範囲内で行なうところの」「…としての」などの意を表わす。〔「の」の意で用いられる宋元の俗語を、後に英語の -tic の訳語として拡充したものという〕「哲学—・私—・病—・現実—・教育—」⇩【造語成分】文法 一般に「漢語＋的」の形で用いられるが、近年、「わたし的には賛成できない」「気持的には理解できる」などと、和語と結びつける例がまま見受けられるが、規範的な立場からは容認されていない。

テキ①ビフテキの略。「豚—」

**てき⓪【敵】❶戦い・競争などの相手。かたき。「—にまわる〔=敵側につく〕/—に背中を見せる〔=敗走する〕/宿—・—軍⓪・—陣・好—手・大—」❷同じ組織や集団に属し

ていながら考え方の違いなどによって互いに信頼関係や協調関係が結べない相手。「社内に―をつくって孤立する／業界で―も多いが味方も多い人物」 ❸△交渉・折衝などの（何らかの対立関係にある）相手。「―（＝先方）はなかなかうんと言わない」 ❹その人に危険や害をもたらすものとして、その存在△がうとましく（との接触を避けたいと）思われるもの。「女性の―／紫外線はお肌の―です／天―」（❶❷の対義語は、味方）

でき〔溺〕→【字音語の造語成分】

でき⓪【出来】❶その△場所で（年月に）作られること。❷出来上がったものの品質（のいい悪い）。出来ぐあい③。〔狭義では、成績や農作物の収穫の状況を指す〕「―の悪い子ほどかわいい／平年並みの―／―が△いい（悪い）」 ❸取引所で、売買・取引が成立すること。

できあい⓪【溺愛】―する（他サ） 特定の△自分の孫や子供（弟子など）を目に余るほどかわいがること。

できあい⓪ アヒ【出来合（い）】 既製（品）。「―の洋服」 ↔あつらえ

できあがり⓪【出来上（が）り】❶作り終わって△すぐ使える（人前に出す）ばかりになっていること。「たのんだ洋服の―はいつですか」 ❷出来ばえ。「すばらしい―だ」

***できあが・る**⓪④【出来上（が）る】（自五） ❶その物が、目的通りの形を整えて、使えるようになったり 人前に出せるようになったりする。「△料理（家・作品）が―」 ❷「できる㊃」の強調表現。「あの人は生まれつきちゃらんぽらんに出来上がっている」 ❸もうこれ以上飲むことが出来ないほど、酔う。また、その結果上機嫌になる。

できあき⓪②【出来秋】 イネの実る、秋の収穫の時期。

てきい①【敵意】 相手を、自分に反抗し危害を加える者と思い込み、機会あらば△抑えつけて（陥れて）やろうとする心。「ひそかな―をいだく／むき出しな―を燃やす／―に満ちた」

テキーラ②（ス tequila＝メキシコの地名） メキシコ産のアルコール分の強い蒸留酒。原料は、竜舌蘭リュウゼツランの一種の樹液。

てきえい⓪【敵影】 敵の△姿（居る気配）。「十キロ以内に―を見ず」

***てきおう**⓪ オウ【適応】―する（自サ）〈なに・どこニ―する〉 ❶ある環境、その他の条件にそのものの調子がうまく合うこと。「△環境（現実・変化）に―する／―性を欠く／―症⓪③」 ❷生物の形態・習性が外界に適合して変化していくこと。

てきおん⓪ ヲン【適温】 ほどよい温度。

てきか⓪① クワ【摘花】―する（自サ） 質の良い果実を実らせるために、余分な花をつみ取ること。「てっか」とも。

てきか⓪① クワ【摘果】―する（自サ） 果実が生△りすぎて木を弱らせたり 実の品質をそこねたり しないように、熟す前に実の幾つかをつみ取ること。「てっか」とも。

てきか①【滴下】―する（自他サ） しずくとなってしたたる（ようにする）こと。

てきが⓪①【摘芽】―する（自サ） 果樹や農作物の、むだな芽をつみ取ること。

てきがいしん③【敵△愾心】〔「△愾」は、君主の恨みの意〕 あくまで敵と張り合い、これを倒そうとする闘志。

てきかく⓪【的確・適確】―な △判断（指摘）したものや取り上げた事柄が、よく本質を衝△いていたり 事実と一致していたりする様子だ。「てっかく」とも。「―な語釈／―な（＝正確な）数字」 派―さ⓪④

てきかく⓪【適格】 △必要な（決められた）資格や条件を十分に備えていること。「てっかく」とも。「―性を欠く／―審査⑤」 ↔欠格

てきがた⓪【敵方】 敵の方。敵になった方。「―につく」

てきき③【手利（き）】 手腕がある△こと（人）。

てきき①【摘記】【適帰】【適期】【敵機】 ⇩てっき

***てきぎ**①【適宜】（副）―に ❶その場その場の状況に応じて、それに見合った対処をする様子だ。「―△処置（判断）してくれ」 ❷画一的にではなく、一人ひとりが状況を判断して対処する様子だ。「仕事が済み次第―帰ってよろしい」

てきぎょう⓪ ゲフ【適業】 その人の性格・才能などに適した職業。

てきげん⓪【適言】 その場合・状況などにぴったりあてはまった言葉。

てきごう⓪ ガフ【適合】―する（自サ） 今問題としているところのものにうまくあてはまること。「△条件（資格・基準・気質・目的・境遇）に―する／―性⓪」

てきこく⓪【敵国】 戦争の相手国。「てっこく」とも。〔反対の△党派（人物）の意にも用いられる。例、「二大―」〕

できごころ③【出来心】 計画的ではなく、ついふらふらと起こった悪い考え。「一時の―（で）」

***できごと**②【出来事】 世間で起こる、いろいろな事件。

てきざい⓪【適材】 その仕事に適した才能の人。 **―てきしょ**⑤【―適所】 適材を適当な地位・任務におくこと。

てきさく⓪【適作】 その土地にあった作物。「適地―」

テキサス①〔←Texas leaguer〕〔野球で〕内野手と外野手との間に落ちたフライで、ヒットになるもの。テキサス ヒット⑤とも。ぽてん ヒット。「―（性の）ヒット」

てきさん⓪【敵産】 〔戦争になってその土地に残っている〕敵国の財産。「―処理⑤」

てきし①【敵視】―する（他サ） 相手を敵として憎むこと。

てきじ①【適時】 適当な時（に行なわれること）。「―性を△失う（欠く）／―打③（＝タイムリー ヒット）」

できし⓪【溺死】―する（自サ） 泳ぐことが△出来なくて（出来なくなって）おぼれ死ぬこと。

てきしつ⓪【敵失】 〔スポーツで〕相手チームのエラー。

てきしゃせいぞん①-⓪【適者生存】 生存競争の結果、外界の状態に適するものだけが生き残り、弱いほかのものは滅び去る現象。

てきしゅ①【敵手】 ❶敵の手。「―に倒れる」 ❷競争相手。「好―」

てきしゅう⓪ シフ【敵襲】 敵の襲撃。「―に備える」

てきじゅう⓪【適従】―する（自サ） 〔「適」も従う意〕「よく従う」意の古風な表現。「法の命じるところに―する」

てきしゅつ⓪―する（他サ） ㊀【〈剔出】 治療のために、患部や体内の異物などをえぐり出すこと。〔組織の内部に潜む不正などを暴き出すことの意にも用いられる〕「△病巣（眼球）を―する」 ㊁【摘出】 ❶そこにあっては困る物を取り除くこと。「弾丸―の手術」 ❷問題の箇所をはっきり取り出して見せること。「左の文中より誤りを―せよ」 表記 ㊀は「摘出」とも、㊁は「〈剔出」とも書く。

てきしょ①【適所】 その人に適した役目や仕事。「適材―」

てきじょう⓪ ジャウ【敵情】 敵の状態。「―を探る」 表記 「敵状」とも書く。

てきしん⓪【摘芯・摘心】―する（自サ） 果樹の新芽をつみ取ること。 表記 「心」は、代用字。

てきじん⓪ ヂン【敵陣】 敵の陣営。「―の背面を襲う」

てきず①【手傷】 戦いで受けた傷。 表記 「手疵・手創」とも書く。

できすい⓪【溺水】 水におぼれて窒息すること。「海での―事故」

できすぎ⓪【出来過（ぎ）】―な ❶作物が処理に困るほどたくさんとれる△こと（様子）。 ❷その人の能力から予測される

程度をはるかに上回る成果を上げる△こと(様子)。「新人賞が取れたのは彼にしてはーだ」

できすぎた⓪③【出来過ぎた】話の筋などがあまりにうますぎて、かえって信用できない様子。「ー話」

テキスタイル④〔textile〕織物。布地。

****テキスト**①〔text〕㊀本文。テクストとも。〔狭義では、原文を指す〕㊁〔←テキストブック⑤〕教科書。**ーファイル**⑤〔text file〕〔コンピューターで〕〔機械語プログラム・画像などを収めたファイルと違って〕文字を表わすデータから構成されているファイル。〔表示または印刷すれば、その内容を言葉として読み取れる〕

デキストリン④⓪〔ド Dextrin〕でんぷんを加水分解して作られる、白色・粉末で低分子量の炭水化物の総称。とろみなどの目的に広く用いられる。「難消化性ー⑦-⓪〔=食物繊維の一種〕」

てき

【的】[一]㊀まと。めあて。「射的・標的・目的」㊁(まとに)よくあたる。「的中」㊂まちがいが無い。たしか。「的確(テキカク・テッカク)」[二]㊀⇨(本文)てき【的】㊁俗に、人の名前などの下に添えて、婉曲(エンキョク)に…の奴(ヤツ)という意を表わす。「正的(マサテキ)〔=正雄もしくは正子の奴。『マー坊』と言うに近い〕・泥的(ドロテキ)〔=泥棒〕・取的(トリテキ)」

【笛】ふえ。「汽笛・警笛・鼓笛・魔笛・霧笛」

【摘】つまむ。つまみ出す。「摘果・摘記(テッキ)・摘出・摘発・摘要・指摘」

【滴】しずく。したたり。〔液体、液状の物、および蠟涙(ロウルイ)・光・湿気や趣味などをかぞえる時にも用いられる〕「滴下・雨滴・水滴・点滴」

【適】㊀心にかなう。「快適・自適」㊁よくあてはまる。「適応・適格(テキカク・テッカク)・適正・適用」

【敵】⇩(本文)てき【敵】

〈擲〉なげる。「投擲・放擲」

でき

【溺】㊀水におぼれる。「溺死」㊁物事に夢中になって、ぬけ出られない。「溺愛・耽溺(タンデキ)・惑溺」

物繊維の一種〕」

***てき・する**③【適する】(自サ)〈なにニー〉㊀よく合う。「病人に適した食物/時宜に適した措置/風土にー」㊁あてはまる。「この場合にー訳語は一つしかない」㊂何かをする△素質(能力・資格)がある。「教師に適した人」 適す②(五)。

てき・する③【敵する】(自サ)㊀手向かう(ことが出来る)。㊁匹敵する。

てきせい⓪【適正】ーな/ーに ある基準や条件などにかなっていて、正しいと考えられる様子だ。「適時ーを欠く/ー化を図る/ー(な)規模」派ーさ⓪

てきせい⓪【適性】㊀その人の性質・性格に適していること。㊁その事柄に適した性質。「ー検査⑤」

てきせい⓪【敵性】㊀国際戦争法規の範囲内で、攻撃・破壊・略奪したり捕虜にしたりしてもよいと交戦国に認められる性質。〔船の場合は、掲揚する国旗で判定される〕「ー国家⑤」㊁自国民の士気に悪い影響を与え、敵に利益を与えるような性質を持っていると認められること。「ー文学⑤〔=たとえば、敗戦主義の文学など〕」

てきせい⓪【敵勢】㊀敵の勢い。㊁敵の軍勢。「てきぜい」とも。

***てきせつ**⓪【適切】ーな/ーに その△場(物)などに、よくあてはまる様子だ。「ーを欠く/ーな処置」派ーさ⓪

てきぜん⓪【敵前】敵の陣地の前(の方)。「ー上陸⑤・ー逃亡」

できそこない⓪-【出来損(な)い】㊀出来あがりが大変悪く、いっそ作らない方がましと思われる△こと(もの)。「生煮えのーの料理」㊁性質・能力などが非常に劣ること。また、そのような人。〔侮蔑(ブベツ)を含意して用いられる〕動出来損なう⑤⓪(自五) 運用㊁は、他人に対して自分の配偶者や子供などを謙遜(ケンソン)して言うのにも用いられる。例、「うちの出来損いが留学試験に受かっちゃったの」

てきたい⓪【敵対】ーする(自サ) 敵となって、相手に刃向かうこと。「ー行為をとる/ー視する/ー関係にある」

できだか②【出来高】㊀出来あがりの総量。㊁農作物の収穫の総量。㊂〔取引で〕△売り(買い)の成立した総額。〔取引の総額を指すこともある〕**ーばらい**⑤-【ー払(い)】働いた時間の長短などにはかかわらず、出来上がった総量によって賃金を払うこと。

できたて⓪【出来立て】〔品物・食べ物が〕出来てすぐの状態。「ーのほやほや」

てきだんとう⓪【〈擲弾筒〉】おもに、手榴(テリュウ)弾・榴弾を発射する小型で筒状の歩兵用携帯火器。

てきち①【適地】何かをするのに適した土地。

てきち①【敵地】敵国の土地。敵の占領地。「ーに乗りこむ」

てきちゅう⓪【的中・適中】ーする(自サ)㊀〔「的」も「中」も、あたる意〕㊀まとの真ん中を射抜くこと。㊁予想・推測などが、実際に起こった結果とうまく合うこと。「言ったことがーした/ー率③」

てきちゅう⓪【敵中】敵の中。「ー横断」

てきてき⓪【滴々】ーたる/ーと 何かがしたたり落ちる様子だ。

てきど①【適度】ーな/ーに 多からず少なからずの、頃合(コロアイ)の程度である△こと(様子)。「ーの運動を毎日欠かさないこと/ーのユーモアと知的な刺激/ーの伸びが期待できる/ーな雨に恵まれ、今年の茶の生育は順調だ」

****てきとう**⓪-【適当】ーな/ーに ㊀ーする(自サ)〈なにニーする〉そのものの性質・状態が、今求められている条件・目的に合致すると思われる△様子(こと)。「一カ月間の業務停止処分がー、とする答中をまとめた/ーな時期に辞任の意向を正式に明らかにするつもりだ/その場にーした〔=ふさわしい〕形容詞や副詞を使って表現を豊かにする」㊁本格的に対処するのでなく、一応つじつまが合うようにして当面の事態を収拾する様子。「君の判断でーにやっておいてくれ/その場その場でーに△話を合わせる(相槌(アイヅチ)を打つ)/ー〔=うまいぐあい〕にあしらわれる」運用㊁で、判断の対象が明示されず、単に「適当な」の形で使われるときは、当座の間に合わせをするだけで信用がおけない、の意になる。例、「あいつは適当な男だから当てにならない/適当なことを言ってはぐらかす」

てきにん⓪【適任】ーな その任務に適している様子だ。「君がーだと思ってこの仕事を頼むのだが/最ー者(シャ)⑤」

できね②【出来値】〔取引で〕取引の約束が出来た値段。

てきはい⓪【敵背】敵の背後。「ーをつく」

できばえ⓪【出来映(え)・出来栄(え)】出来あがった結果(が、引きたって見えること)。「△すぐれた(見事な)ー」表記本表=「出来栄え」

てきぱき①(副)ーと/ーする 問題の一つひとつに機敏に対応して、効率よく物事を処理していく様子だ。「仕事をーと片づけていく/こみいった状況の中でーと判断を下す」

てきはつ⓪【摘発】ーする(他サ) こっそりやっている悪事を見つけ出して、世人(セジン)の前に公表すること。「脱税をーする」

て

てきひ①【適否】適するか適しないか。「案の—を論じる」

てきびし・い④【手厳しい】(形)〔批評やしつけの仕方が〕厳しくて、容赦するところが全く無い。「事故の責任を手厳しく追及する」派—さ④③

できぶつ⓪【出来物】才能があるばかりでなく、人格もすぐれている人。

てきひょう⓪【適評】適切な批評。

てきほう⓪【適法】—な 法にかなっている△こと(様子)。「—性⓪」⇔違法

できぼし②【出来星】成上がり(者)。〔多分に批判を含めた表現〕「—の金持ちはすぐわかる」

できぼつ⓪【溺没】—する(自サ) おぼれて△沈む(死ぬ)こと。

てきほんしゅぎ⑤【敵本主義】〔←敵は本能寺にあり〕目的は他にあるように見せかけて、急に真の目的に向かうやり方。略して「敵本⓪」。

てきめん⓪【覿面】—に/—な ある事の△効果(報い)などがすぐ現われる様子だ。「薬が—にきいた/天罰—」

できもうさず③【出来不申】〔取引所で〕取引が無かったこと。

できもの③【出来物】皮膚が炎症のためにうみをもってふくれあがったもの。はれもの。おでき。

てきや⓪【的屋】⇒やし(香具師)

てきやく⓪【適役】その人に適した役。また、その役に適している△こと(人)。

てきやく⓪【適訳】原文にうまくあてはまる△翻訳(訳語)。

てきやく⓪【適薬】その病気に適した薬。あいぐすり③。

てきよう⓪【摘要】重要な箇所の抜書き。

*__てきよう__⓪【適用】—する(他サ)〈なにニ〉なにヲ—する〔その法律・規則などに〕あてはまるという扱いをすること。「—を受ける/△厳罰(法)を—する/規定が—される」

できょうじゅ②【出教授】でげいこ。

できりゅう②【出寄留】〔旧制で〕本籍地を出て他の地に寄留すること。〔一九五二年に廃止〕

てきりょう⓪【適量】適度の量。「—の酒は健康にいいとも言われるが」

**__で・きる__②【出来る】(自上一) ㊀〈なに・どこニ—〉物事が生じる。「△免疫(共通の土俵・法律・用事・溝・でこぼこ)が—/一朝一夕に—ものではない/初めて子供が出来た(=生まれた)/今年出来た(=とれた)リンゴ/今度お金が出来たら〔=入ったら〕/耳にたこが—〔=⇒耳〕ほど聞いている」㊁〈なにニ—〉成立する。「△合意(密約)が—/用意が—(=整う)/木で出来て(=作られて)いる/サラリーマンになるように出来た(=教育された)人間」㊂その方面の特技を持っていたり それをこなすだけの能力を備えていたりする。「△運転(野球)が—/外国語の—(=話せる)人/この問題は私には出来ない/仕事のよく—人だ」㊃〔「…にできている」の形で〕元来そのような性質・状態が備わっていて、今さら変えることが出来なくなっている意を表わす。「生まれつき△がんじょうに(あつかましく)できている男だ」㊄何かをする△見込み(チャンス・余裕・権利)がある。「その日のうちに着くことが—かどうか/どれくらい休憩(が)—か/私にも申し込むことが—かしら/妥協が—」㊅その人のしようとした事が支障無く成立する。「高く評価—/—限り詳しく話してごらん/—(=なし得る)事は何でもいたします/出来ない〔=実現不可能な〕相談ではない」㊆〔「できている」「できた」などの形で〕二人が恋人どうしの関係になる。出来合う。「あの二人は出来ている/出来た仲」文法 ㊂㊄㊅は、「動詞及び助動詞『せる/させる』の連体形+ことができる」の形で、可能表現として用いられる。「英語を話すことができる」「健康診断を受けることができる」は、それぞれ、「英語が話せる」「健康診断が受けられる」と、意味の面では実質的な差異はない。

運用 人の能力や資質について言うときは、その人が優秀であることを表わし、優秀さに対する敬意や驚嘆を含意することがある。例、「あいつは出来る。何をやらせても完璧だ」

【出来た人】苦労を積んでおり、細かな事によく気の付く人。人格の円満な人。【…出来る】…することが△許される(可能な事情にある)。「航行—/△避けて通ることが(手放しの楽観は・身動き・事実は否定)出来ない」 **—だけ**⓪【—〈丈〉】(副) 可能な限り。「—丁寧に運んでください/—早い方がいい」

てぎれ⓪③【手切れ】㊀任侠の世界の親分とその子分、男とその情婦などのような種類の束縛関係で結ばれていた者が、相手と一切の関係を断ち切ること。「—話④」㊁手切れのしるしとして相手に与えるお金。手切れ金⓪。

でぎれ⓪【出切れ】裁ち余りのきれ。

てきれい⓪【適例】よくあてはまる例。

てきれい⓪【適齢】△規定(条件)にあてはまる年齢。〔狭義では、結婚について言う〕「—期③」

てぎれい②【手〈綺麗・手奇麗〉】—な 手ぎわがよく、仕上がりが綺麗な様子だ。

できレース③【出来レース】最初から誰が勝者になるかの結論が決まっている競争。「あの大学の公募は—だ」

てきろく⓪【摘録】—する(他サ) 講演・議事録・判例などの中から必要な部分を抄録すること。また、そのもの。

てぎわ⓪【手際】㊀物事を処理する方法。「—よく事件を解決する」㊁何かをする腕前や能力の程度。「すばらしい—〔=出来ばえ〕だ」

てきん⓪【手金】手つけ金。「—を打つ」

でく①【〈木偶〉】〔「手くぐつ」の変化「でぐつ」の略〕(木彫りの)人形。〔侮蔑を含意して、ただ立っているだけの能無しの意にも用いられる。例、「この—め」〕

てぐし⓪①【手〈櫛〉】〔くしで髪をとかすかわりに〕手で髪を整えること。「—で間に合わせる」

テクシー①〔タクシーのもじり〕乗り物を使わずにてくてく歩くこと。

てぐす⓪①【〈天蚕糸〉】「テグスサン③(=ヤママユガ科)」という昆虫の幼虫の体内からとった「絹糸腺⓪」を酸で処理したもの。釣り糸用。

テクスチュア①〔texture=織物の生地〕金属・石は堅く冷たい、布は柔らかく温かい感じがするなど、それぞれの素材から受ける材質感。テクスチャー①とも。〔織物では、風合を指す〕

テクスト①〔text〕⇒テキスト **—クリティーク**⑦〔ド Textkritik〕本文批判。テキストクリティークとも。

てぐすねひ・く②-⓪【手《薬〈煉引く】(自五)〔「くすね」は、松やにに油を交ぜ煮て練ったもので、「弓弦⓪」などの補強剤として用いられる〕十分用意して、△敵(その機会)の来るのを待つ。「てぐすねひいて待つ」

てくせ③【手癖】〔同じような状況になると、手を動かしてある動作をしようとする習慣の意。「—が悪い」の形で〕ほしい物を見るとつい手を出して自分のものにしようとする様子だの意を表わす。

でくせ⓪【出癖】何かと言うと外出△する(したがる)習慣。「でぐせ」とも。「—がつく」

てくだ①【手管】口先だけでうまいことを言い、人を自由にあやつること。「手練—」

てぐち①【手口】㊀〔人によって決まっている〕犯罪・悪事などのやり方。「△不正(盗み)の—が巧妙かつ悪質化した」㊁〔取引で〕売買の相手の種類。「てくち」とも。

でぐち①【出口】内から外へ出る所。〔広義では、水道・ガ

スの管から外部に出る口をも指す〕—を見失う/—〔=解決策〕を見いだすことの出来ない悩み」↕入口

てくてく①(副)—と 〔乗り物を使わず〕目的地までひたすら歩き続ける様子。「駅から店まで三キロも—と歩いてきた」

テクニカラー④〔Technicolor=商標名〕カラー映画の方式の一つ。

テクニカル②①③—な〔technical〕❶技術的。❷学術上の。 **—ターム**⑥〔technical term〕術語。専門(用)語。 **—ノックアウト**⑨〔technical knockout〕〔ボクシングで〕技術が違い過ぎたり負傷がひどかったりした場合、レフェリーが試合途中で一方の勝ちを宣告すること。技倒(ギトウ)⓪。略称、ティーケーオー(TKO)。

テクニシャン③〔technician〕技巧にひいでた人。「なかなかの—だ」

テクニック①〔technique〕❶〔芸術の〕手法。技巧。❷技術。「すぐれた—」

テクノ①〔techno〕❶(造語)「科学技術の」、また、「工業技術の」の意をあらわす。「—ポリス・—エコノミスト」❷テクノ ポップの略。

テクノクラート⑤〔technocrat〕科学者・技術畑出身の管理者や行政官。技術官僚④。

でくのぼう③—(バウ)【{木偶}の坊】〔もと、「でく」の愛称〕人の言う通りに動くだけで、自主的には何事をも為(ナ)し得ぬ人。〔侮蔑(ブベツ)を含意する〕

テクノ ポップ④〔techno-pop〕一九七〇年代後半に出現したポピュラー音楽のジャンルの一つ。シンセサイザーなどの電子楽器を多用し、メロディやリズムをシンプルに反復することが特徴。

テクノポリス④〔technopolis〕高度技術集積都市。先端技術の研究開発やそれに基づく産業振興などをめざす新産業都市づくり(の構想を具体化した都市)。

テクノロジー③〔technology〕科学技術。 **—アセスメント**⑧〔technology assessment〕健全な技術開発を進めるため、社会的影響などを事前に調査し評価すること。

てくばり②【手配(り)】—する(自サ) 仕事の手順や分担を決めて(準備の)態勢を整えること。てはい。

てくび①【手首・手〈頸】てのひらや手の甲が腕とつながる、屈曲自在の部分。腕首。⇩足首

てくらがり③⓪【手暗がり】〔明りの下で仕事をする時に〕手などがじゃまになって、影が出来ること。

てぐり③⓪【手繰(り)】❶手で繰ること。「—網(ミア)③」❷手で繭から生糸をとること。❸ある人の手から他の人の手に順々に渡すこと。「バケツを—にして消火する」❹仕事のやりくり。「—〔=都合〕がつかない」

てく・る②(自五)「てくてく歩く」意の口頭語的表現。

てぐるま②【手車】〔手で車を作る意〕❶二人が両手を差し違えに組んでその上にほかの者を乗せる遊び。❷一人でちょっとした物などを運ぶための、手押しの車。〔一輪車と二輪車とがある〕❸昔、貴人に限って乗ることを許された、手引きの二輪車。 かぞえ方 ❷は一台

デクレッシェンド③〔イ decrescendo〕〔楽譜で〕次第に弱く(演奏せよ)の意。デクレッセンド③とも。↕クレッシェンド

でくわ・す⓪③—(クハス)【出《会す・出《交す】(自五) 予期しない物事に出あう。〔口頭語的強調表現は「でっくわす⓪④」〕「困難に—」 表記「出〈喰す」とも書く。

でげいこ②【出稽古】—する(自サ) ❶師匠が弟子の家などに出向いて芸事などを教えること。出教授。↕内稽古 ❷〔すもうで〕よその部屋へ出かけて、稽古をつけてもらうこと。

てこ①【〈梃・〈梃子】❶〔物理で〕支点の周囲で自由に回転出来る棒。レバー。❷重い物の下に突っこんで、こじるようにして持ち上げたりするのに用いる棒。「—でも動かぬ〔=どういう方法でも動かせない〕/集団の圧力を—〔=よりどころ〕にして協力を強制する」 かぞえ方 ❷は一本

てこいれ⓪【〈梃入(れ)】—する(他サ) ❶相場の変動、特に下落を、人為的な手段で防ぎ止めること。「円高の解消に日銀が—する」❷状況の思わしくない展開に歯止めをかけるために、思い切った手段を講じること。「景気の—を図る」

てごころ②【手心】相手をどううまく扱ったらよいかということ。「—を加える〔=相手いかんにより、寛大な処置をとる〕」

でこさく②【出小作】他の村に出て行って小作する△人(こと)。↕入り小作

でこすけ②【《凸助】「でこ坊」の、軽い侮蔑(ブベツ)を含意した言い方。「この—め」

てこず・る③(自五) めんどうな事態にぶつかって、解決に手間取る。 表記 もとの用字は、「手子〈摺る・手古〈摺る・〈梃子〈摺る」。

てごたえ②—(ゴタヘ)【手答(え)・手応(え)】❶打ったり突いたりした時、確かに相手に当たったという感じ。❷働きかけた事に対する、相手の反応。「—十分と見た/熱心に働きかけても—が無い」

でこでこ［一］⓪—な—に ❶(あちこち)大きく盛り上がっているのが目立つ様子だ。「—の丸髷(マルマゲ)島田」❷必要以上に飾り立ててある様子だ。「—に化粧する」［二］①(副)—と—する「でこでこ［一］」に同じ。「—(と)飾り立てる」

てごと①【手事】❶琴でする長い間奏の部分。❷あいの手。

でこぼう③—(バウ)【《凸坊】〔「でくの坊」の変化「でこの坊」の略〕❶頭やおでこの大きな子供。❷育ちざかりで手のつけられない腕白小僧。「うちの—はどこへ行ったかな」

でこぼこ⓪【《凸《凹】—な—する(自サ)〔古くは「でくぼく」〕❶表面に高低があって、平らでない△こと(様子)。「—な道/—な頭」❷全体にわたって△平等である(均整がとれている)ことが望まれる物事について、個々のものの間のばらつきの大きさが目立つ△こと(様子)。「昇給の—をならす」〔「—する」などのアクセントは①〕 表記 ⇩付表「凸凹」

てごま⓪【手駒】❶〔将棋で〕手持ちの駒。いつでも打って使える。❷思い通りに使える部下。

てこまい⓪—(マヒ)【手古舞】(江戸時代から)祭礼の山車(ダシ)やみこしの露払いとして、男装した芸者が片肌脱ぎなどして練り歩くこと。

てごめ③⓪【手込(め)・手《籠(め)】暴力で人に迫害を加えること。〔狭義では、強姦(ゴウカン)を指す〕「—にする」

でこもの⓪【出庫物】蔵払いの品物。「—市(チイ)④」

デコラ①〔Decola=日本で開発した化粧板の商標名〕特殊な紙に合成樹脂をしみこませ、それにメラミン樹脂を張り合わせて板状にしたもの。光沢があり、家具の表面などに張る。「—張(バ)り⓪」

デコレーション③—する(他サ)〔decoration=飾り〕飾りつけ(をすること)。「—ケーキ⑦」

てごろ⓪【手頃】—な—に ❶手に持つのに△大きさ(太さ)がちょうどよい様子だ。「—な石を拾う」❷その人の力量や望んでいる条件の程度に適する様子だ。「—な(お)値段の品/親子三人が住むのに—な家」 派 —さ③⓪

てごわ・い③—(ゴハイ)【手《強い】(形) たいしたことはないと甘くみくびって接すると、手痛い目にあうおそれがある様子だ。「—反撃を受けて一瞬たじろぐ/—△交渉相手(ライバル)」 派 —さ③② —げ⓪④③

テコンドー②〔朝鮮 taegwondo（跆拳道）〕韓国の古武術を基盤とする 空手に似た格技。防具を着用し、足技を中心に闘う。

デザート②〔dessert〕正式の洋食のコースのあとで食べる食後の菓子・果物・アイスクリームなど。「ーコース⑤〔=デザートが出る順番〕・ーワイン⑤」

てざいく②【手細工】自分の手でする細工。

デザイナー②⓪〔designer〕衣服のデザインや建築の設計などを職業とする人。

デザイン②ーする（他サ）〔design=下絵〕❶設計（図）。❷図案。意匠。

でさか・る③⓪【出盛る】（自五）❶商品、特に季節の農産物などが市場にたくさん出回る。❷買物・見物などのために、人がおおぜい往来する。名出盛り⓪

てさき③【手先】❶指を主とした、手の先の部分。「ーが器用だ」❷力のある人の言いなりに働く者。

でさき⓪③【出先】外出（出張）して行っている先。**ーきかん**④【ー機関】中央や本国の官庁・会社などが、地方や外国に設けた支部の機関。

てさぎょう②【手作業】機械を使わず、人の手によってなされる作業。「箱詰めから梱包まですべてーでやった」

てさぐり②【手探り】ーする（他サ）❶〔見えないところで〕手先の感じにたよって探ること。❷〔はっきりした見当は無く〕勘などにたよって、あれこれ捜し求めること。

てさげ③⓪【手提げ】手にさげて持つ袋・かばんなど。

てさばき②【手捌き】手で物を扱うときのやり方やその能力。〔特に、熟練による早くてきれいに見える扱い方を指す〕「巧みな（鮮やかな）ー」

てざわり②【手触り】手でさわった時の感じ。「それぞれがーが違う／ーの粗い生地」

デシ（接頭）〔フ déci-=「十分の一」を意味するラテン語 decimus に由来〕国際単位系における単位名の接頭辞で、基本単位の十分の一であることを表わす〔記号 d-〕。「ーリットル〔⇒リットル〕・ーベル〔⇒デシベル〕」

でし②【弟子】師匠・先生について、その専門の手ほどきを受け、修業に努める人。門弟。**ーいり**⓪【ー入り】ーする（自サ）弟子になること。入門すること。

てしお⓪③【手塩】❶野菜を漬物にするために手でふりかける塩。❷にぎりめしを作る時に手につける塩。❸〔↑手塩皿③〕香の物などを盛るための、小皿。おてしょ。【ーに掛ける】自分で直接世話をする。「手塩に掛けて育てた娘」

でしお⓪【出潮】月の出るころ満ちて来る潮。↕入り潮❶

デジ カメ⓪ デジタル カメラの圧縮表現。

デジケート③①ーする（他サ）〔dedicate〕献呈。デディケート③①とも。

てしごと②【手仕事】手先でする細かな仕事。特に、時計の修理組立てや裁縫・手芸や印を彫るなど、手先の器用さが要求される仕事。〔広義では、手内職をも指す〕

てした③【手下】人の手先となって行動する人。配下。てさき。

デジタル①〔digital（=「指の」「数字の」）の日本語形〕数や量を有限桁数の数値で 表現する方式（の）。ディジタルとも。↕アナログ　**ーか**⓪【ー化】ーする（自他サ）アナログ量をデジタル量で（近似的に）表現すること。デジタイズ③①。**ーカメラ**⑤〔digital camera〕レンズを通った光をデジタル信号に変換して、メモリーカードなどに記録するカメラ。フィルムを使わないで何回も使える。圧縮表現は、デジカメ。〔おもにデジタル スチールカメラを指す〕**ーけいさんき**⑦【ー計算機】数を有限桁数の数値で表現して計算する機械。「デジタル式計算機⑨」とも。**ーデータ**⑤〔digital data〕デジタル方式で表現されたデータ。**ーデバイド**⑥〔digital divide〕インターネット資源の多寡やリテラシーの有無によって、情報を得る者と得ない者の間の格差が広がりを見せ、それが富裕層と貧困層との経済的な格差をさらに広げるものとなること。情報格差。**ーどけい**⑤【ー《時計》】針を持たず、時刻を数字で直接表示する方式の時計。「デジタル式時計⑦」とも。表記⇩付表「時計」**ーほうそう**⑤【ー放送】〔従来の、アナログ信号による放送と違って〕デジタル信号を用いて電波の送受信を行なう方式の放送。**ーりょう**④【ー量】デジタル方式で正確に表現できる量。↕アナログ量

てじな①【手品】❶人の注意を他にそらしている間に、普通では考えられない芸をやって見せる目くらましの手法。マジック。「ーを使う〔=ほかの人が思いつかない方法で何かをうまくやってのけたりする〕／ー師③・ー使い④」❷〔人の目をごまかして〕自分の目的を達するための、正当でない方法。

デシベル①⓪〔decibel=十分の一ベル〕音の強さ・電力などを比較する際に、「ベル❷」で表わした値を十倍した数値に添える語〔記号dB〕。〔電力は電圧の二乗に比例するため、電圧で比較する時はベルで表わした値を二十倍する。音の示す圧力変化のレベルについても同様〕「基準値はゼローノイズ レベルが三ー低減する〔=十のマイナス二十分の三乗倍〔=約七割〕になる〕」⇩ホン

てじまい②【手仕舞】ーする（自他サ）〔取引で〕転売（買いもどし）の必要な向きの処置を済ませ、取引関係を完了すること。動手仕舞う③（他五）

てじめ⓪③【手締め】物事の決着や成功を祝って、関係者一同が掛け声に合わせてする拍手。シャンシャンシャン、シャンシャンシャン、シャンシャンシャン、シャンと聞こえるように調子を取る。

てじゃく⓪【手酌】自分が飲む酒を自分でつぐこと。

でしゃば・る③【出しゃばる】（自五）❶よけい（無関係）な事に、口を出したり手を出したりする。❷他人をおしのけて、自分が主になって物事をしようとする。さし出る。名でしゃばり③

デジャ ビュ②③〔フ déjà vu〕⇩既視感

***てじゅん**⓪①【手順】何を先に何を後にすべきかの順序。段取り。「ーを踏む（決める）／ーが狂う」

てしょう②①【手性】手先でする仕事の上手へた。手先の器用さ。「ーがいい」

てじょう⓪【手錠】❶合わせた両手にはめて、手が使えないようにする刑具。「現行犯としてーをかけられる」❷ある期間手錠をはめて謹慎させた、江戸時代の刑罰。表記「手《鎖》」とも書く。

てしょく③⓪【手燭】持ち歩けるように柄をつけた小形の燭台。「ーをかざす」

でしょうー ⇩です❷

てしょく⓪①【手職】手先を器用に動かしてする仕事（の技術）。「てじょく」とも。「ーがある」

でしょく⓪【出職】作業現場に出かけて行ってする職人仕事。左官・屋根職など。↕居職

でじろ⓪【出城】敵（の動き）を監視するために、国境などに設けた小規模の城。↕根城

デシン①〔↑クレープデシン〕細糸で織った、薄くて柔らかな絹織物。上等の婦人服地用。フランスちりめん⑤。

です（助動・特殊型）❶〔体言、形容動詞語幹に接続して〕断定の意を表わす「だ」の丁寧な表現。「私は田中ー／こ

れはだれの―か/いい話でした/会は一時から―/この通りは夜もにぎやか―」 ㊁〔「でしょう」〔=未然形＋推量の助動詞「う」〕の形で、活用語（形容動詞や形容動詞型活用の助動詞を除く）の終止形に接続して〕推量の意を表わす「だろう」の丁寧な表現。「すぐ来るでしょう/いいでしょう/痛かったでしょう」 ㊂〔終止形は形容詞・助動詞（ない・たい・らしい）の終止形に接続して〕表現に丁寧さを添える。「うれしい―/やりたい―」 ㊃〔文節の切れ目につけて〕もったいをつけるような感じを表わす。「しかし―な/とにかく―ね/君が―よ」 文法 ⑴接続は「だ」に準ずる。⑵㊀㊁は、助動詞「た」を伴うとき、名詞・形容動詞では「昨日もいい天気でした」「波も穏やかでした」と、「…でした」になるが、形容詞では「楽しかったです」と、「…たです」となる。形容動詞も「上手だったです」と「…たです」の形が用いられることもある。 運用 口頭語では「でしょう」の形で、相手に自分の予測が正しかったことを確認させる「だろう」よりも丁寧な言い方として、感動詞的に用いられることがある。例、「『君の言ったとおりあの男は当てにならないな』『でしょう』」 ⇩だろう 運用

でずいらず ③【出ず入らず】 出入り・増減・過不足が無いこと。

でずいり ⓪【《手数入り》】 横綱の土俵入り。

*__てすう__ ②【手数】 仕事をするのに要する労力・時間。「―のかかる仕事」 運用 ⑴「お手数を△かけます（かけてすみません）」などの形で、相手が自分のために労力や時間を費やしてくれたことに対する感謝の気持を表わす挨拶アイの言葉として用いられる。⑵「お手数ですが」の形で、相手をわずらわせるようなことを申し出る時の前置きとして用いられることがある。例、「お手数ですが△切符を拝見させていただきます（メモのご用意をお願いします）」 **―りょう** ②レウ【―料】 手続き・仲介などの行為をした代償として受け取るお金。「―を請求する/―がいる」

てずから ①ヅカラ【手ずから】（副）〔立場の上の人が〕他人に仕事や作業をゆだねるのではなく、その人自身の手でする様子。「先代が―育てたバラの花です」

デスカレーション ④〔de-escalation〕 段階的に縮小すること。↔エスカレーション

てすき ⓪【手隙・手透き】〔「手透き」の意〕その時すべき仕事が無くて、手があいていること。「お急ぎなく、お―の折にでもお持ちください」

てすき ⓪【手〈漉き〉】 機械でなく、手で△紙を漉くこと〈漉いた紙〉。

でずき ⓪【出好き】―な 〔遊びや社交のため〕外出するのが好きな△こと（人・様子）。「若い時から―なのであの年まで丈夫なのでしょう/うちの奴ヤツは―で困る」

です・ぎる ③⓪【出過ぎる】（自上一） ㊀よけいに出る。「水が―」 ㊁分を超えた言動をする。「出過ぎた行動」 名 出過ぎ⓪

デスク ①〔desk〕 ㊀△事務（書見）用の机。〔洋風で、多くは引出しを持つ〕「―ワーク④・―プラン④〔=机上の計画〕・ライティング―⑥」 ㊁〔新聞社などの編集局で〕取材や編集の主任。 かぞえ方 ㊀は一台・一脚

デスクトップ〔desktop=卓上〕 ㊀④〔コンピューターで〕画面を卓上に見立て、そこに書類を挟んだアイコンや書類を広げたウインドーを表示するなどして作業する時の画面。 ㊁（造語） 机の上で使ったり作業したりすることが可能な。「―コンピューター・―パブリッシング〔=机上のコンピューターとプリンターで版下まで作る印刷方式。ＤＴＰ〕」

てすさび ②③【手〈遊び〉】 ひまをもてあました人が時間をつぶすために、（趣味として）何かをすること。「―に絵をかく」

てすじ ①スヂ【手筋】 ㊀てのひらにあるすじ。 ㊁手先を使ってする芸能の、上手へたの△天分（素質）。 ㊂〔取引で〕△売り手（買い手）の種類。 ㊃〔碁や将棋で〕相手の急所を衝ツき、その部分的な局面においては最善とされる（一連の）「手㊁㊃Ⓐ」。「―を読む」

テスター ①〔tester〕 ㊀検査をする係の人。 ㊁ラジオ・電気器具や、その部品を試験する小型計器。 かぞえ方 ㊁は一台

でずっぱり ⓪ヅッパリ【出突っ張り】 ㊀同じ俳優がその劇場でのすべての△だしもの（場面）に出演していること。 ㊁休まずにずっと出ていること。「このところ―で働いている」「出づっぱり」とも。

**__テスト__ ①―する（他サ）〔test〕〈だれ二なにヲ―する〉 試験。「漢字の―をする/―ブック④・―走行・―ドライバー⑤・学力―・知能―・予備―・アチーブメント―」

テストケース ④〔test case〕 ㊀その決定が他の類似の事件にも影響を与える例。 ㊁試験台。

テストパイロット ④〔test pilot〕 新造の飛行機の試験操縦士。

テストパターン ⑤④〔test pattern〕 テレビで、像が正しく映るかどうかを試験するために映す、一種の図形。テストパタン⑤④とも。

デスペレート ④①―な〔desperate〕 △自暴自棄（必死）になる様子だ。デスパレート④①とも。

てずま ①ヅマ【手《妻》】 ⇩てづま

デスマスク ③〔death mask〕 死んだばかりの人の顔の形を石膏セッコウにとったもの。

デスマッチ ③〔和製英語 ←death＋match〕〔プロレスで〕一方が完全に倒れるまで戦う試合。〔広義では、勝負が決着するまで続ける激しい競争を指す〕

てすり ⓪③【手〈摺〉】 転落を防ぐために、橋・階段・廊下・窓などの一定の高さの所に、つかまれるように設けた長い横棒。「―につかまるようにして歩く」 表記 「《欄》」とも書く。

てずり ⓪【手刷り】―する（他サ） ㊀はけとばれんを使って木版を、一枚一枚刷る刷り方。また、その刷り物。 ㊁印刷機械を手で動かして刷ること。また、その印刷物。

てずれ ⓪③【手擦れ】 何べんも指などで触れたために、すれていたむこと。また、いたんだ所。

てせい ⓪【手製】 ㊀〔機械でなく〕人間の手で作ったもの。 ㊁〔よそで作らせたものでなく〕自分で作ったもの。手作り。「お―のケーキ」

てぜい ⓪【手勢】 その人が直接指揮する軍勢。

デセール ②〔フ dessert=デザート〕 ビスケット風の高級洋菓子。

てぜま ⓪【手狭】―に―な 何かをするのに、その場所が狭いと感じられる様子だ。「―な住まい」 派 ―さ③⓪

てそう ②サウ【手相】 手筋の刻まれ方によってその人の運勢が分かるという、てのひらの様子。「―見②④・―占い④」

でぞめ ⓪【出初め】〔初めて出る意〕新年に消防士が集まって消火演習を行ない、はしご乗りの型などを演じる儀式。「―式③」

でそろ・う ③⓪ソロフ【出〈揃う〉】（自五） ㊀出るはずの物が全部出る。 ㊁出席予定者が全部集まる。

てだい ⓪【手代】〔頭カシラに立つ人の代理の意〕店の△主人（支配人）からある範囲の仕事（の決定権）を任されている使用人。

てだし ①【手出し】―する（自サ） ㊀自分の方から先に、けんかなどをしかけること。「―をしたのは弟の方だ」 ㊁他人の争いなどに、そばからよけいな世話を焼くこと。「―無用だ」 ㊂〔しなくてもいい〕事業などに直接関係すること。

でだし ⓪【出出し】 物事の始まり。〔狭義では、文学作品

の冒頭の文句を指す〕

てだすけ②【手助け】―する(他サ) ほかの人の仕事などを手伝うこと。「父の―をする」

てだて①【手立て】 何かを成功させるための具体的な方法。「―を△講じる(示す・とる・尽くす)」 表記 「手《段》」とも書く。

でたとこしょうぶ(オ)⑤【出たとこ勝負】〔ばくちで、出たさいの目で勝負を決めるように〕計画的でなく、その場その場の成行き次第で事を決めること。

てだま⓪【手玉】❶手につけて飾る玉。❷おてだま。【―に取る】相手を思いのままにあやつる。

*__でたらめ__⓪【出《鱈目》】［一］事実に合わないことや首尾一貫しないことを出まかせに言ったりしたりすること。「―を言う」［二］―な・―に いいかげんで、信用の出来ない様子だ。「―な男/計算が―だ」 派 ―さ⓪

てだれ③⓪【手足れ・手《練》】〔雅〕武士の表芸についての腕前がすぐれている△こと(人)。

デタント②⓪〔フ détente〕〔外交用語で〕(対立する者の間の)緊張緩和。

てぢか⓪【手近】―な・―に ❶Ⓐ手を伸ばせばすぐ届く距離にある△こと(様子)。「―にある材料で間に合わせる」Ⓑ遠くまで行かなくても用が足りる△こと(様子)。「郵便局はすぐ―にある/―な都合のよい所で会おう」❷毎日の生活上だれでも見たり聞いたりして、そう言えばすぐ思い当たる様子だ。「―な例/―な問題」

てぢか・い③【手近い】(形) 手近にある様子だ。

てちがい②(チガヒ)【手違(い)】 手順をとりちがえて、予定・計画が狂うこと。

てちょう(オ)⓪(チヤウ)【手帳】・(テフ)【手《帖》】 心覚えを書きつけるための小さな帳面。〔生活上必要な知識や条項を載せた便利な冊子の意にも用いられる〕「革の―/生徒―・母子―・警察―」 かぞえ方 一冊

てつ(迭・哲・鉄・徹・撤)→【字音語の造語成分】

*__てつ__⓪【鉄】❶金属元素の一つ〔記号Fe原子番号26〕。磁鉄鉱・赤鉄鉱など、化合物として広く存在する。純粋のものは展性・延性に富み、銀色のつやがあるが、空気中では酸化しやすく、さびを生じやすい。炭素などを含むことによって硬度を増し、建設材など、金属中最も用途が広い。炭素その他の不純物の含有量により、純鉄・銑鉄(センテツ)・錬鉄・鋼に大別される。❷堅くて強いこと。「―の意志/―壁(テッペキ)」⇩【造語成分】

てつ①【《轍》】 車の通ったあとに残る車輪の跡。「(前車の)―を踏む〔=前の人と同じ失敗を繰り返す。前轍を踏む〕/―転―機」

てつあん⓪【鉄案】 動かすことの出来ない断案。

てついで②【手《序》(で)】 ほかの事をするついで。

てついろ⓪【鉄色】 鉄の表面のような感じの、赤みを帯びた黒色。〔赤インクがそうであるように緑色に光って見えることもある〕

てつおなんど④【鉄《御納戸》】 やや黒ずんだ紺色。

てっか(クワ)【鉄火】［一］❶①まっかに焼いた鉄。❷①刀剣と鉄砲。「―をくぐる」❸⓪ばくち(打ち)。「―場」❹⓪〔料理で〕なまのマグロを使ったもの。「―どんぶり④」［二］⓪―な・―に 気性が激しい様子だ。「―の姐御(アネゴ)/―肌③」 **―ば**⓪【―場】 ばくちをする所。賭場(トバ)。 **―まき**⓪【―巻(き)】 芯(シン)にマグロを入れた、のり巻のすし。 **―みそ**④【―味《噌》】 ハス・ゴボウ・いり豆などを交ぜ、ごま油でいためた味噌。

てっか⓪①(テキクワ)【摘花】―する(自サ) 「てきか」の口頭語的表現。

てっか⓪①(テキクワ)【摘果】―する(自サ) 「てきか」の口頭語的表現。

*__てっかい__⓪(クワイ)【撤回】―する(他サ)〈なにヲ―する〉 提出・公示したものを取り下げること。引っこめること。「△前言(公約)を―する」

でっか・い③(形) 「でかい」の強調表現。

てっかく⓪(テキ)【的確】【適格】 ⇩てきかく

てつがく②【哲学】❶宇宙や人生の根本問題を理性的な思弁により突き止めようとする学問。「―者③④・実証―⑥⑤・スコラ―」⇩哲理 ❷自分自身の経験から築き上げた△人生観(世界観)。「彼は一種独特の―を持っている/これが私の―〔=処世態度。信条〕だ/人生―⑥⑤」 **―てき**⓪【―的】―な・―に 哲学△に関する(の立場に立つ)様子だ。

てつかず③②【手付かず】 まだ△手をつけていない(使っていない)こと。「―で残される/―の△状態(まま)の自然」

てつかぶと③【鉄《兜》】〔戦場で〕敵の攻撃から頭を保護するためにかぶる、鉄製の帽子。戦闘用ヘルメット。

てづかみ②【手《摑》(み)】―する(他サ) 手でつかむこと。「―で食う」

てっかん⓪(クワン)【鉄管】 鉄製の管。

てっき⓪①【鉄器】 鉄製の器具。 **―じだい**④【―時代】〔考古学で〕石器時代・青銅器時代の次で、鉄器を主要な利器とした時代。紀元前十〜五世紀ごろ以後。

てっき①【鉄騎】❶鉄のよろい・かぶとで身を固めた騎兵。❷勇敢な騎兵。「―百万」

てっき①⓪(テキ)【摘記】―する(他サ) 記事・記録の中から自分の必要な部分だけを抜書きすること。また、そうしたもの。「てきき」とも。

てっき①(テキ)【適帰】―する(自サ)〔「適」は行く、「帰」はとどまる意〕どこかに行き、そこで落ち着くこと。「てきき」とも。「―する所〔=落ち着き場所。とどまる所〕を知らない」

てっき①(テキ)【適期】 ある事をするのに適当な時期。「てきき」とも。

てっき①(テキ)【敵機】 敵の飛行機。「てきき」とも。

てつき①【手付(き)】 何かをする時の手の動かし方。「△慣れた(危なっかしい・妙な)―」

デッキ［一］〔deck〕❶①客車のドアの外側の床の部分。❷①⓪△テープ(ビデオ)デッキの略。［二］①〔オ dek〕〔船の〕甲板(カンパン)。「―チェア④〔=木枠布張りなどの、折りたたみいす〕・―ブラシ④〔=甲板・床・タイルなどを洗う、長い柄(エ)の付いたブラシ〕」

てっきゃく⓪【鉄脚】❶(塔や橋などを支える)鉄製の脚。❷いくら△歩い(走っ)ても平気な、丈夫な足。

てっきょ①【撤去】―する(他サ)〔建物・施設などを〕取り去ること。

*__てっきょう__(オ)⓪(ケウ)【鉄橋】 鉄材で造った橋。〔狭義では、鉄道の通る橋を指す〕

てっきり③(副) 直感的に、そうに違いないと思い込む様子。「―だまされたと思った/―彼が言ったに違いないと思っていた」 文法 経験した事柄について、その時の心情を述べるのに用いられるので、一般に過去・完了を表わす「…た」の形で用いられる。

てっきん⓪【鉄琴】 打楽器の一つ。小形の鉄板を鍵盤(ケンバン)のように並べ、ばちでたたいて演奏する楽器。 かぞえ方 一台

てっきん⓪【鉄筋】❶コンクリートの建物の芯(シン)に入れる、鉄の棒。↕木筋 ❷〔←鉄筋コンクリート⑧〕「鉄筋❶」を中に入れてコンクリートで固めた建築△物(様式)。 かぞえ方 ❶は一本

テック①〔和製英語 ←technical〕❶営業として、オートバ

イなどを練習させる所」。❷(児童用の)乗り物を多く設けた遊園地。

テックス① ❶〔←rough texture〕天井・壁などに張る、板状の建築材料。パルプかすなどから作る。❷〔texture の、日本での省略形〕織物。生地ジキ。

でつく・す③⓪【出尽(く)す】(自五) 残らず出て、あとに何も無い状態になる。「議論が―」 名 出尽くし⓪

てづくり②【手作(り)・手造(り)】❶自分(の手)で△作ること(作ったもの)。手製。❷手織りの布。

てつけ⓪③【手付(け)】❶契約を実行する保証として前もって渡すお金。「―を打つ」❷⇩おてつき❷ **―きん**⓪【―金】手付けとして渡すお金。

てっけつ⓪テキ―【剔抉】―する(他サ) 欠点・悪事などをあばき出すこと。「爬羅ハラ―〔=⇩爬羅剔抉〕」

てっけつ⓪【鉄血】兵器と人の血。軍備のたとえ。「―宰相⑤」

てっけん⓪【鉄拳】力をこめて打つこぶし。「―制裁⑤」

てっこう③コフ―【手(っ)甲】〔「手甲②」の強調形〕手の甲をおおうように作った△布(革)。武具・農事・旅行用。「―脚絆キャハンを身につける」 かぞえ方 一枚

てっこう⓪【鉄工】鉄を使ってする工作。「―所ヨ⑤⓪」

てっこう⓪クヮウ―【鉄鉱】鉄を含む鉱石。

てっこう⓪カウ―【鉄鋼】鋼が中心を占める製鉄および鉄資材。「―業③」

てつごうし③ガウ―【鉄格子】❶(すぐには破られないように)鉄で作った格子。「防犯のために窓に―を入れる」❷刑務所など罪人を収監するところ。「―に入れられる」

てつ

【迭】かわる。かえる。「更迭」

【哲】❶物事の道理に明るい(人)。「哲学・哲人・賢哲・聖哲・先哲」❷(略) 哲学。「印哲・西哲・支那シナ哲」

【鉄】❶刃物。武器。「寸鉄」❷(略) 鉄道。「電鉄・私鉄・地下鉄」⇩(本文)てつ【鉄】

【徹】つらぬきとおす。最後までいく。とおる。「徹底・徹夜・徹頭徹尾・貫徹・透徹」

【撤】とりさる。とりのける。「撤回・撤去・撤収・撤退・撤廃ハイ」

てっこく⓪テキ―【敵国】⇩てきこく

てっこつ⓪【鉄骨】建造物の骨組にする鉄材。「―鉄筋コンクリート〔=SRC〕」⇔木骨モッコツ

てっさ①⓪【鉄鎖】鉄製のくさり。〔きびしい束縛の意にも用いられる〕 かぞえ方 一本

てつざい⓪②【鉄材】建築・土木工事などの材料に使う鉄。

てつざい②⓪【鉄剤】鉄を主成分とした増血剤。

てっさく⓪【鉄索】❶太い針金製の綱。❷ケーブル。

てっさん⓪【鉄傘】〔競技場の〕鉄骨製のまる屋根。「国技館の大―」

てつざん②【鉄山】鉄鉱を掘り出す山。

デッサン①〔フ dessin〕❶絵画・彫刻の下絵。素描。❷線がきによる単色画。

てつじ⓪【綴字】⇩ていじ

てっしゅう⓪シウ―【撤収】―する(自他サ)❶取り去ってしまいこむこと。❷「退却」の意の婉曲エンキョク表現。

てっしょう⓪セウ―【徹宵】―する(自サ)(何かをするために)夜通し起きていること。〔副詞的にも用いられる〕「―快談した」

てつじょう⓪デウ―【鉄条】鉄製の太い針金。〔狭義では、有刺鉄線を指す〕 **―もう**③マウ―【―網】縦横に間隔をおいて打ち並べたくいに有刺鉄線を幾重にも張りめぐらし、電流を通じたりして敵の前進を防ぐ障害物。

てっしん⓪【鉄芯・鉄心】❶鉄の芯シン。❷コイルの中に入れた軟鉄。❸鉄のように堅固な精神。「―石腸⓪-⓪」

てつじん⓪【哲人】❶哲学者。❷学識が高く、すぐれた思想を持っている人。

てつじん⓪【鉄人】鉄のように丈夫で強い人。また、不死身フジミの人。「―レース〔=⇩トライアスロン〕」

てっ・する⓪【徹する】(自サ)〔通る意〕❶その部分にまで届く。「寒さが骨身に―〔=こたえる〕/眼光紙背に―」❷徹底する。「善(意)に―/愛国心に―/役に―」❸〔「夜ヨを―」の形で〕何かをして夜を過ごす。「夜を徹して△突貫工事をする(語る)」 徹す⓪(五)。

てっ・する⓪③【撤する】(他サ)(不用になったものとして)取り払うこと。撤す⓪(五)。「陣を―」

てっせき⓪【鉄石】〔鉄と石の意〕堅くてしっかりしていること。堅固なこと。「―心④③」

てっせん⓪【鉄扇】骨が鉄製の扇子。〔昔、武士が(戦場で)使用した〕

てっせん⓪【鉄銭】鉄製の低額コイン。

てっせん【鉄線】❶⓪鉄の針金。❷①⓪さびた針金に似たつるを持つ落葉植物。初夏、紫・白などの、大形の六弁花を開く。クレマチス。〔キンポウゲ科〕 かぞえ方 ❷は一本 **―か**③クヮ―【―花】❶鉄線❷。❷テッセンの花にかたどった紋所。

てっせん⓪【撤饌】―する(自サ)〔神道の祭式で〕神前から供え物を下げること。⇔献饌

てっそう⓪サウ―【鉄窓】鉄格子をはめた窓。〔牢屋ロウヤ・刑務所の意にも用いられる〕

てっそく⓪【鉄則】動かすことの出来ない、絶対的な規則。

てったい⓪【撤退】―する(自サ) 陣地などを取り払って退去すること。

*__てつだ・う__③ツダフ―【手《伝う》】❶(他五)〈なに・だれヲ―〉他人の助手として、手助けをする。「荷造りを―/家事を―」 名 手伝い③ ⇩おてつだい ❷(自五)〈なにニ―〉ある原因の上に、それも加わって影響を与える。「不況の風も手伝って」 表記 ⇩付表「手伝う」

でっち⓪【《丁稚》】職人・商人の家に年季奉公した少年。商家では手代の下。小僧。

でっちあ・げる⑤【《捏ち上げる》】(他下一)❶事実無根の事を実際の事であるかのように作りあげる。「偽りの報告書をでっちあげた/にせの証拠を―」❷何とかもっともらしく体裁だけは整えたものを作ること。「参考書を拾い読みしてレポートを―」 名 でっちあげ⓪

てっちゅう⓪チウ―【鉄柱】鉄で出来た柱。 かぞえ方 一本

てっちり⓪【鉄ちり】〔「鉄」はフグの異称の「鉄砲」の略〕フグのちり鍋ナベ。

でっちり①【出(っ)《尻》】〔「出尻デジリ①」の強調表現〕尻が大きくて突き出ている(こと(人))。「鳩胸ハトムネ―」

てっつい⓪【鉄《槌》・鉄《鎚》】〔「かなづち」の意の漢語的表現〕「―を下クダす〔=きびしく△処断(批判)する〕」

*__てつづき__②【手続(き)】―する(他サ)〈なにヲ―する〉何かをする段階として必要とされる幾つかの処置。「―が済む/―を△取る(踏む・踏まえる・経る)/批准―・入学―・取消し―」

でづっぱり⓪【出突(っ)張(り)】でずっぱり。〔「でづっぱり」は許容かなづかい〕

*てってい[0]【徹底】―する(他サ) ❶〈なにヲ―する〉考え方・行動・態度などが中途半端でないこと。「―した合理主義者/けちもあそこまで―すればたいしたものだ」 ❷〈だれニなにヲ―する〉△余す所なく(すみずみにまで)行き渡ること。「全員に命令を―する/節約の観念が部内に―しない」 ―てき[0]【―的】―な・―に これ△が限度だ(以上する必要はない)と思われるところまで何かをする様子だ。「―な調査を行なう/―に体を鍛える」

デッド(造語)〔dead〕死んだ。「―ストック[5]〔=何かの事情で売れなくなった商品〕・―スペース[5]〔=家の中などの使えない空間〕」

てっとう[0]【鉄〈桶】鉄製のおけ。「―の陣〔=すきまが一つも無く破ることが出来ない、堅い布陣〕」

てっとう[0]【鉄塔(タフ)】鉄で作られた塔(のような柱)。

かぞえ方 一基

*てつどう[0]【鉄道(ダウ)】レールの上を車両を走らせ、人・荷物を運ぶ運輸機関の総称。また、その設備。「―車両[5]〔=電車・列車の車両〕」 ―もう[3]【―網(マウ)】至るところに網の目のように敷かれた鉄道。

てっとうてつび[5]【徹頭徹尾】(副) 初めから終りまで考えや態度を変えることなく貫き通す様子。「―安全性を追求する」

デッド エンド[4]〔dead end〕行き止まり。袋小路。

デッド ヒート[4]〔dead heat. dead=必死の、heat=競争〕〔競馬・競走・競泳などで〕ほとんど同着の大接戦。「―を演じる」

デッド ボール[4]〔和製英語 ←dead + ball〕❶〔野球で〕打者が、避けようとしたのに、投手からの投球が打者に当ったり触れたりすること。打者は一塁に進める。死球。❷⇩ドッジ ボール

デッドライン[4]〔deadline〕ぎりぎりの限界。〔狭義では、新聞社・雑誌社などでの原稿締切時間を指す〕

てっとりばや・い[6]【手っ取(り)早い】(形) ❶手際よく、短時間に物事を進行させる様子だ。「手っ取り早く仕事を片付ける」 ❷手間をかけずにやれる様子だ。「手っ取り早く〔=わかりやすく簡単に〕言えば」 派 ―さ[5]

デッドロック[4]〔deadlock〕〔会議などが〕ゆきづまること。停頓(トン)。〔「―に乗り上げる」という文脈において、dead rockへの類推から暗礁の意に用いられる〕

てつなべ[0]【鉄鍋】鉄製のなべ。「遺跡から出土した―/―で焼いたギョーザ」 かぞえ方 一口(コウ)・一枚・一個・一つ

てつのカーテン[0]-[1]【鉄のカーテン】旧ソ連を中心とする社会主義圏と欧米の自由主義圏とが対立していた時代に、両者の交流がさまたげられたことをたとえた言葉。

てつのはい[0]-[0]【鉄の肺】呼吸をつかさどる筋肉が動かない小児麻痺(ヒマ)患者に人工呼吸をさせるための、鉄で作った機械。〔現在はほとんど用いられない〕

でっぱ[1]【出(っ)歯】「出歯(デバ)」の口頭語的表現。そっぱ。

てっぱい[0]【撤廃】―する(他サ) 今まで行なわれて来た制度・法規などをとりやめること。「統制を―する」

てっぱつ[0]【鉄鉢】托(タク)鉢(ハツ)僧が信者から米などを受ける、鉄製のはち。

でっぱ・る[0][3]【出っ張る】(自五) 〔「出張(デバ)る」の口頭語的表現〕突き出る。「出っ張った腹」 名 出っ張り[0]

てっぱん[0]【鉄板】❶鉄の板。てつばん。❷期待通り、確実に良い結果が見込めること。 表記 ❶は、「鉄〈鈑」とも書く。 かぞえ方 ❶は一枚 ―やき[0]【―焼(き)】熱した鉄板の上で焼いた肉や野菜を、熱いうちにその場で食べる料理。

てっぴ[1]【鉄扉】鉄製の とびら。 かぞえ方 一枚

てっぴつ[0]【鉄筆】〔もと、印刻用の小刀の意〕軸の先に鉄心をつけた筆。謄写版の原紙に字を書くのに使う。

かぞえ方 一本

てつびん[0]【鉄瓶】鉄製の湯沸かし。

てっぷ[1]【〈轍鮒〉】わだちにできた水たまりにいるフナ。【―の急】死が目前に迫っており、今すぐ救ってやらなければならないたとえ。

でっぷり[3](副)―と・―する 肉付きのいい、貫禄のある体格をしている様子。「店の主人は―(と)していて押出しがいい」

てつぶん[2]【鉄分】❶成分としての鉄。❷⇩かなけ❶

てっぷん[0]【鉄粉】鉄のこな。

てっぺい[0]【撤兵】―する(自サ) (国外に派遣した)軍隊を引きあげること。↕出兵

てっぺき[0]【鉄壁】鉄の壁(を一面にめぐらしたように堅い守備)。「―の備え/金城―」

てっぺん[3]【《天辺】〔「てへん」の変化〕「最上部・頂上」の意のくだけた口頭語的表現。「富士山の―から下界を見下ろす」

てつぼう[0]【鉄棒(バウ)】❶鉄製の棒。❷器械体操などで使う、左右の柱に鉄の棒を直角に渡したもの。また、それを使って行なう体操の男子の競技種目。 かぞえ方 ❶は一本

てっぽう[0]【鉄砲・鉄〈炮(バウ)】❶「小銃」の旧称。❷「鉄砲❶」の形に似たもの。Ⓐ据えぶろのおけに取りつけて中で火をたく金属製の筒。Ⓑすもうで 相手を勢いよく突き飛ばすこと。Ⓒ狐拳(キツネケン)の一つで猟師が鉄砲を打つ姿勢のまねをすること。❸魚のフグ、すしの干瓢巻(カンピョウマキ)の異称。〔前者はあたれば死ぬところから、後者は小さく切る前の形状に着目して言う〕 かぞえ方 ❶は一挺(チョウ)・一丁 ―じる[5]【―汁】ふぐ汁。〔あたれば死ぬところから、言う〕 ―だま[0]【―玉】❶鉄砲の弾丸。❷〔俗に子供などが〕行ったままで なかなか帰らないこと。「―の使い」 ❸黒砂糖を使った丸いあめ玉。 ―ぶろ[0][5]【―風呂】中で火をたく金属製の筒を取りつけた据えぶろ。 ―みず[3]【―水(ミヅ)】局地的な豪雨のため、急激に押し寄せる山間部での洪水。〔山津波の意にも用いられる〕 ―むし[3]【―虫】カミキリムシの幼虫。 ―ゆり[3]【―〈百合〉】ユリの一種。初夏、らっぱ形で白い大形の花を横向きに開く。芳香が強い。観賞用。〔ユリ科〕 かぞえ方 一本

てづま[1]【手妻】〔「つま」は端の意。もと、手先(の仕事)の意〕「手品」の意の古風な表現。「―使い[4]」

てづま・る[3]【手詰(ま)る】(自五) ❶金銭のやりくりがうまく出来ず困る。❷〔碁・将棋などで〕打つべき手が無くて困る。 名 手詰まり[2]「―状態に陥る」

てつむじ[0]【鉄無地(チ)】鉄色で無地の織物。

てづめ[0][3]【手詰(め)】きびしく詰め寄って、相手にぐずぐずさせないこと。「―の談判」

てつめんぴ[3]【鉄面皮】―な・―に あつかましくて、人から何と言われようと恥じるふうも無い△こと(人・様子)。

てつや[0]【徹夜】―する(自サ) (何かをして)一晩寝ずに過ごすこと。

てづよ・い[3]【手強い】(形) 手ごわくて、安易な気持で接することが出来ない様子だ。

でづら[0]【出面】顔出しすることによって与えられる、大工・左官など職業別労働者の一日当たりの人数。また、その労働者に支払われる日給。「でめん」とも。

てつり[1]【哲理】哲学上の学理。特に、人生・世界の本質を見通した、奥深い道理。

てづり[0]【手釣(り)】さおを使わず、釣り糸を直接手に持って釣ること。

てづる[1]【手〈蔓】❶たよりにする事が出来る縁故。コネ。

❷手がかり。いとぐち。

てつろ[1]【鉄路】鉄道(のために設けた)線路。

てつわん[0]【鉄腕】疲れ知らずのうで。〔剛球投手などの意にも用いられる〕

てて[1][2]【《父》】「ちち」の意の古風な表現。「—おや[0]」

デテール[2]〔detail〕⇩ディテール

てて なし ご[4][0]【《父無し子》】❶父親の分からない子。私生子。❷父親に死に別れた子。

ででむし[2]【でで虫】〔東北・北陸・関西と鹿児島方言〕かたつむり。

でどこ[3]【出《所・出《処》】〔「でどころ[0]」の圧縮表現〕❶それがどこから出(て来)たか。しゅっしょ。「うわさの—/お金の—」❷出口。❸出るべき時期。「この辺が—だ」

デトックス[2]〔detox〕体にたまった有害物質や老廃物を取り除くこと。解毒。

テトラポッド[4]〔Tetrapod〖=四つの脚〗=商標名〕コンクリート製の護岸用ブロック。中心から四つの足が出ている。テトラポットとも。

てとり[3][0]【手取り】相手をあやつるのが上手な△こと(人)。「てどり」とも。「—の力士」

てどり[0]【手取り】❶〔給料・手当や利子・配当などで〕税金などを差し引いた残りの実際に受け取る金額。「—金(キン)[0]」❷糸を手で繰り取ること。

てどり[3][0]【手捕り】素手(デス)で捕らえること。

テトロドトキシン[5][6]〔ド Tetrodotoxin〕フグの卵巣や肝臓に蓄積される猛毒成分。微量で呼吸筋や感覚の麻痺(ヒマ)を引き起こす。

テトロン[1]〔Tetoron=日本における商標名〕洋服地などに使う合成繊維の一つ、ポリエステル。吸水性が少ない。

テナー[1]〔tenor〕〔音楽で〕Ⓐ男声の高音域(の歌手)。〔テノールは、ドイツ語形〕Ⓑアルトの次に低い音域を受け持つ楽器。「—サックス[4]」

てない しょく[2]【手内職】家庭などでする賃仕事。

てなおし[2]【手直し】—する(他サ) 不完全な所を(作り)直すこと。「—を加える」

でなお・す[0][3]【出直す】(自五) ❶一度もどって、また改めて出かける。「お留守のようですから改めて出直して参ります」❷振り出しにもどって、やり直す。「一から—」 名 出直し[0]「—する」

てなが[0]【手長】❶手が長い△こと(もの)。「—猿(ザル)[4]」❷盗む癖のある△こと(人)。

てなぐさみ[2]【手慰(み)】❶てすさび。❷ばくち。

てなげ だん[3]【手投(げ)弾】手榴弾(テリュウダン)。

てなこと〔口頭語的表現〕〔(相手の)前言を受けて〕…というようなこと。「—言って人をだますなよ」

てなし[0][3]【手無(し)】❶手や腕が無い△こと(人)。❷そで無し。❸とるべき手段が無いこと。❹〔農作物で〕つるが無い△こと(品種)。「—インゲン[4]」

てなず・ける[4]【手《懐ける》】(他下一) 〔人間・動物を〕うまく扱って、自分の思う通りに動くようにする。

てなべ[0]【手鍋】❶〔「手取り鍋[4]」の略〕持つためのつるの付いている鍋。❷〔「手」は、自分が直接手を下す意〕手ずから煮炊きすること。【—下げても】好きな男性と一緒になれるなら、自分で煮炊きする つましい生活に甘んじてもいとわないという意。 表記 「手鍋提げても」とも書く。

てなみ[1][0]【手並】技術の程度。腕前。「修業を積んだ—の程を披露する」 運用 「お手並拝見(と行こう)」などの形で、相手の実力を疑って、確かめてやろうという気持で用いられることがある。例、「自称五段と言っているが一度お手並拝見と行こうか」

てならい[2]【手習(い)】—する(自サ) 文字の習得(によって代表された、かっての庶民の基本的教養)。〔広義では、学問や稽古(ケイコ)事をも指す〕「〃五十の—〃ともなれば実際やってみると思った以上に辛いものだ/六十の—で水泳と手話を始めた」

てならし[2]【手慣(ら)し】本格的に何かをする前に、何回か練習してみること。 表記 「手〈馴らし」とも書く。

てな・れる[3]【手慣れる】(自下一) 〔もと、使い慣れて、抵抗感を全く感じない意〕繰り返し実地の訓練を積んだ結果、ほとんど△ぎこちなさを感じさせない状態にある(無技巧の技巧にまで達したと思われる)。「手慣れた様子で息子を風呂(フロ)に入れる/三回目の録音だけに、実に手慣れた貫禄(カンロク)十分の演奏である/手慣れた出し物とはいえ圧倒的舞台だ」 表記 「手〈馴れる」とも書く。 文法 一般に、既に実現した状態を表わすのに用いられるので、文末は「…ている」、また、名詞を修飾する際は、「手慣れた」となる。

テナント[0]〔tenant〕(家屋・ビル・マンションなどの)店子(タナコ)。

デニール[2]〔denier〕生糸・人絹の糸の太さを表わす単位。一デニールは長さ四五〇メートルで重さ〇・〇五グラムを表わす。

テニス[1]〔tennis〕ネットで中央を仕切ったコートの両側に陣を取った競技者が、ボールをラケットで打ち合うスポーツ。庭球。「—ボール[4]・軟式—[5]」

テニス コート[4]〔tennis court〕テニスを行なう、長方形の競技場。 かぞえ方 一面

デニッシュ[1][2]〔Danish=デンマーク(風)の〕デンマーク風パイ(をまねた菓子パン)。デニッシュ ペストリー[5]〔Danish pastry〕とも。

てにてに[1]【手に手に】めいめいの手に。

デニム[1]〔denim ← serge de Nîmes〖=(フランス)ニーム産の生地〗〕❶あや織りの丈夫な綿布。「—のズボン」❷「デニム❶」の生地で作ったジーンズ。

てにもつ[2]【手荷物】〔旅行の時、到着駅や空港まで送ってもらう〕身のまわりの荷物。チッキ。「—扱い[5]」

てにをは[0]【〈弖〈爾乎〉波・《天〈爾乎〉波】〔多くの点図の四すみがそれぞれ「て」「に」「を」「は」であったことから〕昔の大まかな品詞分類で、体言・用言以外の称。てには[0]。〔広義では副詞・活用語尾・接辞を含み、狭義では助辞のみを指す〕「—〔=話の つじつま〕が合わない」

てぬい[0]【手縫(い)】ミシンなどを使わず手で△縫うこと(縫った物)。

てぬかり[2]【手抜かり】不注意のための手落ち。「—無い[2]-[1]、[5]」

てぬき[3][0]【手抜き】—する(自サ) 故意に、踏むべき手順の一部を省いたり 使うべき△材料(材質のもの)を使わなかったりすること。「—工事[4]」

***てぬぐい**[0]【手拭(い)】手・顔・からだをふいたりなどするのに使う薄い日本風の もめんの布。 かぞえ方 一本 **—じ**[0]【—地】手拭にするための もめんの布地。

てぬる・い[3][0]【手《緩い》】(形) 対処の仕方が(予測していたよりも)寛大な様子だ。「服務違反を起こした社員に対する処分が—/—練習で選手を甘やかす」 派 **—さ**[3][2][0]

てのうち[1][2]【手の内】〔「てのひら」の意〕❶手なみ。腕前。「—を見せる/—拝見」❷勢力や支配権の及ぶ範囲。「—に△ある(握る)」❸これからやろうという先ざきの計画(についての秘密)。「—を見すかされる」

てのうら[1]、[1]-[2]【手の裏】てのひら。「—を反(カエ)すように〔=△露骨(極端)に態度を変える様子〕」

テノール[2]〔ド Tenor〕⇩テナーⒶ

てのこう①-①【手の甲】手の、腕を自然に垂らしたときに、体の外側に面する方。

てのひら①②【《掌・手の平》】手の、腕を自然に垂らしたときに、体に接する方の面。たなごころ。「—を反(カエ)す〔=⇩てのうら〕」

デノミネーション④〔denomination. ただし、意味はロシア語 denominatsiya に基づく〕〔極端なインフレのため大きな数値を扱わねばならぬ不便を避ける目的で〕お金の単位名を切り下げること。たとえば、百円を一円と呼ぶようにすること。略してデノミ⓪。〔平価切下げとは、全く別〕

てのもの① [一]【手の物】〔「得手(テエ)の物」の略〕⇩おてのもの [二]【手の者】自分の部隊に直属する、目下の者。

ては(接助)〔て＋はの複合〕❶前述の内容が後続の内容をもたらすのに十分であったことを表わす。「あんなになぐられ—、とても立っていられなかった/そうおだてられ—断われないね」❷継起的にむすびついた二つの動きが反復的に起こることを表わす。「食べ—寝、食べ—寝する〔=食べているか寝ているかのどっちかだ。赤ん坊の生活の描写もしくはなまけ者の形容〕/毎日顔を出し—催促する〔=そこに来て催促することを日課のようにしている〕」❸ある状況を仮定し、話し手の(消極的)評価を述べたり相手の意向をたずねたりすることを表わす。「雨が降っ—困る/そちらに行っ—あぶない/人の物を盗(ト)っ—だめだ/正月くらい、休んではどうですか」❹出来事の実質や、行為の目的が十全には果たされないことを表わす。「行っ—みたが、だめだった」文法 接続は接続助詞「て」に準ずる。くだけた口頭語では、「ちゃ」となることがある。例、「こう暑くちゃかなわないね」⇩じゃ・ちゃ

てば 〔「と言えば」の意〕[一](副助) ❶相手の話に触発されたことなどを、改めて話題として提示することを表わす。「おもしろいっ—、これもおもしろいわよ/本—、しばらくまともな物を読んでいないな」❷不快な印象などを持っている事柄を改めて話題として提示することを表わす。「あの人っ—、また約束を破ったわ/あなたっ—、電話ぐらいくれてもいいのに」〔❶❷とも口頭語的表現。「ん」の後に続く場合を除いて、「…ってば」の形となる〕文法 体言(名詞、またそれに準ずる句)、副詞、形容動詞の語幹、活用語の終止形に接続する。「…ってば」となることが多い。 [二](終助) こちらの気持や考えが分かってもらえないいらだたしさをこめながらも、なんとか相手を納得させようとすることを表わす。〔口頭語的表現〕「ねえ、頂戴(チョウダイ)っ—/こら、だめだっ—/おもしろいっ—/捜せばあるっ—」文法 名詞、活用語の終止形に接続する。「…ってば」となることが多い。

てば①【手羽】〔←手羽肉②⓪〕ニワトリの、胸から羽にかけての肉。「—先⓪」かぞえ方 一本

ではｯ [一]①(接) それなら。それでは。⇩じゃ [二]〔断定の助動詞「だ」の連用形に副助詞「は」の付いたもの〕❶〔多く、後に否定表現や逆接の意を表わす接続助詞を伴って〕〔ある程度〕そのことを認めることを表わす。「君の言うことは一応もっとも—ある/そう—ない/彼を疑うわけ—ないけど」❷〔「—ないか」などの形で〕Ⓐあることに気付くなどして驚く気持を表わす。「おや、中村さん—ないか」Ⓑ相手に対する非難の気持を表わす。「あれほど慎重に扱えと言った—ないか」Ⓒ相手に確認を求めることを表わす。「あの人、確か木村という名前—なかったか」❸〔「—ないだろうか」などの形で〕あまり確信のいだけない推測を表わす。「今夜は雪が降るの—ないだろうか/あの人は大学の先生—なかっただろうか」文法 [一][二]とも、くだけた口頭語では、「じゃ」となることがある。[一]の例「じゃ、始めよう」、[二]の例「ぼくのせいじゃない」⇩じゃ

では②【出端】❶出るきっかけ。「—を失う」❷〔能・浄瑠璃(ジョウルリ)・歌舞伎(カブキ)などで〕諸役が鳴物入りで登場すること。また、その時の囃子(ハヤシ)や唄(ウタ)。

でば②⓪【出場】〔演劇で〕役を持って出るべき場面。「—の無い芝居」

でば①【出歯】〔口をとじても〕前歯が外に出て見える△こと(人)。そっぱ。〔口頭語的表現は「でっぱ」〕

***デパート**②〔←department store〕社会生活に必要なほとんどの商品を売ったり種々のサービスを提供したりする、大資本による小売店。百貨店。かぞえ方 一軒・一店

***てはい**①【手配】—する(他サ)〈(なに・だれ)ニ(なに)ヲ—する〉❶仕事・行事などの段取りや割当ておよび予測される行動に備えるための準備を抜かりなくすること。「要人警護の—/百人分の弁当を—する」❷容疑者逮捕のため必要な指令を出すこと。「—書(ヨシ)⓪④・指名—・全国—」 —し②【—師】自由労働者の仕事のあっせんなどを職とするもの。

デはい⓪①【デ杯・デ〈盃〉】デビスカップ。「—戦⓪」

デバイス②⓪〔device=装置〕コンピューターに△接続(関連)する機器。プリンターやマウスなど。 —ドライバー⑥〔device driver〕コンピューターの周辺機器を作動させるためのソフトウェア。略してドライバー。

ではいり【出入(り)】❶①②—する(自サ) でいり❶。❷⓪ 数量の過不足。❸⓪ でこぼこ。〔不公平な扱いの意にも用いられる〕表記「出〈這入り〉」とも書いた。

でばかめ⓪【出歯亀】〔もと、変態性欲者池田亀太郎のあだ名〕女ぶろをのぞき見などする、変態性の男。

てばかり②【手量(り)】手に載せたりつまんだりして、大体の重さ・分量などをはかること。指・てのひらを使って大体の寸法をはかること。

てばこ⓪①【手箱】手回りの小道具を入れる箱。

てばしこ・い④【手〈捷い〉】(形) することがいかにもすばやい。〔古くは「手ばしかい」とも言った〕派 —さ④

てはじめ②【手初(め)・手始(め)】何かをやるやりはじめ。しはじめ。「剣術を習うというなら、—としてまず毎日この棒を千回振ってみることだ」

ではじめ⓪【出初(め)】野菜など、季節のものが出たばかりであること。

てはず①【手〈筈〉】物事を行なうのに、前もって△する必要な準備(決めておく、一定の順序)。「—を決める/—が狂う/—を整える」

ではず・れる⓪④-ハヅレル【出外れる】(自下一) 家並を通り抜けて、町のはずれへ出る。名 出外れ⓪

てばた⓪【手旗】❶手に持つ小さな旗。❷通信用の、赤白の小旗。「—信号④」かぞえ方 ❶❷とも一本

デパちか⓪【デパ地下】デパート地下階の食料品売り場をさす俗称。

デバッグ②⓪—する(他サ)〔debug=虫を駆除する〕コンピューターのプログラム中にある誤りや欠陥を(発見し)正しく直すこと。⇩バグ

てばな⓪【手鼻】手を使って鼻をかむこと。「—をかむ〔=指先で片方の鼻を押さえ、鼻息を強く出してたまった鼻汁を飛ばす〕」

ではな⓪【出《端》】⇩でばな[一]

でばな⓪ [一]【出《端・出鼻》】△外へ出た(何かをし始めた)ばかりの状態。「—をくじかれる」[二]【出《端・出鼻》】〔山・岬などの〕突き出た所。[三]【出《端・出花》】淹(イ)れたばかりで香味のよい茶。「鬼も十八番茶も—〔=⇩番茶〕」〔[二]〜[三]ともに口頭語形は、「でっぱな」〕

てばなし②【手放(し)】❶手を放すこと。❷他人の思惑などは全く考えずに、露骨な言動をする様子。むきだし。❸批判・制限する事が無い様子。無条件。「—で△歓迎(満足・

秘賛)する／—の楽観は許されない」

てばな・す③【手放す】(他五) ❶自分の△所有する(手元にある)大切なものを、他人に売ったり 譲ったり する。「家屋敷を—／娘を手放したくない」 ❷△つかまえて(つかまって)いた手を放す。

てばなせない④【手放せない】〔「手放す」の可能動詞「手放せる」の否定形の形容詞的用法〕△大切(重宝)で自分の手元から放すわけにはいかない。「父の形見だからこの本だけは—／便利で一度使ったら—品」

てばなれ②【手離れ】—する(自サ) ❶いちいち親がついていなくてもいい程度に幼児が育つこと。 ❷製品が出来あがってもう手を加える必要の無いこと。

でば ぼうちょう③【出刃包丁・出刃〈庖丁〉】魚・鳥を骨ごと切ったりする時に使う包丁。幅広で、峰が厚く先がとがっている。略して「出刃①」。かぞえ方 一挺・一丁

てばや⓪【手早】—に —な てばやい様子だ。「—に片づける」

表記「手速」とも書く。

てばや・い③【手早い】(形) (手でする動作が)すばやい様子だ。「手早く△片づける(仕上げる)」 派—さ③ 表記「手速い」とも書く。

ではら・う③⓪【出払う】(自五) 全部出てしまって、そこに(い)なくなる。

でば・る②⓪【出張る】(自五) ❶突き出る。 ❷〔東京方言〕出張する。 名出張り⓪

でばん②⓪【出番】 ❶出勤の当番。 ❷俳優の出る順番。〔文脈により、活躍のチャンスの意にも用いられる〕 ❸江戸時代、勤番から退出する番。

てびかえ②【手控(え)】 ❶メモ。「—を取る」 ❷予備。 ❸少なめにとどめること。「採用の—」

てびか・える④③【手控える】(他下一) ❶メモを取る。 ❷全部使わないで、一部を温存する。 ❸なるべく少なめにとどめる。「△生産(漁)を—」

てびき①【手引(き)】—する(他サ) ❶手で引くこと。「—の二輪車」 ❷手を引いて連れて行くこと。 ❸物事の手ほどき。また、その書物。入門書。「—書④⓪」 ❹案内(人)。 ❺てづる。

デビス カップ④〔Davis Cup〕 アメリカのデービス氏が寄贈した大銀杯。また、その争奪を目的として行なわれる、男子の国別国際テニス試合。略称は、デ杯。

デビット カード⑤〔debit card〕 商品購入時に、店頭の専用端末で即時決済を行なうカード 利用者の銀行口座から、すぐに引き落としがなされる。

てひど・い③【手《酷い》】(形) 厳しくて△容赦(手加減)するところが全くない様子だ。「手酷くやっつけられる／—批判を受ける」 派—さ③②

デビュー①—する(自サ)〔フ début〕 芸能界・文壇などに新人が初めて登場すること。〔新型の流行品が初めて紹介される意にも用いられる〕

てびょうし②【手拍子】 手△をたたいて(で打って)取る拍子。「(そろって)—を取る」 ⇩足拍子

デビル①〔devil〕 悪魔。

てびろ・い③⓪【手広い】(形) ❶扱う事柄や事物、及ぶ範囲が広い様子だ。「手広く△商売(事業・牧場)をする」 ❷〔家・庭・部屋などが〕広くて余裕がある様子だ。 派—さ③⓪②

でぶ① 太っている△こと(人・様子)。〔軽いからかい・侮蔑を含意して用いられることがある〕「—っちょ②①・—ちん⓪」

デファクト スタンダード⑧〔de facto standard〕 ある規格が、実際に多くの人が使うようになった結果、標準として通用するようになること。また、その規格。業界標準。

てふうきん②【手風琴】 アコーデオン。

デフォルト⓪②〔default〕 ❶〔経済で〕債務不履行。債務者が返済の義務を果たさない状態。 ❷〔コンピューターで〕使う人が特別の△値(条件)を指定しない場合に採用される、標準の△値(条件)。

デフォルメ②⓪—する(他サ)〔フ déformer=変形する〕〔絵画・彫刻などで〕対象や素材の自然の形を、作家の主観を通し、そのイメージに合うようにとらえて表現すること。デフォルマシオン④⑤。

てふき③⓪【手拭(き)】 手などを拭く△布(こと)。「お—②」

*__てぶくろ__②【手袋】 防寒・装飾・作業のために手にはめる袋状の△布(革)製品。「—を投げる〔=『西洋で決闘を申し入れる時の風習から』絶交を宣言する〕」 かぞえ方 左右で一双・一組;一枚

でぶしょう②【出不精・出無精】—な 外へ出かけるのをめんどうくさがって、いつも家に居る△こと(人・様子)。外出ぎらい。

てぶそく②【手不足】—な 人手が足りない様子だ。「介護士の—が深刻だ」

てふだ【手札】 〔もと、名札の意〕 ❶①⓪〔トランプ・花札などで〕各自が手に持っている札。「—を捨てる」 ❷⓪「手札型」の略。 **—がた**⓪【—型】 縦約一一センチ、横約八センチの大きさの写真原板(から出来た印画)。かぞえ方 一枚

でふね⓪【出船】 漁などのために ふなですること。また、その船。「でぶね」とも。 ↕入り船

てぶら⓪【手ぶら】—な 手に何も持たない様子だ。「わざわざ金を返してもらいに行ったのに—で帰るのもしゃくだ」

てぶり①【手《風》】〔雅〕ならわし。風俗。「都の—」

てぶり①【手振(り)】 言語行動を補助するための手の動き。てつき。「身振り—」

てぶれ⓪【手振(れ)】 カメラで撮影する時に、持つ手が動くこと。また、そのため映像が不鮮明になること。

デフレ⓪ デフレーションの略。 ↕インフレ

デフレーション③〔deflation=空気・ガスを抜く〕 景気が後退・低迷して通貨の流通が滞った結果、物価が下落し続ける現象。訳語は、通貨収縮。略してデフレ。 ↕インフレーション

デフレ スパイラル⑤〔←deflationary spiral〕 物価の下落とそれに伴う景気の悪化によって、景気後退の悪循環が生じること。

テフロン①〔Teflon=商標名〕 熱・薬品に強いプラスチック。フライパン・なべの内側やアイロンなどに張りつけて、焦げつかないようにする。

てぶんこ②【手文庫】 手紙・書類などを入れておく手箱。

でべそ①【出〈臍〉】 普通の人より突き出たへそ。

デベロッパー③②〔developer〕 ⇩ディベロッパー

てへん⓪【手偏】 漢字の部首名の一つ。「打・投・捨」などの、左側の「扌」の部分。〔多く、手でする動作に関係のある漢字がこれに属する〕

てべんとう②【手弁当】 自分で弁当を持って働きに行くこと。〔△他人(公共)の仕事のために、無報酬で働く意にも用いられる〕 表記「弁」の旧字体は「〈辨〉」。

でほ②①【出穂】 「稲・麦などの穂が出ること」の意のやや古風な表現。 ⇩しゅっすい(出穂)

てぼうき②【手〈箒〉】 片手で扱う、柄の短い ほうき。

表記「手〈帚〉」とも書く。

でほうだい②【出放題】—に —な ❶出るままである様子だ。「水道が—になっている」 ❷口から出るにまかせて かってな事を言う様子だ。「—に悪口を言う」

デポー①〔depot=貯蔵所。倉庫〕❶〔登山・スキー・南極探検などで〕荷物の置き場。❷〔デパートの〕配送所。❸〔←デポ剤②⓪〕一回の注射で、ききめを長く持たせる薬。〔❶～❸とも、デポ①とも〕

デポジット②〔deposit=保管〕預かり(金)。「ー方式の空き缶条例」

てほどき②【手《解(き)》】ーする(他サ)〔学問・芸能などの〕初歩を教えること。「ーを受ける」

てぼり⓪［一］【手掘(り)】ーする(他サ) 重機の使えない状況で、つるはしやシャベルなどを使い人力で掘ること。「狭い土地に井戸をーする/ーの炭鉱」［二］【手彫(り)】ーする(他サ) 小刀やのみなどを使って手で△彫ること(彫ったもの)。「ーの石仏」

***てほん**②【手本】❶書・画を習う初心者のよりどころとなるものを集めた本。❷それにならって行動すべき、行為のよりどころ。模範。「生きたーを見せる/ーを示す/それは悪いーというものだ」❸規準となる様式。標準。

***てま**②【手間】❶仕事を完成するのに要する労力・時間。「ーを省く/予算もーもかかる」❷〔一日幾らの日当で仕事をする〕職人の仕事。❸「手間賃」の略。

デマ①〔←ド Demagogie〕❶△扇動的(謀略的)な悪宣伝。❷自分の利益のためにする(でたらめの)悪口やうわさ話。「ーが飛ぶ/ーを飛ばす/とんでもないーだ」

***てまえ**⓪マヘ【手前】［一］❶自分(のからだ)に近い方。手もと。こちら。❷もう少し伸ばせばそのものに手が届きそうで、わずか及ばぬ所。「△成功(死)の一歩ー」❸他人に対する体裁。「世間のーが恥ずかしい/そう言ったー引っこみが付かなくなった」❹腕前。「おー拝見」❺【《点前》】茶の湯の時の作法・様式。「男ーデマエ④・女ーデマエ④」［二］(代)❶自分自身を謙遜ケンソンして言う語。〔多く「ーども」の形で、店の者が客に対して言うのに用いられる〕❷〔男性が〕目下の相手を指す語で、ぞんざいな言い方。❸その人自身。「ーのことを棚に上げてよく人のことを言えたものだ」 **ーがって**④【ー勝手】ーな ーに 自分勝手だ。 **ーみそ**④【ー味《噌》】自分で自分をほめること。「ーを並べる」

でまえ⓪マヘ【出前】ーする(他サ) 料理などを、注文した人の家まで運ぶ△こと(人)。また、その料理。「ー箱コバ③」 **ーもち**③②【ー持(ち)】〔料理屋で〕料理を客の家などに運ぶ人。

でまかせ⓪【出任(せ)】ーな 口から出るにまかせて、でたらめを言う様子だ。「口からーを言う/単なるーに過ぎない」

てまき⓪【手巻(き)】❶〔機械などを使わず〕手△を使って(の力で)巻くこと。また、そうして作られたもの。「ーのすし」❷時計のねじを手で巻くこと。また、その時計。↕自動巻き

てまくら②【手枕】ーする(自サ) 腕を曲げて枕にすること。ひじまくら。

デマゴーグ③〔ド Demagog(e)〕 群集心理を利用して大衆を扇動する政治家。

てまさぐり③②【手《弄り》】ーする(他サ) 手先で何かを捜したり何かをいじったりすること。

てましごと③【手間仕事】❶手間のかかる仕事。❷手間賃を得てする仕事。❸総費用を初め幾らと決めずに、手間のかかるのに応じて賃銭をもらってする契約の仕事。

てまだい⓪②【手間代】 手間賃。

てまちん②【手間賃】〔職人などの〕仕事にかかった日数や時間に対して払われる賃金。手間代。

でまど⓪【出窓】 部屋の外に張り出した窓。

てまとり④③【手間取(り)】 手間賃を取って雇われる△こと(人)。

てまど・る③【手間取る】(自五)〔物事が複雑だったりめんどうだったりして〕何かをするのに予想以上に時間がかかる。「不慣れなので少し手間取った」

てまね①【手真《似》】ーする(他サ) 手の動作で物事をまねすること。

てまねき②【手招(き)】ーする(他サ) 手を振ってこちらへ来いと合図すること。「ーして呼び寄せる」［動］手招く③(他五)

てまひま②【手間《隙・手間暇》】 労力と時間。「ーかかる/ー取らせぬ/ーいらず」

てまめ①⓪【手〈忠実〉】ーな ーに ❶骨惜しみしないで、次から次へと仕事をする様子だ。❷手先の仕事が上手な様子だ。［派］ーさ⓪③

てまり⓪【手〈鞠〉・手〈毬〉】 手でついて遊ぶ、鞠。綿を芯シンにして色糸で巻いた鞠やゴムまりなど。

てまわし②マハシ【手回し・手〈廻し〉】ーする(他サ) ❶手△を使って(の力で)回すこと。「ーで充電ができる防災ラジオ」❷前もって用意すること。手配。「ーがいい」

てまわり②マハリ【手回り・手〈廻り〉】 自分の身の回りに△ある(置いて使う)こと。また、その物。〔昔は、側近(の護衛者)をも指した〕「ー(の)品」

でまわ・る⓪③マハル【出回る】(自五) ❶品物が生産地から市場へ出る。❷〔品物が〕店屋でよく見かけられる状態になる。「にせ物がー/一時ジイチにどっとー」［名］出回り⓪

デミグラス ソース⑥〔demiglace sauce〕 ブラウンソースのこと。また、それにだしを加えて煮つめ、ワインで風味をつけた褐色のソース。ドミグラス ソースとも。

てみじか⓪【手短】ーな ーに〔話や文章が〕簡単で要領を得ている様子だ。［派］ーさ⓪④

てみず①ミヅ【手水】❶⇩ちょうず ❷手についた水。❸餅モチをつく時、こねどりが手に水をつけて餅に湿りを与えること。また、その水。

でみず⓪ミヅ【出水】 雨のために、河川などの水が△ふえる(あふれる)こと。しゅっすい。

でみせ⓪【出店】❶本店から分かれ出た店。❷露店。

デミタス①〔フ demi-tasse (=半コップ)の文字読み〕 小形のコーヒー茶わん(を用いた食後のコーヒー)。

デミヌエンド④②〔イ diminuendo の日本語形〕〔楽譜で〕次第に弱く。デクレッシェンド。

てみやげ②【手〈土産〉】 人を訪問する時に持って行く、ちょっとしたみやげ。［表記］⇩付表「土産」

てむか・う③ムカフ【手向かう】(自五) ❶立場の上の人や強者に素直に従うことをせず、考えられる手段に訴えて、自分(たち)の意志を通そうとする。❷実力を行使して、権威を打倒しようとする。［名］手向かい②

でむかえ⓪ムカヘ【出迎(え)】ーする(他サ) 家から出掛けていって、そこで人を迎えること。「でむかい」とも。［動］出迎える⓪④③(他下一)

でむ・く②【出向く】(自五) 目的の場所へ自分で出かけて行く。

でめ①【出目】 眼球が普通より突き出ていること。また、その目。

てめえ⓪〔東京などの方言〕「手前［二］❷」のぞんざいな言い方。貴様。

でめきん⓪【出目金】 眼球がひどく突き出たキンギョ。

デメリット②〔demerit〕〔長所と裏腹に存在する〕短所。↕メリット

でめん⓪【出面】〔北海道方言〕日雇いの労働者。でめんとり②。〔面、つまり顔さえ出せば金がもらえるの意から、という〕⇩でづら

ても［一］(接助)〔て＋もの複合〕❶通念では矛盾するかに見える前件にもかかわらず、後件が成立することを表わす。

て

仕事が〔らく―がまんしよう/あの男にはいくら話し―むだだった/何度読んでも分からない/走っ―走っ―たどりつかない」 ❷〔「―いい」「―かまわない」の形で〕相手の行為への許可・許容を表わす。「僕のを使っ―いいよ/ここにあるのは持って行っ―かまわない/おなかがいっぱいなら無理に食べなく―いいよ」 文法 接続は「て」に準ずる。[二](副助)「とも」の口頭語的表現。「遅く―十時には帰る」 [三]①(感)「さても」の省略表現。〔古風な表現〕

でも(接頭) 内容は必ずしも伴わないが、世間的にはともかくそう扱われていることを表わす。「―〔=未熟な〕学者・―〔=えせ〕紳士」

でも [一](副助) ❶許容される最低の場合を例示し、他の場合も同様であることを暗示する。「子供の足―十分あれば行ける/忙しくて、日曜日―遊んでいられない/今から―遅くない/これだけ―持って行きなさい」 ❷(消極的にとは言え)条件を満たす事例を一例として挙げる。「お茶―飲もう/こんな時、木村君―居てくれたらなあ/けが―させたら大変だ/あすに―来てもらおう」 ❸〔不特定の指示語について〕消極的な意味で無限定に成立することを表わす。「そんな事ならだれ―知っている/どこへ―ついて行こう/何年―待ちましょう/いつ―かまわない」 文法 体言(名詞、またそれに準ずる句)、形容動詞語幹、副詞、格助詞(ただし「が・を」を除く)、接続助詞「て」、動詞・形容詞・形容動詞、助動詞「れる/られる・せる/させる」の連用形に接続する。

運用 [一]❶❷で、(1)話し手自身に関することを言うときは、謙遜ケンソンの気持を含意して用いられることがある。例、「この機械なら私でも操作できる」 (2)相手に関することや、取り上げた対象について、軽視、軽侮の気持を含意して用いられることがある。例、「この程度の問題なら君でも解けるだろう」 [二]①(接) 「それでも」のやや口頭語的表現。「何でも自分の力で思う通りにやっていい。―この教えだけは忘れないでほしい」 運用 [二]で、相手の発言に対して、「でも」で言いさしになるときは、納得できない、不満が残る、などの気持を感動詞的に表わすことがある。例、『何も君の方から謝りに行かなくてもいいんじゃないか』『でも』」

***デモ**① デモンストレーションの略。「―行進・反戦―」

デモーニッシュ②―な―に〔ド dämonisch〕 悪魔に魅入られた様子。超自然的。

デモクラシー②④③〔democracy=人民が主権を持つ〕 ❶民主主義。 ❷民主政治。民主政体。 ❸万民平等。

デモクラティック⑤④―な―に〔democratic〕 民主(主義)的である様子だ。

てもち③⓪【手持(ち)】 現在手もとに持っていて、使おうと思えばすぐ使えること。また、そのもの。「―品⓪」 **―ぶさた**④【―無沙汰】―な―に 当面何もする事が無くてひまをもてあます様子だ。「―な時間」

てもと③【手元・手《許》】 ❶自分の△手(監督)の届く範囲。 ❷何かをしている手の、すぐそば。「―が暗い」 ❸物の、手で握る部分。 ❹手を動かして何かをする時の△調子(見当)。〔広義では、腕前の意に用いられる〕「―が狂う/―不如意フニョイ〔=暮らし向きが苦しいこと〕」 **―きん**⓪【―金】 必要なときにすぐに使えるように手元に用意しておくお金。

でもどり⓪【出戻(り)】 ❶途中から帰って来ること。 ❷離縁になって実家に△帰ること(帰った女性)。

てもなく①【手も無く】(副) たいした手数もかけずあっけないほど簡単に事△を済ます(が済む)様子。「―してやられた/うまい話に―引っかかった」

でもの⓪【出物】 ❶△不要として(換金のために)売りに出されたもの。古物や不動産など。 ❷おなら。〔昔は、できものを指した〕「―はれもの所嫌わず」

てもみ⓪【手〈揉(み)】 手を使ってもむこと。「洗濯物を―で洗う/―洗い④・―茶③・―ラーメン④」

てもり③⓪【手盛(り)】 ❶自分で食物を盛ること。「―にする」 ❷おてもり。

デモ・る②(自五) 「デモ(行進)をする」の口頭語的表現。

⇩デモンストレーション❶

デモン①〔demon〕 ⇩デーモン❶

デモンストレーション⑥〔demonstration〕 ❶(要求を通すために)集団で威勢を示そうとする行動。略してデモ。 ❷技能や性能などを示すために行なう実演や実験など。また、美術の制作実演もいう。 ❸スポーツ大会などで、正式種目以外に行なわれる競技。公開演技や、模範演技など。

てやが・る(造語・五型) 〔接続助詞「て」+「いあがる」の変化か〕 ⇩やがる❷

てやき⓪【手焼(き)】―する(他サ) 手を使って△焼くこと(焼いたもの)。また、自分で△焼くこと(焼いたもの)。「―の皿/―せんべい④」

てやんでえ② 〔東京方言〕「何を言ってやがるんだい」の意の圧縮表現。〔江戸っ子のたんかとして有名〕

デュアル①〔dual〕 二つの。二重の。二部分からなる。

デューティーフリー⑥〔duty-free〕 関税のかからない。免税の。「―ショップ〔=免税店〕」

デュープ①〔dupe〕 写真や映画のフィルムやビデオテープなどを複製すること。また、その複製物。

デュエット①〔イ duetto〕 二重唱。二重奏。また、その曲。

てゆび①【手指】 手の指。手や指。〔「しゅし①」とも〕「―の消毒」

でよう②ヤウ―【出様】 行動の取りよう。態度いかん。でかた。

でようじょう②④ヤウジヤウ―【出養生】―する(自サ) 温泉などに出かけて養生すること。

テラ(接頭)〔tera-=もとギリシャ語で「巨大な怪物」の意〕 Ⓐ国際単位系における単位名の接頭辞で、基本単位の一兆〔=十の十二乗〕倍であることを表わす〔記号T-〕。 Ⓑ〔コンピューター関係で〕記憶容量を表わす単位名の接頭辞で、基本単位の一兆倍であることを表わす〔記号T-〕。「―バイト③」〔基本単位の二の四十乗『=一〇九九五一一六二七七七六』倍であることを表わす場合はテビ(tebi)『記号Ti-』を用いる〕

***てら**②【寺】 ❶僧が住んで、仏像をまつり仏道を修行し、また、仏事を行なう所。〔狭義では、延暦寺エンリャクジを「山」と言うのに対して三井寺ミイデラの特称〕 ❷「寺銭・寺子屋」の略。

かぞえ方 ❶は一軒・一寺イチジ・一宇イチウ

てらい②⓪テラヒ【〈衒い】 てらうこと。ひけらかすこと。「―のない文章」〔「恥も―も」「何の―も」の形で、「照れている様子」の意味に用いるのは本来は誤用〕

てらいり⓪【寺入(り)】 ❶寺子屋で教育を受け始めること。 ❷江戸時代、火事を出した者などが寺にこもって謹慎したこと。

てら・う②⓪テラフ【〈衒う】(他五) すぐれた知識・才能があるかのように自己宣伝する。「奇を―〔=⇩奇〕/衒った〔=気取った〕ところが無い」

てらおとこ③ヲトコ―【寺男】 寺で働く男。

てらこ⓪【寺子】 寺子屋に入門した子供。 **―や**⓪【―屋】 江戸時代、庶民の子供に読書・習字などの初等教育を行なった所。てら。 表記 「寺小屋」とも書く。

テラコッタ③〔イ terra cotta=焼いた土〕 ❶粘土を素焼きにした陶器の総称。建材用。 ❷西洋彫刻の材料とする、焼いた粘土。

てらざむらい③ザムラヒ―【寺侍】 江戸時代、格式の高い寺院に仕え、寺務を執った侍。

** *は重要語，⓪①… はアクセント記号，品詞の指示の無いものは名詞および いわゆる連語。

てらしあわ・せる⑥【照(ら)し合(わ)せる】(他下一) ▵違いがあるかどうか(参考にするために)二つ以上のものを比べてみる。照らし合わす⑤(五)。「▵法(先例)に照らし合わせて(…する)」 名 照らし合わせ⓪

てらしだ・す④⓪【照(ら)し出す】(他五) 光をあてて、そのものの形を明確に示す。

***てら・す**⓪②【照(ら)す】(他五) ❶〈なにデ〉なに・どこヲ―〉光をあて(て、明るくす)る。「足もとを―/遠い山脈ヤマを―秋の陽ヒ」 ❷〈なにニ―〉何かを基準として、判断をくだす。「▵過去の実績(事実・原則・社会通念・法秩序・歴史)に―/法律に照らして処分する」

テラス①〔フ terrasse〕❶〔建築で〕一階の居間・食堂などから直接 庭に出られるように屋外に床と同じ高さに張り出した、石・コンクリートなどで作った部分。〔藤ジ棚などは作るが、ひさしは設けない〕⇨バルコニー・ベランダ ❷〔登山で〕岩壁などの途中にはり出した棚状の平地。

テラス ハウス④〔terrace house〕団地などで見かける、庭つき・二階建ての長屋式(の)共同住宅。

てらせん⓪【寺銭】〔ばくちで〕やりとりしたお金の中から場所の借り賃として出すお金。てら。

デラックス②〔―な〕〔フ de luxe の英語風の読み方〕高級感があって豪華な様子だ。「―ショー⑤」 派 ―さ⓪⑤ 表記「DX」とも書く。

てらてら①(副)―と―する 物の表面が脂ぎって光る様子。「酒に焼けて顔が―している」〔「―な」「―に」「―の」などのアクセントは⓪〕

てらまいり③【寺参り】マキリ 寺に行って、仏像や先祖などの墓を拝むこと。寺もうで③。

てり②【照り】❶日光が照ること。〔広義では、晴天を指す〕↔降り ❷煮物・焼き物などのつや。〔狭義では、照り焼きに使う汁を指す〕「みりんを入れると―が出る」

テリア①〔terrier=穴を掘る犬〕小形で鋭敏な飼い犬。もと、ダックスフントのように、穴にすむ動物を穴から追い出すのに使われた。イギリス原産。テリヤ①とも。かぞえ方 一匹

てりあ・う③⓪【照り合う】アフ (自五) ❶互いに照る。❷対応する。

てりあめ⓪③【照り雨】「天気雨」の意の古風な表現。

デリート②⓪―する (他サ)〔delete〕〔コンピューターで〕データの一部分(=ファイル内の文字列・ファイル自体・画像の一部など)を削除すること。

テリーヌ②〔フ terrine〕〔オーブンに用いる▵耐熱ガラス(陶器)で作った蓋フタ付きの容器〕すりつぶした肉・魚・野菜などを箱型の容器に詰め、オーブンで焼いた料理。冷製の前菜とする。

てりかえし⓪【照り返し】カヘシ 光や熱を反射して▵熱く(まぶしく)感じられること。また、その光や熱。「西日の―がきびしい」 動 照り返す③⓪(自他五)

てりかがや・く⑤⓪【照り輝く】(自五) 美しく輝く。

デリカシー②〔delicacy=上品。優美〕繊細(な心づかい)。

デリカテッセン④〔ド Delikatessen〕調理済みの食品(を売る比較的高級な総菜店)。略してデリカ①・デリ①。

デリケート③〔―な〕〔delicate〕❶ちょっとした刺激や変化に▵も感じやすい(対しても傷つき、全体の調子が狂いやすい)様子。繊細。「―な(=虚弱な)からだ」 ❷ちょっとした解釈の相違により局面・結果が大きく分かれそうで、扱いがむずかしい様子。「―(=微妙)な問題」

てりこ・む③⓪【照り込む】(自五) ❶〔家の中に〕日光が強くさしこむ。❷日照りが長く続く。 名 照り込み⓪

てりつ・ける④⓪【照り付ける】(自下一) 太陽が激しく照る。

テリトリー①②〔territory=縄張り〕その人▵が専門とする(の受持ちである)領域。

てりは・える④【照り映える】(自下一) 光を受けて美しく▵輝く(見える)。

デリバティブ②〔derivative〕金融派生商品。本来の金融商品である債券・株式などから派生した金融取引をいう。価格変動を対象とした取引契約で、先物取引、オプション取引、スワップ取引などがある。

デリバリー②〔delivery〕出前や荷物の配送。

てりふり②【照り降り】晴天と雨天。 **―あめ**⑤【―雨】照ったり降ったりして定まらない空模様。

てりやき⓪【照り焼き】魚の切身を、みりん・しょうゆを交ぜた汁につけて、つやが出るように▵焼くこと(焼いたもの)。

てりゅうだん②【手▵榴弾】リウ 手で投げる小型の爆弾。「しゅりゅうだん」とも。手投げ弾。かぞえ方 一発

てりょうり②【手料理】レウ〔店から既製のものを買ったり取り寄せたりしたのではなく〕その人が自分で素材を用意して調理した料理。「―で客をもてなす」

デリンジャー げんしょう⑥【デリンジャー現象】シヤウ〔Dellinger=人名〕急激に起こる短波通信の障害。太陽の表面の爆発によって起こる電離層の異常が原因。

テル①【Tel・tel】〔←telephone〕電話(番号)。〔住所表示などの際、略語として用いる〕

てる(補動・下一型)「ている」の圧縮表現。「見―/食べ―/笑っ―/読んでる」

***て・る**①【照る】(自五)〈どこ・なにニ―〉〔さえぎる物が何も無く〕陽光や月光が、下界一面に届く。

****でる**①【出る】(自下一) ❶〈どこ・なにカラどこ・なにニ―/どこ・なにヲ―〉境や限界を▵越える(越えて外へ行く)。「足が線から―/ふろから―/部屋から一歩も外へ出ない/三歩前に―(=進む)/―杭クイは打たれる(=ⓐすぐれた者はとかくねたまれがちだ。ⓑよけいな事をすると仕返しされるものだ)/足が―(=⇨足)/一月を出ない(=たたない)うちに」↔入る ❷〈(どこ・なにニ)―〉そのものの存在が外部から確認出来る(ようになる)。「星が―/悪い癖が―/自然と育ちが出てしまう/不平が顔に―(=現われる)/芽が―(=ⓐ現われる。ⓑ幸運になるきざしが現われる)/濃く出たお茶/色が―/朝日が―/温泉が―/涙が―/大水が―/風が出てきたようだ/火が―(=火事になる)/落し物が―(=ⓐ落し物をする。ⓑ落し物が見つかる)/やる気が―/そのニュースはあすの新聞に―そうだ/五月号が―(=発刊される)/余りが―(=結果的に余る)/おみくじは『吉』と出た/なかなか結論が出ない/暇が―(=ⓐ与えられる。ⓑもう勤めなくてもいいと言われる)/鉄が―山」 ❸〈どこ・なにニ―〉その場所に▵居て(行って)なんらかの動き・働きをしていることが認められる。「庭に―/私などが―幕じゃない/会議に―/会社に―/テレビの番組に―/選挙に―(=立候補する)」 ❹〈どこ・なにヲ―〉根拠地を離れる。「▵家(故郷)を―(=(再び戻らないつもりで)離れる)/会社を―(=(事情があって)やめる)/十時に▵汽車(船)が―/学校を出たら(=卒業したら)海外で働きたい」 ❺〈(どこ・なにカラ)どこ・なにニ―〉▵道(筋)をたどって行くうちに、そこに到達する。「どこへ―道かしら/左へ行けば会場に―/中国語から出た語彙イ/論語に出ている故事」 ❻売れる。「よく―品/このごろちっとも出ない」 ❼態度をとる。「彼がどう―か見ものだ/攻勢に―」

【―所ところへ―】当事者の間で解決できない問題について決着をつけるために、司法当局や第三者に訴え出る。【―と負け】〔もと、すもうとりが取組中、回しから陰部が少し

でも見えたら負けになった事を指した」俗に 競技で、出場するたびに負けること。

デルタ①〔Δ・δ=ギリシャ字母の第四字〕三角洲ス。「―地帯④」

てるてる ぼうず⑤【照る照る坊主】 次の日晴れることを祈って軒などにかけておく、紙製の人形。〔古くは「照れ照れ坊主」〕

てるは きょうげん④【照葉狂言】 狂言を基にし、歌舞伎の所作などを取り入れたこっけいな演芸。てりは狂言。

デルマトール④〔ド Dermatol〕 黄色い粉末の薬。ヨードホルムの代用。切り傷などの外用薬とし、また、下痢止めとして服用された。

テルミット③〔ド Thermit=商標名〕アルミニウムと酸化鉄とを交ぜた粉。燃やすと高熱を発する。焼夷弾用。

てれかくし③【照れ隠し】 人前で図星を指されたりちょっとした失敗をしたりした時などに、直接には無関係な事を言い出したり 他の動作に託したりして、恥ずかしさを紛らわすこと。

てれくさ・い④【照れ臭い】(形) おおぜいの前でほめられたりみんなに注目される存在になったりして、かえって恥ずかしさを感じる気持だ。 派―さ④③ ―げ⓪⑤④

デレゲーション③〔delegation〕 代表団。〔特に、オリンピックその他の国際的な競技会に派遣される、役員を含む選手団を指す〕

テレコ⓪ テープレコーダーの口頭語的な略称。

てれしょう②③【照れ性】 ちょっとした事でもすぐ照れる性分。

でれすけ② ❶(女性に)だらしのない人。❷動作ののろい人。〔❶❷とも侮蔑を含意して用いられる〕

テレタイプ③〔Teletype=商標名〕 タイプライター式電信機。送信側がタイプライターの文字を打つと、受信側に自動的に印字される装置。

テレックス②〔telex←**tele**graph-**ex**change〕 ダイヤルで相手を呼び出し、テレタイプで通信する装置。加入電信。

でれっ と②(副)―する いかにもでれでれしているといった印象を与える様子。「あいつ、いつも―してやがる」

でれでれ①(副)―と―する 言動や態度に緊張を欠き、いかにも△締まり(節度)の無い感じがする様子。〔口頭語的表現。「―(だ)」の場合のアクセントは⓪〕「しょっちゅう女に―して、見ちゃいられない」

テレパシー②〔telepathy〕 遠く離れている人どうしの互いの気持や考えていることが、一種の心霊現象で分かること。

****テレビ**① ❶〔テレビジョン③(television)の略〕 動く画像と音声・音響を電波で広い地域の受信装置に送って、不特定の大衆に同時に視聴させる仕組み。ティーブイ(TV)。〔狭義では、その受像装置だけを指す。例、「―を△つける(消す)/一日中―にかじりつく/―のチャンネル権を争う」〕❷「テレビ❶」によって放映する番組。「―に出る/―を見続ける」 かぞえ方 ❶は一台。❷は一本

テレビゲーム④〔和製英語 ←television + game〕 テレビ画面に映し出される画像を、専用のレバーやボタンなどの操作によりコンピューターで制御して行なうゲーム。〔英語では video game〕

テレビンゆ③【テレビン油】〔テレビン=ポ terebinthina〕 マツ科植物の樹脂を蒸留して得た、油状・揮発性の液。塗料・合成樟脳製造用。

テレファックス③〔telefax〕 ニュースの電送方式。模写電送③。

テレホン①〔telephone〕 電話。テレフォンとも。「―サービス⑤・―カード⑤」

テレマーク③〔ノルウェー Telemark=地方名〕〔スキーで〕外側の足を前に出してする、回転・停止の技術。

てれや②【照れ屋】 ちょっとした事ですぐ照れる人。

て・れる②【照れる】(自下一) 自分に関する事が話題になって、内心うれしくもあり一面において得意な気もするが、注目を浴び過ぎることで内実の心境としては気が引ける。また、そのために、恥ずかしそうな態度・表情などを示す。「そんな事言われると、照れちゃうな」 名照れ② 「―とか遠慮が働く」

テレワーク③〔telework ←tele〔=離れて〕+ work〔=働く〕〕 情報通信技術を活用して、職場とは異なる場所で勤務すること。テレコミュート。

てれん⓪【手練】 うまい事を言って、人をまるめこむ方法。「―手管に長ずる」

テロ① テロリスト・テロリズムの略。「同時多発―を警戒する/―行為③・無差別―⑤・自爆―」

テロップ①②〔telop=もと、商標名。←**tel**evision **op**aque-**p**rojector〕 テレビに映し出す文字・写真。「―カード⑤」

テロメア⓪〔telomere〕 染色体の末端にあって、染色体を保護する部分。〔テロメアが短くなることと細胞が老化することには深い関係がある〕

テロリスト③〔terrorist〕 政治的理由などで暴力的行為を行使する人。

テロリズム③〔terrorism〕 政見の異なる相手に対し、自己の主張を通そうとするために暗殺・暴力行為などを行使することを是認する主義。また、その暴力の行使。

でろれん さいもん⑤【でろれん祭文】 昔、門付をして歌った祭文。また、その芸人。ほらがい・錫杖などで伴奏し、合の手に「でろれん、でろれん」と口三味線を入れた。略して「でろれん⓪」。

てわけ③【手分け】―する(他サ) 一つの仕事をするために、何人かが違った役割・部署を受け持つこと。「―して捜す」

てわたし②【手渡し】―する(他サ)(相手に会って)直接に渡すこと。手から手へと渡すこと。動手渡す③(他五)「抗議文が手渡される」

てん〔天・典・店・△恬・点・展・添・転・塡・殿〕→【字音語の造語成分】

テン①〔ten〕 十(の)。「ベスト―」

***てん**①【天】❶地と対極的な無限に遠く高い所。〔空よりもさらに遠く高い所とされ、天文学では、天球を指す〕「―と地のような開き/―まで届けと泣き叫ぶ/凧上がれ、―〔=空〕まで上がれ/―にも昇る心地〔=非常にうれしい気持〕/―下・―空・満―・露―」↔地 ❷「天❶」にあって万物を支配するとされる神。天帝。「―は二物を与えず/あの状況で死なかったのは―の助け〔=奇跡としか言いようのない幸運〕だ/―の配剤〔=⇩配剤〕/―の恵み/―祐」 ❸神・精霊・霊魂の居ると考えられる所。不浄・偽りの無い世界という。天上。〔仏教では六道の一つを指す〕❹人間の力ではどうすることも出来ない、大自然の働き。「―の時〔=人間の抗することの出来ない、時のめぐり〕地の利/―運・―命」❺〔荷物・本・掛け物などの〕上の部分。「―金・―地無用」↔地 ❻天、地、人の三段階で等級を示すときの第一位。「―賞・―位①」⇩地・人 【―に唾す】 天を仰いで唾を吐いても天を汚すことはできず、かえって自分に降りかかってくる。悪意を持って人に接すると、かえって自分が損をする。「天△に向かって(を仰いで)唾す」とも。⇩【造語成分】

てん①【典】 儀式。「華燭の―/祭―・式―・大―」⇩【造語成分】

**てん[0]【点】 ❶筆や鉛筆の先でちょっとつけたような、小さなしるし。〔幾何学においては、位置のみを有し、広がりを持たないものとされる。また、碁では、碁盤の縦線と横線の交点を指す〕「—と—を結ぶ/定—・頂—・原—」⇩線 ❷〔漢文や日本文で〕△表記(解読)上の約束を示す補助符号。「—をうつ/句—・読—・濁—・返り—・声—」 ❸能力試験や他人の作品などに対する評価(を示す数値)。「—〔=評価〕が甘い/良い—/—のうちどころが無い〔=非難すべき箇所が全く無い〕/採—・満—・及第—・平均—」 ❹問題になる事柄。「…などの—をあげる/…という—に尽きる/実行する—〔=段階〕になると/問題—」 ❺漢字の字画の一つ。「、」「丶」「—画」 ❻灸点。 ❼〔スポーツで〕優劣を示す得点。「—の取り合い/減—・勝ち—」 ❽電気の回路が開かれていること。↕滅 ⇩【造語成分】

てん[1]【転】〔言葉の形などが〕変化すること。「カッパは河童の—で、漢語ではない/—義・変—」⇩【造語成分】

てん[1]【〈篆】印の文字や額面に用いられる、漢字の一書体。小篆は、楷書・隷書のもと。「—刻・—書・印—」

てん[1]【〈貂】山林にすむ、イタチに似たけもの。夜、小動物を捕食する。毛皮は珍重される。〔イタチ科〕かぞえ方 一匹

でん(田・伝・殿・電・〈澱)→【字音語の造語成分】

でん[1]【伝】ある型にはまった、やりかた。「いつもの—で」⇩【造語成分】

でん[1]【電】「電報」の略。「—ミタ/ウナ—・祝—・弔—」⇩【造語成分】

でんあつ[0]【電圧】一つの△導体(電場)内の二点間の電位の差。基本単位は、ボルト。「—が△下がる(上がる)/高—[3]・—計[0]」

てんい[1]【天位】△天皇(天子)のくらい。「—に即っく」

てんい[1]【天意】❶神の心。❷自然の道理。

てんい[1]—する ❶【転位】(自他サ) 位置を変えること。位置が変わること。❷【転移】(自サ) ❶ある所に生じた疾患が他の所へ移ること。「癌の—/—性[0]」 ❷感情や興味の対象などが、他に移ること。 ❸一つの分子内で二個の異なる原子または原子団が、互いに位置を変えること。

でんい[1]【電位】電気的な観点から見た時の、その点の高さ。「電気的な高さ」は、単位電荷を基準点からその点まで運ぶのに要するエネルギーの量に基づいて定める。〔電流は、電位の高い方から低い方へと流れる〕⇩ボルト **—さ**[3]【—差】電圧。

てんいた[0]【天板】❶机・こたつなどの、一番上にある、平たくて大きな板。「てんばん[0]」とも。❷カーテン・ブラインドなどを取り付けるために、天井に張った細長い板。かぞえ方 一枚

てんいちじん[4]【天一神】陰陽道の神の一つ。この神が居る方角をおかすことを忌む。なかがみ[2][0]。〔この神が天にある十六日間を「天一天上[5]」と言って、外出に適する時期とされる〕

てんいむほう[1]-[0]【天衣無縫】—な〔天人の衣服には縫い目が無いように〕詩歌・文章などが、技巧のあとが無く、完全である様子だ。〔俗に、天真爛漫の意にも用いられる〕

てんいん[0]【店員】商店に勤務して、接客業務にあたる人。

てんいん[0]【転院】—する(自サ) 現在の入院先から他の病院へ移ること。

でんう[1]【殿宇】宮殿や大寺院など、構えの大きい立派な建物。

てんうん[0]【天運】天帝が支配するという、人間の運命。

てんえん[0]【展延】—する(自他サ)〔金属などを〕薄く広げ延ばすこと。広がり延びること。「金属の—性」

でんえん[0]【田園】❶田畑。「—まさに荒れなんとす」❷緑の多い△郊外(いなか)。「—風景[5]・—詩人[5]」 **—とし**[5]【—都市】緑や緑地を街づくりに多く取り入れた、郊外の都市。

てんおうざん[3]【天王山】⇩てんのうざん

てんおん[0]【天恩】❶造化の恵み。❷天子の御恩。

てんか[1]【天下】❶〔全世界の意〕(支配権の及ぶ)世の中。「—を△取る(制する)/—の〔=世間に恥じることのない〕横綱/—に恥をさらす/—の笑い者となる」❷〔江戸時代に〕将軍。「—さま」〔古くは「てんが」〕 **—いっぴん**[1]-[0]【—一品】他に比べる物が無いほどすぐれている△こと(物)。 **—とり**[3]【—取(り)】❶天下の政権を手に握る△こと(人)。❷陣取り遊び。 **—はれて**[1]-[1]【—晴(れ)て】(副)〔それまで世間の目をはばかって来た〕関係や立場が社会的に認められたものになる様子。「—夫婦となった」 **—わけめ**[1]-[0]【—分(け)目】天下を取るか取られるかのわかれ目。勝敗の決まる大事な時。「—の△関が原(合戦)」

てんか[0]【点火】—する(自サ) ❶〔マッチ・ライターなどで〕焜炉・ストーブやバーナーなどに火をつけること。また、その結果、火がつくこと。「ストーブに—する/—装置[4]・自動—」❷内燃機関を始動させること。「エンジン—」

てんか[0]【添加】—する(他サ) 本質的には必ずしも必要でない物を加えることによって、一定の効果を生み出そうとすること。「食品—物・無—」

てんか[1][0]【転化】—する(自サ) ❶他の状態に変わること。❷蔗糖が加水分解して、ぶどう糖と果糖になること。「—糖[0]」

てんか[0]【転科】—する(自サ) 学生・生徒がその学校で自分の属する科を変えること。⇩転部

てんか[0][1]【転〈訛】—する(自サ) 特定の語の発音が、何らかの事情で本来のものから変化すること。〔広義では、「音便」をも含む〕「動物のコウモリは、カハボリの—」

てんか[1]【転嫁】—する(他サ)〔「再度の嫁入り」の意〕罪・責任などを他になすりつけること。「責任—」

てんが[1]【典雅】—な〔目に見えるものや耳に聞こえるものの総合的印象が〕整っていて上品な様子だ。「—な調べ」派 **—さ**[3]

でんか[1]【伝家】代々その家に伝わること。 **—のほうとう**[1]-[0]【—の宝刀】家に伝わる大切な刀。〔よくよくの場合以外はむやみに使わない奥の手の意にも用いられる。例、「—を抜く」〕

でんか[1]【殿下】天皇・上皇・上皇后・三后以外の皇族の名前の下に添える敬称。〔代名詞としても使われる〕

でんか[0]【電化】—する(自他サ) ❶鉄道を電力によって動かすようにすること。❷電気器具を利用して、家庭生活の便利化をはかること。

でんか[0][1]【電荷】物体が帯びている電気(の量)。「△正(負)の—を帯びる」

てんかい[0]【天界】天上の世界。「—〔=宇宙〕の神秘」

*__てんかい__[0]【展開】—する(自他サ) ❶〈どこニ—する〉目を見はるような場面△が示される(を示す)こと。「眼下に平原が—する/はなやかな場面を—する」❷〈(なにヲ)—する〉新たに出現した事態が、どのような成行きになるかを予測させないままに進行すること。「事態は思わぬ方向に—した/論争が—される/△運動(キャンペーン)を—する〔=繰り広げる〕」❸〔密集した隊形が〕間隔をとって広がること。 **—ず**[3]【—図】立体の表面を上下左右などに切り開いて一平面上に広げた図。「—法[5]」

てんかい[0]【転回・転〈廻】—する(自他サ) くるりと回っ

て、向きを変えること。向きがぐるりと変わること。「コペルニクス的―」」

てんがい①(―グワイ)【天外】❶天の、はるかかなた。「―へ飛び去る」❷常人の考え及ばない世界。「奇想―(より落つ)〔=だれも思いもよらない、奇抜な考えを思いつく〕」

てんがい①【天涯】空の果てにも比すべき、遠隔の異郷。「―万里に思いをはせる／―孤独①-⓪〔=広い世界じゅうに身寄りが一人も居ないこと〕」

てんがい⓪【天蓋】❶東洋では仏像・導師・棺などの装飾用のおおい、西洋では玉座・説教壇・ベッドなどの上にかざすきぬがさ。❷虚無僧(コムソウ)がかぶる、深い編みがさ。❸僧の隠語で、蛸(タコ)。

でんかい⓪【電界】⇩でんば(電場)

でんかい⓪【電解】―する(他サ)「電気分解」の略。 **―しつ**③【―質】水に溶けて、しかも電気分解される物質。例、酸・塩基・塩。

てんかく⓪(―クワク)【点画】漢字を形作る点と線。

てんがく⓪【転学】―する(自サ) 児童・生徒・学生が、在籍する学校を退学して他の学校へ移ること。

でんがく⓪【田楽】〔昔、田植えの際 田の神を祭るために行なった舞楽の意〕❶昔、法師によって行なわれた、鼓・びんざさらなどを持って歌舞したり 玉取りなどの曲芸をしたりする遊芸。❷「田楽豆腐・田楽焼き」の略。 **―ざし**⓪【―刺(し)】何かの中央を串(クシ)・刀などでずぶりと刺し貫くこと。 **―どうふ**(―ドオフ)⑤【―豆腐】豆腐を方形に切って串に刺し、みそを塗って火にあぶった料理。〔かぞえ方〕一本 **―やき**⓪【―焼(き)】魚・野菜などを串に刺して焼き、みそをつけた料理。〔かぞえ方〕一本

てんかす⓪【天〈滓】天ぷらを揚げた時に、ころもがはがれて細かくなったもの。「揚げ玉」とも。

てんかふん③⓪(―クワ―)【天花粉・天〈瓜粉】カラスウリに似たキカラスウリの根からとった、白色の粉。あせも・ただれ用。

てんから①【天から】(副) 先入観にとらわれるなどして、それ以外の可能性を全く考えもしない様子。はなから。「彼の言うことなど―信用していない／彼がやってくれるものと―思い込んでいた」

テンガロー③〔テントとバンガローの混交〕床の上にテントを張った小屋。

テンガロン ハット⑥〔ten-gallon hat〕〔水が一〇ガロンも入る意からという〕アメリカのカウボーイなどがかぶる、山が高くつばの広い帽子。カウボーイ ハット⑥。

てんかん⓪(―クワン)【展観】―する(他サ) ふだんは大事にしまっておく物を出してきて、一般の人に見せること。

てんかん⓪(―クワン)【転換】―する(自他サ) 情勢・方針などが今までとがらりと変わる(ようにする)こと。「イメージの―を図る／局面が百八十度―する／発想の―／性―・気分―」 **―き**③【―期】そのものの内情が大きく移り変わろうとする時期。「重大な―に立つ／大きな―を迎える／―に直面する」

てんかん③⓪【〈癲癇〉】脳機能の障害によって起こるとされる、発作性の症候群。多く、けいれんと意識障害を伴う。

てんがん⓪【天眼】何事でも見通せる力を持つ目。千里眼。 **―きょう**(―キヤウ)⓪【―鏡】人相見や手相見が使う、柄(エ)のついた大形の凸(トツ)レンズ。 **―つう**⓪【―通】何事で

てん

［天］ ■一❶空もよう。「悪天・好天・曇天」❷自然。「天険・天災・天然」❸生まれつきの。「天才・天性・天分・先天的・後天的」❹天皇に関係する物事の上に添えた語。「天覧・天顔」❺「天王」の略。「毘沙門(ビシャモン)天・持国天」 ■二(略) てんぷら。「天つゆ・えび天」⇩(本文)てん【天】

［典］ ■一❶基準。「典型・典例」❷基準となる本。「典籍・古典・原典・辞典」❸法と、その規定。「法典・楽典・操典・欠典」❹伝統による儀式。「式典・祭典・祝典・大典」❺拠(ヨ)りどころがあって、正しいと見られるもの。「典雅・典拠・出典」❻故あって受ける特別扱い。「栄典・恩典・特典」 ■二つかさどる。「典座(テンゾ)・掌典(ショウテン)」 ■三質(チ)(に入れる)。「典舗(テンポ)・典物(テンブツ)」⇩(本文)てん【典】

［店］ みせ。「店員・店頭・書店」

［〈恬］ あっさりしている。「恬然・恬淡」

［点］ ■一❶特定の場所。箇所。「起点・拠点・終点・出発点・沸騰点」❷火や電気をつける。「点火・点灯・点滅」❸調べる。「点検・点呼」❹うなずく。「点頭」❺入れる。つぐ。さす。「点眼・点景・点茶」 ■二❶評点・しずく・品物をかぞえる語。❷昔、時刻をかぞえた語。今の三十分にあたる。「辰(タツ)の一点」⇩(本文)てん【点】

［展］ ■一❶多くの人にひろげて見せる。「展観・展示・展覧・展開」❷開いて見る。「親展」❸△ひろがっているものを(ひろく)見る。「展望」❹ひろげてのばす。「展延性」❺関係する範囲が広くなり、物事がさかんになる。「進展・発展・伸展」 ■二(略) 展覧会。「個展・画展・作品展」

［添］ そえる。そう。つける。「添加・添削・添付(テンプ)・添書」

［転］ ❶くるりとまわる。ころがす。「転回・運転・反転・公転」❷ひっくりかえる。たおれる。「転倒・転落」❸〔方向・職業・住居などを〕かえて移る。「転換・転職・転居・移転・栄転」❹漢詩の第三句。「起承転結」⇩(本文)てん【転】

［塡］ ❶はめる。はめこむ。「装塡」❷うめる。うずめる。「塡補(テンポ)・充塡・補塡」

［殿］ 宮殿(キュウデン)。「殿上人(テンジョウビト)・御殿」⇩でん

でん

［田］ ❶た。たんぼ。「田園・田地・水田・美田・塩田」❷たんぼのように何かを産出する土地。「炭田・油田」❸いなか。「田夫(デンプ)野人」

［伝］ ❶つたわる。「熱伝導」❷人から人へとつたわる。「伝言・伝説・伝来・遺伝・秘伝」❸世間に広める。「伝道・伝播(デンパ)・宣伝」❹経書などの注釈書。「古事記伝」❺伝記。「自伝・列伝」❻つぎつぎに送る。「駅伝」⇩(本文)でん【伝】

［殿］ ❶大きくてりっぱな建物。「殿堂・宮殿・紫宸(シシン)殿」❷しんがり。「殿軍」❸Ⓐ〔私的性格を持つ「様」と違って〕少し突っぱなした感じで言う敬称。〔現代語では「貴殿」以外の用法は無い〕Ⓑ法名の下に添えて呼ぶ敬称。「光明院殿」⇩てん

［電］ ■一❶電気。「電源・電力・発電・感電」❷いなびかり。いなずま。「電光・雷電」 ■二(略) ❶電車。「市電・終電」❷電話。「留守電」⇩(本文)でん【電】

［〈澱］ おり。かす。「澱粉(デンプン)・沈澱」

も見通す神通力(ジンズウリキ)。

てんがん⓪【天顔】「天子の顔」の意の漢語的表現。

てんがん⓪【点眼】―する(自サ) 目薬を目にさすこと。「―薬③・―水③(=目薬)」

*__てんき__①【天気】㊀Ⓐその時どきの、晴雨・気温・風のぐあいなどの状態。「変わりやすい―/―図③・―予報④」Ⓑ〔「よい天気」の意から〕晴天。「きょう一杯は―だろう/朝からお―だ」㊁「天子の機嫌」の意の漢語的表現。天機。

―あめ③【―雨】 日が照っているのに降る雨。

てんき①【天機】〔古〕㊀〔もと、宇宙の秘密の意〕隠す必要のある秘密。「―漏らすべからず」㊁⇩天気㊁

てんき①【転帰】 病気の経過によって、ある決定的な状態に至ること。「死の―をとる/―を治癒と判定する」

てんき⓪【転記】―する(他サ) 記載してある事を他の帳簿などに書き写すこと。

てんき①【転機】㊀転換期。「一つの―が訪れる/重大な―に直面する/大きな―に立つ(を迎える)」㊁それがもとになって今までとは違った進路を取るようになること。「これを―〔=きっかけ〕として信仰生活に入った/―をつかむ」

てんぎ①【転義】〔語の意味で〕意味の拡大・縮小や比喩的用法への転換などによって生じた、本来の意味とは異なったもの。⇩原義・本義

でんき①【伝奇】 普通では考えられない超現実的な話(を題材とする小説)。

*__でんき__⓪【伝記】 ある個人の一生の事績を述べた記録。「―作家④」

__でんき__①【電気】㊀毛皮でこすったエボナイトの棒が物を吸い寄せようとする作用のもととなるもの。物を動かすエネルギーの一つの形。「―的に中性〔=プラスとマイナスがつりあっている状態〕/―工学④・静―」㊁「電気㊀」の力で作用すること。「―毛布④・―ストーブ⑤・―製品④・―会社④・―屋⓪」㊂電灯の俗称。「―をつける」 **―いす③【―椅子】 死刑執行用の高圧電流を通じる装置の椅子。アメリカの一部の州で用いられる。 **―アイロン**④ 電気を熱源にしたアイロン。 **―かいろ**④【―回路】 電流の流れる通路。サーキット。 **―がま**③【―釜】 炊きあがると自動的にスイッチが切れる、電熱利用の飯炊き釜。 **―きかんしゃ**⑤【―機関車】 電動機によって運転する機関車。 **―きぐ**④【―器具】 電気の力を利用する(家庭用の)器具。略して「電器①」。 **―くらげ**④【―〔水母〕・―〔海月〕】 クラゲの一種のカツオノエボシの俗称。触手に触れると感電した時のような激しい痛みを感じる。 **―けいさんき**⑥【―計算機】 電気を用いて計算を行なう装置。電動計算機・電子計算機などがある。 **―じしゃく**④【―磁石】 電磁石。 **―じどうしゃ**⑤【―自動車】 蓄電池をエネルギー源とした自動車。略称、イーブイ(EV)。 **―スタンド**⑤ 机などに置く台付きの電灯。略してスタンド。 かぞえ方 一基・一灯 **―ていこう**④【―抵抗】 電流の通りにくさの度合を表わす値。単位はオーム。 **―どう**③【―銅】 電気分解で得た銅。 **―どけい**④【―〔時計〕】 電力で動かす時計。 表記 ⇩付表「時計」 **―ひばな**④【―火花】 気体〔=普通、空気〕中の陰陽両極の間で放電する時に出る火花。一般に光・音・熱を伴う。雷はその大規模なもの。 **―ぶんかい**④【―分解】―する(他サ) その物質の水溶液などに電流を通すことにより、物質を分解すること。略して「電解」。 **―メス**④ 高周波電流を用いて、生体組織を切開したり止血したりする、外科手術用の器具。 **―めっき**④【―〔鍍金〕】 陰極に接続した金属の表面に薄い膜を作る方法。 **―ようせつ**④【―溶接・―〔熔接〕】―する(他サ) 電気の放電熱を利用した、金属の溶接法。 **―ろ**③【―炉】 電熱の力で金属を溶かす炉。製鉄・製鋼用。

でんき①【電機】 電力で運転する機械。電気機械。

てんきぼ③【点鬼簿】「過去帳」の意の古風な表現。

てんきゅう⓪【天球】 天体の運行を統一的に取り扱う便宜上、地球上の観測者を中心として仮想した、超大型の球面。すべての天体をこれに投影して考える。〔球の半径は地球上の地点の違いが無視できる程度に十分大きいものと見なす〕 **―ぎ**③【―儀】 天球上の天体・星座の位置などを示した球。 かぞえ方 一台

でんきゅう⓪【電球】 光源体を収めたガラス球。中に不活性ガスを入れてあり、光源体であるフィラメントに電流を流して発光させて用いる。 かぞえ方 一本:一灯

てんきょ①【典拠】 信用出来る根拠(を載せる文献)。

てんきょ①【転居】―する(自サ) 住居を変えること。ひっこし。「―通知④」

てんきょう⓪【〔癲狂〕】㊀精神の平衡を失うこと。「―の人」㊁〔漢方で〕精神疾患。「―院③」

てんぎょう⓪【転業】―する(自サ) 職業・商売を変えること。

でんきょく⓪【電極】 電池・発電機などで、電流の出入りする所。出る方が陽極、入る方が陰極。〔広義では、真空管のプレートなどを指す〕

てんきん⓪【天金】 洋とじの本で、上方の小口に金箔を付けること。⇩三方金

てんきん⓪【転勤】―する(自サ) 同じ官庁・会社に所属したまま、勤務する地域が変わること。「―が多い/―族③」

てんく⓪【転句】〔漢詩で〕絶句などの第三句。⇩起句・承句・結句

てんぐ⓪【天〔狗〕】㊀深山に住み、顔が赤く鼻が高くて自由に飛行するという、想像上の怪物。㊁〔鼻が高いというところから〕うぬぼれて自慢する人。「―になる/釣り―」

てんくう⓪【天空】(はてしなく広がっている)そら。 **―かいかつ**⓪-⓪【―海〔闊〕】―な 〔「海闊」は海の広い意〕度量が広くて大きいこと。

てんぐさ⓪【天草】 紅藻類の海藻。枝が細かく分かれて出る。寒天・ところてんの原料。ところてんぐさ④。〔テングサ科〕 かぞえ方 一本

てんぐじょう⓪【天具〔帖〕】 コウゾの繊維で作った、薄くて柔らかい和紙。白くて美しいので貴重品を包んだりするのに使われる。

デングねつ③【デング熱】〔ド Denguefieber〕 熱帯性感染症の一つ。蚊により媒介され、突然、高熱が出て関節・筋肉が痛み、発疹が現われる。

でんぐりがえし⑤【でんぐり返し】―する(自サ)〔「でんぐり」は、転倒の意の動詞「でんぐる」の連用形〕手を地につき、足を空に立ててからだを前(後ろ)へ回転させること。〔物事の位置・状態が逆さまになる意にも用いられる〕 動 でんぐり返す⑤(他五)

でんぐりがえ・る⑤【でんぐり返る】(自五)㊀でんぐり返しをした状態になる。㊁予想に反した結果が出る。 名 でんぐり返り⑤

でんぐん⓪【殿軍】〔退却する〕大部隊の最後尾にあって、敵の追撃に備える部隊。しんがり。

てんけい⓪【天刑】 天が下した刑罰。

てんけい⓪【天恵】 天の神が人間に与える恵み。

てんけい⓪【天啓】 天の神が人間に示す啓示。神の導き(教え)。

てんけい⓪【典型】 同類の特徴の中で、それを見せそれを述べさえすれば直ちに同類のイメージがだれにも思い浮かぶ種

類の物。また、その代表例。「善人の—とも言うべき風貌(フウボウ)/政治家の一—」 **—てき**⓪【—的】—な —に 最も端的にその同類の代表と考えられる特徴を備えている様子だ。「—な科学者」

てんけい⓪【点景】〔人間的な感じやふくらみを出すために〕風景画や風景写真の中に軽い意味で配する人や動物など。「—人物⑤」 表記「添景」とも書く。

でんげき⓪【電撃】❶電流をからだに受けた時、急に感じる衝撃。「—療法⑤」 ❷Ⓐ稲光のように何の前触れもなく行動を起こして敵を攻撃すること。「—作戦⑤」 Ⓑ突然思いもかけない行動に出ること。「—的な結婚だった」

てんけん⓪【天険・天〈嶮】山地などの、非常にけわしく自然の要害になっている所。

てんけん⓪【天〈譴】不都合な者に対する、天のとがめ。

***てんけん**⓪【点検】—する（他サ）〈なに・どこヲ—する〉不良箇所や誤りが無いかと、一つひとつ調べること。「—を加える/総—を受ける/エレベーターの定期—」

てんげん⓪【天元】〔「万物生育のはじめ」の意〕碁盤の中央にある縦横の線の交点。

でんげん⓪③【電源】❶機械などの電気的エネルギーを得る源泉。❷発電所など、電力を供給するみなもと。「—開発⑤・—地帯⑤」

てんこ①【典故】典拠となる故事。故実。

てんこ①【点呼】—する（自サ）一人ひとりの名を呼んで、人数がそろっているかどうかを調べること。「—をとる」

でんこ①【電弧】向かい合った二本の△炭素（金属）の棒の間に起こる放電。アーク。

てんこう⓪【天工・天功】大自然の働き。「—人工相(イア)合して」

***てんこう**⓪【天候】ある期間にわたっての天気の状態。「—に△恵まれる（左右される）/—の回復を待つ/悪—」

てんこう⓪【転向】—する（自サ）❶方向・針路・方針・立場・態度・好みなどを変えること。「—点③」 ❷それまでの思想的立場、特に、共産主義思想を捨てて、他の思想を持つようになること。「—文学⑤」

てんこう⓪【転校】—する（自サ）「転学」の日常語としての表現。「—生③」

でんこう⓪【電工】❶「電気工業④」の略。❷電気工事技術者。

でんこう⓪【電光】❶「いなびかり」の意の漢語的表現。「—石火(カセッ)⑤〔=『石火①』は、火打ち石で打った火のひらめきの意。非常に短い時間や、行動が敏速に行なわれることのたとえ〕・—朝露(チョウロ)⑤〔=人生のはかないことのたとえ〕」 ❷電灯の光。「町にはまぶしいばかりの—があふれていた」 **—けいじばん**⓪【—掲示板】面状に配置した電球群の点滅により、文字や図形を示すようにした掲示板。 **—ニュース**⑤ 多数の電球の明滅によって文字を次つぎと移動させて表示し、ニュースなどを知らせる装置（による情報）。「—が流れる」

てんこうげん③【点光源】照らされる対象に比べて十分小さく、点と見なしてもよい（距離にある）光源。

てんこく⓪【〈篆刻】—する（他サ）〔篆書を使ってする〕印刻。

てんごく①【天国】❶〔キリスト教で〕人間の死後、霊の安らぎが得られる所とされる、想像上の世界。天上にあり、神の居所とされ、悪人の堕(オ)ちる地獄と対立的に考えられる。「—の母〔=死んだ母〕をしのぶ」 ❷楽しく自由に過ごせる理想的環境。「子供の—/歩行者—」

てんごく⓪【典獄】「刑務所長」の旧称。

てんこつ①【天骨】「生まれつき」の意の漢語的表現。

てんこもり⓪【てんこ盛り】「御飯を山盛りにすること」の口頭語的表現。

でんごん⓪【伝言】—する（他サ）直接つたえることのできない要件などを、人に頼んでつたえてもらうこと。また、その要件など。「—板(バン)⓪」

てんさ⓪【点差】〔試合で〕点数の差。

てんさい⓪【天才】普通の人にはまねの出来ない、すぐれた才能（を生まれつき持っている人）。「—児③」 **—てき**⓪【—的】—な —に 天才のように、ひらめきがずばぬけてすぐれている様子だ。「—なピアニスト」

てんさい⓪【天災】地震・洪水・暴風雨などの自然現象によって起こる災害。「—は忘れた頃にやってくる」↔人災 **—ちへん**⑤、⓪-⓪【—地変】「天災」の強調表現。

てんさい⓪【天際】「空のかなた」の意の漢語的表現。

てんさい⓪【〈甜菜】夏、黄緑色・小形の花が咲く二年草。ヨーロッパ原産。紡錘(ボウスイ)状の根の汁から砂糖をとる。砂糖大根。ビート。〔ヒユ科（旧アカザ科）〕 かぞえ方 一株・一本 **—とう**⓪【—糖】テンサイの根からとった砂糖。ビート糖。

てんさい⓪【転載】—する（他サ）△他（既刊）の著作物に載っている文章や絵・写真と同じものを、別の印刷物に載せること。「禁無断—」

てんざい⓪【点在】—する（自サ）あちこちに散らばってあること。「山すそに—する民家」

てんさく⓪【添削】—する（他サ）❶〔他人の依頼を受け、指導するために〕その人の書いた詩文の、△むだ（不適当な所）を省き不足を書き加えて、良くすること。❷答案をただ点数をつけるだけでなく、誤りの点を指摘したり 講評を添えたりして返すこと。「作文の—」

てんさく⓪【転作】—する（他サ）今まで作っていた作物とは別の作物を作ること。

てんさん⓪【天産】人間が飼養・培養・増殖・育成・栽培したのではなく、動植物が自然に発生し、生長すること。「—物③」

でんさんき③【電算機】「電子計算機」の略。

てんざんじゅつ③【点〈竄術】〔「点」は残す、「竄」は除く意〕和算における筆算式代数学の称。

てんし①【天子】〔天帝の代理として人民を治めるという考え方に基づき、もと君主の汎(ハン)称として用いられた〕天皇の特称。「日出(イ)づる所の—/—様①」

てんし①【天使】天の神の使者として人間界に派遣されるという使者。エンゼル。〔やさしい人の意にも用いられる。例、女性看護師を「白衣の—」と言うなど〕

てんし①【天資】「生まれつき・天性」の意の古風な表現。〔現代語としては、「—豊かな人間/—英明①-⓪」というように用法が限定されている〕

てんし⓪【展〈翅】—する（他サ）〔標本にする昆虫などの〕羽を広げること。「—板(バン)⓪」

てんじ①【典侍】現在、宮中の女官の最高位。

てんじ⓪【点字】盲人が指先でさわって読む、文字の符号。紙面にとび出した六つの点を組み合わせて使う。「—訳⓪③〔=⇩点訳〕」↔墨字 **—ブロック**⑤ 盲人に進行方向や停止場所などを知らせるために、駅のホームや歩道などに敷き並べる突起の付いたブロック。

***てんじ**⓪【展示】—する（他サ）〈どこニ なにヲ—する〉作品・資料・模型・商品などを一定の方針に従って陳列し、一般の参考に供すること。「—会③⓪・—品⓪・—物③」

てんじ⓪【〈篆字】篆書の文字。

***でんし**①【電子】素粒子の一つ。物質を構成する、最小の帯電粒子。エレクトロン。「—頭脳④〔=電子計算機の異

称〕」 ―オルガン④ 電子の回路によっていろいろな音を発振させ、それらを合成する、オルガンに似た形の楽器。 ―おん③【―音】〔機械的な振動により発生する音と違って〕電子回路で発振させた音。〔広義では、電気回路によるものをも指す〕 ―おんがく④【―音楽】電子音を組み合わせた音楽。 ―か⓪【―化】―する(他サ) 人間生活や業務の中にコンピューターを介在させること。特に、書籍などの出版物や美術品などをデジタル データとして保存・流通させることや、書類作成・決済・商談など仕事にかかわる諸作業、また商品売買や官公庁の手続きなどをコンピューターとネットワークを使って行なうようにすること、など。 ―がっき④【―楽器】電子音を発生させて演奏する楽器。電子オルガンやシンセサイザーなど。 ―きき④【―機器】電子回路がその中枢部を占める機器。 ―けいさんき⑥【―計算機】電子回路を中心として構成され、指示されたとおり自動的に高速で計算したりデータを処理したりすることの出来る機械。コンピューター。略して「電算機」。〔狭義では、デジタル式かつプログラム内蔵式の物を指す〕「プログラムを組んで―を動かす／大型―・汎ハン用―」⇩中央処理装置・記憶装置・入出力 ―けっさい④【―決済】商品・サービスなどの取引で発生する代金のやりとりを、インターネットなどのネットワークを通じて行なうこと。 ―けんびきょう⓪【―顕微鏡】光線の代わりに電子線を使う顕微鏡。倍率は十万倍程度。 ―こうがく④【―工学】真空管・半導体などを通る電子を応用する技術の学問。ラジオ・テレビ・コンピューターなどに応用する。エレクトロニクス。 ―こくばん④【―黒板】書いた文字や図などを、そのまま縮小して紙にコピーできるホワイトボード。近年はコンピューターと組み合わせて利用するさまざまな型がある。 ―じしょ④【―辞書】辞書の内容をデジタルデータ化して、検索・閲覧できるようにした(携帯用の)電子機器。 ―しゃしん④【―写真】セレンや酸化亜鉛の持つ「光導電効果⑦〔=暗い所では高い絶縁性があり、光が当たると電気を通すようになる性質〕」と静電気の吸着現象を利用した静電的写真法。現像液・定着液を必要とせず、操作が比較的簡単なので、図面・書類の複写に広く利用されている。アメリカで開発されたゼロックス〔=商標名〕はセレンを使用。 ―しょうとりひき⑦⑥【―商取引】〔←electronic commerce〕インターネットなどコンピューターネットワーク上で、商品・サービスの契約や決済を行なうこと。エレクトロニック コマース⑨。e-コマース。略称、イーシー(EC)。 ―しょせき④【―書籍】書籍の内容をデジタルデータ化して、コンピューターなどの機器を通して読めるようにした出版物。 ―としょかん⑤【―図書館】❶電子化された書籍を集積し閲覧できるようにしたインターネット上のサイト。❷特定の端末で閲覧できる電子書籍を一定期間だけ読めるように貸し出す図書館のサービス。 ―ボルト④ ⇩ボルト ―マネー④〔←electronic money〕ICカードやインターネットなどによって、自分の口座からお金を引き出して相手の口座に振り込むなど、電子的手段によるやりとりによって決済する際の、現金に相当する仮想の金銭。 ―メール④〔←electronic mail〕コンピューター ネットワークやインターネットを通じて行なう個人間の通信。受け手はいつでも受け取ることが出来る。Eメール。 ―レンジ④ マイクロ波によって食品中の水分を加熱する方式の電気調理器。

でんじ①⓪【田地】「でんち」の古風な表現。

でんじ①【電磁】電磁気。「―調理器⑥」 ―き③【―気】電気および磁気。 ―は③【―波】電磁場バの周期的な変化で起こる波動。ラジオ・テレビはこれを応用したもの。 ―ば③【―場】電場バと磁場バ。

てんじく①【天竺】〔もと、高い所・空の意〕❶「インド」の意の古称。❷「てんじくもめん」の略。 ―あおい⑤【―葵】夏、紅色・白色の花を開く多年草。観賞用。〔ゼラニウムは四季咲き、ペラルゴニウム⑤は一季咲きのものの称〕〔フウロソウ科〕 かぞえ方 一本 ―ねずみ⑤【―鼠】モルモット。 ―もめん⑤【―《木綿》】地質の厚い木綿。 表記 ⇩付表「木綿」 ―ろうにん⑤【―浪人】〔「逐電浪人」の倒語という〕住所不定の浪人。やどなし。

でんじしゃく③【電磁石】コイルに軟鉄の芯シンを入れたもの。電流を通すと磁性を持つ。

てんじつ⓪【天日】「太陽」の意の古風な表現。日輪。 ―えん④【―塩】太陽の熱で海水を蒸発させて作った食塩。

てんじて①⓪【転じて】(接) 話の観点や問題点を、それまでのものから変えることを表わす。「以上が日本の現状だ。―ヨーロッパでは…」

てんしゃ⓪【転写】―する(他サ) ❶文章・絵などを、他のものから写し取ること。❷書き写したものをさらにまた書き写すこと。

てんじゃ①⓪【点者】〔和歌・俳諧ハイカイなどで〕評点を加える人。

でんしゃ⓪【伝写】―する(他サ)〔印刷技術の発展していなかった時に〕書物を次から次へと写し伝えたこと。「―の誤り」

でんしゃ①【殿舎】「御殿」の意の古風な漢語的表現。

*でんしゃ⓪【電車】電力でレールの上を走る装置が付いている車両(から成る列車)。 かぞえ方 一両・一台：一本

てんしゃく⓪【天爵】天からさずかったすぐれた徳。↔人爵

てんしゃく⓪【転借】―する(他サ) 他人からまたがりすること。↔転貸

てんしゃにち③【天赦日】〔陰暦で〕最上の吉日。四季に一日ずつある。

てんしゅ①【天主】〔デウスの音訳か〕キリシタンの用語で、天帝。 ―きょう⓪【―教】「カトリック教」の旧称。 ―どう⓪【―堂】カトリック教会の建物。

てんしゅ①【天守】〔「天主」の変化。天主を祭るのに倣ナラったとも、毘沙門ビシャモン天を祭ったものともいう〕「天守閣」の略。 ―かく③【―閣】城の本丸の中央に、他よりもひときわ高く△三層(五層)に構えた物見やぐら。

てんしゅ①【店主】その店の主人。

てんじゅ①【天寿】天から授けられた寿命。天命。「―を全うする」

てんじゅ①【天授】天から授かること。また、授かったもの。特に、資質・才能などについて言う。「―の才」

てんじゅ⓪【転手】琵琶ビワ・三味線シャミセンのさおの先の、糸を巻きつけるもの。

でんじゅ①【伝授】―する(他サ) 学問や技芸の秘伝・奥義などを師から弟子に授けること。

てんじゅう⓪【転住】―する(自サ) 今まで住んでいた家を引き払って、他に移り住むこと。

でんしゅう⓪【伝習】―する(他サ) 専門の学問・技術を教えること。〔幕末・明治初年の用語〕「国語―所ヨ⓪⑧」

てんしゅく⓪【転宿】―する(自サ) 宿所を他に変えること。

てんしゅつ⓪【点出】―する(他サ) 絵などの中にこまごました景物を添え物としてかくこと。

てんしゅつ⓪【転出】―する(自サ) ❶今までの居住地を去り、他に移ること。「―証明⑤」↔転入 ❷今までの勤務

場所から他に変わること。〔広義では、中央から地方へ移ることをも指す〕「A校からB校に―する」

てんしょ[0]【添書】 ❶贈り物を送ったり使いに持たせたりする時に、つけて書き送る手紙。添え状。❷紹介状。❸―する（自サ） 目を通した書類に気づいたことを書き添える△こと（もの）。

てんしょ[0]【〈篆書〉】 印刻や碑文の題字などに使う、漢字の一書体。主に秦代の小篆を指す。篆文。篆。

てんじょ[1]【天助】「天の助け」の意の古風な表現。「神祐―[5]〔=神や天の助け〕」

でんしょ[0]【伝書】 ❶代々伝わった書籍。❷秘伝をしるした書。❸書類・手紙を他に運び伝えること。「―使[3]」

―ばと[4][3]【―〈鳩〉】 遠くの土地に通信文を運ばせるように訓練したハト。

てんしょう[0]【天象】 ❶「天文現象」の意の古風な表現。「―儀〔=プラネタリウム〕」↔地象 ❷〔古辞書の意義分類で〕雷・稲光・星・風・虹・雲および四季・時間・年月などに関する一切を指す称。

てんしょう[0]【転生】―する（自サ） 生まれ変わること。「てんせい」とも。「輪廻―」

てんじょう[0]【天上】 ❶〔地上に対して〕地上からははるかに遠く離れた天。❷「天道❸」に同じ。「―界[3]」 ❸―する（自サ）〔古〕天に上ること。昇天。〔死ぬ意にも用いられる〕 **―てんげ**[5]【―天下】〔古〕広い世界じゅう。「―唯我独尊〔=釈尊が誕生の時言ったという言葉〕」 **―どう**[3]【―道】 ⇩天道❸

*__てんじょう__[0]【天井】〔もと、格天井の意〕 ❶屋根裏を隠したり保温などのために、和室の上部一面に張りつめたもの。また、その板。〔広義では、洋室の上部の壁や、物の内部の最高所をも指す〕「法堂の―に描かれた竜の絵/―川[3]〔=両側の土地よりも河床の高い川〕」↔床 ❷相場・物価の最高の限度。「―知らずの暴騰/―値[3]」 かぞえ方 ❶の板は一枚 **―さじき**[5]【―《桟敷》】 劇場で、最上階の後方に設けられた低料金の見物席。表記 ⇩付表「桟敷」

てんじょう[0]【天壌】「天と地」の意の古風な表現。「―間の孤本〔=この世界に現在ただ一冊しか伝わっていない珍本〕」 **―むきゅう**[0]-[0]【―無窮】 天地の存在する限り、長く繁栄し続けること。

てんじょう[0]【添乗】―する（自サ） 旅行あっせん業者が、旅客の世話をするためにその団体旅行に付き添って行くこと。「―員[3]〔=ツアー コンダクター〕」

てんじょう[0]【転乗】―する（自サ） △他の乗り物（乗り物の他の部分）に乗り換えること。

てんじょう[0]【殿上】 ❶宮中の清涼殿にあった、殿上人の詰め所。殿上の間。❷昔、清涼殿・紫宸殿にのぼることを許されたこと。❸「蔵人所」の別称。 **―びと**[3]【―人】「殿上❷」を許された人。五位以上および六位の蔵人が有資格者。↔地下

てんじょう[0]【〈纏繞〉】―する（自サ）（つる草などが）まといつくこと。他のものにまきつくこと。「―草[0]」

でんしょう[0]【伝承】―する（他サ） 古くからの制度・風習・信仰・言い伝え（などを、受け継ぎ伝えていくこと）。「―される神楽/―される災害の記憶/民間―」

でんしょう[0]【伝〈誦〉】―する（他サ） 口頭で人から人へと語り伝えること。「この地方に―された民話」

でんじょう[0]【電場】 ⇩でんば（電場）

てんしょく[1]【天職】〔天から授けられた仕事の意〕自分の気質・能力にふさわしいものとして、その人が生きがいとしている職業。〔誤って、聖職の意にも用いられる〕

てんしょく[0]【転職】―する（自サ） それまでの△職業（職務）をやめて、他のそれに変わること。

でんしょく[0]【電飾】 イルミネーション。

テンション[1]〔tension=緊張・張力〕 ❶見過ごせない事態に接して緊張が高まること。また、その度合。「議論が白熱し―が△上がる（高まる）」 ❷〔俗に〕気分の盛り上り。「―が△上がる（下がる）」

てん・じる[0][3]【点じる】（他上一）〔批評する箇所や訓読することを示すために印をつける意から〕わずかな変化を生じさせる。点ずる[0][3]（サ変）。「火を―〔=つける〕/目薬を―〔=さす〕/茶を―〔=たてる〕」

てん・じる[0][3]【転じる】（自他上一） 何かをきっかけとして、事態を、それまでたどってきたのとは全く違う△方向に向かう（状態に変わる）ようにする。また、そのような事態になる。転ずる[0][3]（サ変）。「△進路（向き・作戦）を―/△攻勢（巻返し・強気）に―/矛先を―/財界から政界に―/災いを転じて福となす〔=⇩災い〕」

てんしん[0]【天心】（雲一つ無く晴れ渡った）空のまんなか。

てんしん[1][0]【点心】〔「間食・茶うけ」の意〕中華料理で、ギョーザ・春巻・粥・麺類・菓子・デザートなどの軽食。〔古くは「てんじん」〕

てんしん[0]【転身】―する（自サ） 身分・職業・主義主張をすっかり変えること。「役人から俳優に―する」

てんしん[0]【転進】―する（自サ） ❶〔軍隊などが方向を変えて〕他の目的地に進むこと。❷「退却」の婉曲表現。

てんじん[0][1]【天人】 天と人。「―共に許さざる横暴」

てんじん[0]【天神】 ❶天の神。↔地神・地祇 ❷菅原道真を祭った神社。天満宮。「―様[5]・―髭[3]〔=両端の下がった口ひげ〕」

てんじん[0]【転〈軫〉】「転手」の変化。

でんしん[0]【電信】 電流・電波を利用して行なう通信。 **―かわせ**[5]【―〈為替〉】 電信による為替。至急の場合などに用いる。表記 ⇩付表「為替」 **―き**[3]【―機】 △電流（電波）で通信する機械。「無線―[6]・有線―[7]」 **―ばしら**[5]【―柱】「電柱」の俗称。

てんしんらんまん[0]-[0]【天真〈爛漫〉】―に・―な 〔子供などが〕むじゃき△な（で、憎めない）様子だ。「―な性格」〔「無知」の婉曲表現としても使われる〕 派 ―さ[0]

テンス[1]〔tense〕〔文法、特に印欧語で〕時制。

てんず[0]【点図】 その△本（家・学統）で使うヲコト点を図示したもの。漢字一字を□で示し、その上や周囲に符号を記入し、読み方を説明する。〔詳しく例示して本の形を取ることが多い〕

てんすい[0]【天水】「あまみず」の意のやや古風な表現。「―桶[5][3]」

てんすう[3]【点数】 ❶△評点（得点）の数。「―を稼ぐ〔=相手の人に気に入られるように努める〕/―主義[5]」 ❷品物の数。「商品の―をそろえる/出品―」

でんすけ[1]【伝助】〔賭博犯検挙の名人と言われた刑事増田伝助の名に基づくという〕大道で客にやらせる、ルーレット式の賭博。当たらないのが特徴。

てんぜ[1]【店是】 その店の店員が守るものとして、店主が決めたモットー。

てんせい[1][0]【天成】 △自然に（生まれつき）そう出来ていること。「―〔=天然〕の要害/―〔=生まれつき〕の音楽家」

てんせい[1]【天性】〔死ぬまで、直したり変えたりすることの出来ない〕生まれつきの性質。「―〔=生まれつき〕情け深い人/―のんびりしている/習慣は第二の―」

てんせい[0]【展性】 金属の属性の一つ。つちで打ったり圧

** *は重要語，[0] [1]… はアクセント記号，品詞の指示の無いものは名詞および いわゆる連語。

力を加えたりして薄い板状や箔(ハク)にすることが出来る性質。金・銀・錫(スズ)などが著しい。⇩延性

てんせい[0]【転生】―する(自サ) ⇩てんしょう

てんせい[0]【転成】―する(自サ) ❶性質の異なる他のものに成ること。❷ある語が他の品詞に転じること。「光は動詞『ひかる』の連用形『ひかり』から―した名詞/―語[0]」

でんせい[0]【伝世】〔美術品などが〕代々大切に保存されてくること。「―品[0]」

でんせい[0]【電請】〔外交官・使節などが〕本国政府の訓令を電報で請求すること。

でんせいかん[0]【伝声管】(クワン) 航空機・汽船・鉄道などの中の離れた場所で、騒音にじゃまされないで当事者同士が必要な連絡をするために用いた装置。

てんせき[0][1]【典籍】(学問上貴重な)書物。「―雑考」

てんせき[0]【転石】❶自然の力で運ばれて河川や陸地に点在している大きな岩。❷風の影響や落下によって回転しながら移動している石。【―〈苔生(こけむ)さず】❶〔転がり落ちている石は美しい苔を生やすこともないという意味から〕生活や行動様式を次つぎに変える者は大成しない。❷〔転がることで石に苔が付かないという意味から〕活動的な人物は常に若わかしく魅力的である。〔英国のことわざ A rolling stone gathers no moss. より。「転石苔を生ぜず」「転がる石には苔が生えぬ」とも〕

てんせき[0]【転籍】―する(自サ) ❶本籍を他の地に移すこと。❷〔高等学校で〕同一学校内で、全日制課程と△定時制(通信制)課程の相互間の学籍を移動すること。

***でんせつ**[0]【伝説】Ⓐ歴史上の人物や、具体的な事物・事件などに関する言い伝え。「修業にまつわる―的な(=ひとつ話として語り伝えられる)苦労話/―的(=実在した証明は無いが、その性格・活躍が生き生きとして語り伝えられる)英雄/―上の△人物(動物)」Ⓑ事実かどうかを確かめる必要を感じさせないほど真実味を帯びてその社会に広まっている事柄。「A教授が厳しいことは、すでに―となっている」

てんせん[0]【点線】点が連なって出来た線。「……」など。⇩実線・破線

てんせん[0]【転戦】―する(自サ) 〔軍隊が〕戦況の変化に応じてあちこちと場所を移して戦うこと。

てんぜん[0]【〈恬然】―たる/―と 〔「恬」は、安らかの意〕(悪い事や恥ずかしい事をしても)物事にこだわらず、平気でいる様子だ。「―として恥じない」

***でんせん**[0]【伝染】―する(自サ) 〈だれ・なにカラ〉だれ・なにニ―する〉 病原体がある個体から他の個体にうつって(同じ)症状が現われること。〔同じ現象・傾向が同時代の他にも現われる意にも用いられる〕「―性[0]」 **―びょう**[0](ビヤウ)【―病】人から人へ伝染しやすい病気。⇩感染症 **していーびょう**[0](ビヤウ)【指定―病】旧伝染病予防法において、法定伝染病に準じた扱いをするものとして厚生大臣が指定した伝染病。急性灰白髄炎(=小児麻痺(マヒ))・ラッサ熱など。 **とどけいでーびょう**[0](ビヤウ)【届《出―病】旧伝染病予防法において、診断した医師が管轄保健所長に届け出ることを義務づけられていた伝染病。インフルエンザ・狂犬病・炭疽(タンソ)病・百日咳(ゼキ)・麻疹(マシン)・破傷風・マラリア・つつがむし病など。 **ほうていーびょう**[0](ハフテイビヤウ)【法定―病】旧伝染病予防法において、患者が出た場合は管轄保健所長に届け出て隔離することが法律で決められていた伝染病。赤痢・コレラ・腸チフス・日本脳炎・パラチフス・痘瘡(トウソウ)・発疹(ハッシン)チフス・猩紅熱(ショウコウネツ)・ジフテリア・流行性脳脊(セキ)髄膜炎・ペスト。

でんせん[0]【伝線】―する(自サ) ストッキングなどで、ほころびが織り目のたて筋にそって線状に広がること。

でんせん[0]【電〈閃】 いなずまがぴかりと光ること。〔刀がきらりと光ることや、その光の意にも用いられる〕

でんせん[0]【電線】電流を導く金属線。「―が雪の重みで切れる」 かぞえ方 一本

てんぞ[1]【典《座】〔禅宗の寺で〕僧の食事係をつとめる僧。

でんそ[1]【田租】昔、田地にかけた税。

てんそう[0](オ)【転送】―する(他サ) 一度受け取ったものを、そのままほかへ送ること。

でんそう[0](オ)【伝奏】―する(他サ) 平安末期から幕末まで、△天皇(将軍)に取り次いだ△こと(職)。「てんそう」とも。「武家―」

でんそう[0](オ)【伝送】―する(他サ) 通信機器を用いて、情報を次から次へと伝えて送ること。「―管[0]」

でんそう[0](オ)【電送】―する(他サ) 電流・電波を利用して写真の影像などを遠い土地に送ること。「―写真[5]」

てんそく[0]【天測】―する(他サ) 〔航海者などが〕六分儀などで測った天体の位置を基準にして、現在地の経度や緯度を知ること。「―機械[5][6]」

てんそく[0]【〈纏足】〔昔、中国で〕女性の足を大きくしないため布を堅く巻きつけておいた風習。

てんぞく[0]【転属】―する(自サ) 所属を変えること。他の管轄に移ること。

てんそん[0]【天孫】天の神の子孫。〔狭義では、天照大神(アマテラスオオミカミ)の孫である瓊々杵尊(ニニギノミコト)を指す〕

でんそん[0]【伝存】―する(自サ) 同類の他のものはすでにないのに、そのものだけ現在まで伝えられてあること。「平安時代前期の写本が―する」

テンダーロイン[5]〔tenderloin〕ステーキ用の牛のひれ肉。⇩サーロイン

てんたい[0]【天体】宇宙間に存在する、太陽・月・星など、一まとまりとしてとらえられる物体。〔広義では地球を含み、狭義では除外する〕「―望遠鏡[0]」

てんたい[0]【転貸】―する(他サ) 他人にまたがしすること。↕転借

てんだい[0]【〈椽大】たるきのような大きさ。「―の筆を揮(フル)う(=大論文を書く)」

てんたいしゃく[3]【天《帝釈】⇩帝釈天

てんたいしゃく[3]【転貸借】❶―する(他サ) 自分が賃借りしているものをさらに他の人へ貸すこと。❷またがしとまたがり。

てんだいしゅう[3]【天台宗】仏教八宗の一つ。法華経(ホケキョウ)を本経とする密教。日本では最澄(サイチョウ)を開祖とする。延暦寺(エンリャクジ)・三井寺(ミイデラ)はこれに属する。

てんたく[0]【転宅】―する(自サ) 「引っ越し」の意の漢語的表現。

でんたく[0]【電卓】「電子式卓上計算機[12]」の略。 かぞえ方 一台・一本

でんたつ[0]【伝達】―する(他サ) 命令・指示・連絡事項などを他に伝えること。「―手段[5]」

デンタル[1]〔dental〕歯の。歯科の。「―クリニック(=歯科医院)」

てんたん[0]【〈恬淡・〈恬澹〉】―な/―と あっさりしていて(お金や地位などに)こだわらない様子だ。「俗事に―な性質/何事にも―としている/無欲―[1]-[0]」

でんたん[0]【伝単】〔中国で〕宣伝ビラ。

てんち[1]【天地】❶天と地。❷人間の生存する場所。世界。「自分の―を求める」❸〔本や荷物などの〕うえした。「―無用」 **―かいびゃく**[1]-[0]【―開〈闢】世界の出来初め。「―以来」 **―じん**[1]-[1]、[1]-[1]-[1]、[3]【―人】❶天と地と

人。三才❶。❷三つの物の順序や成績の序列などを三段階で示す語。〔飲食関係の注文品などにおける「松・竹・梅」に相当〕 **―しんめい**①-⓪【―神明】 天地の神がみ。「―に誓って」 **―むよう**ォ①-⓪【―無用】 荷物・貨物などに記す「上下を逆さまにするな」という旨の注意書き。

てんち⓪【転地】―する（自サ） 病気を治すために住む土地を変えること。「―療養④」

でんち①⓪【田地】 田として利用する土地。〔古くは、「でんじ」〕「先祖伝来の―田畑が人手に渡る」

でんち①【電池】 化学的作用によって電流を生じる装置。「乾―・蓄―」 かぞえ方 一本

でんちく⓪【電蓄】〔←電気蓄音機⑥〕モーターで回転させ、電気的に再生する蓄音機。レコードプレーヤー。

てんちゃ⓪【点茶】 抹茶をたてること。 かぞえ方 一台

てんちゃ⓪【〈甜茶】 甘みのある中国茶の総称。健康飲料の一つとされる。

てんちゅう⓪【天〈誅】 天△が（に代わって）罰を加えること。〔悪人を殺すことの婉曲（エンキョク）表現〕

てんちゅう⓪【転注】 漢字の運用法の一つ。ある意義を持つ漢字を他の近似した意義に転用すること。例、音楽の意の「楽（ガク）」を、「たのしむ」の意〔音は、ラク〕に用いるなど。⇩六書（リクショ）

でんちゅう①【殿中】 御殿の中。〔狭義では、江戸時代、将軍の居所を指した〕

でんちゅう⓪【電柱】 空中に張った（送）電線をささえるための柱。 かぞえ方 一本

てんちょうォ⓪【天頂】（チヤウ） ❶「いただき」の意の漢語的表現。❷地球上の観測者の真上になる天球上の点。「―点③・―儀③・―距離⑤」

てんちょうォ⓪①【天朝】（テウ） 昔、△朝廷（天皇）の敬称。おかみ。「―様⓪①（＝時の天皇の敬称）」

てんちょうォ①【店長】（チヤウ） その店の責任者。

てんちょうォ⓪【転調】（テウ）―する（自サ） 楽曲の進行中に他の調子に変わること。また、その調子。

てんちょうせつォ③【天長節】（チヤウ） 「天皇誕生日」の旧称。

てんで⓪（副） 〔否定（的）表現と呼応して〕ひどすぎて全く問題にならないと決めつける様子。「―お話にならない／何を言っても―聞く耳を持たない／―△だめだ（ばかにしている）」

てんてい⓪【天帝】 天に居て、万物を支配する神。造物主。〔旧約聖書では、ヤハウェを指す〕

てんてい⓪【点〈綴】―する（自他サ） 点を打ったようにあちこちにあるいろいろな要素が調和して、全体で一つの美を形成すること。

でんてい⓪【電停】 「路面電車の停留所」の意の圧縮表現。

てんてき⓪【天敵】 特定の害虫を好んで△食べる（捕らえる）昆虫や小動物を人間から見た称。〔広義では、弱い動物を常に捕食する猛獣や、どうしても勝つことの出来ない強い相手を指すこともある〕

てんてき⓪【点滴】 ❶しずく。〔狭義では、「雨だれ」を指す〕 ❷〔←点滴注射⑤〕静脈注射の一方法。血液・薬液を滴下させながら、少量ずつ静脈内に注入する方法。輸血・栄養分の補給に利用される。

てんてこまい④【天手古舞（い）】（マヒ）―する（自サ） 〔「てんてこ」は里神楽（サトカグラ）などの太鼓の音〕目の前の用事に追われ続けて、そのやり方の善し悪（ア）しなど考えるひまもないほど忙しく動き回ること。 表記 「天手古」は、借字。

てんてつ⓪【点〈綴】―する（自他サ） 「てんてい」の変化。

てんてつ⓪【転〈轍】 〔「轍」は「わだち」の意〕車両を別の線路に導入するために線路の向きを変えること。〔何かにいだいていた△考え（気持）を切り換える意にも用いられる〕「自然から芸術への―」 **―き**④③【―機】〔鉄道で〕車両を他の線路に移動させる分かれ目に備えた装置。ポイント。転路機。

でんてつ⓪【電鉄】 電車による交通機関。

てんでに⓪③（副） 〔「てんでんに」の変化〕（同じ集団の）人びとが統一行動をとらず、めいめいの判断で好きかってに何かをする様子。「みんな―好きな事をやっている／―言いたいことを言って話がまとまらない」

てんてん⓪【転々】（副）―と ―する ❶一か所に落ち着くことなく、次つぎと△生活（仕事）の場を変えて移動していく様子。「各地を―（と）する」 ❷球状のものが、はずみながらころがる様子。「打球は―と外野にまで達した」

てんてん【点々】 ❶⓪③ ❶幾つかの点。 ❷「点線」の幼児語。 ❷⓪（副）―と 点を打ったように、あちこちに散っている様子。「ハンカチに黒いしみが―と付いている」

てんてん⓪【展転・〈輾転】―する（自サ） 〔「輾」は、ころがっているものの向きが変わる意〕寝苦しいので、右に寝返りしたり左に寝返りしたりすること。「―反側⓪-⓪（＝寝返りを打つばかりで、少しも眠れない様子）」 表記 「展」は、代用字。

てんでん⓪③―に ―の 〔「手に手に」の変化〕めいめいが独自の△立場（判断）で行動する様子だ。「合宿練習といっても―に（＝各人各様に）練習していたにすぎない」 **―ばらばら**③-⓪、⓪-⓪―に ―な めいめいが好きかってに散らばる様子だ。〔行動に期待される統一や秩序が無い意にも用いられる〕「彼らは―に口を開いたあとで、だれもそれを会話の中心にまとめようと努力するもののないのに気がついた」

でんでんだいこ⑤【でんでん太鼓】 〔「でんでん」は擬音〕柄のある小さな太鼓の左右に、鈴・たま・まめのついたひもをつけ、振れば鳴るようにした、赤ん坊用のおもちゃ。

でんでんむし③【でんでん虫】 カタツムリの幼児語。

テント①〔tent〕 雨・日光・風などをさえぎるために張る、カンバスなどの幕。また、それでつくった露営用の小屋。天幕。「―を張る」 かぞえ方 一張（ヒトハリ）

てんと①【〈奠都】―する（自サ） 新たに都を定めること。

でんと①（副） 何事があっても動じないかのように、どっかりと腰を落ち着けている様子。「―構える」

てんとうォ①【天道】（タウ） 「てんどう」の古い表現。⇩おてんとさま **―むし**③【―虫】 テントウムシ科の昆虫の総称。背中は半球形で、つやがある。赤・黒のまだらのあるものが最も普通。多くはアブラムシを捕食する益虫。 表記 「〈瓢虫」とも書く。

てんとうォ⓪【店頭】 「みせさき」の意の漢語的表現。「―につき駐車禁止／―販売⑤」 かぞえ方 一匹

てんとうォ⓪【点灯】―する（自サ） △明り（電灯）をつけること。「シートベルトを締めるようにとの飛行機内の―サイン」↕消灯

てんとうォ⓪【点頭】―する（自サ） 「（承知して）うなずくこと」の意の古風な表現。

てんとうォ⓪【転倒・〈顚倒】（タウ）―する（自他サ） ❶ひっくりかえること。「階段を踏みはずして―する」 ❷本来あるべき順序が失われて、めちゃくちゃになること。また、そうすること。「上下を―する（＝上下の関係が逆になる）／本末―」 ❸ふだんの落ち着きを失って、うろたえ騒ぐこと。「気が―する」

てんどうォ①【天堂】（ダウ） 「天上にあって、神や仏が居るといわれる殿堂」の意の古語的表現。〔仏教では、極楽をも指し、キリスト教では、天国をも指した〕

てんどうォ①【天道】（ダウ） ❶天地自然の法則。「―に背（ソム）く／

―是か非か」 ㊁天体の運行。 ㊂〔仏教で〕六道の一つ。天人が住むという、この上なく楽しい世界。「天上道」とも。〔古くは「てんとう」〕

てんどう⓪【顚動】「動転」の意の古風な表現。

でんとう⓪【伝灯】仏法の伝統を師から門弟へ伝えること。

****でんとう**⓪【伝統】前代までの当事者がしてきた事を後継者が(自覚と誇りとをもって)受け継ぐところのもの。「―を離れては言語はあり得ない/五十年の―を有する本会/古来の―〔=しきたり〕を守る/―的に〔=代々ほとんど例外無しに〕野球が強い/―が薄れる/―に束縛(ソクバク)される」

***でんとう**⓪【電灯】電気で発光させる灯火。「懐中―」 かぞえ方 一本・一灯

でんどう⓪【伝動】―する(他サ) 動力を機械の他の部分、または他の機械に伝えること。「―装置⑤・―機③」

でんどう⓪【伝道】―する(自サ) (キリスト教の)教義を説明して信者を獲得すること。 **―し**③【―師】教義を広める任務を持つ人。

でんどう⓪【伝導】―する(自サ) ㊀伝え導くこと。 ㊁熱・電気が物体を伝わっていくこと。「―体⓪」

でんどう⓪【殿堂】大きくてりっぱな建物。〔狭義では、神仏を祭った建物や、公共建築物を指す。例、「美の―〔=美術館〕/白亜の―」〕

でんどう⓪【電動】電気の力で機械や器具を動かすこと。「―ミシン⑤・―オルガン⑤・―工具⑤・―式⓪」 **―アシストじてんしゃ**⑩【―アシスト自転車】電動モーターにより走行を補助する自転車。 **―き**③【―機】電流によって回転を起こす動力機械。モーター。 **―けいさんき**⑦【―計算機】計算を行なう部分が機械式になっていて、それを動かすのに電力を用いる方式の計算装置。⇩電気計算機

てんどうせつ③【天動説】地球は宇宙の中央に静止し諸天体がその周囲を運行するという説。↔地動説

てんどく⓪【転読】―する(他サ) 大部の経文(キョウモン)のそれぞれの巻について初め・中・終りだけを読んで全部読んだことにし、次つぎに続く巻に移ること。↔真読

てんとして①【(恬として)】(副) 普通の人なら恥ずかしいと思う事をなんとも思わず、平気でいる様子。「―恥じるところが無い」

てんとり④③【点取り】△得点(評点)の数を争うこと。 **―むし**④【―虫】いい点を取る事だけを目的として勉強する生徒を他の生徒、特に劣等生がねたみ ののしる言葉。

てんどん⓪【天丼】てんぷらを上にのせ、たれを掛けたどんぶりめし。

てんなんしょう③⓪【天南星】山かげに野生する多年草。有毒であるが、根は食用・漢方薬用。〔サトイモ科〕 かぞえ方 一本

てんにゅう⓪【転入】―する(自サ) その△土地(学校)に移ってくること。↔転出

てんにょ①【天女】〔仏教で〕天に住んでいると言われる、美しい女性・女神。〔俗に、美しい女性の意にも用いられる〕

てんにん③①【天人】〔仏教で〕天上に住み、超人間的な能力を持つといわれる、美しい存在。普通、女性の形を取る。「―の五衰〔=⇩五衰〕」

てんにん⓪【転任】―する(自サ) 他の(地の)職務に変わること。

でんねつ⓪【電熱】電気の抵抗によって生じる、伝導体の熱。 **―き**④③【―器】巻いたニクロム線に電流を通して、七厘・こたつなどの代りに使う器具。 かぞえ方 一台

てんねん⓪【天然】人工の加わらない自然のままの状態。「―の良港/―石③・―林③・―果実〔=⇩果実〕」↔人工 **―ガス**⑤ おもに油田地帯で採れる可燃性ガス。燃料・合成樹脂工業などに使う。 **―きねんぶつ**⑥【―記念物】日本の学術研究上価値が高いものとして、法律で保護を指定された動物・植物・鉱物など。「特別―〔=⇩特別天然記念物〕」 **―しょく**③【―色】映画などで、自然の色彩に似せて表わした色。 **―とう**⓪【―痘】ウイルスによって起こる急性感染症。高い熱と同時に発疹(ハッシン)が出来て、あばたが残る。痘瘡(トウソウ)。疱瘡(ホウソウ)。〔一九八〇年、根絶宣言された〕 **―パーマ**⑤ 生まれつき、毛髪に縮れやくせのあること。 **―ぼけ**⓪【―(惚け)】知らず知らずのうちに、とぼけたことを言ったり滑稽なしぐさをしたりする△こと〔人〕の意の俗語的表現。

てんのう③【天王】〔仏教で〕欲界の最下級の神。〔狭義では、牛頭(ゴズ)天王を指す〕 **―ざん**③【―山】〔本能寺の変後、羽柴秀吉(ハシバヒデヨシ)が明智光秀(アケチミツヒデ)をこの山で破ったことから〕勝敗の定まる機会。「今夜が闘争の―だ」 **―せい**⓪③【―星】太陽系の惑星で、七番目に太陽に近いもの。判明しているだけでも二十七個の衛星を持つ。八十四年で太陽を回る。

てんのう③【天皇】日本国および日本国民の統合の象徴として位置づけられる地位(にある人)。〔俗に、その世界で非常に勢力のある人の意にも用いられる〕 **―きかんせつ**⑥、③-②【―機関説】〔旧憲法の解釈として〕法律学上、主権は天皇ではなく法人としての日本国にあり、天皇は国家最高の機関として、主権を行使するにとどまるという説。 **―せい**⓪【―制】天皇が君主として統治する政体。 **―たんじょうび**③-③、⑦【―誕生日】「国民の祝日」の一つ。二月二十三日。 **―へいか**⑤【―陛下】今上(キンジョウ)天皇の尊称。

でんのう⓪【電脳】〔「コンピューター」の中国語訳から〕機能の向上を目的として、多くのコンピューターを接続して統一したシステムでコントロールする方式。「―自動車網⑧・―住宅⑤・―都市⑤・―ビル⑤」

てんば①【天馬】㊀〔ギリシャ神話で〕天空をかけるという、翼の生えた馬。ペガサス。 ㊁非常な名馬。「―空(クウ)を行く〔=行動がきわめて軽快・迅速で、他の追随を許さない形容〕」 てんま①。

でんば⓪【電場】電荷(デンカ)どうしの間に働き合う力の場。「でんじょう」とも。電界。

でんぱ①【伝(播)】―する(自サ) ㊀伝わり広まること。「病気の―」 ㊁波動が媒質の中を広がって行くこと。

***でんぱ**①【電波】電磁波のうちで、波長が〇・一ミリメートル以上のものの総称。無線通信に用いられる。ウエーブ。〔波長により、長波・中波・短波などに細分される〕「―を受信する/―に乗る/―時計(ドケイ)④・―探知機⑥」 **―ぼうえんきょう**⓪【―望遠鏡】天体から来る微弱な電波を観測するための受信装置の一種。

てんばい⓪【転売】―する(他サ) ある人から買ったものを、自分自身は使用せず、他の人に売ること。

テンパイ①〔中国・聴牌〕マージャンで、上がりになるのに必要な牌があと一枚となった状態。

でんぱた①【田畑・田(畠)】「田んぼと畑」の意の口頭語的表現。「田地―を手離す」

てんばつ①【天罰】天の刑罰。悪事に対する、自然のむくい。「―てきめん①-⓪」

テンパ・る③(自五)〔テンパイを動詞化したもの〕 ㊀マージャンで、テンパイの状態になる意の俗語的表現。 ㊁興奮、緊張などのあまり冷静さを失った状態になる意の俗語的表現。「本番を前にしてテンパっている新人俳優」

てんパン⓪【天パン】〔pan＝平なべ〕天火(テンピ)の中で使う、四角な鉄板の入れ物。かぞえ方 一枚

てんぱん⓪①【典範】〔模範の意〕行動の規準となる△規制〔法律〕。「皇室—・—例③」

でんぱん⓪【伝搬】〔「伝播(デンパ)」の誤読に基づくか〕〔電波などが〕空中を伝わって行くこと。

てんぴ①【天日】太陽の光または熱。「—干(ボ)し⓪・—製塩④」

てんぴ①【天火】オーブン。

てんびき⓪【天引(き)】—する(他サ)賃金・給料などの中から、前もって一定額を引き去ること。「給料から所得税や健康保険料などが—される」

てんびやく③【点鼻薬】鼻腔の炎症を抑えたり 殺菌したりするため、鼻の穴に直接噴射する薬。

てんびょう⓪ー(ベウ)【点描】—する(他サ)㊀〔物の形を表わすのに〕直接その面や線を一様に塗るのではなく、原色〔に近い色〕の細かい点の集合で示す画法。㊁スケッチ。

でんぴょう⓪ー(ベウ)【伝票】〔銀行・会社・官庁などで〕お金の出し入れや物品の授受などを記録・確認し連絡するために使う紙片。「売上—」かぞえ方 一枚

てんびん⓪【天〈秤】㊀精密に重さをはかるはかり。品物を載せる皿とおもりを載せる皿とがある。「—にかける〔＝どちらかに決めようとして、優劣・損得を比べる。はかりにかける〕」㊁釣りの仕掛けで、道糸とはりすがからまないように両端にそれぞれをつなぐ金具。はりすをつなぐ方が一つの片天秤と、二つの両天秤がある。㊂二つの物事が互いに同じであること。㊃何かを両端に掛けること。「—にする」㊄「てんびん棒」の略。かぞえ方 ㊀は一台 —ぼう⓪③ー(バウ)【—棒】両端に荷物を掛けて肩に担う棒。かぞえ方 一本

てんぴん⓪【天〈稟】〔「稟」は、受ける意〕生まれつきのすぐれた才能。「—を発揮する/—〔＝生まれながら〕の歌手/—〔＝生まれつき〕とも言うべき鋭い言語感覚」

てんぶ⓪【転部】—する(自サ)㊀学生が、同じ大学の他の学部に移ること。⇩転科 ㊁所属する「部」を変更すること。

テンプ①〔ポ tempo を耳で聞いたままの形〕腕時計などの中の、はずみ車。ひげぜんまいの伸縮する速度を調節する。表記「天府」は、音訳。

てんぷ①【天賦】生まれつき〔授けられたもの〕。「—の△素質〔才〕」 —じんけんせつ①-③、⑥【—人権説】人間は天から平等に権利を授かっているという説。明治前半期に盛んに唱えられた。

てんぷ①⓪【添付】—する(他サ)本体となる書類に、証明書や写真などを添え付けること。「—書類④・—ファイル④〔＝電子メールで別途添えられたファイル〕」

てんぷ①⓪《貼付》—する(他サ)〔本来の字音はテフフ(チョウフ)。「てんぷ」は類推読み〕紙片をのりではりつけること。

でんぶ①【田〈麩】タイ・タラ・カツオなどの魚肉を細かにほぐし、砂糖・しょうゆで煮しめたもの。「でんぷ①」とも。

でんぶ①【〈臀部・殿部】「しり〔の部分〕」の意の漢語的表現。表記「殿」は、代用字。

でんぷ①【田夫】〔見るからにいなかものだと感じさせる〕百姓。〔軽い侮蔑(ベツ)を含意して用いられることがある〕「—野人(ジン)①-⓪」

てんぷく⓪【転覆・〈顛覆】—する(自サ)㊀〔船・車両などが〕ひっくり返ること。また、そうさせること。「列車の—事故/横波を受けて船が—する」㊁政府などの大きな組織が滅びること。また、滅ぼすこと。「—を図る」

てんぶくろ⓪③【天袋】違い棚や押入れの上に作る戸棚。↔地袋(ジブクロ)

てんぷら⓪〔←ポ quatro temporas〔＝四季斎日〕からか〕㊀野菜・魚肉・貝などに小麦粉の衣をつけ、油で揚げた食品。「エビの—/—油(アブラ)⑤・—屋⓪」⇩精進揚げ ㊁外観だけそれらしく見せかけたもの。とくに、メッキをほどこしたもの。本物そっくりのにせものを指す。「この金側(ガワ)の時計は—だ/—学生⑤」表記「天〈麩羅・天婦羅」は、音訳。「天ぷら」とも書く。

テンプレート④①〔template〕㊀図形がくりぬいてある、製図用の定規板。穴の内側にそって図形を描く。㊁〔コンピューターで〕ソフトウエアでのデータや文書作成のひな型となるファイル。

てんぶん⓪【天分】天から受けた才能。「—に恵まれる」

でんぶん⓪【伝聞】—する(他サ)〔その情報を〕直接にではなく、人伝(ヒトヅ)てに聞くこと。

でんぶん⓪【電文】電報の文句。

でんぷん⓪【〈澱粉・殿粉】〔「澱」は、おり・かす・よど〔む〕の意〕穀類・イモ類・葛(クズ)などに多量に含まれている、白色・不溶性の炭水化物。重要な栄養素であると共に、糊(ノリ)の原料。表記「殿」は、代用字。 —しつ③【—質】澱粉を多く含む物質。

テンペラ⓪〔イ tempera〕顔料をにかわ・のりなどで練った絵の具〔でかいた一種の油絵〕。「—画⓪」

てんぺん⓪【天変】日食・月食・雷電・暴風などの異変現象。 —ちい⑤【—地異】天変と、地震・水害など、あらゆる自然の異変や災害。「—に見舞われる」

てんぺん⓪【転変】—する(自サ)きのうまであったものも一日経過すると無くなってしまったり 様相を全く変えてしまったりして、変化が止めどなく行なわれること。「有為(ウイ)—の世の中」

てんぼ①【展墓】—する(自サ)〔「展」は、見舞う意〕「墓参り」の意の古風な表現。

テンポ①〔イ tempo〕㊀楽曲の速度。㊁拍子。調子。「…に—を合わせる/—を速める/—が△のろい〔落ちる〕/急—③」

てんぽ①【店舗】営業用の建物。店。「都心に—を構える」かぞえ方 一軒・一店

てんぽ①【転補】—する(他サ)他の官職につけること。

てんぽ①【塡補】—する(他サ)不足・欠損の穴埋めをすること。補塡。

でんぽ①【田〈圃】「田畑(タハタ)」の意の漢語的表現。表記「田《畝」とも書く。

てんぼう⓪①〔手ん棒の意〕指・手首・手を失って、自由のきかない状態〔の人〕。〔侮蔑(ベツ)を含意する〕

*てんぼう⓪ー(バウ)【展望】—する(他サ)㊀〈〔どこカラ〕どこヲ—する〉遠くまで△見渡すこと〔見渡したながめ〕。「—がきく」㊁〈なにヲ—する〉その社会の出来事や将来性を大所高所に立って見渡すこと。「△明るい〔新たな〕—を開く/長期的な—に立つ/将来への—に欠ける/学界—」 —しゃ③【—車】列車の△最後部〔最前部〕に連結して沿線の風景をくつろいで展望することが出来るようにした客車。

でんぽう③①ー(ボフ)【伝法】㊀仏法を△授け〔受け〕伝えること。㊁—な・—に〔浅草伝法院の召使が、境内の興行小屋に無断入場したことから起こったという〕人の迷惑する事を平気でしてのける様子だ。㊂暴力を背景にして、わざと乱暴な言動をしてみせる様子だ。 —はだ③【—肌】㊀〔女性が〕〔女の〕勇み肌。

*でんぽう⓪【電報】電信によって行なう通報。「—を打つ/—発信紙⑦〔＝頼信紙の改称〕・—局③・電子—④」かぞえ方 一本

てんぽうせん⓪【天《保銭】江戸幕府が天保六年〔＝一八三五〕に初めて作った銅銭。楕円(ダエン)形で、四角い穴があ

** *は重要語，⓪①… はアクセント記号，品詞の指示の無いものは名詞および いわゆる連語。

る。
てんぽん⓪【点本】訓点のついた漢文の書物。
でんぽん①⓪【伝本】古典の文献のうち、現在本の形で伝わり、研究者が利用し得るもの。写本・版本など。
てんま①【天魔】仏法(修行者)を妨害し、人の心を悪事に誘惑する悪魔。「—波旬ハジュン①-⓪」
てんま⓪【《伝馬》】〔「てん」は字の漢音。元来、宿継シュクツギの馬・公用に出す駄馬ダバの意〕「伝馬船」の略。 **—せん**⓪【—船】荷物を陸揚げする時などに使うはしけぶね。 表記 ⇩付表「伝馬船」 かぞえ方 一艘ソウ・一隻セキ
てんまく①【天幕】〔もと、天井に張って飾りとした幕の意〕テント。
てんまつ⓪①【⟨顚⟩末】〔「顚」は、頂ダイタの意〕事の初めから終りまでの詳しい事情。「事の—を話して聞かせる」
てんまど⓪【天窓】採光・排煙のため、屋根にあけた窓。
てんまんぐう③【天満宮】〔学問の神としてあがめられる菅原道真スガワラノミチザネを祭った神社。〔通称は「天神(様)」〕
てんむ①【店務】その店で毎日処理すべき事務。
てんめい⓪【天命】〔天の命令の意〕❶変えようとしても変えることの出来ない、身に備わった運命。「人事を尽くして—を待つ」❷天寿。「—を全うする/—を知る年」
てんめい⓪【天明】「夜明け」の意の漢語的表現。
でんめい⓪【電命】電報による命令。
てんめつ⓪【点滅】—する(自サ) 明りがついたり消えたりする(ようにする)こと。「ネオンが—する/—器④③」
てんめん⓪【⟨纏綿⟩】[一]—する(自サ) まといつくこと。からみつくこと。[二]—たる/—と ❶愛情が深くこまやかで、離れにくい様子。❷いろいろな事情が二重三重に入りくみ、複雑になっている様子。
テンメンジャン③〔中国・甜麵醬〕中国の調味料の一つ。小麦粉から作る黒色の甘いみそ。
てんもう⓪-【天網】〔老子に出ている語で、天が悪を見張るべく張りめぐらした網の意〕天帝の観察網・警戒網。「—恢々カイカイ疎にして漏らさず」〔=どんな小さな悪事でも天罰をまぬかれることは出来ない形容〕
てんもく⓪【天目】❶〔もと、中国の天目山で作られたところから〕すりばち形の抹茶マッチャ茶わんの称。❷〔西日本方言〕〔茶飲み〕茶わん。 **—ざん**④【—山】〔武田勝頼タケダカツヨリが織田オダ勢に攻められて自刃した所〕最後の勝負所ドコロ。⇩天王テンノウ山

てんもん⓪【天文】天体に起こる現象。「—学③・—学的数字⓪-⓪〔=現実の生活とかけ離れた、大きな数値・金額〕」 **—だい**⓪【—台】天文の観測・研究をする所。 **—たんい**⑤-【—単位】天文学における長さの単位で、地球の公転軌道の長い方の半径〔=約一億四九五九万七八七〇キロメートル〕を表わす〔記号AU または A〕。〔おもに、太陽系内の天体間距離を示す時に用いられる〕
でんや①【田野】「田畑や野良」の漢語的表現。
てんやく⓪①【典薬】朝廷・幕府で、医薬を取り扱った職。
てんやく⓪【点訳】—する(他サ) 言葉や普通の文字を点字に直すこと。点字訳。「—ボランティア⑥」
てんやく⓪【点薬】❶—する(自サ) 目に薬をさすこと。❷目にさす薬。
てんやもの⓪【店屋物】自分の家では作らずに、注文してそば屋・すし屋などから取りよせる(一品)料理。
てんやわんや④(副)—する 事態に冷静に対処できず、関係者がただ右往左往するばかりで混乱する様子。「—の大騒ぎ/突然の事件に学校中が—だ」
てんゆう⓪-【天⟨祐⟩・天⟨佑⟩】〔「祐」は助けの意〕天助。
てんよ①【天与】生まれながらに天(の神)から与えられたとされるもの。「—の才能」
てんよう⓪【転用】—する(他サ) 事物を、本来の目的とは違った目的のために使うこと。
てんらい⓪①【天来】天から△来(得)たかと思われるほどすばらしいこと。「—の△妙音(啓示)」
てんらい⓪【天⟨籟⟩】〔「籟」は、孔アナを通じて発する音の意〕「風の音」の意の漢語的表現。〔出来のすばらしい詩歌の意にも用いられる〕
でんらい⓪【伝来】—する(自サ) ❶外国から伝わって来ること。「一六世紀に鉄砲が—した」❷先祖から代々受け伝えて来ること。「父祖—の品」
てんらく⓪【転落・⟨顚⟩落】—する(自サ) ❶ころがり落ちること。「がけからの—事故」❷堕落して、悪の生活に入ること。「—の道をたどる」
てんらん⓪【天覧】天皇がご覧になること。「—試合ジアイ⑤・—相撲ズモウ⑤」
てんらん⓪【展覧】—する(他サ) 作品・制作物などを並べて、日ごろの研鑽ケンサンのほどを多くの人に見せたり鑑賞に供したりすること。「—会③⓪」

てんり①【天理】万物を支配している自然の道理。 **—きょう**⓪-【—教】一八三八年中山ミキが創始した神道教派の宗教団体。
でんり⓪【電離】—する(自サ) 〔↔電気解離④〕電解質の溶液の中で、分子が陰陽のイオンに分かれること。「—層③〔=大気の上層にあり、電波を反射する所〕」
***でんりゅう**⓪-【電流】導体内の二点の間に電位差がある時、陽電気が電位の高い方から低い方へ流れる現象。「—計⓪・交番—⑤〔=交流〕」
てんりょう①⓪-【天領】朝廷の領地。〔江戸時代では、徳川将軍の領地を指した〕
でんりょく①⓪【電力】単位時間に電流が△する仕事の量〔発生する熱エネルギー〕。単位はワット(W)。「—計⓪」
てんれい⓪【典礼】❶伝統にのっとって執り行なわれる儀式。❷キリスト教会が行なう、公の儀式。洗礼・聖餐セイサンなど。
てんれい⓪【典例】行事などの典拠となる先例。
てんれい⓪【典麗】—に 目鼻立ちが整っていてきれいな様子だ。「花嫁の—な姿」
でんれい⓪【伝令】軍隊などで、命令を伝える△こと(人)。
でんれい⓪【電鈴】電流で鳴る装置のりん。ベル。
てんろ①【転炉】鉄や銅を精錬する、とくり形の炉。⇩平炉ヘイロ
でんろ①【電路】電流の通じるみち。電気回路。
てんろき③【転路機】⇩てんてつき
でんろく⓪【伝録】—する(他サ) 後代に伝えるために記録にとどめること。また、その記録。
***でんわ**⓪【電話】❶—する(自サ)〔だれニ—する〕電話機を通して話をすること。また、その話。「—を△かける(入れる)/—を切る/あとで—します/—交換手⑥・国際—⑤・長—③・留守番—⑤」❷「電話機」の略。「—が故障する/—番号④・—線⓪・—帳⓪・公衆—・赤—③・青—③・携帯—」 かぞえ方 ❷は一本・一度・一回・一通話 **—き**③【—機】声の音波を電流に変え、離れている人と話せるようにした機械。受話器と送話器とから成るが、現在は両者が一体に組み込まれている。 かぞえ方 一台 **—きょく**③【—局】電話の架設や交換に関する事務を取り扱う所。現在は、「日本電信電話株式会社〔=NTT⑤〕」に属する。 **—ぐち**③⓪【—口】電話機の送話器の部分。「—に出る〔=先方からかかって来た電話を取る〕」

と…ト

と（土・斗・吐・〈兎・図・妬・度・徒・途・都・〈屠・渡・登・塗・賭・頭）→【字音語の造語成分】

と【十】（造語）「とお」の圧縮表現。かぞえ上げる個数・回数などが十であることを表わす。「ひ（い）、ふ（う）、み（い）、よ（お）、い（つ）、む（う）、な（な）、や（あ）、こ（の）、―（お）／二(ニ)、四(シ)、六(ロ)、八(ヤ)、―／―月(ツキ)十日(トオカ)〔=十か月と十日〕で生まれる／―重(エ)二十重(ハタエ)・十(ジュウ)人―色(イロ)」⇩そ（十）

と [一]（格助）❶その動作・作用を一緒に行なったり関係を結んだりする相手（のもの）であることを表わす。「妹は友達のお兄さん―結婚した／父親も日曜日には子供―遊ぶ／天分は努力―相俟(アイマ)って成功に結びつくものだ／困難―戦う／彼―は面識がある」❷△思考（表現・行動）の内容がそれであることを表わす。〔直接話法の形式及び間接話法の形式の表現を広く含む〕「いい―思う／ごまかし―見る／助けて―叫んだ／花子―名づける／なん―想像しようと君の自由だ」❸結果的に、その状態であることを表わす。「夜半から雨は雪―なった／無罪―決定／これで終り―する／二回三回―回を重ねる／山―積まれる」❹比定・対比の対象であることを表わす。「あなた―は立場が違う／彼―は比べ物にならない」❺一まとまりのものとして列挙することを表わす。「君―僕―が選ばれた／本―ノートを買う／あれ―これはわけが違う」❻その範囲以上に出ないことを表わす。…までも。「三時間―寝なかった／一時間―は〔=せいぜい一時間足らずしか〕かからなかった／二度―すまい〔=再度犯すことは決してすまい〕と心に誓う」 文法 (1)❶❸は、体言（名詞、またそれに準ずる句）、副助詞「だけ・など」などに接続する。❷は、文のまとまりに接続する。❹❺は、体言（名詞、またそれに準ずる句）、格助詞「から・まで」、副助詞「だけ・へ・など」などに接続する。❻は、数量を表わす語句につく。(2)❶で(a)「太郎が花子と結婚する」「挑戦者がチャンピオンと戦う」などの「と」は相手が不可欠であり、上記の例が成り立つなら、「花子と太郎が結婚する」「太郎と花子が結婚する」「チャンピオンが挑戦者と戦う」「挑戦者とチャンピオンが戦う」なども同時に成り立っていなければならない。(b)「将来のことで先生と相談する」「将来のことで先生に相談する」では、相談する相手を表わすのに「と」と「に」が用いられる。一般に相手を表わすのに相互的に事を行なうととらえられる場合には「と」が用いられ、どちらかといえば一方的に事を行なうととらえられる場合には「に」が用いられる。このことは、「友達と一年後の再会を△誓う（約束する）」と「決して盗みは働きませんと神に△誓う（約束する）」を比べれば明白である。「一年後の再会」は双方ともに同じ約束をしていなければ成り立たない。ところが、人が神に対して誓ったり約束したりすることはあっても、神が人に対して誓ったり約束したりするのは一般的には考えにくい。つまり人間の神に対する一方的な行為なのである。

【―いうと】〔接続詞的・接続助詞的に用いられる〕前に述べた事柄を受けて、必然的に後件が成立することを表わす。「―、なんだかそのように聞こえるかも知れないが／仕事をする―頭が痛くなる」【―いえば】❶前の話に出た言葉がきっかけになって、関連する別の話題を取り上げることを表わす。「野球―、昨日の試合はどうでした」❷疑問文を受けて、その原因や理由を述べることを表わす。「どうして留年したか―、バイトをやり過ぎたからです」❸ある事物を提示して、それについて述べることを表わす。「山―富士山／酒―目がない方でして」【―来たら】他の場合はともかくも、それに関しては、の意を表わす。〔強調表現は「…と来た日には」〕「彼―〔=ところが、彼はと言えば〕いつもほらばかり吹いている」【―はいうものの】その事柄は事実だと認めながら、それに関連する他の事柄までは肯定出来ないということを表わす。「習った―なんにも覚えていない／天気はよかった―乗り物ではひどい目にあった」【―はいえ】①〔「とはいえども」の意。接続詞的・接続助詞的に用いられる〕前に述べた事柄に対する注釈的事実を表わす。「…。―〔=ただし〕私もその一人だった／貧乏―〔=…ではあるが〕庭付きの家に住んでいる」

[二]（接助）❶前件・後件がほとんど同時・継起的に行なわれることを表わす。「ドアがあく―どっと客が入り込んだ／トンネルを抜ける―〔=抜け出た所は〕雪国だった／彼女は私の顔を見る―〔=見るや否や〕、わっと泣き出した」❷前件が前提となってほとんど例外無く後件が行なわれることを表わす。「つゆ時になる―〔=つゆ時には決まって〕カビが生える／年を取る―〔=取ると共に、大抵の人は〕記憶が鈍る／机に向かう―決まって眠くなる」❸ある事柄を仮定した前件と、その帰結を示す後件とを結びつけることを表わす。「英語で言う―〔=言えば〕どうなるだろう／九時には出ない―〔=出なければ〕遅れるよ」❹〔「…（よ）う―」「…だろう―」の形で〕どのような条件下でもその条件に制約されないことを表わす。「だれになんと言われよう―〔=言われても〕構わない／行こう―行くまい―〔=行くか行かないかは〕僕の勝手だ」 文法 (1)用言、助動詞「れる／られる・せる／させる・たい・たがる・ない」の終止形に接続する。(2)❸で後件に命令・依頼・勧誘など相手への働きかけを含意する表現が用いられる場合には、そのことが個々の場合に応じた一回的な事柄なので恒常性や反復性を含意する「と」は用いられず、接続助詞「たら」を用いるのが一般的である。(3)「疲れたようだね、少し休むといいよ」などと、「動詞終止形＋といい」の形で、相手への勧告を表わすことがある。この種の勧告の用法は、「少し休んだらいい」「少し休めばいい」などと「…たら」「…ば」によっても表わされる。

[三]（接尾）上接の語と一体になって副詞を構成することを表わす。「自然―治癒する／やたら―騒ぎ立てる／随分―」

[四]（接）そう△すると（しているうちに）。「―、風が吹き始めた」

と①【ト】〔音楽で〕長音階のハ調のソにあたる音名。G音。

と①【斗】一斗入りの ます。「胆、―のごとし〔=非常に大胆だ〕」⇩【造語成分】

と①【徒】❶何かに志す人（たち）。「学問の―／学―・信―・門―」❷やつら。「忘恩の―／無頼(ブライ)の―／暴―」⇩【造語成分】

と①【途】みち。「帰省の―につく／―次・―上・―中・帰―・前―」

と①【都】地方公共団体の一つとしての東京都。〔知事が管轄する。道・府・県と同格〕「―の水道局／―庁・―下」⇩【造語成分】と・つ

と①【〈堵】かき。かこい。「―のごとし〔=人が何かを囲むようにおおぜい集まる〕／―に安んずる〔=人民が安心して暮らす〕／―列・安―(ド)」

**と⓪ [一]【戸】家の△内外を隔て（各部分を仕切）るために取りつけた開閉のきく建具。「―を立てる〔=閉める〕／雨―(ド)・ガラス―(ド)」 かぞえ方 一枚 表記 古くは「《門」とも書き、家の出入口を指した。[二]【《門】〔雅〕水流の出入りする所。海峡。瀬戸。「明石(アカシ)の―／由良(ユラ)の―」

【人の口に―は立てられぬ】⇩人

と①【《外】〔雅〕そと。「―の面(モ)／内(ウチ)―・―様(ザマ)」

と①【〈砥】〔多く造語成分として〕といし。「坦々（タンタン）―のごとき大道／あら―・仕上げ―（ド）③」

ど（土・奴・努・度・怒）→【字音語の造語成分】

ど（接頭）❶驚くべき程度であることを表わす。「―ぎもを抜かれる／―えらい・―まんなか・―根性・―性骨（ショウボネ）」❷卑小な存在に外ならぬ意を表わす。「―しろうと③・―あほう」

ど（接助）〔文語助詞の残存形〕❶前件に述べる事柄にとって予測・期待に反する事柄を後件として続けることを表わす。「呼べ―（=呼んだけれども）答へず、捜せ―（=捜したけれども）見えず」❷ある事柄を仮定したりしてなんらかの意味で対比される状況を設定することを表わす。「二人行け―（=たとえ二人で行ったとしても）行き過ぎ難き秋山を…／見れ―（=いくら繰り返して見ていても）飽かぬかも」

ド①〔イ do〕〔音楽で〕長音階の第一音、短音階の第三音の名。

ど①【土】人やその霊魂などがとどまる場所。「かの―（=国）／魂魄（コンパク）、この―（=土地）にとどまりて／浄―・冥（メイ）―・楽―」⇩【造語成分】ど・と

ど⓪【度】■一❶そこでとどまるべき、行為の規準。「―が過ぎる／―を超える／―を失う（=あわてて、落着きをなくす）／過―・極―・軽―」❷（物の性質の）度合。「緊張の―を強める／深刻の―を増す／密―・温―・濃―・震―・速―・湿―・知名―②・満足―④」■二❶角度の単位で、直角の九十分の一の大きさを表わす（記号。゜）。〔経度・緯度を表わす際にも用いられる〕❷Ⓐ温度を示す数値（=示度）に添える語。「セ氏零―」Ⓑ温度差の単位。「きょうの気温は、きのうより二―高い」⇩セ氏・カ氏 ❸液体中の、アルコール量の割合を表わす単位。一度は百分の一。❹音程をはかる単位。❺もと、眼鏡のレンズの焦点の距離の単位で、一インチの焦点距離を表わす。「―が△進む（強い）」⇩ジオプトリー ⇩【造語成分】ど・と・たく

***ドア**①〔door〕洋風の戸。とびら。「回転―⑤・自動―④・―チェーン③・―チャイム③・―マン②」［かぞえ方］一枚

どあい⓪（アヒ）【度合】ある範囲の中で計られた、そのものの高低・多少・強弱など。〔温度計でいえば、目盛りで表わされるものに当たる〕「強弱の―（=ほどあい）／―を△深める（増す）」

ドア エンジン③〔和製英語 ←door＋engine〕電車などの扉を圧縮空気を使って自動的に開閉する装置。

ドア トゥー ドア⑤〔door to door〕❶ある家の戸口から別の家の戸口まで。「会社まで―で四〇分かかる」❷依頼主の家まで品物を取りに行き、送り先の家まで届けるという運送配達方式。〔❶❷ともドア ツー ドアとも〕

ドア ホン②③〔door phone〕門や玄関口に取り付け、訪れた人と屋内にいたまま通話できるインターホン。ドア フォンとも。

とあみ⓪【《投網】〔唐網の変化という〕魚を捕らえる円錐（エンスイ）形の網。一端に手綱をつけ、水中に投げ広げる。底辺には一帯に重りが付いている。［表記］⇩付表「投網」

とある②（連体）〔ちょうど差しかかった〕ある。「―店に立ち寄り／―町かど」

とい⓪（トヒ）【問（い）】↔答え ❶問うこと。質問。❷問題。

とい①（トヒ）【〈樋】❶屋根の雨水を受けて地上に流す仕掛け。「―に落葉がつまる／雨（アマ）―（ドイ）」❷水・湯を離れた所に送る仕掛け。［かぞえ方］❶は一本

といあわ・せる⑤⓪（トヒアハセル）【問（い）合（わ）せる】（他下一）不明の点などを聞いて確かめる。聞き合わせる。問い合わす④（五）。［名］問い合わせ⓪

といかえ・す③（トヒカヘス）【問（い）返す】（他五）❶もう一度聞き直す。❷質問に答えずに、逆にこちらから問う。

といか・ける④（トヒ）【問（い）掛ける】（他下一）それを予期しない相手に質問をする。「隣の人に―」［名］問い掛け⓪

といき⓪【吐息】〔「と」の意は未詳。「吐」は借字か〕落胆したり緊張がゆるんだりした時に吐く、大きな息。ためいき。「―をつく／青息―」

といし⓪【〈砥石】刃物をとぐ石。［かぞえ方］一枚

といた⓪【戸板】雨戸の板。〔はずして、人・物を運ぶ時に言う〕［かぞえ方］一枚

といただ・す④（トヒ）【問（い）《質す】（他五）△疑問（不審）の点が全く無くなるまで、徹底的に質問する。

といち⓪【十一】法定金利をはるかに超えて十日で一割取るほどの高利。

どいつ①【《何《奴】（代）「どの者・だれ」や「どれ」の意の、ぞんざいな言い方。〔憎悪・軽蔑（ケイベツ）などの気持を込めた場合にも、親しみの気持を込めた場合にも使われる〕「こんないたずらをしたのは（どこの）―だ／―こいつ（=だれかれ）の区別なく／―もこいつも（=みんな）意気地無しばかりだ／―（=どれ）もうまそうに見える」⇩あいつ・こいつ・そいつ::こそあど

といつ・める④⓪（トヒ）【問（い）詰める】（他下一）❶△本当の事を答える（ごまかしながら答えることが出来なくなる）まで、きびしく問いただす。❷最後まで究明する。

といや⓪（トヒ）【問屋】とんや。

トイレ①❶「トイレット」の日本における省略形。「公衆―・多機能―」❷（トイレットで）大小便をすること。

トイレット①③〔toilet〕「洗面所」の婉曲（エンキョク）表現。トイレとも。「―ペーパー⑥」

とう（刀・冬・当・灯・投・豆・到・東・逃・倒・党・凍・唐・〈套・島・桃・〈桐・納・討・透・悼・盗・陶・塔・〈幀・搭・棟・湯・痘・登・答・等・筒・統・道・稲・読・〈蕩・踏・糖・頭・〈濤・謄・藤・闘・騰）→【字音語の造語成分】

とう①【《疾う】（副）〔「とく」の変化〕「はやく」の意の、やや古風な表現。「―せよ／―から／―の昔に」

***と・う**①⓪（トフ）【問う】（他五）❶〈だれニなにヲ―〉△分からない（はっきりしない）事を相手に聞いてみる。「安否を―（=たずねる）／泣きじゃくるばかりで何を―ても答えない」❷〈（だれニ）なにヲ―〉不都合な事実を取り上げて責任の所在を明らかに△させる（させて罪を負わせる）。「責任を―／殺人罪に問われる（=殺人罪を適用すべきだとして扱われる）」❸〈（だれニ）なにヲ―〉そう言われるだけのもの△が（で）あるかどうか、はたしてそれでよいものかどうかを、広い視野に立って取り上げる。「△真価（力量）が問われる／かなえの軽重（ケイチョウ）を問う（=⇩かなえ）／△過去（既往）を―ても（=過ぎ去ったことを今さら問題にしても）始まらない」❹〈だれ・なにニなにヲ―〉世間の人の意見がどうであるかを聞いてみる。「△世論（民意）に―／信を―（=自分を信任しているかどうかを、為政者が確かめる）」［文法］接続助詞「て」や助動詞「た」に続くときには、「問って／問った」とはならず、「問うて／問うた」となる。【―に落ちず語るに落ちる】【…を問わず】❶…は問題にしないで。「理由のいかん―」❷…の区別無く。「△官民（好むと好まざると・洋の東西・昼夜・老若）―」

と・う①⓪（トフ）【《訪う】（他五）「△会う（見る）という目的を持っておとずれる」意の古風な表現。

とう①（タウ）【刀】〔対する人に向かって取る〕かたな。「―を構える／―剣・執―・小―・大―」

とう（タウ）【当】■一①❶道理にかなうこと。「―を得る（=その場合の正解である）／―を得ない／―を欠く／―然・適―・不―」❷「当限（トウギリ）」の圧縮表現。■二（連体）その。この。「―会場・―家」⇩当（ウト）の ⇩【造語成分】

とう①【党】❶なかま。「—を組む/悪—・残—・徒—」❷その△政党(結社)。「—の決定に従う/—員・野—・与—・離—」⇩【造語成分】

***とう**①【塔】〔梵語「そとば」の表記「卒塔婆」の圧縮形〕❶供養・報恩のため、また霊地であることを表わすための高層建築。❷高くそびえ立つ(装飾的)建築物。かぞえ方 ❶❷とも一基

とう【等】同類の中から代表例をあげ、その他をも△含む(類推させる)ことを表わす。「飲む歌う—(=など)の行為を禁ずる」⇩【造語成分】

とう①【糖】糖分。「尿に—が出る」⇩【造語成分】

とう①【〈籐】台湾などアジアの熱帯地方に自生するつる性の木。茎は長くて丈夫なので、編んでいす・かごなどを作り、またステッキなどにもする。種類が多い。〔ヤシ科〕かぞえ方 一株・一本

とう①【〈薹】〔もと、「なのはな」を意味する字の国訓〕アブラナ・フキなどの花茎。「フキの—/—が立つ(=ⓐ盛りの時期が△過ぎる(過ぎて、食べられなくなる)。ⓑ少年が、青年になりかかる)〔ⓑは『—に立つ』とも言う〕」

どう(同・洞・胴・動・堂・童・道・働・〈慟・銅・導・瞳)↓【字音語の造語成分】

どう①(副)〔「どのよう(に)」の圧縮表現〕❶対象とする限られた範囲の中で、条件に合う状態や方法などとして、こうだと一つに決められない様子を表わす。「—考えてもおかしな話だ/—ころんでも損はしないよ/人に—思われても構わない/—かした拍子にこわれてしまった」❷いくつかの選択の可能性がある中でどれが条件に合う状態や方法であるかを問う意を表わす。「これは—やって食べるんですか/子供に読ませるならこの本は—ですか」⇩ああ・こう・そう:こそあど

表記 「〈如何〉」・《何う》とも書いた。

運用 (1)「どう」と言いさして、親しい相手に対する種々の問いかけとして用いられる。ⓐ状況・状態を問う場合。例、「△最近(具合)どう」ⓑ反応を問う場合。例、「ぼくの作った料理、どう」ⓒ意向を問う場合。例、「この洋服、君にどう」(2)「どうしよう(か)」などの形で。ⓐ親しい相手に意向を問うのに用いられる。例、「来年の同窓会どうしよう」ⓑ困り果てたときに(相手に)思わず発する語として用いられる。例、「あ、財布を忘れた。どうしよう」(3)「どうだ」などの形で、同輩以下の相手に対して威圧的な態度で何かを△納得させ(強要し)ようとするときに用いられる。例、「どうだ、参ったか/どう 君も一つやってみないか」

【—かこうか】とうてい満足できる状態ではないが、最低限△目的は達して(必要を満たして)いる様子。「親子三人—食べていける」【—かすると】場合によっては、そういう傾向におちいりがちである様子。「よく似ているので、—まちがえることがある」【—しようも無い】❶そうなるに任せるよりほかに、対処の方法が無い状態だ。「ここまで悪化したら—/帰りたい気持がつのって—」❷どう対策を講じてももはや救いようがない状態だ。「全く—奴だ」

どう①【同】[一]名前・年月などを列挙する場合に、そのうちの共通部分を繰り返し書く代りに使う語。同じく。「木村一郎、—二郎/—右(=右に書いたことに同じ)」[二](連体)〔前に述べた事を受けて〕上記の。「—空港で記者会見した諸氏は…/—(=その)商会」表記 「〈仝」とも書く。

***どう**①【胴】⇩【造語成分】❶からだの中で手足・頭部を除いた主要部分。

と

【土】〔もと、ところの意〕[一]つち。「土地」[二](略)トルコ(土耳古)。⇩ど

【斗】❶星の名。「泰斗・北斗」❷尺貫法における容積の単位で、十升(=約一八リットル)を表わす。〔十斗を「一石」と称する〕「斗酒」❸容量をはかる容器。ます。「斗掻き・漏斗」⇩(本文)と【斗】

【吐】口からものを出す。はく。「吐息・吐血・吐露・音吐・呑吐」

【〈兎】ウサギ。「狡兎・脱兎・烏兎・玉兎(=月の異称)」

【図】❶はかる。はかりごと。「壮図・雄図」❷本。え。「図画・図書・版図」

【妬】ねたむ。そねむ。やきもちをやく。「妬心・嫉妬」

【度】きまり。規則。「法度」⇩ど

【徒】❶歩く。「徒歩・徒渉・徒競走」❷手に何も持たない。「徒手」❸何もしない。むだ。「徒死・徒食・徒費・徒労」❹罪人。「徒刑・囚徒」⇩(本文)と【徒】

【途】⇩(本文)と【途】

【都】❶みやこ。首都。「州都・古都・遷都・帝都」❷人口の多い町。「都会・都市」❸(…で有名な)土地。…の中心地。「港都・商都・水都ベニス」⇩(本文)と【都】

【〈屠】殺す。切る。ほふる。「屠殺・屠所・屠腹」

【渡】❶川・海をわたる。わたす。「渡河・渡海・渡航・渡米・渡来」❷すぎる。すごす。「渡世・過渡期」❸ものを他人の手に移す。「譲渡」

【登】❶のぼる。「登山」❷勤務のためにそこに行く。「登城」⇩とう

【塗】❶ぬる。「塗装・塗炭・塗料・糊塗」❷みち。「道聴塗説」

【賭】かけ。ばくち。「賭場・賭博」

【頭】最初。はじめ。統率者。「音頭」⇩とう

ど

【土】[一]❶つち。「土壌・土質・土足・凍土・焦土・泥土・粘土・腐植土」❷人間が住んでいる所。「国土・本土・領土」❸その地域。「土民・土着・土人・土産」[二](略)❶土曜日。❷土佐国。「土州」⇩(本文)ど【土】

【奴】❶自由を奪われた最下層の使用人。「奴隷・農奴・黒奴」❷軽蔑すべき人間の称。「守銭奴・売国奴」〔❶は、古くは「ぬ」〕

【努】できるかぎり力を尽くす。つとめる。「努力」

【度】❶きまり。規則。「制度・節度」❷人間としての心の大きさ。「度胸・度量・大度」❸回数をかぞえる語。〔回数の多い時には、あまり用いない。ただし、「お百度」のような慣用句は例外。また、序数詞に付く時は、「二度目」のような形をとる〕「今度・何度・幾度・再度・三三九度」❹期間。「会計年度」❺基準。「尺度」⇩(本文)ど【度】

【怒】❶(はげしい勢いで)おこる。「怒気・怒号・怒声・激怒・喜怒哀楽」❷勢いがはげしい。強い。「怒張・怒濤」

胴体。〔特に腹部のあたりを指す〕「―が長い/―回りの寸法」❷付属部分を除いた中央部。「△太鼓(三味線(シャミセン))の―」❸〔剣道で〕Ⓐ「胴❶」をおおう防具。Ⓑ「胴❸Ⓐ」の部分をねらって攻撃するわざ。「逆―・抜き―」

どう①【動】動くこと。移ること。ゆるぐこと。「静中、―あり/―向・―物・移―・活―・流―」↔静 ⇩【造語成分】

どう①⓪【堂】(ウダ)〔表御殿の意〕❶仏・祖霊を祭る建物。❷集会用の建物。「―に満つ/講―・公会―・礼拝―・議事―」⇩【造語成分】【―に入る】〔「堂奥(ドウオウ)に入る」の略〕修練や経験を積んだ結果、その世界の人間として評価される域に達している。〔「堂」のアクセントは⓪〕「和歌の教養が深く、技巧は堂に入っていた/実に堂に入った演説であった/体を鍛えただけにアクションも堂に入っている」

どう①【《筒】❶ばくちなどで、さいころを二つ入れて振るつつ。❷「筒親(ドウオヤ)」の略。

どう①【道】(ウダ)❶昔の地方区画の一つ。京都から通じる道路によって分けた。「東海―・山陽―」❷地方公共団体の一つとしての北海道。〔知事が管轄する。都・府・県と同格〕「―立・―来・―産子(ドサンコ)」⇩【造語成分】どう・とう

***どう**①【銅】暗赤色の金属元素〔記号Cu原子番号29〕。展性・延性に富み、電気・熱の良導体。電線・伸銅製品に用いられる。あかがね。

どうあく⓪【〈獰悪】(ダウ)〔―な/―に〕みるからに荒あらしくておそれられる様子だ。

どうあげ⓪④【胴上(げ)】―する(他サ) 喜びの気持などを表わすために、祝福される人のからだを横にして、大勢で空中に何回か投げ上げること。表記「胴揚げ」とも書く。

とうあつ⓪【等圧】等しい△気圧(圧力)。**―せん**⓪【―線】❶等しい気圧の地点を図面の上でつないだ線。天気図に用いる。❷〔物理学で〕圧力を一定にした場合の、他の二変数間〔温度と体積など〕の関係を表わすグラフ。

とうあん⓪【〈偸安】〔古〕〔「偸」は、盗む意〕目前の安楽をむさぼり、将来を考えないこと。

とう

【刀】⇩(本文)とう【刀】

【冬】ふゆ。「冬季・冬至(ジ)・冬眠・初冬・越冬・旧冬・暖冬・晩冬・立冬」

【当】(ウタ) ［一］❶あたる。あてる。「当局・当選・当番・当面・当事者・該当・配当」❷この。その。「当月(ゲツ)・当時・当年・当方・当店・当劇場」〔「当劇場」の「当」は、連体詞〕❸現在の。今の。「当今・当歳・当座・当主・当代・当用」［二］(略) 当選。「当確・当落」⇩(本文)とう【当】

【灯】あかり。〔電灯・ガス灯・街灯・電球やヒーターをかぞえる場合にも用いられる〕「灯火・灯台・街灯・船尾灯」

【投】［一］❶なげる。「投石・投入・投身」❷身をそこに置く。「投降・投宿」❸合う。「投機・意気投合」❹与える。「投与・投薬」❺必要な△物を出す(所へ送りこむ)。「投資・投獄」［二］(略)〔野球で〕投手・投球。「投打・好投・続投」

【豆】まめ。「豆乳・豆腐・豌豆(エンドウ)・納豆・緑豆」

【到】(ウタ) ❶いたる。「到達・到底・到来・殺到」❷ゆきとどく。「周到」

【東】［一］ひがし(の方)。「東軍・東国・東海・東西南北・関東・極東・中東・南東」［二］(略) 東京。「東名高速・東横線」

【逃】(ウタ) にげる。「逃走・逃避・逃亡」

【倒】(ウタ) ❶さかさま。「倒置・倒立・倒錯・転倒」❷ひっくりかえ△る(す)。たおれる。たおす。「倒壊・倒閣・卒倒・打倒」❸すっかり…することを表わす。「圧倒・傾倒・絶倒」

【党】(ウタ) 愛好者の仲間。「甘党・辛党・米飯党」⇩(本文)とう【党】

【凍】こおる。こごえる。「凍原・凍結・凍死・凍傷・冷凍・解凍・不凍」

【唐】(ウタ) ❶△中国(外国)の。「唐音・唐人・唐土・毛(ケ)唐」❷中身の無い。「荒唐無稽(ケイ)」❸とつぜん。「唐突」

【〈套】(ウタ) ❶おおうもの。おおい。「外套・手套」❷古くさい。「旧套・常套手段」

【島】(ウタ) しま。「島民・島嶼(ショ)・群島・列島・半島・遠島・火山島・無人島」

【桃】(ウタ) モモ。「桃源・桃李(リ)・桜桃・白桃」

【〈桐】キリ。「桐油・梧(ゴ)桐」

【納】(フタ) おさめる。入れる。「出納(スイトウ)」⇩のう

【討】(ウタ) ❶うつ。「討賊・討幕・討伐・討滅・掃討・追討」❷たずねる。しらべる。「討議・討究・討論・検討」

【透】(光が)通り抜ける。「透視・透写・透明:透過・滲透(シントウ)」

【悼】(ウタ) 人の死を惜しみ悲しむ。いたむ。〔追悼文の冒頭に単独で用いることもある〕「悼辞・哀悼・追悼」

【盗】(ウタ) ［一］ぬすむ。ぬすびと。「盗賊・盗品・盗難・強盗・窃盗」［二］(略)〔野球で〕盗塁。「本盗〔=本塁への盗塁〕」

【陶】(ウタ) ❶やきもの。せともの。「陶器・陶芸・陶工・陶磁・製陶:一陶〔=とっくり一本〕の酒」❷人をみちびき育てる。「陶冶(ヤ)・薫陶(クントウ)」❸うっとりする。「陶酔・陶然」

【塔】⇩(本文)とう【塔】

【〈幀】(ウタ) 掛け物仕立てにした書画や帙(チツ)に納めた書物。「一幀〔=一幅〕の画幅/七幀〔=七帙〕の書」

【搭】(フタ) 乗り物に乗る。乗り物に積み込む。「搭乗・搭載」

【棟】❶むなぎ。「棟梁(リョウ)」❷長いむねの建物。〔大きい建築物や小さい構造物をかぞえる時にも用いられる〕「病棟」

【湯】(ウタ) ❶ゆ。「湯治(ジ)・温湯・給湯・銭湯・熱湯・金城湯池(キンジョウトウチ)」❷せんじ薬の名。「葛根(カッコン)湯・般若(ハンニャ)湯」

【痘】ほうそう。もがさ。「痘瘡(ソウ)・痘苗(ビョウ)・種痘・水痘・天然痘」

【登】❶高い所に自分を位置させる。「登高・登頂・登場・登壇・羽化登仙(トウセン)」❷公の場所に行く。「登院・登校・登庁」❸高い地位に△つく(つける)。「登用・登竜(リュウ)門」❹公式の書面にかく。「登記・登載・登録」

【】の中の教科書体は学習用の漢字，〈 は常用漢字外の漢字，〈〈 は常用漢字の音訓以外の よみ。

【答】こたえる。こたえ。「答案・答弁・答礼・応答・問答」

【等】❶ひとしい。「等分・同等・平等」❷なかま。「等類」❸順序・等級。「優等・三等」⇩(本文)とう【等】

【筒】つつ(形のいれもの)。「円筒・水筒・封筒」

【統】❶すべる。まとめる。「統一・統括・統監・統御・統計・統合・統帥・総統・大統領」❷続きあい。血すじ。一続きのもの。「系統・血統・皇統・伝統・道統・法統」❸地層の成層年代区分で、「系」と「階」の中間の区分。「有田統」〔地質時代区分の「世」に対応する〕

【道】みち。「神道・天道」⇩どう

【稲】イネ。「水稲・晩稲・陸稲」

【読】文中のくぎり。「読点・句読点」⇩どく

【〈蕩】❶道楽で身を持ちくずす。「蕩児・放蕩・遊蕩」❷そこにあるものをすっかり無くしてしまう。「蕩尽・掃蕩」❸何も無いかのようにやすらか。「春風駘蕩」

【踏】ふむ。「踏査・踏襲・踏破・舞踏・高踏的・人跡未踏」

【糖】❶砂糖。「糖衣・製糖」❷炭水化物のうち、水にとけ甘味のあるもの。「糖分・果糖」⇩(本文)とう【糖】

【頭】❶あたま。「頭角・頭頂・露頭」❷統率する人。かしら。「頭首・頭領・地頭・船頭」❸はじめ。「初頭・年頭・冒頭」❹ものの先端。「陣頭・先頭・弾頭・柱頭」❺そのあたり。「社頭・店頭・枕頭」❻名詞を形づくる助辞。「原頭・街頭・路頭・駅頭:話頭・口頭」❼動物のうち比較的大きいものをかぞえる語。「馬五頭」

【〈濤】大なみ。「濤声・怒濤・波濤」

【謄】書きうつす。「謄写・謄本」

【藤】■一フジ。「藤花・葛藤」■二(略)藤原氏。「藤宰相・源平藤橘」

【闘】■一❶たたかう。あらそう。「闘士・闘争・決闘・健闘」❷たたかわせて、勝負をたのしむ。「闘牛・闘鶏・闘犬」■二(略)闘争。「春闘」

【騰】おどりあがる。高くなる。「騰貴・急騰・高騰・沸騰・暴騰」

どうォ

【同】❶あつまり。仲間。「一同・会同」❷(…が)おなじ。「同一・同音・同型・同窓・同類・異同」❸前に△述べた(触れた)ものと同一の。その。「同校・同年・同商会」〔「同商会」の「同」は、連体詞〕❹ともにする。「同行・同居・同乗・同棲・同道・同伴・同宿・共同・合同・賛同・帯同・雷同」⇩(本文)どう【同】

【洞】❶ほらあな。「洞穴・洞窟・洞門・空洞・風洞」❷見通す。「洞察」

【胴】⇩(本文)どう【胴】

【動】❶ふるまい。「動作・挙動・言動・行動・反動」❷さわぐ。さわぎ。「動乱・騒動・変動・暴動」⇩(本文)どう【動】

【堂】❶いかめしく、りっぱ。「堂々」❷屋号・雅号・建造物の名前に添える語。「五大堂」❸他人の母の敬称。「母堂」⇩(本文)どう【堂】

【童】子供。「童顔・童子・童画・童心・童話・悪童・児童・牧童」

【道】❶通りみち。「道中・道路・国道・水道・大道・歩道」❷人として守るべきみち。「道徳・道理・王道・外道・正道・非道」❸道教。「道家・道学・道術」⇩儒・仏 ❹仏教。「道心・入道」❺専門の学問・技芸。「道場・歌道・芸道・弓道・剣道・書道・柔道・茶道」❻言う。「道破・報道・言語道断」⇩(本文)どう【道】

【働】はたらく。「稼働・協働・実働・労働」

【〈慟】なげき悲しむ。「慟泣・慟哭」

【銅】⇩(本文)どう【銅】

【導】❶みちびく。教える。「導引・導師・導入・教導・指導・補導・誘導」❷熱・電気を伝える。「導体・導火線・伝導・半導体」

【瞳】ひとみ。「瞳孔・瞳子・散瞳・縮瞳」

とうォあん[0]【答案】一定の用紙に問題の答えを書いたもの。「模範―[4]・―用紙[5]」かぞえ方 一枚

とうォい[1]【当為】〔ド Sollen の訳語〕〔哲学で〕そうあるべき事、また、そうすべき事(として要求されること)。ゾルレン。

とうォい[1]【東〈夷】〔東方の野蛮人の意〕❶昔、中国から見た東方諸国の称。〔広義では朝鮮・沖縄を含み、狭義では日本を指した〕⇩北狄・西戎・南蛮 ❷昔、京都の公家から見た関東・東北の武士の称。

とうォい[1]【等位】❶等級。くらい。❷等しい△くらい(位置)。

とうォい[1]【糖衣】飲みにくい薬の外側に砂糖をかぶせたもの。「―錠[3]」

どうォい[0][1]【同位】同じ△くらい(位置)。 **―げんそ**[4]【―元素】「同位体」に同じ。 **―たい**[0]【―体】⇩アイソトープ

***どうォい**[0]【同意】❶―する(自サ)〈なにニ―する〉相手と同じ意見(だということを言動や態度に現わすこと)。「―を△得る(取りつける)」❷同じ意味。 **―ご**[0][3]【―語】⇩同義語

どうォい[1]【胴衣】どうぎ。「救命―」

どうォいう[1](連体) どのような。「―訳であんなばかな事をしたんだ/―人が好きですか」⇩どのよう

とうォいす[0][1]【〈籐椅子】トウを編んで作った椅子。

とうォいそくみょうォ[1]-[0]【当意即妙】その場に適当した即座の機転をきかすこと。「―の言葉」

どうォいたしまして[1]-[4]【どう致しまして】相手の言ったほめ言葉や感謝・謝罪の言葉に対して、「それほどではありません」「それには及びません」という気持で打ち消して謙遜する挨拶の言葉。

****とうォいつ**[0]【統一】―する(他サ)〈なにヲ(なにニ)―する〉△相互に連絡の無いものを集めて(不ぞろいのものに手を入れて)、一つのまとまりあるものに仕上げること。「―〔=まとまり〕を欠

く/国家の―/―国家[5]・精神―・―行動[5]・―性[0]」↕分裂 ―てき[0]【―的】―な ―に 全体にまとまりのある様子だ。

どういつ[0]【同一】―な ―に 「おなじ」の意のやや改まった表現。比較の対象となるものとの間に全く差異が認められないこと。「人間は限りなく神に近づくことは出来るけれど、神と―にはなり得ない/―歩調をとる/―人物[5]・―性[0]」 **―し**[4]【―視】―する(他サ) 同一と見なすこと。 **―てつ**[4]【―轍】(失敗にいたる)同じやり方。「どういってつ[3]」とも。「―を踏む」

とういん[0]【党員】その政党に入党している人。

とういん[0]【登院】―する(自サ) 議員が議院に出席すること。「―停止[5]、[0]-[0]」↕退院❷

とういん[0]【頭韻】〔韻文で〕語・句の初めごとに同じ音を持つ語を繰り返し用いる修辞法。例、奈良七重。「―を踏む」↕脚韻

どういん[0]【動因】事を引き起こす直接の原因。動機。

どういん[0]【動員】―する(他サ) ❶戦争のため、兵士を召集すること。「―令[3]」↕復員 ❷戦争遂行のために、国内の工場、あるいは資源を政府の管理下におくこと。❸ある目的のために、人・物を駆り集めること。「総―」

どうう[1]【堂宇】〔「堂の軒」の意〕格式を備えた、寺の建物。

どううら[0]【胴裏】あわせ・綿入れなどの胴の裏で、すそまわしの上につける裏地。

とうえい[0]【灯影】灯火(の影)。

とうえい[0]【投映】―する(他サ) スライドなどを映し出すこと。「―機[3]」

とうえい[0]【投影】―する(他サ) ❶姿が、あるものの上に映し出されること。「文学は時代精神の―だ」❷「射影」の通称。「―図[3]」

とうえい[0]【倒影】逆さに映った影。

とうおう[0]【東欧】ヨーロッパの東部。

どうおう[0]【堂奥】〔「堂の奥」の意〕容易にはうかがい知れない芸術・技術などの奥深いところ。「―に入る」

どうおや[0]【《筒親》】ばくちの場所を貸して、やりとりする掛け金の高に応じての歩合を取る人。筒元。筒取り。 表記 「胴親」は、借字。

とうおん[1]【唐音】❶〔平安時代末期から鎌倉時代に〕入宋した僧などが伝えた事物の名称に用いられた漢字音。宋音。唐宋音。例、普請・行灯・饅頭・鈴など。❷江戸時代に伝わった中国語音。華音。例、東京など。〔古くは「とういん」〕⇩漢音・呉音

とうおん[0]【等温】温度が等しいこと。また、その温度。 **―せん**[0]【―線】等しい温度の地点を地図の上でつないだ線。

どうおん[0]【同音】❶同じ(発)音。「―語[0]・―異義[5]」❷同じ高さの音(で奏すること)。ユニゾン。❸声をそろえて言うこと。「異口―に」

とうか[1]【灯火】「ともしび」の意の漢語的表現。「―親しむべき候〔=読書にふさわしい季節〕」 かぞえ方 一点 **―かんせい**[4]【―管制】敵の空襲に備えて灯火を消(隠)させること。「―を敷く」

とうか[0][1]【投下】―する(他サ) ❶投げおろすこと。「原爆が―される」❷事業のために資本を出すこと。「資金を―する」

とうか[0][1]【透過】―する(自サ) ❶〔物理学で〕光や放射能などが物の内部を通り抜けること。「―性[0]」❷〔生物学で〕溶媒が原形質膜を通過すること。「―性[0]」

とうか[1]【登〈遐〉】〔「遐」は、遠方の意〕「天子の崩御」の古風な婉曲表現。 表記 「登〈霞〉」とも書く。

とうか[1]【等価】価格(価値)が等しいこと。「―交換[4]」

とうか[1]【踏歌】平安時代、宮中で正月中旬に少年少女に年初めの祝い歌をうたって舞わせた行事。

とうか[0][1]【糖化】―する(自他サ) ❶でんぷんなどが糖分に変化すること。❷羊羹・ジャム・蜂蜜などに含まれている糖分が、時間がたちすぎて固まり白色を呈するようになること。

とうが[0]【冬芽】秋に生じ、一冬越して、春になって生長する芽。

とうが[0]【唐画】❶唐時代〔=六一八～九〇七〕の絵画。❷中国風の絵画。からえ[0]。

とうが[0][3]【唐〈鍬〉】〔「唐鍬」の変化〕開墾や木の根を掘る時などに使う、頭部が鉄製の鍬。

とうが[0]【陶画】陶器にかいた絵。

どうか[1](副) ❶その事の実現を切実に願う気持をいだく様子。「―よろしくお願いします/―合格出来ますように」❷正常と違って憂慮すべき状態だと批判する気持をいだく様子。「彼はこのごろ―している〔=おかしい〕/―なって〔=ひどい状態になって〕しまってからでは遅い/―と思う〔=あまり(全く)感心しない〕」―

どうか[0]【同化】―する(自他サ) ❶生物が外界から取り入れたいろいろな物質を自分のからだの成分に変えること。〔広義では、取り入れた知識を完全に自分のものにすることをも指す〕「―作用[4]」↕異化 ❷違った風土・風習などになじんで、溶け込むこと。「―力[3]」❸他人を感化して、自分と同じようにすること。

どうか[1]【道家】〔儒家に対して〕個人の内面生活を重んじ、いかに人生の安らぎを得るかを求めた諸子百家の一つ。「どうけ」とも。〔広義では、道教の説を奉じる人たちをも含める〕

どうか[1]【道歌】仏教や心学の趣旨をよんだ教訓歌。

どうか[1]【銅貨】銅を主成分とする硬貨。 かぞえ方 一枚・一片

どうが[0]【動画】(アニメーションやコンピューターを通して見ることができる)動きのある画像。

どうが[0]【童画】子供向きにかいた絵。〔児童自身のかいた絵は「児童画[0]」と言う〕

とうかい[0]【東海】(昔、中国から見て)東方の海。「―の君子国〔=日本〕」 **―どう**[3]【―道】❶もとの七道の一つ。三重から中部地方・関東地方の北部に至る海岸沿いの地域。また、それらを通る幹線道路。❷江戸時代、五街道の一つ。江戸を起点とし京都に至る太平洋沿いの道路。 **―どうごじゅうさんつぎ**[3]-[4]【―道五十三次】「東海道❷」の宿駅五十三か所の称。江戸から京都に至る。 **―どうほんせん**[7]【―道本線】東海道沿いに、東京から神戸に至る幹線鉄道。

とうかい[0]【倒壊・倒潰】―する(自サ) 建造物が倒れてつぶれること。

とうかい[0]【〈韜晦〉】―する(他サ) 〔「韜」は隠す意、「晦」はくらます意〕自分の才能や本心を何かほかの事で隠すこと。〔広義では、姿・行くえをくらます意にも用いられる〕

とうがい[0]【当該】(連体) その事に関係がある(する)。「―の番地は現実に存在しない由/―の警察署/―事項[5]」

とうがい[0]【凍害】〔農作物などが〕霜や寒さのために、水分が凍結して枯れる害。

とうがい[0][1]【等外】一定の等級の外。「―に落ちる/―品[0]」

とうかく[0]【当確】〔←当選確実[0]-[0]〕選挙の開票の途中で、当選が確実であるという見通しがつくこと。「テレ

ビに—のテロップが流れる」

とうかく[0] (タウ)【倒閣】—する(自他サ) 時の内閣を倒すこと。「—運動[5]」

とうかく[0]【統覚】〔哲学で〕自我が自己の意識内で、多様な経験を総合・統一する作用。

とうかく[0]【頭角】あたまの先。「—を現わす〔=すぐれた学識・才能の持主であることが著しく目立つようになる〕」

どうかく[0]【同格】❶同じ△格式(資格)。❷〔文法で〕同じ格。文の中で、ほかの語と同じ資格で並ぶこと。例、「われわれ日本人は」の「われわれ」と「日本人」。

どうがく[0]【同学】通った学校や習った先生が共通である△こと(人)。〔広義では、専門を同じくする人の意にも用いられる。例、「—の士」〕

どうがく[0] (ダウ)【道学】❶道徳を説く学。〔狭義では儒学中の宋学(ソウガク)を指し、広義では心学をも指す〕「—者[3][4]〔=人情の機微にうとい儒者〕・—先生[7]〔=世事にうとい学者をからかって言う語〕」❷道家の学問。道教。

どうかせん[0] (ダウクワ)【導火線】❶爆薬などに口火をつける線。❷事件の起こるきっかけ。「紛争の—となる」

とうかつ[0]—する(他サ) ❶【統括】幾つかに分かれているものを、そこで一つにまとめること。❷(クワツ)【統轄】中心(的位置)にあって、一つにまとめること。

どうかつ[0]【〈恫喝】—する(他サ) 相手の弱みにつけこんだりして、おどすこと。表記「〈恫愒〉」とも書く。

どうがね[0]【胴金】刀の鞘(サヤ)などの中央部にはめる、環状の金具。

どうがまえ[3] (ガマヘ)【同構え】漢字の部首名の一つ。「同」の字に代表させた言い方。⇩けいがまえ

とうから[1]【《疾うから】(副)〔「疾くから」の変化〕その△事柄(事態)が今始まったことではなく、ずっと以前からそうであったと判断する様子。「お連れさまは—お待ちかねで御座います」

とうがらし[3] (タウ)【唐辛子・唐〈芥子】畑で作る一年草。実は細長く、初めは緑色で秋熟すと赤くなる。品種が多く、そのほとんどが辛い。香辛料にする。〔ナス科〕かぞえ方 一本

とうかん[0]【投〈函】—する(他サ) ❶定められた箱の中へ、何かを書いた紙を入れること。❷郵便物をポストに入れること。

とうかん[0] (タウ)【盗汗】「寝汗」の医学用語。

とうかん[0]【等閑】大事な事と考えないで、いいかげんに扱うこと。なおざり。「—に(付)する/—視する」

とうかん[0]【統監】—する(他サ) 〔政治・軍事などの〕全体を統轄・監督すること。

とうがん[0]【冬〈瓜】〔トウグワの変化〕畑に植える一年生のつる草。夏、黄色の花を開き、スイカに似た実がなる。普通、煮て食べる。かもうり[2]。〔ウリ科〕かぞえ方 一本

どうかん[0]【同感】—する(自サ) 自分もそのように△考え(感じ)ること。「—の意を表する/それには私も—だ」

どうかん[0]【動感】動いている△という(ような)感じ。「—にあふれた絵」

どうかん[0] (ダウクワン)【導管】❶水などを導く管。❷被子植物が、根から吸い取った養分・水分を上へ送るために備えている長い管。表記「道管」とも書く。

どうがん[0]【童顔】❶子供のあどけない顔。❷普通のおとなの人と比べて、構えたところや険・鋭さが無く、目つきが子供のように穏やかな顔つき。〔主として、丸顔の人を指す〕

とうき[1] ❶【冬季】冬の季節。「—大会[4]・—オリンピック[7]」❷【冬期】冬の期間。「—休業[4]、[1]-[0]」

とうき[1] (タウ) ❶【当季】この季節。「—の季題」❷【当期】この期間。「—の決算報告」

とうき[1]【投棄】—する(他サ) 不要の物として、投げすてること。「産業廃棄物の不法—/—処分[4]」

とうき[1]【投機】❶〔よい機会に乗じる意〕当たれば利益の大きいことをねらってする行為。「—心[3]・—的[0]・—性[0]」❷市価の変動による差金を得るために行なう取引。相場。「盛んな土地—/—買いに走る/—熱が高まる」

とうき[1] (タウ) ❶【党紀】党の風紀。「—が乱れる」❷【党規】党の規則。「—に従う」

***とうき**[1] (タウ)【陶器】土や石の粉で形を作り、うわぐすりを塗って焼いた器物。〔広義では、磁器をも含む〕

とうき[1]【登記】—する(他サ) 身分・戸籍や不動産などの権利を確実にするために公式の帳簿〔=登記簿〕に記載すること。〔狭義では、不動産のそれを指す〕「—所[4][0]」

とうき[1]【騰貴】—する(自サ) 値段が上がること。「物価の—/相場が—する」↕下落

とうぎ[1] (タウ)【党議】党内での討議(によって決まった意見)。「—を重視する」

とうぎ[1] (タウ)【討議】—する(自他サ) ある題目について意見を戦わせること。「—が尽くされる/—を△行なう(重ねる)/—の場に上る」

とうぎ[1]【闘技】力・わざを比べあうこと。「—場[0]」

どうき[1]【同気】同じ仲間。「—相求めて〔=気の合った者同士が自然に寄り集まって〕」

どうき【同期】❶[1] △同じ(その)時期。その年度。❷〔同じ学校で〕入学・卒業が同じ年度であること。「—生[3]」❸[0]—する(自サ) 二つ以上のものの動作(状態)が時間的にそろうこと。シンクロナイズ。

どうき[0]【動〈悸】ふだんより強い、心臓の鼓動。「—がする」表記「動気」とも書く。

***どうき**[0]【動機】人の意思決定や言動の直接的な原因・理由、また、目的となるところのもの。〔広義では、きっかけの意にも用いられる〕「—において不純なものがある」 **—づけ**[0]【—付け】具体的にある行動を起こさせる要因となる精神的過程。特に、学習意欲を起こさせるきっかけを言う。モチベーション。 **—ろん**[3]【—論】行為を評価する際、動機に重点をおく論。↕結果論

どうき[1]【銅器】△銅(青銅)で作った器具。「—時代[4]」

どうぎ[0]【同義】同じ意味。 **—ご**[0][3]【—語】〔もと起源が違うので、ニュアンスの相違はあっても〕それぞれの言葉の表わす内容が全く同じ、一群の語。また、その関係にある語。「厠(カワヤ)・はばかり・御不浄・洗面所・お手洗・トイレ」が一様に「便所」を指すなど〔古語としては「西浄・東司(トウス)・雪隠(セッチン)」なども〕。シノニム。同意語。

どうぎ[1]【動議】会議中に出席者から、予定された議案以外の議題を出されること。また、その議題。「△緊急(修正)—が出される」

どうぎ[1] (ダウ)【道義】人の踏み行なうべき正しい道。「—を重んずる/—性に反する/—上の責任/—心[3]・—的[0]」

どうぎ[3][0]【胴着】❶上着と肌着の間に着る、防寒用の下着。❷剣道の道具の一つ。胴に着けてからだを保護する。表記「胴《衣」とも書く。かぞえ方 ❶は一枚

とうきび[3][0] (タウ)【唐〈黍】モロコシ・トウモロコシの異称。「—畑(バタケ)」

とうきゃくだいけい[5]【等脚台形】⇩台形

とうきゅう[0] (キウ)【投球】—する(自サ) 〔野球で〕投手が打者に対して球を投げること。また、その球。「全力—〔=全力で物事に取り組む意にも〕」

とうきゅう[0] (タウキウ)【討究】—する(他サ) 〔議論したりして〕徹底的に研究すること。

***とうきゅう**[0] (キフ)【等級】❶上下・優劣の程度を示す区

分け。❷〔公務員などの給与体系で〕職務の難易・責任の大小など、主に職階によって分けた区分。〔現在は、「級」と改称〕「二―十号俸」❸星の明るさを表わす数値。明るさが二・五一二〔=百の五乗根〕倍になるごとに、等級は一ずつ減少する。〔狭義では、地球から見た時の明るさ〖=実視等級[4]〗を指す。等級がnの星を「n等(の)星」と言う〕「絶対―〔=星の実際の光度を表わす数値〕」⇩等星

とうォぎゅう[0]ーギウ【闘牛】❶牛と牛とに力比べをさせる競技。牛合せ[3]。❷〔スペインなどで〕△徒歩(馬上)の人と猛牛との闘技。❸「闘牛❶❷」に出す牛。

どうォきゅう[0]ーキフ【同級】同じ△等級(学級)。「―生[3]」

どうォきゅう[0]ーキウ【〈撞球】「たまつき」の意の漢語的表現。⇩ビリヤード

とうォきゅうばん[0]ーキウー【闘球盤】丸い平たいたまを指ではじき、盤の中心の穴に入れる△遊戯(用具)。

とうォぎょ[1]【統御】―する(他サ) 実力を持って全体をまとめて自分の思う通りに動かすこと。「―の才/―よろしきを得る」

とうォぎょ[1]【闘魚】❶熱帯産の淡水魚。雄は特に闘争を好む。ベタ[1]。❷チョウセンブナの別名。〔キノボリウオ科〕[かぞえ方]❶❷とも一匹

どうォきょ[0]【同居】―する(自サ) ❶夫婦・親子などが、同じ家に一緒に住むこと。「三(世)代―」↕別居 ❷家族でない人がある家族△の家に一緒に住む(と生活を共にする)こと。〔元来性格が水と油のように違うものが、同じ組織の中に交ざっていて、違和感を与える意にも用いられる〕「―人ニン[0]・―世帯[4]」

どうォきょうォ[0]ーキヤウ【同郷】郷里が同じであること。「―の友人」

どうォきょうォ[1]ダウケウ【道教】❶漢民族の民間信仰。不老長生を求め、祈禱キトウ・まじないなどを行なう。❷倫理・道徳の教え。

どうォきょうォ[0]ーキヤウ【銅鏡】青銅製の鏡。中国・朝鮮の古代、日本では弥生ヤヨイ・古墳時代におもに作られた。鏡面の背には各時代の特徴的な文様がある。

どうォぎょうォ[0]ーギヤウ【同行】❶一緒に神仏に参詣サンケイする人。道づれ。「どうこう」とも。❷信仰・宗教などを同じくする人。

どうォぎょうォ[0]ーゲフ【同業】同じ職業、または商売(の人)。「―者[3]・―組合[5]」

どうォぎょうォ[0]ーギヤウ【童形】昔、元服する前の少年の姿の称。

とうォきょうォぶ[3]【頭胸部】〔カニ・エビ・クモに見られるように〕頭部と胸部の区別が無く、一緒になっている部分。

とうォきょく[1]ータウ【当局】「局❷」に対処する責任を持つ(行政)組織。 **―しゃ**[4][3]【―者】「局❷」に当たる責任者。〔狭義では、行政関係の当事者を指す〕

とうォきょく[0]【登極】―する(自サ)〔「極」は最高の意〕「即位」の意の古語。

とうォきょり[3]【等距離】❶同じ間隔。「ソウルと稚内ワッカナイは東京からほぼ―だ」❷特定の相手に対してつかず離れずの関係を保つこと。「―外交」

とうォぎり[0]ータウ【当《限】〔相場で〕受渡し期日が当月限りの定期取引。⇩先限サキギリ・中限チュウギリ

どうォきん[0]【同〈衾】―する(自サ) 同じ夜具の中に一緒に寝ること。特に、愛し合う二人が一緒に寝ること。〔「性交」の婉曲エンキョク表現としても用いられる〕

とうォく[0]【投句】―する(自サ) 俳句を投稿すること。また、その俳句。

どうォぐ[3]ーダウ【道具】❶物や仕事を△はやく(うまく)仕上げるために使う(こまごました)器具の総称。「―を使う動物がいる/―箱コバコ[3]〔=△大工(修理)道具を入れておく箱〕・家財―」❷能楽・演劇などで使われるもの。大道具や小道具。❸他の目的のために利用するもの。「他人を出世の―に使う」 **―かた**[0]【―方】演劇などで、舞台で使う道具の係。 **―だて**[0]【―立(て)】必要な道具を整えておくこと。〔広義では、いろいろ準備をすることをも指す〕 **―や**[0]【―屋】古道具屋。

とうォぐう[3]【東宮・《春宮】〔御所の東に住む宮の意〕皇太子(の御所)。

とうォくつ[0]ータウ【盗掘】―する(他サ) 権利や許可なく、鉱物や埋蔵物などを採掘すること。

とうォくつ[0]ータウ【〈撓屈】―する(自サ) しなうように△曲がる(曲げる)こと。

どうォくつ[0]【洞窟】山・丘の斜面やがけ等に開アいた横穴で、人間が行き来できる程度のもの。洞穴。〔広義では、竪タテ穴を含む〕

どうォくん[1]【同君】すでに紹介済みの、その人を指して言う語。

どうォくんいじ【同訓異字】⇩異字同訓

とうォけ[1]ータウ【当家】私の属する、この家。「御ゴ―[2]〖=貴他人に向かって〗こちら様。お宅〕」↕他家

＊とうォげ[3]タウゲ【峠】山を越えてその向こうに行く人にとって、山道を登りつめて、それを過ぎれば下りになるという所。「―の茶屋/彼も今が―〔=全盛(期)〕だ/病状も―〔=最も危険な時期〕を越した/―道[3]」

どうォけ[1]【同家】❶同じ家筋。❷〔直前まで話題とした〕その家。

どうォけ[0][3]ーダウ【道化】こっけいな身ぶりや言葉で人を笑わせる△こと(役の人)。「―師[3]・―者ノモ[0]・―役[0]・―芝居[4]」 表記「道《外・道《戯」とも書いた。 **―がた**[0]【―方】〔歌舞伎カブキで〕こっけいな所作を得意とする△役柄(役者)。

とうォけい[0]ータウ【刀〈圭】〔「薬を盛るさじ」の意〕「医術」の意の古風な表現。「―家[0]〔=医者〕」

とうォけい[0]【東経】地球の東半球にある点の経度を表わす数値〔=零度から一八〇度まで〕の前に添える語。「―一八〇度は西経一八〇度と等しい」↕西経

＊とうォけい[0]【統計】―する(他サ)〈なにヲ―する〉 集団に属する個々のものに付随する数量について、幾つかの集団を相互に比較したり 一つの集団の内部での分布状態を調べたりすること。また、その時に計算される、集団の特性を表わす数値。「―によれば/―を取る/―学[3]・―学者[5]・―局[3]・―表[0]」 **―てき**[0]【―的】―に―な 統計に△よる(関する)様子だ。

とうォけい[0]【闘鶏】❶鶏どうしを戦わせて勝負を決める遊び。けあい[0]。「―場[0]」⇩とりあわせ ❷「闘鶏❶」に使う鶏。

とうォげい[0]ータウ【陶芸】陶磁器の工芸。「―家[0]・―作家[5]」[かぞえ方]作品は一点

どうォけい[0]❶【同形】大きさ・質感の異なりはあっても、全体では相似と認められる輪郭。「富士山と―の火山」❷【同型】同一の型カタで作られているように見え、同大であること。「左右―」

どうォけい[0]【同系】同じ系統・系列。

どうォけい[0]【同慶】〔手紙文や祝辞などで、多く「ご―」の形で〕よそながら、自分にとっても喜ばしいこと。「―至極に存じます/ご―のいたりです」

どうォけい[0]【《憧憬】―する(自他サ)〔本来の字音はショウケイ。「どうけい」は類推読み〕あこがれること。

とうけつ[0]【凍結】―する(自他サ) ❶凍りつくこと。「湖面が―する」 ❷資産の使用・移動や値上げなどを方針としてとどめること。「価格が―される/資金を―する」

とうげつ[1][0]【当月】 この月。今月。

どうけつ[0]【洞穴】 ❶奥行が比較的浅いほらあな。〔横穴であることが多い〕 ❷⇨洞窟

どうげつ【同月】 ❶[0] 同じ月。 ❷[1] その月。

どう・ける[3]【道化る】(自下一) 〔「道化」を動詞化した語〕人を笑わせるような、こっけいな事をする。おどける。

とうけん[0]【刀剣】 刀・つるぎの総称。〔狭義では、「刀」の意に用いられる〕「―不法所持」 かぞえ方 一口・一本

とうけん[0]【闘犬】 ❶犬どうしを戦わせて楽しむ遊び。 ❷「闘犬❶」に使う犬。

とうげん[0]【凍原】 ⇨ツンドラ

どうけん[0]【同権】 同じ権利を持つこと。「男女―」

どうけん[0]【洞見】―する(他サ) 物事が展開する先の先まで見通すこと。

どうけん[0]【銅剣】 青銅製の剣。日本では弥生時代に作られ、多く儀礼・祭祀用の祭器として用いられた。

どうげん[0]【同源・同原】 みなもと・語源が同じであること。「医食―」

とうげん きょう[0]【桃源郷】 だれもが求めたがる、理想郷。〔陶淵明の「桃花源記」に見える別天地で、秦の戦乱を避けた人びとの末裔が住んでいたということに基づく〕 ⇨ユートピア

とうげんしつ[3]【糖原質】 ⇨グリコーゲン

とうご[0]【倒語】 ❶もとの言葉の構成を(一部)逆にしたもの。隠語に多い。例、これ→れこ、やど→どや、ばしょ→しょば、しろうと→とうしろ。 ❷記憶の誤りや発音の都合上、言葉の一部の順序が入れ代わって出来た語。幼児語や方言に多い。例、ちゃがま→ちゃまが、つごもり→つもごり。

とうご[0]【統語】 〔言語学で〕一つの文を構成する要素となる語の、他の語との結合や配列に見られる法則的な関係。自立語と付属語、修飾語と被修飾語、主語その他の要素と述語との関係など。 **―てき**[0]【―的】―な/―に 語と語との結合や配列の問題としてとらえられる様子だ。 **―ろん**[3]【―論】 〔syntax の訳語〕〔言語学で〕それぞれの言語における、一つの文の中の、構成要素としての主語・述語、修飾語・被修飾語などの位置関係に見られる法則性(についての研究)。「統語法・シンタックス」とも。 ⇨形態論

どうこ[1][0]【銅△壺】 かまどの形に作った、△銅(鉄)製の湯沸かし器。

とうこう[0]【刀工】 「かたなかじ」の意の漢語的表現。

とうこう[0]【投光】―する(他サ) 光源からの強い光を目的の方向に集中させて照らすこと。「―器[3]・―装置[5]」

とうこう[0]【投降】―する(自サ) 自らの意志で降参して敵に身柄を預けること。「―兵[3]」

とうこう[0]【投稿】―する(他サ) 新聞・雑誌などに掲載してもらう目的で原稿を送ること。また、その原稿。 かぞえ方 一通・一本

とうこう[0]【陶工】 陶磁器を作ることを職業とする人。

とうこう[0]【登校】―する(自サ) 〔児童・生徒が〕(授業のために)学校に行くこと。「―時[3]・―拒否[5]」 ↕下校

とうこう[0]【登高】―する(自サ) 高い山に登ること。「―記[3]」

とうごう[0]【投合】―する(自サ) 気持・意見がぴったり合うこと。「意気―する」

とうごう[0]【等号】 〔数学で〕二つのものが等しいことを表わす記号。イコール。「=」 ↕不等号 ⇨等式

*__とうごう__[0]【統合】―する(他サ) 〈なにトなにヲ―する/なにヲ(なにニ)―する〉 〔機能を高めるために〕二つ以上のものを合わせて一つのまとまりあるものにすること。「二つの学部を―する/データを―管理する/―幕僚会議[9]〔=統合幕僚監部[9]に改編〕・三軍―」 **―しっちょうしょう**[0]【―失調症】 妄想や幻想にとらわれたり 情意の活動が鈍くなったりする精神疾患。〔「精神分裂病」に代わる名称〕

どうこう[1]【どう〈斯う〉】(副)―する あれこれと口に出して問題にしたり 批判したりする様子。「―言うべき筋合ではない」

どうこう[0]【同工】 △作り方(趣向)が大体同じであること。 **―いきょく**[5]、[0]-[0]【―異曲】 ちょっと見ると作り方が違うようだが、実は大体同じようなこと。異曲同工。

どうこう[0]【同好】 趣味や興味の対象が同じである△こと(人)。「―の士/―者[3]・―会[3][0]」

どうこう[0]【同行】―する(自サ) だれかに一緒について行くこと。「ガイドのほかに日本人男性一人が―した/―を△求める(拒む)/―者[3]」

どうこう[0]【動向】 その時どきの社会の人びとが、どういう傾向をもって動いているかということ。「経済の―を注視する/今後の―を見守る」

どうこう[0]【銅鉱】 銅を含む鉱石。黄銅鉱など。

どうこう[0]【瞳孔】 光線が目に入る入口。虹彩に囲まれている。ひとみ。

とうこうせいてい[0]-[0]【東高西低】 日本より東の洋上の気圧が高く、西の内陸方面で気圧が低い、夏型の気圧配置。 ↕西高東低

とうこうせん[0]【等高線】 地図の上で、高さの同じ地点を結んで出来た線。 かぞえ方 一本

とうごく[0]【投獄】―する(他サ) △監獄(牢)に入れること。

とうごく[0]【東国】 東方の国。〔昔、狭義では、関東を指した〕

どうこく[0]【〈慟哭〉】―する(自サ) 〔「慟」は、普通以上に悲しむ意〕声を立てて泣き悲しむこと。「子の死に―する」

とうこつ[1]【〈橈骨〉】 前腕の二本の骨のうち、親指側の長い骨。 ⇨尺骨

とうこつ[1]【頭骨】 頭部を形成する骨。頭蓋骨。

とうごま[0]【唐〈胡麻〉】 種から、ひまし油をとる一年草。秋、薄黄色の花を開く。ひま。〔トウダイグサ科〕 かぞえ方 一本

とうこん[0]【刀痕】 「刀きずのあと」の意のやや古風な表現。

とうこん[1]【当今】 「近ごろ・このごろ」の意のやや古風な表現。「―の時勢」

とうこん[0]【闘魂】 戦い抜こうとする、激しい意気込み。「不屈の―」

どうこん[0]【同根】 根や出所・みなもとが同じであること。〔古く、兄弟の意にも用いられた〕

どうこん[0]【同〈梱〉】―する(他サ) 本体にそれと関係のある物を添えて一緒に梱包すること。「―の取扱い説明書」

どうこんしき[3]【銅婚式】 結婚△七(十五)年目を記念する式。

とうさ【等差】 ❶[1][0] 同種の属するものの中に、違いを見出して格差を設けること。また、格差。 ❷(造語)〔数学で〕差が等しいこと。 **―きゅうすう**[4][6]【―級数】〔数学で〕Ⓐ等差数列から作られる級数。Ⓑ「等差数列」の旧称。 **―すうれつ**[4]【―数列】 ⇨数列

とうさ[1]【踏査】―する(他サ) 実際その場所に行って調べること。「実地―」

とうざ⓪【当座】〔その席(上)の意〕❶問題を当面のことに限定して取り上げること。「わずかの貯金では、―〔=しばらくの間〕はなんとかなるにしても心細い限りだった/病に倒れた―〔=直後〕は、たくさんの人が見舞いに訪れた」❷「当座預金」の略。 **―しのぎ**④【―〈凌〉ぎ】必要が生じたその時だけ、なんとかそれでまにあわせること。 **―よきん**④【―預金】⇩預金

どうさ⓪【《陶砂》】墨の色を増し、また、墨がにじまないようにするために和紙にひく液。にかわに明礬(ミョウバン)を交ぜて作る。「―紙(ガミ)③⓪」 表記「{〈礬水〉}・{〈礬石〉}・{〈礬沙〉}」とも書く。

どうさ①【動作】―する(自サ) ❶何かをする時の、からだの動き。「きびきびした―/ぎこちない―/―が鈍い/基本―④」 ❷電気回路を主体とした装置が機能を発揮した働きをすること。「―温度範囲・誤―」

どうざ⓪【同座・同〈坐〉】―する(自サ) ❶⇩同席❶ ❷同じ演劇団体(に属すること)。 ❸「連座」の意の古風な表現。「汚職事件に―する」

どうざ⓪①【動座】―する(自サ) 貴人やみこしなどが座を他所に移すこと。

とうさい①【当歳】❶生まれたばかりの、その年。〔年齢としては一歳を指す〕 ❷ことし。「―とって二十歳」

とうさい⓪【搭載】―する(他サ) 〔燃料などの必要物資を積み込む意〕❶軍用機・軍艦などに、遠隔目標に対して攻撃・発進する兵器を装備すること。「空母に航空機を―する/ミサイルを艦船に―する/核兵器を爆撃機に―する」 ❷基本的機能を受け持つ(機能を増強するのに必要な)部品を機器に装着すること。「新開発の四気筒エンジンを―した車/温風暖房機にマイコンを―する/温度計、湿度計、気圧計三機能を―した計器」

とうさい⓪【登載】―する(他サ) 新聞(雑誌・書物・公式の記録)に記事を載せること。

とうさい⓪【統裁】―する(他サ) 最高責任者として物事を処理すること。

とうざい①【東西】❶東と西。「―を失う〔=ⓐ方角が分からなくなる。ⓑ対処の方法に行き詰まる〕/―を弁ぜず〔=物の道理が分からない〕」 ❷東方と西方、東部と西部、東洋と西洋など。「―の文化の交流/古今(ココン)―」 **―とうざい**①-①【―東西】(感) ⇩とざいとうざい **―もんだい**⑤【―問題】資本主義諸国と社会主義諸国とが対立した時代に存在した国際的問題の総称。 **―や**⓪【―屋】❶四辻(ヨツツジ)などに立って広告の口上を述べる人。❷〔関西方言〕ちんどんや。

どうざい⓪【同罪】同じ罪(責任)。

とうさく⓪【倒錯】―する(自他サ) 〔物事の位置・状態が〕入れ違って、正しい順序と正反対になること。また、そうすること。「―症⓪④③」

とうさく⓪【盗作】―する(他サ) 他人の文章・デザインなどを、断り無しに自分の創作に見せかけて使うこと。また、使ったもの。剽窃(ヒョウセツ)。

とうさつ⓪【盗撮】―する(他サ) 相手に気付かれないように、許可なく撮影すること。盗み撮り。「いずれにしても―はモラルに反する行為だ」

どうさつ⓪【洞察】―する(他サ) 普通の人が見抜けない点までを、直観やすぐれた観察力で見抜くこと。「―力④」〔古くは「とうさつ」〕

とうさん⓪【倒産】❶―する(自サ) 経営が行き詰まり、会社がつぶれること。「―が相次ぐ」⇩破産 ❷逆産(ギャクザン)。

とうさん①【《父さん》】「父(親)」の口頭語的表現。〔親しみをこめて「とうの父」に呼びかける(を指して言う)語。「父ちゃん」とも〕↕母(カア)さん ⇩おとうさん 表記⇩付表「父さん」 運用(1)親しい間柄の相手に向かって、妻が夫を指して言うのにも用いられる。例、「うちの父さんときたらしょうがないのよ」(2)父親の立場にある男性を指して言うのに用いられることがある。例、「のんきな父さん」

とうさん①【《嬢さん》】〔「いとはん」の変化〕〔大阪などで〕娘の敬称。良家のお嬢さん。⇩こいさん

とうざん①【当山】❶この山。❷この寺。当寺。

とうざん⓪【唐桟】〔舶来のサントメ、の意〕紺の地に、赤や浅黄などの縞(シマ)を縦に表わした、もめんの織物。

どうさん⓪【動産】〔容易に持ち運び出来たりする財産の意〕現金・株式・商品などの財変更が出来たり所有権の産。↕不動産

どうさん⓪【道産】北海道の△産(生まれ)。「―バター⑤」

どうざん①【銅山】銅鉱を掘り出す山。

とうさんさい③【唐三彩】中国古代 唐〔=六一八~九〇七〕の、多く副葬品として用いられた焼き物。白地に、三彩を施す。

とうさんどう③【東山道】もとの七道の一つ。滋賀県から中部地方の山間部・関東地方の北部を経て奥羽地方に至る地域。東山⓪。〔古くは「とうせんどう」〕

***とうし**⓪①【投資】―する(自他サ)〈なにニなにヲ―する〉利益を見込んで事業に資本を出すこと。「―家⓪・設備―・海外―」 **―しんたく**④【―信託】大衆投資の、証券会社やその他の各種金融機関による代行制度で、多数の投資家から募った比較的零細な資金を集めて能率的な投資をした利潤を、出資者に分配すること。略して「投信」。

とうし⓪【凍死】―する(自サ) 「こごえじに」の意の漢語的表現。

とうし⓪【唐紙】墨汁(ボクジュウ)の吸収がよく、書画に用いられる中国製の紙。白紙。〔日本でまねして作ったものをも指す〕

とうし⓪【唐詩】❶漢詩。❷中国、唐代〔=六一八~九〇七〕の詩。

とうし⓪【透視】―する(他サ) ❶透かして見ること。❷のぞいたりそこまで行ったりしないで、離れた所にあるものが何であるかを当てること。「―力③」 ❸医学で、からだの内部を透過させたX線を蛍光板に当てて、その像を観察することにより、からだの中を調べること。 **―ほう**⓪【―法】遠近法により、物体を目に見える通りの形にかく法。

とうし①【闘士】主義・主張のために からだを張って戦う人。

とうし①【闘志】△相手を負かして(困難な仕事を為(ナ)し遂げて)やろうとする意気込み。「新記録達成に―を燃やす/―満々」

とうじ【等時】(造語) 繰り返しの時間が等しいこと。「振り子の―性/―的リズム」

とうじ⓪【冬至】二十四(節)気の一つ。太陽暦十二月二十二日ごろ。北半球では、一年じゅうで昼が最も短くなる。⇩夏至(ゲシ)

とうじ①【当事】直接、その事に関係すること。「―国③」 **―しゃ**③【―者】直接その△事件に関係する(事にタッチする)人。「―能力△が問われる(を欠く)」

とうじ①【当時】❶過去のある時点。その時。「敗戦―」 ❷「今(の)」の意の古風な表現。「―売出しの男」

とうじ①【〈杜氏〉】〔「とし」の長呼。「杜」は、酒の発明者杜康の姓によるという〕酒を造る職人。また、その長。「とじ」とも。〔広義では、醬油(ショウユ)を造る職人をも指す〕

とうじ⓪【悼辞】死者を悼(タイ)むことば。〔狭義では、弔辞

を指す」

とうじ[0]【湯治】―する(自サ) 温泉に入って療養すること。「―客[3]・―場[0]」

とうじ[0]【答辞】 祝辞・式辞に対する、答礼の言葉。「―を述べる」

とうじ[1]【〈蕩児〉】「身持ちの悪いむすこ」の意の漢語的表現。〔酒色にふけってばかりいることで評判な者の意にも用いられる〕

どうし[1]【同氏】 その人。前に述べた人。

どうし ■一[1]【同志】 自分と同じ△意見(目的・理想など)を持つ人。「―愛[3]」 ■二【同士】(造語) 双方が△共にそのような性質を持つ(相互にそのような関係にある)ことを表わす。「友達―で話し合う/整数―を掛け合わせる/男―・弱い者―・かたき―・恋人―」 **―うち**[3][0]【―討(ち)】 同じ仲間が互いにする△いくさ(争い)。 表記 「同士打ち」とも書く。

どうし[0]【同視】―する(他サ)「同一視」の圧縮表現。

どうし[0]【動詞】〔言語学で〕人や事物の何らかの動作・作用や存在などを表わす言葉。日本語では用言の一つで、言い切る時の形が口語では「書く」「着る」のようにウ段の音で終わる言葉。

どうし[0]【童詩】 子供向きに書いた詩。〔児童自身の書いた詩は「児童詩[2]」と言う〕

どうし[1]【道士】〔もと、仙人の意〕道教を修めた人。

どうし[1]【導師】 法会・葬儀を主となって執り行なう僧。

どうじ[0]【同字】 漢字で、字体は異なるが音・意味がおなじもの。⇩異体❸

***どうじ**[0]【同時】〔何かが行なわれるのが〕同じ時刻や時期(であること)。「着いたのは二人ほとんど―だった/―に出発する/それとこれとは―に〔=同列に〕論じられない/―性[0]・―立法[4]・―進行[4]・―録音[4]」 **―つうやく**[4]【―通訳】 国際会議などで、相手が話し始めると同時に行なう通訳。↕逐次通訳 **―に**[0] ■一〔接続助詞的に〕❶前件が実現してから後件が行なわれるまでの間にほとんど時間のずれが無いことを表わす。「父が帰ると―〔=帰るや否や〕私が出かけた」 ❷前件が成立する一方において後件も成立することを表わす。「安いと―〔=安いし、その上〕良質だ/興味があると―〔=ともに〕有益でもある/長所であると―〔=一方において〕短所でもある」 ■二(接) それとともに。

どうじ[1]【童子】「幼い子供」の意の漢語的表現。「三尺の―なおこれを知る」 表記 「童児」とも書く。

とうしき[0]【等式】〔数学で〕二つの△数(「式❸Ⓐ」)の間に等号を書いて、両者が等しいことを表わした「式❸Ⓑ」。↕不等式

とうじき[3]【陶磁器】 陶器と磁器。やきもの。

どうじくケーブル[5]【同軸ケーブル】〔「同軸」は「中心軸が共通」の意〕導線を絶縁体で覆い、さらにその外側に導体を円筒状に巻いた伝送線。分岐・分配が容易で、高周波電流を伝送するのに適しているので、テレビのアンテナ線などに用いられる。

どうじだい[3]【同時代】〔何かが行なわれるのが〕同じ時代(であること)。「―を生きた/―の他の人よりは著しく先見の明があった」 **―じん**[4]【―人】 話題の人と同じ時代に生きているということで、なんらかのかかわりあいがあると考えられる△こと(人)。「Aと―であることを誇りに思う/露伴は紅葉と―であった」

とうしつ[0]【等質】 二つ(以上)の物を比べた場合に全く同じ△性質(性能)であること。「色は違うが、―の製品だ/―的[0]」

とうしつ[0]【糖質】 糖分を含む物質。炭水化物から食物繊維を除いたもの。〔でんぷん質の改称〕

とうじつ[0]【当日】〔何かが行なわれる〕その日。「試験の―/―売り[0]・―券[4][3]」

どうしつ[0]【同室】 ❶同じ部屋(の人)。↕別室・他室 ❷―する(自サ) その人と同じ部屋に居ること。

どうしつ[0]【同質】 そのものと同一の△成分(性質)。「―性[0]」↕異質

どうじつ[0]【同日】 ❶[0](それと)同じ日。「―の談でない〔=全く違っていて、とても比べられない〕/―には論じられない/衆参―選挙」 ❷[1]〔前に話題にのぼった〕その日。

とうしつせい[0]【透湿性】 湿気を通す性質。特に、からだから出る湿気や汗などを吸収して発散し、蒸れるのを防ぐ機能を持つ布地に言う。

どうして[1](副) ❶問題を解決するための手段・方法について△思い悩む(問いかけたいと思う)様子。「―切り抜けるかが問題だ」 ❷そのような事態になった理由が分からなくて△判断に迷う(問いかけたいと思う)様子。「―分からないんだろう/―怒れようか/―今日は遅れたのか」 ❸実際の程度が予測を超えていることに驚きを禁じ得ない様子。「なかなか―一筋縄ではいかないなあ/いや、―、なかなかのものだ」 **―も**[4][1](副) ❶どんな手段・方法を用いてでも、その実現を期する様子。「―△行かなければならない(必要だ・行きたい)」 ❷どんな手段・方法を用いてみても、結果的にそうしかならないと判断する様子。「―私には出来ない/―間に合わない/―あくびが出る」

とうしみとんぼ[5]【灯《心〈蜻蛉〉》】〔「とうしみ」は「とうしん」の古い形〕トンボの一種。からだは細くて緑色。羽が弱い。イトトンボ[3]。「とうすみとんぼ[5]」とも。 かぞえ方 一匹

どうじめ[0][4]【胴締(め)】 ❶胴を締める△こと(もの)。〔狭義では、柔道やレスリングのわざの一つを指す〕 ❷女性の腰ひも。

とうしゃ[1]【当社】 ❶この会社。 ❷この神社。

とうしゃ[0]【投射】―する(他サ) 影などを投げかけること。

とうしゃ[0]【透写】―する(他サ) すき写しにすること。トレース。

とうしゃ[0]【謄写】―する(他サ) 書き写すこと。 **―ばん**[0]【―版】 原紙に鉄筆で書いたりタイプライターで打ったりして印刷する、軽便な印刷機。ガリ版。〔「油印[0]」とも「孔版」とも言う〕 かぞえ方 一台

どうしゃ[0]【同車】―する(自サ) その人と同じ車に乗ること。

どうしゃ[1]【堂舎】 大小さまざまな建物。特に、同じ境内にある寺社の建物について言う。「一山の―」

どうじゃく[0]【〈瞠若〉】―たる ―と 〔「瞠」は直視の意〕相手のすばらしい出来ばえに驚き、何もしないでただ目を見張っているだける様子だ。「〔後に〕―たらしめる」

とうしゅ[1]【当主】 その家の現在の主人。

とうしゅ[1]【投手】〔野球で〕打者に所定の位置からボールを投げる選手。ピッチャー。「―戦[0]」

とうしゅ[1]【党首】 その党の最高責任者。〔総裁・委員長と称する党もある〕「―会談」

とうしゅ[1]【頭首】 団体のかしら。

どうしゅ[0][1]【同種】 種類が同じであること。また、その同じ種類のもの。「―同文〔=同文同種。⇩同文❶〕の国」↕異種

どうしゅ[0][1]【同趣】 外形や、成立に至るまでの外的事情は違っていても、成立の根本精神や作品の基調に窺われる共通性。

とうしゅう[1]【豆州】 ⇩ずしゅう

とうしゅう[0]【踏襲・〈蹈襲〉】―する(他サ) それまでの△方

** * は重要語, [0] [1]… はアクセント記号, 品詞の指示の無いものは名詞およびいわゆる連語。

針(やり方)を変更しないで受け継ぐこと。「前例を―する」

とうじゅう[1][0]【当住】 現在の住職。

どうしゅう[0]【同臭】 趣味・程度のよく似た仲間。同類。〔あまりいい意味では使わない〕

どうしゅう[0]【銅臭】 〔お金のにおいがする意〕財貨をむさぼること。財産を誇りにする人、金銭で社会的地位を得た人をののしって言う言葉。

とうしゅく[0]【投宿】―する(自サ) 旅館に泊まること。

どうしゅく[0]【同宿】―する(自サ) 同じ宿屋に泊まったり同じ下宿に居たりする△こと(人)。

どうしゅつ[0]【導出】―する(他サ) (結論を論理的に)導き出すこと。↕導入

どうじゅつ[1]【道術】 道教で行なう、長生法やまじないなどの術。

とうしょ[1]【当初】 ❶「初め」の、やや堅い表現。「―三人、女の子が続いて生まれた」 ❷その計画が△実行に移された(発表された)当時。「―の不安を吹き飛ばすほど観客が集まった/―(=創立時)は女子校で、バレーが盛ん/―(=就任当時)から中継ぎ役と見られていた/―の予想では」

とうしょ[1]【当所】 ❶△その人のいる(問題とされる)この△場所(土地)。⇩御当所 ❷自分の所属する事業所や営業所。

とうしょ[0]【投書】 ❶―する(他サ) 意見・苦情・希望などを書いたものを新聞や公共の機関に載せるようにと言って送ること。また、その物。 ❷投稿。「―家[0]」 かぞえ方 ❶❷とも一通・一本

とうしょ[1]【島〈嶼〉】 〔「嶼」は、小さな島の意〕「一群の大小さまざまな島」の意の漢語的表現。

とうしょ[1]【頭書】 ❶書類の初めに書いてあること。「―の通り」 ❷―する(他サ) 書類の上の欄に書くこと。

とうじょ[1]【倒叙】―する(他サ) 歴史的継起とは反対の順に事柄を述べていくこと。「―法[0]・―日本史[5]」

どうじょ[1]【童女】 「幼い女の子」の意の漢語的表現。〔古くは「どうにょ」〕

とうしょう[0]【刀匠】 (すぐれた技術を備えた)かたなかじ。

とうしょう[0]【凍傷】 強い寒気におかされ、からだ(の一部)が崩れたようになる症状。「―にかかる」 ⇩しもやけ

とうしょう[0]【闘将】 ❶先頭に立って戦う勇猛な大将。また、闘志の盛んな(有力)選手。 ❷主義のために戦う実践運動家。

とうじょう[0]【東上】―する(自サ) (関西地方およびその西から)東京に行くこと。↕西下

とうじょう[0]【凍上】―する(自サ) 土中の水分が凍って、地面・レールが持ち上がること。

とうじょう[0]【党情】 その党の△内部事情(情勢)。

とうじょう[0]【搭乗】―する(自サ) 航空機・船などに客や乗務員として乗ること。「―券[3]・―口[3][0]」

*__とうじょう__[0]【登場】―する(自サ) ❶〔その役になった人が〕舞台・場面に現われ出ること。「△主役(人気スター)が舞台に―する/ハムレットの―人物」 ❷新しい人物がその世界に現われたり 新製品などが市場に出始めたり すること。「新人賞をとって文壇に華ばなしく―する/画期的な製品が―する」 ↕退場

どうしょう[0]【道床】 〔ballast の訳語〕鉄道のレールの下に敷かれた、砂利・コンクリートなどの層。

どうじょう[0]【同上】 前にしるした事柄と同じであること(を示す言葉)。

どうじょう[0]【同乗】―する(自サ) その人と同じ乗り物に乗ること。「救急車に―して病院まで行く」

**__どうじょう__[0]【同情】―する(自サ)〈だれニ―する〉 差し迫って困っている相手の苦しみ・悩みを、相手の立場に立って理解し、そのうちによい運がめぐってくることもあるのだからあまり悲観的にならないようにという気持を△いだく(言動に表わす)こと。「―に△値する(堪えない)/―を禁じ得ない/みんなから―が集まる/―心[3]・―的[0]」

どうじょう[0]【堂上】 ❶(臣下が昇殿を許される)宮中の表御殿。 ❷殿上人。「―華族[5]〔=公家華族〕」〔❶❷とも古くは「とうしょう」〕 ↕地下

どうじょう[1]【道場】 ❶仏道を修行する場所。寺。 ❷武芸を教授・練習する場所。「―破り[5]」 ❸体や心をきたえる場所。「断食―」

どうしょういむ[5]【同床異夢】 同居していながら考えている事はそれぞれ別であり、融和しないこと。〔広義では、共同で事に当たりながら究極の考えや目的が異なる意にも用いられる〕「―に終わる」

とうじょうか[3]【頭状花】 花軸の先が円盤状で小さな花が一面についているもの。例、キク・タンポポ。

どうしょくぶつ[4]【動植物】 動物と植物。

とう・じる[0]【投じる】 ［二］(自上一) 〔「どうしてもそうする必要に迫られて」自分自身をある環境に置く。「旅館に―(=泊まる)/敵陣に―(=降服する)/時流に―(=合うように行動する)/機に―(=つけいる)」 ［二］(他上一) ❶むぞうさに放りこむ。「獄に―(=入れる)/食餌を―(=与える)/流れに身を―(=身投げする)/筆を―(=書くのをやめる)」 ❷目的を達成しようとして、そこに必要なものをつぎこむ。「△資(巨額・国費)を―(=つぎ込む)/一石を―(=関心をいだかせようとして問題を提出する)/革命運動に身を―(=挺身する)」 投ずる[0](サ変)。

どう・じる[0]【同じる】(自上一) ❶そのものの仲間になる(という意思表示をする)。 ❷賛成する。「直ちに―わけにはいかない」 同ずる[0][3](サ変)。

どう・じる[0]【動じる】(自上一) 急な出来事などにより、落着きを失う。動ずる[0][3](サ変)。「物に動じない」

とうしろ[0] 「しろうと(素人)」の倒語に基づく通語。〔「藤四郎」は、これをさらに擬人化した表現〕

とうしん【頭身】(造語) 身長が、頭頂からあごまでの長さの何倍にあたるかを表わす数値の後に添える語。⇩八頭身

とうしん[0]【刀身】 刀の、本体をなす刃。

とうしん[0]【灯芯・灯心】 あんどん・ランプなどの芯。灯油にひたして火をともす。「―を切る/―を出して光を強める/―草〔=イグサ。その芯を灯心にする〕」 かぞえ方 一本

とうしん[0]【投身】―する(自サ) 高い所から飛び下りたり水中や火口、走る列車に飛び込んだりすること。身投げ。「―自殺」

とうしん[0]【投信】 「投資信託」の略。

とうしん[0]【東進】―する(自サ) 東方へ進むこと。

とうしん[0]【盗心】 何かを盗もうとする心。盗み心。

とうしん[0]【答申】―する(自他サ) 上役・上級官庁から聞かれた事に対して意見を述べること。「―が出る/―を△まとめる(受ける)/―書[5][0]」

とうしん[0]【等身】 (その人の)身長と同じだけの高さ。「―の仏像/―像[3]」 ―だい[0]【―大】 ❶その大きさが、人の身長と同じくらいのものであること。「―の人形」 ❷その△人(もの)として、特に飾ったり 構えたり したところが無く、ごく普通の(ものと同じ)状態であること。「―の自分にかえる/―のヒーローが求められている」

とうしん[0]【等親】 「親等」の旧称。

とうじん[0]【党人】 官僚・学者など外部からの入党者

【 】の中の教科書体は学習用の漢字，〔 は常用漢字外の漢字，〈 は常用漢字の音訓以外の よみ。

てはなく、生え抜きの政党人「―派[0]」

とうォじん[0]-タウ【唐人】江戸時代、中国人の称。〔広義では外国人・異国人を指し、また、物の道理の分からぬ人を指した〕「―の寝言〔=わけの分からない言葉〕」 **―まげ**[3][0]【―〈髷】少女の髷の形。髷の中間をたすき形にかがったもの。

とうォじん[0]-タウ【〈蕩尽】-する(他サ) 投機や遊興の類に、全財産を使い果たすこと。

どうォしん[0]【同心】❶意見や心を同じく△すること(し、共に事を図る人)。❷〔江戸幕府で〕与力(ヨリキ)に従属した、下級の役人。 **―えん**[3]-エン【―円】同じ中心をもつ、二つ以上の円。

どうォしん[0]【童心】子供の(ような)純真な心。「年を取って―に返る」

どうォしん[0]-ダウ【道心】❶悪・邪を捨て、善・正に就こうとする心。〔狭義では、菩提心(ボダイシン)を指す〕「―堅固[5]」❷△十三(十五)歳で仏門に入った人。「青(アオ)―」

どうォじん[0]【同人】❶(それと)同じ人。❷△同志(同門・同好)の人。仲間。「―雑誌[5]」〔❶❷とも「どうにん」とも〕

どうォじん[0]-ダウ【道人】❶仏門に入ったりして、世の中を捨てた人。❷道教の教えなどに従い、不老長生の術を得た人。

とうォしんせん[0]【等深線】地図の上で、海・湖などの深さの等しい点を結んだ曲線。[かぞえ方]一本

とうォすい[0]【透水】-する(他サ) 水がそのものにしみとおること。「雨水を―する構造/―性[0]・―層[3]」

とうォすい[0]-タウ【陶酔】-する(自サ) ❶気持よく酔うこと。❷〔芸術作品を見たり 聞いたりして〕そのよさにすっかり引きつけられること。 **―きょうォ**[0]-キヤウ【―境】酒に気持よく酔ったりすぐれた芸術作品に接したりして、しばらく俗世のすべての煩わしさ・憂さを忘れたりした時のなんとも言えないい気分。

とうォすい[0]【統帥】-する(他サ) すべての軍隊を、責任を持って指揮すること。「―権[3]」

どうォすい[0]-ダウ【導水】-する(自サ) その場所に水を引いて通すこと。「―管[0]」

とうォすう[3]【頭数】ウシ・ウマ・ブタやサルなど、獣のかず。「飼育―[4][6]」

どうォすう[3]【同数】数が同じであること。また、同じ数。

とうォぜ[1]-タウ【党是】政党が実行するつもりの根本方針。

どうォせ[0](副)〔「どうせよ」の圧縮表現〕❶どんなに手段を尽くしたにしても結果は決まっているのだから、今さら△あせって対策を講じる(あわてる)ことはないと判断する様子。「人間はだれでもいつかは―死ぬのだ/―間に合わないのだからゆっくり行こう/―われわれが勝つに決まっている」❷そう△する(なる)ことが決まっている以上は、その機会をうまく利用しようと判断する様子。「香港(ホンコン)まで来たのだから―のことならマカオにも寄って行こう/―人間ドックに入るなら、徹底的に検査してもらおう」[運用]❶で、「どうせ…△だよ(ですよ)」などの形で、能力や水準の低さ、立場の弱さなどを、(1)当人側について言うときには、多く、あきらめや投げやりな気持を伴う。例、「どうせ私はばかですよ」(2)話し手以外の人について言うときには、その人を軽蔑(ケイベツ)して見放す気持を伴う。例、「どうせあいつは当てにならないよ」

とうォせい【等星】(造語) 地球から見た星の明るさを表わす「等級❸」の数値に添えて、その等級の星であることを表わす語。〔最も明るい星を「一等星」、肉眼でやっと見える星を「六等星」としたのが起源〕「一―の明るさは六―の百倍/北極星は二―」

とうォせい[1]-タウ【当世】今の世。現代。「―流行のジャズ/―風(フウ)の結婚式/―向き[0]」

とうォせい[0]【東征】-する(自サ) 東方へ(征伐に)行くこと。

とうォせい[0]-タウ【党勢】その党の勢力。

とうォせい[0]-タウ【陶製】陶磁器で出来ている△こと(物)。「―品[0][3]」

**とうォせい[0]【統制】-する(他サ) ❶〈なに・だれヲ―する〉てんでんばらばらになりがちなものを、一つにとりまとめること。「―力[3]・無―[2]」❷〈なにヲ―する〉本来自由であるべき△思想(言論・経済行為)に対して、国家権力などが制限を加えること。「言論を―する/厳しい―が加えられる/―をはずす/―品[0]・―経済[5]」

とうォせい[0]【頭声】主として頭に共鳴させて出す、高い声。「―発声[5]」↕胸声

とうォせい[0]-タウ【〈濤声】打ち寄せる大波が立てる音。

とうォせい[0]【騰勢】(物価が)上がる△勢い(傾向)。「―△に転じる(が鈍る)」

どうォせい[0]【同姓】同じみょうじ。「―同名[0]-[0]」↕異姓

どうォせい[0]【同性】同種の生物の間で男女や雌雄の性が同じである△こと(もの)。↕異性 **―あい**[3]【―愛】その人と同性の人が対象となる性愛。⇩ゲイ・レズビアン **―こん**[3]【―婚】同性の人同士でする結婚。

どうォせい[0]【同〈棲】-する(自サ) (正式に結婚していない二人が)一緒に住むこと。「―者[3]」

どうォせい[0]【動静】△活動しているかいないか(どういう活動をしているか)についての様子。「―を探る」

どうォぜい[1][0]【同勢】一行の人びと。「―を集める」

とうォせき[0]【投石】-する(自サ) 石を投げつけること。

とうォせき[0]-タウ【党籍】党員として登録されている籍。

とうォせき[0]【透析】-する(自他サ) ❶分子やイオンをよく通し、コロイド粒子を通さない半透膜の性質を利用して、コロイド溶液を精製する方法。❷⇩人工透析

どうォせき[0]【同席】❶-する(自サ) その人と同じ会に出席すること。同座。「恩師―の下(モト)で〔=恩師に立ち会ってもらって〕」❷同じ席次。

とうォせつ[1]-タウ【当節】このごろ。〔「困ったことに」という気持を含めて言うことが多い〕「―の若い者は」

とうォせん[0]-タウ【当千】一人で千人の力に匹敵すること。〔古くは「とうぜん」〕「一騎―」

*__とうォせん__[0]-タウ ❶【当選】-する(自サ)〈なにニ―する〉選挙で選び出されること。「―確実」↕落選 ❷【当選・当〈籤】くじに当たること。「特等に―する/―者[3]・―率[3]」[表記]❷の「選」は、代用字であるが、❶と混同される恐れがある。

とうォせん[0]【灯船】航路を示すために、一定の場所にいつも浮かび灯火を掲げている船。

とうォせん[0]【登仙】-する(自サ) 仙人になって天にのぼること。「羽化―〔=⇩羽化❷〕」

**__とうォぜん__[0]-タウ【当然】(副)-に -な △ものの道理(事の成行き)から考えて、これ以外(の結論)はあり得ないと判断する様子。「上司なら―知っておかなければならないことだ/―の結果/…して―だ/―過ぎるほど―な事/―至極[5]」[表記]「当前」とも書いた。

とうォぜん[0]【東漸】-する(自サ) 〔西方に興った文化・文物などが〕次第に東方に△影響を与え(行なわれ)ていくこと。「仏教―」↕西漸

とうォぜん[0]-タウ【陶然】-たる -と 気持よく酔う様子だ。〔広義では、心を引きつけられて、うっとりとする意にも用いられる〕「酒に―として酔う/美しさに―とする」

どうォせん【同船】❶[0]-する(自サ) その人と同じ船に乗ること。❷[1] その船。

どうせん[0]【動線】建築物内部や周辺の空間で、人や物が移動する軌跡・方向などを示した線。また、その経路。「室内の—を確保する」

どうせん[0]【銅銭】銅製の低額コイン。

どうせん[0]【銅線】銅の針金。

どうせん[0]【導線】❶電流を通すための針金。❷〔駅やデパートなどで〕客が進んで行く経路。

どうぜん[0]【同前】直前に述べた物事と同じ事情にあること。

どうぜん[0]【同然】—な・—に 根本的性格においてそれと変わるところがない様子だ。「会社の倒産で株券が紙くず—になる/只—で売る/私にとって先生は親—の存在だった」

とうせんの みず[0]-[0]【盗泉の水】「盗泉」と名付けられたわき水。「渇すれども—を飲まず〔=どんなに苦しくても、不義不正には近づかない。心事の高潔なたとえ。『盗泉』は、古代中国にあった泉の名。孔子はその名を嫌って飲まなかったという故事に基づく〕」

どうぞ[1](副)❶相手に対して気がねなくそうするよううながす様子。「—お掛けください/—召し上がれ」❷「どうか❶」のやや古風な表現。「—許していただきたい/—して合格させたい」 運用 ❶は、「どうぞ」と言いさした形で、相手に何かを勧めたり 許可を与えたり する意に用いられることがある。例、「(こちらへ)どうぞ/『ここに荷物を置いてもよろしいでしょうか』『どうぞ』」

とうそう[0]【刀創】刀で△切った(切られた)きず。

とうそう[0]【逃走】—する(自サ)〔「走」も、逃げる意〕犯人や犯罪容疑者などが、自由を求めて逃げ出すこと。

とうそう[0]【党争】党派間の争い。〔狭義では、政権争奪の争いを指す〕

とうそう[0]【党葬】その政党の功労者の死を悼んで、党が行なう葬式。

とうそう[0]【凍〈瘡】「しもやけ」の意の漢語的表現。

とうそう[0]【痘〈瘡】「天然痘」の意の古風な表現。

***とうそう**[0]【闘争】—する(自サ)〈だれ・なにト—する〉❶相手より優位な立場に立とうとして、実力に訴えること。「階級—・—本能[5]」❷賃金や人員整理などの問題をめぐって、労働組合が労働者の利益を守るために経営者側と争うこと。「—を支援する」 表記 「《斗争」とも書く。

どうそう[0]【同窓】卒業した学校がその人と同じである△こと(人)。〔狭義では、(同級・)同学年の者を指す〕「—会[3][0]・—生[3]」

どうぞう[0]【銅像】銅で作った人の立像・座像。「—を建てる/—の除幕式」 かぞえ方 一体

とうそうおん[3]【唐〈宋音】⇩唐音❶

とうそく[0]【党則】その(政)党の規則。

とうぞく[0]【盗賊】ぬすみを働く者。特に、集団をなして、大規模な犯行をする者を指す。〔「盗人」の意の漢語的表現としても用いられる〕

どうぞく[0]【同族】同じ血筋でつながるもの。一族。一門。〔広義では、同じ種族の意にも用いられる〕「—会社[5]」

どうぞく[1]【道俗】僧と俗人。僧俗。「—男女[5]」

どうそじん[3]【道祖神】村境や道路の分岐点に立てられる、民間信仰の石像。村民・旅人の安全を守るという。さいのかみ[3]。さえのかみ。 かぞえ方 二体一対

どうそたい[0]【同素体】同一元素から成るが、原子の配列や結合の仕方が異なり、性質も違う単体。例、ダイヤモンドと石墨と無定形炭素と炭素二十面体など。

とうそつ[0]【統率】—する(他サ) 一団の人びとを自分の意志通りに行動させること。「—力[4]・—者[4][3]」

とうた[1]【〈淘汰】—する(他サ)〔ゆすって不要な物を除く意〕❶よいものを取り、不要なものを捨てること。「人為—」❷生存競争の結果、環境に適応出来ないものが滅びること。「自然—」

とうだい[1]【当代】❶現代。「—一のノンフィクション作家/—一流の大家」❷その時代。当時。❸当主。特に、今上天皇。 **—ご**[0]【—語】❶その時代の言葉。❷現代の言葉。

とうだい[0]【灯台】〔「灯明台」の圧縮表現〕❶港口・岬などに築き、夜、光を放って船舶に航路を教える設備。「—守[3]〔=灯台の番人〕」❷昔の室内照明具。上に油皿をのせて灯心に火をともす台。「—下暗し〔=灯台はすぐ下が暗いことから、手近なことがかえって分からないたとえ〕」 かぞえ方 ❶は一基。❷は一灯

どうたい[0]【同体】❶別々の個体として存在するが、その実体は一つとみなされること。「シバ神と—の神/夫婦は一心—」❷一般には別々の個体と認められている特徴が、同じ一つの体に備わっていること。「雌雄—」❸〔すもうで〕「相打ちⒷ」のこと。「—に土俵に落ちる」

どうたい[1]【胴体】動物の運動・静止や、置いてある物の座りを支える部位。「多くは断面が円形」「樽のように太った—/—着陸[5]」

どうたい[0]【動体】❶運動している物体。「—視力[5]」❷「流体」の異称。

どうたい[0]【動態】活動・変動しているものとしてとらえた状態。「—調査[5]」 ↕静態

どうたい[0]【童体】〔彫刻などの対象としての〕子供の姿。

どうたい[0]【導体】熱・電気を伝える物体。例、金属など。↕絶縁体・不導体

どうたく[0]【銅〈鐸】つりがね形の青銅器。弥生時代に△楽器(祭器)として使ったものかという。

***とうたつ**[0]【到達】—する(自サ)〈(どこ・なにカラ)どこ・なに二—する〉ある経過をたどって、そこまで△行き着く(届く)こと。「同じ結論に—する/—点[4][3]」

とうたん[0]【東端】領土や区画など特定の範囲において最も東側の位置。「日本はアジアの—に当たる」↕西端

とうだん[0]【登壇】—する(自サ)〔演説などをするために〕壇に上がること。↕降壇

どうだん[0]【同断】—な・—に 前に述べたものと同じである様子だ。「これと—だ/以下—」

どうだんつつじ[5]【〈満天星〉】〔「どうだん」は、灯台の変化という〕庭木にして観賞する落葉低木。春、白色・つぼ状の花を開き、秋に紅葉する。略して「どうだん[0]」。〔ツツジ科〕 かぞえ方 一株・一本

とうち[1]【当地】❶〔自分が今居る〕この土地。❷〔「ご—」の形で〕Ⓐ訪問先の地で、地元の人に向かってその土地を指して言う語。Ⓑ〔造語的に〕その土地△の特徴を表わして(をテーマにして)いることを表わす。「ご—名物のおみやげ品/ご—ソング[5]・ご—物[0]」

とうち[0][1]【倒置】—する(自他サ) 表現技法として強調などのために、一般に行なわれる語順を入れかえること。例、「好きだよ、僕は君が」。「—法[0]」

とうち[1]【統治】—する(他サ)〔主権者が〕国土・人民を支配すること。「とうじ[1]」とも。「—権[3]・—者[3]・信託—」

どうち[1][0]【同値】❶同じ(数)値。❷〔論理学で〕関連する二つの命題について、一方が真(または偽)であれば他方も真(または偽)であること。「等価・等値」などとも。

とうちさ[0]【唐〈萵苣〉】南ヨーロッパ原産の、畑に作る一、二年草。初夏、黄緑色で小さい花を開く。ホウレンソウに似た葉は食用。ふだんそう。〔ヒユ科(旧アカザ科)〕

とうちゃく[0]【到着】—する(自サ) 人や物が目的地に

△着く（届く）こと。「―順[0]」

どうちゃく[0]【同着】同時に（決勝点に）着くこと。

どうちゃく[0]【〈撞着】―する（自サ）前に言った事と後に言う事とが食い違うこと。つじつまのあわないこと。「自家―・矛盾―[0]-[0]」

とうちゃん[1]【《父ちゃん】❶幼児が父親を親しんで呼ぶ語。「お―[2]」❷親しい者同士の間で、自分の夫を指して言う語。「うちの―の生まれはね」

とうちゅう[0]【頭注・頭〈註】本文の上の方にある注。↕脚注

どうちゅう[1]―【道中】（長期間にわたる）旅。また、その行程の時どき。「ヨーロッパ一周旅行の―の思い出を、土地土地のエピソードを交えて語る／遠国からの参勤交代の―にはかなりの苦労があったようだ／―を共にする／―の無事を祈る／―手形[5]・―長持[5]・珍―」　**―き**[3]【―記】❶旅行中の日記。❷旅行（用）の案内記。　**―ざし**[0]【―差し】江戸時代、武士以外の者が道中携帯した護身用の脇差。　**―すごろく**[5]【―《双六》】東海道五十三次などの絵をかいた、回り双六。振出しとして下端に江戸品川を、上がりとして中央に京都を配する。

とうちょう[0]【盗聴】―する（他サ）（何らかの意図があって）他人の会話の内容を、機器を使うなどしてこっそり聞くこと。「電話の―／―器[3]」

とうちょう[0]―【登庁】―する（自サ）官庁に出勤すること。「初―[3]」↕退庁

とうちょう[0]―【登頂】―する（自サ）高い山の頂上に登ること。「とちょう」とも。「初―[3]」

とうちょう[0]―【頭頂】（頭の）いただき。「―骨[3]」

どうちょう[0]―【同調】―する（自他サ）❶（自分の意見を出さず）他の意見・態度に賛成すること。「―者[3]」❷〔ラジオなどで〕周波数を目的の放送に合うように調節すること。　**―あつりょく**[6]【―圧力】集団の中で、常にまわりと同じように考え、振る舞わなければならないと感じ、そのような行動をしないではいられない、逃れがたい雰囲気。「出る杭は打たれるという―／忖度も自主規制も、その根本には社会の強い―があると言われる」

どうちょうとせつ[0]-[0]、[5]―【道聴塗説】〔道で聞いた話を、すぐ道で話す意〕りっぱな事を聞いても実行△しない（せずに、受売りするだけにとどまる）こと。〔いいかげんな受売り話の意にも用いられる〕

とうちょく[0]―【当直】―する（自サ）〔組織体で〕だれかが定時に要所を見回ったり一定の場所に待機していたりして、不時の事態に備えること。〔狭義では、宿直を指す〕

とうちん[0]―【陶《枕】陶磁器で作った中空のまくら。

とうつう[0]【〈疼痛】ずきずきとうずくような痛み。

どうづき[0][4]【胴突㋖】❶地形。❷地形・くい打ちなどに使う工具。

どうで[0]（副）「どうせ」の古風な表現。

***とうてい**[0]―【到底】（副）〔否定表現と呼応して〕どんなに手段・方法を尽くしてもその実現はありえないと予測する様子。「―不可能だ／今からじゃ―まにあわない」

どうてい[0]【同定】―する（他サ）何かと同一であることの証明。そのものであることの確認。アイデンティフィケーション[7]。「英語の古詩ではスペリングの―がむずかしい」

どうてい[0]【童貞】少年期を過ぎた男性が、まだ性的経験を持たないこと。また、その男性。⇩処女

どうてい[0]―【道程】❶「みちのり」の意の漢語的表現。❷ある状態に達するまでの過程。

とうてき[0]【投〈擲】―する（他サ）（円盤・砲丸などを）遠くへ投げ飛ばすこと。「―競技[5]」

どうてき[0]【動的】―な／―に　活動したり変動したり△している（するものとしてとらえる）様子だ。↕静的

とうてつ[0]【透徹】―する（自サ）〔すきとおる意〕筋が通っていて、あいまいな点が無いこと。「―した理論」

どうでも[1][0]（副）❶やり方や内容について何ら限定を加えない様子。「そんな事は―いい／―好きにやれ」❷どのように考えてみても、結論に変わりがない様子。「この分では―雪になりそうだ」❸「どうしても❶」の古風な表現。「―食べてみたい」

とうてん[0][3]【東天】（夜明け方の）東の空。　**―こう**[3]【―紅】❶明け方の、ニワトリの鳴き声。❷ニワトリの一品種。鳴き方が長く美しい。高知県の原産。

とうてん[1][0]【読点】〔縦書きにする文章で〕句の中の切れ目に打つ点。てん。「、」⇩句点

とうでん[0]―【盗電】―する（自サ）△料金を払わないで（メーターをごまかして）電力を使うこと。

とうでん[0]―【答電】―する（自サ）返事の電報（を打つこと）。返電。

どうてん[0]【同点】同じ点数。「―決勝[5]」

どうてん[0]【動転・動〈顛】―する（自サ）びっくり△する（して、落着きを失う）こと。「―気が―する」

どうでんき[3]【動電気】流動している電気。電流。↕静電気

どうでんりょく[3]【動電力】電流を起こす力。起電力。

とうと[1]【東都】東方の都。〔狭義では江戸時代の江戸、現代の東京を指す〕

とうど[1]【凍土】「（年間を通して）凍った土」の漢語的表現。「―帯[0]〔＝ツンドラ〕・永久―」

とうど[1]―【唐土】昔、中国を指した語。

とうど[1]―【陶土】陶磁器の原料となる、白色の粘土。

とうど[1]―【糖度】その食品に含まれている糖分の割合。

どうと[1]―【道途】〔「塗」も道の意〕旅人などが△通ってきた（これから行こうとする）道。「―に飢凍する〔＝道ばたで飢え凍える〕／―〔＝たどって来た道中〕を顧みる」表記「道途」とも書く。

とうと・い[3]【尊い・貴い】（形）❶人知を超えた、かけがえのない存在として畏敬の念をいだく様子だ。「―生命／一滴の水も―自然の恵み」❷徳がすぐれていたり崇高な感じや深い感銘を与えるところがあったりして、大切にしなければならないと感じる様子だ。「―聖／―〔＝ありがたい〕教え／結果はともかく努力し続けた気持が―」派**―さ**[3]

***とうとう**[1]―【到頭】（副）❶以前から懸念されていたことが、時が経過して最終的にその通りの好ましくない事態に至る様子。「無理が重なって―病気になってしまった／三時間待ったが、彼は―来なかった／―どしゃぶりの雨になった／―行かずじまいになった」❷期待されながらも実現が危ぶまれていたことが、時が経過して最終的に望んだ通りの事態に至る様子。「二十年の歳月を経て、―大作を完成した／きびしい練習を重ね、―勝利を手中に収めた」

とうとう[1]【等々】「等」の強調表現。「…―の〔＝…といったような〕例がある」

とうとう[0]【〈滔々】―たる／―と　❶勢いよく流れて、とどまる所を知らない様子だ。「―と流れる大河」❷〔意見・主張などを〕臆することも無く、よどみ無く一気に発表する様子だ。「―と述べ立てる／―と蘊蓄を傾ける」

とうとう[0]【〈蕩々】―たる／―と　さえぎる物が無く、一面に△広い（平らかな）様子だ。

とうどう[1]【当道】この（芸）道。この専門。

どうとう[0]【同等】同じ△等級（程度）。

どうとう[0]【堂塔】仏寺と塔。「対岸の、峰の中腹に―

が散在している」

どうとう [0]【道統】(儒教の)学問の系統。「—図[3]」

どうどう [1] ■(副)—と ❶多量の水が大きな響きを立てて△流れる(流れ落ちる)様子。また、その音の形容。「—と落ちる滝」 ❷波が音を立てて激しく打ち寄せる様子。また、その音の形容。 ■(感) 馬を御する時の掛け声。

どうどう [0]【同道】—する(自サ) 連れ立って行くこと。「講演旅行に妻を—する/—者[3]」

どうどう [0][3]【堂々】—たる —と 〔副詞としても用いられる〕 ❶自信に満ちあふれていて、人を威圧するような風格を備えている様子だ。「—たる体軀にものを言わせる/—とした態度に圧倒された/威風—/違法駐車が—とまかりとおっている地域」 ❷危険や失敗を恐れず、勇気をもってまっこうから困難に立ち向かう様子だ。「—と勝負を挑む/—と競技することを誓った/自分の意見を—と述べる」 ❸見事なものだろうと胸を張って誇ることができる様子だ。「—一位になる/全五編ここに—一挙上映/—の三連勝」 **—めぐり**[5]【—巡(り)】〔もと、△祈願のため(儀式として)本尊や仏堂の周りを数多く回る意〕 ❶同趣旨の議論のやりとりが繰り返されるだけで、進展が一向に見られないこと。「両者の話し合いはこの日も—だった/対応策を練ったが、—で結論が出なかった」 ❷〔議会で〕重要案件の採決の時、議席から立った議員が一人ずつ順番に進んで演壇上の投票箱に白票や青票を入れること。 表記「堂々《回り》」とも書く。

とうどうのしゅ [0]-[1]、[1]-[0]【東道の主】主人となって、客の案内・世話をすること。

とうどうばつい [5]-【党同伐異】道理の有無に関係無く、常に同志に味方し、相手方を攻撃すること。

どうとく [0]-【道徳】社会生活の秩序を保つために、守るべき行為の規準。「—心[4][3]・—性[0]・—教育[5]・商業—・交通—[5]」 **—か[0]【—家】自分でも道徳を守り、人にも道徳を守るべきことを説く人。 **—てき**[0]【—的】—な —に ❶道徳に関する様子だ。 ❷道徳にかなう様子だ。

とうとつ [0]-【唐突】—な —に 〔「唐」も「突」も、突然の意〕まさかと思われるような相手の言動に接して、一種の違和感を感じる様子だ。「ドラマのラストの展開があまりに—な感じだ/—の感が否めない」 派—さ[0][4]

とうと・ぶ [3]【尊ぶ・貴ぶ】(他五) たっとぶ。

とうどり [0]【頭取】❶長である人。 ❷〔銀行などの〕代表者。 ❸楽屋・すもう取りの取締りをする人。

とうな [0]-【唐菜】ハクサイの一種。葉は薄緑色で筋が白い。漬物用。〔アブラナ科〕 かぞえ方 一本

どうなか [4][0]【胴中】❶胴の中ほど。 ❷まんなか。

どうなが [0]【胴長】❶からだのほかの部分に比べて、胴が長いこと。 ❷胸当て・ズボン・靴が一続きになった、ゴムの衣服。釣り師などが使う。

とうなす [0][1]-【唐〈茄子〉】カボチャの異称。

とうなん [0]【東南】東と南との中間にあたる方角。〔風向などでは、南東〕ひがしみなみ[0][4]。たつみ。「—アジア[5]」

とうなん [0]-【盗難】金品を△盗まれる(盗まれた)災難。「—にあう/—品[0]」

とうなんとう [0]【東南東】東と南東との中間の方角。

とうに [1]【《疾うに》】(副) 〔「疾う」は「疾く」の変化〕その状態が、現時点からみて、ずっと早い時点においてすでに実現していたと認められる様子。「そんなことは—忘れた/彼なら—帰ってきている」

どうにか [1](副) ❶手段・方法を尽くして最低限の成果を得るにいたる様子。「—工面してみよう/—してやりとげます/命だけは—取りとめた」 ❷満足できる状態ではないが、最低限のレベルは確保している様子。〔強調表現は「どうにかこうにか[5]、[1]-[1]」〕「おかげ様で—やっています/—まにあう」

どうにも [0](副) 〔否定表現、また、否定的な内容を表わす語句と呼応して〕どんなに手段・方法を尽くしても不可能だと実感する様子。〔強調表現は「どうにもこうにも[5]、[1]-[1]」〕「人間の力では—ならない/—慰めようが無い/—がまんならない/—やりきれない気持だ/—困った問題だ」

とうにゅう [0]-【投入】—する(他サ) ❶小さな口のあいている箱などの内部に、何かを入れること。「—口[3][0]」 ❷仕事を進めるために、資本・力などをつぎこむこと。「△全精力(全力・兵力)を—する/多くの技術者を—する」

とうにゅう [0]【豆乳】豆腐を作るために砕いたダイズを煮て、こした白色の液。大豆乳[3]。

どうにゅう [0]【導入】—する(他サ) ❶有用のものとして取り入れること。「外資—[1]-[0]」 ❷懸案などを解決するために、ある条件・仮説を取り入れること。↔導出 **—ぶ**[3]【—部】❶学習指導などで最初の段階。 ❷楽曲の構成などで、主題が展開されるに先立ち、準備のため冒頭に置かれる部分。

とうにょう [0]【糖尿】❶正常の場合微量しか含まれないぶどう糖が、尿の中に基準以上に含まれていること。 ❷「糖尿病」の略。 **—びょう**[0]【—病】インスリン不足のために、糖の有効な利用が行なわれず、尿の中に排泄される病気。疲れ・だるさ・渇きなどを訴え、動脈硬化などの諸病を起こしやすい。肥満を示すものと極度にやせるものとがある。「若年性—[0]-[0]」

とうにん [1]-【当人】その人。本人。「—の意志を尊重する」

どうにん 【同人】❶[0] 同じ人。「異名—」 ❷[1] その人。 ❸[0] どうじん❶。

どうぬき [0]【胴抜(き)】和服の下着の胴の部分だけ別の布で△仕立てること(仕立てたもの)。

とうねつびょう [0]【稲熱病】⇩いもちびょう

とうねん [1]-【当年】❶ことし。「—(とって)二十歳」 ❷過去のある△時点(時期)。そのころ。「—をしのぶ」

どうねん 【同年】❶[0] 同じ年齢。おないどし。 ❷[1] 同じ年。そのとし。「—入社の仲間」

どうねん [1]-【道念】❶道義心。 ❷人間として正しい生き方を求める心。 ❸僧の妻。大黒。

とうの [1]-【当の】(連体) (今問題になっている)その。「—相手」

どうのこうの [1]-[1]、[4]-【どうの〈斯うの〉】(副) 〔不平・不満の気持で〕いろいろ批判的な事を言い立てる様子。「今さら—(と)言ってもしようがない」

どうのま [0]【胴の間】和船の中央の船室。

とうは [1]-【党派】主義・利害を同じくする人たちが作った仲間。「—心[3]・—性[0]・超—」

とうは [1]-【踏破】—する(他サ) △困難な(長い)道中を歩き通すこと。「アルプスを—する」

とうば [1][0]【塔婆】〔仏教で〕「卒塔婆」の省略形。〔広義では、塔をも含める〕 かぞえ方 一本・一基

どうは [1]-【道破】—する(他サ) 〔単なる思いつきでなく、十分に考えたところを〕△はっきり(大胆に)言うこと。

とうばい [0]【等倍】縮尺も拡大もしない、寸法どおりの大きさ。一倍。「—でコピーする」

どうはい [0]【同輩】年齢・経験などのあまり違わない仲間。〔狭義では、同じ学校・職場に同時に入った人を指す〕⇩先輩・後輩

どうはい [0]【銅〈牌〉】銅のメダル。

とうはいごう [3]-【統廃合】—する(他サ) 同種の複数のも

のを合わせて ある部分に統合し ある部分に廃止して組織や機能を整理すること。「△省庁（金融機関・赤字路線・生産設備）の—」

とうばく⓪ —する（自サ） ❶【倒幕】 幕府を倒すこと。「尊王—⓪-⓪」 ❷【討幕】 幕府を攻め討つこと。

どうばち⓪①【銅鉢】 台の上に載せ、ばちで打ち鳴らす鉢形の銅製楽器。〔現在は、主として僧が勤行の時、段落を示すために用いる〕

とうはちけん④⓪【藤八拳】 ⇩きつねけん

とうはつ⓪【頭髪】 髪の毛。かぞえ方 一本：一筋・一茎。一かたまりは一房

とうばつ⓪【党閥】 同じ仲間の者が自分たちの利益だけを図って、他の者を排斥すること。

とうばつ①⓪【討伐】—する（他サ） 軍隊を出して、反抗する者を攻め討つこと。「—隊⓪」

とうばつ⓪【盗伐】—する（他サ） 他人の所有する竹や木を、ひそかに切って盗み取ること。

どうばつ⓪【銅〈鈸】 シンバルに似た打楽器の一つ。銅製の二個の円盤を打ち合わせて鳴らす。にょうはち。

とうはん⓪【盗犯】 窃盗・強盗の犯罪。「—防止⓪-⓪、⑤〔＝防犯〕」

とうはん⓪ —する（自サ） ❶【登坂】 〔自動車が〕坂道をのぼること。「とはん」とも。「—力③〔＝自動車が急勾配をのぼる馬力の強さ〕・—車線⑤」 ❷【登〈攀】 〔登山家が〕けわしい高山をよじ登ること。「とはん」とも。

*__とうばん__①【当番】 順に入れ代わってする仕事の、番にあたること。また、その人。「そうじ—」 ↕非番

とうばん⓪【登板】—する（自サ） 〔野球で〕その試合に投手としてマウンドに立つこと。 ↕降板❶

どうはん⓪【同伴】—する（自他サ） （二人が）一緒になって行くこと。また、連れて行くこと。「夫妻ご—でお見えになった」 —しゃ③【—者】 ❶つれ。 ❷思想上の同調者。

どうばん⓪ ❶【銅板】 銅の板。 ❷【銅版】 文字や絵を針で彫り、その部分を硝酸で腐食させた銅板を使用した、平版による印刷版。エッチング。かぞえ方 ❶❷とも一枚

とうひ①【当否】 当を得ているかどうか。「取材の際の記者の行為が傷害罪に問われたのは初めてであり、刑罰適用の—について論議を呼びそうだ」

とうひ⓪①【逃避】—する（自サ） 自分に負わされる社会的責任や心理的負担の重さに耐えるのがつらくなって、かかわりあいのある世界からのがれようとしたり、意識して目を向けないようにしたりすること。「現実を—する／実社会から—する／—的⓪」 —こう③【—行】 そこに△居続けるわけにはいかない（居ることに堪えられない）事情があって、逃げるようにしてそこを離れ、旅を続けること。「官憲の目を逃れての—が続く／恋の—」

とうひ①【党費】 ❶その党の費用。 ❷党員として負担する費用。

とうひ①【討〈匪】 匪賊をうつこと。

とうひ①【等比】 〔数学で〕二つ以上の比が相等しいこと。 —きゅうすう④⑥【—級数】 〔数学で〕Ⓐ等比数列から作られる級数。Ⓑ「等比数列」の旧称。 —すうれつ④【—数列】 ⇩数列

とうび①【〈掉尾】 〔「ちょうび」の誤読に基づく慣用読み。つかまえられた魚が死ぬ直前に尾を振るう意〕文章などの、終り（近くになってからの、勢いの強さ）。〔俗に、最後の意にも用いられる。例、「—の勇／—を飾る」〕

どうひつ⓪【同筆】 同じ人の筆跡。

とうひょう⓪【灯標】 暗礁・浅瀬などがあることを知らせる、灯火による航路標識。灯台・灯船などの総称。

*__とうひょう__⓪【投票】—する（自サ） 選挙、または採決の際に、△候補者名（賛成・反対等の意見）を書いた紙を箱の中に入れること。「—にかける／前回の—率を下回る／—箱③・—用紙⑤・賛成—⑤・反対—⑤・不在—・人気—」

とうびょう⓪【投〈錨】—する（自サ） いかりをおろして船がとまること。 ↕抜錨

とうびょう⓪【〈痘苗】 種痘に使うたね。天然痘の病原体をウシの腹壁に接種して得る、ワクチンの一種。

とうびょう⓪【闘病】—する（自サ） （治そうという強い意志を持って）気長に療養すること。「—生活⑤」

どうひょう⓪【道標】 道路、特に、分岐点などに設けた、行き先やそこまでの距離などを表示したもの。

どうびょう⓪【同病】 その人と同じ病気△であること（の人）。「—あいあわれむ」

とうひん⓪【盗品】 盗んだ品物。「—故買⓪-⓪」

とうふ⓪③【豆腐】 〔「腐」は、崩れて柔らかくなる意〕豆乳をにがりで固まらせた、白くて柔らかい食品。たんぱく質に富み、消化がよい。〔室町時代のかなづかいは、タウフ〕「—に鎹〔＝手ごたえの無いたとえ。糠に釘〕／木綿—④・—屋⓪・湯—・あんかけ—」 表記 「豆富」の「富」は、借字 かぞえ方 一丁 —から⓪【—殻】 〔豆乳を取ったあとのしぼりかす。味付けしておかずにしたり 家畜のえさにしたりする。おから。うのはな。きらず。

とうぶ①【東部】 その地域の△うちで 東寄りの部分（東に隣る地域）。 ↕西部

とうぶ①【頭部】 頭の部分。「—外傷①-⓪」

とうふう⓪【東風】 ひがしかぜ。こち。

とうふう⓪【党風】 その政党に属する人たちの平均水準的な気風。

とうふう⓪【唐風】 中国古代 唐時代〔＝六一八〜九〇七〕の様式。からよう。〔広義では、中国風の様式を指す〕

どうふう⓪【同封】—する（他サ） 手紙の中に一緒に入れること。

どうふう⓪【同風】 ❶同じならわし。 ❷同じ風（が吹くこと）。「千里—〔＝平和のたとえ〕」

とうふく⓪①【当腹】 現在の本妻から生まれた△こと（人）。〔古くは、「とうぶく・とうぼく」〕 ⇩先腹

とうふく⓪【倒伏】—する（自サ） イネなどが倒れること。

どうふく⓪【同腹】 ❶同母の兄弟姉妹。一腹。 ↕異腹 ❷気脈を通じ合っている△人（仲間）。

どうふく⓪【道服】 ❶今の羽織・上っぱりに似たゆったりした作りの、男性用の外出着。〔後には室内着としても用いられた〕 ❷僧衣の別称。〔古くは「どうぶく」〕

とうぶつ⓪【唐物】 「舶来品」の意の古風な表現。「—屋⓪」

**__どうぶつ__⓪【動物】 自由に運動し酸素を吸って生きる生物。他の動植物を栄養としてとる。〔広義では人間を含み、狭義では除く〕「—蛋白源⑧・野生—④」 ↕植物 —えん④【—園】 捕らえて来た動物を、人工的環境と規則的な給餌とにより野生から遊離し、動く標本として一般に見せる、啓蒙を兼ねた娯楽施設。 —かい④③【—界】 生物のうちで、動物のかかわる領域全般の称。動物の世界。「—では弱肉強食は珍しくない」 —しつ④【—質】 ❶動物のからだを組織する、脂肪・蛋白質などの物質。 ❷動物性（の食べ物）。 —せい⓪【—性】 動物体に特有の性質。 —たい⓪【—体】 動物のからだ。 —てき⓪【—的】—な/—に ❶〔人間について〕動物一般に共通する本能的な感覚が鋭い様子だ。「—な勘が働く」 ❷何かにつけて、本能的な欲望がむき出しになり、人間らしい心性が感じられない様子だ。

とうばく —— どうぶつ

と

どうぶるい③ー【胴震い】ーする(自サ)〔寒さや恐ろしさで〕からだが震えること。

*とうぶん⓪ー(トウ)【当分】(副) その状態がしばらく続き、変化の起こることは現状においては期待出来ないことを表わす。「ーの間休養する／ーは、お目にかかれませんね／ー先の話になりそうだ」

とうぶん⓪【等分】ーする(他サ) 等しい分量(に分けること)。「費用をーに出し合う／三ー」

とうぶん①ー【糖分】 糖類の成分。〔俗に、甘み(を含んだ菓子など)の意にも用いられる〕

どうぶん⓪【同文】❶同じ文字。「ー同種⑤、⓪-⓪」(=文字も人種も、外見は同じであること。日本と中国など。同種同文)」❷同じ文章。「ー電報⑤・以下ー」

とうへい⓪ー(タウ)【党弊】❶政党政治の弊害。❷党争による弊害。

とうへき⓪ー(タウ)【盗癖】 衝動的に盗みを働く、病的な性癖。ぬすみぐせ。

とうへん⓪【等辺】〔多角形の〕辺の長さが等しいこと。

とうべん①ー(タフ)【答弁】ーする(自サ) 質問に答えて(そうなった)事情を説明すること。「ーを行なう」 表記 「弁」の旧字体は「辯」。

とうへんぼく③ー(タウ)【唐変木】 気のきかない人や偏屈な性格で、相手の言をすなおに受け入れようとしない人をののしって言う語。

とうぼ①【登簿】 公式の帳簿に登録すること。「ートン数⑥④」

どうぼ⓪①【同母】 同腹❶。「ー兄③・ー弟③」↔異母

とうほう①(タウハウ)【当方】 自分の方。こちら。↔先方

とうほう⓪ー(ハウ)【東方】〔トウバウの変化〕(自分の居る所や基準になる地域から見て)東の方。「ー(=ヨーロッパの東、バルカン半島の)問題⑤・ー見聞録⑦」↔西方

とうぼう⓪(タウバウ)【逃亡】ーする(自サ) 〔自由を求めて、その場所から〕逃げて行くえを△くらまそうとする(くらます)こと。「ーを図る／ーの恐れは無い／ー者③」

どうほう⓪(ハウ)【同胞】 兄弟姉妹(と言っていいくらい、同一言語・風習で結ばれている自国民同士)。「どうぼう」とも。

どうぼう⓪(バウ)【同房】 同じ監房。「ー者③」

どうぼう⓪【同(朋)】❶ともだち。「どうほう」とも。❷室町・江戸時代、将軍・大名の側近にあって雑事・雑役を勤めた、僧形(ソウギョウ)の小者。同朋衆③。

とうほうせい⓪ー(トウハウ)【等方性】 その△物理的性質(物理量)が、どの「方向❶」に関しても△同じである(等しい)こと。

とうほく⓪【東北】❶東と北との中間にあたる方角。〔風向などでは、北東と言う〕ひがしきた⓪⑤。❷「東北地方」の略。「ー大学⑤」❸中国の東北部の地方。もとの、満州。 ーちほう⑤ー(ハウ)【ー地方】 本州の北東部にあり、東は太平洋、西は日本海に面する地域。南は関東・中部両地方に接し、北は津軽海峡を隔てて北海道と相対する。「奥羽地方④」とも。

とうぼく⓪ー(タウ)【倒木】 倒れた木。「風ー」

とうぼく⓪ー(タウ)【唐木】 「からき」の漢語的表現。

とうぼく⓪ー(タウ)【唐墨】 中国△製(風)の墨。からすみ。

どうぼく⓪【童僕・(僮僕)】 雑事にやとわれている少年。

とうほくとう⓪【東北東】 東と北東との中間の方角。

どうほこ⓪【銅矛・銅(鉾)】 青銅製の矛。中国で発達し、日本には弥生(ヤヨイ)時代に朝鮮半島から伝わる。多く儀礼・祭祀(サイシ)用に使われた。「どうぼこ」とも。

とうほん⓪ー(タウ)【唐本】 中国で作られ(日本に伝えられ)た漢籍。

とうほん⓪【謄本】 原本の内容そのままを謄写した書類。〔狭義では、戸籍謄本を指す〕↔抄本

とうほん⓪【藤本・(籐本)】 他の物に巻きついたり付着したりしながら伸びるつる植物のうちで、多年生・木本のもの。

とうほんせいそう⓪-⓪【東奔西走】ーする(自サ) あちこち忙しく駆けまわること。

どうまき③⓪④【胴巻(き)】 お金を持ち歩くための、細長い腹巻風の入れ物。

どうまごえ④ー(ゴヱ)【胴間声】〔「胴まん声」の変化〕太くてどちらかというと調子はずれに聞こえる声。どうごえ③⓪。「ーを張り上げる」

どうまる⓪【胴丸】 装飾・付属物の少ない、軽便なよろい。

とうまるかご④ー(タウ)【唐丸籠】〔黒色でよく鳴く闘鶏「唐丸⓪」を飼育した、円形の竹かごの意〕江戸時代、庶民の重罪人を入れて護送した、網つきの竹かご。

どうまわり③ー(マハリ)【胴回(り)】 胴の周囲の長さ。ウエスト。

とうみ①⓪ー(タウ)【唐(箕)】 穀物から粃(シイナ)・もみ・ごみなどを吹き分ける農具。

とうみつ⓪ー(タウ)【糖蜜】❶砂糖製造の際、白下(シロシタ)から砂糖の結晶を分離した残りの液。飼料・肥料・燃料とする。また、アルコール・煉炭(レンタン)・靴墨などの原料用。❷砂糖を溶かした液。蜜。

どうみゃく⓪【動脈】 血液を心臓からからだの各部分に送り出す血管。〔重要な交通路の意にも用いられる〕「ー硬化・ー瘤(リュウ)④(=動脈が弾力を失い、局部的に膨れたもの)」↔静脈

とうみょう⓪ー(ミャウ)【灯明】 神仏に供える灯火。みあかし。 かぞえ方 一本・一灯 ーだい⓪【ー台】❶灯明を載せておく台。❷灯台❶。

とうみょう⓪(タウミャウ)【唐名】 そのものの△中国で(中国風)の名称。「中納言」を「黄門」と言う類。

どうみょう⓪ー(メウ)【同(苗)】「同姓」の意の古風な表現。

どうみょうじ①ー(ダウミャウ)【道明寺】❶〔河内(カワチ)ノ国道明寺で作りはじめたところから〕もち米を蒸して乾かした携行食品。道明寺糒(ホシイ)⑦⑥。❷和菓子の一つ。「道明寺❶」を蒸して餡(アン)を包み、ツバキなどの葉を添えたもの。

とうみん⓪【冬眠】ーする(自サ) クマ・ヘビ・カエルなどが活動をやめ食物をとらないで、△土(穴)の中で冬を越すこと。

とうむ①ー(タウ)【党務】❶その政党・党派としてなすべき仕事。❷その政党の事務。

*とうめい⓪【透明】ー(=な) 水・ガラスなどのように、それで間が隔てられても向こうが見通せる様子だ。「ー度が△高い(低い)／無色ーー①-⓪・ー性⓪・半ー・不ー」 派 ーさ⓪

どうめい⓪【同名】 同じ名。「ーの書／ー異人・同姓ー」

*どうめい⓪【同盟】ーする(自サ)〈だれ・なにトーする〉(国や組織や個人が)共同の目的のために同じ行動をとる事を約束すること。また、その約束(によって生じた関係)。「ーを結ぶ／軍事ー」 ーきゅうこう⑤ー(キウカウ)【ー休校】ーする(自サ) 学生・生徒が自分たちの要求を貫くために団結してストライキをすること。 ーじょうやく⑤ー(デウ)【ー条約】 国と国の間で、一定の場合に軍事的応援の義務を約束する条約。 ーひぎょう⑤ー(ゲフ)【ー罷業】ーする(自サ) ストライキ(をすること)。

とうめん⓪ー(タウ)【当面】ーする(自サ) さしあたり(対処・解決すべき事柄に出会うこと)。〔副詞的にも用いられる〕「ーの問題／ーを(とり)つくろう／ー倒産の危機が回避された」

どうも①(副)❶あれこれと方法・手段を尽くしても期待通りの結果が得られないことについて、その原因・理由が何

であるかと不審をいだく様子。「何度やっても―失敗ばかりしている/説明を受けたが―分からない/機械が―うまく作動しない/駐車違反が後を絶たないのは―困ったことだ」❷(明確な根拠は欠くものの)それまでの経験や受ける印象などから、そう判断してもおかしくないと思える様子。「市価の半額以下とは―信用できない/いつもと違って―様子が変だ」❸〔挨拶の言葉として〕相手に対して心からの感謝・謝罪・ねぎらいなどの気持をいだいていることを表わす。「―ありがとう(ございました)/―すみません(申し訳ありません)/―ご苦労(お粗末)さま」

運用 ❷は、「数学はどうも」「骨の折れる仕事はどうも」などのように、後に続くと予測される「苦手だ」「引き受けたくない」など、消極的・否定的な意味を表わす語句を省略して用いることがある。❸について。(1)親しい間柄では、「ありがとう/すみません/失礼しました」などを省略して、単に「どうも」だけで済ませることもある。例、「先日はどうも/遅くなってどうも/どうも、どうも」(2)お悔みの言葉も「このたびはどうも」のように、後に続くべき「ご愁傷さまでした」などの語句を省略することがある。

どうもう[0]【童〈蒙】〔「蒙」は、幼の意〕「(知識が十分に備わらない)子供」の意の漢語的表現。

どうもう[0]【〈獰猛】―な 性質が乱暴で、人に害を与えそうな様子だ。「―な荒くれ男」派―さ[0]

とうもく[0]【頭目】団体、特によからぬ徒党の首領。

どうもく[0]【〈瞠目】―する(自サ)〔「瞠」は、直視の意〕驚いて(感心して)目を見はること。

どうもと[0]【《筒元】どうおや。表記「胴元」は、借字。

どうもり[4][0]【堂守】堂の番人。

とうもろこし[3]【《玉〈蜀黍》】〔「とう」も「もろこし」も「唐」の意〕畑に作る一年草。黄色い実が軸のまわりに、ハモニカの吹き口のようにぎっしり詰まって出来る。食用・飼料用。種類が多い。〔イネ科〕かぞえ方 一本

どうもん[0]【同門】同じ先生について学び、同じ流派に属すること。〔狭義では、相弟子を指す〕「―のよしみ」

どうもん[0]【洞門】❶ほらあな(の入口)。「青の―」❷曹洞宗(の一門)。

とうや[1]【当夜】❶何かあった、その夜。❷今夜。

とうや[1]【陶冶】―する(他サ)〔陶器や鋳物を作るように〕いろいろな試練を経させて、役に立つ一人前の人間に育て上げること。「―性[0]〔=変に凝りかたまったところが無く、教えがいがあること〕」

とうや[0]【塔屋】ビルの屋上に突出して設けられているエレベーター室などの構造物。とうおく[0]。

とうや[0][1]【頭屋】神社の祭礼や講に際し、神事や行事を主宰する役に当たった人(の家)。表記「当屋」とも書く。

どうや[1]【同夜】❶同じ夜。❷事があった、その夜。

とうやく[0]【投薬】―する(自他サ)薬を調合して与えること。

どうやく【同役】❶[0]同じ役目(の人)。「ご―[0]」❷[1]その役。

どうやら[1](副)❶十分とは言えないまでも、一応は満足出来る状態にまで達していると判断される様子。〔強調形は「どうやらこうやら[5]、[1]-[1]」〕「難工事も―先が見えた/―雨もあがった/親子四人が―暮らしていける収入」❷知りえた情報などから総合的に判断して、そう結論づけることが可能だと思われる様子。「―この分では駄目らしい/弟にも―恋人が出来たようだ」文法 あとに「らしい」「そうだ」「ようだ」などの推量判断を表わす表現形式を伴うことが多い。

とうゆ[0]【灯油】❶〔燃油と違って〕灯火用の油。桐油・菜種油など。❷原油を蒸留する際、揮発油分に続いて出る油。石油ストーブなどに用いる。

とうゆ[0]【〈桐油】❶「アブラギリ〔=キリに似た落葉樹〕」の種からしぼった乾性油。きりあぶら[3]。❷〔←桐油紙[3][0]〕「桐油❶」を塗った和紙。「―がっぱ[4]」

どうゆう[0]【同友】その人と同じ志を持っている友達。

どうゆう[0]【同憂】同じように(物事について)心配すること。また、その人。「―の士」

とうゆうし[3]【投融資】投資と融資。「財政―」

とうよ[1]【投与】―する(他サ)薬を患者に与えること。「―量[3]・―薬[3]」

とうよう[0]【当用】さしあたっての用事。「―日記[5]」

―**かんじ**[5]【―漢字】⇩漢字

とうよう[0]【灯用】灯火用。「―アルコール[5][0]」

とうよう[1]【東洋】アジア(の東部の諸地方)。「―学[3]・―人[3]・―的[0]」↕西洋

とうよう[0]【盗用】―する(他サ)所有者(発明者)に断わらず、黙って使うこと。「デザイン―」

とうよう[0]【登用・登庸】―する(他サ)人材を今までよりも上の地位に引きあげて使うこと。

***どうよう**[0]【同様】―な/―に 状態・様相がよく似ていて、二つのものの間にほとんど区別が認められない様子だ。「―な体験を持つ人も多いだろう/ただ―の〔=と言ってもいいくらい安い〕値段」

***どうよう**[0]【動揺】―する(自サ)〈(なにデ)―する〉❶ぐらぐら動くこと。❷万一の事を考えたりショックを受けたりなどして、心の平静を失うこと。「―を与える/―が起きる」

どうよう[0]【童謡】子供が歌う(ように作った)歌。「―歌手[5]」

どうようじ[3]【動用字】「松」を「枩」、「海」を「渠」、「峰」を「峯」、「群」を「羣」と書くなど、一つの漢字の偏旁の(一部分の)位置を取り替えた異体字。

どうよく[0]【胴欲・胴〈慾】―な/―に 〔「貪欲」の変化という〕欲が深くて他人の事など少しも構わない様子だ。派―さ[0][4]

とうらい[0]【当来】〔仏教で〕未来。来世。

とうらい[0]【到来】―する(自サ)〔「来」も、いたる意〕先方から発した物が本人に届くこと。「時節―〔=待ち設けた機会がやって来た〕/―物〔=よそから戴いたもの〕ですが」

とうらく[1]【当落】当選と落選。

とうらく[0][1]【騰落】(物価の)騰貴と下落。

どうらく[4][3]【道楽】―する(自サ)〔古くは仏教で、法悦境に入って、我を忘れる意〕Ⓐ余暇を利用し、人生を豊かにするための趣味(的な仕事)に打ち込むこと。「健康と―を兼ねた花作り/福祉の仕事は私の―みたいなものです/着―・食い―・知的―」Ⓑ金があるのに任せて見果てぬ夢を追ったり家財を傾けるほど逸楽の世界におぼれたりすること。「―にうつつを抜かす/―息子[5]・―者[0]」

どうらん[0]【胴乱】植物採集用の、ブリキやトタンで作った(円筒状の)容器。肩から下げる。

どうらん[0]【動乱】暴動・戦争などが起こり、世の中の秩序が乱れ、不安定な状態。

とうらんけい[0]【倒卵形】ニワトリの卵のとがった方を下にした形。「―の葉に特徴がある」

とうり[1]【党利】〔国民の幸福・便益などは抜きにした〕その政党だけを中心に見た利益。「―に偏る/―党略」

とうり[1]【桃〈李】モモとスモモ。【―もの言わざれども下おのずから蹊を成す】〔「蹊」は小道〕徳のある人の所には、自然に人が集まってくるものだ。

****どうり**[3]【道理】❶世間で正しいと認めた、行いの筋

道。「物の—をわきまえる(が分からない)/—にかなう(こと)」❷〔そうなるのが正しい、という〕理屈。「子供に分かる—〔=わけ〕が無い」 —で①(副) 前から不審に思っていた事のわけが今やっと分かったという気持を表わす。「二人は兄弟か。—よく似ている」

とうりつ⓪【倒立】—する(自サ) さかさまに立つこと。さかだち。

どうりつ⓪【同率】 同じ△率(割合)。

とうりゃく⓪【党略】(政)党のためにする謀略。「—に引っかかる/党利—①-⓪」

とうりゅう①【当流】❶△その(この)流儀。❷当代の流儀。

とうりゅう⓪【〈逗留〉】—する(自サ) 旅先で、ある期間とどまること。滞在。「長—③」

どうりゅう【同流】❶⓪同じ流れ(になって流れること)。❷⓪同じ流儀。❸①〔前に話題にのぼった〕流儀。

とうりゅうもん③【登竜門】〔黄河中流の難関「竜門」にのぼる意〕困難ではあるが、そこを通れば出世の道が開かれると言われる関門。「文壇の—」

とうりょう⓪【投了】—する(自サ)〔碁・将棋で〕一方が負けを認めて勝負が終わること。

とうりょう①【棟〈梁〉】〔家の建築に最も重要な屋根のむねと はりの意〕❶大工のかしら。「とうりゅう」とも。❷国政をささえる重臣。❸統率者。「源氏の—」

とうりょう⓪【等量】 分量が等しいこと。等しい分量。

とうりょう①【頭領】 団体の長。かしら。頭目。

どうりょう⓪【同量】 比べる二つの量が等しいこと。「原液に—の水を加えて二倍に薄める」

どうりょう⓪【同僚】 同じ職場で働いている人(たち)。〔特に、地位の同じ人を指す〕

***どうりょく**①⓪【動力】 機械を動かす、風・水・電気・原子などの力。原動力。「—源④〔=動力の源となる、熱・風・水・電気など〕・—炉④・—機械⑥⑤・—装置・—線⓪」 **—しゃ**④③【—車】 機関車・電車・気動車など、原動機を備えた鉄道車両。

どうりん⓪【動輪】〔機関車などで〕動力を受けて回転を起こし、車を走らせる車輪。表記「働輪」とも書く。

とうるい⓪【盗塁】—する(自サ)〔野球で〕走者がすきをねらって、すばやく次の塁へ進むこと。⇩走塁・残塁

とうるい①【糖類】 ぶどう糖・果糖などの「単糖類③」と、澱粉・グリコーゲン・セルロースなどの「多糖類②」と、乳糖・蔗糖などの「少糖類③」との総称。

どうるい⓪【同類】 そのものと同じ種類。〔広義では、仲間をも指す〕 **—こう**③【—項】❶〔代数学で〕多項式において、変数として着目した(幾つかの)文字の部分が指数まで含めて同一で、その係数だけが異なる二つ以上の「項❷Ⓐ」。例、$2x^3y^2$ と $-3x^3y^2$ ❷(外見は異なっていても)共通の特徴や傾向を備えている点で、同類として扱うことができるもの。「あんなちんぴらと—にされては迷惑だ」

どうれ①(感)❶自分が積極的に行動を始める前に、相手に対して呼びかける言葉。❷昔、案内を請う声「たのもう」に対し、家人や取次ぎが答えた声。

とうれい⓪【答礼】—する(自サ) 相手が表明した△敬礼(敬意)に対し、それに相応した敬意を尽くすこと。「—訪問⑤」

どうれつ⓪【同列】❶同じ列。〔同じ仲間の意でも用いられる〕❷同じ△程度(地位)にあるもの。「—に〔=同列にあるものとして〕論じる/—に扱うわけにはいかない」

とうろ①【当路】 重要な地位にある△こと(人)。当局。「—者③」

****どうろ**①【道路】 人や車などが自由に行き来できる、公共の施設としての道。「—網③・高速—・有料—⑤」 かぞえ方 一本・一筋・一条 **—ひょうしき**④【—標識】 道路の保全および交通の安全・利便のために道路の要所に設置された標識。交通標識。

とうろう⓪【灯籠】 △庭先に据える(軒先につるす)装飾用の照明器具。「石—③・つり—・回り—」 **—ながし**⑤【—流(し)】 お盆の末日に、小さな竹製の灯籠に火をともして川や海に流す行事。

とうろう⓪【登楼】—する(自サ) 男が客として遊女屋に行くこと。

とうろう⓪【〈蟷螂〉】 カマキリの漢語的表現。**【—の〈斧〉】** むだだと分かっていてもせずにはいられない、強い相手に対する抵抗。〔「斧」はカマキリの前足を指す。斉の荘公が出猟した際、道ばたに居たカマキリが通すまいとして前足をあげてこれを防ぎ止めようとしたのを、荘公が勇者なりとしてこれを避けて通った故事に基づく〕

どうろう⓪【堂廊】 お堂の四周を取り巻くように作ってある、板張りの外縁部。

***とうろく**⓪【登録】—する(他サ)〈なにニ(なにヲ)—する〉(役所の)正式の帳簿に載せること。「住民—⑤・—率④・—済み⓪」 **—しょうひょう**⑤【—商標】 登録を済ませておき、他人の使用を許さない商標。

***とうろん**①【討論】—する(自サ)〈だれト—する〉 特定の問題について、集まった人が意見を述べあって議論をすること。「—を尽くす/—会③⓪」

どうわ⓪【童話】 子供のために作られた話。「—作家④・—集③」

どうわ⓪【道話】 だれにでも分かるように卑近な例を引きやさしい用語で説いた、心学の話。

どうわきょういく④【同和教育】 被差別部落の解放をめざす教育活動。

とうわく⓪【当惑】—する(自サ) 急に解決すべき難題に出あったり 板ばさみになったりして、決断に迷うこと。「はたと—した/—の表情を隠そうとしない/—顔」

どうわすれ③【胴忘れ】—する(他サ)「どわすれ」の長呼。表記「胴」は、借字。

とえい⓪【都営】 東京都が経営△すること(したもの)。「—住宅④・—バス④・—地下鉄⓪⑤」

とえはたえ①-②【十重〈二十〉重】 幾重にも重なるように取り巻いている状態。「—に囲む」表記⇩付表

どえら・い③【ど偉い】(形) そのもの自身の、また、他に及ぼす影響力の大きさが予想をはるかに超えている様子だ。〔やや俗語的表現〕「—△事件(災害)が起きた」

トー①〔toe〕 足の、つま先。「バレエの—で立つ技術をマスターする/—シューズ③〔=バレエ用の靴〕」

とお【十】❶(造語)⇩と(十)「昨日より—円安/—日」❷①ものの(個)数をかぞえるとき、数が十であることを表わす。また、十歳を指す。〔副詞的にも用いられ、アクセントは⓪〕「—が—〔=すべてみんな〕/—やそこらで親と別れるなんて、かわいそうな事だ/ミカンが—ある」

とおあさ⓪【遠浅】—な/—に 海・川などで、岸からずっと遠くまで水の浅い△こと(所・様子)。

とおあるき③【遠歩き】—する(自サ) 遠方へ出歩くこと。

****とお・い**⓪【遠い】(形)〈どこ・なにカラ—/どこ・なにニ—〉 対象との空間的な隔たりが△比較(一般に予測)されるものに比べて大きい。〔時間的な隔たりや二つの物事の関係についても言う〕「—宇宙のかなた/まだまだ道のりは—〔=ⓐ目的地

まで長い距離がある ⓑ目標を達成するまでに多くの時間や労力を要する」/テレビ電話の普及もそう―将来の話ではない/―過去の出来事/遠くて近いは男女の仲/電話が―〔=受話器を通じて、相手の言うことがよく聞き取れない〕/―〔=血のつながりがうすい〕親戚/冬来たりなば春遠からじ〔=遠くはあるまい〕」↔近い 派―さ⓪ ⇩とおく㊁
【気が遠くなるような】⇩気 【耳が―】⇩耳

トーイック①【TOEIC】〔←Test of English for International Communication=商標名〕英語を母国語としない人びとを対象に、英語によるコミュニケーション能力をはかるテスト。

とおう⓪【渡欧】―する(自サ) ヨーロッパに渡航すること。

とおえん⓪【遠縁】遠い血縁。

とおか⓪【十日】❶その月の第十日。❷日の数が十あること。また、その日数。 **―のきく**⓪-②【―の菊】〔菊の節句の翌日の意〕時機に遅れて役立たないこと。「六日の菖蒲―」

とおがけ⓪【遠駆(け)】―する(自サ) 遠くまで全速力で馬を走らせること。〔広義では、歩いて遠くまで出かけることをも指す〕

とおからず③【遠からず】㊀遠くない。「当たらずといえども―」㊁(副) そういう事態が訪れるのに、それほど長い日時を要しないと判断する様子。「―宇宙旅行が実現するだろう」

トーキー①〔talkie〕画面に応じて音楽・せりふなどが聞こえるようにした映画。発声映画。↔サイレント

ウォーキー―――⑤〔walkie-talkie〕⇩ウォーキートーキー

ハンディー――⑤〔handie-talkie〕⇩ハンディートーキー

トーク①㊀〔talk〕〔ラジオ・テレビ番組やアトラクションの一部として〕専門的な話に片寄ることなく、わかりやすく話をすること。「―ショー③④・―番組④」㊁〔フ toque〕浅い円筒形で、ふち無しの婦人帽。

とおく【遠く】㊀③遠い所。「―へ行く/―の親類より近くの他人」↔近く ㊁⓪(副) 対象との隔たりが大きい様子。「―海の向こうでは/―神代の昔まで遡る/彼の腕前には―及ばない」

とおざか・る④【遠ざかる】(自五)↔近づく ❶遠くに離れる。「危機が―/作家活動からはしばらく遠ざかった」❷近づかないようになる。「親類同士が―」

とおざ・ける④【遠ざける】(他下一) ❶遠くへやる。❷〔好ましくない影響のありそうなものを〕近づけないようにする。「悪友を―/敬して―〔=敬遠❶〕」

とおし【通し】㊀③❶通す△こと(もの)。「お―する/千枚―し」❷初めから終りまで続くこと。「切符を目的地まで―で買う/―番号④〔=一連番号〕」❸〔料理屋で〕最初に出す、簡単な食べ物。「お―」❹「通し狂言」の略。 **―ぎっぷ**④【―切符】❶出発点から目的地まで、異なる路線を通して乗ることのできる切符。❷芝居などで、数回または昼夜ともに使える切符。 **―きょうげん**④【―狂言】一つの狂言を、序から大切まで通して上演すること。略して「通し」。㊁(造語) 動詞「通す」の連用形。 **―や**③【―矢】一定の長距離に置いた的に矢を射て、多く射あてた者を勝ちとする競技。〔京都の三十三間堂で行なったのが有名〕

とおし③【〈篩〉】目のあらい、大形のふるい。

どおし【通し】(造語) ある期間同じ動作・状態が続けて行なわれることを表わす。「夜―・立ち―・笑い―」

****とお・す**【通す】㊀①(他五) ❶〈(どこ・なにカラ)どこ・なにニ なにヲ―〉途中の障害を突破して、その先に進ませる。「針の穴に糸を―/水を通さない布/窓をあけて風を―/障子を通して明りがもれる/火を通して食べる/虚仮の一念岩をも―〔=⇩虚仮❷〕」❷〈なに・だれヲ―〉難関を突破したり抵抗を排除したりして次の段階に進ませる。「議案を―/△主張(意見)を―/試験で六十点以上の者は―〔=合格させる〕」❸〈(どこニ)なにヲ―〉そこでとどめることなく、その先に行かせる。「この道は車を通さない/奥へ―/客間に―/ゲートを―/上層部に話を―」❹〈(どこ・なにニ)なにヲ―〉最初から最後まで△切れ目なくつながった(一貫した)状態にする。「高速道路を―/長編映画を通して見る/書類に目を―/△筋(信念)を―/一生独身で―」❺〈なに・だれヲ―〉△仲介(媒介)となるものを経て、物事を先に進ませる。「面会は窓口を通してください/彼を通して話をつける/体験を通して学んだことだ」㊁〔「動詞連用形+―」の形で、接尾語的に〕目的が達成されるまでそのことをし続ける。「やり―/言い―/がんばり―/読み―」 表記 ❶の一部は「《徹す・《透す」、❷の一部は「《徹す」とも書く。〔⇩通し㊁〕

トースター①〔toaster〕〔電気などを使って〕食パンを焼く道具。 かぞえ方 一台

トースト⓪①―する(他サ)〔toast〕食パンを(薄く)切って、きつね色に焼くこと。また、焼いた食パン(にバターなどをつけたもの)。 かぞえ方 一枚

とおせんぼう③【通せん坊】―する(他サ)〔「通せん」は通さないぞ、の意〕両手を広げて、相手を通さないぞと示威する、子供の遊び。「とおせんぼ③」とも。〔広義では、交通妨害や通行止めを指す〕

とおだ⓪【遠田】〔雅〕はるか遠くの田。「―のかはづ〔=かわず〕天に聞こゆる」

トータル①〔total〕㊀―する(他サ) 合計。「得点の―〔=総計〕」㊁―な/―に 全体的。総体的。「―なとらえ方」

トーダンス③〔toe dance〕〔バレエで〕足をつまだてておどる踊り。

トーチ①〔torch〕たいまつ。〔狭義では、オリンピックの聖火を指す。例、「―リレー④」〕 かぞえ方 一本

トーチカ①⓪〔ロ tochka〕戦線のあちこちに構築する、コンクリート製で、機関銃や火砲などを備えた堅固な陣地。 かぞえ方 一基

トーチランプ④〔torch lamp〕鉛管工事などに用いられる、小型の携帯用バーナー。 かぞえ方 一台

とおっぱしり⓪④【遠っ走り】―する(自サ)〔「とおばしり」の変化〕遠くまで出向くこと。

とおで⓪【遠出】―する(自サ) 遠くまで出かけること。

トーテム①〔totem〕〔その社会で〕部族に特別の親しい関係があるとして崇拝する動植物や自然物(をかたどったしるし)。 **―ポール**⑤〔totem pole〕トーテムを彫りつけた柱。 かぞえ方 一本

トートバッグ④〔tote bag〕カンバスなどの丈夫な布でできた、開口部の大きい大型の手提げバッグ。

トートロジー③〔tautology〕❶修辞法の一つ。同語、類義語など、繰り返しても特に新たな意味を加えないことばを繰り返し用いること。「同義反復・同語反復」とも。❷〔論理学で〕命題の真偽にかかわらず、常に真となる論理式。「恒真式」とも。

ドーナツ①〔doughnut〕小麦粉に砂糖・バター・卵などを加えてこね、△自動車のタイヤ形(球形)にして油で揚げた洋菓子。ドーナッツ①とも。 **―げんしょう**⑤【―現象】スプロール現象が進んで、都市の中央部に寝起きする人が少なくなる現象。ドーナツ化現象⑥。 **―ばん**⓪【―盤】「イーピー(EP)盤」の異称。〔中心に三八ミリの穴が開いているところから言う〕

トーナメント①〔tournament〕組合せ式の勝抜き試合。

⇩リーグ戦

とおなり⓪【遠鳴(り)】ーする(自サ) 遠く△まで(から)鳴り響いて聞こえること。また、その音。「△鐘(潮)のー」

とおね⓪【遠音】 遠く△から(にまで)聞こえる音や声。「ーがさす(=声が遠くまでよく通る)」

とおの・く③【遠のく】(自五)〔「遠去ノく」の意〕❶遠く隔たる。「争いからー/雷鳴は次第に遠のいていった」❷(次第に)間隔があくようになる。「△戦争の影(可能性・客足)がー/砲声がー/あの件以来彼とも遠のいて(=疎遠になって)しまった」他動 遠のける④(下一)

とおのり⓪【遠乗(り)】ーする(自サ) 馬や乗用車などに乗って遠出を楽しむこと。

ドーパミン⓪〔dopamine〕 神経伝達物質の一つ。運動の制御・ホルモン調節・快の感情や意欲などに深く関わる。不足すると運動障害などを生じる。ドパミン②とも。

トーバンジャン③【豆板《醬》】〔中国・豆板醬〕 中国の調味料の一つ。トウガラシ・ソラマメ・塩を発酵させたもの。

とおび⓪【遠火】❶〔雅〕遠方でたく火。❷ある程度その物から間隔を置いた火。「ーで焼く」

ドーピング⓪〔doping〕〔スポーツで〕出場選手が興奮剤や筋肉増強剤などを用いて運動能力を高めること。不正行為として禁止されている。「ー検査⑥」

ドープチェック④〔dope check; dope=麻薬〕〔オリンピックなどで〕ドーピングの有無を出場選手を対象として検査すること。

トーフル①【TOEFL】〔←Test of English as a Foreign Language=商標名〕 英語を母国語としない人びとを対象に、英語圏で学業を行なえるかどうかを検定する試験。

とおぼえ⓪【遠〈吠〉(え)】ーする(自サ) ❶犬やオオカミが(自分の仲間に対する合図・訴えとして)遠くまで聞こえるように、長く尾を引くようにほえること。また、その声。❷直接立ち向かう勇気・実力の無い弱者が、相手の聞こえない所で強がりや悪口を言い散らすこと。「負け犬のーだね」

とおまき⓪【遠巻(き)】 争いや事故の現場に直接踏み込もうとせず、多くの人が(事態の推移を見守るかたちで)回りを囲んでいること。「やじ馬がけんかをーにして見物する」

とおまわし③⓪【遠回(し)】ーな ーに 直接的にでなく、別のことにかこつけるなどして言ったり 探ったり する様子だ。「ーに非難する/ーに聞いてみる/ーの表現」

とおまわり③【遠回(り)】ーする(自サ) ❶遠い方の道を通って行く(ようになっている)こと。「ーして わざわざ見に行く」⇔近回り ❷ーな ーに 失敗を避けようとして慎重に手間隙をかけて目標に近づこうとする様子だ。「ーなやり方」

とおみ⓪【遠見】❶ーする(他サ) (高い所から)遠方を見ること。〔狭義では、敵情偵察を指す〕❷遠くから見た目。「ーにはよく見える」

とおみち⓪【遠道】❶目的地に向かって遠い方の道を歩くこと。「ーをする」⇔近道 ❷はるかな道のり。表記「遠《路》」とも書く。

ドーム①〔dome〕 まる屋根。「ー球場④・原爆ー⑤」

とおめ⓪【遠目】■一❶遠方から見ること。「ーがきく/夜目ー笠の内(=⇩夜目)」❷「遠視眼」の意の和語的表現。⇔近目■一 ■二普通より遠い△程度(所)。「ーのボール/ーに置く」⇔近目■二

とおめがね③【遠《眼》《鏡》】「望遠鏡」の和語的表現。「ーをかざす」表記 ⇩付表「眼鏡」

とおや⓪【遠矢】 矢を遠くへ射ること。また、その矢。

とおやま⓪【遠山】 遠くに△見える(ある)山。

とおやまざと④【遠山里】〔雅〕(都から)遠くの山里。

ドーラン⓪〔ド Dohran=会社名〕 俳優が使う、化粧用の油性おしろい。

****とおり**③【通(り)】■一❶通る△こと(ぐあい)。「風のーが悪い/車のーが激しい/ーのいい声/ペンネームの方がーがいい(=世間に通用する)/ーのいい(=分かりやすい)話/世間のーが大事だ/人ー」❷Ⓐ「街路」の意の和語的表現。「一日中にぎやかなー/表ー・バスー③」Ⓑ個々の街路の名称として用いられる語。「平和ー・銀座ー」■二①〔形式名詞的に〕すでに了解されている内容・結果・やり方と同じ状態で△ある(何かをする)ことを表わす。「言われたーに(=ように)する/元ーにして(=元と同じ状態にして)くれ/計画のーに(=計画に従って)行なう/思ったーの△物(人)だった/注文ーの(=注文したのと寸分たがわぬ)品/時間ーに(=決められた時間に)始める/このー(=こんなぐあいに)丈夫になった/九分ー完成した」■三(造語) 種類の数をかぞえる語。「それでは二ーいただきます/問題の解き方は三ーある」⇩一通り 四(造語) 動詞「通る」の連用形。 **ーあめ**③④【ー雨】 さっと降って、すぐ晴れる雨。 **ーあわ・せる**⑥【ー合(わ)せる】(自下一) ちょうどその時に、そこを通る。「通り合わせた通行人に助けられた」 **ーいっぺん**⑥⓪【ー一遍】ーな ーに 形式的に行なうだけで△誠意の無い(相手の心に触れ合うことの無い)様子だ。「ーの挨拶」 **ーがかり**⓪【ー掛(か)り】 どこかへ行く途中(であること)。「ーの(=ちょうどそこを通っている)人に道を聞く/ーに(=よそへ行く途中、たまたま)お寄りしました」 **ーかか・る**⑤【ー掛(か)る】(自五) ちょうどそこを通る。 **ーがけ**⓪【ー掛(け)】 その道を通るついで。 **ーこ・す**④【ー越す】(自五) ❶幾つかの地点を経過して、目的地に達する。「いろいろな職業を通り越してきた人/危機をー(=突破する。乗り越える)」❷目的地を越して先まで行ってしまう。「予定の停車駅をー/たまが頭上をー」❸その状態など問題にならないくらい、ひどい程度になる。「冷たさを通り越して痛くなる」 **ーことば**④【ー言葉】 △一般に(その仲間だけに)通用する言葉。 **ーすがり**⓪ たまたまそこを通っただけであること。「ーの者ですが/ーに(立ち)寄る」 **ーす・ぎる**⑤【ー過ぎる】(自上一) ❶そのまま進行を続ける。「一礼してー/台風はじきにーだろう」❷危害を与えることなく、平穏裏に事が終わる。「△危機(嵐)がー」 **ーそうば**④【ー相場】 世間で普通に通用する△値段(評価)。〔世間でもっぱら行なわれる評判の意にも用いられる〕 **ーな**③【ー名】 世間一般に通用する名前。通称。 **ーぬ・ける**⑤【ー抜ける】(自下一) ❶路地などを通って裏通りへ出る。❷他の区域から来た者がそこにとどまらず、そのまま別の区域へ移る。名 通り抜け⓪ **ーま**③【ー魔】 ❶風のごとく来て人に危害を加えたかと思うと、風のごとく去る△魔物(悪人)。❷不特定の通行人に次つぎと危害を与える者。「ー殺人」 **ーみち**③【ー道】 ❶人や車が通行出来る空間。「ーを空ける」❷目的地に着くまでの途中。「ーで最初に会った人/ーの左右に展開するレンゲ畑/ーで買物を済ませる」

****とお・る**①【通る】(自五) ❶〈(どこ・なにカラどこ・なにニ)ー〉〈(どこヲ)ー〉 途中の障害に妨げられることなく、その先に進む。「雨が着物の裏にー/詰まっていた鼻がー/針の穴が小さくて糸が通りにくい/よく風のー部屋/火が中までー/よくー声」❷〈(なにニ)ー/(なにヲ)ー〉 難関を突破したり 抵抗を排除したりして、次の段階に進む。「予算案が議会をー/押し問答の末△要求(意見)が通った/試験にー/審査をー/そんな言い分は通らない」❸〈(どこヲ)ー/(どこ・なにニ)ー〉 その△場所(箇所)を経て先に進む。「岩のすき間を通って水

が流れる/△町中(ナカ)(橋・横道)を通って駅に行く/△門(受付)を通って中に入る/人や車が一道/奥へお通りください」この問題を避けて一わけにはいかない」四〈(どこ・なに)ニ一〉最初から最後まで△切れ目なくつながった(いかなる場面においても一貫した)状態になる。「鉄道が一/話の筋が一/名の通った(=世間に広くその名を知られた)店で買う/変り者で通っている(=変り者だというもっぱらの評判だ)」表記 ❶は「《徹る・《透る」、❷四の一部は「《徹る」、❸は「《透る」とも書く。[⇨通り四]

トーン①〔tone〕〔音・色などの〕微妙な調子。

とか(副助)❶思いつくままに顕著な例を列挙することを表わす。「こづかいは交通費一昼食代一で無くなってしまう/僕が君の家へ行く一、君の方がうちへ来る一、その時になって決めればいい」❷事物を一例として挙げることを表わす。「アメリカではハンバーガー一を、食べてました」文法 体言(名詞、またそれに準ずる句)、副詞、形容動詞語幹、活用語の終止形に接続する。格助詞には前につく。
運用 (1)口頭語では、思いついた類例のうち顕著なものを一つだけ挙げ、断定的な言い方を避ける調子で用いる。例、「このごろ、小説とか読んでる?」(2)若者言葉で、明確に意識化されていない事柄を軽い気持で取り上げるときや、真面目に取り組むつもりのない気持で言うときに用いる傾向がある。例、「昨日は一日中テレビとか見ちゃって/数学とか難しくてわかんない」

とか①【都下】東京都の中で、二十三区を除いた、△市町村(郡・島)の称。

とか①【渡河】―する(自サ)「川を渡ること」の漢語的表現。「一戦⓪・敵前一」

とが①【△咎】❶△法律上(道徳上)当然責められてよい非行。「その一を受ける(=非行のゆえに△責められる(有罪となる)/一(=罪)をかぶせる」❷あやまち。「だれの一でもない(=すべて私が悪いのだ)」表記「《科」とも書く。

とが①【栂】ツガの異称。

とが①【都雅】―に「みやびやか」の意の漢語的表現。

どか(接頭)その程度(の増加)が並外れていることを表わす。〔やや俗語的表現〕「一雪・一食(グイ)⓪・一減(ベリ)⓪」

とかい⓪(クヮイ)【都会】❶文化的・娯楽的施設に富み、消費生活に適する条件を備えている、大きな都市。「大一③・一人②」↔いなか ❷「都議会②」の略。「一議員④」

とかい⓪【渡海】―する(自サ)「航海」の意の古風な漢語的表現。

どかい⓪【土△芥】土やあくた(のように価値の無いもの)。

どかい⓪(クヮイ)【土塊】ひとかたまりの土。

どがい⓪(グヮイ)【度外】問題として当面考慮すべき範囲の外。「一に置く(=全く考慮を払わない)」 **―し**②【―視】―する(他サ)通念において問題とされるところのものを、特別な主張に立って全く考慮の外に置くこと。「△利益(採算・輿論(ヨロン)・権威)を一する」

とかき③⓪【斗〈掻き〉】ますに盛った穀類を平らにかきならす棒。ますかき。

とがき⓪【ト書き】〔昔の脚本に「…ト思い入れ」のように書いてあったことから〕脚本に示される、俳優の動作を指定する注意書き。

とかく⓪【〈兎角〉】(副)―する〔「と」はああ、「かく」はこうの意〕❶当面問題とする対象が一つの事に限定されず、多岐にわたる様子。「一するうちに(=ⓐあれこれするうちに ⓑこれと言った事もしていないうちに)/一のうわさがある」❷事の大小を問わず全般的にそのような傾向が認められる様子。「一世間の口はうるさいものだ/一この世はせちがらい」⇩かく 表記「〈左右〉」とも書く。

とかげ⓪【〈蜥蜴〉】❶昆虫を捕食する、爬虫(ハチュウ)類の小動物。石垣の間や草むらにすむ。短い四足を持ち、からだ・尾は細長く、背中には青緑色のつやがある。つかまえても、しっぽを切って逃げて行く。〔トカゲ科〕❷カナヘビ・トカゲなど、トカゲ科の爬虫類の総称。表記「〈竜子〉・〈蠑螈〉」とも書く。かぞえ方 ❶❷とも一匹 **【一の《尻《尾切り】**組織などで、不祥事の責任を下の者に押しつけることで処理し、組織本体や首脳部には影響が及ばないようにすること。 **―いろ**⓪【―色】❶縦糸がもえぎで横糸が赤い錦(ニシキ)。❷練貫(ネリヌキ)を青みがかった黒色に染めたもの。

***とか・す**②【溶かす・《融かす】(他五)❶〈なにデなにヲ―〉熱や薬品で、固体をどろどろの状態にする。〔金属を液状にする意にも用いられる。この場合の、もとの用字は「〈熔かす・〈鎔かす〉」〕「氷を一/バーナーでガラスを一/鉄鉱を一」❷〈なにデなにヲ―・なにニなにヲ―〉粉状・粒状の物に液体をまぜて、使いやすい状態にする。また、液体に、粉状・粒状の物を入れてまぜる。「絵の具を油で一/酢に塩と砂糖をとかしてすし酢を作る」表記 ❶は「解かす」とも書く。

とか・す②【〈梳かす〉】もつれた髪の毛にくしを入れて、乱れを直す。表記「解かす」とも書く。

どか・す⓪【《退かす】(他五)今まで△あった(居た)場所からほかへ移す。どかせる⓪(下一)。

どかた⓪【土方】土木工事に雇われる労働者。土工。

どかっと②(副)〔「どかりと」の強調形〕❶重たいものが勢いよく落ちる様子。「屋根の雪が一落ちる/一腰をおろす」❷一時に、まとまった△多額の金(多量の物)の動きが見られる様子。どっかり。「一大金が入る/一入荷する」

どかどか①(副)―と一度におおぜいの人が、足音を立てて無遠慮に入って来たり出て行ったりする様子。

とがにん⓪【△咎人】罪を犯してつかまった人。表記「《科人」とも書く。

どかひん⓪【どか貧】「何かのきっかけで一気に貧乏になること」の意の口頭語的表現。↔じり貧

どかべん⓪【どか弁】〔↑土方弁当④〕「特別に大型の弁当(箱)」の意の口頭語的表現。

とがま⓪【《利鎌】よく切れる鎌。

どがま⓪【土釜】土製の飯炊き釜。

どがま⓪【土〈竈・土窯〉】❶口のほかは全部を土で築いた、炭を焼くかま。木材の炭化を待ち、密閉して火を消す。❷「土竈❶」で焼いた炭。土竈炭(ズミ)③。

とがめ⓪【〈咎め〉】一③ ❶過失や罪を責めること。❷非行・行過ぎなどに対する非難。「一を受ける/良心の一がある」二(造語)動詞「咎める」の連用形。 **―だて**⓪【―立て】―する(他サ)必要以上に強く咎めること。

***とが・める**③【咎める】(他下一)〈なにヲ―〉❶あやまちや欠点を取り立てて、相手の△行動(態度)がなんらかの罰に相当することを強調する。「自分の非は棚に上げて相手を一/良心が一」❷不審をいだいた者に、身元や来訪の目的などについて問いただす。「入口で守衛に咎められた」❸はれものなどをいじったりして、かえって悪くする。〔❶❷は、自動詞としても用いられる〕〔⇩咎め二〕 **【気が一】**⇩気

どかゆき⓪②【どか雪】一度にたくさん降る雪。

とがら・す③【〈尖らす〉】(他五)❶とがるようにする。「鉛筆の芯を一/口をとがらして不満を示す」❷神経などを鋭敏にする。「△耳(目・心)を一」❸感情をたかぶらせる。「声をとがらしてしかる」とがらせる④(下一)。〔口頭語的表現は「とんがらかす」〕

とがり【〈尖り〉】一③とがること。また、とがった先端。「槍(ヤリ)先の一」二(造語)動詞「尖る」の連用形。 **―がお**⓪③

【―顔】口をつき出して怒った顔つき。 **―ごえ**④【―声】怒った時や内心に不平があったりする時などに出す、とげとげしい声。

*__とが・る__②【〈尖る】(自五) ❶先が鋭く細くなる。「先のとがった棒」 ❷感情がたかぶる。「神経が―〔=過敏になる〕/あいつはこのごろすぐ―〔=ⓐ不機嫌になる。ⓑ怒る〕/声が―〔=人に突っかかるような調子になる〕」 ❸他人に合わせたり気がねしたりすることなく、自分を特別の存在と自負して、思うがままに突き進む。「若い頃はずいぶん尖っていたものだ/尖った才能を育む教育が必要だ」〔⇩尖り❷〕

どかん⓪【土管】粘土を焼いて作った管。排水などに使う。 かぞえ方 一本

とかんむり②【戸冠】漢字の部首名の一つ。「戻・房・扇」などの「戸」の部分。〔多く、扉や家に関係のある漢字がこれに属する〕

**__とき__②【時】❶「時間❶」の意の和語的表現。「悠久の―の流れ/―のたつのも忘れる/―は金なり」 ❷時間の流れの中で、他から切り離してとらえた(ある事象が認められる)特定の△時期(時点)。「―を同じくして起きた二つの事件/―と場合によっては/―と所をわきまえる/若葉の―〔=時候〕/私の若い―の写真/―を移さず〔=何かをしてすぐに〕/試練の―を迎える/いざという―の用心/―〔=たま〕には失敗もある/ころんだ―膝を打った/―を稼ぐ〔=⇩稼ぐ❸〕/危急存亡の―〔=生き残れるか滅びるかの重大なせとぎわ〕/花見―・ひけ―・△買い(売り)―」 ❸昔の、時間の長さを計る単位。〔現在の二時間に、ほぼ相当する〕「二―程して〔=約四時間後に〕またまいります/―の間〔=一時もたたぬ、わずかの間〕に色あせる」 ❹〔昔の時法で〕昼・夜をそれぞれ六等分し、それぞれに十二支を配したもの。「―を告げる鐘/丑の―参り/丑三つ―」 ❺〔英文法などで〕時制❶。テンス。 表記 ❷の「危急存亡の―」のように「重要な時」の意の場合は、「《秋」とも書く。 【―を失う】チャンスを取り逃がす。 【―を得る】好機にめぐり合って栄える。「時を得顔」 【―を構わず】時間にお構いなしに。「―歩き回る」 【―を作る】❶⇩関 ❷おんどりが△暁になったのを知らせるように(勇壮に)鳴く。〔❷は「時を告ぐる」との混交があるか〕

とき②【《斎】〔午前中に食する〕僧の食事。〔広義では、法事のあとで出す食事や精進料理を指す〕⇩非時

とき①【〈鴇・〈鴾・〈鵇・〈朱〈鷺〉】「ツキの変化」❶形はサギに似て、薄桃色をしている鳥。くちばしは下方に曲がり、頭の後ろに冠状の毛がある。特別天然記念物。〔トキ科〕❷「とき色」の略。 かぞえ方 ❶は一羽 表記「〈紅鶴〉・〈桃花鳥〉」(漢語表記)とも書く。

とき②【〈鬨】昔、戦闘開始に先立って、大将が味方の士気高揚のために「エイエイ」と掛け声を掛けるや士卒が「オウ」と唱和し、三度繰り返したこと。後、戦勝の際にも他の行事の際にも行なわれた。その声を「鬨の声④」と言い、行為を「鬨を△合わす(作る)」と称した。「勝―を挙げる」 表記「時」とも書いた。また、トキノコエは初め「〈鯨浪〉」、後「〈鯨波〉」と書いた。

とぎ①②【〈伽】❶夜の退屈を慰めるために、寝つくまで話相手などをした△こと(人)。❷病人のそばにいて、めんどうを見る△こと(人)。❸昔、貴人や客の無聊を慰めるために共寝をする△こと(女性)。「夜―」

どき①【土器】素焼きの焼き物。かわらけ。「縄文―・弥生―」

どき①【怒気】怒った気持(の現われた顔つき)。「―を含んだ顔」

ときあか・す④(他五) ❶【説(き)明(か)す】言葉の意味や物事の意義が分かるように△話して聞かせる(説明する)。❷【解(き)明(か)す】なぞや問題(の所在)を解いて、その意味を明らかにする。 名 とき明かし⓪

ときあらい③【解(き)洗(い)】―する(他サ) 和服の縫糸をほどいてから洗うこと。↕丸洗い

とぎあらい③【《磨(ぎ)洗(い)】米などをすり合わせるようにして洗うこと。

ときいろ⓪【〈鴇色】トキの翼の裏と風切り羽との色。薄桃色。

ときおこ・す④【説(き)起(こ)す】(自五) 〔何かを説明する際に〕順序として、その事から説明を始める。「説き起こし説き来って実に二時間聴衆を魅了した」

ときおよ・ぶ④【説(き)及ぶ】(自五) 〔何かを説いたついでに〕その事までも説明する。「日本の将来に―」

ときおり⓪【時折】(副) △かなりの時間的な間隔をおいて、(何かの機会に)その事が繰り返される様子。「街で―見かける顔だ/―雪がちらつく空模様/―冗談をまじえて話す」

ときかせる⑤⓪【説(き)聞(か)せる】(他下一) 〔「説く」+「聞く」の使役形〕分かるように△説明する(話す)。

ときぎぬ③②【解(き)《衣】「〔洗い張りをするために〕縫い目を解いた着物」の意の古風な表現。

ときぐし⓪②【〈梳(き)〈櫛】髪を梳くための、歯のあらい櫛。↕さしぐし 表記「解き〈櫛」とも書く。 かぞえ方 一本

とぎし②【研師】刃物・鏡を研ぐ職人。

ときしも②③【時しも】(副) 何かをしようとする(ちょうどその時。「―あれ〔=ほかの時ではなく、まさにその時〕」

ときしらず③【時知らず・時〈不知〉】一般的に想定される季節とは異なる時季に咲く植物やとれる魚などを言う語。〔冬にも咲くキンセンカや夏にとれるサケなどの別名〕

とぎじる⓪③【《磨(ぎ)汁・研(ぎ)汁】しろ水。「とぎしる」とも。

とぎすま・す④【研(ぎ)澄(ま)す】(他五) ❶〔刃物・鏡などを〕疵や曇りが無くなるまで念入りに研ぐ。「研ぎ澄ました刀」 ❷心の働きを鋭くする。「△神経(感性)を―」 表記「研ぎ済ます」とも書く。

とぎだし⓪【研(ぎ)出(し)】❶石などの表面をみがいて、つやを出すこと。「みかげ石の―」 ❷「とぎ出しまきえ」の略。 動 研ぎ出す③⓪(他五) **―まきえ**⑤⑥【―〈蒔絵】金・銀の粉をまいた上に漆をかけ、研いでその金銀をおぼろに出した蒔絵。

ときたま⓪【時《偶】(副) 忘れかけていたといってよいほどの長い時間的な間隔をおいて、その事が繰り返される様子。「店に―来ることがある」

ときたまご③④【溶(き)卵・溶(き)玉子】生卵を割ってときほぐしたもの。

どぎつ・い③⓪(形) 人に与える(不快な)印象が並はずれて強烈だ。「―△広告(化粧)」 派 ―さ③②

ときつかぜ③【時津風】〔雅〕❶潮の満ちる時に吹く風。❷ちょうどいい時に吹く風。 表記「津」は、借字。

ときつ・ける④⓪【説(き)付ける】(他下一) よく話をして、自分の考えに従うようにさせる。

*__ときどき__【時々】❶②その時その時。「―の風次第で」 ❷④ある程度の時間的な間隔をおいて、その事が(たびたび)繰り返される様子。〔副詞的にも用いられ、アクセントは⓪〕「―は窓を開けて換気すること/このままでいいのだろうかと―不安になる/晴れ―曇りの天気」

どきどき①(副)―と ―する △激しい運動のあと(極度の興奮や緊張によって)心臓の鼓動が激しくなる様子。

ときとして②【時として】(副) めったにないことだが、何か

の機会にそういう事態が見られる様子。「ふだんは厳しい父親だが、—やさしい一面を見せることもある」

ときなし[0]【時無(し)】❶行なわれる△時季(時間)が、いつと決まっていないこと。❷「時無し大根」の略。 **—だいこん**[5]【—大根】ダイコンの一品種。春から秋にかけていつでも蒔ﾏける。根は細長くて白い。漬物用。略して「時無し」。[かぞえ方] 一本

ときならぬ[4]【時ならぬ】(連体) 普通そうあることが期待されない△時季(時刻)の。「—大雪/—時にいきなりやって来るから驚くよ」

ときに[2]【時に】[一](副) ❶そのつどいつも、というわけではないが、何かの事情でそういう事態もありうる様子。「時間に正確な人だが、—遅れてくることもある」 ❷その事があった時の、年月日・時刻や周囲の状況などを改めて具体的に述べる意を表わす。〔古風な言い方〕「—治承四年春のことであった」 [二](接) それまでの話をひとまずやめて話題を切りかえることを表わす。「—どうだい、君の方は」

ときの[0]【時の】(話題になっている)その当時の。「—首相/—運〔=その時その時の運不運〕/—人[5]〔=意義のある事をしあげたり、これから始めるということで、現在、社会の話題となっている人〕」 **—うじがみ**[0]-[2]、[0]-[0]【—氏神】ちょうどいい時に出て仲裁してくれる人。 **—ま**[0]【—間】わずかの間。「—〔=しばらく〕の命」

ときはな・す[4]【解(き)放す】(他五) ❶解いて、別々にする。❷つないであるひもや綱をほどいて△動けるよう(自由)にする。「解き放つ[4]」とも。「犬を—/緊張から解き放される」

ときふ・せる[4]【説(き)伏せる】(他下一) 相手によく説明して、自分の意見に従わせる。[表記]「解き離す」とも書く。

ときほぐ・す[4]【溶きほぐす】(他五) 割った卵をかきまぜる。

ときほぐ・す[4]【解きほぐす】(他五) もつれたものを少しずつ解いて、扱いやすい状態にする。「ときほごす」とも。「△糸(ストレス・不信感・問題・相手の心)を—」

ときまい[0]【《斎米》】食料として寺や僧に施す米。

どぎまぎ[1](副)—と—する 〔相手の勢いにのまれたり 不意をつかれたりして〕平静さを失った状態になる様子。

とぎみず[2]【《磨(ぎ)水・研(ぎ)水】❶米などをとぐための水。❷しろ水。

ときめ・く[3](自五)〔喜び・期待などで〕胸がどきどきする。「—心—思い」[名]ときめき[0] [他動]ときめかす[4](五)「△期待に胸(心)を—」

ときめ・く[3]【時めく】(自五) 時勢にあって栄える。「今を—〔=現在その社会で一、二を争う〕人気者」

どぎも[3][0]【度《胆・度肝】〔「ど」は接辞〕「胆」の強調表現。「—を抜く〔=ひどくびっくりさせる〕/—を抜かれる」

ときもの[2][3]【解(き)物】和服・布団などの糸をほどくこと。△ほどくべき(ほどいた)もの。ほどきもの。[表記]「度」は、借字。

とぎもの[2]【研(ぎ)物】刃物や鏡などを研ぎみがくこと。また、研ぐ必要のある刃物。「—師[4]」

ときゃく[0]【吐逆】—する(他サ) 食べた物を胃から吐き出すこと。〔古くは、「ときゃく」〕

とぎゅう[0]【〈屠牛】食肉を取るために牛を殺すこと。「—場ｼﾞｮｳ[0]」

どきゅう[0]【〈弩級】〔「弩」はイギリス戦艦ドレッドノート号の頭文字の音訳から〕巨大な等級。「超—」

ドキュメンタリー[3]〔documentary〕潤色を加えず、実際あった出来事をそのまま記録したもの。「—映画[8]」

ドキュメンタル[3]—な—に〔documental〕ドキュメンタリー風である様子だ。

ドキュメンテーション[5]〔documentation〕❶効果的な活用のために、情報の収集と、その整理・体系化を図る△こと(技術)。情報管理。❷求めに応じて、文書・資料・証拠書類などを△提示(提供)すること。

ドキュメント[1][3]〔document〕記録。文献。

ときよ[2]【時世】その時代(の風潮)。「—時節[2]-[1]、[4]〔=その時その時の、時代の成行き〕」

とぎょ[1]【渡御】—する(自サ) みこしのおでまし。〔広義では、天皇・三后のおでましをも指す〕

とぎょ[1]【〈蠹魚】昆虫「シミ」の意の漢語的表現。

どきょう[1]【度胸】失敗や他から受ける非難を恐れずに、こうしようと思ったことをためらわずに実行する決断力。「—のすわった/—のよい人/—だめし[4]」

どきょう[0]【《読経】—する(自サ) 声を出して経を読むこと。⇩看経ｶﾝｷﾝ [表記]⇩付表「読経」

ときょうそう[2]【徒競走】「体育❷」の一部として行なわれる、走力をきそう競技。

どきりと[2][3](副)—する 突然の事に驚いて、鼓動が一瞬激しくなりそのまま止まるかと思われる様子。どきっと。どきんと。

とぎれとぎれ[4]【途切(れ)途切(れ)】—な—に 途中で何度も切れてはまた続く様子だ。「—に話す」

とぎ・れる[3]【途切れる】(自下一)〔跡切れる意〕今まで続けて行なわれているものが△そこで(途中で)しばらく切れる。「ふと会話が途切れた」[表記]「《跡切れる」とも書く。

ときわ[0]【《常〈磐】—なる—に 〔雅〕大きな岩石がどっしりとして動かないように、永久不変である様子。「—堅磐ｶｷﾜに〔=永世変わらぬように〕」 **—ぎ**[0]【—木】一年じゅう、緑色の葉の見られる木。常緑樹。

ときわ・ける[4]【説(き)分ける】(他下一)(ものの道理を、これはこれ あれはあれと)よく分かるように説明する。[名]説き分け[0]

ときわず[0]【《常〈磐津】〔←常磐津節[0]〕浄瑠璃ｼﾞｮｳﾙﾘの一派。豊後節ﾌﾞﾝｺﾞﾌﾞｼから分かれ出たもの。三味線を伴奏とする。

ときん[0]【と金】〔将棋で〕歩ﾌが成ったもの。金ｷﾝと同じように動ける。〔歩の駒ｺﾏの裏に「と」のように書いてある〕

ときん[0]【頭巾・〈兜巾】修験者ｼｭｹﾞﾝｼﾞｬがかぶった、黒色の小さな布のずきん。

ときん[0]【〈鍍金】—する(他サ) メッキの意の漢語的表現。

とぎん[0]【都銀】「都市銀行」の略。

どきんと[2](副)—する ⇩どきりと

ときんば[2]【時んば】〔古〕「時には」の変化。「君辱ﾊｽﾞｶｼめらるる—、臣、死す」〔古くは、「則」をこう読んだ〕

とく(匿・特・得・督・徳・読・篤・〈瀆)→【字音語の造語成分】

とく[1]【《疾く】(副)〔雅〕はやく。急いで。「—参れ」

と・く[1]【溶く・《融く】(他五)〈(なにニ)なにヲ—/(なにデ)なにヲ—〉(液体を加え)むらなく搔ｶきまぜて、均質な状態にする。「くず粉を水に—/絵の具を—/卵を—〔=割った卵を、かきまぜる〕」[表記] 金属の場合は、「〈熔く・〈鎔く」とも書く。

**と・く[1](他五) [一]【解く】〈なにヲ—〉❶結ばれていたりからみ合っていたりする△部分(状態)を、元へ戻す。「帯を—/結び目を—/警戒を—/包囲を—/誤解を—/旅装を—/任を—〔=官職などをやめさせる〕」❷未知のものが含まれ入り組んでいる状態をほぐすようにして、最終的にそれが何であるか△求める(明らかにする)。解決する。「△問題(方程式・なぞ・パズル・暗号)を—」 [二]【〈梳く】〈なにヲ—〉もつれている髪の乱れを、くしで直す。[表記][二]は「解く」とも書く。

と・く①【説く】(他五) 筋道をたどりながら、「こういう△こと(もの)である、こう△で(し)なければならぬ、こういうことが必要だ」と相手に話して聞かせる。「△国防(孔子の教え・倹約・懇々と道)を―/語の意味を―〔=解説する〕」

＊とく⓪【得】↔損 [一]❶交換・売買・仕事などをして予測していたよりも多くの利益があること。「思ったよりも安く買えて―をした/損して―取れ」❷何かをしたあとによい結果が残ること。「未知の世界を経験できただけ―だった/害になっても―にはならない」[二]―な/―に 楽であったりお金・時間がかからなかったりして、それを△する(選ぶ)意味がある様子だ。「お―な宿泊プラン/買った方が―だ/―な性分〔=幸運がついて回る性格〕」⇩【造語成分】

とく⓪【徳】❶〔心がきれいで〕努力しないでも、すべての行いが人の模範とするに足ること。「―が備わる/―性」❷精神的・物質的に人を救済する善行。「―とする〔=ありがたいと思う〕/―沢(タク)⓪〔=恵み・おかげ〕」❸〔高徳に裏づけられた〕声望。「故人の―を傷つける/―望」❹ある行為に付随する、よい結果。余徳。「朝起きは三文の―〔=何かいい事がある。『得』と書いて、『もうけ』と解するのは俗解〕」⇩【造語成分】

＊と・ぐ①【研ぐ・《磨ぐ】(他五)〈(なにデ)なにヲ―〉金属製品や石(製品)の表面を何度もこすって凹凸を無くし、錆(サビ)を落としたり不純な付着物を除いたりする。「刀を―〔=砥石(トイシ)でみがいたりして、切れるようにする〕/鏡を―〔=江戸時代、強くこすって、つやが出るようにした〕/米を―〔=ぬかなどを取り除くために、水の中でこするようにする〕」名研ぎ②

どく(毒・独・読)→【字音語の造語成分】

ど・く⓪【《退く】(自五) からだを動かして、その場所から他に移る。「のく」とも。

＊どく②【毒】❶健康や生命に害のある△もの(こと)。「―を仰ぐ〔=毒薬を、あおるように飲む〕/―草・―味・消―・有―・中―」❷それに接する人のためにならない物事。「目の―/―のある言葉/―を含んだ笑い/―の無い〔=ⓐ悪意の無い。ⓑおめでたい〕人/―舌・―婦」かぞえ方❶は形状により一滴(イッテキ)・一丸(イチガン)・一粒(ヒトツブ)・一服(イップク)【―にも薬にもならない】ただそれがあるというだけで、じゃまにもためにもならない。【―を食らわば皿まで】悪い事をやり出した以上は、どうせ罰せられるのだから、とことんまでやってしまおう。【―を《以(もっ)て―を制す】ある悪(人)を除くのに、他の悪(人)を使う。

どくあたり③【毒当(た)り・毒《中(り)】―する(自サ) 飲食物の毒にあたること。中毒。

とくい⓪【特異】―な/―に ❶いろいろな面でそのものの特徴が印象づけられる様子だ。「―な事件を解決する」❷同類の中で、際立っている様子だ。「―の存在/―性⓪」派―さ⓪③ ―たいしつ④【―体質】特定の刺激・薬・食べ物などに、普通の人では起こらない反応を起こす体質。 ―び③【―日】統計上、ある特定の天気が現われやすい特定の日。日本では、十一月三日は晴れの日が多いなど。

＊とくい②⓪【得意】[一]―な/―に ❶自分の思い通りの結果になったりそういう状態であったりして、満足である△こと(様子)。「―の絶頂にある」↔失意 ❷ほかの人よりもすぐれているということで△自信を持つ(自慢する)様子だ。「―になる/大―」❸ほかの事よりもうまくやれるという自信がある△こと(様子)。また、その技芸。「最も―とする所/―な学科/また彼のお―が始まった」↔不得意 派―さ⓪③ ―が・る④⓪ [二]ほかの店よりも自分の店で△よく(たくさん)買ってくれる客。顧客。「お―さん⓪・上―・常―」表記[二]は、「〈顧客〉」とも書く。 ―がお⓪(ガホ)【―顔】自慢そうな顔つき。 ―げ⓪③【―気】―な/―に 得意そうな様子だ。 ―さき⓪【―先】ひいきにしてくれる客(の所)。かぞえ方一軒 ―まんめん⓪-⓪【―満面】得意そうな様子が顔一杯にあふれること。

とくいく⓪【徳育】△道徳面(情操面)の教育。⇩体育・知育

とくいんがい③【特飲街】昔、売春する接客婦を置いた特殊飲食店が並んでいた盛り場。

どぐう⓪【土偶】(縄文時代に作られた)土製の人形。〔現在発掘されているものは多くが女性像〕かぞえ方一体

どくえい⓪【独泳】―する(自サ) ひとりで泳ぐこと。〔他の競泳者よりずばぬけて速いために、ひとりで泳いでいるように見える意にも用いられる〕

どくえい⓪【読影】―する(自他サ) X線写真などによって診断すること。「遠隔―⑤」

どくえん⓪【独演】―する(自サ) ひとりだけで芸をして見せること。「―会③⓪」

どくおう⓪(ワウ)【独往】―する(自サ) 独自の道を歩むこと。「自主―①-⓪」

どくが①【毒牙】〔毒蛇などの〕かみついたとき毒液を出すきば。「―〔=相手の、悪辣(アクラツ)なたくらみ〕にかかる―

どくが⓪【毒〈蛾】幼虫・成虫ともに毒毛を持ち、触れると、激しいかゆみを起こすガ。チャドクガ・ドクガなど。〔ドクガ科〕かぞえ方一匹

どくがい⓪【毒害】―する(他サ) 毒を飲ませて殺すこと。毒殺。

とくがく⓪【篤学】―な/―に (民間にあって)学問に忠実で熱心な様子だ。「―の士/―者④③」

どくがく⓪【独学】―する(自サ) 学校へ行ったり先生についたりせず独力で学ぶこと。

どくガス⓪【毒ガス】人畜に損傷を与えるために使われる有毒ガスの総称。主として戦争で使われる。

どくがん⓪【独眼】「片目(の人)」の意の漢語的表現。隻眼。 ―りゅう⓪③【―竜】片目の英雄。〔狭義では、伊達政宗(ダテマサムネ)の特称〕

とくぎ①【特技】❶特別に自信のある技能。「―を披露する」❷他の人にはまねの出来ない技能。

とくぎ①【徳義】社会生活上、互いに守るべき道徳上の義務。 ―しん③【―心】徳義を重んじる心。

どくぎょ①【毒魚】毒を持つ魚。例、フグ。

どくぎん⓪【独吟】―する(他サ) ❶ひとりで謡曲や詩歌を吟じること。↔連吟 ❷おおぜいで作る連歌(レンガ)・俳諧(ハイカイ)をひとりで作ること。

どくけ③⓪【毒気】❶毒△の(となる)成分。❷人をおとしいれたり傷つけたりしようとする気持。「どっけ」とも。「―に当てられる〔=人を食ったような相手の言動にあきれさせられる〕/―を抜かれる〔=ふだんはよく人の悪口や批評などする人が、逆に他人からすっぱ抜かれて、すっかりおとなしくなる〕」

どくけし⓪【毒消(し)】毒の作用を消す△こと(薬)。解毒(ゲドク)。

どくげん⓪【独言】―する(自サ) 独語❶。

どくご⓪【独語】❶―する(自サ)「ひとりごと」の意の漢語的表現。独言。❷ドイツ語。

どくご⓪【読後】(その本を)読んだあと。「―の印象/―感③」

とくさ⓪【〈木賊〉・〈砥草〉】〔「砥草(トクサ)」の意〕❶中空の茎が根から直立する常緑多年生のシダ植物。節に葉が退化したさやがある。昔、物をみがくのに使った。〔トクサ科〕❷〔↑とくさ色⓪〕黒みを帯びた緑色。かぞえ方❶は一本

どくざ①【独座・独〈坐】―する(自サ) ひとりですわっているこ

と。

とくざい [0]【〈贖罪】 本来の字音ショクザイの類推読み。

どくさい [0]【独裁】―する(自サ) 自分ひとりの考えで(政治上の最高方針を)決めること。「―者[3]」 **―せいじ** [5]【―政治】 特定の△個人(政党・階級)が政治上の権力を握って支配する政治形態。↔議会政治 **―てき** [0]【―的】―な ―に その組織・団体で、ひとりの実力者が独断的に一切の事を運ぶ様子だ。↔民主的

とくさく [0]【得策】 有利な計画。うまい方法。「この際何もしないでいるのが―だと言える」

とくさつ [0]【特撮】 「特殊撮影」の略。「―場面[5]」

どくさつ [0]【毒殺】―する(他サ) 毒薬を使って殺すこと。

とくさん [0]【特産】 ❶産物の品種・栽培法・風味などが他の地方よりすぐれていること。また、その物。❷その地方では△それしか取れない(それが伝統的な産物である)こと。また、その物。「―物(ブツ)[3]」

とくし [1][0]【特旨】 〔天皇の〕特別のおぼしめし。

とくし [1]【特使】 〔元首や総理大臣の代理として〕特別の任務を授けられて外国などに派遣される使者。

とくし [1][0]【篤志】 そうすべきだと思いながら多くの人がやらない事を、努力してやりぬこうと思ったり 社会事業などを特に熱心に後援したり すること。「―家(カ)[0]」

どくし [0]【毒死】―する(自サ) 毒を△飲まされて(飲んで)死ぬこと。

***どくじ** [0][1]【独自】―な ―に ❶そのものを特徴づける個性的な発想や、他では感じることの出来ない持ち味が そこに十分に現われている△こと(様子)。「―の文化/―性[0]」 ❷その人個人にのみ属し、他のいかなる人の援助や影響をも受けてはいない△こと(様子)。「―の見解/―な判断を迫られる」

どくじ [0]【読字】 (漢)字を読むこと。「―力[3]」

とくしつ [0]【特質】 他と比べた場合に、そのものだけに見られる性質。「元禄(ゲンロク)文化の―」

とくしつ [0]【得失】 利益と損失。損得。

とくじつ [0]【篤実】―な ―に 誠実で、相手の立場を考える気持が強い様子だ。「―な人柄」

とくしゃ [0]【特写】―する(他サ) 特別に写真にうつすこと。「本誌―」

とくしゃ [1][0]【特赦】―する(他サ) 恩赦の一つ。有罪の言渡しを受けた者のうち、特定の者に対して、刑の執行を免除し、有罪の言渡しの効力を失わせること。⇩恩赦

どくしゃ [1]【読者】 〔新聞・雑誌・単行本などを〕読む人。読み手。

どくじゃ [1]【毒蛇】 牙(キバ)に毒液を分泌する腺(セン)を持つヘビ。コブラ・ハブ・マムシなど。

どくしゃく [0]【独酌】―する(自サ) △ひとりで(自分でつぎながら)酒を飲むこと。

***とくしゅ** [0]【特殊】―な ―に 他の同種の△物事(場合)とは異なった面を持っている様子だ。「―なケース/―性[0]・―講義[4]/―教育[4]〔=特別支援教育の旧称〕・―学級[4]〔=特別支援学級の旧称〕」↔一般・普遍 **―こう** [0]【―鋼(カウ)】 ニッケル・クロムなどを加えた、硬度の高い鋼鉄。 **―さぎ** [4]【―詐欺】 電話などで相手に接触し、振り込みなどの方法で主に現金を騙し取る詐欺。オレオレ詐欺や還付金詐欺・金融商品などの取引を名目とした詐欺などの総称。 **―さつえい** [4]【―撮影】 〔映画製作で〕高度の技術やトリックなどによる撮影法。略して「特撮」。 **―ほうじん** [4]【―法人(ハフー)】 公共の利益のために特別法により設置された法人。日本年金機構・日本放送協会など。

とくしゅ [0][1]【特種】―な その物だけ、他と種類が違う様子だ。「―の薬剤」

とくじゅ [1][0]【特需】 特別の需要。〔特に、在日アメリカ軍が日本で調達する物資や役務の需要を指した〕「―産業[4]」

どくしゅ [0][1]【毒手】 危害を加えたり 損害を与えたりしようとする、相手の悪だくみ。

どくしゅ [0][1]【毒酒】 毒をまぜ入れた酒。

どくじゅ [1]【読〈誦】―する(他サ) 〔古〕声を出して△経文(本)を読むこと。

とくしゅう [0]【特集・特〈輯】―する(他サ) 〔雑誌や新聞などの ある面を〕特定の問題を中心に編集△すること(したもの)。「―を組む」

どくしゅう [0]【独習(シフ)】―する(他サ) 先生につくことなく、参考書などを頼りに学問や技芸などを身につけること。「―書[0][5]」 表記「独修(ドクシウ)」とも書く。

とくしゅつ [0]【特出】―する(自他サ) ❶特別にすぐれていること。❷特に掲げること。

どくしょ [1]【読書】―する(自サ) 〔研究調査や受験勉強の時などと違って〕一時(イットキ)現実の世界を離れ、精神を未知の世界に遊ばせたり 人生観を確固不動のものたらしめたりするために、(時間の束縛を受けること無く)本を読むこと。〔寝ころがって漫画本を見たり 電車の中で週刊誌を読んだりすることは、本来の読書には含まれない〕「―家(カ)[0]・―力[3]・―百遍義(ギ)自(オノズカ)ら見(アラワ)る」〔古くは、「とくしょ」〕

とくしょう [0]【特昇】 「特別昇給」の圧縮表現。「人事院規則による―」

とくしょう [0]【特称】―する(他サ) 〔本来はその資格を備え

とく

【匿】 かくす。かくまう。「匿名・隠匿・秘匿」

【特】 ■一 一般の水準とは かけ離れている。すぐれている。「特異・特技・特色・特典・独特・奇特」 ■二 (略) 特別(の)。「特大・特急(トッキュウ)・特注」

【得】 ❶自分のものにする。手に入れる。「得意・得失・得票・獲得・所得」 ❷わかる。さとる。「得心(シン)・会(エ)得・納(ナッ)得」 ⇩(本文)とく【得】

【督】 ❶とりしまる。「督励・督戦・監督・提督」 ❷せきたてる。「督促」

【徳】 用途が幾つあるかをかぞえる語。「三徳ナイフ・キャンピングナイフ七徳・サバイバルナイフ十一徳」 ⇩(本文)とく【徳】

【読】 文章を読み、内容を理解する。「読本・読史」

【篤】 ❶てあつい。熱心。「篤学・篤志・篤農・懇篤」 ❷病気が重い。「危篤」

【〈瀆】 けがす。よごすこと。「瀆職・瀆神・冒瀆」

どく

【毒】 ⇩(本文)どく【毒】

【独】 〔もとは、老いて子供の無い人の意〕 ■一 ❶つれが無い。ひとり。「独演・独学・独白・孤独・単独」 ❷ひとつ。「独眼」 ❸ひとりだけ。「独善・独断」 ❹そのものだけだ。「独自・独創・独特」 ■二 (略) ドイツ(独逸)。ドイツ語。「日独・独和辞典」

【読】 ❶書いてある文字を声に出してよむ。「音読・朗読・代(ダイ)読」 ❷(書いてある)内容をよみとる。「読影・読者・読書・読解(ドッカイ)・愛読・熟読・乱読」

ているものすべてに適用されるはずの名称が〕歴史的・社会的に特に限られたものだけに適用されるもの。例、「太閤(タイコウ)」が豊臣秀吉(トヨトミヒデヨシ)の、「黄門」が水戸光圀(ミトミツクニ)の、「独眼竜」が伊達政宗(ダテマサムネ)の名称とされるなど。

とくしょう⓪(オ)(シャウ)【特賞】一等賞の上の△賞品(賞金)。

どくしょう⓪(オ)(シャウ)【独唱】―する(他サ)〔演奏会などで〕ひとりで歌うこと。ソロ。「―曲③・ソプラノ―」↔合唱

どくしょう⓪(オ)【読〈誦】―する(他サ)「どくじゅ」の現代風の発音。

***とくしょく**⓪【特色】ほかのものと違って(すぐれて)いる点。「―を△生かす(発揮する)/それぞれの―を出す/―(の)ある本」 **―づ・ける**⑥【―付ける】(他下一) 特色を持たせる。

とくしょく⓪【〈瀆職】―する(自サ)「汚職(オショク)」の意の古風な表現。

とくしん⓪【特進】―する(自サ) 特別に昇進すること。「二階級―」

とくしん⓪【得〈心】―する(自サ) 十分に承知すること。納得。「―がいく」 **―ずく**⓪(ヅク)【―《尽〈く》】互いに得心の上ですること。

とくしん⓪【篤信】信仰の念のあついこと。「―家⓪」

とくしん⓪【〈瀆神】神の神聖をけがすこと。「―的な考え方/―行為⑤・―罪③」

どくしん⓪【独身】配偶者が無い△こと(人)。ひとりもの。

どくじん⓪【毒刃】人に危害を加えるやいば。

どくしんじゅつ③【読心術】人の顔の表情や筋肉の細かな動きなどを通じて、相手が何を考えているかを読みとる術。

どくしんじゅつ③【読唇術】〔耳の聞こえない人などが〕相手のくちびるの動きを見て、なんと言おうとしているかを判断する術。

どくじんとう⓪(オ)(タウ)【独《参湯】〔気つけに特効があるというせんじ薬の意〕〔歌舞伎(カブキ)で〕いつ出してもあたる狂言。特に、「仮名手本忠臣蔵(カナデホンチュウシングラ)」を指す。〔広義では、成功疑い無しの手段を指す〕

どくず⓪(ヅ)【読図】―する(他サ) △地図(図面)を見て内容を理解すること。「―力③」

とくすき⓪【特〈漉(き)】特別に紙を漉くこと。特別に漉いた、上等の紙。

とく・する⓪【得する】(自サ) 得な結果になる。利益を得る。↔損する

とく・する③【督する】(他サ) ❶監督する。❷統率する。❸督促する。

どく・する③【毒する】(他サ) 悪い影響を与えて、そのものをだめにする。毒す②(五)。「青年を―書」↔益する

とくせい⓪【特性】その△人(物)だけが持っている、すぐれた能力や△性質(性能)。「(地域の)―を生かす/―を見極める/従来の製品には見られない―」

とくせい⓪【特製】―する(他サ) 特別△念入り(上等)に作ること。また、作ったもの。特別製⓪。「―の逸品」

とくせい⓪【徳性】道徳的意識。道徳心。「―を養う」

とくせい⓪【徳政】〔もと、仁政の意〕鎌倉末期や室町時代に、武士や幕府の財政を救うために、すべての負債を棒引きにした政令。

どくせい⓪【毒性】有毒な性質。

とくせつ⓪【特設】―する(他サ) 特別の目的のために臨時に設けること。「―会場⑤」

どくぜつ⓪【毒舌】辛辣(シンラツ)な皮肉や悪口(を言うこと)。「―をふるう/―家⓪」

とくせん⓪―する(他サ) ■【特選・特〈撰】❶特に入念に作られたこと。❷よい銘柄として特別に推薦されること。「―品⓪」 ■【特選】❶審査の結果、特別優秀と認められること。また、そのもの。❷いい品だけを特に選び出すこと。また、そのもの。 表記 ■❷は、「特薦」とも書く。

とくせん⓪【督戦】―する(自サ) 戦闘で部下を励まし、その戦いぶりを監視すること。「―隊⓪〔=後方から前線の友軍を監視する部隊〕」

どくせん⓪【毒腺】ヘビ・サソリなどの、毒を出す腺。

どくせん⓪【独占】―する(他サ) ❶「ひとりじめにすること」の意の漢語的表現。❷経済界で、特定の資本が市場を支配していること。「―を排する/―的⓪・―事業⑤・―体⓪〔=カルテル、トラスト、コンツェルンなどの称〕」 **―きんしほう**⓪(オ)(ハフ)【―禁止法】特定の企業・業者が自由競争の原則に反して、市場支配や価格操作のため協定を結んだり企業の合併をしたりして国の経済、ひいては国民生活に損害を与えることを防止する目的の法律を指す。略称、「独禁法」。

どくぜん⓪【独善】❶他人のことは無視して、自分の利益だけを優先させようとする△考え(言動)。「―を排する」❷客観性はないのに、自分の考えだけが正しいと思いこむこと。「―的な発想」

どくせんじょう⓪(オ)(ヂヤウ)【独〈擅場】〔「擅」は、ほしいままの意〕その人だけが思うままに活躍△する(出来る)場所。ひとりぶたい。〔「どくだんじょう」と読むのは、誤読〕

とくそ①【〈砥〈糞】砥石(トイシ)でといだ時にたまる、あかのようなもの。

どくそ①【毒素】肉・たんぱく質類の腐敗から生じたり微生物が分泌したりする有毒な物質。「―兵器④」

とくそう⓪(オ)【特捜】「特別捜査」の略。「―班③・―部③・―隊⓪」

とくそう⓪(オ)(サウ)【特装】❶特別な装丁。「―版⓪」❷それぞれの用途に応じた、特殊な装備。「―車③〔=消防車・ダンプカー・宣伝カーなど〕」

とくそう⓪(オ)(サウ)【徳操】堅く守って変わらない節操。

どくそう⓪(オ)(サウ)【毒草】有毒な草。↔薬草

どくそう⓪(オ)【独走】―する(自サ) ❶(練習などのために)前もって決めたコースを、その人だけが走ること。❷Ⓐ他を引き離してひとりだけ速く走ること。「早くも―態勢をとる」Ⓑそのものだけが他をさしおいて積極的活動をすること。「かつて日本の軍部が―した時代があった」

どくそう⓪(オ)【独奏】―する(他サ) ひとりで演奏すること。「―曲③」↔合奏

どくそう⓪(オ)(サウ)【独創】―する(他サ) 他のまねでなく、独自の考えで物事を作り出すこと。「―性に富む」 **―てき**⓪【―的】(=に・な) 独創△の力が認められる(による)様子だ。「―な作品」

どくそう⓪(オ)(サウ)【独〈漕】―する(他サ)〔舟の競漕で〕△ひとり(一そう)だけでこぐこと。

とくそく⓪【督促】―する(他サ) 約束通り早く△借金を返す(税金を納めたり 仕事を完成したりする)ように、催促すること。「―状⓪」

ドクター①〔doctor〕❶博士。「―コース⑤」❷医者。ドクトルとも。「―ストップがかかる/―チェック⑤」

とくだい⓪【特大】特別に大きい△こと(もの)。「―のズボン/―号③」

とくたいせい③【特待生】成績がずば抜けていいために授業料を免除されている△学生(生徒)。

どくたけ⓪②【毒〈茸】毒のあるキノコ。

とくだね⓪【特種】新聞・雑誌・放送で、その社だけが入手した特別な記事の材料。スクープ。

どくだみ⓪【〈蕺草〉】〔「だみ」は、いろどる意の文語の動詞「だむ」の名詞形〕至るところの日かげに自生する多年草。葉の形はサツマイモに似ていて、暗い紫色。いやなにおいがする。葉や地下茎は薬用。〔俗称「じゅうやく⓪」は、漢名「〈蕺〉」に基づき、多くの薬効があるところから「十薬」ととらえたもの〕〔ドクダミ科〕かぞえ方 一本

とくだわら③【徳俵】〔すもうで〕土俵の東西南北の中央に、一俵ずつ外側へずらして埋めた俵。

とくだん⓪【特段】普通一般とは違う△扱い(対処)をする様子。「―の措置/―に注意を要する」

どくだん⓪【独断】―する(他サ) 他人に相談せず、自分ひとりの考えで決めること。また、その判断。「―的⓪」 ―せんこう⓪-⓪【―専行】―する(自サ) 独断で、勝手に事を行なうこと。 ―ろん③【―論】ひとり決めの仮定の上に立って、独善的な結論を導くやり方。ドグマティズム④。

どくだんじょう⓪【独壇場】「独擅場」の類推読みに基づく語。

とぐち①⓪【戸口】家の出入口。「―に立つ/顧客の―〔=玄関。家〕から―〔=玄関。家〕への一貫輸送サービス」

どくち⓪③【毒血】毒を含む血。

とくちゅう⓪【特注】―する(他サ)「特別注文」の略。「―品⓪」

**とくちょう⓪ ❶【特長】そのものを特徴づける長所。「―のある歩き方/―的⓪・―づける⑥」

❷【特徴】他のものと比べて、特に目立つ点。

どくづ・く③【毒突く】(自五)〔「つく」は、吐くの意〕ひどい悪口を言う。

*とくてい⓪【特定】❶特(別)に指定したりそのものだけに限定したりすること。「―の人だけが見学を許された/―の組織と結びつかないと当選はおぼつかない/―記録郵便⑧・―銘柄⑤」❷当事者同士の話合いで定まっていること。「―の目じるし」❸―する(他サ)〈なに・だれヲ(なんだト)―する〉多くのものの中で特にそのものだけが該当すると判断すること。「犯人を―することは現段階ではまだ困難だ」 ―きのうびょういん⑧【―機能病院】高度先端医療に対応できる条件を備えた医療機関として、厚生労働省が承認した病院。 ―きょく③【―局】〔←特定郵便局⑦〕少数の局員によって運営された小規模な郵便局。郵政民営化により制度廃止。 ―けんしん⑤【―健診】生活習慣病を予防するためにする健康診断。「メタボ健診④」とも。〔四十歳以上の人が対象。正式名称は「特定健康診査⑧」〕 ―しっかん⑤【―疾患】原因不明で治療方法が確立しておらず、後遺症の可能性も少なくない疾病や、経過が慢性的であり、経済的・精神的・人的負担が大きいと厚生労働省が認定した疾病。ベーチェット病・多発性硬化症など。〔二〇一四年 難病法指定難病『=指定難病』に包摂された〕 ―ひみつほごほう⓪、⑤-⓪【―秘密保護法】日本の安全保障上、とくに秘密にしなければならない情報を指定し、その取扱い者を調査・管理することを定めた法律。〔「特定秘密の保護に関する法律」の通称〕 ―ほけんようしょくひん⑩【―保健用食品】含まれる食品成分が、血圧やコレステロール値を正常に保つなど、健康維持に有効な機能をもつと厚生労働省に認められた食品。略して「特保」。

とくてん⓪【特典】❶関係者だけに特別与えられる権利や寛大な扱い。「会員の―」❷特別の恩典。「授爵の―に浴した」

とくてん⓪【得点】―する(自サ) 試験でその学生・生徒が、競技でそのチーム・競技者が得た点数。また、点数を得ること。「―をかせぐ/―のチャンス/大量―・―表⓪」↔失点

とくでん⓪【特電】〔←特別電報⑤〕その新聞社に特に送って来る電報通信。〔狭義では、海外特派員からの報道を指す〕

とくと①【篤と】(副) いろいろな観点から念入りに行なう様子。「―考えてみる/―調べる/―お手並拝見」

とくど①【得度】―する(自サ)〔「度」は、迷いの此岸から悟りの彼岸へ渡る意〕髪をそり、僧となること。

とくとう⓪【〈禿頭】「はげあたま」の意の漢語的表現。「―病⓪」

とくとう⓪【特等】一等・上等よりもさらにすぐれた等級。

とくどう⓪-⓪【得道】―する(自サ) 仏教の教理について悟ること。「出家―」

とくとく①(副)―と 液体が狭い口を通って音を立てながら流れ出る様子。また、その音の形容。「お銚子から―と酒を注ぐ/―の清水」

とくとく①【《疾く《疾く】(副)〔雅〕「疾く」の強調表現。「―まかり出でよ」

とくとく⓪【得々】―たる ―と いかにも得意そうな様子だ。「―として話す」

*どくとく⓪【独特】―な ―に そのものだけが特徴的に持っている様子だ。「―のやり方」派 ―さ⓪ 表記「独得」とも書く。

どくどく①(副)―と (どろりとした)液体が狭い口から脈打つようにあふれ出る様子。「乳が―と出てくる/鼻血が―出て止まらない」

どくどくし・い⑤【毒々しい】(形) ❶色が極端に濃く刺激的で、毒を含んでいると感じさせる様子だ。「―△口紅(キノコ)」❷いかにも悪意を含んでいるように見え、憎にくしい。「毒々しく描かれた悪魔/―言葉」派 ―さ⑤④ ―げ⑤⑥⓪

ドクトリン①〔doctrine=教義〕△政治(外交)上の基本原則。

ドクトル①〔ド Doktor〕ドクター。

*とくに①【特に】(副) ❶一般の場合とは全く異なった取扱いがなされる様子。「―名を秘す/―用意して来る物は無い/―君のために注文した品だ」❷同じ△傾向(特徴)が認められるものの中で、その程度が際立っていると判断される様子。「中でも―心ひかれる作品だ/数学の点数が―悪い/―好きだというわけではない」

とくにん⓪【特任】(目的達成の上で不可欠だとして)特別にその職務に任用すること。また、その職務。「―教授」

とくのう⓪【篤農】熱心で、研究的な農民。「―家⓪」

とくは①【特派】―する(他サ) 特別に派遣すること。「―員③」

どくは①【読破】―する(他サ)〔難解な本や大部の本を〕全部読み通すこと。

とくはい⓪【特配】―する(他サ) ❶「特別配当」の略。株の特別の配当。❷「特別配給」の略。品物の特別の配給。

とくばい⓪【特売】―する(他サ) 特別に(安く)売ること。〔官庁が、入札しないで特定の人に払い下げる意にも用いられる〕「―品⓪③・―場⓪」

どくはく⓪【独白】―する(自サ) ❶〔演劇で〕〔心中に思っていることなどを観客に知らせるために〕ひとりで言うせりふ。モノローグ。❷ひとりごと。

とくはつ⓪【特発】―する(自他サ) ❶臨時に出すこと。「―列車⑤」❷不明の原因により突然発病すること。 ―せい⓪【―性】これといった原因が無いこと。「―脱毛症⓪-⓪」

とくひつ⓪【〈禿筆】先のすり切れた筆。〔自分の文章や書の謙遜語としても用いられる〕「―を呵して〔=自分のへたな文章で〕」

** * は重要語，⓪ ①… はアクセント記号，品詞の指示の無いものは名詞および いわゆる連語。

とくひつ[0]【特筆】—する(他サ) 特に、その事を大々的に書き立てること。〔多くは、ほめて大げさに書く意に用いられる〕「—すべき事件」 **—たいしょ**[5]【—大書】—する(他サ) 特に目立つように書きしるすこと。

どくひつ[0]【毒筆】 その人に対する悪意や皮肉をこめて書きたてた文章。

とくひょう[0]（—ヘウ）【得票】—する(自サ) 選挙で票を得ること。また、得た投票(の数)。「—率が高い/—数[3]」

どくふ[1]【毒婦】 男をだまし、人を傷つける、悪い女。

どくぶつ[2]【毒物】 毒を含んでいる△物(薬物)。

とくぶん[2]【得分】 ❶何かを分ける時に、その人のもらう分。分け前。 ❷「もうけ」の意の古風な表現。

どくぶん[0]【独文】 ❶ドイツ語で書いた文章。 ❷「独文学(科)」の略。 **—がく**[3]【—学】 ドイツ文学。

****とくべつ**[0]【特別】—な —に 専らそのことのためだけに設けられるなどして、普通一般のものとは同じ扱いが出来ない様子だ。〔副詞的にも用いられる〕「あいつは—だよ/—の処置/きょうは—暑い/—教室[5]〔=理科・音楽・図工などの教室〕・—機[4]・—対策本部」 **—きょういくかつどう**[9]（—ケウ—クワツ—）「教科外教育活動」の旧称。 **—く**[4][3]【—区】⇩区 **—しえんきょういく**[8]（—エン ケウ—）【—支援教育】 障害のある児童生徒に対して、それぞれに適切・必要な支援を行なう教育。特別支援学校〔=旧、盲学校・聾(ロウ)学校・養護学校〕によるものと、特別支援学級によるものがある。〔「特殊教育」は旧称〕 **—しょく**[4][3]【—職】 国家公務員または地方公務員のうち、職務の特殊性から、一般の公務員とは別の扱いを受ける公務員。国務大臣・裁判官・知事など。 **—てんねんきねんぶつ**[10]、[0]-[6]【—天然記念物】 天然記念物のうち、とくに貴重だと国から指定されたもの。例、トキ・コウノトリ・アホウドリ・ライチョウ・カワウソ・オオサンショウウオ・屋久(ヤク)島スギ原始林・尾瀬(ゼ)・上高地(カミコウチ)など。 **—ようごろうじんホーム**[12]（—ヤウ— ラウ—）【—養護老人ホーム】⇩老人ホーム

とくほう[0]【特報】—する(他サ) 特別の情報(を知らせること)。「選挙—」

とくぼう[0]（—バウ）【徳望】 徳が高く人望があること。

どくぼう[0]（—バウ）【独房】 特定の受刑者を一人だけ入れておく監房。

とくほん[0]【読本】〔「とく」は漢音。絵本と違って語り物の本の意〕もと、学校で使った国語の教科書。「副—(ドクホン)」〔広義では、一般のための△入門書(解説書)を指す。例、「文章—[5]」〕

ドグマ[1]〔ド Dogma〕 ❶宗教上の教義。 ❷独断。

どくみ[0][3]【毒味】—する(他サ) 飲食物を人にすすめる前に毒の有無をためすこと。〔広義では、料理の味見を指す〕 表記「毒見」とも書く。

とくむ[1]【特務】 特別の任務。 **—きかん**[4]（—クワン）【—機関】 もと軍部が外地での情報集めや謀略宣伝のために作った機関。

どくむし[2]【毒虫】 毒を持っていて、刺すなどして人間に害を与える虫。ハチ・ムカデ・サソリなど。「どくちゅう[0]」とも。

とくめい[0]【匿名】 本名を△隠す(隠して別の名前をつける)こと。「—氏[3]・—団体[5]・—批評[5]・—希望」

とくめい[0]【特命】 特別の命令・任命。「首相の—を受ける」 **—ぜんけんたいし**[9]、[0]-[5]【—全権大使】 最高級の外交使節。外国に駐在し、自国の代表者としてその国との外交に当たる。

とくめん[0]【特免】—する(他サ) 特に△許す(免除する)こと。

とくもく[0]【徳目】 博愛・慈善・孝行など、一つひとつの徳の名。

どくや[2]【毒矢】 やじりに毒を塗った矢。

とくやく[0]【特約】—する(他サ) 特別の△条件(利益)を伴う契約をすること。また、その契約。「—店[4][3][0]」

どくやく[0]【毒薬】 少し飲んだだけでも生命を失う危険のある薬。例、青酸カリ・砒素(ヒソ)など。

どくやく[0]【独訳】—する(他サ) ドイツ語に翻訳△すること(したもの)。

とくゆう[0]（—イウ）【特有】—な —に その性質が、そのものだけに特徴的に備わっている様子だ。「ニンニク—のにおい」↕通有

とくよう[0]【特用】 ❶〔↑特定用途〕用途が限定されること。また、その用途。「—作物[6]〔=例、クワ・アサ・ワタ・タバコ・チャ・アイ〕」 ❷〔↑特殊用法〕本来の用法を離れた特殊な用法に用いられること。発射を意味するshootが、日本で野球の△アウト(イン)シュートの意に用いられるなど。

とくよう[0]【徳用】—な 割安な様子だ。「—品[0]」 表記「得用」とも書く。

どくよけ[0][4]【毒《除け》】 中毒を予防すること。また、そのためのもの。

とくり[0]【徳利】「とっくり」の古風な表現。 かぞえ方 一本

とくり[1]【特利】 規定以上の高い利息。「—預金[4]」

とくりつ[0]【特立】—する(自他サ) ❶多くのものの中で、存在が目立っていること。 ❷「独立」の意の古風な漢語的表現。 ❸他と区別して、その要素を単独に取り上げること。

****どくりつ**[0]【独立】—する(自サ)〈(なに)カラ—する〉 他の束縛を受けず、自分の力や意志で行動・生活し存在すること。ひとりだち。「—して店を出す/—性[0]」 **—うんどう**[5]【—運動】 自国が他国の支配下にあるのを憂え、独立をかちとるために行なう種々の政治活動。 **—ぎょうせいほうじん**[9]（—ギャウ— ハフ—）【—行政法人】 今まで国立の機関であって民営化にはなじまない病院・大学・研究所・博物館などを、より効率的かつ効果的に運営するために国から分離独立させた法人。 **—こく**[4][3]【—国】 他に従属せず、完全な主権を持っている国。 **—さいさんせい**[0]【—採算制】 同一企業体の一部局が、他の補助を受けないで経営する制度。 **—じそん**[0]-[0]【—自尊】 独立して、自分という人間を大事にすること。 **—どっぽ**[5]（ドク—）【—独歩】 ❶独立して自分の信じる通りにすること。 ❷はっきりした特色があって、他と同じに扱えないこと。

どくりょう[0]（—レウ）【読了】—する(他サ) 読み終えること。「息もつかずに—した」

どくりょく[0]【独力】 自分ひとりだけの力(で)。「—で事に当たる/—で一切を処理してのけた」

とぐるま[2]【戸車】 戸の△上(下)に取りつけて開閉をなめらかにする、小さな車輪。

とくれい[0]【特例】 特別の例。特に設けた例外。

とくれい[0]【督励】—する(他サ)〔監督する立場にある人が〕仕事を一生懸命にさせるために、励ましたり取り締まったりすること。

とくれん[0]【得恋】〔失恋に対して〕恋い焦がれていた相手の愛を得、相思相愛の仲になること。↕失恋

とぐろ[3][0] ヘビなどがからだを渦巻状に△巻くこと(巻いたもの)。 【—を巻く】 たいして用の無さそうな顔をして何人かで長時間たむろする。

どくろ[1]【〈髑髏〉】「されこうべ」の意の漢語的表現。

どくわ[0]【独和】〔↑独和辞典[4]〕ドイツ語の意味・用法を日本語で説明した対訳辞書。

どくわ[0]【独話】—する(自サ) ❶ひとりごと(を言うこと)。 ❷おおぜいの前で、自分だけで話すこと。

どくわ[0]【読話】 話し相手の表情や口の動きから話している内容を理解すること。口話や読唇術と同じ意味で使われ

ることもある。

*とげ ②【《刺・〈棘】 ❶さわると痛みを感じる、植物の針状の突起。 ❷Ⓐ人の肌に突きさって痛みを感じさせる、竹・木・魚の小骨などのとがった部分。「腕に―がささる/指先に―を立てた/―抜き」 Ⓑ人の感情に不快な刺激を与える意地の悪さ。「―のある言葉/―を含んだ指摘」 かぞえ方 ❶❷Ⓐとも一本

とけあ・う ③⓪(自五) ■【解け合う】 ❶互いに隔たりが無くなり、打ち解ける。 ❷示談で取引の契約を解く。 名 解け合い⓪ ■【溶け合う】 溶けて、一つになる。 表記 ■は、「《融け合う」とも書く。

とけい ⓪【徒刑】 「懲役」の旧称。「無期―」

*とけい ⓪【《時計】 ❶ぜんまいの弾力・電気などによって、時刻を示し、時間を計る器械。「―の針を戻すような動きもある/―屋⓪・懐中―・電気―・柱―・目覚まし―・電子―・日―・金―・銀―」 ❷競馬馬が一定の距離を疾走した時のタイム。「好―③」 表記 ⇩付表「時計」。もとの用字は、「土〈圭」。「〈自鳴鐘〉」とも書いた。 かぞえ方 ❶は商品は一本・一点 ―まわり ④【―回(り)】 アナログ式の時計の針と、回転する向きが同じであること。〔日本において地面に置いた日時計の指針の影が回る向きと一致。俗に「右回り」とも言う。これに対し、「左回り」は「反時計回り①-④」と言う〕 ―だい ⓪【―台】 大きな時計をとりつけた塔。

とけこ・む ⓪③【溶(け)込む】(自五) よそから(入って)来たものが、元からあるものとなじんで一体となる。「チームに―」

どげざ ⓪③【土下座】―する(自サ) ひざまずき地面に頭をつけるようにして礼をすること。下座。〔昔は貴人に対する拝礼として行なわれた。現在は陳謝・懇願の印として行なわれることがある〕

とけつ ⓪【吐血】―する(自サ) 〔消化器から〕血を吐くこと。⇩喀血

とげっぽう ②【吐月峰】 「灰吹き」の古称。〔連歌師宗長が、自分の住んでいた柴屋寺のまわりの竹林からとった竹で灰吹きを作り、「吐月峰」と名づけたところから起こったという〕

とげとげし・い ⑤【《刺《々しい】(形) 敵意に満ちた言葉が飛び交ったり 険悪な空気が漂ったり してなごやかさが感じられない様子だ。「―空気が議場に流れる/―雰囲気/声が刺々しくなる」 派 ―さ ⑤④「―が薄れる」 表記 「〈棘々〉しい」とも書く。

とげぬき ③⓪【《刺抜(き)】 皮膚にささった刺を抜く△こと(道具)。

**と・ける ②【解ける】(自下一) ❶Ⓐ縫った糸や結んだ紐がひどくゆるむなどして、その物から離れたり 本来の役割が果たせなくなったりする。「歩いている途中で靴の紐が―/小包の紐がなかなか解けない」 Ⓑ束縛が取り除かれて自由になることや、はりつめていた感情が和らぐ。「長い間の禁則状態が―/怒りが―」 ❷もつれていた紐状のものが、本来の状態にもどせるようになる。 ❸分からなかった筋道などが明らかになり、問題・疑問の答えが見つかる。「依然として事件のなぞは解けない」

と・ける ②【溶ける・《融ける】(自下一) ❶〈(なにデ)―〉 雪・霜・氷や絵の具・飴などが、熱を受けたり 液体にひたされたりして△どろどろ(液状)になる。 ❷〈(なにニ)―〉 液体の中に塩・砂糖など粉状の物質が交ざって、均質化した液体になる。 ❸【〈熔ける・〈鎔ける】〈なにデ―〉 金属が高温に熱せられて、どろどろの状態になる。

*と・げる ⓪②【遂げる】(他下一) 〈なにヲ―〉 ❶苦難を乗り越えたり 努力を重ねたり して、△目的(希望)通りの結果を得る。「優勝を―/目的を―/思いを―〔=ⓐ思った通りの事を実現する。ⓑ希望通りの相手と結ばれる〕/めざましい進歩を―/功成り、名を―〔=名声を得る〕」 ❷結果としてそうなる。「△戦死(悲壮な最期・非業の死)を―」

ど・ける ⓪【《退ける】(他下一) どかす。「石を―」

どけん ⓪【土建】 「土木建築」の略。「―業②・―屋⓪」

とこ ②【《所】 「所」のくだけた口頭語的表現。「そこん―⑤④/もうちょっとの―だ/百円が―〔=およそ百円ほど〕買う/いい―〔=長くとも〕あと二日だろう/早い―頼む〔=早くやってくれ〕」

とこ ⓪【床】 ❶寝床。「―をとる/―を上げる/―を敷く」 ❷畳の芯。 ❸ゆか。 ❹川の底。「川―」 ❺「床の間」の略。「―の掛軸」 ❻苗を育てるところ。「苗―」 ❼床屋。「髪結い―」 【―に就く】 ❶寝床に入って休む。寝る。 ❷病気・けがなどで、寝床から起きられない状態になる。「病の―」 【―を払う】 病気などが治って、それまで寝ていた布団を片付ける。

どこ ①【《何《処】(代) 〔「いづこ」の変化「いどこ」の上略〕 Ⓐ対象とする限られた範囲の中で、条件に合う△場所(箇所)として、ここだと一か所に決められないことを表わす。「―からか良い香りが漂ってくる/―となく母親に似ている/―へともなく立ち去った」 Ⓑ問題として取り上げた△場所(箇所)の名称や位置などについて問うことを表わす。「ここは―ですか/その店は―にありますか」 ⇩あそこ・ここ・そこ:こそあど 表記 「《何《所」とも書く。 【―吹く風】 普通の感覚の持主なら無視出来ないことを、自分に全く関係の無いこととして気にかけない(ふりをしている)様子。「試験のことなど―と遊び回る」

どご ①【土語】 その地方の土着の△住民(民族)が使う言葉。

とこあげ ⓪【床上(げ)】―する(自サ) 大病・出産などのあとでする全快祝い。床払い。

とこいた ⓪【床板】 床の間に張る板。

どこいら ②【《何《処いら】(代) 「どのへん」の口頭語的表現。 表記 「《何《所いら」とも書く。

とこいり ⓪【床入(り)】―する(自サ) ❶寝床に入ること。 ❷新婚の夫婦の、最初の共寝。

とこう ①(副) 「とかく❶」の意の古風な表現。「―するうちに」 表記 「〈兎《角」は、借字。「〈左右〉」とも書く。

とこう ⓪【渡航】―する(自サ) 船や航空機で外国へ行くこと。「海外―⑤」

どこう ⓪【土工】 土木工事(をする労働者)。

どごう ⓪【土豪】 その土地の豪族。

どごう ⓪【怒号】 ❶―する(自サ) 怒って、大声でどなること。また、その声。 ❷風・波の激しく荒れ狂う音。

どこうこく ②【土侯国】 もと、イギリスの統治下にあった、インドや部族国家。

どこか ①【《何《処か】 問題の箇所をどこだと はっきり指示することが出来ないことを表わす。〔疑問の意にも、また、副詞的にも用いられる〕「ここが―見当もつかない/―に良い働き口が無いか/彼は―死んだおやじに似ている/―からすきま風が入って来る」 表記 「《何《所か」とも書く。

とこかざり ③【床飾(り)】 掛け物・置物・花など、床の間の飾り。

とこがまち ③【床〈框】 △床の間(寝台)の前端や側辺につけた、きれいな横木。

とこさかずき ③【床杯・床〈盃】 婚礼の夜、新夫婦が寝所で杯を取り交わした儀式。

とこしえ ⓪【《永(え)】 〔「常し方へ」の意〕その状態が、これから先いつまでも変わらずに続くものであることを強調して

言う語。〔強調表現は「とこしなえ[0]」〕「—の平和を祈る」

とこずれ[0]【床擦(れ)】—する(自サ) 長く病床についたままの状態の時、衰弱したからだの圧迫を受けやすい部分に出来る壊疽(エソ)。褥瘡(ジョクソウ)。

どこそこ[1]【《何《処〈其《処】(代) 特にどこといってはっきり指さない言い方。〘表記〙「《何《所〈其《処・《何《所〈其《所」とも書く。

とこだたみ[3]【床畳】床の間(の前)に敷く畳。

とこつち[0]【床土】苗床△として使う(の)土。

とことこ[1](副)—と 小さな歩幅で急ぎ足に進む様子。「子供が—駆け出した」

どことなく[4]【《何《処と無く】(副) どこがどうだとはっきりとは言い切れないが、全体的な雰囲気や印象からそう感じ取られる様子。どこと(は)なしに。どこかしら。「この絵には—人の心をひきつけるものがある/—うさんくさい男」〘表記〙「《何《所と無く」とも書く。

とことわ[0][3](トハ)【常〈永久〉】—な —に 「とわ」の強調表現。「—の命/—に変わらない」

とことん[3] [一]そこが限界でその先はもう無いという所。「現行税制を—まで洗い直す」[二](副)「とことんまで」の省略表現。もうこれ以上は△できない(する必要がない)というところまで何かをする様子。「飲む時は—飲み 遊ぶ時は—遊ぶ」〔[一][二]とも口頭語的表現〕

とこなつ[0]【常夏】❶寒い時が無くて、いつも夏の(ような)気候であること。「—の国」❷ナデシコの栽培品種。花と葉の色がともに濃く、一年じゅう花が咲く。〘かぞえ方〙❷は一本

とこのま[0]【床の間】座敷の上座に、床(ユカ)を一段高くした所。床に花や置物を、壁に掛け物を飾る。

とこばしら[3][0]【床柱】床の間の柱のうち、部屋の中央部にある装飾的な柱。〘かぞえ方〙一本

とこばなれ[3][0]【床離(れ)】—する(自サ) ❶目がさめて寝床から起き出ること。「—がいい」❷病気が全快して床から離れること。

とこばらい[3](バラヒ)【床払(い)】—する(自サ) とこあげ。

とこはる[0]【常春】冬が無くて、いつも春の(ような)あたたかな気候であること。

とこぶし[0]【常節】殻はアワビに似て、ずっと小形の貝。食用。〔ミミガイ科〕〘かぞえ方〙一枚

どこまでも[1]【《何《処〈迄も】(副) ❶その状態が果てしなく続いている様子。「—砂浜が続いていた/—広がる青い海」❷状況がどう変わろうと、その状態に変化が見られない様子。「—△しらを切る(隠し通す)/—お人よしな彼のことだから」〘表記〙「《何《所〈迄も」とも書く。

とこみせ[0]【床店】❶〔商品を売るだけで、人の住まない〕簡単な構造の店。⇩軒店 ❷屋台店。

とこや[0]【床屋】理髪をしてくれる△店(人)。〘かぞえ方〙店は一軒

とこやま[0]【床山】役者・力士の髪を結う人。

とこやみ[0]【常闇】永久にまっくらなこと。〔乱れて常に治まらないたとえにも用いられる。例、「—の世」〕

どこやら[1]【《何《処やら】問題の箇所をどこだとはっきり△言うのを避けて(指摘できないで)漠然と指し示すことを表わす。〔副詞的にも用いられる〕「朝早く—へ出掛けた/—で聞いた話だ/—おかしな点がある」〘表記〙「《何《所やら」とも書く。

とこよ[0][2]【常世】❶永久に変わらないこと。❷〔雅〕「常世の国」の略。 —のくに[0][2][3]【—の国】〔雅〕❶遠く隔たった所にあると考えられた(不老不死の)国。❷よみじ。黄泉(コウセン)。

とこよ[0][2]【常夜】〔雅〕いつまでも夜のままであること。

どこら[1]【《何《処ら】(代) どのあたり。「—へん[0]」〘表記〙「《何《所ら」とも書く。

ところ[0]【〈野老〉】山野に自生する多年生のつる草。根は、苦みをぬいて食用とする。〔ヤマノイモ科〕〘かぞえ方〙一本

**ところ【所・《処】[一][3][0]〔前に修飾句がない時は[0]、前に修飾句がある時は[3]〕❶そこに何かが存在したりそこで何かが行なわれたりする限られた空間。場所。「今立っている—が昔城のあった—です/空いている—にすわってください/遠い—より近い—の方がかえって目に入りにくい/二(フタ)—で同時に開催される/通りを曲がった—に交番があります/—を得る〔=その人の能力や適性に合った活躍の△場(部署)に身を置く〕/△手の届かない(遠い)—へ行ってしまう」❷人間の生活とかかわりがある一定の△土地(地域)。「—の豪族/—変われば品変わる〔=言語習慣などはその土地その土地で違うものだ〕/夕方、—によっては雷雨があるでしょう/友人の—にしばらく身を寄せる/—番地」❸事物や物事の、問題となる△部分(範囲)。箇所。「幹から枝が分かれ出た—に鳥が巣を作る/痛い—を衝(ツ)く/こわれた—を修繕する/どこといって悪い—は無い/面白そうな—だけを拾い読みする/焦げた—がこうばしくておいしい/打ち—(ドコロ)が悪い/弁慶の泣き—(ドコロ)〔=⇩弁慶❶〕」❹時間的・空間的な広がりの中で他から切り放してとらえた、特定の△場面(状況)。「盗む—〔=現場〕を目撃される/突然の雨で、いい—で試合が中断される/今の—は何も心配ない/ここの—しばらく会っていない/すんでの—で助かった/今日の—は△お引き取りください(大目に見よう)/この辺の—で切り上げよう」 —えがお[4][0](ガホ)【—得顔】得意顔。 —がき[0]【—書(き)】(書いてある)住所。 —かまわず[5]、[0]-[2](カマハズ)【—構わず】(副)「所嫌わず」の新しい形。 —がら[0]【—柄】その土地の性質(上)。場所柄。 —きらわず[0]-[0]、[3]-[0](キラハズ)【—嫌わず】(副) どんな場所であろうと構わずに、人の迷惑になることをする様子。「出物(デモノ)腫(ハ)れ物—」 —どころ[4]【—所】あちこち。ここかしこ。 —ばんち[4]【—番地】その家・建物などの所在の地名と番地。「会社の—」

[二][3]〔形式名詞的に〕❶動作・作用の進行状況において、ちょうどその時点であることを表わす。「出かけようとする—に電話がかかってきた/ちょうどバスを待っている—でばったり田中さんに会った」⇩ところが・ところだ・ところで・ところを ❷(いろいろと考えて)ちょうどその程度が適当だと判断した結果であることを表わす。「いい—千円どまり〔=千円が限界〕だ/一万二千円の—を一万円にしておきます」❸得た知識・情報や思考した事柄にかかわるものであることを表わす。「わたしの知る—ではそのような事実はない/見聞した—を語って聞かせる/考える—があって会社をやめる」❹〔漢文訓読に基づく用法〕行為を向ける対象。「人の知る—となる〔=人に知られてしまう〕/見る—の物〔=『見る物』と同義で連体格を明示する用法〕」

[三](造語)〔雅〕昔、貴人についてその数をかぞえた語。「皇子(ミコ)二(フタ)—」

[四](接助) 前件に述べる事柄がきっかけとなって、後件に述べるような結果になった(ことが判明した)という関係を表わす。「一見した—、どこにもけがはなかった/彼に話してみた—、すぐに引き受けてくれた/過去の記録を調べた—、意外な事実が明らかになった」〘文法〙「動詞、助動詞(れる・られる/せる・させる)の連用形＋助動詞『た』＋ところ」の形で用いられる。〘表記〙[二][四]は一般に かな書き。

—が ㊁③(接) 前件に対して後件が、予想・期待されるのとは反する結果になるという関係にあることを表わす。「この事件は簡単に解決すると思われていた—、一年たった今なお、捜査は難航を続けている」 ㊂(接助) ❶接続助詞「ところ㊁」。「急いで問い合わせた—すぐ返事をくれた」 ❷前件に対して後件が、予想したことに反する事態が展開するという関係にあることを表わす。「断わられると思った—、快く引き受けてくれた/注意した—逆に文句を言われてしまった」 文法 (1)㊁は他の逆接の接続詞と違って、事実を述べる場合にしか用いられない。「試験中にノートは見てはいけない。でも辞書は見てもいい」の「でも」を「ところが」に置き換えることはできない。また、「ところが」を使う場合は、話し手は前もって「ところが」の前の文の内容を知っていなければならない。「明日デパートは休みだよ」「本当? でも広告には明日バーゲンだと書いてあるよ」のやりとりの「でも」を「ところが」に置き換えることはできない。(2)㊂は「動詞、助動詞(れる・られる/せる・させる)の連用形 + 助動詞『た』+ところが」の形で用いられる。(3)㊂の前の文は必ず「た」で結ばなくてはならない。この「た」は「ところが」の前の文の内容が後の文の内容よりも先に起こったことを表わしているが、接続詞の「ところが」にはそのような働きはない。たとえば接続詞を用いた「彼はすでに社会人だった。ところが彼は一人で病院に行ったこともなかった」を接続助詞に換えて一文にすることはできない。

—だ③ ❶出来事が現在から見て直前であるか(=「(する)—だ」)、最中であるか(=「ている—」)、直後であるか(=「た—」)を表わす。「これから仕事に行く—/ちょうど食事をしている—/たった今来た—」 ❷ある仮定のもとで生じたと思われる出来事を述べる。「君が助けてくれなかったら溺れていた—」 ❸〔「数量 + △という(といった) + ところだ」の形で〕数量を概算して述べる。「入場者数は三百人といった—」 文法 (1)出来事を時間的な展開を持ついくつもの場面・段階に分けて、その場面・段階を「ところ」ととらえることから生じた用法であると思われる。数量も、だいたいこのあたりと、およその位置を物差しの上に指し示すような用法であると思われる。(2)丁寧な表現は「ところです」。

—で ㊁③(接) それまでの話をいったんうち切って、△話題を転じる(本題に入る)ことを表わす。「—ほかでもないのだが、君にここに来てもらったのは…/—君はいくつだっけ」 ㊂(接助) 前件に対して後件が、それが実現したとしても望ましい結果には至らないことが予測されるという関係にあることを表わす。〔多く後件は否定表現となる〕「私が何を言った—聞きはしまい/今さら嘆いてみた—始まらない/無くした—惜しくはない/安いといった—五万円は下るまい/誠心誠意謝った—許してはくれないだろう」 文法 (1)㊁の、「話題を転じる」ということは、文章の中で順接であるとか逆接であるとかの、論理の展開を表わすのではなく、文章の展開の外に立って、話し手が話題をある話題から別の話題に切り換えるということである。話題転換を表わす接続詞には、ほかに「さて」などのようなものがある。(2)㊂は「動詞連用形 + 助動詞『た』+ところで」の形で用いられる。(3)㊂は逆接仮定を表わす点では「ても」に近いが、「ところで」はある特定の場面・状況を設定するという点で違いが見られる。まず、「ても」は複数の条件を示して、「ご飯を食べても酒を飲んでも太らない」と言えるが、「ところで」は「ご飯を食べたところで酒を飲んだところで太らない」とは言えない。また、「ても」は「そんなに一生懸命勉強しなくても合格できるよ」と言えるが、「ところで」の場合は「そんなに一生懸命勉強しなかったところで合格できるよ」とは言えない。逆に「そんなに一生懸命勉強し△たところで(ても)合格は無理だよ」とはともに言える。前者が言えないのは「ところで」の背後には「一生懸命勉強すれば合格できる」という予想があり、それに反する事実を述べる表現であるからである。

—を③ ある場面を提示して、そこに含まれる事物が主文の動作の対象であることを表わす。「警察は泥棒が逃げて行く—捕まえた」 文法 「警察は逃げて行く泥棒を捕まえた」と「警察は泥棒が逃げて行くところを捕まえた」とは、おおよそ同じような意味を表わしている。後者の「捕まえた」の対象は「泥棒」であるが、それは従属節「泥棒が逃げて行く」の中に含まれている。つまり、この文は「警察が泥棒を捕まえた」という事実と、その際「泥棒が逃げて行く」状況であったこととをともに表わすために用いられていると考えられる。ちなみに、このような表現は平安時代から見出される。

どころ【所・《処】(造語) ❶…(べき)ところ。「見—・聞き—・つかみ—・御食事—・そば—」 ❷(生産の)中心地。「米—・茶—」 ❸…である人たち。「二流—を集める/幹部—・中堅—・きれい—」

どころ(副助) 〔「所」の意〕〔「……+の〜ではない」「……+ではない」の形で〕そんな生やさしい程度のものではない、という気持を込めて使われる。「落ち着いて勉強する—ではない/痛い—の騒ぎじゃない/就職が決まらず結婚—ではない」 文法 体言(名詞、またそれに準ずる句)、形容動詞語幹、副詞、活用語の連体形に接続する。

—か (接助) 前件が否定されるのはもちろんのこと、後件は、前件△に相反する(よりさらに)好ましくない傾向が認められるという関係を表わす。「もうかる—損ばかりしている/飯—水ものどを通らないほど弱っている/四、五名—十数名もけが人が出た/一万円—千円さえも持ち合わせが無い」 文法 体言(名詞、またそれに準ずる句)、形容動詞語幹、副詞、活用語の連体形、格助詞(ただし、「が・を」を除く)、副助詞「まで・だけ」などに接続する。

ところてん⓪【〈心太〉】 さらして煮たテングサから作る、透き通ったぷりんぷりんの食品。「ところてん突き④」で突き出し細長くしたのを酢じょうゆで食べる。夏の食べ物。〔凍らせて、かわかしたものが、寒天〕 —式⓪(=ⓐあとから押されて自然に先に進むこと。ⓑなんの苦労もせずに次の段階に進むこと)」 かぞえ方 一本

どこんじょう②【ど根性】 〔「ど」は、接辞〕不屈の根性。

とざい⓪【吐剤】 食べた物を吐き出させるための薬剤。

とざいとうざい④【《東西東西】(感) 観客のどよめきをしずめ、また、口上を述べる際に、「皆様お静かに」の意でかける言葉。「とうざいとざい」とも。

とさいぬ⓪【土佐犬】 高知県原産の大形の猛犬。現在のものは、ブルドッグなどとの雑種。闘犬に用いる。「とさけん⓪」とも。 かぞえ方 一頭

とさえ⓪【土佐絵】 多く絵巻物に見られる画風。在来の画風に唐様を加味し、風俗描写に一特徴を示す。土佐光信・土佐光起などが著名。

どざえもん⓪【土左《衛門】 〔同名のあんこ型の力士にちなんだものという〕「溺死するなどした人の水面に浮かんだ(ふくれた)死体」の俗称。「危うく—になる(=溺れるところだった)」

とさか③⓪【《鶏《冠】 〔「と」は鳥の、「さか」は冠の雅称〕ニワトリ・キジなどの頭部に露出する、肉質で冠のような突起。「—に来る(=俗に、『頭に来る』の強調表現)」 表記 古くは「《角・《冠」と書いた。

どさくさ⓪ 急の出来事や緊急の用事などのために、ふだんの秩序が失われていること。「引越しの—にまぎれて借りていた本をなくした/内閣改造の—にまぎれに大金

と

を横領する」

とざ・す②⓪【閉ざす・《鎖す】(他五)〔「戸差す」の意〕↕開く■一 ❶内外の通路が完全にふさがれて、△出たい(入りたい)と思ってもそうすることが出来ない状態にする。「門を—／昇進の道が閉ざされる／口を—〔=堅く閉じて、言いたいことや言うべき事を控えるようにする〕／目を—〔=自らの意志で、何物をも見ないようにする〕」❷中に入れて、動けなくする。「氷に閉ざされる／憂いに閉ざされる〔=憂いで胸の中が一杯になる〕」

とさつ⓪【〈屠殺】—する(他サ) 畜殺。「—場⓪」

とさつ⓪【塗擦】—する(他サ) 薬を塗って、すりこむこと。「—剤⓪」

とさばんし③【土佐半紙】 高知県で産出する優良な半紙。

とさぶし⓪【土佐節】❶高知県で産出する良質の かつおぶし。❷江戸浄瑠璃の一派。虎屋土佐少掾橘正勝を祖とする。

とざま⓪【《外様】 武家時代、将軍の一門や譜代でない△大名(武士)。〔広義では、傍系(出身の者)をも指す〕↕譜代

どさまわり③【どさ回(り)】〔「どさ」は、地方・いなかの意〕❶常設の小屋を持たない、地方回りの劇団やサーカスの称。❷盛り場などを歩き回るよたもの。地回り。

どさり②③(副)—と △重たい物(たくさんの物)が鈍い音を立てて(一度に)落ちる様子。また、その音の形容。「郵便物が—と配達された」

とざん①⓪【登山】—する(自サ)↕下山 ❶山に登ること。「—家⓪・—隊⓪・—口③⓪・—鉄道⑤」❷寺で修行するために、その寺のある山に登ること。〔古くは「とうせん」とも〕

どさん⓪【土産】❶土地の産物。❷みやげ。みやげもの。

どさんこ⓪【《道産子】〔北海道方言〕北海道産の動物。〔狭義では、馬を指す。広義では北海道生まれの人をも指す〕

****とし**②【年・《歳】❶時の流れの中で、一月一日から十二月三十一日までを単位とした時間の長さ。ねん。「—が改まる〔=新年になる〕／—を越す〔=(一つの事が終わらないうちに)旧年が去り、新年を迎える〕／…の—を迎える／—が明ける／—を追って強まる／—立ち返る／—立つ〔=ⓐ新年になる。ⓑ年月が経過する〕／—を送る〔=暮らしていく〕」❷年齢。「一つ—を取る／—は争えない〔=まだまだ若い者に負けぬと力んでも、肉体的な衰えがどこかにあることは否定出来ない〕／—を食っている〔=想像したよりも実際の年齢が多い〕／数え—」⇩年

とし①【徒死】—する(自サ)〔「徒」は、むだの意〕「むだに死ぬこと」の意の漢語的表現。

***とし**①【都市】 その地方の△商工業の中心地(交通の要衝)として周辺の地域に比して人口の多い土地。「衛星—⑤・国際—⑤・姉妹—④」↕村落 **—ガス**⓪ ⇩ガス **—ぎんこう**③【—銀行】 大都市に本店があり、全国に多数の支店を持ち、全国規模の営業展開をしている銀行。略して「都銀」。⇩地方銀行 **—けいかく**③【—計画】 都市の交通・街路・区画・衛生・住居などに関する、必要な改良の計画。 **—こっか**③【—国家】 都市が政治的に独立して、一個の国家を形成するもの。古代ギリシャの都市はその例。 **—でんせつ**③【—伝説】 近代化された現代にあって新たに生まれる、根拠不明のうわさ話やデマの類。 **せいれい してい—**⑧【政令指定—】⇩指定都市

とじ①【《刀自】〔家事をつかさどる主婦の意〕中年以上の女性に対する古風な敬称。〔名前の下に付けても用いられる〕「母—」

とじ【〈綴(じ)】■一(造語) 綴じる△こと(やり方)。「—孔⓪・—糸⓪・横—・和—」■二② 綴じた△方法(糸)。「しっかりした—／—が緩む」

とじ① ■一【徒〈爾】〔「徒」は、むだの意。「爾」は、形容を示す助辞〕せっかくやった事が、何の成果ももたらさず、むだになること。「—に終わる」■二【徒事】 無意味な事。

とじ①【途次】 ある所へ行く途中。

どし【《同士】(造語)〔「どうし」の短呼〕…の仲間。

どじ①—な〔動詞「とちる」の語幹を濁音化したもの〕ほかの人ならしないような へまをする△様子(人)。へま。〔通語〕「—を踏む〔=まのぬけた失敗をする〕」

としうえ⓪【年上】 年齢が比較の対象とする他の人より多い△こと(人)。↕年下

としうら⓪【年《占】 一年の初めに、その年の農作・天候などについて、吉凶を占うこと。

としお・いる④【年老いる】(自上一) 年をとる。

としおとこ③【年男・《歳男】〔もと、新年を迎えるための清掃・飾付け・水くみなどをする男、の意〕その年の干支に生まれた男性。〔女性の場合は、年女③〕

としがい⓪【年《甲〈斐】 年齢に相応して多くあることが期待される思慮分別。「—も無い〔=いい年をして、ばかな事をする〕奴だ」

としかさ⓪【年〈嵩】—な／—に (関係者の中で)年齢が上(の方)である△こと(様子)。「としがさ」とも。「仲間の中でも—の子／かなり—〔=高齢〕の人」

としがしら③【年頭】 △関係者(仲間)のうちで一番の年長者。

どしがた・い④【度し難い】(形)〔「度す」は済度、仏が衆生を救う意〕いくら道理を説いて聞かせても、受け入れるだけの度量がなく、ついに分からせる事が出来ない(と思って半ばあきらめる)様子だ。「縁無き衆生は度し難し」 派—さ③

としかっこう③【年格好】・—こう【年《恰好】 推測される大体の年齢。

とじがね⓪【〈綴(じ)金】 何かを綴じるのに使う金属。

としがみ⓪【年神・《歳神】 正月に家いえに迎え祭る神。その年一年の福徳をもたらすものとされる。歳徳神。

としご②【年子】 同じ母から生まれた、一つ違いの兄弟姉妹。

としこし⓪【年越(し)】—する(自サ) 古い年を送り、新しい年を迎えること。〔おおみそかの夜を指す。陰暦では節分の夜に当たる〕「—そば⑤」

とじこ・む⓪③【〈綴(じ)込む】(他五) 綴じて一つづりにする。名 綴じ込み⓪

とじこ・める④【閉(じ)込める】(他下一) 中に入れたまま出られないようにする。

としごもり③【年籠(も)り】 年末・年始に俗事を離れ、社寺に泊まりこんで願をかけること。

とじこも・る④【閉(じ)籠(も)る】(自五)(出入口を閉じて)内にずっと居る。「家に閉じ籠もってばかりいる／旧来の殻に—」

とじごよみ③【〈綴(じ)暦】 書物の形をした暦。

としごろ ■一⓪【年頃】❶何かの観点から見た大体の年齢。「もう退職してもいい—だ／遊びたい—〔=盛り〕／—〔=おおよその年かっこうが〕五十歳ぐらいの紳士」❷結婚するのにふさわしいととらえられる、年齢。「—の娘を持っている親としては／彼女もそろそろ(お)—だ」■二②【年《来・年《比】(副)「大分前からずっと続く様子」の意の古風な表現。

としした⓪【年下】 年齢が比較の対象とする他の人より

少ない△こと(人)。↕年上

とじしろ⓪②【〈綴(じ)代】(トヂ—) 綴じるために少しあけておく、紙のはしの部分。

どしつ⓪【土質】❶作物を作るのに適するか適しないかという点から見た、土の性質。❷土を構成している物質。

としつき②【年月】❶(年と月の積み重ねによる)長い時間。❷それまでの、長い間。「—の望み」

としづよ⓪【年強】—な ↕年弱 ❶数え年で年齢をかぞえる時、その年の六月末までに生まれた△こと(人・様子)。❷年長。

として 〔副助詞的に〕❶その資格・立場であることを表わす。「留学生—来日する/日本人—は〔=日本人であるという点から見れば〕背が高い方だ/よしんばわたしが君の親の立場にあった—もやはり反対するだろう」❷その性質を持つという事実を表わす。「技巧派投手—〔=…の中で〕随一だ/工業国—発展した/あやまちは あやまち—率直に認める」❸〔否定表現と呼応して〕例外無しにそうであることを表わす。「一時(イットキ)—〔=絶えず〕気の休まる時はない/どれもこれも出来そこないばかりで、一つ—〔=一つも〕満足なのはない/行く所—〔=する事はなんでも〕可ならざるはない」 文法 ❸は多く、「一つ」「誰(ダレ)一人」「ただの一度」など最小限の単位となる数(を含む語)に続く。

としとく⓪【《歳徳】❶「歳徳神」のいる方角。えほう(恵方)。❷「歳徳神」の略。 **—じん**④【—神】 陰陽(オンミョウ)家が、年の初めに恵方に向けて祭る神。

としどし②【年々】(副) ❶△一年ごとに(どの年にも)決まって繰り返される様子。「—に咲く花」 ❷⇩ねんねん❶

どしどし①(副)—と ❶足音を立てて騒々しく歩く様子。「廊下を—と通っていく」 ❷次から次へと目ざましい勢いで何かが行なわれる様子。「—意見を出してください/—応募する」

としとり③⓪【年取(り)】❶年を取ること。年齢が多くなること。❷△除夜(節分)に行なう儀式。

としと・る③【年取る】(自五) 年を重ねる。「年取った両親の面倒をみる」

としなみ⓪【年波】 年が寄ることを、波が絶えず押し寄せることにたとえた語。「寄る—で〔=いつの間にか高齢になって、心身が衰えてしまって〕」

としのいち④③【年の市・《歳の市】 年の暮れに、新年の祝いに必要な物を売る市。〔広義では、年末の売出しを指す〕「—が立つ」

としのうち⓪【年の内】 その年の内。〔狭義では、年末を指す。例、「—はどこでも忙しい」〕

としのくれ⓪【年の暮(れ)】 その年の終り。年末。

としのこう④【年の功】 年を取って経験を積むこと。また、その経験の効果。

【亀(かめ)の甲より—】⇩亀の甲

としのころ④【年の頃】「年ごろ❷❶」の意の古風な表現。「—三十ばかりの女性が立っていた」

としのせ⓪【年の瀬】〔それをうまく越せるかどうかが問題である〕清算期としての年末。「—も押し△つまる(迫る)/—を控えて」

としのは⓪【年の端】「年端」のやや改まった表現。「—十歳そこいらの子」

としは⓪【年端】〔年齢の意味の漢語「年歯(ネンシ)」の訓読「トシハ」の一表記といわれる〕十分に成熟しない子供の、年齢の程度。「—△の(も)行かぬ子供」

としばい⓪【年配】「ねんぱい」の意の古風な表現。

とじぶた⓪【〈綴(じ)蓋】(トヂ—) こわれたのを修繕して使っているふた。「破鍋(ワレナベ)に—〔=⇩破鍋〕」

とじほん⓪【〈綴本】(トヂ—) 綴じて、任意のページがすぐ開けるようにした本。⇩折本・巻子本(カンスボン)

としま⓪【年《増】 娘盛りを大分過ぎ、女盛りにある女性の称。〔江戸時代は二十代の後半、昭和に入ってからは三十代の後半を指した。現在では花柳界以外ではあまり用いられない〕

とじまり②【戸締(まり)】—する(自他サ) 盗難予防などのために、厳重に戸をしめ、錠などをかけること。

としまわり③【年回(り)】(—マハリ) 特定の年齢によって運勢が吉(ヨ)い・凶(ワル)いとされること。「—がいい」

とじめ③⓪【〈綴(じ)目】(トヂ—) 綴じ合わせた所。

としゃ①【吐〈瀉】—する(自サ) 吐くことと くだすこと。はきくだし⓪。「—物②・—剤②⓪」

どしゃ①【土砂】 土と砂。「—崩れ③」

どしゃぶり⓪【どしゃ降(り)】〔「どしゃ」は、「どさくさ」の「どさ」と同源〕空から大きなバケツを引っくり返したように激しく降る雨。 表記 「土砂降り」は、借字。

としゅ①【斗酒】〔「一斗の酒」の意〕(飲む対象としての)多量の酒。「—なお辞せず〔=大酒飲みの形容〕」

としゅ①【徒手】❶(手以外の道具を)何も△持たず(使わず)に、何かをすること。❷自分以外にたよりになるもののないこと。空手(カラテ)。素手(スデ)。❸事業を始める時に資本などの用意が無いこと。 **—くうけん**①-⓪【—空拳】❶武器を持たないこと。 **—たいそう**③【—体操】(—サウ) 器械・器具を使わず、手足などを動かしたり からだを ひねったりして行なう体操。〔体操競技の「床(ユカ)運動」の旧称〕

としゅう①【土州】(—シウ) ⇩どしゅう

としゅう①【渡州】(—シウ)「佐渡(サド)ノ国」の漢語的表現。今の新潟県佐渡島(サドガシマ)にあたる。

どしゅう①【土州】(—シウ)「土佐(トサ)ノ国」の漢語的表現。今の高知県全体にあたる。「としゅう」とも。

*__としょ__①【図書】❶「本」の意の漢語的表現。「—費②」❷公共の施設に備え付ける本・図版、その他の文献資料を一つの総合体としてとらえた称。「参考—・基本—・優良—・推薦—・—室②」 かぞえ方 ❶❷とも一部・一冊・一巻・一本:一通(イッカン) **—かん**②⓪【—館】(—クワン) 図書・資料・フィルムなどを集めて保存する一方で、利用者に見せたり貸したりする施設。「—学③・公共—・巡回—」

としょ①【〈屠所】「屠畜場」の意の古風な表現。【—の羊(ひつじ)】 死に近づくものの うちしおれた様子のたとえ。

としょう⓪【(—セフ) —する(自サ) ❶【渡渉】 川を渡ること。❷【徒渉】 川を歩いて渡ること。

とじょう⓪【途上】(—ジャウ) その場所や、ある目的へ向かって進みつつある△状態(ちょうどその時)。「開発の—にある」 **—こく**②【—国】「発展途上国」の略。

とじょう⓪【〈屠場】(—ヂャウ) 屠畜場。〔主として、施設の名に用いられる〕

とじょう⓪【登城】(—ジャウ) —する(自サ) 昔、武士が大名の住む城に(勤務のために)行ったこと。↕下城

どじょう⓪【〈泥〈鰌〉・〈鯲・〈鰌】(ドヂヤウ) 昔 田んぼなどでたくさんとれた、小さい魚。形はウナギに似ていて、十本のひげがある。食用。〔ドジョウ科〕 表記 仮名表記では「どぜう」と書くこともある。 かぞえ方 一匹 **—いんげん**④【—隠元】 さやを食べるインゲンマメ。サヤインゲンの代表的な品種。 かぞえ方 一本 **—じる**④【—汁】 丸のままのドジョウを入れた味噌(ミソ)汁。 **—なべ**④【—鍋】❶柳川(ヤナガワ)。❷丸のままのドジョウを卵とじにした料理。 **—ひげ**②【—〈髭】 薄い口髭。 かぞえ方 一本

どじょう⓪【土壌】(—ジャウ) ❶〔作物の育つ基盤となる〕土。「肥沃(ヒヨク)な—/—改良」 ❷何かを育てる上に与(アズ)かって力

のあった環境。「多くの学者を輩出した―」

どしょうぼね⓪【土性骨】〔中部以西の方言〕〔「ど」は接辞〕〔しっかりしているかどうかという〕生まれつきの性質。

としょく⓪【徒食】―する（自サ）〔△働き盛りの（まだ働ける）者が〕働く気持も無く、遊び暮らすこと。「無為―①-⓪」

としより③④ ㊀【年寄（り）】 年をとった人。高齢者。老人。「―じみた動作/―くさい分別」【―の冷や水】 年をとった人が若い者に負けずに無理して何かをしようとするのを、警めたり冷やかしたりする語。〔新たな事に挑戦しようとする時などに謙遜して言うのにも用いられる。例、『八十歳でダンスを始められたとか』『いや―ですよ』〕【―は言葉がうまい】 高齢者は優しい言葉をかけられるのを喜ぶものだ。 ㊁【年寄】 ❶武家の重臣・大奥女中の重職・町村の組頭など。 ❷引退した幕内・十両力士の有資格者〔＝幕内二十場所以上・十両三十場所以上勤めた者〕で、年寄名跡をもつ相撲協会の評議員。親方。

としよ・る③【年寄る】（自五） 高齢になる。老いる。

としよわ⓪【年弱】―に ―な ↕年強 ❶数え年で年齢をかぞえる時、その年の七月以降に生まれた△こと（人・様子）。 ❷年若。

****と・じる**②【閉じる】↕開く ㊀（自上一） 開いていた部分が自然に合わさって隙間のない状態になる。「瞼がひとりでに閉じて来た/夕方になると開いていた花が―」 ㊁（他上一） ❶〈なにデ〉なにヲ―〉 開いていた部分をしめて、外とのかかわりを絶った状態にする。また、その結果本来の機能が果たせない状態になる。「△本（水門・目・口）を―/かっこで―〔＝文字列などの前と後にかっこの記号を入れる〕」 ❷〈なにヲ―〉 今まで続いていた活動をそこで終りにする。「△会（幕）を―/店を―〔＝ⓐその日の営業をその時点で打ち切る。ⓑその店の営業をその日限りやめる〕」 運用 祝宴や開店に際しては避けるべき言葉とされ、閉会の言葉では、「お開きにする」と言い替えるのが通例とされる。

***と・じる**②【綴じる】（他上一）〈（なにト）なにヲ―/（なにデ）なにヲ―〉 ❶ばらばらにならないように縫いつける。 ❷ばらばらの物を重ねて、糸などを通して一つにまとめる。

としわか⓪【年若】―に ―な 年の若い△様子（人）。

としわすれ③【年忘（れ）】―する（自サ） その年の苦労を慰労する△こと（ための、年末の酒宴）。

としん⓪①【妬心】「嫉妬心」の意の古風な表現。

としん⓪【都心】 都市の中心地帯。「―からわずか三十分、豊かな自然に囲まれた住宅地/―の一等地/副―」

とじん⓪【都塵】 都会のごみごみした雰囲気や騒がしさ。「―を避けて郊外に遊ぶ」

どしん②（副）―と 重たい物が何かにぶつかって大きな響きを立てる様子。また、その響きの形容。どすん②。「―と尻もちをつく/―と地響きがする」

どじん⓪【土人】〔「土着の人」の意〕その土地に住みついて、現代文明とは掛け離れた昔ながらの生活を続けている人。〔△未開の（野蛮な）人間だとして、多く侮蔑を含意した〕

とじんし②【都人士】（生活の便利さを享受する一方、自然に接する機会に恵まれない）都市居住者。

トス①―する（他サ）〔toss＝ほうり上げる〕 ❶〔スポーツで〕コインなどをほうり上げ、出た面の裏表によって、先攻の順やコートを決めること。 ❷〔野球などで〕下からほうるように近くの味方に軽く送球すること。 ❸Ⓐ〔バレーボールで〕敵の方へ強く打ち込めるようにボールをほうり上げること。Ⓑ〔テニスで〕サーブのためにボールを片方の手でほうり上げること。 ❹トスバッティングの略。

どす⓪ ❶〔渡世人などが懐中に隠し持つ〕短刀。「―を呑む〔＝所持する〕」 ❷すごみ。「―のきいた声」 かぞえ方 ❶は一本

どすう②【度数】 ❶「回数」の意のやや古い表現。〔電話の通話料金を計算する基準としても用いられる〕 ❷〔↑頻度数〕〔統計学で〕数値データの集まりを数値の大きさを基準として幾つかの組に分けて並べた時、おのおのの組に属するデータの個数。「―分布④」 ❸温度・角度・アルコールの含量・眼鏡の強さなどを示す数値。

ドスキン①〔doeskin〕〔雌鹿の皮の意〕表面が滑らかで光沢のある高級毛織物。モーニングやタキシード用。

どすぐろ・い④【どす黒い】（形） 濁って、全体に黒みを帯びている様子だ。「―顔」 派 ―さ③

トスバッティング③―する（自サ）〔toss batting〕〔野球で〕軽く投球させて行なう打撃練習。略してトス。

と・する②【賭する】（他サ） 失敗したら無くしても構わないという覚悟を決めて、その事に全力を傾ける。賭す①（五）。「生命を―/国運を―」

ど・する②【度する】（他サ） △迷って（悩んで）いる人を救う。済度する。「衆生を―」⇩どしがたい

とせ【《年・《歳】（造語）〔雅〕〔数を表わす和語に付いて〕年をかぞえる語。「いく―/楽しき年を送ること三―ばかり」

とせい ㊀⓪【都制】〔自治体としての〕東京都の制度。 ㊁①【都政】〔自治体としての〕東京都の行政。

とせい①【渡世】 世渡り。生業。「大工を―にする/―人」

とぜい①⓪【都税】 自治体としての都が、都民に割り当てて取る税金。

どせい⓪【土星】 太陽系の惑星で、六番目に太陽に近いもの。まわりに環および判明しているだけでも五十三個の衛星を持つ。約二九・五年で太陽を回る。

どせい⓪【土製】 土で作ってあること。また、その物。

どせい⓪【怒声】 怒って出すどなり声。怒り声。「―を浴びる」

どせき⓪【土石】 ❶土や石。「―流③〔＝山崩れで、土や石が濁流に交じって流れて来るもの〕」 ❷セメントの、業界用語。

とぜつ⓪【途絶・〈杜絶】―する（自他サ）〔「杜」は、ふさがる意〕今まで続いていたもの（との連絡）が、ぱたりと無くなること。「△通信（交通）の―」 表記 「途」は、代用字。

とせん⓪【渡船】「渡し舟」の漢語的表現。「―料②・―場〔＝渡し舟の発着所〕」 ―きょう⓪【―橋】 船と陸とを連絡する、可動式の橋。

とぜん⓪【徒然】―に ―な 退屈。つれづれ。

とせんきょう⓪【渡線橋】 跨線橋。

とそ①【〈屠蘇〉】 屠蘇散をひたした△酒（みりん）。〔正月にこれを飲めば、一年じゅうの邪気を払うといわれる〕「家族そろって―を祝う/―機嫌③〔＝正月の祝い酒を飲んだ、気楽な気分〕」〔もと、草の名。また、それに基づく孫思邈の庵号で、彼の発明したものという〕

とそう⓪【塗装】―する（他サ） 建築物・構築物や家具・機械類などの表面保護や美化などのために、ペンキやエナメルなどを塗ったり吹き付けたりすること。「―工事④」

どそう⓪【土葬】―する（他サ） 死体を焼かずに地中に埋葬すること。⇩火葬・水葬・風葬

どぞう⓪【土蔵】 四面を土などで厚く塗り固めた蔵。 かぞえ方 一戸前・一棟

どそく⓪【土足】 ❶履物を履いたままの足。「―厳禁⓪-⓪」 ❷どろあし。

どぞく①【土俗】その土地の風俗。

とそさん②【〈屠蘇〉散】漢方薬の一つ。サンショウ・キキョウ・ニッケイなど七種類を等分に交ぜあわせたもの。袋に入れ、新年に△酒(みりん)にひたして飲む。

***どだい**⓪【土台】㊀❶建築物の基礎(として使用される材料や構築物)。〔木造建築では、礎石の上に置き柱を受ける横木を指す〕「―を△固める(据える)／橋の―／―石②③」❷物事の発展・進歩を図る上で不可欠の基礎の部分。「選手の養成はまず―づくりから始める」㊁(副)その物事の△根本(始め)のところに立ち返って、どのような結論になるかを判断する様子。〔口頭語的表現〕「横綱相手では―勝負にならない／ひとりでやるなんて―無理な話だ」 文法 ㊁は一般に、「どだい…無理だ」「どだい…ない」など否定的な表現で用いられる。

とだ・える③②【《跡絶える・途絶える】(自下一) △そこ(途中)で切れて、あとが続かなくなる。「人通りが―」 表記 「〈杜絶える」とも書く。

どたキャン⓪―する(他サ)〔「土壇場でキャンセル」の略〕(俗に)直前になって約束を取り消すこと。連絡なしの不履行にも言う。「デートを―する／何の断りもない―で店は大赤字だ」

どたぐつ⓪【どた靴】歩くと音を立てそうな足に合わない大きな靴。

とだな⓪【戸棚】三方を板で囲み前面に戸を設け、中に棚を作って物を入れる家具。

どたばた①(副)―と―する 家の中で騒いだり暴れまわったりして、△騒々しい(大きな音を立てる)様子。「―喜劇⑤」

どたま③〔福井・岐阜以西、近畿・中国・四国方言〕「あたま」の卑俗な異称。

どたり②③(副)―と 重たい物が支えを失って倒れたり落ちたりして鈍い音がする様子。また、その音の形容。

とつ

【凸】中心部が出っぱっている。「凸版(パン)・凸面鏡・凹凸(オウ)」↔凹(オウ)

【突】❶つく。ぶつかる。「突撃・突入・突破(パ)・激突・追突」❷つきでた△所(物)。「突起・煙突」㊂だしぬけに。「突如(ジョ)・突然・突発(パツ)・突風(プウ)・唐突」

【〈訥】言葉がつかえる。どもる。「訥々・訥弁・朴訥」

トタン⓪〔ポ tutanaga (=亜鉛)の変化という〕(↑トタン板④) 薄い鉄板に亜鉛をメッキしたもの。「―屋根④」 表記 「〈針鉼」とも書いた。

とたん⓪【途端】〔「動詞連用形+…た―(に)」の形で副詞的に〕ちょうどその時。〔多く接続助詞的に用いられる〕「立ち上がった―(=はずみ)(に)頭をぶつけた／彼の名を聞いた―(=と同時)に顔色が変わった」

とたん⓪【塗炭】〔泥にまみれ、火に焼かれる意〕戦争・重税・天災などによる、人民の生活苦。「―の苦しみ」

どたん②(副)―と 重たい物が勢いよく倒れたりぶつかったりして大きな音を立てる様子。また、その音の形容。「―ばたんの大騒ぎ」

どたんば⓪【土壇場】〔首切りの刑場の意〕❶助かる見込みが万に一つも無い場合。絶体絶命。「―に立たされる」❷物事が決定しようとする、最後の△瞬間(場面)。

***とち**⓪【土地】❶植物が生え育ち、作物を作る土。「△肥えた(やせた)―」❷人が住宅・店舗などに利用する空間。〔地下をも含む〕地所。「まだまだ―が眠っている／―台帳③」㊂領土。「―割譲⓪-⓪」㊃その地域。「―の人間に事情を聞いてみよう」 **―がら**⓪【―柄】その土地の風俗・習慣・人気(ジン)などの総合状態。「京都はさすが―で、茶人が多い」 **―かん**⓪【―鑑・―勘】その土地に以前△住んでいた(行った)ことがあるなどして、土地の事情に通じていること。「その犯人・容疑者には―があるようだ」 **―っこ**⓪【―っ子】「その土地で生まれ育った人」の俗称。

どち①〔雅〕同志。仲間。「思う―②」

とちく⓪【〈屠畜】―する(他サ) 食肉にする家畜を殺すこと。 **―じょう**⓪(ヂャウ)【―場】屠畜・解体処理などを行なう施設。

どちくしょう②(シャウ)【ど畜生】〔中部以西の方言〕〔「ど」は接辞〕気にくわない人をののしって言う言葉。

とちのき①【〈橡の木・栃の木】山林に自生する落葉高木。葉は大形で掌(テノヒラ)状。初夏、白色で紅色のぼかしのある花を開く。材は器具用、種はあくを抜いてでんぷんを採り食用とする。〔ムクロジ科(旧トチノキ科)〕 かぞえ方 一株・一本

とちめんぼう③(バウ)【とちめん坊・栃麺棒】〔うろたえる意の動詞「とちめく」を擬人化したもの〕ひどくあわてうろたえる様子を表わす。「―を△振る(食う・踏む)」 表記 「栃麺棒」は、借字。

どちゃく⓪【土着】―する(自サ) その土地に固有のものであること。「―の植物／―民③・―種③」

***とちゅう**⓪【途中】❶ある場所へ行くまでの間。「―(で)寄り道をした／―(=目的地に着く前の)下車④」❷一連の行動が進行中であること。〔今までの行動がそこでストップする場合にも、他のコースにそれる場合にも言う〕「話の―で席を立つ／―計時④(=競技途中のタイム)」

どちゅう⓪【土中】土の中。

とちょう①(テウ)【ト調】〔音楽で〕トの音を主音とする音階(による調子)。

とちょう⓪(チャウ)【徒長】―する(自サ) 作物や果樹の茎や枝葉がむだに伸びること。「―枝(シ)」

とちょう①(チャウ)【都庁】東京都の行政事務を取り扱う役所。

とちょう⓪(チャウ)【登頂】―する(自サ) とうちょう。

どちょう⓪(チャウ)【怒張】―する(自サ) ❶静脈がふくれあがって見えること。❷肩などを怒らせること。

どちら①【《何《方】(代)〔「ら」は接辞〕❶「どっち」の、やや改まった言い方。「総務部は―ですか／―(=どこ)へお出かけですか／―(=どれ)でもお好きな物をどうぞ／AとBの―を選ぶか／この犬は―かといえばおとなしいほうだ」❷「だれ・どの人」の丁寧な言い方。「この本をお忘れになったのは―ですか／失礼ですが、―様(=どなた様)でいらっしゃいますか」⇩あちら・こちら・そちら **―も**① 二つ以上ある△もの(事柄・方向)の、どれと選択・判断ができないこと。「―すばらしい出来だ／―捨てがたい」

とち・る②(自他五)〔「とち」は「とちめく」の語幹。⇩とちめんぼう〕舞台で俳優がせりふ・しぐさをまちがえたり宴席で思った通りの挨拶(アイサツ)ができなくなったりする。〔広義では、まごついて、物事をやりそこなう意にも用いられる〕

とっ(接頭) ㊀【取っ】動詞の上につけて言う「取り」の口頭語形。「―つかまえる・―ぱらう」 ㊁【突】名詞の上につけて強調する意を表わす。「―始(パジ)め⓪・―外(パズ)れ・―端(パナ)・―拍子(ビョウシ)」

とつ(凸・突・〈訥)→【字音語の造語成分】

とつ①【〈咄】(感) 驚き怪しんで、自問する意を表わす。「―、なんたる怪事ぞ」

とつおいつ①-⓪(副)―する〔「取りつ置きつ」の変化〕あれを思いこれを思って、決心のつかない様子。「―思案する／いつ

までも—してもいられない」

とっか[0][1]（トククワ）【特化】—する(他サ) 特にその事柄に重点をしぼり込むこと。「専門分野に—することで企業として生きのびる」

とっか[1][0]（トク）【特価】 特別の安い値段。「—品[0]」

とっか[0]（トククワ）【徳化】—する(他サ) 徳によって感化すること。

どっか[1](代) 「どこか」の口頭語的な変化。「—へ行ってしまいたい」

どっか[0][1]（ドククワ）【読過】—する(他サ) ❶読み終わること。❷その△こと(場所)に気がつかないで、読み過ごすこと。

トッカータ[3]〔イ toccata〕 ピアノ・オルガンのための、はなやかで技巧的な短い曲。

どっかい[0]（ドククワイ）【読会】 旧憲法時代の、議案の審議の段階の称。「第一—」〔一般に、規約などの審議にも言う〕⇩三読会

どっかい[0]（ドク）【読解】—する(他サ) 文章を読んで、その意味・内容を理解すること。「—指導[4]・—力[3]」

とっかえ ひっかえ[5]【取っ替え引っ替え】(副)—する〔「とりかえひきかえ」の音便形〕あれやこれや次から次へと取り替え(ては試み)る様子。「—新しい洋服を着てくる」

とっかかり[0]【取っ掛(か)り】〔「取り掛かり」の音便形〕取りつく手がかりとする△もの(場所)。「—が無い」 動 取っ掛かる[4][0](自五)

とっかく[0]【突角】 突き出たかど。

どっかと[3][1](副) ⇩どっかり❶❷

どっかり[3](副)—と ❶重たい物を下におろして、そこに安定させる様子。どっかと。「—と△荷物(腰)をおろす」❷物がちっとやそっとでは動きそうにもない状態で、その場に位置を占めている様子。どっかと。「—(と)腰を据えて帰りそうにもない/冬将軍が日本の上空に—いすわる/—と顔のまんなかにすわっている鼻」❸⇩どかっと❸「—注文が入る」

とっかん[0]—する(自サ) 一【〈吶喊〉】 敵陣に切り込む時、ときの声をあげること。 二（クワン）【突貫】 ❶休まずに仕事をし、短期間にしあげること。「—工事[5]」❷吶喊して敵陣に突入すること。

とっき[0]【突起・凸起】—する(自サ) その部分だけが突き△出ること(出た物)。「虫様（チュウヨウ）—」

とっき[0][1]（トク）【特記】—する(他サ) わざわざ、その事を取り上げて書くこと。「—すべき事無し/—事項」

どっき[0]（ドク）【毒気】 ❶有毒な△空気(気体)。❷人の心を害するような心。どくけ❷。

どづき[0][3]【土突(き)】 地形（ジギョウ）。

とつぎ さき[0]【嫁ぎ先】 よめに行った相手の家。

とっきゅう[0]（トクキフ）【特急】 ❶「特別急行(列車)」の略。「—に乗り換える/—券[3]」❷—な 大急ぎでする△こと(様子)。「—でやってくれるよう頼む」

とっきゅう[0]（トクキフ）【特級】 一級の上の等級。「—品[0]」

とっきょ[1]（トク）【特許】—する(他サ) ❶特に許可すること。❷〔法律で〕特許権(を付与すること)。 **—けん**[3]【—権】 発明者・考案者や、その継承者が、その発明・考案を独占する特権。 **—ちょう**[3]（チヤウ）【—庁】 「特許❷」に関する事務を統括的に扱う役所。経済産業省の外局。

どっきょ[1]（ドク）【独居】—する(自サ) ひとりぐらしをすること。「—老人[4]」

どっきり[3] 「どきり」の口頭語的強調表現。⇩どきりと

ドッキング[0]—する(自サ)〔docking〕 結びつけること。〔とくに、人工衛星・宇宙船どうしの結合〕

どっきん ほう[0]（ドクハフ）【独禁法】 「独占禁止法」の略。

とっく[0]【《疾っく》】〔「疾く」の転〕かなり以前。「彼が帰ったのは—のことだ」 **—に**[0](副) 「とうに」の口頭語的表現。〔強調して「とっくの昔に」とも〕「彼なら—帰った」

とつ・ぐ[2]【嫁ぐ】(自五) よめに行く。

ドック[1]〔dock〕 ❶艦船の建造・修理・検査などをするための施設。船渠（センキョ）。「浮き—」❷⇩人間（ニンゲン）ドック

ドッグ イヤー[4]〔dog year〕 情報技術分野の革新が非常に速いことを表わす語。〔犬の一年が人間の七年に相当するということから〕

とつくに[0][1]【《外国》】〔雅〕 ❶日本以外の国。❷都から遠く離れた国。

とっくみ あい[0]（アヒ）【取っ組(み)合(い)】 力ずくで相手に勝とうとして互いに相手の体をつかむこと。くみうち。「—のけんか」 動 取っ組み合う[5][0](自五)

とっくり[3](副)—と 「とくと」の口頭語的表現。「ここは—考えてみよう」

とっくり[0]【《徳利》】〔狭い口から液体が「とくとく」と出て来る意〕細長くて口の狭い、酒の容器。「とくり」とも。〔俗に、水泳の出来ない人の意にも用いられる〕「—(=襟（エリ）がとっくりの首形の)セーター・—襟[4]」

とっくん[0]（トク）【特訓】—する(他サ)〔←特別訓練[5]〕 ふだん行なっている内容や量を超えている、特別の訓練をすること。

どっけ[0][3]（ドク）【毒気】 ⇩どくけ

とっけい[0]（トク）【特恵】 特別の△恩恵(待遇)。 **—かんぜい**[5]（クワン）【—関税】 ある国の輸入品に対して、普通よりも低い率でかける関税。

とっけい[0]（トク）【特掲】—する(他サ) 特に注意すべき事柄などについて、項目を設けて明示すること。また、その明示された事柄。「賃貸契約における—事項」

とつげき[0]【突撃】—する(自サ) 突進して攻撃すること。

とっけん[0]（トク）【特権】 特定の人・身分・階級に与えられている、特別の権利。「金持の—を振り回す/—的な官僚/—意識[5]・—階級[5]・外交—」

とっこ[0][1] かたり。詐取。盗人。また、他人をののしる語。 【—に取る】 おどしたり だましたり する口実にする。

とっこ[1][0]（トク）【《独〈鈷】 ❶〔仏教で〕銅または鉄製の両端のとがった短い棒。手に持って、煩悩を打ち砕く意を表わす。「どっこ」とも。❷「とっこ❶」のような形を織り出した織物。❸〔寺で〕かつおぶしの隠語。

どっこい[3](感)〔「どこへ」の変化〕 ❶力を入れて物を持つ時などのかけ声。❷相手の行動を、そうは△行かないぞ(やらせないぞ)とさえぎる時のかけ声。 **—しょ**[3](感) ❶重たい物を持ち上げる時のかけ声。❷(老境にかかった者が)すわったり 立ち上がったり する時などに思わず発するかけ声。 **—どっこい**[5]—に・—な 「両者の力・勢いなどの程度がほとんど同じで、どちらもたいしたものではない様子だ」の意の口頭語的表現。

とっこう[0]（トク）【特攻】〔←特別攻撃(隊)〕〔太平洋戦争の末期に日本の陸海軍が頽勢（タイセイ）挽回（バンカイ）のために取った攻撃法。若い軍人が、自分の乗った航空機・魚雷ごと突入して敵艦を撃沈させようとした意〕特別の目的のために無理を承知の上で成算の無い行動に移ること。「—攻撃[5]・—操業[5]」

とっこう[0]（トクカウ）【特効】 特に著しい効能。 **—やく**[3]【—薬】 その△傷(病気)に特別よくきく薬。例、結核などに使われるストレプトマイシンなど。「インフレ解消の—(=すぐれた対応策)」

とっこう[0]（トクカウ）【特高】〔←特別高等警察[9]〕 一九一一年に設置された左翼の取締りにあたった政治警察。第二次世界大戦終了後、廃止。

とっこう[0]（トクカウ）【徳行】 道徳にかなった、正しい行為。「—を

もって知られる」

とっこう ⓪【篤行】 誠実で、隣人愛に燃えた行為。

どっこう ⓪【独行】―する(自サ) 自分の信念に従い、独力で行なうこと。「独立―⓪-⓪」

どっこうせん ⓪【独航船】〔遠洋漁業で〕獲れた魚を母船に渡す、小型の漁船。

とっこつ ⓪【突〈兀】―たる ―と 〔「兀」は、高い意〕山の頂が槍のようにとがって見える様子だ。

とっさ ⓪【〈咄嗟〉】〔「咄」も「嗟」も、驚くなどして思わず発する声〕切迫した状況下におけるごくわずかな時間。「―の判断/―に〔=すぐには〕返事が出来なかった」

とっさき ⓪【突先】 突き出ている部分の先端。突端。

どっさり ③(副)―と 〔「どさり」の強調形〕ちっとやそっとでは処理しきれないほど数量が多い様子。「おまけが―ついてくる/くにから野菜を―送ってきた」

ドッジ ボール ④〔dodge ball〕 二組に分かれてボールを投げあい、相手方のからだにあてる遊戯。デッド ボール。ドッチボール④とも。

とっしゅつ ⓪【突出】―する(自サ) ❶囲みなどを突き破って出ること。❷その部分だけ△目立って(飛び出して)見えること。「支出の中で交際費が―している」 ❸突然噴出すること。「ガス―事故」

とつじょ ①【突如】(副) 予想外の時分に意外な事態が起こることを表わす。「―有力なる部隊が後方から射撃を加えて来た」

どっしり ③(副)―と ―する 〔「どしり②」の強調形〕 ❶手に持って重みを感じることを表わす。「―と重い荷物」 ❷重おもしい存在感があって、いかにも頼りがいがあるように見えることを表わす。「―とした重みのある人」 ❸がんじょうで、簡単には崩れそうも無いことを表わす。「―と建つ木造家屋は至るところにあります/―とした体格」

とっしん ⓪【突進】―する(自サ) 目標に向かって、まっしぐらに進む様子。

*__とつぜん__ ⓪【突然】(副) 何の前触れ・予告も無しに思いもかけない事態が起こる様子。「―爆発した/―来られても迷惑する/―の出来事だった/彼の―の死に驚く」 **―し** ③【―死】 それまで健康だと思われていた人が突然からだの異状に見舞われて死ぬこと。 **―へんい** ⑤【―変異】 今まで親の系統に無かった性質や形態が、突然 子に現われ、それが遺伝すること。

とったり ⓪ ❶捕り手の役人。❷〔歌舞伎で〕捕り手。❸〔すもうで〕両手で相手の片腕をつかんで引き倒すわざ。「―を打つ〔=とったりを仕掛ける〕」

とったん ⓪【突端】 突き出たはし。「岬の―」

どっち ①【《何《方】(代) ❶Ⓐ対象とする限られた範囲の中で、条件に合う方向・方角やその方向にある場所や人・事物として、こっちだと一つに決められないことを表わす。「―へ行くか決めていない/―を見ても山ばかりだ/―に転んでも〔=どんな展開になったとしても〕自分に損はない」 Ⓑいくつかの選択の可能性がある中で、取り上げた事例に該当する方向や方角や人・動物などについて問うことを表わす。「―が南」 ❷二つの物のうち、選ぶものは一方だけだということを表わす。「―か一つにしてほしい」⇩あっち・こっち・そっち 【―も―】 不十分△な(だと指摘される)点が、関係する双方に同じように認められること。 **―つかず** ④⑤【―付かず】 対象に二つ(以上)の要素を含んでおり、どちらか一方に決めることが出来ない状態。「―の態度」 **―みち** ⓪【―道】(副) 「どの道」の口頭語的表現。

とっちめる ④(他下一) 〔「取り締める」の強調表現〕「そんな態度ではいけないと、きびしくしかる」意の口頭語的変化。こらしめる。

とっつかまえる ⑤⑥【取っ〈摑まえる・取っ捕まえる】(他下一) 「つかまえる」の強調した口頭語的表現。

とっつかまる ⑤【取っ〈摑まる・取っ捕まる】(自五) 「つかまる」の強調した口頭語的表現。

とっつき ⓪【取っ付き】 ❶物事の着手の△初め(手がかり)。❷最も手前。「―の部屋」 ❸つきあいやすいかどうかを中心としての第一印象。「―の悪い人」 動取っ付く③⓪(自五)「取っ付きにくい人」

とって ①【取って】〔接続助詞的に〕 ❶年齢をかぞえる時に言う語。「当年―〔=数え年で〕十八歳」 ❷〔「…に―」の形で〕「…を中心として考えると」の意。「私に―何よりも大事な品だ」

とって ⓪③【取っ手・《把手】 器具の、手に持つように作ってある部分。「―付き容器」

とってい ⓪【突堤】 港や川口の岸から、海中に突き出した細長い堤防。波や砂を防ぐ。

とっておき ⓪【取って置き】〔動詞「取って置く」の連用形の名詞用法〕いざという時のために、手をつけないで大切にしておく△こと(様子)。〔口頭語形は「取っとき」〕「―の品物/―の手段」

とっておく ①-⓪【取って置く】(他五) ❶後のち必要な場合に備えて、当座は使わないでおく。「最後の切り札としてー」 ❷予約を受けて、品物などを他に売らないでおく。「後で来るから一本取っておいてくれ」

とってかえす ①-①【取って返す】(自五) 目的地または途中まで行ったあと、寄り道しないですぐ戻る(ようにして他の所に行く)。

とってかわる ①-⓪【取って代わる】(自五) 今まで他のものが占めていた位置にそのものが就く。

とってつけたよう ①-①-①、④-①【取って付けた様】 よそから持って来てくっつけたように、言動が従前と違って不自然な様子。「―な挨拶をする」

とっても ⓪(副) 「とても」の口頭語的な強調表現。「―しあわせよ/―すてきだよ/―忙しいんだ」

ドット ⓪〔dot=点〕 ❶(補助的な)記号として用いられる点。特に、電子メールアドレスの区切り目に入れるピリオドを指すこともある。❷コンピューターの表示装置や印字装置において、文字や図形を表わす構成要素となる 小さな△点(正方形)。「二十四―の印字〔=縦・横共に二十四ドットの正方形で字を表現して印字すること〕/―プリンター」 ❸(布地の)水玉模様。

どっと ⓪(副) ❶おおぜいの人がいっせいに大きな笑い声や歓声などをあげる様子。「―笑う/―拍手が起こる」 ❷大量のものが一時に急激な動きを見せる様子。「人が―押し寄せる/涙が―あふれる/―疲れが出る」

とっとき ⓪【取っとき】 「とっておき」のくだけた口頭語的表現。

とつとつ ⓪【〈訥々〉】―たる ―と △とぎれとぎれに(スローテンポで)話す様子だ。「―として〔=見かけの不器用さにかかわらず、まじめさがあふれる様子で〕語る」 表記「〈吶々〉」とも書く。

とっとと ①(副) 〔「疾く疾くと」の変化〕「(ぐずぐずしないで)早く」の意の口頭語的表現。「―出て失せろ」

とつにゅう ⓪【突入】―する(自サ) Ⓐ危険な状態におちいることが予測される場所に強引に入って行くこと。「危険水域に―する」 Ⓑ事のなりゆきで重大な段階に進むこと。「△重大な局面(交戦状態)に―する」

*__とっぱ__ ⓪①【突破】―する(他サ)〈どこ・なにヲ―する〉 ❶Ⓐ障害となるものを突き破ってその先に出ること。「敵陣を―する」

Ⓑ限界と考えられる数量を超えること。「人口は一億を―した」❷障害を克服して目的を達すること。「三十人に一人の難関を―して合格した」―こう③【―口】❶堅固な陣地などの一部を突破して作った所。❷難しい問題や交渉などを解決するための手掛かり。「―を見いだす」

トッパー①〔topper〕⇒トッパーコート **―コート**⑤〔topper coat〕上半身をおおう程度の丈のコートの総称。裾(スソ)が広がった形のものが多い。

とっぱずれ⓪(バヅレ)【突外れ】〔「とっ」は接辞〕「中心部からみて、最も端の方」の口頭語的表現。「町の―」

とっぱつ⓪【突発】―する(自サ) 思いがけない事が急に起こること。「―的な事故/―性難聴⑦⓪-⓪」

とっぱな⓪【突《端》】〔「とっ」は接辞〕❶「突き出たはし」の意の口頭語的表現。「岬の―」❷物事の最初。「話の―」

とっぱらう④(バラフ)【取っ払う】(他五)「取り払う」の強調した口頭語的表現。「△垣根(既成概念)を―」

とっぱん⓪【凸版】 文字や絵の部分が盛りあがっている印刷版の総称。普通の活版・木版・金属版などは皆これに属する。⇒凹版・平版

とっぴ⓪【突飛】―な〔もと、主人からとがめを受ける意の「突鼻」から起こったものか〕風変りで、常識に反する様子だ。「―な服装/―なことを言い出す」派―さ⓪③

とっぴょうし⓪(ピャウー)【突拍子】〔「とっ」は接辞。多く「―もない」の形で〕ひどく△調子が外れて(常軌を逸して)いる様子だの意を表わす。「―もない声を出す/―もない事を言う」

トッピング⓪〔topping〕料理や菓子のうえにのせ、味に変化をもたせたり飾りとしたりするための食材。また、それをのせること。アイスクリームにふりかけるチップやナッツ、ピザにのせるチーズ、ソーセージなど。

トップ①〔top〕❶第一の順位(の立場・地位にある人)。「―に△のし上がる(立つ)/―を走る/―を切る(=ⓐ先頭を走る。ⓑ先頭に立って何かを始める。ⓒ首位に立つ)/―グループ⑤(=ⓐ先頭の一団。ⓑ首位を争う仲間)・―クラス④(=社長・会長などの最高幹部)・―(=トップクラスによる)会談④・―(=最上の)コンディション⑥・―バッター(=野球で、(その回の)先頭打者)・―ランナー・―賞③」❷トップニュースの略。❸羊毛の原毛を洗いあげ、加工した半製品。「―コート」❹自動車のチェンジレバーで、最も高速を出す時に使うギヤ。トップギヤ④。

とっぷう⓪【突風】 突然強く吹き出し、すぐやむ風。

トップコート④〔topcoat〕婦人用の、間(アイ)着の(短い)コート。スプリングコート。かぞえ方 一枚・一着

トップダウン④〔top down〕企業の経営などで、目標・方針などを首脳陣が決め、その実行を上位から下位に指示する管理方式。↔ボトムアップ

トップニュース④〔top news〕その日の新聞の第一面や社会面などの上段右に載せる重要記事。

トップマネージメント⑤〔top management〕〔会社などの〕最高の幹部(による経営)。

トップモード④〔和製洋語 ←英 top＋フ mode〕最新の流行。

トップや⓪【トップ屋】 週刊誌の目玉記事を作成し、その取材費を一本いくらと売り込む人。

トップライト④〔top light〕❶建物の採光のために、屋根にあけた天窓。❷〔演劇・映画・テレビなどで〕頭上から照らす照明(灯)。⇒フットライト

トップランナー④〔top runner〕❶リレーの第一走者。❷〔陸上競技で〕一流の走者。❸その分野の最先端で活躍する人。「医学界の―」

とっぷり③(副)―と あたりが暗くなって日がすっかり暮れる様子。

どっぷり③(副)―と ❶何かを液に浸して、その液を十分に含ませる様子。「筆に―と墨を含ませる」❷Ⓐ風呂(フロ)に入って湯に深ぶかと身を沈める様子。「温泉に―つかる」Ⓑ〔一般には好ましくないとされる〕何かの世界にのめり込んでしまっている様子。「趣味の世界に―つかっている」

トップレス①〔←topless bathing suit〕女性が身につける上半身裸の状態の△衣服(水着)。かぞえ方 一枚

トップレベル④〔top-level〕最高水準。

ドッペる③(自五)〔ド doppeln を活用させたもの〕「落第する」の意の、旧制高校生などを中心とした学生語。

ドッペルゲンガー⑤〔ド Doppelgänger〕自分とまったく同じ姿形の人物(を見ること)。自己像幻視。また、同時刻に複数の場所で目撃される同一人物。

とつべん⓪【《訥弁》】言葉がつかえるような、へたなしゃべり方。↔能弁・達弁 表記「弁」の旧字体は「《辯》」。

どっぽ①(ドク)【独歩】―する(自サ) ❶ひとりだけで歩くこと。❷自分自身の意志と力で物事をすること。「独立―」❸比べものが無いほど、すぐれていること。無比。「古今―(=⇩古今独歩)」

とっぽ・い③(形) 言動や服装が不良じみていて、自分の得になると思えば反社会的なことも平気でする様子だ。また、そのような性格だ。〔古くは「間が抜けている」の意にも用いられた〕「粋がって―格好をする/―青年」

どっぽう⓪(バフ)【独法】❶ドイツの法律。ドイツ法学。❷〔旧制高校で〕第一外国語がドイツ語であるクラスの称。❸「独立行政法人」の略。

とつめん⓪【凸面】 中央が高くなっている面。↔凹面 **―きょう**⓪(キャウ)【―鏡】 凸面を使う鏡。自動車のバックミラーなどに使う。↔凹面鏡 かぞえ方 一枚・一面

とつレンズ③【凸レンズ】 中央部が厚くなっているレンズ。光線を通して一点に集めるのに使う。↔凹レンズ かぞえ方 一枚

とて〔「といって(も)」の圧縮された形で、やや古風な表現〕[一](副助)❶それを例外視する理由が無いことを表わす。「私―それを考えない訳ではない/子供―(=でも)許されるはずはない/君―(=でも)そうするだろう」❷〔否定表現と呼応して〕そう名づけられる対象として取り上げるほどのものではないことを表わす。「著述―(は)(=著述と名づける程のものは)別に無い/恋愛―特に経験したことは無い」文法 体言(名詞、またそれに準ずる句)に接続する。
[二](接助)❶〔否定表現と呼応して〕前件から予想される結果とは反する事を述べる後件を、前件と結びつけることを表わす。「いくら不人情だ―そんな仕打ちはあるまい/いやだから―断わる訳にはいかない/金があるから―幸福だとは限らない/今から勉強した―まにあわない」❷△やむを得ない(当然の結果が予想される)理由を述べて、後件と結びつけることを表わす。「初めての仕事―緊張したのだろう/知らぬ事―お許しください」文法 体言(名詞、またそれに準ずる句)、活用語の終止形、格助詞「から」に接続する。

どて⓪【土手・土《堤》】❶平地に、長く続いて土を盛った所。堤防や風よけや、線路を敷くために作ったものなどがある。〔広義では、土砂くずれを防ぐために草を植えたり石を積んだりした斜面をも指す〕❷カツオ・マグロなどの背中の大きな切身。❸歯の抜け落ちたあとの歯ぐき。表記「土《堤》」は、「堤防」を踏まえた用字。

とてい⓪【徒弟】 内弟子・丁稚(デッチ)として、師匠・親方の所に住み込んで、家事労働などのかたわら技術・仕事を教えて

もらう者。

とてつ⓪【途〈轍】（あるべき）道理。「―ことを言う」【―もない】❶全く理屈に合わない様子だ。「―ことを言う」❷数・量が常識をはずれて大きい様子だ。「―損害だ/途轍もなく大きい」

どてっぱら⓪【土手っ腹】〔「はら」は、もと接辞〕土手に似た△部分(場所)。〔狭義では、憎いお前の腹の意に用いられる。例、「―に風穴(カザアナ)をあけてやるぞ」〕

***とても**⓪【〈迚も】（副）❶〔否定(的)表現と呼応して〕どんなに方法を尽くしても実現不可能だと思う気持を表わす。「―わたしには出来ない/頼まれても―だめだ」❷並の程度を超えていると判断する様子。「―きれいだ/―苦しい」

―かくても④【―〈斯くても】（副）〔雅〕❶事情はどうであるにせよ以下のことに変わりはないという判断を表わす。「世の中は、―一つさまにて過ぐること難くなん侍(ハ)べるを」❷どのような手段を取ってでも、という意を表わす。「おのれは―経(ヘ)なむ」

―のことに③-②【―の事に】〔雅〕いっそ(のこと)。むしろ。

どてら⓪〔東部方言〕綿を厚く入れた衣服。そでが広くて、着物より大きめ。丹前。［表記］「〈縕袍〉」（漢語表記）とも書く。

とと①【《父》】「ちち」の幼児語。「―さま①」↔かか(母)

とと①⓪【《魚》】「さかな」の幼児語。「お―・きん―」

とど①【〈鯔】❶ボラの成長したもの。⇩出世魚(ウオ) ❷（副）「結局❷」の意の古風な表現。⇩とどのつまり ［かぞえ方］❶は一匹

とど①【{〈胡獱〉}・{〈海馬〉}】からだはアシカに似て、はるかに大形の海獣。千島・北海道にすむ。〔アシカ科〕［かぞえ方］一頭

どど①【〈呶々〉】―する（自サ）〔本来の字音はドウドウ。「どど」は類推読み〕くどくど言うこと。「―を要しない」

どど①【度々】「たびたび」の意の古風な表現。

どどいつ②【《都《々逸》】主として恋愛の情をうたった俗曲。七・七・七・五で、口語調。

ととう⓪【徒党】(タウ) 何かよからぬ事をたくらむために寄り集まった集団・仲間。「―を組む」

ととう⓪【渡島】(タウ)―する（自サ）船で島に渡ること。

どとう⓪【怒〈濤】(タウ) Ⓐ荒れ狂う大波。「―さかまく大海」Ⓑおさえようにおさえることができない(自然の)猛威や時勢の流れ。「―の進撃を続け、一気に敵を破る」

とどうふけん④【都道府県】(ダウ) 全国の行政区画の総称。現在は、一都・一道・二府・四十三県。「―労働委員会」

トトカルチョ③〔イ totocalcio〕プロサッカーの試合で、勝負にかけて行なわれる、とばく。ヨーロッパや中南米の多くの国で公認されている。

ととく①【都督】〔古〕❶総大将。❷広域の地方行政長官。

****とど・く**②【届く】（自五）❶〈なに・だれ・どこニ―〉△出(延ば)した物が目的の所まで行き着く。「手の届かない所/報告が―/五十に手が―〔=⇩手〕/手紙が届いた」❷〈(だれ)ニ―〉心に思っていることが、先方に受け入れられる。「願いが―〔=かなう〕/思いが―」❸相手を思う気持が細かい所まで行き渡る。「世話が―」

【手が―】⇩手 【目が―】⇩目

とどく①【〈蠹毒】衣類・本・柱などの内部に虫がすみ、組織を傷つけ穴をあけること。〔物事を内部から破壊する分子の意にも用いられる〕

***とどけ**【届(け)】❶③役所(の上役)や組織体に届け出る書類。届書(トドケショ)⓪④。「婚姻―⑤・出生―・欠席―」❷〔造語〕動詞「届ける」の連用形。

―いでてんせんびょう⓪-【―《出伝染病》】(ビヤウ) ⇩伝染

―さき⓪【―先】届けて渡すべき先方。

―・でる④【―出る】（他下一）何か△事(変更)があった場合に、役所(の上役)や組織体に正式に届ける。「被害額を警察に―」［名］届け出(デ)⓪「―制」

***とど・ける**③【届ける】（他下一）〈どこ・だれニなにヲ―〉❶届くようにする。「手もとに―」❷立場の上の人や官庁などに正式に△連絡する(意思表示をする)。〔⇩届け❶〕

とどこお・る⓪④【滞る】(トドコホル)（自五）物事が順調に進まないで、ぐずつく。「交渉が―/家賃が六か月―〔=たまる〕」［名］滞り⓪「―無く終わる」

***ととの・う**③【整う・調う】(トトノフ)（自五）整えられた状態になる。「△条件(舞台・環境・態勢)が―/足並(ミナ)が―〔=きちんとそろう〕/整った〔=どこといって欠点のない〕目鼻立ち/整った〔=組立てがしっかりしていて論旨が過不足なく伝わる〕文章/縁談が―〔=まとまる〕/食事の準備が―」

****ととの・える**④【整える・調える】(トトノヘル)（他下一）〈なにヲ―〉❶すぐ△演技(作動)出来るように、ぐあいの悪い所を調べて直しておく。「コンディションを―」❷見られて恥ずかしくないように、乱れた所を直す。「服装を―/△機構(体裁・恰好(カッコウ))を―」❸足りない物が無いように、すっかり用意する。「旅装を―/夕食を―」❹うまく成立するように、まとめる。「交渉を―」

とどのつまり⓪、①-⓪【〈鯔の詰(ま)り】〔魚のボラは成長の途中、いろいろ名を変え最後にはトドと言われるので〕いろいろのいきさつがあったが、最終的にはそこに帰着することになる、という意を表わす。〔多く、不本意な結果に終わる場合に用いられる〕「あちこち引き回されて、―は骨折り損のくたびれ儲(モウ)けだった」⇩出世魚

とどまつ②【〈椴松】寒い土地に生える常緑高木。アカトドマツとアオトドマツの別がある。材は建築・器具・製紙用。略して「とど①」。〔マツ科〕［かぞえ方］一株・一本

***とどま・る**③【《止まる・《留まる】（自五）❶〈どこ・なにニ―〉(予測される移動が認められず)その△場所や組織に居続ける(地位・役職などを保ったままでいる)。「現地に止まり、本格的な調査をすることになった/社長退任後も会長として社内に―予定だ」❷〈なにニ―〉△予測(期待)される段階にまで進むことのない結果に終わる。「両首脳の初めての会談は儀礼的な挨拶(アイサツ)を交わす程度に止まった/投票率は五十パーセントに止まった/優勝候補と期待されながら、五位に止まった」❸〔「―所を知らない」の形で〕△いつまで続く(どこまで拡大する)のか、まったく予想のつかない状態にあることを表わす。「大都市への人口集中は―所を知らない」

とどめ⓪③【《止め】〔動詞「止める」の連用形の名詞用法〕人を殺したと思ったあと、万が一生き返ることをおそれて△のど(胸)を刺すこと。「―の一撃」【―を刺す】❶最後の一撃を加えて、再び立ち上がれないようにする。❷急所を押さえて、あとから文句の出ないようにする。❸〔「…は…に―」の形で〕(何かに関しては)それが文句なしに第一番だ、の意を表わす。「花〔=桜の花〕は吉野に―」

どどめ⓪【土留(め)】土手などの土砂が崩れるのを防ぐために作った柵(サク)など。「つちどめ」とも。

***とど・める**③【《止める・《留める】（他下一）❶〈どこニだれ・なにヲ―〉動こうとするものを とめる。❷〈どこ・なにニなにヲ―〉とどまるようにする。「△必要最小限(問題提起)に―/△記憶(記録)に―/城下町だけに昔の名残をあちこちに―」

とどろ・く③【《轟く】（自五）「どろどろ・どうんどうん」という大きな音が△遠くから耳に(広い地域にまで)響く。「雷鳴が―/胸が―〔=ふだんと違って、どきどきする〕/勇名が天下に―〔=知られる〕」［名］轟き⓪「胸の―」

トナー①〔toner=色の調子を変える物〕電子複写機やレー

ザープリンターなど、静電気の性質を利用した印刷に用いられる粉末。フェノール樹脂などに顔料で着色して鉄粉を混ぜたもの。

ドナー①〔donor〕角膜・臓器・骨髄の移植で、提供する側の人。⇩レシピエント

とない①【都内】東京都の中で、その中心となる地域。二十三の区に分かれる。都区内。〔広義では、市町村部も含める〕

どない⓪—に—な〔関西方言〕どのよう。⇩あない・こない・そない

とな・える③トナヘル【《称える】(他下一) 名づける。名を…と言う。称する。名称え③②

とな・える③トナヘル【唱える】(他下一) ❶〔決まった文句を〕△調子をとって(口の中で繰り返し)言う。「△お題目(念仏)を—」❷〔短い文句を〕大きな声で叫ぶ。「万歳を—」❸〔自分の意見・主張を〕大衆に広める目的で発表する。「△異(絶対反対)を—/平和を口に—」名唱え③②

トナカイ②【〈馴鹿〉】〔アイヌ tonakkai〕寒い地方にすむ、大形のシカ。茶色を帯びた灰色で、雌雄共に枝分かれした角を持つ。家畜としてそりを引くほか、肉・乳は北方の寒帯に住む人びとにとって欠くべからざる食料となり、また、皮で衣服・テントなどを作る。表記「〈馴鹿〉」は、借字。かぞえ方 一頭

どなた①【《何《方】(代)〔もと、「どの方角」の意〕「だれ」の敬称。「—かと思ったら」

どなべ⓪【土鍋】土製の鍋。

****となり** 【一】⓪【隣】❶最も近い両横(の位置・地域)。「—の国」❷隣の家(の人)。「—の犬がうるさい/お—(さん)からのおすそわけ」 **—きんじょ**④【—近所】(隣や)近所。 **—ぐみ**⓪【—組】第二次世界大戦中政府が作らせた、町内会・部落会の下の最小組織。【二】【隣(り)】(造語)動詞「隣る」の連用形。 **—あ・う**④—アフ【—合う】(自五) おたがいに隣になる。 **—あわせ**④⓪—アハセ【—合(わ)せ】❶互いに隣の関係にあること。❷プラスの反面にひどいマイナスを伴いがちであること。「いつも危険と—の仕事/栄光と—の死」動隣り合わせる⑥(自下一)

どなりこ・む④【怒鳴(り)込む】(自五) 腹が立ったり不平があったりして、相手の居る場所に入りこんで、大きな声で抗議する。

どなりちら・す⑤【怒鳴(り)散らす】(他五) 怒りや不満を抑えきれず、相手かまわずどなる。「部下に—課長」

どなりつ・ける⑤【怒鳴(り)付ける】(他下一) 特定の相手の不始末に対して、こんな事をしてくれては困る、以後気をつけよと、声を荒らげてしかる。「いきなりどなりつけられた」

とな・る⓪②【隣る】(自五) 互いに隣どうしの関係にある。「越後(エチゴ)国は其の境、上野(コウヅケ)に隣って/相(アイ)—」⇩隣り【二】

どな・る②【怒鳴る・〈呶鳴る】(自五)〔「ど」は接辞〕❶大声を△出す(出して呼ぶ)。❷大声でしかる。

とにかく①【〈兎に角】(副) そう△なる(する)に至ったいろいろな事情はさておいて、さしあたっての状況や結論を述べる様子。「事情は後で話すから、—すぐに家へ来てくれ/—忙しい毎日なのだ/彼の話は—難解だ」表記「〈左右〉」とも書く。

トニック①〔tonic〕❶強壮剤。栄養剤。整髪剤。「ヘアー—」❷〔楽曲の〕主音。基音。❸トニックウオーターの略。「ジン—」 **—ウオーター**⑥〔tonic water〕香味と甘味を加えた炭酸飲料。カクテルに用いる。

とにもかくにも①-①【〈兎にも角にも】(副) いろいろな問題はあったにせよ、さしあたって最低限の基準には達している様子。「—期日に間にあって良かった/—今日まで生きながらえている」

とにゅう⓪【吐乳】—する(自サ) 飲んだ乳を乳児が吐くこと。

とねり⓪①【〈舎人〉】❶昔、天皇・皇族に近侍して雑役を勤めた役人。❷牛車(ギッシャ)の牛飼い。乗馬の口取り。

とねりこ⓪③【〈梣・〈秦皮〉】山野に生じる落葉高木。三、四月ごろ薄い緑色の細かな花を開き、羽のある実を結ぶ。木の皮は薬用。材は器具用。田のあぜに並べ植えて、秋の稲かけにも用いられる。さとねりこ④。〔モクセイ科〕かぞえ方 一株・一本

との①【殿】貴人・主君を指す古風な敬称。〔代名詞として使うこともある。例、「—、お支度(シタク)が出来ましてござります」〕

どの【殿】(接尾) 公式の△場面(手紙)で、相手の名前に添える敬称。〔現在、「様」の方が広く一般に用いられる〕

どの①【《何の】(連体) Ⓐ対象とする限られた範囲の中で、条件に合う事物・事柄として、この一つに決められないことを表わす。「—問題も難問だ/—点から見ても落第だ/—面(ツラ)下げて〔=どんな顔して。臆面(オクメン)もなく〕」Ⓑいくつかの選択の可能性がある中で、取り上げた事例に該当する事物・事柄などについて問うことを表わす。「山田さんは—方ですか/お宅の会社は—ビルですか」⇩あの・この・その::こそあど

とのい⓪トノヰ【《直・《宿・〈宿直〉】〔もと、殿居の意〕昔、宮中・役所などに泊まって一晩じゅう警戒したこと。

どのう⓪—ナウ【土〈嚢】土を詰めこんだ袋。「—を積んで水の浸入を防ぐ」

とのがた⓪②【殿方】(女性が)男性を指して言う敬称。

とのこ⓪③【〈砥の粉】黄土を焼いて作った粉。刀をみがいたり白木の柱の着色などに使ったりする。

とのご⓪②【殿御】女性が愛情関係にある男性を指して言う敬称。〔古風な表現〕「好いた—と」

とのさま⓪【殿様】❶貴人・主君の敬称。❷江戸時代、大名や上位の旗本(ハタモト)の称。〔経済的にゆとりがあり、世事にうとい人の意にも用いられる。例、「—暮らし⑤・—芸⓪」〕 **—がえる**⑤—ガヘル【—〈蛙】水田などにすみ、害虫を食うカエル。緑色の地に茶色の筋や紋がある。〔アカガエル科〕かぞえ方 一匹 **—げい**④【—芸】殿様や金持がなぐさみにする芸。だんな芸。 **—しょうほう**⑤—シャウハフ【—商法】△市場の動向などに疎く(貪欲(ドンヨク)に利益を求めようという気が無く)採算のとれない商売をすること。多く長続きしないものとされる。殿様商売⑤。

とのばら②⓪【殿原】〔雅〕〔「ばら」は複数の意を表わす接辞〕「貴人の方がた」の古風な表現。多くの男の人たち。「若—」

どのみち⓪【《何の道】(副)〔どの道を選ぶにしても、の意〕どのような経緯があったにしても、行き着く結果はそこに帰すると判断する様子。どっちみち。「落とした物は—返ってはこない」

とのも①【《外の《面】家の外(の方)。

どのよう①③—ヤウ【どの様】—に—な Ⓐ対象とする限られた範囲の中で、条件に合う状態・様子・方法などとしてこのようだと一つに決められないことを、それと同様だと考えられるものを含めて、例示的に表わす。「—な種類の政治活動も、この国では禁じられている/私の話を—に考えるかは君たちの自由だ」Ⓑいくつかの選択の可能性がある中で、取り上げた事例に該当する状態・様子・方法などについて問うことを表わす。「この魚は—に料理しますか」Ⓒ「どの・どう」の婉曲(エンキョク)表現。「—に評価するかは君の自由だ」⇩あのよう・このよう・そのよう::こそあど

とば⓪②【賭場】ばくちをする所。「—荒らし③」

どば①【怒罵】—する(自サ)「大声を出して怒りをぶちまけたり相手をののしったりすること」の意のやや古風な表現。

どば①【〈駑馬】のろい馬。〔才能の乏しい者という意味で自分の謙称としても用いられる。例、「—にむち打って」〕↕駿馬(シュンバ)

トパーズ①②〔topaz〕宝石の一つ。黄玉(オウギョク)。トッパーズ①とも。「—色⓪」

とはい⓪①【徒輩】「連中・やつら」の意の漢語的表現。

どはい⓪【奴輩】「あいつら」の意の漢語的表現。〔侮蔑(ブベツ)を含意して用いられることが多い〕

とばえ⓪(エ)【《鳥羽絵】江戸時代、軽妙なタッチで諸人の日常生活を描いた、漫画風の墨絵。〔戯画に長じていた鳥羽僧正の名にちなんだもの〕

とばかり②(副)〔「と」は、時の意か〕「ちょっとの間」の意の古風な表現。「—あって〔=しばらく間を置いて〕」

とばく⓪【賭博】金品をかけて勝負を争う遊戯。ばくち。「—性⓪」

どばく⓪【土漠】粒のごく細かい土で覆われた荒れ地。

とばくち⓪【とば口】〔関東方言〕入口(の付近)。「解決の—へたどり着いた〔=解決へのきっかけが見え始めた〕」

どばし⓪①【土橋】木で作り表面に土をおおいかけた橋。

とばし・る③【〈迸る】(自五)〔雅〕〔「と」は接辞〕飛び散る。名 迸り⓪④

*とば・す【飛(ば)す】**一**⓪(他五)〈(どこ・なにカラ)どこ・なにニなに・だれヲ—〉飛ぶようにする。「矢を—〔=射る〕/急使を—〔=つかわす〕/檄(ゲキ)を—/口角(コウカク)泡を—〔=ぽんぽん言う〕〔⇩口角〕/冗談を—〔=ぽんぽん言う〕/時速八〇キロで—〔=疾走させる〕/途中を飛ばして〔=抜かして〕話を進める/八〇ヤード—〔=遠方にたまを届かせる〕」**二**〔「動詞連用形+—」の形で、接尾語的に〕勢いよくその動作をする意を表わす。「け—・殴り—・ぶっ—・笑い—」　とばされる⓪【飛ばされる】組織などの中枢からはずされて遠くに追われる。「△僻地(ヘキチ)の支店(系列会社の専務)に—〔=左遷される〕」

どはずれ②(ハヅレ)【度外(れ)】許容限度を超えていて、もう少しでとがめだてされかねないことを表わす。「—のいたずら/—に大きい声」動 度外れる④(自下一)

どはつ⓪【怒髪】激しい怒りのためにさかだっている髪の毛。「—天を衝(ツ)く〔=見るも恐ろしい形相(ギョウソウ)で怒る〕」

とばっちり⓪〔「とばしり」の強調表現〕〔何かのそばに居たために掛けられる、よごれた水・しぶきの意〕まきぞえ(をくうこと)。〔口頭語的表現〕「思わぬ—を△受ける(食う)」

どばと⓪【土〈鳩】人間が飼いならしたイエバトの一種。神社・寺・駅舎などで普通に見られる。表記「〈鴿」とも書く。

とばり⓪【《帳・〈帷】〔戸の代りに張るものの意〕❶部屋の中にたれ下げてしきりとする布。❷すべてのものが闇に包まれる夜になる意を美化した表現。「夜の—がおりる〔=夜になる意の文学的表現〕」かぞえ方 ❶は一枚

とはん⓪—する(自サ)**一**【登坂】⇩とうはん**一**　**二**【登〈攀】⇩とうはん**二**

とばん⓪【塗板】白墨で字や絵を書くのに使う、黒や緑色に塗った板。〔黒く塗ったものを黒板という〕かぞえ方 一枚

とひ①【徒費】—する(自他サ)「むだづかい・むだな費用」の意の漢語的表現。

とひ①【都〈鄙】「都会といなか」および「都会もいなかも」の意の古風な表現。

とび【飛(び)】(造語)❶とぶこと。〔とびはねる回数をかぞえる語としても用いられる。例、「一(ヒト)—で向こう岸に渡る」〕「—箱・縄—・幅—」❷金額を言う時、空位〔=零が書かれている位〕の呼び名を省略するのに用いる語。三〇五円を「三百とび五円」と言うこと。⇩飛んで 表記 ❶は、「跳び」とも書く。

とび①【〈鳶】❶人家の近くや海辺にすむ中形の鳥。背中は黒みを帯びた茶色。大きく輪を描いて飛びながら、獲物を捜すのが特徴。「とんび」とも。〔タカ科〕❷「鳶口・鳶職」の略。表記 ❶は、「〈鵄」とも書く。かぞえ方 ❶は一羽

どひ①【土〈匪】土着の匪賊。

どひ①【奴〈婢】下男と下女。「ぬひ」とも。〔多く侮蔑(ブベツ)を含意して用いられる〕

とびあがり⓪【飛(び)上(が)り】❶飛び上がること。「—ざまに〔=飛び上がったとたんに〕したたかに相手の眉間(ミケン)をけった」❷いやしい地位から急に成り上がること。また、その人。

とびあが・る④【飛(び)上(が)る・跳(び)上(が)る】(自五)❶浮力をつけて、△空(高い所)へ上がる。❷驚きや喜びを禁じ得ず、思わずおどり上がる。

とびある・く④【飛(び)歩く】(自五)△用を足す(仕事を見つける)ために、あちこちと歩き回る。

とびいし⓪【飛(び)石】❶少しずつ間隔をあけて並んでいる(伝い歩き用の)石。「—伝(ヅタ)い⑤・—連休⑤」❷跳び跳ねて、何かにぶつかる石。「車両の床下は全体にわたって—を受けたきずがあり…」かぞえ方 一枚

とびいた⓪【飛(び)板】スプリングボード。「—飛込み⑤」

とびいり⓪【飛(び)入(り)】—する(自サ)❶異分子がまざりこむこと。また、その異分子。❷参加予定者以外の人が不意に加わること。また、その人。

とびいろ⓪【〈鳶色】トビの羽の色のような黒みを帯びた茶色。「—の目」

とびうお⓪(ウヲ)【飛(び)魚】青みを帯びた銀色の海産魚。胸のひれは長く丈夫で、空中を飛ぶ。食用。「とびのうお③」とも。〔トビウオ科〕かぞえ方 一尾・一匹

とびお・きる④【飛(び)起きる】(自上一)今まで寝ていた人が勢いよく起き上がる。

とびお・りる④【飛(び)下りる・飛(び)降りる】(自上一)❶身をおどらせて高い所から下りる。「清水(キヨミズ)の舞台から—」❷乗り物が完全に止まる前に飛んでおりる。↕飛び乗る 名 飛び下り⓪

とびか・う③(カフ)【飛(び)交う】(自五)❶〔ある限られた場所で〕小鳥・銃弾などが入り乱れて飛ぶ。「△ホタル(蝶)が—」❷〔ある限られた場所で〕無視できない声などがあちこちから発せられる。「△専門用語(怒号)が—会場/世間に妙なうわさが—」

とびかか・る④【飛(び)掛(か)る】(自五)相手のからだ目がけて、自分のからだをぶつけるようにして攻撃する。

とびか・ける④【飛(び)〈翔る】(自五)〔鳥などが〕空中を飛んで行く。

とびきゅう⓪(キフ)【飛(び)級】—する(自サ)進級・進学に際して、優秀な生徒が学年を飛ばして上級へ進む△こと(制度)。

とびきり⓪【飛(び)切(り)】❶剣術の熟練者が地を蹴(ケ)って踊り上がり、飛び下りざまに相手を斬(キ)りつけたこと。❷ずばぬけて(すぐれて)いる様子。「—の品/—上等」〔❷の強調表現は「とびっきり⓪」〕

とびぐち②【〈鳶口】棒の先端にトビの嘴(クチバシ)に似た鉄のかぎをつけた用具。とび。丸太を移動・回転させたり消防用具として使ったりする。かぞえ方 一本

とびくら⓪【飛(び)《競】〔「とびくらべ」の変化〕❶どこまで△高く(遠く)飛んだかを互いに競争すること。❷〔中部地方、群馬・神奈川、伊豆七島の方言〕かけっこ。〔口頭語形は「とびっくら⓪②」〕

とびこ⓪【飛び子】トビウオの卵を塩漬けにした食品。「とびっこ⓪」とも。〔商標名〕

とびこ・える④【飛び越える】(自下一) ❶(障害物を飛んで)その向こうに達する。「予算の枠を―〔=はみ出す〕」 ❷とびこす❷。

とびこ・す③【飛び越す・跳び越す】(自五) ❶間にある物の上を飛んで、先へ進む。❷途中にある段階を飛ばして進む。「部長を飛び越して社長に直接話を持っていく」

とびこみ【飛び込み】■⓪ ❶飛び込むこと。「―の仕事が入ったので今夜は遅くなりそうだ/―のセールス」 ❷〔水上競技で〕一定の高さの台から水中に飛び込み、その姿勢の美しさを競うもの。ダイビング。「飛板―⑤・高―③」
■(造語) 動詞「飛び込む」の連用形。 **―じさつ**⑤【―自殺】 進行中の列車(電車)をめがけて飛び込んで自殺すること。 **―だい**⓪【―台】 水泳の飛込みのための飛び板のある高い台。

とびこ・む③【飛び込む】(自五) 勢いよく(いきなり)何かの中に入り込む。〔進んで事件の中に身を投じる意にも用いられる〕「溺れた人を助けようと川に―/解散の報(急な仕事)が飛び込んできた」〔⇩飛込み■〕

とびしょうぎ③【飛び将棋】 お互いに九個の駒を持ち、敵の駒に会えば飛び越えて進み、早く敵陣に駒を並べ終えた方を勝ちとする遊び。

とびしょく②【鳶職】 建築の基礎工事や建築物の骨組の組立てなどをする職人。仕事師。とびのもの。〔江戸時代は消防の仕事をした〕

とびすごろく③【飛び《双六》】〔道中双六などのように、かいてある絵の順に進むのではなく〕さいころの目の数に従って各区画に指定してある行く先に飛び進んで行く双六。

とびだい⓪【飛び台】 ❶飛込み台。❷〔十進位取り記数法で〕中間の同一の位に零を含む、一続きの数。例、五一〇一～五一〇九〔五千百トビ一 などとも読む〕。

とびだ・す③【飛び出す】(自五) ❶何かの中(内部)にあった物が、勢いよく外に出る。「ここを押すと、たまが―/地震で、そとに―/―絵本/理由も告げず突然会社を飛び出した〔=衝動的に退職した〕」 ❷中(内部)におさまっていなければいけない物が 外に出た状態になる。「破れて詰め物が飛び出しているソファー/書棚から本が一冊飛び出している」 ❸予期しないものが、そこに出て来る(現われる)。「突拍子もない意見が飛び出した」 名飛び出し⓪「―注意・―ナイフ⑤」 文法 ❷は多く、「飛び出している」の形で用いられる。

とびた・つ③【飛び立つ】(自五) 飛んで、どこかへ向かう(行く)。「ひなが巣から―/飛行機が―/―思い〔=夢がかなえられるという うれしさと、実際に早くそうなってほしいという期待感とで、じっとしていられない気持〕」

とびち⓪【飛び地】 本領から離れた所にある領地(属地)。〔広義では、他の区画の中に離れて存在するが、行政区画上は主地域に属する所を指す〕

とびちが・う④【飛び違う】(自五) ❶飛びかう。「ツバメが―」 ❷ぶつかり合わんばかりの勢いで身をかわす。「飛び違いざま相手を斬った」 ❸かけはなれる。

とびち・る③【飛び散る】(自五) 飛んで四方に散らばる。「火花が―」

とびつ・く③【飛び付く】(自五) ❶飛び上がって何かにとりつく。「木の枝に―」 ❷愛撫を待ち望んで勢いよく抱きつく。「子供は母親に飛び付いて喜んだ」 ❸動物が好きな獲物を早く自分の物にしようと思って、足をかける。 ❹待っていたとばかりに、対象に手を出す。「すばらしい計画にみんなが飛び付いた/流行に―/うわさに―〔=見境無く、軽率に、うわさを本当の事と思う〕」

トピック①〔topic〕 その時どきの話題。

トピックス①【TOPIX】〔←Tokyo stock price index〕 東証株価指数〔=一九六八年時点の第一部の株価総額を一〇〇とする指数〕。

とびっこ⓪【飛びっこ】「飛びくら」の意の幼児語。

とび・でる③【飛び出る】(自下一) ❶今まで居た所を出て、どこかへ行ってしまう。「しかられて家を―/けんかして会社を―〔=やめる〕」 ❷突き出る。「目の玉が―〔=ひどくしかられたり あまり値段が高いのに驚いたり する形容〕」

とびどうぐ③【飛び道具】 遠方から敵をうつ武器。弓矢・鉄砲など。

とびとび⓪【飛び飛び】(副) ❶同種のものが、ある程度の間隔を置いて(あちらこちらに)存在する様子。「庭石が―に続いている/―の休日」 ❷順を追わないで所どころ間を飛ばして何かをする様子。「関係する箇所を―に読んでいく」

とびにゅうがく③【飛び入学】―する(自サ) (数学等で)優秀な生徒が高校を卒業しなくとも大学に、また大学生が大学を卒業しなくとも大学院に入学できる制度。

とびぬ・ける④【飛び抜ける】(自下一) 他の同類のものと、格段の隔たりがある。「飛び抜けてすぐれている」

とびの・く③【飛び《退く》】(自五) 急に身をかわして、その場を離れる。「わきへ―」

とびのもの①【鳶の者】 ❶江戸時代の火消し人足。❷鳶職。

とびの・る③【飛び乗る】(自五) ❶身をおどらせて乗る。❷動いている乗り物に飛び上がって乗る。↔飛び下りる 名飛び乗り⓪

とびばこ⓪【跳び箱・飛び箱】 長方形の枠を幾つか重ね、その最も上に置いた台を飛び越える体操用具。走って行って片足をかけて飛び上がったり 手をかけ足を広げて飛び越えたり などする。

とびはな・れる⑤【飛び離れる】(自下一) ❶身をおどらせて離れる。❷はるかに隔たる。「飛び離れてすぐれている」

とびは・ねる④【跳び跳ねる】(自下一) ❶とんだりはねたりする。❷強い ばねで はねる。

とびひ⓪【飛び火】 ❶飛び散る火の粉(のために遠くに起こる火災)。〔一見無関係に思われる人(所)にまで事件の影響が及ぶ意にも用いられる〕 ❷夏、多く子供がかかる、感染力の強い急性皮膚病。膿痂疹。初め透明な液を含む水疱が出来、つぶれると かさぶたが出来る。

とびまわ・る④【飛び回る】(自五) 休まずに、あちこちをはねまわる(めぐり歩く)。「金策に―〔=奔走する〕」

どひょう⓪【土俵】 ❶土を中に入れたたわら。❷すもうをするために、まわりを「土俵❶」で囲んだ場所。〔その人の活躍する場所の意にも用いられる〕 **―いり**⓪【―入(り)】 幕内力士が化粧まわしをつけ、そろって「土俵❷」へ上がる儀式。〔横綱が単独で行なうものは、特に手数入と言う〕 **―ぎわ**⓪【―際】 ❶「土俵❷」の境界。❷もう、あとが無い ぎりぎりのところ。どたんば。

とびら⓪【扉】〔戸片の意〕 ❶開き戸の戸。❷〔本の〕見返しの次のページ。〔書名・著者名などをしるす〕 ❸〔雑誌で〕本文の前の第一ページ。〔題字や巻頭言などをしるす〕 かぞえ方 ❶～❸とも一枚 **―え**③⓪【―絵】 書物の扉に書く絵。

どびん⓪【土瓶】 湯茶を入れる時に使う陶製の器で、つるがあるもの。「―敷き②・―蒸し②⓪」

とふ①【塗布】―する(他サ) 薬・塗料などを一面に塗りつけること。「―剤②⓪・―薬②」

と・ぶ⓪【飛ぶ・翔ぶ・跳ぶ】(自五) ❶〈(どこ カラ) どこニ

—〈どこヲ—〉〔地面や元の場所から離れて〕空中を〔速く〕移動する。「あらしをついて—飛行機／冬になると白鳥が飛んでくる湖／午後の便でハワイに—／ボールが遠くまで—／話を聞いて、飛んで〔=大急ぎで〕帰る／台風で瓦が—／首が—〔=ⓐ斬られる。ⓑ解雇される〕／悪質のデマが—／あちこちからやじが—」 ❷〈どこ・なにヲ—〉はずみをつけて、身を空中に躍らせたり何かを△渡ったり(越えたり)する。「うれしくてぴょんぴょん—子供／階段を飛んでおりる／小川を飛んで渡る／あたりに△しずく(泥)が—」 ❸〈(どこ・なにカラどこ・なにニ)—〉間を抜かして先へ移る。「ページが—／番号が三番飛んでいる／話が—」 【—鳥を落とす勢い】 ひどく威勢のいいたとえ。

どぶ[0]【《溝】 下水・雨水などが流れるように作った、小さな水路。〔広義では、暗渠を指す〕「そんなことに費やすのは金を—に捨てるようなものだ／—川[0]」

どぶいた[0]【《溝板】 下水をおおう板。「—選挙[5]〔=どぶいたを越えて路地の奥まで入っていって、庶民の票を集めようとする選挙〕」 かぞえ方 一枚

とふく[0]【〈屠腹】—する(自サ) (自分の意思で)切腹すること。

とぶくろ[2][0]【戸袋】 ❶あけた雨戸を集めて昼の間しまっておく所。 ❷電車などの自動ドアが引き込まれる部分。

どぶづけ[0]【どぶ漬(け)】 汁の多いぬかみそ漬け。「どぼづけ」とも。

どぶねずみ[3]【《溝〈鼠】 ❶下水のそばなどにすむネズミ。大形で背中は赤みを帯びている。 ❷主人の目をかすめて悪事を働く使用人。黒ねずみ。↕白ねずみ かぞえ方 ❶は一匹

とぶひ[0]【〈烽】〔飛ぶ火の意〕昔、外敵の襲来などを次つぎに連絡するために使われた合図の火。⇩のろし

とぶらう[3]【《弔う】(他五) 「とむらう」の古風な表現。 名 弔い[0]

とぶらう[3]【《訪ふ】(他四) 〔雅〕 ❶安否を問う。 ❷おとずれる。 名 訪ひ[0]

どぶろく[0]【〈濁〈醪〉・〈濁酒〉】〔「〈酴醾酴〉」の変化。「酴醾」は粕を漉さない酒、「酴」は酒の名〕白く濁った、粗製の日本酒。にごりざけ。もろみざけ。だくしゅ。 表記 「〈白馬〉」とも書く。

どぶん[2](副)—と 水中に重たい物が音を立てて落ち込む様子。また、その水音の形容。どぼん[2]。

どべい[0]【土塀】 土で作った塀。

とほ[1]【徒歩】 乗り物に乗らず、足で歩くこと。「—旅行」

とほう[0]【途方】〔向かうべき方向の意〕応じるべき手段・方法。「—に暮れる〔=どうしていいか分からず、困る〕／—も無い〔=理解しかねるほどの壮大な〕計画」

どぼく[1]【土木】 家・道・港・橋・堤・上下水道など社会・産業の基盤となる施設や設備を作り、維持・整備する△こと(業務)。〔狭義では、家屋の建築を除く〕「—業[3]・—工事[4]」 **—けんちく**[4]【—建築】 広義の「土木」と同義。

どぼく[1]【奴僕】 下男。〔多く侮蔑を含意して用いられる〕

とぼける[3]【〈惚ける】(自下一) 〔「と」は接辞〕 ❶他のことに気を取られるなどして、相手の言動や外界の刺激に対して即座に反応できなくなる。「なにを惚けているんだ。人の話をよく聞いていろよ」 ❷自分にとって不都合な話題をそらそうと、知らないふりをしたり 答えをはぐらかしたりする。 名 惚け[3] 表記 「〈恍ける」とも書く。 運用 名詞形「とぼけ」に「お」を添えた「おとぼけ」の形で、自分にとって不利な事柄を隠そうとして意図的に相手の追及をはぐらかしていると見られる言動について、非難・皮肉の気持を込めて言うことがある。例、「そんなおとぼけは通用しないぞ／例によっておとぼけもいいところだ」

とぼし[3][0]【《灯】 ❶火をつけて闇を照らす道具。たいまつ・ろうそくなど。「ともし[3][0]」とも。 ❷灯火をつけるのに使う油。とぼしあぶら[4]。 表記 旧字体は「〈燈」。

***とぼしい**[3]【乏しい】(形) △必要とする(あることが望まれる)物が不足している状態だ。「△意欲(財源・積極性・経験)が—／△魅力(新味・盛り上がり)に—舞台」 ↕豊か・満ちる 派 **—さ**[3][2]「意欲の—」 【乏しきを分かつ】 必要なものが不足するために受ける苦しみを分ける。

とぼそ[0]【《枢】 ❶〔「戸のへそ」の意〕開き戸を回転させるために、戸まら〔=⇩くるる❶〕をさし入れる穴。 ❷開き戸。扉。

とぼとぼ[1](副)—と 足どりも重たげに、元気無く(一人)歩いていく様子。「夜道を—と歩く」

とま[0]【〈苫】 スゲ・カヤなどでこものように編み、小屋・舟などの雨露を防ぐもの。

どま[2]【土間】 ❶家の中で、床を張らず、土足で通るようにしてある所。 ❷〔昔の劇場で〕舞台の正面にある一階のます形の見物席。平土間。〔元は床を張らなかった〕

とまえ[0]【戸前】 土蔵の、戸のある所。また、その戸。〔土蔵をかぞえるのにも用いられる。例、「三—」〕

とまく[0]【《外幕】 武家時代、陣中の囲いとして幾重にも張りめぐらした幕のうち、最も外側のもの。

とます[2]【富ます】(他五) 〔「富む」の使役動詞形〕富むようにする。豊かにする。

とまつ[0]【塗抹】—する(他サ) ❶塗りつけること。 ❷塗り消すこと。

トマト[1]〔tomato〕 世界各地に広く栽培される一年草。実は球形で、熟すと赤くなり、水分が非常に多い。生で食べるほか、ケチャップにもする。〔ナス科〕 かぞえ方 一玉・一本

とまどい[0]【戸惑(い)・途惑(い)】〔「と」は接辞。もと、夜中に目をさました時、方向が分からなくなる意〕勝手が分からず、まごつくこと。「—を感じる／—が見られる」 動 とまどう[3](自五)

トマトケチャップ[5]〔tomato ketchup〕 トマトピューレに塩、砂糖、酢などを入れ、香料などを加えた調味料。略してケチャップ。 かぞえ方 一瓶・一本・一点

とまぶき[0]【〈苫葺〈き〉】 苫で屋根を△ふくこと(ふいたもの)。

とまぶね[3][0]【〈苫舟】 苫で屋根をおおった舟。

トマホーク[3]〔tomahawk=北アメリカ先住民の小型の斧〕 アメリカの開発した巡航ミサイルの名称。

とまや[0][2]【〈苫屋】 苫ぶきの(粗末な)家。

とまり【止(まり)・留(まり)】 ■[0] ❶物事の進行がそこで止まること。また、その所。「先が—〔=ぎりぎり一杯の所〕だね」 ❷とまりぐあい。 ■(造語) 動詞「止まる」の連用形。〔鳥小屋で〕鳥が止まる横木。 **—ぎ**[0][3]【—木】 ❶■ ❷つかまったり 腰をおろしたりするための横木。

とまり【泊(まり)】 ■[0] ❶泊まること。「仕事が忙しくて毎晩—だ／一晩—」 ❷宿直。 **—ばん**[0]【—番】 宿直(の番)。 ■(造語) 動詞「泊まる」の連用形。「—客[3]」 **—がけ**[0]【—掛(け)】 泊まる△予定(したく)で出かけること。 **—こむ**[4]【—込む】(自五) 何かの事情で、帰宅せずにそこに泊まる。「会社に—」 名 泊まり込み[0]

どまり【止(まり)】(造語) ❶そこで止まって先には行かないこと。「大宮—の列車」 ❷それが最高で、それ以上にはならないこと。「高いといっても十万円—だ／出世してもせいぜい部長—だ」

****とまる**[0]【止(ま)る・留(ま)る・《停(ま)る】(自五) ❶進行中や継続中の物事が、そこで終りになる。「出血が—／時計が

―/地震で△ガス(水道・電気)が―/新製品が売れに売れて笑いが止まらない/恐ろしくて心臓が一瞬止まりそうだ」❷〈どこ・なにニ―〉しばらく動かない状態でその位置に△居る(ある)。「スズメが電線に―/ねじが止まらない〔=固定しない〕/目に―〔=⇩目■❸〕」〔⇩止まり■〕【お高く―】⇩お高い

とま・る⓪【泊(ま)る】(自五)❶自分の家以外の所で、夜を過ごす。❷宿直する。❸停泊する。〔⇩泊まり■〕

とまれ①(副)「ともあれ」の圧縮表現。**―かくまれ**①-①、①-②(副)「ともあれ」の強調表現。

どまんじゅう②【土〈饅《頭】 土をまるく盛り上げた墓。塚。

どまんなか②【ど真(ん)中】〔もと、大阪方言〕❶その△場所(地域)の最も人目につきやすい所。「銀座の―」❷ちょうどまんなかに当たるところ。「ホームプレートの―」〔❶❷とも口頭語的表現〕

とみ①【富】〔動詞「富む」の連用形の名詞用法〕人間の生活を豊かにするのに役立つ物資・資源。「―〔=財産〕を作る/海の―〔=水産資源〕」

とみくじ⓪②【富〈籤】 江戸時代にはやった、一種の宝くじ。当たった番号札を持った人に賞金を与えた。

ドミグラスソース⑥〔demiglace sauce〕⇩デミグラスソース

とみこうみ①-①【と見こう見】―する(自サ) あちらを見たりこちらを見たりすること。表記「《左見《右見」とも書く。

とみに①【《頓に】(副)〔文語形容詞「疾し」の語幹+接辞「み」〕ある時期を境にして、急激にそのような傾向が目立つようになる様子。「最近―体力の衰えを感じる/食べ物のヘルシー志向はここにきて―高まっている」表記「頓」の字音はNで終わるので、本来は誤りと解される。

ドミノ①〔イ domino〕西洋かるたの一種。象牙製の二十八枚の札で遊ぶ。「―倒し」

ドミノげんしょう④【ドミノ現象】〔ドミノの札で将棋倒しをすることから〕一つのことが起こると、それに関連したことが次つぎに起こっていく現象。〔一般に好ましくない事態についていう〕

とみふだ②⓪【富札】 富くじの札。かぞえ方 一枚

とみもとぶし⓪【富本節】 浄瑠璃の一派。常磐津から分かれ出たもの。三味線を伴奏とする。

とみん①【都民】 東京都の住民。

どみん⓪【土民】 土着の住民。

*__と・む__①【富む】(自五)〈なにニ―〉❶多くの財産を持ち、経済的に豊かである。❷単一性や平板を破る何かを△多く(豊かに)持つ。「△春秋(陰影・活力・感受性・起伏・工夫・示唆・柔軟性・創意・波瀾・変化)に―」

トムトム①⓪〔tom-tom〕ダンス音楽などに用いる筒形の太鼓。

とむね①⓪【と胸】〔「と」は、思わずの意を表わす接頭語か〕「胸」の強調表現。「―を衝かれる〔=胸にぐっと来る〕」

トムヤム①〔タイ tom yam〕タイ料理で、香辛料とトウガラシを多く入れ、辛味と酸味を特徴とするスープ。エビを具にしたものはトムヤムクン③、魚を具としたものはトムヤムプラー③などという。

とむらい【弔(い)】■⓪弔うこと。〔狭義では、野辺の送り・葬式を指す〕「―事⓪・お―⓪」■〔造語〕動詞「弔う」の連用形。**―がっせん**⑤【―合戦】死者の霊を慰めたり 復讐したり するために戦うこと(の戦い)。

*__とむら・う__③【弔う】(他五)〈だれヲ―〉❶人の死を悲しみいたむ。❷死者の霊を慰めるために法事を営む(の催しをする)。「△先祖(犠牲者)の霊を―」〔⇩とむらい■〕

とめ⓪【止め・留め】〔動詞「止める」の連用形の名詞用法〕❶△止める(止めておく)こと。「通行―⓪・車―」❷そこで何かを終りにすること(を表わす語)。

ドメイン②〔domain〕❶△企業(学者など)の活動領域。「―外の問題」❷他のコンピューターとの識別をはかる機能(を果たすためにアルファベットや数字、特定の記号を組み合わせたもの)。

とめおき⓪【留め置き】❶留め置くこと。❷差出人の請求により、受取人が取りに来るまで一定期間郵便局で預かっておくこと。「―電報⑤・―郵便⑤」

とめお・く③⓪【留め置く】(他五)❶帰さないで、そのまま居残らせておく。❷ほかに動かさないで、そのままにしておく。❸必要な事を何かに書きつけておく。

とめおけ⓪【留め〈桶】〔銭湯で〕からだを流すのに使う湯をくむための、小判形の桶。

とめおとこ③【留め男】❶けんかの仲裁をする男。❷宿の客引きをする男。表記「止め男」とも書く。

とめがね⓪【留め金・止め金】 物の合せ目などが離れないように、つなぎとめる金具。

とめぐ⓪②【留め具】 何かが離れないように取り付ける、小さな金具。「袋の―」

ドメスティック④②―な〔domestic〕❶家庭の。❷国内の。**―バイオレンス**⑦〔domestic violence〕夫婦や親密な関係にある恋人の間で振るわれる(性的・精神的な)暴力。略してディーブイ(DV)。〔広義では子供が親に対して振るう暴力も指す〕

とめそで⓪【留め袖】 既婚女性の祝儀用の式服で、裾模様のある黒地の紋付。かぞえ方 一着

とめだて⓪【留め立て】―する(自サ) 他人の行為、特にけんかや暴挙などを制止すること。

とめど⓪【止め《処】 終り(になる所)。「―〔=際限〕が無い」表記「留め《処」とも書く。文法 一般に、「とめどがない」「とめど(も)なく」の形で用いられる。**―なく**④【―無く】(副) 何かがとぎれることなく続く様子。〔「とめどもなく」とも〕「―涙が流れる」

とめばり③⓪【留め針】 縫い合わせる二枚の布を重ねて動かないように仮に止めておく針。まちばり。

とめやく⓪【留め役】 けんかなどの仲裁役(の人)。

とめやま⓪【留め山】 狩りをすることや、木を切ることが禁じられている山。表記「止め山」とも書く。

とめゆ⓪【留め湯】 前日入った湯を流さないで、次の日再び使用すること。また、その湯。

とめゆ・く③【《求め行く】(自五)「捜しに行く」意の古風な表現。「ああ、我人と求め行きて」表記「《尋め行く」とも書く。

**__と・める__【止める・留める・《停める】■⓪(他下一)❶〈(どこニ)なにヲ―〉進行中・継続中のものを、そこで△動かない状態にする(終わらせる)。「車を―/足を―/仕事の手を―/息(の根)を―/痛みを―」❷〈だれニなにヲ―〉そうしてはいけないと言って、人が△しよう(したい)と思っていることをさせないようにする。「娘の一人旅を―/ホテルの人に夜間の外出を止められる/医者に酒を止められる」❸〈(なにデどこ)ニ)なにヲ―〉ある場所に固定する。「髪をピンで―/ボタンを―」❹〈なにニなにヲ―〉忘れないように、目や心に印象づける。「目に―〔=△感心して(変わっている点を)注意して見る〕/心に―〔=記憶する〕/注意されても気にも止めない」■〔「動詞連用形+―」の形で、接尾語的に〕❶相手の自由な動きを抑える。「射―・仕―・撃ち―」❷不結果が起こらないような措置を講じる。「食い―・せき―・取り

―・書き―」 ❸確実な効果が期待出来るような行為をする。「突き―・受け―」

と・める [0]【泊める】(他下一) ❶人を家に入れて、一夜を過ごさせる。❷船を港に入れる。

とめ わん [0]【止(め)〈椀】 会席料理で、最後に出る汁物。

とも ■一(接助) 前件に述べた仮定にかかわらず、後件が成立することを表わす。「どんな事があろう―動いてはならぬ/つらく―がまんだ/何は無く―楽しい我が家」 文法 助動詞「う/よう・ず」の終止形、形容詞の連用形に接続する。■二(終助) 疑い・反対の余地なく強く断言することを表わす。「もちろん、行きます―/ああ、そうだ―/いい―いい―」 文法 活用語の終止形に接続する。■三(副助) およその限界を表わす。「遅く―十時までには帰る/多少―関係がある/少なく―千円はかかるだろう」 文法 形容詞の連用形に接続する。また、一部の副詞にも接続する。

とも【共】■一[0] 組になっているものがどちらも同じ状態であること。「ベルトをワンピースと―の布で作る/上着と―の帽子/―働き・―蓋・―裏・―切れ・―白髪」 ■二(造語) ❶互いに何かしあうことを表わす。「―食い・―倒れ・―釣り」 ❷一緒に何かすることを表わす。「―鳴り・―寝」 ❸取り上げたもの全部がそうであることを表わす。「レスリングは男女―優勝した/三人―女性だった/五軒―休みだった」 ❹それをも含めることを表わす。「運賃―三千円/郵送料―二百円/風袋―三百グラム」

とも [1]〔行動を共にする人の意〕 ■一【友・《伴】 ともだち。仲間。同類。「―の会[1]」 ■二【供・《伴】 貴人や立場の上の人について行って、護衛や身のまわりの世話をする人。従者。「―の者/―人[0]」 ⇩おとも

とも [1][2]【〈鞆】 弓を射る時、左の手に着ける、まるい革製のもの。弦が手首に触れるのを防ぐ。

とも [1][2]【〈艫】 「船尾」の意の和語的表現。↕へさき・みよし 表記「〈艉」とも書く。

ども【共】(接尾) ❶複数を表わす。〔古くは、敬称を要しない対象に用いた。⇩たち〕「者―・おとな―・女―・事―」 ❷〔「わたし・わたくし・てまえ」など特定の第一人称に添えて〕謙遜の気持を表わす。

ども(接助) 前件に述べられた事実とは関係なく、後件が実現することを表わす。「子供といえ―〔=ⓐ子供ではあるが。ⓑ子供であっても〕ばかには出来ない/行け―行け―〔=いくら先まで行っても〕緑の野が続く」 文法 活用語の仮定形に接続する。

とも あれ [1](副) ▵あれこれ事情はある(どんな結果になるか予測できない)にしても、当面の処置としてそうしようとする様子。「―行くだけは行ってみよう/何は―やってみないことには始まらない」

とも いろ [0]【共色】 組み合わされるものと同じ色。「表と―の裏地」

とも うら [0]【共裏】 衣服で、表と同じ布を使った裏。

ともえ [0]【〈巴】〔鞆に書いた絵模様の意〕 ❶外へめぐる渦巻の形。「三つ―・卍―」 ❷物が円形をえがくように回る様子。 **―なげ** [0]【―投(げ)】 柔道の技の一つ。相手の押してくる力を利用して自分から仰むけに倒れ、片足を相手の腹に当てて、投げるもの。

とも えり [0]【共襟】 その衣服と同じ布を上にかけた襟。

とも がき [2]【友垣】〔雅〕友(達)。

とも かく [1]【〈兎も角】(副) 言及すべき問題は他にもあることを認めた上で、そのことはひとまずおいて当面の問題に限って結論的に述べようとする様子。「―改革に一歩踏み出したことは確かだ/辞書は、―わかりやすいのがいちばんだ/結果は―(として)まずやってみることが大事だ/時間が無いのなら―、遊んでいるのだったら手伝ってくれ」 **―も** [1](副) 「ともかく」の意の強調表現。「ごたごたしたが、―問題は一段落した/口であれこれ言うのはやめにして―やって見よう」

とも がしら [3]【供頭】 武家時代、供回り(の行列)を取り締まった役(の人)。

とも かせぎ [0]【共稼(ぎ)】―する(自サ) 夫婦がどちらも勤めに出て生計を立てること。共働き。

ともがら [0][4]【《輩】 「仲間」の意の古風な表現。

とも ぎれ [0]【共切(れ)】 すでに出来あがっている衣服の▵質(柄など)と同じ切れ地。表記「共《布」とも書く。

とも ぐい [0]【共食(い)】―する(自サ) ❶(動物が)同じ仲間を殺して食うこと。❷互いに利益を得ようと争って共倒れになりそうなこと。

とも・し [2]【《乏し】(形シク)〔雅〕 ❶「とぼしい」の意の文語形容詞。❷珍しい。❸うらやましい。表記 ❸は、「《羨し」とも書く。

とも じ [0]【共地】 同じ質で同じ色の生地。

とも しび [0]【《灯・《灯火】〔灯し火の意〕 ▵あたりを明るくする(仏前に供える)ためにともす火。「山小屋の―/法の―〔=仏法の伝灯〕を絶やさず後世に伝える」

とも しらが [3]【共白《髪】 夫婦ともに白髪になるまで長生きすること。表記 ⇩付表「白髪」

とも・す [2][0]【《点す・《灯す】(他五) 灯火をつける。「とぼす[2][0]」とも。「ろうそくを―/爪に火を―〔=⇩爪❶〕」

ともする と [1](副) ともすれば。「―、寝坊しがちな昨今」

ともすれ ば [1](副) 適切な▵対処(注意)を怠ると、そうなる傾向が現われやすい様子。ともすると。「―湿りがちな雰囲気を明るくする/―時代の風潮に流されやすい」

とも ぞろえ [3]【供〈揃(え)】 (大名行列などの)供回りを揃えること。「供揃い[3]」とも。

とも だおれ [0]【共倒(れ)】 助け合ったり競争し合ったりしたために、両方とも立ち行かなくなること。「―になる」

***とも だち** [0]【友《達】 一緒に何かをしたり遊んだりして、気持の通い合っている人。友人。「―に恵まれる/遊び―・飲み―・釣り―・幼―・女―[4]・男―[4]・喧嘩―[4]〔=小さな喧嘩は毎日のようにしたが、その他の点ではしごく仲の良かった同士〕」 表記 ⇩付表「友達」。「《達」は、借字。

とも ちどり [3]【友千鳥】〔雅〕群れを成して飛んでいる千鳥。

とも づな [0]【〈纜】〔「〈艫綱」の意〕 船をつなぎとめるための綱。「―を解く〔=船出する〕」 かぞえ方 一本

とも づり [0]【共釣(り)】―する(他サ) 生きたアユを糸につないで水中に放し、他のアユを誘い寄せる釣り方。表記「友釣り」とも書く。

とも ども [2][0]【共々】(副) それぞれ立場の異なる二人以上の人が、同じ立場に立って何かをする様子。「親子―楽しみに待っています/監督はスタッフと―ロケ地を捜しに出掛けた」

***とも な・う** [3]【伴(なう)】〔「なう」は接辞〕 ■一(自五)〈なにニ―〉 一方が…する度合に応じて、他方も…する。「収入に伴わない〔=釣り合わない〕生活/世の進歩に伴って〔=につれて〕」 ■二(自他五) ❶〈だれヲ―〉 一緒に▵ついて(連れて)行く。❷〈なにヲ―〉 表裏一体の関係で存在する。「この手術には多少の危険が―/不安が―/▵混乱(弊害)を―/実質が伴わぬ」 表記 本表=「伴う」

とも なり [0]【共鳴(り)】―する(自サ) 「きょうめい」の和語的な表現。

とも に [0]【共に】(副) それぞれ別個の二つ以上のものが、ある点に関して同一の▵立場に立つ(ものとみなされる)様子。

「―がんばりましょう/自他―認める/名実―すぐれている/△運命(起居)を―する/愛は喜びであると―〔=同時に〕苦しみでもある」 表記 「〈倶に」とも書く。

ともね[0]【共寝】―する(自サ) △同じ床(一緒)に寝ること。

ともばたらき[0][3]【共働(き)】―する(自サ) 「共稼ぎ」の新しい言い方。

ともびき[0]【友引】 物事に勝敗無しとする日。昼だけが凶とされる。〔俗に、「友を引く」として、その日に葬式を行なうことを忌む〕⇩六曜

ともぶた[0]【共蓋】 入れ物と蓋が、同質の材料で出来ているもの。また、その蓋。

ともまち[0][4]【供待(ち)】―する(自サ) 供の者がそこで主人の帰りを待つ△所(こと)。

ともまわり[3]【供回(り)】〔昔、上級の武士の〕供の者の顔ぶれ。

どもり[1]【〈吃(り)】 吃る△こと(人)。吃音(キツオン)(者)。〔侮蔑(ブベツ)を含意して用いられることがある〕

どもり[0]【土盛(り)】―する(自サ) 〔工事などで〕(運んで来た)土を盛り上げること。

どもり[3][0]【度盛(り)】 温度計などの度数を示す目盛り。

とも・る[2][0]【《点る・《灯る】(自五) 灯火がつく。「とぼる[2][0]」とも。「△灯(ヒ)(前途に赤信号・原子炉の火)が―」

ども・る[2]【〈吃る】(自五) 〔発音器官の調整がうまくいかず〕言葉がつかえたり 繰り返したりする。

とや[0]【〈塒】〔鳥屋(ヤト)の意〕❶鳥を飼っておく小屋。ねぐら。❷鳥の羽が季節によって抜けて生えかわる△こと(時)。「―に△入る(つく)/ツルの―」

どや[2]〔「やど」の倒語〕「日雇い労働者のたまりとなっている簡易旅館」の意の隠語。「―街[2]」

とやかく[1](副) 好ましくないことだとしてあれこれと批判めいた事を言う様子。「君に―言われる筋合は無い」

どやき[3][0]【土焼(き)】 すやき❶。

どやしつ・ける[5](他下一) 強く「どやす❷」。

どや・す[2](他五) ❶おどかすつもりで、軽く打つ。「背中をどやされる」❷おどかさんばかりにしかりつける。

どやつ[1][0]【《何《奴】(代) 不定称の人代名詞。「どいつ」に同じ。〔ののしって言うのに用いる〕

どやどや[1](副)―と おおぜいの人が騒々しい物音を立てながら、いっせいに移動する様子。「学生が―と教室から出て来た」

とやま[1]【《外山】〔雅〕人里が比較的近い、ふもとの山。「―のかすみ」↔深山(ミヤマ)

とゆう[1][0]【都〈邑】〔「邑」は、「住む人の多い村」の意〕「都会」の意の古風な表現。

とよ[1]【〈樋】「とい」の変化。

とよあしはら[4]【《豊〈葦原】〔雅〕日本国の美称。

とよう[0]【渡洋】―する(自サ) 海洋を△越え(渡)ること。「―作戦[4]・―爆撃[4]」

どよう[0]【土用】 立夏・立秋・立冬・立春の前の十八日間の称。春は清明、夏は小暑、秋は寒露、冬は小寒の後、それぞれ十三日目に土用の入りとなる。土用中 葬送などは見送られた。〔狭義では、夏の土用を指す。暑さ中(アタ)りを避けるため、ニンニク・鰻(ウナギ)などを食べる習わしがある〕 **―さぶろう**[6]【―《三郎】 夏の土用の三日目。〔昔、この日の天候でその年の豊凶を占ったという〕 **―なみ**[2]【―波】 遠隔地の台風などの影響で夏の土用中、風が無いのに高く起こる波。 表記 「土用《浪」とも書く。 **―ぼし**[0]【―干(し)】 夏の土用に行なう虫干し。 **―やすみ**[4]【―休(み)】「夏休み」の意の古風な表現。

どよう[2]【土曜】 一週の第七日。金曜の次、日曜の前。土曜日[2]。〔週の始まりを月曜とすれば、一週の第六日〕

どよ・む[2](自五) 音が響き渡る。〔古くは「とよむ」〕 名 どよみ[3]

どよめ・く[3](自五) ❶音が鳴り響く。❷ざわざわと騒ぐ。「聴衆が―」 名 どよめき[0]

どよも・す[3](他五) どよめくようにする。「野山を―〔=圧倒するほど鳴り響く〕歓呼の声」

とら[0]【虎】 アジア特産の猛獣。背中から腹にかけて黄色の地に黒いしまが前後方向に対して直角にある。口が大きく、鋭い牙(キバ)と爪(ツメ)を持ち、眼光が鋭い。皮は敷物などに用いられた。〔ネコ科〕〔押さえにくいというところから、俗に、酔っぱらいの意にも用いられる〕「―の威を借る狐(キツネ)〔=有力者の陰に隠れていばる者のたとえ〕/―の尾を踏む〔=きわめて危険な事をするたとえ〕/―を野に放つ〔=猛威ある者に、その力を発揮できるよう自由にさせること。また、大きな災いをもたらすような危険なものを野放しにしておくことのたとえ〕」 かぞえ方 一匹・一頭

とら[0]【〈寅】 十二支の第三。虎(トラ)を表わす。〔昔、方位では東から三〇度北寄りを、時法では午前三時ごろからの約二時間を指した〕「―年(ドシ)[0]」

どら[1] 道楽ばかりする△こと(人)。「―息子・―娘[3]」

どら[0]【《銅〈鑼】 ばちでたたいて鳴らす、青銅製で円板状の打楽器。法事で読経(ドキョウ)の区切りに使ったり 出船の合図に使ったりする。ゴング。 かぞえ方 一挺(チョウ)・一丁 **―ごえ**[0]【―声】 銅鑼のように太く濁った声。 **―やき**[0]【―焼(き)】 卵・砂糖などを加えた小麦粉を水でとき、これを二枚の銅鑼の形に焼き、その間に あんを入れた菓子。

トライ[2]―する(自サ)〔try〕❶〔ラグビーで〕選手が、持っているボールを相手側のゴール内の地面につけること。また、相手側のゴール内にあるボールを押さえること。5点と、ゴールキックの権利が与えられる。❷ためしに挑戦する。「新しいタイプのゲームに―する」

とらい[0]【渡来】―する(自サ) 外国から渡って来ること。「南蛮―〔=舶来〕の品/―人(ジン)[2]」

ドライ〔dry=かわいた〕 ▣(造語) 乾いた。水気のないさま。「―カレー・―フルーツ」 ▣[2]―な・―に ❶世間一般のしきたりや生活感情にこだわらず、あっさり割り切って物事をする様子だ。「彼女、案外―な性格だ」↔ウエット ❷無味乾燥。おもしろくない様子だ。 派 ―さ[0][2] ▣[2] ❶会などで、酒の類を出さないこと。❷甘味を加えていない洋酒の称。「―ジン[4]」⇩スイート ▣ドライクリーニングの略。

ドライアイ[4]〔dry eye〕 目の病気の一つ。涙の分泌量が不足して、目が乾燥し、痛み・かゆみ・充血などの症状を呈する。

ドライアイス[4]〔dry ice=もと、商標名〕 二酸化炭素を冷却・圧縮して固体にしたもの。セ氏零下七十八・五度で昇華するため、物をぬらさずに冷蔵・冷却出来る。

トライアスロン[4]〔triathlon〕 ひとりの人が遠泳・自転車・長距離走の三種目を連続して行ない タイムを競う耐久競技。鉄人レース。

トライアル[2]〔trial〕 ❶試行。「―アンド エラー〔=試行錯誤〕」❷試技。〔スキーのジャンプ競技では、テストジャンプを指す〕 ❸予選競技。

トライアングル[4]〔triangle=三角形〕 細い鉄の棒を三角形に曲げた楽器。小さい鉄の棒で たたいて鳴らす。 かぞえ方 ❷は一本

ドライカレー[4]〔和製英語 ←dry + curry〕 ❶ひき肉に唐辛子を中心とした種々の香辛料を加えてそぼろ風にいためたもの。❷カレー粉を加えた、洋風の いためごはん。

ドライクリーニング[5]〔dry cleaning〕「布地をいためず

に油性のよごれをよく落とすために」ほとんど水を使わないでする洗濯。〔昔はベンジンを使ったが、現在は多く「パークロルエチレン溶液[10]」や石油系溶液を使う〕

ドライバー ■〔driver=操縦する△人(もの)〕 ❶[2] 自動車の運転者。「オーナー—」 ❷[0][2] ゴルフの遠距離用のクラブ。 ❸[0] デバイスドライバーの略。 ■[0][2]〔←screw-driver〕 ねじ回し。 かぞえ方 ■❶、■は一本

ドライブ[2]〔drive〕 ❶—する(自サ) 自動車による遠乗り。 ❷〔ゴルフ・テニス・バレーボールなどで〕ボールをこすり上げるようにして強く打つこと。「—のかかったたま」 ❸〔コンピューターで〕磁気テープ・磁気ディスクなど補助記憶用の媒体を作動させてデータの読み書きを行なう装置。駆動装置。「磁気テープ—・磁気ディスク—」 **—イン**[4]〔drive-in〕 自動車△から降りないで(を乗り入れて)用が足せる(道路わきの)レストラン・商店・映画館などの設備。 **—ウエー**[6]〔和製英語 ←driveway〕 自動車でドライブするための道路。〔英語の driveway は門から車庫に通じる私道などの意〕 **—スルー**[6]〔drive-through〕 自動車に乗ったままで買い物などが出来る△こと(店)。「—ショップ[8]」

ドライフラワー[5]〔dried flower の日本語形〕 自然の色や姿を保存したまま乾燥させた植物。花を主体とし、茎・葉、時には果実をも含める。〔冬季の室内装飾用として当初案出された〕

ドライフルーツ[5]〔dried fruit の日本語形〕 製菓・調理用の乾燥果物。アンズ・イチジク・レーズンなど。

ドライミルク[4]〔dry milk〕 粉乳。

ドライヤー[0]〔dryer〕 洗い終わった物などを速くかわかす道具。乾燥機[3]。「ヘアー—」 かぞえ方 一点

トラウマ[0][2]〔ド Trauma〕 精神的に大きなショックを受けたことの後遺症として後あとまで続く心理的な障害。心的外傷[0]-[0]。精神的外傷[0]-[0]。

とらえどころ[0]【捕(ら)え所・捉え所】 ⇩つかみどころ

**とら・える[3]【捕(ら)える・捉える】(他下一) ❶〈(なにデ)だれ・なにヲ—〉「つかまえる」のやや改まった表現。「盗人を捕らえて見れば、我が子なり/袖(ソデ)を捕らえて放さない/機会を—/不安が彼を捕らえた(=彼は不安で不安でたまらなかった)」 ❷〈(なにデ)だれ・なにヲ—〉 行くえを見失わず、自分の力の及ぶ範囲内に置く。「レーダーが敵機を—(=視野に収める)」 ❸〈なにヲ—〉 ある点を逃さず問題として取り上げる…前向きに—/言葉尻(リ)を—」 ❹〈なにヲなんだトー〉 ある物事について…だという判断を下す。「…と捕らえていいのではないか/何とも捕らえがたい現象」

とらがしら[3]【虎頭】 漢字の部首名の一つ。「虐・虚・虞」などの、上部の「虍」の部分。虎の皮の模様を表わす。とらかんむり。

とらがり[0]【虎刈(り)】 段になって(トラのまだらのように)見える、へたな、髪の毛の刈り方。

トラクター[2]〔tractor〕〔農業・土木工事で〕地ならしや土の掘り起こしなどに使う牽引(ケンイン)自動車。 かぞえ方 一台

とらげ[0]【虎毛】 黄色の地に太くて黒い縞(シマ)のある△もの(毛色)。虎斑(トラフ)。

トラコーマ[3]〔trachoma〕 慢性で伝染性の結膜炎。放置すると失明することがある。トラホーム。

ドラゴン[1]〔dragon〕 西洋伝説の りゅう(竜)。

ドラスティック[2][4]—な・—に〔drastic〕 思想・行動・手段などが、過激なくらい徹底している様子だ。ドラスチックとも。「—な改革」

トラスト[2]〔trust=信用。信託〕 同種の事業に従事する複数の企業が名実ともに一つの企業に化してしまったもの。企業合同。 ⇩カルテル・コンツェルン

とら・せる[3]【取らせる】(他下一) ❶「取る」の使役形。人に命じて「取る」ことをさせる。「口述筆記を—/責任を—/暇を—」 ❷やる。…してやる。「ほうびを—」

トラック[2]〔track〕 ❶〔陸上競技場などの〕競走路。 ❷〔←トラック競技〕「トラック❶」で行なう陸上競技の総称。 ↕フィールド かぞえ方 ❶は一本

***トラック**[2]〔truck〕 貨物運送のための営業用の自動車。 かぞえ方 一台

ドラッグ[2]—する(他サ)〔drag=引きずる〕〔コンピューターで〕マウスのボタンを押したままマウスを移動させること。アイコンの移動や文書処理の範囲指定などに使う。「—アンドドロップ(=マウスのボタンを押したまま移動後、ボタンを離すこと)」 **—バント**[5]〔drag bunt〕〔野球で〕バットを押し出すようにして軽くボールにあてて転がし、全力で一塁にかけ込む攻撃方法。

ドラッグ[2]〔drug〕 薬。薬物。〔狭義では麻薬を指す〕「—ストア(=薬局)」

とらつぐみ[3]【虎〈鶇】 ツグミ類の中で最大の渡り鳥。背中は薄茶色で腹は白色。全体に三日月形のまだらがある。〔ヒタキ科〕〔古くは「ぬえ」〕 かぞえ方 一羽

トラッド[2]〔trad←tradition(al)〕 伝統的である△さま(もの)。特に、ヨーロッパに古くからある、伝統的な服の型。

トラップ[2]〔trap〕 ❶わな。「ハニー—[5]」 ❷一定量の水がたまるようにしておき、下水などから逆流する腐敗ガスなどを防ぐ装置。 ❸蒸気の排出を防ぐ装置。

どらねこ[0]【どら猫】〔飼い主がなかったりなどして〕町中にすんでいながら、自分で餌(エサ)をあさらなければならない猫。

とらのお[3]【虎の尾】 ❶山野に生じる多年草。夏、白色の花を穂状に出す。葉は先のとがった卵形。種類が多い。オカトラノオ。〔サクラソウ科〕 ❷ヤブソテツの別名。 かぞえ方 ❶❷とも一本

とらのこ[0]【虎の子】〔トラはその子を非常に愛するというところから〕大切にして手もとを離さないもの。

とらのまき[0]【虎の巻】 ❶兵法の秘伝書。 ❷それさえあれば、たいして△研究(勉強)しないでもその場だけは効果のあがる本。たね本・あんちょこの類。

トラバース[3]—する(自サ)〔traverse〕〔登山やスキーで〕〔山腹や岩壁の〕横断。

とらひげ[0]【虎〈鬚】 トラのひげのように毛が堅いひげ。 表記「虎〈髭」とも書く。

トラピスト[3]〔Trappist〕 修道院の一派。独身を守り、労働・沈黙などの戒律を厳守する。

トラフ[1]〔trough(=谷)の日本語形〕 ❶細長く延びる海底盆地。「相模(サガミ)—・南海—」 ❷気圧の谷。

とらふ[0]【虎《斑】 虎毛。

とらふぐ[0]【虎〈河豚〉】 よく肥え太っていて頭が大きいフグ。背中は黒茶色で腹は白い。胸びれの後方に不規則の黒斑(ハン)がある。劇毒を持つが、美味。ふぐちょうちんの材料にもなる。〔マフグ科〕 かぞえ方 一匹

ドラフト[0]〔draft〕 ❶Ⓐ(型紙を作るための)下図。Ⓑ草稿。下書き。 ❷専属者として引き抜くこと。〔狭義では、プロ野球で新人選手獲得のためのそれを指す〕「—制[0]・—会議[5]」 **—ビール**[5]〔draft beer〕 生ビール。

トラブル[2]〔trouble〕 いざこざ。問題。「—が△起きる(生じる)/—を起こす/金銭—」

トラベラー[2]〔traveler〕 旅行者。「—ズチェック[7](=旅行者用小切手。日本では二〇一四年で販売終了)」

トラベル[2]〔travel〕 旅行。旅。「—エージェンシー[5](=旅行代理店)・—ガイド[5]」

トラホーム③〔ド Trachom〕⇩トラコーマ

ドラマ①⓪〔drama〕 演劇、また、戯曲。〔狭義では、テレビ・ラジオで放映・放送される劇を指す。また広義では、現実に起こる人情味にあふれる物語や、実際に起こった感動的な出来事をも指す。例、「ホーム―・メロ―/野球は、筋書のない―だ」〕 かぞえ方 一本

ドラマー①②⓪〔drummer〕 ドラムをたたく人。

とらま・える④③⓪【捕(ら)まえる】(他下一) 〔「とらえる」と「つかまえる」との混交〕しっかりととらえる。つらまえる。

ドラマチック④〔dramatic〕 劇的。「―な場面」

ドラマツルギー④〔ド Dramaturgie〕 作劇術。演劇論。

ドラム①⓪〔drum〕 太鼓。〔広義では打楽器全般を指し、狭義ではジャズの演奏で一人の奏者に用いられる打楽器のセットを指す〕

ドラム かん⓪【ドラム缶】 ガソリンなどを入れる、金属製で大きな円筒形の容器。 表記 「缶」の旧字体は「罐」。 かぞえ方 一本

どら むすこ③【どら《息子】 よくない遊びで身を持ちくずすなどして、親を困らせることの多い息子。〔謙遜(ケンソン)したり、自嘲(ジチョウ)的にも用いられる〕 ⇩のら息子 表記 ⇩付表「息子」

***とらわ・れる**④【《囚(わ)れる・捕らわれる】(自下一) ❶〈だれ・なにニ―〉 とらえられる。 ❷〈なにニ―〉 本質に直接関係の無い事情に束縛されて、自由に考えることが出来なくなる。「△先入観(目先の利害)に―/ゆきがかりに囚われず/メンツに囚われない」 名 囚われ⓪「―の身」

トランキライザー⑤〔tranquilizer〕 精神を落ち着かせる薬。精神△安定(鎮静)剤。

トランク②〔trunk〕 ❶大型の旅行かばん。 ❷乗用車の車室の外にある荷物入れ。 **―ルーム**⑤〔trunk room〕 ❶家具・美術品などを(有料で)保管する倉庫。 ❷乗用車の後部の荷物入れ。略してトランク。

トランクス②〔trunks〕 ❶ボクサーなどが はくショート パンツ。 ❷男子の下着用パンツ。 かぞえ方 ❶❷とも一枚

トランザクション④〔transaction〕 ❶業務上の処理。取り扱い。商取引。 ❷〔コンピューターで〕データベース システムに対して、データを追加・削除・修正する一連の処理。

トランシーバー④〔transceiver〕 近距離連絡用の携帯無線通信機。送受信装置を組み込んである。 かぞえ方 一台

トランジスタ④〔transistor〕 ❶三個以上の電極を持つシリコンなどの半導体素子で、増幅作用を持つものの総称。非常に小さく真空管よりも有利で、電子工学上欠かせない。トランジスター④とも。〔俗に、小型の意に用いられる〕 ❷トランジスタを使ったラジオ。 かぞえ方 ❷は一台

トランシット④〔transit〕 角度を正確にはかるための測量機械。

トランジット②④〔transit〕 〔航空機で〕最終的な目的地へ行く途中の空港に立ち寄ること。また、その乗客。

トランス②〔trance〕 催眠状態やヒステリーのときにみられる、通常とは異なった意識状態。「―状態に陥る」

トランス⓪〔←transformer〕 電圧を変える器械。変圧器。 かぞえ方 一台

トランスジェンダー⑤〔transgender〕 自分の身体的な性の区分に違和感を持ち、別の性による社会生活を望む△こと(人)。

トランプ②〔trump=切り札〕 五十三枚のカードから成る西洋かるた。ジョーカー一枚と、ハート・ダイヤ・クラブ・スペード四組それぞれ十三枚から成る。〔英語では、プレイング カード。略してカードと言う〕 かぞえ方 一枚。トランプ五十三枚では一組

トランペット④〔trumpet〕 らっぱに似た、金属楽器の一つ。音は強く鋭い。 かぞえ方 一本

トランポリン②〔Trampoline=商標名〕 弾力性を付けたズックの四角または円形の布(を利用して、飛び上がったり空中で回転・ひねりわざなどを行なったり する跳躍運動)。 かぞえ方 一台

とり【取(り)】〔動詞「取る」の連用形の名詞用法〕 ■②❶取る△こと(もの・人)。「場所―に行く/かるた―・月給―・すもう―」 ❷「真打(シンウチ)」の異称。〔俗に、呼び物とする最後の番組に出る人の意にも用いられる。例、「―をとる/大(オオ)―⓪」〕 ■(造語)〔接頭語的に〕動詞に冠し、「十分に・慎重に・確実に」などの意を加える。「―あつかう・―つくろう・―調べる」

とり⓪【《酉】 十二支の第十。鶏を表わす。〔昔、方位では西を、時法では午後五時ごろからの約二時間を指した〕

****とり**⓪【鳥】 ❶からだ全体に羽毛が生え、子は堅い殻に包まれた卵からかえる動物。多くは、空中を飛ぶことが出来る。「―が今年も渡ってくる」 ❷ニワトリ(の肉)。 表記 ❷は、「《鶏」とも書く。 かぞえ方 一羽・一匹 【―無き里のこうもり】 鳥のいない所では(空を飛べる)こうもりが威張る意から、優れた人のいない所でつまらない者が威張ることのたとえ。

どり⓪「鳥類の肺臓」の俗称。「鳥は食うとも―食うな」

ドリア①〔フ doria〕 ピラフの上にホワイト ソースを掛け、オーブンで焼いた料理。

トリアージ③〔triage〕 災害や事故で同時に多数の負傷者を搬送・治療する際、症状の重篤度合に応じ、患者にラベルを貼るなどして優先順位をつけること。

とりあ・う③⓪【取(り)合う】(他五) ❶互いに放すまいとして取る。「手を取り合って」 ❷二人以上の人が同一の物を同時に取ろうとして争う。 ❸まともに相手になる。「笑って取り合わない」〔❶❷の名詞形は、取り合い⓪〕

***とりあえず**③【取(り)《敢(え)ず】(副) 〔取るべきものも取らずに、の意〕本格的な処置は後のこととして当面その場でできる範囲で緊急の事態に対処する様子。「―これでまにあわせよう/必要な品だけ―買い整える/―礼状を出しておいた」

とりあげ ばば⑤【取(り)上(げ)《婆】 「産婆」の意の古風な口頭語的表現。

***とりあ・げる**⓪④【取(り)上げる】(他下一) ❶〈なに・だれヲ―〉〔下にある物を〕手に取って持つ。 ❷〈なに・だれヲ―〉〔下の人が申し出た事を〕無視しないで聞き入れる。「△要望(苦情・市民コミュニティー設置の訴え)を―」 ❸〈だれカラなに・だれヲ―〉 相手の持っている物を△無理に(取れるだけ)取る。「年貢を―」 ❹〈なに・だれヲ―〉 産婦が子を生むのに、手を貸す。「赤ん坊を―」 ❺〈(なにニ)なにヲ―〉 特にとりたてて問題とする。「△真正面から(議題に)―」 表記 ❷❺は「採り上げる」とも書く。

***とり あつか・う**⑤⓪【取(り)扱う】(他五) ❶〈なにヲ―〉 手で持って使ったり 動かしたりする。「グラスを慎重に―」 ❷〈だれヲ―〉 よそから来た人に接して、用が足りるように取りはからう。待遇する。応対する。「人を公平に―」 ❸〈なにヲ―〉 業務内容・営業品目の内に含まれる。「うちではその品を取り扱っておりません」 ❹〈なにヲ―〉 受けつけて、処理する。「苦情を―/欠勤として―」 名 取り扱い⓪

とり あつ・める⑤⓪【取(り)集める】(他下一) 広くいろいろの△物を(所から)集める。

とり あみ⓪【鳥網】 木の枝などに張り、鳥を捕らえる網。

とり あわせ③【《鶏合(わ)せ】 昔行なわれた、雄のニワト

…を戦わせる遊戯。↓闘鶏

とりあわ・せる[5][0]（アハセル）【取(り)合(わ)せる】(他下一) ❶釣合が取れるように△並べる(組み合わせる)。❷いろいろな材料を寄せ集める。名取り合わせ[0]「色の—/—の妙」

ドリアン[1]〔durian〕マレー半島周辺に自生する常緑高木。約三〇センチの大きな楕円(ダエン)形の実の果肉は、クリーム色で特殊なにおいがあるが非常に甘い。果物の王と言われる。〔アオイ科(旧パンヤ科)〕かぞえ方 一株・一本

とりい[0]（ヰ）【鳥居】神社の入口に立てる門。⛩の形をしている。貫(キヌ)〔=下の方の横木〕が柱を貫くものと貫かないものとがある。かぞえ方 一基 【—を越す】〔狐(キツネ)が鍵(カギ)をくわえて何度も鳥居をくぐると、そのうちに稲荷(イナリ)大明神になれるという俗信から〕経験を積み、年功を重ねる意にも、老獪(ロウカイ)になる意にも用いられる。「鳥居の数が重なる」とも。

とりいそぎ[0]【取(り)急ぎ】(副) さしせまった状況の中で他に優先して対処する様子。「—係官に実情調査を命じた/—君には知らせておこう」 運用「取り急ぎ△お礼(ご報告)まで」などの形で、十分に意を尽くしていないがと謝罪する気持を込めて手紙文の末尾に用いられることがある。

とりいそ・ぐ[4][0]【取(り)急ぐ】(自五) さしせまった事なので急いで△取りかかる(行動する)。

トリートメント[2] —する(他サ)〔treatment〕日常的な手入れ。特に、(女性の)髪の毛の手入れ。「ヘアー—」

ドリーム[2]〔dream〕夢。「—ゲーム[5]・—ランド[5]」

とりい・る[3][0]【取(り)入る】(自五) 自分が有利になるように、当局者・有力者の御機嫌を取(ろうとす)る。「社長に—」

とりいれ[0]【取(り)入(れ)】❶物を取り入れること。❷農作物の収穫。「秋の—」

とりい・れる[4][0]【取(り)入れる・採(り)入れる】(他下一) ❶取って、中へ入れる。とりこむ。❷農作物などを収穫する。❸自分の内容を豊かにするために、他のいい点を受け入れる。「△外国の文化(意見・意向)を—/△要求(制度)が取り入れられる」

とりうち[0] ❶【鳥打(ち)・鳥撃(ち)】小銃で鳥を撃つこと。また、その人。「—の名人」 ❷【鳥打(ち)】〔↑鳥打ち帽[4]〕〔もと、狩りなどに用いた〕平たくて、ひさしの付いている帽子。ハンチング。

トリウム[2]〔ド Thorium〕放射性元素の一つ〔記号Th 原子番号90〕。灰色の重い金属で、原子力の燃料用。

とりえ[3]【取(り)柄・取(り)得】凡庸だと思われる人の性質や能力の中で、幾分増しだと思われるところ。「からだが丈夫なだけが—/まじめだけが—の男/若さだけが—の駆け出し記者/元気なことと明るいところが—/なんの—もない平凡な句のようだが、自然界への鋭い観照に気がつく」

トリエンナーレ[5]〔イ Triennale ↑三年ごとにあるもの〕三年ごとに開かれる大規模な美術展。「—展」⇩ビエンナーレ

トリオ[1]〔イ trio〕❶三重唱。三重奏。❷メヌエット・スケルツォ・行進曲などの中間部。❸三人組。〔三つで一組の物の意にも用いられる〕「クリーンアップ—」⇩コンビ

とりおい[0][3]（オヒ）【鳥追(い)】❶〔農家で〕正月十五日に、田畑を荒らす鳥獣を追い払う行事。❷江戸時代、正月に三味線をひき、小うたを歌って門付(カドヅケ)をした女の人。

とりお・く[0]【取(り)置く】(他五) △使わないで(捨てないで)保存して置く。名取り置き[0]

とりおこな・う[5][0]（オコナフ）【執(り)行(な)う】(他五) 行事を(厳粛に)行なう。「卒業式を—」

とりおさ・える[5][0]（オサヘル）【取(り)押(さ)える】(他下一) △あばれている(悪事を働いて逃げようとする)者を、しっかりと押さえる。「犯人を—〔=つかまえる〕」 表記「取り抑える」とも書く。

とりおどし[3]【鳥《威(し)》】農作物を荒らす鳥をおどして追い払うために作ったもの。かかし・鳴子(ナルコ)など。

とりおと・す[4]【取(り)落(と)す】(他五) ❶手に持っていたものをうっかり落とす。❷うっかりして△扱うことを忘れる(扱うべき数の中から抜かす)。❸不必要な部分を取り除いて、前よりもすっきりとした状態に△なる(する)。名取り落とし[0]

とりがい[2]（ガヒ）【鳥貝】握りずしなどに使う海産の二枚貝。肉は薄黒く、先がくの字に曲がっている。〔ザルガイ科〕かぞえ方 一枚

とりかえし[0]（カヘシ）【取(り)返(し)】取り返すこと。もとどおりにすること。「—がつかない失敗」

とりかえ・す[3][0]（カヘス）【取(り)返す】(他五) 何かの事情で一時△他人の手に渡っていた(自分の手から離れてしまった)ものを再び自分の手に戻す。「陣地を—/敵に先行された得点を—」

***とりか・える**[0]（カヘル）【取(り)替える】(他下一) ❶〈(なにニ)なにヲ—/(なにト)なにヲ—〉他のものに替える。「衣装を別のものに—/部品を—」 ❷〈なにトなにヲ—〉自分の△持って(着て)いたものを人に与え、人の△持って(着て)いたものを自分がもらう。交換する。「相手と衣装を—」 名取り替え[0]「—期限」

とりかか・る[4][0]【取(り)掛(か)る】(自五) やり始める。着手する。「△仕事(作業・実行・準備)に—/今取り掛かっている事件」

とりかご[0]【鳥籠】鳥を飼う籠。かぞえ方 一挺(チョウ)・一丁

とりかこ・む[0][4]【取(り)囲む】(他五) まわりをすっかり囲む。「海に取り囲まれた国/ファンに取り囲まれる」

とりかじ[0]（カヂ）【取《舵》】❶船首を左へ向けるために回す舵(の取り方)。↕面舵(オモカジ) ❷左舷(サゲン)。

とりかた[4][3]【捕(り)方】❶罪人を捕らえる方法。❷罪人を捕らえる役目の人。とりて。

とりかたづ・ける[6]【取(り)片付ける】(他下一) きれいに整理する。かたづける。名取り片付け[0]

とりかぶと[3]【鳥《兜》】❶舞楽の時、楽人・舞手(マイテ)がかぶるかぶと。❷秋、鳥の冠状・青色の花を開く多年草。付子(ブス)は、この塊根から採る毒薬。〔キンポウゲ科〕かぞえ方 一本

とりかわ・す[4][0]（カハス）【取(り)交(わ)す】(他五) ❶〔お互いの気持が通じあっていることの表明として〕挨拶(アイサツ)やそれに付随する儀礼的な行為、また、贈り物などをやりとりする。「固めの杯を—」 ❷互いに約束に反することがないという意志を裏づけるものとしての文書などを交換する。「△契約書(念書・覚書)を—」

とりき[0][3]【取(り)木】幹についたままの枝を土に埋め、根が出たあとで切って苗木とすること。

とりき・める[4][0]【取(り)決める・取(り)《極める》】(他下一) (相手と話し合って)決める。約束する。名取り決め[0]「—を結ぶ」

とりくず・す[4]（クヅス）【取(り)崩す】(他五) ❶高く積み上げた物を土台から壊す。「老朽ビルを—」 ❷まとまっていたものや、ためていたものを少しずつ使う。「貯金を—」 名取り崩し[0]

とりくち[2]【取(り)口】すもうをとる手口。

とりくみ[0] ❶【取(り)組(み)】取り組むこと。「財政再建への—/地域ぐるみの—」 ❷【取組】〔すもうの〕組合せ。「本日一番の好—」

***とりく・む**[0][3]【取(り)組む】(自五) ❶〈だれト—〉相手を

倒すため、互いに相手のからだに手をかけて身構える。❷〈だれトー〉試合をするために、ある相手と組み合わせられる。❸〈なにニー／なにトー〉解決・処理するため、一生懸命にとりかかる。「△真正面から(腰を据えて・一丸となって・積極的に)ー／難題とー／防災にー」

とりけし[0]【取(り)消(し)】取り消すこと。「ーを求める／ー記事[5]」

***とりけ・す**[0][3]【取(り)消す】(他五)〈なにヲー〉いったん決めた約束・発表などを、あとで△無かったこと(まちがいだ)とする。「発言をー」

とりこ[3][0]【《虜》】〔取り子の意〕いけどりにした敵。捕虜。〔広義では、何かに熱中して、それから逃げ出せない状態になった人を指す。例、「恋のー」〕表記「擒」とも書く。

とりこ[3][0]【取(り)粉】つきあげた餅(モチ)などの表面につけて、扱いやすくする、米の粉。

とりこしぐろう[5]【取(り)越(し)苦労】(ラウ)ーする(自サ) どうなるか分からない先のことをあれこれ考えて、むだな心配をすること。「とりこしくろう」とも。

とりこ・す[0][3]【取(り)越す】(他五) 期日を繰り上げて行なう。「取り越して式を挙げる」

トリコット[3]〔フ tricot (発音はトリコ)の文字読み〕細い縦編みで、弾力・伸縮性のあるうね織りの(毛)織物。手袋・マフラーなどに用いる。⇩メリヤス

とりこな・す[4][0]【取りこなす】(他五) 思うままに巧みに処理する。名取りこなし[0]

とりこぼ・す[4][0]【取(り)《零す》】(他五)〔すもうなどで〕いつもならば負けるはずの無い相手に負ける。名取り零し[0]

トリコマイシン[4]〔trichomycin〕〔←トリコモナス[4]《=性病の病原虫》とマイシンの混交〕八丈島の土から分離して得られた国産の抗生物質。水虫などに きく。

とりこみ【取(り)込(み)】■一[0] 日常生活の秩序を乱すような、不幸や不意の出来事。「こちらのお宅ー中のようだから遠慮しておこう」■二(造語) 動詞「取り込む」の連用形。

ーさぎ[5]【ー詐欺】代金を支払う意志を初めから持たず、注文した多量の商品を転売するなどして、現金を詐取する詐欺。運用 (1)「お取り込み中恐れ入りますが」などの形で、忙しそうにしている相手に声をかけるときの前置きとして用いられることがある。(2)応対したくない客や電話の相手に対して、「(ただ今)取り込み中ですので…」などと言って断るのに用いることがある。

とりこ・む[0][3]【取(り)込む】■一(他五) ❶取り入れる。「△洗濯物(外気・画像)をー」❷(不正な方法で)自分の手に収める。「味方にー」❸人の機嫌をとってまるめこむ。■二(自五) 不幸やもめ事などがあって、家の中が落ち着かない状態になる。「ただ今取り込んでおりますので改めてご連絡ください」⇩とりこみ 運用〔⇩取込み■一〕

とりこ・める[0][4]【取(り)籠める】(他下一) ❶押しこめる。❷取り囲む。

とりころ・す[4]【取(り)殺す】(他五) たたって、その人の命を取る。

とりごや[0]【鳥小屋】ニワトリを飼っておく小屋。鶏舎。

とりこわ・す[4]【取(り)壊す】(コハス)(他五)〔建物を〕壊してくずす。名取り壊し[0] 表記「取り《毀す》」とも書く。

とりざかな[3]【取(り)《肴》】❶一つの器に盛り、各人が取り分けるようにした酒のさかな。❷〔日本料理で〕三度めの酒とともに出す酒のさかな。

とりさ・げる[0][4]【取(り)下げる】(他下一) ❶さし出したものを取りもどす。「辞表をー」❷訴えや申請などの申立てを取り消す。「訴訟をー」名取り下げ[0]

とりさし[0][4]【鳥刺(し)】❶昔、とりもちをつけたさおで小鳥を捕らえて売ることを生業とした人。❷鳥肉の刺身。

とりざた[0]【取(り)沙汰】ーする(他サ)〔とかくの〕うわさ。「離婚話がーされる」

とりさば・く[4]【取(り)《捌く》】(他五) 適切に取り扱う。処理する。さばく。名取り捌き[0]

とりざら[2]【取(り)皿】料理を取り分けて入れる小皿。

とりさ・る[0][3]【取(り)去る】(他五) 取って無くす。

とりしき・る[4][0]【取(り)仕切る】(他五) ある仕事を責任をもって管理する。「店を一人でー」

とりしず・める[5][0]【取(り)鎮める】(シヅメル)(他下一)〔騒ぎなどを〕抑えて静かにする。

とりしまり[0]【取(り)締(ま)り】■一 取り締まる△こと(人)。■二【取締】「取締役」の略。

ーやく[0]【取締役】株式会社の業務執行を監視する重役職。「ー会[6][7]〔=株式会社の業務執行に関する意思決定を行なう機関〕・代表ー[0]-[0]」

***とりしま・る**[4]【取(り)締(ま)る】(他五)〈(なにデ)なにヲー〉不都合や違反行為が無いように△監督(監視)する。「交通違反をー」

とりしら・べる[5]【取(り)調べる】(他下一) ❶詳しく調査する。❷〔(犯罪)事実をはっきりさせるために被疑者を〕いろいろな点にわたって調べる。名取り調べ[0]「ーを受ける／ー官[5]」

とりすが・る[4][0]【取(り)《縋る》】(自五) ❶かたくつかんで、離れまいとする。❷願いを聞き入れてもらおうとして、縋る。

とりす・てる[4][0]【取(り)捨てる】(他下一) そこから除いて捨てる。

とりすま・す[4]【取(り)澄(ま)す】(自五) ❶まじめくさった顔つきをする。❷あずかり知らぬ顔をする。

とりせつ[0]【取(り)説】「取扱説明書」の略。製品マニュアル[5]。

とりそろ・える[5]【取(り)《揃える》】(ソロヘル)(他下一) 漏れなく△揃える(一か所に集める)。「材料をー」

とりだか[2]【取(り)高】❶収入の高。❷俸禄(ホウロク)の高。

とりだ・す[3][0]【取(り)出す・採(り)出す】(他五) ❶中から取って外へ出す。「ポケットから財布をー」❷多くの中から選び出す。「本棚から図鑑をー」

とりたて[0]【取(り)立(て)】❶取り立てること。「借金のー／ー〔=徴収〕金(キン)[0]」❷取ってすぐの状態。〔最近、「取れ立て」と言う向きが多くなった〕「ーの果物」

とりた・てる[0][4]【取(り)立てる】(他下一) ❶特別の物としてかぞえ上げたり 問題にしたりする。「取り立てて言うほどの事も無い」❷下の者を△ひいきにする(特に引き上げて、重要な役目につける)。❸△納税(返済)期限の過ぎた税金や借金などを強制的に納めさせる。

とりだめ[0]【《録》(り)《溜》(め)】ーする(他サ) テレビ番組の録画を重ねること。「連続ドラマをーして、まとめて視聴する」

とりちが・える[0][5]【取(り)違える】(チガヘル)(他下一) ❶まちがって他の物を取る。「傘をー」❷誤って理解する。「意味をー」名取り違え[0]

とりちらか・す[5]【取(り)散(ら)かす】(他五)「取り散らす」の口頭語的表現。

とりちら・す[4]【取(り)散(ら)す】(他五) あちらこちらに物を散らかす。「部屋の中をー」自動取り散らかる[5](五)

とりつ[1]【都立】東京都が管理・運営すること。「ー高校[4]・ー病院」

とりつぎ【取(り)次(ぎ)】■一[0] 取り次ぐ△こと(人)。「ー(営業」■二(造語) 動詞「取り次ぐ」の連用形。

ーてん[4]【取次店】生産者と小売店との間にあって、商品の受渡しをする店。

とりつきは⓪④【取り付き端】相手と接触し必要な交渉を持つ緒(グチ・イト)。「―に困る(=話しかける手がかりさえつかめず、対応に苦しむ)」

トリック②①〔trick〕❶たくらみ。策略。❷現実には起こり得ない現象を いろいろな仕掛けで映画に表現する技術。**―アート**⑤〔trick art〕目の錯覚を利用して不思議な印象を与える絵画や、現実にはありえない遠近法の部屋など。

とりつ・く⓪③【取り付く・取り〈憑く〉】(自五) ❶すがりつく。「―島△も(が)無い(=どこにすがりついていいか、手がかりさえ分からない)」❷取りかかる。「仕事に―」❸その人のからだに他の霊魂が乗り移る。「キツネが―/新発明の考えに取り付かれる(=身も心もすっかりとらわれる)」

とりつ・ぐ⓪③【取り次ぐ】(他五) ❶間に立って一方の意向を他方に伝える。❷客が△来た(言う)ことを主人に伝える。❸△生産者(問屋)と購買者との間にあって、商品の受売りをする。〔⇩取次ぎ❸〕

とりつくろ・う⑤⓪(ツクロフ)【取り繕う】(他五) ❶なお使えるように直す。修繕する。❷よく見えるように、人に見られる所を整える。❸不用意な言動が もたらした気まずい雰囲気やぐあいの悪い事態を、その場の機転で なんとかおさめる。「△事態(その場・世間体・体面)を―/うまく―」

とりつけ⓪【取り付け】❶取り付け(てい)ること。「世論の―(=獲得)/―の店/―工事⑤」❷信用を失った銀行などの金融機関に対して、預金払いもどしの請求者が殺到すること。「―騒ぎ⑤」

とりつ・ける④⓪【取り付ける】(他下一) ❶器械などを他の物に装置する。❷〔自分に有利な約束などを〕成立させる。「△了解(確認・協力・契約・賛成・承認)を―」❸いつもその店から△買う(買っている)。

トリップ②〔trip〕❶小旅行。❷(ＬＳＤなどの△麻薬(覚醒剤)による)幻覚状態。

ドリップ②〔←drip coffee〕粗挽(アラビ)きのコーヒーに湯を注ぎ、布などでこして したたらせていれること。「―式⓪」

とりつぶし⓪【取り潰し】徳川幕府が謀叛(ムホン)の疑いや不始末など些細(サイ)なことを理由にして、大名や旗本の家を断絶させ、領地を没収したこと。「お取り潰し」とも。

とりつぶ・す④⓪【取り潰す】(他五) 何らかの意図があって、組織体を崩壊させたり 計画などを中止させたりする。「経営不振を理由に子会社を―/世論の圧力で増税案が取り潰される」

とりて③【取り手】❶取る人。❷〔歌がるたの〕札を捜して取る方の人。↔読み手 ❸すもうなどの、わざのうまい人。

とりて③【捕り手】罪人を捕らえる役の人。捕り方。

とりで⓪【〈砦〉】軍事上の拠点として土塁や柵(サク)などで作った構築物。「―を築く(=自分の城に閉じこもって、他を寄せつけない意にも用いられる)」

とりてき⓪【取的】下級の力士の俗称。ふんどしかつぎ。

とりどく⓪【取り得】取っただけ自分の利益になること。

とりどころ③⓪【取り所】とりえ。長所。

とりとめ⓪【取り留め】(はっきり認められる)目的やまとまり。「いつまでも―(の)無い(=一貫性に欠け、要領を得ない)ことを言っている/―も無く想像する」[運用]「とりとめのない話で失礼しました」などの形で、自分の話(の内容)を謙遜(ケンソン)して言うのに用いられることがある。

とりと・める⓪④【取り止める】(他下一) おさえとどめる。「一命を―(=もう少しで失いそうになった命が、危ういところで助かる)」[表記]「取り留める」とも書く。

とりどり②⓪〔「取り取り」の意〕△物(人)の数だけ、種類が違っていること。「色―」

とりなお・す④⓪(ナホス)【取り直す】(他五) ❶持ち方を変える。「刀を―/左手に―」❷沈んだ気分を一変して、元気を出す。「気を取り直して一からやる」❸勝負のはっきりしなかったあとで、もう一回すもうをとる。❹【撮り直す】何かの目的で、もう一度とる。「写真を―」[名]取り直し⓪「―の一番」

とりな・す③⓪【執り成す】(他五) 不和・争い・叱責(シッセキ)など激しく対立する双方の間に立って、その場の気まずい空気をうまくまとめる。「△座(けんか・仲)を―/母がいろいろ執り成してくれたおかげで父にしかられないで済んだ/私の過失を―ように、彼はその時の状況をみんなに説明してくれた」[名]執り成し⓪ [表記]「取り成す」とも書く。

とりなわ⓪(ナハ)【捕り縄】昔、罪人を縛った縄。ほじょう。

とりにが・す④⓪【取り逃がす】(他五) (捕らえかけて)逃がす。

とりのいち④③【〈酉の市〉】鷲(オオトリ)神社の祭日(=十一月じゅうの酉の日)に熊手(クマデ)などの縁起物を売る市。一の酉・二の酉・三の酉の別がある。おとりさま。〔古くは、「とりのまち⑤③」と言った〕

とりの・ける⓪④【取り《除ける》】(他下一) ❶取りのぞくのぞき去る ❷別にとっておく

とりのこ⓪【鳥の子】❶鳥の卵。特にニワトリの卵。❷鳥のひな。ひよこ。❸「鳥の子紙」の略。**―がみ**④【―紙】ガンピとコウゾとを混ぜてすいた、厚手で優良な和紙。薄黄色。「とりのこ」とも。**―もち**④【―餅】祝儀用の、卵形の紅白の餅。

とりのこ・す④⓪【取り残す】(他五) ❶全部取らないで、一部をそこに残す。❷ほかの者は先へ進んで、その人だけをそこに残したままにする。〔多く「**取り残される**」の形で用いられる〕「時代に取り残される/ひとり寂しく取り残される」[名]取り残し⓪

*****とりのぞ・く**⓪④【取り除く】(他五)〈なに・だれ**カラ**なに**ヲ**―〉△マイナスとなる要素(不要な物)を取って、捨てる。取りのける。「△不安の原因(不信感・障害)を―」

とりのぼ・せる⓪⑤【取り上せる】(自下一) のぼせあがる。

とりばい②(バヒ)【取り灰】かまどから取り出した灰。

とりはから・う⑤(ハカラフ)【取り計らう】(他五) 〔判断して〕うまくかたづける。[名]取り計らい⓪

とりはぐ・れる⑤⓪【取りはぐれる】(他下一) 借金などを取り立てる機会を逃し、そのままになる。

とりはこ・ぶ⓪④【取り運ぶ】(他五) 滞りなく物事を進めて行く。[名]取り運び⓪

とりばし②⓪【取り箸】食卓で料理を取り分ける時に使う箸。さいばし。[かぞえ方]二本で一膳(イチゼン)

とりはず・す⓪④(ハヅス)【取り外す】(他五) ❶取りつけてあった物を外す。❷うっかりして落とす。取り落とす。[名]取り外し⓪「―がきく」

とりはだ⓪【鳥肌・鳥《膚》】毛を抜いたあとの、毛穴がぶつぶつ浮いて見える鳥の肌。〔広義では、鮫(サメ)肌をも指す〕「―が立つ(=急に寒い空気に触れたり 恐怖に襲われたりして、皮膚が反射的に収縮し、毛穴がきわ立ってぶつぶつして見える)」[運用]慣用句「鳥肌が立つ」は、本来の寒さや恐ろしさでぞっとする意から転じて、「負けたと思っていた味方チームが九回裏に逆転満塁ホームランを打ったのを見て鳥肌が立った」などとひどく感激する意に用いることがある。

とりはな・す④⓪【取り放す】(他五) (手にしている物をうっかりして)放す。

とりはら・う④⓪(ハラフ)【取り払う】(他五) すっかり取り去る。取り除く。「障害を―/壁が取り払われる」[名]取り

トリビア[2]〔trivia〕つまらないこと。雑学的知識。

*とりひき[2]【取引】─する(自他サ)〈だれト(なにヲ)─する〉売買して金品を受け渡すこと。「─高(ダカ)[4]」‖─じょ[5][0]【─所】△商品(有価証券)を売買するための(公的)施設。

とりひしぐ[4][0]【取(り)《拉ぐ》】(他五) 手でつかんで、つぶす。ひしぐ。

とりひろげる[0][5]【取(り)広げる】(他下一)❶範囲や場所を広くする。❷場所一杯に物を広げる。「商品を─」

とりふだ[2]【取(り)札】歌がるたで、取る方の札。↔読み札

トリプル[2][1]〔triple〕三重。三倍。‖─プレー[6][5]〔triple play〕〔野球で〕守備側が一連のプレーで、アウトを三つ取ること。‖─ジャンプ[5]〔triple jump〕三段跳び。

ドリブル[0][2]─する(自サ)〔dribble〕❶〔ラグビー・サッカーで〕ボールを足で連続的にけりながら進むこと。❷〔バスケットボールで〕ボールを手でつきながら進むこと。❸〔バレーボールで〕続けて二度以上、ボールにからだが触れること。反則の一つ。⇩ダブル プレー

トリプレット[2][4]〔triplet〕三連(音)符。

とりぶん[2]【取(り)分】自分の取るべき分。とりまえ。

とりへん[0]【鳥偏】漢字の部首名の一つ。「鳩・鳴・鶯・鳶」などの「鳥」の部分。左側でなくてもまとめて「偏」と言う。〔多く、鳥に関係のある漢字がこれに属する〕

とりほうだい[3](ハウー)【取(り)放題】取りたいだけ取っていいこと。

トリマー[1][2][0]〔trimmer〕犬や猫の毛を刈り込んで形をととのえることを職業とする人。⇩トリミング

とりまえ[2][0](マヘ)【取(り)前】とりぶん。

とりまかなう[5][0](マカナフ)【取(り)賄う】(他五) 処理する。始末する。

とりまき[0]【取(り)巻(き)】一時(イチジ)得意の絶頂にある人にまつわりつき、こびへつらって、何がしかの利益を得ようとする人たち。〔狭義では、権勢のある政治家にまつわりつく陣笠(ジンガサ)連を指す〕「─連(レン)[4]」

とりまぎれる[5][0]【取(り)紛れる】(自下一) さしあたってしなければならない事柄に注意がすっかり奪われる。「何やかやに取り紛れて話がそのままになっている」 運用 手紙文で、「△忙しさ(雑事)に取り紛れておりまして」などの形で、もっと[illegible]用いられることがある。例、「雑事に取り紛れてご返事が遅れましたこと、お詫び申し上げます」

*とりまく[3][0]【取(り)巻く】(他五)❶〈なに・だれヲ─〉まわりをぐるりと囲む。「わんさと─」❷〈だれヲ─〉自分の将来にとって有利になりそうな人と始終接近して、機嫌をとる。

とりまぜる[4]【取(り)交ぜる・取(り)混ぜる】(他下一) いろいろな物を一つに交ぜ合わせる。

とりまとめる[0][5]【取(り)〈纏める〉】(他下一)❶全部集めて△一緒に(脈絡があるように、整理)する。「報告を─」❷△食い違い(いざこざ)が無いように、よく主張を聞いて結論を出す。名取り纏め[0]「票の─」

とりまわす[4][0](マハス)【取(り)回す】(他五)❶△人(仕事)を、うまく取り扱う。❷一つの容器に盛った何人分かの料理を、自分が取ってから次の人へと回す。名取り回し[0]

とりみだす[4]【取(り)乱す】(他五)❶とりちらす。❷〔肉親の死など、突然の不幸な出来事に出会い〕理性を失った行動をする。

トリミング[0][2]〔trimming〕❶─する(他サ)〔写真で〕画面の一部を省いて、構図を整えること。❷洋服のふち飾り(などの付属品)。❸─する(他サ) 犬などの毛を刈り込み形をととのえること。

とりむすぶ[4][0]【取(り)結ぶ】(他五)❶堅く約束を結△ぶ(ばせる)。❷人の機嫌をそこねないように、取りはからう。「(御)機嫌を─」

とりめ[0]【鳥目】大部分の鳥のように、夜になると物が見えなくなる眼病。夜盲症。

とりもち[0][3]【鳥〈黐〉】小鳥・昆虫などを捕らえるのに使う、粘る物質。モチノキなどの樹皮からとる。

とりもつ[3][0]【取(り)持つ】(他五)❶〔落とさないように〕手に持つ。❷△客などに会って(会などで)相手の気をそらさないようにする。「座を─」❸双方の間に立って、話合いの成立するように取りはからう。「雨の─〔=なかだちする〕縁」名取り持ち[0]「─役[0]」

とりもどす[4]【取(り)戻す】(他五) 何かの事情で失われていたそのもの本来のあり方を、努力することによって再現させる。「△明るさ(落ちつき・活気・自信・冷静さ)を─/遅れを─〔=努力して進捗(シンチョク)させ、遅れる前の正常な進行状態にまで復帰させる〕」

とりもなおさず[1]-[3]、[1]-[2](ナホサズ)【取(り)も直さず】〔副[illegible]ま対応するものであると判断できる様子。「環境に配慮するというのは─地球と人類を守ることなのです」

とりもの[0]【捕(り)物】罪人を(おおぜいで)つかまえること。「大(オオ)─[3][4]」‖─ちょう[0][4](チャウ)【捕物帳】〔町奉行(ブギョウ)所の、事件の覚え書(ガキ)の意〕江戸時代の与力(ヨリキ)・同心や目明かしを主人公とする推理小説。

とりやめる[0][4]【取(り)《止める》】(他下一) 予定していた△行事(行動)をやめる。「△会議(出席)を─」名取り止め[0]

トリュフ[1]〔フ truffe〕❶キノコの一種。かたまりの形で地下に育つ。独特の香りがあって美味のため高級フランス料理で珍重される。西洋松露(ショウロ)。❷「トリュフ❶」の形に似せて作ったチョコレート。

とりょう[1](レウ)【塗料】物体の表面に防腐・さび止め・着色・つや出しのために塗る流動性の物質。漆・ペンキ・ワニスなど。

どりょう[0](リヤウ)【度量】〔物差しと升(マス)の意〕❶長さと容積。❷自分を批判したり自分が気に入らなかったりする他人の言行を、ただそれだけの理由で拒否することなく、聞くべきものは受け入れる、心の広さ。「─の大きい人」

どりょうこう[2](リヤウカウ)【度量衡】❶物差し〔=度〕と升(マス)〔=量〕と秤(ハカリ)〔=衡〕。❷長さと容積と重さ。

**どりょく[1]【努力】─する(自他サ)〈(なにニ)─する/(なにヲ)─する〉〔「努」も「力」も一生懸命やる意〕ある目的を達成するために、途中で休んだり怠けたりせず、持てる能力のすべてを傾けてすること。「日びの─が実を結ぶ/─の跡がうかがえる/─を△重ねる(尽くす・怠る)/一層の─を払う/─の人/─家(カ)[0]」

とりよせ[0]【鳥寄(せ)】〔鳥をつかまえるために〕えさやおとりを使ったり鳥の鳴き声をまねたりして、鳥を呼び寄せること。

とりよせる[0][4]【取(り)寄せる】(他下一)❶注文して、届けさせる。「各地の名産品を─/料理を─」❷手もとに引き寄せる。名取り寄せ[0]「注文品の─可」

トリル[1][2]〔trill=震え声〕〔音楽で〕ある音と、それより二度高い音とを、交互に急速に反復させる装飾的な音。

ドリル〔drill〕❶[1][0] 回転して穴をあける きり。穿孔(センコウ)機[3]。鑿岩(サクガン)機。❷[1] 繰り返してする練習。「漢字の─」かぞえ方 ❶は一本。❷は一台

とりわけ[0]【取(り)分(け)】(副) 同じ傾向が認められる一類

のものの中でも その傾向が特に著しいととらえられる様子。「京都はいつ行ってもいいが、—もみじのころがいい/この点が—ひどい」 —て⓪③(副) 「とりわけ」のやや丁寧な表現。「—この本の主題である好奇心について、おもしろい示唆がある」

とりわ・ける④⓪【取(り)分ける】(他下一) ❶〔必要な物を〕選んで取る。❷めいめいが分けて取る。「料理を小皿に—」

ドリンク②〔drink〕 飲み物(風に作った保健薬)。「—のお代りを頼む/—剤④⓪・ソフト—」 かぞえ方 一杯・一本

**と・る ①【取る】(他五) ❶〈(どこ・なにカラ)どこ・なにニなにヲ—〉何らかの(必要があって)その物をもとの場所から移して一時自分の手の中に置く。「手に取って見る/手を取って〔=ⓐ直接に。ⓑ親切に〕教える/手に手を取って〔=ⓐ気脈を通じて。ⓑ同じ思いになって〕/おかずを小皿に—〔=分ける〕/—ものも取りあえず〔=あまりにも突然の事で何をどうするという心の余裕も無く、大急ぎで〕駆けつけた」 ❷〈なにヲ—〉 さしあたって必要ないものとして、その物をあった場所から除く。「草を—/痛みを—/腐った所を—/命を—〔=殺す〕/かたきを—〔=復讐する〕/ネズミを—/眼鏡を—〔=はずす〕/帽子を—〔=ぬぐ〕」 ❸〈(なに・だれカラ)なにヲ—〉 自分にとって△必要(有効)なものを、何らかの方法で手に入れて自分の物とする。「学位を—/ワラビを—〔=採取する〕/食事を—/栄養を—/嫁を—〔=迎える〕/師匠を—〔=だれかを師匠として何かを学ぶ〕/光を—〔=導き入れる〕/金を—〔=ⓐ盗んだり 奪ったりする。ⓑ代金として徴収する〕/罰金を—〔=徴収する〕/休暇を—〔=取得する〕/△弟子(新卒)を—〔=採用する〕/新聞を—〔=購読する〕/注文を—〔=受ける〕/そばを—〔=注文して、届けさせる〕/天下を—〔=支配する〕/いい席を—〔=確保する〕/宿を—〔=宿屋を決める〕/車間距離を十分に—〔=保つ〕/間合を—〔=必要な間隔を保つ〕」 ❹〈なにヲ—〉 手(にした道具など)を使うことによって意図する作業や仕事などをする。「新聞に筆を—〔=文章や絵を書く〕機会を得た/事務を—/捜査の指揮を—/写真を—〔=写す〕/講義をノートに—〔=筆記する〕/手拍子を—/舵を—〔=操って、船を進める〕/型を—〔=型に従って、それと同型の物を作る〕/脈を—〔=ⓐはかる。ⓑ診断する〕/尺を—〔=計測する〕/丁合を—〔=⇩丁合〕/出欠を—〔=実際に調べる〕/かるたを—〔=して遊ぶ〕/すもうを—/床を—〔=延べる〕/機嫌を—」 ❺〈なにヲ—〉 自分なりに考えて対象の中からそれを選ぶ。「名を捨てて実を—/そのやり方はあえて僕の取らない〔=選ぶことをしない〕所だ/先方の申し出をいい意味に—〔=解釈する〕/—に足らぬ〔=問題にするだけの価値が無い〕/身近なことを例に—/鶴の姿を取って恩返しする」 ❻〈なにヲ—〉 何かをするのにそれだけの時間や空間を必要とする。「大きすぎて場所を—ので困る/むだな時間を—/手間を—」 ❼〈なにヲ—〉 望んだわけではないのに、そういう事態を身に被る結果となる。「不覚を—/汚名を—/ひけを—/年を—/責任を—/仲介の労を—」 表記 一般に、△採用(採取)する意では「採る」、捕獲する意では「捕る・《獲る》」、収穫の意では「《穫る》」、「事務をとる」は「執る」、ぬぐ意では「《脱る》」、摂取する意では「《摂る》、ぬすむ意では「《盗る》」、「写真をとる」は「撮る」と書く。「舵をとる」は「《操る》」とも書く。録音・録画の意では「《録る」、履修する意では「《履る》」と書くこともある。

ドル①〔dollar の明治時代の文字読みドルラルの略〕 ❶アメリカ合衆国などの通貨単位。ダラーとも。「—地域③・—売り・—貸し⓪・—建て⓪」 ❷お金。「—入れ②⓪〔=財布〕・—箱」 表記 「〈弗」は、記号 $ を形の近い漢字で表わしたもの。

どるい⓪【土塁】 敵の来襲に備えて土や石で築いた物。

ドル うり⓪【ドル売り】〔為替相場で〕ドルの下落を予測して、手持ちのドルを売って、他の通貨に替えること。↕ドル買い

トルエン①②〔toluene〕 特異な臭いを持つ、無色の液体。石油から作られ、揮発性で燃えやすい。有機合成化学の原料として重要で、溶剤・爆薬などに用いられる。別名、メチルベンゼン④。〔化学式 $C_6H_5CH_3$〕 ⇩TNT

ドル かい⓪【ドル買(い)】〔為替相場で〕ドルの上昇を予測して、手持ちのドル以外の通貨を売ってドルを買うこと。「ドルがい」とも。↕ドル売り

トルク①〔torque=捩じり〕〔原動機などで〕軸のまわりを回転させる力(の大きさ)。「—コンバーター〔=回転力変換装置〕」

トルコ いし③【トルコ石】 青や青緑色などの、非結晶性の鉱物。装飾用。トルコだま⓪。ターコイズ。

トルコ ぶろ⓪④【トルコ風呂】 イスラム教徒の間で広く行なわれている蒸しぶろ。発汗後に からだを洗う。

トルコ ぼう③【トルコ帽】 イスラム教徒のかぶる、筒状・フエルトの帽子。〔当初トルコ人がかぶったので言う。現在トルコ共和国では禁じられている〕

トルソー①〔イ torso〕 頭・手足の無い胴体だけの彫像。

ドルチェ①〔イ dolce=甘い〕 ❶〔音楽で〕柔和に。甘美に。優しく。❷イタリア料理で、菓子やケーキ。フルコースのデザートについてもいう。❸イタリア産の甘口のワイン。

トルティーヤ③〔ス tortilla〕 メキシコ料理で、トウモロコシの粉を薄く焼いたもの。具をはさんで食べる。

ドルトン プラン⑤〔Dalton plan〕 アメリカのドルトン市で始められた、独特の能力別教育方式。生徒の自発的学習を主とする。

ドル ばこ⓪【ドル箱】 ❶お金をもうけさせてくれる△もの(人)。❷お金を出してくれる人。かねばこ。

ドルフィン①〔dolphin〕 イルカ。「—泳法⑤」 —キック⑤〔dolphin kick〕 バタフライで、両足をそろえて足の甲で水を打つ泳ぎ方。

ドルマン スリーブ⑥〔dolman sleeve, dolman=トルコで用いるゆるやかな上着〕 そでぐりが深くゆるやかで、手首の方にかけて細くなっているそで。

ドルメン①〔dolmen ←ケルト語 dol (卓) + men (石)〕 巨大な石で作ったテーブル形の構造を持つ、新石器時代から鉄器時代の墓と見られるもの。世界各地に見られる。

どれ① ❶(代) Ⓐ対象として限られた範囲の中で条件に合う事物・事柄として、これだと一つに決められないことを表わす。「—を選ぶかは自由だ/—もこれも似たり寄ったりだ/—にしよう〔=決めよう〕かと迷う」 Ⓑいくつかの選択の可能性のある中で、どれが条件に合う事物・事柄であるかを問うことを表わす。「君の傘は—か」 ⇩あれ・これ・それ:こそあど ❷(感) ❶自分に向けての動作をうながす時に使う語。「—、一つ見せて」 ❷何か行動を起こす時に、自分に言って聞かせるように出す語。「—、寝るとしようか」

トレアドル③〔ス toreador=闘牛士〕 足にぴったりした(女性の乗馬用)ズボン。闘牛士型ズボン。「—パンツ⑥」

どれい⓪【土鈴】 土製の玩具。内部に土製の玉を有し、振ると鈍い音を出す。形は種々。

どれい⓪【奴隷】 ❶持主の私有物として労働に使われ、牛馬同様に売買された人間。「—制度④・—解放⓪-⓪」 ❷ある物事を至上の物と考え、それを守り続けようとすること

と

しか念頭にない人。「金銭の―/名誉心の―/習慣の―」

トレイル[2]〔trail〕野山や原野などの自然の道。トレールとも。**―バイク**[5]〔trail bike〕舗装されていない道を走るための△オートバイ(自転車)。オフロード バイク[6]。トレールバイクとも。**―ランニング**[5]〔trail running〕トレイルを走る△こと(競技)。略してトレイル ラン[4][5]。トレール ラン[4][5]とも。

トレー[2][1]〔tray〕盆。浅い整理箱。「デスク―」

トレーサビリティー[5]〔traceability〕食品の安全性確保のために生産流通の履歴を追跡できるようにすること。履歴管理。

トレーシング ペーパー[7]〔tracing paper〕敷き写し用の紙。

トレース[2][0]―する(自サ)〔trace〕❶描くこと。❷図面(を引くこと)。図形。「―工[0][4]」❸敷き写しすること。透写。❹〔登山で〕踏み跡。また、踏み跡をたどること。

トレーダー[2][0]〔trader〕❶〔証券会社の〕取引担当者。また、証券を売買して生計を立てる人。❷貿易業者。

トレーディング カード[7]〔trading card〕アニメのキャラクターやスポーツ選手、アイドルなどの写真・絵の入ったカードで、収集や交換の対象となるもの。略してトレカ。

トレード[2][0]―する(他サ)〔trade=取引〕〔プロ野球などで〕選手の籍を他のチームに移すこと。移籍。〔多額の金が動くので、この称がある〕「―マネー[5]」**―マーク**[5]〔trade-mark〕登録商標。〔俗に、その人を特徴づける何ものか、の意に用いられる。例、「―のあごひげ」〕

トレーナー〔trainer〕❶[2][0]Ⓐ〔スポーツで〕練習の指導者。コーチ。Ⓑ〔犬・馬などの〕調教師。Ⓒ〔プロ野球などで〕選手の体調を整えるためにマッサージなどをする人。❷[0]厚手のもめん地で作った、運動着。〔❷は、日本での特用〕 かぞえ方 ❷は一着

トレーニング[2]―する(自サ)〔training〕(スポーツの)練習。訓練。「―シャツ[7]」**―ウエア**[8]〔和製英語 ←training + wear〕運動着。トレーニングシャツとトレーニング パンツから成る。トレーニング ウェア[7]。 かぞえ方 一着 **―キャンプ**[7]〔training camp〕スポーツの訓練のために、本拠地から(少し)離れた所に設けられる宿舎。**―パンツ**[7]❶〔和製英語 ←training + pants〕スポーツ用の、足首まである長いパンツ。略してトレパン。❷〔training pants〕幼児の、おむつを必要としない状態を促すためこまかせるパンツ。 かぞえ方 ❶❷とも一枚

ドレープ[2]〔drape〕〔カーテンや洋服などの〕布地の曲線的でゆるやかなひだ。

トレーラー[2]〔trailer〕動力装置のある車に引っぱられる付属車。「―バス[6]」 かぞえ方 一台

トレカ[1] トレーディング カードの略。

どれか[1] 対象とする範囲の中で、これだと一つに決められない事物や事柄。「―一つください」

ドレス[1]〔dress=衣服〕女性の洋服。〔狭義では、礼装を指す〕 かぞえ方 一着・一枚

ドレスアップ[4]―する(自他サ)〔dress up〕何かの催しのために、盛装すること。着飾ること。

ドレスコード[4]〔dress code=服装規定〕その場所や機会にふさわしいように規定される服装。

ドレスメーカー[4]〔dressmaker〕婦人服を仕立てる△洋裁師(洋裁店)。

とれだか[2]【取(れ)高】穀物・魚などの、取れた分量。

とれつ[0]【⌒堵列】―する(自サ)〔「堵」は、垣根の意〕道ばたなどに横に並んで立つこと。

トレッキング[0][2]〔trekking〕必ずしも登頂を目的とせず、高山の麓(フモト)を徒歩で旅行すること。「ヒマラヤ―」

ドレッサー〔dresser〕■一(造語)それなりの衣服を身につけた人。「ベスト―[5]」(=洗練された服装で、着こなしも上手な人)」■二[2]化粧台❶。

ドレッシー[2]―な・―に〔dressy〕〔洋装で〕線や型が優美な様子だ。⇩スポーティー

ドレッシング〔dressing〕■一(造語)美しく装うこと。着付け。「―ルーム[7]」■二[2]サラダなどの味付け用の調味酢。

ドレッド[2]〔←dreadlocks〕髪の毛を長く伸ばし、細く編んで垂らした髪型。レゲエのミュージシャンなどによく見られる。ドレッドロックスとも。

トレパン[0] トレーニング パンツの略。

どれほど[0][1]【《何れ程》】(副)数量・程度などについてはっきり限定出来ない様子。「―強調しても、強調し過ぎることは無い」

ドレミ[0]〔イ do re mi〕音階。

トレモロ[0]〔イ tremolo〕〔音楽で〕同一音の急速な反復による、装飾的な音。ふるえるように聞こえる。

***と・れる**[2]【取れる】(自下一)❶〔「取る」の可能動詞形〕取ることが出来る。「身動きが取れない/このまくろは取れますか」❷〈(なに二)―/(なんだト)―〉そのように解釈される。「△ボタン(痛み・胸のつかえ)が―」❸〈(どこ・なにカラ)―〉ついていた物が離れ(て落ち)る。❹〈(どこカラ)―〉農作物や自然界に存在する動植物・鉱物などが人間の手に収められる。❺【撮れる】写真に写る。「見事な写真が撮れましたね」 表記 用字については、「取る」の注記参照。

トレンチ[2]〔trench〕塹壕(ザンゴウ)。また、発掘時の試掘溝。**―コート**[5]〔trench coat=もと、将校が塹壕内で着た服〕ベルトの付いたレイン コート。 かぞえ方 一枚

トレンド[0][2]〔trend〕世の中の動きや流行の様式。「―カラー(=流行色)」

とろ ■一[1] マグロの肉のあぶらの多い部分。とろ身。「大(オオ)[0]・中(チュウ)―・ねぎ―[0]」■二(造語)「とろろじる」の略。「麦―」

とろ[1]【⌒瀞】川の水が深くて、流れのほとんどない所。

とろ[1]【吐露】―する(他サ)自分の意見・気持などを隠さずに述べること。「真情を―する(=打ち明ける)」

***どろ**【泥】■一[2]❶水気が多く、履物や衣服などをよごしがちな土。「ズボンに―をはね上げる/―だらけの靴/顔に―を塗る(=面目を失わせる)/―を吐く(=隠していた悪事を白状する)/―をかぶる(=ⓐ非難を受けたり失敗するかもしれなかったりするような不結果を承知の上で、職責を果たす。ⓑ関係者全員が負うべき責任を自分一人で引き受ける)」❷泥土。「―壁[2][0]」■二(造語)「どろぼう」の意の俗語的表現。「こそ―」

どろあし[0][2]【泥足】❶泥のついた足。❷泥水稼業(カギョウ)する身。

とろ・い[2]【《弱い》】(形)❶火の力が弱い。❷反応が鈍かったり間が抜けていたりする様子だ。

トロイカ[2]〔ロ troika〕ロシアの三頭立ての△そり(馬車)。

とろう[0]【徒労】(トラウ)結果的に見て、むだな骨折りであること。「努力が―に終わる」

どろうみ[0]【泥海】泥が流れ込んでいる海。〔一面のぬかるみの意にも用いられる。例、「大雨で街は―と化した」〕

どろえのぐ[3]【泥絵(の)具】(エー)胡粉(ゴフン)を交ぜた、泥のような絵の具。水に溶いて、看板や芝居の書割りに使う。

ドロー[2]〔draw〕〔スポーツで〕引分け試合。

ドローイング[2]〔drawing〕製図。ドロー[2]。

トローチ[2]〔troche(発音はトローシュ)の文字読み〕砂糖と薬を交ぜて固めた錠剤。飲みこまず、口中でなめる。

トローリング⓪ ■一〔trawling〕「トロール❶」を用いた底引き網漁業。■二〔troling〕小型の船を走らせ、大形の魚をねらい、流し釣りをすること。

トロール②〔trawl〕❶遠洋漁業に使う底引き網。長さ二五メートルぐらいの三角形の袋網。❷「トロール△漁業(船)」の略。 **―ぎょぎょう**⑤【―漁業】トロール船を使って行なう漁業。 **―せん**⓪【―船】「トロール❶」を引きながら航行して魚類をとる船。かぞえ方 一艘・一隻

ドローン②〔drone〕遠隔操作や自動制御によって飛行する、小型の無人航空機。とくに、三つ以上の回転翼を持ち、小回りのきく小型の無人ヘリコプターを言う。「―で上空から撮影する」かぞえ方 一機

とろか・す⓪③【〈蕩かす】(他五) 蕩けるようにする。

どろがめ⓪【泥亀】スッポンの異称。

どろくさ・い④【泥臭い】(形)〔言動や服装などが〕洗練されていない様子だ。派 **―さ**③

とろ・ける⓪③【〈蕩ける】(自下一) ❶快い音楽・誘惑などにより、緊張が失われる。「心の―ような△甘い言葉(音楽)」 ❷固体が溶けて液体になる。

どろじあい③【泥仕合】互いに相手の秘密・失敗などをあばきあってする、醜い争い。

どろた⓪【泥田】泥ぶかい田。

トロツキスト④〔ロ Trotskist〕トロツキー理論に基づく極左革命主義者の一派。

トロッコ①②〔トラック〘=truck〙と同源〕〔工事現場や鉱山などで〕軽便軌道上を走らせる、無蓋の運搬車。トロ①。かぞえ方 一台

どろつち⓪【泥土】どろ。

トロット②①〔trot〕❶馬の速足。❷フォックストロットの略。

ドロップ〔drop=しずく〕❶①② 果物・ハッカ・チョコレートなどの味や かおりをつけた、西洋風の小形の飴。ドロップス②とも。❷②①―する(他サ)〔野球で〕投手からの投球が、打者の近くで急に曲がりながら落ちること。また、そのボール。〔今は、カーブの一種として扱う〕 **―アウト**⑤―する(自サ)〔dropout〕❶社会体制から脱落すること。また、学校を中途退学すること。❷〔ラグビーで〕防御したボールを自陣の二二メートルライン内からけり出すドロップ キック。 **―キック**⑤〔drop kick〕〔ラグビーなどで〕ボールを地面に落とし跳ね返ってくる瞬間にけるけり方。 **―ハンドル**⑤〔和製英語 ←drop + handlebars〕ハンドルの握りが下方についた自転車。サイクリングや競輪に用いられる。

とろとろ(副)―と ―する ❶⓪ 物に堅さがなくなって、やわらかく粘りけのある状態。「肉を―に煮こむ」 ❷① 弱火でゆっくりと煮る様子。「気長に―と煮る」 ❸① 眠けに誘われて浅い眠りに落ちる様子。「つい―とまどろむ」 ❹① おそい様子。のろのろ。

どろどろ ■一―な ―に ―する ❶⓪ 堅い物がやわらかくなって不透明な液状になる△こと(様子)。「―に溶けた鉄」 ❷① 各種の要素が混在して、不明朗かつ にわかに分析を許さない△こと(様子)。「―した人間関係」 ■二①(副)―と 遠くの方で太鼓などが続けて鳴る様子。また、その音の形容。

どろどろ⓪【泥々】―な ―に 泥だらけになっている様子だ。「ユニホームが―になる」

どろなわ⓪【泥縄】〔「どろぼうを見て縄をなう」の意〕事が起こってから あわてて対策を考えること。

どろぬま⓪【泥沼】❶泥ぶかい沼。❷なかなか ぬけられない悪い環境や、腐敗しきった状態。「―に転落する/―の様相を深める/戦争の―化」

どろのき③ 寒地に自生する落葉高木。四月ごろ、穂状の花を垂れる。材はマッチの軸木用。どろやなぎ。略して「どろ②」。〔ヤナギ科〕表記「{白〈楊}」(漢語表記)は、元来別の木を指す。

トロばこ⓪②【トロ箱】〔トロール漁でとれた鮮魚を入れたことから〕鮮魚を入れる(発泡スチロール製の)箱。

とろび⓪【《弱火》】弱い状態で燃える火。⇩強火・中火

トロピカル②〔tropical=熱帯地方の〕❶夏向きの、薄い毛織物。❷色や味に南国の雰囲気を感じさせる△こと(様子)。「―な色彩の服/―ジュース・―フルーツ⑦」

トロフィー①〔trophy〕優勝杯。

どろぶか・い④【泥深い】(形) 川・沼・田などで、底のかたい層に達するまでの間に厚く泥が積もっている状態だ。

どろぼう⓪【泥棒】―する(他サ) 他人のものを盗む△人(こと)。「―を見て縄をなう(=⇩どろなわ)/―根性⑤・―呼ばわり」表記 もとの用字は、「泥坊」。

どろまみれ③【泥《塗(れ)》】泥で着衣や からだ(の部分)がひどく汚れること。

とろみ⓪③ ❶〔料理で〕軽い粘りけ。「かたくり粉で―をつける」 ❷【とろ身】⇩とろ■二 ❸【〈瀞み】油を浮かせたような海面のよどんだ状態。

どろみず②【泥水】泥が交じって濁った水。〔広義では、汚水を指す〕「―稼業⑤(=なかなか ぬけ出すことの出来ない、芸者・遊女のつとめ)」

どろみち②【泥道】雨が降ると ぬかるみになる道。

どろやなぎ③ ドロノキの異称。表記「{白〈楊}」とも書く。

どろよけ⓪【泥《除(け)》】車輪などに付けて、泥のはねあがるのを防ぐ△こと(もの)。

とろり②(副)―と ❶なめらかで粘りけのある液状を呈する様子。「ポタージュが―としたたる」 ❷気持よい浅い眠りに引き込まれる様子。

どろり②(副)―と 水分を含んだものが、粘りけがあって やわらかな状態を呈する様子。

トロリー①〔trolley〕トロリーバスの略。 **―バス**⑤〔trolleybus〕道路の上の架線に接して電気をとり路面を走る車両。

とろろ⓪【{〈薯蕷}}】❶「とろろいも」の略。❷〔←とろろじる④〕ヤマノイモなどをすりおろして、すましじるなどで うすめた料理。 **―いも**③⓪【―芋】すって とろろじるに作る芋。ヤマノイモ・ツクネイモなど。

とろろこんぶ④【とろろ昆布】❶コンブを削って、細い糸状にした食品。❷「おぼろ昆布」の俗称。

どろん②―する(自サ)〔芝居で、幽霊の出現・消滅に太鼓を打つことから〕急に姿△が見えなくなる(を隠す)こと。「―をきめる(=行くえをくらます。逐電する)」

ドロンゲーム④〔drawn game〕〔野球・テニスなどで〕引分け試合。

どろんこ⓪【泥んこ】■一(履物や着衣を汚すものとしての)泥。〔口頭語的表現〕■二―な ―に 泥にまみれた様子だ。「―になって遊ぶ/―の(=どろどろにぬかるむ)道」

とろんと②(副) ぼんやりとして焦点の定まらない目つきだととらえられる様子。〔強調形は「どろんと」〕「酔っぱらって―した目」

トロンボーン④②〔trombone〕低音部の金管楽器。U字形の管を互いにさしこみ、伸縮させて音の高さを変える、大型のらっぱ。

ドロンワーク④〔drawn work〕布地の糸を引き抜いて、あとをいろいろの模様にかがったレース(細工)。ドローン ワーク⑤とも。

とわ①【{〈永久}・{〈永遠}}】―に ―なる 「永久」の意の古風な表

トローリン ―― とわ

と

現。「―に栄えあれ／―なる愛を誓う／―の眠りにつく(=死ぬ)」

とわずがたり④【問わず語り】〔△聞かれもしないのに(うっかり)自分から話すこと。

どわすれ②【度忘れ】―する(他サ)〔「ど」は接辞〕当然知っているはずの事を、とっさには思い出せなくなること。「どうわすれ」とも。

とん〈屯・団・豚・〈遁・〈頓〉→【字音語の造語成分】

トン①〔ton=もと、樽(タル)の意〕❶国際単位系における質量の単位で、千キログラムを表わす〔記号t〕。メートル トン。仏(フツ)トン。「五―積みのトラック」❷英米における質量の単位で、英米により異なる。⇩英トン・米トン(トンの子見出し)❸船の大きさを表わすための単位。〔船の種類により△一〇〇(四〇)立方フィートの容積を表わす場合や一英トンの質量を表わす場合などがある〕⇩トン数 ❹ヤードポンド法に基づいて貨物の体積を表わす単位の称。貨物の種類により異なる。例、木材一トンは四〇立方フィート、石材一トンは一六立方フィートなど。 表記「〈噸・〈瓲・屯」は、音訳。 **えいー**⓪【英―】イギリスにおける質量の単位で、二二四〇ポンド(=約一〇一六キログラム)を表わす。ロング トン。長(チョウ)トン⓪。〔三五立方フィートの海水の質量に等しい〕 表記「英〈噸」とも書く。 **キロー**②〔kiloton〕メートル法における質量の単位で、千トンを表わす〔記号kt〕。〔核爆弾の破壊力をTNT火薬に換算して表わす時によく用いられる〕 **ふつー**⓪【《仏―】メートル法における質量の単位であるトン(=千キログラム)を、英トン・米トンと特に区別して呼ぶ時の称。メートル トン。 **べいー**⓪【米―】アメリカにおける質量の単位で、二千ポンド(=約九〇七・二キログラム)を表わす。ショート トン③。 **メガー**①②〔megaton〕核爆弾の破壊力を表わす単位。一メガトンは、TNT火薬百万トンに相当する破壊力を表わす。「―級の水素爆弾」

とん①【豚】「豚肉」の略。「―カツ・―テキ⓪」⇩【造語成分】

どん〈《呑・貪・鈍・曇〉→【字音語の造語成分】

どん【丼】(造語)「どんぶり」の略。「天―・カツ―・牛(ギュウ)―」

どん(接尾)〔「殿(ドノ)」の変化〕召使・目下の者などの名前の下に添える語。「竹―」

ドン①〔ス don〕〔スペイン・イタリアなどで、貴族などの名につける敬称から〕(絶対的な権力を持つ)△親分(首領)。

どん①〔東京方言〕午砲。

どん①【鈍】―な ―に 頭の回転が遅く、動作が機敏でない様子だ。のろま。「―な奴(ヤツ)／―感・―才・愚―」↕敏(ビン) ⇩【造語成分】

とんえい⓪【屯営】―する(自サ) 兵士がたむろする△こと(営舎)。「―地③」

どんか①⓪【鈍化】(―クワ) ―する(自サ) 上昇する△勢い(傾向)が今までより衰えること。「△上昇(騰勢・伸び)が―する」

どんかく⓪①【鈍角】❶直角(=九十度)より大きく、平角(=百八十度)より小さい角。「―三角形⑦(=一つの内角が鈍角である三角形)」↕鋭角 ❷九十度に近い角度。〔❷は、誤用に基づく〕

とんかち①〔もと、擬声語〕「かなづち」のくだけた口頭語的表現。

とんカツ⓪【豚カツ】豚肉のカツレツ。ポーク カツレツ④。 かぞえ方 一枚

とんがらかす⑤【〈尖んがらかす】(他五)「とがらす」のくだけた口頭語的表現。「とんがらす④」とも。 自動 とんがらかる⑤(五)

とんが・る③【〈尖んがる】(自五)「とがる」の(やや強調した)口頭語的表現。「先のとんがった鉛筆／とんがった口で文句を言う」 名 とんがり⓪「―帽子⑤」

どんかん⓪【貪官】(―クワン) 当然のように わいろを要求する役人。「―汚吏⑤」

どんかん⓪【鈍感】―な ―に 感覚・反応などが鈍い様子だ。↕敏感

どんき①【鈍器】❶よく切れない刃物。↕利器 ❷こん棒・れんがなど、凶器に使われた堅くて重たい物。

ドンキホーテ がた⓪【ドンキホーテ型】〔Don Quixote=十七世紀のスペインの作家セルバンテスによる、同名の小説の主人公〕空想的・むてっぽうで、正義感が徒(イタズ)らに強くて行動的な性格。↕ハムレット型

とんきょう①【頓狂】(―キャウ) ―な ―に 突然で調子はずれなことをする様子だ。「―な声」⇩すっとんきょう

トンキロ①〔ton kilo〕⇩キロ

どんぐり①【《団〈栗】ナラ・カシ・カシワなどの、わん形の殻に入っている実。〔狭義では、クヌギの実を指す〕「―のせいくらべ(=どんぐりが、みんな小さくて、特に目立つものが無いように、どれも平凡で代りばえがせず、特に目立ってすぐれたものが無いこと)」 表記「《団〈栗」は昔字。 **―まなこ**⑤【―眼】「どんぐり」の形を思わせる、丸く見開いた大きな目。どんぐり目④。「眉(マユ)の濃い―のおやじ」

とんご①【頓悟】―する(自サ)〔仏教で〕段階的にではなく(何かがきっかけになり)急に悟りを開くこと。

どんこ⓪ 冬季に育ったシイタケ。肉厚でおいしいとされる。 表記「《冬子・《冬〈茹」と書く。

どんこ⓪ ❶日本中部以南の川・沼にすむ魚。全長二〇センチほど。体は太くて丸く黒褐色。美味。〔ハゼ科〕 ❷エゾイソアイナメの異称。北海道以南の太平洋沿岸にすむ魚。全長三五センチほど。体は褐色で、下あごに一本のひげがある。練り製品などに使う。美味。〔チゴダラ科〕「―汁④」 かぞえ方 ❶❷とも一尾・一匹

どんこう⓪【鈍行】(―カウ)〔←鈍行列車⑤〕各駅停車する列車・電車の俗称。普通列車。緩行。 表記「鈍《甲」と書く。

とんこつ⓪【豚骨】❶豚の骨付きの肉を、みそ・砂糖・焼酎(ショウチュウ)などを加えて煮込んだ食品。鹿児島県の郷土料理。❷〔出し汁のもととする〕豚の骨。「―ラーメン」

どんこん⓪【鈍根】―な ―に 才知が鈍い△こと(様子)。↕利根

とんざ①⓪【頓挫】―する(自サ)〔それまで好調に進んで来た仕事が〕何かにつまずいて急に今までの△勢い(順調さ)を失うこと。「計画が―する／一―を来(キタ)す」

とんさい⓪【頓才】時と場合に応じてよく働く知恵。「頓知―①-⓪」

どんさい⓪【鈍才】一つの事に固執したり 時間がかかり過ぎたり して、なんでも はきはきとは処理しかねる△こと(人)。↕英才・秀才

とんし⓪【頓死】―する(自サ) ひょんな事が原因で、あっけなく死ぬこと。〔将棋で、王が詰められる意にも用いられる〕

とんじ①【豚児】出来の悪い子供ということで、自分の子の謙称として用いられる語。愚息。

とんじ①【〈遁辞】顧みて他を言うような、責任のがれの言葉。逃げ口上。

とんしゃ①【豚舎】「ぶたを飼う小屋」の意の漢語的表現。

とんしゅ①【頓首】〔頭を地面にすりつけて敬意を表わす意〕書簡文などの終りに使う挨拶(アイサツ)語。

どんしゅう⓪【〈呑舟】(―シウ)「舟を丸呑(ノ)みにする」意の漢語的表現。「―の魚(=善悪両様の意味で、大物のたとえ)」

どんじゅう⓪【鈍重】(―ヂユウ) ―な ―に〔動作や性質が〕反応が鈍く、機敏に立ち回ることが出来ない様子だ。 派 ―さ⓪

とんしょ⓪①【屯所】❶兵士などが詰めている所 ❷警察署」の旧称。

とんしょうぼだい⑤【頓証〈菩《提】〔仏教で〕「すみやかに成仏せよ」と冥福(メイフク)を祈る言葉。

どんしょく⓪【貪食】—する(他サ) 何日間も食事をしなかったかのように、見えも外聞も構わずむさぼり食うこと。

どんじり⓪〔順を追って進行する物事の〕「最後」の意のくだけた口頭語的表現。「さて—にひけえしは」

とんじる⓪【豚汁】豚肉を入れたみそ汁。ぶたじる。

どんす⓪【〈緞子】〔「どん」も「す」もそれぞれの漢字の唐音〕繻子(シュス)地の絹織物で、地が厚くつやがあるもの。「金襴(キンラン)—」 表記 「鈍子・《段子・《端子」とも書く。

トンすう③【トン数】船の大きさをトンで表わした数値。 **じゅうりょう—**⑦⑤【重量—】貨物船に積載可能な貨物の総質量を、英トン〔=約一〇一六キログラム〕を単位として表わした数値。載貨重量トン(数)。 **そう—**③⑤【総—】❶船舶内部の全容積を、百立方フィートを一トンとして表わした数値。総トン①。〔主として商船に用いるが、すべての船の登録上の基準ともなる〕❷一定の範囲に属する船舶の「総トン数❶」を合計した数値。総トン。〔一国の造船量を表わす際などに用いる〕「一九八二年に日本で建造したタンカーは、—で二百万トンに達した」 表記 「総〈噸数」とも書く。 **はいすい—**⑦⑤【排水—】艦船が満載吃水(キッスイ)線まで水中に入った時の排水量を、英トンを単位として表わした数値。排水トン。〔アルキメデスの原理により、満載時の船の質量に等しい〕

とんずら⓪—する(自サ)〔「遁(トン)」+「ずらかる」の語幹〕「〈人の目をぬすんで〉逃げる」意の俗語的表現。

どん・する③【鈍する】(自サ) 判断力などがにぶくなる。「貧すれば—〔=道理の感覚が麻痺(ヒマ)する〕」

とんせい⓪【〈遁世・〈遯世】—する(自サ) 世を避けて仏門に入ること。〔広義では、隠居することをも指す〕

トンぜい⓪【トン税】外国の貿易船が入港した時、トン数に対してかける関税。 表記 法律では、「とん税」と書く。

どんぜい⓪【〈呑噬〉】—する(他サ)〔もと、食いつく意〕「他国を攻めて、その領土を奪うこと」の意の古風な表現。

とんそう⓪【〈遁走】—する(自サ) 危険な場所から一目散に逃げ出すこと。〔狭義では、とらわれの場所や戦場などからの離脱を指す〕 **—きょく**③【—曲】⇩フーガ

どんぞこ⓪【どん底】〔「ど底⓪」の変化〕一番の底。底の底。〔それより落ちるものも無い、最悪の状態の意にも用いられる。例、「—から脱(ヌ)け出す/—〔=最低〕の生活」〕

とんだ⓪(連体) 思いもかけない(出来事で迷惑な)。「—濡衣(ヌレギヌ)/—目にあう/—〔=全く非常識な。大変な〕事をしでかす/—〔=取り返しのつかない〕事になった」

ドンタク①〔オ zondag(=日曜日)の変化〕「日曜日・休日」の意の、明治時代語・方言形。「博多(ハカタ)—④〔=五月三、四日に行なう博多の港祭り〕」

とんち⓪【頓知・頓〈智】何かあった時に即座に働く知恵。「—がきく」

とんちき①【頓痴気】〔「とん」は、とんまの意。「ちき」は、「いんちき」「らんちき」の「ちき」と同義の接辞〕「気のきかないまぬけ」の意の口頭語的表現。「この—め」

とんちゃく①【頓着】—する(自サ)〔「《貪着(トンヂヤク)」《=執着し、それにとらわれること》」の変化〕気にかけること。「人の気持に—なく〔=おかまいなく〕/—しない〔=気にしない〕」

【字音語の造語成分】とん・どん

とん

【屯】たむろ。あつまる(所)。「屯営・屯所(ショ)・屯田兵・駐屯」

【団】〔「とん」は「団」の唐音〕円形のもの。「布団・炭団(タドン)」⇩だん

【豚】ブタ。「豚舎・豚足・養豚」⇩(本文)とん【豚】

【〈遁】にげる。「遁辞・遁世・遁走・隠遁」

【頓】❶急に。「頓狂・頓悟(ゴ)・頓才(サイ)・頓死・頓知・頓証菩提(ボダイ)」❷くじける。「頓挫(ザ)・停頓」❸一時に。一度に。「頓服(プク)」❹かたづける。「整頓」❺おじぎをする。「頓首」

どん

【〈呑】❶のむ。のみこむ。「呑吐・呑舟」❷ほろぼす。「併呑」

【貪】むさぼる。欲深い。「貪食・貪欲・貪婪(ラン)・慳貪(ケンドン)」

【鈍】❶刃物の切れ味が悪い。にぶい。「鈍器・鈍刀・利鈍」❷とがっていない。角度が直角より大きい。「鈍角」⇩(本文)どん【鈍】

【曇】くもる。くもり。「曇天・晴曇」

どんちゃんさわぎ⑤【どんちゃん騒㋖】酒をしたたかに飲んだおおぜいの人が、席を乱し鳴り物入りで踊り騒ぐこと。また、そのような宴会。

どんちょう⓪【〈緞帳】❶厚地の模様入りの幕。❷劇場で使うカーテンのうちで、巻いて上げおろしする、下等の幕。 かぞえ方 ❶❷とも一枚 **—しばい**⑤【—芝居】江戸時代、引き幕の使用を官許されず、緞帳を使っていた小芝居の称。また、格調の低い芝居の蔑(ベッ)称。 **—やくしゃ**⑤【—役者】緞帳芝居の役者。へぼ役者③。

とんちんかん③【頓珍漢】—な〔「とん」は、とんまの意、「ちん」は語調を整えるために加えた語、「かん」は男の意で、全体を字音語めかしたもの〕言行が見当違いな△こと(人)。〔口頭語的表現〕「—な返事をする/—なことを△言う(する)/この—め」

どんつう⓪【鈍痛】鈍い重苦しい痛み。↔激痛

どんつく①【鈍つく】〔「つく」は擬人化する意の造語成分。⇩だんつく・ぼんつく〕❶〔中部から中国・四国の方言〕頭の働きの鈍い△こと(人)。❷〔←どんつく布子(ヌノコ)⑤〕下等なもめんの綿入れ。

どんづまり⓪【どん詰㋮り】〔「ど詰まり②」の変化〕❶物事のその先が無いという、ぎりぎりのところ。「選挙も—〔=終盤〕になった」❷道路の行き詰まり(になった所)。〔❶❷とも、口頭語的表現〕

とんで⓪【飛んで】読上げ算の時、中間の桁(ケタ)にゼロがあることを示す言い方。「とび」とも。「三千—五十一円なり」

*__とんでもな・い__⑤(形)〔「途(ト)でもない」の変化〕❶全く予想出来なかったような(異常な)事態が生じる様子だ。「—事件が起きた」❷社会通念や世間の常識に反していて、△あってはならない(許しがたい)と思われる様子だ。「まだ熱も下がらないのに出掛けるなんて—/約束を平気で破るとは—奴(ヤツ)だ」❸どのような点から見てもそのような事実はないととらえられる様子だ。「あの人がフランス語に堪能(タンノウ)だなんて—話だ」 文法 助動詞「そうだ(様態)」に続くときは「とんでもなさそうだ」の形になる。また「すぎる」と結びついて複合動詞をつくるときは「とんでもなさすぎる」の形になる。 運用 ❸は、相手からのほめ言葉や感謝の言葉に対して、それほどのことをしたわけではないと謙遜(ケンソン)する気持を表わすのに用いられることがある。例、「『その節は大変お世話になり

ました』『とんでもない(ことでございます)』」〔全体で一語の形容詞であるから、「とんでもございません」とするのは誤りとされる〕

とんでる⓪【〈翔んでる】(連体) その人が、既成の道徳や社会通念にとらわれず、自由に活動し、目立った活躍をしていることを表わす。「—女」

とんでん⓪【屯田】 明治時代、北海道で兵士を国境に近い地に集め、兵事・農業を兼ね行なわせた制度。「—兵③」

どんてん⓪【曇天】 曇った空。⇩晴天・雨天

どんでんがえし⑤【どんでん返し】 舞台の大道具を急にひっくり返して、次の物と取り替えること。〔広義では、物事が急に逆転する意にも用いられる〕

とんと⓪①(副) 〔多く否定表現と呼応して〕どのような点から見てもその状態にあることは間違いないととらえられる様子。「—お座敷がかからない/—ご無沙汰(ブサタ)しました/—気がつかない/—存じません」⇩一向 〘二〙 表記「頓と」とも書く。

どんと⓪①(副) ❶強く突いたり 勢いよく ぶつかったりする様子。「—来い〔=どんなものでもこわくはないぞ。さあ かかって来い、とたんかを切る様子〕」 ❷その時点でびっくりするような急激な変動が見られる様子。「物価が—はね上がる/—金が入ってくる」

どんと①【〈呑吐】—する(他サ) 飲み込んだり 吐いたり すること。「一日に数万人を—する〔=出たり 入ったり する〕」

どんど⓪ 正月十五日に門松・しめなわなどを持ち寄って焼く行事。左義長(サギチョウ)。「—焼き⓪」 表記「〈爆竹〉」は、義訓。

どんとう⓪【鈍刀】 切れあじの悪い刀。なまくら。↕利刀

とんとん 〘一〙⓪③—に・—な ❶二つの物の間にほとんど優劣が無いことを表わす。「ふたりの成績は—だ」 ❷収支が ほぼ見合って、特に損も得も無いことを表わす。「これで—だ」 〘二〙①(副)—と ❶堅いものを音を立てて軽くたたく様子。また、その音の形容。「ドアを—ノックする/肩を—たたく」 ❷物事が順を追って調子よく進む様子。「仕事が—(と)運ぶ」 **—びょうし**⑤【—拍子】—に・—な どんどん(都合よく)進んだり はかどったり する様子だ。「—に進む」 **—ぶき**⓪【—〈葺(き)】 柿(コケラ)で ふいただけで、かわらやトタンでおおわない△こと(粗末な屋根)。

どんどん①(副)—と ❶堅いものを音を立てて強くたたく様子。また、その鈍い音の形容。「戸を—たたく/太鼓を—鳴らす」 ❷物事が目に見えて△進む(増大する)様子。「足早に—行ってしまった/借金ばかりが—増える」 ❸次から次へと積極的に物事を行なう様子。「何でも—△聞いてくれ(持っていけ)/外国の良い面を—吸収する」

どんな①(連体) 「どのような」の口頭語的表現。「—人でも〔=だれであっても〕/—人が来たの」⇩どのよう ⇩あんな・こんな・そんな:こそあど

どんなに①(副) 「どれほど」の意のくだけた表現。

トンネル⓪〔tunnel〕 ❶山腹・海底・地下を掘って、向こうへ抜けられるように作った道。〔物事の進展が妨げられたままの状態が続く意にも用いられる。例、「長い—から ようやく抜け出した」〕 ❷—する(他サ) 〔野球で〕野手がゴロを股(タマ)の間からのがすこと。 かぞえ方 ❶は 一本 **—がいしゃ**⑤【—会社】 官庁・大手会社などの払下げ品を転売したりなどして、中間利益を得るだけの名目上の会社。

とんび①【〈鳶】 ❶「とび❶」の口頭語的表現。「廊下—〔=⇩廊下鳶(トンビ)〕」 ❷俗に、通りがかりに店先の商品や窓先の衣類などをさらって行くこそどろ。 ❸〔↑とんびがっぱ④〕「二重回し」の異称。 **【—が〈鷹(タカ)を生む】** 平凡な親から傑出した子供が生まれるたとえ。 **【—に油〈揚(アブラゲ)を〈攫(サラ)われたよう】** 苦心の結果もう少しで手に入るばかりであった獲物を、不意に他に奪い去られる形容。

どんぴしゃり①-②(副) 寸分の狂いも無く合致する様子。「どんぴしゃ⓪①」とも。〔口頭語的表現〕「予想は—当たった/この靴は私に—だ」

ドンファン①〔ス Don Juan=スペインの伝説的人物〕 女をあさって歩く男。ドンジュアン③、①-②とも。

とんぷく⓪①【頓服】—する(他サ) 何回かに分けて飲むのでなく、その時一遍だけ服用する△こと(薬)。「—薬④〔=多く、解熱・鎮痛剤〕」

どんぶつ⓪【鈍物】 物の道理に思い当たることの遅い人。〔広義では、形式的統一だけに気を取られ、内容を充実することの重要さに思い当たらない者をも指す〕↕才物

とんぶり⓪ ホウキギの実。和(ア)え物や酢の物に使う。秋田県特産。〔その形とぷちぷちした食感から「畑のキャビア」と呼ばれる〕

どんぶり⓪【丼】 ❶「どんぶりばち」の略。「—飯(シメ)④⓪」 ❷どんぶりばちに飯を盛り、具をのせた料理。「親子—・—物(モノ)⓪」 ❸職人の着る腹掛けの前部のかくし。 **—かんじょう**⑤【—勘定】 〔職人などが「どんぶり❸」の中にお金を入れておいて出し入れしたことから〕帳面どころか ろくな控えも無いために、収支の明細がつかめない、杜撰(ズサン)な お金の使い方。 **—ばち**④【—鉢】 深くて厚い、陶器の鉢。

とんぼ⓪【〈蜻蛉〉・〈蜻蜓〉】〔「とんぼう⓪」の変化〕 ❶長くて透明な二対の羽で軽快に飛ぶ昆虫。からだは細長く、種類が多い。〔トンボ目〕 ❷「とんぼがえり」の略。「—をきる〔=とんぼがえりをする〕」 ❸地ならしをする丁字形の道具。 かぞえ方 ❶は 一匹 **—がえり**④【—返(り)】—する(自サ) 〔トンボが急に方向転換をすることから〕地を踏んでする宙返り。〔俗に、目的地に着いたその足ですぐ帰途につく意にも用いられる〕 **—つり**③【—釣(り)】 さおの先に付けた糸に、囮(オトリ)のトンボを結びつけておき、それを追うトンボを捕らえること。〔広義では、網や もちを使って とることをも指す〕「—〔=トンボ釣りに余念の無い、うちの子供は〕きょうは どこまで 行ったやら」

とんま①【頓馬】—に・—な 〔「とん」は、「とんだ・とんと」の意。「ま」は、「のろま・まぬけ」の意か〕やること・言うことのすべてが ばかげて見える△こと(様子)。また、その人。

どんま① 〘一〙—する(自サ) 「感覚が鈍くなる」意の医学用語。 〘二〙【鈍麻】 〘二〙【鈍磨】 刃物がすり減って鈍くなること。〔年をとるなどして、判断力などが鈍くなる意にも用いられる〕

ドンマイ①(感)〔don't mind (=心配するな)の変化〕〔スポーツで〕「大丈夫だ・平気だ」の意を表わす掛け声。

***とんや**⓪【問屋】〔「といや」の変化〕 ❶商品の卸売を扱う商店。「海鮮卸—(ドンヤ)/そうは—が卸さない〔=思った通りにはなってくれない〕/—街③」 ❷同類の事を一手に引き受けているといった印象を与える人や組織。「あの男はうその—だ/故買品の—が摘発される」

どんよう⓪【〈嫩葉】 「若葉」の意の古風な表現。

どんよく⓪【貪欲・貪〈慾】—に・—な 〔「とんよく」の変化〕欲望をどこまでも追求し、満足することを知らない様子だ。「—な(までの)知識欲」↕無欲 派 **—さ**⓪④

どんより③(副)—と・—する ❶一面雲におおわれて薄暗い様子。「—(と)した空模様」 ❷全体に濁っていて、期待されるさわやかさが感じられない様子。「—(と)した目つき/—とよどんだ△空気(河の水)」

どんらん⓪【貪〈婪】—に・—な 〔「婪」も、貪(ムサボ)る意〕非常に欲が深い様子だ。「—な商人」 派 **—さ**⓪③

どんり①【貪吏】 わいろをもらうことを常習とする役人。

【な…ナ】

な（那・奈・南・納）→【字音語の造語成分】

な ■一〔講談などで〕副助詞「は」の変化。「つれる下人—ただひとり／お引き受け—〔=を〕いたします」 ■二文語助動詞「なり」の連体形「なる」の変化。〔江戸時代の末まで使われた〕「そこ—〔=に居る〕奴(ヤツ)／ここ—〔=この〕無礼者」

な ■一①（感） 相手の関心を自分に向けさせたり 自分の言うことを納得させようとしたり する気持を表わす。「—、君もそう思うだろう／—、聞いてくれよ」 ■二（終助） ❶相手にそうするのを禁止することを表わす。「そこを動く—／二度とする—よ／そんなにあわてる—よ」 ❷〔近世の江戸語からみえる表現〕気安くつきあえる相手に対する命令を表わす。〔ぞんざいな表現〕「あっちへ行き—／あぶないからやめ—」 ❸自分の主張・判断などを相手に納得させたり 自分で確認したり などする気持を表わす。「私はそうは思わない—／たぶん違うだろう—／一緒に行こう—／ちょうだい—／君もやってくれる(だろう)—／まちがいない—／遅れないで来いよ—／急げば まにあう—／もう これで おしまいだ—」 ❹〔希望や疑念を表わす文の末尾で〕希望や疑念をしみじみと表明することを表わす。「早く来ないか—／待ってくれてるか—／晴れるといい(が)—／雨になるのか—」 ❺何らかの感動を受けたという心情を直接に表わす。「うれしい—／ほんとにきれいだ—／よく出来た—」 ❻自分の言葉を相手に納得させようとする気持を表わす。「これは—、大切にするんだよ／お前は—、あわてん坊だから—」 [文法] (1) ❷❻以外は活用語の終止形に接続する。❷は動詞、助動詞「れる／られる・せる／させる」の連用形に接続する。❻は文節の切れ目に接続する。終助詞「よ」を伴う時は、❶❷では「…な＋よ」の形で、❸❺では「…よ＋な」の形で続く。(2) ❸は終助詞「ね■二❸」と同様に、相手を納得させようという意をこめて用いられることがあるが、「ね」と比べて、相手の心情などを無視して自分の意向や判断を押しつけようとする気持が強い。〔■二❻は主に男性が使う。■一と■二❸～❻は「なあ」ともなる〕

な①（副）〔雅〕〔終助詞「そ」と呼応して〕その動作を禁止する様子を表わす。「—行きそ／—来(コ)そ／さ—為(セ)そ／主(アルジ)無しとて春—忘れそ」〔後世、「そ」を用いなかったり 逆に「そ」だけを用いたり する用法も行なわれた〕

＊＊**な**⓪【名】 ❶「名前」の改まった表現。「—も無き民／姓は坂東(バンドウ)—は太郎／発起人に—を連ねる／—を伏せる」 ❷そのものの特徴などをそのまま表わすものとして付けられた名前。「—は体(タイ)〔=実体〕を表わす／王者の—に背かない風格／文明国の—に恥じる／福祉行政の—が泣く〔=⇩泣く❶〕／事務所とは—ばかりの粗末な一室／—を正(タダ)す〔=そのものにふさわしいあり方をすべきだと主張する〕」 ❸何かの理由で世間に知られ(てい)る名前。「—の聞こえた人／学校の—〔=名誉〕を傷つける／功成り—遂げる〔=世間的にも栄達する〕／蔵書家として—〔=評判〕が高い／—〔=名誉〕を捨てて実(ジツ)を取る」 【—を揚げる】 △よい評判で(出世して)有名になる。【—を売る】 世間に広く名が知れ渡るように努める。【—を貸す】 自分の名前を使用することを△認める(許す)。【—を汚(けが)す】 名誉を傷つける。【—を出す】 ❶関係者の一人として、そこに名前を連ねる。❷名前を貸す。【—を成す】 ある分野での業績をあげ、世間に知られるようになる。【—を残す】 後世まで名声をとどめる。

な ■一①【菜】 葉を食べる野菜。「—を洗う／こまつ—・あぶら—」 ■二（造語）〔雅〕おかず。「酒(サカ)—〔=肴(サカナ)〕」 [表記] ■二は、「《魚」とも書く。

なあ ■一①（感）「な■一」の変化。 ■二（終助）「な■二❸～❻」により強く主体の感情をこめた言い方。[文法] ⇩な■二[文法]

ナース①〔nurse〕 看護師。「—ステーション⑤〔=詰所〕」

ナース コール④〔和製英語 ←nurse＋call〕 入院患者が、必要なときにナース ステーションにいる看護師を呼ぶための装置。会話もできる。

なあて⓪【名宛】 あて名。「—人⓪③」

なあ なあ⓪①〔多く気心が知れている間柄で〕適当なところで妥協しあって事を済ませようとすること。〔口頭語的表現〕「—で済ませる／—主義」

ナーバス①〔—に／—な〕〔nervous〕 神経質な様子だ。

ない（内）→【字音語の造語成分】

ない（助動・形型） ❶Ⓐその動作・作用・状態の成立を否定することを表わす。「僕はそんな事は知ら—よ／こんなものは食べ**なかろ**う／行け**なく**て残念だ／出来もし—事はするな／やら**なけれ**ばだめだ」 Ⓑ〔「…て—」の形で〕「…ていない」の圧縮表現。「まだ誰(ダレ)にも話して—」 ❷〔「…—(か)」の形か、語尾を上昇させて〕相手に対する勧誘や依頼の気持を表わす。「一緒に行か—(か)」 ❸〔「…—(か・かしら・かなあ)」などの形で〕期待・不安などを含意して、その事柄の実現について判断しかねる気持を表わす。「貸してくれ—か／早く来—かしら／手伝ってくれ—かな(あ)」「彼の分(ワ)から—には手をやく」 [文法] 動詞、助動詞「れる／られる・せる／させる・たがる」の未然形に接続する。ただし、❶Ⓑのみ動詞に接続助詞「て」がついた形に直接する。 [派] **なさ**

＊＊**な・い**①（形） ■一【無い】 その物事の存在を認めることが不可能な状態だ。「食べる物が何も—／悲しむ人も—〔=いない〕孤独な死／親の—〔=すでに親が死んでいる〕子／お金が—／おかしいったら—〔=こんなにおかしいことは、ほかにはない〕／—に等しい／そんな物は無くても済む／観客無くして演劇はあり得ない」 ↕有る [文法] 助動詞「そうだ(様態)」に続く時は「なさそうだ」の形になる。また「すぎる」と結びついて複合動詞をつくる時は「なさすぎる」の形になる。【—袖は振れぬ】 ほしがったって無いのだから、どうしようもない。 ■二〔「形容詞・形容動詞の連用形＋(では)—」の形で〕その状態を否定することを表わす。「早く—／静かでは—」 [派] **—さ**① **—げ**① [表記]「親のない子」の「ない」は「亡い」とも書く。 [文法] (1) ■二は意味の上で助動詞「ない」に接近するが、「ない」の上に副助詞類をはさむことが出来るなど、前に表われる要素に対して独立性が高いため、形容詞として扱われる。(2) 連用形「なく」に接続助詞「て」のついた「なくて」

な

【那】 ❶どうして。どの。「那辺」 ❷梵(ボン)語・外来語「ナ」の仮借(カシャ)。「刹那・旦那・支那」

【奈】 ❶どうして。どの。「奈辺」 ❷梵(ボン)語・外来語「ナ」の仮借(カシャ)。「奈落・奈翁〔=ナポレオン〕」

【南】 梵(ボン)語の音訳字。「南無」 ⇩なん

【納】 しまう。「納屋」 ⇩のう

ない

【内】 ❶一定の範囲のうち。「内部・内出血・室内・年度内」 ↕外 ❷表向きでない。「内々・内密・内交渉」

＊＊ ＊は重要語，⓪①… はアクセント記号，品詞の指示の無いものは名詞および いわゆる連語。

の形は、後件で述べることの原因・理由を表わす場合には「うちの息子は本を読まなくて困る」などと用いられるが、後件の前提となる状況を表わす場合には、たとえば「朝御飯を食べて出掛ける」に対して、「朝御飯を食べないで出掛ける」、また、「朝御飯を食べずに出掛ける」などと、「…ないで」「…ず」の形を用いる。

運用 対立的な空気が漂っているような場面で、語気を強めて「それは無いでしょう」と相手の発言を全面的に否定するのに用いられる。また、比較的隔意なく話し合える者同士の会話で、「それは無いですよ」の形で、相手の発言を受けて、「そんなことは現実にあっては困る」という意で、やんわりと否定することを表わすのに用いられる。

ない①(ナヰ)【〈地震〉】〔雅〕地震。「―ふる(=地震が起こる)」

ないあつ⓪【内圧】内部からの圧力。特に国内や組織内からの圧力。⇔外圧

ないあわ・せる⑤⓪(ナヒアハセル)【〈綯〉い合〈わ〉せる】(他下一) 二本(以上)の糸や縄などをより合わせて一本にまとめる。綯い合わす④⓪(五)。〔二つ(以上)のものを合わせて新しい成果を作り出す意にも用いられる。例、「感覚と知性を―」〕

ないい①【内意】内々の意向。まだ公にしていない考え。「―を伝える」

ナイーブ②【(naive)】―に 純真な子供のように一切邪心をいだかずに物事を見たり感じたりする心の状態だ。「―な感性」派―さ④⓪

ないいん⓪【内因】その物事の内部にひそむ原因。「紛争の―」⇔外因

ないいん⓪(―ヰン)【内院】〔仏教で〕弥勒菩薩(ミロクボサツ)がいつもそこに居て、法を説くといわれる所。

ないえつ⓪【内謁】―する(自サ) 内々で立場の上の人に会うこと。〔狭義では、要路の人の側近などに取り入って、何かを頼みこむことを指す〕

ないえつ⓪【内閲】―する(他サ) 内々で閲覧したり検閲したりすること。

ないえん⓪(―エン)【内〈苑〉】その神社・宮中の敷地の内にある庭。⇔外苑

ないえん⓪【内縁】㊀〔容器などで〕内側のへり。㊁婚姻届を出していないために、法律上の夫婦とは認められない関係。「―の妻/―関係⑤」

ないおう⓪【内〈応〉】―する(自サ) ひそかに敵に通じること。うらぎり。

ないおう⓪(―アウ)【内奥】精神などの奥深いところ。「人間性の―」

ないか⓪(―クヮ)【内科】内臓の病気を診断し(手術によらず)治療する、臨床医学の一部門。かぞえ方 施設については一軒

ないかい⓪【内海】四周陸地に囲まれ、海峡で外洋と連絡する海域。うちうみ。内洋。⇔外海(ガイカイ)

ないかい⓪【内界】その人の意識の中。精神界。⇔外界

ないがい①(―グヮイ)【内外】㊀①その△地域(建物・組織)のうちとそと。「校舎の―/―(=国内・国外ともに)多事」㊁〔造語〕数量がおよそその程度であることを表わす。「百人―(=ぐらい)・千円―(=程度)・一週間―(=前後)」

―じん③【―人】その国の人と外国人。

ないかく⓪【内角】㊀〔幾何学で〕多角形の隣り合う二辺の成す角のうち、内側の角。「三角形の―の和は百八十度」⇨外角㊀ ㊁〔野球で〕ホームベースの中心から打者に近い側。インコーナー。⇔外角㊁

ないかく①【内閣】大臣で組織する、国の最高行政機関。政府。〔首長は、内閣総理大臣①-④〕「短命―」**―かんぼうちょうかん**①-⑤(―クヮンバウチヤウクヮン)【―官房長官】内閣総理大臣を補佐する事務官の長。**―ふ**③【―府】首相および内閣官房を補佐し、行政各部の施策の統一を図るための企画立案・総合調整などを担当する中央官庁。二〇〇一年、総理府と経済企画庁などを統合して発足。〔長は、内閣総理大臣〕

ないがしろ⓪【《蔑》ろ】―に〔「無きが代(シロ)」の変化〕軽んじてはならない△人(物事)を軽んじる様子だ。「親を―にする」

ないかてい⓪(―クヮ)【内火艇】小蒸気船。ランチの古い訳語。

ないかん⓪(―クヮン)【内患】その組織の内部にひそむ△心配事(もめごと)。

ないかん⓪(―クヮン)【内観】―する(他サ) 精神統一により、自分の△心理(精神)状態を観察すること。

ないき①⓪【内規】その組織の内部の人の間で守ることになっている決まり。

ないぎ①【内儀】「商家の主婦」の意のやや古風な表現。「呉服問屋の―に納まる/お―②」

ないきょく⓪【内局】中央官庁で、直接、大臣・次官の監督を受ける局。⇔外局

ないきん⓪【内勤】―する(自サ) 役所・会社内部の職場で勤務すること。〔狭義では、事務に関する職務を指す〕⇔外勤

ないくう③⓪【内《宮》】伊勢の皇大神宮。⇔外宮(ゲクウ)

ないくん⓪【内訓】㊀部内者に対する訓示で、公表を建前としないもの。㊁交渉の基本的態度に関する訓令で、必ずしも相手側に提示しないもの。

ないけい⓪【内径】㊀器物の内側の寸法。㊁銃砲の筒の、たまの通過していく部分の直径。⇔外径

ないげんかん③(―クヮン)【内玄関】玄関と勝手口との間にある、家人・雇人や御用聞きの出入りする通用口。「うちげんかん」とも。

ないこう⓪(―カウ)【内向】―する(自サ) 内気で、ひとりで悩んだり心配したりすること。「―性⓪・―型⓪・―的⓪」⇔外向

ないこう⓪【内攻】―する(自サ) 病気が、からだの内部に広がること。〔広義では、精神的な痛手や不満についても言う〕

ないこう⓪【内〈訌〉】「うちわもめ」の意の漢語的表現。

ないごうがいじゅう⓪-⓪(―ガウグヮイジウ)【内剛外柔】外に表わす態度はものやわらかでも、心の中はしっかりしていること。⇔内柔外剛

ないこうしょう③(―カウセフ)【内交渉】事務を円滑に進め、事前に相手の内意を確かめるための交渉。

ないこく⓪【内国】「国内」の意の造語形。「―為替⑤」⇔外国

ないさい⓪【内妻】内縁の妻。

ないさい⓪【内済】―する(他サ) 表ざたにしないで済ますこと。「事を―にする」

ないさい⓪【内債】〔←内国債④③〕国内で募集する公債・社債。⇔外債

ないざい⓪【内在】―する(自サ) 元来、そのもの自身の本質と(深いかかわりを持つものと)して認められること。「神は各人の心に―する/官僚機構に―する汚職/―的⓪」⇔外在

ないし①【〈乃至〉】(接) △AからBまで(AでなければB)という範囲を限定することを表わす。「定員は五名―八名/教授―准教授/東―(=または)東南の風」**―は**①(接)「ないし」を強調した表現。「鉛筆―ボールペンで記入すること/原稿は郵送するか、―直接本部まで持参してください」

ないし①【内《侍》】昔、天皇の側近に奉仕した女官。**―どころ**④【―所】「賢所(カシコドコロ)・八咫鏡(ヤタノカガミ)」の古称。

ないじ[0]【内示】―する(他サ) △公表する(正式に知らせる)前に、内々で示すこと。「ないし[0]」とも。

ないじ[1]【内耳】耳の最も奥の部分で、声や音を受け取る器官がある所。⇩中耳・外耳

ないじかく[3]ヂー【内〈痔核〉】肛門(コウモン)の内部に出来る痔核。↕外痔核

ないしきょう[0]キヤウ【内視鏡】レンズや小さい鏡を付けて、胃や気管支などの内臓の中を見る装置。かぞえ方 一台・一基

ないしつ[0]【内室】〔もと、貴人の妻の意〕「他人の妻」の意を表わす、敬称。〔古風な表現〕

ないじつ[0]【内実】外部に対する見せかけではなく、隠されている内部の実情。〔副詞的にも用いられる〕「新政府の―は、かれの考えるような正義の政権ではなかった/大企業と言われているが、その―は大変らしい/私も―(=本当のところ)弱っている」

ないしゃく[0]【内借】―する(他サ) 表向きには借りることの出来ないものを内々借りること。また、そのもの。〔狭義では、前借りを指す〕

ないじゅ[1]【内需】国内の需要。↕外需

ないしゅう[0]シウ【内周】↕外周 ❶内側で測った周囲。❷二重に取り巻いた線などの、内側の部分。

ないじゅうがいごう[0]-[0]ジウ グワイガウ【内柔外剛】本当は気が弱いが、外に現われた態度は強く見えること。↕内剛外柔

ないしゅうげん[3]シウー【内祝言】身内の者だけが集まって婚礼をすること。

ないしゅっけつ[3]【内出血】―する(自サ) からだの内部で出血があること。

*__ないしょ__[0][3]【内緒】〔内証の変化〕❶関係者以外には知らせないで事を△済ます(行なう)こと。「―の話/―事(ゴト)[0]」❷うちわ(の事情)。「―(=家計)が苦しい」「ないしょう」とも。表記「内証・内所」とも書く。

ないじょ[1]【内助】―する(自他サ) 表立たずに援助すること。「―の功(=夫の社会活動をひそかにささえること)」

ないしょう[0][3]【内証】ないしょ。

ないしょう[0]シヤウ【内傷】からだの内部に受けた傷。↕外傷

ないじょう[0]ジヤウ【内情】〔世間に△知られていない(知られては困る)〕内部の事情。「―を探る」

ないしょく[0]【内食】〔=外食〕に対して〕家庭で調理をして食事をとること。また、その食事。「うちしょく[0]」とも。「―で食費を節約する」⇩外食・中食(ナカショク)

ないしょく[0]【内職】―する(自サ) ❶本来の仕事の片手間にする仕事。〔俗に、△授業(会議)中に、本題を聞いているふりをして、別の事をする場合にも使われる〕❷主婦が家計の、学生が学費・生活費の足しにするための賃仕事。〔後者は特に、アルバイトと言う〕

ないしん[0]【内心】〔言動・態度・様子などには現わさない〕心の中(の様子)。〔副詞的にも用いられる〕「―の△動揺(不安)/―どきっとした/―ほっとしたよ/―穏やかでなかった/―忸怩(ジクジ)たるものがある」

ないしん[0]【内申】―する(他サ) 〔出身校の校長などが上級学校など〈へ〉その生徒の成績・人物評価などについて報告すること。〔狭義では、受験校を決める目安とするために全科の成績を数字に換算することをも指す〕「―書[5][0](=調査書[4][0])」

ないしん[0]【内診】―する(他サ) ❶直腸や女性の生殖器などの内部を(指で)診察すること。❷宅診。↕往診

ないじん[0]ヂン【内陣】△神社の本殿で神体を(寺で本尊を)祭ってある所。↕外陣(ゲジン)

ないしんのう[5]ワウ【内親王】天皇の女性の△子(孫)。↕親王

ナイス[1]〔nice〕すてき。みごと。〔感動詞的にも用いられる〕「―ピッチング・―ボール」

ないすい[0]【内水】〔陸地内にある水の意〕湖沼・河川・運河などの称。

ナイスミドル[4]〔和製英語 ←nice + middle〕(花の)中年男性。

ないすん[0]【内寸】箱や器などの入れ物の内側の寸法。↕外寸

ないせい[0]【内政】国内の政治。「―干渉[5]」↕外政

ないせい[0]【内省】―する(他サ) 自分の行動の跡や精神のあり方などを深く見詰めること。「―的[0]」

ないせき[0]【内戚】父方の親類。〔父の父・祖父母・兄弟姉妹・いとこなどを指す〕↕外戚(ガイセキ)

ないせん[0]【内戦】同じ国民同士の戦争。

ないせん[0]【内線】一つの建物の内部だけに通じる電話線。「―番号[5]」↕外線 ―さくせん[5]【―作戦】包囲される位置にあって、敵に対処する作戦。↕外線作戦

ないそう[0]【内奏】―する(他サ) 正式の手続きを経ずに天皇に申し上げること。

ないそう[0]サウ【内装】建物や乗り物などの内部の設備・装飾。また、その工事。↕外装

ないそう[0]【内層】何層かをなしているものの内側の層。↕外層

ないぞう[0]ザウ【内蔵】―する(他サ) その内部に持っていること。「いろいろの問題を―する/露出計―のカメラ」

*__ないぞう__[0]ザウ【内臓】動物のからだの内部にある諸器官。〔現在の解剖学では、消化器・呼吸器・泌尿器・生殖器・内分泌器に限る〕

ないそん[0]【内孫】「うちまご」の漢語的表現。↕外孫(ガイソン)

ナイター[1]〔和製英語 ←night + er〕夜、ライトをつけて行なう、野球などの試合。ナイトゲーム[4]。

ないだい[0]【内題】書物の本文の初めや扉に書いてある題目。↕外題(ゲダイ)

ないだいじん[3]【内大臣】明治十八年から昭和二十年まで置かれた官。御璽・国璽を保管したり 詔勅その他宮中の文書に関する事務を扱ったりした所の長官。〔「内府[1]」は、その唐名〕

ないだく[0]【内諾】―する(他サ) 内交渉の段階で承諾の意思表示をすること。「本省が現地大使館に―を与える」

ないたつ[0]【内達】―する(他サ) 大体そうなるだろうということを、前もって知らせること。

ないだん[0]【内談】―する(自サ) △秘密(非公式)に話し合うこと。

ないち[1]【内地】❶〔属領・植民地と違って〕本土の称。〔北海道・沖縄では、本州の称〕❷国内。「―留学[4]・―米(イマイ)[0]」↕外地

ナイチンゲール[5]〔nightingale〕❶西洋の小説によく出てくる小鳥。夜、美しい声で鳴く。よるうぐいす。〔ヒタキ科〕❷〔「クリミアの天使」と呼ばれたイギリスの看護師の名から〕看護師の美称。かぞえ方 ❶は一羽

ないつう[0]【内通】―する(自サ) ❶こっそり敵に通じること。❷密通。

ないてい[0]【内定】―する(自他サ) 正式決定の輪郭が大体固まること。「本社採用が―する」↕本ぎまり

ないてい[0]【内偵】―する(他サ) こっそりと相手の事情を探ること。

ないていひ[3]【内廷費】皇室の私生活に要する費用。

ないてき[0]【内的】―に ―な ↕外的 ❶そのものの内部にかかわる様子だ。❷精神・心にかかわる様子だ。「―経験[0]-[0]、[5]・―生活[0]-[0]、[5]」

ないてん[0]【内典】〔僧の側から見た〕仏教の経典。〔古くは「ないでん」〕↕外典(ゲテン)

ナイト（造語）〔night〕夜。夜間。「―ゲーム[4]〔=ナイター〕・―ガウン[4]」

ナイト[1]〔knight〕❶〔中世の〕騎士。❷近世英国の爵位の一つ。功労によって授与され、サーの称号を一代限り許される。

ナイトキャップ[4]〔nightcap〕❶寝る時にかぶる帽子。❷寝酒。

ないどきん[0]【内〈帑金】〔「帑」は、金庫の意〕天皇のお手もと金。「ご―[0]」

ナイトクラブ[4]〔night club〕酒食・ダンス・ショーなどを楽しむ、夜間の娯楽施設。

ナイトケア[4]〔和製英語 ←night＋care〕在宅介護を受けている高齢者や障害者を、夜間だけ特別養護老人ホームなどの施設に預かり、リハビリテーションや入浴・食事サービスなどを行なうこと。⇩デイ ケア

ナイトショー[3][4]〔midnight show の、日本での省略形〕夜遅くやる演芸・興行。

ないない[0]【内々】(副)―に ❶思ったり 感じたりしたことを、言動や態度に表わすことなく心のうちにとどめる様子。❷そのことを公にせず内部だけに△とどめる(とどめて処理する)様子。「このことは―にしておいてくれ/―で処分する/これは―の話だが」「間に合うかどうか―心配していた」

ないねん[0]【内燃】燃料が気筒(キトウ)の内部で燃えること。「―式[0]」 **―きかん**[5]【―機関(クワン)】ガス・油などを機関の気筒内で燃焼させ、ピストンを動かして運転する機関。↕外燃機関

ないはつてき[0]【内発的】―に ―な 外在的な原因からではなく、内部から(自然に)起こる様子だ。「―な動機づけ」↕外発的

ないはんそく[3]【内反足】内側にひどく曲がって奇形になった足。〔内翻(ホン)足の改称〕

*__ナイフ__[1]〔knife〕❶食事用の小刀。「フォークと―」❷削ったり 切ったりするための小刀。「ジャック―・登山―[4]」 かぞえ方 ❶❷とも 一挺(チョウ)・一丁・一本

ないぶ[1]【内部】建物や組織の内(側)。「古墳の―にカメラが入る/―の事情に詳しい/―抗争[4]・―矛盾[4]・―構造[4]」↕外部 **―こうさく**[4]【―工作】部外者に知られないように秘密に相談し、物事を進めること。 **―とうせい**[4]【―統制】企業などの組織体が、目的に合う形で業務を行なったり 企業倫理に反することが行なわれないようにしたりするために管理・運営に加える統制。 **―ひばく**[4]【―被〈曝】放射性物質に汚染された空気や食べ物を体内に取り込むことによって被曝すること。

ないふく[0]【内服】―する(他サ) 薬を飲むこと。内用。「―薬(ヤク)[4]」↕外用

ないふく[0]【内福】―に ―な 表にはそれほどに見えないが、実際は裕福なこと。

ないふん[0]【内紛】その組織の内部での主導権争いや金銭の分配などに基づくごたごた。内訌(ナイコウ)。「―が△起こる(収まる)」

ないぶん[0]【内分】❶関係者以外には知られないように事を進めること。「―に願います」❷―する(他サ)〔数学で〕一つの線分を、その上の一点を境として二つの部分に分けること。

ないぶん[0]【内聞】❶―する(他サ) その話が、非公式に高貴の人の耳に入ること。「―に達す」❷ごく内うちの者だけに伝える方がよいと判断される事柄。「今話した件は、ご―に願います」

ないぶんぴつ[3]【内分泌】動物体内で作られたホルモンを直接血液中に送り出すこと。「ないぶんぴ[3]」とも。「―腺(セン)[0]」↕外分泌

ないへき[0]【内壁】内側のかべ。「胃の―」↕外壁

ないへん[0]【内編・内〈篇】何冊かに分かれている本のうち、当初からの計画として書かれた部分。↕外編

ないほう[0]【内包(ハウ)】❶―する(他サ) 内部に持つこと。「△可能性(危険性)を―する」❷〔哲学で〕一概念に含まれる属性。例、「魚」という概念の内包は、「水中にすむ・ひれによって進む・卵生」などの性質。↕外延

ないほう[0]【内報】―する(他サ) 非公式に知らせること。

ないほんそく[3]【内翻足】「内反足」の旧称。

ないまく[0]【内幕】「うちまく」の意のやや古風な表現。

ないまぜ[0]【〈綯(ナ)い交ぜ】〔種々の色糸を交ぜて ひもを作る意〕本来△異質の(相容(イ)れない)ものを交ぜて一つのものにすること。「虚実を―にして話す」 動 綯い交ぜる[4][0](他下一)

ないみつ[0]【内密】―に ―な 外にもれることを極度に警戒して何かを行なう△こと(様子)。「―な打合せ」

ないむ[1]【内務】❶自治・警察などに関する行政事務。「―省[3]」❷〔もと軍隊で〕室内での日課・整頓(トン)などに関する仕事。「―班[3]」

ないめい[0]【内命】―する(他サ) △非公式(秘密)の命令。

ないめん[0]【内面】↕外面 ❶〔表からは見えない〕そのものの内側。❷〔その人の具体的な言動や外見と違って〕精神・心理の方面。「―性[0]」 **―てき**[0]【―的】―に ―な 外部からは見えない面、特に心理面や本質にかかわる(ことを問題にする)様子だ。「役柄を―に掘り下げた演技/―葛藤(カットウ)」↕外面的

ないもの ねだり[5]【無い物ねだり】そこに無い物を求めてほしがること。〔子供のわがまま、本来期待すべきではない点にまで及んだ批評など〕

ないや[0]【内野】↕外野 〔野球で〕Ⓐ本塁・一塁・二塁・三塁を直線で結んだ正方形の内側。インフィールド。Ⓑ内野手。「水も漏らさぬ―陣」Ⓒ内野手の守備範囲。「―フライ[4]」 **―しゅ**[3]【―手】一塁手・二塁手・三塁手、および遊撃手の総称。「内野」とも。〔広義では、投手・捕手をも含む〕↕外野手

ないやく[0]【内約】―する(他サ) △非公式(秘密)の約束。

ないゆう[0]【内憂(イウ)】その組織の内部における心配事。〔狭義では、うちわ同士のもめごとや いざこざを指す〕「―外患交々(コモゴモ)至る」↕外患

ないよう[0]【内用】―する(他サ) 薬を飲むこと。内服。↕外用

ないよう[0]【内洋(ヤウ)】↕外洋 ⇩内海(ナイカイ)

ないよう[0]【内容】そのものの内部を構成していて、そのものを価値づけるもの。「―の無い話/―が△固まる(充実する)/―を△詰める(掘り下げる)/―に乏しい/―的にまとめる」↕形式 **―しょうめいゆうびん**[9]【―証明郵便(イウ―)】〔後日の証拠とするために〕相手に出す手紙の複写を郵便局に提出し、その内容の証明を受けた後、書留郵便にするもの。

ないようせき[3]【内容積】その容器の中の、何かを入れることができる部分の体積。「―の大きい冷蔵庫」

ないらん[0]【内乱】時の政府を倒そうとして起こる反政府勢力と政権担当者との間の武力抗争。「―を収める」

ないらん[0]【内覧】―する(他サ) 〔特定の人が〕△非公式

（内々）に見ること。

ないりく⓪【内陸】 海岸から遠い、内部の土地。「―部④」 **―せいきこう**⑦、⓪-⓪【―性気候】 大陸性気候。

ないりんざん③【内輪山】 カルデラ内に新しく出来た円錐状の小火山。↕外輪山

ナイロン①〔nylon=もと、商品名〕 合成樹脂（から作った人造繊維）。絹よりも軽くて強く、衣料・魚網・軸受け・電線被覆などに用いられる。

ないわん⓪【内湾】 大半を陸域に囲まれて、外洋に接する部分が少ない湾。東京湾、伊勢湾など。

ナイン①〔nine〕 ❶九つ。 ❷〔九人で一組の〕野球のチーム。「ベスト―④」

ナウ① ■一―な〔now〕 現代感覚にうまく適応している様子だ。〔「ナウい②」の形で形容詞化しても用いられた〕 ■二〔俗に、SNSなどで〕今どこにいるか（何をしているか）ということを発信する際に最後に添える言葉。〔副詞的に用いられる。通常「なう」と表示する〕「新宿―／ウォーキング―」

な・う①【綯う】（他五） 糸やひもを何本かより合わせて丈夫な綱状の物を作る。「縄を―／わらじを―〔=作る〕」

なうて⓪【名うて】 〔「うて」は、圧倒される意の動詞「うてる」の連用形の名詞用法〕その方面で広く世間に知られている存在。〔よい面についても悪い面についても用いられる〕「―の剛の者と敵におそれられた武将／―のぺてん師〔=きわめつきのぺてん師〕」

*__なえ__①【苗】 ❶芽が出て、少し育った移植用の（草本）植物。〔狭義では、発芽してから田に植えるまでのイネを指す〕「アサガオの―」 ❷〔漁業で〕養殖用の稚魚。「アユの―」 かぞえ方 ❶は一本・一束

なえぎ③⓪【苗木】 移し植える目的で育てた、小さな木。樹木の苗。

なえどこ⓪【苗床】 種をまいて、苗をつくるための場所。

なえはんさく③【苗半作】 苗の出来・不出来が作物の収穫を左右する意の言い伝え。

な・える②【萎える】（自下一） ❶からだの各部分の力が衰えて、役に立たなくなる。〔広義では、気力の衰えることをも指す〕 ❷植物がしおれる。 ❸長い間着たため、衣服がくたくたになる。

なお①【《尚・《猶】 ■一（副） ❶それまでの事態がその時点で終わらず、そのまま引き続く様子。「老いて―意気盛んだ／今―語り継がれている／熱は引いたが―注意が必要だ／春―浅し」 ❷それまでも顕著であった事態の程度が、何かをきっかけとして一段と進む様子。「手を加えたら―悪くなった／来てくれたら―（のこと）うれしい／―いっそうのご活躍を期待します」 ❸その段階ですでに十分なのに、その上に同じことをつけ加える（がつけ加わる）様子。「稽古が終わったところで開演まで―二時間あった／憎んでも―余りある奴だ」 ❹〔漢文訓読に基づく用法から「―…ごとし」の形で〕具体的な例を挙げて、それに十分に匹敵しうるものだと指摘する様子。「過ぎたるは―及ばざるがごとし／―生けるがごとき面持」 ■二（接） 前件で本来の用件を述べ終わったところで、それに何かを補足する後件があることを表わす。なおまた。「以上お知らせします。―詳細は追って別便にて」

なおがき⓪【《尚書き】 「なお」で始まる、内容を補足する文章。

なおかつ①【《尚且つ】（副） ❶一方ではそれで十分だという条件を満たしながら、他方、それとは相容れない事態が見られる様子。「これだけ努力しても―及ばない／七十にして―壮者に劣らず」 ❷それで十分だという要素に、それをいっそう補強する要素がつけ加わる様子。「大度―果断の気象」

なおき①【直き】 〔文語形容詞「なほし」の連体形〕まがったところがない。「―幹／―〔=純粋な〕心」

なおく①【直く】 〔文語形容詞「なほし」の未然・連用形〕理にかなっていて、邪心などが全くない様子。「自ら省みて―んば」

なおさら⓪【《尚更】（副） 「なお■一❷」の意の口頭語的な強調表現。「彼が入ると―話がややこしくなる／場合が場合だから―の事注意するんだね」

なおざり⓪【《等閑》】―に―な 〔言動に心がこもっていないで〕することが万事不十分な様子だ。「警告を―にする〔=まともに聞き入れようとしない態度をとる〕／―な〔=誠意の感じられない〕返事」〔近年、「おざなり」と同義に用いる向きもあるが、両者は意味・用法の異なる別語〕

なおし【直し】 ■一③ ❶直すこと。「―に出す／縁起―」 ❷色なおし。 ❸〔↑直し酒③〕悪くなりかけた（下等な）酒を加工して、普通の酒に直したもの。 ❹〔↑直しみりん④〕みりんに焼酎を交ぜた酒。 ■二（造語） 動詞「直す」の連用形。「―もの⓪⑤〔=つくろいもの〕」

なお・す【直す】 ■一②（他五） ❶〈（なにデ）なにヲ―〉 ぐあいの悪いところなどに手を入れて、望ましい状態に改める。「からだを―／病気を―〔=ⓐ治療する〕／文章を―〔=ⓐ添削する。ⓑ推敲する〕／誤りを―〔=訂正する〕／機嫌を―〔=よくする〕／規約を―〔=改正する〕／時計を―〔=ⓐ合わせる。ⓑ修理する〕／業者を呼んで玄関のドアを―」 ❷〈なにヲなにニ―〉 違った観点・方法で新たな位置づけをしたり違った体系に置きかえたりする。「上座に―〔=改めて据える〕／日本語を英語に―〔=翻訳する〕／尺をセンチに―〔=換算する〕」 ■二〔「動詞連用形＋―」の形で、接尾語的に〕気分・観点・方法などを改めて、もう一度何かをする。「やり―・飲み―・結び―・見―・出―・書き―・考え―」 表記 ■一❶の病気の場合は、「治す」と書く。〔⇩直し■二〕

なおなお【《尚《々・《猶《々】 ■一（副） ❶①「なお■一❶」の強調表現。「―用心が肝要だ」 ❷①、①-①「なお■一❷」の強調表現。「彼が来てくれて―安心だ／―努力するように」 ■二①（接） ⇩なお■二「―申し上げますが」 **―がき**⓪【―書き】 ⇩追ってがき

なおまた①【《尚又】（接） ⇩なお■二

なおも①【《尚も・《猶も】（副） その時点においても、それまでの状態が衰える気配も無く引き続くことが認められる様子。「風は―激しく吹き荒れた／―言いつのって止まなかった」

なおらい⓪【直《会】 〔動詞「直る」の変化「直らふ」の連用形の名詞用法〕祭りの儀式の終わった後、供物・酒のお下がりを参列者一同で分けて食べる宴会。

**__なお・る__②【直る・治る】（自五） ❶〈（なにデ）―〉 ぐあいの悪い所などに手が加えられ、望ましい状態に改まる。「機嫌（時計・文章）が―／病気（癖）が―」 ❷Ⓐ〈なにニ―〉 一段上の位置（地位）に移る。「一等（席）へ―」 Ⓑしかるべき位置（地位）におさまる。「そこに直れ」 表記 ❶の病気・癖の場合は、「治る」と書く。

なおれ③【名折れ】 その人が負っている家・組織・団体などの名誉が傷つけられること。不名誉。〔古くは「名折り」とも〕

なおれ②【直れ】（感） 〔「なおる」の命令形〕整列している団体の姿勢を、もとの姿勢に返らせる時の号令。

**__なか__① ■一【中】 ❶何かの仕切りで取り囲まれた所。内。「家の―が丸見えだ／この本の―にはない／人混みの―を急ぐ／忙しい―をお出でいただいてありがとう／嵐の―を突っ走る／今日の出し物はどれもおもしろかったが、―でも一番

は／男の―の男〔＝男と言われるのにふさわしい才覚・力量・胆力をだれよりも持っている人〕／心の―で祈っていた」↕外 ㊁前後・左右・上下などをはさまれた間にある△こと(部分)。「―〔＝三人のうちの、二番目〕の兄／―〔＝中間。平均〕を取る／二人の―に割って入る」⇩上(カミ)・下(シモ) ㊂東京の吉原、大阪の新町にあった遊郭。〔㊂は通語〕

[二]【仲】㊀親しいことが期待される人同士の間柄。「だれとでもすぐ―のよくなる人／同じサークルの男子と―よくなる〔＝恋愛関係になる〕／夫婦―が△いい(よくない)／生(ナ)さぬ―」 ㊁けんかの仲裁(役)。「―に入って丸くおさめる」

なが [一]【長】(造語) ㊀長い△こと(もの)。「おも―」 ㊁長い△期間(時間)にわたる(こと)。「―わずらい・―電話③」

[二]①⓪【永】 永久にわたる(こと)。「―〔＝永久〕の別れ／―の旅路〔＝死出の旅〕に出る」

ながあめ⓪【長雨】 幾日も降り続く雨。

なかい⓪(ヰ)【仲居】〔料理屋などで〕料理を運んだり 酒の酌をしたり するサービス係の女性。

＊＊**なが・い**②【長い・永い】(形) ↕短い ㊀連続また持続する物事の、始まりから終わりに至るまでの時間が△比較の対象とする(一般に予測される)ものより多くかかる様子だ。「あれから―年月が流れた／長く独裁政権が続く／冬の―夜を語り明かす／息の―〔＝焦らずあきらめずに、長く続けなければならない〕仕事／気が―〔＝のんびりしている〕／尻(シリ)が―〔＝⇩尻〕」 ㊁〈なにニ―〉 線状・棒状に伸びているものの、一方の端から他方の端までの隔たりが△比較の対象とする(一般に予測される)ものより大きい様子だ。「南北に―日本列島／時計の―針は分を示す／細く長く続く一本の道／海峡をまたぐ―橋」 表記 時間の場合は、「永い」とも書く。【―目で見る】 現状からのみ決定的な判断を下すことなく、将来に期待をかけて見守る。【―物には巻かれろ】 力のある者にはかなわないから、黙って従っているほうがよい。

ながい③②(ヰ)【長居】―する(自サ) 訪問先の家などに 予定していたより長く居ること。「とんだ―をいたしまして」

ながいき③④【長生(き)】―する(自サ) △一般に予測される年齢(比較の対象とするもの)よりも長く生きること。「こんなに―するとは思わなかった／一般に犬より人間の方がずっと―だから／―恥多し」

ながいす⓪【長椅子】 幾人もゆったりと掛けられるように作った、室内用の椅子。ソファー。 かぞえ方 一脚

ながいも⓪【長芋・長〈薯】 畑に作るヤマノイモに似た多年生つる草。茎は紫色を帯びている。長い円柱形の根は食用。ツクネイモは これの変種。〔ヤマノイモ科〕 かぞえ方 一本

なかいり⓪【中入(り)】〔長時間興行する すもう・芝居などで〕途中の区切りのいいところで、短時間休むこと。「―後の取組」

ながうた [一]⓪【長唄】 江戸時代、歌舞伎(カブキ)と共に発達した、三味線による音曲(オンギョク)。後、宴席・家庭にも広まる。「お座敷―」 [二]②⓪【長歌】 ⇩ちょうか

なかうち⓪【中打(ち)】 ㊀中落ち。 ㊁〔裏打ちと違って〕虫に食われた厚手の紙を二枚にはがして、中に新しい紙を入れて補修すること。 ㊂⇩中耕

なかうり⓪【中売(り)】 劇場などで、客席を回って、飲食物類を売り歩く△こと(人)。

ながえ⓪【長柄】 ㊀柄が長い△こと(物)。「―のパラソル」 ㊁長柄の銚子(チョウシ)。 ㊂馬車・牛車(ギッシャ)の前方に、平行に長くつき出た二本の棒。その先に「軛(クビキ)」を渡し、馬・牛に車を引かせる。 表記 ㊂は、「〈轅」と書いた。

ながおい⓪(オヒ)【長追(い)】―する(他サ) 逃げる敵を遠くまで追うこと。「敵を―する」

なかおし⓪【中押(し)】〔野球などで〕試合の途中で勝っている時、さらに点を取って勝利を確実にすること。「―の一点が入る／―の点がほしいところ」

なかおち⓪【中落(ち)】 魚を三枚におろした時、中央の背骨の所で肉の少しついている部分。「まぐろの―」

ながおどり③(ヲ)【長尾《鶏】 雄の尾の羽が非常に長いニワトリ。観賞用。特別天然記念物。おながどり。ちょうびけい。〔キジ科〕 かぞえ方 一羽

なかおもて③【中表】 きれの表を内側にして△折る(畳む)こと。↕外表

なかおれ⓪(ヲレ)【中折(れ)】〔↑中折帽子⑤〕つばが広くて、頂上が縦に折れくぼんでいる、柔らかな帽子。ソフト。

なかがい⓪(ガヒ)【仲買】―する(他サ) 物品・権利の売買の仲立ちをして手数料を取る△こと(人)。「―人⓪」

ながぐつ⓪【長靴】 雨天・乗馬用の長めの靴。ゴムまたは革製のものが多い。↕短靴(タングツ) かぞえ方 一足

なかぐろ⓪【中黒】〔縦書きの場合〕小数点を示したり 並列する名詞などの間に使ったり する点。なかてん。「・」

なかご②⓪【中子】 ㊀ウリ類の中心の柔らかな部分。 ㊁刀身の、つかの中に入った部分。 ㊂「入子(イレコ)㊀」の中の物。 ㊃中空の鋳物を作る際に、中に入れる鋳型。 表記 ㊁は、「《茎・中心」とも書く。

なかごろ⓪【中頃】 ㊀ある期間・時代の中ほど。 ㊁中ほどの部分・場所。まんなかごろ。

＊**ながさ**①【長さ】 ㊀時間を計った場合の、多さ(の程度)。「演説の―に うんざりする」 ㊁線状の物を測って、どれだけ先まで続いているかの、多さ(の程度)。「―はむしろ短い方だ／―一五センチの鉛筆」

なかさ・れる⓪【泣かされる】(自下一)〔使役動詞「泣かす」の受動形〕 ㊀ひどい目にあわされる。「あいつにはさんざん泣かされたよ」 ㊁ひどく△感動(同情)させられる。「―話」

なかし②【仲仕】 荷物の運搬を職業とする人。「沖―」

ながし【流(し)】[一]㊀③ 流すこと。 ㊁③ 井戸ばたや台所で、食器・野菜などを洗ったり 洗濯をしたりする所。 ㊂③「流し台・流し場」の略。 ㊃①〔ふろ屋で〕三助にからだを洗わせること。「―を取る」 ㊄①タクシー・歌手などが客を求めて、ここからあそこへと移動すること。また、その状態にあるもの。

[二](造語) 動詞「流す」の連用形。「―込む④⓪」

―あみ③⓪【―網】 魚の通り道に網を張っておき、網をからませて魚をとる方法。また、その網。「―漁船⑥」 **―いた**④③【―板】「流し[一]㊁㊂」に張った板。 **―うち**⓪【―打(ち)】―する(他サ)〔野球で〕ボールに軽くバットを当てて、△右打者の場合はライト方向に(左打者の場合はレフト方向に)打球が行くように打つこと。 動 流し打つ④(他五) **―そうめん**④【―《素麺】 縦に割った竹づつなどに水と一緒にそうめんを流し、そのそうめんを箸ですくって食べること。 表記「流し索麺(サウメン)」とも書く。 **―だい**⓪【―台】 台所に設けた洗い場。普通、調理台・ガス台などと組み合わせて使う。 **―どり**⓪【―撮(り)】〔速く動く物体を撮影する時に〕被写体の動きに合わせて、カメラを移動させながらす速く写すこと。 **―ば**⓪【―場】 湯ぶねの外に設けた、からだを洗う所。 **―ばこ**③【―箱】 寒天などを流しこんで固める箱。 **―め**⓪【―目】 さげすみや媚(コビ)などの感情を表現する時に、相手の方へ顔を向けずに目の玉だけを動かして見ること。「―に見る」 **―もと**⓪【―元】 台所の流し台のある所。

なかしお⓪(シホ)【中潮】 干満の差が中ぐらいの潮。

ながしお⓪(シホ)【長潮】 干満の差が一番少ない時の潮。

なかじき⓪【中敷(き)】 ㊀靴の中などに敷く△こと(物)。〔下敷の上に敷く物を指す〕 ㊁部屋の中央に敷く△こと(物)。

なかじきり③【中仕切(り)】 部屋の中の仕切り。

なかじま⓪【中島】川や湖の中にある島。

ながじゅばん③【長〈襦袢〉】和服の下に着る、たけの長いじゅばん。「ながジバン③」とも。「色物の━」 かぞえ方 一枚

なかしょく⓪【中食】〔「外食」と「内食」の中間の意〕弁当や総菜などを買ってきたり出前をとったりして、調理済みのものを家庭で食べること。また、その食事。「━産業⑤」⇩外食・内食

ながじり⓪【長尻】その家の人に迷惑をかけるものとしての、長居。「ながっちり」とも。

なか・す⓪【泣かす】(他五)〔「泣く」の使役動詞形〕⇩なかせる

なかす⓪【中州・中〈洲〉】川の中にある洲。 表記 「州」は、代用字。

**なが・す②【流す】■(他五) ❶〈なに・どこニ なにヲ━〉水などが△つかえずに(自然の勢いに任せて)流れるようにする。「汚水を下水に━/△涙(血)を━/汗を流してトレーニングにはげむ/朝から農作業に汗を━(=骨身を惜しまず働く形容)/背中を━(=背中のあかを洗い落とす)」❷〈なにニ なにヲ━〉水などの流れる力△で(を利用して)物を移動させる。「いかだを川に━(=下流に進ませる)/ともづなが切れて、船が沖に流された/一風呂浴びて汗を━/水に━(=⇩水)/惰性に流される(=逆らうことが出来ず、いつの間にかその影響を受ける)」❸〈なにヲ━〉そこにあるべきものを何かの事情で無い状態にする。「質種グサを━(=所有権を無くす)/会を━(=流会にする)/腹の子を━(=下ろす)」❹〈どこニ なにヲ━〉何かを他方に△移動させる(広がるようにする)。「△浮き名(害毒・情報)を━(=世間に広める)/音楽を━(=ラジオや手持ちの音楽をその場所に居る人に聞こえるようにする)/島に━(=追放する)/レフトに━(=流し打ちをする)」
■(自五) タクシーや流しの歌手などが、客を求めて移動する。⇩流し■

なかずとばず⓪-⓪【鳴かず飛ばず】これといった仕事も活躍もしないで(その存在を忘れられかけて)いることのたとえ。「三年の間━であったが」

なかせ⓪【泣かせ】(造語) 取扱いに困って、その存在が嫌われる△こと(もの)。「予報官━の菜種梅雨ツユ/商人━・母親━」

なかせき⓪【中席】〔寄席などで〕その月の十一日から二十日までの興行。⇩上席カミ・下席シモ

なか・せる⓪【泣かせる】(他下一)〔「泣く」の使役形〕❶泣くようにしむける。「いじめて━/親を━ようなことはするな」❷見聞きしたり読んだりした人をひどく感動させる。〔作為が感じられるとして、皮肉・揶揄ヤユを含意して用いられることがある〕「━話だ/その美談━じゃないか」 泣かす(五)。

なかせんどう③【中〈山道〉・中仙道】京都から中部地方の山岳部を経て江戸に至る街道。

ながそで⓪【長袖】❶長い袖(の衣服)。❷「ちょうしゅう(長袖)」の和語的表現。

なかぞら③⓪【中空】〔太陽や月のかかっている〕仰ぎ見る空。〔斜め上の空を指す〕 表記 古くは「《半《天」と書いた。

なかだか⓪【中高】━な 中央部がまわりより高くなっている△こと(様子)。〔鼻筋の通った顔立ちの意にも用いる〕

なかたがい③【仲《違》(い)】━する(自サ) 仲が悪くなること。

なかだち⓪【仲立(ち)】━する(自サ) 間に立って、両者を関係づけたり両者の間がうまくいくように世話をしたりする△こと(もの)。 表記 「《媒」とも書く。

ながたらし・い⑤【長たらしい】(形)〔話などが〕いやになるほど長い。〔口頭語形は「長ったらしい⑥」〕

なかだるみ⓪【中〈弛〉(み)】━する(自サ) ❶〔物事の進行していく途中で〕中ほどで安心して気がゆるんだり悪慣れをしたりして、今までの勢いが一時衰えたりすること。❷張った綱や電線などの中ほどがたるむこと。

ながだんぎ③【長談義】━する(自サ) 長たらしくて、聞いているのがいやになる話。「へたの━(=⇩下手ヘタ)」

ながちょうば③【長丁場・長町場】ほかの区間よりも距離の長い区間。〔俗に、交渉などが時間的に延々と続く場面の意にも用いられる〕

なかつかさしょう⑤【中《務省】昔、天皇のそばにあって、文書の受理・審査などを受け持った役所。

なかつぎ⓪【中継(ぎ)】■❶三味線・尺八・さおなどで、中途で継ぎ合わせる△こと(もの)。❷〔ふた・身の長さが等しいので、しめると中央に継ぎ目が出来て見える〕抹茶の入れ物。■━する(他サ) ❶両者の間に立って仲介の役をするもの。「━貿易⑤」❷〔野球で〕試合の半ば、「先発」と「抑え」の間を担当する投手の称。 表記 「中次ぎ」とも書く。

ながつき②【長月】(陰暦)九月の異称。〔古くは「ながづき」〕

ながっちり⓪【長っ《尻》】〔「ながしり」の変化〕「ながじり」の強調した口頭語的表現。

ながつづき③【長続き】━する(自サ) 途中でやめたりしないで、仕事・興行・商売などが当初の目標を達成するまで続くこと。「何をやらせても━しない」 表記 「永続き」とも書く。

なかづり⓪【中〈吊〉(り)】電車やバスなどの車内に吊り下げられている広告。「━広告⑤」

なかて【中手】❶③中ごろの時期に出来る作物。早稲ワセの次に実る稲や、「はしり■❶」の次に出回る野菜・果物。❷⓪〔碁で〕相手方の囲みの中の急所に打って、相手の眼形を妨げること。「なかで」とも。 表記 ❶は、「中《稲」とも書く。

ながて⓪【長手】❶長方形。「━盆③」❷〈曲尺カネジャクの〉長い方。❸〔雅〕長い道中。

なかでも①【中でも】(副) 同じ傾向が認められるものの中から、ひときわその傾向の著しいものを取り上げて示す様子。「理数系は苦手だが━数学は手に負えない」

なかなおり③【仲直り】━する(自サ) けんかをやめ、もとのよい仲に戻ること。■【中直り】長わずらいの病人が、死ぬ前に一時的によくなること。

*なかなか⓪【中々】■(副)━に ❶実際に見聞した対象の程度が予期していた以上で、軽視しがたいと感じられる様子。「敵も━やるね/━ですよ、彼は(=その存在が無視出来ない)/━おもしろい/━(に)大変だ/━勉強になる/━の人物だ」❷〔否定表現と呼応して〕思いどおりにいかないものだと実感する様子。「電車が━来ない/聞いても━教えてくれない」■(感)〔雅:関西方言〕相槌ヅチを打つのに言う語。

ながなが③【長々】(副)━と 異様に感じられるほどその長さばかりが目立つ様子。「━としゃべる/━と横たわる」

なかにも①【中にも】(副)「なかでも」の古風な表現。

なかにわ⓪【中庭】△その家の棟続き(幾棟か)の建物に囲まれたように作ってある庭。うちにわ。

なかぬき⓪④【中抜き】━する(自他サ)〔中間を省略する意〕商品の流通経路で、問屋や小売業などの中間業者を省き、生産者と消費者とが取引を直接行なうこと。

なかぬけ⓪【中抜け】━する(自サ) 仕事や作業の途中でいったん持ち場を離れ、また戻ってくること。

なかぬり⓪④【中塗(り)】〔壁や漆器で〕下塗りのあと上塗

** * は重要語，⓪ ①… はアクセント記号，品詞の指示の無いものは名詞および いわゆる連語。

り前に、塗る△層(こと)。

なかね②【中値】❶高値と安値との中間の値段。❷売値と買値の中間の値段。

ながねぎ⓪③【長〈葱】〔玉ネギと違って〕ふつうのネギを指す。においの強い野菜。葉は筒形で長い多年草。根もとが白く、先が青い。ねぶか。〔ヒガンバナ科(旧ユリ科)〕 かぞえ方 一(イチ)把(ワ)・一箱

ながねん⓪【長年・永年】長い年月が経過していること。「―にわたって/―の苦労が報いられる/―連れそった夫婦」

なかのま⓪【中の間】奥の間と居間などの間にある部屋。

なかば【半(ば)】〔「ば」は接辞〕❶③全体の中での半分程度。「集まった人の―は女性だった/予定の―に達する/話―で〔=まだ話の終わらないうちに〕席を立つ/学業―にして中退した」❷⓪〔副詞的に〕対立する二つの要素の一方だけには成りきっていない様子。「日なたに置いた水が―湯になった/―無意識の状態だった/―自暴自棄でやった仕事が成功した」 表記 例外=「半ば」

ながばかま③【長〈袴】江戸時代、武士などがはいたすそが長く後ろに引く袴。

なかばたらき③【仲働(き)】奥と勝手との間の雑用をする女性。↕下働き

ながばなし③【長話】―する(自サ) 長い時間しゃべること。また、その話。〔迷惑の対象としての表現〕

なかび②【中日】〔すもう・芝居などで〕その興行期間の真ん中に当たる日。「夏場所の―」

なかびく⓪【中低】―な 中央部がまわりより低くなっている△こと(様子)。「―な〔=額とあごが目立ち、鼻が低い〕顔」

ながび・く③【長引く】(自五) 予定・予想した時間以上に続く。「病気が―/交渉を長引かせる」

ながびつ⓪【長〈櫃】衣服・調度を入れる長くて大きなひつ。二人して棒でかつぐ。

ながひばち③【長火鉢】引出しのついた箱火鉢。

なかぶた⓪【中蓋】蓋が二重になっている容器の、中側の蓋。防湿を目的とする。

ながほそ・い④【長細い】(形) 全体の形が細長い上に、見た目に一段と(違和感をいだかせるほど)細さが目立つ様子だ。〔口頭語形は「ながっぽそい⑤」〕「東西に長細く伸びた島/―△顔(部屋)」

なかほど⓪【中程】❶その期間・距離の中間に位する時・所。❷全体の中で、中程度であること。「―の品/―の成績」❸進行する物事の途中であることを表わす。「月の―〔=中ごろ〕までに仕上げます」

***なかま**③【仲間】❶一緒に何かを△する(している)間柄。また、その人。〔狭義では、同僚を指す〕「―に△入る(加わる)/愉快な―/飲み―③〔=友達〕・―意識④・―づくり④」❷同類。「サザンカはツバキの―だ」 **―いり**⓪【―入(り)】―する(自サ) 仲間に加わること。 **―うち**⓪【―内】❶仲間の人(たち)。❷仲間の間柄。 **―はずれ**④【―外れ(ハヅレ)】仲間に入れてもらえない△こと(人)。 **―われ**⓪【―割(れ)】―する(自サ) 仲間の間に争いが起こり、分裂すること。

なかまく②⓪【中幕】〔歌舞伎(カブキ)で〕一番目狂言と二番目狂言との間に気分転換のために行なう、一幕の狂言。

なかみ②【中身】容器の中に入れてあるもの。また、殻・外郭を内側から充足する△実質(実体)。「―が△濃い(薄過ぎる・違う・軽い)/―の乏しい講演」 表記 「中味」とも書く。

なかみせ⓪【仲見世・仲店】〔「中店」の美的用字〕社寺の境内にある店。「浅草の―」

ながみち②⓪【長道】長く続く△道(道中)。 表記 「長《路」とも書く。

ながむし②⓪【長虫】〔忌み言葉で〕ヘビ。

なかむつまじ・い⑥、①-④【仲《睦まじい】(形) 家庭や仲間同士の間で互いに気心が通じ合っていてもめごとなどが起きない様子だ。「―夫婦/同じ職場で仲睦まじく働く」

ながめ【眺(め)】■一③目をこらして見るに値するもの。〔狭義では、自然の風景を指す〕「―のいい部屋」■二(造語) 動詞「眺める」の連用形。 **―い・る**④⓪【―入る】(他五) じっと△続けて(熱心に)眺める。

ながめ⓪【長目】―な どちらかと言うと長いと感じられる様子だ。「髪を―に刈る/―のスカート」↕短目

***なが・める**③【眺める】(他下一)〈(どこカラ)なにヲ―〉〔特定の対象に限定すること無く〕視野に入る物全体の様子を見る。「ぼんやりと庭を眺めて人の来るのを待った/ちょっと眺めて〔=横目に見ただけで〕通り過ぎた/はたから眺めて〔=傍観的な態度をとって〕いるだけだった」〔⇩眺め■二〕

ながもち ■一③【長持(ち)】―する(自サ) 長い間△存続する(保存できる)こと。「大事に使って、―させる」■二⓪③【長持】衣服・調度を入れておく、ふたのある直方体の箱。 かぞえ方 ■二は一竿(ヒトサオ)

ながものがたり⑤【長物語】主客が心ゆくまで長い間話すこと。また、その話。

ながや⓪【長屋】❶細長い形に造った一棟の家。❷一棟を幾つかに区切って、多くの世帯が別々に住めるようにした家。「―ずまい④」 **―もん**③【―門】両側に長屋のある門。

なかやしき③【中屋敷】江戸在住の大名や旗本が持っていた、有事に備えての別邸。⇩上(カミ)屋敷・下(シモ)屋敷

なかやすみ③【中休(み)】―する(自サ) 持続して行なってきたことの途中で一時休むこと。また、その休み。「梅雨の―」

ながやみ⓪【長病(み)】―する(自サ) 病気が長期にわたり、なかなか治らないこと。また、その病気。

ながゆ⓪②【長湯】―する(自サ) 入浴に要する時間が他人より長いこと。

なかゆび②【中指】五本の指の真ん中の指。「ちゅうし①」とも。

なかよし②【仲良(し)・仲《好(し)】〔主として、子供について〕親しい友達関係にある△こと(人)。「―こよし」

なから⓪②【《半】〔雅〕〔「ら」は接辞〕なかば。「―笑みを浮かぶ/こ―」 **―はんじゃく**④【―半尺】「中途はんぱ」の意の古風な表現。

ながら【〈乍(ら)〉】■一(接尾) その(ままの)状態が変わること無く持続することを表わす。「昔―の△かまどで炊いた御飯(商売人の意気・町並(マチナミ))/涙―に話す/居―・生まれ―」■二(接助) ❶同じ人が異なる動作を並行して行なうことを表わす。「歌を歌い―歩く/昼間働き―夜、学校へ通う」❷前件と後件とが相容(イ)れない関係にあることを表わす。「たばこがからだに悪いことは分かってい―止められない/狭い―も楽しい我が家」 文法 (1)❶は動詞、助動詞「れる/られる・せる/させる」の連用形に接続する。❷は状態を表わす動詞(「ある」「いる」「見える」など)の連用形、形容詞の終止・連体形、形容動詞の語幹に接続する。(2)「Aながら…」のAが、動作性の意味を表わす動詞の場合には❶の用法になり、Aが状態性の意味(「ある・いる・…ている」など)を表わす場合には❷の用法になるのが一般である。■三(造語)〔接続助詞的に〕❶一般には両立することが不可能と思われるものが、その場面では事実として実現していることを表わす。…ではあるが。「歌手―ユニークなタレントとして活躍している/薄給―子供を七人まで大学にやった」❷満足は出来ないものの、容認することを表わす。…ではあるが。「一周遅れ―六位になった/我が息子―ほめてやりたい/我―そそっかしいのにあきれる/後ればせ―・遅蒔(オソマキ)―・

お粗末—・些少—・はばかり—」 ❸「その同類が、そろってそのまま同じ状態にあることを表わす」意の古風な表現。「兄弟三人—〔=とも〕政治家になった」 ❹何かをしながらの。「—運転[4]・—族[3]〔=ラジオ・CDを聞きながら仕事や勉強をするというような、ある一つの事をしながら他の動作を行なう(ことを習慣とする)人〕」

なからい[0][3](ナカラヒ) 〔「仲合(ナカアヒ)」の変化〕「親しい間柄」の意の古風な表現。「夫婦の—」

ながら・える[4][3](ナガラヘル)【長らえる・永らえる】(自下一) 長く生きのびる。「政治生命を—/いたずらに年月を—」 表記「《存える」とも書く。

ながらく[2]【長らく】(副) 〔「長く」と「しばらく」の混交〕その状態にあった△期間(時間)を長いものだととらえる様子。「—薬餌(ヤクジ)に親しむ/—途絶えていた祭りが復活した」 運用 その△状態(事柄)が、長い間にわたったことに対する感謝や謝罪の気持を表わす際の挨拶(アイサツ)の言葉に用いられることがある。例、「長らくお世話になりました/長らくお待たせしました」

なかりせば[2]【無かりせば】〔古〕その人にとって不可欠の存在を、もしそれが無かったならば現在どうなっているであろうか、とその状態を仮定し想像することを表わす。「彼—」 表記 古来の用字は、「《微りせば」。

なかれ[2][1]【〈勿れ・〈莫れ】〔古〕…することが無いように。「君死にたまふこと—」

ながれ【流れ】■一[3] ❶流れる△こと(物・状態)。「車の—〔=ⓐとぎれずに続く車。ⓑ〔スムーズに走れるか渋滞するかの観点から見た〕車の進み具合〕/△意識(時)の—〔=やむことなく続く状態〕/歴史の—〔=ⓐ絶えず推移を続けると見た、歴史そのもの。ⓑそのものの盛衰・興亡から見た、将来の成行き〕/政治の—が大きく変わる/—をさかのぼる/—が速い川/川—・質—」⇩お流れ ❷断絶することなく続く系統など。「平家の—〔=血統〕/アララギ派の—〔=流派〕」 ❸屋根の棟から軒までの傾斜(の度合)。「片—」 【—に〈棹(さお)さす】⇩さおさす 【—を〈汲む】その系統に属する。また、その流派の伝統を受け継ぐ。 ■二(造語) ❶雲・旗や寝床をかぞえる語。 ❷動詞「流れる」の連用形。「—こむ・—出す・—着く・—者[0]」 **—ある・く**[5]【—歩く】(自五) さすらい歩く。 **—かいさん**[4]【—解散】〔デモ行進などの終着点で〕到着次第、次つぎに解散すること。〔会合などで、閉会が告げられてから一斉にそこを去るのではなく、成行きにまかせて適宜去っていく意にも用いられる〕 **—さぎょう**[4](ゲフ)【—作業】〔工場などで〕水の流れのように、材料をベルトにのせて動かしながら、各自が受持ちの作業を加えていくやり方。〔広義では、手順よく次から次へとそれぞれの担当者へ仕事を受け渡して進めていくことをも指す〕 **—ず**[3](ヅ)【—図】目的を達成するための一連の作業手順や、物や情報の△流通(伝達)経路などが、一見して分かるように、記号や図形を効果的に用いて表わしたもの。フローチャート。〔狭義では、コンピューターのプログラム関係のものを指す〕 **—だま**[0]【—弾】目標からそれたたま。それだま。「—に当たる」 **—づくり**[4]【—造(り)】神社の建築様式の一つ。棟より前方の屋根が、後方よりも長く反(ソ)っている造り方。 **—ぼし**[3]【—星】「流星(リュウセイ)」の和語的表現。 **—や**[3]【—矢】目標から わきへそれて飛ぶ矢。

****なが・れる**[3]【流れる】(自下一) ❶〈(どこカラどこニ)—〉〈(どこヲ)—〉 液体、また、液状のものなどが、とどまることなく自然に低い方へ移って行く。「ごみが つかえて下水が流れない/汗が滝のように—/—ような〔=流暢(リュウチョウ)な〕弁舌/大水で家や橋などが—〔=流失する〕/ヤシの実が流れて来た〔=漂着した〕/風で雲が—〔=速く動く〕/隣からピアノの音が流れて〔=聞こえて〕来る/芸術作品の底に—思想」 ❷〈(どこニ)—〉 とどまることなく、移り続けたり 変わり続けたりする。「時は—/△歳月(年月)が—/流れ流れて〔=さすらい続けて〕北国へ/△うわさ(臆測(オクソク)・思惑)が—〔=次から次へと広まる〕」 ❸〈(どこニ)—〉 望ましい秩序・位置・方向などからそれた方向に向かう。「風でボールが右に—/着地の際右足が流れた〔=バランスを失って、ぐらついた〕/怠惰に—〔=傾く〕」 ❹好ましい結果を期待していたものが実現を見ないまま無いことになる。「総会が—〔=流会になる〕/△計画(予算案)が—/雨で運動会が—〔=中止となる〕/質に入れた時計が—〔=⇩質流れ〕」〔⇩流れ■二❷〕

ながわきざし[3]【長脇差】長い脇差(をさして往来したばくち打ち)。

ながわずらい[3](ワヅラヒ)【長患(い)】—する(自サ) 病気がしつこくてなかなか治らないこと。また、その病気。

なかわた[0]【中綿】着物や布団などの中に入れる綿。

なかんずく[0][4](ナカンヅク)【〈就中〉】(接) 〔「中に就(ツ)く」の変化〕直前に述べた事柄について、顕著なものを一つ例示する語。「私が日本の古典—〔=その中でも〕『源氏』に発見していたその美質が…/欧米なみに家計の実態—可処分所得の実態の把握が容易になったことは…」 表記 古くから「就中」と書いて、漢文訓読として返り読みをした。

なき[1]【無き】〔文語の形容詞「なし」の連体形〕❶(居)ない。「—に等しい/疑問—を得ない」 ❷【亡き】生きていない。「—者にする〔=殺す〕/(今は)—父母/—〔=死んだ〕あと」

なき[0]【泣(き)】泣くこと。嘆くこと。「—を入れる〔=泣き付く〕/—を見せる〔=嘆かせる〕/—の涙で〔=つらい思いで〕/うれし—・男—・空(ソラ)—」

なぎ[2]【〈凪・《和】〔動詞「凪ぐ」の連用形の名詞用法〕〔海と陸の温度が同じになった結果〕風が△全くやむ(やんで波が穏やかになる)こと。「夕—・朝—」

なぎ[1]【〈梛・〈竹〈柏〉】温暖な山地に生え、初夏、薄黄色の花を開く常緑高木。願い事を紙に書いて、枝に結びつけると かなえられるという。材は家具用、皮からタンニンを採る。〔マキ科〕 かぞえ方 一株・一本

なきあか・す[4]【泣(き)明(か)す】(他五) 泣きながら△夜を明かす(毎日を暮らす)。

なきい・る[3]【泣(き)入る】(自五) 何もかも忘れて、ただ泣き続ける。

なきおとし[0]【泣(き)落(と)し】泣いて頼んで、相手の同情を誘い、自分の思う通りにさせること。「—戦術[6]」 動 泣き落とす[4](他五)

なきおんな[3](ヲンナ)【泣(き)女】〔朝鮮・中国の風習で〕葬儀の際、儀礼として泣く役目の女性。「なきめ[0]」とも。〔狭義では、雇われて泣くプロの女性を指す〕

なきがお[0](ガホ)【泣(き)顔】△泣いている(泣きそうな)顔。

なきかず[1]-[1]【亡き数】死んだ人の仲間。「—に入る」

なきがら[0]【亡《骸】なくなった人のからだ。遺体。

なきかわ・す[4](カハス)【鳴(き)交(わ)す】(自五) 鳥や獣などがかわるがわる鳴き声を立てる。

なきくず・れる[5](クヅレル)【泣(き)崩れる】(自下一) 悲しい知らせを聞いた瞬間など、人目もはばからずに取り乱して泣く。「どっとばかりに泣き崩れた」

なきくら・す[4]【泣(き)暮(ら)す】(自五) 泣いて△一日(毎日)を暮らす。

なきごえ[3][0](ゴヱ) ■一【泣(き)声】❶泣きそうな声。涙声。❷人の泣く声。 ■二【鳴(き)声】獣・鳥・虫などの鳴く声。

なきごと[0]【泣(き)言】〔自分の弱さを ぶざまにさらけ出し

** * は重要語，[0] [1]… はアクセント記号，品詞の指示の無いものは名詞および いわゆる連語。

て〕言ってもしかたのない事をくどくどと訴える言葉。ぐち。「―を並べる」

なき こ・む③【泣(き)込む】(自五) 泣くようにして頼みこむ。

なぎさ⓪【〈渚】 海の砂浜から波打ちぎわに至るまでの、かなり広い砂地。表記「〈汀」とも書く。

なき さけ・ぶ④【泣(き)叫ぶ】(自五) 大きな声を上げて、泣いたり叫んだりする。

なき しき・る④【鳴(き)《頻る】(自五) 〔鳥や虫などが〕(その間)盛んに鳴く。

なき しず・む④【泣(き)沈む】(自五) 悲しみに沈んで、泣いてばかりいる。

なき じゃく・る④【泣(き)〈噦る】(自五) (そばの人がなだめたり制止したりするのも聞かずに)しゃくり上げるようにして泣き続ける。名 泣きじゃくり⓪

なき じょうご③【泣(き)上戸】 ⇩上戸

なき すが・る④【泣(き)〈縋る】(自五) 泣きながら縋りつく。

なき すな⓪【鳴(き)砂】 〔砂浜で〕踏むと独特の音を立てる砂。

なぎ たお・す④⓪【〈薙(ぎ)倒す】(他五) 大きな草などを、横に払って倒す。「たたくたびに杖の先が薄を―/向かって来る敵を一手に引き受けて―」

なき だ・す③【泣(き)出す】(自五) こらえきれなくなって泣き始める。「事故の知らせにわっと泣き出した/泣き出し〔=今にも雨が降り出し〕そうな空模様」

なき た・てる④【泣(き)立てる】(自下一) ❶(目的が達せられるまで)声を立てて、しきりに泣く。❷いっせいに泣く。表記 動物の場合は、「鳴き立てる」と書く。

なき つ・く③【泣(き)付く】(自五) ❶泣きながらすがりつく。❷泣くようにして頼みこむ。

なき つら⓪【泣(き)面】 泣いている顔。〔口頭語的表現は「なきっつら⓪」〕「―に蜂〔=よくないことの上にまた不運・不幸が重なる〕」

なき どころ⓪【泣(き)所】 ❶その人にとって、ちょっと打たれても痛くてたまらない、からだの部分。「弁慶の―〔=⇩弁慶❸〕」 ❷その存在や物事にとって、衝かれたり押さえられたりすると困る、弱点。「所属議員の少ないのがあの派閥の―だ」

なき なき⓪【泣き泣き】(副) ⇩なくなく「いじめられて―帰る」

なぎ なた⓪【〈長刀〉・〈薙刀〉】 長い柄の先に広くて長いそった刃をつけた武器。江戸時代以降は、もっぱら女性の武器として使われた。かぞえ方 一本・一枝・一口 ―ほおずき⑤【―〈酸〈漿〉】 ⇩うみほおずき

なきにしも あらず①-①、①-①-①【無(き)にしも《非ず】 全くその△もの(要素)が無い(わけ)でもない。「望み―」

なき ぬ・れる④⓪【泣(き)〈濡れる】(自下一) 泣いた涙で、ほおが濡れる。

なき ねいり⓪【泣(き)寝入(り)】―する(自サ) ❶泣きながら眠ってしまうこと。❷不当な仕打ちを受けながら、どうすることも出来ずそのままで、あきらめること。

なぎ はら・う④【〈薙(ぎ)払う】(他五) 草などを薙ぎ倒したりして、払う。

なき はら・す④【泣(き)腫(ら)す】(他五) ひどく泣いて目を腫らす。

なき ひと①【亡き人】 (縁故のある人で)死んだ人。故人。

なき ふ・す③【泣(き)伏す】(自五) 悲しみのあまり、うつぶせに倒れて泣く。

なぎ ふ・せる④⓪【〈薙(ぎ)伏せる】(他下一) 〔じゃまになる草などを〕薙ぎ倒す。

なき べそ⓪【泣きべそ】 べそ。「―をかく」

なき ぼくろ③【泣(き)〈黒子〉】 (女性の)目の下や目尻にあるほくろ。このほくろのある人は涙もろいという。表記「泣き〈黶」とも書く。

なき まね⓪【泣(き)真《似】 泣く真似(をすること)。

なき みそ⓪【泣(き)味〈噌】 〔「泣きべそ」の変化か〕泣き虫。〔軽い侮蔑を含意する〕

なき むし③【泣(き)虫】 なにかにつけてすぐ泣く△こと(人)。

なき もの①【亡き者・無き者】 死んだ人。「―にする〔=殺す〕」

なき より⓪【泣(き)寄(り)】 不幸があったときに慰めたり力を貸したりするために、親しいものが寄り合うこと。「親は―〔=⇩親〕」

なきり ぼうちょう④【菜切(り)包丁・菜切(り)〈庖丁〉】 刃が薄くて広い包丁で、野菜を刻む時に使うもの。略して「菜切り③⓪」。

なき りゅう⓪【鳴(き)竜】 壁・天井などに向かって手をたたいたりすると特有の反響を起こす現象。日光輪王寺の薬師堂のものが有名。

なき わかれ⓪【泣(き)別(れ)】―する(自サ) 泣きながら別れること。動 泣き別れる⑤(自下一)

なき わめ・く④【泣(き)《喚く】(自五) 止めどなく泣き叫ぶ。

なき わらい⓪【泣(き)笑(い)】―する(自サ) ❶泣いている時におかしい事を言われ、機嫌を直しつい笑ってしまうこと。❷泣くこともあれば笑うこともあること。「―〔=悲喜こもごも〕の人生」

な・く⓪【泣く】(自五) ❶〈(なにニ)―〉 悲しみ・苦しみなどを抑えることが出来ず(言葉にならないで)涙が出る。「声をあげて―/うれし泣きに―/一円を笑う者は一円に―〔=たった一円だと思って軽視すると、いざという時に一円の不足のために苦い経験をなめることがある〕/たった一球の失投に―〔=…のため試合に負ける〕/悪天候に―〔=予定を阻まれ、困る〕/冤罪に―〔=無実の罪を受け、暗い日びを送る〕/選良の名が―〔=名前だけは聞こえが良いが、実際の内容はそれに背くことはなはだしく、あきれられる〕/ここは一つ泣いて〔=△無理(損)をがまんして〕もらおう」 ❷〔赤ん坊・動物が〕言葉にならぬ声で訴える。「カーブのたびにタイヤが―〔=音を立てる〕」 文法「泣く」状態のきっかけとなる要因は多く「…に」によって表わされる。「我が身のつたなさを泣く」「不運を泣く」などと「…を」が用いられることもあるが、その場合には「泣く」という行為をとおして「嘆き悲しむ」という心情を表わすことに主眼があるととらえられる。表記 動物の場合は、「鳴く・〈啼く」と書く。

【泣いて馬〈謖を斬る】 組織の秩序を乱した者に対して、私情を捨てて、厳罰に処することのたとえ。〔諸葛孔明が、自分の命にそむいて大敗を喫した武将馬謖を、日ごろの信頼と寵愛にかかわらず、死刑に処した事から〕 【泣いても笑っても】 日限が切迫し、いくら悪あがきしてもどうなるわけでもない形容。【―子と地頭には勝てぬ】 道理の分からない者には、いくら理を尽くして言っても通用しない。

な・ぐ①【〈凪ぐ・《和ぐ】(自五) 〔「和やか」と同源〕風が△やむ(やんで、水面が静かになる)。

な・ぐ①【〈薙ぐ】(他五) 〔鎌や刀を〕勢いよく横に払うように動かして、(草などを)切る。

なぐさみ【慰み】 ❶⓪④ 何かによって一時心が晴ればれとすること。また、そのための手段。「―に釣りをする/―半分に/何の―もない毎日」 ⇩おなぐさみ ❷(造語) 動詞「慰む」の連用形。 ―もの⓪【―者】 だれかの気晴らしや欲望のために、からかわれたりもてあそばれ

たりする人。〔特に弱い立場の者や女性を指すことが多い〕

―もの[0]【―物】慰みにする物。

なぐさ・む[3][0]【慰む】[一]（自五）何かによって一時心が晴ればれとした状態になる。[二]（他五）貞操をもてあそぶ。「慰んだあげくに、捨てる」〔⇩慰み[三]〕

なぐさめ【慰め】[一][0]慰める△こと（のに役立つ物）。「どんなーの言葉も今の彼には役立たない／ーを言う」[二]（造語）動詞「慰める」の連用形。「ー合う[5]」**―がお**[0]（ガホ）【―顔】慰めようとする顔つき。

***なぐさ・める**[4]【慰める】（他下一）〈だれヲー〉言葉をかけたり何かをしたり与えたりすることによって、不幸に打ちひしがれた人の悲しみや、どうしようもない△寂しさ（不安・不満・たいくつ・疲れ）などを一時忘れさせる。「霊をー〔＝故人の冥福（メイフク）を祈る〕」〔⇩慰め[三]〕

なく・す[0]【無くす・亡くす・《失くす》】（他五）存在が全く認められない状態にする。「無くする[0]（サ変）」とも。「子供をー〔＝子供に死なれる〕／不良品をー〔＝（製品として）出さないようにする〕」

なくては ならない[1]-[2] [一]【無くてはならない】それが無いと十分に用を足すことが出来ない。「無くてはならぬ」とも。「ー物〔＝必要な物〕」[二]そうしなければならない。「行かー」

なくなく[0]【泣く泣く】（副）△悲しくて泣きながら（泣きたいほどのつらい気持で）心ならずもそうする様子。「亡骸（ナキガラ）をー葬った／金に困って家宝をー手離すしかなかった」

なくな・す[0]【無くなす】（他五）失う。「妻をー〔＝妻に死なれる〕」 表記 人に死なれる場合は「亡くなす」と書く。

なくな・る[0]【無くなる】（自五）無い状態になる。「財布がー〔＝見つからなくなる〕／親がー〔＝『死ぬ』の婉曲（エンキョク）表現〕」 表記 後者の例は、「亡くなる」と書く。

なくもがな[1]【無くもがな】〔「もがな」は願望の終助詞〕（いっそ）ない方がいいことを表わす。「ーの飾り」

なぐら[0]〔釣りで〕暴風の、なごり。

なぐり【殴り】[一][3]殴ること。「横ーの雨」[二]（造語）動詞「殴る」の連用形。 表記 「〈擲り〉」とも書く。 **―がき**[0]【―書き】―する（自サ）乱暴な書き方を△すること（したもの）。 **―こみ**[0]【―込み】❶他人の家におおぜいで押し入り、乱暴すること。❷けんかをするために、相手の所へ出かけること。〔ある商品の市場へ競争品を売り込んできて、市場をゆさぶる意にも用いられる〕「ーをかける」 動 殴り込む[4][0]（自五）

―とば・す[5]【―飛(ば)す】（他五）（相手がこらえきれないほど）強く殴る。 **―つ・ける**[5]【―付ける】（他下一）強く殴る。

なぐ・る[2]【殴る】（他五）〔懲罰を加えたり危害を加えたりする目的で〕こぶしなどで、相手の顔や頭に強い衝撃を加える。 表記 「〈擲る〉・《撲る》」とも書く。〔⇩殴り[三]〕

なげ[2]【投(げ)】❶投げること。❷〔すもうで〕相手のまわしなどを取って力を加え投げ倒すこと。「ーを打つ／上手（ウワテ）ー・だしー・すくいー」❸〔碁や将棋で〕〔劣勢が蔽（オオ）いようも無い時〕持っていた△石（駒（コマ））を静かに盤上に置くなどして、これ以上対局し続ける意志の無いことを表明すること。投了。❹〔取引で〕相場が安くなることを見越して安く売ること。なげもの。「ー一巡[2]-[0]」

なげいれ[0]【投(げ)入(れ)】〔生け花で〕壺（ポツ）や筒状の花器に、自然の枝ぶりを活かすようなかたちに生ける△こと（生け方）。

なげい・れる[4][0]【投(げ)入れる】（他下一）投げ（るようにし）て、何かの内部に入れる。「ひらりと身をかわして相手を川にー／賽銭（サイセン）を人の肩越しにー」

なげう・つ[3][0]【〈抛つ〉・〈擲つ〉】（他五）〔「うつ」は「捨てる」の意〕かけがえのないものではあるが、自分としては惜しくはないとして差し出す。「一命をー／私財をなげうって、図書館をつくり、市に寄付した」

なげうり[0]【投(げ)売(り)】―する（他サ）どうしても現金を得たいために、損を覚悟で在庫品を安く売ること。

なげか・ける[4][0]【投(げ)掛ける】（他下一）❶投げて相手の所まで届くようにする。「身をー／疑問をー〔＝提出する〕」❷投げるようにして掛ける。「肩に羽織をー」

なげか・つ[3][0]【投(げ)勝つ】（自五）↕打ち勝つ〔野球で〕Ⓐ味方の投手力が相手の投手力よりまさって、勝つ。Ⓑ投手が特定の打者に打たすまいとし、打者は打ってやろうと思い、虚々実々のかけ引きの末、その打者を凡退させる。

なげかわし・い[5]【嘆かわしい（ナゲカハシイ）】（形）あまりにもひどい状態にあきれて、嘆かずにはいられない気持だ。 派 **―さ**[5][4] **―げ**[5][6][0]

なげき【嘆き・〈歎き〉】[一][3]嘆くこと。「おーはもっともながら／ーに沈む／ーの余り／ーの種」[二]（造語）動詞「嘆く」の連用形。 **―あか・す**[5]【―明(か)す】（他五）一晩じゅう嘆いて、夜を明かす。 **―くら・す**[5]【―暮(ら)す】（他五）❶毎日嘆きながら暮らす。❷一日じゅう嘆いて、夜に及ぶ。 **―じに**[0]【―死(に)】―する（自サ）嘆き悲しんだ末に生きる気力を失って死ぬこと。 **―ぶし**[0]【―節】Ⓐ悲嘆に暮れる思いを歌う歌。Ⓑぶつぶつと述べる不平・不満・憂いのこと。「年を取るとーが増えていけない／この国の現状に対してはーしか出てこない」

なげキッス[3]【投げキッス】自分の指にキスをし、その指を遠くの相手に向かって投げるかっこうをすること。別れの時などにする。「投げキス[3]」とも。

***なげ・く**[2]【嘆く・〈歎く〉】（他五）〈なにヲー〉悲しみ・憤慨などの気持を強く表わす。「子の死をー／学力の低下をー」〔⇩嘆き[三]〕

なげこ・む[0][3]【投(げ)込む】（他五）❶△むぞうさに（手当たり次第に）何かの中に入れる。「牢（ロウ）にー／リュックサックにー／吸殻をくずかごにー」❷〔野球で〕投手が、これで十分と思うまで数多くボールを投げて、調子を整える。 名 投げ込み[0]

なげし[0][3]【〈長押〉】〔正式の日本建築で〕柱を両側から挟みつないで、釘（クギ）で打ちつける横木。鴨居（カモイ）の上部に直結する。〔昔は槍（ヤリ）などの武器を隠し入れたが、現在は装飾用〕 表記 「〈承塵〉」とも書いた。

なげしまだ[3]【投(げ)島田】根を下げて結った島田髷（マゲ）。

なげす・てる[4][0]【投(げ)捨てる】（他下一）❶投げるようにして捨てる。「窓から空きかんや空きびんを投げ捨ててはいけない」❷〔仕事などを〕途中でやめて、そのままにしておく。 名 投げ捨て[0]「吸殻のー禁止」 表記 「投げ《棄てる》」とも書く。

なげせん[0][2]【投(げ)銭】〔大道芸人などに〕見物人が投げて与えるお金。

なげたお・す[4][0]（タフス）【投(げ)倒す】（他五）「投げる❹」の強調表現。「当たるを幸い、ー」

なげだ・す[3][0]【投(げ)出す】（他五）❶投げ捨てるかのように無造作に△出す（そこに置く）。「本を床に投げ出して〔＝ほうり出したままにして〕おくな／足をー〔＝行儀よく△すわらず（すわれず）、尻（シリ）をついたまま足を前の方に出す〕」❷命・財産・権利など、自分に属する一番大事なものの保有をあきらめる。❸「投げる❸」の強調表現。

なげつ・ける[4][0]【投(げ)付ける】（他下一）❶目標を目がけて、△とっさ（衝動的）に何かを投げる。❷△抑え切れない気持を発散（それ相応の相手の反応を期待）するかのように、言葉を発する。「悪罵（バ）をー」

ナゲット①〔nugget〕❶天然の金塊。❷一口大の鶏肉・魚肉などに衣をつけて揚げたもの。「チキン―④」

なげづり⓪【投(げ)釣(り)】(リールを使って)手元から遠くへ釣り糸を投げて釣る釣り方。

なげとば・す④【投(げ)飛(ば)す】(他五) 勢いよく投げて飛ばす。

なけなし⓪ 〔「なけ」は「無い」と同源。「なし」は形容詞を作る接辞。⇩はしたない・だらしない〕あることはあるが、全部でそれっきりしか無いことを表わす。「―の金ｶﾈをはたく/―の土地を手放して借金を返す」

なげなわ⓪ﾅﾊ【投(げ)縄】 先端を輪のような形に結んだ長い縄(を投げること)。野獣などを生けどるのに使う。

なげぶし⓪【投(げ)節】 江戸時代にはやった小うたの一種。

なげぶみ⓪【投(げ)文】❶外から家の中などに投げこむ手紙。❷鉄道の車掌が事故を車外の人に知らせるために投げる通信文。

なげやり⓪【投(げ)《遣(り)】―な・―に 〔もと、仕事などを途中でやめてほうっておく意〕仕事などへの取組み方がいいかげんで、無責任・ふまじめ・不熱心である様子。「―な口ぶり」

なげやり⓪【投(げ)〈槍】❶相手を殺すために投げる、短い柄の槍。❷競技用の槍(を遠くへ投げて飛距離を競うスポーツ)。槍投げ。

な・ける⓪【泣ける】(自下一)〔「泣く」の可能動詞形〕❶ひどく感動して、涙を抑えることが出来なくなる。「泣けて泣けて、しようがなかった」❷泣いてしまいそうなほど感動する。「わざわざ遠くから見舞に来てくれるとは―なあ」

**な・げる ②【投げる】(他下一) ❶〈どこ・なにニ〉なにヲ―〉〔△手につかんでいる物を(何かを手でつかみ)、反動を利用して放し〕ある目標に向かって届かせようとする。〔普通、弧を描いて届く〕「△ボール(槍ﾔﾘ)を―/―ようにして銭を与える/ごみを川に―〔=投げ捨てる〕/タオルを―〔=⇩タオル〕」❷〈どこ・なにニ なにヲ―〉 少し離れた所まで作用が届くようにする。「淡い光を―〔=そこに当てる〕/視線を―〔=ある対象を見やる〕/話題を―〔=世間に提供する〕/投げキッス」❸〈なにヲ―〉 ある目標に向かっての行動(の継続)を、何かの事情で あきらめる。「さじを―〔=⇩さじ〕/試合を―〔=勝てないと思い、まじめに戦うことをやめる〕/試験を―〔=ⓐ受験をあきらめる。ⓑ途中で放棄する〕」❹〈だれヲ―〉〔すもう・けんかや、柔道などで〕相手のからだを つかんだり かかえたり 攻めて来る相手の力を逆に利用したり して、たたきつけるように△ころばす(地に はわせる)。【身を―】⇩身

なければ いけない どうするか選択の余地がある中で最善の選択だととらえられるという判断を表わす。口頭語的表現では「なくてはいけない」とも。「生活習慣病にかかりたくなければ痩ﾔせるようにし―と医者に忠告された/歯周炎を予防するために食後に歯を磨か―/映りが悪くなったのでテレビを買い換え―」 文法 類似した表現に「なければならない」および「べきだ」がある。「なければならない」「なければいけない」はともに行動上の制約という点では共通するが、両者の違いはおおむね以下のようである。(1)「なければならない」は運命的・宿命的な事柄、また、社会道徳や法律・規則などそれに反する行為が認められないことを表わすのに用いる。(2)「なければいけない」は自分自身の保全・保守やより好ましい環境をつくり出すためにとるべき態度や行為を表わすのに用いる。(3)「今月は税金も納めなければならないし、夏服も作らなければいけないから何かと出費がかさむ」ということになる。しかし現実には、前者後者を必ずしも明確には意識されず混用されることが多い。(4)「なければいけない」が相手の行動に示唆を与えるのに用いられる場合には、勧告する気持を含意することがある。例、「体調が悪いのならば再び医者に診てもらわなければいけない」(5)両者ともに「…ては△ならない(いけない)」などの禁止表現に応じる行為を表わすのに用いられる。「『ここでたばこを吸ってはいけない』と言われたら吸うのをやめなければ△ならない(いけない)」ということになる。(6)「なければならない」「なければいけない」がその人の行動上の制約とのかかわり合いが大きいのに対し、「べきだ」は行動の制約は必ずしも強くはない。「あのときすぐに謝るべきであった」など事態が険悪になってから過去の行動を振り返るときに、ものの道理から見てどのような行動をとるのが望ましかったかという建前論を述べる場合などによく使われる。

なければ ならない ❶意志による選択の余地がなく、必ず△そうする(そうである)ことが求められるという判断を表わす。口頭語的表現では「なくてはならない」とも。「日本では自動車は道路の左側を走ら―/全ての生命体は必ず死ぬ。したがって我々もいつかは死な―/法律は守ら―」❷客観的にみて、そのことが当然だと判断される。「周囲の状況から判断して、これは犯人のもので―」⇩なければいけない 文法

なげわざ⓪【投(げ)技】〔すもう・柔道などで〕相手を投げ倒す技。 表記「投げ業」とも書く。

なご①【名子】 中世・近世において、土地の豪農などに代々仕えて、農耕に従事した半奴隷的身分の農民。「―制度③」

なこうど②ﾅｶｳﾄﾞ【《仲《人】 結婚しようとする二人の仲立ちをして、正式にまとめる人。媒酌人。 表記 ⇩付表「仲人」
―ぐち④【―口】 仲人が縁談をまとめるために、事実以上に紹介相手の事を過大評価して伝えること。〔いいことずくめなので、にわかに信用出来ない意にも用いられる〕

なごし⓪【《夏越】〔邪神を和ﾅｺﾞめる意〕多く陰暦六月末日に神社で行なわれる神事。おはらいの目的で、参詣ｹｲ人に茅輪ﾁﾉﾜ〔=チガヤやワラを束ねて大きな輪にしたもの〕をくぐらせる。「―の祓ﾊﾗｴ」 表記「名越」とも書く。

なご・む②【和む】(自五) 〔気持・雰囲気が〕穏やかになる。 他動 和ます③(五)・和める③(下一)

なごや おび④ ❶【名古屋帯】 おたいこに結ぶ部分だけを普通の幅に、他の部分を半分の幅に作った女帯。❷【名護屋帯】 糸を丸打ちにし、両端にふさをつけた帯。〔室町時代から江戸初期にかけて、男女ともに使用した〕 かぞえ方 ❶❷とも一本・一点

***なごやか**②【和やか】―な・―に 怒った顔色やとげとげしい空気が見られず、親しみが感じられる様子だ。「―な表情/―に談笑する/心を―にさせる」 派 ―さ③④

なごり③ ❶風がやんでも、まだ静まらない波。❷波がひいた後に磯ｿｲや浜に残る海水や海藻など。 表記 古くは「〈余波〉」と書いた。

なごり③【名《残】〔前項と同源〕❶その事が終わったあとに、まだそれを思わせる物が残っていること。「台風の―をとどめる/―なく〔=すっかり〕晴れた青空」❷別れようとして、そのまま別れるに忍びない気持。「いつまでも―が尽きない/―の〔=別れを惜しむ。最後の〕会/―の杯」❸別れたあとも、その人の残した強い印象が忘れられないこと。「―の夢」❹連歌ｶﾞﾚﾝの懐紙で、最後の折の称。第四折。 表記 ⇩付表「名残」 運用 ❷は、「名残は尽きませんが」などの形で、祝宴・懇親会などにおける閉会の挨拶ｻｱｲﾂの冒頭に用いられることがある。
―おし・い⑤ｦｼｲ【―惜しい】(形) 強く心をひかれるものがあって、△別れる(そこを去る)のがつらく感じられる様子だ。「お―⑥」 派 ―さ④ ―げ⓪⑤⑥ ―が・る⑥ **―きょうげん**④ｷｮｳｹﾞﾝ【―狂言】 役者が引退する時、または、その土地を離れる時にする最後の狂言。 **―の つき**⑥、⓪-②

【―の月】❶夜明けの空に残る月。残月。❷その年の最後の名月。陰暦九月十三夜の月。

なさ【無さ】(造語)(…)しないこと。「救われ―/足り―」

なさい〔「なさりませ」の変化「なさいませ」の省略形〕そうするよう指示することを表わす。「疲れているなら早く寝―/ちょっとこちらへおいで―/読み―/帰り―」 文法 尊敬語に由来するものであるが、立場が上の者に対しては用いられない。 運用 挨拶(アイサツ)として、「お帰りなさい」の形で帰ってきた人を迎える際、「お休みなさい」の形で自分が寝る際、「ごめんなさい」の形で謝意を表わす際に、それぞれ用いられる。

***なさけ**①【情け】❶〔利害・打算を離れ〕△困っている(弱い立場にある)人に同情して、援助・激励する親切心。「―容赦も(=人情とか遠慮が全く)無く/―ある(=寛大な)処置/―を交(カ)わす(=愛し合う)/―にすがる/―を△かける(受ける)/失敗を厳しく追及しないのが武士の―(=⇩武士の情け)というものだ」❷〔雅〕〔実利を離れ〕自然の景物の趣、芸術作品の良さなどを理解する心。「―知らん人」 表記 例外=「情け」 【―は人の《為(ため)ならず】 失意のどん底にある人に同情の手を差し寄せるのはもちろん純粋な動機に基づく事で他意は無いが、やがて、自分が逆境に立ったときには、相手から救いの手を差しのべられることにもなるものだ。〔近時誤ってこの諺(コトワザ)を「情けをかける事は本人自立の為に良い結果をもたらさないものだ」と解する向きが少なくないようだ〕 **―しらず**④【―知らず】(―に・―な) 思いやりの無い△こと(人)。 **―な・い**④【―無い】(形)〔期待にはずれた状態や場面に出あい〕ひど過ぎて、ひどくがっかりさせられる感じだ。「なんという―事をしてくれたのだ/―(=ひどい)成績/―(=見すぼらしい。貧弱な)姿」 派 **―さ**④ **―げ**⓪⑤④ **―が・る**⑤ 文法 助動詞「そうだ(様態)」に続くときは「情けなさそうだ」の形になる。また「すぎる」と結びついて複合動詞をつくるときは「情けなさすぎる」の形になる。 **―ぶか・い**⑤【―深い】(形) 自分より弱い立場にある者に対する思いやりの気持が深い。 派 **―さ**④ **―げ**⓪⑤

なざし⓪【名指し】―する(他サ) 名前をあげて、その人を指すこと。「―で△呼ぶ(非難する)」 動 名指す②⓪(他五)

なさし・める④【成さしめる】(他下一) 何かをすることによってそのような結果を生じさせる。「相手に名を―(=手柄を立てさせる)」

なさぬ なか②-①【《生さぬ仲】〔「生さぬ」は生まない意〕血のつながりの無い親子の間柄。まま親とまま子の間柄。

なさ・る②【《為さる】(他五)「する」の意の尊敬語。〔口語で「た」「て」に続く場合は、「なすった」「なすって」と言うことが多い〕「どうなさいましたか」

なし②⓪【梨】四、五月ごろ、白色の花を開く落葉高木。秋に、皮が薄茶色で水分に富む実を結ぶ。食用として賞味され、品種が多い。〔バラ科〕〔忌み言葉では、ありのみ〕 表記 「《梨子》」とも書く。 かぞえ方 一株・一本 **―のつぶて**④⓪【―の《礫】 こちらから△たより(連絡)をしても返事が無いこと。〔「梨」に「無し」を懸けた表現〕

なし①【無し】 無い△こと(状態)。「上着―では困る/一言の挨拶(アイサツ)も―に(=しないで)/△難航の気配(問題)―としない(=全く無いとは言えない)/欠席者―」

なじか①(副)〔雅〕どうしてそうなのか。「―は知らねど」

なしくずし⓪【《済し崩し】(―クヅシ) ❶物事を少しずつ片づけること。特に借金の返済にいう。「借金を―に返す」❷事実を積み重ねて、そのことが既に決定されたこととして成り立たせてしまうこと。「法改正をせずに―にする」

なしじ⓪【《梨子地】(―ヂ) ❶蒔絵(マキエ)に金銀の粉をまき、漆を塗ってみがき、ナシの実の皮のように細かいでこぼこのあるもの。❷織物の表面にナシの実の皮に似せたもの。

なしと・げる④⓪【成(し)遂げる・《為(し)遂げる】(他下一) ❶やろうと思った事を最後までする。「研究を―」❷大事業を、やってのける。「偉業を―」

なじみ③⓪【《馴染(み)】❶その△人(場所)などによくなじんでいて、違和感をいだかずに接することが出来る状態にあること。「―の△ある(深い)土地/芸能関係の人とは―が△無い(少ない)/―の△客(店)/顔―」⇩おなじみ ❷情交。〔狭義では、江戸時代三回以上呼び呼ばれた客と遊女の間柄を指す〕「―を重ねる」 **―ぶか・い**⑤【―深い】(形) そのものにすっかり慣れ親しんでいて、何の違和感も感じない様子だ。「―風習」

なじ・む②【《馴染む】(自五) ❶長い間接したり使ったりして、その人や物の長所・欠点などを知り尽くし、特に気を使わずに△付き合える(扱える)ようになる。「だれにでもすぐ―子/長年なじんだ土地/ちょっとなじんだ(=なれて、親しみを持った)かと思うとすぐ転校する」❷本来別々であったものが時間の経過とともに一体化し、全体にわたって違和感が感じられない状態になる。「せっけんが水に―(=よく溶ける)/ぬかみそが―/手になじんだグローブ」

ナショナリスト④〔nationalist〕 国家主義者。国粋主義者。民族主義者。

ナショナリズム④〔nationalism〕❶民族主義❷。❷自国民の利益・福祉の確保を第一とする考え方。国民主義⑤。❸国粋主義。国家主義。

ナショナル(造語)〔national〕❶国民全体の。「―コンセンサス(=国民の合意)を求める/―コスチューム⑤(=民族衣装)」❷国家的規模の。「―インタレスト⑤(=国家的利害)・―アド(=全国広告)・―カラー⑤(=国旗の色)」 **―トラスト**⑥〔National Trust〕 自然を保護したり歴史的建造物を保存したりすることを目的として、広く国民から資金を募って、土地を取得し、管理する運動。一八九五年にイギリスに設立された文化遺産保存と自然保護を目的とする団体の名称に由来する。 **―ブランド**⑥〔national brand〕 全国的に知名度のある、大手メーカーの商標や商品。略してエヌビー(NB)。 ↔プライベートブランド

なじ・る②【《詰る】(他五) 悪い点を、問いつめて非難する。「違約を―」

なしわり⓪【梨割(り)】〔ナシの実を割るように〕ざっくりと割ること。

なす(造語) …のように大変な状態であることを表わす。「山―(=のような)大波/玉―(=次から次へと出る大粒の)汗」

な・す①(他五) 〖一〗【成す】❶△まとまった形のある(後のちまで高く評価される)ものを形作る。「群れ(を)―(=群がった状態になる)/体(タイ)を―(=ちゃんとした体裁が出来上がる)/産を―(=財産を作る)/名を―(=成功する。有名になる)/大業を―/色を―(=顔色を変えておこる)/体裁を―(=見られて恥ずかしくない形が整う)/意味を―(=形式的な矛盾をおかさず、それだけの内容を持つ)」❷産む。「子まで成した仲」❸もとの物・性質とは違った形に変化させる。「災いを転じて福と―/軽妙に言い―/よしなに取り―」 〖二〗【《為す】「する・行なう」のやや改まった言い方。「すること―こと(=やることすべて)/術(スベ)もない/為せば成る(=やれば出来る)/△重き(恐れ)を―/―所を知らぬ(=△恐れて(度を失って)どう対処したら良いか分からない)」 〖三〗【《済す】〔雅：近畿以外の各地方言〕(全部)済ませる。「借金を―(=返す)」 表記 〖一〗❷は、「《生す》」とも書く。

なす①【《茄子】 畑に作る一年草。夏、薄紫色の花が咲く。濃い紺色の実はキュウリと共に夏野菜の代表。普通、電球形だが、球に近いものや細長いものなど、品種が多い。「なす

び」とも。〔ナス科〕「秋―」 [表記]「〈茄」とも書く。 [かぞえ方] 一本

なすこん⓪【〈茄子紺】 ナスの実のような、濃い紺色。

なずな⓪【〈薺】 道ばたなどに生える多年草で、春の七草の一つ。春、小さな白い花を開き、実の形が三味線のばちに似ているので、「三味線草③・ぺんぺんぐさ」とも言う。若い葉は、ゆがいて食べられる。〔アブラナ科〕 [かぞえ方] 一本

なすび①【〈茄《子】 〔沖縄を含む西日本一帯の方言〕なす。 [表記]「〈茄」とも書く。

なず・む②【《泥む】(自五) しばらく続いた状態が、変化しそうでなかなか変化しない様子だ。「日が暮れ―〔＝暮れそうで、なかなか暮れない〕/旧習に―〔＝旧習をいつまでも守る〕/浮きが―〔＝えさ・おもり・糸が沈んで、浮きが正しい位置を取る〕」

なすりあい⓪【《擦り合い】〔責任や罪などを〕互いになすりつけること。 [動] 擦り合う④(他五)

なすりつ・ける⑤【《擦り付ける】(他下一) ❶こするようにして、くっつける。❷責任・罪を他人にかぶせる。

なす・る②⓪【《擦る】(他五) ❶指先などに粉・液体をつけ、軽いタッチで物の表面にすりつける。「上っつらを―/刷毛で―」❷負わせる。「罪を他人に―」

なぜ①【〈何故〉】(副) どういう理由でそうなのかと△疑問をいだく(問いかけたくなる)様子。「人間は―死を恐れるのだろう/―出席しないの/怒られたのは―だかわからない」

なぜか①【〈何故〉か】(副) どういう理由でそうなのかわからないがと、いぶかしく思う気持をいだく様子。「―急にだまってしまった」

なぜならば①【〈何故〉ならば】(接) なぜかというと。その理由は。「なぜなら①」とも。

なせる②【《為せる】〔「為す」の已然形＋完了の助動詞「り」の連体形。連体詞的に用いられる〕「そのような結果をもたらした」の意の古風な表現。「群集心理の―わざ」

なぞ(副助)「など」の古風な口頭語的表現。「なんぞ」とも。

なぞ⓪【謎】〔「何ぞ」の変化〕❶まともに答えると正解にならないような問題を言いかけて、意想外な答えを求めて楽しむ子供の遊び。例、「『英語』というのはどこの国の言葉?」という問いに対して、「日本」という答えを期待するなど。「なぞなぞ⓪」とも。❷遠回しに、それとなく言う△こと(言葉)。「―をかける〔＝遠回しに言う〕/―めいた話」❸実体がよく分からない△こと(もの)。「―の女/宇宙の―/―を△解く(深める)/―に包まれる」

なぞえ⓪〔東部方言〕❶斜め。「―に切る」❷斜面。

なぞとき⓪④③【謎解き】 謎の正解や真実・真相を探り当てること。

なぞら・える④③【《準える・《擬える】(他下一) それと似た構造・性質を持ったものと見なして扱う。「人生を旅に―/大海に準えて〔＝似せて〕造った庭」

なぞ・る②(他五)〔文字・絵・図形を〕線をたどりながら似せて写す。〔広義では、手本となるものをそのまままねる意にも用いられる。例、「伝統を生かすとは前の時代を―ことではない」〕

なた⓪【〈鉈】 まき割り・枝打ちや、くいを削るときなどに用いる刃物。形はたんざく形や刀形など用途によってさまざまである。 [かぞえ方] 一本 【―を振るう】 ⇩大鉈

なだ①【〈灘】 ❶港から遠くて波が荒い、航海に難儀をする海。「玄界―③」 ❷〔↑灘酒②〕 兵庫県灘一帯から産する、上質の清酒。「―の生一本」

なだい⓪【名代】 信頼のおける商品として名の知られていること。「―(の)だんご」

なだい⓪【名題】 ❶△脚本(浄瑠璃)の題。❷〔↑名題看板④〕 芝居の看板。❸〔↑名題役者④〕 その名が名題看板に書かれた、一座の中の幹部級の役者。スター。

―した⓪【―下】 名題役者の直ぐ下位の役者。

なだか・い③【名高い】(形) その方面で高い評価を受け、その名が広く知れ渡っている様子だ。「城下町として―金沢/国際的に―ピアニスト」

なだたる③【名立たる】(連体) 有名である上に、軽視することが出来ない。「―弁舌家」

ナタデ ココ④〔ス nata de coco〕 ココナッツ果汁を発酵により凝固させたフィリピン原産の食品。独特の歯ごたえがあり、デザートとして食される。

なたね②⓪【菜種】 アブラナの種。 **―あぶら**④【―油】 菜種をしぼった油。種油。 [かぞえ方] 一本・一缶 **―づゆ**④【―〈梅雨〉】 三月下旬から四月にかけて、菜の花〔＝アブラナ〕の盛りのころ、一度暖かくなった後に小雨が降り続いて寒くなったりする天気。 [表記] ⇩付表「梅雨」

なたまめ⓪【〈鉈豆・《刀豆】 畑に作る一年草。平たく長いさやは大きくて堅いが、若いうちは食べられる。白色・紅色の種は食用。〔マメ科〕 [かぞえ方] 一株・一本 **―ぎせる**⑤【―〈煙管〉】 鉈豆のさやに似た太いきせる。

***なだ・める**③【〈宥める】(他下一)〈だれヲー〉 泣いたり怒ったりしている人に言葉をかけて、荒れている気持を静める。「泣く子を―」

なだらか②〔―な・―に〕 ❶傾斜が急でない様子だ。「―な△坂(丘陵)」 ❷不自然なところやつかえたりするところが無い様子だ。「―な調子」 ❸穏やか。「―に交渉が進む」 [派] ―さ③④

なだれ⓪【〈雪崩〉】 (山の)斜面にたまっていた大量の雪や土砂などが、下層部のゆるみが原因となって、激しい勢いで次から次へと崩れ落ちること。また、そのもの。〔狭義では、雪について言う〕「―を打って〔＝一度にどっと、防ぎきれない勢いで〕押し寄せる/―現象を起こす/人―・雪―」 [動] 雪崩る③(自下一) [表記] ⇩付表。「〈頽れ」とも書く。 **―こ・む**④⓪【―込む】(自五) 多くの人や物が一度に、制しきれない勢いで入りこむ。「△群衆(乗客・敵)が―」

ナチ①〔ド Nazi←Nationalsozialist〕 ヒトラーが指導した、国家社会主義ドイツ労働者党。また、その党員。第一次世界大戦後に創設され、一九四五年崩壊。〔「ナチス①(Nazis)」は、その複数形〕

ナチズム②〔Nazism〕 ナチスによって代表される右翼的全体主義。

ナチュラリズム④〔naturalism〕 自然主義。

ナチュラル①〔natural〕 ━〔―な・―に〕 ❶△人工(人為)が加わっていない様子だ。自然。「―チーズ⑤」 ❷わざとそうしたわけではないのに、その傾向が見られる様子だ。「―なライン/ボールが―にシュートする」 ━〔楽譜で〕シャープやフラットで高さを変えた音を、もとにもどす記号。「♮」。本位記号④。

なっ(納) →【字音語の造語成分】

****なつ**②【夏】 つゆで始まる暑い季節。草木が茂り、イネが伸び成熟したりする。六・七・八の三か月。↕冬

なついん⓪【〈捺印】―する(自サ) はんこを押すこと。

なつがけ⓪【夏掛け】 夏、寝る時に からだにかけるタオルや薄い毛布など。 [かぞえ方] 一枚

***なつかし・い**④【懐かしい】(形) 以前の事を思い出して、出来ることならもう一度△会いたい(見たい)と思う気持だ。また、かつての友人・知人などに久しぶりに会ったり、思い出のある土地に再び行ってその当時に戻ったような気持をいだく様子だ。「同窓会で―仲間と二十年ぶりに再会した/異郷にあって故郷を懐かしく思う」 [派] ―さ③④ ―げ⓪ ―がる⑤ [動] 懐かしむ④(他五)

なつかぜ[0]【夏〈風邪〉】夏にひく(インフルエンザに似た)風邪。表記 ⇩付表「風邪」

なつがれ[0]【夏枯㋹】↕冬枯れ ❶夏の暑いさ中に、水(のやり方)が不足して、草木が枯れること。❷夏、暑さで買物客の足が遠のき、一時期、商品の売れ行きが落ちる現象。表記「夏〈涸れ」とも書く。

なつかん[0]【夏〈柑】夏みかん・甘夏柑などの総称。

なつぎ[0]【夏着】夏に着る衣服。↕冬着

なつ・く[2]【懐く】(自五)〔動物が人に、子供がよその おとなに〕警戒心を持たずに近づき親しむ。他動 懐ける[3](下一)

なつくさ[0]【夏草】夏、たくましく茂る草。

ナックル ボール[5]〔knuckle ball, knuckle=指の関節〕〔野球で〕親指と小指でボールをはさみ、他の三本の指の関節を使って投げる、回転がほとんど無いボール。

なつげ[0]【夏毛】鳥や獣の、春から夏にかけて生え替わった毛。↕冬毛

なづけ[0][3]【名付㋘】名前をつけること。命名(法)。 **―おや**[0]【―親】〔親以外の人で〕生まれた子に名前をつけて△くれた(くれる)人。「この商品の―〔=命名者〕は…」

なづけ[0]【菜漬㋘】菜っ葉の塩漬け。

なづ・ける[3]【名付ける】(他下一)〔今まで呼び方の△無かった(一定しなかった)ものに〕新たな名前をつける。「…と―〔=言う。呼ぶ〕」

なつご[0]【夏〈仔】夏に生まれる動物の子。↕冬仔

なつご[0]【夏《蚕】六月ごろから七月中旬にかけて飼うカイコ。かさん。⇩はるご・あきご

なつこ・い[3]【懐こい】(形) 人に心を許してすぐに打ち解けるような雰囲気を伝えてくる様子だ。人懐っこい。「なつっこい[4]」とも。「―子犬/あの子の笑顔は―」

なつこだち[3]【夏木立】夏の、青あおと茂っている木立。

なつごろも[3]【夏衣】〔雅〕夏に着る着物。

なつさく[0]【夏作】夏の間に△育つ(とれる)作物。↕冬作

なつざしき[3]【夏座敷】夏、ふすま・障子を外しすだれを掛けるなどして、涼しそうにしつらえた座敷。

> なつ
> [納] ❶おさめる。入れる。「納得」 ❷うるおうさま。「納豆」 ⇩のう

なつじかん[3]【夏時間】夏季に、一時間くりあげて定めた時刻。サマー タイム。夏時刻[3]。

なっしょ[0]【納所】❶〔禅宗の寺で〕金銭・米の出し入れを受け持つ△所(者)。❷寺の雑務をする、下級の僧。

ナッシング[1]〔nothing〕❶何も無いこと。「オール オアー―」 ❷〔野球などで〕「ストライク❶」または「ボール❷」のカウントがゼロであること。「スリー ボール―〔=ボールはスリー、ストライクはゼロ〕」

なつすがた[3]【夏姿】夏にふさわしい(涼しそうな)服装。また、まわりの様子。

なっせん[0]【〈捺染】―する(他サ) 布地に型紙をあて模様を染めつける△こと(染色方法)。プリント。

なつぞら[3][0]【夏空】夏の、(太陽の輝く)暑そうな空(の様子)。「―の入道雲」 ↕冬空

ナッツ[1]〔nut の日本語形〕クルミ・アーモンド・カヤなどの、食べられる堅い木の実。

ナット[1][0]〔nut〕ボルトのねじ棒の締めつけに使うもの。普通、六角形で内側にねじが切ってある。⇩ビス

なっとう[3]【納豆】〔「納」は、うるおった形状を指す〕大豆を蒸して発酵させた食品。〔狭義では、ねばって糸を引く「糸引き納豆[5]」を指す。口頭語形は「なっと[3]」とも〕「塩辛―[5]〔=乾燥させた納豆。『浜納豆』『大徳寺納豆』などとも言う〕・甘―・栗―[3]」 かぞえ方 一本・一箱

*__なっとく__[0]【納得】―する(自サ)〈なにニ―する/なにヲ(なんだト)―する〉 他人の言行をよく理解し、もっともだと認めること。得心。「―の行く△説明(解決)/―が△出来ない(得られる)/―を求める/―ずく[0]」

なつどり[0][2]【夏鳥】春、日本に渡来し、繁殖して秋、南方に去る鳥。ツバメ・ホトトギスなど。↕冬鳥

なつのじん[0]-[1]【夏の陣】徳川氏が豊臣氏を決定的に敗滅させた、大阪城攻防の夏の戦い。〔俗に、夏に起こる社会的な紛争の意にも用いられる〕

なつば[0]【夏場】夏の間。「―だけの商売」 ↕冬場

なっぱ[1]【菜っ葉】葉の部分を食べる野菜。 **―ふく**[3]【―服】工場労働者などが着る、青色の作業服。

なつばおり[3]【夏羽織】夏に着るひとえの羽織。

なつばしょ[0]【夏場所】毎年五月に興行する大ずもう。五月場所[0]。

なつばて[0]【夏ばて】―する(自サ) 夏の暑さで ひどく疲れ、何をする元気も無い状態(になること)。

なつび【夏日・夏《陽】❶[0] 強烈な夏の太陽。↕冬日 ❷[2] 一日の最高気温がセ氏二五度以上の日。⇩真夏日

なつふく[0]【夏服】夏向きに作った洋服。⇩冬服・間服 かぞえ方 一着

ナップザック[4]〔knapsack の日本語形〕使用しない時は、たたんでポケットに入るぐらいの簡単なリュックサック。

なつまけ[0]【夏負㋘】―する(自サ) 暑さのために体力が△衰えること(衰えた状態)。

なつまつり[3]【夏祭㋷】夏行なう神社の祭り。

なつみかん[3]【夏《蜜〈柑】畑や庭に植える常緑低木。果実は秋に熟すが、長く木に残り、翌年の夏に食べる。大形で、酸味が強い。皮は黄色で厚い。〔ミカン科〕

なつむき[0]【夏向㋖】夏に適していること。「―の家」

なつむし[2]【夏虫】夏に多く出る虫。セミ・ホタルなど。

なつめ[0]【〈棗】❶中国原産の落葉小高木。黄茶色で楕円形の実は、食用・漢方薬用。〔クロウメモドキ科〕 ❷抹茶の茶入れの一種。〔ナツメの実の形に似ているから言う〕 かぞえ方 ❶は一株・一本

ナツメグ[3][0]〔nutmeg〕ニクズクの木の種の中からとった香味料。甘い、刺激性のにおいがする。ナッツメッグ[4]とも。

なつメロ[0]【懐メロ】〔「懐かしのメロディー」の略〕俗に、ひと世代以上前の流行歌で、それを聞くとその当時を懐かしく思い出すような歌の総称。

なつもの[0]【夏物】夏の暑い季節に着る下着・衣服など。↕冬物

なつやさい[3]【夏野菜】夏が旬の野菜。例、トマト・ナス・キュウリ・カボチャなど。

なつやすみ[3]【夏休㋯】夏に、暑さを避けて学校などの授業や講義を休みにすること。また、その期間。

なつやせ[0]【夏痩㋝】―する(自サ) 夏の暑さで食欲が無くなり、やせること。

なつやま[0]【夏山】❶夏の(青あおと茂った)山。❷夏に登山の対象となる山。↕冬山

なであ・げる[4]【〈撫㋢上げる】(他下一) (髪の毛などを)撫でつけて、上に上げる。

なでおろ・す[4]【〈撫㋢下㋺す】(他五) 上から下へ撫でる。「(安堵の)胸を―〔=安心する〕」

なでがた[0]【〈撫㋢肩】なだらかに見える肩。↕怒り肩

なでぎり[0]【〈撫㋢斬㋷】―する(他サ) ❶撫でるようにして

切ること。❷(人を)片端から斬り捨てること。動撫で斬る③⓪(他五)

なでしこ②【〈撫子〉・〈瞿麦〉】庭に植える多年草。秋の七草の一つ。夏から秋にかけて薄桃色の花を開き、花びらの先は細かく分かれている。かわらなでしこ。〔ナデシコ科〕かぞえ方 一本

なでつ・ける④⓪【〈撫〉(で)付ける】(他下一) 髪の毛を、くしや手でかき上げて整える。「髪をきれいに―」名撫で付け⓪

*__な・でる__②【〈撫でる〉】(他下一)〈(なにデ)なにヲ―〉そのものに触れた指先やてのひらを、何回か表面に沿って軽くある方向に動かして、あるか無きかの刺激を与える。「子供の頭を―/五月の風が気持よく頬(ホオ)を―/髪を―〔=くしでとかす〕/民を―〔=君主が人民をいたわる〕」

など【《等》】(副助) それだけに限らないが、という気持をこめて、例示することを表わす。「本やノートを買う/雑誌―を読む/これ―は実におもしろい話だ/お金―が欲しくて引き受けたわけではない/お茶―一つ召し上がりませんか」表記「〈抔〉」とも書く。文法 体言(名詞、またそれに準ずる句)、活用語の終止形、格助詞(ただし「が・を」を除く)、用言・助動詞「れる/られる・せる/させる」の連用形、接続助詞「て・ながら」に接続する。形容動詞には、語幹に続くこともある。格助詞は「…など＋格助詞」の形であとに続く。
運用 (1)話し手自身に関する否定的な内容について、謙遜(ケンソン)を含意して用いられることがある。例、「私などにそんな大役は務まりません」 (2)問題とする対象を軽視する気持を含意して用いられることもある。例、「英語など話せなくてもいい」 (1)(2)ともに、口頭語のくだけた言い方では「なんか」となる。

など①(副)〔雅〕どうして。「―かく頼もしげなく申すぞ/いまさらに―物か思はん」

ナトー①【NATO】〔← North Atlantic Treaty Organization〕北大西洋条約機構。共産主義勢力に対抗するため、北大西洋に面する国を中心とした十二か国が一九四九年に作った同盟。その後加盟国は増加。

などか①(副)〔雅〕どうして。〔下に否定表現を伴って、疑問または反語の意を表わす〕「―来鳴かぬ/―無からん〔=どうして無いということがあろうか。きっとあるに違いない〕」

などころ②【名所】❶器物などの部分の名。「琴の―/馬の―」❷「めいしょ」の古風な表現。

などて①(副)〔雅〕〔「なにとて」の変化〕なぜそうした(なった)のかという いぶかしさを心の中にいだいたり 表明したりする意を表わす。「―かくはかなき宿りは取りつるぞ/―われに伝へ給はざりけむ」 **―か**①(副)〔雅〕「などて」の強調表現。「―捨て聞え給はん」

なとり⓪【名取(り)】その芸道で一定の技能を修得したことが認められ、自分でも弟子を取ることが許される証として師匠から芸名をもらうこと。また、その人。

ナトリウム③〔natrium〕金属元素の一つ〔記号Na 原子番号11〕。銀白色で軟らかい。チリ硝石や食塩に多く含まれる。 **―とう**⓪【―灯】ナトリウム蒸気を封入した放電灯。オレンジ色の強い光を発する。高速道路やトンネル内の照明などに用いる。

なな①【七】「七(シチ)」の意の和語的表現。〔単独でかぞえるのに用いる時には、「な」とも〕❶かぞえ上げる個数・人数・回数などが七であることを表わす。「―色(ロイ)の虹(ジ)/世界の―不思議/秋の―草/―メートル・―百―十円・―月(キ)②〔=七か月〕・―枚」❷「第七」の意を表わす。「―番打者/―階に上る」❸一つや二つにとどまらないほどの数であることを表わす。「―度(ビタ)尋ねて(捜して)人を疑え/―転び八起き/無くて―癖/―曲がり・―光・―重(エ)」⇩や(八)

なないろ②【七色】❶七つの色。七彩。❷七種類。「―の声」 **―とうがらし**⑦【―唐辛子】トウガラシ・ゴマ・サンショウ・ケシ・なたね・アサの実・陳皮(チンピ)の七種類を砕いて交ぜ合わせた香辛料。七味(シチミ)唐辛子。

ななえ②【七重】七つ(多く)重ねること。【―の膝(ひざ)を八重(やえ)に折る】ぜひとも言い分を聞いてもらおうと思い、丁寧な上にも丁寧な態度で願ったり わびたりする。

ななかまど③【七〈竈〉】山地に生える落葉高木。秋に鮮やかに紅葉し、赤い実をつける。材は燃えにくい。〔バラ科〕かぞえ方 一株・一本

ななくさ②【七草・七《種》】❶七種類。❷七種類の草。「―の節句」 **―がゆ**④【―〈粥〉】正月七日に春の七草を入れて作るかゆ。
あきの―①-②【秋の―】秋の代表的な七種類の草花。ハギ・オバナ〔=ススキ〕・クズ・ナデシコ・オミナエシ・フジバカマ・キキョウ。 **はるの―**①-②【春の―】春の代表的な七種類の草花。セリ・ナズナ・ゴギョウ〔=ハハコグサ〕・ハコベラ〔=ハコベ〕・ホトケノザ・スズナ〔=カブ〕・スズシロ〔=ダイコン〕。

なな くせ②【七癖】人の持つ、幾つかの癖。「無くて―」

ななこ②【《魚子》】〔魚の卵の意〕❶金属面に小さな粒を一面に刻んだ細工。❷〔←魚子織⓪〕平織の絹織物の一つ。織り目が細かくて、斜めに並ぶもの。表記「《斜子》」とも書く。

ななころび やおき③-①【七転(び)八起(き)】―する(自サ) 何度失敗しても、あきらめず、そのたびに勇気を出して立ち上がること。

ななし⓪【名無(し)】名前が無いこと。 **―のごんべえ**⓪-①【―の権《兵《衛》】「どういう名前であるか分からない人」の意の擬人化した表現。

ななそじ②③【七《十》】〔雅〕〔「ぢ」は、「はたち」の「ち」と同源か〕❶七十(シチジュウ)。❷【七《十路》】七十歳。

ななつ②【七つ】〔「つ」は接辞。⇩なな〕❶ものの(個)数をかぞえるとき、数が七であることを表わす。また、七歳(第七)を指す。「―の子/―のお祝/―星(ボシ)③〔=北斗七星〕」⇩やっつ ❷昔の時法において、今の午前(午後)四時ごろ。ななつどき。⇩やつ ❸ななつや。 **―どうぐ**④【―道具】七種類から成る武具や装身具。〔広義では、ひとそろいにして携行する身のまわりの小道具、または ある仕事に絶対に必要な道具類の意にも用いられる〕 **―のうみ**②-①【―の海】世界じゅうの海。南太平洋・北太平洋・南大西洋・北大西洋・南極海・北極海・インド洋の称。〔広義では地球上のすべての海を指す。例、「―を駆けめぐる」〕 **―や**⓪③【―屋】〔七屋の意〕俗に、質屋の称。一六(イチロク)銀行。

ななとこがり⓪【七《所借》(り)】一か所でまとめて借りることが出来ず、方々から(お金を)借り集めること。

なな なのか③【七七日】〔「なななぬか」の変化〕人の死後、四十九日目(に行なう法事)。四十九日。「しちしちにち」とも。

なな ひかり③【七光】主君・親の威光が広く及んでいて、そのおかげを受けること。〔多く、本人の実力によるものではないことを含意する〕「親の―で当選を果たす」

なな ふしぎ③【七不思議】❶それぞれの地域に言い伝えられる七つの不思議な現象。自然現象、神仏や妖怪にまつわるものが多い。❷現代科学によっても解明できない自然界の現象や古代人の遺物など。「ギザのピラミッドは世界の―の一つだ」

なな まがり③⓪【七曲(が)り】道・坂などが何度も折れ曲がっていること(所)。

*ななめ②【斜め】❶垂直から左右に、水平から上下に、先端が少しずれた方向。「帽子を—に〔=少しずらして〕かぶる」❷〔垂直・水平を平常の状態と見て、それから傾く意から〕普通と違っていること。「御機嫌(が)—だ〔=(いつもと違って)よくない〕/—ならず〔=一通りでなく。大変〕喜んだ」表記 例外=「斜め」

なに【何】㊀(代)❶① 対象として取り上げる事物・事象・事柄などについて、その名称や実体が△分からない(はっきりと特定できない)ことを表わす。〔疑問の意にも用いられる〕「愛とは—か/今夜のおかずは—にしようか/—よりも必要だ/—を言ってみても始まらない/—を今さらという感じがしないでもない/—をもって…とするか/物事の道理も—もあったものではない/—大学の出身か知らないが」❷⓪① 聞き手との間に了解は行なわれているが、はっきりそれと△言えない(言わない)ものを指す。「例の—を頼む/—を—して/大水で家も—〔=その他一切の家財〕も失ってしまった」【—するものぞ】…といったところで、自分は驚かないぞ、という気持を表わす。「多数党—」【—にしても】どんな点から問題にするにせよ。「—靴は必需品だ」【—をか言わんや】そういう事態になれば△論外(もうお手上げ)だ。㊁①(副)〔否定表現と呼応して〕どんな点に関しても、その否定的な事柄に疑いをさしはさむ余地はないと判断される様子。「—一つとして満足な事は出来ない/—不自由無く暮らす」㊂①⓪(感)❶意外なことを聞かされて、それが事実なのか念を押して確かめようとする気持を表わす。「—、あしたやるのですか/—、自殺したって/—、本当に行くのか」❷相手から言われたことやそれまで考えたことを、その場の状況に対処する上で無視してよいと自分なりに判断する様子。「—、構うものか/—、たいした事は無い/—、ちょっとした遅れで済むだろう/—、ぼくは大丈夫だ」⇩なにか・なにも 運用 ㊀❷は、口に出しにくい事柄を相手に察してもらうために用いられることがある。「『奥さんもいっしょにどうだい』『今女房は何でして』」

なに おう③ーオフ【名に負う】(連体)❶その名の通りである。❷有名な。

なに か①【何か】㊀(代) これだとはっきりとは特定することができない事物や事柄。「—に役立つかもしれないから捨てないでおこう/突然目の前に—が飛んできた/—あれば、すぐに連絡してくるはずだ/よほどのお人よしか—〔=その同類〕でなければ、とても勤まらない」【—と言えば】対象や理由を限定しないことを表わす。「—、すぐ小言ゴトだ〔=口を開くと、たいてい小言ばかり言う〕/—〔=どんな事でも理由にして〕酒を飲む」㊁(副) △これ(こう)だと、はっきりとは特定することができないことを表わす。「—冷たいものが飲みたい/思い切った事を—やってみたい/わたしにもできることは—ありませんか/きょうの彼は—変だ」【—しら】⓪(副)〔「何か知らぬ」の変化〕その時どきで異なったり 明確に意識できなかったりして、△これ(こう)だとはっきりと特定することができない様子。「—花が咲いている庭/彼は会うたびに—不満をもらしている/—胸騒ぎがする」

なに か①⓪【何《彼》】 特定できない あれやこれやの物事。「—のことはさておき」【何か《彼かにか》】④ 問題が一つに限らず あれやこれやと多岐にわたる様子。「—用事がある/—と大変だ/—とごめんどうをお掛けします」【何かに付け】⓪⑤ あれこれ事があるたびごとにその事態が認められる様子。「—(て)便利だ/—(て)サボりたがる」【—と】⓪(副) 特定はできないが、あれこれと(やることが)ある様子。「—いそがしい/—たいへんだ」

なに が①【何が】(副)〔「—…(もの)か」などの形で〕強く反発したり 抗議したり する気持を表わす。「少々の危険ぐらい—恐ろしいものか〔=ちっとも恐ろしくない〕/—愉快なものか〔=ちっとも愉快ではない〕」

なにが さて①-①【何がさて】(副) 何があろうと、そのことが最優先されるべき事柄だと判断する様子。「—これをやってしまおう/—私は幸福だったのだ」

なにがし【《某・何《某】(代)〔「がし」は、「それがし」の「がし」と同源〕❶②① 確実には△分からない(言えない)名前などを、「なんとか」と指す語。「なんの—という男が突然たずねてきた/佐藤—」❷⓪ どれほどか△分からない(限定出来ない)数量を表わす。「千円—〔=…と、ちょっと〕/—かのお金」

なに がな①【何がな】(副)「なんなりとも」の意の古風な表現。「—よい物はないか」

なにが なしに④⓪【何が無しに】(副)〔「何彼ナニカ無しに『=あれこれ言わずに』」の変化〕これといった理由も無くそう△して(感じて)いる様子。「何が無し④⓪」とも。「—窓外を見ると/—さびしさを感じる」

なにが なんでも④、①-①【何が何でも】 たとえどんなことがあっても、そのことだけは変わらない、という気持をいだく様子。「—やって見せるぞ/—勝たねばならぬ/—それは無理だ」

なにか は①【何かは】(副)〔雅〕どうして。〔あとに、そんな事があろうかと、強く否定する意を含めた表現を伴う〕「はちすばのにごりにしまぬ心もて—つゆをたまとあざむく」

なにから なにまで①-①【何から何まで】 何もかも。すべて。「—世話を焼かせる」

なに くそ④①【何〈糞〉】(感) これくらいの事で負けるものか、と自分の気持を奮い立たせる時に発する語。

なにくれ と⓪【何くれと】(副) どれと限定すること無く、特定できないあれこれの事柄にわたる様子。「—(無く)世話をやく」表記「何《呉れ》」は、借字。

なにくわぬ かお④-⓪ークハヌカホ【何食わぬ顔】 実際は深くかかわっているのに、自分は全く関係が無いというような顔つき。

なにげ な・い④【何気無い】(形)❶相手に隠していることなどが気付かれないように振る舞う様子だ。「生活は苦しかったらしいが、—さまを装っていた」❷これといった意図はなく、なかば無意識に何かをする様子だ。「—言葉が相手の心を傷つけた/何気無く窓の外に目をやる」〔「何気無く」の誤用から「何気に」という形で副詞的な俗用が若者中心に見られ、「意外に」などの意味でも用いられる〕文法 助動詞「そうだ(様態)」に続くときは「何気なさそうだ」の形になる。

なにごころ なく⑥【何心無く】(副) 何のためにしているのかといった自覚も無く何かをしている様子。

なに ごと⓪【何事】❶どのような事。「—もなるようにしかならない/—によらず〔=どんな些細サイな事でも〕」❷〔実態はよくわからないが〕無関心ではいられない事。「こんな夜中に—だ/一体—が起こったのか」❸特に△問題(話題)として取り上げる事。「—があってもあわてない覚悟が出来ている/—も無く会は終わった/—も無かったかのように平然としている」運用 ❷は、「何事△だ(か)」などの形で、相手の意外な行為に対して憤りの気持を込めて用いることがある。例、「大事な書類を紛失するとは何事か」

なに さま⓪①【何様】㊀どこの何という名で、人から仰がれる存在。〔多く、皮肉・非難の気持を含意して用いられる〕「どこの—〔=お方〕か知らないが/一体—〔=自分をどんな偉い人〕だと思っているのか」㊁(副)「なにしろ」の意の古風な表現。

なにし おう④ーオフ【名にし負う】(連体)「名に負う」の強調表現。

なにしろ①【何しろ】(副)〔「しろ」は、動詞「する」の命令形〕事情がどうであれ、結論的にはその一点に尽きると判断する様子。「見てくれはともかく—安いのがとりえだ/—名前を聞いたこともないのだからお話にならない」

なにせ①【何せ】(副)〔「なにせよ」の変化。口頭語形は「なんせ」とも〕なにしろ。「—事が事だから黙っていられない/—寄る年波だ、昔のようにはいかない」

なにとぞ⓪【何《卒》】(副)〔手紙文や改まった挨拶(アイサツ)などで〕(相手の厚意にすがって)ぜひ望みをかなえてくれるように願う意を表わす。「—お許しください/神様、—私を合格させてください」

なにとて①【何とて】(副)「どうして❷」のやや古い言い方。 表記 「何〈迚〉」とも書く。

なになに【何々】[一]②①(代) 具体的な名をあげるかわりに、幾つかの物がそこにあることを表わす。「必要なものは—と書き出しなさい」[二]①(感) 相手の言葉をそのまま了解出来ずに いぶかしく思うことを表わす。⇩なに[三]❶

なにはさておき①-①【何は〈扨置き〉】 ほかの事はあと回しにしても、その事だけはまず第一に取り上げることを表わす。

なにはともあれ①-①【何はともあれ】 ほかの事はかなえられないとしても、優先的にその事が満足されねばならぬことを表わす。

なにはなくとも①-①【何は無くとも】 ほかの物は何もいらないが、それだけは欠かすことが出来ないことを表わす。「—健康でさえあればいい」

なにびと⓪【何人】 なんぴと。

なにひとつ①-②【何一つ】(副)〔否定表現と呼応して〕「なに[二]」を強調した表現。何も…ない。「—覚えていない/—確実なものはない/—変わらない」

なにぶん⓪【何分】[一]その程度について限定はしないが、それ相応の実質をそなえたものであることを表わす。「—の沙汰(サタ)があるまで待て/—の御喜捨をお願いします」[二](副) ❶どの程度にと限定はしないが、それ相応の措置を相手に婉曲(エンキョク)に依頼する様子。「—子供をよろしくお願いします/—お手やわらかに」❷あれこれ言っても、その事情には変わりがないことを、婉曲に釈明する様子。「—夜ですので参りかねます/—(にも)年寄りの事ですから」

なにぼう①【何某】(代) 具体的に名をあげる△必要の無い(ことが出来ない事情にある)人を指して言う語。なんとか言う名前の人。

なにほど⓪【何程】(副) 数量についてどの程度と限定しない様子。「お金は—(=どれだけ)あってもいいものだ/—の(=たいした)利益でもない/—か(=若干量)」

なにも【何も】(副) ❶⓪〔否定表現と呼応して〕考えられる可能性のいっさいを否定する様子。「証拠は—見つからなかった/疑われるようなことは—無い/—こわくない」❷①〔「…も—」の形で〕関係するもののいっさいが含められる意を表わす。「着物も—びしょ濡(ヌ)れだ/病に冒され、生きる気力も—なくしてしまった」 運用 ❶は、誤解や曲解に基づくととらえられる、相手の(予想外の)反応に対して、そうまで△言わ(し)なくてもと、たしなめたり なだめたり するのに用いられることがある。〔アクセントは①〕例、「何もそんなに怒らなくても/何もだめだと言っているわけではないのだ」 —かも①-①、①【—《彼も》】(副) 漏れるところなくそう△する(である)様子。「—(=全部)さらけ出す」

なにもの⓪【何物】 そのものについて制限を加えないことを表わす。「人生の—たるか(=どんなものであるか)がやっと分かって来た/どんなつまらない本でも読めば—かを得る(=何かプラスになるものが得られる)ものだ/憎悪以外の—でもない(=憎悪にほかならない)」

なにもの⓪【何者】❶その人の名前・身分などが分からない(で不審の念をいだく)ことを表わす。「—だ、名乗れ」❷「—(=どんな人)も私の意見に反対することが出来ないだろう」

なにやかや①-①【何や《彼や》】 問題となる事柄が、いちいち取り上げていられないほど多岐にわたる様子。「—(と)文句を言われる/—でお金をだいぶ使った」

なにやつ⓪【何《奴》】 なんというやつ。〔無遠慮に不特定の第三者を指して言う語〕「—の仕業か」

なにやら①【何やら】(副) 実態ははっきりしないが、その状態にあることが感じとれる様子。「彼の様子は—変だ/—怪しい音がする」【—《彼(カ)やら》】 種々の要素が入りまじっている様子。「今度の旅行は—で十万円もかかってしまった/毎日—仕事に追い回されている」

なにゆえ⓪-(ユエ)【何故】(副)「なぜ」の古風な表現。

なにより①【何より】(副) ほかの一切をしりぞけてそれが第一だとする様子。「—うれしいのは君の無事だ/寒い時には温かい食べ物が—だ/—の品/—も平穏な生活を望んでいる」 運用 相手の発言などを受けて祝福すべきことだという気持を表わすのに用いられることがある。例、「皆様御健勝の由(ヨシ)何よりと存じます/『手術後順調に回復しています』『それは何よりです』」

なにわぶし⓪-(ナニハ)【〈浪花〉節】 三味線つきで語る通俗的な語りもの。浪曲。「—的な(=義理人情を中心に考える、通俗的で古風な)言動」 表記 「なにわ」は「難波」とも書き、大阪付近の古称。

なにを③【何を】❶相手の言動に強い反発や不満・不信感などをいだく気持を表わす。「今になって、—馬鹿なことを言い出すんだ/—(=どんな理由で)痩(ヤ)せ我慢しているんだ」❷(感動詞的に)相手に負けていられないぞ、とまともに張りあおうとする気持で発する語。「『お前も馬鹿だな』『—、無礼な』」〔❷の強調形は「何をっ③」〕

なぬか⓪【七日】「なのか」の意の古風な表現。「初(ショ)—」

なぬし⓪【名主】〔江戸時代に〕町村内の住民の有力者中、その地域の行政を任せられた代表者。〔西日本では「庄屋」、東北・北陸地方では「肝煎(キモイリ)」と呼ばれた〕

ナノ(接頭)〔nano-=「小人」を意味するギリシャ語に由来〕国際単位系における単位名の接頭辞で、基本単位の十億(=十の九乗)分の一であることを表わす〔記号 n-〕。「—秒(=十億分の一秒=10^{-9}秒)・—テクノロジー」⇩ピコ

なのか⓪【七日】〔「なぬか」の変化〕❶月の第七日。❷日の数が七つあること。また、その日数。 —しょうがつ④【—正月(シヤウグワツ)】「七くさがゆ」を祝う、正月の七日。

なので[二](助動詞「だ」の連体形または形容動詞の連体形語尾「な」に、原因・理由を表わす「ので」の付いたもの)…だから。…であるので。「雨—延期する/あたたか—散歩に出る」⇩ので [三]①(接) 前に述べたことと、それを原因・理由として導かれる帰結とを結びつけることを表わす。〔口頭語的表現〕「外で食事は済ませてきた。—今は何も欲しくない」

ナノテクノロジー⑤〔nanotechnology〕ナノ(=十億分の一)メートル単位の精度で、個々の分子や原子を操作する科学技術。

なのはな①【菜の花】❶春の野を黄色に飾る、アブラナ・カラシナの花。❷アブラナ。「—畑(バタケ)⑤・—漬(ヅケ)⓪」

なのめならず④【《斜(め)》ならず】(副)〔雅〕程度がひととおりのことではない様子。「—喜びて」⇩ななめ❷

なのり【名乗(り)】〔「乗」は、宣言の意の借字〕[一]③⓪ ❶昔、上流階級の成年男子の実名。「—字③」❷武士が

戦場で敵に出会った場合や、宮廷の宿直(トノイ)の者が自分の番に当たった時、自分の名前を大声で言ったこと。「—を上げる〔=ⓐ自分がその本人だと申し出る。ⓑ立候補する〕」 ■二(造語) 動詞「名乗る」の連用形。 **—・でる**④【—出る】(自下一)(何かのために)自分がその当人だと名前を言って申し出る。

なの・る②【名乗る】(自他五) ❶人に会ったりする時など、自分の名前や身分などを進んで…と言う。 ❷「名乗り■一❶」を持つ。「…の姓を—〔=称する〕/妻の姓を—〔=自分の姓とする〕」 ❸「名乗り■一❶」を言う。 表記「名《告る」とも書く。〔⇩名乗り■二〕

ナパーム だん④【ナパーム弾】〔napalm ← aluminium salts of **nap**hthenic and **palm**itic acids〕 爆発すれば五〇メートル四方を火の海とする、強烈な油脂焼夷弾(ショウイダン)。 かぞえ方 一発

なばかり②【名ばかり】 名目だけで、その実質が(ほとんど)無いことを表わす。「—の社長/ごちそうとは—の〔=…と言うことも出来ない、そまつな〕/△立秋(大学)とは—で」

なばたけ②【菜畑】 アブラナの畑。まだ花の咲いていない菜の花の畑。〔菜っ葉類を植えた畑の意にも用いられる〕

なび・く②【〈靡く】(自五) ❶〔木の枝・草・藻など、長くてやわらかい物の先端が〕風や水の流れに従って横に動く。「秋風に穂をなびかせるすすき/スカーフをなびかせる」 ❷他人の意志・命令の通りに動く。「徳に—〔=服従する〕/権力者に—」

ナビゲーション③〔navigation=目的地に到達するための△航海(飛行)技術〕〔自動車ラリーなどで〕運転者に方向・速度などを指示すること。

ナビゲーター③〔navigator=航海士〕〔自動車ラリーなどで〕地図や標識を見ながら運転者に道案内をする役。〔広義では、目的地に到達するための案内役をも指す〕

なびろめ⓪【名〈弘め】—する(自サ)〔芸人・商人が〕芸名・店名を世間に△広く(初めて)知らせること。 表記「名披露目」とも書く。

ナプキン①〔napkin〕 ❶〔西洋料理で〕食事の時に口をぬぐったり 衣服をよごさないように胸や ひざに掛けたりする布。ナフキンとも。「紙—③」 ❷生理用品の一種。 かぞえ方 ❶は一枚

ナフサ①〔naphtha〕 粗製のガソリン。石油化学工業の原料。

なふだ⓪【名札】 名前を書いた札。

ナフタリン⓪〔naphthaline〕 コールタールから精製される、白い結晶物。殺虫剤や染料の原料。

ナフトール③〔ド Naphthol〕 コールタールからとった、無色できらきらする板状の結晶。独特のにおいを持つ。染料・医薬品などの原料。

なぶり ごろし⓪【〈嬲(り)殺し】(一気に殺さないで)苦しめながら殺すこと。 動 嬲り殺(コロ)す⑤(他五)

なぶり もの⓪【〈嬲(り)者・〈嬲(り)物】 情け容赦なく、からかわれたり いじめられたり するもの。「体が小さいばかりにいい—にされた」

なぶ・る②【〈嬲る】(他五) 無慈悲に、弱い者を苦しめたりからかったり する。 表記「〈嫐る」とも書く。

***なべ**①【鍋】〔もと、「肴(ナ)瓮(ヘ)」の意という〕 ❶食物を煮る時に使う(底の浅い)器。 ❷土(ド)鍋などで煮ながら食べる料理。「寒い時は—に限る/はま—・鳥—・牛(ギュウ)—・柳川(ヤナガワ)—・寄せ—」 かぞえ方 一口(コウ)(イッ)・一枚・一個・一つ

なべ しき②【鍋敷(き)】 テーブルなどに 火からおろした鍋を置くときに下に敷く物。木製や布製などがある。 かぞえ方 一枚

なべ ずみ⓪②【鍋墨】 鍋や かまの底につくすす。

なべ ぞこ⓪【鍋底】 ❶鍋の底。「—の焦げを落とす」 ❷〔「鍋底❶」の形から下降した曲線を連想し〕最低・最悪の状態にたとえる語。「—〔=悪い状態が横ばいで当分続く〕景気⑤」

なべ つかみ③【鍋〈摑(み)】 熱い鍋の取っ手を持つときに使う、厚みのある△布(手袋)。 かぞえ方 一枚。手袋は左右で一双・一組

なべ づる②③【鍋鶴】 東洋特産のツル。からだは ねずみ色で、頭と首が白い。特別天然記念物。〔ツル科〕 かぞえ方 一羽

なべ て①【《並べて】(副) 「おしなべて」のやや古風な表現。

なへ に①〔雅〕〔接続助詞「なへ」+格助詞「に」〕何かと並行してそのことが行なわれることを表わす。「あしひきの山川(ヤマガハ)の瀬の鳴る—弓月(ユヅキ)が岳に雲立ち渡る」

なべ ぶぎょう③【鍋奉行(ブギヤウ)】 数人で鍋料理を食べるとき、具材をいれるタイミングや食べ頃などを細かく指示する人。

なべ ぶた⓪【鍋蓋】 ❶なべのふた。 ❷漢字の部首名の一つ。「亠・交・京」などの、上部の「亠」の形が、なべのふたに似ているところから言う。〔「亠」に始まる漢字がこれに属する〕 ⇩けさんかんむり

なべ もの②【鍋物】 鍋で煮ながら食べる料理。すき焼・ちり鍋・水炊きなど。なべ料理。

なべやき うどん⑤【鍋焼(き)〈饂飩〉】 小さな土(ド)鍋へ汁を入れ、鶏肉や野菜などと交ぜて煮たうどん。略して「鍋焼き⓪」。

なべ りょうり③【鍋料理(レウリ)】 ⇩なべもの(鍋物)

な へん⓪【那辺】(代) 明らかにされていない事柄について、問題となるのはどのような点かと、疑いをいだくことを表わす。「彼の△発言(悪意)は—なりや」 表記「奈辺」とも書く。

ナポリタン②〔フ napolitain=ナポリ風〕 スパゲッティで、トマトソースを用いて調理したもの。〔日本生まれの料理〕「スパゲッティ—」

***なま**【生】 ■一① ❶〔食品(の素材)などとする物について〕加熱・加工などされていない、とれた時の状態のままであること。「タマネギを—のまま食べる/—の魚/—野菜・—木」 ❷△編集されていない(直接耳にすることが出来る)音声など。「市民の—の声/—△演奏(番組・放送)」 ❸不完全な点があって、望ましい段階には達していないととらえられる状態。「表現が—だ〔=十分に練れていない〕/—煮え・—乾(ガワ)き・—学問」 ❹「生ビール・生意気・現なま」の略。「—〔=生ビール〕一丁/—〔=生意気〕を言うな/お—さん〔=ちょっと生意気なところのある子供〕」 ■二(接頭)〔形容詞に冠して、副詞的に用いられる〕それとはっきり言い切れないが、なんとなくそのような様子であることを表わす。「—あたたかい・—白(ジロ)い・—やさしい」

なま あくび③【生〈欠伸〉】 生理的にしきりに催すけれども、不完全・中途半端なあくび。「—をかみ殺す」

なま あげ⓪【生揚(げ)】 ❶揚げ方が不十分な△こと(物)。 ❷豆腐を厚く切って軽く揚げたもの。あつあげ。

なま あせ③⓪【生汗】 緊張した時などにじわじわと出てくる、いやな感じの汗。

なま あたたか・い⑥【生暖(か)い】(形) 予測に反して(ちょっと)暖かく感じられる様子だ。〔口頭語形は「なまあったかい⑥」〕「一月だというのに妙に—風が吹く」

なま あん⓪【生〈餡】 アズキ・インゲンなど、あんの原料を煮て皮をとっただけで、まだ砂糖を加えていないもの。

なま いき⓪【生意気】〔「いき」は、粋(イス)の意〕 ❶それだけの存在でもないのに、一人前の言動をして偉ぶること。「—言

うな／―盛(ザカ)り⑤」 ㊁―な・―に ちょっとした知識をひけらかしたりするので、機会があれば懲らしめてやりたい感じだ。「―な口をきく／―な奴(ヤツ)だ／―にも自分にやらせて呉(ク)れと言い出した」

なまうお②(―ウヲ)【生魚】 なまざかな。

なまうめ②【生梅】 木からもいだばかりのウメの実。

***なまえ**⓪(―マヘ)【名前】 同一のグループに属するかどうか、また、同一のグループ内で同じ個体であるかどうか、の認識に役立つように付けられる象徴的記号。〔人については、狭義ではその家族に属する一人ひとりを区別して表わす呼び方『=一郎・花子など』を指すが、広義では名字をも含んだり『=田中一郎・山田花子など』、単に名字『=田中・山田など』を指したりする〕「カジカは、魚の―にもカエルの―にもある／同じ―の会社があるので紛らわしい／―を△明かす(挙げる)」 **―まけ**⓪【―負㋘】―する(自サ)〔人について〕名前がりっぱ過ぎて、実物が見劣りすること。また、そのために出世しないと思うこと。

なまえんそう③(オ)【生演奏】〔録音と違って〕劇場やホールなどで、実際に行なう演奏。ライブ。

なまがい②(―ガヒ)【生貝】 生の貝。〔狭義では、アワビを指す〕

なまがき③②【生〈牡蠣〉】 殻△に付いた(から離した)まま で、煮たり 焼いたりしていないカキ。

なまがし③(―グワ―)【生菓子】 あんやクリームなどが使ってあり、長持ちのしない、和菓子やケーキ類の総称。↔干菓子

なまかじり⓪【生〈齧〉㋷】―する(他サ) 黙って聞いている限り知識があるようにも思われるが、ちょっと尋ねてみると、あやふやであったりして、本当は十分な知識が無いこと。〔口頭語形は「なまっかじり⓪」〕

なまかべ②⓪【生壁】 ㊀塗りたてで、よく乾いていない壁。 ㊁〔←生壁色⓪〕 △藍(イア)(薄茶)色を帯びたねずみ色。

なまかわ⓪(―カハ)【生皮】 ㊀はがしたままで加工していない(動物の)皮。 ㊁からだの皮。皮膚。「―をはがす」 ㊂〔岐阜・愛知・三重の方言〕なまくら。

なまがわき⓪【生乾㋖】 十分に乾いていないこと。

なまき⓪【生木】 ㊀地面に生えている木。「―を裂く〔=相愛の二人を無理に別れさせる意にも用いられる〕」 ㊁切ったばかり△の(で乾燥していない)木。〔狭義では、まだ乾いていない薪(キマ)を指す〕

なまきず②【生傷】 △受けた(出来た)ばかりの傷。「―が絶えない」↔古傷

なまぎゅうにゅう③(―ギウ―)【生牛乳】〔粉乳・練乳に対して〕普通の牛乳。生乳(セイニュウ)。

なまぐさ⓪【生臭】―な 生臭い△物(様子)。 **―・い**④【―〈腥い〉】(形)〔もと、動物のからだなどから発する△いや(変)なにおいの形容〕 ㊀生の魚や生肉・血のにおいがする様子だ。 ㊁〔超俗的・半ば聖域に属すると考えられてきた物事が〕世間一般の物事と同じように、貪欲に欲求を満たそうとする対象になる様子だ。「『人類の共有財産』とされてきた南極にも、資源問題が脚光を浴びるにつれ―風が吹き始めた」 派 **―さ**③ 表記「〈腥い〉」は、古来の用字。 **―ぼうず**⑤(―バウ―)(オ)【―坊主】 戒律を破る僧。また、俗気の多い僧。 **―もの**⓪【―物】 昔、僧侶(ソウリョ)が食べることを禁じられた魚肉・獣肉。↔精進物(ショウジンモノ)

なまくび②⓪【生首】 斬(キ)られて間もない、人間の頭部。「―を切る」〔俗に〕現職を解雇するたとえ。

なまくら⓪【《鈍ら》】―な・―に ㊀よく切れない△こと(刀・様子)。 ㊁なまけたり 意気地が無かったりする△こと(人・様子)。 ㊂〔←なまくら四(ヨ)つ⑤〕〔すもうで〕右を差しても左を差しても戦える△こと(様子)。

なまクリーム④【生クリーム】 しぼった牛乳から取り分けた脂肪分。バターの原料。また、そのまま で洋菓子や料理などに使う。

なまけもの⓪ ㊀【怠け者】 いつも怠け(てい)る人。「―の節句働き」↔働き者 表記「〈懶け者〉」とも書く。 ㊁中南米産の、サルに似た哺乳動物。昼は木にぶらさがって眠り、動作が鈍い。〔ナマケモノ科〕 かぞえ方 一匹

なま・ける③【怠ける】(自下一) それをする時間的余裕があるのに、本来すべき事をしないで むだに過ごす。サボる。ずける。 表記「〈懶ける〉」とも書く。

なまげんこう③(―カウ)(オ)【生原稿】 肉筆の原稿。

なまこ③【〈海〈鼠〉〉・生子】〔「こ」は、ナマコの古称〕 ㊀海底にすむ棘皮(キョクヒ)動物の一種。からだは円筒形で柔らかく、背面にはいぼがある。マナマコは食用。⇩いりこ・きんこ ㊁なまこ形にした△銑鉄(センテツ)(銅)の塊(カタマリ)。 ㊂「なまこ板・なまこ形・なまこ壁・なまこ餅(モチ)」の略。 表記 古くは「生〈海〈鼠〉〉」と書いたが、後 普通には略して「〈海〈鼠〉〉」とのみ書く。俗に、「生子」とも書く。 かぞえ方 ㊀は一匹 **―いた**④【―板】 細かく波形に曲げたトタン板。 **―がた**⓪【―形】 半円筒形。 **―かべ**③【―壁】 土蔵などの外壁に、平らな かわらを張りつけ、その継ぎ目をしっくいで なまこ形に塗りあげた壁。 **―もち**③【―餅】 なまこ形に細長く作った餅。 かぞえ方 一本

なまごみ②⓪【生ごみ】 台所から出る、野菜くずや食品の残り物など、水分を含んだごみ。

なまゴム⓪【生ゴム】 ゴムの木からとった液を凝固させて作った、ねばりのある物質。ゴムの原料。ラテックス。

なまごろし⓪【生殺し】 ㊀完全に殺すでもなく、ほぼ死にそうな状態にしておくこと。「蛇(ヘビ)の―」 ㊁どう身を処していいか分からない立場に立って困る(ようにさせる)こと。「現状は若い研究者の就職の機会を奪い、―にしている」

なまコン⓪【生コン】〔←生コンクリート⑥〕 すぐ使えるように調合してあるコンクリート。

なまざかな③【生魚】〔とれたときの状態のままで〕煮焼きしたり 干したりしていない魚。

なまざむらい③(―ザムラヒ)【生侍】 奉公し始めたばかりの(年の若い)侍。青ざむらい。

なまじ⓪(副)〔「生強(ナマジヒ)」の変化〕 ㊀そう△した(である)こと自体は好ましいことなのに、状況への判断や対応を誤るなどして、期待に反する結果を招く様子。「―口を出したのが悪かった／―健康に自信があったため、かえって癌(ガン)の発見が遅れた／―引き受ければあとでひどい目にあうにちがいない」 ㊁〔多く「―の」の形で、あとに否定表現を伴って〕知識や経験などから予測されるよりも程度がはなはだしいことを表わす。「赤道直下は―の暑さではなかった／彼の碁の腕前は―(のもの)ではない／―の勉強で合格できる試験ではない」 表記 古来の用字は、「〈憖〉」。

なまじっか⓪(副)―な・―に 「なまじ」の口頭語的表現。「―会わなければよかった／当節―なお金では家が買えない」

なましょく⓪【生食】 加熱したりせず、生のままで食べる(のに適している)こと。「せいしょく」とも。「―用の牡蠣(カキ)」

なまじろ・い④【生白い】(形) 肌の色、とくに、顔色が病身ででもあるかのように白い様子だ。〔口頭語形は「なまっちろい⑤」〕

なます⓪【〈膾〉・〈鱠〉】 生の魚や野菜を細かく切って酢にひたした料理。

なまず⓪(―ヅナマ)【〈癜〉】 糸状の細菌が寄生して薄茶色または白色のまだらが出来る皮膚病。癜風(デンプウ)⓪。

なまず⓪(―ヅナマ)【〈鯰〉】 川や沼などにすむ淡水魚。うろこが無く、形は平たくて大きく、口にひげがある。大形のものは、地震を起こすとの俗信がある。〔ナマズ科〕 かぞえ方 一尾・一匹

ーひげ③【―〈髭〉】細長い口髭(のある人)。〔明治時代、役人をあざけって言った語〕

なま たまご③【生卵】〔加熱・加工をしていない〕親鳥が産んだときの状態のままのニワトリの卵。「―をご飯にかけて食べる／―にちかい半熟卵」

なま ち③②⓪【生血】生きている動物からとった血。「いきち」とも。〔薬用としても用いられる〕「△コイ(スッポン)の―」

なま ちゅうけい③【生中継】―する(他サ)〔録音や録画と違って〕現場から実際に何かが行なわれている状況を中継放送すること。また、その中継。

なまっ ちょろ・い⑤【生っちょろい】(形) ものの考え方や処世態度などがいいかげんで、どんな点から見ても一人前の存在とは認められない様子だ。「―理論を振り回す青年」

なま つば⓪②【生唾】〔△酸っぱい(食べたい)物を見た時や緊張した時に〕自然に出てくるつばき。「―を飲み込む」

なま づめ⓪②【生爪】人の爪のうちで、指の肉に密着していて切る対象とはしない部分。「―を△剝(は)がす(剝ぐ)」

なま テープ③【生テープ】まだ使用していない△録音(録画)用テープ。

なまなか⓪【生《半》】―な/―に 徹底していない点があって中途半端に終わる様子だ。〔副詞的にも用いられる〕「―な世話などしない方がいい／―の学者ではない／―引きとめたばっかりに迷惑をかけた」

なま なま③(副)―と/―する 新たに生じたときのままの状態だという印象を強く受ける様子。「―(と)した血がこびりついていた」

なまなまし・い⑤【生々しい】(形) 今行なわれたばかりのことのように思えるほど鮮明な印象を受ける様子だ。「戦争の傷跡も―建物／記憶に―／―描写」 派 ―さ⑤④

なま にえ⓪【生煮(え)】十分に煮えていないこと。「―のサトイモ／―の〔=イエスなのかノーなのか はっきりしない〕態度」

なま にく⓪②【生肉】火を通していない、なまの肉。「―を熟成させる／ライオンに―を与える」

なま ぬる・い④【生《温い》】(形) ❶望まれるほどには十分に熱くなっていない。❷決断力や徹底を欠く様子だ。「―性格／―処置／努力が―」 派 ―さ③

なま ばな②【生花】⇩せいか(生花)❶

なま ハム⓪【生ハム】塩漬けにした豚肉を、加熱せず、(長期間)乾燥し熟成させたハム。

なま はんか⓪【生半可】―な/―に〔「か」は、接辞〕〔知識や言動が〕正確さや徹底を欠く中途半端な状態。「―な知識」

なま ばんぐみ③【生番組】△録音(録画)によるものではない、生放送の番組。⇩生放送

なま はんじゃく③【生半尺】―な/―に〔中部・近畿・中国・四国方言〕中途半端。「なまはんじゅく③」とも。

なま ビール③【生ビール】醸造したままで加熱・殺菌していない、酵母菌を生かしたビール。ドラフトビール。⇩ラガービール 表記「生〈麦酒〉」とも書く。

なま びょうほう③【生兵法】〔ビヤウハフ〕習ったばかりで、十分に使いものにならぬ剣術。〔生かじりの知識の意にも用いられる〕「―(は)大けがのもと」

なま ぶ②⓪【生〈麩〉】焼いたり乾かしたりしていない麩。「なまふ」とも。

なま フィルム③【生フィルム】まだ撮影していない「フィルム❶」。

なま ぶし⓪【生節】⇩なまり

なま へんじ③【生返事】―する(自サ) 気乗りのしない時にする、はっきりしない返事。⇩二つ返事

なま ほうそう③【生放送】〔ハウー〕―する(他サ)〔前に録音・録画したものの再生ではなく〕スタジオまたは現場から直接に放送する△こと(もの)。

なま ぼし⓪【生干(し)】―する(他サ)〔干物(ひもの)について〕完全に干しあげていない△こと(物)。あまぼし。「なまび⓪②」とも。

なま まゆ⓪【生繭】加工していない繭。表記「生《乾し》」とも書く。

なま み②⓪【生身】生命体として生理的制約を受ける一方において、意志や感情を有する存在としての人間。「―のからだにこんな苛酷(カコク)な労働が堪えられるはずが無い／いくら立派な人でも―の人間である以上 食べなければ腹がすくし打たれれば痛いに決まっている」

なま みず②【生水】〔ミヅ〕〔飲み水として〕まだ沸かしていない水。「外国では―を飲まない方が安全だ」

なま めかし・い⑤【《艶めかしい》】(形)〔女性が〕身のこなしなどがあでやかで、性的魅力が感じられる様子だ。「ダンサーは、なまめかしく腰を回転させた」 派 ―さ⑤④

なま め・く③【《艶めく》】(自五) なまめかしく感じられる。

なま もの②【生物】なまの状態の△もの(食品)。特に、なま魚・なま菓子など。

なま やけ⓪【生焼(け)】(食品が)十分焼けていないこと。また、その物。

なま やさし・い⑤⓪【生易しい】(形)〔一般に否定表現と呼応して〕安易な気持で対処することが許されない様子だ。「この大工事を完成させるのは―ことではない／君達が勝てるような―相手ではない」 派 ―さ⑤④

なま ゆで⓪【生〈茹で〉】茹で方が十分でない△こと(物)。

なま よい⓪【生酔(い)】〔ヨヒ〕外見は酔っているように見えても、本当はそんなに酔っていない状態(の人)。「―本性たがわず」

なまり⓪〔↑なまり節(ブシ)⓪〕カツオを蒸して、生干しにした食品。生節。かぞえ方 一本

なまり③【〈訛〉】〔動詞「訛る」の連用形の名詞用法〕なまった結果、本来の発音からずれたもの。〔狭義では、その時代の標準的発音からずれたものを指す。例、「京都―・東北―・お国―」〕

なまり⓪【鉛】金属元素の一つ〔記号 Pb 原子番号82〕。青白色で軟らかく、重い。用途が広い。

なま・る②【〈訛る〉】(自他五)〔その△地域一帯(時代)の人の口にする語形が〕発音の便宜上、伝統的な言い方とは違って、少しくずれた言い方△になる(である)。また、そういう言い方をする。例、質屋を「ヒチヤ」、新宿を「シンジク」、晦日(ツゴモリ)を「ツモゴリ」、柊(ヒイラギ)を「ヒラギ」と言うなど。

なま・る②【《鈍る》】(自五) ❶刃物が使っているうちに、前と違って切れなくなる。❷△年をとったりしたため(しばらく使わなかった間に)以前見られた腕前・勢い・活発さなどがにぶること。「運動不足でからだが―」

なま ワクチン③【生ワクチン】小児麻痺(ヒマ)や結核などの予防のために接種する、病原性が極度に低い生きたウイルスや細菌。

なみ【並】〔ならぶ意の文語動詞「なむ」の連用形の名詞用法〕[一]⓪Ⓐ全体の中で占める割合が最も多い、最も普通の△もの(程度)。中くらい。「―の人間では到底思いもつかないアイデア／―幅・―製」Ⓑ「下等❷」の婉曲(エンキョク)表現。「上二千円、中千八百円、―千五百円」[二](造語) ❶並んでいる△こと(物)。「―木・家(イエ)―(ヤナミ)・町―」❷問題になっているものの水準と同じ程度であることを表わす。「家族―に取り扱う／親戚(シンセキ)―のつきあい／課長―の待遇／客―に扱う／世間―・人―・十人―・例年―」❸どの単位にも同じようにその事が行なわれることを表わす。「軒―・月―」

なみ②【波】❶風などによって揺れ動いた水面に高低が生

じ、押しやるように次つぎに伝わっていく現象。「―が砕ける／逆巻く―／山(の)―〔=山脈〕／甍の―〔=連続的に起伏して見える状態〕／人(の)―〔=次つぎに押しかける大群衆〕」 ❷休むことなく押し寄せ、個人が抵抗することの出来ないもの。「△時代(老い)の―／都市化の―に洗われる／長い不況の―をかぶる」 ❸起伏があり、高低の常ならぬ物のたとえ。「△好調(景気回復)の―に乗る／作品に―〔=むら〕がある」 ❹音・光が空気などの中を振動しながら次つぎに伝わる現象。 表記 ❶は、「《浪」とも書く。

なみあし [0]【並足】 ❶普通の足なみ。 ❷〔馬術で〕最もおそい足なみ。

なみいた [0]【波板】 波形の でこぼこを全体に付けた、トタンや塩化ビニールの板。

なみいる [3][0]【並(み)居る】(連体) 同じような△力(条件)を備えた者が数多くいる様子を表わす。「―強豪を倒して優勝した」

なみうちぎわ [0]【波打(ち)際】 波が打ち寄せて形作る、水と陸との境界。

なみう・つ [3]【波打つ】(自五) ❶波が押し寄せて砕ける。 ❷波のように起伏する。「たいこ腹が―／△興奮(恐怖・喜び)のあまり胸が波打っていた」

なみがしら [3]【波頭】 波の高まった、最も上の所。

なみかぜ [2]【波風】 風が吹いて波が立つこと。「―〔=争い事〕の絶えない家庭／世の―〔=つらい、いやな出来事〕に揉まれる」

なみき [0]【並木】 △幹線(主要)道路に沿って規則的に間隔を置いて植えてある木。〔両側・片側・中央に植えるなど、いろいろの方法がある。街路樹は、その一種〕「―道[3]・杉―[3]・松―[3]」

なみじ [0]【波路】〔雅〕〔船の通る波の上を、道に見立てた表現〕船路。航路。「―遥かに」 表記 「《浪路」とも書く。

なみしぶき [3]【波〈飛〈沫】 波と波とがぶつかったり 波が岩などにぶつかったり して立てるしぶき。

なみ・する [3][1]【《蔑する】(他サ) 〔「無みする」意〕△そのものの存在(権威)を無視する。

なみせい [0]【並製】 庶民の需要に応じるように作った△もの(こと)。 ↔上製

なみだ [1]【涙・〈泪】 ❶感極まったり 外部からの刺激を受けたりした時、目からあふれ出る透明な液体。「人の不幸に―を流す／血も―も〔=温かい心や、思いやりの気持が全く〕無い奴／うれし―にくれる」 ⇩涙腺 ❷〔「―の…」の形で〕それに関係する人びとが涙なしではいられないことである意を表わす。「―の対面／―の別れ」 かぞえ方 一粒・一筋・一滴

【―を〈吞む】 残念な気持をこらえる。「一回戦で敗れ、涙を呑んで会場をあとにした」

【―ながら】 [4]泣きながら。「―に話す」

【―を振るって】 私情を殺して、やむをえず。

―あめ [4][3]【―雨】 ❶ほんの少しだけ降る雨。 ❷葬式などの悲しい時に降る雨。

―きん [0]【―金】 手切れ金として与える、少額のお金。

―ぐまし・い [6](形) 困難や危機を乗り越えて目的を達成しようとする様子を見聞きして、感動のあまり思わず涙を流さずにはいられない状態だ。「―努力」 派 ―さ [6][5]

―ぐ・む [4](自五) 目に涙をためる。

―ごえ [4]【―声】 悲しくて△泣き出しそうな(泣きながら話す)声。泣き声。

―・する [1]-[0](自サ) 涙を流す。

―もろ・い [5]【―〈脆い】(形) 何かにつけて感動したり悲嘆したりして、涙を流す様子だ。また、そのような性質だ。「年をとって涙脆くなる」 派 ―さ [4]

なみたいてい [0]【並大抵】―な 〔一般に否定表現と呼応して〕ごく普通に考えられる程度ではすまされない様子だ。「―の努力では出来ない」

なみだ・つ [3]【波立つ】(自五) ❶波が高くなる。〔争いが起こる意にも用いられる〕 ❷何かが原因で、動悸が高まる。「胸が―」 名 波立ち [0] 「心の―」 他動 波立てる [4]

なみとう [0]【並等】 普通の等級。「―塩[3]」

なみなみ [3](副)―と あふれそうなほど容器に液体が満たされる様子。「杯に―(と)つがれた酒に口をつける」

なみなみ [0]【並々】 可も無く不可も無い、ごく普通の程度。「―ならぬ△苦労(決意・努力)／気魄・素養・博学、どの点も―ならぬ〔=水準以上の〕ものがある」

なみにく [0]【並肉】〔肉屋で〕スライスして売る食肉の中で、一般に赤身の割合のいちばん少ない肉。 ⇩上肉・中肉

なみのはな [5]【波の花】 ❶白く泡立って寄せる波。 ❷水商売やすもうで、盛り塩の称。〔もと、女房詞で塩の意〕

なみのほ [0]-[1]【波の穂】〔雅〕なみがしら。

なみのり [3][0]【波乗(り)】―する(自サ) 〔遠浅の海岸で〕板などを使い、波がしらに乗って遊ぶこと。サーフィン。

なみはず・れる [0][5]【並外れる】(自下一) 普通の性質・能力と非常に違っている状態だ。「並外れた成績／並外れて大きい」 名 並外れ [0]

なみはば [0][2]【並幅】 普通の幅の反物。もめん物の幅。普通、三六センチぐらい。 ↔広幅

なみばん [0]【並判】〔衣類・紙製品などの〕普通の大きさ。

なみま [0]【波間】 ❶波の低い所。波の谷。「―に浮かぶ」 ❷波が寄せて来ない間。

なみまくら [3]【波枕】〔雅〕旅に出て、船の中や海岸近くの宿で泊まること。

なみよけ [0]【波《除(け)】 ❶波をよける△こと(ためのもの)。「船の―」 ❷波を防ぐ堤。防波堤。

なむ [1]【南無】(感) 〔「帰命・敬礼」の意の梵語の音訳〕仏や菩薩に△すべてを任せる(すがる)気持を表わす言葉。拝む時に唱える。

なむあみだぶつ [5]【南無〈阿《弥〈陀仏】〔浄土宗・浄土真宗で〕阿弥陀仏に帰依する気持を表わして唱える言葉。「六字の名号」とも言う。

なむさん [1][0][3]【南無三】(感) 「南無三宝❷」の略。

なむさんぼう [1]-[0]【南無三宝】 ❶〔仏教で〕仏・法・僧の三宝に加護を願うこと。 ❷(感) ❶〔仏教で〕三宝に救いを求める時などに発する語。 ❷失敗した時などに言う言葉。「―しくじった」

なむみょうほうれんげきょう [0]-[0]【南無妙法〈蓮華経】〔日蓮宗で〕法華経の偉大な徳を賛嘆し、それに帰依する意を表して唱える語。「七字の題目・お題目」とも言う。

ナムル [1]〔朝鮮 namul〕〔朝鮮料理で〕いためたりゆでたりした大豆のモヤシ・キュウリ・ナス・ゼンマイなどのあえもの。

なめ [1] 昔の銭の裏で、文字が無く なめらかな方。 ↔形

なめくじ [3]【〈〈蛞蝓〉〉】 陸上で生活する巻貝で、殻が退化しているものの総称。湿った所にすみ、塩をかけると、とけたように小さくなる。野菜類の害虫。「なめくじり[3]・なめくじら[3]」とも。〔ナメクジ科・コウラナメクジ科など〕 表記 「〈〈蛞蝓〉〉」とも書く。 かぞえ方 一匹

なめこ [3][0]【《滑子】 ブナなどの枯木に生え、また栽培もされるキノコ。色は茶色で、ぬらぬらしている。食用。〔モエギタケ科〕「―椀[3][0]・―おろし[4]」

なめしがわ [0]【〈鞣革】 なめして柔らかくした革。 ⇩いためがわ

なめ・す [2]【〈鞣す】(他五) 動物の皮から毛・脂肪を取り

去って柔らかにする

なめず・る③ナメヅル【〈舐めずる】(他五) おいしいものを食べ△たあとで(る前に)くちびるを舌でなめる。〔行儀の悪い事とされる〕

なめつく・す④【〈舐め尽くす】(他五) 全部なめる。〔炎がそのあたりの物を全部焼き払う意にも用いられる〕

なめみそ⓪【〈嘗め味〈噌】 そのまま食べられるように、野菜・魚肉などを加えた味噌。ひしお・たい味噌など。

なめもの②⓪【〈嘗め物】 少しずつなめるようにして食べる、味の濃いおかず。嘗めみそ・塩辛など。

*__なめらか__②【滑らか】—な/—に ❶でこぼこが無く、きめが細かい様子だ。「—な肌」 ❷つかえるところが無く進行する様子だ。「議事が—に運ぶ」 派—さ③④

*__な・める__②【〈舐める・〈嘗める】(他下一) ❶〈なにデ〉なにヲ—〉舌でなでるようにする。「炎が天井を—〔=舌でなめるように、焼く〕」 ❷〈なにヲ—〉歯でかまないで、舌で味わう。「あめを—」 ❸〈なにヲ—〉つらいことを経験する。「△辛酸(苦杯)を—」 ❹〈だれヲ—〉ばかにする。「相手が弱いからといってなめてかかってはいけない」〔❹はもと、無礼の意の「なめし」を動詞化したもの〕

なや①【納屋】 農具などを入れておく物置小屋。

なやまし・い④【悩ましい】(形) ❶難問に対処する方法が見出せないで、どうしたものかと悩まずにはいられない様子だ。〔古くは「気分がすぐれない」意にも用いられた〕「—青春の日び/次の一手をどう打つか—ところだ」 ❷官能が刺激されて平静でいられない感じだ。「—浴衣姿の女性」 派—さ③④ —げ⓪⑤ —が・る⑤

なやま・す③【悩ます】(他五) 〔「悩む」の使役動詞形〕(しつこく)苦しめる。悩ませる④(下一)。「△心(頭)を—/騒音に悩まされる」

*__なやみ__③【悩み】 ❶精神的苦痛。「最大の—の種/持てる者の—〔=財産などを持っているがために起きる心配事〕/—を△いだく(打ち明ける)/深刻な—」 ❷(雅)病気。

*__なや・む__②【悩む】(自五)〈なにニ—/なにデ—〉 ❶負担・苦痛などマイナスの状態をこらえ、克服しようとして、方法が見いだせないでいる。「軒並、赤字に—」 ❷仕事や生き方に関して、どうしたらよいか分からなくて、困る。

なやめる③【悩める】〔「る」は、文語の助動詞「り」の連体形〕悩んでいる。「—姿/—乙女」

なよせ⓪【名寄せ】 名所や同類の物の名を集めた本。

なよたけ②⓪【《弱竹》】 なよなよした感じの若い竹ど頼りない感じがする様子。「—とした若い男/—としなう水草」

なよなよ①(副)—と/—する 自らを支える力も無さそうに見えるほど頼りない感じがする様子。「—とした若い男/—としなう水草」

なよやか②—な/—に なよなよしている様子だ。「細い—な指」

なら 〔文語断定助動詞「なり」の仮定「ならば」から〕 ■一(接助) その事柄の実現を認め、または想定することを表わす。「君が行く—僕も行こう/暑い—上着を脱ぎたまえ/読みたい—貸してあげよう」 文法 体言(名詞、またそれに準ずる句)、動詞・形容詞・「う/よう・だろう・まい」以外の助動詞(形容動詞型を除く)の終止形、形容動詞型の活用語の語幹に接続する(助動詞「だ」、形容動詞活用語尾の仮定形がこれに相当する)。 ■二(副助) ❶それに関して言えば。「彼—やりかねない/野球—三度の飯シメより好きだ/私—そうは思わない」 ❷それと排他的に結びつく何かを表わす。「僕は冬—スキーだ/花—サクラだ」〔古くは、「育ち—〖=と言い〗人柄—〖=と言い〗」というように、特記すべき点を例示する場合にも使った〕 ■三①(接) 「それなら」の、口頭語における圧縮表現。 文法 体言(名詞、またそれに準ずる句)に接続する。

なら①【〈楢】 ドングリのなる落葉高木。葉はクリに似て、五月ごろ黄茶色の花穂をつける。薪炭用。また、シイタケ栽培の原木としても用いられる。こなら⓪。〔ブナ科〕 かぞえ方 一株・一本

ならい②ナラヒ 冬、東日本の太平洋岸に吹く△西北(東北)の風。

ならいナラヒ【習い】 ■一② ❶習慣。「—、性イセとなる」 ❷事ごとし く取り上げるほど、珍しくはないこと。「世の—〔=つね。常態〕」 ■二(造語) 動詞「習う」の連用形。 —ごと⓪【—事】 けいこごと。 —しょう②⓪シヤウ【—性】〔「習い、性イセとなる」を誤って続けた語〕身についてしまった習性。

*__なら・う__②ナラフ(他五) ■一【習う】 ❶〈なにヲ—〉教えられた通り練習して、△やり方(こつ)を覚える。「歌を—」 ❷〈だれニなにヲ—〉教わる。「先生に—」 ■二【倣う・〈傚う】〈なにニ—〉先の例をまねし、その通りにする。「…の例に—/…に右へ倣えをする」〔⇩習い■三〕

ならく⓪【奈落】 ❶「地獄」の意の梵ボン語の音訳。 ❷劇場の舞台の床下。 —のそこ⓪【—の底】 二度と脱出出来ない、深い地獄の世界。〔底知れない深い所や、二度と立ち上がれない境遇の意にも用いられる。例、「—に突き落とされる」〕

ならし①⓪③【《均し》】〔動詞「均す」の連用形の名詞用法〕平均。「—五百円のもうけ」

ならじだい③【奈良時代】 奈良の平城京に都のあった七一〇年から七八四年までの時代。奈良朝⓪。

なら・す②【《生らす》】(他五) 〔「生る」の使役動詞形〕うまく育てて実をなるようにさせる。ならせる③(下一)。〔広義では、生育環境に恵まれるなどして実をつける意にも用いられる〕

なら・す②【《均す》】(他五) ❶平らにする。「土地を—」 ❷平均する。「均して月二十万円の収入」

なら・す②(他五) ■一【〈馴らす】 ❶(早く)馴れるようにしむける。 ❷動物が指示通りの芸をするように、訓練する。「飼い—・乗り—」 ■二【慣らす】 新しい△仕事(環境)にからだを慣れさせる。「からだを△暑さ(寒さ)に—」 名ならし③⓪「—運転④」

*__なら・す__⓪【鳴らす】(他五)〈なにヲ—〉 ❶音を出す(ようにする)。「猫がごろごろとのどを—/警鐘を—」 ❷強く言い立て(て、責め)る。「不平を—/相手の非を—」 【…で—】…ということで大変世間の評判になる。「昔は名投手で鳴らしたものだ/演劇界で鳴らした女優」

ならずして① …に(も)ならないうちに。「一年—・日—」

ならずもの⓪【成らず者】 正業を持たず、世間の人を困らせるような悪い事ばかりする人。ごろつき。 表記 「〈破落戸〉・〈無頼漢〉」(漢語表記)とも書く。

ナラタージュ③〔narration と montage の混交という〕〔映画などで〕主人公に過去のことを物語らせながら場面をそれに合わせるという手法。

ならづけ⓪【奈良漬け】 ウリ・ダイコンなどを酒かすで漬けたもの。

ならでは① …を除いては成り立たないだろうととらえられることを表わす。「熱帯—の果物/彼—のユニークなアイデア」

ならない② ❶(…することは)許されない。「見(なく)ては—」 ❷(…することが)出来ない。「油断—/がまん(が)—」 ❸どうしようもない。「心配で—/暑くて—」

ならぬ② ❶ならない。 ❷〔指定の助動詞「なり」の未然形+打消の助動詞「ず」の連体形〕…でない。「ひとかた—世話になる/道—〔=からはずれた〕恋」

ならば ■一①(接) それならば。出来るならば。 ■二ダ型形容

動詞の仮定形語尾「なら」+「ば」。「静か—」 三指定の助動詞「だ」の仮定形+「ば」。「君—出来る」

ならび【並び】 一⓪ ❶並ぶもの。並んでいる状態。「歯の—」 ❷道の同じ側。「花屋の—の肉屋」 ❸比べられるもの。「—もない人物」 **—な・い**④【—無い】(形) その度合いが一段と抜きん出ていて、他に比べるものがない様子だ。 文法 助動詞「そうだ(様態)」に続くときは「並びなさそうだ」の形になる。また「すぎる」と結びついて複合動詞をつくるときは「並びなさすぎる」の形になる。 二(造語) 動詞「並ぶ」の連用形。 **—だいみょう**④ミヤウ【—大名】〔歌舞伎カブキで〕大名に扮フンして並んでいるだけで、別に台詞セリフや仕種シグサの無い役者。〔列席・同座するだけで、発言力の無い人の意にも用いられる〕 **—に**⓪(接) および。…と…。「東京—大阪」

**なら・ぶ⓪【並ぶ】(自五)〔「均ナラす」と同源か〕 ❶〈なに・だれトー/なにニー〉 幾つかのものが、互いに秩序を保って前後左右に近く位置する。「並んで(=ⓐ相互に離れないで。ⓑ列を作って)走る/囲碁にかけては、社内で彼に—(=かなう)者はいない」 ❷〈なに・だれトー〉 すぐれた二つのものが同時に存在する。「才色並び(=両方とも)備わる/両雄並び立たず/並び称される(=双璧ソウヘキとして取り上げられる)」〔⇩並び二〕 文法 ❶は、日常の談話では、文末の述語は一般に「並んでいる」の形で用いられる。

ならべた・てる⑤【並べ立てる】(他下一) 一つ二つでは不十分として、幾つでも言い立てる。「美辞麗句を—/お礼の言葉を—(=心がこもっていない場合には慇懃インギン無礼と受け取られることもある)/文句を—」

*なら・べる⓪【並べる】(他下一) ❶〈なに・だれトなに・だれヲー/なにニなに・だれヲー〉 並んだ状態に位置させる。「机を二列に—/二人を並べて(=比べて)みると、まるで大きさが違う」 ❷〈どこニなにヲー〉 人に見えるように幾つも置く。「店頭に—」 ❸〈なにヲー〉 幾つものことを次つぎに言う。「欠点を—」 ❹〈なにニなにヲー〉〔碁・将棋で〕石・駒コマを幾つも盤の上に置く。

ならわし⓪ナラハシ【習わし】(動詞「習わす」の連用形の名詞用法) いつもそうするきまりになっていること。しきたり。風習。習慣。「古くからの—」 表記 「《慣わし」とも書く。

ならわ・すナラハス 一③【習わす】(他五)〔「習う」の使役動詞形〕習うようにしむける。習わせる④(下一)。「子供にピアノを—」 二【《慣わす】〔「動詞連用形+—」の形で、接尾語的に〕…することに慣れている。いつも…する(ことになっている)。「言い—/呼び—/読み—」

なり 一(副助) まだそれ以外にもあるという気持で例示し、その中から一つを選ぶことを表わす。「電話—手紙—で知らせる/新しく買う—だれかに借りる—してください/親—に相談しよう/せめて私—に知らせてくれればよかった/何—と言いなさい」 文法 名詞、動詞、受身・使役の助動詞「れる/られる・せる/させる」の終止・連体形、格助詞(ただし、「が・を」を除く)に接続する。格助詞があとにつく場合もある。(「…なり…なり」の形で用いられる) 二(接助) ❶局面が変わると同時に何かが起こることを表わす。…するとすぐ。「顔を見る—しかりつけた」 ❷以前の動作の結果がそのままであり、期待される局面への転換が行なわれないことを表わす。「買った—まだ読んでいない/使った—で片づけない」 文法 ❶は、動詞、受身・使役の助動詞「れる/られる・せる/させる」の終止・連体形に接続する。❷は、助動詞「た」に接続し、「…たなり」の形で用いられる。

なり【〈也】(助動)〔文語の助動詞〕 一(形動ナリ型) ❶ある状態が確かに認められるという判断を表わす。「本日は晴天—/三国一の名山—/金弐万円—/袴垂ハカマダレなる(=という名の)盗賊あり」 ❷ある場所にそれが存在するという判断を表わす。「江戸なる(=に住んでいる)伯父オジの許モトに寄寓キグウせり」 文法 体言(名詞、またそれに準ずる句)、活用語(形容動詞を除く)の連体形、接続助詞「と・て・ば」に接続する。 二(ラ変型) その判断が他人の話に基づいたり、声や音から推定したものであるということを表わす。「男もすなる(=書くという)日記といふものを女もしてみんとてするなり/みとしの(=お持ちになっている)梓弓アヅサの音す—」 文法 動詞、動詞型活用の助動詞の終止形に接続する。ただし、ラ変型活用語には連体形に接続し、また「あんなり」「なんなり」のような音便形であらわれることがある。

なり② 一【《生り】(動詞「生る」の連用形の名詞用法) 果物が実ること。「—が△いい(悪い)/スイカの一番—/うら—」 二【成り】(動詞「成る」の連用形の名詞用法)〔将棋で〕王将・金将以外の駒コマが敵陣に入って(本来の機能に加えて)「金」の資格を得ること。⇩なりきん❶

なり 一②【《形】 ❶かっこう。様子。「男の—をする/妙な—(=身なり)」 ❷からだつき。「年の割に大きな—だ」 三(造語) ❶形・かっこう。「弓—になってこらえる」 ❷…した通り。「言う—になる/言い—ほうだい」 ❸不十分なものの限界を容認することを表わす。「子供—の理屈/私—の解釈/曲がり—にも」 表記 三❶は、「《形」とも書く。

なり⓪【鳴り】(動詞「鳴る」の連用形の名詞用法) 鳴る音。「—がいい」 **【—を静める】** 物音を立てず、静かにする。 **【—をひそめる】** 今まで活動の状態にあったものが、△何かの意図で(自然の成行きで)静まって見える。

なりあがり⓪【成り上がり】(普通の△時世(やり方)では底辺の生活にあえいでいるはずの者が)要領がよかったり特別の縁故などで一躍社会的地位を得たり金持になったりすること。また、その人。〔多く、侮蔑ブベツを含意する〕「代々の商家でその辺の—とはわけが違う/—者モノ⓪」

なりあが・る④⓪【成り上がる】(自五) その人の家柄・財産・学歴などからいって上がれるはずの無い地位に異例の昇進を遂げる。〔古くは、「先途センド㊂」を越えた官職に就くことを指した〕

なりかぶら③【鳴り〈鏑】 かぶら矢。

なりかわ・る④⓪カハル【成り代わる】(自五) 本人の代りになって、その役目や立場などをつとめる。「ワープロ文書の作成からゴルフ場の予約まで、秘書に成り代わって仕事をしてくれる/息子に成り代わってお詫びします/成り代われるものなら、わたしの方が先に死にたかった」

なりき⓪【《生り木】 果物のなる木。

なりき・る③【成り切る】(自五) ❶△成長(生育・事態の進行)の結果、十分にそのものになる。「まだ△大人(夜)には成りきっていない」 ❷自分以外の対象に完全に同化する。「来月の舞台の役柄に—/大空を舞う鳥に—」

なりきん⓪【成金】 ❶〔将棋で〕敵陣に入り、金の資格を得た駒コマ。〔狭義では「歩が成ったもの(=と金)」を言う〕 ❷急に金持になった人。 **—かぜ**③【—風】「成金❷」が、その金力を自慢する態度やしぐさ。「—を吹かせる」

なりこ・む③⓪【成り込む】(他五)〔将棋で〕駒コマを敵陣に進めて、成らせる。「歩フを—」

なりさが・る④【成り下がる】(自五) 経済状態や社会的地位が昔と違って、極端に悪くなる。おちぶれる。

なりすまし⓪【成り済まし】 偽ってその人のふりを△する(して発言する)こと。

なりすま・す④【成り済ます】(自五) ❶昔の状態を知っている目から見れば信じられないほど、すっかりその役柄の人

になりきる ❷実際にはそうではないのに、その資格を持っている人のふりをする。「医者に成り済まして多くの患者の診断をする」

なりたち[0]【成(り)立(ち)】❶そのものの出来上がるまでの△事情(経過)。「会の―」❷その組織の組み立てられ方。構成。「文の―を説明する」

*__なりた・つ__[3][0]【成(り)立つ】(自五) ❶関連ある幾つかのものによって組織・構成される。「大学は教職員と学生とから―」❷〔必要な条件が満たされて〕その△状態(結果)が、関係する方面によってよいものと認められる。「理屈が―/契約が―〔=結ばれる〕/縁談が―〔=まとまる〕/商売が―〔=採算がとれる〕」

なりて[0][3]【《為(り)手》】 なろうとする人。「クラス委員の―がいない」

なりどし[2]【《生り年》】 その果物のよく実る年。↕裏年

なりとも(副助) ❶多くを望むわけではないが、それ(に類するもの)を最低限のものとして例示することを表わす。「本―〔=せめて本の一冊ぐらいは〕読みなさい/電話―〔=せめて電話一本ぐらい〕かけてくれればいいのに/母親にひと目―〔=せめてひと目であっても〕会いたい」❷なり。「どこ(へ)―行ってしまえ」 文法 体言(名詞、またそれに準ずる語句)、一部の副詞、「が」を除く格助詞に接続する。

なりは・てる[4]【成(り)果てる】(自下一) 最後に、みじめな状態になる。「物言わぬ骸ムクロと―/廃墟ハイキョに―」

なりひび・く[4]【鳴(り)響く】(自五) ❶鳴る音がまわりによく聞こえる。「ベルが―」❷評判が広く聞こえる。「文名が―」

なりふり[2]【《形振(り)》】〔人の目に映る〕かっこうや体裁。「―構わず〔=身づくろいを気にする余裕もなく〕朝から晩まで働く/―構わぬ〔=体裁が悪いとか品が悪いなどということにはこだわらずに行なう〕事前運動」

なりまさ・る[4][0]【成(り)勝る】(自五) 何かの△関係(影響)で、その状態がさらに程度を強める。〔形容詞・形容動詞の連用形を受ける。例、「暗く―/惨めに―」〕 表記「《為り勝る》」とも書く。

なりもの[2]【《生(り)物》】 ❶田畑からとれるもの。❷果物。

なりもの[0]【鳴(り)物】〔歌舞伎カブキで〕助奏として用いられる小鼓・大鼓オオカワ、太鼓・鉦カネ・銅鑼ドラ・笛などの楽器の総称。〔主奏楽器としての三味線に対する称〕⇩はやし ―いり[0]【―入(り)】❶鳴り物を鳴らして拍子をとること。❷前宣伝が度を越して行なわれたりなどして、ちょっとどうかと思われる様子。「―で宣伝する/―の会議」

*__なりゆき__[0]【成(り)行(き)】❶〔△動き行く(変化する)〕物事のその時その時のありよう。また、変化した結果。「事の―次第では/交渉の―いかんによる/今後の―を△静観する(にらみつつ対策を練る)」❷〔取引で〕市場の動向にまかせて出来た値段。

なりゆ・く[3][0]【成(り)行く】(自五) 物事が先へ進んで行く。

なりわい[0]ナリハヒ【〈生業〉】「生業セイギョウ」のやや古風な表現。家業。「古くから織物を―とし」 表記「〈産業〉・〈生活〉」とも書く。古くは「《農・《業・〈家業〉」。

なりわた・る[4]【鳴(り)渡る】(自五) ❶その音があたり一面に響く。❷よい評判が天下に聞こえる。「名声が―」

なる 〔文語助動詞「なり」の連体形〕〔雅〕 ❶な。「偉大―業績」❷…にある。…に居る。「天―父よ」❸…という。「顔回―者」❹…である。「母―大地」

**__な・る__[1](自五) ■一【《生る》】〈なにニ―〉形のある物が出来る。「瓜の蔓に(は)なすびは生らぬ/花だけで、実は生らない」

■二【成る】❶行為の結果、出来あがる。「世紀の偉業ついに―/功成り名遂ぐ/為ナせば―〔=出来る〕/成ろう〔=出来る〕事なら」❷〔組織が〕…で構成されている。「三つの民族から―国家/国会は二院より―」❸許すことが出来る。「負けて―ものか」❹〔「お＋動詞連用形＋に―」「ご…に―」の形で〕立場の上の人の動作を述べることを表わす〔=尊敬表現〕。「先生がお帰りに―/ご覧になりますか」

【成っていない】 ひどく期待はずれな事実に接して、がっかりさせられたり、その存在が腹立たしく感じられる様子だ。〔「なってない・なっちょらん」は、ぞんざいな表現〕「ふだん大言壮語しているくせにこれくらいでへこたれるとは―」

■三〔「為ナす」の自動形〕〈なにニ―〉 ❶今までとは違った状態に変わる。「古く―/水が湯に―/年ごろに―〔=達する〕/男に―/三時に―/午後から雨に―/全部で一万円に―〔=及ぶ〕/お金に―〔=金もうけが出来る〕/おもしろくなって来た/じれったく―〔=感じられる〕/役人に―〔=身分が変わる〕/苦労が薬に―〔=…として役立つ〕/ためにー〔=有効である。直接役立つ〕/勉強に―〔=知識や経験の獲得に資する〕」❷動かしがたい関係のあるものとして、ある状態に当てはまる。「必ず罰を受けることに―/付き合いはないが、彼は私の甥イオに―/〔レストランなど接客の現場での俗用〕こちらがご注文の品になります」❸〔将棋で〕王と金以外の駒コマが敵陣に△入って(打った後、動いて)、金の資格を得る。〔飛車は竜王に、角行は竜馬リュウメになる〕 表記 ■三の❶❷は、かながき、❸は「成る」と書く。

*__な・る__[0]【鳴る】(自五) ❶〔楽器・電話などから〕音が出る。❷広く世間に知れ渡る。「温厚をもって―山本君」

【腕が―】 ⇩腕

なるかみ[0]【鳴(る)神】〔雅〕かみなり。

なるこ[0]【鳴子】 鳥おどしの一種。小さな竹筒を板につけたものを掛け並べ、縄を引いて鳴らす。〔古称は、「引板タヒ[0][2]」〕 かぞえ方 一本

ナルシスト[4]〔narcissist〕 自己陶酔型の人。うぬぼれや。ナルシスト[3]〔narcist〕とも。

ナルシシズム[4]〔narcissism〕 自己陶酔(症)。ナルシズム[3]〔narcism〕とも。〔ナルキッソスは、ギリシャ神話で語られる美少年の名。エコーと呼ばれるニンフの愛を斥シリぞけたため自分の美しさにあこがれるように宿命づけられ、狩りの疲れを癒ヤイすべく立ち寄った泉に映る自分の姿を飽かず眺めているうちに、ついに一茎の水仙に化したという〕

なるたけ[0]【成(る)丈】(副) 「なるべく」の口頭語的表現。「―多く睡眠を取る/―テレビは見ないようにしている」

なると[0]【鳴戸・鳴《門》】❶満潮・干潮時に、大きな渦を巻いて鳴りひびく瀬戸。「阿波アワの―〔=鳴門海峡〕」❷〔←鳴戸巻[0]〕小口の断面が渦巻状になって見えるように、赤白の二色を巻き込んで作ったかまぼこ。〔色は普通、食紅で着ける〕

なるべく[0]【成(る)《可く・〈可成〉》】(副) 〔「成る可く」の意〕可能な限りそうであるように期待する様子。「―急いでお願いします/―なら若い者の方がいい」

なるほど[0]【成(る)程】(副) 他人の意見や説などに対して、納得できることだと感じ入る様子。「―そういう事情があったのか/―見事な推理だ」 運用 相手の話を聞きながら、「確かにその通りだ」という気持を込めて相槌アイヅチを打つ言葉としても用いられる。ただし、立場の上の人には用いない。

なれ[1]【〈汝〉】(代) 〔雅〕おまえ。

なれ[2]【慣(れ)】 慣れること。「―というものは恐ろしいものだ」 表記「〈馴れ〉」とも書く。

なれあ・う[3][0]アフ【〈馴(れ)合う〉】(自五) ❶互いに親しみあう。❷悪事の相談をして、他をだます。ぐるになる。❸親しくなり、互いの立場のけじめがなくなる。「労使なれあって交

渉する」[名]馴れ合い[0]

ナレーション[2][0]〔narration〕〔映画・テレビなどの画面の中で〕言葉で説明を加えること。また、その説明。

ナレーター[0][2]〔narrator〕〔放送などで〕語り手。

なれしたし・む[5]、[1]-[3]【慣れ親しむ】(自五) 繰り返し行なったり 接したり することで、親しいものになる。「抵抗なく泳ぐためには、まず水に―ことが大切/この地方で慣れ親しんで来た味」表記「〈馴れ親しむ」とも書く。

なれずし[2]【《熟(れ)《寿司・《熟(れ)〈鮨・《熟(れ)〈鮓】飯を使って、自然に発酵させて作るすし。琵琶湖の鮒(ナフ)ずしなど。

なれそめ[0]【〈馴(れ)初(め)】〔男女などが〕親しくなったきっかけ。動 馴れ初める[4][0](自下一)

なれっこ[2]【慣れっこ】そう△する(される)ことにすっかり慣れて平気なこと。「いつも待たされて(待つのは)―になる」

ナレッジ マネージメント[6]〔knowledge management〕社員がそれぞれに蓄積している業務上の知識や経験を組織的に共有し、問題解決・新商品開発などに活用する経営手法。知識管理。知識経営。ナレッジマネジメント[5]、[0]-[2]とも。

なれども [一][1](接)〔雅〕けれども。[二]〔文語助動詞「なり」の已(イ)然形 +ども〕であるが。「なれど」とも。「小兵―怪力の」

なれなれし・い[5]【〈馴(れ)〈馴(れ)しい・〈狎(れ)〈狎(れ)しい】(形) それほど△親しい関係(身近な存在)でもないのに、いかにもなれた様子で接するので、何か下心があるのではないかと思って避けたくなる感じだ。派 ―さ[5][4] ―げ[5][6][0]

なれのはて[0][5]【成(れ)の果(て)】おちぶれた結果(のみじめな状態)。「代議士の―/道楽者の―」

***な・れる**[2](自下一) [一]【〈馴れる】〈だれニ―〉 野生の動物が人間に対し、また、ペットが新しい飼い主に対し、警戒心を捨てて餌(サエ)を食い、親しみを表わすようになる。[二]【慣れる】〈なにニ―〉 ❶経験を積んだ結果、初めのように緊張したり 失敗したり することが無くなる。「新しい仕事に―/司会に慣れた〔=何回もして、つぼを心得た〕人」❷何度も経験した結果、らくに出来るようになる。「筆で書き―/靴が足に―〔=履き続けた結果、足によくなじんでいる〕/使い慣れた万年筆/通い―」❸何度も経験した結果、△何とも(珍しく)思わなくなる。「土地に―/上司の愚痴に―」[三]【《熟れる】〔△作って(使い始めて)から〕時間が経って、状態が変わる。「すしが―〔=ちょうど食べごろになる〕/なれた〔=よれよれになった〕着物/なれた〔=腐りかけた〕魚」[四]【〈狎れる】〈なにニ―〉 親しみのあまり、守るべき礼儀をつい忘れた態度を取る。「寵愛(チョウアイ)に―」

***なわ**[2]ナハ【縄】わら・麻などの繊維をより合わせた太いひも。「(お)―にかかる〔=犯人がつかまる〕/―を入れる〔=測量をするために縄を張る〕」かぞえ方 一本・一巻(ヒトマキ)

なわしろ[0]ナハ―【苗代】イネの種をまき、苗になるまで育てる田。なわしろ。 **―だ**[4]【―田】なわしろ。 **―みず**[4]ミヅ【―水】なわしろに注ぐ水。

なわつき[0]ナハ―【縄付(き)】警察につかまること。また、そのつかまった人。「家から―を出す〔=対社会的に不名誉な事とされる〕」

なわて[0]ナハテ【縄手・〈畷】あぜみち。たんぼみち[3]。

なわとび[3][4]ナハ―【縄跳(び)・縄飛(び)】縄を張ったり 回したりして、その上を飛び越えたり 跳びはねたり する△遊び(運動)。

なわぬけ[0][4]ナハ―【縄《脱(け)】―する(自サ) 縛られた手足などの縄をといて逃げる△こと(罪人)。

なわのび[0]ナハ―【縄延(び)】田畑の実際の面積が、土地の台帳に載っている面積よりも多いこと。

なわのれん[3]ナハ―【縄《暖〈簾】❶縄を垂らして暖簾としたもの。❷〔縄暖簾を下げた〕「飲み屋」の俗称。かぞえ方 ❶は一枚

なわばしご[3]ナハ―【縄〈梯子】縄で作り、一端にかぎを付けて、引っかけられるようにした梯子。かぞえ方 一本

なわばり[0]ナハ―【縄張(り)】❶縄を張って境界を定めること。❷敷地に縄を張り、建物の位置を定めること。❸〔暴力団などの〕勢力範囲。〔広義では、一般に人や動物の行動範囲や得意な方面の意にも用いられる〕「―争い[5]」表記 本表=「縄張」

なわめ[0][3]ナハ―【縄目】❶縄の△編み(結び)目。「―を解く/―模様[4]」❷罪人として、縄をかけられ つかまること。「―(の恥)を受ける」

なん(男・南・納・軟・難)→【字音語の造語成分】

なん〔雅〕[一](副助)〔「なも」から転じた「なむ」の変化形〕直前の語を強調すると共に、あとにくる述語と照応させることを表わす。「きのふ―都にまうで来つる/柿本人麻呂(カキノモトノヒトマロ)―〔=は実に〕歌の聖(ヒジリ)なりける/…と言ひつつ―詠ずる」[二](終助) その事の実現を心から願う気持を表わす。「大船に舵(カヂ)もあら―〔=舵というものがあればいいなあ〕/君が心は我(ワレ)に解け―〔=冷たい心が解けてくれればいいがなあ〕」

なん【何】[一][1](代)「なに」の変化。「―と/―だ/―の」[二](造語) 数が不定であることを表わす。「―人・―万」

ナン[1]〔ヒンディー naan〕インドやパキスタンのパン。小麦粉を練って発酵させて、つぼ形のかまどの内側に張りつけて焼く。

なん[1]【難】❶災い。災難。「―を△逃れる(避ける)/―民・水―・盗―・遭―・苦―」❷非難すべきところ。欠点。「―を言えば/―点・論―」❸むずかしいこと。困難。「易(イ)より―へ/―題・―関・―解・―問・就職―・住宅―」↕易

なんア[0]【南ア】❶「南アルプス」の略。「―連峰」❷「南アフリカ」の略。「―共和国」表記 ❷は、「南〈阿」とも書く。

なんい[1]キ―【南緯】地球の南半球にある点の緯度を表わす数値〔=零度から九〇度まで〕の前に添える語。↕北緯

なんい[1]【難易】❶むずかしいことと たやすいこと。❷〔意味の実質は「難」にある。⇩帯説〕むずかしい程度。「仕事の―による/(新型飛行機の)取扱い―性/―度[3]」

なんおう[0]オ【南欧】ヨーロッパの南部。南ヨーロッパ。↕北欧

なんか [一](副助)「など」の口頭語的表現。文法 接続は「など」に準ずる。運用 ⇩など 運用 [二][1]【何か】(代)「なにか」の口頭語的表現。「―無いか/花か―飾って」

なんか[0]【南下】―する(自サ) 南へ向かって移動すること。↕北上

なんか[0]クワ―【軟化】―する(自他サ)↕硬化 ❶おだやかな△性質(態度)になること。〔弱気になる意にも用いられる〕❷相場が安くなること。❸茎・葉を食用とするウド・アスパラガスなどで、栽培中に通風・陽光をさえぎって組織をやわらかにすること。軟白。「―栽培」

なんが[0]グワ―【南画】〔←南宗(ナンシュウ)画[0]〕中国の絵の一派。唐の王維(オウイ)を祖とし、水墨で、多く山水を描く。日本では江戸中期から受け入れた。文人画。⇩北画

なんかい[1]クワイ―【何回】〔反復される事が△既定の事実である(十分に期待される)場合に〕その回数が限定されないことを表わす。〔疑問の意にも用いられる〕「―優勝しても気

な

持がいいもんだ/これで一回ったかしら」

なんかい⓪【難解】ーな ーに (問題の)内容や表現形式がむずかしくて、理解・解答が困難な様子だ。「ーな文章/ーな論文」派 ーさ⓪

なんかいどう③【南海道】もとの七道の一つ。和歌山県・淡路島と四国地方を指した。

なんがく⓪【南学】江戸時代、土佐に起こった朱子学。

なんかん⓪【難関】めんどうな条件があって、簡単には通り抜けられない△所(関所)。「ーに△いどむ(ぶつかる)/ーをくぐる/入学試験のーを突破する」

なんがんていきあつ⑦【南岸低気圧】日本列島の南岸に沿うように、発達しながら東に進む低気圧。一月から四月にかけて関東地方に思わぬ大雪を降らせる。

なんぎ①③【難儀】ーな ーする(自サ)〔もと、難解な意味内容の意〕❶〔その時出あった災厄に〕適切に対応するのに困難を覚える△こと(様子)。「ーな〔=骨の折れる〕仕事/雪道を歩くのにーする/かがむのがーだ〔=うまくかがむことが出来ない〕/ーな〔=△苦しい(ひどい)〕目にあう/人のーを〔=困っているのを〕救う」❷過重な負担からなかなかのがれられない△こと(様子)。「一日三十キロ歩くのは子供にはーだ/大家族を抱えてー〔=苦労〕しました/長生きすれば何かとー〔=苦労〕が多い」

なんきつ⓪【難詰】ーする(他サ) 欠点をとりあげて責めること。

なんきゅう⓪【軟球】野球・テニス・卓球などに使うたまのうち、やわらかな方のもの。↕硬球

なんきゅう⓪【難球】〔野球・テニス・卓球などで〕△とり(打ち返し)にくいたま。

なんぎょう⓪【難行】非常につらい修行。「ー苦行⓪-⓪、⑤」 ーどう③【ー道】〔仏教で〕自力の修行で悟りを得ようとする教法。↕易行道

なんきょく⓪【南極】↕北極 ❶△地軸(天球軸)の南端。〔広義では、「南極大陸⑤」を指す。例、「ー探検」〕❷〔磁石の〕南を指している方の磁極。エス(S)極②。 ーかい④③【ー海】南極圏の中にある海。〔「南氷洋の改称」〕 ーけん④③【ー圏】❶南緯六六度三三分の緯線。❷「南極圏❶」より南の地域。夏至を中心として終日 太陽を見ない日が続き、冬至を中心として白夜の期間がある。

なんきょく⓪【難曲】演奏したり歌ったりするのがむずかしい曲目。

なんきょく⓪【難局】❶〔碁・将棋で〕勝つのがむずかしい局面。❷処理の困難な情勢。「ーを△切り抜ける(乗り切る)/ーに△立ち向かう(取り組む)/ー打開に当たる」

なんきん【南《京》】❶③〔中国の中部にある都市。何度か首都にもなった〕❷③〔北陸、岐阜・愛知両県より九州までの方言〕カボチャの別称。「芋蛸ー」❸(造語)❶△中国(外国)から渡来した物の称。❷珍しい物や小さくて愛らしい物の称。 ーじょう③【ー錠】目的物に取り付けてある金具の穴や、目的物を結び付けた鎖の輪などに差し込んで使う小形の錠。金属製で、開閉装置を内蔵する本体と、そこから出ている馬蹄形の棒とから成る。えび錠。 ーだま⓪【ー玉】糸を通して、首飾りや指輪などにするガラス製の小さな玉。 ーまい⓪【ー米】かつて中国や東南アジアから輸入した米の俗称。 ーまめ③【ー豆】「らっかせい」の殻から取り出した豆。 ーむし③【ー虫】❶薄い赤茶色で平たい、小形の昆虫。人畜の血を吸い、さされると あとが二つ付く。〔トコジラミ科〕❷金側でナンキンムシのような形をした小型の女性用腕時計の俗称。〔やや古い表現〕

なんきん⓪【軟禁】ーする(他サ) 外部との交渉や外出を禁じる程度の監禁。「ー状態」

なんくせ⓪【難癖】そのものの非難すべき点。「ーをつける〔=ちょっとした欠点をわざと見つけて、悪く言う〕」

なんくん⓪【難訓】熟字・熟語のうち、難読のもの。

なんけん⓪【難件】処置・解決のむずかしい事件。

なんげん⓪【南限】(その動植物がその地域で分布する)南の方の限界。「白樺の一」

なんご⓪【〈喃語】❶恋人同士が仲よさそうにしゃべること。❷生後半年ごろの赤ん坊が出す意味の分からない言葉。「ー期③」

なんご⓪【難語】〔後世の人にとって〕なんの事を言うのかよく分からなくなった言葉。「ー集③」

なんこう⓪【軟〈膏】脂肪・ワセリンなどと交ぜて塗りやすくした膏薬。↕硬膏

なんこう⓪【難航】ーする(自サ) ❶途中障害があって、順調に航海ができないこと。❷会議・交渉などの進行がはかどらないこと。「ーが予想される/ーを△極める(重ねる・続ける)/捜査がーする」

なんこうがい③【軟口蓋】上あごの奥の、やわらかい部分。⇩硬口蓋

なんこうふらく⓪-⓪【難攻不落】攻撃するのがむずかしく、容易に陥落しないこと。〔承知させるのが困難な意にも用いられる〕「ーの城」

なんごく⓪【南国】南の暖かい△国(地方)。↕北国

なんこつ⓪【軟骨】やわらかで弾力のある骨。関節のつなぎ目や鼻・耳などにある。「ー魚」⇩硬骨

なんざん①【南山】弘法大師が開いた高野山、特に金剛峰寺の別称。⇩北嶺❶

なんざん①【難産】ーする(自サ) 出産が正常でなく、胎児がなかなか生まれないこと。〔相談などが、なかなかまとまらない意にも用いられる〕↕安産

なんじ①⓪【〈汝】(代)〔雅〕対等または目下の者を指す二人称。おまえ。表記「〈爾」とも書く。

なんじ⓪【難字】字画が複雑で、それに慣れない人にとって書くのがむずかしい漢字。

なんじ①【難事】解決や処理が容易ではない事柄。「ー中のー」

なんじ⓪①【難治】病気が治りにくいこと。「なんち」とも。

なんしき⓪【軟式】〔野球・テニス・卓球などで〕軟球を使って競技をする方式。「ー野球⑤」↕硬式

なんしつ⓪【軟質】質がやわらかいこと。また、そのような性質。「ービニール」↕硬質

なんじゃく⓪【軟弱】ーな ーに ❶基礎がしっかりしていず、弱い様子だ。「ーな土質」❷態度がしっかりしていないで、相手の言う通りになる様子だ。「ー外交」↕強硬 ❸〔経済で〕相場が安い状態。弱含み。↕硬化 派 ーさ⓪

なん

【男】❶おとこ。「美男・善男善女・老若男女」↕女 ⇩だん ❷むすこ。「嫡男・長男・次男」↕女

【南】みなみ(の方)。「南極・南国・南部・南下・湖南・指南」↕北

【納】しまう。「納戸」⇩のう

【軟】やわらかい。「軟水・軟口蓋・軟化・軟骨・軟球・柔軟」↕硬

【難】⇩(本文)なん【難】

なんじゅう⓪ジフ【難渋】―な―する(自サ) 何かにつかえて△理解(通行)が思うように進まない△こと(様子)。「捜査が―する/悪路に―する/―な文章」

なんしょ③【難所】けわしくて容易に通れない危険な所。

なんしょう⓪シャウ【難症】治りにくい病気の状態。

なんじょう①デフ(副)〔「何と言ふ」の変化という〕「どうして」の意の古風な表現。表記「何条デウ」は、借字。

なんしょく⓪【男色】⇒だんしょく

なんしょく⓪【難色】不賛成だという△様子(態度)。「―がある/―を示す」

なん・じる⓪③【難じる】(他上一) 欠点をあげて非難する。難ずる(サ変)。

なんしん⓪【南進】―する(自サ) 南方へ向かって進むこと。

なんすい⓪【軟水】カルシウム・マグネシウムを少ししか含まず、洗濯などに適する(普通の)水。↔硬水

なんすれぞ③【何《為れぞ】(副)〔雅〕〔「なにすれぞ」の変化〕どういうわけで。〔下に、そうするのか、乃至シナイそうしないのかという、相手の行動を批判する意を含めた表現を伴う〕「夷狄テキの楽ガク、―此ココに於オイてするや/―去らざるや」

なんせ①【何せ】(副)「なにせ」の変化した口頭語的表現。「この辺は―山奥だから都会のようなわけにはいかない」

なんせい⓪【南西】〔風向などで〕南と西との中間にあたる方角。

なんせい⓪【軟性】やわらかい性質(の物)。↔硬性

なんせん⓪【難船】―する(自サ) 船が風波のために△破損する(ひっくりかえる)こと。また、その船。

ナンセンス①―な―に〔nonsense=無意味〕(自分たちにとって)まともに取り上げるだけの価値が無い様子だ。ノンセンスとも。「―な(=ⓐばかげた。ⓑなっていない)話/―な(=くだらない)事柄」

なんせんほくば⑤【南船北馬】―する(自サ)〔かつての中国の交通手段は、南部では多く船に依存し、北部では馬を多用したところから〕目的を果たすために、分秒を惜しみ便宜の交通機関を利用して、国内を縦横に活動し続けること。

なんぞ(副助)「など」のやや古風な表現。

なんぞ①【何ぞ】存在の意味やその理由について確かめることを表わす。〔疑問の場合にも用いられる〕「人生とは―や(=なんであるか)/―知らん(=だれが予測し得たろうか)腹心の部下に裏切られんとは」

なんだ①「涙」の漢文訓読語的表現。

なんだ〔中部・近畿・中国・四国方言〕なかった。「行か―/すみませ―(=すみませんでした)」

なんだ ■一【何だ】「なにだ」の口頭語的表現。❶①強い疑いや不信の念をいだくことを表わす語。「あの騒ぎは一体―/おまえの今の態度は―」❷⓪直接的にそう言うのがはばかられたり適当な表現が見つからなかったりする場合に、かわりに使う語。「もし―ったら(=よろしかったら)肩がわりしてもいいんですよ/そう言っちゃ―けど(=悪いけど)とても君には出来まい/自分から言うのも―が(=気がひけるが)まだまだ若い者には負けないよ/まあ、―(=言ってみれば)、これでみんなうまくいったと言えるな」❸①意外な状態に接してあきれたりがっかりしたりする気持を表わす。「―、また雨か/―、だれかと思ったら、君か」❹①恐れることは無いという気持を表わす。「―、これくらいの傷」■二「なのだ」の口頭語的表現。「だめ―よ」〔丁寧表現は「なんです」〕

運用 ■一❶について。(1)親しい相手から呼びかけられたとき、〔多く男性が〕ぞんざいに応答する語として用いられることがある。例、「『おとうさん、ちょっと』『なんだ』」(2)「なんだと」「なんだって」などの形で、相手の発言に対して不信や不快の念を込めて問い返すのに用いられることがある。例、「なんだと、もう一度言ってみろ/何だって、今になっていやだと言うのか」■一❷は、「なんだな」の形で、話の途中で言葉の選択に迷ったり言おうか言うまいかためらったりしたときに、つなぎの言葉として用いられることがある。例、「おれたちはなんだな、お互いにまあ成功した方だな」

【―《彼かんだ】①-①、④ 種々の観点・立場から物事を取り上げることを表わす。「―で連休中はどこにも遊びに行けなかった/―言っても彼は仲間の中では成功した方だ」

なんだい⓪【難題】❶詩文を作るのにむずかしい題。❷解くのがむずかしい問題。難問。「―に直面する/―と取り組む/―を△かかえる(投げかける)」❸〔受け入れられるはずが無いと知っていて、ためしに言ってみる〕無理な注文。言いがかり。「―を吹っかける/無理―」

なんたいどうぶつ⑤オ【軟体動物】二枚貝・タコ・イカなどを含む動物の一門。からだはやわらかで、筋肉質。

なんだか①【何だか】(副) 理由は分からないが、そのように感じられる様子。「―胃のあたりが痛くて重苦しい/―いやな予感がする」

なんだったら③【何だったら】相手にその気があるならば、そうしたらどうかと勧めることを表わす。〔口頭語的表現〕「―もう一晩泊まっていかないかい」

なんたって①【何たって】「何と言ったって」の口頭語的な圧縮表現。何といっても。「―足が速いからかなわない」

なんだって【何だって】❶①「なんだと言って」の圧縮表現。「―(=どうして)隠すんだ」❷⓪①「なんであっても」の圧縮表現。「―いいよ」

なんたらかんたら⑤【何たら《彼んたら】まともに聞くに値しないようなことをあれこれというような△こと(様子)。「―言うとった」

なんたる①【何たる】■一何である。「哲学の―かを学ぶ」■二(連体) ひどく驚いたり慨嘆したりすることを表わす。「―(=なんというすばらしい)景観ぞや/―(=なんという情けない)ことだ」

なんたん⓪【南端】領土や区画など特定の範囲において最も南側の位置。「波照間ハテルマ島は有人島としては日本の―に当たる」↔北端

なんちゃくりく③【軟着陸】―する(自サ) ❶宇宙船などが、月などの表面に、降下速度をほとんどゼロにして、ふんわりと静かに着陸すること。❷関係者に強い衝撃を与えないようにして、事態の収拾をはかること。「行き過ぎた円高傾向を―させる」

なんちゅう⓪【南中】―する(自サ)〔北半球の、北極以外の地点において〕天体が、子午線の北極以南の部分を通過すること。正中。

なんちょう⓪テウ【軟調】❶〔写真の画面で〕白黒のコントラストが相対的に弱い印象を与える感じ(であること)。↔硬調 ❷〔取引で〕相場が下がる傾向にあること。↔堅調

なんちょう⓪チャウ【難聴】❶耳がよく聞こえないこと。「老人性―」❷〔ラジオなどが〕聞きとりにくいこと。「―地域」

なんて(副助) ❶「などと」の変化。「いやだ―言えないよ/田中―いう人は知らない」❷「などとは」の変化。「彼が病気だ―うそだ」❸「など」の変化。例示を表わす。〔場合によっては対象者への低い評価を表わす〕「この着物にこの帯―どうかしら/彼をだます―(=などということは)悪いよ/あんた―大嫌い」❹その真偽について意外に思う気持を表わす。「彼が医者だ―/今ごろ断わる―/近いうちに地震がある―、そんなばかな話が」❺(必ずしも本心からではない)自分の発言を、よくもあんなことが言えたものだとあきれたり照れたりする気持を表わす。「俺が一生お前を守る―ね」〔❶～❺は口頭語的表現〕 文法 接続は「など」に準ずる。

な

なんて[1]【何て】[一]「なんという」の口頭語的表現。「―きれいな月/―ことない」[二](副)「なんと[二]❶」の口頭語的表現。「―すばらしいんでしょう」

なんで[1]【何で】(副)[一]❶その理由が分からなくていぶかしく思う様子。「―こんなに寒いんだろう/―学校を休んだんだ」❷そのようなことは△ありえない(あるはずがない)と強く否定する気持を表わす。「―うれしいものか(=うれしくなんかない)/―喜んでいられよう(=喜んではいられない)」[二]手段・方法を確かめたり疑問に思ったりすることを表わす。「―(=どの交通機関で)行くか/―(=どの筆記具で)書くか」

なんてき[0]【難敵】打ち勝つのが困難な敵。「試合で―(=やりにくい相手)を倒す」

なんてつ[0]【軟鉄】炭素をあまり含んでいない鉄。やわらかく、鉄板・鉄線などに用いる。

なんでも【何でも】(副)❶[1][0] 対象とするものについて、限定することなくすべてを容認する様子。「―いいから取ってこい/―やる/―見てみたい」❷[1] 伝聞に基づく情報であるからと、断定を保留する様子。「―近いうちに引越すそうだ」❸[1] 他のすべてに優先してその事を行なう必要があると判断する様子。「こうなった以上、―彼を連れてくるしかない/何が―(=⇩何が何でも)」 **【―《彼(か)》でも】**[5] ❶「なんでも❶」の強調表現。❷「なんでも❸」の強調表現。〔「なんでもかんでも」とも〕 **―な・い**[5]【―無い】(形) 特に取り上げて問題にするほどのことはない様子だ。「毎日のように行なわれる―ことです/それくらいのご用は―(=たやすい)ことです」[文法] 助動詞「そうだ(様態)」に続くときは「なんでもなさそうだ」の形になる。また「すぎる」と結びついて複合動詞をつくるときは「なんでもなさすぎる」の形になる。 **―や**[0]【―屋】❶何にでも手を出したがる人。❷どんなことでもある程度は無難にこなす能力がある人。❸専門の業者がいないような雑多な用務を何でも引き受ける人。

なんてん【南天】❶[0] 南の空。❷[3][0] 庭木にする常緑低木。葉は細かく枝分かれし、冬、赤くて丸い実がなる。〔メギ科〕[かぞえ方] ❷は一株・一本

なんてん[3]【難点】❶非難すべき点。欠点。「どこにも―が無い/―が多い/―をあげる」❷解決の困難な点。「未解決の―を克服する」

なんと(副助)「などと」の変化。「大体、会議―いうものは/寂しい―いうことはありません」

なんと[1]【何と】[一](感)❶あまりにも意外な事物や出来事などに接して、驚いたり圧倒されたりして発する語。「―、こんな所にあった/―まあ、あきれたことだ/―、見たこともない大きさだ」❷相手に同意を求めたり念を押したりするときに発する語。「―、そうではありませんか/―、時にどうか」[二](副)❶どういう方法をとって対処したらよいか分からず困惑する様子。「―したものだろう」❷表現のしようがないほど対象の程度が並はずれていることに感動する様子。「―美しいのだろう/―困ったことではないか」

なんと[1]【南都】❶〔京都を「北都」と言うのに対して〕「平城京[0]」のあった奈良の別称。❷藤原(フジワラ)氏の氏寺であった興福寺の別称。⇩北嶺(ホクレイ)❷

なんど(副助)「など」の変化。

なんど[1]【何度】〔たまには同じ事が繰り返される事について〕その回数が限定されないことを表わす。〔疑問の意にも用いられる〕「―も言った通り/―言えば分かるんだ/―か申し込んでいるうちには当たるさ/あの人の来るのは今度で―目かしら/―指摘しても し過ぎることは無い」

なんど[0]【納戸】❶衣服を入れたたんす・長持や、調度類をしまっておく物置用の部屋。❷「納戸色」の略。 **―いろ**[0]【―色】⇩おなんどいろ

なんど[1]【難度】〔技能の優劣が問題にされることについて〕むずかしさの度合い。〔体操競技では、下からＡＢＣ…の順に分ける〕「J―の新技が披露された」

なんという[1](―イフ)【何と言う】〔連体詞的に〕❶そのものの名前が不明であることを表わす。「―人か知らない」❷どのようにも言い表わしようが無いということを表わす。「―意気地の無い奴(ヤツ)か/―見上げた方だろう」❸特に取り上げて問題にすることを表わす。「―事は無い」〔口頭語形は「なんていう」、❶❷は俗に、「なんちゅう・なんつう」とも〕
[運用] ❷は、あまりにも意外な事態に当面し、言葉を失うほど驚きあきれる気持を表わすのに用いられることがある。例、「何と言うことだ、一夜にして焼野が原になってしまうとは」

なんといっても[1]-[3]【何と言っても】〔副詞的に〕異論はあるかも知れないが自分の下した評価は動かないと確信をいだく様子。「何と言ったって」とも。〔口頭語的表現は「なんたって」とも〕「―あいつは秀才だよ」

なんとう(オ)[0]【南東】〔風向などで〕南と東との中間にあたる方角。〔南東と南の中間は「南南東」、南東と東の中間は「東南東」〕

なんとう[0]【軟投】―する(自サ)〔野球で〕(直球に威力の無い)投手が きわどいコースのたまや変化球を巧みに投げること。

なんとか[1]【何とか】(副)❶具体的な内容を明言することを△避けて(ができなくて)、その代りに用いる語。「―言っていたっけ/―という会社に勤めている/―(=『ばか』と言うのをはばかって言う表現)とはさみは使いよう」❷―する どんな手段を尽くしてでも△やりとげる(やりとげようとする)様子。「―して解決したい/十万円今すぐ―ならないか」❸具体的に明示することは出来ないが、(好ましい)結果が出る様子。「そんなに無理しなくても―なるだろう/あまり上出来とは言えないが一応―形になった」 **【―《彼(か)》んとか】**[5] 種々の方法・手段を試みる様子。「―言って逃げまわっている/―してやりとげる」

なんどき[0]【何時】❶時刻を問う「何時(ナンジ)」の意の古風な表現。❷「いつ」の意の古風な表現。 **いつ―**[1]-[0]【〈何時〉―】(副) ⇩いつなんどき

なんどく[0]【難読】それを構成する一つひとつの文字は必ずしも むずかしくないが、全体でどういう(よみの)語を表わすものであるかが、初めての人には分かりにくいもの。固有名詞や動植物名などの表記に多い。「福生」を「フッサ」、「濁河」を「ニゴリゴ」と読むなど。「―字[4]・―駅名」

なんとしても[1]-[2]【何としても】〔副詞的に〕❶どうしても❶。「―承知しない/―動かない」❷どうしても❷。

なんとなく[4]【何と無く】(副)❶具体的にどこがどうだからと言えないが、その傾向が漠然と感じられる様子。「―からだがだるい/―気に入らない/―淋(サビ)しい」❷はっきりした目的意識もなく何かをする様子。「―駅まで来てしまった/―ぶらぶらしている」

なんとなれば[4]、[1]-[1]【何となれば】(接) 前の文を承(ウ)けて、その理由を説明する文を導入することを表わす。

なんとは(ワ)なしに[5]【何とは無しに】(副) そう△する(なる)きっかけを与える事が はっきりしない様子。「―いや気がさした/―そうする気になった/―そう決まってしまった」

なんとも【何とも】(副)❶[0]〔否定表現と呼応して〕特に問題とするほどのことは何も無いと否定する様子。「ころんだが―なかった/―思っていないよ」❷[0][1]〔否定表現と呼応して〕適切な△対処(対応)の方法が無いと否定する様子。「―言えない心地よさ/―説明がつかない/今となっては―手の尽くしようが無い」❸[1] 予想を超えた事態に当

面して、言葉では言い表わしようがないと△驚き入る（あきれかえる）様子。「—閉口した／—ユニークな人だ」【—《彼(か)》んとも】適切な△対処（対応）の方法が無かったりして、ひどくあきれる様子。「なんともかとも」とも。「—ひどいことになった」

なんとやら①【何とやら】（副）㊀わかりきっていることだとして具体的な内容をわざと言わないで済ませるのに用いる語。「君も知っている—言う所で会った／過ぎたるは—で／噂(ウワサ)をすれば—」㊁なんとなく㊀。「—分かって来た／—気味が悪い」

なんなく①、①-①【難無く】（副）予想された困難をたやすく乗りこえる様子。「—及第する」

なんなら③【何なら】（副）事情によってはそうする用意があると相手に持ちかける様子。「—そうしよう／—こちらからお伺いしてもよろしいのですが」

なんなりと①③【何なりと】（副）こちらからは特に限定を加えず、相手の意向のままにすると申し出る様子。「—おっしゃってください／—一筆書いてください」

なんなん③⓪【《喃々》】（副）小声で、ぺちゃくちゃしゃべる様子。「喋々(チョウチョウ)—」

なんなんせい⓪【南南西】南と南西との中間の方角。

なんなんとう⓪【南南東】南と南東との中間の方角。

なんなんと・する③-⓪【《垂ん》とする】（自サ）〔「なりなんとする」の変化〕まさに そのものになろうとする。ほぼ その程度になる。「三千に—聴衆」

なんにも⓪【何にも】[一]〔「なにも」の変化〕〔否定表現と呼応して〕そのことについて全面的に否定することを表わす。「今ごろくやんでも—ならない」[二]（副）〔「なにも」の変化〕「なにも㊀」の強調表現。「—聞いていない／—無い」

なんにょ①【男女】〔「なん」も「にょ」も字の呉音〕「だんじょ」の古風な表現。「老若(ニャク)—」

なんねん⓪【難燃】（活発に）燃えにくい△こと（状態）。「—性⓪・—加工⑤」

なんの【何の】[一]⓪（連体）㊀その物事の△名前（内容・性質など）について限定しないことを表わす。〔疑問の意にも用いられる〕「—本だか私には分からない／—苦も無くやってのけた」㊁そのことの意義や価値について、疑問をいだいたり相手に問いかけたりすることを表わす。「あの人の研究は—意味があるのか」[文法]㊁は、「こんなときに来てくれないで何の友達か」など、「何の…か」の形で、「真の友達と言えるのか、とても言えない」と反語的に用いられることもある。[二]①（感）〔相手の気づかいなどを〕打ち消す気持を表わす。「—、これしき」[三]① 言いようが無いという気持を表わす。「すばらしいの—って」【—《彼(か)》んの】「なんだのかんだの」の圧縮表現。「なんのかの」とも。「—と言っても」【—気なしに】特にどうするつもりもなく。【—事は無い】㊀特に取り立てて言うほどの事ではない。「さぞや しかられると思いきや、何の事は無かった」㊁△期待（想像）していたほどの事は無い。「—、日本記録に遠く及ばなかった／詩人だと聞いていたが、—〔＝言ってみれば〕ただの俗人だった」【—その】人が恐れる物事について、気にかけるところが少しも無いことを表わす。「雷なんて—〔＝平気だ〕」

なんば⓪【難場】〔登山などで〕通るのに困難な所。

なんぱ⓪①【軟派】↕硬派㊀ ㊀積極的に自分の意見を主張したりしないで、穏やかな方に賛成するグループ。ハト派。㊁〔新聞社で〕「社会部・文化部」などの俗称。㊂軟文学を愛好する者。㊃—する（他サ）〔俗に〕多く、一時の遊びの目的で、色事の相手を誘うこと。㊄〔取引用語で〕弱気。売り方。

なんぱ⓪【難破】—する（自サ）暴風にあって船体がこわれ、航行出来なくなること。「—船⓪」

ナンバー①〔number〕㊀番号や順位（の数字）。「—を打つ／自動車の—」㊁〔雑誌などの〕号数。「バック—」㊂〔ジャズなどの〕曲目。「スタンダード—」[表記]「No.」は、ラ Numero〔＝番号で言えば、の意〕の略。 **—プレート**⑥〔number plate〕自動車の登録番号を記してある金属板。 **—ワン**⑤〔number one〕㊀その集団などの中での第一位。「ヒットチャートの—／—でなくオンリーワン〔＝唯一無二の人〕を目指す」㊁第一人者。「ジャズ界の—」

ナンバリング⓪ ㊀—する（自サ）番号をつけること。㊁〔↑numbering machine〕押すたびに、番号が順々にしるされていく器械。自動番号器⑥。[かぞえ方]㊁は一台

なんばん⓪【南蛮】〔南方の野蛮人の意〕㊀〔昔 中国で〕南側に接する東南アジアの諸民族の称。⇩東夷(トウイ)・北狄(ホクテキ)・西戎(セイジュウ) ㊁〔室町から江戸時代にかけて〕Ⓐ海外貿易の対象とされた東南アジア（に植民地をもつポルトガル・スペイン）の称。「—屏風(ビョウブ)⑤」Ⓑ日本に渡来したポルトガル人やスペイン人を通して伝えられた西洋の文化や技術。「—寺(ジ)⓪⑤」㊂Ⓐ〔各地の方言〕トウガラシ。Ⓑ〔近畿・中部の方言〕トウモロコシ。 **—づけ**⓪【—漬(け)】揚げた魚などを、トウガラシやネギなどを加えた合せ酢に漬けた食品。

なんびと⓪【何人】〔「なにびと」の変化〕どんな種類の人間であるかについて限定を加えないことを表わす。「なんぴと」とも。〔疑問の意にも用いられる〕「—も認めるところ」

なんぴと⓪【何人】「なにびと」の変化。

なんびょう⓪【難病】治りにくい病気。

なんぴょうよう③【南氷洋】「南極海」の旧称。

なんぶ【南部】↕北部 ㊀①その地域の△うちで南寄りの部分（南に隣る地域）。㊁⓪〔もと、南部氏の領地の意〕盛岡地方。「—鉄瓶④・—せんべい④」

なんぷう⓪【南風】㊀南から吹く風。はえ。↕北風(キタカゼ) ㊁夏の風。㊂南方の勢力。〔日本では、吉野朝廷を指す〕「—競わず〔＝ふるわない〕」

なんぷう⓪【軟風】㊀〔毎秒三・四～五・五メートルの〕弱く吹く風。㊁海軟風と陸軟風の総称。

なんぶつ⓪【難物】扱い方が困難な△もの（人）。

ナンプラー①〔タイ nam plaa〕タイ料理で使う魚醤(ギョショウ)。イワシなどの魚を塩づけにして発酵させたものの上澄み液。

なんぶん⓪【難文】むずかしくて、分かりにくい文章。

なんぶんがく③【軟文学】△恋愛（情事）などを主題にした文学作品の称。

なんべい⓪【南米】「南アメリカ」の字音語的表現。

なんべん①【何遍】たび重なる事柄について、その回数が限定されないことを表わす。〔疑問の意にも、また、副詞的にも用いられる〕「—か催促したが、梨(シナ)の礫(ツブテ)だ／—も繰り返すうちには覚えるさ／—言ってやっても分からない」

なんべん⓪【軟便】やわらかい大便。

なんぼ①⓪【何ぼ】〔「なにほど」の変化〕[一]数量・値段などの程度が限定されないことを表わす。〔疑問の意にも用いられる〕「ほしければ—でも持って行け／一つ—か」[二]（副）程度をどれほどと限定しない様子。「親に死なれて—（か）さびしかろう／—高くても買おう／—好きでもそこまでやるとは」【—何でも】①-①、④ いくらなんでも。〔非難する気持で言う〕「—ひどい」

なんぽう⓪【南方】㊀南（の方角）。↕北方 ㊁東南アジアの地域。「—から復員する」

なんぼく①【南北】南と北。 **—せんそう**⑤【—戦

な

争】奴隷制度廃止問題がもとで米国の北部と南部の間に起こった内乱。北部が勝ち、奴隷制度は廃止された。〔一八六一～一八六五〕 **—もんだい**⑤【—問題】主として北半球の温帯にある先進工業国群と、その南にある発展途上国群との間の格差に起因する諸問題。

なんまいだぶ⑤⓪「なむあみだぶつ」の口頭語形。「なんまいだ⑤⓪・なまんだぶ④⓪」とも。

なんみん⓪【難民】戦災・震災や生活困窮などで住んでいた所を△失った(に居られなくなった)人びと。「帰宅—」

なんめん⓪【南面】—する(自サ) ❶南方に向いて△いる(すわる)こと。↕北面 ❷〔昔、王者は南面したことから〕帝位につくこと。

なんもん⓪【難問】解答や結論を出すのに労力や時間を要する△質問(問題)。「—が△山積する(控える)」

なんもんだい③【難問題】△解決(対処)のむずかしい問題。「—が横たわる/—と取り組む」

なんやかんや①-①、④【何や《彼んや】「なにやらかやら」の口頭語的表現。「なにやらかにやら」とも。なんやかや。

なんやく⓪【難役】むずかしい△役割(役目)。

なんよう⓪【南洋】❶太平洋の赤道周辺の海域。↕北洋 ❷「南洋❶」にある島じまの総称。マレー諸島・フィリピン諸島など。 **—しょとう**⑤【—諸島】赤道以北の太平洋上に散在するマリアナ・パラオ・カロリン・マーシャルなどの諸島。〔第二次世界大戦以前や戦中に用いた呼称〕

なんら⓪①【何《等】(副)〔否定表現と呼応して〕その事に関しては一切の可能性が無いことを強調して言う様子。「—心配無い/—恥ずるところはない/—打つ手を持たない/—為すこと無く今日を迎える」 **—か**⓪①(副)〔多く「—の④」の形で〕具体的には指摘できないものの、その存在自体は否定できないととらえられる様子。「—の貢献をする/—の手段を取る/—のつながりがある」

なんろ①【難路】(けわしくて)通るのがむずかしい道。

なんろん⓪【軟論】不当な先方の申入れや要求などを抵抗無く受け入れようとする、弱腰の意見。↕硬論

に…二

に〔二・仁・尼・弐・児〕→【字音語の造語成分】

に【似】(造語)(…に)似ていること。「父親—⓪・空—」

に ■一(格助) ❶時点・期間を表わす。「五時—起きる/休み時間—本を読む」 ❷その事物が存在する場所を表わす。「机の上—本がある/都会—住む/自動車が門の前—止まっている/本棚—本が並べてある」 ❸移動の到着点を表わす。「バス—乗る/壁—地図を貼る」 ❹変化の結果、生じたものや状態を表わす。「湯が水—なる/信号が赤—変わる/豆をひいて粉—する」 ❺動作・作用が、その相手に対して行なわれることを表わす。「君—だけ話す/神—誓う/猫がネズミ—かみつく」 ❻〔自発・可能・感情述語の表現で〕感情・知覚・思考の主体を表わす。「私—はあなたの言葉が悲しい/彼—は幽霊が見える/私—はよく分かる」 ❼〔受身表現・使役表現や「(て)もらう」などを述語にもつ表現で〕動作・作用の主体を表わす。「先生—しかられる/母—教わる/学生—やらせる/父—もらった指輪」 ❽問題として取り上げる対象の範囲を限定することを表わす。「その点—△関して(ついて)は検討の余地がある/即刻改める分—は格別とがめるものではない/先生—は〔=間接的な表現をとることによる一種の尊敬表現〕お変わりなくお過ごしのことと存じます」 ❾動作・作用が、どんな状態・状況で行なわれるか、ということを表わす。「会わず—帰る」 ❿〔その状態を認めさせるものとしての〕基準や対象を表わす。「AはB—等しい/海—近い町/帯—は短いひも/父—似た子/一日—一度/きびしさ—欠ける/才能—恵まれる」 ⓫動作・作用が何を目的として行なわれるかを表わす。「昼は食事—帰る/駅まで迎え—出る/本を買い—行く」 ⓬ものに、さらに何かを添える意を表わす。「竹—雀〔=竹と雀は付きものだ〕/鬼—金棒〔=強い鬼に一段と力が加わる〕/パン—〔=と〕ミルク—〔=と〕卵」 ⓭動作の継続・反復(・動作の程度の激しさ)を表わす。「待ち—待った/揉み—揉む/大揺れ—揺れている」 ⓮〔「…に…(否定)」の形で〕…しようとしてもできないことを表わす。「泣く—泣けない」 文法 (1)■一❶❷❸❹❺❻❼❽⓫⓬は、体言(名詞、またはそれに準ずる句)に接続する。副助詞「だけ・など」に接続することもある。❾は、打消の助動詞の連用形「ず」に接続する。⓫⓭は、動詞・助動詞「れる/られる」「せる/させる」の連用形及びサ変動詞語幹に接続する。副助詞「だけ・など」に接続することもある。⓮は、動詞の終止・連体形に接続する。■一❶❽❿⓫は、副助詞を下に伴うこともある。(2)(a)格助詞「で」にも場所を表わす用法があるが、両者には以下のような違いがある。「で」は動作主〔=その動作をする人〕が何らかの動作を行なう場所を表わす。それに対し、「に」は動作主から何らかの行為を受けた対象物が結果として存在する場所を表わす。「庭で木を植える」は動作主に着目した表現であり、「庭に木を植える」は植えられた木に着目した表現であるということになる。両者が同じ場所である場合には、「(動作主が)庭で庭に木を植える」ということになるのだが、そのような場合には一般にどちらか(多く「庭で」)が消去されて「庭に木を植える」となることが多い。両者が異なる場合には当然「ベランダでプランターに菊の苗を植える」となる。(b)(a)と同様に、「門の前で車を止める」は運転者が止める行為を行なう場所が「門の前」だということを表わす。「門の前に車を止める」は止められた車の存在する場所が「門の前」だということを表わすのである。(c)「駅の近くで火事があった」「駅の近くに火事があった」の「で」と「に」の違いも、「火事」を発生から鎮火に至るまでの動的な変化の出現ととらえるか、結果に着目した単なる非日常的な状態の存在と見るかによるものだと解される。(d)■一❸で移動性動作の到達点を表わす点から「に」を用いることが期待されるところに、格助詞「へ」が用いられることもある。「へ」は元来、移動の方向・方角を表わすものであり、到達点までは含意していないのであるが、移動の方向・方角

に

【二】⇩(本文)に【二】

【仁】数の「二」の借字。「仁王」⇩(本文)じん【仁】

【尼】あま。「尼僧・修道尼・比丘尼」〔名前の下に添えても用いられる。例、「蓮月尼」〕

【弐】数字「二」の大字。

【児】こども。「小児科」⇩じ

と到達点が結果としては一致することが多いので、「行く」「来る」などの動詞をあとに伴う場合、「へ」と「に」が混用されるようになったと考えられる。観光ポスターなどで「水のきれいな○○の海へ」のように、あとに「行こう」といった述語が省略されている表現では、「へ」の本来の意味が保存されている。

(e)何らかの行為を受けた対象物が結果として存在する場所、また、動作主自身が移動した結果として存在する場所を表わす点で、(a)で取り上げた「に」と同じ働きを表わすと考えられる「に」を用いた「棚に荷物をのせる」「指輪を宝石箱にしまう」「バスに乗る」などに期待される「に」にかわって「へ」を用いる傾向も認められるが、安易には許容しがたい。

(f)❺については「と [文法](2)(b)」を参照。

[二]〔終助〕〔接続助詞「に[三]」の変化〕何かの事情でその通りにはならなかった事に対して、それが実現した場合の事を想定して感動することを表わす。「母が生きていてくれたら、どんなに楽しかったろう―/もしもあの車両に乗っていたら、死んでいたであろう―」[文法] 助動詞「う/よう・まい」の終止・連体形に接続する。

[三]〔接助〕❶前提となる事実を想起し、後件で述べられる現状がそれとは相容れないことを表わす。「彼はもうさんざん儲(モウ)けたであろう―、まだ欲をかくのか/子供でもあるまい―、何をばかなことをしているんだ」❷〔雅〕後件に述べられる動作・作用がどんな状態で行なわれるかを表わす。「それを聞く―、うれしき事限り無し/その山見る―、さらにのぼるべきやう無し」[文法] ❶は、助動詞「う/よう・まい」の終止・連体形に接続する。❷は、雅語の用法だが、現在でも、「要するに、どういうことですか」のような形で固定的に用いられる。

に①【二】〔音楽で〕長音階のハ調のレにあたる音名。D音。

に①【二】[一]❶一に一を加えた数を表わす基数詞。「―足歩行・―元中継・―院制・―大政党・―枚舌・―酸化炭素」❷一の次の自然数を表わす序数詞。「―の矢/―の句/―の舞/―の足/―の腕/一―を争う/―審の判決/―番煎(セン)じ・―次会・日系―世・一姫―太郎」〔和語では❶❷共に、ふた(つ)〕⇩三(サン) [二]❶〔↑二の糸①-①〕三味線の糸のうち、三の糸に次いで調子の高いもの。❷〔野球で〕「二塁(手)」の略。「―盗・―安」[表記] [一]の大字は「弐」。

に①【《丹》】〔もと、朱色の土の意〕朱色。「―塗りの橋」

***に**⓪①【荷】❶△これから運搬する(どこかから運搬してきた)品物や、運輸業者が頼まれて運搬する貨物。〔広義では、荷物をも指す〕❷負担。責任。「―が勝つ〔=大き過ぎる〕/―〔=やっかいもの。じゃま〕になる/―をおろす〔=責任や義務を果たして、ほっとする〕/―の重過ぎる仕事」

に【煮】〔動詞「煮る」の連用形の名詞用法〕[一]⓪ 煮る程度。「―〔=煮方〕が足りない」[二]〔造語〕煮ること。煮た料理。「―物・―豆・水―・下―・クリーム―・いとこ―」

***にあ・う**②【似合う】(自五)〈だれ・なにニ―〉相手または目的物との間に矛盾や違和感が無く、大体期待される通りの内容を持つ。「よく―〔=ぴったり合う〕帽子/君にも似合わない〔=ふだんの君からは考えられない〕事を言う」[名]似合い⓪「―の夫婦」

にあがり⓪②【二上(がり)】三味線の二の糸の調子を本調子より一音だけ高くすること。⇩本調子・三下がり

―しんない⑤【―新内】新内節(ブシ)の調子でうたう二上がりの小唄(ウタ)。しんみりとした哀調がある。

にあげ⓪③【荷揚(げ)】―する(他サ) 積み荷を△船から陸(里から山)に揚げる△こと(人夫)。「―作業」

にあし⓪【荷足】〔船の安定をよくするために〕船底に積む荷物。底荷⓪。〔商品の売れ行きの意にも用いられる。例、「―が早い」〕

にあつかい②【荷扱(い)】❶―する(自サ)〔「客扱い」と違って〕荷物の運送・積み降ろしなどを取り扱うこと。❷(人夫の)荷物の取扱い方。

ニアミス⓪〔near miss=軍事用語で至近弾の意〕飛行中の航空機同士が異常に接近し、衝突しそうになること。

にあわし・い④【似合(わ)しい】(形) その場の状況や雰囲気などに合っていて、違和感を感じさせない様子だ。「高級住宅地に―しゃれた感じのレストラン/大人しい彼に似合わしくない過激な発言」[派]―さ③④ ―げ④⑤⓪

にいさん①【《兄さん》】「兄」の口語的表現。自分の兄△に呼びかける(を指して言う)語。〔口頭語形は「にいちゃん①」〕↕姉(ネエ)さん [表記] ⇩付表「兄さん」 [運用] ⇩おにいさん [運用](1)(3)

ニーズ①⓪〔needs=need の複数形〕要望。「国民の―に△応じる(こたえる)」

にいづま⓪【新妻】結婚したばかりの妻。

ニート①【NEET】〔↑ not in education, employment or training〕学校に通わず、独身で、収入を伴う職業についていない(労働意欲に欠ける)若者。〔内閣府の調査では十五歳から三十九歳までを対象とする〕

にいなめさい④【新《嘗祭》】十一月二十三日に、天皇が神がみに新米を供え自身でも召し上がる、宮中の行事。「しんじょうさい」とも。〔今の勤労感謝の日〕

にいにいぜみ③【にいにい《蟬》】七月に多く鳴くセミ。長さ約二センチ。胸・背中のあたりは角ばって、背の中央のW字形の紋は緑黄色。[かぞえ方]一匹

にいぼん⓪【新盆】その人の死後、初めて迎えるお盆。「あらぼん」とも。

にいまくら③【新枕】「〔新婚・相愛の二人が〕初めて共寝すること」の美化した表現。

にいろ⓪【《丹色》】赤土のような色。

にいん①【二院】国会・議会を形作る二つの議院。〔普通、上院と下院を指す。現在の日本では衆議院と参議院〕「―制度④」

にうけ③⓪【荷受(け)】―する(他サ) △運送品(回送品)を受け取ること。「―人⓪」↕荷送り

にうごき②【荷動き】取引による商品の動き。

にうま①⓪【荷馬】荷物を運ぶ(のに使う)馬。

にうり⓪【煮売(り)】野菜・魚などの煮た物を売ること。

にえ⓪【煮え】△煮える(煮えた)程度。「―が悪い/生―」

にえ⓪【《沸・《錵》】日本刀の刃の表面に現われる、細かいあわつぶのような模様。⇩におい[二]❶

にえ②【《贄・《牲》】〔雅〕△朝廷(神)にささげる、みやげの魚・鳥など。

にえあが・る④【煮え上(が)る】(自五) なべやかまに入れた水が沸騰△する(して、中に入れた物によく熱が通る)。

にえかえ・る③【煮え返る】(自五) ❶〔湯などが〕よく煮えて沸騰する。❷激しい怒りに燃える。「腹の中が―〔=怒りのあまり、平静が失われる〕」〔強調形は「煮えくり返る⑤」〕。

にえきらない④【煮え切らない】自分の立場をはっきりと表明△しないで(し兼ねて)いる。「―△態度(返事)」[派]**にえきらなさ**⑤④

にえたぎ・る④【煮えたぎる】(自五)〔湯などが〕沸騰して器からこぼれ出るほどになる。

にえた・つ③【煮え立つ】(自五)〔湯などが〕沸騰して、盛んに湯気を出したり器の外にこぼれたりする。「油が―/煮え立った湯」

にえゆ⓪【煮え湯】ぐらぐら沸いた熱い湯。「―を飲まされ

る〔=裏切られて、ひどい目にあわされる〕」

に・える ⓪【煮える】（自下一）❶煮た食材が、食べられるようになる。「イモがー」❷熱せられて、水が湯になったり固まっていた物がどろどろになったりする。「アスファルトがー〔=暑さのために、舗装面がやわらかくなる〕」【心がー】⇩心❶Ⓐ

にお ①(ホニ)【《堆》】刈り取った稲穂を野外に円錐(エンスイ)形に積み上げたもの。〔脱穀後の わら積みを指すこともある。民俗学的には、田の神の祭壇と説明される〕

にお ①(ホニ)【〈鳰〉】カイツブリの古称。

＊**におい** ②(ヒニホ)【匂(い)】■一❶Ⓐ〔そのものから漂ってきて〕鼻で感じられる刺激。〔快く感じられるものも、不快に感じられるものもある〕「サンマを焼くーがあたりに漂う/いやなーのもとを断つ」Ⓑその場の雰囲気やその人を取り巻く状況から感じられるもの。「生活のー〔=庶民生活を感じさせるもの〕が感じられない女優/城下町のーが漂う町並/悪事のーを感じさせる怪しげな人物」❷美しい色つや。〔狭義では、日本刀の刃の表面に現われる煙状の模様や、よろい・かさねなどの染め色が下になるにつれて薄くなるものなどを指す。⇩裾濃(ゴスソ)〕 表記 ❶は一般に、快く感じられるものは「匂い」、不快に感じられるものは「臭い」と書く。また、❷は「匂い」と書く。 **ーがみ** ③②【ー紙】❶香料などの匂いをしみこませた、化粧紙。❷香水の匂いを選ぶための 香料を付けた見本紙。 **ーぶくろ** ④【ー袋】種々の香料を入れた小さな袋。身につけたり たんすに入れたりする。 **ーた・つ** ④【ー立つ】■二（造語）動詞「匂う」の連用形。（自五）❶いいにおいがあたりに立ちこめる。❷美しさが、輝くばかりにきわ立つ。「満開の桜はーばかりであった/ー色香」

＊**にお・う** ②(フニホ)【匂う・臭う】（自五）■一❶においが鼻に感じられる。〔快く感じられるものも、不快に感じられるものもある〕「甘い香りがー花/ガスがー/少し臭ってきた〔=腐りかけてきた〕魚」❷その場の雰囲気やその人を取り巻く状況から、他言するのをはばかるようなことがあるのではないかと感じられる。「社内の人間が犯人だとすれば、あの男がーぞ」■二〔雅〕輝いて、色が美しく見える。「朝日にー〔=映える〕山桜花」 表記 ■一❶は、一般に快く感じられるものは「匂う」、不快に感じられるものは「臭う」と書く。また、■一❷は「臭う」、■二は「匂う」と書く。〔⇩におい■二〕

におう ②(ワウ)【仁王】仏法護持の神として、寺門の両わきに置かれる金剛力士の像。「ー門②」 表記 もとの用字は、「二王」。 **ーだち** ⓪【ー立(ち)】仁王のように、絶対動かないぞという姿勢を見せて立つこと。

におくり ②【荷送(り)】ーする（他サ）△運送品（回送品）を送り出すこと。「ー人(ニン)⓪」↔荷受け

におのうみ ①-①(ニホ)【〈鳰の海〉】琵琶(ビワ)湖の古称。

におも ⓪【荷重】ーな ❶荷が重い様子だ。❷その人にとって、責任が重すぎる様子だ。

におやか ②(ニホ)【匂やか】ーな ❶（いい）においが感じられる様子だ。❷〔雅〕つやがあって美しい様子だ。「におやか③②」とも。

におろし ②【荷下(ろ)し】ーする（自他サ）積まれた荷物をおろすこと。「ー作業⑤」↔荷積み 表記 「荷降ろし」とも書く。

におわ・せる ④(ニホハセル)【匂わせる】（他下一）〔「におう」の使役形〕❶においを感じさせる。「香水をぷんぷんー」❷それとなく分からせる。ほのめかす。「辞退の意向をー/気品をー」 におわす③（五）。 表記 ❶は、一般に快く感じられるものの場合は「匂わせる」、不快に感じられるものの場合は「臭わせる」と書く。

にか ①(クワ)【二化】〔昆虫などが〕一年に二世代を経過すること。 **ーめいちゅう** ③【ー〈螟虫〉】「二化螟蛾(メイガ)③」の幼虫で、イネの茎の中に食い入って枯らす害虫。

にかい ⓪【二階】❶〔建物の〕地面から上へ二番目の△ゆか（部屋）。「ーから目薬〔=あまり効果の無いたとえ〕」❷〔↑二階建(ダ)て⓪〕二階まである建物。 **ーや** ②【ー家】二階建ての家。

＊＊**にが・い** ②【苦い】（形）❶ビールや、ミルクや甘味料が一切入っていないコーヒー・カカオの多いチョコレートなどを口にした時に（共通して）感じられ、多く不快感を伴う味だ。〔特に子供には不快な味だと感じられるが、成長するにつれて、アユやサンマの内臓・フキノトウなどのにがい味が独特なうまみとして感じられることがある〕「ー煎(セン)じ薬/濃すぎてーお茶/ー〔=不機嫌な〕顔」❷初めて経験した時には不快に感じられるが、後になってみれば自分の未熟さや思慮の足りなさなどがわかって、将来の戒めとなる様子だ。〔多く連体形で用いられる〕「ー△思い（経験）」 派 ーさ①

にがうり ②⓪【苦〈瓜〉】畑で作る、つる性の一年草。苦味のある実を食用とする。食材としてはゴーヤの名で広く流通している。つるれいし③。〔ウリ科〕 かぞえ方 一本

にかえ・す ③⓪(カヘス)【煮返す】（他五）一度煮たものを、もう一度煮る。 名 煮返し⓪

にがお ⓪(ガホ)【似顔】〔↑似顔絵⓪〕その人の顔に似せて描(カ)いた絵。〔狭義では、△役者（美人）の浮世絵を指す〕

にがさ ⓪【荷〈嵩〉】荷物が かさばること。「ーになる」

＊**にが・す** ②【逃(が)す】（他五）〈だれ・なにヲー〉❶つかまえていたものを放して自由にしてやる。「わなにかかったイノシシを山にー/ここから逃がしてくれ」❷つかまえようとしたものに逃げられる。「油断をして犯人を逃がした/チャンスをー〔=なくす〕/逃がした魚は大きい」

にかた ⓪【煮方】❶煮る方法。❷煮る程度。「ーが足りない」❸〔料理屋などで〕煮る仕事を受け持つ料理人。

にがたけ ②【苦竹】マダケの異称。

にがつ ③(グワツ)【二月】一年の第二の月。〔副詞的にも用いられ、アクセントは⓪。雅名は、きさらぎ〕

にがて ⓪③【苦手】ーな ❶△扱いにくく（負かすことが出来なく）て、いやな△様子（相手）。❷不得意な△物事（様子）。「数学がーだ/ーを克服する」

にがにがし・い ⑤【苦々しい】（形）〔どうにかしようと思っても、出来なくて〕はがゆい思いをいだく様子だ。「相手に言い負かされる一方で何ともー思いをした」 派 ーさ⑤④ ーげ⑤⑥⓪

にがみ ③⓪【苦味】苦い△味（感じ）。 表記 本来は「苦み」。 **ーばし・る** ⑤【ー走る】（自五）男性の容貌について、きりっと引きしまった表情をしていて一見取りつきにくいという印象を受けるが、見慣れてくると奥に秘められた人間性が感じられる。「苦味走った顔」

にがむし ②【苦虫】かんだらさぞ苦いだろうと思わせる虫。「ーをかみつぶしたような顔〔=非常に不愉快そうな顔〕」

にかよ・う ③(カヨフ)【似通う】（自五）お互いによく似る。「この相隔たった二つの民族の言語は偶然とは思えないほどよく似通っている」 文法 (1)日常の談話では、文末の述語として具体的な事例を比較対象として結果を述べる場合は、一般に「似通っている」の形で用いられる。(2)「△似通った（似通っている）気候の土地」などと「似通った」「似通っている」の形で連体修飾語として用いることが多い。

にがり ⓪③【{苦塩}・{苦汁}】〔動詞「苦る」の連用形の名詞用法〕海水から製塩したあとに残る苦い汁。豆腐を作るのに使う。にがしお⓪。 表記 古くは「{胆水}」。

にがりき・る ④【苦り切る】（自五）いかにも苦にがしいと

に

いう顔つきをする。

にかわ⓪【〈膠】獣類・魚類の皮・骨・腸・つめなどを煮出した液をさまして固めたもの。木材の接合、絵の具用。

にが わらい③【苦笑(い)】―する(自サ) 内心では必ずしもその状態を肯定しているのではないという思いを込めて笑って見せること。

にがん レフ④【二眼レフ】〔レフ↑レフレックス〕焦点調節用のファインダーレンズと、それに連動する撮影用のレンズとの両方を持っているカメラ。[かぞえ方] 一台

にき①【二季】〔春と秋、夏と冬、盆と暮れのように対照される〕一年のうちの、二つの季節。「春秋―・―払い③」

にき①【二期】❶二つの期間。「会長を―勤める」 ❷一年を二つの期間に分けること。また、その期間。「―制⓪」 ❸一年に二度。〔たとえば、春と秋〕 **―さく**②【―作】同じ土地で、一年に二度、同じ△作物(米)を作ること。⇩二毛作 **―せい**②【―生】二回目の卒業生。

にぎ てき⓪【二義的】―な ―に 「第二義的」の略。

にぎ にぎ①【握々】■一(幼児語) ❶手を握ること。❷握り飯。■二(江戸時代) わいろ。「役人の子は―をよく覚え」

にぎにぎ し・い⑤【〈賑々しい】(形) いかにも賑やかだという印象を受ける様子だ。「遠足に行く子供たちがにぎにぎしく電車に乗り込んでくる」[派]**―さ**⑤④

にきび①【〈面〈皰〉・〈痤】顔の毛あななどに出来る、小さなできもの。思春期に多い。[表記]「二〈禁」は、古い借字。

*__にぎやか__②【〈賑やか】―な ―に ❶人や物がその△場所(時・場面)に集中して現われ、活気のある様子だ。「―な△町(論議)」↔寂しい ❷人声や物音が盛んに聞こえる様子だ。「外が―だ」 ❸(うるさいほど)陽気にしゃべる様子だ。「―な人」〔❷❸の対義語は、静か〕[派]**―さ**③④

にきょく①【二極】南極と北極、陰極と陽極など、相対する二つの極。 **―か**⓪【―化】―する(自サ) その世界における勢力分布が、二つの(相対立する)方向に分かれること。二極分化④。「各産業界での―が進む」 **―しんくうかん**⓪【―真空管】電極が二つある真空管。

にぎら・せる⓪【握らせる】(他下一)〔「握る」の使役形〕わいろのお金などを渡す。「いくらか―」

にぎり【握(り)】■一⓪ ❶握ること。❷器具・家具などの、手で持つ部分。「△ステッキ(ドア)の―」 ❸〔碁で〕手に握り取った石の数が奇数であるか偶数であるかによって先番を決めること。❹〔↑握りずし③〕酢を加えた飯の上に生の魚や貝などを載せて一緒に握った食品。■二(造語) 手で握ってかぞえるのに用いる。❶握った量。「二―の米」 ❷握った太さ。❸こぶしで計る長さ。「二―半」 ■三(造語) 動詞「握る」の連用形。 **―こぶし**④【―拳】❶堅く握った手。「こぶし」とも。❷お金などを持っていないこと。 **―し・める**⑤【―締める・―《緊める】(他下一) 手に力を入れて、強く握る。「ハンカチを―」 **―つぶ・す**⑤【―潰す】(他五) ❶堅く握って潰す。❷部下の提案などを無視して何の対処もしないままにする。「議案を―」[名]握り潰し⓪ **―ばし**③④【―箸】〔子供などが〕箸をうまく使えず、二本一緒に握るような手つきで持つこと。 **―ぶと**⓪【―太】握って太いと感じる△こと(もの)。 **―めし**⓪③【―飯】水でしめした手に塩を付けて、飯を△三角形(丸い形)に握り固めた携行食品。中に梅干・サケ・たらこなどを入れ、外側をのりで包んだり焼いたりする。おにぎり。おむすび。 **―や**⓪【―屋】ためたお金をなかなか使おうとしない人。けちんぼう。

にき・る②【煮切る】(他五)〔料理で〕調味料として加えた、みりん・酒などを強火にかけ、アルコール分を蒸発させる。

**__にぎ・る__⓪【握る】(他五) ❶〈なにヲ―〉手の五本の指を内側に折り曲げる。「こぶしを―」 ❷〈なにニなにヲ―/だれトなにヲ―〉五本の指を内側に折り曲げて何かを手中に収めて放すまいとする。「握ったまま放さない/手に汗を―〔=⇩手〕/財布を―〔=経済の実権を我が物とする〕/絵筆を―〔=絵を描く〕/ハンドルを―〔=ハンドルを手で操作する〕/手を―〔=ⓐ握手する。ⓑ結託する〕」 ❸〈(なにデ)なにヲ―〉塩・酢などで味つけした飯を、両手で押し固めて握り飯や握りずしなどを作る。❹〈なにヲ―〉〔碁で〕先番を決めるために、碁石をつかむ。❺〈なにヲ―〉死命を制するものを自分の手中に収めて、相手に有無を言わさないようにする。「〔事件の〕鍵を―/△証拠(切り札)を―/弱みを握られる/△政権(実権)を―」〔⇩握り■三〕

にぎわい⓪③【〈賑(わ)い】賑わうこと。「大変な―〔=賑わいようだ〕/枯れ木も山の―〔=⇩枯れ木〕」

にぎわ・う③【〈賑(わ)う】(自五) ❶人・物がたくさん出そろって、活気がある。❷〔商売・取引が盛んで〕繁盛する。「市が―」

にぎわし・い④【〈賑(わ)しい】(形) 賑わっている△状態(感じ)だ。[派]**―さ**③④

にぎわ・す③【〈賑(わ)す】(他五) ❶何かをすることによって、賑やかにさせる。賑わせる④(下一)。〔強調形は「賑わわす④」〕「△食膳(マスコミ・話題)を―」 ❷(古) 施す。「貧民を―〔=物を与える〕」

にく(肉)→【字音語の造語成分】

**__にく__②【肉】❶動物の皮膚の下にあって骨を包む、柔らかな物質。「―が付く〔=ⓐ以前やせていた人がふっくらする。ⓑ太る〕/―腫・筋―・贅―・皮―」 ❷食用に供される、鳥獣の「肉❶」。〔広義では魚を含み、狭義では牛・豚肉だけを言う〕「―屋②・―食・魚―・牛―」 ❸「肉❶」に似て、厚み・ふくらみのあるもの。「はんこの―〔=印肉〕/―〔=幅〕の太い字/―を付ける〔=骨組の出来ている物について、さらに仕上げをする〕/果―」 ❹精神に対する、人間の物質的な面。「霊と―/―の欲求〔=肉欲〕/―声・―欲・苦―」 [かぞえ方] ❷の全体の中から切り放された小部分は、一塊・一片

にくあつ⓪【肉厚】―な ―に 〔動物のからだの部位や植物の葉や花弁などについて〕厚みのある様子だ。「―な唇/―に切る」

__にく・い__ ■一②【憎い】(形) 相手のとった自分(や自分に近い存在)に対する言動を何としても許すことが出来ず、機会があれば復讐したいという感情をいだく様子だ。「―親の敵/私をだました男が―/―ほど落ち着き払った態度」[派]―さ**①「碁敵は―も憎し懐かしさ〔=憎いことも憎いが、一方において懐かしくもある〕」 **―げ**⓪②③ **―が・る**③ [運用]「憎いことを言う」などの形で、自分より一枚上手でしてやられたという感情をこめて言うのに用いられる。【憎からず】憎むどころかかえって好ましく感じられることを表わす。〔副詞的に用いられる〕「―思う〔=出来るならかわいがってやりたいとさえ思う。相手に対する好感が、好感以上に発展しそうな状態にあることを指す〕」 ■二【《難い】〔「動詞連用形+―」の形で、接尾語的に〕↔易い■二 ❶そうすることに抵抗感があって出来ない様子だ。「信じ―/言い―ことをあえて言う」 ❷仕組などの点から容易には実現出来ない状態だ。「発音し―単語/まとめ―/壊れ―機械」⇩難い [表記]■一■二ともに「《悪い」とも書く。

にくいれ④⓪【肉入(れ)】印肉を入れる入れ物。肉池。

にくいろ⓪【肉色】❶人間の肌の色のような色。黄色を帯びた、薄い紅色。❷「肉❷」の色。「味も―も違う」

にくが⓪【肉芽】❶ヤマノイモなどの葉腋につく、肉質・

球状の芽。❷皮膚の傷の跡に盛り上がってくる肉。医学では「にくげ」とも。

にくかい[0] 二【肉界】 肉体の世界。↕霊界 二[クヮイ]【肉塊】❶肉のかたまり。❷肉体。〔「にっかい」とも〕

にくがん[0]【肉眼】❶望遠鏡・顕微鏡などを使わないで物を見る時の△目（視力）。「―でも見える」❷有形の物しか見ることが出来ない、普通の人の目。↕心眼〔❷は、もと仏教語で「にくげん」。前・内・昼・上・近くしか見得ないことを指した〕

にくかんてき[0]【肉感的】―な ―に ⇩にっかんてき

にくぎゅう[0]【肉牛】[ギウ] 肉を食べる目的で飼う牛。⇩乳牛・役牛[エキギュウ]

にくじき[0]【肉食】―する（自サ）〔古〕にくしょく。**―さいたい**[0]-[0]【―妻帯】―する（自サ）〔禁欲であるべき僧が〕宗旨により、肉食もし、妻も持つこと。

にくしつ[0]【肉質】❶肉の多い体質。「―の人」❷肉に似た性質。「―の葉」❸〔硬軟の程度や鮮度の良否の点から見た〕肉の品質。

にくしみ[0]【憎しみ】 相手を憎い（と思う）気持。「―の目を向ける／愛と―に身を責められる」

にくしゅ[0][1]【肉腫】 からだの中に出来る、悪性のはれもの。⇩癌腫[ガンシュ]

にくじゅう[0]【肉汁】[ジフ] ❶肉を入れて煮出した汁。❷新鮮な生肉を押すと出る汁。❸肉を焼くと出る汁。「にくじる[0]」とも。

にくじゅばん[3]【肉〈襦袢〉】〔芝居などで〕肌にぴたりとつけて着る、肉色のじゅばん。「にくジバン[3]」とも。表記「〈襦袢〉」は借字。

にくじょう[0]【肉情】[ジヤウ] 「肉欲」の意の古風な表現。

にくしょく[0]【肉食】―する（自サ） ❶〔人間が〕鳥獣・魚類を、食物として食べること。↕菜食 ❷〔動物が〕他の動物を食物として食べること。「―動物[5]・―鳥[0]（＝ワシ・タカ・フクロウなどの猛禽[モウキン]類）」↕草食 **―けい**[0]【―系】〔俗に〕恋愛に積極的なこと。「―女子[7]」↕草食系

にくしん[0]【肉親】〔親子・兄弟などの〕血縁のきわめて近い人。「―の情」

にく

【肉】 ⇩（本文）にく【肉】

にくずく[2][0]【肉豆〈蔲〉】[ニクヅク] 熱帯産の常緑高木。種の中の仁[ネサ]〔＝ナツメグ〕は健胃剤・香味料用とする。〔ニクズク科〕かぞえ方 一株・一本

にくずれ[2]【荷崩れ】[クヅレ] ―する（自サ）〔トラックなどで〕運搬中に積み荷が崩れること。

にくずれ[0][2]【煮崩れ】[クヅレ] ―する（自サ） 食材を煮ているうちにもとの形が崩れること。「輪切りにしたダイコンの面を取って―を防ぐ／―しやすいので落としぶたをする」

にくせい[0]【肉声】〔マイクロホンなどの機械を通した声と違って〕直接、人の口から出る声。

にくたい[0]【肉体】〔精神活動にかかわる面を除いた〕人のからだの動物的側面を強調して言う語。**―てき**[0]【―的】―な ―に からだ・健康の状況に関する様子だ。「―美[3]」「―に堪えられない／―な（＝肉感的な）美人」⇩精神的 **―ろうどう**[5]【―労働】[ラウー] 〔精神労働と違って〕肉体的疲労・消耗が大きい労働。農業・工業などの分野に多い。

にくたらし・い[5]【憎たらしい】（形） いかにも憎らしいと思える様子だ。派 **―さ**[5][4] **―げ**[0][6][5]

にくだん[0]【肉弾】 からだごと敵陣に突っこむこと。「―戦」

にくち[0]【肉池】 肉入れ。

にくづき[2]【肉月】 漢字の部首名の一つ。「肌・胸・腸」などの、左側の「月」の部分。この「月」は「肉」の略体の変化したもの。本来の「月偏」と区別して言う。「にくづきへん」とも。〔多く、身体の形や器官に関係のある漢字がこれに属する〕

にくづき[0]【肉付(き)】〔動物の からだの〕肉の つきぐあい。「豊かな―」

にくづけ[0]【肉付(け)】―する（他サ）〔原稿・計画などについて〕骨組の出来ているものの内容をさらに豊かにすること。

にくてい[3][0]【憎体】―な ―に いかにも憎らしいという感じのする様子だ。「―な物の言いよう／―口[グチ]」

にくてき[0]【肉的】―な ―に 肉欲に関する様子だ。↕霊的

にくなんばん[3]【肉南蛮】 肉とネギを入れて煮た△うどん（そば）。略して「にくなん[0]」。

にくにくし・い[5]【憎々しい】（形）〔見た感じが〕いかにも憎らしい様子だ。派 **―さ**[5][4] **―げ**[5][6][0]

にくはく[0]【肉薄・肉迫】―する（自サ）〔「薄」は迫る意〕❶〔砲撃戦や包囲戦ではなく〕敵陣に近づき、本営目がけて接近戦を仕掛けること。❷競技などで もう少しで相手を追い越すところまで迫ること。また、論戦で もう少しで勝てるところまで鋭く詰め寄ること。「△1点差（論理の矛盾）に―する」

にくばなれ[3]【肉離(れ)】―する（自サ） 急に過度の運動をした時などに、足の筋繊維の一部が切れること。

にくひつ[0]【肉筆】〔印刷や複製によるものと違って〕手で書いた字や絵。「―の手紙／―の浮世絵／北斎の―画」

にくぶと[0]【肉太】―な ―に 文字の点や線の幅が広い△こと（様子）。「―の字」↕肉細

にくふん[0]【肉粉】 肥料・飼料などにするため、肉を干して粉としたもの。

にくへん[0]【肉片】 肉のきれはし。

にくぼそ[0]【肉細】―な ―に 文字の点や線の幅が細い△こと（様子）。「―の文字」↕肉太

にくまれぐち[4]【憎まれ口】 人に憎まれるような言葉。悪たれ口。「―をたたく」

にくまれっこ[4]【憎まれっ子】 だれからも憎まれる△子供（人）。「―世にはばかる（＝みんなに憎まれるような者が、世間では権力をふるう）」

にくまれやく[0]【憎まれ役】 だれからもいやがられ煙たがられる存在だが、△当事者（その組織の存在）にとっては必要欠くべからざる役割を担っている人。「―を買って出る」

にくまん[0]【肉〈饅〉】「にくまんじゅう」の略。⇩あんまん

にくまんじゅう[3]【肉〈饅《頭〉】[チユウ] ひき肉に野菜を刻んで交ぜて味をつけたものを具とした中華饅頭。略して「にくまん」。

***にく・む**[2]【憎む】（他五）〈だれ・なにヲ―〉 憎（らし）いと思う。「罪を憎んで、人を憎まず」名 憎み[3] 運用 「にくむ」の可能動詞形「にくめる」の否定形「にくめない」は、言動に一見不遜なところがあるなどしていやな奴だという印象を受けることがあるが、長くつきあったりしているうちに意外に人間味のあることがわかってきて本質的にはよい人間だと感じる心情を表わす。

にくようしゅ[3]【肉用種】 肉を食用にするために飼う、牛・羊・鶏などの品種。⇩卵用種・乳用種

にくよく[0]【肉欲・肉〈慾〉】〔けがらわしいもの、禁圧されるべきものとして見た〕性欲。

にぐら[0]【荷〈鞍〉】 荷物を置くために馬に置く鞍。

***にくらし・い**[4]【憎らしい】（形） 自分や自分の側の者に何らかの物質的・精神的な損傷を与えた相手に対して憎いと思う気持をいだく様子だ。「―口のききかたをする」派 **―さ**[3] **―げ**[0][5][4] **―がる**[5]

にぐるま②【荷車】〔人・牛馬の力で〕荷物を運ぶ車。
ニクロム⓪①〔Nichrome=商品名〕ニッケルとクロムとを主とした合金。「—線⓪〔=電熱器などの発熱用に使う針金〕」
にぐん⓪【二軍】〔↑第二軍〕〔プロ野球の球団で〕レギュラーの選手の補欠・予備としての要員。〔俗に、（まだ）第一線では活躍出来ない専門家の意にも用いられる〕↕一軍
にげ②【逃げ】逃げること。「—の一手に終始する/—を打つ〔=ⓐ逃げようとする。ⓑ責任などをのがれようとする〕/—も隠れもしない」
にげあし⓪②【逃げ足】❶逃げる△こと（速さ）。「—が速い」❷逃げようとすること。逃げ腰。「—になる」❸〔競馬・競輪で〕逃げきる速さ。「—がいい」
にげう・せる④【逃げ《失せる】（自下一）逃げて行くえをくらます。
にげおく・れる⑤【逃げ遅れる】（自下一）逃げる機会を失う。「逃げ遅れて焼死する」
にげかくれ③②⓪【逃げ隠れ】—する（自サ）逃げて追及の手をのがれ、安全な所に隠れること。「もう—はいたしません」
にげき・る③⓪【逃げ切る】（自五）追いつかれないで、逃げおおせる。〔先行したまま勝つ意にも用いられる〕
にげぐち②【逃げ口】〔万一の時に〕外へ逃げ出す出口。「—を失う/—〔=なんとか逃げる方法〕を考える」
にげこうじょう③【逃げ口上】返答・責任などを言いのがれようとするために言う言葉。「—を封じる」
にげごし⓪【逃げ腰】〔責任などをのがれて〕逃げ出しそうな△かっこう（態度）。「—になる」
にげこ・む③⓪【逃げ込む】（自五）❶追及の手をのがれ、安全な所に入る。❷〔競技で〕もう少しで自分に追いつきそうになった相手を振りきって勝つ。
にげさ・る⓪③【逃げ去る】（自五）危険を察知して、その場所から遠くへ△行く（離れる）。
にげじたく③【逃げ支度】逃げる用意。
にげだ・す⓪③【逃げ出す】（自五）❶逃げて、そこから去る。❷逃げ始める。
にげな・い③【似気無い】（形）あんなことをするとは意外だと思われるほど、その人の言動が△日常（世間一般の人）とは違う様子だ。「あの小心者の彼には—大胆な行動/子供には—ませた返事」文法 助動詞「そうだ（様態）」に続くときは「似気なさそうだ」の形になる。また「すぎる」と結びついて複合動詞をつくるときは「似気なさすぎる」の形になる。
にげの・びる④⓪【逃げ延びる】（自上一）つかまらないで、安全な△所（時期）まで逃げる。
にげば③【逃げ場】逃げて行ける安全な場所。「—を失う」
にげまど・う④【逃げ惑う】（自五）どっちへ逃げたらいいか分からず、うろうろする。「突然の火事に、みんな—」
にげまわ・る④⓪【逃げ回る】（自五）あちこち逃げて歩く。「債権者から—」
にげみず②【逃げ水】夏の草原やアスファルト道路などで、遠くに水があるように見え、近づけば、遠のいて見える現象。「武蔵野の—」
にげみち②【逃げ道】❶追われる者などが（確実に）逃げることのできる道。「犯人の—を絶つ」❷罪や責任をのがれるための手段。「巧みな—を考えて違法な取引をする」
に・げる②【逃げる】（自下一）❶〈（どこカラどこニ）—〉追われてつかまらないように、遠くへ去る。のがれる。❷〈どこ・なにカラ—〉△危険な（自由を縛る）ものから、離れる。「刑務所から—/現実から—」❸〈なに・だれヲ—〉予測されるわずらわしさを避けて、かかわりを持たないようにする。「いやな仕事を—」❹〔競馬・競技で〕追いつかれないうちに勝つ。表記「遁げる」とも書く。
にげん⓪【二元】❶相異なる二つの根本原理から物事が成ること。〔二つの放送場所（を同時に使うこと）の意にも用いられる。例、「—放送」〕❷〔数学で〕その方程式に、未知数が二つあること。「—一次方程式」 —きょう⓪【—教】世界を善悪二つの対立・戦いと見る宗教。ゾロアスター教など。 —ろん②【—論】ある事柄の本質を解釈するのに、二つの対立する観点から説明しようとする方法。
にげんきん⓪②【二弦琴・二絃琴】二本の糸を張って鳴らす琴。かぞえ方 一面
にこ①【二胡】中国の伝統的な弦楽器。木製の胴に長い木製の棹を貫通させ、二本の弦を張ったもの。弓で弦をはさみ、こすって演奏する。
にこう⓪【二更】昔の時法において、亥の刻。今の午後九時ごろから十一時ごろまでに当たる。⇩五更
にこう①【尼公】尼となった、身分の高い女性。
にごう①【二号】❶順に出来る同種の物の二番目（のもの）。❷〔本妻を、一号と見たてて〕「めかけ」の婉曲な言い方。
にこげ⓪【《和毛】柔らかな毛。うぶげ。わたげ。
にこごり⓪【煮《凝り】❶魚を煮た汁がさめて固まったもの。❷ヒラメ・カレイなどを煮て、汁と共に固まらせた料理。
にごしらえ②【荷（拵え】—する（自他サ）どうしたら荷物を効率よく、また、損傷せずに、列車や自動車に積んで運べるかと考えた上で、荷物を作ること。
にご・す②【濁す】（他五）不透明な状態にする。「言葉を—〔=⇩言葉〕/お茶を—〔=⇩お茶〕」
ニコチン⓪〔nicotine〕たばこの中に含まれる、揮発性・液状のアルカロイド。猛毒。 —ちゅうどく⑤【—中毒】たばこの吸い過ぎから起こる、慢性のニコチンによる中毒。〔圧縮表現は「ニコ中⓪」〕
にこにこ①（副）—と —する 笑みを浮かべて、いかにもうれしそうな表情を示す様子。「いつも—している/—顔⓪」
にこぼ・れる④【煮《零れる】（自下一）〔汁などが〕煮え立って、なべの外へあふれ出る。他動 煮零す③（五）
にこぽん⓪ 相手の肩をぽんとたたき、満面に笑みをたたえながら応対し、巧みに味方の陣営に引き入れること。〔やや古風な口頭語的表現〕「—主義⑤・—戦術⑤」
にこみ⓪【煮込み】煮込むこと。また、煮込んだ料理。「—が足りない/—おでん⑤〔=おでん〕・もつ—③」
にこ・む②【煮込む】（他五）❶いろいろの物を一緒に煮る。❷十分に煮る。
にこやか②—な —に にこにこ△する（して、あいそがいい）様子だ。「—に挨拶する」派 —さ③④
にこよん⓪〔二個四の意〕〔昭和二十五年ごろ、一日の日当が二四〇円であったことから〕当時、公共職業安定所の斡旋で働いていた日雇い労働者の俗称。
にごら・す③【濁らす】（他五）〔「濁る」の使役動詞形〕濁るようにする。きたない状態にする。濁らせる④（下一）。「空気を—排気ガス」
にこり②（副）—と うれしくてつい笑顔を見せる様子。〔強調形は「にっこり」〕「—ともしない」
にごり【濁り】■③❶濁っていること。また、濁った物。「目の—/ささ—」❷〔↑濁り点③〕濁音の符号。だくてん。■〔造語〕動詞「濁る」の連用形。「—水③・—酒③〔=どぶろく〕・—〔=不透明の〕ガラス④」 —え③【—江】〔雅〕水の濁った△川（入り江）。
にご・る②【濁る】（自五）↕澄む ❶〈（なにデ）—〉きれいでなくなる。不純になる。「水が—〔=透き通らなくなる〕/空気

【 】の中の教科書体は学習用の漢字，︿ は常用漢字外の漢字，︽ は常用漢字の音訓以外のよみ。

が—〔=よごれる〕/目が—〔=輝きを失い、生気が感じられない状態にある〕/色が—〔=鮮明でなくなる〕/音が—〔=はっきりしなくなる〕/心が—〔=邪心が生じる〕/濁った〔=秩序が乱れ、正義の行なわれない〕世の中」❷濁点を打つ。濁音となる。〔⇩濁り❷〕

にごろ[0]【煮頃】ちょうどいい煮えかげん。「イモの—」

にころがし[0]【煮転がし】サトイモ・クワイなどを、しょうゆなどを入れた煮汁で焦げつかないようにころがしながら煮つめた料理。「煮ころばし[0]・煮っころがし[0]」とも。

にごん[0]【二言】前に言った事を取り消して、都合のいい別の事を言うこと。「武士に—は無い」

にざかな[2][0]【煮魚】煮た魚。

にさばき[2]【荷〈捌(き)】—する(自他サ)❶荷物の処理をすること。❷入荷した品物の売り捌き。

にざまし[2][0]【煮冷(ま)し】一度煮て、△さますこと(さました物)。

にさん[1]【二三】二つ(か)三つぐらい。幾らか。「—の質問」

にさんか[2]【二酸化】(造語) 酸素二原子と化合した。「—硫黄(イオウ)[5]・—マンガン[5]」**—たんそ**[5]【—炭素】炭素一と酸素二原子の化合物。炭などの燃焼、動物の呼吸などによって生じる、無色・不燃性のガス。大気中におよそ〇・〇四パーセント存在し、植物の生長に必要。ドライアイス・清涼飲料・冷凍剤・消火剤用。地球温暖化の原因の一つ。俗称「炭酸ガス」。〔化学式 CO_2〕

にし[0]【西】❷↕東 ❶春分の日の夕方、太陽の沈む方角の称。「—する[0]〔=西の方へ行く〕」❷西風。「—が吹き出す」❸関西。❷〔仏教で〕❶西方(サイホウ)浄土。❷西本願寺[3]。浄土真宗本願寺派の本山。↕東

にし[1]【〈螺】海産の巻貝の一つ。アカニシ[2]・ナガニシ[2]などの総称。〔ウミホオズキは、これらの卵の入った袋〕「田—」[かぞえ方] 一枚

にし[1]【二死】〔野球で〕アウトが二つになること。ツーダン。「—満塁」

***にじ**[0]【虹】(太陽と反対側の)雨上がりの空や、大きな滝のあたりなどに、七色の弓形をして見えるもの。空中の水滴に日光が当たって出来る。「夕方の空にかかる—の橋/—の〔=それに夢を託することが出来る〕楽園/—色(ロイ)[0]」

にじ[1]【二次】〔二番目の意〕❶〔一度だけで結果が出せなかった事柄について〕追加として行なうこと。「—試験・—募集」❷〔数学で〕その式の次数が二であること。例、$2x^2+3x+1$ は x についての二次(多項)式。**—かい**[0][2]【—会】宴会が終わったあとで、さらに(別の場所で)催す酒宴。**—きょくせん**[3]【—曲線】座標平面において、座標の二元二次方程式で表わされる曲線。〔円錐(エンスイ)曲線と一致〕**—さんぎょう**[3]【—産業】第二次産業。⇩産業 **—せいちょう**[3]【—性徴】⇩性徴 **—せいひん**[3]【—製品】原材料をある程度 加工したもので、△精製品(加工品)の材料となるもの。例、鉄の なまこ・銅線など。**—てき**[0]【—的】—な —に 主になるものに比べれば それほど重要な事ではない様子だ。**—ほうていしき**[5]【—方程式】〔数学で〕未知数に関する二次式を左辺とし、零を右辺とする形に表わせる方程式。

にしあかり[3]【西明(か)り】日没後、しばらくの間、西の空が明るいこと。

にしかぜ[0]【西風】西から吹く風。↕東風

にしがわ[0]【西側】旧ソ連圏の諸国に対する、西部ヨーロッパ諸国および米国の側。「—陣営」↕東側

にしき[1]【錦】❶種々の色糸や金銀の糸を横糸に使ってきれいな模様を織り出した、厚い高価な絹織物。「—を飾る〔=出世した姿を故郷の人に見せる〕」❷色彩・模様などのきれいなもの。「もみじの—」[かぞえ方] ❶は一片。売買取扱いの単位は一坪(ヒトツボ) [かぞえ方] 一枚 **—え**[3]【—絵】木版・色刷りのきれいな浮世絵。[かぞえ方] 一枚 **—ぎ**[3]【—木】枝にコルク質の羽状の突起がある落葉低木。秋のもみじが美しい。〔ニシキギ科〕[かぞえ方] 一株・一本 **—のみはた**[1]-[0]【—の《御旗》】赤地の錦に日月を金銀で描いた、官軍の旗。〔だれも反対出来ない、りっぱな口実の意にも用いられる。例、「平和のためという—を掲げる/…を—に」〕**—へび**[3][4]【—蛇】熱帯産の巨大なヘビ。無毒で、背中に まだらがある。〔ニシキヘビ科〕[かぞえ方] 一匹

にじき[1]【二食】⇩にしょく❷

にじぐち[2]【二字口】〔すもうで〕土俵の東西にある、力士の土俵への上がり口。

にじげん[2]【二次元】〔長さと幅だけの〕平面的な広がり。⇩三次元・四次元 **—バーコード**[7]〔横方向にたて線が連なるバーコード(=一次元バーコード)に対して〕小さな正方形内に印刷された模様で、携帯電話などの機器を用いて情報を読み取り、特定のホームページにリンクさせるためなどに用いるもの。「QRコード」はこの一方式。

にしじん[2]【西陣】〔←西陣織[0]〕京都の西陣で作られる、錦(ニシキ)・金襴(キンラン)などに代表される精巧な織物。

にじっせいき[4]【二十世紀】❶西暦一九〇一年から百年間。❷ナシの一品種。甘くて水分が多い。〔❶❷とも、「にじゅっせいき[4]」とも〕

にして ❶ある面と同時に他の面をも併せ持つことを表わす。「学者—〔=であり、かつ〕詩人/簡—〔=簡単であって〕要を得る/人—人にあらず〔=顔つきは人であっても、その心は人間のものではない〕」❷時間的な限度である(ととらえる)ことを表わす。「一瞬—消え失せる/一日—成らず」❸ありえないと思うことが起こるなどして、例外ではなかったととらえることを表わす。「不幸—業(ギョウ)半ばにして病に倒れた/この人—〔=の場合にも〕この欠点あり」❹その時点においてどのような状態であるかということを表わす。「幼—穎悟(エイゴ)〔=小さい時からものすごく利口だった〕/今—〔=になって〕思えば/優勝を目前—けがで泣く」

にしても その場合も例外ではないことを表わす。「わたし—困る」

にしにほん[4]【西日本】日本の西半分。静岡県の浜名湖付近から、新潟県の親不知(オヤシラズ)付近を結ぶ線の西の地域。〔狭義では、九州だけを言う〕↕東日本

にしのうち[3]【西の内】〔←西の内紙(ガミ)[5]〕茨城県西野内で出来る、丈夫な和紙。

にしはんきゅう[3]【西半球】イギリスのグリニッジと南北両極とを通る平面で地球表面を二分した時に、グリニッジより西側にある方の「半球❷」。〔南北アメリカ州を含む。西経二〇度から西へ東経一六〇度までとする流儀もある〕↕東半球

にしび[0]【西日】西に傾いた日。夕刻の、(強い)日ざし。

にじます[0]【虹〈鱒】湖などで飼う魚。形はアユに似て少し大きい。表面に斑点があり、側線の所は、虹を思わせるあざやかな桃色。食用。〔サケ科〕[かぞえ方] 一尾・一匹

にじま・せる[4]【〈滲ませる】(他下一)〔「にじむ」の使役形〕❶〔水・色などが〕にじむようにする。「涙を—/△背中(額)に汗を—/水で絵の具を—」❷湧き起こる気持や感情を自然に表に出す。「淡々とした話しぶりの中にも怒りを—/コメントに決意を—」

にじみ・でる[4]【〈滲み出る】(自下一)❶〔水・色などが〕しみて出る。「汗が—」❷自然に表に現われる。「△人柄(色合・苦心・苦労した跡)が—/行間に—」

***にじ・む**[2]【〈滲む】(自五)❶〈なに・どこニ—〉 そのものの内

部に含まれている液体の成分が外部に向かって徐々に広がり表面にまで現れ出る。「包帯に血が—／血の—ような努力」❷〈なに・どこニー〉気持・感情・雰囲気などが自然に現われ出て、感じ取られる。「口調に怒りが—／表情に疲れが—／政治色のにじんだ、街の再開発」❸〈なにデー／なにニー〉水にぬれたりこすれたりなどして、ものの集合部や輪郭などがぼやけて見える状態になる。「雨で街灯の光がにじんで見える／涙に—／故障でモニター画面が—」名滲み③

にしめ⓪【煮《染め》】 肉・野菜などを、しょうゆを使った汁で煮しめた料理。

にし・める③【煮《染める》】(他下一) しょうゆを使った汁が材料にしみこむまで時間をかけて煮る。「煮染めたような手ぬぐい」

にしゃ①【二者】 二つの△もの(人)。「—会談・—生還」 **—たくいつ**①-⓪【—択一】 二つのうちの どちらか一つを選△ぶ(ばなければならない)こと。二者選一。「—を迫られる」

にしゃ さんにゅう①-⓪【二捨三入】—する(他サ) 十進位取り記数法で表わされた数の 一の位を〇か五にした概数を求めるために、一の位が二以下ならば それを切り捨て、八以上(=八か九)ならば切り上げ、それ以外ならば 五にする操作。〔広義では、一の位以外の位における同様の操作をも指す〕

にじゅ①【二〈豎】〔古〕〔二人の子供の意〕病気。「—の冒すところとなる(=晋の景公が見た夢の中で、病気の精が二人の子供の姿をしていたという話から、病気になること)」

にじゅう⓪【二重】 同じような△こと(もの)が二つ重なること。ふたえ。「—の苦しみ／—に包む／—国籍④(=同じ人が、二つの国籍を持っていること)・—性⓪」 **—うつし**④【—写し】 ❶写真のフィルムの同じ齣に、誤って二度△写すこと(写したもの)。❷〔映画で〕一つの画面に別の画面が重なって写り、次第に初めのものが消えること。オーバーラップ。 **—かかく**④【—価格】 ❶価格を統制するために、同じ商品に設けられた二つの価格。輸出価格と国内価格など。❷テレビなどで、現金正価のほかに、実勢価格(=実際に売買する時の値引きした価格)のあること。 **—しょう**②【—唱】 低音と高音を、二人で分けて歌う合唱。デュエット。デュオ。 **—じんかく**④【—人格】 ❶意識の統一状態が分裂して、一時全く別人のようになること。❷同じ人が、場合によって別人のようにふるまうこと。 **—せいかつ**④【—生活】 ❶〔日本人がする〕日本風と西洋風の両方の様式を取り入れた生活。❷何らかの事情で二つの所を行き来して生活すること。「勤務地との—」 **—そう**②【—奏】 △二種(二個)の楽器による合奏。デュエット。デュオ。 **—ちょうぼ**④【—帳簿】 脱税や粉飾決算などのために、事実を記載した帳簿とは別に、偽りを記載した表向きの帳簿をもう一冊作ること。また、その帳簿。 **—どり**⓪【—取り】—する(他サ) 代金などを一度受け取っておきながら(そ知らぬ顔で)もう一度受け取ること。 **—どり**⓪【—撮り】—する(他サ) 一度撮影したフィルムを(うっかりして未撮影と勘違いし)もう一度写すこと。 **—ひてい**④【—否定】 一度打ち消した表現をさらに打ち消すことによって、かえって肯定の意を強める表現。例、「考えられないことはない(=一般的に見て、そう考えられる確率が高い)／決して出来ないわけではない(=出来る)」。 **—ぶた**②⓪【—蓋】〔温度の変化や湿気を防ぐために〕容器の外蓋の中に、もう一つ内蓋のある構造。また、その蓋。 **—まど**④【—窓】 温度の急激な変化や外の騒音を防ぐために二重に作ってある窓。 **—まわし**④【—回し】 もと、燕尾服の上に着用するものであったインバネスを和服用に改良したもの。ラシャ製の、男子が和服の上に着る外とう。そでに当たる部分が広く長く裂けており、トンビの羽に似る。とんび(がっぱ)。 **—らせん**④【—〈螺旋】 遺伝子の本体であるDNAの分子構造。二本の鎖状に並んだ塩基が水素結合で並列し、互いにねじれ合って二重の螺旋構造になっている。

にじゅうしき①-①、①-【二十四気】 黄経(=太陽の黄道上の位置)によって、一年を二十四(=各十五日)に区分した、中国伝来の陰暦の季節区分。「二十四節・二十四節気・節気」とも。

にじゅうよじかん①-②-【二十四時間】 一日じゅう(のすべての時間)。「—制(=一日の時刻を午前・午後に分けず、零時から二十四時まで通して呼ぶ呼び方)・—営業」

にじょ①【二女】 ❶次女。❷二人の女の子。「一男—」

にじょう⓪【二乗】—する(他サ) 〔数学で〕その△数(式❸Ⓐ)に、それと同じものを掛け合わせること。また、その結果。自乗。平方。〔ジジョウとも読む〕「最小—法」

にしょく①【二食】 ❶二回分の食事(の量)。❷一日に二度(だけ)食事をすること。「にじき」とも。「—主義」

にじりぐち③【〈躙り口】 茶室につけてある、躙るようにしなければ出入り出来ない小さな出入口。

にじりよ・る④⓪【〈躙り寄る】(自五) ❶躙るようにして近寄る。❷少しずつ(相手を追い詰めるように、じわじわと攻め)寄る。

にしる⓪【煮汁】 魚・野菜などを△煮た(煮るための)汁。「にじる」とも。

にじ・る②【〈躙る】 ■一(他五) 足などで押さえながら、強くすり動かす。「げたの歯で—／踏み—」 ■二(自五) すわったかっこうのまま、少しずつ ひざを押しつけるようにして移動する。「にじり寄る・にじり出る」

にしろ 「にせよ」の口頭語的表現。「君—僕—」

にしん①【〈鰊・〈鯡】 北海道などの北方の海でとれる中形の魚。食用・肥料用。卵は干して「数の子」とする。かど。〔ニシン科〕「身欠き—」 表記 「二身」とも書く。 かぞえ方 一尾・一匹：一本

にしん⓪【二心】 「ふたごころ」の漢語的表現。「—をいだく」

にしん⓪【二伸】 追伸。

にしん⓪【二審】 第一審の判決に対し、不服申し立てのあった場合に行なわれる第二次の審理。控訴審。第二審①-⓪。

にしんとう②【二親等】 本人または配偶者を中心とした親族関係の、二番目に近いもの。例、祖父母・兄弟姉妹・孫など。

にしんほう⓪【二進法】 二を「基数❷」として採用する位取り記数法。十進法の1・2・3・4がそれぞれ1・10・11・100となるように、すべての数が0と1とを用いて表わされる。「コンピューターは—の原理に基づく」⇩進法

ニス① シェラックニス(=白木に塗る下地塗料)およびワニスの略。「手作りのテーブルに—をかける」

にすい⓪【二水】 漢字の部首名の一つ。「冬・冷・冴」などの「冫」の部分(「冬」の旧字体は「冬」)。「さんずい(氵)」に対して言う。〔「冫」は水が凍る意で、多く、気候の寒さに関係のある漢字がこれに属する〕⇩さんずい

***にせ**⓪【偽・〈贋】 〔「似せ」の意〕△人をだます(巨利を得る)目的で作られた、本物そっくりのもの。

にせ①【二世】 〔仏教で〕現世と来世。「—の 契り(=夫婦になる約束)」

にせアカシア③④【偽アカシア・〈贋アカシア】 ⇩はりえんじゅ

にせい①【二世】❶〔欧米で〕先代の王などと同じ名を持つ二代目の人。〔俗に、その人の子供の称。例、「最近―が生まれた」〕⇩ジュニア　❷日本からの移民の子で、移民先で生まれ、その国の市民権を持つ人。「日系―⑤」

にせがね⓪【偽金・〈贋金】贋の貨幣。「―作り⑤」〘かぞえ方〙一枚

にせさつ⓪【偽札・〈贋札】贋の紙幣。

にせもの⓪[一]【偽者・〈贋者】❶他人の名や地位・職業などを詐称する者。「本人が現われ、―だということがわかってしまった／大学教授というが、とんだ―だった」❷そう称されるのは形骸(ケイガイ)だけで、内実は、その栄誉に値しない人。「当代随一の碩学(セキガク)とかいう評判だったが、どうやら―のようだ」❸外見は一級品を思わせるが、内容はお粗末な者。「―が大手を振ってまかり通る世の中」[二]【偽物・〈贋物】内容の粗悪な、にせの品。「まっかな―／似ても似つかぬ―」⇩本物

にせよ　どちら、また、どの場合においても事情は変わらないことを表わす。「どちら―〔＝であっても〕やる気は無いんだろう／買う―買わない―一度見ておくといいですよ」

に・せる⓪【似せる】(他下一)本物らしく△見せる(作る)。

にせん⓪【二選】―する(自他サ)〔選挙などで〕二度、選出△する(される)こと。再選。

にそう⓪①【尼僧】女性の僧。あま。

にそくさんもん④【二束三文・二足三文】〔二束で三文、という わらじの値段から〕数は多いが、非常に安い値しか付かない△こと(物)。「―に売り払う／―で譲り受ける」

にそくの わらじ①-⓪、⓪-【二足の〔草〈鞋〕】普通の人なら両立出来ないような二つの職業を、一人の人が持つこと。〔狭義では、ばくち打ちであると同時に岡っ引きでもあるような、普通の意味では矛盾した兼業関係にあることを指す〕「―をはく」

> **にち**
>
> **［日］** [一]❶太陽。「日没・日輪」❷太陽の出ている間。昼間。「日夜・日中(ニッチュウ)」❸時間の長さの単位で、地球が太陽に対して一回自転する時間を表わす。平均太陽日。〔二十四時間に等しい〕「八十日間世界一周・半日」❹午前零時から次の午前零時までの間。「日時・毎日・五月十二日・命日」⇩ひ(日)　[二](略)❶日曜日。「土日」❷日本。日本語。「日銀・日語〔＝日本語〕・対日・知日・親日・来日・日英・日独・日仏・日米・日露・日中(ニッチュウ)」❸日向(ヒュウガノ)国。「日州(ニッシュウ)」

にだ①【荷駄】馬で運ぶ荷物。

にだい①【二大】(造語)二つの大きな。「―政党④」

にだい⓪【荷台】〔トラックや自転車の〕荷物を載せる、台になっている部分。

にたき①【煮炊(き)】―する(他サ)食物を調理すること。

にたく⓪【二択】二者択一のこと。「それは究極の―だ」

にだし⓪【煮出(し)】〔←煮出し汁(ジル)④〕〔かつおぶし・こんぶなどを〕煮出した汁。だしじる。

にだ・す②【煮出す】(他五)煮て味を出す。

にた・つ②【煮立つ】(自五)水や中に入っているものが十分に熱せられる。「そろそろ煮立ってきたころだ」〘他動〙煮立てる③(下一)

にたにた①(副)―と―する　△してやったり(いい気味だ)と言わんばかりに、声を立てずに うす気味悪い笑いを浮かべる様子。

にたもの⓪【似た者】〔性格などが〕互いに似ている者。「―同士」　**―ふうふ**⑤【―夫婦】夫婦は互いに性質や好みが似てくるということ。また、そのような夫婦。

にたり②(副)―と　声は出さず、口もとをゆがめてわずかに笑う様子。〔強調形は「にったり③」〕

にたり⓪【荷足(り)】〔←荷足り船(ブネ)④〕川での運送に使う小船。

にたりよったり②-③、④【似たり寄ったり】よく似ていて、どちらがいいとも言えない△こと(状態)。「―の内容」

にだん①【二段】段を単位としてかぞえられるものが、二つあることを表わす。　**―がまえ**④(ガマヘ)【―構(え)】一度でだめなら、次の手を打つように用意すること。　**―ぬき**⓪【―抜(き)】〔新聞などの見出しが〕二段にわたること。　**―め**④【―目】❶全体が数段に分かれている浄瑠璃(ジョウルリ)などの、二番目にあたる章。❷二番目の段。❸〔すもうで〕幕下。

にち(日)→【字音語の造語成分】

にちあん⓪【日案】〔「週案・月案⓪」などと違って〕一日ごとの計画。

にちぎん⓪【日銀】「日本(ニッポン)銀行」の略。「―総裁⓪-⓪」　**―けん**③【―券】日本銀行が発行する紙幣。

にちげつ⓪①【日月】じつげつ。　**―ボール**⑤「けんだま」の俗称。

にちげん②【日限】何日までと、日を限って定めた日。期限の日。日切り。「―が切れる」

にちじ①【日時】〔会合・出発などの〕日と時刻。「開催―を決める」

にちじょう⓪【日乗】〔「乗」は記録の意〕「日記」の意の古風な表現。「断腸亭―〔＝永井荷風(カフウ)の日記〕」

にちじょう⓪(ジヤウ)【日常】普通の事として、毎日のように繰り返し行なわれること。「平和な―〔＝毎日〕を送る／―の わずらわしさ／―的な事物／―卑近の例／―会話⑤・―生活⑤」　**―さはんじ**⑥【―茶飯事】その△人(地域)にとっては きわめて普通であって、何も珍しくはないこと。　**―せい**⓪【―性】食事・排泄(ハイセツ)をしたり 半ば機械的に職場との間を往復したり 与えられた仕事を義務的にこなしたりという、取り立てて変化・発展が見られない、日びの暮らしの状態。「―から脱出する／―に埋没する」　**ひ―**①-⓪、②【非―】⇩非日常

にちにち⓪【日々】時とともにすぎてゆく一日一日。〔副詞的にも用いられる〕「―の出来事／―〔＝日ごと〕の進歩／―夜々(ヤヤ)」

にちぶ⓪①【日舞】「日本舞踊④」の略。↕洋舞

にちぼつ⓪【日没】太陽が沈むこと。↕日出(ニッシュツ)

にちや①【日夜】[一]昼と夜。「―を分かたぬ努力／不安な―〔＝毎日〕を送る」[二](副)昼も夜も休む間(マ)もなく続けられる様子。「―努力する／―心を砕く」

にちょう①(テウ)【二調】〔音楽で〕ニの音を主音とする音階(による調子)。

にちよう⓪【日用】毎日の生活で使うこと。「―雑貨⑤」　**―ひん**⓪【―品】毎日の生活に使う品物。例、ちり紙・歯ブラシ・洗剤など。

＊＊にちよう③(エウ)【日曜】一週の第一日。日曜日③。週の始まりを月曜とすれば、一週の週末。「―画家⑤・―大工⑤〔＝日曜などの休日に、自分の家の大工仕事をする△こと(人)〕」　**―がっこう**⑤(ガクカウ)【―学校】〔キリスト教会などで〕主として児童の宗教教育のため、日曜ごとに開かれる学校。

にちりん⓪【日輪】〔輪状に見えることから〕「太陽」の異称。⇩月輪

にちれんしゅう③【日〈蓮宗】仏教の一派。鎌倉時代、日蓮が開いた。

にちろく⓪【日録】毎日つける記録。

にっか①(クワ)【日貨】日本からの輸出品。

にせい――にっか

に

に

にっか⓪【日課】前もって決めて、毎日する△仕事(事柄)。「散歩を―とする/―を果たす」

ニッカーボッカー⑤〔knickerbockers の日本語形。もと、ニューヨークのオランダ系移民を指した〕(ひざ下でくくる)だぶだぶの半ズボン。ゴルフ・狩猟や登山などの際にはく。ニッカーボッカーズ⑤とも。略してニッカー(ズ)①。

にっかい⓪【肉界】【肉塊】⇩にくかい

にっかわし・い⑤【似つかわしい】(形)その人の性格や日頃の言動などから、いかにももっともだととらえられる様子だ。「晴れの儀式に似つかわしくない服装で式場に現われる」派―さ⑤④ ―げ⑤⑥⓪

にっかん⓪【日刊】毎日刊行する△こと(物)。「―新聞⑤・―紙③」

にっかんてき⓪【肉感的】―な それを見たり聞いたりしただけで、性欲がそそられる様子だ。「にくかんてき」とも。

*にっき⓪【日記】㊀自分の出あった出来事や感想などを一日ごとに書いた物。「三日間―をつけたが四日目にはやめた/―文学④」㊁(←日記帳⓪)「日記㊀」を書くための帳面。「当用―⑤・絵―②」かぞえ方 ㊁は一冊

にっきゅう⓪【日給】一日幾らと決めた額で支払われる給料。「―月給(=日給を一か月ごとに支払う方法)②」

にっきょうそ③【日教組】「日本教職員組合②-⑦」の略。

にっきん⓪【日勤】㊀―する(自サ)毎日出勤すること。㊁昼間の勤務。↔夜勤

にっ・く②【似つく】(自五)よく似ている。「親に似ても似つかない(=少しも似ていない)子」文法 多く否定の形で用いられる。

ニックネーム④〔nickname〕あだな。愛称。

にづくり②【荷造り】―する(自他サ)送るべき必要な品物をとりまとめて箱に入れたりひもで縛ったりすること。表記「荷作り」とも書く。

につけ⓪【煮付け】煮付けた食品。「アジの―/イモの―」

にっけい⓪【日系】日本人の血統を引いている△こと(人)。「―アメリカ人⑧・―ブラジル人⑧・―企業⑤」

にっけい⓪【日計】一日ごとに計算をまとめること。また、一日ごとの総計。

にっけい⓪①【肉桂】暖地に生える常緑高木。枝・根の皮は、独特のかおりと、舌をさすような味があり、嗜好品や薬剤に用いる。〔クスノキ科〕〔口頭語形は「にっき①」〕⇩シナモン かぞえ方 一株・一本

にっけいへいきん⑤【日経平均】日本で行なわれている株価指数の一つ。日本経済新聞社が算出した二百二十五社のその日の株価の平均値。

にっけいれん③【日経連】「日本経営者団体連盟②-⑩、②-③-⑤」の略。〔二〇〇二年に経団連と統合し「日本経済団体連合会」に〕

ニッケル⓪〔nickel〕灰白色の金属元素〔記号Ni 原子番号28〕。見かけは銀に似て、磁性があり、空気中・水中でさびにくい。合金・メッキ用など。

につ・ける③【煮付ける】(他下一)しょうゆなどの汁がしみこんで、よく味がつくように煮る。

*にっこう①【日光】万物をはぐくむ、太陽の光。「―が照りつける/強い―にさらされる/―消毒⑤」―よく③【―浴】―する(自サ)健康増進のために屋外の日光をからだに浴びること。

にっこり③(副)―と―する 表情をくずしていかにもうれしそうな笑顔を見せる様子。「思わず―する/―(と)笑う」

にっさん⓪【日参】―する(自サ)〔頼みごとなどがあって〕毎日同じ△社寺(所)へ出かけて行くこと。

にっさん⓪【日産】(月産・年産などと違って)一日単位の△産出(生産)高。

にっし①【日子】「何かをするのに必要な日数」の意の古風な表現。〔少しかたい表現〕「多少の―を要する」

にっし⓪【日誌】(ある団体の)毎日の出来事や行動を記録△した物(するための帳面)。「学級―⑤・航海―⑤」

にっしゃ⓪【日射】地上を照りつける太陽の△光(熱)。―びょう⓪【―病】太陽の強い直射光線を受けて頭痛・めまいなどを起こして意識がなくなる病気。⇩熱射病・熱中症

にっしゅう⓪【日収】(月収・年収などと違って)一日単位の収入。

にっしゅう①【日州】「日向国」の漢語的表現。今の宮崎県全体と鹿児島県の一部にあたる。「―透かし象嵌①-④」

にっしゅつ⓪【日出】太陽が出ること。日の出。↔日没

にっしょう①⓪【入声】〔中国語で〕四声の一つ。語尾がp・t・kの子音で終わり、短く発音され、声がつまるような感じのするもの。「にっせい」とも。

にっしょう⓪【日商】(年商・月商などと違って)その日の商品などの、その日の売上高。

にっしょう⓪【日照】太陽が地上を照らすこと。「―時間⑤」―けん③【―権】自分の住む家に太陽の光が十分に当たるように、南側に高層建築が建つのをはばむ権利。

にっしょうき③【日章旗】⇩ひのまる㊁

にっしょく⓪【日食・日蝕】月が太陽と地球との間に入って、太陽をおおい隠す現象。部分的におおい隠すのを部分(日)食、全部おおい隠すのを皆既(日)食と言う。また、月が中心部をおおい隠し、太陽の周囲が見えるのを金環食と言う。

にっしんげっぽ⑤【日進月歩】―する(自サ)休み無く、目に見えて進歩すること。「―の科学技術」

にっすう③【日数】△何かをするのに要する(実際に何かをした)日にちの数。「―がかかる/―を要する/出席―」

にっせい⓪①【入声】⇩にっしょう

にっせき⓪【日赤】「日本赤十字社③-⑤、⑨」の略。

にっそう⓪【入宋】―する(自サ)昔の人が宋へ行ったこと。

ニッチ①〔niche〕㊀西洋建築で壁の壁面に設けたくぼみ。㊁トンネル・橋のわきに設けた退避用のスペース。㊂他社が進出していない、新しい市場となる可能性のあるところ。「―市場④・―産業④(=すきま産業)」㊃その生物独自の生活環境や、生息に必要な資源。

にっちもさっちも①-①〔二《進も三《進も〕(副)〔否定表現と呼応して〕進退きわまって、どうにも動きのとれない状態にある意を表わす。「―△行かない(ならない・身動き出来ない)」

にっちゅう⓪【日中】〔朝・夕方と違って〕日が高くのぼっている間。〔午前十時から午後三、四時ごろまでを指す〕

にっちょく⓪【日直】㊀(学校などで)その日の当番(の人)。㊁休日の昼間の当直(の人)。↔宿直・夜直

にってい⓪【日程】(議事・仕事・旅行などについての)△毎日(その日)の予定。「―にのぼる(=正式の予定表に載る)/―を終える/―がきつい/―表⓪・議事―」

にってん⓪【日展】「日本美術展覧会②-⑥、⑨」の略。

ニット①〔knit〕編物。編んだように織った布。「―スーツ④」

にっと⓪①(副)ちょっと歯を見せて、声を出さずに口もとだけで笑う様子。

にっとう⓪【入唐】―する(自サ)昔の人が唐へ行ったこと。

にっとう⓪【日当】一日幾らと決めて支払われる△手

当(賃金)。

にっとう[0]【日東】 日が出る所の東方に位する国の意の、日本の美称。「—の君子国」

ニッパー[1] ❶ウエスト ニッパーの略。❷〔nippers〕 ペンチに似た工具。銅線を切ったりするのに使う。かぞえ方 ❷は一本

にっぱち[0]【二八】〔商業・興行方面などで〕景気が悪いとされる、二月と八月の俗称。

ニッパやし[4]【ニッパ〈椰子〉】〔ニッパ＝マレー nipah〕インド・マレー半島の水辺に生える小高木。葉は屋根ふき用。花軸から砂糖分をとる。〔ヤシ科〕かぞえ方 一株・一本

にっぴょう[0]【日表】 一日を単位とする記録・統計表など。

にっぽう[0]【日報】 毎日する報告(を印刷した物)。〔日刊新聞の名としても用いられる〕「営業—」

にっぽん[3]【日本】〔日の出ずる所の意〕(「にっぽん」の方が古い)古来の「にほん」の呼称。〔対外的に、また、固有名詞として言うことが多い〕 **—いち**[3]【—一】「にほん一[2]」の強調表現。日本で一番すぐれていること。 **—ぎんこう**[5]【—銀行】 日本銀行券(＝日本での紙幣)を発行したり、日本の金融政策の中心となる中央銀行。〔「にほんぎんこう[4]」とも言う〕⇩市中銀行

につま・る[3]【煮詰(ま)る】(自五) ❶煮えて鍋の中の水気が(ほとんど)無くなる。「汁が煮詰まったところで火を止める」 ❷会議などで、議論が出尽くして、結論が出せる状態に近づく。「話合いが—」〔問題の解決処理に行き詰まる意に用いることもあるが、誤り〕

にづみ[0][3]【荷積(み)】—する(自他サ)〔車・船や牛馬などに〕荷物を積むこと。

につ・める[3]【煮詰める】(他下一) ❶十分に煮て鍋の中の水気が(ほとんど)なくなる状態にする。「アズキを煮詰めて餡をつくる」 ❷会議などで、議論を出し尽くして結論が出せる状態に近づける。「△契約交渉(問題点)を—」

にて(格助) 格助詞「で❶」の文語形。文法 接続は「で❶」に準ずる。

にて ひなる[0]-[1]、[3]【似て非なる・似〈而非なる〉】(連体) ちょっと見ると似てはいるが、本物とは大分違う。似非。「—自由」

にても につかない[2]-[3]【似ても似つかない】 ちっとも似(つか)ない。「似てもつかない」とも。

にてんもん[2]【二天門】 北方を守護する「毘沙門天」と東方を守護する「持国天[3]」との像を安置した、寺の中門。

にと[1]【二〈兎〉】 二匹のウサギ。 **—を追う者は一〈兎〉をも得ず】** 同時に二つの物事をねらうと、精力が分散して、かえって一つの目的さえもかなえることが出来ないものだ。

にと[1]【二途】〔物事を行なう上での〕二つの違った△方向(やり方)。「言文—に分かれる」

にど[2]【二度】 以前に△あった(した)事がもう一度繰り返されること。〔副詞的にも用いられ、アクセントは[0]〕「—ある事は三度ある(＝一般的傾向から言って、二度続けて同じ事があった後は、よくよく警戒することが必要だ)/優勝を—決める/—塗り[0]・—咲き[0](＝返り咲き)」 **—でま**[0]【—手間】 一度で済むことに、二度の手間△をかける(がかかる)こと。 **—と**[2](副)〔否定表現と呼応して〕その事は今回限りであって、今後は絶対に△ない(しない)と言い切る様子。「—ない機会/—再び(＝『二度と』を強めて言う語)お目にかかることはないでしょう」 **—ね**[0]【—寝】—する(自サ)(朝)一度目を覚まして、また眠ること。 **—のつとめ**[2]-[3]【—の勤】 いったん廃業した遊女が再び遊女となって勤めたこと。〔広義では、一度使った物を再び役立てることをも指す〕

にとうしん[2]【二等親】 二親等(の関係にある親族)。

にとうだて[0]【二頭立(て)】 二頭の馬で車を引くこと。

にとうぶん[0]【二等分】—する(他サ) 二つに等分すること。「—線[4]」

にとうへい[2]【二等兵】〔旧陸軍で〕兵の最も下の階級。

にとうへんさんかくけい[8]【二等辺三角形】 二辺の長さが等しい三角形。「にとうへんさんかっけい」とも。

にとうりゅう[0]【二刀流】 左右の手に刀を持って戦う剣術の流儀。両刀使い。〔俗に、甘いもの『＝菓子』も辛いもの『＝酒』も好きな意にも用いられる〕

にとか・す[3]【煮溶(か)す】(他五) 水を入れて、煮て溶かす。自動 煮溶ける[3](下一)

ニトログリセリン[0]〔nitroglycerine〕 無色・油状の液体で、火薬の原料。心臓発作の抑止剤としても用いられる。

ニトロセルロース[6]〔nitrocellulose〕 濃い硫酸・硝酸を交ぜた液でセルロースを処理したもの。無煙火薬やダイナマイトにも使う。

にな[2]【〈蜷〉】 淡水産の巻貝。殻は黒く厚くて、タケノコのような形をし、薄いへたがある。かわにな[0]。〔カワニナ科〕かぞえ方 一枚

にないだいこ[4]【担(い)太鼓】 二人で担って歩きながら鳴らす太鼓。

にないて[0]【担(い)手】 その仕事の中心として、責任を持って引き受ける人。

*__にな・う__[2]【担う】(他五) ❶〈どこニ なにヲ—〉 片方の肩でささえて、持ち運ぶ。⇩かつぐ ❷〈(どこニ)なにヲ—〉 自分の責任として引き受ける。「△国政(次の世代)を—/責任の一端を—/期待を(双肩に)—/衆望を—(＝多くの人から期待される)」 表記「《荷う」とも書いた。

になわ[0]【荷縄】 荷物にかける縄。

ににんさんきゃく[4]【二人三脚】 ❶横に並んだ二人が、内側の右足と左足とをひもで結んで走り、同じようにした他の組と着順を争う競技。 ❷二人で力を合わせて三人分に当たるような働きをすること。「夫婦—で店を切り盛りする」

ににんしょう[2]【二人称】〔文法で〕表現の中に現われる語(句)が、話し相手であることを示す言語形式。「第二人称」とも。対称。例、あなた・君。

にぬき[0]【煮抜(き)】 ❶お粘。 ❷〔↑煮抜き豆腐[4]〕豆腐を煮込んで、鬆を立たせたもの。 ❸〔↑煮抜き卵[4]〕〔関西方言〕堅ゆでにした卵。

にぬし[0][1]【荷主】 荷物の△持主(送り主)。

にぬり[0]【《丹塗(り)】 △赤(朱)色に塗ったこと。また、その物。「—の鳥居」

にねんせい[0]【二年生】 ⇩年生

にねんそう[0]【二年草】 二年生草本。⇩年生

にのあし[0]【二の足】 次に出す足。「—を踏む(＝ためらう)」

にのうで[0]【二の腕】 ❶腕のうち、肩から肘までの部分。「—までまくり上げる/—を出す」 ❷腕のうち、肘から手首までの部分。〔現在❷の意味で用いられることはほとんどない。もと誤用から出発した❷が主用〕⇩一の腕

にのかわり[0]【二の替(わ)り】 ❶陰暦十一月に行なう顔見世興行の次に、翌年の正月に行なう興行の狂言。 ❷一つの興行期間で、二回目の狂言。

にのく[0]【二の句】 次に言う言葉。「—が継げない(＝(あきれて)次に言う言葉が出ない)」

にのぜん[2][0]【二の膳】〔日本料理で〕本膳の△次(わき)

に、もう一つ出す膳。「—つき」⇩一の膳・三の膳

にのつぎ④【二の次】〔この場合の「の」は同格を示す〕二番目。一番に△大事(急ぐこと)ではないこと。「—に△する(回す)〔=あとまわしにする〕」

にのとり⓪②【二の〈酉】十一月の第二の酉の日(の市(チイ))。

にのまい⓪【二の舞】〔舞楽で、案摩(アマ)という舞の次に、それをまねてやる、こっけいな舞のことから〕人と同じ失敗を繰り返すこと。「…の—を演じる/…の—を踏む」

にのまる⓪【二の丸】城の本丸の外囲い。⇩三の丸・本丸

にのや①【二の矢】㊀射損じた時に二度目に射る矢。㊁(続けて)二度目にすること。「—が継げない」

にはいず②【二杯酢】酢にしょうゆを交ぜた調味料。

にばな⓪【煮花】淹(イ)れたての、かおりのいい茶。でばな。 表記「煮《端》」とも書く。

にばん①【二番】㊀一番の次。「—目〔=一番目の次〕」㊁〔↑二番抵当④〕すでに抵当になっている物を、さらに他の抵当とすること。また、その物。 **—かん**②【—館】新しい映画を封切り館の次に上映する映画館。セカンドラン。 **—せんじ**④【—煎じ】一度煎じたものを、もう一度煎じた△茶(薬)。〔以前の繰り返しで、新味のないものの意にも用いられる〕

にびいろ⓪【《鈍色】昔、喪服に使った濃いねずみ色。

にびき⓪【荷引(き)】—する(自他サ) 商品としての荷物を生産地から持って来ること。

にびたし②⓪【煮浸(し)】軽く△焼いて(ゆでて)、そのまま調味した煮汁につけて、味をしみこませた料理。

にひゃくとおか⓪【二百十日】立春から二百十日目の日。台風がよく来る日と言われた。九月一日ごろ。

にひゃくはつか⓪【二百〈二十〉日】立春から二百二十日目の日。台風がよく来る日と言われた。九月十日ごろ。

にびょうし②【二拍子】強・弱の二拍で構成される拍子。行進曲などに多く用いられる。

表記 ⇩付表「二十日」

ニヒリスティック⑤—な/—に〔nihilistic〕虚無(主義)的。

ニヒリスト③〔nihilist〕虚無主義者。

ニヒリズム③〔nihilism〕虚無主義。

ニヒル①—な/—に〔ラ nihil〕虚無(的)。「—な笑い/—な横顔」

にぶ①【二部】㊀二つの部(分)。「—作②〔=二つの部分から成る、一続きの作品〕・—合唱③・—合奏③」㊁第二の部(分)。〔狭義では、大学の夜間部や、旧制高校の理科系統を指す〕「プログラムの—」㊂「二部合唱」の略。 **—きょうじゅ**③【—教授】〔教室が手狭なので〕学校の児童・生徒を学年ごとに二組に分け、一方は午前中に、他方は午後に授業すること。二部授業③。

＊＊**にぶ・い**②【鈍い】(形) ↕鋭い ㊀刃がこぼれていて、また、性能が劣っていて、何かを切るのに時間がかかったり切り損なったりする様子だ。「竹も削れない—小刀/頭が—〔=理解力が劣っている様子だ〕」㊁受けた刺激に対する反応が遅い様子だ。「—痛みが続く/△動き(嗅覚・反射神経)が—」㊂受ける人にあまり強い刺激を与えない様子だ。「—光/—〔=濁った感じのする〕音」 派 **—さ**① **—げ**⓪③②

にぶいろ⓪【鈍色】にびいろ。

にふく・める④【煮含める】(他下一) 煮物の中まで味がしみこむように、時間をかけてよく煮る。

にふだ①⓪【荷札】受取人や差出人の住所・氏名を書いて荷物に付ける札。 かぞえ方 一枚

にぶつ①【二物】一身に具備することが望まれる二つの△長所(美点)。「天、—を与えず」

＊**にぶ・る**②【鈍る】(自五) ㊀鋭さが無くなる。「ナイフの切れ味が—」㊁△勢い(力)が弱まる。「△決心(スピード・勘・出足)が—/政府攻撃の矛先(ホコサキ)が—」

にぶん⓪【二分】—する(他サ) 二つに分けること。「天下を—する」 **—おんぷ**④【—音符】〔楽譜で〕全音符の二分の一、四分音符の二倍の長さの音を表わす音符。「にぶおんぷ③」とも。記号「𝅗𝅥」

にべ① ㊀【〈鮸】形はスズキに似て大形の、海にすむ魚。食用。〔ニベ科〕 かぞえ方 一尾・一匹 ㊁おもに、鮸の浮き袋〔=鰾(フエ)〕から作るにかわ。粘りけが強いので、食用・薬用・工業用と用途が広い。 表記 ㊁は、「〈膠・{〈鰾膠〉}」などと書く。 【—もしゃしゃりも無い】〔「しゃしゃり」は、しゃりしゃりしたところの意〕「にべも無い」の強調表現。 【—も無い】〔もと、粘りけが無い意〕あいそが全く無くて、取りつきようが無い。

にぼし⓪【煮干(し)】イワシ・アジなどの稚魚を煮て、干物(ヒモノ)にしたもの。みそ汁などのだしをとる材料の一つ。いりこ。だしじゃこ。

ニホニウム③〔nihonium〕亜鉛と蒼鉛(ソウエン)〔=ビスマス〕の原子核を衝突させてできた元素。〔記号Nh 原子番号113。日本で発見されたことによる命名〕

にほん①【二本】一本とかぞえられるものが二つあること。 **—ざし**⓪【—差】㊀刀と脇差(ワキザシ)を差した武士の称。りゃんこ。㊁〔すもうで〕もろざし。〔㊀は一種の蔑称〕 **—ぼう**②【—棒】鼻から垂れさがった、鼻汁(を垂らしている子供)。〔俗に、女性にあまい男性の意としても用いられた〕

にほん②【日本】「ひのもと」を音読した語で、我が国の称。 **—アルプス**④〔日本のアルプスの意〕日本の中央部を南北に走る大山脈の総称。「にっぽんアルプス⑤」とも。 **—が**⓪【—画】〔油絵の具を用いた洋画に対して〕岩絵の具などを用いた、日本独特の技法・様式を持つ絵。 **—かい**②【—海】日本列島・朝鮮半島・ロシア東南部に囲まれた海域。 **—かいりゅう**④【—海流】くろしお。 **—がくじゅつかいぎ**②-⑤【—学術会議】⇩学術会議 **—がみ**⓪【—髪】日本独特の女性の髪の△結い方(形)。丸まげ・島田・桃割れなどの総称。 **—げいじゅついん**②-④【—芸術院】⇩芸術院 **—けん**⓪【—犬】秋田犬(イヌ)・土佐犬(イヌ)など、日本在来の犬の品種。 **—ご**⓪【—語】日本人が互いにコミュニケーションの手段として使っている言語。「—として熟さない」 **—こうぎょうきかく**②-⑤【—工業規格】「日本産業規格」の旧称。 **—ごがく**④【—語学】日本語に関する科学的研究。〔旧来、一般に「国語学」と称されていたものを、世界の諸言語の一つという観点から改めたもの〕 **—さんぎょうきかく**②-⑤【—産業規格】⇩ジス(JIS) **—さんけい**④【—三景】日本の代表的な、三か所の景勝地。天の橋立(アマノハシダテ)・厳島(イツクシマ)・松島。 **—し**⓪②【—紙】日本独特の製法による丈夫な紙。和紙。 **—しき**⓪【—式】日本人が代々行なってきた△様式(方法)。〔狭義では、日本語をローマ字で書く時の、つづり方の一種を指す。シをsi、ヲをwo、ジ・ヂ・ズ・ヅをそれぞれzi、di、zu、duと書くなど〕 **—しゅ**⓪【—酒】日本独特の方法で、米から造った酒。⇩洋酒 **—じゅうけつきゅうちゅう**⑧【—住血吸虫】カタヤマガイ④を中間宿主として、人・牛などの皮膚から侵入し、血管中に寄生する虫。日本で発見された。寄生されると、種々の重い症状を示す。 かぞえ方 一匹 **—しん**④【—新】「日本新記録⑥、②-③」の略。「ついに—を樹立」 **—じん**④【—人】さかのぼれる限りの先祖から日本列島に住み、日本語を話している人。〔狭義では、日本国籍を有する人〕 **—とう**⓪【—刀】

武家時代、武士が戦場で相手を倒すのに用いた刀。古来独特の方法で鍛えられ、武士の魂とされた。[かぞえ方] 一口　**ーのうえん**④【ー脳炎】ウイルスによって起こる流行性脳炎の一種。コガタアカイエカ⑦によって感染し、夏に流行する眠り病。　**ーのうりんきかく**②-⑤、⑧【ー農林規格】⇩ジャス(JAS)　**ーばれ**⓪【ー晴(れ)】少しの雲も無いよい天気。〔心配事などがすっかり無くなる意にも用いられる〕　**ーま**⓪【ー間】日本風の部屋。和室。⇔洋間　**ーゆうせいかぶしきがいしゃ**②-⑨、⑫【ー郵政株式会社】二〇〇七年に、日本郵政公社を民営化し、引き継いだ会社。⇩郵政公社

にまい①【二枚】枚を単位としてかぞえられるものが、二つあることを表わす。「ーに下ろす〔=魚を背骨に沿って二つに分ける。一方には骨がつき、一方には骨が無い状態になる。焼物・干物などの作り方はこれ〕/ざるー/ー目」　**ーおち**⓪②【ー落(ち)】〔将棋で〕一方が飛車と角とを使わずに勝負すること。　**ーがい**②【ー貝】二枚の貝殻をもつ軟体動物。例、ハマグリ・アサリ。⇩巻貝　**ーげり**②⓪【ー蹴(り)】〔すもうで〕相手の足を、外側から蹴って倒すわざ。　**ーごし**②【ー腰】〔すもうで〕ちっとやそっとの攻撃では容易に崩れない、ねばり強い腰の力。〔土壇場で相手をはね返す勝負強さの意にも用いられる〕　**ーじた**②【ー舌】△うそ(矛盾したこと)を言うこと。「ーを使う」　**ーめ**④【ー目】❶芝居の番付で二番目に書かれた役者。美男役。〔俗に、美男子の称としても用いられる〕⇩三枚目 ❷〔すもうの番付で〕前頭・十両・幕下などのそれぞれの上から二番目(の力士)。

にゃく

[若] わかい。「老若」⇩じゃく

にゅう

[入] ■一⇔出 ❶はいる。「入室・入浴・出入・加入」❷いれる。「入金・入籍・入手・記入・収入・輸入」■二(略) ❶〔漢字音の〕入声。「平上去入」❷入学。「入試」❸輸入。「入超」

[乳] ❶ちち。「乳牛・母乳」❷ちちのような状態の液体。「乳液・乳剤」❸母のちちを飲んでいる時期。「乳児・乳歯」❹ちぶさ。「乳癌・乳頭」❺牛乳。「乳価・粉乳」

[柔] △しっかりした(人とぶつかるような)ところが無い。「柔和・柔弱」⇩じゅう

にまめ⓪【煮豆】ダイズやクロマメなどを煮た食品。

にめんせい⓪【二面性】そのものが内包する、二つの対立・矛盾する要素や対照的な性格。そのものをして現実的な対応を可能にしたり 不思議な魅力を与えたりする長所はあるが、一方において 接する者に、難解複雑な印象・とまどい・不信感を与えたり 弱点となって働いたり もする。「ギリシャ神話の持つー、清潔美と官能美/党としては改憲、内閣としては尊重擁護義務というーを常に持っている」

にもあれ 対象を選択・限定しないことを表わす。…であっても。「研究書ー、随筆ー、片はしから読みあさる」

にもうさく②【二毛作】同じ土地で、一年に二回、時期をずらして別の作物を栽培すること。⇩一毛作・三毛作、多毛作、二期作

にもかかわらず【にも《拘らず》】一般に予測される事態とは全く相反する結果になることを表わす。〔接続詞としても用いられ、アクセントは①-③〕「病弱ーよくここまでがんばった」

にもせよ 一応それは事実として認めた上で、なお例外とするだけの理由は無いということを表わす。「弊害はあるー」

*__にもつ__①【荷物】❶運ぶために手に持ったり車に積んだりする物。「引っ越しのーをまとめる/大きなーをかかえて運ぶ」❷何かをする上で(予定外の)負担となる物。「私のような年寄りはーになるので旅行に加わるのは断わった」⇩おにもつ　**ーでんしゃ**④【ー電車】かつて鉄道小荷物を運んだ専用電車。

にもの⓪【煮物】魚・野菜などを煮た料理。⇩焼き物

にゃ ❶〔西日本方言〕「ねば」の変化。なければ。「帰らーならん」❷「には」の口頭語的圧縮表現。「お前ーあきれた」

にやき⓪【煮焼(き)】ーする(他サ) 食材を煮たり 焼いたりして調理すること。

にゃく(若) →【字音語の造語成分】

にやく⓪【荷役】ーする(自他サ) 船荷のあげおろしをする△こと(人)。

にや・ける③【《若気る》】(自下一) ❶〔男色の意の「若気」の動詞化。もと男子が、武事を忘れ、文学・遊芸にふけり、女性のように化粧をする意〕男性の服装・物腰などが必要以上に女性化していて、見た人に思わず、なんということかという感じを与える。❷〔語源意識が薄れたことからの誤用に発する近年の用法〕薄笑いを浮かべる。にやにやする。

にや・す②⓪【煮やす】(他五) 煮えるようにする。「業をー〔=⇩業〕」

にやっかい②【荷厄介】ーな/ーに ❶荷物を持ち運ぶのが途中でめんどうになる様子だ。❷引き受けたものの、負担に感じられてもてあます様子だ。「ーな仕事を頼まれた」[派] ーさ④⓪

にやにや①(副)ーと/ーする 内心のおかしさやうれしさをこらえきれないかのように、声を立てずに、ひとり締まりなく笑っている様子。「何をーしているのだ/気味の悪いー笑い」

にやり②(副)ーと △うまくいった(おかしくてたまらない)とばかりに声を立てずに、ついひとり笑う様子。「ーとほくそえむ」

ニュアンス①〔フ nuance〕言葉の意味・色合・音の調子などの、他と違う微妙な特色。「ーが違う/ーを与える/ーに△とぼしい(富む)」

にゅう(入・乳・柔) →【字音語の造語成分】

ニュー〔new〕■一(造語) 新しい。「ーイヤー③・ーウエーブ・ースタイル・ーファッション」⇔オールド ■二①〔「おー」の形で〕△新調(購入)したばかりで新しい様子だ。「おーのスーツ/それおーね」

にゅういき⓪【入域】ーする(自サ) その△地域(水域)に入ること。「緊急ー⑤」⇔出域

にゅういん⓪【入院】ーする(自サ) 病気・けがを治すため、ある期間、病院に入ること。⇔退院

にゅういんりょう③【乳飲料】牛乳に果汁などを交ぜた飲み物。

にゅううん⓪【乳暈】⇩にゅうりん

にゅうえい⓪【入営】ーする(自サ) 兵役に服するために、兵営に入ること。⇔除隊

にゅうえき⓪①【乳液】❶〔植物に含まれる〕乳色の液体。❷〔化粧用の〕乳状のクリーム。

にゅうえん⓪【入園】ーする(自サ) ❶幼稚園に園児として入ること。「ー式③」❷〔見学や遊びのために〕動物園や遊園地などに入ること。「ー料③」[表記] 御苑に入る場合は、「入苑」とも書く。

にゅうか⓪【入荷】ーする(自他サ) 商店などに商品が荷物として届くこと。⇔出荷

にゅうか⓪【乳化】ーする(自他サ) 乳のような粘った液に△なる(する)こと。「ー剤③⓪」

にゅうか[1]【乳価】牛乳の値段。

にゅうか[1]【乳菓】牛乳入りの菓子。

にゅうかい[0]【入会】―する（自サ）その会に入って会員になること。↕退会

にゅうかく[0]【入閣】―する（自サ）〔内閣に列する意〕代議士などが、選ばれて大臣になること。「―を果たす」

*__にゅうがく__[0]【入学】―する（自サ）〈なにニ―する〉〔児童・生徒・学生として〕学校（の第一学年）に入ること。「―式[4]・―試験[5][6]・越境―」↕卒業

にゅうかん[0]【入棺】―する（他サ）死体を棺に納めること。納棺。

にゅうかん[0]【入館】―する（自サ）〔読書・見学などのため〕図書館・博物館・美術館などに入ること。「―者[3]」

にゅうがん[1]【乳癌】乳腺に出来る癌。

にゅうぎゅう[0]【乳牛】乳をとる目的で飼う牛。⇩肉牛・役牛

にゅうきょ[0]【入居】―する（自サ）自分の家に入って居住を始めること。「―者[3]」

にゅうきょ[0][1]【入渠】―する（自サ）〔修理のために〕船がドックに入ること。

にゅうぎょ[1]【入御】―する（自サ）「（天皇・皇后が）公の場から私室に帰ること」の意の尊敬語。

にゅうぎょ[0][1]【入漁】―する（自サ）△他人（他国）が権利を持つ漁場へ入りこんで漁業をすること。「にゅうりょう[0]」とも。

にゅうきょう[0]【入京】―する（自サ）首都に着いて、その中へ入ること。〔狭義では、△東京（京都）に着いて、まちへ入ることを指す〕

にゅうきょう[0]【入鋏】―する（自サ）乗り物などの切符に、係員が特殊なはさみで、孔をあけたりその端を切りとったりして印をつけること。

にゅうぎょう[1]【乳業】市販するための牛乳をとったり乳製品を作ったりする事業。

にゅうきょく[0]【入局】―する（自サ）❶〔その局の局員として〕△放送（テレビ）局に入ること。❷〔医師として〕その医局に入ること。

にゅうぎょく[0]【入玉】―する（自サ）〔将棋で〕王将が敵陣に入り込むこと。

にゅうきん[0]【入金】―する（自他サ）❶自分の収入として金銭を受け取ること。また、その金銭。↕出金 ❷銀行・郵便局の口座に必要な金額を払い込むこと。❸代金の一部を内金として払うこと。また、その内金。

にゅうこ[0]【入庫】―する（自他サ）↕出庫 ❶倉庫へ品物を入れること。❷列車・電車・自動車などが車庫に、ボートが艇庫に入ること。

にゅうこう[0]【入行】―する（自サ）その銀行に就職すること。↕退行

にゅうこう[0]【入坑】―する（自サ）坑道の中に入ること。

にゅうこう[0]【入貢】―する（自サ）昔、外国からの使節が、みつぎ物を持って来たこと。

にゅうこう[0]【入寇】―する（自サ）昔、外国がその国の中まで攻めて来たこと。

にゅうこう[0]【入港】―する（自サ）船が港に入ること。↕出港

にゅうこう[0]【入構】―する（自サ）❶その施設の構内に立ち入ること。「―禁止」❷列車が乗客を乗降させるためにホームに入ること。「十番ホームに―」⇩入線

にゅうこう[0]【入稿】―する（自他サ）❶出版社が原稿を印刷所へ渡すこと。❷出版社が著者から原稿を入手すること。

にゅうこう[0]【乳香】アラビア南部などに生える高木。また、その木からとれる、乳頭状の樹脂。焼けば芳香を発する。〔カンラン科〕

にゅうこく[0]【入国】―する（自サ）❶ある国へ外国人として入ること。「―を拒まれる/―手続き」↕出国 ❷〔古〕入府。 **―かんり**[5]【―管理】「入国❶」の場合の、法律的な取締り。↕出国管理

にゅうごく[0]【入獄】―する（自サ）〔罪人として〕刑務所に入ること。↕出獄

にゅうこん[0]【入魂】その物に精神をそそぎこむこと。「―の作品/―式[3]〔＝新たに作られた校旗などを、その学校の象徴として全員が校名を上げようと誓い合う儀式〕」

にゅうざ[0]【入座】―する（自サ）〔その一座に加入する意〕俳優として、その劇団に入ること。

にゅうざい[0][1]【乳剤】油・樹脂のような水に溶けない物質に、ゼラチン・アラビアゴムなどの乳化剤を加えた乳白色の薬液。「石油―・感光―[5]」

にゅうさつ[0]【入札】―する（自サ）〔請負・売買などで〕最も有利な条件を出した者と契約するという定めに従って、競争者に見積り価格を書いて出させること。「いれふだ」とも。

にゅうさん[0]【乳酸】❶筋運動によって筋肉中のグリコーゲンから生じる有機酸。筋肉中に蓄積されると疲労の原因になる。❷牛乳などが発酵したりして出来る「乳酸❶」。工業用・清涼飲料用。「―飲料[5]〔＝ヨーグルトなど〕」 **―きん**[0]【―菌】糖分を乳酸に変える細菌類の総称。ヨーグルトや漬物などの発酵に利用されるほか、腸内に定着するものなどがある。

にゅうざん[0]【入山】―する（自サ）❶〔仕事・修行・趣味などで〕山に入ること。❷〔僧が〕修行のため寺に入ること。

にゅうし[0]【入試】「入学試験」の略。「―制度[4]・―問題[4]」

にゅうし[1]【乳歯】生後六か月ごろから生え始め、十歳前後までに抜けかわる歯。かぞえ方 一枚・一本

にゅうじ[1]【乳児】生後一年ぐらいまでの、乳で育てられている子供。ちのみご。

にゅうしち[0]【入質】―する（他サ）「質入れ」の意の漢語的表現。

にゅうしつ[0]【入室】―する（自サ）❶その部屋の中へ入ること。↕退室 ❷その研究室・寄宿舎などの一員となること。

にゅうしつ[0]【乳質】❶乳の△性質（品質）。❷乳のような性質。

にゅうしぼう[3]【乳脂肪】乳に含まれている脂肪分。〔狭義では、牛乳のそれを指す〕

にゅうしゃ[0]【入社】―する（自サ）その会社に社員となって入ること。「―試験[4][5]」↕退社

にゅうしゃ[0]【入舎】―する（自サ）〔そこの一員になって〕寄宿舎などに入ること。

にゅうしゃ[0]【入射】―する（自サ）光線などが進んで来て、物体の△表面（境界面）に到達すること。「―角[3]」

にゅうじゃく[0]【入寂】―する（自サ）（高）僧が死ぬこと。

にゅうじゃく[0]【柔弱】―な ―に △気力（体力）が無くて、弱よわしい様子。派―さ[0]

にゅうしゅ[0]【入手】―する（他サ）価値のある物を、自分の物にすること。「情報を―する/前から欲しいと思っていた書物を―する」

にゅうしゅう[0]【乳臭】❶乳汁のにおい。❷まだ未熟なこと。 **―じ**[3]【―児】まだ乳くさい未熟な者。〔侮蔑を含意する〕

にゅうじゅう[0]【乳汁】 乳(のしる)。

にゅうじゅく[0]【入塾】―する(自サ) 生徒・寄宿人となって、私塾に入ること。

にゅうしゅつりょく[4]【入出力】〔コンピューターで〕入力と出力。「―機器・―装置・―処理・―ルーチン」

―ポート[7]〔port〕 コンピューター本体に周辺装置との入出力のため設けられた接続端子。

にゅうしょ[0]【入所】―する(自サ) ❶研究所・裁判所・訓練所などに入り、そこで勤めたり 生活したりすること。❷有罪の判決を受けて、刑務所に入ること。↕出所
にゅうしょう[0]【入賞】―する(自サ) 〔競技会・展覧会などで〕いい成績をあげ、ほうびをもらうこと。

にゅうじょう[0]【入定】―する(自サ) 〔仏教で〕精神統一のため、しばらく外界との交渉を絶つこと。〔広義では、入滅を指す〕

にゅうじょう[0]【入城】―する(自サ) 〔戦勝国の軍隊が〕敵の△城(城壁)の中に入ること。

にゅうじょう[0]【入場】―する(自サ) △会場(場内・構内)に入ること。「―券[3]・―式[3]・―無料」↕退場・出場
にゅうじょう[0]【乳状】 乳のように白くて、どろりとした状態。「―クリーム」

にゅうしょく[0]【入植】―する(自サ) △植民地(開拓地)に移り住むこと。

にゅうしん[0]【入信】―する(自サ) 信仰の道に入ること。「キリスト教に―する」

にゅうしん[0]【入神】 技術が非常にすぐれていて、人間のすることとは思えないこと。「―の技/―の境地」

**ニュース[1]〔news の日本語形〕 ❶△新しい(珍しい)出来事(についての知らせ)。ニューズ[1]とも。「ただ今―〔=最新のニュース〕が入りました/ビッグ―」 ❷定時に行なわれる、ラジオ・テレビのニュース番組。「七時の―/臨時―[4]」

にゅうすい[0]【入水】[一]―する(自サ) ❶(水泳の飛込みで、空中から)水の中に入ること。❷入水(じゅすい)。[二]入ってくる水。「―口[0][3]」↕出水
ニュースキャスター[4]〔newscaster〕 ニュースを整理・編集し、それを分かりやすく解説・報道する人。

ニュースショー[3][4]〔和製英語 ←news + show〕 テレビ番組の一つ。現場中継や取材報告・関係者の談話などを交えながら、アンカーマン一流の語り口を通し、事件を鋭角的に解説してショー風に見せるもの。

ニュースソース[4]〔news source〕 ニュースの△出どころ(提供者)。取材源。「―の秘匿」

ニュースバリュー[4]〔news value〕 ニュースとしての値うち。報道価値。

にゅうせいひん[3]【乳製品】 牛乳を加工した食品の総称。バター・チーズ・ヨーグルトなど。

にゅうせき[0]【入籍】―する(自他サ) ある人がすでに存在する戸籍に入ること。〔俗に婚姻の意に用いられるが、正しくは「新たな戸籍を作る」ので「入籍」にはあたらない〕

にゅうせん[0]【入線】―する(自サ) 列車が(始発)駅のホームに入ること。⇩入構
にゅうせん[0]【入選】―する(自サ) 応募作品が審査に合格すること。「―作[3]」↕落選 [二]【入〈撰】 その人の詠んだ歌が撰集に載ること。

にゅうせん[0]【乳腺】 乳房の中にあって乳を出す腺。―えん[3]【―炎】 乳頭に出来た小さな傷口から化膿(かのう)菌が入って起こる、乳腺の炎症。乳房炎。

にゅうたい[0]【入隊】―する(自サ) 軍隊・自衛隊などの隊員となること。↕除隊
にゅうたいいん[3]【入退院】〔その人が〕入院し、治療を終えて退院すること。「―を繰り返す」

ニュータウン[3]〔new town〕 分譲住宅地の集団や団地などで新しく出来た、郊外の都市。

にゅうだん[0]【入団】―する(自サ) 劇団・青年団・球団などの団員となること。↕退団
にゅうちょう[0]【入朝】―する(自サ) 昔、外国から使者が来て、正式に君主に面会したこと。

にゅうてい[0]【入廷】―する(自サ) 〔被告・関係者が〕法廷に入ること。↕退廷
にゅうちょう[0]【入超】 「輸入超過」の略。↕出超
にゅうでん[0]【入電】―する(自サ) 電報・電信などによる知らせが、新聞社などへ入ること。

にゅうとう[0]【入党】―する(自サ) その△政党(党派)の一員になること。↕脱党・離党
にゅうとう[0]【入湯】―する(自サ) (温泉に)入浴すること。「―税[3]」

にゅうとう[0][1]【乳糖】 哺乳動物の乳の中にある糖分。

にゅうとう[0]【乳頭】 「ちくび」の医学用語。〔広義では、舌などに見られる類似の突起部分をも指す〕「―癌(がん)[3]」

にゅうどう[1]【入道】 ❶出家△すること(した人)。❷坊主頭の△人(化け物)。―ぐも[5][3]【―雲】 「積乱雲」の俗称。

ニュートラル[1]〔neutral〕 [一]―な 対立する二者のどちらにも△属さ(味方し)ない状態だ。「―な立場をとる」 [二]〔自動車の伝動装置で〕運転者がクラッチをつないでも、エンジンの回転が車輪に伝わらない状態の、ギヤの位置。

ニュートリノ[3]〔neutrino〕 素粒子の一つ。電気的に中性で、質量がほとんどゼロの粒子。中性微子。〔記号 ν〕

ニュートロン[1]〔neutron〕 中性子。

ニュートン[1]〔newton ←I. Newton=イギリスの物理学者〕 国際単位系における力の単位で、一キログラムの質量を持つ物体に作用して 一秒間に秒速一メートルの速度変化を生ぜしめる力を表わす〔記号N〕。

にゅうないすずめ[5]【入内〈雀】 形・大きさ共にスズメに似るが、色が美しい小鳥。稲の害鳥。〔下向した藤原実方(ふじわらのさねかた)が雀となって内裏(だいり)に帰ったという伝説に基づく〕〔スズメ科〕 かぞえ方 一羽
にゅうねん[0]【入念】―な 細かい点まで注意が行き届いている様子だ。念入り。「―な仕立て/―に△調べる(検討する・選び出す)」

にゅうばい[0]【入梅】 ❶つゆに入ること。❷〔東北から中部までの方言〕つゆの季節。

にゅうはくしょく[3]【乳白色】 乳のような感じの白い色。

にゅうばち[1][0]【乳鉢】 薬などを乳棒で擂(す)って細かくするための鉢。「にゅうはち[1][0]」とも。

にゅうひ[0]【入費】 〔仕事に必要とされる〕費用。「大変な―だ」

にゅうふ[0]【入夫】―する(自サ) 〔民法の旧規定で〕戸主である女子と結婚して、その夫となる△こと(男子)。入り婿。

にゅうふ[0]【入府】―する(自サ) 昔、地方から来た人が都に入ったことの称。入部。〔狭義では、その国の領主となった人が、初めて領主の資格で自分の領地に入ったことを指した〕

にゅうぶ[0]【入部】―する(自サ) ❶野球部・文芸部などの部員になること。↕退部 ❷⇩入府
ニューフェース[3]〔new face〕 〔映画俳優などの〕新人。〔その分野に新たに登場して、注目の的になっている△人(物)についても言う〕

** * は重要語, [0] [1]… はアクセント記号, 品詞の指示の無いものは名詞および いわゆる連語。

にゅうぼう[1][0]【乳棒】 乳鉢で薬などを摺るのに使う棒。〔かぞえ方〕一本

にゅうぼうえん[3]【乳房炎】 ⇩乳腺炎

にゅうまく[0]【入幕】—する(自サ)〔すもうで〕力士が昇進して幕内に入ること。

ニューム[1] アルミニウムの略。「—管[0]」

にゅうめつ[0]【入滅】—する(自サ) 僧、特に悟りを開いた聖者が、死ぬこと。

ニューメディア[3]〔new media〕〔新聞・アナログ方式のテレビ・ラジオなど、既存のメディアと違って〕電子工学・通信技術の発達により出現した新しい情報伝達のシステム。デジタル放送・インターネット・携帯電話など。

にゅうめん[1]【《煮麺》】・【入麺】〔「煮麺」の変化〕そうめんを、しょうゆなどを加えた出し汁で煮たもの。

にゅうもん[0]【入門】■—する(自サ) ❶門から中に入ること。↕出門 ❷先生について、その弟子となること。❸学び始めること。「—者(=初心者)・—期[3](=小学校入学後の一時期(の訓練))」■初心者のための手引きとなる本。「—書[5][0]・哲学—[2]-[0]」

にゅうよう[0]【入用】—な/—に あることをするのに必要な△こと(費用・様子)。「地図が—だ/—は幾らか」

にゅうようじ[3]【乳幼児】 乳児と幼児。

にゅうようしゅ[3]【乳用種】 乳を飲用にするために飼う、牛・羊などの品種。⇩肉用種・卵用種

***にゅうよく**[0]【入浴】—する(自サ) ふろに入ること。

にゅうらい[0]【入来】—する(自サ)〔訪問の目的で〕入って来ること。「御—[0]」

にゅうらく[0]【入〈洛】—する(自サ) 「じゅらく」の新しい表現。

にゅうらく[0]【乳酪】 牛乳から作ったバター・チーズなど。

にゅうりょう[0]【入寮】—する(自サ) 寮や施設に入って、その一員となること。↕退寮

にゅうりょう[3][1]【乳量】 母乳・牛乳などの一回に出る量。

にゅうりょく[0]【入力】—する(他サ)↕出力 ❶その機械や装置などを正常に運転・作動させるために必要な力を他の原動機から受け入れること。また、その力の量。❷コンピューターなどのデータ処理機器に対し、その内部に取り込める形にして外部からデータを与えること。また、そのデータ。インプット。「キーボードからデータを—する/—データ・—装置・—待ち・—ミス」

にゅうりん[0]【乳輪】 乳頭の回りに丸く広がる褐色の部分。〔「乳暈」の改称〕

ニュールック[3]〔new look〕〔服装などの〕最新の型。

にゅうろう[0]【入〈牢】—する(自サ)〔罪人として〕牢屋に△入る(入れられる)こと。

ニューロコンピューター[6]〔neurocomputer〕⇩コンピューター

ニューロン[1]〔neuron〕 神経細胞体・樹状突起・軸索からなる神経単位。刺激を受けついで送る働きをする一個の細胞。神経細胞。

にゅうわ[0]【柔和】—な/—に 〔人柄や態度が〕優しくて穏やかな様子。派—さ[0][3]

にゅっと[1][0](副) 長いものが思わぬところから突然出てくる様子。「ヘビが穴から—首を出す」

にょ(女・如)→【字音語の造語成分】

にょい[1]【如意】 読経・説法の時に、講師の僧が持つ、長さ三〇センチほどの道具。**—ぼう**[0][2]【—棒】 伸縮自在で、それに乗って飛んだり 敵を負かしたり 出来るという、伝説上の棒。**—ほうじゅ**[3]【—宝珠】 一切の願望をかなえるという、伝説上の たま。**—りんかんのん**[5]【—輪観音】 如意宝珠で人びとの願いをかなえる観音。略して「如意輪[0][2]」。

にょいん[0]【女陰】 ⇩じょいん

にょう(女・尿)→【字音語の造語成分】

にょう[1]【尿】 腎臓で生産され尿道から出される液。血液中の水分や老廃物などから成る。小便。「—が濁る/—意・—道・—血・—検・—利—」

にょう[1]【〈繞】 部首の分類の一つ。字の左から下へかけての部分を占めるもので、共通の意義を受け持つ。例、「辶・廴」など。

にょう[0]【二様】 二通り。二種(類)。「—の解釈」

にょうい[1]【尿意】 小便をしたいと自然に感じる状態になること。「—をもよおす」

にょういん[0][1]【女院】 昔、天皇の生母などで特に院号を贈られた人の称。「にょいん[1]」とも。

にょうかん[0]【尿管】 ⇩輸尿管

にょうき[1]【尿器】 溲瓶。

にょうご[1]【女御】 平安時代、中宮の下、更衣の上位の后。「にょご[1]」とも。

にょうさん[0]【尿酸】 尿の中に尿素とともに存在する有機化合物。血液中にたまると痛風になるという。「—値[3]」

にょうしっきん[3]【尿失禁】〔医学で〕尿を無意識のうちにもらしてしまう症状。

にょうせき[1][0]【尿石】 腎臓・膀胱などに出来る結石。

にょうそ[1]【尿素】 尿の中に含まれる、たんぱく質の最後の生成物。工業的にはアンモニアから作る。肥料・ガラス・医薬品などの原料。**—じゅし**[4]【—樹脂】 尿素を原料とする合成樹脂。器具・アクセサリー用。ユリア樹脂。

にょうどう[0]【尿道】 尿を膀胱から体外へ出す管。

にょうどくしょう[0][4][3]【尿毒症】 腎臓の機能障害のため、尿の中の窒素成分が十分排出されないで起こる中毒症状。

にょうはち[1]【〈鐃鈸〉】〔仏教で〕法会に使う、二枚一組の円盤状の銅製打楽器。シンバルに似る。

にょうぼう[1]【女房】〔もと、「女官の部屋」の意〕古くは宮中の官女や貴族の侍女を指し、後、広く庶民の妻を指す言葉。〔「にょうぼ[1]」は、後者の口頭語形〕**—ことば**[5]【—《詞・—言葉】 女性語の一種。昔、宮中の女房が使った。ネギを「ひともじ」、すしを「すもじ」、だんごを「いしいし」と言うなど。**—やく**[0]【—役】 中心的な役割を担う人のそばに居て、助ける役目(の人)。

にょうろ[1]【尿路】 尿を体外へ出す働きをする、腎臓から膀胱・尿道に至る通路。「—結石[4]」

にょかん[0]【女官】 昔、宮中に仕えた、内侍・命婦・女蔵人などの身分の高い官女。「にょうかん[0]」とも。

にょきにょき[1](副)—と 長く伸びるものが、次から次に勢いよく出てくる様子。「△竹の子(角)が—生える」

ニョクマム[1]〔ベトナム nuoc mam〕 ベトナム料理で使う魚醤。アジやイワシを塩づけにして発酵させた上澄み液。タイではナンプラーと呼ぶ。

にょこうば[0][2]【女紅場】 舞妓や芸妓が芸事を習う場所。「八坂—学園」

にょごがしま[3]【女護が島】 女性だけ居るという想像上の島。〔近世、八丈島を指すとも言われた〕

にょじつ[0]【如実】 まさに事実の通りであること。「—に物語る」

に

にょしょう⓪【女性】「女性」の意の古風な表現「尊き―の身をもって」

にょぜがもん③【如是我聞】〔このように私は聞いた、の意〕たいていのお経の冒頭にある文句。

にょたい⓪【女体】「じょたい」の古風な表現。

ニョッキ①〔イ gnocchi＝小さな団子〕パスタの一種。小麦粉にジャガイモを加えて練り、団子状にしたもの。

にょっきり③（副）―と それだけがひときわ高く突き出ている様子。「―とそびえる高層ビル」

にょにん⓪【女人】「女性」の意の古風な表現。「物言わぬ桃の花びらがほほえみ、花開く。あたかも―が黙ってほほえむように」 **―きんぜい**⓪-⓪【―禁制】〔仏教で〕宗教上の理由から、昔寺の境内などに女性が立ち入ることを禁止したこと。「にょにんきんせい」とも。女人結界⓪-⓪、④。 **―ぞう**②【―像】女性の種々相。「文学作品の中の―」

にょほう⓪【如法】〔仏教で〕法(形)のごとくすること。「―〔＝真の〕闇夜」

にょぼさつ②【如〈菩薩〉】菩薩のように慈悲深いこと。「外面―、内心如夜叉〔＝顔つきや姿は優しそうだが、内には夜叉のように恐ろしい心を持っていること〕」

にょぼん⓪【女《犯》】〔仏教で〕僧が戒律を破り、女性と交わること。

にょやしゃ②【如夜〈叉〉】夜叉のように恐ろしいこと。「内心―〔⇩如菩薩〕」

にょらい⓪①【如来】〔「如実に(より)来れる者」の意という〕仏の尊称。「阿弥陀―④」

により⓪【似寄り】よく似ている(こと(物))。「―の夫婦」 動似寄る②(自五)

にょ

【女】おんな。「女体・女人・天女・仙女」↕男 ⇩じょ

【如】…のようだ。「如実・如意棒・如法・如来・真如」⇩じょ

にょう

【女】おんな。「女房・女御・女院」⇩じょ

【尿】⇩(本文)にょう【尿】

にょろにょろ①（副）―と―する ヘビの類が、長いからだをくねらせながら、ゆっくり進む様子。

にら⓪②【〈韮〉】畑に作る多年草。葉は肉質で細長く、強い臭気がある。食用。漢方薬としても用いられる。〔ネギは古名「き」で「一文字」と称したのに対し、「二文字」とも言った〕〔ヒガンバナ科(旧ユリ科)〕 かぞえ方 一本。小売の単位は一束・一把

にらま・える④【〈睨まえる〉】（他下一）「にらむ」の口頭語的表現。

にらみ【〈睨(み)〉】❶③睨むこと。「―を利かす〔＝不都合やごまかしが無いかどうか、厳重に監督する〕/―が利く〔＝その人の威令が行なわれる〕/―〔＝見当〕がはずれる/やぶ―」❷（造語）動詞「睨む」の連用形。 **―あ・う**④【―合う】（自五）❶互いに(敵意を持って)睨む。❷〔手出しはせずに〕互いに敵意を持って対立する。名睨み合い⓪ **―あわ・せる**⑥【―合(わ)せる】（他下一）あれこれ比べながら考え合わせる。 **―す・える**⑤【―据える】（他下一）〔相手を射すくめるように〕鋭い視線で睨む。 **―つ・ける**⑤【―付ける】（他下一）〔相手を畏縮させるために〕険しい目でじっと睨む。

***にら・む**②【〈睨む〉】（他五）〈なにデ〉なに・だれヲ―〉❶何かを探り出そう(些細な点も見逃すまい)とするかのように、鋭い目つきで見詰める。「黙って、空を―/横目で―/どちらが本物か、じっと睨めば分かる」❷洞察力を働かせて、その人やものに何らかの問題点があると見当をつける(つけて、その動きなどを監視する)。「情勢(成行き・盤面)を―/課長に睨まれる」〔⇩睨み❷〕

にらめっこ③【〈睨めっこ〉】―する（自サ）❶子供が向かい合って、わざと睨んだりこっけいな顔をして見せたりして、相手を先に笑わせる遊び。❷敵対する人が互いに相手の様子をうかがっている状態(を第三者が冷やかして言う言葉)。❸気にかかることがあって(微妙な変化を見逃すまいとして)絶えずそのものに目を向けていること。「あと何分で着くかと腕時計と―していた/毎日試験管と―の生活だ」

にらんせいそうせいじ⑧【二卵性双生児】⇩双生児

にりつはいはん①-⓪、⓪-⓪【二律背反】同一の前提から導き出された二つの判断が矛盾して、両立しないこと。

にりゅう⓪【二流】❶二つの流派。❷その社会で、一流と言われるところまで達していない地位(にあるもの)。「―作家・―校」⇩一流❶・三流

にりゅうかたんそ⑤【二硫化炭素】炭素と硫黄の化合物。臭気のある無色の液体。試薬・溶媒・殺虫剤用。

にりんしゃ②【二輪車】〔自転車・オートバイなど〕車輪が二つの乗り物。

***にる**⓪【似る】（自上一）〈なに・だれニ―/なに・だれト―〉共通点を多く持つ。「父の方よりも母の方に似ている/似た話を聞いたことがある/年にも似ず〔＝同年配の他の者とは違って〕けなげな子」 文法 日常の談話では、文末の述語として用いられるときは「あの親子は顔が似ている」などと、一般に「似ている」の形で用いる。

***にる**⓪【煮る】（他上一）〈なにヲ―〉液体の中へ入れ、熱を通して柔らかく(どろどろに)する。〔狭義では、食品について言い、それに味をつけるまでをも指す〕⇩ゆでる・むす・ふかす 【煮ても焼いても食えない】相手に本心などをつかませず、どうにも扱いかねる様子。

にるい①【二塁】〔野球で〕一塁と三塁の間の塁(を守る人)。セカンドベース。セカンド。 **―しゅ**②【―手】〔野球で〕二塁を守備する野手。セカンド。 **―だ**②【―打】〔野球で〕打者が二塁まで進むことが出来る安打。

にれ⓪①【〈楡〉】山野に自生する落葉高木、ハルニレ⓪②・アキニレ⓪②・オヒョウ⓪などの総称。高く、太くなる。材は家具・建築用。街路樹にも用いる。〔ニレ科〕 かぞえ方 一株・一本

にれが・む③【〈齝む〉】（他五）〔雅〕反芻する。〔さらに古くは「にげがむ③」〕

にろくじ③【二六時】〔昼の六時〔＝卯刻(明六から暮六まで)〕と、夜の六時〔＝酉刻(暮六から明六まで)〕とを合わせたもの〕一昼夜。 **―ちゅう**⓪【―中】（副）一昼夜にわたって(休みなく)事が行なわれる様子。一日じゅう。〔「四六時中」は、これの新しい言い方〕 ⇩時四

***にわ**⓪【庭】〔場所の意〕❶敷地の中で、建物や道路が設けられていない、広い空地。〔普通の屋敷では、目を楽しませるように、草木を植え、山・池を作った所を指し、特に農家では、日当りの良い広い作業場を指す〕「中―・裏―⓪」❷「特定の何かをする場所」の意の古風な表現。「学びの―〔＝学校〕/戦の―〔＝戦場〕/―の教え〔＝家庭での教育〕」

にわいし⓪【庭石】庭に趣を出すために置く石。

** * は重要語，⓪ ①… はアクセント記号，品詞の指示の無いものは名詞および いわゆる連語。

にわうめ⓪ニハ【庭梅】春、梅に似た花を開く、中国原産の落葉低木。観賞用。〔バラ科〕かぞえ方 一株・一本

にわか①ニカ【〈俄（か）〉】二━に ❶事態・状態が急に大きく変化する様子だ。「病状が━に変化した／━に寒くなった／━の出来事」❷何かに接して、その反応がすぐ起こる様子だ。「━に（=すぐには）お答えするわけには参りません／僕の顔を見ると━に逃げ出した」❸変化が急に行なわれ、かつその変化がすぐやむ様子だ。「━ファン④・━勉強④・━仕立て④」二❶〔←にわか狂言④〕座興に行なう、即興の狂言。❷〔←にわかファン〕何かに接して、その時だけ関心を持つ人。「私は━なので、まだルールもわからないのです」表記 一は「〈遽か〉」、二❶は「仁輪加」とも書く。 ━あめ③④【━雨】急に激しく降って来て、すぐやむ雨。 ━じこみ④【━仕込（み）】必要に迫られて短期間で何かを習得すること。 ━ゆき③【━雪】急に降り出して、すぐやむ雪。

にわき⓪ニハ【庭木】庭に植え（てあ）る木。

にわきど⓪ニハ【庭木戸】庭の出入口に作った木戸。

にわくさ⓪ニハ【庭草】庭に生えた草。

にわげた⓪ニハ【庭下《駄》】庭を歩くための下駄。

にわさき⓪ニハ【庭先】〔縁側にいる人などから見て〕庭の手前のほう（の、観賞の対象になる所）。〔庭の端のほうの意に用いられることもある〕「━に花を植える／お━で失礼（=相手の家に上がらないで帰ること）」表記「庭《前》」とも書く。 ━そうば⑤サウ【━相場】農産物の生産地相場。

にわし②ニハ【庭師】庭作りをする職業の人。

にわしごと③ニハ【庭仕事】草木の手入れなど、庭を美しく保つためにする仕事。庭いじり③。

にわたずみ③ニハタヅミ【〈潦〉・〈行潦〉】〔雅〕〔「たづみ」は、淵チの意〕地上にたまって流れる雨水。表記「〈潢潦〉」とも書く。

にわつくり③ニハ【庭作（り）・庭造（り）】庭を手入れし、また草木や岩石などを配置する△こと（職業の人）。「にわづくり」とも。

にわづたい③ニハヅタヒ【庭伝（い）】庭を通って（よその家へ）行くこと。

にわとこ⓪ニハトコ【〈接骨木〉】日本の山野で、ごく普通に見られる大形の落葉低木。四月ごろ、白色の小花を群がり付ける。葉・花・茎は薬用。〔ガマズミ科（旧スイカズラ科）〕表記「接骨木」は、厳密にはセンリョウの漢名。かぞえ方 一株・一本

にわとり⓪ニハトリ【鶏】〔庭鳥の意〕卵や肉を食用にするために飼う鳥。雄のとさかは著大。ほとんど飛べない。〔キジ科〕表記「〈雞〉」とも書いた。かぞえ方 一羽

にわも⓪ニハ【庭《面》】〔眺める対象としての〕庭。

にん【人・任・妊・忍・認】→【字音語の造語成分】

にん①【人】その人が持っている固有の性格や能力・経歴。「━（=相手の性格など）を見て法を説け」⇩【造語成分】

にん①【任】まかせられた役目。「△決行（登高）の━に当たる／━（=責任）が重い／━（=任期）を終える／━（=任地）におもむく／大臣の━（=器）ではない／解━・在━・辞━・就━・責━」⇩【造語成分】運用「その任では無い」などの形で、負わされた役職・責務について、自分は適任でない、と謙遜ケンソンしたり婉曲エンキョクに拒否を表明したりするのに用いられることがある。

にんい①【任意】━に 相手から特定の指示を受けずに、自分自身の判断で何かを決めることが出来る様子だ。「円周上の━の二点／━性⓪」 ━しゅっとう①-⓪、④【━出頭】━する（自サ）出頭を求められた犯罪の容疑者が、自分から△警察署（検察庁）へ行くこと。「━を求める」 ━そうさ④ソウ【━捜査】強制処分によることなく、関係者の同意を得て行なわれる捜査。

にんいん⓪【認印】「認め印」の官庁用語。

にんか①【認可】━する（他サ）〔国・地方公共団体などが〕それをしてもよいと認めること。「━がおりる／━を取りつける」

にんがい⓪【人界】「人間道」に同じ。「受け難きは━の生ショウ」（=仏教の考え方として、人間として生まれて来ることは、めったに無いことだ）」

にんかん⓪クヮン【任官】━する（自サ）その官職に任じられること。〔狭義では、公務員となることを指す〕⇔退官

*にんき⓪【人気】❶その社会で好ましいものとして受け入れられること。〔特に人については、マスコミなどを通して話題にされる芸能人やスポーツ選手などについて言う〕「━が出る／━を失う／━におぼれる／学生に━がある就職先／━を博する／━者ノモ・━商売④（=芸能人など、人気にたよる職業）」❷〔いい・悪いという観点から見た〕その土地一般の気風。「じんき」とも。❸取引の上に現われる一般の傾向。 ━とり③【━取（り）】その社会でよい評判を得ようとする△こと（手段）。

にんき①【任期】団体の役員や議員・委員など、その職務にある期間があらかじめ決められている、その期間。「━が切れる／━半ばで退任／━満了」

にんぎょ①【人魚】❶胴から上は若い女性で、魚の尾を持つという、想像上の動物。❷ジュゴンの別称。かぞえ方 ❶は一匹。まれに一人とも。

にんきょう⓪ケフ【任《侠》・〈仁侠〉】おとこぎを重んじ、それを処世の道とすること。「じんきょう」とも。「━の徒」

*にんぎょう⓪ギャウ【人形】❶人の形をまねて作った△おもちゃ（もの）。〔広義では、縫いぐるみの動物などをも指す。また、端然とした美を備えている人や、他人の思うままに動かされる人の意にも用いられる〕「━芝居・━ケース⑤・生キ━・菊━・紙━③・マネキン━⑤」❷男子用の和服で、そで付けからそで下までの縫い付けてある部分。かぞえ方 ❶は一体 ━げき③【━劇】操り人形による芝居。文楽ブンラク・ギニョール・マリオネットなど。 ━じょうるり⑤ジャウ【━浄瑠璃】浄瑠璃に合わせて、人形を操ってする芝居。⇩文楽 ━つかい⑤ツカヒ【━遣（い）】〔文楽などで〕人形を操る人。「人形づかい」とも。 ━やき⓪【━焼（き）】〔数種の〕人形の形をした鉄製の型に小麦粉を溶いたものを流しこみ、あんを入れて焼いた菓子。

にんキロ①【人キロ】⇩キロ

にんく①【人工】その工事に要する仕事の分量を、職人一人の労働量を基礎にして算出したもの。

にんく①【忍苦】━する（自サ）苦しみをがまんすること。

**にんげん⓪【人間】〔もと、人と人との間柄の意〕❶〔他の人間と共になんらかのかかわりを持ちながら社会を構成し、なにほどかの寄与をすることが期待されるものとしての〕人。「役に立つ━／━の屑ズ／━の幅を広げる／せめて六十過ぎたら━らしく生きたいものだ／━形成（=あたりまえの人間として必要とされるものの考え方や行動のしかたを身につけること）・まじめ━④・仕事━④・透明━④」❷個人の性格や言動を総合して見た、他人とのかかわりのよさ・悪さ。「━（=人柄）がいい／よく出来た━（=人物）」❸人の住む、この世。「━万事塞翁サイオウが馬（=⇩塞翁が馬）」【━《到るいたる》処とこ（に）青山せいざんあり】〔「青山」は墓地の意〕この世には骨を埋める場所はどこにでもある。広く活動の場を求めよ、という意。「人間」は「じんかん」とも。表記「《到る》」は「至る」とも書く。【━の尊厳】⇩個人の尊厳 ━えいせいせん⓪エイ【━衛星船】人間が乗って宇宙旅行が出来る人工衛星。一九六一年四月に、ソ連が初めて打ち上げた。人間宇宙船。 ━かんけい⑤クヮン―

【ー関係】(ある組織体の中にある)人間同士の勢力の配分のぐあいや かかわり方。 ーくさ・い[6]【ー臭い】(形) ❶人間の生活のにおいが漂っている感じだ。「わずかに山小屋の周辺にだけーものが感じられる山岳地帯」 ❷〔聖人君子や人形とは違って〕生身の人間の持つ情念がむき出しに伝わって来る様子だ。〔飾らない気持や強い意志が現実に感じられる場合にも、のっぴきならないエゴ・欲望や愛憎の露呈する場合にも言われる〕 ーこうがく(ォ)[5]【ー工学】人間の生理的・心理的な特徴から見て、より快適な生活環境にするように諸道具や労働施設などの改善を図る、工学の一部門。 ーこくほう(ォ)[5]【ー国宝】「重要無形文化財保持者」の通称。 ーせい[0]【ー性】人間の本性。人間らしさ。「ーにあふれた」 ーぞう(ォ)[3](ザウ)【ー像】❶人間としてあるべき姿。「期待されるー」 ❷その人の全人格的な姿。 ーそがい[0]-[0]、[5](グワイ)【ー疎外】❶人間がつくり出したものが人間から独立して逆に人間を支配するようになること。 ❷情報過多な激動社会の中で、個人が主体性を失い、環境をはじめ、すべての物事に違和感・挫(ザ)折(セツ)感を持ち、他人との親密さも愛も喜びも喪失して孤独な存在となること。 ーてき[0]【ー的】(ーな/ーに) 人間らしい性質・感情のある様子だ。「ーな△生活(思いやり)」 ーどう(ォ)[3](ダウ)【ー道】〔仏教で〕六道の一つ。人間としての一生を送る境涯。人間界[3]。人道(ニンドウ)。人界(ニンガイ)。 ードック[5] 特に自覚症状の無い場合でも、(四十歳以上の人が)身体各部の精密検査を受けて事前に異状を発見するために、短期間入院すること。「一日ー」 ーなみ[0]【ー並(み)】(ーな/ーに)〔普通の〕人と同じ程度・状態だ。「犬をーに扱う」 ーみ[0][3]【ー味】❶その人の言動などを通して観察される、人間らしさを感じさせるもの。長所短所を併せ持つ。「少々欠点があるほうがーが感じられていい」 ❷対人関係などに現われる、その人の心のあたたかみ。「ーのある人」 ーもよう(ォ)[5](ヤウ)【ー模様】実社会に見られる複雑な人間関係を、縦糸と横糸とが織り成す織物にたとえた語。 ーわざ[0]【ー業】普通の能力の人間のなし得る事。「ーとは思われない巨大建造物」

にんごく[1][0]【任国】〔大使・公使や領事として〕任命されて、赴任する国。

にんさんばけしち[0]-[0]、[1]-[0]【人三化七】〔三割は人間で、七割が化け物の意〕人間とは思えないほど、ひどく醜い人の称。

にんさんぷ[3]【妊産婦】妊婦と産婦。

***にんしき**[0]【認識】ーする(他サ)〈なにヲ(なんだト)ーする/なんだトーする〉 物事の本質を十分に理解し、その物と他の物とをはっきり見分ける△こと(心の働き)。「ーが△甘い(足りない)/ーを深める/ーに欠ける/ー不足・ー票[0]〔=戦死者を識別するために姓名などを記入したもの〕・ー論[4]」

にんじゃ[1]【忍者】 忍術を使って敵△の陣中に忍び込む(と戦う)人。

にんじゅう[0]【忍従】ーする(自サ) 苦しい境遇に、じっとがまんすること。「ーを強いられる」

にんじゅつ[1]【忍術】〔武家時代に〕修行して、隠密に行動する術。「忍びの術」とも。「ー使い[5]」

にんしょう(ォ)[0]【人称】〔文法で〕人代名詞のうち、一人称〔=話し手〕・二人称〔=聞き手〕・三人称〔=第三者〕の区別。

にんしょう(ォ)[0]【認証】ーする(他サ) ❶ある行為や文書の成立・内容が、正式な手続きでなされたものであることを公の機関が証明すること。「ーを与える/ー官[3]〔=任免が天皇により認証される官職〕・ー式[3]」 ❷⇩生体認証

***にんじょう(ォ)**[1](ジヤウ)【人情】 人ならば、だれでも持っているはずの、人間味を感じさせる心の働き。具体的には△親子の〔異性などに対する〕愛情、弱者に対する同情、他人に対する感謝の念や、より良い境遇に身を置きたいと望む気持など。「ーが△薄い(厚い)/ーの常として/どうも義理ー〔=つきあいにほだされる心〕に弱い/あたたかいー/全くーを解しない男」 ーばなし[5]【ー話・ー〈咄・ー〈噺】 人情や世情を題材とした小説・落語など。〔後者の終りには落ちが無いものもある〕 ーぼん[0]【ー本】 江戸時代後期に流行した、市民の恋愛生活を描写した風俗小説。 ーみ[0][3]【ー味】 対人関係などで望まれる心のあたたかみ。略して「情味」。

にんじょう(ォ)[1](ジヤウ)【《刃傷】ーする(他サ) 口論などの末に相手を刃物で傷つけること。「江戸城松の廊下のーから二年間にわたる赤穂事件を描く/ー沙汰(ザタ)に及ぶ」

にん・じる[0][3]【任じる】❶(自上一) 引き受け(て自分の役目とす)る。「倒産の責めにー/…の本家をもってー〔=自分は疑い無く…だと思い込む〕」 ❷(他上一) 任命する。任ずる[3][0](サ変)。〔受身形は「任ぜられる」と言うのが普通〕

にんしん[0]【妊娠】ーする(自サ) 胎児を腹の中に持つこと。 ーちゅうぜつ[5]、[0]-[0]【ー中絶】(母体の安全のため)人工的に△流産(早産)を起こさせて、妊娠を中絶すること。

にんじん[0]【人《参】❶畑に作る二年草。普通、根は黄赤色で、太くて長い。根・若葉は食用。品種が多い。〔セリ科〕「目の前にー〔=えさ〕をぶら下げられて/三寸ー」 ❷⇩朝鮮人参 表記「人〈蔘」とも書く。 かぞえ方 ❶は一本。小売の単位は一束・一把(イチワ)・一袋

にんずう[1]【人数】〔そこに△居る(来るはずの)〕人の数。〔口頭語形は「にんず[1]」〕「ーを調べる/ーが足りない/ー〔=おおぜいの人〕を繰り出す」

にんそう(ォ)[1](サウ)【人相】 人の顔つき(に現われるという、その人の性格・運勢)。「ーの悪い男」 ーがき[0]【ー書(き)】犯人などを捜すために、その人の人相を書いた紙。 ーみ[3]【ー見】 人相を見て、その人の運勢を占うことを職業とする人。

にんそく[0]【人足】 荷物を運ぶなどの、簡単な力仕事(をする労働者)。「村ーに出る」

***にんたい**[1]【忍耐】ーする(他サ) 苦しみ・つらさ・怒りなどを、じっとがまんすること。「ー強い説得/ー力[3]」

にんち[1]【任地】〔公務員などが〕そこに住んで、任務を行なう土地。

にんち[1]【認知】ーする(他サ) ❶〔嫡出でない子について〕自分が、その子の△父(母)であることを認める法律上の手続

にん

【人】❶(行為の主体としての)ひと。「人情・人相・悪人・罪人・住人・職人・善人・病人・両人」 ❷何かをするひと。「案内人・保証人」 ❸ひとをかぞえる語。「三人」 ⇩(本文)にん【人】

【任】❶まかせる。「任意・委任・一任」 ❷つとめ。つとめる。「任務・任命・兼任・再任・自任・専任」 ⇩(本文)にん【任】

【妊】はらむ。みごもる。「妊娠・妊婦・不妊・懐妊」 表記「〈姙」とも書く。

【忍】❶がまんする。「忍耐・忍従・堪忍」 ❷非をあえてする。むごい。「残忍」 ❸隠密に行動する。しのぶ。「忍術」

【認】みとめる。ゆるす。「認可・認証・認知・認定・確認・公認・承認・黙認」

き。「—を受ける」 ❷あるものの存在を疑いのない事実と認めること。「敵を—する」 ❸〔cognitionの訳〕〔心理学などで〕人や動物が外界の事象に接して感覚器官の働きに経験などの力を加えて知識を得たり何らかの判断を下したりする心理的な過程。「—心理学⑥・—意味論⑤」 —かがく④(クヮー)【—科学】人間や生物、さらにコンピューターシステムの認知活動を対象にし、知識の獲得と表現、学習・情報処理のメカニズムなどを研究する学際的な科学。神経科学・心理学・言語学・人工知能など、広い分野の科学とかかわりをもつ。 —しょう⓪(シャウ)【—症】認知障害の一つ。認知機能に障害が起きて、物忘れがひどくなったり判断力が衰えたりまたそれまでとは異なる日常行動が増えたりする病気。「若年性—・アルツハイマー型—」〔⇨アルツハイマー病〕〔「痴呆症」の改称〕 —しょうがい④(シャウー)【—障害】精神疾患の一種。健忘・認知症・譫妄(センモウ)などが含まれる。

にんちくしょう⑤(シャウ)【人畜生】畜生同然の人間。

にんてい①【人体】〔身なりを中心として判断される〕その人の△様子(大体の素性)。

にんてい⓪【認定】—する(他サ)〔資格・事実の有無などについて〕公の機関が判断し、決定すること。

にんどう①【忍冬】すいかずら。

にんとうぜい③【人頭税】⇩じんとうぜい

にんとく⓪【人徳】「じんとく」の古風な表現。

にんにく⓪【〈蒜〉・〈葫〉・〈大蒜〉】畑に作る多年草。全体に強い臭気がある。鱗(リン)茎は数個の小球から成り、食用・薬用。〔ヒガンバナ科(旧ユリ科)〕 表記「〈大蒜〉」と書くのは、ヒルとの混同を避けるため。 かぞえ方 一片。小売の単位は一束・一把(イチワ)・一袋

にんにく⓪【忍《辱》】〔仏教で〕他から恥を与えられても、じっとがまんすること。「慈悲—の心」

にんにょう⓪(ネウ)【人《繞》】漢字の部首名の一つ。⇩ひとあし❷

にんにん①【人々】「それぞれの人」の意の古風な表現。

にんのう③⓪(ワウ)【人皇】〔伝説時代とされる神代と区別して〕神武(ジンム)天皇以後の代々の天皇の称。じんのう。

にんぴ①【認否】認めることと認めないこと。認めるか認めないか。「罪状—」

にんぴにん⓪【人非人】いかなる理由があっても人としてしてはならないことをする人間。ひとでなし。

ニンフ①〔nymph〕〔ギリシャ神話で〕湖・森などにすむ、半神半人の美少女。予言と詩的霊感の力を持つとされる。

にんぷ①【人夫】荷物運びなど、単純な力仕事に従事する労働者の旧称。

にんぷ①【妊婦】妊娠している女性。

にんべつ⓪【人別】個人単位に割り当てたり調べたりすること。「—の割当て/—帳⓪〔江戸時代、戸籍の称〕・—改め〔江戸時代の戸籍・人口調査〕」

にんべん⓪【人偏】漢字の部首名の一つ。「仁・優・仲」などの、左側の「イ」の部分。〔多く、人の行動や性質などに関係のある漢字がこれに属する〕

にんぽう①(パフ)【忍法】〔技や流儀から見た〕忍術。「—火遁(カトン)の術/伊賀流—」

にんまり③(副)—と—する 思った通りに事が運んだと内心うれしくて、思わず表情を緩めて笑いを浮かべる様子。「思わくどおりだと—する」

*__にんむ__①【任務】❶△その時(ある期間)果たすように義務づけられた責任の重い仕事。「—中に死亡/主要—」 ❷その者が全体系の中で担うべき役割。「専修学校の—」

にんめい⓪【任命】—する(他サ)その官職・職務につくように命じること。「—制⓪」

にんめん⓪【人面】⇩じんめん

にんめん⓪【任免】—する(他サ) 役目につけることとやめさせること。任命と免職。「—権③」

にんよう⓪【任用】—する(他サ) ❶人をある役目につけて使うこと。❷〔官庁で〕事務△嘱託(心得)の人を本官に任命すること。

にんよう⓪【認容】—する(他サ) 認めて、いいと許すこと。

ぬ … ヌ

ぬ ❶(助動・特殊型)〔文語の助動詞「ず」の連体形から転じた形〕動作・状態などを「…ない」と否定することを表わす。「あら—方(カタ)/長から—命/まだ見—国/知ら—が仏/私を待たず、先に行きなさい/一緒にお食事に行きませんか/許され—事だ/知ら—と言ったら知ら—/彼は引き受け—だろう」 文法 動詞、助動詞「れる/られる・せる/させる・たがる・ます」の未然形に接続する。

❷(助動・ナ変型)〔文語の助動詞〕その動作・作用などがすでに完了・実現したものであることを表わす。「夏は来(キ)—/早(ハヤ)船に乗れ、日も暮れ—〔=もう日も暮れるぞ〕/よきほどなる人に成りぬれば/彼(カ)の国の人来(コ)ば皆明きなんとす/今は帰るべきになりにければ」 文法 活用語の連用形に接続する。助動詞「る/らる・す/さす」には下接し、「めり・べし・む・らむ・けむ」には上接するのが基本である。⇩ん

ぬい⓪②(ヌヒ)【縫(い)】❶縫うこと。縫い方。「しっかりした—/ぐし—」 ❷縫い取り。「染め、織り、—」 表記 ❷は、「〈繍〉」とも書く。

ぬいあがり⓪(ヌヒ)【縫(い)上(が)り】縫って、着物などが出来あがること。また、出来あがった物。 動 縫い上がる④⓪(自五)

ぬいあげ⓪(ヌヒ)【縫(い)上(げ)】⇩上げ❶ 動 縫い上げる④⓪(他下一) 表記「縫い揚げ」とも書く。

ぬいあわせる⑤(ヌヒアハセル)【縫(い)合(わ)せる】(他下一)〔布・革などを〕縫って、つなぐ。 名 縫い合わせ⓪

ぬいいと⓪(ヌヒ)【縫(い)糸】物を縫うのに使う糸。

ぬいかえす③⓪(ヌヒカヘス)【縫(い)返す】(他五) ❶逆方向にもう一度縫う。❷縫い直す。 名 縫い返し⓪

ぬいかた③⓪(ヌヒ)【縫(い)方】❶縫う方法。❷縫う係。

ぬいぐるみ⓪(ヌヒ)【縫(い)《包み》】❶綿などをくるんで縫い△合わせること(合わせたおもちゃ)。❷〔芝居で〕からだ全体を包む、動物役の衣装。

ぬいこみ⓪(ヌヒ)【縫(い)込(み)】縫い込む△こと(部分)。

ぬいこむ③⓪(ヌヒ)【縫(い)込む】(他五) ❶何かを中に入れてその回りを縫う。❷出来あがって表に返した時、その部分が出ないように、縫いしろを多く取って縫い合わせる。

ぬいしろ⓪(ヌヒ)【縫(い)代】縫い合わせるために、実際の寸法より余分にとっておく部分の布。

ぬいだす③⓪(ヌヒ)【縫(い)出す】(他五) 小さくなった衣類などを、縫いしろを今までより少なくして縫い直す。

ぬいとり⓪(ヌヒ)【縫(い)取(り)】—する(他サ)「ししゅう(刺繍)」の意の和語的表現。

ぬいなおす④⓪(ヌヒナホス)【縫(い)直す】(他五) 衣服など、縫ってあるものをほどいて、改めて縫う。 名 縫い直し⓪

ぬいはく⓪(ヌヒ)【縫(い)《箔》】〔衣服などの模様に〕金糸・銀糸を使ってするししゅう。

ぬいばり②③①(ヌヒ)【縫(い)針】縫うのに使う針。⇩待ち針

ぬいめ③(ヌヒ)【縫(い)目】❶縫い合わせた境の所。❷縫った

ぬ

糸の跡。

ぬいもの③④ヌヒ【縫(い)物】❶「裁縫」の意の和語的表現。❷衣類などの、縫うべき物。「―がたまる」

ぬいもよう③ヌヒーヤウ【縫(い)模様】縫取りで表わした模様。

ぬいもん①⓪ヌヒ【縫(い)紋】〔書き紋・染め紋に対して〕縫取りで表わした紋。

ヌイユ①〔フ nouilles〕卵・バターなどの入った、細いうどんのようなめん類。ヌイ①とも。〔普通、乾燥した物が市販される〕

***ぬ・う**①フヌ【縫う】(他五)❶〈なにデ〉なにヲ―〉糸を通した針を、重ねた布などに一針ずつ表から裏、裏から表へと出し入れさせて、布どうしをつなぎ合わせる。「子供の服を―〔=仕立てる〕/傷口を六針―/模様を―〔=ししゅうする〕/矢が鎧ヨロイを―〔=突きさす〕」❷〈どこヲ―〉〔ぶつからないように〕狭い間をジグザグ状に進む。「間隙カンゲキを―/人混みの中を縫って歩く」

ヌーディスト③①〔nudist〕〔健康上・思想上の理由に基づく〕裸体主義者。

ヌード①〔nude〕鑑賞の対象としての、はだか姿。また、その絵画・彫刻・写真。「モデルとして―になる/―ショー③④・―ダンサー④」

ヌートリア③〔nutria=スペイン語では、カワウソ〕南米産で水辺にすむ、小形の哺乳類。毛皮を採るために飼ったりする。カイリネズミ④。〔ヌートリア科〕[かぞえ方]一匹

ヌードル①〔noodle〕卵が入っている、西洋風の そうめん。スープなどに入れて使う。

ヌーベル バーグ⑤〔フ nouvelle vague=新しい波〕一九六〇年代初期、フランスに興った、映画の新しい試み(の一派)。

ヌーボー〔フ nouveau〕❶①アール ヌーボーの略。❷①❸⓪つかみどころの無い△こと(人)。また、その様子。〔アール ヌーボーの、日本における もじり〕「―とした奴ツヤ/―主義」

ぬえ①【〈鵺・〈鵼】❶渡り鳥であるトラツグミの古称。❷夜、不気味な声で鳴き渡ったという怪鳥。〔源頼政ミナモトノヨリマサが禁中で射た怪獣は、頭はサル、からだはタヌキ、手足はトラ、尾はヘビ、鳴き声は「ぬえ❶」に似ていたところから、後世正体不明の存在を指した。例、「―的存在」〕

ぬか【〈糠】■一②⓪ 玄米・麦などを精白する際に分離した、薄い果皮。〔狭義では米糠を指し、広義では もみをも含む〕―に釘ギク〔=手ごたえの無いたとえ〕」■二(接頭)細かい・はかない」などの意を表わす。「―雨・―喜び」

ヌガー①〔フ nougat〕バターなどの入った、西洋風の白い飴アメ。

ぬか あぶら③【〈糠油】米糠から絞りとった油。「ぬかゆ」とも。

ぬか あめ③⓪【〈糠雨】一粒一粒はっきりとは とらえられないが降り続いている雨。

ぬかご⓪【〈零余子〉】むかご。

ぬか・す⓪(他五)■一【抜かす】❶抜けた状態にさせる。「やせるために一食―/腰を―〔=驚いて、立ち上がれなくなる〕/現ウツツを―〔=⇩現❷〕」❷〔何かの次に当然扱わなければならない事を〕扱わずに済ます。「一ページ―〔=飛ばす〕」■二【《吐かす】△生意気な(空ぞらしい)言葉を平気で言う。〔一般に侮蔑ブベツを含意して用いられる〕「口先だけ達者で偉そうなことを―奴ツヤだ/いいかげんなことを―な」[表記]■一❷は、「《脱かす」とも書く。

ぬか ず・く③ヌカヅク【《額ずく】(自五)〔「ぬか」は、ひたいの意の古語〕すわったまま、ひたいを地面につけて、おじぎをする。「神前に―〔=うやうやしく礼拝する〕」

ぬか づけ⓪【〈糠漬(け)】〔↑ぬかみそづけ⓪〕米糠と塩で漬けた漬物。

ぬか どこ⓪【〈糠床】ぬか漬けにする野菜を味がしみるまで入れておく、ぬかみそ。

ぬか ばたらき③【〈糠働(き)】むだな骨折り。

ぬか ぶくろ③【〈糠袋】入浴の時、肌を洗いみがくのに使われた、糠を入れた布の袋。木製の床などを磨くのにも使う。

ぬか ぼし②【〈糠星】夜空に見える、多くの小さな星。

ぬか みそ⓪【〈糠味〈噌】漬物に使う、米糠に塩を加えて発酵させたもの。〔広義では、それに漬けた野菜をも指す〕「―が腐る/―くさい〔=所帯じみている〕」

ぬか よろこび③【〈糠喜(び)】―する(自サ) 喜んだあとで、実はまちがいによることが分かったこと。「―に終わる」

ぬかり⓪【抜(か)り】手落ち。「―の無い捜査/手―」

ぬか・る⓪【抜かる】(自五) 油断して失敗する。【抜からぬ顔】△油断はないぞ(失敗はないはずだ)と言わんばかりの顔つき。

ぬか・る⓪【〈泥〈濘〉る】(自五)〔雨・雪・霜どけなどで〕堅い地面が やわらかい状態になる。

ぬかるみ⓪【〈泥〈濘〉】〔「ぬかりみ」の変化〕ぬかった△地面(道)。[動]ぬかるむ⓪③(自五)

ぬき①【抜(き)】〔動詞「抜く」の連用形の名詞用法〕❶抜くこと。「…を―にしては〔=除外しては〕考えられない/冗談は―にして/朝食―〔=無し〕・しみ―〔=除去〕・五人―〔=(連続)勝ち〕」❷〔飲食店で〕本来入れるべきものを除いたもの。餅モチ無しの汁粉や、ワサビを入れない握りずしなど。❸ドジョウの骨を取り去って料理すること。

ぬき⓪ ■一【《貫】❶〔壁を持たせるため〕柱と柱とを横に貫く材。❷薄くて狭い、出来あいの用材。■二【《緯】織物の横糸。ぬきいと。[表記]■一は、「〈槓」とも書く。

ぬき あし⓪②【抜(き)足】❶つま先を抜くようにして前の方へそろりと進もうとする時の片足。〔着地には「差し足❶」を伴う〕❷〔走り高跳ビト・ハードルで〕地面を踏み切る方の足。 ―さしあし⓪-⓪、②-②【―差(し)足】抜き足と差し足で、音のしないように歩く△こと(かっこう)。

ぬき あわ・せる⑤アハセル【抜(き)合(わ)せる】(他下一) 相手が刀を抜くのに応じて、こちらも抜く。

ぬき いと③⓪【抜(き)糸】衣類をほどいて抜き取った糸。

ぬき いと③⓪【《緯糸】横糸。ぬき。↕縦糸

ぬき うち⓪【抜(き)打(ち)】❶刀を抜くと同時に斬キりつけること。❷予告無しに突然行なうこと。「―解散・―検査」

ぬき えもん③【抜(き)《衣紋】着物の襟を押し上げ、後ろ襟を引き下げて、首筋の出るようにした着方。抜き襟⓪。

ぬき がき⓪【抜(き)書(き)】―する(他サ)〔書物などから〕必要部分を書き△抜くこと(抜いたもの)。書抜き。

ぬき がた・い④【抜(き)難い】(形) 心の中に深くわだかまっていて、消し去ることが出来ない感じだ。「―不信感」[文法]日常の談話では、一般に「―＋体言」のように連体修飾の形で用いられる。

ぬき さし⓪【抜(き)差(し)】―する(他サ) 抜き出すことと差し込むこと。「名簿の―」【―ならぬ】〔連体詞的に〕動きがとれなくて、どうしようも無い。「―△対決(もの)」

ぬき さ・る③(他五)■一【《脱(き)去る】その△要素(もの)を完全に取り除く。「臭みを―」■二【抜(き)去る】先行するものを追い抜いて先に進む。「一気に―」

ぬぎ す・てる④⓪【脱(ぎ)捨てる】(他下一)❶衣服を脱いで、△そのままにしておく(捨ててしまう)。❷古い制度・習慣などを思い切って捨て去る。「明治新政府は幕藩体制を脱ぎ捨てて、国家の近代化をはかった」

ぬき ずり⓪【抜(き)刷(り)】―する(自他サ) 印刷物のうち、必要

な部分だけ抜き出して別に印刷△すること(したもの)。〔主として人文科学系統の研究者が使う用語〕⇩別刷り❷

ぬきだ・す③【抜(き)出す】(他五) △たくさんあるもの(何か)の中から、そのものを抜いて取り出す。

ぬきつ・れる④【抜(き)連れる】(他下一) 多人数が一度に刀を抜く。

ぬきて⓪【抜(き)手】足は蛙カエルの足のように動かし、水を掻カいたあと、手を大きく抜いて前方に返すようにして進む泳ぎ方。「ぬきで⓪」とも。「―を切る」

ぬきとりけんさ⑤【抜(き)取り検査】そのものが適格条件を満たしているか、不正なものが入っていないかなどを確かめるために、品物の一部分を試験的に抜き取って調べること。

ぬきと・る③【抜(き)取る】(他五) ❶(一部分を)引き抜いて取り出す。「雑草を―」 ❷見当をつけたものを抜き出して盗む。「人のバッグから財布を―」 名抜き取り⓪

ぬきに⓪【抜(き)荷】輸送中の他人の荷物の中からこっそり抜き取って売る△こと(品物)。

ぬきはな・つ④【抜(き)放つ】(他五) 一気に刀を抜く。「抜きはなす④」とも。

ぬきほん⓪【抜(き)本】全体の中から必要な所だけを抜き書きした本。〔狭義では浄瑠璃ジョウルリの台本について言う。〕 ↕丸本❷

ぬきみ⓪【抜(き)身】鞘サヤから抜いた、はだかの刀。

ぬきよみ⓪【抜(き)読(み)】―する(他サ) 全体の中から、一部分だけを抜き出して読むこと。

ぬきん・でる④【抜きん出る・《抽ん出る・︿擢ん出る】(自下一)〔「抜き出る③」の変化〕他のものに比べてひときわすぐれ(てい)る。「衆に―」 文法 (1)日常の談話では、文末の述語としては一般に「ぬきんでている」の形で用いる。(2)「チームの中で△ぬきんでた(ぬきんでている)存在」などと「ぬきんでた」「ぬきんでている」の形で連体修飾として用いられる。

**ぬ・く【抜く】 ■一⓪(自五)〈なに・だれヲ―〉 自分の進路を妨げるものを排除したり 競争相手になるものを押さえたりして、△先(上)へ出る。「センターの頭上を―〔=越える〕/先進国を―〔=追い越すほどに経済力・文化などが進む〕/五人―〔=ⓐ追い越して、先頭に出る。ⓑ続けて負かす〕/一頭地を―〔=⇩一頭地〕」

■二⓪(他五)〈なにカラなにヲ―〉 ❶中に収まっている部分を引っぱって、外に取り出す。「△ひげ(とげ・歯)を―/襟を―〔=着ている人の襟足を目立たせるような着付けをする〕/足を―〔=今まで続いていた好ましくない関係を断ち切る〕」 ❷何かに△使うために(必要な物だけを)取り出したり 選び出したりする。「刀を―/優秀選手を―〔=ⓐ引き抜く。ⓑ選抜する〕/見せ場だけを抜いて〔=選び出して〕上演する」 ❸そこにしっかりと保たれている物を、力で奪い取る。「ビールの口を―〔=はずす〕/―べからざる志/堅陣を―〔=攻め落とす〕/人の財布を―〔=掏スる〕/月夜に釜カマを抜かれる〔=⇩月夜〕」 ❹そこには必要の無い物だとして、取り除いたりして、自分の物としたりする。「しみを―/ふろの湯を―〔=栓をはずして、水を落とす〕/(借金を払って)屋敷を担保から―〔=請け戻す〕」 ❺省く。「手を―/朝食を―」

■三〔「動詞連用形＋―」の形で、接尾語的に〕 ❶積極的な行動を最後までとる。「やり―・がんばり―」 ❷すっかり…する。「困り―〔=はてる〕」

ぬ・く⓪【《貫く】(他五) 突き通す。「竹で足を踏み―/型に―〔=型にはめて、抜き出す〕」

***ぬ・ぐ**①【脱ぐ】(他五)〈なにヲ―〉 からだに着けているものを取り去る。「△上着(覆面・靴)を―/一肌―〔=人のために骨折る〕」

ぬく・い②【《温い】(形)〔各地の方言〕肌にあたたかく感じられる様子だ。「ぬくとい」とも。 派―さ②

ぬぐいさ・る④【拭い去る】(他五) よごれなどを拭ってきれいに取り去る。拭い取る④⓪。「△汚点(汚名・不安・不信感)を―」

***ぬぐ・う**②【拭う】(他五) ❶〈なにデなにヲ―〉〔汗・涙・よごれなどを〕ふいて取り去る。「口を―〔=何もしなかったふりをする〕」 ❷〈なにヲ―〉 マイナスの要素となるものをすっかり無くす。「不安を拭えない/疑問を拭いきれない」

ヌクテー③①〔朝鮮 neukdae (勒大)〕朝鮮オオカミの朝鮮名。 表記 「︿勒犬︿」とも書く。

ぬくと・い③【《温とい】(形)〔関東から関西までの方言〕⇩ぬくい 派―さ③

ぬくぬく①(副)―と ❶ほどよく体があたたまって快い状態。「ふとんに―とくるまっている」 ❷これといった苦労も知らず、いかにも のんきそうに見える様子。〔非難・羨望センボウの気持を込めて言うことが多い〕「親の遺産で―(と)暮らしている」

ぬくばい⓪【《温灰】炭火などの熱であたたまっている灰。

ぬくま・る③【《温まる】(自五) あたたまる。「からだが―」 他動温める③(下一) 名温まり⓪④

ぬくみ③【《温み】肌に心地よいあたたかみ。

ぬくもり⓪【《温もり】(わずかに感じられる)ぬくみ。 動温もる③(自五)

ぬけ【抜(け)】 ❶⓪〔相場が〕その値段を越すこと。「七十円―」 ❷⓪ ぬけおち。 ❸① まぬけ。

ぬけあが・る④【抜(け)上(が)る】(自五) はげあがる。「額の生えぎわが抜け上がっている」

ぬけあな⓪【抜(け)穴】 ❶通り抜ける(ことが出来る)穴。〔脱出のために掘った穴や、地下道の意にも用いられる〕「―が多い地下通り」 ❷ぬけみち❷。「法律の―〔=法律を犯さない範囲内で、うまく法の盲点を利用して、自分たちの利益を図る方法〕」

ぬけうら⓪【抜(け)裏】通り抜けることの出来る裏道。

ぬけおち⓪【抜(け)落(ち)】順番に続くものが、一部分欠けること。 動抜け落ちる④(自上一)

ぬけがけ⓪【抜(け)駆(け)】―する(自サ) ❶こっそり抜け出て、人より先に敵陣に攻め入ること。「―の功名」 ❷自分が最初にする人間だと思っていたことを、他の人が先にすること。

ぬけがら⓪【《脱(け)殻・抜(け)殻】〔セミ・ヘビなどの〕脱皮したあとの殻。〔△元気(やる気)を無くした人の意にも用いられる〕

ぬけかわ・る④【抜(け)代(わ)る・抜(け)替(わ)る】(自五)〔毛・歯・角などの〕古いのが抜けて新しいのが生える。 名抜け代わり⓪

ぬけげ⓪【抜(け)毛】抜け落ちた(髪の)毛。 表記 「《脱け毛」とも書く。

ぬけさく⓪【抜(け)作】まぬけな奴ヤツ。〔「作」をつけて擬人化した表現。侮蔑ブベツを含意する〕

ぬけだ・す③【抜(け)出す】(自五) (意にそわない)閉ざされた状態から発展性のある方へ移る。「△混迷(どん底・不況)から―/退屈な宴席を―」 表記 「《脱け出す」とも書く。

ぬけ・でる③【抜(け)出る】(自下一) ❶居続けたくない(閉ざされた)状況を脱して望ましい状態のところに移る。「敵の包囲から―〔=脱出する〕/森林帯を抜け出て見晴らしのよい頂上に達する」 ❷同類のものよりぬきんでた状態になる。「先頭集団から抜け出て一人独走する/同期に入社した中で抜け出た業績をあげる―

ぬけに⓪【抜(け)荷】〔江戸時代の〕密貿易。

ぬけぬけ①(副)ーと 普通の人なら気がとがめるような事を、平気でしてはばからない様子。「よくーとそんなことが言えるものだ」

ぬけまいり③ー(マヰリ)【抜(け)参り】ーする(自サ) 昔、こっそり家を出て伊勢神宮へお参りに行ったこと。

ぬけみち⓪【抜(け)道】㊀〔一般には知られていない〕通り抜けの出来る近道。㊁規則などを破らない範囲で、うまく済ます方法。

ぬけめ⓪【抜(け)目】気の配り方の足りない部分。【ーが無い】(自分の利益になることに)よく気がついて、手落ち無く、やる様子だ。

***ぬ・ける**⓪【抜ける】(自下一) ㊀〈(なに・どこ**カラ**)ー〉そこに今まであったもの(の一部)が無くなる。「毛がー/力がー/まだ学生気分が抜けない/風邪がー〔=治る〕/腰がー〔=立つ力が無くなる〕/床がー〔=重みで下に落ちる〕/バケツの底がー/ズボンのひざがー〔=くたびれて、不恰好(ブカッコウ)に崩れる〕/まだまだ気が抜けない〔=安心して気をゆるめるわけにはいかない〕/だんだんと悪い癖が抜けてきた」㊁〈(なに・どこ**カラ**)ー/(なに**ヲ**)ー〉そこに△ある(まだ居る)べきものが見えない状態だ。「列をー〔=離れる〕/名簿からー〔=漏れる〕/二ページ抜けている〔=脱落している〕/少し抜けている〔=知恵が足りない〕」㊂今まで△流通(交通)をじゃましていた物が無くなる。「トンネルがー〔=貫通する〕/山がー〔=雨で、地すべりを起こす〕/城がー〔=攻め落とされる〕」㊃〈(なに・どこ**ヲ**)ー〉△通路(何かの中)を通って、向こう側へ出る。「トンネルをー/裏道をー〔=通る〕/ーような〔=青色がどこまでも続いていて、透き通るような〕青空」 表記 ㊀㊁は、「《脱ける」とも書く。

ぬ・げる②【脱げる】(自下一) 〔「脱ぐ」の可能動詞形〕身に着けていた物が、からだから取れて離れる。「靴がー」

ぬさ①【《幣】神に祈る時神前に供え、また、おはらいに使う物。紙・麻などを垂らして作る。へいはく。ごへい。 かぞえ方 一枚

ぬし①【主】■一㊀主人。「世帯ー」㊁持主。「地ー・株ー」㊂〔古〕夫(オット)。「ーある身で」㊃〔森・沼・職場など〕そこに古くから居て、仲間うちから一目おかれているような存在。「沼のーと言われるナマズ/彼は寮のーだ」㊄それを△する(した)人。「手紙のー〔=書き手〕/声のー」■二(代) ㊀〔各地の方言〕敬愛の意を込めた二人称。「おーなかなかやるな」㊁昔、女性が男性を親しんで呼んだ言葉。「ーさん①」

ぬし①【《塗師】〔「ぬりし②」の変化〕漆細工の職人。

ぬすっと⓪【盗(っ)《人】他人の持ち物を盗み取る者。ぬすびと。「ーたけだけしい〔=悪事や不義理などでよくない事をしていながら、かえって居直ったり 他を責めたりして極端にずうずうしい〕/ーに追い銭〔=損の上の損のたとえ〕」

ぬすびと⓪【盗人】「ぬすっと」のやや古風な表現。

ぬすみ【盗(み)】■一③ 盗むこと。「ーを働く〔=どろぼうをする〕/ーに入る〔=盗みの目的で人の家に忍び込む〕」■二(造語) 動詞「盗む」の連用形。 **ーあし**③【ー足】足音がしないように、こっそり歩くこと。 **ーぎき**⓪【ー聞(き)】ーする(他サ) こっそり他人の話を聞きとること。 **ーぐい**⓪ー(グヒ)【ー食(い)】ーする(他サ) ㊀盗んで食うこと。「ーする野良猫(ノラネコ)」㊁人に隠れて食うこと。 **ーごころ**④【ー心】盗みをしようと思う心。 **ーみ**⓪【ー見】ーする(他サ) 人に気づかれないように(ちらちらと)見ること。 **ー・みる**④【ー見る】(他上一) 盗み見をする。 **ーよみ**⓪【ー読(み)】ーする(他サ) ㊀許可無しに読んではいけない物を、△本人(所有者)に断わらずに読むこと。㊁他人が読んでいる物を、見ないようなかっこうをして読むこと。

***ぬす・む**②【盗む】(他五) ㊀〈(だれ・どこ**カラ**)なに**ヲ**ー〉他人の物を、こっそり取って自分の物とする。「白昼堂々とー/唇をー〔=相手の予期していないキスをする〕/芸をー〔=芸を、時間をかけてひそかに学ぶ〕」㊁〈なに**ヲ**ー〉自分のためになるように、うまくする。「人の目をー〔=他人に見られないようにして、物事をする〕/ひまをー〔=わずかに あいている時間を利用して、何かをする〕/目方をー〔=自分に都合のいいように、目方を少なく言う〕」㊂〈なに**ヲ**ー〉〔野球で〕盗塁する。〔⇩盗み■二〕

ぬた②【《饅】魚肉や貝をネギやワカメと共に酢みそであえた料理。

ぬたく・る③ ■一(自五) のたくる■一。■二(他五) ㊀塗りたくる(ように書く)。㊁へたな字・和歌などを書きつける。〔口頭語形は「ぬったくる④」〕

ぬっと⓪(副) ㊀(思わずぎょっとするようなものが)急にその場に現われ出る様子。「目の前に大男がー現われる/横からー顔を出す」㊁ただ突っ立っているだけだとしか見えない様子。「玄関先に御用聞きがー立っている」

****ぬの**⓪【布】㊀衣服を仕立てる材料として最も普通に用いられる、繊維を織って作られた薄いもの。〔古くは木綿・麻のものを指し、現在では絹織物や合成繊維のものをも含む〕「麻のーで仕立てた夏服/ーにしわが寄る/ー張りの椅子(イス)」㊁〔建築で〕水平・横・平行などの意を表わす語。「ー丸太③〔=建築などの現場で、足場にするために横に渡す丸太〕」 かぞえ方 ㊀は一枚

ぬのぎれ⓪【布切(れ)】布を切ったもの。 かぞえ方 一片・一枚

ぬのこ⓪【布子】木綿の綿入れ。↕小そで

ぬのじ⓪ー(ヂ)【布地】衣服の材料とする布。「厚手のーのコート」

ぬのそう⓪ー(サウ)【布装】布で表紙を包んだ装丁。

ぬのびき⓪【布引(き)】㊀(さらすために)布を引っ張ること。㊁〔ゴム製品などに〕布を張ったもの。

ぬのめ⓪【布目】布の織り目(の模様)。 **ーがみ**③【ー紙】(すきこんだ)布目が付けてある厚紙。

ぬのめん⓪【布面】布の表面。

ヌバック②〔nubuck〕革の表皮を加工して起毛したもの。靴などに使われる。

ぬひ①【《奴《婢】〔「ぬ」は「奴」の呉音〕「どひ」の古風な漢語的表現。〔狭義では、律令(リツリョウ)制度での賤民(センミン)を指す。古くは「ぬび」〕

***ぬま**②【沼】水が自然にたまった、泥の深い所。アシなどが生えていることが多い。「ーにはまる/古地図のー〔=没頭している趣味〕/底なしー④」

ぬまじり⓪【沼尻】沼の隅の、狭くなっている部分。

ぬまち⓪【沼地】沼や水たまりの多い地域。

ぬまべり⓪【沼《縁】沼と陸地との境(の地域)。

ぬめ②【《絖】薄地でなめらかな日本画用の絹布。

ぬめがわ⓪ー(ガハ)【《滑革・《靴革】牛の皮をタンニンでなめしたもの。弾力性に富み、靴・かばんなどにする。

ぬめぬめ①(副)ーと ーする なめらかな物の表面が、ぬれた感じで湿りけを帯び、つやのあることを表わす。

ぬめり③【《滑(り)】〔動詞「ぬめる②」の連用形の名詞用法〕物の表面に付いている、ぬるぬるしたもの。「ナメコのー/サトイモのーを取る」

ぬら⓪ ⇩ぬめり「コンブのーが出る」

ぬらくら①(副)ーと ーする ㊀物の表面に粘りけがあって、すべって、つかまえにくい様子。㊁⇩のらりくらり ㊂⇩のらくら

*ぬら・す⓪【〈濡らす】(他五)〈なにヲ―〉濡れるようにする。濡れた状態にする。「布巾(フキン)を濡らして拭く／涙にハンカチを―」

ぬらつ・く⓪(自五) ぬらぬらする。

ぬらぬら①(副)―と―する 物の表面が粘液状のものでおおわれ、気持悪い感じがする様子。「馬の―した鼻先が触れた／あぶら汗で背中が―する」

ぬらりくらり②-②(副)―と―する ぬらくら㊀㊁。

ぬり⓪【塗(り)】㊀何かの面に△塗ること(塗った物)。また、その塗り方。「―がはげる／―がよくない」 ㊁(造語) 漆塗りした。「―笠(ガサ)③⓪・―げた⓪・―桶(ケオ)③・輪島―」

ぬりいた⓪【塗(り)板】(書いた字がふきとれる)漆塗りの板。掲示などに使う。

ぬりえ⓪ヱ【塗(り)絵】 色が塗れるように、輪郭だけ書いてある絵。幼児の遊び・学習用。

ぬりか・える④③カヘル【塗(り)替える】(他下一) 前に塗ったものがはげたり不要になったりして、その上に新しく塗り直す。〔今までとは違ったものを呈示する意にも用いられる。例、「記録を塗り替えた〔=一新した〕」〕 名 塗り替え⓪

ぬりかく・す④【塗(り)隠す】(他五) 不要な文字やよごれた部分の上に何かほかのものを塗って、見えなくする。〔ほかの人に知られては都合の悪い事を、なんらかの方法でおおい隠す意にも用いられる〕

ぬりぐすり③【塗(り)薬】 皮膚に塗る薬。⇩付け薬・飲み薬

ぬりごめ⓪【塗(り)籠(め)】 土蔵のように土を厚く塗った部屋。

ぬりこ・める④【塗(り)込める】(他下一) 内側に入れてまわりを全部塗り、△見えなくする(すきまをふさぐ)。

ぬりたく・る④【塗(り)たくる】(他五) そんなにたくさん塗る必要も無いと思われるのに、一面に塗る。また、乱暴にやたらに塗る。

ぬりたて⓪【塗(り)立て】 顔料などを塗って間もないこと。「ペンキ―につき注意」

ぬりた・てる④【塗(り)立てる】(他下一) ㊀きれいに塗って飾る。㊁厚化粧をする。

ぬりつ・ける④【塗(り)付ける】(他下一) ㊀厚く、たくさん塗る。㊁なすりつける。「罪を人に―」

ぬりつぶ・す④【塗(り)潰す】(他五) その物の地(ジ)の部分が全く見えなくなるように、一面に塗る。「マークシートの升目を―／紙面は…事件一色に塗りつぶされた〔=紙面全体が…関係の報道に費やされた〕」

ぬりなお・す④ナホス【塗(り)直す】(他五) 失敗したり気に入らなかったりした部分を、最初からもう一遍塗る。名 塗り直し⓪

ぬりのこし⓪【塗(り)残(し)】 その物の一部分に、まだ塗っていない所が残ること。動 塗り残す④(他五)

ぬりばし⓪③②【塗(り)箸】 漆塗りの箸。

ぬりむら⓪【塗(り)むら】 塗り方にむらがあること。また、そのむら。

ぬりもの⓪【塗(り)物】「漆器(シッキ)」の意の和語的表現。

ぬりわん⓪【塗(り)椀】 漆塗りの椀。

**ぬ・る⓪【塗る】(他五)〈どこ・なにニなにヲ―／なにデどこ・なにヲ―〉(液体状のものを)物の表面に(一様に)すりつけて付着させる。また、その結果今までの表面を覆い隠す。「△壁(壁土)を―／ペンキを―／人の顔に泥を―〔=恥をかかせる〕／おしろいを―〔=化粧する〕」 文法 (1)「壁にペンキを塗る」と「壁をペンキで塗る」が同じ状況を表わすことがある。両表現の違いは以下のようである。(2)「壁にペンキを塗る」は、ペンキを壁に付着させることに着目した表現であり、「壁をペンキで塗る」は、ペンキによって今までの表面を覆い隠すことに重点を置いた表現である。

ぬる①「ぬめり」の口頭語的表現。

*ぬる・い②(形)㊀《温い》〔お茶・風呂などが〕望ましい熱さになっていない状態だ。「ぬるくなった茶／生(ナマ)―」↔熱い ㊁《緩い》 望まれる厳しさに欠ける様子だ。「―やり方／手―」 派 ―さ①

ぬるかん⓪【〈温〈燗】 酒をぬるめにあたためること。また、その酒。⇩熱燗(アツカン) かぞえ方 一本

ぬるで⓪【〈樗・〈白〈膠木〉】 山野に生える、ウルシに似た落葉小高木。秋、美しく紅葉する。この木の寄生虫によって生じる「五倍子(フシ)」は昔、おはぐろに使った。〔ウルシ科〕 かぞえ方 一株・一本

ぬるぬる ㊀①(副)―と―する 物の表面が粘る感じがしたり滑りやすかったりして、その感触があまり気持よいものでない様子。「―するウナギをやっとつかまえた」 ㊁⓪ 水気を含んで、表面がなめらかで滑りやすいもの。「―が手に残る」 ㊂⓪―な―に 「ぬるぬる㊀」に同じ。「手が―になる／石の表面が―ですべりやすい」

ぬるまゆ⓪③【〈微温〉湯】 沸いたとも言えない程度の低い温度の湯。「―で薬を服用する／―に入ったよう〔=入るには入ったが、ぬる過ぎて出るに出られず、いつまでもそこにじっとしている形容〕／―にどっぷりつかる〔=外部からの刺激が無いので、その状態にのんきに甘んじている形容〕」

ぬる・む②【温む】(自五) 温くなる。「水―〔=春になって水の温度が上がる〕」 他動 温める③(下一) 名 温み⓪③

ぬるゆ⓪②【《温湯】 入ることが出来る程度に沸いた湯だが、熱くないふろ。「―好き」↔熱湯(アツユ)

ぬるり②(副)―と 物の表面に粘りけがあって、その感触があまり気持よいものでない様子。「川底の苔(コケ)におおわれた岩の―とした感触が足に触れる」

ぬれ⓪【濡れ】㊀濡れること。濡れた程度。㊁濡れ事。

ぬれいろ⓪【濡(れ)色】 水に濡れて、少し光って見える色。

ぬれえん⓪【濡(れ)縁】 雨戸の敷居の外にある縁側。

ぬれがく⓪【濡(れ)額】 屋外に掲げる、横に長い額。

ぬれがみ⓪【濡(れ)紙】 水で十分に湿りを与えた和紙。〔台紙もしくは台になる物からはがすには慎重を要するところから、念入りに丁寧に扱うべき物事の意にも用いられる〕

ぬれがみ⓪【濡(れ)髪】 洗ってまだかわいていない髪。

ぬれぎぬ⓪【濡(れ)《衣】〔濡れた衣服の意〕実際には犯していない罪(を受けること)。「―を着せられる／―を晴らす」

ぬれごと⓪【濡(れ)事】 ㊀芝居で演じる、情事のしぐさ。㊁情事。⇩色事 ―し④【―師】 色事師。

ぬれそぼ・つ④【〈濡れそぼつ】(自五) 濡れてびしょびしょになる。

ぬれつばめ③【濡(れ)〈燕】 ㊀雨に濡れたツバメ。㊁雨中にツバメの飛ぶ様子をかたどった模様。

ぬれて⓪【濡(れ)手】 水に濡れた手。「―で粟(アワ)〔=たいした努力もせず、やすやすと多くの利益を得るたとえ〕」

ぬれねずみ③【濡(れ)〈鼠】 衣服を着た状態で全身がびしょ濡れになること。「突然の夕立で―になる」

ぬれば⓪【濡(れ)場】〔芝居で〕濡れ事を演じる場面。

ぬればいろ⓪【濡(れ)羽色】 雨に濡れたカラスの羽のように、しっとりとした黒い色。「髪はカラスの―」

ぬれもの⓪【濡(れ)物】 ㊀かわき切っていない洗濯物。㊁火事の際、水をかぶって濡れた物。

*ぬ・れる⓪【濡れる】(自下一) ㊀〈なにニ―／なにデ―〉水などが△かかる(しみ込む)。「雨で濡れた△服(道路)」 ㊁「情事を△演じる(行なう)」意のやや俗語的表現。「二人でしっぽり―」

ぬれわた・る④【〈濡れ渡る】(自五) 乾いた部分を見つけるのが困難なほど一面にくまなく濡れる。「胸の―思いがある〔=心の隅ずみまで しんみりとした気持に満たされる〕」

ぬんちゃく⓪ 沖縄に伝わる武具で、短い樫(カシ)の棒二本を紐(ヒモ)や鎖でつないだもの。表記「《双《節〈棍」とも書く。

ね…ネ

ね⓪【〈嶺】〔雅〕みね。「真白き富士の―/浅間―・高―」

ね [一](終助) ❶相手に同意を求める気持を表わす。「いい天気です―/おもしろい―/暑い―」 ❷事の真偽などについて相手に確かめる気持を表わす。「集合時間は十時です―/どうだ―、やっぱりだめか」 ❸相手を納得させようとする気持を表わす。「そうは思わない―/これがいい―/実は―、今度の休みに―、例の件をやることになったんだ」〔❶～❸とも「ねえ」とも〕 文法 ❶❷は体言(名詞、またそれに準ずる語句)、活用語の終止形に接続する。また形容動詞は語幹にも接続する。❸は文節末に接続する。終助詞「か・わ・よ」などのあとにつく。
[二]①(感) 親しい間柄にある人に対して、注意を喚起したり念を押したりする気持を表わす。「ねえ」とも。「―、おかあさん、いいでしょう/―、分かった」

ね⓪【《子】 十二支の第一。鼠(ネズミ)を表わす。〔昔、方位では北を、時法では午後十一時ごろからの約二時間を指した〕

ね⓪【音】 美感を伴う おと。「笛の―/虫の―」 【―を上げる】 弱音(ヨワネ)を吐く。

ね⓪【値】 値段。〔「値段」に比べて、造語性が強い〕「―が△付く(高い)/―を△上げる(下げる)/―を△崩す(保つ・伸ばす)/いい〔=かなり高い〕―だ/―が張る〔=だいぶ高くなる〕/―上げ・―下げ・売―・買―」

****ね**①【根】 ❶植物の一部分として地中に伸び広がって茎・幹をささえ、養分を吸収する部分。〔広義では、地下茎や鱗茎(リンケイ)をも指す〕「四方に―を伸ばした大木/―を食べる野菜/―も葉も無い〔=全く根拠が無い〕うわさ」 ❷(そのものをささえるために)表からは見えない所に固まり広がっているもの。〔釣りの用語では、暗礁を指す〕「はれものの―〔=底の、最も堅い所〕/悪の―〔=根本原因〕を絶つ/対立の―〔=なぜ対立が起こったかの、そもそもの事情〕は深い/息の―〔=生命の根源としての呼吸〕を止める/歯の―が合わない〔=恐ろしさで震え、歯が がちがちいう〕/―に持つ〔=忘れないで、恨みに思い続ける〕/―〔=本来の性質〕は、いい人だ/―は同じ」 【―を下ろす】 根が地中に張って、容易に抜くことが出来ない状態になる。また、そのように新たな物事がそこに定着した状態になる。「△考えが(生活に・深く)―/入植地に生活の―」

ね【寝】 [一]⓪ 眠る△こと(程度)。「―〔=眠り〕が足りない」 [二](造語) 寝ること。「ごろ―・添い―・―上手」

***ねあがり**⓪【値上(がり)】―する(自サ)〈なにニ―する〉 値段・料金が高くなること。 ↕値下がり

ねあがり②【根上(がり)】 木の根が地上に出ていて、見えること。「―松⑤④」

ねあげ⓪【値上(げ)】―する(他サ) 値段・料金を高くすること。「―を△抑える(見送る)/―に踏み切る」 ↕値下げ

ねあせ⓪【寝汗・《盗汗】〔病気・疲労の時や、こわい夢を見た時などに〕睡眠中に出る汗。

ねい〈〈佞・寧〉 →【字音語の造語成分】

ねいかん⓪【〈佞奸〉・〈佞姦〉】―な ―の 従順・柔和を装い、口先ではうまい事を言っているが、心は よこしまな様子だ。

ねいき⓪【寝息】 睡眠中の呼吸(音)。「安らかな―を立てる/―をうかがう」 ⇩いびき

ねいじつ⓪【寧日】 差し迫った用事などがなくて、家庭でくつろぐ(ことの出来る)日。「―無し」

ねいしん⓪【〈佞臣】 心では主君を軽蔑(ケイベツ)しながら、御機嫌をとって丸めこみ、自分の利益をはかる悪い家来。

ねいじん⓪【〈佞人】 心では相手を軽蔑(ケイベツ)しながら、御機嫌をとって丸めこみ、自分の利益をはかる悪い人。

ねいす⓪【寝椅子】 横になって寝られるように作った椅子。

ネイチャー①(造語)〔nature〕 自然(の)。天然(の)。ネーチャーとも。「―クラフト⑥〔=自然素材を使った工芸品〕・―ゲーム⑤〔=自然を体験するための野外活動〕」

ネイティブ①〔native〕 ❶その土地で生まれ育った人。 ❷ネイティブ スピーカーの略。 ❸「生まれついての」の意を表わす。「デジタル―世代⑨〔=生まれた時からデジタル機器があり、その環境に慣れ親しんでいる世代〕」〔❶～❸ともネーティブとも〕 **―アメリカン**⑥〔Native American〕 △アメリカ大陸(アメリカ合衆国)の先住民の総称。〔旧称はアメリカインディアン〕 **―スピーカー**⑥〔native speaker〕〔その言語以外の言語を母語とする者にとって〕その言語を母語として日常的に使っている人。ネーティブ スピーカーとも。略してネイティブ。

ねいび①【〈佞媚〉】 権力者など上に立つ人にこびへつらう△こと(者)。

ねいも⓪①【根芋】 ずいきの根もとに出来る芋。芽生えたところを食用。

ねいもう⓪【〈獰猛】―な 〔本来の字音はダウマウ。「ねいもう」は類推読み〕 ⇩どうもう

ねいりばな⓪【寝入(り)《端】 寝入って間もないころ。

ネイル①⓪〔nail〕 つめ。ネールとも。「―アート④・―パウダー④・―ポリッシュ④」

ねい・る②【寝入る】(自五) ❶深く眠って、少々の刺激では目をさまさない状態になる。 ❷商売の活気が無くなったり俳優の演技などが人気を失ったり などする。 名寝入り⓪「ひと―」

ねいろ⓪【音色】 ほかの音から区別される、その音に独特な感じ。

ねうお①⓪【根魚】〔釣りで〕暗礁のまわりにいる魚。

ねうごき②【値動き】―する(自サ) 相場の、値段の動き。

***ねうち**⓪【値打(ち)】〔値をつける意〕その物・事柄が持っている尊さや役に立つ程度。価値。「一読の―のある本/(お)―〔=それなりに評価できる〕ものの骨董(コットウ)」

ねえ [一](終助) ❶長呼による「ね」の強調形。「やっぱりだめですか―/いいわ―」 ❷「なさい」のぞんざいな表現「ない」の変化。相手に何かをすすめたり 頼んだりすることを表わす。「さあ、そこんとこ どき―/すし食い―」 文法 ❶の接続は終助詞「ね[一]」に準ずる。❷の接続は終助詞「な[二]❷」に準ずる。
[二]①(感) ⇩ね[二]〔「ねーえ①」は女性語〕

ねえさん①【《姉さん・〈姐さん】 ❶「姉」の口語的表現。〔口頭語形は「ねえちゃん①」〕 ↕兄(ニイ)さん ❷旅館などの筆頭格の仲居や、経験豊かな芸者。〔呼びかけにも用いられる〕 表記 ⇩付表「姉さん」 運用 ⇩おねえさん 運用(1)(3) **―かぶり**⑤

ねい

【〈佞】 表面の言行と違って腹黒い。「佞奸(カン)・佞心・佞臣・讒(ザン)佞」

【寧】 無事。やすらか。「寧日(ジツ)・安寧・丁寧」

【—《被(り)》】⇩あねさんかぶり
ネービー ブルー⑥〔navy blue〕〔英国海軍の制服の色から〕濃紺。ネイビー ブルー。

ネーブル①〔←navel orange. navel=へそ〕オレンジの一種。水分・甘味が多く、独特の芳香がある。ネーブルとも。

ネーミング⓪〔naming=名づけ〕消費者などに印象づけることを目的とする、商品などの効果的な命名。

ネーム①〔name〕❶名前。「上着に—を入れる」❷〔←name plate〕(金属の)名札。ネーム プレート⑤。❸口絵の説明(文)。キャプション。

ネーム バリュー④〔和製英語 ←name + value〕△知名人(知名度の高い会社・産地など)の名前の持つ宣伝価値。

ねえや①【《姉や》】一昔前まで、家事の手伝いをする若い女性を呼んだ称。

ネオ(造語)〔neo-〕新しい。新。「—ロマンチシズム⑦」

ねおい⓪(オヒ)【根生(い)】❶そこに生まれたこと。「—の地」❷最初から勤めたり関係したりしていること。「劇団—の人たち」

ねおき【寝起(き)】❶⓪眠っていた人が△起きること(起きた時の機嫌)。「—が悪い」❷①寝ることと起きること。起居。「—〔=生活〕を共にする」

ねおし⓪【寝押(し)】—する(自サ) ズボンなどを布団の下に敷いて寝て、しわを伸ばし折り目をつけること。寝敷き。

ネオン①〔neon〕空気中に微量にある気体元素〔記号Ne 原子番号10〕。無味・無色・無臭。ネオン サイン用。

ネオン サイン④〔neon sign〕ガラス管にネオン ガス④などを封入し、電流を通して美しく光らせるもの。広告・装飾用。

ネガ①「ネガティブ[二]」の略。「—紙(シ)」↕ポジ
*ねがい(ネガヒ)【願(い)】[一]②❶願う事柄。「—が△こめられる(かなう・聞き届けられる)/切ない—を込める」❷願書。「休学—」[二](造語) 動詞「願う」の連用形。—あ・げる⑤⓪【—上げる】(他下一) 心からお願いする。—いで⓪【—《出(で)》】ねがいで。—ごと⓪【—事】願う事柄。—さげ⓪【—下(げ)】❶願書や訴訟の取下げ。❷Ⓐそれまで希望していた事を自分の方からやめたいと申し出ること。Ⓑ頼まれても、引き受けないこと。「粗製乱造だけは—だ〔=まっぴらごめんだ〕」動 願い下げる⑤⓪(他下一) —で⓪【—出】願い出ること。「—を聞き届ける」—・でる④【—出る】(他下一)〔役所や組織・立場の上の人などに〕願いの事柄を申し出る。—ぬし②③【—主】願い出る本人。「がんしゅ」とも。

**ねが・う②(ネガフ)【願う】(他五)〈(だれ・なに)ニ)なにヲ—〉そう△な(であ)ればいいと思う△ことの(ことを、神仏・他人に伝えて、その)実現を望む。「心に—/援助を—〔=頼む〕/無事を—〔=祈る〕/お手柔らかに—〔=してほしい〕/親しく願っている〔=つきあってもらっている〕/どうぞよろしく願います〔=⇩よろしく 運用〕」〔⇩願い[二]〕運用「(御破算で)願いましては」などの形で、そろばんの読み上げ算を始めるときに、数量や金額を読み上げる人が最初に言う言葉として用いられる。【願ったり〈叶(かな)ったり〉】先方の申込み・条件が自分の希望とぴったり一致する△こと(様子)。【願っても無い】自分がいくら努力しても実現しそうにない好ましい事態が他の△力(あっせん)で実現し、両手(モロ)を上げて歓迎する気持であること。【願って〈已(や)まない〉】「心から願っている」意の強調表現。

ねがえり⓪(ガヘリ)【寝返(り)】—する(自サ)❶寝ていてからだの向きを変えること。「—を打つ」❷味方を裏切って敵側につくこと。動 寝返る③(自五)

ねがお⓪(ガホ)【寝顔】寝ている(時の)顔。

ねがけ③【根掛(け)】日本髪の もとどりに掛ける装飾品。

ねがさ⓪【値〈嵩〉】値段が高いこと。「—株③」

ねか・す⓪【寝かす】(他五)❶寝るようにする。寝たままにしておく。「子供を—/木を—〔=横に倒す〕/品物を—〔=すぐ売らないで、手もとにとめておく〕/資金を—」❷こうじや納豆などをある期間温度変化の少ない所に入れて、発酵させる。「△ワイン(チーズ)を—/長く寝かせて〔=熟成させて〕良質のものにする」寝かせる⓪(下一)。〔その場では生かすことの出来なかったよい思いつきや企画などを、後あとに役立てようと思って、記憶にとどめたり 記録しておいたりする意にも用いられる〕

ねかた③⓪【根方】〔木の〕根もと(のそば)。

ネガティブ①〔negative〕↕ポジティブ [一]—な/—に 消極的。否定的。「—な評価」[二]陰画(の)。陰画(用)のフィルム。ネガ(チブ)とも。

ねかぶ①【根株】❶(根まで見える)木の切り株。❷株の、根の方。「ミツバの—」

ねがわくは③(ネガハク)【願わくは】(副)〔「願うことは」の意〕そうなってほしいと切実に願う気持を表わす。〔「どうか」のやや堅い言い方〕「—お許しあらんことを」

ねがわし・い④(ネガハシイ)【願わしい】(形)〔他人の言動・状態などについて〕その実現を心ひそかに期待する様子だ。「全員参加が—」

ねかん⓪(クワン)【寝棺】死体を寝かしたままの姿勢で入れる棺。「ねがん」とも。↕座棺
ねき①〔西日本方言〕そば。近く。近所。

ねぎ①【〈禰宜〉】〔祈る意の動詞「ねぐ」の連用形の名詞用法〕(下級の)神官。

ねぎ①【〈葱〉】長ネギ・タマネギの総称。〔ヒガンバナ科(旧ユリ科)〕

ねぎたな・い④【寝〈穢い〉】(形)「いぎたない」の新しい言い方。〔漢字表記に起因する言い方〕

ねぎとろ⓪【〈葱とろ〉】細かく刻んだり、骨や皮からこそげとったマグロの肉に、刻んだネギを交ぜ、調味料などを加えた料理。「—の軍艦巻き/—丼(ドン)⓪」

ねぎぼうず③(バウ)【〈葱坊主〉】ネギの、球状の花。

ねぎま⓪③【〈葱鮪〉】〔「ま」は、鮪(マグロ)の略〕ネギの上にマグロの切身をのせて、煮ながら食べる鍋(ナベ)料理。

ねぎら・う③(ネギラフ)【《労う・〈犒う〉》】(他五)その人の骨折りに対して、ご苦労だという気持をなんらかの行為で示す。「労を—」名 労い⓪③「—の言葉をかける」

ねきり③【根切(り)】根を切ること。—むし③【—虫】ヨトウムシなど、地中にすみ、苗・農作物の根をかみ切る害虫の総称。

ねぎ・る②【値切る】(他五)値段をまけさせる。

ねぎわ⓪(ギハ)【寝際】これから寝ようとする時。

ねぐされ②⓪【根腐(れ)】—する(自サ)農作物や園芸植物の根が腐ること。

ねくずれ②(クヅレ)【値崩(れ)】—する(自サ)供給が多過ぎたため、市場相場が著しく下がる現象。「—を起こす/国債の—」

ねぐせ⓪【寝癖】❶押しつけて寝たために髪の形がくずれたり寝てからよく動いたりする関係でシーツがよれよれになったりすること。❷〔する事があるのに〕寝てばかりいる、悪い癖。❸寝る前に歌を歌ってやったり 話をしてやったり 一緒に寝てやったり しないと寝ない、子供の悪い癖。

ネクター①〔nectar=ギリシャ神話で、神がみの飲む甘い酒に基づく商品名〕果物をすりつぶした、濃いジュース。

ネクタイ①〔necktie〕〔一般に男性の洋装として〕ワイシャ

ね

ツの襟に巻いて前で結ぶ飾りの細い布。「―を締める／蝶(チョウ)―」[かぞえ方] 一本 **―どめ**⓪【―留(め)】ネクタイが風でなびかないようにつける装身具。[かぞえ方] 一本 **―ピン**③〔和製英語 ←necktie＋pin〕❶ネクタイの結び目(の下)にさすピン。❷ネクタイどめ。[かぞえ方] ❶❷とも一本

ネクタリン⓪〔nectarine＝ツバイモモ〕赤黄色で、大形のプラム。〔バラ科〕[かぞえ方] 一株・一本

ねくたれがみ④【ねくたれ髪】寝乱れ髪。[表記] 古来の用字は、「寝《腐れ髪」。

ねくび⓪【寝首】眠っている人の首。【―を〈搔(か)く〉】眠っている人の首を斬(キ)る。〔油断している人を、ひどい目にあわせる意にも用いられる〕

ねぐら⓪【〈塒〉】〔「寝所(ネグラ)」の意〕鳥が寝る場所。〔俗に、我が家の意にも用いられる〕

ネグリジェ③⓪〔フ négligé〕ワンピース型でゆったりした女性用のねまき。[かぞえ方] 一枚

ネグ・る②(他五)〔ネグレクトを動詞化したもの〕「無視する」意の学生語。

ねぐるし・い④【寝苦しい】(形)〔暑さ・痛みなどで〕楽に眠ることが出来ない感じだ。[派] **―さ**③ **―げ**④⑤⓪

ネグレクト③―する(他サ)〔neglect〕無視すること。おろそかにすること。

ネグロイド③〔Negroid〕黒色人種。

ねこ①【猫】❶家に飼う(愛玩(ガン)用)小動物。形はトラに似て、敏捷(ビンショウ)。暖かい所を好み、ネズミをよくとるとされる。品種が多い。〔ネコ科〕「三毛―・黒―・ペルシャ―」❷土製の行火(アンカ)。❸三味線・芸者の俗称。〔三味線はネコの皮を張るので言う〕❹「猫車・ネコヤナギ」の略。[かぞえ方] ❶は一匹 【―に〈鰹節(かつおぶし)〉】大好物の意から、すぐに餌食(ジキ)や犠牲になりそうで危険千万なことのたとえ。「猫にかつぶし」とも。【―に小判】客観的にどんな価値のある物でも、そのことの分からない人にとってはなんの役にも立たないことのたとえ。【―の手も借りたい】非常に忙しくて、どんな人にでも応援してもらいたい状態の意に用いられる。【―の額(ひたい)】非常に手狭な土地のたとえ。「―ほどの庭しか無い」【―の目】ネコの瞳(ヒトミ)の開き方が明暗によって著しく変わることから、物事の事情が目まぐるしく変わる意に用いられる。「―のように変わる入試制度」【―も〈杓子(しゃくし)〉も】ごくありふれた一般の人びとがそのことにかかわる様子。【―を《被(かぶ)る】⇩ねこかぶり

ねこ⓪①【寝粉】古くなって食べられなくなった粉

ねこあし⓪【猫足】❶「ぬき足」の異称。❷机・膳(ゼン)などの足で、内側に湾曲した部分が上から次第に細くなり先が丸くなって終わる形のもの。⇩たこ足・ちょう足 [表記]「猫脚」とも書く。

ねこいた⓪【猫板】長火鉢の端にのせる、細長い板。

ねこいらず③【猫要らず】ネズミを殺すための薬。燐(リン)などを混ぜて作る。〔商標名〕

ねこかぶり③【猫《被り】―する(自サ)本当は△おとなしくない(悪い事をした)のに、そうでないようなふりをすること。本性(ホンショウ)を隠していること。ねこっかぶり④。

ねこかわいがり③④【猫可《愛がり】(カハイガリ)―する(他サ)しかることなどを全くせず、もっぱら甘やかしてかわいがること。〔強調形は「ねこっかわいがり④⑤」〕「―にかわいがる」

ねこぎ③【根《扱(ぎ)】ねこそぎ。

ねこぐるま③【猫車】土・砂を運ぶ一輪車。長い柄を付けて押す。[かぞえ方] 一台

ねごこち⓪【寝《心地】寝た時の心持。「―△いい(悪い)布団」[表記] ⇩付表「心地」

ねござ⓪【寝〈茣蓙〉】夏などに、敷いて寝る茣蓙。

ねこじ⓪【根《掘(じ)】根のついたまま木を掘り取ること。「―にする」

ネゴシエーション④〔negotiation〕(外国との)商取引における交渉。

ねこじた⓪【猫舌】舌が熱に感じやすく、熱い食べ物を、さましてからでないと飲み食い出来ない△こと(人)。

ねこじゃらし③【猫じゃらし】エノコログサの俗称。

ねこぜ②【猫背】首が前に出て背中が曲がって見えるからだつき(の人)。〔古くは、「ねこぜなか③」とも言った〕

ねこそぎ⓪【根〈刮(ぎ)】❶草や木を△根から(根も残さず)抜き取ること。ねこぎ。❷(副)そこにあるものがすべて取り除かれたり奪われたりして、あとに何一つ残らない様子。「倉庫の品が―盗まれた／古い勢力は―排除された」

ねこっけ②【猫っ毛】やわらかくて細いかみの毛。

ねごと⓪【寝言】睡眠中に無意識に言う言葉。「何を―〔＝たわごと〕言ってるんだ／唐人(トウジン)の―〔＝全く訳の分からない言葉〕」

ねこなでごえ⑤(ゴエ)【猫〈撫(で)声】優しい気持を持っていることを装うように出す声。

ねこばば⓪【猫〈糞〉】―する(他サ)拾った物などを、そのままに自分の物にして、知らん顔をすること。「―をきめこむ」

ねこぶ①⓪【根〈瘤〉】松などの、根もとがふくれて、瘤のようになったもの。

ねこまたぎ③【猫〈跨(ぎ)】〔魚の好きなネコでさえ跨いで通る意〕俗に、まずい塩魚の称。「猫また⓪」とも。

ねこみ⓪【寝込(み)】(よく)寝ている△時(所)。「―を襲う」

ねこみみ⓪②【猫耳】耳あかが柔らかで、近づくと少しにおう状態(の耳)。

ねこ・む②【寝込む】(自五)❶熟睡する。❷病気にかかり、床についたままで居る。

ねこめいし③【猫目石】キャッツアイ。

ねこやなぎ③【猫柳】平野や山中の水辺に生える落葉低木。早春、白い絹毛におおわれる花芽をつけ、それをネコの尾に見立てた名。古くは、カワヤナギとも。〔ヤナギ科〕

ねごろ⓪【値頃】買うのに適当な値段。「―感③」

ねころが・る④【寝転がる】(自五)❶△転がされて来て(転がされる物が)そこにある。❷「ねころぶ」の口頭語的表現。ねっころがる⑤。

ねころ・ぶ③【寝転ぶ】(自五)〔人間などが〕横になる。ごろりと寝る。

***ねさがり**⓪【値下(が)り】―する(自サ)〈(なに)ニ―する〉値段・料金が安くなること。↕値上がり

ねさげ⓪【値下(げ)】―する(他サ)値段・料金を安くすること。「思いきった―を断行する」↕値上げ

ねざけ⓪【寝酒】〔よく眠れるようにと思って〕寝る少し前に飲む酒。ナイトキャップ。

ねざさ⓪【根〈笹〉】野山に自然に生えている最も普通のササ。〔イネ科〕

ねざ・す②【根差す】(自五)❶Ⓐ植物がそこに根を伸ばす。Ⓑその地域に重点を置いた活動をする。「地域に根差した△医療活動(ボランティアグループ)」❷そこに原因があるととらえられる。「彼の性格は境遇に―／貧困に―犯罪／信仰に―自己犠牲の精神／△生活(不安・風土)に―」[名] 根差し③⓪

ねざめ⓪【寝覚(め)】目が覚めること。「―が悪い〔＝自分のした(悪い)行いが気になり あと味が悪い〕」

ねざや⓪【値〈鞘〉】△相場(値段)の差。

***ねじ**①(ヂネ)【〈螺子〉・〈捻子〉】〔ねじる意の文語動詞「ねづ」(上二)の連用形の名詞用法〕❶釘(クギ)状の物や丸い孔(アナ)に、らせん状の凹凸を付けたもの。ねじこんで物を止めたり締

めつけたり するほか、回転運動を直線運動に変えたりするものもある。「―を△締める(回す・抜く)/あいつは―が一本足りない(=大事なところで欠けている点がある)/雄―・雌―・木―」 ❷(時計などの)ぜんまいを巻く装置。 表記 「〈螺釘〉・〈螺旋〉・〈捩子〉」とも書く。【―が緩んでいる】 必要とされる緊張感が欠けていて、だらしなさが目立つ状態だ。【―を巻く】 ❶時計などの ぜんまいを巻いて作動させる。「一週間に一度―」 ❷だらしなくなっている生活態度などを もっときちんとするように、強く注意する。

ねじあ・げる④⓪【〈捩〉上げる】(他下一) ねじったまま上の方へと上げる。「腕を―」

ねじあやめ③【〈捩〉〈菖蒲〉】 五月ごろ紫色の花を開く多年草。花はアヤメに似、葉はねじれている。〔アヤメ科〕 かぞえ方 一本

ねじき⓪【寝敷(き)】―する(他サ) ⇩寝押し

ねじきり⓪【〈螺子〉切(り)】 ねじを刻む△こと(仕事・道具)。

ねじき・る③⓪【〈捩〉切る・《捻》切る】(他五) ねじって切る。

ねじくぎ②【〈螺子〉〈釘〉】 錐で孔をあけたあとドライバーなどで ねじこむようにして止める釘。 かぞえ方 一本

ねじく・れる④【〈拗〉くれる】(自下一) ❶ひどくねじれる。「ねじくれた針金」 ❷ねじける。

ねじ・ける③【〈拗〉ける】(自下一) 〔心が〕ひねくれる。「ねじけた子供」

ねじこ・む③⓪【〈捩〉込む】 ❶(他五) △ねじって(無理に)入れる。 ❷(自五) 〔意図的でない相手の△失言(失敗)などを理由にして〕強く抗議する。

ねしずま・る④【寝静まる】(自五) (皆)眠って、あたりが静かになる。

ねじたお・す④⓪【〈捩〉倒す】(他五) 相手をねじって倒す。「ねじりたおす」とも。

ねしな⓪【寝しな】 〔「しな」は接辞〕寝ようとして△その準備をしている(床に入った)時。

ねじふ・せる④【〈捩〉伏せる】(他下一) 相手の腕をねじって、からだを押さえつける。〔強引に相手を負かす意にも用いられる〕「力で―」

ねじま・げる④⓪【〈捩〉曲げる】(他下一) ❶ねじってまげる。「針金の先を―」 ❷故意に悪い方向へ向ける。「解釈を―/データを―」

ねじまわし③【〈螺子〉回(し)】 ねじくぎの頭の溝に当てて ねじを回しながら、ねじを はめこんだり はずしたり する工具。鋼鉄の本体に柄が付いている。ドライバー。 かぞえ方 一本

ねじむ・ける⓪④【〈捩〉向ける】(他下一) ねじって、ある向きに向かせる。

ねじめ⓪【音締(め)】 〔音の調子を合わせるため〕琴・三味線などの糸を締めること。

ねじめ③【根締(め)】 ❶移植した木の根もとの土をつき固めること。 ❷庭木・生け花などの根もとに添える草や花。 ❸日本髪の真ん中に入れる かもじ。

ねじやま⓪【〈螺子〉山】 ねじの、溝と溝の間の高い部分。〔低い所は、谷〕「―をつぶす(=駄目にしてしまう)」

ねしょうがつ②【寝正月】 〔ふだん忙しい人が〕正月に どこにも出かけずに、ゆっくり毎日、家で過ごすこと。〔広義では、病気などで寝て過ごす意にも用いられる〕

ねしょうべん④【寝小便】―する(自サ) 睡眠中、無意識に小便を漏らすこと。〔幼児語は、おねしょ〕

ねじり③【〈捩〉じり】 ねじること。 **―あめ**③【―〈飴〉】 さらし飴をねじって変化をつけたもの。 かぞえ方 一本 **―はちまき**⑤【―鉢巻】 手ぬぐいをねじって頭に巻きつけ、額の所で△結ぶこと(結んだもの)。「ねじはちまき④」とも。 **―ぼう**③【―棒】 小さなおこしにねじりをつけた駄菓子。 かぞえ方 一本

***ねじ・る**②【〈捩〉る】(他五)〈なにデ〉なにヲ―〉 〔棒状の物の〕一部分を(無理に)ひねったり 両端に よりを掛けるような力を加えたりする。「からだをねじって恥ずかしがる/△錠(手ぬぐい)を―」 表記 「〈拗〉る」とも書く。

ねじ・れる③【〈捩〉れる】(自下一) ❶ねじられた状態になる。 ❷ひねくれる。 名 捩れ③ 表記 「〈拗〉れる」とも書く。

ねじろ⓪【根城】 〔「出城」と違って〕主将の居城である本丸の称。〔広義では、広範囲にわたる活動の根拠地をも指す。例、「―を構える」〕 ↔出城

ねず【〈鼠〉】(造語) ❶ネズミの略称。「―公③(=ネズミの愛称)・―鳴き⓪(=ねずみ鳴き)」 ❷ねずみ色。「銀―(=銀色がかった薄いねずみ色)」

ねず①【〈杜松〉】 日当たりのいい かわいた丘などに生える常緑低木。葉が針状で堅く、触れると痛い。〔ヒノキ科〕 かぞえ方 一株・一本

ねす・ぎる③【寝過ぎる】(自上一) ❶度を過ごして寝る。「寝過ぎて疲れる」 ❷寝過ごす。

ねすご・す③【寝過(ご)す】(自五) 予定していた時間以上に長く寝てしまう。

ねずの⓪【寝ずの】(連体) 油断のないように、一晩寝ないで何かをする。「―看病/―番(=不寝番)」

ねずみ⓪【〈鼠〉】 人家の付近などにすむ、敏捷な小動物。物を△食い荒らし(かじり)、よくふえる。ドブネズミ・クマネズミ③など種類が多い。〔ネズミ科〕 かぞえ方 一匹 **―あな**⓪③【―穴】 ネズミがかじって開けた穴。 **―いらず**④【―入らず】 ネズミが入らないように作った戸棚。 **―いろ**⓪【―色】 黒の持ち味が大分薄くなり、やや青白みを帯びて見える色。イエネズミの色。 **―こう**⓪【―講】 〔会員や利益を鼠算式にふやすことからの命名〕組織への入会者が会の本部に送金すると同時に新しい入会者(=子会員)を出来るだけ数多く捜して自分(=親会員)に送金させ、その一部を本部へ更に送金するという方法を際限なく繰り返すことによって、組織の本部やそれに近い親会員側の利益を莫大なものにしようとするしくみ。また、そのやり方をまねた販売法。一九七九年、無限連鎖講防止法で禁じられた。 **―ざん**③【―算】 〔等比級数を扱った和算の演算法の名から〕物事の量が急激にふえていくことのたとえ。「―式にふえる」 **―とり**③【―取(り)】 ❶ネズミをとる△こと(器具)。 ❷「警察の、スピード違反取締まり」の俗称。 表記 「〈鼠捕り〉」とも書く。 **―なき**⓪【―鳴(き)】―する(自サ) ネズミの鳴き声のようにチュウと出す音。〔昔、遊女が嫖客を呼ぶ時などによくした〕「ねずなき」とも。 **―もち**③【―〈黐〉】 生け垣などにする常緑低木。葉はツバキに似るが、ぎざぎざが無い。初夏、小粒の白い花をつける。実はネズミのふんに似る。〔モクセイ科〕 かぞえ方 一株・一本

ねぜり①⓪【根〈芹〉】 根を食用とするセリ。

ね・せる⓪【寝せる】(他下一) 寝させる。寝かす。

ねぞう⓪【寝相】 眠っている時の△かっこう(姿)。

ねそび・れる④【寝そびれる】(自下一) 何かの原因で寝る時機を失い、眠ろうとしても寝つけない状態になる。

ねそべ・る③【寝そべる】(自五) 腹ばいになったりして、からだを伸ばす。

ねた⓪ 〔「たね」の倒語〕 ❶〔新聞記事・すしなどの〕材料。 ❷〔犯罪・盗作などの〕証拠。「―があがる」 ❸手品・奇術などをするための仕掛け。

ねだ①【根太】 〔「だ」は、接辞「た」の変化〕床板を支えるた

【 】の中の教科書体は学習用の漢字，〈 は常用漢字外の漢字，《 は常用漢字の音訓以外の よみ。

め、それと直角に大引(オオビキ)の上に渡した横木。⇩貫(ヌキ)❶

ねだい⓪【寝台】寝床にする台。「しんだい」とも。

ねだいた⓪【根太板】「床板」の俗称。

ねたきり④⓪【寝たきり】老衰したりして、病臥(ガ)したままの不自由な状態をずっと続けていること。「―の患者」

ねだけ①⓪【根竹】竹の根もとの、節の多い部分。

ねたば⓪【《寝刃》】切れ味の鈍くなった刃。「―を合わせる〔=刀の刃を研ぐ〕」

ねたばこ②【寝〔煙草〕】〔△起き(寝)がけに〕寝床の中でたばこを吸うこと。また、そのたばこ。

ねたまし・い④【妬ましい・《嫉ましい》】(形) 相手の幸せをうらやんで、妬みたくなるような気持だ。派 ―さ③④ ―げ④⑤⓪ ―が・る⑤

***ねた・む**②【妬む・《嫉む》】(他五)〈だれ・なにヲ―〉他人の幸運・長所をうらやんで、幸福な生活のじゃまをしたいという気持をいだく。「人の才能を―ことなかれ」名 妬み③

ねだめ⓪【寝〈溜⑱〉】―する(自サ) ふだんの睡眠不足をカバーし、あすへの活力を蓄えるために、休日にたくさん寝ておくこと。「食いだめはきくが、―はきかぬという」

ねだやし⓪【根絶⑫し】根もとから、すっかり取り去ること。〔残り無く絶やす意にも用いられる。例、「暴力団を―にする」〕

ねだ・る②⓪【〈強請〉る】(他五)〔普通に頼んだのでは出来ない事を〕相手の好意に甘えるようにして、頼み求める。「親にこづかいを―」名 ねだり⓪

***ねだん**⓪【値段】その物を売買する時の金額。「―の張る本／―と相談だ／おろし―」

ねちが・える④③(チガヘル)【寝違える】(自下一)△無理な方向にからだを向けたまま寝ていた(眠っている間に不自然にからだを動かした)ために、首や腕の筋を痛める。名 寝違え⓪

ネチケット①〔netiquette ←net(work)+(et)iquette〕インターネットなどのコンピューターネットワークを利用する中で守るべきマナーやエチケット。電子メールやウェブサイトの掲示板・SNSなどでのやりとりに際して注意が求められる。

> **ねつ**
> **［熱］**［一］❶あつい。あつさ。「熱湯・熱帯・炎熱」❷熱病。「猩紅(ショウコウ)熱」［二］(略) 熱エネルギー。「熱機関・熱核融合・熱気球」⇩(本文)ねつ【熱】

ねちっこ・い④(形)〔「ねちこい③」の強調形〕度を過ぎて相手がしつこくねばるので、ひどく不快に感じたりもううんざりだという気持になったりする様子だ。〔口頭語的表現〕⇩ねつこい 派 ―さ④

ねちねち①(副)―と ―する (相手になっているのが堪(タ)えられないほど)しつこく、いつまでもこだわり続ける様子。「―といやみを言う／―した男」

ねつ(熱)→【字音語の造語成分】

****ねつ**②【熱】❶そのもの自体に生じ、近付いたり触れたりしたときに感じられる温かさや熱さ。「真夏の太陽に照らされてから冷蔵庫に入れる／ナイロンは―に弱い／煮物の―が取れ―を△帯びる(持つ)／輻射(フクシャ)―・地―・―エネルギー」❷体温。特に、病気などのため高くなった体温を指す。「―を計る／―が△出る(下がる)／発―」❸他の事を忘れて、その事にだけ心を集中させること。また、その状態。「大変な―の入れ方／―を上げる〔=△当人だけ(ある年代に属する人たち)が何ゆえか特定の対象に惹(ヒ)かれて夢中になる〕／―を吹く〔=大きな事を言い散らす〕／―が冷める」【―に浮かされる】❶高熱が出て、うわごとを言う。❷何かに夢中になって、本来△の自分を見失う(すべきことを忘れた状態になる)。「マージャン―」⇩【造語成分】

ねつあい⓪【熱愛】―する(自サ) その相手だけに愛をささげつくすこと。

ねつ・い②(形)〔各地の方言〕❶しつこい。❷熱心だ。

ねつい①【熱意】障害に屈することなく、目的を実現させようと努力する気持。「―を買う／―がうかがえる／相手の―にほだされて私もつい承知した」

ねつエネルギー④⑤【熱エネルギー】エネルギーが熱の形で保持されているもの。

ねつえん⓪【熱演】―する(他サ)〔演劇などを〕全技術・能力を傾けて演じること。

ねつかく⓪【熱核】〔↑熱原子核⑤〕激しい熱エネルギーを出す原子核。 ―はんのう⑤(オウ)【―反応】熱原子核が分裂・融合すること。 ―ゆうごう⑤(ガフ)【―融合】熱原子核が融合すること。「―による原子力平和利用」

ネッカチーフ④〔neckerchief〕服飾品としての薄手で正方形の布。首に巻いたり頭にかぶったりする。かぞえ方 一枚

ねっから①⓪【根っから】(副)〔「根から」の強調形〕❶△生まれた時から(もとから)まぎれもなくその性向がある様子。「彼だって―(の)悪人ではない」❷あらゆる面からそうでしかないととらえられる様子。「お酒は―駄目でございます／―の野球ファン」〔❶❷とも口頭語的表現〕

ねっかん⓪【熱感】発熱の感じ。熱け。

ねつがん⓪(グワン)【熱願】―する(他サ) どんな犠牲を払っても、その実現を願うこと。

ねっき⓪【熱気】❶温度の高められた気体・空気。「―〔=蒸気〕消毒④」❷高揚した意気。「異常な―に包まれる／―を帯びた口調」

ねつき⓪【値付⑫】値段が付いて、取引が成立すること。

ねつき⓪【寝付⑫】寝つくこと。「―のいい子／―が悪い」

ねつぎ③【根継⑫】柱の下部の腐った部分を新しい木材で継ぎかえること。「―柱(バシラ)④」

ねつきかん③④(クワン)【熱機関】熱エネルギーを機械的仕事に変化させる装置。

ねつききゅう③(キウ)【熱気球】ガスバーナーで袋の中の空気を人が熱しながら浮揚する気球。かぞえ方 一機

ねつきぐ③【熱器具】電気・ガス・石油などを熱源とする器具。ストーブ・こんろなど。

ねっきょう⓪(キヤウ)【熱狂】―する(自サ) 何かにひどく感動し興奮して、じっとしていられないようにさせること。「―に巻き込む／―的なファン」

ネッキング⓪①―する(自サ)〔necking〕互いに抱き合って、激しい接吻(セップン)などをすること。

ネック［一］(造語)〔neck=首〕衣服の△襟(首の部分)。「―ライン〔=襟ぐり〕・―レス・タートル―・ハイ―・ブイ―」［二］①〔↑bottleneck〕進行を妨げる△ところ(もの)。「高い料金が―になって客足が伸びない」

ねつ・く②【寝付く】(自五)❶〔床に入った人が〕睡眠の状態に入る。❷病気になって床につく。

ねづ・く②【根付く】(自五) 移植した木・草の根が土になれて、水分などを吸収し始める。〔移入されたものがその社会に受け入れられて広まり、次第に定着する意にも用いられる。例、「民主主義が―」〕名 根付き③

ネックレス①〔necklace〕首飾り。ネックレースとも。かぞえ方 一点・一本。パールは一連

ねつけ⓪③【根付⑫】帯にはさむたばこ入れ・印籠(インロウ)など

ねだい――ねつけ
ね

のひもの端につける細工物。〔広義では、「腰ぎんちゃく」をも指す〕

ねつけ[3]【熱気】体温が高い感じ。熱感。

ねづけ[0]【値付(け)】―する(自他サ) 値段をつけること。「ねつけ」とも。

ねつけい[0]【熱型】〔病気の時などの〕体温の上がり下がりの型。

ねっけつ[0]【熱血】〔青年に特有の〕正しいことをあくまで正しいとし、実行△して(を求めて)やまない情熱。「―漢[4]」

ねつげん[0]【熱源】熱を供給する元(の物)。

ねっこ[3]【根っ子】〔東部から中部までの方言〕〔「こ」は接辞〕根。「松の―/首―」

ねつこ・い[3](形) しぶとく、ねばる様子だ。〔やや古風な表現。強調表現は「ねっつこい[4]」〕 派―さ[3]

ねっさ[1]【熱砂】(砂漠などの)日に焼けた熱い砂。「ねっしゃ[1]」とも。

ねっさつ[0]【熱殺】―する(他サ) スズメバチなどの巣を焼いて取り除くこと。

ねつさまし[3]【熱冷(ま)し】解熱(ゲネツ)剤。

ねっしゃびょう[0](ビヤウ)【熱射病】高温多湿の場所で、体温の調節が困難になって起こる病気。日射病に似ている。⇩日射病

ねっしょう[0](シヤウ)【熱唱】―する(他サ) (思い入れたっぷりに)情熱をこめて歌うこと。

ねつじょう[0](ジヤウ)【熱情】その事の実現を希望してやまない、積極的な気持。「自然保護への―が役所の重い腰を上げさせた/―あふれる名演」 ―てき[0]【―的】―な/―に 熱情の△ある(激しい)様子だ。

ねつしょり[3]【熱処理】―する(他サ) ジュラルミン・鉄鋼などの合金を高温で処理すること。焼入れ・焼きもどしなど。

＊＊**ねっしん**[1][3]【熱心】―な/―に 一つの物事に興味・関心があって、他に心を動かされない様子だ。「―な読者/―に相談にのる」 派―さ[3][0]

＊**ねっ・する**[0][3]【熱する】■一(自サ)〈なにニ―〉 ❶熱くなる。「熱しやすい金属」 ❷興奮して、夢中になる。「日本人は熱しやすく冷めやすいといわれる」 ■二(他サ)〈なにデ〉なにヲ―〉 熱を加える。「金属を―」 熱す[0](五)。

ねっせい[0]【熱性】高熱を出す性質。「―小児麻痺(ヒマ)」

ねっせい[0]【熱誠】相手のことを思う、純粋な真心。

ねっせん[0]【熱泉】(セ氏八〇度以上の)温泉。

ねっせん[0]【熱戦】❶見る人を興奮させずにはおかない、双方力を尽くしての△勝負(試合)。「―を繰り広げる」 ❷〔冷戦に対して〕武力による、本来の戦争。

ねっせん[0]【熱線】❶赤外線。 ❷熱い光線。

ねつぞう[0](ザウ)【〈捏造】―する(他サ) 〔「でつぞう」の変化〕本当は無い事を、事実であるかのように作り上げること。でっちあげ。「記事を―する/文書を―する」

ねつぞうこ[3](ザウ)【熱蔵庫】冷蔵庫に似た形で、温かい食べ物などをそのままの温度で保存するもの。「温蔵庫[3]」とも。 かぞえ方 一台

ねったい[0]【熱帯】南北両回帰線に挟まれた地域。四季の別が無く、平地では一年じゅう高温。「亜―」⇩温帯・寒帯 ―うりん[5]【―雨林】⇩熱帯多雨林 ―ぎょ[3]【―魚】熱帯地方にすむ美しい魚で、飼って楽しむもの。種類が多い。 ―たうりん[6]【―多雨林】一年じゅう雨が多い高温多湿の地域に発達する森林。常緑広葉樹の高木を主として、つる性植物・着生植物なども多い。熱帯雨林。熱帯降雨林[7]。 ―ていきあつ[7]【―低気圧】⇩低気圧 ―び[3]【―日】真夏日。 ―や[3]【―夜】夜になっても屋外の気温がセ氏二五度以下に下がらない夜の称。

＊**ねっちゅう**[0]【熱中】―する(自サ)〈なにニ―する〉〔興奮して〕一つの事に心を集中させること。「ゲームに―する/研究に―する」 ―しょう[0](シヤウ)【―症】高温・高熱にさらされるなどのために起こる病気。頭などが痛み、卒倒する。死亡率が高い。

ねっちり[3](副)―と/―する 「ねちねち」の強調形。「―食いさがる」

ねつっぽ・い[4]【熱っぽい】(形) ❶〔病気で〕平熱より体温が高い様子だ。 ❷話し方や歌い方に情熱がこめられている様子だ。「―△話し方(雰囲気)/熱っぽく語りかける」 派―さ[4]

ねってい[0]【熱低】「熱帯低気圧」の略。⇩温低

ねってつ[0]【熱鉄】熱く熱した鉄。または、熱で溶けた鉄。

ねつでんし[3]【熱電子】金属・半導体などを高温に熱した時、放出される電子。真空管などに利用される。

ねつでんつい[3]【熱電対】二金属片を環状につなぎ、一方のつなぎ目を熱すると電流が起こる装置。温度計〔=熱電温度計[0]〕などに利用する。熱電池[3]。

ねつでんどう[3](ダウ)【熱伝導】〔対流や輻射(フクシヤ)と違って〕物質の視覚的にとらえられる移動を伴わずに、熱自体が物体内の高温の部分から低温の部分へと伝わっていくこと。

ネット ■一〔net〕 ❶[1] 網(状のもの)。テニスコートや卓球台などの網、野球場の、キャッチャーの後ろの網、女の人のヘアネットなど。 ❷[0] インターネットの略。 ■二[1]〔←net weight〕〔風袋(フウタイ)を含まない〕正味。「―一キロ」

ねつど[1][2]【熱度】❶体熱や熱せられたものの熱さの度合。 ❷熱心さの度合。〔明治時代の用語〕

ネットイン[4][3]―する(自サ)〔和製英語 ←net+in〕〔テニス・卓球などで〕ボールがネットに触れて、相手方のコートの中に入ること。

ねっとう[0](タウ)【熱湯】煮え立った湯。「―をかける/―に浸す/―消毒」

ねっとう[0]【熱闘】(見る人を興奮させずにはおかない)双方全力を尽くしての△戦い(試合)。「夏の高校野球の―」

ネットカフェ[4]〔和製洋語 ←英 net+フ café〕インターネット機能のあるパソコンを備えた個別のスペースを設け、飲食もできるようにした店。インターネット カフェとも。

ネットサーフィン[4]〔net surfing〕ウェブ サイトなど、インターネット上の情報を興味の赴くままに閲覧して回ること。次つぎに波に乗るサーフィンにたとえて言う。

ネットバンキング[4]〔net banking〕インターネットを介して行なう銀行取引。インターネット バンキング[8]とも。

ネットプレー[5][4]〔net play〕〔テニス・バレーボールなどで〕ネットぎわでボールを打つこと。

ネットボール[4]〔net ball〕〔テニス・バレーボールで〕ボールがネットにかかること。また、ネットにさわって入ったボール。

ねっとり[3](副)―と/―する 〔「ねとり[2]」の強調形〕液状の物がねばりつく(ような)状態にある様子。「―とあぶら汗をかく/ゴマを―となるまで摺(ス)る」

ネットワーク[4]〔network〕 ❶〔ラジオ・テレビの〕放送網。〔広義では、全国放送の意にも用いられる〕 ❷〔全国的な〕組織・系列の連絡・通信網。「―を組む」 ❸通信で結ばれた複数のコンピューターおよび関連機器全体や、その通信路。

ねっぱ[1]【熱波】〔heat-wave の訳語〕気温がセ氏四〇度前後に達する激しい暑さが襲う現象。近年 世界各地である。 ↕寒波

ねっぱつ[0]【熱発】―する(自サ) 〔病院などの通語で〕発熱。

ねつびょう[0](ビヤウ)【熱病】高熱を伴う病気。

ね

ネップ[1]〔←nepyarn=節糸 雲の意のギ nepho に基づく〕糸にある節(シ)・こぶ。「—〔=節入り〕ツイード」

ねっぷう[0]【熱風】高温度の風。

ねつべん[0]【熱弁】相手を説得させずにはおかない、熱の入った話し方。「—をふるう」 表記「弁」の旧字体は「〈辯」。

ねつぼう[0]【熱望】(ネツバウ) —する(他サ) 心から(実現することを)希望すること。

ねづよ・い[3]【根強い】(形)〔地中に深く根を下ろして風雪に耐える様子〕❶必ずしも好ましいとばかりは言えないのに、そうするしきたりに慣れ過ぎていて、容易には△変わらない(変えられない)様子だ。「—保守的な発想/—△不信感(風習)」❷他から加えられる圧力などに屈することなく、所期の目的を貫き通そうとする様子だ。「根強く交渉を進める/隠れキリシタンの—信仰/—人気」 派—さ[3][2]

ねつらい[0]【熱雷】〔春雷・寒雷と違って〕蒸し暑い夏の昼下がりに発生する雷。強い日射などによって生じる上昇気流に起因する。

ねつりきがく[4]【熱力学】熱をエネルギーの一つの形と考えて、これと仕事との関係を研究する、物理学の一部門。

ねつりょう[2]【熱量】(ネツリヤウ) △物が燃える時に(食物がからだの中で)出す熱の量。単位はジュール・カロリー。〔近年、「熱意」「熱気❷」の意で用いることがある。例、「圧倒的な—で描かれた作品」〕

ねつるい[0]【熱涙】△相手のため(国家の将来など)を心配して、思わず流す涙。

ねつれつ[0]【熱烈】—な —に 激しい感情が現われるのを止められない様子だ。「—に歓迎する/—なファン」 派—さ[0]

ねても さめても[2]-[1]【寝ても覚めても】その事ばかりを心に思い続ける様子。

ねと[1] かまぼこ・ソーセージなどの表面が、湿りけを帯びて出来たもの。水分に空気中の細菌が付いて出来る。

ねどい[1][0]【根問(い)】(ネドヒ) —する(自サ) 根本まで立ち入(イ)って問いただすこと。「—葉問(ハドイ)[4]、[1]-[1]〔=『根問い』の強調表現〕」

ねどこ[0] ［一］【寝《所】寝るための場所。〔狭義では、ベッドルームを指す〕［二］【寝床】寝るために整えた敷物・布団など。〔狭義では、ベッドを指す〕「—に△入る(もぐり込む)/—を△敷く(作る)/—からはい出す」

ねとつ・く[0](自五) ❶食べ物が腐りかかったりして、糸を引く状態になる。❷汗などで衣類が肌についたり離れたりして、不快な感じを与える。

ねとねと[1](副)—と —する 肌などにねばりついて不快な感じがする様子。「汗ばんでシャツが—と肌につく」

ねとぼ・ける[4]【寝〈惚ける】(自下一) 十分に目がさめきらず、その場に合わない間の抜けた言動をする。

ねとまり[2]【寝泊(ま)り】—する(自サ) 仕事の関係などで、自分の家以外の所で夜寝ること。「事務所で—する」

ねとり[0]【音取(り)】❶〔雅楽で〕各楽器の調子を合わせるために簡単な曲を演奏すること。❷〔能楽で〕声の高さを合わせるために、初めに笛を吹くこと。

ねと・る[2]【寝取る】(他五) 他人の△配偶者(愛人)と情を通じる。

ねなし[3][0]【根無(し)】❶根が(ついてい)ないこと。❷根拠がないこと。「—言(ゴト)[0]」 **—かずら**[4]【—《葛】(カヅラ) 山野に生える、一年生の寄生植物。つるは針金状で、他の植物にまつわって養分を取る。〔ヒルガオ科〕 かぞえ方 一本 **—ぐさ**[3]【—草】「浮き草」の雅称。〔浮動して定まらない△こと(人)の意にも用いられる〕

ねのくに[1]【根(の)国】〔雅〕よみのくに。

ねのひ[2][1]【《子(の)日】〔古くは「ねのび」〕❶〔←子の日の遊び[2]-[0]、[1]-[0]〕昔、正月、初子の日に、野に出て小松を引き若菜をつんで、長寿を祝った行事。❷〔←子の日の松[2]-[1]、[1]-[1]〕子の日の遊びに引く松。

ねのほし[0][2]【《子(の)星】〔全国各地、奄美方言〕北極星の異名。

ねばつ・く[0]【粘つく】(自五) ねばって、くっつく。

ねばっこ・い[4]【粘っこい】(形) 粘る感じだ。 派—さ[4]

ねばつち[0]【粘土】粘りけのある土。ねんど。

ねばねば【粘々】［一］[1](副)—と —する 粘りついて容易には△離れない(除くことが出来ない)△こと(様子)。「果汁で手が—する」 ［二］[0] 粘りけのある成分。「サトイモの—を取る」 ［三］[0] —な —に 「ねばねば［一］」に同じ。「表面が—になる」

ねはば[0]【値幅】〔取引で〕二つの値段、ことに高値と安値との差。

ねばり【粘(り)】［一］[3] 粘ること。「—がある〔=粘り強い〕/—を利かせる」 ［二］〔造語〕動詞「粘る」の連用形。「—つく・—抜く」 **—がち**[0]【—勝(ち)】—する(自サ) 不利な状況の中でもあきらめずに継続し、最後に勝利や有利な結果を得ること。「チームワークで—した/十年にわたる交渉による—であった」 **—け**[0]【—気】粘る△力(性質)。 **—ごし**[0][3]【—腰】〔すもうで〕なかなか崩れない粘り強い腰。〔粘り強い態度の意にも用いられる〕 **—づよ・い**[5]【—強い】(形) ❶粘りけが多い。「—つきたての餅(モチ)」 ❷困難な仕事や劣勢に立たされている勝負などを途中で投げ出すことなく、最後までやり通す様子だ。「粘り強く戦う/粘り強く努力を重ねる」 派—さ[4]

***ねば・る**[2]【粘る】(自五) ❶柔らかで、さわった物にくっついたり、よく伸びてすぐにはちぎれない状態にある。「よく—餅だ」 ❷あきらめないで、根気よく続ける。「最後の最後まで粘り続ける」〔⇩粘り［二］〕

ねばれ[0]【寝腫(れ)】—する(自サ) 寝起きに顔が腫れて見えること。

ねはん[0]【〈涅槃〉】〔寂滅・滅度の意の梵(ボン)語の音訳〕〔仏教で〕すべての煩悩(ボンノウ)を無くし、高い悟りの境地に達して死ぬこと。〔狭義では、釈尊の死を指した〕「生死(ショウジ)を脱して—に入る/—仏(ブツ)[2]〔=横に伏している姿の釈尊の像〕」 **—え**[2]【—会】(エ) 〔仏教で〕釈尊の忌日〔=二月十五日〕に行なう法会。

ねびえ[0]【寝冷(え)】—する(自サ) 寝ている時にからだが冷えて、風邪・下痢などに侵されること。

ねびき[0]【値引(き)】—する(他サ) 決まった値段よりも安くすること。 動値引く[2](自五)

ねびき[3]【根引(き)】—する(他サ) 草木を根っこごと引き抜くこと。〔遊女などを身請けする意にも用いられた〕 表記「根〈曳き」とも書く。

ねぶ[1]【〈合歓〉】ネムノキの異称。

ねぶか[0]【根深】〔雅:関東を除く各地の方言〕ねぎ。

ねぶか・い[3]【根深い】(形)〔もと、植物が土中深く根をおろしている意〕ある意志・感情や考えなどが心の中に深くしみこんでいて、容易にはなくならない様子だ。「—△怨念(オンネン)(対立感情)」 派—さ[3][2]

ねぶくろ[0]【寝袋】シュラーフザック。

ねぶそく[0][2]【寝不足】睡眠時間が十分とれていないこと。「—が続く」

ねふだ[0]【値札】値段を記して商品に付ける小さな札。タグ。

ネプチューン[3]〔Neptune〕❶〔ローマ神話で〕海の神。〔ギリシャ神話のポセイドン[2]に相当する〕 ❷海王星。

ねぶと[0]【根太】癰(ヨウ)の一種。太もも・しりなどに出来る根の大きいはれもの。

ねぶみ⓪【値踏(み)】―する(他サ) 見積りで、おおよその値段をつけること。「もらい物の―をする」
ネブライザー③〔nebulizer〕〔医療器具の〕噴霧器。
ねぶ・る②【〈舐る】(他五)〔雅：中部以西の方言〕なめる。
ネフローゼ③〔ドNephrose〕腎臓疾患の一つ。顔がむくみ尿にたんぱくが多く出たりコレステロール値が高くなったりする症状。
ねぼう⓪【寝坊】―な ―する(自サ) 朝おそくまで寝(てい)る△こと(様子)。また、そのような人。
ねぼけいろ⓪【寝〈惚(け)色】あせて、もとの色が分からなくなった状態。
ねぼ・ける③【寝〈惚ける】(自下一) ❶睡眠中に起き上がったりして、わけの分からない行動をする。「ねぼけて夜中に起き出す」 ❷Ⓐ目が覚めた後しばらく正常な知覚が戻らず、ぼんやりした状態でいる。「まだねぼけた顔をしている」 Ⓑ色彩から受ける印象などが(予測・期待していたほど)鮮明さに欠ける。「日焼けしてねぼけた色になった緋毛氈」 名寝惚け③ 運用「何をねぼけているのだ(、顔でも洗ってこい)」などの形で、状況がよくつかめなかったりしてピント外れの言動をする人に対して、軽い非難の気持を込めてからかって言うのに用いられることがある。
ねぼすけ②【寝《坊助】〔寝坊助の変化〕寝坊な人。〔からかいの気持や軽い侮蔑を含意して用いる〕「あきれるほどの―だ」
ねほり③⓪【根掘(り)】根を掘る△こと(道具)。 ―はほり①-①【―葉掘(り)】(副) 少しずつほじくるようにして、結局は細かいところまで、何もかも聞きただす様子。
ねま②【寝間】寝る部屋。寝室。
ねまがりだけ④【根曲(がり)竹】根元が曲がっている小さな竹。幹はステッキその他の細工物に使い、たけのこは食用。〔イネ科〕 かぞえ方 一本
ねまき⓪【寝間着・寝巻(き)】〔もと、寝巻の意〕寝る時に着る衣服。 かぞえ方 一枚
ねまちづき③【寝待(ち)月】〔月の出がおそいため、寝て待つ意〕陰暦十九日の夜の月。略して「寝待ち⓪」。〔「寝待ちの月⓪-②」ともいう〕⇩居待ち月・立ち待ち月
ネマトーダ③〔ギ nēmatōda〕動植物に寄生して害を与える、小さな細い虫の総称。線虫類③。 かぞえ方 一匹
ねま・る②【《寝まる】(自五)〔東北・北陸、中国・九州方言〕座るなどして低い姿勢をとる。〔しりを地につけて座ることにも、かしこまって座ることにも言う。また、うずくまる・はらばう・ねる・結節を持つ・腐るなどの意にも用いられる〕
ねまわし②【根回(し)】―する(自サ) ❶〔実りをよくしたり移植に備えたりするために〕木のまわりを掘って、一部の根を切り落とすこと。 ❷交渉などをうまく成立させるために、関係方面にあらかじめ得ておく了解。「―工作」
ねまわり②【根回(り)】❶木の根がのびている範囲(に沿って植える草木)。〔地表・地中ともに言う〕 ❷高地の周囲に沿った低地。
ねみだれがみ④【寝乱(れ)髪】寝たために乱れた髪。
ねみだ・れる④【寝乱れる】(自下一) 着衣のまま寝たために、服装などが乱れる。
ねみみ⓪【寝耳】眠っている状態にある時の耳。「―に水〔=『寝耳に水の入るごとし』の略。だしぬけのことでびっくりする形容〕」
***ねむ・い**⓪②【眠い】(形) 長時間起きていたりひどく疲れていたりして眠りたくてたまらなくなる状態だ。「―目を擦って本を読む」 派―さ⓪ ―げ⓪ ―が・る③⓪
ねむけ⓪【眠気】眠くなること。「―を催す/―がさす/―を訴える/いっぺんに―が去ってしまった」 ―ざまし④【―覚(ま)し】眠気を払う手段(となるもの)。「―に熱いコーヒーを飲む」
ねむた・い⓪③【眠たい】(形) 一刻も早く、眠りたい状態だ。 派―さ③ ―げ⓪④③「―な目もと」 ―が・る④⓪
ねむのき①【〈合歓〉木】山野に生える落葉高木。六、七月ごろの夕方に、払子のような形の美しい淡紅色の花を開く。葉は細かい複葉で、夜に閉じる。ねぶ。ねむ①。〔マメ科〕 表記「〈夜合〉《樹」とも書く。 かぞえ方 一株・一本
ねむら・せる⓪【眠らせる】(他下一)〔「眠る」の使役形〕❶眠るようにする。❷殺す。〔❷は俗用〕眠らす⓪(五)。
ねむり【眠り】■一⓪ 眠ること。「―が浅い/―に落ちる/自然の―に入る/―につく/永い―につく〔=『死ぬ』の婉曲表現〕/まだ―から覚めない〔=自分の使命に目覚めて本格的な活動を始めるに至っていない〕日本」 ―ぐさ③【―草】オジギソウの異称。■二(造語) 動詞「眠る」の連用形。 ―ぐすり④【―薬】❶睡眠剤。❷麻酔薬。 ―こ・ける⑤(自下一)〔「こける」は、「こくる」の変化〕(まわりで何が起ころうと知らないで)正体なく眠る。
***ねむ・る**⓪【眠る】(自五)〈(どこ)ニ―〉 疲れのために自然と、心身の緊張がゆるみ、自覚的な活動がやんだ状態になる。〔多くは、目をつぶり横になる状態を指す〕「朝までぐっすり―/安らかに―〔=『死ぬ』の婉曲表現としても用いられる〕/地下に―〔=うずもれた〕財宝/土地が眠っている〔=効果的に利用されずにほうっておかれる〕/海底に―〔=あって、まだ利用されない〕資源」〔⇩眠り■二〕
ねむれる⓪【眠れる】〔文語動詞「眠る」の已然形＋完了の助動詞「り」の連体形。連体詞的に〕眠った状態にある。「―〔=秘めた能力を発揮させずにいる〕獅子」
ねめつ・ける④【〈睨(め)付ける】(他下一) にらみつける。
ねめまわ・す④⓪【〈睨(め)回す】(他五) にらみつけながら、あたりを見回す。
ね・める②【〈睨める】(他下一) ❶にらむ。❷△要注意(敵)として目をつけ、警戒したり監視したりする。
ねもと③【根元・根本】❶根(の部分)。❷つけ根(の部分)。
ねもの⓪【根物】野菜のうち、根菜類。⇩葉物
ねものがたり④【寝物語】寝ながらする話。
ねや①②【〈閨】〔寝屋の意〕(夫婦の)寝室。
ねやど⓪【寝宿】結婚前の青年男女が統制のもとに寝泊まりした共同の宿舎。かつて男女交際の場とされた。〔昭和初頭までの用語〕
ねゆき⓪【根雪】積もって固まり春まで溶けずに残る雪。
ねらい⓪【狙(い)】■一⓪ 狙う△こと(もの)。「―違わず/―を△つける(定める)/―に沿った」 ■二(造語) 動詞「狙う」の連用形。 ―うち⓪【―打(ち)】―する(他サ) 狙いをつけて打つこと。 動 狙い打つ④(他五) 表記 射撃の場合は、「狙い撃ち」と書く。 ―どころ⓪【―所】何に目標を置くかということ。「―〔=着眼(点)〕がいい」
****ねら・う**⓪【狙う】(他五)〈なに・だれヲ―〉 ❶目標に命中させようと構える。「効果を―」 ❷ある物を手に入れようとして、機会をうかがう。「親の敵を―〔=殺そうとして、つけ狙う〕/経費の節減を―〔=当面の目標とする〕/△あとがま(チャンス・つけ込むすき)を―/優勝を―」 表記「〈覘う」とも書く。〔⇩狙い■二〕
ねりあ・げる④【練(り)上げる】(他下一) 練って(りっぱに)仕上げる。「△案(プログラム)を―」 表記「〈煉り上げる」とも書く。
ねりある・く④【練(り)歩く】(自五)〔行列を作って〕ゆっくり歩く。 表記「〈邌り歩く」とも書く。
ねりあわ・せる⑤⓪【練(り)合(わ)せる】(他下一) 異

なるものを練って交ぜ合わせる。ねりあわす④⓪。名 練り合わせ⓪ 表記「〈煉り合わせる」とも書く。

ねりあん⓪【練(り)〈餡】アズキを煮て、△こし(つぶし)て、砂糖を入れ、火に掛けて練った餡。表記「〈煉り〈餡」とも書く。

ねりいと⓪【練(り)糸(キイト)】練って柔らかくした絹糸。↕生糸

ねりうに⓪【練(り)〔雲丹〕】なまのウニをすりつぶし、塩を入れて練り合わせた食品。表記「〈煉り〔雲丹〕」とも書く。

ねりえ⓪ エ¹【練(り)餌】❶魚の好きな物を練り合わせて作った釣りのえさ。❷穀粉などを練って作る、小鳥のえさ。表記「〈煉り餌」とも書く。

ねりおしろい③【練(り)〔白粉〕】⇩おしろい

ねりがし③ グワ¹【練(り)菓子】和生菓子のうち、練り固めて作った菓子。羊羹(ヨウカン)・求肥(ギュウヒ)の類。

ねりかた・める⑤⓪【練(り)固める】(他下一) 練って堅くする。表記「〈煉り固める」とも書く。

ねりぎぬ③⓪【練(り)絹】練って柔らかくした絹布。⇩すずし

ねりぐすり③【練(り)薬】(はちみつ・水あめなどで)練り合わせた薬。表記「〈煉り薬」とも書く。

ねん

［年］❶毎年の。「年収・年俸(ポウ)・年額・年金・年刊」❷とし❶。「年齢・年長・高年・壮年・青年・少年」⇩(本文)ねん【年】

［念］❶おもい。考え。「念慮・初一念」❷〔「廿」の漢音をデン、呉音をネンと考えたところから起こったという〕二十日から二十九日までの「廿」の音通。「念五日(＝二十五日)」⇩(本文)ねん【念】

［捻］無理な力を加える。ひねる。「捻出・捻挫(ザ)・捻転」

［粘］ねばる。「粘土・粘液・粘膜・粘着・粘性・粘稠(チュウ)・粘度」

［然］❶…のまま。「自(ジ)然・天然」❷…している様子。「黙然・忽(コツ)然」⇩ぜん

〈［撚］よる。「撚糸」

［燃］もえる。もやす。「燃焼・燃油・燃料・可燃・再燃・不燃性：燃費(ピ)」

ねりこう② カウ¹【練(り)香】(みつで)香料の粉を練り固めたもの。表記「〈煉り香」とも書く。

ねりこ・む③⓪【練(り)込む】(他五) 練って中へ入れる。

ねりせいひん③【練(り)製品】魚肉を練って作った食品。かまぼこ・ちくわなど。表記「〈煉り製品」とも書く。

ねりなお・す④ ナホス¹【練(り)直す】(他五) もう一度△練る(よく考え、吟味する)。「対策を—」

ねりぬき⓪【練(り)《貫】生糸を縦糸とし、練り糸を横糸として織った絹布。

ねりはみがき④【練(り)歯磨】〔はちみつ・グリセリンなどを入れて〕歯磨粉を練り合わせたもの。表記「〈煉り歯磨」とも書く。

ねりべい②⓪【練(り)塀】土とかわらとで築き、上をかわらでふいた塀。表記「〈煉り塀」とも書く。

ねりまだいこん④【練馬大根】東京の練馬を原産地とする大根で、根の中程が太く辛みが強い。〔その形から、俗に、女性の太い足の意にも用いられた〕

ねりみそ⓪【練(り)味〈噌】砂糖などの味を加えながら火を通して練った味噌。表記「〈煉り味〈噌」とも書く。

ねりもの⓪③【練(り)物】❶練って作った物。練り餡(アン)の菓子・練り製品・練り絹や、人造の色ボタン・宝石類など。❷祭りの時などの、山車(ダシ)や行列。表記❶は「〈煉り物」、❷は「〈邌り物」とも書く。

ねりようかん③ ヤウ¹【練(り)羊〈羹】餡(アン)と寒天とを混ぜて煮つめ、よく練った羊羹。⇩蒸し羊羹 表記「〈煉り羊〈羹」とも書く。かぞえ方 一棹(ヒトサオ)・一本

**ねる⓪【寝る】(自下一) ❶〈(どこ・なに)ニ—〉横になって休む。また、眠る。「八時間—(＝眠る)/活字が寝て(＝横になって)いる/寝ていて(＝働かないで)食べられる/病気で—(＝床につく)/女と—(＝同衾(ドウキン)する)/夜の目も寝ずに」❷商品や資金が動かない状態にある。❸こうじが、よく出来た状態になる。❹〔柔道で〕寝わざをしかける。【寝た子を起こす】❶すでに治まっている問題を、何かのきっかけを与えて、不必要に再燃させる。❷△忘れかけている(思い出してもらいたくない)事柄を、不必要に思い出させるような事をする。

**ね・る*①【練る】[一](他五) ❶〈(なにデ)なにヲ—〉〔ぶつぶつ切れたり ぼそぼそしたり しないように〕未完成な状態にある物を繰り返しかきまぜて、より均質な、使えるよい状態に仕上げる。また、その結果、粘りけのある物にしたり しなやかな物にしたり する。「あんを—(＝火を通して、こね固める)/△膏薬(コウヤク)(糊(ノリ)・土など)を—(＝こねて、粘りを出すようにする)/刀を—(＝焼いて鍛える)」❷〈なにヲ—〉未完成な状態にあるものに手を加え、最善・最上の段階に近づける。「絹を—(＝あく抜きをして、ごわごわを無くす)/からだを—(＝鍛える)/腕を—(＝みがく)/人格を—(＝円満にする)/文章を—(＝何回も表現や論法を直す)/△具体案(計画・作戦・対策)を—(＝検討しながら最善のものを作る)」[二](自五) ❶〈どこヲ—〉(人に見せるために、行列を作って)ゆっくり進む。「からくり山車(ダシ)が—」❷〔釣りで〕風に向かって船をこぐ。名 練り② 表記[二]❶は、「〈邌る」とも書く。また、刀は「《錬る」、糸・絹など以外は「〈煉る」とも書く。

ネル① フランネルの略。

ね・れる②【練れる】(自下一) 練った状態になる。「練れた〔＝人生経験を積み、物分かりがよくなった〕人」文法 日常の談話では、文末の述語としては一般に「ねれている」の形で用いられる。また、連体修飾として用いる場合には「△ねれている(ねれた)＋体言」の形で多く用いられる。

ねわけ⓪③【根分(け)】—する(他サ) 根を分けて移し植えること。分根(ブンコン)。

ねわざ⓪【寝業・寝技】Ⓐ〔柔道やレスリングで〕寝た姿勢で戦う技。Ⓑそれまでの形勢を逆転させるような相手の意表をついた巧みなかけひきや策。「政界の—師」↕立ち業

ねわら⓪【寝〈藁】(家畜などの)寝床とする藁。

ねん(年・念・捻・粘・然・〈撚・燃)→【字音語の造語成分】

ねん①【年】❶時間の長さの単位で、地球が太陽を一周する時間を表わす。三百六十五日。四年ごとに閏(ウル)がある。〔春分から次の春分までの長さに等しい〕「—一—と高まる意欲/—八分六厘の高利率/桃栗(クリ)三—柿(カキ)八—/—単位」❷一月一日にはじまり、十二月三十一日に終わる時の流れ(の単位)。また、その個々の名称。「—に一度/—頭・—始・—末・—中行事・昨—・当—・明—・二〇二〇—・新—・旧—・生—月日」❸年季。「—が明ける」⇩【造語成分】

ねん*【念】❶①心から常に離れない△気持(思い)。「不安の—が強い/懐旧の—が心を占める/—が届く(＝かなう)/—慮・専—・初一—」❷⓪手落ちのないように気をつけること。「—が入る/—には—を入れよ/—を押す(＝△その人が本当に そう言ったか(こちらの注文や要求が相手にまちがい無

く達せられたか)どうか、もう一度確かめる〕/―のために〔⇒念のため〕断わっておくが」⇩【造語成分】

ねんあけ⓪【年明け】❶年季が終わり、自由の身となること。「年明き⓪」とも。❷その年が終わり、やがて新しい年を迎えること。「―〔=新年〕の国会」

ねんいちねん①-②【年一年】(副)―と 年を追って事態がその方向に進んでいく様子。「―と治安が悪化する」

ねんいり⓪【念入り】―な/―に 〔手抜かりや欠陥などが無いように〕よく気をつけて、何かをする様子だ。「―に化粧する」

ねんえき⓪①【粘液】ねばねばした液。↔漿液 **―しつ**④【―質】ヒポクラテス以来行なわれてきた、気質の四分類の一つ。刺激に対する反応がおそく弱いが、容易に物事に動ずることが無く、忍耐強い性質。⇩気質

ねんおう⓪【年央】「年のなかば」の意の漢語的表現。

ねんが①【年賀】〔多く「お―」の形で〕新年を祝う、挨拶や贈り物。「(お)―に伺う/お―の品」**―じょう**⓪③【―状】新年のお祝いとして送る挨拶状。

ねんかい⓪【年会】一年に一度の集会。「航空学会―」

ねんがく⓪【年額】一年間の△金額(総額)。

ねんがっぴ③【年月日】何かが△行なわれる(行なわれた)年と月と日。

ねんがらうち⓪【ねんがら打ち】先をとがらせた堅い木の棒を土中に打ち込み、相手のそれを倒し合う、地方の子供の遊び。

ねんがらねんじゅう⑤【年がら年中】(副)一年中(いやになるほど)その状態が△続いている(認められる)様子。年百年中。「―泣きごとばかり言っている」

ねんかん⓪【年刊】〔月刊・季刊などと違って〕一年に一回刊行すること。また、その刊行物。

ねんかん【年間】■一⓪その一年間(を通してのこと)。「―の平均気温/―所得⑤」■二(造語) その「年号❷」が用いられていた期間。期。「天明―」

ねんかん⓪【年鑑】〔一定範囲の事柄について〕一年間の動きを図や表を使って解説した、年刊の本。

ねんがん⓪【念願】―する(他サ) その実現を常に願っていること。また、その願い。「多年の―がかなった」

ねんき⓪【年忌】その人の(節目の年の)祥月命日(を中心に行なわれる法要)。

ねんき⓪【年季・年期】奉公人を雇う約束の年限。「―を入れる〔=その仕事に対する経験を積む〕/―が明く〔=約束した奉公などの年限が来て、自由の身となる〕」**―ぼうこう**④【―奉公】あらかじめ年季を決めてする奉公。

ねんき⓪【年期】〔条約などで〕一年を単位とする期間。

ねんきゅう⓪【年休】「年次休暇」の略。

ねんきゅう⓪【年給】年俸。

ねんぎょ①【年魚】魚のアユの異名。

ねんきん⓪【年金】〔仕事の報酬としてではなく〕老齢など、一定の条件を満たした人に毎年継続的に支給されるお金。国民年金・厚生年金や遺族年金など。

ねんきん⓪【粘菌】アメーバ様単細胞生物の総称。アメーバのように動いて生活する場合と動かずに胞子を作り繁殖する場合とで、それぞれに形態を変えるように、動物と植物の性質を併せ持った生物。朽ち木や落葉などにすむ。

ねんぐ⓪【年貢】❶昔、不動産に対してかけられた税金。〔たいていは米〕「―の納め時〔=悪事が露見して、処分を受けるべき時期〕」❷小作料。「―米⓪」

ねんげつ①【年月】(幾年もの)期間。「長い―を△要する(かける)」

ねんげみしょう④【〈拈華《微笑】釈尊の真の教えは、迦葉のごとく悟りを開いた人のみが、その時どきに直覚的に伝えるというたとえ。〔以心伝心の意とも言われる。釈尊が霊山の会上で、華を拈って衆に示したところ、迦葉ひとりその意を体し、にっこり笑ったという故事に基づく〕

ねんげん③【年限】一年単位で決められた期限。「―を切る/修業―」

ねんこう⓪【年功】❶長年勤めた功労。「―を頌する」❷長年の熟練。「―を積む」**―じょれつ**⓪-⓪【―序列】入社・任官の年度による、職場での序列。「―型の雇用形態が見直される傾向にある」

ねんごう③【年号】❶「元号」の通称。❷〔中国・日本で〕その君主の在位の期間(の一時期)を象徴するものとして、年につけた名称。〔一定の時期がたったり天災・人災・戦乱などがあったり するたびに変わった〕⇩元号

ねんごろ⓪【懇ろ】―な/―に 〔古語「ねもころ」の変化〕△心をこめて(親切に)扱う様子だ。**【―になる】**(男女が)打ちとけてつきあい、情を通じる。〔やや古風な表現〕

ねんざ⓪【捻挫】―する(他サ) 関節をくじくこと。

ねんさい⓪【年祭】毎年、その人の祥月命日などに決まって行なう祭事。

ねんさい⓪【燃〈犀】―な/―なる 頭の働きが鋭くて、なんでも即座に判断出来る様子だ。「―なる頭脳」

ねんさん⓪【年産】一年間の生産高。

ねんし①【年始】❶新年(になってからの数日間)。「年末―の休暇」↔年末 ❷〔多く「お―」の形で〕新年を祝う、挨拶や贈り物。「―に出掛ける/お―回り」

ねんし①【年歯】〔「歯」は、よわい・年齢の意〕「年齢」の古風な表現。

ねんし①【〈撚糸】糸を二本以上合わせてよりをかけたもの。↔単糸

ねんじ①⓪【年次】❶〔仕事の単位としての〕その一年(間)。「―計画④・―休暇④〔=勤め人が、その年に取れる休暇。年休〕」❷〔順序・けじめを問題とした時の〕その年。「卒業―⑤〔=卒業年度〕」

ねんじ①【年時】その事が行なわれた年や月など。「生没―」

ねんしき⓪【年式】自動車の、その年ごとに開発される型。

ねんじゅ①【念珠】じゅず。「ねんず①」とも。

ねんじゅ①【念〈誦】―する(他サ) 仏の名や経文を、心に念じ、口に唱えること。

ねんしゅう⓪【年収】〔月収・日収などと違って〕一年の収入。

ねんじゅう①【年中】■一一年の間(を通して同じ状態にあること)。「―無休①-⓪」■二(副) 一年を通してそうでない日が無いくらい、いつも同じ状態が続く様子。「―観光客でにぎわう街/―ピーピーしている」

ねんしゅつ⓪【捻出】―する(他サ) 普通の才覚では出てないものを、特別の知恵を絞って、どこから出して来ること。「費用を―する」 表記「〈拈出」とも書く。

ねんしょ①【年初】年の初め。新年(になってからしばらくの間)。〔大体、一月いっぱいまでを指す〕「―来の相場」↔年末

ねんしょ⓪【念書】その場で決まった約束事などを互いに確認し合う意味で やりとりする覚書。「―を取る」 かぞえ方 一通

ねんしょう⓪【年少】❶―な 年齢が少ない△こと(様子)。「最―知事」❷ある集団の中で比較的年下の人びとの称。「―組」⇩年長

ねんしょう⓪【年商】〔日商・月商と違って〕その商

店などの、一年間の売上高。

ねんしょう⓪【燃焼】―する(自他サ) 必要な酸素などを得て、燃料が燃えること。〔自分の持っているエネルギーのすべてを、意義ありと思っている仕事などに尽くす意にも用いられる。例、「今はもう完全―したいという気持で一杯です」〕

ねん・じる⓪③【念じる】(他上一) ㊀〔仏の名やお経を〕忘れないように、いつも唱える。㊁〔その実現を〕心の中で思う。「幸あれと念じています」 念ずる(サ変)。

ねんすう③【年数】 何かをするのに△要する(要した)年の数。「―物⓪・勤続―」

ねんせい【年生】(造語) その植物の発芽から結実・枯死に至る過程が、特定の一暦年に限られるか、二暦年以上に亘るかを問題にする語。

いち―⓪【一―】「一年生草本⑦、⓪-⓪」の略。春、芽が出、夏から秋にかけて花が咲き実がなり、冬には枯れる草。一年草。例、イネ・ナス・アサガオなど。 **えつ―**⓪【越―】「越年生草本⑦、⓪-⓪」の略。秋のうちに発芽し、翌年の春から夏にかけて花が咲き、実った後枯れる草。二年生。越年草。 **た―**⓪【多―】「多年生草本⑥、⓪-⓪」の略。一年間以上生き続ける草。〔冬季は茎が枯れ春になって芽を出すものと、冬季も茎が枯れないものとがある〕⇩一年生・二年生 **に―**⓪【二―】「二年生草本⑥、⓪-⓪」の略。発芽した植物が葉をつけたまま冬を越し、翌年花をつけ実がなって枯れるもの。二年草。越年生。例、ニンジン・タカナなど。

ねんせい⓪【粘性】 物質の、粘る性質。

ねんそう⓪【年層】「年齢層」の圧縮表現。「若い―」

ねんだい⓪【年代】㊀その物が始まり使用されてから経過した年月。時代。「―のせいでだいぶ痛みがひどい」㊁時の流れをある観点から区切った、一定の期間。「明治―〔=時代〕・一九六〇―〔=ⓐ一九六〇年から一九六九年までの十年間。ⓑ一九六〇年の一か年間〕」㊂△同年齢(同世代)の横の広がり。年齢層。 **―き**③【―記】事件を年ごとにしるした記録。編年史。クロニクル。 **―もの**⓪【―物】 作られてから年代が経過して、その存在が貴重視される物。「―のワイン」

ねんちゃく⓪【粘着】―する(自サ) 粘りつくこと。「―性・―力④」 **―テープ**⑤ セロハン・ビニールなどで作った、はり合せ用のテープ。

ねんちゅう①【年中】「ねんじゅう」の新しい言い方。 **―ぎょうじ**⑤【―行事】 毎年決まった時期に行なう行事。「ねんじゅうぎょうじ」とも。

ねんちゅう⓪【粘(稠)】―なる 〔ニカワ・ゴムなどの溶液が〕粘って濃い様子だ。医学では「ねんちょう」とも。

ねんちょう⓪【年長】㊀―な 年齢が多い△こと(様子)。「―者③」㊁ある集団の中で比較的年上の人びとの称。「―組」⇩年少

ねんてん⓪【捻転】―する(自他サ) からだの部位がねじれて向きが変わること。「腸―」

ねんど①【年度】〔暦の年とは別に〕事務上の便宜によって区分した、一年の期間。「―初め④・―末③・会計―」

ねんど①【粘土】 水を含むと粘りけが増し、これで何かの形を作ることが出来る土。「―細工④・―質③・紙―」

ねんど①【粘度】〔油などの〕粘りつく程度。

ねんとう⓪【年頭】 一年の計画を立てるべき、年の初め。「―に当たって/―〔=新年に当たっての〕所感」↔年末

ねんとう⓪【念頭】 考え(のうち)。「…が―にある/―に△置く(入れる・無い)/かっとなってしまい、先程の注意が全く―から去ってしまった」

ねんない①【年内】〔年の後半、または年末などに言う語で〕その年のうち。

ねんなし⓪【年無し】〔釣りで〕年数が明らかでない大物の魚。〔狭義では、クロダイなどの大物を指す〕

ねんね① ㊀―する(自サ) 寝ることの幼児語。「―しな」㊁年齢の割に世間を知らない娘。「うちの娘は高校を出たのに、まだほんの―で」

ねんねこ③〔←ねんねこばんてん⑤〕 赤ん坊を背負った時、上からおおうようにして着る、綿入れのはんてん。

ねんねん⓪【年々】(副)〔「としどし」の漢語的表現〕㊀一年ごとに決まってそのことが繰り返される様子。「―百万円もの配当がある」㊁年を追ってその傾向が著しくなっていく様子。「祭りは―盛んになる」 **―さいさい**⓪-⓪【―歳々】(副)〔「年々㊀」の強調表現〕来る年も来る年も同じことが繰り返される様子。

ねんねん⓪【念々】㊀その時その時〔に心に起こる一つひとつの思い〕。㊁一つの物事に心を集中すること。

ねんのため⑤【念の《為》】 まちがいないと思うが、なお確かめるため。〔副詞的にも用いられ、アクセントは⓪〕「―の再検査/―名前を聞いておく/―に聞いてみる」

ねんぱい⓪【年配・年輩】㊀おおよその年齢。「同じくらいの―の人たち」㊁もはや若く未熟だとは言えない年のころであること。「―の客の多い料亭/かなりの―に見える」

ねんばらい③【年払(い)】㊀一年に一回、分割払いをすること。㊁一年分をまとめて一度に払うこと。⇩月払い・日払い

ねんばらし③【念晴(ら)し】 疑念を晴らすこと。「―のために」

ねんばんがん③【粘板岩】 粘土が固まって出来た黒色の堆積岩で、薄い板状にはげやすくなっているもの。「石盤㊁」や屋根瓦などにする。

ねんぴ⓪【燃費】〔←燃料消費率⑦〕 燃料一リットルで走れるキロ数。「―がいい/―25km/L」

ねんぴゃくねんじゅう①-①、⑤【年百年中】(副) ねんがらねんじゅう。

ねんぴょう⓪【年表】〔歴史上の〕出来事を時代・年月順にしるした表。

ねんぷ⓪【年賦】 支払うべき金額を一年に幾らと割り当てて払う△こと(方法)。⇩月賦

ねんぷ⓪【年譜】 ある個人の一生について年を追って〔簡潔に〕しるした記録。

ねんぶつ⓪【念仏】―する(自サ) 仏の名を唱えること。「南無阿弥陀仏」と唱えること。「―を唱える」かぞえ方 一返 **―こう**⓪【―講】 念仏を行なう講中。 **―ざんまい**⑤【―三昧】 一心に念仏すること。 **―しゅう**④③【―宗】 念仏によって極楽往生することを目的とする宗旨。

ねんぽう⓪【年俸】 一年を単位として支給される俸給。

ねんぽう⓪【年報】 年単位で出される、年間の△事業(研究)報告。また、それを刊行した本。

ねんまく①【粘膜】 消化器・泌尿器など、身体の空洞の内側をおおう、柔らかくて湿った膜。

ねんまつ⓪【年末】 一年の終わりの時期。〔普通、十二月を指す。「歳晩・歳暮」などより日常語として多く用いられる〕「―調整」↔年始・年初・年頭

ねんゆ⓪【燃油】〔灯油と違って〕燃料にする油。

ねんよ①【年余】 一年余り。「―にわたる交渉」

ねんらい①⓪【年来】 それが何年も前からずっと続いてきたものであることを表わす。「―の△希望(遺恨)/―殺生を重ねた罪滅ぼしの一助に…」

ねんり⓪【年利】 一年に幾らと定められた△利率(利息)。

ねんりき⓪【念力】 意志の力。「思う―岩をも徹(トオ)す」

ねんりつ⓪【年率】 一年を単位とする△比率(利率)。

ねんりょ①【念慮】 常づね その事が成就するように、気を配っていること。

***ねんりょう**③【燃料】 燃やして熱を起こすための材料。まき・炭・石炭・ガス・石油など。「液体―⑤・固形―」 **―でんち**⑤【―電池】〔金属を用いる在来型の電池と違って〕陽極に酸素を、陰極に燃料として水素を連続的に供給して、電気化学的反応により 直接 電気エネルギーを得る電池。エネルギー変換効率が高い上に無公害。

ねんりょく①【粘力】 粘る力。「薬剤で―を高める／―で接着する」

ねんりん⓪【年輪】 ❶幹を輪切りにした時に見られる、同心円を重ねたような木目(モクメ)。 ❷〔「年輪❶」が一年に一回りずつふえる事から〕年ごとに成長・変化した物の歴史。「心の―／言葉の―／―を重ねる／―を刻む」

***ねんれい**⓪【年齢】 その人が生まれてからの年数。とし。「―をごまかす／―的な衰え／精神―」 ⇩かぞえどし・満年齢 表記「年令」とも書く。 **―しゅうだん**⑤【―集団】〔社会学・民族学などで〕単位的な社会集団の中で、同じ△年齢(世代)の者によって構成される集団。 **―そう**③【―層】 年齢によって分けた層。「―が上がる」

の…ノ

の【《幅・《布】(造語) 布の はばの単位。「一幅(ヒトノ)」は、鯨尺で九寸〔=約三四センチ〕ぐらい。「三(ミ)―半・三―布団(フトン)」

の(接頭) つかみどころがないほどの。「―太い・―放図」 表記「野」と書くのは、借字。

の ■一■(格助) ❶あとに来る言葉が表わす内容や状態・性質などについて限定を加えることを表わす。「私―本／文学部―学生／革―かばん／医療費―問題／国語―教師／異国―空／秋―雨／東京で―生活／母へ―手紙／しばらく―別れ／富士―山／国―ため」 ❷〔「…のようだ」「…のごとし」の形で〕そうとらえられる意味的な関係があるということを表わす。「春の夜の夢―ごとし／雪―ようだ」 ❸あとに来る動作・作用・状態の主体であることを表わす。「桜―咲くころ／父―帰りを待ちわびる／お茶―濃いのを確かめる」 ❹〔名詞のあとについて〕前に来る名詞によって限定される物を表わす。「これは私―〔=の物〕だ」 ❺〔述語の連体形のあとに用いて〕上の語(のまとまり)を体言として扱い、全体としてのものや ことを表わす。「安い―〔=物〕がいい／魚のうまい―が食べたい／来る―〔=こと〕が遅い／日本語では、『ある』は動詞である―に対し〔=『動詞であるに対し』の口語的な表現〕、反対語『ない』は形容詞である」 ❻〔「…のだ」「…のか」などの形で〕聞き手が知らないことを伝えたり 話し手が直前まで知らなかったことに思い至ったりするような場合に用い、原因・理由などの説明の意を表わす。また、強い意志や命令を表わすこともある。「彼は病気な―だ／その日は雨が降っていた―です／君も行く―か？〔=『君も行くか』が、『行く・行かない』についての単純な疑問であるのに対し、相手の行くような様子を見て、それを確かめている表現〕／またあした雨が降る―か？〔=雨が降るとは一体どうした事なのだろう〕」 ⇩のだ・のだが・のだから・のだった・のだろう・のではない・のではないか・のなら ❼あれこれ列挙して述べることを表わす。「狭い―〔=とか〕きたない―〔=など〕と文句ばかり言う／行く―行かない―ってはっきりしない／痛い―〔=とか〕痛くない―って〔=とかいうどころではなく〕、とても がまんが出来なかった」 ❽同格であることを表わす。「友達―田中君／店長―川口さんをここへ呼んでください／お父さん―邦雄博士は本当の人格者でした／二―次」〔❹❻の口頭語形は、「ん」〕 表記「〈之・〈乃・〈廼」とも書く。 文法 (1)❶❷❸❹❽は、体言(名詞、またそれに準ずる句)に接続する。❺❻は、活用語の連体形に接続する。❼は、活用語の終止形に接続する。〔❶は、「が・を・に」以外の格助詞に「での・への・からの」のように続くことがある。❶❸❹は、「だけ・など」などの副助詞に続くことがある。❹❺は、名詞相当のまとまりを作るため、「…の＋格助詞」の形で後に続く(「ので」「のに」は一語として扱われる)〕 (2)❶「AのB」の形によって表わされるAとBの関係は多岐にわたるが、ここではその一端を示すにとどめる。たとえば、「父の絵」からは少なくとも三つの意味的な関係が考えられる。(i)父が描いた絵 (ii)父が所有している絵 (iii)(誰かが)父を描いた絵〔つまり父の肖像画〕 (3)「に・を・より・が」を除く格助詞のあとにくる「の」は文脈によって適宜実質的な意味のある述語に置き換えて解釈することができる。「大阪での〔=大阪で行なった〕公演／友達からの〔=友達からきた〕贈り物／パリまでの〔=パリまで搭乗できる〕航空券／妻との〔=妻とかわした〕約束／母への〔=母に宛(ア)てた〕手紙」などである。 ■二■(終助)〔主として女性語・幼児語〕 ❶軽く断定することを表わす。「いいえ、違う―／これです―、私のは／とてもいやな―」 ❷〔上昇調の発音で〕相手に質問することを表わす。「何をする―／あなたは好きな―／これでいいと思う―」 ❸〔強く発音して〕相手を説得しようとすることを表わす。「あなたは心配しないで勉強だけしていればいい―」 文法 助動詞「う／よう・ぬ」を除く活用語の終止・連体形に接続する。

の【野】 ■一■①❶草などが生えている、自然のままの広い平地。(野)原。「―に咲く花／荒れ―」 ❷田畑。のら。「―を耕す」 ■二■(造語) 野生の。「―うさぎ・―ばら」

のあそび②【野遊(び)】―する(自サ) 野に出て遊ぶこと。〔昔は、貴族や武士が山野に狩りすることをも指した〕

ノアの はこぶね①-⓪【ノアの《方舟・ノアの箱船】〔Noah=人名〕〔旧約聖書の物語で〕ノアの家族と全種の動物が乗って洪水をのがれた、四角な大きい船。

のあらし②【野荒(ら)し】―する(自サ) 田畑を荒らしたり 作物を盗んだり する△こと(人・動物)。

ノイズ①⓪〔noise〕 雑音。騒音。

のいばら②【野茨・野〈〈薔薇〉〉】 野ばら。

ノイローゼ③〔ド Neurose〕 不安などが原因で起こる神経機能の病気。神経症。〔広義では、気を使うことが多くて病気のようになった状態をも指す。例、「いささか―気味」〕

のう(悩・納・能・脳・農・濃・〈嚢) →【字音語の造語成分】

のう ■一■①(感) 昔、「もしもし」「ねえちょっと」の意で人に呼びかけるのに用いた語。「――、旅のお方」 ■二■(終助)〔各地の方言〕自分がそう感じる事について相手に同意を促す気持を表わす。「暑い―〔=なあ〕」 表記 ■一■は「〈喃」とも書く。

のう【能】 ■一■① その人が発揮できる肉体的・精神的な面の力(のすべて)。「―ある鷹(タカ)は爪(ツメ)を隠す〔=本当に実力のある人は、真に必要のある場合しか、それを示さないものだ〕／

【 】の中の教科書体は学習用の漢字，〈 は常用漢字外の漢字，〈〈 は常用漢字の音訓以外の よみ。

寝る以外に―〔=出来る事〕のない男/金をためるだけが―ではない〔=金をためることだけに汲々とするのでは何の価値もない〕/有―」 ㊁⓪ 室町時代に田楽などを基にして「世阿弥⓪」によって大成された、動きの少ない、極度に様式化された劇。笛・太鼓・大鼓・小鼓を伴奏とし、地謡に合わせたり自ら謡をうたったりしながら舞う。「―舞台③・―装束③・薪―」⇩【造語成分】

***のう**① 【脳】 Ⓐ頭蓋骨の中にあって、人体各部に至る神経の中枢をなし、複雑な精神の働きを受け持つ、柔らかくてひだのある組織。〔広義では、人以外の脊椎動物についても用いられる〕「―に腫瘍が見つかる/―神経・―出血・―味噌・大―・小―」 Ⓑ〔俗に〕的確に物事を判断したり 適切に事態に対処したり することのできる頭の働き。「―の働きがにぶる/―が悪い」⇩【造語成分】

のう① 【農】 農民として農耕に従事すること。「―は国の基なり/半―半漁の生活/帰―」⇩【造語成分】

のう① 【〈膿】 「うみ」の医学用語。「―を持つ/化―」

のういっけつ③ 【脳〈溢血】 「脳出血」の別称。

のうえん⓪ 【脳炎】 脳の炎症性疾患の総称。

のうえん⓪ 【農園】 野菜・草花・果樹などを栽培する農場。

のう

【悩】 精神的に△苦しむ(苦しめる)。「悩殺・悩乱・苦悩・煩悩」

【納】 ❶受け入れる。「納受・納得・嘉納」 ❷中にしまう。「納棺・収納」 ❸おさめる。「納入・納付・納品・納税・完納・未納・滞納・物納・返納」

【能】 ㊀薬などの持つ働き。「能書・効能・放射能」 ㊁(略) ❶能動。「能相」 ❷能登国。「能州・加越能」 ⇩(本文)のう【能】

【脳】 ❶中心となるもの。「首脳」 ❷草木の芯。「樟脳・竜脳」 ⇩(本文)のう【脳】

【農】 ㊀農家。農民。「豪農・小作農・士農工商」 ㊁(略) ❶農学。「農博・農学士」 ❷農業高校・農業大学。 ⇩(本文)のう【農】

【濃】 ㊀こい。「濃淡・濃厚・濃縮」 ㊁(略) 美濃国。「濃州・濃尾」

【〈嚢】 ふくろ。「嚢腫・嚢中・陰嚢・胆嚢・卵嚢・行嚢・氷嚢・背嚢・雑嚢・胞子嚢」

のうえん⓪ 【濃艶】―な 人を思わず引きつけるほどの性的魅力があって美しい様子だ。「―な色彩」

のうか① 【農科】 農業に関する学科。〔狭義では、大学の「農学部④」を指した〕

***のうか**① 【農家】 ❶職業として(代々)農業を営んでいる家。「―の出」 ❷農業を営む家としての特徴がはっきりしている建物。

のうか⓪ 【濃化】―する(自他サ) 濃く△なる(する)こと。

のうかい⓪ 【納会】 ❶その組織で、その△年(年度)の最後に催す会。お互いの労をねぎらうと共に次年度に備えての反省などをこめてする。↕初会❷ ❷〔取引で〕その月の最終日に行なう立会い。↕発会❷

のうかい⓪ ㊀【能界】 能楽関係者の社会。また、その師弟関係などのつながり。 ㊁【能会】 演能の催し。

のうがき⓪③ 【能書】 薬などの効能を説明した言葉。〔自己宣伝の言葉の意にも用いられる。例、「―を並べる」〕

のうがく⓪ 【能楽】 (音楽芸術としての)能㊁。「―師④・―堂⓪」

のうがく⓪ 【農学】 農業についての学問。「―博士⑤」

のうかしん③ 【〈膿痂疹〉】 「飛び火❷」の医学用語。

のうかすいたい④⓪ 【脳下垂体】 脳の下面についているエンドウ豆ぐらいの小器官。発育・生殖に関係のあるホルモンを分泌する。

のうかん⓪ 【納棺】―する(他サ) 死体を棺の中に納めること。「―師③」

のうかん⓪ 【脳幹】 脳のうち、大脳半球と小脳とを除いた部分。延髄・中脳・間脳など。「―部③」

のうかんき③ 【農閑期】 農事のひまな時期。↕農繁期

のうき① 【納期】 〔商品・税金などの〕納入の期限。

のうき① 【農期】 農業△をする(の出来る)期間。〔狭義では、農繁期を指す〕

のうきぐ③ 【農機具】 農業用の機械・器具。「農機①」とも。

のうきゅうび③ 【農休日】 農作業を休む日。

のうきょう⓪ 【納経】―する(自他サ) 経文を写して霊場に納めること。また、その経文。「平家―」

のうきょう⓪ 【農協】 「農業協同組合」の略称。

のうきょう⓪ 【〈膿胸】 肋膜腔にうみがたまる病気。

****のうぎょう**① 【農業】 土地を利用して米・野菜・果樹などを栽培したり鶏・蚕・牛などを飼ったりして生産をあげる職業。〔狭義では耕作を指し、広義では林業を含む〕「自営―」⇩工業・商業 **―きかい**⑤⑥【―機械】 農作業に用いる機械。トラクター・耕耘機・コンバイン等、原動機によって駆動されるものを指す。⇩農具 **―きょうどうくみあい**⑨【―協同組合】 農民の生活上の便宜・向上をはかるための団体。共同の仕入れ・加工・出荷や、融資・共済などを行なう。〔略称は、農協〕 **―センサス**⑤〔センサス=census〕 国連食糧農業機関の提唱で、十年ごとに行なう農業調査。 **―ようすい**⑤【―用水】 農耕用の水を供給するための水路や装置。

のうきょうげん 【能狂言】 ❶⑤③ 能楽と狂言。 ❷③〔能会で〕能楽と能楽との間に行なう狂言。

のうきょけつ③ 【脳虚血】 脳の血管への血液の供給が減少する症状。脳梗塞の前触れであることが多い。

のうきん⓪ 【納金】―する(自サ) お金を納めること。また、そのお金。

のうぐ① 【農具】 農業用の道具。

のうげい⓪ 【農芸】 ❶農業と園芸。 ❷農作物を作る△こと(技術)。「―化学⑤」

のうげか③⓪ 【脳外科】 脳・脊髄・末梢神経の病気の外科的治療を行なう医学の一部門。脳神経外科⑦。

のうけっせん③ 【脳血栓】 脳の動脈硬化のために、血管が閉塞する病気。反対側の半身の知覚や運動の麻痺が起こる。

のうこう⓪ 【農工】 農業と工業。「―業③」

のうこう⓪ 【農耕】 田畑を耕して農業を営むこと。「―適地⑤・―民族⑤」

のうこう⓪ 【濃厚】―な ❶色・味などの濃い様子だ。「味つけが―だ/―液③」 ❷強烈な印象・刺激を与える様子だ。「―なラブシーン」〔❶❷の対義語は、淡泊〕 ❸そのものの要素が△強く(頻繁に)感じられる様子だ。「疑いが―だ/感染者との接触が―だった人」↕希薄 派―さ⓪③

のうこうそく③ 【脳梗塞】 脳血栓と脳塞栓の総称。脳の動脈が詰まり、血液が脳組織に行き渡らなくなる症状。脳軟化症を引き起こす。

のうこつ⓪ 【納骨】―する(自サ) 火葬にした遺骨を骨つぼ・墓などに納めること。「―式④・―堂⓪」

のうこん⓪ 【濃紺】 濃い紺色。

のうさい[0]【納采】〔皇族の〕結納。「─の儀」

のうさい[0]【能才】「物事をやってのける才能(がある人)」の意の古風な表現。

のうさぎ[2]【野〈兎】日本各地にすむ野生のウサギ。毛色は灰色の交じった茶色。〔冬は、白色に変化するものもある〕

のうさぎょう[3]【農作業】農家の仕事。野良仕事。

のうさく[0]【農作】田畑を耕して、穀物・野菜などを作ること。 **─ぶつ**[4]【─物】米・野菜など、田畑でとれる物。「のうさくもつ」とも。

のうさつ[0]【悩殺】─する(他サ) 女性がその性的魅力で男性の心をとらえて、すっかり夢中にさせること。

のうさつ[0]【納札】社寺に参拝して、札を納めること。また、その札。

のうさん[0]【農産】❶〔←農産物[3]〕農業によって作られる物。「─加工[5]」 ❷〔←農産業[3]〕農産物を供給する事業。

のうさんそん[3]【農山村】農村や山村。

のうし[1]【〈直衣〉】平安時代以降の、男性貴族のふだん着。形は袍に似ているが、位による色のきまりなどが無い。「─姿」

のうし[1][0]【脳死】脳幹を含めた脳の全機能が完全に止まって、再生が不可能となった状態。〔脳死を「人間の死」と認めるかどうか医学的・社会的に議論が分かれている〕

のうじ[1]【能事】自分の責任において果たさなければならないこと。「─終われりとする」

のうじ[1]【農事】❶農家の仕事。❷農業に関する事柄。「─試験場〔=農業試験場〕・─番組」

のうしつ[0]【脳室】頭蓋骨の内部で、脳が収められている部分。

のうしゃ[1]【農舎】収穫物の処理などを行なう小屋。

のうしゅ[1]【〈嚢腫】袋状にはれたはれもの。「卵巣─」

のうじゅ[1]【納受】─する(他サ) ❶受け取って納めること。受納。❷〔神仏が願いを〕聞き入れること。「ご─」

のうしゅう[1]【能州】「能登国」の漢語的表現。今の石川県北部の能登半島にあたる。「─紬[6]」

のうしゅう[1]【濃州】「美濃国」の漢語的表現。今の岐阜県南部にあたる。漢音で「じょうしゅう」とも。

のうじゅう[0]【〈膿汁】うみ(しる)。

のうじゅうけつ[3]【脳充血】脳の血管の充血によって起こる病気。

のうしゅく[0]【濃縮】─する(他サ) 加熱・冷凍・減圧して、溶液などの濃度を濃くすること。「─還元ジュース[9]・─ウラン[5]」

のうしゅっけつ[3]【脳出血】脳の組織内部に出血する病気。血圧の高い人や高齢者に多い。脳溢血。

のうしゅよう[3]【脳腫瘍】脳に発生する腫瘍。頭痛・嘔吐・視覚障害などの症状が見られる。頭蓋内腫瘍。

のうしょ[0]【能書】「能筆」の意の古風な表現。〔古くは「のうじょ」〕「─家[0]」

のうしょ[1]【農書】農業に関する本。「会津─」

のうしょう[0]【脳症】〔高熱などのため〕意識障害の起こる症状。

のうしょう[0]【脳〈漿】脳の表面と脳膜との間や脳室内を満たす漿液。

のうじょう[0]【農場】農業を経営するために必要な設備を備えた一定の場所。〔広義では、大学農学部などの実習地をも指す〕

のうしんけい[3]【脳神経】脳から出て、おもに頭部に行き渡っている末梢神経。運動・感覚を受け持つ。

のうしんとう[3]【脳震〈盪・脳振〈盪】頭を強く打ったために起こる症状。一時的に意識不明になる。表記「脳震〈蕩」とも書く。

のうすい[0]【農水】「農林水産」の略。「─相[3]」 **─しょう**[3]【─省】「農林水産省」の略称。

のうずい[1]【脳髄】「脳」の医学用語。

のうせい[0]【脳性】脳に△関係(影響)のあること。 **─まひ**[5]【─麻〈痺】病気や傷害によって、脳の運動中枢が冒されて起こる麻痺。

のうせい[0]【農政】農業についての行政・政策。

のうぜい[0]【納税】─する(自サ) 税金を納めること。「─者[3]」

のうせきずいまくえん[8]【脳脊髄膜炎】細菌の侵入によって起こる、脳と脊髄とをおおう膜の炎症。略して「髄膜炎」。「流行性─」

のうぜんかずら[5]【〈凌〈霄〉花】庭に植える落葉つる植物。茎は他に巻きついて伸びる。夏、だいだい色の花が咲く。観賞用。〔ノウゼンカズラ科〕かぞえ方 一本

のうそ[1]【〈曩祖】〔「曩」は、先の意〕「先祖」の意の古風な表現。

のうそくせん[3]【脳塞栓】脂肪・細菌などのかたまりが脳の血管の中に詰まったもの。突然発作を起こし、運動麻痺・知覚麻痺などを起こす。

のうそっちゅう[3]【脳卒中】脳の血管の異状によって起こる病気。〔狭義では、脳出血と脳軟化症とを指す〕

のうそん[0]【農村】農業を生活基盤とする村落。⇩漁村・山村 **─こうぎょう**[5]【─工業】農産物を加工する仕事。

のうたん[0][3]【濃淡】色・味などの、濃さ・薄さ。

のうち[1]【農地】農業に使う土地。↔宅地 **─かいかく**[4]【─改革】第二次世界大戦後行なわれた、地主の土地を小作人に強制的に売り渡させて、耕作農民が自作出来るようにした改革。

のうちゅう[1]【脳中】(思考をつかさどる)頭の中。「─を去来する」

のうちゅう[1]【〈嚢中】袋の中。「─の錐〔=才能は、隠してもすぐ現われるものだ〕/─無一物〔=財布の中は無一文だ〕」

のうてい[0]【〈嚢底】「財布の底」の意の漢語的表現。

のうてん[3]【脳天】頭のてっぺん。「─から出す声〔=かん高い声〕」

のうてんき[3]【能天気】・【脳天気】─な 〔関東・中部方言〕常識はずれで、軽薄な△様子(人)。表記 もと、「能転気」とも書いた。

のうど[1]【農奴】〔中世ヨーロッパなどで〕領主から貸与された土地を耕作し、領主に賦役・地代その他の税を納めた人たち。〔移動・転業などの自由が奪われていたが、奴隷と異なり人格は認められていた〕

のうど[1]【濃度】溶液などの濃さ。「─が高い/─を増す」

のうどう[0]【能動】積極的に他に働きかけること。「─的[0]」↔受動 **─たい**[0]【─態】〔文法で〕文の述語が、主語自身の積極的な動作・作用を表わす形式であること。↔受動態

のうどう[0]【農道】農作物・肥料などを車で運搬するために、耕地の間などにつけた道。

のうトレ[0]【脳トレ】〔←脳力トレーニング[6]。商標名〕脳の働きを活発にするためのトレーニング。計算問題・パズル・ゲームなど。

のうない[1]【脳内】脳の中。「─出血[5]」

のうなし⓪【能無し】能力、特に生活力の無い△こと（人）。

のうなんかしょう⑤⓪【脳軟化症】脳の血管がふさがって脳組織が壊死(エシ)し軟化する疾患。からだ(の一部)が動かなくなるなどの症状が現れる。

のうにゅう⓪【納入】―する(他サ)〔官庁などに品物やお金を〕納めること。

のうのう⓪③(副)―と ―する 気がかりなことや煩わしいことが何も無いかのように、のんきに構えている様子。〔軽い非難の気持を含意することがある〕「―と暮らす」

のうは①【脳波】（大脳の活動に伴って）脳から出る弱い電流(の描くグラフ)。「正常―・異常―」

ノウハウ①〔know-how〕製品開発などに必要な知識や技術上の秘訣(ヒケツ)。ノー ハウとも。

のうはん⓪【農繁】「農繁期」の略。「―休暇⑤」 **―き**③【―期】〔田植え・収穫などで〕農事の忙しい時期。↔農閑期

のうひ①【能否】出来るか、出来ないか。「―をためす」

のうひつ⓪【能筆】専門的に習ったことがあり、格にはまった字(を書く人)。↔悪筆

のうひん⓪【納品】―する(他サ) 品物を注文先へ納めること。また、その品物。「―書⑤⓪」

のうひんけつ③【脳貧血】脳の血液量が減るために起こる病気。めまい・耳鳴りなどがし、時には失神する。

のうふ⓪【納付】―する(他サ)〔官庁などに〕お金を払うこと。「―金⓪」

のうふ①【農夫】農業を職業とする男性。〔狭義では、農事に雇われた男性を指す〕 **―しょう**⓪③【―症】激しい労働や、大家族制の圧迫感から起こる、肩こり・腰痛などの農村に多い病気。「農婦症」とも。

のうふ①【農婦】農業にたずさわる女性。

のうぶんか⓪【能文家】文章の上手な人。

のうへい⓪【農兵】農民を組織的に集めた軍隊。

のうべん⓪【能弁】―な 話・話し方の上手なこと。達弁。「―家⓪」↔訥弁(トツベン) 表記「弁」の旧字体は、「辯」。

のうほう⓪【農法】農業の方法・技術。

のうほう⓪【膿疱】うみのたまったはれもの・できもの。 **―しん**③【―疹】とびひ。〔「膿痂疹(ノウカシン)」の旧称〕

のうほう⓪【嚢胞】分泌物が病的にたまった袋状のもの。

のうぼく⓪【農牧】農業と牧畜。「―の国／―を営む／―地④③〔＝農地と牧地〕」

のうほん⓪【納本】―する(自他サ) 出来上がった本を注文先などに納めること。「国立国会図書館に―する」

のうほんしゅぎ⑤【農本主義】農業を国の産業の基本とする主義。

のうまく①【脳膜】脳をおおい包む膜。 **―えん**④【―炎】細菌の侵入によって起こる脳膜の炎症。〔「髄膜炎」の旧称〕

のうみそ③【脳味噌】「脳」の俗称。「―を絞る／―が足りない〔＝頭の働きが鈍い〕」

のうみつ⓪【濃密】―な 色合の濃い様子だ。「―な〔＝細かい所までよく書き込んである〕描写」 派 **―さ**⓪

***のうみん**⓪【農民】農業を職業とする人びと。百姓。

のうむ①【濃霧】見通しがきかないほどの濃い霧。

のうめん⓪【能面】能楽に使う仮面。「―打ち③〔＝能面作者〕」

のうやく⓪【農薬】消毒・殺虫・除草・植物生長調整などに使う農業用の薬品。

のうやくしゃ③【能役者】能を演じることを職業とする人。

のうよう⓪【膿瘍】細菌の侵入により、うみがからだの組織の内部にたまる病気。「肺―③」

のうようち③【農用地】農業のために使用される土地。「―をつぶす」

のうらん⓪【悩乱】―する(自サ)「心を悩まし苦しめること」の意の古風な表現。「辛苦―する」

のうり①【能吏】(役所の内部から見れば)有能と認められる、腕ききの役人。

のうり①【脳裏・脳裡】〔頭の中の意〕意識に浮かぶ考えや記憶の一部分。「―を一抹の期待と不安がかすめる／―に浮かぶ」

****のうりつ**⓪【能率】(一定時間内の)仕事のはかどる割合。「―を△上げる(落とさない)／―化が図られる／―的に仕事を進める／―増進」 **―きゅう**④【―給】年齢・地位・職種などによらず、作業量や仕事の出来のよしあしに応じて支払う給与。⇩生活給

のうりょう⓪【納涼】―する(自サ) 暑い室内から出、なんらかの方法で、涼しさを味わうこと。「―大会⑤」〔古くは「どうりょう」〕

****のうりょく**①【能力】㊀特定の仕事を為(ナ)し遂げることが出来るかどうかという観点から見た、その△人(物)の総合的な力。「―を△活かす(発揮する・引き出す・試す)／―に応じた教育／―に欠ける／―の開発／―的にまねの出来ない／責任―がある／―別学級(編成)・運動―・処理―・調査―」㊁〔法律で〕完全に私権を行使出来る資格。

のうりょく①【脳力】〔体力や精神力と違って〕記憶力・推理力・想像力・判断力などの優劣によって測られる頭脳の働き。

のうりょく⓪【濃緑】濃いみどり(色)。〔深緑よりは暗い感じを指す〕

のうりん⓪【農林】農業と林業。 **―すいさんしょう**⑦【―水産省】農林・水産行政の事務を扱う中央官庁。〔長官は、農林水産大臣⑨。別称は農水相③〕 **―ちゅうおうきんこ**⑨【―中央金庫】農林・水産団体や関連企業のために特別に設けられた中央金融機関。預金や貸付などの業務を行なう。

のうろうがん③【膿漏眼】淋菌(リンキン)が目に入って起こる、激しい結膜炎。

ノエル①〔フ Noël〕クリスマス。

ノー〔no〕㊀①相手の言う事をその通り△認める(受け入れる)ものではないということを表わす。「さあどうだ、イエスか―か／人から頼まれて―〔＝いやだ〕と言えない男」↔イエス ㊁(造語) ❶それが無いことを表わす。「―ブラ」❷それが禁止されていることを表わす。「―スモーキング」

ノーアウト③〔no out〕〔野球で〕無死。ノーダン。「―一塁二塁」

ノーカウント③〔no count〕〔競技で〕△得点(失点)にかぞえないこと。ノーカン①。

ノーカット③〔和製英語 ←no＋cut〕〔検閲や上映時間の都合などで削除されたものと違って〕映画のフィルムなどが、制作された通りのものであること。また、そのフィルム。「―版(バン)⓪」

ノーゲーム③〔和製英語 ←no＋game〕〔野球で〕雨などで中止になった試合。

ノーコメント③〔no comment〕⇩コメント

ノーサイド③〔no side＝試合が終われば敵も味方もない、の意〕〔ラグビーで〕試合終了。「―寸前に逆転」〔英語では現在フル タイムが用いられている〕

ノーサンキュー③〔No, thank you.〕相手の申し出を断

の

わる言い方。

ノースモーキング④〔no smoking〕「たばこを吸うな」ということ。禁煙。

ノースリーブ④〔和製英語 ←no＋sleeve〕袖のない衣服。袖なし。

ノータイム③〔和製英語 ←no＋time〕❶〔野球などで〕「タイム❸」でなくなること。試合再開。❷間をおかないこと。待った無し。

ノータッチ③〔和製英語 ←no＋touch〕❶〔事件などに〕関係し(てい)ないこと。「その件に関しては━だ」❷〔野球で〕ボールがランナーに触れ(ず、アウトになら)ないこと。❸〔テニス・卓球で〕ボールを打とうとしても、ボールがラケットに当たらないこと。「━エース」

ノーダン①〔no down を耳で聞いたままの形〕〔野球で〕無死。ノー ダウン③。ノー アウツ③。「━満塁」

****ノート**①〔note〕❶━する(他サ)〈なに(ニ)なにヲ━する〉書きとめること。筆記。「一斉に━を始める/予定を手帳に━する」❷書きとめたもの。覚え。覚え書(ガキ)。「フット━〔=脚注〕」❸〔←notebook〕帳面。「━型パソコン」❹〔音楽などの〕調子。「ハイ━」 かぞえ方 ❸は一帖(イチジョウ)・一冊

ノーハウ①〔know-how〕⇩ノウハウ

ノーヒットノーラン③-①、⑥〔no-hit and no-run〕〔野球で〕投手が、安打を一本も出さず、四死球や失策以外の走者を出さずに完投し、相手チームを無得点に抑えること。無安打無得点。

ノーブラ⓪〔←no brassiere〕〔女性が〕ブラジャーを着けていないこと。

ノーブランド④〔和製英語 ←no＋brand〕ブランド〔=商標〕をつけない商品。商標をつけないことでそれに伴う宣伝・包装などの経費を減らし、値段を安くした、食品・衣類・雑貨など。

ノーブル①━な〔noble〕顔かたちなどから見て、家柄・育ちがいいという印象を与える様子だ。貴族的。「━な顔立ち」

ノープレー④〔和製英語 ←no＋play〕〔野球などで〕今のは正規のプレーとは認めないということを表わす。

ノープロブレム④〔no problem=何も困った問題はないの意〕確認されたことに対して「何も心配がない」、謝罪されたことに対して「気にしなくていい」、感謝されたことに対して「どういたしまして」などの意を表わす。

ノーベルしょう④【ノーベル賞】(シヤウ) スウェーデンの化学者アルフレッド ノーベルの遺言と遺産とによって設定された賞。副賞として奨励金が出る。物理学、化学、生理学・医学、文学、平和、経済学の六部門に分かれる。

ノーマーク③〔和製英語 ←no＋mark〕❶〔犯罪事件などで〕犯行の可能性がある人物に注意を払ったり 警戒をしたり しない状態。「犯人に対して警察は━だった」❷〔スポーツで〕△守備側が攻撃側の(自分の競争相手になる)特定の選手の能力を警戒しないようす。「━の選手にホームランを浴びる」

ノーマライゼーション⑥〔normalization〕障害者や高齢者などが、差別されることなく社会の中で普通に生活できるようにすること。共生化⓪。

ノーマル①━な ━に〔normal〕正常な様子だ。↕アブノーマル

ノーマン①〔no man〕上役に向かって反対意見が言える人。⇩イエス マン

ノーメイク③〔←no makeup〕化粧をしていることの予測される人が全く化粧せず素顔のままであること。ノー メークとも。

ノーモア(造語)〔no more〕もう(これ以上は)いやだ。「━ヒロシマ/━ナガサキ」

ノーラン①〔no run〕❶〔野球で〕得点が入らないこと。❷〔ストッキングが〕伝線しにくいこと。ノンラン③とも。

ノーリターン④〔no return〕❶取り組んでも何も得るものが無いこと。「ハイリスク、━〔=危険を冒しても何も得られないこと〕」❷返品を受け付けないこと。「ノークレーム、━〔=苦情も返品も受け付けない〕」

のが・す【逃す】[一]②(他五) にがす❶。「機会を━」[二]〔「動詞連用形＋━」の形で、接尾語的に〕…する機会がありながら、結果的に…しないで終わる。「見━・聞き━④」

のかぜ①【野風】〔俳句などで〕野を吹く風。

のが・れる③【逃れる】(自下一) ❶△あぶない(不快な)状態から遠ざかる。「重囲を━〔=脱する〕/虎口(ココウ)を━/難を━/都会の騒音を━」❷△めんどうな(煩わしい・負担になる)事をしないでいいような状態になる。「当番を━〔=しないで済む(ようにする)〕/責任を━」 名 逃れ③「一時━」

のき⓪【軒】屋根の下端の張り出した部分(の下の空間)。「━を△争う(並べる)/━を連ねる〔=家が立てこむ〕/彼の事業は━が傾きかけて〔=経営不振になって〕いた」

のぎ⓪ [一]【〈芒】イネ・ムギなどの実の殻にある堅い毛。[二]【〈鯁】のどに刺さった魚の骨。

のぎく①【野菊】❶野に咲く菊類の総称。❷ヨメナの別称。

のきさき⓪【軒先】軒の端(の下に出来る空間)。家の前。「━で雨宿りする」

のきした⓪【軒下】軒の下(の空間の部分)。

のきしのぶ③【軒忍】岩石・木の幹や わらぶき屋根などに生える常緑多年生のシダ植物。葉は細長く、裏に茶褐色の球状の胞子嚢(ホウシノウ)が並んでいる。シノブグサ。〔ウラボシ科〕 かぞえ方 一本

ノギス①⓪〔人名 Nonius の変化〕物をはさんで、厚さ・直径を計る目盛りつきの工具。⇩キャリパス かぞえ方 一本

のきたけ⓪②【軒丈】軒の高さ。

のきどい⓪(ドヒ)【軒〈樋】軒先に横に取り付けた樋。

のきなみ⓪【軒並】[一]軒が続いて並んでいる家いえの並び。家並。軒ならび。「古い━が続く通り」[二](副)━に 関係するどれもが、そろって同じ傾向を見せる様子。「どのメーカーも━(に)値上げした/豪雪のため列車は━遅延した」

のきならび③⓪【軒並(び)】⇩のきなみ[一]

のきば⓪【軒端】「軒先」の意の古風な表現。

のぎへん⓪【〈禾偏・ノ木偏】漢字の部首名の一つ。「私・秒・税」などの、左側の「禾」の部分。「ノ」＋「木」の形から言う。〔「禾」は穀物の実ったさまの象形で、稲や穀物を表わす〕⇩きへん

のきみせ⓪【軒店】よその家の軒下だけを借りて作った狭い店。⇩床(トコ)店

の・く⓪【《退く】[一](自五) 今までの△場所(組織・関係)から離れる。[二](他下二)〔雅〕「のける」の文語形。 表記 ⇩付表「立ち退く」

のぐそ⓪【野〈糞】━する(自サ) 野外で糞をすること。また、その糞。

ノクターン③〔nocturne〕夜想曲。

のけぞ・る③【のけ反る】(自五)(何かを避けたかのように)急に上半身が後ろに曲がる。そり返る。↕のめる 表記 「《仰け反る」とも書く。

のけもの⓪ [一]【《除(け)者】仲間から遠ざけられた者。「ひとりだけ━に△する(なる)」[二]【《除(け)物】〔不良品として〕取りのけられた物。

の・ける【《退ける】[一]⓪(他下一) もとの場所から動かして、他へ移す。[二]〔「動詞連用形＋て＋━」の形で、接尾語的に〕❶みごとにしとげる。「やって━」❷思い切ってす

る。「言って―」

の・ける⓪【《除ける》】(他下一) のぞく。「払い―」

のこ①【〈鋸】「のこぎり」の略。「―くず・―歯バ⓪②・糸―」

のこぎり③【〈鋸】 木材などのほか、堅い素材をひき切る工具。鋼板に多くの歯を刻み、柄をつけたもの。「―歯バ④」 かぞえ方 一本・一挺チョウ・一丁

のこくず③クツ【〈鋸屑〉】 おがくず。

****のこ・す**②【残す】(他五) ❶〈どこ・なにニ なにヲ―〉 残るようにする。「家族を家に残して単身赴任する/手紙を―〔=去ったあとに置いておく〕/名を―〔=後世に伝える〕/指紋を―/食べ―・やり―」 ❷〔すもうで〕力士があぶなくなった体勢をある程度立てなおして当面の危機を脱する。 表記 ❶は、「《遺す」とも書く。

のこった②【残った】(感) 〔すもうで〕行司が、取組中の力士に、まだ勝負がついていないとかける掛け声。「はっけよい―/―/―」

このこ①(副)―と 常識ある人間なら遠慮する状況なのに、当人は少しも気にするふうもなくその場に現われる様子。「今ごろになって―やって来るなんて」

のごめ⓪【〈釆・ノ米】 漢字の部首名の一つ。「釈・釉」など左にくるものは「のごめへん」とも。〔多く、わける意を表わす字や字体の似た字がこれに属する〕

のこらず②③【残らず】(副) 関係するすべてを例外なく対象として取り上げる様子。残りなく。「―調べた/―処分した」

***のこり**【残(り)】 [一]③ 処理した部分に対して、まだ処理していない部分。「―が少なくなる/―を捨てる/―の人生を送る」 **―おお・い**④⑤オホイ【―多い】(形) 何かに心残りがする状態だ。 **―おし・い**⑤ヲシイ【―惜しい】(形) 何かの事情でそこに居続けることが出来なくなって残念に思う気持だ。 派 **―さ**④ **―げ**⓪⑤ **―ずくな**⓪⑤⑥【―少(な)】 残りが少ない様子。 **―すくな・い**⑥【―少(な)い】(形) あとに残っている物や時間などが少ない様子だ。「―人生を有意義に過ごす」 派 **―さ**⑥⑤ **―げ**⓪ **―なく**④【―無く】(副) ⇩残らず
[二](造語) 動詞「残る」の連用形。 **―が**③【―香】 居なくなったあとに残っている、その人のにおい。 **―かす**④【―〈滓】 (食べた)あとに残ったかす。価値の無いもの。 **―ばい**③バヒ【―灰】 燃やしたあとに残った灰。 **―び**③【―火】 あとに(燃え)残った火。 **―もの**⓪【―物】 あとに残ったもの。「―に福」

****のこ・る**②【残る】(自五) ❶〈どこ・なにニ―〉 同じ条件にある他の者が そこを離れたり 消滅したり した後もなおそこに△いる(ある)。「大学に残って研究を続ける/きょうは全員残ってもらおう/決勝戦に勝ち―/名が―/生き―④⓪・居―」 ❷〈(どこ・なにニ)―〉 全体から処理の対象になるものとしてそこに△いる(ある)。「昨日飲んだ酒がボトルに少し残っている/△疑問(悔い)が―/予備費が残っている」 ❸〈(どこ・なにニ)―〉 一般に時の経過に従って消滅するものが、昔の姿を想像させるように今もそこにある。「子供のころのおもかげが残っている/江戸時代のようすが色濃く―城下町」 表記 ❸は、「《遺る」とも書く。

のこんの⓪【残んの】(連体) 〔雅〕〔「残りの」の変化〕消えないで、まだ残っている。「―月/―雪」 〔⇩残り[二]〕

のさば・る③(自五) 〔その場所を我がものにして〕いばってふるまう。「世に―/のさばりかえる⑤」

のざらし②【野〈晒(し)】 ❶野天で風雨に打たれるままにして△おくこと(あるもの)。「―の自転車」 ❷されこうべ。

のざる⓪①②【野猿】 野生のサル。野猿ヤエン。

のざわな⓪③ノザハ【野沢菜】 長野県野沢地方を中心として現在では全国的に栽培される二年生の植物。葉と茎を漬物としたものが、広く流通している。〔アブラナ科〕 かぞえ方 小売の単位は一束・一把ワイチ・一袋

のし② 〔動詞「伸す」の連用形の名詞用法〕 [一]【《伸(し)】 日本式泳法の一つ。からだを横に伸ばし、足で水をあおるようにして進むもの。 [二]【〈〈熨斗〉】 ❶「のしあわび」を包んだ形に色紙を折ったもの。贈り物に添える。「―を付けて上げる〔=喜んで進呈する〕」 ❷「ひのし」の略。

のじ①チ【野路】 「野道」の意の古風な表現。

のしあが・る④【《伸(し)上(が)る】(自五) ❶いばって物の上に上がる。「布団に―」 ❷〔地位などが〕急に上がる。「△大臣(権力の座・トップ)に―」

のしある・く④【《伸(し)歩く】(自五) 自分の威勢を誇示するかのように、えらそうに歩く。「往来を我が物顔で―」

のしあわび③アハビ【〈〈熨斗〉〈鮑】 アワビの肉を薄くむいて伸ばし、干したもの。〔儀式用のさかなとした〕 かぞえ方 一枚

のしいか②【《伸(し)〈〈烏賊〉】 焼いて味つけしたするめを、機械で薄く押し伸ばした食品。 表記 「〈〈熨斗〉〈〈烏賊〉」とも書く。 かぞえ方 一枚

のしかか・る④【《伸(し)掛(か)る】(自五) 押しつぶすような重みが かかって来る。「△頭上(心)に重く―/重圧が―/家族の生活が―」

のしがみ②【〈〈熨斗〉紙】 「のし[二]❶」や水引が印刷してある紙。贈り物にかける。 かぞえ方 一枚

のしぶくろ③【〈〈熨斗〉袋】 「のし[二]❶」や水引が印刷してある紙の小さい袋。お年玉のお金などを入れて贈る時に使う。 かぞえ方 一枚・一袋

のしめ③⓪【〈〈熨斗〉目】 江戸時代、武家の礼服に使われた織物で、仕立て上がった時、腰の部分にだけ しまが現われるもの。〔縦糸は生糸、横糸は練り糸〕

のしもち②【《伸(し)餅】 長方形状に薄く伸ばした餅。適当な大きさに切り、焼いて食べる。 かぞえ方 一枚

のじゅく①【野宿】―する(自サ) 夜、野外で寝ること。〔狭義では、野山でキャンプすることを指す〕

の・す①【《伸す】 [一](自五) ❶〔地位・財産・勢力などが〕伸びる。「第一位に―」 ❷何かをした勢いで、さらに遠くへ進む。「東北へ行ったついでに、北海道まで伸してきた」 [二](他五) ❶伸ばす。 ❷【〈熨す】〔アイロンなどで〕熱を加えて、しわを押し伸ばす。 ❸(こらしめのために)なぐり倒す。「なまいきだ、のしてしまえ」

のずえ⓪ズエ【野末】 「野のはずれ(の方)」の意の古風な表現。

ノスタルジア③④〔nostalgia〕 郷愁。ノスタルジー③〔=フランス語に基づく形〕とも。

ノズル①⓪〔nozzle〕 筒の先から気体・液体をふき出させる装置。 かぞえ方 一本

***の・せる**⓪【乗せる・載せる】(他下一)〈どこ・なにニ なに・だれヲ―〉 何かに乗るようにさせる。「△軌道(レール)に―/車に―〔=ⓐ積む。ⓑ同乗させる〕/口車に―〔=だます〕/うまい話に乗せられる/一口―〔=参加させる〕/電波に―〔=放送する〕/リズムに―〔=調子を合わせる〕/論文を雑誌に―〔=掲載する〕」

のぞか・せる⓪【〈覗かせる】(他下一) 〔「覗く」の使役形〕 ❶(相手にそれと知れるように)一部分だけ見せる。「胸のポケットにハンカチを―」 ❷ちょっとだけ見せる。「笑ってはいるが時折寂しげな表情を―/ちょっと顔をのぞかせただけですぐに失礼した」 ❸〔すもうで〕相手のわきに手首がかかる程度に浅く差す。「左を―」 のぞかす⓪(五)。 表記 「〈覗かせる」とも書く。

のぞき【〈覗き〉】■一⓪❶〈好奇心にかられて〉他人の行動や私生活をひそかに観察すること。「―は軽犯罪法の対象になる」❷〔↑覗き眼鏡④〕Ⓐレンズから覗きこんで、箱の中の動く絵を見る装置。覗きからくり④。Ⓑ箱の底のガラスから水中を覗き、魚をとる道具。はこめがね③。■二(造語)動詞「覗く」の連用形。表記「〈覘き〉」とも書く。**―しゅみ**④【―趣味】人の私生活の秘密などをこっそりうかがって悦に入ィる趣味。**―まど**④③【―窓】来客などの様子を見るために、ドアなどに取りつけた窓。**―み**⓪【―見】―する(他サ)❶覗いて見ること。❷他人の私生活などを知ろうとすること。

****のぞ・く**⓪【除く】(他五)〈なにカラ〉なに・だれヲ―〉不要なものとしてそこに存在させないようにする。「△不安(腐敗の根)を―/名簿から退会者を―/じゃま者を―(=殺す)/一部の例外を除けば(=無視すると)」

***のぞ・く**⓪【〈覗く〉】■一(他五)❶〈どこ・なにカラ〉なにヲ―〉何かにさえぎられているなどしてそのままでは見えにくい物を、狭い穴・すきまなどを通したり 見やすい姿勢をとったりして見る。「ドアのすきまから部屋の中を―/身を乗り出して谷底を―/顕微鏡を―」❷〈なにヲ―〉どんな様子であるか知ろうとしてざっと見る。「ついでに隣の店を覗いたが、なかなか繁盛しているようだった/帰りがけに古本屋を覗いてみよう」❸〈なにヲ―〉容易にはうかがい知れない他人の秘密などを、当人に気づかれないように手段を用いて知る。■二(自五)〈どこカラ〉―〉何かの陰になっていた物の一部分が見える状態になる。「窓から頭が覗いている/雲間から太陽が覗き始めた」表記「〈覘く〉」とも書く。〔⇩覗き■二〕

のぞ・ける⓪【〈覗ける〉】(他下一) 一部分を現わす。「顔を―(=覗かせる)」表記「〈覘ける〉」とも書く。

のそだち②【野育〈ち〉】放任され、行儀・作法などのしつけを受けないで成長△すること(した人)。

のそのそ①(副)―と ―する 動作が見るからに緩慢で、じれったい感じがする様子。「ねどこから―と起き上がる/カメが―はっている/―と立ち上がる」

***のぞまし・い**④【望ましい】(形) よい結果が得られると信じて、それが実現することを積極的に願う状態だ。「一日も早い景気回復が―」派**―さ**③

のぞまれる⓪【望まれる】〔「望む」の受動形〕「…してほしい」と相手に要求する意の婉曲エンキョク表現。「徹底した対策が―」

のぞみ⓪【望〈み〉】❶よりよい事態の実現を心から期待する思い。「民主化に―(=希望)をつないで奔走する人びとが居る/肉親再会に一縷イチルの―をつなぐ」❷現実のことがらとして実現を期待し得る可能性。「難病ではあるが回復の―がまだ消えたわけではない/優勝の―を失う/救出の―(=見込み)が少なくなる/―薄ウス⓪」

***のぞ・む**⓪【望む】(他五)❶〈だれ・なにニ〉なにヲ―/なんだト―〉よりよい事態の出現を心から欲ホッする。「伝統行事の復活を―(=希望する)声が強い/―らくは(=もし可能であるならば)次回の首脳会談で調印できるようにしたい/平和的解決は固モトより―所だ(=心中ひそかに期待している事だ)」❷〈なに・どこヲ―〉遠く隔たったところから見る。「富士を―(=遠くながめる)あたり/その徳を―(=慕う)」**―べくんば**⑤(副詞的に)❶望むことが出来るならば。❷更にその上を望むとするならば。

***のぞ・む**⓪【臨む】(自五)❶〈どこニ―〉(低い方にあるものに)面する。「湖に―ホテル」❷〈なにニ―〉(大事な場面に)自分の身を置く。「△試験(交渉)に―/開会式に―(=上の人が、出席する)」❸〈なにニ―〉出会う。「危機に―」❹構えた態度で人に接する。「厳しい態度で―」

のそりのそり②-②(副)―と 重量感のある物が、ぎこちない動作を繰り返しながらゆっくりと進む様子。〔⇩のっそり〕

のだ〔格助詞「の」+助動詞「だ」〕❶聞き手が知らない、または信じていないことを、教えたり 主張したりすることを表わす。「彼は病気な―/その日は雨が降っていた―」❷話し手が直前まで知らなかった、または失念していたことを、発話時に知ったり 気付いたりすることを表わす。「しまった、銀将は真横へは動けない―/すると君は一人っ子な―」❸話し手の強い意志を表わす。「どうしても私が助けに行く―」❹聞き手に命令することを表わす。「早く来る―/そこでじっとしている―」〔⇩格助詞「の」■六・のだが・のだから・のだった・のだろう・のではない・のではないか・のなら〕文法(1)「のだ」はしばしば「説明」を表わすと言われる。たとえば、「車の前に子供が飛び出したのだ」一文だけだと❶の用法であるが、「車が急停車した。車の前に子供が飛び出したのだ」と文が続けば「のだ」は「説明」をしているように見える。また、「あ、雨が降っているのだ」一文だけだと❷の用法であるが、(涼しい風が吹いてきたのを感じて)「あ、雨が降っているのだ」とすると、その場の状況を「説明」しているように見える。このように、「説明」という意味は、もともと❶や❷の意味で用いられた「のだ」の文と、他の文や周囲の状況との関係によって後から生じたものと言うことができる。(2)また、「のだ」は「すでに知っている内容(=既成命題)」を表わすという説もあるが、❶❸❹の用法は話し手が以前から知っていることではない。(3)❶❷の用法はともに、話し手が発話時に事実であると信じていること、とまとめられる。すなわち❶は、話し手は事実であると信じているが、聞き手は知らない、または信じていないということ、❷は、話し手は発話直前まで知らない、または失念していたが、発話時には事実であると知って信じていることを表わしている。(4)❸❹の用法に関しては、以下のように考えられる。「意志」や「命令」という働きは、一般的には「私が助けに行こう」のような意志の助動詞や「早く来い」のような命令形によって表わされる。しかし一方で、言い切りの文でも、「私が行く」は「意志」、「そこの学生、立つ」は「命令」を表わしているし、「~た」の文でも、たとえば、バナナのたたき売りの場面で(売り手)「さあ買った、買った」(客)「よし買った」のやりとりは、前者がいわば「命令」、後者が「意志」を表わしている。このように、普通は「意志」や「命令」などを表わさない言い切りの文や「~た」の文が、一人称主語である場合には「意志」、二人称主語である場合には「命令」を表わす場合がある。これと同様に、「のだ」の文も、一人称主語の場合に「意志」(❸の用法)、二人称主語の場合に「命令」(❹の用法)を表わす場合があると考えられる。(5)丁寧な表現は「のです」。口頭語では「んだ」とも。また女性的な表現として「の」も用いられる。例、「早く済ませる△のです(んだ・の)」

のだいこ②【野太鼓・野〈幇間〉】「たいこもち」の意を侮蔑ブベツを含意して言う語。

のたうちまわ・る⑥―マハル【のたうち回る】(自五)「のたうつ」の強調表現。

のたう・つ③(自五) 苦しんで△もがく(ころがる)。

のだが〔格助詞「の」+助動詞「だ」+接続助詞「が」〕聞き手がまだ知らないことを前件として提示して、そのことから予想されることと一見矛盾することを後件として述べることを表わす。「実はお祝いをもらった―、お返しするものが思いつかない」文法(1)聞き手も知っていることを前件とする場合には、「が」が用いられる。例、「出がけには早く帰るとおっしゃいましたが、随分遅いお帰りですね」(2)口頭語では「んだが」とも。丁寧な表現は「のですが」。

のだから〔格助詞「の」+助動詞「だ」+接続助詞「から」〕聞き手も知っていることを前件として提示して、それから導き出されることを後件として述べることを表わす。「せっかくここまで来た―、見ていこうか」[文法](1)話し手だけが知っており、聞き手が知らないことを前件とする場合には、「から」が用いられる。例、「明日も重要な会議があるから、必ず出席するように」(2)しばしば相手を非難したり説得したりする場合に用いられる。例、「私は忙しいんだから、そんなことは他の人に聞いてくれ/もう小学生なんだから、それぐらいのことは自分でやりなさい」(3)口頭語では「んだから」とも。丁寧な表現は「のですから」。

のたく・る③ ■一(自五)〔ミミズなどが〕からだをくねらしてはう。■二(他五) ぬたくる。

のだち①【野〈太刀〉】護身用の短刀。〔公家ゲクでは、兵仗ヘイジョウ用の太刀の称〕[表記]⇩付表「太刀」

のだち⓪【野立(ち)】❶高貴の人が野外で一休みすること。「お―所ヨシ⓪④」❷野外に立ててあること。「―看板」

のだった〔格助詞「の」+助動詞「だ」の連用形+助動詞「た」〕❶後悔の意を表わす。「こんなことなら、もっと食料を持ってくる―」❷そのことを想起することを表わす。「君のお父さんは校長先生をなさっている―ね」❸〔物語的な文章の中で〕読者が知らないことを伝える意を表わす。「こうして王女は救われた―」⇩のだ❶ [文法](1)❶の「後悔」の意は、「のだ」で述べられる、話し手が想定した内容と、実際に起こった事態との間のギャップから生ずると考えられる。(2)❷の「想起」の意は、「た」で、その事実を認識したのが過去であることが示されることによって表わされると考えられる。(3)口頭語では「んだった」。丁寧な表現は「のでした」。

のだて【野立て】―する(自サ)❶⓪野外で抹茶を立てること。❷③のだち❷。[表記]❶は、「野《点て」とも書く。

のたま・う③ノタマフ【《宣う】(他五)〔雅〕おっしゃる。〔終止・連体形は多く「のたもう」と発音される〕[表記]「〈曰う」とも書く。[運用]その場の状況や置かれた立場にそぐわない△相手(第三者)の発言を、皮肉を込めて指すのに用いられることがある。例、「応急策を論じている時に原則論を宣うとは恐れ入った」

のたまわく③④ノタマハク【〈曰(わ)く・《宣(わ)く】〔雅〕〔「宣ノタマふ」の未然形+接辞「く」〕おっしゃることには。「子シ―〔=孔子コウシがおっしゃることには〕」

のたりのたり②-②(副)―と―する〔波などが〕ゆるやかにうねる様子。

のたれじに⓪【野垂(れ)死(に)】―する(自サ)〔「のたれ」は、ころがり倒れる意の下二段動詞の連用形〕行き倒れ(のような哀れな死に方)。[表記]「野垂れ」は、借字。

のだろうノダロー〔格助詞「の」+助動詞「だ」の未然形+助動詞「う」〕個人的な認識や判断を、予想として述べる意を表わす。「音の反響の様子からして、この洞窟は相当広い―」[文法](1)現実の原因となることを理由として結論を導く場合には、たとえば、〔交通事故の現場を目撃して〕「この分だと道路が渋滞するだろう」のように「だろう」が用いられ、現実の結果を理由として結論を導く場合には、たとえば、〔道路が渋滞しているのを目撃して〕「交通事故が起こったのだろう」のように「のだろう」が用いられる。(2)口頭語では「んだろう」。丁寧な表現は「のでしょう」。

*__のち__⓪②【後】❶△その時(現在)からしばらくたった時。「雨―曇り/これから―どうなることやら/十年―のアジア」↔前■一■三 ❷その人が死んでからのこと。死後。「―の世/―が案じられる」〔副詞的にも用いられ、アクセントは⓪〕

のちざん②【後産】⇩あとざん

のちぞい⓪ノチゾヒ【後添(い)】二度目の妻。後妻ゴサイ。

のちのち⓪【後々】将来。これから先、ずっと。

のちのつき⑤②【後の月】陰暦九月十三夜の名月。

のちのよ④【後の世】❶将来。❷死後。〔仏教では、後世ゴセを指す〕

のちほど⓪【後程】(副) 少し時間がたった時(に)。

ノッカー①〔knocker〕❶扉に取りつけて、訪問者が来訪を知らせるために、たたくようにした金具。❷〔野球で〕ノックする人。

のっか・る⓪【乗っかる・載っかる】(自五)〔東京方言〕乗る。「机の上に―」

ノッキング⓪①―する(自サ)〔knocking〕〔ガソリン エンジンで〕燃料の異常爆発。「―を起こす」

ノック①―する(他サ)〔knock〕❶たたく(こと)。「―無しにドアを開ける」❷打つ(こと)。打撃。❸〔野球で〕守備の練習のためにボールを打つこと。

ノックアウト④―する(他サ)〔knockout〕❶〔ボクシングで〕相手を打ち倒して、十数える間に起き上がれないようにすること。「第三ラウンドで―する」❷〔野球で〕投手を打ち負かして交替させること。❸完全にやっつけること。[表記]普通、略してKOと書く。

ノックス①⓪〔NOx ← nitrogen oxide(s)=酸化窒素〕一酸化窒素〔=NO〕・二酸化窒素〔=NO_2〕・一酸化二窒素〔=N_2O ⇩笑気〕・四酸化二窒素〔=N_2O_4〕など、窒素と酸素の化合物〔=窒素酸化物〕をまとめて言う俗称。ディーゼル エンジンの排気ガスなどに多く含まれ、大気汚染の原因となる。

ノックダウン④〔knockdown〕❶―する(他サ)〔ボクシングで〕相手を一時、倒すこと。ダウン。❷〔部品の〕組立て。「―方式⑦〔=輸出入した部品を現地で組み立てて完成品を作るやり方〕」

のっけ⓪③ 何かを始めるか始めないかの、最初の瞬間。「―から〔=前置き抜きで〕いきなり/―に」

のっ・ける⓪【乗っける・載っける】(他下一)〔東京方言〕乗せる。

のっこ・む③【乗っ込む】(自五)〔「乗り込む」の変化〕魚が産卵のために群れをなして深い所から浅い所へ移動する。[名]乗っ込み⓪「―の△鮒フナ(鯛タイ)」

のっしのっし①-①(副)―と 見るからに重量感のある人や動物が、大地を踏みしめてゆっくり歩く様子。

のっそつ①(副)―する〔「伸びつ反ソりつ」の変化で、する事が無くて、ただからだを伸ばしたり反らしたりしているだけの意〕退屈で△時間(からだ)を持て余す様子。

のっそり③(副)―と―する 動作が緩慢で、ややもすれば目障りに感じられる様子。「大男が―入ってきた/―と立ち上がる」

ノッチ①〔notch〕V字形の刻み目〔に沿って動かす変速装置〕。

ノット①〔knot〕船舶・航空機の速さの単位で、一時間に一浬カイリ〔=一・八五二キロメートル〕進む速さを表わす。[表記]「《節」とも書く。

のっと①⓪(副)「ぬっと」の意の古風な表現。「梅が香カに―日の出る山路かな」

のっと・る③【《則る】(自五) 規準として従う。「△原則(…の精神・方針・法律)に―/古式に則った作法」

のっと・る③【乗っ取る】(他五)〔「乗り取る」の変化〕奪い取って自分の物とする。「旅客機を―/会社を―」[名]乗っ取り⓪

のっぴきならない⑥【《退(っ)引きならない】〔引き下がることも避けることもできない。どうにもならない。「―用事があり欠席する/理想と現実との―苦悶クモン」

ノッブ①〔knob〕⇩ノブ

のっぺい⓪③【《濃餅・《能平】〔←のっぺい汁ジル⑤〕△小麦粉(くず粉)を加えてどろりとさせた野菜汁。[表記]「《濃餅・《能平》は、借字。

のっぺらぼう④ーな 〔「のっぺらぼう」の変化〕のっぺりとしていて、変化の全く無い△こと(様子)。〔俗に、顔に目・鼻・口が無い化け物の意にも用いられる〕

のっぺり③(副)ーと・ーする ❶人間の顔かたちが一見整ってはいるが、目鼻立ちにきわだった特徴が感じられない様子。❷〔地形などについて〕起伏・変化に乏しく、一様に単調な印象を与える様子。

のつぼ①【野〈壺】 畑の間に土を掘って作った肥溜(コエダメ)。

のっぽ①ーな 「並みの程度を超えて背の高い人」の口頭語的表現。背の高い(点ばかりがめだつ)こと。また、その人。〔太っている人には言わない〕↔ちび

のづみ⓪【野積(み)】 入り切らない品物を建物の外に積んでおくこと。

のづら⓪【野面】 かなりの広がりを持つ野原で、一面に草におおわれ、木ぎのまばらな所。「ーを渡る風」 **ーづみ**⓪【ー積(み)】 自然石をそのまま積み上げて作った石垣。

のづり⓪【野釣(り)】 〔釣り堀などでなく〕野外・郊外などで魚を釣ること。

ので(接助) 前件が理由・原因となって、後件に述べる事柄が起こることを表わす。「風が強いーほこりがひどい/事故で電車が止まったー遅刻した/花があまりきれいなーつい見とれる」 文法 (1)活用語の連体形に接続する。ただし、助動詞「う/よう・まい」には接続しない。(2)口頭語では「んで」。⇩から(接助) 文法 運用 口頭語で後件を省略して理由・原因だけを述べる時は、言わなければならないこと、説明しなければならないことを言いにくそうに述べる気持が現われることがある。そのため、言い訳に聞こえることもある。例、「今持ち合わせがないので…/がんばってみたんですが、やはり時間がなかったので…」

のではない 〔格助詞「の」+助動詞「だ」の連用形+副助詞「は」+形容詞「ない」〕 ❶聞き手あるいは世間一般などが予想していることを打ち消すことを表わす。「その本は買ったー。もらったのだ」 ❷聞き手に対する強い禁止の意を伝えることを表わす。「それに触れるー」 文法 (1)「のではない」は文全体が聞き手などの予想と異なることを表わすが、「わけではない」はおおよそは事実と認めつつ、一部分が予想と異なることを表わす。たとえば、「車は急に止まれるわけではない」は車は止まることはできるが、「急に」停車はできないという意味である。いわゆる部分否定も同様の理屈で、たとえば、「全員」ではないことを表わす。(2)❷の場合も、たとえば「触れるな」などの禁止形に対して、「触れるんじゃない」などの「のではない」の形は、相手がまさにそうしようとしている、もしくはそうしようと考えていると予想される場合に用いられる。(3)口頭語では「んじゃない」。

のではないか 〔格助詞「の」+助動詞「だ」の連用形+副助詞「は」+形容詞「ない」+終助詞「か」〕 個人的な臆測として予想されることを述べる意を表わす。「もうそろそろ到着する頃なー/さすがにあいつも悪いと思っているー」 文法 (1)「のではないか」も「ではないか」(=口頭語では「じゃないか」とも)も(あるいは「ないか」なども)ともに「否定疑問文」と呼ばれるが、後者は事実を示して聞き手に注意を喚起したり 賞賛したり また叱責したり する場合に用いられる。例、「この絵は実によく描けているではないか/危ないじゃないか、注意しろ」 (2)「だろう」(=丁寧な表現で「でしょう」)も推量を表わすが、こちらは一般的な予想にも用いられる。例、〔天気予報で〕「明日は一日中雨が降るでしょう」 (3)口頭語では「んじゃないか・んじゃない」。

のてん⓪【野天】 屋外。露天。〔屋内でしたり 屋内にあったりするのが普通であるものを、屋外で何かをしたり 屋外にあったり する場合に使う語〕「ー風呂(ブロ)④⓪・ー掘(ボ)り⓪」

のど①【喉・《咽】 ❶口の奥の部分。食道・気道に通じ、声帯がある。咽喉(インコウ)。「ーが かわく/ーから手が出るほど欲しい/ー(=声)がいい/食べ物がーを通らない(=不安・心配や興奮・疲れなどで、食べようと努力してもほとんど食事がとれない)/ー自慢③」 ❷急所。「敵の輸送路のーを押さえる」 ❸〔製本・印刷関係で〕本の とじめの部分。⇩小口(コグチ) 〔古くは、「のんど①」〕

*__のどか__①【《閑・〈長閑》】ーな・ーに ❶〔雰囲気・気分などが〕落ち着いていて静かな様子だ。「ーな(=のんびりした)性格/ーな口調」 ❷天気がよくて風も無く、暑くも寒くもない様子だ。「ーな春の日」 派ーさ③

のどくび②【喉〈頸】 ❶首の、喉のあたり。「ーを絞める」 ❷急所。のど❷。

のどぐろ⓪【喉黒】 口の中が黒い魚の通称。多く、アカムツをいう。「のどくろ」とも。 かぞえ方 一尾・一匹

のどけ・し③【〈長閑〉し】(形ク) 〔雅〕のどかだ。 派ーさ③

のどごし⓪【喉越(し)】 食べ物などが喉を通って奥へ入る△こと(時の感じ)。「ーのよい そば/ーのビールのうまさ」

のどっぷし⓪【喉っ節】 のどぼとけ。

のどひこ⓪②【喉〈彦】 ⇩こうがいすい(口蓋垂)

のどぶえ⓪【喉〈吭・喉笛】 気道の、声帯のある部分。

のどぼとけ③【喉仏】 成人した人の喉に突き出ている軟骨。裏側に声帯がある。特に男性に目立つ。甲状軟骨。

のどもと⓪【喉元】 喉の所。「ー過ぎれば熱さを忘れる(=ⓐ苦しい経験も、過ぎ去るとすっかり忘れる。ⓑ苦しい時に人から受けた恩も、羽振りがよくなると忘れてしまう)」

のどやか②【〈長閑〉やか】ーな・ーに のどかな感じを与える様子だ。 派ーさ③④

のどわ⓪【喉輪】 ❶喉に当てる、よろいの付属具。❷〔すもうで〕てのひらを相手のあごの下に当てて押す わざ。

のなか⓪①【野中】 野原の中。「ーの一軒家」

のなら 〔格助詞「の」+接続助詞「なら」〕 すでに事実が決定しているが話し手はそのことを知らないとき、前件でそのことを仮定し、後件で結論を述べることを表わす。あるいは、知っていてもあえて前件で仮定してみせ、後件を述べることを表わす。「知っているー教えてくれ」 文法 (1)「のなら」は、おおよそ「なら」に置き換えることができる。ただし、「なら」には、まだ成立していない事態を仮定する場合に用いる用法もあり、これは「のなら」には置き換えることができない。例、「その課題をやっていなかったなら、進級できなかった」 (2)口頭語では「んなら」。

のに(接助) Ⓐ前件に述べる事柄とは矛盾する、ととらえられるような事柄を表わす後件と結びつけることを表わす。「熱があるー外出した/上手なーやらない/金も無いーぜいたくをする/行きたかったー行かせてもらえなかった」 ⒷⒶの終助詞的用法。「もう若くはないのだからよせばいいー」 文法 活用語の連体形に接続する。ただし、助動詞「う/よう」には接続しない。 運用 終助詞的に用いて、相手の言動に対する非難、揶揄(ヤユ)、嘲笑(チョウショウ)などを含意することがある。例、「素人が商売に手を出すなんて、よせばいいのに」

のに ❶(ことの)ために。「旅行するー必要な物」 ❷(の)のに。「君ーしよう」

のねずみ②【野〈鼠】 畑などに居て農作物を食い荒らすネズミ。

ののさま①②【のの様】 神仏・太陽・月を指して言った幼児語。「のんの(ん)さま」とも。

ののし・る③【罵る】(自五) △下品な(ひどい)言葉を使っ

て(大声で)悪口を言う、名罵り⓪④

のばかま②【野〈袴〉】すそにビロードの広い ふちをつけた袴。〔江戸時代、武士の旅行用〕

のばしのばし④【延(ば)し延(ば)し】締め切りや会期などをずるずると先延ばしにすること。「代金の支払いを―にしている/部屋の掃除(ソウジ)を―にする」

***のば・す**②(他五) [一]【伸ばす】❶〈(なに・どこカラなに・どこニ)なにヲ―〉元よりも高さや長さの程度が増した状態になるようにする。「手を伸ばして遠くの物を取る/ひげを―(=生やす)/売上を―(=ふやす)/追及の手を―(=段々 深追いをして、そこにまで達する)/勢力を―(=広げる)/△新しい芽(個性)を―」❷〈なにヲ―〉縮んだり 固まったりしていた物を、押し広げたり 溶いたりして本来の望ましい状態になるようにする。「針金を―/△手足(腰)を―/紙のしわを―/のりを―(=溶かし薄める)/羽を―(=⇩羽)」↕曲げる❶ [二]【延ばす】❶〈なにヲ―〉△距離(時間)を長くする。「リハビリの歩行距離を少しずつ―/寿命を―」❷〈(なにニ)なにヲ―〉何かの実施を当初の予定よりも遅らせる。「帰国を半年(先に)―/支払いを一日延ばしに―」

のばと⓪②【野〈鳩〉】野生のハト。

のばな①【野花】野生の花。

のばなし②【野放(し)】❶家畜などの放し飼い。❷△保護(監督・管理)を怠り、非行や違反や無秩序を放置すること。「―のまま放置される」

***のはら**①【野原】草などの生えた、広い平地。

のばら①【野〈薔薇〉】野や川岸などに茂みをつくって生える落葉低木。秋に赤い実をつけ、枝も冬には赤くなる。野いばら。〔バラ科〕 かぞえ方 一株・一本

のび②【伸(び)】❶伸びる△こと(程度)。「―を△大きくする(示す)/―が鈍る/身長の―/経済の―(=成長)/―のよい塗料」❷〔疲れた時などに〕手足・からだを伸ばすこと。「―をする」 表記 ❶は、「延び」とも書く。

のび①【野火】❶早春、野山の枯れ草を焼く△こと(火)。❷野山の火事。

のびあが・る④【伸(び)上(が)る】(自五) からだを伸ばしてつま先立つ。背伸びをする。「伸び上がって見る」

のびじたく③【伸(び)支度】△伸び(成長し)ようとする用意。「人も麦も―する早春」

のびしろ⓪【伸(び)代】Ⓐ金属やプラスチックなど展性や延性がある素材が、加工によって(壊れる前に)どれほど伸びるかを示す余地。Ⓑ人や組織について、成長・拡大・発展できる余地や可能性。「このチームにはまだ―がある」

のびちぢみ⓪②【伸(び)縮(み)】―する(自サ) 伸びることと縮むこと。

のびなや・む④⓪【伸(び)悩む】(自五) ❶頭打ちになって、なかなか△進ま(ふえ)なくなる。「視聴率が―」 ❷相場が、期待通りには上がらない状態にある。 名伸び悩み⓪

のびのび [一]⓪【延(び)延(び)】―に ―な 期限が何度も遅らされる様子だ。「雨で試合が―になる」 [二]③【伸(び)伸(び)】(副)―と ―する 制約や束縛を加えられることなく、そのもの本来の力を存分に発揮できる状態にある様子。「植物が―と生育する環境/―と育った子/青空のもとで―遊ぶ/―(と)したすなおな性格」

のびやか②【伸(び)やか】―な 伸び伸びする様子だ。「力強く―な筆づかい」 派―さ④⓪③

のびりつ②【伸(び)率】伸びる割合。「売上げの―」

****の・びる**【伸びる】[一]②(自上一) ❶〈(なに・どこカラなに・どこニ)―〉〔時日が経過して〕元よりも高さや長さなどの程度が増した状態になる。「枝が―/髪が―/売上が―(=ふえる)/相場が―(=上がる)/―可能性のある会社/調査の手が―(=そこまで及ぶ)」 ❷〈(なに・どこカラなに・どこニ)―〉△決まった時間(予定の期日)よりも遅くなる。「開会が―/会議が―(=長びく)」 ❸伸びきった状態になって、本来の機能を失う。「そばが―/ゴムひもが―/すっかり伸びた(=疲労や打撃を受けて、ぐったりする)」 ❹縮まったり 固まったりしていた物が、広がったり 溶けたりして本来の望ましい状態を取りもどす。「腰が―/しわが―/絵の具がよく―(=溶ける)」 [二]〔「動詞連用形＋―」の形で、接尾語的に〕危機を脱して、どうにか命を長らえる。「生き―・落ち―・逃げ―」 〔[一]❸❹の対義語は、縮む〕 表記 [一]❶❷は、「延びる」とも書く。

のびる⓪【野〈蒜〉】野原に生える多年草。葉は細いネギに似た形で、鱗茎(リンケイ)と共に食用。〔ヒガンバナ科(旧ユリ科)〕 かぞえ方 一本

ノブ①〔knob〕手で握って、扉をあける金具。ノッブとも。

のぶし①【野武士・野伏(し)】落ち武者の武具などをはぎ取って武装した、土民の集団。

のぶすま②【野〈衾〉】ムササビの異称。

のぶせり②【野〈臥〉(せ)(り)】野武士。〔広義では、山賊や山野に起き伏しする乞食(コジキ)をも指した〕 表記「野伏せり」とも書く。

のぶと・い③【野太い】(形) 〔東北・中部・近畿・中国・四国方言〕〔「の」は接辞〕 ❶〔声が〕太い。 ❷ずぶとい。 派―さ③ 表記「野太い」は、借字。

のぶれば②【《陳《者】〔候文(ソウロウブン)の手紙文の初めに用いて〕「さて、以下の事を申し上げますが」の意で、本題に入ることを表わす。「拝啓―…」

のべ【延(べ)】❶②〔金・銀などの〕金属を打って△延ばすこと(延ばした物)。「銀の―の きせる/―棒」 ❷②延長。「日(ヒ)―」 ❸①⓪質の違いを無視して計算した合計。「―時間・―日数」 ❹②一種の先物(サキモノ)取引。

のべ①【野辺】野原。「―の送り(=なきがらを火葬場や埋葬場まで見送る△こと(行列))」

のべいた⓪【延(べ)板】❶うどん・そばなどを延ばすための、平らで広い板。❷金属を打ち延ばして板の形にしたもの。

のべがね⓪②【延(べ)金】❶打って、薄く延ばした金属。❷「刀剣」の異称。 かぞえ方 ❶❷とも一枚

のべぎせる③【延(べ)〈煙管〉】全部金属で作ったきせる。 かぞえ方 ❶は一枚

のべごすう④【延(べ)語数】一つの言語資料に用いられた語彙(ゴイ)の量的な面を調査する方法の一つ。同一の語であるかどうかにかかわりなく、単位的だと判断される語をすべてかぞえて得られる語数。⇩異なり語数

のべざお⓪―ザヲ [一]【延(べ)〈竿〉】継ぎ竿でない、普通の長い釣り竿。[二]【延(べ)〈棹〉】継ぎ棹でない、普通の三味線の棹。 かぞえ方 [一][二]とも一本

のべじんいん③―ヰン【延(べ)人員】何人かで何日もかかる仕事を、仮に一日で仕上げるとして計算した人数。延べ人数。「五人で三日かかった仕事の―は十五人」

のべたら⓪(副)―に いつ終わるともなく△続けられる(繰り返される)様子。「―(に)会議ばかりやっている」

のべつ①(副)―に 状況にかかわりなく、ひっきりなしにその事が△なされる(繰り返される)様子。「仕事中も―しゃべってばかりいる/―けんかをしている夫婦」 **―まくなし**①-⓪(副)―に 「のべつ」の強調表現。「若いころは―たばこを吸っていた/夜中でも―に自動車の通過音が響く」 表記「のべつ幕無し」とも書く。

のべつぼ②【延(べ)坪】〔二階建て以上の建物で〕各階の床(ユカ)面積を合計した坪数。⇩建坪・地坪

のべにっすう③【延(べ)日数】何人かで何日もかかる仕事

の

を、仮に一人で仕上げるとして計算した日数。「五人で三日かかればーは十五日」

のべ ばらい③【延(べ)払(い)】 代金支払いの時期を延ばすこと。

のべ ぼう⓪【延(べ)棒】 ❶餅(チモ)などを平たく延ばすための、木製の棒。 ❷一片の厚みのある板状や、太い棒状のインゴット。「金の―」

のべ めんせき③【延(べ)面積】〔二階建て以上の建物で〕各階の床(ユカ)面積の合計。⇩床面積

ノベライズ③―する(自他サ)〔novelize〕 映画・テレビドラマ・漫画などの内容が小説化されること。また、すること。

の・べる②【延べる】(他下一) ❶伸ばす。「救いの手を―」 ❷たたんであるものを広げる。「床(トコ)を―」 ❸あとへ繰り越す。「日を―」 表記 ❶❷は、「伸べる」とも書く。

***の・べる**②【述べる】(他下一)〈(だれニ)なにデ)なにヲ―〉 おおぜいの対象を意識して、話したり 書いたりする。「正面切って―/口頭で―/△意見(開会の辞)を―」 表記 古来の用字では、「《宣べる・《陳べる」。

ノベル①〔novel〕(長編)小説。

ノベルティー②〔novelty〕 広告主が自社の名や商品名を入れて提供するカレンダー・灰皿・ライター・メモ・万年筆などの称。

のほうず②【野放図】〔=の方図〕の意、「の」は接辞〕ほうっておけば、どこまで脱線するか分からない様子だ。「―な△人(気持)/―な〔=突拍子も無い〕声を出す」 派 ―さ④⓪ 表記 「野放」は、借字。

のぼ・す⓪【上(ぼ)す】(他五)「上ぼせる」のやや口頭語的表現。「時代に―」 表記 本表=「上す」

のぼせ あが・る⑤【〈逆上〉せ上(が)る】(自五) ひどく△のぼせる(夢中になる)。

のぼ・せる⓪【上(ぼ)せる】(他下一) 今まで目立たない状態にあったものを、すぐみんなが分かる形にして示す。「議題に―〔=議題として出す〕/記録に―〔=正式に書き入れる〕/食膳(ショクゼン)に―〔=すぐ食べられるように調理して出す〕/梓(シ)に―〔=出版する〕/意識に―〔=有意的に思い浮かべる〕」 表記 本表=「上せる」

のぼ・せる⓪【〈逆上〉せる】(自下一) ❶頭に血がのぼって、一時、めまいがする。「長湯しすぎて―」 ❷夢中になったり いっときの激情にかられたりして、正常な判断を失う。「女に―」 ❸自信過剰で周囲の人を見下したような言動をする。「あいつこのごろ、のぼせているから一度痛めつけてやろう」 名のぼせ⓪

のぼとけ②【野仏】 街道の側などに置かれている石仏の類。 かぞえ方 一体

のほほん③(副)―と △何も知らないで(すべき事をしないで)のんきにしている△こと(様子)を表わす。「―と毎日を送る/―とばかりもしていられない」

のぼり【上(ぼ)り】[一]⓪ ❶「上る❶❷」△こと(状態)。「坂の―おり/―とくだり」 ❷「上り坂・上り列車」の略。「―にかかる/台風の影響で―に遅れが出ている/―線」 ❸〔乗り物や道路で〕終点(と定められている所)から起点(と定められている所)へ向かう△こと(もの・方向)。〔一般に、地方から中心都市へ、郊外から都心へ、または支線から幹線へ向かう△こと(もの・方向)を指す〕「―の急行列車/―二車線」 ⇩おのぼりさん〔❷❸の対義語は、下(ダク)り〕 表記 本表=「上り」。❶❷の一部の用法は、「登り・昇り」とも書く。 ―せん⓪【―線】 終点から起点に向かう交通路線。↕下(ダク)り線 ―れっしゃ④【―列車】 相対的に見て、より主要な都市(幹線の通る駅)に向かう列車。↕下り列車 [二](造語) 動詞「上る」の連用形。「―あゆ④・登り竜③」 ―がま③【登(り)窯】 傾斜に沿って階段状に作った、陶磁器を焼く窯。最下が焚(タ)き口、余熱を順々に上に送って焼き上げる。 ―ぐち③⓪【登り口・―口】 ❶山へ登る道の初めの所。 ❷階段の上りはじめの所。 ―ざか⓪【―坂・登り坂】↕下(ダク)り坂 ❶道の進行方向が次第に高くなっていること。 ❷次第に△よい(盛んな)方向に向かっている状態。 ―ちょうし④【―調子】 ❶調子が上がって勢いがよくなること。 ❷〔値段が〕高くなる様子が現われること。「―の相場」 ―つ・める⑤【―詰める】(自下一) 上れる所まで上る。「△階段を(頂点まで)―」

のぼり⓪【〈幟〉】 軍陣・寺社・船首などに標識として用いられた旗。細長い布の一端にさおを通し、一端を「横上(ヨコガミ)⓪」と称する小さな横棒で支える。〔狭義では、「こいのぼり」の特称〕 かぞえ方 一本・一旒(イチリュウ)

****のぼ・る**⓪【上(ぼ)る】(自五) ❶〈(どこ・なにカラ)どこ・なにヲ―〉 Ⓐ〔斜面に沿うなどして〕低い位置から高い位置へ向かって移動する。「富士山に登る/日が昇る/階段を―/位が―/壇上に上って一席ぶつ/天にも―ような喜び〔=願望がかなえられて、身も魂も空に飛び上がるようなうれしい思い〕/△同じ(共通の)土俵に―〔=今まで意志の疎通しなかった者同士が、共通の前提に立って話し合う〕」 Ⓑ川を下流から上流に向かって進む。「桃源郷を求めて川を―」 Ⓒ地方から都へ行く。「倒幕軍が京へ―」 ↕くだる❶・おりる ❷〈なにニ―〉 数量が△予測した(基準とする)程度以上の多さに達する。「△かなりの数(巨額)に―/…の多きに―」 ❸〈なにニ―〉 心にかかっていることや問題になっていることが、何らかの形をとってその場に現われる。「△話題(議題)に―/△日程(候補)に―/意識に―/食卓に―」 表記 本表=「上る」。❶のうち、山に関しては「登る」、朝日に関しては「昇る」と書くのが一般的。〔⇩上り[三]〕

のまおい⓪【野馬追(い)】 昔、乗馬の武士が野外でした演習・調教。「相馬(ソウマ)の―」

のま・せる③【飲ませる】(他下一)〔=「飲む」の使役形〕 ❶飲むように△用意がしてある(すすめる)。飲ます②(五)。 ❷おいしくて、もっと飲みたいという気持を起こさせる。「ちょっと―酒だ」

のみ(副助)「だけ」「ばかり」の意のやや改まった表現。「学歴―を問題にすべきでない/あとは返事を待つ―〔=ばかりだ〕」 表記 漢文での表記は、「《耳・〈《而已》〉」。 文法 体言(名詞、またそれに準ずる句)、「が」以外の格助詞、副詞、用言の連用形・動詞に接続助詞「て」がついた形に接する。連体修飾要素に接続する場合、体言(名詞、またそれに準ずる句)や活用語の連体形について、「…のみの＋名詞」となる。格助詞には前につく場合も後につく場合もある。ただし、「が」の後につくことはない。副助詞「など」には後につき、「は」には前につく。

のみ②【〈蚤〉】 人畜の血を吸い、安眠を妨害したり 病原体を媒介したり する小さな昆虫。ヒトノミ・ネコノミ・イヌノミなど種類が多い。後肢が発達して よくはねる。〔ヒトノミ科など〕「―の夫婦〔=妻より夫の方が からだの小さい夫婦〕/―の市(チイ)/―の心臓」 かぞえ方 一匹

のみ①【〈鑿〉】 大工などが木材を、石工などが石材を加工する時に使う工具。小さな穴をあけたり 溝を掘ったり する。 かぞえ方 一本

のみ あか・す④【飲(み)明(か)す】(他五) 翌日の朝まで酒を飲み続ける。

のみ かい⓪【飲(み)会】「酒盛(サカモ)り」の口頭語的表現。「これから―なんです/年末は―続きだ」

のみ かけ⓪【飲(み)掛(け)】 途中で飲むのをやめること。また、

その残り。飲みさし⓪。「―で席を立つ/―のグラス」 動飲み掛ける④⓪(他下一)

のみくい②①【飲(み)食(い)】―する(自サ)「飲食」の意の和語的表現。

のみぐすり③【飲(み)薬】飲んで病気を治す薬。水薬や錠剤など。⇩塗り薬・付け薬

のみくだ・す④⓪【飲(み)下(だ)す】(他五) 飲んで胃の方へ送る。

のみくち②【飲(み)口】❶〔酒などを〕ちょっと口にした時の味。❷酒の好きな人。❸手作りの茶わん・杯などの、飲む時口に当てる部分。

のみぐち②【〈呑(み)口・飲(み)口】たるの中の酒・しょうゆなどを出すための口(に差し込む管)。

のみこうい③―【〈呑(み)行為】商品先物など相場取引の業者が客からの委託注文を取引所に取り次ぐふりをして、購入資金を受け取る違法行為。〔広義では、私製の馬券・車券などを発行する行為をも指す〕

のみこみ⓪【飲(み)込(み)】❶飲み込むこと。「高齢になると―が悪くなることがある」❷〔早いか遅いかの観点から見た〕理解のしかた。「―の悪い奴(ヤツ)だ/早―」 表記「〈呑み込み」とも書く。

のみこ・む⓪③【飲(み)込む】(他五)❶飲んで、体内に入れる。〔大きい強い者が弱小の者を吸収・合併する意にも用いられる〕「生つばを―/(出かかった)言葉を―(=言いたい気持を抑えて、がまんする)/大波に飲み込まれる」❷よく理解する。「こつを―/すんなりとは飲み込めない」 表記「〈呑み込む」とも書く。

のみしろ⓪【飲(み)代】❶〔その人が〕酒を飲むのにいるお金。❷その人が当分の間必要な飲料。〔狭義では、酒類を指す。例、「今晩の―だ」〕

のみすけ②【飲(み)助】〔「助」は擬人名化する接辞〕「酒が好きで、よく飲む人」の意の口頭語的表現。

のみすて⓪【飲(み)捨(て)】〔たばこの吸殻を〕灰皿などに入れないで捨てること。

のみたお・す④⓪―【飲(み)倒す】(他五) 酒を飲んで、代金を払わないで済ます。

のみち①【野道】野原の中の道。野路(ジ)。

のみつぶ・す④⓪【飲(み)潰す】(他五) 酒を飲み過ぎて財産をすっかり無くす。

のみつぶ・れる⑤【飲(み)潰れる】(自下一) ひどく酒に酔って、体の自由がきかなくなりその場で横になる。

のみて③【飲(み)手】よく酒を飲む人。

のみで⓪③【飲(み)で】飲んでもなかなか減らないだけの分量。飲みごたえ⓪。

のみとり③④【〈蚤取(り)】❶ノミを取ること。「サルの―(=毛づくろい)」❷〔←のみとり粉⓪④〕ふりまいて、ノミを殺す粉。のみよけ④。 **―まなこ**⑤【―眼】どんな(小さな)物をも のがさずつかまえようと きょろきょろ見る目つき。

のみなお・す④―【飲(み)直す】(自五)❶一度飲んだものを、再度飲む。「薬を―」❷酒を飲んだ後に、〔相手や場所を変えて〕もう一度飲む。「堅苦しい宴席の後は、仲間同士で―」 名飲み直し⓪

のみならず ㊀その事だけに限定されないという気持を表わす。「それ―(…)/しか―」㊁①(接) 前の文に述べた事だけに限定されないということを表わす。

のみならんや①―② 他の同種のものにもその例が見られるのではないかと、反論することを表わす。「豈(アニ)彼(カレ)―(=決して、彼ばかりではないのだ)」

ノミナル① ㊀―な〔nominal=ネームと同源〕△名義(名目)上だけそうである様子だ。㊁〔←nominal rate〕現実に為替取引が行なわれて決まる為替レートのこと。物価水準を考慮した実質為替相場に対して言う。名目為替相場⑧。

ノミネート③―する(他サ)〔nominate=指名〕(候補として)推薦すること。

のみのいち④③【〈蚤の市】〔特定の場所に立つ〕古物市。フリー マーケット。〔パリの郊外に立ったのが起こり〕

のみほ・す③⓪【飲(み)干す】(他五) コップなどに入った酒や水を(一息に)一滴も残さず飲む。

のみまわし⓪―【飲(み)回(し)】大きな一つの器の酒などを何人かで順々に飲むこと。 動飲み回す④(他五)

のみみず②―【飲(み)水】❶飲んでもからだに異状を起こすことの無い水。❷日常飲むのに用いる水。

*__のみもの__③②【飲(み)物】嗜好品(シコウヒン)として飲む液体。例、茶や、コーヒー・紅茶・コーラ・ソーダ水や酒など。

のみや② ㊀【飲(み)屋】居酒屋など、庶民が気軽に立ち寄って酒を飲めるような店。表記「〈呑み屋」とも書く。㊁【〈呑(み)屋】「呑み行為」を行なう人。

のみりょう②―【飲(み)料】❶のみしろ。❷自分の飲み分。

**__の・む__①【飲む・〈呑む】(他五)❶〈なにヲ―〉〔口に入れた物を かまずに〕のどを通して体内に収める。「△スープ(茶・ジュース・薬)を―/たばこを―(=吸う)/大蛇がウサギを―(=かまずに、胃に収める)/△濁流(泥流)に呑(ノ)まれる(=引きずりこまれて、姿が見えなくなる)/波が舟を―(=転覆させる)/条件を―(=そのまま受け入れる)/相手を呑んでかかる(=くみしやすい相手として、高圧的に出る)/かたずを―(=⇩かたず)」❷〈なにヲ―〉酒を飲む。「△毎晩(つきあいで・友達と)―/浴びるように―/少しも飲まないで騒ぐ/そんなに―とからだに毒だ」❸〈なにヲ―〉〔中に収めたまま〕外に出さないようにする。「声を―(=驚きや感動で声が出なくなる)/涙を―(=⇩涙)/恨みを―(=うらみを言葉や態度に表わさず、じっと、こらえる)/どすを―(=隠し持つ)」❹〔謡曲などで〕字音語の末尾の「つ」の音を、口を閉じて鼻へ抜くような発音をする。表記 たばこの場合は「〈喫む」とも書く。

運用 ❶❷の尊敬語はいずれも「召し上がる」を用いるが、口頭語では、特に❷の意で「お飲みになる」も用いる。例、「あの方は毎晩お飲みになる」

のめのめ①(副)―と ❶おめおめ❶。「主人の難儀を―と見捨てて逃げ帰ったのか」❷おめおめ❷。「あんな不義理をしておいて、よく―とやってこられたものだ」

のめりこ・む④【のめり込む】(自五)❶前の方へ倒れかかって、起きることが出来ない状態になる。「泥田に―」❷もともとはその気の無かった方面に知らずしらずのうちに引っぱり込まれて、抜け出せなくなる。「悪の道に―/おもしろくて仕事に―/アイドルに―/勝負事に―」

のめ・る②(自五)〔人が〕前の方へ△倒れる(倒れそうになる)。↕のけぞる

のやき⓪【野焼(き)】―する(自サ) 春にならないうちに、草がよく育つように野原の枯れ草を焼き払うこと。

のやま①【野山】野や山。

のら ㊀①❶定職が無く遊び暮らすだけで、社会的に歓迎されない状態(にある者)。❷犬・猫で、飼い主が無くよその残飯などを食べあさるもの。「―犬⓪・―猫⓪」 ㊁②【野《良】〔「ら」は接辞〕農耕をする所。田畑。「―仕事③・―着(ギ)⓪③」 表記 ⇩付表「野良」。㊀❷を「野良」と書くのは、借字。

のらくら①(副)―と ―する その日(その日)を何をするでもなく、だらしなく過ごす様子。ぬらくら。「―と日を送る」

のらむすこ③【のら《息子】自分自身の働きが無く、ただ

遊んで暮らす青年。⇩どら息子

のらりくらり[2]-[2]、[2](副)ーと ーする 相手に論点をはぐらかされて、核心を衝(ツ)いた議論ができない様子。ぬらくら。表記 ⇩付表「息子」

のり[2]【〈海〈苔〉・〈苔〉】❶アサクサノリ(を紙のようにすいて干した食品)。「焼きー・手巻きー[3]」 ❷海中の岩などに付いているこけ状の海藻。表記 海産である旨を強調する時は、「〈海〈苔〉」と書く。かぞえ方 ❶は一枚。売買の単位は一袋・一帖(ジョウ)(イチ)・一箱・一缶

のり[2]【《法》】❶Ⓐそれに背くことが無いようにと示された教え・命令・規則。「ーを越えないことを信条とする」Ⓑ仏の教え。「ーの道を説く」 ❷〔土木などで〕傾斜面の傾き(の程度)。「ー面(メン)[0][2][3]」 ❸対蹠(タイショ)的な場所までまっすぐに計った長さ。「内ー・外ー」 表記「《則・〈矩」とも書く。

のり[0]【乗(り)】❶乗る△こと(程度)。「五人ーの車/おしろいのー〔=塗りぐあい〕がいい」 ❷謡(ウタイ)い方・話し方の拍子や速さ。「軽いーでしゃべる」 ❸その場で調子づくこと。「ーが△いい(悪い)観客」

***のり**[2]【〈糊】❶物をはりつけたり布をこわばらせて形を整えたりするのに使う、粘りけのある物質。でんぷん糊・ふのり、化学糊としてのアラビア糊など。「ーのきいたワイシャツ/ーとはさみ〔=自分の頭脳を使わずに、他人の著作を切りばりしただけの仕事〕」 ❷接着剤。「木工用のー」 かぞえ方 ❶❷とも一本・一缶・一瓶(ヒトビン)

のりあい[0]ー(アヒ)【乗(り)合(い)】知らない者同士が一緒に△自動車(馬車・船)に乗ること。また、その自動車・馬車・船。⇩貸切り

のりあ・げる[4]【乗(り)上げる】(自下一) 船・車などが、進行中に障害物の上に上がって動けなくなる。「△船(交渉)が暗礁にー」

のりあじ[0]ー(アヂ)【乗(り)味】乗った時の感じ。乗りごこち。

のりあわ・せる[5]ー(アハセル)【乗(り)合(わ)せる】(自下一) 偶然同じ乗り物に乗る。乗り合わす[4](五)。

のりい・れる[4]【乗(り)入れる】(他下一) ❶社寺の境内などに馬・車に乗ったまま入る。〔広義では、境界線を越えて、中の方に入ることをも指す〕 ❷路線を他社の経営する路線にまで延長して連絡出来るようにする。〔広義では、単に路線延長をも指す〕 名乗り入れ[0]「相互ー」

のりうち[0]【乗(り)打(ち)】昔、馬やかごに乗ったままその場所を通り過ぎたこと。

のりうつ・る[4]【乗(り)移る】(自五) ❶乗り換える。「船からボートにー」 ❷〔他の人や動物の霊魂が〕その人のからだに移って来、そのものがするような言動をしたりして、ふだんと違った状態になる。

のりおく・れる[5]【乗(り)遅れる】(自下一) 発車などの時刻に遅れて、その乗り物に乗ることが出来なくなる。〔俗に、世の中の△流れ(進歩)に取り残される意にも用いられる〕 名乗り遅れ[0]

のりおり[2]【乗(り)降(り)】ーする(自サ) 乗ることと降りること。

のりかえ[0]ー(カヘ)【乗換】ーする(自サ) 乗り換える△こと(ための別の乗り物)。「ー駅[4]」

のりか・える[4][3]ー(カヘル)【乗(り)換える】(他下一) ❶別の(路線の)乗り物に乗る。❷〔主義・所属などを〕安易に都合のいい方へ換える。「牛を馬にー〔=⇩牛〕」 ❸別の株式・債券などに買いかえる。表記 ❷は、「乗り替える」とも書く。

のりかか・る[4]【乗(り)掛(か)る】(自五) ❶今にも乗ろうとする。「乗りかかった船〔=やり始めた以上、途中でやめられなくなることのたとえ〕」 ❷相手を押さえつけるようにして、おおいかぶさる。

のりき[0]【乗(り)気】他から持って来られた計画などがすっかり気に入って、ぜひ自分△が(でも)やりたいと思う気持(が起きること)。「ーになる/ーを示す」

のりき・る[3]【乗(り)切る】(自五) △困難(危険)な状態を、なんとか自力で切り抜ける。「△大波(困難・嵐(アラシ))をー/△危機(難問山積の局面・難局・不況)をー」

のりくみいん[4]ー(ヰン)【乗組員】その船や航空機、また、宇宙船に乗り組んだ人員。

のりく・む[3]【乗(り)組む】(自五) 〔運航するために〕一緒に乗る。名乗り組み[0]

のりこ・える[4]【乗(り)越える】(自下一) ❶△物の上(乗り物)に乗って向こう側へ行く。「塀をー」 ❷障害を克服して、今まで以上に良い状態へ向かう。「△危機(幾多の困難・障害)をー/先人をー〔=先人の上に出る〕」

のりごこち[0]【乗(り)《心地】乗り物に乗ってみた時の感じ。表記 ⇩付表「心地」

のりこ・す[3]【乗(り)越す】(自五) ❶乗り越える。❷〔電車・バスなどで〕降りるつもりの行き先よりも遠くまで乗る。名乗り越し[0]「ーの精算」

のりこみ[0]【乗(り)込(み)】〔俳優・芸能人や一団となった人が〕旅先の△興行場(目的地)に到着すること。

のりこ・む[3]【乗(り)込む】(自五) ❶どこかに行く目的で、その乗り物に乗る。❷車に乗ったりして目的の所に行く。〔広義では、是が非でも目的を達成しようと、目的地に到達することをも指す。例、「野球の本場アメリカにー」〕

のりさく[0]【〈海〈苔〉作】のりの作柄(サクガラ)。

のりしろ[0][2]【〈糊代】紙などをはり合わせる時、糊をつけるために残してある部分。

のりす・てる[4]【乗(り)捨てる】(他下一) 乗り物から△降りる(降りてそのままに捨てておく)。名乗り捨て[0]

のり・する[3][2]【〈糊する】(自サ) 〔糊は、粥(カユ)の意〕〔「口をー」の形で〕(粥をするのが精一杯なほど)極端に貧しい暮らしをする。⇩糊口(ココウ)

のりぞめ[0]【乗(り)初(め)】❶新しく開発された△路線(乗り物・車種など)に初めて乗ること。❷新年になって初めて乗り物に乗ること。

のりだ・す[3]【乗(り)出す】▬(自五) ❶乗って出かける。❷乗り始める。「うちの子も三輪車に乗り出した」 ❸(積極的に)事に当たる。「△事態収拾(調停・調査)にー」 ▬(他五) (上体を)前方へ出す。「身を乗り出して見る/ひざをー〔=⇩ひざ〕」

のりちゃ[0]【〈海〈苔〉茶】〔←海苔茶漬(ヅ)け[3]〕焼きのりをふりかけた茶漬け。

のりつ・ぐ[3]【乗(り)継ぐ】(他五) 別の乗り物に乗り換えて、目的地へ向かう。「飛行機をー」

のりづけ[0]【〈糊付(け)】ーする(自他サ) ❶糊で何かに△はりつけること(はりつけた物)。❷洗濯した布の形を整えるために糊をつけること。〔❷は「のりつけ[0]」とも〕

のりつ・ける[4]【乗(り)付ける】(自下一) ❶乗り物に乗ったまま直接その所に着く。「タクシーでー」 ❷それに乗ることに慣れている。

のりて[0]【乗(り)手】❶乗る△人(客)。〔狭義では、上手に馬に乗る人を指す〕 ❷〔連珠で〕相手の誘いに乗って打つ、禁じられた手。

のりと[0]【〈祝詞〉】神官が神前で祭りの趣旨などを読み上げる、古代語の文章。⇩しゅくし 表記 ⇩付表

のりにげ[0]【乗(り)逃(げ)】ーする(自サ) ❶乗り物に乗って乗車賃を払わずに逃げること。❷盗んだ乗り物で逃げること。

のりば[0]【乗(り)場】乗り物などに乗るための、決まった場所。「ー案内」

のりまき[2]【〈海〈苔〉巻(き)】中に味を付けたかんぴょうな

の

どを入れて、まわりをのりで巻いたすし。太巻きと細巻きがある。[かぞえ方]一本

のりまわ・す④【乗(り)回す】(他五) ❶特定の乗り物を自分の△命令どおりに操らせて(思い通りに操縦して)、行きたい所に進ませる。「△馬(自転車・車)を—/湾内をヨット△で(を)—」 ❷特定の乗り物を利用して、いくつかの場所を回る。[自動]乗り回る④

のりめん⓪【《法面】 道路や住宅のために人工的に整備された傾斜地の斜面。「—保護⑤・—崩落⑤」

*__のりもの__⓪【乗(り)物】 客などを乗せて運ぶ交通機関。電車・列車・バスなど。〔昔は、駕籠ゴカを指した〕

のりりょう②【《海〈苔〉漁】 海でのりを育て、収穫すること。

**__の・る__⓪【乗る・載る】(自五)〈なにニ—〉 ❶ほかから移って、何かの上に位置を占める状態になる。「踏み台に—/机の上に本がのっている」〔東京方言では、「乗っかる」〕 ❷ほかの場所へ移動するために、馬・車などに身を置く。「自転車に—〔=自分で操作して、走らせる〕/電波に—〔=その声などが、ラジオ・テレビを通じて各地に伝えられる〕」 ❸その物の性質に逆らわず、その働きを巧みに利用する。「インクが—〔=うまくつく〕/マイクに—〔=マイクの性質によく合う〕声/仕事に気が—〔=乗り気になる〕/波に—〔=ⓐ波の動きを利用して、うまく進む。ⓑその時どきのチャンスをうまく利用して存分の活動をする〕/勢いに—/ブームに—〔=便乗して、△思いきり活躍する(大いに稼ぐ)〕/リズムに—〔=リズムに合わせて、軽快△な行動をする(に踊る)〕/調子に—〔=いい気になって節度を失う〕/図に—〔=つけあがる〕/脂ラアブが—〔=ⓐ脂肪が蓄積される。ⓑ好調で、張り切る〕/△時流(潮流・景気の波・ムード)に—」 ❹相手の△勧誘(依頼)に対して応じる態度を示す。「一つ相談に乗ってくれまいか/すぐ話に乗って来た/一口—〔=参加する〕/口車に—〔=だまされる〕/△おどし(誘い)に—」 ❺〔新聞・雑誌などの〕記事になる。「新聞にのらない小さな事件」〔❶❷の一部の対義語は、降りる〕

のっている【乗っている】 調子づいている。〔多く気心の知れた間柄の人について言う〕

のるかそるか②-①【《伸るか反るか】〔「伸る」は、長く伸びる意〕結果はどうなるか分からないが、とにかく思い切ってやってみよう、という時に使う語。[表記]俗に、「乗るか反るか」とも書く。

ノルディック③①〔Nordic=北欧人の〕〔↑ノルディック種目⑥〕〔スキーで〕距離競走・ジャンプ・複合競技の三種目。⇨アルペン

ノルマ①〔ロ norma〕 割り当てられた△労働(仕事)の基準量。「苛酷カコクな—を課せられる」

のれん⓪【《暖〈簾〉】〔「のんれん」の変化形「のうれん」の変化。「のん」は「暖」の唐音〕 ❶〔商店で〕屋号を書き、店(の軒)先に張って下げる、日よけの布。「—〔=その店の屋号(と得意先)〕を分ける/—を下ろす〔=廃業する〕」 ❷「暖簾❶」に模して、居酒屋や一般家庭の出入口、また部屋のしきりに垂らして使う物。「じゅず—・なわ—」 ❸その店の信用と格式。「百年の—を△誇る(守る)/—にかかわる/—〔=名店〕街」[かぞえ方]❶❷とも一点 【—に腕押し】いくら力を入れても手ごたえの無いたとえ。 **—わけ**⓪【—分け】—する(自サ) その店に長く勤めた店員に、同じ屋号の店を開くことを△許す(許し、物心両面に相応の支援をする)こと。また、そうして出来た店。

のろ①【《鈍】 のろい△こと(性質)。また、その人。「薄スウ—」

のろ①【〈祝女〉】〔沖縄で〕村落の祭祀シイをつかさどる、世襲の巫女ミコ。

のろ①【〈獐〉・〈麞〉】 中国東北部や朝鮮にすむ、シカに似た小形の動物。保護色で、夏と冬に毛色が変わる。〔シカ科〕[かぞえ方]一頭・一匹

のろ・い②【《鈍い】(形) ❶△比較の対象とする(一般に予測される)移動の速度がおそい。また、その結果、当事者や接する人がいらだちを覚える様子だ。「テンポが—」 ❷能力が無かったり 何をするにもやり方がおそかったりして、関係者をいらいらさせる状態だ。〔古くは「女性に甘い」の意にも用いられた〕[派]—さ①

のろい⓪【呪(い)】 呪う△こと(言葉)。「—をかける」

のろ・う②⓪【呪う】(他五) ❶恨みのある人に悪い事が起こるように、神仏に祈る。 ❷強く恨む。「世を—」 ❸悪魔・魔女などが悪意をいだく人を不幸な目に遭わせる。[表記]「〈詛う〉」とも書く。

ノロウイルス④③〔ド Norovirus〕 食中毒を起こすウイルスの一つ。腹痛・下痢・嘔吐オウトなどを引き起こす。カキの生食による感染や、糞尿フンニョウなどによる経口感染によっても広がる。

のろくさ①【《鈍臭】(副)—と—する 見ていて歯がゆいほど動作がのろく、事がはかどらない様子。〔口頭語的表現〕

のろくさ・い④【《鈍臭い】(形) 見ている人をいらいらさせるほど動作がのろく、事がはかどらない様子だ。〔口頭語的表現〕[派]—さ③

のろけ⓪③【〈惚気〉】 のろけること。また、その話。「いつもの(お)—が始まった」

のろ・ける⓪③【〈惚気る〉】(自下一) △妻(夫・恋人)との間にあった(つまらない)事を他人にうれしそうに話す。「人前で—」

のろし⓪【〈狼煙〉・〈烽火〉】 昔、戦争の合図や事件が起こった知らせとして、火をたいて上げた煙。「—を上げる〔=何か一大事を起こすきっかけとなる行動を始める〕」

のろのろ①(副)—と—する 少しは速くならないものかと思わせるほど、動作がのろい様子。「—と歩く/—運転」

のろま⓪—な 〔「ま」は接辞〕動作や頭の働きのにぶい△こと(人・様子)。

のろまにんぎょう④【野呂《松人形・《鈍間人形】 色の青黒い、グロテスクな操り人形。略して「のろま①⓪」。

のろわし・い④【呪わしい】(形) ❶〔不運な出来事などに出あって〕何かを呪いたくなる気持だ。「うち続く災害にのろわしくなる」 ❷〔不吉な出来事が続いたりして〕呪いがかかったかのように感じられる様子だ。「—出来事」[派]—さ③ —げ④⑤⓪

のろわれた⓪③【呪われた】(連体) 悪魔などの呪いを受けたとしか思われないほど△不吉(不幸)な。「—人生」⇨呪う

のわき⓪【野分(き)】〔雅〕 ❶秋にやってくる「台風」の古称。 ❷木枯し。〔❶❷とも「のわけ⓪」とも〕

ノン①(接頭)〔non-〕「非・無」などの意味を表わす。「—アルコール③⑤・—レム睡眠⑤〔=レム睡眠の時以外の睡眠〕」

ノン①(感)〔フ non〕 いいえ。〔英語のノー、ドイツ語のナイン①に当たる〕↔ウイ

のんき①【《暖気・《暢気・〈呑気〉】—に—な 〔「のん」は「暖」の唐音〕 ❶性分で、人生を楽観的に見、たいていの事△にはあわてない(は気にかけない)様子だ。 ❷苦労しなくてもいい様子だ。「—な身分だ」[派]—さ⓪③ [表記]「《暢気・〈呑気〉」は、借字。

ノンキャリア③〔和製英語 ↑non + career〕 日本の中央官庁に勤める国家公務員で、国家公務員I種試験合格者ではない人。略してノンキャリ⓪。「—組⓪」

のんこのしゃあ⑤ 「ずうずうしい△こと(人)」の意のやや古

風な表現。

ノンシャラン①③―な〔フ nonchalant〕積極的な関心が無いので、行動に熱意がこもっていない様子。

ノンステップ バス⑦〔和製英語 ←non-step + bus〕乗り降りが楽に出来るように、乗降口の踏み段〔=ステップ〕を無くした、床の低いバス。超低床バス。⇩低床バス

ノンストップ④〔nonstop〕途中止まらないで、遠隔の目的地まで直行すること。「この特急は終着駅まで―だ/パリまでの―便」

ノン セクション③〔和製英語 ←non + section〕クイズなどで、特別の区分けの無いこと。

ノン セクト③〔←non sectional〕どんな政党や政治的団体にも属さないこと。

ノンセンス①〔nonsense〕⇩ナンセンス

のんだくれ⓪【飲んだくれ】㊀ひどく酔っぱらった△こと(人)。㊁大酒飲み。動飲んだくれる⑤⓪(自下一)

表記「〈呑んだくれ」とも書く。

ノン トロッポ④〔イ non troppo=極端でなく〕〔楽譜で、速度記号に添えて〕ほどよく。適度に。

ノンバンク③〔nonbank〕銀行以外の、貸金業務を営む金融関連会社の総称。預金の預け入れは出来ない。サラリーマン金融・クレジット会社・リース会社など。

***のんびり**③(副)―と ―する 差し迫った用事や心配事が無くて、余裕のある穏やかな気持でいる様子。「せめて正月ぐらい―したらどうだ/―(と)した国民性」 派―さ④⓪

ノンフィクション③〔nonfiction〕記録文学・紀行文・体験記など、つくり話・小説でないもの。↕フィクション

ノンブル⓪①〔フ nombre=番号。ナンバーと同源〕印刷物のページごとに欄外に打った、順序を示す数字。ページ番号。

ノンプロ⓪〔←nonprofessional〕〔十分能力はあるが〕それを職業とはしない△こと(人)。↕プロ

のん べえ①―エ【《飲〈兵衛》】酒好きで、何かにつけて飲んでばかりいる人を擬人化した表現。表記「〈呑〈兵衛》」とも書く。

のんべん だらり⑥(副)―と 緊張感を欠いた状態で、いたずらに時間ばかり費やしている様子。「毎日何もせず―と暮らしている/―と仕事をする」

ノンポリ⓪〔←nonpolitical〕政治的な問題に関して無関心である△こと(人)。

は…ハ

は〔把・波・派・破・〈播・覇〉〕→【字音語の造語成分】

は【羽】(造語) はね。「白(シラ)―の矢/―風・―音」⇩わ

はッ(副助) [一]判断の対象や叙述の内容がその範囲内に限られることを表わす。㊀話題として取り上げる事物であることを表わす。〔他の事柄との対比が意識される場合と、されない場合とがある〕「キリン―首が長い/この紙―白い/映画―よく見る/箱―大きいのがいい/魚―焼く前に三枚におろしておくこと/親に―話すべきだ/値段―高いが、品(シナ)―いい/蛙(カエル)の子―蛙〔=子は親に似るものというたとえ〕」㊁後続の叙述内容の成り立つ範囲を限定することを表わす。〔一般に何らかの形で他の事柄との対比が意識される〕「すぐに―分からない/会い―したが、話―しなかった/知って―いるが、今―言えない/雨が降ると―思っていなかった/不合理な話で―ある/勝つに―勝ったが、内容―ひどいものだ」㊂Ⓐ数量を表わす語について、最小限(肯定表現の場合)、また、最大限(否定表現の場合)であることを表わす。「この教室なら五十人―入る/三万円―欲しい/三百グラム全部―食べられないだろう」Ⓑ日時を表わす語について、最短(肯定表現の場合)、また、最長(否定表現の場合)であることを表わす。「備蓄は三か月―余裕でもつ/完全な終息には一年―かかる/工期は半年―見なくてよい」

文法 (1)㊀は、体言(名詞、またそれに準ずる句)および副詞「だけ」「ばかり」「など」などに接続する。㊁は、「が」以外の格助詞、用言・助動詞「れる/られる・せる/させる」の連用形、副詞に接続する。〔動詞・助動詞「れる/られる・せる/させる」の連用形に接続する場合は「…は△する(しない)」、形容詞・形容動詞・断定助動詞の連用形に接続する場合は「…は△ある(ない)」の形となる〕㊂は、数量や程度、時間を表わす語に接続する。(2)㊀は、取り上げる事物が聞き手にとって既知の事柄、または、未知であっても容易に理解し得るものである事柄であることが前提とされる。

[二]〔「…て―」の形で〕事柄と事柄を結びつけ、後件の成り立つ条件であることを表わす。⇩ては

[三]㊀〔「何―…」の形で慣用的に〕問題とする事柄以外のすべて。「何―ともあれ/何―おいても」㊁取り上げる時・場所・所属などの範囲を限定することを表わす。「江戸時代―天明年間、浅間山が大噴火した/東京―神田の生まれ/理学部―物理学科の卒業」

は①【八】〔音楽で〕長音階のハ調のドにあたる音名。C音。

は①【派】主義・主張や傾向を同じくするグループ。「同じ―に属する/―閥・学―・硬―・流―」かぞえ方 一派・三派・四派・六派・八派・十派・何派は「パ」、四派は「ヨンハ」・八派は「ハチハ」とも。⇩【造語成分】

は①【破】〔雅楽・能楽などで〕中ごろを過ぎてだんだん拍子が変わり、速くなっていく部分。「序―急」⇩【造語成分】

は①【覇】㊀〔古〕先祖から受け継ぐのではなく、自分の実力によって天下を従えること。また、その人。「―を唱える/―者・―気」㊁〔スポーツなどで〕優勝すること。「―を競う/制―・連―パ」

***は**①【刃】刃物の、直接に物を切る、平たく鋭い部分。「△かみそり(スケート靴)の―/―を研ぐ」

****は**⓪【葉】草木の茎・枝に生える物。普通、平たくて緑色。光合成・呼吸作用を営む。〔口頭語的表現は、葉っぱ〕「―の出る前に花の咲く木/モモの―をふろに入れる/柿の―ずし」かぞえ方 一枚・一葉(イチヨウ/ヒトハ)

****は**①【歯】㊀鳥を除く脊椎(セキツイ)動物の口の中に上下に並んで生えている骨のような物。食物をかみ砕き、また発音を助ける。「―を食いしばる〔=苦しさをこらえる〕/―が浮く〔=ⓐ歯の根が炎症などを起こし、かみ合わせると痛む状態になる。ⓑ安っぽい流行や、きざな言動を見せつけられたり聞かされたりして、不快になる〕/―が立たない〔=ⓐ堅くてかめない。ⓑむずかしかったりして、処理しかねる。ⓒ相手が強くて、勝ちみが無い〕/―の根が合わない〔=寒さや恐怖で震える様子〕/―に衣(キヌ)を着せない〔=相手の感情などを無視して思った通りを言う〕」㊁器具・機械のふちに並んだ、用途の上で必要な細かい刻み目。「のこぎりの―・櫛(クシ)の―」㊂足駄(アシダ)の台にはめ込んだ二枚の板。「下駄(ゲタ)の―」かぞえ方 ㊀〜㊂とも一枚・一本

ば〔馬・婆・罵〕→【字音語の造語成分】

ば(接助) ㊀後件の成立する条件を表わす。「あと一時間もすれ―〔=たったら〕、ことしも終わる/読め―分かることだ/一日休め―元気になるさ/雨が降れ―延期しよう/謝れ―許してやる」㊁後件の前提となる実態を提示することを表わす。「見れ―〔=見たところ〕一人の男が立っていた」㊂共存しがたいものが、矛盾なく共存することを表わす。「山もあれ

—川もある/ピアノもひけ—歌も歌う」[文法](1)活用語の仮定形に接続する。⇩接続助詞「し■二」(2)❶は、「彼の将来を思えばこそ厳しく叱ったのだ」などと、「…ばこそ」の形で後件の原因や理由を強調して表わすのに用いられることがある。

ば[0]【場】〔「庭」の造語形「…んば」の変化。漢語ではない〕❶Ⓐ物事が行なわれている環境としての△所(時)。「その—に居合わせる/その—の空気/—を踏む〔=同種の経験を積む〕/—を取る〔=場所を広く占める〕/公聴会の—を設ける」Ⓑ物理学で、力が及ぶ空間。「磁力の—」❷〔劇で〕ある場面を中心としたひとまとまりの区切り。「三幕五—」❸もと、取引所の立会い(場)。〔現在は廃止〕

はあ(感)■一❶受け答えすることを表わす。〔しり下がりで言う〕「—そうです」❷納得のいった気持などを表わす。〔平らに言う〕■二❶驚き・感心の気持を表わす。〔ゆっくり しり上がり〕「—、それ本当ですか」❷聞き返すことを表わす。〔口早な しり上がり〕

バー[1]〔bar=棒〕❶〔走り高跳(ビト)・棒高跳で〕それを跳び越す目標の横木。「—を上げる」❷〔サッカー・ラグビーで〕ゴールの横木。「—を越す」❸洋酒を飲ませる(カウンター式の)酒場。[かぞえ方]❶❷は一本。❸は一軒・一店

パー[1]■一〔par〕❶(額面と同じ)価格。「千円—で売り出す」❷〔ゴルフで〕コースを一巡するのに定められた基準打数。また、ホールごとに定められた基準打数。「—パット・アンダー—」■二パーセントの略。

ぱあ[1]■一❶思慮・分別に欠け、他人の失笑を買うような言動をしがちであること。また、そのような人。〔多く侮蔑(ブベツ)を含意する〕「あの子、相変わらず—だな」❷Ⓐ事が不首尾に終わり、利益を見込んでそれにつぎ込んだお金がすべて無駄になること。「競馬ですって五万円が—になった」Ⓑちょっとしたきっかけで計画がつぶれたり 得た信用が失われたりすること。「収賄事件を起こし彼の政治生命も—だ」〔❶❷とも口頭語的表現〕■二〔じゃんけんで〕紙❷。指を全部開いて出す。「ちょき」に負け、「ぐう」に勝つ。⇩ぐう・ちょき

**ばあい[0](アヒ)【場合】❶〔何かの事情で〕そう△なった(しなければならない)時。「欠席の—はご連絡ください/省略する—〔=こと〕もある/万一の—」❷その△物が置かれている(事が行なわれる)、その時どきの(特殊な)事情。ケース。「時と—による/ぐずぐずしている—じゃない/すべての—〔=事例〕に当てはまるとは限らない/—によっては」[文法]❶は「紛失した場合すぐに届け出ること」などと、接続助詞的に用いられることがある。

パーカ[1]〔parka〕ずきん付きの、△ひざ(こし)までのコート。防寒用。パーカー[0][1]とも。

パーカッション[3]〔percussion〕ドラム・ティンパニー・ビブラホン・マリンバ・シロホン・コンガなど、リズム セクションを受け持つ打楽器類の総称。

パーキング[1][0]〔parking〕駐車(場)。**—メーター**[6]〔parking meter〕駐車許可地域に設けた、無人の駐車料金徴収計。

パーキンソンびょう[0](ビャウ)【パーキンソン病】〔Parkinson=人名〕中脳の内部の異常による病気。前かがみの姿勢でからだが震え、手足がこわばり、動作が不自由になる。

*__はあく__[0]【把握】—する(他サ)〈なにヲ(なんだト)—する〉〔しっかりとつかむ意〕〔高度な内容の文章や複雑な情勢などを〕すぐれた能力で、要点を正確に△理解する(知る)こと。

パーク[1]〔park〕❶公園。「テーマ—・アミューズメント—[8]」❷—する(自サ)駐車すること。

ハーケン[1]〔↑ド Mauerhaken=壁の鉤(カギ)〕〔岩登りで〕カラビナをかけるために岩に打ち込む釘(クギ)状のくさび。

バーゲン セール[5]〔bargain sale〕安売り。略してバーゲン[1]。

バー コード[3]〔bar code, bar=線、code=符号〕〔一定の長さの〕太い線と細い線を何本も平行に並べて縞(マシ)状に印刷することにより、各種の△データ(情報)を符号化して表現したもの。これを光学的方法で読み取れば、その△データ(情報)が直ちにコンピューター内に入力される。「商品コードを—として印刷する/—読み取り装置」

パーコレーター[4]〔percolator=漉(コ)す物〕濾過(ロカ)装置のついたコーヒー沸かし器。パーコレータ[4]とも。[かぞえ方]一台

パーサー[1]〔purser=財布を預かる人 すなわち、会計係〕汽船・旅客機などの事務長。

パージ[1]—する(他サ)〔purge〕公職・教職や言論機関のポストに△つけ(ついていられ)なくすること。追放。「レッド—」

バージョン[1][0]〔version〕〔コンピューターで〕そのソフトウエアが、何回目の改訂版であるかということ。「—アップする〔=改訂版を作る〕」

バージン[1]〔virgin〕処女。**—ロード**[5]〔和製英語 ↑ virgin + road〕キリスト教式の結婚式で、式場である教会の入口から祭壇までの絨毯(ジュウタン)の敷かれた通路。花嫁とその父親がここを通って入場する。

バース コントロール[7]〔birth control〕産児制限。妊娠調節。バスコントロールとも。略してバスコン[0]。

バースデー[1]〔birthday〕誕生日。「—ケーキ[6]」

は

[把](手で)つかむ(部分)。「把握・把持・把捉(ソク)・銃把」⇩(本文)わ【把】

[波]■一❶なみ。〔引続き繰り返される動作をかぞえる時にも用いられる。例、「第三波(パ)」〕「波状・波頭・波紋・波浪・寒波(パ)・秋波・小波・風波・余波」❷〔物理学で〕音や光が次つぎに伝わる現象。波動。「波長・音波(パ)・電波(パ)」■二(略)❶ペルシャ(波斯)。「日波貿易」❷ポーランド(波蘭)。[かぞえ方]■一❶は一波・三波・四波・六波・八波・十波・何波は「パ」、四波は「ヨン(ハ)」・八波は「ハチ(ハ)」とも。

[派]❶一つの源から分かれ出る。「派生・分派(パ)」❷それぞれの任地へおもむかせる。「派遣・派出所」❸そういう△性格(系統)の人。「慎重派・清純派・白樺(シラカバ)派」⇩(本文)は【派】

[破]❶物をこわす。物がこわれる。「破裂・破壊・難破(パ)」❷出来あが△っていた(りそうな)ものの形をくずす。「破顔・破産・御破算・破談・破局」❸(道徳上の)わくから△はずす(はずれる)。「破格・破門・破廉恥」❹目的を完全にやりぬく。残らず…する。「踏破・読破・突破(パ)」❺相手を負かす。「撃破・説破(パ)・論破(パ)」❻やぶる。「打破」⇩(本文)は【破】

[〈播]まく。ばらばらとまきちらす。「播種・撒播(サッパ)・伝播(パ)」⇩ばんしゅう(播州)

[覇]⇩(本文)は【覇】

ば

[馬]ウマ。「馬事・馬主・馬術・馬車・馬力(キリ)・乗馬・木(クモ)馬・竹馬・競馬・出馬・落馬」

[婆]年をとった女。ばば(あ)。「産婆・老婆」

[罵]大きな声で悪口を言う。「罵倒・罵詈雑言(バリゾウゴン)・面罵」

パースペクティブ④〔perspective=眺望〕 問題とする事柄についての今後の予想や将来の見通し。

パーセク①③〔parsec ← **par**allax（視差）＋ **sec**ond（秒）〕 天文学における長さの単位で、一天文単位を垂直方向から見た時、一秒の角度に見える距離〔=約三〇兆八五六八億キロメートル=約三・二六光年〕を表わす〔記号 pc〕。〔おもに、恒星間の距離を表わす時に用いる〕 ⇩光年

パーセンテージ⑤〔percentage〕 その数量が全体の中で占める割合を、パーセントで表わしたもの。百分率。「…の―が上がる」 ⇩パーセント

パーセント③〔percent=百につき〕 ❶全体の中で占める割合の単位で、百分の一を表わす。「百―安全とは保証できない／あすの降水確率は六〇―／二五―〔=二割五分〕」 ⇩パーセンテージ ❷比較する際の基準値を百として、その物の量を表わした数値に添える語。「今年の収穫高は、昨年を基準にすると九五―／年率一二〇―のインフレ」〔記号は、❶❷とも％〕 ⇩ポイント㊆

パーソナリティー④〔personality〕 ❶〔テレビやラジオで〕音楽番組などの担当者。 ❷〔心理学などで〕一人ひとりの性格。個性。その人を形づくる人格。 **―しょうがい**⑧ シヤウー【―障害】 感情のコントロールやものの考え方などに異常が見られ、本人やまわりの人の生活に困難が生じる障害。他の精神疾患に由来する人格の変化とは区別される。「人格障害④」は旧称。

パーソナル①ーに〔personal〕 個人的。「―な関係／―テレビ⑥・―コミュニケーション⑨」 **―コール**⑥〔personal call〕〔国際電話で〕発信人が指名した受信人を交換手が電話口に呼び出して、つないだ時から通話料をかぞえる制度。指名通話。 ⇩ステーションコール **―コンピューター**⑧〔personal computer〕 ⇩コンピューター **―チェック**⑥〔personal check〕 個人名義で振り出す小切手。

バーター①⓪〔barter〕 物物交換による貿易。「―制⓪」

ばあたり②⓪【場当(た)り】 ❶〔演劇・集会などで〕その場の機転でおもしろさを加え、人気を得ること。「―をねらう」 ❷ーな 〔初めから計画したのではない〕その場その場での思いつきである様子だ。「―な答弁／―的な政策」

バーチャル①ーな〔virtual〕〔元来は「事実上の」の意〕いかにも現実の世界であるかのような仮想空間の中にいる様子を表わす。「―な空間／―な人間関係」 **―コーポレーション**⑧〔virtual corporation〕 他社の資源を利用して自社の力以上のことが出来る企業。 **―セット**⑤〔virtual set〕 コンピューター グラフィックスによって合成されたテレビ番組のセット。 **―タレント**⑤〔virtual talent〕 コンピューター グラフィックスで合成されたイメージのタレント。 **―マネー**⑤〔virtual money〕 ⇩仮想通貨 **―リアリティー**⑥〔virtual reality〕 コンピューターによって作り出される環境で、人間が視覚・聴覚・触覚等で認知し、現実感をともなって体験できる効果。アバターを通じて、そこに参加する他人との交流も行なえるなど、現実生活に近似した体験もできる。訳語は「仮想現実」。

パーツ⓪①〔part(s)〕 機械・器具などの部品。パートとも。

パーティー①〔party〕 ❶〔社交などを目的とする〕会合。「ダンス―」 ❷〔登山などに〕一緒に行く仲間。

パーティション⓪③〔partition〕 ❶部屋の間仕切りとする衝立。 ❷〔コンピューターのハードディスクで〕記憶領域を分割すること。分割後は、それぞれが別のドライブのように使用できる。

バーテン⓪〔←米 bartender〕〔バーなどで〕カクテルなどを客の前で作ってすすめる人。バーテンダー③とも。

ハート⓪〔heart〕 ❶心。「―のこもったプレゼント」 ❷心臓。「―形タガ⓪」 ❸〔トランプの〕赤い心臓形のしるし(で点数を表わした札)。♥

ハード〔hard〕 ■(造語) 材質などがかたいこと。「―カバー・―コンタクトレンズ」 ↔ソフト ■①ーに ❶きびしい（厳格な）様子だ。「―な仕事／―トレーニング⑤」 ❷ハードウエアの略。「―の面では日本一」 ⇩ソフト

バード（造語）〔bird〕（小）鳥。「―ウイーク⑤〔=愛鳥週間〕・―ウオッチング⑤〔=野鳥観察〕・―サンクチュアリー④〔=野鳥保護区〕」

パート⓪①〔part=部分〕 ❶〔劇などで〕その人の役割。 ❷〔音楽で〕それぞれに受け持つ楽器や音域。また、楽曲の一部。 ❸パート タイマーの略。「―のおばさん」

ハードウエア④〔hardware=金物カナモノ〕 コンピューターを構成する物理的装置の総称。ハードウエア⑤とも。また、略してハード。〔広義では、録音・録画などをするための機器それ自体をも指す〕「―の故障(不具合)」 ↔ソフトウエア

ハードカバー④〔hardcover〕 厚紙や布・革などの硬い表紙に覆われた本。

ハード コピー④〔hard copy〕「コンピューターで」計算や処理の結果を後まで保存できるように紙の上に出力すること。また、その結果。〔これに対し、表示装置の画面に一時的に表示させること(したもの)をソフト コピーと言う〕

バード ストライク⑥〔bird strike〕 鳥が航空機などに衝突する事故。「鳥衝突③」とも。「―で緊急着陸する」

パート タイマー④〔part-timer〕 パート タイムで働く人。

パート タイム④〔part-time〕 一日のうち限られた短時間だけ勤務すること。 ↔フルタイム

ハード ディスク④〔hard disk〕 ⇩ディスク

ハードトップ④〔hardtop〕 四ドアの車で、屋根を支える柱〔=センター ピラー⑤〕の無いタイプのもの。

パートナー①〔partner=組んで何かをする人〕 ❶〔二人で一組になる〕ダンスの相手。 ❷ボクシングの練習相手。 ❸一緒に仕事をする仲間。 ❹つれあい❶。 **―シップ**⑥〔partnership〕（友好的な）協力関係。提携関係。

ハード ボイルド④〔hard-boiled=卵を堅くゆでた〕 感傷を排し冷酷な態度で対象を描こうとする文学(映画)の傾向。

ハード ランディング④〔hard landing〕 ↔ソフト ランディング ❶航空機や宇宙船が地面に衝突するように着地すること。硬着陸③。 ❷〔経済問題などで〕強硬な手段により、事態の収拾を図ること。

ハード リカー④〔hard liquor〕〔ウイスキーやジンなどのように〕アルコール度数の高い酒。蒸留酒。

ハードル⓪〔hurdle〕 ❶障害物競走に使う枠。「越えなければならない―〔=障害。関門〕は多い」 ❷〔← hurdle race〕 ハードルを飛び越えて走る競技。

バーナー①〔burner=燃やすもの〕 ガスなどの気体や液体燃料を燃やす道具。または、その火口グチ。

ハーネス①⓪〔harness=馬車馬の馬具〕 ❶盲導犬などの胴体に付ける輪。手で引く綱につながっている。 ❷登山・スカイダイビング・ヨットなどで、安全確保のために装着するベルト状の固定具。

バーバリズム④〔barbarism〕 野蛮なふるまい。

ハーフ〔half〕 ■①ハーフバック・ハーフタイムの略。「二十分―」 ■①〔←half blood〕 混血(の人)。〔差別表現として用いられることがある〕 ■（造語） 半分(の)。「―マラソン・ベター―」

ハーブ①〔herb〕 薬用や食用として用いられる香りの高い植物の総称。薬草。香草。生のまままたは乾燥させたもの

を、料理の風味づけとして用いたり お茶として飲んだりする。タイム・ローリエ・バジリコ・ローズマリー・ミント・セージなど。

ハープ①〔harp〕三角形で少し湾曲した大きな木の枠に四十七本の金属製の弦を縦に平行に張った楽器。両手で直接かき鳴らす。竪琴(タテゴト)。かぞえ方 一台

パーフェクト①③―な〔perfect〕完全である様子だ。**―ゲーム**⑥〔perfect game〕〔野球で〕無安打・無四死球・無失策による試合。完全試合。

ハーフコート④〔和製英語 ←half+coat〕腰までの短い外套(ガイトウ)。かぞえ方 一着・一枚

ハーフサイズ④〔half size〕半分の大きさ。「―カメラ⑦〔=画面が三五ミリフィルムの半分の大きさに写るカメラ〕」

ハープシコード⑤〔harpsichord〕グランドピアノ型の鍵盤(ケンバン)楽器。十六～十八世紀に広く使われた。クラブサン。チェンバロ。かぞえ方 一台

ハーフタイム④〔half time〕〔サッカーなどで〕決められた試合時間の半分〔を経過したところで与えられる中休みの時間〕。

ハーフトーン④〔halftone〕❶半音。❷〔印刷で〕網版。❸〔絵や写真で〕明暗の中間調。ぼかし。

ハーフバック④〔halfback〕〔サッカー・ホッケーなどで〕試合開始時の陣形で、フォワードとバックの間に位置する選手。中衛。〔サッカーではミッドフィールダーとも〕

ハーフメード④〔和製英語 ←half+made〕ほとんど出来あがっている洋服などを、注文者のからだに合わせて仕上げること。また、その洋服。

バーベキュー③〔barbecue〕屋外でする焼き肉料理(のための炉)。表記「バーベQ」とも書く。かぞえ方 一本、炉は一台

バーベル⓪〔barbell〕鉄棒の両端に同じ重さの円盤状のおもりをつけた体操用具。〔重量あげ・ボディービルなどに使う〕かぞえ方 一本

バーボン①〔bourbon〕トウモロコシを主材料にした、アメリカ産のウイスキーの一種。アルコール度が高い。かぞえ方 小売の単位は一本・一瓶・一樽(ヒトタル)

パーマ①〔← permanent wave, permanent=永久(不変)〕電気・薬品で髪の毛を細かく縮らせたり 波うたせたりすること。また、その髪の毛。パーマネント④①とも。「―をかける」

パーミル①③〔per mill=千につき〕全体の中で占める割合の単位で、千分の一を表わす〔記号 ‰〕。⇩千分率

ハーモナイゼーション⑥〔harmonization〕関税・特許・諸制度などに関し、円滑に運用されるように国際間で調和を図ること。

ハーモニー①〔harmony〕❶調和。❷〔音楽で〕和声。

ハーモニカ⓪〔harmonica〕⇩ハモニカ

ばあや①【《婆や》】家事手伝いの老女(を親しんで呼ぶ語)。

パーラー①〔parlor=客間〕〔果物屋や菓子屋の一郭に作った〕喫茶室。「フルーツ―」

ハーラーダービー⑤〔hurler derby. hurler=投手〕プロ野球などの公式戦中の投手の勝ち星争い。

はあり⓪【羽〈蟻〉】〔交尾期に〕羽が生えたアリ。「はねあり」とも。

バール〔bar の文字読み〕㊀①〔もとギリシャ語で「重さ」の意〕圧力の単位で、一平方メートルあたり十万ニュートンの圧力を表わす。〔水銀柱の高さで約七五〇・〇六ミリメートル〕⇩ミリバール ㊁⓪①〔←crowbar〕金属で作ったてこ。かなてこ。㊂①〔イ bar〕〔主に南ヨーロッパで〕軽食を出す喫茶店や酒場。バルとも。「スペイン―⑤・肉―③」

パール①〔pearl〕真珠。「―のネックレス」

バーレスク③〔burlesque〕〔下品で〕滑稽(コッケイ)なしぐさを入れた、踊りの多い芝居。

ハーレム①〔Harlem〕ニューヨーク市マンハッタン島北東部の黒人の居住地区。ハレムとも。

バーレル①〔barrel=樽(タル)〕ヤードポンド法における液量の単位で、液体の種類や英米により表わす量が異なる。例、アメリカにおいて、石油一バーレルは四二米ガロン(=約一五九リットル)。イギリスにおいて、ビール一バーレルは三六英ガロン(=約一六四リットル)。バレルとも。

パーレン①〔←ド Parenthese〕〔印刷関係で〕括弧のうちで、( )の称。小括弧③。

バーン〔造語〕〔ド Bahn〕❶道路。「アウト―」❷スキー競技場のコース。「スラローム―〔=曲がりくねって滑り降りるスキー場のコース〕」

はい〔佩・拝・杯・背・肺・俳・配・排・敗・廃・〈牌・輩〉〕↓【字音語の造語成分】

ハイ㊀〔造語〕〔high〕❶高い。「―アベレージ③」❷高い△所(位置)にある。「―ベルト③」❸高度の。「―テンション③〔=強力鋼〕」㊁①―な 気分が高揚しているととらえられる様子だ。「△気分(気持)が―になる/よいことがあったのか彼女は朝から―だ」

はい①(感)❶呼ばれて答えたり 相手の言葉を聞いていることを表わしたり する言葉。❷肯定・承諾などの意を表わす言葉。↕いいえ ❸注意を促すことを表わす言葉。「―、始めましょう/―、これ」

はい①【拝】〔手紙文の最後で〕差出人の名前の下に書いて、「謹(ツツシ)んで差し上げる」という敬意を表わす語。〔主として、男性が使う〕「宮野一郎―」⇩【造語成分】

はい①【杯・〈盃〉】「さかずき」の意の漢語的表現。「―を傾ける〔=さかずきに入っている酒を一気に飲む〕/―を重ねる/―洗・金―(パイ)・優勝―・祝―」⇩【造語成分】

*__はい__⓪【肺】呼吸器の中で中心となる器官。左右一対で、胸郭の中にあり、肋膜(ロクマク)に包まれる。「肺臓」とも。「―を病む/片―〔=エンジン〕飛行」⇩【造語成分】

はい①【〈胚〉】卵または種の内部で、ひなや芽になる小さな部分。「―芽・―乳」

はい①【敗】「負けること」の意の漢語的表現。「―を取る/―軍・―戦・―北・勝―」〔負けた回数をかぞえる時にも使う〕↕しょう(勝)【造語成分】かぞえ方 一敗・三敗・四敗・六敗・八敗・十敗・何敗は「パイ」、六敗・八敗は「ハイ」とも。⇩【造語成分】

*__はい__⓪(ハヒ)【灰】何かが燃えたあとに残る粉末状の物。「―〔=火山灰(バイ)〕の降る街/たばこの―/かまどの―まで俺(レオ)の物だと主張する/今はすべて―となって〔=焼失して〕しまった旧宅/―となった〔=亡くなって茶毘(ビダ)に付された〕老母に香華(コウゲ)を手向ける/死の―/木―(バイ)・わら―(バイ)・石―(バイ)」

はい①【〈鮠〉】〔ハヤの変化〕魚のハヤ。「はえ」とも。

はい⓪(ハヒ)【〈蠅〉】〔東京方言〕昆虫のハエ。

ばい〔売・倍・梅・培・陪・媒・買・賠〕↓【字音語の造語成分】

ばい①【《貝》】浅い砂地の海に居る巻貝。表面はでこぼこのある厚い皮でおおわれている。殻のふたに、縦に走るひだのあるのが特徴。肉はつくだ煮などにし、殻は古来「ばいごま⓪〔=⇩べいごま〕」に作る。つぶ。〔エゾバイ科〕表記「〈蛽〉」とも書く。かぞえ方 一枚

ばい①【《枚》】昔 夜襲の時、口にくわえ、首に結びつけて声が出ないようにした横木。「―を銜(フク)む」

*__ばい__⓪【倍】二倍。「―ではきかない/―にして返す」⇩【造

語成分】

ばい①【〈霾〉】「黄砂(コウサ)」の意の古語。

パイ①〔pi=ギリシャ字母の第十六字(=発音はピー)の英語読み。ローマ字のPに当たる〕 ❷【π】〔数学で〕円周率の記号。〔円周率自体を指すこともある。円周を意味するギリシャ語の第一字に由来。小文字〕 ❸【Π】〔数学で〕相乗の記号。〔Product (=積)の頭文字に由来。大文字〕

パイ①〔pie〕 ❶小麦粉にバターを加えたものをこねて薄くのばし、中に果物などを入れて平たい円筒形に焼いた洋菓子。「アップル―④⑤〔=⇩アップル〕」 ❷権利を有する者に配分する利益などの全体量。「開発した地下資源の―を分ける」

パイ①〔中国・牌〕マージャンのこま。〔かぞえ方〕一枚

はい あが・る④【〈這〉い上がる】(自五) ❶這って、上がる。「塀を伝って、屋根に―」 ❷まともに立って歩けず、這うようにして、やっと上がる。〔困難な条件を乗り切って、苦労の結果、悪い環境からぬけ出(てその地位に達す)る意にも用いられる〕

バイアス⓪〔bias〕 ❶織り目に対して斜めに切った切れ地。❷Ⓐ〔統計で〕かたより。「高齢者層に―をかける」Ⓑ偏見。また、意図的な極論。「―のかかった発言」Ⓒ思い込み。先入観。意識の偏向。「正常性―〔=『心理学で』重大な事故や災害時に深刻さを実際よりも軽度に受け止めてしまう心理的特性〕」 ❸バイアステープの略。〔❶〜❸ともバイヤスとも〕 **―テープ**⑤〔bias tape〕特に洋服のそでぐり・襟ぐりなどの裁ち目を縫い包むのに使う、二センチ幅ぐらいの布テープ。略してバイアス。斜切(ハスギ)れ。

バイアスロン③④〔biathlon〕冬季オリンピック競技種目の一つ。スキーによる距離レースとライフル射撃を組み合わせた競技。冬季近代二種競技①-⑦。

ハイアライ③〔ス jai alai〕スペイン独特の球技。壁が四面大理石の部屋の中で、右手に縛りつけたざるのようなラケットを用い、小さな硬球を壁にぶつけ合って得点を競う。

はい あん⓪【廃案】〔国会で〕その期間中に△上程(可決)されないことになった議案。

はい い①【配意】―する(自サ)不備な箇所がありはしないか誤解や臆測(オクソク)を招くおそれがありはしないかなどの点に関し、周到な心配りをすること。

はい い①【廃位】―する(他サ)君主をその位から退かせること。

はい いろ⓪【灰色】❶黒がかなり薄くなって白に近づいた色。たばこの灰やコンクリートの色。グレー。「―の空」 ❷無所属・無意見の存在に、また、陰気・暗鬱(アンウツ)・あいまい・疑惑などの意を表わす。「―の人生/汚職疑惑のある―高官」

はい いん⓪【敗因】負けた原因。↕勝因

ばい いん⓪【売淫】―する(自サ)「売春」の古風な表現。

ばい う①【梅雨・〈黴雨〉】六月から七月上旬にかけて、北海道を除く日本各地に続く長雨。つゆ。さみだれ。 **―ぜん**④【―前線】⇩前線

ハイウエー④〔highway=公道〕〔自動車専用の〕高速道路。〔かぞえ方〕一本・一筋・一条

はい えい⓪【背泳】〔水泳で〕あおむけになって泳ぐ泳ぎ方。バック。背泳ぎ。

はい えき⓪【廃液】使ったあと不要として捨てる△よごれた(汚染した)液。「工場の―」

はい えつ⓪【拝謁】―する(自サ)「(天皇・皇族などに)会うこと」の意の謙譲語。

ハイエナ⓪〔hyena〕アフリカ・インドにいる、形はイヌに似ている哺乳動物。夜行性で死肉をあさったり狩りをしたりする。ブチハイエナ・シマハイエナなど。〔ハイエナ科〕〔△金銭(利権)亡者の意にも用いられる〕〔かぞえ方〕一匹

バイエル①〔ド Beyer=ドイツの作曲家の名〕バイエルが作ったピアノ教則本の称。

はい えん⓪【肺炎】肺に細菌やウイルスなどが入って炎症を起こす病気。

はい えん⓪【排煙】❶〔工場の煙突などから〕ふき出て来る煙。❷―する(自サ)建物などの中にこもっている煙を外に(吸い)出すこと。「―車③」

はい えん⓪【廃園】❶荒れ果てた庭園。❷―する(他サ)遊園地・幼稚園などの経営をやめること。

ばい えん⓪【梅園】梅の木をたくさん植えた庭園。

ばい えん⓪【〈煤煙〉】石炭などを燃やす時に出るすすや煙。

ハイエンド③〔high-end〕同種の製品の中で、品質や価格が最も高いもの。

バイオ〔bio〕❶①バイオテクノロジー・バイオニクスの略。❷(造語)生命に関する。「―サイエンス④・―インダストリー⑥④・―テクノロジー・―リズム」

はい おく⓪【廃屋】住む人が居なくなって荒れはてた家。廃家(ハイカ)。

ハイオクタン③〔high-octane〕オクタン価の高い△こと(ガソリン)。略してハイオク⓪。

バイオテクノロジー⑥〔biotechnology=生命の科学技術〕生物を工学的見地から研究し、品種改良や医薬品・食品の製造に応用する技術。生物工学⑤。略してバイオ。

はい おとし③⓪【灰落(と)し】昔、たばこの灰をその中に落として入れた、竹製の筒。今の灰皿に相当。

パイオニア⓪〔pioneer=もと、歩兵の意〕その方面での先駆者。開拓者。

バイオニクス④〔bionics〕生物の持つ、情報処理・認識・運動・エネルギー変換などのすぐれた機能を応用する工学。生体工学。

バイオハザード⑤〔biohazard〕有害な微生物によって人間や生活環境に危険が及ぶこと。とくに、病院、研究施設などからの有害廃棄物や病原体の流出、遺伝子組み換え実験による悪影響など。「生物災害⑤」と訳すこともある。

バイオマス③〔biomass〕❶ある一定の時間と空間内に存在する生物量。❷生物体をエネルギー源や工業原料として利用すること。また、その生物体。生物由来資源。

バイオリズム④〔biorhythm〕人間の活動は、生理・感情・知性のすべてにわたって一定の波を描いてプラス・マイナスの起伏がある、とする時の、リズム。

バイオリニスト⑤〔violinist〕(職業として)バイオリンをひく人。

バイオリン⓪〔violin〕手で持ち肩・顎(アゴ)に当てて弾く四弦の楽器。ヴァイオリンとも。提琴。〔馬の尾の毛を張った弓でこすって演奏する。同形の弦楽器の中では最小〕「第一―」〔かぞえ方〕一挺(チョウ)・一丁

バイオレット①〔violet〕❶庭に植える多年草。春、いいにおいのする△紫青色(白色)の花を開く。花からは香料を作る。においすみれ④。西洋すみれ⑤。〔スミレ科〕 ❷すみれ色。紫色。

バイオレンス(造語)〔violence〕暴力。乱暴。「―小説・ドメスティック―」

ばい おん⓪【倍音】振動数が基音の振動数の整数倍である音。さまざまな振幅の基音と倍音の組合せで、楽器の音や声の音色(ネイロ)が決まる。

はい か①【配下・輩下】〔↑支配下②〕ある人の命令通りに行動することだけが求められている存在。

はいか⓪①【配架】―する(他サ)〔図書館で〕本を書架に配列すること。

はいか【廃家】❶①廃屋。❷①⓪―する(自サ)〔民法の旧規定で〕相続人が無くて、家系が絶えること。また、その家系。

はいが①【拝賀】―する(自サ)立場の上の人にお祝いの言葉を述べること。「(新年)―式」

はいが⓪【〈胚芽】〔生物学で〕植物の種の内部にあり、やがて芽となって生長する部分。―米⓪〔=胚芽が残るように加減して精米した米〕」

はいが⓪【俳画】俳味がある、簡素な△墨絵(淡彩画)。

ばいか①【売価】「売り値」の意の漢語的表現。↔買価

ばいか⓪【倍加】―する(自他サ)数量などを△二倍(大幅)にふやすこと。また、ふえること。

ばいか①【梅花】ウメの花。

ばいか①【買価】「買い値」の意の漢語的表現。↔売価

はい

［〈佩］❶身につける。「佩刀・佩用」❷心にとどめて忘れない。「感佩」

［拝］❶おがむ。「拝礼・拝殿・参拝・礼拝・三拝九拝・二拝二拍手一拝」❷官位・命令などをつつしんで受ける。「拝官・拝命」❸相手に対して敬意を示すために、自分のする動作につける語。〔この場合は、上に「御」をつけないで、下に「申し上げる・いたす」などをつける〕「拝殿・拝啓・拝見・拝察・拝聴・拝読・拝復」⇩(本文)はい【拝】

［杯］❶容器(すれすれ)に液体や飯などを入れた分量を単位としてかぞえる語。「ご飯を三杯平らげた/バケツの水一杯/二杯酢・三杯酢」❷イカ・タコ・カニなどをかぞえる語。❸昔、船をかぞえた語。「たった四杯で夜も寝られず」表記「〈盃」とも書く。かぞえ方 一杯・六杯・八杯・十杯は「パイ」、三杯・何杯は「バイ」、八杯は「ハイ」とも。⇩(本文)はい【杯】

［背］❶せなか。「背後・背景・腹背」❷そむく。「背任・背反・背信・背徳・違背」

［肺］心のこと。「肺肝・肺腑」⇩(本文)はい【肺】

［俳］■❶芸。「俳優」❷こっけい。「俳諧」■(略)俳諧・俳句。「俳号・俳人・雑俳」

［配］■❶調和するように取り合わせる。「配合・配偶・好配」❷それぞれの場所に△くばる(送る)。「配送・配達・分配」❸遠国へ罪人を移す。「配流・配所」■(略)❶配当。「減配・増配・復配・有配」❷配達。「宅配・直配」

［排］❶(不要な物を)外へ出す。「排斥・排水・排撃・排除・排泄・排外・排仏」❷列に並べる。「排置・排列・按排」

［敗］❶物事がだめになる。「酸敗・腐敗」❷やりそこなう。「成敗・失敗」⇩(本文)はい【敗】

［廃］❶古くなって役に立たなくなる。「廃物・廃屋・荒廃・頽廃」❷〔必要がなくなって〕やめにする。「廃止・廃業・全廃・撤廃」

［〈牌］❶メダル。「優勝牌」❷〔マージャンの〕パイ。「役牌」

［輩］❶(続いて)並ぶ。「輩出」❷なかま。グループ。「若輩・年輩・朋輩・同輩・先輩・佐藤輩〔=たとえば佐藤といった連中〕」

ばい

［売］うる。「売店・売買・売却・売品・商売・発売・完売」↔買

［倍］❶多くする。「倍加・倍旧」❷ある数に他の数を掛けることを表わす。「十の一倍〔=十〕/倍率・倍数・十倍」⇩(本文)ばい【倍】

［梅］❶ウメ(の実)。「梅園・梅花・梅林・老梅・寒梅・観梅・紅梅・白梅・松竹梅」❷ウメの実る季節。「梅雨・入梅」❸「黴」の代用字。「梅毒」

［培］(土をかけて)育てる。つちかう。「培養・栽培」

［陪］❶おともをする。「陪従」❷貴人のおしょうばんで何かをする。「陪席・陪乗・陪食・陪観」❸重なる。「陪臣」

［媒］なかだちをする。間に立って、結合させる。「媒介・媒体・媒質・媒酌・触媒」

［買］かう。「買価・買収・購買・売買・不買同盟」↔売

［賠］相手に与えた損害をつぐなう。「賠償」

ハイカー①〔hiker〕ハイキングをする人。

はいかい⓪【俳諧・〈誹諧】〔「滑稽」の意〕❶もと、滑稽みのある、和歌・連歌の一つの形式。❷連句。〔狭義では、俳句を指す〕「―師③」

はいかい⓪【〈徘徊〉】―する(自サ)「ぶらつく・うろつく」意の漢語的表現。「―癖がある」

はいがい⓪【拝外】外国の人や思想・事物などを、自国(のそれ)よりも いいものとして、それに従うこと。「―思想⑤・―主義⑤」

はいがい⓪【排外】外国の人や思想・事物などを、嫌って排斥すること。「―的⓪・―主義⑤」

＊**ばいかい**⓪【媒介】―する(他サ)〈なにヲ―する/だれ・なにトだれ・なにヲ―する〉今まで交渉の無かった二つのものの間に立って、なんらかの関係をつけること。「感染症を―する動物/死者の霊と生きている人を―する巫女」

ばいかい⓪【売買(い)】❶「売り買い」の意の古風な表現。❷〔取引で〕一人で、同時に売り方と買い方になって、名目上 株を売買したことにすること。

はいかき③④【灰〈掻(き)】❶火鉢の灰をならす道具。灰均し。❷ストーブの△石炭(炭殻)をならしたり 掻き出したりする道具。火掻き棒③。❸火事の焼け跡の灰をかたづける△こと(人)。かぞえ方 ❶❷は一本

はいがく⓪【廃学】―する(自他サ)❶学問をやめること。❷学校の経営をやめること。

ばいがく⓪【倍額】二倍の金額。

はいかぐら③【灰《神《楽】火の気のある灰の中に湯や水をこぼしたり 灰の入った火鉢を ひっくり返したり したために、灰が舞い上がること。また、その灰。「―が立つ」表記 ⇩付表「神楽」

はいガス⓪【排ガス】「排気ガス④」の略。 ―きせい⑤⑥【―規制】大気汚染防止のためガソリン エンジンやディーゼル エンジンなどの内燃機関から排出される、一酸化炭素・窒素酸化物などの有害物質の含有量を、法律で制限すること。

はいかつりょう④【肺活量】十分肺に吸い込んでから出せるだけ出した空気の量。

ハイカラ⓪―な―に〔和製英語 ←high + collar〕〔趣向が新しく〕小綺麗で、気がきいている△こと(様子)。また、その人。派―さ⓪ 表記「灰殻」は、皮肉を込めた音訳。

はいかん⓪【拝観】―する(他サ)神社仏閣や、そこの宝

物などを見せてもらうこと。「—料③」

はいかん⓪【肺肝】〔古〕心のやどる場所として考えられた肺と肝。「—を砕く(=非常に苦心する)」

はいかん⓪【肺患】❶「肺病」の意の古風な表現。❷肺病患者。

はいかん⓪【配管】—する ガス・水道などを通すための管(を取りつけたり引いたりすること)。「—工事」

はいかん⓪【廃刊】—する(他サ) 雑誌・新聞などの発行をやめること。

はいかん⓪【廃官】その官職の制度を廃止すること。また、その官職。

はいかん⓪【廃艦】古くなって使わなくなった軍艦を艦籍から除くこと。また、その軍艦。

はいがん⓪【拝顔】—する(自サ)「(相手に)会うこと」の意の謙譲語。「—の栄に浴する」

はいがん⓪【肺癌】肺に出来る癌。喀血・血痰・呼吸困難や声がかれるなどの症状を伴う。〔たばこの吸いすぎも誘因の一つといわれる〕

ばいかん⓪【陪観】—する(他サ)〔天皇など〕身分の高い人の△そばで(お供をして)見物すること。

はいき⓪【排気】—する(自他サ) ❶中の空気を外へ出すこと。「—口⓪③」↕給気 ❷エンジンからはき出されること。また、その△ガス(蒸気)。「—ガス④」 **—りょう**③【—量】〔内燃機関で〕ピストンの一回の往復運動によって押し出される気体の体積。

はいき①【廃棄】—する(他サ) 必要としなくなったので△ないものとする(捨てる)こと。「条約を—する/—処分④」

はいきしゅ③【肺気腫】肺の弾力性が弱まって、吸い込んだ空気が過度に残る病気。

はいきゃく⓪【廃却】—する(他サ) 不要になったものを処分すること。「不良品は—にする/データを—する」

ばいきゃく⓪【売却】—する(他サ)「売り払う」意の改まった表現。「国有財産を—する」

はいきゅう⓪【配球】—する(自サ)〔野球で〕打者に対する投球の種類の配合・取合せ。「絶妙の—」

はいきゅう⓪【配給】—する(他サ) 数量に限りのある物資を一定の割合でめいめいに渡すこと。「—品⓪・—制⓪・—券③・—所⑤⓪」

はいきゅう⓪【排球】⇩バレーボール

はいきゅう⓪【廃休】制度的に休日である日を、仕事の都合で休まずに、平日通り勤務すること。休日出勤。

ばいきゅう⓪【倍旧】従来よりもずっと客のひいきの程度が強くなること。「—のお引立て」

はいきょ①【廃〈墟・廃虚】人が住まなくなって建物・市街などの荒れ果てた跡。「—と化す」 表記「虚」は、代用字。

はいきょう⓪【背教】〔おもにキリスト教で〕信者が教えにそむいたり他に改宗したりすること。「—者③」

はいぎょう⓪【廃業】—する(自他サ) 今までしていた職業や商売をやめること。〔狭義では、芸者・遊女の廃業を指す〕「今場所限りで力士を—する/—届⑤」

はいきょく⓪【敗局】〔碁・将棋の〕負けた一回の勝負。↕勝局

はいきん⓪【拝金】金銭(の力)を何よりも大切と考え、極端に執着すること。「—宗③⓪・—主義⑤」

はいきん⓪【背筋】背中にある筋肉。「—力③」

はいきん⓪【排菌】—する(他サ) 保菌者が、病原体を体外に△出す(出して、他人に感染させる)こと。「—者③」

***ばいきん**⓪【〈黴菌】細菌のうち、人畜に有害なものの通称。物を腐敗させ、病気を伝播する元となる。〔広義では、組織につきものの汚ない物や厄介視される物をも指す〕

ハイキング①—する(自サ)〔hiking〕(グループで)日帰り程度で山野を歩き回ること。「—コース⑥」

バイキング①〔Viking〕❶八世紀から十世紀にかけてヨーロッパの沿岸を略奪した、スカンディナビアの海賊。❷「バイキング料理」の略。 **—りょうり**⑥【—料理】〔日本のレストランなどで〕各種の料理を用意しておいて、各自が自由に取り分けて好きなだけ食べる方式。ビュッフェ。

ハイク①〔hike=もと、引っぱる意〕ハイキング。「ヒッチ—」

はいく⓪【俳句】五・七・五の十七音節から成る短詩。季題をよみ入れることを旨とする。〔もと、俳諧連歌の発句が独立したもの〕「—を作る/伝統—・無季—」 かぞえ方 一句

はいぐ①【拝具】〔つつしんで申し上げる、の意〕手紙文の終りに書く語。

バイク①⓪〔bike ← bicycle〕モーターバイクの略。

はいぐう⓪【配偶】〔とりあわせる意〕夫婦(の一方)。「好—③」 **—しゃ**③【—者】〔法律で〕夫に対して妻を、また、妻に対して夫を、それぞれ指して言う語。

ハイクラス③—な〔high-class〕人の身分や物の品質などが非常に高い△こと(様子)。

はいぐん⓪【敗軍】戦いに△負けること(負けた軍隊)。「—の将、兵を語らず(=失敗した人には、その事について意見を述べる資格が無い)」

はいけい①【拝啓】〔つつしんで申し上げる、の意〕手紙文の初めに書く語。〔一般に「敬具」で結ぶ〕

***はいけい**⓪【背景】〔絵画・芝居などで〕中心となる物を引き立てたりそれがある場所を表わしたりする、後方の景色など。〔直接表面に出ない事情や勢力の意にも用いられる。例、「…が—にある/事件の—/経済的—」〕

はいげき⓪【排撃】—する(他サ) 不要のものとして強く押しのけること。「偏見を—する/—運動⑤」

ばいけつ⓪【売血】—する(自サ) 血液銀行に自分の血液を売ること。〔献血制度の導入以前に行なわれていた〕「—者④③」

ばいけつ⓪【買血】—する(自サ) 急患などに対する輸血に備えるため、血液銀行で提供者から血液を買うこと。

はいけっかく③【肺結核】結核菌によって肺に起こる、慢性の病気。微熱が続き、せきが出、喀血することが多い。

はいけつしょう⓪④【敗血症】細菌が、うんだ傷や虫歯などから血管やリンパ管に入って起こる病気。

はいけん⓪【〈佩剣】腰にさげる刀。

はいけん⓪【拝見】—する(他サ)「見ること」の意の謙譲語。「ちょっと—(=見せてください)」

はいご①【背後】❶何かのうしろの方。「敵の—を衝く」❷表面に現われた事柄と深くかかわりあいのある隠されている事柄。「革命の—にある大国の後押し/—関係④」

はいご⓪【廃語】死語。

はいこう⓪【背光】後光。〔その人がになっている△名誉(権威)の意にも用いられる。例、「エリートの—」〕

はいこう⓪【廃坑】鉱石・石炭などの採掘をやめた△鉱山(坑道)。

はいこう⓪【廃校】—する(自他サ)△児童(生徒・学生)数の減少などによって必要がなくなったり経営が困難になったりして教育機関としての活動をやめること。また、その学校。

はいこう⓪【廃鉱】—する(他サ)〔一つの鉱山で〕全面的に鉱石・石炭などの採掘をやめること。また、その鉱山。

はいごう⓪【俳号】その人が俳句の作者として使う雅

はいごう⓪【配合】―する（他サ）❶調和するように、幾つかの物を取り合わせること。「色の―を考える」❷効果を増すように、幾つかの物をまぜ合わせること。「―肥料⑤」

はいごう⓪【廃合】―する（他サ）廃止したり合併したりすること。「部局の―／統―」

ばいこく⓪【売国】〔自分の利益のために〕自国の不利益になるようなことをすること。「―的行為・―奴④③〔=売国的行為をする者を非難・侮蔑して言う語〕」

バイコロジー③〔bicology ←bike + ecology の混合〕自動車による公害の追放を目的とする市民運動。自転車に乗ることによって人間性を回復することも目的の一つという。

はいざい⓪【配剤】〔病状に合わせた薬の調合の意〕物事の配合のしかたの巧みさ。「天の―〔=とても△偶然（人間わざ）とは思われないほど、世の中や運命がうまく出来ていること〕」

はいざい⓪【廃材】いらなくなった材木。

ばいざい⓪【媒材】媒介となる材料。

はいさつ⓪【拝察】―する（他サ）〔手紙文や挨拶などで〕「推察すること」の意の謙譲語。「ご健勝のことと―いたします」

はいざら⓪【灰皿】たばこの灰や吸殻を入れる器。

はいざん⓪ ❶【敗残】〔敗散の変化〕戦いに負けて生き残ること。「―兵③」❷【廃残】生存競争に破れて、落ちぶれること。「―の身」

はいざん⓪【廃山】―する（他サ）鉱山の経営を廃止すること。また、その鉱山。

はいし①【胚子】生物の卵の受精したもの。

はいし⓪①【俳誌】俳句の雑誌。

はいし⓪【配〈祀】―する（他サ）主神に添えて、他の神を一緒に祭ること。

*__はいし__⓪【廃止】―する（他サ）（なにヲ―する）〔それまで続いて来た制度・習慣などを〕不要としてやめること。「制度を―に追い込む／―を求める／虚礼―・奴隷―」↔存置

はいし⓪①【廃市】❶さびれすたれた都市。❷人が住まなくなった都市。「砂漠の中の―」

はいし①【稗史】〔昔、中国で政治の参考に、下級の役人に書かせた民情報告書の意〕小説体の歴史。

はいじ①【拝辞】―する（自他サ）〔手紙文などで〕「△辞退する（別れを告げる）こと」の意の謙譲語。

はいじ①⓪【廃寺】住職の居ない、荒れ果てた寺。

ハイシーズン③〔high season〕一年のうちで最も仕事や客が集中し、忙しくなる時期。繁忙期。

はいしつ⓪【肺疾】肺に生じる疾患。特に、肺結核を指す。

はいしつ⓪【廃疾・〈癈疾】なかなか治らず、また治ったあとも障害の残ることが多い病気。また、その人。「―者④③」

表記「廃」は、代用字。

ばいしつ⓪【媒質】〔物理学で〕波動を伝える物質。例、音の場合、空気は媒質だが、真空は媒質ではない。

はいじつせい⓪【背日性】〔植物学で〕根などが、日光などの光の刺激を受けると、光の来る方と反対の方向に生長していく性質。背光性⓪。↔向日性

はいしゃ①【歯医者】歯の治療をする医者。歯科医。

はいしゃ①【拝謝】―する（自サ）〔手紙文などで〕「△礼を言う（あやまる）こと」の意の謙譲語。

はいしゃ⓪【配車】―する（自サ）自動車・車両などを必要な所へ割り当てること。

はいしゃ①【敗者】試合などに負けた△人（方）。「―復活戦」↔勝者

はいしゃ⓪【廃車】古くなったりこわれたりして使わないことにした△自動車（車両）。

バイシャ①〔サンスクリット vaisya〕⇨カースト

はいしゃく⓪【拝借】―する（他サ）「借りること」の意の謙譲語。「ちょっと―〔=貸してください〕」運用「お手を拝借」の形で、宴会などで手締めをする際のかけ声として用いられる。

ばいしゃく⓪【媒酌・媒〈妁】―する（他サ）結婚のなかだちをする△こと（人）。「―人⓪」

ハイジャック③―する（他サ）〔hijack〕航空機などを乗っ取ること。

ハイジャンプ③〔high jump〕走り高跳。

はいしゅ①【胚珠】植物の花の部分にあり、受精後に種子となるもの。〔裸子植物では むき出しになっているが、被子植物では子房内にある〕

はいじゅ①【拝受】―する（他サ）〔手紙文で〕「（物を）受け取ること」「（任務を）受けること」の意の謙譲語。

ばいしゅう⓪【買収】―する（他サ）❶買い取ること。「土地の―」❷金品などを相手に与えて味方にし、自分に有利になるように取りはからわせること。

ばいじゅう⓪【陪従】―する（自サ）身分の高い人のお供をする△こと（人）。

はいしゅつ⓪【排出】―する（他サ）内部にたまっている不要な物を外へ押し出すこと。〔狭義では、排泄を指す〕

はいしゅつ⓪【輩出】―する（自他サ）（次から次へと）多くの有為の人物△が世に出る（を世に出す）こと。「この私塾からは優秀な人材が―した／理数系の学者を―した名門大学」

はいしゅみ③【俳趣味】俳諧の趣味・あじわい。

ばいしゅん⓪―する（自サ）❶【売春】金銭のために不特定の相手と性的行為をすること。「―婦③」❷【買春】金銭を支払って性的行為をすること。かいしゅん。

はいしょ⓪【俳書】俳句・俳諧に関する書物。

はいしょ⓪③【配所】昔、刑罰として罪人を流した、遠い辺鄙な土地。謫所。「罪無くて―の月を見る」

はいじょ①【排除】―する（他サ）そこに△あって（いて）はいけないものとして、取りのけたり追いやったりすること。「△暴力（抵抗勢力）を―する／弱者―の論理」

はいじょ①【廃除】―する（他サ）〔法律で〕非行などのあった遺産の相続人から、相続権を取り上げる△こと（手続き）。

はいしょう⓪【拝承】―する（他サ）〔手紙文で〕「聞く・承知すること」の意の謙譲語。

はいしょう⓪【拝〈誦】―する（他サ）〔手紙文で〕「（声を出して）読むこと」の意の謙譲語。

はいしょう⓪【廃〈娼】公娼制度を廃止すること。「―運動」

はいじょう⓪【配乗】―する（自サ）乗務員が乗って勤務する車両・自動車などを割り当てること。

はいじょう⓪【廃城】荒れ果てて、住む人も無い城。

ばいしょう⓪【賠償】―する（他サ）相手に与えた損害を金銭などでつぐなうこと。「―金⓪」

ばいじょう⓪【陪乗】―する（自サ）身分の高い人のお供をして、同じ乗り物に乗ること。

ばいしょうふ③【売笑婦】不特定の相手と性交渉を行なうことによって生計を立てている女。

はいしょく⓪【配色】色の取合せ。取り合わせた色。

はいしょく⓪【配食】―する（他サ）家庭・施設などに、専門業者が食事などを配達すること。「高齢者―サービス」

はいしょく⓪【敗色】負けそうな様子。「―濃厚」

ばいしょく[0]【陪食】―する(自サ)〔天皇など〕身分の高い人と一緒に食事をすること。「御―を仰せつけられる」

はいしん[0]【背信】相手との約束や道義にそむいた、人間としてあるまじき言動をすること。「許しがたい―行為」

はいしん[0]【背進】―する(自サ) 後方へ進むこと。

はいしん[0]【配信】―する(他サ) ❶通信社・新聞社・放送局などが報道材料を関係機関に提供すること。❷インターネットで、音楽・映画などを公衆に提供すること。

はいじん[0]【俳人】俳句を作ることをライフワークとする人。

はいじん[0]【廃人・〈癈人〉】傷害や病気のため、普通の社会生活が出来ない人。〔多く侮蔑(ブベツ)を含意する〕「すっかり気力を無くし―同然になってしまった」 表記「廃」は、代用字。

ばいしん[0]【陪臣】❶家来の家来。またげらい。❷〔将軍や天子からみた場合〕諸侯の臣下であるものの称。

ばいしん[0]【陪審】裁判に民間人も加わって、犯罪の事実の有無を判断したり(量刑を決めたり)する制度。〔日本では裁判員制度がこれに相当する〕「―員[3]」

はいしんじゅん[3]【肺浸潤】肺の一部に起こった結核がだんだん広がった状態。

はいすい[0]【配水】―する(自サ) 水道などの水を供給すること。「―管[0]」

はいすい[0]【排水】―する(自サ) 内部の不要な水を外へ押し出すこと。「―溝(コウ)[0][3]」 **―トンすう**[5][7]【―トン数】⇩トン数 **―りょう**(リヤウ)[3]【―量】水に浮かんだ船などが、その水中に入った部分の体積に等しい水を押しのけた分量。

はいすい[0]【廃水】使用ずみとして捨てられた、きたない水。

はいすいのじん(チン)[6]【背水の陣】川や海を背にして陣を構えること。(もうこれ以上退却出来ない)最後の決戦をする構え。「―を敷く」

はいすう[0]【拝〈趨〉】―する(自サ)〔手紙文で〕「(こちらから相手方へ)出かけて行くこと」の意の謙譲語。

ばいすう[3]【倍数】〔数学で〕その自然数にもう一つの自然数を掛けて得られる数の、元の数に対する称。〔多項式の場合にも用いる〕「六は二の―/公―」↕約数

ハイスクール[4]〔high school〕❶高等学校。❷アメリカの中等学校。

ハイスピード[4]〔high-speed〕高速度。「高速道路を―でぶっ飛ばす」

はいずみ[0]【《掃墨》・(ハヒ)【灰墨】】〔「掃墨(ハキズミ)」の変化〕ごま油・菜種油などから出るすすを集め取ったもの。墨の材料とする。

はい・する[3]【拝する】(他サ) ❶頭を下げて敬礼する。拝む。❷〔身分の高い人からのお言葉や命令などを〕受ける。「大命を―」 ❸拝見する。ご推察する。「ご満足のご様子に拝せられた」 拝す[1](五)。

はい・する[3]【配する】(他サ) ❶〔適当なものを〕取り合わせる。「紺に臙脂(ジエン)を配したネクタイ」 ❷人や物を、適当な所に(分けて)置く。「庭に石を―」 ❸〔古〕島流しにする。「遠島に配せられる」 配す[1](五)。

はい・する[3]【排する】(他サ) ❶〔前途に立ちはだかるじゃまなものや、ともすれば押し流されやすいマイナスの要素を〕退ける。「△万難(妥協・惰性・抵抗・独善)を―/ドアを―(=強い力で開ける)」 ❷〔順序を決めて〕並べる。「単語をいろは順に排してある」 排す[1](五)。

はい・する[3]【廃する】(他サ)〔今までしていた事を〕すっかりやめる。廃す[1](五)。「虚礼を―/学業を―」

はい・ずる[3](ハヒ)【〈這いずる〉】(自五)〔「這う」と「引きずる」の混合か〕うまく歩行が出来ないので、這うがごとくいざるがごとくにして、至近距離を進む。「這いずり回る」

ばい・する[3]【倍する】(自他サ) 二倍に△する(なる)。「味方に―敵軍/旧に―(=一段と増す)ご支援」

はいせい[0]【俳聖】すぐれた句作をし、求道的な態度をもってその世界で尊敬される人。「―松尾芭蕉(バシヨウ)」

はいせい[0]【敗勢】負けそうな形勢。↕勝勢

はいせいしん[3]【肺性心】肺の病気が原因で心臓の働きが悪くなったもの。〔息切れ・どうき・呼吸困難・胸の痛みなどが一緒に起こることがある〕

はいせき[0]【排斥】―する(他サ)〔忌避して〕△それに従うことをやめる(仲間はずれにする)こと。「日貨(=日本商品)―」

はいせき[0]【廃石】鉱山で鉱石を掘り出す時に一緒に出て来る、役に立たない岩石。ぼた。ずり。

ばいせき[0]【陪席】―する(自サ) 身分の高い人と同席すること。 **―さいばんかん**(クワン)[7]【―裁判官】訴訟の審理に参加し、裁判長を輔佐(ホサ)する判事。

バイセクシュアル[3]〔bisexual〕異性と同性の両方を恋愛対象とする△こと(人)。両性愛(者)。

はいせつ[0]【排〈泄〉】―する(自サ) 動物が、栄養分を摂(ト)った残りの物質や体内で作られた有害な物質を、体外に出すこと。「―物(ブツ)[4](=大小便)」

はいせつ[0]【排雪】❶―する(他サ) 積もった雪を路上・線路などから取りのけること。「―車[4][3]」 ❷たくさん積もったあとで、取りのけられた雪。「―が川に詰まる」

はいぜつ[0]【廃絶】―する(他サ)〔制度・物などを〕不要の物として、完全になくすこと。「核(兵器)―」

はいせん[0]【杯洗・〈盃洗〉】〔酒席で〕替えの杯を入れたり杯をすすいだりする容器。

はいせん[0]【肺〈尖〉】❶肺の上端の突出部分。❷〔←肺尖カタル[5]〕肺尖部分の炎症。肺結核の初期症状(に似る)。

はいせん[0]【配船】―する(自サ) 必要な所に船を割り当てること。「―計画」

はいせん[0]【配線】―する(自サ) 電線や電話線を必要な所に△引く(張りめぐらす)こと。「―図[3]」 **―ばん**[0]【―盤】電話交換局で、電話加入者から来る電線を配列してある装置。

はいせん[0]【敗戦】戦争・試合などに負けること。〔日本では太平洋戦争のそれを指す。すなわち一九四五年八月十五日〕「―投手[5]・―主義[5](=敗北主義)」

はいせん[0]【廃船】〔古くなったりして〕使わなくなった船。船籍から除いた船。

はいせん[0]【廃線】鉄道路線などの営業を廃止すること。また、その線路。

はいぜん[0]【〈沛然〉】―たる ―と 「雨が盛んに降る様子」の意の漢語的表現。

はいぜん[0]【配膳】―する(自サ) 料理を盛った膳を客の前に並べること。また、その人。「―室[3]・―台[0]」

ばいせん[0]【媒染】―する(他サ) それだけでは繊維に染まりにくい(アリザニン[0]などの)染料を、薬品を使って染まりやすくすること。「―剤[3][0]」

ばいせん[0]【〈焙煎〉】―する(他サ) コーヒーの豆(や薬草)を熱を加えて煎(イ)ること。「炭火で―する/自家―[3]」

ハイセンス[3]―な〔和製英語 ←high + sense〕〔調度・アクセサリーや服装などが〕いかにもしゃれていて、趣味がいい様子だ。

ハイソ[1]―な ―に〔ハイソサエティーの略〕いかにも高級で上流社会の要素を備えている様子だ。「―な△街並(料理)」

はいそ[1]【敗訴】―する(自サ) 訴訟に負けること。↕勝訴

は

はいそう⓪【背走】―する(自サ) 前向きのまま後ろの方へ走ること。

はいそう⓪【配送】―する(他サ) 配達と発送をすること。「―課⓪」

はいそう⓪【敗走】―する(自サ) 戦いに負けて逃げること。

はいぞう⓪【肺臓】⇩肺

ばいぞう⓪【倍増】―する(自他サ) 二倍に△ふえる(ふやす)こと。「倍まし」とも。「所得の―」

はいぞく⓪【配属】―する(他サ) 部署を割り当てて、そこに所属させること。

ばいそく⓪【倍速】〔ビデオなどで〕通常の二倍の速さで操作が行なわれること。また、その速さ。「―で再生する」

ハイソサエティー④〔high society〕 上流社会。

ハイソックス③〔和製英語 ←high + socks〕 ひざ下までの、長いソックス。

はいそん⓪【廃村】 もとは村であったが、今は人の住まなくなった所。

はいた⓪【排他】 自分(の仲間)以外の人や思想を絶対に受け入れないこと。「―的⓪・―性⓪」

ばいた①⓪【〈売女〉】 売春婦。〔女性を極端にののしって言う時にも使う〕

はいたい⓪【〈胚胎〉】―する(自サ) 〔「胚」は、きざす意〕 物事が始まる原因が生じること。「禍根が―する」

はいたい⓪【敗退】―する(自サ) 戦争に負けて退却すること。〔文脈により、単に勝負に負ける意にも用いられる〕

はいたい⓪【廃退・廃〈頽〉】―する(自サ) 〔道徳や規律など行なわれるべき事が、行なわれなくなること。「―的⓪」 表記 「廃怠」とも書いた。「退」は、代用字。

ばいたい⓪【媒体】 ❶情報を伝える なかだちとなる物。メディア。「コミュニケーションの―/その商品の存在を消費者が知った―をアンケート調査する」 ❷媒質となる物体。

ばいだい⓪【倍大】 倍の大きさ。「―号③」

はいたか⓪【〈鷂〉】 〔「はしたか」の変化〕タカ狩ガリに使う、小さい雌のタカ。〔雄はコノリ①と言う〕〔タカ科〕 かぞえ方 一羽

はいだ・す③【〈這〉(い)出す】(自五) ❶這って、外に出る。 ❷這い始める。

はいたたき③【〈蠅叩〉(き)】 ⇩はえたたき

***はいたつ**⓪【配達】―する(他サ) 〈どこニ なにヲ―する〉 郵便物・商品などを、目的のそれぞれの家に配り届ける△こと(人)。「新聞―・牛乳―」 ―きろく⑤【―記録】 郵便局が郵便物を受取人に配達したことを記録する△こと(制度)。〔現在は廃止〕 ―しょうめい⑤【―証明】 郵便局が書留扱いの郵便物を受取人に配達した事実を証明する△こと(制度)。

ハイタッチ③―する(自サ)〔和製英語 ←high + touch〕〔スポーツなどで〕作戦の成功や勝利の喜びを仲間と分かち合うため、片手または両手を高くあげ、互いに手のひらでタッチすること。

バイタリティー③〔vitality〕 あふれる生気。「―がある」

バイタル サイン⑤〔vital signs〕 生存の兆候を示すもの。呼吸・心拍・体温・血圧など。略してバイタル①。

はいだん⓪【俳壇】 俳句関係者の社会。また、その師弟関係などによる つながり。

はいち⓪①【背〈馳〉】―する(自サ) 正しいとされるものと食い違うこと。

***はいち**⓪【配置】―する(他サ) 〈なに・どこニ だれ・なにヲ―する〉 ❶そこで機能が発揮されることを期待して、△人を組織内の特定の地位や部署に付ける(物を施設などの適切な場所に備え付ける)こと。「新店舗にベテラン社員を―する/要所要所に警備員を―する/―替ガえ⓪・―転換④」 ❷装飾・演出などの効果を高めるために、全体のバランスを考えて物や人を適切な位置に置くこと。また、その置き方。「会場のあちこちに花を―する/小道具の―に気を配った舞台」

はいち⓪①【排置】―する(他サ) 順序や釣合などを配慮した並べ方をすること。

ばいち①⓪【培地】 細菌を人工的にふやすために作られた物。培養基③。〔多く、肉の汁に寒天などを加えて作る〕

はいちせい⓪【背地性】 地中から出た植物の芽が、上方へ向かって生長していく性質。↕向地性

はいちゃく⓪【敗着】〔碁・将棋で〕そこに石を置いたりその駒コマを動かしたりしたために、結果として、その勝負に負けることになる悪手(を打つこと)。↕勝着

はいちゃく⓪【廃嫡】―する(他サ) 〔民法の旧規定で〕被相続人の意思に基づき、法定の推定相続人の地位を剝奪ハクダツすること。

はいちょう⓪【拝聴】―する(他サ) 「(人の話を)聞くこと」の意の謙譲語。

はいちょう⓪【〈蠅帳〉】 ハエよけと風通しとを兼ねる金網などを張った、食物を入れる戸棚。

ばいちょう⓪【陪聴】―する(他サ) 身分の高い人と同席して、だれかの話を聞くこと。

ハイツ①〔heights=高台〕 高台にある住宅地。〔集合住宅や住宅団地の名称としても用いられる〕

はいつう⓪【背痛】 背中の痛む症状。「腰痛や―の治療/腰―」

はいつくば・う⑤【〈這〉(い)〈蹲う〉】(自五) 両手・両ひざを、地面や床につけるような かっこうになる。はいつくばる⑤(五)。

はいてい⓪【拝呈】―する(他サ) 〔手紙文で〕「(物や手紙を)差し上げること」の意の謙譲語。〔結語としても用いられる〕

はいてい⓪【廃帝】 強制的に位を追われた皇帝・天皇。

ハイティーン③〔和製英語 ←high + teen〕 ティーン エージャーのうち、十六歳以上の人。↕ローティーン

ハイテク⓪〔hi-tech ←**high technology**〕 高度な科学技術。先端技術。「―産業⑤」

はい・でる③【〈這〉(い)出る】(自下一) 這って、外に出る。

はいてん⓪【配点】―する(自サ) 〔試験で〕△各科目(各問題)に点数を配分すること。また、その配分した点数。「外国語の―を多くした入試問題」

はいてん⓪【配転】―する(他サ) 〔←配置転換〕 所属していた職場△が変わ(を変え)ること。

はいでん⓪【拝殿】 〔神社で〕拝礼を行なうために、本殿の前に建てた建物。

はいでん⓪【配電】―する(自サ) 電力を必要とするところに配ること。「各家庭に―する/―所⓪⑤・―盤⓪」

ばいてん⓪【売店】 駅・病院・劇場・ホテルなどの一隅に設けられた、小さな店。雑誌・土産物・弁当や菓子など、ちょっとした日用品を扱う。 かぞえ方 一軒・一店

ハイテンション③―な〔high tension〕 興奮や緊張のあまり、高ぶった気分になるようす。

ハイテンポ③―な〔和製英語 ←high + tempo〕 テンポが速い様子だ。

バイト⓪―する(自サ) アルバイトの略。

バイト⓪〔オ beitel=たがね〕 金属などを切ったり 削ったりするために工作機械に取り付ける刃物。

バイト①⓪〔byte〕 〔コンピューターにおける〕情報量・記憶容量の単位で、通常は八ビットを指す。「キロ―〔⇩キロ❷〕」

Ⓑ」

はいとう(タウ)[0]【〈佩刀】 刀を腰につけること。また、腰につけた刀。

はいとう(タウ)[0]【配当】 ❶—する(他サ) 割り当てること。「△時間(人数)の—」 ❷—する(他サ) 株式会社が株主に利益を分配すること。また、その分配金。「—金[0]・高—[3]」 ❸〔競馬・競輪・競艇などで〕当り券を買った人に払いもどすお金。「高—」 **—おち[0]【—落(ち)】**〔株式で〕期日が過ぎて、配当金の支払いを受ける権利が△無くなること(無くなった株券)。

はいとう(タウ)[0]【配湯】—する(自サ) 温泉のみなもとから湯を旅館や一般家庭などへ供給すること。

はいどう(ダウ)[0]【廃道】 使われなくなった道。「新道の開通で—となった道」

はいとく[0]【背徳・〈悖徳】 その時代に行なわれている道徳を否定し、あえて反社会的な行動を取ること。「—者(シャ)[4] [3]」

はいどく[0]【拝読】—する(他サ)〔手紙文で〕「〔手紙などを〕読むこと」の意の謙譲語。

ばいどく[1][0]【梅毒・〈黴毒】 性病の一つ。スピロヘータの一種、トレポネマ パリズムの侵入によって起こる感染性の全身病。慢性的に進行し、また、胎内感染する。

ハイドロキノン[5]〔hydroquinone〕 写真現像剤の主剤の一つ。

パイナップル[3]〔pineapple〕 熱帯で栽培する常緑多年草。堅い松かさ状の皮に包まれた大きな円柱形の実の中に、黄色い果肉がある。パインアップルとも。〔パイナップル科〕

はいならし[3][0](ハヒ)【灰《均(し)】 ⇩はいかき❶ かぞえ方 一本・一片

ばいにく[0]【梅肉】 梅干しの種を除いた果肉。裏ごしをして、あえものなどの調味料に使う。「—エキス[5]」

はいにち[0]【排日】 外国で、日本(の国民・製品・勢力など)を排斥すること。「—運動」

はいにゅう[0]【〈胚乳】 種の胚の中にあって、胚芽(ハイガ)が生長する時の養分となる物質。

はいにょう(ネウ)[0]【排尿】—する(自サ) 小便をすること。「—時[3]」

はいにん[0]【背任】—する(自サ) 他の利益を図るべき公務員や会社員などが、自分の(直接・間接の)利益などのために、その地位を悪用する(して、他に損をさせる)こと。「—罪[3]」

ばいにん[0]【売人】 麻薬密売組織の末端で、麻薬を売りさばく役割の者。〔通語〕「やく(=麻薬)の—」

はいねつ[0]【廃熱・排熱】〔利用価値の有無の点から見た〕何かに使った△熱の残り(余熱)。「—を利用したプール」

ハイネック[3]〔high-necked の日本語形〕 襟ぐりの高い△セーター(婦人服)。

はいのう(ナウ)[0]【背〈嚢】〔軍人用の〕箱形で革や布製の背中に負うバッグ。

はいのう(ナウ)[0]【〈胚〈嚢】 種子植物の胚珠内にあり、受精の後、胚となるもの。

はいはい[1](感) ❶〔気持よく、または、気安く〕承諾する気持を表わす語。「—、お安い御用」 ❷〔電話の「もしもし」に対するように〕単なる受け答えを表わす。 ❸注意を促す時の声。「—、どうどう」 ❹馬を歩かせる時の声。「—、どけてどけて」 運用 ❶は、内心は不満をいだきながらも、いかにも相手の依頼や要求を承諾したかのように見せかける返事にも用いられる。例、「はいはい、忙しいんですけどやりましょう」

はいはい[1](ハヒハヒ)【〈這い(い)〈這(い)】—する(自サ) 赤ん坊が両手と両足の膝(ヒザ)を使って這うこと。「—ができるようになる」

バイバイ[1]〔bye-bye〕 ❶(感) くだけた別れの挨拶(アイサツ)の言葉。〔もとは幼児語〕 ❷—する(自サ) 別れを告げること。「この辺で—しよう」

ばいばい[1]【売買】—する(他サ) 売ることと買うこと。売り買い。〔法律上は、当事者の一方が商品を相手に渡し、相手がこれに対して金銭を支払う行為〕「土地の—/—契約」

ばいばい[0]【倍々】 数量が二倍、四倍、八倍というぐあいに、〔同じような間隔を置いて〕増大していくこと。 **—ゲーム[5]**〔正解するごとに賞金が倍になるゲームの意〕〔企業で〕業績などが飛躍的に上昇し続けることの俗称。「—で笑いが止まらない」

バイパス[0]〔bypass=わきの道〕 大通りの激しい交通を緩和するために新設する、同じ方向へ向かう道路。「—を通る/話合いの—をつなぐ」 かぞえ方 一本

はいはん[0]【背反・〈悖反】—する(自サ) ❶守ることが要求されるものにそむくこと。「命令に—する」 ❷論理的な形式判断として両立し得ないこと。「二律—」

はいばん[0]【杯盤】 酒席の杯と皿・小鉢。 **—ろうぜき(オ)[0]-[0]【—〈狼藉】** 酒盛りの(済んだ)席の、散らかって乱雑な様子。

はいばん[0]【廃盤】 販売目録から削られた、レコードやCD❷。

パイパン[0]〔中国・白板〕〔マージャンで〕何も書かれていない、白いパイ。

はいはんちけん[5][6]【廃藩置県】 明治四年(一八七一)に地方行政上の単位であった「藩」をやめて、「県」に統一した改革。

はいび[1]【拝眉】—する(自サ)〔手紙文で〕「相手に会うこと」の意の謙譲語。「詳細は—の上お伝えする所存です」

はいび[1]【配備】—する(他サ) 前もって人や道具をしかるべき場所に準備しておき、事件などに備えること。

ハイヒール[3]〔high heels の日本語形〕 かかとの高い婦人靴。↕ロー ヒール

ハイビジョン[3]〔Hi-Vision〕 NHKが中心となって開発された、高精細度テレビジョンの方式の一つ。走査線が多く、画面の解像度が高い。

ハイビスカス[3]〔hibiscus〕 フヨウに似た、西洋草花の名。ハワイの代表的な花。〔アオイ科〕 かぞえ方 一本

ハイピッチ[3]〔和製英語 ←high + pitch〕 ❶進行が速いこと。「工事が—で進む」 ❷〔ボートで〕こぐ速度が速いこと。

はいびょう(ビャウ)[0]【肺病】 肺に関する病気。〔狭義では、肺結核を指す〕「—患者[5]」

はいひん[0]【廃品】 △使わ(使え)なくなった物品。「—回収」

ばいひん[0]【売品】「売り物」の意の漢語的表現。

ばいひん[0]【陪賓】 その宴会・会食などで、主賓と共に招待される客。↕主賓

パイピング[0]〔piping〕〔洋裁で〕バイアステープなどを用いて縁をほつれないように始末する△こと(方法)。

はいふ[0]【肺〈腑】〔肺臓の意〕(他人には容易にうかがいしれない)心の奥底。「—を△衝(ツ)く(貫く・えぐる)」

はいふ[0][1]—する(他サ) ❶【配付】 関係者のめいめいに配って渡すこと。「必要書類を—する」 ❷【配布】 多くの人に行き渡るように配ること。「道を行く人にチラシを—する」

パイプ[0]〔pipe〕 ❶〔気体・液体を通すための〕金属などで出来ている細長い円筒。〔両方の人・集団などの連絡に役立つ人や機構の意にも用いられる〕 ❷西洋の きせる。俗に言うマドロス パイプ。 ❸巻きたばこを差して吸う道具。シガ

レットホルダー [かぞえ方] 一本

ハイファイ[0][3]〔hi-fi ←**high fidelity**=高忠実度〕 レコードやラジオなどで、もとの音が非常に忠実に再生出来ること。「—放送・—装置」

ハイファッション[3]〔high fashion〕 (一般にはまだ広まっていない)最新の流行。

はいふう[0]【俳風・〈誹風】 それぞれの△人(会・派)に独特の俳句の作風。

パイプ オルガン[4]〔pipe organ〕 空気を動力で△木(金属)製の管に送り込み、キーを押して音を出す、大型の楽器。 [かぞえ方] 一台

はいふき[4][0][3](ハヒ)【灰吹(き)】 たばこ盆の中に立ててある竹の筒。〔きせるを、このふちでたたいて、灰や吸殻を落とす〕

はいふく[0][1]【拝復】 〔手紙文で〕返信の初めに書く挨拶(アイサツ)の言葉。

はいぶつ[0]【廃物】 △使わ(使え)なくなった物。「—利用」

はいぶつ きしゃく[5]、[0]-[0]【廃仏毀釈・排仏毀釈】 仏教を排斥して、寺・仏像をこわすこと。〔明治の初めに盛んに行なわれた〕

パイプ ライン[4]〔pipeline〕 ガス・石油などの流体を遠くへ送る、長い管。〔間に立って両方の△連絡(情報)係となる人の意にも用いられる〕 [かぞえ方] 一本

ハイブラウ[4]—な —に〔highbrow〕 ⇩ハイブロー

ハイブリッド[4]〔←hybrid state, hybrid=雑種・交配種〕 異なる方式を一つの組織の中にうまく組み込むこと。デジタルとアナログを一緒にした時計など。混成。混載[0]。「——IC・——コンピューター[9]」 **—カー**[6][7]〔hybrid car〕 複数の動力源を用いる自動車。省エネルギー、低公害を特長とし、電気モーターとガソリン エンジンが切り替わるようになっているものなどがある。「ハイブリッド車[6]」とも。

バイブル[1]〔Bible〕 ❶キリスト教の聖典。旧約聖書と新約聖書の総称。 ❷〔bible とも〕 その分野で必読の書とされる権威のある書物や、個人が常に指針を求めて読み返す一冊の本。

はいふるい[3](ハヒフルヒ)【灰〈篩】 〔火鉢の〕灰をふるって灰以外の物を取り除く道具。

バイブレーション[4]〔vibration〕 ❶震動。「—を起こす」 ❷震わせて出す声。「—を利かせて歌う」

バイブレーター[4]〔vibrator〕 震動を与えて肩の凝りなどをとる電気器具。 [かぞえ方] 一台

バイプレーヤー[4]〔和製英語 ←byplay + er〕 〔映画・演劇などの〕わき役。助演者。

ハイブロー[4]—な —に〔highbrow=ひたいの広い人〕 高い学識や教養を備えている様子だ。また、そのような人。ハイブラウとも。「—な雑誌」

ハイフン[1]〔hyphen〕 英語・フランス語などで、一語の中の区分を示すために使う、ごく短い線。「-」〔最近は、邦文でも使われる〕「—結合」 ⇩ダッシュ

はいぶん[0]【拝聞】—する(他サ) 〔手紙文で〕「聞くこと」の意の謙譲語。

はいぶん[0]【俳文】 俳味のある簡潔な散文。

*__はいぶん__[0]【配分】—する(他サ) ❶〈なに・だれ ニ なに・だれ ヲ —する〉〔数量に一定の枠があるものについて〕何らかの基準に従ってそのことにかかわる人やものにそれぞれ割り当てること。「人口に応じて議員を—する/補償金の—を受ける/△利益(遺産・予算)の—/漁獲量の—/均等—・比例—」 ❷〈なに ニ なに ヲ —する〉 最大の効果を上げようとして、限られた時間や体力を、全体を見通してどの部分でどの程度使えばよいか計画(し、それに従って行動)すること。「時間をうまく—して期日に間に合わせる/スタミナの—を誤って途中でダウンする/ペース—」

ばいぶん[0]【売文】 〔「—の徒・—業」などの形で〕(つまらない)小説・評論などを書き、その原稿料・印税によって生活すること。〔多く△自嘲(ジチョウ)(軽い侮蔑(ブベツ))を含意する〕

はいへい[0]【廃兵・〈癈兵】 戦争で負傷や病気をして、身体障害者になった軍人。 [表記] 「廃」は、代用字。

はいべん[0]【排便】—する(自サ) 大便をすること。

ばいべん[0]【買弁・買〈辦】 ❶〔もと、中国で〕外国の商社と中国の商人とが取引する時に間に入ってもうけた、特殊な商人。「—資本」 ❷〔植民地などで〕外国資本の利益に奉仕する者。

ハイポ[1]〔hypo ←**hyposulfite**〕 〔写真で〕定着剤などに使う、無色・粉末状の薬品。

はいほう[0](ハイハウ)【肺胞】 肺を形づくる、中に空気を含んだ粒がブドウの房状に集まった袋。

はいほう[0]【敗報】 戦い・試合に負けた知らせ。 ↕勝報

はいぼう[0](バウ)【敗亡】—する(自サ) 戦いに負けて滅びること。

ハイボール[3]〔highball〕 ウイスキーに炭酸水を加え、氷を入れた飲み物。

*__はいぼく__[0]【敗北】—する(自サ)〈だれ・なに ニ —する〉 〔「北」は、逃げる意〕戦い・試合に負けること。「—に終わる/—を喫する/—感[4][3]」〔古くは、「はいほく」〕 ↕勝利 **—しゅぎ**[5]【—主義】 ❶自国・自軍・自党などの敗北を期待し、促進する態度・行為。敗戦主義。 ❷消極的・非建設的な考え方。

ばいぼく[0]【売〈卜】 商売として、占いをすること。

はいほん[0]【配本】—する(自他サ) ❶〔取次店から小売店へ〕出版された本を届けること。また、その本。 ❷予約出版の本を購読者に配ること。また、その本。「第一回—」

ばいまし[0]【倍増(し)】—する(自他サ) 二倍に増すこと。「—料金[5]」

はいまつ[0](ハヒ)【〈這松】 本州中部以北の高山に生える五葉松。枝・幹は斜面を這うように伸び、枝が密生する。葉は短く、五本ずつ集まって出る。〔マツ科〕 [かぞえ方] 一株・一本

はいまつわ・る[5][0](ハヒマツハル)【〈這(い)〈纏(わ)る】(自五) 這うように(密着して)何かにからみつく。

はいみ[3][1]【俳味】 俳諧(ハイカイ)独特の、あか抜けしたおもしろみ。

ハイミス[0]〔和製英語 ←high + miss〕 オールド ミスの新しい表現。

はいめい[0]【拝命】—する(他サ) ❶官職に任命されること。 ❷〔手紙文などで〕「命令を受けたこと」の意の謙譲語。

はいめい[0]【俳名】 俳人としてのペンネーム。俳号。

ばいめい[0]【売名】—する(自サ) 自分の名前を世間に広めるためなら、どんな事でもすること。「—行為[5]」

バイメタル[3]〔bimetal〕 熱膨張率の異なる二種類の金属板を張り合わせたもの。〔回路の途中に置くと、電熱によってそり返り、そこで電流を遮断する性質を利用して、サーモスタットなどに使う〕

はいめつ[0]【敗滅】—する(自サ) 戦いに負けて滅びること。

はいめつ[0]【廃滅】—する(自他サ) すっかり無くなってしまうこと。

はいめん[0][3]【背面】 後ろ△の方(がわ)。「—攻撃」

はいもん[0]【肺門】 肺臓の内側の部分。ここから気管支が入る。 **—リンパせつ**[7]【—リンパ節】 肺門の部分にあるリンパ節。「—炎[8]」

ハイヤー[1]〔←automobile for hire〕 車庫に待っていて、注文によって客を送り迎えする自動車。 ⇩タクシー・バス [かぞえ方] 一台

バイヤー①⓪〔buyer〕（外国貿易商の）買い手。仕入係。

はいやく⓪【背約】—する（自サ）約束にそむくこと。違約。

はいやく⓪【配役】〔映画・演劇などで〕俳優に役を割り当てること。また、その役割。キャスト。「—を決める／—を新人俳優で固める」

ばいやく⓪【売約】—する（自サ）売る約束。「—済み⓪」

ばいやく⓪【売薬】医者の処方でその都度作るのではなく、前もって△製造（調合）しておいて市販している薬。

バイヤス⓪①〔bias〕⇩バイアス

はいゆ⓪【廃油】使用後、役に立たないものとして捨てられる油。

はいゆう⓪【俳友】俳句を作る上△の（で知りあった）友人。

はいゆう⓪【俳優】〔演劇・映画などで〕与えられた役を演じることを職業とする人。役者。

はいよう⓪【〈佩用】—する（他サ）〔勲章などを〕身につけること。

はいよう⓪【肺葉】肺を形づくる、大きくまとまった部分の名。「—切除」

はいよう⓪【〈胚葉】動物の個体発生の初期に現われる△三層（二層）の細胞層の総称。後、種々の器官に分化する。

ばいよう⓪【培養】—する（他サ）❶養分を与えて草・木を育てること。「—土③」❷〔研究のために〕細菌などを育てて、ふやすこと。「—基③〔=⇩培地〕」❸物事の基礎を築いて、強くすること。

ハイライト③〔highlight〕❶〔絵・写真で〕最も明るい部分。↔シャドー　❷〔演劇・放送・スポーツなどで〕中心となる、最も興味のある△部分（場面）。

はいらん⓪【排卵】—する（自サ）〔哺乳類が〕卵巣から卵子を出すこと。「—期③」

ハイランド❶〔highlands〕山岳地帯。〔高原の別荘地や、遊園地の名につけて用いることが多い〕❷〔the Highlands〕〔イギリスの〕スコットランド北部の山岳地帯。「—ウイスキー」

はいり①【背理・〈悖理】△道理（論理）に合わないこと。

—**ほう**⓪【背理法】〔数学で〕「帰謬法」の、学校教育における改称。

はいり①【背離】—する（自サ）考え方・やり方などが合わず、次第に隔たりが出来ること。「感情の—」

はいりぐち③【入り口】いりぐち。

はいりこ・む④【入り込む】（自五）△中へ（奥深く）すっかり入る。「部屋に—／△思惑（危険）が—／—余地が無い」

はいりつ⓪【廃立】—する（他サ）それまでの君主をやめさせて別人を君主にすること。〔古くは「はいりゅう」〕

ばいりつ⓪【倍率】❶顕微鏡・望遠鏡などを通して目に見える大きさと、実物の大きさとの比。「—の高い双眼鏡」❷〔試験などの〕競争率。「例年になく—が高い試験」

***はいりょ**①【配慮】—する（自他サ）想定されるいろいろな場合に対する対処の方法を考えて何かをすること。〔狭義では、相手への心配りを指す〕「—の跡がうかがわれる／—が△欠ける（足りない）／—を△加える（求める・怠る）／—に欠ける」

はいりょう⓪【拝領】—する（他サ）主君や身分のある人から何かをいただくこと。

ばいりょう⓪③【倍量】ある分量の二倍の量。

ばいりん⓪【梅林】梅の木が何本も植えてある林。

バイリンガル③〔bilingual〕❶状況に応じて自由自在に二つの異なる言語が使える△こと（人）。「父がアメリカ人、母が日本人なので、小さい時から英語と日本語の—で育った」❷二つの異なる言語で書かれたり話されたりすること。「—放送⑦」

ハイル①（感）〔ド Heil〕万歳。「シー—〔=スキー万歳〕」

****はい・る**①【入る・〈這入る】（自五）〔「這入る」の変化〕❶〈（どこカラ）どこニ—〉〔外から〕区切られた空間（の中）まで移り進む。「玄関から—／港に船が—／すきま風が—〔=吹き込む〕／どろぼうが—〔=侵入する〕／ふろに—／日が—〔=ⓐ差し込む。ⓑ西に沈む〕／客の入らない芝居」〔大部分の用例の対義語は、出る〕❷〈なにニ—〉何かの中にそのものが加わる。「砂糖が—／ミネラルが入った〔=構成成分として含まれた〕スポーツドリンク／お茶がはいりました〔=すぐ飲める状態に用意される〕／他人の手が—〔=付加される〕／今度入った〔=入荷した〕品／ガスが—〔=引かれる〕／家賃が月に三十万円は—〔=入金がある〕／メスが—〔=加えられる〕／茶わんにひびが—／邪魔が—」❸〈どこ・なにニ—〉なんらかの役割をもって、そこに位置する（ようになる）。「対立に割って—／会社に—〔=入社する〕／学校に—〔=入学する〕／△クラブ（組合・グループ）に—〔=加入する〕／支配下に—／中に—〔=仲介する〕

❹〈なに・だれニ—〉〔届く〕範囲内に達する。「連絡が—／目に—〔=見える〕／耳に—〔=聞こえる〕／手に—〔=自分の所有物となる〕／選に—〔=入選する〕／計算に入っている〔=含まれている〕」❺〈なにニ—〉中に収められる。「祝儀袋に一万円入っている／かばんに—〔=収容し得る〕大きさの本」❻〈なにニ—〉内部に蓄積された状態になる。「話に熱が—〔=こもる〕／仕事に身が入らない」❼〈なにニ—〉相手に対する新しい状態が始まる。「本格的な交渉に—／戦闘状態に—」❽〈なにニ—〉△時間がたって（ある経過の後）、新たな状態を迎える。「梅雨に—／新たな局面に—／△終盤戦（山場）に—／実質的審議に—」

はいる①⓪【配流】—する（他サ）〔「る」は「流」の呉音〕「島流し」の意の漢語的表現。

パイル①〔pile〕❶杭。❷原子炉。❸ビロードのけばや、タオルのわななど、織物の地の面の上に飛び出しておおっている物。「—織⓪・綿—③」

はいれ③【歯入れ】げたの歯をすげ替えること。また、それを職業とする人。「—屋⓪」

はいれい⓪【拝礼】—する（自他サ）神仏を拝むこと。

ハイレグカット⑤〔high-leg cut〕女性の水着やレオタードなどで、足の付け根の部分を深くカットして、足を長く見せようとしたもの。ハイレグ⓪とも。

ハイレゾリューション⑤〔high-resolution=高解像度・高精細〕デジタル画像や音などを極めて細かく表現したもの。画像では印刷に耐えるもの、音質ではCD以上の音質が該当する。略してハイレゾ⓪。

***はいれつ**⓪【配列・排列】—する（他サ）〈（どこ・なにニ）なにヲ—する〉順序を決めて並べる△こと（並べ方）。「年代順に—する／五十音順に—替えをする／原子—」

ハイレベル③—な〔high level〕水準の高い様子だ。「—な技術」

はいろ⓪①【廃炉】耐用年数が経過した原子炉を解体し、廃棄処分にすること。また、その原子炉。

はいろう⓪【肺〈癆】「肺結核」の古称。

パイロット❶①③〔pilot〕❶船の水先案内人。〔何かの指針となる△人（物）の意にも用いられる。例、「時代の—をもって自ら任ずる」〕❷航空機の操縦者。「テスト—」

❸①③〔←pilot burner〕バーナーにいつでも点火出来る

は

状態にしておくために絶えずつけておく口火。[三](造語) 試験的に何かをすること。「テレビの―フィルム[6](=見本版)/―生産・―プラント[7]」 ―ファーム[6]〔和製英語 ←pilot＋farm〕 近代的な経営形態をとった試験的農場。 ―ランプ[6]〔pilot lamp〕 その装置の作動状態を表示する小型電球。

はいろん[0]【俳論】 俳句に関する理論や評論。

パイロン[1]〔pylon=「門」の意のギリシャ語に由来〕〔工事現場などで〕道路に置く円錐(エンスイ)状の標識塔。コーン。カラーコーン。ロードコーン[4]。

パイン[1]〔pine〕 パイナップルの略。「―ジュース[4]」

パインアップル[4]〔pineapple〕 ⇩パイナップル

バインダー[0]〔binder〕〔書類・雑誌などの〕とじ込み用の表紙。 かぞえ方 一枚

***は・う**[1]【〈這う】(自五)〈どこ・なにヲ―/どこ・なにニ―〉 ❶腹部を△地面(床)につけるようにして、手とひざ・足で少しずつ進む。「這ってでも目的地まで行く/底を―ような」 ❷地面や壁の表面にぴったりとついて伸びる。「壁面にツタを這わせる」 表記 ❶は、「〈匍う」とも書く。

ハウザーしょく[3]【ハウザー食】〔Hauser=人名〕 アメリカのハウザーが唱えた健康食。醸造酵母・脱脂粉乳・小麦の胚芽(ハイガ)・ヨーグルト・糖みつの五種を食物に加える。

ハウジング[1][0]〔housing〕 ❶どのようにして快適な家△に住む(を作る)かということ。「―プラン[6]」 ❷扇風機などのモーターを囲む枠。

ハウス〔house〕 [一](造語) 住宅。「モデル―[4]・ケア―」 [二][1]〔←ビニールハウス[5]〕 野菜・果物・花卉(カキ)の促成栽培などに使う囲い。「―栽培[4]」

ハウスキーパー[4]〔housekeeper〕 ❶(外国人の家などの)家政婦。 ❷住宅の管理人。

ハウスダスト[4]〔house dust〕 ダニの死骸(シガイ)や排泄(ハイセツ)物などが含まれ、アレルギー性疾患の原因の一つとされる、家の中の塵(チリ)や埃(ホコリ)。

ハウスワイン[4]〔house wine〕 そのレストランが客にすすめるワイン。〔多くは、グラスやデカンターで注文できる割安のワインを言う〕

はうた[0]【端唄】 技巧の少ない自由な形式の短い俗謡。多く三味線に合わせて歌う。

パウダー[1]〔powder〕 ❶粉。「ベーキング―」 ❷粉おしろい。 ❸汗知らず。「ベビー―」 ―ルーム[5]〔powder room〕 女性用トイレ内に洗面所とは別に設けられた化粧をするためのスペース。

パウチ[1]―する(他サ)〔pouch〕 ❶〔本の表紙などに〕表面に透明なフィルムをはって強化すること。「ラミネート加工[5]」の俗称。 ❷レトルト食品を入れる袋。レトルトパウチ[5]とも。

バウチャー[1][0]〔voucher〕 支払いを証明したりサービスを受けられたりするための証票。特に、価格割引やサービス供与のための引き換え券や割引券。

はうちわ[2][3]【羽(ウチハ)〈団扇〉】 鳥の羽で作ったうちわ。

ハウツー[3][0]〔how-to=どんなやり方でするか?〕 作り方・習い方などの実用技術を教えること。「―物(モノ)[0]」

ばうて[0][3]【場打て】 晴れがましいその場の雰囲気に気おくれすること。「―がする」

バウムクーヘン[4]〔ド Baumkuchen=木のケーキ〕 太い木の幹を輪切りにしたように、年輪の層を表わしたスポンジケーキ。〔ドイツのは、木の形をした背の高い空洞の菓子〕

はうら[0] [一]【羽裏】 鳥のつばさの裏側。 [二]【葉裏】 木や草の葉の裏側。

ハウリング[0]〔howling〕 スピーカーから出た音がマイクに拾われて循環することで、雑音が急激に増幅し、意図せず不快な音を発すること。

バウンド[0]―する(自サ)〔bound〕 堅い△地面(床)に当たったボールなどが、はずんではね返ること。バンド。「ワン―」

パウンド[1]〔pound〕 ⇩ポンド ❶ ―ケーキ[5]〔pound cake〕 洋菓子の一種。バター・小麦粉・砂糖・卵などの主材料に、干しブドウやくるみなどを加えてオーブンで焼いたもの。〔もと、主材料を一ポンドずつ使用したことから〕

はえ[2]【〈南風〉】 中国・四国・九州地方で、南(西)から吹く穏やかな風。〔地方により呼び方が多少異なる〕「しら―」

はえ [一][2]【栄(え)】 「光栄」の意の和語的表現。「―ある受賞」 [二]【映(え)】(造語) 〔「名詞・動詞連用形＋ばえ」の形で〕映えること。また、映えた状態。「仕立て―(バエ)がする〔=仕立てた結果が引き立って見える〕/夕―(バエ)」

はえ[1]【〈鮠】 魚のハヤ。「はい」とも。

はえ[0]【〈蠅】 小形の昆虫の名。羽は二枚で、食べ物などにたかり、感染症を広める。種類が多い。「はい」とも。「頭の上の―一匹も追えないくせに〔=自分のことの始末も出来ないのに、まして他人のことなんか〕」 かぞえ方 一匹。まれに一羽とも。

はえぎわ[0]【生(え)際】 ❶そのものが伸び始める根幹にあたる部分。「爪(ツメ)の―」 ❷「髪の生え際」の略。つまり、額・襟首などの部分。

はえたたき[3]【〈蠅叩(き)】 ハエを叩き殺す道具。蠅打ち[4][0]。「はいたたき」とも。 かぞえ方 一本

はえとり[0][4][3]【〈蠅取(り)】 ❶ハエをつかまえること。「―紙(ガミ)[4]」 ❷はえたたき。

はえなわ[0]【《延縄》】 一本の太い縄に、適当な間隔を置いて、それぞれ釣り針のついた多数の釣り糸をつけ、海中に投げ入れて魚を釣る道具。「―漁業[5]」

はえぬき[0]【生(え)抜(き)】 ❶その土地に生まれ、その土地で育って、よその土地へ出て生活したことが無い△こと(人)。「―〔=きっすい〕の江戸っ子」 ❷学校を卒業してすぐにその組織・団体の一員となり、他に移ることなくそのままそこに居続ける△こと(人)。「―の社員」

パエリヤ[2]〔ス paella=フライパン〕 米と肉・魚介・野菜などをオリーブ油でいため、サフランを加えて炊き上げたスペイン料理。

***は・える**[2]【生える】(自下一)〈(どこ・なにニ)―〉〔生命のあるものが〕大きくなって、外に見えて来る。生(ショウ)じる。「草が―/歯が―/お札(サツ)に羽が生えて飛んで行く」

は・える[2]【映える】(自下一) ❶光を受けて輝く。「夕日に―遠山」 ❷よく調和する。「その洋服に一番―ネクタイ」 ❸りっぱで、引き立って見える。「映えない△男(話)」 表記 「栄える」とも書く。

パオ[1]〔中国・包〕 モンゴル人が住む、まるい移動式テント。

はおう[2]【覇王】〔昔、中国で〕乱世に、徳ではなく、武力で王になった人。 ―じゅ[2]【―樹】 ⇩サボテン

はおく[0]【破屋】 人の住めるとは思えないほどのあばらや。〔自分の家の謙称としても用いられる〕

パオズ[1]〔中国・包子〕 小麦粉の皮に豚の挽肉(ヒキニク)や野菜を包んで蒸した、中華風の肉まんじゅう。

はおと[0]【刃音】 刀を強く振ったり刀で何かを激しく切ったりする時に起こる、空気の振動。

はおと[0] [一]【羽音】 ❶鳥や虫が羽をふるわせる音。 ❷矢羽根が風を切って飛ぶ音。 [二]【葉音】 葉が風などに吹かれて立てる音。

はおと[0]【歯音】 下駄(ゲタ)を履いて歩く人が立てる音。

はおり[0]【羽織】 着物の上に着る、たけが短くて、襟に折返しのある和服。「二人(ニニン)―(バオリ)」 かぞえ方 一枚 ―はかま

⑥⑤【—〈袴〉】紋付(ツキモン)の羽織と袴をつけた正式の服装。

はお・る②【羽織る】(他五) 衣服の上にひっかけるようにして着る。

はか②〔イネを△植え(刈)る時の分担区画の意〕時間に応じた、仕事の進みぐあい。「—が行く(=仕事が順調に進む)」

表記 「《捗・《果・計・量」などと字を当てる。

***はか**②【墓】死体・遺骨を埋めた所。また、その上に立てる、木や石のしるし。「—穴⓪・—守(リモ)」 かぞえ方 一基

はか①(クワ)【破〈瓜〉】㊀〔「瓜(リウ)」の字を縦に二分すると「八」の字が二つになるので〕「女子の十六歳」「男子の六十四歳」の異称。㊁最初の性行為により処女膜が破れること。

ばか【馬鹿・〈莫迦〉】〔梵語の音訳「莫迦・慕可」、また、文語形容詞「はかなし」の語根の強調形という〕

㊀①(ナ) ❶記憶力や理解力が世間一般の人に比べてひどく劣っているととらえられる△こと(人・様子)。「おだてに乗るほど—ではない/—の一つ覚え(=⇩一つ覚え)/—の高笑い/人を—にする(=その存在を無用視したり極端に軽視したりする)/—にならない(=軽く見過ごせない)/—と鋏(ハサミ)は使いよう(=どんな物でも使い方次第で何か役に立つものだ)/—に付ける薬はない/—者(ノモ)⓪・薄—」〔「—にする」「—にならない」の場合のアクセントは⓪〕 ❷社会通念としての常識にひどく欠けている△こと(人・様子)。「人から物をもらってお礼も言わない—があるか/専門—(=⇩専門)・学者—④・役者—④・親—」 ❸どう考えても不合理で、納得できないと思われる△こと(様子)。「—も休み休み言え/そんな—な話があるか/—な目にあう/—を見る」 ㊃「ばか貝」の略。【—になる】 ❶鼻やねじなどが、正常な機能を失う。❷「ばか㊀❶」を装って、その場を耐えたり切り抜けたりする。

㊁〔造語〕普通では考えられないほど、程度が極端であること。「—騒ぎ③・—笑い・—でかい・—高い・—正直・—丁寧・—力(ヂカラ)」 派 —さ①② 「—加減④」

表記 「馬鹿・〈莫迦〉・馬稼・《破家」は、いずれも借字。

運用 (1)㊀❶について。(a)人をののしる時によく用いられる一方、心を許し合える間柄の人に対しては親近感を込めて何らかの批判をする際に用いられることがある。例、「あのばか(=ばかだと言える間柄の人)が、またこんなことをして/ばかばか(=女性が、相手を甘えた態度で非難して言う言葉)」(b)度を超えて人がいい様子を、△ほほえましく思って(皮肉って・自嘲(ジチョウ)して)言うことがある。例、「△あいつ(おれ)もばかだねえ」 2)㊀❸は、「そんなばかな」などの形で、あまりにも意外なことに出会って、あり得ないことだという気持を込めて感動詞的に用いられることがある。例、「もうすぐ会が始まるのに司会者が来ていないだと、そんなばかな」

—あたり③【—当(た)り】—する(自サ) 思ってもみない、驚異的な当りを見せること。 **—がい**②(ガヒ)【—貝】大きさはハマグリくらいの二枚貝。波の静かな、晴れた日に、貝の口から舌のような赤い足を出す。むきみを「あおやぎ」と言い、貝柱がおいしい。〔バカガイ科〕 かぞえ方 一枚 **—くさ・い**④【—臭い】(形) あまりにばかげていて、まともに応じる気にはなれない様子だ。「—話」 **—・げる**③(自下一) ばからしく感じられる。「ばかげた振舞」 **—しょうじき**③(ーシャウヂキ)【—正直】(ーナ/ーニ) ごまかしたり適当にやることを知らず、どんな△場合(人)に対してでもただ正直一点張りで物事を行なう△こと(様子・人)。 **—ちから**③【—力】常識はずれに強い力。 **—づら**⓪【—面】ばかのように見える顔。 **—ていねい**③【—丁寧】(ーナ/ーニ) 必要以上に丁寧な様子だ。「—なお辞儀」 **—でか・い**④(形) あきれるほど大きい。 **—に**①(副) 異様に感じられるほど、その程度が通常の場合とは違っている様子。「—寒い/—早いじゃないか」 **—ね**②【—値】むやみに△高(安)い値段。 **—ねん**⓪③【—念】必要以上に念を入れること。「—を押す」 **—ばかし・い**⑤【—馬鹿しい】(形) ❶見たり聞いたりしたものに全く評価出来るところがなく、かえって時間の浪費であったと思われる様子だ。「—話ですみません」 ❷そうする必然性もないのに、一般に予測される限度をはるかに超えているととらえられる様子だ。「—お祭り騒ぎ」 派 —さ⑤④ —げ⑤⑥⓪ **—ばなし**③【—話】—する(自サ) 内容の無い、たわいもない話。 **—ばやし**③【—〈囃子〉】山車(シダ)の上で、おかめ・ひょっとこなどの面をつけてする、にぎやかなはやし。 **—やろう**④(ーラウ)【—野郎】物分かりの悪い男。〔相手をののしる時にも使う〕 **—らし・い**④(形) ❶ばかげていて本気になって△そうしたり(考えたり)する気が起こらない様子だ。 ❷意味が無い。つまらない。 派 —さ③④ —げ④⑤⓪ **—わらい**③(ーワラヒ)【—笑い】—する(自サ) 大声をあげて思いきり笑うこと。

はかい⓪【破戒】僧が戒律を破ること。「—僧②・—無慚(ザン)(=戒律を破って、恥ずかしいとも思わないこと)」↔持戒

****はかい**⓪(クワイ)【破壊】—する(自他サ)〈なにデ〉なにヲ—する〉 安定した状態を強固に保っていた物や、現存の制度・組織などが徹底的にこわれる(ようにする)こと。「環境を—する」↔建設 **—かつどうぼうしほう**④-⓪(ークワッドウバウシハフ)【—活動防止法】国家の治安を維持するために、暴力的な政治活動を規制する法律。一九五二年制定。略して「破防法」。 **—てき**⓪【—的】(ーナ/ーニ) その物事の△存立(存続)を不可能にするほどの打撃を与える様子だ。「—な△政治活動(カルト)」↔建設的

はがい⓪(ガヒ)【羽交(い)】❶鳥の左右のつばさの交わる所。❷はね。 **—じめ**⓪【—締(め)】相手の△後ろから(両わきの下から通した)両手で首のあたりを締めつけること。

はかいし⓪【墓石】死者の名前や死亡年月日などを刻んで、墓に立てる石。 かぞえ方 一基

はがえ⓪(ガヘ)【羽替(え)】鳥の羽が抜け替わること。

***はがき**⓪(ハガキ)【葉書・端書】〔紙片に書く覚書きの意の「端書き」の借字。⇩言葉〕「郵便葉書」の略。「往復—」 かぞえ方 用紙としては一枚。文書としては一通・一本・一片

はかく⓪【破格】(ーナ/ーニ) ㊀〔世の常の慣行からはずれている意〕❶普通期待される程度をはるかに超えている△こと(様子)。「—の待遇/—の安値」 ❷詩文の作法の常道からはずれる△こと(様子)。「—な表現」

ばかく⓪【馬革】馬のなめしがわ。「かばねを—につつむ(=戦場で死ぬ)」

はがくれ②⓪【葉隠(れ)】草木の葉の間に隠れること。

はかげ⓪【葉陰】木の葉の陰。

ばかし(副助)「ばかり」の口頭語的表現。「これっぽかし」

文法 接続は「ばかり」に準ずる。

はがしごよみ④【剝(が)し暦】毎日一枚ずつはがし取る暦。日めくり。

はかしょ③⓪【墓所】「墓場」の意の古風な表現。

はかじるし③【墓〈標〉】「ぼひょう」の和語的表現。

はか・す②【〈捌〉(か)す】(他五) ❶捌けるようにする。 ❷商品を売り尽くす。

***はが・す**②【剝(が)す】(他五)〈なにデ〉なにヲ—/〈なにカラ〉なにヲ—〉表面△をおおう膜状の(に張りついた)ものを本体から分離させて取り除く。「△ペンキ(ポスター・ガム)を—/化けの皮を剝がされる」

ばか・す②【化(か)す】(他五) だまして、人の心を迷わせる。「キツネにでも化かされたようだ」

ばかず⓪【場数】いろいろな会や試合などに出て経験を積んだ度数。「—を踏む(=経験を重ねる)」

はかせ①【《博〈士】❶俗に、博士(ハク)の称。 ❷学問や、その

方面の知識・技術に詳しい人。「物知り—⑤・お天気—⑤・相撲—④」㊂奈良時代以降、宮中の学寮で学生を教えた職名。表記 ⇩付表「博士」

はかぜ⓪①【刃風】刀で激しく斬(キ)る時に起こる風。

はかぜ⓪ ㊀【羽風】鳥・虫が飛ぶ時に羽が動いて起こる風。㊁【葉風】葉をそよがす風。

はかた⓪《博多》「博多帯・博多織」の略。 —おび④【—帯】博多織の帯。かぞえ方 一本 —おり⓪【—織】福岡県博多地区で出来る絹のより糸を使った、厚い織物。

はがた⓪【歯形】❶歯でかんだ跡。❷歯のような形状。「—レール④」❸その人の歯の形を写し取ったもの。「歯医者で—を取る」表記「歯型」とも書く。

はかどころ③【墓所】「墓所(ボショ)」の和語的表現。

*はかど・る③【《捗る》】(自五)△物事(仕事)が順調に△進む(かたづく)。「工事が—」

はかな・い③【〈果敢〉無い・〈儚い〉】(形) 願望が成就するかどうか全く予測がつかない様子だ。「人の命は—(=ⓐ意のままにならないものだ。ⓑいつ尽きるか分からない)/—(=かなえられることの無い)望み/—(=むだな)抵抗/—(=短命で終わる不幸な)一生/—(=かりそめの)恋」派—さ③「△人生(夢)の—/にわかづくりの内閣の—」 —げ③④⓪ 表記「墓無い」は古来の借字。「〈果敢〉無い・〈儚い〉」は、近代の用字。文法 助動詞「そうだ(様態)」に続くときは「はかなさそうだ」の形になる。また「すぎる」と結びついて複合動詞をつくるときは「はかなすぎる」の形になる。

はかな・む③【〈儚む〉】(他五) はかないものと思う。「世を—(=このまま生きていても無意味だと思う)」

はがね⓪【鋼】〔刃金の意〕(刀剣類を作るのに適した)鋼鉄。

はかば③【墓場】墓のある場所。「揺りかごから—まで(=人生の始めから終りまで)」

はかばかし・い⑤【《捗々しい》】(形) これといった障害もなく、仕事などが順調に進む様子だ。また、病状などが快方に向かう様子だ。〔多く、思わしく進まないことを表わすのに用いる〕「交渉が—進展を見せていない/回復ぶりが捗々しくない」派—さ⑤④ —げ⑤⑥⓪

*はかぶ⓪【端株】売買の最小単位に満たない株。

バガボンド③①〔vagabond〕好んで放浪する人。

はかま③②【《袴》】〔もと、腰にまとった衣の意〕❶着物の上にはいて腰から足首までをおおう、ひだのあるゆるい和服。❷草の茎をおおいつつむ皮。❸酒の銚子(チョウシ)にはかせる筒形の器。 —ぎ③【—着】昔、男の子が初めて袴を着けた時の儀式。〔古くは三歳、後世は五歳〕

はがま⓪【歯釜・羽釜】〔もと関西方言〕まわりにつばのある飯たき釜。

はがみ⓪③【歯〈噛み〉】—する(自サ)〔おこったり悔しがったりして〕歯を強く噛み合わせること。

はかもり⓪②【墓守】墓を管理する人。

はがゆ・い③【歯〈痒い〉】(形) 事態の進展が期待外れで、それをただ傍観するだけの自分がじれったくなる感じだ。「英語の授業を英語で指導できないとは、なんとも—/上役の言いなりになっている自分が—」派—さ③② —げ⓪④③ —が・る④

はからい⓪③【計(ハカ)らい】取り扱うこと。処置すること。「所長の特別の—で見学が許された」

はから・う③【計(ハカ)らう】(他五)❶△考えて(適当に)処置する。❷相談する。

はからざりき④【図らざりき】全く予測しなかった事が起こり、実に意外だと思う気持を表わす。

はからずも③【図らずも】(副) 当初から意図したり念頭においていたりしたことではなく、たまたまそういう結果になったのだととらえられる様子。「出張先で—話し合う機会をえた/—企画力の弱さが露呈する結果となった」

はかり【計(り)】㊀③ 計ること。「—をよくする/—(=計った量)が不足だ」表記「量り」とも書く。㊁(造語) 動詞「計る」の連用形。 —うり⓪③【—売(り)】—する(他サ) 客が求める量だけ計って、小売りすること。表記「量り売り」とも書く。 —きり⓪【—切(り)】きちんと計っただけを渡して、おまけをつけないこと。 —こ・む④⓪【—込む】(他五) 実際には、量目に表われた量よりも多く盛る。 —しれない⓪⑥【—知れない】全体像をとらえることがむずかしく、どう評価してよいか全く見当がつかない様子だ。「影響は—/—才能」 —べり⓪【—減(り)】〔計ってから包装などするうちに〕実際の量が計った量より少なくなること。

*はかり③【〈秤〉】物の重さを計る道具。「—にかける(=⇩天秤(テンビン)❶)/台(バカ)—(リ)・さお(バカ)—(リ)」 —ざお⓪③【—〈竿〉(ザヲ)】竿秤の、目盛りをつけた竿。 —め⓪④【—目】❶計る重さ・分量。❷秤竿の目盛り。

ばかり【《許り》】(副助) ❶大体その程度であることを表わす。「コップに半分—の水/少し—分けてほしい」❷〔打消の助動詞「ぬ」の連体形「ん」の後に付いて〕「…ん—△に(の)」の形で〕かろうじてそうならずに済んでいる状態にあることを表わす。「泣かん—に頼む/ちぎれん—にしっぽを振る/出ていけと言わん—の口ぶりだ」❸それだけに限定して、それ以外の可能性のすべてを排除することを表わす。「ただあきれる—である/かけ引きがうまい—が能ではない/見えるのは田んぼ—だ/後は完成を待つ—だ/これ—は勘弁してくれ/頂(イタダ)く—で恐縮です/油断した—に事故を起こしてしまった/友人—か(=友人に加えて)親までが彼を見放した」❹まさにそう△なる(なった)状態にあることを表わす。「今来た—だ/その計画は発表する—になっていた」❸❹の強調形は、「ばっかり」文法 体言(名詞、またそれに準ずる句)、「が」以外の格助詞、副詞、形容詞・形容動詞の連用形、接続助詞「て」に接続する。また、体言や活用語の連体形について、「…ばかりの+名詞」となる。格助詞には前につくことも後につくこともある。ただし、「が」の後につくことはない。副助詞「など」の後につき、「は・も」には前につく。 —か(接助) それればかりでなく。文法 接続は「ばかり」に準ずる。

はかりごと⓪【《謀》】△うまくいくように(だまそうとして)前もって考えた計画。〔狭義では、戦闘の計略を指す〕「—は密なるをもって良(ヨ)しとす/—をめぐらす」

**はか・る②【計る】(他五) ㊀❶〈(なにデ)なにヲ—〉そのものの数量や程度を、器具・器械を用いるなどして調べ、基準となる単位を基にした数値として表わす。「△山の高さ(効果)を—」❷〈なにヲ—〉経験や洞察力に基づいて、物事のおよそのところを推測する。「ころあいを—/人の心を—/真意をはかりかねる/豈(アニ)図らんや結果はさんざんであった」表記「測る・量る」とも書く。❷は「図る・《料る》」とも。㊁【図る】❶〈なにヲ—〉意図することを実現しようと、具体的な方策を考え出す。「△事(政府の転覆)を—/△解決(拡大・強化・便宜)を—/自殺を—/まんまとはかられた(=相手のたくらみにだまされた)」❷〈だれニなにヲ—〉問題の解決や方針の決定などにあたって、他に意見を求める。「この件については△関係者(会議)にはかって決めよう」表記 ❶は「謀る」、❷は「諮る」とも書く。〔⇩計り㊁〕

*はが・れる③【剝(が)れる】(自下一)〈(なに・どこ)カラ—〉表面△をおおう膜状の(に張られていた)ものが本体から分離した状態になる。「壁に張ったポスターが—/地震で壁面のタイルが剝がれたビル」

はかん⓪【波間】「なみま」の漢語的表現。

はがん①⓪【破顔】―する(自サ)〔相好(ソウゴウ)をくずす意〕にっこりと、会心の笑みを浮かべること。「―一笑⓪-⓪、①-⓪〔=にっこりと笑うこと〕」

バカンス①〔フ vacance(s)〕❶〔遊ぶという観点から見た〕(長い)休暇。バケーション。❷休暇を利用して行なう旅行。

はき①【破棄・破毀】―する(他サ)❶約束事を一方的に取り消すこと。「契約が―される/通達を―する」❷上級裁判所が、一段階前の裁判所でくだした判決を取り消すこと。「原判決―」

はき①【覇気】実力で人の△上に出て(まねが出来ない事をして)やろうという自負。「若い者に―が無い」

はぎ②【〈脛】膝(ヒザ)から足首までの(間で、後ろの)部分。「ふくら―」

はぎ①【〈萩】秋の七草の一つ。夏の末から秋にかけて、赤紫や白の小さな花を開く落葉小低木。種類が多い。〔狭義では、ヤマハギ⓪を指す〕〔マメ科〕かぞえ方 一株・一本

はぎあわ・せる⑤ アハセル【《接(ぎ)合(わ)せる】(他下一)〔布などを〕つぎ合わせる。接ぎ合わす④(五)。

バギー① ■一〔←baggy pants. baggy=だぶだぶの〕太ももからすそまでの幅が同じで、太くゆったりとした形のズボン。バギーパンツ④。「―デニム④」■二〔buggy〕❶〔←buggy car, dune buggy〕砂地や砂漠などを走行するためのレジャー用の車。

はきけ③【吐(き)気】吐き出しそうになる感じ。「食あたりをしたのか―がする/―を催すような事件/△名前を聞いた(顔を見た)だけで―がする〔=不快を抑えがたい形容〕」

はぎしり②【歯〈軋(り)】―する(自サ)△睡眠時に(怒りやくやしさで)歯を強くかみ合わせて、きりきりと音を立てること。〔ひどく怒ったりくやしがったりすることのたとえにも用いられる。例、「ごまめの―〔=⇩ごまめ〕」〕

はきす・てる④⓪(他下一)■一【掃(き)捨てる】ごみやちりを掃いて、他の場所へ捨てる。■二【吐(き)捨てる】❶口に含んでいた物を吐き出して捨てる。❷「吐き捨てるように言う」の略で、いかにもぶあいそうに短い言葉を言う。

はきだしまど⑤【掃(き)出(し)窓】部屋の中のごみを掃き出すために、床に接して作った小窓。

はきだ・す③⓪(他五)■一【掃(き)出す】〔屋内の〕ちり・ごみを掃いて外へ出す。■二【吐(き)出す】❶一度食べた物を口から外へ出す。〔たまったお金や物を出す意にも用いられる〕❷中にたまっているものを外へ出す。「―ように一言(ヒトコト)言った」

はきたて⓪【掃(き)立(て)】❶掃除して間もないこと。❷卵からかえったばかりの蚕を蚕卵紙から移すこと。

はきだめ⓪【掃(き)〈溜(め)】ごみを捨てる場所。「―に鶴(ツル)〔=その場所にはふさわしくないほど、すぐれた人が居るたとえ〕」

はきちが・える⑤ チガヘル【履(き)違える】(他下一)❶まちがって他人の履物を履く。❷物事の意味や趣旨などを、取り違えて解釈する。「自由と放恣(ホウシ)を―」名 履き違え⓪・履き違い⓪

はぎとり⓪【剝(ぎ)取(り)】込み合う電車・列車に乗り切れない客を、後ろから引っ張ってホームに降ろす△こと(役の人)。「―屋⓪」↕しり押し

はぎと・る③【剝(ぎ)取る】(他五)❶相手の身につけている物を力まかせに奪い取る。「仮面を―」❷くっついている物を無理に剝がすようにして取る。「獣の皮を―」

バギナ①〔ド Vagina=鞘(サヤ)〕膣(チツ)。

はきはき①(副)―と ―する ためらったりあいまいにしたりせず、はっきりした言葉づかいや態度で気持よく応対する様子。「質問に―と答える/―した感じのいい女性」

***はきもの**⓪【履物】地面を歩くために足に履く物の総称。〔ただし、地下足袋は含まない〕「―屋⓪」

ばきゃく⓪【馬脚】芝居で、役者が扮装(フンソウ)した馬の足。「―を現わす〔=とりつくろっていた正体が現われる〕」

はきゅう⓪ キフ【波及】―する(自サ)〔波のように〕次から次へと関係する範囲や影響が広がっていくこと。「―効果」

バキューム(造語)〔vacuum〕真空。「―カー④〔=真空タンクを備えた屎尿(シニョウ)汲取(クミト)り車〕」

はきょう⓪ キヤウ【破鏡】〔一時的に別れなければならなくなった夫婦が、後日の証拠として鏡を割ってその一方ずつを持ったという故事から〕夫婦の離別。「―〔=離婚〕の嘆(タン)を見る」

はぎょう⓪① ゲフ【覇業】武力で天下の支配者になるための事業。〔スポーツ・勝負事などの優勝をも言う〕

はきょく⓪【破局】❶物事が△まとまらないで(途中までしか続かないで)、二度ともとには戻せない状態になること。「―に直面する/―を免れる」❷悲劇的な結末。カタストロフィー。

はぎれ⓪【歯切(れ)】❶食べ物を歯でかみ切る時の ぐあい。❷発音の明瞭(メイリョウ)・不明瞭の別、区切り方の間(マ)の取りぐあい。〔処理のしかたや対応のしかたがすっきりしていて、相手に快感を与える意にも用いられる〕「―のいい口調/―の悪い〔=趣旨のはっきりしない〕返事」

はぎれ⓪【端切(れ)】はんぱになった布切れ。

はく(白・伯・〈帛・拍・泊・迫・剝・舶・博・〈搏・〈魄・薄)
→【字音語の造語成分】

***は・く**①【吐く】(他五)❶〈なにヲ―〉腹中にいったん収まった物や、口中にたまっている物を、勢いよく口から外へ出す。「(血)へどを―/△たん(つば)を―/パイプの煙を―/ホームに立って吐いた白い息/泥を―〔=⇩泥■一❶〕」❷〈(だれニ)なにヲ―〉信念・衷情や心情・感情を抑え切れずに発言する。「正論を吐き続ける/△警句(暴言・弱音)を―/気を―〔=元気にあふれた言動により、その者が健在であることを示す〕」

***は・く**⓪(他五)〈なにヲ―〉■一【履く】足を保護する物を足先につける。「△足袋(靴・靴下)を―」■二【〈穿く】主に下半身を保護する物を身につける。「△ズボン(パンツ)を―」表記 ■二は、「《着く」とも書く。■三【〈佩く】〔雅〕武器を腰につける。「太刀を―」

***は・く**①【掃く】(他五)❶〈(なにデ)なにヲ―〉〔ほうきで〕ごみ・ほこりなどを押しやるようにして除く。「掃いて捨てるほど〔=どこにでも見られ、格別珍しくない〕」❷〈(なにデ)なにヲ―〉〔蚕の〕「はきたて❷」をする。表記 ❷は、「《刷く」とも書く。❸〈なにヲ―〉はけなどで軽く塗る。「まゆを―」

はく①【白】「しろ」の意の漢語的表現。「―皚々(ガイガイ)たる〔=まっしろに続いている、一面の〕雪の平原/―一色」⇩【造語成分】はく・びゃく

はく①【拍】〔日本語などで〕ほぼ等時的なリズムからとらえた音韻の基本的な単位。ハナを二拍、クルマを三拍と数え、促音や撥音(ハツオン)や長音の長くのばされる部分も一拍と数えられる。モーラ。⇩【造語成分】はく・ひょう

はく【〈箔】❶⓪①金属を紙のように薄く平たくのばした物。「―を△置く(押す)/切(キリ)―(ハク)・金―(パク)」❷⓪〔比喩的に〕「箔❶」を身につけたように、その人を輝かせ、貫禄がついたように思わせるもの。「―がつく〔=ⓐその面での経験を積んだり何か人の注目を集めることをやったりして、他の仲間の尊敬の的になる。ⓑ俗に、暴力団員などが、前科がついて、仲

間から重く見られる〕」 表記 もとの用字は「薄」。

は・ぐ①【〈矧ぐ〉】(他五) 竹に羽をつけて矢を作る。

は・ぐ①【剝ぐ】(他五) △剝がして(剝がすようにして)、取り除く。「△杉の皮(掛け布団)を―/薄紙を―ように快方に向かう/追剝(オイハギ)に身ぐるみ剝がれる〔=着衣を取られる〕/官位を―〔=取り上げる〕」

は・ぐ①⓪【《接ぐ》】(他五) 〔紙・布片などの〕面と面が部分的に直接重なるようにくっつけ、一体不離の状態をつくる。「小切れを接いで作った座布団」 名 接ぎ⓪「つぎ―」

ばく(麦・博・幕・漠・〈駁・暴・縛・〈瀑・爆) →【字音語の造語成分】

ばく①【漠】―たる ―と △広(大き)過ぎて、全内容がよくつかめない様子。「―とした計画/茫―(ボウバク)・―然・広―」 ⇩【造語成分】

はく

［白］ ■一❶しろい(色)。「紅白・精白」 ❷明るい。明らか。「白昼・明白」 ❸△色(よごれなど)がついていない。「白紙・白地図・潔白(パク)・空白」 ❹申す。申しあげる。「白状・自白・告白・建白(パク)」 ■二(略) 白楽天。「白詩」 ⇩(本文)はく【白】

［伯］ ■一❶父母の兄・姉。「伯父(フ/ブ)・伯母(ボ)」 ↕叔 ❷兄弟の順の一番目。長兄。「伯仲叔(シュク)季(キ)」 ❸一芸に長じる人。「画伯」 ❹その社会をとりしきる存在。「河伯〔=河(カワ)の神〕・風伯」 ■二(略) ❶伯爵(シャク)。 ❷伯耆(ホウキ)国。「伯州」

［〈帛］ 絹(織物)。「布帛・裂帛(パク)・竹帛・幣帛」

［拍］ ❶両手を打ち合わせる。「拍手」 ❷〔手で打って調子を取ることから〕拍子(ヒョウシ)の回数やリズムの単位をかぞえる語。「三拍(パク)・一拍(パク)半」 かぞえ方 ❷は一拍・三拍・四拍・六拍・八拍・十拍・何拍は「パク」、四拍は「ヨンハク」とも。 ⇩(本文)はく【拍】

［泊］ ❶船をとめる。「泊地・停泊」 ❷自宅を離れて、よそにとまる。「外泊・宿泊・漂泊・車中泊・三泊(パク)四日」 ❸さっぱりしていて欲が無い。「淡泊(パク)」 かぞえ方 ❷は一泊・三泊・四泊・六泊・八泊・十泊・何泊は「パク」、四泊は「ヨンハク」とも。

［迫］ ❶近づく。せまる。「迫真・切迫(パク)・急迫・緊迫(パク)」 ❷直接手段でもって苦しめる。「迫害・圧迫(パク)・窮迫・脅迫」

［剝］ はがれる。はぎとる。「剝落・剝製・剝奪・剝離・落剝」

［舶］ 海を渡る、大きなふね。「舶来・船舶(パク)」

［博］ ■一ひろく行きわたる。「博愛・博識・博学・博覧・博聞・該博」 ■二(略) ❶博士(ハクシ)。「医博」 ❷博覧会。「万国博」 ⇩ばく

［〈搏］ うつ。「一搏(パク)〔=一はばたき〕して南の空遠く飛ばんとす/搏動・脈搏」

［〈魄］ ❶人の肉体に宿り、それを支配する方のたましい。「魂魄(パク)・気魄」 ⇩魂(コン)❶ ❷落ちぶれて見る影も無い。「落魄」

［薄］ ❶厚さがうすい。「薄氷・薄片」 ❷数量が少ない。「薄給(ハッキュウ)・薄謝・薄利」 ❸人情・道徳心が無い。「薄情・軽薄・酷薄・浅薄(パク)」 ❹近づく。「薄暮・薄明・肉薄」

ばく

［麦］ ムギ。「麦芽・麦秋・麦飯・麦粒腫(ユシ)・精麦」

［博］ ❶賭(カ)けごと。「博徒・博奕(エキ)・博打(チ)・賭(ト)博」 ❷「伯楽」の「伯」の転。「博労」 ⇩はく

［幕］ (略) 幕府。「幕医・幕末・倒幕・佐幕」

［漠］ ❶砂や小石の平原。「砂漠」 ❷さびしい。「索漠・寂漠」 ❸ゴビ砂漠(サバク)。「漠北・漠南・朔(サク)漠」 ⇩(本文)ばく【漠】

［〈駁］ ❶乱雑。「雑駁(パク)」 ❷他人の説に反対して、その誤りを指摘する。「駁論・反駁」

［暴］ あばく。さらけ出す。「暴露」 ⇩ぼう

［縛］ ⇩(本文)ばく【縛】

［〈瀑］ たき。「瀑布・飛瀑」

［爆］ ■一〔火気などによって〕大音と共に破裂する。「爆発・爆音・爆笑・起爆」 ■二(略) 爆弾。「爆撃・原爆・水爆」

はく①【縛】 人の自由な思考を妨げ、行動の自由を極端に制限するもの。「―に就(ツ)く〔=罪人として捕縄で縛られる〕/捕―・束―」

ばく①【〈貘・〈獏】 ❶サイに似た、野獣の名。鼻と上くちびるは長く突き出し、色は黒い。〔バク科〕 ❷〔中国で〕想像上の獣。鼻はゾウ、目はサイ、尾はウシ、形はクマに似て、悪い夢を食うという。 かぞえ方 ❶❷とも一頭

バグ⓪①〔bug=虫〕 コンピューター プログラムの中にある△誤り(欠陥)。「―が残る」 ⇩デバッグ

ばぐ①【馬具】 馬に乗り馬を働かす時に使う用具。くら・あぶみ・たづな・くつわなど。

はくあ①【白亜・白〈堊】 〔「はくあく」の変化。「堊」は(白)土の意〕 ❶石灰岩の一種。(灰)白色で軟らかい。白墨・石灰用。「―層③」 ❷白い壁。「―の殿堂」 表記 「亜」は、代用字。 ―かん③【―館】 ⇩ホワイト ハウス

はくあい⓪【博愛】 〔階層・人種・宗教・政体などで区別せず〕広い心ですべての人を平等に愛すること。「―の精神/―心③」

ばくあつ⓪【爆圧】 爆発する時の圧力。

はくい①【白衣】 医者・化学研究者などが仕事着として着る、白い上っ張り。「―の天使〔=女性看護師の美称〕/―の勇士〔=傷病兵の異称〕」 ⇩びゃくえ

はくいん⓪【博引】 数多くの文献から資料として引用すること。「―旁証(ボウショウ)〔=古今東西の文献から多くの傍例を引用しつつ論を進めること。純粋に驚嘆する意にも、軽い批判を含めて言う場合にも用いられる〕」

はくう①【白雨】 〔夏の季語として〕夕立。

はくうん⓪【白雲】 〔青い空にぽっかり浮かんだ〕白い雲。

ばくえい⓪【幕営】―する(自サ) 陣をかまえて幕を張る。また、その陣。

ばくえき⓪【博〈奕】 〔「博」はすごろく、「奕」は碁の意〕「ばくち」の漢語的表現。

はくえん⓪【白煙】 白い色の煙。

はくおし⓪④【〈箔押(し)】―する(自サ) ❶〔蒔絵(マキエ)で〕金銀の箔をはること。 ❷〔本の背・表紙などに〕金銀の箔で文字・図柄を表わすこと。

ばくおん⓪【爆音】 ❶爆発の音。 ❷航空機・自動車などの、やかましいプロペラ音やエンジンの排気音。

はくが①【博雅】 豊富な知識を持ち合わせていて教養が豊かな様子。「大方(タイホウ)―の△士(君子)の求めに応じて著わせ

り」

ばくが0【麦芽】ムギの芽を出させて、干したもの。ムギのもやし。〔ビール・水あめの原料〕 **―とう**0（タウ）【―糖】麦芽の中の酵素がでんぷんに作用して生じる糖分。あめの原料。

はくがい0【迫害】―する（他サ）強い立場にある者が多数をたのんで、弱い立場にある者の生存権や信仰の自由などを脅かすこと。

ばくがい0（ガヒ）【爆買(い)】―する（他サ）大量の商品を買うこと。特に海外からの旅行客が日本製品を買い上げていくことを言う。

はくがく0【博学】―な 学問的知識の△範囲が広く(程度が高く)、人の知らないような事をなんでも詳しく知っている△こと(様子)。

はくがんし3【白眼視】―する（他サ）自分たちとは住む世界が違うのだぞ、と言わぬばかりに、よそよそしい態度を取ること。

はぐき1【歯茎】歯の根もとをおおい包む肉。

ばくぎゃく0【〈莫逆】〔少しも逆らうことの無い意〕「きわめて親しい」意の漢語的表現。〔古くは「ばくげき」〕「―の友」

はくぎょくろう4【白玉楼】美しい白玉をちりばめた楼閣。〔唐の詩人李賀が死の直前、夢の中で、天帝の白玉楼が完成して、賀にその記を書くことを依頼されたという故事に基づく〕「―中の人となる(=学問・文芸に携わる人が死ぬ)」

はくぎん0【白銀】❶「銀」の異称。〔和語的表現は「しろがね」〕❷「雪」の美称。「―は招くよ」⇩銀世界

はくぐう0【薄遇】―する（他サ）粗末な待遇(しかしないこと)。冷遇。

はぐく・む3【育む】（他五）〔羽(ハ)含(クク)む意〕❶親鳥がひなを羽に包んで育てる。❷かわいがり育てる。❸保護して伸長させる。「自由を―学園」

はくげき0【迫撃】―する（他サ）敵陣に近づいて攻撃すること。 **―ほう**0 4（ハウ）【―砲】砲身が短くて軽い、一種の臼砲(キュウホウ)。接近戦に用いる。かぞえ方 一門

ばくげき0【〈駁撃】―する（他サ）他人の説を非難・攻撃すること。

ばくげき0【爆撃】―する（他サ）航空機から爆弾などを投下して攻撃すること。

はくげんがく3【博言学】「言語学」の旧称。

はくこう0（カウ）【薄行】「薄志弱行」の略。

はくごうしゅぎ5（ガウ）【白豪主義】〔オーストラリアで〕有色人種の入国・移民を排斥する主義。一九七九年撤廃。

はくさい3【白菜】畑に作る一、二年草。葉は大きく楕円(ダエン)形でしわがあり、重なり合っている。漬物などにして食べる。〔アブラナ科〕かぞえ方 むいた部分は一枚。小売の単位は一束・一把(イチワ)

はくさい0【舶載】―する（他サ）「舶来」の意の古風な表現。

ばくさい0【爆砕】―する（他サ）△砲撃や爆撃を加えて(爆発させて)こわすこと。

ばくさつ0【爆殺】―する（他サ）爆弾・爆薬などを爆発させて、(人を)殺すこと。「―事件」

はくし0【白紙】❶何も書かれていない紙。「―(=結果としてもとの状態)に戻る/―(=前もっての準備や先入観が何も無い状態)で臨む/―(=論議以前のもとの状態)に△返す(戻す)/―委任を取りつける/―還元・―撤回」❷⇩唐紙(トウシ) **―いにんじょう**0（ジヤウ）【―委任状】委任した人の氏名と判だけあって、あとは何も書いていない委任状。〔委任された人に、決定を全部まかせる委任状〕

はくし1 0【白詩】白楽天の詩。

はくし1【博士】専門の学術について水準以上の研究をした人に与えられる学位(を持った人)。「はかせ」とも。ドクター。〔日本の制度では、(大学院で後期博士課程に三年以上在学した人が)論文の審査に合格すると授けられる〕「―号3」

はくし1 0【薄志】❶意志が弱いこと。また、弱い意志。❷心ばかりの贈り物。贈り物をする時、謙遜(ケンソン)して言う言葉。「寸志」とも。 **―じゃっこう**1-0（ジヤクカウ）【―弱行】意志が弱くて、物事をやり遂げる気力に欠けること。

はくじ0【白磁・白〈瓷】まっしろな磁器。

ばくし0【爆死】―する（自サ）爆撃・爆発で死ぬこと。

はくしき0【博識】―に ―な 知識・雑学の範囲が非常に広く、人の知らないような事を、なんでもよく知っている△こと(様子)。派 ―さ40

はくじつ0【白日】真昼の太陽。「―の下(モト)にさらされる(=すっかり暴露される)/―夢(ム)(=⇩白昼夢)」

はくしゃ1【白砂】白い砂。「はくさ1」とも。「―青松(セイショウ)(=美しい海岸の景色)」

はくしゃ0【拍車】馬に乗る時、靴のかかとに付ける金具。先端のぎざぎざを馬の腹に強く押しつけて速力を出させる。「―をかける(=刺激・力を加えて、△仕事(物事)の進行を一段と促進する)/―がかかる」

はくしゃ1【薄謝】わずかの謝礼。〔人に渡す謝礼を、謙遜(ケンソン)して言う時にも用いられる〕

はくじゃ1【白蛇】白いヘビ。〔家に幸福をもたらすと言われる〕

ばくしゃ1【幕舎】テントを張った野外宿泊所。

はくしゃく0【伯爵】爵の第三位。

はくじゃく0【薄弱】―な ❶からだや意志が弱くて、ちょっとした困難にもすぐ負けてしまいそうな様子だ。「心身ともに―だ/意志―」❷しっかりした理論や証拠に基づいておらず、信用出来ない様子だ。「根拠―」派 ―さ40

はくしゅ1【拍手】―する（自サ）神様にお参りしたり 賛意・激励・祝福などの気持を表わしたり する時に、両手をたたいて鳴らす△こと(音)。「―喝采(カッサイ)する(=おおぜいの人が拍手し声を上げて、ほめたり 喜んだり する)/―で△送る(迎えられる)/―と声援を送る/二拝二―」

はくじゅ1【白寿】〔「百」の字から第一画を取ると「白」になるところから〕九十九歳(の長寿の祝い)。

はくしゅう0（シウ）【白秋】〔五行説で秋に白色を当てることから〕秋の異名。⇩玄冬・朱夏・青春

はくしゅう1（シウ）【伯州】「伯耆(ホウキ)国」の漢語的表現。今の鳥取県西部にあたる。「―散(サン)0・―綿(メン)3・―物(モノ)0」

ばくしゅう0（シウ）【麦秋】麦の取り入れどき。初夏のころ。

はくしょ1【白書】〔white paper の訳語〕〔政府が発表する〕各界の実情の報告書。「経済―5」〔イギリスで政府の外交報告書には白い表紙をつけたことから〕

はくしょ1【薄暑】まだ凌(シノ)ぎやすい、初夏の暑さ。

ばくしょ1【〈曝書】―する（自他サ）書物の虫干し(をすること)。

はくじょう0（ヂヤウ）【白〈杖】目の不自由な人が歩くときに使う白色のつえ。

はくじょう1（ジヤウ）【白状】―する（自サ）〔自白の内容を書きしるす紙の意〕人に知られたくない悪事や失敗談・恋愛談などを、人前でありのまま言うこと。

はくじょう0（ジヤウ）【薄情】―に ―な 性格が冷たく、相手の立場に立って物を考えたりする気持が全く無い△こと(様子)。派 ―さ03

ばくしょう⓪【爆笑】―する(自サ) おかしな話を聞いて、その場に居る人が一斉にどっと吹きだすようにして笑うこと。
ばくしょう⓪【爆傷】―する(自サ) 爆撃・爆発によって負傷すること。
はくしょく⓪【白色】 白い色。「―光④③⓪」 **―じんしゅ**⑤【―人種】〔黄色人種・黒色人種と違って〕皮膚が白い人種。欧州の民族の大部分がこれに属する。〔インド人は浅黒いが、人種としてはこれに属する〕↔有色人種 **―テロ**⑤ 体制側からする政治的弾圧を、革命運動家の側から見て言う称。〔広義では、右翼団体の政治的暴力行為をも指す〕
はくしん⓪【迫真】 △演技(演出・創作)である事を忘れさせるほど、訴える力が強いこと。「―の演技/―力③」
はくじん⓪【白人】 白色人種に属する人。「―種③」
はくじん⓪【白刃】 鞘(サヤ)から抜いた刀。「―の下をくぐる〔=危険な目にあう〕」 かぞえ方 一本
ばくしん⓪【幕臣】〔江戸時代〕将軍直属の臣下。旗本(ハタモト)・御家人(ゴケニン)など。
ばくしん⓪【爆心】 爆発の中心(地)。「―地③」
ばくしん⓪【驀進】―する(自サ) スピードを出して進んで行くこと。〔目標に向かってまっすぐに進む意にも用いられる〕
はくすう③ ㊀【拍数・〈搏数〉】 心搏(シンパク)の数。心搏数。 ㊁【拍数】「拍」の数。
表記 「拍」は、代用字。
はく・する③【博する】(他サ)〔名誉・利益などを〕一人占めにする。博す②(五)。「巨利を―/名声を―/好評を―/喝采(カッサイ)を―」
ばく・する③【駁する】(他サ) 他の意見や説の欠点を指摘して、激しい調子で非難する。駁す②(五)。
ばく・する③【縛する】(他サ)〔罪人などを〕しばる。
はくせい⓪【剝製】 動物の肉や内臓を取って、かわりに綿などを詰めて作った標本。
はくせき⓪【白〈皙〉】 皮膚の色の白い様子。「―の学者」
はくせつ⓪【白雪】〔一面に積もった〕まっしろに輝く雪。
ばくせつ⓪【駁説】 他の説に反対し、それを攻撃する説。
はくせん⓪【白扇】 地紙(ジガミ)が白く、何の模様も無い扇。
はくせん⓪【白線】 白い線(状のもの)。「ホームの―の内側にお下がりください」
はくせん⓪【白〈癬〉】 白癬菌によって起こる皮膚病。しらくも・たむし・みずむしなど。
はくぜん⓪【白〈髯〉】「白いほおひげ」の意の漢語的表現。
ばくぜん⓪【漠然】―たる ―と 〔感じや話などが〕はっきりしないので、その内容を具体的に把握(ハアク)することが出来ない様子だ。「―とした答え/―たる印象」
はくそ①【歯〈屎・歯〈糞〉】 歯にたまる、黄色みを帯びたかす。歯垢(シコウ)。
はくそう⓪【博捜】―する(他サ)〔目的の事例を捜すために〕たくさんの文献などを根気よくあれこれ調べること。
ばくたい⓪【縛帯】 傷口などを縛る、幅の狭い布切れ。
ばくだい⓪【莫大】―に ―な 〔これより大きいものは無い意〕〔数・量が〕非常に多い様子だ。〔古くは、「ばくたい」〕「―な費用/―もない〔=莫大な〕財産」 派 **―さ**⓪③ 表記 「〈莫太〉」とも書いた。
はくたいげ③【白帯下】「こしけ」の医学用語。
はくだく⓪【白濁】―する(自サ) 白く濁ること。
はくだつ⓪【剝脱】―する(自他サ)〔塗ってある物などが〕はげて落ちること。また、はいで落とすこと。
はくだつ⓪【剝奪】―する(他サ) 権力または力ずくで取り上げること。「位階勲等を―する/自由―」↔付与
はくたん③【白炭】 堅くて、表面の白い木炭。かたずみ。
*__ばくだん__⓪【爆弾】 ㊀爆薬を中に詰め、爆発させて敵を攻撃する兵器。〔広義では砲弾や手榴弾(テリュウダン)を含み、狭義では投下爆弾を指す〕「―を△かかえる(仕掛ける・投げる)/―〔=突然発表して人を驚かす〕声明」 ㊁密造の焼酎(ショウチュウ)やポップコーン、また、ゆで卵を芯(シン)に入れたさつまあげなどの俗称。 かぞえ方 ㊀は一発 **―ていきあつ**⑦【―低気圧】 急速に発達し、台風のような暴風雨をもたらす温帯低気圧の俗称。
はくち⓪【白痴】 知能指数の非常に低い人。〔侮蔑(ブベツ)の意を含意して用いられる〕「一億総―化/―美③〔=知性・表情に乏しい美しさ〕」
はくち①【泊地】 防波堤などがあって安全に船がとまることの出来る所。
ばくち⓪【博〈打〉・博〈奕〉】〔「ばくうち」の変化〕金品をかけて、さいころ・トランプ・花札などの勝負事をすること。「大(オオ)―を打つ〔=失敗の危険が多い物事を思いきって、やってみる〕/―打ち③〔=ばくちを打つ(ことを常習とする)人〕」 表記 「博〈奕〉」と書くのは、漢語「ばくえき」の字面を借りたもの。
パクチー①〔タイ phakchi〕⇨コリアンダー
ばくちく⓪【爆竹】〔中国で〕お祝いなどに竹や紙の筒に火薬を詰め、火をつけて鳴らすもの。 かぞえ方 一本
はくちず⓪③【白地図】 陸地・島などの輪郭(と、川・行政区画など)だけを書いてある地図。「しろちず⓪③」とも。
はくちゅう⓪【白昼】 朝・夕方に近い時を除いた、昼。まひる。「―堂々と盗みに入る」⇨深夜・早朝 **―む**③【―夢】 真昼に見る夢。また、非現実的な空想。白日夢。
はくちゅう⓪【伯仲】―する(自サ)〔兄と、(その次の)弟の意〕〔両者共にすぐれていて〕優劣の差をつけにくいこと。「実力が―する者同士」
はくちょう⓪【白鳥】 ㊀白色の鳥。しらとり。 ㊁大形の水鳥。ガチョウに似て首が長く、全身が白く、姿が美しい。スワン。〔カモ科〕 ㊂白い陶製の とくり。 かぞえ方 ㊀㊁とも一羽
ばくちん⓪【爆沈】―する(自他サ) 艦船を爆弾・魚雷などによって爆破し沈めること。また、沈むこと。
ぱくつ・く⓪(自五)「口をぱくぱくさせる」意の口頭語的表現。〔大きな口を開けて盛んに食べる意にも用いられる〕
バクテリア⓪〔bacteria=「小さい棒」の意のギリシャ語〕⇨細菌
はくど①【白土】 ㊀白っぽい色の土。しろつち。 ㊁陶土。
ばくと①【博徒】「ばくちうち」の意の漢語的表現。
はくとう⓪【白桃】 実の肉が白い桃。果汁が多く、おいしい。 かぞえ方 一玉
はくとう⓪【白糖】 精製した白い砂糖。白砂糖。「上―③」
はくとう⓪【白頭】 年をとるなどして、髪の毛が白くなった頭。「―翁(オウ)③」
はくどう⓪【白道】 月の軌道を表わす、天球上の大円。⇨黄道(コウドウ)
はくどう⓪【白銅】 銅とニッケルの合金。「―貨③」
はくどう⓪【拍動・〈搏動〉】―する(自サ) 血管に血液を送り出すために心臓が規則的に小刻みに動くこと。「心臓の―/―性の痛み」 表記 「拍」は、代用字。
はくとうゆ③【白灯油】 原油を精製して得た灯油。いやなにおいが無いので、家庭の燃料・暖房などに使われる。
はくないしょう⓪③【白内障】 目の水晶体が濁って、視力が減退する病気。白そこひ。
ばくにょう⓪【麦〈繞〉】 漢字の部首名の一つ。「麩・麪・麺(麵)」などの、左下にかかる「麦」の部分。
はくねつ⓪【白熱】―する(自サ) ㊀物体が高い温度で熱せ

は

られて白い光を出すようになること。「─灯[0]」❷極度に熱中した状態になること。「議論が─化する/─戦[0]・─的[0]」 **─でんきゅう**[5]【─電球】ガラス球内のフィラメントに電流を通して、その発熱による光を利用した電球。

はくば[1]【白馬】毛色の まっしろな馬。

ばくは[0][1]【爆破】─する(他サ) 爆薬で破壊すること。

はくばい[0]【白梅】白い色の梅の花。しらうめ。

バグパイプ[3]〔bagpipe〕〔スコットランドなどで〕民謡やダンスの伴奏に使用する管楽器の一種。革袋に口で空気を送り、数本の管を鳴らす。

ばくばく[0]【漠々】─たる ─と △広(隔たり)過ぎたりして実体がよくつかめない様子だ。

ぱくぱく[1](副)─と ─する ❶続けざまに口を大きく開閉する様子。〔盛んに物を食べる様子にも用いられる〕「鯉(コイ)が水面に顔を出して口を─させる」❷物の合せ目が破れかかって、開いたり 閉じたり する様子。「つま先が─する運動靴」

はくはつ[0]【白髪】全体が しらがの髪。「─の老人/─三千丈〔=愁いのため伸びた白髪を極端に誇張した言い方〕」 かぞえ方 一本・一筋

***ばくはつ**[0]【爆発】─する(自サ) ❶△化学(物理)反応が急激に進む結果、圧力が異常に高まり、音(光・熱)を伴って破壊作用を起こすこと。「火薬庫の─が起こる/─を起こす/─力[4]・─物(ブツ)[4]・─音・大─」❷発散できずに心中にたまっていた感情がおさえきれなくなって一度に荒々しい行動になって現われること。「不満が─する/─的な〔=異常と思えるほどの〕人気」

はくはん[0]【白斑】❶白い まだらの部分。❷皮膚病の、しろなまず。❸太陽の表面で、特に光の強い部分。

はくばん[0]【白板】⇩ホワイト ボード

ばくはん[0]【麦飯】「むぎめし」の意の漢語的表現。

はくび[1]【白眉】〔中国古代で、馬氏の優秀な五人兄弟の中で最もすぐれた人につけられた あだ名。まゆに白毛があったところから〕最優秀(なもの)。「今シーズン─の試合」

はくひょう[0]【白票】(ヘウ) ❶〔候補者名や、賛否など〕何も書かないで投票された投票用紙。❷〔国会などで〕賛成投票に使う、白い△木票(たま・紙)。↕青票(セイヒョウ)

はくひょう[0]【薄氷】(オ) 薄い氷。「─を踏む〔=非常に危険で、ひやひやするような〕思い」

はくびょう[0]【白描】(ベウ) 〔日本画で〕△墨だけで描いた(薄く色を塗った)絵。

はくふ[0][1]【白布】白色の布。「─の掛けられたテーブル」

はくふ[1]【伯父】父母の兄。おじ。「はくぶ」とも。↕伯母(ハクボ) ⇩叔父(シュクフ)

ばくふ[1]【幕府】〔昔、将軍が陣中で幕を張った中で政務を執った事から〕❶〔武家時代の〕将軍の執務所。「鎌倉─」❷武家の政府。「△室町(江戸)─」

ばくふ[1]【〈瀑布】(布を垂らしたように幅もあり落差も大きい)滝。「ナイアガラの─」

ばくふう[0]【爆風】爆発した時に起こる、強い風。

はくぶつ[2]【博物】〔←博物学[4]〕もと、生物学・鉱物学・地質学の総称。 **─かん**[4][3]【─館】(クワン) その部門の関係資料を系統的に集めて並べ、一般の人びとに見せる所。「─行きの〔=普通に使われず、珍しくなった〕代物(シロモノ)/科学─・交通─」 **─し**[4][3]【─誌】博物学的な記述をした△物(本)。

はくぶん[0]【白文】返り点や句読点(クトウテン)・送り仮名をつけない漢文。

はくぶん[0]【博聞】聞き知っている知識が非常に広範囲にわたっていること。「─強記〔=記憶力のよいこと〕」

はくへいせん[0]【白兵戦】至近距離の戦闘。両軍の人間が直接斬(キ)り合いや格闘をしたり ピストル・自動小銃を撃ち合ったり する。

はくへき[0] ❶【白璧】しらかべ。❷【白璧】〔古〕❶世に珍重される、りっぱな白色の玉。「─の微瑕(カ)〔=完全無欠のように見える物に、惜しい事に、わずかな欠点があること〕」❷〔まっ白な色合から〕豆腐の雅名。 表記 字面が似、音も同一であるところから❷を「白壁」とも書く。豆腐を指した女房詞(コトバ)「おかべ[0]」は、その用字に基づく。

はくへん[0] ❶【剝片】本体からはげ落ちたかけら。❷【薄片】薄い△かけら(切れ端)。

はくぼ[1]【伯母】父母の姉。おば。↕伯父(ハクフ) ⇩叔母(シュクボ)

はくぼ[1]【薄暮】日が落ちて、あたりがやや薄暗くなりかけた時分。

はくぼく[0]【白墨】石膏(セッコウ)または白亜を棒のように固めた物。黒板などに書くのに使う。顔料を加えたものもある。チョーク。「赤い─」 かぞえ方 一本・一箱

はくま[1]【白魔】交通を妨げ 人命を奪うような大雪を、悪魔にたとえて言う語。

はぐま[0]【《白熊】中国から渡来したヤクの尾の、白い毛。払子(ホッス)の材料。〔赤く染めたのを「赤熊(シャグマ)」、黒いのを「黒熊(コグマ)」と言う〕

はくまい[2][0]【白米】精白して玄米から ぬか・胚芽(ハイガ)などを除いた米。精米。 かぞえ方 一俵・一袋

ばくまつ[0]【幕末】江戸幕府の末期。

はくめい[0]【薄命】〔もと、「不幸せ」の意〕人間の寿命の短いこと。「佳人─〔=美人は からだが弱かったりして、短命なことが多い〕」

はくめい[0]【薄明】「薄明り❷」の意の漢語的表現。

はくめん[0]【白面】❶色の白い顔。「─の貴公子」❷年が若く実地の経験が少ないこと。「─の書生」

はくや[1]【白夜】夜中でも夕暮れのように薄明るい感じがすること。特に、△北極(南極)に近い地域で、△夏至(冬至)のころ見られるもの。「びゃくや」とも。

ばくやく[0]【爆薬】物を爆破するのに使う火薬類。

はくよう[0]【白〈楊】(ヤウ) 南ヨーロッパ・中央アジア原産の落葉高木。葉は裏面に白い綿毛が密生して銀色がかった白色をしている。うらじろはこやなぎ[7]。〔ヤナギ科〕 かぞえ方 一株・一本

はくよう[0]【舶用】(オ) 船で使うこと。「─エンジン[5]」

はくらい[0]【舶来】─する(他サ) 外国から(船で運んで)来た△こと(物)。「─品〔=輸入△品(した上等な品)〕」↕国産

ばくらい[0]【爆雷】(潜水艦攻撃用の)水中の一定の深さの所で爆発するように仕掛けた爆弾。

はぐらか・す[4](他五) ❶相手が勢いこんで追及して来る質問に まともに答えないで、一般論をぶったり 話題を変えたり などして、相手の気勢をそぐ。「△答え(焦点・問題)を─」❷連れの人などを うまく まく。

はくらく[2][0]【伯楽】〔古〕〔馬のよしあしをよく見分けた人の名から〕❶素質のある若者を見つけ出して育てるのが上手な人。「名─」❷ばくろう。

はくらく[0]【剝落】─する(自サ) 壁土や厚く塗った塗料などが(ひびが入ったりして)はがれて落ちること。落剝。

はくらん[2]【白〈蘭】白い花が咲くラン。「びゃくらん[2]」とも。

はくらん[0]【博覧】❶─する(他サ) ❶各方面の本をひろく見ること。「群書を─する」❷〔古〕一般の人が官公庁備え付けの書類を見ること。「─に供する」❷読書経験が格段に豊富で、その方面の知識をたくさん持っていること。「─強記」⇩渉猟 **─かい**[3]【─会】(クワイ) テーマを決めて、それに関係のある産物・新製品や、資料・文化財などを

集めて、一定の期間、人びとに見せる催し。「万国―・産業―」

はくり①【白痢】㊀白い便の、激しい下痢を伴う病気。乳幼児に多い。㊁子牛や豚に多く発生する急性伝染病。「―菌⓪」

はくり①【剝離】―する(自他サ) はがれて離れること。はいで離すこと。「網膜―」

はくり①【薄利】わずかの利益。 **―たばい**①-⓪【―多売】一個当りのもうけを少なくして、値段を安くすることで多量に売りさばき、売り手も順当にもうけた上で「あの店は安い」という信用を取ろうという商法。

ぱくり㊀②(副)―と 口や割れ目などが大きく開く様子。〔強調形は「ぱっくり③」〕「―と食いつく/底に―と口のあいたかばん」㊁⓪③ 商品などを(すばやく)盗み取ること。また、手形などをだまし取ること。「―屋⓪(=資金の融通や手形などを材料として、人をおどし、お金や品物を奪い取る暴力団)」

はくりきこ⓪④【薄力粉】主としてやわらかい種類の小麦から取った、小麦粉の一種。たんぱく質や粘りが少ない。ビスケット・てんぷらなどに用いられる。⇩強力粉

ばくりゅうしゅ③【麦粒腫】ものもらい㊀。

ばくりょう⓪【幕僚】最高指揮官に直属する参謀将校。 **―かんぶ**⑤【―監部】防衛省の大臣の幕僚機関。防衛警備や教育訓練・装備などの任務を負う。統合・陸・海・空の四部に分かれる。

ばくりょう⓪【曝涼】―する(他サ) 「虫干し」の意の漢語的表現。

はくりょく②⓪【迫力】それに接する者の心を強く捕らえて放さないほど激しい緊迫感。「もう一つ―に欠ける」

はぐ・る㊀②(他五) おおいなどをめくる。「ページを―/暦を―」㊁〔「動詞連用形+―」の形で、接尾語的に〕…しそこなう。「見―」

ぱく・る②(他五)〔「ぱくりと食べる意」〕㊀(ひったくるようにして)盗む。だましとる。「手形をぱくられた/人のアイデアを―」㊁犯人を逮捕する。「すりを―」〔㊀㊁とも通語〕

はぐるま②【羽車】神体を移す時に使う輿。「お―③」

はぐるま②【歯車】㊀周囲に歯を刻みつけて動力を伝える車。ギヤ。「―がかみあわない」㊁うまく連動して物事を進行させる仕組み。「政治の―が狂う」㊂組織全体の中でその構成要素として決められた役割を果たすだけの存在。〔サラリーマンがやや自嘲気味に使うことが多い〕

ばくれつ⓪【爆裂】―する(自サ) 爆発して破裂すること。「―音④・―弾④(=爆弾)」

はぐ・れる㊀③(自下一) 連れの人を見失って、離ればなれになる。「一行に―」㊁〔「動詞連用形+―」の形で、接尾語的に〕…する機会をのがす。「食い―(=口頭語形は、『食いっぱぐれる』)」

はくれん②【白蓮】まっしろなハスの花。「びゃくれん」とも。

ばくれん⓪【莫連】すれっからしの女性の称。「―おんな⑤」

はくろ①【白露】㊀しらつゆ。㊁二十四(節)気の一つ。太陽暦九月八日ごろ。秋の気配が見え始める時分の意。㊂白系ロシア人。

ばくろ①【暴露・曝露】―する(自他サ) 人に知られては困ると思っている他人の秘密や悪事などを悪意で世間に広く知らせる(が露見する)こと。「醜態(内幕)を―する/―的な文書/―記事④」

はくろう⓪【白蠟】まっしろな蠟。 **―びょう**⓪【―病】寒い時分、長時間電動のこぎりなどを使用した時の振動が指の血管の神経に作用して、指が白蠟のようになり、しびれ・痛みを感じる病気。

ばくろう⓪③【博労・馬喰】〔「伯楽」の変化〕㊀牛や馬の仲買をする商人。㊁牛や馬の鑑定をする人。 表記「《伯《楽」とも書く。

はぐろめ②⓪【歯黒め】⇩おはぐろ㊀

ばくろん⓪【駁論】―する(他サ) 相手の説・意見に反対すること(議論)。

はくわ①⓪【白話】口語をもとにした中国近世および現代の書き言葉。「―文」↔文言

***はけ**②〔こする意の下二段動詞「はだく」の名詞形「はだけ」の変化〕㊀【《刷毛】小さく束ねた毛を並べて台に植えつけた道具。液状の物を塗ったりよごれを落としたりするのに使う。表記「〈刷子〉・〈髹筆〉」とも書く。㊁【《刷け】〔接尾語的に〕「はけ㊀」で一回さっと何かの色を塗ること。「一―刷く(=刷毛でさっと一塗りすること。要点を押さえた上で簡単に物事を処理する意にも用いられる)」

はげ㊀①【禿】禿げた状態(人)。「―を隠す/若―・つるっ―」㊁②【剝げ】剝げること(剝げたあと)。

ばけ②【化け】㊀化けること。⇩化けの皮 ㊁〔千葉・伊豆・静岡方言〕擬餌鉤。㊂本来あるべき形(姿)とは違ったものになること。また、その形(姿)。「コンピューターの文字―/印刷機の狂いで―が出る」

はげあが・る④【禿上がる】(自五) 禿げて、髪の毛の生えぎわがずっと頭の上の方まで行く。

はげあたま③【禿頭】すっかり禿げた頭(の人)。

はけい⓪【波形】波の形。〔心電図・筋電図・脳波などのように、結果が周期的な波状のグラフとして表わされるもの〕

はげいとう②【葉鶏頭】葉の形はケイトウに似て細長い一年草。赤・紫・黄などのまだらがあり、秋、特にあざやかである。〔ヒユ科〕 表記「〈雁来紅〉」(漢語表記)とも書く。

バゲージ①〔baggage〕〔旅行用の〕手荷物。小荷物。バゲッジ①②とも。 かぞえ方 一本

バケーション②〔vacation〕⇩バカンス㊀「サマー―」

はけぐち②【捌け口】㊀水の流れ出て行く通路。㊁商品を売る先。㊂鬱憤などを発散させる相手(機会)。「―を求める」〔㊀~㊂とも「はけくち」とも〕

****はげし・い**③【激しい】(形) ㊀勢いが並の程度を超えて強く、他に及ぼす影響が大きい様子だ。「―攻撃/車の往来が―道路/激しく降る雨」㊁変化の程度が一般に予測される状態を超えている様子だ。「昼夜の寒暖の差が―砂漠/感情の起伏が―人/激しく燃え上がる炎」㊂相手の立場や置かれた状況などを無視して、一方的に事を進める様子だ。「―愛(気性・稽古・論戦・レース展開)/敵の―抵抗を受ける」 派 **―さ**③② 「―を加える(増す)」 表記「《烈しい》」とも書く。

はげたか⓪【禿鷹】ハゲワシ類・コンドル類の俗称。〔侮蔑を含意して用いる〕

はげちゃびん⓪③【禿茶瓶】禿げ頭(の人)。〔侮蔑を含意して用いる〕

はげちょろ⓪【禿ちょろ】〔色・塗料・毛などが〕あちこちはげていること」の口頭語的表現。〔強調表現は、「はげちょろけ⓪」〕〔頭髪については侮蔑を含意して用いる〕

バケツ⓪〔bucket の日本語形〕水をくむ(運ぶ)のに使うおけ形の容器。金属・合成樹脂などで作る。「―リレー」 表記「馬穴」は、音訳。

はけついで③【《刷毛《序で】〔刷毛で塗ったついでの意〕ある事をしたついでにほかの事もすること。

バケット②①〔bucket〕起重機の先に付けて、土や砂などをすくい取る道具。 かぞえ方 一台

バゲット①②〔フ baguette〕フランス人が好んで食べるパ

ン。太い棒状で、皮が堅くこんがりと焼いてある。バケットとも。[かぞえ方] 一本

パケット[1][2]〔packet=小包・束〕〔データ通信で〕送受信する情報の一単位。データを一定の単位に分割し、それぞれに伝送・交換に必要な情報を付加したもの。「―通信」

バケツリレー[4]〔和製英語 ←bucket + relay〕消火のために、人が列を作り、水の入ったバケツを順々に手渡しして火元まで送ること。「―方式[7]」

ばけの かわ[5](カハ)【化(け)の皮】正体や秘密などを隠して取りつくろっている体裁。「―が はがれる」

はけば[3]【〈捌(け)場】捌けさせる場所。「不満の―が無い」

*__はげま・す__[3]【励ます】(他五)〈だれヲ―〉もっとファイトを出して事に当たるように言葉をかけたりする。「あまり気にするなと友人を―/声を励まして〔=一段と声を張り上げて〕言う」[名]励まし[0]「―の言葉をかける」

はげみ[3]【励(み)】〔動詞「励む」の連用形の名詞用法〕❶精を出すこと。「お―の様子」❷やろうとする意欲をかき立たせる△こと(刺激)。「―になる」

*__はげ・む__[2]【励む】[一](自五)〈なにニ―〉なまけ心を抑えて、当面の目標を実現するために努力する。「△勉強(営業・会社再建)に―」[二](他五)〈なにヲ―〉日びそのことを絶えず念頭において行動する。「日び△学業(忠勤)を―」[文法]努力の対象を「…に」で表わすことが多く、「…を」を用いるのは義務として負わされている役目(忠勤・奉公・日びの勤めなど)に限られる。

はけめ[0][3]【《刷毛目】刷毛で塗料などを塗った跡。

ばけもの[3][4]【化(け)物】❶動物などが人間の姿に化けた物。❷正体の知れない物が、現実にはあり得ない特異の姿になって現われる物。〔正体が容易につかめないものや異能を持つ人の意にも用いられる〕

はげやま[0]【〈禿(げ)山】木が生えておらず、地面の見える山。

は・ける[2]【〈捌ける】(自下一)❶〔下水などが〕よどまないで流れる。❷〔商品が〕よく売れていく。[名]捌け[2]「水―」

は・げる[2](自下一)[一]【〈禿げる】生えていた髪の毛・山の木などが少なくなって、地肌が見えるようになる。[二]【〈剝げる】表面をおおっている物が△取れる(薄くなる)。「塗りが―/メッキが―/人気が―〔=少なくなる〕」

ば・ける[2]【化ける】(自下一)❶本来の姿を変えて、別の(異様な)形になる。〔一般に 別人のように見せかける意にも 用いられる〕「キツネが人に―物語/給料のあらかたは本代に化けた〔=本代につぎ込まれてしまった〕」❷ある人が急に能力を高める。「平凡な選手が三年目にして化けた〔=急に活躍するようになった〕」❸思いがけない利益を得る。「この株は二倍に―」

はげわし[0]【〈禿(げ)〈鷲】首の後ろが禿げている大形の猛鳥。地中海沿岸・インド・中国などにすみ、死肉を常食とする。〔タカ科〕[かぞえ方] 一羽

*__はけん__[0]【派遣】―する(他サ)〈どこ・なにニ だれヲ―する〉〔特定の用向き・役目などで〕ある所へ出張させること。「代表を―する/―軍[2]」 **―ぎり**[0]【―切(り)】派遣社員を派遣先の都合で雇い止めにすること。 **―ろうどう**[4](ラウ―)【―労働】労働者が人材派遣会社と雇用契約を結び、派遣先の会社の指揮・命令に従って働く△こと(労働形態)。

はけん[0]【覇権】❶覇者としての権力。支配権。❷競技などで優勝して得る栄誉。

ばけん[0]【馬券】競馬の勝ち馬を予想して買う券。〔正式には、「勝馬投票券」〕[かぞえ方] 一枚

ばげん[0]【罵言】ひどい悪口。

*__はこ__[0]【箱・〈函】❶Ⓐ散逸の防止や保存、また、持運びの便などのために、こまごまとした物を収めておくための(方形の)容器。ふたのある物が多い。「子供たちへのプレゼントを―に△入れる(収める)/宝石―(バコ)[4]・ごみ―(バコ)[3][0]・本―(バコ)」Ⓑ「箱❶Ⓐ」をかぞえる語。「段ボール五十―(パコ)の引越し荷物」❷鉄道の個々の車両の俗称。❸三味線(シャミセン)の俗称。❹「箱屋❷」の略。[表記]「〈匣・〈筥」とも書く。[かぞえ方] 一箱(ヒトハコ)・二箱(フタハコ)・三箱(サンパコ(ミハコ))・四箱(ヨンパコ(ヨハコ))・五箱(ゴハコ)・六箱(ロッパコ)・七箱(ナナハコ)・八箱(ハッパコ(ハチハコ))・九箱(キュウハコ)・十箱(ジッパコ(ジュッパコ))・何箱(ナンパコ)

はご[2]【羽子】〔雅〕ムクロジの種に鳥の羽をさした物。羽子板で突いて遊ぶはね。

はごいた[2]【羽子板】羽子を突くのに使う、柄の付いた長四角形の板。片面には絵柄を描(カ)いたりきれいな押し絵などを付けたりする。「―の重きが嬉(ウレ)し」[かぞえ方] 一枚

はこいり[0]【箱入(り)】(大事な物がこわれたりよごれたりしないように)箱に入れてあること。また、その物。 **―むすめ**[5]【―娘】〔大事にしまって、めったに人に見せないように〕外出もさせないほど大切に育て(られ)た娘。

はこう[0](カウ)【波高】波の高さ。

はこう[0](カウ)【〈跛行】―する(自サ)〔片足を引いて歩くこと〕二つ(以上)の物の進み方に速いおそいがあって、釣合がとれないこと。「―景気[4]・―性[0]」

ばこう[0](カウ)【馬耕】鋤(スキ)を引かせるなど、馬を使ってする耕作。

はこおり[0](ヲリ)【〈函折(り)】ボール紙などを折って、函にすること。「―作業[5]」

はこがい[0](ガヒ)【箱買(い)】―する(他サ)商品をまとめて(流通用の)箱単位で買うこと。「△タマネギ(ワイン・キャラメル)を―する」

はこがき[0]【箱書(き)】―する(自サ)その書画・工芸品などが本物であることを証明するために、入れ箱の ふたなどに作者または鑑定家などが署名・捺印(ナツイン)すること。また、その書き物。

はこがまえ[3](ガマヘ)【〈匚構(え)】漢字の部首名の一つ。「匠・匡・匪」などの「匚」の部分。〔物を隠す意を表わす〕⇩かくしがまえ

はごく[0]【破獄】―する(自サ)ろうやぶり。脱獄。

はこし[2]【箱師】バス・電車・列車の中を稼ぎ場所にするすり。〔通語〕

はこじょう[0](ヂャウ)【箱錠】洋風のドアにつけた錠で、かぎ穴から箱の部分に かぎをさし込んでとめる仕掛けになったもの。多くハンドルがある。

はこせこ[0]【〈筥《迫・箱《迫】女性が、ふところに入れて持った、箱形の紙入れ。〔現在では礼装時の飾りとする〕

パゴダ[1]〔pagoda〕〔インド・東南アジアの〕寺の塔。

はごたえ[2](ゴタヘ)【歯応(え)】❶食べ物をかんだ時に感じる、堅さの感じ。❷こちらの苦労などが相手のそれ相応の反応によって十分に報いられる時の充足感。

はこぢょうちん[3](ヂャウ―)【箱《提《灯】上下に丸く平たいふたがあって、全体を小さくたためるようにした提灯。

はこにわ[0](ニハ)【箱庭】土・模型などで小さな箱の中に山水の景色や庭園を似せて作った物。

はごのき[3]【羽子の木】山地に自生する落葉低木。根の一部は他の木の根に寄生する。初夏、薄緑色で卵形の花が咲く。実は四枚の翼状の苞(ホウ)があり、羽根突きの羽根に似ているので、ツクバネといわれる。〔ビャクダン科〕[かぞえ方] 一株・一本

はこばしゃ[0]【箱馬車】屋根が作りつけになっている、箱形の馬車。⇩幌(ホロ)馬車

はこび【運び】[一][0]❶⇩おはこび ❷物を(目的の所まで)

次つぎと進めていくこと。また、その進めぐあい。「△足(筆)の―が速い／試合―がうまい」 ❸物事が段階を追って計画通りに進むこと。また、その進みぐあい。「準備万端整い開会の―となる／議事の―〔=進捗(シンチョク)〕が順調だ」 ■二(造語) 動詞「運ぶ」の連用形。「―込む④・―出す④」 ―や⓪【―屋】 荷物、特に非合法な物品を運ぶ役の人。

はこひばち③【箱火鉢】 外側が木製の、箱形の火鉢。

****はこ・ぶ**⓪【運ぶ】 ■一(他五) ❶〈(どこカラどこニ)なにヲ―／なにデなにヲ―〉 人や物を、手で持ったり 車に乗せたり して、ほかの所へ移す。「△本(荷物・人)を―／風が春のたよりを―／足を―〔=実際に、そこへ出向く〕」 ❷〈(どこ・なにニ)なにヲ―〉 少間隔の移動を続けて目的の△長さ(箇所)まで達する。「△足(歩)を―／△筆(針)を―」 ❸〈(どこ・なにニ)なにヲ―〉 計画通りに物事を次の段階へ進める。「事を―」 ■二(自五) 物事が計画通りに次の段階へと進む。「工事が順調に―〔=はかどる〕／事が簡単に―とは思えない」 〔⇩運び■二〕

はこぶね⓪【箱舟・箱船・《方舟】 四角な形の船。「ノアの―」

はこべ⓪【{〈蘩蔞〉}・{〈蘩蔞〉}】 日本の至るところに生える一、二年草。春の七草の一つ。春、白い小形の花を開く。柔らかで小鳥のえさにする。古名、ハコベラ⓪。〔ナデシコ科〕 かぞえ方 一本

はこぼれ②【刃《毀㋹】―する(自サ) 刀・包丁などの刃が△欠けること(欠けた部分)。

はこまくら③【箱枕】 底が木の箱になっている くくり枕。

はこみや⓪【箱宮】 神棚に飾る、神社の模型風の建物。屋根の半分と扉を表わす。

はこもの⓪【箱物】 ❶たんす・本棚など箱状の家具。 ❷地方公共団体などが建設した市民会館・文化会館などの公共建造物を揶揄(ヤユ)した表現。「―行政」 表記「ハコ物・ハコモノ」とも書く。

はこや⓪【箱屋】 ❶箱を作ったり 売ったり する△人(店)。 ❷芸者の三味線を持ち運ぶ男。

はこやなぎ③【箱柳】 四、五月ごろ、茶色の花穂(カスイ)をつける落葉高木。木材はマッチの軸木・経木真田(キョウギサナダ)〔=経木を真田ひものように編んだもの〕や製紙の原料として用いられる。〔風に揺られて音を立てるので、ヤマナラシ③とも言う〕〔ヤナギ科〕 かぞえ方 一株・一本

はごろも⓪【羽衣】 (天人が着たという)鳥の羽で作った衣。 かぞえ方 一枚

はこん⓪【破婚】―する(自サ) 結婚生活に失敗すること。

はさ⓪①②【{稲架}】 「いなかけ」に同じ。「はざ」とも。

ばさ①【婆〈娑〉】―たる ―と 〔古〕 ❶舞う人のそでが ひらひらする様子だ。 ❷竹の葉などが風に吹かれて がさがさ音を立てる様子だ。 ❸物の影が動いて見える様子だ。

バザー①〔bazaar=イスラム教国で、市(チ)の称〕 ❶社会事業などの資金を集めるために開く即売会。慈善市。 ❷〔学校などで〕生徒の作品を売る会。

ハザード②①〔hazard〕 ❶(造語) 危険な状態。障害。「企業のモラル―」 ❷〔ゴルフで〕池・バンカーなどコースの障害となるもの。 ―マップ⑤〔hazard map〕 地震・津波・洪水・噴火などの自然災害の及ぶ範囲を想定し、避難経路や避難場所などを記した地図。「防災マップ⑤」とも。 ―ランプ⑤〔和製英語 ←hazard + lamp〕 自動車の緊急点滅表示ランプ。

バザール②〔ペルシャ bāzār〕〔西アジア地方などの〕露天市場。

はさい⓪【破砕・破〈摧〉】―する(自他サ) 堅い物を粉ごなに砕くこと。また、砕けること。「氷塊を―する」

はざかいき③【端境期】―ザカヒ― 前年とれた米が乏しくなり、新米がまだ出回らないころ。〔季節のある果物・野菜などにも言う〕

はさき⓪③【刃先】 刀などの、刃の先。

はさき⓪【葉先】 葉の先端の部分。

はざくら②【葉桜】 花が散って若葉の出た桜。

はざし⓪【ハ刺㋛】 洋服の襟の芯(シン)などを付ける時、「ハ」の字の形に刺し縫いすること。

ばさし⓪【馬刺㋛】 馬肉の刺身。

ばさつ・く⓪(自五) ❶ばさばさになる。「髪の毛が―」 ❷ばさばさと音を立てる。「竹の葉がばさついて眠れない」

ぱさつ・く⓪(自五) ぱさぱさになる。「ぱさついたご飯」

ばさばさ ■一①(副)―と ―する ❶(毛などの)あぶら気や水気が失われて、全体にまとまりがつかない状態。「髪の毛が―とする」 ❷ばさばさと音を立てる様子。「鳥が―と飛んで行く／鯉のぼりが―ひるがえる」 ■二⓪―な ―に 「ばさばさ■一❶」に同じ。「筆先が―になる」

ぱさぱさ ■一①(副)―と ―する 必要な水気やあぶら気が失われている状態。「肉が―する」 ■二⓪―な ―に 「ぱさぱさ■一」に同じ。「髪の毛が―になる／―のご飯／―に乾燥する」

はざま⓪【《間・《迫・《迫間・《狭間】 ❶物と物との間の狭くなった所。あいだ。 ❷谷あい。 ❸城壁に造った、弓・鉄砲をうつための穴。

*__はさま・る__③【挟㋮る】(自五)〈なに・だれニ―〉 ❶両側から強く押されて、動きが取れなくなる。「食べ物が歯に―」 ❷対立する両者の間に入る。

はさみ【挟み】 ■一③ 挟む△こと(もの)。「板―(バサミ)・紙―(バサミ)・ふとん―(バサミ)④」 ■二(造語) 動詞「挟む」の連用形。 ―うち③【―撃㋠】―する(他サ) 敵を中に挟んで両側から攻撃すること。「―にあう」 ―がみ③【―紙】 △備忘のために本のページの間に(重ねた品物が破損しないように重ね目ごとに)紙を挟むこと。また、その紙。 ―き・る④⓪【―切る】(他五) △何かに挟んで(はさみなどで)切る。 表記「〈剪み切る」とも書く。 ―しょうぎ④―シヤウ―【―将棋】 将棋のこまを使ってする遊びの一つ。敵のこまを前後または左右から挟んで取る。 ―ばこ③【―箱】 近世、武家が着替えや必要な調度を入れ、供の者にかつがせた箱。

*__はさみ__③②■一【〈鋏】 ❶二枚の(鋭利でない)刃で布・紙などを挟んで切る用具。「のりと―〔=⇩のり❶〕で作った辞書／紙―(バサミ)・剪定(センテイ)―(バサミ)⑤」 ❷パンチ❶。 ❸〔じゃんけんで〕二本の指を出して示すもの。「紙」に勝ち、「石」に負ける。ちょき。 かぞえ方 ❶❷は一挺(チョウ)・一丁・一本 ■二【〈螯】 カニ・エビなどの、物をつかむ大きな前足。

****はさ・む**②【挟む】(他五) ❶〈(どこ・なにニ)なにヲ―／なにデなにヲ―〉 二つの物の間に何か異質のものを入れ△動かない(落ちない)ようにする。「△脇(ワキ)(顎(アゴ))の下に―／鉛筆を耳に―／無造作(ムゾウサ)に手で―／小さな木片をドアの下に挟んで半開きにしておく／小耳に―〔=⇩小耳〕」 ❷〈(なにニ)なにヲ―〉 二つのものの間に何か別のものを位置させる。「二軒のパン屋が通りを挟んで競っていた／川を挟んで〔=隔てた〕向かいは佐賀県だ／ビルに挟まれた狭い道／祝日を挟んで四連休になる／太平洋戦争を―〔=その時期に含む〕動乱期／引き分けを挟んで八連勝／通訳を挟みながら〔=介しつつ〕語る／異論を―／疑いを―〔=心に持つ〕／口を―〔=よけいな口出しをする〕／言葉を―」 表記「《挿む」とも書く。〔⇩挟み■二〕

ばさらがみ③【ばさら髪】 結わないで、ばさばさになった髪。

ばさり②(副)―と ❶広がりを持つ物が、下に落ちて鈍い音を立てる様子。また、その音の形容。 ❷⇩ばっさり「長い髪を―と切る」

はざわり②―ザハリ―【歯触㋷】 歯でかんだ時の食べ物の感じ。

は

「―がいい」

はさん⓪【破産】―する（自サ） 財産が全部無くなること。〔法律では、金を借りていた人や会社が返せなくなった時、すべての財産を貸した人びとへ公平に分けることが出来るようにする、裁判上の手続きを言う〕「―に瀕する/自己―」⇩倒産

**はし⓪【端】〔「し」は接辞〕㊀〔続いている物の〕最後の部分。「―から始める/棒の―〔=先端〕/読む―から〔=読んで時間もたたないうちに〕忘れる」㊁〔広がりのある物の〕中心から離れた部分。「紙の―〔=すみ〕/道の―〔=ふち〕」㊂中心的ではない一部分。「言葉の―をとらえる」㊃不要として切り捨てた部分。「木の―/切れ―」

はし①【〈嘴】〔雅〕くちばし。「イスカの―〔=⇩いすか（鶍）〕」

*はし①【箸】食物などを挟む、二本の細い棒。[かぞえ方]二本で一膳。火箸や菜箸については、一組・一具・一揃いなどと言う。【―にも棒にも掛からない】ひど過ぎて、なんとも扱いようが無い。【―の上げ下ろし】日常生活の細かな一つひとつの行儀作法。

*はし②【橋】川・海峡・道路などの上に渡して、通路とするもの。「―をかける〔=ⓐ通路を両地点にかける。ⓑ渡りをつける〕/―渡し・かけ―・石―・仮―・桟―・吊―」[かぞえ方]一本

**はじ②【恥】〔動詞「恥じる」の連用形の名詞用法〕㊀世間体を意識した時に、ばかにして笑われるのではないかと思われるような欠点・失敗・敗北・言動など(を自省する気持)。「―をかく/―の上塗り/―も外聞もなく わめき散らす/赤っ―」㊁自ら△人間として(道徳的に)未熟なところがあるのを反省する△こと(気持)。「―を知れ」[表記]「〈辱」とも書く。

はじ⓪【《端】〔東北・関東方言〕端。

はじ①【〈櫨・〈黄〈櫨〉】植物のハゼの古名。ろうの木。

はじ①【把持】―する（他サ） しっかりと持つこと。

ばし（副助）〔雅〕ほかの事はさておき、それだけを取り上げて問題にすることを表わす。「御用―〔=何か御用が〕御座るか/御心に―〔=決して御心に〕違ふな/生きながら餓鬼道に―〔=きっと餓鬼道に〕落ち給ひたるやらん」

ばじ①【馬事】馬に関する事柄。「―公苑③」

はしい⓪【端居】―する（自サ） 夕涼みなどのために、縁側など、家の端近くに出ていること。

はじい・る③【恥じ入る】（自他五） 恥ずかしいという思いにとらわれる。

はしおき③②【箸置き】食卓で、箸の先をのせておく、小さなまくらのような道具。箸まくら③。

はしか③【〈麻〈疹〉・〈〈痲疹〉〉】〔かゆい意の文語形容詞「はしかし」の語幹に基づく名詞形という〕幼児に多い急性の感染症。発熱し、赤い点々のような発疹が皮膚や粘膜に出来る。ましん(麻疹)。〔普通、一度かかれば生涯免疫がある〕[表記]古くは「〈赤〈瘢〉・〈隠〈疹〉・〈瘀・〈疹〉」と書いた。「〈〈痲疹〉〉・〈麻〈疹〉」は、近代からの用字。

はしがかり③【橋懸り】〔能楽で〕鏡の間〔=楽屋の次の姿見のある所〕から舞台へ斜めに掛けてある、橋のような通路。〔ここでも演技をする〕

はしがき⓪【端書き】㊀書物の序(文)。前書き。↕あとがき ㊁和歌の前に書く短い言葉。〔成立事情などを述べる〕

はじかみ⓪【〈薑・〈椒】サンショウ・ショウガの雅名。

はじき【《弾き】［一］㊀③弾く△こと(力)。「バットの―がいい/つま―」㊁①ピストルの隠語。［二］（造語）動詞「弾く」の連用形。 ―だ・す④【―出す】（他五）㊀弾いて外へ出す。「つめで―」㊁排斥する。㊂〔「はじく」は「そろばんをはじく」意〕算出する。〔やりくりして費用を捻出する意にも用いられる〕「偏差値を―/数字が弾き出される」

*はじ・く②【《弾く】（他五）㊀〈なにデ〉なにヲ―〉はずみを付けて瞬間的に何かに強い衝撃を加える。また、その結果、その物を勢いよくある場所から跳ばす。「△爪先(指)で―/車が小石を―/そろばんを―〔=⇩そろばん㊀〕」㊁〈なにヲ―〉性質の違うものどうしが互いに排除し合う。「油紙が水を―」㊂〈なにヲ―〉△条件に合わない(同類として扱えない)ものとしてはねのける。「不適格として―」〔⇩弾き［一］〕

はしぐい⓪【橋〈杙・橋〈杭】橋桁をささえる材。橋脚。

はしくよう③【橋供養】橋が出来あがった時、橋の上で行なう法会。

はしくれ⓪【端くれ】〔末端の意〕その社会の人間として必要な条件を一応満たしてはいるが、十分な実力を備えているとは言いがたい人。「国家試験にパスし、医者の―として診療所に勤めることになった/これでも研究者の―だ」

はしけ③【〈艀】〔「はし」は「端」の意。「け」は未詳〕本船と波止場との間を、貨物などをのせて運ぶ小舟。「はしけぶね④」とも。[かぞえ方]一艘

はしげた⓪【橋桁】橋ぐいの上に渡して板をささえる材。[かぞえ方]一本

はじ・ける③【《弾ける】（自下一）㊀〔熱などが加えられたために〕表面に ひびが入って来て、△割れ目が出来る(割れて中身が飛び散る)。はぜる。「煎った△豆(ゴマ)が―/パチパチと―火事場特有の音/才弾けた〔=頭の回転が速くて△とてもついていけない(警戒しなければならないところがある)〕人」㊁はぜる㊀。

*はしご⓪【〈梯子】〔「ご」は接辞〕㊀立て掛けたりして高い所を上がり下りするために使う道具。二本の長い材に幾段もの足がかりを付けたもの。「―をかけ上がる/非常―・縄―」㊁―する（他サ）〈どこ・なにヲ―する〉〔「梯子酒」の略から〕次つぎと回り歩くこと。「医者を―する」[かぞえ方]㊀は一挺・一丁・一台 【―を外される】気負い立って何かをしようとしているところを、まわりの者に足をすくわれてむなしく挫折する。 ―ざけ③【―酒】一か所で飲み終わると、また店を変え、次つぎに酒を飲み歩くこと。 ―しゃ③【―車】折畳み式の梯子を備えた消防車。高層建築物の消火に使う。[かぞえ方]一台 ―だん⓪【―段】二階などへ上がり下りするための階段。 ―のみ⓪【―飲み】はしござけ。 ―のり⓪③【―乗り】まっすぐに立てた梯子の上に登って芸当をする△こと(人)。出初式などに行なう。

はしこ・い③【〈捷い】（形）頭の働きや動作がすばやく、何かにつけて要領よく振る舞う様子だ。〔口語形は、「はしっこい④」〕「―子供」[派]―さ③

はじさらし③【恥〈曝し】―な その人一人のせいで関係者がみんな面目無い思いをしなければならない△様子(こと)。また、その人。「―な奴/一門の―」

はじしらず③【恥知らず】―な 常人だったらとても出来ないような△不道徳な(人間として恥ずべき)行為を平気でする様子。また、その△人(行為)。「―にもほどがある」

はしせん③②【橋銭】昔、橋を渡るために支払うことが要求されたお金。

はした⓪【端た】〔「た」は接辞〕㊀△計算の結果出た(単位以下の)過不足の数量。㊁中途はんぱな△こと(様子)。㊂必ずしも必要とされない△部分(人)。㊃はしため。 ―がね⓪【―金】わずかのお金。はしたぜに④。端銭。 ―な・い④（形）〔「ない」は形容詞を形作る接辞〕接する人に不快な気持を起こさせるほど、また、自分自身の言動を省みて恥ずかしく思うほど、品がない様子だ。「―△振舞(こ

とを口にする)」 派 ーさ④ 文法 助動詞「そうだ(様態)」に続くときは「はしたなさそうだ」の形になる。また「すぎる」と結びついて複合動詞をつくるときは「はしたなさすぎる」の形になる。 **ーめ**⓪【ー女・〈婢女〉】 かつて、よその家の家事手伝いに雇われていた女性。

はしぢか⓪【端近】ーな 部屋の出入口やすみに近い△所(様子)。

はしっこ⓪【端っこ】〔東京など関東地方の方言〕端。〔「はじっこ・はじっぺ・はじっぽ」とも言う〕

ハシッシュ①〔hashish=干し草の意のアラビア語に基づく〕大麻(タイマ)の花・葉を干して作る麻薬。たばこにまぜて用いる。ハッシッシ①とも。

はしづめ⓪【橋詰(め)】 橋のたもと。

ばじとうふう①-⓪【馬耳東風】 人の意見や批評を全く気にかけないこと。「ーと聞き流す」

はしなくも③【端無くも】(副) ふとした折に全く予想もしなかった事態に遭遇する様子。「旧友とー行き会った／ー仮面に隠されていた残忍な性格が露呈された」

はしぬい⓪ー【端縫(い)】 ほつれないように、布の端を細く折り返して縫うこと。

はしばこ⓪②③【箸箱】 箸を入れておく、細長い箱。

はしばし②【端々】 無作為に取り出した、一つひとつの部分。「言葉のー〔=すべての部分〕に感じられた／動作のー〔=各部分〕から、これまでになくリラックスぶりが読みとれた」

はしばみ⓪【〈榛〉】 野山に生える落葉低木。春、黄褐色の雄花、紅色の雌花を穂のようにつける。実は平たくて先がとがり、茶色。食用。〔カバノキ科〕 かぞえ方 一株・一本

はじまり⓪【始(まり)】 ❶(一連の)行動や事件が始まる△こと(時)。「兄弟は他人のー」 ❷(重大な)結果を引き起こす基。「事のー」

はじま・る⓪【始(ま)る】(自五)〈(なにカラ)ー〉 その時点からそれまでとは異なる新たな△行動が行なわれる(状態に移る)。「一日の仕事がー／今日から春休みがー／地方から始まった市民運動／コンピューターによるミスは今に始まった事ではない／人類〔=人類の歴史が〕始まって以来の危機」↕終わる 運用 (1)「また始まった」などの形で、特定の人物がいつも同じような状況で繰り返される言動について嫌気がさしたりそうした人物を嘲笑したりするときに発せられる言い方となる。例、「そらまたお説教が始まった」 (2)「…ても始まらない」の形で、手遅れで(時期を逸して)どうすることもできない状態だ、というあきらめの気持を含意することがある。例、「今さら何を言っても始まらない」。また、どうにかするためには(この場で)こうしていても仕方ない、という決意を含意することもある。例、「ここで騒いでも始まらない〔=他の行動を起こさなければ〕」

はしミシン③【端ミシン】 ほつれないように、布の端を少し折り曲げて、ミシンを掛けること。

***はじめ**⓪【初(め)】 ❶始める△こと(時分)。始まった段階。「年のー／ーからやり直す／国のー〔=起源〕／習いー」↕終わり ❷続いている物の、最も先の部分。最初のうち。「ーはおもしろくない映画」↕末(エス) ❸多くある物の中の代表。「…をー(として)」 表記 「始め」とも書く。 【ーは処女のごとく終わりは脱(だっ)兎(と)のごとし】 当初のおとなしさはどこへやら、おしまいに近づくに従って勢いが増し、抑えることが出来なくなることを表わす。

はじめて②【初(めて)】(副) ❶当人にとって今回がその事を経験する最初である様子。「生まれてー人の愛に接した／ー手術を受けた時の怖さ／ーにしてはよく出来た」 ❷何かがきっかけで、その時になって事新しく気付く様子。「子を持ってー知る親の恩」

****はじ・める**【始める】(他下一) ■一⓪〈(なにカラ)なにヲー〉 その時点からそれまでとは異なる新たな△行動を行なう(状態に移す)。「明日から営業をー／△ひとり暮らし(外出の支度)をー／フランス語の勉強を基礎からー／話が退屈で居眠りをー」↕終える・終わる 表記 「《創める》」とも書く。 ■二〔「動詞連用形＋ー」の形で、接尾語的に〕その△行動に着手した(状態に移った)ことが認められることを表わす。「書きー・見ー・言いー・色づきー」 運用 ■一は、「始めまして」の形で、初対面の際の挨拶(アイサツ)の言葉として用いられる。

はしゃ①【覇者】 ❶武力・権力で天下を取った人。↕王者 ❷競技などの優勝者。

はじゃ①【破邪】〔仏教で〕邪道を打ち破ること。「ーの剣／ー顕正(ケンショウ)〔=正しい真理を広めること〕」

ばしゃ①【馬車】 人や物を乗せて、馬に引かせる車。 かぞえ方 一台 **ーうま**⓪【ー馬】 (両側が見えないように目におおいをつけて)馬車を引かせる馬。「ーのように〔=わき目もふらず、ひたすらに〕働く」

はしゃ・ぐ②⓪【《燥ぐ》】(自五) ❶〔子供などが〕すっかり喜んでふだん以上に活発に騒ぎ回る。 ❷〔桶(オケ)などが〕からからに乾く。

はじゃく⓪【端尺】 おとなの羽織に出来るほどの長さの反物。 表記 「羽尺」は、借字。

はしやすめ③【箸休(め)】 おもな料理の間に食べる、ちょっとした料理。

パジャマ①〔pajamas〕 上着とズボンから出来ている(西洋風の)ねまき。ピジャマとも言った。 かぞえ方 一枚・一点

はしゅ①【〈播種〉】ーする(他サ) 「種まき」の漢語的表現。「腹膜ー〔=腹膜に癌(ガン)細胞がこぼれて、種をまいたようにバラバラと広がること〕」

ばしゅ①【馬主】 その競馬馬(ケイバウマ)の持主。

ばしゅ①【馬首】 ❶乗っている馬の首。「ーをめぐらす〔=馬の進む方向を変える〕」 ❷跳馬の、前の部分。

はしゅつ⓪【派出】ーする(他サ) 〔分かれ出る意〕仕事をするために、他の場所へ出向かせること。 **ーじょ**⓪④【ー所】 ❶本部から職員を派出して、詰めさせている小さな事務所。 ❷「巡査派出所」の略。「交番」の旧称。 **ーふ**③【ー婦】 求めに応じてその家に臨時に出張し、家事などの手伝いをすることを職業とした女性。〔現在の家政婦の原点とされる〕

ばじゅつ①【馬術】 馬を意のままにあやつって乗りこなす技術。「ー競技・高等ー」

はじゅん⓪【波旬】〔仏教で〕悪魔。「天魔ー①-⓪」

****ばしょ**⓪【場所】 ❶何かが、その上△にある(で行なわれる)と認められる広がり。〔「位置」は「点」に近い用法を主とする点で、区別される〕「子供の遊ぶーがない／時とーを踏む〔=経験を積む〕」 ❷居る所。席。「ーをあける」 ❸すもうを興行する△所(期間)。「ー入り⓪・夏ー」 【ーを取る】 ❶そのものがそこを占拠しているために、ほかのものを置いたりほかのものが入ったりする余地が無い。 ❷席を△確保(予約)する。「お花見のー」 **ーがら**⓪【ー柄】 ❶その場所がどういう性質の場所であるか。「ーをわきまえない」 ❷その場所の性質△や条件(のため)。「ー(か)よく繁盛する」 **ーふさぎ**③【ー塞(ぎ)】 その場にあってじゃまになる△こと(物)。 **ーわり**⓪【ー割(り)】 場所の割当て。「夜店のー」

はじょう⓪ー【波状】 ❶波のような形。 ❷波が寄せては返すように繰り返し行なわれる状態。「ー攻撃」

ばしょう⓪【〈芭蕉〉】 中国原産の、背の高くなる多年草。葉は特大の楕円(ダエン)形。夏、頂に黄茶色の花が穂のように集まり咲く。観賞用。〔バショウ科〕 かぞえ方 一本 ー

ばじょうふ② 【―布】 バショウの繊維で織った布。沖縄の名産。

ばじょう⓪ 【馬上】 (人が乗る部分である)馬の背中。「―の人となる(=馬に△またがる(乗る))」

はしょうふう⓪ 【破傷風】 けがをした時などに、破傷風菌がその傷口から入って起こす急性の感染症。高熱・けいれんを起こし、重症のものは数時間で死ぬ。

はしょく⓪ 【波食・波〈蝕】 波が長い間に陸地を削り取ること。また、その作用。「―台地」

はしょく⓪ 【破色】 原色に白か灰色かを少し混ぜた色。

ばしょく⓪① 【馬〈謖】 三国時代(=一九〇～二二八)、蜀の武将の名。

【泣いて―を斬る】 ⇩泣く

はしょ・る②⓪ 【端《折る】(他五) (「端折る」の変化) ❶着物のすそをあげて帯などにはさむ。❷話・仕事などの終りの部分を省いたりして、簡略にする。

はしら 【柱】 [一]③⓪ ❶屋根(や、高い所にある物)を支えるために立てる、細長い材木・コンクリートなど。「電信―」 ❷その組織の中心的存在。「一家の―(=一家の生計を支える大事な人)/雑誌の―(=重要な△項目(記事))」 ❸書物の△各ページ(各丁)に印刷する書名・項目名・巻数名など。❹貝柱。 [二](造語) 日本古来の神や神体・神像、また遺骨をかぞえる語。「二―の神」 かぞえ方 [一]❶～❸とも 一本 **―かけ③ 【―掛(け)】 (室内などの)飾りとして柱に掛ける物。 **―ごよみ**④ 【―暦】 柱などに掛けて、毎日一枚ずつめくり取る暦。日めくり。はぎ暦。 **―どけい**④ 【―《時計】 掛け時計の一種。 表記 ⇩付表「時計」

はじら・う③ 【《羞(じ)らう・恥(じ)らう】(自五) (世慣れぬ娘などが)人見知りをして、はにかむ。「花も―(=きれいな花もかなわないと思うほど美しい)乙女」 名 羞じらい⓪

はしら・せる④ 【走らせる】(他下一) (「走る」の使役形) ❶少しでも早く行かせようとする。「使いを―/車を―(=早く行かせる)/敵を―(=敗走させる)」 ❷滞ることなく、次から次へと(さっと)動かす。「目を―/ペンを―/絵筆を―」 (口頭語では、「走らかす④(五)」)

はじらみ② 【羽〈虱】 鳥類に寄生し、羽毛などを食べる昆虫の総称。はむし。 かぞえ方 一匹

はしり 【走(り)】 [一]③ ❶走ること。「―のいい戸/一―(=口頭語形は『ひとっぱしり』)」 ❷(季節の食べ物で)出盛る前の時期に市場に出るもの。(広義では、一時期盛んに行なわれるものの先駆をなす(と言ってもよい)ものを指す。例、「梅雨の―/携帯ラジオの―」) ⇩初物・旬 ❸(東北と西日本の方言)台所の流し。 **―づゆ**③④ 【―〈梅雨】 五月下旬、梅雨の前ぶれのように、降ったりやんだりの雨が続く天候。 表記 ⇩付表「梅雨」

[二](造語) 動詞「走る」の連用形。 **―がき**⓪ 【―書(き)】 ―する(他サ) 字画を一点一画丁寧に書かないで、続けて書くこと。 **―こ・む**④ 【―込む】(自五) (△体力維持のために(本番に備えて))これ以上は出来ないと思われるほど、繰り返し走る訓練をする。 名 走り込み⓪ **―じ**③ 【―〈痔】 血が筋を引いて勢いよく出る痔。 **―ずみ**③ 【―炭】 ⇩はねずみ **―たかとび**④ 【―高跳(び)】 陸上競技種目の一つ。掛け渡してあるバーを、走って来て跳び越えるもの。ハイジャンプ。 表記 「走り高飛び」とも書く。 **―づかい**④ 【―使(い)】 あちこちかけ回って雑用をする△こと(人)。 **―ぬ・く**④ 【―抜く】(自五) ❶走って追い越す。❷最後まで走り通す。 **―ぬ・ける**⑤ 【―抜ける】(他下一) 走って通り抜ける。 **―はばとび**④ 【―幅跳(び)】 陸上競技種目の一つ。走って来て、片足で踏み切って跳び、出来るだけ遠くまで跳ぶもの。 ⇩立ち幅跳び 表記 「走り幅飛び」とも書く。 **―まわ・る**⑤ 【―回る】(自五) 各方面を懸命に走る。(△奔走(斡旋)する意にも用いられる)「資金集めに―」 **―よみ**⓪ 【―読(み)】 ―する(他サ) 急いで、飛び飛びに読むこと。

バジリコ⓪② (イ basilico) イタリア料理の香味料や頭痛薬・解熱薬などに用いる、シソ科の一年草。バジルとも。メボウキ②。

**はし・る② 【走る】(自五) ❶〈(どこヲ)―/(どこニ)―〉 (人間・鳥獣が)足で地面を蹴るようにして速く移動する。「遅れそうなので駅まで走った/トップを―ランナー/一五〇〇メートル競走を―(=選手として参加する)/金策に―/敵陣に―(=味方を裏切って、敵に与する)」 ❷〈(どこヲ)―/(どこニ)―〉 (ある程度の速さを持続させて)流れるようになめらかな動きで移動する。「△電車(自動車)が―/獲物めがけて―ヘビ/岩の上を―水/筆が―(=すらすらと書ける)/背中に鋭い痛みが―/稲妻が―/軽快に―ヨット/虫酸が―(=⇩虫酸)」 ❸〈どこニ―/どこヲ―〉 一方の端を起点として線状に伸びた状態にある。「町の中央を東西に―大通り/地震で壁に亀裂が―/スクリーンに筋の―古い映画」 ❹〈なにニ―〉 △自制心が働かず(慎重に考える余裕を失い)好ましくない方向に進んだ状態になる。「議論が極端に―/感情に走って思わず声を荒らげる/△悪(非行)に―」 表記 ❶❷は「〈駛る」、❸❹は「〈趨る・《奔る」とも書く。 [⇩走り[二]]

はじ・る② 【恥じる】(自他上一) 欠点の多い自分の至らなさに気づいたりして、恥ずかしく思う。「良心に―/歴史に恥じない/恬として―ところが無い/…の名に恥じぬ(=…の名を△辱めない(けがさない)りっぱな)行い/己の不明を―」 表記 「〈羞じる・〈愧じる」とも書く。

バジル① (basil) ⇩バジリコ

はしわたし③⓪ 【橋渡(し)】 ―する(自サ) (橋をかける意)直接、交渉する方法の無い両者の間に立って、仲を取り持つこと。

ばしん 【馬身】 (接尾語的に)(競馬で)馬の頭から尻までの長さ。「一―の差で勝つ」

ばしん⓪ 【婆〈心】 (古)老婆心。「些の―を以て」

はす⓪ 【《斜】 ―に 「ななめ」の意のやや砕けた表現。「―に△切る(見る)」

はす⓪ 【〈蓮】 池・沼・水田に栽培される多年草。葉はサトイモの葉に似、丸くて大きい。夏、花びらの多い、△白(赤)の花を開く。根の蓮根・種子は食用。(仏教では、この花が極楽にたくさん咲いているという。古くは「はちす」とも) (ハス科(旧スイレン科)) 「―の台(=極楽往生した人がすわるという蓮華の座席)」 かぞえ方 一本

ハズ① ハズバンドの略。夫。

はず⓪ 【〈筈】 [一]❶(雅)「矢筈・弓筈」の略。❷(すもうの手で)親指と他の四指との間を、相手のわきの下や胸に当てて押すもの。「―押し/―に掛かる」 [二](形式名詞的に) 経験的な知識や知り得た情報などを根拠にして、当然こうなるにちがいないと判断することを表わす。「九時発の新幹線に乗ったそうだから十二時には大阪に着いている―だ/国ではもう田植えが始まっている―だ/それくらいの事は子供にだって分かる―だ/今日中に帰る―(=予定)だったが、都合でもう一泊することになった」

運用 [二]について。(1)「…と言ったはずだ」などの形で、相手の発言をもとに下した判断と実際とが相反する結果になったとき、相手に不信感をいだき非難する気持を込めて用いられることがある。例、「もう四時だよ。君は三時に来ると言ったはずだ」 (2)「こんなはずではなかった(のに)」などの形で、当然こうなると期待したところとは相反する結果になったとき、失望や落胆の気持を込めて用いられることがある。例、

「見ると聞くとは大違い、こんなはずではなかった(のに)」

バス①〔bass=ベースの文字読み〕〔音楽で〕Ⓐ男声の低音域(の歌手)。低音部。Ⓑ低音部を受け持つ管楽器。「―ホルン③」Ⓒコントラバスの略。

バス①〔bath〕洋式の ふろ。「―タオル③・―マット③・―ルーム③」

バス ①〔bus ←omnibus〕数十人乗れるように座席を配置した、大型の乗合自動車。「―停⓪・観光―⑤・スクール―⑤・水上―⑤・ノンステップ―」⇩タクシー・ハイヤー かぞえ方 一台。便数は一本 **【―に乗り遅れる】❶世の中の進歩などに遅れる。❷仲間や世間一般から置いてきぼりを食う。

パス①〔PAS←**p**ara-**a**mino**s**alicylic acid〕結核によくきく粉薬。

パス①〔pass=通過する〕■一❶無料の△乗車券(入場券)。「株主―・優待―」❷定期乗車券。「―入れ②」■二―する(自他サ)❶合格すること。❷〔バスケットボール・フットボールなどで〕ボールを味方に渡すこと。「―ワーク③」❸〔トランプのある種のゲームで〕自分の順番を休むこと。〔ある停留所をバスが通過することをも指す〕

はすい⓪【破水】―する(自サ)出産の時、子宮内の羊膜が破れて羊水が出ること。また、その羊水。

はすいと⓪【(蓮糸)】ハスの茎の繊維を縒(ヨ)って作った糸。〔これを持っていると極楽往生出来るといわれる〕

はすう②【羽数】鳥の数。「トキの―確認/飼育―」

はすう②【端数】〔△計算の都合上(概数を知るために)〕五・十・百・千などの切りのいい単位までにとどめた場合に出る、残りの数。「―を切り捨てる」

バズーカ②〔bazooka〕ロケット式の対戦車砲。「―砲⓪④」かぞえ方 一門

バスーン②〔bassoon〕⇩ファゴット

はずえ⓪(ズエ)【葉末】葉の先の方。葉先。

ばすえ⓪(スエ)【場末】都市の中心部から離れた(ごみごみした)所。

はすかい⓪(カヒ)【《斜交(い)》】「斜め」の意の古風な表現。

バスガイド③〔和製英語 ←bus + guide〕観光バスに乗り込んで案内・説明をする車掌。

はすかけ⓪【《斜掛(け)》】斜め。

***はずかし・い**④(ハヅカシイ)【恥(ず)かしい】(形)〔世間慣れがしていなかったり 強い劣等感をいだいていたり 差し障りがあったりして〕人前に出るのを避けたい気持だ。「みんなの前で歌うなんて―/聞いているうちにだんだん恥ずかしくなる下品な話/どこへ出しても恥ずかしくない〔=世間に顔向けができない〕事をしてくれたな」派 ―さ④③「―を覚える」―げ⓪「―もなく(…する)」―が・る⑤「恥ずかしがり屋⓪」

はずかし・める⑤(ハヅカシメル)【辱(し)める】(他下一)❶恥をかかせる。❷地位・名誉をけがす。〔謙譲語としても用いられる〕「社長の名を辱めないようにする」❸「女性を犯す」意の婉曲(エンキョク)表現。名 辱め⓪「―を受ける」表記 本表=「辱める」

パスカル①〔pascal← B. Pascal=フランスの物理学者・数学者・哲学者〕圧力の単位で、一平方メートルあたり一ニュートンの圧力を表わす〔記号Pa〕。「ヘクト―」

ハスキー①―な〔husky=果物の皮の(ようにひからびた)〕〔声が〕しゃがれて、よくひびかない様子だ。〔魅力的と感じる向きもある〕「―な声/―ボイス⑤」

はすぎれ⓪【《斜切(れ)》】⇩バイアステープ

バスケット③〔basket〕❶柳や竹などで作った(手さげ)かご。❷バスケットボールに使う、底の無い網。❸バスケットボールの略。 **―ボール**⑥〔basketball〕五人ずつ二組に分かれ、相手側のバスケットにボールを投げ入れて、得点を争う球技。また、それに使うボール。籠球(ロウキュウ)。

バス コントロール⑥〔birth control〕⇩バース コントロール

****はず・す**⓪(ハッス)【外す】(他五)❶〈(なに・どこカラ)なにヲ―〉そこに位置△を占めて(すべく予定されて)いるものを、(一時)他の位置に移す。「雨戸を―/看板を―/眼鏡を―/ボタンを―〔=かけていない状態に戻す〕/あごを―/はめを―〔=⇩はめ❸〕/席を―〔=しばらく自席から離れる〕/△役(任・職務・主役)から―/△はしご(枠)を外される」❷〈(なに・どこカラ)なにヲ―〉取り除く。「予定から―」❸〈なにヲ―〉相手が仕向けた動作を、こちらも予期してまともに受けないようにする。「ねらいを―〔=かわす〕/タイミングを―〔=そらす〕/質問(の矢)を―」❹〈なにヲ―〉つかみそこなう。「ボールを―/取り―〔=取り落とす〕」

バスストップ④〔bus stop〕バスの停留所。バス停。

パスタ① ■一〔ド Pasta〕❶のり状の物。❷軟膏(ナンコウ)。「―剤(ザイ)」 ■二〔イ pasta〕マカロニ・スパゲッティ・ラザニア・ペンネなど、イタリアの めん類の総称。

バスタブ⓪〔bathtub〕(洋式の)浴槽。

はすっぱ⓪【(蓮っ葉)】―な〔「蓮葉⓪」の強調形〕女性の態度・行動が軽薄で下品な様子だ。

パステル①⓪〔pastel〕顔料とゴムを のり状に練って、棒状に乾燥させた柔らかでもろいクレヨン。「―画」 **―カラー**⑤〔pastel color〕柔らかい中間色。

バスト①〔bust〕❶胸(の部分)。胸まわり。「豊かな―」❷胸像。半身像。

バストパッド④〔bust pad〕⇩パット

ハズバンド①〔husband〕夫(オット)。略してハズ。↕ワイフ

はずべき③(ハッ)【恥(ず)べき】〔道徳・人間性に反しているので〕恥ずかしいと△思うのが当然な(思わなければならない)。「―行為/酔って醜態をさらしたことを―だ」

パスポート③〔passport〕⇩旅券

パスボール③ ■一〔passed ball の日本語形〕〔野球で〕捕逸。逸球。■二〔pass ball (動詞)〕〔フットボールなどで〕味方にボールを送り渡すこと。

はずみ(ハッミ)【弾み】■一⓪❶〔すぐには止められないほど激しい〕勢い。「△勉強(話・運動)に―がつく/―を△くらう(つける)/物の―〔=その場の△形勢(成行き)〕でつい引き受けてしまった」❷その瞬間。「ころんだ―〔=とたん〕に」■二(造語)動詞「弾む」の連用形。 **―ぐるま**④【―車】機械の回転軸に取り付けて、回転速度を調節するための、大きい車輪。〔何かに きっかけを与える意にも用いられる〕

***はず・む**⓪(ハッム)【弾む】■一(自五)❶〈(なにニ)―〉落下した物が、△それ自身(当たった面)の反発力で何回か跳(ト)び上がる。「ボールが一回二回―/よく―トランポリン」❷ふだんより高調した状態に、一時なる。「息が―〔=⇩息〕/胸が―〔=⇩胸〕」❸ふだんと違って言動が活気を呈する。「声が―〔=⇩声❶〕/身も心も―〔=生命感・躍動感で はちきれそうだ〕」❹調子よく進む。「話が―〔=⇩話〕/座はしゅんとして、最後まで弾まないままだった」■二(他五)〈だれニなにヲ―〉〔その場の雰囲気に引かれたりして〕ふだんは出さない多額のお金を出す。「△チップ(祝儀)を―」〔⇩弾み■二〕

はすむかい③(ムカヒ)【《斜向(か)い》】斜め前。「はすむこう」とも。

は・する②【派する】(他サ)職務として通常の勤務地から他の所へ行かせる。

パズル①〔puzzle〕〔遊戯として考えさせる〕難問。「―に挑

は

戦する/クロスワードー・ピクチャーー・ジグソーー」

はずれ[0]【外れ】〔動詞「外れる」の連用形の名詞用法〕❶外れること。「当りーがある」↔当り ❷△中心から離れて(その範囲を出て)いる所。「村のーの地蔵堂/町ー・常識ー・調子っー・仲間ー」

はずれ[0]【葉擦れ】草木の葉が(風などで)擦れ合うこと。

***はず・れる**[0]【外れる】(自下一) ❶〈(なにカラ)ー〉今までそこに収まって用を足していた物が正規の位置から移動する。「強風でドアが外れた/おむつがー/△戸(たが・ボタン・骨・あご・ねじ・錠)がー」❷〈(なにカラ)ー〉問題とする範囲・地域の圏外に位置する。「人並外れた△腕力(博識)/市の中心部から少し外れた所にある市役所」❸〈なにニー/なにカラー〉〔選考・達成・遵守の〕目標の圏外に位置する。「選にー〔=選にもれる〕/先発メンバーからー/軌道△から(を)ー/△コース(航路)をー/人の道に外れないように/△道理(法)にー」❹〈(なにカラ)ー/(なにニ)ー〉期待した通りの当りが得られない状態にある。「くじがー/抽選にー/的△が(を)ー/△思惑(もくろみ・予想・ねらい)がー」

バスローブ[3]〔bathrobe〕湯上がりなどに着る、ゆったりした部屋着。 かぞえ方 一枚

パスワード[3]〔password〕△敵味方を識別する(関係者であることを確認する)ための合い言葉や記号。⇩暗証記号

はせ[0]【〈稲架〉】〔東北地方、徳島の方言〕⇩いなかけ

はぜ[1]【〈鯊〉・〈沙魚〉】河口に近い海にすむ、小形の底魚。背中は茶色で、薄黒いまだらがある。食用。マハゼ。また、ドンコ・ヨシノボリなどのハゼ科の魚のこともいう。〔ハゼ科〕 かぞえ方 一尾・一匹

はぜ[1]【〈櫨〉・〈黄櫨〉】庭に植える落葉高木。葉はウルシに似て小形。秋、葉が赤くなる。実から蠟をとる。ハゼノキ[1]。ハゼウルシ[3]。〔ウルシ科〕 かぞえ方 一株・一本

はせあつま・る[5]【〈馳せ集まる】(自五) ❶走って来て集まる。❷急いで集まる。「急を聞いて馳せ集まった同志」

はせい[0]【派生】ーする(自サ) ❶本体から幾つかのものが分かれ出ること。「ー語[0]〔=ある単語に他の形態素が結合して出来た語。例、『うれしい＋がる』で『うれしがる』〕」❷何かのちょっとしたきっかけで、△当面の(中心となる)問題からはやや離れたものが生じること。「ー的な問題」

ばせい[0]【罵声】大きな声で言う悪口。「ーを浴びせる」

ばせき[0]【場席】観客や裏方などが座ることの出来る席。

はせさん・じる[5]、[1]-[0]【〈馳せ参じる】(自上一) (大事が起きるなどして)大急ぎで△主君(上役や、世話になった人)の所へ駆け集まる。

はせつ・ける[4][0]【〈馳せ着ける】(自下一) 走って到着する。駆けつける。 表記「〈馳せ付ける」とも書く。

パセティック[2][3]ーな〔pathetic〕ひどく物悲しい気分にさせる様子だ。

バセドーびょう[0]【バセドー病】〔Basedow=人名〕甲状腺の機能が亢進して起こる病気。目玉が突き出たりする。「バセドー氏病[0]」とも。

はせまわ・る[0][4]【〈馳せ回る】(自五) 諸方を駆け歩く。

はせむか・う[0][4]【〈馳せ向かう】(自五) 急いでおもむく。

はせもど・る[4][0]【〈馳せ戻る】(自五) 大急ぎで(馬を走らせて)戻る。

パセリ[1]〔parsley の日本語形〕畑に作る二年草。葉はニンジンの葉のように細かく切れている。かおりが強く、洋食のつまにする。オランダゼリ[4]。〔セリ科〕 かぞえ方 一本

は・せる[2]【〈馳せる】❶(他下一) 走らせる。「馬をー」❷(自下一) 遠く離れた所に何かを行かせる。「思いを故国にー〔=故国を思いやる〕/天下に名声をー〔=広める〕」

は・ぜる[2]【《爆ぜる】(自下一) ❶(草木の実や種などが)十分に成熟して、自然に内側から突き破るかのように飛び散る。はじける。「△クリ(ゴマの実)がー」❷はじける❶。「炭火がパチパチとー」

はせん[0]【波線】波の形にうねった線。「〜」

はせん[0]【破船】難破した船。

はせん[0]【破線】等しい間隔で切れ目のある線。「……」⇩実線・点線

はせん[0]【端銭】⇩はしたがね

ばせん[0]【場銭】❶劇場などの席料。❷露店などを出すために場所代として払う金。

ばぜん[0]【馬前】馬(に乗っている人)の前。「殿のー」

はそく[0]【把捉】ーする(他サ) 〔意味や内容などを〕しっかり理解すること。

ばぞく[1]【馬賊】もと、中国東北部で、馬に乗って集団で荒らし回った盗賊。

パソコン[0] パーソナル コンピューターの圧縮表現。

パソドブレ[3]〔ス paso doble〕スペイン風の、四分の二拍子のダンス。パソドーブル[3]とも。

はぞり[0]【端反り】陣笠や椀などの端が外側へ反っていること。

ばそり[0]【馬〈橇】人や物を乗せて、馬に引かせる橇。 かぞえ方 一台

***はそん**[0]【破損】ーする(自他サ)〈(なにヲ)ーする〉器物などが一部こわれて傷物になること。また、そうすること。

はた[1]【《将】(副)〔古〕(それとも)また。あるいは。「散るは涙かー露か」⇩はたまた

はた[2][1]【畑・〈畠】はたけ。〔多く、造語形として使われる。例、「田ー・焼きー」〕⇩田 表記「〈畠」は、古くは「はたけ」。

はた[0] ❶【《傍】直接その事に当たらず、当事者を観察・批判出来る立場にある人。「ーから見るほど楽ではない/ーの人/ー迷惑」❷【端】それが他の物と境を成す部分の△外側(内側)。「炉のー/池のー/井戸ー・道ー」

***はた**[2]【旗】❶布・紙などで作ってさおにつける、国・団体などのしるし。〔信号・飾りなどにも使う〕「日の丸のー/オリンピックの五輪のー」❷〔青森・秋田・三重・島根・長崎・熊本などの方言〕⇩凧 かぞえ方 ❶は一流・一旒・一本・一棹 【ーを掲げる】❶人目に付くように(高い所に)旗を示す。❷△世間に広めよう(同調者を募ろう)として、主義・主張などを目立つように示す。「反戦のー」【ーを振る】社会運動などの先頭に立って、宣伝・推進などを行なう。【ーを巻く】△戦いに敗れて(事業などに失敗して)撤退する。

はた[2]【機】布地を織る機械。「ーを織る〔=布を織る〕」

***はだ**[1]【肌・《膚】❶人間の皮膚の表面。「ーが荒れる/ーを刺す〔=皮膚が痛いと感じるほど冷たい〕北風/ーを脱ぐ〔=上半身を現わす〕/一ー脱ぐ〔=力になってやる〕/ーを入れる〔=肌脱ぎの状態から着物を着直す〕/ーを許す〔=性的関係を持つ〕」❷〔なめらかに見える〕物の表面。「ーの白いダイコン/木のー/山(の)ー」❸伝聞などによらず、直接の体験として感知すること。「使命感がーに伝わってくる/ーで△知っている(感じる)」❹その人から受ける、全体的な感じ。「あの人とはーが合わない〔=気持の上でしっくりせず、フランクにつきあえない〕/学者ーの人」

バタ(造語)〔butter〕バター。「ー臭い・ーピーナッツ[3]〔=略してバタピー[0]〕」

バター[1]〔butter〕牛乳からとった脂肪を固めて作った、淡

黄色の柔らかい食品。「―たっぷりのクロワッサン/―ナイフ[4]」 かぞえ方 一片:一箱

パター[1]〔putter〕〔ゴルフで〕パットする△人(時のクラブ)。

はだあい[0]【肌合(アヒ)】その人とつきあって受ける、性格などに基づく独特の印象。「―が違う人」

はたあげ[0]【旗揚(げ)】―する(自他サ)〔もと、戦争を始める意〕新しく事業を始めること。「―興行」

ばたあし[0]【ばた足】〔水泳で〕両足を伸ばして代わるがわる上下に水をたたくように動かして進む泳ぎ方。

バターボール[4]〔和製英語 ←butter + ball〕バターが入った、西洋風のあめ玉。バタボールとも。

はだあれ[0]【肌荒(れ)】肌にあぶら気が無くなって、かさかさになること。

バターロール[4]〔buttered roll の日本語形〕バターが多く入った、小形のロール パン。

パターン[2][1]〔pattern〕❶特徴によって分類した型。「…の―を△踏む(取る)/文化の―/センテンス―〔=文型〕」❷型紙。❸模様。図案。❹テスト パターンの略。〔❶～❹ともパタンとも〕

ばだい[0]【場代】その△場所(部屋)などを借りるために払う料金。席料。

はたいろ[0]【旗色】〔戦争・試合・勝負事などの〕勝ち負けの形勢。「―が悪い」

はだいろ[0]【肌色】❶少し赤みを帯びた、薄い黄色。❷その人種としての肌の色。

はたえ[2]【〈二十〉重】(ヘ) ⇩十重(エト)二十重 表記 付表には「十重二十重」のみ例示。

はだえ[0][3]【《肌・《膚】(ハダヘ) 「はだ」の古風な表現。「―に粟(アワ)を生ず/玉の―」

はたおり[3][4]【機織(り)】❶機で布地を織る△こと(人)。❷〔←機織り虫[4]〕ショウリョウバッタの異称。

***はだか**[0]【裸】〔「肌赤(ハダアカ)」の意〕❶おおい包むべき からだの部分が、まる見えの状態。「戦後まもなく―同然で外地から引き揚げて来た/―の〔=草木の無い〕土地/謝礼金を―で〔=何かに包まずに〕渡すのは失礼だ/―踊り[4]・―参り[4]・―ん坊[0]・―馬[3]〔=くらを置いていない馬〕・―電球[4]」❷財産などを何も持っていない状態。「―一貫[6]〔=男子が自分のからだ以外には何の資本も持たない状態〕」❸増資の権利などを落としたこと。「―値[3]・―利回り」【―の王様】高い地位にある人が、まわりからおだてられるだけで何の批判も受けることが無いために 本当の自分の姿を見失っていることのたとえ。〔何も着ていないのに、目に見えない服を着せられていると思い込んでいた王様が、子供から「王様は裸だ」と言われてはじめて自分の本当の姿に気付くという、アンデルセン童話から〕「倒産の原因は社長が―だったことにある」【―の付き合い】互いにみえをはったり 相手に対して先入観をいだいたり せずに、ありのままの自分をさらけ出してするつきあい。〔一般に男性について言う〕 ―むぎ[4]【―麦】もむだけで皮がむける、大麦の一種。〔イネ科〕 かぞえ方 一本 ―むし[3]【―虫】❶昆虫の幼虫で、からだがむき出しになっているもの。❷Ⓐ〔動物と違って〕全身が毛でおおわれることの無い、人間の称。Ⓑ貧乏であったり 職業上の理由などからして、衣服を着ていない人。

はたがしら[3]【旗頭】〔同盟する諸侯の長の意〕(他と対立的な関係を持つ)その集団のリーダー。

はだか・る[3](自五) ❶手足を広げて、(相手を通すまいと)構える。「立ち―」❷(衣服の前があいて)からだの一部分が見える。「胸が―」

はたき[3]【〈叩き〉】❶ちりを払う道具。❷〔←はたきこみ[0]〕〔すもうで〕相手が出て来る勢いを利用して、首・肩を平手でたたいて前へ倒す わざ。 かぞえ方 ❶は一本

はだぎ[0][3]【肌着】肌に直接つける衣類。〔一般には外出する際などは上に何かを着用するが、Tシャツ・ポロシャツなどのスポーツシャツは人前での着用にも適する〕 表記 「肌《衣」とも書く。 かぞえ方 一枚

はたぎょうれつ[3]【旗行列】(ギャウ) 〔おおぜいの人が祝意を表わすため〕小旗を振って市街を行進する△こと(行列)。

はた・く[2]【〈叩く〉】(他五)〔「たたく」の変化。あるいは「たたく」と「はらう」との混合か〕❶〔そこにある物を全部払いのけたり などするために〕その物の表面を全面にわたり まんべん無く打つ(ように払う)。「△布団(畳)を―/はたきで―」❷中に入っている物を全部外に出す。「財布を―/△なけなしのお金(あり金)を―〔=全部出す〕」

バタくさ・い[4]【バタ臭い】(形)〔バターを摂(ト)り始めた人たちが、そのにおいから西洋文化を感じとったことから〕西洋風だ。また、西洋かぶれをしている様子だ。「―顔/―話」 派 ―さ[4][3]

はたぐも[3][0]【旗雲】細長い旗のようにたなびく雲。「豊(ヨト)―[5]〔=美しい旗雲〕」

***はたけ**[0]【畑・〈畠】❶水田以外の農地。「―を耕す/大根―(バタケ)」❷専門とする領域。「金融―(バタケ)の人」 表記 「畑」は、古くは「はた」。 かぞえ方 農地としては一枚 ―すいれん[4]【―水練】⇩畳水練 ―ちがい[4]【―違(い)】(チガヒ) その人にとって専門外の領域であること。また、組織を構成する人がそれぞれ専門を異にすること。「理論物理学のことは―でよくわからない/―の人たちがアイデアをつのる」

はたけ[0]【〈疥〉】顔の うぶ毛の生えぎわに、白い粉をふいたような点々の出来る皮膚病。

はだけ[0][1]【葉竹】葉のついた切り取ったままの、竹。

はだ・ける[3][0](自他下一) ❶(着物の前△が(を)開いて)からだの一部△が見える(を現わす)。「胸が―/胸を―」❷〔東北・新潟方言〕鍋(ベナ)などに こびりついた物を取る。

はたご[0]【〈旅籠〉】〔←はたご屋[0]〕江戸時代、宿駅で一般旅行者の宿泊した食事つきの旅館。〔古くは、飼料や手回り品を入れて馬につけた旅行用のかご、また、弁当や旅館の食事をも指した〕「―銭[3][0]〔=宿泊料〕」 かぞえ方 一軒

はたざお[0]【旗〈竿〉】(ザヲ) 旗をつける竿。 かぞえ方 一本

はたさく[0]【畑作】畑に作物を作ること。また、その作物。

はたさしもの[4][3]【旗指物】よろいの背中に差して、旗じるしとした小旗。

はださむ[0]【肌寒】秋の朝夕、空気のひんやりとした冷たさを肌に感じること。 ―・い[4](形) 肌の露出している部分が、空気の冷たさを感じる状態だ。「はだざむい」とも。 派 ―さ[3]

はだざわり[3]【肌触(り)】(ザハリ) ❶相手の肌に触れた時の、いい・悪いの感じ。❷何かが自分の肌に触れた時の、△すべすべ(ざらざら)した感じ。「―〔=受ける感じ〕のいい人」

はだし[0]【〈裸足〉・〈跣〉】〔肌足の意〕履物を履かないで 地面を歩く△こと(状態)。素足。「―で飛び出した/くろうと―〔=『くろうともはだし』の圧縮表現。くろうともはだしで逃げる、の意から、くろうとと言われる人もかなわないほどの、すばらしい技量〕だ」 表記 「〈跣足〉・〈徒〈跣〉」とも書く。

はたしあい[0]【果(た)し合(い)】(アヒ) 争いごと・恨みなどの決着をつけるために、一対一で死ぬ覚悟で戦うこと。決闘。

はたしじょう[0]【果(た)し状】(ジャウ) 果し合いを申し込む手紙。〔普通、左前に封じる〕

はたして[2]【果(た)して】(副) ❶事態が推移して、当初予期した通りの結果となる様子。「―失敗に終わった/川に沿って行くと―村里に出た」❷〔疑問表現と呼応して〕必ずその通りの結果になるかどうか疑う気持を表わす。「―行け

るかどうか／―真実であろうか／―結末やいかに」

はだじゅばん③【肌〈襦袢〉】肌に直接着るじゅばん。「肌ジバン③」とも。［表記］「〈襦袢〉」は、音訳。［かぞえ方］一枚

はたじるし③【旗印】❶昔、戦いの時に目じるしとして旗につけた、それぞれの武士の紋所など。❷運動の目標・標語として掲げる主義・主張。「世界平和を―に掲げる／…の―の下に集結する」［表記］「旗《標》」とも書く。

***はた・す**【果(た)す】■一②(他五)〈なにヲ―〉❶△やろうと思った(やらなければいけない)事を完全に実行する。「△所期の目的(公約・責任)を―」❷〔その地位にある者として〕期待される仕事をやってのける。「指導的役割を―／機能を―」■二〔「動詞連用形＋―」の形で、接尾語的に〕語の完全な意味において、その事をする。「使い―・打ち―」

はたせるかな③【果(た)せる〈哉〉】△期待(予想)にたがわない様子。「―成功を収めた」

はたたがみ③〔雅〕〔ぴかっと光って作用する神の意〕激しい雷鳴。［表記］古くは「〈⿱雨光〉」。「〈靂・〔〈霹靂〉〕・〈霆〉」とも書く。

はたち①【〔二十歳〕】〔「ち」は、数をかぞえる接尾語〕❶〔おとなの仲間入りするものとされる〕二十歳ニジッサイ。❷〔雅〕二十。［表記］❶は、⇩付表「二十・二十歳」

はたち⓪【畑地】畑として利用されている土地。

ばだち⓪【場立(ち)】証券業者の代理人として、取引所に出て取引をする人。「ばたち」とも。〔日本では制度廃止〕

はだつき【肌付(き)】❶⓪肌の△様子(感じ)。❷⓪④直接に肌につけること。［表記］「《膚付き》」とも書く。

ばたつ・く⓪③(自五)せわしなく動く。「旅行の準備で―／子供が手足をばたつかせる」

ばたっと②(副)重たい物が音を立てて急に倒れたり落ちたりする様子。また、その音の形容。「いすが―倒れる」

ぱたっと②(副)❶軽い物が音を立てて急に倒れたり落ちたりする様子。また、その音の形容。「―表紙を閉じる」❷それまで続いていた状態が(何かをきっかけに)突然とだえる様子。「―騒音がやんだ」

はたと①(副)❶強い衝撃をもって動作が行なわれる様子。「あ、そうかと、―ひざを打つ」❷思いもよらない事態に突然行きあたる様子。「―行き会う／―気がつく」❸まっ正面から鋭い視線を当てる様子。「―にらみつける」❹事態がそこで突然とぎれる様子。「―言葉につまる／―物忘れした」〔❶❸の強調表現「はったと」〕［表記］「〈礑と〉」とも書いた。

はたとせ②〔雅〕❶二十年間。❷二十歳。［表記］古来の用字は「〔二十〕《年・〔二十〕《歳」。

はだぬぎ⓪【肌脱(ぎ)】衣服を脱いで上半身の肌を現わすこと。「―になる」

はたばこ②【葉〔煙草〕】取り入れたまま刻んでいないたばこ。

はたはた①(副)―と 旗などが、風にひるがえる様子。

はたはた⓪〔飛ぶときの音から〕昆虫のバッタ。［表記］古来の用字は「〔〈螇蚸〉〕」。［かぞえ方］一匹

はたはた⓪【〈鰰〉・〈鱩〉】秋田など東北地方の日本海沿岸で昔たくさんとれた魚。うろこが無く、味は淡泊。〔ハタハタ科〕［かぞえ方］一尾・一匹 ⇩しょっつる

ばたばた①(副)❶―と せわしなく音を立てて、鳥が羽ばたきしたりうちわであおいだりする様子。また、その音の形容。❷―と 続けざまに、倒れる様子。「―(と)倒産する」❸―と／―する 慌ただしく、物事が展開したり対処に追われたりする様子。「みんな―帰って行った／何かと―して落ち着かない」

ぱたぱた①(副)―と 音を立てて、布が風にあおられたりうちわであおいだりスリッパで歩いたりする様子。また、その音の形容。

はたび②【旗日】国旗をあげて祝う日。国民の祝日。

はたびらき③【旗開(き)】労働組合を初めとする組合の新年会。組合旗を飾って行なうことから、この名がある。

バタフライ①〔butterfly＝チョウ〕❶〔水泳で〕両手と両足を左右対称に動かしてイルカのようにからだ全体をくねらせて進む泳法。❷ストリッパーの前当て。

はたふり④③【旗振(り)】❶合図を送るために旗をふること。また、その人。❷率先して事にあたること。「環境保護運動の―を務める」

バタボール③〔和製英語←butter＋ball〕⇩バターボール

はたまた①【《将又》】(接)それともまた。

はだまもり③【肌守(り)】いつも肌につけて持っているお守り。

はだみ①【肌身】「はだ」の意の強調表現。「―に感じる／―離さず〔＝からだから離さないで〕大事に持つ」

はため⓪【《傍目》】傍観者の△目(見るところ)。「―にも気の毒なほど／―には幸福そうに映った」

はためいわく③【《傍迷惑》】―に―な〔とばっちりを受けて〕△そば(近所)に居る人が迷惑を受ける様子だ。

はため・く③(自五)〔旗などが〕風に吹かれて音を立てる。

はたもち④③【旗持(ち)】旗を持つ役目の人。旗手。

はたもと⓪【旗本】〔「旗下」の変化。大将の居る本陣に詰めていた武士の意〕直参ジキサンのうちで、御目見得オメミエ以上の人。「―八万騎」 **―やっこ**⑤【―《奴》】旗本の二、三男の不平分子が徒党を組み、義を行なうと称して無法者まがいの行動をとった者。↕町奴

ばたや②【ばた屋】「廃品回収業者⑨」の異称。

はだら⓪【《斑》】〔雅〕「まだら」の古風な表現。

はたらか・す⓪【働かす】(他五)〔「働く」の使役動詞形〕❶労働をさせる。「未成年者を深夜まで―なんてとんでもない」❷持っている能力を全部発揮させる。「知恵を―」 働かせる⓪(下一)。

***はたらき**【働(き)】■一⓪❶そのものの能力をすべて使って何かをすること。「―〔＝仕事・勤務〕に出る／抜群の―〔＝功績〕／頭の―〔＝知的判断力〕が鈍い／飲み過ぎで胃の―〔＝機能〕が鈍る／引力の―〔＝作用〕」❷⇩活用❷ ■二〔造語〕動詞「働く」の連用形。「―甲斐ガイ・―口グチ⓪④」 **―あり**④【―〈蟻〉】アリの中で、巣を作ったり食物を集めたりするもの。羽は無い。職蟻ショクギ。［かぞえ方］一匹 **―か・ける**⑥【―掛ける】(他下一) こちらから積極的に△行動(提案)をしかけて、相手もそれに応じるように仕向ける。「△和平(合併)を―／事故の再発防止を国に―」［名］働き掛け⓪「―を強める」 **―ざかり**⑤【―盛(り)】❶体力的に最も仕事に打ち込むことの出来る年齢。❷仕事にも慣れ、才覚や社会的地位・信用もある程度出来て、その人の生涯で一番仕事に脂の乗った時期。〔普通、中年の初期を指す〕 **―て**⓪【―手】❶一家の生活を支える人。❷その時すぐその仕事にかかれる人。〔どんな仕事にも即応出来る能力を備えている人の意にも用いられる〕「現在のところ―は五人だけだ」 **―ばち**④【―蜂】ミツバチの中で、巣を作ったりみつを集めたりするもの。職蜂ショクホウ。「―のように朝から晩までよく働く」［かぞえ方］一匹 **―もの**⓪【―者】〔自分の仕事に生きがいを持って〕毎日せっせと仕事に精を出す人。「近所でも評判の―だ」↕怠け者

****はたら・く**⓪【働く】■一(自五)〔もと、動く意〕❶からだ・頭を使って、仕事をする。「額に汗して―〔＝労働する〕／年をとっても―〔＝仕事に出る〕／よく―〔＝労をいとわず、仕事に精を出す〕人／中心となって―〔＝活躍する〕／そんな事にまで

頭が働かなかった〔=気がつかなかった〕」 ❷〈(だれ)ニ―〉行動に駆りたてるなんらかの精神作用が発現する。「△競争心(群集心理)が―」 ❸〈(なに)ニ―〉そのものの力が、他に影響を与える。作用する。「△引力(機能)が―」 ❹〔文法で〕活用する。 [二](他五)〈なにヲ―〉反社会的な事をする。「△強盗(悪事)を―」〔⇩働き[二]〕

ばたり②(副)―と 物が突然倒れて、重たい音を立てる様子。また、その音の形容。〔強調表現は「ばたん」「ばったり」〕「意識を失って―と倒れた」

ぱたり②(副)―と ❶物が倒れたり 落ちたりして、軽い音を立てる様子。また、その音の形容。 ❷それまで続いていた事態が突然とだえる様子。「―と風がやむ/―と消息を絶つ」〔❶❷の強調表現は「ぱったり」「ばったり」〕

バタリー①〔battery=一そろいの器具〕 アパート式に作って、ニワトリをたくさん入れて育てる鶏舎。[かぞえ方] 一棟

はた・る②【《徴る》】(他四)〔雅〕無理じいに催促する。

はたん⓪【破綻】―する(自サ) 〔計画・経営・人間関係などが〕もう手の打ちようの無いところまで行き詰まること。「△財政(結婚生活・暮し)が―する/―に△直面する(追い込む・追い込まれる)/―を△来す(招く)」

はだん⓪【破断】―する(自サ) 金属製の物が、長く使われたり何かで衝撃が加わったりした結果 こわれること。「オートバイのボルトが走行時の振動で―した」

はだん⓪【破談】 約束・相談や、まとまりそうになった縁談が、取り消しになること。

パタン②①〔pattern〕 ⇩パターン

はたんきょう⓪【〈巴旦〈杏】〔「はたん」は、ペルシャ語 bátan に基づく〕 ❶アーモンドの別名。ペルシャ原産の落葉高木。 ❷スモモの一品種。実は、モモに似ているが小さい。〔❶❷とも、バラ科〕[かぞえ方] ❶❷とも一株・一本

はち　【八】　⇩(本文)はち【八】
【鉢】　⇩(本文)はち【鉢】
ばち　【罰】　⇩(本文)ばち【罰】

はち〔八・鉢〕→【字音語の造語成分】

はち②【八】 ❶七に一を加えた数を表わす基数詞。「―面体・腹―分・―分・―対三・―歳・―方美人・四苦―苦」〔用例のうち「八寒地獄」以下は、ハッとも発音される〕 ❷七の次の自然数を表わす序数詞。「―階の窓/―月・八十―夜・ヘンリー―世」〔和語の「や(つ)つ」が「弥」に通じ豊かの意に多く用いられる上に、字形が末広がりで縁起が良いとすることがある〕⇩九 ❸漢字の部首名の一つ。⇩はちがしら [表記] ❶の大字は「〈捌」。

***はち**②【鉢】〔もと、インドの食器〕 ❶仏道修行者の、常に携行する食器。 ❷副食を入れるための食器。皿より深みがあり、上が開いている。「料理を―に盛りつける/煮物の小―」 ❸「鉢❷」に入れて出す料理。〔かぞえる時にも用いられる〕⇩皿 ❹Ⓐ「鉢❷」に似た容器。「擂―・乳―・手水―」Ⓑ草木を育てるための容器〔=植木鉢〕。「菊の苗を―に植える/アサガオを―で育てる」 ❺頭の、額から上の部分。〔口頭語的表現〕「―が開いている/―〔=頭の上から見た輪郭〕が大きい/―〔=頭蓋骨〕を割る/―合せ」 ❻かぶとの、頭をおおう部分。⇩おはち [かぞえ方] ❶❷は一枚・一口。また、❸❹は一鉢・二鉢・三鉢(ハチ)・四鉢(ハチ)・五鉢・六鉢・七鉢・八鉢・九鉢・十鉢(ハチ)・何鉢 ⇩【造語成分】はつ

はち⓪【蜂】 昆虫の一種。からだは細長く、頭・胸・腹の境はくびれている。雌は、しりの先に針を持つ。[かぞえ方] 一匹

ばち〔罰〕→【字音語の造語成分】

ばち②【罰】〔「罰」の呉音。仏教語として用いられる〕人間の悪事やおごりに対する、神仏のこらしめ。「―が当たる」

ばち②【〈撥】 ❶琵琶・三味線などの弦をはじいて鳴らす道具。形はイチョウの葉に似て、薄い。琵琶の撥は木製、三味線の撥は木のほか象牙・水牛の角やプラスチックを用いる。 ❷太鼓・銅鑼などを打ち鳴らす棒。「―さばき③」 [表記] ❷は、「〈枹」とも書く。[かぞえ方] ❶❷とも一本

ばちあたり③【罰当(た)り】 あんな奴は罰が当たればいいのにと思われるほど△親不孝(仏神に対して不敬)な様子。また、その人。「この―め/―な行い」

はちあわせ⓪③【鉢合(わ)せ】―する(自サ) ❶頭と頭をぶつけること。 ❷思いがけず出会うこと。

はちうえ⓪【鉢植(え)】 植木鉢に△植えること(植えてある草木)。

バチェラー①〔bachelor〕(英米などの)四年制の大学の卒業者。「―オブ アーツ」

ばちおと⓪【〈撥音】 撥で楽器を△鳴らす(打つ)音。

ばちがい②【場違(い)】 ❶―な その場所△に居る(である)にはふさわしくないこと。「―の服装/―の議論」 ❷本場の産物でないこと。

はちがしら③【八頭】 漢字の部首名の一つ。「公・共」などの「八」の部分。「兼」の上部なども含む。「はち・はちやね」とも。

はちがつ④【八月】 一年の第八の月。〔副詞的にも用いられ、アクセントは⓪。雅名は、はづき〕

はちかんじごく⑤【八寒地獄】〔仏教で〕非常な寒さで苦しめられる、八種の地獄。↔八熱地獄

はちき・れる④【はち切れる】(自下一) 中身が一杯になって、入れ物を破って出そうになる。「もう食べられない、お腹がはちきれそうだ/どきどきして心臓がはちきれそうになる/はちきれんばかりの若さが会場にみなぎった」

はちく⓪【破竹】〔竹は、最初の一節に刃物を打込むと、あとは一気に裂けるところから〕何かをきっかけに一気に勢いをますこと。「―の勢い」

はちく⓪【《淡竹】 たけのこを食用とする、大形のタケの一品種。幹は竹細工・ちょうちんの骨などに使う。〔イネ科〕[かぞえ方] 一本

ぱちくり①(副)―と―する 驚いて大きくまばたきをする様子。「目を―させる」

はちし②【蜂師】 養蜂業を営む人。

はちじ②【八字】 八の字の形。「―ひげ③・―まゆ④」

はちじゅうはちや⑥【八十八夜】 立春からかぞえて八十八日目の日。五月一、二日ごろ。農家で、種まきなどの適期とする。

はちじゅうはっかしょ⑦【八十八箇所】 四国にある、八十八か所の、弘法大師ゆかりの霊場。

はちじょう②①【八丈】 八丈島で作られる、平織りの縞や格子の絹織物。「黄―」

はちす⓪【〈蓮】〔「蜂巣」の意〕 ❶植物のハスの古称。 ❷ムクゲの古称。キハチス②。

バチスカーフ④〔フ bathyscaphe〕 学術調査用の深海潜水艇。[かぞえ方] 一艘・一隻

はちすずめ③【蜂〈雀】 ハチドリの異称。

ぱちスロ⓪【パチスロ】〔パチンコのパチとスロットマシンのスロを組み合わせた語〕パチンコ型のスロットマシン。円筒を横に三つ並べて回転させ、遊技者が停止させて絵や文字がそろえば当たり。

はちだいしゅう③【八代集】九〇五年～一二〇五年に出来た、八つの勅撰和歌集。古今集・後撰集・拾遺集・後拾遺集・金葉集・詞花集・千載集・新古今集。

はちたたき③【鉢〈叩《き》】ひょうたんと鉦を叩いて念仏を唱えた、空也念仏の僧。

ぱちつか・せる⓪⑤(他下一) 目を小刻みに開いたり閉じたりする。

はちどう②【八道】もとの七道に北海道を加えた称。

はちどり②【蜂鳥】中南米に広く分布する体長五～二〇センチぐらいの美しい小鳥。種類が多く、飛ぶ力が強い。蜜や小虫を食べる。〔ハチドリ科〕 かぞえ方 一羽

はちねつじごく⑤【八熱地獄】〔仏教で〕非常な熱気で苦しめられる、八種の地獄。八大地獄。↕八寒地獄

はちのあたま⓪-③、⓪-②【蜂の頭】「全く役に立たないもののたとえ」の意の古風な表現。⇩へちま

はちのき③⓪【鉢の木】植木鉢に植えた木。

はちのこ⓪【鉢の子】托鉢の僧が使う、鉄の鉢。

はちのこ⓪【蜂の子】クロスズメバチ⑤の幼虫。しょうゆで煮つけたりいったりして食べる。

はちのじ③【八の字】「八」の字のかっこう。「額に―をよせる／―ひげ・―まゆ」

はちのす④、⓪-①【蜂の巣】ハチが蜜をたくわえ幼虫を育てるために作った巣。「―のように〔=たくさん〕穴があく／―をつついたような〔=収拾のつかない大変な〕騒ぎ」

ばちびん⓪【〈撥〈鬢】江戸時代にはやった男の髪型。鬢の毛を三味線の撥の先のような形にしたもの。「―奴⑤」

はちぶ②【八分】「村八分」の略。 ―おんぷ④【―音符】⇩はちぶんおんぷ

はちぶんおんぷ⑤【八分音符】〔楽譜で〕全音符の八分の一、四分音符の半分の長さの音を表わす音符。「はちぶおんぷ」とも。記号「♪」

はちぶんめ⑤⓪【八分目】㊀十分の八。㊁控えめにすること。「腹―〔⇩腹八分〕」「はちぶめ④⓪」とも。

はちまき②【鉢巻《き》】〔昔、武装の時、烏帽子が落ちないように、頭の鉢に巻きつけた布切れの意。かぶとは、この上にかぶった〕〔気持を引きしめたり威勢を示したりする時や、対抗競技の組別の印などに〕額のまわりを布切れで巻くこと。また、その布切れ。〔広義では、帽子に巻きつける(蛇腹などの)布や、土蔵の軒下の壁土を一段厚く塗った部分を指す〕「ねじり―・向こう―」 かぞえ方 一本

はちまん②③【八〈幡】㊀「八幡宮」の略。㊁〔「八幡大菩薩の名に掛けて」の省略表現〕〔副詞的に〕それ以外のことは全くあり得ないと、誓ったり願ったりする様子。「―偽り無し／―許せ〔=どうか許してくれ〕」 ―ぐう③⑤【―宮】応神天皇を祭った神社。弓矢の守護神として武士が尊んだ。 ―だいぼさつ⑦、②-③、③-③【―大〈菩薩〉】八幡宮のご神体。

はちみつ⓪【蜂蜜】ミツバチが各種の花から吸って集めた、甘みの強い液体。粘りけがある。食用・薬用。

はちミリ②【八ミリ】八ミリ幅のフィルムを使って映写する小型映画(用の撮影機。また、そのための映写機)。〔もとは、一六ミリ幅のフィルムを片側ずつ使った〕

はちめん②⓪【八面】㊀八つの平面。「―体⓪」㊁すべての方面(方向)。「―玲瓏②-⓪、⓪-⓪〔=ⓐどちらから見ても美しいこと。ⓑ心にわだかまりの無いこと〕」 ―ろっぴ⑤【―六〈臂】八つの顔と六本の腕。「―の活躍〔=ひとりで各方面にわたって大活躍をすること〕」

はちもの⓪【鉢物】㊀鉢に盛って出す料理。鉢ざかな③。㊁鉢に植えてある草木。盆栽。

はちもんじ③【八文字】㊀八の字の形。㊁おいらんが郭内を練り歩くときの、八の字を描くような足の運び。「―を踏む」

はぢゃ⓪①【葉茶】若葉で作った茶。「はちゃ⓪①」とも。「―屋⓪〔=茶を売る店〕」

はちゅうるい②【〈爬虫類】〔「爬」は「はう」の意〕ヘビ・ワニ・カメ・トカゲなど、うろこ または甲らで からだがおおわれている変温脊椎動物。卵生で、肺で呼吸する。 かぞえ方 一匹

はちょう①【ハ調】〔音楽で〕ハの音を主音とする音階(による調子)。

はちょう⓪【波長】電波や音波などの△山と山(谷と谷)の距離。〔俗に、感覚・ものの考え方・心の状態などの意に用いられる。例、「客の―〔=好み〕と店の―〔=ねらい〕が合った時、その店は繁盛する」〕

はちょう⓪【破調】㊀調子がはずれていること。㊁決まったリズムを破ること。

はちりはん④【八里半】〔味がクリ〔=九里〕に近いというところから〕俗に、焼き芋の称。〔「十三里」とも言われる〕

バチルス①【ド Bazillus】桿菌の総称。〔その社会を害する者どもの意にも用いられる〕

ぱちんこ⓪〔「こ」は、「物」の意の接辞〕㊀くぎと穴のたくさんある箱の中へ鋼鉄製の小玉をはじきあげ、うまく穴に入ると、玉がたくさん出て来て、それを賞品と取り替える遊技。㊁Y字形の木や金属の上部にゴムをつけ、石などをはじき飛ばすおもちゃ。㊂ピストルの称。 表記 ㊀は一般に「パチンコ」と書く。 かぞえ方 ㊀の機械は一台

はっ(法)→【字音語の造語成分】

はっ①(感)㊀かしこまって受け答えをすることを表わす。「―、承知しました」㊁驚いたり急に思いついたりしたことを表わす。

はつ(発・鉢・髪・〈撥)→【字音語の造語成分】

ハツ①〔←heart〕食材の一つ。牛・豚・鶏などの心臓。

はつ①【発】㊀その場所を(その日付に)出発すること。「十時―・東京―・先―」㊁発信。「ロンドン―・新華社通信二十八日―」⇩【造語成分】はつ・ほつ

はつ①【髪】かみの毛。「間、―を入れず〔=ほんのわずかのあいだもおかず〕／頭―・散―」

はつ【初】㊀②はじめ(て)。最初。「―の会合／お―にお目にかかる／―の登庁」㊁(造語) ㊀その年はじめての。「―もうで・―日の出・―ウグイス④・―ガツオ③・―雷③・―しぐれ③・―ゼミ⓪・―ホトトギス⑤」㊁その人が△生まれて(死んでから)初めての。「―節句・―雛③・―盆」

ばつ(末・伐・抜・罰・閥)→【字音語の造語成分】

ばつ⓪〔結末の意の「ばつ(末)」もしくは跋文の「ばつ」に基づくか〕物事の決着。【―が悪い】その場の収拾がつかず、なんとなくぐあいが悪い。【―を合わせる】その場のやりとりの進行にうまく調子を合わせて、収拾をはかる。

ばつ①否定や伏せ字などの意を示す「×」の印。罰点。ペケ。「丸―式のテスト」

ばつ①【跋】書物の終りに書く文。あとがき。後序。↕序

*ばつ①【罰】規則違反やあやまちなどに対する当然のこらしめ。「―を与える／―金・賞―・天―・信賞必―」

ばつ①【閥】利害関係を同じくする人や、出身を同じくする人たちの、排他的なつながり。「―を作る／東大―・学―・財―・閨―」⇩【造語成分】

はつあき[0][3]【初秋】〔手紙・俳句などで〕秋の初め。「—しょしゅう」とも。

はつあん[0]【発案】—する（他サ）❶新しい考えを出すこと。❷議案を提出すること。「—権[3]」「私の—」

はつい[1]【発意】—する（他サ）自分（から進ん）で考えを出すこと。「ほつい[1]」とも。

はついく[0]【発育】—する（自サ）生物が育って大きくなること。「—ざかり[5]」

はつうま[0]【初〈午〉】二月の初めの午の日で、古来、稲荷神社の祭りの日とされた。

ばつえい[0]【末〈裔〉】⇩まつえい

はつえき[0][2]【発駅】その人が△出発（荷物を出）した駅。↕着駅

はつえん[0]【発煙】煙を出すこと。「—筒[0]」

はつお[0]【初《穂》】⇩はつほ

はつおん[0]【発音】—する（自他サ）声帯の振動、唇の形や歯と歯の間隔や舌の位置などによって種々の音声を出すこと。また、その△人（社会・地方・時代・言語体系など）によって違う音声の出し方。**—きごう**[5]【—記号】言語音を忠実に書き写すための記号。音声記号。

はつおん[2]【〈撥音〉】日本語の発音で、一つの鼻音で一拍となる音。撥ねる音。〔普通「ン・ん」で書く〕⇩促音

はつおんびん[3]【〈撥音便〉】音便の一つ。文語四段動詞の連用形語尾「び・み・に」が、口頭語では「ん」に変化する現象。例、呼びて→呼んで・読みて→読んで・死にて→死んでとなるなど。〔広義では、活用語以外についても言う。いかに→いかん・ゆみて（弓手）→ゆんで など〕

はっか[0]【発火】—する（自サ）❶物体が燃え出すこと。「自然—・—具[3]」❷鉄砲に実弾を入れず、火薬だけを詰めてうつこと。「—演習[4]」**—てん**[3]【—点】物を加熱していった場合に、引火しなくても燃えだす時の温度。〔何か事が起こる時の きっかけの意にも用いられる〕

はっか[0]【薄荷】湿地に生える多年草。全体に芳香がある。葉から薄荷油をとり、香料・薬用などにする。ミント。〔シソ科〕 かぞえ方 一本。薄荷油は一滴 **—とう**[0]【—糖】砂糖を固めたものに薄荷のかおりを加えたもの。菓子の材料。

はつか[0]【〈二十〉日】❶一日を二十合わせた日数。❷月の第二十番目の日。 表記 ⇩付表 **—えびす**[4]【—恵比須・—恵比《寿》】毎年十月二十日、商売繁盛のため恵比須を祭る行事。**—しょうがつ**[4]【—正月】陰暦正月二十日。昔は、正月の祝い納めとして仕事を休んだ。**—だいこん**[4]【—大根】ダイコンの一品種。小形で、種をまくと二十日ぐらいで食べられる。西洋大根[5]。ラディッシュ。 かぞえ方 一本 **—ねずみ**[4]【—〈鼠〉】家ネズミの一種。からだは小形で、色は白または灰黒色のネズミ。生物実験用・愛玩用。

はつが[0]【発芽】—する（自サ）（種などから）芽が出ること。めばえ。

ばっか[1]【幕下】❶幕を張りめぐらした陣営の内。❷大将の部下。❸昔、将軍を尊敬した言い方。「右—[2]」

ハッカー[1]〔hacker＝コンピューターに精通し、熱中している人〕プログラマーとして優れた能力を備えている人。とくに、他のコンピューター システムに無断で侵入し、データやプログラムを破壊するなどの不法行為をはたらく者。

はっかい[0]【発会】—する（自サ）❶その会としての活動を始めること。「—式[3]」❷〔取引所で〕その月の最初の立会い。↕納会❷

はつがい[0]【初買(い)】新年に初めて買物をすること。

はつかおあわせ[5]【初顔合(わ)せ】❶〔すもうを初め、スポーツ・勝負事などで〕初めて、その相手と勝負をすること。「初顔[0]・はつがおあわせ」とも。❷〔演劇では、共演を指す〕〔グループのメンバーなどが決まってから〕最初の会合。

はっかく[4]【八角】❶八つの角。❷八つの角のある形。八角形[3]。❸中華料理に用いる香辛料の一つ。ダイウイキョウ〔＝マツブサ科（旧シキミ科）〕の果実を乾燥させたもの。ウイキョウに似た香りがある。

はっかく[0]【発覚】—する（自サ）隠していた悪事・陰謀・秘密などが人に知られること。

ばっかく[0]【麦角】ライ麦の穂に細菌が寄生して出来た、細長く堅い物質。有毒だが、止血剤などに用いられる。

ばっかし（副助）「ばっかり」の口頭語的表現。「うそ—」 文法 接続は「ばかり」に準ずる。

はつがしら[3]【発頭】漢字の部首名の一つ。「癸・発・登」などの、上部の「癶」の部分。〔「発」に代表させて言う〕

バッカス[1]〔Bacchus〕〔ローマ神話で〕酒の神。⇩ディオニソス

はつがま[0]【初釜】新年になって最初の茶事。

はつかり[3][0]【初〈雁〉】その秋、初めて北から渡って来るガン。

ばっかり（副助）「ばかり」の口頭語的表現。 文法 接続は

はっ

【法】 きまり。規則。「法度」⇩ほう

はつ

【発】 ❶矢・弾丸を手もとから目標に向け、飛ばす。〔銃砲の試射や発射音、また核爆発・花火やくしゃみ・打撃などをかぞえる時にも用いられる〕「発射・発砲・連発・不発」❷何かをし始める。「発刊・発電・発令・発売・発憤」❸外に△出る（出す）。「発火・発光・発煙・発音・発汗・発芽・発狂・発動・摘発・突発・再発・蒸発」❹成長する。「発育・発達・発展・開発・啓発・利発」 かぞえ方 ❶は一発・三発・四発・六発・八発・十発・何発は「パツ」⇩（本文）はつ【発】

【鉢】 はち。「衣鉢・托鉢」⇩（本文）はち【鉢】

【髪】 ⇩（本文）はつ【髪】

【〈撥】 〔もと、手ではらいのける意〕はねる。はね△かえる（かえす）。「撥音・撥水・挑撥・反撥」

ばつ

【末】 ❶先祖の血筋を引いた子孫。「末裔・末流・末葉・末孫」❷順序として最後の。「末子・末弟・末席」

【伐】 ❶武器で攻撃する。「征伐・討伐」❷人を斬り殺す。「殺伐・誅伐」❸きる。「伐採・伐材・間伐・濫伐」

【抜】 ❶引きぬく。「抜剣・抜根・抜糸・抜歯・抜刀・抜本」❷選び△出す（取る）。「抜擢・抜粋・選抜」❸水準より高く出る。すぐれている。「抜群・卓抜・海抜」

【罰】 ⇩（本文）ばつ【罰】

【閥】 〔長年続いて来て、社会的地位の高い〕家柄。「閥族・門閥」⇩（本文）ばつ【閥】

はつあき——ばっかり

は

「ばかり」に準ずる。

バッカル①〔buccal〕 ほおと歯の間や舌の下などにはさんで、粘膜から吸収させる、平たい形にした薬。舌下錠③。

はっかん⓪【発刊】—する(他サ) ❶新しい雑誌・新聞などを出版すること。❷書物・印刷物を出版すること。

はっかん⓪【発汗】—する(自サ) 汗が出ること。「—剤③⓪」

はっかん⓪【発艦】—する(自サ) 航空機が母艦から飛び立つこと。

はつがん⓪【発〈癌〉】 生体の器官・組織に何らかの原因で癌が発生すること。癌化⓪。「—(性)物質」

ばっかん⓪(バク—)【麦〈稈〉】 むぎわら。 **—さなだ**⑤【—《真田》】 むぎわらを真田ひものように編んだもの。夏の帽子の材料。

はっかんじごく⑤(—ヂ—)【八寒地獄】 ⇩はちかんじごく

はつかんせつ③(—クワン—)【初冠雪】—する(自サ) その冬、初めて山頂に雪が積もること。「富士山の—」

はっき①(ハク—)【白旗】 白い色の旗。〔軍使・降伏のしるしとして使う。天気予報では晴れのしるし〕

**はっき⓪【発揮】—する(他サ)〈(なにニ)なにヲ—する〉 持ち前の能力や特性を、隠すところなく示すこと。「本領を遺憾なく—する/△無責任(わがまま・やんちゃ)ぶりを—する」

はつぎ①【発議】—する(他サ) 会議などで最初に意見や議案を出すこと。「ほつぎ」とも。「—権③・—者③」

はつぎ⓪【初着】 ❶新年に初めて着る、よそ行きの着物。❷初めて着る、新しい衣服。

はづき①【葉月】 (陰暦)八月の異称。

はっきゅう⓪(ハクキウ)【白球】〔野球・ゴルフなどの〕「白いたま」の美称。

はっきゅう⓪(—キフ)【発給】—する(他サ) 〔↑発行給付⑤〕役所が書類を発行して渡すこと。「旅券を—する」

はっきゅう⓪(ハクキフ)【薄給】 わずかな給料。↕高給

はっきょう⓪(—キヤウ)【発狂】—する(自サ) 気が狂うこと。

*__はっきり__③(副)—と —する ❶個々のものが、他と紛れることなく弁別される様子。「—した△色(発音)/眼鏡を替えたら—見えるようになった/昔の事でもう—とは覚えていない/まだ意識が—しない」〔大部分の用例の対義語は、ぼんやり〕 ❷あいまいな点を残すことなく、明確に断定できる様子。「—した事は分からない/—しない天気/病状が—しない/この際—言っておくが/黒白を—させる」

はっきん⓪(ハク—)【白金】 銀白色で銀よりも硬い白金族元素〔記号Pt原子番号78〕。化学的に極めて安定性が高く、展延性に富み、理化学用器具・装身具として用いられる。金・銀と並ぶ代表的貴金属。プラチナ。

はっきん⓪【発禁】〔↑発売禁止〕 社会的な悪影響などを考えて、当局が出版物の発売を禁止すること。「—処分」

*__ばっきん__⓪【罰金】 軽い犯罪をおかした者への罰として取り立てる金銭。〔法律では科料より重い。今は一万円以上〕「—がかけられる/三十分遅刻するとは—ものだ/—刑を言い渡す」

ハッキング⓪〔hacking〕 ❶他人のコンピューターシステムに不正に侵入すること。〔本来は悪意を持った行為に限定されず、プログラムやネットワークの開発・改変を行なう意としても用いられる〕 ❷〔ラグビーで〕相手のすねを蹴る反則行為。

パッキング⓪〔packing〕 ❶—する(他サ) 荷造り。包装。「—ペーパー」 ❷荷崩れを防いだりするための詰め物。❸管の継ぎ目などに当てて、気体や液体が漏れるのを防ぐためのもの。〔❷❸はパッキン⓪①とも〕

はっく①【八苦】〔仏教で〕人間が生きていく上のさまざまの苦しみ。四苦に次の四つを加えたもの。愛別離〔=愛する人との生別〕・怨憎会(オンゾウエ)〔=会いたくない人に会うこと〕・求不得(グフトク)〔=ほしい物が得られないこと〕・五陰盛(ゴオンジョウ)〔=心身の働きが盛んで、調和が取れないこと〕。

バック①〔back〕 ㊀❶後ろ。かげ。↕フロント ❷背景。㊁〔サッカー・フットボールなどの〕後衛。↕フォワード ㊂❶—する(自サ) ギヤを入れて、自動車が後ろへ進むこと。「—オーライ」 ❷(金銭的に)後援する△こと(人)。㊃❶〔↑backstroke〕背泳。 ㊄❶オールバック・バックハンドの略。

バッグ①〔bag=袋〕 携帯用のかばん。〔狭義では、ハンドバッグを指す〕「—を△抱える(ひったくる・手にとる)/ボストン—・ショルダー—・ショッピング—⑥」

パック①—する(他サ)〔pack=包む物〕 ❶果物や小形の野菜などをひと盛りにして売る、ビニール製の小さい容器。「真空—」 ❷皮膚を守り、白くし、老化を防ぐために行なう美容法。

パック①〔puck〕 アイスホッケーのたまとして使う、ゴム製の平たい円盤。

バックアップ④—する(他サ)〔backing up の日本語形〕 ❶支持して、盛り立てること。❷〔野球で〕捕球しようとするほかの選手の後ろへ回って、万一の場合に備えること。 ❸〔コンピューターで〕ファイルの予備を作っておくこと。また、そのファイル。

バックオフィス④〔back office〕〔金融機関などで〕直接に顧客に対応せず、後方で事務や管理業務を行なう部門。事務管理部門。

バックギャモン④〔backgammon〕 競技者双方が、二つのさいころを振り各十五個の駒(コマ)を早く敵陣に進めることを競う盤上遊戯。西洋双六(スゴロク)。⇩双六❷

バックグラウンド⑤〔background〕 ❶〔映画・写真などの〕背景。バックグランド⑤とも。「—ミュージック⑨」 ❷環境。

バックス①〔backs〕 ❶〔フットボールなどで〕フォワードの後ろを守る人。ハーフバックからフルバックまで。❷〔野球で〕投手の後ろにいて、守る人たち。内野手と外野手。

バックスキン⑤④〔buckskin=シカの皮〕 シカ(や羊・牛)の革のもみ革〔=もんで柔らかくしたなめし革〕など。また、それらに似せた毛織物。

バックスクリーン⑥〔和製英語 ↑back+screen〕〔野球で〕センターの真後ろにある緑色の塀。「—に打ち込む」

バックステージ⑤〔backstage〕 (劇場の)舞台裏。楽屋。

バックストレッチ⑥〔backstretch〕〔競技場・競馬場などで〕決勝点の反対側の直線コース。↕ホームストレッチ

バックスピン⑤〔backspin〕〔テニス・卓球・ゴルフなどで〕球が飛んでいく方向に対して逆にかかった回転。また、その回転を与える打法。後退回転。逆回転。

はっくつ⓪【発掘】—する(他サ) 土の中に埋まっている遺跡や財宝などを掘り出すこと。〔知られていない、すぐれた人や物を見つけ出す意にも用いられる。例、「人材—」〕

バックナンバー④〔back number〕〔雑誌の〕今までに発行された号。〔最新号は除く〕

バックネット④〔和製英語 ↑back+net〕〔野球で〕キャッチャーの後方にある網。

バックパッカー④〔backpacker〕 バックパック④〔=大形のリュックサック〕を背負って旅をする人。

バックハンド④〔backhand〕〔テニス・卓球などで〕利き腕を反対側にまわして打つこと。↕フォアハンド

バックホーム④—する(自サ)〔和製英語 ↑back+home〕〔野球で〕本塁へ帰ろうとする攻撃側の走者をアウトにしようと、守備側の選手が捕手に送球すること。

バックボーン④〔backbone=背骨〕人間として一貫して持っているべき考え・信念。気骨。

バックミュージック④〔background music の、日本での省略形〕㊀映画の背景音楽。㊁喫茶店・銀行や治療室などで、ムードを出したりリラックスさせたりするために、ボリュームを絞って流す音楽。ビージーエム(BGM)。

バックミラー④〔和製英語 ←back＋mirror〕自動車の前中央部に取りつけて、後方を見るための鏡。俗に、サイドミラーをも指す。〔英語では、rearview mirror〕

バックヤード④〔backyard=裏庭〕店舗や会場の裏に位置する倉庫や事務所・準備室など。
かぞえ方 一面

バックラム①〔buckram〕のり・にかわなどで固めた亜麻布。本の装丁や洋服の襟芯などに使う。

バックル⓪〔buckle〕びじょう(尾錠)。

はづくろい②【羽繕い】―する(自サ) 鳥が(飛ぶ準備のため)羽の乱れをそろえること。⇨毛づくろい

ばつぐん⓪【抜群】―に・―な 他を断然引き離して、その人や物事が目立っている△こと(様子)。〔古くは「ばっくん」〕「―におもしろい/―の成績/人気―だ」

はっけ⓪【八〈卦〉】〔易の八種の卦の意〕易。「―見〔=易者〕」 **―よい**①【―良い】(感)〔すもうで〕取組中の力士がともにわざをしかけない時、行司がかける掛け声。

はっけい⓪【八景】〔ある地方の〕八か所のいい景色(の所)。「近江―・金沢―」

はっけい⓪【白系】白色(=十月革命によるソビエト政権に反対)の系統。「―ロシア人」

パッケージ①⓪―する(他サ)〔package〕包装(すること)。〔狭義では、外装を施した商品の容器にも言う〕「―デザイン」

ばつゲーム③【罰ゲーム】勝負に負けた者がやらされる余興やそれについての取決め。「―で△物まねをする(辛い物を食べさせられる)」

はっけっきゅう③【白血球】血球の一種。無色で核のある単一細胞。血管の内外で、病原菌を取り入れて殺す作用がある。赤血球よりはるかに少ない。↔赤血球

はっけつびょう⓪【白血病】血液中の白血球が異常にふえて、貧血を起こしたり出血が止まらなかったり脱力状態が続いて死に至ったりする病気。

はっけん⓪【白鍵】ピアノ・オルガンなどの鍵のうち、白い方。八調長音階の曲は、これだけで演奏出来る。↔黒鍵

****はっけん**⓪【発見】―する(他サ)〈なにヲ―する〉観察的立場にある者として初めて、その物の△存在(価値・効用)に気付き、認識を深めること。「新大陸―を報告する/万有引力の―」

はっけん⓪【発券】―する(他サ) 銀行券・乗車券などを発行すること。

***はつげん**⓪【発言】―する(自サ)〈だれニなんだト―する〉自分の意見・意志を公的な場で発表すること。また、その内容。「国際的な幅広い視野での―で知られる評論家/中学・高校生が自由に―出来る場にと、東京でミニコミ紙が創刊された」 **―けん**③【―権】〔会議などで〕発言出来る権利。 **―りょく**③【―力】その人の述べた意見の持つ△牽引力(影響力)。「―を持つ/―が△強まる(弱まる)」

はつげん⓪【発現】―する(自サ)〔今まで十分知られることが無かった事物が〕明確な形を取って認識されるようになること。「遺伝子の―と制御/自然の大きな力の―としての植物の芽生え/△資質(能力)の―」

バッケン①〔ド Backen=耳金〕ビンディングの一部で、靴先をスキーに固定させるためのもの。

ばっけん⓪【抜剣】―する(自サ) 剣を抜くこと。また、その剣。

はつご⓪【発語】「さて」「それ」など、話や文章の初めに用いて、相手の注意をひきつけたりする語。

はつご⓪【初子】〔その夫婦の間に〕初めて生まれた子。「ういご」とも。

ばっこ①【跋扈】―する(自サ)〔悪いものが〕思うままに勢力をふるうこと。「魑魅魍魎が―する」

ばつご⓪【〈跋〉語】書物のあとがきの言葉。

はつこい⓪【初恋】△少年少女時代(青年初期)のはじめての恋。また、振り返ったときに思ううたかたと消えた恋。

はっこう⓪【八〈紘〉】〔八方の意〕世界全体。「―一宇〔=全世界は本来一つであるということ。第二次世界大戦中の日本が外地への侵略を正当化するためのスローガンとして用いられた〕」

はっこう⓪【白光】白い色の光。〔狭義では、コロナを指す〕

はっこう⓪【発光】―する(自サ) 光を出すこと。「―塗料⑤・―体⓪」 **―ダイオード**⑦ ⇨エルイーディー

はっこう⓪【発向】―する(自サ) 出発して目的地へ向かうこと。

***はっこう**⓪【発行】―する(他サ)〈なにヲ―する〉㊀本・新聞・紙幣などを印刷して世の中に出すこと。「中・高年層向けの情報誌を―する/通貨の―高/―所⑤⓪・―者③」㊁証明書・証券・貨幣などを作って、必要の向きに提供すること。「株券を―する/再―」

はっこう⓪【発効】―する(自サ) その時から効力が生じること。「条約の―」

はっこう⓪【発酵・〈醱酵〉】―する(自サ)〔「醱」は、酒をかもす意〕㊀酵母の働きで糖分などが分解して、アルコールその他の有機酸・炭酸ガスを生じること。米がこうじの力で酒に、小麦粉がイーストの力でふくれてパンになるなどの現象。〔狭義では人間生活に有用な場合に限り、広義では腐敗をも含む〕「―作用」㊁〔転じて〕発想してから時間がたち、次第にまとまった形をとり整えていくこと。「作品の―に三、四年の歳月が必要だった」 表記「発」は、代用字。 **―にゅう**③【―乳】牛乳などに乳酸菌を加えて発酵させたもの。ヨーグルトや、乳酸飲料など。

はっこう⓪【薄幸・薄〈倖〉】―な・―に ふしあわせなこと。また、その状態だ。「―な過去を背負う」

はつごおり③【初氷】その冬に初めて張る氷。

はっこつ⓪【白骨】〔風雨にさらされて〕白くなった骨。「―と化した死体」

はっこん⓪【発根】―する(自サ)〔農業で〕根が出ること。

ばっこん⓪【抜根】―する(他サ)〔農業で〕木の根を抜くこと。

ばっさい⓪【伐採】―する(他サ)〔山林から〕樹木を切りだすこと。

パッサカリア④〔イ passacaglia=街頭通過〕もとスペインの民俗舞踊の曲で、低音部の主題が変奏曲風に繰り返し演奏される三拍子の落ち着いた曲。

はっさく⓪【八〈朔〉】㊀陰暦の八月一日。農家でその年の新しい穀物を取り入れて祝いをする。㊁ナツミカンに似た果物。水けが少なくて甘い。〔ミカン科〕

ばっさり③(副)―と〔「ばさり」の強調表現〕㊀一刀のもとに斬って捨てる様子。「後ろから―と斬る」㊁全体から見て無視できないほど大きな部分を一度に切り捨てる様子。「ばっさと①」とも。「長い髪を―切った/予算を―(と)削る」

はっさん⓪【発散】―する(自他サ)㊀〔その内部にこもっているにおいや熱・光などを〕あたりに広がるように出すこと。ま

た、そういう状態になること。「生ごみから悪臭が―する／△熱(怒り)を―する」 ❷〔情熱などを〕適度に行動に表わして、ストレスを解消すること。「情熱を―させる／△怒り(不満)を―する／精力の―のしよう〔=はけ口〕がない」

はつざん②【初産】 初めて子供を産むこと。「ういざん・しょさん」とも。

ばつざん②【抜山】 山を抜き動かすばかりの力。「―蓋世(ガイセイ)②-⓪〔=一世をおおうほどの盛んな気力〕」

ばっし⓪【末子】 ⇩まっし

ばっし⓪【抜糸】―する(他サ) 手術した切り口が完全にふさがった後、縫い合わせてあった糸を抜き取ること。

ばっし⓪【抜歯】―する(他サ) 〔歯科医が〕虫歯や歯並びの悪い歯を抜くこと。

バッジ⓪①〔badge〕〔飾り、または役員・所属団体などの印として襟などにつける〕小形の記章。バッチ⓪①とも。「―テスト④〔=スキーの技術検定試験〕・議員―」 かぞえ方 一枚

はっしと①【発止と】(副) ❶勢いよく飛んできたもの△が何かに突き刺さる(を確実に受け止める)様子。ばしっと。「矢が的に―当たる／鋭い打球を―受け止める」 ❷⇩丁々発止(チョウチョウハッシ)

パッシブ①―な・―に〔passive〕 受動的。↕アクティブ

はつしも⓪【初霜】 その年の冬に初めておりた霜。

はっしゃ⓪【発車】―する(自サ) 列車・電車・バスなどが(その時刻に、その駅・停留所から)動き出すこと。↕停車

はっしゃ⓪【発射】―する(他サ) 弾丸・ロケット・ミサイルなどを打ち出すこと。「―音③」

はつじゅ①【発受】―する(他サ) 電信・郵便などを出したり受けたりすること。

はっしゅう①【八宗】 奈良時代から平安時代の初めにかけて日本に伝えられた仏教の八つの宗派。倶舎(クシャ)・成実(ジョウジツ)・律・法相(ホッソウ)・三論・華厳(ケゴン)・天台・真言の各宗の称。 **―けんがく**①-⓪、⑤【―兼学】 一人で八宗すべてを学ぶこと。〔博学多識の意にも用いられる〕

はっしゅつ⓪【発出】―する(他サ) 役所などから通達などを出すこと。「△局長通達(危険情報・緊急事態宣言)を―する」

ハッシュドビーフ⑤〔hashed beef〕 細かく切った牛肉とタマネギを炒(イタ)め、デミグラスソースなどで煮込んだ料理。「米飯の上に掛けたものはハヤシライス」

はっしょう⓪(シャウ)【発祥】―する(自サ) 〔「祥」は、きざしの意〕物事がそこから△起こること(起こった始め)。「―の地」

はっしょう⓪(シャウ)【発症】―する(自他サ) その病気に特徴的な症状が顕著に現われてくること。「結核を―する」

はつじょう⓪(デウ)【発条】 「ばね・ぜんまい」の意の古風な表現。

はつじょう⓪(ジャウ)【発情】―する(自サ) 成熟した動物がその本能として一定の時期に交尾欲を起こすこと。「―期③」

ばっしょう⓪(セフ)【跋渉】―する(自サ) 〔山を越え、川を渡る意〕徒歩で、方々の山野を歩き回ること。

はっしょく⓪【発色】 ❶〔カラーフィルム・染め物などの〕色の仕上がり。 ❷―する(自サ) 処理をして色を出すこと。「―剤④⓪」

パッション①〔passion〕 ❶〔蒙(コウム)る意のラテン語に基づく〕その人を取りつかれたようにある行動に駆り立てる、自分でも制御出来ないほど激しい情熱。 ❷〔the Passion の日本語形〕 キリストの受難。〔狭義では、十字架上のはりつけを指す〕 **―フルーツ**⑥〔passionfruit〕 つる性の常緑多年草で南米を中心に栽培されている果物。実は卵形で表皮は堅く、中に黄色いゼリー状の果肉と果汁がある。和名、クダモノトケイソウ。〔トケイソウ科〕

はっしん⓪【発信】―する(他サ) 郵便・電報や電子メールなどで伝えるべき情報を外部に送り出すこと。「SOSを―する／電話の―音／情報―基地・―人(ニン)⓪」 ↕受信❷・着信

はっしん⓪【発振】―する(自サ) 〔物理などで〕一定の振動を続けて起こすこと。

はっしん⓪【発疹】―する(自サ) 皮膚に小さな吹き出物が出ること。また、その吹き出物。 **―チフス**⑤ シラミが媒体となって起こる感染症。全身に小粒の発疹が現われ、高熱を出す。

はっしん⓪【発進】―する(自サ) 〔エンジンをかけて〕航空機などが出発すること。「―加速」

バッシング⓪―する(他サ)〔bashing=たたくこと〕 マスメディアなどを通じて、特定の対象を懲罰的に一斉に非難・攻撃をすること。

パッシング⓪―する(自サ)〔passing〕 車の運転中にヘッドライトを点滅させて合図を送ること。特に、狭い道をすれ違う時や、追い越す時に前方の車に送る合図を言う。

はっすい⓪【撥水】〔布・紙などが〕水をはじくこと。「―加工⑤・―性⓪」

ばっすい⓪【抜粋・抜萃】―する(他サ) 〔もとの用字は、「抜萃」。「萃」は、集まりの意〕〔文献から〕△大事(必要)な部分だけを書き抜くこと。また、その書き抜いたもの。ぬき書き。

はつすがた③【初姿】 ❶初めて着飾った姿。 ❷新年の装いをした、女性のあでやかな姿。

はっ・する⓪【発する】[一](自他サ) ❶ある△事(所)が源となって、そこから新たなものが生じる。「…に△源(端(タン))を―／問題が―」 ❷どこかへ向かって、そこを出る。「三時に―〔=出発する〕特急列車」 ❸そこに生じた音・光・においなどが、その周囲から認められる状態になる。また、そのような状態にする。「いたんだタマネギが悪臭を―／森林から火が発して燃え広がる」 [二](他サ) 外部に向けてある情報を知らせる。「喪を―〔=発表する〕／△声明(警告)を―〔=出す〕／使者を―〔=行かせる〕」 発す⓪(五)。

ハッスル①―する(自サ)〔hustle〕 行動に気力が漲(ミナギ)っていること。

ばっ・する⓪③【罰する】(他サ) 〔違反者などに〕罰を与える。罰す⓪(五)。

はっすん③【八寸】 八寸〔=約二四センチ〕角の会席膳(ゼン)。また、それに盛りつける日本料理。

はっせい⓪【発生】―する(自他サ)〈(なにカラ)どこ・なにニ―する〉 ❶ある状態が生じること。〔多く、その社会にとって、好ましくない事態が起こることを指す。例、「△火災(事故・暴動)が―する／台風が―する／事件―の〔=が起こった〕初期」〕 ❷〔人体に有害な物が〕△現われ(広が)ること。〔生物学では、個体が生まれることを指す〕「△アメリカシロヒトリ(コレラ)の大―／有害ガスを―する薬品」 **―がく**③【―学】 個体が発生するしくみを研究する、生物学の一部門。「発生生物学」とも。

はっせい⓪【発声】―する(自サ) ❶〔音量・声音(コワネ)・姿勢などに注意して〕声を出すこと。「―法⓪」 ❷〔万歳などをおおぜいで唱える時〕最初に声を出して音頭(オンド)を取ること。 ❸歌会などで最初にひとりで歌を読みあげる△こと(役)。

はっせき⓪【発赤】―する(自サ) 病気で皮膚などが赤くなること。「ほっせき」とも。

はつせき⓪【初席】 新年に初めて行なわれる、寄席の興行。

ばっせき⓪【末席】 ⇩まっせき「―をけがす〔=『同席する』のへりくだった表現〕」

はつぜっく③【初節句】生まれた子が、初めて迎える節句。

はっせん①【八専】陰暦の壬子(ミズノエネ)の日から癸亥(ミズノトイ)の日までの十二日間のうち、丑(ウシ)・辰(タツ)・午(ウマ)・戌(イヌ)の四日を除いた八日を言う。〔一年に六回あり、雨が多く、また、嫁取り・造作などによくないと言われる〕

はっせん⓪【発船】―する(自サ)船が港を出ること。「―時間」

ばっせん⓪【抜染】―する(他サ)〔染色で〕捺染(ナッセン)の一つ。地色をぬき取って白抜きにする△こと(技術)。「抜き染め⓪」とも。

はっそう⓪【八双】〔刀やなぎなたなどで〕正面から右側の方へ寄せて、まっすぐに立てる構え方。表記「八相」とも書く。

はっそう①【八相】釈尊が母胎に宿る前から涅槃(ネハン)に至るまでの、八つの時期の姿。「―成道(ジョウドウ)⑤」

はっそう⓪【発走】―する(自サ)❶〔競走で〕走り出すこと。スタート。❷〔競馬や競輪で〕その回の競技が行なわれること。⇩発馬

はっそう⓪【発送】―する(他サ)〔荷物・郵便などを〕相手に送り出すこと。

はっそう⓪【発想】❶その問題をどう取り扱い、どうまとめるかということについての思いつき。アイデア。「―の転換」❷〔考えついた事を〕効果的な叙述・構成などによって表現すること。「―法⓪」❸〔音楽で〕楽曲の持つ気分などを演奏のしかたによって表現すること。「―記号」

はっそく⓪【発足】―する(自サ)「ほっそく」の新しい語形。

ばっそく⓪【罰則】違反者に対する罰の種類・軽重などを規定した規則。「―を適用される」

ばつぞく⓪②【閥族】❶〔古〕地位の高い家柄。❷閥を作っている一族。

はつぞら③【初空】元日(ガンタン)の空。「はつそら」とも。

ばっそん⓪【末孫】⇩まっそん

はつだ⓪【発〈兌〉】―する(他サ)〔古〕書物を印刷・発売すること。

ばった⓪【{飛〈蝗〉}・{〈蝗虫〉}】秋のころ、草むらに多い昆虫の総称。後ろの一対の足が長く、よく跳ねる。〔バッタ科〕 かぞえ方 一匹

バッター①〔batter〕〔野球で〕投手が投げたボールを打つ人。打者。「プアー③〔=打てない打者をやじる時に言う語〕」 ―ボックス⑤〔batter's box の日本語形〕バッターが、ボールを打つために立つ場所。

はったいこ③⓪【〈糗粉〉】〔近畿以西の方言〕とりたての大麦などを煎(イ)って粉にしたもの。熱い湯で溶いて食べる。「はったい⓪」とも。

はつたけ⓪【初〈茸〉】秋、松林などに生えるキノコ。かさは茶色で、傷のついた所は青緑色に変わる。食用。〔ベニタケ科〕 かぞえ方 一本

**はったつ⓪【発達】―する(自サ)〈(なにカラ)―する〉❶〔人のからだ・精神などが〕成長して、より完全な形に近づくこと。「心身の―を促す」❷そのものの規模が大きくなること。「台風が急速に―する」❸物事が段階を追って進歩をとげ、機能などがより高度に発揮される状態に進むこと。「△科学技術(都市交通)の―がめざましい」 ―しょうがい⑤【―障害】生まれつきの脳機能の発達の偏りから、対人関係や集団行動などの社会生活において困難が生じる障害の総称。自閉症スペクトラム⑦(ASD〔←Autism Spectrum Disorders〕)・注意欠陥多動性障害④-⑥(ADHD〔←Attention Deficit Hyperactivity Disorder〕)・学習障害(LD〔←Learning Disability〕)など。

はったと①(副)「はたと」の強調表現。

ばったや⓪【バッタ屋】倒産した店の雑貨や余剰品を安く大規模に買い集めて、大量に安売りする店の称。

はったり⓪〔自分を実質以上の存在に見せかけたり 相手より優位に立とうとしたりするために〕実際には(見聞)した事も出来る見込みもない事を、さも事実であるかのように人前で言いふらすこと。「―をかける／―屋⓪〔=もと、道ばたなどで『張ったり、張ったり』と呼びかけて賭事(カケゴト)の相手をすることを職業とした者〕」

ばったり③(副)―と ❶立っていたものが、何の前触れもなく突然倒れる様子。「校庭で―倒れた」❷思いもよらない所で出会う様子。「駅で彼と―会った」❸続いていた事態が、ある時点を境にして続かなくなる様子。「あれから―来なくなった／客足が―止まった」

ぱったり③(副)―と「ばったり」より、やや軽い感じの擬態語。

はったん①【八端】〔←八端織⓪〕座布団地・夜具地などとして珍重される厚地の絹織物。八丈に似て、黄色と褐色の縞(シマ)模様がある。表記「八反」とも書く。

ハッチ①〔hatch〕❶船の甲板△へ(から)の昇降口。❷キッチンと食堂の間に設けられたサービス口。

はっち①⓪【発地】品物が送り出された土地。↕着地

パッチ⓪〔朝鮮 baji〖=はかまに似た衣服〗の変化という〕ももひき❶。

パッチ⓪〔patch=つぎ〕補強のために付ける革や布。「上着の袖(ソデ)のひじの部分に―を縫いつける／―ワーク」

パッチテスト④〔patch test〕アレルギー性疾患の原因物質を確かめるため、原因と推定される物質を皮膚に貼(ハ)って反応を調べる検査。貼布(テンプ)試験④⑤。

はっちゃく⓪【発着】―する(自サ)交通機関の、出発と到着。

はっちゅう⓪【発注・発〈註〉】―する(他サ)注文を出すこと。↕受注

はっちょう①【八丁・八〈挺〉】ありとあらゆる方向。「口も―、手も―〔=⇩口[二]❷〕」 ―みそ⑤【―味〈噌〉】愛知県岡崎地方で作る、赤黒いからみそ。

ばっちり③(副)―と「満足できる結果が得られ(そうだと予測され)て、内心してやったりと思う様子」の意の口頭語的表現。「バイトで―稼いだ／山が当たったから、きょうの試験は―だ」

ぱっちり③(副)―と ―する 目もとの印象がきわだっている様子。また、目を大きく開いた様子。「目の―したかわいい女の子／目を―と開ける」

パッチワーク④〔patchwork〕違った色や、各種の材質の端切れなどをはぎ合わせて、カラフルで独創的なカバー・クッション・マットなどを手作りすること。また、そのようにして作られた手芸品。

ばってい⓪【末弟】⇩まってい

バッティング⓪〔batting〕〔野球で〕打撃。「―オーダー〔=打順〕」 ―ケージ⑥〔batting cage〕〔野球で〕打撃練習のための移動式ネット。打ち損じたボールがそれるのを防ぐ。

バッティング⓪〔butting〕[一]〔ボクシングで〕選手同士の頭がぶつかること。〔故意にやれば、反則〕[二]―する(自サ)ぶつかり合うこと。重複。競合。「予約が―する／ソフトウェア同士が―してうまく動かない」

ばってき⓪【抜〈擢〉】―する(他サ)おおぜいの中からその人を△目的に合う(能力のある)者として選び出し、特に重要な役目に就けること。

バッテラ⓪〔ポ bateira=ボート〕長方形の木枠に入れて作る、サバの押しずし。バッテラ③とも。かぞえ方 一本

バッテリー〔battery〕❶①〔野球で〕ピッチャーとキャッチャーの組合せ。❷⓪〔一組の〕蓄電池。

はってん⓪【発展】—する（自サ）❶〔なに・どこ(カラ)なに・どこニ—する〕広い範囲に広がり、より進んだ段階に進むこと。「海外へ—する／都市の—〔=拡大と繁栄〕／—を△期する〔図る・遂げる〕／経済—・—性⓪・—的解消〔=より高い段階に移るために、もとのものをご破算にすること〕」❷盛んに活躍すること。「ご—を祈る／—家ヵ⓪〔=俗に、酒色の方面で活躍する人〕」 **—とじょうこく⑥【—途上国】近代産業が十分に発達せず経済的発展の途上にある国。開発途上国。

はつでん⓪【発電】—する（自サ）❶電気を起こすこと。「—所⑤⓪・—機③・—力③・火力—・水力—・風力—・自家—・地熱—」❷電信・電報を出すこと。

ばってん〔九州方言〕■③⓪〔接〕けれども。だが。■〔接助〕…のだが。「行った—会われんやった」

ばってん③【罰点】❶まちがい・不採用の意思表示として付ける、「×」の形の印。⇨ばつ ❷反則などをした時に、減点するものとして与える点数。

ハット①〔hat〕まわりにふちのある帽子。「シルク—・テンガロン—・チロリアン—」⇨キャップ

はっと①⓪〔副〕—する ❶今まで見過ごしていた物事に、何かの拍子に気が付く様子。「頼まれていたことを—思い出した」❷思いがけない事を見聞きして一瞬強い驚きを感じる様子。「—してふり返る」

はっと①⓪【法度】〔武家時代の法令として出された、禁止事項の意〕規則としてそうすることが禁じられていること。⇨御法度

バット①〔bat〕〔野球で〕打者がボールを打つのに使う棒状の用具。「金属—」かぞえ方 一本

バット①〔vat〕❶写真の現像液や小魚などを入れたりするのに使うステンレスや琺瑯(ホウロウ)びきなどの平たい皿。❷流し箱。かぞえ方 ❶❷とも 一枚

パット①〔pad の日本語形〕形を整えるために、洋服の肩の部分やブラジャーなどに入れる詰め物。パッドとも。〔広義では、動物を剝製(ハクセイ)にする時にからだに詰める芯(シン)をも指す〕

パット①—する（他サ）〔putt=もと、押す意〕〔ゴルフで〕ホールの近くまで届いたボールを、ホールに入れるために軽く打つこと。「ショート—④」

ぱっと〔副〕❶①⓪それまでと違った動きや局面が一気に展開する様子。「一遍に—花が開く／—飛びのく／うわさが—広がる」❷⓪—する だれの目にも一目ですぐ分かるほど、その華やかさなどが目立つ様子。「—した顔だち／—しない人／はでに—やりましょう」❸①⓪動作が一瞬で〔機敏に〕行なわれる様子。「—片づける／目を離したすきに—盗まれた」 **—み**⓪【—見】〔俗に〕ぱっと見た△感じ〔ところ〕。〔副詞的にも用いられる〕「—は若そうだけど」

はっとう⓪【法△堂】禅寺の寺院において、修行僧に仏教を説く建物。講堂。

はつどう⓪【発動】—する（自他サ）❶〔事件などを処理するために〕法律△による権利〔の条項〕などを適用すること。「強権を—する」❷動力を起こすこと。また、起きること。 **—き**③【—機】機械・オートバイ・船舶・航空機などの動力源としての内燃機関。エンジン。かぞえ方 一台

ばっとう⓪【抜刀】—する（自サ）人を斬(キ)るために、刀をさやから抜き放つこと。「—隊⓪」

はっとうしん③【八頭身】からだの首から上の部分と下の部分とが一対七の比率であること。また、その比率の人。〔均整のとれた理想的なプロポーションとされる〕

はつとり⓪【初△酉】「一の酉」の異称。

ハットトリック⑤④〔hat trick〕〔クリケットで、投手が打者三人を続けてアウトにすると、新しい帽子を賞として贈られたことから〕〔サッカー・アイスホッケーで〕一人の選手が一試合中に三点得点すること。

はづな⓪【端綱】馬の口につけて引く綱。

ばつなぎ②【場△繫ぎ】会の進行や議論の最中などに間が生じそうな時、その場をつくろうこと。また、そのための軽い話題など。

はつなつ⓪【初夏】夏の初め。しょか。

はつなり⓪【初《生り》】その△木〔年〕に、初めて生った△実〔果物〕。

はつに⓪【初荷】〔正月二日に、飾りをつけて〕その年初めて商品を送り出すこと。また、その荷。

はつね⓪【初《子》】その月の子の日のうちで、最初のもの。〔狭義では、正月のそれを指す〕

はつね⓪【初音】〔ウグイスなどの〕その年に初めて聞く鳴き声。

はつね⓪【初値】その年の最初の取引で出来た相場。

はつねつ⓪【発熱】—する（自サ）❶外から与えられた刺激などによって、その物が〔高い〕熱を出すこと。❷病気などで体温が普通以上に高くなること。

はつのり⓪【初乗り】運賃の最低単位である、最初の乗車区間。「—七百円／—運賃」

はつば⓪【発馬】—する（自サ）〔競馬で〕馬がスタートすること。

はっぱ⓪【発破】鉱山や土木工事などで、火薬を仕掛けて岩石を爆破すること。「—をかける〔=俗に、何かをするように、強い言葉で励ましたりする〕」

はっぱ⓪【葉っぱ】「葉」の口頭語的表現。

はつばい⓪【発売】—する（他サ）〔新しい〕商品を売り出すこと。「好評—中・新—③」

ばっぱい⓪【罰杯】〔宴会で大きく遅刻した人や余興をやらない人などに〕罰として無理に飲ませる酒。

はっぱく⓪【八白】九星の一つ。土星に配当し、方位は北東。

はつばしょ⓪【初場所】一月に開かれる大ずもうの興行。一月場所。

ぱっぱと①〔副〕❶瞬間的な激しい動きが続けざまに見られる様子。「△しぶき〔火花〕が—飛び散る」❷次つぎと、ためらいもなくやってのける様子。「お金を—使う／何でも—捨てる／仕事を—片付ける」

はつはな⓪【初花】△春〔季節になって〕初めて咲く花。

はつはる⓪【初春】❶春の初め。❷「新年」の異称。

はつひ⓪【初日】元日に、改まった気持で見る朝日。

はっぴ⓪【法被】❶〔もと、家紋をつけて中間(チュウゲン)や下級武士に着せた上着の意〕鳶職(トビショク)・大工や旅館の従業員、また、祭礼の際のみこしかつぎなどが着る、一種の上っ張り。丈夫で、多く背中は名入り。❷〔能で〕男役が着る装束。❸禅宗で高僧のいすに掛ける金襴(キンラン)などの布。かぞえ方 ❶❷は一枚

ハッピーエンド⑤〔happy ending の日本語形〕〔物語や映画などの筋で〕主人公が幸福な生活を送ることになって終わるもの。⇨めでたし

はつひかげ③【初日影】〔雅〕元日の朝日の光。

はつひので③【初日の出】元日の日の出。

はっぴゃくやちょう⑤【八百八町】昔、江戸の町全体の称。

はつびょう⓪【発病】—する（自サ）病気にかかって、から

たに異状が認められるようになること」

はっぴょう⓪(ベウ)【発表】 —する(他サ)〈(だれ・なに ニ)なに ヲ —する〉〔報道機関・機関紙・放送・学会などを通じて〕△自分の考え(研究の結論)や、調査の結果、また事態の推移・経過についての情報を、△関係者(世間)全体を対象に、広く知らせること。「学会でーして注目の的となった/△見解(声明・布告)をーする/政府ー・ー会③⓪」

ばつびょう⓪(ベウ)【抜〈錨】 —する(自サ) 船が、いかりを巻き上げて出港すること。↔投錨

はっぷ⓪【発布】 —する(他サ) 〔国が〕新しい法律などが出来たことを発表し、国民一般に知らせること。

はっぷ①【髪膚】 「髪の毛とはだ」の意の古風な表現。〔からだ全体の意に用いられることもある。例、「身体ー、これを父母に受く」〕

パップ①〔オ pap〕 患部にはる、のり状の薬。ハップ(剤)。 表記 「〈巴布」は、音訳。

バッファー①⓪〔buffer〕 ❶衝撃・衝突や急激な変化を吸収する△もの(装置)。 ❷Ⓐ〔↑バッファーメモリー⑤〕〔コンピューターで〕データ処理速度などの異なる二つのシステムの時間差を埋めるため一時的にデータを記憶する△装置(機能)。バッファ⓪とも。 Ⓑ物資や日程などで、いざというときのために余分に取っておく分。

はつぶたい③【初舞台】 初めて舞台に上り、みんなの前で演技をして見せること。また、その舞台。〔広義では、大衆の前で晴れがましい行動を初めてすることについても言う〕「ーを踏む」

はつふゆ⓪【初冬】 冬の初め。しょとう。

はっぷん⓪【八分】 漢字の書体の一つ。隷書に近く、左右へ末画をはね伸ばすのが特徴。

はっぷん⓪【発奮・発憤】 —する(自サ) 〔ライバルの活躍などに刺激を受けて〕よし、自分も(負けずに)がんばるぞと、気持を新たにすること。

ばつぶん⓪【〈跋文】 書物の終りに書き添える文章。「ばつ」とも。あとがき。↔序文

はつほ⓪【初穂】 その年初めて実った△稲の穂(穀物・野菜・果物など)。「はつお」とも。〔神仏に供えるところから、その代りに供える金銭をも言う〕「おー⓪」

はっぽう③(バウ)【八方】 ❶四方(東・西・南・北)と四すみ(北東・北西・南東・南西)。 ❷あらゆる方面。「ー手を尽くす」 **ーじる⑤【ー汁】** はっぽうだし。 **ーだし③【ー出(し)】** 出し汁に、しょうゆ・酒・みりんを加えて煮たもの。そば・てんぷらなどの つけ汁に使う。 **ーにらみ⑤【ー〈睨㋯】** ❶あらゆる面に気をくばること。 ❷〔画像などが〕どこから見ても、見る人の方を睨んでいるように見える△こと(もの)。 **ーびじん⑤【ー美人】** だれからもよく思われるように、△要領よく(節操無く)人とつきあう△こと(人)。〔一般に、軽い侮蔑(ブベツ)を含意する〕 **ーふさがり⑤【ー塞がり】** 〔陰陽(オンミョウ)道で〕どの方角に向かって事を行なっても不吉になること。〔どうしてもよい方法・手段が無くて、動きが取れない意にも用いられる〕 **ーやぶれ⑤【ー破㋹】** 相手に対して構えたところが少しも無く、どこからでもつけ込むすきがある(ように見える)こと。

はっぽう⓪(バウ)【発泡】 —する(自サ) (水中に入れたりすると)あわが出ること。「ー錠③」 **ーしゅ③【ー酒】** ❶シャンパンやスパークリングワインなど、あわの出るワイン。 ❷麦芽の割合を、ふつうのビールより少なくしたあわの出る酒。 **ースチロール⑦** 合成樹脂の一種で、中にあわ状の空間があり、軽くてもろい。適度に弾力があるため、こわれやすい物の梱包(コンポウ)用に使われる。

はっぽう⓪(バウ)【発〈疱】 —する(自サ) 皮膚に水ぶくれが出来ること。

はっぽう⓪(バウ)【発砲】 —する(自サ) 小銃や大砲などをうつこと。

ばっぽう⓪(バウ)【罰俸】 公務員などに対する懲戒処分として、ある期間、減給すること。

はっぽうさい③【八宝菜】 中華料理の一つ。豚肉・エビ・野菜・シイタケなど種々の材料を取り合わせていため煮にし、かたくり粉でとろみをつけたもの。五目旨(ウマ)煮。

はつぼく⓪【発墨】 硯(スズリ)で墨をすった時の、墨色の出ぐあい。「ーが△良い(悪い)」

はつぼく⓪【〈潑墨】 ❶〔墨絵で〕雲や雨に煙る景色などを写す山水画法の一つ。筆に十分に含ませた墨を散らすようにしてかく。 ❷発墨。

ばつぼく⓪【伐木】 —する(自他サ) 立ち木を△切り倒すこと(切り倒したもの)。

はつぼし⓪②【初星】 〔すもうで〕その場所で初めての勝ち星。〔俗に、「初日(ショニチ)が出る」とか、「片目があく」などとも言う〕

はつぼん⓪【初盆】 にいぼん。

ばっぽん⓪【抜本】 悪・災いの根本の原因を取り去ること。「ー的〔=根本的〕対策/ー策を講じる/ー塞源(ソクゲン)⓪-⓪〔=根本にさかのぼって物事を処理すること〕」

はつまいり③(マヰリ)【初参㋷】 —する(自サ) ❶新年になって、その神社に初めてお参りすること。 ❷その子が生まれて最初の宮参り。はつもうで。

はつまご⓪【初孫】 ⇩ういまご

はつまゆ⓪【初繭】 その年初めてとれた繭。

はつみみ⓪【初耳】 その人にとって最初の伝聞。また、その事柄。〔それが珍しいという意味で言われる語〕

はつめい【発明】 ■⓪ —する(他サ)〈なに ヲ —する〉 それまでだれも考えつかなかった機械や技術に関する新しいアイデアに基づいて何かを作り出すこと。「ー家⓪・ー王③」 ■②⓪ —な 〔古〕賢い様子だ。

はつも⓪【発喪】 —する(自サ) 皇族などがなくなった事を発表し、喪に服すこと。

はつもう⓪(オ)【発毛】 —する(自サ) 一度失われた(かのように見える)頭髪を再び生育させること。「ー剤③⓪」

はつもうで③(マウデ)【初詣㋦】 —する(自サ) ⇩はつまいり

はつもの⓪【初物】 その季節になって初めてとれた野菜・穀類など。〔初めて経験する物事の意にも用いられる〕「終りー」⇩旬(シュン)・走り ■❶ **ーぐい⓪(グヒ)【ー食㋑】** 初物を好んで食べる△こと(人)。〔なんでも新しい物事に飛びつく△こと(人)の意にも用いられる〕

はつもん⓪【発問】 —する(自サ) 質問を出すこと。「ー形式」

はつやく⓪【初役】 その俳優が初めて演じる役。

はつゆ⓪【初湯】 ❶その年初めて入るふろ。〔昔は正月二日に沸かした〕 ❷うぶゆ。

はつゆき⓪【初雪】 △その冬(新年になって)初めて降る雪。

はつゆめ⓪【初夢】 正月の△元日(二日)に見る夢。〔「一富士二鷹(タカ)三なすび」は、この時の夢とも、また、宝船の絵を枕(マクラ)の下に敷いて寝るとよい夢が見られるともいわれる〕

はつよう⓪(ヤウ)【発揚】 —する(他サ) 〔国家やおおぜいの人の精神などの勢いを〕はたの目にも以前より高まったと映る程度に盛んにすること。「士気をーする/国威のー」

ばつよう⓪(エフ)【末葉】 ⇩まつよう

はつらい⓪【発雷】 雲の中で電気が発生して雷となること。「ー確率⑤・ー状況⑤」

はつらつ⓪【〈潑剌〉】 —たる —と 〔魚が勢いよくはねる意〕からだや顔つきに元気が満ちみちて見える様子だ。「ーとした〔=新しい抱負に満ちた〕雑誌づくり」 派 **ーさ⓪④**

はつ・る②【〈斫る・《削る】 (他五) ❶削(り取)る。「切って

も、はっても」❷上前をはねる。名はつり③「—工⓪③」

はつる②【果つる】〔文語動詞「果つ」の連体形〕果てる。

はつれい⓪【発令】—する(自他サ) 法令・辞令・命令などを出すこと。「△人事異動(暴風雨警報)が—された」

はつろ①【発露】—する(自サ) その人の気持などが自然に態度・行動に現われること。「愛情の—」

はつわ⓪【発話】眼前の相手に向かって、実際に口を開いて話す行為。また、その話された言葉。

はて①(感) 意外なことに出会うなどして、どう△したものか(考えるべきか)と、とまどいを感じて発する声。「—な/—妙なことになったものだ」

はて②【果て】〔動詞「果てる」の連用形の名詞用法〕行き△着く(着いた)最後のところ。「口論の—(=結果)(は)つかみあいとなった/旅路の—/なれの—(=おちぶれた末)/—(=ⓐ結末。ⓑ際限)の無い話/あげくの—」

***はで**②【派手】—な〔雅楽の「破手」の変化という。⇩本手㊁〕↔じみ ❶明るい色彩であったり図柄が大きめであったりして、人目を引く様子だ。❷△人目を引くほど激しく(大げさに)何かをする様子だ。「—な殴り合い/—に金をばらまく」派—さ⓪③

はで②【破手】〔↑破手組⓪〕〔本格を破る、の意〕三味線組歌の分類の一つで、本手に対して新しい曲風のもの。⇩本手㊁

パテ①〔フ pâté〕すりつぶした肉類や魚介類などの具材をペースト状・ムース状に練り上げたフランス料理。また、それをパイ生地で包んでオーブンで焼いたもの。

パテ①〔putty〕窓枠にガラスを取り付ける時などに使う白い軟膏状のもの。〔鉄管の継ぎ目に塗って水漏れを防止する時にも用いられる〕

ばてい⓪【馬丁】馬と起居を共にし、馬の世話をする職業の人。〔狭義では、馬の口取りを指す〕

ばてい⓪【馬〈蹄】馬のひづめ。

パティシエ②⓪〔フ pâtissier〕菓子職人。

はてさて①(感) 事の意外さに、どう対処してよいか分からずにいる気持を表わす。「—、困った奴だ」

はてし⓪【果てし】「果て」の強調表現。「—(=きり)(が)ない」

はでやか②【派手やか】—な その場の雰囲気がはでで、人目を引く様子だ。「—な女性の姿」派—さ③④

は・てる【果てる】❶②(自下一) ❶終わる。「会が—」❷死ぬ。❷〔「動詞連用形+—」の形で、接尾語的に〕好ましくない事態が限界に達することを表わす。「困り—・疲れ—」

ば・てる②(自下一)〔極端な疲れなどのため〕「元来持っている能力を失った状態になる」の意の口頭語的表現。

バテレン⓪〔ポ padre の変化〕❶室町時代の末に、日本に来たキリスト教の宣教師。❷キリシタン。表記「伴天連」は、音訳。

はてんこう②【破天荒】—な〔「天荒」は、もと荒蕪の地の称。科挙に一人も合格者の無かった地域から初めて及第者が出た意〕だれもしたことのない事をする△こと(様子)。〔単に豪快で大胆な性格の意に用いるのは誤り〕「—の大事業/—の(=異例の)人事」

パテント⓪〔patent〕特許(権)。「(…の)—を取る」

はと⓪①【波〈止】「波止場」の略。「—釣り⓪」表記⇩付表「波止場」。「波戸」とも書く。

はと①【〈鳩】人家の近くにすむ中形の鳥。目が丸く、胸が張る。翼の力が強く、飛翔力が大きい。帰巣本能を利用して、遠距離の通信に用いられる。また、平和の象徴とされる。種類が多い。〔ハト科〕「—が豆鉄砲を食ったよう(=⇩豆鉄砲)」表記「〈鴿」とも書く。かぞえ方 一羽

はとう⓪【波頭】「なみがしら」の意の漢語的表現。

はとう⓪【波〈濤】大波。「—(=海)を越えて」

はどう⓪【波動】❶〔物理で〕媒質の各部分の振動が少しずつずれて、波が進む(ように見える)現象。❷周期的な変化。「景気の長期—」

はどう①⓪【覇道】仁徳によらず、武力・権力・謀略によって天下を支配する政治のやり方。↔王道

ばとう⓪【罵倒】—する(他サ) 口ぎたない悪口を相手に浴びせかけること。

ばとうかんのん④【馬頭観音】馬の頭をした仏像。俗に、馬の無病息災を祈る。「馬頭観世音」とも。

パトカー②③ パトロール カーの略。かぞえ方 一台

はとこ② 「またいとこ」の俗称。表記「兄弟・姉妹」に、それぞれ「再従・三従」を冠して書く。例、「〔再従兄弟〕・〔三従兄弟〕」。

はとじゅ②【はと寿】「八十歳(の長寿の祝い)」の俗称。⇩さんじゅ

パトス①〔ギ pathos=揺り動かされた心の状態〕〔哲学で〕理性的・持続的な心の動きに対して、受動的・一時的な心の動き。〔転じて、論理で割り切れない△激情(情熱)を指す〕⇩ロゴス・エートス

はとづえ③②【〈鳩杖〈】握りの部分がハトの形をしている杖。〔もと宮中から、八十歳以上の重臣に下賜された〕

パドック①〔paddock〕❶〔競馬場で〕競走の始まる前に、馬が集まる場所。ここで客が馬の下見をする。❷自動車レースに出る自動車を、整備・点検する場所。

パドドゥ③〔フ pas de deux〕〔バレエで〕男女二人で踊る踊り。

はとどけい③【〈鳩《時計】重りを使ってねじを巻く仕掛けの掛け時計。〔時刻を知らせる時、巣から鳩(=実はカッコウ)が出て来て鳴く〕表記⇩付表「時計」

はとは⓪【〈鳩派】相手の主張の採るべきところは採り、事を穏やかに解決しようとする考え方を持つ人たち。〔広義では、和平論者を指す〕↔鷹派

はとば⓪【波《止場】〔「はと」は、泊まる意の文語動詞「はつ」の変化〕波をよけ、船をつなぎ、荷物をあげおろしするために△海(湖・川)に向かって突き出させた築造物。埠頭。「—釣り⓪」表記⇩付表「波止場」。「波戸場」とも書く。

はとばいろ⓪【〈鳩羽色】薄い灰色を帯びた暗い紫色。

はとばねずみ④【〈鳩羽〈鼠】濃い紫色を帯びた鼠色。

はとぶえ⓪【〈鳩笛】ハトの鳴き声に似た音を出す(ハトの形をした)笛。

バドミントン③〔badminton=英国の公爵の領地の名〕ネットをはさみ、テニスのラケットに似た小さく軽いラケットで羽のついたたま(=シャトルコック)を打ち合うスポーツ。バトミントンとも。

はとむぎ⓪②【〈鳩麦】畑に植えられたりする一年草。ジュズダマに似た種は、漢方で薏苡仁と言う。〔イネ科〕

はとむね②【〈鳩胸】〔ハトの胸のように〕胸部が異常に張り出していること。また、そのような人。かぞえ方 一本

はとめ⓪③【〈鳩目】靴ひもを通す丸い穴(に取り付けてある金具)。〔書類をとじる場合などにも用いられる〕

はどめ⓪③【歯止め】❶車輪に取り付けて、上から押さえるようにしてその回転を止める装置。ブレーキ。❷坂道に止めてある自動車などが自然に動き出すのを防ぐために、車輪にあてがう物。「輪止め」とも。〔事態の悪化や変化を食い

とめる(こと(物)の意にも用いられる 例「インフレに—をかける」)

バトル①〔battle〕 戦い。「壮絶な—を繰り広げる」

パドル①⓪〔paddle〕〔カヌーなどの〕櫂(カイ)。

パトローネ③〔ド Patrone=もと、守るものの意の商品名。⇩パトロン〕〔写真で〕三五ミリフィルム用の生フィルムを詰め、明るい所でもカメラに収められるようにした、金属の丸い筒。「—入りフィルム」⇩マガジン❷

パトロール③—する(自サ)〔patrol〕 警官などが、警備のため市街地を回って歩くこと。 **—カー**⑤〔patrol car〕 広範囲の地域を機動力をもってパトロールする警察の自動車。〔車体は、上部が白く塗ってある〕 [かぞえ方] 一台

パトロン⓪〔patron=守るもの。もと、父の意〕 経済上の後援者。〔芸者などの だんなの意にも用いられる〕

ハトロンし③【ハトロン紙】〔↑オ patroonpapier〕 包み紙や封筒に使う丈夫な、薄茶色の洋紙。原紙が、九〇センチ×一二〇センチの大きさ〔=ハトロン判〕に裁断される紙。⇩クラフト紙

バトン⓪〔baton〕 ❶リレー競走で走者が持って走り、次の走者に渡す筒状の棒。「—を渡す〔=仕事を引き継ぐ〕」 ❷音楽の指揮棒。特に鼓笛隊のものをいう。 [かぞえ方] ❶❷とも一本

バトンガール④〔和製英語 ←baton + girl〕 はなやかな制服を着て、鼓笛隊や音楽隊の先頭に立ち、指揮棒を回しながら進む女性。バトントワラー⑤④。

バトンタッチ④—する(自サ)〔和製英語 ←baton + touch〕〔リレー競走で〕選手が次の選手にバトンを渡すこと。バトンパス④。〔後任者への仕事の引き継ぎの意にも用いられる〕

****はな**②【花】 ❶植物の茎・枝の先に時を定めて開く物。多くは、きれいな色と いいにおいを持ち、他と識別される。〔植物学的には、萼(ガク)・花冠・雄しべ・雌しべから成る生殖器官で、つぼみのあとに実のなるものが多い。日本では桜の花が代表だが、古くは梅の花をも単に「花」と指した〕「—に〔=花がしぼまないように植木に〕水をやる/—も実もある〔=ⓐ名実共に備わっていて、申し分が無い。ⓑ行動の筋が通っていると同時に、人情味を備えている〕」 ❷美しくて、だれでも持っていたいと思うもの。「—〔=はなやかさ〕を添える/両手に—/人生の—〔=夢の多い、一番いい時期〕/知らないうちが—〔=(まだ)幸福な一時期〕/悪の—〔=人を引きつける魅力があるが、それに接する者を破滅に導くようなもの〕/社交界の—〔=美しくて、だれでも近づきになりたいと思う女性〕/武士道の—〔=精髄〕」 ❸「生け花・花合せ・花札」の略。「—を引く〔=花札をする〕」 ❹芸人・使いの人などに与えるチップ。祝儀(シュウギ)。 ❺宴席などに呼んだ芸者に払う代金。揚げ代。 [表記] ❷の大部分は、「華」とも書く。 [かぞえ方] ❶は、一むら・一輪・一片。切り花は一束・一本 【—が咲く】 一時、△活発(にぎやか)に行なわれる。「哲学談義に—」 【—より団子】 ただ風流であるものより、実際に利益のあるものの方が大事だ。【—を持たせる】 本来なら自分の手に収めることの出来た勝利や栄誉を、相手に譲ってやる。

なみの—⑤【波の—】 ⇩波の花 **ゆの—**①【湯の—・湯の華】 ⇩湯の花

はな【《端》】 ❶① 物事の初め。「—から信用していない/寝入り—(バナ)〔=寝入ったとたん〕を起こされる」 ❷⓪ 物の先端。はし。

****はな**⓪【鼻】 ❶哺乳動物特有の呼吸器官。また、においをかぐ役割をも果たす。〔広義では、鳥類や爬(ハ)虫類の類似の器官をも指す。人間では顔の中央にあって、突き出た部分〕 ❷鼻の穴(の中)。「—に掛かった声/—〔=鼻くそ〕をほじる」 ❸鼻の穴から出る液。鼻△水(汁)。「—を△かむ(垂らす・すする)」 [表記] ❸は、「〈洟〉」とも書く。 【—が高い】 人に自慢出来ることがあって得意になる様子だ。【—であしらう】 相手の存在を軽視して、冷淡な対応をする。【—で笑う】 相手の発言や行動をいかにも軽んじ、小馬鹿にした態度で、鼻先から息を抜くように笑う。「鼻先で笑う」とも。「ここでは学歴を自慢したところで鼻で笑われるだけだ」 【—に掛ける】 他よりもすぐれていることを、とかく人前に見せびらかす。「エリートを—」 【—に付く】 ❶何かの(いやな)においが感じられて、いつまでも残る。 ❷マンネリになって、見たり聞いたりすると、かえって不快に感じる。「相手のエゴが—」 【—も引っ掛けない】 すっかり軽蔑(ケイベツ)して、全く問題にしない。 [表記] 「〈洟〉も引っ掛けない」とも書く。 【—を明かす】 自己満足している者を出し抜いて、まいったと言わせる。【—を打つ】 (異様な)においが鼻を強く刺激する。【—を折る】 「天狗(テング)❷」になっている者をへこませる。【—を突き合わせる】 何人かの人がきわめて△近い距離(狭い場所)に居合わせる。 【—を《衝っ》く】 異臭や強い刺激が鼻に入って、がまん出来ない状態にさせられる。【—を鳴らす】 ❶鼻に勢いよく呼気を通して、音を立てる。「彼は満足気にフフンと鼻を鳴らした」 ❷〔女性や子供などが〕何かを要求しようとして、鼻にかかった声を出すなどして、甘えた態度を取る。

【木で—を《括くる》】 ⇩木

はなあかり③【花明(か)り】 桜の花の白さのために、△夜(薄暗い時)でも あたりがぼんやり明るく見えること。

はなあぶら③【鼻脂】 小鼻のあたりににじみ出る脂肪。

はなあやめ③【花〈菖蒲〉】 アヤメの異称。

はなあらし③【花嵐】 咲いた桜の花を一遍に散らす、強い風。

はなあらし③【鼻嵐】〔馬や牛などの〕荒い鼻息。

はなあわせ③—(アハセ)【花合(わ)せ】 ❶昔、左右に桜の花を分けて並べ、どちらがすぐれているかを競い、それにちなんだ和歌などをよんだ遊び。 ❷花札(を使ってする遊び)。

はないかだ③【花〈筏〉】 ❶川に散った桜の花びらが、帯のように水面を流れくだる様子を筏に見立てたもの。 ❷山中に自生する落葉低木。初夏に、葉の中央に淡緑色の小さな花をつける。〔ハナイカダ科(旧ミズキ科)〕 [かぞえ方] ❷は一株・一本

はないき⓪【鼻息】〔音が聞こえるほどの〕鼻でする息。「△熱い(荒い)—が私の ほほにかかった/—〔=ご機嫌〕をうかがう」 【—が荒い】 ❶強さに自信を得て、当たるべからざる勢いである。 ❷言葉や態度の端ばしに強気がうかがわれる。

はないけ⓪③【花生(け)】 花を生けるための容器。 [表記] 「花《活け》」とも書く。

はないばら③【花茨】 花の咲いているイバラ。

はないれ⓪③【花入(れ)】 はないけ。

はないろ⓪【花色】 ❶咲いている花の色彩。 ❷はなだ色。「—もめん⑤」

はなうた⓪【鼻歌・鼻唄】 鼻にかかった小声で歌うこと。「—まじり〔=ⓐ気分のいい様子。ⓑどっちかというと、真剣味の足りない様子〕で仕事をする」

はなお⓪—(ヲ)【鼻緒・花緒】 〔「はな」は、先端の意。「鼻・花」は借字〕げた・草履の緒。〔狭義では、親指と次の指ではさむ「前緒⓪」を指す〕 [かぞえ方] 一本

はなおち⓪④【花落(ち)】 ❶実が大きくなり、元の花が取れて落ちた部分。 ❷まだ大きくならないころのキュウリ・ナスなどの実。

はなかけ⓪【鼻欠け】〔梅毒などで〕鼻が欠けて無い△こと（人）。〔強調形は「鼻っ欠け⓪」〕

はなかご⓪②【花籠】草花をつんで入れたり 花の枝を生けたりする籠。

はながさ③⓪【花笠】花や造花などで飾った笠。祭りや踊りの時かぶる。「—音頭」

はなかぜ⓪【鼻風邪】鼻がつまり、鼻水が出る、軽い症状の風邪。「はなっかぜ⓪」とも。「—をひく」 表記 ⇩付表「風邪」

はながた⓪【花形】❶花の形（の模様）。❷人気があって、社会、特にマスコミにもてはやされる存在。スター。〔主として、芸人について言う〕「時代の—／—選手」

はながたみ③【花筐】〔雅〕はなかご。

はながつお③【花鰹】削りぶしの上等なもの。出来あがった料理に添えて食べる。

はながみ⓪【鼻紙】鼻をかんだりする時に使う ちりがみ。「はなかみ」とも。 表記 「花紙」とも書く。

はながめ⓪【花瓶】花をさすのに使う瓶。花生け。

はながら⓪【花柄】着物などの花模様。

はながるた③【花がるた】⇩花札

はなかんざし③【花簪】造花で飾った簪。

はなぎ⓪【鼻木】牛の鼻の穴に通す、輪の形をした木。

はなキャベツ③【花キャベツ】⇩カリフラワー

はなくじ⓪②【花籤】〔「無尽❷」などで〕本籤以外に幾らかのお金を分けるための籤。 かぞえ方 一本

はなぐすり③【鼻薬】鼻の病気を治す（ために、鼻に付ける）薬。〔広義では、少額の わいろをも指す。例、「—をきかす／—をかがせる」。もと、子供が甘えて泣くのをなだめるために与えた菓子に起因すると言われる〕

はなくそ⓪【鼻糞・鼻屎】鼻汁とほこりとが交じって、鼻の穴の中で固まったもの。

はなくび②⓪【花首】茎の先の、花のついている部分。

はなぐもり⓪【花曇り】桜の咲く季節に、空一面が薄ぼんやりと曇り、景色などが煙って のどかに見えること。

はなくよう③【花供養】⇩かんぶつえ

はなげ⓪【鼻毛】鼻の穴の中に生える毛。「—を抜く〔=他人をだしぬく〕／—を読まれる〔=見くびられる〕／—をのばす〔=女性に心ひかれて甘くする〕」⇩尻毛 かぞえ方 一本

はなごえ⓪【鼻声】❶〔甘えて話す時、鼻うたを歌う時などこ出す〕鼻こかかった声。「—を出す」❷〔泣いて話す時、風邪をひいた時などに出す〕鼻のつまった時の声。

はなごおり③【花氷】中に花を入れて凍らせた氷。

はなござ⓪【花茣蓙】綿糸などを縦糸とし、美しく染めたイグサを横糸として、美しい花模様を織り出した敷物。花筵。

はなことば③【花言葉・花詞】その花の特質によって、花の名に一定の意味を含ませて使う言葉。例、バラの花=恋愛。

はなごよみ③【花暦】季節の移り変りを、それぞれの季節に咲く花と、その花の名所で表わした暦。

はなこん⓪【花紺】はなやかな紺色。「—のウール」

はなさ⓪【鼻差】⇩はなのさ

はなざかり③【花盛り】花が盛んに△咲くこと（咲いている時節）。〔文脈により、最盛期の意にも用いられる。例、「ベンチャービジネスの—」〕

はなさき⓪【鼻先】❶鼻の先端。「—であしらう〔=ばかにして、いいかげんに応対する〕」❷鼻のすぐ前。目の前。「—に突きつける」〔口頭語による強調形は「はなっつぁき⓪」〕

はなし【放し】（造語）[一]❶ほうっておくこと。「野—」❷…したまま、ほうっておくこと。「開け—にする／置きっ—」❸…を放したまま△である（何かをする）こと。「手—で△自転車に乗る（のろける）」[二]動詞「放す」の連用形。

—がい⓪【—飼（い）】家畜をつながずに、広い所で飼うこと。野飼い⓪。

****はなし**③[一]【話】❶Ⓐ相手に伝えようとする事柄を△声に出して言うこと（言うために出す声）。「作業中は—をしてはいけない／ひそひそ—・立ち—・長—」Ⓑ相手によく伝わるように、述べる内容・順序や声の大きさ・速さなどを考えて、伝えようとする事柄を話す△こと（技能）。「—がうまい人／人前で—をするのは苦手だ／—上手④・—下手⓪」❷話し手が伝えた事柄。「お医者さんの—によると、手術はしなくてもよさそうだ／—がうま過ぎる〔=いいことずくめで、全面的には信用出来ない〕／—〔=ⓐ物事の道理・事情。ⓑ他人の言った言葉の真意〕が分かる人／そうなれば、また—が違う〔=全く別問題だ〕／何からまい—〔=金もうけになること〕はないかな／早い—〔=端的に言えば〕、会社勤めがいやになったということだろう／—〔=事実の裏付けのない、作り事〕として聞く分にはおもしろい／自慢—」❸双方が話し合う対象となる事柄。「彼とは—が合う〔=共通の話題に事欠かず、楽しく会話を進めることが出来る〕／その—〔=件〕は終りにして、—〔=話題〕を変えよう／—変わって〔=さて、局面は一変して〕元禄の世になる／ちょっと君に—〔=ⓐ伝えたいこと。ⓑ相談〕がある」❹双方が懸案の事柄について話し合い、△結論を出す（問題を解決する）こと。また、その結論。「—が△つく（まとまる）／—を△決める（つける）／—〔=交渉〕を△進める（詰める）／それでは—が違う〔=最初の約束に反する〕／—〔=相手の提案・勧誘〕に乗る／いやだと言うなら—は別だ〔=話し合ってもむだだ〕が／結婚—・別れ—」❺多くの人の間で興味本位の話題とされる事柄。うわさ。「もっぱら…という—だ／社内では彼の—で持ち切りだ」❻人に△語って聞かせる（書いて読ませる）ための作り事。作り話。〔狭義では、落語を指す〕「長い—／一口—・昔—・お伽—・三題—」 表記 ❻は「〈噺・〈咄」とも書く。

【—が弾む】互いに興味のある話題が続いて、話に活気を呈する。【—にならない】❶まともに話し合える状態ではないと判断される様子だ。「酔っ払い相手では—」❷問題にならないほどひどい様子だ。「この成績じゃ（お）—」【—に花が咲く】話が はずんで、次から次へと話題が尽きずに続く。【—に実が入る】互いに関心のある話題に熱中する。 **—はんぶん**⑥④【—半分】大げさで、実際は話の半分ぐらいであること。

[二]【話（し）】（造語）動詞「話す」の連用形。 **—あい**⓪【—合（い）】相互に意見を交換し、何かを取り決めること。相談。交渉。「—を△行なう（積み上げる）／—が△進む（行きづまる）／—無用の態度」 **—あいて**④【—相手】話をしたり 相談をしたり するのに適当な人。 **—あ・う**④【—合う】（自五）❶一緒に話す。❷懸案を解決すべく、相談する。「じっくり—」 **—か**⓪【〈噺家・〈咄家】「落語家」の意の古風な表現。 **—がい**⓪【—《甲〈斐】話したただけの効果。「—がある」 **—かけ**⓪【—掛（け）】相手方と交渉を始める きっかけ。 **—か・ける**⑤【—掛ける】（自下一）（それを予期していない）相手に向かって話をする。 **—かた**④⓪【—方】❶話すときの態度や様子。❷（説得力のある）話をする方法や技術。「—教室」 **—ごえ**④【—声】話し合う（時の）声。「階下での—がきれぎれに聞こえる」 **—ことば**④【—言葉】日常の言語生活で、実際に用いられる言葉。〔書き言葉が内省的であり 規範的であるのに対し、場面で理解されることが多いので、文法的に整わなかったり 省略表現が用いられたり することがある〕↕

は

書き言葉 **ーこ・む**[4]【ー込む】(自五) 落ち着いて十分に話をする。 **ーちゅう**[0]【ー中】❶相手と話している途中。「人のーにじゃまをするな」 ❷かけた電話が通話中でつながらない状態。 運用「お話中ですが」の形で、話をしている人の△一方(双方)に話しかけようとするときの断りの言葉として用いられる。 **ーて**[0]【ー手】 話す側の人。⇩聞き手・書き手 **ーぶり**[0]【ー振(り)】 話の△様子(しかた)。〔強調表現は「話っぷり[0]」〕

バナジウム[3]〔ド Vanadium〕 灰色の硬い金属元素〔記号V 原子番号23〕。「バナジウム鋼[0][5]」や硫酸製造などの触媒として用いる。バナジン[1]とも。

はなじどうしゃ[4]【花自動車】 祝賀や記念のために、美しく飾って運転する自動車。

はなしょうぶ[3]【花(菖蒲)】 池などに栽培する多年草。アヤメに似ているが、大形で葉のまん中に縦筋がある。初夏、紫色などの花を開く。品種が多い。〔アヤメ科〕 かぞえ方 一本

はなしる[0]【鼻汁】 鼻の穴から出る粘液。「はなじる[0]」とも。

はなじろ・む[4]【鼻白む】(自五) △興ざめた(気おくれした)顔つきをする。

**はな・す【放す】 ❷[2](他五) ❶〈(なにカラ)なにヲー〉 握ったりつかんでいたりするのをやめる。「ハンドル(から手)をー/持ったら放さない/手ーす(バナス)」 ❷〈(どこニ)なにヲー〉 つかまえていた動物・捕虜などを、自由の身にする。「馬をー」 ❸〈なに・どこニなにヲー〉〔料理で〕汁などに入れて、散らばらせる。「ミツバをー/ナスを水にー」 ❸〔「動詞連用形＋ー」の形で、接尾語的に〕 ❶…(し)たまま、あとのしまつをしないでほうっておく。「見ー」 ❷…の状態を続ける。「勝ちっーす(パナス)」〔⇩放し❸〕

**はな・す[2]【話す】(他五) ❶〈だれニ(なにデ)なにヲー/だれトなにヲー〉 声に出して、事柄や自分の考えを△伝える(説明する)。「腹を割ってー/同じテーブルでー/英語でー/話せば〔=事情を説明すれば〕分かる/ーに足りる〔=ⓐ相談に乗ってもらえる、たのもしい。ⓑ自分と同意見で、話しがいのある〕人」 ❷〈(だれニ)なにヲー〉 外国語を、その国の人と同じように使う。「英語をー〔=しゃべる〕」〔⇩はなし❸〕

**はな・す[2]【離す・放す】(他五)〈なにカラなにヲー/なにトなにヲー〉 ❶(ぴたりと)くっついていたり身近にあったりするものを、別々にする。「つないでいた手をー/つなぎ目をー/目をー〔=(油断して)他の物に視線を移す〕」 ❷その物との間に、隔たりを置く。「一メートル離して植える/机と机とをー〔=遠ざける〕/本を手元から離さない/五メートル引きー」 ❸自分の手元から遠くへやる。「君をもう離さない/肌身離さず持っている」

はなすじ[0]【鼻筋】(スヂ) みけんから鼻先までの線。「ーが通っている〔=鼻自体のかっこうや位置のバランスがとれている、全体に美しい顔立ちである〕」

はなすすき[3]【花《薄》】 花穂(カスイ)の出たススキ。

はなずもう[3]【花〈相撲〉】(ズマフ) 本場所以外に、臨時に興行するすもう。 表記 ⇩付表「相撲」

はな・せる[3]【話せる】(自下一)〔「話す」の可能動詞形〕話や交渉の相手にする値うちがある。「ー〔=思いやりがあり人の気持をよく理解してくれる〕人」

はなぞの[0]【花園】 草花がたくさん植えてある園。

はなだ[0]【〈縹〉】〔↑はなだ色[0]〕 薄いあい色。はないろ。

はなだい[0]【花代】〔芸者・遊女の〕遊興代。線香代。

はなだい[0]【鼻〈鯛〉】(ダヒ)〔東京方言〕チダイ。

はなたかだか[4][5]【鼻高々】(ーなーに) 思い通りの結果を得て、自慢したがっていることが言動にありありと見える様子だ。「当選してーだ/手柄をーに吹聴(フイチョウ)してまわる」

はなたけ[0]【鼻〈茸〉】 鼻の中に出来るおでき。ポリープ。

はなたちばな[4]【花〈橘〉】〔雅〕花の咲いたタチバナの美称。

はなたて[2][3]【花立(て)】 花生け。花筒。〔神前・仏前や墓前に供える花などの入れ物を指すことが多い〕

はなたば[2][3]【花束】 草花を束ねたもの。ブーケ。「ーを贈る/ー贈呈」

はなだより[3]【花便(り)】 (桜の)花の咲きぐあいなどを知らせる便り。

はなたらし[0]【〈洟垂(ら)し〉】 鼻汁を垂らしている△こと(子供)。〔意気地の無い人や経験の少ない若い者をののしる場合にも用いられる。例、「まだーだ/このーめが」〕〔強調形は「はなったらし[0][6]」〕

はなたれ[0]【〈洟垂(れ)〉】 はなたらし。〔強調形は「はなったれ[0]」「ー小僧[6]」〕

はなぢ[0]【鼻血】 鼻の粘膜からの出血。

はな・つ[2]【放つ】(他五) ❶「放す❶❷」の古風な表現。「虎(トラ)を野にー」 ❷手元から(遠くへ)出す。「△光(光彩)をー/悪臭をー/△異彩(生彩)をー〔=表わし示す〕/火をー〔=つける〕/声をー〔=大きな声を出して〕泣く/第一声をー〔=最初の演説をする〕/第一弾をー〔=発射する〕/スパイをー〔=つかわす〕」 ❸追放する。「東国にー」

はなづくし[3]【花尽(く)(し)】 ❶いろいろの花の模様を書いたもの。 ❷いろいろの花の名を列挙すること。

はなづくり[3]【花作(り)】 花の咲く草木を栽培する△こと(人)。

はなづつ[0]【花筒】 花を生けておくための筒。

はなづな[0]【鼻綱】 牛の鼻につなぐ綱。

はなっぱし[0]【鼻っ端】〔鼻柱(ハナバシラ)(の先端)の意か〕相手にまともに顔を向け対決しようとする態度を示すこと。「ーが強い〔=意地を張って、人に譲らない様子だ〕」

はなっぱしら[0]【鼻っ柱】「鼻ばしら」の強調形。「ーを折る〔=高揚する相手の気持、特に自信や高慢などを頭から傷つける。『ーをくじく』とも〕」

はなつまみ[0]【鼻〈抓(み)〉】 人に嫌われて仲間はずれにされる△こと(人)。

はなづまり[0]【鼻詰(まり)】 鼻の穴が鼻汁・鼻くそなどでふさがって通りの悪い状態。鼻閉(ビヘイ)[0]。「はなつまり」とも。

はなつみ[4][3]【花摘(み)】(ーする)(自サ) 野原に咲く草花を摘み取る△こと(人)。

はなづら[0]【鼻面】 鼻先。〔強調形は「鼻っつら[0]」〕

はなつんぼ[3]【鼻〈聾〉】 鼻の病気や、鼻風邪などのために、物のにおいが感じられないこと。

はなでんしゃ[3]【花電車】 祝賀や記念のために美しく飾って運転する電車。

はなどき[0]【花時】 桜の花の咲くころ。

はなどけい[3]【花《時計》】 時計の文字盤に当たる所を、その時期にふさわしい花できれいに飾った時計。公園などの花壇に作る。 表記 ⇩付表「時計」

バナナ[1]〔banana〕 バショウに似た熱帯特産の大形の多年草。実は細長くて、甘く、においがいい。皮は黄色。品種が多い。〔バショウ科〕 かぞえ方 一本・一房

はなぬすびと[3]【花盗人】 花見などの帰りに、桜の枝などを折り取る人。⇩花守

はなの[0]【花の】〔連体詞的に〕 ❶花のように美しい。「ー顔(カンバセ)」 ❷はなやかな。「ーパリ・ーお江戸」

はなの[0]【花野】〔雅〕花の咲いている秋の野原。

はなのさ[0]【鼻の差】〔競馬で〕(ゴールに入った瞬間の)馬の先後の差が極めてわずかなこと。「はなさ」とも。〔一般

に、わずかの差を言う。例、「―で勝つ」〕

はなの さき⓪【鼻の先】 鼻先。「ふふんと―で笑った」

はなの した⑤【鼻の下】 ㊀鼻と口との間。「―が長い〔=女性に甘い〕」 ㊁口。「―が干上がる〔=職業を失い、食えなくなる〕」〔㊀㊁とも口頭語的表現〕

はな ばさみ③【花〈鋏】 草花や木の小枝などを切る鋏。 かぞえ方 一挺(チョウ)・一丁

はな ばしら⓪【鼻柱】 ㊀鼻の左右の穴の間にある肉。鼻の障子。 ㊁鼻の中心を貫く軟骨。 ㊂相手にまともに顔を向け対決しようとする態度を示すこと。⇩はなっぱしら

はな はずかし・い⑥(ハヅカシイ)【花恥(ず)かしい】(形) 〔「美しい花もはじらうほどだ」の意〕誰の目にも美しいと感じられる様子だ。〔一般に若い女性の初ういしい美しさについて言う〕「―年頃」

はなはだ⓪【甚(だ)】(副) 事態の程度が一通りでない様子。〔多く、好ましくないことについていう〕「―不愉快だ/―深刻な問題/―責任の重い役割」 **―もって**⑤【―《以て】(副)「甚だ」の強調表現。「―けしからん」

はな ばたけ③【花畑】 ㊀草花を植えた畑。 ㊁山で、草花が一面に生えている所。「お―」

*__はなはだし・い__⑤【甚(だ)しい】(形) 好ましくない状態の程度が限度を超えているととらえられるほどひどい様子だ。「―災害に見舞われる/△時代錯誤(誤解・本末転倒)も―」 派 **―さ**⑤④

はなばなし・い⑤【華々しい】(形) 行動などが人目を引き、よくぞここまでやったと高く評価される様子だ。「―△活躍(最期)/華ばなしく論戦を挑む」 派 **―さ**⑤④

はなび①【花火】 火薬を包んだものに火をつけて、その美しい光を楽しむもの。「線香―・打上げ―」 かぞえ方 打上げ花火は一発。仕掛けの小さなものは一本 **―せんこう**(カウ)④【―線香】 線香花火。

はな びえ⓪【花冷(え)】 桜の花が咲くころに寒さが来ること。また、その寒さ。

はな ひげ⓪【鼻〈髭】〔熊本などの方言〕口ひげ。

はな びら③【花《片】「花弁」の和語的表現。「―が風に散る」 かぞえ方 一枚・一片(イッペン|ヒトヒラ)

はな ぶさ②【花房】 房になって咲く花。 表記 古来の用字は、「《英・《房」。

はな ふだ②⓪【花札】 花合せに使うかるた。松・梅・桜など十二か月を表わす花をかいた四十八枚の札。花がるた。

はな ふぶき③【花〈吹雪〉】 桜の花が風に吹かれて乱れ散り、吹雪のように見えるもの。 表記 ⇩付表「吹雪」

はな ぺちゃ⓪【鼻ぺちゃ】(―な) 「鼻が平たく低い△こと(人・様子)」の口頭語的表現。〔軽く侮蔑(ブベツ)を含意して用いる〕

パナマ①〔panama〕 ㊀〔↑パナマ帽③〕「パナマ草(ソウ)⓪」の若葉を編んで作った、軽くて柔らかな夏用の帽子。 ㊁パナマ草の繊維。「―スリッパ」

はな まがり⓪③【鼻曲(が)り】 ㊀鼻筋が曲がっている△こと(人)。 ㊁つむじまがり。 ㊂〔青森・岩手方言〕魚のサケのうちで、鼻の先が曲がっている上等のもの。

はな まち②【花街・花町】 置屋や待合などの集まっている町(の一郭)。〔狭義では、遊郭を指す〕

はな まつり③【花祭(り)】 ㊀「灌仏会(カンブツエ)」の俗称。 ㊁〔農村で〕穀物が豊かに実ることを祈って行なう祭り。

はな まる⓪ ㊀【花円】 小さなキュウリで、花が咲いているもの。料理に使う。 かぞえ方 一本 ㊁【花丸】〔児童教育で〕非常に良く出来たという意味で先生が付ける、花模様で囲んだ丸印。

はな み⓪【羽並】(何羽かの)鳥の羽の並んでいるぐあい。

はな み⓪【歯並】 はならび。

はな み③【花見】(桜の)花を見て、遊び楽しむこと。「―時(ドキ)⓪・―酒(ザケ)③」

はな み①②【花実】 現世で得られる名誉や実利。「死んで―が咲くものか〔=死んでしまっては、なんといってもおしまいだ〕」

はな みず⓪(ミヅ)【鼻水・〈洟】 水けの多い鼻汁。

はな みずき③(ミヅ)【花水木】 北米原産の落葉高木。△赤(白)の四枚の苞(ホウ)が花のように見える。アメリカ山法師の別名。〔ミズキ科〕 かぞえ方 一株・一本

はな みぞ⓪【鼻溝】 鼻の下と上唇との間の、縦にくぼんだ部分。

はな みち②【花道】〔歌舞伎(カブキ)で〕俳優が舞台に出入りする細長い通路。客席に張り出して設けてあり、舞台の延長として、ここで演技もする。〔広義では、すもう場で力士が出入りする道や、人に惜しまれて引退する好機の意にも用いられる。例、「―を飾る/退陣への―をつくる」〕

はな みどう③⓪(ダウ)【花《御堂】〔花祭りの時〕屋根を花で飾ったお堂。

はな むけ⓪【〈餞・〈餞】〔「馬の鼻向け」の意。旅立つ人のために宴を催し、その人の馬の鼻を目的地の方に向けてやったことから〕遠くへ旅立つ人への別れや激励の気持をこめて贈る△金品(言葉)。「新しい人生を踏み出す人への―の言葉」

はな むこ②③【花婿・花〈聟】〔今度結婚△したばかりの(することになっている)〕お婿さん。↕花嫁

はな むしろ③【花〈筵】 ㊀⇩はなござ ㊁(桜の)花が一面に散っている△こと(所)。 表記 「花〈蓆」とも書く。

はな むすび③【花結(び)】 ㊀衣服の飾りなどにするために花の形に糸を△結ぶこと(結んだもの)。 ㊁端を引っぱるとすぐにほどけるような、ひもの結び方。蝶(チョウ)結び。女結び。

はな めがね③【鼻《眼《鏡】 ㊀〔耳にかけるつるが無くて〕鼻の根元にはさむようにしてかける眼鏡。 ㊁眼鏡のブリッジを、普通の人より下の位置までおろした状態でかけること。

はな もじ⓪【花文字】 ㊀〔ローマ字などの大文字で〕飾りをつけた文字。〔章の初めの文頭や、固有名詞の最初などに使う〕 ㊁花を文字の形に並べたり 植えたりしたもの。 表記 ⇩付表「眼鏡」

はな もち⓪③【花持(ち)】 生け花などにした時に、花が長持ちする度合。「―のいい花」

はな もち⓪【鼻持(ち)】 臭気をこらえること。「―のならぬ程の悪臭が立ちこめる」 **【―(が)ならない】** ㊀臭くて、がまん出来ない。 ㊁言動がきざで、見聞きするのも不愉快だ。

はな もと⓪【鼻元】 鼻の△上の部分(つけね)。 **―じあん**⑤【―思案】〔深い見通しの無い〕あさはかな考え。

はな もの②【花物】〔生け花・園芸で〕花を主とするもの。⇩実物(ミモノ)・葉物

はな もり②【花守】 花の番をする人。⇩花盗人

*__はな やか__②【華やか】(―な|―に) 色彩が豊かであったり 変化に富んでいたりして、それに接する人に晴れがましいという感じを与える様子だ。「―な雰囲気/―な生涯/―に装う」 派 **―さ**③④ 表記 「花やか」とも書く。

はな や・ぐ③【華やぐ】(自五) 華やかになる。 表記 「花やぐ」とも書く。

はな やさい③【花〈椰菜・花野菜】 ⇩カリフラワー

はな よめ②【花嫁】〔今度結婚△したばかりの(することになっている)〕お嫁さん。↕花婿 **―ごりょう**(レウ)⑤【―御寮】 花嫁の美称。

はな ならび②【歯並(び)】 歯の並びぐあい。「はなみ」とも。

はなれ【離(れ)】〔動詞「離れる」の連用形から〕 ㊀①〔↑離

オ座敷④・離オ家(ヤ)③」母屋(ヤ)から離れて建てた△座敷(家)。［かぞえ方］一棟(ヒトムネ)

㊁(造語) 動詞「離れる」の連用形。「活字—(バナレ)④(=本などの文字媒体が使われなくなる)・客—(バナレ)③(=来店する客が減少する)・人間—(バナレ)⑤(=そのものの通常考えられる能力をはるかに上回っている)」 **—じま**③【—島】 他の陸地から遠く離れた、小さな島。 **—ばなれ**④【—離れ】 一つであったものが(幾つにも)分かれて離れること。ばらばら。「家族が—になる」 **—わざ**⓪【—技】 常人にはまねしようとしても到底まねることすら出来そうにないような超人的な行為。「2ホール続けてホールインワンという—をやってのけた」

表記 「離れ業・放れ業」とも書く。

ばなれ⓪【場慣れ】—する(自サ)〔何度も経験して〕そういう△場所(場面)での ふるまい方に慣れること。「—がする」

はなれうま③【放れ馬】 つないでいた綱が取れて逃げ走る馬。放れ駒(ゴマ)③。

はな・れる③【放れる】(自下一) ❶△握って(つかんで)いた手から「離れる❶」。❷つかまえていた動物・捕虜などが、自由の身になる。逃げる。❸矢・弾丸が発射される。

****はな・れる**③【離れる】(自下一) ❶〈なにカラー/なにトー〉△結んで(縛って)あったりくっついていたり とじてあったりする物が、ばらばらになる。❷〈なにカラー/なにトー/どこ・なにヲー〉その物との間に、空間が置かれる。「五キロ離れた(=隔たった)所/しばらく日本を—」 ❸〈なにカラー/なにトー/どこ・なにヲー〉 あるもの△との(から)関係が解かれる。「頭を離れぬ考え/職を—/夫に離れて(=ⓐ夫と別居して。ⓑ夫と離縁して)暮らす/親の手を—(=ⓐ子供が大きくなって、育児に手がかからなくなる。ⓑ子供が、独立する)」 ❹〈なにカラー/なにトー/どこ・なにヲー〉 何かと無縁△である(に何かが行なわれる)。「△これまでのいきさつ(採算・党利党略)を—/生活実感と—/支持が—(=無くなる)」〔⇩離れ㊁〕

運用 結婚の祝宴などに際しては避けるべき言葉とされる。

はなわ⓪【花輪・花《環》】 花や造花を並べて輪の形を作ったもの。慶弔の意を表わすために使う。［かぞえ方］一本

はなわ⓪【鼻輪】 ❶牛の鼻に通す、金属の輪。❷〔アフリカなどの原住民が〕飾りとして鼻につける、骨や金属の輪。

はに①【〈埴〉】〔雅〕きめの細かい、黄色がかった赤色の粘土。昔、かわら・陶器などの原料にした。「へな」とも。

はにか・む③【〈含羞〉む】(自五)〔若い女の人・子供などが〕他人を意識しすぎて うつむき 恥ずかしそうにする。［名］はにかみ⓪④

はにく①【歯肉】 「はぐき」の意のやや古風な表現。

ばにく⓪【馬肉】 馬の肉。さくら(にく)。

パニク・る③(自五)〔←panic〕「冷静さを失い、慌てふためいたり 取り乱したりする」意の俗語的表現。

バニシング クリーム⑦〔vanishing cream〕 脂肪分の少ないクリーム。化粧下などに使う。⇩コールド クリーム

パニック①〔panic=ギリシャ神話の牧神パンの突然の出現による混乱の意〕 ❶全く予想もしなかった危機に見舞われ、極度の不安や混乱に陥ること。「海外旅行中にパスポートを無くし—になる/—におそわれる/石油—が起こる」 ❷⇩恐慌❷ **—しょうがい**⑤(シヤウー)【—障害】 突然はげしいめまいや動悸(ドウキ)、息苦しさにおそわれ、その再発に強い不安感をいだく症状。

バニティー ケース⑤〔vanity case〕〔女性が〕化粧道具や身のまわり品を入れる 携帯用の小形のバッグ。

ハニムーン③〔honeymoon〕 ⇩ハネムーン

はにゅう⓪(ハニフ)【〈埴《生》】〔雅〕粘土性の土。「—の宿(=土で塗った、みすぼらしい家)」

バニラ①〔vanilla〕 熱帯産でラン科のつる性常緑多年草の実〔=円柱状で、三〇センチもある〕からとる香料の名。洋菓子・アイス クリーム用。「—エッセンス」

はにわ⓪【〈埴輪〉】 古墳の周囲に副葬品として埋めた円筒や、土製の人・動物などの像。多くは、素焼き。［かぞえ方］一本・一点

はぬけ⓪【羽抜(け)】 羽が抜け(替わ)ること。「—鳥(ドリ)③」

はぬけ③【歯抜(け)】 歯が抜け落ち△ること(た人)。

ばぬし⓪【馬主】 馬の持ち主。特に競走馬の持ち主。「ばしゅ・うまぬし②」とも言う。

はね【〈刎〉】(造語) 兜(カブト)などをかぞえる語。

***はね**⓪【羽・羽根】〔「ね」は、もと接辞〕 ❶鳥のからだ一面に生えている毛。〔真ん中に軸がある〕 ❷鳥や虫などが飛ぶ時に広げる部分。つばさ。「—が生えたように売れる」 ❸矢につけた鳥の「羽❶」。 ❹羽子(ゴ)。 ❺器具・器械に取り付けた「羽❷」の形をしたもの。「扇風機の—/二枚—(バネ)②」 ❻飛行機のつばさ。 表記 ❷は、「〈翅〉」とも書く。❸❹❺は、普通「羽根」と書く。［かぞえ方］❶❷❸❺❻は一枚。❹は一本

【—を伸ばす】 束縛から解放されて、のびのびと行動する。

はね② 〔動詞「はねる」の連用形の名詞用法〕 ㊀【跳(ね)】 ❶〔衣服のすそに〕跳ね上がってくる泥や汚ない水など。「—が上がる」 ❷その日の興行が終わること。「—太鼓(ダイコ)③」

㊁【〈撥〉(ね)】 ❶撥ねること。「ピン—」 ❷文字を書く時、筆先を払い上げるようにして書くこと。また、文字のその部分。

***ばね**①【〈発条〉・〈撥条〉】〔勢いよくはねるもの、の意〕 鋼(ハガネ)などを△巻いて(曲げて)その弾力を利用するもの。ベッドや自動車のショックを和らげたり 時計などの動力として使ったりする。スプリング。「—が強い(=足や腰の弾力(性)が強い意にも用いられる)/…を—(=将来への飛躍のための踏切り板)として/—仕掛け③・—ばかり③」 表記 古く「〈弾機〉・〈弾力〉」と書いた。最近は、かなで書くことが多い。

はねあがり⓪【跳(ね)上(が)り】 ❶〔押さえつけられていた物が〕急に(飛び)上がること。「物価の—」 ❷おてんば。「—者(モノ)⓪」 ❸過激な行動をとる△こと(人)。「組合運動の—」

はねあが・る④【跳(ね)上(が)る】(自五) ❶自身で弾みをつけたり 地面などを蹴(ケ)ったりして飛び上がる。〔行動を共にしている組織の下部の者が、かってな行動をする意にも用いられる〕「馬が驚いて—」 ❷何かが強く当たった勢いで、そこにあった物が上へ飛ぶ。「ズボンのすそに泥が—/値段が—(=急に高くなる)」 ［他動］跳ね上げる④⓪(下一)

はねあり⓪【羽〈蟻〉】 はあり。

はねお・きる④【跳(ね)起きる】(自上一) (横になっていた状態から)勢いよく起きる。

はねかえ・す③④(カヘス)(他五) ㊀【跳(ね)返す】 ❶勢いよく元の状態にもどす。 ❷跳ねてひっくり返す。

㊁【〈撥〉(ね)返す】 相手からの働きかけに負けない勢いを見せる。「劣勢を—」

はねかえり⓪(カヘリ)【跳(ね)返(り)】 ❶はねかえること。 ❷かるはずみで慎みの無い女(の子)。おてんば。 ❸値上げをしたことなどの影響が、順に他に波及していくこと。〔強調形は「はねっかえり⓪」〕

はねかえ・る③④(カヘル)【跳(ね)返る】(自五) ❶△物がはねて(はねた物が)勢いよく返ってくる。「車が通って泥が—/作業中、枝が跳ね返って目を突いたりしないよう、ゴーグルなどで保護しよう」 ❷まわりの事情に関係無く、勢いよく飛んだり 跳ねたりする。 ❸何かをした△好ましい(好ましくない)影響が、周辺のものにも波及する。「増税が物価に—」〔強調形は「はねっかえる④⓪」〕

はねかか・る④⓪【跳(ね)掛(か)る】(自五) 水などが、跳ねて

掛かる。他動 跳ね掛ける④(下一)

はねか・す③【跳ねかす】(他五)〔東京方言〕〔水・泥などを〕飛び散らせ(て人にかけ)る。跳ねかせる④(下一)。自動 跳ねかる③(五)

はねぐるま③【羽根車】〔タービンなどで〕回転する軸のまわりに取り付けた、「羽❶」の形の部品。〔これにいろいろの力を加えて軸を回すようにする〕

ハネジュウ①〔←honeydew melon〕メロンの一品種。外側は薄黄色で、網目は無い。表記「羽十」は、音訳。

はねず⓪【〈朱華〉・〈唐〈棣〉〉・〈〈棠棣〉〉】❶ニワウメの古称。❷〔←はねず色⓪〕紅色を帯びた白色。

はねずみ②【跳ね炭】火がついた時はぜて飛ぶ炭。走り炭。

はねつき②③【羽根突き】⇩おいばね

はねつ・ける④⓪【〈撥ね付ける】(他下一)〔要求・申込みなどを〕全く受けつけない態度をとる。

はねつるべ③【〈撥ね釣《瓶】柱の上に渡した横木の一端に石などを取りつけ、その重みで釣瓶をはね上げて、水をくむようにした装置。

はねの・ける④【〈撥ね《除ける】(他下一)❶勢いよくわきへどける。「掛け布団を―」❷不良・不必要の物を、選び出して取り除く。

はねばし⓪【跳ね橋】❶〔城門などで〕敵襲などの時には吊り上げて渡れないようにする仕掛けの橋。❷船が下を通る時だけ△真ん中(かたほし)を引き上げる仕掛けの橋。

はねぶとん③【羽布団・羽根〈蒲団】鳥の羽を入れた軽くて暖かい布団。かぞえ方 一枚

はねぼうき③【羽〈箒・羽〈帚】鳥の羽を束ねた小さなほうき。はぼうき。かぞえ方 一本

はねまわ・る④【跳ね回る】(自五)方々を(はねて)飛びまわる。

ハネムーン③〔honeymoon=蜜月。蜜のように甘い一か月〕新婚旅行。ハニムーンとも。

はねもの②⓪【〈撥ね物】きずがあったりして、普通の値段では売れない粗悪品。

パネリスト③〔panelist〕パネル ディスカッションやシンポジウムなどの講師・問題提起者。パネラー①⓪。

***は・ねる**② ■一【跳ねる】(自下一)❶△それ自身が弾みをつけて(地面などを蹴った勢いで)一時的に飛び上がる(ようにして、移動する)。「ボラが跳ねてボートの中に入って来た/△ウサギ(悍馬)が―/―ように、足速に歩む」❷△何かが強く当たった勢いでそこにあった物(何かに強く当たった勢いで当たった物自体)が、予測できない方向や全く違う方向に飛ぶように進む。「△泥(水)が―/フェンスに当たったボールが―」❸熱せられたため、その物(に含まれていたもの)が遠くまで勢いよく飛ぶ。「熾った炭が―/△火の中に入れた栗(煎ったゴマ)が―」❹〔線状に伸びたものの先が〕撥ねた状態になる。「毛先が―」⇩はねる■二❺ ❺その日の興行が終演となる。〔宴会や催し物が終わるの意にも用いられる〕❻〔相場が〕急に上がる。■二【〈撥ねる】(他下一)❶〈(なにデ)なにヲ―〉その物に(弾みをつけるようにして)強い力を加え、勢いよく飛ばす。「車が泥水を―/ダンプに撥ねられる」❷〈なにヲ―〉基準や条件に合わないものとして排除する。「不良品を―/書類選考で撥ねられる」❸〈(なにデ)なにヲ―〉横に払うように斬る。「罪人の首を―」❹〈なにヲ―〉相手に渡すべき金などの、一部分をかすめ取る。「上前を―」❺〈なにヲ―〉線状に伸びたものの先を、払うようにして(斜め)上方へ上げる。「手偏の第二画は(先を)―が木偏の第二画は撥ねない/ピンと撥ねたカイゼル髭」表記 ■二❸は、「〈刎ねる」とも書く。
【―音】⇩撥音

パネル①⓪〔panel〕❶〔建築で〕羽目板・鏡板などの板。❷画板(にかかれた絵)。❸配電盤。電話交換局の配線盤。❹コンクリートを流し込む枠板。❺写真をはりつける枠。❻スカートなどのわきに飾りに入れる細い布。❼討論会・審査会などの討論者の集団。小委員会。かぞえ方 ❶〜❺は一枚

パネル ディスカッション⑥〔panel discussion〕違った意見の代表者三人以上が問題提起者となって聴衆の前で行なう討論△形式(会)。

パネル ヒーター④〔panel heater〕暖房器具の一つ。鋼板製のパネルの中にオイルを密閉し、電気を通してそのオイルを温める。

パノラマ⓪〔panorama〕❶見る人を取り囲む半円形の壁に、風景または歴史的物語を何枚もの絵に描き、前に実物模型を置いたもの。❷さえぎるものがなく広範囲にわたって見渡せる△こと(風景)。「―展望台」

****はは**①【母】〔中世、かなり長期にわたり「はわ」とも言った〕❶その人の女親。「一児の―となる/―后③・―宮②」↕父 ❷物事をはぐくむ△基(原動力)となるもの。「必要は発明の―/―なる△大地(ボルガ)―」

***はば**⓪【幅・《巾】❶その物(の正面)に向かった時に、左の端から右の端までの長さ。「肩―」❷細長く伸びている面状の物の「横❸」方向の長さ。「△川(道・帯・テープ)の―が狭い」❸物を広げた時の、二点間の開き。〔取引関係では、高値と安値の差額を指す〕「値上げ―が大きい/上下動の―が小さい/歩―」❹〔一定範囲内で〕自由に出来る余地。「解釈に―〔=ゆとり〕を持たせる/人間に―〔=充実・成長の裏づけとしての、ゆとり・広さ〕が出来る/―をきく〔=その世界で実力があり、発言力が大である〕/―をきかせる」表記 一般に使用されている「《巾」は、俗用の略字。

ばば ■一①❶親しい間柄で、特に幼児が「おばあさん」△を指して(に呼びかけて)言う語。「ばあば①」とも。「―これ見て」↕じじ ❷〔トランプの〕ジョーカー。「―抜き③」■二【《婆】(造語)ばばあ。「鬼―」

ばば②【〈屎・〈糞】「大便など、きたない物」の幼児語。

ばば①【馬場】乗馬の練習をしたり競馬をしたりする場所。「重―〔=雨で馬場の状態が悪くなること〕」

パパ①〔papa〕「おとうさん」の幼児語(に基づく愛称)。↕ママ

ははあ(感)❶思い当たった時、納得した時などに発する語。「―、それで分かった」❷ひどくかしこまって答える時の語。〔短呼されて「はは」とも言う〕「―、承知いたしました」

ばばあ②【《婆】〔「ばば」の長呼〕だれの目からも高齢であることが明らかな女性。〔方言としては「祖母」の意にも用いられる。軽い侮蔑を含意して用いられることもある〕「あのいじわる―(め)が」↕じじい

パパイヤ②〔papaya〕熱帯産の常緑小高木。実は楕円形。肉は黄色で甘く、独特のにおいがある。パパイアとも。〔パパイヤ科〕かぞえ方 一株・一本

ははうえ②【母上】母親の敬称。↕父上

ははおや⓪【母親】母(である親)。↕父親

ははかた⓪【母方】母親の血筋を引いた方。「―の祖父」↕父方

はばかり【〈憚り】■一⓪❶憚ること。「―が多い」❷便所。■二(造語)動詞「憚る」の連用形。
―さま⓪【―様】人に△世話になった(手数をわずらわせた)時に感謝の気持を込めて言う挨拶の言葉。〔古風な表現〕運用 相手から△の好意を素直に受け入れる気になれない(非難めいたことを言われて反発を覚えた)時などに、せっかくだが△それには及ばない(それは当たらない)と、皮肉の気持を込めて用いら

れることがある。例、「=大変だろうから君の仕事手伝おう」『憚り様、わたし一人で十分です』/『アメリカに一人で大丈夫ですか』『憚り様、これでも英語ぐらい何とか話せます』」

—ながら⓪⑤【—〈乍ら〉】(副) ❶遠慮すべきであるとわきまえてはいるが、あえてそうするのだと相手にことわる気持を表わす。「—一言申し上げます」 ❷他人から見れば取るに足りない者ではあるが、このことに限ってはと、自負する気持を表わす。「—これでも医者のはしくれだ」

はばか・る③【〈憚る】 ❷(自他五) 自分の置かれた立場・状況などを考えて、その人・物事とかかわることを避けようとする。「だれに—こともない/△他聞(人目・他人・周囲・他見・人前・世)を—」 **はばからない**④【〈憚らない】 おおっぴらに何かをする。「…と言って—/私物化して—」 ❷(自五) 無遠慮に ふるまう。「憎まれっ子世に—」〔❷は、「はびこる」の混用といわれる〕〔⇩憚り❷〕

はばき⓪ ❶【〈脛《巾】〔雅:東北から中国までの方言〕きゃはん。 ❷【〈鎺】 刀・なぎなたの つばの際ワキに はめて、刀身が抜けないようにした金具。

はばきき⓪④【幅利(き)】 はぶりのいい△こと(人)。幅が利く人。

ははぎみ②【母君】(他人の)母の尊称。↕父君

ははご⓪②【母御】 相手の母の敬称。↕父御

ははこぐさ③【母子草】 道ばたに生える越年草。白い綿毛で全体が包まれ、春から夏にかけて、黄色の小さい花をつける。春の七草の一つ。ごぎょう。〔キク科〕 かぞえ方 一本

ははじゃ びと③【母者人】〔母である人の意〕昔、自分の母親を子が親しんで言った言葉。「ははじゃ(ひと)」とも。

ははそ⓪【〈柞】 ナラ・クヌギ・カシワの類の雑木の古代からの総称。

はばた・く③【羽《撃く】(自五) 鳥が つばさを広げて、強い勢いで動かす。「世界に—〔=世界に雄飛する〕/夢よ羽ばたけ〔=夢よ、現実のものとなれかし〕」 名 羽ばたき②④

はばつ⓪【派閥】 共通する利害関係や姻戚イン セキ・学歴による結びつきによって団結し、部内で他と張り合う勢力。「—争い」

ばばっちい④(形)「きたない」の幼児語。

ぱぱっと②(副) あっという間に(大ざっぱながら)事を済ませる様子。「—家の中を片付けて出掛けて行った」

はばとび③⓪【幅跳(び)】「走り幅跳・立ち幅跳」の総称。

ハバネロ⓪〔habanero〕 中南米原産の辛いトウガラシ。

ははのひ①【母の日】 母親の愛に感謝する日。〔五月の第二日曜日〕

はばびろ⓪【幅広】—に —な 〔同じ種類の物で〕普通より幅が広い△こと(様子)。

はばひろ・い④【幅広い】(形) 及ぶ範囲が広い。「—国民の支持を得る/—角度から問題をとらえる」 派 —さ③

はば・む②【阻む・〈沮む】(他五) その物が進もうとするのをじゃまして、止めようとする。「△行く手(近代化・実現)を—」

ははもの⓪【母物】〔映画・演劇で〕母性愛を主題とした作品。

はばよせ⓪【幅寄(せ)】—する(自サ) 自動車を道の中央寄りからなるべく道路のわきへ寄せたり 他の車との間隔を出来るだけ狭くしたり して駐車すること。また、走行中に車の進路を△左(右)にずらすように走らせること。

パパラッチ③〔イ paparazzi, paparazzo の複数形。ハエのようにぶんぶんたかってうるさい虫、の意。イタリア映画の登場人物から〕 有名人の私生活を執拗ヨウに追いかけてスクープをねらう、カメラマン。

はばり⓪①②【刃針】 両刃で平たい、外科用の針。ひらばり。

ババロア⓪〔フ bavarois〕 牛乳・卵・生クリームなどを煮たものに果物の汁などを加え、ゼラチンで冷やし固めた菓子。

ばはんせん⓪【《八〈幡船】 鎌倉・室町時代に中国や朝鮮の沿岸を荒らしまわった、日本の海賊船。

はびき③⓪【刃引(き)】 切れないように刃をつぶした刀剣。

はびこ・る③【{〈蔓延}る】(自五) ❶〔雑草などが〕茂り広がる。 ❷悪いものの勢力が強くなって、手が付けられなくなる。「△悪人(犯罪や暴力)が—/世に—/根強く—」

ばひつ⓪【馬匹】「馬」の意の古風な表現。「—改良④」

バビット メタル⑤〔Babbitt metal〕 錫ズス・亜鉛・銅・珪素ソケイなどで作る合金。軸受けなどに使われる。

パビリオン②③〔pavilion=園遊会・運動会用の大テント〕 博覧会会場などに建てられた一つひとつの建物の称。

パピルス①〔ラ papyrus, paper の語源〕 ❶〔古代のエジプト・ギリシャ・ローマで〕ナイル河畔に生える、アシに似た草から作った紙のようなもの。 ❷パピルスに書かれた古文書。

はふ⓪【破風】〔日本建築で〕切妻屋根の端につけた、「へ」の形の板。 表記 「〈搏風」とも書く。

はぶ〔…〕…

ハブ〔hub〕 ❷⓪ ❶車輪の轂コシキ。 ❷〔コンピューターネットワークで〕放射状に繋ツナいだネットワークの中継装置。 ❸(造語) 交通や通信の拠点となる所。「国際—空港〔=国際線から国内線への乗継ぎの拠点〕/—システム③」

はぶ① 毒ヘビの一種。頭は平たく張って三角形、背中に黒いまだらがある。沖縄・奄美アマミ諸島・台湾などにすむ。〔クサリヘビ科〕 表記 「波布」とも書く。 かぞえ方 一匹

パフ①〔puff〕 粉おしろいをたたいて顔につけるための化粧道具。 かぞえ方 一枚

パブ①〔pub←public house〕 英国風と称する居酒屋。〔多く、店名に用いられる〕

パフェ①〔parfait=「完全」の意のフランス語に由来〕 アイスクリームを台にし、果物・ジャム・チョコレート・アイス クリームを交互に重ねたデザート。

パフォーマンス②〔performance=行為、また演技・公演〕 ❶特定の行為者がなんらかの方法で他の参加者〔見物人・聴衆をも含む〕に影響を及ぼす力を持つ行動のすべて。「路上—」 ❷(組織の上に立つ人などの)俗受けをねらってなされたとしか思えない言動。「—ばかりが目立つ政治家」

*__はぶ・く__②【省く】(他五)〈なにヲ—〉 ❶なんらかのくふうをして、時間・労力・費用などを切り詰める。「△手間(むだ・冗費)を—」 ❷その際、必要の無いものとして△無視する(触れないで済ます)。「途中の経過は省きまして」

ばふく⓪【馬腹】 馬の腹(の部分)。「—をける」

はぶたえ②①【羽二重】—ブタヘ ❶なめらかでつやのある、目の細かな絹織物。上等な和服の裏地や羽織の表裏地に使う。 ❷白くて なめらかなこと。「—餅モチ③④」

はぶちゃ②【波布茶】「ハブソウ⓪〔=マメ科の一年草〕」の種を煎イって茶の代用としたもの。解毒剤・健胃剤用。

ハフニウム③〔ド Hafnium〕 金属元素〔記号 Hf 原子番号72〕。中性子を吸収するので、原子炉の制御に用いる。

ハプニング①〔happening〕〔意外な〕出来事。 **—げき**⑤【—劇】 芸術性のために必要なものとして意図的に偶然的要素を取り入れて作られた劇。

はブラシ②【歯ブラシ】 練り歯磨などをつけて歯を磨くための、柄のついたブラシ。 かぞえ方 一本

はふり⓪【《祝】〔雅〕神に仕えることを職とする人の総称。

はふり⓪【《葬り】〔雅〕死者をほうむること。「はぶり」とも。

はぶり⓪【羽振(り)】 世間的な意味での勢力。〔金力や権

** * は重要語, ⓪ ①… はアクセント記号, 品詞の指示の無いものは名詞および いわゆる連語。

は

力を指す」「―がいい」

パプリカ②〔paprika〕❶トウガラシの一種であるピーマンの仲間。赤・黄・オレンジなどさまざまな色があり、肉厚で甘みが強い。カラーピーマン④。〔ナス科〕❷洋風料理の彩りに使う鮮紅色の香辛料。「パプリカ❶」の赤いものを乾燥させ粉末にしたもの。辛みは無い。かぞえ方 ❶は一株・一本

パブリシティー③〔publicity〕広告主がだれであるか分からないような形で行なう広告。〔新聞記事などを通して自然に広告・宣伝を行なうこと〕

パブリック①〔―な〕〔public〕公共的な役割を持っている様子だ。「―スペース⑦〔=旅館・ホテルなどの、食堂・バー・ダンスホール・会議室など〕・―リレーションズ⑦〔=ピーアール〕」↕プライベート **―コメント**⑥〔public comment〕行政機関が制度の新設・改廃を検討する時、事前にその内容案を公表し、国民から意見を募って参考とするシステム。略してパブ コメ⓪・ピーシー(PC)。

バブル①〔bubble〕泡。 **―けいき**④【―景気】日本において一九八六年から五年ほど続いた好景気。金余りが株・債券・地価の高騰を招くことによって生じた。「―がはじける/―に浮かれる」

ばふん⓪【馬〈糞〉】馬のくそ。 **―し**②【―紙】黄土色をしたボール紙。

はへい⓪【派兵】―する(自サ) 軍隊を派遣すること。「海外―」

パペット①②〔puppet〕指人形。操り人形。

はべら・せる④【《侍らせる》】(他下一)〔「侍る」の使役形〕そばに居ォらせる。侍らす③(五)。「美女を―」

はべ・り【《侍り》】〔雅〕〔「侍る」の文語形〕❶②(自ラ)❶「身分の高い人のそばに(つつしんで控えて)居る」意の謙譲語。❷「在ァり・居ォり」の謙譲語。❸〔「動詞連用形+―」の形で、接尾語的に〕種々の動詞のあとにつけて謙譲表現であることを表わす。〔中世語では「はんべり」〕「聞き―」

はべ・る②【《侍る》】(自五)「上の立場の者のそばにいる」意の謙譲語。

バベルのとう①-①【バベルの塔】〔Babel=バビロンの古名。旧約聖書に書かれている、伝説上の未完成の塔の意〕規模が大きすぎて実現出来そうもない計画のたとえ。

はへん⓪【破片】こわれたかけら。「ガラスの―」

はぼう⓪【破帽】やぶれ(た)帽子。「弊衣ヘイ―」

はぼうき②【羽〈箒・羽〈帚】はねぼうき。

はぼく⓪【破墨】薄い墨で描いた上に濃い墨を加え、濃淡の趣を出す、墨絵の技法。

はぼたん②【葉〈牡丹】キャベツの変種で、色とりどりの葉を観賞する越年草。〔アブラナ科〕かぞえ方 一本

はほん⓪【端本】〔何冊かで一そろいになる本の〕一部分(が欠けている本)。零本。↕完本・丸マル本

はま(造語)ハマグリの略。「―なべ・焼き―」

はま②【浜】❶湖・海に沿った、平らな砂地。「―の真砂ゴマサ〔=数の多いたとえ〕」❷港。〔狭義では、横浜の略。例、「―っ子」〕❸〔碁で〕囲んで取った、相手の石。

はまおぎ②⓪【浜〈荻】〔三重方言〕アシ。「難波ナニワの葦アシは伊勢イセの―〔=同じ物の名称も地方によって変わるという典型例〕」

はまおもと③【浜〈万年青〉】ハマユウの異称。

はまおり⓪【浜下り】❶海浜や川岸に下り立ち、禊ミソギをすること。❷神輿ミコシを担いで海浜に出、瀬に入れる行事。表記「浜降り」とも書く。

はまかぜ⓪②【浜風】浜に吹く風。

はまき⓪【葉巻】〔←葉巻たばこ④〕紙を使わず、たばこの葉を堅く太く巻いたもの。シガー。⇩紙巻き・刻み かぞえ方 一本:一箱

はまぐり②【〈蛤】〔浜栗の意〕遠浅の海にすむ二枚貝の一種。食べる貝として、最も普通で、おいしい。殻はなめらか。〔マルスダレガイ科〕「―刃バ④〔=刀の しのぎと刃の間にハマグリのような形にふくらみをつけたもの〕」かぞえ方 一枚

はまじ⓪【浜路】浜べの道。いそじ。

はまだらか④【羽《斑蚊》】マラリアを人に移す蚊。羽に茶色のまだらがあり、止まる時 尾の先を上げる。アノフェレス③。〔カ科〕かぞえ方 一匹

はまち⓪【〈鮍】〔出世魚の呼称の一つ〕❶〔関東で〕養殖したブリ。❷〔関西方言〕イナダ。

はまちどり③【浜千鳥】浜べにいる千鳥。

はまて⓪【浜手】浜のある方角。海岸に近い方面。海手。↕山手❷

はまなす⓪【浜〈茄子〉】〔「浜梨ハマナシ」の変化〕東北地方・北海道の海岸に生える落葉低木。夏、赤い花を開き、丸い実を結ぶ。根は染料とする。〔バラ科〕かぞえ方 一本

はまなっとう③【浜納豆】〔浜名納豆の変化〕浜名湖付近で作る、乾燥した塩けの強い納豆。「はまなっと③」とも。

はまなべ⓪③【〈蛤鍋】〔←はまぐりなべ⑤〕むきたてのハマグリを、野菜などとともに みそで味をつけ、煮ながら食べる鍋料理。

はまびらき③【浜開き】❶海岸を一般の観光客に開放すること。❷夏、海水浴のために海岸を利用出来るようにすること。海開き。

はまべ⓪【浜辺】浜のそば。

はまぼうふう③【浜防風】海岸の砂地に生える多年草。葉を砂の中にあるうちに採って、刺身のつまや酢のものにして食べる。かおりがいい。「はまぼうふ③・ぼうふう」とも。〔セリ科〕かぞえ方 一本

はまや②【破魔矢】〔「はま」は円座風のわら縄製の的、「破魔」は借字〕破魔弓につがえて射る矢。今は、正月の縁起物などに使う。かぞえ方 一本

はまやき⓪【浜焼き】タイなどを(浜べの)塩釜シオガマに入れて蒸焼きにした料理。〔広義では、とりたての魚を浜べですぐに焼くことを指す。例、「サバの―」〕

はまゆう②【浜〈木綿〉】暖かい地方の海岸の砂地に生える常緑多年草。大きな舌の形の葉が幾重にも出る。夏、白い、かおりのいい花が咲く。はまおもと。〔ヒガンバナ科〕かぞえ方 一本

はまゆみ②【破魔弓】〔「破魔」⇩はまや〕❶昔、正月に子供が持って遊んだ弓矢。今は、五月の節句に飾る。❷上棟式の時、屋根に立てる弓の形の飾り。

はまりやく⓪【〈嵌り役】〔演劇・仕事などで〕その人に最も適した役(目)。適役。

***はま・る**⓪【〈嵌まる・《塡まる》】(自五)〈なに ニ ―〉❶はめて、ちょうどよく入る。ぴったりと合う。「ねじが―/条件に―〔=ちょうどよく合う〕/△思惑(思う壺ツボ)に―〔=うまく乗せられる〕/型にはまった」❷〔穴や深みなどに〕落ち込む。「泥沼にはまり込む/計略に―〔=陥る〕/女色に―〔=おぼれる〕」❸〔多く「嵌っている」の形で〕Ⓐその魅力に取りつかれ、すっかりのめり込んでいる。「韓国カンコクドラマに嵌っている」Ⓑその人の演技・個性などがその役柄にぴったり合っていて、他の適任者はいないと思われるほどだ。

はみ①②【〈銜み】❶くつわの、馬の口の中に入れる部分。❷荒馬をおとなしくさせるために、縄を口の中に入れ、頭の上で縛ること。また、その縄。表記「〈馬〈銜〉」とも書く。

はみがき②【歯磨】❶歯を磨く△こと(もの)。「―の習慣

—粉⓪④」 ❷歯を磨くのに使う粉・クリームなど。かぞえ方 ❷の歯磨粉は一袋・一缶。練り歯磨は一本

はみだ・す③【《食(み)出す》】(自五) 収まるべき枠の中に収まらず、外へ出る。「△会場(枠)から—/枠を—/綿のはみ出した布団」

はみ・でる③【《食(み)出る》】(自下一) 「はみだす」のやや改まった表現。

バミューダ パンツ⑤〔Bermuda pants〕 ひざが少し見えるぐらいの長さの半ズボン。バーミューダ ショーツ⑥とも。

ハミング①—する(自サ)〔humming〕 口を閉じて、声を鼻に抜かしてメロディーだけを歌う△こと(歌い方)。

は・む①【《食む》】(他五) ❶食物などを食べる。くう。「牛が草を—」 ❷(禄クロや知行などを)もらう。「高給を—〔=もらって生活している〕」

ハム① ■一〔ham〕 塩漬けにした豚のもも肉などの薫製。「—エッグ(ズ)③・ロース—④・ボンレス—」かぞえ方 スライスしたものは一切れ・一枚。小売の単位は一本

■二〔ham ← hamfatter (=へぼ役者)〕 しろうとで、無線局を持っている人。 ■三〔hum〕 ラジオ・テレビなどの雑音。

ば・む(接尾・五型) …の様相を呈する。「汗—・気色シケ シキ—・黄—」

はむか・う③ムカフ ー【刃向(かう)・歯向(かう)】(自五) 〔武器を持って相手に対する意〕 ❶△害意(叛ハン意)を持って長上に対する。 ❷敵意を持って対する。❶❷のハを「歯」と書くのは、語源意識が薄れて以後の用字」 名はむかい②

はむし⓪ ■一【羽虫】 ❶羽の生えている小さな虫の総称。❷⇩はじらみ ■二【葉虫】 「ハムシ科⓪」に属する昆虫の総称。植物の葉を食い荒らす害虫。かぞえ方 ■一■二とも一匹

はむしゃ⓪【端武者】 身分の低い、取るに足りない武士。雑兵ゾウヒョウ。

ハムスター①②〔hamster〕 シリアを原産地とするネズミの一種、ゴールデン ハムスターのこと。繁殖力が強く、医学上の実験動物としてよく利用される。〔キヌゲネズミ科〕 かぞえ方 一匹

はむら⓪【葉〈叢】 おい茂った一むらの葉。「はむれ⓪」とも。表記「葉群」とも書く。

ハムレット がた⓪【ハムレット型】〔Hamlet=シェークスピアによる、同名の悲劇の主人公〕 あれこれと思案にふけっているばかりで、行動的でない性格。↕ドン キホーテ型

はめ②【羽目・破目】 ❶板を並べて張った壁。「—板⓪」 ❷追い込まれた苦しい状況。「のっ引きならぬ—に陥る」 ❸〔「はみ」の変化という〕課せられていた制約。「—をはずす〔=調子に乗って、度を過ごす〕」 表記 ❷を「破目」と書くのは、借字。

はめえ⓪ヱー【〈嵌(め)絵】 おもちゃの一つ。動物・乗り物などの形の絵に幾つかの切れ目を入れた物を、ばらばらにしてから元の図形に復元させるもの。〔普通、厚紙を使う〕

はめき ざいく④【〈嵌木細工】 一枚の板にいろいろの木を嵌め込んで、絵や模様を表わす寄せ木細工。

はめ こ・む③【〈嵌(め)込む】(他五) ❶決まった形・枠などへそっくり収まるように入れる。❷計略にかけるなどして、おとしいれる。 名 嵌め込み⓪

はめ ころし⓪【〈嵌(め)殺し】 障子やガラス窓などの建具を嵌め込んだだけで、あけたて出来ないように作ったもの。「はめごろし」とも。「—の窓」 動 嵌め殺す④(他五)

はめつ⓪【破滅】—する(自サ) その△人の存在(組織)が社会的に全く意味を持たない状態になること。「酒が身の—を招く/—的な状態/—型タガ⓪」

*__は・める__⓪【〈嵌める】(他下一) ❶〈どこ・なにニなにヲ—〉〔穴の内側または物の外側に沿って〕ぴったり入るようにする。「たがを—」 ❷〈どこ・なにニなにヲ—〉〔指輪・マスクなどを〕からだの部分につける。「足かせを—」 ❸〈なにニだれヲ—〉〔深みに〕入れる。〔計略にかけておとしいれたりだましたりする意にも用いられる。例、「一杯はめられた」〕 表記「《塡める」とも書く。

はめん⓪【波面】 ❶波の表面。 ❷波動が進行して出来る面。

ばめん①⓪【場面】 何かが実際にそこ△で行なわれる(に存在する)状況を、その行動の主体や存在物をも含めて固定的にとらえて表わす語。〔狭義では、演劇・映画などの個々のシーンを指す〕

はも①【〈鱧】 ウナギに似て、長くて大きい魚。関西では、夏の代表的な魚とされる。〔ハモ科〕 かぞえ方 一匹

ハモニカ⓪〔harmonica〕 リードを振動させて音を出す、細長い箱形の小さい楽器。口を横に当てて息を吐いたり吸ったりして音を出す。ハーモニカとも。かぞえ方 一本

*__はもの__①【刃物】 刃があって、物を切ったり削ったりする道具。ほうちょう・ナイフなど。「切れ味のいい—」 **—ざんまい**④【—三昧】 やたらに刃物を振り回して、あばれること。また、そういう癖のあること。

はもの⓪【葉物】 ❶野菜のうちで、おもに葉の部分を食用とするもの。葉菜ヨウサイ。 ❷生け花・園芸などで、葉を主たる観賞の対象と△する(して作る)もの。⇩花物・実物ミモノ

はもの⓪【端物】 △一組として(数がたくさん)そろわない物。はんぱもの。

はもん⓪【波紋】 ❶石などを水に投げた時に広がる、同心円状の波の模様。 ❷次つぎと関連して生じる動揺。影響。「—が△生じる(広がる・大きい)/—を△及ぼす(投げる・呼ぶ)」

はもん⓪【破門】—する(他サ) ❶その宗教の信徒であることをやめさせること。 ❷師が、師弟の関係を絶って、出入りを禁じること。

はもん⓪【刃文】 日本刀の刀身についている模様。

ハモンド オルガン⑤〔Hammond organ=商標名〕 「ピックアップ■三❶」で多数の電気振動を起こし、パイプ オルガンのような音を出させる楽器。かぞえ方 一台

はや①【早】(副) 気が付くとすでにその△時間(時期)になっていて、時間の経過のはやさに今さらのように驚かされる様子。「—出発時間か/彼女も—二児の親だ」

はや①【〈鮠】 日本各地にすむ、細長く流線形をしたコイ科の中・小型の淡水魚、ウグイ・オイカワ・モロコなどの異名。ハエとも。かぞえ方 一尾・一匹

はや①【《甲矢》】〔二本持った矢のうち〕初めに射る矢。↕乙矢オトヤ

ばや(終助)〔雅〕話し手がそうしたいと願う気持を表わす。「あはれ知れらむ人に見せ—/あはれ、死な—/酒は飲ませたし、銭はあら—〔=無い〕」 文法 動詞・助動詞「れる/られる・せる/させる」の未然形に接続する。

はや あし⓪②【速足・早足】 ❶速い歩調(で歩くこと)。 ❷〔行進の時の〕基準の歩き方。並足。 ❸〔馬などの〕歩くのと走るのとの中間の歩調。トロット。

**__はや・い__②(形) ↕遅い ■一【速い】 △比較の対象とする(一般に予測される)ものと比べて、時間を要しない様子だ。「速く走る/足が—/流れが—川/△仕事(火の回り・読むの)が—/〝地震だ〟と叫ぶが—か〔=叫んだかと思うと、もうその時には〕机の下に潜り込んだ」

■二【早い】 ❶△比較の対象とする(一般に予測される)ものに比べて、時間的に先になる様子だ。「朝—うちから仕事を始める/きょうは(いつもの日より)早く目が覚めた/今年は

桜の花が（例年より）早く咲いた／秋も深まり日没が早くなった」❷時間的にまだ先のことだととらえられる様子だ。「あきらめるのは―／結婚はまだ―」 派 ―さ① 表記 [一]は「《疾い・〈駛い」とも書く。一般に、早・速の使い分けに明確な区別はない。

―こと②【―事】（副）てきぱきと短い時間で事を終えたり処置したりする様子。「―片付けてしまおう」 ―とこ②（副）〔「はやいところ」の口頭語的表現〕あまり時間を△かけないで（おかないで）事を済ませる様子。「―頼む」 ―はなしが②-③【―話が】（接）簡単に言うと。 ―ものがち⓪【―者勝（ち）】早く、先にした者が、とくをすること。

はやうち⓪④ [一]【早打（ち）】❶昔、△馬（かご）を走らせて急報した△こと（人）。❷〔太鼓や碁などを〕速い調子で打つこと。表記「速打ち」とも書く。 [二]【早撃（ち）】ピストルなどをすばやく撃つ△こと（人）。また、連続的に撃つこと。表記「速撃ち」とも書く。

はやうま⓪②【早馬】❶「早打ち❶」が乗って走らせた馬。❷速く走る馬。表記「速馬」とも書く。

はやうまれ③【早生（ま）れ】一月一日から四月一日までに生まれた△こと（人）。〔四月二日以後生まれた子供より一年早く小学校に入ることになる〕↔遅生まれ

はやお⓪ヲ―【早緒】⇩櫓縄ロナワ

はやおき③②【早起（き）】―する（自サ）朝早く起きる△こと（人）。「―は三文の徳」

はやおくり③【早送（り）】―する（他サ）録音・録画したものの再生位置を（間を飛ばして）先の方に送ること。「映画のビデオは―して好きな場面だけ見る」

はやおけ③ヲケ―【早〈桶】〔死人を入れて葬る〕粗末な棺桶。

はやがえり③ガヘリ―【早帰（り）】―する（自サ）❶決まった時刻より早く帰ること。❷朝帰り。

はやかご②⓪【早〈駕籠〉】❶速く走らせるかご。❷「早打ち❶」が乗り、昼も夜も休まずに、走らせたかご。表記「速〈駕籠〉」とも書く。

はやか・す③【生やかす】（他五）「生やす」のくだけた口頭語的表現。

はやがてん③【早合点】―する（自他サ）人の言うことを全部聞かないうちに、分かったと、ひとりぎめし、結果的にはピントはずれの言動をしたり 失敗したり すること。

はやがね⓪【早鐘】近い火事や急な出来事を知らせるために、続けざまに打ち鳴らす鐘。「―を打つ／胸が―のように鳴る〔＝激しく鼓動する〕」表記「速鐘」とも書く。

はやがわり③ガハリ―【早変（わ）り】―する（自サ）〔芝居で〕一人の役者が、同一場面ですばやく姿を変えて、二役以上を演じること。〔すばやく転身する意にも用いられる。例、「役人から会社重役に―する」〕表記「速変わり」とも書く。

はやく①【早く】（副）何かが行なわれたり 認められたりするのが、△比較の対象とする（一般に予測される）場合より早い時刻・時期である△こと（様子）。「毎朝―起きる／―文字を使い始めた民族／―知りたい」 文法 形容詞「はやい」の連用形であるが、名詞としても用いられる。例、「早くから出社する／早くに知っておけばよかった／朝早くまで夜間工事を行なう」 ―とも①（副）どんなに短い時間で済むとしても、その時期より前には ならないだろう、というおよその見当をつける様子。〔口頭語では、多く「はやくても」〕「彼の到着は―五時だろう」 ―も①（副）❶まだ そんな時期ではないのに、意外にもそのきざしが見られる様子。「三月に入ったばかりなのに―花便りが聞かれる」❷「早くとも」のやや古い表現。「―来週一杯は かかるだろう」

はやく⓪【破約】―する（他サ）約束を△取り消す（実行しない）こと。

はやく⓪【端役】〔演劇などで〕主役や わき役ではない、ちょっとした役。ちょい役⓪。↔主役

はやくち②③【早口・速口】しゃべり方が速いこと。「―でまくし立てる」 ―ことば⑤【―言葉】〔遊戯で〕同じ発音やむずかしい発音などが続いて、言いにくい文句をまちがえず速く言うこと。また、その言葉。例、「ナマムギ ナマゴメ ナマタマゴ」。はやことば③。

はやざき⓪【早咲（き）】同類のほかの花より早い時期に咲くこと。また、その（ような品種の）花。↔遅咲き

***はやし**⓪【林】❶（同種の）高木がある範囲に渡って枝を交わすようにたくさん生えている所。「木漏れ日を浴びながら―の中を散策する／竹―バヤシ・松―バヤシ」❷同種のものが多く集められていて奥深さを感じさせるもの。「知識の―に分け入る／詞コトバの―〔＝辞書〕」⇩森 かぞえ方 ❶は一むら

はやし③【〈囃子】〔動詞「はやす」の連用形の名詞用法。「子」は語尾「し」の漢字による表記〕❶〔能楽・歌舞伎カブキなどで〕演技の拍子を取ったり 情緒を添えたり するために演奏する音楽。〔笛・太鼓・大鼓オオカワ・小鼓などを組み合わせる〕⇩鳴り物 ❷〔能楽で〕囃子を入れて主要部分を、面・装束を着けずに演じること。舞囃子マイバヤシ③。素囃子スバヤシ②。 ―かた⓪【―方】囃子の演奏をする人。 ―ことば④【―《詞】〔民謡などで〕歌の切れ目に付け加えて、調子を整えたり 気分を盛り上げたりするための、掛け声に似た言葉。意味の分からないものが多い。

はやした・てる⑤【〈囃（し）立てる】（他下一）盛んに囃す（ことによってある雰囲気を高める）。「笛や太鼓で―」

はやじに⓪【早死（に）】―する（自サ）若いうちに死ぬこと。わかじに。

はやじまい③ジマヒ―【早仕舞】―する（自サ）いつもより早く△仕事を終える（店を閉じる）こと。

はやじも⓪【早霜】秋の初めごろ、平年よりも早く霜がおりること。⇩遅霜

ハヤシライス④〔hashed meat with rice の日本語形〕タマネギ・ジャガイモ・牛肉などをいためて煮込み、ブラウンソースなどを加えたものを米飯の上に掛けた一品料理。⇩ハッシュド ビーフ

はや・す②【生やす】（他五）〔ひげ・草などを〕生える△よう（まま）にする。伸ばす。「根を―／あごひげを―」

はや・す②【〈囃す】（他五）❶はやしを演奏する。❷〔声を出したり手を打ったりして〕歌の調子を取る。❸〔批評の意を含め〕声をあげる。「ほめ―」❹ある情報を相場の材料にして宣伝する。「うわさが はやされる」

はやせ⓪【早瀬】特に流れの速い瀬。表記「速瀬」とも書く。

はやだち⓪【早立（ち）】―する（自サ）朝早く旅行に出発すること。

はやて⓪【《疾《風】〔「て」は、風の意〕急に起こる激しい風。「戦乱の世を―のように駆け抜けた男たちの物語」

はやで⓪【早出】―する（自サ）❶ふだんの日や普通の人よりも早く出掛けること。「明日は涼しいうちに―しよう」❷〔企業体などの業務形態で〕早く出勤する△こと（番）。⇩遅出

はやてまわし④マハシ―【早手回（し）】ある事△が起きる（をする）前に、前もって△準備（処置）しておくこと。

はやと①【〈隼《人】大昔、九州南端の薩摩サツマ・大隅オオスミに住んでいた種族。「はいと①」とも。

はやとちり③【早とちり】―する（自サ）「早合点をして、まちがったことを言ったり したりすること」の意の口頭語的表現。

はやなわ[0]ナハ【早縄】とりなわ。

はやね[2][3][0]【早寝】—する(自サ) 夜、早い時刻に寝ること。

はやのみこみ[3]【早〈呑(み)込(み)】—する(自サ) はやがてん。

はやば[0]【早場】米・繭などが、ほかの土地よりも早くとれる所。「—米イマ[0]・—地帯[4][5]」↔遅場

はやばや[3]【早々】(副)—と 予期していたよりもずっと早い時期に事が実現する様子。「開票が始まるや—と当選を決めた/お—と(=早速に)お見舞をありがとう」

はやばん[0]【早番】早く△勤務(登校)する番。↔遅番

はやびけ[0]【早引(け)・早《退(け)】—する(自サ) 「早退」の口頭語的表現。「早びき[0]」とも。

はやひる[0][3]【早昼】普通より早めに昼飯を食べること。

はやぶさ[0]【〈隼】中形の鳥。性質が勇ましく、速く飛ぶことで有名。昔、鷹タカ狩りに使われた。〔ハヤブサ科〕 かぞえ方 一羽

はやぶね[0]【早舟】❶急いでこぐ舟。❷速く走る小舟。 表記 「速舟」とも書く。

はやぼり[0]【早掘(り)】—する(他サ) イモ類を、取り入れの時期より早く掘ること。「—イモ」

はやま[0]【端山】連山の端の方にある、低い山。ふもとの山。↔深山ミヤマ❷

はやま・る[3]【早まる】(自五) ❶早くなる。「期日が—」❷急ぎすぎて、誤った△判断(行動)をする。「早まって列車を降りる」 表記 「速まる」とも書く。

はやまわし[3]マハシ【早回(し)】—する(他サ) ❶はやく回すこと。❷録音・録画したものの再生や、話の展開、ゲームの進行などを通常よりもはやい速度で進めること。「録りためたビデオを—で視聴する」「ドライバーを—する」 表記 「速回し」とも書く。

はやみ[0][3]【早見】簡単に△捜す(見る)ことが出来るようにしたもの。「—表[0]」 表記 「速見」とも書く。

はやみち[2]【早道】近道。 表記 「速道」とも書く。

はやみみ[0]【早耳】物事をはやく聞きつける△こと(耳)。人よりもはやく△聞きつける(知る)こと。 表記 「速耳」とも書く。

はやめ[0]—な[0]—に [一]【早め】そうすべき時刻・時期より、いくぶん早い△こと(様子だ)。「—の出勤/—に出かける」 [二]【速め】いつもよりいくぶん速い△こと(様子だ)。「—に歩く」 表記 [一]は「早目」、[二]は「速目」とも書く。

はやめし[0]【早飯】何かの必要があって、ふだんよりも早めに食事をとること。また、その食事。「—にする/—を済ませる」

はや・める[3](他下一) [一]【早める】予定より早く、その時期・時刻が来るようにする。「開会時期を—/死を—」 [二]【速める】速くする。「足を—」

はやもどし[3]【早戻(し)】—する(他サ) 録音・録画したものの再生位置を(間を飛ばして)前の方に戻すこと。「好きな場面を—して繰り返し見る」

はやり【〈流行〉】[一][3] ❶はやること。❷〔その時どきに〕はやるもの。「ことしの—」 [二](造語) 動詞「はやる」の連用形。 **—うた**[3]【—歌・—唄】ある時期に盛んに大衆に歌われる歌。 **—かぜ**[3]【—〈風邪〉】一時に多くの人がかかる風邪。流感。インフルエンザ。 表記 ⇩付表「風邪」 **—すたり**[0][3]【—廃り】はやることと廃れること。「色にも—がある」 **—っこ**[3] ❶全盛の芸者。❷マスコミで引っぱりだこになっている作家やタレントなど。うれっこ。 表記 ❶は「〈流行〉っ〈妓」、❷は「〈流行〉っ《児」と書く。 **—め**[0]【—目】流行性の結膜炎。

はやりお[3][0]ヲ【《逸(り)雄】〔雅〕気負い立っている、血気盛んな若者。

はやりぎ[0][3]【《逸(り)気】気負い立つ気持。

はやりた・つ[4][0]【《逸(り)立つ】(自五) 自分の能力を発揮すべき機会が来たものとして、気負い立つ。

***はや・る**[2]【〈流行〉る】(自五) [一]〈(どこニ)—〉 他のものを圧倒する勢いで、一時期 社会において主流を占める。「ミニスカートが—(=人気を得る)/風邪が—(=広がる)/—(=繁盛する)店」↔すたれる [二]〈(なにニ)—〉 △実行(決行)を急ぐ気持が先に立って、つい落着き・平常心を失う。「血気に—/—心は分かるが、ここは一つじっくり行かにゃ/—気持を抑えて」 表記 [二]は「〈時花〉る」とも書き、[二]は「《逸る」などと書く。〔⇩はやり[二]〕

はやわかり[3][0]【早分(かり)】—する(自サ) ❶すぐ理解すること。また、はやがてん。「—をする子」❷すぐ簡単に分かるようにくふうしてある本。「日本語文法—」 表記 「速分かり」とも書く。

はやわざ[0]【早業・早技】すばやくて△上手な技術(確実なやり方)。「手練シュレンの—」 表記 「速業」とも書く。

ハラ(造語) ハラスメントの略。「セクー・パワー・アカー・カス—[0](=カスタマーハラスメント)」

はら[1]【原】平らで広く、草などが生えたままの土地。

****はら**[2]【腹・〈肚〉】❶Ⓐヒトや猿などの、中央に臍ヘソがあり、表・前面と考えられる側。また、その内部に蔵せられる内臓。〔頭を先に胴体を横にして、走行したり泳いだりする獣やカエルや魚類では、下となる側〕「—が痛む/—を抱えて笑いころげる/—をすかせる/—を召す(=貴人が切腹する)/—も身の内(=暴飲暴食をつつしめというしめ)/—の足し(=何か空腹をしのぐよすがとなるもの)/中年になって—が出てきた(=下腹部に脂肪がついてきた)」 Ⓑ食用とする魚の卵巣をかぞえる語。「一—ヒト」 ❷子が宿る場所としての、母の胎内。「—を痛めた子(=自分の生んだ子)/—は借り物/—(=母親)が違う」 ❸意志・態度を決める働きをつかさどると想像される「腹❶」。「—が据わる/—が太い/—を決める/—を据える/—が出来ている/—(=相手の意中)を読む/—に一物イチモツある/—に収める/痛くもない—を探られる(=あらぬ疑いをかけられる)/—を割って(=腹蔵無く)話す」 ❹物の中央の(ふくらんだ)部分。「指の—/銚子チョウシの—」 【—が黒い】心の中によくない考えをいだいている様子だ。【—が立つ】心の中に怒りの感情がわく。【—を括くくる】いざという時に備えて覚悟をきめる。【—を肥やす】自分の利益ばかりをはかる。【—を立てる】怒りの気持を言動や態度に表わす。

ばら(接尾) …のやつら。ども。「役人—[0][3]」 表記 「《輩・〈儕」とも書く。「原」は、借字。

ばら[1] ❶△まとまって(組みになって)いる物が、一つひとつ離れた状態にある△こと(もの)。❷「ばらせん」の略。

ばら[0] ❶【〈〈薔薇〉〉】とげのある、落葉小低木。多く八重咲きの花はきれいで、甘いにおいがある。種類が多い。ローズ。〔バラ科〕 ❷【《刺・〈〈荊棘〉〉】とげのある木の総称。 かぞえ方 ❶は、木は一株・一本。花は一輪

パラ [一][1]パラリンピックの略。「—五輪」 [二](造語)〔スポーツで〕身体障害者の。〔「パラ[一]」から類推により生じた用法〕「—スポーツ・—アスリート・—陸上競技」

はらあて[0]【腹当(て)】❶昔、腹の所だけをおおった、雑兵ゾウヒョウ用のよろい。❷腹掛け。腹巻き。 かぞえ方 ❶は一領。❷は一枚

バラード[2][1]〔フ ballade〕❶〔ピアノ・オーケストラのための〕ロマンチックで物語的な短い楽曲。バラッドとも。❷短い叙事詩。

ハラーム[2]〔アラビア Ḥarām〕イスラム法で非合法・禁忌と判断される△もの(行為)。ハラム[1]とも。↔ハラール

** *は重要語，[0] [1]… はアクセント記号，品詞の指示の無いものは名詞および いわゆる連語。

ハラール②〔アラビア Halāl＝イスラム法で許されたもの〕イスラム法で食べることの許されている食物。ハラル①とも。「—フード⑤」↔ハラーム

はら あわせ③【腹合(わ)せ】❶〔帯を〕表と裏を別々の布で縫い合わせたもの。❷向き合うこと。 **—おび**⑥【—帯】昼夜帯。

はらい【払(い)】[一]②③❶払って他の所へ行かせること。「人—をして密談を始める/年末のすす—」❷〔料金・代金などの〕お金を払う△こと(方法)。「前—」❸〔不要な〕品物を売り払うこと。⇩お払い ❹〔炭坑で〕採炭の現場。 **—ちょう**⓪【—超】〔↑支払い超過〕政府資金の一定期間内の支出が収入を上回ること。散超。↕揚げ超

[二]〔造語〕動詞「払う」の連用形。「手で—落とす/—過ぎ」 **—あ・げる**⑤【—上げる】(他下一) 下から上へ払うように振る。 **—こみ しほん**⑥【—込(み)資本】〔株式会社で〕株主が現実に払込みをした資本。 **—こ・む**④【—込む】(他五) 代金・料金を窓口や相手の口座などに支払って納める。名払い込み⓪ **—さ・げる**⑤【—下げる】(他下一) 官庁などから(不要になった物品・土地などを)民間に売り渡す。名払い下げ⓪「—を受ける」 **—だ・す**④【—出す】(他五)〔貯金してあった金などを〕おろす。名払い出し⓪ **—の・ける**⑤【—《除ける》】(他下一) ❶振り払うようにして除ける。「人の手を—」❷ともすれば襲われがちなマイナスの要素を、積極的に寄せつけまいとする。「△いまわしい考え(不安)を—」 **—もど・す**⑤【—戻す】(他五) ❶△一度受け取った(預かった)お金を返す。「税金を—/貯金を—」❷〔競馬・競輪などで〕的中した投票券を現金に換えて払う。名払い戻し⓪ **—もの**⓪【—物】いらなくなって売り払う品物。

はらい【〈祓〉(い)】[一]②❶神に祈って罪・けがれなどを除き、身を清める神事。「水無月の—/悪魔—④」⇩お祓い ❷お祓いの神事の時によむ言葉。〔古語は「はらへ」〕

[二]〔造語〕動詞「祓う」の連用形。 **—きよ・める**⑥【—清める】(他下一) 祓いを行なって、罪・けがれ・災いなどを清める。

はら いせ⓪【腹《癒(せ)》】思わぬ不結果に、我慢できない自分の気持を発散させるために、迷惑が及ぶような行為をわざと他に仕向けること。「△失恋の(しかられた・解雇された)—にいやがらせの電話をかける」—

はら いた⓪【腹痛】胃や腸などの内臓が痛むこと。ふくつう。

はら いっぱい③、②-⓪【腹一杯】〔副詞的にも用いられる〕❶腹に十分食べ△る(た)こと。❷思う存分にすること。「—我意を通す」

ばら いろ⓪【〈〈薔薇〉〉色】紫を帯びた桃色。ローズ。〔健康・幸福・前途の光明などの象徴とされる〕「—の△将来(未来像)を描く/—の夢をふりまく」

はら・う②【払う】(他五) ❶〈なにカラ〉なにヲ—〉上下・左右に振って△そこにある(飛んで来る)物をどけようとする。「△腰(足)を—/すそを—/砂を払って立ち上がる/相手の切っ先を—/なぎなたを—〔＝を振って、相手に攻撃を仕かける〕」❷〈なにカラ〉なにヲ—〉じゃまな物や不必要な部分を除く。「△ほこり(すす・そろばんの珠)を—/ふたを—〔＝取る〕/人を—〔＝通行や大事な話の妨げになる人を、その場所から退かせる〕/威風あたりを—〔＝周囲を威圧するほど、いかめしくりっぱだ〕/底を—〔＝全部取り尽くして、底が見える〕/部屋を—〔＝引き払う〕/分母を—〔＝分数式の両辺に適当な数を掛けて、整数の式に直す〕/垣根を—〔＝隔てを無くす〕/もやもやを—/取り—」❸〈(だれ・なに)ニ〉なにヲ—〉必要な物を入手するために、お金などを相手方に△渡す(渡し、義務を果たす)。「△入場料(月謝)を—/△税金(手数料)を—/犠牲を—〔＝かけがえのないものを失う〕/支—」❹〈(だれ・なに)ニ〉なにヲ—〉対処すべきものに対して、積極的な心構えを持つ。「細心の注意を—/△考慮(敬意)を—/万全の努力を—」〔⇩払い[二]〕

はら・う②【〈祓〉う】(他五)〔「払う」と同源〕神に祈って罪・穢れなどを除き去る。〔文語では、下二段〕「悪霊を—/身の穢れを—」〔⇩祓い[二]〕

ばら うり⓪【ばら売(り)】—する(他サ)〔セット売り などと違って〕ばらで売ること。

バラエティー②〔variety〕❶変化。変種。「—に富んだメニュー」❷〔↑variety show〕テレビのバラエティー番組。Ⓐ歌・踊り・話・寸劇など、いろいろ組み合わせた演芸の形式。Ⓑ出演者たちが、おしゃべりやゲームなどをするもの。

はら おび⓪【腹帯】❶〔寝冷えを防いだり、健康のために〕腹に巻く帯。腹巻。❷岩田帯。❸〔鞍をつけるために〕馬の腹にしめる帯。

はら がけ⓪【腹掛(け)】胸から腹までおおい、背中でひもを交差させて結ぶ衣類。〔子供が寝冷えを防ぐために着るものは「金太郎❸」とも言い、職人がはんてんの下に着るものは「どんぶり❸」が付いている〕かぞえ方 ❶は一枚

はら がまえ③【腹構(え)】予測される事態への対処のしかた。

はら から⓪②【〈同胞〉】同じ母から生まれたきょうだい。〔同一国民の意にも用いられる〕表記 古くは「〈兄弟〉」・「〈姉妹〉」と書いた。

はら かわ⓪【腹皮】魚の腹の部分の皮。「カツオの—」

はら がわり③【腹変(わ)り】❶腹違い。❷—する(自サ) それまでの△決心が変わる(約束にそむく)こと。心変わり。

はら ぎたな・い⑤【腹〈穢い・腹汚い〉】(形) 私利私欲にとらわれるなどして、言動に現われる面とは全く反する好ましくない考えをいだいている様子だ。

はら きり⓪【腹切(り)】せっぷく。

はら ぐあい③【腹具合】胃や腸の△調子(状態)。

はら くだし③⓪【腹下(だ)し】❶—する(自サ) 腸を悪くして、水分の多い大便を(何回も)すること。下痢。❷便通をよくするための薬。下剤。

はら くだり③⓪【腹下(だ)り】—する(自サ) 下痢。

パラグライダー④〔paraglider＝パラシュートとグライダーの混合語〕パラシュートのような長方形の傘を両手で操って角度を変え、山の斜面を滑走して空中に舞い上がり、目的地へ正確に着けるかどうかを競うスポーツ。

パラグラフ①〔paragraph〕〔文章の中で〕あるまとまった内容を持つ一区切り。段落。節。〔現在では普通改行して、それを示す〕

はら ぐろ・い④【腹黒い】(形) 口ではきれいごとを並べていながら、心の中では相手を陥れるようなことを考えているようで、信用出来ない様子だ。また、そのような性格だ。「—人間」派—さ③

はら げい⓪【腹芸】❶〔芝居で〕役者がせりふ・動作以外の、思い入れなどの方法で気持を表わすこと。❷言葉や行為には表わさないで、度胸や政治力などで物事を処理すること。❸あおむけに寝た人の腹の上に乗って行なう曲芸。❹腹に人の顔などをかいて、呼吸でこれをいろいろに動かして見せる芸。

ばら・ける③(自下一) ❶今まで整っていた髪が乱れる。❷それまで一まとまりの集団をなしていたものが、ばらばらになる。「〔マラソンで〕先頭の集団がばらけた」

はらこ⓪【腹子】⇩鮞(ハララゴ)

はらごしらえ③【腹拵(え)】(ゴシラヘ)―する(自サ)〔仕事にかかる前に〕食事をしておくこと。

はらごなし③⓪【腹ごなし】―する(自サ)現在、腹〔=胃〕にあるものの消化促進のために、散歩など軽い運動などをすること。

パラサイト③―する(自サ)〔parasite=寄生生物〕寄生者。居候。「―シングル〔=未婚のままで親と同居している若者〕」

パラジウム③〔palladium〕プラチナと同様、白金族元素〔記号Pd原子番号46〕。安価で硬く、腐食に対して強いので、歯科材料・合金材料として使われる。

はらしのぎ③【腹〈凌(ぎ)】空腹をしばらくの間だけいやす△こと(物)。

パラシュート③〔parachute〕⇩落下傘

はら・す②【晴(らす)・〈霽(らす)】(他五)たまっている不快な気持を取り除いてさっぱりした心境にする。「恨みを―/疑いを―」

はら・す⓪【腫(らす)】(他五)傷やできものなどを生じさせて、腫れた状態にする。「蜂に刺されて額を―/目を泣き―」

ばら・す②(他五)❶〔一まとまりになっている物を〕ばらばらにする。(破り)こわす。「本を―」❷殺す。❸〔秘密などを〕人に知らせる。あばく。「悪事を―」❹売り払う。❺〔釣りで〕かかった魚を逃がしてやる。〔❶～❺は口頭語〕

バラス①⓪〔↑ballast〕〔バラストの変化〕道路・線路などに敷く砂利。

はらすじ⓪③【腹筋】(スヂ)腹部の筋肉。「―をよる〔=おかしくてたまらない〕」

バラスト②⓪〔ballast〕❶〔船を安定させるために〕船底に積む、砂・石などのおもし。❷気球のおもり。❸バラス。

ばらずみ⓪②【ばら炭】俵に入れないで、小売する炭。

ハラスメント②①〔harassment=悩ませること〕何らかの方法で当人に苦痛を与えるようなことをすること。また、その苦痛。「あらゆる差別や―を排除して行く/セクシュアル―・アカデミック―・パワー―・カスタマー―」

ばらせん⓪【《刺線】〔垣根などに使う〕とげのある針金。有刺鉄線。

ばらせん⓪【《散銭】おもに、硬貨の小銭(ゼニ)。

パラソル①〔フ parasol〕(女性用の)日よけのための洋風の日傘。「ビーチ―④」かぞえ方 一本

パラダイス①③〔paradise〕楽園。天国。楽しい所。

パラダイム①③〔paradigm.「範例(=動詞・名詞などの語形変化の典型的な例)について示した表」の意のギリシャ語に由来〕〔おもに科学史で〕その時代・社会において、一つの分野に属する学者のほぼ全員が共通の大前提として認めている、研究の基本的手法や問題意識(の手本)。〔事物を認識する基本的態度や問題の選択・設定・取扱い・解決の方法など理論体系の枠組を包括的に指す用語。広義では、その分野における思考の枠組や△学問(芸術)の方法論、共通の基準の意にも用いられる〕「―シフト⑥〔=理論体系や思考の枠組などの転換〕」

はらだたし・い⑤【腹立たしい】(形)〔こらえようとしても〕腹が立ってたまらない様子だ。「あの男が私を裏切るとは―限りだ」派―さ⑤④ ―げ⓪⑤

はらだち⓪【腹立(ち)】怒ること。立腹。「―まぎれに」

はらだ・つ③【腹立つ】(自五)怒りを言葉や行動に表わす直前の状態になる。

はらだ・てる④【腹立てる】(自下一)怒る。

ばらだま⓪【《散弾】❶一発ずつうつ弾丸。❷散弾。

パラチオン③⓪〔ド Parathion〕農業で使う強い殺虫剤。燐(リン)を含み、人畜にも有害であり、日本では現在、使用禁止。⇩ホリドール

はらちがい③【腹違(い)】(チガヒ)父が同じで、母が異なる関係にある△こと(兄弟姉妹)。

パラチフス③〔ド Paratyphus〕パラチフスA菌の経口による感染症。急性の消化器性疾患。症状は腸チフスに似ているが、一般にそれよりも軽い。パラチブス③とも。

ばらつき⓪ 測定の結果得た数値の分布や、同一商品の品質が不ぞろいで、全体を統括した一つの判断や評価が下せない状態にあること。「学力に―が大きい/全体にほとんど―が無い」

バラック②〔barrack〕一時の間に合わせに建てる粗末な家屋。

ばらつ・く⓪(自五)❶大粒の雨などがちょっと降る。❷〔束ねてある物が〕散り乱れる。「髪が―」❸〔統計データなどが〕平均した値からはずれて散らばる。

ぱらつ・く⓪(自五)雨などがぽつぽつと降ってくる。「雨がぱらつき始めた」名ぱらつき⓪

はらつづみ③【腹鼓】十分に食べてはった腹を鼓に見立てた語。「腹づつみ」とも。「―を打つ〔=腹いっぱいに食べて満足することのたとえ〕」⇩鼓腹

バラッド②①〔ballad〕⇩バラード

はらっぱ①【原っぱ】住宅地に囲まれた空き地。

ばらづみ⓪【ばら積(み)】ばらばらのまま積むこと。

はらづもり③【腹積(り)】❶その人としてそうしようと思っていた見込み。❷どんな条件の変化があろうともこうしようと決めた事を最後まで貫き通す心構え。

はらてっけつ①-⓪【〈爬羅〈剔抉〉】(テキ)〔爬羅はかき集める、剔抉はえぐり出す意〕人の欠点などを無理にあばき出すこと。

はらどけい③【腹《時計】腹のすきぐあいなどから察せられる、およその時刻。「―はもう十二時だ」表記 ⇩付表「時計」

パラドックス③①〔paradox〕一見成り立つように思える言語表現などが、それ自体に矛盾した内容を含んでいて、論理的には成り立たないこと。また、その種の判断。「貼紙(ハリガミ)厳禁」と書かれた貼紙や、「わたしはうそしかつかない」という表現の類。〔広義では、逆説をも指す〕

はらなか⓪【原中】〔雅〕野原の中。

ばらにく②⓪【〈肋肉】〔↑あばら肉〕牛・豚などの肋骨(ロッコツ)の部分の肉。三枚肉。

パラノイア③〔paranoia〕精神病の一つ。知覚錯誤や意志・情緒の障害は見られないが、特定の妄想を持ち続け、常人とは異なる精神世界に住む。誇大妄想症・被害妄想症など。偏執(ヘンシツ)病⓪。パラノイヤとも。

はらのうち⓪、⓪-⓪【腹の《中】心の中で何を思っているか。「―を探る」

はらのかわ⑤、⓪-②【腹の皮】(カハ)腹部の皮。「―をよる〔=⇩縒(ヨ)る〕/―をよじって笑う/―がよじれるほど笑う」

はらのなか④、⓪-①【腹の中】はらわた。「くやしくて―が煮えくり返るようだ」

はらのむし⓪、⓪-⓪【腹の虫】❶「回虫などの寄生虫」の和語的表現。❷人間の気分・健康状態を支配するものを、腹中にある虫のせいに帰した語。「―がおさまらない〔=頭では平静であろうとしても、思い出すと腹が立って来て、怒りの遣(ヤ)り場が無い〕/―がぐうぐう鳴る〔=空腹感が募って、腹腔(フックウ)のあたりが人聞きの悪い音を立てる〕」

はらばい⓪【腹〈這(い)】(バヒ)腹を△地(床)につけて、からだを伸ばすこと。「―になる」動腹這う③(自五)

はらはちぶ④【腹八分】腹一杯になるまで食べず、少し控

えめにしておくこと。「はらはちぶんめ」とも。「―に医者いらず」

はらはら①(副) ❶―する うまく行くかどうか心配で、見ていてじっとしていられなくなる気持をいだく様子。「子供のプレーを―しながら見守る」 ❷―と 木の葉や涙などが音も無く次つぎと落ちる様子。

ばらばら ■一①(副)―と 雨・あられなどたくさんの粒状のものが、続けざまに落ちて音を立てる様子。また、その音の形容。■二⓪―な ―に 一つにまとまっている△はずの(ことが望ましい)ものが、個々別々の状態になっている様子だ。「家族が―になる/住民の意見が―で収拾がつかない」

ぱらぱら ■一①(副)―と ❶軽い粒状のものが断続的に落ち(て音を立て)る様子。また、その音の形容。「小雨が―(と)降ってきた/種を―とまく」 ❷束になっている紙を続けざまにざっとめくる様子。「本を―とめくる」 ■二⓪―な ―に 少数のものが、あちこちにまばらに見られる様子だ。「見物人も―だった」

ばらふ⓪【ばら《斑》】 △タイマイの甲(べっこう)に黒いまだらのあるもの。

パラフィン①〔paraffin〕 ろうそくの原料などにする、白色・半透明のろうのような固体。石油から分離して得られる。パラピン①⓪とも。石蠟^(セキロウ)。 **―し**③【―紙】 パラフィンをしみこませた防湿用包装紙。

パラフレーズ④①―する(他サ)〔paraphrase〕 △原文(内容)を分かりやすくするために、別の言葉に言い替えたり 詳しく説明したり すること。

はらぺこ⓪【腹ぺこ】―な ―に 「腹が非常にすいている△こと(状態)」の意の口頭語的表現。

パラボラ⓪〔parabola〕 放物線。「―アンテナ〔=おわんのような形のアンテナ。極超短波中継や衛星放送の受信用〕」

はらまき②③【腹巻(き)】 ❶〔腹の冷えるのを防ぐために〕腹に巻きつける△布(毛糸の編物)。 ❷〔古〕よろいの一種。腹に巻き、背中で引き合わせるようにしたもの。 かぞえ方 ❶は一枚

ばらま・く③【ばら〈撒く・《散〈蒔く】(他五) 〔「まく」は、「撒^(マ)く」の意〕 ❶一か所に偏らないように、まんべん無くまく。「豆を―」 ❷だれかれの区別無く、物を分け与えたり 話などを広めたり する。〔いい意味で用いることはあまり無い〕「△悪評(争いの火種)を―/お金が ばらまかれる」 名ばらまき⓪

はらみ⓪③【腹身】 ❶牛・豚などの横隔膜の肉。 ❷魚の腹がわの、あぶらののった肉。はらす⓪③。「サケ―の塩焼き」 表記 多く「ハラミ」と書く。

はらみつ②【波羅蜜】 〔「究竟^(クッキョウ)」の意の梵^(ボン)語の音訳〕 〔仏教で〕悟りの境地に達するために必要な、具体的な修行法・徳目。「波羅蜜多③」とも。

はら・む②【〈孕む】 ■一(自五) 〔腹が大きくなる意〕 ❶胎内に子供が出来る。妊娠する。 ❷植物の穂が出ようとしてふくらむ。 ■二(他五) その中に(問題となる)何かを含み持つ。「△可能性(危険の芽・矛盾)を―/風を―帆/嵐^(アラシ)を孕んだ〔=ちょっとしたきっかけで、すぐ大事件になりそうな〕情勢」 名孕み③ 表記 「《妊む」とも書く。

パラメーター③〔parameter=補助的に測るもの〕 ❶その△「系❶」の状態(機器の動作条件)を決定する、個々の変数(の値)。 ❷〔数学で〕補助的な変数。〔複数個の変数の仲立ちをする場合は、媒介変数とも言う〕

はらもち⓪【腹持(ち)】 食べた物の消化がおそく、おなかのすいた感じがしないこと。「肉は―が いい」

バラモン⓪①【婆羅門】 〔サンスクリットの brahman の音訳〕 ❶インドの社会(の四階級のうち)で、最高の階級。⇩カースト ❷バラモン教(の僧)。 **―きょう**⓪―【―教】 インドで仏教が起こる以前に、バラモンを中心に発達した宗教。

バラライカ③〔ロ balalaika〕 ウクライナ独特の弦楽器。三角形の胴に三本の糸を張ったもの。指ではじいて演奏する。 かぞえ方 一台・一挺^(チョウ)

はららご⓪③【〈鮞】 サケなどの卵で、成熟して一粒ずつに離れたもの。また、それを塩漬けにした食品。はらこ。

パララックス③〔parallax〕 〔写真で〕フィルムに映る像と、ファインダーに映る像とのずれ。視差。

はらりと②(副) 軽い物が音も立てずに落ちたり 何かの上にかかったりする様子。「△花びら(涙)が―落ちる/髪の毛が解けて―肩にかかる」

ばらりと②(副) ❶まとまっているものが、一度に解け(て落ち)る様子。「髪の毛が―垂れる/もとどりが―解ける」 ❷まばらに散らす様子。「カードを―まく」

ぱらりと②(副) 少量の軽い物が、落ちる様子。「書類が一枚―抜け落ちた」

パラリンピック⑤〔Paralympics ← parallel『=平行・並列』+ Olyimpics〕 国際身体障害者スポーツ大会。オリンピックと同年に、同じ開催地で開かれる。略して「パラ・パラ五輪」。〔para は当初、paraplegia『=両足の麻痺^(マヒ)』の略であったが、改称〕

ぱらルビ⓪ 文章の中の任意の漢字に振りがなを施すこと。⇩総ルビ

パラレル①―な ―に〔parallel〕 ❶平行(的)。 ❷〔傾向などが〕似ている△こと(様子)。 **―ワールド**⑤〔parallel world〕 〔SF作品や量子力学において想定される〕現実世界とは別に存在する世界。訳語は、平行世界・並行世界。⇩異次元空間

はらわた⓪③【《腸】 〔腹綿の意〕 ❶動物の内臓。特に、大腸と小腸。「―が煮えくり返る〔=腹が立ってがまんが出来ないほどだ〕/―が ちぎれる〔=ⓐ悲しくてがまん出来ないほどだ。ⓑおかしくてがまん出来ないほどだ〕/―を絞る〔=堪えきれないほどの悲痛な思いに△襲われる(襲われて うめき声を上げる)〕/―を断つ〔=断腸の思いをする。⇩断腸〕」 ❷〔ウリ・カボチャなどの内部の〕種を包んだ、綿のように柔らかい部分。わた。〔普通、食べない〕 ❸〔腹の中に精神が宿るものと考えたところから〕心の奥底。根本精神。「―が腐る〔=扱いようが無いほど、精神が堕落する〕」

はらん⓪【波〈瀾・波乱】 〔「波」は小さな波、「瀾」は大きな波の意〕 ❶物事に変化・起伏のあること。「―に富む人生/―を呼ぶ/―含み・―万丈^(バンジョウ)①-⓪、⓪-⓪〔=局面の変化が激しいこと〕」 ❷もめごと。騒ぎ。「平地に―を起^(タ)てる〔=⇩平地❷〕」 表記 「乱」は、代用字。

はらん⓪①【葉〈蘭】 庭に植える常緑多年草。大きなさじ形の葉を見て楽しむ。「ばらん」とも。〔キジカクシ科(旧ユリ科)〕 かぞえ方 一本

バランス⓪〔balance〕 釣合(が取れること)。均衡。「―が△保たれる(崩れる)/―の取れた/―を失する」 **―シート**⑤〔balance sheet〕 資産や負債などを借り方・貸し方として対照させる表。貸借対照表①-⓪。

***はり**① ■一【針】 ❶Ⓐ布地・皮革などを縫う、細長い小形の用具。先がとがり、一方の端近くの穴〔=めど〕に糸を通して用いる。多くは鉄製で、断面は丸い。「五十を過ぎて、―のめどが少しかすみ始めた/頭を十四―〔=十四回 手術針を動かして、頭の損傷部分を〕縫った/―の筵^(ムシロ)〔=周囲の人などの非難を一身にあびてつらい立場〕/縫い―^(バリ)・畳―^(バリ)・待ち―^(バリ)」 Ⓑ話に含まれる聞く側の人の心に突き刺さるような、批判や非難。「―を含んだ言葉」 ❷形が「針❶Ⓐ」に似、用途も「針❶Ⓐ」と つながりの考えられる物。「ハチの―/

イバラの一〔=とげ〕/ホチキスの一/虫ピンの一/レコードの一〔=先端にあり、音声を再生する部分〕/注射器の一/編物の一〔=毛糸を編んで衣類を作るのに操る、竹・金属製の細い棒〕/釣り一(バリ) ㊂機器の部品で、「針㊀Ⓐ」に似た形を有する物。何かの度合を指し示す。「△計器(時計)の一/磁石の一」 [二]【鍼・針】鍼術(シンジュツ)に使う、金属製のごく細い針。「一を打つ/一医」 かぞえ方 [一][二]とも 一本

はり【張り】〔動詞「張る」の連用形の名詞用法〕[一]⓪ ㊀生き生きとしていて、しまりがあること。「目に一が無い/一のある声」㊁〔目的が決まるなどして〕やろうとする意欲が生じること。はりあい。「仕事に一がある」㊂引っぱる力。「一の強い弓」[二]〔造語〕弓・幕・テント・シート・提灯(チョウチン)・蚊帳や琴などをかぞえる語。

はり②【梁】〔建物で〕屋根をささえるために横に渡した、太くて長い材木。うつばり。⇒桁(ケタ) かぞえ方 一本

はり①【玻璃】〔古〕〔梵(ボン)語の音訳〕㊀水晶。㊁ガラス。「一戸②・一窓⓪③・一版(バン)⓪」

ばり【張り】〔接尾〕㊀弓のつるを張る人数によって表わす、弓の強さ。「五人一」㊁有名な人に似ていること。「漱石(ソウセキ)一の文章/団十郎一の顔」

ばり①《尿》〔雅:関東以西の方言〕「いばり」の変化。

ばり①【罵詈】—する(他サ) 悪口を言うこと。「一雑言(ゾウゴン)〔=ひどい悪口〕・一讒謗(ザンボウ)〔=悪口を言い、中傷すること〕」

バリア①〔barrier〕㊀障壁。防壁。㊁障害。〔㊀㊁ともバリアー①・バリヤーとも〕

はりあい⓪(アヒ)【張り合い】〔もと、対立・競争の意〕懸命に何かをしてやろうという当方の張りつめた気持に対し、相手側にも相応の反応・効果があって、やりがいがあると感じること。「一〔=努力のしがい〕の無い仕事/期待しても一の無い相手」 **一ぬけ**⓪【一抜け】—する(自サ) 何かをしてやろうと意気込んでいたのに、その△気持(必要)が無くなり、がっかりすること。⇩拍子抜け

はりあ・う③(アフ)【張り合う】(自五)〔力のほぼ同じ者同士が〕共通の目的物を得ようと、対抗し、競争する。

はりあ・げる④【張り上げる】(他下一) あたりに響くような大きな声を出す。「津波だと声を張り上げて叫ぶ」

バリアフリー⑤〔barrier free=障害が無いこと〕高齢者や障害者が安全で快適な生活ができるように、階段や段差など障害となるものをなくすこと。「一住宅・一商品」

バリアント①〔variant〕㊀変形。変種。㊁同一作品の△異本(異版)の間に見られる、本文の異同。異文。

はりい②【鍼医】鍼術(シンジュツ)を職業とする人。

はりいた⓪【張り板】のりをつけた布や、すいた紙などをぴんと張って乾かすための板。かぞえ方 一枚

バリウム②〔ド Barium〕銀白色で柔らかい金属元素〔記号Ba 原子番号56〕。空気中では酸化しやすく、熱すると緑色の炎をあげて燃え、酸化バリウムとなる。〔胃のレントゲン写真を撮る時に造影剤として飲ませるバリウムは「硫酸バリウム⑥=$BaSO_4$」と呼ばれる化合物〕

バリエーション③〔variation〕㊀変化に富むこと。変種。㊁変奏曲。〔㊀㊁ともヴァリエーションとも〕

はりえんじゅ③(エンジュ)【針〈槐〉】並木などに植える落葉高木。初夏、白い蝶形(チョウガタ)の花がふさになって、垂れて咲く。材は家具用。北米原産。「にせアカシア」とも。〔マメ科〕 かぞえ方 一株・一本

はりおうぎ③(アフギ)【張り扇】紙を張って外側を包んだ扇子。「はりせん」とも。〔講談師・浪曲師などが見台をたたいて話の調子を取るために使う〕 かぞえ方 一本

はりか・える④③(カヘル)【張り替える・貼り替える】(他下一)㊀古くなった物を取り除いて、新しく張り直す。「障子を一/弓のつるを一」㊁着物をほどいて洗張りをする。 名 張り替え⓪

はりがね⓪【針金】金属を細長くひものように伸ばしたもの。かぞえ方 一本

はりがみ⓪【張り紙・貼り紙】㊀—する(自サ)〔のりなどで〕物に紙を張りつけること。また、その紙。「一細工(ザイク)⑤」㊁—する(自サ)〔人びとに伝えるために〕人の目につく所に紙を張りつけること。また、その紙。㊂注意・意見などを書いて、書類などに張りつけておく、小さい紙。付箋(フセン)。

バリカン⓪〔←フ Bariquand et Marre=製造所の名〕頭髪を刈り込む、金属製の器具。かぞえ方 一台・一挺

ばりき⓪【馬力】㊀仕事率の単位。〔丸太などを巻き上げる装置につないだ馬の仕事率に由来〕Ⓐ仏(フツ)馬力③。七三五・五ワット〔=七五キログラムの物体を一秒間に一メートル上げる仕事率〕。Ⓑ英馬力③。七四五・七ワット〔=五五〇ポンドの物体を一秒間に一フィート上げる仕事率〕。㊁〔仕事をする〕精力。活動力。「一がある/一をかける」㊂荷馬車。「一屋⓪」

はりき・る③【張り切る】(自五) 何かをしようという気力が充実している。「張り切って働く/張り切った気持/張り切った〔=盛り上がった〕肩の肉」

はりくよう③(ヤウ)【針供養】二月八日〔地方によっては十二月八日〕に、裁縫を休んで、使えなくなった針を集めて、供養する△こと(行事)。

はりぐるみ③【張り《包み》】〔家具・器具などで〕外から布・紙などを張って、くるむように作ったもの。「一のいす」

バリケード③〔barricade〕敵の侵入・攻撃を防ぐために、街路などに急造した障害物。

ハリケーン③〔hurricane〕西インド諸島の大西洋側およびメキシコ湾などに発生した熱帯低気圧が、最大風速六四ノット〔=秒速三三メートル〕以上に発達したもの。

はりこ⓪【張り子】〔「張り籠(コ)」の意〕紙を重ねて型に張り、かわいてから型を△抜くこと(抜いて作った物)。はりぬき(の人形)。「一の虎(トラ)」

はりこ・む③【張り込む】[一](他五)㊀(台紙に)張りつける。㊁箱などの外側に張った紙の端を中側へ曲げて張る。[二](自五)㊀犯人や待ち人が現われそうな所で待ち構える。㊁〔ふだんとは違い〕思い切ってたくさんお金を使う。 名 張り込み⓪

バリコン⓪〔←variable condenser〕何枚かの半円形の金属片の重なる面積を変えることにより、静電容量を変えることが可能なコンデンサー。ラジオなどの同調周波数を調節するための部品として用いられる。可変コンデンサー⑥。

パリサイ⓪〔ギ Pharisaios〕キリストの時代前後に勢力があった形式主義的ユダヤ教の一派。「一人(ビト)③」

パリさい②【パリ祭】フランス革命記念日〔=七月十四日〕の、日本での称。「パリー祭②」とも。 表記 「〈巴里〉祭」とも書く。

はりさ・ける④【張り裂ける】(自下一)㊀ふくれて裂ける。「のども張り裂けんばかりに大声を上げる」㊁強い感情が胸いっぱいに広がり、裂けるのではないかと思われるほどになる。「胸が一思いで見詰める」

はりさし③【針刺(し)】裁縫の針がさびないように刺しておくための、髪の毛・ぬかなどを布で包んだもの。針山。針立て。

パリジェンヌ③〔フ Parisienne=パリジャンの女性形〕きっすいのパリの女性。

はりしごと③【針仕事】裁縫。縫い物。

パリジャン②〔フ Parisien〕きっすいのパリの男性。パリっ子。

はりす⓪①【針素・〈鉤素〉】〔「す」は、馬の尾の毛の意〕釣り糸のうち、直接釣り針に接する細く強い糸。表記 新聞・雑誌などでは、「ハリス」と片仮名で書く。かぞえ方 一本

バリスタ②〔イ barista〕喫茶店で飲み物を作る人。特に、エスプレッソを専門にいれる人。

はりせん⓪【張(り)扇】❶⇩はりおうぎ ❷〔演芸などで〕相方をたたくのに使う紙製で大型のおうぎ。

はりせんぼん③【針千本】暖かい海にすむ魚。体は丸く、全長二〇センチほど。危険が迫ると体をふくらませ、全身に生える長く鋭いとげを立てて身を守る。ハリフグ。〔ハリセンボン科〕かぞえ方 一尾・一匹

はりたお・す④【張(り)倒す】〔タフス〕(他五) 平手などで殴り倒す。「横っつらを―」

はりだ・す③【張(り)出す】■一(自五)〔ふくれたような形で〕外側へ突き出る。「張り出したひたい」■二(他五)❶掲示・広告などを、壁などに張りつける。❷〔すもうなどで〕正位置に準ずるものとして、番付の欄外に書く。名 張り出し⓪「―窓⑤・―大関」表記 ■二❶は、「貼り出す」とも書く。

はりたて②【針立(て)】⇩はりさし

はりつ・く③【張(り)付く】(自五) 張りつけた△状態になる(ようにつく)。

はりつけ⓪【〈磔〉】〔「張付け」から〕昔、張り付けた罪人を突き殺した刑罰。

はりつ・ける④【張(り)付ける】(他下一) ❶〔紙・布などを〕広げて、のり・ピンなどでくっつける。❷磔(ハリツケ)の刑に処するために、罪人を柱や十字架に△打ちつける(しばる)。❸要所にその任に適した人を配置する。名 張り付け⓪ 表記 ❶は、「貼り付ける」とも書く。

ばりっと②(副) ❶厚手の紙・布や板などが、音を立てて一気に破れたり 引きはがされたりする様子。また、その音の形容。❷―する ぱりっと❷。

ぱりっと②(副) ❶薄手の紙などを、音を立てて一気に引き裂く様子。また、その音の形容。❷―する いかにも仕立ておろしに見える様子。「―した背広」❸薄くてかたい物が、かわいた音を立てて小気味よく割れる様子。また、その音の形容。「薄氷が―割れる/せんべいを―かみ砕く」

はりつ・める④【張(り)詰める】(自他下一) ❶すみからすみまで一面に張る。「氷が―/タイルを―」❷心が引きしまる。緊張する。「張り詰めた気持」

はりて⓪【張(り)手】〔すもうで〕相手の顔を平手で打つこと。「―をかます」

パリティーけいさん⑤【パリティー計算】〔parity=均等〕農産物の値段を決めるのに、実際の生産費によらず、農機具などの値段と、釣り合うようにして決める方法。

はりとば・す④【張(り)飛(ば)す】(他五) 相手のからだが飛ぶぐらいに平手で殴る。

バリトン⓪〔barytone〕〔音楽で〕❶男声の中音域(の歌手)。❷〔←barytone saxophone〕吹奏楽の低音部を受け持つサキソホーン。

はりぬき⓪【張(り)抜(き)】張り子。

はりねずみ③【針〈鼠〉】形はネズミに似て、背中一面に針のような毛がある小動物。ユーラシア大陸各地にすむ。危険に遇うとクリの いが状に体をまるめて身を守る。〔ハリネズミ科〕かぞえ方 一匹

はりばこ⓪【針箱】裁縫用具一そろいを入れる箱。

はりはり⓪ 切干し大根を酢・しょうゆなどに漬けた食品。食べると、さくさく音がする。「はりはり漬(ヅケ)⓪」とも。

ばりばり ■一①(副)―と ❶厚手の紙・布などが、荒あらしく音を立てて破られたり 引きはがされたりする様子。「ポスターを―(と)はがす/たくあんを―かむ」❷意欲的に物事をこなしていく様子。「―仕事をする/―かせぐ」■二⓪―に・―な ❶薄い物が、△かわいて(古くなって)こわばっている状態だ。「―にのりのきいたワイシャツ/劣化して―になったビニールシート」❷見るからに、そのものを特徴づける生気や活力がみなぎっている様子だ。「現役の―だ/―の若手研究者」

ぱりぱり ■一①(副)―と 薄くてかたい物が、かわいた音を立てて小気味よく砕ける様子。「せんべいを―かみ砕く」■二⓪―に・―な ❶薄い物が、かわききって固くなっている状態だ。「―に焼き上がったせんべい/肌がつっぱって―だ」❷仕立ておろしで、布に張りのある様子だ。「ま新しい―の背広」❸生気や活力がみなぎっている様子だ。ばりばり。「江戸っ子の―だい/―のニューフェース」

はりばん⓪【張(り)番】―する(自サ) 見張って番をする△こと(人)。

はりふだ⓪②【張(り)札】〔おおぜいの人に知らせることを〕書いて(壁などに)張る紙。表記 「貼り札」とも書く。

はりぼて⓪【張りぼて】Ⓐ張り子(で作った芝居の小道具)。Ⓑ商品の宣伝などのために、そのものの外観を象(カタド)って作成した模型。Ⓒ外見は見栄えがよくても、中身は空疎で貧弱であることのたとえ。

はりま⓪【〈梁間〉】〔建物で〕梁の渡っている方向の長さ。

はりまぜ⓪【張(り)《雑ぜ》】種々の書画をまぜて△張りつけること(張りつけた物)。「―のびょうぶ」表記 「貼り《雑ぜ》」とも書く。

はりまわ・す④【張(り)回す・張(り)〈廻す〉】〔マハス〕(他五) 〔幕などを〕周囲に張る。

はりめ③【針目】針で縫った跡。

はりめぐら・す⑤【張(り)巡らす】(他五) その物で、周囲を切れ目なく囲む。「垣根を―」

はりもの⓪【張(り)物】❶ほどいた着物などを洗って のりをつけ、板張りまたは伸子(シンシ)張りにすること。❷〔芝居の道具で〕木に紙を張り(色を塗って)木や石などの形に作ったもの。

バリヤー①〔barrier〕⇩バリア

はりやま⓪【針山】⇩はりさし

バリュー①〔value〕価値。「ニュースー・ネームー・ポスター―〔=宣伝効果〕」

ばりょう⓪【馬糧】〔リヤウ〕馬のえさ。馬の食糧。表記 「馬料(バレウ)」とも書く。

はりん⓪【破倫】人として守るべき道に そむくこと。

****は・る**⓪【張る】■一(自五) ❶〈どこ・なにニ〉― 一点から伸びた物の先が、陣を取るように広がる。「△根(つる・クモの巣)が―」❷〈どこ・なにニ〉― 液体の表面をおおうように、ある厚さの物が一面に出来る。「池に氷が―/温めた牛乳に膜が―」❸内に何かが詰まったようになり、△堪えられない(扱いにくい)状態になる。「乳が―〔=たまり過ぎて、痛みを感じる〕/腹が―〔=ふくれる〕/肩が―〔=ⓐ凝る。ⓑ肩幅が広くて、いかつく感じる〕/気が―〔=緊張△する(し過ぎて、負担を感じる)〕/値が―〔=高過ぎる〕/欲の皮が―〔=欲にとらわれる〕」■二(他五) ❶〈どこ・なにニ〉なにヲ― 先を伸ばし、陣を取るように広げる。「根を―/勢力を―〔=伸ばし広げる〕」❷〈どこ・なにニ〉なにヲ― 〔布や網などを〕一定面積にわたってしわや へこみの無いように伸ばし広げたり 糸・ひも・綱や針金などを一直線に伸ばし渡したりする。「クモが巣を―/綱を―〔=横綱になる意にも用いられる〕/水を―〔=ⓐたたえる。ⓑ一面に与える〕/△タイル(レッテル)を―/切手を―〔=のりでくっつける〕/障子を―〔=紙を張って障子になるよ

うにする〕」 ❸〈どこ・なにニ〉なにヲ―〉 相手につけ入るすきを与えないような構えを取る。「胸を―〔=突き出して、△悪びれない(誇らしい)態度をとる〕/△肩(ひじ)を―〔=いからす〕/陣を―〔=構えて、敵襲に備える〕/論陣を―〔=堂々たる言論をもって相手と渡り合う〕/向こうを―〔=相手に負けまいと対抗する〕/女を―〔=ⓐ手に入れようとして争う。ⓑ見張る〕/からだを―〔=自分を犠牲にするつもりで、何かに打ち込む〕/千円―〔=賭ヵける〕/我ガを―〔=わがままをどこまでも押し通す〕/見えを―〔=どこまでも、よく見せようと努める〕/意地を―〔=貫く〕/欲を―〔=普通以上に出す〕/逃げを―〔=どこまでも逃げようとする(態度をとり続ける)〕」 ❹〈どこ・なにニ〉なにヲ―〉 何かを迎え入れるために、必要な構えをとる。「店を―〔=設けて、客を待つ〕/宴を―〔=宴会をして、もてなす〕」 ❺〈なにヲ―〉 平手で打つ。「横っつらを―」 表記 ❶❷の付着の場合は、「貼る」とも書く。

**はる①【春】 ❶寒い冬の後、暑い夏の前の、気候の良い季節。雪・氷が溶け、草木が芽を出し、花を開く、三・四・五の三か月。〔陰暦では立春が新年に当たるので、新年の意にも用いられる〕「―の訪れが早い」 ❷〔開花期の意から〕最盛期。「我が世の―/人生の―〔=青年期〕/家に再び―〔=楽しい時期〕が来た」 ❸〔春機発動期の意から〕色情。「―〔=性的な感情〕の目ざめ/―をひさぐ〔=売春する〕」

ば・る(造語・五型) ❶必要以上に…を重んじていて、堅苦しい様子である。「△形式(様式・武)―」 ❷…の程度が普通よりはなはだしい状態である。「△四角(かさ・欲)―」

はるあれ⓪【春荒(れ)】 春先の暴風雨。春あらし③。

はるいちばん①-②【春一番】 立春から春分の間に初めて吹く暖かくて強い南風。春の訪れを示す。

バルーン②〔balloon〕 気球。風船。「アド―」

はるか①【〈遥か】—な/—に 〔距離・時間・程度が〕遠く隔たっている△状態(様子)だ。「空の―に消え去る/―な昔/―な異郷の空/―かなたを眺める/―に△上回る(超す)」

はるがすみ③【春〈霞】 春に立つ霞。

はるかぜ②【春風】 春に吹く穏やかな風。

はるぎ③⓪【春着】 △春(新年)に着る衣服。かぞえ方 一枚・一着

バルキー①〔bulky〕 太い毛糸でかさばるように織ったもの。「―セーター」

はるけ・し③【〈遥けし】(形ク) 〔雅〕△空間的(心理的)に遠く隔たっている。「はるけき空」 派 ―さ③

はるこ⓪③【春子】 春にとれるシイタケ。

はるご⓪②【春《蚕】 三、四月ごろから六月ごろにかけて飼うカイコ。「しゅんさん」とも。⇩なつご・あきご

はるごえ⓪【春肥】 〔農業で〕しゅんぴ。

バルコニー③②〔balcony〕 ❶〔建築で〕特定の一間の室外に張り出した、手すりのついた台。「玄関の〔=玄関の二階に設けた〕―」 ⇩ベランダ・テラス ❷〔劇場の〕二階などの桟敷。バルコン①とも。

はるさき⓪【春先】 春の初め。

はるさく⓪【春作】 春(から初夏)にとれる作物。↕秋作

バルサミコ③〔イ balsamico〕 ブドウの果汁を発酵・熟成させて造るイタリアの伝統的な醸造酢。「バルサミコ酢⑤」とも。

バルサム①〔balsam〕 いいにおいのする、やわらかい天然樹脂。香料などに使う。

はるさめ⓪【春雨】 ❶静かに降る、春の雨。 ❷透き通った糸状の食品。緑豆リョクトウやジャガイモなどのでんぷんから作る。豆そうめん③。

パルス①〔pulse〕 ❶脈拍。プルスとも。 ❷非常に短い時間だけ流れる電流や電波。衝撃電流⑤。「―通信④」

パルチザン③〔フ partisan〕 武器を取ってゲリラ戦をする、労働者・農民による非正規の戦闘組織。

はるつげうお④【春告(げ)魚】 春が来たことを知らせる魚。〔狭義では、ニシンの異称〕

はるつげどり④【春告(げ)鳥】 春が来たことを知らせる鳥。〔狭義では、ウグイスの異称〕

パルテノン③〔ギ Parthenōn〕 ギリシャのアテネにある、古代の神殿。

はるのななくさ①-②【春の七草】 ⇩七草

はるばしょ⓪【春場所】 毎年三月、大阪で行なわれる大ずもうの興行。三月場所。〔昔は、一月場所を指した〕

はるばる③②【〈遥々】(副)—と △やって来たここ(これから行くそこ)までの距離の遠さを思いやる様子。「―旅してきた/南極に―出掛けていく」

バルビタール④〔barbital〕 催眠剤や鎮痛剤として不眠症・船酔い・神経衰弱などに用いられた薬の商品名。〔現在用いられることはない〕

バルブ⓪〔bulb〕 ❶球根。 ❷〔写真で〕これをセットすると、シャッターボタンを押し続けている間、シャッターが開いたままの状態となる装置。

バルブ⓪〔valve〕 ❶〔機械の〕弁。 ❷真空管。

パルプ①〔pulp〕 ❶植物の繊維をつぶし、やわらかく溶かしたもの。紙・人絹などの原料。 ❷つぶしてやわらかくした果物。「リンゴの―」

はるまき⓪【春巻(き)】 中華料理の一つ。刻んだ具を、薄くのばした小麦粉の皮で包み、油で揚げたもの。

はるまき⓪【春〈蒔(き)】 〔草花や野菜などの種を〕春に蒔くこと。↕秋蒔き

はるめ・く③【春めく】(自五) 春らしくなる。

パルメザン③〔Parmesan〕 イタリア北部パルマ地方で産する硬質のチーズ。粉末にして料理に用いられることが多い。パルメザンチーズ⑥。

はるやさい③【春野菜】 春が旬の野菜。例、春キャベツ・菜の花・タケノコ・フキノトウなど。

はるやすみ③【春休(み)】 学年末から学年初めにかけての、学校の休暇の期間。

*はれ②【晴(れ)】 ❶空が晴れていること。「―が続く」 ❷その人にかけられていた疑いがなくなること。「―の身になる」 ❸人前で誇ることのできるような(公式の)機会。「きょうを―と着飾る/―の△入学式(結婚式)/―の舞台」 ↕褻ヶ

はれ⓪【腫(れ)】 腫れた状態。「―がひく/みみず―バれ」

はれあが・る④【晴(れ)上(が)る】(自五) すっかり晴れ渡る。

はれあが・る④【腫(れ)上(が)る】(自五) その部分が目立って腫れる。

ばれい⓪【馬齢】 〔馬の年齢の意から〕〔多く「―を重ねる」の形で〕たいした事もせずに、いたずらに重ねた年齢、の意の謙遜ケンソン語。

ばれいしょ⓪【馬鈴〈薯】 ジャガイモ。

はれいしょう③【晴(れ)衣装・晴(れ)衣〈裳】 晴れ着。

バレエ①〔フ ballet〕 〔フランスの宮廷で発達した〕音楽を伴った芸術的踊り。

バレー①⓪ バレーボールの略。

ハレーション②〔halation〕 〔写真で〕フィルムに入射した光が、乳剤層を通り抜け底面で反射し、不要な感光を与える現象。〔被写体に特に明るい部分があると起こりやすく、現像時に像のまわりがぼやけて見える〕

ハレーすいせい④【ハレー〈彗星】〔Halley=周期性の発見者〕 二十世紀には一九一〇年と一九八六年というように、古来約七十六年ごとに現われる、長い尾を引く彗星。〔太陽のまわりの楕円軌道を運行〕

パレード①②〔parade〕はなやかに行列を整えた行進。「優勝の—」

バレーボール④〔volleyball〕六人または九人のチームが、ネットをはさんで対し、ボールを下に落とさないようにして、手で打ち合う競技。排球。略してバレー。

はれがまし・い⑤【晴(れ)がましい】(形) 多くの人から祝福され、(いく分気恥ずかしい思いをいだきながらも)光栄に思う気持だ。「—場所(に出る)」派—さ⑤④ —げ⑤⑥⓪

はれぎ⓪③【晴(れ)着】晴れの場所に出る時に着る衣服。↕ふだん着 かぞえ方 一枚・一着

パレス①〔palace〕❶宮殿。殿堂。❷広い娯楽場。❸〔←palace crepe〕しわが細かくて、なめらかな外観と柔らかな手ざわりをもつ、ちりめんに似た布地。着物のすそまわしなどに使う。「正絹(ショウケン)—」

はれすがた③【晴(れ)姿】❶晴れ着を着た姿。❷晴れの場所に出た姿。

はれつ⓪【破裂】—する(自サ) 破れて、中の物が出て来ること。〔相談・交渉などがまとまらず、物別れになる意にも用いられる〕「心臓が—しそう」 **—おん**③【—音】一度閉じた唇などを瞬間的に開くことによって発音される音。[p]・[t]・[k]など。

パレット①② [一]〔フ palette〕絵の具を混ぜ合わせるための板。調色板。[二]〔pallet〕荷物をのせる板の台。「—輸送」かぞえ方 [一][二]とも一枚

はれて①【晴れて】(副)「天下晴れて」の省略表現。「—無罪となる」⇩天下

はればれ③【晴(れ)晴(れ)】(副)—と—する 悩みやわだかまりがすっかりなくなって、明るい気持になる様子。「—(と)した顔でやって来る/気分が—する」 **—し・い**⑤(形) ❶何のわだかまりもなく、心がすっきりしている状態だ。「—笑顔を向ける」❷自分の存在が認められて光栄に思われる様子だ。「—席に関係者の一人として招かれる」派—さ⑤ —げ⑤⑥⓪

はれぼった・い⑤【腫(れ)ぼったい】(形) 顔や手足の一部分が△腫れている(腫れたようにふくらんで見える)様子だ。「寝不足で—顔をしている」派—さ⑤

はれま③【晴(れ)間】❶雨・雪などのやんでいる間。❷雲の切れ間(に見える青空)。

ハレム①〔harem=「禁じられた場所」の意のアラビア語に由来〕イスラム社会で、女性専用の部屋。ハーレムとも。

はれもの⓪【腫(れ)物】⇩おでき「—にさわるように〔=その事柄に触れるのを恐れる様子〕」

はれやか②【晴(れ)やか】—な—に ❶空が明るく晴れ渡っている様子だ。❷〔気にかかることもなく〕心がさっぱりとしているように見受けられる様子だ。「表情は—だ」派—さ③④

バレリーナ③〔イ ballerina〕バレエ(の主役)を演じる、女性の踊り手。

***は・れる**②【晴れる】(自下一) ❶△雲や霧が無くなり(雨や雪がやみ)、青空が見える。❷心におおいかぶさっていた悩みや疑いなどが解消する。「気分が晴れない」表記「〈霽れる」とも書く。

は・れる⓪【腫れる】(自下一)〔病気・打身などのために〕皮膚の部分がふくれる。

ば・れる②(自下一)「〔隠していた事や、悪い事が〕人に気づかれてしまう」意の口頭語的表現。他動 ばらす②(五)

バレル①〔barrel〕⇩バーレル

ハレルヤ②〔hallelujah=「神をほめたたえよ」の意のヘブライ語に由来〕〔キリスト教で〕ハレルヤという文句の入った賛美歌。アレルヤとも。「—コーラス」

はれわた・る④【晴(れ)渡る】(自五) 空がすっかり晴れる。

ばれん⓪【馬〈楝・馬連】版木に当てた紙をこすり、画面を転写するための、竹の皮に包んだ道具。

ばれん⓪【馬〈簾】まといに垂れ下げる細長い飾り。紙または革製。

バレンタインデー⑤〔←St. Valentine's Day=異教徒の迫害にあって殉教した聖バレンタインの祭日〕二月十四日。毎年この日は恋人同士が贈り物や手紙を交換する。特にこの日だけは、女性から求愛してよいと言われる。

はれんち②【破廉恥】—な—に〔廉恥を破(ハ)す。つまり、およそ恥ということを知らない意〕不正を行なっても、平気でいる様子だ。「—漢④」 **—ざい**④【—罪】道徳に反した、殺人・放火・窃盗・贈収賄などによる罪。

ハロ①〔halo〕❶天体の暈(カサ)。❷後光。光の輪。

はろう⓪【波浪】(沖から押しよせてくる)波。「—注意報」

はろう⓪【破〈牢】「脱獄」の意の古風な表現。

ハロー①(感)〔hello〕(親しい)人に会ったとき、「やあ」という気持で掛ける声。

ハローワーク④〔和製英語 ←hello+work〕公共職業安定所の通称。公募により一九九〇年より使用。

ハロゲン①〔ド Halogen〕塩(エン)を作る、塩素・弗素(フッソ)・臭素・沃素(ヨウソ)・アスタチンの五つの元素。ハロゲン族元素⑦。 **—ヒーター**⑤〔halogen heater〕ハロゲンランプを熱源とする電気ストーブ。熱効率が良く、暖まりやすい。 **—ランプ**⑤〔halogen lamp〕沃素(ヨウソ)などのハロゲンガスを封入した電球。明るく長持ちする。

パロチン①〔parotin〕唾(ダ)の中にあるホルモンの成分。歯・骨などを丈夫にする。

バロック②①〔フ baroque=奇妙な・異様な〕十六世紀末から十八世紀初頭にかけて、イタリアを中心にして興った新たな芸術運動や、それによる芸術作品。「—美術⑤」 **—おんがく**⑤【—音楽】十七世紀ごろの、劇的で情緒豊かな様式の音楽。 **—しき**⓪【—式】ヨーロッパで十七世紀に流行した、複雑で躍動的な建築・美術の様式。

パロディー①〔parody〕有名な作品の文体・韻律・曲をこっけいにまねたもの。風刺と文明批評の要素を多く持つ。

バロメーター③〔barometer〕気圧計。晴雨計。〔物事を判断する目安の意にも言う。例、「血圧は健康の—」〕

バロン①〔baron〕欧州貴族の一番下の階級。男爵。

パワー①〔power〕❶物事を推し進めたり動かしたりする力。「—のある〔=馬力の強い〕自動車/たいした—〔=能力。実力〕だ」❷社会に与える集団の力。「ブラック—⑤・スチューデント—⑦・ウーマン—⑤」

パワーゲーム④〔power game〕大国間や権力の座を目指す者どうしの主導権争い。

パワーショベル④〔power shovel〕大型のショベル。動力ショベル⑤。パワーシャベル④とも。ショベルカー③④。かぞえ方 一台

パワースポット⑤〔power spot〕霊的な力が満ちていて、心身をいやしたり運気をよくしたりするとされる場所。神社・寺院、山・滝など。略してパワスポ⓪。「—めぐり⑧」

パワーハラスメント⑤④〔和製英語 ←power+harassment〕組織において、地位や職権を利用して部下に嫌がらせを行ない、心身に苦痛を与えること。略してパワハラ⓪。

ハワイアン〔Hawaiian〕[一](造語) ハワイ(風)の。「—ギター・—ミュージック」[二]② ハワイ風の音楽。

はわけ⓪【派分(け)】△党派(流派)に分けること。また、その区別。

はわたり②【刃渡(り)】❶刀剣の「棟区(ムネマチ)⓪〔=みねの方のつばの付け根〕」から切っ先までの直線を(曲尺(カネジャク)で)はか

った長さ。「―三尺」 ❷刃物の刃の上を素足で踏んで渡る曲芸。

パワフル①―に―な〔powerful〕 力強く活力がみなぎっていることが感じられる様子だ。「―なエンジン/―に生きる」

はん（凡・反・半・氾・犯・帆・汎・伴・判・坂・阪・板・版・〈叛・班・畔・般・販・斑・飯・搬・煩・頒・範・繁・藩・〈攀）→【字音語の造語成分】

はん（接尾）〔西日本方言〕さん。「あんた―」

はん①【反】❶〔弁証法で〕「正」に対し、全く対立するものとして想定される命題。↕正 ❷「反切（ハンセツ）」の略。「東（トウ）は徳紅の―」⇩【造語成分】

はん①【半】〔さいころの目で〕奇数〔=一・三・五〕。↕丁（チョウ） ⇩【造語成分】

***はん**①【判】❶「印判」の口頭語的表現。〔広義では、印章の意にも用いられる〕「―で押したように〔=いつも同じである様子〕/―を押す/ご―を願います〔=判を押してください〕」 ❷〔もと、きれの意〕紙・本などの大きさ。「―の大きな本/大―の絵本/A―・菊―・大―・小―」⇩【造語成分】

はん①【版】❶印刷をする元になる板（の面）。「―が悪い/―を改める/木―・活―・グラビア―」 ❷同じ本の同一版に基づく印刷回数。「―を重ねる/初―・再―・絶―」 かぞえ方 ❷は一版・三版・四版・六版・八版・何版は「パン」、四版は「ヨンハン」、八版は「ハチハン」とも。⇩【造語成分】

はん①【班】仕事・行動を一緒にするために分けられたグループ。「二―に分かれる/―長・作業―」 かぞえ方 一班・三班・四班・六班・八班・十班・何班は「パン」

はん①【煩】わずらわしさ。わずらわしい。「―を避ける/―に堪えない/―雑・―瑣（サ）」⇩【造語成分】はん・ぼん

はん①【範】手本。「―を△仰ぐ（示す・垂れる）/…に―をとる/模―・師―」⇩【造語成分】

はん①【藩】江戸時代に、大名が治めた土地。〔広義では、住民・機構などをも含む〕「―主・仙台―・薩長芸（サッチョウゲイ）三―（サンパン）同盟」

ばん（万・伴・判・板・〈挽・晩・番・蛮・〈輓・盤・〈磐・〈蕃）→【字音語の造語成分】

ばん①【万】（副）❶万に一つ（で）も。決して。「―遺漏（イロウ）なきよう」 ❷どうしても。「―やむをえない」⇩【造語成分】

バン①〔van=ほろ付きトラック〕 箱形の、貨物自動車。「ライト―」

***ばん**⓪【晩】 日の暮れ（たあと） 夜（になる少し前） 夕―の御飯/―酌・今―・明―」⇩【造語成分】

***ばん**①【番】❶代わるがわるする順序。「―を待つ/―号・順―・輪―・―外」 ❷順に入れ代わってする仕事。役目。「―に当たる/当―・週―」 ❸見張る△こと（人）。「店の―/―をする/―人・―兵（ペイ）・留守―」⇩【造語成分】

ばん①【盤】❶碁・将棋などの室内遊技をする台。「―に駒（コマ）を並べる/碁―」 ❷〔蓄音機の〕レコード。「名―・LP―」 かぞえ方 ❶は一面。❷は一枚 ⇩【造語成分】

ばん①【〈鷭】 水辺にすむ、中形の鳥。からだは黒っぽく、羽はオリーブがかった茶色。本州には四月ごろ渡って来て、十一月ごろ南へ去る。〔クイナ科〕 かぞえ方 一羽

パン（造語）〔pan-〕 全。汎（ハン）。「―アメリカン〔=全米〕」

パン〔pan〕 ■（造語） 柄の付いたなべ。「ミルク―④・フライ―」 ■①―する（自他サ）〔←panorama〕〔映画・テレビなどで〕カメラを水平に移動させて写す方法。移動撮影。

パン①〔ギ Pan〕〔ギリシャ神話で〕音楽の好きな、森林・牧畜の神。下半身は山羊（ヤギ）、上半身は老人の姿をし、山羊の角と、とがった耳と山羊ひげを持つ。牧神。⇩パニック

***パン**①【〈麺包〉・〈麺〈麭〉】〔ポ pão〕 小麦粉を水でこねて発酵させ、焼いた食品。欧米諸国などで、常食とする主要な食品。「人は―のためにのみ生くるにあらず/―の〔=生計を得る〕ために働く/―作り・菓子―」⇩食パン 表記 古く「〈蒸餅〉・〈麦餅〉、〈(蒸)麦麺〉・《麺》」。現在は、一般に片仮名書き。

はんあい⓪【汎愛】 だれかれの区別なく平等に愛すること。「―主義⑤」⇩博愛

パンアメリカニズム①-⑤、⑦〔Pan-Americanism〕⇩汎米（ハンベイ）主義

バンアレンたい⓪【バンアレン帯】〔Van Allen=人名〕 地球の赤道の上空を、三千キロと二万キロのあたりで二重に取り囲んでいる放射能粒子の帯。

はんい①【犯意】 ある行為が、犯罪になることを知りながら、その行為をしようとする意思。

はんい①【〈叛意】〔国家や君主に対して〕そむこうとする意図。

****はんい**①―イ【範囲】 ある決まった広がり。「―を△広げる（狭める・逸脱する・超える）/試験の―/勢力―⑤・守備―③」

ばんい①【蛮〈夷・〈蕃夷〉】「自己中心的な考えに基づき野蛮人だと見下してとらえた異民族」の意の古風な表現。

はんいご⓪【反意語】 ⇩対義語

ばんうたい③―ウタヒ【番謡】 一番の謡を初めから終わりまで省略しないでうたうこと。↕小謡（コウタイ）

***はんえい**⓪【反映】―する（自他サ） ❶〈どこ・なにニ―する〉何かの光を受けた面が（その光を映して）光って見えること。〔反射と同義で使うこともまれではない〕「夕日が△雪山（窓・池）に―する」 ❷〈なにニ―する〉 他の色との取り合わせがよくて、その色が一段と美しく見えること。 ❸〈なにニなにヲ―する〉 ある物の△本質（影響）が、具体的な形となって、△外（ほかのもの）に現われること。「教師の性格が生徒に―する/民意を―させる/世相の―」

はんえい⓪【繁栄】―する（自サ）〔国・家などが〕栄えて発展すること。「―を△築く（維持する）」

はんえいきゅう①-⓪、③―キウ【半永久】 ほとんど永久に近いこと。「―的①-⓪」

はんえり⓪【半襟】 女性の、じゅばんの襟の上に飾りとして掛ける襟。 かぞえ方 一枚・一本・一点

はんえん⓪―エン【半円】❶円を直径で二分した△もの（形）。「―形⓪」 ❷五十銭。

はんおう③―ワウ【藩王】 イギリスに統治される前から存続した、インド各地方の小王国の王。マハラジャ⓪③。

はんおん⓪【半音】 一オクターブの十二分の一の音程。ハ調では、ミ～ファ・シ～ドの音程。↕全音

はんおんかい③【半音階】 隣り合うどの二音の間もすべて半音になっている音階。↕全音階

はんか①【反歌】 長歌の末に添えた短歌。かえしうた。

はんか①【半価】 定価の半分。はんね。

はんか①⓪【半〈跏】「半跏趺坐（フザ）」の略。「―思惟（シイ）の弥勒菩薩（ミロクボサツ）」 **―ふざ**④【―〈趺坐〉・―〈趺座〉】〔座禅で〕片方の足を他方のふともも上に置く座り方。

はんか①【販価】「販売価格」の略。

はんか①【頒価】 非売品などを頒布する際の価格。

はんか①―クワ【繁華】―に―な 人が多く集まっていて、にぎわう様子だ。「―な商店街/―街③」 派 **―さ**③⓪

はんが⓪―グワ【版画・板画】 木版・石版・銅版などで刷った絵。 かぞえ方 一枚・一点

ばんか①【〈挽歌】〔昔、中国で死者の柩（ヒツギ）を挽（ヒ）く時に、うたった歌のことから〕人の死を悲しみいたむ歌。

ばんか①【晩夏】 夏の終りごろ。〔陰暦では六月を指す〕⇩初夏・盛夏

** * は重要語，⓪ ①… はアクセント記号，品詞の指示の無いものは名詞およびいわゆる連語。

ハンガー①〔hanger〕洋服掛け。かぞえ方 一本 **―ボード**⑤〔和製英語 ←hanger＋board〕小さな穴をたくさんあけ、S字形の金物で物をつるすように作ったハードボード。台所用の小ものや工具類の収納用。

バンカー①〔bunker〕〔ゴルフで〕砂地のくぼみ。コース内の障害物の一つ。「―ショット⑤」

ハンガーストライキ⑦〔hunger strike〕絶食を手段として行なうストライキ。略してハンスト。

はんかい⓪【半開】―する（自他サ）半分ほど△咲く（開く）こと。「桜が―だ／エンジン―」⇨全開・満開

はんかい⓪クワイ【半壊】―する（自サ）建物などが半分ほどこわれること。⇨全壊

ばんかい⓪クワイ【挽回】―する（他サ）〔遅れていたことや失ったものを〕取り△返す（もどす）こと。「列車の遅れを―する／名誉―」

ばんがい⓪グワイ【番外】❶〔決まっている番組・番号などの〕ほかのもの。「―の余興／―地」❷特別扱いすることが必要なもの。「彼は―だ」

ばんがい⓪③グワイ【盤外】〔碁・将棋で〕対局（者）以外。「―の雑音／―雑記」

はんがえし③ガヘシ【半返（し）】受け取った金品の半額に相当する金品を贈り手に礼として返す、慶弔の慣行。

はん

【凡】あらまし。全体。「凡例」⇩（本文）ぼん【凡】

【反】❶〔元の方へ〕かえる。かえす。「反映・反歌・反響・反射」❷繰り返す。「反復プク・反芻スウ」❸こたえる。「反動・反応」❹そむく。反対△する（の）。「反抗・反逆・反戦・反発・違反」❺ふりかえる。「反省」⇩（本文）はん【反】

【半】❶二分の一。半分（にする）。「半紙・半年・半永久的・半信半疑・夜半・折半パン・一時間半〔＝と三十分〕」❷不完全。「半途・半可通」❸小形の。「半弓・半鐘」⇩（本文）はん【半】

【氾】❶川の水などがあふれて広がる。「氾濫」❷すみずみまで行き渡る。「氾愛・氾論」

【犯】❶法律や規則などを△破る（にそむく）。〔刑罰を受けた回数をかぞえる時にも用いられる〕「犯罪・違犯」❷〔略〕犯罪。犯罪人。「防犯・知能犯」かぞえ方 ❶は一犯・三犯・四犯・六犯・八犯・十犯・何犯は「パン」

【帆】❶ほ。「帆船・帆走・出帆パン」❷ほかけ舟やヨット。「一帆イッパンの影だに見えず」

【汎】❶ひろい。「汎愛」❷あまねく（全体に）わたる。「汎称・汎神論」❸全。「汎太平洋同盟」〔❸はもと、英語などの pan- の訳語〕

【伴】ともなう。つれだつ。「伴侶リョ・同伴・随伴」

【判】〔もと、分ける意〕❶物事の善悪を区別する。「判明・判断・判定・批判」❷優劣・善悪などをさばく。「判決・裁判パン・審判パン」⇩（本文）はん【判】

【坂】傾斜した△道（土地）。さか。「坂路・急坂」

【阪】❶⇩坂 ❷〔略〕大阪。「阪神・京阪ケイ」表記 大阪も、江戸時代には「大坂オオザカ」と書くことが多かった。

【板】❶木材・金属などを薄く平らに△切った（した）もの。「板材・乾板パン・原板パン・甲板パンカン・合板ゴウハン・鉄板パン」❷印刷のために文字や絵などを彫る木の板。また、その印刷物。「板木ギ・板刻・板行・板本・官板パン・宋板・開板」

【版】❶印刷した本。「版権・版元モト・出版パン・改訂版パン」❷〔新聞などで〕特定の地域向けの編集をしたページ。〔広義では、同一の本で同様の編集をした本をも指す。例、「アジア版パン」〕「地方版パン・日曜版パン」❸人口や土地などを記録した帳簿。「版籍・版図ト」⇩（本文）はん【版】

【〈叛〉】そむく。逆らう。「叛旗・叛逆・叛乱・叛徒・離叛」

【班】⇩（本文）はん【班】

【畔】❶田のあぜ。「畔界」❷水のほとり。「湖畔・河畔・池畔・橋畔」

【般】❶同類の物事。「一般パン・全般パン・武芸十八般ジュウハッパン」❷特定の時期を表わす。「今般パン・先般パン・過般」❸梵ボン語の音訳字。「般若ニャ」

【販】物を売る。「販売・販価・販路・市販」

ばんかきょう⓪③クワキヤウ【万華鏡】⇩まんげきょう

はんかく⓪【反核】核兵器の開発や保有、そして使用に反対する△こと（立場）。「―運動」

はんかく⓪【半角】〔印刷で〕和文活字の半分の大きさ。⇩全角

はんがく⓪【半額】決まった△金額（料金）の半分。

はんがく⓪【藩学】江戸時代に、各藩で藩士の子供たちを教育するためにつくった学校。藩校。

ばんがく⓪【晩学】年をとってから学問を始めること。

ばんがさ⓪③【番傘】実用向きの、骨の太いからかさ。

ばんかず⓪③【番数】〔催し物・すもうなどで〕番組・取組の数。

ばんがた⓪【晩方】「夕方」の意の古風な表現。

*__ハンカチ__③⓪〔←handkerchief〕〔ポケットに入れる〕西洋風の四角な手ふき。〔古くは、ハンケチ〕かぞえ方 一枚・一点

はんかつう⓪③【半可通】―に 〔「可」は接辞「か」の借字〕知ったかぶりをする様子だ。また、その人。「―をふりまわす／―な理屈」

ばんカラ⓪【蛮カラ】―に 〔ハイカラのもじり〕身なりや言動が荒っぽくて、デリカシーを欠く△こと（人）。「―な気風」

バンガロー③〔bungalow＝「インドのベンガル地方の」の意のヒンディー語に由来〕❶ベランダ付きの、屋根の低い木造平屋住宅。❷夏に、山や海で使う、簡単な〔貸し〕小屋。かぞえ方 ❶は一軒。❷は一棟ヒトムネ

はんかん⓪【反間】敵の内部で仲間割れが起きるようにしむけること。「―苦肉〔＝敵をだますために、自分の苦しみをかえりみないこと〕」

*__はんかん__⓪【反感】他人の△存在（言動）を不愉快に感じて、反抗・反発する感情。「―を△持つ（いだく・買う）」

はんかん⓪ ❶【繁簡】〔説明などの〕繁雑な部分と簡略な部分。「―よろしきを得ず〔＝説明などがへただと謙遜ケンソンして言う語〕」❷【繁閑】忙しい時と、ひまな時。「―の差がはなはだしい」

はんがん⓪【半眼】目を半分ほど開くこと。また、その目。

はんがん①グワン【判官】❶ほうがん。❷「裁判官」の意の古風な表現。**―びいき**⑤【―〈贔屓〉】〔兄頼朝ヨリトモに嫉妬シッ視されて滅びた九郎判官源義経ミナモトノヨシツネの意〕第三者が、弱者の立場にあるものに同情する気持。「ほうがんびいき」とも。

【斑】色がまじっている。まだら。ぶち。「斑点・黄斑・紅斑・死斑・紫斑」

【飯】めし。食事。「飯米・飯場・赤飯・炊飯器・一宿一飯」

【搬】もちはこぶ。「搬出・搬送・搬入・運搬」

【煩】思いわずらう。「煩悶」⇩(本文)はん【煩】

【頒】わけ与える。「頒布・頒価」

【範】一定の区切り。「範囲・範疇」⇩(本文)はん【範】

【繁】❶やたらに多い。「繁雑・繁文縟礼・頻繁」❷さかん。「繁栄・繁盛・繁華街」❸しげる。「繁茂・繁殖」表記❸は、「〈蕃」とも書く。

【藩】⇩(本文)はん【藩】

【〈攀】よじる。よじのぼる。「登攀」

ばん

【万】❶数量がきわめて多い。「千万」❷すべて。「万国・万端・万事・万全・万能」⇩まん ⇩(本文)ばん【万】

【伴】ともなう。つれる。つれだつ。「伴食・伴走・伴奏・相伴」

【判】⇩(本文)はん【判】

ばんかん⓪【万感】心に起こるさまざまな思い。「―をこめる/―交々至る」

はんかんはんみん⓪-⓪【半官半民】政府と民間とが協同で出資する事業形態。例、公団など。

はんき①【反旗・〈叛旗】体制打倒のため実力行使に踏み切った決意を表明するための旗。「―をひるがえす(=そむく)」

はんき① ■一【半季】❶一季の半分。❷半年。半期。■二【半期】❶一期の半分。❷半か年の期間。「上―」

はんき①【半旗】〔弔意を表わすために〕さおの先から少し下の所につけて掲げる旗。「―を掲げる」

【板】■一材木・石・金属などを薄く平たく切ったもの。「石板・甲板・掲示板」〔野球で〕投手板。「登板・降板」❷ある年間(本屋)の出版。「元和板」⇩版 ■二❶(略)

【〈挽】❶ひいて、元にもどす。「挽回」❷〔葬式の時、棺を引くことから〕死を悲しみいたむ。「挽歌」

【晩】❶〔時期が〕おそい。「晩学・晩春・晩婚・晩成・早晩」❷おくての。「晩生・晩三吉(=ナシの品種)」⇩(本文)ばん【晩】

【番】物の順序・等級を表わす。〔針金・糸などの太さや、衆前で演じる勝負や演技など、出し物をかぞえる時にも用いられる〕「三番の歌詞/番地・番組・本番・一番」⇩(本文)ばん【番】

【蛮】❶(中国南方の)未開の人種。「蛮地・南蛮北狄」❷〔中国人から見た〕外国人。「蛮国・蛮人・蛮語」❸蛮人のように道理や礼儀作法をわきまえない。「蛮声・蛮行・蛮勇・野蛮」

【〈輓】❶車を引く。「輓馬・推輓」❷時間があと。「輓近」❸⇩挽❶

【盤】❶皿。皿状の物。「杯盤・水盤・円盤・石盤」❷一面に広がった岩。「岩盤・基盤」❸平らな表面に部品などを取り付けた器具・機械。「算盤・旋盤・配電盤」❹わだかまる。「盤踞・盤根」⇩(本文)ばん【盤】

【〈磐】■一大きな岩。「磐石」■二(略)磐城国。「磐越・常磐・磐州」

【〈蕃】〔もと、しげる意〕未開の異民族。外国。「蕃神」

はんき①【搬器】ケーブルにつるして、人などを運搬する箱状の乗り物。〔スキーのリフトをも指す〕

はんぎ⓪③【版木・板木】木版本を印刷するための、文字・絵画を彫った板。かぞえ方 一枚

ばんき①【万機】政治上の多くの大事な事柄。「―(=天下の政治)公論に決すべし」

ばんき①【晩期】❶晩年の時期。❷末期。

ばんぎ③⓪①【板木】江戸時代、火災の警報としてたたいた板。「はんぎ」とも。

はんきかん③④【半規管】内耳にあって平衡感覚をつかさどる器官。三本の管が互いに直交する平面内に位置しており、「三半規管」とも呼ばれる。

はんぎご⓪【反義語】⇩対義語

はんぎゃく⓪【反逆・〈叛逆】―する(自サ)国・主人・世間のやり方などにそむき逆らうこと。むほん。**―じ**④【―児】世間一般の風習や多くの意見に従うことをいさぎよしとせず、自分の考えの通りに行動する人。

はんきゅう⓪【半弓】すわったままでも射ることの出来る、小形の弓。↕大弓

はんきゅう⓪【半休】その日の午前または午後だけ仕事をして、あとは休むこと。

はんきゅう⓪【半球】❶球の半分。球をその中心を通る平面で二つに分けた一つ。「マグデブルクの―/大脳の右―」❷地球の中心を通る平面により地球の表面を二つに分けた時の一つ。〔正確には「半球面③」。天球の場合も同様〕「南―・東―・水―」

はんぎょ①【半漁】生計を立てる仕事の半分は漁業であること。「半農―⑤」

ばんきょ①【盤〈踞・〈蟠踞〉】―する(自サ)〔とぐろをまくようにして、うずくまる意〕❶しっかりと根を張っていて、にわかに動かすことができないこと。「地面に―している老松の根/胸中に―する感慨」❷そこに根拠地を占めて、勢力を振るうこと。

はんきょう⓪【反共】共産主義に反対する(を認めない)こと。「―同盟」↕容共

*__はんきょう__⓪【反響】❶―する(自サ)〈なにニ―する〉音波が何かにぶつかり、はね返って来て聞こえること。また、その音。❷〔新たに発表された物事に対してはね返って来る〕一般の人びとの論議や人気。「意外な(大きな)―を呼ぶ」

はんきょうらん③【半狂乱】強いショックを受けるなどして冷静さを失い、わけもなく泣き叫んだり わめいたりすること(様子)。

はんぎょく⓪【半玉】〔玉代が半分である〕見習いの芸者。おしゃく。↕一本■一❸

はんぎり⓪【半切(り)】大きな紙(全紙)を半分の大きさに切ること(切ったもの)。

はんきん⓪【半金】(支払うべき)金額の半分。「とりあえず―だけ入れる」

ばんきん⓪【万〈鈞】〔千鈞よりまだ重い意〕物がきわめて重いこと。「―の重み」

ばんきん⓪【板金・〈鈑金】〔ブリキなど〕金属を薄く板の

ように打ちのばしたもの。いたがね。

ばんきん[0]【〈輓近】「近ごろ・最近」の意の古風な表現。

はんきんぞく[3]【半金属】蒼鉛ソウエン・アンチモン・砒素ソヒなど、金属と半導体との中間の性質を持つものの総称。

バンク[1]〔bank〕❶銀行。〔俗に、血液銀行の称としても用いられた〕「アイー・データー」❷〔競輪で〕(カーブに傾斜のついた)競走路。〔❷は、❶と同じスペリングだが、別語〕

パンク[0]―する(自サ)〔←puncture〕❶タイヤのチューブに穴があいて、空気が漏れること。〔ふくれ過ぎて入れ物が破れたり使われ過ぎるなどして機能が失われたりする意にも用いられる〕❷破産すること。

ハンググライダー[5]〔hang glider〕ベルトでからだに固定した滑空機を、肩にかついで斜面を走り降り、加速して滑空するもの。ハング ライダー[4]とも。

パンクチュアル[1]―な〔punctual〕決められた時間をきちんと守る様子だ。

パンクチュエーション[5]〔punctuation〕文の意味を正確に伝えるために用いられるいろいろの補助符号(の使い方)。「.」「,」「:」「?」「!」など。

ばんぐみ[0]【番組】放送・演芸・勝負事などの組合せ。また、その順序、出場者の役割などを書いたもの。プログラム。〔広義では、「番付❷」を構成する一つひとつの出し物を指す〕「―を改編する/―に出演する/裏―・雨傘―[5]〔=雨天中止の場合のために用意された番組〕・新―[3]」

かぞえ方 一本

ハングリー[1]―な―に〔hungry=空腹な〕❶心を満たすものにひどく欠けている様子だ。「精神的に―だ〔=ひどく虚無的だ〕」❷ほしいと思うものを、手に入れるまで飽くこと無く求め続ける様子だ。「人の愛を―〔=貪ドン欲〕に求めている」―**せいしん**[6]【―精神】△現在置かれている苦しい境遇から何としても抜け出そうとして(かつて味わった苦しい境遇を常に思い出し)、死に物狂いでがんばらなければならないのだ、という気持をいだき続けること。

ハングル[1]〔朝鮮 hangeul. han=大・正か、geul=文字〕朝鮮の文字。「諺文オンモン」の改称。⇩訓民正音

ばんくるわせ[3]―クルハセ【番狂わせ】〔勝負事などが〕予想外の結果になること。

パンクロ[0]〔←panchromatic〕すべての色に感光するフィルム。パンクロマチック フィルム[9]。

はんぐん[0]【反軍・〈叛軍】❶政治△に関与(を支配)しようとする軍部に反対すること。❷反戦。「―思想[5]」❸反乱軍。

はんけい[1]【半径】〔直径の半分の意〕〔幾何学で〕△円(球)の中心から△円周(球面)上の一点に至る線分。また、その長さ。「回転―」

はんけい[0]【判型】〔書籍・雑誌などで〕仕上げの大きさの規格。A判とB判の二系列に分かれる。

ばんけい[0]【晩景】❶「夕景色」の古風な表現。❷「夕方」の意の古風な表現。また、方言形。「ばんげい・ばんげ」とも。

パンケーキ[3]〔パン=なべ〕❶〔pancake〕小麦粉に牛乳や卵を入れ、フライパンや鉄板で焼いた、ホットケーキに似た、薄い菓子。❷〔Pan-Cake=商標名〕(水を含ませたスポンジでつける、夏用の)薄くて平たい固形おしろい。

はんげき[0]【反撃】―する(自サ)敵の攻撃に対して、反対にこちらから攻撃すること。「―に出る/―を受ける」

はんげき[0]【繁劇】―な 非常に忙しい△こと(様子)。

はんげしょう[3]―シャウ【半夏生】半夏という薬草の生えるころ。夏至から十一日目。七月二日ごろ。「半夏[1]」とも。

***はんけつ**[0]【判決】―する(他サ)〈(だれニなにヲ)―する〉裁判所が、決定した結果〔=無罪か有罪か〕を、判断の根拠を示しながら言い渡すこと。また、その内容。「―が△確定する(くだる・出る)/無罪―を下す/有罪―を覆す/裁判はいつ―するのか予想がつかない/―の主文/―文[0][4]」

はんげつ[1]【半月】上または下が欠けた半円の形の月。―**ばん**[0]【―板】膝ヒザの関節の半月状の軟骨組織。

バンケット[1]〔banquet〕宴会。「ホテルの―ルーム」

はんけん[0]【半券】物を預かったり料金を受け取ったりした時の証拠とするために半分切り取って渡す札。

はんけん[0]【版権】❶「著作権」の旧称。❷著作物を出版してその利益を独占する権利。「出版権」とも。

はんげん[0]【半舷】軍艦の乗組員を右のふなばたと左のふなばたとに分けて言う時の、その一方。「―上陸[5]」

はんげん[0][3]【半減】―する(自サ)半分に△減る(減らす)こと。「放射能の―期/興味が―する」

ばんけん[0]【番犬】どろぼうなどの用心のために飼っておく犬。〔忠実な護衛役(に任ずる哀れむべき人間)の意にも用いられる。例、「財閥の―」〕

はんこ[3]【判子】〔「版行」の短呼〕印鑑。印。

はんご[0]【反語】❶Ⓐ△表面(普通)の意味とは反対の用法にその語を用い、対象の性格を根本的に批判する言い方。「―的に言えば、〃よく出来ました〃ということになる」Ⓑそのものを呼ぶのに、世間的な表現に従わず、反対概念をもって代えて呼ぶこと。また、その表現。例、極端に能力の劣る者を「御利口オリコウさん」と言うなど。〔「死ぬ」を「めでたくなる」、髭ヒゲを「剃ソる」を「当たる」と言うなどは、忌詞イミコトバでもある〕❷修辞の一つ。主体の意図とは異なるように受けとめられる問いかけから出発し、論理の積み重ねにより、相手を自オノズカら主体の意図通りの結語に誘導するような論法。「これを不正と言わずして何と言うのでありましょうか〔=不正であることにおいて、一点の疑念も無い〕(肯定疑問を発して否定の断定に導く論法)/天涯の孤児を助ける者は終イツに一人も無いのでしょうか〔=いや、広い世間には必ずや彼を救ってくれる人が居るはずだ〕(否定疑問を発して肯定の断定に導く論法)」

ばんこ[1]【万古】❶遠い昔(から今に至るまで)。「―不易フエキ[1]-[0]〔=いつまでも変わらないこと。万世不易とも〕」❷「万古焼キヤ[0]」の略。四日市付近でつくられる陶器。

ばんご[0]【蛮語】野蛮人だと見立てた外国人の言葉。南蛮語。〔昔、ポルトガル語・スペイン語・オランダ語の総称〕

パンこ[3]【パン粉】❶パンをかわかして粉にしたもの。〔フライの衣にする〕❷パンの原料にする小麦粉。

***はんこう**[0]―カウ【反抗】―する(自サ)〈(だれニ)―する〉親や立場上の人の言う事を聞かず、なんでも逆らってみたり自分の主張を押し通してみようとしたりすること。↔服従 ―**き**[3]【―期】子供が幼年期と青年初期とに親や周囲の人に対して反抗的になる時期。「第一―・第二―」―**てき**[0]【―的】―な―に 反抗するような言動を示す様子だ。「―なそぶり/―(な)態度」

はんこう[0]【反攻】―する(自サ)それまで防御一方であった者が、攻勢に転じること。

はんこう[0]―カウ【犯行】犯罪になる行為。「―に及ぶ」

はんこう[0]―カウ【版行・板行】❶[0]―する(他サ)書籍を印刷して売り出すこと。❷[3]印鑑。はんこ。

はんこう[1]【藩侯】藩主。

はんこう[1][0]―カウ【藩校】・―クワウ【藩〈黌】藩の学校。藩学。

はんごう[3][0]―ガフ【飯〈盒】〔野外で飯を炊くための〕アルミニウムで作った、深い容器。「―炊爨スイサン」

ばんこう[0]―カウ【蛮行】〔無抵抗な者や弱い立場の者に対するいわれない〕乱暴な行い。

【】の中の教科書体は学習用の漢字，〈 は常用漢字外の漢字，《 は常用漢字の音訓以外のよみ。

**ばんごう③【番号】 整理を△するために(したしるしに)順番に付ける数字。「(…に)—を付ける/—を振る/—札③・—順⓪・一連—・背—・ケッヘル—⑤・原子—」

はんコート③【半コート】 ❶羽織より少し長めのコート。❷丈の短いコート。かぞえ方 ❶❷とも 一枚

ばんこく①【万国】 世界のすべての国。「—共通・—博覧会⑦」 **—き**③④【—旗】〔飾りに使う〕世界のいろいろな国の小さな国旗。「ばんこっき③」とも。

ばんこく⓪【万〈斛】〔「斛」は「石(コク)」の意〕「計りきれないほど多い」意の古風な表現。「—の涙を飲む」

はんこつ⓪【反骨・〈叛骨】 権威・体制に媚(コ)びること無く、安易な世論に常に批判精神を失わぬ生活態度。「—精神」

ばんこつ①⓪【万骨】 多くの人びとの骨。「一将功成りて—枯る〔⇩一将〕」

ばんごや⓪【番小屋】 番人の詰めている小屋。

はんごろし⓪【半殺(し)】 もう少しで死ぬほどにまで痛めつけること。「—の目にあわせる」

はんこん⓪【〈瘢痕】 傷や、できものが治ったあとに残る傷あと。

ばんこん⓪【晩婚】 いわゆる結婚適齢期よりも年をとってから結婚すること。↔早婚

ばんこん⓪【盤根】 複雑に入り組んで広がった根。 **—さくせつ**⓪-⓪【—錯節】 入り組んで、処理や解決のむずかしい△事件(事情)。

はんごんこう⓪③【反魂香】 たくと死者の姿が煙の中に現われるという香。

はんさ①【煩〈瑣】—な 細ごまとわずらわしい様子だ。「—な手続き」 派 **—さ**③ **—てつがく**⑤【—哲学】 スコラ哲学。

はんさい⓪【半裁】—する(他サ)〔布・紙などを〕半分に△切ること(切ったもの)。 表記 「半〈截」と書くのは「はんせつ」の慣用読みによるもの。

はんさい①⓪【半歳】 「半年」の意の漢語的表現。

はんざい⓪【犯罪】 法律に違反する行為。「—を重ねる/—や暴力がはびこる/—人(ニン)⓪・軽—・凶悪—・性的—者」 かぞえ方 一件・一犯(パン)

ばんざい③【万歳】 ■一—する(自サ) ❶いつまでも生き、長く栄えること。「千秋—」 ❷めでたいこと。喜ぶべきこと。「うまくいけば—だ」 ❸「どうにもしようがないこと」の意の口頭語的表現。おてあげ。「もう—だ」 ■二(感)〔両手を勢いよく上げる動作を伴って〕祝福の意を表わす時、また勝負に勝った時(おおぜいで)唱える言葉。 表記 「万才」とも書く。

はんざき⓪【半割(き)・半裂(き)】 オオサンショウウオの異称。〔半身を切り取られても水に放つと生き続けるという言い伝えから〕

はんさく⓪【半作】 ❶収穫高が平年の半分しか無いこと。❷全体の収穫の半分。「苗—」

ばんさく⓪【万策】 あらゆる方法。すべての手だて。「—尽きる」

はんさつ⓪【藩札】 江戸時代、各藩ごとに発行した紙幣。

はんざつ⓪—な—に ■一【煩雑】 込み入っていて、めんどうな様子だ。「—な手続き」 ■二【繁雑】 物事が多くて、ごたごたしている様子だ。 派 **—さ**⓪

ハンサム①—な〔handsome〕 美男子(である様子)。「—な青年/—ボーイ」

はんさよう③【反作用】 加えた力に対し、同じ大きさではね返す力。反動。

ばんさん⓪【晩〈餐】 (ごちそうの出る)夕食。「—会③⓪」

はんし①【半死】 死にかかっていること。「—半生(ショウ)」

はんし①【半紙】 習字などに使う和紙。縦二四センチ、横三四センチぐらい。 かぞえ方 一枚:一帖(イチジョウ)

はんし①【藩士】 その藩に属する武士。

はんじ⓪①【判示】—する(他サ) 問題となった事実の認定などについて、裁判官が考えた結論を判決の形で示すこと。

はんじ①【判事】 裁判所で裁判を行ない、判決をくだす人。

ばんし①【万死】 △その事をすれば(そのまま居れば)死ぬことがまず確実に予想される△こと(状況)。「—に一生を得る/罪—に値する〔=罪がきわめて重い〕」

ばんし①【番士】 △当番(番所)の兵士。

ばんじ①【万事】 すべての事。「—オーケー/—休す〔=もう、どうにも手の施しようが無い〕」

パンジー①〔pansy〕 さんしきすみれ。

バンジージャンプ⑤〔bungee jump〕 ゴム製の命綱を付けて、高所から跳び下り、地面や水面近くまで達することで落下の恐怖を味わう遊び。

はんじえ③⓪【判じ絵】 判じ物の絵。

はんしき⓪【版式】 印刷版の様式。

はんした⓪【版下】 ❶版木を彫るために板にはりつける、清書した絵や図表。❷凸版などにするための、清書した原稿。

はんじつ⓪④【半日】 「はんにち」の古風な表現。

ばんしつ⓪【盤質】 レコード盤の品質。

はんじてき⓪【汎時的】—な 過去・現在・未来のいずれにもわたって認められる様子だ。

はんじもの⓪【判じ物】 ある意味を文字・絵画の中に隠して、考え当てさせるもの。

***はんしゃ**⓪【反射】 ❶—する(自他サ)〈なにニ—する/なにヲ—する〉 光・電波などが、何かの表面に当たって跳ね返ること。「△西日がビルの窓ガラスに(ビルの窓ガラスが西日を)—する/—光線④・—鏡⓪〔=光・熱を反射して、一か所に集める凹面鏡〕」 ❷意識や意志とは無関係に起こる、生理的な反応。「—運動〔=くしゃみ・まばたきなど〕・—神経・条件—」 **—ざい**⓪【—材】 どの角度から当たっても光が反射するように作られた素材。「自転車の—が夜間の交通事故を防ぐ」 **—しんけい**④【—神経】 刺激に対してすばやく反応する能力。「—がいい/—をきたえる」〔この名の神経は無い〕 **—てき**⓪【—的】—な—に ある刺激を受けたとたんに、無意識にそれに応じた行動をとる様子だ。「強い光を受けて—に眼をつぶる/この子は医者の姿を見ると—に泣き出す」 **—ろ**③【—炉】 燃料を燃やした炎や熱い気体を天井・側壁に反射させ、その熱で金属を溶かす仕掛けの炉。 かぞえ方 一基

ばんしゃ①【万謝】—する(自サ) ❶あつく感謝すること。❷深くわびること。

はんしゃかいてき①-⓪【反社会的】—な—に その社会の法秩序にあえて反抗したり 道徳上の社会通念を故意に無視したりする言動をとることによって、社会の他の成員にまで好ましくない影響を与える様子だ。「—分子」

ばんしゃく⓪【晩酌】—する(自サ)〔家庭で〕晩飯の時に習慣的に酒を飲むこと。また、その酒。

ばんじゃく⓪【盤石・〈磐石】 ❶巨大で重たく、容易に動かすことの出来ない岩。「大—」 ❷非常に堅固で何があってもびくともしない△こと(状態)。「—の備え/—の〔=強固な〕意志」

はんしゅ①【藩主】 その藩の領主。大名。

はんじゅ①【半寿】 〔「半」が、「八十一」と分解できることから〕八十一歳(の長寿の祝い)。

はんじゅ①【藩儒】 その藩に、召しかかえられている儒者。

はんしゅう⓪【半周】—する（自サ）円（の形の物）の周の半分（を回ること）。

ばんしゅう⓪【晩秋】秋の終りごろ。〔陰暦では九月を指す〕⇩初秋・中秋

ばんしゅう⓪【蛮習】野蛮な△習慣（風習）。

ばんしゅう①【播州】「播磨ハリマノ国」の漢語的表現。今の兵庫県南西部にあたる。「—素麺ソウメン⑤」

はんじゅく⓪【半熟】㊀（卵などを）堅くならない程度に△煮る（ゆでる）こと。㊁十分熟していないこと。

ばんじゅく⓪【晩熟】おそく成熟すること。おく（て）。↕早熟㊀

はんしゅつ⓪【搬出】—する（他サ）（△重い（かさばる）物を）運び出すこと。↕搬入

ばんしゅん⓪【晩春】春の終りごろ。〔陰暦では三月を指す〕⇩初春・仲春

ばんしょ⓪【板書】—する（自他サ）（教室などで）黒板に書くこと。

ばんしょ③【番所】㊀番人が詰めている所。㊁江戸時代の町奉行所。

はんしょう⓪【反証】—する（他サ）〔ある論（証）に対して〕否定する証拠（をあげること）。

はんしょう⓪【反照】㊀照り返し。㊁夕ばえ。

はんしょう⓪【半商】生計の半ばを商業に依存すること。「—半農⓪-⓪」

はんしょう⓪【半焼】—する（自他サ）火事で建物などが半分焼けること。↕全焼

はんしょう⓪【半鐘】火の見櫓ヤグラなどに取りつけて火事などを知らせるための、小形のつりがね。

はんしょう⓪【汎称】—する（他サ）同じ種類に属する幾つかの物を一まとめにして言う名称。〔動植物の名前にはこれに属するものが多い。例、サクラ・タデ・ウナギ・エイ〕⇩総称

はんじょう【半畳】㊀③①たたみ一畳の半分。㊁③昔、芝居小屋で見物人が敷いた小さなござの類。「—を入れる（=役者の演技などに不満がある時、見物人が半畳を舞台へ投げたことから、芝居見物中にからかいや非難の掛け声を出す）」㊂③「半畳㊁」から転じて、相手の話をからかったりまぜ返したりすること。［かぞえ方］㊀は一枚

***はんじょう**①【繁盛】—する（自サ）〔もとの用字は、「繁昌」〕客の出入りや荷物の動きが多かったり規模が次第に大きくなったりして、商売・事業などがいかにも盛んに行なわれている（ように見える）様子。「家内—（=家族が皆健康で、それぞれの仕事に精を出していること）」［表記］「蕃昌」とも書いた。

ばんしょう⓪【万象】（この世界に存在するあらゆる物の）とりどりの形。「森羅—」

ばんしょう⓪①【万障】いろいろのさしつかえ。「—繰り合わせてお出掛けください」

ばんしょう⓪【晩照】「夕日の輝き」の意の漢語的表現。

ばんしょう⓪【晩鐘】夕方につく、寺院・教会の鐘。入りあいの鐘。

ばんじょう⓪【万丈】〔一丈の万倍ほど〕の意〕非常に高く上がる形容。「黄塵コウジン—・気炎—・波瀾ハラン—」

ばんじょう⓪【万乗】〔昔中国で、天子は戦争の時、一万台の戦闘用の車を出したことから〕天子の位。「一天—の君」

ばんじょう⓪③【番匠】㊀昔、地方から来て、京都の御所に勤めた大工。㊁大工。「—小路」

ばんじょう⓪【盤上】（碁・将棋などの）盤の上。

バンジョー①〔banjo〕丸い胴に長い柄をつけ△四本（五本）の糸を張った弦楽器。アメリカ南部の黒人が使った。アメリカ民謡やジャズなどに用いられる。

はんしょく⓪【繁殖・蕃殖】—する（自サ）（動物・植物が）どんどん生まれてふえること。「—力④」

はんじょく⓪【繁縟】—な「繁文縟礼」の略。「—な規則」

ばんしょく⓪【伴食】—する（自サ）〔「お相伴ショウバン⓪」の意〕社会的地位としては重んじられるが、実権・実力を伴わない高級官吏（の地位）。「文相は、よく—大臣と言われた」

ばんしょく⓪【晩食】晩の食事。夕食。

パンしょく⓪【パン食】（主食として）パンを食べること。⇩米食

はん・じる⓪③【判じる】（他上一）㊀（それが何を意味しているか）推量して、解釈する。「夢を—」㊁判断する。「事の善悪を—」判ずる（サ変）。

はんしん⓪【半身】（人間の）からだを上下または左右に分けた時の、半分。「—像③・下カ—・右—」↕全身 **—ふずい**⓪-⓪【—不随】〔脳出血などで〕△左（右）の半身がしびれたりして動かなくなること。「—に陥る」 **—よく**③【—浴】—する（自サ）（全身の血行をよくするために）みぞおちあたりまで、ぬるめの湯に長時間つかる温浴法。

はんしん①【阪神】大阪市と神戸市（の間の地方）。「—淡路大震災」

ばんしん⓪【蕃神・蛮神】△異国の人（異教徒）の信じる神。〔侮蔑ブベツを含意した〕

ばんじん⓪③【万人】「ばんにん」の古風な表現。

ばんじん⓪【蛮人】野蛮な人。

はんしんはんぎ⑤【半信半疑】信じられるところもあるが、一方ではかなり疑わしいところも△ある（あり迷う）こと。

はんしんろん③ ㊀【汎心論】どんな下等な生物でも、またとえ物質にでもすべて心があるとする説。物活論④。㊁【汎神論】神は万物の中に存在し、従って万物は神と本質的に異なるものではないとする考え方。万有神論⑤。

はんすい⓪【半睡】（半ば目をさまし）半ば眠っていること。うつらうつらしていること。「—状態・—半醒ハンセイ」

はんすう⓪【反芻】—する（他サ）㊀（牛・ラクダなどが）一度飲み込んだ食物をまた口の中へもどして、かむこと。「—動物」㊁繰り返して考え、味わうこと。「教訓を—する」

はんすう③【半数】全体の半分の数。「—を△占める（超える・割る）／—にのぼる／—にも満たない／—交替」

ハンスト⓪ ハンガーストライキの略。

はんズボン③【半ズボン】ひざまでの長さのズボン。

***はん・する**③【反する・叛する】（自サ）（なにニ—）㊀対立する関係にある。「これに反し（て）（=…と反対に）」㊁合わない状態になる。食い違う。「△期待（意向・原則・目的・予想）に—」㊂体制の秩序や利益と相容イれない△状態となる（行動をとる）。「△親（道義・道徳・法の正義・国益）に—」反す①（五）。

***はんせい**⓪【反省】—する（他サ）（なにヲ—する）自分の今までの言動・あり方について、可否を考えてみること。「—を△促す（求める・生かす）／—の色も見られない／—が足りない」

はんせい①【半生】〔一生涯の半分の意〕その人がその時まで生きて来た軌跡。「—記③」

はんせい⓪【藩政】藩の政治。

はんぜい⓪【反税】高い税金に反対すること。「—闘争」

はんぜい⓪【反噬】—する（自サ）〔古〕〔動物が飼い主にかみつく意〕それまでの恩を忘れて、恩人に反抗すること。

ばんせい①【万世】「永久」の意の古風な表現。「—不易フエキ（=⇩万古バンコ—）」 **—いっけい**①-⓪【—一系】天皇の位を受け継ぐものが、一つの系統であり続けること。

ばんせい⓪【晩生】〔農業で〕おくて。「—種③」↕早生

ばんせい⓪【晩成】―する(自サ) ❶普通よりおそく仕上がること。❷年をとってから成功すること。「大器―」↕早成

はんせい⓪【蛮声】蛮カラな大声。

はんせいひん③【半製品】〔「完成品⓪」と違って〕途中まで出来あがっている品物。

はんせき⓪【犯跡】証拠となる犯罪の跡。「―を追う」

はんせき⓪①【版籍】〔版図（ハント）と戸籍の意〕領土と領民。「―奉還⓪-⓪、①-⓪」

はんせつ⓪【反切】〔「切」も「反」と同義〕問題の字音を説明するのに、既知の他の二つの字音をもってする方法。例、覚は吉岳の切（セツ）〔kiti-gaku →kaku〕。

はんせつ⓪【半切・半〈截〉】―する(他サ) ❶半分に切ること。❷唐紙（トウシ）・画仙紙などを縦に半分に切ったもの。また、それにかいた書画。

ばんせつ⓪【晩節】晩年の節操。「―を全うする/―を汚（ケガ）す」

はんせん⓪【反戦】戦争に反対すること。「―運動」

はんせん①【半銭】❶一銭の半分。五厘。❷わずかのお金。「一紙―」

はんせん⓪【帆船】ほまえせん。ほかけぶね。

はんぜん⓪【判然】―たる ―と 他と紛れる点が無く、そのものが明確にとらえられる様子だ。「どうも―としない」

ばんせん⓪【番線】❶太さによってつけた針金の番号。❷〔列車のスムーズな運行や乗客の便宜を図るため〕その駅において整理番号を付けた線路。〔どちらの側からかぞえ始めるかは各駅で異なる〕「八―(ホーム)」❸〔出版流通業界で〕整理番号を付けた、配本の系統。

ばんぜん⓪【万全】―な 少しの手落ちも無い△こと(様子)。「―を期する/―の△策(手を打つ)/配慮が―である」

ハンセンびょう⓪【ハンセン病】〔Hansen＝人名〕癩（イラ）菌の侵入によって起こる慢性の感染症。皮膚に斑紋（ハンモン）や結節が生じたり 脱毛が見られたりする。感染力は弱く、治療が可能。「ハンセン氏病⓪」とも。レプラ。〔癩病の改称〕

はんそ①【反訴】―する(自サ) 〔民事訴訟中に〕被告が逆に原告を相手取って起こす訴訟。

はんそ①【藩祖】藩主の祖先。

はんそう⓪【半双】対（イッ）をなしているものの片方。一双の半分。「―のびょうぶ」

はんそう⓪【帆走】―する(自サ) 帆をかけて、船が走ること。

はんそう⓪【搬送】―する(他サ) (重いものやかさばるものなどを)遠くまで運ぶこと。「けが人が病院へ―された/加工と―」 **―は**③【―波】電信・電話・テレビなどの音声や映像の信号波を伝送するのに用いられる高周波。

ばんそう⓪【伴走】―する(自サ) 走者のそばについて走ること。「―車（シャ）③」

ばんそう⓪【伴奏】―する(自サ) 声楽・器楽の演奏の効果をあげるために、補助としてほかの楽器を演奏すること。

ばんそう⓪【伴僧】法事・葬式などの時、導師につき従う僧。

ばんそう⓪【晩霜】「おそじも」の漢語的表現。

ばんそうこう⓪【〈絆創〈膏〉】〔「絆」は、傷口が開かぬように縛る意〕粘着剤をつけた△布(紙)。傷口をおおったりガーゼをとめたりする時に使う。［かぞえ方］一枚。小売の単位は一缶・一箱・一袋

はんそく⓪―する(自サ) ■一【反則】規則・ルールに反すること。「再び―をとられる/―を重ねて退場を命じられた/―負け⓪」■二【犯則】法律を犯すこと。

はんそく⓪【反側】―する(自サ) 寝返りを打つこと。「輾転（テンテン）―」

はんぞく⓪【反俗】独特の見識から世間一般のやり方に従わないこと。「―的⓪」

ばんそつ⓪【番卒】番をする兵卒。

はんそで⓪【半袖】ひじまでしか無い袖(の衣服)。〔広義では、三分袖③も含む〕

はんた①―な ■一【繁多】用事が多くて忙しい△こと(様子)。「御用―のところ恐れ入りますが」■二【煩多】めんどうな事が多い△こと(様子)。

はんだ⓪【半田・《盤〈陀〉】鉛と錫（スズ）の合金で、金属の接合剤。しろめ。「―付（ヅ）け」［表記］「ハンダ」とも書く。 **―ごて**③【―〈鏝〉】はんだと金属の接合部分を加熱するための工具。双方を溶かしてつなぎ合わせる。

ばんだ①【万〈朶〉】〔「朶」は垂れ下がった塊（カタマリ）の意〕花の重みで垂れ下がる多くの枝。「―の〔＝咲きそろった〕桜」

パンダ①〔panda〕ヒマラヤ南東部から中国南西部にかけての山地にすむ哺乳動物。ジャイアントパンダ⑥とレッサーパンダ⑤の二種類がある。前者は、小形のクマぐらいの大きさで、目の周囲・耳・四肢と前肢付近の背中とは黒く、それ以外はまっ白。〔パンダ科〕［かぞえ方］一頭

ハンター①〔hunter〕〔スポーツ・遊びとして〕狩りをする人。〔享楽を捜し求める人の意にも用いられる。例、「ラブ―③」〕

＊＊はんたい⓪【反対】■一❶対（イッ）の関係にある、もう一方。「暑いの―は寒い/道の―〔＝向こう〕側」❷―に ―な 〔左右・前後・上下・彼我などの関係が〕あるべき状態と入れ違いになっている△こと(様子)。「―の方向/事実はその―だ/兄と(は)―に〔＝逆に〕弟はよく働く/―向き」■二―する(自サ) 〈なにニ―する〉ある意見などに従わない△態度(行動)をとること。「―を△唱える(抑える)/―が強い/―に回る/△こぞって(真っ向から)―する/―意見・―討論⑤・―運動・―派⓪・―命題⑤〔＝アンチテーゼ〕」↕賛成［文法］行為の対象となる事柄は、「野党が与党原案に反対する」のように、「…に」で表わされるのが一般だが、例外的に「親が娘の結婚を反対する」などと「…を」を用いることもある。 **―きゅうふ**⑤【―給付】品物を買った人が売った人に代金を支払うように、一方の給付に対して相手の方でも同等の給付をすること。〔俗に、お返しの意にも用いられる〕 **―ご**⓪【―語】⇩対義語 **―しょく**③【―色】交ぜると、白色〔光の場合〕または灰色〔絵の具などの場合〕になる二つの色。赤と緑など。 **―じんもん**⑤【―尋問】裁判で証言した証人に対し、反対の立場にある検事、または弁護人が逆に尋問すること。

はんだい⓪【飯台】❶幾人かが一緒に食事が出来るように作った台。❷ちゃぶだい。

はんだい⓪【《盤台】(行商の)魚屋が魚を入れて運ぶのに使う、浅くて広い楕円（ダエン）形のたらい。「ばんだい⓪」とも。

ばんだい①【万代】「万世」の改まった表現。

ばんだい⓪【番台】ふろ屋・見世物小屋などの入口に高く作った見張り台(にすわっている人)。

はんたいじ③【繁体字】〔「簡体字」に対して〕簡略化を経ていない筆画の多い漢字の字体。主に、台湾・香港（ホンコン）・マカオなどで使用される。

はんたいせい①-⓪、③【反体制】その時の政治権力者側に見られる矛盾・腐敗を指摘し、その体制の打破を目的とした行動を行なう状態。「―的①-⓪」

はんだくおん④③【半濁音】〔「半濁」は、もと「本濁〔＝漢字音で本来の濁音〕」「新濁〔＝漢字音で、連濁などによって生じた濁音〕」に対する術語〕日本語の音で、パ・ピ・プ・ペ・ポ・ピャ・ピュ・ピョの称。〔かつて、英語など外来語のL音のラ行音や鼻濁音を指したこともあった〕

は

はんだくてん③④【半濁点】 p音であることを示すために、ハ行のかなの右肩につける「゜」のしるし。例、パ・ピ。〔「゜」は、中世においては濁音にならないことを示すしるし、近世では「さ゜」を「ツァ」と読ませることなどを示すしるし、今日では鼻濁音を表わすしるしとして方言学で用いられる〕

パンタグラフ④〔pantograph〕❶原図を任意の大きさに拡大・縮小して書くことが出来る器具。❷電車や電気機関車の屋根に取りつけて、架線から電気を取る鉄製の枠組。集電器③。

パンだね⓪③【パン種】 パンを作る時に入れて使うイーストや酵母など。

バンタム きゅう⓪【バンタム級】〔bantamweight の訳、bantam=チャボ〕 体重で決めた選手の階級の一つ。フライ級の上。

ばんたろう⓪【番太郎】 江戸時代、市中に設けられた番小屋の番人。「番太①」とも。

パンタロン①〔フ pantalon=細ズボン〕 すその広がった、ゆるやかなズボン。かぞえ方 一枚

****はんだん**①【判断】―する(他サ)〈なにヲ(なんだト)―する〉 ❶物事の実質を捉え、どう対処すべきかを決めること。「―が△つく(分かれる)/―を△下す(仰ぐ・求める・誤る)/どうするかは君の―に任せる/―に迷う/とっさの―で/―力③」 ❷前後の事情から△確かにそうであると考える(多分そうであろうと推し量る)こと。「文脈から意味を―する/外見から―すると」 ❸占い。「姓名―」

ばんたん⓪【万端】 ある事に関して、付随的な事柄までを含めたすべて。「準備―整った」

ばんち⓪【番地】 ❶区画された土地を識別するための番号。❷住所。あて名。アドレス。〔今は、地番とも言う〕 ❸⇩アドレス❷「―を指定して記憶内容を読み出す」

パンチ①〔punch〕 ❶△切符(紙)に穴をあける鋏。「―を入れる」 ❷〔ボクシングなどで〕相手を打つこと。〔相手を圧倒するに足る迫力の意にも用いられる。例、「先制―/―を効かす/―力③」〕 ❸〔❷の意から〕〔俗に〕強い衝撃。「―の効いた味/―のある声」 かぞえ方 ❶は一本・一挺

はんちか⓪③【半地下】 地下第一階の上半分(近く)が地上に出ていて、ある程度外光を取り入れることが可能な構造の建築様式。

パンチ カード④〔punch card〕 機械にかけて、分類・計算・推計などを自動的にするために、穴をあけて使うカード。

かぞえ方 一枚

はんちく①【半ちく】―な ―に 何をやらせても、どこかが抜けていて、本当の意味では間に合わない△こと(性分だ)。「仕事が―になる/―な人間」

ばんちゃ⓪【番茶】 摘み取ったあとに残った堅い葉や茎などから作る、品質の劣る煎茶。「(鬼も十八)―も出花〔=淹れたてはうまいところから、器量のそれほどでもない女性でも十八歳ぐらいの娘ざかりは美しく見えるものだ、の意〕」 ⇩玉露・煎茶

パンチャー①〔puncher〕 ❶〔ボクシングで〕パンチを得意とする人。「ハードー」 ❷キーパンチャーの略。 ❸「パンチ❶」を入れる道具。

はんちゅう⓪【範〈疇】〔「疇」は、類の意〕 事物が必ずそのどれかに属する、基本的な区分。種類。カテゴリー。

はんちゅう①【藩中】 藩の家臣全体。同藩の武士。

はんちゅうせいし⑤【反中性子】 中性子の反粒子。中性子と磁気モーメントの正負だけが反対である。⇩反粒子

はんちょう①【班長】 班の長。

ばんちょう①【番長】〔中学・高校生などの〕非行少年(少女)のグループのリーダー。

はんちょくせん③【半直線】〔幾何学で〕直線をその上の一点で二つに分けた時の おのおの。〔直線の分割に用いた点自体は、半直線に含めることも含めないこともある。いずれの場合も、この点を半直線の端点と呼ぶ〕「一点Aから出る〔=点Aを端点とする〕―」

ハンチング①〔←hunting cap〕 鳥打ち帽。

パンツ〔pants〕 ❶① 〔男子用・子供用の〕短い下ばき。さるまた。〔一昔前は、ズロースのことも指した〕 ❷① 〔スポーツ用の〕ズボン。「トレーニングー・ランニングー・海水ー」 ❸⓪ (上着とはセットになっていない)ズボン。主に女性用。「―スーツ・―ルック」 かぞえ方 ❶❷とも一枚

はんつき④【半月】 一か月の半分。

はんつき⓪【半〈搗(き)】 玄米を搗いて外皮を半分ほど取り△去ること(去った米)。五分搗き。「―米」

ばんづけ⓪【番付】 ❶〔すもうで〕強さによって、各力士の地位と順位を決め、行司・年寄なども加えて書いた一覧表。「―が上がる〔=地位・順位が昇進する〕」 ❷演芸の番組(や俳優の役割・筋書などを書いたもの)。

パンツ スーツ④〔pants suit〕 上着とズボンを同じ布で作った女性用のスーツ。かぞえ方 一着

はんづら⓪④【版面】 本などの一ページのうち、マージンを除いた印刷面。「はんめん」とも。〔通語〕〔その大きさや位置や仕上がりの感じを指すこともある。例、「―が上がり過ぎた/きれいなー」〕

ハンデ① ハンディキャップの略。ハンディ①とも。「―を△背負う(持つ)/―を与える〔=対等の条件で戦えるように、弱者に、あらかじめ何がしかの得点を考慮する〕」

ばんて⓪【番手】 ❶〔昔、陣立てで隊の順序を呼ぶ番号〕順番を表わす語。「一―の選手」 ❷糸の太さ・トタンの厚さなどを表わす単位。「六十―」

はんてい⓪【反帝】 帝国主義に反対すること。「―反戦」

はんてい⓪【判定】―する(自サ) 物事の正否などについて、規則や前例と照らし合わせるなどして結論を出すこと。「―を下す/―にゆだねる/―がつかない/―勝ち⓪」

はんてい⓪【藩邸】 江戸時代、江戸にあった諸藩の公的な屋敷。〔幕末には京都に置かれたこともあった〕

ハンディー①―な〔handy〕 持ち運びしやすい様子だ。「―なサイズ/―タイプ」 派―さ③⓪ **―トーキー**⑤〔handie-talkie=商標名〕 携帯用無線送受信機。⇩トーキー

パンティー①〔panties〕〔女性用の〕短い下ばき。パンティとも。かぞえ方 一枚 **―ストッキング**⑥〔和製英語 ↑panty + stocking〕 パンティーとストッキングが一つながりになっているもの。略してパンスト⓪。かぞえ方 一足

ハンディキャップ④〔handicap〕 ❶〔競馬・競走などで〕力を平均化するために、強い者につける不利な条件。〔その人にはどうすることも出来ないものとして負わされている身体障害などの意にも用いられる〕 ❷〔ゴルフで〕技術に応じて、実際の打数から差し引いてもらえ、有利な扱いが受けられる点数。ハンデキャップ④とも。また、略してハンデ。〔初心者ほど多く与えられる〕

ハンディクラフト⑤〔handicraft〕 手作りの工芸作品。手工芸品⓪④。

はんていりつ③【反定立】 アンチテーゼ。

ハンティング①―する(自サ)〔hunting〕 スポーツとしての狩猟。

パンデミック④③〔pandemic〕 感染症が世界的規模で大流行すること。感染爆発。

はんてん⓪【反転】―する(自他サ) ❶ひっくり△返る(返す)こと。❷進行方向からもとの方向へもどること。❸〔写真

て〕現像した陰画をもう一度処理して陽画にすること

はんてん⓪③【半天】〔古〕❶天の半分。❷なかぞら。

はんてん③【半〈纏・半天】❶羽織に似て胸ひもが無く、襟の折り返らない上っぱり。❷「しるしばんてん」の略。表記「〈袢纏〉・〈絆纏〉」とも書く。かぞえ方 ❶は一枚

はんてん③【斑点・班点】まだらにある点。表記「班」は、代用字。

はんてん①⓪【飯店】〔中国では、ホテルの意〕中国料理店の名につけられる称。

ハント①—する(他サ)〔hunt〕(享楽を)求め捜すこと。「ガールー」

はんと①【反徒・〈叛徒】謀反をした者ども。

はんと①【半途】〔事業などの〕途中。半ば。「学業ーにして倒れる」

はんと①【版図】〔戸籍と地図の意〕領土。「ーを広げる/最大ー」

ハンド〔hand〕■(造語)❶手。「ークリーム⑤〔=荒れ止めのクリーム〕・ーローション・ードリル・マジックー」❷手を使ってすること。「ーカット④〔=手でカットした〕・ーサイン④〔=手ぶりで送る信号〕・ーマイク④〔=手に持って使うマイク〕」■①—する(自サ)「ハンドリング❶」の略。

バント①⓪—する(自他サ)〔bunt〕〔野球で〕打者が、バットを軽くボールに押し当てるようにしてころがす打法。「犠牲ー④・送りー・セーフティーー・ーシフト④」

バンド⓪〔band〕❶〔物を束ねるための〕ひも(状の物)。「ゴムー・ブックー・ヘアー」❷〔ズボン・スカートなどをとめるために〕腰にする帯。ベルト。❸〔吹奏楽や、ジャズ・ロックなどポピュラー音楽の〕楽団。「ーマン」かぞえ方 ❶❷は一本

バンド①⓪—する(自サ)〔bound〕〔野球で〕バウンド。

バンド①〔bund〕〔シャンハイなどの〕海岸通り。

ばんど①【〈礬土】アルミナ。

パント①—する(自サ)〔punt〕〔ラグビーで〕ボールを手から離して、即座にけること。

はんドア③【半ドア】自動車のドアが完全にしまらない状態。「ーで走る」

ハンドアウト④〔handout〕❶官庁や企業が行なう広報活動。また、そのために配布する印刷物。ニュース リリース⑤・プレス リリースなどとも。❷〔研究発表などで〕参会者に資料として配付する、発表内容に関する印刷物。

はんとう⓪【反騰】—する(自サ)下がった△相場(値段)が反

***はんとう**⓪【半島】海の中に突き出して、三方が海で囲まれた陸地。〔狭義では、朝鮮(半島)を指す〕「ー国家⑤・能登ノー③・伊豆ー」⇩大陸

***はんどう**⓪【反動】❶ある方向への動き△がきっかけとなって(に反発して)生じる、逆な方向に働く力。〔物理学では、反作用を指す〕「急ブレーキのーで倒れる/受験勉強に明け暮れていたーで、入学後はスポーツに熱中する毎日だ」❷歴史の流れに逆らう、保守的な△傾向(人)。ーしゅぎ⑤【ー主義】❶暴力を用いる、極端な保守主義。❷ファシズム。ーてき⓪【ー的】—な/—に 極端に保守的な立場をとり、進歩的・民主的な運動に反対する言動を行なったり 弾圧を加えたりする様子だ。

ばんとう⓪【晩冬】冬の終りごろ。〔陰暦では十二月を指す〕⇩初冬・仲冬

ばんとう⓪【晩稲】おそく実る稲。おくて(の稲)。

ばんとう⓪【番頭】❶〔商店・旅館などの使用人で〕客の応対をする(最も)上位の男。❷〔主人にかわって〕実権を握っている人。「三井のー」

ばんどう①【〈坂東】〔古〕関東。ーたろう⑤【ー太郎】利根川の異称。⇩筑紫二郎・四国三郎

はんどうたい⓪【半導体】電気伝導率が良導体と絶縁体との中間にある物質の総称。ゲルマニウム・シリコンなどの外、酸化亜鉛や硫化鉛など。ダイオード・トランジスタその他広い用途がある。

はんとうまく③【半透膜】〔「半分透過させる膜」の意〕透析や濾過に使う、流体中の一部の成分のみを透過させる性質を持つ膜。例、細胞膜・セロハン膜など。

はんとうめい③【半透明】—な/—に 透明ではないが、それを通して見たものが何であるか判別できる程度に透き通っている状態。

はんとき④【半時】❶〔昔の時法で〕一時の半分。今の約一時間。❷ちょっとのま。「一時ーを争う」〔副詞的にも用いられ、アクセントは⓪〕

はんどく⓪【判読】—する(他サ)△よく読めない文字を(すぐには意味の汲み取れない語句を)いろいろな角度から検討して、読みこなすこと。「あまり達筆でーに苦しむ」⇩解読

はんどく⓪【〈繙読】—する(他サ)(自ら進んで)本を開いて読むこと。

はんとし④【半年】一年の半分。「はんねん⓪①」とも。〔副

ハンドタオル④〔和製英語 ←hand+towel〕手をふいたりするのに使う小さなタオル。かぞえ方 一枚

パントテンさん⓪【パントテン酸】ビタミンB複合体の一種。酵素を作る重要な材料の一つ。

バンドネオン④〔ド Bandoneon, Band=人名〕タンゴに使う、ボタンを押して弾くアコーデオン。

ハンドバッグ④〔handbag〕(主として女性が)ハンカチ・化粧品・財布などを入れて手に持つ、小型のかばん。手さげかばん。ハンドバック④とも。かぞえ方 一点

ハンドブック④〔handbook〕❶便覧。(旅行)案内書。❷携帯用の小型の本。かぞえ方 ❶❷とも一冊

ハンドベル④〔handbell〕手で振り鳴らす柄付きの鐘。特に、楽器として用いるもの。イングリッシュ ハンドベル⑩。

ハンドボール④〔handball〕七人ずつ二組に分かれた選手が、ボールを△パス(ドリブル)しながら、相手のゴールへ投げ込む球技。送球。

パントマイム④〔pantomime〕踊り・身ぶり・表情だけで事柄を表わす劇。無言劇。略してマイム①。

バンドマスター④〔bandmaster〕楽団の首席演奏者。楽長。

ハンドメード④〔handmade〕〔機械製品や市販品と違って〕手づくり(の品)。ハンドメイドとも。「ーのよさ」

パンドラ①⓪〔ギ Pandōra〕〔ギリシャ神話で〕最初に神が作った女性の名。「ーの箱〔=神が、すべての悪・災いを詰めてパンドラに渡した箱〕」

はんとり④③【判取(り)】❶—する(自サ)承認などのはんこを押してもらうこと。❷〔←判取帳⓪〕〔商店などで〕金銭・品物を受け取った証拠として、はんこを押してもらう帳面。かぞえ方 ❷は一冊

ハンドリング⓪①〔handling〕❶〔サッカーで〕反則の一つ。キーパー以外の選手の手・腕がボールに触れること。❷〔ラグビー・ハンドボールなどで〕ボールを手で扱うこと。また、その処理。

***ハンドル**⓪〔handle〕❶自転車・自動車の進行方向を変えたり 機械を操作したり するために、手で握って回す部分。「ーを取られる〔=運転者の意志に反する方向に車が行く〕」❷ドアを開閉するための取っ手。ノブ。ーネーム⑤〔和製英語 ←handle+name〕インターネットなどで用いる(本名以外の)別名。ハンドル。

バンドル① ―する(他サ)〔bundle〕 ある製品に別の製品を組み合わせ、一組にして販売すること。特に、パソコンにソフトウエアを組み合わせて販売する場合などをさす。「―ソフト⑤」

はんドン⓪【半ドン】〔半日だけドンタク〔＝休日〕の意〕制度として、午後は勤務の無い日。〔狭義では、土曜日を指した〕「土曜日を―にする」

はんなが⓪【半長】「半長ぐつ」の略。

はんなき⓪【半泣(き)】 今にも涙が出てきそうな表情になる△こと(様子)。

パンナ コッタ④〔イ panna cotta〕 生クリームに砂糖・香料・ゼラチンなどを加え、冷やして固めた洋菓子。

はんなり③(副)―と ―する〔京阪方言〕上品で、どことなくはなやかな雰囲気が感じられる様子。

ばんなん⓪【万難】 多くの困難や障害。「―を排して」

はんにえ⓪【半煮(え)】 十分煮えていないこと。「―めし④⓪」

はんにち⓪【反日】〔他国(の人)が〕日本(人)に△反対する(反感を持つ)こと。「―運動⑤・―感情⑤・―派⓪・―分子⑤」⇔親日

はんにち④【半日】 一日の半分。「はんじつ」とも。〔副詞的にも用いられ、アクセントは⓪〕

はんにゃ①【般《若》】〔知恵・清浄の意の梵(ボン)語の音訳〕❶〔仏教で〕迷いを離れ、事物の真相を見抜く本当の知恵。「―心経(シンギョウ)④」❷恐ろしい顔つきをした、女の鬼。「―の面」 ―とう⓪【―湯】〔僧の社会で〕酒の隠語。

はんにゅう⓪【搬入】―する(他サ)〔△重い(かさばる)物を〕運び込むこと。「絵画の―」⇔搬出

はんにん⓪①【半人】 一人前の半分。「―前⓪・―足(ソク)③〔＝体は一人前の大人だが、機転が利かず、半人前の役にしか立たない者〕」

はんにん①【犯人】❶法律上の罪を犯した者。「―を△突き止める(捕らえる)／真―・―像③〔＝犯人の性格などについて推定されるイメージ〕」❷他人に迷惑をかけるなどして責められる対象となる人やもの。「―はカラスだった」

ばんにん③⓪【万人】(ほとんど)すべての人。「ばんじん」とも。「―の認める所／―受けする〔＝だれにでも好まれる〕味／―向き⓪」

ばんにん③【番人】 番をする人。

はんにんかん③【判任官】 もと、高等官の下位の官吏。各省大臣・各地方長官などが、任命。

はんね⓪①【半値】❶定価の半分(の値段)。❷高値の半分(の値段)。

ばんねん⓪【晩年】 相応の人生経験を積んだ人が亡くなる前の数年間。〔中高年に達しない物故者(ブッコシャ)の生涯について回顧する時にはあまり用いない〕

****はんのう**⓪【反応】―する(自サ)〈なにニ―する／なにト―する〉❶こちらからの働きかけに対して、相手が何らかの言動をとったり心情の変化を示したりすること。「冷やかな―を示す／わざと怒らせるようなことを言って相手の―を見る」❷「刺激❶」に応じて、人間・生物のからだが何らかの変化を起こす△こと(現象)。「瞳孔(ドウコウ)が開いたままで光に―しない／△生活(生体)―の有無を調べる」❸〔化学で〕ある物質が、ほかの物質に触れて何らかの化学変化を起こすこと。また、その化学変化。「カーバイドは水と―してアセチレンガスを生じる／酸性―・化学―」 文法 ❶❷は、変化を起こす要因となるきっかけや刺激となる事柄を、一般に「…に」によって表わす。❸は、変化を起こす相手となる物質を、一体化した新たな物質に合成する場合には、多くその相手となる物質を「…と」で表わす。

はんのう⓪【半農】 生計を立てる仕事の半分は農業であること。「―半漁⑤」

ばんのう⓪【万能】 その面に関して考えられるすべての事柄に△効果(すぐれた才能)を発揮することが期待できること。「政治の世界まで金が―の世の中になってしまった／彼女はスポーツにかけては―だ／―薬③・―選手⑤」

はんのき①【《榛の木》】〔ハリノキの変化〕山野の湿地に生える落葉高木。高さが一五メートルにもなる。建築用。田のあぜなどに植えられ、秋の稲かけにも用いられる。〔カバノキ科〕 かぞえ方 一株・一本

パンのき①【パンの木】 太平洋諸島で栽培される常緑高木。高さ一〇メートルにも及ぶ幹に、パン質の果肉が生(ナ)る。食用。材は器具用。〔クワ科〕 かぞえ方 一株・一本

はんば⓪【飯場】 土木工事や鉱山の現場にある、労働者の宿泊所。〔かつて、頭(カシラ)が彼らの一切の自由を束縛し酷使したことが多い〕

はんぱ⓪【半端】―な ―に ❶全部そろっていない△こと(物)。不完全な△こと(物・様子)。「―な数／どうしても―が出る／―物(モノ)・中途―」❷どちらともつかない△こと(もの・様子)。「―な気持／―な待遇」 運用 口頭語では、「半端じゃない」の形で、そのことの程度が並大抵ではない、の意で用いられる。例、「あいつの怒りようは半端じゃない」

ばんば①【《輓馬》】 車を引かせる馬。

ばんぱ①【万波】 多くの波。「千波―」

パンパ①〔南米スペイン pampa〕⇩パンパス

バンパー①〔bumper〕 自動車・列車などの車体の前後に取りつけて、他の物にぶつかった時の衝撃をやわらげる装置。緩衝器③。

ハンバーガー③〔hamburger〕 ハンバーグをはさんだパン。

ハンバーグ③〔←Hamburg steak〕 牛肉などのひき肉にパン粉・みじん切りにしたタマネギなどを混ぜ、平たく丸い形にして焼いた料理。〔ハンバーグ ステーキ⑦の略〕

はんばい⓪【販売】―する(他サ) 商品などを売りさばくこと。「―元⓪・自動―機・―員・―促進」

バンパイア③〔vampire〕❶吸血鬼。❷バンプ。

はんばく⓪【反《駁》】―する(自サ) 他から受けた反対・非難に対して、逆に論じ返すこと。「はんぱく⓪」とも。「―を加える／―の余地が無い」

はんぱく⓪【半白・斑白】 白髪の交じった髪。ごましお。

はんぱく⓪【半拍】 一拍の長さの半分。

はんぱく⓪【半泊】―する(自サ) 夕方から夜中まで、または夜中から朝まで宿屋に泊まること。「―料金」

ばんぱく⓪【万博】「万国博覧会⑦」の略。「―会場⑤」

パンパス①〔南米スペイン pampas〕 南米、特にアルゼンチンの大草原。パンパとも。

はんばつ⓪【藩閥】 明治維新に功のあった藩の出身者が作った派閥。「―政府⑤」

***はんぱつ**⓪【反発・反《撥》】―する(自サ)〈なにニ―する〉❶外部から加えられた力によって変形・移動したままに終わらず、逆に△はね返す(はね返してもとの状態に戻る)こと。「竹は―する力が強い／磁石の同じ極どうしは互いに―する／―力を利用する」❷相手からの言動をそのまま受け入れる気にはならず、それ△を拒否(に反抗)する言動をとること。「政府の方針に野党が―する／税率引上げに―が強まる／―を△買う(招く)」❸下がった相場がまた上がること。「―気味」 表記 「発」は、代用字。

はんはば⓪④【半幅】 並幅の半分の幅。「―帯⑤」

はんばり⓪【半張(り)】 靴の底革を、前の方の半分だけ張ること。また、その張ったもの。

はんはん③⓪【半々】 半分ずつ。「兄と弟で―にする」

ばんばん①(副) 調子づいて勢いよく何かをする様子。〔俗

語的表現〕「―買物する／―飲むからね／―持って来い」

ばんばん⓪【万々】(副) ❶考えられる限りのすべてにわたる様子。「その点は私も―承知しているから／―かたじけない」 ❷〔否定表現と呼応して〕どう考えてもそういうことはあり得ないと、事態を全面的に否定することを表わす。「―疑い無し／危険は―あるまい」

ばんぱん⓪①【万般】 いろいろな面についてのこと。「―の準備は出来ている」

パンパン③〔語源未詳〕第二次世界大戦後、まちかどで客を引いた売春婦。「―ガール⑤」

ばんばんざい③【万々歳】 ❶国家や民族などがいつまでも栄えること。❷「万歳」の強調表現。

バンバンジー③〔中国・棒棒鶏〕 中国、四川(シセン)料理の一つ。鶏肉をゆでて細く裂き、トウガラシなどの香辛料を加えた胡麻味噌(ゴマミソ)のたれをかけたもの。

はんびらき⓪【半開(き)】 途中まで開いていること。「―のサザンカ／口を―にして／―の翼」

はんぴれい③【反比例】―する(自サ) 〔数学で〕二つの変化する量〔xとy〕のうち、一方〔x〕が△k倍($\frac{1}{k}$倍)になると、もう一方〔y〕がそれにつれて△$\frac{1}{k}$倍(k倍)になるという関係にあること。〔$y=\frac{a}{x}$という式で表わされる〕〔俗に、相関関係を持つ一方がふえると何ほどか他方が減り、一方が減ると何ほどか他方がふえることを指す〕逆比例。「一定の距離を行く時の速さと所要時間は―する」↕正比例

はんぷ①【帆布】 帆に使う丈夫な布。麻または もめんで作る。

はんぷ①⓪【頒布】―する(他サ) 多くの人に分けること。「―会③⓪〔=会員を募り特定の品を販売する△組織(会)〕・無料―」

バンプ①〔vamp〕 男を迷わす女。妖婦(ヨウフ)。

ばんぷ①【万夫】〔古〕多くの△男子(武士)。「―も当たるなし〔=対抗出来ない〕」

ばんぷう⓪【蛮風】 野蛮な風習。

はんぷうし③【半風子】〔シラミを漢字で「虱」と書くところから〕シラミの意の漢語めかした表現。

パンプキン①〔pumpkin〕 かぼちゃ。「―パイ⑥・―スープ⑥」

はんぷく⓪―する(自他サ) ■一【反復・反覆】 何度でも繰り返すこと。「―練習・―記号」 ■二【反覆】〔古〕変心して、約束を破ること。「―表裏―」

はんぷく⓪④【半腹】 山の中腹。「―に登る」

ばんぷく⓪【万福】 幸福の多いこと。「貴家の―を祈る」

パンプス①〔pumps〕 甲が広く開いていて ひもや止め金などのない女性用の靴。かぞえ方 一足

ばんぶつ①【万物】 宇宙にある、すべての物。「―の霊長〔=ホモ サピエンス。人間〕」

はんぶっしつ③【反物質】〔電子・陽子・中性子から成る実在の物質と違って〕その反粒子である、陽電子・反陽子・反中性子から成る物質。その存在は理論的には想定されているが、実在はまだ一部分しか確認されていない。

ハンブル①―する(他サ)〔fumble〕〔野球で〕ゴロを捕ろうとして、いったんはグローブやミットに当てながら、捕り損ねること。ファンブル①とも。ジャッグル。

パンフレット①④〔pamphlet〕 仮とじの小さい薄い本。小冊子。略してパンフ①。かぞえ方 一冊

***はんぶん**【半分】 ■一③ 全体を二つに等分したものの一つ。半ば。〔副詞的にも用いられる。アクセントは⓪〕「やっと仕事が―終わった」 ■二(造語) 何かする気持や動機のうちに、そのような要素が何ほどか含まれている(と見られる)ことを表わす。「おもしろ―・ふざけ―・いたずら―・遊び―」

はんぶんじょくれい⓪-⓪【繁文〈縟礼〉】〔「縟」は飾りが多い意〕規則・礼式などが、こまごまと決まっていて、めんどうなこと。

はんぺい⓪【藩〈屏〉】〔古〕〔「垣根」の意〕王室を守護するもの。「皇室の―」

ばんぺい⓪【番兵】 兵営の出入口を警戒したり 基地の重要施設を見張ったり する役の兵隊。

はんべいしゅぎ⑤【汎米主義】 米国を中心とする南北アメリカ大陸の諸国が地域的な結合を高めようとする考え。パンアメリカニズム。

はんへいめん③【半平面】〔幾何学で〕平面内の一本の直線によって平面を二つに分けた時の おのおの。

はんべつ⓪【判別】―する(他サ)〔本物かどうかなどを〕見分けること。「是非を―する」

はんべつ⓪【班別】 班ごとに分けること。

はんぺら⓪【半ぺら】「〔紙などの〕半分の大きさ」の意の口頭語的表現。

はんべ・る③《侍る》(自五)〔「はべる」の変化〕身分の高い人のそば近く(で奉仕して)いる。

はんぺん③ 魚のすり身にヤマノイモとでんぷんを混ぜて蒸したもの。一般に四角で、ふわふわしている。表記 もとは「半《弁》」、現在は「半片・半《平》」とも書くが、中国語 fang-bing(=方餅)から来たともいう。

はんぺん⓪【半片】 一切れの半分。はんきれ⓪。かぞえ方 一枚

はんぽ①【半歩】 一歩の(長さの)半分。

はんぼいん③【半母音】 子音でありながら、母音に近い性質を持つ音。ヤ行・ワ行の[j][w]などの音。半子音③。

はんぼう⓪(バウ)【半紡】 ❶横糸に紡績絹糸を使った絹織物。❷横糸に手紡(ボウシュ)の綿糸を使った綿織物。

はんぼう⓪(バウ)【繁忙】―な 用事が多くて忙しい様子だ。「―をきわめる」派 ―さ⓪③

ばんぽう⓪(バウ)【万邦】 すべての国。万国。「―共栄」

はんぽん①⓪【版本・板本】 版木、または活字を使って印刷した書物。↕写本 かぞえ方 一部・一冊・一点

はんま⓪③【半間】―に ❶(中途)はんぱな様子。「仕事を―にする」 ❷まぬけな様子。「―な奴(ヤツ)」〔❶❷とも、やや古風な口頭語的表現〕

ハンマー①〔hammer〕 ❶物をたたくための鉄製の槌(ツチ)。❷ピアノの部品で、弦をたたいて音を出させるきづち。かぞえ方 ❶❷とも 一本 ―**なげ**⓪【―投(げ)】 ピアノ線を取りつけた鉄の玉を、両手で振り回して遠くまで投げ競う競技。

はんまい⓪【飯米】〔農家が〕自分の家で食べるために取っておく米。〔主食に供する米の意にも用いられる〕「―農家〔=飯米にするだけの分量しか米の取れない農家〕」

はんみ⓪【半身】 ❶〔すもう・剣道などで〕相手に対し、からだを斜めにして構えること。❷魚を二枚におろした時の片一方。〔一方には骨が付き、一方には骨が付かない〕

はんみち⓪【半道】 ❶一里の半分。❷道のりの半分。

はんみょう⓪(メウ)【斑《猫》】 甲虫(コウチュウ)の一種。黒緑色の地に、黄色などの斑紋がある。ナミハンミョウ。みちおしえ③。〔ハンミョウ科〕かぞえ方 一匹

ばんみん⓪③【万民】(ほとんど)すべての国民。

ばんみん③⓪【蛮民】 野蛮な人民。

はんむ①【繁務】 いそがしい勤め。「―につく」

はんめい⓪【判明】―する(自サ)〔調査した結果〕原因・真相・実体などが分かること。

ばんめし⓪【晩飯】 晩の食事。

はんめん③⓪【反面】 ■一 そのものがもっている、普通に見ら

れる面とは対照的な別の面。「その激しさに、日ごろおとなしい彼女にも意外な—があることを知った」 ❸(副) その物事に関して、まず第一にあげられる面に対して、それとは対照的な面もありうると判断する様子。「娘の結婚はうれしい—寂しくもある」 —きょうし[5](ケウー)【—教師】 非教育的な反面をさらけ出すことによって、かえって生徒に一種の感化を与え得る効果を具有する教師。〔広義では、子に対する親や、若者に対する社会人の場合をも含む〕「—的な役割を果たす」

はんめん[0][3]【半面】 ❶顔の縦半分。「—像[3]」 ❷〔物の幾つかある面のうちの〕一つ。「—の真理」 ❸〔物を二つの面に分けた時の〕別の面。反面。「その—では」 ❹〔テニスやバレーボールなどの〕コートの半分(の面積)。

はんめん[0][3]【版面】 ⇩版づら

ばんめん[0][3]【板面】 板の表面。

ばんめん[0][3]【盤面】 ❶碁・将棋・レコードなどの盤の表面。 ❷碁・将棋の勝負の形勢。

はんも[1]【繁茂】—する(自サ) 草や木が多く茂ること。

はんもう(ォ)[0]【反毛】 毛糸・毛織物のくずを再製したもの。再製毛[3]。

はんもう(ォ)[0](マウー)【半盲】 △両目の視力が弱視よりも更に劣る(片方の目が見えない)視力障害。⇩全盲

はんもく[0]【反目】—する(自サ) 〔にらみあって〕仲が悪いこと。対立。「国家民族間の—をあおり立てる」

ハンモック[3]〔hammock〕 網または布で作ったつり床。

はんもと[0]【版元】 その本を出版した所。発行所。

はんもん[0]【反問】—する(自他サ) 人に何か尋ねられた時、尋ねた人に逆に尋ね返すこと。

はんもん[0]【斑紋・斑文】 まだらの模様。

はんもん[0]【煩〈悶】—する(自サ) いろいろと悩み苦しむこと。「いたずらに—する」

はんや[1]【半夜】 ❶夜中。 ❷〔古〕一晩の半分。

ばんや[0][3]【番屋】 番人の居る小屋。

パンヤ[0][1]〔ポ panha〕 パンヤの木という名の熱帯産の木の種を包んでいる絹のような繊維。綿の代りに布団やクッションに入れたりぬいぐるみの詰め物としたりする。木綿(ワタ)(キ)。カポック。

はんやく[0]【反訳】—する(他サ) ❶翻訳。 ❷△翻訳(速記)された言葉を、またもとの言葉にもどすこと。

まんやけ[0]【半焼け】 ❶〔食物などが〕半分ほど焼けている

こと。 ❷火事で建物などが半分ほど焼けること。はんしょう。

ばんゆう[0](イウー)【万有】 宇宙に存在するすべての物。 —いんりょく[5]【—引力】 宇宙に存在するすべての物が互いに引き合う力。ニュートンが発見した。

ばんゆう[0]【蛮勇】 自らの非力を承知の上で、△構わず(遠慮会釈なく)立ち向かう勇気。「会長という重職を、—をもって〔=もうどうでもなれというくらいの気持で〕引き受けた／—を振るって、人事の刷新を図る」

はんよう(ォ)[0]【汎用】—する(他サ) 広くいろいろの用途に使うこと。「—性に富む／—機械[5][6]」

はんよう(ォ)[0]【繁用】 用事が多いこと。「ご—[0]」

はんようし(ォ)[3](ヤウー)【反陽子】 陽子の反粒子。陽子と衝突して多数の「π(パイ)中間子[5]」を作る。⇩反粒子

はんら[1][0]【半裸】 上半身はだかになること。⇩全裸

ばんらい[0]【万来】 多くの人がやってくること。「千客—」

ばんらい[0]【万雷】 連続的に鳴る雷。「—の拍手〔=多くの人の盛んな拍手〕に迎えられる」

ばんらい[0]【万〈籟】 風に吹かれていろいろな物が立てる音。「—絶ゆ」

はんらく[0]【反落】—する(自サ) 上がった△相場(値段)が、反対に下がること。↕反騰

はんらん[0]【反乱・〈叛乱】—する(自サ) 体制側の意向・命令に逆らって、独自の行動をとること。「—を起こす／—軍[3]」

はんらん[0]【氾濫】—する(自サ) 〔「氾」も「濫」も、水があふれる意〕 ❶川の水などが一杯になってあふれ出ること。「内水—〔=河川外の下水道などの水が、排水困難となってあふれること〕」 ⇩洪水 ❷〔好ましくない物が〕一杯出回ること。「外来語の—／悪書の—」 表記「汎濫」とも書く。

ばんり[1]【万里】 距離がきわめて長いこと。「—の道を遠しとせず／—の長城」

はんりつ[0]【反立】 アンチテーゼ。

ハンりゅう[0](リウー)【《韓流】 〔「ハン」は「韓」の朝鮮語音〕韓国のドラマ・映画・音楽などの大衆文化の流行。かんりゅう。「—ブーム[5]」

はんりゅうし[3](リフー)【反粒子】 明確に存在の確認される素粒子〔=正粒子〕と対になっており、質量・寿命などは変わらず、電荷などだけが正負反対であるとされる素粒子。正粒子と出会うと合体消滅してエネルギーまたは他の粒子と

なる。

はんりょ[1]【伴侶】 一緒に連れだつもの。道づれ。連れ。「人生の—〔=配偶者〕」

はんりょう(ォ)[3][0](リヤウー)【半量】 半分の分量。

ばんりょく[0][1]【万緑】 見渡す限り一面に緑色であること。「—叢(ソウ)中紅(コウ)一点〔=ⓐ特にすぐれたものが一つだけ目立って見える形容。ⓑ多くの男性の中に女性がひとり居る形容〕」

ばんりょく[1]【蛮力】 乱暴な力。

はんるい[0]【煩累】 めんどうな△こと(心配事)。

はんれい[0]【凡例】 本の初めに、その本を読む上で参考になる事項を箇条書にしたものや約束事。〔「ぼんれい」は誤り〕

はんれい[0]【反例】 ❶〔数学で〕その命題が成り立たないことを示す反証として与えられる実例。例、「四角形の対角線の長さが等しければ、その四角形は長方形である」という命題に対する「等脚台形」。 ❷その命題が無条件に成り立つものではないことを示す、例外的な少数の事例。

はんれい[0]【判例】 判決の実例。「判決—集」

はんれい[0]【範例】 「見本・手本」の意の漢語的表現。

はんろ[1]【販路】 品物を売りさばく方面。うりくち。うれくち。はけぐち。「—を開拓する」

はんろう(ォ)[0](ラウー)【煩労】 めんどうな骨折り。

はんろう(ォ)[0](ラウー)【藩老】 その藩の家老。

はんろん[0]【反論】—する(自他サ) △反対(批判)されたことに対して言い返すこと。また、その論。「—が△出る(強い)／—を試みる／—に努める」

はんろん[0]【汎論】 ❶〔学問の専門分野について〕広く全体にわたって論△じること(じた本)。 ❷概括した議論。

はんろん[0]【藩論】 その藩としての意見。「—統一」

はんわり[0]【半割(り)】 縦半分に割ること。

ひ…ヒ

ひ〔比・皮・妃・否・批・彼・披・泌・肥・非・卑・飛・疲・秘・被・悲・扉・費・碑・〈鄙・罷・避・〈臂〉→【字音語の造語成分】

ひ【比】 ❶[1]〔比べられるほどの〕同類のもの。たぐい。「…の

—ではない／—類・無—」 ❷①⓪〔数学で〕同種類の二つの量の間で、一方が他の幾倍に当たるかという関係(を表わす式)。「AとBの—を求める／—例・等—級数」⇩【造語成分】

ひ①【否】 認めないこと。賛成しないこと。「可とする者より、—とする者の方が多い／—決・—定」⇩【造語成分】

ひ①【非】 ❶△道理(道徳)に合っていないこと。「—をあばく／—礼・—道・—行・前—(ゼン ピ)」 ❷状況や条件が悪いこと。不利。「形勢が—である／—運」 ❸あやまり。欠点。「—の打ちどころが無い〔=非難すべきところが無い〕／—を認める」⇩【造語成分】 【—を打つ】 ❶悪いところをチェックする。 ❷非難する。

ひ①【秘】 人にめったに見せたり知らせたりしない△こと(もの)。秘密。「—中の—／—境・—策・—術・—蔵・—伝・—法・—宝・極—(ゴク ヒ)」⇩【造語成分】

ひ①【〈婢】〔古〕女性の召使。

ひ⓪【碑】〔ある人物や事柄を記念するために〕石に彫りつけた文や絵。また、その石。石碑。「記念—・文学—・句—」

ひ⓪【〈緋】 火のように明るい紅色。「—鯉(ゴイ)」

ひ①【《一】 「一(チ イ)」の意の和語的表現。〔「ひ(い)、ふ(う)、み(い)」とかぞえる時のみ用いる〕⇩ひと(一)・ふ(二)

** **ひ**【日・《陽】 ❶❶⓪ 太陽。「—が出る／—〔=太陽の光・熱〕が強い／—に焼ける〔=⇩焼ける❷〕／—〔=太陽が出ている間〕が長い／まだ—が高い／—暮れて道遠し〔=△年はとったが(期日は迫ったが)目標の完成まで程遠いので焦りを感じることだ〕／—が当たらない〔=ⓐ太陽の光がそこまでは差し込まない。ⓑ下積みの生活が続き恵まれない環境にある〕」 ❷⓪〔「〜の日」の場合のアクセントは①〕朝、太陽が出て、次の朝に出るまでの間(を単位とした時間の長さ)。一日。一昼夜。〔生活日としては、昔は日没から次の日没までを指した。従って季節によって長短の差がある。天文学的には、午前零時から夜の十二時までを指し、地球が一回自転する時間にほぼ等しい。約二十四時間〕「風の—も雨の—も／—を追って暑くなる／—がたつのは早い／もう—〔=日数〕が無い／—を限る〔=日を単位にして期限を定める〕／—〔=一日単位の〕雇い」 ❸① 特定の(行事をする)日。「卒業の—が近づく／△母(父・耳)の—／—曜—(ビ)」 ❹① 時期。「若き—の思い出／失敗した—〔=場合〕には／Aさんと来た—には〔=少し皮肉を交えて、Aさんがそれをする段になると〕」 ❷(造語) 毎日…すること。「—風呂(ブロ)⓪・—髪(ガミ)⓪〔=毎日髪を結い直すこと〕」

** **ひ**①【火】 ❶強く熱せられ、明るい色になって燃えるもの。さわると熱い。「—が△出る(回る)／—を噴く／—の粉(コ)をかぶる／—に当たる〔=暖をとる〕／—を通す〔=熱を加える〕／なべを—に掛ける〔=調理するために火の上に置く〕／—を出す〔=火事を起こしてしまう〕／—の用心③／—をつぐ〔=続けて燃えるように炭などを補う〕」 ❷【灯】 明るくするための、(火の)光。あかり。「明るい—がともる／伝統の—を消す」 ❸激しい好悪・恨みなどの感情。「胸の—」 表記 「灯」の旧字体は「〈燈」。 かぞえ方 ❶は一本。❷は一点・一道・一灯 【—が付く】 ❶燃え出す。 ❷今まで対岸の火事を見るように傍観者の立場でいられたが、自分自身の問題として何らかの対処を求められる事態に立ち至る。 【—が消えたような】 寂しくなった形容。 【—に油を注ぐ】 勢いのあるものをますます激しくするたとえ。 【—を付ける】 マッチなどを使って、火を生じさせる。 【—を見るより明らか】 否定することの出来ない現実の出来事だ。

ひ①【〈杼】〔機(ハタ)織りで〕横糸を巻いた管を入れる、舟形の箱。 表記 「〈梭」とも書く。

ひ①【〈樋】 ❶〔水などを引くために〕竹などで作った細長い管。かけひ。「埋—(ウズミ ヒ)」 ❷刀の刃につけた、細長いみぞ。 かぞえ方 ❶❷とも一本

び(《未・尾・眉・美・備・〈媚・微・鼻) →【字音語の造語成分】

び①【美】 ❶美しい△こと(もの)。「自然の—／—声・—術・—少年・健康—」↕醜 ❷よいこと。ほめる価値のあること。「有終の—／—談・—風・賛—・—酒・—食」⇩【造語成分】

び①【微】 非常に細かいこと。「—に入り細(サイ)をうがつ／—小・—細・—生物」⇩【造語成分】

ひあい⓪①【悲哀】 しみじみと感じられる悲しさ。「人生の—」

ひあが・る③【干上(が)る】(自五) ❶〔湖・池・田などが〕かわいて、水が無くなる。 ❷金が無くて、暮らせなくなる。「失業して—／口が—」 表記 「《乾上がる」とも書く。

ひあし⓪【日脚・日足】 ❶日が出てから、暮れるまでの時間。「春分を過ぎて—が延びる」 ❷時刻によって変わる、太陽の位置。「—が移る」

ひあし⓪【火脚・火足】 火の燃え広がる速さ。「—が意外に速く大火事になった」

ピアス①〔←pierced earring〕 耳たぶに穴を開けて付ける耳飾り。

ひあそび②【火遊(び)】—する(自サ) ❶〔子供などが〕火をおもちゃにして遊ぶこと。 ❷△その場限り(遊び半分)の情事。

ひあたり⓪【日当(たり)・《陽当(たり)】 日光が当たる△こと(場所)。また、日光の当たりぐあい。「—のいい家／—の悪い部屋」

ピアニシモ③〔イ pianissimo=最も弱く〕〔楽譜で〕「ごく弱く」の意の演奏指定〔記号 *pp*〕。ピアニッシモ③とも。↕フォルティシモ

ピアニスト③〔pianist〕 ピアノを弾く音楽家。ピヤニストとも。

ピアノ⓪〔イ piano〕 ❶鍵盤(ケンバン)楽器の一つ。大きな共鳴箱の中に金属の弦を張り、キーをたたくと、ハンマーが弦を打って音を出す。ピヤノとも。 ❷〔楽譜で〕「弱く」の意の演奏指定〔記号 *p*〕。↕フォルテ 表記 ❶は「〈洋琴〉」とも書いた。 かぞえ方 ❶は一台

ピアノせん⓪【ピアノ線】 炭素含有量が多く強度にすぐれた鋼線。ピアノ・ギターなどの弦のほか、ばね・ワイヤロープ・コンクリート補強用鋼線などに用いる。

ひあぶり②【火〈炙(り)】 昔、罪人を焼き殺した刑罰。

ヒアリング〔hearing〕 ❶⓪①〔外国語の学習で〕外国語を耳で聞いて理解すること。リスニング。 ❷⓪△公的に(公開の場で)、関係者から事情の説明や意見を求めること。「予算原案の—／公開—」〔❶❷ともヒヤリングとも〕

ひあわい⓪【〈廂《間】(ヒ アハヒ)〔ひさしとひさしの間の意〕家と家との間の狭い所。

ひい【《曽】(造語)〔「ひ」の長呼〕二代隔てた。〔自分を中心にして曽祖父母および ひまごの関係〕「—おじいさん④〔=祖父母の父〕・—まご①⓪〔=孫の子〕」

ひい①【非違】(ヒ キ)〔古〕法にはずれたこと。違法。「—を糺(タダ)す／検—使(ケビ イシ)」

ビー① ❷【B・b】 英語アルファベットの第二字。 ❷【B】 ❶〔段階・等級・分類・順序などの〕二番目。「—級〔=⇩B級〕・—面⓪・—タイプ③・一年—組②-⓪」 ❷具体名の代わりとして、Aに続けて用いる仮称。「A高校と—高校／少年Aと少年—」 ❸血液型の一つ。「—型⓪」 ❹⇩ビー(B)判「—5のノート」 ❺〔←basement〕 建物の地下階を表わす記号。「—2⓪、①-①〔=地下二階〕」 ❻〔←black〕 鉛筆の芯(シン)の軟らかさを表わす記号。「H(エイチ)

―④・2―(ニ)②(ビー)・(ニィ)③(ビイ)」↕エイチ(H) ❼〔音楽で〕ロの英語音名。イタリア語音名のシ。変ロ、シの変音のドイツ語音名。❽〔↑bust〕胸囲を表わす記号。❾既製の紳士服で、標準と太めの間の体型を表わす記号。「―体⓪・―体⓪」❿〔↑boron〕ホウ素の元素記号。

びい①【微意】〔多く手紙文で〕相手に対する自分の気持を謙遜(ケンソン)して言う語。「感謝の―を呈する/私どもの―をおくみいただければ幸いです」

ピー① ■一【P・p】英語アルファベットの第十六字。■二【P】❶〔↑parking〕駐車場や駐車可を表わす記号。❷〔↑pitcher〕野球で、投手。「―〔=ピッチャー〕ゴロ⓪」❸〔↑producer〕プロデューサー。「吉川―」❹〔↑phosphorus〕リンの元素記号。■三【p】❶〔楽譜で〕「ピアノ❶」の略記号。❷〔↑page〕ノンブル〔=ページ番号〕を示す文字。〔p.と書く〕「p.17」

ピーアール③【PR】―する(自他サ)〔↑public relations〕〔官庁や会社が〕広く公衆に、事業(営業)内容などを分かってもらうように宣伝すること。「―活動・―映画」

ピーエイチ③【pH】⇩ペーハー

ピーエイチエス⑥【PHS】〔↑personal handyphone system〕簡易型の携帯電話。

ビーエイチシー⑥【BHC】〔↑benzene hexachloride〕ベンゼンに塩素を作用させて作る、強力な殺虫剤。〔現在日本では使用禁止〕

ビーエス⓪【BS】〔↑broadcast(ing) satellite〕放送衛星。

ピーエス③【PS】〔↑ラ postscriptum〕手紙の追伸を表わす記号。

ビーエスイー⑤【BSE】〔↑bovine spongiform encephalopathy〕牛海綿状脳症。脳の組織が海綿状になり、行動異常などの神経症状を示す牛の病気。発病後二週間から半年で死に至る。〔「狂牛病」は俗称〕

ピーエム③【PM】〔↑ラ post meridiem〕「午後」の略。「1: 30 p.m. 上映〔『p.m. 1: 30』とするのは、日本での表記習慣〕」⇩エーエム■ **表記**「P.M.・p.m.」とも書く。

ビーエムアイ⑤【BMI】〔body mass index〕肥満度指数⑤⑥。体重(キログラム)を身長(メートル)の二乗で割った数値。肥満の度合を表わす。

ピーエムにてんご⑤【PM2・5】〔↑Particulate Matter〕粒子の直径が二・五マイクロメートル以下の浮遊粒子状物質。呼吸器疾患への影響が大きいとされる。大気中微小粒子状物質。〔一般にピーエムニーテンゴと発音する〕

ピーエルほう⓪(ハフー)【PL法】〔↑product liability〕製造物責任法③-⓪、⓪。⇩製造物責任

ビーカー①〔beaker〕化学実験に使う、円筒形のガラス器具。かぞえ方 一本

ひいき①【〈贔屓〉】❶―する(他サ)〔「努力する」意の漢語ヒキの長呼に基づく〕自分が好意を持つ人や店に、特別の便宜をはかったり 力添えしたり すること。また、その人や店。「―にする/山田君の(ご)―の△力士(店)/―の〔=その人をひいきにしてくれる〕旦那(ダンナ)/判官(ハンガン)―(ビイキ)〔=⇩判官贔屓〕/―の引き倒し〔=ひいきし過ぎて、かえってその人にとって悪い結果になること〕/―筋〔=その人をひいきにしてくれる側の人〕」❷「えこひいき」の略。 ―め⓪【―目】好意的な見方。「―に見る」

ビーきゅう⓪(キフー)【B級】❶〔最上位をA級とする事柄について〕順位や位置づけが上から二番目であること。「―ライセンス⑤・―戦犯⑤」❷高級とは言えないものの、親しみやすいために大衆に支持されていること。「―グルメ⑤・―アクション映画⓪-⑤、⑨」

ひいく⓪【肥育】―する(他サ) 食用にする家畜の肉量をふやすために、特にえさをたくさんやって太らせること。「―地域〔=有畜農家の多い地域〕」

びいく①【美育】音楽・図画・国語などの教科を通して美や芸術に対する興味・理解を深めるための教育。

ピーク①〔peak〕山の頂上。〔ある状態が一番△盛ん(大変)な時の意にも用いられる。例、「ラッシュアワーの―/―時(ジ)」〕

ピーケー③【PK】〔↑penalty kick〕⇩ペナルティーキッ

ひ

[比] ■一❶くらべる。「比較・比喩・対比」❷〔同じ程度・種類のものが〕ならぶ。ならべる。「比肩・比類・比翼」■二(略)フィリピン(比律賓)。「比国・日比(ニッピ)親善(ニチヒ)」⇩(本文)ひ【比】

[皮] ❶動植物のかわ。「皮膚・樹皮・果皮・種皮・脱皮(ピ)・表皮・面皮(ピ)」❷表面。うわべ。「皮相」

[妃] 〔皇帝・王、または皇族などの〕妻。「妃殿下・王妃・皇太子妃」

[否] 〔前の語の意味を承(ウ)けて〕そうではないという意味を表わす語。「安否(ピ)・合否・賛否(ピ)・可否・成否・当否・適否」⇩(本文)ひ【否】

[批] ❶判断して、良い・悪いを決める。「批評・批判・批正・高批」❷上奏した文書を主権者が認める。「批准」

[彼] 話し手・聞き手に対立する側のもの。あちら(の)。「彼我・彼岸」

[披] ひらいて見る。人前に見せる。「披見・披瀝(レキ)・披露(ロウ)・直披」

[泌] 液体がしみ出る。「泌尿器・分泌(ピツ)(ピ)」

[肥] ■一❶こえる。太る。こやす。「肥大・肥満・肥育・肥厚」❷地味が豊かで、作物の生育によい。「肥沃(ヨク)・肥土」❸こやし。こえ。「肥料・堆(タイ)肥・厩(キュウ)肥・魚肥・施肥・追肥」■二(略)肥前(ヒゼン)国・肥後(ヒゴノ)国の総称。「薩(サッ)長土肥」

[非] …でない。…しない。〔後に続く語の意味を否定する〕「非情・非常・非凡・非番・非常識・非公開」⇩(本文)ひ【非】

[卑] ❶〔身分・地位などが〕ひくい。「卑賤(セン)・尊卑(ピ)・男尊女卑」↕尊 ❷いやしい。下品だ。「卑劣・卑猥(ワイ)・卑俗・野卑」❸へりくだる。「自卑・卑下(ゲ)・卑見・卑称」

[飛] ■一❶空中を行く。とぶ。「飛行・飛鳥・飛翔(ショウ)・雄飛」❷空中に上がる。はねる。「飛躍」❸とぶように△速い(速く走る)。「飛脚・飛電」■二(略)❶〔将棋で〕飛車。❷〔野球で〕飛球。❸飛騨(ヒダノ)国。「飛州」

[疲] つかれ(て、力が弱くな)る。「疲労・疲弊」

[秘] ❶人の力では知ることの出来ない。「神秘(ピ)」❷とどこおる。「秘結・便秘(ピ)」⇩(本文)ひ【秘】

[被] ❶受ける。…される。「被害・被告・被災・被爆・被選挙権・被除数」❷おおう。かぶる。「被服・外被・法被(ハッピ)」

[悲] ❶かなしい。かなしむ。いたましい。「悲哀・悲観・悲劇・悲恋」❷〔仏教で〕他人の苦しみ・悩み

を取り除いてやろうとする、仏の博愛の心。「悲願・慈悲」

【扉】とびら。「柴(サイ)扉・開扉・鉄扉(ピ)・門扉(ピ)」

【費】❶ついやす。ついえる。「費消・消費・空費・浪費」❷ある事に使われる金銭。「費用・経費・旅費・会費・学費・巨費・光熱費・食費・人件費」

【碑】⇩(本文)ひ【碑】

【〈鄙〉】❶文化果てる地。いなか。「都鄙・辺鄙(ピ)」❷十分に洗練されていない。〔話し手自身の行為に関して、つまらない私の、という意で用いることもある。例、「鄙見」〕「鄙俗」

【罷】やめ(させ)る。「罷業・罷免」

【避】さける。よける。「避難・避暑・避妊・避雷針・退避・回避・逃避・不可避」

【〈臂〉】肩から手首までの称。うで、またひじ。「一臂(イッピ)の労を取る/三面六臂(ロッピ)・八面六臂(ロッピ)」

び

【《未》】十二支の第八。ひつじ。「癸(キ)未」⇩み

【尾】[一]❶動物のしっぽ。お。「尾骨・交尾・竜頭蛇尾」❷物事の後ろ。終り。「尾灯・尾翼・艦尾・機尾・後尾・語尾・首尾・船尾・末尾・徹頭徹尾」❸あとをつける。「尾行・追尾」❹魚をかぞえる語。「一尾・数尾」[二](略) 尾張(オワリ)国。「尾州・濃尾平野」

【眉】まゆ。「眉宇・眉雪・眉目秀麗・白眉・蛾(ガ)眉・愁眉・拝眉・柳眉」

【美】[一]ほめる。「溢(イツ)美・賞美・嘆美・褒美」[二](略) 美濃(ミノ)国。「美州」⇩(本文)び【美】

【備】[一]前もって用意する。そなえる。そなわる。そなえ。「備考・備蓄・備品・備忘・準備・常備・完備・具備・軍備・警備・兼備・守備・準備・整備・戦備・装備・配備・不備・兵備・防備・設備・予備」[二](略) 吉備(キビ)ノ国。「備前(ビゼン)・備中(ビッチュウ)・備後(ビンゴ)・備州」

【〈媚〉】❶美しい容色やねこなで声で、人に喜ばれるような行動を取る。〔狭義では、女性が男性の気を引くようなしぐさをすることを指す〕「媚笑・媚情・媚態・媚薬・佞(ネイ)媚」❷景色が美しくて、人を魅了する。「風光明媚」

【微】❶かすか。わずか。「微量・微罪・微熱・微笑・微動・微分(ブン)・軽微」❷目だたなく。そっと。「微行」❸衰える。「衰微・式(シキ)微(ショク)」❹いやしい。身分が低い。「微賤(セン)」❺取るに足りぬ、私の。「微力・微意・微衷」⇩(本文)び【微】

【鼻】❶はな。「鼻孔・耳鼻科・隆鼻術」❷はじめ。「鼻祖」

ク「―戦⓪」

ピーケー エフ⑤【PKF】〔←Peace-Keeping Forces〕国連平和維持軍⑨、⓪-⑤。PKO〔=国連平和維持活動〕を行なうために組織される軍隊。⇩ピーケーオー(PKO)

ピーケーオー⑤【PKO】〔←Peace-Keeping Operations〕国連平和維持活動⑩、⓪-⑥。国際連合が、紛争当事国の要請と同意を得て、加盟国の提供する軍隊を現地に派遣して紛争の防止や停戦の監視、治安維持などに当たること。

ピーコート③〔pea coat〕厚手のウール地で、ダブル前、腰丈のコート。元は、水兵や船員が防寒用に着たもの。

ビーコン①〔beacon〕航(空)路の標識。「ラジオ―」

ビーシー③【B.C.】〔←before Christ〕西暦紀元前。例、323B.C. ⇩エーディー[一]

ビージー③【BG】〔和製英語 ←business + girl〕(若い)女子事務員。〔今は、一般にオーエル(OL)と言う〕

ピーシー③【PC】❶⇩パーソナル コンピューター(コンピューターの子見出し) ❷⇩ポリティカル コレクトネス ❸⇩パブリック コメント

ピージー③【PG】〔←penalty goal〕⇩ペナルティー ゴール

ビージーエム⑤【BGM】〔和製英語 ←background + music〕バック ミュージック。

ビーシージー⑤【BCG】〔← フ Bacillus Calmette-Guérin〕結核の予防ワクチン。〔ウシの結核菌から作る〕

ピーシービー⑤【PCB】〔←polychlorinated biphenyl=ポリ塩化ビフェニール⑧〕塗料・印刷インク・感圧紙などに含まれる化合物で、人体に有害。「―汚染」

ビーシー へいき⑤【BC兵器】〔← biological and chemical weapons〕生物化学兵器⑧,①-④。ウイルス・細菌・毒ガスなどがその主体とされる。

びいしき②【美意識】美を美として感じ取る感覚。

ヒース①〔heath〕⇩エリカ

ビーズ①〔beads〕婦人服や手芸品などに飾りとして使う、小さなガラスの玉(をつないだもの)。南京(ナンキン)玉。

ピース①〔peace〕平和。「―サイン④」

ヒーター①〔heater〕❶暖房装置。「パネル―」❷電熱器。電気こんろ。かぞえ方 ❶は一台・一基。❷は一台

ビーだま⓪【ビー玉】〔「ビー」は、ビードロの略〕〔子供の遊び用の〕ガラスの玉。

ピータン①⓪〔中国・皮蛋〕〔中国料理で〕アヒルの卵を殻のまま、木灰・泥・塩に漬けたもの。黄身は濃い緑色、白身は半透明の褐色。

ビーチ①〔beach〕浜べ。海岸。「―パラソル④」

ピーチ①〔peach〕モモ(の実)。「―ジュース」

ビーチ サンダル④〔beach sandals〕砂浜などで履く、ゴムやビニールでできたサンダル。略してビーサン⓪。かぞえ方 一足

ひいちにち①-④、⓪-④【日一日】(副)―と 日を追うに従って段階的に程度が進んでいく様子。「―(と)暖かくなる」

ビーチ バレー④〔←beach volleyball〕二人一組で、砂浜で行なう、バレーボール。ルールは六人制バレーボールとほぼ同じ。

ビーツ①〔beet〕赤紫色の肥大した根を食用とする野菜。赤カブに似ていて、酢漬けやボルシチなどに用いる。レッドビートとも。〔ヒユ科〕

ピーティーエー⑤【PTA】〔← Parent-Teacher Association〕児童・生徒の父母と教師とが協力して教育効果を高めることを目標とした組織。

ピーティーエスディー⑦【PTSD】〔← posttraumatic stress disorders〕心的外傷後ストレス障害。戦争・自然災害・事故・犯罪などの、通常の人間的経験の範囲を超えた体験によって生じる精神的な障害。

ひいては①【《延いては》】(副) それが発端となって、同類の他のものにまで広く及ぶ様子。「国のため、―世界のためになる」

ひい・でる③【秀でる】(自下一)〔「秀(ヒ)でる」の長呼〕❶その面に関してすぐれた才能がある。「一芸に―」❷普通の人よりも額・まゆなどが出張っている。「秀でた△額(まゆ)」

文法 日常の談話では、文末の述語としては「ひいでている」の形で用いられることが多い。

ビート①⓪〔beat=たたく(こと)〕❶〔音楽で〕拍子。一拍。〔特にジャズやポピュラー音楽でのリズム〕「エイト―」❷〔水泳で〕ばた足。「―板バン⓪」❸既成の道徳・秩序などに反抗して、無軌道に騒ぎ回ること(人)。「―族③」

ビート①〔beet〕⇨てんさい(甜菜)

ヒートアイランド げんしょう⑨―シャウ【ヒートアイランド現象】〔heat island=熱の島〕都市部の気温が周辺地域より高くなる現象。〔等温線を描くと島のように見えることから〕

ヒートアップ④―する(自サ)〔heat up〕対立する者が互いにゆずらず議論がいちだんと激化したり 試合が白熱したりすること。

ヒートポンプ④〔heat pump〕温度が低い物体から高い物体へ、熱を移動させる装置。冷暖房に用いられる。

ビードロ⓪〔ポ vidro〕(吹き)ガラスの古称。⇨ギヤマン

ビーナス①〔Venus〕❶〔ローマ神話で〕美と恋の女神。ヴィナス①とも。❷金星。

ピーナッツ①〔peanuts〕(煎ィって(塩味をつけ)、食べるばかりにした)南京豆ナンキンマメ。ピーナツ①とも。「バター―」⇨落花生

ピーは①【P波】〔primary wave〕地震波のうち、最も早く到達する波動。地震波の進行方向に振動する縦波で、S波よりも振幅は小さく、周期が短い。初期微動。⇨エス(S)波

ビーバー①〔beaver〕欧米北部などの川にすむ小動物。形はカワウソに似て、少し小さい。群棲グンセイし、かじり倒した木で川の流れをせき止めてダムを作り、その中の島に巣を設ける。毛皮は貴重。海狸カイリ。〔ビーバー科〕かぞえ方 一匹

ビーばん⓪【B判】ジス(JIS)による、本・紙などの仕上げ寸法の一系列。B0判は、一四五六ミリ×一〇三〇ミリの大きさ。〔ざら紙はB4判、多くの週刊誌はB5判〕⇨エー(A)判

ひいひい①(副)―と ❶苦しさ・痛さなどのために、悲鳴に近い声をあげて泣く様子。❷悲鳴をあげずにはいられないほどつらい様子。「猛練習で―言っている」

ぴいぴい①⓪(副)❶―と 鳥の鳴き声、笛の音、幼児の泣き声などの形容。❷―と―する お金がなくて毎日の暮らしに苦しんでいる様子。「いつも―している」

ビービーエス⑤【BBS】〔←bulletin board system〕アクセスする人が、意見や情報を書き込みができて読めるようになっているウェブサイト上の掲示板。電子掲示板⓪。

ピーピーエム⑤【ppm】〔←part(s) per million〕全体の中で占める割合の単位で、百万分の一を表わす。百万分率。〔大気中の亜硫酸ガスや一酸化炭素の量などを示すのに用いられ、気体一立方メートル中に一cc(水溶液一リットル中に一ミリグラム)だけその物質が含まれていることを表わす〕

ビーフ①〔beef〕牛肉。「―シチュー④⑤・ロースト―」

ピーブイ③【PV】〔和製英語 ←promotion + video〕⇨プロモーションビデオ

ビーフステーキ⑤〔beefsteak〕厚く切った牛肉を焼いた料理。〔ビフテキは、フランス語に基づく形。焼き方には「レア」「ミディアム」「ウエルダン」などの別がある〕かぞえ方 一枚

ビーフン①⓪〔中国・米粉〕普通の米(=うるち)の粉で作った麺類メンルイ。

ピーマン①〔フ piment〕トウガラシの栽培品種の一つ。大きな鈴形で中空状の、でこぼこのある実は、食用。若い果実は緑色、熟すと赤くなる。辛みは少ない。西洋とうがらし。〔ナス科〕かぞえ方 一株・一本

ビーム①〔beam〕光線。「レーザー―」

ピーラー⓪①〔peeler〕野菜や果物の皮むき器。

ひいらぎ①ヒヒラギ【柊】山地に生え、秋、においのいい、白色の小さい花を開く常緑小高木。葉は堅くて、縁には鋭いとげがある。垣根などに植え、また、節分に戸にさす。〔モクセイ科〕〔クリスマスの飾りに使う「西洋ヒイラギ⑤」はモチノキ科〕かぞえ方 一株・一本

ヒーリング⓪〔healing〕心に起因する病気を治療すること。「―ミュージック⑥」

ヒール①〔heel〕❶〔(婦人)靴の〕かかと。「ハイ―・ロー―」❷〔プロレスなどで〕悪役を言う。「ヒール役」とも。

*__ビール__①【〈麦酒〉】〔オ bier〕オオムギの麦芽にホップを加えて発酵させて作る、苦みのあるアルコール飲料。⇨ビヤ 表記「〈麦酒〉」は、借字。かぞえ方 一本・一瓶・一缶

ビールス①〔ド Virus〕⇨ウイルス

ひいれ③⓪【火入れ】❶溶鉱炉・原子炉などを使い始めること。「―式③」❷〔清酒・しょうゆの醸造で〕腐敗を防ぐために熱を加えること。❸野焼き。❹たばこなどの火種を入れる小さな容器。

ひいろ⓪【〈緋色〉】濃い赤色。深紅色。スカーレット。

ヒーロー①〔hero=英雄〕❶〔スポーツで〕その日の試合において、勝つために最も貢献した選手。❷小説などの男性の主人公。↔ヒロイン

ビーンボール④〔bean ball〕〔野球で〕打者の打ち気をそらすために、故意に打者の頭部をねらって投げるボール。

びう①【眉宇】〔「宇」は端の意〕「まゆ(のあたり)」の意の古語。「―に漂う決意」

びう①【微雨】「こさめ」の意の漢語的表現。

ひうお①―ウヲ【氷魚】⇨ひお

ひうち③⓪【火打(ち)・〈燧〉】堅い石と鉄を打ち合わせて火を作り出すこと(道具)。―いし③【―石】火打ちに使う、かどのとがった石。石英の一種。―がね③【―金】火打ちに使う鉄。

ひうつり②【火移(り)】火が燃え移ること。

ひうん①⓪ ❶【非運】運が悪いこと。ふしあわせ。↔幸運 ❷【悲運】悲しい運命。表記 ❶は、「否運」とも書く。

ひえ②【冷え】❶気温が下がること(下がった程度)。❷からだ(の腰から下)が冷えること(病気)。「―性ショウ・寝―ビエ・底―ビエ」

ひえ①【稗】畑に作る一年草。種子はアワに似て茶色。昔は食用にもしたが、今は、おもに家畜や小鳥の飼料用。〔イネ科〕かぞえ方 一本

ひえいせい②エイ―【非衛生】―な 衛生的でない様子だ。「―な環境／―的⓪」派 ―さ⓪④

ひえき⓪【〈裨益・〈被益】―する(自他サ)〔「裨」も「益」も役立つ意〕役に立つこと。助けとなること(もの)。表記「被」は、代用字。

ひえこむ⓪③【冷え込む】(自五)❶気温が下がったり体温が下がったりして、冷たくなる。❷それまで強かった勢いが弱くなる。「景気が―」名 冷え込み⓪

ひえしょう②③⓪―シャウ【冷え性】血液の循環などが悪くて、冷えやすい体質(冷える症状)。

ひえびえ③【冷え冷え】(副)―と―する ❶その場に少しのあたたかさも感じられず、冷たさ(寒さ)ばかりが身にしみる様子。「火の気の無い―とした部屋」❷空しさ・寂しさばかりが感じられる様子。「心ない仕打ちに心が―(と)する」

ヒエラルキー③〔ド Hierarchie(ヒエラルヒー)に基づく〕〔ヨーロッパ中世封建社会などの〕ピラミッド型の階層組

織。ヒエラルヒー③とも。

*ひ・える②【冷える】(自下一) ❶△冷たく(寒く)なる。また、そう感じる。「からだが―/よく冷えた料理」 ❷それまでの盛り上がった状態や感情が失われる方向に傾く。「△関係(国際世論)が―/冷えた夫婦の仲/冷え切った景気」

ピエロ①〔フ pierrot〕〔ヨーロッパの喜劇・サーカスなどで〕道化役。〔自分の本心・感情を抑えて、表面、はなやかに踊らされる者の意にも用いられる〕

ヒエログリフ④〔hieroglyph の文字読み〕古代エジプトの象形文字。⊙が日を、✿が花を表わす。神聖文字⑤。

ひえん⓪【飛〈燕】「飛んでいるツバメ」の意の漢語的表現。「―の〔=飛燕のような〕早業」

びえん⓪【鼻炎】鼻の粘膜の炎症。鼻水が多く出たり 鼻がつまったり などの症状を示す。〔急性のものは「鼻風邪」と言う〕

ビエンナーレ④〔イ Biennale ←二年ごとにあるもの〕一年おきに開かれる美術展。「―展⑥」⇩トリエンナーレ

ひお①【氷《魚】アユの稚魚。体長二～三センチ。からだが半透明なので、この名がある。琵琶湖産のものが有名。「ひうお」とも。 かぞえ方 一匹

ひおい⓪【日《覆(い)】〔「ひおおい」の変化〕直射日光が当たるのをさえぎる物。

ひおう⓪【秘奥】(容易に知ることの出来ない)物事の奥深いところ。

ひおうぎ②【〈檜扇】❶ヒノキの薄板を並べて糸でとじた扇。昔、正装の公家が持った。❷山野に生じる多年草。夏、橙色で、濃紫色の斑点のある花を開く。葉が檜扇を開いたようにつくので、この名がある。種を「ぬばたま・うばたま」と言う。花・茎は漢方薬用。〔アヤメ科〕 かぞえ方 ❶は一枚・一面・一本。❷は一本

ひおおい②⓪【日覆(い)】⇩ひおい

ひおくり⓪②【日送(り)】その日その日を(たいした事もせずに)過ごすこと。

ひおけ②③【火〈桶】木製の丸い火鉢。

ビオトープ③〔ド Biotop=生物が棲む場所〕野生の動植物が共存共生できる、安定した環境を持つ地域。特に、公園や河川敷などに小動物や植物、昆虫などが共生できる場所を造成・復元したもの。

ひおどし②⓪【〈緋〈縅】・〈緋《威】緋色の△糸(革)でつづり合わせた、よろいの縅。「くれないおどし⑤」とも。

ビオラ⓪①〔イ viola〕バイオリンと同形で、やや大きい楽器。バイオリンより低い音を出し、(管弦楽の)中音部を受け持つ。〔奏法は、バイオリンと同じ〕 かぞえ方 一挺・一丁

ビオロン⓪〔フ violon〕バイオリン。 ―チェロ⑤〔イ violoncello〕チェロ。

びおん⓪【美音】美しい△音(声)。

びおん⓪【微温】なまぬるいこと。 ―てき⓪【―的】―な/―に 物事が中途半端で不徹底な様子だ。「―な処置」 ―とう⓪【―湯】「ぬるまゆ」の意の漢語めかした表現。

びおん⓪【鼻音】息を鼻に通して共鳴させる、有声の音。日本語ではナ行・マ行の子音など。

ひか①②【比価】他と比較しての価格。「麦の対米穀―」

ひか②①【皮下】表皮のすぐ下。皮膚の内部。「―脂肪③・―注射③・―出血③」

ひか①②【飛花】風に吹かれて飛び散る花。「―落葉」

ひか①【悲歌】❶悲しい感じのする歌。悲しみの気持を表わした歌。エレジー。❷悲壮な詩歌を歌うこと。「―慷慨」

ひが【〈僻】(造語)❶事実と違った。「―目・―耳⓪」❷事実を取り違えて何かをする。「―事」

ひが①【彼我】「相手と自分」の意の漢語的表現。「―の利害関係」

ひが①【非我】〔哲学で〕自我に対立する外的世界。

びか①【美化】―する(他サ) △現状より(実際以上に)美しい状態にすること。「公園を―する/現実を―して〔=現実よりもよい内容をもっているかのように〕考える」 ―ご⓪【―語】⇩丁寧語❷

びか①【美果】おいしい果実。〔何かをしたことに基づく、よい結果の意にも用いられる。例、「優勝の―を収めた」〕

*ひがい①【被害】△損害(危害)を受けること。また、その損害。「―が△出る(大きい)/―を△受ける(与える・もたらす・最小限に食い止める)/―地②」↕加害 ―しゃ②【―者】❶天災・人災によって損害を受けた人。「私も、そういう意味では戦争―のひとりと言えよう/―が出る」❷他人の不法行為によって自分の権利を侵された人。↕加害者 ―もうそう④【―妄想】絶えず他人から害を加えられていると思いこむこと。

ぴかいち②⓪【ぴか一】〔花札の用語から出た語〕「同類の中で ずばぬけてすぐれている△こと(人)」の意の口頭語的表現。 表記 一般に、「ピカ一」と書く。

ひかえ③②⓪【控(え)】❶必要に応じられるように、別に用意しておく△人(物・所)。「―の者〔=そばにいて助ける人〕/―の選手/―力士④〔=土俵ぎわで、自分の番を待つ力士〕・―室③〔=控えて待っている部屋〕」❷〔用件などを忘れないように、また、後の証拠に〕書いておくこと。また、その書いたもの。「―を取っておく」❸壁・塀などが傾かないようにするための ささえ。❹(造語) 動詞「控える」の連用形。 ―め⓪④【―目】―な/―に (遠慮して)やり過ぎないようにしている様子だ。「―に食べる/―な△態度(数字)」

ひがえり⓪【日帰り】―する(自サ) 出かけた先に泊まらずに、その日のうちに帰ること。「―の旅行」

*ひか・える③②【控える・〈扣える】〔「引く」と同源〕❶(他下一)❶〈なにヲ―〉〔不結果が起こらないように〕分量を少なめにしたり 行為をしないですませたり する。「△発言(公表・食事・外出)を―」❷〈なにニなにヲ―〉〔忘れないように、また、後の証拠として〕書きとめる。「ノートに―」❸〈(どこ・なに)ニ)なにヲ―〉すぐ近くに△乗り越えるべき(たよりになる)何かを持つ。「北に山を控えた城/試験をあすに―/△総選挙(転機・年の瀬)を―」❹〈なにヲ―〉〔行かせないように〕引っぱって、とめる。「馬を控えて待つ/袖を控えて諫める」❷(自下一)〈(どこ・なに)ニ)―〉〔自分の出番を△待って(待つように)〕そこに△居る(ある)。「△隣室(主人の後ろ)に―/難問が―」〔⇩控え❹〕

ひかがみ⓪【〈膕】ひざの後ろの くぼんだ部分。

ひがき①【〈檜垣】ヒノキの薄板を「網代❷」のように編んで作った垣。

**ひかく⓪【比較】―する(他サ)〈なにトなにヲ―する/なにニなにヲ―する〉比べ合わせること。「―検討(する)/―対照(する)/―級」【―にならない】比較すること自体 無意味△な(に近い)くらい、(力の)差は歴然たるものだ。 ―きゅう③②【―級】〔英文法などで〕形容詞の語形変化の一つ。△比較の対象とする(一般に予測される)ものより程度がはなはだしい状態にあることを表わす語形。⇩原級・最上級 ―こうこく④【―広告】自社の商品だけを広告するのでなく、競争相手の他社の商品または自社のこれまでの商品と比較して、新商品の特徴を宣伝する広告。 ―てき⓪【―的】(副)―に 絶対的な基準に照らせばほど遠い段階だが、同類の中ではどちらかといえばそのように判断できる様子だ。「うちは中小企業の中では―大きい方だ/町中だから―静かな場所と言えばここしか無い」

ひ

ひかく⓪②【皮革】動物の皮を加工したもの。レザー。「―製品④」

ひかく⓪②【非核】核兵器の開発・製造、保有、実験などを行なわないこと。「―宣言④・―地帯④」

びがく①【美学】自然・芸術における種々の美を通して、美の本質・原理などを研究する学問。

*__ひかげ__⓪【日陰・日〈蔭】❶日光の当たらない所。「―を好む植物」↕ひなた ❷日陰者。 **―のかずら**⑤⓪(カツラ)【―の《葛】山地に生える常緑多年生のシダ植物。茎は地上をはい、葉はスギの葉に似る。胞子は漢方薬用。〔ヒカゲノカズラ科〕かぞえ方 一本 **―もの**⓪【―者】〔身にやましい点や人をはばかる点があって〕公然とは社会に出て活動の出来ない人。〔犯罪者・前科者・めかけなど〕

ひかげ⓪【日影】〔雅〕日の光。

ひがけ⓪【日掛(け)】〔一定の金額に達するまで〕毎日幾らかずつのお金を積み立てること。また、そのお金。「―預金④」

ひかげん②【火加減】火の燃えぐあいや火力の強さ。

ひがごと⓪②【〈僻事】道理や事実に合わない事柄。

ひがさ②【日傘】〔夏の強い〕日光をさえぎるためにさす傘。

ひかさ・れる⓪【引かされる】(自下一)〔もと「引かす」の受動形〕心が引きつけられ(て決断が鈍)る。ほだされる。「子供に―／情に―」

__ひがし__⓪【東】↕西 ❶春分の日の朝、太陽の出る方角の称。「―する(=東の方へ行く)」 ❷東風。 ❸関東。 ❹〔仏教で〕東本願寺④。真宗大谷派の本山。 **―かぜ⓪【―風】東から吹く風。↕西風 **―がわ**⓪(ガハ)【―側】〔ヨーロッパで〕冷戦時代にソ連およびソ連に同調した諸国の側。↕西側 **―にほん**⑤【―日本】日本の東半分。静岡県の浜名湖付近から、新潟県の親不知(オヤシラズ)付近を結ぶ線より東側の地域。〔狭義では、中部地方東部の太平洋側および関東地方を指す〕↕西日本 **―はんきゅう**④(キウ)【―半球】イギリスのグリニッジと南北両極とを通る平面で地球表面を二分した時に、グリニッジより東側にある方の「半球❷」。〔アジア・ヨーロッパ・アフリカ・オセアニア四州の大部分を含む。西経二〇度から東へ東経一六〇度までとする説もある〕↕西半球

ひがし②(グヮー)【干菓子】〔保存がきくように〕水分を少なめにして作った和菓子。↕生(ナマ)菓子 表記「《乾菓子」とも書く。

ひか・す⓪【〈落籍〉す】(他五) 遊女・芸者などの借金を払い、身請けする。

ひかず⓪【日数】❶何かをするのに要する(実際に何かをした)時間の分量。❷にっすう。

ひかぜい②(クヮー)【非課税】課税対象とされないこと。「―所得⑤」

ひがた⓪【干潟】遠浅の海岸で、潮が引いて現われた所。

ピカタ①②〔イ piccata〕肉料理の一つ。薄切りの肉に小麦粉をまぶし、溶き卵をつけてからバターで焼いたもの。

びカタル②【鼻カタル】⇩鼻炎

びかちょう⓪②(チャウ)【鼻下長】〔鼻の下が長い、の意〕好色で、女性に甘いこと(男性)。「―族③」

ぴかっと②(副)―する「ぴかりと」の強調表現。

ぴかどん①②〔「ぴか」は閃光(センコウ)、「どん」は爆発音の意〕「原子爆弾」の俗称。

ひがないちにち①-⓪、⓪-⓪【日がな一日】(副) 朝から晩まで、一日じゅう、飽きもせず同じ事を続ける様子。「―本を読んでいる」

ひがね⓪【日金】❶日歩(ブヒ)計算で利子を払う約束の貸借金。❷⇩ひぜに❷

ひかねつせいざい⑤【非加熱製剤】人体から採取した血液を加熱処理を施さないままに薬剤の成分として用いたもの。

ひがのこ②③【〈緋鹿(の)子】まっかな鹿子絞(カノコシボリ)。

ぴかぴか ❶①②(副)―と ―する まぶしく光る様子。「いなずまが―(と)する」❷⓪ ―な ―に「ぴかぴか❶」に同じ。「―に磨かれた靴(クツ)／―の(=入学したばかりの)一年生」

ひが・む②【〈僻む】(自五)〔自分に関係のある物事について〕曲解して、自分ばかりが損な(低い)立場に立たされていると思い込む。名 僻み③「―根性④」

ひがめ③⓪【〈僻目】❶⇩すがめ❷ ❷見まちがい。

ひがら⓪【日柄】その日の縁起のよしあし。

ひから・す③【光らす】(他五)〔「光る」の使役動詞形〕光るようにする。光らせる④(下一)。「目を―(=よくない事態が起きないように、厳重に監視する)」

ひから・びる④【干〈涸びる】(自上一) すっかりかわいて、水分が無くなる。「日照りで田の面が―／ひからびた(=新しみや発展性の無くなった)思想」 表記「《乾〈涸びる」とも書く。

__ひかり__ ❶③【光】❶〔太陽・星・電灯・ホタルなどから発せられて〕目に明るく(まぶしく)感じられるもの。「―を発する(放つ)／日の―／星の―／月の―／ホタルの―／漆器をみがいて―(=つや)を出す」 ❷その人の人生の前途に希望を与えるような物事。「平和の―／栄(ハ)えある―」 ❸そのものがもっている、大きな力。威光。「親の―をかさに着る」かぞえ方 一幅・一道・一滴(テキ) **【―を当てる】表向きに扱ったり論じたりする。「論議の光が当てられる」 **【―を失う】**❶「失明する」の意の婉曲(エンキョク)表現。❷希望を無くす。 **―じきディスク**⑥【―磁気ディスク】⇩ディスク **―つうしん**④【―通信】光ファイバーケーブルを伝送媒体とし、レーザーを搬送波として用いる通信方式。有線テレビや国際間通信などに利用される。 **―ディスク**④⇩ディスク **―ファイバー**④ 太さ〇・一ミリほどのガラス繊維で、内部を光が通る時 全反射が繰り返し行なわれて信号がほとんど減衰せずに遠くまで伝わるようにくふうした物。従来の銅線ケーブルより細くて軽い上、千倍以上の伝送能力を持つため、光通信や胃カメラなどに用いられる。「―ケーブル」 ❷【光り】(造語) 動詞「光る」の連用形。 **―もの**⓪【―物】❶〔流星・いなずまなどのように〕光りながら空を走るもの。❷〔回収する対象となる〕金属類」の俗称。❸〔すしの種で〕コハダ・アジ・サバなど、皮膚が青白く光って見える魚の類のすし店での通語。

ぴかりと②(副)―する 一瞬まぶしく光る様子。

**__ひか・る__②【光る】(自五) ❶〈(どこ)ニ―〉〔そのもの自身が〕光を発したり他からの光を受けて反射したりして、目に明るく(まぶしく)感じられる。「夜空に―星／白く―雪／雨にぬれて―舗道／よく磨かれて―靴」 ❷〔その人の才能・人格などが〕同類の中で、きわだった存在として目立つ。「一段と―作品」 ❸油断なく見張る。「親の目が光っている(=親が常に監視している)」〔⇩光り❷〕

ピカレスク③〔picaresque〕悪漢の冒険を描く小説の様式の一つ。一六世紀のスペインにおこり、ヨーロッパ中に流行した。悪漢小説⑤。ピカレスク ロマン⑥とも。

ひかれもの⓪【引かれ者】捕らえられて、刑務所や刑場へ連れて行かれる人。「―の小唄(=負け惜しみでする強がり)」

ひか・れる⓪【引かれる・〈惹かれる・《魅かれる】(自下一)〔「引く」の受動形〕〔心などが〕引きつけられる。「子の愛に―／山の話に―／彼の大らかなところに引かれた」

ひがわり⓪(ガハリ)【日替(わ)り・日代(わ)り】〔客のために〕演目や目玉商品の品目を、日ごとにかえること。「―定食⑤」

ひかん⓪②(クヮン)【被官】❶〔中世に〕御家人(ゴケニン)とか守護に

直属した下級武士。❷〔近世に〕領主に隷属した農民。「―百姓」

*ひかん⓪【悲観】―する（自他サ）〈なにヲ―する／なにニ―する〉物事が思うように△ならない(なかった)ので、希望を失って、力を落とすこと。「前途を―する／事業に失敗して―する／―論②」↕楽観　―てき⓪【―的】―な ―に 物事をうまく行かないものと△思う(思いがちな)様子だ。「―な見方に傾く」↕楽観的

ひかん⓪【避寒】―する（自サ）その地の寒さを避けて暖かい所へ一時移ること。「―地②」↕避暑

ひがん⓪【彼岸】❶春分・秋分の日を中日とし、前後各三日を合わせた七日間。「お―⓪」❷〔↑彼岸会(エ)②〕「彼岸❶」に行なう仏事。❸〔仏教で〕煩悩(ボンノウ)を脱して、悟りの境地に達すること。また、その境地。　―ざくら④【―桜】サクラの一種。春の彼岸のころ、ひとえで、淡紅色の花を開く。〔バラ科〕かぞえ方 一株・一本　―ばな②【―花】田のあぜ、土手などに群生する多年草。秋、鮮紅色でしべの長い花を開く。有毒成分を含むが、煎汁(センジュウ)は薬用。まんじゅしゃげ。〔ヒガンバナ科〕かぞえ方 一本

ひがん①【悲願】〔「悲」は、衆生(シュジョウ)の苦を取り除く意〕〔仏教で〕仏や菩薩(ボサツ)の大慈悲から出た、衆生済度(サイド)の誓願。〔その人として ぜひやり遂げたいと考える有意義な計画の意にも用いられる。例、「―が達成される」〕

びかん⓪【美感】何かを見たり 聞いたり などして美しいと感じること。また、その感覚。

びかん⓪【美観】美しい眺め。「―を呈する」

びがん⓪【美顔】顔をきれいにすること。「脱毛、―の施術／―術②・―水②」

ひき（匹）→【字音語の造語成分】

ひき【引(き)】〔動詞「引く」の連用形の名詞用法〕■一⓪❶魚が えさをくわえて引っ張る時の、手に伝わる感じ。また、その力。「釣り糸の―がある」❷特に力を添える△こと(人)。ひいき。つて。❸〔写真で〕後ろへ下がる余地。■二（接頭）動詞の上に付けて、きっぱりと何かをするなどの意を表わす。〔「ひっ」「ひん」ともなる〕「―受ける・―下がる・―移る」■三（接尾）〔「びき」の形で〕値びきや引下げの意に用いられる。「全品三割―(ビキ)」

> ひき
> [匹] ❶ひろく動物をかぞえる語。❷魚一般をかぞえる語。❸昔、銭十文を単位としてかぞえた語。㊃布地二反を単位としてかぞえる語。〔常用漢字表では訓とする〕表記 ❷は「尾」、㊃は「△疋」とも書く。かぞえ方 一匹・六匹・八匹・十匹は「ピキ」、三匹・何匹は「ビキ」、八匹は「ヒキ」とも。⇩いっぴき（一匹）

ひき②【蟇】ヒキガエルの異称。

ひき①【悲喜】悲しみと喜び。「―交々(コモゴモ)至る」

ひぎ①【非議】―する（他サ）議論して、非難すること。表記「△誹議」とも書く。

ひぎ①【秘技】めったに見せない巧妙な△技術(技法)。

ひぎ①【秘儀】非公開で関係者の間で行なわれる(宗教的)儀式。

びき①【美《姫》】(若くて)美しい女性。〔特に、「芸人・芸者」を指す〕

びぎ①【美〈妓〉】美しい芸者。

びぎ①【美技】見事な△技術(演技)。ファインプレー。

ひきあい⓪【引(き)合(い)】❶証拠・参考として、例に引くこと。「―に出す」❷〔↑引合人⓪〕〔事件などの〕参考人。証人。「―に出される」❸売買の取引(をする前の問合せ)。「外国から―がある」

ひきあ・う③【引(き)合う】（自五）❶互いに△引く(引っ張る)。❷取引をする。❸努力した結果が(金銭的に)報いられる。「引き合わない仕事」

ひきあけ⓪【引(き)明(け)】〔雅〕明け方。「夜(ヨ)の―」

ひきあげしゃ④【引(き)揚(げ)者】国外から(戦禍を受けて)内地へ帰って来た人。〔狭義では、第二次世界大戦後、外地から日本へ帰還した人を指す〕

ひきあ・げる④【引(き)上げる・引(き)揚げる】■一（他下一）❶引いて、上方に位置させる。「△ズボン(袖(ソデ))を―／沈没船を―〔=海面に浮上させる〕／ボートを岸へ―／仕掛けた網を―」❷高い状態にする。「△地位(運賃・水準)を―」❸元の所へもどす。「△預けた物(商品)を―／隊を―〔=退却させる〕」■二（自下一）出先から(全員が)元の所へもどる。帰る。「会場から―／故国へ―」名 引き上げ⓪「利率の―」

ひきあて⓪【引(き)当(て)】❶抵当。担保。「債務の―」❷将来の決まった支出のために別にしておくこと。「―金⓪」

ひきあ・てる④【引(き)当てる】（他下一）❶くじを引いて、お金や品物を当てる。❷当てはめる。ひき比べる。

ひきあみ⓪【引(き)網・〈曳(き)網〉】△船上(海岸)に引き寄せて魚を捕る網の総称。「地引き網③・トロール網④」など。

ひきあわ・せる⑤【引(き)合(わ)せる】（他下一）❶引き寄せて合わせる。「襟を―」❷引き寄せて比べる。照合する。「原文と翻訳を―」❸知らない人同士を会わせて、知り合うようにさせる。紹介する。引き合わす④（五）。名 引き合わせ⓪

*ひき・いる③【率いる】（他上一）〈だれヲ―〉〔「引き」+「率」の意の文語「ゐる」。⇩用いる〕❶〔先頭に立って〕おおぜいの人を連れて行く。❷組織の長として、行動をさしずする。統率する。

ひきい・れる④【引(き)入れる・〈惹(き)入れる】（他下一）❶引っ張って中へ入れる。❷誘って仲間にする。「味方に―」

**ひきう・ける④【引(き)受ける】（他下一）❶〈なにヲ―〉〔責任をもって〕何かをすることを承知する。「一手に―」❷〈だれニなにヲ―〉保証する。請け合う。「身元を―」名 引き受け⓪「手形の―(を拒絶された)」

ひきうす⓪【〈碾(き)臼・〈挽(き)臼】円盤の形をした石を二枚重ね、間に穀粒を入れて回し、粉にする道具。石臼。うす。

ひきうつし⓪【引(き)写(し)】―する（他サ）❶書いてある文章などを、無修正・無批判に書き△写すこと(写したもの)。❷⇩敷き写し　動 引き写す④（他五）

ひきうつ・る④【引(き)移る】（自五）他の場所へ移転する。「一家挙げて東京に―」

*ひきおこ・す④【引(き)起(こ)す・〈惹(き)起(こ)す】（他五）❶〈(なにデ)なにヲ―〉〔倒れ△た(ている)ものを〕引っ張って起こす。❷〈(どこニ)なにヲ―〉〔事件など、好ましくない状態を〕生じさせる。「△混乱(連鎖反応・不安・摩擦・問題)を―」

ひきおとし⓪【引(き)落(と)し】❶〔すもうで〕相手の腕などをつかみ、前に引いて倒す わざ。❷〔金融機関で〕取引客の了解のもとにその人の預金口座から相手先に引き出して支払うこと。「公共料金の自動―」動 引き落とす④（他五）

ひきかえ⓪【引(き)換(え)・引(き)替(え)】他のものと交換すること。取りかえること。「代金―で、品物を渡す／―券③」

ひきかえし⓪【引(き)返(し)】❶〔芝居で〕前の幕の途中で幕を引き、道具立てだけを変え、すぐ幕をあけて演技を続けること。❷〔女性の盛装用の和服で〕すそまわしに、表

と同じ布を△使うこと(使ってあるもの)。

***ひきかえ・す**[3]カヘス【引き返す】(自五)〈(どこカラ)どこニ―／どこヲ―〉 元の所へもどる。〔口頭語形は「ひっかえす」〕

ひきか・える[4][3]カヘル【引き換える・引き替える】■一(他下一) 取り替える。交換する。「景品を現金に―」 ■二(自下一)〔一般に「…にひきかえ(て)」の形で〕〔状態が正反対と言っていいほど〕全く違う。「昨年に引き換え(て)ことしの夏は楽だ」

ひきがえる[3]ガヘル【〈蟾蜍〉・〈蟇蛙〉】 いぼのたくさんある大形のカエル。暗くなると、のっそりと活動を始める。がま。「ひき」とも。〔ヒキガエル科〕 かぞえ方 一匹

ひきがし[3]グワ―【引き菓子】〔婚礼・法事などで〕引き物として配る菓子。

ひきがたり[0]【弾き語り】 自分で三味線を弾きながら、浄瑠璃ジョウルリなどを語ること。〔現在は、自分でピアノやギターなどを弾きながら歌うことをも指す〕

ひきがね[0]【引き金】 小銃・ピストルなどについている発射装置。指で手前に引く。「―を引く／この成功が―〔=そのことを引き起こす直接のきっかけ〕となって日本も本格的な地熱発電所を造ることになった」

ひきぎわ[0]ギハ【引き際・《退き際】〔「引け際」の誤った類推に基づく語〕人気稼業の人や重要な役職に居る人が引退するタイミング。

ひきぐ・す[3]【引き具す】(他サ)「引き連れる」意の古風な表現。

ひきげき[2]【悲喜劇】 悲劇の性格と喜劇の性格の両方を持つ劇。〔悲しい出来事と喜ぶべき事とが重なったことや、人生のさまざまの悲しい事・喜ばしい事の意にも用いられる〕

ひきこ[0]【〈挽き子】❶木を挽くことを職業とした人。⇩きこり ❷綱をつけて、船などを引っ張る人。〔昔は、人力車夫をも指した〕

ひきこみせん[0]【引き込み線】 幹線から分かれて引き込む電線・線路。

ひきこ・む[3]【引き込む】(他五) 引いて中に入れる。「水道を―／仲間に―〔=加える〕／風邪を―〔=ひどく引く〕／渦中に引き込まれる／そのおもしろさに引き込まれる〔=つり込まれる〕」 名引き込み[0]

ひきこも・る[4]【引き籠もる】(自五) 中に入ったまま、外へ出ないでいる。「自分の思いの中に―」 名引き籠もり[0]「生徒の―や不登校の問題」

ひきころ・す[4]【〈轢き殺す】(他五) 人や動物などを自動車や電車などが轢いて死なせる。「暴走する車に轢き殺されそうになった」

ひきさが・る[4]【引き下がる】(自五) ❶(用事が無くなったものとして)手を引く。❷今まで居た場所から△離れる(出て行く)。❸相手からやりこめられて、自分の言い分・主張を引っこめる。「どやしつけられて―」

ひきさ・く[3]【引き裂く】(他五) ❶引っ張って裂く。「手紙を―」 ❷(仲のいい者同士を)無理に離す。

ひきさ・げる[4]【引き下げる】(他下一) ❶(位置・地位・基準などを)低くする。「△利子(コスト)を―〔=安くする〕／口角を―」 ❷(命令して)後ろへ下がらせる。「兵を―」 ❸(提案などを)撤回する。 名引き下げ[0]

ひきさ・る[3]【引き去る】■一(他五) ❶(警察官などが)捕らえて、連れて行く。❷(数を)減じる。「十から三を―」 ■二(自五) 元の方へもどって行く。「津波が―」

ひきざん[2]【引き算】―する(他サ) ある△数(式)からもう一つの△数(式)を引くこと。減算。減法。〔複数あるものを減じる意にも用いられる。例、「味の―をして素材をいかす」〕↔足し算

ひきしお[0]シホ【引き潮・引き〈汐】〔一日に二回ずつ〕海水が海岸から沖の方へ引いていき、海面が低くなる△こと(状態)。また、その時の海水の流れ。落ち潮。下げ潮。干潮。退潮。↔上げ潮・満ち潮・差し潮

ひきしぼ・る[4]【引き絞る】(他五) ❶矢を弓につがえて、弦を十分に引く。❷幕を、強くしぼる。❸(声などを)精一杯出そうとする。「声を―」

ひきしま・る[4]【引き締まる】(自五) ❶(からだ・精神などに)ゆるんだところが無くなる。「口もとが―／心が―」 ❷(取引で)下がりぎみの値段が上がる。↔引きゆるむ

ひきし・める[4]【引き締める】(他下一) ❶引っ張って(強く)締める。「馬の手づなを―」 ❷(精神などを)引き締まった状態にする。「気を―／家計を―」 名引き締め[0]「金融―〔=中央銀行が景気の過熱を抑制する〕」

ひぎしゃ[2]【被疑者】 犯罪の疑いを受けて△捜査(取調べ)中で、まだ起訴されていないもの。〔俗に「容疑者」を言う〕

ひきす・える[4]スヱル【引き据える】(他下一)〔連れて来た相手のからだを乱暴に扱って〕すわらせる。

ひきずみ[0]【引き墨】 まゆをそった跡に墨を引くこと。また、その墨。

ひきずり【引き〈摺り】■一[0] ⇩おひきずり ■二(造語) 動詞「引き摺る」の連用形。 **―おろ・す**[6]【―下ろす】(他五) ❶高い所にあるものを引き摺って下ろす。❷本人の意志いかんにかかわらず、△強制的に(そうせざるを得ない状況を作って)そのポストをやめさせる。 **―こ・む**[5]【―込む】(他五) △引き摺って(無理に)中へ入れる。「友人を悪に―〔=引っ張り込む〕」 **―だ・す**[5]【―出す】(他五) △引き摺って(無理に)外へ出す。「白日のもとに―」 **―まわ・す**[6]マハス【―回す】(他五)〔人を〕無理に引っ張ってあちこち歩き回る。

ひきず・る[0]【引き〈摺る】■一(自五) 足やすそなどが地面・床などに触れたまま動く(ようにする)。「片足を引き摺って歩く／すそが―」 ■二(他五) ❶積極的処理・解決をせずに、物事を長びかせる。〔過去に背負った暗い背景を今もなお捨てきれずにいる意にも用いられる〕「返答を年末まで―」 ❷本人が欲しないのに、無理に引っ張る。「嫌がる子を引き摺って医者につれていく」〔⇩引き摺り■二〕

ひきそ・う[3]ソフ【引き添う】(自五) ぴったりとその人に寄り添う。

ひきぞめ[0]【弾き初め】 △新年になって(手に入れたばかりの)その楽器を、初めて弾くこと。「お―[0]」

***ひきだし**[0]【引き出し・《抽《斗】 物を収納するためにたんす・机などに取りつけた、引き出すことが出来る△箱(板)。 表記「《抽《匣」とも書く。 かぞえ方 一本・一杯

ひきだ・す[3]【引き出す】(他五) ❶しまってあるものを出して、使えるようにする。「五万円を―〔=ⓐおろす。ⓑ出資させる〕」 ❷うまく話して、そこに出席させる。「△審議の場(交渉のテーブル)に―」 ❸隠れていた価値のあるものを、方法を尽くして出して、役に立つようにする。「△可能性(教訓・証言)を―／才能を―」 名引き出し[0]「預金の―」

ひきた・つ[3]【引き立つ】(自五) ❶(まわりのものと対比して)一段とよく見える。特に目立つ。「日に当たって、もみじが一段と―」 ❷(市場などの景気が)盛んになる。「商況が―」

ひきたてやく[0]【引き立て役】❶主役を目立つようにさせる役回り(の人)。「会の司会は君に任せるよ、ぼくは―に回るから／もてる彼といっしょにいると、どうもこっちが―になってしまう」 ❷(いろいろほめたり あちこち紹介したりして)その人の存在を他に知らせる役の人。

ひ

ひきた・てる④【引(き)立てる】(他下一) ❶目立つようにする。引き立つようにする。「しとやかな物腰が彼女の人柄を引き立てた」 ❷〔商人や後進の者に〕目をかけ、援助する。 ❸励ます。「気を―〔=元気を出す(ように仕向ける)〕」 ❹〔犯人などを〕無理に連れて行く。 ❺引いて閉める。「戸を―」 名引き立て⓪ 運用 名詞形「引立て」は、商人や芸能人が、「毎度お引立てに与(アズカ)りましてありがとうございます/今後もお引立てのほどよろしく願い上げます」などの形で、挨拶(アイサツ)の言葉として用いることがある。

ひきちがい⓪【引(き)違(い)】 二枚(以上)の戸などを溝に沿って水平に移動させて開閉する△こと(もの)。「―戸(ド)④⑤・―窓⑥」

ひきちゃ⓪【〈碾(き)茶・〈挽(き)茶】 緑茶を茶うすで碾いて粉にした上等の茶。抹茶。

ひきつ・ぐ③【引(き)継ぐ】(他五) あとを受け継ぐ。「仕事を―〔=打合せの後、ⓐ前任者から仕事を受け継ぐ。ⓑ後任者に仕事を渡す〕/芸を―」 名引き継ぎ⓪「事務の―を無事終える」

ひきつ・ける④【引(き)付ける・〈惹(き)付ける】 ■一(自下一)〔子供が〕けいれんを起こす。名引き付け⓪ ■二(他下一) ❶近くへ引っ張る。自分のそばへ引き寄せる。 ❷すぐれた話術・演技力・人柄などで、いつのまにか人に感嘆・尊敬の気持や親近感などをいだかせる。「名調子の講義で学生を―」 ❸感動させたり 興味・関心をかきたてたり する要素があって、絶えず接していたいという気持にさせる。「私は長年日本に引き付けられてきた」

ひきつづき⓪【引(き)続(き)】(副) ❶ある状態が終わって、間(マ)を置かずに次の事が始まる様子。「ニュースに―天気予報を放送します」 ❷ある状態がとぎれずずっと続いている様子。「ここ数年―委員をやっている/審議未了で今後―議題にする」

ひきつづ・く④【引(き)続く】(自五) ❶〔物事の状態・動きが〕そのままずっと続く。 ❷〔ある物事のあとに〕すぐ続く。

ひきづな⓪【引(き)綱】 物に付けて引っ張る綱。

ひきつ・る③【引(き)〈攣る】(自五) ❶〔やけどなどで〕皮膚が△縮れる(縮れて痛む)。 ❷けいれん△する(を起こす)。「水泳中、足が―」 ❸かたくこわばる。「怒りで顔が―」 名引き攣り⓪

ひきつ・れる④【引(き)連れる】(他下一) 〔指導者として〕おおぜいの人の先頭に立って行く。

ひきつ・れる④【引(き)〈攣れる】(自下一) 引きつった状態になる。「足の筋が―」

ひきて⓪【引(き)手】 ふすま・障子を開けたてする時に手をかける所(の金具)。

ひきて⓪【弾(き)手】 〔三味線・琴・バイオリン・ピアノなどを〕弾く人。

ひきでもの⓪【引(き)出物】 〔人を招いて、祝いやごちそうをした時に〕帰りに主人から客へ贈る贈り物。「ひきもの」とも。

ひきど⓪②【引(き)戸】 溝にはめて左右に引いて開ける戸。 かぞえ方 一枚

ひきどき⓪【引き時】 「引け際❶」の新しい言い方。 表記 「《退き時」とも書く。

ひきと・める④【引(き)止める・引(き)留める】(他下一) ❶〔手・そでなどを〕引っ張るようにして△止める(やめさせる)。「走ろうとするのを―」 ❷立ち去ろうとするものをとどめる。「客を―」

ひきとり【引(き)取(り)】 ■一⓪ 引き取ること。「ご使用後の返品のお―はいたしかねます」 ■二(造語) 動詞「引き取る」の連用形。「―手(テ)⓪・―人(ニン)⓪」

***ひきと・る**③【引(き)取る】 ■一(自五) 〔用が済んだものとして〕その場から去る。 ■二(他五) ❶〈(だれカラ)なにヲ―〉〔他人が所有権を放棄したものを〕自分の所へ受け取る。「不良品を―/遺児を―〔=引き取って、世話をする〕/人の言を―〔=言葉の終りを受けて、続ける〕」 ❷〔「息を―」の形で〕死ぬ意を表わす。「病人が息を―」〔⇩引き取り■二〕 運用 ■一は、「(今日のところは)お引き取り△願います(ください)」の形で、訪問者に対して(それ以上の)応対を拒否するのに用いられることがある。

ビギナー②①⓪〔beginner〕 初心者。初学者。

ビキニ①〔bikini=中部太平洋マーシャル諸島中の環礁名に由来〕 乳の部分と下腹部とをそれぞれ申しわけ程度におおっただけの、セパレーツ型の女性の水着。「―スタイル⑤」

ひきにく⓪【〈挽(き)肉】 〔機械で〕細かく組織を砕いた肉。ミンチ。

ひきにげ⓪【〈轢(き)逃(げ)】―する(自他サ) 自動車などで、人を轢いてそのまま逃げること。

ひきぬき⓪【引(き)抜(き)】 ❶引き抜くこと。他に所属する者を(自分のところに移すなどの目的で)離脱させること。「俳優の―」 ❷〔芝居で〕役者が舞台で手早く上着を取り去り、中に着込んでいた衣装を現わすこと。

ひきぬ・く③【引(き)抜く】(他五) ❶引っ張って抜き取る。ひっこぬく。「△ダイコン(ゴボウ・芽)を―」 ❷〔待遇をよくするなどの条件で〕他に所属する者を(自分のところへ移すなどの目的で)離脱させる。「他チームの選手を―」

ひきの・ける④【引(き)《退ける】(他下一) (勢いよく)引っ張って取り去る。「幕を―/ふたりを左右に―〔=遠ざける〕」

***ひきのば・す**④(他五) ■一【引(き)伸ばす】 ❶〈なにカラなにニ〉なにヲ―〉引っ張って、伸ばす。「ゴムひもを―」 ❷〈なにヲ―〉「文章を―〔=短い文章を、くふうして必要な長さにする〕/のりを―〔=水などを加えて、必要な薄さにする〕」 ❸〈なにヲ―〉写真を原板から拡大して複写する。 ■二【引(き)延ばす】〈なにカラなにニ〉―〉時間を故意に長くかけて、△終了(完成)を遅らせる。「△会議(解決・一寸刻みに事態)を―」 名引きのばし⓪「―策を講じる/―戦術を取る」

ひきはが・す④【引(き)剝(が)す】(他五) くっついているものを引っ張って剝がす。〔強調形は「ひっぱがす」〕「ポスターを―」 名引き剝がし⓪

ひきはな・す④【引(き)離す】(他五) ❶△引っ張って(無理に)離す。「親と子を―」 ❷〔競走などで〕あとに続く者との距離・間隔を大きく隔てる。「二位以下を大きく―」

ひきはら・う④(ハラフ)【引(き)払う】(他五) 自分の物をすっかり片づけて、よそへ移る。「下宿先を―」

ひきふだ⓪②【引(き)札】 ❶新商品や開店の広告に配った札。ちらし。 ❷くじびきの札。 かぞえ方 ❶❷とも一枚

ひきふね⓪【引(き)舟】 ❶舟を引っ張って行くこと。また、その引っ張られる舟。 ❷舟が他船を引っ張ること。また、その引っ張る舟。 ❸〔昔の劇場などで〕二階正面に張り出した桟敷。 表記 「引き船・〈曳き舟・〈曳き船」などとも書く。

ひきまく⓪【引(き)幕】 〔舞台で〕横に引いて開閉する幕。 ↕揚げ幕

ひきまど⓪③【引(き)窓】 綱を引っ張って開閉する天窓。

ひきまゆげ③【引(き)眉毛】 墨でかいた眉。「引き眉③⓪」とも。

ひきまわし⓪(マハシ)【引(き)回(し)】 ❶〔「お―」の形で〕師匠や先輩筋の人にいろいろ世話や指導をしてもらうこと。「先生のお―のお蔭(カゲ)です/よろしくお―願います」 ❷江戸時代、打ち首以上の重刑者を縛ったまま馬にのせ、市中を回って市民に見せた刑罰。 ❸そでが無くてすその広い雨ガッパ。

ひきまわ・す④(マハス)【引(き)回す】(他五) ❶〔幕・縄など

を〕まわりに張り渡す。❷方々を連れて歩く。〔広義では、他の人の思惑など無視して、強引に事を進める意にも用いられる〕❸世話や指導をする。

ひきむし・る④【引(き)〈毟る】(他五) 草や毛など一面に生えているものを、指先や手で強く引っ張って根元から取り除く。

ひきめ かぎはな⓪-⓪【引(き)目〈鉤鼻】 絵巻物などの大和絵ヤマトエに見られる、人の顔の描き方で、目を「一」の字に、鼻をLの字を斜めにしたようにそれぞれ一筆で書くもの。「ひきめかぎばな」とも。

ひきも きらず②-①【引(き)も切らず】(副) 何らかの対応を必要とするある事が次から次へと続いて、いつまでもとぎれる気配がない様子。「客が―やってくる」

ひきもど・す④【引(き)戻す】(他五) (引っ張って)元に戻す。「△ボート(家出娘)を―/審議の場に―」

ひきもの⓪【引(き)物】 引き出物。

ひきゃく⓪【飛脚】❶昔、急用を遠くに知らせるために送った使い。❷江戸時代、手紙・品物などを遠方に送り届けることを職業とした人。

びきゃく⓪【美脚】(女性の)美しい脚。

ひきゅう⓪ーキウ【飛球】〔野球で〕フライ。

ひきゆる・む④【引(き)緩む】(自五)〔取引で〕値段が下がる。↔引き締まる

びきょ①【美挙】 ほめる価値のある行い。

ひきょう⓪ーキヤウ【比況】〔「比」も「況」もなぞらえる意〕〔文法で〕動作・状態などを、ほかのものにたとえて表わすこと。例、…のごとし〔文語〕、…のようだ〔口語〕。

***ひきょう**②①ーケフ【卑〈怯】ーな/ーに 〔不都合・取るに足らない意の古語「比興」の変化という〕勇気に欠けていたりやり方がずるかったりして、ほめられた状態でない様子だ。「肝腎カンジンな時に逃げ出すとは―だ/―なまねはよせ」 派―さ⓪②

ひきょう⓪ーケウ【秘教】 秘密の儀式を重んじる宗教。〔仏教では密教を指す〕

ひきょう⓪ーキヤウ【秘境】 人間があまり行ったことがなくて、よく知られていない所。「アマゾンの―を行く」

ひきょう⓪ーキヤウ【悲況】 悲しいありさま。悲観すべき状況。

ひきょう⓪ーキヤウ【悲境】 不幸な境遇。

ひぎょう⓪①ーゲフ【罷業】 わざと仕事をしないこと。ストライキ。「同盟―」

ひきょういくしゃ⑤④ーケウ【被教育者】 学校の△児童(生徒・学生)として教育を受ける人。

ひきょく⓪【秘曲】 秘伝として、限られた人にしか伝えない楽曲。

ひきょく⓪②①【悲曲】 悲しい△曲(音楽)。

ひきよ・せる④【引(き)寄せる・〈惹(き)寄せる】(他下一) 自分の手元へ(引いて)△近づける(近づかせる)。「△本(椅子スイ・子供)を―/目が引き寄せられる」

ひきょり②【飛距離】❶(野球・ゴルフなどで)打ったボールの飛んだ距離。❷(スキーのジャンプ競技で)踏切りから着地点までの距離。

ひぎり⓪【日切り】⇩にちげん

ひぎれ ほうあん④ーハフー【日切(れ)法案】 年度内に成立しないと期限切れとなる法案。特に国民生活に大きな影響を与える法案についていう。

***ひきわけ**⓪【引(き)分け】❶引っ張って両方に分けること。❷勝負がつかないでそのまま中止すること。また、その勝負。

ひきわ・ける④【引(き)分ける】■一(他下一)(取っ組み合うなどして)争っている者の間に入って双方を引き離す。「つかみ合いの喧嘩ケンカをしている二人を―」■二(自下一)勝負がつかないのに、何かの事情で終りにする。「日没で―」

ひきわた⓪【引(き)綿】 普通のもめんの綿がちぎれないように、その上に薄く引き伸ばしておおう真綿。

ひきわた・す④【引(き)渡す】(他五) ❶(糸・縄などを)張り渡す。❷(人・物などを)完全に他人の手へ渡す。「警察へ犯人を―/武器を―(=投降・降伏の意を示すために、武装を解除して相手方に渡す)」 名引き渡し⓪

ひきわり⓪ ■一【引(き)割り】 劇場で、舞台の大道具を左右に引き込み、奥に用意してある次の場面に転換させること。■二【〈碾(き)割り】❶(穀類を)うすで碾いて粗びきにすること。「―納豆」❷(←碾割り麦⑤) 粒が割れる程度に粗びきした大麦。割り麦。↔押し割り

ひきん⓪【卑近】ーな 身近で、だれにでも分かりやすい様子だ。「―な例で説明する」

びぎん⓪【微吟】ーする(他サ) 小さな声で詩や歌を口ずさむこと。

ひきんぞく②【非金属】 金属以外のすべてのもの。 **―げんそ**⑥【―元素】 金属元素以外のすべての元素。例、酸素・炭素。

ひきんぞく②【卑金属】 酸化しやすく、水分・炭酸ガスなどに侵される金属。鉄・亜鉛など。↔貴金属

****ひ・く**⓪【引く】■一(他五) ❶【〈曳く・〈惹く】〈なにヲ―〉〔その物の一端をつかんで〕自分の手元へ近づける。「綱を―/弓を―(=射る)/お年寄りの手を―(=手を取って誘導する)/客を―(=勧誘する)/△同情(目・注意)を―(=自分の方に向けさせる)/風邪を―(=風邪にかかる)/△魅力(レッテル)に惹ヒかれる(=心が奪われる)」↔押す ❷〈どこカラどこニ〉なにヲ―〉 多くの物の中から必要な物を(原形のまま)取り出す。「大根を―(=土の中から抜く)/△例(言葉)を―(=引用する)/過去の例を―までもなく/辞書を―(=調べる)/くじを―(=抜き出す)/五から三を―(=取り去る。減じる)/値を―(=割り引く。安くする)」 ❸〈(どこカラどこニ)なにヲ―〉〔線などを〕途中で切らず(まっすぐ)長く伸ばす。「線を―(=ⓐかく。ⓑ大体の設計をする)/眉マユを―(=かく)/図面を―(=製図する)/境界線を―(=設定する)/△水道(ガス・電気・電話)を―(=自分の家まで引き入れる)/幕を―」 ❹〈どこ・なにニなにヲ―〉 伸ばして一面に塗る。「床に油を―/敷居に蠟ロウを―」 ❺〈なにヲ―〉 △本体(今まで存続したの)と同性質のものが、あとまで絶えないで残り続ける。「親の血筋を―/尾を―(=⇩尾)/あとを―(=⇩あと)/声を長く―」 ❻【《退く】〈(どこ・なにカラ)なにヲ―〉 出ていた物を一定の線まで下げる。「腰を―/兵を―(=軍勢を後退させる)/金キンを―(=将棋で、後方へ下げる)」 ❼〈(どこ・なにカラ)なにヲ―〉 それまで続いていたことをやめ、関係を断ち切る。「自ら身を―(=引退する)/仕事から手を―(=関係を絶つ)」 ❽〈なにヲ―〉 自分が先に立ち、そのものを持ち上げずに移動させる。「荷車を―/すそを―」 ■二【《退く】(自五)〈(どこカラどこニ)―〉 ❶後ろへ下がる。逃げる。「あとにひけない立場」 ❷何かの無くなった状態に変わる。「△水(潮)が―/熱が―(=下がる)/客足が―(=少なくなる)/顔から血の気がひいた」

ひ・く⓪【〈挽く】(他五) ❶のこぎりで切って分ける。「のこぎりで木を―/のこ(=のこぎり)△で(を)―」 ❷ろくろを回して物を作る。「ろくろで挽いて椀ワンを作る」 ❸〔人や馬・牛が〕車をひっぱる。引く。

ひ・く⓪【弾く】(他五) 〔弦楽器やピアノなどの〕楽器を△鳴らす(鳴らして演奏する)。「バイオリンを―/ピアノでショパンのワルツを―」

ひ・く⓪【〈碾く・〈挽く】(他五) 〔穀物などを〕臼ウスを回して、粉にする。「臼を―/粉を―/コーヒー豆を―」

ひ・く⓪【〈轢く】(他五) 人・動物などの上を車輪でおしつ

ひ

けて通る。「車に轢かれる」

びく①【《比《丘】〔梵ボン語の音訳〕出家して修行を積んだ男性の僧で、一定の戒を受けた人。⇩比丘尼ビクニ

びく①【〈魚籠〉】釣った魚を入れておくかご。表記「〈笭箵〉」・「〈魚〈籃〉」（漢語表記）とも書く。

＊＊**ひく・い**②【低い】（形）↕高い ❶基準とする位置から上の方向への隔たりが△比較の対象とする（一般に予測される）ものより小さいと認められる状態だ。「背が―／―山／低く垂れ込めた雲／鼻が―／腰が―〔⇔腰❸〕」❷そのものの程度を示す数値が△比較の対象とする（一般に予測される）ものより小さいと認められる状態だ。「△体温（湿度・気圧・失業率）が―／緯度が―〔＝赤道に近い〕」❸そのものが△比較の対象とする（一般に予測される）ものより劣っていると認められる状態だ。「△順位（身分・価値・信頼度）が―／実力より低く評価される」❹そのものの影響の強さやその及ぶ範囲などが△一般に予測される（比較の対象とする）ものより小さいと認められる状態だ。「△声（音）が―／知名度が―」派―さ①②

ひくいどり②【火食（い）鳥】ニューギニア・オーストラリアにすむ、ダチョウに似た大形の鳥。羽は黒く、頭の先は青・赤・紫色などで美しい。飛ぶ力は無いが、速く走る。〔ヒクイドリ科〕かぞえ方 一羽

ひくき①②【低き】〔文語形容詞「低し」の連体形の名詞用法〕低い方。「―に就く」↕高き

びくしょう②【微苦笑】軽い にが笑い。

ピクセル①〔pixel〕⇩がそ（画素）

ひぐち①【火口】❶火事の火の燃え始め（た所）。❷火をつける口。

＊**ひくつ**⓪【卑屈】―に・―な 自己の能力を信じる気力に欠け、必要以上に他にへつらうなどして、いじけている様子だ。「学歴が無いからといって―になるな／―な態度」派―さ③⓪

びくつ・く⓪（自五）恐ろしがって、びくびくする。

ひくて⓪【引（く）手】❶その人のネームバリューや利用価値に着目し、自分の仲間に引き入れようとする勧誘者。「―あまた」❷手首やひじの関節をうまく折り曲げて手元へ引き縮める時の、舞の手つき。「差す手―」

ピクトグラム④〔pictogram〕❶絵文字。象形文字。❷絵で表現した統計図表。〔❶❷ともピクトグラフとも〕

びくとも①（副）〔否定表現と呼応して〕他から△力を加えられて（何らかの働きかけがあって）も揺らいだり あわてたりすることが全く無いことを表わす。「何があっても―しない〔＝少しも△動か（驚か）ない〕」

びくに⓪①【《比《丘尼】〔梵ボン語の音訳〕出家して修行を積んだ女性の僧で、一定の戒を受けた人。⇩比丘ビク

ピクニック①〔picnic〕野山へ（歩いて）行って遊ぶこと。野外遠足。

ひくひく①②（副）―と・―する からだの一部が小刻みにけいれんする様子。ぴくぴく。「小鼻を―させる〔＝得意そうな様子をして見せる〕」

びくびく①（副）―と・―する ❶今にも自分の身に良くない事が起こりそうに感じられて不安におののいている様子。「いつばれるかと―している」❷からだの一部が小刻みに震える様子。「からだを―震わす」

ぴくぴく①②（副）―と・―する ひくひく。「まぶたを―させる」

ひぐま⓪【羆】〔古形は「しぐま」〕北海道など寒地の森林にすむ、赤褐色の大形のクマ。雑食。〔クマ科〕かぞえ方 一頭

ひくま・る③【低まる】（自五）（自然に）低い状態になる。↕高まる

ひくみ③【低み】低い所。↕高み

ひくめ⓪【低目】↕高目 ❶―に・―な （やや）低いと思われる△程度（様子）。「賃上げ率を―に抑える」❷ストライクゾーン△内の（よりも）低い所。「―をねらう／―にきまる」

ひく・める③【低める】（他下一）低い状態にする。「声を―」↕高める

ひぐらし⓪②【〈蜩〉】夏から秋にかけて、明け方や夕方に、カナカナと鳴くセミ。かなかな。〔セミ科〕表記 古来の用字は「〈茅〈蜩〉」。かぞえ方 一匹

ひぐらし⓪【日暮（ら）し】❶その日その日を送り暮らすこと。❷（副）〔雅〕朝から暮れ方までを通してそうする様子。「物語の事を、昼は―思ひつづけ、夜も目のさめたるかぎりは、これをのみ心にかけたるに」

ぴくり②（副）―と からだの一部が（何かの拍子に）一瞬動く様子。「横たわったまま―ともしない／―と眉を上げる」

ピクルス①〔pickles〕西洋風の漬物。塩漬けにしたキュウリ・キャベツ・カブ・レモン・トマトなどを、さらに酢・砂糖・香辛料の中に漬け込んだもの。ピックルスとも。かぞえ方 一本

ひぐれ⓪【日暮（れ）】夕暮れ。夕方。↕夜明け

びくん⓪【微〈醺〉】「ほろ酔い」の意の漢語的表現。「―を帯びて」

ひけ⓪【引（け）・《退（け）】❶引けること。「毎日五時の―だ／早―ビケ」❷劣ること。「―をとらない〔＝負けるものではない〕」❸〔取引で〕「大引け」の略。

＊**ひげ**⓪【髭・〈髯〉・〈鬚〉】〔主として男子の〕口・ほお・あごのあたりに生える毛。〔動物では、口のあたりに生える長い毛を指す〕「―を△生やす（落とす）／―そり③④・カイゼル―・どじょう―・―文字⓪〔＝ドイツ語などを表わす、亀甲キッコウ形の角を持つ文字〕」表記 ほおひげ・あごひげであることを強調する場合は、それぞれ「〈髯〉」「〈鬚〉」を使う。例、「白髯ハクゼン シラヒゲ」。かぞえ方 一本 【―の〈塵〉を払う】立場の上の人にへつらう。【―を《捻る】人前でかっこうをつけたり威厳を示したり手持ちぶさたであったりなどする時に、髭をいじって整えようとする。〔あごひげの時は、「しごく」という〕

ひげ①【卑下】―する（自他サ）自分を、人より卑しいとか劣っているとか思っている様子をすること。「そんなに―する必要は無い」

ピケ①② ㊀ピケットの略。「―を張る／―ライン③」㊁〔フ piqué〕畝ウネ織りの（浮出し模様のある）厚い△綿（毛）織物。ピッケ①とも。「―帽②」

ひけい⓪【秘計】人に知られないようにして立てたはかりごと。

びけい⓪ ㊀【美形】❶容貌ヨウボウのうつくしさ。〔男女を通じて言う〕「〝紫の女〟と呼ばれ―をたたえられた令嬢／フォーマルドレスで着飾った女性陣はいずれも―〔＝美人〕だが…」❷「美人、特に美人芸者」の意の古風な表現。「―をそろえる」㊁【美景】美しい景色。

ひげき①【悲劇】↕喜劇 ❶悲惨な結末に終わるなど、人生の暗い面を題材にした舞台芸術。トラジェディー②。「ギリシャ―・新派―」❷不幸・悲惨な出来事。「両親を一度に失うという―に見舞われる／戦争がもたらす―」 **―てき**⓪【―的】―に・―な 悲劇の性質を持つ様子だ。「―な最期を遂げる」

ひけぎわ⓪【引け際・《退け際】〔「引け❶❸」の際〕❶（公の）仕事から離れるのに、頃合コロアイの時期。❷勤め先での一日の仕事が終わる直前の一時ヒトトキ。❸〔取引で〕大引けに近い時分（の相場）。〔❶❷は、語源意識が薄れた向きは、「引き際」とも言う〕

ひけし【火消（し）】❶③火を消すこと。❷③②〔江戸時代の〕消防夫。「―役⓪」❸③△騒動を静める（危機を乗り切る）こと。 **―つぼ**③②【―〈壺〉】おこっている炭や燃えさ

し の薪(マキ)を入れ、密閉して消す壺。「消し壺」とも。

ひけそうば③【引け相場】⇩ひけね

ひげだいもく③【髭題目】〔日蓮(ニチレン)宗で〕南無妙法蓮華経(ナムミョウホウレンゲキョウ)の題目の〔「法」以外の〕文字の先を髭のように細く伸ばして書いたもの。

ひけつ⓪【否決】―する(他サ)〔会議で〕議案を承認しないことに決めること。↔可決

ひけつ⓪【秘〈訣】何か物事をやり遂げる上での、特別にいい方法。「成功の―〔=こつ〕」

ひけつ⓪【秘結】―する(自サ)〔漢方で〕便秘になること。

ピケット②①〔picket〕労働争議中、ストライキの裏切り者や妨害者を見張る△人(所)。略してピケ。「―ライン⑤」

ひげづら⓪【〈髭面】髭をたくさん生やしたままの顔。

ひけどき⓪【引け時】〔役所・会社・学校などで〕△仕事(勉強)が終わって、そこを出る時刻。表記「《退け時」とも書く。

ひけね⓪【引け値】〔取引で〕最終立会いの値段。大引けの値段。引け相場。

ひけめ⓪【引け目】〔相手に対し〕自分が劣っていると考えること。「―を感じる」

ひけらか・す④(他五)得意になって示す。「知ったかぶりの知識を―」名ひけらかし⓪

ひ・ける⓪【引ける・《退ける】(自下一)㊀〔役所・会社・学校などで〕その日の△仕事(勉強)が終わってそこを出る。「五時に会社が―」㊁消極的になる。「気が―〔=気おくれがする〕」

ひけん⓪【比肩】―する(自サ)肩を並べること。匹敵すること。「―するものが無い」

ひけん⓪【披見】―する(他サ)手紙・文書などを、ひらいて見ること。

ひけん⓪【卑見・〈鄙見】「〔自分の〕意見」の意の謙遜(ケンソン)語。「―を述べさせていただきます」

ひげんぎょう②【非現業】現業部門ではない、普通の事務。「―官庁」

ひけんしゃ②【被験者】試験や実験の対象となって、調べられる人。

ひこ①【〈彦】(造語)昔、一般的に用いられた男子の美称。〔現在でも、名前の一部には用いられる〕⇩姫(ヒメ)

ひこ⓪②㊀【雅】孫。㊁【〈曽孫】〔「ひひこ」の変化〕孫の子供。ひいまご。

ひご②⓪【〈籤】竹を細く割って削ったもの。かごを編んだりちょうちんの骨などに使ったりする。かぞえ方 一本

ひご①【庇護】―する(他サ)〔弱い立場の者などを〕精神的・物質的に支援すること。「両親の―の下(モト)にすくすくと育った/―者②」

ひご①【卑語・〈鄙語】セックスに関する興味本位の話など、人前であからさまに口にすることはつつしむべきだとされる表現。

ひご①【飛語・〈蜚語】根拠の無いうわさ。「流言―」

ピコ〔接頭〕〔pico=もと、スペイン語で、「少量」の意〕国際単位系における単位名の接頭辞で、基本単位の一兆〔=十の十二乗〕分の一であることを表わす〔記号 p〕。「―ファラッド〔=一兆分の一ファラッド=10^{-12}ファラッド〕」⇩フェムト

ひごい⓪【〈緋鯉】コイの変種。全身△赤黄色(紅色)。観賞用。⇩真鯉(マゴイ)

ひこう⓪【披講】―する(他サ)詩歌などの会で、詩・短歌・俳句などの作品を読み上げる△こと(人)。

ひこう⓪【肥効】「肥料が農作物に与える効果」の意の農業用語。

ひこう⓪【肥厚】―する(自サ)「皮膚・粘膜などが、はれあがって厚くなる」意の医学用語。「―性鼻炎⑥」

ひこう⓪【非行】社会規範からはずれた行い。「―に走る/―の根を断ち切る/―少年④〔=不良少年〕/―化⓪」

ひこう⓪【飛行】―する(自サ)〔航空機などが〕空中を飛ぶこと。**―き**②【―機】プロペラを回転させ、またはガスを噴射させて空中を飛ぶ乗り物。かぞえ方 一機・一台 **―きぐも**⑤【―機雲】飛行機が高い空を飛んだあとに、長く尾を引いて現われる白い雲。**―し**②【―士】航空機の中で運航にかかわる業務を行なう人。特に、操縦する人。**―じょう**⓪【―場】飛行機が発着するための平らな広い場所。空港。エアポート。かぞえ方 一面 **―せん**⓪【―船】空気より軽いガス〔=ヘリウム・水素など〕を満たした袋で空中に浮かび、発動機によって飛行するもの。航空船。かぞえ方 一台 **―たい**⓪【―体】正体不明だが、空中を飛んで行くように見える物体。例、空飛ぶ円盤。**―てい**⓪【―艇】胴体がボートの形になっている、大型の水上飛行機。かぞえ方 一機 **―びん**⓪【―便】⇩航空便 **けいき―**④⑤【計器―】⇩計器 **ゆうしかい―**⑥⑦【有視界―】⇩有視界飛行

ひごう⓪【非業】〔仏教で〕前世に犯した罪の報いによらないこと。「―の死を遂げる〔=思いがけない災難で死ぬ〕」

びこう⓪【尾行】―する(他サ)〔人の行動を△調べる(見張る)ために、気づかれないように〕あとをつけること。

びこう⓪【備考】参考として、書き添える△こと(事柄)。「―欄②」

びこう⓪【備荒】凶年の時に困らないように用意をすること。「―貯蓄・―作物〔=他の作物が不作な時でもある程度の収穫が得られる、ヒエ・サツマイモなど〕」

びこう⓪【微光】かすかな光。

びこう⓪【微行】―する(自サ)「おしのび」の意の漢語的表現。

びこう⓪【微香】かすかなにおい。「―性の石けん」

びこう⓪㊀【鼻〈腔】鼻の孔(アナ)の中の空間。〔医学の世界では「びくう」と言う向きもある〕㊁【鼻孔】鼻の孔(アナ)。

ひこうかい②【非公開】建前として一般の人には公開しないこと。「―の審査」

ひこうしき②【非公式】―に/―な 表立って発表したり正式に認めたりするのではない様子だ。「―訪問」

ひこうしん②【〈粃糠疹】細かな鱗屑(リンセツ)が皮膚面に出来る皮膚病。

ひごうほう②【非合法】―に/―な 法律の規定に触れ、反社会的な傾向が認められる△こと(状態)。「―な活動/―化する/―的⓪、①-⓪」↔合法 派―さ⓪④

ひごうり②【非合理】―に/―な 道理や論理に合わない△こと(状態)。⇩不合理 派―さ④⓪

ひこく⓪【被告】〔法律で〕民事・行政事件で、訴えられた方の人。原告の相手方。〔広義では、物事を問いただされるような受身の立場にある人を指す〕↔原告 **―にん**⓪【―人】刑事事件で起訴されたが、裁判の確定していない者。「刑事―⓪」

ひこくみん②③【非国民】国民としての義務を怠り、国家を裏切るような行為をする者。売国奴。

ひこつ⓪①【〈腓骨】脛骨(ケイコツ)の外側にあって、その上の端が大腿骨(ダイタイコツ)に連なる細長い骨。

びこつ⓪【尾骨】脊柱(セキチュウ)の下の端の骨。尾骶骨(ビテイコツ)の改称。

びこつ⓪①【鼻骨】鼻を形作っている骨。

ピコット②①〔フ picot(発音はピコ)の文字読み〕レース・リボンなどのへりを、糸で小さな輪状の突起を編んで飾った

もの。ピコ①とも。「―編み⓪」

ひごと⓪②③【日《毎》】まいにち。日び。「―に△美しく(暖かく)なる／―夜ごとため息をついている」

ひごの かみ③【肥後《守》】鞘(サヤ)に「肥後守」と銘があるナイフ。鉄の鞘の中に折り込むように作ってある。[かぞえ方] 一挺(チョウ)・一丁

ひこばえ⓪【〈蘖〉】〔「孫生(ヒコバエ)」の意〕切り株から出た芽。

ひこぼし②【〈彦星〉】たなばたに祭る、牽牛(ケンギュウ)星。

ひごろ⓪【日頃】以前から現在に至るまで同じように△続く(繰り返される)ことを表わす。〔副詞的にも用いられる〕「―の広言に似合わず／―の御愛顧に感謝のため／―の行い△が大事だ(を慎む)／―ほしいと思っていた品」

***ひざ**⓪【膝】❶ももとすねが続く関節の部分の前面。「転んで―をすりむく」❷(すわった時の)ももの上側。「―を抱える／―を崩す〔=楽な姿勢ですわる〕／―を打つ〔=感心した時にする動作〕／―を送る〔=⇩膝送り〕／―を進める〔=ⓐすわったまま相手に近づく。ⓑ話に夢中になって、前に進み出る〕／―を交える〔=互いに近寄って、親しく話し合う様子〕／―を屈する〔=敵対していた相手に降参する〕／―が笑う〔=⇩笑う[二]❶〕」【―を乗り出す】話題に興味を持ち、より主体的に関わろうとして、話し相手の側に体を傾け上体を近づける。身を乗り出す。「儲(モウ)け話に思わず―」

ビザ①〔visa〕⇩査証

ピザ①〔イ pizza (発音はピッツァ)の文字読み。パイと同義〕小麦粉をねって発酵させた薄く丸い生地に、トマト・チーズ・肉・アンチョビーなどをのせて焼いた食品。〔ピザ パイ⓪②③は、同義語を重ねた日本での俗称〕[かぞえ方] 一枚

ピザ①【PISA】〔← Programme for International Student Assessment〕経済協力開発機構(OECD)が三年に一度行なう、世界の十五歳児童を対象とした学習到達度テスト。

ひさい⓪【非才・〈菲才】(当面する問題の処理・解決に求められる)才能が無いこと。〔一般に、(才能の無い)自分自身の謙称として用いられる〕

ひさい⓪【被災】―する(自サ) 災難にあうこと。罹災(リサイ)。「―者」

びさい⓪【微細】―な/―に ごく細かい様子だ。「貝殻の―な砕片／―に記す」

びざい⓪【微罪】ごく軽い罪。「―釈放」

ひざ おくり③【膝送(り)】―する(自サ)〔空席を作るために〕すわったまま△中腰で(膝を動かして)席を詰めること。「込み合ってきましたのでお―(を)願います」

ひざ かけ⓪③④【膝掛(け)】からだを冷やさないように、膝の上に掛ける毛布など。[かぞえ方] 一枚

ひざ がしら③【膝頭】膝の関節の部分。膝株(ヒザカブ)。ひざこぞう。

ひさかた ぶり⓪【久方振(り)】「ひさしぶり」の少し改まった表現。

ひざ かぶ⓪【膝株】⇩ひざがしら

ひざ かり⓪②【日盛(り)】〔一日のうちで〕日の一番強く照りつけるころ。

ひ さく⓪【秘策】秘密にしてだれにも知らせない△はかりごと(やり方)。「―を授ける」

ひさ・ぐ⓪②【〈鬻ぐ〉】(他五)「売る」意の古風な表現。「春を―〔=⇩春❸〕／文章を―」

ひざ ぐみ⓪【膝組(み)】あぐら(をかくこと)。

ひざ ぐり⓪【膝繰(り)】ひざおくり。「お―⓪」

ひざ くりげ③【膝〈栗毛】徒歩で旅行をすることを、しゃれて言った言葉。「東海道中―」⇩テクシー

ひさげ⓪【《提・〈提子〉】〔手に提(サ)げる意の文語動詞「ひさぐ」の連用形の名詞用法〕小なべのような形で、つるの付いた銚子(チョウシ)。銀・錫(スズ)などで作る。[表記]「〈鍉」とも書いた。

ひさご⓪【〈瓠・〈瓢】ヒョウタンなどの実。酒などを入れる容器に用いた。[かぞえ方] 一本

ひざ こぞう④⓪【膝小僧】「ひざがしら」の意の日常語的表現。〔よりくだけた日常語としては、「ひざっこぞう⑤⓪」〕

ひざ ざら⓪【膝皿】膝の関節の前側にある、皿の形をした骨。膝骨。「ひざさら⓪」とも。

ひさし⓪【〈庇・〈廂】❶〔昔、寝殿造(シンデンヅクリ)で〕母屋(モヤ)のまわりの細長い部屋。「―を貸して母屋(オモヤ)を取られる〔=重要でない一部分を貸したために、最後には全体までも奪われてしまう〕」❷〔雨・日光を防ぐために〕軒先に差し出した、小さな屋根。❸帽子の、額の上に突き出た部分。❹〔←ひさし髪(ガミ)⓪〕〔明治末・大正初期に流行した〕額の上の髪を、前の方へ高く突き出るように結った髪。

ひざし⓪【日差(し)】太陽の光がさす△こと(程度)。また、その光。「日中―が強くなる」[表記]「日《射し・《陽《射し・《陽差し」とも書く。「日《脚」は、文学的用字。[かぞえ方] 一本

ひさし・い③【久しい】(形) 何かがあったその時からかなり長い月日がたつ様子だ。「大学を卒業して(から)―／音信が久しくとだえている／こんなにのんびり出来ることは絶えて―／まあ、お―〔=久しぶりだ〕こと」⇩ひさしぶり [派]―さ③② [運用] 久しぶりだの意の「久しい」は、「お久しゅうございます」などの形で、再会時の挨拶(アイサツ)の言葉として用いられることがある。

***ひさし ぶり**⓪【久し振(り)】―に 前に同類の事を経験してから、再び△その事をする(そういう状態になる)までに、長い月日がたっていると感じられる様子だ。「―に会う／―の晴天」[運用]「(お)久しぶり」などの形で、長い時を隔てた再会時の挨拶(アイサツ)の言葉として用いられる。例、「やあ久しぶり、元気かい／お久しぶりです、お変わりありませんか」

ひ さつ⓪【飛札】〔古〕〔飛脚に持たせてやる〕急ぎの手紙。

ひざ づめ⓪【膝詰(め)】〔相手と膝を突き合わせて〕相手が避けられないようにして迫る△こと(状態)。「―談判⑤」

ひさ びさ⓪【久々】―に [一]久しぶり。「―に映画を見る／―の対面」[二](副) 何かをしてからそれまでに長い月日がたっている様子。「―〔=長らく〕ごぶさたしました」

ひざ びょうし③【膝拍子】膝をたたいて拍子を取ること。また、その拍子。

ひざ ぼね⓪【膝骨】⇩ひざざら

ひざ まくら③【膝枕】他人の膝を枕にして眠ること。

ひざ まず・く④【〈跪く〉】(自五)〔「ま」の意は未詳〕〔相手に敬意を表したり神仏に祈ったりするために〕膝を△地面(床)につけて、かがむ。「今にお前を跪かせて〔=屈服させて〕やるぞ」

ひ さめ⓪【氷雨】❶〔雅〕あられ。雹(ヒョウ)。❷〔秋の〕冷たい雨。

ひざ もと⓪【膝元・膝下・膝《許】❶〔自分の〕膝のすぐそば。「―にころがっている／親の―〔=あたたかい家庭〕を離れる」❷〔「…のお―」の形で〕天皇・将軍など、権力者の△すぐそば(住んでいる地域)。「長官のお―／将軍様のお―〔=江戸〕」⇩おひざもと

ひ ざら①【火皿】❶昔の火縄銃の側面にある火薬を盛る所。❷きせる・パイプの たばこを詰めこむ所。

ひ さん⓪【〈砒酸】砒素の酸化物。無色の結晶で猛毒。染料・顔料・農薬原料用。**―えん**②【―鉛】砒素と鉛の化合物。農業用殺虫剤にしたが現在は使用禁止。「ひさん

なまり[4]」とも。

ひさん[0]【飛散】ーする(自サ)〔鳥や液体の粒などが〕飛び散る(ようにする)こと。

***ひさん**[0]【悲惨】ーな・ーに まともに見ていられないほど、痛ましい様子だ。「ーな状態に追い込まれる／ーの度を加える」 派 **ーさ**[0][2] 表記「悲酸」とも書く。

ビザンチンしき[0]【ビザンチン式】〔Byzantine〕六世紀ごろ、ビザンチウム(=東ローマ帝国の首府。今のトルコのイスタンブール)を中心に栄えた建築様式。大きなまる屋根、内部の美しいモザイク・細密画などに特色がある。

ひし[0]【〈菱】沼に生じる一年生水草。夏、白色の花を開き、ダイヤ形で長く鋭いとげのある実を結ぶ。種は食用。〔ミソハギ科(旧ヒシ科)〕 かぞえ方 一本

ひし[1]【皮脂】皮脂腺(セン)から分泌される、油状の物質。皮膚の乾燥を防ぐ。**ーせん**[0][2]【ー腺】皮膚の脂(アブラ)を分泌する腺。通常は毛の根元に開くが、一部には毛と無関係のものもある。**ーろう**[2]【ー漏】皮脂が分泌され過ぎること(病状)。「脂漏[0]」とも。

ひし[1]【彼〈此】「あれとこれ」の意の漢語的表現。「ーの別」

ひし[1]【秘史】世間に知られていない歴史。

ひし[1]【悲史】悲しい結末が、読む人の涙を誘う歴史物語。

ひじ[2]【肘・〈肱・〈臂】(チヒ) 腕の中間にあって、関節で折れ曲がる部分の、外側の称。「ーをつく／いすのー(=肘を置いて休める部分)」

ひじ[1]【非時】〔正式の食事(=正午前後)以外の意〕僧にとって正午以後の食事の称。⇩斎(トキ)

ひじ[1]【秘事】人に知られ(たく)ない事。秘密の事。

びし[1]【微志】「わずかな志(ココロザシ)」の意の漢語的表現。多く、自分の志を謙遜(ケンソン)して言う。

びじ[1]【美辞】美しい言葉。「ー麗句[1]-[1]、[1]-[0](=上べだけを飾った美しい言葉)を並べる」

ひしお[0]【〈醤】(ヒシホ) ❶今のしょうゆに当たる昔の調味料。❷魚・肉類の塩漬け。しおから。❸なめみその一種。麦のこうじにダイズを加え、塩を交ぜこみ、さらに塩漬けの野菜を入れてたくわえるもの。 表記 ❷は、「〈醢」とも書く。

ひしかく・す[4]、[1]-[2]【秘し隠す】(他五) 秘密にして隠す。

ひじかけ[0][4]ー(ヒヂ)【肘掛(け)】〔楽な姿勢をとるために〕肘をのせる所。〔狭義では、脇息(キョウソク)を指す〕「ーいす[4]」

ひしがた[0]【〈菱形】〔ヒシの実の形の意〕四辺が同じ長さで、どの角も直角でない四辺形。斜方形[2]。

ひじがね[0][2]ー(ヒヂ)【肘金】金物を肘のように曲げて作り、開き戸につけて開閉させるもの。⇩肘壺(ツボ)

ひじき[1]【〈鹿尾菜〉】褐藻類の一つ。細い円柱状で、多数に枝分かれしている。なまの時は茶色で、乾燥した物は黒茶色。若葉は食用。〔ホンダワラ科〕 かぞえ方 一本 表記 古く「〈海鹿〉」、後に「〈鹿尾菜〉」と書く。

ひし・ぐ[2]【《拉ぐ】(他五) ❶押しつぶす。「高慢の鼻をひしがれる」❷強い力で圧倒し、その勢いを弱める。「鬼をもー勢い／荒肝(アラギモ)をー(=⇩荒肝)」⇩うちひしぐ

ひし・げる[3][0]【《拉げる】(自下一) 強い力が加わって押しつぶされゆがんだ形になる。「大雪で小屋がー」

ひしこ[0]【〈鯷】〔↑ひしこいわし[4]〕カタクチイワシ。

ひししょくぶつ[4]【被子植物】種子植物のうち、胚珠(ハイシュ)が子房(シボウ)に包まれているもの。例、ウメ・サクラ・ツバキ・ボタン・ツツジなど。↔裸子植物

ビジター[1][0]〔visitor=訪問者〕❶〔野球で〕そこに本拠を置くチームと対戦する、外来のチーム。❷〔ゴルフ場や会員制のクラブで〕会員以外の(一時的な)利用者。

ひじちょうもく[1]-[0]ー(チヤウ)【飛耳長目】〔遠くの事物を居ながらにして知る耳と目の意〕観察が鋭く速いこと。

ひしつ[0][1]【皮質】副腎(ジン)・腎臓など、中が詰まった臓器の表層部。「大脳ー(=⇩大脳皮質)」↔髄質

ひしつ[0]【卑湿】ーな 低地で、じめじめしている様子だ。

びしつ[0]【美質】❶きわだった美人(として生まれついたこと)。❷人柄の気高さ・心根の美しさ・感受性の豊かさなど、その人自身が生まれつき備えている、すぐれた性質。

ひじつき[2][4]ー(ヒヂ)【肘突(き)】机の上に置き、肘の下に敷く、小さな布団。

ひじつぼ[0][2]ー(ヒヂ)【肘〈壺】金物で壺のように作り、肘金にはめて、扉を開閉させる器具。壺(金)。⇩肘金(ガネ)

びしてき[0]【微視的】ーな・ーに ↔巨視的 ❶顕微鏡で初めて見分けられるほど小さい様子だ。❷非常に細かなところまで観察(しようと)する様子だ。ミクロ。

ひじてつ[0]ー(ヒヂ)【肘鉄】〔↑肘鉄砲(デッポウ)[3]〕❶肘の先で、人を強く突くこと。❷要求・誘いなどを強くはねつけて断わること。「ーを食う(=要求を断わられる)」

ひしと[1]【〈犇と】(副) ❶からだなどを、押しつけるようにして密着させ(てい)る様子。「ー抱きしめる／ー相寄って座っている」❷急所を衝(ツ)かれ(て身にこたえ)る様子。「鉄槌(テッツイ)をー加える／忠告がーこたえる」

ひじに[0]【《乾死(に)】〔雅〕飢え死に。

ビジネス[1]〔business〕❶事務。仕事。「ーウエア[6](=事務用の服)・ーガール[5](=もと、女子事務員。BG)」❷実業。「ーの世界で顔が利く／ーセンター[5](=商業中心街)」 **ークラス**[5]〔business class〕〔旅客機などで〕ファーストクラスよりは安くエコノミークラスより高い料金の席。 **ースクール**[6]〔business school〕❶パソコン・速記・簿記などの商業実務を教える専門学校。❷経営学専門の大学院。 **ーパーソン**[5]〔business person〕「ビジネスマン」を改め、男女ともに指す語。 **ーホテル**[5]〔和製英語 ←business＋hotel〕会社員などの出張に利用される、低料金で機能性に重点をおいたホテル。 **ーマン**[4]〔businessman〕企業などで、事務・実務をとる人。〔古くは実業家の意にも用いられた〕 **ーライク**[5]ーな・ーに〔businesslike〕❶事務的。「ーに話し合う」❷能率的。

ひしひし[1][2]【〈犇々〉】(副)ーと するどい△打撃(刺激)が続けざまに加えられて身にこたえる様子。「寒さがー(と)感じられる」

びしびし[1](副)ーと 容赦なく、きびしく責めたてる様子。「ー△鍛える(取り締まる)」

ぴしぴし[1][2](副)ーと 続けざまに音を立てて打ったり枝を折ったりする様子。

ひじまくら[3]ー(ヒヂ)【肘枕】〔ちょっと眠るために〕肘を曲げて枕の代りにすること。てまくら。

ひしめ・く[3]【〈犇(め)く】(自五) 人がおおぜい集まって、押し合い、騒ぎ立てる。〔文脈により、同類のものがたくさん集まってきて激しい競合いをする意にも用いられる〕「見物人がー／ひしめき合う[5]」 名 犇めき[0]

ひしもち[2]【〈菱餅】菱形に切った餅。紅・白・緑・黄などの色を配合よく重ね、三月の節句に飾る。 かぞえ方 一枚

ひしゃ[0]【飛車】〔将棋で〕縦・横の直線方向にいくらでも自由に進退出来るこま。成ると竜王になる。

ひしゃく[0]【《柄〈杓】〔「ひさご」の変化「ひさく」の変化形〕湯や水などをくむ用具。木・竹・金物などで作り、椀(ワン)形・筒形の容器に長い柄が付いているもの。 かぞえ方 一本

びじゃく[0]【微弱】ーな・ーに 小さくて弱い様子だ。「ーな電流」

ひしゃ・げる[3][0](自下一)「ひしげる」の口頭語的表現。

ひしゃたい⓪【被写体】写真に写される△人(物)。

びしゃもんてん③【〈毘《沙門天】〔毘沙門は、多聞の意の梵語の音訳〕〔仏教で〕四天王の一つで、怒りの姿を見せ、よろい・かぶとを着け、手にほこを持って、北方を守る。密教で金剛界の西方に配せられ、福神とされるので、俗に七福神の ひとりとしてかぞえられる。「毘沙門⓪」とも。多聞天②。

ぴしゃり②(副)―と ❶平手で、勢いよく何かを打つ様子。「ほっぺたを―とぶつ」 ❷戸などを、(勢いよく)完全に閉じる様子。「△戸(蓋)を―としめる」 ❸相手を完全に抑えつけて、抵抗の余地を与えない様子。「要求を―とはねつける/その投手は一人で九回を―と抑えきった」

ひしゅ①【〈匕首】「あいくち」の漢語的表現。かぞえ方 一口・一本

びしゅ①【美酒】「うまい酒」の意の漢語的表現。「―嘉肴」

ビジュアル①⓪―に―な〔visual〕視覚に訴える様子だ。視覚的。「―がいい/―な雑誌/―デザイン⑥」

ひしゅう①【肥州】「肥前・肥後」の総称。

ひしゅう①【飛州】「飛驒国」の漢語的表現。今の岐阜県北部にあたる。

ひしゅう⓪【悲愁】「悲しみに深く沈む気持」の意の漢語的表現。「―にとざされる」

ひじゅう⓪【比重】❶その物質の質量の、同体積のセ氏四度の水の質量に対する比。〔気体の場合は、水の代りにセ氏零度・一気圧の空気を比較の基準として用いる〕 ❷他の物と比べた時の大きさ・重要さなどの割合。「―を占める/―が大きい」

びしゅう①【尾州】「尾張国」の漢語的表現。今の愛知県西部にあたる。「―毛織物⑥」

びしゅう⓪【美醜】(顔かたちの)美しいことと醜いこと。

びしゅう①【備州】「備前・備中・備後」の総称。

ひしゅうしょくご①-⓪、⓪【被修飾語】〔日本語文法で〕修飾語によって何らかの意味的な限定を加えられる方の語。日本語では「美しく咲く」の「咲く」や「赤い花」の「花」のように、上接する語によって限定を加えられる。〔言語によっては後に続く語によって限定を加えられるものもある〕⇩修飾語

ひじゅつ①【秘術】秘密にして、人に知らせない術。おくの手。「―を尽くす」

****びじゅつ**①【美術】〔文芸や音楽に対して〕色や形により美を表現する芸術。絵画・彫刻・建築・写真・書道・工芸など。「―を愛好する/―的に図案化する/―館③②・―品⓪・造形―・―家⓪」

ひじゅん⓪【批准】―する(他サ)〔法律で〕条約を、国家として認め、最終的に確定する△こと(手続き)。「(条約)―書」

ひしょ①②【秘書】❶秘密にして人に見せない書籍。❷〔組織体で〕重要な地位・職務にある人のそばに居て、機密を要する仕事をする役(の人)。「社長―・―課⓪・―官②」

ひしょ②①【避暑】―する(自サ) その地の暑さを避けて、涼しい所へ一時移ること。「高原の―地」↕避寒

びじょ①【美女】顔かたち・姿のきれいな女性。↕醜女 ⇩美男 **―ざくら**③【―桜】庭に植える多年草。夏から秋に、サクラソウに似た、白・赤・紫などの花をつける。ブラジル原産。バーベナ⓪。〔クマツヅラ科〕かぞえ方 一本

ひしょう⓪【卑小】―な 認めるほどの価値が無く、その存在が見すぼらしく見える様子だ。「―な△動機(欲)」

ひしょう⓪【卑称】自分または相手の存在を卑しめて、その動作・状態をぞんざいな表現で言うこと。また、その表現。「てめえ・あいつめ・あん畜生・けつかる・やがる」など。

ひしょう⓪【飛〈翔】―する(自サ)〔鳥△が(のように)〕空中を飛ぶこと。「―体⓪」

ひしょう⓪【悲傷】―する(自他サ) 痛ましい出来事に会ったりして、心から悲しむこと。

ひしょう⓪【費消】―する(他サ)〔金などを〕すっかり使ってしまうこと。「公金―」

***ひじょう**⓪【非常】❶―な 通念ではとうてい律することが出来ない様子だ。「―な暑さで、すっかり参る」❷〔↑非常事②〕地震・火事・噴火・洪水などの天災や、事故・人災に突然あったりするなど、平穏な市民生活の夢を破る、予測不能の出来事。「―用⓪」 **―ぐち**②【―口】火災や地震などの非常の際に、建物や乗り物などから逃げ出すための出口。 **―じ**②【―時】〔国家または国際間に〕重大な△危機が迫った(事件が起こった)時。 **―しゅだん**④【―手段】非常の場合だけ とることが許される臨時の措置。〔暴力を制するに武力をもってするなど〕 **―しょく**②【―食】災害時に備えて用意しておく(調理を必要としない)食料。 **―せん**⓪【―線】火災・犯罪事件などの時、一定の区域に一般の人の立入りを禁止し、警官を配置すること。また、その区域を囲む線。「―を張る」 **―に**⓪(副) 普通に考えられる程度をはるかに超えた段階にある様子。「―ためになる話だ/―おもしろい/―残念だ」

ひじょう⓪【非情】―に―な 喜怒哀楽の感情によって代表される人間らしさを一切拒絶する△こと(様子)。〔仏教では、その代表的存在としての木石を指す〕「―な(=人間味が全く感じられない)仕打ち/―の(=思いやりの無い)雨」⇩有情

びしょう⓪【美称】△ほめて(美しく聞こえるように)言う言い方。派 ―さ⓪

びしょう⓪【美粧】美しい化粧。

びしょう⓪ ❶【微小】―な 非常に小さかったり 細かい粒であったりして、肉眼でその存在を認めることが困難な様子だ。「―の生物」 ❷【微少】―に―な 非常に少なくて、ほとんど問題にならない程度だ。「―な金額」

びしょう⓪【微笑】―する(自サ) わずかに分かる程度に笑うこと。ほほえみ。「思わず―を浮かべた/―を禁じえない」

びしょう⓪【微傷】ちょっとした傷。かすり傷。「―だに負わなかった」

びじょう⓪【尾錠】ベルト・靴などに取り付け、左右から締めよせて止める金具。しめがね。びじょがね⓪②。バックル。かぞえ方 一本

びじょう⓪【〈媚情】愛撫を求める表情・態度。

ひじょうきん②【非常勤】〔常勤と違って〕決められた日時に委託された業務のためにだけ勤務すること。「―講師」↕常勤

***ひじょうしき**②【非常識】―に―な 普通の人ならしないような△社会通念に反する(思慮を欠いた)事(をする様子)。「常識はずれ⑤。「―なふるまい」派 ―さ⑤⓪

びしょうじょ②【美少女】(アイドルとしてもてはやされる)姿かたちのきわだって美しい少女。

ひじょうすう②【被乗数】〔掛け算で〕掛けられる方の数。↕乗数

びしょうねん②【美少年】顔かたち・姿の美しい少年。「紅顔の―」

びじょうふ②【美丈夫】(顔や姿の美しい)りっぱな男性。

ひじょうり②【非条理】―な どうして△そうである(そのようなことが起きる)のか、論理的に筋道だった説明が出来なかったり 理性的に判断することが不可能であったりする

△事柄（状態）。

ひしょく⓪【非職】㊀現職に居ない△こと（人）。㊁〔公務員などで〕地位はそのままで、職務をとらなくてよい△こと（人）。

びしょく⓪【美食】━する（自サ）庶民が毎日食べるわけにはいかない、うまい食べ物（を食べること）。「━家ヵ⓪」

ひじょすう②━ヂョ【被除数】〔割り算で〕割られる方の数。↕除数

ビショップ②①〔bishop〕〔キリスト教で〕教会の△僧正（司教・監督）。

びしょぬれ⓪【びしょ〈濡れ〉】〔雨などに〕ひどく濡れること。びしょびしょに濡れること。

びしょびしょ ㊀⓪━に━な〔水・雨・汗などで〕水がぽたぽたと垂れるほどに濡ヌれた様子だ。「急な雨で━だ/汗で━になる」㊁①（副）━と「びしょびしょ㊀」に同じ。「冷たい雨が━（と）降る」

ビジョン①〔vision〕㊀想像（力）。㊁理想として描く△像（構想）。未来像。「将来の展望や━に欠ける」

ひじり⓪《聖》〔「日知り」の意という〕知徳が高くて、万人の師範と仰がれる人。〔広義では天子を指し、狭義では高僧や、その方面の芸能で超一流の存在を指す〕

ひしん⓪【飛信】「急ぎの手紙」の意の古風な表現。

びしん⓪①【美神】美をつかさどる神。ビーナス㊀。

びしん⓪【微臣】身分・地位のきわめて低い臣。〔狭義では、臣下が天子に対する時の謙称〕

びしん⓪【微震】じっとしている人や、特に敏感な人にだけ感じられる程度の地震。現在の震度1にほぼ相当する。⇩震度

びじん①⓪【美人】顔かたちの美しい女性。

ひしんけい⓪【披針形・皮針形】〔植物の葉で〕竹の葉のように、薄く細長くて、先のとがった形。表記「皮」は、代用字。

ビス①〔フ vis〕ねじ。雄ォねじ。⇩ナット

ひすい⓪【〈翡翠〉】㊀鳥のカワセミの異称。㊁多く、深緑色で半透明な鉱石。硬玉の一種で、古墳時代の前から装身具として珍重された。

びすい⓪【微酔】「ほろ酔い」の意の漢語的表現。

ビスケット③〔biscuit=「二度焼かれた」の意〕子供のおやつなどにする、堅焼きの洋風干菓子。小麦粉にバター・砂糖などを入れて作る。かぞえ方 一枚

ビスコース③〔viscose〕パルプを水酸化ナトリウムの溶液に溶かして処理し、かゆ状にしたもの。セロハン・人絹の原料。

ピスタチオ③〔pistachio（発音はピスタシオ）の文字読み〕南欧・トルコ産の低木の堅果。色はギンナンに似て、少し小形。食用。

ヒスタミン⓪〔histamine〕たんぱく質の分解による、有毒成分。体内にたまるとアレルギー症状が起こるといわれる。「抗━△剤（軟膏ナンコウ）」

ヒステリー③①④〔ド Hysterie〕わずかのことでも、すぐ感情を大げさに表わす、精神の△状態（病的症状）。

ヒステリック④━な〔hysteric〕ヒステリーぎみの様子だ。

ヒストリー①〔history〕歴史。「我が社の独自技術の━/オーラル━〔=口頭伝承〕」

ピストル⓪【〈短銃〉】〔pistol〕片手で発射する、小型で軽便な銃。かぞえ方 一挺チョウ・一丁

ビストロ⓪〔フ bistro〕居酒屋風のフランス料理店。

ピストン①〔piston〕機関・ポンプのシリンダーの内部で、往復運動をする栓。**━ゆそう**⑤【━輸送】車や船を休みなく往復させて、次から次へと、どしどし人や物を送ること。**━リング**⑤〔piston ring〕ピストンとシリンダーの間にはめて、空気・水が漏れないようにする輪。

ヒスパニック④③〔Hispanic〕アメリカで、スペイン語を母語とするラテンアメリカ系住民。

***ひずみ**⓪ヒッミ【〈歪み〉】㊀ひずむ△こと（程度）。「障子の━で開きにくい」㊁権力者側によるしわよせ。「━が起こる/高度経済成長の━に泣く中小企業」㊂〔物理で〕物体に外力が加わった時に起こる、長さ・体積・形などの変化。

ひずむ⓪ヒッム【〈歪む〉】（自五）外力が加わって、その部分だけ沈んだりふくれたりして、全体として正しい形が失われる。

ひする②【比する】（他サ）対照・基準とするものとくらべる。「△声（音・形・箱）が━」

ひする②【秘する】（他サ）人に知られたくない事を、秘密にする。秘す①（五）。「秘して口をつぐむ」

ひせい⓪【批正】㊀━する（他サ）批評して誤りを正すこと。「答案の相互━/自己━」㊁〔「ご━」の形で〕「〔相手の〕批判・批評」の意の尊敬語。「ご━を請う〔=自分の著書・論文などを贈る時に添える言葉〕」

ひせい⓪【非勢】〔勝負などで〕形勢がよくないこと。

ひせい⓪【〈粃政・〈秕政〉】〔「粃」は「しいな」の意〕悪い政治・政策。

びせい⓪【美声】きれいな声。美しい歌声。「━の持ち主」↕悪声

ひせいき②【非正規】〔↑非正規雇用〕（フルタイムで定年まで働く）正規雇用ではない形態で働く、アルバイト・パート・契約社員・派遣社員などの従業員。「━労働者⑦」

ひせいさんてき①-⓪、⓪【非生産的】━に━な それをすること自体は普通の意味で実利を伴うことを目的としない様子だ。

びせいぶつ②【微生物】〔細菌・原生動物などのような〕顕微鏡でなければ見えないほどの、ごく小さい生物に対する呼称。

ひせき②①【〈砒石〉】砒素・硫黄・鉄から成る鉱石。強い毒を持つ。

ひせき⓪【秘跡・秘〈蹟〉】⇩サクラメント

ひせき⓪【碑石】石碑（の材料となる石）。

びせきぶん②③【微積分】〔数学で〕微分と積分。微積⓪。

ひせつ⓪【秘説】限られた人にだけ伝えて、一般に発表しない説。

びせつ①【眉雪】老人の眉マユが雪のように白いこと。また、その眉。

ひぜに⓪【日銭】㊀〔商店などで〕毎日収入として入ってくる現金。「━を稼ぐ/━商売」㊁毎日幾らかずつ返す約束で貸し借りする金銭。ひがね。

ひぜめ③⓪【火攻め】〔敵の城・陣などに〕火をつけて攻めること。焼き討ち。

ひぜめ③⓪【火責め】火を使ってする拷問ゴウモン。

ひせん⓪【卑〈賤〉・鄙賤】━な 社会的△地位（身分）が低い様子だ。「━の身」

ひせん⓪②①【飛泉】「滝」の古風な表現。

ひぜん⓪【皮〈癬〉】⇩疥癬カイセン

びせん⓪【微〈賤〉】━に━な 身分的に見ても人間的に見ても取るに足りない様子だ。

びぜん⓪【美〈髯〉】ほおからあごにかけての、りっぱなひげ。「━をたくわえる」

ひせんきょけん①-③、④【被選挙権】選挙される権利。

ひせんきょにん①-⓪、⓪【被選挙人】被選挙権を持つ人。

ひ

ひせんとういん①-③④【非戦闘員】❶戦争の時、軍人として直接戦闘に加わらない一般国民の称。❷〔国際法で〕戦場で、従軍していながら直接戦闘に加わらない人。軍医・看護人・従軍記者など。

ひせんろん②【非戦論】戦争をすることはいけないことだと言って、反対する議論・主張。「―者④」

ひそ①②【砒素】非金属元素の一つ〔記号As原子番号33〕。金属のようなつやのある、もろい固体。化合物はきわめて有毒だが、医薬用として用いられることもある。近年、合金や半導体の材料としても重要。「灰色―⑤・黄色―⑤」

びそ①【鼻祖】〔「鼻」は、始の意〕物事を最初に始めた人。元祖。

ひそう⓪【皮相】❶物事の表面。うわべ。うわっら。❷―な〔観察・判断などが〕物事の表面だけにとどまって、深いところや物の本質にまで及ばない様子だ。「―な見方/―的⓪」派―さ⓪

ひそう⓪―な―に ❶【悲壮】悲しい（結果になりそうな）ことではあるが、勇ましく△ふるまう（心を奮い起こす）様子だ。「―な決意で臨む/―な最期/得々として―がる/―美②」❷【悲〈愴】悲しみで、心が痛めつけられるような感じを抑えることが出来ない△こと（様子）。「まさに惨憺―の極みだ」派―さ⓪

ひぞう⓪【秘蔵】―する(他サ) 非常に大切にして△しまっておく（かわいがる）こと。〔古くは「ひそう」〕「―の弟子/―本⓪」

ひぞう⓪【〈脾臓】内臓の一つ。胃の左後ろにあり、丸くて海綿状。リンパ球を作り、また、古くなった赤血球を破壊する役目をする。

びそう⓪【美装】❶美しく△着飾ること（着飾った姿）。❷美しく表装△すること（した本）。「―本⓪」

びぞう⓪【微増】―する(自他サ) 前に比べて少し数量がふえること。また、ふやすこと。

ひそうしゃ②【被葬者】死後、その古墳や墓地に埋葬された人。

びそうじゅつ②【美〈爪術】マニキュアとペディキュア。

ひそうぞくにん①-⓪、⓪【被相続人】〔相続人に対して〕財産・権利義務などを相続される方の人。

ひぞうぶつ②【被造物】造物主によって造り出されたすべてのもの。

ひそか①②【〈密か・〈私か・〈窃か】―に △他人に知られないように、（自分ひとりの判断で）何かをする様子だ。「―に家を脱け出す/自分だけの―な楽しみ/―に呼び掛ける声/―な音」

ひぞく⓪【卑俗】―な ❶言動に知性や教養が全くと言っていいほど感じられない様子だ。「―な話題」❷性などに関し、人前では言うのをはばかる条件をそなえている様子だ。派―さ⓪

ひぞく①【卑属】親族の系統上、子と同列以下にある者。子・孫・おい・めいなど。「直系―」↔尊属

ひぞく①【〈匪賊】〔「匪」は、悪事に慣れた者の意〕〔中国などで〕集団で略奪などを行なった盗賊。

びぞく①【美俗】好ましい風俗・習慣。「良風―」

びそくどさつえい⑤【微速度撮影】フィルムの送行速度を普通より遅くして撮影すること。〔これを普通の速度で映写すると、長時間の現象が短時間で見られる〕⇩高速度撮影

ひぞっこ⓪④【秘〈蔵っ子】〔「秘蔵子」の変化〕大切にしてかわいがっている△子（部下）。

ひそひそ①②【副】―と まわりに聞こえないように声をひそめて話す様子。「―と話している声が聞こえる/―声⑤・―話⑤（=ないしょ話）」

ひそまる③【潜まる】(自五) 物音がしなくなる。「あたりが―/騒ぎが―（=静まる）」

ひそみ③【〈顰み】顔をしかめたときに、まゆのあたりに寄ったしわ。【―に倣う】無批判に（良いと思った）他人の言動のまねをする。〔一般に、師や先輩の△言説を拠りどころにして自説を展開する（行動を手本として同じようにする）ことを謙遜して言うのに用いられる〕「先輩の顰みにならって研究の重点をフィールドワークに置く」

*ひそむ②【潜む】(自五)〈どこニ〉 中に隠れていて、外へ現われ出ない状態になる。「意図が―/△物かげ（背後）に―」

ひそめる③【潜める】(他下一) ❶隠す。「身を―」❷〔音などを〕人に知られないようにする。「△声（息・鳴り・影）を―」

ひそめる③【〈顰める】(他下一) まゆのあたりにしわをよせる。「まゆを―（=不快・心配に思う気持を顔に表わす）」

ひそやか②【〈密やか】―な ❶人に知られないで何かをする様子だ。❷物音がしないで静かな様子だ。

ひぞる②【〈乾反る・干反る】(自五) かわいて反りかえる。

ひた（接頭）その状態以外の何物でもないことを表わす。「―あやまりに あやまる（=ほかの事は何もしないで、ただあやまるばかりだ）/―泣きに泣く/―走る・―隠し⓪」

ひだ①【〈襞】❶衣服などに、折りたたんで付けた折り目（のように見えるもの）。「スカートの―/山―」❷〔比喩的に〕その時どきに感じ取られる、心情・感性のニュアンス。「△心（感情・言葉）の―」 かぞえ方 ❶は一本

びた①【〈鐚】「鐚銭」の略。「―一文」

ひたい⓪【額】顔の前面の、髪の生えぎわから眉までの広い部分。「―に汗する（=懸命に働く形容）/―を集める（=寄り集まって、よく相談する）/猫の―（=狭い場所のたとえ）」 ―ぎわ⓪【―際】額の髪の生えぎわ。―つき⓪【―付（き）】額のかっこう。

ひたい⓪【避退】―する(自サ)「退却」の意の婉曲表現。

ひだい⓪【肥大】―する(自サ) ❶太って△大きい（大きくなる）こと。「―漢②」❷〔病気で〕からだの器官がはれたり 異常に大きくなったりすること。〔組織が大きくなりすぎて、もろさや弱さなどが現われてくる意にも用いられる〕「心臓―・―化⓪」

ひだい①【干〈鯛】薄く塩をふって干したタイ。

びたい⓪【〈媚態】男にこびようとする、女のなまめかしい態度。「―（=おせじを言って、人に取り入ろうとする態度）を示す」

びだい⓪【尾大】〔尾の方が首よりも大きいことから〕立場の下の者の方が上の者より力を持っていること。「―ふるわず」

びたいちもん①-②、①-⓪【〈鐚一文】〔「鐚銭一文」の意〕きわめて わずかのお金。「―出さない」

ひたおし⓪【〈直押（し）】―する(他サ) ただ一途に押すこと。

ひたき⓪②【〈鶲】スズメぐらいの大きさで、火打ち石を打ち合わせるような声で鳴く。ヒタキ科の「キビタキ」と、ツグミ科の「ジョウビタキ」が代表的。 かぞえ方 一羽

びだくおん③②【鼻濁音】声を鼻に抜かして発音するガ行の音。例、東京語における「カガミ・カギ」の「ガ・ギ」など。ガ行鼻音。

ひだこ②【火だこ】火に長くあたった時、皮膚に出来る、暗紅色のまだらの模様。

ひたしもの⓪【浸（し）物】おひたし。

*ひたす⓪②【浸す】(他五)〈なにニなにヲ〉その成分を帯び

る程度に、液体△を十分含ませる(の中に入れる)。「ガーゼをアルコールに—/足を水に—/お湯に手を—/情報の洪水に身を—〔=もう少しで流されそうになる〕」

ひたすら[0]【〈只管〉・〈一向〉】(副) 他の事はすべて無視して、その事だけに精神を集中させる様子。「—道を急ぐ/—あやまるのみ/—に息子の無事を願う」 表記 古くは「《永・《大・《混」と書いた。「〈只管〉・〈一向〉」は、江戸時代後期以降の用字。

びたせん[0]【〈鐚銭】(表面の文字のすり減った)粗末なお金。びた。⇩鐚一文

ひたたれ[0]【《直垂】 鎌倉時代ごろ、武士などが着た衣服。方領(カク/エリ)〔=肩から胸にかけて付けた長方形のえり〕・無紋で、胸ひもが付いており、広い そでくくりがある。すそを くった袴(ハカマ)に入れて着る。〔初めは庶民の服で、鎌倉時代以後、武家の礼服になった〕 かぞえ方 一領

ひだち[0]【肥立(ち)】〔お産や病気の後〕回復していくこと。「産後の—がいい」 動 肥立つ[2](自五)

ひだっそ[2]【〈脾脱〈疽】「炭疽」の旧称。⇩炭疽

ひだて[0]【日建(て)】(芸能人などの)一日あたりの出演料。

ひたと[2][1](副) ㊀ぴたり㊀。「—寄り添う」 ㊁それまで続いてきたことがそこで急に止ゃむ様子。ぴたっと。「物音が—聞こえなくなった」

ひだね[0][2]【火種】 次に火を起こす時まで、消さないで残してある火。「局地戦争の—〔=拡大するもと〕をばらまく」

ひたばしり[0]【ひた走(り)】 休まずに(一生懸命)走ること。「ひたはしり[0]」とも。「—に走る」 動 ひたはしる[4](自五)

ひたひた(副)—と ㊀[1][2] 波が次つぎと寄せてきては何かに当たる様子。「波が—ふなばたを打つ」 ㊁[0] 水かさが増して、何かが見えがくれする状態になる様子。また、そのような状態になるように水を入れる様子。「増水した川の水が—と岸を洗う/水を—に入れて煮る」 ㊂[1][2] ゆるやかな速さで、確実に迫ってくる様子。「川下から海水が—と逆流してくる/大軍が—と押し寄せる」

ひたぶる[0]—に—な 純粋にそれだけ△である(を追求する)様子だ。ひたすら。「—にうら悲しい」

ひだま[3]【火玉】 ㊀玉になって飛んで行く火。火の玉。 ㊁きせるの火皿に詰めたたばこの、火となったかたまり。

ひだまり[0]【日〈溜(まり)】 冬などに、日がよくさして風が吹き込まず、そこだけ暖かい所。

ビタミン[2]〔vitamin=生命に必要な〕 栄養素の一つ。生物の生存上 微量ながら絶対に必要な有機化合物で、体内では合成されない。A・B〔=B1・B2・B6・B12などに分かれる〕・C・D・E・Kなどがある。「—剤[3][0]」

ひたむき[0]【《直向(き)】—に—な こうすべきだと思った一つの事に熱中し、他を顧みることが無い様子だ。「—な生き方/—な心(を失う)/—に打ち込む」 派 —さ[0]

ひだら[0]【干〈鱈】 塩を薄く振って干したタラ。干し鱈(ダラ)[3][0]。

**ひだり[0]【左】↕右 ㊀アナログ時計の文字盤に向かった時に、七時から十一時までの表示のある側。〔「明」という漢字の「日」が書かれている側と一致。また、人の背骨の中心線と鼻の先端とを含む平面で空間を二つの部分に分けた時に、大部分の人の場合、心臓の拍動を感じる場所がある方の部分〕「—ヒラメに右カレイ/—する[0]-[0]〔=左の方へ行く〕」 ㊁「左㊀」の側の手。左手。〔多くの人が 茶わん・釘(ギク)・のみを持つ方〕「—が利く〔=酒飲みの方だ〕/—利き」 ㊂〔思想・政治上の〕左翼。 —うちわ[4][5]【—〈団扇〉】 生活の心配が無く、楽に暮らすこと。 —きき[0]【—利(き)】 ㊀左手の方がよく使える△こと(人)。↕右利き ㊁酒が好きな△こと(人)。 —ぎっちょ[4]「左利き㊀」の意の口頭語的表現。〔侮蔑(ブベツ)を含意して用いられる〕 —づま[0][4]【—〈褄〉】 歩くために左手で両方の褄を同時にはさみ持った状態。「—を取る〔=芸者づとめをする〕」 —て[0]【—手】 左の方(の手)。↕右手 —とう[0]【—党】 酒の好きな△仲間(人)。「さとう」とも。 —まえ[0][3]【—前】 ㊀(普通とは反対に)着物の左のおくみを手前にして着ること。 ㊁経済的に苦しくなること。左向き。「—になる」 —まき[0]【—巻(き)】 ㊀〔つる・渦・ぜんまいなどが〕左回りに巻くこと。 ㊁〔知能が劣るなどして〕言動が普通の人とちがって、うまく調子が合わない△こと(人)。 —まわり[4]【—回(り)】 時計の針の回る方向と反対の方向に回ること。反時計回り。 —むき[0]【—向(き)】 ㊀左の方へ向くこと。 ㊁⇩左前㊁「商売が—になる」 —よつ[0]【—四(つ)】〔すもうで〕互いに左手を相手の右わきの下に入れて組むこと。↕右四つ

ぴたり[2](副)—と ㊀少しのすきまも無い状態で密着する様子。〔口頭語的な強調表現は「ぴったり」「ぴたっと[2]」〕「—と貼(ハ)りつける/—と△口(ドア)を閉じた」 ㊁目標や基準に、少しのずれもなく合う様子。〔口頭語的な強調表現は「ぴったり」〕「予想が—と当たった/勘定が—と合う/鉄棒の演技で着地が—と決まった」 ㊂それまで続いてきた事態が、そこで完全に止まる様子。〔口頭語的な強調表現は「ぴたっと」〕「おしゃべりが—とやんだ」

**ひた・る*[0]【浸る】(自五)〈(どこマデ)なにニ—〉 ㊀△表面(その部分)が軽くおおわれる程度に、水の中に入る。「腰まで—/床下まで水に—」 ㊁しみじみとした心情を強くいだき、一時期 他事を忘れるような状態になる。「過去の思い出に浸って生きる/△喜び(感激)に—/△酒(女色)に—〔=おぼれた〕生活」

ひだる・い[3](形)〔「ひ」は接辞〕腹が減って、元気が出ない(感じだ)。 派 —さ[0][2] —げ[0][4][3]

ひだるま[2]【火《達磨】 からだ全体に火がついて燃え上がった状態。

ひたん[0]【飛〈湍】「(山間を流れる)急流」の意の古風な表現。

ひたん[0]【悲嘆・悲〈歎】—する(自他サ) ショックを感じる大変な出来事にあって、身の不幸を大いに悲しむこと。「—に暮れる」

ひだん[0]【飛弾】 飛んで来る弾丸。

ひだん[0]【被弾】—する(自サ) 敵の銃砲弾などを受けること。

びだん[0][1]【美談】 聞いた人が思わず感心するような、りっぱな話。「—の主(ヌシ)」

びだんし[2]【美男子】 顔かたち・姿の美しい男性。「びなん(し)」とも。

ピチカート[3]〔イ pizzicato〕〔音楽で〕バイオリン・チェロなどの弦楽器を指ではじいてひく演奏法。ピッチカート[4]とも。

びちく[0]【備蓄】—する(他サ)〔食糧や日用品など〕万一の時に必要なものをいつも用意しておくこと。「石油の—/—米(マイ)[0]」

ひちしゃ[2]【被治者】 統治される国民。

ぴちっと[2](副) むだなすきまが全く見られないほど、よく合っている様子。ぴっちり。「戸が—閉まる/からだに—合う服」

ぴちぴち ■一[1][2](副)—と—する ㊀〔とらえられたばかりの魚が〕まだ生きているぞとばかり勢いよく跳ねる様子。 ㊁若くて、いかにも生気と活力にあふれている様子。「—した若い女性/—した肌/—とした肢体」 ■二[0]—に—な ㊀「ぴちぴち■一㊁」に同じ。「—のお肌」 ㊁「ぴちぴち■一㊀」に同じ。「—の魚介」 ㊂服などがサイズが小さく、窮屈な様子だ。「ちょっと太ったの

ひちゃくしゅつし①-④、⑤【非嫡出子】法律上の婚姻関係にない親から生まれた子。婚外子。〔民法上は、「嫡出でない子」と言う〕

か、どの服も―だ/―のTシャツ」

びちゃ びちゃ [一]①(副)―と・―する 全体にひどくぬれたり 水びたしになったりしている状態。「―と泥をはね上げる」 [二]⓪―な・―に 「びちゃびちゃ[一]」に同じ。「―に手を汚す」

ぴちゃ ぴちゃ①②(副)―と 水が何かの面に当たって連続的に音を立てる様子。また、その形容。「雨道を―歩く/波が―とふなばたに当たる」

びちゅう①⓪【微衷】〔奔走に努めた〕私の、意の存するところ・気持を謙遜(ケンソン)して言う語。「―〔=私なりに精一杯努力したこと〕を おくみ取りください」

ひちゅうの ひ⓪-①【秘中の秘】絶対にもれることがあってはならないと思っている秘密。「この事は―だから心するように」

ひちょう⓪【飛鳥】(テウ) 空を飛ぶ鳥。「―の(ごとき)早業」

ひちょう⓪【秘〈帖】(テフ)・【秘帳】(チャウ) 秘密の事柄が書いてある△手帳(記録)。

ひちょう⓪【悲調】(テウ)〔音楽の〕悲しそうな調子。

ひちょうきん⓪【〈腓腸筋】(チャウ) 腨(ネス)にあって、足を曲げる働きをする筋肉。

びちょうせい②【微調整】(テウ)―する(他サ) 機械などを最善の状態にするためにわずかな調整をすること。また、その調整。

びちょ びちょ [一]①(副)―と 雨やみぞれがいつ止(ヤ)むともなく降り続く様子。 [二]⓪―な・―に 全体にひどくぬれて、水がしたたるばかりの状態になっている様子だ。「―のタオル/足が―になる」

ひちりき⓪②【〈篳篥〉】雅楽用の管楽器の一つ。長さ約二〇センチで、表に七つ、裏に二つの穴があり、葦(シア)を舌とする縦笛。

ひぢりめん②③【〈緋《縮〈緬】赤い色の縮緬。

ひっ【引っ】(接頭)〔東部方言〕「引き」の変化。「―つかまえる⑤⑥③・―ぱたく・―ぱる」

ひつ〔匹・必・泌・筆〕→【字音語の造語成分】

ひつ②⓪【筆】筆で△書くこと(書いたもの)。「弘法(コウボウ)大師の―/肉―・真―(ツピ)・古―・悪―・―禍・―舌」⇩【造語成分】

ひつ⓪【〈櫃】❶ふたのある大形の箱。「米―(ツピ)・長―(ツピ)」 ❷飯を入れておく器。おはち。「お―」

ひつあつ⓪【筆圧】文字を書く時、筆記用具を介して用紙に伝わる、手首や指先の力。「―が弱くて、字がよく見えない」

ひつい②【筆意】筆づかい。筆で書いた書画の趣。

ひつう⓪【悲痛】―な・―に 〔「悲」も痛む意〕心に大きな打撃を受けて、人に訴えたい気持を抑えようと懸命に努力するが、思わず表面に出てしまった事情が見てとれる様子だ。「―な叫び」 派―さ⓪②

ひっか①【筆架】筆をかけておく台。ふでかけ。

ひっか⓪【筆禍】(クワ) 著述や発表した△記事(論説)の内容が当局の忌諱(イキ)に触れて、処罰を受けること。「―事件」⇩舌禍

ひっかえ⓪【引っ替え】(カヘ)「引きかえ」の口頭語形。「服をとっかえ―して〔=いろいろ取り替えて〕着る」

ひっかえ・す③【引っ返す】(カヘス)(自五)「引き返す」の口頭語形。

ひっかかり⓪【引っ掛かり】❶引っかかる所。❷〔好ましくない事情に対しての〕関係。「彼とは何の―も無い」

ひっかか・る④【引っ掛かる】(自五) ❶〔△そこにある(待ちもうけている)何かによって〕先に進めない(で、何らかの対応を迫られる)状態になる。「虫がクモの巣に―/信号に―/税関で―〔=クレームがつけられる〕/胃の検査に―〔=異常が見つかる〕/いやな事に―〔=かかりあう〕」 ❷相手のしかけた計画にはめられる。「△悪い奴(ツヤ)(悪徳商法)に―/謀略に―」 ❸△納得できない(疑わしい)点があって気にかかる。「彼の一言(ヒトコト)が妙に―/死因に何か―ものがある」 ❹限界のところで必要な条件がかろうじて満たされ、好ましい結果を得る。「第二次募集で希望校にようやくひっかかった〔=合格できた〕」

ひっかきまわ・す⑥【引っ〈掻き回す・引っ〈掻き〈廻す】(マハス)(他五) ❶「かきまわす」の強調表現。「机の中を―」 ❷自分勝手に行動して、秩序を乱し混乱させる。「一人で会を―」

ひっか・く③【引っ〈掻く】(他五)〔つめや先のとがった物で〕強く△掻く(掻いて、傷を付ける)。

ひっかく⓪【筆画】(クワク)(漢)字の画(カク)。字画。

ひっか・ける④【引っ掛ける】(他下一) ❶むぞうさに掛ける。「服を釘(クギ)に―〔=ⓐぶら下げる。ⓑ突き出た釘に強く触れて、かぎ裂きをつくる〕/コートを―〔=羽織るようにして、上に着る〕/自動車が人を―〔=人にいきなり ぶつかって来る〕/魚を針に―〔=釣り上げる〕/女を―〔=うまい事を言って、自分の遊び相手とする〕/商人を―〔=掛金や代金を払わないで、品物をただ取りする〕/客を―〔=うまくだまして安物を高く売りつける〕」 ❷Ⓐ〔他人に〕液体を浴びせる。「鼻も引っ掛けない〔=⇩鼻〕」 Ⓑ酒などを一息に飲む。「酒を四、五杯―/ジョッキを一杯―」 ❸〔本来は関連の無いものを〕なんとかして関係づける。「出張に引っ掛けて〔=出張の機会をうまく利用して〕帰省する」

ひっかつ・ぐ④【引っ担ぐ】(他五) 調子を取って担ぐ。

ひっかぶ・る④【引っ《被る】(他五) ❶むぞうさに かぶる。❷〔元来 他人の仕事や責任負担であったところのものを〕自分で引き受ける。

ひっき⓪【筆記】―する(他サ) 見た事・聞いた事や尋ねられた事を、紙やノートなどに書くこと。「口述―・―試験・―用具」 ―たい⓪【―体】手書きの際の文字の△字体(書体)に擬した活字の字体。

ひつき⓪③【火付き】火のつきぐあい。「―がいい」

ひつぎ⓪【〈柩・《棺】遺体を安置する箱。

ひつぎ⓪【日《嗣ぎ】天皇の位(につくこと)を敬って言う語。「―の御子(ミコ)〔=皇太子〕」

ひっきょう⓪【〈畢竟〉】(キャウ)(副)〔「畢」も「竟」も、ともに、終わる意〕途中紆余(ウヨ)曲折があっても、最終的には一つの△結果(結論)に到達する様子。「これとそれとは―(は)同

ひつ

[匹] ❶二つが並ぶ。対(ツイ)になる。「匹敵・好匹」 ❷ひとりの(平凡な)。「匹夫(プ)・匹婦(プ)」

[必] ❶かならず。「必死・必至・必勝・必要・必修・必然」 ❷かならずそうすることが望ましい。「必見・必読・必備・必需・必用」

[泌] 液体がしみ出る。「分泌(ピ/ツピ)」

[筆] ❶書や画をしるす用具としての、ふで。「筆墨・筆記・毛筆・鉛筆(ツピ)・硬筆・鉄筆」 ❷ふでで書や画を書くこと。「筆順・筆端・筆致(チ)・筆談・特筆・自筆・一筆(ツピ)・能筆・代筆・遅筆・末筆(ツピ)」 ❸土地の一区画。「一筆(ツピ)」 かぞえ方 ❷の署名の場合と❸は、一筆・三筆・四筆・六筆・八筆・十筆・何筆は「ピッ」⇩(本文)ひつ【筆】

じだ/―するに(=つまるところ)以上のような事だ」

ひっきりなしに⑤④【引(っ)切(り)無しに】(副) 落ち着いているひまがないほど、間隔をあけずに何かが行なわれる様子。「―△しゃべる(人が訪ねてくる)」

ピッキング⓪〔picking〕❶商品を配送先ごとに仕分ける△こと(作業)。「―システム⑥」 ❷〔弦楽器で〕弦をピックで弾く△こと(演奏法)。 ❸〔空き巣ねらいなどが〕特殊な工具を使い、ドアの錠をこじあけること。

ビッグ①―な〔big〕 多くの人びと△に大きな影響を与える(の大きな関心を引き寄せる)様子だ。「―な男/―イベント・―スリー⑤・―〔=重大〕ニュース」

ピック① ■一■〔←ピック氏硬膏(コウコウ)⑤〕 はれものなどにはりつける黄茶色の硬膏。 ■二■〔pick〕 義甲。⇩爪(ツメ)❷

ピックアップ④ ■一■―する(他サ)〔pick up〕 拾い上げること。選び出すこと。「重要な話題を―する/―チーム」 ■二■〔pickup〕 ❶レコード プレーヤーの針の振動を電気振動に変え、音を再生する装置。 ❷テープレコーダーの電話録音用の装置。 [かぞえ方] ■二■❶❷とも一本

ひっくく・る④【引(っ)《括る】(他五) 強く縛る。

ヒッグスりゅうし⑤(リフー)【ヒッグス粒子】 宇宙の誕生間もなく、ほかの素粒子に質量を与えたとされる粒子。〔存在を提唱した物理学者の名 (Higgs) から。素粒子物理学の標準理論で予言された素粒子の中で、最後に発見された〕

ビッグ バン④ 〔「バン」は擬音語〕 ❶〔big bang〕 宇宙が形成されるときの大爆発。 ❷〔Big Bang〕 一九八六年にイギリスが行なった金融・証券制度の大改革。〔「ビッグバン❶」になぞらえての名称。日本では一九九八年の金融改革を指す〕

ビッグ ベン④〔Big Ben, Ben=建設者 Sir Benjamin Hall の略〕 イギリス ロンドンにある国会議事堂の時計塔の大時計の愛称。

***びっくり**③【〈吃驚〉・〈喫驚〉】(副)―と―する 〔「ぴくり」と同源の「びくり」の強調形〕△今まで見なかったような(通念を超える)事態の展開に接して、心が一時ひどく動揺すること。「―仰天(する)〔=ひどく驚く(こと)〕/―箱(バコ)」 [表記] 「〈吃驚〉・〈喫驚〉」は、近代文学からの用字。

ひっくりかえ・す⑤(カヘス)【引(っ)繰(り)返す】(他五) 〔「ひっくり」は、「びっくり」と同源か〕 ❶それまでの秩序〔=上下・表裏・前後・縦横・優劣・支配被支配など〕の関係が△正反対(不成立)になるような状態にする。「コップを―〔=倒す〕/前言を―〔=ひるがえす〕/定説を―〔=くつがえす〕/試合を―〔=逆転する〕/計画を―〔=ご破算に△する(させる)〕」 ❷本のページなどをめくる。「ページをあちこちひっくり返して引用の原文を探す」

ひっくりかえ・る⑤(カヘル)【引(っ)繰(り)返る】(自五) それまでの秩序が△正反対(不成立)になるような状態が現出する。「△コップ(世の中)が―/試合が―〔=逆転する〕/道の真ん中で―〔=倒れる〕/船が―〔=横転する〕」

ピックルス①〔pickles〕 ピクルス。

ひっくる・める⑤【引(っ)《括める】(他下一) 全部を一つにまとめる。引っくるむ④(五)。

ひつけ⓪【火付(け)】―する(自サ) 人の家に火を△つけること(つけた人)。放火(の犯人)。 **―やく**⓪【―役】 事件や騒動を△起こす役割の(起こしやすい)人。

ひづけ⓪【日付】 文書にその作成・提出などの年月日をしるすこと。また、その年月日。 **―へんこうせん**⓪(カウー)【―変更線】 一八〇度の経線を標準にして設けた基準線。東に向かって越える時は、その日をもう一度かぞえ、西に向かって越える時は、次の日付に変更する。

ひっけい⓪【必携】 ❶いつも持って△いなければならない(いた方が便利な)こと。また、その物。「―の書」 ❷専門分野の入門書であることを示す書名にそえる語。「化学―・日本文学―」

ピッケル①⓪〔ド Pickel〕 つえの先に、つるはしのような金具のついた登山道具。おもに、氷雪上に足場をつけるのに用いる。 [かぞえ方] 一挺(チョウ)・一丁・一本

ひっけん⓪【必見】 一度は見ておくべきだと思われること。「―の映画」

ひっけん⓪【筆〈硯】〔筆とすずりの意〕手紙文などで、学者・作家の起居について述べる言葉。「―益々(マスマス)御清適」

びっこ①【〈跛】 ❶片方の足のぐあいが悪くて、普通の歩き方が出来ない△こと(人)。〔侮蔑(ブベツ)を含意して用いられることがある〕「―をひく」 ❷対(ツイ)であるものの片方がこわれたり無くなったりして、形や大きさがそろわない△こと(状態)。

ひっこう⓪(カウ)【筆耕】 報酬を受けて、書き写したり 清書したりする△こと(人)。「―料③」 ⇩舌耕

ひっこし⓪【引(っ)越(し)】―する(自サ) その人の住居や組織・団体の事務所などが、今までの△建物(部屋)から他の△建物(部屋)に移ること。「―そば⑤〔=引越し先の近所へ、挨拶(アイサツ)の意味で配るそば〕」

ひっこ・す③【引(っ)越す】(他五) 住居や店・事務所・工場などを他の場所に移す。「転勤に伴って大阪に引っ越した/社屋を都心に―」

ひっこぬ・く④【引っこ抜く】(他五) 「引き抜く」の口頭語形。 [名]引っこ抜き⓪

ひっこま・す④【引(っ)込ます】(他五) 〔「引っ込む」の使役動詞形〕 一度出したものを、元へ戻す。引っこませる⑤(下一)。「足を―〔=後ろへ曲げる〕」

ひっこみ【引(っ)込(み)】 ■一■⓪ ❶建物の中や構内などへ引き入れること。 ❷〔歌舞伎(カブキ)で〕役者が舞台から退場する△こと(時のしぐさ)。 ❸自分に関係のある物事をうまく処理した上で、関係を絶つこと。 **【―が つかない】** 何らかの責任を負うべきことを言ったりしたりしたため事態の予想外の展開に対して、面目を失わずにうまく収拾することが出来ない様子だ。 ■二■(造語) 動詞「引っ込む」の連用形。「―線⓪」 **―がち**⓪―な―に 万事につけて、積極的に何かをやろうという気構えが見られない様子だ。 [表記] 「引っ込み勝ち」とも書く。 **―じあん**⑤【―思案】―な―に 進んで物事をする勇気が無い△こと(性質・様子)。

ひっこ・む③【引(っ)込む】(自五) ❶突き出ていた部分が元に戻り、目立たなくなる。「毎日の運動で少し腹が―」 ❷目立たない状態に位置する。「家に―〔=こもる〕/通りから引っ込んだ〔=奥に入った〕店/用の無い者は引っ込め」 [運用] ❷は、「引っ込んでいろ」などの形で、余計な口出しをするな、という意の言葉として用いられることがある。例、「わたしが話をつけるから、おまえは引っ込んでろ」

***ひっこ・める**④【引(っ)込める】(他下一)〈(どこ)カラ〉なにヲ 一度出したものを、元へ戻す。「△手(顔)を―/要求を―〔=取り下げる〕」

ひっこも・る④【引(っ)籠(も)る】(自五) 「引き籠もる」の口頭語形。

ヒッコリー①〔hickory〕 北米原産のクルミ科の落葉高木。材質は堅くて弾力があり、スキー材・ゴルフ クラブ・家具などに用いる。

ピッコロ①⓪〔イ piccolo〕 △木製(金属製)の管楽器の一つ。フルートより小さく、音が一オクターブ高い。ピコロ①とも。 [かぞえ方] 一本

ひっさく⓪【筆削】―する(他サ) 文章などの語句を書き加えたり 書き改めたりすること。「―を加える」

【 】の中の教科書体は学習用の漢字，〈 は常用漢字外の漢字，《 は常用漢字の音訓以外の よみ。

ひっさ・げる④【《提げる・引(っ)提げる》】(他下一)〔=「引き下げる」の変化〕❶〔△大きい(重い・大事な・人目を引く)ものを〕手にさげて持つ。「大きなかばんを━/要求を提げて〔=掲げて〕交渉する/老軀を提げて〔=老体でありながら、自ら〕事に当たる」❷「率いる」のやや大げさな表現。「手勢五十騎を提げて」

ひっさつ⓪【必殺】戦う相手を必ず△倒すこと(倒そうとする意気込み)。「━の技」

ひっさん⓪【筆算】━する(自他サ)〔暗算・珠算などと違って〕数字を紙などに書いて計算すること。

ひっし⓪【必死】━に・━な ❶〔死を覚悟して〕全力を尽くす様子だ。「━に抵抗する/━の△努力(覚悟)/━な形相で哀訴する」❷〔将棋で〕次の手で必ず詰めとなるような形。「━の手」 表記「必至」とも書く。

ひっし⓪【必至】━な そういう事態が訪れることを避けることは出来ない△こと(様子)。「政権崩壊が△必至な(必至の)事態/改革は━だ/このまま人口が増え続ければ食糧不足は━である/この世に生を受けた者にとって死は━である」

ひっし①【筆紙】筆と紙。「━に尽くしがたい〔=文章にはとても書き表わせない〕」

ひつじ⓪【《未》】十二支の第八。羊を表わす。〔昔、方位では南から三〇度西寄りを、時法では午後一時ごろからの約二時間を指した〕 ━ぐさ③【━草】〔未の刻〔=午後二時〕ごろに花が開くということから〕スイレンの別称。〔実際には午前中に開花し、夕方にしぼむ〕

ひつじ⓪【羊】ヤギに似た、中形のおとなしい家畜。らせん形の角がある。毛は灰白色、柔軟で縮れ、毛織物の原料。肉は食用。綿羊。〔ウシ科〕 かぞえ方 一匹・一頭 ━かい③【━飼(い)】朝、羊を小屋から出して草を食べさせに野原に連れ出し、夕方小屋に帰すことを職業とする人。

ひつじさる④【〈坤・《未《申】〔「未と申との中間の方位」の意〕「南西」の意の古風な表現。

ひっしゃ⓪【筆写】━する(他サ) 本を書き写すこと。 ━たい⓪【━体】〔活字体と違って〕筆やペンで実際に書く場合の字の形。〔普通、漢字について言う。清朝体・教科書体の活字はこれ。広義では、ローマ字のスクリプト体をも指す〕

ひっしゃ①【筆者】❶その△文章(本)を書いた人。「━は未だにわからない」❷今この△文章(本)を書いている自分。「その辺の事情が━にはどうしてもわからない」

ひつじゅ⓪【必需】どうしても必要なこと。「(生活)━品⓪」

ひっしゅう⓪【必修】━する 必ず(単位として)履修しなければならないと決められた△こと(課目)。「━課目」

ひつじゅん⓪【筆順】一つひとつの漢字・かななどの点・線から書き始め、どの点・線で書き終えるかの順序。

ひっしょう⓪【必勝】・【必〈捷】 必ず△勝つ(勝とうとする)こと。「━を期す/━法⓪」

ひつじょう⓪【必定】━な そういう結果になることに疑いを容れる余地がほとんど無い様子だ。「いずれ近いうち、再び息を吹き返して来ることは━である/信じられても、信じられなくても、必ずみんなお浄土に帰らせていただけるのが━〔=必ず成仏するという教え〕なのです」

ひっしょく⓪【筆触】〔絵で〕筆の使い方から来る感じ。タッチ。

びっしょり③(副)━と 余すところなくぬれている様子。「全身━(と)汗をかく」

びっしり③(副)━と その空間を何かがすきまもなく埋めつくしている様子。「家が━建ち並ぶ/━と箱に入っている」

ひつじん⓪【筆陣】❶鋭い文章による論戦。⇨論陣 ❷〔新聞・雑誌や論文集などの〕(有力な)執筆者の顔触れ。❸「手鑑」の意の漢語的表現。

ひっす⓪【必須】どんな△状況(条件)のもとでも、それだけは欠かせない(と考えられる)こと。「━の△知識(科目)/━条件・━アミノ酸」

ひっせい⓪【畢生】死ぬまでの(長い)間。終生。一生。「━の大業〔=一生をかけた大事業〕」

ひっせい⓪【筆生】筆耕を職業とする人。

ひっせい⓪【筆勢】〔文字や絵に現われた〕筆の勢い。筆づかい。

ひっせき⓪【筆跡・筆〈蹟・筆〈迹】書き残された文字(の書きぶり)。「━鑑定」

ひつぜつ⓪【筆舌】書くことと話すこと。「━に尽くしがたい〔=文章や言葉ではとても表現出来ない〕」

ひっせん⓪【筆洗】〔文字や絵を書き終わったあとで〕筆を水で洗う△こと(器)。

ひっせん⓪【筆戦】文章による論戦。↔舌戦

*ひつぜん⓪【必然】必ずそうなる(はずの)こと。「━の勢い/━の結果」↔偶然 ━せい⓪【━性】必ずそうなる(はずの)性質。 ━てき⓪【━的】━に・━な 必ずそうなる(はずの)様子だ。

ひっそく⓪【〈逼塞】━する(自サ)❶落ちぶれて、世間から姿を隠していること。〔八方ふさがりで、息もつけない意にも用いられる〕「━して静かな生活を続ける」❷江戸時代の刑の一つ。門をしめて、昼間の外出を禁じたもの。

ひっそり③(副)━と・━する ❶人気も無く、静まり返っている様子。「このあたりは八時には店も閉まって通りは━している」❷世間△を避ける(から忘れられた)かのように、静かに、人目に付かない状態でいる様子。「この家には老夫婦が━住んでいる/谷間に━咲いている百合の花」 ━かん⑤(副)━と〔「かん」は、「森閑」の閑と同義と言われる〕「ひっそり」の強調表現。

ひったく・る④【引(っ)手繰る】(他五)〔他人が身につけている物を〕無理に奪い取る。 名引ったくり⓪

ひったつ⓪【必達】━する(他サ)〔企業などで〕目標を必ず達成すること。「━目標⑤」

ひった・てる④【引(っ)立てる】(他下一)「引き立てる❹」の口頭語的表現。

ぴったり③(副)━と・━する ❶「ぴたり❶」の口頭語的な強調表現。「━ふたをする/━玄関を閉ざしたまま会見には一切応じなかった」❷「ぴたり❷」の口頭語的な強調表現。「私の理想にまさに━の人物/セーターとスカートとの色の取合せが━だ」

ひったん⓪【筆端】〔筆の穂先の意〕鋭い直観と描写がうかがわれる書画・文章の書きぶり。

ひつだん⓪【筆談】━する(自サ)△耳の聞こえない人に(声が出ない人が)紙に書くなどして相手に意思を通じさせること。

ひっち⓪【筆致】文字・文章・絵などの書きぶり。

ピッチ〔pitch〕❶①〔同じ動作を〕一定時間内に繰り返す回数。速度。〔特に、ボートレースなどで、オールを動かす回数〕「━を上げる〔=速度を速める〕/急━」❷①△ねじ山とねじ山(歯車の歯と歯)の間の寸法。「━ゲージ」❸①プロペラ・スクリューなどが一回転した時に進む距離。❹①音の高低(の程度)。「━アクセント」↔ストレス❶ ❺①コールタールや石油を蒸留したあとに残る、黒いねばねばしたかす。道路舗装・防水加工などに使う。チャン。瀝青。❻①ピッチングの略。「ワイルド━」❼⓪〔サッカー・ホッケーなどの〕競技場。

ハイ━③〔和製英語 ←high+pitch〕⇨ハイピッチ

ヒッチハイク④〔hitchhike〕通りがかりの自動車を止めて

は乗せてもらい、乗り継いでする無銭旅行。

ピッチャー〔pitcher〕㊀①〔野球で〕投手。↔キャッチャー ㊁①水差し。

ひっちゃく⓪【必着】―する（自サ）〔郵便物などが決められた期日までに〕必ず着く（ようにする）こと。「金曜までに―のこと」

ひっちゅう⓪【必中】―する（自サ）必ず命中すること。

ひっちゅう⓪【筆誅】―する（他サ）罪悪・過失などを書きたてて、責めること。「―を加える」

ぴっちり③（副）―と ―する その物との間に余分な空間が無く、よく合っていることを表わす。「―したズボン」

ピッチング⓪―する（自サ）〔pitching〕㊀船や航空機が縦に揺れること。縦揺れ。↔ローリング ㊁〔野球で〕投手がボールを投げる△こと（技術）。「―マシン⑦」

ピッツァ①〔イ pizza〕⇨ピザ

ひっつかむ④【引っ摑む】（他五）△乱暴（無造作）に摑む。

ひっつく③【引っ付く】（自五）㊀ぴったりとつく。「ぬれた髪が額（ヒタイ）に―」㊁「親しくなって、夫婦（同然の関係）となる」意の俗語的表現。

ひっつめ⓪【引っ詰め】〔←引っ詰髪（ガミ）④⓪〕後ろで無造作にたばね結わえた（女性の）髪型。

ひっつれ⓪【引っ攣れ】〔東部方言〕やけどなどのために、皮膚が縮んで、つれること。ひっつり⓪。

ヒッティング⓪〔hitting〕〔野球で〕ピッチャーの投げたたまを、打たずに待ったりバントしたりしないで、打者が積極的に打つこと。「―に出る」

ひってき⓪【匹敵】―する（自サ）対等の相手になること。「彼に―する者はいない／昔の一円は今の千円に―する（＝相当する）」

ヒット①〔hit〕㊀〔野球で〕安打。「レフト前に―を打つ」㊁―する（自サ）世の人に受け入れられ人気を得ること。「次つぎに―を飛ばす演歌歌手／―ソング④」 かぞえ方 ㊀は一本

ビット⓪①〔bit ←binary digit（＝二進法の数字、0または1）〕㊀二進法における「桁（ケタ）」の別称。「最下位の―（＝一の位）」㊁二進法の一桁分の情報量。〔情報量や記憶容量を表わす最小単位で、二つの状態を表現できる大きさ〕「六四―のコンピューター」

ひっとう⓪【筆答】―する（自他サ）〔試験などで〕問題や質問に対して、書いて答えること。↔口答

ひっとう⓪【筆筒】携帯用の筆入れ。 かぞえ方 一本

ひっとう⓪【筆頭】名前を書き並べた中で、第一番目（の人）。「―株主・―格（の）・―候補・前頭（マエガシラ）―・戸籍―者⑥（＝戸籍で一番初めに名の書いてある人。戸主の改称）」

ヒットエンドラン⑦〔hit-and-run〕〔野球で〕示し合わせておいて、投手が投球モーションに入ると同時にランナーは走り出し、すかさずバッターがヒットを打つという戦法。エンドラン④③とも。

ひつどく⓪【必読】―する（他サ）必ず読む△価値（義務）があること。また、その本。「―書⑤⓪」

ビットコイン④〔bitcoin＝商標名〕暗号資産の一つ。

ひっとらえる⑤【引っ捕らえる】（他下一）つかまえて、押さえる。

ひっぱがす④【引っ剝がす】（他五）〔東部方言〕力を入れて（無理に）剝がす。

ひっぱく⓪【逼迫】―する（自サ）（経済的な面で）行き詰まって、ゆとりの無い状態になること。「△家計（財政・生活）が―する／△時局（事態・情勢・戦況）が―する」

ひっぱぐ③【引っ剝ぐ】（他五）〔東部方言〕引っ剝がす。

ひっぱたく④【引っ叩く】（他五）〔東部方言〕強くたたく。

ひっぱりこむ⑤【引っ張り込む】（他五）㊀強く摑（ツカ）んで引っぱり、何かの中に入れる。㊁強引に誘って仲間に入れる。

ひっぱりだこ⑤【引っ張り凧】〔もと、足を引っ張り広げて作った蛸（タコ）の干物の形から、それに似た縄しばりの罪人や磔（ハリツケ）の刑に処せられた罪人の称〕人気や実力があって、方々から求められる△こと（もの・人）。「引っ張りっこ」を「引っ張り蛸」に掛けた表現。 表記 「引っ張り蛸」とも書く。

*__ひっぱる__③【引っ張る】（他五）㊀〈なにヲ―〉〔糸・綱などを〕（強く）引いて、たるまないようにする。㊁〈どこカラどこニ なにヲ―〉自分の（進む）方へ近付け（て、離れないようにす）る。「そでを―／部屋ごとにガスを―／車を―（＝引いて、進める）／仲間に―（＝誘い入れる）／警察に引っ張られる（＝連れて行かれる）／足を―（＝他人の昇進・成功や、順調な進行のじゃまをする）」㊂〈なにヲ―〉長く伸ばす。「線を―／話を―（＝引きのばす）」㊃〈なにヲ―〉〔野球で〕バットを強振して△右打者の場合はレフト（左打者の場合はライト）方向に打球が行くように打つこと。

ひつび①【必備】―する（他サ）必要に応じて使えるように常にそこに備えておくべきだとされること。「教室に―の黒板／厨房に―の消火器／―の書・―の辞書」

ヒッピー①〔hippie〕既成の社会通念や生活様式に反発し、「自然に返れ」をスローガンに、△日常的でない（反社会的な）行動をとった若者たち。肩まで垂らした長髪と、奇抜な服装が特徴。「―風（フウ）の若者／―族③」

ヒップ①〔hip＝尻（シリ）〕腰回り（の寸法）。「―アップ④・―ライン④」

ひっぷ①㊀【匹夫】社会的に重用されることのない、また、物事の道理を心得ていない、凡庸な男。「―の勇（＝深く考えることも無く、やたらにむちゃな行動をしたがるだけの勇気）／―匹婦④」㊁【匹婦】どこにでも居る、凡庸な女。

ビップ①〔VIP〕⇨ブイアイピー

ヒップホップ④〔hip-hop〕一九八〇年代にニューヨークの黒人の若者たちが生み出した音楽・ダンス・絵画など一連の文化。ラップミュージック・ブレークダンス・落書きアートなど。

ひっぺがす④【引っ剝がす】（他五）〔東部方言〕ひっぱがす。

ひっぽう⓪【筆法】㊀文字を書く時の筆の使い方。〔広義では、物事のやり方を指す〕㊁文章の表現の仕方。例「春秋（シュンジュウ）の―（＝⇨春秋）」

ひっぽう⓪【筆鋒】〔筆の穂先の意〕事実を指摘し、非を非として論じる文章の勢い。「鋭い―で反論する」

ひつぼく⓪【筆墨】㊀筆と墨。㊁文字を書いた跡。

ひづめ⓪【蹄】〔「ひ」の意は未詳〕ウシ・ウマ・ヒツジなどの足の先にある、堅い角質のつめ。

ひつめい⓪【筆名】文章を書いて発表する時にだけ使う、本名でない名前。ペンネーム。

ひつめつ⓪【必滅】―する（自サ）どんなものでも死を免れないこと。「生者（ジョウ）―」

ひつもんひっとう⓪-⓪【筆問筆答】△書いて（印刷して）渡した質問に、書いて答えさせる△こと（形式の試験）。

ひつよう⓪【必用】必ず用いなくてはならないこと。

**__ひつよう__⓪【必要】―な 何かをする時にそのものの存在を無視しては用を成さないことを表わす。「くどくど説明する

—も無い/—やむを得ぬ/—最小限度にとどめる/—以上にしゃべる/—に迫られる/—経費・—品⓪・—度③・—上」 [派] —さ⓪③ —あく③【—悪】 それ自体取り上げる時は悪と見なされるが、その△社会(組織・当事者)の存続のためには必要な手段として行なわれるもの。例、死刑、警官による極悪犯人の射殺、公営のギャンブルなど。 —けいひ⑤【—経費】 収入を得るのに必要として所得から控除される経費。〔所得税法で、職種により大体の枠が決められている〕 —じょうけん⑤(デウ—)【—条件】 ⇩条件 —せい⓪【—性】 必要であるととらえられる△条件(度合)。「—を訴える/—が△高まる(薄れる)/—に迫られる/変更の—が無い」

ひつりょく②【筆力】 ❶書かれた文字・文章の勢い。 ❷〔文章や絵画で〕△読む(見る)人を引き付ける表現力。「衰えない—」

ひつろく⓪【筆録】—する(他サ) 文字で記録△すること(したもの)。

ビデ①〔フ bidet〕 女性の局部を洗浄する装置。

ひてい⓪【比定】—する(他サ) 実態を客観的に明らかにすることが出来ない物事について、それと類似する既知のものに対応させて、何らかの関係があると仮定してとらえること。「邪馬台国(ヤマタイコク)があったと—される土地」

ひてい⓪【否定】—する(他サ)〈なにヲ—する〉〔問題となっている事柄について〕その通りだと認めるのは、事実に反することだと判断すること。「△頭(真っ向)から—する/—し得ない現実/—的〔=一般に△予測(期待)されていることを認めない〕見解/—形⓪・二重—」 ↕肯定

びていこつ②【尾〈骶骨〉】「尾骨(ビコツ)」の旧称。

ビデオ①〔video〕 ❶テレビの映像部分。 ❷ビデオ デッキの略。「—どり〔=ビデオテープに録画すること〕」 ⇩オーディオ

ビデオ カセット⑤〔videocassette=ビデオテープを収納した小型の箱〕 カセットに収める方式のビデオテープ。

ビデオ カメラ④〔video camera〕 時の経過に従って対象を撮影し、音や声と共にビデオテープやメモリー カードなどに記録することのできるカメラ。

ビデオ クリップ⑤④〔video clip〕 新曲の宣伝などのために製作するビデオ。プロモーション ビデオ。

ビデオテープ④〔videotape〕 磁気によって映像を記録し、再生するためのテープ。 ⇩サウンド テープ [かぞえ方] 一本

ビデオ デッキ④〔video deck〕 テレビなどの画像・音声を記録し再生する装置。一般に、再生時にはテレビと接続することが必要。ブイティーアール(VTR)。 [かぞえ方] 一台

ビデオ レター④〔video letter〕 相手に知らせたいことを動画として撮影し、電子メールに動画ファイルとして添付したりDVDに収録したりして手紙がわりとして送るもの。

びてき⓪【美的】—な —に 美△が感じられる(に関係がある)様子だ。「その色は—見地から言うと感心出来ない/—センスに欠けるコーディネート」

ひてつ きんぞく④【非鉄金属】 鉄以外の金属で、工業上利用価値の大きいもの。銅・鉛・亜鉛・白金など。

ひでり⓪【日照(り)・〈旱〉】 ❶太陽が(強く)照ること。 ❷夏期に長く雨が降らないこと。〔ほしいものが不足する意にも用いられる。例、「職人—」〕 —あめ④③【—雨】 日が照っているのに降る雨。きつねのよめいり。

ひてん⓪【批点】 ❶詩歌や文章を△訂正(批評)するためにつける評点。 ❷詩歌や文章の大切な所を示すためにつける点。 ❸△訂正(批評)すべき箇所。

ひてん⓪【飛天】 横にたなびくようなかっこうで空中を飛行している天人(の姿)。〔多くは天女で、寺院の装飾画に描かれる〕

ひでん⓪【飛電】「いなずま」の意の古風な表現。〔急を要する電報の意にも用いられる〕

ひでん⓪【秘伝】〔学問・技芸などで〕秘密にして、特別の人にしか伝えない事柄。「—書⓪④」

びてん⓪【美点】 よい△所(点)。長所。 ↕欠点

びでん⓪【美田】 地味の肥えた田地。「児孫のために—を買わず」

ひでんか②【妃殿下】 皇族の妻の名前の下に添える敬称。〔代名詞としても使われる〕

ひと【一】(造語)「一(イチ)」の意の和語的表現。〔単独でかぞえるのに用いる時は「ひ(い)」と言う〕 ❶かぞえ上げる個数・人数・回数などが一であることを表わす。「—足踏み出す/—皮むく/—言(コト)二言(フタコト)ものを言う/—呼吸おく/—人(リ)二役(フタヤク)・—重(エ)瞼(マブタ)・—度(タビ)・—桁(ケタ)・—粒・—回り」 ❷△単独(一回限り)の、他とは切り離されたものであることを表わす。〔ほんのわずか、の意を含意することもある〕「—△かたまり(まとまり)になる/—まとめにする/—そろいの家具/—筆で書く/—息に飲む/—区切りつける/—雨ほしいところだ/—休みする」 ❸過去のある時点であることを表わす。「—△時(キ)(ころ)は繁盛していた/—年(トセ)京に遊んだ折」 ❹△一回的な(ちょっとした)ことではあるが、無視することが出来ない何かがあるととらえられることを表わす。「—汗かく/—泡吹かせてやる/もう—花咲かせたい/—工夫あってしかるべきだ/—騒動持ち上がる/—味も二味も違う」 ⇩ふた(二)

****ひと【人】** ❶⓪ 直立二足歩行をする霊長類種。現生種は一種のみで、学名はホモ サピエンス。他の一切の生物から区別されてその存在が認められ、脳が発達し、言葉・火・道具を使う。人類。人間。 ❷⓪② 社会を構成している(種々の役割を持った)人。個人。「田中という—/党より—を選べ/—〔=人手。働く人〕が足りない/—〔=ⓐ代りの人。ⓑ間に立つ人〕を立てて話し合う/うちの—〔=自分の夫〕/—となる〔=おとなになる〕/—は一代名は末代/いい—〔=ⓐ人柄のいい人。ⓑ愛人〕」 ❸⓪ 世間(の人)。「—のうわさも七十五日〔=世間のうわさも、そう長くは続かない〕」 ❹⓪ なんらかの意味で自分と対立する立場にある人。「—〔=他人〕の弱みにつけ込む/—〔=他人〕の金に手を出す/—のふんどしですもうを取る〔=他人の物を利用して、自分の利益を図る〕/—を食う〔=相手をばかにする〕/—を—とも思わない〔=相手をすっかり軽蔑(ケイベツ)し、無視した振舞をする〕」 ❺⓪ △適当(りっぱ)な人。「—を得る/政界に—無し」 ❻⓪ 人柄。性質。 [表記] ❹は、「《他」と書いた。「〔他人〕」とも書く。 [かぞえ方] 一人(ヒトリ)・二人(フタリ)・三人(サンニン)。定数を表わした改まった表現を用いる時には 一名(イチメイ)、何かをする人を書面上 列挙したりする時は 六氏(シ)など。古くは一△箇(コ)(個・己)ともいった。まれに一員(イチイン)・一体(イッタイ)・一頭(ズ)など。一枚(イチマイ)・二枚も用いられたが、用法が局限されていた。 **【—が《好い】** ❶他人の言行を頭から信じ、恨んだり憎んだりするところが全く無い。 ❷人にばかにされても、また人から皮肉を言われてもすぐ ぴんとはこないほどに血のめぐりがよくない。 **【—が悪い】** 人が善意で言ったことをも逆にとったり何か皮肉を言って人を困らせたりするような傾きを持っている。 **【—の口に戸は立てられぬ】** 自分に都合が悪いからといって、人の口を封じるわけにはいかない。

ひと①【費途】「資金などの使途」の意の古風な表現。

ひとあし②【一足】 進もうとして、片方の足を前に踏み出すこと。また、その前へ出した足と、もう一方の足との(取り立てるほどでもない)隔たり。「—でまたぐ/—二足(フタアシ)前に出る/—お先に〔=あとに続く人よりも少し早く〕失礼します」 ⇩歩(ホ) —ちがい⑤(—チガヒ)【—違(い)】 その場△に到着(を出発)する時間がわずかにずれたため目的を果たせないで終わる

こと。「―で電車に間に合わなかった/―で会えなかった」

ひとあし⓪【人足】❶人の行き来。❷漢字の部首名の一つ。「元・先・党」などの、下の「儿」の部分。「にんにょう」とも。〔人がひざまずく形を表わす〕

ひとあじ②ー(アヂ)【一味】普通とは違った、その物を印象づける(すぐれた)味わい。「彼の△料理(作品)には他と―違う何かがある」

ひとあしらい③ー(アシラヒ)【人あしらい】人の△扱い(もてなし)方。「―がうまい」

ひとあせ②【一汗】〔「ひと」は、ちょっとした、の意〕労働などでちょっと汗をかくこと。「ジョギングで―かく」

ひとあたり⓪【人当(たり)】応対の時に、人に与える感じや印象。〔マイナスのニュアンスでは使わない〕「―が△いい(やわらかい)」

ひとあな⓪【人穴】溶岩の表面が固まったあと、内部のガスが抜け出て出来たほら穴。昔、人が住んでいたという。

ひとあめ②【一雨】しばらくの間(強く)雨が降ること。また、その(一回の)雨。「ひとさめ②」とも。「―来そうだ/―ごとに暖かくなる」

ひとあれ②【一荒(れ)】―する(自サ) しばらくの間強い風雨があること。〔会議・勝負などに予想外の混乱が起こったり人の機嫌が悪かったりして当たり散らす意にも用いられる〕

ひとあわ②【一泡】〔「ひと」は、ちょっとした、「泡」は、唾(バツ)の玉、の意〕ちょっと相手をあわてさせるような行為。「―吹かせる〔=他人の意表を衝(ツ)き、驚かしあわてさせる〕」

ひとあんしん②③【一安心】―する(自サ) 不安や心配が去って、ひとまず安心すること。

***ひど・い**②【非《道い・《酷い】(形)〔「非道(ヒドウ)」の形容詞化といわれる〕❶予測を超えて(堪えられないほど)程度がはなはだしい。「―〔=残酷な〕仕打ち/―〔=激しい〕△雨(風)/―〔=散々な〕目にあう」❷一般的な状態と比べて、はなはだしく劣っているととらえられる様子だ。「―出来の作品/無断欠勤を三日も続けるとは全く―もんだ」〔❶❷とも感動詞的に用いられることがある。例、「あなたったら、まあひどい!・」〕 派―さ①

ひといき②【一息】一度吸い込む息(の間)。「―〔=一気〕に飲む/あと―だ〔=少しの努力だ〕/―△入れる(つく)〔=ちょっと休む〕/―に〔=休みを置かず、短時間で〕仕上げる」

ひといきれ⓪③【人《熱(れ)】たくさん集まった人の からだから出る熱や湿気による蒸し暑さ。

ひといちばい⓪【人一倍】その人の熱心さや なまけぶりなどが普通の人の二倍であること。「―努力する」

ひとう⓪ー(タウ)【秘湯】山奥などにあって、一般にあまり知られていない温泉。

ひどう⓪ー(ダウ)【非道】ーな ーに 道理・人情に反する△こと(様子)。「―なやり方/極悪(ゴクアク)―⓪-⓪」

びとう⓪【尾灯】↕前照灯 ⇩テールライト

びとう⓪【微騰】―する(自サ)〔物価などが〕わずかに上がること。

びどう⓪【美童】顔立ちの整った少年。

びどう⓪【微動】―する(自サ) 少し動くこと。わずかな動き。「―だにしない」

ひとうけ⓪【人受(け)】他人に持たれる(いい)感情・評判など。「―がいい」

ひとうち②【一打(ち)】―する(自サ) ❶一度打つこと。❷一度で打ち倒すこと。「―にする」

ひとえ②ー(ヘ)【一重】そのものだけで、それに重なるものが他に無いこと。「―まぶた/―の花びら〔⇩八重(エヤ)❷〕」

ひとえ②ー(ヘ)【《単・〈単衣〉】〔↑ひとえ物⓪〕裏がついていない和服。⇩あわせ(袷)・綿入れ かぞえ方 一枚 ―**おび**④【―帯】裏をつけない帯。厚地のかたい織物を用いる。

表記「一重帯」とも書く。

ひとえに②ー(ヒトヘ)【《偏に】(副) それだけがすべてであって、他の要素はいっさい入らないと強調する様子。「今回の成功は―君たちの努力によるものだ/ごひいきのほど―願い奉ります」

ひとおじ⓪ー(オヂ)【人《怖(じ)】―する(自サ)〔幼児や気弱な人などが〕知らない人との交渉を避けようとすること。「―しない子」

ひとおと⓪【人音】「人の△来る(居る)らしい音」の意の古風な表現。

ひとおもいに③ー(ヒトオモヒ)【一思(い)に】(副) 悩んで苦しんだりためらったりすることをやめて、思い切った手段をあえてとる様子。「―楽にしてくれ/いっそ―この店を畳んでしまいたい」

ひとかい⓪ー(カヒ)【人買(い)】女子供をだまして誘い出し、売買する人。

ひとがき⓪【人垣】多くの人が立ち並んで、垣根のようになること。「―を作る」

ひとかげ⓪【人影】❶〔物に映る〕人の影。❷〔遠くを見渡した時に見える〕人の姿。「―が無い/―もまばらで ひっそりしている」

ひとかず⓪【人数】〔一人前の人としてかぞえられる〕人の数。「―に入らない〔=一人前の人間として扱われない〕」

ひとかた【一方】■一⓪ ーな ーに〔一般にあとに否定表現を伴って〕普通の程度。一通り。「母の心痛は―ではなかった/―ならず〔=非常に〕喜ぶ/―ならぬ〔=大変な〕お世話になりました」■二②「ひとり」の尊敬語。「もうお―お見えになります」

ひとがた⓪ ■一【人形】にんぎょう。〔狭義では、「かたしろ❷」を指す〕■二【人型】〔事故現場で〕被害者の死亡当時の位置・姿勢をなぞって示した平面図形。

ひとかたき③②【一片《食】〔関東、長野・和歌山・島根方言〕〔「かたき」は、一日二食しか食べなかった当時の一食分、の意〕一度(分)の食事。「ひとかたけ②」とも。

ひとかたまり③②【一塊】一つに△固まること(固まったもの)。「―の〔=全体から見れば、わずかな〕不平分子」

ひとかど⓪【一角】まわりの平凡なものに比べて、取り立てて言う価値があること。「―の〔=あなどりがたい〕人物/―の〔=優に、一人前に値する〕働き」〔古くは「いっかど」とも〕

表記「一《廉」とも書いた。

ひとかまえ②ー(カマヘ)【一構(え)】一軒の家。

ひとがまし・い⑤【人がましい】(形) ❶まともに成長して一人前の人間として世間に認められる様子だ。「あの若造も―ことを言うようになった」❷「世間に知られているほどの、相当の人物である様子だ」の意の古風な表現。

***ひとがら**⓪【人柄】■一その人とつきあっていて自然に感じられる、性質(のよさ)。人品。「個性や―を売り込む」■二ーな ーに「人柄■一」がいい様子だ。「お―な人」

ひとかわ②ー(カハ)【一皮】表の皮(一枚)。「―〔=(偽り飾った)物事の表面を〕むけば」

ひとぎき⓪【人聞(き)】他人がそれを聞いた時どう受け取るかということ。「―〔=外聞〕が悪い」

ひとぎらい③ー(ギラヒ)【人嫌(い)】(自分の好まない)人と会ったりすることを、体質的にいやがる△こと(人)。

ひときりぼうちょう⑤ー(バウチヤウ)【人斬(り)包丁・人斬(り)〈庖丁・人切(り)包丁】人を斬る以外には役に立たない、武士のさしている刀。〔多く、武士(社会)に対する批判を含意して用いられた〕

ひときわ⓪②ー(キハ)【一際】(副) 並の程度を超えているものの中でも、特にその傾向がきわだつ様子。「―目立った存在/今日はまた―お美しい」

ひとく⓪【秘匿】―する(他サ) 隠して他人に△見せ(知らせ)ないこと。「取材源の―/(自分の)意図を―する」

ひどく①(副) その程度が普通とはかけはなれていると思われる様子。「味が―まずい/友達から―喜ばれた」〔表記〕「非《道く・《酷く」とも書く。

びとく⓪【美徳】その人の持っている性質とその人のした行いの中で、ほめられるべき点。「謙譲の―」↕悪徳

ひとくい バクテリア⑦⓪【人食いバクテリア】「(劇症型)溶血性連鎖球菌」の俗称。この細菌による感染症は、突発的な要因で症状が短時間で劇的に悪化し、高熱、手足の壊死、多臓器不全を引き起こし、死亡することもある。

ひとくぎり②③【一区切(り)】物事の全体の流れの中で、他の部分と切り離してとらえられる ひとまとまりの部分。「仕事の―が△つく(つけられる)」

ひとくさ・い④【人臭い】(形) ❶(「人間のにおいが感じられる」の意)人の居そうな気配が感じられる様子だ。❷一個の人格を持った人間にふさわしい様子だ。「人を―とも思わぬ(=全く人格を無視した)むごいやり方」〔派〕―さ③

ひとくさり②③【一くさり】〔人に語って聞かせるものなどの〕まとまった一くぎり。一席。「演説を―ぶつ」⇩くさり

ひとくせ②【一癖】どこか普通の人と△違った(違って警戒を要する)人間だと感じさせるところ。「―も二癖もある」

ひとくだり②③【一《行】文章の、ある△一行(一部分)。

ひとくち②【一口】❶「口❶❷」の一回的な動作。「―で食べる」❷短い言葉。「何か―(=短い話を)しゃべる/―に(=短い言葉で、かいつまんで)言えば」❸メンバーの一人としてそのことに関わること。「―乗る(=金もうけなどの△仕事(話)に加わる)」❹最小単位の「口❸⑪」。「―一万円で寄付をつのる」 ―**ばなし**⑤【―話・―〈咄・―〈噺】ちょっとした笑い話。

ひとくふう②【一工夫】もう少し知恵をしぼること。「―あって然るべきだ/まだ―足りない/―も二工夫も要する」

ひとくろう②③【一苦労】―する(自サ) ちょっとした努力。「―願おうか/―も二苦労もした(=かなり苦労をした)」

ひとけ⓪【人気】人の居そうな様子。〔口頭語形は「ひとっけ⓪」〕「―の無い部屋」〔古くは「ひとげ」〕

ひどけい②【日《時計】時刻を目盛った盤の中心に針を立て、太陽に照らされて出来る影の方向によって時刻を知る装置。〔恒久的なものは石製の盤を使用〕〔表記〕⇩付表「時計」

ひどこ①【火床】〔ふろの かまやストーブで〕石炭などの燃料を燃やす さな(=格子)。燃えがらは下に落ちる。

ひとこいし・い⑤【人恋しい】(形) (寂しさに耐えかねて)だれか△に会い(のそばに行き)たいという気持だ。〔派〕―さ⑤ ―げ⑤⓪ ―が・る⑥

ひとこえ②【一声】(何かを決定するような)一言を相手やその場の人たちに向かって発すること。「会長の―(=最終的になされる決定的な発言)で決まった/鶴の―(=⇩鶴)/もう―(=売買で、値を競って決める時に、もう一段値が△上がる(下がる)ことを期待して掛ける声)」

ひとごえ⓪【人声】〔言葉としてははっきり分からないが耳に聞こえる〕人間が話す声。

ひとごこち⓪【人《心地】〔恐怖・不安などから逃れて△生きているという(安心した)感じ。「―が つく」〔表記〕⇩付表「心地」

ひとごころ③【人心】❶人間の心。〔人情があつい意にも、利害によって動かされやすい人の心の意にも使われる〕❷人ごこち。「―が つく」

ひとこし②【一腰】〔「腰」は、腰の物の意〕一本の刀。

ひとこと②【一言】△一つの(ちょっとした)言葉。「―多い(=言わずもがなのことまで口にする)のが悪い癖だ/―も触れていない/―(=わずかな言葉)も聞きもらさない/―で(=簡単に)言うと/―(=ちょっと)言いたいことがある」

ひとごと⓪【〈他人〉事・人事】自分には直接関係の無い事。〔最近は「他人事」をタニンゴトと文字読みすることも多い〕「―で済ませる/―ではない/―とは思えない」〔表記〕「人事」と書くのは比較的新しい表記。

ひとこま②【一〈齣】⇩こま

ひとごみ⓪【人混(み)・人込(み)】人が混みあう△こと(所)。

ひところ②【一頃】(それほど遠くない)以前のある時期。「―栄えた町/―の元気が無い」

ひとごろし⓪【人殺(し)】人を△殺すこと(殺した者)。

ひとさかり②【一盛(り)】盛んな時期。「―過ぎた選挙」

ひとさし②【一差(し)】〔将棋・舞などの〕一回の△勝負(演技)。〔表記〕「一指し」とも書く。

ひとさしゆび④【人差(し)指・人指(し)指】〔何かを指し示す時に使う指の意〕親指の隣の指。

ひとざと⓪【人里】人家が何軒か集まっている所。「―(=人里から)離れた山奥」

ひとさま②【人様】自分(の家)とかかわりを持たない他人を、どこかでかかわりを持つものとして敬意を含めた称。〔表記〕「〈他人〉様」とも書く。

ひとさらい③【人〈攫(い)】子供などを△だまして(無理に)連れ去ること。また、その人。

ひとさわがせ③【人騒がせ】―な ―に たいした理由も無いのに、他人を驚かし、騒がせる△こと(様子)。「とんだ―な」

***ひとし・い**③【等しい】(形)〈なにトー/なにニー〉❶(二つ(以上)の物の)数量化し得る属性を備えた物の数値が同じだ。「二辺の―(=長さが同じ)三角形/面積が―」❷比較する物との間に性質・状態の同一性が認められる様子だ。「現場に残された指紋と―指紋が見つかる/相場の急落で株券が一片の紙切れに等しくなる/この程度では△ゼロ(無き)に―(=…も同然だ)」〔派〕―さ③②〔表記〕「《均しい・《斉しい」とも書く。

ひとしお⓪【一《入】(副)〔染め物を染め汁につけると、一回ごとに色が濃く着くことから〕その条件が加わることによって、並なみではなかった事態の程度がさらに増す様子。「故人のことを話したり 聞いたりすると―悲しみがつのる/終わってみるとまた△感慨(喜び)も―だ」⇩しお(入)

ひとしお②【一塩】〔△保存(味つけ)のために〕魚・野菜などに、薄く塩を△ふること(ふったもの)。「―のアジ」

ひとしきり②⓪【一《頻(り)】(副) その盛んな状態がしばらく続き、やがて終わる様子。「―雨が降る」

ひとしく②③【等しく】(副) ❶すべてのものが一様に。そろって。「万人―仰ぐ/全員に―(=一律に)分配する」❷〔「動詞連体形 ＋と―」の形で〕同時に。「着くと―(=や否や)引き返す」〔表記〕「《均しく・《斉しく」とも書く。

ひとしごと②③【一仕事】―する(自サ) ❶しばらくの間仕事をすること。「―してから出掛ける」❷あるまとまった大きな△仕事(事業)。「―してみたい事がある」

ひとしずく②③【一滴】(上から)一粒ずつ垂れ落ちる、水・液体など。「―の涙/△血(雨)の―/人の情に対する感謝の美しい―(=現れ)」

ひとじち⓪【人質】❶約束を守る保証として相手方に一時預けておく、自分の身内の人。❷自分の要求が入れられなければ殺すつもりで捕らえておく(相手方の)人。「―△に(を)取る」

ひとしなみ⓪【等し並】―な ―に 個々の置かれた立場・事情や

状況などにかかわりなく同じような△傾向を示す(扱いを受ける)様子だ。「先進国の人間は、どうやら―に『旅行病』〔=旅行病という流行病〕にかかったのではあるまいか/―にかわいがる」

ひとじに⓪【人死に】思わぬ出来事で人が死ぬこと。

ひとしれず⓪【人知れず】(副)他人に知られない状態で自分ひとりで何かをする様子。「―△悩む(努力する)」

ひとしれぬ⓪【人知れぬ】(連体)人の知らない。人に分からない。「―苦労」

ひとずき⓪【人好き】他人から好かれること。「―がする」

ひとすじ②(スヂ)【一筋】㊀細長く続く、一本のもの。「―の川/―の希望をつなぐ/―の光を投げかける」㊁―に ただ一つのことに心を集中する△こと(様子)。「―に思い込む/学問―に打ち込む」 **―なわ**④⓪(ナハ)【―縄】❶一本の縄。❷ふつうの方法。「―では行かない〔=普通の手段ではうまく扱うことが出来ない〕」

ひとずれ⓪【人擦れ】―する(自サ) 多くの人とつきあって、要領のよさやずるさなどが身につくこと。「少しも―したところが無い」

ひとそろい②③(ソロヒ)【一〈揃い〉】何種類かの物がととのえられて初めて用をなす一体系のもの。「ひとそろえ」とも。ワンセット。一式。「衣類―・雛(ヒナ)飾り―・登山用具―」

ひとだかり⓪【人だかり】〔何かを△見よう(聞こう)として〕人がおおぜい集まること。また、その群集。人立ち⓪。「たちまち―がする」

ひとだすけ③【人助け】―する(自サ) △困って(苦しんで)いる人を助けること。

ひとたち②【一〈太刀〉】刀で相手に一回斬(キ)りかかること。一刀(イットウ)。 表記 ⇩付表「太刀」 **【―恨(ウラ)む】**一太刀斬りつけて、恨みを晴らす。

ひとだのみ③⓪【人頼み】―する(自サ) (自分でしないで)他人の力をあてにすること。

ひとたび②【一度】「一回・いちど」の意の和語的表現。「―〔=最初の一回〕はがまんしたが、今度は承知出来ない/―決心した〔=覚悟を決めて決心した〕/―事〔=実際に事件など〕が起こってからでは遅い」

ひとだま⓪【人《魂》】夜間に空中を飛ぶ火の玉。〔死人のからだから抜け出した魂と考えられて来た〕

ひとたまり⓪【一〈溜まり〉】他からの力に抵抗してちょっとの間踏みとどまること。「彼にあっては―も無い」

ひとちがい③(チガヒ)【人違い】―する(自サ) 別の人をその人と△思い(見)違えること。「ひとちがえ③」とも。

ひとつ②【一つ】〔「つ」は接尾辞。⇩ひと(一)〕㊀❶ものの(個)数をかぞえるとき、数が一(イチ)であることを表わす。また、一歳を指す。〔動植物には用いない〕「―か二つ取っておく/一人に―ずつ配る/―として同じものはない/万に―も見込みは無い/―残らず〔=全部〕売れた/―違いの姉がいる」❷他と切り離して単独に取り上げられる個々のもの。〔「列挙されるものの第一、また、ただそれ(一つ)だけ」の意を強調するのにも用いられる〕「問題を――解決していく/―は健康のため―は実益のため/それも―の考えだ/女手―〔=だけ〕で四人の子供を育てた/心の持ちよう―で何とでもなる」❸本来それぞれ別個のものを、ひとまとまりのものとしてとらえていうことを表わす。「空と海が―になる/志を―にしてがんばろう/みんなの気持が―になる」㊁(副)❶他を無視して、その△こと(もの)だけを強調することを表わす。「雲―ない〔=快晴の〕青空/風邪(カゼ)―ひかない/―〔=ほんのわずかでも〕間違えば大変な事件になる」❷結果までは気にせず、取りあえず軽い気持でやってみようと思う気持を表わす。「―〔=ためしに〕やってみるか/―〔=ちょっと〕聞いてみよう/―考えてみる必要がある」⇩ふたつ 運用 ㊁❷は同輩以下の相手に、押し付けがましいといった印象を与えないように、何かを△頼む(提案する)気持を表わすのに用いられることがある。例、「一つよろしくお願いします/一つどんなものでしょう、考えていただけませんか/君も一つ仲間に入らないか」 **【―屋根の下で暮らす】**❶同棲(イセ)する。❷共同生活を営む。 **―あな**②、②-②【―穴】(一緒に住む)同じ穴。「―の狢(ムジナ)〔=⇩同じ〕」 **―おぼえ**④【―覚え】一つの事を覚えるだけで精一杯なため、外(ホカ)の事には知恵が回らない△こと(頭の固い人)。「ばかの―」 **―がき**⓪【―書き】箇条に分けて「一、…」のように書く△こと(文書)。 **―かま**②、②-⓪【―釜】同じ一つの釜。「―の飯(メシ)を食った仲〔=⇩同じ㊁〕」 **―ばなし**④【―話】❶いつも得意になってする、決まった話。❷後(ノチ)のちまでも話題になる、珍しい話。 **―ひとつ**⑤【―一つ】(副)どの一つをとってみても、例外無くそうであることを表わす。「ひとつびとつ④」とも。 **―み**③【―身】二歳ぐらいまでの幼児の、背縫いのない和服。

ひとづかい③⓪(ヅカヒ)【人使い】人を使う△こと(方法)。「―が荒い」

ひとづき⓪【人付き】❶他人とのつきあい。❷他人に持たれる(いい)感情・評判など。「―がいい」

ひとづきあい③(アヒ)【人付き合い】他人とのつきあい(方)。「―の△悪い(いい)人」

ひとっこ⓪【人っ子】人(と呼べるもの)。「―一人〔=だれも〕通らない」

ひとづて⓪【人《伝》】他人を通して△伝える(伝わる)こと。「―に聞く」

ひとっとび②【一っ飛び】―に 〔一回飛ぶこと〕❶あっというまに到達できる距離だととらえられる△こと(様子)。「大阪までなら―だ」❷「ひととび②」の強調した口頭語的表現。「―に結論に入る」

ひとつぶえり⓪【一粒《選り》】多くの中から(いいものだけを)選び出すこと。また、その選び出したもの。「ひとつぶより⓪」とも。

ひとつぶだね⑤【一粒種】自分のたった一人の(大切な)子供。

ひとつぶて③【人〈礫〉】つかみ上げた人を、小石のように軽がると投げ棄(ス)てること。〔大力のたとえとして昔物語の中に散見する〕

ひとづま⓪【人妻】❶他人の妻。❷〔一般的に〕妻。すでに結婚している女性。

ひとつまみ②③【一〈抓み〉】❶片手の指先で一回つまんだ程度の分量。「―の△香(砂・綿・あずき)/―の〔=わずかな〕図書費」❷簡単に片手でつかめる程度の弱さであること。「―にするぞ」 表記 「一《撮み》」とも書く。

ひとつめこぞう⑥(オ)【一〈つ〉目小僧】目が一つだけの怪物。〔多く、一本足。民俗学的には、片目の神の零落したものと考えられる〕

ひとて②【一手】❶(他の力を借りないで)ひとりですること。いって。「―に引き受ける/―〔=ひとりじめ〕販売」❷〔碁・将棋で〕いって。「―遅れる」❸一組。一隊。「―が千人」❹一種類。「この色は―しか無い」

ひとで⓪【〈海星〉】〔人手の意〕海底にすむ棘皮(キョクヒ)動物。からだは平たくて星形で、とげがあり、口は腹面の中央にある。再生力が強く、魚介類を食うので漁業関係者にきらわれる。「オニ―③」 表記 「〈海〈燕〉〉・〈海盤車〉」とも書く。 かぞえ方 一匹

ひとで⓪【人手】❶他人(の手)。「―がかかる/―に預ける/―を借りる〔=他に助けてもらう〕/―にかかる〔=殺される〕/―に渡る〔=他人の所有になる〕」❷仕事にかり出す

ことが出来る人の数。「—が多い/—不足」

ひとで⓪【人出】 その場所に集まったりその道を通って行ったりする人の数。「祭りの会場はたいへんな—だ」

ひとでなし⓪【人で無し】〔人間ではないものの意〕外貌(ガイボウ)は人間でありながら、恩義や人情の分からない人。

ひととおり⓪【一通(トホ)り】(副) ❶細部にまでは及ばないが、全体のことがつかめる程度に、事がなされる様子。「学校の様子は—のみ込めた/事件について—説明を聞いた/書類に—目を通す」 ❷そのものとして、ごく普通の程度のものである様子。〔多く否定表現を伴って用いられる〕「〔並(ナミ)〕—の苦労ではない/—の結婚の支度(シタク)はしてやった」

ひとどおり⓪【人通(ドホ)り】〔道などを〕人が通ること。「—が少ない」

ひととき②【一時】 ❶しばらくの間。 ❷〔以前の〕ある時。「—はやった歌/—は大変景気がよかった」 ❸〔昔の時法で〕今の約二時間。「いっとき」とも。

ひととせ②【一《年】「以前のある年・一か年」の意の和語的表現。「いちねん」とも。

ひととなり⓪【人となり・〈為人〉・〈為性〉】 生まれつきの(すぐれた)性質。 [表記] 古来の用字は「《性・〈天性〉・〈天生〉」。

ひとなか⓪【人中】 ❶人が多く居る場所。「—で恥をかく」 ❷世間。「—に出られない身」

ひとなかせ③⓪【人泣かせ】—な 他人を苦しめて困らせる△こと(行為・様子)。

ひとなだれ③⓪【人〈頽〉れ・人〈雪崩〉】〔一か所に集まった〕群衆が押しあって、なだれのように重なりあって倒れること。

ひとなつかし・い⑥【人懐(かしい)】(形) 人に会うことが少ない境遇に置かれて、むしょうに人に△会うことを楽しみにする(会いたくなる)様子だ。 [派] **—さ**⑥⑤ **—げ**⓪⑦⑥

ひとなつっこ・い⑥【人懐っこい】(形) 人にすぐ親しんで、以前からの知り合いであったかのように接することが出来る様子だ。「ひとなつこい⑤」とも。「—△少年(犬)」 [派] **—さ**⑥

ひとなのか②【一七日】〔「ひとなぬか②」の変化〕人の死後七日目(に行なう法事)。「いっしちにち」とも。初七日。

ひとなみ⓪【人並】—に—な 普通の人と同じ△程度(状態)。世間並。「—以上の苦労を味わった」

ひとなみ⓪【人波】 群衆が押しあって動いている△こと(様子)。

ひとなれ⓪【人〈馴れ〉】—する(自サ) ❶他人とのつきあいに馴れること。「—していない」 ❷動物が人間に馴れること。

ひとな・れる④【人〈馴れる〉】(自下一) 他人とのつきあいに馴れる。

ひとにぎり②③【一握り】 ❶片手で握れるくらいの分量。〔全体の中で、問題にならない程度ではあるが、侮れない勢力を持つ意にも用いられる。例、「—の異端分子/—の特権階級」〕 ❷一度に簡単に握りつぶすこと。「部下の不正を—にする〔=何事も無かったかのように処理する〕/暴動を—に〔=あっという間に〕鎮圧する」

ひとねいり②【一寝入り】—する(自サ) ひとねむりすること。

ひとねむり②③【一眠り】—する(自サ) ちょっとの間眠ること。

ひとのみ②【一〈呑み〉】—する(自サ) ❶一口に呑み込むこと。 ❷相手を呑んでかかること。「—にする」

ひとはし②【一箸】 何かを食べようとして(一回)箸を上げ下げすること。「—つけてみる〔=ためしに、ちょっと口に入れてみる〕」

ひとばしら③⓪【人柱】 ❶昔、橋・城・土手などの難工事の時に、完成のためのいけにえとして、生きた人間を水や土の中に埋めたこと。また、その埋められた人。 ❷ある目的のために、身を△ささげること(ささげた人)。

ひとはしり②【一走り】—する(自サ) ちょっと走ること。〔強調表現は「ひとっぱしり②」〕

ひとはた②【一旗】〔「ひと」は、ちょっとした、の意〕(人目につく)一本の旗。「—揚げる〔=自分の△存在(意気込み)を示そうとして、新たに事業を興す〕」

ひとはだ②【一肌】〔「ひと」は、ちょっとばかり、の意〕一度、思い切って肌を見せること。「—脱ぐ〔=(肌脱ぎになって)その人に力添えしようとする心意気を示す〕」

ひとはだ⓪【人肌・人《膚】〔あたたかみを持った〕人間の肌(ぐらいの温度)。「—程度に燗(カン)をする」

ひとはな②【一花】〔「ひと」は、ちょっとした、の意〕一輪の花。「もう—咲かせたい〔=人の目を引くようなはなやかな活躍をもう一度したい〕」

ひとはば②【一幅】 一本の帯のように、ある程度の広がりを持ち長く続いた状態。「—の黄色な砂」

ひとはら②【一腹】 ❶同じ母親から生まれた、動物の仔(コ)(相互の関係)。「生まれたばかりの子猫を、—そっくり、箱に入れて捨てたのだ」 ❷同じ卵巣に入っている、魚の卵全体。「生たらこ—」

ひとばらい③【人払(バラヒ)い】—する(自サ) 〔密談をする時、また、貴人が通る時など〕その場所から関係の無い他の人を全部遠ざけること。

ひとばん②【一晩】 ❶晩から朝までの間。「友と—語り明かした/—じゅう⓪」 ❷ある晩。

ひとひ②【一日】 ❶いちにち。 ❷一日じゅう。 ❸ある日。 ❹〔雅〕ついたち。

ひとひざ②【一膝】〔座ったままの〕膝一つ分。「—△乗り出した(つめよせる)」

ひとびと②【人々】 ❶多くの人。「…に—の目を向けさせる」 ❷めいめいの人。「—がいだく感慨」

ひとひねり③②【一《捻り】—する(自サ) ❶簡単にあしらうこと。「あんな奴(ヤツ)、—だよ」 ❷普通とは大分変わった趣向を凝らすこと。「—捻った言い方」

ひとひら②【一《片・一《枚】 いちまいの薄く小さなもの。「—の雪/雲の—」

ひとふで②【一筆】 ❶〔手紙などで〕ちょっと書きつけること。 ❷△墨をつがないで(線を切らないで)書き続けること。 ❸特に書きつけること。「紹介状を—お願いします」 ❹江戸時代、地面の一区画。「—書(ガキ)⓪」

ひとふね②【一舟】〔魚や貝などを入れて店頭に置く〕舟形の入れ物の単数を表わす語。

ひとふり②【一降(り)】 雨や雪がひとしきり、まとまって降ること。「あまりに暑いので—来てもらいたい」〔口頭語形は「ひとっぷり②」〕

ひとべらし⓪③【人減(らし)】〔組織体などが〕経費の節減などのために、雇用している人の数を減らすこと。「—対策」

ひとほね②【一骨】〔「ひと」は、ちょっとばかり、の意〕ちょっとした労力。「—折る〔=意義があると思って骨を折る〕」

ひとま⓪【人間】〔雅〕人の見ていない△間(所)。

ひとまえ⓪【人前(マヘ)】 他人の△居る(見ている)所。「—〔=体裁〕を△飾る(つくろう)/—もはばからずに泣く/—に出る」

ひとまかせ③⓪【人任(せ)】〔自分がしなければならない事を〕他人にすっかり任せること。

ひとまく②【一幕】〔演劇で〕幕が上がって始まってから、幕が降りるまでの一くぎり。「犯人逮捕の—〔=一場面〕/—

物⓪」

ひとまじわり③【人交わり】他人との交際。

ひとまず②【一《先ず》】(副) 決定的・最終的なものではなく、当面の状況に対応して△とった行動(いだいた感情)に過ぎないととらえる様子。「―帰国する/―始めてみよう/これで―安心だ」

ひとまちがお⓪【人待(ち)顔】―に・―な 人が来るのを待っているような△顔つき(様子)。「街角に―でたたずむ」

ひとまとまり②③【一〈纏(ま)り】〔ばらばらになっているものが〕一つに纏まること。また、その纏まったもの。

ひとまとめ③②【一〈纏(め)】〔ばらばらになっているものを〕一つに纏めること。「保守政党を―にして新党結成」

ひとまね⓪【人真《似》】―する(自サ) ❶〔その事の意味も分からずに〕むやみに他人の真似をすること。「―の猿芝居」 ❷〔動物が〕人間の真似をすること。

ひとまわり③②【一回り】❶―する(自サ) 一回△まわる(まわす)こと。❷―する(自サ) 順に全部回ること。❸〔年齢を十二支でかぞえる時〕次にもう一度その年が回ってくる間。「―(=十二歳)違う夫婦」 ❹△物の大きさ(人の度量・才能など)の一段階。「―大きい」

ひとみ⓪【瞳・〈眸】目の中心にある小さな円形の部分。医学的には瞳孔を指す。〔広義では、目全体を指す。例、「つぶらな―/二十四の―/―を凝らす【=一つの物をじっと見つめる】」〕「青い―の目」 表記「〈睛」とも書く。

ひとみごくう④⑤【人身御《供》】❶昔、村人の平和を守るために、神と称する者に定期的に若い女性を提供したこと。また、その女性。❷権力者の欲望を満足させるために犠牲となる△こと(人)。

ひとみしり⓪【人見知(り)】―する(自サ) 〔子供などが〕見なれない人を見て△嫌う(はにかむ)こと。〔初対面の人に対して極端に はじらう成人の性質についても言う〕「―をする」

ひとむかし②③【一昔】〔物すべて移り変わったととらえる「大昔」ではなく〕物価の変動や子供の成長などから漠然と考えられる一時代前の過去。〔古くは六十六年・三十三年・二十一年前を言った〕「―前まではこの辺にも豊かな自然が残っていた/十年―とはよく言ったものだ、町並がすっかり変わってしまって」

ひとむら②【一群・一〈叢】〔動物や草木などが〕群がって一かたまりになっているもの。「ひとむれ」とも。 表記 主に草木の場合ま、「一〈叢」とも書く。

ひとむれ②【一群(れ)】人・鳥・獣・虫・魚などが、一かたまりになっているもの。いちぐん。

ひとめ②【一目】❶一度(ちょっと)見ること。「―で△気に入る(分かる)/―でいいから会いたい/―ぼれ⓪」 ❷一度に全部見渡すこと。いちぼう。「―千本④」 ❸△一度(ちょっと)目をつぶること。「―も(=一晩じゅう少しも)寝ないで」

ひとめ⓪【人目】(世間の)人の見る目。「―を気にしない/―が気になる/―にさらされる/―につかない物陰/―の届かない所で悪事を働く/―をひく(=ⓐ注目の的となる。ⓑ関心を集める)/―に隠れてこそこそ買う/―を避ける/―を忍ぶ(=目立たないように△ひっそりと暮らす(こっそりと行動する))/―をはばかる(=他人に見られないように、慎重な行動を取る)」

ひどめ⓪③【火止(め)】石油を精製して引火点を高くすること。

ひとめぐり③②【一巡(り)】❶―する(自サ) ⇩ひとまわり❶❷ ❷一周忌。

ひともうけ③②【一〈儲(け)】―する(自サ) ちょっとまとまった儲け(を得ること)。「ドル売りで―ねらった/―をたくらむ」

ひともじ②【一文字】❶一つの文字。❷〔雅〕〔ネギを「き」と一音節で言ったことから。⇩わけぎ・あさつき〕ネギの女房詞。

ひともじ⓪【人文字】高所から見ると、絵や文字の形が浮かんで見えるように、おおぜいの人が隊形を組んで並んだもの。〔最近では、絵や文字を変化させるものもある〕

ひともしごろ⑤【火《灯し頃・火《点し頃】〔夕方になって〕あかりをつけるころ。夕暮れどき。「―はそぞろ人恋しい」

ひともと②【一本】草花などの一株・一枝。また、一輪の花。「庭に―ナツメの木/―の△柳(樟)/松の―/―の△花(薄)/大杉―」 表記「一《幹」とも書く。

ひともなげ⓪④【人も無げ】―に・―な あたりに居る人の迷惑などをまるで顧みない様子だ。「―なふるまい」

ひともみ②【一〈揉(み)】△ちょっと(しばらく)揉むこと。「―揉んでやろう/軽く―さ」

ひともり②【一盛(り)】一皿・一舟分の分量。刺身の盛合せやすし種、その他の切身やエビ・イカ・赤貝などのほか、リンゴ・イチゴなどについても言う。

ひとや⓪【《獄】〔雅〕〔人屋の意〕牢屋。

ひとやく②【一役】一つの役割。「―買う(=自分から進んで一つの役割を引き受ける)」

ひとやすみ②【一休(み)】―する(自サ) 〔仕事の途中で〕少しの間休むこと。

ひとやま②【一山】❶その山全体。❷そこにむぞうさに△積んで(束ねて)ある一かたまり。「金庫から書類を―取り出す/―の落ち葉燃え尽くるまで、つきぬ思いを語る/小アジの色のいいのが―あるのに目を付ける」【―当てる】〔投機的な事業などで〕好機を得て成功する。

ひとやま⓪【人山】ひとところに多くの人が集まったもの。「―を築く」

ひとよ②【一夜】❶ひとばん。❷ある夜。 **―づま**④【―妻】❶一晩だけ交渉のあった女性。❷売春婦。

ひとよぎり⓪③【一《節切(り)】尺八に似た、長さ一尺一寸一分(=約三四センチ)の昔の管楽器。〔竹の一節で作ったことから言う〕 かぞえ方 一本・一管

ひとよせ⓪【人寄(せ)】―する(自サ) 人を多く集める△こと(ために行なう芸や口上)。

ヒドラ①❶〔ギ Hydra〕〔ギリシャ神話で〕九つの頭を持つヘビ。❷〔ギ hydra〕腔腸動物の一種。池や沼の中にすみ、水中の落ち葉や石に付着する。〔ヒドラ科〕

ヒドラジド③〔hydrazide〕〔←イソニコチン酸ヒドラジド⑪〕結核の特効薬の一つ。

***ひとり**②【一《人・独り】■❶人の数をかぞえるとき、数が一であることを表わす。「教室にはまだ―二人残っている/―の男が話しかけてきた/人っ子―居ない/五十人中―合格した/―頭千円」 ❷他と切り離して単独に取り上げられる個々の人。〔「ただその人(ひとり)だけ(で)」の意を強調するのにも用いられる〕「兄弟のうち―は医者で―は教師だ/自分―でやってみせる/わたし―の考えだ/―△芝居(ずもう・遊び・暮らし)」 ❸配偶者の居ない状態にある△こと(人)。独身。「まだ―で居る/―身」 ■(副) 他と切り離して、その△人(もの)自身だけに限定してとらえる様子。「―息巻いている/夜の街を―寂しくさまよった/―日本だけの問題ではない」 ⇩ふたり 表記 ⇩付表「一人」。一人だけであることや孤独感を表わす際に「独り」とも書く。 **―あたま**④【―頭】全体の数量を関係者の人数で割ったとき、各人に割り当てられる分。 **―あるき**④【―歩(き)・独り歩(き)】―する(自サ) ❶Ⓐ同伴者が無く、ひとりだけで歩くこと。「夜道の―は危険だ」 Ⓑ他の助けを借りず自力で歩くことや、独力で生活したり事業を行なったりすること。

「赤ん坊が―するようになった/経済発展し―できるようになった小国」❷△当事者の関知しない誤った(実体がないのに実在するかのような)情報が、勝手に世間に伝播(デンパ)していくこと。 ―あんない④【―案内】 読めばひとりで習えるようになっている本。独習書⓪⑤。 ―おや⓪【―親】 両親のどちらかがいないこと。「―家庭⑥」 ―がてん④【―合点・独り合点】―する(自サ) 自分としては分かったと思い込むこと。「ひとりがってん④」とも。 ―ぎめ⓪【―決(め)・独り決(め)】―する(自サ) ❶自分だけの考えで決めること。❷自分でそうだと思い込むこと。 ―ぐち⓪③【―口】 ひとりで生計を立てること。また、その生計。「―は食えないが、二人口は食える」 ―ぐらし④【―暮(ら)し・独り暮(ら)し】 生活を共にする者が無く、その人ひとりで生活すること。 ―ご③【―子・独り子】 兄弟姉妹の無い子。「ひとりっこ⓪」とも。 ―ごと⓪【―言・独り言】 相手も無いのに、自分だけで物を言うこと。また、その言葉。独語。 ―ごつ④(自四)〔雅〕ひとりごとを言う。 ―じめ⓪【―占(め)・独り占(め)】―する(自サ) 本来他の人と共有すべきとされるものを、自分だけのものにすること。独占。「△利益(親の遺産)を―にする」 ―ずもう④(ズマフ)【―〈相撲〉・独り〈相撲〉】 相手がいるものと想定して勢い込んで何かを△する(して、無視されたりマイナスの結果を招いたりする)こと。「せっかくの提案が否決され、全くの―に終わった/―の外交交渉」 表記 ⇩付表「相撲」 ―だち⓪【―立(ち)・独り立(ち)】―する(自サ) ❶幼児が自分の力で立てるようになること。❷他からの援助や保護を受けることなく、その人自身の力で△社会人(その世界の人間)として生きていけるようになること。独立。一本立(ダ)ち。 ―っこ③【―っ子】「ひとりご」の口頭語的表現。 ―でんか④【―天下】 他人の迷惑など考えず、ひとりで思いのままにふるまい、それを抑える人の居ないこと。「ひとりてんか④」とも。 ―ね⓪③【―寝・独り寝】〔配偶者などと別れて〕ひとりだけで寝ること。「―のわびしさ」 ―ひとり⑤【―一《人》】 めいめい。各人。「ひとりびとり④」とも。「クラスの―の意見を聞く/―性質が違う」 ―ぶたい④【―舞台・独り舞台】〔役者がひとりだけ舞台に立って演じる意〕すぐれた才能を発揮するなどして、他を圧倒するかたちで△その人の存在が際立つ(思うままにふるまう)こと。 ―ぼっち④【―ぼっち・独りぼっち】 仲間や、たよりにする人などが居なくなった△人(状態)。孤独。「ひとりぽっち④」とも。 ―まえ⓪(マヘ)【―前】 いちにんまえ。

―み⓪【―身・独り身】 配偶者や△子供(親)などに先立たれたり何かの事情で別居していたりして、生活を共にする相手の無い人。〔狭義では、独身者の意にも用いられる〕⇩単身 ―むし③【―虫】 遊び相手の居ない子供の称。 ―むすこ④【―《息子》】 兄弟(姉妹)の無い息子。表記 ⇩付表「息子」 ―むすめ④【―娘】(兄弟)姉妹の無い娘。 ―もの⓪【―者・独り者】「独身者」の意の和語的表現。〔広義では、ひとり身をも指す〕 ―よがり④【―善がり・独り善がり】―な 自分の考えや言動を絶対と思い込み、他人の言うことを一切受け入れない△こと(様子)。独善。

ひとり⓪③【火取(り)・火採(り)】 火を入れて他に移すのに使う器具。 ―むし③【―虫】 夏の夜、灯火に寄り集まるガ。

ひどり⓪【日取(り)】 ある事を行なうための日を定めること。また、その定めた日。「―を決める/―が延びのびになる」

ひとりでに⓪【独りでに】(副) 人が手を加えたり外部から力が加わったりしたわけではないのに、△そのもの自体の働き(事の成行きで)でそうなる(と予測される)様子。「柱が―倒れた/こんな傷はほうっておいても―治る」

ひど・る②【火取る】(他五)「食べ物を火にあぶる」意の古風な表現。「茶を―」

ひとわたり③②⓪【一渡(り)・一《渉(り)》】(副)(大ざっぱではあるが)全体にわたって事がなされる様子。「―目を通す/―武芸は習った」

ひとわらわせ③(ワラハセ)【人笑わせ】―な 人を笑わせる、ばかげたこと。

ひとわらわれ③(ワラハレ)【人笑われ】 世間の人に笑われる(ばかげた)こと。

ひな①【〈鄙〉】 都から遠く離れた土地。いなか。「―には まれな美人」

ひな【〈雛〉】■① ❶生まれたばかりの△鳥(鶏)の子。ひよこ。「ニワトリの―がかえる」❷雛人形。「お―さま②(=ⓐ雛人形。ⓑ雛祭り)」 かぞえ方 ❶は一羽。❷は一体(タイ/タイッ) ■(造語) 小さい。「―形(ガタ)・―菊(ギク)」

ひなあそび③【〈雛遊(び)〉】 ❶雛人形を飾って遊ぶこと。❷雛祭り。

ひなうた②【〈鄙歌〉】 いなか△に伝わる(で歌われる)民謡。

ひなか⓪【日中】 一日のうちで、日が出ている間。昼間。「にっちゅう」とも。「昼―」

ひなが⓪【日永・日長】 日の落ちるのが遅く、昼の時間が長く続くかのように感じられる△こと(季節)。↕夜なが

ひながし③(グヮー)【〈雛菓子〉】 雛祭りに、雛壇に供える菓子。

ひながた⓪【〈雛形・〈雛型〉】 ❶実物にかたどって、小さく作ったもの。模型。❷書類などの、決まった書き方を示した見本。

ひなぎく②【〈雛菊〉】 ヨーロッパ原産の多年草。葉はさじ形で、春、内側は紅色、外側は薄紅色や白色の小さなキクに似た花を開く。観賞用。デージー。延命菊③。〔キク科〕 かぞえ方 一本

ひなげし②【〈雛〈罌粟〉〉】 ケシに似て、やや小さい一年草。五月ごろ、紅・紫・白色などの美しい四弁の花を開く。観賞用・薬用。虞美人草(グビジンソウ)。〔ケシ科〕 かぞえ方 一本

ひなさき⓪【〈雛尖〉】 ❶烏帽子(エボシ)の正面のくぼみの中央部にある、小高い所。❷「陰核」の異称。

ひなし⓪【日《済(し)》】 ❶借金を毎日少しずつ返すこと。❷毎日少しずつ返してもらう約束で貸す金。「ひなしがね③⓪」とも。

*ひなた⓪【日《向》】〔日の方の意〕日光の当たっている所。〔日の当たる所の意から、順境の意にも用いられる〕「―水(ミズ)③」↕日かげ ―くさ・い⑤【―臭い】(形)〔布団・洗濯物などが〕日光に当たって発する独特なにおいが感じられる様子だ。 ―ぼっこ④―する(自サ)〔寒い時〕日なたに出て暖まること。

ひなだん②⓪【〈雛壇〉】 ❶〔雛祭りで〕雛人形・道具を並べる階段式の壇。❷〔芝居で〕はやしの連中がすわる上下二段の席。❸〔すもう場・国会などで〕「雛壇❶」のように作った座席。 かぞえ方 ❶~❸とも一段

ひなどり②【〈雛鳥〉】 ❶鳥の雛。❷【〈雛《鶏》】〔食用としての〕ニワトリの雛(の肉)。

ひなにんぎょう③(ギヤウ)【〈雛人形〉】 雛祭りに飾る人形の総称。

ひなのせっく①-⓪【〈雛の節句〉】 三月三日の節句。桃の節句。

ひな・びる③【〈鄙びる〉】(自上一) いかにもいなかだといった雰囲気が漂っていると感じられる。「鄙びた温泉街」

ひなまつり③【〈雛祭(り)〉】 三月三日の節句にする、女の子のための行事。雛壇を作って、雛人形を飾り、ひしもち・白酒・桃の花などを供える。雛遊び。女の節句。

ひなみ⓪【日並・日《次》】その日の縁起のよしあし。日がら。「お—」

ひならずして②③【日ならずして】(副) その事が実現するまでにそれほど日数がかからない様子。「その後—完成した/—出征した/—届く」

ひなわ⓪【火縄】竹・ヒノキの皮・もめん糸などを縄に綯って硝石を吸収させたもの。点火用。[かぞえ方] 一本 **—じゅう**③【—銃】火縄で導火線に点火して発射させる仕組みの、先込めの小銃。室町時代の最末期、ポルトガルから伝えられた。種子島。[かぞえ方] 一挺・一丁

***ひなん**①【非難・批難】—する(他サ)〈だれ・なにヲ(なんだト)—する〉他人の欠点や過失を取り上げ、それは悪いと言って責めること。「—を△受ける(招く)/—は免れない/—の的」

***ひなん**①【避難】—する(自サ)〈どこカラどこニ—する〉災難を避けて、別の所へ移ること。「—民②(=避難した人びと)」

びなん①【美男】顔かたち・姿の整った男子。美男子。⇩美女

ビニール②〔vinyl〕〔←ビニール樹脂⑤〕エチレンを主原料として作る化合物からなる透明な合成樹脂。染色性がよく、ガラス・革・布などの代用にする。ビニル①とも。「—ハウス(=⇩ハウス■二)」

ひにく⓪【皮肉】—に—な ❶〔相手を非難・批評する気持で〕事実と反対の事を言ったりして、意地悪く、遠回しに相手の弱点などをつくこと。「—を言う」 ❷意地悪な様子。「—な笑い」 ❸〔物事がすべて期待通りにならず〕ぐあいの悪いことばかり起こる様子。あいにくな様子。「—な世の中/運命の—」 [派]—さ⓪

ひにく⓪①【〈髀肉】〔古〕〔馬に乗る時に使う〕股の肉。【—の嘆をかこつ】〔しばらく戦場に行かないため、股の肉が太った事を嘆いた蜀の劉備の故事から〕腕前を見せる機会が無くて、時を過ごすことを嘆く。

ひにく・る③【皮肉る】(自他五)〔「皮肉」の動詞化〕皮肉な言動をする。「漫画で世相を—」

ひにち⓪【日日】❶日のかず。日数。「—がたつ」 ❷物事を行なう日。期日。「会の—を決める」 [表記]「日にち」と書くことが多い。

ひにちじょう②、①-⓪【非日常】ふだん自分が生活したりつきあったりするのとは全く次元を異にする世界(に属すること)。

ひにつきに①-②【日に月に】(副) その事が、途中休むことなく行なわれる様子。毎日毎月。

ひにひに⓪【日に日に】(副) その傾向が日を追うに従って目に見えて進んでいく様子。「—元気になる」

ひにまし⓪【日に増し】(副)「日増しに」の古風な表現。

ひにょうき②【泌尿器】〔←泌尿器官④⑤〕尿の分泌・排泄に関係する臓器。腎臓・尿管・膀胱・尿道から成る。「—科(=泌尿器を扱う、臨床医学の一部門)」

ビニロン①〔和製英語 ←vinyl + nylon〕「ポリビニルアルコール系⓪」の合成繊維。引っ張りに強く、吸湿性に富み、酸・アルカリにも強い。

ひにん⓪【否認】—する(他サ) △事実として(よいものとは)認めないこと。「証言を—(=拒否)する」↔是認

ひにん⓪【非人】❶〔仏教で〕人間でないもの。〔天竜八部・夜叉・悪鬼の類〕 ❷こじき・罪人を卑しめて言う語。 ❸江戸時代、刑場の雑役などに使われた、身分の低い人。

ひにん⓪【避妊】—する(自サ) 人為的に、妊娠しないようにすること。「—薬②・—具②」

ひにんじょう②【非人情】■一 —に—な 思いやりが無く、人情に乏しい様子だ。■二〔夏目漱石の説〕人情から超越して、それに煩わされないようにすること。

ひね①【《陳》】収穫後一年以上たった△穀物(野菜)。「—米⓪・—ショウガ③」

ひねくりまわ・す⑥【《捻くり回す》】(他五)「ひねりまわす」をやや強調した口頭語的表現。

ひねく・る③【《捻くる》】(他五) ❶あちらにさわって見、こちらに動かして見るなどして、その物の機能や実体を確かめる。 ❷あれこれと理屈をつけて、相手を困らせるような言い方をする。 ❸ああでもない、こうでもないと いろいろ趣向をこらす。「俳句を—」

ひねく・れる④【《捻くれる》】(自下一) 性質・考えなどが、すなおでなくなる。

ひねこ・びる④(自上一) 子供がおとなのような言動をしていて、かわいげが無いように見える。「ひねこびた子供/ひねこびた(=曲がっていて、普通の人から歓迎されない)キュウリ」

ひねつ⓪【比熱】その物質の単位質量の温度を セ氏一度高めるのに必要な熱量。

びねつ⓪【微熱】〔三七度二、三分程度の〕平熱よりも少し高い体温。「—が続く」

ひねもす⓪【〈終日〉】(副) 朝から晩まで一日じゅう。「ひめもす」とも。「春の海—のたりのたりかな」↔よもすがら [表記]「〈終日〉」は古来の用字。また、「〈終朝〉・〈尽日〉」とも。

ひねり【《捻り》】■一③ ❶捻ること。「野球やゴルフでは腰の—が大事/タイトルに—(=一工夫)をきかす/一—捻った発想/一—のたばこ(=一つまみの粉たばこ)をきせるに詰める」 ❷⇩おひねり ❸〔すもうで〕捻って倒すわざ。ひねりわざ。「上手—・かいな—」 [表記]「〈拈り〉」とも書く。■二(造語) 動詞「捻る」の連用形。 **—だ・す**④【—出す】(他五) ❶やっとのことで考え出す。「アイデアを—」 ❷無理にくめんして、何かの費用を作り出す。「財源を—」 **—まわ・す**⑤【—回す】(他五) ❶〔指先で〕いろいろいじる。 ❷いろいろくふうして、凝った趣を考える。

ひ・ねる②(自下一) ❶△日(年)がたって、古くなる。古びる。「ひねた大根」 ❷〔子供が〕子供らしさを失って、おとなのような言動をする。

***ひね・る**②【《捻る》】(他五) ❶〈(どこ)ニなにヲ—〉〔棒状の物を折り曲げたりせずに〕ある部分から先を左か右へ回し、〔一時的に〕向きが変わるようにする。「ひげを—(=⇩ひげ)/スイッチを—/鶏を—(=殺す)/腰を—/首を—(=疑問に思う)」 ❷〈なにヲ—〉ありきたりの発想とは違った趣を出す。「頭を—(=問題解決のために、あれこれ考えをめぐらす)/ひねった△考え(問題)/一捻り—/一句—(=(本人としては気の利いたつもりの)俳句を作る)」 ❸〈なにヲ—〉問題にならないくらい力の差を見せて、相手を負かす。「赤子の手を—ように/わけも無く—/軽く捻られた(=あっさりやられた)」 [表記]「〈拈る〉」とも書く。〔⇩捻り■二〕

ひのいり⓪【日の入(り)】夕方、日が沈む△こと(時刻)。日暮れ。↔日の出

ひのえ⓪【《丙》】〔「火の兄」の意〕十干の第三。乙の次、丁の前。 **—うま**⓪③【—《午》】干支の一つ。丙と十二支の七番目の午との組合せの年。この年には火災が多く、また、この年に生まれた女性は気性が強く、夫を短命にするという迷信があった。

ひのき⓪①【〈檜・〈桧】山地に生じる常緑高木。葉は小形・うろこ状で、重なりあって枝につく。春、小さな花を開き、小さく丸い実を結ぶ。材は良質で建築用。木の皮(=檜皮)は、昔、屋根をふくのに用いられた。〔ヒノキ科〕[かぞえ方] 一株・一本 **—ぶたい**④【—舞台】〔ヒノキの板で張った大劇場の舞台の意〕腕前を示す、晴れの場所。

ひ

ひのくるま①-⓪【火の車】〔仏教で〕地獄にあるという、火が燃えている車。〔経済状態が非常に苦しい意にも用いられる。例、「台所が―だ」〕

ひのくれ⓪【日の暮(れ)】太陽が沈もうとするころ。夕暮れ。

ひのけ①⓪【火の気】火の(あたたかみの)ある△こと(けはい)。「―の無い部屋」

ひのこ①【火の粉】燃えて粉のように飛び散る細かい火。【―を《被(カブ)る》】思わぬとばっちりを受けて、いざこざに巻き込まれる。

ひのし③⓪【火〈熨斗〉】中に入れた炭火の熱気を利用して、布地に押しあててしわを伸ばし、また、ひだをつけるための金属製の器具。

ひのしたかいさん⑤、②-①【日(の)下開山】〔すもうや、それぞれの武芸で〕圧倒的に強く、天下無双であること。

ひのたま①、①-②【火の玉】❶球状の火のかたまり。❷〔墓地・原・沼などで〕夜に燃える、火のかたまり。

ひのて①【火の手】〔火事で〕火が燃え上がる△勢い(状態)。「―が上がる〔=火事になる〕／攻撃の―〔=(激しい)勢い〕を上げる」

ひので⓪【日の出】朝、太陽が出る△こと(時刻)。「―の勢い〔=勢いの盛んな形容〕」↕日の入り

ひのと②⓪【《丁】〔「火の弟(ト)」の意〕十干(ジッカン)の第四。丙(ヒノエ)の次、戊(ツチノエ)の前。

ひのばん①-①、②【火の番】火災の予防・発見をするための見張り(をする人)。

ひのべ⓪【日延(べ)】―する(自他サ)❶予定の期日を変えて、あとにすること。「運動会が雨で―になった」❷決めた期間を長くすること。「会期を三日間―する／―興行」

ひのまる⓪【日の丸】❶太陽をかたどった赤い丸。❷〔↑日の丸の旗⑦、⓪-②〕白地に「日の丸❶〔特に紅色〕」を描いた旗。現在の日本の国旗。日章旗。 **―べんとう**⑤-(タウ)【―弁当】白い飯の中央に赤い梅干を入れただけで、ほかにおかずの無い弁当の称。表記「弁」の旧字体は「〈辨」。

ひのみやぐら④【火の見〈櫓】火事を発見したら直ちに消火活動に入れるように、火災発生の位置を正確に見極めるための櫓。「火の見⓪③」とも。かぞえ方 一基

ひのめ⓪【日の目・《陽の目】日の光。「―を見る〔=ⓐ世間に公表される運びとなる。ⓑ不遇であった存在が、ようやく世人の注視を浴びるようになる〕」

ひのもと②⓪【日の本】〔雅〕〔国の名としての〕日本の美称。「―一の武勇の者」

ひのもと②【火の元】❶火災の原因になったもの。また、ひもと。❷火の気のある場所。「―に気をつけよう」

ひば①【《乾葉】ダイコンの葉(や茎)を干したもの。表記「干葉」とも書く。

ひば①【〈檜葉】❶ヒノキの異称。〔広義では、ヒノキの葉をも指す〕「―垣②」❷アスナロの異称。

ビバ①(感)〔イ viva〕万歳。

ビバーク②―する(自サ)〔フ bivouac〕〔登山で〕岩かげや雪洞などで露営すること。

ビバーチェ②〔イ vivace〕〔楽譜で〕活発に。また、速く。

ひばい⓪【肥培】―する(他サ)有効な肥料を与えて作物を育てること。 **―かんり**④-(クワン)【―管理】よい栽培結果が得られるように、水やり・施肥・害虫駆除など、総合的な管理をすること。

ひばいどうめい④【非買同盟】⇩不買同盟

ひばいひん⓪【非売品】一般の人には売らない品物。

ビハインド②〔behind〕〔得点をきそうスポーツで〕その時点で相手チームより得点が少ない状態。「二点の―で迎えた最終回の攻撃」

ひはく⓪【飛白】❶漢字の書体の一つ。墨の色のかすれたように書くもの。❷かすりじまの模様(のある織物)。

ひばく⓪①【飛〈瀑】高い所から落ちる滝。

ひばく⓪―する(自サ)〖一〗【被爆】❶爆撃されること。❷原子爆弾や水素爆弾を受けること。また、その放射線で被害を受けること。「―体験を語る／―者③②」〖二〗【被〈曝】放射線にさらされること。

ひばし①【火箸】炭火などをはさむための、金属製の箸。かぞえ方 一本：二本で一組・一揃(ヒトソロイ)・一揃(ヒトソロエ)・一具(イチグ)

ひばしら②【火柱】火が燃え上がって柱のように見えるもの。「タンクが爆発して大きな―が立った」かぞえ方 一本

びはだ⓪【美肌】美しい肌(にすること)。「―になるお手入れ法／―作用④」

ひばち①【火鉢】灰を入れた中に炭火を置いて手・室内を暖めたり湯茶を沸かしたりするための道具。

びはつ⓪【美髪】❶美しい頭髪。❷―する(自サ)散髪してきれいにすること。

ひばな①【火花】❶石・金属などが激しくぶつかった時に出る光。「―を散らす〔=激しく争う〕」❷放電する時、電極から出る火の光。スパーク。かぞえ方 ❶❷とも一本

ひばら⓪【〈脾腹】腹の横側。よこばら。

ひばらい②-(バラヒ)【日払(い)】一定額の掛金や利息などを規則的に毎日払うこと。⇩月払い・年(ネン)払い

ひばり⓪【〈雲〈雀】スズメぐらいの大きさで背中は薄茶色の小鳥。腹部は白い。畑地や河原などにすみ、まっすぐに空高く上がり、絶え間なくさえずる。〔ヒバリ科〕かぞえ方 一羽

*__ひはん__⓪【批判】―する(他サ)〈なにヲ(なんだト)―する〉物事のいい点については正当に評価・顕彰する一方、欠陥だととらえられる面についても徹底的に指摘すること。〔俗に単なる「揚げ足取り」の意にも用いられる〕「△政策(対応・草案)を―する／―を△浴びる(受ける・かわす)／―に△甘んじる(堪える・答える)／―の的になる」 **―しゅぎ**④【―主義】批判的な精神で物事を処理する態度。 **―てき**⓪【―的】―な(よくないと)批判する態度・立場をとる様子だ。「―な論調／―に見る」

ひばん⓪【非番】当番でない△こと(人)。↕当番

ひばん⓪①【碑板】何かの事跡を△刻み(書き)つけた、幅の狭い石碑。

ひはんしょう⓪-(シヤウ)【肥〈胖症】⇩肥満症

ひばんちょく②⓪【非番直】交替制の勤務で、その△日(時間帯)の当番に割り当てられていないこと。また、その人。

ひひ①【比々】(副)その中のどれをとっても例外無くそうである様子。「―(として)〔=どれもこれも〕皆然(シカ)り」

ひひ①【〈狒々】❶アフリカにすむ口先が突き出た大形のサル。マントヒヒ・マンドリルなど。足が長く地上の歩行に適する。〔オナガザル科〕❷人身御供(ヒトミゴクウ)の娘をさらうと言われた、大形のサル。〔中高年の好色漢の意にも用いられる〕かぞえ方 ❶は一頭

ひひ①【〈霏々】―たる―と △雪(細かな雨)がやまずに降り続く様子だ。「細雨―として降り下る」

ひび②〖一〗【〈皹・〈皸】寒さなどのために、手の甲などの皮膚がかわいて出来る細かい割れ目。「―の入った唇」〖二〗【〈罅】〔陶器・ガラスなどの〕線のように細く裂けた傷。「―が入る〔=ⓐ罅が生じる。ⓑからだの内部に故障が起こったり人間関係がまずくなったりする〕」

ひび①【〈篊】❶ノリ・カキなどの養殖のため、海中に立てる△竹(そだ)。❷枝のついた竹などを海中に並べて、一度中に入った魚が出られないようにする道具。かぞえ方 ❶は一本

ひび①【日々】毎日。日ごと。「忙しい―／―の糧(カテ)／―の行

い」

びび①【微々】―たる ―と △わずかで(勢いが無くて)取るに足りない様子だ。「―たる収入/―たる存在」

ひびき【響(き)】[一]③ ❶響くこと。「鐘の―(=ⓐ音。ⓑ余韻)/電車の―(=振動)で家じゅうの物が揺れ動く/値上げの、生活への―(=影響)」❷耳に聞こえる、音や声の感じ。「―のいい詩/―のよくない言葉」[二](造語) 動詞「響く」の連用形。 ―わた・る⑤【―渡る】(自五) △あたり一面に(ずっと遠くの方まで)響く。

*ひび・く②【響く】(自五)〈なに・どこニ―〉❶〔音声や震動などが〕まわりに伝わる。「サイレンが―/大声が天井に―(=反響する)/爆音がガラス戸に―(=ガラス戸を震わせる)/胸に―(=訴える)」❷余韻が長く聞こえる。「鐘の音(ね)がしばらく―」❸評判が広く伝わる。「世間に名が―」[⇨響き[一]] ❹(悪い)影響を与える。「△家計(仕事・からだ)に―」

びびし・い③【美々しい】(形)「いかにも華やかで美しい」の意のやや古風な表現。「美々しく飾り立てる」

ビビッド①〔vivid〕―な (色彩・表現などの印象が)生き生きした様子だ。ヴィヴィッドとも。「―な描写」

**ひひょう⓪【批評】(ヒヒャウ) ―する(他サ)〈なにヲ(なんだト)―する〉物事の良い点・悪い点などを取り上げて、そのものの価値を論じること。また、そのもの。「犀利(サイリ)な―/―的立場に立つ/―家⓪・―眼②⓪(=批評する力)」

ひびょういん②【避病院】(ビヤウヰン) 昔、法定伝染病患者を隔離・収容した病院。

びび・る②(自五)「おじけづいて△ためらう(尻(シリ)込みする)」の意の口頭語的表現。「何びびってんだ。思い切ってやってみろよ」

ひびわれ⓪【(罅割(れ)】―する(自サ) 何かの内部にまで及んでいると見られる罅(が出来ること)。〔組織体などの内部に細かい形で生じた傷で、ほうっておくと全体の組織を弱めゆがめるものの意にも用いられる〕「―△が生じる(を生じさせる)」[動]罅割れる④⓪(自下一)

びひん⓪【備品】〔学校・官庁などで〕備え付けてある品物。⇨消耗品

ビビンパ②〔朝鮮 bibimbap〕朝鮮料理で、御飯に、ナムルや肉・卵などを混ぜ合わせたもの。ビビンバとも。

*ひふ①【皮膚】〔人や動物の〕からだの表面をおおう組織。はだ。「―炎②・―科⓪」[かぞえ方]一枚 ―こきゅう③【―呼吸】(キフ)〔主に爬虫(ハチュウ)類などで〕皮膚から二酸化炭素を出して、酸素を取り入れること。

ひふ⓪【被布・被風】外出の際、着物の上に着るたけの短い衣服。前合せが深く、胸を組ひもで飾りとめるもの。〔古くは風流人に好まれた〕

ひぶ⓪ [一]【日歩】元金百円に対する、一日あたりの利息。「―二銭」[二]【日賦】借金などを毎日に割り当てて一定額を支払うこと。

ビフィズスきん⓪【ビフィズス菌】〔←ラ Lactobacillus bifidus〕腸内に存在する細菌の一種。糖を分解して乳酸・酢酸などを作り、大腸菌などの増殖を抑える働きがある。

びふう⓪【美風】よいならわし。↔弊風

びふう⓪【微風】「そよ風」の意の漢語的表現。

ひふきだけ③【火吹(き)竹】口で吹いて火を起こすための竹筒。[かぞえ方]一本

ひふく⓪①【被服】「衣服」の意の古風な表現。

ひふく⓪【被覆】―する(他サ)〔中のものを保護したりするために〕包むように、全体にかぶせること。「―材③⓪」

びふく⓪①【美服】美しい衣服。

ひぶくれ⓪②【火膨(れ)・火(脹れ)】△やけど(日焼け)で皮膚がはれ△あがること(あがったもの)。

ひぶくろ②【火袋】❶〔石どうろうの〕火をともす部分。❷〔暖炉の〕火を燃やす所。

ひぶた①【火蓋】火縄銃の火皿をおおう蓋。「―を切る(=戦い・競技などを始める)」

ひぶつ⓪①【秘仏】開帳の時以外は人に見せない仏像。

ビフテキ⓪〔フ bifteck の日本語形〕⇨ビーフステーキ

ビブラート③〔イ vibrato〕〔声楽・器楽の演奏で〕音程を上下にごくわずか ふるわせて美しく響かせる一技法。

ビブラホン③〔vibraphone〕金属板に電気共鳴装置を付けた楽器。管弦楽・軽音楽で装飾的効果を出すために用いる。ビブラフォンとも。バイブ①。

ビブリオ②⓪〔ラ Vibrio〕細菌のうち、ビブリオ科の一属。細胞の一端に一本の鞭毛(ベンモウ)があり、活発に運動する。コレラ菌・腸炎ビブリオなど。

ビブリオマニア⑤〔bibliomania〕取りつかれたように珍本や高価な本を集める人。書狂⓪。書痴。

ひふん⓪【悲憤】―する(自サ)〔政治や社会の事について〕悲しむと同時に怒りを感じること。「―慷慨(コウガイ)①-⓪」

ひぶん⓪【非文】〔言語学で〕文法的に成立していない文。「*彼はイワシを三匹眠っている」のように文頭にアステリスクを付けて示すことがある。

ひぶん⓪【碑文】石碑に△彫る(彫った)文章。

びぶん⓪【美文】美しい形容を多く使って飾りたてた、調子のいい文章。「―調⓪」

びぶん⓪【微分】―する(他サ)〔数学で〕その関数について、独立変数の限りなく小さい変化に対する、従属変数の変化の割合(=微分係数)を求めること。微分法。「位置を表わす関数を時間で―すると速度が得られる/関数のグラフの接線の傾きは―係数に等しい」⇨積分❷ ―がく②【―学】微分について研究する、解析学の一分科。 ―ほうていしき⑥(ハウ―)【―方程式】未知関数を(何回か)微分した関数を含む方程式。「常―の初期値問題/偏―の境界値問題」

ひぶんしょう②⓪(シヤウ)【飛《蚊症】視野に黒い点やゴミのようなものが動いて見える症状。

ひへい⓪【疲弊】―する(自サ)❶〔肉体的・精神的に〕疲れ弱ること。❷不況や出費が続いて、〔自力で〕立ち上がる力を無くしていること。「―の色が目立つ/都市が―する時代、と言われる」

ピペット②①〔フ pipette〕化学実験用の、液体の一定量をはかったり 移したりするためのもの。先が細くてまん中がふくらんだガラス管。[かぞえ方]一本

ひへん⓪【日偏】漢字の部首名の一つ。「明・昭・暖」などの、左側の「日」の部分。音読みして「にちへん⓪」とも。〔多く、天体や気象・時間、また明るさなどに関係する漢字がこれに属する〕

ひへん⓪【火偏】漢字の部首名の一つ。「灯・焼・煙」などの、左側の「火」の部分。〔多く、火の明るさや熱に関係のある漢字がこれに属する〕

びへん⓪【微片】ごく小さな かけら。「ちらちらと動き回るコルクの―」

ひぼ①【悲母】(古)慈悲深い母。「―観音(カンノン)③」

ひほう⓪【飛報】〔電報などによる〕急ぎの知らせ。

ひほう⓪(ハウ)【秘方】秘密にして人に教えない、薬の調合法。

ひほう⓪【秘宝】人に見せず、大切にしておく宝。

ひほう⓪【秘法】[一](ハフ) 秘密にして、他に教えない方法。[二](ホフ)〔真言宗で〕秘密の祈り。

ひほう⓪【悲報】〔関係する〕人の死や組織の壊滅など、目

の前が暗くなるような 悲しい知らせ」「ご主人様の—に接し」↔朗報

ひぼう[0]【非望】 その人の身分・立場からは とうてい実現できそうにもない、大きな望み。

ひぼう[0]【〈誹謗〉】—する(他サ) 他人の悪口を言うこと。

びほう[0]【《弥縫》】—する(他サ) 〔「弥」は「満」で、完全にする意〕(失敗・欠点などをとりつくろって)一時的に間に合わせること。「びぼう」とも。「—策[2]」

びほう[0]【備砲】 〔軍艦・航空機・戦車などに〕備えつけてある火砲。 かぞえ方 一門

びぼう[0]【美貌】 美しい顔かたち。「—の女性」

びぼう[0]【備忘】 その事を忘れた時のための用意。「—録[2]〔=メモ〕」

ひぼく[0][1]【〈婢僕〉】 下女と下男。召使。

ひほけんしゃ[1]-[2]、[3]【被保険者】 〔保険の契約によって〕保険の対象になる人。

ひほけんぶつ[1]-[2]、[3]【被保険物】 損害保険の目的物。

ヒポコンデリー[5]〔ド Hypochondrie〕 実際はたいした病気でもないのに、重大に思い過ぎる、精神病的症状。心気症[0][3]。ノイローゼ。ヒポコンデリア[5]・ヒポコンドリー[5]とも。

ひほさにん[0]、[1]-[0]【被保佐人】 「準禁治産者」の改称。〔浪費者は除かれる〕

ひぼし[0][3]【干《乾(し)》】 食物が無くて飢えてやせること。

ひぼし[0][3] ■一【日《乾(し)・日干(し)》】 日光に当てて、△かわかすこと(かわかした物)。「—煉瓦[4]」 ■二【火《乾(し)・火干(し)》】 火にあぶって、△かわかすこと(かわかした物)。

ひほん[0]【秘本】 ❶見せるのが惜しく、だれにも見せず大切にしまっておく珍本。 ❷「春本」の婉曲表現。

ひぼん[0]【非凡】—な/—に 普通よりはるかにすぐれている様子だ。「—な才能」↔平凡 派 —さ[0]

びほん[0]【美本】 ❶造本のきれいな本。 ❷〔古本で〕汚れやいたみの無い、きれいな本。

****ひま**[0]【暇・《隙》】—な 今しなければならない仕事などが無くて、自分の好きな事が出来る のんびりした△時間(状態)。「—と金に飽かして遊び回る/商売が—だ〔=忙しくない〕/休む—〔=絶え間〕無く電話が入る/—を惜しんで読書にはげむ/—を盗む〔=何かするための時間を無理してつくる〕/—を取る〔=ⓐ休暇をもらう。ⓑ奉公先をやめる〕/—を出す〔=ⓐ奉公人をやめさせる。ⓑ妻を離縁する〕/—をつぶす〔=何かをして紛らす〕/あいつも—だなあ〔=他人が熱心にやっていることを、暇つぶしにやっているとしか見えないと、皮肉や軽い侮蔑を含意して言うときの言葉〕」 派 —さ[0]「—加減にはあきれる」

ひま[1]【〈蓖麻〉】 トウゴマの異称。 **—しゅ**[3][0]【—子油】 トウゴマの種をしぼってとった油。工業用・下剤用。

ひまく[0]【皮膜】 ❶皮膚と、肉をおおう粘膜。「虚実、—の間〔=事実に即き過ぎてもいけないし、虚構が勝ってもいけない芸術作品のデリケートさ〕」 ❷皮のような膜。

ひまく[0]【被膜】 おおい包んでいる膜。

ひまご[0]【《曽孫》】 〔もと西日本方言〕孫の子。「ひこまご」とも。

ひまし[0][3]【日増(し)】 ❶一日たつごとに何かの傾向が強まることを表わす。「—に大きくなる」 ❷〔野菜・菓子など〕出来てから日数がたって、古くなっていること。「—のまんじゅう/—物では買い手も付かない」

ひまじん[0]【暇人・《閑人》】 用事が無くて時間を持て余している人。

ひまち[0][3]【日待(ち)】 ❶陰暦一月・五月・九月の吉日に、前夜から潔斎し、日の出を待って拝む△こと(行事)。 ❷農村で、田植え・収穫の終わった時など、村落の人が集まって会食する△こと(行事)。「お—[0]」

ひまつ[0]【飛〈沫〉】 ❶「しぶき」の意の漢語的表現。 ❷せき・くしゃみ・会話などの際、口から飛び散る微細な水滴。「—感染[4]」

ひまつぶし[0][3]【暇潰(し)】 暇を、△適当(どうでもいい事)に過ごすこと。

ひまつり[2]【火祭(り)】 ❶火を焚いて、神を招き祭る行事。「△鞍馬(秩父)の—」 ❷火事が無いようにと祈る祭り。

ひまど・る[3]【暇取る】(自五) 時間がかかる。手間取る。

ひまひま[2][0]【暇々】 仕事のあいまの自由時間(のたび)。

ヒマラヤすぎ[4]【ヒマラヤ杉】 ヒマラヤ地方原産の常緑高木。枝が水平に出て、先がやや下垂し、全体は円錐形。〔マツ科〕 かぞえ方 一株・一本

ひまわり[2]【〈向日〈葵〉〉】 夏の盛りに、黄色で大形の花を茎の頂上に横向きにつける一年草。庭や畑に植える。種から油がとれる。ソレイユ。〔キク科〕「—油[4]」 表記 「〈向日〈葵〉〉」は漢語表記。 かぞえ方 一本

ひまん[0]【肥満】—する(自サ) 丸まると太ること。「—に悩む/—体[0]」 **—しょう**[0][2]【—症】 体質・過食・運動不足などのために、脂肪がからだにたまって、太り過ぎる症状。

びまん[0]【〈瀰漫〉】—する(自サ) 〔ある気分・風潮などが〕すみずみにまで広がること。「反政府の空気が街に—してきた」

びみ[1]【美味】—な 飲食物の味がいい様子だ。また、その飲食物。「この上なく—だ」↔不味

ひみず[1]【火水】 火と水。水火。「—をいとわない〔=火や水の中に入るような労苦もいやがらない〕/—の仲〔=非常に仲の悪い関係〕」

****ひみつ**[0]【秘密】—な 隠して(一般の)人に知らせたり見せたりしない△こと(様子)。「—が△漏れる(ばれる・保たれる)/—を△守る(あばく)/—のベールにおおわれる/二人だけの—△な(の)約束/—裏に/—扱い[4]・—裁判[4]・—結社[4]・—性[0]」 **—けいさつ**[4]【—警察】 独裁政権が、反対運動を弾圧するために組織した警察。組織や活動は一切秘密とされる。例、ゲシュタポなど。 **—せんきょ**[4]【—選挙】 無記名投票による選挙。 **—へいき**[4]【—兵器】 新しく開発して、敵の死命を制することになる重要な武器。〔とっておきの手段の意にも用いられる〕

びみょう[0]【美妙】—な/—に なんとも言えないほど美しい様子だ。「—な楽の音」

***びみょう**[0]【微妙】—な/—に 細かいところに美しさ・問題点・重要な意味などがあって、単純な論評を許さない様子だ。デリケート。「問題は—である/—な△食い違い(発言・影響)/心理が—に揺れる」 派 —さ[0]「—を加える」 運用 「…は微妙だ」などの形で、断定したり明確な姿勢を示したりすることによって生じる責任を回避する表現として用いられることがある。例、「会長が出席するかどうかは微妙だ」

ひむろ[0][1]【氷室】 天然の氷を(夏まで)たくわえておくための△岩穴(小屋)。

ひめ【姫・《媛》】 ■一[1] 高貴な人の娘。「—宮[2]・お—様[2]」〔古くは女性の美称として、各地の方言では女性の意に用いられる。⇩彦〕 ■二(接頭) 小さ(くてかわいらし)い。「—鏡台[3]・—ゆり」

ひめい[1]【非命】 天命がまだ尽きないこと。「—の最期〔=思いがけない災難で死ぬこと〕」

ひめい[0]【悲鳴】 〔「悲」は、痛む意〕 ❶△突然(のがれられない)恐ろしい目にあったりした時に出す、驚きや苦しみの叫び声。「『助けて』という—が聞こえた/—を上げて逃げまわ

る」㊁仕事が△うまく出来なかったり(多過ぎたり)した時に出す、助けを求める言葉。泣き言。弱音ヨワネ。「注文が殺到してうれしい―をあげる」

ひめい⓪①【碑銘】石碑に彫り込まれた文句。

びめい⓪【美名】世間に対して聞こえのいい△名目(口実)。「平和の―に隠れて/寄付という―のもとに」

ひめがき②【姫垣】低い垣根。

ひめぎみ②【姫君】姫の敬称。

ひめくり⓪②【日《捲り》】柱・壁などに掛けて毎日一枚ずつめくり取るようになっている暦。はぎ暦③。

ひめごぜ③【姫御《前》】〔雅〕姫君。「姫ごぜん③」とも。「―のあられもない(=身分のある方なのに、そんな事をなさって、はしたない)」

ひめごと⓪②【秘《め》事】隠して人に知らせない事柄。内緒ごと。「あなたとわたしだけの―」

ひめこまつ③【姫小松】㊀山に生える常緑高木。葉は針形で五本ずつ集まって出る。庭木・盆栽用。〔マツ科〕㊁⇒ひめまつ [かぞえ方] ㊀は一株・一本

ひめのり②【姫《糊》】御飯の粒を練って作った糊。

ひめはじめ③【姫始《め》】㊀昔、暦の正月二日の欄に記入された日柄。㊁年が明けて初めてする男女の交わり。

ひめます⓪【姫《鱒》】湖水で育ったベニマス。

ひめまつ②【姫松】小さい松。「ひめこまつ」とも。

ひめやか②【秘《め》やか】―に 隠して人に知られないようにしている様子だ。「―な集まり/―な恋」

ひめゆり②【姫《百合》】ユリ科の多年草。オニユリに似るが、花はだいだい色・小形で、上向きに咲く。観賞用。[かぞえ方] 一本

ひ・める②【秘める】(他下一)㊀隠して人に知らせないようにする。「胸に―」㊁△内奥に(可能性を)持つ。「内に闘志を―/思惑を―」

ひめん⓪①【碑面】石碑の表面。

ひめん⓪【罷免】―する(他サ)公職をやめさせること。免職。

***ひも**⓪【《紐》】㊀〔物を縛ったり つないだり とめたり するための〕糸・布・紙・革などで(よりをかけたり 組み合わせたり 縫ったり などして)作られた細くて長いもの。〔一般に糸よりは太く、綱・縄・帯よりは細いものを指す〕「しろうとが結んだ―らしく、なかなか解けない/―を縦横にかける/組―・腰―」㊁人の背後にあって、その人を思うように操っている者。「女の― [illegible] [かぞえ方] [illegible] ㊂は一本

ひもかわ⓪【《紐革》】カハ ㊀革の紐。㊁(←ひもかわうどん⑤)革の紐のように平たく作ったうどん。

ひもく⓪【費目】〔支出する〕費用の名目。

びもく①【眉目】〔まゆと目の意〕顔だち。「―秀麗(=顔だちの、整っていて、美しい様子)」

ひもじ・い③(形)〔「ひ」は、「ひだるい」の意。⇒文字詞コトバ〕空腹で、がまんが出来ない状態だ。[派]―さ③② ―げ⓪④③ ―が・る④

ひもすがら⓪(副)〔雅〕〔「ひねもす」と「夜もすがら」の合成語〕一日じゅう。

ひもち⓪【火持《ち》・火《保ち》】火が消えないでいる△こと(程度)。「―がいい」

ひもち⓪【日持《ち》・日《保ち》】―する(自サ) 何日も保存出来る(状態にある)こと。「―のいい菓子」

ひもつき⓪【《紐付き》】㊀持ち運びの便のために紐が付いている△こと(もの)。㊁そのもの△を操作する(に束縛を加える)ものが背後にある△こと(もの)。「―の助成金/―の女(=情夫に操られている女性)/―融資⑤」

ひもづ・ける④【《紐付ける》】そのものに関連するもの同士を互いに結びつける。特に、コンピューターなどのデータを関連づけることに言う。「複数の支払い記録を―」[名]紐付け⓪

ひもと③⓪【火元】㊀火を使用し△ている(た)場所。「―に気をつける」㊁そこから火事が起こった場所。火事を出した家。〔事件・騒動などの元の意にも用いられる〕

ひもと・く③【《繙く》】(他五)〔巻物や本の帙チツのひもを解く意〕本を出して読む。「ひもどく③」とも。「史書を―」[表記]「《紐解く》」とも書く。

ひもの③⓪【干物・《乾物》】魚や貝を干した食品。

ひもも⓪【《緋桃》】緋色の花の咲く桃。

ひもん⓪【秘文】〔古〕秘密の呪文ジュモン。

ひや①【冷《や》】つめたい状態(にある水・酒)。「―で飲む/―酒ザケ」⇒おひや

ひや①【火矢・火《箭》】㊀火を仕掛けて射る矢。㊁火薬を仕掛けてうつたま。

ビヤ〔造語〕〔beer〕ビール。「―ガーデン③・―ホール」

ひやあせ③【冷《や》汗】△恥じ入って(ひやひやして)出す時の、冷たく感じる汗。「―をかく/―もの」

ひやかし⓪【冷《や》かし】ひやかす△こと(人)。「―の客/―半分 [illegible]

ひやか・す③【冷《や》かす】(他五)㊀〔うらやみの気持を交えるなどして〕からかい気味に相手の高揚した気分に歯止めを掛けるようなことを言ったりしたりする。「『早く帰りたい』と言うと『新婚さんはいいね』と同僚から冷やかされた」㊁店に入って、買う気も無いのに品定めしたり 値段を聞いたり などして、店員の気を引くようなことをする。「繁華街を冷やかして歩く」㊂〔東部方言〕水につけておく。「豆を―」[表記]㊀㊁は「《素見》す」とも書く。

ひゃく(百)↓〔字音語の造語成分〕

ひゃく②【百】㊀十の十倍を表わす数詞。十の二乗に等しい。「―に一つの/―パーセント」㊁〔予測・予想を超えて〕数の多いこと。「―の説教/―千・―雷・―花ヒャッカ・―害・凡―ボンピャク」⇒千 [表記]大字は「《佰・陌》」。[かぞえ方]㊀六百・八百は「ピャク」、三百・何百は「ビャク」 [―も承知(=百も合点ガッテン)] だれに言われるまでも無く、自分自身が十分に承知していること。

***ひやく**⓪【飛躍】―する(自サ)㊀高く飛び上がること。㊁一足飛びに進歩・発展すること。「技術が―を遂げる/―的発展」㊂〔どこ・なにカラ〕どこ・なにニ―する〕元の△場所(事情)から離れて、活動すること。「政界に―する」㊃順序を飛び越えたために、脈絡が認められないこと。「彼の話は、途中でどこに―するか、分かったものではない/論理の―」

ひやく⓪①【秘薬】㊀製法を秘密にしている薬。㊁効能の著しい薬。〔狭義では、若返りの薬や媚薬ビヤクを指す〕

ひやく⓪①【秘《鑰》】〔古〕秘密△の(を明らかにする)かぎ。

びゃく(白)↓〔字音語の造語成分〕

びやく⓪【《媚薬》】性欲を増進・保持させるとされる薬。

びゃくえ①【白《衣》】〔「はくい」の呉音に基づく語〕白い衣服。〔かつては、直衣ノウシを着けない略装や、僧衣を着ない俗人を指した〕

ひゃくがい②⓪【百害】数多くの害。「―あって一利無し(=悪いところばかりで、良いところが一つもない)」

びゃくごう⓪【白《毫》】ガウ 仏の眉間ケンにあって白い光を放つという毛。〔仏像では、珠玉をちりばめて、これを表わす〕

びゃくさん⓪【白散】屠蘇トソの一種。サンショウ・キキョウ・ニッケイなどを細かく刻んで入れてある。

ひゃくじ①【百事】〔古〕すべての事。万事。「菜根を咬カみ得ば―為ナすべし(=淡泊で粗末な食事に甘んじて外物に動かされなければ、万事出来ないことは無い)」

ひゃくじつこう④③【百日紅】サルスベリの異称。

ひゃくしゃくかんとう⓪-⓪【百尺〈竿頭〉】〔百尺ある竿の先の意〕到達すべき所。「—一歩を進める〔=ぎりぎりの所まで行った上に、さらに一歩を進める〕」

ひゃくじゅう⓪【百獣】いろいろな種類のけもの。「—の王ライオン」

ひゃくじゅうきゅうばん⑤【一一九番】消防署への火災通報と、救急車出動要請の電話番号。⇩一一〇番

ひゃくしゅつ⓪【百出】—する(自サ)〔疑問・異論などが〕次つぎにたくさん出ること。

ひゃくしょう③【百姓】農業をする△こと(人・家)の、古風な言い方。「—家③・大—③〔=広い田畑を持っている裕福な農家〕・お—さん」⇩町人・武士 運用 農業を営む者が自分を謙遜して用いる一方、第三者が用いる時には軽い侮蔑を含意することがある。「のんきに百姓でもやって余生を送りますよ」 **—いっき**⑤【—一〈揆〉】〔江戸時代に〕百姓が団結して、支配者に対して起こした暴動。 **—よみ**⓪【—読(み)】⇩類推読み

ひゃくせん③【百千】数多いこと。「—の味方にもまさる」

ひゃくせん⓪【百戦】数多くの戦い。 **—ひゃくしょう**⓪-⓪【—百勝】戦うたびに勝つこと。 **—れんま**⑤【—錬磨・—練磨】多くの戦いで鍛えられること。また、多くの経験を積んでいること。「—の強者」

ひゃくせん⓪②【百選】粒よりの百のもの。「—会/名所—」

ひゃくたい⓪【百態】いろいろな△様子(姿)。

ひゃくだい②【百代】❶百番目の代。❷多くの△時代(世代)。「—の過客」

びゃくだん②⓪【白〈檀〉】東南アジア原産の常緑高木。材は香気があり、器具・じゅずを作り、香・薬に用いる。せんだん。〔ビャクダン科〕 かぞえ方 一株・一本

ひゃくど②【百度】❶百回。❷⇩お百度

ひゃく
【百】 ⇩(本文)ひゃく【百】

びゃく
【白】 しろ。しろい。「白虎・白檀・白蓮・白衣・黒白」⇩はく

ひゃくとおばん③【一一〇番】犯罪・事故などの緊急時に、市民が警察を呼び出すための電話番号。「—する〔=急を知らせるために警察に電話をする〕」⇩一一九番

ひゃくにち④【百日】❶日数が百になること。「—の説法、屁一つ〔=長い間の苦労も、ちょっとした失敗で、むだになる〕」❷数多くの日にちがたつこと。 **—かずら**⑤【—〈鬘〉】歌舞伎で盗賊などを演じる時に使う、月代の伸びた鬘。 **—ぜき**④【—〈咳〉】百日咳菌の飛沫感染による急性の感染症。幼児に多く、発作性のせきが長く続く。一度かかると、生涯免疫を持つ。 **—そう**⓪【—草】夏から秋にかけて白色・桃色・赤色・赤みがかった茶色などの、キクに似た花をつけて、長い間咲く一年草。観賞用。〔キク科〕 かぞえ方 一本

ひゃくにんいっしゅ⑤【百人一首】⇩小倉百人一首

ひゃくねん②【百年】数多くの年の意から、ずっと後のちまでも。「国家—〔=長い将来にわたって〕の計/—〔=一生〕の不作〔=⇩不作❶〕/—河清を待つ〔=⇩河清〕」 **—め**⑤【—目】百歳の寿命を保つことはきわめてむずかしいことから、「おしまい」の意。「ここで会ったが—」

ひゃくパーセント⑤【百パーセント】〔副詞的に〕あらゆる点から見て、そのように判断できる様子を表わす。「—確実な話/効果—〔=申し分の無いこと。満点〕」

ひゃくはちじゅうど⑤【百八十度】〔平角の大きさの意〕それまでと全く反対の立場になること。「—の転換」 文法 「会社の経営方針を百八十度転換する」のように副詞としても用いられる。

ひゃくはちぼんのう⑤【百八煩悩】〔仏教で〕人間の持つ、数多くの迷いと欲望。〔六根の一つごとに六つあり、それぞれ過去・現在・未来にわたるので、合計して百八となる〕

ひゃくぶん⓪【百聞】その事について何度も繰り返し聞くこと。「—は一見に如かず〔=人の話を何度聞くよりも、実際に自分の目で見る方がよく分かる〕」

ひゃくぶんひ③【百分比】「百分率」の古風な表現。

ひゃくぶんりつ③【百分率】その数量が全体の中で占める割合を、全体を百として表わしたもの。百分比。パーセンテージ。単位は、パーセント〔記号 %〕。⇩千分率

ひゃくまん③【百万】非常に数や量の多いことのたとえ。「—言⓪・—長者⑤」 **—だら**⓪【—〈陀羅〉】一つの事を何回も繰り返して言うこと。〔多く、副詞的に用いられる〕 **—とう**⓪【—塔】称徳天皇の時代、奈良の十大寺に納められた、木製・小形の塔。 かぞえ方 一基 **—べん**⓪【—遍】❶百万回。❷〔浄土宗で〕「南無阿弥陀仏」を百万回唱える仏事。

ひゃくみ②【百味】多くの珍しい食べ物(の味)。 **—だんす**④【—〈簞笥〉】漢方の薬の材料を入れておく、小さな引出しのたくさんついた簞笥。 かぞえ方 一本・一棹

ひゃくめろうそく④【百目〈蠟燭〉】〔「百目」は「百匁」の意〕一本の重さが百匁〔=三七五グラム〕もある大きな蠟燭。 かぞえ方 一本

ひゃくめんそう⓪【百面相】❶顔の表情をいろいろに変えること。また、その顔。❷いろいろの顔つきをして見せる演芸。

ひゃくものがたり⑤【百物語】夜、おおぜいの人が集まって、お互いにいろいろな怪談をすること。

びゃくや①【白夜】⇩はくや

ひゃくやく⓪【百薬】数多くのくすり。「—の長〔=適量に飲んだ時、憂いを忘れ健康にもよいところから、酒の美称〕」

ひゃくようばこ③【百葉箱】地上の気象を観測するために屋外に置く、よろい戸のついた白い木箱。「ひゃくようそう⓪③」とも。〔地上一・五メートルほどのところに、自記温度計・湿度計などを入れておく〕

ひゃくらい⓪【百雷】数多くのかみなり。

ひゃくれん⓪【百錬】〔古〕何度も何度も鍛えること。「—の鉄/—の斧」

びゃくれん②①【白〈蓮〉】白色のハスの花。〔悪い境遇にいても汚れない、清らかな身の意にも用いられる〕

ひやけ⓪【日焼(け)】—する(自サ)❶日光の直射で、皮膚が赤黒くなること。❷長時間放置されてある物が、空気や日光を受けて黄ばむこと。

ひやざけ⓪【冷(や)酒】燗をしていない日本酒。↕燗酒 ⇩冷酒

ひやしちゅうか④【冷(や)し中華】ゆでた中華麺を水にさらして冷やし、野菜やハムなどをのせて、味のついた汁をかけたもの。

ヒヤシンス③【《風信子》】〔hyacinth〕春から夏にかけて、薄紫色・紅色・黄色・白色などのユリに似た小形の花をふさ状に開く多年草。葉は細長い。観賞用。〔キジカクシ科(旧ユリ科)〕 かぞえ方 一本

*ひや・す②【冷(や)す】(他五)〈(なにデ)なにヲ—〉△冷たい(冷えた)状態にする。「ビールを—/景気を冷やしかねない極端な円高/頭を—〔=冷静になる〕/肝を—〔=危険を感じ、どきりとする〕」

ビヤだる⓪【ビヤ〈樽】ビールを詰める、まん中のふくらんだ樽。「ビア樽⓪」とも。〔太って、おなかの出た形容にも用いられる〕

ひゃっか①【百花】数多くの花。「—繚乱①-⓪〔=さまざまな花が咲き乱れること〕・—斉放〔=各派の学問・芸術が一時に行なわれて、壮観なこと〕」

ひゃっか①【百科】いろいろの△科目(学科)。—じてん④【—事典】宇宙間のすべての事柄について、項目に分けて説明した辞書体の本。エンサイクロペディア。表記「百科辞典」とも書く。—ぜんしょ④【—全書】あらゆる知識を、一定の体系のもとに解説し、何冊にも分けて収めた本。

ひゃっか①【百家】その時代時代の多くの学者・論客。「—争鳴〔=学者・論客がめいめいの立場から自由に自分の意見を発表し、論争すること〕」

ひゃっかてん③⓪【百貨店】⇩デパート かぞえ方 一軒・一店

ひゃっかにち③【百箇日】人の死後百日目(に行なう法事)。

ひゃっかん⓪③【百官】〔昔、朝廷に仕えた〕数多くの役人。「文武—」

ひゃっきやこう①-⓪【百鬼夜行】いろいろの姿をした化け物どもが夜中に歩き回ること。「ひゃっきやぎょう」とも。〔多くの人が不正行為や醜行をしながら、だれも怪しまない、無秩序の状態の意にも用いられる〕

ひゃっきん⓪【百均】〔←百円均一〕俗に、ほとんどの商品を百円で売る店の称。「百円ショップ⑤」とも。

ひゃっけい⓪【百計】考えられる、すべてのはかりごと。

びゃっこ①【白虎】〔古代中国の考えで〕四神の一つ。白いトラに見立てられ、西方をつかさどる。

びゃっこ①【白〈狐】毛のまっしろなキツネ。

ひやっこ・い④【冷(や)っこい】(形)〔東部方言〕冷たく感じられる様子だ。派—さ④

ひゃっこう⓪【百行】すべての道徳(にかなった行為)。「孝は—の本」

ひゃっぱつ ひゃくちゅう⓪-⓪【百発百中】—する(自サ)❶射た矢、うった弾丸・つぶてなどが全部命中すること。❷予想・計画が必ず当たること。

ひゃっぱん⓪【百般】さまざまの方面。「武芸—」

ひゃっぽ①【百歩】百の歩数。「—譲っても〔=許容範囲内で大幅に相手の主張を認めるにしても〕」

ひゃっぽう③⓪【百方】(副)物事の解決・打開のために、考えられる限りのあらゆる方面にわたって手段を講じる様子。「—手を尽くしたがうまくいかなかった」

ひやとい⓪【日雇(い)・日〈傭(い)】一日単位の約束で△雇うこと(雇われた人)。「—労働者⑦」

ヒヤヒヤ①(感)〔Hear! Hear!〕〔昔の演説会などで〕「謹聴しろ・賛成だ・その通りだ」などの気持を表わす掛け声。

ひやひや【冷や冷や】㊀①(副)—と—する ❶肌に冷たいと感じる様子。「背中が—する」❷△危険(不安)を身近に感じて気が気でない様子。「失敗しないかと—する」㊁⓪—な—に ❶「ひやひや㊀❶」に同じ。「冷蔵庫で酒を—にする」❷「ひやひや㊀❷」に同じ。「嘘がばれないか—だった」

ビヤホール③〔beer hall〕ビールを専門に飲ませる店。

ひやみず②【冷(や)水】冷たい水。「—を浴びせる〔=⇩冷水〕/年寄りの—〔=⇩年寄り〕」

ひやむぎ③②【冷(や)麦】細いうどんより少し細く、そうめんよりやや太いめん類。ゆでて冷やし、汁につけて食べる。

ひやめし⓪【冷(や)飯】さめて冷たくなった飯。「—を食う〔=冷遇を受ける〕」—ぞうり⑤【—〈草履】わらで作った粗末な草履。表記 ⇩付表「草履」

ひややか②【冷(や)やか】—な —に ❶空気が肌に冷たく感じられる様子だ。「明け方の—な空気」❷人間らしい、あたたかい心が感じられない様子だ。「—な態度」派—さ③④

ひややっこ③【冷(や)《奴】なまの豆腐を冷やして、しょうゆと薬味をつけて食べるもの。

ひやりと②(副)—する 何かに触れて一瞬冷たさを感じる様子。また、危険な事態に遭遇して、一瞬からだが凍りつくような感じがする様子。「—した感触の布/敵に見つかりそうになって—する」

ヒヤリング⓪①〔hearing〕⇩ヒアリング

ひゆ①【〈莧】夏・秋のころ、緑色の小さい花を穂のように開く一年草。インド原産。葉は食用。〔ヒユ科〕かぞえ方 一本

*ひゆ①⓪【比喩・〈譬喩】説明や記述の内容を△印象強く(分かりやすく)するために、適当な類例や形容を用いること。たとえ。

ピュア①—な〔pure〕純粋、また混じりけがない。ピュアー①とも。「—な心の持ち主」

びゅう〈謬〉→【字音語の造語成分】

ビューアー①〔viewer〕スライドをはっきりと見るための簡単な装置。

びゅうけん⓪【〈謬見】誤った△考え(意見)。

ヒューズ①〔fuse〕ある強さ以上の電流が流れるとすぐ溶けて、回路を絶つために用いられる金属。鉛と錫の合金で作った、柔らかくて細い△線(薄板・リボン)。機器の安全器に用いられ、発熱や発火による事故を防ぐ。「—が△飛ぶ(切れる)」かぞえ方 一本

びゅうせつ⓪【〈謬説】誤った考えの説。

ビューティー(造語)〔beauty=美〕❶美人。「—コンテスト」❷美容。「—サロン・—パーラー⑤〔=美容院〕」

びゅうでん⓪【〈謬伝】話題となる事柄を誤って伝えること。また、その噂や話。

ビューポイント③〔viewpoint〕❶ものの見方・考え方。❷ながめのいい場所。〔❶❷ともポイント オブ ビュー(point of view)とも〕

ピューマ①〔puma〕ヒョウぐらいの大きさの食肉動物。アメリカの森林・草原にすみ、木登りがうまい。アメリカライオン⑤。〔ネコ科〕かぞえ方 一頭・一匹

ヒューマニスティック④⑥—な—に〔humanistic〕△人文(人道)主義である様子だ。

ヒューマニスト④〔humanist〕人道主義者。ヒューマニズムの立場に立つ人。

ヒューマニズム④〔humanism〕❶人類の平和と幸福の増進を目的とする主義。人道主義。❷人間の個性の自由な発達と、人間性の尊厳を重んじる主義。

ヒューマニティー③〔humanity〕人間らしさ。人間性。

ヒューマン①—な〔human〕人間らしい様子だ。人間的。—エラー⑤〔human error〕操作ミスや記憶違い、手順の勝手な省略など、機械やシステムではなく、人間としての特性が引き起こす業務上の過誤。—ドキュメント⑤〔human document〕人間生活の記録。人生記録。—リレーションズ⑥〔human relations〕〔職場などでの〕人間関係。

ヒュームかん⓪【ヒューム管】〔Hume=人名〕鉄の線を芯に入れた、コンクリート製のくだ。水道管・導水管などに用いる。かぞえ方 一本

ビューラー[1][0]〔Beaura=商標名〕まつげをはさんで上向きにする化粧道具。〔英語ではアイラッシュ カーラー『eyelash curler』と言う〕

ピューリタン[1][3] ❶〔Puritan〕〔キリスト教で〕清教徒。❷〔puritan〕道徳的な面で、行いが正しく、きびしい人。

ピューレ[1]〔フ purée〕野菜・果物・肉などを煮て、裏ごしにして薄めた汁。ピューレー[1]とも。「トマト―[4]」

ビューレット[1]〔フ burette〕〔化学実験など容量分析に使ったりする〕目盛りの付いたガラス管。下端は細くなって、コックが付いている。［かぞえ方］一本

ビューロー[1]〔bureau〕事務用の引出し付きの机。「ライティング―」［かぞえ方］一脚：一本

ビューロクラシー[4][5]〔bureaucracy〕官僚政治。官僚主義。

ヒュッテ[1]〔ド Hütte〕〔登山者のための〕山小屋。

ビュッフェ[1]〔フ buffet〕❶〔駅や列車内などの〕立ったまま食べる仕組みの軽食堂。❷立食式のパーティー。❸バイキング料理。〔❶〜❸ともブッフェとも〕

ひょいと[0][1](副) ❶軽快な動きで一瞬のうちに事も無げに何かをする様子。「―持ち上げる/―飛び越す」❷ふとした拍子に、何の前触れもなく事がなされる様子。「―顔を出す/―ふり返る/―帰ってくる」

ぴょいと[0][1](副) 軽く飛び上がることを表わす。

ひょいひょい[1]、[1]-[1](副)―と ❶身軽に飛びはねる様子。「ぴょいぴょい」とも。「飛び石伝いに―(と)歩く」❷その場その場の思いつきで事をする様子。「何でも―引き受けてしまう」

ひょう《平・氷・拍・兵・表・俵・票・評・〈剽・漂・標・〈飄〉→【字音語の造語成分】

***ひょう**[0]【表】❶〔込み入った事柄が一目で分かるように〕見出しを見やすくそろえたり 数量を図示したりしたもの。〔複雑な相互の関係・推移を示すには、普通、整理した事項を縦横に配し、その交錯状況によって示す〕「毎月の売上げを―にする/時刻―」❷君主に出す文書。「出師の―/辞―・上―文」⇩【造語成分】

ひょう[1]【〈豹】熱帯の密林にすむ猛獣。形はトラに似て少し小さく、すばしこくて勇敢。からだは薄茶色で、濃茶色の斑紋がある。〔ネコ科〕［かぞえ方］一匹・一頭

ひょう[0]【票】❶選挙・採決などの時に、候補者名や議案に対する賛否を書いて入れる紙。「新人候補に―を投じる/―を読む/投―・浮動―」❷「票❶」をかぞえる語。「一―の格差」［かぞえ方］❷は一票・六票・八票・十票は「ピョウ」、三票は「ビョウ」、何票は「ヒョウ・ビョウ・ピョウ」⇩【造語成分】

ひょう[0]【評】〔物事の善悪・可否などを〕いろいろ論じたもの。批評。「―を書く/映画―[0]」⇩【造語成分】

ひょう[1]【〈雹】強い雷雨に伴って局地的に降る大粒の氷。〔直径五ミリ以上のものを指す〕短い時間に農作物に害を与える。初夏の五月から六月に起こりやすい。

ひょう[0]【飛揚】―する(自サ) 空高く飛び上がること。

****ひよう**[1]【費用】何かをするために必要な金。「莫大な―をかける/―を△つぎ込む(惜しまぬ・負担する・自弁する)/入院―[5]」 **―せいのうひ**[6]【―性能比】〔↑費用対性能比率〕〔おもにコンピューターの分野で〕同等の△処理性能(仕事)を実現するのにどれだけの費用が必要であるかということ。費用効率[4]。価格性能比[6]。コストパフォーマンス(比)。〔計算機どうしの比較に用いられ、この値が小さいほど良い。単位価格あたりで どれだけの性能を持っているかという意味に用いることもあるが、こちらの方は性能対費用比率と呼ぶのが正しい〕「―のすぐれた計算機/―が著しく改善される」 **―たいこうか**[6]【―対効果】〔事業などで〕かけた費用に対してどのくらい効果があるかを言う。「―が大きい」

ひよう[0]【日〈傭】日雇い(の賃金)。 **―とり**[2]【―取り】日雇いの労働者。

びょう《平・苗・秒・病・描・猫》→【字音語の造語成分】

びょう[1]【秒】❶国際単位系における「時間❸」の基本単位で、一分の六十分の一を表わす〔記号s〕。〔時刻を表わす際にも用いられる。例、「午後七時十分十五―」。平均太陽日を基準とし その八六四〇〇『=六〇×六〇×二四』分の一を秒とするこの定義では、秒の長さが時と共にわずかずつ変化することが判明したので、国際単位系では一九六七年、セシウム一三三という原子の基底状態における二つの超微細準位『=エネルギーの値が近接した定常状態のうちで、その値の違いが原子核に起因するもの』の間の遷移に対応する放射の一周期の時間間隔の九一億九二六三万一七七〇倍、という定義が採用された〕❷角度の単位で、一分の六十分の一を表わす〔記号″〕。〔経度・緯度を表わす際にも用いられる。例、「西経一八度六分三三五―」〕

びょう[1]【〈廟】❶先祖や王者・偉人などの霊を祭った所。みたまや。「孔子―・レーニン―・祖―・霊―」❷政治を行なう所。朝廷。「―議・―堂」［かぞえ方］❶は一基

びょう[1]【〈鋲】❶紙を壁などにとめるのに用いる、頭が平たくて大きな、短い針。「画―」❷靴の裏に打つ金具。❸⇩リベット ［かぞえ方］❶〜❸とも一本

びよう[0]【美容】人が、髪を整えたり 外見上の若さや肌の美しさを保とうとしたりして、日びの生活の中で営む様ざまの行為。「―院[2]・―体操[4]・―師[2]・―術[2]・―整形[4]・―外科[4]」

びょうあ[1]【病〈痾】「いつまでも長引いて なかなか治りそうにもない病気」の意の古風な表現。

びよう[0]【微〈恙】「軽い病気」の意の古風な表現。

ひょうい[1]【〈憑依】―する(自サ) 死者や動物などの霊魂が人のからだに乗り移ること。「―に苦しむ」「―妄想[4]」

ひょういつ[0]【〈飄逸】―に ―な 世事・世評を気にせず、のんき・気軽に行動する様子だ。［派］―さ[0]

ひょういもじ[4]【表意文字】一字一字が△単語の意味(造語成分)を表わすことを原則とする文字(の体系)。意字。特に語を表わすものは表語文字[4]。〔漢字は、その例〕↔表音文字

びょういん[0]【病因】その病気の原因。

***びょういん**[0]【病院】△病気にかかった(けがをした)人を二十人以上収容して、診察・治療を行なう施設。「―をたらい回しにされる/総合―[5]・大学付属―[8]・―船[0]」⇩医院 ［かぞえ方］一軒

びょうえい[0]【苗〈裔】由緒ある家の末孫。

ひょうおん[0]【表音】文字・記号などが、それに対応するなんらかの音を表わすこと。「『印度』は表意文字である漢字を―的に使ったものだ」 **―しき**[0]【―式】△歴史的(伝統的)な表記の仕方と違って、その時どきの発音に従って表記する方式。 **―もじ**[5]【―文字】一字一字が音だけを表わすような文字(体系)。音字。例、ローマ字・かな文字。↔表意文字

ひょうか[1]【氷菓】アイス キャンディー・アイス クリーム・

びゅう

［〈謬］ まちがって。あやまり。「謬見・謬伝・誤謬・帰謬法」

シャーベットなど、凍らせて作った菓子。

ひょうか[1]【苹果】リンゴの、業界用語。

*ひょうか[1]【評価】―する(他サ)〈なにヲ(なんだト)―する〉❶物の価値や価格を(論じて)決めること。「―が△定まる(高い)/―を△惜しまない(落とす)/―する(=高く評価する)/自己―」❷(教育で)学習成果について判定すること。「絶対―[5]・相対―[5]」

ひょうが[1]【氷河】緯度の高い地方や高山において、積雪が氷のかたまりとなって、自分の重みで斜面に沿ってゆるやかに流れ出したもの。 ―き[3]【―期】Ⓐ氷期。Ⓑ何かを行なうにあたって、ほとんど見通しが立たず、厳しく困難な時期をたとえて言う語。「景気は冬の時代を通り越して、―のど真ん中だ/就職―[7]」 ―きせだい[5]【―期世代】ロストジェネレーションⒷ。 ―じだい[4]【―時代】地質時代の区分の一つ。地球が寒冷で、地表が広く氷河におおわれた非常に古い時代。六億年~二百万年前まで三次にわたる。〔普通には、最新の更新世のそれを指す〕

びょうか[1]【病家】病人の居る家。

びょうが[1]【病〈臥】―する(自サ)病気で床につくこと。

びょうが[0]【描画】―する(自他サ)「絵をかくこと」の意の古風な表現。

ひょうかい[0]【氷海】一面に凍った海。

ひょうかい[0]【氷塊】氷のかたまり。

ひょうかい[0]【氷解】―する(自サ)〔氷がとけるように、疑いや誤解などが〕すっかり無くなること。「△疑問(不信感・わだかまり)が―する」

ひょうがい[0]【〈雹害】雹が降ったために受ける、農作物などの損害。

びょうがい[0]【病害】病虫による農作物の損害。

ひょうがいじ[3]【表外字】⇨外字❶

びょうがく[0]【猫額】「ねこの額(ヒタイ)」の意の古風な表現。「―大の(=非常に狭い)土地」

ひょうがため[3]【票固め】―する(自サ)投票前に、票を確保しようとして運動・工作すること。

ひょうかん[0]【〈剽悍】―な 動作がすばやくて、性質が荒あらしい様子だ。「―な種族」 派―さ[0]

びょうかん[0]【病患】(重い)病気。「不治の―」

びょうかん[0]【病間】❶その病気にかかっている間。❷病気が小康を得ている間。

ひょうき[1]【氷期】氷河時代のうち、氷河が発達・拡大する特に寒冷な期間。間氷期と交代を繰り返す。

ひょうき[1]【表記】―する(他サ)❶物のおもてに△書くこと(書かれたもの)。「―の住所」❷内容をはっきり文字に書き表わすこと。「価格―」❸言葉を、文字・記号などで書き表わすこと。「―法[0]」

ひょうき[1]【標記】―する(他サ)❶目じるしとしてつけ△ること(た符号)。❷〔書類などの〕題目として△書くこと(書いたもの)。

ひょうぎ[1]【評議】―する(他サ)〔会社・団体などの幹部が〕重要な事柄について相談すること。「―員[3]・―会[3][0]」

*びょうき[0]【病気】❶―する(自サ)△生理(精神)状態に異状が起こり、(発熱や痛みなどによって)苦しく感じる状態(になること)。「―が治る/―にかかる/長年の―」❷人の、簡単には直りそうにもない欠点や悪い癖。「彼のマージャン好きはどう見ても―だね」

びょうぎ[1]【〈廟議】昔、朝廷で行なった評議。

ひょうきへい[3]【〈驃騎兵】〔「驃」は、勇ましい意〕⇩軽騎兵

ひょうきゃく[0]【〈嫖客】遊郭などで遊興する男。「ひょうかく」とも。

ひょうきん[3]【〈剽《軽】―な〔「きん」は、「軽」の唐音〕気軽で、こっけいな事ばかり言ったりしたりする様子(の人)。「―者(モノ)[0]」 派―さ[3][0]

びょうきん[0]【病菌】病気を起こすもとになる細菌。病原菌。

ひょうぐ[3][0]【表具】表装。 ―し[3]【―師】表装を職業とする人。表具屋。

びょうく[1]【病苦】病気による苦しみ。

びょうく[1]【病〈軀】病気のからだ。病身。

ひょうけい[0]【表敬】相手に対して敬意を表明すること。 ―ほうもん[5]【―訪問】(高い地位にある)来訪者が、その国の△元首(首相)に敬意を表わすための公式訪問。〔広義では、来訪者が訪問先の長などに儀礼として挨拶(アイサツ)に行くこと〕

ひょうけつ[0]【氷結】―する(自サ)氷が張りつめること。

ひょうけつ[0]【表決】―する(他サ)〔投票・挙手などによって〕議案に対して賛成か反対かの意思を表わして決めること。

ひょうけつ[0]【票決】―する(他サ)投票で表決すること。

ひょうけつ[0]【評決】―する(他サ)評議して決めること。

びょうけつ[0]【病欠】―する(自サ)病気で△欠席(欠勤)すること。また、欠席した人。

ひょう・げる[3]【〈剽げる】(自下一)△何らかの意図があって(気軽に)こっけいなことを言ったりしたりして見せる。〔やや古風な表現〕

ひょうげん[0]【氷原】〔南極大陸などで〕氷におおわれた、野原のように広い所。

**ひょうげん[3]【表現】―する(他サ)〈なにニ〉なにヲ―する〉内面的・主観的なものを外面的・感性的にとらえられる手段・形式によって伝達しようとすること。表情・身ぶりのほか、記号・言語・音楽・絵画・造形などの方法がある。「…の―を△盛り込む(借りる)/―を工夫する/オーバーな―/愛情の―は人により様ざまだ/映像―」

ひょうげん[0]【評言】批評の言葉。

びょうけん[0]【病犬】病気にかかっている犬。

びょうげん[0][3]【病原・病源】病気の原因(となる細菌など)。病因。 ―きん[0]【―菌】それが体内に入ることによって病気を引き起こす原因となる細菌。 ―せいだいちょうきん[0]-[0]、[0]【―性大腸菌】人や動物の大腸内にいる菌で病気を引き起こすもの。腸内の大腸菌は一般に病気を引き起こさないが、二十種類ほどの菌は病気を引き起こす。O―157もその一つ。 ―たい[0]【―体】生物体の病因となる細菌・真菌・リケッチア・原虫などの微生物やウイルスなどの総称。

ひょうご[0]【評語】❶批評の言葉。評言。❷〔学校などで〕成績の等級を表わす△言葉(記号)。評点。

ひょうご[0]【標語】その運動・組織の行動目標などを示した短句。スローガン。モットー。

びょうご[0]【病後】病気が治ったあと(の保養を要する時期)。↔病前

ひょうこう[0]【氷厚】氷の厚さ。

ひょうこう[0]【標高】その地点の海抜。

びょうこん[0]【病根】病気の原因。病因。〔社会の△悪習(悪弊)の元凶の意にも用いられる。例、「―を△やどらせる(切除する)/…の―を絶つ」〕

びょうさ[1]【〈錨鎖】いかりに付けた鎖。

びょうさい[0]【病妻】病気で(長く)床についている妻。

ひ

ひょうさつ⓪【表札】△家の戸口(門)に掲げる居住者の名を書いた札。［表記］「標札」とも書く。［かぞえ方］一枚

ひょうざん①【氷山】〔南極海・北極海などで〕氷河や氷原の末端が海中に落ちて、小山のような大きなかたまりとなって浮かんでいるもの。【―の一角】〔氷山の水面上に現われている部分は全体の約七分の一に過ぎないところから〕根深く底の広い(社会)悪などのうち、偶然知られるに至ったほんの一部分。

ひょうし③⓪【拍子】❶〔音楽で〕楽曲のリズムのもとになる、周期的な音の強弱の組合せの一区切り。「三―」❷〔音楽・歌・舞などで〕手を打ったり 掛け声を出したりして、音曲の調子△を整える(に合わせる)こと。「足で―を取る／手―・足―」❸〔能楽で〕笛・太鼓などの楽器を鳴らすこと。❹何かをした、ちょっとした機会。はずみ。とたん。「すべった―に」［かぞえ方］❶は一拍。また、かぞえるときは「ビョウシ」となる。 **―ぎ**③【―木】〔合図・夜回りなどで使う〕二つ打ち合わせて鳴らす、四角柱状の木。［かぞえ方］二本で一組 **―ぬけ**⓪【―抜(け)】―する(自サ)〔勢いこんでいたのが〕相手にかわされたりして緊張が緩み、気が抜けること。「要求がすんなり通って―した」

ひょうし③⓪【表紙】本・ノートなどの外側につけて、内部を保護するとともに、書名・用途などを示す用をになうもの。厚手の紙や、クロース・革・ビニールなどが用いられる。

ひょうじ⓪【表示】―する(他サ)❶〔内のものを外へ〕はっきり表わして示すこと。「(得点)―板・―装置」❷表で示すこと。「意思―」

ひょうじ⓪①【標示】―する(他サ) 目じるしとして(一般の)人に示すこと。

びょうし⓪【病死】―する(自サ) 病気で死ぬこと。

びょうじ①【病児】病気にかかっている子供。

ひょうしき⓪【標識】目じるしとしてつけたもの。「航空―・交通―・道路―」

ひょう

【《平》】(略)〔漢字音の〕平声。「平上去入」

【氷】こおる。こおり。「氷結・氷点・氷山・結氷・樹氷・薄氷・流氷」

【拍】音楽のリズムや節の強弱の単位。「拍子」 ⇩はく

【兵】兵隊。「兵糧・兵法・軍兵・小兵・雑兵」 ⇩(本文)へい【兵】

【表】❶おもて。外面。「表面・表皮・表裏・意表・雲表・地表」↕裏 ❷あらわす。あらわれる。「表現・表情・表示・表明・公表・発表」❸おもてに立つ。「代表」❹しるし。模範。「儀表・師表」 ⇩(本文)ひょう【表】

【俵】たわら。〔米・麦や西瓜や石炭・コークスなど、たわらに入れた物をかぞえる時にも用いられる〕「土俵」［かぞえ方］一俵・六俵・八俵・十俵は「ピョウ」、三俵は「ビョウ」、何俵は「ナンピョウ・ナンビョウ・ナンピョウ」

【票】数量・用件などを書き入れる小さな紙。書きつけ。「原票・伝票・調査票」 ⇩(本文)ひょう【票】

【評】価値判断したことを人に示す。「評価・評議・評決・評定」 ⇩(本文)ひょう【評】

【〈剽〉】❶気がる。「剽軽」❷すばやい。「剽悍」❸かすめ取る。「剽窃」

【漂】❶ただよう。「漂失・漂流・漂着」❷水にさらす。「漂白」

【標】❶目じるし。しるす。「標識・墓標・里程標・座標」❷あらわす。しめす。「標本・標記」

【〈飄〉】風にひるがえる。「飄逸・飄々・飄然」

びょう

【平】一方に偏ることがない。「平等」

【苗】❶なえ。「種苗」❷たね。子孫。「苗裔・痘苗」

【秒】⇩(本文)びょう【秒】

【病】❶からだのどこかが悪い。「病人・病弱・病院・病的・大病・多病・重病・伝染病」❷悪いところ。「病弊・病癖・臆病」

【描】ものの形や様子を写す。えがく。「描写・素描・点描」

【猫】ねこ。「猫額・老猫・怪猫・愛猫」

びょうしき⓪【病識】自分が△病気(病的)であることを自覚すること。

ひょうしつ⓪【氷室】氷をたくわえておく むろ。ひむろ。

ひょうしつ⓪【氷質】〔物を冷やしたり スケートをしたりするための〕氷の質。

ひょうしつ⓪【漂失】―する(自サ) 物が水に漂って行き、無くなること。

びょうしつ⓪【病室】病人△が寝る(を寝かせる)ための部屋。

ひょうしゃ①【評者】批評する人。

ひようしゃ②【被用者・被〈傭者〉】他人に雇われている人。傭人。

びょうしゃ①【病舎】病室のある建物。病棟。

びょうしゃ①【病者】「病人」の意の古風な表現。

***びょうしゃ**⓪【描写】―する(他サ)〔小説・絵画・音楽などで〕表現の対象とする状態や情景を、あたかも現実の世界の事象であるかのように表わすこと。「風景を―する／心理―・人物―・内面―・―力③」

ひょうしゃく⓪【評釈】―する(自サ)〔古典文学などについて〕自分の意見を交えながら解釈△すること(したもの)。

びょうじゃく⓪【病弱】―な からだが弱くて、病気にかかりやすい様子だ。［派］―さ⓪

ひょうしゅつ⓪【表出】―する(自他サ) 心中の感じ・考えなどを外へ表わすこと。「感情を―する」

びょうしゅつ⓪【描出】―する(他サ)〔文章・絵・音楽などで〕作者の意図や心情などが、読者や鑑賞する者によく伝わるように表現すること。

****ひょうじゅん**⓪【標準】❶比較のもとにする よりどころとなる目じるし。基準。「何事によらず東京を―にして考えるのは良くない」❷平均的な△もの(度合)。一番普通であること。「―的な大きさ／―型⓪・―以下・―装備」 **―か**⓪【―化】―する(他サ)❶標準に△近づく(近づける)こと。❷品質の管理や生産の能率向上のために、資材や製品などの規格や種類を標準に従って制限・統一すること。 **―きんり**⑤【―金利】市中銀行の貸出金利のうちで標準となる金利。 **―ご**⓪【―語】一国の「標準❶」として認められている、全国共通の言語。⇩方言・共通語 **―じ**③【―時】その地域を通る一本の経線を基準として選び、その経線上の地方時を地域全体に共通の△時刻(時法)として採用したもの。〔日本(における)標準時『＝日本時間』〕

** * は重要語，⓪ ①… はアクセント記号，品詞の指示の無いものは名詞および いわゆる連語。

は、東経一三五度の経線〖=兵庫県明石市を通る〗を基準としている。世界には、十五の倍数の経度を基準にする二十四の標準時が基本としてあり、順に一時間ずつの時差を持つが、隣接地域と一時間未満の時差を持つ標準時を採用している地域も幾つかある〕⇩地方時 **―しき**⓪【―式】日本語をローマ字で書く時の、つづり方の一種。シをshi, ジをji, フをfuと書くなど。ヘボン式。↔訓令式 **―へんさち**⑦【―偏差値】⇩偏差値

ひょうしょう①⓪【《平声】〔中国語で〕四声の一つ。低い平らな声調。

ひょうしょう⓪【氷晶】天然に出来る、氷の結晶。

ひょうしょう⓪【表象】㊀―する(他サ) 外部の事物や出来事を観念として頭に思い△浮かべること(浮かべたもの)。「記憶―・想像―」 ㊁シンボル。

***ひょうしょう**⓪【表彰】―する(他サ)〈だれ・なにヲ―する〉よい行いや功績をおおぜいの人の前でほめること。「―状⓪・―式③・―台⓪」

ひょうしょう⓪【標章】その団体や特殊な催し物などのシンボル(となる記号)。

ひょうじょう⓪【氷上】一面に張った氷の上。「―競技」

****ひょうじょう**③【表情】感情を外に表わすこと(によって、からだ、特に顔に現われる変化)。「―は晴れやか/大衆の―が明るい/―の豊かな曲/―のない顔/―が乏しいと言われる日本人/―たっぷり/正月の各地の―(=様子)」

ひょうじょう③【評定】―する(他サ)「評議・評決」の意の古風な表現。「小田原―(=⇩小田原評定)」

びょうしょう⓪【病床】病人の寝床。「―にある/―日誌⑤(=臨床日誌⑤)」

びょうしょう⓪【病症】治りやすいとか治りにくいとかいう、その病気の性質。

びょうじょう⓪【病状】病気で医者にかかっている間の、患者の状態。「―が悪化する」

びょうじょく⓪【病〈褥】「病床」の意の古風な表現。**表記**「病〈蓐」とも書く。

びょうしん⓪【秒針】時計の、秒を指す針。⇩分針・時針

びょうしん⓪【病身】病気(がち)のからだ。

ひょうすう③【票数】〔投票などによる〕票の数。

ひょう・する③【表する】(他サ)「あらわす㊁」の改まった表現。表す①(五)。「△敬意(謝意・賛意・祝意・心意気)を―/△哀悼(歓迎・遺憾・同感)の意を―」

ひょう・する③【評する】(他サ) ㊀何かを批評する。「世人は彼を現代の錬金術師と―」 ㊁価値などを決める。評す①(五)。

びょうせい⓪【病勢】病気が△悪く(よく)なっていく状態。「―があらたまる(=病状が悪くなる)」

ひょうせつ⓪【氷雪】こおりとゆき。

ひょうせつ⓪【〈剽窃】―する(他サ) 他人の著作(の一部)を自分の著作物の中に無断で引用・発表すること。

ひょうぜん⓪【〈飄然】―たる ―と 特に目的・用件もなく、ふらりとやって来たり立ち去ったりする様子だ。

びょうぜん⓪【病前】「発病する前の時期」の意の漢語的表現。↔病後

ひょうそ⓪①【〈瘭疽〉】手足の爪の下の傷などから細菌が入って起こる化膿性の炎症。「ひょうそう」とも。

ひょうそう⓪①【〈瘭疽〉】「瘭疽」の長呼。

ひょうそう⓪【氷層】氷の層。

ひょうそう⓪【表装・〈裱装】―する(他サ) 書画をかいた紙や布地を他の織物や紙にはって、巻物・掛け軸などに仕立てること。表具。

ひょうそう⓪【表層】表面の層。「―なだれ」

びょうそう⓪【病巣】病気に侵されている局部。「―の切除/深い―を剔出する」

びょうそう⓪【病窓】病室のまど。また、病室をも言う。「―からの景色/―日記」

ひょうそく⓪【《平〈仄】〔漢詩作法の上で〕平声と「仄声⓪」との区別。〔四声のうち、平声以外の三声をまとめて仄声と言い、漢詩では平声と仄声との用い場所が限定されているので、その区別が重視される。⇩四声〕「―(=物事のつじつま)が合わない」

びょうそく⓪【秒速】一秒間あたりに進む距離によって表わした速さ。

ひょうだい⓪【表題】㊀書物や作品などの名前。「―紙③」 ㊁〔その書物・演説・談話・演劇・芸術作品などの〕内容・主題などを簡単に表わす短い言葉。「―音楽⑤」 **表記**「標題」とも書く。

びょうたい⓪【病体】病気にかかっているからだ。

びょうたい⓪【病態】㊀その人の病気の状態。㊁一般に、その病気の症状がたどる経過。「―生理学⑦」

びょうたる①【〈眇たる・〈渺たる】(連体) 広い海の中に、ぽつんと点を打ったように存在する。「―一小島」

ひょうたん⓪①【氷炭】〔白くて冷たい氷と、黒くて火がつけば熱を発する炭の意〕極端に性格が相反するものどうしのたとえ。「―相容れず(=両者の間に妥協出来る点がどこにも見出せない)」

ひょうたん③【〈瓢〈簞〉】㊀夏、ユウガオに似た白色の花を開く一年生つる草。巻きひげで物にまといつき、長大で中央部のくびれた実を結ぶ。〔ウリ科〕 ㊁ヒョウタンの熟した実の果肉を取り去って酒の容器としたもの。ひさご。**かぞえ方** ㊀は一本。㊁は一本・一瓢 **―から駒(が出る)**】冗談で言った事が、思いがけず本当に実現するたとえ。 **―なまず**⑤【―〈鯰】〔瓢簞で鯰を押さえようとしても、つかまえることが出来ないように〕いっこうに要領を得ないこと。

びょうち①【〈錨地】船が停泊する所。

ひょうちゃく⓪【漂着】―する(自サ) 波に流されるなどして来たものが、岸に△着く(打ち上げられる)こと。

ひょうちゅう⓪【氷柱】㊀夏、室内に立てて、涼をとるための氷の柱。㊁「つらら」の意の漢語的表現。**かぞえ方** ㊀は一本

ひょうちゅう⓪【標柱】〔測量用などの〕目じるしとして立てる細長い棒。**かぞえ方** 一本

びょうちゅう⓪①【病中】病気している間。

びょうちゅうがい③【病虫害】病気や害虫による、農作物や果樹の被害。

ひょうちょう⓪【表徴】㊀外に現われたしるし。㊁―する(他サ) 象徴(すること)。

ひょうちょう⓪【漂鳥】一地方の中で季節によって小規模の移動をする鳥。ウグイス・ムクドリ・メジロ・ウズラなど。

ひょうてい⓪【評定】―する(他サ)〔価値や品質などを〕評価して、ABCなどの段階や評語で示すこと。

ひょうてき⓪【標的】射撃・弓などの練習で使うまと。目じるし。ターゲット。〔積極的な行動の目標の意にも用いられる。例、「野党の攻撃の―にされる」〕

びょうてき⓪【病的】―な ―に 肉体や精神が△健全(正常)でない様子だ。

ひょうてん①【氷点】水が凝固し始める温度。一気圧ではセ氏零度。「―下③」

ひょうてん⓪【評点】〔学力試験などで〕成績を表わ

す点数や記号。「辛い―/まあまあの―だった」

ひょうでん⓪【票田】〔選挙で〕その候補者の選挙区の中で大量の得票が期待出来る地域の称。

ひょうでん⓪【評伝】人物評を交えて書かれた伝記。

ひょうど①【表土】〔十分に風化された〕表層の土。表層土③。

びょうとう⓪【病棟】〔大きな病院を構成する単位としての〕病室のある、それぞれの一棟。「隔離―」

***びょうどう**⓪【平等】―に ―な 〔「平」も「等」と同じく、ひとしい意〕その社会を構成する、すべての人を差別無く待遇する△こと(様子)。「―を欠く/―に扱う/悪―」 派 **―さ**⓪

びょうどう⓪【〈廟堂】〔「みたまや」の意〕「朝廷(の政務を行なう所)」の意の古風な表現。

びょうどく⓪【病毒】病気の原因となる毒。

びょうなん⓪【病難】病気で苦しむという災難。「―にかかる」

***びょうにん**⓪【病人】病気にかかっている人。「―食③・半―③⓪」⇩患者

ひょうのう⓪【氷〈嚢】氷を入れて△熱のある部分(患部)に当てて冷やす袋。氷袋。

ひょうはく⓪【表白】―する(他サ)〔「白」は、申す意〕「(心中にいだく思いなどを)言葉(文章)に表わして述べる」意の古風な表現。

ひょうはく⓪【漂白】―する(他サ)〔さらしたり 薬品を使ったりして〕白くすること。「―剤④⓪」

ひょうはく⓪【漂泊】―する(自サ) 特別の目的・用事も無く、土地から土地へと旅をして歩くこと。

ひょうばく⓪【氷〈瀑】氷の滝。滝が冬季に凍結するものや、氷河が斜面を下るものなど。アイスフォール④とも。

****ひょうばん**⓪【評判】❶〔いい・悪いなどについて〕世間の人の下す批評。「―が△高い(悪い)/―を△落とす(取る)/不―」❷世間によく知られて、話題になること。「―の映画/―が立つ〔=うわさになる〕」 **―き**③【―記】〔芸人・美人などについて〕その名前を列記し、世評を交えながら紹介を兼ねた批評を書いた本。「役者―」

びょうはん⓪【病斑】農作物などが害虫に侵されたために出来る、まだらの点。

ひょうひ①【表皮】動物体・植物体の表面をおおう皮。↔真皮

ひょうひょう⓪【〈飄々〉】―たる ―と 〔今来たかと思うと、またすぐ黙ってどこかへ行ってしまうように〕その考え・行動の規準が世人とあまりにもかけ離れていて、つかまえどころが無い様子だ。「―乎コとして」

ひょうびょう⓪【〈縹渺〉】―たる ―と 一面に広がっていて、一体それが△何に基づくのか(どこまで続くのか)はっきりとは分からない様子だ。「神韻―/―たる原野」

びょうびょう⓪【〈渺々〉】―たる ―と 広びろとしてどこまでも果てしなく感じられる様子。

ひょうびん⓪【漂瓶・漂〈壜】海流の方向や速さなどを調べるために、拾い上げた人がその日時・場所などを記入して報告する用紙を封入して、海に流す瓶。 かぞえ方 一本

びょうふ①【病夫】病気で(長く)床についている夫。

びょうふ①【病父】病気で(長く)床についている父。

びょうぶ⓪【〈屏風】ふすまを△二枚(四枚・六枚)つないだようなもので、もと室内に立てて風をさえぎり、物を隔てるために使った道具。装飾にも用いられる。〔紙で張ってあり、折り曲げて広げ立てて使ったところから、正直一〔=屏風は、折り曲げて広げ立てる〕「―と商人アキンドは直グスでは立たぬ方では商売が成り立たない意に用いられる)/―絵③⓪」 かぞえ方 一帖イチジョウ・一架・一枚:一双(二架) **―だおし**④【―倒(し)】〔屏風が倒れるように〕ばたりと、あおむけに倒れること。〔古くは、「屏風返し④」と言った〕

びょうへい⓪【病兵】病気になった兵士。

びょうへい⓪【病弊】長い年月の間に、その物事の内部に生じた弊害。「…がもたらした―」

ひょうへき⓪【氷壁】氷が切り立った崖ガケのようになっている所。また、そこを流れる水の凍り付いた岩壁。

びょうへき⓪【病癖】△病的な(悪い)くせ。

ひょうへん⓪【〈豹変】―する(自サ)〔態度・意見などが〕がらりと変わること。〔もとは良い方に変わることを言った〕「君子は―す〔=人格者は、過ちと知ったらすぐに改めて善に移るのがはっきりしている〕」

びょうへん⓪【病変】病気になったために起こる△肉体的(生理的)変化。

びょうほ①【苗〈圃】苗木や苗草を育てるために特に設けた土地。

びょうぼ①【病母】病気で(長く)床についている母。

ひょうほう①【兵法】「へいほう」の古風な表現。「生―ナマビョウホウは(大)けがのもと〔=⇩なまびょうほう〕」

ひょうぼう⓪【標〈榜】―する(他サ) 行動の目標や理由づけと△する(して、ある主義・主張を公然と示す)こと。

びょうぼう⓪【〈渺茫】―たる ―と 広びろとして、果てしない様子だ。「―たる宇宙」

びょうぼつ⓪【病没・病〈歿】―する(自サ) 病気で死ぬこと。

ひょうほん⓪【標本】❶〔研究・教育用などとして〕動植物・鉱物などの実物を、保存して見せるようにしたもの。「昆虫―・―箱コバ③」❷〔同種の中の〕代表的なもの。見本。 **―ちょうさ**⑤【―調査】〔全体を調べるのと同じ効果が上がるように〕厳密な手続きを経て幾つかの見本を抽出し、その集計によって全体の状況を推測する調査法。サンプリング。

びょうま①【病魔】〔一旦イッタンその人の身に取り憑ツいたらなかなか離れることのない、性悪ショウワルな〕病気。⇩睡魔

ひょうむ①【氷霧】水蒸気が凍って細かい氷の結晶となったもの。また、空気中の細かい水滴が凍って霧のようになって見えるもの。

ひょうめい⓪【表明】―する(他サ)〔自分の意見・決心などを〕人前にはっきりと示すこと。「△意志(見解・所信・態度・立場・決意・不満)を―する/前向きの態度を―する」

びょうめい⓪【病名】病気の名。「―不明」

ひょうめん③【氷面】一面に張った氷の面。

***ひょうめん**③【表面】その物を形作っている一番外側の部分。〔狭義では、その時、それを見る人の位置や置かれた状況によって見ることが出来る面を指す〕「―をつくろう/対立意識が―に出がちだ/―を飾る/―の理由/―上(は)…/―的な見方」↔裏面 **―か**⓪【―化】―する(自サ) 表面に現われること。「△対立(問題・動き)が―する」 **―だって**⑤【―立って】〔副詞的に〕△隠しておいた(隠しておくべき)ことを公然と問題として取り上げる様子。「―反対することも無い」 **―ちょうりょく**⑤【―張力】液体の表面に働いて、内部に引っ張り込もうとする力。〔水滴が丸くなったり コップのふち一杯に入れた水が、こぼれそうでこぼれなかったりする現象などは、この力による〕

ひょうめんせき③【表面積】立体の表面の面積。

ひょうもく⓪【標目】❶何かの目じるしとなるもの。〔狭義では、古辞書の分類の目モクや図書カードの見出し語などを指す〕❷「目録・目次」の意の古風な表現。

ひょうゆう⓪【〈飄遊・漂遊】―する(自サ) 住居を定めず、長い年月の間あちこちとさすらい歩くこと。 表記 「漂」

は、代用字。

びょうゆう⓪【病友】❶病気をしている友達。❷同じ△病院(病室)で療養している間柄。

ひょうよみ⓪【票読(み)】―する(自サ) ❶〔投票前に〕得票数の予想を立てること。❷〔開票の時に〕一票一票、票を読み上げること。

びょうよみ⓪【秒読(み)】―する 秒単位で時間をかぞえ(て知らせ)ること。「―の段階に入る」

ひょうり①【表裏】❶おもてとうら。「―の無い(=他人の見ている時とそうでない時とで変わらない)人/―をなす〔=⇩表裏一体〕」❷―する(自サ)〔意味の実質は「裏」にある〕裏。「人の心の―を読む/社会の―に通じる」 **―いったい**①-⓪【―一体】 現象的には△無関係(二つの異なる方向を志向しているか)に見えるものが、根底においては一つにつながっていると考えられること。「刑事責任の問題と―である賠償問題/核兵器の開発と―をなす原子力の商業利用の歴史/笑いと涙が―となっている新国劇」

びょうり①【病理】 病気の原因・経過についての理論。「―学③・―解剖」

ひょうりゅう⓪【漂流】―する(自サ) 風や波のまにまに流れたり流されたりすること。「―している舟を見つける/―していた木や水草が岸に打ち上げられた/―木③・―物③」

ひょうりょう⓪【〈秤量】〔本来の字音はショウリャウ。「ひょうりょう」は類推読み〕❶(はかりで重さを)はかること。「―貨幣・―瓶」❷〔感量と違って〕そのはかりではかることの出来る最大限の重さ。

びょうれき⓪【病歴】❶今までにかかった病気の経歴。❷その病気にかかってからの経過。

ひょうろう⓪【兵糧】 軍隊の食糧。〔狭義では戦陣にある軍隊のそれに限り、広義では一般人の食糧をも指す〕 **―ぜめ**⓪【―攻(め)】 敵の糧道を絶ち、戦闘力を弱らせること。

ひょうろくだま⓪【表六玉】【兵六玉】 まのぬけたやつ。〔広義では、軽薄で取るに足りない者をも指す〕

ひょうろん⓪【評論】―する(他サ)〔専門の分野や社会の動向などについて〕一般読者を啓発するために〕自分の意見を加えながら解説△すること(したもの)。「―家⓪・―的見解」

ひよく⓪【比翼】〔←比翼仕立て④〕外見は二枚重ねに見えるように、着物の襟・すそ・そでなど表に見える部分だけを二重にすること。〔洋服の場合は上前ボタンが表に出ないように二重にすることをいう〕 **―づか**③【―塚】 心中したりした相思の男女を同じ所に葬った塚。かぞえ方 一基 **―のとり**⓪-⓪、①-⓪【―の鳥】 雌雄それぞれ目・翼が一つずつで常に一体になって飛ぶという、中国での想像上の鳥。〔男女の深い愛情の意にも用いられる〕 **―れんり**④、①-①【―連理】〔「連理」は連理の枝の意で、隣り合った二つの木の枝が上の方で一緒にくっついていること〕夫婦・男女の愛情のいつまでも変わらないこと(を誓い合うこと)。

ひよく⓪【肥沃】―な/―に 作物の生育に向くように、土地が肥えている様子だ。「―な土地」派 **―さ**③

びよく⓪【尾翼】 航空機が飛行中に安定を保つために、胴体の後部に取りつけた翼。↔主翼

びよく⓪【鼻翼】 鼻の先の両端で、ふくらんでいる部分。

ひよけ⓪【日《除け》】 日光の当たるのをさえぎる△こと(もの)。

ひよけ⓪【火《除け》】❶火事が燃え広がるのをさえぎる△こと(もの)。❷火事の予防(のお札)。

ひよこ⓪【〈雛】❶△鳥(鶏)の子。ひな。❷まだ一人前になっていない人間。「ひよっこ⓪」とも。かぞえ方 ❶は一羽

ひょこひょこ①(副)―と/―する △落ち着きなく(身軽に)あちこち動き回る様子。「どこにでも―顔を出す」

ぴょこぴょこ①(副)―と/―する せわしなくぎこちない動きで同じ動作を繰り返す様子。「ひよこが―(と)歩き回る/―おじぎをする」

ぴょこんと②(副) その動作や動きが唐突で不自然に感じられる様子。「―おじぎをする/―前に飛び出す」

ひょっくり③(副)―と ひょっこり。

ひょっこり③(副) 予測もしなかった(望ましい)事態にめぐりあう様子。「昨日、街で―彼に会った/忘れた時分に―訪ねて来る」

ひょっと(副)❶⓪①その事態に接したのは全くの偶然にすぎないととらえる様子。「―いい事を思いつく/出先で―私の耳に入りましたので」❷⓪〔一般に「ひょっと△して(したら・すると)」などの形で〕そういうこともあり得ないことではないと想定する様子。「―△すると(したら)帰れないかもしれない/―して(=心外なことに)私を疑っているのではないか」

ひょっとこ⓪〔「火男」の変化という〕❶片目が小さくて口のとがった、こっけいな男の仮面(をつけて踊る踊り)。❷男性をののしって言う語。「この―め」⇩おかめ(阿亀)

ひよどり②【〈鵯】〔「ひよ」は、鳴き声ピヨの擬音語〕ツグミより少し大形の鳥で、背中は青黒く、胸部・腹部は灰色を帯びた青色。山林にすみ、やかましく鳴く。〔ヒヨドリ科〕かぞえ方 一羽

ひよみ⓪③【日読(み)】〔雅〕❶こよみ。❷十二支。 **―のとり**⓪-⓪【―の〈酉】 漢字の部首名の一つ。「酒・配・酔・酸」などの「酉」の部分。〔「ひよみ」は暦の意。「酉」は十二支の十番目。鳥と区別して言う。「とりへん」とも〕

ひよめき⓪【{〈顋門}・{〈顖門}】 乳児の頭の前頂部で、脈を打つたびにひくひく動く部分。おどりこ。

ひより⓪③【日《和》】❶その日の空模様。「―を見る」❷何かをするのに好都合な天候のぐあい。「遠足にはよい―だ/釣り―・ゴルフ―」❸晴天。「秋―・小春―」❹〔←日和下駄③〕足駄の台に低い歯を差した下駄。晴天用で、多く遊び人や水商売の者が使用。表記 ⇩付表「日和」 **―み**⓪【―見】―する(自サ)〔船頭が空模様を見て、船を出すかどうか決めたことから〕どちらが優勢になるか情勢をうかがって、自分がどちらにつくかすぐには決めないこと。「―を決め込む/―的な政策/―主義」

ひよ・る②【日《和る》】(自五)〔「ひより」を動詞化した語〕日和見的な態度をとる。〔狭義では、反政府運動などに積極的に加わろうとはしない態度を言う〕

ひょろつ・く⓪(自五) 力が入らず、ふらふらする。「足もとが―」

ひょろなが・い④【ひょろ長い】(形) 細長くて、見るからに△折れやすそうな(弱よわしい)様子だ。

ひょろひょろ ❶①(副)―と/―する ❶たての長さばかりが目立って安定感が感じられない様子。ひょろり。「背だけ―と伸びる/幹が細く―した松」❷足もとが定まらずまともに△立っていられ(歩け)そうにもない様子。「―よろける」❷⓪―な/―に たての長さばかり目立って弱々しい様子だ。「―な男/―に痩せる」

ひょろり②(副)―と ひょろひょろ❶❶。「―とした少年」

ひよわ⓪【ひ弱】―な/―に〔からだが細く、病気にかかりやすそうで〕いかにも弱よわしい様子だ。派 **―さ**⓪③ **―・い**③⓪(形) ひ弱な様子だ。

ぴょんと①(副) 軽快に跳ねる様子。

ひょんな①(連体)〔「ひょん」は、「凶」の唐音という〕そのようなことがあろうとは全く予想だにしなかった事態が出現することを表わす。「―(=取るにたりない、小さな)事からけんか

になる/—〔=とんでもない〕事にならなければよいが/—〔=意外にも、他人に知られては困る深い〕仲になる」

ぴょんぴょん①(副)—と —する 軽快に繰り返し跳ねる様子。「—(と)跳ね回る/—(と)飛び跳ねる」

ひら【《片》】(造語) 厚みがあまり無く軽い物をかぞえる語。「遮る雲の一—さえ持たぬ春の日影/一—の紅の木の葉/降りくるは雪の二—三—なり/ふた—の紙片」

ひら【平】❷①その組織で、特別の役職を持たないこと。また、その人。「十年になるが、まだ—だ/—の教員/—社員③」❷①❶「ひらわん」の略。❷「ひらどま」の略。❸(造語) 平らな。「—屋根⓪・—織り」

ビラ①〔villa〕 いなかや海辺に建っている別荘。ヴィラとも。

びら⓪ 〔「片(ラヒ)」の口語強調形〕〔広告・宣伝などのために〕配ったり張ったりする、一枚刷りの紙。「—をまく」

ひら あやまり③【平謝(り)】 一切弁解めいたことを言わずにひたすら謝ること。「—に謝る」

ひらい⓪【飛来】—する(自サ) ❶〔銃弾・航空機や生物などが〕飛んで来ること。❷飛行機に乗って来ること。

ひらい しん⓪【避雷針】 落雷事故を防ぐため、屋根や煙突の先などに取り付ける、金属製の棒。地下に埋めた金属板と連絡させ、地中に放電する。かぞえ方 一本

ひらうち⓪【平打(ち)】 〔ひも・金属などを〕平たく△打つこと(打ったもの)。↕丸打ち

ひら おし⓪【平押(し)】—する(自他サ) 一気に押し進むこと。ひた押し。

ひら およぎ③【平泳(ぎ)】 からだを下向きにし、カエルが泳ぐように、両手・両足を左右対称に動かして、水をかき進む泳ぎ方。ブレスト。胸泳(キョウエイ)⓪。

ひら おり⓪【平織(り)】 縦糸と横糸とを一本ずつ交差させて織る最も基本的な織り方(で織ったもの)。

ひら がな③【平仮名】 日本語を表記するために案出された仮名文字。漢字の草書体から変化・独立したもの。↕片仮名 表記 ⇩付表「仮名」

ひらき【開(き)】❷③❶開く△こと(度合・ぐあい)。「実力の—〔=差〕がある/意見の—〔=食い違い〕が大きい」❷開き戸。❸魚の身を切り開いて、干した食品。「アジの—」❹⇩おひらき かぞえ方 ❸は一枚 ❷(造語) 動詞「開く」の連用形。 **—ど**③【—戸】 ちょうつがいなどで前後に開閉するようにした戸。 **—なお・る**⑤【—直る】(ナホル)(自五) 今までの受身の態度を急に変えて△きびしい様子を見せる(ふてぶてしい態度をとる)。「開き直った姿勢を取る/開き直りの態度」運用 近年、勝敗や合否のきまりそうな局面で言うときには、結果を恐れずむしろ気を楽にしたほうがいい、という態度で、相手に自己暗示をかけるときに用いられることが多い。例、「『開き直って行け』と監督に発破をかけられる」 **—ふう**⓪③【—封】 (一部分)封をしない△こと(書状)。「かいふう」とも。

びらき【開(き)】(造語) ❶開く△こと(もの)。「両—・観音(カンノン)—」❷広く一般に開放して△使わせる(入れる)こと。「プール—④」❸始めること。「山—・店—・鵜(ウ)飼い—④」

ひら ぎぬ⓪③【平絹】 平織りの絹布。

**ひら・く ＊＊ ②【開く・《拓く》】❷(自五) ❶〔閉じていた物(の先・口)が〕広がった状態になる。「ハンドバッグが—〔=あいて中が見える〕/傘が—/つぼみが—〔=ほころぶ〕/花が—〔=咲く〕」❷〔それまでしまっていた物の間に〕出入り出来る状態が生じる。「△戸(幕)が—〔=あく〕/銀行が—〔=開店する〕」❸隔たりが大きくなる。「△点(差)が—」⇩縮まる ❷(他五) ❶〈なにヲ—〉〔中が見えるように〕広げた状態にする。「本を—/ふたを—〔=あける〕/胸襟(キョウキン)を—〔=⇩胸襟〕/愁眉(シュウビ)を—〔=⇩愁眉〕/蒙(モウ)を—〔=無知の人に分からせる〕/括弧を—〔=ⓐ数学で、括弧のつかない式に展開する。ⓑ対となる括弧のうち、最初の方を書く〕」↕閉じる ❷〈なにヲ—〉 とざされた部分を動かしたり その状態をなくさせたりして、△他とのかかわりを持つ(当面必要とされる機能が果たせる)状態にする。「△心(戸)を—/門戸を—〔=出入りを自由にする〕/口を—/開かれた〔=だれでもメンバーになれ、しかも自由な雰囲気の〕組織」↕閉ざす・閉じる ❸〈なにデなにヲ—〉 努力して、いい状態△に変える(を作り出す)。「△土地(道)を—/運を—〔=幸運を得るようにする〕」❹〈なにヲ—〉 始める。「新しい流派を—/△展覧会(会談・シンポジウム・総会)を—〔=開催する〕/事務所を—〔=開設する〕/店を—〔=開店する〕/△新時代(未来)を—」❺〈なにヲ—〉 差を大きくする。「距離を—」❻〈なにニなにヲ—〉〔数学で〕累乗根を求める。「81を平方に—〔=81の平方根を求める〕」表記 ❷❸、および❹の一部は、「《拓く》」とも書く。〔⇩開き❷〕

びらく⓪【微落】—する(自サ) 〔物価などが〕少し下がること。

ひらぐけ⓪【平〈絎〉】 ❶〔和裁で〕平らにくけること。❷〔↑平絎帯⑤〕帯芯(シン)を入れずに平たくくけた、幅の狭い帯。かぞえ方 ❷は一本

ひらくび⓪②【平首】 馬の首の側面。

ひらぐも⓪【平〈蜘蛛〉】 ヒラタグモの異称。「—のようにひれ伏す〔=平身低頭する〕」

ひら・ける③【開ける】(自下一) 〔「開く」の可能動詞形〕❶開いた状態になる。「道が—/運が—〔=幸運に向かう〕/土地が—〔=人が多く住み、店などが出来て、便利になる〕/世の中が—〔=文明・文化が進み、暮らしやすくなる〕/△窓口(活路)が—/国交が—」❷妨げが無く、広く見渡せる。「△視界(見通し・明るい展望)が—/南の開けた家」❸人情に通じ、物分かりがいい。新時代の物事に理解がある。「開けた人」

ひら ざむらい③(ザムラヒ)【平侍】 役職のない、身分の低い侍。

ひら ざら⓪【平皿】 底が浅くて平らな皿。

ひら じろ⓪【平城】 〔山城などと違って〕平地に築いた城。

ひら ぞこ⓪【平底】 容器・舟の底が平らで浅いこと。

ひらた・い③⓪【平たい】(形) 全体に平らで、目立った起伏や厚みが認められない様子だ。「胸が—/—皿・—板」⇩ひらたく 派 —さ⓪

ひらだい ピアノ⑤【平台ピアノ】 グランド ピアノ。

ひらたく⓪【平たく】(副) 分かりやすく。「—△言えば(言うと)」

ひらた ぐも④【平(た)〈蜘蛛〉】 一センチくらいの小形のクモ。屋内にすみ、からだは平たく、背中は灰白色で、黒い斑点(ハンテン)がある。「ひらぐも」とも。〔ヒラタグモ科〕かぞえ方 一匹

ひらち⓪【平地】 平らに△なっている(した)土地。「へいち」とも。

ひらづみ⓪【平積(み)】—する(他サ) 〔書店で、客の目に付きやすいように〕店頭などの台の上に書籍や雑誌を表紙の部分が見えるように積んで売ること。

ひらて⓪【平手】 ❶開いたてのひら。「—打ち⓪」❷〔将棋で〕こまを落とさずに対等で指すこと。

ピラティス①〔pilates ←J. Pilates=ドイツの看護師〕 筋力トレーニングとストレッチを組み合わせ、ヨガに似たゆったりとした動きと呼吸法を特徴とする運動法。

ひらどま⓪【平土間】 〔昔の劇場などで〕舞台正面の、ます形に区切った見物席。ひらば。

ひら なべ⓪③【平鍋】 底が浅くて平たい鍋。

ひら に①【平に】(副) 自分の気持を受け入れてほしいと切に願うことを表わす様子。「それればかりは—御容赦ください」

＊＊ ＊は重要語，⓪ ①… はアクセント記号，品詞の指示の無いものは名詞および いわゆる連語。

ひ

ピラニア[0]〔ポ piranha〕南米のアマゾン川などにすむカラシン目の淡水熱帯魚の総称。鋭い歯を持ち、群れをなして、川を渡る人畜を襲うこともある。[かぞえ方] 一匹

ひらの すい[3]【平野水】〔もと兵庫県東南部の平野温泉から出た〕炭酸水。プレーンソーダ[5]。

ひら ば[0]【平場】❶平地。「ひらち」とも。❷ひらどま。

ひら ばり[3][0]【平針】❶平たい針。❷⇩刃針(ハバリ)

ひら び[0]【平日】❶「平日(ヘイジツ)」の意のやや古風な表現。❷漢字の構成部分の名の一つ。「曰・書・曲」などの、ひらたい日(の部分)。「いわく」とも。

ひら ひも[0]【平〈紐】より糸を数本並べて、のりで固めた紐。⇩まるひも

ひら ひら [一][1](副)―と ―する 薄くて軽い物が風に吹かれるなどしてかろやかに揺れ動く様子。「―と肩に落ちかかる桜の花びら/旗が―する」 [二][0] 紙・布などの薄いもの。「さおの先に―をつけて目印にする」

ピラフ[1]〔pilaf=トルコ語起源の英語〕バターでいためた米・タマネギに肉・魚・エビなどを加え、塩・こしょうで味つけした上、スープで炊きこんだ御飯。ピロー[1]とも。

ひらべった・い[5]【平べったい】(形)「ひらたい」の口頭語的強調形。

ひら まく[0]【平幕】〔すもうで〕幕内の力士で、三役や横綱ではない者。

ピラミッド[3]〔pyramid〕古代人が多くの石を四角錐(イス)状に積み上げて作った巨大な築造物。〔古代エジプトの物が有名で、王(族)の墓と言われる。また、メキシコから中央アメリカにかけてもマヤ人・アステカ人の作った物がある〕⇩金字塔 [かぞえ方] 一基 **―がた そしき**[8]【―型組織】一人の人間が頂点に立ち、下に行くに従って次第に人数が多くなり、最も下の基底部分における多数の人が全体を支えている型の組織。

ひら むぎ[0][3]【平麦】精白した後、平たく押しつぶした麦。

ひらめ[0]【平目・〈鮃・〈比目魚〉】浅い海の底にすむ、平たい硬骨魚。背鰭(ビレ)を上、腹鰭を下にした場合、目は進行方向に向かって左側にある。〔目のある側は砂色。反対側の白色の方を下にして海底の砂の上に横たわる〕白身で、美味。〔ヒラメ科〕「左―に右カレイ/舌―(ビラメ)」[表記]「〈比目魚〉」と書く時は、もとヒラメ・カレイ類の総称。[かぞえ方] 一尾・一匹・一枚

ひら めか・す[4]【〈閃かす】(他五)〔「閃く」の使役動詞形〕❶きらきらと光らせる。「白刃を―」❷〔すぐれた能力・感覚などを〕ちょっと見せる。「才知を―」 ひらめかせる[5](下一)。

ひら めき[0]【〈閃き】❶閃くこと。「白刃の―」❷一瞬、感じられる、すぐれた△才能(感覚)。「余人に見られぬ―/―のある文章」

***ひら め・く**[3]【〈閃く】(自五)❶〈(どこ ニ)―〉一瞬、鋭く光る。「いなずまが―」❷〈(なに ニ)―〉〔よい考えなどが〕瞬間的に思い浮かぶ。「名案が―」❸〔旗などが〕風に吹かれて、波打つように動く。

ひら・める[3]【平める】(他下一) 平たくする。「弓を―〔=横にかまえる〕」

ひら や[0]【平屋・平家】二階の無い家。一階建ての家。

ひらり[2](副)―と 軽がると身をひるがえす(ようにして何かをする)様子。「―と車に飛び乗る/―と身をかわす」

ひら ろ[0][2]【平炉】⇩へいろ

ひら わん[0][2]【平〈椀】底が浅くて平たい椀(に盛る料理)。おひら。

び らん[0]【〈糜爛〉】―する(自サ) ただれること。「―ガス[4]・―死体」

びり[1]〔順位のあるものの〕「いちばんあと」の口頭語的表現。どんじり。〔強調形は「びりっけつ[4][2][0]」〕「―から三番(目)」

ピリオド[1]〔period〕ローマ字文・欧文、または横書きの和文などの文の終りを示す符号。終止符。「.」「―を打つ〔=終りに△する(なる)〕」

ぴり から[0]【ぴり辛】瞬間的に舌を刺激する辛み(のある食品や料理)。[表記]「ピリ辛」とも書く。

ひ りき[0][1]【非力】―な ―に 何かをするのに必要な力が十分には無い様子だ。「ひりょく[0][1]」とも。「優勝をねらうにはまだま だ―だ」[派]―さ[3][0] [運用]「非力ながら御協力申し上げます」などのように謙遜(ケンソン)の気持をこめて用いられることがある。

ビリケン[0]〔Billiken=米国の福の神の像。裸体で頭の先がとがっている〕頭のとがった人を指す語。「―頭[5]」

ひり だ・す[3]【《放(り)出す】(他五) 体外に(勢いよく)出す。〔つまらない作品の制作の意にも用いられる。例、「駄作を次つぎと―」〕

ひ りつ[0]【比率】ある数量の、他の数量に対する比の値。「―が△高い(高まる)/交換―」

ひりつ・く[0](自五) ひりひりする。

ぴりっ と[2](副)❶「ひりりと」の強調表現。❷一瞬緊張感が走る様子。「気持がだらけていま一つ―しない」

ひり ひり[1](副)―と ―する 皮膚や粘膜に、刺すような強い刺激が断続的に感じられる様子。「やけどのあとが―と痛む/スパイスがききすぎてのどが―する」

びり びり [一][1](副)―と ―する ❶紙や布を音を立てて勢いよく引き裂く様子。また、その音の形容。❷衝撃音や震動などの影響でガラスなどが小刻みに震える様子。❸電気などに触れてしびれるようなショックを感じる様子。 [二][0]―な ―に 紙や布が乱暴に引き裂かれた様子だ。「―に破れた包み紙/シャツが―に引きちぎられる」

ぴり ぴり [一][1](副)―と ―する ❶「ひりひり」の強調表現。❷極度の緊張のあまり神経が異常に過敏になっている様子。「初舞台を前に神経を―立てている」 [二][1][4] 小型の号笛の鳴る△様子(音の形容)。また、そのものの幼児語。

ビリヤード[3]〔billiards〕キューを使い台の上でいくつかの玉を突きあてて勝負する室内遊技。玉突き。撞球(ドウキュウ)。

ひ りゅう[1]【飛竜】空を飛ぶと言われる竜。〔古くは「ひりょう」〕

び りゅう[0]【微粒(リフ)】細かな粒。

び りゅうし[2]【微粒子(リフ)】非常に小さな粒(状のもの)。

***ひ りょう**[1]【肥料(レウ)】農作物や果樹や園芸植物の生長や開花・結実に必要な栄養分として与えるもの。油かす・灰・硫安など。こやし。「―を△施す(与える)/化学―」

び りょう[0]【微量(リヤウ)】ごくわずかの量。「―分析」

び りょう[0]【鼻〈梁(リヤウ)】「鼻すじ」の意の漢語的表現。

び りょく[0]【微力】ほとんど問題にならない程度の、弱い力。〔自分の力量を謙遜(ケンソン)して言うのに用いる〕「―ながら協力する」

ひりり と[2][3](副) 辛みが口の中に強く感じられる様子。〔強調表現は「ぴりりと[2][3]・ぴりっと」〕「―辛い」

ひ りん[0]【比倫】「比類」の意の古風な表現。「―を絶する」

ひる[1]【干る】(自上一)❶かわく。❷潮が引いて海の底が出る。[表記]「《乾る」とも書く。

ひる[1]【〈簸る】(他上一) 箕(ミ)で穀物をふるい、くずを除き去る。

ひ・る[1]【《放る】(他五)〔屁(ヘ)・大便・鼻汁などを〕(はずみ・

勢いをつけて)体外へ出す。

ひる②【昼・《午》】❶一日のうち、太陽の出ている間。朝から夕方までの間。↔夜 ❷正午(前後の時間)。「―過ぎ」❸昼飯。「お―をすます/―は弁当だ」

ひる①【〈蛭〉】池・沼・水田などにすむ下等動物。からだは平たくて細長く、吸盤をもち、人畜の血を吸う。〔ヒル科〕
かぞえ方 一匹

ひる①【〈蒜〉】❶ノビルの異称。❷ニンニクの異称。

びる(接尾・上一型)…らしく見える。…のように見える。「おとな―・古―」

*__ビル__ ■①ビルディングの略。「―街②・インテリジェント―⑧」■(造語)作り上げること。「マネー―・ボディー―」
かぞえ方 ■は一棟(トウ)。高層ビルは一本とも。

ビル①〔bill〕❶勘定書。請求書。❷手形。「―ブローカー」

ピル①〔pill=錠剤〕メキシコやヒマラヤ山麓(サンロク)に産するヤマノイモから抽出された経口避妊薬の俗称。

ひるあんどん③【昼行《灯》】〔昼にともす行灯のように〕ぼんやりしていることが多く、いざという時にあまり役に立ちそうにもない人。〔軽い侮蔑(ブベツ)を含意する〕

ひるい⓪【比類】〔否定的な意味を表わす語を伴って〕比べるものが無いほど程度がはなはだしいことを表わす。「世界に―(が)無い△名作(才能)」

ひるがえ・す③【翻す】(他五) 急に向きを変えて、△他(反対)の面を現わす。「前言を―〔=急に改める〕/身を翻して〔=急に、今までの位置を変えて(新たな行動に移る様子)〕/叛(ハン)旗を―」

ひるがえ・る③【翻る】(自五) ❶急に向きが変わって、△他(反対)の面が現われる。「翻って〔=直前の論理を離れて。さて〕考えると」❷〔紙・薄い布のように軽い物が〕風を受けて、波打つような動きを見せる。「旗が―」

ひるがお⓪【昼顔】山野に自生し、夏の昼間、アサガオに似た、薄紅色の花を開く多年生つる草。漢方薬用。〔ヒルガオ科〕 かぞえ方 一本

ビルかぜ②【ビル風】高層建築物の周辺で局地的に吹く、強い風。

ひるげ⓪【昼〈餉〉】〔「げ」は、食事の意〕「昼飯」の意の古風な表現。

ひるさがり③【昼下がり】正午からしばらくたったころ。午後二時ごろ。

びるしゃな⓪③【〈毘盧〉遮那】〔光明遍照の意の梵(ボン)語の音訳〕←毘盧遮那仏④知徳の光で全宇宙をあまねく照らすとされる仏。〔密教では、大日如来〕

ひるすぎ④【昼過ぎ】❶正午を少し過ぎたころ。❷午後。

ビルディング①〔building〕洋風のコンクリート造りの高層建築物。

ビルトイン④③〔built-in〕機械などの中に組み入れてあること。「セルフタイマー―・―こんろ⑥」

ひるどき⓪【昼時】正午から午後一時ごろの、昼食を食べて一息くつろぐ時間帯。お昼時⓪。

ひるとんび③【昼〈鳶〉】〔西日本方言〕昼間、よその家に入り込んで、金品を盗んで逃げるどろぼう。

ひるなか⓪【昼中】大抵の人が活動している昼間。

ひるね⓪【昼寝】―する(自サ) 疲れなどを取るために昼間ちょっと寝ること。午睡(ゴスイ)。

ひるひなか⓪【昼日中】太陽の位置の高い昼間。「おめでたい事があったのか、―の内から酒を飲んでいる」

ひるま③【昼間】〔暗い夜と違って〕明るい、日のある内。

ひるまえ③【昼前】❶正午の少し前。❷午前(中)。

ひるまき②⓪【〈蛭巻(き)〉】やり・なぎなたの柄、刀のさやなどを籐(トウ)や銀などで等間隔に巻いたもの。

ひる・む②【〈怯む〉】(自五) 勢いに押されて、気力がくじける。「出端(デハナ)をたたかれて、ちょっと―/困難にひるまず」

ひるめし⓪【昼飯】昼の食事。「―にする」

ひるやすみ③【昼休(み)】昼食後の休憩(時間)。

ヒレ⓪②①〔フ filet〕牛・豚肉の、背骨の内側の肉。脂肪がほとんど無い、最上等の部分。フィレとも。「―肉⓪②」

ひれ⓪②【〈領巾〉・〈肩巾〉】昔、貴婦人が正装の際に肩にかけて飾った、細長くて薄い布。かぞえ方 一枚

ひれ②【〈鰭〉】魚のからだの腹・背中・側面・尾の端などに突き出た、膜状で丈夫なもの。方向と安定を保つための器官。
かぞえ方 一基・一枚

*__ひれい__⓪【比例】―する(自サ)〈なにト―する/なにニ―する〉❶〔数学で〕Ⓐ二つの量〔aとb〕の比が、他の二つの量〔cとd〕の比と等しい関係にあること。〔$a:b=c:d$という式で表わされる〕「A判の本の縦と横、B判の本の縦と横とは―する」Ⓑ二つの変化する量〔xとy〕のうち、一方〔x〕が△k倍($\frac{1}{k}$倍)になると、もう一方〔y〕もそれにつれて△k倍($\frac{1}{k}$倍)になるという関係にあること。〔$y=ax$という式で表わされる〕〔俗に、相関関係を持つ一方がふえると何程か他方もふえ、一方が減ると何程か他方も減ることを指す〕正比例。「バネの伸びは、重りの重さに―する」⇨反比例 ❷物の形の△各部分(相互)の間の割合。 **―だいひょうせい**⓪【―代表制】〔選挙人の政治的見解を反映させるため〕政党に対する投票数に比例して、当選者の数を配分する選挙制度。 **―はいぶん**④【―配分】―する(他サ)〔数学で〕全体の数量を決まった比で配分すること。按分(アンブン)比例⑤。

ひれい⓪①【非礼】―な/―に 礼儀に△はずれる(はずれた)様子だ。「―をわびる/―な言動/―を顧みず(あえて言えば)」 派 **―さ**⓪②

びれい⓪【美麗】―な/―に はでで、美しい様子だ。

ひれき⓪【披歴・披〈瀝〉】―する(他サ) 心の中を隠さず打ち明けること。「誠意を―する」

ひれざけ⓪②【〈鰭酒〉】フグやタイの鰭をあぶって燗酒(カンザケ)にひたしたもの。

*__ひれつ__⓪【卑劣・〈鄙劣〉】―な/―に 性質がきたなく、行いが正々堂々としていない様子だ。「―な策を弄(ロウ)する/―漢③②」
派 **―さ**⓪③

ピレトリン⓪〔pyrethrin〕ジョチュウギクの花からとる殺虫剤。

ひれふ・す③【ひれ伏す】(自五)〔拝んだり頼んだり降参したりする時に〕からだを地面につけるようにして、礼をする。「(女王の)足もとに―」

ひれん①⓪【悲恋】思いが遂げられず悲劇に終わる恋。

ひろ②【《尋》】(造語)〔両手を左右に伸ばした長さ〕水深などを測るのに用いられた長さの単位で、六尺〔=約一・八メートル〕を表わす。

**__ひろ・い__②【広い・《博い》】(形)↔狭い ❶何かをするのに十分過ぎるほどの空間があると認められる様子だ。「△庭(部屋)が―/―グラウンド/―屋敷」❷△比較の対象とする(一般に予測される)状態と比べ、幅などが大きい様子だ。「―△川(通り)/裾野(スソノ)が―〔=ⓐ範囲が広い。ⓑ底辺が広がっている〕/肩身が―〔⇨肩身〕」❸何かに向けられる意識や知識などの範囲が大きい。「―△角度(視野・領域)/広く門戸を開放する/広く世に知られている/顔が―〔=交際の範囲が多方面である〕/度量が―〔=おおようだ〕」
派 **―さ**①

ひろい【拾い】■⓪❶拾うこと。「落ち穂(ボ)―」❷〔印刷のために〕活字を捜して集めること。■(造語)動詞

「拾う」の連用形。 **ーあし**③②⓪【ー足】 道のいい所を選んで歩くこと。 **ーもの**⓪【ー物】 ❶△拾うこと(拾った物)。❷意外のもうけもの。思いがけず得たもの。「思わぬーだ」 **ーや**⓪【ー屋】 「くず拾い③」の異称。ばたや。 **ーよみ**⓪【ー読(み)】ーする(他サ) ❶〔本の内容の見当をつけたりおもしろそうなところを捜したりして〕部分的に読むこと。❷(読める)文字を一つひとつ たどりながら読むこと。

ヒロイズム③〔heroism〕 ❶英雄の存在を必要と考え、英雄にあこがれを持つ心情。❷英雄気取り。「誤れるー」

ヒロイック③②ーな〔heroic〕 ❶英雄△的な(気どりの)様子だ。❷けなげで、一種悲愴ヒソウ感を伴う様子だ。

ヒロイン②〔heroine〕 ↕ヒーロー ❶小説などの女主人公。❷女性で、すぐれた人物。

ひろ・う⓪ヒロフ【拾う】(他五) ↕捨てる ❶〈どこ・なにカラなにヲー〉△落ちている(落とした)物を取り上げる。「△石(財布)をー/火中の栗リクをー〔=⇩火中〕」 ❷〈どこ・なにカラなにヲー〉多くの中から△有用なもの(自分に関係あるもの・自分が扱わねばならぬもの)として取り上げる。「活字をー/社長に拾われる〔=浪人中であった身が、救済されて職に就く〕/タクシーをー/丁寧に球をー〔=失敗しないように受ける〕/ざっと拾い上げてみても」 ❸〈なにヲー〉〔予期していなかった物を〕手に入れる。「あぶない命をー〔=助かる〕/勝ちをー」〔⇩拾い❸〕

ひろう①ヒロオ【披露】ーする(他サ) 好ましい内容(であること)を、みんなに見せたり 知らせたり すること。「会談内容をーする/△結婚(開店)ー・ー宴②」

*__ひろう__⓪ヒラウ【疲労】ーする(自サ)〈(なんデ)ーする〉 からだや頭を使い過ぎたり 空腹の度が過ぎたりした結果、肉体的・精神的に持続力がなくなる状態。「寒さと飢えで極度にーする/ー困憊コンパイ〔=疲れ果てること〕・ー感②・金属ー〔=⇩金属疲労〕」

びろう⓪ビロオ【尾籠】ーな ーに 〔失礼の意の古語「をこ」の借字の音読といわれる〕話題が大小便などに関係があって、口にすることが遠慮される様子だ。「食事時ドキにーな話で恐縮だが」

ひろえん⓪②【広縁】 ❶幅の広い縁側。❷〔昔、寝殿造リヅクで〕ひさしの間。

ビロード⓪【〈天〈鵞絨〉〉】〔ポ veludo の変化〕 綿・絹・毛などで織って毛を立てた、柔らかくて なめらかな織物。ベルベットとも。 表記 「〈天〈鵞絨〉〉」は、江戸初期以来の表記。

ひろが・る⓪【広がる・《拡がる・《展がる】(自五) ↕せばまる 〈(どこ・なにカラどこ・なにニ)ー〉 ❶たたんである物の先などが開く。「スカートがー」 ❷広い面積・範囲に及ぶ。広まる。「道がー〔=道幅が大きくなる〕/△感染症(うわさ・不信感)がー/事業がー〔=大きくなる〕」 名 広がり⓪「全国的なーを見せる」

ひろく⓪①【秘録】 秘密の記録。

びろく⓪①【美〈禄】〔もと、いい給与の意〕酒の異名。「天のー」

びろく⓪【微〈禄】 ❶わずかの給与。❷ーする(自サ)〔古〕落ちぶれること。

ひろくち⓪【広口】 ❶瓶などの口の広い△こと(もの)。「ー瓶④⓪」 ❷〔生け花で〕水盤。

**ひろ・げる⓪【広げる・《拡げる・《展げる】(他下一) ❶〈なにヲー〉 巻いたり たたんだり 閉じてあったり する物を開く。「包みをー/本をー」 ❷〈(どこ・なにカラどこ・なにニ)なにヲー〉面積・範囲を広くする。「領土をー/道をー〔=道幅を広くする〕/事業をー〔=規模を大きくする〕/店をー〔=ⓐ拡張する。ⓑ『店舗以外の所で』売品を並べて、取引に応ずる態勢を整える。ⓒ一面に散らかす〕/△選択(人間)の幅をー/疑惑の輪をー/△傷口(視野・手・間口・対立の溝・枠)をー」

ひろこうじ⓪③ヒロコオヂ【広《小路】 道幅の広い街路。

ピロシキ②⓪〔ロ pirozhki〕ロシア風の揚げまんじゅう。中にひき肉・卵・野菜などを詰める。

ひろそで⓪④【広袖】 和服の袖口の下部を縫い合わせないもの。

ひろっぱ①【広っぱ】 屋外でする催しなどが出来る広い空地。

ピロティ①〔フ pilotis=杭イク〕 フランスの建築家ル コルビュジエらが考案した建築様式の一つ。一階を吹き抜けにし、二階以上を使用するようにしたもの。また、その空間。

ひろにわ⓪ーニハ【広庭】 広い庭。

ひろの⓪【広野】 広い野原。

ひろば①【広場】 ❶おおぜいの人が集まれる、野天の広い場所。「川に面したー/駅前ー」 ❷△多くの(多様な)人が交流したり 意見の交換が出来たり する条件を備えた状況や場面。「国際交流のー」

ひろはば⓪【広幅】 幅が並幅の二倍ある反物。普通、七五センチぐらい。↕並幅

ひろびろ③【広々】(副)ーと ーする その空間がいかにも広く感じられる様子。「ーとしたホール」

ひろぶた⓪【広蓋】 ❶衣装箱の蓋。❷「広蓋❶」に似て、ふちのある、漆塗りの大きな器。引き出物や衣類などを載せて運ぶのに使った。後世は大型の盆をも指した。

ヒロポン①② 覚醒カクセイ剤の一種。塩酸メタンフェタミンの日本における商標名。副作用が強く、常用すると中毒症状を起こす。使用については厳しく制限されている。略してポン①。

ひろま①【広間】〔客用・会合用の〕屋内の広い空間。「大ー」

ひろまえ⓪③ーマヘ【広前】 神殿の前庭。

*__ひろま・る__③⓪【広まる・〈弘まる】(自五)〈(どこニ)ー〉 広く△行き渡る(行なわれる)。「△うわさ(警戒心・認識・理解)がー」 他動 広める③(下一)

ひろめ③【広め】 ⇩おひろめ 表記 「披露目」は、借字。 **ーや**⓪【ー屋・広目屋】 広告屋。ちんどん屋。

ひろやか②【広やか】ーな ーに 見るからに広いと感じられる様子だ。

ピロリきん⓪【ピロリ菌】〔↑ラ Helicobacter pylori〕 人の胃粘膜から発見された細菌。胃がん・胃潰瘍カイヨウ・十二指腸潰瘍・慢性胃炎などの原因となる菌とされる。正式名称はヘリコバクター ピロリ⑧⑨。

ひわ①ヒハ【〈鶸】 ❶形はスズメより小さく、全身、黄緑色で、頭は黒い小鳥。秋、シベリア方面から日本へ渡って来て、美しい声で鳴く。マヒワ。また、マヒワのほかにカワラヒワ・ベニヒワなども指す。〔アトリ科〕 ❷ひわいろ。 かぞえ方 ❶は一羽

ひわ①【秘話】 一般の人には知られていない話。

ひわ①【悲話】 その△人(もの)にまつわる悲しい物語。

びわ①ビハ【〈枇杷〉】 暖地で栽培される常緑高木。十一月ごろ、白色の小さい花を開き、翌年初夏のころ、卵形で橙ダイダイ色の実を結ぶ。実は食用。〔バラ科〕 かぞえ方 一株・一本

びわ①ビハ【〈琵琶〉】 中国を経て日本に伝えられた弦楽器の一つ。大きな しゃもじのような形の胴に、△四本(五本)の糸を張り、ばちで鳴らす。 かぞえ方 一面

ひわい⓪【卑〈猥・〈鄙猥〉】ーな ーに 〔話題などが〕性を興味本位に扱うようであり、見たり 聞いたり するに堪えない様子だ。「ーな△言葉(行為)」 派 ーさ⓪

ひわいろ⓪ヒハー【〈鶸色】〔ヒワの羽の色のような〕黄色を帯びた もえぎ色。

ひわだ⓪(ハダ)【〈檜〈皮】❶ヒノキの皮。❷〔↑檜皮葺(キブ)⓪〕檜皮で△屋根をふくこと(ふいた屋根)。

ひわり⓪【日割(り)】❶〔賃金・給料などを〕一日幾らと割り当てること。「—計算④」❷〔何日かかかる仕事などを〕一日一日に割り△当てること(当てたもの)。

ひわれ⓪【干割(れ)】〔動詞「ひわれる」の連用形の名詞用法〕昼夜の温度差が激しかったりして、木に縦の裂け目が出来ること。表記「日割れ」とも書く。

ひ・われる③⓪【干割れる】(自下一) 乾き過ぎて、表面に裂け目が出来(て見え)る。

ひん(品・浜・貧・〈稟・賓・頻)→【字音語の造語成分】

ひん(接頭)「引き」の口頭語的変化。「—曲げる・—めくる④」

ひん⓪【品】〔いい悪いを判断する基準としての〕その人や物の外面に現われた、すぐれた、好ましい様子。「—がいい/—が無い/上—」⇩【造語成分】

びん(便・敏・瓶・貧・〈憫)→【字音語の造語成分】

びん【便】■一①❶その事をするのによい機会やって。「—があり次第、お届けします/好—・—覧」❷文通・交通・輸送など、ものを運ぶ手段。「次の—で送ります/郵—・鉄道—・貨物—・トラック—・船(ナフ)—・航空—」■二(造語)❶郵便・航空便などの、単位時間あたりの回数をかぞえる語。「郵便の配達は平日で午前、午後各一—ずつある」❷郵便・航空便などの、単位時間内における番号を表わす語。「郵便は普通平日で午前十一時ごろに第一—の配達が行なわれる/スカンジナビア航空九八〇—コペンハーゲン行二一時三〇分発」⇩【造語成分】

びん①【敏】—な・—に 頭の回転が速かったり動作がすばやかったりする様子だ。「機を見るに—だ/—速・—捷(ショウ)・機—・鋭—・過—・俊—」↕鈍(ドン)

*__びん__①【瓶・〈罎・〈罐】〔「びん」は、「瓶」の唐音〕液体などを入れるための、口が狭くて細長い、ガラス製・陶製・金属製などの入れ物。「—が割れる/—をあける/—詰め・ビール—・花—・土—・広口—④⓪」表記 とくに酒を入れるものは、「〈罎・〈罐」とも書く。かぞえ方 一本

びん①【〈鬢】頭の左右の耳より前の髪。「—のほつれ」

*__ピン__①〔pin〕❶物を止めたり刺したりするための(針に似た)金具。「安全—・虫—」❷ヘアピンの略。❸〔ボウリングで〕ボールを転がして倒す、ビール瓶形の標的。❹〔ゴルフで〕ホールに立てる標柱。かぞえ方 ❶〜❹とも一本

ピン①〔ポイントと同義のポ pinta の変化という〕❶西洋かるた・さいころの目などの「一」。❷最上等(の物)。「—からキリまで〔=⇩切り❶〕」

ピンアップ③〔pin-up〕⇩ピンナップ

ひんい①(キ)【品位】❶身だしなみや言葉つき、態度のりっぱさや姿の美しさなどから総合的にくみ取られる、育ちの良さや社会的ランクの高さ。「強(ガアナ)ち貧富は人の—を増減するわけじゃないが、負債があればとかく悪評を立てたがる/—を保とうとする/—に少し欠けるところがある」❷Ⓐ金銀貨の△地金(貨幣)に含まれている、金銀の割合。Ⓑ鉱石に含まれる、金属の割合。「低—鉱」

ピンイン⓪〔中国・拼音〕中国語をローマ字によって表音的に表わしたもの。

ひんか①【貧家】貧乏な家。↕富家

ピンカール③—する(他サ)〔pin curl〕ウエーブさせるために、髪の毛を少しずつ巻いて小さな輪を作り、ピンで止めること。

ひんかい⓪(クワイ)【頻回】—に 回数が多く、度々行なうこと。「意見の交換が—に行なわれる/—に手洗いをする」

びんかき③④⓪【〈鬢搔(き)】鬢の乱れを整えるための小さなくし。

ひんかく⓪【品格】❶節操の堅さ見識の高さや、態度のりっぱさ姿の美しさなどから総合的に判断される、すぐれた人間性。「『—、力量が抜群』であってこそ横綱なのだと私はあえて断言して憚(ハバカ)らない」❷品(ヒン)のよさ。「やさしくて—もある/—の無い解説者の話し方」

ひんかく⓪【賓客】⇩ひんきゃく

ひんかく⓪【賓格】〔文法で〕目的語であることを示す格。目的格。

ひんがし⓪【《東】〔雅〕〔「ひむかし」の変化〕⇩ひがし

びんがた⓪【《紅型】沖縄の伝統的な模様染め。一枚の型紙を使って、あざやかな色彩を染め分ける。

びんかつ⓪(クワツ)【敏活】—な・—に 頭の働きが速く、すばしこく行動する△こと(様子)。「—な動作」派—さ⓪

ひんかん⓪【貧寒】—たる・—と 貧乏で、みすぼらしい様子だ。「—たる部屋」

*__びんかん__⓪【敏感】—な・—に ちょっとした事にも、すぐ△感じる(気づく)様子だ。「—に反応する/世の中の動きに—だ」↕鈍感 派—さ⓪③

びんぎ①【便宜】—な ⇩べんぎ■一

ひんきゃく⓪【賓客】△大事な(正式の)客。「ひんかく」とも。

ひんきゅう⓪【貧窮】—する(自サ) 貧乏で、生活に困ること。

ピンキリ⓪「ピンからキリまで」の略。⇩切り❶

ひんく①【貧苦】貧乏で味わう生活苦。「—にあえぐ」表記「貧〈窶」とも書く。

ピンク①〔pink〕淡紅色。桃色。「—のシャツ」〔ポルノの傾向を持つ意にも用いられる〕

ひん

[品] ❶しなもの。「品質・品名・商品・一品(ピン)・物品(ピン)・輸出品」❷種類。「品詞・品目」かぞえ方 ❶は一品・三品・四品・六品・八品・十品・何品は「ピン」⇩(本文)ひん【品】

[浜] ■一海などに面した平らな砂地。はま。「浜堤・海浜」■二(略)横浜(および、その周辺)。「京浜工業地帯」

[貧] ❶まずしい。「貧窮・貧寒・貧困・貧民・貧相・清貧」↕富 ❷すくない。不十分だ。「貧血・貧弱・貧鉱」

[〈稟] 生まれつき。「稟性・稟質・天稟(ピン)」

[賓] ❶招待した客。「賓客・外賓・貴賓・国賓・主賓・来賓・迎賓館」❷主に対するもの。したがう。「賓格・賓概念」

[頻] 何度も。しばしば。「頻出・頻度・頻繁(パン)・頻発(パツ)・頻々(ピン)・最頻値」

びん

[便] ❶休む。くつろぐ。「便殿」❷何事も無い。「穏便」⇩(本文)びん【便】

[敏] ⇩(本文)びん【敏】

[瓶] ⇩(本文)びん【瓶】

[貧] まずしい。「貧乏」

[〈憫] かわいそうに思う。「憫笑・憫然・憐(レン)憫」

ひんけい⓪【〈牝鶏】「めんどり」の意の漢語的表現。↕牡鶏(ボケイ)　「―晨(アシタ)す(=めんどりが時を告げることから、女性が勢力をふるい過ぎると、最後には災いが起こりがちだというたとえ)」

ひんけつ⓪【貧血】―する(自サ)　血液、ことに赤血球が減少すること。顔がまっさおになり、めまいなどを起こす。「―を起こす/―性(ショウ)⓪④③」

ビンゴ①〔bingo〕　賭博(バクト)遊戯の一つ。数字の付された球や札を一つずつ取り、その数字と手元のカードの数字とが一致した升目を消していき、縦・横・斜めのいずれか一列の五つの数字を早く消した者を勝ちとする。ビンゴ ゲーム④。

ひんこう⓪【品行(カウ)】〔道徳的な面から見た〕行い。「―方正⓪-⓪」

ひんこう⓪【貧鉱(クワウ)】❶含まれる金属の割合の低い鉱石(を産する鉱山)。❷産出量の少ない鉱山。↕富鉱

びんごおもて④【《備後表】備後地方(=広島県)で作られる上質の畳表。

ひんこん⓪【貧困】―な/―に　❶貧乏で生活が苦しい△こと(様子)。「―にあえぐ」❷必要とされる、より高い知見・思想・方法論などが不足している様子だ。「政治の―」派―さ⓪

びんざさら③　数十枚の薄板をつなぎ合わせて両手に持ち、伸縮させて音を出す楽器。「ささら」とも。〔田楽・郷土舞踊などに使う〕

びんさつ⓪【〈憫察】―する(他サ)　同情の気持をもって相手の立場などを思いやること。「ご―を乞(コ)う(=他人に、自分の苦しい事情を察してもらいたい、という婉曲(エンキョク)な表現)」

ひんし⓪【品詞】〔文法で〕単語を形態・職能などによって分類したもの。例、名詞・動詞・助詞など。

ひんし⓪【〈瀕死】今にも死にそうなこと。「―の重傷」

ヒンジ①〔hinge〕(ドアなどの)ちょうつがい。

ひんじ①⓪【賓辞】❶〔論理学で〕ある命題において、主辞について述べられる概念。「犬は動物だ」の「動物」の類。⇩主辞・繫辞(ケイジ)　❷〔文法で〕客語の称。

ひんしつ⓪【品質】〔良・不良が問題になる〕品物の性質。

ひんじゃ①【貧者】〔日びの暮らしにも困るような〕貧しい人。「―の一灯(=寄付などで、わずかな金額であっても真心がこもっていることが大切だ、ということ)」↕富者

*ひんじゃく⓪【貧弱】―な/―に　❶小さかったり上等でなかったりして、見ばえのしない様子だ。「―な△からだ(身なり・校舎)」❷仕込みが不十分であって、あまり役に立たない様子だ。「―な知識」派―さ⓪

ぴんしゃん①(副)―と/―する　年の割に足腰に衰えが見られず、動きに勢いがある様子。〔口頭語的表現〕「まだまだ―している」

ひんしゅ⓪【品種】同一農作物や家畜などの、遺伝的な性質・形態などによって分けられた(最小の)分類単位。「―改良・新―・栽培―」

ひんしゅく⓪【〈顰蹙〉】―する(自サ)〔顔をしかめて〕不快の念を表わすこと。「―を買う(=その言動が社会秩序や良識に著しく反するものとして、心ある人に不快の念を起こさせ、軽蔑(ケイベツ)・非難の的になる)」

ひんしゅつ⓪【頻出】―する(自サ)〔同じ(種類の)ものが〕繰り返し現われること。「―度④・―漢字」

びんしょう⓪【敏〈捷(セフ)】―な/―に〔動作・頭の働きなどの〕すばやい様子だ。「ネコのように―な身のこなし」派―さ⓪

びんしょう⓪【〈憫笑(セウ)】―する(自サ)　かわいそうなやつだと思って笑うこと。「―を買う」

びんじょう⓪【便乗】―する(自サ)　❶他の人の乗り物に、一緒に乗せてもらうこと。❷〔時流などについて〕よい機会をとらえて、利用すること。「時局に―して名を売る/―値上げ」

ヒンズーきょう⓪【ヒンズー教(ケウ)】〔Hindu〕　インド人の約七割が信じる宗教。前十世紀から前五世紀にかけて組織されたバラモン教の思想を背景として、四世紀に成立。「ヒンドゥー教⓪」とも。インド教⓪。

ピンストライプ⑤〔pinstripe〕　細い縦縞(タテジマ)の模様。また、その模様の生地。

ひん・する③【貧する】(自サ)　貧乏する。「貧すれば鈍する(=貧乏すると、多くの人は頭の働きが鈍くなり、デリカシーまでなくしがちなものだ)」

ひん・する③【〈瀕する】(自サ)〔差し迫った事態に〕近づく。「△壊滅(危機・破産・破滅・死)に―」

びんずる⓪①【《賓頭〈盧(ビンヅル)】〔不動の意の梵(ボン)語の音訳〕羅漢のひとり。頭髪が白く、まゆが長い。〔その像を手でなでて祈ると、病気が治るという〕「お―⓪②」

ひんせい①【品性】〔道徳的な面から見た〕その人の△性質(性格)。「―下劣だ/そんな事を言うと―が疑われる」

ひんせい①【〈稟性】生まれつき身に備わった素質・能力。稟質⓪。

ひんせき⓪【〈擯斥】―する(他サ)　受け入れがたいものとしてしりぞけること。

ピンセット③〔オ pincet〕(手を触れてはいけない、または、手ではつかめない)小さな物をはさむ、△金属(竹)で作ったV字形の道具。

ひんせん⓪【貧〈賤】―な/―に　貧乏で、身分の低い様子だ。↕富貴(フウキ)

びんせん⓪【便船】ちょうど都合よく乗って行ける船。

びんせん⓪【便箋】手紙を書くために、縦罫(タテケイ)などを印刷した用紙。かぞえ方 一枚。とじたものは一冊

びんぜん⓪【〈憫然・〈愍然〉】―たる/―と〔古〕かわいそうだと思う様子だ。あわれむべき様子だ。

ひんそう①【貧相(サウ)】―な/―に(容姿・身なりから受ける)全体的印象がいかにも生活に疲れたといったふうで、見ばえのしない様子だ。「―な男/〝利〟で動くようになると、人間の行動は矮小(ワイショウ)化し、―(=志の低いもの)になる」↕福相

ひんそう⓪【貧僧】(修行中で)貧乏な僧。

びんそく⓪【敏速】―な/―に〔動作・仕事などの〕すばやい△こと(様子)。「―に行動する/―な支援活動」派―さ⓪

ひんそん⓪【貧村】〔産物などが乏しくて〕貧乏な(人の多い)村。

ひんだ①【貧打】〔野球で〕打撃がふるわないこと。「―戦」

びんた①〔鬢(ビン)のあたりの意〕他人のほおを平手で打つこと。「―を△くわす(張る)/往復―」

ヒンターランド⑤〔hinterland=ドイツ語起源の英語〕主要都市・港湾などの後方地域。後背地。

ピンチ①〔pinch〕❶非常に差し迫った(危険な)事態。「―に△陥る(立たされる)/―を△招く(切り抜ける)/生活の―」❷〔野球で〕守備側の危機。

ピンチヒッター④〔pinch hitter〕❶〔野球で〕得点すべきチャンスなどの時、予定されていたバッターに代わって起用される選手。代打(者)。❷差し迫った(危険な)時に、他の人に代わって、その△役(仕事)をする人。

ピンチランナー④〔pinch runner〕〔野球で〕足の遅い選手の代りに塁上に出る、足の速いランナー。代走(者)。

びんつけ④⓪【〈鬢付(け)】〔←鬢付け油⑤〕日本髪用の油の一種。木蠟(モクロウ)と菜種油を堅く練り合わせたもので、おくれ毛をとめるために用いる。かたあぶら③。

びんづめ⓪④③【瓶詰(め)・〈壜詰(め)】〔食料・飲料などを〕瓶に詰めて密封し、加熱殺菌すること。また、その加工品。

ビンディング⓪〔ド Bindung の変化〕スキーが靴からはずれないように、取りつけて締める金具。

ビンテージ[1]〔vintage=ブドウを収穫し、酒に仕込んだ年〕❶(特定の地域や特定の年の)極上のワイン。「―ワイン[6]・―イヤー[6]・ノン―[3]」❷〔造語的に〕作られた年代が古く、価値の高い物。「―ジーンズ[6]・―品」

びんでん[0][1]【便殿】天皇・皇后が休息されるために臨時に設けた場所。

ヒント[1]〔hint〕問題を解くための手がかり。「―を得る/一つだけ―を差し上げましょう/それが問題解決の―となった」

ひんど[1]【貧土】産物の乏しい土地。不毛の土地。

ひんど[1]【頻度】同じ(種類の)事が繰り返し起こる度数。「―数[3][4]」

ぴんと[0](副)❶―する △勢いよく(急に)そりかえったり はね上がったりする様子。「毛先が―はねている」❷―する たるみなく強く張っている様子。「糸を―張る/―張りつめた空気」❸〔相手の言葉・態度などから〕直感的に何かを感じとる様子。「―△来る(来ない)」

ピント[0]〔←オ brandpunt〕❶写真機などのレンズの焦点。「―が合う」❷物事の△中心点(まと)。「問題の―を絞る必要がある」

ひんとう[0]【品等】物の良い悪いの等級。「―別」

ピントはずれ[4]【ピント外れ】―に ―な 何らかの適切な対応が求められる場面で、問題の意味や状況が明確にとらえられておらず、見当外れなことを言ったりしたりする△こと(様子)。「―の質問」

ピンナップ[3]〔pinup〕〔人気芸能人の写真などの〕ピンで壁に留めて飾るポスター。ピンアップとも。「―ガール」

ひんにょう[0]【頻尿】頻繁に尿意を催し、排尿の回数が通常より著しく多くなる症状。〔尿の総量はほとんど変わらない〕

ひんぬ・く[3]【ひん抜く】(他五)「(勢いよく)引き抜く」意の口頭語的表現。

ひんのう[0]【貧農】貧乏な△農民(農家)。↔富農

ひんば[1]【〈牝馬】〔競馬などで〕めすの馬。↔牡馬

ひんぱつ[0]【頻発】―する(自サ)〔事件・事故などが〕たびたび起こること。「△火災(災害・衝突)が―する」

びんぱつ[0]【〈鬢髪】「(鬢の部分の)髪の毛」の意の漢語的表現。「―に霜を置く〔=しらがになる〕」

ピンはね[0]【ピン〈撥(ね)】―する(他サ)〔ピンは、「一」の意〕「うわまえをはねること」の意の口頭語的表現。

ひんばん[0]【品番】商品を管理するためにつける番号。「しなばん[0]」とも。

ひんぱん[0]【頻繁】―に ―な △同じ(同種の)事柄が特定の時期や場所に集中して、しかも数多く行なわれる△こと(様子)。「―な車の行き来/―に△会う(起きる・訪ねる・用いる)」 派―さ[0][3]

ピンヒール[3]〔pin heel〕ハイヒールで、かかとの部分がピンのように細くとがったもの。また、そのかかと。

ひんぴょう[0]【品評】―する(他サ)〔産物・製品や作品などの〕優劣・品質を論じあって決めること。品定め。「作品を―する/―会[3][0]」

ひんぴん[0]【頻々】―たる ―と 〔望ましくないことが〕何度も続けて起こる様子だ。「盗難が―と起こる」

ぴんぴん[1](副)―と ―する ❶勢いよくはねる様子。❷少しの衰えも見せず元気のいい様子。「九十になっても―している」

ひんぷ[1]【貧富】貧乏(な人)と金持(の人)。「―の差は広がるばかりだ」

ひんぷん[0]【〈繽紛】―たる ―と 〔もと、入り乱れる意〕〔雪や小さい花びらが〕ひらひらと舞い落ち、一面に降り敷く様子だ。

ひんぼ[1]【〈牝牡】〔古〕めすとおす。雌雄。

ピンポイント[3]〔pinpoint=留め針の先〕操作の対象とする△目標(標的)との位置の誤差が少しも無いこと。「―着陸[7]・―照射[7]」

***びんぼう**[1]【貧乏】―な ―する(自サ) 経済的なゆとりが無くて、衣食住のすべてにおいて見劣りがする△こと(様子)。「―な生活/一生―から抜け出せない/―人[0]」【―《隙無し】一向に貧乏生活から抜け出すことが出来ない状態だ。〔多く、稼ぐのに忙しく休む暇が無い意に誤解される〕 **―がみ**[3]【―神】人びとを貧乏にさせる神。〔広義では、すもうの番付で、十両の筆頭力士をも指す〕 **―くさ・い**[6]【―臭い】(形) 生活態度などが接する人にいかにも貧乏だという印象を与える様子だ。「―家に住む」 派―さ[6][5] **―げ**[0] **―くじ**[3]【―〈籤】一番損な△くじ(運命・立場)。「―を引く」 **―しょう**[0]【―性】❶貧乏でもないのにゆとりのある気分になれず、△けちけちして暮らす(くよくよする)性質。❷どうしても貧乏になる性質。 **―たらし・い**[7](形) いかにも貧乏だという印象を他人に与える様子だ。「―愚痴を言う」 **―ゆすり**[5]【―揺(す)り】―する(自サ)〔すわっていたり立っていたりする時に〕絶えず ひざなどを小刻みに動かすこと。 **―ゆるぎ**[5]【―揺(る)ぎ】「びんぼうゆすり。「―もしない〔=安定していて びくともしない〕」

ピンホール[3]〔pinhole〕針で突いて出来た小さな穴。「―カメラ〔=レンズを使わずに、暗箱に小穴をあけた写真機〕」

ピンぼけ[0]―な ―する(他サ)〔写真で〕ピントが合わないで画面がぼけること。〔問題の急所をはずれている意にも用いられる〕

ピンポン[1]〔ping-pong=もと、商品名〕⇩卓球

ピンマイク[3]〔和製英語 ←pin + microphone〕襟や胸元にクリップで留める、小型のマイク。

ひんまが・る[4]【ひん曲(が)る】(自五) ひどく(異様に)曲がる。「バットが―ほどの強打/鼻が―ような腐臭」

ひんま・げる[4]【ひん曲げる】(他下一) 力を加えて無理に曲げる。〔他人に事実を故意に変えて伝える意にも用いられる〕

ひんみん[3]【貧民】貧乏な人びと。「―街[3]」 **―くつ**[3]【―窟】貧民の多く集まり住む所。〔大都会の恥部と言われる〕

ひんむ・く[3]【ひん《剝く】(他五)「勢いよく剝く。引き剝がす」意の口頭語的表現。「化けの皮を―/目を―」

ひんめい[0]【品名】品物の名前。

ひんもく[0]【品目】品物の種類(を示す名)。「営業―」

ひんやり[3](副)―と ―する 肌に冷たい感触が感じられる様子。「地下室は―していた/―とした冷気があたりに漂う」 表記「《冷んやり」とも書く。

びんらん[0]【便覧】⇩べんらん

びんらん[0]【〈紊乱】―する(自他サ)〔本来の字音はブンラン。「びんらん」は類推読み〕〔道徳・秩序などについて〕△乱れる(乱す)こと。「風紀―[1]-[0]」

びんろうじ[3]【〈檳榔〉子】❶熱帯産の常緑高木。幹はヤシに似て直立し、高さ一五～二〇メートル。果実からは、健胃・利尿などの薬や濃い黒色の染料を作る。檳榔[0]。檳榔樹。〔ヤシ科〕❷濃い黒色の染め色。 かぞえ方❶は一株・一本

びんろうじゅ[3]【〈檳榔〉樹】⇩びんろうじ❶

びんわん[0]【敏腕】―な 〔事務・事件などを〕うまく処理する能力がある様子だ。「―家[0]・―刑事[5]」 派―さ[0][3]

ふ …フ

ふ〔不・夫・父・付・布・扶・府・怖・歩・阜・附・訃・負・

赴・風・〈俯・浮・婦・符・富・普・腐・敷・膚・賦・譜〉
↓【字音語の造語成分】

ふ①【府】❶権威を持って物事を中心的に行なう所。「学問の―〔=大学(院)〕/立法の―〔=国会〕」❷地方公共団体の一つとしての大阪と京都。〔知事が管轄する。都・道・県と同格〕「一―(イップ)・一都二―四十三県」⇩【造語成分】

ふ⓪【歩】〔将棋の〕こまの一つ。〔歩兵に相当〕前方に一格ずつ進む。成ると「と金」になる。かぞえ方 一枚

ふ①【訃】死去の知らせ。「―に接する/―報」

ふ①【負】❶〔数学で〕Ⓐ零より小さい△こと(実数)。「―(の)数/関数の値が―になる」Ⓑ「負号」の略。↕正㊄ ❷〔物理学で〕陰極に生じる電荷の性質。↕正㊅〔❶❷の同義語は、マイナス〕⇩【造語成分】

ふ⓪【〈腑】❶内臓。「胃の―/臓―・五臓六―(ロップ)」❷心〔の宿る場所としての内臓〕。「―に落ちない〔=納得出来ない〕/―抜け」

ふ①【賦】❶詩の六義(リクギ)の一。⇩六義 ❷対句の形を取り、脚韻を有する長い漢文。「赤壁(セキヘキノ)―」❸長い詩歌。「早春―」⇩【造語成分】

ふ⓪【〈麩・〈麸】❶ふすま。❷小麦粉を水でこねて、でんぷんを取り去った食品。生麩(ナマブ)。❸「麩❷」をあぶってふくらました食品。焼き麩。「金魚―(ブ)③」かぞえ方 ❷❸は一枚。小売の単位は一袋

ふ⓪【譜】音楽の曲節をしるすための符号。「―を読む/楽―・採―・暗―(ブ)」⇩【造語成分】

ふ①【《二】「二三」の意の和語的表現。〔「ひ(い)、ふ(う)、み(い)」とかぞえる時のみ用いる〕

ふ⓪【《斑】まだら。ぶち。「―入りの花」

ぶ〈不・分・侮・奉・武・歩・部・無・〈撫・舞・〈蕪〉↓【字音語の造語成分】

ぶ⓪【分・歩】❶優勢な度合。「どう見ても白組に―〔=勝てる見込み〕が無い」❷利益の度合。「―が△いい(悪い)」❸板などの厚さや かさなどの度合。「―が△厚い(薄い)」⇩【造語成分】

ぶ①【武】❶軍事に関する事柄。武芸。「―を練る/文(ブン)―の道」↕文㊁ ❷武力。「―に訴える」⇩【造語成分】

ぶ⓪【歩】❶元金に対する利息の(百分)比。割合。❷手数料。「―が△いい(悪い)」⇩【造語成分】

ぶ①⓪【部】❶全体をなんらかの基準で分けた、一つひとつ。「上(ジョウ)の―〔=上等の方〕に入る/第一―・郡―・町―・心臓―」❷組織体の、構成上の区分。〔役所・会社では、課の上、局の下。予算などの編成では、款以下の小分けを従える、最も大きな区分〕「経理を担当する―/営業―の―長」❸団体の、クラブ活動上の区分。⇩【造語成分】

ファ①〔イ fa〕〔音楽で〕長音階の第四音、短音階の第六音の名。

プア①〔―な〕〔poor=貧しい〕↕リッチ ❶日びの暮らしに困窮する様子だ。また、その人。「ワーキング―〔=⇩ワーキングプア〕」❷内容や質が△無い(良くない)様子だ。「精神的にも―〔=貧困〕だ/ヘッドホンで聞くと―な音になる」

ファー①〔fur〕〔コート・襟巻などの〕毛皮(製品)。「フェイクー」

ファーザー①〔father=父〕〔カトリック教会で〕神父。↕マザー

ファース①〔farce〕一幕の喜劇。笑劇。

ファースト ■二(造語)〔first〕第一(の)。最初(の)。「―インプレッション⑧〔=第一印象〕・―レディー⑤〔=米国で、

ふ

［不］広く打消しを表わす。「不正・不慣れ〔=…ない〕・不合格〔=…しない〕・不鮮明〔=…でない〕・不利・不人情〔=…が無い〕・不健康〔=…がよくない〕」

［夫］❶おっと。「夫妻・夫婦(フウフ)・夫唱婦随・一夫一婦(イップイップ)」❷おとこ。「凡夫(ボンプ)・匹夫(ヒップ)・偉丈夫・万夫(バンプ)」❸肉体労働に従事する(男の)人。「人夫(ニンプ)・坑夫」

［父］❶ちち。「父兄・父母・祖父・岳父」↕母 ❷年より。「父老」

［付］❶あたえる。わたす。「付与・下(カ)付・交(コウ)付」❷つく。つける。「付属・付録(フロク)・添付(テンプ)」表記 ❷の一部は、「附」とも書く。

［布］❶ぬの。きれじ。「布巾(フキン)・防水布」❷〔ぬのを広げるように〕一面に散らす。広く行きわたらせる。「布陣・布告・分布(ブンプ)・流(ル)布・公布・発布(ハップ)」

［扶］めんどうを見る。たすける。「扶養・扶助・扶育・扶翼・家扶」

［府］❶朝廷の文書・財貨をしまっておく倉庫。「府庫」❷役所。「国府・政府」❸大名の城下町。「防府(ホウフ)・水府・駿府(スンプ)・甲府」❹人の多く集まる所。「首府・怨府(エンプ)」⇩(本文)ふ【府】

［怖］こわがる。おそれ。「恐怖・畏(イ)怖」

［歩］⇩ぶ・ほ ⇩(本文)ふ【歩】

［阜］❶小高くなっている所。おか。「丘阜」❷多い。豊富である。「阜財」

［附］❶追加する。付け足す。「附加・附記・附表・附録・附設・附会・附議」❷貼り付けて離れないようにする。「附箋・附着」❸そのものに従う。「附随・附属・附和雷同」❹相手に与える。「附与・寄附」表記「付」とも書く。

［訃］⇩(本文)ふ【訃】

［負］❶おう。「負荷・負担・負債・負傷」❷見識・誇りを持つ。「自負・抱負」❸まける。まけ。「勝負(ショウブ)・先負(センプ)」⇩(本文)ふ【負】

［赴］目的地に行く。おもむく。「赴任」

［風］❶おもむき。「風情(フゼイ)」❷病気。「中風(チュウブ)」⇩ふう

［〈俯］下を向く。うつぶす。「俯角・俯瞰(フカン)・俯仰(フギョウ)」

［浮］❶うく。うかぶ。「浮沈・浮上・浮標・浮力」❷しっかりした△所(よりどころ)が無い。「浮説・浮薄・浮浪」

［婦］■一Ⓐつま。「婦徳・寡婦・賢婦(ケンプ)・節婦(セップ)・貞婦・主婦・夫婦・新婦(シンプ)」Ⓑ女性。「婦女・婦人・烈婦(レップ)・看護婦・家政婦・裸婦」■二(略)❶婦人。❷看護婦。「婦長・婦警」

［符］❶何かの証拠となるふだ。「割り符・切符(キップ)・護符・免罪符」❷割りふ。「符合・符節」❸〔文字以外の〕記号。「符号・音符(オンプ)・疑問符・感嘆符」

［富］とむ。とみ。「富裕・富力・富豪・貧富(ヒンプ)・国富・豊富」↕貧

［普］■一広く行きわたる。「普及・普遍・普天」■二(略)プロシア(普魯西)。「普仏戦争」

［腐］❶古くな(って、くさ)る。「腐朽・腐敗・腐肉・腐儒・腐臭・腐食・腐乱・陳腐(チンプ)」❷いためる。

「腐心」

【敷】広くしく。「敷設・敷衍エン」

【膚】はだ。はだえ。「皮膚・完膚プ・髪膚プ」

【賦】❶割りあてて取り立てる。「賦課・割賦プ・月賦プ・年賦プ」❷割りあてて与える。「賦与・天賦プ」⇩(本文)ふ【賦】

【譜】❶系図。「家譜・系譜・年譜プ」❷図鑑。「花譜」❸本。「印譜プ・画譜・図譜」❹〔碁・将棋などの〕対局経過の記録。「棋譜・局譜」かぞえ方 ❹は一譜・二譜・四譜・六譜・八譜・十譜・何譜は「プ」⇩(本文)ふ【譜】

ぶ

【不】〔特定の語に冠して〕その点に関し、マイナスの状態にあることを表わす。「不恰格カッコウ・不作法・不細工サイク・不器用・不祝儀・不用心」⇩ふ

【分】❶ある単位の十分の一の大きさを持つ幾つかの単位の称。Ⓐ全体の中で占める割合の単位で、全体の十分の一を表わす。「四分六分」Ⓑ割合の単位で、一割の十分の一(=全体を一とした時の百分の一)を表わす。「打率三割三分三厘」Ⓒ尺貫法における長さの単位で、一寸の十分の一(=約三・〇三ミリ)を表わす。「一寸の虫にも五分の魂」Ⓓ尺貫法における質量の単位で、一匁モンメの十分の一(=〇・三七五グラム)を表わす。「一分は十厘リン」Ⓔ昔、履物の大きさを計るのに用いた単位で、一文モンの十分の一(=約二・四ミリ)を表わす。Ⓕ温度差の単位で、一度の十分の一を表わす。〔温度そのものを示す時にも用いられる。例、「八度七分〔=セ氏三八・七度〕の熱が出る」〕❷昔の通貨の単位で、一両の四分の一を表わす。❸〔音楽で〕全音符の長さを等分することを表わす。「四分音符」⇩(本文)ぶ【分】

【侮】ばかにして、軽くあつかう。あなどる。「侮辱・侮蔑ベツ・外侮・軽侮」

【奉】命令をうける。「奉行ギョウ・供グ奉」⇩ほう

【武】■一武人(としての行動)。「武家・武士・武官・武勲・武将・武門・武功・武略・歩武・勇武」■二(略)武蔵ムサシノ国。「武州・武相・総武」⇩(本文)ぶ【武】

【歩】❶割合や利率などの単位。「歩合アイ・日ヒ歩」❷尺貫法における田畑・山林の面積の単位で、一間ケン四方の面積〔=約三・三〇六平方メートル〕を表わす。〔宅地・建物の場合は、「坪ツボ」を用いる〕「反タン歩」⇩(本文)ぶ【歩】

【部】⇩いちぶ(一部)❷ ⇩(本文)ぶ【部】

【無】❶ない。「無事・無音イン・無人ニン・無頼」❷〔特定の語に冠して〕人とのつきあい上、あってほしいものが欠けていることを表わす。「無礼・無粋・無愛想・無遠慮・無作法」⇩む

【〈撫〉】なでる(ようにかわいがる)。「撫育・愛撫・慰撫・宣撫・鎮撫」

【舞】■一❶まいをまう。おどる。「舞楽・舞踊・舞踏・円舞・歌舞・乱舞・輪舞」❷力強く足踏みさせる。「鼓舞」■二(略)舞踊。「剣舞・日舞・洋舞」

【〈蕪〉】❶草が生えほうだいで、荒れはてる。「荒蕪」❷みだれているようす。「蕪雑・蕪辞」

大統領夫人〕」■二⓪〔野球で〕❶〔←米 first base〕一塁。❷〔←米 first baseman〕一塁手。 **ーラン**⑤〔first-run〕〔映画の〕封切り興行。↔セカンドラン

ファーストフード⑤〔fast food〕⇩ファースト フード

ファーマシー①〔pharmacy=薬〕薬局。

ファーム①〔←farm team, farm=農場〕プロ野球で、二軍の称。「―生活④」

ファームウェア④〔firmware=ある程度の柔軟性を持った、堅い商品〕〔コンピューターで〕ロム(ROM)内にプログラムを記憶させたもの。〔ハードウェアより変更しやすいが、ソフトウェアよりは変更しにくいため、両者の中間的存在〕

ぶあい⓪【歩合】❶ある基準の△数量(金額)に対する、その△数量(金額)の割合。「―五分〔=五の百に対する割合〕／公定―」❷取引などの手数料。「売上げの―」

ファイア①〔fire=火〕たき火。「キャンプ―」

ファイアウォール④〔fire wall=防火壁〕〔コンピューターネットワークで〕インターネットなど外部のネットワークからの不正なアクセスを防ぐために設定されたシステム。ファイアーウォール⑥とも。

ぶあいきょう②【無愛〈嬌〉】―な 自分の城を守るだけで△かわいげの無い(感じの悪い)様子。

ぶあいそう②【無愛想】―な 用件だけを実利的に片づけ、おせじなど全く言わない様子。ぶあいそ②。

ファイティングスピリット⑦〔fighting spirit〕困難な事態に積極的に自分からぶつかっていこうとする気力。闘志。

ファイト①〔fight〕❶闘志。〔スポーツの練習などで、はげまし合うかけ声として用いられることがある〕「―を燃やす」❷〔ボクシングなどで〕試合。「―マネー④」

ファイナル〔final〕■一(造語)最後の。最終の。決戦の。「―セット⑤」■二①〔←final game〕決勝戦。

ファイナンシャル プランナー⑧〔financial planner〕顧客の相談に応じ資産の運用・財産形成を助言する職業の人。略称、エフピー(FP)。

ファイナンス①〔finance〕政府・企業の財政状態。

ファイバー①〔fiber〕❶人造の繊維(質)。特に、ステープルファイバー。❷ぼろなどを薬品にひたしてボール紙のように固めたもの。皮革の代用品。バルカナイズドファイバー⑧。 **ースコープ**⑥〔fiberscope〕ガラス繊維を用いた管の先に超小型のカメラを取り付けたもの。胃・腸・肺などの診断や撮影に利用される。

ファイブ①〔five〕五。「ビッグ―④」

ファイリング⓪―する(他サ)〔filing〕〔保管するために〕新聞・雑誌の切抜きや書類などを整理してファイルに綴トじ込むこと。

ファイル〔file〕❶① 書類ばさみ。❷①―する(他サ) 書類・新聞などを分類・整理して綴トじ込むこと。❸⓪〔コンピューターで〕一つのプログラムや一まとまりのデータなどを、ある記録媒体に記録したもの。「プログラム―・ディスク―」

ファイル サーバー④〔file server〕ネットワーク上の他のコンピューターに対して、大容量の外部記憶装置〔=通常はハードディスク装置〕およびその中のファイルが共通に利用できるようにするサービスを提供するコンピューター。⇩サーバー❺

ファインダー⓪〔finder〕被写体の位置を定めたりするためにカメラに付属する装置や のぞきレンズ。

ファインプレー⑤④〔fine play〕〔スポーツで〕見事なわざ。美技。

ふ

ファウル[1] ─する ↕フェア ❶(自サ)〔foul〕〔競技の〕反則。❷(他サ)〔←foul ball〕〔野球で〕打ったボールが規定の線の外側に△それること(それたもの)。

ファウル チップ[4]〔foul tip〕〔野球で〕打者のバットをかすり直接捕手が捕球したたま。略してチップ。

ファウル フライ[4]〔foul fly〕〔野球で〕ファウルになったフライ。

ファクシミリ[1][3]〔facsimile〕文書・図表・写真などの画像を、電気信号に変換し通信回線などを用いて電送する△方法(装置)。ファックス・ファクス[1]とも。

ファクター[1]〔factor〕要因。

ファゴット[1]〔イ fagotto〕長い筒形の木管楽器。オーボエより音が低い。バスーン。[かぞえ方]一本

ファサード[2]〔フ façade〕〔豪壮な建築物の〕正面。

ファジー[1]─な〔fuzzy〕あいまいな様子。不鮮明なさま。柔軟性があること。「─理論[4]・─コンピューター[6]」

ファシスト[2]〔fascist〕ファシズムを信奉する人たち。

ファシズム[2]〔fascism〕極端に独裁的な国家社会主義。第一次世界大戦後イタリアに起こる。

ファスト フード[4]〔fast food. fast=手早く済ますことが出来る〕注文後、待つほどのこともなく提供され、手早く食べられ、また、持ち帰りも出来る洋風軽食。ハンバーガー・フライドチキン・ホットドッグなどの類を指す。ファースト フードとも。〔広義では、立ち食いそば・牛丼(ギュウドン)などの和食も含む〕

ファスナー[1]〔←slide fastener〕ハンドバッグ・財布や、衣類などの開口部に取りつけて、開閉するための仕掛け。両側に金属やプラスチックの細かい歯をたくさん植えつけ、それをはさんだ中央の器具を△上下(左右)にすべらせて、開閉する。ファスナ[1]とも。〔チャックは日本のもと商標名。ジッパーはアメリカのもと商標名〕

ぶあつ[0]【分厚】─な ─に ぶあつい様子だ。

ぶあつ・い[0][3]【分厚い・部厚い】(形)〔平たい物について〕同種の他のものに比べて、厚みがかなりある様子だ。「─△板(辞書)/─札束」[派]**─さ**[0][3]

ファック[1]─する(自サ)〔fuck〕性交の卑俗な表現。

ファックス[1]─する(他サ)〔fax〕ファクシミリ。ファクス[1]とも。「─番号[5]」

ファッショ[1]〔イ Fascio=束〕ファシズム(の政治)。

ファッショナブル[1]─な ─に〔fashionable〕〔服装や装身具などが〕その時の流行を取り入れ、人目を引く様子だ。「─な装い」

ファッション[1]〔fashion〕〔衣服の型などの〕流行。「ハイ─」**─ショー**[3][5]〔fashion show〕一番新しい流行の型の衣服を着て、人に見せる催し。**─ブック**[5]〔fashion book〕衣服や髪型などの流行の型を集めた本。⇩スタイルブック **─モデル**[5]〔fashion model〕流行の衣装を着て、客に見せたり写真に写させたりすることを職業とする人。

ファナティック[3][2]─な ─に〔fanatic〕△熱狂的(狂信的)なようすだ。ファナチック[3][2]とも。「─な信者」

ファニー フェース[4]〔funny face〕個性的で、魅力のある顔。〔常識的な意味での美人ではないが、かえって愛嬌(アイキョウ)のある顔を指す〕

ファブリック[1]〔fabric〕織物。布地。繊維製品。

ファミ コン[0]〔和製英語・商標名。←Family Computer〕ファミリー コンピューター[7](=商標名)の略。テレビゲーム用のコンピューター。

ファミリー(造語)〔family〕家庭。家族。**─カー**[3][5]〔family car〕家族(のレジャー)用の自動車。**─ネーム**[5]〔family name〕姓。名字。**─レストラン**[5]〔family restaurant〕家族で気楽に食事の出来るレストラン。郊外住宅地などに多い。略してファミレス[0]。

ファラッド[1]〔farad←M. Faraday=イギリスの物理学者〕国際単位系における静電容量の単位で、コンデンサーの極板の間に一ボルトの電位差を生ぜしめるために一クーロンの電荷が必要である時の静電容量を表わす〔記号F〕。ファラド[1]とも。「マイクロ─」

ファン[1]〔fan〕❶扇風機。送風機。❷換気のために回す道具。換気扇。「電気─」❸熱心な△愛好者(後援者)。ファン[1]とも。「─を熱狂させる/─レター[3]」

ふあん[0]【不安】─な ─に △不結果(最悪の事態)に対する恐れに支配されて、落ち着かない様子だ。「─を△感じる(訴える・与える・もたらす・取り除く)/─に襲われる/─が△つきまとう(残る)/─に思う/─な地位」[派]**─さ**[0] **─げ**[0][4] **─が・る**[4] **─かん**[2]【─感】不安の感じ。「─を△いだく(和らげる)/─が△大きい(薄らぐ)」

ファンク[1]〔funk〕ソウル ミュージックのうち、単純なコード進行でリズム主体のスタイルを特徴とするもの。

ファンシー[1]─な〔fancy〕装飾的。意匠を凝らした。「─ショップ」

ふあんしん[2]【不安心】─な △安心出来ない(心配な)様子だ。

ファンタジー[1]〔fantasy〕❶夢のような空想。「─小説」❷幻想曲。〔イタリア語形は、ファンタジア[3]〕

ファンタスティック[3][5]─な〔fantastic〕❶幻想的。❷魅惑的。ファンタスチック[3][5]とも。

ファンダメンタル[4]─な〔fundamental〕基本的・基礎的である様子だ。「─な問題」

***ふあんてい**[2]【不安定】─な 物事が△安定し(落ち着か)なくて危なっかしい様子だ。「─な気持/─な政局/─な身分」[派]**─さ**[4][0]

ファンデーション[3]〔foundation=土台〕❶化粧の下地にぬるクリームや水おしろい。❷〔婦人服の〕体形を整える下着。[かぞえ方]❷は一枚・一点

ファンド[1]〔fund〕基金。資金。

ふあんない[2]【不案内】─な ❶その土地の様子や、その組織内の事情などがよく分からない状態だ。❷その専門に関する心得が無い状態だ。

ファン ヒーター[3]〔fan heater〕石油やガスを燃焼させて生じた熱を送風機で送り、部屋などを暖める装置。温風暖房機[7]。温風ヒーター[5]。

ファンファーレ[3]〔イ fanfare〕〔競技大会の始まる前などに奏する〕トランペットなどの金管楽器のための、明るく活発な曲。また、その演奏。「─を奏でる」

ふい[1][0]〔「ぽい」に類する擬態語に発するか〕もう少しで手中にすることの出来たチャンスや、得難い幸せ・地位などを、ちょっとした事で失うこと。「ようやくつかみかけた幸せを─にする/大関昇進のチャンスも─にする/臨時の会議が入り、せっかくの休暇が─になる」

***ふい**[0]【不意】予期しない△時(所)。「─の来訪に驚かされる/─を衝(ツ)かれる/─を打つ」**─うち**[0]【─討(ち)・─打(ち)・─撃(ち)】❶突然相手に攻撃をしかけること。「敵の隙をついて─をかける/─を食らう」❷相手に対して予告無しに(不当な)何かをすること。「─のテスト」**─に**[0](副)予期しない場面で、その事態が突然現われ(てとまどいを感じさせ)る様子。〔最近は「ふいと」とも言う〕「─暗い表情が彼女の陽気な顔をかすめた/─悲しみに襲われてだまってしまった/約束していたことを─思い出した」

ふい[1]【布衣】〔古〕⇩ほい(布衣)

ブイ[1] ❶【V・v】❶英語アルファベットの第二十二字。

【】の中の教科書体は学習用の漢字，へ は常用漢字外の漢字，《 は常用漢字の音訓以外の よみ。

―V字谷・Vゾーン③〔=V字形に見えるスーツの胸元部分〕」 ❷ローマ数字で「五」を表わす記号。 ❸【V】 ❶〔←victory〕 勝利。優勝。「―4〔=△四度目の優勝(四連覇)〕成るか」 ❷〔←volt〕 電圧の単位ボルトの記号。 ❸〔←vanadium〕 バナジウムの元素記号。

ブイ①〔buoy〕 くさりによって海底に固定された浮標。船をつなぎとめるものと、航路の目じるしにするものとがある。 かぞえ方 一基・一本・一台

ぶい①【武威】 武力による威勢。「―に輝く」

ぶい①【部位】 人間や動物のからだなどの中で、それがどの辺に位置するかという観点から見た時の、部分の称。「豚肉が―ごとに分けられる/建築―⑤〔=屋根・床・壁・天井など、建物を構成する面状の要素〕・△身体(手術)―」

ブイアイピー⑤【VIP】〔←very important person〕 国賓や元首などの最重要人物。ビップとも。「―並の警護」

フィアンセ②①〔フ fiancé (男) fiancée (女)〕 婚約した相手。婚約者。

フィート①〔feet=foot の複数形〕 ヤードポンド法における長さの単位で、三分の一ヤード〔=三〇・四八センチ〕を表わす〔記号 ′(=ダッシュ)。略号 ft.〕。〔一二インチに等しい〕「高度一万―を飛行する/一―〔=厳密には、一フット。『一フート』と書く向きもある〕」 表記 「〈呎」とも書く。

フィードバック④―する(他サ)〔feedback〕 ❶〔オートメーションの基礎となる自動制御に欠かせない方式で〕ある箇所で得られている効果や結果を、自動的にその発生源にもどして、その後の修正や調節をするためのデータとすること。 ❷得られた原案等について、もう一度、元にもどし、さらに新しい情報等を参考にして検討・調整する(こと)。「小委員会に―する」

フィーバー①―する(自サ)〔fever=発熱・熱狂〕 一時期、憑かれたように何かへの人気が高まること。

フィーリング⓪〔feeling〕 論理を超えて直感的にとらえられる何ものか。〔狭義では、若い世代の好みに合ったそれを指す〕

フィールディング⓪〔fielding〕 〔野球で〕守備。守り。

フィールド⓪〔field〕 ❶陸上競技場のトラックの内側に設けられた、広い競技場。 ↕トラック ❷Ⓐ調査・研究などを行なう実際の現場。「―ワーク」 Ⓑ個々の研究者の専門とする研究分野。「我われ人類学者は考古学者とは―が違う」 かぞえ方 ❶は一面 ―**アスレチック**⑧〔和製英語←field + athletics〕 自然の地形を利用して丸太やロープなどで作った運動感覚を養う道具類で、楽しみながら体力づくりを目指すスポーツ施設。 ―**きょうぎ**⑤―【―競技】 フィールドでする跳躍・投擲などの競技。 ―**ワーク**⑤〔field work〕 調査・研究などで、そのテーマに即した場所へ実際に訪れ、対象を直接観察すること。聞き取り調査や史料の採集などを行なう。

ブイエイチエフ⑥【VHF】〔←very high frequency〕 超短波。

ブイエス⓪③【VS】〔←ラ versus〕 対。「巨人 VS 阪神」

フィギュア①〔figure=形・図形〕 ❶フィギュアスケートの略。 ❷〔テレビ・映画で話題になった〕(アニメーションの)人や動物などをかたどった人形。

フィギュア スケート⑤〔←figure skating〕 〔スケート競技で〕音楽に合わせて、ジャンプやスピン・ステップなどを交えてアイスリンクをすべり、演技の技術や芸術性を競うもの。男女各シングル、男女ペアなどがある。略してフィギュア。

ふいく⓪【扶育】―する(他サ) 世話をして育てること。

ふいく⓪【〈傅育】―する(他サ) 貴人の子を第三者が養育すること。「皇太子―の役」

ぶいく①⓪【〈撫育】―する(他サ) 病気・けがなどをさせないように常に気を配って、子供を大切に育てること。

フィクサー①〔fixer〕 紛争の調停者。

フィクション①〔fiction〕 ❶虚構。 ❷作り話。小説。 ↕ノンフィクション

ふいご⓪【〈鞴・〈韛】〔「吹皮」の変化形「ふいごう⓪」の短呼〕金属の精錬や加工に必要な火を起こすのに古代から用いられた送風器。最初期は革袋を使用、後には多く、直方体で気密の箱に取りつけたピストンを往復させる方式が用いられた。 ⇩たたら かぞえ方 一台

ブイサイン③【Vサイン】〔V sign〕 勝った時、人差し指と中指をVの字の形に広げて高だかと上げて見せること。⇩ブイ(V)

ブイじ⓪【V字】 アルファベットの「V」の形。 ―**かいふく**④―【―回復】 一時は落ちこんだ業績や相場などが、V字形に一気に回復すること。 ―**こく**③【―谷】 尾根から谷底に至る切れ込んだ形状がV字形をなす谷。谷底に平野がない。「ブイじだに」とも。峡谷。

フィジオクラシー④⑤〔フ physiocratie〕 ⇩重農主義

フィジカル①―な―に〔physical〕 ❶物理(学)的な問題である様子だ。「―な現象/―ディスタンス⑤〔=物理的距離〕」 ❷〔メンタルと違って〕肉体的な動作・作用に関する様子だ。「―トレーニング」

ふいちょう⓪【《吹聴】―する(他サ) △無責任に(自慢に思って)だれかれの区別無く言い回ること。言いふらすこと。 表記 もとの用字は、「《風聴」。純粋の漢語ではない。

ふいつ①【不一・不《乙】〔手紙文で〕「思いを十分に尽くしませんが」の意の結びの挨拶の言葉。〔書出しを「冠省・前略」としたものに用いる〕 ⇩不悉

フィックス①〔fix〕 〔競漕用ボートで〕普通のボートのように、固定した座席でこぐ仕組みのもの。 ⇩スライディング

フィッシング①⓪〔fishing〕 釣り。

フィッシング⓪〔phishing〕 インターネット上の詐欺の手法の一つ。ウエブ サイト上で有名企業などを装い信用させ、クレジット カード番号などの個人情報を入力させるもの。

ふいっち②【不一致】 一致することが望ましいものが、結果的にそうはならないこと。「意見の―/性格の―/言行―」

フィット①―する(自サ)〔fit〕 ❶基準となるものにぴったり合うこと。「現代感覚に―する」 ❷服などが からだにぴったり合うこと。

フィットネス①〔fitness=健康〕 健康の維持・増進のために(器具や器械を使って)行なう運動。「―クラブ⑥」

ブイティーアール⑤【VTR】〔← video tape recorder〕 磁気テープに(テレビの)音と映像を記録・再生する装置。録画機。

ふいと⓪②(副) 何の前触れもなく、意外な行動に出る様子。〔口頭語形は「ふいっと②」〕「―出て行ったきり帰らない/―居なくなった」

ぷいと⓪①②(副) 急に感情を害して態度が変わる様子。「―座を立つ/―横を向く」

フィドル①〔fiddle〕 民俗音楽やポピュラー音楽で使われるバイオリンの呼称。

フィトンチッド④〔ロ fitontsid〕 植物、特に森林の樹木が自浄のために発散する芳香性の物質で、殺菌力を持つ。森林浴の効果は、この作用に基づくと言われる。

フィナーレ②〔イ finale〕 ❶音楽の終りの楽章。 ❷〔オペラなどの〕最終の場面。終曲。大詰め。

フィニッシュ①〔finish〕 ❶終えること。最後の仕上げ。 ❷〔スポーツで〕最終の△段階(動作)。〔狭義では、ゴールに

入ることや、体操競技の着地を指す〕

ブイネック[3]【Vネック】〔V neck〕〔ワンピースやセーターで〕胸元がV字形の襟ぐり。

フイフイきょう[0]【《回《回教】〔フイは、「回」の中国語音〕⇩イスラム教

フィフティーフィフティー[5]〔fifty-fifty〕あることの実現する可能性が五分五分であること。半々。「―だ」

フィフティーン[3]〔fifteen=十五〕〔ラグビーで〕一チーム十五人の選手。

ブイヤベース[4]〔フ bouillabaisse〕魚や貝を寄せなべ式に煮こんだ、マルセイユ風の料理。サフランで香りと色をつける。

フィヨルド[2][0]〔fjord=ノルウェー語起源の英語〕氷河に浸食された谷に、海水が入り込んで出来た細長い入り江。両岸は絶壁をなす。峡江。峡湾。フィヨール[2]とも。例、ノルウェー海岸。

ブイヨン[1]〔フ bouillon〕肉・骨の煮出し汁で、スープの素にするもの。

フィラメント[1]〔filament〕電流を通すと、白熱電球では強く光り、真空管では熱電子を放射する金属の細い線。繊条。[かぞえ方]一本

フィラリアびょう[0]【〔フィラリア病】〔filaria=糸状虫〕❶⇩象皮病 ❷犬の心臓に寄生虫が入りこんで起こる病気。

ふいり[0]【不入り】〔興行物などで〕客の入りが少ないこと。↕大入り

ふいり[0]【《斑入り】〔植物で〕花弁や葉などの組織に二種以上の色が混じっていること。また、そのもの。

フィル〔造語〕フィルハーモニー、または、フィルハーモニックオーケストラ[11]〔=交響楽団〕の略称。「ベルリン―[5]・ウィーン―[4]・日本―[4]」

フィルター[0][1]〔filter=濾過する(もの)〕気体・液体・光線・電波・音などのうち、特定の物だけを△通過(分離)させるための装置。〔狭義では、写真撮影・光学実験用の色付きのガラス板や、録音機の雑音を取り除く装置を指す〕「―付きたばこ/―をかける」

フィルダー[1][0]〔fielder〕〔野球で〕野手。フィールダー[0][1]とも。「―ズチョイス[6]〔=⇩野手選択〕」

フィルタリング[0]〔filtering〕必要なものと不必要なものとを選別すること。〔とくに、インターネット上の有害な情報を遮断することを言う〕

フィルハーモニー[3]〔ド Philharmonie〕音楽愛好家(の団体)。管弦楽団。

フィルム[1]〔film〕〔薄い膜の意〕❶Ⓐカメラに取り付けて被写体を感光させるために、不燃性の薄い膜に感光乳剤を塗ったもの。〔普通、軸に巻いたものがマガジンに入っている。例、「ロール―[4]」〕Ⓑ映画。フイルム[0]とも。「きれいな―だ/出演した―はまだ少ないが/―ライブラリー」❷包装などに使う、半透明で光沢のある、紙状の化学製品。[かぞえ方]❶Ⓐは一枚・一葉・一缶・一リール・一巻・一本。Ⓑは一本

フィレ[0][2][1]〔フ filet〕⇩ヒレ

フィロソフィー[2]〔philosophy〕哲学。「―〔=根本的な考え方〕が違う」

ふいん[0]【訃音】「訃報」の意の古風な表現。「―に接する」

ぶいん[0][1]【部員】その部を構成するメンバー。

ぶいん[0]【無音】「ぶさた」の意の古風な表現。⇩ごぶいん

フィンガー[1]〔finger〕❶指。「―チョコレート[7]」❷空港で、送り迎えの客のための、建物から張り出した部分。送迎デッキ。 **―ボウル**[5]〔finger bowl〕〔西洋料理で〕フルコースの最後、デザートのフルーツを食べた後の手を軽く洗うための水を入れて出す金属製のボウル。

ふう（夫・封・風・富・〈楓・〈諷）→【字音語の造語成分】

ふう[1]【封】〔ふたや出入口を〕△閉じること(閉じた部分)。「手紙の―を△する(切る)/開―・―切り館・―鎖」⇩【造語成分】ふう・ほう

ふう[1]【風】❶(生活)様式。「昔の―を守る/こんな―に〔=やり方で〕やって見たら、どうだろう/あんな―〔=状態〕では困る/洋―・和―・平安朝―・ビザンチン―・古―・新―」❷どんな内容かをうかがわせる、外形が与える総合的な印象。単なる輪郭の外に、膨らみ・色彩・光沢などの外見も加わる。「知らない―〔=ふり〕をする/―合・―姿・―采・―貌・―体・―袋」❸それに接する者を自ら惹きつける独特の△魅力(味わい)。「幼にして長者の―〔=趣〕が備わっていた/本居宣長の―〔=学徳〕を慕って入門した/遺―・美―・格・威―・―雅・―趣・―韻・―味・―流」❹詩の六義の一。⇩六義 ⇩【造語成分】ふう・ふ

ふうあい[0]【風合】織物に触れた時の、柔らかさ・しなやかさなどの感じ。〔最近は、紙についても言う。例、「独特の―と強度をもつ紙(の出現)」〕

ふうあつ[0]【風圧】風の圧力。〔具体的には、人や物に影響を及ぼす強風また、そのものに対する周囲からの強い圧力の意にも用いられる〕「―が強まる/―計[0]」

ふうい[1]【風位】かざむき。〔「風向」のやや古い言い方〕

ふうい[1]【〈諷意】それとなく遠回しに言う意味。

ふういん[0]【封印】―する(自他サ) ❶かってに開かれないように、封じ目に印を押すこと。また、その印。❷Ⓐ使用を禁じるために封をし、その証に印を押すこと。「家屋や器具△を(に)―する〔=差押えをする〕」Ⓑある目的を達するために何かを控えたり禁じたりすること。「ダイエットで甘い物を―する/批判を受けて、この議論はしばらく―する」Ⓒ好ましくないものや災厄となるものを封じ込めること。「長年―してきたつらい思い出/百年前に―されたという伝説の魔物」

ふういん[0]【風韻】自然のたたずまいや、枯れた人柄、また芸術作品などから全体的に感じられるおもしろみ。

ブーイング[0]〔booing〕演奏会や演劇、競技会などで、観客が不満や非難の声を上げること。また、その声。

ふうう[1]【風雨】❶風と雨。「―にさらされる」❷強い風を伴う雨。「―注意報[6]」

ふううん[0]【風雲】竜が風・雲を得て天に上るような、新旧勢力の交替を伴う社会変動期。「―急を告げる/―の志」 **―じ**[3]【―児】社会の変動期に所を得て活躍する英雄・豪傑。

ふうえい[0]【〈諷詠】―する(他サ) 風流を目的として、詩や歌などを△作る(吟じる)こと。「花鳥―[1]-[0]」

ふうか[0]【風化】―する(自サ) 空気中にさらされた岩石が次第にくずれて変質する現象。〔新鮮な記憶・印象が、年月を経て薄れる意にも用いられる。例、「戦争体験の―」〕

ふうか[1]【富家】〔古〕金持(の家)。

フーガ[1]〔イ fuga〕曲の途中から、前に出た主題や似た旋律が次つぎと各声部に現われ、追いかけるように進行する曲。遁走曲。

ふうが[1]【風雅】―な 実利を離れ(る余裕があっ)て、詩文・芸能の道に心を遊ばせる△こと(様子)。「―の道」

ふうがい[0]【風害】暴風のための被害。

ふうかく[0]【風格】❶存在者・行為者としてのスケールの大きさと、重み。「王者の―さえ漂っていた/大家の―を加えた/十六歳にして一家の主たる―を備えた/△エース(四

番打者・中心打者として〕の―/―、自信みたいなものがステージから漂ってくる」❷人の作った物に見られる格調の高さや、他に見られぬ持ち味。「―のある△街並(庭園・名門ゴルフコース)/―がにじむ書」

ふうがわり③【風変(わ)り】―な　普通と、ちょっと様子が変わっている△こと(様子)。

ふうかん⓪【封〈緘〉】―する(自他サ)〔「緘」も「封」と同じく、閉じる意〕封をすること。「―紙③」　**―はがき**⑤【―葉書】郵便葉書の一つ。通信文を書いて折り畳み、そのまま封をして出せるもの。葉書大。

ふうかん⓪【〈諷諫〉】―する(他サ)　それとなくいさめること。↕直諫

ふうがん⓪①【風眼】　淋菌で起こる急性の結膜炎。膿漏眼。

ふうき①【風紀】　社会秩序を保つために必要な(男女間の交際に関する)節度。「―が乱れる/―上よくない」

ふうき①【富貴】―な　❶社会的地位が高く財力に富んでいる様子だ。「―な身分」↕貧賤　❷見た目に気品があると同時にはなやかな印象を感じさせる様子だ。「ボタンは花の中でも一きわ―だ」

ふうぎ①【風儀】　❶日常生活の躾。行儀作法。❷風紀。❸〔古〕風習。

ふう

【夫】　❶Ⓐおっと。「夫婦」Ⓑ一人前の男子。「夫子」❷たすける。「工夫」⇩ふ

【封】　❶封殺。「三封」〔野球で〕❷無得点に抑えること。「完封」⇩(本文)ふう【封】

【風】　❶かぜ。「風雨・風力・季節風」❷その組織の秩序を維持するためのきまり。「風紀・風儀・家風・社風」❸その社会の伝統的な慣習。「風習・美風・悪風・弊風」❹生活者・観光者に精神的影響を与えるものと考えられる、山川草木のたたずまい。「風景・風光・風致・風土・風物・風水」❺ほのかに。「風聞・風評」⇩(本文)ふう【風】

【富】　とむ。とみ。「富貴」⇩ふ

【〈楓〉】　かえで。もみじ。「楓林・観楓会」

【〈諷〉】　❶そらで読む。声を上げて読む。「諷詠・諷誦」❷遠まわしに言う。「諷意・諷刺」

ふうきょう⓪【風狂】　「(常軌を逸しているとしか思えない)変わった行動をすること。また、その人」の意の古風な表現。〔広義では、風流を強く求める△こと(人)をも指す〕

ふうきり⓪【封切(り)】―する(他サ)　❶封を△切ること(切ったばかりのもの)。❷新しい映画を初めて上映すること。「ふうぎり」とも。「―館④」　動封切る③(他五)

ふうきん⓪【風琴】　❶オルガンの訳語。❷〔↑手風琴〕⇩アコーデオン❶

ブーケ①〔フ bouquet〕　❶花束。「―ガルニ④〔=煮込み料理に用いる、数種類の香草を束ねたもの〕・ウエディング―⑥」❷花のにおいを含んだかおり。

***ふうけい**①【風景】　❶Ⓐ目を楽しませるものとしての、自然界の調和の取れた様子。「田園―⑤」Ⓑ接する人に好ましい印象を与える場面。「一家団欒の―」❷写生画の題材としての風景❶。「―画⓪」⇩静物❶・人物❸

ふうけつ⓪【風穴】　「かざあな❸」の意の漢語的表現。〔広義では、山腹や谷間などに掘られた、低温を利用して蚕種・食料などを貯蔵するための穴をも指す〕

ふうげつ①【風月】　心を和らげるものとしての、自然界の風物。「―を友とする〔=風流な生活を送る〕」

ブーゲンビリア⑤〔bougainvill(a)ea〕　つる性の低木。熱帯植物で、鮮やかな色をした苞が観賞される。ブーゲンビレア⑤とも。〔オシロイバナ科〕　かぞえ方　一株・一本

ふうこう⓪【風光】　美しい風景。「―明媚⑤」　表記「風光明媚」は「風光明美」で代用されることもあった。

ふうこう⓪【風向】　風が吹いて来る方向。かざむき。「―計⓪」

ふうこつ⓪①【風骨】　〔古〕営利に汲々とする世間の人とかけ離れた感じ。「仙人の―を帯びる」

***ふうさ**⓪【封鎖】―する(他サ)　❶〈どこヲ―する〉出入り・通行が出来ないようにとざすこと。「港を―する」❷〈なにヲ―する〉銀行などの金融機関における金の出し入れを禁止すること。「経済―・預金の―」

ふうさい⓪【風災】　暴風による災害。

ふうさい⓪【風采】　太っていたりやせていたり身なりがよかったり悪かったりすること(によって人に与える印象)。〔多く、その人の内容とは無関係〕「―が上がらない/立派な―/見映えのしない―」

ふうさつ⓪【封殺】―する(他サ)　〔野球で〕次のベースに走らなければならない走者が走りつく前に、ボールをその△ベースに送って(走者につけて)アウトにすること。フォースアウト。〔対抗策をとって相手の活動を抑える意にも用いられる〕

ふうし①【夫子】　❶長老・賢者・先生などの尊称。〔特に、孔子を指す〕「村―」❷〔男性に対する敬称〕ある人の発言を受けて、発言したその人を指すのに用いる語。「乃公〔=わたし〕を愚者と評するからには―は賢者であるべきだ/我われに実行を迫る前に―自身模範を示されてはいかが」⇩乃公

ふうし①【風姿】　〔鑑賞の対象、到達の目標としての〕りっぱな姿。

ふうし⓪【風刺・〈諷刺〉】―する(他サ)　社会制度に見られる構造的な欠陥や、高官の言動にうかがわれる人間性のいやしさなどを、露骨に非難せず、やんわりと大所高所から批評すること。「―画⓪」　表記「風刺」は、古用を復活させた表記。

ふうじ【封じ】　■⓪封じること。「虫―・口―」■(造語)動詞「封じる」の連用形。　**―こ・める**⑤【―込める】(他下一)　中へ入れて出られないようにする。「封じ込め政策⑥」　**―て**⓪③【―手】　❶〔碁・将棋で〕その日の対局が△打ち(指し)かけで終わった時に、次の日に△打つ(指す)番の人が紙に書いて封筒の中などに密封しておく手。❷〔すもうなどで〕使うことを禁じられている わざ。　**―め**⓪④【―目】　封をした箇所。「―に△封(〆)と書く/―に印を押す」

ふうしゃ①⓪【風車】　「かざぐるま」の漢語的表現。「―に立ち向かうドン キホーテ」

ふうじゃ①【風邪】　「かぜ(ひき)」の古語的表現。

ふうしゅ①【風趣】　そのものの持つ、巧まぬよさ。

ふうじゅ①【風樹】　〔古〕風にゆれる木。「―の嘆〔=親がすでに死んでいて、孝行を尽くすことが出来ない嘆き〕」

ふうじゅ①【〈諷誦〉】―する(他サ)　〔古〕〔追善の文章などを〕声をあげて読むこと。〔古くは「ふじゅ」、新しくは「ふうしょう」〕

ふうしゅう⓪【風習】　その土地の人びとが、社会生活上いつもそうしている事柄。

ふうしょ⓪【封書】　封をした手紙。かぞえ方　一通

ふうしょう⓪【〈諷誦〉】―する(他サ)　⇩ふうじゅ

ふうしょく⓪【風食・風〈蝕〉】―する(他サ)　風が砂や雨を岩石の表面に吹きつけて、浸食すること。「―作用⑤」

ふ

** * は重要語，⓪①… はアクセント記号，品詞の指示の無いものは名詞および いわゆる連語。

ふう・じる 0【封じる】(他上一) ❶封をする。❷中に入れたまま動けないようにする。「虫を—」❸活動させないようにする。「△批判(動き・発言)を—」❹それが使えないようにする。「△口(道)を—」 封ずる(サ変)。〔⇩封じ目〕

ふうしん 0【風疹】(子供がかかる)急性の感染症。はしかに似ているが二、三日で治る。みっかばしか。〔妊娠初期にかかると胎児に悪影響を与える〕

ふうじん 0【風神】風の神。「—雷神」

ふうじん 0【風〈塵】〔「風のために立つちり」の意〕世の中のつきあいなどの煩わしさ。「山中に—を避ける」

ふうしんき 3【風信器】「かざみ」の意の漢語的表現。

ブース 1 0〔booth〕❶〔語学練習のための〕個人用の仕切りボックス。❷有料道路の料金徴収所。❸〔展示会場などで〕その出展者のために、小さく仕切った一区画。

ふうすい 1 0【風水】川の流れる様子や風土の総合関係によって、その地が住居・埋葬等に適するか否かを判じた陰陽(オンミョウ)道の占い。平安京を四神(シジン)相応の地として都に定めたのも、この占いによったもの。

ふうすいがい 3【風水害】暴風や大雨による被害。「—防止」

ブースター 1〔booster=押し上げるもの〕❶機械などの働きや速度を増すための仕掛け。❷ロケットを推進させるための燃料を詰めた補助エンジン。 **—きょく** 4【—局】〔テレビ放送で〕受信困難地域の聴視者のために設けられた中継専門のテレビ局。親局と同一の周波数を使う。

フーズフー 4〔Who's Who=もと、商品名〕紳士録。

ふう・する 3【〈諷する】(他サ) 比喩などを用いて、遠回しに言う。

ふうせい 0【風声】〔古〕❶風が吹く音。❷風のたより。うわさ。 **—かくれい** 0-0【—《鶴〈唳】落ち武者などがひどくおじけづいていて、風の音や鶴(ツル)の鳴き声にも驚くほどである、ということ。

ふうせい 0【風勢】風の吹く勢い。

ふうせつ 0【風雪】風と雪。また、強い風を伴う雪。〔長い間の世の中のさまざまな苦労の意にも用いられる。例、「—に堪えて生きる」〕

ふうせつ 0【風説】出所不明のうわさ。「—を打ち消す」

フーゼルゆ 4【フーゼル油】〔ド Fusel〕アルコールが発酵して出来る有毒な混合物。酒類一般には多少なりとも含まれる。

ふうせん 0【風船】❶〔↑風船玉(マダ) 0〕紙やゴムの袋に息を吹きこんだり水素を入れたりしてふくらませたおもちゃ。手でついたり飛ばしたりする。「—ガム・紙—」❷気球。 かぞえ方 ❶は一枚

ふうぜん 0【風前】風の吹いて来る所。「—の灯(トモシビ)〔=滅亡寸前のたとえ〕/—の塵(チリ)〔=はかない物のたとえ〕」

ふうそう 0【風葬】—する(他サ) 死体を風雨にさらす葬り方。⇩土葬・水葬・火葬

ふうそう 0【風霜】〔風と霜の意〕きびしい、世間の試練。「長い—に堪える/—を経て〔=幾時代かがたって〕いよいよ声価を高める」

ふうそう 0【風騒】〔古〕〔「風」は詩経の民謡「国風」、「騒」は楚辞(ソジ)の冒頭の詩「離騒」に基づく〕風雅の道を好んで詩歌を作ったり味わったりすること。

ふうそく 0【風速】風の速さ。普通、地上一〇メートルの高さで計り、一〇分間の平均値を取って、秒速で表わす。「—三〇メートル/最大—5・—計0」

***ふうぞく** 1【風俗】❶その△地域(時代)を特徴づける、衣食住のしかたや、一定の行事。「—画0」❷風紀。「—壊乱・—犯罪」❸「風俗営業」の略。 **—えいぎょう** 5【—営業】待合・飲み屋・キャバレー・ダンスホール・ビリヤード・ぱちんこ・マージャン屋など客に遊興させたり、射倖(シャコウ)心をそそる遊技をさせる営業。 **—しょうせつ** 5【—小説】作者の批判精神や思想が作品に反映しておらず、単にその時代に生きる人たちの生態を描き出すことに重点がある小説。〔狭義では、近代文学のそれを指す〕 **—はんざい** 5【—犯罪】売春・賭博(トバク)など、風俗を乱すおそれのある犯罪。

ふうたい 1 0【風帯】❶几帳(キチョウ)の上端から垂らす装飾的な細長い布。❷掛け軸で、上端から書画にはかからない程度に垂らす左右二本の細長い布や紙。 かぞえ方 ❶❷とも一本

ふうたい 0 1【風袋】〔「風」は姿の意。「風貌(フウボウ)」の風と同義〕❶品物の入れ物・袋など(の重さ)。「—込みの重量」❷中身に対する評価は無視した、見かけだけから受ける印象。「—倒(ダオ)し5」

ふうたく 0【風〈鐸】寺の本堂や五重の塔の軒の四すみなどにつり下げる鐘の形をした鈴。〔広義では、「風鈴」をも指す〕

ふうち 1【風致】〔都会人の目を楽しませるものとしての〕森林・河川など、自然環境の整合の美。「—地区4・—条例4・—林・—保存」

ふうちょう 0【風鳥】⇩極楽鳥

ふうちょう 0【風潮】その時代のその社会(の一部)に見られる、(好ましくない)傾向や物の考え方。「社会の—に対しズケズケ発言する/過剰な規制は規則無視の—を生むのではないか/日本では八〇年代後半、金もうけは簡単だ、という—が広がった」

ふうちん 0【風鎮】風で動いて壁を傷つけることの無いように、掛け軸の両端にかける、玉・石などのおもり。

ブーツ 1〔boots〕防水用・防寒用などの革製の深靴。 かぞえ方 一足

ふうつう 0【風通】〔↑風通織(リ) 0〕縦糸・横糸に異なる色糸を用い、表と裏と反対の模様を出したりした△織り方(織物)。

ふうてい 1【風体】❶その人の身分・職業がうかがわれるものとしての服装のよしあしやその着こなし方。「ふうたい1」とも。〔いい意味では あまり使わない〕「怪しい—の男」❷〔日本中世の芸術論で〕主体の真情が十分に込められた表現美。

ふうてん 0【〈瘋癲〉】❶錯乱や感情の激発など、精神状態が不安定な症状(を示す人)。❷家出をするなどして定職を持たず、奇抜な服装をしたり 世間の顰蹙(ヒンシュク)を買うような行動をしたり などする人。〔多く若者を指した〕

フード(造語)〔food〕食べ物。「—センター4・ドッグ—」

フード 1〔hood〕❶レインコートやオーバーなどのずきん。❷カメラのレンズやタイプライターなどにかぶせるおおい。

***ふうど** 1【風土】〔住民の生活・思考様式を決定づけるものと考えられる〕その土地の気候・水質・地質・地形などの総合状態。「—に△なじむ(根ざす)/精神—5・政治—4・—性0」 **—びょう** 0【—病】その土地特有の病気。マラリア・つつがむし病など。

***ふうとう** 0【封筒】通信文・書類などを入れる紙の袋。状袋。 かぞえ方 一枚・一通。小売の単位は一束

ふうどう 0【風洞】人工的に風を起こすためのトンネルの形の装置。航空機の模型をつるして、空気の抵抗などをはかるのに使う。

ふうとうぼく 3【風倒木】風で倒れた木。

フードコート 4〔food court〕〔ショッピングセンターなどで〕セルフサービスの飲食店を集めた区画。中央にテーブル

と座席の場所があり、各店で買ったものを飲食できる。

フードプロセッサー [6] 〔food processor〕 食品を切り刻んだり すりつぶしたり 混ぜ合わせたり する電動の調理器具。

プードル [1] 〔poodle〕 イヌの一品種。愛玩(アイガン)用の犬。大きさにより、スタンダード・ミニチュア・トイなどがある。毛が長く、独特な形に刈り込む。 かぞえ方 一匹

ふうにゅう [0]【封入(ニフ)】—する(他サ) 中に入れた物が簡単には出ないように閉じること。「アルゴン ガスを—する」

ふうは [1]【風波】〔航海者や海岸沿いの住民の不安の基としての〕風と波。「—高かるべし/家庭内に—〔=もめごと〕が絶えない」

ふうばいか [3]【風媒花(クワ)】 風の力によってほかの花の花粉を受ける花。マツ・スギ・イネなど。⇩虫媒花・鳥媒花・水媒花

ふうばぎゅう [3]【風馬牛(ギウ)】 〔「風す」とは雌雄が誘い寄ることで、さかりのついた雌雄の馬・牛でさえ互いに遠隔地に居てはどうしようも無いところから〕自分とは全く関係が無いという態度をとること。

ふうはく [0]【風伯】 〔古〕風の神。「—雨師[5]〔=風や雨の神〕」

ふうひ [1]【封皮】 ❶二重封筒の外側。 ❷封筒の のりづけする部分。

ふうび [1]【風〈靡】—する(他サ) 〔風が草木をなびかせるように〕すべての人をある方向に従わせること。「一世を—する〔=世の中全体をその傾向に従わせる〕」

ブービー [1] 〔booby〕 〔ゴルフ・ボウリングなどで〕成績が下から二番目であること。「—賞[3]」

ふうひょう [0]【風評(ヒヤウ)】 〔「風」は、ほのかにの意〕(よくない)うわさ。 **—ひがい** [5]【—被害】 客観的な根拠もないのに「…は危険だ」などといううわさが広がり、関係者が経済的損失を受けること。

**ふうふ [1]【夫婦】 △結婚(同棲(ドウセイ))している、一組の男女。〔多く、家族構成の最小単位と認められる〕「—げんかは犬も食わない/—愛[3]・—仲[3][4]・—別姓[1]-[0]・おしどり—[5]」

フープ [1] 〔hoop=箍(タガ)。回して遊ぶ輪〕 直径約二メートルの鉄の輪を、数十センチの間隔で二つ平行に横棒でつなぎ、その内側に手足をささえる部分をつけた運動具。人が手足を広げてその中につかまり立ち、全身と共に地上を回転させる。 かぞえ方 一本

ふうふう [1](副)—と ❶何度も(勢いよく)息を吹きかける様子。「熱いうどんを—(と)吹く」 ❷苦しそうに、繰り返し大きく息をする様子。「坂を—言って登る」 ❸しなければならない事が多過ぎて、やり切れない思いをする様子。「宿題が多くて—言わされる」

ぶうぶう [1](副) ❶不平不満を言う様子。「—文句ばかり言う」 ❷〔オルガン・ほら貝・警笛などが〕低い音を出す様子。また、その音の形容。

ふうぶつ [1]【風物】 ❶目に見える自然の中にある物。❷その土地の季節季節を特徴づける物。 **—し** [4]【—詩】〔風物をうたった詩の意〕接する人に、その土地の風土と結びついた季節感を感じさせ、何らかの感慨・感動を催させるもの。「金魚売りの声は東京下町の夏の—だ」

ふうぶん [0]【風聞】—する(他サ) 〔「風」は、ほのかにの意〕どこからともなく△伝えられる(伝わって来る)うわさ。

ふうぼう [0]【風防(バウ)】 風よけ。「—ガラス[5]」

ふうぼう [0]【風貌(バウ)】 顔つきや物腰から総合的に受ける、その人独特の感じ。「△貴族的(特異)な—/温和な—に似合わぬ相当な攻めの碁/主人公を演じる中学生のとぼけた—も捨てがたいものだ」 表記 「風〈丰(フウボウ)」とも書く。

ふうみ [1]【風味】 口に含んだ時に感じられる、その物に独特のよい味。「時間が経って—が落ちる/かに—〔=人工的にかにの味をつけた〕かまぼこ」

ブーム [1] 〔boom=ハチの羽音〕 にわかに景気づいたり 突然人気が出たり ある事柄が急に盛んになったり すること。「古代史—が起きる/土地—に沸く/—に乗る/ベビー—[4]」

ブーメラン [1] 〔boomerang=オーストラリア先住民の狩猟具の名〕「く」の字形のもので、高く投げると、空中を曲線を描きながら回転して飛んで手もとに戻って来る。 かぞえ方 一本

ふうもん [0]【風紋】 風が砂の上を吹いて出来た模様。

ふうゆ [1][0]【〈諷喩・〈諷諭・風諭】—する(他サ) 遠回しにそれとなくさとすこと。 表記 「風諭」は、古用を復活させた表記。

ふうらいぼう [3]【風来坊(バウ)】 ❶どこからともなくやって来、またどこへともなく去る人。 ❷気まぐれな人。

プーリー [1] 〔pulley〕 ❶滑車。 ❷ベルトをかけて動力を伝えるために付ける車。しらべぐるま。

フーリガン [1] 〔hooligan=ならず者〕 〔スポーツ競技、特にサッカーで〕乱闘騒ぎなどを引き起こす熱狂的なファン。

ふうりゅう [1]【風流(リウ)】—な ❶利害打算を超えた世界の事柄に心の交流や安堵(アンド)が具現し、その間だけ、煩わしい俗世間的交渉から解放されて余裕を楽しむ△こと(様子)。〔かつては、詩歌絵画などの制作・鑑賞が、その主流とされた〕「花鳥風月を愛(メ)でる—な生活も大都会では無理というものだ/酒をくみかわし、歌をつくる—な集い/日本人は昔から虫の鳴き声を楽しみ、—を味わってきた」 ❷紋切型・実用的ではなく、個性的な趣味や創意工夫によって、豊かさが感じられる△こと(様子)。「モミジガイ〔=ヒトデの一種の名〕は、水面に落ちたモミジにも似て、なかなか—な〔=味のある〕命名ではある/屋形舟で—〔=きれい〕な提灯(チョウチン)を灯(モト)して連なる水郷の鵜(ウ)飼い」 派 **—さ** [3]

ふうりょく [1]【風力】 風の速さと、その風の影響を受けた時の陸上・海上の様子との関係が分かるように、風速を段階に分けて示したもの。「—階級・—計[0]」 **—はつでん** [5]【—発電】 風のエネルギーを動力とし、大きな風車の回転を利用して電気を起こす発電。

ふうりん [0]【風鈴】 夏、軒下などに下げて、涼しげなその音を楽しむ、小さなつりがね形の鈴。

***プール** [1] 〔pool〕 ❶まわりを囲って作った水泳(競技)場。「温水—」 ❷置き場。たまり場。「モーター—」 ❸〔運賃・収入の〕共同計算。 ❹—する(他サ) 〈(どこニ)なにヲ—する〉 ためること。「資金を—する」 かぞえ方 ❶は一面

プール ねつ [3]【プール熱】 アデノウイルスによる、発熱・咽頭(イントウ)炎・結膜炎を主症状とする病気。おもに小児がかかり、プールで感染することが多い。プール病[0]。咽頭結膜熱[8]。

ふうろ [1]【風炉】 ❶⇩ふろ(風炉) ❷溶解用の小さいるつぼ。

ふうろう [0]【封(ラフ)〈蠟】 書状などの封じ目を固めたり 瓶の栓を封じたり するための、蠟状の混合物。「—をはがす」

ふうろう [0]【風浪(ラウ)】 風によって立つ波。

ふうん [1]【不運】—な —に その人の意志によって避けることが出来ないような、悪い巡り合せ(である様子だ)。↔幸運 派 **—さ** [2][0]

ふうん [1][0]【浮雲】 「浮き雲」の意の漢語的表現。〔不安定きわまるものの代表として用いられる〕

ぶうん [1]【武運】 武士としての運命。〔具体的には、勝って生き残るか負けて滅びるかの運命を指す〕「—長久〔=勝つ

ふ

こと」を祈る/—ったなく敗れ去る」

ふえ⓪【〈吭】〔雅〕のどぶえ。「—を切る」

***ふえ**⓪【笛】❶吹奏楽器の一つ。中空の竹・木・金属などの管の側面に幾つかの穴をあけ、息を吹きこんで鳴らす。穴を指で押さえて音を変える。〔狭義では、横笛を指す〕❷呼び子。[かぞえ方] ❶❷とも一本 【—吹けど踊らず】為政者の呼び掛けに配下や民衆が思い通りに乗って来ない形容。〔広義では、首唱者の懸命な呼びかけにもかかわらず、反応がきわめて鈍いことの形容にも用いられる〕

ふえ⓪【〈鰾】⇩浮き袋❷

ふえ①エ—【不《壊】〔「え」は呉音〕「こわれたりくずれたりしない」意の古風な漢語的表現。「—の珠タマ/金剛—」

フェア①〔fair〕❶—な/—に かけひきの無い様子だ。公明正大。「—な記事を書く」⇩アンフェア ❷〔野球で〕打ったボールが規定の線の内側に入ること。↔ファウル・アウト ❸展示(即売)会。〔デパートなどで客寄せに行なわれることが多い〕「交通安全—・英国—・ブック—〔=図書祭り〕」

フェア トレード④〔fair trade〕発展途上国からの原料や製品を、公正な価格で継続的に輸入すること。生産者や労働者の生活向上と自立の支援を目的とする。

フェア プレー④③〔fair play〕❶正々堂々の試合ぶり。❷公明正大な△態度(行動)。

フェアリー①〔fairy〕妖精ヨウセイ。 **—ランド**⑤〔fairyland〕おとぎの国。〔子供向け施設の名などに用いられる〕

ふえい⓪【府営】府が経営する△こと(施設)。

フェイク①〔fake〕偽物。まやかし物。フェーク①とも。

フェイクファー④〔fake fur〕合成繊維で造られた人工毛皮。

フェイスブック④〔Facebook=商標名〕SNSの一つ。実名で登録した会員同士が、近況を報告したりして情報を共有する交流サイト。また、そのサービス。略して、エフビー(FB)。

ふえいせい②エイ—【不衛生】—な/—に 不潔なために、気持を悪くさせたり病気を引き起こすような気にさせたりする△こと(様子)。派—さ⓪④

ふえいようか⓪④ヤウクワ【富栄養化】❶長い年月を経て湖や内湾などにプランクトンの増殖などをうながす塩類〔=栄養塩類〕が流入し水中生物が成長しやすい状態になること。自然富栄養化。❷人間の生活排水や産業廃水によって、大量のリン・窒素化合物が湖沼や湾内に流れ込み、プランクトンの異常発生などにより水質汚染を引き起こすこと。

フェイント⓪—する(自サ)〔feint〕相手をだますために、攻撃するふりをすること。〔バレーボールでは、強く打つと見せかけて、相手コートに△ゆるい(近距離の)ボールを返して、相手の虚をつくことを指す〕「—ボール⑤・—モーション⑤」

フェース(造語)〔face〕顔。フェイスとも。「ニュー—・ポーカー—・ファニー—〔=⇩ファニー フェース〕」

フェード(造語)〔fade〕色や音が消える。「—アウト」

フェード アウト④—する(自サ)〔fade out〕〔映画・テレビで〕画面が次第に暗くなること。溶暗。〔略号F.O.〕

フェード アップ④—する(自サ)〔fade up〕〔映画・放送で〕音を次第に上げていくこと。↔フェード ダウン

フェード イン④—する(自サ)〔fade in〕〔映画・テレビで〕画面が次第に明るく現われ出ること。溶明。〔略号F. I.〕

フェード ダウン④—する(自サ)〔fade down〕〔映画・放送で〕音を次第に下げて行くこと。↔フェード アップ

フェール セーフ④〔fail-safe〕❶機械やシステムが故障を起こしたときに、二重・三重の安全装置が作動して決定的な事故にならないようにするためのしくみ。❷偶発戦争を防ぐためにとられている安全措置。

フェーン①〔ド Föhn=アルプス山脈の北側斜面を吹きおろす、乾燥した熱風の呼び名〕山を越える風がかわいて、熱風となって吹きおろす現象。多く、日本海沿岸の都市に大火をもたらす因となる。「—現象④」

ふえき①⓪【不易】—な/—に 時代が変わっても、その事象に関しては変化が無い△こと(様子)。「万古バンコ—①-⓪〔=⇩万古❶〕・—流行①-⓪〔=不易と流行とは根本的には相反するものではなく、真の風雅の心に帰するものだとする考え方〕」

ふえき①【賦役】〔古〕⇩ぶやく(夫役)

フェザー①〔feather〕鳥の羽。「—タッチ④〔=羽のように軽い感じ〕」

フェザーきゅう⓪キフ【フェザー級】〔feather weight の訳、feather=羽毛〕体重で決めた選手の階級の一つ。スーパーバンタム級の上。プロボクシングでは五五・三四〜五七・一五キログラムまでの体重。

フェスタ①〔イ festa〕⇩フェスティバル

フェスティバル①〔festival〕祭り。フェスタとも。「スポーツ—」

フェチ(造語)フェティシズムの略。また、俗に軽い意味で、何かに対する偏愛や執着。「匂い—・スーツ—・耳—」

ふえつ①⓪エツ【〈斧鉞〉】おのとまさかり(で修正すること)。「—を加える〔=他人の書いた文章に遠慮無く手を入れる〕」

ふえて②①【不得手】—な 能力・関心がそれに向かない様子だ。「しゃべるのはどうも—〔=不得意〕です」

フェティシズム③〔fetishism〕❶動植物(の一部)などを神聖視して崇拝の対象とすること。呪物崇拝。❷変態性欲の一種。相手の身につけている物により性的快感を得る。フェチシズム・フェチとも。

フェニックス①②〔phoenix〕❶〔エジプト神話で〕五百年ごとに祭壇の火で焼け死に、その灰の中からまた生き返るという鳥。不死鳥。❷鉢植えなどにする観葉植物。一般にはカナリーヤシ⑤・ナツメヤシ④・シンノウヤシ⑤などを言う。葉がしなやかで幹の頂から曲がり、美しい。〔ヤシ科〕[かぞえ方] ❷は一株・一本

フェノール②〔phenol〕❶石炭酸・クレゾールなどの類の総称。❷石炭酸。

ふえふき④③【笛吹(き)】笛を吹く△人(名人)。〔ある運動の宣伝役の意にも用いられる〕

フェミニスト③〔feminist〕フェミニズムの立場に立つ人。〔かつては「女権拡張論者」「男女同権論者」の訳語も用いられた。女性に甘い男性の意に用いるのは、日本での特用〕

フェミニズム③〔feminism〕政治的・経済的・社会的に、性別による差別を解消し、女性の権利を確立することで平等の実現をめざす理論と運動。〔かつては「女性解放論」の訳語も用いられた〕

フェムト(接頭)〔femto- ←femten=デンマーク語で「十五」の意〕国際単位系における単位名の接頭辞で、基本単位の千兆〔=十の十五乗〕分の一であることを表わす〔記号f-〕。「—秒〔=千兆分の一秒=10^{-15}秒〕」

フェライト②⓪〔ferrite〕鉄(を含む合金)の酸化物の一つ。多くは強い磁性を持ち、高周波材料として使われ、ラジオ・テレビなどの部品として利用される。

フェリーボート④〔ferryboat=渡し船〕自動車を乗客や積み荷ごと運ぶ大型の船。カー フェリー。略してフェリー①。[かぞえ方] 一艘ソウ・一隻セキ

***ふ・える**②【増える・殖える】(自下一)〈なにカラなにニ—〉(目に見えて)数・量が多くなる。「△動き(数・危険)が—/う

なぎ上りの増え方」↕減る

フェルト[0]〔felt〕羊毛などを湿気と熱で圧縮したもの。敷物・帽子・スリッパなどを作る。フエルト[0]とも。「―製品」

フェルトペン[0][3]〔felt pen〕ペン先に相当する部分がフエルトの筆記具。インクには油性と水性のものがある。

フェルマータ[3]〔イ fermata〕〔音楽で〕音符や休符の上に付けて音や休みを長くする印〔記号 ⊙〕。

フェレット[1]〔ferret〕イタチの一種。白イタチ[3]。ヨーロッパケナガイタチ[9]の飼育種で、愛玩(アイガン)用のほか実験用にも使われる。

フェロアロイ[3]〔ferroalloy〕一種または二種以上の非鉄金属元素を、多量に含む鉄合金。合金鉄。

フェロー[1]〔fellow=仲間〕（大学や企業で特別の資格や待遇を与えられる）△特別(客員)研究員。

フェローシップ[4][1]〔fellowship〕研究者を支援し研究を奨励するために国や企業などが出す奨学金。研究奨学金。

フェロモン[1]〔pheromone←ギ pherein（運ぶ）+ hormone（ホルモン）〕昆虫や哺乳類が出す化学物質。この物質によって、同種の他の個体が刺激を受けて、特有行動や生理的反応を引き起こす。「性―[3]」

ふえん[1][0]【不縁】夫婦としての関係が△無くなる(まとまらない)こと。「釣り合わぬは―のもと」

ふえん[0]【敷〈衍】―する(他サ)〔「敷」はしく、「衍」は広げるの意〕趣旨が徹底するように説明を加えること。「―して述べる」 表記「布〈衍・敷延」とも書く。「延」は、代用字。

フェンシング[1]〔fencing〕片手で剣を持ち、互いに突いたり切ったりしあう西洋流の剣術。〔使う剣により、フルーレ・エペ・サーブルの三つに分ける〕

フェンス[1]〔fence〕❶柵(サク)・囲い。「金網―・アルミ―」 ❷競技場と見物席とを分ける柵。かぞえ方 ❶は一枚

フェンダー[0][1]〔fender〕自動車の泥よけ。

フェンネル[1]〔fennel〕⇩ういきょう

ぶえんりょ[2]【無遠慮】―な ―に 相手がどんな気持で受け取るか どれほど迷惑をするかなどは顧みず、ずうずうしい言動に出る様子だ。「―な大声でしゃべる/―に ふるまう」 派―さ[0][4]

フォア[1]〔fore=前方・前面〕フォアハンド・フォワードの略。

フォア[1]〔four=四つ(の)〕四人で漕(コ)ぐ、レース用のボート。かぞえ方 一艇(イテ)・一艘(ウソ)・一隻(キセ)

フォア グラ[0]〔フ foie gras〕人工的に肥大させたガチョウの肝臓。また、それに味付けしたもの。そのままソテーしたりソースとして用いたりする。

フォアハンド[3]〔forehand〕〔テニス・卓球などで〕利き腕の側で打つこと。↕バックハンド

フォア ボール[1][3][2]〔和製英語 ←four + balls〕〔野球で〕一人の打者に投手がストライクでない球を四回投げ、打者が一塁に進む権利を得ること。四球。

ふおう[1][2]―(フワウ) ❶【夫王】王である夫。❷【父王】王である父。

フォー[1]〔ベトナム pho〕米粉の麺を使ったベトナム料理。牛骨スープをニョクマムで味付けし、肉や香草などの具を加えて食べる。

フォーカス[1]〔focus〕〔写真で〕焦点。ピント。「ソフト―」

フォーカス[1]〔forecast の日本語形〕連勝式の馬券。

フォーカル プレーン シャッター[9]〔focal plane shutter〕カメラのシャッターの形式。焦点面の直前をゴム引き布や金属の膜が すき間をあけて移動し露光させる。高速が出しやすく、レンズ交換のカメラに適する。⇩レンズ シャッター

フォーク[1]〔fork〕❶〔洋食で〕肉などをさして食べるのに使う食器。ホーク[1]とも。❷牧草・堆肥(タイヒ)などの処理に用いる農器具。普通四本のとがった棒状の歯を持つ。かぞえ方 ❶❷とも一本

フォーク ソング[4]〔folk song=民謡〕第二次世界大戦後、日本の若い人や働く人たちに好んで歌われている、外国民謡や仕事の歌など。

フォーク ダンス[4]〔folk dance〕⇩ダンス

フォークボール[4]〔forkball〕〔野球で〕変化球の一つ。人差し指と中指との間にボールを挟んで投げるもの。打者の手もとで急に落ちる。

フォークリフト[4]〔forklift〕駅・工場・倉庫・埠頭(フトウ)などで用いられる自動運搬車。車体の前部に突き出た二本のフォーク形の鉄板を上下させて、荷物の積みおろしを行なう。かぞえ方 一基

フォークロア[4]〔folklore〕❶民間伝承。また、民俗学。❷民族衣装をモチーフにしたファッション。

フォース アウト[4]―する(他サ)〔force-out〕〔野球で〕封殺。ホース アウトとも。

フォービスム[3]〔フ fauvisme, fauve=野獣〕二十世紀の初め、フランスのマチスなどが起こした絵画運動。単純化と強い色彩が特色。野獣派。フォーブ[1]とも。

フォーマット[1][0]―する(他サ)〔format〕❶〔書類などで〕(一般に)書式が定められているもの。❷〔コンピューターなどの電子媒体で〕データが記録できるように準備すること。「初期化」とも。「ディスクを―する」

フォーマル[1]―な〔formal=公式の〕それが正式だとされる様子だ。「―な装い」↕インフォーマル **―ウエア**[6]〔formal wear〕社交儀礼上、必要がある場合に着用する服。フォーマル ウェア[5]とも。↕カジュアル ウエア かぞえ方 一着 **―ドレス**[5]〔formal dress〕格式を重んじる儀式や宴席に着用すべきだとされる服。男性は燕尾(エンビ)服、女性はローブ デコルテなど。かぞえ方 一着

フォーム[1]〔form=形(態)・型〕❶形式。様式。❷〔スポーツなどで〕プレーをする時の姿勢。「―がいい」

フォーム ラバー[4]〔foam rubber, foam=泡〕ゴムに特殊加工して細かい気泡をたくさん作り、弾力性を持たせたもの。ベッド・いすのクッションなどに使う。ホーム ラバーとも。

フォーメーション[3]―する(他サ)〔formation=編成〕〔サッカー・バスケット・ラグビーなどの球技で〕攻撃や守備のために、選手を適切に配置すること。また、その配置法。

フォーラム[1]〔forum=集会用の広場〕参加者の自由な発言を旨とする公開の討論会に付ける名称。〔問題となる事柄についての議論を深めようと組織されたグループの名称などにも用いられる〕

フォール[1]―する(他サ)〔fall〕❶〔レスリングで〕相手の両肩を同時にマットに押さえつけること。❷〔プロレスで〕相手の両肩をマットの上に三秒以上押さえつけること。

フォカッチャ[2]〔イ focaccia〕イタリアのパンの一つ。生地にオリーブ油を練り込み、ハーブで味をつけ、薄く焼いたもの。

フォックス トロット[6][5]〔fox trot〕四分の四拍子の通俗的なジャズの舞曲(に合わせて踊るダンス)。

フォッグ ライト[4]〔fog light〕自動車・船舶などに取り付けてある、濃霧のときに使うライト。霧灯[0]。フォッグ ランプ[4]〔fog lamp〕。フォグ ランプ[3]。

フォッサ マグナ[4]〔ラ Fossa Magna=大きな溝〕日本列島を地質構造的に東日本と西日本とに分ける、本州の中央部をほぼ南北に貫く地帯。

フォト（造語）〔photo〕写真。フォトグラフ[3]。「―サロン[3]・―ニュース[3]」

ぶおとこ②(ヲトコ)【《醜男》】〔「ぶ」は否定辞「不」の意。つまり、男前でない意〕顔の醜い男子。⇩ぶおんな

フォトスタジオ④〔photo studio〕写真館。

フォルダー〔folder〕❶①⓪（関連のある）書類をひとまとまりにして中に挟んで納められるようにしたもの。ホルダーとも。❷⓪〔コンピューターで〕ファイルを収納しておく領域。

フォルテ①〔イ forte〕〔楽譜で〕「強く」の意の演奏指定〔記号 *f*〕。↕ピアノ

フォルティシモ③〔イ fortissimo=最も強く〕〔楽譜で〕「ごく強く」の意の演奏指定〔記号 *ff*〕。フォルティッシモ③とも。↕ピアニシモ

フォルト①〔fault=過失・欠点〕〔テニス・バレーボール・卓球などで〕サーブを失敗すること。サービス ミス⑤。フォールト①とも。「ダブル—④」

フォルマリン⓪〔ド Formalin〕⇩ホルマリン

フォルム①〔フ forme〕〔芸術などで〕形。形式。フォーム。

フォルムアルデヒド⑥〔ド Formaldehyd〕⇩ホルムアルデヒド

フォロー①—する（他サ）〔follow=あとに続く。従う〕❶〔サッカー・ラグビーなどで〕ボールを持った攻撃中の味方の後について走り、攻撃を助けること。〔バスケットボールでは、味方がシュートしたそれ球を受けて、続けてシュートすることを指す〕❷〔←follow shot〕〔映画・テレビなどで〕写すものを追ってカメラを動かしながら撮影すること。❸相手や著者の論理をたどること。❹話題から遠のいた出来事などのその後の経過を追い求めること。「独裁政権崩壊後を—した読み物」❺他の人の不備などを補って、うまく体裁を整えること。「うまく説明出来なかったところを先輩が—してくれた」

フォローアップ④〔follow-up〕❶追跡調査。❷〔医学で〕治療後の経過を診るために行なう検査。追跡検査。

フォロワー⓪①〔follower=付き従う人〕〔ツイッターなどで〕その人の投稿が自分のページに表示されるように登録している人。「—数を増やす」

フォワード⓪〔forward〕〔サッカー・ラグビー・バスケットボール・テニスなどの〕前衛。フォーワードとも。↕バック■❸

ふおん⓪(ヲン)【不穏】—な/—に 事件が今にも起こりそうで、穏やかでない様子だ。「—な空気に包まれる/—な動きを見せる/—分子④・形勢—」

フォンデュ①〔フ fondue〕❶スイスの鍋(ナベ)料理。チーズを白ワインで溶かし、小さく切ったパンを浸して食べるもの。「チーズ—」❷フランスの鍋料理。牛肉などの小片を柄の長いフォークに刺し、食卓上で揚げながら食べるもの。

フォント⓪①〔font〕〔印刷で〕大きさや字体が同一の文字の一そろい。また、それらの文字。〔特に、コンピューターで使う電子データの文字を言うことが多い〕

ふおんとう②(ヲンタウ)【不穏当】—な 物の考え方が極端であったり 表現したところが事実と異なっていたりして、だまって見過ごすわけにはいかないという印象を与える様子だ。「殺すの死ぬのと—な発言は慎むべきだ」

フォンドボー④③〔フ fond de veau〕フランス料理で、子牛の肉と骨から作る出し汁。

ぶおんな②(ヲンナ)【《醜女》】〔「ぶ」は否定辞「不」の意〕顔の醜い女性。⇩ぶおとこ

ふか【深】（造語）❶深い（所まで達した）。「—田(ダ)⓪・—手(デ)」❷深く。「—爪(ヅメ)を切る/—入り・—追い」

ふか⓪【〈鱶〉】〔雅：関西方言〕大形のサメ。「—のひれ」

ふか【不可】■一①② ❶△よく（いけ）ないこと。「可も無く、—も無い」↕可 ❷〔四段階の成績評価で〕水準以下で、不合格の意。アルファベットによる評価の「D」に当たる。■二（造語）「…できない」「…してはいけない」など、不可能・不許可の意を表わす。「—侵・進入—・入手—・分売—」

ふか①②【付加・附加】—する（他サ） 現在あるものの上に付け加えること。「—価値・—税②」

ふか①【府下】府の区域内（で、市外にあること）。

ふか①【負荷】〔荷を背負う意〕❶作動させるときに生じるエネルギーの消費量。「—がかかる/—率②」❷—する（他サ）その立場にある者として職責や任務を負わされること。また、その任務や職責。「病弱にして—に堪えず」

ふか①(クワ)【浮華】—な 一見、はなやかなようだが、実質の伴わない様子だ。

ふか①【富家】財力のある家。↕貧家

ふか①②(クワ)【〈孵化〉】—する（自他サ） 卵がかえること。卵をかえすこと。「人工—⑤」

ふか①(クワ)【賦課】—する（他サ）〔決まった基準により〕ある金額の納税義務を課すること。

ぶか①【部下】ある人の下で命令を受け、行動する人。

ふかあお⓪③(アヲ)【深青】果てしなく深い海の色のような、紺色に近い青。

ふかあみがさ⑤【深編(み)〈笠〉】顔を深く隠せるように作った編み笠。昔、武士などが人目を避けるために かぶったもの。

ふか・い②【深い】（形）❶〔表面・外から〕底・奥までの距離が△比較の対象とする（一般に予測される）ものより長い様子だ。「—△海（井戸）/—なべ/雪が深く積もった山国/地中深く根を張る/彫りの—顔/傷が—」❷△底（下・奥）までなかなか見通せず、容易にはうかがい知れない様子だ。「霧が—/—山に分け入る/心の奥深く秘める/会社をやめたのには—△考え（わけ）があったようだ/事件の根は—/—意味のある発言/味わい—(ブカイ)文章/興味—(ブカイ)」❸〔そのことのかかわり合いに関して〕容易には抜け出せないほど中や奥に入り込んでいる様子だ。「—△仲（因縁）/事件に深くかかわる/政界との結びつきが—人物」❹もっとも△明るい（華やかな）状態を過ぎて、ともすれば△暗い（沈んだ）状態だといった印象を受ける様子だ。「秋も—/—緑色」〔❶～❹の大部分の対義語は、浅い〕派 —さ①② —げ⓪③②

ふかい⓪(クワイ)【不快】—な/—に ❶健康状態があまり良くない様子だ。〔古くは、病にかかっていることを指した。例、「ご—の由(ヨシ)」〕❷自分の感情と相容(イ)れないところがあり、聞いたり見たりしたことをそのまま受け入れることが出来ない様子だ。「—（=いや）な顔をする/—感が高まる」 —しすう④⑤【—指数】主として夏期、気温と湿度とが高くなることにより人体が感じる不快の程度を示す数値。（気温＋湿球温度）×〇・七二＋四〇・六によって得る。〔七〇以上になるとやや不快、七五以上では半数以上の人が不快、八〇以上では全員が不快を感じるものとされる〕

ふかい⓪(クワイ)【付会・附会】—する（他サ） 無理にこじつけること。「牽強(ケンキョウ)—」

ぶかい⓪(クワイ)【部会】❶〔総会と違って〕部門に分かれて行なう集まり。「専門—」❷部単位の集まり。

ぶがい①(グワイ)【部外】〔その組織・機関などと〕関係の無い外部（の人）。「—秘の書類/—者②」↕部内

ふがいな・い④(フガヒ)【〈腑〈甲〈斐無い】（形）期待したほどは意気地がなく、がっかりさせられる様子だ。「一言の反論も出来ずに引き下がるとは—」派 —さ④ 表記「不甲〈斐無い」とも書く。文法 助動詞「そうだ（様態）」に続くときは「ふがいなさそうだ」の形になる。また「すぎる」と結びついて複合動詞をつくるときは「ふがいなさすぎる」の形になる。

ふかいり⓪【深入(り)】—する（自サ） ある物事に必要以上に関係すること。「この問題には—しない方がいい」

ふかいり⓪【深煎(り)】—する（他サ）〔コーヒーの豆などを〕時

間をかけて焙煎(ばいせん)すること。「苦みのきいた―のコーヒー」

ふかおい⓪【深追(い)】―する(他サ) いつまでも(しつこく)追うこと。「―を避ける」

ふかかい②【不可解】―な 複雑過ぎたり神秘的であったりして、理解しようとしても事情がよく分からない△こと(様子)。「人生は―なり/―な点が多い」派―さ③⓪

ふかぎゃく②【不可逆】(化学で)ある化学変化が生じた状態を元に戻すような変化を起こすことが(一般には)不可能なこと。「―性⓪・―反応⑤」↔可逆

ふかく⓪【不覚】㊀心構えが不十分なため失敗する△こと(様子)。「―をとる/―にも一敗を喫した/あんな奴を信用したのが一生の―だった」㊁無意識。「―の涙を流す/前後―(=何が起ころうと分からない状態)で眠る」

ふかく⓪【俯角】水平面から下にある物を見る視線と、水平面とが成す角度。伏角。↔仰角

ふがく①⓪【富岳】「富士山」の異称。「―百景」表記「岳」の旧字体として「〈嶽〉」で記されることが多い。

ぶがく①【舞楽】舞を伴う雅楽。

ふかくじつ②③【不確実】―な その事について、確実であると判断することが出来ない様子だ。「―情報」派―さ⓪④

ふかくだい②【不拡大】事件を大きくしないこと。「―方針⑥」

ふかぐつ⓪②【深靴】膝までおおう(革製の)靴。ブーツ。

ふかくてい②【不確定】そう△する(なる)ことが確定していない様子。「―要素・―性原理」

ふかけつ②【不可欠】―な その要素の有無が物事の存立にかかわる様子だ。「成功に―の条件」

ふかげん②【不加減】―な 味のぐあいがよくない様子だ。

ふかこうりょく③【不可抗力】人間の力ではどうすることも出来ないこと。「―的⓪」

ふかざけ⓪【深酒】―する(自サ) 度を過ごして酒を飲むこと。「―をする」

ふかし【《蒸かし》】㊀③ ふかすこと。「―がちょっと足りない」㊁(造語) 動詞「蒸かす」の連用形。「―芋③・―御飯④」

ふかし②【不可視】肉眼で見えないこと。「―光線④(=紫外線や赤外線など)」↔可視

ふかしぎ②【不可思議】―な 人間の△能力(知識・経験)をもってしてはどうしても理解することができず、人知を超えた世界のことであるととらえられる△こと(様子)。「宇宙の―/―な(=怪しい)事件」派―さ⓪④

ふかしん②【不可侵】他国が自国を侵略することを認めないこと。「―条約⑤」

ふかす②【吹(か)す】(他五) ㊀吸ったたばこの煙を口から出す。たばこの煙を、深く吸いこまないで、口先だけでのむ。「△たばこ(パイプ)を―」㊁燃料をたくさん送ってエンジンを高速回転させる。「エンジンを―」㊂吹くようにする。ふかせる③(下一)。

ふかす②【更かす】(自五) 何かをして夜をすごす。「夜を―(=夜、おそくまで起きている)」

【…風を―】⇨風㊁㊀

ふかす②【《蒸かす》】(他五) 食材に、強い湯気を中まで通るように当てて、食べられる状態にする。むす㊁。「芋を―」[⇨蒸かし㊁]

ふかそく②【不可測】―な どうなるか、あらかじめ分からない△こと(様子)。「―の事態」

ふかぞり⓪【深(剃り)】―する(自サ) 髭や体毛を根元までしっかりと剃ること。

ふかちろん③【不可知論】物の本質とか実在についての最後の根拠とかは到底分かるものではないとして、取り扱わない立場。

ふかつ⓪【賦活】病的状態を健康状態にすること。「―剤③⓪」

ぶかつ⓪【部活】(↑部活動②) 中学・高校などで、新聞部・音楽部・野球部などの教科外教育活動。クラブ活動。

ぶかっこう②【不格好】・【不〈恰好〉】―な 格好の悪い様子だ。派―さ④⓪

ふかっせいガス⑥【不活性ガス】希ガス元素や窒素ガスなど、普通の状態では他の元素と反応しにくい気体。

ふかづめ⓪【深爪】―する(自サ) 爪を深く切り過ぎること。

ふかで⓪【深手】(戦って受けた)大きな、重い傷。「―を負う」↔浅手・薄手 表記「深《傷》」とも書く。

ふかなさけ③【深情け】特定の相手への深い愛情。「悪女の―」↔薄情け

ふかね⓪②【深寝】(眠るのが適当でない△時に(場所で))前後も知らず眠りこけること。

***ふかのう**②【不可能】―な (その人の経験・知識・能力や、その環境・条件では)その問題を解決・処理・実行することが出来ない△こと(様子)。「―に近い/実行―」↔可能

ふかひ②【不可避】―な 避けることが出来ないこと。「―な問題/影響は―だ」

ふかひれ⓪【〈鱶鰭〉】フカのひれを乾燥させたもの。中華料理の材料に使う。「―のスープ/―の姿煮」

ふかふか ㊀①②(副)―と・―する 柔らかくふくれている様子。「―した布団」㊁⓪―な 「ふかふか㊀」に同じ。「―な毛布/蒸したての―のまんじゅう」

ぶかぶか ㊀①(副)―と ㊀身につけたりかぶせたりする物のサイズが大きすぎて、適合性を欠く様子。「やせてズボンが―する/―した帽子」㊁(金管楽器で)低い音を吹きならす音や、その様子を表わす語。「チューバを―ならす」㊁⓪―な 「ぶかぶか㊀㊀」に同じ。「―なズボン/―になった靴」

ぷかぷか①②(副)―と ㊀たばこをしきりに吹かす様子。㊁物が沈みそうにもない状態で水の上に浮かんでいる様子。「ボールが―と浮いている/魚が―浮き上がる」

ふかぶかと③【深々と】(副) その動作が余裕を残すところが無い状態にまで及んでいる様子。「いすに―(=ゆったりと深く)腰掛ける/帽子を―(=耳まですっぽり入るくらい深く)かぶる/ナイフを突き立てる/―頭を下げる(=腰を折って丁重にお辞儀をする)」

ふかぶん②【不可分】―な 分けようとしても分けることが出来ないほど、密接な関係を持っている様子だ。

ふかぼり⓪【深掘(り)】―する(他サ) Ⓐ深く掘り下げること。「地面を―する/議論を―することなく進める」Ⓑ物事を突き詰めて調査・考究すること。「現代の課題を―する」

ふかま⓪【深間】(川や海などの)深くなってい(て、はまったら出られないようになってい)る所。〔止めることの出来ない、深い情交の意にも用いられる〕

ふかまる③【深まる】(自五) 深くなる。「△秋(愛情・認識)が―/△疑問(対立・溝)が―」名深まり⓪④

ふかみ⓪③【深み】㊀そのものの△奥(背後)にうかがわれる豊かでこくのある趣・味わい。「―のある文章」㊁水の深い所。「沼の―にはまる」↔浅み

ふかみぐさ③【深見草】植物のボタンの異称。

ふかみどり③【深緑】濃い緑。↔浅緑

ふか・む②【深む】(自四)(雅) 深まる。「深み行く秋」

ふかめ⓪【深目】―に △同種の他の物に比べて(実際に必要とする以上に)深いと感じられる△こと(様子)。

ふか・める③【深める】(他下一) 深くする。「△考え(関心・相互理解・自信・危機感・いらだち)を―」

ふかよい⓪【深酔い】―する（自サ） 酒を飲んで正体を失うほど酔うこと。⇩ほろ酔い

ふかよみ⓪【深読(み)】―する（他サ） その場の状況や他人の言動などの持つ意味を、自分の思い込みで深く考え過ぎること。

ふかん⓪【不完】これで内容が全部そろっているのではないこと。「一本⓪」

ふかん⓪【〈俯瞰〉】―する（他サ） 高い所から広く見渡すこと。「一図②（＝鳥瞰図）」

ぶかん①【武官】軍事に従う官吏。将校・下士官の総称。「大使館付一」↕文官

ぶかん⓪①【武鑑】江戸時代の、武家の氏名・俸給・紋所などを書いた年鑑風の紳士録。

ふかんしへい④【不換紙幣】正貨と交換されない紙幣。↕兌換紙幣

ふかんしょう⓪【不感症】❶性感を感じない、病的状態。❷慣れてしまって、普通なら感じるはずの事を感じない状態。「繰り返される閣僚の不祥事にすっかり一になる」

ふかんせいゆ④【不乾性油】薄い層にして、空気中に置いても、かわいたり固まったりしない油。オリーブ油・ひまし油・つばき油など。↕乾性油

***ふかんぜん**②【不完全】―な ―に 欠落があったり不統一なところがあったりして、そのものとして完全だとは認められない様子だ。「一燃焼・一変態」 派 ―さ④⓪

ふき⓪【〈袘〉】〔和裁で〕あわせや綿入れのそで・すその裏地を表よりいくらか出して、へりにしたもの。「一を出す」

ふき⓪【〈蕗〉】日本の至るところに生える多年草。地下茎から大形で丸い葉を出す。フキノトウはこの草の花茎で、長い葉柄と共に食用。〔キク科〕 かぞえ方 一本。小売の単位は一束・一把

ふき①【不軌】〔古〕（国法を破り）むほんを企てること。「一をたくらむ」

ふき①②【不帰】二度と帰らないこと。「一の客となる（＝人が死ぬことの、婉曲な表現）」

ふき①【不〈羈〉】他の束縛を受けないこと。自由にふるまうこと。「奔放一な」

ふき①②【付記・附記】―する（他サ） 本文に付け加えて△書きしるすこと（書きしるしたもの）。

ふぎ①【不義】❶△義理（道理）にそむくこと。❷配偶者以外の相手と性的関係を持つこと。「一を働く」

ふぎ①【付議・附議】―する（他サ） 会議にかけること。「委員会に一する」

***ぶき**①【武器】❶相手を攻撃し、自分を守るために開発された刀剣や銃砲類。「服従することを潔しとせず一をとる（＝戦う）／一を捨てる（＝降伏する）」 ❷その人の持ち合わせる、優位な立場を得るための有効な手段となるもの。「語学が彼の一だ／良識を一にする」

ブギ① ブギウギの略。「一のリズムに乗って踊る」

ぶぎ①【武技】武芸の技術。

ふきあげ⓪ [一]【吹(き)上(げ)】崖の上など（潮）風が吹き上げてくるところ。[二]【噴(き)上(げ)】❶湯が地上高く噴き上げる現象。❷噴水。

ふきあ・げる④【噴(き)上げる】（他下一） 今まで物の下にあった水や蒸気などが、強い勢いでわき上がり、その上にある物を押し上げたりする。 自動 ふきあがる④（五） 表記「吹き上げる」とも書く。

ふきあ・れる④⓪【吹(き)荒れる】（自下一） 風が激しく吹く。〔ある種の運動や思潮が、その社会全体を支配する意にも用いられる〕

ふきいた⓪③【〈葺(き)板〉】屋根を葺く板。

ふきいど③【吹(き)井戸】水を噴き上げる井戸。

ふきい・れる④⓪【吹(き)入れる】（他下一） 吹いて中に入れるようにする。「人形に生命を一」

ブギウギ①③〔boogie-woogie〕アメリカの黒人音楽から起こった、テンポの速いジャズ音楽。略してブギ。

ふきおろ・す④【吹(き)下(ろ)す】（自五） 風が、高い方から低い方へ向かって強い勢いで吹く。 表記「吹き降ろす」とも書く。

ふぎかい②【府議会】〔地方公共団体としての〕府の行政を監督し、府の問題を議決する機関。「一議員」

ふきかえ⓪【吹(き)替(え)】❶貨幣・金属器具を溶かして、もう一度△鋳ること（鋳たもの）。❷〔映画・演劇で〕その△俳優（主役）の代役。また、それをつとめる俳優。❸〔外国のトーキーやテレビ映画で〕せりふを日本語で吹き込むこと。また、その声優。 動 吹き替える④⓪（他下一）

ふきかえ⓪【〈葺(き)替(え)〉】屋根のかわら・板・カヤなどを取り替えること。 動 葺き替える④⓪（他下一）

ふきかえ・す③④⓪【吹(き)返す】[一]（自五） 風がこれまでと逆の方向に吹く。[二]（他五） ❶吹いて裏返す。❷再び呼吸をし始める。「息を一（＝生き返る）」 ❸貨幣・金属器具を鋳直す。

ふきか・ける④【吹(き)掛ける】（他下一） かかるように吹きつける。「鏡に息を一」⇩ふっかける

ふきぐち②【吹(き)口】笛などの息を吹き込む穴。

ふきげん②【不機嫌】―な ―に 〔表情や態度に現われた〕機嫌が悪い様子だ。「一な顔／一そのものだ／やっと一が直る」↕上機嫌 派 ―さ③⓪

ふきこぼ・れる⑤【吹(き)《零れる》】（自下一） 〔炊いたり煮たりしている途中で〕湯・汁などが噴き上がってこぼれる。

ふきこ・む③【吹(き)込む】[一]（自五） 風（によって雪・雨など）が部屋の中へ、すきまから入る。[二]（他五） ❶風がその場所に入るようにする。「△新風（新しい息吹）を一／生命を一（＝与える）」 ❷〔悪いうわさ・考えなどを〕人に無理に信じさせたり植えつけたりする。❸〔レコード・CDなどに〕声を録音する。〔口頭語では「ふっこむ」とも〕 名 吹き込み⓪

ふきこ・む③【拭(き)込む】（他五） 〔廊下・柱・羽目板などを〕長い間毎日のように拭いて、つやが出るまでにする。

ふきさらし⓪【吹(き)〈曝(し)〉】さえぎる物が無くて、風が直接吹き込む△こと（所）。〔口頭語では「吹きっさらし⓪」とも〕「一の会場」

ふきすさ・ぶ④⓪【吹(き)《荒ぶ》】[一]（自五） 風が、衰えずに強く吹く。[二]（他五） 笛などを、慰みに吹く。 表記 [二]は「吹き《遊ぶ》」とも書く。

ふきそ②【不起訴】犯罪に関する取調べを受けた者について、証拠不十分などの理由により検察官が起訴しないこと。「一処分④」

ふきそく②【不規則】―な ―に 規則的でない様子だ。「一な生活／一発言（＝議会などでいわゆる野次を指す称）を禁じます」 派 ―さ③④⓪

ふきたお・す④⓪【吹(き)倒す】（他五） △風が吹いて（息の勢いで）物を倒す。

ふきだし⓪【吹(き)出(し)】〔漫画で〕登場人物の会話を示すための、話者の口から吹き出したように描いた曲線による囲み。

ふきだ・す [一]③⓪【吹(き)出す】（他五） ❶中にあるものを勢いよく外に出す。「たばこの煙を一／どっと汗を一」 ❷瓶などのガラス製品の製造過程として、普通、珪砂・ソーダ灰・石灰石などをまぜて高熱で熱し、液状にしたものを「吹き竿⓪」と称する鉄パイプを通して強い息で急に膨らませ、

器具の原形を作る。[二][3]【吹(き)出す・噴(き)出す】(自五)❶〔水・温泉・石油・血・ガスなど内部にたまっていた物が〕何かのはずみで勢いよく外へ出る。「不満が―〔=爆発する〕」❷こらえかねて、息を急に出すような笑い方をする。「ぷっと―」

ふきだまり[0]【吹(き)溜(まり)】風に吹かれた雪・落ち葉などが一か所にたまった所。〔将来に向かって明るい展望が全く得られなくなった状態。例、「社会の―に身をやつす」〕

ふきつ[0]【不吉】―な・―に 良くない事が起こりそうな感じがする様子だ。「―な予感」[派]―さ[0][3]

ふきつけもの[0]【吹(き)付(け)物】塗料で着色した、生け花の材料。

ふきつ・ける[4]【吹(き)付ける】[一](自下一)風などが激しく吹いて当たる。「風の―所で働く」[二](他下一)❶息などを勢いよく吹いて浴びせる。「酒臭い息を―」❷〔風などが〕吹いて当てる。「雪を窓に―」❸吹いてくっつける。「塗料を―」[名]吹き付け[0]

ぶきっちょ[2]―な・―に〔不器用の変化〕「ぶきよう」の意の口頭語的表現。〔軽い侮蔑(ブベツ)を含意して用いられることがある〕[派]―さ[0][4]

ふきつの・る[4][0]【吹(き)募る】(自五)風が一段と勢いを増して吹く。

ふきでもの[0]【吹(き)出物】小さいあわ粒のようなできもの。例、にきび。

ふきとば・す[4]【吹(き)飛(ば)す】(他五)❶△風が吹いて(息を吹きかけて)、そこにある物を飛ばす。「帽子を吹き飛ばされる」❷今まであった雰囲気などをどこかへやってしまう。「夏の暑さを―怪談」

ふきと・ぶ[3]【吹(き)飛ぶ】(自五)❶ちょっとした(風の)力で△簡単に(急に)飛ぶ。「風で帽子が―」❷それまでそこにあったものが、すっかりなくなった状態になる。「一風呂浴びて疲れが吹き飛んだ」

ふきながし[0]【吹(き)流(し)】数本の細長い布を△半月形(円形)の輪につけ、さおの先にあげて風になびかせるもの。〔鯉幟(コイノボリ)のことにも言う〕[かぞえ方]一本

ふきぬき[0]【吹(き)抜(き)】❶半月形でなく円形にした吹き流し。❷妨げるものが無くて、風が吹いて抜ける所。❸間の天井や床を作らないで、二階(以上)の高さに高く作った建て方。〔❷❸は「吹抜け[0]」とも言う〕[表記]「吹き《貫」とも書く。[かぞえ方]❶は一本

ふきのとう[3][4](タウ)【〈蕗の〈薹】フキの芽生えたばかりの花茎。ほろ苦さを賞味する。[かぞえ方]一本

ふきはら・う[4][0](ハラフ)(他五)[一]【吹(き)払う】△風が吹いて(口で吹いて)払いのける。[二]【拭(き)払う】汚れている所を一度にきれいにする。

ふきぶり[0]【吹(き)降(り)】激しい風と一緒に雨が降る、荒れ模様の天気であること。

ふきまく・る[4]【吹(き)捲る】[一](自五)風が激しく吹く。[二](他五)さんざんおおげさなことを言う。

ふきまめ[2]【ふき豆】〔粉ふき豆の略〕皮を取ったソラマメを砂糖でやわらかく煮たもの。[表記]「富貴豆」は、借字。

ふきまわし[0](マハシ)【吹(き)回(し)】風が吹いて来るぐあい。「どういう風の―〔=その時どう△心境(状況)が変化したの〕か」

ぶきみ[0]【不気味・無気味】―な・―に なんとなく気味が悪い様子だ。「―な沈黙」[派]―さ[0][3]

ふきや[2]【吹(き)矢】紙の羽をつけた矢を竹筒の中に入れて、息を吹いて飛ばすもの。また、その矢。[かぞえ方]一本

ふきゅう[0](キウ)【不休】休まないで働くこと。「不眠―」

ふきゅう[0](キウ)【不朽】後の世まで価値が失われないで残ること。不磨。「―の名作」

ふきゅう[0](キフ)【不急】―な 急いでする必要がない様子だ。「不要―の外出を控える」

ふきゅう[0](キフ)【普及】―する(自他サ)〈どこ・だれニ(なにヲ)―する〉それに関する知識が行き渡ったりその物の使用が一般に広まったりすること。「自然エネルギーを―する/…の―がめざましい/―版(バン)[0]・―度[2]」

ふきゅう[0](キウ)【腐朽】―する(自サ)〔木材・金属などが〕腐って、役に立たなくなること。「―を防ぐ/―船[0]」

ふきょう[0](キヤウ)【不況】景気が悪いこと。「―に△陥る(強い)/―が長びく/―を乗り切る」⇔好況

ふきょう[0]【不興】―な・―に おもしろくない△こと(様子)。「座が―になる/―を買う〔=立場の上の人の機嫌を損じる〕/―を被(コウム)る」[派]―げ[0]

ふきょう[0](ケウ)【布教】―する(自他サ)その宗教を広めること。「―師」

ふきょう[0](キヤウ)【富強】❶―な・―に(国に)財力があり、(武)力も強い△こと(様子)。❷「富国強兵」の略。

ふぎょう[0][1](ギヤウ)【〈俯仰】―する(自サ)〔うつむくことと仰ぐことによって代表される〕一切の言動。「―天地に恥じない〔=公明正大で、やましいところは一つも無い〕」

ぶきよう[2]【不器用・無器用】―な・―に 手先の技術がへたな△こと(様子)。〔要領が悪い意にも用いられる〕「人一倍―なもので」[派]―さ[3][0]

ぶぎょう[1](ギヤウ)【奉行】江戸幕府の職制の一つ。△行政(司法)の各面における最高責任者で、老中に直属した。「寺社―・町―・勘定―[5]・―所[0][4]・普請―[4]」

ふぎょうぎ[2](ギヤウ―)【不行儀】―な・―に 行儀が悪い△こと(様子)。

ふぎょうじょう[2](ギヤウジヤウ)【不行状】―な・―に 何かにつけて人に顰蹙(ヒンシュク)を買うようなことばかりしている△こと(様子)。

ふぎょうせき[2](ギヤウ―)【不行跡】―な〔親・兄弟や周囲の人に迷惑が及ぶほど〕行いのよくない△こと(様子)。「世間に―が知れる」

ふきょうわおん[4](ケフ)【不協和音】同時に出る二つ以上の音がとけあわない感じであること。〔組織内の統一を乱す雑音の意にも用いられる〕「―を奏でる/―を起こす/―が高まる」

ふきょか[2]【不許可】許可しないこと。

ふきょく[0]【布局】―する(自サ)碁石を碁盤の上に△並べること(並べた状態)。

ふきょく[0]【負極】⇔正極 ❶電気の陰極。マイナス。❷磁石の南極。

ぶきょく[1][0]【部局】組織体で事務を分担する所。局・部・課などの総称。「―長会議」

ぶきょく[1]【舞曲】舞・ダンスのための楽曲。

ふきよせ[0]【吹(き)寄(せ)】❶〔口笛・楽器などを〕吹いて、一か所に呼び集めること。「小鳥の―をする」❷いろいろのものを△集めること(集めたもの)。「音曲(オンギョク)―」[動]吹き寄せる[4][0](他下一)「風が落葉を―」

ふきょふくせい[1]-[0]【不許複製】著作物について、他人が当事者に無断で複製することを禁止する意を表わす語。

ふぎり[1][3][2]【不義理】―な・―に 自分の都合で、世間向きの交際を欠く△こと(様子)。〔狭義では、借金返済などの約束を果たさないことを指す〕「―△ばかり(を)重ねている」

ふきりつ[2]【不規律】―な・―に ❶生活態度が気分的で、かってな時にかってなことをし、他の迷惑を考えない様子だ。❷生活が規則的でなく、△しまり(だらし)がない様子だ。

ふきりょう[2](リヤウ)【不器量】―な・―なる「(その事をするだけの)才能が乏しい」意の漢語的表現。[派]―さ[0][3]

ぶきりょう②【不器量・無器量】〔ーな〕（女性の）顔かたちが醜い△こと（様子）。

ふきわ・ける④⓪【吹〈き〉分ける】（他下一）❶風が吹いて物をあちこちに分ける。❷鉱物を溶かして含有物を分けて取り出す。

*ふきん①②【付近・附近】（その場所および、その）近く。あたり。「このー／東京ー」

ふきん②【布巾】食器などをふくための小さい布。「台ー」 かぞえ方 一枚

*ふきんこう②【不均衡】釣合が取れていないこと。アンバランス。「ーが生じる／ーを△生む（もたらす・是正する）」

ふきんしん②【不謹慎】〔ーな〕心の抑えがきかず、衝動に任せて行動する様子だ。「ーではあるが／ー極まる／ーな態度」

ふく（伏・服・副・幅・復・福・腹・複・〈輻・覆〉）↓【字音語の造語成分】

**ふ・く①【吹く】㊀（自五）〈どこカラどこ・なにニ〉ー〈どこヲ〉ー〉風が動いて通る。「△すき間風（新風）がー／不況風に吹かれる」㊁（他五）〈なにヲ〉ー〉❶息を勢いよく出す。「湯を吹いてさます」❷息の力で楽器を鳴らす。「トランペットをー／笛吹けど踊らず〔⇩笛〕」❸おおげさなことを言う。「ほらをー」❹金属を溶かして、鋳る。「鐘をー」㊂（自他五）内部にあるものが外に現われ出る（ようになる）。「粉が吹いた干しがき／芽をー／緑青（ロクショウ）がー／泡をー」

*ふ・く⓪【拭く】（他五）〈なにデなに・どこヲ〉ー〉（布・紙などで）こすって、表面の汚れや水分などを取り去る。「汗をー／手をー／机の上をー／ガラスをー」 文法 「取り去る」対象を、「汗を／汚れを」などと「…を」で表わす場合と、不要なものが取り除かれる面を、「顔を／窓ガラスを」などと「…を」で表わす場合がある。両者を一文で表わすと「顔の汗を拭く」「窓ガラスの汚れを拭く」のようになる。

ふ・く⓪①【葺く】（他五）❶（かわら・板・カヤなどで）屋根をおおう。❷（軒に）草木などを見えるようにさす。「ショウブをー」 文法 ❶で、何かでおおうことによって「屋根」とすることを「屋根をふく」と言い、屋根にする素材となるものを「瓦で屋根をふく」「かやで屋根をふく」と「…で」の形で表わす。一方「屋根に瓦をふく」「屋根にかやをふく」とふく素材を「…を」で表わすこともある。

ふ・く①⓪【噴く】（自他五）（水・温泉・石油・血・ガスなどが）中から勢いよく（円柱状になって）外へ出る。また、そのようにする。「火をー／潮をークジラ」

ふく①（西日本方言）魚のフグ。

*ふく②【服】着る物。〔狭義では、洋服を指す〕「和ー・作業ー」 かぞえ方 一着 ⇩【造語成分】

ふく②【副】（正に対して）その控えとなるもの。「正ー二通／ー本・ー総裁③・ー頭取（トウドリ）③」⇩【造語成分】

ふく②【幅】床の間などに飾る掛け物。軸物。〔軸物をかぞえる時にも使う〕⇩【造語成分】

ふく②【福】運のいいこと。「ーは内 鬼は外／ーの神／幸ー」

ふく②【複】❶〔↔複数〕単一でなく、二つ以上からなること。❷〔テニス・卓球などで〕ダブルス。↔単 ❸〔競馬・競艇などで〕「複勝（式）」の略。↔単 ⇩【造語成分】

ふぐ①【〈河豚〉・〈鰒〉】とげのある海産硬骨魚。うろこはほとんど無く、怒ると腹が大きくなる。おいしいが、内臓には毒がある。種類が多い。「ふく」とも。〔古くは「ふくと」と言った〕「ーちり・ー汁（ジル）・虎（トラ）ー」 表記 古くは「〈鮐〉・〈鯸〉・〈鯸鮧〉（〈鯸鮐〉）」とも書いた。江戸時代以降は、「〈鰒〉・〈河豚〉」。 かぞえ方 一尾・一匹

ふぐ①【不具】（全部そなわっていないの意）❶〔ーな〕からだの部位に障害がある△こと（様子）。〔侮蔑（ブベツ）を含意して用いられることがある〕❷（述べ尽くさない意で）手紙の終りに書く語。

ぶぐ①【武具】兵器、特によろい・かぶとの称。「ー一式」 かぞえ方 一点

ふぐあい②【不具合】〔ーな〕❶（機器・家具などの）ぐあいが悪い様子だ。「ーが起こる」❷からだの調子がよくない様子だ。

ふくあん⓪【腹案】必要に応じて発表出来るように、あらかじめ自分の心の中で考えておく計画。「ーを練る」

ふくい②①【腹囲】腹のまわり（の寸法）。

ふくい②①【復位】ーする（自サ）元の△位置（地位）に返ること。

ふくいく⓪【〈馥郁〉】〔ーたる〕よいかおりがする様子だ。「ーとした香りがただよう」

ふくいん⓪【副因】主因に次ぐ、重要な原因。↔主因

ふくいん⓪【〈幅員〉】〔道路や船などの〕はば。

ふくいん⓪【復員】ーする（自サ）↔動員 ❶軍隊を戦時編制から平時編制にもどすこと。❷戦時体制を解いて、召集軍人を家庭に帰すこと。「ー兵③」

ふくいん⓪【福音】❶喜ばしい知らせ。〔朗報の意から転じて、能率化・省力化の点でプラスになった要因をも指す〕「天来のー」❷キリストによって人類が救われるという、キリスト教の教え。❸福音書。 ーきょうかい⑤【ー教会】❶新教の教会。特に、ドイツのルーテル派。❷メソジスト教会の一派。 ーしょ⑤⓪【ー書】〔新約聖書の中で〕キリストの一生と教訓を書いた、マタイ・マルコ・ルカ・ヨハネの四書。

ふぐう⓪【不遇】〔ーな〕〔実力は十分ある（と本人は思っている）のに〕不運で△世間に認められ（出世出来）ない状態にある△こと（様子）。「ーなままで終わる／ーをかこつ」

ふくうん⓪【福運】幸福と幸運。

ふくえき⓪【服役】ーする（自サ）兵役・懲役などに服すること。「ー者④③」

ふくえん⓪【復円】ーする（自サ）△日食（月食）が終わって、太陽・月がもとの円形に返ること。

ふくえん⓪【復縁】ーする（自サ）離縁した夫婦・養子が、またもとの関係にもどること。

ふくおん⓪【複音】ハモニカで、音を出す穴が二列に並んでいる△こと（もの）。↔単音❶

ふくが②【伏〈臥〉】ーする（自サ）うつぶせに寝ること。↔仰臥

ふくがく⓪【復学】ーする（自サ）〔休学・停学中の学生や生徒が〕もとの学校へもどること。

ふくがみ②【福紙】半紙や本などのすみが、折り込んだまま裁ち残された三角形の部分。えびす紙③。〔英語では、dog's ear〕

ふくかん⓪【副官】陸海空軍の軍隊・司令部の長を補佐（ホサ）する武官。「ふっかん」とも。

ふくがん⓪【復顔】ーする（他サ）身元推定の一助として頭蓋骨（ズガイコツ）に粘土で肉付けし、生前の顔を復元すること。「古代人のー／ー術③」

ふくがん⓪【複眼】〔昆虫などで〕小さな目がたくさん集まって、一つの目のように見えるもの。〔物事を見るのにいろんな視点に立つ意に用いる向きもある〕↔単眼

ふくぎょう⓪【副業】本業と並行して行なう、別途の収入源としての仕事。↔本業

ふくぎょう⓪【復業】ーする（自サ）やめていた△作業（職業）にもどること。

ふくきょうざい③【副教材】〔学校などで〕正式の教科書のほかに使う、補助的な教材。

ふくきん⓪【腹筋】⇩ふっきん

ふ

つの屈折光線が現われる現象。

ふくけい[0]【復啓】〔手紙文で〕返信の初めに書く挨拶の言葉。拝復。「ふっけい」とも。

ふくげん[0]【復元・復原】─する(自他サ) もとの位置や状態に△返る(返す)こと。「─力[3]」

ふくこう[0]【腹〈腔】⇩ふっこう

ふくごう[0]【複号】〔数学で〕正号(=プラス)のすぐ上または下に負号(=マイナス)を書いた記号。「±」と「∓」〔方程式の根を表示する時や公式の中で「+または－」および「－または+」の意味で用いる〕 **─どうじゅん**[0]-[0]、[5]【─同順】二か所以上の複号について、上に書かれた符号どうしが対応し、下に書かれた符号どうしが対応すること。

ふくごう[0]【複合】─する(自他サ) 二種以上のものが合わさって一つになること。「─競技[5]」 **─ご**[0]【─語】複数の単語の結合により一語をなすと見なされる語。また、単語のうちで、さらに造語成分・接辞などに分析することが出来るもの。合成語。↕単純語

ふくこうかんしんけい[7]【副交感神経】心臓の働きを抑制し、血管を拡張し、腸の運動を強める働きをする神経。⇩交感神経

ふくこうちょう[3]【副校長】小・中・高等学校の校長を助け、校務をつかさどる管理職。

ふくさ[2]【副査】主査をたすけて審査にあたる人。↕主査

ふくさ[0]【〈袱紗〉】絹の小形のふろしき。贈り物などの上に掛けたり 茶の湯で使ったりする。 表記「服〈紗・〈帛紗〉」とも書く。 かぞえ方 一枚 **─さばき**[4]【─〈捌き】〔茶の湯の時の〕袱紗の扱い方。

ふくざ[0]【複座】〔航空機などで〕二つ座席のあるもの。「─(=二人乗りの)戦闘機」↕単座

ふくざい[0]【伏在】─する(自サ) 表面には見えない所に、あること。

ふくざい[0]【服罪】─する(自サ)〔罪を犯した者が〕刑に服すること。

**ふくざつ[0]【複雑】─な ─に すぐには△解決(理解)出来ないような△事情(関係)がいろいろからみあっている様子だ。「─な△事情(問題・要素)/─多岐にわたる/─化[0]」↕単純

ふく

[伏] ❶ふせる。ふす。「平伏・起伏」 ❷隠す。隠れる。「伏線・伏在・伏兵・潜伏」 ❸黙って、言うことを聞く。したがわせる。「雌伏・降伏・調伏・折伏」

[服] ❶身につける。「服装・服飾・着服」 ❷定められた通りに行動する。したがう。「服務・服従・服膺・敬服」 ❸薬・茶などを量を定めて飲む。〔たばこなどを飲む回数や、薬の包みをかぞえる時にも用いられる〕「服用・服薬・一服・頓服」 かぞえ方 ❸は一服・三服・四服・六服・八服・十服・何服は「プク」、四服は「ヨンフク」とも。⇩(本文)ふく【服】

[副] ❶主となるものの働きを助ける。「副詞・副本・副官・副業・副読本」 ❷期待されるものに伴う。「副因・副賞・副産物・副作用・副交感神経」⇩(本文)ふく【副】

[幅] ❶はば。「幅員・全幅」 ❷軸物のほか、画一般・レリーフおよび光線・灯影などをかぞえる語。 かぞえ方 ❷は一幅・三幅・四幅・六幅・八幅・十幅・何幅は「プク」、四幅は「ヨンフク」とも。⇩(本文)ふく【幅】

[復] ❶もとに△もどる(もどす)。「復職・復活・復旧・復古・復調・回復・修復・本復」 ❷行った道を帰る。「復路・往復」 ❸くり返し何かをする。「復習・反復・追復曲(=カノン)」 ❹相手の言った事に答える。「復命・復啓・拝復」 ❺しかえしをする。「復讐・報復」

[福] ⇩(本文)ふく【福】

[腹] ❶はら。「腹痛・腹背・満腹」 ❷その人を生んだ母親。「同腹・異腹」 ❸心の中。「腹案・腹中・心腹・立腹」 ❹中央部。「山腹・中腹」

[複] ❶二つ(以上)の。「複式・複音・複葉」 ❷同種の物が二つ(以上)ある。「複数・重複」 ❸同性質の物をもう一度作る。「複写・複製」⇩(本文)ふく【複】

[〈輻] 車のや。まわりから軸に集まる細長い棒。「輻射・輻湊」

[覆] ❶おおう。「覆面・被覆」 ❷くつがえる。「覆水盆に返らず/転覆」 ❸もとの通りに、もう一度する。「覆製・覆刻・覆奏」

派 **─さ**[0]「─を加える」 **─かいき**[5]【─怪奇】─な あまりに複雑で、よく分からない様子だ。

ふくさよう[3]【副作用】その薬が目的の病気を治すと同時に起こす、別の(有害な)働き。〔風邪薬を飲んで胃を悪くするなど〕

ふくさんぶつ[3]【副産物】❶ある産物を生産する途中に得られる、別の産物。副製品。 ❷ある物事が出来上がるに伴って得られる物。「この研究の─」

ふくし[2][0]【副使】正使に付き添う使者。↕正使

ふくし[0]【副詞】〔文法で〕おもに動詞を修飾する品詞。

*__ふくし__[2][0]【福祉】〔「祉」も、幸福の意〕満足すべき生活環境。「─国家[4]・─施設[4]・社会─」

ふくじ[0]【服地】洋服に使う布地。

ふくしあい[3]【複試合】↕単試合 ⇩ダブルス

ふくしき[0]【複式】↕単式 ❶二個(以上)から成る方式。「─学級[5]・─火山[5]」 ❷〔簿記で〕△収支(取引)ごとに貸し方と借り方とに分けて記入する方式。

ふくしきこきゅう[5]【腹式呼吸】腹に力を入れたりゆるめたりしてする横隔膜の伸縮による呼吸方法。〔胸式呼吸よりも深い呼吸が出来る〕⇩胸式呼吸

ふくじてき[0]【副次的】─な ─に ❶それ自体ほど重要とは言えないが、そのものに付随して存在する様子だ。 ❷二次的。

ふくしゃ[0]【複写】─する(他サ) ❶(機械的手段により)同じ文書を二枚以上作ること。 ❷一度写してある物に基づいてさらに撮影すること。 ❸(機械を利用して)もとの書画・写真と同じ(内容の)物を幾つか作ること。コピー。「─機器[4]」 **─し**[3]【─紙】上から鉛筆などで書くと、何枚か「複写❶」が出来る、特殊な薬を塗った色つきの紙。

ふくしゃ[0]【〈輻射】─する(他サ) 一点からまわりへ放射すること。「─線[0](=熱線・可視光線・紫外線・X線など)・─熱[3]・─エネルギー[5]」

ふくしゅ[0][2]【副手】一部の大学や研究機関で、研究室の雑用などを担当する職種(の人)。

ふくしゅう[0]【復習】─する(他サ) 習った事を、もう一度自分で勉強すること。おさらい。「予習よりも─に力を入れなさい」↕予習

ふくしゅう[0]【復〈讐】─する(自サ)〔△負かされ(辱められ)たり 親などを殺されたり した人が〕相手を同じように、ひどい目にあわせること。仕返し。 表記「しゅう」を「〈讎」と書くのは、異体字(動用字)。

*ふくじゅう⓪【服従】―する(自サ)〈だれニ―する〉素直で、命令をよく聞くこと。↕反抗

ふくじゅうじ③【複十字】結核予防を表わす、十字を二つ重ねたしるし。キの字の形に似ている。「―のシール」

ふくしゅうにゅう③【副収入】本業で得る収入以外の、副業などで得る収入。

ふくじゅそう⓪【福寿草】山中に自生し、また栽培される多年草。正月ごろ、黄色で、つやのいい花を開く。めでたい花として、鉢植えを正月に飾る。〔キンポウゲ科〕 かぞえ方 一本

ふくしょ⓪【副署】―する(自サ)旧憲法下で国務大臣が天皇の署名に添えて各自署名したこと。また、その署名。

ふくしょう⓪【副将】主将の次の地位の人。↕主将

ふくしょう⓪【副賞】正式の賞(金)に添えて与える物。⇩正賞

ふくしょう⓪【復唱】・【復〈誦】―する(他サ)確認のために、命じられたことなどを繰り返し口に出して言うこと。

ふくしょう⓪【複勝】〔↑複勝式⓪〕〔競馬や競艇などで〕一着と二着、または三着までを当てること。略して「複」。↕単勝・連勝㊁

ふくしょく⓪【服飾】衣服とアクセサリー。「―品⓪」

*ふくしょく⓪【副食】〔↑副食物④〕主食に添えて食べる物。おかず。「―費④③」↕主食

ふくしょく⓪【復職】―する(自サ)〔休職・退職していた人が〕もとの職にもどること。

ふくじょし③【副助詞】〔日本語文法で〕ある語に付いてその語自身の意味に限定を加えることを示す助詞。口語では、は・も・さえ〔雅語では、さへ〕・ばかり・だけ・しか・くらい・など・ほど・までその他〔太字は、文語でも用いられるもの〕。文語では、こそ・ぞ・なむ・や・か・だに・すら・のみその他。

ふくしん⓪【副審】主審をたすけて審判する人。⇩主審・線審

ふくしん⓪【腹心】㊀心の底(に思っていること)。「―を打ち明ける」㊁深く信頼する△こと(人)。「―の部下」

ふくしん⓪【覆審】―する(他サ)上級裁判所で、下級裁判所でやったのとは別に審理をやり直すこと。

ふくじん⓪【副腎】両側の腎臓の上の方に一つずつある、小さな内臓。ホルモンを出す。―ひしつ ホルモン⑧【―皮質ホルモン】副腎の皮質から分泌されるホルモンをまとめて言う称。化学的にはステロイドと呼ばれ、たとえばコーチゾンがこれに属する。

ふくじんづけ⓪【福神漬㋘】細かく刻んだナス・ナタマメ・ダイコンなど七種の野菜を塩水にしばらく漬けたあと、さらにみりんじょうゆに漬けて煮詰めた食品。

ふくすい⓪【腹水】〔心臓・腎臓の病気の時などに〕腹の内部に漏出してたまる液体。また、その症状。

ふくすい⓪【覆水】器がひっくり返って、こぼれた水。「―盆に返らず〔=ⓐ一度離別した夫婦の仲は、元通りにならないものだ。ⓑ一度してしまった事は取返しがつかないものだ〕」

ふくすう③【複数】↕単数 ㊀二つ以上の数。㊁〔英語・ドイツ語・フランス語などの文法で〕△二つ(二人)以上を表わす言葉と、それに応じた文法形式。⇩すう(数)㊄

ふくすけ②【福助】幸運を招くという人形。背が低く頭の大きな、かみしもを着てすわった男の姿をしている。

ふく・する③【伏する】(自サ)㊀△恐れて(負けて)従う。「威に―」㊁隠れる。「草の中に―」

ふく・する③【服する】㊀(自サ)△おとなしく(あきらめて)定められた通りに行動する。「△命令(業務・刑)に―」㊁(他サ)薬・茶などを飲む。「毒を―」服す②(五)。

ふく・する③【復する】(自他サ)もとの状態に△もどる(もどす)。復す②(五)。「旧に―/ダイヤが正常に復した」

ふくせい⓪【服制】〔職種・階級による〕服装のきまり。

ふくせい⓪【復姓】―する(自サ)〔結婚などによって一度姓を変えた人が〕またもとの姓にもどること。

ふくせい⓪【複製】―する(他サ)「オリジナル㊁㊀」と(ほぼ)同じ物を△作ること(作った物)。「保存・普及のために稀覯本を―した影印本が作られた/―画が懸けてあった/パソコン上で―を行なう/―品⓪・不許―」

ふくせいひん⓪【副製品】⇩副産物㊀

ふくせき⓪【復席】―する(自サ)〔一度退席した人が〕もとの席にもどること。

ふくせき⓪【復籍】―する(自サ)〔離婚、養子縁組の解消、復学などで〕もとの戸籍・学籍にもどること。

ふくせん⓪【伏線】あと△の筋(へ)の展開に備えて、前もってそれとなく△書い(言っ)ておく事柄。「―を△敷く(張る・回収する〔=伏線の展開をなぞる〕)」⇩フラグⒷ

ふくせん⓪【複線】〔鉄道で〕上りと下りをそれぞれ一本ずつ並行して敷いた線路。⇩単線㊀

*ふくそう⓪【服装】身に着けた衣服の(調和のとれた)状態。「―を整える/崩れた―」

ふくそう③【福相】福ぶくしい人相。↕貧相

ふくそう⓪【〈輻湊〉・〈輻輳〉】―する(自サ)物事が一か所に同時に集中してこみあうこと。「災害時には回線が―する/船舶が―する瀬戸内海」

ふくぞう⓪【腹蔵】思うところや感じた点などを、自分の胸の中だけに秘めておくこと。「―〔=遠慮〕の無い意見を聞きたい/―無く〔=心中を包み隠さずに〕話す」

ふくそうひん⓪【副葬品】死体に添えて埋葬した、死者の遺物など。

ふくぞく⓪【服属】―する(自サ)命令に絶対服従すること。「大国に―する」

ふくそくるい④【腹足類】軟体動物の一つ。カタツムリ・サザエなどの、巻貝の類およびナメクジ・ウミウシなど。

ふくそすう③④【複素数】〔二つの単位によって構成される数の意〕〔数学で〕実数〔=1の実数倍〕と虚数単位の実数倍との和で表わされる数。〔虚数単位の係数が零の場合として、実数を含む。造語成分としては「複素」を用いる。例、「複素平面」〕「―どうしの積は―」

ふくだい⓪【副題】⇩サブタイトル

ふくだいじん③【副大臣】その省の大臣を助け、政策や企画をつかさどり、政務の処理や大臣不在の場合その職務を代行する役の人。〔二〇〇一年政務次官に代えて、政務官と共に設置〕

ふぐたいてん①-⓪【不〈倶戴天】相手に対して一緒にこの世に生きていたくないという気持をいだくこと。「―の敵〔=何としても許せないと思っている相手〕」

ふくちじ③【副知事】知事を輔佐してその都道府県の行政を行なう役(の人)。

ふくちゃ②【福茶】クロマメ・コンブ・梅干などを加えたせん茶。正月・節分などに縁起を祝って飲む。

ふくちゅう⓪【腹中】心の内にいだいている思いや考え。「―〔=本心〕を探る/大―〔=大きな度量〕」

ふくちょう⓪【副長】㊀長の次の地位にあり、長を助ける役(の人)。㊁部長・係長などの下の役(の人)。

ふくちょう⓪【復調】―する(自サ)〔からだの調子が〕もとのいい調子にもどること。

ふくつ⓪【不屈】―な 困難にくじけず、最後までやり通す様子だ。「―な性格/不撓―の精神」派―さ⓪③「精神

の―」

ふくつう⓪【腹痛】腹(の内部)が痛むこと。「―を起こす」

ふくてつ⓪【覆〈轍】〔古〕前の車のくつがえった跡。「―を踏む〔=前の人が失敗したのと同じ失敗を(続けて)する〕」

ふくど②①【覆土】―する(自サ) 種をまいたあとなどに土をかぶせること。また、その土。

ふくとう⓪(タウ)【復党】―する(自サ) 一度党籍を離れた人が、もとの党へもどること。

ふくとう⓪(タフ)【復答】―する(自サ) 公式の返答(をすること)。〔明治時代までの用語〕

ふくどう⓪(ダウ)【複道】上下二段に作った△道路(廊下)。

ふくとく⓪【福徳】幸福と財産。「―円満⓪-⓪」

ふくどく⓪【服毒】―する(自サ) 毒を飲むこと。「―自殺⑤」

ふくとくほん③【副読本】〔英語などの〕副教材。「ふくどくほん③」とも。

ふくとしん③【副都心】複雑化した都心の機能の一部を分担するために、都心からやや離れた地域に設けられる、業務・商業の中心地。「臨海―」

ふくのかみ③【福の神】幸福・富を持って来るという神。

ふくはい⓪【復配】―する(自サ) △今まで(しばらく)無配であった株式が有配になること。

ふくはい⓪【腹背】❶〔腹と背中の意〕前方と後方。「―に敵を受ける」❷⇩面従腹背

ふくびき⓪【福引(き)】くじ引きで景品を△分けとる(与える)こと。また、そのくじ。「―券④③」

ふくびこう③(カウ)【副鼻〈腔】鼻腔の周囲にある、粘膜に覆われた空洞部分。〔医学の世界では「ふくびくう」と言う〕「―炎④」

ふくぶ②①【腹部】〔生物の〕腹の部分。

ふくふく②①(副)―と ―する いかにも柔らかく、ふっくらとした感触が得られる様子。「―とした布団」

ふくふく⓪【福々】(副)―と 財産が豊かで、繁栄する様子だ。〔やや古風な表現〕「家も―だ」

ぶくぶく ❶①(副)―と ―する ❶続けざまに泡△が出る(を立てる)様子。また、その時に立てる音の形容。「カニが―と泡を吹く/湯が―と沸いて来る/口の中で―する〔=水を含んでうがいをする〕」❷しまり無く太って見える様子。「四十の声を聞くや―太り始めた」❷⓪―に ―な 「ぶくぶく❶❷」に同じ。「―に太っている/―に着ぶくれている」

ふくぶくし・い⑤【福々しい】(形) ❶ふっくらとした顔形で、穏やかだという印象を与える様子だ。「えびす様のように―顔」❷お金がたくさんあって、豊かな暮らしをしている様子だ。派―さ⑤④

ふくふくせん⓪【複複線】〔鉄道で〕複線を二つ並べて敷いた線路。

ふくふくふくせん⓪【複複複線】〔鉄道で〕複線を三つ並べて敷いた線路。三複線。

ふくぶくろ③【福袋】中身に何が入っているか分からないように封をして、客に選んで取らせる袋。正月の初売りや新規開店のサービスなどに行なう。かぞえ方 一袋

ふくぶん⓪【副文】条約書・契約書の正文に添えたもの。

ふくぶん⓪【復文】❶△翻訳(書き直)した文章を原文の形に直すこと。❷速記したものを文章の形に直すこと。❸返事の△文章(手紙)。

ふくぶん⓪【複文】〔文法で〕文構造の一つ。一文の中に主語・述語の対応関係が二つ以上含まれるもの。Ⓐ主に前件が後件に対して、連用修飾の働きをするととらえられるもの。合文。例、「雨が降っているので、私は外出を取りやめた」「来月になれば帰国出来るだろう」。Ⓑ特定の語の修飾要素の中に、主語・述語の関係が含まれるもの。有属文。例、「さわやかな風が吹きわたる初夏の候を迎えた」「何人もの走者が通り過ぎるのを見送った」。⇩単文・重文

ふくべ⓪【〈瓠・〈匏・〈瓢】❶一年生のつる草。ユウガオの変種で、大きな丸い実がなる。果肉からかんぴょうを作り、中をえぐった実で花器などを作る。〔ウリ科〕❷「ひょうたん❷」の古風な表現。かぞえ方 ❶は一本

ふくへい⓪【伏兵】❶敵の来るのを待ち伏せして不意を襲う△兵(戦術)。伏せ勢(ゼイ)。「―を△置く(設ける)」❷目的の達成をさまたげる要因となる思いがけない障害や強力な競争相手。「雪崩(ナダレ)という―にあって登頂を断念する」

ふくへき⓪【復〈辟】―する(自サ) 〔「辟」は、君の意〕退位した君主が、また王位につくこと。

ふくへき⓪【腹壁】腹腔(フッコウ)の内側の壁。

ふくほう⓪(ハウ)【副砲】軍艦の、主砲以外の小口径の砲。

ふくほう⓪(ハウ)【複方】一定の処方に従って、二種以上の薬品を配合した薬剤。「―ヨードカリ⓪-④」↔単方

ふくぼく⓪【副木】手や足が折れたりした時、あてがってささえるもの。添え木。「(腕に)―を当てた不自由な様子」

ふくぼつ⓪【覆没】―する(自サ) 〔船などが〕転覆して沈むこと。

ふくほん⓪【副本】正本の△写し(控え)。コピー。表記「複本」とも書く。かぞえ方 一通

ふくほんい③(キ)【複本位】二種の貨幣(たとえば金貨と銀貨)を本位貨幣とすること。↔単本位

ふくまく⓪【腹膜】❶腹の中の、腹壁よりも内側にあって、内臓を包む薄い膜。❷〔↑腹膜炎⓪④〕結核菌が入ったりして起こる腹膜の炎症。

ふくまでん③【伏魔殿】見かけはりっぱな御殿だが、悪魔の隠れている建物。〔よい名目の下に、陰謀が絶えずたくらまれている、罪悪の根源地の意にも用いられる〕

ふくまめ②【福豆】節分にまくいり豆。

ふくま・れる④【含まれる】(自下一) 含められている。含まる③(五)。「税金・サービス料が含まれた値段」

ふくみ【含(み)】❶③ ❶含む△こと(もの)。「波瀾(ハラン)―(フクミ)」❷言葉の表面には必ずしも表われていないが表現自体の意図としては理解してほしいと思う事柄。「それに限定するわけではないという―のある表現」❷(造語) 動詞「含む」の連用形。「―益・―損(ゾン)」 **―ごえ**④(ゴエ)【―声】口の中に音がこもっているように聞こえる声。 **―しさん**④【―資産】その会社の資産の実際上の価格が、帳簿上の価格を上回った時の、差額の称。 **―わた**③【―綿】ほおのやせているのを隠すために、綿を奥歯の所に入れること。また、その綿。 **―わらい**④(ワラヒ)【―笑(い)】〔内心のおかしさを抑えきれず〕声を立てずに口を閉じたまま笑っているのが表情に現われること。また、その笑い。

ふくみみ②⓪【福耳】耳たぶの大きい耳。

ふく・む ＊＊②【含む】(他五)〈どこ・なにニなにヲ―〉❶物を口の中に入れたまま、かんだり飲んだりしない状態を保つ。❷中にその要素が存在することが認められる状態にある。「憂いを含んだ面持ち/実際には多くの問題を含んでいる医療制度/一筋縄ではいかない相手だということを含んで〔=よく心得て〕交渉にのぞむ/交通費を含んだ手当」【―所が有る】自分に屈辱を与えた相手に対して、いつか仕返しをしてやろうと思う気持を持っている。〔⇩含み❶❷〕

ふくむ②①【服務】―する(自サ) 〔官庁などの〕職場で仕事をすること。「―規程④⑤」

ふくめい⓪【復命】―する(他サ) 与えられた命令を果たした旨を上役に報告すること。「―書⓪⑤」

ふくめつ⓪【覆滅】―する(自他サ) 「すっかり滅△ぼす(びる)こと」の意の古風な表現。

ふくめに⓪【含(め)煮】 ゆでてやわらかにした乾物・クリなどを、汁を多くして味がしみこむまで△煮ること(煮たもの)。

*__ふく・める__③【含める】(他下一)〈なに二なにヲ―〉 含まれるようにする。「補欠を含めて二十人の選手/かんで―〔=十分に理解できる〕ように教える/言い―〔=十分に説明して納得させる〕」

ふくめん⓪【覆面】―する(自サ) 布などで顔をおおい包む△こと(物)。「―を脱ぐ/―〔=匿名〕批評」

ふくも⓪②【服喪】―する(自サ) 喪に服すること。⇩除喪(ジョモ)

ふくやく⓪【服薬】―する(自サ) 薬を飲むこと。〔かつては、薬の調合をも指した〕

ふくよう⓪【服用】―する(他サ) 茶・薬を飲むこと。〔かつては、物を食べることをも言った〕「―量③・―法⓪」

ふくよう⓪【服〈膺】―する(他サ)〔古〕〔「膺」は、胸の意〕心にとどめて忘れないようにすること。「拳々(ケンケン)―する」

ふくよう⓪【複葉】↕単葉 ❶小さい葉が幾つも集まって一つの葉のように見えるもの。❷飛行機の主翼が上下二枚あるもの。「―機③」

ふくよか②―な 柔らかそうにふくらんでいて、感じのいい様子だ。「―な胸」 派―さ④③

ふくらか②―な ふくれていて柔らかに見える様子だ。

ふくらしこ⓪【膨(ら)し粉】⇩ベーキング パウダー

ふくらすずめ④【〈脹(ら)〈雀】❶丸まると太った子スズメ。❷寒さのため、全身の羽をふくらませているスズメ。❸「脹ら雀❶」が羽を伸ばした形を文様化したもの。〔女性の髪型にも、若い女性の帯の結び方にも用いられる〕 表記「福《良〈雀」とも書く。

ふくらはぎ③⓪【〈脹(ら)〈脛】 すねの後ろ側の、肉の脹れた部分。こむら。

ふくらま・す⓪【膨(ら)ます】(他五) ふくらむようにさせる。ふくらませる⓪(下一)。「紙風船を―/ほっぺたを膨らまして不平を言う/△夢(期待)を―」

ふくらみ⓪【膨(ら)み】 ふくらんだ△所(程度)。「胸の―」

*__ふくら・む__⓪【膨(ら)む・〈脹(ら)む】(自五)〈(なに デ)―〉 ❶(中空の)物が、内部からの力によって外側に丸みを帯びて大きくなる。「△風船(泡・シャボン玉)が―/つぼみが―〔=開花の時期が近づく〕」 ❷当初の予想よりも大きくなる。「△赤字(期待)が―」

ふくり②①【福利】 幸福と利益。「公共の―/―厚生」

ふくり②①【複利】 複利法で計算する△利息(利率)。↕単利 ―ほう⓪―【―法】 期間の末ごとに、利息を元金に繰り入れ、その合計額を次の期間の元金として、それに利息をつける法。↕単利法

ふぐり①【〈陰〈嚢〉】「陰嚢(インノウ)・きんたま」の意の古来の称。

ふくりゅう⓪―【伏流】 地上の流水が、ある場所だけ地下を流れること。また、その地下の流れ。「―水③」

ふくりゅうえん③―【副流煙】 たばこの火のついている部分から立ちのぼる煙。喫煙者が吸い込む主流煙に比べて、発癌(ハツガン)物質など有害物質をはるかに多く含む。↕主流煙

ふくりん⓪【覆輪】〔古〕刀のさや、馬のくらのふちなどを金銀などでおおって飾ること。また、その飾り。「金―(キンプクリン)③④」

ふくれっつら⓪【膨れっ面・〈脹れっ面】(不平・不満の気持が現われた)ほおをふくらませた顔つき。

*__ふく・れる__⓪【膨れる・〈脹れる】(自下一)〈(なに デ)―〉 ❶充実したりした内部に押されて、外側が弓形になる。「腹が―」 ❷〈(なに ニ)―〉 次第に規模が大きくなる。「列が段々膨れて来る/雪だるまのように膨れ上がっていく/出発時約六百人だった行列は、ゴールに近づくころには約三千人に膨れ上がった〔=…の多数にまで増加した〕」 ❸ふくれっつらをする。

*__ふくろ__【袋・〈嚢】 ■③② ❶紙・布・革などを張り合わせたり縫い合わせたりして、何かを入れるように作ったもの。一方に口があり、用の無い時には折り畳める。「―入り⓪・―張り③⓪・ビニール―(ブクロ)⑤・紙―(ブクロ)」 ❷〔ミカンなどの〕食べられる部分を包む皮。「―ごと食べられるミカン」 ■(造語) 食料品・薬品・調味料・嗜好(シコウ)品などの売買の単位として用いられる語。 表記 ■❶の口の部分が紐(ヒモ)などで閉じられる物は、「〈嚢」とも書く。 かぞえ方 ■❶の麻袋・ポリ袋などは一枚。■は一袋(ヒトフクロ)・二袋(フタフクロ)・三袋(サンプクロ)(ミフクロ)・四袋(ヨンプクロ)(ヨンフクロ|ヨフクロ)・五袋(ゴフクロ)・六袋(ロップクロ)(ロクフクロ)・七袋(ナナフクロ)・八袋(ハップクロ)(ハチフクロ)・九袋(キュウフクロ)・十袋(ジップクロ)(トフクロ)・何袋(ナンプクロ)(ナンフクロ) ―あみ③【―網】 細長い袋形をした網。網の口を広げて海底を引き、魚をとる。 ―おび④③【―帯】 布の表裏を続けて筒状に織り、丸帯に似せた帯。最近では盛装用。 かぞえ方 一本・一枚・一点 ―おり⓪【―織(り)】 一種類の糸で二重に織り、筒状にする織り方(の布)。 ―こうじ④―【―《小路】 行き止まりになっている小路。〔物事の行き詰まった状態の意にも用いられる〕 ―だたき④【―〈叩き〉】「人を袋の中に入れて叩いたことから」おおぜいで取り囲んで、思い切り殴ること。〔広義では、憎まれたりそねまれたりなどして、おおぜいの人からひどい目にあう意にも用いられる〕「―にあう」 ―とじ③⓪―【―〈綴(じ)】 紙の文字のある方を表にし二つ折りにしたものを、折り目でない方で綴じたもの。江戸時代以降の普通の和本の綴じ方。線装本⓪。 ―ぬい⓪―【―縫(い)】〔ほつれを防ぐために〕布地二枚を外表に合わせて一度縫い、これを裏返しにして、さらに縫うこと。 ―の ねずみ⓪【―の〈鼠】〔←袋の中の鼠〕もはやそこから逃げることが出来ない絶体絶命の状態にあること。 ―みみ③【―耳】 ❶一度聞いたら決して忘れない△こと(人)。「ふくろうみみ」とも。↕ざる耳・かご耳 ❷織物の耳の部分を袋織りにしたもの。 ―もの⓪【―物】 紙入れ・ハンドバッグなど身のまわりで使う袋状の物の総称。

ふくろ②①【復路】 帰る時に通る道。「往路は追い風だったが、―は向かい風になった」↕往路

ふくろう②―【〈梟】 ❶ミミズクに似て、夜活動する中形の鳥。全身茶色で、目は大きく、その周囲に放射状の羽があるが、多くはミミズクと違って、耳状の部分が無い。「ふくろ②③」とも。〔フクロウ科〕 ❷夜、活動するもののたとえ。「―部隊⑤」 かぞえ方 ❶は一羽・一匹 ―みみ③【―耳】⇩袋耳❶

ふくろくじゅ③④【福〈禄寿】 七福神のひとり。福・禄・寿の三つを兼ね備えると言われる。背が低く頭が長くてひげが多い。福禄人(ジン)④。

ふくわじゅつ③【腹話術】 唇・歯などを動かさずに話す技術。他人・人形が話しているように思わせる。

ふくわらい③―【福笑(い)】 正月の遊びの一つ。おかめなどの顔の輪郭を描いた紙の上に、眉・目・鼻・口の形に切り抜いた紙を目隠しした人が置いていき、出来上がった顔を楽しむ。

ふくん①② ■【夫君】「(他人の)夫」の意の敬称。「ビクトリア女王の―アルバート公」 ■【父君】「(他人の)父」の意の敬称。

ぶくん⓪①【武勲】 戦争でたてた手柄。武功。「赫々(カッカク)たる―」

ふけ②⓪【〈雲脂〉】 頭の皮膚に生じる、白いあか。うろこのようにはがれてくる。 表記「〈髪〈垢〉」とも書く。「〈頭〈垢〉」は、新しい表記。

ぶけ①⓪【武家】〔公家(クゲ)に対して〕武力をもって興った、世

ふ

襲的な支配階級。武士。〔将軍・大小名とその家来たち〕

―じだい③【―時代】武家が政治上の実権を握った時代。〔鎌倉時代から江戸時代の末まで〕

ふけい②⓪【不敬】―な 失礼な言動を皇室・社寺に対してする様子だ。「―罪②〔第二次世界大戦後廃止〕」

ふけい②①【父兄】未成年者を保護・監督する立場にある父や兄。〔広義では、まだ自立していない子供の保護者をも指す〕「―を集めて説明する/―会②⓪」

ふけい⓪【父系】↕母系 ❶父方の血統に属する△こと(者)。❷家系が父方の者によって相続されること。「―家族④」

ふけい⓪②①【府警】「府警察(本部)②(⑥、①-⑤)」の略。

ふけい②①【婦警】「婦人警察官⑦」の略。〔現在は「女性警察官」〕「―さん」

ぶげい①【武芸】戦国に生きる武士として必ず身につけることが求められる武術の総称。馬術・剣術・弓術など。「―者②・―百般」 **―じゅうはっぱん**①-③【―十八般】上記三種のほか、槍・水泳・居合抜き・短刀・十手・手裏剣・吹矢・砲術・薙刀・捕り手・柔・棒・鎖鎌・袖がらみ・忍びを指す。

***ふけいき**②【不景気】―な 買手・需要が少なくて、商業・生産に活気が無い状態(にあること)。不況。〔(金回りが悪かったりして)元気が出ない様子の意にも用いられる。例、「相変わらず―な顔をしている」〕↕好景気

***ふけいざい**②【不経済】―な/―に むだに(お金を)使う様子だ。

ふけがお⓪【老け顔】実際の年齢よりも年をとっているように見える顔。

ふけそう②【普化僧】普化宗②〔=禅宗の一派〕の僧。虚無僧。

***ふけつ**⓪【不潔】―な/―に ❶清潔であることが期待されるべきものが汚れていて、それに接することがはばかられる様子だ。「―な△指先(コップ)」↕清潔 ❷けがらわしくて、つきあいたくない様子だ。派―さ⓪③

ふけっか②【不結果】△よく(思わしく)ない結果。「―を招く」

ふけやく⓪【老け役】〔演劇で〕老人の役(を演じる俳優)。

ふ・ける②(自下一) 蒸されて熱が通る。「御飯が―」表記「《蒸ける・《化ける」などと書く。

ふ・ける②(自下一) ❶【更ける・《深ける】△夜(その季節)になってからだいぶ時間が経過する。❷【老ける】年をと(ってい)るように見える。「年より老けて見える」❸古くなったりして、変質する。「米が―/ふけた本」

ふけ・る②【耽る】(自五) 一つの事に異常なまでに心を奪われて、他(の大事なこと)を忘れる。「△読書(物思い・飲酒・女色)に―」

ふけん⓪【夫権】〔民法の旧規定で〕夫が妻に対して持つ権利。

ふけん⓪【父権】その家の支配権を代々父方が持つ△こと(制度)。〔狭義では、民法の旧規定において、父が家長として持つ権力を指す〕↕母権

ふけん①②【府県】府と県。「都道―」

ふげん①⓪【不言】物を言わないこと。「―実行①-⓪、⓪-⓪」

ふげん⓪【付言・附言】―する(他サ) 付け加えて言う△こと(言葉)。

ふげん⓪①【富源】富を生じる元。

ふげん①【普賢】〔↑普賢菩薩④〕理知・悟りの心を備え、釈尊の布教を助ける高位の菩薩。多く白象に乗り、常に釈尊の右側に立つ。〔文殊菩薩は左側〕

ぶげん⓪【侮言】ばかにして言う言葉。

ぶげん⓪【〈誣言】わざと事実を偽って言う言葉。「ふげん⓪」とも。

ふけんこう②【不健康】―な 健康△でない(によくない)様子だ。「―な生活習慣を改める」派―さ④⓪

ふけんしき②【不見識】―な/―に 社会通念に対する認識に欠けていて、公的な場などで礼儀に外れた言動をする様子だ。

ぶげんしゃ②【分限者】〔古〕金持。

ふけんぜん②【不健全】―な ❶からだ・精神に悪い影響があり、好ましくないと考えられる様子だ。「―な遊び」❷公正を欠いていたり不正であったりして、人から指弾されてもしかたが無い様子だ。「―な経理内容」派―さ④⓪

ふご①②【〈畚】竹・わらで編んだ籠の総称。もっこ・びく・飯びつ その他幼児などを入れておくのに使うものなど。

ふこう②①【不孝】―な 子として親を心配させたり 悲しませたりする△こと(行い・様子)。「先立つ―をお許しください/―者⓪・親―」↕孝行

***ふこう**②①【不幸】❶―な/―に 恵まれない△状態(環境)にある△こと(様子)。「―を招く/―な目にあう/幸か―か〔=よかったと言うべきか、悪かったと言うべきか〕/―中の幸い〔=ありがたくない出来事の中でも、幾らか△慰め(救い)になること〕」❷「身内に死なれること」の意の婉曲表現。「父の死、おばの死と―が重なる」

ふこう⓪【富鉱】多くの金属分を含む△鉱石(鉱山)。↕貧鉱

ふごう⓪①【負号】〔記数法で〕その数が負であることを示す、数字の前に付ける記号。負の符号。マイナス。「-」〔会計帳簿で赤字を示す△印も広義の負号〕↕正号

ふごう⓪【符号】❶文字・数字以外の記号。「句読点や括弧は補助―である/―を付ける/踊り字は反復―/長音―・モールス―」❷〔数学で〕正号〔=プラス〕と負号〔=マイナス〕の総称。「aとbは異―である/定―」

ふごう⓪【符合】―する(自サ) 〔二つに切ったものを合わせたように〕話が△事実(他の話など)とぴったり合うこと。

ふごう⓪【富豪】並はずれた財産を持っている人。

ぶこう⓪【武功】⇩武勲

ぶこう①【武甲】武蔵〔=今の東京都と埼玉県〕・甲斐〔=今の山梨県〕。「―の山やま」

ぶこう⓪【〈蕪稿】内容が雑で、表現も未熟な原稿。〔自分の原稿の謙称として用いられる〕

ふこうい②【不行為】特定の行為をしないこと。

ふごうかく②【不合格】試験・検定に合格しないこと。「―品⓪・―者⑤④」

***ふこうへい**②【不公平】―な/―に どちらかに偏っていて、扱いが公正を欠く△こと(様子)。「―な仕打ち」派―さ⓪④

***ふごうり**②【不合理】―な/―に 論理的必然性を欠くなどして、道理に合わない△こと(様子)。「―を生じる/―な話」⇩非合理 派―さ④⓪

ふこく⓪【布告】―する(他サ) ❶国家の重大な公式決定を一般に知らせること。「新憲法を―する/宣戦―」❷〔明治初期の〕法律・政令。

ぶこく⓪【〈誣告】―する(他サ) 虚偽の事実を言い立てて、他人を罪におとしいれ(ようとす)ること。「―罪③〔=『虚偽告訴の罪』の旧称〕」

ふこくきょうへい②-⓪、⓪-⓪、①-⓪【富国強兵】国の経済力を豊かにし、強い軍隊を持って、他国に対抗する△こと(政策)。

ふこころえ②【不心得】―な 心がけがよくない様子だ。不所存。「―者⓪」

ぶこつ⓪【武骨・無骨】―な 〔もと、無作法の意の「骨無(コチナシ)」を字音語として反読(カエリヨミ)させたもの〕粗削りであったりスマートでなかったりなどして、一見抵抗を禁じえない様子だ。「―一点張り・―者(モノ)⓪〔=都会人らしいスマートさの無い人〕」 派―さ⓪

ふさ㊀②【《総》】△束ねた(何本かの)糸などの先をばらばらにして飾りにした物。「―飾り③」 ㊁②【房】たっぷりついた実などが垂れ下がって見える物。「ブドウの―/花―(ブサ)・乳―(ブサ)」 ㊂【房】(造語) ❶フジ・ヤマブキ・ハギの花や、ブドウ・バナナの実、海藻および頭髪の塊をかぞえる語。 ❷柑橘(カンキツ)類の果実を構成する袋をかぞえる語。

ブザー①〔buzzer〕(発音はバザーの文字読み)〕電磁石で鉄の板を振動させて、鈍く低い音を出す装置。通知・通告用。

ふさい⓪【不才】才能が(それほど)無い△こと(人)。〔自分の謙称としても使われる〕

ふさい①【夫妻】「〔他人の〕夫婦」に、やや敬意を含ませた表現。〔接尾語的にも使う。例、「山田―」〕

ふさい⓪【付載・附載】―する(他サ) 本の付録として、便利で喜ばれるものを載せること。

ふさい⓪【府債】府の債務。

ふさい⓪【負債】借りたままになっている金銭など。「〔長期〕―を抱える」

ふざい⓪【不在】そこに居ないこと。「国民―の政治改革/消費者―の行政指導/現場―証明〔=⇩アリバイ〕・人間―⓪-⓪〔=人間の主体性を無視した△やり方(状態)〕」

―とうひょう④―【―投票】―する(自サ) 〔↑不在者投票⑤〕有権者が正当な理由で投票日に投票出来ない時、その日より前に投票を済ませること。〔現在、公職選挙法では期日前(ゼン)投票と言う〕

ぶざい⓪【部材】構造物の部品に用いられた材料。

ぶさいく②【不細工・無細工】―な ―に 物を作ったり仕事をしたりするやり方がへたな様子だ。「ぶざいく②」とも。〔俗に、目鼻だちの整っていない様子の意にも用いられる〕 派―さ⓪④

***ふさが・る**⓪【塞がる】(自五) ❶閉じた状態になる。「眠くて自然に目が―」 ❷〈(なにデ)―〉何かがそこにあって、△通れ(入れ)ない状態だ。「穴が―/落葉で排水口が―/あいた口が塞がらない〔=ひどくあきれる形容〕」 ❸すでにある何かのために、ほかの△事に(人が)使えない状態だ。「手が―/席が―/電話が塞がっている〔=(先方が)通話中の状態にある〕」 名塞がり⓪「八方―」

ふさぎこ・む④【塞(ぎ)込む】(自五) 何か△悲しい(落胆する・失望を与える)出来事のためにどうしようという見込みも無く、すっかりゆううつな気分になったように見える。

ふさぎの むし⓪-⓪【塞ぎの虫】ゆううつ(の原因をなすと言われる虫)。

***ふさく**⓪【不作】❶農作物〔特に、米〕の出来が悪いこと。⇩豊作・平作・凶作 ❷一般に、出来の悪いこと。「百年の―〔=(自分のことは棚に上げ)理想像とは程遠い細君を不覚にももらった、と結婚後しばらくたってから△漏らす愚痴(する批評)〕」

ふさく⓪【〈斧鑿〉】斧(オノ)と鑿(ノミ)(で細工すること)。「―の跡をとどめない〔=人間の技巧を超えているほど作品が巧みである形容〕」

***ふさ・ぐ**⓪【塞ぐ・《鬱ぐ》】㊀(自五) 何か引っかかる事があって、ゆううつな気持になる。「気が―/ふさいだ顔」 ㊁(他五) ❶〈(なにヲ)―〉閉じる。「思わず目を塞いだ」↕開(ア)ける ❷〈(なにデ)なにヲ―〉何かを△そこ(通路)に置いて、通ったり入ったりすることが出来ないようにする。「△道(風)を―/入口を塞がれる/手で目を―〔=見えないようにする〕/耳を―〔=聞こえないようにする〕/席を―〔=取る〕/場所を―〔=そこに一杯に居る。そこを一杯に占拠する〕」 ❸〈(なにデ)なにヲ―〉何かをして、やっと一杯にする。「時間を―〔=つぶす〕/責めを―〔=不十分だが、責任を果たす〕」

ふさくい②ヰ―【不作為】〔法律で〕当然することが期待される行為をしないこと。⇩無作為

ふさ・げる⓪【塞げる】(他下一) 塞ぐようにする。「抜け道を―」

ふざ・ける③【〈巫山戯〉る】(自下一) ❶(意図的に)一見△ふまじめ(不謹慎)に見えるような、こっけいなしぐさをしたりばかげたことを言ったりする。また、そうして周囲の人を笑わせたり怒らせたりする。「ふざけないで、まじめに話をしろ/いつもふざけてばかりいるが本当はさびしがり屋なのだ」 ❷子供同士が、互いにじゃれ合ってでもいるかのように、たわいもないことを言ったりしたりして騒ぐ。「園児がふざけていて窓ガラスを割ってしまった」 ❸男女などの間で(互いに)相手に甘えていちゃつくなどする。 名ふざけ③「悪―・お―」 表記「〈巫山戯〉る」は、借字。 運用 ❶について。(1)「ふざけるな/ふざけるんじゃない」などの言い方で、相手の△ふまじめ(不謹慎)な言動に対する怒りの気持を、感動詞的に言うことがある。(2)「ふざけた△奴(ヤツ)(話)だ/ふざけている」などの形で、許容限度を超えた相手の言動を非難の気持を込めて言うのに用いられる。「大事な会議に三十分も遅れてくるなんて△ふざけた野郎だ(ふざけている)」

ぶさた⓪【無沙汰】―する(自サ) 訪問・文通をしばらくしていないこと。⇩ごぶさた

ぶざつ⓪【〈蕪雑〉】―な ―に 〔言葉・文章が〕十分に整っていない様子だ。 派―さ⓪

ふさふさ ㊀①②(副)―と ―する 長い毛などが一面に密生し、豊かな量感がある様子。「毛並の―した犬」 ㊁⓪―な ―に 「ふさふさ㊀」に同じ。「若い頃は髪も―だった」

ぶさほう②ハフ―【不作法・無作法】―な ―に 行儀△が悪い(を知らない)様子だ。

ぶざま①【無様・不様】―な ―に かっこうの悪い様子だ。「―な〔=みっともない〕負け方」 派―さ⓪③

***ふさわし・い**④フサハシイ【〈相応〉しい】(形) 取り合わせの上で、その物にぴったり似合う様子だ。「上着に―色のネクタイ」 派―さ④③ 表記「〈相応〉しい」は義訓。

ふさん⓪【不参】―する(自サ) その行事に参列・出席しないこと。

ふし②【〈五倍子〉】「ヌルデ〔=ふしの木②③〕」の幹・枝葉に、「フシガ⓪②〔=アブラムシの一種〕」が生みつけた卵がかえり、その刺激によって生じるこぶの形をした物。タンニンを含み、染料・インク製造用。

***ふし**②【節】❶竹・葦(アシ)などの茎の継ぎ目になっている、ふくらんだ部分。〔木では幹から枝の出たあとを、動物では関節を、糸では所どころこぶのようになった部分を言う〕 ❷〔全体の中で、特に目立つ〕箇所。「疑わしい―〔=点〕がある」 ❸〔歌などの〕段落。 ❹音楽の旋律。〔「浪花節(ナニワブシ)」のもじりで、その人独特の口調や演説調を「…ぶし」と言うことがある〕「―をつけて読む/追分(オイワケ)―(ブシ)」 ❺魚の身を縦に四つ切りにした一つ。 ❻「かつおぶし」の略。「土佐―(ブシ)」

ふし①【不死】死ぬことが無いこと。「不老―④」 ―ちょう⓪②テウ【―鳥】⇩フェニックス❶

ふし①【父子】父とその子。「―相伝」

ふじ①【富士】「富士山」の略。「―は日本一の山/―額(ビタイ)・津軽―」 表記「不《二》」は、借字。

ふじ⓪ヂフ【藤】棚などにつるを巻きつける落葉低木。五月ごろ薄紫色の蝶形(チョウガタ)の花がふさの形に垂れて咲く。のだふ

じ⓪。〔マメ科〕「ー棚・ー蔓⓪」 かぞえ方 木は一本。花は一片・一房

ふじ①【不《二】❶別々のもののように見えても、実質は一体であること。「教えることと学ぶことはーなり」 ❷〔手紙文で〕「思いを十分に尽くしませんが」の意の、結びの挨拶の言葉。⇩不一

ふじ①【不治】⇩ふち

ふじ①【不時】△思いがけない(予期しない)時。「ーの来客」 **ーちゃく**⓪【ー着】ーする(自サ)〔↔不時着陸③〕航空機が、故障その他の事故により、初めに予定した以外の地点や時刻に着陸すること。

ぶし①【《付子・《附子】ブスの生薬としての名。強心剤・利尿剤・鎮痛剤として用いられる。

ぶし①【武士】昔、百姓・商人の上の階級。武道によって主君に仕えた。さむらい。 **ーどう**②【ー道】武士階級に発達した、独特の倫理意識。君命のためには一命を顧みず、信義を重んじたりするなど。 **ーの なさけ**①-①【ーの情(け)】強敵には闘志を燃やして戦いをいどむが、弱い相手には攻めるかわりに援助の手を差しのべようとする思いやり。

ぶじ①【武事】戦争に関する△事柄(技術)。↔文事

*__ぶじ__⓪【無事】［一］ーな・ーに 特記すべき過失・事故・支障も無く、事がスムーズに行なわれる様子だ。「ーに勤め上げる／泰平ー〔=ⓐ平穏。ⓑ平和〕の世／ー△終了(通過)」 ［二］❶病気・けがなどを全くしない状態。「ーこれ名馬」 ❷病気・けがなどをしたり事故にあったりなどしても、生命には別条のない状態。「事故にあった子のーを祈る肉親」

ぶじ①【《蕪辞】〔整わない言葉の意〕〔手紙文や挨拶で〕「〔自分の〕△言葉(文章)」の謙遜語。「ーを列ねて祝辞とす」

ふしあな⓪【節穴】板などにある「節❶」が抜けて出来た穴。〔俗に、見抜く力を持たない目の意にも用いられる〕

ふしあわせ③【不幸せ・不仕合(わ)せ】ーな・ーに 不運や不幸。「ーな境遇」 派ーさ⑤

ふしいと⓪【節糸】〔玉繭から取った〕「節❶」の多い糸。玉糸。

ふじいろ⓪【藤色】〔フジの花の色に似た〕薄い紫色。

ふしおが・む④【伏(し)拝む】(他五) すわったまま、両手をついて顔や胸を地面にすりつけるようにして拝む。また、遥拝する。

ふしおり⓪【節織(り)】節糸で織った織物。

ふじかずら③【藤《葛】❶フジの つる。❷つる草の総称。

*__ふしぎ__⓪【不思議】ーな・ーに 〔「思議すべからず」、つまり、通念では納得出来ない、の意〕❶今までの△科学(知識)では十分に説明し切れない点が残って、出来れば解明したいと考えられる△こと(様子)。「植物には人間と同じような意思があるのかもしれない。そんな植物のーな力の数かずを紹介／…の七ー〔=なぞ〕」 ❷事実を追求する手段もないままに、どうしてそう△なった(である)のか、その原因・理由について、何とも納得できない気持だ。「あの戦後の時代をどうにか生きてきたのが今にして思えばーだ／不愉快じゃないって言ったらうそになるけど、このところーなことに前ほど彼のだらしなさが気にならなくなった」 派ーさ⓪ **ーが・る**④ 文法 ❷は、「不思議△に(なことに)」とほぼ同じ意味内容を表わす副詞的な用法として、口頭語では「不思議と」の形で用いられる。例、「今年は不思議と雪が降らない」

ふじぎぬ⓪③【富士絹】羽二重に似せて、くず繭から作った織物。シャツ・婦人服の裏地や布団地にする。

ふしくれ⓪【節《榑】節の多い材木。 **ーだ・つ**⑤【ー立つ】(自五) ❶〔木などが〕節が多くてでこぼこする。❷〔肉体労働者や農民の手などが〕ごつごつして見える。

ふじごろも③【藤衣】〔雅〕フジの つるの繊維で織った、粗末な着物。

ふししず・む④⓪【伏(し)沈む】(自五) 何もせず、△物思い(悲しみ)に打ちひしがれた状態でいる。

ふしぜん②【不自然】ーな・ーに ❶自然に反してやったために、ぎこちなく見える様子だ。「ーな〔=無理な〕姿勢」 ❷わざとしたところが目について、好ましくない感じを与える様子だ。「ーな演技」 派ーさ③⓪

ふじだな⓪【藤棚】フジの つるを伸ばして茂らせる棚。

ふしだら②ーな・ーに ❶だらしがない様子だ。❷品行が悪い様子だ。 派ーさ④

ふしつ⓪①【不《悉】〔思いを十分に尽くさない意〕手紙の終りに添える語。不一。不二。不尽。

ふじつ①【不日】(副)〔手紙文などで〕(本日はその機を得ないが)近いうちにそう△する(なる)であろう、という意志や推測を表わす。「ー改めて御教授を受けにまいりたい」

ふじつ①【不実】［一］ーな・ーに 〔約束を破ったりして〕誠実でない様子だ。「ーな男」 ［二］事実でないこと。「ーの申立て」

ふしづくり③【節《旁】漢字の部首名の一つ。「印・却・危」などの、「卩・㔾」の部分。〔「節」の字に代表させて言う〕

ふしづけ⓪【節付(け)】ーする(自サ)〔日本音楽・浪花節の〕歌詞に節をつけること。

ぶしつけ⓪【不《躾・無《躾・不仕付(け)】ーな・ーに その言動が礼儀やエチケットに反する様子だ。〔多く、人に何かを△頼む(問う)ときの前置きとして用いられる〕「ーな△お願い(質問)で恐縮ですが」

ふじつぼ⓪【富士《壺】海産で、岩礁や船底などにくっついてすむ節足動物の総称。円錐形の固い殻をもつ。〔フジツボ科・イワフジツボ科〕

ふして①【伏して】(副)〔手紙文や挨拶などで〕プライドを捨てて、ひたすら相手に自分の希望を聞き入れてくれるようにと頼み込む様子。「この段、ーお願い申しあげます」

ふしど②⓪【《臥《所】「ねどこ」の意の古風な表現。

ふじなみ⓪【藤波】フジの花(が風に吹かれて、波のように動く様子)。

ふしはかせ③【節《博《士】語り物の文字のそばに付けて、節の高低・長短を示した符号。ごま点⓪。 表記 ⇩付表「博士」

ふじばかま③【藤《袴】秋の七草の一つ。秋、薄い赤紫色の小さな花が茎の頂上に集まってつく多年草。芳香がある。〔キク科〕 かぞえ方 一本

ふじびたい③【富士額】額の髪の生えぎわが富士山の形に似ているもの。昔は美女の条件の一つとされた。

ふしぶし②【節々】❶あちらの関節や、こちらの関節。「ーが痛む」 ❷問題とされていい、かずかずの点。「疑わしいー」

ふしまつ②【不始末】❶あとかたづけがよくないこと。「火のーに気をつける」 ❷〔あとで他人に迷惑が及ぶ〕だらしのない行い。「ーを仕出かす／部下のーのしりぬぐい」

ふしまろ・ぶ④【《臥(し)《転ぶ】(自四)〔雅〕ころげまわる。

ふしまわし③【節回(し)・節《廻(し)】〔歌や語り物などの〕△調子(声の上げ下げ・強弱)。

ふじみ⓪【不死身】ーな どんな△傷(病気・打撃)を受けても必ず立ち直る、強い からだを持っている様子だ。また、そういうからだ。

ふしめ③⓪【伏(し)目】〔人と話をする時に〕視線を下へ向けること。「弱みがあるのでついーになる／ーがち⓪」

ふしめ③【節目】❶木材・竹の「節❶」のある所。❷抽象的なものの区切りをなす(時)点。「一つのーを刻む／大きなーを迎える／人生のー」

ふしゃ[1]【富者】(はた目にもうらやましがられるほどの)金持。↕貧者

ふしゃくしんみょう[1]-[0]、[2]-[0]、[0]-[0]【不《惜身命】仏道修行のためには、自分のからだ・いのちなどどうなっても構わないという決意。

ふしゅ[1]【浮腫】「むくみ」の医学用語。

ふじゅ[1]【腐儒】〔古〕理屈ばかり言っていて、実際の役に立たない学者。

ぶしゅ[1]【部首】㊀漢字の辞書などで、漢字を分類するための目印とされている字やそれに基づく構成要素。㊁「部首㊀」に付けられた名称。偏・旁・冠などを付すことがある。部首名。

ふしゅう[0]【〈俘囚】「捕虜」の古風な表現。

ふしゅう[0]【腐臭】くさった物から発する独特ないやなにおい。

***ふじゆう**[1]【不自由】―な ―する(自サ)〈なにニ―する〉何かと制限や束縛があって、自分の意志・感情に従った行動が思うようにできない状態だ。「お金に―する〔=お金が無くて困る〕/―な△格好(世の中・生活・関係)/何―無く暮らす」[派]―さ[3][0]

ぶしゅう[1]【武州】「武蔵国」の漢語的表現。今の東京都・埼玉県全体と神奈川県北東部にあたる。「―織物[5]・―正藍染[1]-[0]・―豚[2]・―磨き本瓦[1]-[6]」

ぶしゅうぎ[2]【不祝儀】〔婚礼などを「祝儀」と言うのに対して〕葬式の婉曲な表現。「―用の のし袋」

ふしゅうこう[2][0]【不〈銹鋼】〔「銹」=さび〕さびない鋼鉄。ステンレス スチール[7]。

***ふじゅうぶん**[2]【不十分】・【不充分】―な ―に 足りないところがあって、満足出来ない△こと(様子)。「―な内容/準備が―/証拠―」[派]―さ[4][0]

ぶしゅかん[0][2]【《仏手〈柑】庭に植える常緑小高木。実は楕円形で、先が手の指のような形に裂けている。砂糖漬にして食べる。「ぶっしゅかん[0][3]・てぶしゅかん[0][2]」とも。〔ミカン科〕[かぞえ方]一株・一本

ふしゅく[0]【〈巫祝】〔「祝」は、神を祭る人の意〕〔原始宗教で〕みこ。

ふじゅく[0]【不熟】―な ―に ㊀作物などが熟していないこと。㊁欠点があり、十分な用をなさない様子だ。「―な文章」㊂〔時機が早くて〕折合いがまだつかない様子だ。

ふじゅく[0]【腐熟】―する(自サ) 積みごえ・しもごえなどが、よく発酵すること。

ふしゅつ[0]【不出】外へ△出(出さ)ないこと。「門外―」

ふじゅつ[1]【〈巫術】⇩シャーマニズム

ぶじゅつ[1]【武術】武人が職責を全うするために要求される、馬術・剣術・弓術・槍術など。

ふしゅび[2]【不首尾】―な ―に ↕上首尾 ㊀思わしい結果が得られなかった様子だ。「―〔=不成功〕に終わる」㊁受けの悪い状態だ。「上役に―になる」

ぶしゅみ[2]【無趣味】―な ㊀(高尚な)趣味を解しない様子だ。㊁趣味というほどのものを何も持っていない様子だ。

ふじゅん[0]【不純】―な ―に △純真(純粋)の状態から外れていて、望ましくない様子だ。「―な動機/―物[2]」[派]―さ[0]

ふじゅん[0]【不順】―な ―に 〔決まってそうなるはずの気候・月経などが〕狂う△こと(様子)。「天候―」

ふじょ[1]【〈巫女】神につかえて、その神意を言動によって伝える能力をそなえている女性。

ふじょ[1]【扶助】―する(他サ) (経済的に)助けること。「相互―」

ふじょ[1]【婦女】女性。婦人。おんな。「―子」

ぶしょ[1]【部署】〔組織体の中で〕各人が受け持つ△役目(場所)。持ち場。「―につく」

ふしょう[0]【不肖】〔肖は、似る意〕㊀(父)親や師と違って、出来が悪いこと。「―の△子(弟子)」㊁自分自身を謙遜して言う語。「―〔=才能の乏しい〕私が」

ふしょう[0]【不詳】―な 分かっていいはずの情報がくわしく分からない様子だ。「身元―[0]-[0]」

ふしょう[0]【負傷】―する(他サ) 傷を受けること。けが。「―者」

ふじょう[0]【不定】〔古〕決まっていないこと。「老少―」

ふじょう[0]【不浄】㊀―な そのものに清さ・美しさ・正当性などが無く、けがれている様子だ。「―な金」㊁古く、「月経」の称。⇩ごふじょう ―やくにん[4]【―役人】昔、「捕吏」の異称。

ふじょう[0]【浮上】―する(自サ) 〔潜水艦などが〕水上に浮かび上がること。〔今までうだつが上がらなかった存在が、何かがきっかけになって一人前の扱いを受けるようになる意にも用いられる〕「△案(疑念・計画・責任論)が―する」

***ぶしょう**[2]【不精・無精・無性】―な ―する(自他サ)〈なにヲ―する〉ちょっとした事をするにも、からだを動かすことをめんどうくさがる△こと(様子)。「―を決め込む/―者[0]・筆―」 ―ひげ[2]【不精〈髭・無精〈髭】そらないで、伸びたままになっている髭。「―を生やす」

ぶしょう[0]【武将】㊀武道にすぐれた将軍。㊁△武士(軍人)の長。

ぶしょう[0]【部将】一部隊の長である△武士(軍人)。

ふしょうか[2]【不消化】―な ―に 食物が胃腸の中でよくこなれない△こと(様子)。「―を起こす/―な知識」

ふしょうじ[2]【不祥事】組織などの内部で起きた(社会的な信用を失うおそれのある)好ましくない事件・事故。「相次ぐ公務員の―」

ふしょうじき[2]【不正直】―な 正直でない△こと(様子)。[派]―さ[5][0]

ふしょうち[2]【不承知】―な 承知しない△こと(様子)。

ふしょうぶしょう[4]【不承不承】(副) 相手からの依頼などを、気が進まないながらも、やむなく受け入れる様子。[表記]「不請不請」とも書く。

ふしょうふずい[0]-[0]【夫唱婦随】夫が言い出した事に妻が従うこと。〔「婦唱夫随」は、これのもじり〕

ふじょうり[2]【不条理】―な 客観的に事柄の筋道が通らない△こと(様子)。〔哲学では、人生に意義を見いだす望みの全く絶えた限界状況を指す〕[派]―さ[4][0]

ふじょき[2]【不如帰】〔古〕ホトトギスの漢語名。

ふしょく[0]【扶植】―する(他サ) 〔自分の勢力・思想などを〕人びとの間に広げること。「勢力の―を図る」

ふしょく[0]【腐食・腐〈蝕】―する(自他サ) 金属などの表面がさびて、変化すること。また、薬品で変化させること。「銅板を―する」[表記]「腐食」は書きかえ。

ふしょく[0]【腐植】土の中で有機物が不完全に分解して出来た△茶色(沈んだ黒色)のもの。植物の生育に必要。「―土[3]・―質[3]」

***ぶじょく**[0]【侮辱】―する(他サ)〈だれ・なにヲ―する〉相手を△見下し(ばかにし)て、ひどい扱いをすること。「(ひどい)―を加える/―的な言動」

ふしょくふ[3]【不織布】織る過程を経ないが、広義では布に属するもの。きわめて薄い繊維を密着・配列したりくっつけたりして得られる。

ふじょし[2]【婦女子】女(や子供)。

ふしょぞん[2]【不所存】―な 不心得。「―者[0]」

ふじるし[2]【不印】「不結果・不首尾・不景気・不美人」

の古風な婉曲(エンキョク)表現。

ふしん⓪【不信】❶信義に反すること。「―の行為」❷他人の言動に対していだく、信用出来ないという気持。「―を△いだく(招く)/―が△高まる(強まる)/―の念/政治―」❸信仰心が無いこと。「―の人」 **―かん**②【―感】信用出来ないという感じ。「―を△持つ(取り除く)/―が△起こる(消えない)」

ふしん⓪【不振】―な 〔勢い・景気・成績などが〕かんばしくない△こと(様子)。「―に△陥る(あえぐ)/―を極める/食欲―・業績―」

ふしん⓪【不審】―な 見聞きした物事などについて、どうしてそう△なった(である)のか納得できず、何か隠された(良くない)事情があるのではないかと疑いをいだく△こと(様子)。「警察では失火と見ているが保険会社は―をいだいた/―な男が門の前をうろつく/挙動―・―尋問」 派 **―さ**⓪② **―げ**⓪④ **―が・る**④ **―がみ**②【―紙】書物の疑問の箇所にはる付箋(フセン)。 **―び**②【―火】原因不明の火事。「ふしんか②」とも。

ふしん⓪【普請】―する(他サ)〔もと、共同で寺や道などを作り・直す意〕〔個人の〕家を建てたり 直したりすること。「安普請(ヤスブシン)の家」

ふしん⓪【腐心】―する(自サ) それが△解決(完成)しなければ満足出来ないという問題や仕事に取り組み、労力を惜しまず注いだり 頭を悩まし続けたりする。「選手の強化に―する」

ふじん⓪【不尽】〔十分に尽くさない意〕手紙文の終りに書く語。

ふじん⓪【夫人】〔昔、中国で天子のきさき、日本できさきの次の位の女官の意〕❶⓪「〔他人の〕妻」の意の敬称。「―同伴」❷〔接尾語的に〕姓・役職名などに続けて「…の妻」の意を表わす。「山田―・社長―」

ふじん⓪【布陣】(フジン)―する(自サ) 敵と対戦すべく、陣容を整えること。また、その陣。

ふじん⓪【婦人】〔「婦」は、よめの意〕社会の中でなんらかの役割を負っているものとしてとらえられた、女の人。〔「女性」より古い語感を与える〕「―雑誌④・―科医④・―服②」 **―びょう**⓪【―病】女性の生殖器△の(に関連する)病気の総称。

ぶしん①⓪【武臣】武をもって朝廷に仕える人。

ぶしん⓪【武神】△戦争(武道)の神様。

ぶじん⓪【武人】「(職業的な)軍人・武士」の総称。

ふしんじん②【不信心】―な 神仏を信じる気持が無い△こと(様子)。「―な奴(ヤツ)らにはばちが当たるぞ」

ふしんせつ②【不親切】―な 親切でない△こと(様子)。

ふしんにん②【不信任】信任しない△こと(様子)。「―案④」

ふしんばん⓪【不寝番】一晩じゅう寝ないで見張る△こと(人)。寝ずの番。「―に立つ」

ふしんよう②【不信用】―な 信用が無いこと。

ふしんりゃく②【不侵略】他の国を侵略しないこと。「―条約⑥」

ふ・す①(自五) [一]【伏す】❶からだを低くして、隠れる。「草に―」❷うつぶせになる。「がばと―」❸ひれ伏す。⇩伏して [二]【《臥す】〔病気などで〕寝る。「病に―」

ふず①(ツ)【付図・附図】〔本文などに〕付けた図・地図。

ぶす①〔付子(ブス)を食ったような顔、の意からか〕美しいとは義理にも言いかねる容貌(ヨウボウ)(の女性)。〔一般に侮蔑(ブベツ)を含意して用いられる〕

ぶす①【《付子・《附子】トリカブトの根から抽出されるアルカロイド。かつて狩猟用の矢に多く塗られた。⇩ブシ

ふずい⓪【不随】からだが思うように動かないこと。「半身―」

ふずい⓪【付随・附随】―する(自サ) おもな事柄に△連れて起こる(従属している)こと。「―的な/―物②」

ぶすい⓪【無粋・不粋】―な 微妙な人間関係や心理が分からない様子だ。また、風流を解する心が分からない様子だ。粋(イキ)ではない様子だ。やぼ。「―な質問をするものだ」

ふずいい②【不随意】からだの動きが本人の意志通りにはならないこと。 **―きん**⓪【―筋】内臓諸器官などの筋肉。意識的に運動させることが出来ないもの。心筋と平滑筋を指す。⇩随意筋

ふすう②【負数】〔数学で〕負の実数。「―と―の積は正数となる」↕正数

ぶすう②【部数】〔書物や新聞などの〕出版物の発行数。「発行―⑥⑤」

ぶすぶす①(副)❶―と 火のついたものが、ほのおを上げず、音を立てながら煙だけ出している様子。「―とくすぶる」❷―と 柔らかなものに、次つぎとするどく△突きさす(突きささる)様子。「段ボールにきりで―穴をあける」❸―する 怒りや不満をだれにともなく(小声で)しつこく言い続ける様子。

ふすぶ・る③【《燻(ぶ)る】(自五) くすぶる。「ふすぼる③」とも。 他動 燻べる③(下一)

ふすま⓪③【衾】〔雅〕寝る時にかける夜具。かけぶとん。 表記 「《被」とも書く。

ふすま⓪③【麩・《麬】小麦を粉にする時に出る皮のくず。家畜のえさや肥料にする。

***ふすま**⓪③【《襖】〔和風の〕部屋・押入れの仕切りなどに使う、和紙・布を張った戸。「ふすま障子④」とも。からかみ。「―絵⓪③」 かぞえ方 一枚

ぶすりと②(副) 柔らかなものに、勢いよく△突きさす(突きささる)様子。「肉のかたまりに―ナイフを突き立てる」

ふ・する②【付する・附する】[一](他サ)❶必要なものとして、本体に加える。「△索引(図版・写真・解答例・解釈・振り仮名)を―/条件を―」❷必要な処置として、そのような方式を当然のこととして選択する。「△疑問(不問)に―/△審議(競売)に―/一笑に付される(=まじめに問題にされること無く、ただ嘲笑(チョウショウ)の的となる)/△荼毘(ダビ)(火葬)に付される」 [二](自サ)〔手本とすべき人などの後に〕つきしたがう。「驥尾(キビ)に―」 付す①(五)。

ふ・する②【賦する】(他サ)❶割り当てる。「課税を―」❷〔詩などを〕作る。

ぶ・する②【《撫する】(他サ) いとしい者をなでさする。「民を―(=いつくしむ)」

ふせ⓪②【布施】僧に与えるお金や品物。「お―⓪」

***ふせい**⓪【不正】―な 正しくない△こと(様子)。〔狭義では、金品の授受に関するそれを指す〕「―を働く/―の摘発に乗り出す/―行為④」

ふせい⓪―な [一]【不整】整っていない様子だ。「―(=規則的でない)脈②」 [二]【不斉】そろっていない様子だ。「―炭素原子」

ふせい⓪【父性】父親(として持つ性質)。「―愛②」↕母性

ふせい⓪①【府政】〔地方公共団体としての〕府の行政。

ふせい⓪【《斧正】〔おので正す意〕人に添削してもらうこと。「―を乞(コ)う」

ふせい⓪【浮世】善き意志が必ず正当に報いられるとは限らず、むしろ悪(アク)の論理が罷(マカ)り通るかに見える、この世。

ふぜい①⓪【府税】地方公共団体としての府が、府民に割り当てて取る税金。

ふぜい【風情】[一]① ❶その場の情景から感じられる、なんと

も言えない風流な感じ。趣。「―のある庭」❷その場におけるその人の様子。「消えも入りなん―で わびを入れる」❸来客の気持をなごませる何物か。「何の―〔=もてなし〕も無くて相済みません」■二(造語)…のような者(ども)。〔一般に、自嘲(ジチョウ)・謙遜(ケンソン)や他人に対する侮蔑(ブベツ)を含意して用いられる〕「私―までお呼びいただきまして/我われ貧乏人―には近寄りがたい料亭/学生―がなまいきに高級車を乗り回している」

ぶぜい⓪【無勢】 人数が少ないこと。「多勢に―」

ふせいかく②【不正確】―な・―に 正確でない様子だ。「―な情報」派―さ④⑤⓪

ふせいこう②【不成功】―な・―に 成功しない△こと(様子)。「交渉は―に終わる」

ふせいさん②【不生産】 ❶直接生産に関係が無いこと。❷生産しないこと。

ふせいしゅつ②【不世出】 五十年か百年に一人しか現われないほど、すぐれた存在であること。「―の名選手」

ふせいせき②【不成績】―な・―に △成績(結果)がよくない様子だ。「チームは予想外の―に終わった」↔好成績

ふせいとん②【不整頓】―な・―に (よく)整頓されていない様子だ。「万事に―だ」

ふせいりつ②【不成立】 成り立たないこと。「議案―」

ふせき⓪【布石】〔碁で〕序盤戦において、全局的な見通しのもとに手を打っていくこと。また、それによる碁石の配置。〔将来に備えての用意の意にも用いられる。例、「次期総裁選への―」〕

ふせ・ぐ②【防ぐ・〈禦ぐ】(他五)〈なにデ〉なにヲ―〉 侵されないようにくいとめる。「△敵(伝染)を―/(事故を)未然に―」名防ぎ③

ふせご②⓪【伏(せ)籠】 その上に掛けた衣服を暖め乾かしたり香を焚(タ)きしめたりするために使う、伏せたかご。多く竹製で、中に小さな火鉢を入れる。

ふせじ⓪【伏(せ)字】 ❶文章の中で、公にすることがはばかられる部分を、文字の代りに○・×などの符号や〓などで印刷すること。また、その箇所。❷げた❷。

ふせぜい⓪②【伏(せ)勢】 ⇩伏兵(フクヘイ)❶

ふせつ⓪【付設・附設】―する(他サ)〔組織体などに〕付属させて設けること。

ふせつ⓪【付説・附説】―する(自他サ) 本論が終わった後に、付随的に述べること。また、その部分。

ふせつ⓪【浮説】 根拠があるのか無いのか はっきりしないうわさ。「―紛々(フンプン)⓪-⓪」

ふせつ⓪【符節】 ⇩割符(ワリフ)「―を合わせたように〔=ぴったり一致する様子〕」

ふせつ⓪【〈跗節】 昆虫の、足の先の ふし。

ふせつ⓪【敷設・布設】―する(他サ) 決められた所に設備を施し、目的通りの機能が発揮出来るようにすること。「△鉄道(海底ケーブル・機雷など)を―する」表記「《舗設」とも書く。

ふせっせい②【不摂生】―な・―に 健康に気をつけない△こと(様子)。「長年の―のせいで病気になる/―をする」

ふせどめ⓪【伏(せ)止(め)】 二枚の布の合わせ目を一方に折り返して縫い止めること。

ふせぬい⓪②【伏(せ)縫(い)】 ❶縫い目が見えないように縫うこと。❷二枚の布を合わせ縫う際、縫いしろを多く取った分で他方の縫いしろを包み込み、くける縫い方。

ふせや②⓪【伏(せ)屋】〔雅〕貧しい人の住む小屋。「賤(シズ)が―」

***ふ・せる**【伏せる】(他下一) ■一②〔普通 表になっている方を、下△へ向ける(になるように位置させる)、意〕❶〈なにヲ―〉Ⓐ姿勢を低くしたりして、見つからないようにする。「思わず身を伏せた/兵を―〔=隠して配置する〕」Ⓑ他の人に知られないように計らう。「名を―/その事は当分の間伏せて〔=秘密にして〕おこう」❷〈なにヲ―〉通常より下へ傾かせる。「△目(顔)を―」❸〈なにニなにヲ―〉人に見られないように、〔△見ない(使わない)ように〕表面・口を下にして置く。「本を机に伏せて置く/△トランプ(杯)を―/さいころを―〔=筒(ドウ)を振らずに伏せて、さいころを隠す〕/鶏に かごを―〔=かぶせて、つかまえる〕」文法❶は、「うつぶせになる」「腹ばいになる」の意味では、「△ベッド(芝生)にふせる」のように、予測される「からだを」などを明示せずに自動詞的にも用いられる。■二〔「動詞連用形＋―」の形で、接尾語的に〕倒れさせる。「斬(キ)り―・説き―・投げ―」

ふせ・る②【〈臥せる】(自五)〔病気などで〕横になって寝る。「風邪で臥せっています」

ふせん⓪【不戦】 戦争・試合などをしないこと。「―同盟・―条約④」 **―しょう**⓪【―勝】〔元来試合をする予定のものが、相手が出場しないとか、組合せの関係などから〕試合をしないで勝ったことになること。

ふせん⓪【付箋・附箋】 疑問の点や注意すべき点を書いて、はりつける小さな紙切れ。かぞえ方 一枚

ふせん⓪【婦選】「婦人選挙権」の略。「―運動④」

ふせん⓪【普選】「普通選挙」の略。

ふぜん⓪【不全】 物事の状態や活動状況が不十分であること。「発育―⓪-⓪、⑤・心―」

ふぜん⓪【不善】 よくない事。「小人(ショウジン)閑居して―をなす」

ぶぜん⓪【〈憮然】―たる・―と〔「憮」は、失意の形容〕❶自分の力に余ることだから、不満ながらどうしようもないという表情を見せる様子だ。「―として あごをなでる」❷意外な出来事で、ぼんやりする様子だ。「―として眺める」❸〔俗に〕むっとした様子だ。「―としてにらむ」

ふぜんかん②【不善感】 種痘の跡などが付かないで、ききめが現われないこと。↔善感

ふせんめい②【不鮮明】―な・―に〔色などが〕はっきりしない様子だ。「旗幟(シキ)―」派―さ⓪④

ふそ①②【父祖】〔父・祖父を含めた〕祖先。先祖。「―の代からの田地/―の地」

ふそ①【〈麩素】 ⇩グルテン

ふそう⓪【扶桑】〔中国の古い伝説で、東海の、日の出る所にあるという神木。また、その土地の意〕東海の日の出る所。特に、日本の称。

ぶそう①【武相】 武蔵(ムサシ)〔=今の東京都と埼玉県〕・相模(サガミ)〔=今の神奈川県〕。「―連山」

ぶそう⓪【武装】―する(自サ)〔戦闘のために〕武器を装備すること。また、その装備。「―した市民が革命軍に加わる/大雨の中、完全―で堤防を見守る/―解除④・理論―・非―②」

ふそうおう②【不相応】―な・―に △釣り合わない(ふさわしくない)△こと(様子)。「身分―〔=以上〕の望み」

***ふそく**⓪【不足】■一―な・―する(自サ)〈(なにニ)―する〉 足りない△こと(部分)。「集めた金はまだ目標額に―している/―が生じる/睡眠―(ブソク)⑤・認識―(ブソク)・役―(ブソク)」■二―な 不平・不満(である様子だ)。「―を言う/何が―で家を出たのか」

ふそく⓪【不測】 どういう不結果になるか予測出来ないこと。「―の〔=思いがけない〕事態に備えて」

ふそく⓪【付則・附則】 本則を補うために付け加えた△規則(法則)。↔本則

ふぞく⓪【付属・附属】❶―する(自サ) 形は独立しているが、△成立(機能・機構)上、△本体(上級)の物に属してい

ふ

ること。「—品[0]・—機関[5]」 ㊁「付属学校」の略。 **—がっこう**[4]（ガクカウ）【—学校】 大学に付置する高等学校・中学校・小学校など。〔広義では、同性質の看護学校などをも指す〕 **—ご**[0]【—語】〔文法で〕助詞や助動詞のように、単独では文節になりえず、常に自立語に付属して用いられる語。↕自立語

ぶぞく[1]【部族】 共通の文化圏に属しながら、一定の地域で他と異なる言語や生活様式を継承している社会集団。多く、排他的・閉鎖的な傾向を持つ。

ぶぞく[0]【部属】 部を分けて、それに属させること。

ふそくふり[4]【不即不離】—な ぴったりくっつきもせず、また、すっかり離れることもない関係にある△こと（様子）。「—の状態を保つ」

ふそくるい[3]【〈斧足類】 軟体動物に属し、二枚の貝殻を持っている一類。二枚貝類[4]。おのあし類[4]。

ふぞろい[2]（ゾロヒ）【不〈揃い】—な —に △数あるものの内容や形式が均質でなく（対になっているものの間に著しい出入りがあって）、整っていない感じを与える様子だ。「ふそろい」とも。「△家並が（身長が・私の歯は）—だ／△大小（前後）—だ」

ふそん[0]【不遜】—な —に 思い上がって、相手を見下した態度をとる△こと（様子）。「—な行為」↕謙遜

ふた【二】（造語）「二（に）」の意の和語的表現。かぞえ上げる個数・人数・回数などが二であることを表わす。〔単独でかぞえるのに用いる時には「ふ（う）」と言う〕「—針（ハリ）縫う／—人（リ）で一組／—七日（ナノカ）・—親・—重（エ）・—切れ・—クラス・—箱・—山・—棟（ネム）」⇩みっつ（三）

***ふた**[0]【蓋】 ㊀開口部にあてがって、内外を遮断する物。「臭い物に—をする／—を開ける（＝ⓐ物事を始める。ⓑ実際に中身を確認する）／いざ—を開けてみると（＝期待した好結果と現実が全く相反する結果になったということを表わす）／身も—も無い（＝露骨過ぎて、含蓄が全く無い）」 ㊁巻貝の殻の口を閉じる板状の堅い物。〔靨（タヘ）とも言う〕「サザエの—」 かぞえ方 ㊀㊁とも一枚

***ふだ**[0]【札】 文字や記号などが書きつけてある木片・紙片・金属片など。〔掲示用を除いては、大体小さく、四角の物が多い〕「草花に—をつける／かるたの—／迷子（ゴマイ）—・下足（ゲソク）—・立て—・高—・お—・絵—」 かぞえ方 一枚

ぶた[0]【豚】 イノシシを改良した食肉用の家畜。からだはイノシシに似るが、よく太っている。いのこ。〔イノシシ科〕「—に真珠（＝⇩ねこに小判（「ねこ」の子見出し））」 かぞえ方 一匹・一頭

ふたあけ[0]【蓋開㋘・蓋明㋘】〔興行などの〕開始。蓋開き。

ふたい[0]【付帯・附帯】—する（自サ） ㊀もととなるものに付け加えること。「—条件[4]」 ㊁付随して起こること。「—現象」

ふたい[0]【浮体】 浮力によって△空中（水中・水面）に浮かんでいるもの。〔狭義では、水面のそれを指す〕

ふだい[0][1]【譜代・譜第】〔古〕〔もと、「譜第」と書き、系図の意〕 ㊀代々その主家に仕えること。 ㊁関が原の戦いの前から徳川氏に仕えていた者。↕外様（トザマ）

ぶたい[1]【部隊】 ㊀軍の中の一単位の集団。「落下傘—[6]」 ㊁（共通の目的を持つ）一群の集団。「平和—・買出し—[5]」

***ぶたい**[1]【舞台】 ㊀〔劇場などで〕役者が演技をする場所として設けられた、見物席より一段高い場所。「主役として晴れの—に立つ／見飽きぬすばらしい—（＝演技）／初—・—姿[4]・—化[0]・—効果」 ㊁世間の注目をあびるようなことが行なわれる場所。「審議の—が参院に移る」 **—うら**[0]【—裏】 舞台の裏の、見物席からは見えない所。〔物事が行なわれる裏面の意にも用いられる。例、「—工作[6]」〕 **—かんとく**[4]【—監督】 演劇の上演・進行の実際を監督指導する△こと（係）。 **—げいじゅつ**[4]【—芸術】 舞台で上演する芸術作品。多くは、舞台装置・照明・音楽・効果などの補助を必要とする。 **—そうち**[4]（サウー）【—装置】 舞台上に作られる大道具や、小道具（および照明関係の器具）。「会議の—（＝会議を進めていく上の大まかな段取りと、必要な根回し工作）は十分整った」 **—どきょう**[4]【—度胸】 俳優や歌手などが、観客を前にして、上がったり照れたりしないで演技出来る気持の余裕。 **—めん**[2]【—面】 演じられている舞台の情景。

ふたいてん[2]【不退転】 ㊀〔仏教で〕怠らず修行に勤めること。 ㊁決して、あとへひかないこと。「—の決意で臨む」

ふたいとこ[3]【二いとこ】 またいとこ。 表記 個々のケースにより、「二｛従兄弟｝・二｛従姉妹｝」などと書く。

ふたいろ[2]【二色】 ㊀二つの色。 ㊁二つの種類。

ふたえ[2]（ヘ）【二重】 二つ△重なる（重なって見える）こと。「—あご[3]」 **—まぶた**[4]【—〈瞼】 ひだがあって、二つ重なっているように見える瞼。ふたかわめ。

ふたおや[0]【二親】 父と母。両親。↕片親

ふたかわめ[4]（ーカハー）【二皮《眼・二皮目】 ふたえまぶた。

ふたく[0]【付託・附託】—する（他サ） 審議などを、他の代表者に任せること。「委員会に—する」

ふたく[0]【負託】—する（他サ） 責任を持たせて任せること。「国民の—にこたえる」 表記「負〈托」とも書く。

ふた・ぐ[0]【《塞ぐ】（他四）〔雅〕ふさぐ。

ぶたくさ[0]【豚草】 道ばたや荒れ地に多い、大形の一年草。北アメリカ原産。夏、黄色の小花を穂状につける。多量の花粉を持つ。〔キク科〕 かぞえ方 一本

ふたけた[2]【二桁】 ㊀アラビア数字で書いた時、「桁㊂」が二つであること。「—台に乗せる」 ㊁10～99の数の汎（ハン）称。「昭和—」

ふたご[0]【双子・二子】 同じ母から同時に生まれた二人の子。双生児。

ふたごころ[3][0]【二心・《弐心】 信頼されている人に背く心。「—の無い人／—をいだく」

ふたことめ[5]【二言目】 本来の話題とはかかわりなく、必ずその事を口にする（のでうんざりさせられる）こと。「—には金がないから、と言う」

ぶたごや[0]【豚小屋】 豚を飼う小屋（のように、きたなくて小さな家）。

ふださし[4][0]【札差㋛】 ㊀〔宿場の「問屋場（トイヤバ）[0]」と称する事務所で〕荷物の目方を検査した人。 ㊁江戸時代、旗本・御家人（ゴケニン）の代理として、禄米（ロクマイ）を浅草の倉庫で受け取ることを業とした人。

ふたしか[2]【不確㋕】—な —に 確かでない様子だ。「—な約束」

ふだしょ[0][3]【札所】 巡礼などが参拝したしるしとして札を受ける霊場。「四国八十八か所の—」

ふたすじ[4][2]（ースヂ）【二筋】 二つの筋。 **—みち**[4]【—道】 ㊀二筋の道。別れ道。 ㊁相異なる二つの△方面（部門）。「色と欲との—」

***ふたたび**[0]【再び】（副）〔二度の意〕同じ事がもう一度繰り返される様子。「彼に—会うことは無いだろう／あやまちを二度と—（＝絶対に）繰り返してはならない」

ふたつ【二つ】〔「つ」は接尾辞。⇩ふた（二）〕 ■[3] ㊀ものの（個）数をかぞえるとき、数が二であることを表わす。また、二歳を指す。「—に一つだ／—に割る／道が—に分かれる／—折り・瓜（ウリ）—」 ㊁列挙されるものの中で、第二。「一つには、趣味のため、—には、実益のため」 ■[0]（副） 対象とするものが、二つ■㊀である様子。「問題は—ある／—ずつ取り出

す」⇩みっつ 【ーと無い】 ❶それが唯一の物であって、代りとなる物が無い様子だ。「この時代のもので、これほど無きずの発掘品は―」 ❷他に比べる物が無いほどすぐれている様子だ。「―名品」 **ーながら**④⓪(副) 対照的な両者が、矛盾することなく受け入れられ、共に成り立つ様子。「忠誠―全うする」 **ーへんじ**④【―返事】 はいはいと、すぐに承知すること。⇩生(マナ)返事 **ーめ**【―目】 ❶④ 複数あるものの、二番目。「課題の―に取りかかる」 ❷⓪ 〔落語などで〕真打(シンウチ)の出演に先立って口演を勤める△こと(一本立ちしたばかりの芸人)。〔番付には載るが、真打のように内弟子(デシ)を取れるまでには至らない〕 ⇩前座・真打 **ーわり**⓪【―割(り)】 ❶全体を半分に分けること。 ❷四斗樽(シトダル)の半分で、二斗入りの酒樽。

ふたつ⓪【布達】 ❶―する(他サ) 官庁などが一般に広く知らせること。 ❷明治の初めの行政命令。

ふだつき⓪【札付(き)】 〔正札など〕札が付いている△こと(もの)。〔広義では、悪いという評判が高いことをも指す。例、「―の悪党」〕

ふたて③【二手】 〔一つの△集団(道)が分かれる〕二つの方向。「味方が―に分かれて攻め込む/―に道が分かれる」

ぶだて⓪【部立(て)】 ―する(他サ) △部類(部門)を分けること。

ふだどめ⓪【札止(め)】 〔劇場などで、満員のため〕入場券を売るのをやめること。「―の盛況」

ふたなのか③②【二七日】 〔「ふたなぬか③②」の変化〕人の死後十四日目(に行なう仏事)。

ふたなり⓪【二《形・双成(り)・二成(り)】 〔二形の意〕男女両性の生殖器を持った人。

ふたの②⓪【二《幅・二《布】 ❶並幅の布を二枚縫い合わせた幅。約七五センチぐらい。 ❷女性の腰巻。

ブタノール③〔butanol〕 アルコールの一つ。溶剤にしたり香料の原料にしたりする。

ふたば②⓪【二葉・双葉】 芽を出した時に最初に出る、二枚の葉。「栴檀(センダン)は―より芳(カンバ)し(=偉くなる人は子供のころからすぐれている)」 **ーあおい**④【―〈葵】 短い茎から二枚の心臓形の葉を生じる多年草。早春に暗い紫色の、鐘の形をした花を開く。カモアオイ③。〔ウマノスズクサ科〕 [かぞえ方] 一本

ぶたばこ⓪【豚箱】 〔豚小屋のように狭い所に多数追い込まれたという所から〕警察署の留置施設の俗称。

ふたまた⓪【二股】 〔「二叉(フタマタ)」の意〕 ❶先が二つに分かれている△こと(もの)。「―のソケット/―大根⑤」 ❷一方に決めずに、両方の用意をすること。「―(を)かける」 **ーごうやく**⑤【―〈膏薬】 〔股の内側にはった膏薬が右足についたり左足についたりすることから〕あちらに従ったりこちらに従ったりして、態度がはっきりしない△こと(人)。

ふたみち⓪【二道】 二つに分かれた道。〔同時に満足することの困難な二つの方面の事柄の意にも用いられる。例、「義理と人情の―にからむ/色と欲との―」〕

ふため②【不《為】 ―に ―な 為にならない様子だ。不利益。「身の―」

ふため②【二目】 もう一度見ること。「―と見られない〔=ⓐ大変醜い。ⓑ怪我(ケガ)などの結果、そうなった、むごたらしい〕顔」

ふたもの⓪【蓋物】 蓋のある(陶器の)入れ物。

ふだらく②【《補〈陀落】 〔もと、梵(ボン)語〕〔仏教で〕観音が現われたという霊場。「―世界⑤・―渡海⑤」

ふたり【二《人】 ■一③ ❶人の数をかぞえるとき、数が二であることを表わす。「ひとり、―とかぞえる/該当者は―」 ❷二人で一組の人。夫婦・恋人など。「お―の門出を祝う/―だけの世界」 ■二⓪(副) 二人■一である様子。「友達が―来る」 ⇩みたり(三人) [表記] ⇩付表「二人」

***ふたん**⓪【負担】 ―する(他サ)〈なにヲ―する〉 ❶その人の義務や責任の上からいって、好むと好まざるにかかわらず引き受けなければならないこと。また、その義務・責任。「―が△大きい(重い・きつい)業務/仲間に―をかける/高齢者の医療費―を軽くする/旅費は自己―で参加」 ❷その人の義務や責任として引き受けたことによって生じる肉体的・精神的な圧迫感。「子育てを―に思う親/相手に―を与えない話し方の技術」

****ふだん**【不断】 ❶⓪ 〔多く「―の…」の形で〕休みなく続けられること。「―の努力」 ❷①【普段】 当然のこととして毎日のように変りなく繰り返されている状態にあること。〔副詞的にも用いられる〕「―からの心がけが大事だ/―通りに生活する/―やりつけないことをする」 ❸⓪ ⇩優柔不断 [表記] 「普段」は、借字。 **ーぎ**②④【―着・普段着】 日常の家庭生活で着る衣服。〔「―の…」の形で、形式にとらわれず、日常生活の延長として行なう催しなどの意にも用いられる。例、「―の△パーティー(市民運動)」〕 ↔晴れ着 [かぞえ方] 一枚 **ーそう**⓪【―草】 ⇩とうぢさ(唐ぢさ)

ーづかい④【普段使い】 日びの暮しの中で頻繁に使うもの。「―の靴と、お出かけ用の靴」

ブタン①〔ド Butan〕 無色の可燃性気体。石油や天然ガスなどから取り出され、化学工業の原料となるほか、液化石油ガス(=LPガス)として燃料に用いられる。〔化学式 C_4H_{10}〕

ぶだん⓪【武断】 武力・威力によって思い切った△政治をする(処置をとる)こと。「―主義」 ↔文治

ふち②【〈淵・〈渕】 ❶川の水が深くよどんでいる所。↔瀬 ❷苦しい境遇。「悲しみの―に沈む/絶望の―に追いやる」

***ふち**②【縁】 ❶本体の外側を保護し、そのものとしての機能を果たさせる部分。「△眼鏡(ふすま)の―/―無し帽子」 ❷〔広がりを持つ物の〕中心部分に対する末端部分。「△机(池・ハンカチ)の―/涙で目の―を赤くする」

ふち①②【不治】 〔現在のところ有効な治療法が見つからず〕すぐには病気が治らないこと。「ふじ」とも。「―の病(ヤマイ)」

ふち①【不知】 〔古〕知らないこと。「一文(モン)―(=一字も読み書き出来ないこと)」 **ーあんない**③【―案内】 〔古〕案内を知らないこと。不案内。

ふち①②【付置・附置】 ―する(他サ) もととなる機関に所属させて設けること。「―研究所」

ふち①②【布置】 ―する(他サ) 物をそれぞれの位置に置くこと。配置。

ふち②【扶《持】 ―する(他サ) 〔米で与えた〕武士の、給与。「―米(マイ)⓪・―高(ダカ)②③・あてがい―(ブチ)・一人―(イチニンブチ)(=ひとり一か月、玄米で一斗五升の給与)」

ぶち【《打(ち)】(接頭) 「打ち」の(強調した)口頭語的表現。「―殺す」〔下に来る動詞の語形によって「ぶん…」や「ぶっ…」ともなる〕

ぶち①【《斑・〈駁】 〔おもに獣の毛の色について〕地色と別の色がまだらに付いている△こと(もの)。

プチ(接頭)〔フ petit〕 通常のものよりも小型である様子。プティとも。「―トマト③・―ホテル③・―整形③」

ぶちあ・げる④⓪【《打(ち)上げる】(他下一) 「人前で、実現出来そうもないことを事もなげにしてみせると言う」意の口頭語的表現。「大構想を―」

ぶちあた・る④⓪【《打(ち)当(た)る】(自五) ❶強い勢いでぶつかる。「大波が岩に―」 ❷〔「壁に―」などの形で〕容易には克服できそうもない障害や困難に直面する。「法の壁に―/難問に―」

ふ

ふちかがり③【縁〈縢(り)】何かに用いる布の縁を、ほつれたりしないように、糸でかがること。〔狭義では、洋裁で、そで口・すそなどに別の布を付けて飾ったりすることを指す〕[動]縁取る③(他五)

ぶちかま・す④⓪【《打(ち)〈噛ます】(自五)〔すもうで〕額で相手の△のど元(胸)に強く突き当たって行く。[名]ぶちかまし⓪

ぶちき・れる④【ぶち切れる】(自下一)〔俗に〕抑えきれないほど怒りが高まり、限界を超える。ぶちぎれる。「会場での発言にぶち切れて、とうとう帰ってしまった」[名]ぶち切れ⓪

ぶちこ・む⓪③【《打(ち)込む】(他五)❶無造作に何かの中に入れる。「ありあわせの野菜をなべに―/長い脇差(ワキザシ)を腰に―」❷人などを、うむを言わさず自由に行動できない場所に拘束する。「留置場にぶち込まれる」〔❶❷とも口頭語的表現〕

ぶちころ・す④⓪【《打(ち)殺す】(他五)❶殴って殺す。❷「殺す」意の口頭語的な強調表現。〔❶❷とも「ぶっころす」とも〕

ぶちこわ・す④(コハス)【《打(ち)壊す】(他五)❶原形をとどめないほど、ひどく壊す。❷△計画(相談)などを、不成立にする。〔❶❷とも「ぶっこわす④」とも〕[名]ぶち壊し⓪「せっかくの△計画(斡旋(アッセン)・パーティー)が―になる」

ふちじ②【府知事】その府の行政上の最高責任者。

ふちせ②⓪【〈淵瀬】水の流れの深い所と浅い所。〔きのうの淵が きょうは瀬となるように、社会の変動の激しい意にも用いられる〕

ふちどり⓪【縁取(り)】―する(他サ)その物のまわりやへりに飾りとなるものを付けること。また、そのもの「ふちとり」とも。

ふつ

【《仏】(略)フランス(仏蘭西)。フランス語。「仏文・仏語・日仏・渡仏・仏和辞典」

【払】(すっかり)はらう。「払底・払拭(フッショク)・払暁(フツギョウ)」

【沸】わく。わきたつ。「沸騰・沸点・煮沸」

ぶつ

【仏】❶「仏陀(ブッダ)」の略。ほとけ。「仏像・大仏」❷仏教。「仏典・仏式・儒仏」⇩儒・道

【物】❶もの。「物質・生物」❷様子を見て判断する。「物議・物色」⇩(本文)ぶつ【物】

ぶちぬ・く⓪③【《打(ち)抜く】(他五)間にある仕切りなどをこわして、ひと続きにする。

ぶちのめ・す④【《打(ち)のめす】(他五)再び立つことが出来ないくらいに、徹底的に相手をやっつける。

プチブル⓪〔←フ petit bourgeois〕経済的にはプロレタリア階級に属しながら、ブルジョワに近い意識で生活する中産階級の人たちの蔑(ベッ)称。

ぶちま・ける④⓪【《打(ち)まける】(他下一)❶容器・引出しなどを逆さまにして、中の物を全部出して散らかす。❷何かがきっかけとなって、心の中に△たまった不満(秘めていた事)を何もかも言う。「△心のたけ(怒(イカ)り・真実)を―」

ふちゃ②【普茶】〔←普茶料理③〕中国式の精進料理。「ふさ②」とも。

ふちゃく⓪【不着】到着しないこと。「郵便物の―」

ふちゃく⓪【付着・附着】―する(自サ)小さな物や異質の物が、本体や大きな物にくっつくこと。「―物③」

ふちゅう②【不忠】―に 忠義を尽くさない△こと(様子)。「―の臣」

ふちゅう⓪【付注・付〈註・附注・附〈註】―する(自サ)注をつけること。また、その注。

ふちゅう⓪②【《釜中】かまの中。「―の魚(=死の危険が差し迫っているのに何も知らないでいる形容)」

*__ふちゅうい__②【不注意】―な ―に 注意が足りない△こと(様子)。「当方の―でご迷惑をおかけしました」[派]―さ④⓪

ふちょう⓪(テウ)【不調】■二―な ―に いい調子が出ない△こと(様子)。スランプ。「―から立ち直る」↕好調 ■二不成立。「交渉が―に終わった」

ふちょう①②(チヤウ)【府庁】府の行政事務を扱う役所。

ふちょう①②(チヤウ)【婦長】看護婦の長。

ふちょう⓪(テフ)【符〈牒】・(チヤウ)【符帳・符丁】特定の業界において、商品の値段を示す記号や、特定の仲間うちで使われる隠語。〔狭義では、暗号(文)の意にも用いられる〕

ぶちょう⓪(チヤウ)【部長】その部の長。

ぶちょうほう②(テウハフ)【不調法・無調法】―な ―に △配慮が細かいところまで行き届かず(たしなみや素養に欠け)、相手の期待に応(コタ)えられない△こと(様子)。「生まれつき―な男で人とうまく付き合えない」[派]―さ⓪④

運用 相手の要望△に応えられないことを謝罪(を婉曲(エンキョク)に拒絶)する気持を表すのに用いられることがある。「体…〔不調法をいたしまして失礼いたしました/口が不調法(=口べた)でして、よくご挨拶(アイサツ)も申し上げられませんで/酒の方は不調法(=下戸(ゲコ))でお付合いできかねます」

ふちょうわ②(テウー)【不調和】―な ―に 調和に欠ける△こと(様子)。

ふちん⓪【不沈】構造上、沈むことが無いと言われていること。「―を誇った戦艦の最後/―空母④」

ふちん⓪【浮沈】―する(自サ)〔人生・世の中の〕浮き沈み。栄えるか衰えるかということ。「一生の―にかかわる」

ふっ【吹(っ)】(接頭)〔「吹き」の変化〕勢いよく…する。「―切れる/―飛ばす/―飛ぶ」

ふつ(《仏・払・沸)→【字音語の造語成分】

ぶっ【《打(っ)】(接頭)〔東部方言〕❶「ぶち」の口頭語形。「―こわす④⓪」❷勢いよく…する。「―倒れる・―飛ばす」

ぶつ(仏・物)→【字音語の造語成分】

ぶ・つ①【《打つ】(他五)「打つ」の口頭語形。❶〔(軽い)懲罰を加えたりするために〕相手のからだの一部分を打つ。「背中を―/―まねをする」❷(得意げに)相手に向かって語って聞かせる。「部下を前に一席―」

ぶつ①【物】一部の業界で用いられる語で、現物・物件・現金などの意を表わす。「いい―が手に入った」⇩【造語成分】ぶつ・もつ

ふついん⓪【《仏印】旧「仏領インドシナ⑧」の略。

ふつう⓪【不通】❶(事故・故障などで)連絡が行なわれない状態。「鉄道が―になる/音信―」❷その事を全く理解できないこと。「一文(モン)―(=⇩一文❷)」

**__ふつう__⓪【普通】■二―な ―に ❶その類のものとしてごく平均的な水準を保っていて、△取り立てて問題とする点が無い(良くも悪くもない)△こと(もの・様子)。「―の(=並の)品ですよ/―の(=並の)△人(学者)とは違う/―の家庭に育つ/―△以上(以下)の生活/―(の場合)ならとっくに卒業している/―△列車(預金)・―席②」❷その類のものに共通する条件に適(カナ)っていて、特に変わった点が認められない△こと(もの・様子)。「―の神経ではたえられない/この暑さは―ではない/『やばい』も今では―の言い方になりつつある/―の意味では梅干は果物としない」〔❶の大部分の対義語は、特別。❷の一部の対義語は、異常〕■二(副)関係する大多数の事例にあてはまる様子。「―事前に通知があるものだ/―そう言われている」

** * は重要語，⓪①… はアクセント記号，品詞の指示の無いものは名詞および いわゆる連語。

運用 ❶の近年の俗用として、「ふつうに」の形で、⑴プラス評価の語に続くとき、その類の中では突出するほどではないにしろ、期待以上に平均水準を上回っていたという評価を下す言い方になる。また、否定的な予想に対し、意外に良い結果が得られた場合にも言う。例、「『あの店の料理はどうだった?』『普通においしかった』」「無口な人だと思っていたが、話してみると普通によくしゃべる人だった」⑵動作・行為を表わす語に続くときは、普段どおり変わりなく、という意味で用いられる。例、「きのうは普通に仕事に出掛け、普通に酒を飲んで家に帰った」

—きょういく④【—教育】社会人として必要な基礎的教養を与える教育。「初等—⑦(=小学校)・中等—⑧(=中学校)・高等—⑧(=高等学校)」 —せんきょ④【—選挙】財産・納税額などの多少によらず、原則としてすべての成人に選挙権を認めること。普選。〔現在の選挙制度は、これ〕 —たい⓪【—体】文末を「だ・である」で終えるなどの、丁寧語を用いない文体。常体。である体。 —ぶん②⓪【—文】口語文の普及以前、広く行なわれた、文語体の文章。漢文訓読体を主調とし、雅文・俗文体を少しく交える。 —めいし④【—名詞】〔個物の名称ではなく〕同類に属する事物を広く指すことの出来る名詞。↔固有名詞 —よきん④【—預金】⇩預金 —れっしゃ④【—列車】❶〔急行・快速などでなく〕各駅停車の旅客列車の称。鈍行。❷〔特別仕立てでなく〕一般の運行ダイヤに従って走る列車。

ぶつえん⓪【仏縁】仏との間に結ばれる縁。

ぶつおん⓪【仏恩】仏の恵み。

ふつか⓪【《二日》】❶月の第二の日。❷日の数が二つあること。また、その日数。「—で仕上げなければ」 表記 ⇩付表「二日」 —づき③⓪【—月】陰暦八月二日の月。 —よい⓪【—酔・《宿酔》】前の日に飲んだ酒の影響で次の日に頭痛や吐きけがあること。

ぶっか①【仏果】修行を積んだ成果として得られる仏の境地。

ぶっか①【仏家】⇩ぶっけ

*ぶっか⓪【物価】物の値段。商品の市価。「—を抑える(落ち着かせる)/—が沈静化する/—高にあえぐ」 —しすう⑤④【—指数】その年度の物価の上がり下がりの程度を基準年度に対比して示したもの。〔一〇〇を基準とする〕「卸売—」

ぶつが⓪【仏画】❶経典にのっとった仏教に関する絵画。❷仏・僧を描いた絵。

ぶつが①【物我】自分以外のものと自分。客観と主観。「—一如」

ぶっかい⓪【仏界】仏たちが住むという世界。

ぶっかき⓪【《打(っ)欠き》】〔東部方言〕氷を細かく割ったもの。

ふっかく⓪【伏角】❶磁石の針の方向が水平面となす角度。❷⇩俯角

ぶつがく⓪【《仏学》】〔幕末・明治初期の〕フランスを通じて入った、西洋の学問。

ぶっかく③⓪【《打(っ)欠く》】(他五)〔東部方言〕たたいて、細かいかたまりにする。「氷を—」

ぶっかく⓪【仏閣】寺(の建物)。「神社—」

ぶつがく⓪【仏学】仏教に関する学問。仏教学。

ふっかける④【吹(っ)掛ける】(他下一)〔「吹きかける」の変化したもの〕❶吹きかける。「息を—」❷〔けんかなどを〕しかける。❸〔相手が買うと見て〕物の値段を特別に高く言う。「法外な料金を—」

ぶっかける④⓪【《打(っ)掛ける》】(他下一)「勢いよくそそぎかける」意の口頭語的表現。「水を—」

*ふっかつ⓪【復活】—する(自サ)〈なにヲ—する〉一度消滅したり 問題外になったり したものが、もとのように行なわれる(ようになる)こと。「とだえていた村の伝統芸能が—した/原案の—/軍国主義の—/敗者—戦」 —さい④【—祭】キリストが生き返ったことを記念する祭典。春分後の最初の満月のあとの日曜日。イースター。⇩四旬節

*ぶつかる⓪(自五)〈なにニ—/なにト—〉何かによって予定していた進行を妨げられた状態になる。また、その結果何らかの対処が必要になる。「波が岩に—/車に—(=衝突する)/予定が—(=かちあう)/真正面から—(=対決する)/意見(主張)がぶつかり合う/結婚問題で父と—(=対立する)/二つの道路が—(=ⓐ合流する。ⓑ交差する)/思いがけない困難に—(=直面する)/強敵と—(=対戦する)」

ふっかん⓪【副官】⇩ふくかん

ふっかん⓪【復刊】—する(自サ)休んでいた逐次刊行物を元通り(再び)刊行すること。

ふっき①【富貴】—なる〔「ふくき」の変化〕ふうき。

ふっき⓪【復帰】—する(自サ)〔一時離れていたものが〕もとの位置(状態)にもどること。「現役に—する」

ふづき①【《文月》】〔陰暦〕七月の異称。「ふみづき」とも。

ぶつぎ①【物議】道義・通念からはずれているという、有識者から出された抑えがたい批評・論議。「—を醸す」

ふっきゅう⓪【復〈仇〉】—する(自サ)「あだうち・しかえし」の意の漢語的表現。

ふっきゅう⓪【復旧】—する(自他サ)こわれた所・ものが、元通りに直る(ようにする)こと。「ダイヤがようやく—した/—力③・—作業」

ふつぎょう⓪【払暁】もう少しで夜が明けきろうとするころ。〔古くは、「ふっきょう」〕

ぶっきょう①【仏教】釈尊が紀元前五世紀ごろインドで始めた宗教。悟りを開き、また、救いにより成仏して宗教的自覚者となることを目的とする。「—的な考え方」

ぶっきょう⓪【仏経】仏教の教典(経文)。

ぶっきらぼう④【ぶっきら棒】—に・—な〔話し方・態度に〕あいきょうや飾りけが無い様子だ。「—な口調で言う」

ぶつぎり⓪【ぶつ切り】〔料理で〕形を気にしないで、大きめに切ること(切ったもの)。

ふっきる③【吹(っ)切る】(他五)消極的な(好ましくない)ものを、それですっかり断ち切る。「暗いイメージを—」

ふっきれる④【吹(っ)切れる】(自下一)❶はれものの口が破れて、うみが出る。❷わだかまりが無くなったり ごたごたが解決したりして、さっぱりする。「疑惑がふっ切れない」❸因習や旧思想(固定観念)を捨てて、高度の自由な観点に立つ。

ふっきん⓪【腹筋】腹の部分をつくっている筋肉。「ふくきん」とも。

ブッキング⓪〔booking〕❶帳簿に記入すること。❷ホテルの部屋・劇場の席・航空券などの予約。「ダブル—」

フック①〔hook〕❶⇩ホック ❷〔ボクシングで〕腕を直角に曲げたまま、からだをひねって相手を打つこと。❸電話機の受話器を置く部分に突き出ているボタンふうのもの。

ブック(造語)〔book〕❶〔洋とじの〕本。書籍。「—カバー④・ファースト—(=子供が初めて出会う本)」⇩マガジン ❷印刷したものなどが、とじてあるもの。「ノート—④・スケッチ—・アドレス—⑤・スクラップ—」

ぶつぐ①【仏具】仏壇に置いたり、仏事をするのに使う用具。法具①。「—屋⓪」

ふづくえ②【《文机》】書物を読み、書き物をする机。「ふみづくえ」とも。

ブックエンド④〔bookend〕立てて並べた本が倒れないように、本の両端に置いてささえるもの。本立て。

ぶつくさ①(副) 不平や小言を聞こえよがしにあれこれつぶやく様子。「—言う」

ブックメーカー④〔bookmaker〕❶〔金もうけのために〕(安っぽい)本をやたらに書く人。❷私設の賭け屋。のみ屋。

ふっくら③(副)—と—する 柔らかくふくらんでいて、好ましく感じられる様子。「—肥えた三十過ぎの女房/—(と)した△饅頭(マンジュウ)(頬・布団)」

ふっくり③(副)—と—する ふっくら。「—(と)した頬(ホオ)」

ブックレット④①〔booklet〕小冊子。

ブックレビュー④〔book review〕新しく出た本の紹介や批評。書評。

ぶっけ①【仏家】❶寺院。❷僧。「ぶっか」とも。

ふっけい⓪【復啓】⇩ふくけい

ぶつ・ける⓪(他下一) ❶(投げて)当てる。「車に石を—/電柱に車を—〔=衝突させる〕」❷直接、相手として対抗させる。「一回戦でぶつけてみる」❸容赦なく発散する。「△怒り(不満)を—」〔❶～❸の強調形は「ぶっつける⓪」〕

ふっけん⓪【復権】❶—する(自他サ) 有罪や破産の宣告を受けたことによって失った権利・資格などを取りもどすこと。「—を図る」❷いったん世間から忘れられたものが復活したり 自己主張の機運に向かったり すること。「純文学の—」

ぶっけん⓪【物件】「(品)物」の法律用語。〔不動産も含む〕「証拠—④・—費③」

ぶっけん⓪【物権】物を直接に支配し、それから生じる利益を受ける権利。所有権・占有権・地上権・抵当権など。

ふっこ⓪ 魚の名。スズキの満二、三年のころの称。体長三〇～六〇センチぐらい。

ふっこ①⓪【復古】—する(自他サ) 良き昔の状態や制度に△戻す(戻る)こと。「王政—・—趣味④・—調⓪」

ふつご⓪【《仏語》】フランス語。

ぶっこ①【物故】—する(自サ)「死去」の意の古風な表現。「—者〔=ある団体のうちで、亡くなった人の〕名簿⑤」

ぶつご⓪【仏語】仏教の用語。

ふっこう⓪【復交】—する(自サ) 一時断絶していた国交が回復すること。〔広義では個人間の交友関係をも指す〕

ふっこう⓪【復航】—する(自サ)「帰航」の意の古風な表現。

ふっこう⓪【復興】—する(自他サ)〔一度衰えたり 壊れたりしたものが〕もう一度盛んに△する(なる)こと。「—策③・—計画⑤」 **—ちょう**③【—庁】二〇一一年の東日本大震災からの復興を目的として、期限つきで設置された国の行政機関。

ふっこう⓪【腹(腔)】〔脊椎(セキツイ)動物で〕腹部の内臓が入っているうつろになった部分。ふくこう。〔医者仲間では、「ふっくう」と言う〕

ふつごう②【不都合】—な—に ❶都合が悪い△こと(様子)。「—を招く」↔好都合 ❷ふとどきでけしからぬ△こと(様子)。「—千万(センバン)」 派 **—さ**③⓪

ぶっこう⓪【仏工】仏像・仏具を作る職人。

ぶつこう⓪【物交】「物物交換」の略。

ふっこく⓪【《仏国》】フランス。

ふっこく⓪【復刻・覆刻】—する(他サ) 出版物を、もとの体裁に近い形でもう一度出版すること。「—本(ボン)⓪・—版⓪〔=復刻本〕」

ぶっこぬ・く④⓪(他五)〔東部方言〕△続けて(続けるように)する。「幾つも部屋を—〔=ぶちぬく〕」

ふっこ・む③⓪【吹(っ)込む】(他五) ⇩ふきこむ

ぶっこ・む③⓪【《打(っ)込む》】(他五)「ぶちこむ」意のぞんざいな表現。 名 ぶっ込み⓪

ぶっころ・す④⓪【《打(っ)殺す》】(他五)「ぶちころす」意のぞんざいな表現。

ぶつざ⓪【仏座】仏像を安置する台。

ぶっさきばおり⑤【《打(っ)裂(き)羽織》】背中の縫い目の中央から下を開いた羽織。武士の乗馬・旅行用。背割(セワリ)羽織。さき羽織。

ぶっさ・く③【《打(っ)裂く》】(他五)〔東部方言〕勢いよく△裂く(破る)。

ぶっさつ⓪【仏刹】寺(の建物)。

ふっさり③(副)—と—する 房状のものが、豊かな感じで垂れ下がっている様子。

ぶっさん⓪【仏参】—する(自サ) 寺へ行って、仏・墓を拝むこと。

ぶっさん⓪【物産】その土地の産物。「—展」

ぶっし①【仏子】❶五戒を受けて僧になった人。❷一切の衆生(シュジョウ)。

ぶっし①【仏師】仏像を造る職人。「止利(トリ)—」

***ぶっし**①【物資】〔生活するために必要な〕物。品物。「必需—④・救援—⑤」

ぶつじ①⓪【仏寺】仏教の てら。寺院。

ぶつじ①【仏事】仏教に関する行事。法事。法会(ホウエ)。「—を営む」

ブッシェル①〔bushel〕〔ヤードポンド法において〕穀物などの容積を計る単位で、イギリスでは 八英ガロン〔=約三六・三七リットル〕、アメリカでは約三五・二四リットルを表わす〔略号 bu.〕。

ふっしき⓪【払《拭》】—する(他サ)〔古〕ふっしょく。

ぶっしき⓪【仏式】仏教でのやり方。「—の葬儀」⇩神式

***ぶっしつ**⓪【物質】❶〔精神と違って〕空間の一部を占め、感覚によってその存在が知られるもの。「—欲④〔=金銭や品物に対する所有欲〕」❷物体を作り上げている実質。「ビーカーはガラスという—から成る」 **—てき**⓪【—的】—な—に ❶物質の性質を持つ様子だ。「—存在⓪」❷物質の面にだけとらわれる様子だ。⇩精神的・肉体的 **—めいし**⑤【—名詞】〔英文法などで〕水・砂糖・粉・金属など、分量は計れても、ひとつふたつとかぞえることができないものを表わし、単数・複数を区別しない名詞。

ぶっしゃ①【仏者】仏門に入った人。僧。

ぶっしゃり⓪【仏舎利】釈尊の遺骨。「舎利」とも。

プッシュ①—する(他サ)〔push〕スイッチやボタンなどを押す(ようにする)こと。

プッシュホン③〔和製英語 ←push + phone〕押しボタン式電話機の通称。 かぞえ方 一台

ぶっしょ①【《仏書》】フランス語で書いた本。

ぶっしょ①⓪【仏書】仏教に関する本。

ぶっしょう⓪【仏性】〔仏教で〕❶悟りそのものの性質。❷すべての人が持っている、仏になれる生まれつきの性質。仏になる可能性。

ぶっしょう⓪【物証】品物による証拠。物的証拠。「—がそろう」⇩書証・人証(ジンショウ)

ぶっしょう⓪【物象】〔生命のない〕物に関する現象。

ぶつじょう⓪【物上】△物(財産)に関すること。「—担保⑤」

ぶつじょう⓪【物情】世間の様子。「—騒然」

ぶっしょうえ③【仏生会】⇩かんぶつえ

ふっしょく⓪【払拭】—する(他サ)〔払ったり ふいたり したように〕そこにあって欲しくないものを、すっかり取り去ること。ふ

ふ

** * は重要語，⓪ ①… はアクセント記号，品詞の指示の無いものは名詞および いわゆる連語。

っしき。「△不安(不信感)を―する」

ぶっしょく⓪【物色】―する(他サ)〔人物・事物について〕多くのものの中から適当なものを捜し出すこと。

ふつじん⓪《仏人》フランス人。

ぶっしん⓪【仏心】㊀ほとけの(ような)慈悲深い心。ほとけごころ。㊁仏性ブッショウ。

ぶっしん⓪【仏身】ほとけのからだ。

ぶっしん⓪【仏神】ほとけとかみ。神仏。

ぶっしん⓪①【物心】物質と精神。「―両面にわたる」

ぶっしん⓪【物神】㊀偶像としての物質。㊁霊力を持つと考えられて崇拝される物体・動物。「―崇拝⑤」⇩アニミズム

ぶっせい⓪【物性】物質が持っている性質。「―論③」

ぶつぜい⓪【物税】物品税・固定資産税など、物の所有・販売などにかかる税金。↔人ジン税

ぶっせつ⓪【仏説】ほとけの教え。

ふつぜん⓪【〈怫然〉】―たる 怒って顔色を変える様子だ。

ぶつぜん⓪【仏前】ほとけの前。「―に供える/御―⓪〔=法要の際の供物の上書き〕」

ふっそ①【〈弗素〉】ハロゲン族元素の一つ〔記号F原子番号9〕。常温では淡黄色の気体。化合力が非常に強い。虫歯の予防に効果がある。

ぶっそ①【仏祖】仏教を興した釈尊(と祖師)。

ぶっそう⓪【仏葬】仏式の葬儀。

ぶっそう③【物騒】―に いつ何が起こるか分からない、危険な様子だ。「―な世の中/―な物〔=たとえば、ピストル〕を持っている/―な存在」派―さ③⓪

ぶつぞう⓪【仏像】〔礼拝の対象としての〕ほとけ・鬼神などの彫刻像や画像。かぞえ方 一体タイ・一軀ク・一尊・一基

ぶっそくせき④【仏足石】釈尊が入滅前に残した足裏の形を模したと言われる石。奈良の薬師寺のものが著名。

ぶっそん⓪【物損】〔身体的損害に対して〕〔その人に責任が負わされる〕物質的損害。多く、自動車事故などによる物品の損壊をいう。「―事故⑤」

ぶつだ①【仏陀】〔「悟り・修行二つながら円満な聖者」の意の梵ボン語 Buddha の音訳から〕ほとけ。ぶつだ。〔狭義では、釈尊を指す〕

ぶったい⓪【仏体】△ほとけ(仏像)のからだ。

***ぶったい**⓪【物体】㊀〔空間に存在し、具体的な形のある〕物。「未確認飛行―」㊁形だけあって、知覚や精神の無い物。

ぶったお・す④【《打っ倒す》】(他五)〔東部方言〕勢いよく打って倒す。

ぶったお・れる⑤【《打っ倒れる》】(自下一)〔東部方言〕△急に(強く)倒れる。

ぶったぎ・る④【《打った切る》】(他五)〔東部方言〕勢いよく切る。

ぶったく・る④【《打っ手繰る》】(他五)㊀無理に取る。奪う。㊁法外にもうける。「バーでぶったくられる〔=非常に高い料金を取られる〕」〔㊀㊁とも口頭語的表現〕名ぶったくり⓪「やらず―」

ぶったま・げる⑤【《打っ魂消る》】(自下一)〔東部方言〕ひどく驚く。

ぶつだん⓪【仏壇】仏像・位牌ハイを安置する壇。表記「仏檀」とも書く。かぞえ方 一基

ぶっちがい⓪【《打っ違い》】〔東部方言〕十字形に交差すること。「―の棚」

ぶっちぎり⓪【《打っ千切り》】他のものに圧倒的な差をつけて勝ったり好成績を収めたりすること。「―の強さ/―の優勝」表記「打っ千切り」は借字。

ぶっちょうづら⓪【仏頂面】△無愛想な(ふくれた)顔つき。「―をする」

ぶっちらか・す⑤【《打っ散らかす》】(他五)〔東部方言〕ひどく散らかす。自動ぶっ散らかる⑤(五)

ふつつか②【《不束》】―に (才能や十分なしつけが無く)行き届かない様子だ。〔多く、自分(の側の人)のことについて謙遜ソンして言うのに用いられる〕「―者ですがよろしくお願いいたします」派―さ⓪

ぶっつか・る⓪(自五)「ぶつかる」の強調形。他動ぶっつける⓪(下一)

ぶっつけ⓪【《打っ付け》】〔準備・前触れ無しに〕いきなりすること。「―〔=最初〕から強い態度に出る/―本番⓪-⓪」

ぶっつづけ⓪【《打っ続け》】〔休まず〕ずっと続けること。「一週間―の仕事」動ぶっ続ける⑤⓪(他下一)

ぶっつぶ・す④⓪【《打っ潰す》】(他五)〔東部方言〕強い力で勢いよく潰す。

ふっつり③(副)―と それまで続いてきた状態△がそこで急に途絶える(を以後絶つことにする)様子。「―顔を見せなくなった/酒を―やめた」

ぶっつり③(副)―と ㊀「ぷつり」の強調表現。さらに強調して「ぶっつり」とも。㊁「ふっつり」の強調表現。「―消息が絶えた」

ふってい⓪【払底】―する(自サ) 必要な物が無くなって、補充がつかない状態にあること。欠乏。「食料が―する」

ぶってき⓪【仏敵】仏教に害をなすもの。

ぶってき⓪【物的】―な 物に関する様子だ。物質的。「―証拠⓪-⓪/―援助⓪-①」↔心的・人的

ぶつでし⓪【仏弟子】㊀釈尊の弟子。㊁仏教徒。

ふってん①⓪【沸点】その液体が沸騰する温度。

ぶってん⓪【仏典】仏教の経典。

ぶつでん⓪【仏殿】仏像を安置して祭る建物。

ふっと①⓪(副)㊀前後の脈絡なしに、その事態が突然出現する様子。「昔のことを―思い出す/―気が遠くなる/―明りが消える」㊁口をすぼめて息を強く吐く様子。「―ため息をつく/―ろうそくを吹き消す」

ぶっと①【仏徒】仏法を信じる人。仏教徒。

ぶつど①【仏土】〔「ぶっと」の変化〕ほとけの住むという、清浄な国土。浄土。

ぷっと①(副)㊀息を吐くなどして、一瞬小さな音を立てる様子。㊁おかしくて思わず吹き出す様子。㊂何かが気にさわって、急に不機嫌な表情を見せる様子。「―ふくれる」

***ふっとう**⓪【沸騰】―する(自サ)液体が熱せられて、泡が上の方まであがること。煮えたつこと。〔人気・議論などが騒ぎになるほど盛んになる意にも用いられる。例、「世論が―する」〕

―てん③【―点】「沸点」の旧称。

ぶっとう⓪【仏塔】寺院の塔。

ぶつどう⓪【仏堂】仏像を安置したお堂。てら。寺院。

ぶつどう⓪【仏道】〔おもに修行する立場から言う〕仏教。「―に△入る(志す)/―を修める」

ぶっとおし⓪【《打っ通し》】㊀初めから終りまでずっと継続すること。また、途中で休まずに事を行なうこと。「十三時間―で寝た/パーティーが三日間―で開かれる」㊁隔てがなく広びろとしていること。

ぶっとお・す③⓪【《打っ通す》】(他五)「途中で休まずに続ける」意の口頭語的表現。

フットサル③④〔futsal〕一チーム五人制のミニサッカー。コートは通常のサッカーの八分の一の広さ。

フットノート④〔footnote〕脚注。

ぶっとば・す④【《打っ飛ばす》】(他五)㊀相手を遠くへ

飛ばすほどの勢いで激しくなぐる。「言いがかりをつけられたのでぶっ飛ばしてやった」❷「飛ばすⅡ」の強調表現。「バイクを—」〔❶❷とも口頭語的表現〕

ふっと・ぶ [3]【吹っ飛ぶ】(自五)「ふきとぶ」の口頭語的表現。「首が—〔=職(場)をやめさせられる〕/競馬で百万円吹っ飛んだ〔=すってしまった〕」

フットボール [4]〔football〕サッカー(のボール)。

フットライト [4]〔footlights〕舞台の床の前の方に取りつけて、俳優の足もとから照らす照明(灯)。脚光。〔かぞえ方〕一灯

フットワーク [4]〔footwork〕❶〔運動競技で〕足のさばき。❷行動や立ち働き。「—が軽い/—が良い」

ふつトン [0]【《仏トン】⇩トン

ぶつのう [0]【物納】—する(自他サ)税金や小作料を、金の代りに物で納めること。↔金納

ぶつばち [0]【仏罰】仏から受ける罰。

ぶっぱな・す [4]【《打っ放す】(他五)「発射する」意の口頭語的表現。「ピストルを—」

ぶっぱら・う [4]【《打っ払う】(他五)(邪魔なものを)追い払う。〔古くは、金を払う意にも用いた〕

ぶっぴん [0]【物品】(しな)もの。「—税[3]」

ふつふつ [1][2][0]【沸々】(副)—と ❶何かが煮えたぎったり盛んにわき出たりする様子。❷ある種の感情・意志などが心の中に抑えがたいまでに激しくわき上がる様子。「—と怒りがこみ上げてくる」

ぶつぶつ Ⅰ[0] 物の表面に一面に認められるたくさんの粒状のもの。「おでこに—が出来る」Ⅱ[1](副)—と ❶口の中で何かをつぶやく様子。❷つぶやくように不平・不満を訴え続ける様子。「そう—言われても困る」❸何かが煮えたぎったりわき出したりして、盛んに泡立つ様子。

ぶつぶつこうかん [5]【物物交換】〔貨幣を使わずに〕互いに物と物とを取り換えること。略して「物交」。

ふつぶん [0]【《仏文】❶フランス語で書いた文章。❷「フランス文学(科)[5]([0])」の略。

ふっぽう [0]【《仏法】❶フランスの法律。フランス法学。❷〔旧制高校の文科で〕第一外国語がフランス語であったクラスの称。

ぶっぽう [0]【仏法】仏の教え。仏教。↔王法 —**そう** ❶[3]、[1]-[1]-[1] 仏と法と僧。三宝。❷[3] 小バト大の美しい鳥。背中は暗い緑色。くちばしと足とは赤い。【—僧】

夏、南方から来て山中にすむ。コノハズクの鳴き声〔=ブッポウソウと聞こえる〕をこの鳥のものとまちがえ、この名が付けられた。〔ブッポウソウ科〕〔かぞえ方〕❶は一羽

ぶつぼさつ [3]【仏〈菩薩〉】ほとけ(と菩薩)。

ぶつま [0]【仏間】仏像・位牌を安置した部屋。

ぶづみ [0]【歩積(み)】銀行が手形を割り引く時に、その一部を強制的に定期預金などに預けさせること。「—預金[4]」⇩両建て預金

ぶつみょう [0]【仏名】❶それぞれの仏につけた名号。❷〔←仏名会[3]〕陰暦十二月九日から三日間、宮中の清涼殿および諸国の寺院で行なわれる法会。「仏名経[0]」を誦し、三千仏の「仏名❶」を唱えて、一年間の罪障を消滅し、来世に菩提を得ることを祈ったもの。

ぶつめつ [0]【仏滅】❶仏が死ぬこと。❷〔←仏滅日[4]〕万事に不吉であるとする日。⇩六曜

ぶつもん [0]【仏門】仏道(に入った人)。「—に入る〔=出家して、僧になる〕」

ふつやく [0]【《仏訳】—する(他サ) フランス語に翻訳すること(したもの)。

ぶつよく [0]【物欲・物〈慾〉】金銭や品物に対する所有欲。

ぶつり [1]【物理】❶物質の性質・構造、物体の運動・相互作用やエネルギーの性質などに関すること(法則)。「—現象[4]」❷物理学(の科目)。 —**がく** [3]【—学】物質の性質や構造、運動・熱・光・音・電気・磁気などの状態や作用について研究する学問。 —**てき** [0]【—的】—な —に 〔精神的・心理的・論理的・社会的といった観点を一切まじえずに〕種々の事象・現象を、物質のあり方や物体の運動を客観的にとらえる立場・観点から観察し、判断を下す様子だ。〔「空間的・時間的・物体としてとらえた場合の」などと言いかえられる〕「この部屋に二十人も入ることは—に不可能だ/東京から熊本まで日帰り出張することが、今日では—に可能だ/電気分解は—な変化ではなく化学的な変化である」 —**へんか** [4]【—変化】物質の化学組成は変わらず、その形・位置・状態が変化すること。例、ばねが伸びることや氷がとけて水になること。↔化学変化 —**りょうほう** [4]【—療法】電気・熱・水・光線・機械などを使う理学療法の一種。物理学的療法。↔化学療法

ぷつり [2](副)—と 張られた状態のひも・ロープなどが急に切れる様子。「—(と)糸が切れる」

ふつりあい [3][2]【不釣(り)合(い)】—な —に 互いに釣り合わない(調和しない)様子だ。「—な服装」

ぶつりき [0]【仏力】仏の持つ、すべてを可能にする不思議な力。

ぶつりゅう [0]【物流】〔←物的流通[0]-[0]〕商品その他の品物を生産地から消費地まで運ぶための包装・荷役・保管・運送の仕事。「—業界」

ふつりょう [0]【《仏領】フランスの領土。

ぶつりょう [0]【物量】物の分量。「—〔=大量の物による〕攻撃[5]」

ぶつりょう [0]【物療】「物理療法」の略。「—内科[5]」

ふつわ [0]【《仏和】〔←仏和辞典[4]〕フランス語の意味・用法を日本語で説明した対訳辞書。

ぷつん [2](副)—と「ぷつり」の口頭語的表現。〔強調形は「ぷっつん[3]」〕「糸が—と切れた/連絡が—と絶たれた」

***ふで**【筆】Ⅰ[0] ❶柄の先につけた毛に墨・絵の具を含ませて、文字や絵をかく道具。「弘法は—を選ばず〔=名人と言われるほどの人は道具の良し悪しに拘泥せず、どんな場合でも存分に技量を発揮するものだ〕/—が滑る〔=書いてはいけない事を、うっかりして書いてしまう〕/—を擱く〔=文章を書くのを(そこで)やめる〕/—を断つ〔=文筆活動を断念する。『—を折る』とも〕/—を執る/—を染める〔=ⓐ何かを書く。ⓑ書き始める〕/—を加える〔=加筆する〕/—を入れる〔=ⓐ人の書いた詩文を添削する。ⓑ自分が書いた詩文を推敲する〕」❷「筆❶」で書いた文字・絵。「雪舟の—/—の冴え」❸文章を書くこと(能力)。「—が立つ/—不精」Ⅱ(造語)❶筆を紙から離さずに書く回数をかぞえる語。「ひと—書き[0]」❷土地台帳に、面積を項目ごとにまとめて書いたもの。〔かぞえ方〕Ⅰ❶は一本・一管・一茎

ふてい [0]【不定】—な —に 一定しないこと(様子)。「住所—」 —**けい** [0]【—形】形や大きさが決まっていない(はっきりしていない)こと。 —**じほう** [0]【—時法】⇩時法 —**しゅうそ** [4]【—愁訴】ストレスなどによって起こる肩こり・いらいらなど、原因がはっきりしない不快感(の訴え)。 —**しょう** [2]【—称】〔文法で、代名詞などで〕特定のものに限定しないで指して言う言葉。〔疑問の意味にも用いられる。例、どれ・どの・どこ・だれ・どちら・どんな・いつ など〕 —**ほう** [0]【—法】〔インドヨーロッパ語族の文法で〕人称や数に制限されない、動詞の基本形。不定詞[2]。

ふてい [0]【不貞】—な —に 〔妻(夫)としての〕貞操を守らない様

子だ。「―を責める」↔貞淑

ふてい⓪【不〈逞〉】―な〔体制側から見て〕慣行を無視したりして、けしからぬ△こと(様子)。「―のやから」

ふていき②【不定期】―に・―な 時期は一定しないが何度も行なわれる△こと(様子)。「―急行・―連載」

ふていさい②【不体裁】―に・―な 体裁がよくない様子だ。「ぶていさい」とも。

ブティック①②〔フ boutique=小売店〕高級既製服や装身具などを扱う、個性的で小規模の専門店。

ふでいれ⓪④③【筆入(れ)】筆記用具を入れて、携行する物。

プディング①〔pudding〕洋風の、ぷりんぷりんした生(マナ)菓子。カスタードプディングが代表的。〔なまって、プリン〕

ふでがしら③【筆頭】❶筆の先。❷人名を並べて書き出す時の第一番目。ひっとう。

ふてき⓪【不適】―な 条件・環境その他の点で、そのものとうまく折合いがつかない様子。「適―」

ふてき⓪【不敵】―に・―な 〔「敵」は、ひとしいの意〕❶力量の点で、かなう者が無い様子だ。「―な〔=物おじをしない〕面魂(ツラダマシイ)」❷〔↑大胆不敵③-⓪〕大胆で、眼前の△難敵(対象)を恐れる様子が全く見えない。派―さ⓪

ふでき①【不出来】―に・―な 作品の仕上がり具合や成績評価などが悪い様子だ。「天候不順で夏野菜が―だ」↔上出来 運用 自分の作品や子供を謙遜(ケンソン)して言うのにも用いられる。「不出来な子供で苦労させられます」

ふてきかく②【不適格】―に・―な その△役割を負う(任に当たる)のに望まれる、資格・条件や資質に欠けているととらえられる様子だ。

ふてきせつ②【不適切】―に・―な そのやり方・対処などが適切さを欠く様子だ。「その場に―な発言」

ふてきとう②(タウ)【不適当】―に・―な その場の状況や望まれる条件に適当でないととらえられる様子だ。派―さ⓪④

ふてきにん②【不適任】―な その任務に適当でないととらえられる様子だ。

ふてきほう②(ハフ)【不適法】―な 法律の規定に合わない様子だ。「―な行為」

ふてぎわ②(ギハ)【不手際】―な 対応のしかたが適切さを欠いていたり 仕上りが ぶざまであったり する△こと(様子)。「―な処理」

ふてくさ・る④【〈不貞〉腐る】(自五) ⇩ふてくされる

ふてくさ・れる⑤【〈不貞〉腐れる】(自下一)〔「ふてる」の強調表現〕(立場の上の人に対する)不平・不満の気持から、反抗的な態度に出たり やけを起こしたり などする。「ふてくさる」とも。表記「〈不貞〉」は、借字。

ふでさき⓪【筆先】❶筆の△先(運び)。「すぐれた―/―で〔=文字・文章を書くことによって〕稼ぐ」❷〔天理教などで〕教祖が神のお告げを書いたという文章。「お―⓪」

ふでたて⓪③④【筆立(て)】❶墨が乾かないように、毛筆の穂先を入れて立てておく用具。❷筆や鉛筆などを何本も入れて立てておく用具。

ふでづか⓪【筆塚】使い古した筆を土に埋め、供養のためにその上に立てた塚。

ふでづかい③(ヅカヒ)【筆遣(い)】❶筆を使って文字や絵をかく時の、力の入れぐあいや動かし方の速さ。「流麗な―/大胆な―」❷文字の筆順・一点一画の正確さ・構成要素間のつり合いなどの点からみた、筆の動かし方。

ふでつき⓪【筆付(き)】筆を使って書いた、絵・文字の様子。

ふでづつ⓪【筆筒】筆を入れておく筒。

ふてってい②【不徹底】―に・―な 徹底しない△こと(様子)。「―な捜査」派―さ⓪④

ふてね⓪【〈不貞〉寝】ふてくされて寝ていること。表記「〈不貞〉」は、借字。

ふでばこ⓪【筆箱】ふたをするようになっている筆入れ。

ふでぶしょう③(シャウ)【筆不精・筆無精・筆無性】―な 手紙など文章を書くのをめんどうくさがる△様子(人)。↔筆まめ

ふてぶてし・い⑤(形) 不利な立場に立たされているのに気にかける風もなく、憎たらしいと思えるほど平然とかまえている様子だ。「現行犯で逮捕されながらふてぶてしく容疑を否認する」派―さ⑤④

ふでぶと⓪【筆太】―に・―な (筆で)書いた文字の線が 強く太い様子だ。

ふでペン⓪【筆ペン】毛筆で書くような文字が書けるペン。ペン軸の中のインクが、合成繊維を束ねたペン先に出る仕掛けのもの。かぞえ方 一本

ふでまめ⓪【筆〈忠実〉】―に・―な 手紙など文章を書くのをめんどうくさがらない△様子(人)。↔筆不精(フデブショウ)

ふ・てる②【〈不貞〉る】(自下一) どこまでも反抗の態度を示す。

ふてん②【普天】〔古〕天が大地をおおう限り。天下。「―の下(モト)率土(ソット)の浜(ヒン)〔=天の限り、地の限り。全世界〕」

*__ふと__⓪①【不図】(副) △何かの拍子に(これといった理由もなく)その事態が起こる様子。「夜中に―目を覚ます/―興味がわいてきた/顔に―悲しげな表情があらわれる/―窓の外に目をやる」表記「不図」は、借字。

ふと②①【浮〈屠・浮図〉】〔古〕〔梵(ボン)語の音訳に基づく仏教語〕仏陀(ブッダ)。「―氏(シ)②〔=僧〕」

ぶと①【〈蚋〉】⇩ぶゆ

**__ふと・い__②【太い】(形) ❶棒状のものの(すべての)側面の幅、また、線状・帯状のものの幅が、△比較の対象とする(一般に予測される)ものより広い様子だ。〔ただし、一般に、川・道路・線路など、地表に沿って形作られたものについては用いない〕「―△柱(木の幹・パイプ・指)/首が―/―△糸(帯・眉(マユ))/たての線を太く引く」❷〔「太い❶」が、安定感がある、力強い、丈夫だといった印象を与えることから〕内から発する力が感じられ、他から加えられる力に容易に屈しそうにもない様子だ。「△神経(肝(モ)っ玉)が―〔=精神的に強くてものに動じない様子だ〕/―〔=ずうずうしい〕奴(ヤツ)だ/―〔=容易には切れることのない〕きずなで結ばれている/―声〔=低音で、ずしりとした重みが感じられる声〕」〔❶の大部分、❷の一部の用法の対義語は、細い〕派―さ②①

ふとい②⓪(ヰ)【太〈藺〉】沼・湿地に生える藺に似た多年草。茎でむしろを作る。〔カヤツリグサ科〕かぞえ方 一本

ふとう(オ)【不凍】(造語) こおらない。「―〔=凍結防止用の〕液②」 ―こう②(カウ)【―港】寒い地方にありながら、暖流の影響で冬も海面がこおらない港。

ふとう(オ)【不等】(造語) 等しくないこと。場所により均等でないこと。「―沈下」 ―ごう②(ガウ)【―号】↔等号 〔数学で〕Ⓐ二つのものが等しくないことを表わす記号。「≠」Ⓑ二つの△数(「式㊂Ⓐ」の値)の大小関係を表わす記号。「>・<」 ―しき②【―式】〔数学で〕二つの△数(式㊂Ⓐ)の間に「不等号Ⓑ」を書いて、両者の大小関係を表わした「式㊂Ⓑ」。〔広義では、「≧・≦」を用いたものをも指す〕↔等式

*__ふとう__⓪(タウ)【不当】―に・―な 〔その判断や処理などが〕社会通念から逸脱していて、従うことが出来ないと考えられる様子だ。「―な要求/―労働行為」↔正当 派―さ⓪

ふとう(オ)⓪【〈埠頭〉】⇩波止場(ハトバ)

ふどう(オ)⓪【不同】―に・―な (順序が)そろっていない様子だ。「名

前を順―に読み上げます」

ふどう【不動】 ❶[0] ともすれば動きがちなものが、他から加えられる力などに耐えて、動かない状態を保つこと。「―の姿勢で拝聴する/―の信念/名声が―の(=確固たる)ものとなる」 ❷[1]〔↑不動明王[6]〕五大明王の一つ。怒った顔つきをし、右手に剣、左手に羂索(=縄状の仏具)を持ち、火炎を背にしてすわる。災害を除き、財産がふえる功徳があるとされ、信仰する人が多い。「不動尊[2]」とも。「赤―[3]・青―[3]・黄―[2]」 **―さん**[2][0]【―産】〔所有権の移転などに一定の手続きの必要な財産の意〕土地と建物の称。〔船や自動車は法律上、不動産に準ずるものとされる〕「―屋[0]」↔動産

ふどう[1][0]【府道】 府の費用で建設・管理する道路。

ふどう[0]【浮動】―する(自サ) 安定しないで(どちらへでも)動くこと。「相場が―する/―性[0]」 **―しょうすうてんきほう**[10]【―小数点記法】〔コンピューターで〕「基数❶(=十進法の場合、十)」の何乗かに有効数字を掛けた形で数を表現し、有効数字の部分(=仮数部)と指数の部分(=指数部)とを並記して示す記数法。例、12345を1.2345×10^4と表現し、1.2345を仮数部、10^4の4を指数部とする。〔非常に大きな数や小さな数をも表現するためにくふうされた〕 **―ひょう**[0]【―票】 選挙の時、どの政党・候補者に投票するか(予想段階では)分からない票。↔固定票

ふどう[1]【婦道】 かつて、女性として守るべきだとされた行いの規準。

ぶとう[0]【舞踏】・【舞〈蹈】―する(自サ) (社交儀礼としての)西洋風の踊り。ダンス。「―会[2][0]」

ぶどう[1]【武道】 ❶「武士道」の略。 ❷護身や、心身を鍛えるために身につける、空手・居合道や剣道・柔道・弓道など(の技術)。〔最近は、スポーツとして行なわれる〕

ぶどう[0]【〈葡萄〉】 ❶古くから栽培されている、つる性の落葉低木。茎は他の物にからみついて伸び、秋、ふさのように群がりつく実は、秋のおもな果物の一つ。〔ブドウ科〕 ❷(↑ぶどう色[0]) ブドウの実のような、赤みを帯びた紫色。 かぞえ方 ❶は木は一本。実は一粒・一顆:一房 **―しゅ**[2][0]【―酒】 ⇩ワイン「生―[3]・赤―・白―」 **―じょうきん**[4]【―状菌】〔↑葡萄状球菌[6]〕化膿性の病気の原因となる、ブドウの実の集まったような形の菌。葡萄球菌[4]。 **―とう**[0]【―糖】 ブドウなど熟した果実や蜂蜜などに多く含まれるグルコース。生物にとり最も重要な糖で、人体の血液中にも約〇・一パーセント含まれる。栄養剤・強心剤などとして使う。

ふどうい[2]【不同意】 同意しないこと。「―を表明する」

*__ふとういつ__[2]【不統一】―な/―に 統一の(とれ)ない△こと(様子)。「―な見解」 派 **―さ**[0][5]

ふとうおう[2]【不倒翁】「起き上がりこぼし」の意の漢語的表現。

ふとうこう[2]【不登校】〔小・中学校で〕児童や生徒が△精神(肉体)的な理由によって年間三十日以上学校を欠席すること。また、欠席しなくても学校が嫌いになったりすること。〔「登校拒否」よりも広い意味で使われる〕

ふどうたい[0]【不導体】「絶縁体」の別称。↔導体

ふどうとく[2]【不道徳】―な/―に 道徳にそむく様子だ。

ふとうふくつ[0]-[0]【不〈撓不屈】 困難にくじけない様子。「―の精神」

ふとうめい[2]【不透明】―な/―に ❶△中(向こう)にある物が、すき通っては見えない様子だ。「―なガラス」 ❷色が濁っていて光を通さない△こと(様子)。「―な絵の具」 ❸ものの道理がよく分からなかったり 筋道がはっきりしなかったりして、実情や先行きが見通せないこと。「―な決着(=どうしてそのようになったか、筋道が第三者には分からない あいまいな決まり方)/交渉の行方は―だ/ウイルスによる感染拡大のおわりは―だ」 派 **―さ**[0][4]

ふとおり[0]【太織(り)】 あらくて太い糸で織った絹織物。太絹。

ふどき[2]【風土記】 ❶奈良時代の末に、国ぐにの地名の由来、地勢・産物・伝説などをしるして朝廷にさし出した記録。出雲風土記・常陸風土記など。 ❷各地の地誌や、各方面の情勢などをそれぞれの地域別にしるした本。「人物―[6][5]」

ふとぎぬ[0][3]【太絹】 ⇩ふとおり

ふとく[0]【不徳】 人として身に付けているべき道徳感を備えていないこと(によって生じた社会的に許されない行為)。「身の―を恥じる」 運用 「不徳の致す所」の形で、自分△の(をめぐる)不祥事について、社会的責任を感じている旨を表明する謝罪の言葉として用いられる。例、「学生の不満を募らせたのは学長である私の不徳の致す所です」

ふとく[2][0]【婦徳】 女性として守るべきだとされた行いの規範。〔貞節・柔順など〕「―を△みがく(積む)」

ぶとく[1]【武徳】 武人として守るべき徳。威武による徳。

ふとくい[2]【不得意】―な △十分(巧み)に出来ない△こと(様子)。「―な学科」↔得意

ふとくぎ[2][3]【不徳義】―な 徳義にそむく△こと(様子)。「―を働く」

ふとくさく[2]【不得策】―な 得策でない△こと(様子)。

ふとくてい[2]【不特定】―な/―に 特に決まっていない△こと(様子)。「―多数[7]」

ふとくようりょう[4]【不得要領】―な/―に 真意がどこにあるのか全くつかめない様子だ。「―な返事」

ふところ[0]【懐】 ❶着た衣服の胸にあたる部分の内側。「巨額の金を―に入れる/―にする/―(=自分の手中)に入る金/母の―に抱かれる/内―」 ❷Ⓐ「懐❶」の中に持っていて、自由に使えるお金(の額)。「人の―をあてにする/―が心細い/―が暖かい(=持合せの金が多い)/―が寒い(=持合せの金が少ない)」 Ⓑ第三者の勝手な覗き見や侵入を許さない、秘部・聖域。「―が狭い/―(=人の心中)を見透かす/敵の―(=内部)深く立ち入る」 ❸⇩やまふところ **【―が深い】** ❶包容力がある。 ❷(すもうで)力士が身長と腕の長さを利して胸の前に空間を広く作り、相手に回しを与えない体勢を取る。 **―がたな**[5]【―刀】 懐に入れて持ち歩く守り刀。〔内密の相談などに与る腹心の部下の意にも用いられる〕 **―がみ**[0]【―紙】 鼻紙。⇩かいし **―ぐあい**[5]【―具合】 その時の所持金に余裕があるか無いか。「―が△良い(悪い)」 **―で**[0]【―手】 両手を和服の懐に△入れる(入れたままにしている)こと。〔人に任せて、自分は何もしない意にも用いられる〕

ふとざお[0]【太〈棹】 義太夫に使う、棹が太く音の低い三味線。↔細棹

ふとじ[0]【太字】 ❶太い線の文字。「―用万年筆」↔細字 ❷〔印刷で〕ゴシック体。〔ローマ字の場合は、ボールド体とも〕

ふとした[0][1][2] (連体) 新たな事態の生じる原因となった事柄が、まったく△偶然の(ささいな)ものであることを表わす。「―酒の上の喧嘩から、人に大けがをさせてしまった/―病がもとで長く床についていた/―出来心から公金に手を付けてしまった/―きっかけで二人は知り合った」

ふとっちょ[4][2]【太っちょ】 よく太っている人をからかった言い方。

ふとっぱら[0]【太っ腹】―な 度量が大きい様子だ。「―な

人」

ふとどき②【不届(き)】―な ❶注意が足りない様子だ。不行届き。❷道徳や法にそむく様子だ。「―至極(シゴク)」 派―さ④⓪

ふとばし③【太箸】新年の雑煮を食べる時に使う祝い箸。

ふとぶと③【太々】(副)―と 見た目に太く感じられる様子。「毛筆で―と書かれた文字」

プトマイン③〔ド Ptomain〕たんぱく質が腐った時に出来る、毒のある化合物。

ふとまき⓪【太巻(き)】太く△巻くこと(巻いたすしなど)。↔細巻

ぶどまり②【歩留(ま)り】加工した時の、原料に対する製品の出来高の割合。「―がいい」

ふとめ⓪【太目】❶太く△編んだ(織った)目。❷―な/―に どちらかと言えば、太い方である△こと(様子)。「―に切る/―の針を使う」

ふともの⓪【太物】❶衣服にする布地。たんもの。❷綿織物・麻織物。↔呉服

ふともも⓪【太《股・太《腿》】❶またの内側のふくらんだ所。「―を出す」❷もも。「―までぬかる」

ふとりじし③⓪【太(り)《肉》】肉づきのいいこと。「―の男」

*__ふと・る__②【太る・《肥る》】(自五)〈なにデー〉肉や脂肪がつき、目方がふえる。「四十になって太り出す/財産が―(=ふえる)」↔やせる

*__ふとん__⓪【布団・〈蒲団〉】〔もと、「蒲団」。「とん」は、「団」の唐音。ガマの葉で作った円座の意〕からだの下に敷いたり上に掛けたりするために、中に綿などを入れ、布でおおった物。「―を干す/座―(ブトン)・掛け―(ブトン)・敷き―(ブトン)」 かぞえ方 一枚。一人分は一組 ―**むし**⓪②【―蒸(し)】人に布団をかぶせて、息苦しくさせること。

ふな【船・舟】(造語)船の。「―荷・―火事⓪③・―遊び・―底(ゾコ)」 表記 小さい場合、「舟」とも書く。

ふな①【鮒】形はコイに似て、小形の淡水魚。口にひげが無い。背中は薄黒色で、腹は暗い白色。食用。〔コイ科〕 表記「〈鯽〉」とも書く。 かぞえ方 一尾・一匹

ぶな①【〈橅〉・〈山毛〈欅〉】材を炭・器具にする落葉高木。山地に生じ、五月ごろ、黄色の花を開き、殻に包まれた実を結ぶ。実は食用・油用。「ぶなのき①」とも。〔ブナ科〕 表記「〈椈〉」とも書く。 かぞえ方 一株・一本

ふなあし⓪【船足・船脚】❶船の速度。「―が速い」❷吃水(キッスイ)。「―が浅い」

ふなあそび③【舟遊(び)・船遊(び)】舟に乗って遊ぶこと。

ふない①【府内】❶府の区域の内。❷⇨ごふない(御府内)

ぶない①【部内】↔部外 ❶「部❶」の内部。「―者②・―告発」❷その組織・機関の内部。「政府―」

ふないくさ③【船《軍》】〔雅〕❶船を使った水上の戦い。海戦。❷水軍。

ふないた⓪【船板・舟板】❶船の中のあげ板。❷造船用の板。 かぞえ方 ❶❷とも一枚 ―**べい**④【―塀】和船の古い板で作った塀。「―に見越しの松」

ふなうた②【舟歌・舟唄】舟をあやつりながら歌う歌。

ふなおさ⓪②―(ヲサ)【船《長》】〔雅〕水夫の長。

ふながかり③【船《繋り》】船が港に停泊する△こと(所)。

ふなか①【不仲】仲のよくない関係。「―になる」

ふなかた⓪②【船方・舟方】船乗り。船頭。

ふなぐ②⓪【船具】〔かじ・いかり・帆など〕船に使う器具。

ふなくいむし③―(クヒ)【船《喰虫》】木造船に大害を与える、体長一〇センチくらいの軟体動物。白くて細長い虫のようなからだの尖端(センタン)にある殻で船体に食いこみ、孔(アナ)を掘り進んですむ。〔フナクイムシ科〕 かぞえ方 一匹

ふなぐら⓪ ❶【船倉】船の下部にあって荷を積み込む所。せんそう。❷【船蔵】船を入れておく建物。船小屋。

ふなぐり⓪【船繰(り)】いつ、どこへ、どの船を回すかという計画(の実行)。配船。

ふなごや⓪【船小屋】船を入れておく小屋。船蔵。

ふなじ⓪―(ヂ)【船路】船で通る道(のり)。「危険な―」

ぶなしめじ③―(シメヂ)【〈橅湿地〉】ブナなどの広葉樹の倒木に生え、また栽培もされるきのこ。薄い茶色で、柄は白色。苦みがある。食用。〔シメジ科〕 かぞえ方 一株

ふなじるし③【船《標・船印》】船舶の標識。昔、船の持主や乗り手などを示すために旗・帆・吹流しなどに付けたしるし。

ふなぞこ⓪【船底・舟底】船の底(のような弧を描いた形)。

ふなだいく③【船大工・舟大工】船を作る大工。

ふなだな⓪【船棚】和船の各舷(ゲン)に渡した踏み板。この上を行き来して、さおをさしたりする。

ふなたび⓪【船旅】船に乗ってする旅。

ふなだま⓪【船霊】〔船の中に祭る〕航海安全の守り神。

ふなだまり③【船〈溜(ま)り〉・舟〈溜(ま)り〉】漁船などが風波を避けて停泊する所。

ふなちん②【船賃・舟賃】船に乗ったり 船で荷物を運んだりまた船を雇う時に払うお金。

ふなつき⓪【船着(き)・舟着(き)】船が着いて泊まる所。「―場(バ)⓪」

ふなづみ⓪【船積(み)】―する(他サ) 船に荷物を積み込むこと。

ふなで⓪【船出】―する(自サ) 船△が(で)港を出ること。でふね。出帆。〔社会人としての生活や結婚生活を始めたり未経験の事業を始めたりする意にも用いられる〕

ふなどいや③―(ドヒ)【船問屋】⇨ふなどんや

ふなどこ⓪【船床】船の中に敷くすのこ。

ふなどめ⓪【船留(め)】―する(自サ) 何らかの事情があって、船の出るのや通るのをとめること。

ふなどんや③【船問屋】江戸時代、船を所有していて、乗客や貨物を取り扱った業者。「ふなどいや」とも。

ふなに⓪【船荷】船に積んで運ぶ荷物。

ふなぬし②【船主】船の持主。ふなもと⓪。

ふなのり②【船乗り】船に乗り組み、船中で働く人。船員。海員。

ふなばし⓪②【船橋・舟橋】船を並べ、その上に板を渡す橋。浮き橋。

ふなばた⓪【《舷・船端・舟端】〔船端の意〕船の舷側(ゲンソク)に近い外周部分。ふなべり。

ふなびと⓪②【船人・舟人】❶船に乗っている人。❷船乗り。

ふなびん⓪【船便】船△で送る(に乗る)便宜。船による輸送。「せんびん」とも。「―で送る」

ふなべり⓪【船《縁・舟《縁》】ふなばた。

ふなまち⓪【船待(ち)】―する(自サ) 船が港△へ来る(から出る)のを待つこと。

ふなむし②【船虫】海岸近くの△岩(船板)にすむ節足動物。長い卵形・茶色で、触角が長く、足が多い。〔フナムシ科〕 かぞえ方 一匹

ふなもり②【船守・舟守】〔雅〕停泊中の船の番人。

ふなやど⓪【船宿・舟宿】❶船の運送を職業とする家。❷舟遊びの舟を仕立てる家。

ふなよい⓪―(ヨヒ)【船酔(い)・舟酔(い)】―する(自サ) 船の揺れで気持が悪くなること。

ふなれ[1]【不慣(れ)・不〈馴〉(れ)】ーな ーに △はじめて（はじめたばかり）で、慣れていない様子だ。派 ーさ[3][0]

ふなわたし[3]【船渡(し)】❶船で人や物を対岸に渡す△こと（場所）。❷〔外国との売買契約で〕指定の船に商品を積み込むまで売り主が全責任を負う取引。「ー値段[6]」

*ぶなん[0]【無難】ーな ーに 特によくもないが、悪くもない様子だ。「ほめておいた方がー〔＝安全〕だ/ーな人選」

ふにあい[2]（アヒ）【不似合(い)】ーな ーに 似合わない様子だ。

ふにく[0]【腐肉】腐った肉。

ぶにち[0]【侮日】日本(人)を侮ること。

ふにゃふにゃ ❶[1]（副）ーと ーする 柔らかすぎて、期待される弾力や手ごたえが感じられない様子。〔しっかりしたところがなく頼りがいのない意にも用いられる。例、「ーした返事」〕❷[0] ーな ーに 「ふにゃふにゃ❶」に同じ。「水にぬれてーになった新聞/ーな態度」

ふにょい[2]【不如意】ーな ーに （一家の暮らし向きが）思うようにならない様子だ。「手元ー」

ふにん[0]【不妊】妊娠△しない（出来ない）こと。「ー症[0]・ー治療[4]」

ふにん[0]【赴任】ーする（自サ）〔公務員などが〕新任の勤務地に向かって出発すること。「単身ー」

ぶにん[0]【無人】ーな ーに ❶△人数が少ない（人手が足りない）様子だ。❷そこに人が居ない様子だ。

ふにんき[2]【不人気】ーな ーに 予想に反して人気が一向に振るわない△こと（様子）。「作品は意外にーで/ーを嘆く」

ふにんじょう[2]（ジヤウ）【不人情】ーな ーに 人情が△ない（うすい）様子だ。派 ーさ[0][4]

ふぬけ[0][3]【〈腑抜〉(け)】ーな ーに 精神がしっかりしていない△様子（人）。いくじなし。

**ふね[1]【船・舟】❶〔木や鉄などで作り〕人や荷物を乗せて水上を運ぶもの。「荒海にーを乗り出す/ーを漕(コ)ぐ〔＝⇩こぐ❶〕/渡しー」❷【《槽》】△水（液体）を入れる箱形の入れ物。水槽(スイソウ)。「湯ー(ブネ)」❸貝のむきみなどを入れる、舟の形に作った容器。〔かぞえる時にも使う〕「刺身のー」表記 小さい場合、「舟」とも書く。かぞえ方 ❶は一艘(ソウ)・一隻(セキ)。また、一杯とも。また、ヨットは一艇(テイ)とも。また、小さな舟を詩文では一葉(イチヨウ)と言った。

ふねっしん[2]【不熱心】ーな ーに 熱心でない様子だ。「商売にーな人だ」派 ーさ[4][0]

ふねへん[0]【舟偏】漢字の部首名の一つ。「航・船・艦」などの、左側の「舟」の部分。〔多く、舟の形や運行に関係する漢字がこれに属する〕

ふねん[0]【不燃】火を付けても△完全には燃え切らない（燃えにくい）こと。また、そのように作ってあること。「ーごみ[2]・ー物(ブツ)[2]・ー性[0]・ー住宅[4]・ー建築[4]」↕可燃

ぶねん[0][1]【無念】ーな 気づかない（で残念な）様子だ。表記「不念」とも書く。

ふのう[0]（ナフ）【不納】納めないこと。「小作料のー同盟」

ふのう[0]【不能】❶ーな しようとしても出来ないこと。「操縦ーな状態になる/再起ー[1]-[0]・使用ー」↕可能 ❷能力・才能が無いこと。無能。「人には能ーがある」

ふのう[0]【富農】〔耕地を多く持っていて〕裕福な農民。↕貧農

ふのり[0]【布〈海苔〉・布〈苔〉】「フノリ〔＝紅藻類の一つ。浅い海の岩石に着生する〕」を乾燥させたもの。食用や洗張りなどに使う。表記 古来の用字は「〈海〈蘿〉〉」。かぞえ方 一枚

ふはい[0]【不敗】負け（たことが）ないこと。「十勝ー」

ふはい[0]【腐敗】ーする（自サ）腐ること。また、腐った状態。「政治のー/ー菌[0]〔＝大腸菌・枯草菌などの総称〕」

ふばい[0]【不買】その商品を買わないこと。「ー運動[4]」

ーどうめい[4]【ー同盟】消費者が結束して、不良品や高すぎる商品などを買わないようにすること。非買同盟。⇩ボイコット

ふはく[0]【布〈帛〉】もめんと絹。織物。

ふはく[0]【浮薄】ーな ーに 他に動かされやすく、態度・行動がしっかりしていない様子だ。「軽佻(ケイチョウ)ー」

ふばこ[1][0]【《文箱》】〔「ふみばこ[2]」の略〕❶手紙などを入れて△おく（運ぶ細長い）箱。状箱。❷書物を入れて、背負って運ぶ箱。

ふはつ[0]【不発】❶砲弾・爆弾などが、装置の故障などで△発射（投下）されなかった状態。〔期待されていた大仕事などが結局出来ずに終わる意にも用いられる。例、「ファン待望の本塁打はーに終わった」〕❷Ⓐ目標に達した砲弾・爆弾などが、破裂せず、破壊・殺傷の目的を果たさないこと。「戦時中に落とされた爆弾がーのまま地中に眠っていた/ー弾[3]」Ⓑもくろみ通りに事が運ばず、所期の目的が達せられないこと。「予定していた工場建設計画が地元住民の反対でーに終わった」

ふばつ[0]【不抜】心がしっかりしていて、くじけないこと。「堅忍ーの精神」

ふばらい[2]（バラヒ）【不払(い)】〔代金・賃金などを〕支払わないこと。「ふはらい[2]」とも。「受信料のー運動」

ぶばらい[2]（バラヒ）【《賦払》(い)】⇩割賦(ワップ)

ぶばる[2]【武張る】（自五）❶強く勇ましいふりをする。❷ごつごつしていて、洗練されていないように見える。

ふび[1]【不備】❶ーな ーに 十分に整っていない△こと（様子）。「計画にー（な点）がある/ビル経営者が防火管理体制のーを問われた/ーを補う」❷手紙文の終りに書く語。

ぶび[1]【武備】〔古〕軍備。

ぶびき[0]【分引(き)・歩引(き)】ーする（他サ）⇩割引

ふびじん[2]【不美人】きりょうの悪い女性。

ふひつよう[3][2]（エウ）【不必要】ーな ーに 必要が無いと認められる様子だ。派 ーさ[4][0]

ふひょう[0]（ヒヤウ）【不評】ーな ーに 〔期待に反して〕評判がよくない△こと（様子）。「新作の劇はーだった/ーを買う」↕好評

ふひょう[0]（ヘウ）【付表・附表】本文などに付け加えた表。

ふひょう[0]（ヘウ）【付票・附票】〔荷物などに〕付けた札。

ふひょう[0]【浮氷】水の上に浮いている氷のかたまり。

ふひょう[0]（ヘウ）【浮標】〔航路や暗礁・網・漁具などのあることを示すために〕水の上に浮かばせておく目じるし。ブイ。

ふひょう[0]（ヘウ）【譜表】楽譜を書くための、五本の平行線。

ふびょうどう[2]（ビヤウ）【不平等】ーな ーに 平等でない△こと（様子）。「ー条約[6]」

ふひょうばん[2]（ヒヤウ）【不評判】ーな ーに 評判が悪い△こと（様子）。

ふびん[0]【不敏】ーな ーに ❶敏捷(ビンショウ)でない様子だ。❷才知・才能に乏しい様子だ。

ふびん[1]【不〈憫〉・不〈愍〉】ーな ーに 〔「不便」の変化〕かわいそうな様子だ。「ーに思う」派 ーさ[2][0]

*ぶひん[0]【部品】機械・器具を組み立てている一部分（の物）。「ラジオのー」

ふひんこう[2]（カウ）【不品行】ーな ーに 品行が悪い△こと（様子）。

ぶふうりゅう[2]（リウ）【無風流・不風流】ーな ーに 風流△が分から（で）ない△こと（様子）。やぼ。

ふぶき[1]【〈吹雪〉】〔動詞「ふぶく」の連用形の名詞用法〕強い風に吹かれて横なぐりに降る雪。「地ー・花ー・紙ー」表記 ⇩付表

ふふく[0]【不服】ーな ーに 満足出来なくて従えない△こと（様子）。「何がーで/ーの申立て/（決定に）ーそうな面持ち」

ふぶ・く[2]【〈吹雪〉く】(自五) 強風に吹かれて雪が横などに降る。

ふふん[2](感) 鼻をならして、相手の言葉△にうなずく(を軽く聞き流す)時に発する声。

ふぶん[0]【不文】 ❶△文字(文書)に書き表わさないこと。❷文章が上手でないこと。 **—りつ**[2]【—律】 ❶文書で示されない法律。❷黙っていても、その組織の各員が承知して守っているおきて。

*__ぶぶん__[1]【部分】 全体を小分けにした一つ。↕全体 **—しょく**[2]【—食・—〈蝕〉】 一部分の△日食(月食)。↕皆既食 **—てき**[0]【—的】—な/—に その現象や影響などが一部分に限られていて、全体にわたらない様子だ。 **—ひん**[0]【—品】 部品。

ぶぶんきょくひつ[0]-[0]、[1]-[0]【舞文曲筆】 文章を飾るために、事実を曲げたり 誇張したり して書くこと。

*__ふへい__[0]【不平】—な/—に 心の内にいだいた不満を抑え切れず、言動に表わす様子だ。また、その言動。「—を並べる/—を鳴らす〔=を強く言い立てる〕/—分子[4]」 **—か**[0]【—家】 何かにつけて不平・不満を並べる人。

ぶべつ[0]【侮蔑】—する(他サ) 人をばかにすること。

ふへん[0]【不変】 いつまでもその状態が変わらないこと。「—の人間性」↕可変 **—しほん**[4]【—資本】 原料・材料・工具・用具など、生産手段の購入に支出される資本。↕可変資本

ふへん[0]【不偏】 一方にかたよらないこと。 **—ふとう**[0]-[0]—タウ【—不党】 ❶どちらの主義・政党にも加わらないこと。❷中立の立場をとること。

*__ふへん__[0]【普遍】↕特殊 ❶広く行き渡ること。「—化する」 ❷ある範囲のすべてのものに共通し、例外は考えられないこと。 **—せい**[0]【—性】 △狭い(特殊な)範囲にとどまらず、広く一般の理解や共感が得られたり 問題とするすべてに適合したり する性質・要素。「日本文化の—/経済理論の—」 **—だとうせい**[0]—タウ【—妥当性】 個人がどう△考える(感じる)かとは無関係に、すべての思考・認識に妥当すること。 **—てき**[0]【—的】—な/—に 広く一般に△行き渡る(あてはまる)様子だ。「—に認められる真理」

ふべん[1]【不便】↕便利 ❶—な/—に その場にあればよいと思うものが容易には得られず、快適さに欠けると感じられる△こと(様子)。「—を△こうむる(忍ぶ・かこつ)/交通が—な地」 ❷—する(自サ)〈なにニ〉—する〉事を円滑に行なう上で必要とされるものが無くて何かと支障が生じること。「洗濯機が故障して二、三日—した」 派—さ[2]

ぶへん[1]【武辺】〔古〕武道の事柄。

ぶべん[0]【武弁】〔古〕武士。武人。「一介の—」

ふべんきょう[2]—キャウ【不勉強】—な/—に 勉強しない△こと(様子)。「—を反省する/—な男/—の報いが今になってたたる」 派—さ[4][0]

ふぼ[1]【父母】 ちちはは。両親。「子を持って知る—の恩/—の膝下(シッカ)を離れる〔=⇩膝下❶〕/—の国〔=ⓐ祖国。ⓑ故郷〕」

ふほう[0]—ハフ【不法】—な/—に 法にはずれる△こと(様子)。「銃の—所持/—侵入」

ふほう[0]【訃報】 人が死んだという知らせ。訃音(フイン)。

ふほうわしぼうさん[0][6]—ハウ—バウ—【不飽和脂肪酸】 炭素の二重結合を持つ脂肪酸。魚や植物のあぶらに含まれる。例、オレイン酸・リノール酸など。↕飽和脂肪酸

ふぼく[0][1]【浮木】 水に浮いている木。「うきぎ」とも。「盲亀(モウキ)の—〔=⇩盲亀〕」

ふぼん[0]【不《犯》】〔仏教で〕僧が、戒律で規定されている通り、異性と交わらないこと。「一生—[0]-[0]」

ふほんい[2]【不本意】—な/—に 自分の本当の気持に合っていない△こと(様子)。「—ながら承知する」 派—さ[4][0]

ふま[1]【不磨】〔「すりへらない」意〕長い年月を経ても、その価値が全く損なわれないこと。「—の大典〔=旧憲法の美称〕」

ぶま[1]—な 〔不間の意〕間が抜けている様子だ。気がきかない△こと(様子)。〔やや古風な口頭語的表現〕「—〔=まぬけ〕な返事」

ふまえどころ[0][4]フマヘ—【踏まえ所】 ❶足で踏みしめる所。❷立場。よりどころ。

ふま・える[3]フマヘル【踏まえる】(他下一) ❶しっかりと踏みつける。「大地を—」 ❷これからすべきことの指針を得るために、すでに得たもの、現在直面するものや、将来の成行きをよく見た上で、何かをする。「現実を踏まえた対策」〔口頭語では、「ふんまえる[4][3]」とも〕 文法 ❷は、「…をふまえて」「…をふまえた…」の形で用いることが多い。

ふまじめ[2]【不〈真面〉目】—な/—に まじめでない△こと(様子)。「—な態度」 派—さ[4][0] 表記 ⇩付表「真面目」

*__ふまん__[0]【不満】—な/—に 思い通りにならない事があって、もっとこう△して(あって)ほしいのだが、という気持が心の中にくすぶり続ける△こと(様子)。「—を△いだく(買う・つのらせる・もらす)/—が△尽きない(残る・爆発する・大きい)/—感[2]」「—な結果」 派—さ[5][0]

ふまんぞく[2]【不満足】—な/—に 満足しない△こと(様子)。

ふみ[1] 〔雅〕 ❶【文】 手紙。「—を付ける〔=恋文を渡す〕」 ❷【《書》】 書物。「—読む月日重ねつつ」

ふみ[0][2]【踏(み)】〔動詞「踏む」の連用形の名詞用法〕〔取引で〕損するのを承知で、から売りを買いもどすこと。

ふみ[1]【不味】—な 味のよくない△こと(様子)。↕美味

ふみあと[0]【踏(み)跡】 足で踏んだ跡。

ふみあら・す[4]【踏(み)荒(ら)す】(他五) 仕切られた場所に入り込んで、なんでも構わず踏みつけて めちゃめちゃにする。「庭を—」

ふみいし[0]【踏(み)石】 ❶〔玄関などにある〕ぬいだ履物をその上に置く石。❷庭などに敷く飛び石。

ふみいた[0]【踏(み)板】 ❶そこを伝って通れるように、溝・空所や汚れた所などに△掛けた(敷いた)渡り板。❷足で踏んで動かし、機械や楽器を作動させる板。ペダル。「△自動車のクラッチ(ミシン・オルガン)の—」 ❸〔雅〕牛車(ギッシャ)の乗降口に横に掛け渡した板。

ふみい・れる[4]【踏(み)入れる】(他下一) 自分の身を初めてその△場所(環境)に置く。「悪い場所に足を—」

ふみうす[0][3]【踏(み)臼】 ⇩からうす❶

ふみえ[0]—ヱ【踏(み)絵】 江戸時代、キリシタンでない証拠として踏ませた、キリストなどを彫りつけた板。また、その板を踏ませたこと。〔思想調査などの手段の意にも用いられる〕

ふみがら[0]【文殻】 読み終わって、いらなくなった手紙。

ふみきり[0]【踏切(り)】〔動詞「踏み切る」の連用形の名詞用法〕 ❶道路が汽車・電車の線路を横切る所。❷〔走り幅跳(ハバトビ)などで〕「踏み切る❷」こと。また、その場所。「—板(バン)[0]」 ❸踏み越し。❹ふんぎり。 かぞえ方 ❶は一本

*__ふみき・る__[3]【踏(み)切る】(自五) ❶〈どこ・なにヲ—〉踏み越しをする。 ❷〈どこ・なにヲ—〉〔跳躍競技で〕地面を強く踏んで飛び上がる。 ❸〈なにニ—〉強行策に出ることを決断する。「△起訴(逮捕)に—/開催へ—」

ふみこ・える[4]【踏(み)越える】(自下一) ❶踏んで越える。「敷居を—」 ❷〔困難を〕切り抜けて進む。「危機を—」

ふみこし[0]【踏(み)越(し)】〔すもうで〕足を土俵の外に出すこと。ふみきり。

ふみこた・える[5]コタヘル【踏(み)《堪》える】(自下一) 〔足を

ぶんばって)こらえる。「土俵ぎわで―」

ふみこみ⓪【踏(み)込(み)】❶〔すもうで〕立ち上がった瞬間に相手より早く前に出て、相手側の仕切り線に入るようにすること。「―がいい」❷玄関などで、履物をぬいで置く所。

―だたみ⑤【―畳】茶室で、亭主の出入口、つまり水屋に接している畳。

ふみこ・む③【踏(み)込む】■(自他五)❶〔泥・草むらなど歩きにくい所へ〕足を入れる。「密林に足を―/迷路に―」❷〔人の家などの中へ〕相手の抵抗などを無視して入り込む。「賭博バクの現場に―」❸突っ込んで、本質に迫る。「もう一歩―/踏み込んだ議論」■(他五)踏んで入れる。「田の中へ堆肥タイヒを―」

ふみしだ・く④【踏(み)《拉く》】(他五)踏みつけて、こわしたり荒らしたりする。「夏草を―」

ふみし・める④【踏(み)締める】(他下一)❶力をこめて、しっかりと踏む。「大地を―」❷踏んで固める。「土を―」

ふみだい⓪【踏(み)台】高い所にある物を取ろうとしたり高い所へ上がろうとしたりする時に一時利用する台。足継ぎ。継ぎ台。〔希望達成のために利用したあとは、捨てて顧みないものの意にも用いられる〕

ふみたお・す④【踏(み)倒す】タフス(他五)払うべき代金・借金を払わないですます。「タクシー代を―」

ふみだ・す③【踏(み)出す】(他五)❶〔地面を踏んで〕足をある範囲の外へ出す。「土俵を―」❷新たな行動を開始する。「大きく…へ向けて―/再生の一歩を―」

ふみだん⓪【踏(み)段】はしごなどの、踏んでのぼる段。

ふみづかい③【文使(い)】ヅカヒ〔雅〕手紙を届ける使い・使者。

ふみづき②【文月】(陰暦)七月の異称。「ふづき」とも。

ふみづくえ③【文机】⇩ふづくえ

ふみつ・ける④【踏(み)付ける】(他下一)❶踏んで△押さえつける(強い圧力を掛ける)。「ハイカーに踏み付けられて高山植物が枯れる」❷Ⓐ平然と相手の面目を傷つけるようなことをする。「同僚を踏み付けて昇進をはかる」Ⓑ相手をばかにして、無視した行動をする。「国民を―としか言いようのない増税案」名踏み付け⓪「―にする」

ふみつぶ・す④【踏(み)潰す】(他五)❶足で踏むなどして潰す。「虫を―」❷自分の利益のために、対立する相手を陥れたり面目が失われるようにしむけたりする。「同僚を踏み潰して部長に昇進する」

ふみづら⓪【踏(み)面】階段で、足の乗る所。⇩蹴ケ上げ

ふみど⓪【踏(み)《所》】⇩ふみば(踏み場)

ふみとどま・る⑤【踏(み)止まる】(自五)❶踏ん張って、その場所内にとどまる。❷他人が去ったあとまで、その場所に残る。「最後まで―」❸〔心が少なからず惹ヒかれる何かを〕がまんして、それ以上しないでおく。

ふみなら・す④【踏(み)《均す》】(他五)土などを足で踏んで平らにする。

ふみなら・す④【踏(み)鳴(ら)す】(他五)〔床などを〕足で何度も勢いよく踏んで音を立てる。

ふみにじ・る④【踏(み)《躙る》】(他五)❶踏みつけて、さんざんにする。❷尊重し、守ることが要請されるものを、傷つけたり全く無視したり一方的に破ったりする。「人の好意を―/△期待(秩序)を―/人権が踏みにじられる」

ふみぬ・く③【踏(み)抜く】(他五)❶強く踏んで、穴をあける。「床を―」❷踏んで、足に突きさす。「くぎを―」名踏み抜き⓪「―をする」

ふみば⓪【踏(み)場】人ひとりが両足でからだを支え、立つことが出来るだけの空間。ふみどころ⓪③。ふみど。「ちらかっていて足の―も無い」

ふみはず・す④【踏(み)外す】ハヅス(他五)❶踏み場所をまちがえて△ころぶ(バランスを失う)。「階段(から足)を―」❷道徳や社会通念の上からしてはならない行いをする。「人の道を―」名踏み外し⓪

ふみまよ・う④【踏(み)迷う】マヨフ(自五)道に迷う。〔あやまちをおかして、悪いことをする意にも用いられる。例、「悪の道に―」〕

ふみもち②【不身持(ち)】―に/―な 異性関係などにだらしがない様子だ。

ふみわ・ける④【踏(み)分ける】(他下一)木の枝や草をかき分けたり一歩一歩足場を求めたりしながら進む。「道なき道を―」

ふみん⓪【不眠】△眠らない(眠れない)こと。**―しょう**⓪【―症】シヤウ 安眠が出来ない病気。**―ふきゅう**⓪-⓪【―不休】キウ 睡眠や休息を犠牲にするほど一生懸命に(継続的に)仕事をすること。「―の努力」

ふみん①【府民】府の住民。「―税②」

ふみん⓪①【富民】〔古〕❶国民を金持にすること。❷国民で金持の者。

ぶみん①【部民】古代、朝廷や豪族などが私有して、生産に当たらせた人民。

ふむ①(感)△納得(同感・疑問)の気持を表わす。

****ふ・む**⓪【踏む・《履む》】(他五)❶〈なにデ〉なにヲ〉足で押さえて、動かないようにする。「麦を―/くぎを―(=踏み抜く)」❷〈なにデ〉なにヲ〉足で押さえて、動かす(ようにする)。「ミシンを―/△アクセル(ブレーキ)を―」❸〈なにヲ〉足を大地に△つける(つけて、そこに立つ)。「二の△足(舞)を―/じだんだを―/敵地を―(=実際に行って見る)/△初舞台(場数バカズ)を―(=経験する)/踏み固める⑤」❹〈なにヲ〉△めんどうがらずに(略さずに)一定の過程を経る。「大筋を―/…のパターンを―/△手続き(正道)を―」❺〈なにヲ〉なんだト〉〔資料・情勢を総合して〕評価する。「千円と―/実現は不可能と―(=見当をつける)」表記「《践む》」とも書く。

【韻を―】⇩韻　【皇位こうゐを―】⇩皇位　【(前ぜん)轍てつを―】⇩前轍・轍

ふむき①【不向(き)】―な 今取り上げようとする事や、その人の好み・性質に合っていないと判断される△こと(様子)。「政治家には―だ/この柄はあなたには―です/―な仕事」

***ふめい**⓪【不明】■―に/―な 問題とする事柄について、その実体や事実関係などがはっきり確認できない様子だ。「事件の原因は今のところ―だ/―な点の多い杜撰ズサンな報告書/身許ミモト―・詳細―・行くえ―」■❶必要な知識や思考力に欠け、的確な判断を下すことができないこと。「我が身の―を恥じる」❷△行くえ(生死)が分からない人。不明者。「死者二、―五」

ぶめい①【武名】武勇があるという評判。

ふめいすう②【不名数】⇩無名数

ふめいよ②【不名誉】―に/―な それまでの名誉を傷つけ、その人にとって恥になる△こと(様子)。「―(=恥)になる」↔名誉

ふめいりょう②【不明瞭】レウ ―に/―な はっきりしない様子だ。「発音が―で聞き取りにくい」派―さ④⓪

ふめいろう②【不明朗】ラウ ―に/―な 物事の処理などに、△あいまいな(不正な)点があると感じられる様子だ。「―な会計」

ふめつ⓪【不滅】―な いつまでも無くならないこと。不磨。「チームの栄光は―だ/エネルギー―の法則」

ふめん⓪【譜面】離れた所からでも見えるように、楽譜を(大き目の)紙に書いたもの。「―台⓪」

ぶめん①【部面】その分野における、ある側面。「すべての生活―において」

ふ

ふめんぼく②【不面目】ーな/ーに 面目をつぶす△こと(様子)。「ふめんもく」とも。「ーな事態」

ふもう⓪【不毛】ーな ❶地味がやせていて作物も出来ず、草木も(満足には)育たない△こと(様子)。「ーの大地」 ❷(労力や時間を費した割には)これといった成果が上げられないこと。「ーな議論が繰り返される/ーの努力」

*__ふもと__③【麓】 山のすそ。山のもと。

ふもん⓪【不問】 (本来なら問題にすべきところを)取り立てて問題にはしないこと。「ーに付す」

ぶもん①【武門】 武士の家筋。武家。

ぶもん①⓪【部門】 区分した部類。「自然科学の各ー/生産ー」

ぶやく①【《夫役】 昔、公の仕事に人民を強制的に使ったこと。「ふえき」とも。表記 古くは、「《賦役」と書いた。

ふや・ける③(自下一) 水・湯などにつかって柔らかくなってふくれる。〔だらしがなくなる意にも用いられる〕「長湯して手がー」 他動 ふやかす③(五)

ふやじょう②(ジヤウ)【不夜城】 夜でも昼間のように明るく、あかりをつけたにぎやかな場所。

*__ふや・す__②【増やす・殖やす】(他五)〈なにカラなにニ〉なにヲ ↓ ふえるようにする。「△機会(窓口)をー」↕減らす

**__ふゆ__②【冬】 秋の次に来る、寒い季節。草木が枯れて、雪が降る、十二・一・二の三か月。「流通業界は今ーの〔=景気のあまりよくない〕時代だ/ー服・ー休み③」↕夏

ふゆ①【不輸】 昔、租税を免除されたこと。「ふしゅ」とも。「ー租田(デンソ)③・ー不入①-⓪〔=昔、荘園(ショウエン)制で、国の徴税や立入りを拒否した権利〕」

ぶゆ①【〈蚋】 水辺・山野に多くすむ昆虫。からだは小さいが太っていて、人畜の血を吸う。「ぶと・ぶよ」とも。〔ブユ科〕 かぞえ方 一匹

ふゆう⓪(イウ)【〈蜉蝣〉】〔古〕 ❶〔動物の〕カゲロウ。 ❷〔カゲロウのように〕はかないもの。「ーの命」

ふゆう⓪(イウ)【浮遊・浮〈游】ーする(自サ) 水上・空間などに浮かんで漂うこと。「ー物②」 **ーせいぶつ**④【ー生物】 ⇩プランクトン

ふゆう⓪①(イウ)【富裕】・(イウ)【富有】ーな/ーに 金持で、生活に余裕がある△こと(様子)。「ー層に課税すべきだという声がある」

ぶゆう①【武勇】 △腕力があって(武術にすぐれていて)、難敵・強敵を恐れないこと。 **ーでん**②【ー伝】 ❶武勇にすぐれた人の伝記。 ❷後の世まで語り継がれるような、勇気ある人(の行為)についての手柄話。〔俗に、酒に酔った勢いを借りるでもしなければ出来ない腕力沙汰(ザタ)などを、冷やかして言う語としても用いられる〕

フュージョン①〔fusion=融合〕 ジャズを元に、ロック・ソウル・ラテンなどの要素が取り込まれた音楽。ヒュージョンとも。

*__ふゆかい__②(クワイ)【不愉快】ーな/ーに 〔何かの影響を受けた結果〕平常心がかき乱されて、なんとなくいらいらする様子だ。「じりじりとしたーな暑さ/ーを通り越して憤りさえ覚える/相手をーにさせてしまった」 派 **ーさ**③⓪ **ーげ**⓪⑤ **ーが・る**⑤

ふゆがれ⓪【冬枯(れ)】↕夏枯れ ❶冬に草木が枯れること。また、その寂しいながめ。「ーの山」 ❷冬、特に二月ごろに商店の客が少なくて景気が悪いこと。

ふゆき⓪【冬木】 ❶冬枯れの木。冬木立(コダチ)③。 ❷ときわ木。

ふゆぎ⓪【冬着】 冬に着る衣服。↕夏着 かぞえ方 一着

ふゆきとどき④【不行(き)届(き)】ーな/ーに 〔注意や世話・待遇などが〕行き届かないこと。「監督のー/万事ー」

ふゆくさ⓪【冬草】 冬△枯れずに残って(なお生育して)いる草。

ふゆげ⓪【冬毛】 鳥や獣の、秋になって生え替わった柔らかく長い毛。↕夏毛

ふゆげしょう③(シヤウ)【冬化粧】ーする(自サ) 山や野原に一面に雪が降り積もったり木ぎが枝を残すだけになったりして、いかにも冬だという景観を呈すること。

ふゆご⓪【冬仔】 冬に生まれた、動物の子。↕夏仔

ふゆごもり③【冬籠(も)(り)】ーする(自サ) 冬の間、巣や家の中にいて外へ出ないこと。動 冬籠もる④(自五)

ふゆさく⓪【冬作】 冬の間に育って春にとれる作物。ムギ・エンドウなど。↕夏作

ふゆざくら③【冬桜】 ❶冬に咲くサクラ。例、カンザクラ・シキザクラなど。 ❷コバザクラの別称。「三波(サンバ)川のー」

ふゆざれ⓪【冬ざれ】〔俳句で〕木の葉が落ち、物寂しく感じられる冬の時分。動 冬ざる⓪(自下二) **ーた**③⓪(連体) 冬になって荒れさびた。

ふゆじたく③【冬支度】ーする(他サ) 冬着や暖房器具を出したりして、寒さ対策などの冬に対する備えをすること。

ふゆしょうぐん③(シヤウー)【冬将軍】〔ナポレオンがロシアへ遠征した時、冬の寒さで敗れたことから〕寒さのきびしい冬。また、そのきびしい寒気を、擬人化した表現。

ふゆぞら⓪③【冬空】 冬の、寒そうな空(の様子)。↕夏空

ふゆどり②⓪【冬鳥】 北方で繁殖し、寒くなると日本に渡って来て冬を越す渡り鳥。ガン・カモ・ツル・ハクチョウ・ツグミなど。↕夏鳥

ふゆば⓪【冬場】〔その人の生活や商売などになんらかの影響を与えるものとして見た〕冬の期間。↕夏場

ふゆび【冬日】 ❶⓪冬の弱い日ざし。↕夏日 ❷②一日の最低気温が零度未満の日。⇩真冬日

ふゆふく⓪【冬服】 冬、寒くなってから着る服。⇩夏服・間服(アイ) かぞえ方 一着

ふゆもの⓪【冬物】 冬に着るための布地・衣服など。「ー衣料の売行きが好調」↕夏物

ふゆやま⓪【冬山】 ❶冬の(雪のある)山。 ❷冬に登山の対象とする山。↕夏山

ふよ①【不予】〔古〕〔「不豫」の略字。「豫」は、よろこぶ意〕天皇の病気。

ふよ①【付与・附与】ーする(他サ) 〔称号・名誉・権力など、抽象度の高いものを〕与えること。「権利をーする」↕剝奪(ハクダツ)

ふよ①【賦与】ーする(他サ) 〔才能などが〕生まれつき備わっていること。

ぶよ①【〈蚋】「ぶゆ」の通称。

*__ふよう__⓪(エウ)【不要】・【不用】ーな/ーに 〔さしあたっては〕必要でない△こと(様子)。「ー不急産業⑦」

ふよう⓪(ヤウ)【扶養】ーする(他サ) 〔家族などを〕世話をして養うこと。「ーの義務」

ふよう⓪【〈芙蓉〉】 ❶ハスの漢名。 ❷庭に植える落葉低木。夏から秋にかけて、淡紅色または白色の大形の花を開き、一日でしぼむ。〔アオイ科〕 かぞえ方 一株・一本 **ーほう**②【ー峰】「富士山」の雅称。

ふよう⓪(ヤウ)【浮揚】ーする(自サ) 〔水上・空中に〕浮かび上△が(げ)ること。「ー力②・景気ー(策)」

ぶよう⓪【舞踊】 芸術や民芸・習俗としての、まい・おどり。「日本ー④・民族ー⑤」

ふようい②【不用意】ーな/ーに 万全の用意を欠くため、不測の結果を引き起こす恐れがある△こと(様子)。「ーな発言」 派 **ーさ**④⓪

ふようじょう②(ヤウジヤウ)【不養生】ーな 自分の健康に気をつけない△こと(様子)。「医者のー」

ぶようじん②【不用心・無用心】ーな/ーに ❶どろぼうなどに対

する警戒が足りない様子だ。「戸締りが―だ」 ❷ぶっそうな様子だ。「―な世の中」 派―さ[4][0]

ふようせい[0]【不溶性】 液体に溶けない性質。↕可溶性

ふようど[2]―ェフ【腐葉土】 落ち葉が腐って出来た土。園芸用に広く用いられる。

ふよく[1]【扶翼】―する(他サ) 〔古〕〔帝王の政治を〕助けること。「―の臣」

ぶよぶよ [一][1](副)―と―する しまりなく△ふくらんで(太って)いて△異様(奇妙)に感じられるほどである様子。「―したしこりができる」 [二][0]―な―に 「ぶよぶよ[一]」に同じ。「歯茎が―に腫れる」

フラ[1]〔ハワイ hula〕 ハワイの伝統的な民族舞踊。古典舞踊と現代風にアレンジされたものがある。ハワイアン音楽に合わせて、ゆっくりとした動きで踊るものはフラ ダンスとも言い、日本でも盛ん。

ぶら(造語) その土地で一番の繁華街をひやかして歩くこと。「銀〔=東京の銀座〕―・道(ドウ)〔=大阪の道頓堀(ドウトンボリ)〕―」

フラー[2](感)〔hurrah=万歳〕 歓呼の叫び声。

プラーク[2]〔plaque〕 ⇩歯垢(シコウ)

フライ[0]〔fly〕 〔野球で〕打者が高く打ち上げたボール。飛球。「センター―[5][6]」 ⇩ライナー かぞえ方 一本

フライ[0]〔fry〕 魚や肉・貝、また野菜などに小麦粉・溶き卵をつけ、パン粉をまぶして、油で揚げたもの。「サケの―/玉ネギの―/△カキ(エビ)―」 かぞえ方 一枚・一本

ぶらい[0]【無頼】―な―に 定職が無くて、法を無視した行動をする△こと(人)。「―な生活/―の徒/―漢[2]」

プライオリティー[4]〔priority〕 ❶優先権。「―シート[8]〔=優先席〕」 ❷発明・研究などの先取権。「―を争う」

フライきゅう[0]―キフ【フライ級】〔fly weight の訳、fly=ハエ〕 体重で決めた選手の階級の一つ。スーパーフライ級の下。プロボクシングでは、四八・九九～五〇・八〇キログラムまでの体重。

プライス[2]〔price〕 ❶価格。値段。「―リーダー[5]〔=市場価格を支配する有力企業〕・―レス」 ❷〔外貨交換などの〕相場。

フライスばん[0]【フライス盤】〔fraise の文字読み〕 刃物を回転させ、金属の表面を削って仕上げる工作機械。フライス[0]とも。ミーリング盤。

ブライダル[2]〔bridal〕 婚礼の。「―用品」

フライト[0]〔flight〕 ❶航空機が目的地に向かって飛行すること。 ❷〔スキーのジャンプで〕空中を飛ぶこと。 ❸〔陸上競技で〕障害物をとび越えること。 ―レコーダー[6]〔flight recorder〕 飛行記録装置。航行中の高度・速度・機首の方向など飛行状態を自動的に記録する装置。事故が起きたとき重要な情報になるため搭載が義務づけられている。

プライド[0]〔pride〕 誇り。自尊心。「―が高い人/―を傷つける」

フライド ポテト[5]〔和製英語 ←fried + potatoes〕 ジャガイモを細長く棒状に切って油で揚げ、塩をふったもの。フレンチ フライ。

プライバシー[2]〔privacy〕 個人的な日常生活や社会行動を他人に興味本位に見られたり干渉されたりすること無く、安心して過ごすことが出来る自由。「―の権利/―をおかされる」

フライ パン[0]〔frying pan の日本語形〕 食品をいためたり揚げたりする時などに使う、長い柄のついたなべ。底は浅くて平たい。

プライベート[4][2]―な―に〔private〕 個人的。私的。「―な問題」↕パブリック ―ブランド[8]〔private brand〕 メーカーではなく、スーパーや小売店のチェーンが自らの商品として企画し販売する商標や商品。略してピービー(PB)。↕ナショナル ブランド

プライム(造語)〔prime〕 最も重要な。最も上等の。 ―タイム[5]〔prime time〕〔テレビ・ラジオ放送で〕一日のうちで最も視聴率の高い時間帯のうち、午後七時から午後十一時までの間。 ―ミニスター[5]〔prime minister〕 首相。内閣総理大臣。 ―レート[5]〔prime rate〕 銀行が優良企業に資金を貸し出す時の最優遇金利。〔元来アメリカの制度で、日本では標準金利とも〕

フライヤー[2][0] [一]〔flyer, flier=飛行するものの意〕 広告・宣伝のための「ちらし❶」。びら。 [二]〔fryer, frier〕 揚げ物専用の調理用鍋。

プライヤー[0]〔pliers〕 物をつかんだり 挟んでひねったりするのに用いる、ペンチに似た形の工具。

フライング[0]―する(自サ)〔←flying start〕 陸上競技・水泳・ボートなどで、合図前にスタートすること。規定回数を超えると失格になる。

ブラインド[0]〔blind=目隠し〕 窓の△内(外)側に設ける、日よけ・目隠しのための家具。横長で薄い板状の材の両端を簾(スダレ)状に編み、不要の時は畳み上げる。 かぞえ方 一本 ―サイド[6]〔blindside〕〔ラグビーなどで〕スクラムボールの位置から見て、タッチラインまでの幅が狭い側。↕オープンサイド ―タッチ[6]〔和製英語 ←blind + touch〕 ⇩タッチ タイピング

プラウ[2]〔plough〕 馬・牛にひかせたり 動力を用いたりして田を耕す、西洋式犂(スキ)。

ブラウザー[0]〔browser〕〔コンピューターで〕インターネット上の情報を閲覧するために用いるソフト。ブラウザ[0]とも。

ブラウジング コーナー[7]〔browsing corner〕〔図書館などで〕好きな本を選び出し、何冊でも拾い読み出来る(椅子(イス)などがある)場所。

ブラウス[2]〔blouse〕 女性(や子供)が上半身に着る、シャツのような感じの衣服。 かぞえ方 一枚・一点

ブラウン[2]〔brown〕 茶褐色。鳶(トビ)色。 ―ソース[5]〔brown sauce〕 ソースの一つ。小麦粉をバターで狐(キツネ)色にいため、スープでのばし、トマトピューレを加え、野菜などを煮込んで裏ごしにし、調味料を加える。

ブラウンかん[0]―クヮン【ブラウン管】〔Braun=ドイツ人で、発明者の名〕 テレビやレーダーなどの画像を映すのに使う真空管。前面に蛍光剤を塗り、奥の細い管の電極から電子を発射して画像を表示する。「現在も―〔=テレビ〕で活躍しているタレント」 かぞえ方 一本

プラカード[3]〔placard〕〔デモ行進などの時に持ち歩く〕スローガンなどを書いた板。 かぞえ方 一枚

フラク[1] フラクションの略。

フラグ[0][1]〔flag=旗〕 Ⓐ〔プログラミングで〕特定の条件を満たした時に変化する変数。「―が立つ〔=特定の条件が有効になる〕」 Ⓑ〔俗に〕コンピューター ゲーム・物語・ドラマなどで、後に生じる事態のきっかけとなる出来事。伏線。「死亡―が立つ〔=死ぬことを暗示する出来事が生じる〕/―を回収する〔=予想された出来事を結果として提示する〕」

ぶらく[1]【部落】 農家・漁家などが何軒か一かたまりになっている所。村落。〔狭義では、不当に差別・迫害された一部の人たちの集落を指す。例、「―解放運動[8]、[1]-[5]」〕

プラグ[1][0]〔plug〕 ❶〔電気器具で〕電気回路を△接続(切断)するための さしこみ。 ❷内燃機関の点火装置の一つ。 かぞえ方 ❶は一本

フラクション[2]〔fraction=小部分〕 革新政党が他の大

衆団体の内部に設ける党員組織。フラクとも。

フラクタル②〔fractal〕どの部分をとっても、全体と相似形である図形。また、そうなる性質。海岸線や雲の形などの複雑な図形の中に見られる。

プラクティカル②⁻な・に〔practical〕実用的。実際的。

プラグマティズム⑤〔pragmatism〕実用主義。プラグマチズム⑤とも。

ブラケット② ❶〔bracket〕❶壁や柱に取りつける照明器具。❷棚などを支える腕木(ウデギ)・腕金(ウデガネ)。❸〔brackets〕〔印刷で〕【 】・〔 〕などの括弧。

ぶらここ⓪「ぶらんこ」の古風な表現。俳句などで多く用いられる。

プラザ②①〔plaza=「都市の広場・市場」の意のスペイン語に由来〕デパートその他の(公共性のある)建物などの名として、最近多く用いられる語。

ブラザー②〔brother〕兄弟。↔シスター

ぶらさが・る⓪④【ぶら下(が)る】(自五)❶Ⓐ上方を何かに支えられて空中に垂れ下がる。「ヒョウタンの実が棚にぶら下がっている」Ⓑ手に入れたいと思っている地位や名誉などがもう少しで届きそうに、目の前にちらつく。「大臣の いすがぶら下がっている」❷垂れ下がる△物(よう)に、つかまる。「木の枝に―/つり革に―」 名 ぶら下がり⓪

ぶらさ・げる⓪【ぶら下げる】(他下一)❶つり下げる。「胸に勲章を―」❷手にさげて持つ。 名 ぶら下げ⓪「句読点の―」

*__ブラシ__①⓪〔brush の変化〕はけ。「歯―・洋服―⑤」

ブラジャー②〔フ brassière の変化〕女性の洋装の下着の一種で、乳房の形を整えるもの。 かぞえ方 一枚

ふら・す②【降らす】(他五)〔「降る」の使役動詞形〕〔雨などを〕降るようにする。降らせる③(下一)。「血の雨を―〔=争いなどで、死傷者を出す〕」

**__プラス__⓪①〔plus=「＋」という記号の名称〕↔マイナス ❶〔数学で〕Ⓐ正号。Ⓑ正数。正であること。Ⓒ加法の記号。Ⓓ―する(他サ) 足すこと。❷Ⓐ〔物理学で〕電気の陽極。また、陽極における電荷(の性質)。Ⓑ〔医学で〕陽性❶。❸―する(自サ) 従来無かった要素が何程か加わって、全体として良い方に傾くこと。「差引き五万円の―〔=利益〕だ/高齢者福祉にどれだけ―〔=寄与〕するか/将来に―する〔=将来の為(タメ)になる〕/全体として―〔=好ましい状態の方向にあることは否定出来ない〕/この副詞は―〔=積極的な。良い。明るい〕の意味ではあまり用いられない」

プラス アルファ④〔＋α(プラスエックス)の誤認に基づく和製英語 ←plus＋alpha ⇩アルファ❷〕幾らかを△足すこと(足したもの)。「一万円―で妥結する」

フラスコ⓪〔ポ frasco〕〔化学実験や水さしに使う〕首の長いガラス瓶。 かぞえ方 一本

プラスチック④〔plastic〕合成樹脂の一つ。化学的に合成した樹脂状の物質。熱・圧力を加えて、任意の形の器具を作る。プラスチックス④②とも。 ―**ばくだん**⑦【―爆弾】爆薬とゴム状の化合物を練り合わせた、粘土状の爆発物。 ―**モデル**⑦〔plastic model〕プラスチックで作った船・自動車・飛行機などの模型。⇩プラモデル

フラストレーション⑤〔frustration〕欲求不満。

プラス ねじ④⁻(ネヂ)【プラス〈螺子〉】頭の溝がプラス記号の形になっている ねじ。

ブラス バンド④〔brass band〕金管楽器を主体とし、これに打楽器を加えて演奏する楽団。吹奏楽団⑤。

プラズマ⓪〔plasma〕❶原子の原子核と電子が分かれて激しく動き回っている、一種のガス状態。❷血漿(ケッショウ)。プラスマとも。 ―**ディスプレー**⑤〔plasma display〕ネオンなどの気体に高電圧をかけて放電させるとプラズマが生じ発光する現象〔=プラズマ放電〕を利用した平板型表示装置。薄型で大画面の装置を実現。

プラス マイナス④〔和製英語 ←plus＋minus〕❶利益と損失。「―ゼロ」❷基準値との差の範囲を示す語。「誤差―二(ミリ)」

プラタナス③〔ラ platanus〕植物のスズカケ。

フラ ダンス③〔和製英語 ←hula＋dance〕ハワイの民族舞踊フラの日本での呼称。

ふらち①【不〈埒〉】⁻な・に 言動が限度を超しており、許しがたいと思われる様子だ。「―な奴(ヤツ)/―もの⓪」

プラチナ⓪〔オ platina〕白金。

ふらつ・く⓪(自五)❶〔足もとや気持が〕不安定である。「病み上がりで―/態度が―/頭が―」❷どこに行くというあてもなく歩き回る。

フラッグ②〔flag〕旗。 ―**キャリア**⑤〔←national flag carrier〕一国を代表する航空会社。 ―**シップ**⑤〔flagship=旗艦〕同類に属するものの中で最も重要なもの。多く、その企業の主力商品や、系列店の中で中心的な店舗についていう。「―ブランド⑨・―ショップ⑧」

ブラック②〔black〕❶黒(い色)。「―テープ⑤〔=電気の絶縁用テープ〕」❷クリームや砂糖を入れないコーヒー。❸〔多く外来語の上に付いて〕「不正な」「悪質な」などの意を表わす。 ―**きぎょう**⑤⁻(ゲフ)【―企業】度を超えた長時間労働やパワハラの横行など、従業員を劣悪な労働環境で酷使し、違法な対応を強要する企業を指して言う語。 ―**バス**⑤〔black bass〕湖沼や流れのゆるやかな河川にすむ大形の淡水魚。からだは黒ずんだ色で、口が大きい種類と小さい種類がある。ルアー釣りの対象とされる。北アメリカ原産で、大正時代に移入された。バス。〔サンフィッシュ科〕 ―**フライデー**⑥〔Black Friday〕アメリカで、感謝祭〔=十一月の第四木曜日〕の翌日の金曜日。クリスマスセールが始まる。〔「ブラック」は、売り上げが黒字になるからとも、混雑の様子からともいわれる〕 ―**ホール**⑤〔black hole〕天体の一つ。質量がきわめて大きく、強い重力を持つため光さえも脱出出来ず、外部からは全く見ることが出来ない。 ―**ボックス**⑤〔black box〕❶Ⓐ機能は知られているが、中の構造や動作原理がわからない装置。Ⓑ外からの様子しかうかがえず、中で何が行なわれているかが分からないことのたとえ。「審議の過程はまったくの―になっている」❷航空機に搭載されるフライト レコーダーとボイス レコーダー(を収納した箱)。高熱や衝撃に強く、事故の際の原因究明に使われる。 ―**マネー**⑤〔black money〕税務署に申告されていない、企業などの収益。特に、闇(ヤミ)〔=非合法〕金融業者の不当な利子収入やマルチ商法による収益など。アングラマネー⑤。 ―**ユーモア**⑤〔black humour〕人間の醜悪さや社会の暗黒面を鋭くうがつことによって、人びとをぞっとするような笑いに誘うユーモア。ブラック ジョーク。〔宗教・性の問題、神聖視されるものの裏面、人種問題や政治思想など、タブーとされている素材をとり上げることが多い〕⇩ユーモア ―**リスト**⑤〔blacklist〕注意人物の一覧表。

ぶらつ・く⓪(自五)❶垂れ下がって、大きく揺れる。❷どこに△寄る(行く)というあても無く、ゆっくりと歩く。「銀座を―」

フラッシャー②〔flasher〕⇩ウインカー

フラッシュ②〔flash=ひらめき〕❶暗い所で写真をとる時の人工照明。閃光(センコウ)(電球)。フラッシュ ライト⑤。「―をたく」❷〔映画で〕瞬間的な場面。「ニュース―⑤」 ―**ガン**④⑤〔flash gun〕〔写真で〕閃光電球を発光させると同

時にカメラのシャッターを切るための、かつて使われた道具。ストロボ。 ーバック⑤〔flashback〕〔映画やテレビで〕非常に短いカットバック。 ーメモリー⑤〔flash memory〕電源を切っても記憶内容が保持され、電気的手段により一括消去したり部分的に書き換えたりすることのできるROMロム。携帯用コンピューターに用いられる。

ブラッシュ②〔brush〕ブラシ。 **ーアップ**⑤ーする(他サ)〔brushup〕技術や能力について、さらにすぐれた段階を目指すこと。

ブラッシング⓪②ーする(自サ)〔brushing〕（髪の毛などに）ブラシをかけること。

フラット②〔flat〕㊀ーな 平面的で、一様に変化の乏しい様子だ。「ーな印象の絵」㊁アパートなどの一つの階全部。㊂〔楽譜で〕半音だけ低くする記号。変記号。「♭」↔シャープ㊂ ㊃〔競技で〕かかった時間に秒未満の端数が無いこと。「十一秒ー〔=かっきり〕」

ふらっと②(副)「ふらりと」の強調表現。

プラットフォーマー⑤〔platformer〕インターネットで様ざまなサービスを実現する基盤となる仕組みを提供している企業。⇨ガーファ

プラットホーム⑤〔platform=土台。基盤〕㊀駅などで、客が乗り降りし、荷物を積みおろしする場所。ホームとも。㊁〔自動車で〕車種同士で共通に使われる車台。㊂〔コンピューターで〕ソフトウエアやハードウエアが作動する環境。㊃〔インターネットで〕様ざまなサービスを提供するために構築されるシステム環境。㊄経済界や行政などの複数の組織が共通の目的のために連携して協力する体制やシステム。「人材育成ー・地域ー」〔㊁～㊄はプラットフォームとも〕 かぞえ方 ㊀は一面

フラップ②〔flap〕㊀航空機の主翼後部についている下げ翼。離着陸の時に使う。㊁ポケット・封筒などの、おおいぶた。雨ぶた⓪。 かぞえ方 ㊀㊁とも一枚

フラッペ②〔フ frappé=氷で冷やした〕削ってこまかい粒状にした氷を使った飲み物や冷菓。

プラトニック④ーな〔Platonic=「古代ギリシャの哲学者プラトンが説いたような」の意〕純粋に精神的な様子だ。特に恋愛において、肉体的関係を伴わず純粋に相手を思う様子だ。「ーな愛」 **ーラブ**⑦〔Platonic love〕純粋に精神的な恋愛。

プラネタリウム⑤〔planetarium〕投影機で円天井に星座や天体の運行を映し出す装置。天象儀③。

フラノ①〔フランネルの変化〕洋服地に使う、毛を起こしていないフランネル。

ふら・ふら 〘一〙①(副)ーと ーする ㊀足もとがしっかりせず、からだ(の一部)が不安定に揺れ動く(ように感じられる)様子。「ーした足どり/薬のせいか頭がーする」㊁どうすべきか、はっきりと目標を定めることが出来ないで迷ったりためらったりしている様子。「言われるままにーとついて行く/進路についてまだーしている」〘二〙⓪ーな ーに「ふらふら〘一〙㊀」に同じ。「朝から働き詰めでーだ」

ぶら・ぶら 〘一〙①(副)ーと ーする ㊀目的も無くゆっくり歩き回る様子。「通りをーする/その辺をーしてくる」㊁これといった仕事にもつかないで日びを送っている様子。「三十にもなって親の家でーしている」㊂ぶら下がった物が揺れ動く様子。「かばんをーさせながら歩く」〘二〙⓪ーに「ぶらぶら〘一〙㊂」に同じ。「手が麻痺してーになる」

ブラボー②(感)〔bravo〕〔劇場・音楽会場などで〕観客や聴衆が出演者の演技(演奏)に喝采する時に掛ける言葉。

フラボノイド④〔flavonoid〕植物に広く含まれる色素成分の総称。野菜・緑茶・大豆・柑橘類に多く含まれ、毛細血管を強化する作用があるとされる。

フラミンゴ③〔flamingo〕体形がツルに似た、大形の水鳥の総称。全身ほぼ淡紅色で、首と足が細長く、くの字形に曲がった分厚いくちばしを持つ。温帯・熱帯に五種が分布。大群で水辺にすむ。ベニヅル②。〔フラミンゴ科〕

プラム①〔plum〕西洋種の(大形の)スモモ。

フラメンコ③〔ス flamenco〕スペインのアンダルシア地方に伝わる民族舞踊。ギターとカスタネットに合わせて大きな動きで踊るのが特色。

プラモデル③ プラスチック モデルの商標名。略してプラモ①。

ふらりと②(副)その時の気分やその場の成り行きにまかせて行動する様子。「その男はどこからともなくーやって来た/どこへ行くとも言わずー外へ出て行きました」

ぶらりと②(副)㊀それ自身の重みで垂れ下がっている様子。ぶらんと。「軒先の棚にー下がったヒョウタン」㊁これといった目的も無く出かける(やって来る)様子。「ー散歩する/ー酒屋に入る」㊂これといったこともしないで時を過ごす様子。「一日ーしていた」

ふら・れる⓪【振られる】(自下一)〔「振る」の受動形〕(異性への)交際の申込みなどが断わられる。⇨振る㊁

フラワー(造語)〔flower〕花。「ーセンター⑤・ーデザイン⑥・ーアレンジメント・ドライー」

フラン①〔フ franc〕スイスやユーロ以前のフランス・ベルギーの通貨の単位。 表記 「法」は、音訳。

ふらん⓪【孵卵】ーする(自他サ)(鶏や魚の)卵をかえす(がかえる)こと。「ー器②」

ふらん⓪【腐乱・腐〈爛〉】ーする(自サ)(生物の)からだが腐って崩れること。「ー死体⑤④」 表記 「乱」は、代用字。

プラン①〔plan〕計画。案。「ーを練る/デスクー④」

フランク②ーな〔frank〕自分の気持や思った事を隠すことなく、率直に相手に対する言動に示す様子だ。「ーに話す」

ブランク②〔blank〕㊀字の書かれていない部分(箇所)。余白。空欄。「ノートのーを埋める」㊁何かの事情で、ある期間だけ仕事をしないで過ごしたこと。空白。

プランクトン④②〔plankton〕水面(水中)に浮遊する、微細な生物(群)。魚類のえさとなる。浮遊生物(群)。

フランクフルトソーセージ⑧⑩〔和製洋語 ↑ド Frankfurt + 英 sausage〕ホットドッグなどに用いる、やや太いソーセージ。 かぞえ方 一本

ブランケット②〔blanket〕㊀毛布。ケットとも。㊁電気器具のブラケットの誤り。㊂日刊新聞の一ページ大(の型)で、ほぼB3判に当たる。タブロイドの倍。㊃〔オフセット印刷で〕回転する筒に巻いたゴム引きの布。

ぶらんこ①②【〈鞦韆〉】〔「ぶらここ」の変化〕つり下げた二本の綱の間に横木(座席)をつけ、前後にふり動かす遊具。鞦韆。「ーをこぐ(揺する)」 かぞえ方 一台

フランス⓪〔France〕⇨付録「世界の国名一覧」 表記 「仏〈蘭西〉」は、音訳。 **ーかくめい**⑤【ー革命】西暦一七八九～九九年にフランスで起こった大革命。 **ーそう**⓪【ー装】愛書家がそれぞれ本式の製本をすることを予想して作られた、小口の切りそろえていない本。ペーパーナイフで切って開く。⇨アンカット㊀ **ーデモ**⑤ デモのしかたの一つ。互いに手をつないで道幅いっぱいに広がった隊列で進む。 **ーパン**⓪④ 型を使わないで堅焼きにした、塩味のある白パン。 **ーまど**⑤【ー窓】庭やバルコニーに開く、観音開きのガラス戸。フレンチ窓。

プランター⓪②〔planter〕草花を栽培するのに用いる容器。適度の深さのある長方形のものが多い。

ふ

ブランチ[2] ■一〔branch〕❶枝、または枝分かれしたもの。❷部門や分科など、全体を大まかに分けたもの。❸支部・支局など、中枢から分かれて営業などを行なうところ。■二〔brunch←breakfast＋lunch〕朝昼兼用の食事。

フランチャイズ[4][2]〔franchise=特権〕❶プロ野球球団の本拠地(での興行権)。❷親企業が一定地域内で与える営業販売権。〔多くのコンビニエンス ストアや外食産業・サービス産業などの営業形態がこれに属する〕

ブランデー[0]〔brandy〕ブドウなど、果実の発酵液を蒸留して造る、アルコール分の強い酒。フランス産のコニャックは有名。ブランデ[0]とも。[かぞえ方] 一杯。小売の単位は一本・一瓶:一樽(ヒトタル)

プランテーション[4]〔plantation〕熱帯・亜熱帯地方で、綿花・コーヒーなどの単一作物を栽培する大規模農業、およびその農園。

ぶらんと[2](副) ⇩ぶらりと❶

ブランド[0]〔brand=昔 罪人に押した焼印(ヤキイン)〕有名なデザイナーの制作品や、「銘柄❷」。「―もの」

プラント[0]〔plant〕❶工場施設・機械装置(の一切)。「―輸出[5](=プラント自体に加えてそれを有効に活用するための付帯的な設備やそれに要する技術を含めた輸出形態)」❷ミルク プラントの略。

プランナー[2]〔planner〕計画を立てる(ことが得意な)人。立案者。

プランニング[2][0]〔planning〕企画の立案(をすること)。

フランネル[2][0]〔flannel〕紡毛糸を主として織った、柔らかで厚い毛織物。(本)ネルとも。

ふり【振(り)】■一❶[0]「振る❶❺」こと。「腕の―/三十度の―で回る」❷[2]〔外から見える〕様子。「他人(ヒト)の―見て、我が―直せ/なり―構わず」❸[2]事実を偽り、いかにもそれらしく見せかけること。「△死んだ(見て見ない・知らない・聞かない・気づかぬ・寝た)―をする/観光客の―をして入国する」❹[2]〔演劇・舞踊などで〕しぐさ。「―をつける」⇩ふりつけ❺[0][1]△予告(前に来た経験)が無いこと。「―の客」❻[0]女物の和服で、袖(ソデ)付けから袖下までの縫い付けない所。■二(造語)刀の本数をかぞえる語。「刀二(フタ)―」[表記]■二の古い用字は、「《口」とも。

ふり[2]【降(り)】雨・雪が降る△こと(程度)。「ひどい―だ」↕照り

ふり[1]【不利】―な 失敗・敗北・損失を招きそうな△こと(形勢・様子)。「―を△招く(こうむる)/―な条件」↕有利

ぶり【振(り)】(造語)❶そのような△状況(立場)に置かれた人や物が、どのように評価される状況にあるかがうかがえる、外見からとらえられる様子を表わす。〔口頭語では多く「…っぷり」となる。例、「男っぷり・女っぷり・飲みっぷり・あわてっぷり」〕「なかなかの△男(女房)―/△仕事(生活)―がまじめだ/慣れた客のあしらい―/目ざましい回復―/彼の無軌道―にはあきれる/万葉―の歌/大―の茶わん」❷〔個数を表わす語に付いて〕それだけの分に相当する大きさや量があることを表わす。「普通の漁師の五軒―もある家/赤子の顔一つ―の大きなお握り/あいつの腕の五本―おれの腕はある」❸〔時間を表わす語に付いて〕(期待される)その事態が実現するまでに、予測される以上のそれだけの時間が経過することを表わす。「一か月―の降雨/卒業後三十年―に再会した/一時間半―に救出された/実に半年―の帰宅だ」〔❸は経過した時間の起点を表わす語につけるのは誤り。「いつぶりでしたか」のように時間の起点を表わす語につき、「いつぶりでしたか」〕

ぶり[1]【〈鰤】陸地に近い海でとれる魚。形はマグロに似て、腹に黄色の筋があり、長さは一メートルに及ぶ。食用。幼魚は、成長に従い、イナダ・ワラサなどと名が変わる。〔アジ科〕「寒(カン)―」⇩出世魚 [かぞえ方] 一尾・一匹・一本

ふりあい[0]―アヒ【振(り)合(い)】〔他がどうなっているという△比較(関係)から見た〕そのものに許される、程よい扱い方。「他との―もあることだから、ちっとは遠慮してくれないか?」

ふりあ・う[3]―アフ【振(り)合う】(自五)❶互いに振る。「手を振り合って別れる」❷〔もと、「触り合う」の意〕触れ合う。「袖(ソデ)―も多生の縁(=⇩袖)」

ふりあお・ぐ[4]―アフグ【振(り)仰ぐ】(他五)高い所にあるものを見るために(体をそらすようにして)顔を上方に向ける。「振り仰いで見る富士山」

ふりあ・げる[4]【振(り)上げる】(他下一)〔手(に持ったり握ったりしたもの)を〕勢いよく高く上げる。「こぶしを―」

ふりあて[0]【振(り)当(て)】割り当てること。[動]振り当てる[4](他下一)

ふりあらい[3]―アラヒ【振(り)洗い】―する(他サ)❶洗剤溶液の中で布を振り動かして洗う方法。❷食品を入れたざるを流水中で振りながら洗う方法。

フリー[2]―な〔free〕❶束縛・制約が無い△こと(様子)。自由。❷料金を払わなくてすむ△こと(様子)。無料。❸フリーランサーの略。

フリーウェア[4]〔和製英語←freeware〕作者名を明記すれば、期間を限定せず、無料で利用出来る方式のソフトウェア。フリーウエア[5]とも。⇩シェアウェア

フリーウエー[5]〔freeway〕高速道路の一つ。交差点も踏切もない、無料の自動車専用道路。

フリー エージェント[4]〔free agent〕〔プロ野球で〕いかなる拘束もなく、どの球団とも自由に契約できる資格を有する選手。エフエー(FA)選手。 **―せい**[0]【―制】〔プロ野球で〕同じ球団に一定期間在籍した選手が、自由に希望する球団に移籍できる権利を持つ制度。エフエー(FA)制。

フリー キック[4]〔free kick〕〔サッカー・ラグビーで〕相手が反則した時、その場所から妨害無しにボールをける(チャンスが与えられる)こと。

フリーザー[2]〔freezer〕冷やしたり 凍らせたりする装置。冷凍器。〔アイスクリームなどを作る〕[かぞえ方] 一本

フリー サイズ[4]〔和製英語←free＋size〕〔衣服について〕からだの どんな大きさにも合わせ得ること。「―△ストッキング(ベルト)」

フリージア[2]〔freesia=もと、人名〕切り花にする多年草。早春、薄黄色・白色などの かおりの高い筒形の花を一列に並べてつける。〔アヤメ科〕[かぞえ方] 一本

フリース[2][0]〔fleece=刈り取った羊毛〕起毛させて柔らかくけばだたせたポリエステル製の織物。また、その織物製品。軽くて、保温性に優れる。

フリーズ ―する(自他サ)〔freeze〕❶[2]冷凍すること。「―ドライ」❷[2]〔物価・賃金などを〕凍結すること。❸[0]〔コンピューターなどが〕突然操作不能な状態になること。ハングアップ。 **―ドライ**[6]〔freeze-drying の日本語形〕超低温で凍結させた食品などから、真空に近い状態で水分を昇華させて除く方法。凍結乾燥。冷凍乾燥[5]。

フリー スタイル[5]〔free style〕〔水泳・レスリングなどの〕自由形。

フリー スロー[5][4]〔free throw〕〔バスケットボール・水球などで〕敵の反則があった場合、所定の位置から妨害無しにゴールにボールを投げ入れる(チャンスが与えられる)こと。

フリーター[0]〔和製洋語 ←英 free＋ド Arbeiter〕〔フリーとアルバイターの混交〕自分の好きなときに好きな仕事だけをするという形のアルバイター。

ブリーダー[0][2]〔breeder〕❶家畜や植物の交配・繁殖・

育種を職業とする人。❷ブリーダー リアクターの略。⇩増殖炉

フリーダイヤル④〔和製英語 ←free＋dial〕電話料金の支払いは受信者側がする方法の電話。発信者は無料でかけられる。無料電話。

ブリーチ②━する(他サ)〔bleach=漂白〕❶(毛髪などを)脱色すること。❷漂白剤で、衣服(のしみ)などの脱色をすること。

プリーツ②〔pleats〕洋服につける、折りたたんだひだ。「―の入ったズボン/―スカート⑥」かぞえ方 一本

フリートーキング④〔和製英語 ←free＋talking〕〔会議などで特に議題を決めないで〕自由に話し合う形式。

フリートーク④━する(他サ)〔和製英語 ←free＋talk〕事前に話の内容や進行のさせ方について定めずに自由に思っていることなどを述べること。また、そのような形式の討議。フリートーキングとも。

フリーパス④〔free pass〕無料の△乗車券(入場券)。〔俗に、無条件で試験などに合格する意にも用いられる〕

フリーバッティング④〔和製英語 ←free＋batting〕〔野球で〕任意にする打撃練習。

フリーハンド④ ❶〔freehand〕図形・見取図・衣服のデザインなどを、定規やコンパスを用いずに描くこと。❷〔free hand〕自分の裁量で自由に行動出来る余地のあること。「最後まで―を残しておく」

ブリーフ②〔briefs の日本語形〕からだにぴったり合った短い下ばき。〔主として男性用のものを指す〕かぞえ方 一枚

ブリーフィング⓪〔briefing〕概略や背景についての説明。〔おもに、政府関係者などが行なうものを指す〕

ブリーフケース⑤〔briefcase〕書類などを入れて持ち運ぶ薄めで角型のかばん。

フリーマーケット④〔flea market, flea=蚤〕〔常設の特定の業者のマーケットと違って〕適宜設けられた場所で、だれでも、また、どんなものでも売り買い出来る市。パリの「蚤の市」などが始まり。

フリーメーソン④〔Freemason〕世界主義の秘密結社(の会員)。

フリーランサー④〔free-lancer〕一定の会社・組織などに属していない、自由契約の人。専属でないジャーナリスト・俳優・歌手など。略してフリー。「―のカメラマン」

フリーランス④②〔free lance〕専属でないこと。自由契約。⇩フリーランサー

ふりうごか・す⑤【振(り)動かす】(他五)「振る❶」の強調形。

ふりうり⓪【振(り)売(り)】商品をかつぎ、声を出して売って歩く△こと(人)。振れ売り。

ふりえき②【不利益】━な 利益にならない△こと(様子)。「―を与える」

ブリオッシュ③〔フ brioche〕卵・バター・牛乳をたくさん使って作る、軽く、ふくらんだ小形パン。ブリオーシュ③・ブリオシュ③とも。

ふりおと・す④【振(り)落(と)す】(他五) 激しく振動したり急に向きを変えたりして、その上にのっているものを落とす。「突風にあおられてリフトから振り落とされる」

ふりおろ・す④【振(り)下(ろ)す】(他五) いったん振り上げた上で、反動をつけて勢いよくおろす。「△旗(刀)を―」

プリオン①〔prion〕BSE〔=俗に狂牛病〕や「クロイツフェルトヤコブ病」などの病原体と考えられる感染性の変質したたんぱく質。

ふりかえ【振替】━⓪ ❶臨時に、他の物と取り替えること。❷帳簿上の付け替えによって支払いを行なうこと。❸「郵便振替」の略。━(造語) 動詞「振り替える」の連用形。「―乗車券・―休日・―輸送」 **―こうざ**⑤【―口座】〔もと、郵便振替口座⑨〕ゆうちょ銀行の決済専用の口座。

ぶりかえ・す③⓪【《振(り)返す】(自五)〔一時よくなっていた病気・天候・問題などが〕また悪い状態になる。名 ぶり返し⓪

ふりか・える③④⓪【振(り)替える】(他下一) ❶臨時に△ほかへ移す(他のものを使う)。「定期預金に―/月曜日を休日に―」❷「振替━❷」をする。〔⇩振替━〕

***ふりかえ・る**③【振(り)返る】(他五) ❶〈(どこヲ)―〉振り向く。「思わず―」❷〈なに・どこヲ―〉過ぎて来た跡を思い出してみる。「△過去(来し方・歴史)を―」

ふりかか・る④【降(り)懸(か)る】(自五) ❶〔雨や粉などが〕降って来て、からだにかかる。「―火の粉」❷〔憂慮すべき事態が〕その人の身に及ぶ。「災難が(身に)―」

ふりかけ⓪【振(り)掛(け)】〔動詞「振り掛ける」の連用形の名詞用法〕それを掛ければ、おかずなしでも御飯が食べられるように考案した加工食品。魚・のりなどを粉にしたもの。かぞえ方 小売の単位は一瓶・一袋

ふりか・ける④【振(り)掛ける】(他下一)〔粉などを〕上から振るようにして掛ける。「塩とこしょうを―/御飯にごまを―/香水を―」

ふりかざ・す④【振(り)〈翳す】(他五)〔刀などを〕頭の上に振り上げる。〔主義・主張などを勢いよく掲げる意にも用いられる。例、「△権限(原則)を―」〕

ふりかた⓪【振(り)方】物を振り動かすしかた。「バットの―/身の―〔=社会人としてどういう生き方をするかということ〕を考える」

フリカッセ③〔フ fricassée〕ホワイト ソースで仕上げたシチュー。

ふりがな③⓪【振(り)仮名】その漢字の読み方を示すために、わきにつける仮名。ルビ。表記 ⇩付表「仮名」

ふりかぶ・る④【振りかぶる】(自五)〔刀などを〕頭の上に高く振り上げて打ちおろそうとする。「大上段に―」

ブリキ⓪【〈鉱力・〈鉱】〔オ blik〕薄い鉄板に錫をメッキしたもの。「ブリキ板④③」とも。表記「〈鉱力」は、借字。「〈鉱」は、国字。

ふりき・る③【振(り)切る】(他五) ❶振り放す。「振り切って逃げる」❷人が引き止めるのをきっぱりと断わる。❸追いつこうとする者を、ついに追いつかせないで、競争に勝つ。「急追を―」

ふりぐせ⓪【降(り)癖】何かがあるたびに雨が降ること。

ふりくら・す④【降(り)暮(ら)す】(自五)〔雨・雪が〕一日じゅう降り続く。

フリゲートかん⓪【フリゲート艦】〔frigate〕簡単な武装をした、小型の軍艦。かぞえ方 一艘・一隻

ふりこ⓪【振(り)子】一定の△軸(点)を中心として一定の周期で振れ動く物体。「フーコーの―/倒立―⑤」かぞえ方 一本 **―どけい**④【―《時計】振り子によって針の動きを調節する仕掛けの時計。「ふりどけい」とも。表記 ⇩付表「時計」

ふりこう②【不履行】約束などを履行しないこと。「契約―⑥」

ふりごと⓪【振(り)事】⇩所作事

ふりこぼ・れる⑤⓪【降り《零れる】(自下一) ❶キンモクセイやクチナシなどの甘美な花のかおりが△そばを通る(少し離れた)人の所まで漂って来て、季節を感じさせる。❷穏やかな春・秋の陽光が降り注いで、人を和ませる。

***ふりこ・む**③【振(り)込む】(他五)〈どこ ニ なにヲ―〉 振替口

座などに金を払い込む。[名]振り込み⓪

ふりこ・む③⓪【降(り)込む】(自五)〔風などのために〕雨・雪などがすきまから家の中へ入る。

ふりこめ さぎ⑤【振(り)込め詐欺】特殊詐欺の一種。相手の身内についての架空のトラブルを仕立て上げ、それを名目にして、指定した銀行口座に多額の金を振り込ませる詐欺。⇩俺おれ詐欺

ふりこ・める④⓪【降(り)籠める】(自下一) 外出が出来ないほど、雨や雪が強く降る。〔おもに受身の形で使う〕「一日中降りこめられた」

ブリザード③〔blizzard〕 △南極(北極)地方に吹く、雪を伴うあらし。雪あらし③。

ふりさけ・みる⑤【振(り)《放(け)》見る】(他上一)〔雅〕仰いで遠くを見る。「天の原振りさけ見れば」

ふりしき・る④⓪【降(り)《頻る》】(自五) 続けて盛んに降る。「—雨の中」

ふりし・く③⓪【降(り)敷く】(自四)〔雅〕〔雪が〕降って地面をおおう。

ふりしぼ・る④【振(り)絞る】(他五) 持っている限りを、精一杯出す。「△最後の力(全知全能・かすれた声)を—」

ふりす・てる④【振(り)捨てる】(他下一) ひかれがちな心を払い△のける(のけて、見捨てる)。

フリスビー②〔Frisbee=商標名〕 直径二〇センチ強のプラスチック製の円盤を投げ合い、その投げ方や受け方を競う遊び。また、それに使用する円盤。フライング ディスク⑥とも。

プリズム⓪②〔prism〕 光の屈折・分散などに使う、ガラスなどの三角柱。三稜(サンリョウ)鏡⓪。分光器③。

ふりそそ・ぐ④⓪【降(り)注ぐ】(自五) 続けざまに強く降る。「△日光(火の粉・非難の声)が—」

ふりそで⓪【振(り)袖】〔未婚の女性が着る晴れ着の〕長い袖(の和服)。[かぞえ方]一枚

ぶりだいり③【部理代理】〔法律で〕〔「部理」は、一部分の処理の意〕一部分の代理。

ふりだし⓪【振(り)出(し)】❶(すごろく・就職などの)出発点。「捜査は—に戻る/本屋の店員を—に転々と職を変えた」❷〔取引で〕為替・手形・小切手を発行すること。「—人(ニン)⓪・—局④」❸浸剤(シンザイ)。

ふりだ・す③【振(り)出す】(他五) ❶容器を振って出す。「さいころを—」❷⇩振る❻ ❸漢方薬を煎(セン)じ出す。

ふりた・てる④【振(り)立てる】(他下一) ❶勢いよく立てる。「カニがはさみを—」❷激しく振(って、立ったようにす)る。「頭を振り立てて踊る/髪を—」❸音や声を強く出す。「大声を—」

ふりつ①【府立】 府が設立・管理・運営すること。「—高校④・—病院④」

ふりつけ⓪【振(り)付(け)】 舞台での役に合うしぐさを考えて教える△こと(人)。「—師④」[動]振り付ける④(他下一)

ぶりっこ②⓪【ぶりっ子】〔「いい子ぶる子」の意からか〕いかにもかわいくて素直な子であるかのようにふるまう△こと(人)の俗称。〔特に、若い女性に言う〕「—する〔=よそおう〕」

ブリッジ②〔bridge=橋〕 ❶艦船の上甲板の上に設けた、見張りや指揮のための場所。艦橋。船橋。❷〔←over bridge〕跨線橋(コセンキョウ)。陸橋。❸眼鏡の、鼻にかかる部分。「ハイ—④」❹両隣の歯を利用して固定させる入れ歯の方式。❺トランプの遊び方の一つ。

フリッター②〔fritter〕 かるい衣でふっくり揚げた、洋風てんぷら。

ふりつづみ③【振(り)鼓】 まわりに小さな玉のついた糸をつけ、振ってうち鳴らす鼓。

ふりつの・る④⓪【降(り)募る】(自五) △雨(雪)が一段と激しさをまして降る。

フリップ①②〔←flip chart. flip=ページなどをめくる〕 テレビ番組の中などで説明に用いる、図表やグラフなどを書いた大型のカード。フリップ カード⑤とも。

ふりつも・る④【降(り)積(も)る】(自五) 雪や火山灰などが降り続いて積もる。降り積む③⓪(五)。

ふりどけい③【振(り)《時計》】⇩振り子時計

ふりはな・す④【振(り)放す】(他五)〔しがみついて△いる(来る)ものを〕(からだを)振って、離れさせる。

ふりはば⓪【振(り)幅】 ❶〔物理で〕振り子などの振動の幅。振幅(シンプク)。❷ものを振り回すときの端から端までの幅。「ゴルフのスイングの—」❸選択肢の幅や多様性の度合。「コーディネートの—」

ふりはら・う④(ハラフ)【振(り)払う】(他五)〔まといついてなかなか離れそうにないものを〕からだを振ったりなど、手段を尽くして離そうとする。「△差し出された手(指・水滴)を—/△重い気分(圧力・うっとうしさ・眠気)を—」

ぶりぶり①(副)—と・—する ⇩ぷりぷり[二]❶

ぷりぷり [一]①(副)—と・—する ❶中身の充実をうかがわせるように引き締まっていて、弾力が感じられる様子。「—した、生きのいい魚/—(と)したお尻(シリ)」❷腹立たしい気持を抑えかねていることが言動や態度からうかがえる様子。ぶりぶり。「その場は母の取りなしでおさまったが、父はなお—していた」[二]⓪—な・—に「ぷりぷり[一]❶」に同じ。「ゆでたてのエビが—だ」

プリペイド カード⑥〔prepaid card〕 代金前払い方式のカード。電話や自動販売機などで、現金代りに使える。

ふりほど・く④【振(り)《解く》】(他五)〔からだを〕振り動かして、解き放す。「縄を—」

プリマ①〔イ prima〕 主役(の)。「—ドンナ・—バレリーナ」

ふりま・く③【振(り)〈撒く〉】(他五) ❶あたり一面にまき散らす。❷相手の気を引くような内容を、安売りでもするようにちらつかせる。「△幻想(バラ色の夢)を—/あいきょうを—〔=あいきょうのある顔を、やたらにして見せる〕」

プリマ ドンナ④〔イ prima donna〕 ❶歌劇の主役をする女性歌手。❷花形の女性。

ふりまわ・す④(マハス)【振(り)回す・振(り)〈廻す〉】(他五) ❶〔刀・ステッキなどを〕大きな円を描くようにして動かす。❷必要以上に人前に示すことにより、自己の力を誇示する。「△権力(肩書き)を—/身につかない新知識を—〔=ひけらかす〕」❸〔「振り回される」の形で〕いいように△動かされる(翻弄(ホンロウ)される)ことを表わす。「彼女の気まぐれに振り回される/台風に振り回されて旅行のスケジュールが狂う」

ふりみだ・す④【振(り)乱す】(他五) 激しい動きで、髪の毛などをばらばらに乱す。

プリミティブ②—な・—に〔primitive〕 原始的。素朴。「—〔=幼稚〕な質問」

ふりみ ふらずみ①-②、⓪-⓪、②-⓪【降りみ降らずみ】 降ったり降らなかったり。「—の天気」

ふりむ・く③【振(り)向く】(他五) からだ(の上の部分)を動かして、後ろを見る。「これという女性には振り向いて〔=関心をもって〕もらえない」

ふりむ・ける④【振(り)向ける】(他下一) ❶後ろを向かせる。振り向かせる。「頭を—」❷他へ回して用立てる。「予算を—」

プリムラ②〔primula〕 春、黄色や紅紫色の花を開く多年草。観賞用。西洋種のサクラソウ。〔サクラソウ科〕[かぞえ方]一本

ぶりゃく①⓪【武略】 軍事上のかけひき。

ふりや・む③⓪【降(り)《止む》】(自五) 降っていた△雨(雪な

ど)がやむ。

ふりゅう⓪【浮流】―する(自サ) 浮かびながら流れること。「―物ブツ②・―機雷④」

ふりゅうもんじ④【不立文字】〔禅宗で〕悟りの内容は文字・言語では伝えられず、師の心から弟子の心へ直接伝えられるものだということ。

ふりょ①【不慮】〔思いがけない意〕とんでもない不幸がその身に降りかかること。「―の災難/―の死を招く」

ふりょ①【〈俘虜】「捕虜」の意のやや古風な表現。「―収容所①-⑤、①-⓪」

ふりょう⓪【不良】―な ❶△質(状態)がよくない様子だ。「―品⓪・―債権④・成績―・発育―」↔良好 ❷〔勉強や本務に身を入れず〕悪い遊びや行動に時間をつぶす△こと(人)。「―になる/―を働く/―少年」

ふりょう⓪【不漁】魚の獲物が少ないこと。↔大漁 ▬【不猟】鳥や獣の獲物が少ないこと。↔大猟

ぶりょう⓪【無〈聊】―な ―に 何もすることが無くて、時間をもて余す△状態(様子)。「むりょう」とも。「―〔=退屈〕に苦しむ」 派―さ⓪

ふりょうけん②【不料《簡・不了見》】―な △あさはかな(まちがった)考えである△こと(様子)。

ぶりょうとうげん①-⓪、④【武陵桃源】〔陶淵明エンメイの文に基づく語〕世間の移り変りとはかけ離れた、平和な別天地。桃源郷。

ふりょうどうたい④⓪【不良導体】不導体。⇩絶縁体

ふりょく①【浮力】❶〔物が自分で〕浮かぶ力。❷流体の中などにある物をまわりから押し上げる、流体の圧力。「―をつけて空へ上がる」⇩揚力

ふりょく①【富力】❶〔国家の〕生産力と物資の力。❷〔個人の〕財力。

ぶりょく①【武力】軍隊・武器により相手を屈服させる力。兵力。「―に訴える/―を行使する/―衝突が起こる」

ブリリアント②〔brilliant〕❶―な ―に 見事に光り輝く様子だ。「―な才能」 ❷ダイヤモンドのカットの一種。光がすべての方向に反射するように、通常五十八面体にしてある。「―カット⑦」

フリル①〔frill〕レースや布きれで ひだをとって波形にした飾り。〔婦人服や子供服の〕襟・そで口などにつける。

プリレコ⓪〔←prerecording〕声や音だけを先に録音し、あとで画面を撮影すること。プレレコとも。先録ドり。↔アフレコ

ふりわけ【振(り)分け】▬⓪ 二つに振り分けた荷物。「―にしてかつぐ」 ▬(造語) 動詞「振り分ける」の連用形。 ―がみ④【―髪】昔の子供の髪型の一つ。左右へ分けて垂らしたもの。放ち髪③。

ふりわ・ける④【振(り)分ける】(他下一) ❶全体を、ほぼ半分に分ける。❷分配する。〔⇩振分け▬〕

ふりん⓪【不倫】―な 人倫に反すること。また、その様子。特に、既婚者が別の相手と肉体関係を結ぶ△こと(様子)。「―の恋/―な関係/―の相手」

プリン① プディングの変化。

プリンシパル②〔principal=主要な〕バレエ団のトップダンサー。

プリンシプル②〔principle〕原理。原則。信条。

プリンス②〔prince〕↔プリンセス ❶王子。❷皇太子。 ―メロン⑤〔和製英語 ←prince+melon〕⇩メロン

プリンセス②〔princess〕↔プリンス ❶王女。❷王子・皇太子のきさき。

プリンター⓪〔printer〕印刷機。〔狭義では、コンピューターやワード プロセッサーの出力装置としての印字装置を指す。例、「ライン―⑤〔=一行を一度に印字する高速印字装置。行印字装置〕・ドット―」〕

プリンたい⓪【プリン体】〔←purine base=プリン塩基〕細胞中に含まれる核酸を構成する塩基の一つ。この代謝産物の尿酸は痛風を起こす原因とされる。「―ゼロのアルコール飲料」

プリント⓪―する(他サ)〔print〕❶(謄写版による)印刷(物)。「―屋⓪」 ❷型紙を当てて模様を染め△つけること(つけた物)。捺染ナッセン。「―服地⑥⑤」 ❸陰画を焼きつけて陽画にすること。また、その物。 ―アウト⑤―する(他サ)〔print-out〕コンピューターやワード プロセッサーのプリンターで印刷すること。また、その印刷物。プリンタウト④とも。 ―はいせん⑤【―配線】電気の良導体を絶縁体の基板に印刷する手法により、配線すること。また、その配線。 ―ばん⓪【―盤】〔テレビ・ラジオなどの電子機器において〕部品を装着するための、回路が配線された基盤。銅の箔ハクなどによる線が、印刷されたように配線してある。

ぷりんぷりん②(副)―する 「ぷりぷり」の強調表現。

**ふ・る⓪【振る】(他五) ❶〈なにヲ―〉〔物の先を、軸を中心に〕ある幅をもって幾度か速く動かす。「△手(首・旗)を―/面テオモも振らず〔=左右を見ないで〕/バットを―/オーケストラを―〔=指揮する〕/大手デオを振って〔=⇩大手〕」 ❷〈なに・どこニ)なにヲ―〉〔手に握った物を〕弾みをつけて△ほうり投げる(ばらまく)ように落とす。「さいころを―/焼く前に魚に塩を―〔=ふりかける〕」 ❸〈なにヲ―〉〔手中△の(に入るはずであった)物の〕所有権をやむなく捨てる。「大臣の地位を―/客を―〔=断わる〕/女に振られる/百万円を棒に―〔=ⓐむだにする。ⓑ手に入れそこなう〕/試験を―〔=受験をやめる〕」⇩振られる ❹〈(なに・だれ二)なにヲ―〉ある位置を割り当てる。「役を―/番号を―〔=付ける〕/かなを―〔=漢字のわきに添える〕/〔落語で〕枕マクラを―〔=⇩枕❷〕」 ❺〈どこニなにヲ―〉向きをある方角に変える。「台風が進路を北に―/船首を右に振って暗礁アンショウを避ける」 ❻〈だれニなにヲ―〉為替・手形・小切手を発行する。

【脇目も振らず】⇩脇目❶

**ふ・る①【降る】(自五)〈(どこニ)―〉〔自然現象として〕空から雨・雪・霰アラレなどが落ちて来る。「火山灰が降って来る/(今夜は)星が―ようだ〔=降ってくるのではないかと思われるほど、無数の星が輝いて見える〕」【降って湧ワいた】全く予期しない何かが急に身のまわりに起こった。「―災難/―ような話〔=思わぬ△迷惑な(幸運な)話〕」

フル①〔full〕限度に達していることを表わす。「―に〔=限度一杯〕使う/―回転・―エントリー」

ふる【古・《旧】▬① ⇩おふる ▬(造語) ❶入手したり使用し始めたりしてから時間がだいぶたった(物)。「―新聞③・―たくあん④・―綿ワタ・―中ブル」 ❷年をとって、経験を積んだ。「―兵ツワモノ」 ❸以前はその状態にあった(ことが認められる)。「―傷・―巣」

ぶ・る▬①(自五) 誇るべきものを持っているという様子を人に見せつける。「―人ってきらいです」 ▬【《振る】(造語・五型) そういう素質を持っていることを人に見せつけるようにふるまう。「えら―・高尚―⑤・学者―④」

ブル① ❶ブルジョアの略。❷ブルドッグの略。

**ふる・い②【古い・《旧い】(形)↔新しい ❶何かが△行なわれて(始まって)から、(長い)時間がたった状態だ。「歴史が―/古くて新しい問題/―〔=昔の〕話だ/―〔=昔(から)の〕友人/―〔=長い間使って来た〕机」 ❷そのままの状態で(長い)時間がたって、新鮮味に欠ける様子だ。「―しきたり/―殻を破る/―△テレビ(洋服)/頭が―〔=時代おくれ

** * は重要語, ⓪ ①… はアクセント記号, 品詞の指示の無いものは名詞および いわゆる連語。

だ〕/その手は―〔=今までと同じ手段で、ありきたりだ〕」 派―さ①

ふるい⓪【震い】❶震え。❷間歇(カンケツ)熱〔=マラリア性の熱病〕が起こること。おこり(瘧)。

ふるい⓪【〈篩】〔動詞「篩う」の連用形の名詞用法〕中に入れた粉・砂などを振り動かして、細かい物と粗い物とを仕分ける道具。曲物(マゲモノ)などの底に網を張ったもの。「―にかける〔=いい物だけを選び出す〕」

ぶるい⓪【部類】種類によって分けること。また、そうして分けられたグループ。「―分け⓪」

ふるい おこ・す⑤【奮(い)起(こ)す】(他五)〔自ら〕刺激を与えて、気合が充実するようにする。「△勇気(気力)を―」

ふるい おと・す⑤【〈篩(い)落(と)す】(他五)❶篩にかけて落とす。❷試験などをして、成績の悪い者を除く。

ふるい た・つ④【奮(い)《起つ・奮(い)立つ】(自五)〔何かをしようと〕大いに気合が充実する。「心が―/沈む気持を奮いたたせる」

ふるい つ・く④【震(い)付く】(自五)〔感情がたかぶって〕激しい勢いで抱きつく。「ふるいつきたいほどの美人」

ふるい わ・ける⑤【〈篩(い)分ける】(他下一)❶篩にかけて、大きさの違いなどでより分ける。❷多くのものの中から、条件や基準に合うものを選別する。名篩い分け⓪

ふる・う⓪【震う】(自五)震える。

***ふる・う**⓪ ■【奮う】(自五)〔(気)力が〕充実△する〔して、外に現われる〕。「士気大いに―/商売が奮わない〔=繁盛しない〕/成績が奮わない〔=かんばしくない〕/奮って〔=張り切って。どんどん〕参加せよ」 ■【振(る)う】(他五)❶〈なにヲ―〉振り動かす。「△刀(木刀・角材)を―/筆を―〔=(人のために)△字(文章)を書く〕/大なたを―〔=⇩大なた〕/メスを―〔=十分な△腕前で(自信をもって)メスを入れる〕」 ❷〈なにヲ―〉〔振り動かすようにして〕中にある物を出す。「財布の底を振るって〔=あり金を全部はたいて〕/蛮勇を―〔=無い力を、精一杯出す〕」 ❸〈(だれ・なにニ)なにヲ―〉発揮する。「△力(勢力・熱弁)を―/猛威を―〔=強い勢いで、何かを脅かす〕/腕を―〔=⇩腕〕」 表記 ■の「腕」以外は「奮う」、筆・腕の場合は、「《揮う」とも書く。

ふる・う⓪【〈篩う】(他五) 篩(フルイ)にかけたりして、不要のものを除く。〔選抜試験などで、成績の悪い者を除く意にも用いられる〕

ぶる・う②(自五)〔「ぶるぶる」の「ぶる」の動詞化〕「ぶるぶる震える」意の口頭語的表現。「いざ人の前に立つと緊張してぶるっちゃう」

ブルー②〔blue〕❶〔晴れた空などの〕青い色。「コバルト―・ダーク―⑤・インジゴ―⑥・スカイ―」 ❷―な 気分が沈みがちになる様子だ。「難問をかかえ―な気分に陥る/―マンデー・マリッジ―」

ブルーカラー④〔←blue-collar worker〕肉体労働者。↕ホワイト カラー

ブルーシート④〔blue sheet〕合成樹脂でできた青色(など)のシート。野外での敷物や、工事現場・災害時などの雨よけ・おおいに使う。かぞえ方 一枚・一張(ヒトハリ)

ブルース②〔blues の日本語形〕〔アメリカの黒人の音楽から始まった〕もの悲しい感じの四分の四拍子の楽曲。

ブルーストッキング⑤〔blue stocking〕「女流文学者」の異称。⇩青鞜(セイトウ)派

フルーツ②〔fruits〕〔食膳(ショクゼン)に供せられる〕果物。「―ケーキ⑤・パッション―」 ―パーラー⑤〔和製英語 ←fruit + parlour〕果物店を兼ねた喫茶店。 ―ポンチ⑤〔fruits punch の日本語形〕数種の果物を小さく切ってシロップなどをかけたもの。

フルーティー②―な〔fruity〕果物の(ような)風味をそなえている様子だ。「このワインは―な味がする/―な芳香」

フルート②〔flute〕管楽器の一つ。△木(金属)で作った横笛。フリュート②とも。かぞえ方 一本

プルートー②〔Pluto〕❶〔ローマ神話で〕冥界(メイカイ)の王。❷冥王星。プルート②とも。

ブルートレイン⑤〔和製英語 ←blue + trains〕JRの、東京と九州方面・北海道方面などを結んだ長距離寝台特急列車。車体の色がブルーであることから付けられた愛称。ブルトレ⓪とも。二〇一五年廃止。

ブルーフィルム④〔blue film〕秘密のルートで見せる わいせつ映画。

ブルーブック④〔blue book〕❶(イギリスの)議会の報告書。青書(セイショ)。❷米国の職員録。

ブルーブラック⑤〔blue black〕濃いブルー。

ブルーベリー④〔blueberry〕果樹として栽培される落葉低木。北アメリカ原産。実は夏から秋にかけて熟し、濃い青から黒色になる。酸味があり、生食のほか、ジャム・洋菓子などに利用する。〔ツツジ科〕

フルーレ②〔フ fleuret〕フェンシングの種目の一つ。頭・手足を除く胴体を突く。また、その種目に用いる剣。⇩エペ・サーブル

ブルーレイ④②〔←Blu-ray Disc=商標名〕DVDより容量の大きい光ディスク。青紫色のレーザーを使用する。「―レコーダー⑦」

プルーン②〔prune〕西洋スモモの一種。また、その実を乾燥させた食品。

ふるえ【震え】■⓪〔寒さ・恐れ・高熱などのために〕からだが震えること。■〔造語〕動詞「震える」の連用形。「―声(ゴエ)④」 ―あが・る⑤【―上(が)る】(自五)〔寒さ・恐れなどのために〕ひどく震える。「脅かして震え上がらせる〔=ひどい恐怖に陥らせる〕」

***ふる・える**⓪【震える】(自下一)❶細かく揺れ動く。❷〈(なにニ)―〉〔寒さ・恐ろしさ・病気などのために〕からだの一部が、小刻みに揺れる。「声が―〔=揺れて聞こえる〕」〔⇩震え■〕

プルオーバー③〔pullover〕頭からかぶって着るセーター・シャツ。プルオーバ③とも。

ふる がお⓪【古顔】〔その職場などに〕古くから居る人。古参。↕新顔

ふる かね⓪【古《鉄】金属器具の使い古したもの。

ふる かぶ⓪【古株】❶古くなった、木や草の株。❷〔実力のありそうな〕古顔。

ふる かわ②【古川・古河】❶もと、川の流れていた跡。❷岸がくずれたり流れが細くなったりした川。「―に水絶えず〔=歴史が古く基礎のしっかりしたものは、衰えたようでも、他に負けないところがあるものだ〕」

ふる ぎ⓪【古着】着て古くなった衣服。「―屋⓪」

ふる きず⓪②【古傷・古《創・古〈疵】❶(今もあとが残っている)以前受けた傷。↕生(ナマ)傷 ❷ずっと前に犯した罪やあやまち。旧悪。〔人に触れられるのも、自分で思い出すのもいやな前歴の意にも用いられる〕「―に触れられたくない」

ふる ぎつね③【古〈狐】❶年をとったキツネ。❷老獪(ロウカイ)な人。

ふるく①【古く】(副) その事柄(の発端)が、ずっと△以前(昔)にさかのぼりうるものだと判断される△こと(様子)。〔名詞としても用いられる〕「文字の起源は、―紀元前にさかのぼることができる/―からのしきたりを守る」

ふる くさ・い④【古臭い】(形) ひどく古くて、その時代の

感覚に合わなくなっているととらえられる様子だ。「―茶簞笥(チャダンス)/―考え」[派]―さ[3]

フル コース[3]〔full course〕〔西洋料理で〕オードブルから始まってデザートに至るまで、略さずに出す正式の食事。

フルサービス キャリア[7]〔full-service carrier〕従来行なわれてきた一通りのサービスを提供する航空会社。略称、エフエスシー(FSC)。↔ローコスト キャリア

プル サーマル[3]〔和製英語 ←plu(tonium) + thermal『=熱の』+ use〕〔原子力発電で〕使用済み核燃料を再処理して取り出したプルトニウムを、ウランと交ぜて軽水炉で燃やす方式。

ふる さと[2]【《故《郷・古里・《故里】その人が生まれ育ったり 短からぬ歳月住んでいたことがあったりする土地。〔狭義では、精神形成期に親・同胞と共に住んだ土地を指す〕「―の山、―の河/―の味〔=ⓐ郷土料理。ⓑ幼時に家庭で食べた何でもない料理の味〕/心の―〔=それに接すれば、心の安らぎが得られる△所(もの)。例、古都・古社寺や特定の音楽・詩歌など〕/万葉の―〔=故地〕/陶芸の―〔=ゆかりの深い、中枢的な土地〕/―意識[5]」 **―のうぜい**[5]【―納税】生まれ育ったふるさとや応援したい自治体に寄付をした金額が、所得税や住民税から控除される制度。[表記]「ふるさと納税」と書く。

ふるし【古し・《旧し】(造語) 使用期間が長くなり、傷みがみられる△こと(もの)。「使い―・着―」

ブルジョア[0]〔フ bourgeois〕❶資本家。金持。ブルジョワ[0]とも。↔プロレタリア ❷〔ブルジョア革命で〕新興の市民階級。 **―かくめい**[5]【―革命】封建社会を民主主義社会にするために、貴族と下層人民の中間の市民階級が指導して行なう社会革命。例、フランス革命。

ブルジョアジー[4][3]〔フ bourgeoisie〕有産階級。資本家階級。↔プロレタリアート

ふる・す【古す・《旧す】(造語・五型) △昔(前)から…して、もう古くなった状態だ。「言い―・着―」

ふるす[0]【古巣】❶もとの巣。❷自分が以前△住んで(仕事をして)いたことのある所。「―に戻る」

プルス[1]〔ド Puls〕「脈」の医学用語。

フル スピード[4]〔full speed〕出せるだけのスピード。全速力。

ブルゾン[1][0]〔フ blouson〕裾(スソ)をしぼって身頃(ミゴロ)にふくらみをもたせた(カジュアルな)上着。

フル タイム[3][1]〔full time〕一定の時間帯の始めから終りまで。「―サービス[6]」↔パート タイム

ふる だぬき[3]【古〈狸】年をとったタヌキ。〔経験を積んで、ずるがしこい(男の)人の意にも用いられる〕

プル タブ[0][3]〔←pull the tab=そのつまみを引けの意〕缶ビールや缶ジュースの飲み口の指をかけて引いてあけるつまみの部分。このつまみが容器本体から離れない形式のものがステイオン タブ[6](←stay-on the tab)。

ふるち[0][2]【古血】新鮮でない血。〔病毒などでけがれた血や、出血後 時間がたって色の変わった血を指す〕

ふるちん[0]「男が陰部に何もおおっていない状態」の意の俗語的表現。ふりちん[0]。〔古くは「ふりまら[0]」〕

ふるづけ[0]【古漬(け)】長い間漬けてある漬物。↔新漬

ふるって いる【奮っている】風変わりな点があって、意表をついたおもしろさが感じられる様子。「ふるってる」とも。「仮病を使って欠勤していたことがばれて、『自宅研修をしておりました』とは―よ」⇨ふるう[二] [表記]「振るっている」とも書く。

ふるつわもの[0][4]【古《兵】❶実戦の経験が豊富で、かけひきに長じた武士。❷その方面での事情に通じていて、硬軟自在の取引をする人。「古づわもの」とも。

ふるて[0]【古手】[二]❶使って古くなってしまった物。「―の道具類/―屋[0]」❷その組織の中で長く働いてきた人。「―の△社員(役人)」[三] 新時代の感覚にはふさわしくない様子だ。「―な考え方」

ふるでら[0]【古寺】古くなって荒れた寺。

ふるどうぐ[3][0]【古道具】〔使い古した道具の意〕売買の対象としての、だれかが手放した道具。〔時に、骨董(コットウ)品としての価値が再発見される〕「―屋[0]」

ブルドーザー[3]〔bulldozer〕整地作業に用いる自動車式の土木機械。ブルトーザー[3]とも。[かぞえ方]一台

ブルドッグ[3]〔bulldog, bull=牛。牛(や熊(クマ))と闘うべく訓練された犬、の意〕英国原産の猛犬。顔が短くて口幅が広い。ブルドック[3]とも。[かぞえ方]一匹・一頭

プル トップ[3]〔pull-top〕缶切りを必要とせず、つまみ〔=プルタブ〕に指をかけて引き開ける方式の缶詰のふた。

プルトニウム[4]〔plutonium〕放射性元素の一つ〔記号Pu原子番号94〕。原子燃料として利用される。

ふる とり[0]【〈隹】漢字の部首名の一つ。「集・雅・離・雀」などの「隹」の部分。〔「隹」は尾の短い鳥。「旧」の旧字体「舊(イフル)」の中にある字なので「ふるとり」と言う〕

ふる なじみ[3]【古〈馴染(み)】何年も前から交友関係を続けていたり その店に行きつけていたりして、その人と面識が十分にあること。また、その相手の人。

プルニエ[0]〔フ prenier=もと、店の名前〕魚を主材料としたフランス料理(店)。

フル ネーム[3]〔full name〕姓と名のいずれも省略しない呼称。氏名。「―で書く」

ブルネット[3]〔フ brunette〕褐色がかった髪(の若い女性)。また、目の色の褐色がかった人。

フルバック[1]〔fullback〕〔ラグビー・サッカーなどで〕味方陣の一番後ろで、敵の攻撃を防ぐプレーヤー。(最)後衛。

ふる・びる[3]【古びる】(自上一) 古くなって、往年の華やいだ美しさが失われる。「古びた家」[文法]日常の談話では、文末の述語としては「ふるびている」、また、連体修飾としては「ふるびた…」の形で用いられることが多い。

フル ファッション[3]〔←full-fashioned〕足にぴったり合うように編んだ女性の靴下。

フル フェース[3]〔和製英語 ←full + face〕頭からあごまで顔全体をおおうヘルメット。フルフェース ヘルメット[6]。

ぶる ぶる[二][1](副)―と―する ❶ひどい寒さや緊張・恐怖などのために、からだが小刻みに震える様子。「手が―震えて字が書けない」❷物が音を立てて振動する様子。また、その音の形容。[三][0]―な―に「ぶるぶる[二]❶」に同じ。「あまりの寒さに全身―だ」

ぷる ぷる[二][1](副)―と―する ❶わずかに震える様子。「力を入れ過ぎて腕が―してくる」❷弾けるような みずみずしさを感じさせる様子。「肌が―と潤う/―した食感」[三][0]―な―に「ぷるぷる[二]❷」に同じ。「できたての―なプリン」

フル ベース[1]〔和製英語 ←full + base〕〔野球で〕満塁。

ブルペン[1]〔bullpen=牛の囲い場所〕野球場の一部に設けた、救援投手の練習場。

ふるぼ・ける[4]【古〈惚ける】(自下一) 古くなって、以前のよさがなくなる。「古ぼけた帽子/あの建物は見るからに古ぼけている」

ふる ほん[0]【古本】所有者が(読んだあと)、不要として手放した本。「ふるぼん[0]」とも。「―屋[0]」↔新本

ブルマー[1]〔bloomers=もと、人名〕女性のはく、(運動用の)下ばき。すそにゴムを入れてしぼってある。ブルマ[1]・ブルー

マー[2]とも。[かぞえ方] 一枚

ふるまい[0]【振(る)舞(い)】❶人前で物事を行なう態度。「△りっぱな(けしからぬ)—」❷来客に対する、酒・食事のもてなし。「—酒[3][4]」

***ふるま・う**[3]【振る舞う】㊀(自五) 人の前で、ある動作をする。「わがままに—」㊁(他五)〈だれニなにヲ—〉 来客を、酒・食事などでもてなす。

ふるめかし・い[5]【古めかしい】(形) 接する人にいかにも古いという印象を与える様子だ。「—洋館」[派]—さ[5][4]

ふるもの[0]【古物】 使用後、(不要として)処分された道具・衣服など。「—屋[0]」

ふるわ・せる[0]【震わせる】(他下一) 〔「震う」の使役形〕震えるようにする。震わす[0](五)。「△唇(身・肩)を—/声を震わせて△歌う(泣く・激論する)」

ふれ[0]【振(れ)】 振れる△こと(程度)。〔狭義では、数値・位置・光の方向などのかたよりを指す〕「—が大きい/磁石の—〔=偏差〕」

ふれ[0][2]【触(れ)・布《令》】 〔動詞「触れる」の連用形の名詞用法〕〔役所などが〕広く一般に知らせること。また、その知らせ。⇩おふれ [表記] この意味での「布《令》」は、借字。

ぶれ[2] ❶撮影した画像がぶれること。❷発言などが一貫性に欠け、その時どきに生じる前言などとの食い違い。「発言に—がある」❸〔株価の〕変動。「大きな—は無い」

プレ(接頭)〔pre-=以前〕 問題になっているものの前(にあるもの)。「—ロマンチシズム[7]・—オリンピック[6]」↕ポスト

フレア[2]〔flare〕❶洋裁で、すそが、アサガオの花の形に開くように仕立てたもの。フレヤー[2]とも。「—スカート[5]・—コート[4]」❷太陽の表面で起こる爆発現象。太陽フレア[6]。太陽面爆発[7]。

ふれあい[0]【触(れ)合(い)】 縁があって、今まで全く知らなかった人と親しくつきあう(ようになる)こと。「心の—」

ふれあ・う[3]【触(れ)合う】(自五) ❶動いた物(どうし)が当たって、音を立てる。「△木の葉(包み紙)の—音/珠(タマ)のれんの触れ合って出す涼しい音」❷接近した結果、両者の間に間隙(カンゲキ)が無くなる。「唇と唇が—/民衆の心に—〔=交流が行なわれる〕政治」

ふれある・く[4]【触(れ)歩く】(自五) 広く人びとに知らせて歩く。

ふれい[0]【不例】 貴人、特に天皇の病気。「御—[0]」

ふれい[0]【布令】 命令や規則を周知すること。また、その命令や規則。

ぶれい[2][1]【無礼】—な/—に 礼儀を尽くさない△こと(様子)。「—な△応対(態度・言葉)/—極まりない/—を働く/—者(モノ)[0]」[派]—さ[2][0] **—こう**[0]【—講】 席次などをやかましく言わず、全部の人がくつろいで楽しむ△宴会(集まり)。

ふれうり[0]【振(れ)売(り)】 ⇩振り売り

フレー[2](感)〔hurray〕 スポーツ競技などの応援の時に「がんばれ」「しっかりやれ」の意を込めて出す声。フラーとも。

プレー[2]〔play〕❶遊び。「—ボーイ[4]〔=金持で遊び人の青年〕・—ガイド」❷—する(自サ) 遊技・競技(を演じること)。「—ボール・トリプル—・フェア—」❸演技。「珍—」❹プレー ボールの略。〔❶~❹ともにプレイとも〕

プレー オフ[4]〔play-off〕〔競技で〕同点者による決勝試合。同点による延長試合。

ブレーカー[0][2]〔breaker〕 異常電流が流れた時に電流の回路を絶つ装置。大型のものは変電所などに使用され、小型のものは一般家庭にも用いられる。

プレー ガイド[4]〔和製英語 ←play + guide〕 興行物の切符の前売り・案内などを行なう所。プレイガイドとも。

***ブレーキ**[2]〔brake〕 車輪の回転を止めたり 調節したりする仕掛け。制動(機)。「行き過ぎに—をかける〔=行き過ぎを抑える〕/—が△かかる(きかない・緩む)/—になる〔=そのものが足を引っ張って全体の進行を停滞させる〕/—をかけたつもりでアクセルを踏む」

フレーク[2]〔flake〕 薄く△切った(押しつぶした)もの。フレーキとも。「コーン—・まぐろ—[5]」

ブレーク[2]〔break〕❶〔ボクシングで〕クリンチしたとき、レフエリーが両者に離れるように命じる言葉。❷—する(自サ)〔テニスで〕サービスする側に勝つこと。❸—する(自サ) 休憩。「コーヒー—」❹—する(自サ) 急に人気が出ること。〔❶~❹ともブレイクとも〕 **—スルー**[6]〔breakthrough〕 科学技術などの行きづまりを打開すること。また、その突破口。 **—ダンス**[5]〔break dance〕 一九八〇年代にニューヨークで生まれた、アクロバット的な動作を取り入れた激しいダンス。スポーツ競技名はブレイキン。 **—ポイント**[5]〔break point〕「ブレーク❷」による得点。

フレーズ[2][0]〔phrase〕❶幾つかの単語が集まって、もとの意味を単に合わせただけとは違う別の用法に、いつも用いられるもの。成句。慣用句。❷文句。「キャッチ—」❸〔音楽で〕旋律の一くぎり。楽句[0]。

プレース ヒット[5]〔place hit〕〔野球で〕野手の居ない所をねらって打ったヒット。

プレート[0]〔plate〕❶金属の板。「ナンバー—・ネーム—[5]」❷真空管の陽極。❸写真の乾板。❹〔野球で〕Ⓐ〔←ホーム プレート〕本塁。Ⓑ〔←ピッチャーズ プレート[7]〕投手板。❺地殻の変動を「岩板[0]」の動きとしてとらえようとする仮説において、海嶺(カイレイ)と海溝の間にある海底地盤。[かぞえ方] ❶~❸は一枚

フレーバー[2]〔flavor〕 風味。香り。「—ティー」

プレーバック[4]—する(他サ)〔playback〕 録音・録画してあるものを再生すること。〔少し前の画面をもう一度再生する意にも用いられる〕

プレー ボール[4][2]〔play ball〕〔野球・テニスなどの試合で〕開始を告げる言葉。↕ゲーム セット

フレーム[0][2]〔frame〕❶枠。ふち。「眼鏡の—」❷木の枠で作った温室。温床。 **—ワーク**[5]〔framework〕 物事の運用管理や技術の修得などに関する指針を示す大まかな枠組。

プレーヤー〔player〕❶[2][0] 「プレー❷」をする人。競技者。❷[2][0] 演奏する人。❸[0][2] 音楽プレーヤーの略。〔❶~❸ともプレイヤーとも〕

ブレーン[2]〔←brain trust, brain=頭脳〕〔国家・企業体などの〕相談相手になる学者・専門家のグループ。 **—ストーミング**[6]〔brainstorming〕 既成の観念にとらわれず、各自が思い付きを自由に出し合い、独創的なアイデアを生み出したり 問題解決を図ったりする討論方法。

プレーン[2]〔plain〕 特別のものを加えていないこと。「—ヨーグルト[7]・—ソーダ〔=味のついていないソーダ水〕」

ふれがき[0]【触(れ)書(き)】 触れの文書。触れ状。「お—[0]」⇩おふれ

フレキシブル[2]—な〔flexible〕 臨機応変に物事に対処出来る様子。「—な対応」

ふれこみ[0]【触(れ)込(み)】 物事が本格的に始まるに先立って、そのものの効果・存在価値などを宣伝すること。前宣伝[3]。触れ出し。「スポーツ万能という—で売り込む」[動]触れ込む[3](他五)

ブレザー[2]〔blazer=華やかに輝くもの〕 フラノ地でゆったり作った背広型上着。色無地やはでな柄のものが多い。〔ブレザー コート[5]は、和製英語〕 [かぞえ方] 一着

プレジデント[2]〔president〕 大統領・総裁・会長・学長

や社長など、大きな△組織(機関)の長。

ふれじょう[0]【触(れ)状】 ⇩ふれがき

プレス[1]〔press〕❶―する(他サ) 押しつけること。❷圧力をかけて、型をつけたり 絞り出したりする機械。❸―する(他サ) アイロンをかけること。「ズボンを―する」 ❹新聞(社)。また、その記者。「―キャンペーン[6]・―クラブ[4]」

フレスコ[0]〔イ fresco〕 塗りたての漆喰(シックイ)の上に水彩で描いた絵。西洋の古い壁画に用いられた。フレスコ画法。

ブレスト[2][0] ❶〔breast〕〔周囲を計るときなどの〕胸。胸部。❷〔←breaststroke〕 平泳ぎ。胸泳[0]。

プレスト[2]〔イ presto〕〔楽譜で〕「最も急速に」の意の演奏指定。

プレス ハム[4]〔←pressed hum〕 押しつけて固めたハム。 かぞえ方 一枚：一本

プレス リリース[5]―する(他サ)〔press release〕 官庁や企業が広報の目的で行なう報道機関向けの発表。

ブレスレット[2]〔bracelet〕 腕輪。 かぞえ方 一本

プレゼンテーション[5]〔presentation=提示〕 企画や見積りなどの概要を関係者に発表・提示すること。〔特に、広告代理店が広告主に計画書を提示することを指す。略してプレゼン[0]〕

プレゼント[2]―する(他サ)〔present〕 贈り物(をすること)。「クリスマス―[7]」

ふれだいこ[3]【触(れ)太鼓】 すもうの初日の前日に、太鼓をたたきながら市中を回って、すもうが始まることと初日の取組を知らせること。

ふれだし[0]【触(れ)出(し)】 ⇩ふれこみ

プレタ ポルテ[4]〔フ prêt-à-porter=すぐ着られるように用意された〕(有名なデザイナーの手になる)高級な既製服。

フレックス タイム[6]〔flextime〕 一日のうち必ず出社勤務していなくてはいけない時間帯〔=コアタイム〕を設けた上で、出退勤時間は各人の自由に任せ、規定の総労働時間だけ働けばよいとする制度。

プレッシャー[0][2]〔pressure=圧力〕 心理的・精神的な抑圧感。「―がかかる／―グループ[7]〔=圧力団体〕」

フレッシュ[2]―な〔fresh〕 ❶新鮮だ。「―な果物／―な文学／―な情報」 ❷生△の(から作った)状態だ。「―ジュース[5]」 派 ―さ[4][0] ―マン[2]〔freshman〕 新人。〔具体的には、新入社員や大学の新入生を指す〕

プレッシング[2][0]〔pressing〕〔衣服を洗濯したあとなどで〕アイロンやこてで仕上げをすること。

ブレッド[2]〔bread〕 パン。「―アンド バター／―ケース[5]・バナナ―[5]」

ふれはば[0]【振(れ)幅】 ❶⇩振り幅❶ ❷物事が変化する時の上限と下限の差。「感情の―が大きい／為替(カワセ)相場の―」

プレハブ[0]〔prefab ←prefabricated house〕 前もって部分部分を作っておき、それを取り付けたり 組み立てたりして建物を作る工法(による住宅)。

プレパラート[4]〔ド Präparat〕 顕微鏡で調べようとする物を二枚のガラスの間に はさんだもの。顕微鏡用標本。

プレビュー[2][3]〔preview〕 ❶〔映画・演劇で〕一般公開に先立って関係者のみに見せること。❷〔コンピューターで〕文書や画像を印刷する前に、仕上がりのイメージを画面上で確認する△こと(機能)。

ふれぶみ[0]【触(れ)文】 書いて広く一般に知らせるもの。 表記 「〈檄〉」とも書く。

ふれまわ・る[4]【触(れ)回る・触(れ)〈廻る〉】(他五) ❶触れをあちこちに知らせて歩く。❷会う人ごとに言い知らせる。「根拠の無い うわさを―」

プレミア ショー[4][5]〔premier show, premier=最初の〕 高額の料金をとって見せる特別試写会。プレミア[0]。

プレミアム[0][2]〔premium=お礼のかね〕 ❶〔債券などの〕額面を超えた金額。❷〔入場券などの〕割増し金。プレミア。「―がつく」

プレリュード[3][2]〔prelude〕 前奏曲。

ふ・れる[0]【振れる】(自下一) ❶〔「振る」の可能動詞形〕(よく)振ることが出来る。「バットが―」 ❷〔メーターの針などが〕止まらないで揺れ動く。❸〔磁石の針、建物の向きなどが〕正しい方向を示さないで、少しずれる。「航路がやや西に―／気が―〔=⇩気〕」 表記 「気がふれる」は「触れる」とも書く。

ふ・れる[0]【触れる】 ❶(自下一) ❶〈なにニ―〉 そのものとかかわりを持って、マイナスの事態が生じる。「怒りに―〔=相手をおこらせる〕／法に―〔=反する〕／忌諱(イキ)に―〔=⇩忌諱〕／逆鱗(ゲキリン)に―〔=⇩逆鱗〕」 ❷〈なにニ―〉 基本的にかかわりを持つものとして取り上げる。「さらりと―／△一端(核心・根幹・本質・問題)に―」 【折に触れて】 ⇩折❸❶ 【事に触れて】 ⇩事 ❷(自他下一)〈なにニ―／なにニなにヲ―〉 そのものに直接接した結果、即座に何かを感じ取ったり 何かが交流したりするようになる。「何か堅いものが指先に―／手を―な〔=『さわるな』の婉曲(エンキョク)表現〕／冷たい空気が頰(ホオ)に―〔=…を頰の部分に感じる〕／目に―〔=たまたま目に入る〕／耳に―〔=聞こえて来る〕」 【触れなば落ちん風情(フゼイ)】 女が色っぽくて、男が誘えばすぐ応じそうに見える様子。「触(サワ)らば落ちん風情」とも。 ❸(他下一)〈だれニなにヲ―〉 多くの人に知らせる。「隣近所に触れて回る」

ぶ・れる[2](自下一)〔「振れる❸」の変化〕 ❶撮影する時に、カメラや撮影機が揺れ動いて、撮った画像が不鮮明になる。❷△責任のある(マスコミから注目される)立場の人の発言などがその時どきの状況によって異なり一貫性を欠くと受けとめられる。「首相の発言が微妙にぶれている」

ふれんぞく せん[0]【不連続線】 大気中において気温・湿度・気圧・密度などがその面を境として大きく異なっている境界面と地表面との交線。〔前線は、その一典型〕これが通過すると、気温や風向きが急に変わったり にわか雨になったりする。

フレンチ ❶(造語)〔French〕 フランス式の。「―トースト[5]・―カンカン[5]・―レストラン[5]・―ホルン[5]」 ❷[2] フレンチレストランの略。「―の店を探す」 ―ドレッシング[6]〔French dressing〕 酢とサラダ油とを混ぜ、塩・こしょうを加えたもの。サラダに使う。酢油(スアブラ)ソース。 ―まど[5]【―窓】 ⇩フランス窓

フレンド(造語)〔friend〕 友達。「ボーイ―・ガール―・ペン―」 ―かい[4]【―会】 ⇩クエーカー

ブレンド[0]―する(他サ)〔blend〕〔洋酒・コーヒー・たばこなどで〕味や香りをよくするために、それぞれ特色の異なったものを幾種類か混ぜ合わせること。 ⇩ストレート

フレンドリー[2]―な・―に〔friendly〕 △友好的な(親しみやすい)様子だ。「―な人／―な雰囲気」

ふろ[2]【風呂】 ❶入って からだを洗う湯(をわかす湯ぶね)。❷「ふろ場・ふろ屋」の略。「―へ行く／―代[0]・男―(ブロ)・女―(ブロ)」 ❸漆器を入れてかわかす箱。

ふろ[2][1]【風炉】〔茶の湯で〕茶席に置き、釜(カマ)をかけて湯を沸かすのに用いる、火鉢に似た形のもの。五月から十月まで使う。「ふうろ」とも。

プロ[1] ❶プログラム・プロダクション・プロレタリア・プロパガンダの略。❷プロフェッショナルの略。〔ゴルフ・ボウリングでは、

選手の名に添えて用いることもある)「―野球[3]・―レス[0]〔=レスリング〕」↔アマ・ノンプロ ❸ブロマイドの略。

フロア[2]〔floor〕❶〔机上・壇上などと違って〕床(ユカ)。「―スタンド[5]・―ショー[4]」❷フロア マネージャーの略。❸〔ビルディングの〕階。フロアー[2]とも。❹〔執行部ではなく〕会議の一般構成員。「―の意見/―との討論」

フロア マネージャー[5][4]〔floor manager〕〔テレビスタジオで〕出演者やカメラマンたちに指示を与える演出助手。

ブロイラー[2]〔broiler〕❶あぶり焼き用の料理器具。❷食肉用ニワトリの一品種。短期間の飼育で成長させることが出来る。

ふろう[0]【不老】(いつまでも)年をとらない(で、青年のように元気な)こと。「―不死・―長寿」

ふろう[0]【不労】労働しないこと。 **―しょとく**[4]【―所得】それを得るために労働することを必要としない所得。利子・地代・家賃や配当(金)など。

ふろう[0]【浮浪】―する(自サ) 定職や決まった宿が無くて、あちこち居場所を変えながらその日その日を送ること。「―人[0]・―児[2]・―者[2]」

フロー[2]〔flow〕❶流れ。❷国民所得や投資額など、一定の期間に産み出したり支出したりした財の総量。「キャッシュ―[5]」↔ストック❹

ブローカー[2][0]〔broker〕仲買人。

ブロークン[2]―な〔broken〕文法のまちがいが多かったり流暢(リュウチョウ)でなかったりする様子だ。「―イングリッシュ[6]」

プロージット[2](感)〔ド prosit〕乾杯の時、「健康を祝す・おめでとう」の意を込めて掛け合う言葉。

ブローチ[2]〔brooch〕(女性が)服の襟や胸にピンでとめる、小さな飾り。

フローチャート[4]〔flowchart〕一連の△作業手順(処理過程など)が一目で分かるように、矢印などの記号を活用して図式化したもの。流れ図。

フロート[2][0]〔float〕❶釣り用の浮き。❷スキーのような形をした、水上飛行機の足。❸生クリーム・アイスクリーム・シャーベットなどを浮かべた、冷たい飲み物。

ブロード[0]〔←broadcloth=幅の広い機(ハタ)織物〕綿ポプリンの柔らかい光沢のある布地。布地の薄さを番手で表わし、その数の大きいものほど高級。ワイシャツ地・ブラウス地に多く用いる。 **―バンド**[5]〔broadband=広い帯域の〕大容量のデータを高速で送ることのできるネットワーク回線。毎秒数百キロビット以上の伝送速度を持つものを指す。

ブローニー[2]〔←ブローニー判[0]〕〔Brownie の日本語形=もと、イーストマン コダック社製作のカメラ・撮影機の商品名〕❶写真撮影用フィルムの大きさ。画面は縦九センチ、横六センチ。❷ブローニー判の写真がとれるフィルム。

ブローニング[2]〔Browning (=米国の自動火器発明家の名。発音はブラウニング)の日本語形〕自動式ピストルの一種。

フローラ[2]〔ラ flora〕❶ローマ神話に登場する、春と花と豊穣(ホウジョウ)の神。❷〔植物学で〕特定地域の植物の全種類。植物相。❸細菌の集団。細菌叢(ソウ)。〔顕微鏡で花畑のように見えることから〕「腸内―[6]」

フローリング[0]〔flooring〕木質の床板(材)。また、それで床を張ること。フロアリング[2][0]とも。「居間を―にする」

***ふろく**[0]【付録・附録】❶本文のあとに、補足・参考の意味で付け加えた物。❷前付け・後(アト)付けのうちから序文やあと書きを除いたものの称。❸「別冊付録」の略。

ブログ[0]〔blog ←weblog(←web + log)〕個人が日記形式で書き込めるウェブ サイト。開設者は身辺の出来事や、その感想を記したりし、閲覧者はそれにコメントを記すことができる。

プログラマー[4][3]〔programmer〕コンピューターのプログラムを作成する人。〔狭義ではこれを職業とする人を指し、広義ではそのプログラムの作成者の意に用いる〕

プログラミング[4][3]―する(他サ)〔programming=プログラム作成〕コンピューターにさせる仕事の手順を詳しく分析し、「プログラム❸」を作ること。

プログラム[3]〔program=「実行に先立ってその手順を書いたもの」の意〕❶〔演芸・放送などで〕出し物の名と順序・時刻などを書いたもの。プロ。❷計画。予定。また、それを表にしたもの。❸―する(他サ) コンピューターに実行させる△計算(処理)の手順を、コンピューターに受け入れ可能な一連の命令文の形で並べて△書いたもの(書くこと)。コンピューター プログラム[9]。「―を組む(=作る)/テスト―を走らせる(=試験用のプログラムをコンピューターに実行させる)」 **―がくしゅう**[6]【―学習】学習の段階を細かに分析した結果に基づき、教師の説明無しで、自動的に学習が出来るように くふうした方法。 **―げんご**[6]【―言語】⇩言語 **―でんたく**[6]【―電卓】プログラムを記憶し、それに従って自動計算することの出来る関数電卓。 **―ないぞうほうしき**[10]、[3]-[5]【―内蔵方式】〔コンピューターで〕プログラムを主記憶装置にあらかじめ記憶させ、それを(中央処理装置が)少しずつ読み取りながら△計算(処理)を実行する方式。フォンノイマン方式[7]。〔現在ほとんどのコンピューターが採用している〕 **―りょういき**[6]【―領域】〔コンピューターで〕主記憶装置の中において、プログラムを実行可能な形で記憶している部分。プログラム メモリー。「プログラム記憶領域[9]」とも。↔データ領域

プロジェクター[3]〔projector〕❶映写機。投光機。投影機。「オーバーヘッド―」❷その企画の計画者。

プロジェクト[2][3]〔project〕研究・事業などの計画。 **―チーム**[6]〔project team〕〔企業内で〕新しい問題を速やかに処理するため、適した人材を各部課から集めて編成したグループ。 **―メソッド**[6]〔project method〕❶生徒に自発的な活動をさせるように仕組んだ教授法。❷語学教授法の一つで、現実の生活場面を描きつつ、その中で会話を中心とした外国語を習得させようとする方法。

***ふろしき**[0]【風呂敷】〔もと、風呂に入る時に衣類を包んでおくものの意〕物を△包む(包んで持ち歩く)のに使う四角な布。「―包みを持って歩く年代」⇩大風呂敷 [かぞえ方]一枚

プロセス[2]〔process〕❶事が進んできた順序・理由など。経過。❷仕事を進める△順序(段どり)。過程。工程。「作業の―」❸写真を応用して多色版を作る技術。「二色―」 **―チーズ**[5]〔process cheese〕生のチーズを加熱し溶かしたものを再び成型した、保存用の加工チーズ。

プロセッサー[3]〔processor〕〔コンピューターで〕特定の一まとまりの処理を専門に受け持つ装置。「浮動小数点―・画像処理―」

マイクロ―[7]〔microprocessor〕コンピューターの中央処理装置の機能を大規模集積回路(LSI)(=⇩集積回路)に納めたもの。〔マイクロコンピューターの中枢部分であり、各種の機器の中に組み込まれる〕 **ワード―**[6]〔word processor=語を処理する装置〕文書の作成・変更・清書などの処理を行なうソフトウェア。ワープロ。〔かつては印字まで行なう専用の装置もあった〕「日本語―」

プロダクション[3]〔production〕❶映画の製作所。プロ。❷製作。生産。「マス―」

ブロッキング[0]―する(自他サ)〔blocking〕❶〔バスケットボ

ールで〕ボールを持たない相手の動きをじゃますること。㊁〔ボクシングで〕相手の攻撃を受けとめる方法。

フロック②〔fluke〕㊀〔玉つき・野球などで〕まぐれ当たり。僥倖(ギョウコウ)。㊁まぐれで成功すること。

ブロック②〔フ bloc〕政治・経済上の利益を増すために結びついた集団。政治・経済圏。「軍事―」 **―けいざい**⑤【―経済】幾つかの国・植民地などが一つにまとまって貿易・投資・生産を行なう組織。広域経済⑤。

ブロック②〔block〕㊀市街などの区画。「丁」に相当。㊁―する(他サ)Ⓐ〔野球で〕走者が塁に達するのを、野手がからだを張って妨害すること。Ⓑ〔バレーボールで〕相手がスパイクしたボールをネット際で相手側のコートにはね返すこと。Ⓒ〔医学で〕局部麻酔などによって痛みを緩和する治療法。「神経―」㊂〔←concrete block〕四角な枠の形に作った、コンクリートのかたまり。建築材料。「―建築⑤・―塀(ベイ)④」〔㊀は、米語から〕 かぞえ方 ㊂は一枚

フロック コート⑤〔frock coat〕男子が昼間着る洋式の礼服の一つ。黒ラシャ製。上着はダブルで ひざまであり、すそはまっすぐに切る。縦じまのズボンをはく。フロック②とも。 かぞえ方 一着

ブロッケン げんしょう(シャウ)⑥―【ブロッケン現象】〔ド Brocken=山の名〕高山に登った時、自分の影が向かい側の雲に映り、そのまわりににじのような輪が出来る現象。〔日本では「ご来迎(ゴライゴウ)」と呼ぶ〕

ブロッコリー②〔イ broccoli〕イタリア原産の一、二年草。カリフラワーに似て、緑色のもの。つぼみのかたまりを食用にする。ブロッコリ②とも。〔アブラナ科〕

プロット②〔plot〕〔小説・物語などの〕筋。構想。 かぞえ方 一本

フロッピー ディスク⑥〔floppy disk〕⇩ディスク

プロテイン③〔protein〕㊀たんぱく質。㊁大豆の粉末にビタミンなどを加えた美容食。

プロテクター③〔protector〕〔スポーツで〕選手・審判が、危険防止のため からだの部位につける防具。

プロテクト③―する(他サ)〔protect〕〔コンピューターで〕磁気テープや磁気ディスクなど補助記憶用の媒体に記録されているデータが消去されたり 破壊されたりしないように保護措置を講じること。〔ハードウェアによるものとソフトウェアによるものとがある〕

プロテスタント③〔Protestant〕十六世紀の宗教改革の結果、ローマ教会に反抗して起こった、キリスト教の一派。新教(徒)。⇩カトリック

プロテスト③―する(自サ)〔protest〕抗議。「―ソング」

プロデューサー③〔producer〕㊀映画・ラジオ・テレビの製作責任者。「―システム」㊁〔演劇・放送などで〕演出家。

プロデュース③―する(他サ)〔produce〕㊀映画・演劇・音楽・テレビ番組などの作品を企画し、制作すること。㊁催し物を企画し、実行すること。

プロトコル②③〔protocol〕㊀交渉や国際会議の正式報告書で、関係国代表が署名したもの。㊁コンピューターの本体と周辺機器の間でデータ通信を行なうのに、あらかじめ定めておく規約。信号通信の手順、データの表現法などを定める。

プロトタイプ④〔prototype=原型〕㊀航空機や自動車などで、量産に入る前の試作モデル。㊁〔言語学で〕同じ語によって表わされるものの中で、代表的だととらえられる例。また、語の用法の中で、代表的だととらえられる例。

プロトン②〔proton〕⇩陽子

ふろば③【風呂場】入浴の設備を整えた場所。

プロパー ㊀(造語)〔proper〕本来。固有の。「統計学―の問題」㊁②〔←propagandist〕自社の△製品〔医薬品〕を宣伝販売する担当者。

プロバイダー③⓪〔provider=(サービスを)提供する人〕インターネットへの接続サービスをする業者。

プロパガンダ④〔propaganda〕〔主義・思想などの〕宣伝。

プロバビリティー④〔probability〕確率。確からしさ。蓋然性(ガイゼンセイ)。

プロパンガス⑤〔propane gas〕⇩ガス

プロピレン③⓪〔propylene〕エチレン系の炭化水素の一つ。無色・可燃性の気体で、特別のにおいがある。石油化学工業の重要な原料。

プロファイリング③―する(他サ)〔profiling〕保存されている、過去に起こった犯罪資料を分析し、犯人像を割り出すこと。

プロフィール③〔profile〕㊀横顔(の輪郭図)。㊁側面(的な人物)観。プロフィル②とも。「A氏の―」

プロフェッサー③〔professor〕大学などの教授。

プロフェッショナル③―な〔professional〕職業として行なう様子だ。職業的。専門的。プロとも。〔何らかの専門的な職業に従事している人の意にも用いられる〕↔アマチュア

ふろふき②【風呂吹き】太いダイコンや大きなカブを厚く輪切りにして柔らかくゆで、ねりみそをかけた料理。

プロペラ⓪③〔propeller〕㊀航空機や船の推進器。ねじれのついた数枚の羽根が軸のまわりについていて、発動機によって回転する。〔船の場合は、スクリューとも言う〕㊁扇風機や「プロペラ水車⑤」の回転羽根。

プロポーション③〔proportion〕㊀〔比率の意〕からだの各部分の発達の しかたの釣合。「―が良い/すばらしい―」㊁〔部分の意〕同じ大きさに分割したもの。「―チーズ⑦」

プロポーズ③―する(自サ)〔propose〕結婚を申し込むこと。

プロポリス③〔propolis〕ハチの巣から採集する、ミツバチの唾(ダ)液と松やになどの樹液がまざって出来る物質。抗菌・抗ウイルスの作用がある。蜂蠟(ハチロウ)⓪。

ブロマイド③〔←bromide paper=臭化銀を用いた印画紙〕芸能人・運動選手などの小形の肖像写真。プロマイド③とも。また略してプロ。 かぞえ方 一枚

プロミネンス②〔prominence〕㊀続きの△言葉(文)の中の ある部分を特に際立たせて発音すること。卓立。「アクセントと―」⇩イントネーション ㊁太陽のまわりに立つ、赤い炎。紅炎⓪。

プロムナード④〔フ promenade〕舗装された散歩道。

プロモーション③〔promotion〕商品の販売促進や新製品の宣伝。 **―ビデオ**⑦〔promotion video〕新曲の宣伝や販売促進のために作られるビデオソフト。略してピーブイ(ＰＶ)。ミュージック ビデオを指すことが多い。

プロモーター③〔promoter=主催者〕興行師。〔狭義では、呼び屋を指す〕

ふろや②【風呂屋】入浴料を取って一般の人びとを入浴させる浴場。銭湯。 かぞえ方 一軒

フロリン②〔florin〕⇩ギルダー

プロレタリア④〔ド Proletarier〕↔ブルジョア ㊀無産者。賃金労働者。㊁貧乏人。 **―かくめい**⑦【―革命】ブルジョアジーの支配をくつがえすために、労働者階級が指導する社会主義革命。例、ロシアの十月革命(=一九一七年)

プロレタリアート⑥〔ド Proletariat〕無産階級。労働者階級。↔ブルジョアジー

プロローグ③〔prologue〕〔戯曲・音楽などで〕前置きとして全体の進行を予告し暗示する内容を持った部分。〔事

件の発端などの意にも用いられる〕↕エピローグ

フロン①〔flon〕炭素と弗素《フッソ》の化合物である「フルオロカーボン⑤(fluorocarbon)」の通称。

フロン ガス④〔↑chlorofluorocarbon〕塩素〔=chloro〕・弗素《フッソ》〔=fluoro〕・炭素〔=carbon〕の化合物。無色・無臭の気体または液体で、冷蔵庫やエアコンの冷媒として、また、半導体製品の洗浄やスプレーの噴霧剤などに用いられる。ただし、特定のものは、成層圏で紫外線によって分解され、塩素となってオゾン層を破壊するので、一九八八年以後製造・排出が規制されている。フルオロカーボン⑤。

ブロンズ⓪〔bronze〕青銅(で作った像)。「―像④」

フロンティア②〔frontier〕❶国境地方。辺境地区。❷〔アメリカ西部の〕開拓地。 **―スピリット**⑦〔frontier spirit〕〔アメリカ人の〕国土を独力で開拓し、発展させようとする精神。開拓者精神⑥。

フロント⓪〔front の文字読み〕❶正面。前面。「―ガラス⑤」↕バック ❷前線。戦線。❸〔↑front desk〕ホテルなどの正面玄関にある受付。「―係《ガカリ》⑤」❹〔↑front office〕プロスポーツチームを運営する幹部。「A監督が―入り」

ブロンド⓪〔blond〕金髪(の女性)。

プロンプター②〔prompter〕〔演劇で〕舞台のかげに居て、出演中の俳優にせりふを教えたりする人。後見役⓪。

ふわ①【不和】―な・―に 仲が悪い△こと(状態)。「家庭―を招く」

ふわ①【付和・附和】―する(自サ) わけもなく他人の説に従うこと。 **―らいどう**①-⓪【―雷同】―する(自サ) 自分に決まった考えが無く、軽がるしく他人の説に従うこと。

ふわく⓪【不惑】〔論語から出た語で、四十にして惑《マド》わずの意〕「四十歳」の異称。⇩而立《ジリツ》

ふわけ⓪【〈腑分(け)】―する(他サ) 幕末における「解剖」の称。

ぶわけ⓪【部分(け)】―する(他サ) 部類に分けること。

ふわたり②【不渡(り)】手形・小切手を持っている人が支払日に決済出来ないこと。「―を出す/―手形⑤」

ふわふわ《フハフハ》 ■一①(副)―と・―する ❶軽いものが△空中(水中)に浮かんで 漂う様子。「風船が―飛んでいく/クラゲが暗い海に―と漂う」❷確たる考えもなく、その場の状況や成り行きにまかせる様子。「―と生きる」❸柔らかくふくらんでいて、抵抗感の感じられない様子。「―とやわらかなベビー服/―した布団/―としたスポンジ ケーキ」■二⓪―な 柔らかくふくらんでいて軽やかな様子だ。「―のオムレツ」

ふわり②《フハリ》(副)―と ❶少しの重さも感じさせないで、空中を上下したり 何かにおおいかぶさったり する様子。「―と からだが宙に浮く/ショールを肩に―と掛けた」❷柔らかくふくらんでいて、いかにも軽そうに見える様子。「―とした綿菓子」〔❶❷とも強調表現は「ふんわり」〕

ふん(分・粉・紛・雰・噴・墳・憤・奮)→【字音語の造語成分】

ふん(感) ❶同輩以下に対する軽い返事や、無視・半信半疑などの気持を表わす。ふむ①。❷感心する反面、怪しむ気持を禁じ得ないことを表わす。ふうん。

ふん①【分】❶「時間❸」の単位で、一時間の六十分《ブン》の一を表わす〔記号 min〕。〔六十秒に等しい。また、時刻を表わす際にも用いられる。例、「午後二時五十一《ブ》―」〕❷角度の単位で、一度の六十分の一を表わす〔記号 ′(=ダッシュ)〕。〔経度・緯度を表わす際にも用いられる。例、「北緯三五度一五―」〕 かぞえ方 ❶❷とも 一分・三分・四分・六分・八分・十分・何分は「プン」、四分は「ヨンフン」・八分は「ハチフン」とも。

ふん①【〈糞】人の大便にあたる動物の排泄物。

ぶん(分・文・聞)→【字音語の造語成分】

ぶん【《打(ん)】(接頭)「ぶち」の口頭語的な変化。「―殴る・―投げる」

ぶん①【分】❶〔全体と違って〕部分。「減った―を補う/増加―③⓪」❷割り当てられたもの。「人の―(=分け前)まで食べる/―(=自分の務め)を尽くす/―(=身分)相応に/―に過ぎる(=身の程を超える)/本―・過―・親―(=親に準ずる人)・持ち―」❸物事の△程度(状態)。「この―ならまずよかろう/この―(=(ままの)様子)で行けば/話す―には(=ぐらいならば)さしつかえない/気―」⇩【造語成分】

ぶん①【文】❶考えを(幾つかの)言葉でつづり表わしたもの。「―を練る/散―・―飾」❷学問と芸能。学芸。「―武両道①-⓪」↕武 ⇩【造語成分】

ぶんあん⓪【文案】書類の文章(の下書き)。

ふんい①【〈糞意】大便をしたいと感じること。

ぶんい①【文意】文章が表わそうとする内容。「―が通じない/―不明」

***ふんいき**③《ーキ》【雰囲気】〔大気の意〕その場所(に居る人たち)が自然に作り出している、特定の傾向を持つ気分。「熱っぽい―に包まれる/―になじめない/一種異様な―」

ふんいん⓪【分陰】〔古〕わずかの△時間(ひま)。「―を惜しむ」

ぶんいん⓪《ーキン》【分院】本院のほかに(各地に)作った(院と呼ばれる)建物。↕本院❷

ぶんうん⓪【文運】学問・芸術が進歩する勢い。

ぶんえい⓪【分営】本営から分かれて作られた軍営。

ふんえん⓪【噴煙】〔火山から〕ふき出す煙。

ぶんえん⓪【分煙】たばこを吸ってよい場所や時間帯を特に設けること。たばこの害は、他人の吸ったたばこの煙によっても及ぶということから、米国で始まった。

ふんか⓪《ークワ》【噴火】―する(自サ) 火山が爆発して、溶岩・火山灰などをふき出すこと。「―活動」 **―こう**③⓪【―口】火山の噴火する口。「火口」とも。 **―ざん**③【―山】噴火している山。

ぶんか①⓪《ークワ》【分化】―する(自サ) 進歩・発達に伴って、等質・単純なものが、多くの異質・複雑なものに分かれること。

ぶんか①《ークワ》【分科】専門別に分かれた△学科(業務)。「―会③⓪」

ぶんか⓪①《クーワ》【分課】仕事を分けて受け持つために幾つかの課に分けること。また、その課。「―規程④」

****ぶんか**《クーワ》【文化】■一①その人間集団の構成員に共通の価値観を反映した、物心両面にわたる活動の様式(の総体)。また、それによって 創《ツク》り出されたもの。〔ただし、生物的本能に基づくものは除外する。狭義では、生産活動と必ずしも直結しない形で真善美を追求したり 獲得した知恵・知識を伝達したり 人の心に感動を与えたり する高度の精神活動、すなわち 学問・芸術・宗教・教育・出版などの領域について言う。この場合は、政治・経済・軍事・技術などの領域と対比され、そのことを強調するために「精神文化」と言うことがある。また 最も広い用法では、芋を洗って食べたり 温泉に入ることを覚えたサルの群れなど、高等動物の集団が後天的に特定の生活様式を身につけるに至った場合をも含める〕「日本古来の木と紙の―/ヨーロッパは積み上げる―、日本は組み立てる―を持つ/若者―の街/味噌《ミソ》の―史/異―との出会い/伝統―を守る/地域―の振興を図る/―施設・―遺産・―交流・―人類学・食―・照葉樹林―・縄文(式)―・桃山―・漢字―圏」⇩自然 ■二(造語) 文明の物質的恩恵を最大限に活用しており、快適・至便な状態である。「―生活・―住宅・―鍋《ナベ》」 **―えいが**④《ーイグワ》【―映画】一般の人の教養を高めるためこ

作られた、解説を含んだ短い映画。⇩劇映画　**ーかがく**④(クヮー)【ー科学】歴史的・精神的な文化現象を研究する科学。↔自然科学　**ーくんしょう**④(シャウ)【ー勲章】文化功労者や、功成り名遂げた高名な文化人の中から少数を選んで毎年与えられる勲章。**ーこうろうしゃ**⑥(ラウー)【ー功労者】それぞれの学問・芸術の分野において功績が著しく、押しも押されもせぬ高名な存在数名に対して政府が毎年慰労の意で贈る称号。**ーさい**③【ー祭】〔学校や地域などで〕自主的に行なわれる、演劇・音楽会・展示などの文化的催し。〔多く、秋に行なわれる〕**ーざい**③【ー財】文化によって生み出されたもの。例、芸術(品)。「無形ー・埋蔵ー・ー保護法⑦」**ーじゅうじしゃ**⑥【ー従事者】〔戦争そのものに関係する者と違って〕戦時下にあっても、学問・芸術・ジャーナリズムなどの文化面の仕事に携わっている人たち。**ーじん**③【ー人】❶学問・芸術を仕事にする人。❷文化的教養を身につけている人。**ーちょう**③(チャウ)【ー庁】文化の振興・普及、文化財の保存・活用、国際文化交流の推進、宗教に関する行政事務などを担当する中央官庁。文部科学省の外局。一九六八年設置。**ーてき**⓪【ー的】ーな ❶学問・芸術・教育など、高度の精神活動に関係のある様子だ。❷△時間的(経済的)に余裕があり、精神面の充実をはかることができる条件を備えている様子だ。「ーな生活」**ーのひ**①ー①【ーの日】「国民の祝日」の一つ。十一月三日。もとの明治節〔=明治天皇の誕生日〕に当たる。**ーぼうちょう**④(バウチャウ)【ー包丁】肉・魚・野菜など広い用途に使えて便利な家庭用の包丁。幅広で、峰が斜めに切り落とされ先がとがっている。「三徳包丁⑤」とも。〔伝統的な和包丁に対して、西洋の包丁の長所を取り入れたもの〕 [かぞえ方] 一本・一挺(チョウ)・一丁

ぶんか①(クヮ)【文科】❶〔大学の専門課程で〕人文科学・社会科学系統のもの。〔狭義では文学部系統を指し、広義では経済・経営・商・法などの学部を含む〕「ー系⓪」↔理科❶ ❷短期大学で四年制大学の文学部にあたる科の称。〔以前は「文学部」の通称として用いられた〕

ぶんが①【文雅】ーな〔古〕文芸に親しんで、風流な△こと(様子)。

ふんがい⓪【憤慨】ーする(自他サ) 不正・不当なことについて、ひどく怒ること。

ぶんかい⓪(クヮイ)【分会】本部から分かれて、ある地域や職場などに作った会。

ぶんかい⓪【分界】ーする(他サ) 境目(をつけること)。

***ぶんかい**⓪【分解】ーする(自他サ)〈なにヲ(なにニ)ーする〉❶部分に△分ける(分かれる)こと。「ー掃除⑤・空中ー」❷一つの化合物が化学変化によって二種以上の物質に分けること。また、分かれること。「電気ー・加水ー」

ぶんがい⓪①(グヮイ)【分外】ーな 身分や限度を超えている様子だ。「ーの光栄」

****ぶんがく**①【文学】❶芸術の一様式。体験を純化したり構想力を駆使したりすることによって得られた作中人物の行為や出来事の描写を通じて、「人生いかに生くべきか」という主テーマが読者の想像力と読解力と豊かな感性により自ら感得されることをねらいとするもの。〔普通、小説・詩歌・戯曲を意味し、広義では、随筆・評論を含む〕「ー性⓪」❷学問的対象としての「文学❶」。文芸学。「ー概論⑤」❸哲学・歴史学・文芸学・社会学などの総称。「ー博士⑤・ー部④③」❹〔古〕学芸。 **ーしゃ**③④【ー者】詩・小説・戯曲などを作ったり研究・評論したりする人。**ーてき**⓪【ー的】ーな ❶文学作品を創作したり鑑賞したりすることに関係のある様子だ。「ー才能」❷ものの見方・考え方や表現のしかたが知性的・論理的でなく、感性や情緒の世界にかたよりがちな様子だ。

ぶんかつ⓪【分割】ーする(他サ) 幾つかに分けること。「ー払い⑤」

ぶんかつ⓪【分轄】ーする(他サ) 分けて管轄すること。

ぶんかん⓪(クヮン)【分館】本館から分かれた(館と呼ばれる)建物。

ぶんかん⓪(クヮン)【文官】行政や司法など、軍事以外の仕事をする△公務員(官職)。↔武官

ふんき①【噴気】ふき出される蒸気。ガス。「ー孔③⓪」

ふんき①【奮起】ーする(自サ) 大いにやってやろうという気になって張り切ること。「ーを△促す(望む・求める)/ー一番」

ふんぎ①【紛議】ーする(自サ) 議論がもつれて、まとまらないこと。

ぶんき⓪【分岐】ーする(自サ)〔鉄道・道などが〕そこ△で(から)分かれること。 **ーてん**③【ー点】分かれ目。「人生のー」

ふんきゅう⓪(キウ)【紛糾】ーする(自サ) 対立する意見・主張が出たり事件が次から次へと起こったりなどして、事態の展開がすんなりとは行かないこと。「ーを招く/事態がーする」

ふんきゅう⓪(キウ)【墳丘】小高く盛り上がっている古墳。

ぶんきゅうせん⓪(キウ)【文久銭】江戸幕府が文久三年〔=一八六三〕に作った銅銭。

ふん

【分】⇩(本文)ふん【分】

【粉】❶こな。こ。「粉末・粉体・花粉・金粉(プン)」❷こなごなに砕く。「粉砕・粉骨砕身」❸おしろい。「粉黛(タイ)・脂粉」❹かざる。「粉飾」

【紛】❶まぎれる。「紛失」❷いり乱れる。もつれる。「紛争・紛糾・内紛」

【雰】❶空気。気配。「雰囲気」❷雪や雨が盛んに降るさま。「雰々(プン)」

【噴】満ちあふれてふき出す。ふく。「噴出・噴水・噴射・噴火・噴霧器」

【墳】土を高く盛ったはか。「墳墓・円墳(プン)・古墳・前方後円墳」

【憤】❶(心の中で)おこる。いきどおる。「憤激・憤慨・憤然・痛憤」❷△こんな事ではいけないと(ふがいない自分に鞭(ム)打(チ)とうと)ふるいたつ。「発憤(プン)」

【奮】元気を出す。ふるいおこす。「奮発(パツ)・奮起(キ)・奮戦・興奮・発奮(プン)」

ぶん

【分】❶わける。「分配(パイ)・分担・分裂・分布(プ)・分解・細分・処分・春分」❷おもな物からわかれたもの。「分家・分署・分教場」❸生まれると同時に与えられたもの。「天分・性分(ショウ)」❹分量。「一年分の仕事」❺成分。「アルコール分・水分」❻等分。「五分の一」⇩(本文)ぶん【分】

【文】㊀❶もじ。書体。「古文・金石文・甲骨文」❷ことばで書き表わしたもの。「文章・文学・文通・作文・漢文」❸書物。記録。「文庫・文献」㊁(略)文学❸。「文博(パク)・仏文(ブツ)❶」⇩(本文)ぶん【文】

【聞】❶音や声を感じとる。きく。「聞知・見聞・伝聞・新聞・旧聞」❷うわさ。ニュース。「風聞・醜聞・仄(ソク)聞」

ぶんきょう(ヲ)⓪(ケウ)【文教】学問と教育に関する△こと(行政事務)。「―政策⑤・―地区⑤」

ぶんぎょう(ヲ)⓪(ゲフ)【分業】―する(自他サ) ❶仕事を分けて受け持つこと。「医薬―①-⓪」 ❷一つの仕事を幾つかの段階に分け、それぞれ違う人が分担して仕上げること。

ぶんぎょう(ヲ)⓪(ゲフ)【文業】文学上の業績。

ぶんきょうじょう(ヲ)⓪(ケウヂヤウ)【分教場】「分校」の旧称。

ぶんきょく⓪【分局】本局から分かれて作られた局。支局。⇩本局❶

ぶんきょく⓪【分極】―する(自サ)〔政治・経済などで〕対立する二つの△極(中心核)に分化し、集中すること。「―化現象⑥」

ふんぎり⓪【踏ん切り】〔「ふみきり」の変化〕どうすべきかについて、躊躇(チュウチョ)や迷いを振り払って下した決断。「―がつかない」 動踏ん切る③(自五)

ぶんきんたかしまだ⑦【文金高島田】島田髷(ゲマ)の根も髷も高くした、上品な髪の結い方。「文金島田⑤」とも。

ぶんぐ①【文具】文房具。「―商③」

ぶんけ⓪【分家】―する(自サ) 家族の一部が分かれて、別に△一家を立てること(立てた家)。↕本家

ふんけい⓪【〈刎頸〉】〔古〕〔罪人として首を斬(キ)られる意〕死ぬも生きるも一緒だと言う固い結びつき。「―の交わり⓪-⓪〔=一緒に首をはねられても後悔しないほどの、堅い友情〕」

ふんけい⓪【〈焚刑〉】火あぶりの刑。

ぶんけい⓪【文系】大学の学部などで、文科の系統。↕理系

ぶんけい⓪【文型】構文の点などから見た文の類型。センテンス パターン。例、「AがBだ/AがBを…する」。「―練習⑤」

ぶんげい⓪【文芸】❶学問と芸術。❷〔美術・音楽に対して〕詩・小説・戯曲などの言語芸術。「―学③・―雑誌⑤」 ―ふっこう(ヲ)⑤(フクー)【―復興】⇩ルネサンス

ふんげき⓪【憤激】―する(自サ) ひどく怒ること。「―を招く」

ぶんけつ⓪【分〈蘖〉】―する(自サ) イネなどの茎が根の近くから枝分かれすること。株張り⓪。「ぶんげつ⓪」とも。

ぶんけん⓪【分県】日本全体を、都道府県別に分けたもの。「―地図⑤」

ぶんけん⓪【分遣】―する(他サ)〔兵・警官などを〕本隊から分けて派遣すること。「―隊⓪」

ぶんけん⓪【分権】権力を中央の機関に集めないで、地方に分けること。「地方―」↕集権

ぶんけん⓪【文検】旧制の「文部省教員検定試験③-⑨、③-⑩」の略。

***ぶんけん**⓪【文献】〔「文」は書物、「献」は賢人の意。原義は昔の文物・制度を知る拠(ヨ)りどころとなる記録や、先人の言い伝え〕研究資料としての書物・文書。「参考―⑤・先行―」 ―がく③【―学】昔の文献を読み解いて、その時代の文化を知ろうとする学問。〔本文批判・古典言語学・書誌学の意にも用いられる〕

ぶんげん③⓪【分限】❶身分。法律上の地位・資格。「―免職」 ❷〔古〕金持。「ぶげん⓪①」とも。

ぶんげん⓪【文言】❶文章中の語句。❷〔古〕手紙の文句。「もんごん」とも。↕白話(ハクワ)

ぶんこ【文庫】〔書物を入れておくくら〕❶⓪①私人の設立した図書館(の名)。「東洋―・学級―⑤〔=その学級に備えつけの図書〕」 ❷⓪小型のシリーズによる、△名著(普及の望まれる本)の廉価版(の名)。「―本(ボン)⓪」 ―ばん⓪【―判】本の大きさの一種。A6判を基準とする。

ぶんご⓪【文語】表現される言語の中で、現代口語ではすでに一般的ではなくなった文体・文法体系に属する表現。〔狭義では、平安時代の和文を規範とするものを指す〕「―文法④」↕口語 ―たい⓪【―体】文語によって書き表わされた△表現(文体)。↕口語体 ―ぶん③⓪【―文】平安時代の和文を主として指し、奈良時代の和文をも含む。また、後世の人がそれらの文体を模して作った文章。

ふんごう(ヲ)⓪(ガフ)【〈吻合〉】―する(自他サ)〔唇の上下が合う意〕❶ぴったり合うこと。「不思議な―」 ❷〔医学用語で〕手術をして、体内のある部分を他の部分につなぎ合わせること。

ぶんこう(ヲ)⓪(クワウ)【分光】―する(自他サ) プリズムを通して、光をスペクトルに分けること。「―分析⑤・―器③」

ぶんこう(ヲ)⓪(カウ)【分校】本校から分かれて、別の所に作った学校。

ぶんごう(ヲ)⓪(ガフ)【分合】―する(他サ) あるものを分けて他に合わせること。「飛地(トビチ)―⓪-⓪」

ぶんごう(ヲ)⓪(ガウ)【文豪】世人に鮮烈な影響を与え続ける、すぐれた作品を(多く)発表した小説家の称。

ぶんこつ⓪【分骨】―する(自サ) 遺骨を二か所(以上)に分けて葬ること。

ふんこつさいしん⓪-⓪、①-⓪【粉骨砕身】―する(自サ) 力の限り努力すること。

ぶんごぶし⓪【《豊後節》】浄瑠璃(ジョウルリ)の一派。豊後掾(ブンゴノジョウ)を祖とする三味線の音楽。

ふんころがし③【〈糞転がし〉】タマオシコガネ⑤の俗称。体は丸く、黒色の甲虫。動物のふんを丸め、後ろ足で後ろに転がして巣穴に運び入れ、食べたり卵を生みつけたりする。日本にはいない。古代エジプトでは太陽神の化身として崇拝された。スカラベ⓪。〔コガネムシ科〕 かぞえ方 一匹

ぶんこん⓪【分根】―する(他サ)「根分け」の、農業用語。

ふんさい⓪【粉砕】―する(他サ) ❶細かく砕くこと。「鉱物を―する/―機③」 ❷完全に負かすこと。「敵を―する」

ふんざい⓪【粉剤】粉にした薬。

ぶんさい⓪【文才】文章を書く才能。「―のある女性」

ぶんざい⓪③【分際】〔それほど高くない〕身分。身のほど。「自らの―をわきまえているつもりだ/学生の―でえらそうに専門家のような顔をするな」

ぶんさつ⓪【分冊】―する(他サ) 一つの書物を幾冊かに△分けること(分けたもの)。「第一―⑤」

ぶんさん⓪【分散】―する(自サ) 一つの物が、幾つかに分かれること。幾つかに分けること。「力を―する」

ふんし⓪【憤死】―する(自サ) ❶憤慨しながら死ぬこと。❷〔野球で〕ランナーが、惜しいところでアウトになること。

ぶんし①【分子】❶その物質の化学的性質を持ち、独立に成立することの出来る、最小の粒子。❷集団の中で、異を立てる一部の者。「危険―④・破壊―④・妨害―⑤」 ❸〔分数で〕横線の上にある数。↕分母 ―しき③【―式】〔化学で〕その物質の一分子を表わす化学式。 ―りょう(ヲ)③(リヤウ)【―量】〔化学で〕その分子の質量を、質量数十二の炭素原子を基準として表わした値。

ぶんし⓪【分〈祀〉】―する(自サ) 本社と同じ祭神を、新しく設けた神社にまつること。

ぶんし①【文士】小説などを書くのを職業とする人。(職業)作家。「三文(モン)―」

ぶんじ⓪【分字】「松」を「十八公」、米寿の「米」を「八十八」、「米」を「八木」、「女」を「くノ一」、「只」を「ロハ」とするように、漢字を幾つかの部分に分けて言った△もの(言語遊戯)。〔第四、五例は、もと隠語〕⇩合字(ゴウジ)

ぶんじ①【文事】学問・芸術に関する事柄。↕武事

ぶんじ①(ヂ)【文治】⇩ぶんち

ぶんじ[1]【文辞】文章(の言葉)。

*__ふんしつ__[0]【紛失】─する(自他サ)〈なにヲ─する〉必要に備えて身につけていたり 決まった所に保管したりしていたものが見当たらなくなること。また、不注意などでそのような状態にすること。「引出しにしまっておいたはずの指輪が─した/大事な書類を─する/─届[5]・─物ツブ[4]」

ぶんしつ[0]【分室】❶小さく分かれた部屋。❷本部・本社などから、一部を分けて作った組織。

ふんじば・る[4]【ふん縛る】(他五)〔「ふん」は「踏み」の変化〕❶逃げないように、△縛る(縛りつける)。❷荒あらしく縛る。縛りつける。〔❶❷とも口頭語的表現〕

ふんしゃ[0]【噴射】─する(他サ) 燃料の油を霧状にして圧縮した空気とまぜ、爆発させてその排気を噴出させること。「─推進機[6]」

ぶんしゃ[0]【分社】本社とは別に、神霊を分けて祭った神社。

ぶんじゃく[0]【文弱】─な〔武士などが〕自分の本務を忘れ、学問・芸能にばかりふける様子だ。

ぶんしゅう[0]シフ─【文集】文章などを集めて、一冊にまとめたもの。「学級─[5]」

ぶんしゅく[0]【分宿】─する(自サ) 一団の人が何か所かの宿に分かれて泊まること。

ふんしゅつ[0]【噴出】─する(自他サ)〔内にたまった液体・気体や感情などが〕ふき出すこと。また、ふき出ること。「△火山(溶岩)の─/盛んに煙を─する/不満を─する〔=一気に吐き出す〕」

ふんしょ[1][0]【△焚書】読ませては害になるという理由で、特定の書物を焼却すること。 **─こうじゅ**[1]-[1]、[4]カウ─【─坑儒】〔中国で〕秦シの始皇帝が民間の書物を焼き捨て、学者を穴に埋めて殺したこと。

ぶんしょ[0]【分所】本部から分かれて、別の所に作った事務所・営業所など。

ぶんしょ[1][0]【分署】本署から分かれて、別の所に作った警察署・税務署など。

*__ぶんしょ__[1]【文書】事務上の手紙・書類。「公─・私─・─課[0]・外交─」 かぞえ方 一通・一点・一束

ふんじょう[0]ジヤウ─【粉状】粉(のよう)になった状態。

ふんじょう[0]ゼウ─【紛△擾】〔国と国の間などの〕争い事。

ぶんしょう[0]シヤウ─【分掌】─する(他サ) 事務を手分けして受け持つこと。「事務─[3]」

ぶんしょう[0]シヤウ─【文相】「文部大臣」の別称。

*__ぶんしょう__[1]シヤウ─【文章】複数の文で、まとまった思想・感情を表わしたもの。「─法[0][3]・─家カ[0]・─論[3]」 **─ご**[0]【─語】文章による言語表現において、特徴的に見られる△語句(表現法)。日常語としては、あまり見聞きしなくなった漢語・和語や、漢文訓読語的な語彙イゴ・文体。↕口頭語

ぶんじょう[0]【分乗】─する(自サ) 一団の人が何台かの同種の乗り物に分かれて乗ること。

ぶんじょう[0]ヂヤウ─【分場】本部から分かれて、別に作った試験場・作業場など。

ぶんじょう[0]ジヤウ─【分譲】─する(他サ) 小さな単位に分けて売ること。「土地の─/─住宅[5]」

ふんしょく[0]【粉食】─する(自サ) 穀類を粉にして(パン・うどん・だんごなどに加工し)主食とすること。↕粒食

ふんしょく[0]【粉飾・△扮飾】─する(他サ) 自分のかつて犯した悪や内容の至らぬ点をごまかすために、故意に表面を飾り立てること。「自己を─する/貸借対照表を─する/─を施す/─決算[5]」

ぶんしょく[0]【文飾】─する(他サ) ❶文章を飾ること。「─を施す」❷〔古〕いろどり。飾り。

ふんしん[0]【分針】時計の、分を指す針。長針。⇩時針・秒針

ふんじん[0]チン─【粉△塵】工事中岩・石炭・コンクリートなどが砕けたり 舗道をスパイクタイヤが削ってアスファルトが砕け飛んだり などして粉になったもの。「─公害[5]」

ふんじん[0]【奮迅】△目まぐるしい(激しい)勢いで活躍すること。「獅子シシ─の勢い」

ぶんしん[0]【分身】一つのからだや組織から 分かれ出たもの。「その作家の─とも言える作中人物」

ぶんじん[0]【文人】文芸を仕事としたり、余暇を利用して文芸に親しむ人。「─墨客ボッカク[0]-[0]」 **─が**[0]グワ─【─画】「南画」の別称。

ふんすい[0]【噴水】❶ふき出る水。「─井戸[5]」❷水が高くふき出るようにした設備。また、その水。

ぶんすい[0]【分水】─する(自他サ)〔飲料水や灌漑カンガイ用水を得るために〕本流から別に分けること。また、その水流。「─路[3]」 **─れい**[3]【─△嶺】降った雨水が、それぞれ異なる川となって流れる境界となる山の尾根。

ぶんすう[3]【分数】横線の上と下に数を書き、上の数〔=分子〕を下の数〔=分母〕で△割った数(割ること)を表わしたもの。例、2/3。〔狭義では、分子が自然数で分母が2以上の自然数であるものを指す。広義では、分子・分母自体が狭義の分数を含むもの『=繁分数[3]』や、さらには、分母(と分子)が「式❸Ⓐ」であるもの『=分数式[3]』をも指す〕「真─・仮─・帯イタ─・単位─〔=分子が1で分母が2以上の自然数である分数〕」

ふん・する[3]【△扮する】(自サ) 芝居などで、その役にふさわしく扮装する。扮す[1](五)。

ぶんせい[0]【文勢】文章の勢い。

*__ぶんせき__[0]【分析】─する(他サ)〈なにヲ─する〉❶物質の化学的組成を調べること。「定量─・化学─[4]」❷複雑な現象・対象を単純な要素にいったん分解し、全体の構成の究明に役立てること。「─を深める/状況─[5]・性格─[5]・情報─[5]」↕総合 **─てき**[0]【─的】─な ─に ある現象について判断を下したりする場合、それをいろいろな観点から幾つかの要素に分解して考えようとする様子だ。

ぶんせき[0]【文責】書いた文章についての責任。

ぶんせつ[0]【分節】─する(他サ) 一続きのものを、幾つかの区切りに分けること。また、その区切り(の一つひとつ)。

ぶんせつ[0]【文節】〔文法で〕文を、自然の息切れで区切った最小の単位。例、「本で」「読んだ」。〔文素とも言う〕

ふんせん[0]【噴泉】勢いよく、ふき出している温泉。

ふんせん[0]【奮戦】─する(自サ) ある限りの力を出して戦うこと。「─記[3]」

ふんぜん[0]【紛然】─たる ─と ごちゃごちゃと入り交じっている様子だ。

ふんぜん[0]【憤然】─たる ─と ひどく怒る様子だ。「─として席を立つ」

ふんぜん[0]【奮然】─たる ─と 奮い立って元気を出す様子だ。

ぶんせん[0]【文選】─する(他サ) 原稿の順番に従って必要な活字を拾い集める△こと(工員)。「─工[0]」

ブンゼンとう[0]【ブンゼン灯】石炭ガスを、高熱で、煙の出ない炎にして燃やす道具。化学の実験に使う。〔ドイツの化学者 Bunsen が発明〕

ふんそう[0]サウ─【△扮装】─する(自サ)〔演劇などで〕その人物の姿になること。また、その姿。

*__ふんそう__[0]サウ─【紛争】組織の内部などで利害の対立する者の間に生じるもめごと。「─が絶えない/─を巻き起こす/─解決にあたる/大学─・民族─[5]」

ぶんそう[0]【文藻】「文才」の意の美化した表現。

ぶんぞう[0]【分蔵】―する(他サ) 数(十)巻で一部を成す書物などが、幾つかの場所に分かれて所蔵されていること。

ぶんそうおう[1]-[0]【分相応】―な/―に 言動・支出・生活・待遇などが、その人の身分・地位・能力などにふさわしい様子だ。「―なことを言う/―に暮らす」

ふんぞり かえ・る[5]【踏(ん)反(り)返る】(自五) ❶〔いすにかけた人などが〕威張って、胸を反らすようにする。❷威張る。

ふんぞ・る[3]【踏(ん)反る】(自五) ふんぞりかえる。

ぶんそん[0]【分村】―する(自サ) 本村から分かれて別の所に△村を作ること(作った村)。

ふんたい[0]【粉体】固体粒子が多数集合している状態にあるものの総称。コロイド〔〇・一マイクロメートル以下〕、微粉(ビフン)[0]〔〇・一～一〇〇マイクロメートル〕、粗粉(ソフン)[0]〔〇・一～一ミリ〕、粒体[0]〔一ミリ以上〕に大別される。「―爆発・―工学」

ふんたい[0]【粉〈黛】〔おしろいとまゆずみの意〕「化粧(をした美人)」の意の古風な表現。

ぶんたい[0]【分隊】❶本隊から分かれた隊。❷戦闘・作業などの最小の単位。十人ぐらい。

ぶんたい[0]【文体】❶その△時代(ジャンル)の文章に特有な表現様式。❷その作者が素材を形象化するのに用いた表現法(の総体)。〔狭義では、表現技術の上に見られる特徴を指す〕

ぶんだい[0]【文台】書物・短冊などを載せるための、低い小さな机。

ぶんだい[0]【文題】文章・漢詩を作る時の題。「―を与える」

ふんだく・る[4](他五) ❶△乱暴(無法)に、取(り上げ)る。❷〔❶とも口頭語的表現〕❷不当△に(だと思われるほど)高い料金を客から取る。

ふんだり けったり[3]-[1]、[5]【踏んだり蹴ったり】不運な出来事が重なったり続けざまにひどい仕打ちを受けたりして、さんざんな目にあう様子。

ふんたん[0]【粉炭】粉になった石炭。

*__ぶんたん__[0]【分担】―する(他サ)〈なにヲ―する〉全体を幾つかに分けて(受け)持つこと。「△責任(役割)を―する/―金[0]」

ぶんたん[0]【文旦・文〈橙】ぼんたん。⇩ザボン

ぶんだん[0]【分団】❶細かく分かれた集団。グループ。「消防―[5]」❷本部から分かれて作った集団。

ぶんだん[0]【分段】区切り。切れ(め)。

ぶんだん[0]【分断】―する(他サ) 一つながりのものを、ばらばらに切り放すこと。「勢力を―する/東西に―された国家/社会の―を危惧する」

ぶんだん[0]【文壇】文学関係者の社会。作家・評論家などの諸種のつながり。

ふんだんに[0](副) 〔「不断に」の変化〕いくら使っても決して△尽きる(不足する)ことがないほど、十分にある様子。「戦時下といえども、なぜか酒もさかなも―あった」

ぶんち[0]【分地】―する(自サ) 土地を分けること。また、その土地。

ぶんち[1]【文治】武力を使わず政治力で世を治めること。「ぶんじ」とも。「―派[0]」↕武断

ぶんち[1]【聞知】―する(他サ) 聞いて知っていること。

ぶんちゅう[0]【文中】文章の中。

ぶんちょう[0]【文鳥】スズメに似た小鳥。上部・胸は灰色、ほお・腹は白色でくちばし・足はピンク色。人によくなれる。〔カエデチョウ科〕「手乗り―[4]」 かぞえ方 一羽

ぶんちん[0]【文鎮】書類・紙が飛び散ったり動いたりしないように、上から押さえる物。

ぶんつう[0]【文通】―する(自サ) 手紙をやりとりすること。

ふんづ・ける[4]【踏ん付ける】(他下一) 〔「ふん」は「踏み」の変化〕「ふみつける」の口頭語的表現。

ふんづまり[0]【〈糞詰(ま)り】運動不足や病気などで、大便が出なくなること。便秘。

ぶんてん[0]【分店】本店から独立した、別の店。↕本店❶⇩支店

ぶんてん[0]【文典】規範文法を説いた本。

ぶんてん[0]【文展】旧制の「文部省美術展覧会[3]-[6]」の略。〔「日展」の前身〕

ぶんでんばん[0]【分電盤】スイッチ・ヒューズなどを一か所にまとめて取り付けたもの。

ふんど[1]【〈忿怒・憤怒】―する(自サ) ひどく怒ること。「ふんぬ」とも。

ぷんと[0](副) ❶不快なにおいが一瞬鼻を刺激する様子。「―におう」❷ちょっと怒った顔をする様子。「―△する(ふくれる)」

ふんとう[0]【噴騰】―する(自サ) ふき上がること。

ふんとう[0]【奮闘】―する(自サ) 力の限り△戦う(努力する)こと。「孤軍―[1]-[0]」

ふんどう[0]【分銅】はかりで目方をはかる時に使う、金属のおもり。

ぶんとう[0]【文頭】文(章)の初め(の部分)。

ぶんどき[3]【分度器】角度を計るのに使う器具。

ふんどし[0]【〈褌・〈犢鼻〈褌〉】〔「踏み通し」の変化という〕❶男子の陰部をおおうための細長い布。「―をしめてかかる〔=(一段と)気持を引きしめて事に当たる〕/人の―ですもうをとる〔=他人のものをうまく借用したりそのやる事に便乗したりして、自分の利益を図る〕」❷カニの腹をおおう甲羅の俗称。 かぞえ方 ❶は一本 **―かつぎ**[5]【―担(ぎ)】❶〔すもうで〕〔関取のふんどしをかつがされることから〕下級の力士の俗称。❷部内の最下級の者の俗称。〔謙遜(ケンソン)や相手に対する侮蔑(ブベツ)を含意して用いられることもある〕

ぶんど・る[3]【分捕る】(他五) ❶〔戦場で〕敵の物を奪い取る。❷他人の物を奪い取る。名 分捕り[0] 表記 「分捕る」は、古来の借字。

ぶんなぐ・る[4]【《打(ん)殴る】(他五) 「力を入れて殴る」意の口頭語的表現。

ぶんな・げる[4]【《打(ん)投げる】(他下一) 「勢いをつけて(乱暴に)投げる」意の口頭語的表現。

ふんにゅう[0]【粉乳】水分を蒸発させて粉状にした牛乳。粉ミルク。「脱脂―」

ふんにょう[0]【〈糞尿】大便と小便。「―処理[5]」

フンヌ[1]【〈匈《奴】きょうど。表記 「匈奴」は、民族名の音訳とされる。

ふんぬ[1]【〈忿《怒・憤《怒】ふんど。「―の形相(ギョウソウ)」

ぶんのう[0]【分納】―する(他サ) 何回かに分けて納めること。

ぶんぱ[1][0]【分派】―する(自サ) 本流から分離・独立して一つの流れ・組織を形作る△こと(もの)。宗教・芸能・政党などについて言い、排他的な行動を多く取る。分流。「―行動[4]」

ぶんばい[0]【分売】―する(他サ) そろっている物を分けて売ること。「全集を―する/―不可」

ぶんぱい[0]【分配】―する(他サ) ❶あるまとまった物を分けて何人かに配ること。「パイを―する」❷〔経済学で〕土地所有者は地代を、資本家は利子・利潤を、労働者には賃金を、それぞれ生産活動に参加した報酬として、取得するこ

と。

ふんぱつ[0]【奮発】―する(自他サ) ❶元気を出して、何かをすること。「もう一ー―する」 ❷思い切って多めの金を△出す(出して買う)こと。「プレゼントに大きなバラの花束を―した」

ふんば・る[3]【踏ん張る】(自他五) ❶両ももに力を入れて両足を大きな角度に開く。❷開いた足に力を入れて、動くまいとして立つ。「土俵ぎわで―」 ❸他人の説に従ったりしないで、自分の説を通そうと頑張る。「最後まで―」 [名]踏ん張り[0]「―がきかない」

ふんぱん[0]【噴飯】〔食べかけの御飯を急にふき出す意〕ばかばかしくて思わず笑い出すこと。「そりゃ―物だね」

ぶんぱん[0]【文範】文章の手本。

*__ぶんぴつ__[0]【分泌】―する(自他サ)〈どこニ(なにヲ)―する〉腺から生命の維持に必要な特殊の液体をにじみ出させること。「ぶんぴ[0]」とも。「胃液の―/―物[4]」

ぶんぴつ[0]【分筆】―する(他サ) 一筆の土地を分割すること。「―登記[5]」

ぶんぴつ[0]【文筆】文章による創作活動をしたり 図書による調査・研究をしたり する知的労働。「―活動に従事する/―に携わる/―業[4]・―家[0]」

ふんびょう[0]【分秒】分と秒(が問題になるような、ごく短い時間)。「―を争う」

ぶんぶ[1]【文武】学芸と武道。「―両道[1]-[0]」

*__ぶんぷ__[0]【分布】―する(自サ)〈どこニ―する〉 ❶地域のあちこちに分かれて広がること。❷粗密の程度を含めた、空間的な広がりぐあい。「△動植物(人口・方言)の―状態」

ぶんぷく[0]【分服】―する(他サ) 何回かに分けて、薬を飲むこと。

ぶんぶつ[1]【文物】一国の文化が生み出したもの。芸術・学問・宗教・制度などを含めた一切のもの。「―の移入/―が盛んになる」

ふんふん[1](感) 相手の話にうなずいたり、軽く聞き流す時などに発する語。

ふんぷん[0]【〈芬々〉】―たる ―と においが強く感じられる様子だ。「香気―たり/酒気を―と匂わせ…」

ふんぷん[0]【紛々】―たる ―と 種々雑多な物が入り交じっていて、統一のない様子だ。「諸説―[1]-[0]」

ぶんぶん[1](副)―と ―する ❶昆虫やたこなどがうなりをあげて飛ぶ様子。また、その音の形容。「ハチがうるさく―飛ぶ」 ❷うなりを生じるほど勢いよく△振り回す(回転する)様子。「腕を―回す/プロペラが―回る」

ぷんぷん ■[1](副)―と ―する ❶(不快なにおいなどが)鼻を刺激したり ある雰囲気が充満したり する様子。「安物の香水が―鼻につく/昭和の香りが―する商店街」 ❷何かに腹を立てて やたらに怒りちらす様子。「相手がいくら待っても来ないと―して帰っていった」 ■[0]―な ―に 「ぷんぷん■❶」に同じ。「酒のにおいが―で耐えられない」

ふんべつ[1]【分別】社会人として求められる、理性的な判断。「―を△つける(失う)/―の△ある(ない)人/―顔[0]」

―くさ・い[6]【―臭い】(形) 分別をわきまえたものの考え方を心得ているといった印象を接する人に与える様子だ。「子供のくせに妙に―ことを言う」 [派]**―さ**[5] **―げ**[0][7][6]

―ざかり[5]【―盛り】―な ―に 社会人として最も充実していて、何事も分別をもって対処できるととらえられる年ごろ。「四十五十は―」 **―らし・い**[6](形) 分別があるととらえられる様子だ。

ぶんべつ[0]【分別】―する(他サ) ❶種類ごとに分けること。「ごみの―収集〔=燃やせるもの・燃やせないもの・粗大ごみなどに分けられたものを清掃係が集めること〕/―蒸留[5]〔=⇩分留〕」 ❷無差別に続けるのではなく どこかで区切ること。「―書法[5]〔=⇩わかち書き〕」

ふんべん[0]【〈糞便〉】大便。

ぶんべん[0]【分〈娩〉】―する(他サ) 子を産むこと。出産。「―室[3]」

ふんぼ[1]【墳墓】はか(じるし)。「―の地〔=父祖の墓のある土地。故郷〕」

ぶんぼ[1]【分母】〔分数で〕横線の下にある数。「―子[3]」↕分子 ❸【―を払う】分数(式)を含む(不)等式の両辺に適当な数・式を掛けて、分数(式)を含まない形に直す。

ぶんぽう[0]【分封】―する(自他サ) ❶〔古〕大名が自分の領地を割いて、臣下に分けること。また、与えられた領地。❷新しい女王バチが出来ると、古くからいた女王バチが元の巣を離れて新しい巣を作ること。

ぶんぽう[0]【文法】❶その言語体系において、語句と語句とがつながって文を作る時の法則。「―的な意味/―上の役割/英―[3]・国―・学校―[5]・古典―[4]」 ❷場面や状況に応じた表現法や、その方面の基本的な作法など。「演歌作曲の―」

*__ぶんぼうぐ__[3]【文房具】〔「文房」は、書斎の意〕物を書くなどするために必要な道具の称。筆・硯・ペン・インク・ノート・紙など。「ぶんぼうぐ[3]」とも。文具。文房用具。

ふんぽん[0]【粉本】❶絵の下書き。❷(絵・文章の)元になったもの。 [かぞえ方] 一点

ふんまつ[0]【粉末】〔薬品・食品・鉱物などを〕粉の状態にしたもの。「―ジュース[5]・―状」

ぶんまつ[0]【文末】文(章)の終り(の部分)。「―をです、ます で統一する/―助詞[5]」

ぶんまわし[3][0]【《打ん回し・分〈廻し〉】コンパス。 [表記]「〈筆規〉」は、義訓。

ふんまん[0]【憤〈懣・〈忿懣〉】腹が立って、がまんが出来ない△こと(気持)。「―やるかたない」

ぶんみゃく[0]【分脈】分かれた山脈・鉱脈・血脈など。

ぶんみゃく[0]【文脈】❶前後の文・文章における語句や表現内容の論理的な対応関係。「―が乱れている/△―から言うと(この―では)、そうは理解出来ない/―をたどる」⇩語脈 ❷問題となる語を含んで一貫した筋が期待される、文・文章の展開のしかた。〔広義では、その意義を大局的に把握するための、一連の大きな流れを指す。例、「日本の経済を国際的な―で『=照射を当てて』理解する」〕

ぶんみん[0]【文民】〔civilian の訳語〕いわゆる職業軍人以外の一般人。〔日本国憲法にある言葉〕「―統制」

ふんむき[3]【噴霧器】水や薬液を霧のように噴き出す仕組みの道具。霧吹き。 [かぞえ方] 一台

ぶんめい[0]【分明】―な ―する(自サ) 明らか(になる様子)だ。

ぶんめい[0]【文名】すぐれた文学者だという評判。

**__ぶんめい__[0]【文明】農耕・牧畜によって生産したものをおもな食糧とし、種々の専門職に従事する人びとが集まって形成する都市を中心に整然と組織された社会の状態。〔通常、狭義の文化『=精神文化』を伴う。狭義では、そのような社会が さらに発展し、特に技術の水準が著しく向上した状態を指す。そうした技術の△体系(所産)という意味でも用いられ、精神文化(の所産)と対比される。また、技術面・物質面のみが発達したことを強調するために、「技術文明・物質文明」と表現することがある〕「―発祥の地メソポタミア/進んだ―の恩恵△を受ける(に浴する)/―の利器/心臓病は―病と言われる/―社会を拒絶して山奥で自給自足の生活をする/工業化が進み物質―が行きつく所まで行っ

た一部先進国/機械—によって失われた人間性を取り戻す/—国・—人・—批評・黄河—・青銅器—・西欧—・現代—」↕未開 **—かいか**5クヮ【—開化】外国の文物を取り入れて、自国文化の進展を図ること。**せいしん—**5【精神—】⇩精神文明

ぶんめん0【文面】手紙などの文章から読み取れる内容。「—から察するに、かなり悩んでいるようだ」

ふんもん0【噴門】食道の下端の、胃に続く所。⇩幽門

***ぶんや**1【分野】△個々の人(組織・団体)が、何らかの意義があると信じて行なう活動の場を、種々の観点から分類したそれぞれ。〔活動の目的・形態、(知的活動をも含めて)生産した物とその内容、活動の対象とする人や地域、活動の社会的な意義・評価などの観点が上げられる〕「△物理学(電子工学・臨床医学)の—で優れた業績をあげた/福祉の—に重点をおいた予算配分/科学技術の—での日米協力/現代音楽の—に新境地を拓ヒラいた/衆議院の新勢力—が決まった/大手建設会社が注文住宅の—に進出を図る/外交—・農業—・流通—」

ぶんやぶし0【文弥節】浄瑠璃ジョウルリの一派。岡本オカモト文弥を祖とする三味線の音楽。

ふんゆ0【噴油】❶—する(自サ) ある間隔をおいて△石油がふき出すこと(ふき出す石油)。❷ディーゼル エンジンで、重油をふき出させる操作。

ぶんゆう0イウ【分有】—する(他サ) 分けて所有すること。

ぶんよ1【分与】—する(他サ) 関係する何人かに分けて与えること。「財産—」

ふんらい0【紛来】—する(自他サ) 郵便物がまちがって配達されること。〔官庁での通用語〕

ぶんらく1【文楽】義太夫ギダユウによる人形浄瑠璃ジョウルリで、現在文楽協会に伝えられるもの。

ふんらん0【紛乱】—する(自サ) どうなっているか分からないほど乱れること。

ぶんらん0【〈紊乱】—する(自他サ) 〔古〕⇩びんらん

ぶんり0【分利】〔肺炎などで〕高熱が短時間に下がること。

***ぶんり**0【分離】—する(自他サ)〈なにカラなにヲ—する〉❶一体であったものから△離れる(離す)こと。「政教—・職住—・—課税4」❷〔一定の△方法(手続き)により〕特定の電波・物質などを、分けて取り出すこと。「磁気—3」

ぶんりつ0【分立】—する(自他サ) 分かれて独立すること。分けて独立させること。「ぶんりゅう0」とも。「三権—1-0、0-0」

ふんりゅう0リウ【噴流】—する(自サ) ふき出すように、激しい勢いで流れること。また、その流れ。「—式0」

ぶんりゅう0リウ【分流】❶—する(自サ) その川の本流から分かれて流れる△こと(水の流れ)。↕本流 ❷分派。

ぶんりゅう0リウ【分留・分〈溜】—する(他サ) 違った沸騰点を持つ数種の液体の混合物を蒸留して、低温から順次に各成分を分けて取り出すこと。分別蒸留5。表記「留」は、代用字。

***ぶんりょう**3リヤウ【分量】❶主として重さ・体積・仕事など、自由に分けられるものの量を意味する日常語。「薬の—/ごみの—/砂糖の—が多すぎる/かなりの—の仕事/目—」❷長さ・重さなどを計ること。「—〔=適量〕の水」

ふんりん0【〈賁臨】—する(自サ) 〔古〕〔本来の字音はヒリン。「ふんりん」は類推読み〕「〔人が〕訪問して来ること」の意の尊敬語。

***ぶんるい**0【分類】—する(他サ)〈なにヲ(なにニ)—する〉物事の形・状態・性質などを なんらかの基準に従って分け、個々のものをそのいずれかに帰属させること。「生物—上の一階層/—のための—/独特の—法/—を繰り返す/形による—/大—・下位—・植物—学」

ふんれい0【奮励】—する(自サ) 元気を出して、がんばること。「—努力せよ」

ぶんれい0【分霊】〔古〕ある神社の祭神の霊を分けて、他の神社にまつること。また、その神霊。「—社3」

ぶんれい0【文例】文(章)の(書き方の)例。

ぶんれつ0【分列】—する(自サ) 隊ごとに分かれて並ぶこと。「—行進5」 **—しき**43【—式】分列をした部隊が、行進して親閲者に敬礼する式。

***ぶんれつ**0【分裂】—する(自サ)〈なにニ—する〉一つの物(の先)が幾つかに△分かれる(分かれて、まとまりを失う)こと。「—を△起こす(招く)/—傾向を強める/△人格(細胞)—5」↕統一 **—せいきしつ**7【—性気質】過敏である一面、無感動であるように、精神の動揺が激しく、内向的で、他人と接する時はいつも緊張し続けるというような気質。↕循環性気質

ぶんわ0【文話】文章△に関する(の作り方の)話。

ふんわり3フンハリ(副)—と—する 「ふわり」の強調表現。「—した白い雲」

へ

へエ(格助) ❶動作・作用がその方向に向けて行なわれることを表わす。「北—飛ぶ/家—帰る/京都—立つ」❷動作・作用がその相手に対して行なわれることを表わす。「先生—よろしくお伝えください/母—の手紙」❸主体や対象の移動の到着点を表わす。「ここ—荷物を置いてはいけない/押入れ—しまったままだ」〔❷❸は、格助詞「に❷」とほとんど同義で用いられる。⇩に❷ 文法(2)(d)(e)〕 文法 体言(名詞、またそれに準ずる句)に接続する。後に格助詞「の・と」を伴う場合がある。

へ1【へ】〔音楽で〕長音階のハ調のファにあたる音名。F音。

へ1【《辺】〔雅〕❶〔川などの〕ほとり。「水の—〔=水ぎわ〕/岸—ベ〔=岸およびその付近〕」❷〔沖と違って〕岸に近い所。

へ1【〈屁】❶腸にたまったガスが、しりの穴から出たもの。「—をひる/すかし—ベ0・言い出しっ—ペ」❷どんな点から見ても、あえて取り上げるに値しないととらえられるもの。「—とも思わない/—にもならない理屈をふり回す」

べ【《部】(造語)〔日本の古代社会で〕一定の職業に従事した、世襲的な氏族。例、語カタリ部・斎インベ部。⇩かたりべ

ペ1 ページの略。

ペ(接尾)「兵衛エ」の変化「ぺい」の短呼。⇩っぺ

ヘア1【hair】❶毛。髪。「—スタイル4・—ネット3・—ブラシ3・—ピース3〔=洋髪用の入れ毛〕・—ローション3〔=毛髪用の化粧水〕」❷「陰毛」の意の婉曲エンキョク表現。「—ヌード3」

ベア1 ベース アップの略。

ペア1【pair】❶△二つ(二人)で一組になること。また、そのもの。「対ツイ」とも。「ダブルスで—を組む/—の指輪」❷二人で漕コぐ、レース用の△ボート(カヌー)。かぞえ方 ❷は一艇テイ

ペア1【pear】洋ナシ。

へあが・る3【経上(が)る】(自五) ❶段階を踏んで地位があがる。❷低いところからやや高いところへ上る。

へアスプレー4【hair spray】髪をセットした後に、髪型

が崩れるのを防ぐために吹きつけるスプレー式の整髪料。
へアダイ③②〔hair dye〕頭髪を好みの色に染めること。
ベアトップ③〔和製英語 ←bare『=むき出しの』+ top〕女性の衣服で、肩から背中を露出したデザインのもの。「—ドレス⑥」
へアトニック③④〔hair tonic〕髪の毛にふりかけてマッサージをし、脱毛を防ぐ(香料入りの)養毛剤。
へアドライヤー④〔hair dryer〕熱風を吹き出させて、洗った髪の毛を乾かしたり形づくったりする器具。
へアピン⓪〔hairpin〕女性の髪・帽子などをとめるのに使うピン。「—カーブ⑤〔=道路がへアピンのように急角度に曲がっている所〕」［かぞえ方］一本
ベアリング⓪〔bearing〕⇩軸受け❷
へい〔丙・平・兵・並・併・柄・病・陛・閉・塀・幣・弊・蔽・餅〕→【字音語の造語成分】
へい(感)〔「はい」の変化〕昔風の商人が客に対し、また、召使が主人に対して、その意を迎え、承知した気持などを表わす言葉。
へい①【丙】❶十干(ジッカン)の第三で、乙の次、丁の前。ひのえ。❷〔十干の順に従って〕幾つかある物事の第三位に取り上げられるものの称。「甲乙—」⇩甲[二]❷
へい①【兵】〔武器の意〕❶軍隊。「—を進める/—をあげる〔=反乱などのための軍事行動を起こす。同じ意味で『—を起こす』とも言う〕/—〔=軍事〕は速(スミ)やかなるをもって貴(タット)しとなす」❷軍人。〔広義では将校・下士官を含み、狭義ではそれ以下の階級の者を指す〕「—に告ぐ/将—」⇩【造語成分】ひょう
*__へい__⓪【塀】家・土地などの境目に作った、目隠しや用心のための囲い。「土—(ドベイ)・板—(イタベイ)・煉瓦—(レンガベイ)③」［表記］「〈屏」とも書いた。
へい①【弊】(慣行の結果生じた)欠陥。「上意下達の—に陥る/長年の—/—風・宿—・語—」⇩【造語成分】

へい

［丙］　⇩(本文)へい【丙】

［平］　[一]❶たいら。たいらか。「平坦(タン)・水平」❷変わった事が無くて△穏やか(普通)。「平穏・平年・平服・和平・太平」❸かたよりが無い。「平衡・公平」㊃やさしい。「平易」[二](略)❶平家・平氏。「平語・源平(ペイ)」❷平方。「開平・百平米(ベイ)〔=百平方メートル〕」❸元号「平成」の略。⇩明・大・昭・令

［兵］　⇩(本文)へい【兵】

［並］　ならぶ。ならべる。「並行・並立・並置・並列」

［併］　[一]❶ならぶ。ならべる。「併行」❷両方△取る(合わせる)。「併合・併有・併用・合併(ペイ)・兼併(ペイ)」[二](略)〔野球で〕併殺。

［柄］　❶取っ手。え。「柄杓・斗柄」❷植物の花や葉を支える細長い部分。「花柄・葉柄」❸勢い。権力。「柄臣・権柄(ペイ)・横柄」㊃話の材料。「話柄」

［病］　からだのやまい。「疾病(シッペイ)」⇩びょう

［陛］　宮殿の階段。「陛下」

［閉］　↕開 ❶門をとざす。戸・コックなどをしめる。「閉鎖・閉門・開閉」❷とじ△こめる(こもる)。「閉居・閉塞(ソク)・密閉(ペイ)・幽閉」❸終える。「閉会・閉業・閉場・閉廷・閉幕」

［塀］　⇩(本文)へい【塀】

［幣］　❶神前に供える布・紙。「幣帛(ハク)・奉幣」❷通貨。「貨幣・紙幣・造幣」

［弊］　[一]❶古い。「弊衣」❷悪い。「弊害・弊習・旧弊・積弊・通弊」❸疲れる。「疲弊」[二]自分の△関係(所属)するものに冠する謙称。「弊社・弊店」⇩(本文)へい【弊】

［蔽］　物の上部や周囲を覆い隠す。おおう。「遮蔽・隠蔽(ペイ)・掩蔽(エンペイ)・建蔽(ペイ)率」

［餅］　❶粘り気の強い米を蒸し、搗(ツ)いて作った食品。もち。「焼餅(ショウヘイ／ヤキモチ)・画餅(ヘイ／ベイ)」❷米粉や小麦粉などをこねて加熱して作る食品。「月餅(ゲッペイ)・煎餅(センベイ)」

べい

［米］　[一]こめ。「米作・米飯・米麦・五斗米」⇩まい [二](略)❶アメリカ(亜米利加)。「米州機構・南米・北米・中米」❷米国。「米中・米貨・米軍・米兵・米語・欧米・全米・渡米・日米」

べい〔米〕→【字音語の造語成分】
べ・い(助動)〔文語の助動詞「可(べ)し」の変化〕〔東北・関東方言〕う。よう。「見—/帰る—〔=帰ろう〕/よかん—〔=いいだろう〕」〔今は終止形以外はほとんど使わない。つまって、「よかっぺ」などとも言う〕
ペイ①〔pay〕[一]報酬。賃金。[二]—する(自サ)❶ひきあうこと。もうかること。❷支払うこと。[三](造語)〔↑payment=支払い〕他の語について、現金を用いない、電子決済のサービス名称を作る語。
へいあん⓪【平安】❶無事で穏やかなこと。「—路—」❷〔↑平安京⓪〕京都。❸「平安時代」の略。　**—じだい**⑤【—時代】平安京〔=現在の京都市〕に都があった時代。七九四年の桓武(カンム)天皇の平安遷都から一一八五年の平氏の滅亡までの約四百年間。平安朝⓪。
へいい①⓪【平易】—な/—に〔理解・解釈などが〕すぐ出来る様子だ。「—な〔=やさしい〕問題」［派］—さ⓪
へいい①【弊衣・〈敝衣】汗などで汚れたままの衣服。　**—はぼう**①-⓪【—破帽】破れた衣服と帽子。旧制高等学校の生徒が好んでした服装。［かぞえ方］一枚
へいいん⓪【兵員】〔必要な〕兵士の数。「—増強」
へいいん⓪【閉院】—する(自他サ)↕開院 ❶院としての事務機能を停止すること。「—式③」❷病院・少年院などの(その日の)執務を終えること。「—時刻」
へいえい⓪【兵営】兵士が集団で居住する設備のある所。
へいえき⓪【兵役】国民の義務として、ある期間、軍務に服すること。「—に服する」
へいえん⓪【閉園】—する(自他サ)↕開園 ❶遊園地や幼稚園などを閉鎖すること。❷〔遊園地や動物園などが〕時間が来たりして、客の入場をうちきること。
べいえん⓪【米塩】人が生きていくために不可欠の米と塩。「—の資〔=生活費〕」
ペイオフ③〔payoff〕❶支払い。〔広義では、贈賄を含む〕❷破綻した金融機関に代わって預金保険機構が預金を払い戻す制度。
へいおん⓪【平温】平年なみの気温。
へいおん⓪【平穏】—な/—に 日常の生活を乱す事件などが無く、静かに毎日が経過する様子だ。「—な生活/—無事⓪-⓪」［派］—さ⓪
へいおんせつ③【閉音節】子音で終わる音節。日本語では、撥音(ハツオン)や促音を含む音節がそれに当たる。↕開音節

へいか①【平価】❶金本位国相互間の、本位貨幣に含まれる金の量の比較。❷有価証券の相場価格が額面の金額に等しいこと。 **ーきりさげ**①-⓪【ー切(り)下(げ)】本位貨幣中の純金の量を少なくすること。通貨単位の価値を引き下げること。

へいか①クワ【兵〈戈】〔「武器」の意〕「戦争」の古風な表現。「ーに訴える/ーの巷チマタ〔=戦場〕となる」

へいか①クワ【兵火】戦争によって起こる火災。〔狭義では、砲撃・爆撃などによる災害を指す〕

へいか①クワ【兵科】軍隊の職種。直接戦闘に加わる者とそうでない者とがある。

へいか①【兵家】❶武士・職業的な軍人(の家柄)。「勝敗はーの常」❷兵法を修める人。

へいか①クワ【併科】ーする(他サ) 同時に二つ以上〔=罰金と科料など〕の刑をあわせて科すること。

へいか①【陛下】〔陛〔=御殿の階段〕の下に居る取次ぎの人の意〕天皇と上皇、三后サンコウの敬称。〔直接奏上出来ないので、こう言った。⇩殿下・侍史〕

へいか⓪【閉架】〔図書館で〕関係者以外の者が書架の所まで立ち入るのを禁止すること。「ー式⓪」↕開架

へいが①グワ【平〈臥】ーする(自サ) 体を横たえて寝ること。〔狭義では、病気で床につくことを指す〕

べいか①【米価】米の値段。「ー審議会」

べいか①クワ【米菓】米の粉を主材料として作った塩せんべいなどの菓子類。

へいかい⓪クワイ【閉会】ーする(自他サ) その(日の)会や議会などが終わる(を終える)こと。〔狭義では、国会の会期を終えることを指す〕↕開会

****へいがい**⓪【弊害】〔「弊」も「害」も、悪い意〕そのまま続けることによって生じる、悪い点。他のものに対する悪い影響。「ーを△生む(もたらす・伴う)/ーが△生じる(大きい)」

へいかく①⓪【平角】〔幾何学で〕同一の点から出る二本の半直線が、その点を挟んで互いにちょうど反対側に位置して一直線状になった時に成す角(の大きさ)。半回転〔=一回転の半分〕の大きさ、すなわち一八〇度(に等しい角)。「ーは二直角に等しい」

へいかく⓪【兵革】〔武器とよろいかぶとの意〕「戦争」の意の古風な表現。

へいがく⓪【兵学】戦術・用兵に関する学問。

へいかつ⓪クワツ【平滑】ーな 平らですべすべしている様子。

「ー筋⓪〔=脊椎セキツイ動物の心筋、無脊椎動物の筋肉を除く内臓の筋肉。横紋は無く、著しく長い。↕横紋筋〕」

へいかん⓪【閉刊】ーする(自他サ) 継続されていた新聞・雑誌の刊行を、その号限りでやめること。廃刊。

へいかん⓪クワン【閉館】ーする(自他サ) ↕開館 ❶図書館・映画館などの運営や経営をやめること。❷図書館・映画館などが、その日、また、その期間の利用者に対する業務をやめること。

へいがん⓪グワン【併願】ーする(他サ) 受験の際に、複数の学校、または同一校の異なる学部や学科に願書を提出すること。↕単願

***へいき**⓪【平気】ーに・ーな いかなる外的事情にあっても気にすることが全く無く、悠然として平常心を失わない△こと(様子)。「ーを装う/ーの平左ヘイザ⑤〔=平気の擬人化した表現〕」 運用 (1)感動詞的に、相手に対して、自分のことで心配するには及ばない、という意を表わすのに用いることがある。例、『送って行こうか』『平気、平気、ひとりで帰れるから』」 (2)「平気で」の形で、副詞的に用いる時には、他人に迷惑をかけたり 他人の感情を害したり していることに無自覚である相手の言動を非難して言うことがある。例、「何度注意されても平気で遅刻する/道ばたに平気でごみを捨てる不届き者」

へいき①【兵器】〔刃物の意〕戦闘に直接使う器具。「ー廠ショウ③・原子ー」

へいき①【併記・並記】ーする(他サ) 二つ以上の事柄を並べて書くこと。連記。↕単記

へいきょ①【閉居】ーする(自サ) 家に閉じこもって外出しないこと。

へいぎょう⓪ゲフ【閉業】ーする(自他サ) (その日の)業務をやめること。

へいきょく⓪【平曲】琵琶ビワを伴奏にして語られる平家物語。

へいきょくせん④③⓪【閉曲線】その上の一点から出発してたどって行くと再びもとの点に戻る曲線。閉じている曲線。例、円・楕円ダエン・「8」の字形の曲線。⇩曲線

****へいきん**⓪【平均】〔「平」も「均」と同じく、ひとしい意〕 ❶ーする(自他サ) 〈(なにヲ)ーする〉 関係するものの△どの部分(どれ)をとっても均一の状態であるようにすること。「流し込んだコンクリートの表面をーにならす/兄弟にーに分けてやる/品質がーして〔=そろって〕いる」 ❷ーする(他サ) 〈(なにヲ)ーする〉〔数学・統計学で〕集団に属する個々のものに付随する数量について、幾つかの集団どうしをそれぞれの中心的傾向に着目して端的に比べたり 一つの集団の内部における個体の相対的位置を見るための標準としたりする目的で、全体が均一であると想定した場合の数値によって代表させるため、計算を行なうこと。また、その結果得られた代表値。〔狭義では、相加平均を指す〕「ーして一日五時間は勉強する/毎日の労働時間をーする/各クラスの児童の身長を調べる/ー株価・ー値③・相乗ー」 ❸釣合。「ーを失う/ー運動⑤・ー台⓪」 **ーじゅみょう**⑤ミヤウ【ー寿命】年齢ごとの死亡率の統計から割り出して零歳児の寿命を予想した数値。普通、一国のそれを指す。 **ーすいじゅん**⑤【ー水準】その同類全体の中で、大部分を占めている程度。 **ーたいよう**⑤ヤウ【ー太陽】地球から見た時の太陽の回転速度は季節によって少しずつ異なるため、年間を通じての平均速度で回転すると考えた仮想的な太陽。 **ーたいようじつ**⑦ヤウー【ー太陽日】平均太陽が南中してから次に南中するまでの時間。 **ーてき**⓪【ー的】ーに・ーな ❶算出された平均の数値に関係がある様子だ。「八月のーな最高気温」 ❷同じ条件下にあるもの全体に共通する傾向を備えていて、大部分が当てはまる様子だ。「ーな△日本人(大学生)の考え方だ」 **かじゅうー**④ーヂュウ【加重ー】〔統計学で〕個々の数量に、その重要度に比例した数値を掛けてから計算した平均値。例、東証株価指数〔=トピックス〕。 **そうかー**④サウ【相加ー】ーする(他サ) 幾つかの数の和を、その個数で割って得られる値。算術平均。〔各種の平均値のうちで最も広く用いられる〕 **そうじょうー**⑤サウ【相乗ー】ーする(他サ) n個の正数の相乗積の正のn乗根。幾何平均。「何年間かの物価上昇率をーする」

へいぐし⓪【幣串】神官がはらいに使う、しでをかけたサカキ。かぞえ方 一本

へいけ①【平家】❶平氏。❷「平家物語」の略。 **ーがに**③【ー〈蟹】瀬戸内海で多くとれるカニ。足が細長く、甲らの表面は人の顔に似ている。かぞえ方 一匹 **ーびわ**④ハ【ー〈琵琶〉】琵琶を伴奏にして平家物語を語ること。また、その語り物。平曲。 **ーものがたり**⑥【ー物語】鎌倉時代の代表的な軍記物語。平語。

へいけい⓪【閉経】ーする(自サ) (更年期になって)月経が停止すること。

へいげい⓪【〈睥睨〉】—する(他サ)〔「睥」も「睨」も、横目で見る意〕❶じっと観察しながら、相手の出方を見ること。「天下を—する〔=情報を分析しながら、すきあらば乗り出そうとねらう〕」❷支配下にある人などに威圧的な態度を示すこと。「覇者として近隣諸国を—する」

へいけつ⓪【併結】—する(他サ) △行き先(客車や貨車など性質)の違う車両を同じ列車に編成すること。

へいけん⓪【兵権】軍を掌握する権力。「—を握る」

へいげん⓪【平原】平らで広い野原。「大—」

へいこ①【〈炳乎〉】—たる —と 〔太陽が輝いているように〕きわめて明らかな様子だ。

へいご⓪【平語】〔古〕❶ふだん何気無い気持で使う言葉。「常談—」❷「平家物語」の略。⇩源語

べいご⓪【米語】米国で行なわれている英語。

***へいこう**⓪(カウ)【平行】—する(自サ)〈なにニ—する/なにト—する〉❶—な —に △二本の線(二つの平面)(の延長)が互いに等間隔を保ち、決して交わらない関係にあるととらえられる△こと〔様子〕。〔幾何学では、同一平面内にある二本の△直線(線分)や、同一空間内の二つの平面が、(いくら延長しても)交わらないこと。空間内の直線と平面の関係についても言う〕「南北にほぼ—に流れる二つの大河/旧街道に—して整備された新道/—移動」⇩交差 ❷並行。「—的」 **—しへんけい**⑥【—四辺形】相対する二辺が二組とも平行である四辺形。 **—せん**⓪③【—線】❶同一平面上にあり、どの二つも交わることのない二本またはそれ以上の直線。❷二者の間に意見の一致が見られないこと。「話し合いは—のまま終わった/双方の主張が—をたどる」 **—ぼう**(バウ)③【—棒】〔体操で〕回転・倒立などをするために、二本の平行する棒で作った用具。また、それを使ってする男子の競技。「段違い—〔=⇩段違い❷〕」 かぞえ方 一台

へいこう(カウ)⓪【平衡】物事が一方にかたよること無く、ある安定した状態を保つこと。 **—かんかく**⑤【—感覚】からだのバランスを敏感に察知し、それを保つ感覚。〔いかなる場合にも中庸を踏みはずさない、すぐれた判断力の意にも用いられる〕

へいこう(カウ)⓪【並行・併行】—する(自サ) ❶二つのものが△並んで行く(交わらないで通っている)こと。「市電とバスが—して走る町並」❷相互に△関連(似た点)のある物事が同時に行なわれること。「二つの作業を—して進める/—輸入」

へいこう⓪【閉口】—する(自サ) △うまい解決策が得られず(その状態を続けることに堪えられず)困りきること。「酔漢の放言に—する/毎日の暑さに—する」

へいこう(カウ)⓪【閉校】—する(自他サ) 何かの都合で、その学校の授業や事務をやめること。↕開校

へいこう(カウ)⓪【閉講】—する(自他サ) 講義や講習会など△が終わる(を終える)こと。↕開講

へいごう(ガフ)⓪【併合】—する(自他サ)〔国・学校・会社など二つ以上の組織体を合わせて一つにすること。合併。

べいこく⓪【米国】アメリカ合衆国。

べいこく⓪【米穀】米(とその他の穀物)。「—通帳⑤〔=米の配給のために用いた通帳〕」 **—ねんど**⑤【—年度】米の収穫期をもとにして設定した一年間。十一月〜翌年十月。

べいごま⓪【《貝〈独楽〉》】〔「ばいごま」の変化〕バイの貝殻に、溶かした鉛を入れて作ったこま。〔普通は、これに似た形の鉄製のこまを指す〕

へいこら①(副)—と —する 「金持・権力者などに取り入ろうとして、何かにつけてぺこぺこする様子」の意の口頭語的表現。

へいさ①【平沙】平らな砂原。

***へいさ**⓪【閉鎖】—する(自他サ)〈どこ・なにヲ—する〉入口などを堅く△閉ざす(閉ざして機能を停止する)こと。「工場を—する/—的な〔=人づきあいが消極的で、他人に自分の本心を明かそうとしない〕性格/—性⓪・学級—」↕開放

へいさく⓪【平作】農作物の平年なみの収穫。平年作③。⇩豊作・凶作・不作

べいさく⓪【米作】米を作ること。稲作(イナサク)。

へいさつ⓪【併殺】—する(他サ) ⇩ダブル プレー

へいざん⓪【閉山】—する(自他サ) ❶その年の登山の期間を終りにすること。❷不況などのため、炭鉱や鉱山を閉鎖すること。

べいさん⓪【米産】米の生産。「—地③」

へいし①【平氏】(武士の代表としての)「平氏(タイラウジ)」の音読。⇩源氏

へいし①【兵士】軍隊で士官の指揮を受ける人。

へいし⓪【閉止】—する(自サ) 働きがとまること。「月経—」

へいし⓪【〈斃死〉】—する(自サ)「行き倒れ」の意の漢語的表現。

へいじ①【平時】戦争の無い平和な時。↕戦時

へいじ①【兵事】軍隊・戦争に関する事。「—係(ガカリ)④」

へいしき⓪【閉式】—する(自サ) 式を終えること。↕開式

べいしきしゅうきゅう(シウキウ)⑤、⓪-⓪【米式蹴球】⇩アメリカン フットボール

へいじつ⓪【平日】日曜・祝祭日以外の日。ウイークデー。〔広義では土曜を含み、狭義では除く〕

へいしゃ⓪【平射】❶平面に投影すること。「—図法」❷ほぼ平らにうつ射撃。「—砲⓪③」↕曲射

へいしゃ①【兵舎】〔軍隊で〕兵士が寝起きする建物。

へいしゃ①【弊社】〔手紙文・挨拶(アイサツ)などで〕自分の所属している会社を謙遜(ケンソン)していう語。

へいしゅ①【兵種】〔軍隊で〕担当する任務や部門による種別。

べいじゅ①⓪【米寿】〔八十八を一字にすると「米」になるところから〕八十八歳(の長寿の祝い)。

へいしゅう(シフ)⓪【弊習】よくない風習。

べいしゅう(シウ)⓪【米収】米の収穫。「—高(ダカ)③」

へいしゅつ⓪【平出】〔↑平頭抄出⓪-⓪〕昔、文章の中で敬意を表わすため、行を改めて「天皇」などの文字を行頭に書いたこと。⇩欠字

へいしゅつ⓪【〈迸出〉】—する(自サ) ほとばしり出ること。「—岩④〔=火山岩〕」

へいじゅん⓪【平準】❶水準器で計って水平にすること。❷物価などの、でこぼこを無くすこと。「—化⓪」

へいしょ①【兵書】❶兵学の書。❷軍事上の理論・技術を書いた本。

へいしょ【閉所】❶⓪—する(自他サ) 事務所・営業所・研究所などがその業務をやめること。⇩開所 ❷①出入口や窓が閉ざされ、外界から隔離された場所。「—恐怖症①-⓪」

へいじょ①⓪【平叙】—する(他サ) 事実をありのままに述べること。 **—ぶん**③⓪【—文】命令・疑問・仮定を内容とせず、物事の断定的な判断や推量判断を表わす文。

へいしょう(オ)⓪【併称・並称】—する(自他サ) なんらかの意味で対比されるものとして、あるものに言及すること。〔狭義では、双方ともすぐれた存在として認める意にも用いられる〕

へいじょう(ジャウ)⓪【平常】突発的な事件や故障が無く、毎日(予定通りに)物事が行なわれている状態。「列車は—どおりに運行される/—点③〔=ふだんの授業中の態度によって付ける評点〕」 **—しん**③【—心】〔緊張を強いられたり不安を感じたりするような状況に身を置いた際の〕日常

生活の延長に過ぎないと思っていられるような、冷静沈着な心理状態。
へいじょう⓪【兵〈仗】 武器(を持って貴人に従う護衛兵)。〔古くは「ひょうじょう⓪」〕
へいじょう⓪【閉場】─する(自他サ) ↕開場 ❶会 場などを閉鎖すること。❷会場などでその日の行事が終わること。
べいしょう⓪【米商】 米穀を主な商品としてあきなうこと。また、その人。
へいしょく⓪【兵食】 △軍用(兵隊)の食糧。
べいしょく⓪【米食】 (主食として)米を食べること。⇩パン食
へいしん⓪【平信】 (急用でない)時候見舞い・近況報告などのたより。〔脇付(ワキヅケ)としても用いられる〕
へいしん⓪【並進・併進】─する(自サ) 肩を並べて進むこと。「知徳の─/軽車両が─する」
へいしん⓪【〈嬖臣】 〔「嬖」は、御機嫌取りで成り上がった人の意〕「気に入りの臣下」の意の古風な表現。
へいじん⓪【兵刃】 「刀・ほこなどの刃」の意の漢語的表現。「─を交える〔=斬(キ)り合う〕」
へいしんていとう⓪-⓪【平身低頭】─する(自サ) からだをかがめ、頭を地につけんばかりにして恐れ入ること。〔狭義では、言い訳などをせず、ひたすらあやまることを指す〕
へいすい⓪【平水】 ❶ふだんの水かさ。「─量③」 ❷流れの無い水。「─〔=ボートレースで、波立っていない時の水〕タイム」
へい・する③【〈聘する】(他サ) 礼を厚くして人を迎える。聘す①(五)。
へいせい⓪【平静】─な ─に △ふだんと同じように(静かで)落ち着いた様子だ。「─を取り戻す/─を保つ/─を△失う(装う)/心の─が乱される」 派 ─さ⓪
へいせい⓪【兵制】 軍備の構成、兵士の募集などに関する制度。
へいせい⓪【幣制】 貨幣の制度。「─改革」
へいせい⓪【弊政】 悪いところの多い政治。
へいぜい⓪【平生】 ❶特に取り立てるほどの事件やからだの異状などが無い毎日(の生活)。「─の心がけ」 ❷平常。「─通りの営業」 文法 「平生心に思っていることを書き続ける」のように副詞的にも用いられる。
へいせき⓪【兵籍】 軍人の身分。 ─ぼ④【─簿】 軍人となった者を登録する帳簿。
へいせつ⓪【併設】─する(他サ) 同じ場所に、二つ以上の物を△設置(設備)すること。「ギャラリーにカフェを─する」
へいせん⓪【兵船】 昔、戦争に使われた船。
へいぜん⓪【平然】─たる ─と ❶眼前の△成功(失敗)や他人の批判に一喜一憂するところが全く見られない様子だ。「死刑の宣告を受けても被告人は─としていた」 ❷良識を持っている人なら当然遠慮するはずの行動をあえて行なっても、△悪い(恥ずかしい)と思う意識が全く見られない様子だ。「優先席に─と座っている若者/─とうそをつく」
べいせん⓪【米銭】 日常生活に不可欠の米を買うための金。「─に事欠く」
へいそ①【平素】 ❶〔何かが起こった、ある時点から顧みて〕それ以前の日常の生活。常日ごろ。「─〔=それまで。ふだん〕はあまり目立たない子/─の努力のたまもの」 ❷前まえから。「─の念願/─の疎遠を謝す」
へいそう①【兵曹】 もと、海軍の下士官の階級。「─長③・一等─」
へいそう⓪【並走・併走】─する(自サ) マラソンのランナーなど△が(と)並んでいっしょに走ること。「ヨットが─する」
へいそく⓪【〈屏息】─する(自サ) 〔息を殺す意〕恐れて、じっとしていること。
へいそく⓪【閉塞】─する(自他サ) その部分が△閉じられる(何かでふさがれる)こと。また、そのようにして他との連絡がつかない状態にあること。「─を打破する/─状況が続く/─前線・腸─」
へいぞく⓪【平俗】 分かりやすくはあるが、常識的に過ぎ、おもしろさや鋭さが感じられないこと。
へいそつ⓪【兵卒】 兵士。「一─の身で」
へいそん⓪【併存・並存】─する(自サ) 二つ(以上)のものが同時にそこにあること。「へいぞん」とも。
へいたい⓪【兵隊】 〔もと、軍隊の意〕 ❶軍隊を構成する、一人ひとりの兵士。「昔は二十歳になると─にとられたものだ」 ❷命令を受けてその意のままに行動するだけの存在。「─蟻(リア)③」
へいたん③【平〈坦】─な ─に ❶土地が平らな様子だ。「見渡す限り─な大地/─部③」 ❷妨げとなるものなどが無く、物事の進行が滞りなく行なわれる様子だ。「今日の成功に至る道のりは決して─では無かった」 派 ─さ⓪③
へいたん⓪【平淡】─な ─に 小ざっぱりしていて、しつこくない様子だ。「─な歌風/─に綴(ツヅ)られた文章」
へいたん⓪【兵〈站】 〔「站」は、一時とどまる意〕戦場の後方にあって食糧・弾薬などの軍需品を補給するための機関。「─部③」
へいたん⓪【兵端】 「戦いの起こるきっかけ」の意の漢語的表現。「─を開く〔=戦争が始まる〕」
へいだん⓪【兵団】 独立して作戦が出来るように、幾つかの師団を合わせた大部隊。
*__へいち__⓪【平地】 ❶そのあたり一帯の起伏が少なく、大体が平らであると見られる広い土地。〔広義では、谷間や山腹にある水平な土地をも指す〕⇩山地 ❷〔古〕平穏無事な環境。「─に波瀾(ハラン)を起(タ)てる〔=意図的に事を荒立てる〕」 ─りん③【─林】 「平地❶」にある林。↕山林❷
へいち①⓪【併置・並置】─する(他サ) 同じ場所に、二つ以上の物を設置すること。
へいちゃら⓪【平ちゃら】─な どんな困難も気にかけたり失敗も恐れたりしないで、何かをする様子だ。「へっちゃら」とも。
へいちょう①【兵長】 もと、軍隊で兵の階級の最も上。上等兵の上。
へいてい⓪【平定】─する(他サ) 〔自国の平和を乱すおそれがあるという理由で〕異民族や賊などを武力で負かし、服従させること。「反乱を─する〔=治める〕」
へいてい⓪【閉廷】─する(自他サ) その公判廷を閉じること。↕開廷
へいてん⓪【閉店】─する(自他サ) ↕開店 ❶店を閉鎖すること。店じまい。 ❷戸をしめて、その日の商売を終りにすること。
ヘイト①〔hate=憎悪・嫌悪〕 ヘイト クライム・ヘイト スピーチなどの略。ヘートとも。〔いずれも弱者をおとしめる卑怯(ヒキョウ)かつ卑劣な行為〕
へいどく⓪【併読】─する(他サ) ❶同じ時期に二つ以上の新聞を取ること。 ❷二つ以上の小説などを、並行して読むこと。
ヘイト クライム⑤〔hate crime〕 特定の人種・民族・性・宗教などに対して、偏見や差別によるいわれのない憎悪をもって行なわれる、中傷や嫌がらせ、暴力や攻撃などの卑劣な犯罪。
ヘイト スピーチ⑤〔hate speech〕 特定の人種・民族・性・宗教などに向けてなされる、憎悪に基づく言論。デマ・捏

造(ゾウ)・誇張に基づいた偏見・差別・憎悪をあおり、社会の分断をはかる卑劣きわまる言動や活動。

へいどん⓪【併〈吞〉】―する(他サ) 他国を自国の支配下に入れてしまうこと。

べいトン⓪【米トン】⇩トン

へいねつ⓪【平熱】(その人の)健康な時の体温。

へいねん⓪【平年】❶(二月が二十八日で)一年が三百六十五日の年。↔閏年(ウルウドシ) ❷(農作物の収穫や気温などについて)特に異変の見られない、普通の年。「―作③・―並(ナミ)⓪」

へいのう⓪①【兵農】兵士と農民。「―一体」

へいば①【兵馬】〔兵器と軍馬の意〕軍隊。「―〔=軍事上〕の権／―〔=戦争〕の間(カン)に過ごす」

へいはく⓪【幣〈帛〉】神前に供える物。ぬさ。幣物(ヘイモツ)。

へいはつ⓪【併発】―する(自他サ) 何かの病気にかかっているところへさらに他の病気が起こること。「風邪から肺炎を―する」

へいはん⓪【平版】〔凹版・凸版と違って〕化学的作用によって製版し、水と油のはじきあう性質を利用して印刷するもの。「―印刷⑤」⇩石版・コロタイプ・オフセット

へいばん⓪【平板】―な 〔平たい板の意〕〔文章・話などが〕単調で、おもしろみが無い様子だ。派―さ⓪

べいはん⓪【米飯】米を炊いて作っためし。「―給食」

へいび①【兵備】戦争の準備。

へいふう⓪【弊風】よくない習慣・風俗。↔美風

へいふく⓪【平伏】―する(自サ) 〔畏怖・屈服や柔順・感嘆などの気持をもって〕ひれ伏すこと。

へいふく⓪【平服】〔礼服を着るには及ばないという意味で〕普通の外出着の称。例、男子の背広、女子のスーツなど。「―でおいで下さい」↔礼服

へいぶん⓪【平分】―する(自他サ) 平等に△分かれる(分ける)こと。「費用は当事者双方が―する」

べいふん⓪【米粉】米の粉。

へいへい①(副)―する どんな事でも上の者の言うことに逆らわず、はいはいと応じておもねる様子。

へいべい①【平米】「平方メートル」の圧縮形。〔「へいべ①」は短呼形〕

ぺいぺい③⓪ △地位が低くて(経験が未熟で)取るに足りない者。「ぺえぺえ」とも。〔一般に、侮蔑(ブベツ)や謙遜(ケンソン)を含意して用いられる〕

へいへいたんたん⓪-⓪【平々〈坦々〉】―たる・―と 〔「平坦」の強調表現〕さえぎるものが何も無く、どこまでも平坦な様子だ。「―たる原野」

へいへいぼんぼん⓪-⓪【平々凡々】―たる・―と 〔「平凡」の強調表現〕どんな点から見ても平凡な様子だ。「―な生活」

へいほう【平方】〔数学で〕Ⓐ⓪―する(他サ) 二乗。「81を―に開く〔=81の平方根を求める〕／三―の定理〔=ピタゴラスの定理の別称〕」Ⓑ(造語) 正方形。「十メートル―〔=一辺の長さが十メートルの正方形。十メートル四方とも言う〕の土地の面積は一アールに等しい／―メートル〔=面積の単位で、一メートル平方の広さを表わす。平米(ヘイベイ)〕」 **―こん**③【―根】〔数学で〕与えられた数に対し、平方するとちょうどその数になる数の称。ルート。例、16の平方根は4と−4。

へいほう①⓪【兵法】❶軍隊の運用・戦略に関する方法。❷武術。「ひょうほう」とも。〔狭義では、剣術を指す〕「―指南」 **―か**⓪【―家】❶「兵法❶」を諸侯に教えることをもって身を立てる人。❷「剣術使い」の異称。

***へいぼん**⓪【平凡】―な (他から注目されるような)特別にすぐれたところや変わった点が無い様子だ。「―な家庭(の主婦)／―な一生を送る」↔非凡 派―さ⓪

へいまく⓪【閉幕】―する(自他サ) 演劇・映画などが終わって幕を閉じること。終幕。〔広義では、物事が終わることを指す〕↔開幕

べいまつ⓪【米松】アメリカから輸入した松の材木。

へいみゃく⓪【平脈】その人の健康な時の脈拍。

へいみん⓪【平民】❶(官位の無い)人民。庶民。❷もと、戸籍上の身分の区別の一つ。士族の下。「―宰相」

へいむ①【兵務】兵事上の事務。軍務。

へいめい⓪【平明】❶―な 〔文章・話し方などが〕分かりやすく、はっきりしている様子だ。派―さ⓪ ❷夜明け。

へいめん⓪③【平面】❶その物を形づくっている、外側の平らな面。「丸太の両側を―に削る／―鏡」❷Ⓐ(作図で)水平面。「―図」Ⓑ(幾何学で)その面内のどの二点を通る直線もその面内に含まれるもの、すなわち限り無く遠くまで平らに広がり厚みの無い図形。「―幾何学・―曲線・座標―」↔曲面 **―ず**③【―図】物体の形を水平面上に投影して描いた図。⇩界線 **―ずけい**⑤【―図形】〔幾何学で〕一つの平面内に含まれる図形。〔狭義では多角形・円・角など、(何本かの)線によって区切られた平面の一部分を指すが、広義では平面内の線自体をも含める〕⇩立体図形・空間図形 **―てき**⓪【―的】―な ↔立体的 ❶目立った凹凸がなくて、全体が一つの平面だととらえられる様子だ。「東洋人のどちらかと言えば―な顔」❷物事の表に現われている部分だけから判断を下し、隠れている内部にまで立ち入ろうとしない様子だ。

へいもつ⓪【幣物】⇩幣帛(ヘイハク)〔広義では、贈り物・進物をも指す〕

へいもん⓪【閉門】―する(自サ) ❶(出入りを止めるために)門を閉じること。「―時刻」↔開門 ❷江戸時代、一定期間門を閉ざして外部との交渉を禁じた刑罰。

***へいや**⓪【平野】海抜(カイバツ)が低くて、起伏の少ない広大な地域。「濃尾(ノウビ)―」

へいゆ①⓪【平癒】―する(自サ) 病気がすっかり治ること。

へいゆう⓪【併有】―する(他サ) 二つ以上の物・性質を一緒に持つこと。

へいよう⓪【併用】―する(他サ) 同じ範疇(ハンチュウ)に属する二つ以上の物を同時に使うこと。「治療に漢方薬を―する」

へいらん⓪【兵乱】戦争で平和・秩序が失われること。

へいり①【〈敝履〉・弊履】「ちびたはきもの」の意の古風な表現。「―のごとく〔=惜しげもなく〕捨てる」

へいりつ⓪【並立】―する(自サ) 二つ以上のものが同等に△並ぶ(存在する)こと。

へいりゃく⓪【兵略】軍事上のはかりごと。

へいりょく①【兵力】❶武器を持った兵隊の人数。「―増強」❷⇩武力

へいれつ⓪【並列】―する(自他サ) ❶△並ぶ(並べる)こと。↔直列 ❷二つ以上の電池などの、同じ極どうしをつなぐこと。

へいろ①⓪【平炉】〔製鋼に使う〕横に長い直方体の反射炉。「ひらろ」とも。⇩転炉 かぞえ方 一基

へいろく⓪【併録】―する(他サ) 主となる作品とともに、同じ△書物(ビデオテープ・CDなど)の中に収められていること。

****へいわ**⓪【平和】―な ❶心配・もめごとなどが無く、なごやかな状態。「家庭の―」❷戦争や災害などが無く、不安を感じないで生活出来る状態。「―を△築く(取り戻す・乱す)／―が△維持される(訪れる)／―的利用・―共存⓪-⓪・恒久―」 **―ぶたい**④【―部隊】発展途上国を援助する目的で設けられたアメリカの機関。おもに青年を現地に送って開発や技術指導・教育などにあたらせる。〔日本では、「青

年海外協力隊⓪-①-⓪」がそれに当たる〕

へいわ⓪【平話】❶〔特別に改まったりしない〕普通の話。「俗談―」❷〔中国で〕白話（ハクワ）。

ペインテックス④〔Paintex=商品名〕油の成分の強い絵の具で布・紙・革などに模様をかく手芸。また、それに使う絵の具。ペンテックスとも。

ペイント⓪〔paint〕ペンキ。〔広義では、塗料全体をも指す〕

へえ⓪（感）感心したり 驚いたり 少し疑ったり あきれたりした時などに出す、思わず発する声。

ベーカリー①〔bakery〕パンや洋菓子を製造・販売する店。

ベーキング パウダー⑥〔baking powder〕パン・ビスケット類を焼く時、ふくらませるために入れる粉。ふくらし粉。

ベークライト④〔bakelite=もと、商品名〕石炭酸とホルマリンから作った合成樹脂。電気絶縁物や器具などに使う。

ベーグル①〔bagel〕生地をゆでてから焼いたドーナツ形のパン。歯ごたえのある独特の食感がある。

ヘーゲリヤン③〔Hegelian〕ドイツの哲学者ヘーゲル（Hegel）の学説を信奉する（一派の）人。

ベーコン①〔bacon〕ブタなどの背中や腹の肉を塩漬けにして薫製にした保存食品。

ページ⓪〔page〕本・帳面などの紙の片面。〔かぞえる時にも用いられる〕「―の乱れた本〔=乱丁本〕／―〔=ページの番号〕を打つ／三百―の本を一日で読む／人類の歴史に新しい―を開いた〔=新しい時代の訪れを告げた〕／偶数―⑤・奇数―④」 表記 漢字で「〈頁〉」と書くのは、「葉」と同音なので借用したことによる。

ページェント①〔pageant〕屋外で、自然を背景に行なう劇。〔広義では、祝祭日の（仮装）行列や見世物をも指す〕「空中―」

ベーシック① ❶―な〔basic〕その物事の基本・基礎にかかわる様子だ。「―な化粧品／―トレーニング」❷〔BASIC ← Beginner's All-purpose Symbolic Instruction Code〕〔コンピューターで〕会話型プログラム言語。初心者に向いていて、パソコン用として普及した。

ベージュ⓪〔フ beige〕薄くて明るい茶色。らくだ色。

ベース①⓪〔base〕❶基準。土台。「賃金―」❷基地。根拠地。「―キャンプ」❸〔野球で〕塁（の印に置く座布団風の物）。「ホーム―を踏む／一瞬早く―にタッチ」⇩塁

ベース⓪①〔bass〕⇩コントラバス

ペース①〔pace〕歩いたり 走ったり 仕事をしたり する時の、一定の速度。「相手の―に巻きこまれる／―メーカー・マイ―」

ベースアップ④―する（自サ）〔和製英語 ← base + up〕平均賃金の引上げ。略してベア。

ベースキャンプ④〔base camp〕❶駐屯する外国軍隊の基地。❷〔登山や探検で〕根拠地とする固定テント。

ペースト①⓪〔paste〕❶パンなどに付ける糊（ノリ）状の食品。「レバー―④」❷ハンダ付けに使う軟膏（ナンコウ）状のもの。

ベースボール④〔baseball〕野球。

ペースメーカー④〔pacemaker=整調者〕❶〔競馬・自転車競走や、陸上競技の中・長距離競走などで〕初め先行して、他を主導する役割を担う選手。❷〔医学で〕心臓の弱った患者に電気的なショックを与え、人工的に心室の収縮を起こさせるために体内に埋め込む装置。

ペーズリー①〔paisley〕先端が細く曲がった勾玉（マガタマ）風の模様（入りの布地）。ネクタイ・スカーフなどに用いられる。ペイズリー①とも。

ベーゼ①―する（自サ）〔フ baiser〕接吻（セップン）。キス。

ヘーゼルナッツ⑤〔hazelnut〕セイヨウハシバミの実。形は丸く、クリの実に似る。煎（イ）って食べたり 菓子に使ったりする。 かぞえ方 一粒

ペーソス①〔pathos〕後ろ向きの生き方で はでなところはちっとも無いけれども、それが かえって人間らしい しみじみとした情味を感じさせること。哀愁。

ベーダ①〔サンスクリット veda=知識・聖典〕バラモン教の経典。 表記 「〈吠陀〉」は、古来の音訳。

ベータ カロテン④〔β-carotene〕カロテンの一つ。ニンジンなどの緑黄色野菜に多く含まれる色素。体内でビタミンAに変わる。体内の活性酸素を分解する抗酸化作用があるとされる。ベータ カロチンとも。

ベータ せん⓪【β線】〔β=ギリシャ字母の第二字〕放射性元素から出る放射線の一つ。高速度の電子の流れ。ベーター線⓪とも。

ペーハー③【pH】〔ラ pondus Hydrogenii（=水素の重さ）の略号のドイツ語読み〕水素イオンの濃度を示す指数。この値が七より小さければ酸性、大きければアルカリ性。ピーエイチ。

ペーパー⓪①〔paper〕❶紙。〔狭義では、洋紙を指す〕「学会発表で―〔=原稿〕を読む／―ナイフ・レター―・トイレット―⑥」❷サンドペーパーの略。❸新聞。❹証明書。

―カンパニー⑤〔和製英語 ← paper + company〕税金逃れなどのために登記だけしかしていない名目会社。

―クラフト⑥〔papercraft〕紙を材料にした工芸。紙細工。

―タオル⑤〔paper towel〕紙製の使い捨てのタオル。

―ドライバー⑥〔和製英語 ← paper + driver〕免許を取っていても、（自動車を持たず）車を運転する機会の無い人。

―ナイフ⑤〔paper knife〕紙切りナイフ。ページ切り。

―バック⑤〔paperback〕表紙も やや厚手の紙を使っただけの廉価本。〔新書判・文庫本を指すことが多い〕

―プラン⑤〔paper plan〕実行出来そうもない、紙上の計画。「―に終わる」

ペーブメント①〔pavement〕舗道。ペーブ①とも。

ベーラム①〔bay rum〕髪にふりかける香水。

ベール①⓪〔veil〕❶女性が頭からかぶる、薄い絹布。❷女性が帽子の周囲に垂らす△網（薄い布）。〔何かをおおい隠す物の意にも用いられる。例、「夜の―／秘密の―に包まれる」〕 かぞえ方 一枚

ペール①〔pail〕手おけ。バケツ。「アイス―」

ペガサス①〔Pegasus〕〔ギリシャ神話で〕翼のある馬。天馬（テンバ）。ペガソス①とも。

へが・す②（他五）〔「はがす」と「へぐ」の混合〕「はぎとる」の口頭語的表現。 自動 へげる②（下一）

べからず②【《可からず》】〔文語助動詞「べし」の否定形〕❶禁止の意味を表わす。「取る―〔=取ってはいけない〕／―主義」❷不可能の意を表わす。「筆舌に尽くす―〔=ことが出来ない〕」 運用 その社会で禁じるべきだとされている事柄を列挙したものを取り上げて、「合宿訓練中の五つのべからず」「冠婚葬祭のべからず集」などの形で用いることがある。

べかりけり②-①【《可かりけり》】〔雅〕〔「べくありけり」の変化〕べき（もの）である。「酒は静かに飲む―」

へき（〈碧・〈僻・壁・璧・癖）→【字音語の造語成分】

へき①【癖】第三者から見て早く直せばよいのにと とらえられる、その人のくせ。〔本人に言わせれば 一生直らないどころか、少しも痛痒（ツウヨウ）を感じないことが多い〕「―がある／収集―・放浪―・盗―」

へぎ②【《折・《片木】へぎ板（で作った角盆）。

べき【《可き】〔文語助動詞「べし」の連体形〕❶そうする

ことが当然(の義務)であることを表わす。「守る―規則/…して然(シカ)る―だ/悪いと思ったらすぐあやまる―だ」❷そうするほうが適切であることを表わす。「僕ならこっちを買う―だと思うな/これは子供が見る―テレビじゃない」❸そうするのに値することを表わす。「見る―ものが無い」

文法 一般に現代口語としては、「…べき＋体言」の形で連体修飾として用いられるほかは、あとに断定の助動詞「だ」を伴った「べきだ」の形で用いられる。たとえば次のようである。「べきで(はない)」「…べきで…」「べきである」「べきだ」「べきだった」「べきだろう」「べきなら」。

べき①【冪・〈冪】〔数学で〕同一の△数(式❸Ⓐ)を何回か掛け合わせた結果の、元の△数(式❸Ⓐ)に対する称。累乗。乗冪。「八は二の―である/昇―の順/―級数〔=特定の変数の冪を定数倍した項ばかりから成る無限級数〕・―指数〔=冪の指数〕」 表記 「《巾」は、和算家以来の代用字。

へぎいた⓪③【へぎ板】ヒノキやスギなどを薄くはいだ板。 かぞえ方 一枚

へきうん⓪【〈碧雲】「青みを帯びた雲」の意の漢語的表現。

へきえき⓪【〈辟易】―する(自サ)〔相手を恐れて道をあける意〕❶「相手の勢いに圧倒されて、自分のしようと思った事が出来なくなること」の意の古風な表現。❷同じような不快な刺激が何度となく繰り返し感じられて、もううんざりだという気持をいだくこと。「彼のお決まりの長広舌には―する」

へきえん⓪(エン)【〈僻遠】中心的な都会から遠く離れていること。また、そこへ行くのに交通が不便なこと。「―の地」

へき

［〈碧］あおみどり(の色)。「碧眼・紺碧(ペキ)」

［〈僻］❶中央の文化から離れた土地。辺地。「僻地・僻遠・僻陬(スウ)」❷正しい状態から逸脱した。「僻見・僻論」

［壁］❶かべ。「壁面・壁画」❷かべのように切り立っているもの。「城壁・岸壁(ペキ)・火口壁」

［璧］美玉の総称。たま。「璧玉・双璧・完璧(ペキ)」

［癖］⇩(本文)へき【癖】

へきが⓪(グワ)【壁画】建物や洞窟(ドウクツ)の壁・天井などに装飾として描いた絵。 かぞえ方 一枚・一面

へきかい⓪【〈碧海】「青い海」の意の漢語的表現。

へきかい⓪【〈劈開】―する(自サ)〔方解石・雲母(ウンモ)などが〕ひびが入って、切ったように割れたり はがれたりする△こと(性質)。

へきかん⓪【壁間】(柱と柱の間の)壁の部分。壁面。

へきがん⓪【〈碧眼】青い色をした(西洋人の)目。〔西洋人の意にも用いられる〕「紅毛―」

へきぎょく⓪【〈碧玉】〔緑色の宝石の意〕不純物を含んだ石英。色は赤・緑・茶色などがあり、種々の模様を表わす。古代から装身具の材料として利用されている。

へきくう⓪【〈碧空】「青空」の意の漢語的表現。

へきけん⓪【〈僻見】かたよった見解。

へきしょ①【壁書】❶―する(他サ) 壁に△書くこと(書いたもの)。❷戦国時代の大名の家法。かべがき。「大内家―」

へきすい⓪【〈碧水】「青みを帯びた緑色に澄んだ水」の意の漢語的表現。

へきすう⓪【〈僻陬〉】「かたいなか」の意の古風な表現。「―の地」

へき・する③【〈僻する】(自サ)(ひがんだり すねたりして)物の見方などが偏る。

へきせつ⓪【〈僻説】公正を欠いた説。

へきそん⓪【〈僻村】「都会から遠く離れている△片田舎(村)」の意の古風な表現。

へきたん⓪【〈碧潭〉】「青あおとした水をたたえた、深い淵(フチ)」の意の漢語的表現。

へきち①【〈僻地】政治や文化の中心地から遠く離れていて、そこへ行くのに交通が不便な土地。「―教育」

へきとう⓪(オ)【〈劈頭】〔「頭」は「最初」の意、「劈頭」は初めから引き裂くような衝撃を加える意〕物事が始まった最初。「大会は―から荒れ模様であった/―を飾る/開戦―」

へきとう⓪(オ)【壁灯】△外壁(内壁)に取り付けた照明灯。

へきめん⓪【壁面】壁の表面。

へきらく⓪【〈碧落】「青空」の意の漢語的表現。〔遠く離れた所の意にも用いられる〕

へきるり⓪【〈碧瑠璃】瑠璃のような青さ。〔青く澄んだ水の意にも用いられる〕

へきれき⓪【〈霹靂〉】「突然聞こえてくる雷」の意の漢語的表現。「青天の―〔=⇩青天のへきれき〕」

へきろん⓪【〈僻論】一方的な、道理に合わない議論。

へ・ぐ①【《剝ぐ・《折ぐ】(他五)「薄く削り取る」のやや古風な表現。

べく【《可く】〔文語助動詞「べし」の連用形〕❶そうすることが当然であることを表わす。「驚く―誤植の多い本/愛す―かつ敬すべき われらの母親」❷そうすることを目的として何かを行なうことを表わす。「行く―〔=には〕あまりにも遠い/彼を見舞う―〔=ために〕病院を訪れた」❸そう出来ることを表わす。「当分望む―も無い」⇩べし

べくして①❶最後の段階には そうすることが当然予想されて。「残る―残った」❷そうすることは出来ても。「言う―行なわれない」

ベクター①〔vector〕❶遺伝子の運び役。遺伝子の組換え実験で、ある遺伝子を他の生物へ移植する際に、その遺伝子を運ぶ役割をするもの。❷病原体を人に移す動物。マラリアを媒介する蚊など。

ヘクタール③〔hectare ←フ hectare (発音はエクタール)に由来〕メートル法における面積の単位で、百アールを表わす〔記号 ha〕。⇩ヘクト

ペクチン①〔pectin〕リンゴ・ミカン等の果皮に含まれている多糖類。ジャム・マーマレード等を作る時に用いられる。

ヘクト(接頭)〔hecto-=「百」の意のギリシャ語に由来〕国際単位系における単位名の接頭辞で、基本単位の百倍であることを表わす〔記号 h-〕。〔フランス語読みでは、エクト〕「―パスカル〔=百パスカル〕」⇩ヘクタール

ヘクトパスカル④〔hectopascal〕気圧を表わす単位〔記号 hPa〕。ヘクトは百倍であることを表わし、一ヘクトパスカルは、もとの一ミリバールと同じ。標準大気圧は約一〇一三ヘクトパスカル。

ベクトル⓪①〔ド Vektor〕❶〔数学・物理学で〕大きさと方向とを持つ量。ベクトル量。例、速度・力。「―解析・加速度―」⇩スカラー ❷意識を向けたり 進もうとしたりする方向。「近隣との平和共存に―を向けた外交政策」

ベクレル①〔becquerel ←A. H. Becquerel=フランスの物理学者〕国際単位系における 放射能の強さの単位。一ベクレルは、一秒間に一個の原子崩壊を起こす放射能の強さを表わす〔記号 Bq〕。〔約二七ピコキュリーに等しい〕

べくんば②【《可くんば】〔文語助動詞「べし」の連用形＋「は」の変化〕…ことが出来るならば。「望む―〔=⇩のぞむべくんば〕」

べき――べくんば

へ

ぺケ① 〔静岡以西の方言〕〔語源未詳〕条件に合わない、だめ、不合格など(の印)。「×」。ばってん。「—だ〔=いけない〕」

へげたれ⓪ 〔江戸時代の口頭語で〕ばか。「—や のう」

ヘゲモニー②① 〔ド Hegemonie〕 他を支配したり リードしたりしうる優位な立場。「—〔=主導権〕を握る」

へこおび⓪【《兵《児帯】 〔「兵児」は、鹿児島地方で、青年の意〕男や子供が用いる しごき帯。[かぞえ方] 一本

へこた・れる⓪④(自下一) 負担に堪えかねて、何かをする元気を失いそうな状態になる。「こんなことではへこたれない」

ベゴニア⓪〔begonia=もと、人名〕 鉢に植える、観賞用の多年草。シュウカイドウに似た赤・白・黄などの花を、季節を問わず開く。種類が多い。ベコニア⓪とも。〔シュウカイドウ科〕 [かぞえ方] 一本

ぺこぺこ [一]①(副)—と—する ❶ △あちこちへこんでいる(押すとすぐへこむ)様子。「空気のぬけた—(と)したボール/—する薄いボール紙」 ❷相手に対して必要以上に頭を下げて、ひたすら謝ったり へつらったり する様子。「—あやまる/上役に—する」 [二]⓪—に—な 我慢できないほどの空腹を感じる様子。「—に腹が減った/腹が—だ」

へこま・せる⓪【《凹ませる】(他下一) 〔「凹む」の使役形〕凹むようにする。凹ます⓪(五)。「腹を—/相手を—〔=やりこめる〕」

へこ・む⓪【《凹む】(自五) ❶〔外部から圧力が加わって〕ある面の一部分が周囲より落ち込んだ状態になる。〔マイナスの状態になったことを強調する言い方。⇩くぼむ〕「まりが—」 ❷強い勢いや重い負担などに屈する。 ❸基準額に達しなかったり 損をしたり する。 ❹精神的な打撃を受け、意気消沈する。「出社 早々 激しくしかられ、一日中へこんでいた」 [名]凹み⓪

ぺこんと②(副) ❶物の表面のその部分だけがへこむ様子。 ❷思い付いたようにおじぎをする様子。〔❶❷とも「ぺこりと②」とも〕

へさき③⓪【〈舳先】 「船首」の意の和語的表現。↕とも

べし①【《可し】(助動・形ク型) 〔文語の助動詞〕 ❶そうすることを当然の事として相手に要求することを表わす。「あす七時に集合す—」 ❷そうすることが出来ることを表わす。「山をも抜く—/快挙と謂ィっつ—」 ❸そうなる蓋然ガイゼン性が大きいことを表わす。「明日は雨なる—」 [文法] 動詞、助動詞(「き・けり・む・らむ・めり」などを除く)の終止形に接続する。ただし、ラ変型の活用語には連体形に接続する(「あるべし/美しかるべし」など)。

へしあ・う③⓪—アフ【《圧(し)合う】(自五) 互いに強く押しつけあう。[名]へしあい⓪「押し合い—する」

へしお・る③⓪—ヲル【《圧(し)折る】(他五) 〔なかなか折れない物を〕強い力を加えて折る。〔口頭語形は「へしょる②⓪〔二〕」〕「鼻っ柱パシラを—〔=高慢な相手をぎゃふんと言わせる〕」

ベジタブル①〔vegetable〕 野菜。「—スープ⑥」

ベジタリアン③〔vegetarian〕 菜食主義者。宗教上の理由によるものと健康上の理由によるものとがある。

ペシミスティック③⑤—に—な〔pessimistic〕 物事を とかく悪い方へばかり考えたがる心的傾向を持つ様子。厭世エンセイ的。悲観的。↕オプチミスティック

ペシミスト③〔pessimist〕 ペシミズムの立場に立つ人。厭世エンセイ家。 ↕オプチミスト

ペシミズム③〔pessimism〕 ↕オプチミズム ❶人生は生きる価値が無いとする考え方。厭世エンセイ主義。 ❷物事を悪い方へ悪い方へと考えがちな態度。悲観論。

ベシャメル ソース⑤〔béchamel sauce. Béchamel=フランスの宮廷料理人〕 ホワイト ソースの材料に、肉の汁などを加えて作ったソース。〔ペシャメル ソースは誤り〕

ぺしゃんこ②⓪—に—な ❶押しつぶされて 元の形が全く失われた状態だ。「—なチンの鼻」 ❷自分の弱点を衝ッかれるなどして△立ち向かう気力を失う(面目がつぶれる)様子だ。「論旨の矛盾を指摘されて—になる」〔「ぺちゃんこ」とも〕

へ・す①【《圧す】(他五) 押しつけ(てへこませ)る。〔現在は、造語形以外はあまり使われない〕「押してもへしても〔=どんな力を加えても〕/へし折る」

へ・す⓪【減す】(他五) 〔近畿・中国・四国方言〕減らす。

ベスト①〔best〕 ❶最良(の)。「—テン③・—メンバー④・—ドレッサー⑤」 ❷最善。「—〔=全力〕を尽くす」

ベスト①〔vest〕 チョッキ。 [かぞえ方] 一枚

ペスト①〔pest〕 ペスト菌による急性の感染症。ネズミ・ノミが媒介し、死亡率が高い。黒死病。

ベスト セラー④〔best seller〕 〔ある期間中に発行されたもののうち〕高位の売れ行きを示した本。

ベストばん⓪【ベスト判】 〔写真で〕四センチ × 六センチの大きさ(のフィルム)。

ペストリー①〔pastry〕 バターなど油脂を多く使用したパイ生地で作った菓子パン。

へず・る⓪—ヘツ—ル(他五) 〔削り取るようにして〕少し減らす。

ペセタ①〔ス peseta〕 スペインの旧通貨単位。

へそ⓪【〈臍】 ❶腹の中央にある、臍の緒の取れた跡。ほぞ。〔生まれた当初は突起しており、長じて引っ込んでくぼみになる〕 ❷〔石うす・櫓ロなどの〕二つの物が重なりあう部分にある、小さな突起。 【—で茶を沸かす】 やる事が ばかげていたり 子供じみていたり して、おかしくてたまらないたとえ。 【—を曲げる】 何かが きっかけとなり、機嫌を悪くし、人の言うことに耳を傾けなくなる。

べそ① 〔子供などが〕今にも泣き出しそうな顔になること。泣きべそ。「—をかく」

ペソ①〔ス peso〕 〔ブラジル以外の〕ラテン アメリカ諸国やフィリピンなどの通貨単位。

へそくり⓪【〈臍繰(り)】 〔↑へそくりがね④〕 主婦などが、家計をやりくりしたりして、不時の出費に備えためたお金。「—貯金⑤」 [動]臍繰る③(他五)

へそちゃ⓪【〈臍茶】 〔臍で茶をわかす意〕「おかしくてがまん出来ないこと」の口頭語的表現。

へそ の お④⓪—ヲ【〈臍の緒】 胎児と母の胎盤とをつなぐ、ひも状の物。栄養を補給する役割を果たす。臍帯サイタイ。「—切って以来〔=生まれてからこれまで〕」

へそまがり⓪③【〈臍曲(が)り】—に—な (あたかも当人が楽しんでいるように)事ごとに他人の言うことに逆らったり 突っかかったり する性質だ。また、そのような人。

****へた**②【〈下手】—に—な ↕上手ジョウズ ❶やり方などに評価できる点が(全くと言ってよいほど)認められない様子だ。また、そのような技能しか持ち合わせていない人。「—な△字(絵)/—の横好き〔=へたなくせにやたらにその芸能などをしたがること〕」 ❷見通しを誤って慎重さを欠いた 適切とは言えない対応をする△こと(様子)。「—に口出しはするな/—を△すれば(すると)元も子もなくなる/—を打つ」 [派]—さ⓪② [表記] ⇩付表 【—な鉄砲も数撃てば当たる】 へたな鉄砲打ちでも、何発も撃っていれば、そのうちたまたま当たることもある。 【—の長談義】 へたな人に限って、話が長たらしい。 [二]【〈蔕】 ナス・カキなどの実についている萼ガク。 [三]【〈䗩】 巻貝のふた。

べた① [一]❶すきまなく、すべての面に行き渡ること。「—に組む/—金キン⓪・—一面①-⓪・—ぼめ⓪〔=何から何まで手放しでほめること〕・—ぼれ⓪・—負け⓪〔=完全な負け〕」 ❷密着写真焼付けの俗称。 ❸「べた記事」の略。 [二]—な 「話の筋の進展や言い回しがありきたりで、誰もが予測でき

る様子」の意の口頭語的表現。「―なメロドラマ/『歌は世につれ世は歌につれ』なんて―なせりふだ」 表記 ■❶の「べたに組む」と■❶❷は多く「ベタ」と書く。

ペタ①(接頭)〔peta〕 国際単位系における単位名の接頭辞で、基本単位の千兆〔=十の十五乗〕倍であることを表わす。〔記号P-〕「―バイト③」

ベター①ーな〔better=形容詞 good, well の比較級〕 △最上(最善)ではないが、一応上の部ではあると認められる様子だ。「二つの案のうち(より)―な考え方を取る」

べたあし⓪【べた足】 扁平足(ヘンペイソク)の俗称。

ベターハーフ④〔better half=そのものの大部分を占めるもの〕「妻」の美称。〔「よりよき半身」とするのは誤解〕

べたきじ⓪【べた記事】〔新聞で〕一段の見出しで文字組みだけの短い記事。大きく扱う価値が無い、あるいは載せる必要はあるものの大々的に扱いたくない情報が載る。略して「べた」。 表記 多く「ベタ記事」と書く。

へたくそ④⓪【{下手}〈糞〉】ーな ーに 〔「くそ」は強調の接辞〕「へた」の意の口頭語的な強調表現。〔軽い侮蔑(ブベツ)を含意する〕「―な△字(英語)」 表記 ⇩付表「下手」

べたぐみ⓪【べた組(み)】 組版で、字と字との間や行間をあけずに活字を組むこと。〔和文では字間ベタが普通、欧文では行間ベタが多く見られる〕 表記 通常、「ベタ組み」と書く。

へだたり⓪【隔(た)り】 隔たる△こと(程度)。「―〔=距離〕がある/―〔=ⓐ差。ⓑ互いにうとんじる心〕が出来る/―を置く/現実との―に悩む」

*__へだた・る__③【隔(た)る】(自五)〈なにトー/なにカラー〉 ❶〔間に何かじゃまするものがあって〕直接交渉が出来ない状態だ。「半世紀も隔たった〔=経過した〕今日/十キロ隔たった〔=遠く離れた〕所」 ❷〔程度・性質などに〕差がある。

べたつ・く⓪(自五) べたべたと△する(くっつく)。「△肌(手・指)が―/汗で―」

ペタ――べつ

べつ

［別］ ❶わかれる。「別離・惜別」 ❷それぞれの違いによって分ける。「弁別・区別・差別・府県別」 ❸特別の。「別誂(ベツアツラエ)・別扱(ベツアツカイ)」 ⇩(本文)べつ【別】

［蔑］ 価値の無い物と見る。ばかにする。「蔑視・軽蔑・侮蔑」

へだて③【隔て】〔動詞「隔てる」の連用形の名詞用法〕直接の交渉を妨げる△もの(こと)。「―〔=仕切り〕の障子/分け―〔=差別〕/―無く〔=垣根を作らずに、うちとけて〕つきあう/―がましい⑥・―心(ゴコロ)④」

*__へだ・てる__③【隔てる】(他下一) ❶〈なにトなにヲー/なにカラなにヲー〉 間に何かを置く。「道路を隔てて〔=中に置いて〕/十メートル隔てて〔=離れて〕/五年隔てて〔=経過して〕/海を―」 ❷〈(なにデ)なにヲー〉 △仕切り(じゃまになる物)を置いて、直接往来できないようにする。「びょうぶで―/仲を―〔=引き離す〕」

べたなぎ⓪【べた〈凪〉】 風がまったく吹いていなくて、海面に波がほとんどないこと。

へたば・る③(自五) ひどく疲れた結果、動こうにも動けない状態になる。「猛暑で―」

へたへた①(副)ーと 力が抜けて、くずれるようにすわりこむ様子。「―と倒れこむ」

べたべた ■①(副) ❶ーと ーする 一面に粘りけのあるものが付着しているように感じられる様子。「手が油で―する/背中が汗で―する」 ❷ーと 一面に△無秩序(これ見よがし)に貼(ハ)り並べたり 判を捺(オ)したりする様子。「―ポスターを貼りつける/印(イン)を―と捺す/名刺に肩書を―並べる」 ❸ーと ーする 男女や親子などが、人目もはばからず、そばを離れないで親密な態度を見せつける様子。「やたらに―するな」 ■⓪ーな ーに ねばりつく様子だ。「油で手が―だ/―に脂ぎった髪」

ぺたぺた①(副) ❶ーと ーする 平たい物で物の表面をたたく様子。また、その時立てる音の形容。「素足で―と歩く」 ❷ーと 一面に幾つも貼(ハ)ったり 判を捺(オ)したりする様子。

べたゆき⓪②【べた雪】(春先などに降る)水気を多く含んだ重い雪。

へたりこ・む④【へたり込む】(自五) へたばって、その場にすわりこむ。

ぺたりと②(副) ❶ねばりけのあるものが何かにはりつく様子。「―貼(ハ)りつける」 ❷しりを床につけて座る様子。「―横座りになる」 ❸判を軽く押す様子。「記念のスタンプを―押す」

へた・る②(自五) ❶「へたばったりして、その場にすわってしまう」意のやや古風な表現。 ❷古くなって本来の機能が失われた状態になる。「へたったソファー」

ペダル⓪〔pedal〕〔自転車・ピアノ・オルガンなどの〕足で踏む部分。ペタル⓪とも。

ペタンク②〔フ pétanque〕 屋外のコートで金属製のボールを投げ、相手のボールにぶつけたりしながら、地面に置いた目標のボールに近づけることを競う、フランス発祥の球技。

ペダンティック④②ーな ーに〔pedantic〕 何かにつけて学識のあることをひけらかすような言動をする様子だ。衒学(ゲンガク)的。ペダンチック④②とも。

ぺたんと②(副)〔「ぺたりと」の変化〕 ❶平たい物を何かの面に貼(ハ)りつける様子。「紙を―貼る」 ❷しりを床に押しつける様子。「―すわる」 ❸判を押しつける様子。

ペダントリー②①〔pedantry〕(重箱のすみをほじくるような論議をして)学者ぶること。知ったかぶり。

ペチカ①〔ロ pechka〕 ロシア風の暖炉。れんが・粘土などで部屋の高さ一杯に築き、石炭をたく。ペーチカ①とも。

ペチコート③①〔petticoat〕 婦人服の下着の一種。裾(ソス)が広がった形で、スカートの下にはき、その形を整える。ペティコートとも。 かぞえ方 一枚

へちま⓪【{糸}〈瓜〉】 多く、棚に作る一年生つる草。夏、黄色の花を開く。大きく長い実は煮て食べられる。海綿状の繊維は あかすり用、茎から採れる液は化粧水などにする。〔他の野菜と違い、皮が役に立たないところから、なんの価値も無いという意味を「へちまの皮とも思わない」と言うようになった。「へちまとも思わない」はその略。また、たいした存在でもないものを指すこともある。例、「世の中をなんのへちまと思えども/へちま野郎④」〕〔ウリ科〕 かぞえ方 一本

ぺちゃくちゃ①(副)ーと 「とりとめのないことをうるさくしゃべり続ける様子」の意の口頭語的表現。〔強調表現は、「ぺちゃくちゃ①」〕「―とひっきりなしにしゃべる」

ぺちゃんこ②⓪ーな ーに ⇩ぺしゃんこ〔強調形は、「ぺっちゃんこ③」〕「―な踵(カカト)の靴/―に押しつぶす」

へちょう①ー【へ調(テウ)】〔音楽で〕へ音を主音とする音階(による調子)。

べつ(別・蔑) →【字音語の造語成分】

*__べつ__⓪【別】ーな ーに ❶そのものが他と違うと認められる△こと(状態)。「男女の―を問わず/官民の―なく反対運動を起こす/―に〔=それぞれ違う所に〕しまう/―△な(の)言い方をすれば/―の機会に譲る」 ❷△同列には(それを一緒に含めて

へ

は)扱えない△こと(様子)。「―の時/先生を―にする/見ると聞くとは―だ(=違う)/教えるという事はまた―で/そうなれば話は―だ(=全く違う)/食費は―に(=それ以外に)払う/例外は―として(=ここでは考えない事にして。例外はさておき。例外は除き)/―口・特―」⇩別に ⇩【造語成分】

べついん[0]【別院】❶本山の出張所。「本願寺―」❷寺に付属し、僧の住居として建てた別区域の建物。

べつうり[0]【別売り】本体の付属品や標準仕様外の追加品などを、本体価格とは別にして売ること。「べつばい[0]」とも。

べつえん[0]【別宴】転任したりするなど遠くへ行ってしまう人との別れを惜しむための会食。

べつおん[0]【別音】その漢字に期待される音とは別の訓み方。

べっかい[0]【別解】解法や表現が異なるもう一つ(あるいはそれ以上)の正答や解釈。「―も示します/この絵が表わす内容には―もある」

べっかく[0]【別格】同種の他のものとは同一に扱えないほど、その存在が高く評価され、何かにつけて特別な待遇を受けること。「近代文学でも、漱石・鷗外は別格として扱われる/―官幣社」

べつがく[0]【別学】男女がそれぞれ別の学校で学ぶこと。↕共学

べっかん[0]【別巻】全集で、本体のほかに付け加える本。

べっかん[0]【別館】本館のほかに設けた建物。

べっかんこう[3][1]「あかんべえ」の古風な表現。「べっかっこう[3]」とも。

べっき[1][0]【別記】―する(他サ) 本文のほかに書き△添えること(添えた物)。

べつぎ[0][1]【別儀】「ほかの事」の意のやや改まった表現。〔古風な表現〕「―ではないが」

べっきょ[0]【別居】―する(自サ) 本来同居するはずの家族などが、事情があって別れ別れになって住むこと。〔狭義では、夫婦仲が悪くなり、別れて暮らすことを指す〕「―生活すでに七年に及ぶ」↕同居

べつぎょう[0]【別業】❶別の職業。❷〔「業」は不動産の意〕「別荘」の意の古風な表現。

べつぐう[0][3]【別宮】本宮と同じ祭神を別の場所に祭った神社。

べつくち[0]【別口】❶別の△種類(方面)。「これはまた―の話だが」❷別の△取引(口座)。

べっけ[0]【別家】―する(自サ) ❶本家から△分かれること(分かれた家)。❷商店の使用人が独立して、もとの主人の店と同じ屋号の店を△出すこと(出した商家)。

べっけい[0]【別掲】―する(他サ) 別に△掲載(掲示)すること。「―のように」

べっけん[0]【別件】別の△用事(事件)。「―で呼ばれる」⇩本件 **―たいほ**[5]【―逮捕】その犯罪の容疑が濃厚だが、十分な証拠がそろわない場合に、他の犯罪の容疑を理由に、その者の身柄を拘束すること。

べっけん[0]【瞥見】―する(他サ) 外観などをざっと見ること。

べつげん[0]【別言】―する(他サ) 別な言葉で言うこと。「―すれば」

べっこ[0]【別個・別《箇》】―な ―に 他のものに含めて一緒には扱えない△こと(様子)。「―の問題/―に扱う」

べつご[1]【別後】誰かと別れてから後。

べっこう[0]【別項】別の項目。

べっこう[0]【鼈甲】玳瑁の甲羅を加熱し加工した、くし・こうがいなどの材料。「禁止寸前の―細工/―飴[3](=ざらめを加熱して溶かし、型に入れて薄く伸ばし固めた飴)・―色[0](=黒みを帯びた黄色や褐色)」

べっこん[0]【別懇】―な ―に 特別に親しくつきあう様子だ。

べっさつ[0]【別冊】雑誌・全集などに付録的に添えられた一冊の本。「―付録」

ペッサリー[1]〔pessary〕〔妊娠調節などの目的で〕子宮の入口にかぶせて使う、ゴム製・帽子状の器具。

べっし[1]【別使】❶ほかの使者。❷特別の使者。

べっし[0][1]【別紙】別に添えた△紙面(書面)。

べっし[0][1]【蔑視】―する(他サ) 相手をばかにして扱うこと。

べつじ[0]【別字】❶互いに異なる文字。❷略字や異体字など本来は同じ文字であるが形の異なる字。❸形は似ているが成り立ちの異なる別の字。「叱」と「叱」など。

べつじ[1]【別事】特別の事。「―無く暮らす」

べつじ[1][0]【別辞】別れの△挨拶(言葉)。

べっしつ[0]【別室】❶別の部屋。↕同室 ❷「特別室」の略。

べっして[0]【別して】(副) とりわけ。

ヘッジファンド[4]〔hedge fund〕デリバティブなどを使った、リスクは高いが高収益を目的とする投資機関。

べっしゅ[0]【別種】ほかの種類。

べっしょ[0]【別書】―する(他サ) 別に△書くこと(書いた物)。

べっしょ[0][1]【別〈墅〉】(貴族や上級武士などの)別荘。

べっしょう[0]【別称】別の観点から付けられた呼び方。

べっしょう[0]【蔑称】同じ対象を指す言い方の中で、その人や物に対する侮蔑の意識を多分に含意した表現。「日本人」を「ジャパニーズ」と言わないで「ジャップ」と言うなど。

べつじょう[0]【別条】・【別状】取り立てて言うべき事情。「命に―(=さしさわり)は無い」

べつじん[0]【別人】だれだれだと思い込んでいたのとは違う人。「彼かと思ったら全く―だった/二十年ぶりに再会した彼は―のようにやせ細っていた/―になりすます」

べつずり[0]【別刷り】❶本文と別に印刷△すること(した物)。❷「抜き刷り」の自然科学畑での称。かぞえ方 ❷は一通・一冊

べっせい[0]【別姓】別の姓(を名乗ること)。「夫婦―」

べっせい[0]【別製】特別に材料を精選したり念入りに作ったり△すること(した物)。

べっせかい[3]【別世界】自分の住んでいる所とは全く違った環境。〔狭義では、理想的な環境を指す〕

べっせき[0]【別席】❶ほかの座席。❷別室。

べっそう[3]【別荘】ふだん住む家以外に、避暑地・避寒地などに建てた家。かぞえ方 一軒

べっそう[0]【別送】―する(他サ) 〔小包などを、手紙とは〕別に送ること。

べったく[0]【別宅】本宅以外に作ってある家。↕本宅

へったくれ[0]〔「へちまくれ[0]」の変化。へちまのまくれたような形の意〕〔あとに否定的な内容を表わす言葉を伴って〕「それと同類のつまらない物事だ」の意の口頭語的表現で、実質的意味を表わす語に添える言葉。「会議も―もあるものか(=あんなつまらない会議なんか、どうなろうとかまうものか)/いやも―もあるものか(=いやとか何とか御託を並べているどころの話ではない)」

べつだて[0]【別立て・別建て】通常の基準のほかに、特別に設けた基準。「―の給与表」

べったらづけ[0]【べったら漬け】ダイコンをうす塩と麴とで漬けたもの。甘みが強く保存がきかない。あさづけ。

べったり[3](副)―と ―する ❶表面に粘りけのあるものが付着し、

容易に はがれそうにもないと感じられる様子。べっとり。「ペンキが―とくっつく/白粉(おしろい)を―と塗りたくる/額に―汗をにじませる」 ㊁そのものに全面的に依存していて、絶えずその△保護(指示)を得ようとする様子。〔皮肉や侮蔑(ぶべつ)を含意して用いられることもある〕「母親に―の子供/体制―だ」 ㊂全面が何かでおおわれて、少しの△すきま(余裕)も無い様子。「墨で―と塗りつぶす/尻(しり)をつけて―すわる/今週はスケジュール表が―と埋まっている」

ぺったり ③(副)―と ―する 「べったり」の少し軽い感じを表わす言葉。

べつだん ⓪【別段】■一 他の一般の場合とは異なること。「―の取扱いがなされる/規則に―の定めがある場合は」 ■二(副)〔否定表現と呼応して〕他の一般の場合と特に異なる点は認められないと判断される様子。「―病状に変化はない/―おもしろいこともない」

べっち ①⓪【別置】―する(他サ) ほかの物とは違った場所に置くこと。「―図書④」

へっちゃら ⓪―な ⇨へいちゃら

べっちょう ⓪―(チャウ)【別丁】 一冊の本の中で、本文用紙とは別の紙に印刷し、のり付け または とじ込んだもの。

べッチン ⓪【別珍】〔←velveteen〕 綿ビロードの通称。 表記「別珍」は、古来の音訳。

へっつい ⓪(ヘッツヒ)【〈竈】〔「竈へつ火」の変化〕かまど。

べってい ⓪【別邸】 本邸とは別に設けてある邸宅。

ヘッディング ⓪〔heading〕 ⇨ヘディング

ペッティング ⓪〔petting〕 相愛の二人が互いに愛撫(あいぶ)したり 刺激をしたり すること。性交には至らないもの。

べつでん ⓪【別伝】 ㊀特別の伝授。「教外(きょうげ)―」 ㊁別の言い伝え。「―によれば」

べつでん ⓪【別殿】 別に作った△御殿(社殿)。

べつでん ⓪【別電】 別△に打った(のルートから来た)電報。

べってんち ③【別天地】 世間とかけ離れた理想郷。

ヘット ①〔オ vet〕 ウシの脂肪から採った料理用のあぶら。

ヘッド〔head=頭〕 ■一 ① ㊀集団の長。主任。「―コーチ」 ㊁ヘディング㊀。 ㊂〔テープレコーダーなどで〕磁気媒体に接触して、音・映像などに対応する電気信号と磁気信号との相互変換を行なう、小型の部品。〔録音・録画や、再生・消去の各過程において重要な役割を受け持つ〕 ■二(造語) 頭。「―スライディング⑤・ボーン―(=間抜けなプレー)」

べっと ⓪①【別途】 ㊀別の方法。「出張修理の場合は―で費用をいただくことになります」 ㊁別の方面。「―会計④・―収入④」 文法 ㊀は、「送料は別途いただきます」などと副詞的にも用いられる。

***ベッド** ①〔bed〕 寝台。ベットとも。〔広義では、苗床(なえどこ)・花壇をも指す〕「堅い―/―に入る/―ルーム④・ダブル―」 かぞえ方 一台・一基。病院における設備の場合は一床(しょう)。

ペット ①〔pet〕 その家庭で、家族の一員のようにかわいがる(小)動物。〔お気に入りの年少者や年下の恋人の意にも用いられた〕「―と一緒に泊まれるホテル/―保険④」

ベッドイン ③④〔bed-in〕 異性などと寝ること。

べっとう ③―(タウ)【別当】〔本官のある人が、他の役所の長官を兼ねる意〕 ㊀昔、院庁(いんのちょう)・蔵人所(くろうどどころ)などの長官。〔狭義では、検非違使(けびいし)の長官を指す〕 ㊁もと、親王家の首席職員。 ㊂僧職の一つ。 ㊃盲人の官位の第二。 ㊄昔、馬丁の称。

べつどうたい ⓪【別動隊・別働隊】〔特別の任務を持ち〕本隊とは独立して行動する部隊。

ヘッドギア ④〔headgear〕〔ボクシングなどで〕練習の際、選手の頭を保護するためにかぶるもの。

ベッドタウン ④〔和製英語 ←bed + town〕 寝るだけの町の意で、大都市などに勤めるサラリーマンが多く住む郊外の住宅地。

ヘッドハンター ④〔headhunter=首狩り族〕 人材スカウト業。企業から依頼され、人材の引き抜きを専門とする業者。

ペットボトル ④〔PET bottle〕 ポリエチレンテレフタレート〔=PET←polyethylene terephthalate〕樹脂で作られた瓶(びん)状の容器。軽くて耐久性に優れ、飲料用容器として広く用いられる。

ヘッドホン ③〔headphone〕〔ラジオや音響再生装置を使って、音楽などを聞くために〕(頭から掛けて)両耳にあてて用いる出力装置。ヘッドホーン④とも。

ヘッドライト ④〔headlight〕 前方を照らすために、乗り物の前の部分に取りつけた灯火。前(照)灯。↔テールライト

ヘッドライン ④〔headline〕 新聞・雑誌などの見出し。また放送で、ニュースのおもな項目。

ヘッドランプ ④〔head lamp〕〔鉱山で〕坑夫が前頭部につける灯火。登山者も用いる。キャップランプ。

べっとり ③(副)―と ―する べったり㊀。

ペットロス ④〔pet loss〕 ペットを失ったことで飼い主に生じる喪失感。また、その悲しみから立ち直れない状態。

***べつに** ⓪【別に】(副)〔否定表現と呼応して〕特に取り立てて言うことはない、という意を表わす。「―変わったところはない/―おもしろくもおかしくもない/―気にしない」 運用 (1)「何か買物はありませんか」などの問いかけに対して「別に」と言えば、「別にない」という意を含むことが多い。(2)「どこかからだのぐあいでも悪いのですか」などの問いかけに対して「別に」と応じることによって、相手の好意的な言動をすなおに受け入れる気がない、という軽い拒絶の気持を表わすことがある。

べつのう ⓪―(ナフ)【別納】―する(他サ) △普通とは違った方法で(別に)納めること。「料金―郵便」

べっぱ ⓪①【別派】 別の△流派(党派)。

ペッパー ①〔pepper〕 香辛料としての胡椒(こしょう)。「ホワイト―⑤・ブラック―⑤」

べっぱい ⓪【別杯・別〈盃】 別れを惜しんで誰かと交わす杯。

べつばら ⓪【別腹】 満腹なのに、好物なら別の腹があるかのようにまだ食べられる、ということ。「甘い物は―」

べっぴょう ⓪―(ベウ)【別表】 別に添えた表。

へっぴりごし ④【〈屁(っ)《放(り)腰】 中腰の不安定な姿勢。〔おっかなびっくりの形容としても用いられる〕

へっぴりむし ④【〈屁(っ)《放(り)虫】「へひりむし」の強調形。

べつびん ⓪【別便】 ㊀そのものとは別に出す郵便。 ㊁別に出す手紙。

べっぴん ⓪【別品・別〈嬪】 ㊀特上の品物。〔器量人の意にも用いられる〕 ㊁「美人」のやや古風な表現。「この中で一番彼女が―だ」 表記 ㊁を「別〈嬪」と書くのは、借字。

べっぷう ⓪【別封】 ㊀―する(他サ) 別々に封じること。 ㊁別に添えた封書。

べつべつ ⓪【別々】―に ―な それぞれを別な物として△扱わ(認め)なければならない様子だ。

べっぽう ⓪―(パフ)【別法】 別の方法。「―を講じる」

へっぽこ ⓪―な ―に〔「ぽこ」は「ちゃらっぽこ」の「ぽこ」と同じくマイナスイメージの状態を示す造語成分。「へ」は「へた(下手)」の意か〕能力が劣ったり 融通がきかなかったりして、取るに足りない様子だ。〔口頭語的表現〕「この―野郎」

べっぽん ⓪【別本】〔構成・筋は大体同じでも〕本文の系

へ

統が他と大きく異なる本。

べつま⓪【別間】 ほかの部屋。別室。

べつむね⓪【別棟】〔同じ敷地・構内にある〕別になっている棟(の建物)。

べつめい⓪【別名】 本名以外に△世間で普通にそう呼んでいる(何かの必要から自分で付けた)名前。

べつめい⓪【別命】〔待機させておいた後に出す〕特別の命令。「―あるまでは」

べつめん⓪【別面】 ❶別の方面。❷別の紙面〔=ページ〕。

べつもの⓪【別物】 ❶違う△物(こと)。「これとそれとは―だ」 ❷特別に扱うべき物。

べつもんだい③【別問題】 当面の問題とは△直接関係の無い(同じレベルには扱えない)異質の問題。

べつよう⓪【別様】(ヤウ) ほかと違っている△様子(様式)。

へつら・う③【〈諂う】(ヘツラフ)(自五) 相手に気に入られようとして、自尊心を抑えた言動をあえて取る。「上司にへつらって栄転した嫌な奴(ヤツ)」 名へつらい⓪③

べつり①【別離】―する(自サ) やむを得ぬ事情で、親しい人と別れること。「―の涙」

べつるい⓪【別涙】 別れを惜しんで流す涙。

べつわく⓪【別枠】 一般の△規定(範囲)の例外として定められること。

ペディキュア⓪〔pedicure〕 足指の爪(ツメ)の化粧。⇩マニキュア

ヘディング⓪〔heading〕 ❶〔サッカーで〕ボールを頭で扱うこと。❷記事の見出し。項目。ヘッド。〔❶❷ともヘッディングとも〕

ベデカー①〔ド Baedeker=出版業者の名〕(ヨーロッパ)旅行案内書。ベデカ①とも。

ペデストリアンデッキ⑧〔pedestrian deck〕〔自動車道路と分離して作られた〕歩行者専用の道路。

ベテラン⓪〔veteran〕 その専門での経験を積み、技術・判断力の特別すぐれた人。

ヘテロ①〔←heterosexual〕 ヘテロセクシュアルの略。

ヘテロセクシュアル④〔heterosexual〕 異性を対象とする性愛。異性愛(者)。略してヘテロ。↔ホモセクシュアル

ヘテロドックス④―な―に〔heterodox〕 正統な手続きを踏んでいない様子だ。変則的だ。↔オーソドックス

ぺてん⓪ 詐欺。「―にかける〔=だます〕/―師②」

へど①【《反吐】 いったん飲食した物を吐きもどすこと。また、吐きもどしたもの。「―が出る〔=ⓐ気分が悪い。ⓑ不愉快だ〕」

べとつ・く⓪(自五) べとべと△する(と、くっつく)。「シャツが汗で―」

へとへと⓪―な―に ひどく疲れて、何をする元気も無い状態だ。「一日歩いて、もう―だ/猛練習で―になる」

べとべと [一]①(副)―と―する 表面がねばついたり湿気を帯びたりしたような状態になっていて、さわると不快に感じられる様子。「梅雨時は家中どこも―する」 [二]⓪―な―に 「べとべと[一]」に同じ。「床が油で―になる」

へどもど①(副)―と―する とっさにうまく返答が出来なくて、口ごもったりつっかえたりする様子。

へどろ⓪〔もと、神奈川・名古屋・奈良方言。東北地方の方言「ひどろ〔=溝(ドブ)や、青色に濁った水たまり〕」と同源〕 海・川・沼・湖の底にたまっている泥。〔狭義では、未処理の下水や工場からの廃液・廃棄物が海岸・河口などに堆積(タイセキ)して、どろどろに固まったものを指す〕 表記 外来語のように受け取られ、「ヘドロ」と書かれることが多い。

へなちょこ⓪【へな〈猪《口】〔外側に鬼、内側にお多福の顔を書いた、楽焼(ラクヤキ)の粗末な杯の意からという〕その世界で一人前にはほど遠い未熟な者。〔口頭語的表現。侮蔑(ブベツ)を含意する〕「―がなまいき言うな」

へなつち⓪【《粘土】 黒くて粘りけがある、水底の粘土。

へなぶり⓪【へな振(り)】〔「夷曲(ヒナブリ)⓪」のもじり〕流行語を多く読みこんだ狂歌。明治三十七、八年ごろ流行した。

へなへな [一]①(副)―と―する ❶からだから力が抜けてしゃんとしていられなくなる様子。「―とくずおれる」 ❷望まれる、張りや腰の強さが無くて、見るからに弱よわしい感じがする様子。「―した竹/―した感じの男」 [二]⓪―な―に ❶「へなへな[一]❶」に同じ。「力仕事で腕が―になる」 ❷「へなへな[一]❷」に同じ。「散りかけの―になった花」

ペナルティー②〔penalty〕 ❶〔球技などで〕反則を犯した時に、その競技者またはそのチームに与えられる罰則。競技種目により異なる。❷罰金。 **―キック**⑥〔penalty kick〕 サッカーやラグビーで、自軍に反則があったとき、相手が権利を得てするキック。ピーケー(PK)。 **―ゴール**⑥〔penalty goal〕 ラグビーで、ペナルティーキックで得点すること。略してピージー(PG)。

ペナント⓪〔pennant=ペンダントのダブレット〕 ❶〔野球で〕優勝旗。「―を握る〔=優勝する〕」 ❷その△学校(運動部)のシンボルとしての細長い三角旗。〔広義では、大学間の対抗競技などの勝者に与えられるものや、参加記念のものなどをも指す〕 **―レース**⑤〔pennant race〕〔野球で〕優勝を競って各チームが勝敗を争う△こと(公式試合)。

べに①【紅】 ❶化粧品・染料・食品の着色などに使う赤い色の顔料。もと、ベニバナの花びらから採った。「(顔に)―を△さす(塗る)/口―・ほお―・―おしろい③〔=化粧〕・―染(ゾ)め⓪」 ❷紫がかった濃い赤。くれない。「―すずめ③」

ペニー①〔penny〕 イギリスの通貨の単位。一ポンドの百分の一。〔複数はペンス〕

べにがら⓪【紅殻】 ⇩ベンガラ❶

べにこ⓪②【紅粉】 アニリンから作る紅。唐紅(トウベニ)⓪。

べにざけ⓪③【紅〈鮭】 北洋に分布し、産卵期にはおす・めすともに産まれた川に戻り、体色が紅色になる魚。食用として重要で、塩ざけ・スモークサーモンなどに加工される。〔食品となったものは〕「べにじゃけ」ともいう〕〔サケ科〕 かぞえ方 一尾・一匹

べにさしゆび④【紅差(し)指】〔雅:中部以西の方言〕くすりゆび。

べにしょうが③【紅生〈姜】(シヤウー) △梅酢につけて(食用紅で)赤くしたショウガ。

ペニシリン⓪〔penicillin〕 青カビの一種から作る抗生物質。肺炎・おでき・敗血症などにきく。「―ショック⑥」

ペニス①〔penis=しっぽの意のラテン語に由来〕 陰茎。

べにばな⓪【紅花】 アザミに似てとげがあり、夏、紅色を帯びた黄色の花を開く二年草。花から紅を、種から油を採る。すえつむはな⑥③。〔古くは「くれない」〕〔キク科〕 かぞえ方 一本

べにます⓪【紅〈鱒】 マスの一種。海にすみ、産卵のために川をさかのぼる。肉は濃い紅色。食用。べにざけ。〔サケ科〕 かぞえ方 一尾・一匹

ベニヤいた③④【ベニヤ板】〔veneer=単板〕 合板(ゴウハン)。ベニヤ⓪とも。 かぞえ方 一枚

へのかっぱ①-⓪【〈屁の《河《童】 「全く気にかけない、また、全く負担とは感じない△こと(様子)」の意の口頭語的表現。

へのこ① ❶「きんたま」の異称。❷陰茎。

へのへのもへじ⑤ 平仮名の「へ」を眉、「の」を目、「も」を鼻、「へ」を口、「じ」を顔の輪郭に当てて人の顔を描く文字遊び。また、その絵。へへののもへじ⑤。〔西日本では「へのへの

も〈の〉」と言う〕

ペパーミント[4][2]〔peppermint〕 薄荷（入りの洋酒やチューインガム）。

へばりつ・く[4]【へばり付く】（自五）〔ある面に〕ぴたりとくっついて、離れないようにする。

へば・る[2]（自五）「へとへとに疲れる」の意の口頭語的表現。「すっかりへばった」

へび[1]【蛇】 青大将・マムシ・コブラなど、管状でひょろ長い爬虫類の総称。足が無く、うろこでおおわれたからだをくねらせて進む。「毒―」 かぞえ方 一匹・一尾

ヘビー〔heavy〕 [一][1]―な ❶重いこと。↔ライト ❷〔スポーツ・受験勉強などで〕激しい努力をすること。また、そのさま。「―な一日だった/―をかける/ラストー」 [二]（造語） ❶程度の激しい。「―スモーカー[5]〔=ひどく たばこを吸う人〕・―ユーザー」 ❷強い。「―バッター[4]」

ベビー〔baby〕 [一][1] 赤ん坊。ベイビー[1]・ベービー[1]とも。「―服[2]・―ブーム[4]・―パウダー[4]〔=汗知らず〕・―カー[2]・―シッター[4]〔=親が留守の間、子供の世話をする人〕」 [二]（造語） 小さい。小型の。「―ゴルフ[4]・―オルガン[4]」

ヘビーきゅう[0]【ヘビー級】〔heavy weight の 訳、heavy=重い〕 体重で決めた選手の階級の一つ。ライト ヘビー級の上で、最も体重の重い階級。プロボクシング男子では、約九一キログラム以上の体重。

ベビー サークル[4]〔和製英語 ←baby + circle〕 ひとり立ちが出来るようになった赤ちゃんを安全に遊ばせておくための組立式の囲い。

へびいちご[3]【蛇〈苺】 道ばたや原野に生える多年草。初夏のころ、イチゴのような実をつける。実は食用に適さない。〔バラ科〕 かぞえ方 一本

ヘビーデューティー[4]―な〔heavy-duty〕 酷使や厳しい自然条件に耐えることができる様子だ。「―な登山用具/―なウエア」

ヘビー メタル[4]〔heavy metal〕 エレキギターのひずませた金属的な音と重いビートを特徴とするロック音楽。略してヘビメタ[0]。

ヘビー ユーザー[4]〔heavy user〕 一般の人よりも頻繁に利用する人。多く、コンピューターやゲーム機器などの使用者についていう。

ヘビー ローテーション[6]〔heavy rotation〕 ❶〔広告やラジオ放送で〕宣伝のために同じ楽曲を短期間に何度も繰り返し行なうこと。略してヘビロテ[0]。 ❷〔「ヘビーローテーション❶」から〕気に入った物やことを繰り返し使ったり 行なったりすること。

へひりむし[3]【〈屁《放り》虫】 体長約二センチで、黒い羽に黄色の紋がある。さわると異臭のあるガスを放つ。〔オサムシ科〕〔広義では、カメムシ類など異臭を放つ昆虫や、よくおならをする人の意にも用いられる〕 かぞえ方 一匹

ペプシン[1]〔ド Pepsin〕 胃液の中の、たんぱく質を分解する酵素。

ペプトン[1]〔ド Pepton〕 たんぱく質が、酸・アルカリ・酵素などで分解されて出来た物質。水溶性で、加熱しても凝固しない。

ヘブライズム[4][3]〔Hebraism〕 旧約聖書に基づいて形成された、キリスト教的世界観。

ペプラム[1]〔peplum〕 腰のあたりで、目立つように切りかえた、婦人服の上着のすそ。

へへ（感） ❶せせら笑う声。 ❷いやしく笑う声。

べべ[1][0] ❶「着物」の幼児語。「お―[2][0]」 ❷〔各地の方言〕陰門。

へべれけ[0]―な ―に 「ひどく酒に酔って正体が無くなった状態だ」の意の口頭語的表現。

ペペロンチーノ[5]〔イ peperoncino〕 オリーブオイルでニンニク・トウガラシを炒めてパスタにからめるイタリア料理。

へぼ[1]―な ❶技術が へたな△こと（人・様子）。「―将棋」 ❷〔果物などの〕実り方が不完全な△こと（様子）。「―キュウリ[3]」〔❶❷とも口頭語的表現〕 派―さ[2]

ヘボンしき[0]【ヘボン式】 ⇩標準式

へま[1] 「うっかりやってしまった（みっともない）失敗」の意の口頭語的表現。「―をやらかす」 派―さ[2][0][1]

へめぐ・る[3][0]【経巡る】（他五） あちこち旅行して回る。

ヘモグロビン[0]〔ド Hämoglobin〕 ⇩血色素

***へや**[2]【《部屋】〔もと「隔屋」と書いて、離れの称。「部屋」は室町時代末に一般化した用字〕 ❶〔寝起きしたり 物を置いたりするために〕建物の中を区切った空間。「大―・子供―・相―」 ❷〔すもうで〕「としより[二]❷」が弟子の力士を養成するための、（自宅を兼ねた）土俵の設備がある宿舎。「―制度」 表記 ⇩付表「部屋」。❶は、「《室」とも書く。中世には「《亭子》・《戸屋」とも書いた。 かぞえ方 ❶は一間

へやぎ[0][3]【《部屋着】 室内で着る、くつろいだ感じの衣服。 表記 ⇩付表「部屋」 かぞえ方 一枚

へやずみ[0]【《部屋住】 ❶家督相続する以前の身分。 ❷江戸時代、長男で、家督を相続する以前の身分。❷江戸時代、武家の次男以下で、家督相続の出来ない身分。 表記 ⇩付表「部屋」

へやだい[0]【《部屋代】 その部屋の借り賃。 表記 ⇩付表「部屋」

へやぼし[0]【《部屋干（し）】―する（他サ） 洗濯したものを家の中に干すこと。 表記 ⇩付表「部屋」

へやわり[0]【《部屋割（り）】―する（自サ）〔寮・旅館などで〕入寮者・同行宿泊者の部屋の割当てを決めること。 ⇩宿割り 表記 ⇩付表「部屋」

へら[2][1]【〈箆】 竹や獣骨などを細長く平らにし、先のへりをナイフの刃のように薄く鋭くしたもの。しるしをつけたり、物を△練る（塗る）のに使う。 かぞえ方 一本

べら[0] 暖かい海にすむ、体色が鮮やかで美しい魚。キュウセン・ニシキベラ・テンスなど。食用。〔ベラ科〕 かぞえ方 一匹

***へら・す**[0]【減（ら）す】（他五）〈（なにカラなにニ）なにヲ―〉 少なくする。「予算を―〔=切りつめる〕/子供が腹を減らして〔=おなかをすかして〕待っている」 ↔ふやす・ます

へらずぐち[0][3]【減（ら）ず口】 自分の方が歩が悪いことがわかっているのに、弱みを見せまいとして あれこれ言うこと。また、その言葉。「―をたたく〔=あれこれ負け惜しみを言う〕」

へらづけ[0]【〈箆付（け）】―する（自サ）〔裁縫で〕へらで縫い目などのしるしをつけること。

へらぶな[0]【〈箆鮒〉】 ゲンゴロウブナの飼育品種。からだが平たく、口が小さく、頭が左右に出っぱっている。食用。〔コイ科〕 かぞえ方 一匹

へらへら[1]（副）―と ―する ❶何も考えずのんきに過ごしたり 言わなくてもいいことまで軽がるしくしゃべったり する様子。「部長に気付かず、つい―としゃべってしまった」 ❷わけも無く、おもねるように笑う様子。「何度注意されても―している」

べらべら [一][1]（副）―と ―する 「ぺらぺら[一]❶」の強調表現。 [二][0]―な ―に 「ぺらぺら[二]」の強調表現。

ぺらぺら [一][1]（副）―と ―する ❶口が軽くて、△言わなくてもいいことまで（あきれるほどよく）しゃべる様子。 ❷外国語を流暢に話すことが出来る様子。「英語で―とまくしたてる」 ❸見るからに薄くて安っぽい感じがする様子。「―した紙」 ❹綴じてある紙などを次つぎにめくる様子。「―と△ノート（ページ）を繰る」 [二][0]―な ―に ❶「ぺらぺら[一]❶」に同じ。 ❷「ぺらぺら[一]❸」に同じ。「―な表紙/―「中国語は―だ」

な生地」

べらぼう[0]【〈篦棒〉】ーに ーな ❶あきれるほどばかげている△こと(様子)。また、そのような人。「ーめ/そんなーな話があるものか」 ❷程度がひどい様子だ。「ーに暑い」〔❶❷とも口頭語的表現〕 派 ーさ[0][3]

ベランダ[0]〔veranda〕〔建築で〕庭園などに面している側の部屋一帯の外側に張り出すように作った広縁。ヴェランダとも。〔多く ひさしがある〕⇩バルコニー・テラス

べらんめえ[0][4](感)〔「べらぼうめ[0]」の変化〕〔江戸っ子が〕人をののしるために発する語。 **ーくちょう**[6]【ー口調】東京下町の人の、威勢のいい言葉の調子。

ヘリ[1] ヘリコプターの略。「ーポート・ドクターー[5]〔=患者に救命医療ができる専用ヘリコプターー〕」

へり[2]【《縁》】❶広がりを持つ物の輪郭を成す最も外側の部分。〔平面では外周部分、立体では稜を指す〕「△畳(机)のー/朱肉はーの方から使う/利根川ー」 ❷(畳・ハンカチなどの)「へり❶」につける布や飾り。「ーを取る〔=へりをつける〕/薄ー」 ❸帽子のまわりに巻きつける飾り布。「ーつきの帽子」

ベリー セット[4]〔和製英語 ←berry + set〕果物などを盛る、一組の皿。

ベリーダンス[4]〔belly dance〕中近東・北アフリカを起源とする、腹と腰の動きが特徴的で官能的な踊り。オリエンタル ダンス[7]とも。

ヘリウム[2]〔ド Helium〕水素の次に軽い、気体元素〔記号He原子番号2〕。無色無臭で、ほかのどんな元素とも化合しない。気球のガス用。

ヘリオトロープ[5]〔heliotrope〕夏・秋のころ、△紫(白)色の花を穂のようにつける小低木。花は香水用。〔ムラサキ科〕 かぞえ方 一本

ペリカン[0]〔pelican〕大きな白い水鳥。下くちばしが大きな袋のようになっている。ハイイロペリカン・モモイロペリカンなど。〔ペリカン科〕 かぞえ方 一羽

へりくだ・る[4][0]【《遜る》・《謙る》】(自五)〔「へる」は、自分を低くする意〕「謙遜する」意の和語的表現。

へりくつ[2]【〈屁理屈〉】自己の立場を弁護したり 相手を納得させようとするために言ったり する、こじつけとしか思われない理由づけ。「ーをこねる」

ヘリコプター[3]〔helicopter ← ギ helix (らせん形) + pteron (翼)〕航空機の一種。竹とんぼ式の大きな回転翼を取りつけて、垂直に上下し、また、空中に静止することも出来る。略してヘリ。 かぞえ方 一機

ペリスコープ[4]〔periscope〕⇩潜望鏡

へりとり[4][3][0]【《縁取(り)》】「へり❷」を△つけること(つけた物)。

ヘリポート[3]〔heliport〕ヘリコプター用のエアポート。

ベリリウム[3]〔beryllium〕銀白色の金属元素〔記号Be原子番号4〕。軽くて融点も高いので、ミサイル・ロケットや原子炉などに使われる。

***へる**[1]【経る】(自下一)❶〈(なにカラ)なにヲー〉△それまで(何かをする間)に、何ほどかの時間が過ぎる。「三か月(を)経ても…」 ❷〈(どこ・なにカラ)どこ・なにヲー〉最終目的(地)にまで達する前の段階や過程として、そこを通る。「北京から東京を経てアメリカへ帰る/△手続き(曲折・試練)をー」

****へ・る**[0]【減る】(自五)〈(なにカラなにニ)ー〉(目に見えて)量が少なくなる。「△体重(比重)がー/腹がー〔=すく〕」 ↕ふえる・ます 運用 「減るもんじゃない」などの形で、大事なものだからという理由から、見せたり 触らせたり するのを拒もうとする相手に、「そのぐらいのことはさせてもいいだろう」と冗談交じりに反論する気持を表わすのに用いられる。

ヘル[1]〔ド Mohär の、日本での省略形〕縦糸に梳毛、横糸に紡毛を使ったサージ。

ベル[1] ❶〔bell=鐘〕合図に鳴らす電鈴。「ーが鳴り響く/始業のーが鳴る/非常ー・ポケットー」 ❷〔bel ←A. G. Bell=アメリカ人、電話の発明者〕音の強さ・電力などを基準値と比較して示す時に、基準値に対する比の値の常用対数値に添える語〔記号B〕。〔基準値はゼロベル、基準値の十倍は一ベル、百倍は二ベル〕「デシー」

ベル カント[3]〔イ bel canto=美しい歌の意〕歌曲やオペラで、なめらかに美しく歌う歌い方。十八世紀のイタリアで成立した。

ヘルシー[1] ーに ーな〔healthy〕健康によい様子だ。「ーな食事/ーにやせる」

ヘルス センター[4]〔和製英語 ←health + center〕保養・娯楽などのいろいろな施設を一か所に集めた有料の施設。

ペルソナ[0]〔persona=ラテン語で「仮面」の意〕❶〔心理学で〕外界に適応しようとして本当の自分を抑えてつくろった、社会的・表面的な人格。❷〔キリスト教の三位一体論で〕父と子と聖霊の三つの位格。

ヘルツ[1]〔hertz ←H. R. Hertz=ドイツの物理学者〕周波数の基本単位で、一秒間に一回の振動数を表わす〔記号Hz〕。〔旧称は「サイクル(毎秒)」であったが、一九六八年以降ヘルツが正式名称となった〕 **キロー**[3]〔kilohertz〕周波数の単位で、千ヘルツを表わす〔記号 kHz〕。〔旧称、キロサイクル〕 **メガー**[3]〔megahertz〕周波数の単位で、百万ヘルツを表わす〔記号MHz〕。〔旧称、メガサイクル〕

ベルツすい[3]【ベルツ水】〔ド Bälz=人名〕手・肌の荒れを防ぐ化粧水。グリセリン・アルコールなどを水に交ぜて作る。

***ベルト**[0]〔belt〕❶(革)帯。❷しらべがわ。「ーコンベヤー」❸地帯。「グリーンー・コーヒーー[5]」 かぞえ方 ❶❷は一本

ベルト コンベヤー[6]〔belt conveyor〕土木工事や工場などで、土・品物を載せて運ぶ、ベルト式の装置。

ヘルニア[0]〔hernia〕❶腹部の内臓(の一部)などが△先天的(後天的)に異常な位置に脱出して起きる病気。「椎間板ーそけい部ー」 ❷脱腸。

ヘルパー[1]〔helper〕手伝いをする人。特に、△家事などを手伝うため(介護を必要とする人のいる)家庭に派遣される人。「ホームー[4]」

ヘルペス[1]〔ド Herpes〕皮膚に群れをなして出来る、小さな(膿を持った)水疱。疱疹。

ベルベット[3]〔velvet〕⇩ビロード

ベルボーイ[3]〔bellboy〕〔ホテルなどで〕利用客を玄関で迎え、荷物を部屋まで運ぶなどの役割をするボーイ。

ヘルメット[1][3]〔helmet〕洋風の かぶと形の帽子。暑気よけのものはコルク製。〔危険防止用のものは、もとは金属製、現在は強化プラスチック・グラスファイバー製〕

ベルモット[3]〔フ vermout(h)〕リキュールの一種。主に白ワインに、「ベルモット草[0]」などの根や木の皮の成分をしみ出させたもの。さっぱりした苦みがある。

ベレー[1]〔フ béret〕〔←ベレー帽[2]〕ハンチングからひさしを取ったような形の帽子。〔柔らかい布などで作り、いわゆる芸術家が好んでかぶった〕

ヘレニズム[3]〔Hellenism, Hellen=ギリシャ人〕ギリシャ(思想)風の世界観。〔狭義では、アレクサンドロス(Aleksandros)大王以後三百年間のギリシャ・ローマ文化の世界主義的傾向を指す〕⇩ヘブライズム

べろ① 「舌」の意の口頭語的表現。

ベロア①〔velour〕 手ざわりの柔らかい、毛のビロード。オーバーなどに用いる。

ヘロイン②〔ド Heroin〕 モルヒネからつくる麻薬。

ベロナール③〔Veronal=バルビタールの商品名〕 催眠剤などに用いられた白い結晶性の粉。

へろへろ [一]①(副)ーと 「期待されるだけの勢いがなくて使いものにならないと思われる様子」の意の口頭語的表現。「ー矢④・ーだま⓪」 [二]⓪ーな ーに 「へろへろ[一]」に同じ。「ーで役に立たない武士/歩き疲れてーだ」

べろべろ [一]①(副)ーと しきりになめまわす様子。 [二]⓪ーに 正体を無くすほど酔っぱらう様子。「酔ってーになる」〔[二]とも強調表現は「べろんべろん⓪」〕

ぺろり②(副)ーと ❶舌を長く△出す(出してなめる)様子。❷そこにあるものを残らずたちまちのうちに食べてしまう様子。「どんぶりめしをーと平らげた」

へん(片・辺・返・変・偏・遍・〈篇・編)→【字音語の造語成分】

へん(感) ❶目の前に居る相手(の言うこと)を無視する際に発する言葉。❷人に誇らしげに何かを見せびらかそうとする際に発する語。「ー、どんなもんだ」

へん【辺】 ❶⓪ 問題にされる地域およびその近く。「東京ーでは/あのー〔=あたり〕/海ー(カイヘン)・近ー(キンペン)」 ❷⓪ 連続した状態にあるものの、ある部分やある段階。「疲れたから今日はこのー〔=程度〕で(やめよう)」 ❸⓪①〔幾何学で〕△多角形(角)を構成している、個々の△線分(半直線)。「二ー夾角(キョウカク)の合同定理/斜ー・底ー・四ー形・二等ー三角形」 ❹⓪〔(不)等式で〕(不)等号の片側に書かれている△数(式)。「ーーー(ヘンペン)掛け合わせる/左ー・右ー・両ー」 かぞえ方 ❸は一辺・二辺・三辺・四辺・何辺は「ペン」、四辺は「シヘン」とも。⇩【造語成分】

へん①【変】 ❶違った状態や局面になること。また、そうすること。「四季のー/ー不変/ー化・急ー」 ❷天災・人災など、社会生活の秩序を乱すような突然の出来事。〔狭義では、動乱・兵乱・内乱を指す〕「万一のーに備える/桜田門外のー/事ー・天ー地異(テンペンチイ)」 ❸ーな ーに 普通と違っていて、正常と思われない様子だ。「頭がーだ/ーな話/気がーになる/ー形・ー種」 ❹〔邦楽で、半音低いものの称〕〔音楽で〕半音低くすること。「ー記号〔=フラット❸〕・ーロ長調」↕嬰(エイ) ⇩【造語成分】

へん⓪【偏】 〔「〈篇」の変化。よるべき一方のものの意〕部首の分類の一つ。左右に分かれる漢字の左側にあるもので、共通の意義を受け持つもの。例、「木ー・人ー(ニンベン)」。⇩つくり(旁) ⇩【造語成分】

へん①【編】 ❶「編集・編曲」の略。「…のーに係る」 ❷詩文などの作品(の部分)。「ーを分(カ)つこと上下/雄ー・短ー(ペン)・長ー・好ー・掌ー」 表記 ❷は「〈篇」の代用字。 かぞえ方 ❷は一編・二編・三編・四編・六編・八編・十編・何編は「ペン」 ⇩【造語成分】

べん(弁・便・勉・〈鞭)→【字音語の造語成分】

べん①【弁】 [一]〔「〈瓣」の略体〕 ❶「花びら」の意の漢語的表現。〔かぞえる時にも用いられる〕「五ーの花/花ー・小ー(コベン⓪)」 ❷容器や管の中途で開閉し、液体や気体の流れを調節する平たいもの。バルブ。「ーを開閉する/ー膜・排気ー・安全ー」 [二]〔「〈辯」の略体〕おおぜいの人を前にしてする話。「就任のー/ーが立つ/ー舌・熱ー」 [三]〔「〈辨」の略体〕「弁当」の略。「駅ー・どかー」 ⇩【造語成分】

べん①【便】 ❶何かをするのに足場・都合がいいかどうか。「交通のーが悪い/バスのーがある〔=バスが利用できる〕/簡ー・不ー」 ❷便利。「利用者のーをはかる」 ❸大(小)便。「二日もー〔=大便〕が無い/ー器・血ー・検ー」 ⇩【造語成分】

***ペン**①〔pen〕 ❶インクをつけて書く筆記用具。ペン軸とペン先とから成る。「ーー〔=文筆活動〕の力/ー習字③・ーだこ⓪③・ー立て・ボールー」 ❷〔↑ペン先③⓪〕ペンのうち、インクをつけて直接文字を書く部分。ペン軸の先にさしこんで使う。「ーを代える/ーふき・金ー」 かぞえ方 ❶❷とも一本

【ーを折る】 やむをえず、執筆を中止する。

へんあい⓪【偏愛】ーする(他サ) 〔関係する者を平等に愛すべき立場にある人が〕特定の者だけを愛すること。

へんあつ⓪【変圧】 △圧力の強さ(電圧の高さ)を変えること。「ー器④③〔=交流電流の電圧の高さを変える装置〕」

へんい①【変位】ーする(自サ) 〔物理で〕物体が位置を変えること。また、その変化の量。

へんい①【変異】ーする(自サ) ❶異変。〔狭義では、自然界の変動、特に地殻の変動を指す〕 ❷同種の生物の個体が、なんらかの事情により全く違った性質・形状を示すこと。「突然ー・個体ー」

へん

［片］ ❶きれはし。「片雲・一片(ペン)」 ❷わずかの。「片時・片言隻語(ヘンゲンセキゴ)」 かぞえ方 一片・三片・四片・六片・八片・十片・何片は「ペン」

［辺］ ❶そば。近く。「身辺(ペン)・海辺」 ❷△都会(中央)から離れた。「辺際・辺外・辺地・辺境」 ⇩(本文)へん【辺】

［返］ かえす。「返還・返事・返却・返信・返答・返済・往返」

［変］ 「変格活用」の略。「カ変・サ変活用」 ⇩(本文)へん【変】

［偏］ (…だけに)かたよる。「偏愛・偏頗(パ)・偏在・偏食・偏頭痛(ズツウ)」 ⇩(本文)へん【偏】

［遍］ ❶行きわたる。「遍在・普遍」 ❷回数をかぞえる語。返。「一遍(ペン)・二遍・三遍(ベン)」

［〈篇］ 詩歌・小説・戯曲・ルポルタージュなどの作品や各種の論文および投書・応募の文。〔かぞえる時にも用いられる。二篇以上をかぞえる場合には、「編」を代用することが多く、「一篇」の場合などでは「一編」より使用度がやや高い〕「上篇・前篇(ペン)：第一篇(ペン)」 かぞえ方 一篇・三篇・四篇・六篇・八篇・十篇・何篇は「ペン」 ⇩(本文)へん【編】❷

［編］ ❶集めあむ。「編曲・編纂・編史・編集・改編」 ❷とじ糸。「韋(イ)編三絶」 ⇩(本文)へん【編】

べん

［弁］ [一]〔正字は、「〈辨」〕 ❶よいもの、理屈に合っているものとそうでないものとを区別する。「弁別・弁証・勘弁」 ❷何かの用に当てる。「弁当・弁済・弁償」 [二]〔正字は、「〈辯」〕 ❶こういう事情である、理屈から言うとこれこれでなければならぬということを、相手に負けずに言う。「弁解・弁護・弁明・陳弁」 ❷その土地らしい言葉づかい。方言。「熊本弁」 [三]〔正字は、「〈瓣」〕 花びら。「花弁」 ⇩(本文)べん【弁】

［便］ くつろぐ。ふだんの。「便衣・便服(プク)・便殿」 ⇩(本文)べん【便】

［勉］ 全力を傾けて何かをする。「勉学・勉強・勉励(レイ)・勤勉・力(リョク)勉」

［〈鞭］ むち。また、むちで打つ。「鞭声・鞭撻(タツ)・教鞭・先鞭」

へんい[1]【変移】―する（自他サ） 変化して他の状態に移ること。

へんい[1]【偏〈倚】―する（自サ）〔数学・物理などで〕基準・平均値からの かたより。〔「へんき」は類推読み〕

べんい[1]【便衣】「ふだんぎ」の意の古風な表現。 **―たい**[0]【―隊】 日中戦争中、中国で、武装しないふだんのままの服装で敵地に潜入して活動した部隊。

べんい[1]【便意】 大(小)便がしたいという気持。「―を催す」

へんうん[0]【片雲】「ちぎれ雲」の意の漢語的表現。

へんえい[0]【片影】「遠くからわずかに認められる、その物の姿」の意の古風な表現。〔断片的資料によって知ることの出来る、その人の性格・行状などの一面の意にも用いられる〕「飛ぶ鳥の―も認めず」

へんえき[0]【変易】―する（自他サ） 物事や事態など△が変わること(を変えること)。「何の―もない」

べんえき[0]【便益】 それを使うことが自分にとって便利であり、かつ利益がある様子。「―を与える」

へんえんけい[0]【〈扁円形】 平たい円形。

へんおんどうぶつ[5]【変温動物】 魚類・昆虫などのように外界温度の変化に従って体温がかわる動物の総称。冷血動物。↔恒温動物

へんか[1]【返歌】 人から贈られた歌に答えて詠む歌。かえしうた。

****へんか**[1]【変化】―する（自サ） ❶〈なにカラなにニ―する〉時間的・空間的な推移によって物事の性質や状態などに違いが現われること。「―が生じる/大きな―を遂げる/微妙な―を見せる/―に△富む(乏しい)」 ❷〔文法で〕活用❸。 **―きゅう**[3][0]【―球】〔野球で〕バッターの近くで曲がったり落ちたりするたま。「―を投げる〔=△意図的に(好んで)今までの方針とは違った方法・手段を用い、局面に変化を求める意にも用いられる〕」↔直球

ペンが[0]【ペン画】 ペンでかいた絵。

へんかい[0]【変改】―する（自他サ） 今までの状態を変え改めること。また、そうなること。〔古くは「へんがい」〕

***べんかい**[0]【弁解】―する（自他サ）〈だれニ（なにヲ）―する/だれニ（なんだト）―する〉「言いわけ」の意の漢語的表現。「―に努める/―の余地が無い/―がましい[7]」 表記 「弁」の旧字体は「〈辯」。

へんがえ[0]【変換(え)】―する（他サ）「変改」の意の古風な表現。

へんかく[0]【変革】―する（自他サ）〔社会・制度などが〕根本から変わること。また、そのようにすること。「―が起こる/大きな―をもたらす/―を迫られる」

へんかく[0]【変格】 正格とは認められない△様式(状態)。↔正格 **―かつよう**[5]【―活用】〔日本語文法で〕動詞の活用の中で、大部分を占める五段活用・一段活用を正格と認め、それ以外を不規則とする称。「△か行(さ行)―」

へんがく[0]【〈扁額】〔室内・門戸などに掲げる〕横に長い額。

べんがく[0]【勉学】―する（自他サ） 特定の目標に向かって勉強すること。「―にいそしむ/―熱」

ベンガラ[0]【弁柄・《紅殻】〔オ Bengala〕 ❶黄土を焼いて作る赤い顔料。成分は酸化第二鉄で、耐水・耐熱性がよい。「べにがら」とも。 ❷〔←べんがら縞[0]〕 縦糸が絹、横糸がもめんの、縞の織物。 表記 「弁柄・《紅殻」は、借字。

へんかん[0]【返還】―する（他サ） △一度手に入れた(預かっていた)物を返すこと。「領土の―/優勝旗―」

へんかん[0]【変換】―する（自他サ） ある状態・組織などが、体系的に別の状態・組織などに変わる(ようにする)こと。「政府の方針が―した/経営戦略を―する/針路―・仮名漢字―」

へんき[1]【偏奇】―な/―に 世間の常識や平均水準から外れていて、ひどく風変りに見える様子だ。

べんき[1]【便器】 大小便、ことに大便をその中にする(持ち運びの出来る)器具。おまるとしびんの総称。

べんぎ[1]【便宜】 ❶都合のいいこと。「―の方法/―〔=その時の都合で臨機〕の処置をする」 ❷特別のはからい。「―を△与える(図る)」〔❶❷とも「びんぎ」とも〕 **―じょう**[0]【―上】（副） 最善の方法ではないことを承知の上で、当座の処理には役立つものとして間に合わせる様子。「―の境界△を設ける(に過ぎない)」 **―てき**[0]【―的】―な/―に 便宜上それですませる様子だ。「―手段」

ペンキ[0]〔オ pek. 促音に近いものと受け取って「ペンキ」と表記したものを、撥音と考え文字読みしたものか〕 色のある粉を脂肪油などに溶かした塗料。ペイント。「自分で―塗りをする/―屋[0]」

へんきごう[3]【変記号】↔嬰記号 ⇨フラット❸

へんきゃく[0]【返却】―する（他サ） 借りていた物を返すこと。「本を図書館に―する」

へんきょう[0]【辺境・辺〈疆】 中央の文化から遠く離れた地方。〔狭義では、国境地帯を指す〕

へんきょう[0]【偏狭・〈褊狭】―な/―に ❶かたいじで度量が小さい様子だ。「―な民族主義」 ❷土地の狭い様子。「―な国土」 派 ―さ[0]

***べんきょう**[0]【勉強】―する（自他サ）〈なにヲ―する〉〔そうする事に抵抗を感じながらも、当面の学業や仕事などに身を入れる意〕 ❶物事についての知識や見識を深めたり特定の資格を取得したりするために、今まで持っていなかった学力・能力や技術を身につけること。「△数学(英語)を―する/バイオリンの―のためイタリアへ留学/中学時代の―が大人になって役に立った/机に向かうばかりが―じゃない/―会[3][0]・―家[0]」 ❷そのときは後悔したりそうしなければよかったと思ったりしても、将来の大成・飛躍のためにはプラスとなった経験。「株に手を出して大損したが、いい(社会)―になった/何もかも〔=どんなに嫌なことでも〕―だと思ってやるんだね」 運用 「勉強します」などの形で、商人が客に初めの言い値よりも安く売る意を表わすのに用いることがある。例、「これなどいかがですか。せいぜい勉強しますから」また、客の側からも、「もう少しこの値段勉強してもらえないか」などと値引きを求めるのに用いることがある。

へんきょく[0]【編曲】―する（他サ） 声楽曲を器楽曲に、器楽独奏曲を管弦楽曲にするなど、ある楽曲を他の演奏形態に組みかえること。アレンジ(メント)。↔原曲

へんきん[0]【返金】―する（自サ） 借りていたお金を返すこと。また、そのお金。

ペンギン[0]〔penguin〕 南極大陸など南半球にすむ海鳥。背中が黒く、腹が白くて、まっすぐ立って歩く。よく泳ぐが、飛ぶことは出来ない。コウテイペンギン・アデリーペンギンなど。〔ペンギン科〕 かぞえ方 一頭・一羽

へんぐう[0]【片隅】「かたすみ」の意の漢語的表現。

へんぐう[0]【辺隅】「かたいなか」の意の漢語的表現。

へんくつ[1][0]【偏屈・偏窟】―な/―に 自分の△好み(世界観)にこだわるあまり、かたくなに人と同調しない態度を取る様子だ。「―な性格/―者[0]」 派 ―さ[4][0]

ペンクラブ[3]〔P.E.N. ←Poets, Playwrights, Editors, Essayists and Novelists〕 文筆家の国際的な団体。

へんげ[1]【変化】―する（自サ） 神や仏が仮に人の姿になって△現われること(現われたもの)。〔狭義では、動物などが人の

姿に化けたものを指す。例、「妖怪―」」

へんけい[0]【〈扁形〉】扁平な形。平たい形。

へんけい[0]【変形】―する(自サ) 〔内容はそのままで〕形だけを変える(こと)(もの)。「―シフト」

べんけい[1]【弁慶】〔源義経の腹心の臣であった、武勇の僧〕❶強い者の代名詞として用いられる。「―の泣き所〔=向こうずね。また、強者の唯一の弱点をいう〕/内―」❷竹筒に所どころ穴をあけて、台所用具・うちわなどを差しておく物。表記「弁」の旧字体は「〈辨〉」。 **―じま**[0]【―〈縞〉】特定の二種の色糸を縦糸・横糸に用い、濃い薄いで表わした、太い格子縞。 **―よみ**[0]【―読(み)】〔「弁慶がな、ぎなたを持って」のように〕言葉の意味がよく取れず、文節の区切り方をまちがって読むこと。

へんけん[0]【偏見】公正を欠く見解。「―が根強い(薄れる)/いわれ無き―を打破する」

へんげん[0][3]【片言】話の端ばしに見られる、ちょっとした表現。「「―隻句[5]・―隻語[5]」は、その強調表現」

へんげん[0]【変幻】現われたかと思うと、すぐ消えたりして、正体のつかめないこと。「―自在[0]-[0]」

***べんご**[1]【弁護】―する(他サ)〈だれヲ(なんだト)―する〉〔他人または自分の〕不利益にならないように いろいろの理由・論点から主張して譲らないこと。「自己―」表記「弁」の旧字体は「〈辯〉」。 **―し**[3]【―士】訴訟当事者の依頼(裁判所の命令)によって、当人を弁護することを仕事とする国家資格を有する人。〔刑事訴訟の場合は「弁護人[0]」と言う〕

***へんこう**[0]【変更】―する(他サ)〈なにヲ(なにニ)―する〉予定(決定)されていた事を、何かの事情で変えること。「―を加える/計画を―する」

へんこう[0]【偏光】電場や磁場のベクトルが振動する方向の分布に偏りのある光波。「―顕微鏡[0]」

へんこう[0]【偏向】―する(自サ) ❶一方にかたよった傾向(を見せること)。「―教育」❷〔光などの方向が〕わきへそれること。振れ。

べんこう[0]【弁口】しゃべり方がうまいこと。表記「弁」の旧字体は「〈辯〉」。

へんこうせい[3][0]【変光星】見かけの明るさが周期的に変化する恒星。

へんさ[1]【偏差】〔集団に属する個々のものに付随する数量について〕平均(標準)の数量からのかたより。 **―ち**[3]【―値】〔←標準偏差値〕❶偏差が標準でどの程度のものであるかという度合を表わす値。その値が小さいほど、平均に近い部分に個々のものが集中していることを表わす。「標準偏差[5]」とも。「―をはじき出す」❷〔テストで〕その個人の得点が全体の中でどの程度の水準にあるかを表わす数値。五〇を平均とする。「―を高める/―が六〇〔=平均点より『偏差値❶』だけ上〕」

べんざ[0]【便座】〔洋式トイレで〕腰を掛ける時に、直接尻に接する、馬蹄形の器具。

へんさい[0]【辺際】「それ以上は続かないという限界」の意の古風な表現。「―もない」

へんさい[0]【返済】―する(他サ) 借りていたお金や物を(期限内に)返すこと。

へんさい[0]【変災】天災と人災の総称。

へんざい[0]【辺材】木材の表皮近くの白みがかった部分。⇩心材

へんざい[0]―する(自サ) ❶【偏在】ある所にだけ集中して存在すること。「富の―」❷【遍在】その事物がどこにでも存在する(ものとして認められる)こと。「神(仏)の―」

べんさい[0]【弁才】人を説き伏せる話し方のうまさ。「―がある」〔古くは「べんざい」〕表記「弁」の旧字体は「〈辯〉」。

べんさい[0]【弁済】―する(他サ) 借りていた物をすっかり返すこと。表記「弁」の旧字体は「〈辨〉」。

べんざいてん[3]【弁才天】七福神のひとり。元来、ヒンズー教の女神で、音楽・弁舌が巧みと言われる。仏教の守護神。略して「弁天」。表記「弁財天」とも書く。「弁」の旧字体は「〈辯・〈辨〉」。

へんさん[0]【〈褊衫〉・偏〈衫〉】僧衣の一種。左肩から右わきにかけて、上半身をおおう衣。〔古くは「へんざん」〕

へんさん[0]【編〈纂〉】―する(他サ) 著者が、一定の方針に基づき、集まった材料を取捨選択して書物を作ること。〔辞典や年鑑など、大仕掛けな書物、また著者一己の主観で統一することが必ずしも求められない書物の編集について言う〕

へんし[0]【変死】―する(自サ) 〔病死・老衰死などの〕自然死以外の死に方(をすること)。〔具体的には、災害・事故による死や他殺・自殺などを指す〕「―体[0]」

へんじ[1]【片時】「ほんのわずかの間(時間)」の意の古風な表現。「かたとき」とも。「―も忘れず」〔古くは「へんし」〕

****へんじ**[3]【返事・返辞】❶―する(自サ)〈だれ・なにニ(なんだト)―する〉呼びかけ・質問などに対して答えること。また、その言葉。「いい―を期待している/二つ―で引き受ける」❷相手から送られた手紙に対して、こちらからそれに応じて出す手紙。「すぐ―を出す」

へんじ[1]【変事】よくない出来事(の知らせ)。「―を聞いてかけつける」

べんし[1]【弁士】❶その席で演説(説明)する役の人。〔狭義では、話し方の上手な人を指す〕❷「活弁」の異称。表記「弁」の旧字体は「〈辯〉」。

べんしき[0]【弁識】―する(他サ)「物事の本質をはっきりと見極めること」の意の古風な表現。表記「弁」の旧字体は「〈辨〉」。

ペンじく[0]【ペン軸】ペンのうち、ペン先をはめ込む軸の部分。かぞえ方 一本

へんしつ[0]【変質】❶―する(自サ) 物の性質が変わって、そのものの機能が失われること。❷普通と違った病的な性質。〔特に性的なそれを指す〕「―者[4]・―的[0]」

へんしつ[0]【偏執】偏見を持っていて他の意見を受けつけないこと。 **―きょう**[0]【―狂】⇩モノマニア〔「へんしゅうきょう」とも〕

へんしゃ[1]【編者】「編纂者・編集者」の意の圧縮表現。「へんじゃ」とも。〔専門の領域で自己の意図と責任に基づいて編集する人の場合に言い、出版社内で職業的に編集に従事する「編集者」と区別するのが普通〕

へんしゅ[0]【変種】〔動植物などで〕同種ではあるが、ほかのものと違っているもの。「人工―」

へんしゅ[1]【編首・〈篇首〉】その書物や詩・文章の冒頭の部分。

へんしゅう[0]【〈扁舟〉】「小舟」の意の漢語的表現。

へんしゅう[0]【偏執】「へんしつ」の古語的表現。

へんしゅう[0]【編修】―する(他サ)〔俗説を批判して、正史を編む意〕その書物、特に史書を編纂すること。

***へんしゅう**[0]【編集・編〈輯〉】―する(他サ)〈なにヲ―する〉❶著者(出版担当者)として、取捨選択した原稿を一定の方針で配列し、雑誌・新聞・単行本などを作ること。〔広義では、映画のそれや放送番組の編成をも含む〕「―者[3]・―部[3]・責任―・共同―」❷〔コンピューターで〕いったん入力したプログラムやデータの一部を削除したり並べかえたりさらには新たに追加したりして手直しすること。

へんじゅう[0]【〈篇什〉】〔「什」は、十篇で一巻となって

いる詩経の構成に基づく語)「詩集。また、そこに収められた詩」の古風な表現。

へんしょ[0][1]【返書】来書・意見書・声明書などを受け取ったことに対する正式の意思表示を表明する書簡。「〝平和メッセージ〟に対して寄せられた―/先に送った書簡に対し、内容を不十分と批判する―が届いた」

***べんじょ**[3]【便所】大小便をするための設備のある所。〔「トイレ(ット)」「(お)手洗い」「化粧室」「レストルーム[4]」など婉曲表現が多い〕「―の落書き/公衆―[5]」

へんしょう[0]【返照】―する(自サ) 光が照り返すこと。〔狭義では、夕日(の光)を指す〕

へんしょう[0]【編章・〈篇章】〔編と章の意〕「詩や文章。また、それを集めた書物」の意の漢語的表現。

へんじょう[0]【返上】―する(他サ) 用が無い(済んだ)ものとして返すこと。「休日―で働く/汚名―」

へんじょう[0]【遍照】―する(他サ) 光が届かぬ所なくすべての所を照らすこと。「光明―・―金剛」

べんしょう[0]【弁証】対話によって真理に到達する意。 **―ほう**[0]【―法】物の対立・矛盾を、克服・統一することによって、より高次の結論に到達する、発展的な考え方(による思考法)。 **―ほうてきゆいぶつろん**[12]、[0]-[4]【―法的唯物論】唯物弁証法。 表記 旧字体は、「〈辨證〉・〈辯證〉」。

***べんしょう**[0]【弁償】―する(他サ)〈だれ ニ・なに ヲ ―する〉他人に与えた損害をつぐなうために金や物を出すこと。 表記 「弁」の旧字体は「〈辨」。

へんしょく[0]【変色】―する(自サ) ❶時間の経過や何かの事情で、物の色が変わること。❷色を変えること。「―剤[4][0]」

へんしょく[0]【偏食】―する(自サ) えり好みして、いろいろ出される副食物のうち、好きなものしか食べないこと。〔広義では、栄養のバランスを欠いた食生活をすることをも指す〕

ペンション[1]〔pension〕民宿風の小ホテル。 かぞえ方 一軒

へん・じる[0][3]【変じる】(自他上一) 変わる(ようにする)。変ずる[0][3](サ変)。

べん・じる[0][3]【弁じる】■一(自上一) 済む。整う。「用が―」■二(他上一) ❶区別する。「黒白を弁じない」❷済ませる。「用を―」■三(自他上一) ❶意見を述べる。❷言いわけをする。弁護する。「友人のために一席―」 弁ずる[3][0](サ変)。 表記 「弁」の旧字体は、■一■二は、「〈辨」。また、■三は、「〈辯」。

べん・じる[0][3]【便じる】(自上一) まにあう。便ずる[3][0](サ変)。「用が―」

ペンシル(造語)〔pencil=ペンとは語源上 無関係〕鉛筆。〔狭義では、シャープ ペンシルを指す〕「―型ロケット・ポケット・カラー―[4]」

へんしん[0]【返信】―する(自サ) 返事としての手紙(電報)を出すこと。「―用葉書・―メール」↕往信

へんしん[0]【変心】―する(自サ) (相手の期待を裏切って)心変りすること。

へんしん[0]【変身】―する(自サ) からだ・姿を他のものに変えること。また、その変わった姿。「―をとげる/おとなしい男性が狼に―する〔=狂暴になる〕」

へんしん[0]【変針】―する(自サ) 〔船などが〕針路を変えること。

へんじん[0]【変人・偏人】〔行い・考え方などの基準が〕普通の人とは大分違い、頑固なところがある人。「―扱いされる」

ベンジン[1]〔benzine〕〔←石油ベンジン[4]〕石油を分溜する時、セ氏六〇～一二〇度くらいで溜出して来る成分を精製したもの。無色で引火性が強い。〔ベンゼンとは別物〕⇩揮発油

ペンス[1]〔pence〕ペニーの複数。

へんすい[0]【辺〈陲】〔「陲」も、へんぴの意〕中央の文化から遠く離れた土地。

へんすう[0]【辺〈陬】〔古〕〔「陬」は、隅の意〕都会から遠く離れた、不便な土地。かたいなか。

へんすう[3]【変数】❶〔数学で〕数式を用いて考察を進めていく時に、あらかじめ定められた範囲に属する任意の値を表わしうる文字。「独立(従属)―〔=⇩関数〕・助―・二―関数・実―・複素―」↕定数❷Ⓑ ❷コンピューターのプログラム中において、記憶場所の名称として用いられる文字(列)。「変数❶」の値をここに格納して用いる。

へんずつう[3]【偏頭痛・片頭痛】頭の片側にだけ起こる激しい痛み。

へん・する[3]【偏する】(自サ) かたよる。「一方に―」

べん・する[3]【便する】(自サ) 便利なようにする。「理解に―」

へんせい[0]【変成】―する(自他サ) 本来のものとは異なったものに変える、また、変わること。 **―がん**[3]【―岩】地中の高温・高圧により、火成岩・水成岩の成分や組織が変化して出来たもの。大理石など。

へんせい[0]【変性】同類の他の物とは違う性質(を持っていること)。「―アルコール」

へんせい[0] ―する(他サ) ■一【編成】全体を見渡し、相互に矛盾の無い統一ある組織にまとめあげること。「予算の―/時間割の―/列車の―/臨時―・学級―・番組―」■二【編制】団体・軍隊などを(より大きな統一体に)組織すること。「戦時―・―替え」

へんせいき[3]【変声期】声変りの時期。

へんせいふう[0]【偏西風】中緯度から高緯度にかけて吹く風が、地球の自転の影響で東に向きを変えて西風となるもの。

へんせつ[0]【変節】―する(自サ) 堅く守って来た従来の態度や主義を変えること。〔軽い侮蔑を含意して用いられることがある〕「―漢[4][3]」

へんせつ[0]【変説】―する(自サ) それまで持っていた自分の言説を変えること。

べんぜつ[0]【弁舌】相手を説得するに足る話しぶり。「―をふるう/―さわやか」 表記 「弁」の旧字体は「〈辯」。

へんせん[0]【変遷】―する(自サ) 時代(時間)の推移によって、幾つかの段階を経て移り変わること。「意味(用法)の―/生活様式の―」

ベンゼン[1]〔benzene〕コールタールから採れる、無色でにおいのある液体。自動車・航空機の燃料や、染料・薬・爆薬などの原料になる。ベンゾール。〔ベンジンとは別物〕

べんそ[1]【弁〈疏】―する(他サ) (そうならざるを得なかった事情などについて)筋道を立てて述べること。 表記 「弁」の旧字体は「〈辯」。

へんそう[0]【返送】―する(他サ) 送り主(持主)に送り返すこと。

へんそう[0]【変相】地獄・極楽の種々相を描いた図。

へんそう[0]【変装】―する(自サ) 別人のごとく、髪・顔の様子や服装を改めること。また、その改めた姿。

へんぞう[0]【変造】―する(他サ) 〔法律で〕文書や貨幣などに手を加えて別の内容に改めること。「―紙幣」

へんそうきょく[3]【変奏曲】ある主題をもとにして、その旋律などをいろいろに変化させて作った、新しい楽曲。バリエーション。

ベンゾール③〔benzole〕⇨ベンゼン

へんそく⓪【変則】―に 規定にはずれていて、型破りな様子だ。「―的⓪」↔正則

へんそく⓪【変速】―する(自サ) 速さを変えること。「―ギヤ⑤・―機④③」

へんたい⓪【変体】普通のものと体裁が違うこと。また、その体裁。「―漢文」 **―がな**⓪【―仮名】普通の平がなと違う字体の草仮名。例、ゟ=に、た=は、ぉ=こ。⇨正体(セイタイ) 表記 ⇨付表「仮名」

へんたい⓪【変態】❶動物が、発育の途中で、時期に応じて形を変えること。例、オタマジャクシ→カエルの成体、ケムシ→さなぎ→△チョウ(ガ)。「完全―」❷「変態性欲」の傾向がある△状態(人)。「―的⓪」 **―せいよく**⑤【―性欲】抑圧された性欲が異常な形をとって現われるもの。

へんたい⓪【編隊】〔何機かの航空機などが〕隊形を整えて行動を共にするもの。「―飛行⑤⑥・三機―」

べんたつ⓪【〈鞭撻〉】―する(他サ)〔(こらしめとして)むちうつ意〕しっかりやれと励ますこと。〔多く「(ご指導)ご―の…」の形で、挨拶(アイサツ)の言葉として用いられる。例、「ご指導ご―のほどよろしくお願い申し上げます」〕

ペンダント①〔pendant〕❶首から下げる、宝石やメダルなどの飾り。〔広義では、吊(ツ)り下げるタイプのイヤリングをも指す〕❷天井から吊り下げる方式の照明器具。 かぞえ方 ❶❷とも一本・一点

へんち①【辺地】❶外国と境を接する、その国の最果ての地。❷僻地(ヘキチ)。

***ベンチ**①〔bench〕❶そこに来る人がだれでも利用しうるように置いてある、簡単な長いす。「公園の―」❷野球場にある(半地下式の)選手・監督などの控え席。ダッグアウト。「―を暖める(=控え選手としてベンチに入っている)」 かぞえ方 ❶❷とも一脚

ペンチ①〔pinchers の変化〕針金を切ったり曲げたりする工具。はさみ形で、先端の内側にぎざぎざがある。 かぞえ方 一挺(チョウ)・一丁

へんちくりん⓪【変ちくりん】―な 「常識的な感覚では理解しがたいほど変わっている様子だ」の意の口頭語的表現。「へんちきりん⓪」とも。

へんちつ⓪【〈篇帙〉】〔書物をおおう帙の意〕「書物」の意の古風な表現。

ベンチャー①〔venture=危険〕ベンチャー ビジネスの略。 **―ビジネス**⑤〔venture business〕高度の専門技術を持った人たちが集まって新規技術開発・情報処理などを中心に事業を展開する小企業。失敗の危険も多いのでこう呼ばれる。

へんちょ①【編著】その人が編集し、かつその一部を著述したものであること。また、その本。「―者③」

へんちょう⓪(テウ)【変調】―する(自他サ) ❶今までの調子と変わること。また、変わった状態。↔正調 ❷からだ・頭の調子が狂うこと。「―をきたす/―が△起きる(出る)」❸楽曲の調子を変えること。移調。❹〔無線通信などで〕搬送波に変化をつけて、信号を運ぶ形に直すこと。〔AMは振幅変調、FMは周波数変調を表わす〕

へんちょう⓪【偏重】―する(他サ)〔そうすべきではない〕特定のものだけを重んじること。「学歴―」

ベンチレーター④〔ventilator〕通風機。

ベンツ①〔vent の日本語形〕動きやすいように、背広などの上着の背中のすそに縦に入れた切れ目。「サイド―」

へんつう⓪【変通】―する(自サ) その時の情勢に応じてどうにでも変わること。「―自在・―理論家⓪」

べんつう⓪【便通】大便が出ること。通じ。

ペンディング⓪〔pending=懸案の〕保留。未決。

へんてこ⓪【変〈梃〉】―に 「妙に変わっていて、なじめない様子」の口頭語的表現。へんてこりん⓪。

へんてつ⓪【変哲】〔「編綴(ヘンテツ)⓪①」の変化という〕目立って変わって見えるところ。「△見た目には(聞いたところは)何の―も無い(=取り立てて言うべき事が何も無い)」

ペンテックス③〔Paintex〕⇨ペインテックス

へんてん⓪【変転】―する(自サ)〔時勢や人心などが〕全く違うほかの状態になること。「著しい―を遂げる/―きわまり無い」

へんでん⓪【返電】返事の電報。

べんてん⓪【弁天】弁才天。〔俗に、才能のある美しい女性の意にも用いられる〕「―さま⑤」 表記 「弁」の旧字体は「〈辯〉・〈辨〉」。

べんでん⓪【便殿】身分のある人が訪れた時の休息にあてられる建物。

へんでんしょ⑤⓪【変電所】発電所から受けた電流の電圧を△高め(低め)て消費者へ送る施設。

へんど①【辺土】「辺地」の意の古風な表現。

へんとう⓪③(タフ)【返答】―する(自サ) 相手からの質問・依頼・要求などに対して、こちらからその答えや諾否などを相手に伝えること。「―に窮する」

へんどう⓪【変動】―する(自サ) 比較的短い期間に激しく変わること。「―をもたらす/物価の―/―所得⑤・―幅」

べんとう③(タウ)【弁当】〔もと、簡便の意〕❶外出先で食べるために器に入れて持ち歩く、(手軽な)食べ物。「―箱(バコ)③・日の丸―(=おかずが梅干だけの質素な弁当)」❷「弁当❶」のように持ち運びができるように箱や折に詰めた一食分の食事。一般に、仕出し屋から取り寄せたり店頭で買ったりする。「駅売りの―/―屋⓪」❸料理屋の献立の一つとして❶のような体裁にして客に供する料理。「松花堂―」 表記 「弁」の旧字体は「〈辨〉」。

へんとうせん⓪(タウ)【〈扁桃腺〉】〔「扁桃」は、アーモンドの意〕人間の のどの奥にある、平たい楕円形のものの通称。風邪をひいたりすると赤くはれる。扁桃。「―肥大・―炎」

べんなん⓪【弁難】―する(他サ) いろいろな論点から言い立てて非難すること。 表記 「弁」の旧字体は「〈辯〉」。

へんに①【変に】(副) その物事に、経験や常識からは理解しがたい面が認められる様子。「今日の彼は―やさしかった/一匹の猫が―私になついてついてくる」

へんにゅう⓪(ニフ)【編入】―する(自他サ)〔組織体の中に〕あとから組み入れること。「―試験⑤⑥」

ペンネ①〔イ penne〕筒状の短いパスタで、両端がペン先のように斜めに切ってあるもの。

ペンネーム③〔pen name〕文筆家が文章を書く時に、本名の代りに使う署名。筆名。

へんねんし③【編年史】編年体で書かれた歴史。

へんねんたい⓪【編年体】年代を追って事実をしるす、歴史の一つの書き方。↔紀伝体

へんのう⓪(ナフ)【返納】―する(他サ) 公の所から借りていた物を、用事が済んで元の所へ返すこと。

へんのうゆ③⓪(ナウ)【片脳油】樟脳(ショウノウ)を精製したあとに残る、無色で揮発性の油。防臭・殺虫用。「煙出し―」

へんぱ①【偏〈頗〉】―な 〔「頗」は、平らでない意〕上に立つ者の、人の扱いなどがかたよっていて、公正を欠く様子だ。「へんば」とも。

へんぱい⓪【返杯・返〈盃〉】―する(自サ) 差された酒を飲み干して杯を相手に返すこと。

べんぱく⓪【弁〈駁〉】―する(他サ) 自分の説はやはり正しく、相手の説の方がまちがっていると攻撃すること。「べんばく」と

へ

も。[表記]「弁」の旧字体は「〈辯」。

べんぱつ[0]【弁髪】男子の頭髪を、周辺部分は剃ソり、残った中央部分を編んで長く後ろへ垂らしたもの。〔もと、清朝シンチョウを築いた満州族を初めとする北方アジア諸民族の習俗。清朝には中国全域に行なわれた〕[表記]本来の用字は、「〈辮髪」。

ペンパル[1]〔pen pal. ロマニー語 pal=兄弟〕ペンフレンド。

へんぴ[1]【辺〈鄙】—な 都会から離れていて不便な△こと(様子)。また、そのような土地。

べんぴ[0]【便秘】—する(自サ) 大便が腸にたまって出ないこと。

へんぴん[0]【返品】—する(他サ) △買った(仕入れた)品物を返すこと。また、その品物。「—率[3]」

へんぷ[1]【返付】—する(他サ)〔品物・お金を〕もとの持ち主に返すこと。

へんぷく[0]【辺幅】〔織物のへりの部分の意〕「すぐ人の目につく着衣・髪型など」の意の古風な表現。「—を飾らず」

べんぷく[0]【便服】「ふだんぎ」の意の古風な表現。

へんぶつ[0]【変物】「変わり者」の意の漢語的表現。[表記]「偏物」とも書く。

ペンフレンド[4]〔pen-friend〕会ったことは無くて、文通し合うだけの(外国の)友人。ペンパル。

へんぺい[0]【〈扁平】—な ひらべったい様子だ。「—な形」[派]—さ[0] [表記]「偏平」とも書く。 **—そく**[3]【—足】平たくて、土踏まずのくぼみが無い足。〔長く歩くことに困難を覚える〕

べんべつ[0]【弁別】—する(他サ) 違いを見分けて区別すること。「—力[4]・—性[0]・—的特徴[0]、[0]-[0]」[表記]「弁」の旧字体は「〈辨」。

ベンベルグ[3]〔ド Bemberg=商標名〕すべりのいい人絹。

へんぺん[0]【片々】—たる —と ❶薄っぺらで、内容上も重きを置かれない様子だ。「—たる小冊子」❷一ひら一ひらが軽くひるがえる様子だ。「桜花—として散り乱れる」

べんべん[0]【便々】—たる —と ❶(無為無策のまま)ただ時間だけが過ぎる様子だ。「—と待つ」❷太って腹が張り出している様子だ。「—たる太鼓腹」

ぺんぺんぐさ[3]【ぺんぺん草】ナズナの異称。「—が生える〔=家などが取り払われたまま、空地となって荒れ果てる〕」

へんぼう[0]【変貌】—する(自サ) 見たところの様子がすっかり変わること。「著しい—を遂げる」

へんぼう[0]【偏〈旁】漢字の△構成部分(部首)としての偏と旁ツクリ。「—冠脚カンキャク〔=冠は『かんむり』。脚は『あし』とも言い、烈・悲・案・替の下部の構成部分〕」[表記]「〈扁旁〉・偏傍」とも書く。

へんぽう[0]【返報】—する(自サ) ❶「問合せなどに対する返事」の意の漢語的表現。〔返礼の意にも用いられる〕❷「仕返し」の意の漢語的表現。〔現在、多くは仕返しの意に用いられるが、まれにお礼の意にも用いられる〕

べんぽう[0]【便法】〔「便」は、即刻の意。当座の用を弁ずる含意がある〕現実問題の処理を第一とする、手っ取りばやい対処法。「—を講じる/—が取られる/一時の—〔=間に合せ〕に過ぎない」

ペンホルダー[3] ❶〔penholder〕ペン軸。また、ペン立て。❷〔←penholder grip〕〔卓球で〕ラケットを、ペンを持つようにして握る持ち方。↔シェーク ハンド

へんぽん[0]【返本】—する(自他サ) △仕入れた(取次店から配本された)本で売れ残ったものを△出版(配給)元へ返すこと。また、その本。

へんぽん[0]【〈翩翻】—たる —と 旗などが、風で波を打つようにはたはたと ひるがえる様子だ。「—と ひるがえる」

べんまく[0][1]【弁膜】心臓・静脈・リンパ管などの内部にあって、血液・リンパ液などの逆流を防ぐ弁。「心臓—症」[表記]「弁」の旧字体は「〈瓣」。

へんまん[0]【遍満】—する(自サ) 関係するすべてのところに広く行き渡ること。

べんむかん[3]【弁務官】〔イギリスなどで〕自治領・保護国などに駐在して、政治・外交などを指導する役人。「高等—」[表記]「弁」の旧字体は「〈辨」。

へんむけいやく[4]【片務契約】当事者の一方だけが債務を負う契約。↔双務契約

へんめい[0]【変名】—する(自サ) 本名を隠して別の名を使うこと。また、その名。〔古くは、「へんみょう」とも〕

べんめい[0]【弁明】—する(自他サ) みんなの前で、自分の正当さを証明しようとして、その理由・事情を説明すること。「一身上の(事柄についての)—/—書[0][5]」[表記]「弁」の旧字体は「〈辨・〈辯」。

べんもう[0]【便〈蒙】初学者に分かりやすいように書いた本につけた名。

べんもう[0]【〈鞭毛】微小な生物に見られる細長い毛のような物。主として運動をつかさどる。 **—ちゅう**[0][3]【—虫】最も原始的な動物と考えられている夜光虫・ミドリムシなどの類。単細胞で、数本の鞭毛によって水中を運動する。

へんもく[0] ❶【編目】編・章につけた題目とその順序。❷【〈篇目】〔単字字典で〕部首の目録。

へんやく[0]【変約】—する(自サ) 約束を破ること。

へんやく[0]【編訳】—する(他サ) 外国語文書や古典について編集しつつ翻訳もすること。

へんよう[0]【変容】—する(自他サ) 全体の様子がすっかり変わること。また、変えること。「—を遂げる」

へんらん[0]【変乱】事変に伴って起こる、世の中の乱。

べんらん[0]【便覧】❶その組織の内部事情や規則などがよく分かるように作った小冊子。「学生—」❷その分野において必要とされる各種のデータや情報を、検索しやすいように(一冊に)まとめた本。ハンドブック。「びんらん」とも。「化学—」

べんり[1]【便利】—な —に △それを使う(そこにある)ことによって、何かが△都合よく(楽に)行なわれる△こと(様子)。「多目的に使える—な道具/買物に—がいい/—屋[0]」↔不便 [派]—さ[0][3]

べんりし[3]【弁理士】特許や実用新案などの申請・出願などの代理を職業とする人。一定の資格を有する。[表記]「弁」の旧字体は「〈辨」。

へんりょう[3][0]【変量】〔数学で〕変化する量。さまざまに相異なる数値を取りうる量。〔「変数❶」で表わす〕

へんりん[0]【片〈鱗】〔一枚のうろこの意〕高い水準にあることやスケールの大きさを窺ウカガわせる一端。「—を示す/—をのぞかせる/—を見た」

ヘンルーダ[3]〔オ wijnruit の変化〕庭に植える多年草。全体に強いにおいがあり、六、七月ごろ、黄緑色の小さな花を開く。茎・葉は、薬用。〔ミカン科〕[かぞえ方]一本

へんれい[0]【返礼】—する(自サ) 自分が何かを(して)もらったことに対する謝意の表明(として相手に返す行為や品物)。

へんれい[0]【返戻】—する(他サ) 受け取った金(の一部)や借りた物を相手に返すこと。「保険の満期—金」

べんれい[0]【勉励】—する(自サ) 余計な事に精力を割サかず、その事だけに一心に努力すること。「刻苦—」

べんれいたい[0]【〈駢儷〈体】中国の六朝リクチョウ〔=二二二~五八九〕・唐〔=六一八~九〇七〕のころ流行した文

体、四字・六字の対句を用いた美文調のもの。四六文。「四六—」

へんれき⓪【遍歴】—する(自サ) 何か△を祈願する(のお礼の)ため、△諸国(諸地方)を回って歩くこと。〔いろいろ変わった経験をする意にも用いられる〕「—詩人・人生—」

へんろ①【遍路】—する(自サ) 四国の弘法大師の遺跡八十八か所を巡拝する△こと(人)。「お—さん②」

べんろん⓪【弁論】—する(自サ) おおぜいの前で、筋道を立てて自分の意見を述べること。〔法律では、訴訟当事者が法廷で行なう申立て・陳述を指す〕「法廷での最終—/—大会・口頭—」 表記 「弁」の旧字体は「〈辯」。

ほ…ホ

ほ(歩・保・哺・〈圃・捕・〈葡・補・〈輔・舗) →【字音語の造語成分】

ほ①【ホ】〔音楽で〕長音階のハ調のミにあたる音名。E音。

ほ①【歩】一足前へ進むこと。〔かぞえる時にも用いられる〕「—を進める(=ⓐ前進する。行進する。ⓑある主張に基づく一連の行動を促進する)/—を速める/—(=足)を運ぶ/一—(=少しずつ前進して)/五十—百—」 かぞえ方 一歩・六歩・八歩・十歩・何歩は「ポ」、三歩は「サン(サン)ポ(ポ)」 ⇩【造語成分】

ほ①【補】足りない部分をおぎなって好ましい状態にする。おぎなうこと。「A作、B—/—欠・修—」 ⇩【造語成分】

***ほ**①【帆】船の柱に張り、風を受けて船を進める布。「尻に—を掛ける(=⇩尻)/得手に—をあげる(=⇩得手❶)」 かぞえ方 一枚

***ほ**①【穂】花・実が長い茎の先に群がりついたもの。また、それに似た形のもの。「イネの—/筆の—(=毛の部分)/槍の—(=刃の先)/—に出る(=思っていることが外に現われる)」 かぞえ方 一本

ぼ(〈戊・母・募・墓・慕・暮・模・簿) →【字音語の造語成分】

ほ

【歩】❶歩くこと。「歩行・散歩」 ❷あゆみ。進み。「進歩・退歩・地歩」 ❸境地。「牛歩・独歩」 ❹運。「国歩・天歩(=天運)」 ⇩(本文)ほ【歩】

【保】❶責任をもって預かる。「保証・保険・保母・担保」 ❷もち続ける。たもつ。「保持・保守・保身・保菌者・確保・留保」 ❸めんどうを見る。「保育・保護・隣保」

【哺】親が子に食物を与えて育てる。口に含ませる。「哺育・哺乳」

【〈圃】はたけ。「圃場・農圃・花圃・菜圃・田圃・三圃農業」

【捕】❶逃げるものをつかまえる。「捕殺・逮捕」 ❷(略)〔野球で〕捕手。「捕逸」

【〈葡】(略) ポルトガル(葡萄牙)。「日葡辞書」

【補】❶おぎなう。「補充・補塡・補聴器」 ❷ある△位(地位)につく前の状態。「候補・判事補・警部補」 ⇩(本文)ほ【補】

【〈輔】たすける。「輔弼・輔佐」 表記 「補」は、代用字。

【舗】〔「〈鋪」の俗字〕 ❶みせ。「店舗・老舗」 ❷しき並べる。「舗道・地図一舗(=一枚)」

ぼ

【〈戊】十干の第五。丁の次、己の前。つちのえ。「戊申」

【母】❶母親。はは。「母胎・慈母」↕父 ❷根拠地。「母港・母船」 ❸出身地。「母国・母校」 ❹物を作り出す元になるもの。「母型・酵母・字母」

【募】つのる。まねく。「募集・募金・公募・急募・応募・召募」

【墓】はか。「墓地・墓所・墓参・墓標・墳墓・展墓・陵墓」

【慕】したう。「慕情・思慕・恋慕・敬慕・追慕」

【暮】❶くれる。くれ。「暮夜・暮色・薄暮・朝暮」 ❷その△季節(年)の終り。「暮春・歳暮」

【模】❶手本。雛形。「規模」 ❷手本をまねる。「臨模」 表記 ❷は、本来は「摸」。

【簿】帳面。「簿記・原簿・名簿・帳簿・出勤簿・家計簿」

ボ① ❶「ポイント❸」の略。「九—で組む」 ❷ポルトガルの略

ボア①〔boa=原義は、ヘビの一種〕 ❶△毛皮(羽毛)で作った、女性用の襟巻。 ❷アクリルや綿などの毛足の長いニット地。

ぼあい⓪【暮〈靄】「夕もや」の意の漢語的表現。

ほあん⓪【保安】△社会(職場)の、安全や秩序を保つこと。「—要員④・—対策・—林②(=保安のために必要として指定された森林。水源の涵養・水害の防備・防風林など)」 **—かん**②【—官】〔アメリカの郡で〕主として治安維持をまかされている△職業(人)。シェリフ①の訳語。「海上—⑥(=日本における司法警察官。海上の安全と治安の確保を図ることを任務とする)」

ほい①【《布衣】〔古〕〔無官の者が着た狩衣の意〕平民。「ほうい・ふい」とも。「—の身」

ほい①【《本意】〔雅〕ほんい。「—無し(=思うようにならず、残念だ)」

ほい①【補遺】書き漏らしたことを、あとで補うこと。また、補った部分。

ぽ・い(接尾・形型) ⇩っぽい

ぽい①(副)—と 事もなげに△捨て(投げ)る様子。「くずかごに—とほうる/—捨てはやめよう」

ホイール キャップ⑤〔和製英語 ←wheel + cap〕 自動車の車輪を取り付けたところを覆う皿状のもの。締めつけボルトを砂や泥から保護するとともに装飾を兼ねる。略してホイール②。

ぼいき①【墓域】墓地として区切ってある地域。

ほいく⓪【保育・哺育】—する(他サ) ❶乳幼児を保護して育てること。「—器③②」 ❷〔動物の親が〕乳を与えて、子を育てること。 表記 ❷のもとの用字は、「哺育」。 **—えん**③【—園】「保育所」の通称。 **—し**③【—士】〔一定の資格を持ち〕保育所・養護施設などで保育に従事する職員。一九九九年「保父」と「保母」を統合して改称。 **—じょ**④⓪【—所】共働きの父母などの委託により、一日のうちの一定時間 乳児・幼児のめんどうを見る児童福祉施設。通称、「保育園」。

ボイコット③—する(他サ)〔boycott=もと、人名〕 消費者の不買運動。〔広義では、何人かが団結して、特定の相手を排斥したり 自分たちの要求を認めさせたりするために、相手方との正常な関係を一方的に停止することを指す。例、「△裁判長(審議・選挙・試験・卒業式)を—する」〕 ⇩不

買同盟

ホイスト①〔hoist〕軽便な巻上げ式起重機。かぞえ方 一基

ボイストレーニング⑤〔voice training〕発声訓練。

ボイスレコーダー⑤〔voice recorder〕航空機の操縦室内の機長や操縦士の音声を自動的に録音する装置。事故原因調査の重要な資料となる。音声記録装置①-④⑧。「—の回収に成功する」

ほいつ⓪【捕逸】〔「捕手逸球①-⓪」の略〕〔野球で〕捕手が投手のボールをとりそこない、走者(打者)を進塁させてしまうこと。パスボール■。

ホイッスル②〔whistle〕〔競技で〕審判の鳴らす笛。ホイスル②とも。〔広義では、機関車などの警笛をも指す〕かぞえ方 一本

ホイップ②—する（他サ）〔whip〕〔料理で〕生クリームに砂糖を加えたものや、卵白をかきまぜて泡立てること。

ほいと⓪〔雅：各地の方言〕〔「ほぎ人」の変化。また、一説に「陪堂(ホイトウ)」の変化という〕こじき。

ほいほい①(副)—と 疑ったりよく考えたりすることなく気安く引き受ける様子。「誘われれば—と出かけていく／—と承諾する」

ボイラー①〔boiler〕❶給湯・暖房のために、湯を大量に沸かして ためてあるタンク。❷〔エネルギーとして利用するための〕蒸気を出すかま。「—マン③」かぞえ方 ❶❷とも一基

ホイル①—する（他サ）〔foil〕包装（包み焼き）用のアルミ箔(ハク)。かぞえ方 一枚：一巻(ヒトマキ)

ボイル①—する（他サ）〔boil〕ゆでること。「—した野菜を添える／卵を—する」

ボイル①〔voile〕薄地で透き通った綿織物。夏服用。

ほいろ①【焙炉】〔「ほい」は、「焙」の唐音〕火にかざして、茶の葉をほうじたり 物をかわかしたりする用具。

ぼいん② ■一〔若い女性の〕豊かな乳房（の隆起）の俗称。■二(副)—と 勢いよく殴る(ける)様子。

ぼいん⓪【母音】〔言語音の発音で〕声帯の振動によって生じた声が舌・唇などで障害を受けないで発せられるもの。現代日本語では、「ア・イ・ウ・エ・オ」の五種を弁別的に用いている。「ぼおん⓪」とも。↔子音

ぼいん⓪【〈拇印・母印】「つめいん」の意の漢語的表現。

ポインセチア④〔poinsettia=もと、人名〕メキシコ原産の常緑低木。枝先の葉は赤く、一見花のように見える。冬枝先に小さい花が集まり咲く。クリスマス用に好まれる。〔トウダイグサ科〕かぞえ方 一本

ポインター〔pointer〕❶②⓪〔獲物の居場所を鼻でかいで指し示す者の意〕白地に ぶちがある、西洋の猟犬・番犬。毛が短く、からだがほっそりしていて、耳は垂れ下がる。❷⓪〔コンピューターで〕「マウス■」が画面上で指し示している場所を示すマーク。普通は矢印。かぞえ方 ❶は一匹・一頭

ポイント⓪〔point=点〕❶特定の箇所。〔狭義では、物事の要点を指す。例、「—を押さえて話す／—を切り替える(つかむ)」〕「—をかせぐ」❷〔テニス・バレーボールなどの競技で〕得点。❸活字の大きさの単位。略称、ポ。〔日本では英米式ポイントを使用。活字の一辺の長さを基準の長さ〔=〇・三五一四ミリ〕で割った値がポイント数〕「九—活字の一辺は三・一六三ミリ」❹⇩転轍(テンテツ)機 ❺〔トランプの〕一。❻小数点。「—以下」❼百分率の増減値を示す時に用いる単位で、パーセントの別称。「先月に比べて二・三—の上昇」

ほう(方・包・芳・邦・奉・宝・抱・〈抛・放・〈朋・法・泡・封・胞・俸・倣・峰・砲・崩・〈烹・訪・報・蜂・豊・飽・〈鳳・褒・〈鋒・縫)→【字音語の造語成分】

ほう(感)感嘆し(驚い)た時に思わず出る言葉。

＊ほう①【方】■一 ❶方角。方向。「南の—／右の—／六—(ロッポウ)を踏む／下—・後—・四—・八—(ハッポウ)・三—(サンポウ)一両損」❷大体その方向に当たる所。〔直接指すのを避けた言い方に用いる〕「中野の—に住む／日銀の—に勤めている／—面・遠—(エンポウ)・先—(センポウ)」❸物を幾つかに分け(て考え)た場合に、条件に合うものとして選ばれた一つ。「もう一つの—が大きい／先に着いた—が勝ちだ／好きな—を取れ／食べる—〔=こと〕に関して〕では負けない」❹大小・高低・優劣など相対する観点から物事をとらえたとき、条件に合うどちらかの部類に属すること。「どちらかと言えば好きな—だ／このクラスでは背が高い—だ／あの学生は、よく勉強している—だ」❺〔「…—がいい」の形で〕相手に、そうするよう勧める(しないよう忠告する)意を表わす。「君もこの本を読んでおく(おいた)—がいい／あまり夜ふかしはしない—がいい」■二正方形の一辺の長さ。「—一キロ〔=一キロ四方〕に城壁を繞(メグ)らす／—一丈〔=方丈の庵(アン)室〕」⇩【造語成分】

運用 ■一❸の意で、例えば、料理店の卓上にいくつか皿が並んでいる場面で、「空いたお皿のほうお下げします」と用いられるのには違和感を感じないが、一枚しかない(それしか選択の余地がない)のにそう言われるのは、「方(ホウ)■一❸」の乱用だとされる。「お代金のほう 一万円になります／以上でご注文のほうはよろしいでしょうか」なども同様の例。

ほう⓪【法】■一(ハフ) ❶法律。「—に触れる／—を守る(犯す)／—に照らす／—の裁きを受ける(網の目をくぐる)／—理論をかざす／国際—・違—・六—(ロッポウ)全書」❷その場面において妥当とされる行為の規準。「そのまま引き下がるなんて—〔=などという意気地のない(へたな)やり方〕は無いだろう／—〔=礼儀・作法〕にかなったやり方／礼—・作—」❸〔数学で〕「除数」の、古い表現。「27と13は7を—として合同である〔=7で割った時の余りが等しい〕」❹〔言語学で〕インドヨーロッパ語族の言語において、話し手がそれを事実・仮定・命令・願望などのいずれとして述べているかを反映する動詞の形態。ムード。「直説—・仮定—・接続—・命令—」■二(ホフ) 仏の教え。「—を説く／—話・仏—(ブッポウ)」⇩【造語成分】ほう・はっ・ほっ

ほう①【〈苞】(ハウ) 芽や花冠の下部に付く葉身状のもの。

ほう①【砲・〈炮】(ハウ)〔もと、「弩(イシユミ)」の意〕火薬で弾丸をうち出す兵器。〔狭義では、大砲を指す〕「—を操る／—六門・銃—・大—・鉄—(テッポウ)・—火」かぞえ方 一門

ほう①【〈袍】(ハウ)〔おもに平安時代に〕天皇や貴族の男性が着た、正式の着物。〔今は神主(カンヌシ)が着る〕

ほう⓪①【報】知らせ(ること)。「死去の—に接する／ご一報(イッポウ)ください／第三—(サンポウ)が入ってきた／—告・急—・情—・電—(デンポウ)」⇩【造語成分】

ぼう(亡・乏・妄・忙・〈芒・坊・妨・忘・防・房・肪・〈茅・某・冒・〈茫・剖・紡・望・傍・帽・棒・貿・貌・暴・膨・謀)→【字音語の造語成分】

ぼう①【亡】(バウ) 死亡(した)。「三月二日—／—父・—霊」⇩【造語成分】

ぼう①【坊】(バウ) ❶僧。「師の(御)—／武蔵(ムサシ)—弁慶」❷男の子(が自分)を呼ぶ語。「—はいくつだい」❸人の様態や目立った特徴などを表わす語を頭に冠して「…のような男の子」の意を表わす。〔広義では、女の子についても用いる〕「赤ん—・あばれん—・きかん—・あわてん—」表記 ❶は、「房」とも書く。⇩【造語成分】ぼう・ぼっ

ぼう①【某】なんとかいう人(所)。〔具体名がわからない、また、具体名を明示したくない場合に用いる〕「少年である—

ぼう⓪【棒】❶〔手で握れ、肩にかつげるほどの〕細長い直線状の△木(竹・金属など)。「長い―で栗の実を落とす/―のように立ちつくす/―状⓪・平行―・ガラス―③⓪」❷〔音楽で〕指揮棒。「―を振る」❸〔書いた〕太めの線分。「―を引いて消す」〔かぞえ方〕❶〜❸とも一本 ⇩【造語成分】【―に振る】せっかくそれまで努力して得たりこれから得られたりするはずの価値あるものを、ちょっとした失敗などでだめにする。「(せっかくの)休日を―」【―を飲み込んだような顔】ひどく驚いてきょとんとした顔。【足を―にする】⇩足

ぼう①【暴】荒あらしい(行為)。「―をもって―に報いる/―風・―力・乱―・粗―」⇩【造語成分】ぼう・ぼく

ぼうあく⓪【暴悪】―な 道理にはずれて、暴力をふるう様子だ。〔派〕―さ⓪

ぼうあげ⓪【棒上(げ)】相場が一度に上がること。↕棒下げ

ぼうあつ⓪【防圧・防〈遏〉】―する(他サ)〔「遏」はさえぎる意〕「争乱などを防ぎ止めること」の古風な表現。

ぼうあつ⓪【暴圧】―する(他サ)〔人の行動などを〕力ずくで押さえつけること。

ぼうあみ⓪【棒編(み)】二本以上の編み棒を使って編むこと。棒針編み⓪。⇩かぎ編み

ほうあん⓪【奉安】―する(他サ)〔神社などで〕宝物などを安置すること。「―殿③・―庫③」

ほうあん⓪【法案】法律の△案文(下書き)。「―が△成立する(通る)/―を通す」〔かぞえ方〕一本

ぼうあんき③【棒暗記・棒〈諳記〉】―する(他サ)意味を理解しないで、語句・記述を機械的に丸暗記すること。

ほうい(感)遠くの人に呼びかける声。

ほうい①【方位】❶地平面上の一地点から見た方向を、基準とする、東・西・南・北やそれをさらに細分したもの(の名称)によって表わしたもの。〔細分した方位を示す名称には、東西・南北の二つの軸を基にして、その間を等間隔に八分した北東・南西などや十六分した北北東・南南西などや三十二分した北微東・北東微北などがある〕「―を測定する/緯線は東西の―と、経線は南北の―と一致する/全―外交」⇩方角 ❷〔陰陽道で〕その人やその人の住まいから見て、吉凶をもたらす(神が居る)とされる「方位❶」。「―を占う」⇩えほう・鬼門・金神

ほうい①【包囲】―する(他サ)おおぜいの人を動員したり網を使用したりなどして、まわりを囲み、出入を遮断し圧迫をかけること。「組合員が手をつないで基地を―する/―網③」

ほうい①【《布衣》】〔古〕⇩ほい(布衣)

ほうい①【法衣】❶「ほうえ」の現代訓ヨみ。❷宗教集団に属し、布教に従事する人の制服。「―を身にまとって説法をする」

ぼうい①【暴威】荒あらしいふるまい。激しい勢い。「△敵機(右翼)が―をふるう」

ほういがく③【法医学】〔法律上の事実関係を明らかにするために〕変死体などの、死因・死亡時間の推定や、親子関係の鑑別や精神鑑定などをもする応用医学。

ほういつ⓪【放逸・放〈佚〉】―に ―な 勝手気ままで、しまりの無い様子だ。「若いころは―三昧の毎日だった」

ほういん⓪【法印】❶僧正に相当する僧の最高位。❷山伏。❸〔武家時代に〕医師・画家・連歌師などに与えられた称号。

ぼういん⓪【暴飲】―する(他サ)〔酒や冷たい飲み物を〕度を越して飲むこと。「―暴食⓪-⓪」

ほうえ⓪①【法会】❶仏の道を説くために、人びとを集めること。また、その集まり。❷死者の追善・供養をすること。また、その集まり。

ほうえ①【法《衣》】僧侶としての身分を象徴する着衣。「一輪の蓮を持ちたる釈迦像の―の線の流るるごとし」

ほうえい⓪【放映】―する(他サ)テレビで放送すること。

*ぼうえい⓪【防衛】―する(他サ)〈どこヲ―する〉他からの△危害(侵入・奪取)を防ぎ守ること。「祖国―に立ち上がる/―本能・正当―・タイトル―戦」―しょう③【―省】日本の国家防衛を任とし自衛隊の管理・運営にあたる中央官庁。二〇〇七年防衛庁から省へ移行。〔長官は、防衛大臣⑤。別称は防衛相③〕

ほうえき⓪【法益】法律で保護されている利益。

ぼうえき⓪【防疫】―する(他サ)感染症の△侵入(発生)や流行を未然に防ぐこと。

**ぼうえき⓪【貿易】―する(自サ)〈だれ・どこトなにヲ―する〉外国との商業取引を行なうこと。「対外―が落ち込む/―摩擦・密―」―てがた⑤【―手形】貿易による債権・債務をかたづけるために振り出される国内の為替手形。―ふう⓪④【―風】〔昔、貿易航海の帆船が利用した〕赤道付近の南北から赤道へ向かって吹く風。〔北半球では北東、南半球では南東から吹く〕じゆう―④【自由―】⇩自由貿易 ほご―③【保護―】⇩保護貿易

ほうえつ⓪【法悦】❶仏の道を聞き、随喜し、全身を仏にゆだね、絶対安心の境地に浸ること。❷〔すぐれた芸術作品を見たり聞いたりする時に起こる〕うっとりとするような気持よさ。「―境にひたる」

ほうえん⓪【方円】四角と丸。「水は―の器に従う〔=入れ物次第で、どうにでも形を変える〕」

ほうえん⓪【砲煙・砲〈烟〉】大砲を発射する時の煙。「―弾雨〔=激しくうちあう銃砲の弾丸〕」

ほうえん⓪【豊艶】―な 女性の肉づきがほどほどによく、性的な魅力がある様子だ。

ぼうえん⓪【望遠】遠くを見ること。―きょう⓪【―鏡】〔戸外で〕遠くの物を拡大してはっきり見る時に使う、長い筒形のレンズを利用した器具。〔古くは「遠めがね」とも〕「地上―・天体―」〔かぞえ方〕一台・一本 ―レンズ⑤ 遠距離の物を大きく撮影する時に使うレンズ。〔かぞえ方〕一本

ほうおう③【法王】「ローマ法王」の略称。〔その世界で最高の地位にあり、大きな権力を持つ人の意にも用いられる〕

ほうおう③【法皇】仏門に入った上皇。

ほうおう⓪【訪欧】―する(自サ)ヨーロッパの地をたずねること。

ほうおう③【〈鳳凰〉】〔「鳳」は大鳥のオス、「凰」はそのメスの意〕クジャクに似ている、想像上のめでたい鳥。聖人が世に出る時に現われると言われた。〔かぞえ方〕一羽

ぼうおく⓪【〈茅屋〉】〔カヤぶきの屋根(の家)の意〕あばらや。〔自分の家の謙遜語としても使う〕

ほうおん⓪【方音】その地方の方言での発音。

ほうおん⓪【芳恩】「〔逆境にあった時〕相手から受けた恩」の意の尊敬語。

ほうおん⓪【報恩】他人から受けた恩に報いること。「―講⓪③」

ぼうおん⓪【忘恩】自分が受けた恩を忘れること。「―の徒とさげすまれる」

ぼうおん⓪【防音】―する(自他サ)❶外部の騒音が室内に入るのを防ぐこと。「―装置⑤」❷室内の音の反響など

を吸い取ること。「―テックス⑤」❸〔電車・自動車や住宅地の工場などの〕騒音を少なくすること。「―法⓪③」

ほうか①【邦家】「自分が所属する国」の意の漢語的表現。

ほうか①【邦貨】日本の通貨。「―に換算する」↕外貨❶

ほうか⓪【放下】―する(他サ)無造作に投げ捨てること。**―そう**③【―僧】〔悟りを開き万事を投げ捨てる意から〕〔鎌倉時代から江戸時代にかけて〕街道で歌を歌ったり曲芸を演じたりした僧。一五センチほどの竹の筒にアズキを入れた「小切子⓪②」で拍子を取ったり打ち鳴らしたり手玉に取ったりなどした。

ほうか⓪【放火】―する(自サ)火事を起こすために建物などにわざと火をつけること。「連続―事件」⇩失火

ほうか①【放歌】―する(自サ)あたりかまわず大声で歌うこと。「真夜中に―高吟する輩」

ほうか⓪【放課】学校で、その日の課業が終わること。「―後⓪」

ほうか①【法科】❶法律に関する学科。❷もと、法学部の通称。**―だいがくいん**⑦【―大学院】法曹界の人材を増やすことを目的として、設立された法学専門の大学院。法律に関する高度の専門教育を施す。二〇〇四年に制度化された。ロースクールとも。

ほうか①【法家】❶法律家。❷〔古代中国で〕きびしい法律で政治を行なうことを主張した一派。

ほうか①【法貨】〔←法定貨幣⑤〕法律で強制的な通用力を与えられている貨幣。

ほうか①【砲火】大砲をうった時に出る火。「―を交える／―のちまた〔=戦場〕」

ほうか①【砲架】砲身を載せておく台。

ほうか①【〈烽火】「のろし」の意の漢語的表現。

ほうが⓪【邦画】↕洋画 ❶日本映画。❷日本画。

ほうが①【奉加】―する(他サ)(社寺の建立・改築や祭礼の時などに)寄付すること。**―ちょう**⓪【―帳】奉加の金額や△寄進(寄付)者の氏名を記入する帳面。「―を回す〔=寄付をつのる〕」

ほうが①【奉賀】―する(他サ)お祝いを申し上げること。「―新年」

ほうが①【〈萌芽】―する(自サ)〔芽が出ようとしている状態。芽ぐむ意〕物事が起こるもとになる△もの(こと)。「悪の―〔=きざし〕を摘み取る／―のうちに刈り取る」

ぼうか⓪【防火】火災が出るのを防ぐこと。延焼をくい

ほう

【方】❶所。「方処・当方・遠方」❷〔都以外の〕その所。「方言・地方」❸やりかた。「方法・方策・方式・方針・処方」❹処方。「漢方・薬局方」❺四角。「方円・立方・前方後円墳」❻正しい。「品行方正」〔❺の歴史的かなづかいは、古くはホウ〕⇩(本文)ほう【方】

【包】❶つつむ。つつみ。「包囲・包含・包容・内包」❷粉薬を発行・投与する単位。「一包」❸清浄綿やスパゲッティなどを売買する単位。

【芳】❶かんばしい。「芳香・芳醇・芳紀」❷〔行為・心情が〕すぐれて美しい。「芳烈・遺芳」❸相手の事物に冠する美称。「芳名・芳志・芳書」

【邦】❶国家。「邦家・異邦・外邦・大邦・万邦・友邦・本邦・連邦・合邦」❷我が国、日本。「邦人・邦楽・邦画・邦語・邦訳」

【奉】❶神仏・目上の人にさし上げる。たてまつる。「奉納・奉献・奉呈」❷目上の人に対し、礼を尽くした行動を取る。「奉仕・奉答・奉公」❸目上の人の言うことをよく聞く。うけたまわる。「信奉」

【宝】❶たから(として尊ぶべき)。「宝石・宝典・財宝・三宝・七宝」❷天子・仏に関する事物に冠する美称。「宝算・宝塔」

【抱】❶両手でだく。「抱擁・抱腹・介抱」❷心に思う。「抱負・辛抱」

【〈抛】ほうりなげる。「抛物線・抛擲」表記「放」とも書く。

【放】❶束縛を解き、△遠く(他の場所)へ行かせる。はなつ。「放流・放免・追放・解放・開放」❷なすがままにして構わない。「放置・放任・放埒・奔放」❸ある状態を起こさせる。「放歌・放火」

【〈朋】友だち。なかま。「朋友・朋輩・同朋」

【法】■一❶きまり。「法則・法式」❷やりかた。方法。「製法・消去法」❸やりかたを示した手本。「法帖」❹〔命数・度量衡などの〕体系。「十進法・メートル法・時法」❺〔歴史的かなづかいは「ホフ」〕仏教。「法会・法門・説法・仏法」■二(略)法学。「独法」⇩(本文)ほう【法】

【泡】あわ。あぶく。「泡沫・気泡・水泡・発泡」

【封】天子から与えられた諸侯の領土。大名から与えられた家来の領地。「封建的・封土・分封」

【胞】❶胎児をおおう膜。えな。「胞衣」❷胎児の宿る所。母体。「同胞」❸生物体を形づくる基礎的な単位。「胞子・細胞」

【俸】給料。「俸給・俸禄・年俸・月俸・減俸・増俸・号俸」

【倣】相手のことをまねる。ならう。「模倣」

【峰】高い山。みね。「高峰・奇峰・連峰・最高峰・秀峰・主峰・東山三十六峰」

【砲】⇩(本文)ほう【砲】

【崩】❶(山が)くずれる。「崩壊・崩落」❷天子の死。「崩御」

【〈烹】煮る。料理する。「割烹」

【訪】おとずれる。たずねる。「訪客・訪問・来訪・探訪・往訪・歴訪」

【報】❶告げる。知らせる。「報告・報知・報道・通報・予報・来報」❷むくいる。むくい。「報恩・報徳・報復・応報・果報」⇩(本文)ほう【報】

【蜂】はち。「蜂起・蜂巣・蜂腰・養蜂」

【豊】■一❶(穀物の)みのりがゆたかだ。「豊年・豊作」❷物の余裕がある。「豊富・豊漁」❸ふっくらとしている。「豊艶・豊頬・豊満・豊麗」■二(略)豊前国・豊後国。「筑豊」

【飽】満腹する。あきる。みちていっぱいになる。「飽食・飽和」

【〈鳳】❶おおとり。「鳳凰・鳳雛」❷天子・相手のことに冠する美称。「鳳輦・鳳声」

【褒】ほめる。ほめたたえること。「褒美・褒状・褒賞・褒貶・褒詞・褒章・過褒」

［〈鋒〉］〔刃物の〕きっ先。「鋒鋩・鋭鋒・先鋒・論鋒・舌鋒・筆鋒・露鋒・蔵鋒」

［縫］ぬう。ぬいつくろう。「縫合・縫製・裁縫・天衣無縫・弥縫」

ぼう

［亡］❶ほろびる。なくなる。「亡国・滅亡・存亡・興亡・衰亡」❷逃げる。「亡命・逃亡」⇩(本文)ぼう【亡】

［乏］物資が足りない。とぼしい。「欠乏・貧乏・窮乏・耐乏」

［妄］❶道理も通らず、でたらめなさま。みだり。「妄想・妄断」❷軽率で自分勝手なさま。むやみ。「妄言・妄信」

［忙］いそがしい。「忙中・忙事・忙殺・多忙・繁忙」

［〈芒〉］光。〔かぞえる時にも用いられる。例、「一芒のひかりの帯」〕「光芒」

［坊］❶市街の一区分。まち。「坊間」❷僧が住む建物(の区分)。〔かぞえる時にも用いられる〕「僧坊・客坊・宿坊」❸皇太子の御殿。「東宮坊」❹特定の状況にある人。〔人の名前の下に添えて愛称としても用いられる。例、「マー坊」〕「寝坊・泥坊・三男坊」〔愛称としては「ちゃん」に、卑称としては「助」に類する。書生っぽう・水戸っぽう・薩摩っぽうの「ぽう」は、これの変化〕⇩(本文)ぼう【坊】

［妨］じゃまをする。さまたげる。「妨害・妨止」

［忘］わすれる。「忘却・忘恩・忘我・忘失・忘年・備忘・健忘症」

［防］■一〔もと、つつみの意。例、「堤防」〕敵の来襲や万一の災害に備える。ふせぐ。「防災・防備・防火・消防・予防」■二(略) 周防国。「防州」

［房］■一❶家。部屋。「山房・冷房・暖房・女房」❷⇩坊❷ ❸寝室。「房事・閨房」❹小部屋のように区切られたもの。「心房・子房・蜂房」■二(略) 安房国。「房州・房総」

［肪］動物性の油脂。あぶら。「脂肪」

［〈茅〉］草のカヤ(でふいた、粗末な家)。「茅屋・茅舎」

［某］たしかなんとかいった。ある。なんとかいう。「某氏・某々・何某」⇩(本文)ぼう【某】

［冒］❶向こう見ずに進む。おかす。「冒険・感冒」❷はじめ。「冒頭」

［〈茫〉］❶果てしなく広い。「茫々・茫漠・茫洋」❷どうしたらよいか分からず、ただぼんやりしている。「茫然」

［剖］刃物で切り分ける。さく。「剖検・解剖」

［紡］■一つむぐ。うむ。「紡績・紡錘・混紡」■二(略) 紡績。「綿紡」

［望］❶遠くの方を見る。のぞむ。「望遠・望見・望郷・眺望・展望」❷願う。のぞみ。「望外・希望・願望・渇望・絶望・失望・大望・熱望・野望」❸人気。評判。「人望・声望」❹満月の夜。もち。「既望・朔望」

［傍］そば。かたわら。「傍観・傍系・傍若無人・路傍・近傍」

［帽］(略) 帽子。「帽章・登山帽・学帽・赤帽・角帽・脱帽・破帽」

［棒］❶人をたたく(つえ)。「痛棒」❷〔手を加えたり変化をつけたりしないで〕そのまま。「棒暗記・棒読み」⇩(本文)ぼう【棒】

［貿］商品を売り買いする。「貿易・貿易風」

［貌］❶顔かたち。「容貌・美貌」❷見かけ。外見。「外貌・全貌・風貌・変貌」

［暴］❶むちゃくちゃ(な)。「暴利・暴飲暴食」❷素手で捕らえる。「暴虎馮河」❸突然。「暴発・暴落」⇩(本文)ぼう【暴】

［膨］ふくれて、大きくなる。「膨張・膨大」

［謀］❶計画。「遠謀・無謀・深謀」❷たくらむ。「謀殺・謀議・共謀・陰謀」

とめること。「—地帯[4][5]・—建築[4]・—壁・—シャッター・—林」

ぼうが[1]【忘我】△うっとり(熱中)して自分を忘れること。「—の境」

ほうかい[0]【抱懐】—する(他サ) ある考えを心の中に持つこと。「危険思想を—する」

ほうかい[0]【法界】〔仏教で〕意識の対象となるすべての物事。「ほっかい[0]」とも。 **—りんき**[5]【—〈悋気〉】 自分に直接関係しない事に嫉妬すること。

ほうかい[0]【崩壊・崩潰】—する(自サ) ❶建築物や物の組織がくずれたりこわれたりなどして、その物としての機能を失うこと。「—を招く/ローマ帝国の—」❷放射性元素が放射線を出して他の元素に変化すること。

ほうがい[0]【法外】—な —に だれもが穏当だと認める範囲を逸脱している様子だ。「—な〔=人をばかにした、高い〕値段を吹っかける」[派]**—さ**[0]

*__ぼうがい__[0]【妨害・妨〈碍・妨〈礙】—する(他サ)〈なにヲ—する〉〔「妨」も「礙」も、さしつかえる意〕物事の順調な進行を妨げるような行為を(意図的に)行なうこと。また、その行為。「民主化運動を—する一部の党派/演説の—となる野次は慎むべきだ/営業—・—電波」

ぼうがい[0]【望外】 願い望んでいた以上によいこと。「—の喜び」

ほうかい せき[3]【方解石】 無色透明のガラスに似た鉱物。平行四辺形の面を持つかけらに割れ、これを通して見ると物が二重に見える。炭酸カルシウムを成分とする。

**__ほうがく__[0]【方角】 その人がいる(と想定した)場所から見て、目標とするものが存在する位置を(東・西・南・北などを基準として)指し示す方向。また、東・西・南・北などの基準自体を指し示す方向。「晴れていればこの—に富士山が見える/メッカの—に向かって礼拝する/東の—に進めば駅前に出られる/艮の—は鬼門とされる/こっちは—〔=方位❶〕が悪い/暗くて—がわからない」⇩方向・方位

ほうがく[0]【邦楽】 日本△の音楽(古来の伝統を踏まえた音楽)。↔洋楽

ほうがく[0]【法学】 法律に関する学問の総称。「—博士[5]・—部[4]・—士[3]」

ほうかつ[0]【包括】—する(他サ) 全部をひっくるめて一つにまとめること。「—的に述べると」

ほうかん[0]【奉還】—する(他サ) 今まで預かっていたものを天皇にお返しすること。「大政—〔=⇩大政奉還〕」

ほうかん[0]【宝冠】 宝石で飾った冠。

ほうかん⓪【宝鑑】実用的な知識が書いてある、一種の百科事典。「家庭―④」
ほうかん⓪【法官】〔司法官の意〕「裁判官」の意の古風な表現。
ほうかん⓪【砲艦】海岸や川を警備する、吃水の浅い小型の軍艦。かぞえ方 一艘・一隻
ほうかん⓪【〈幇間】「たいこもち」の意の漢語的表現。
ほうがん⓪【包含】―する(他サ) そのような事情を内蔵すること。「矛盾を―する」
ほうがん①【《判官】〔古制で〕四等官の第三。じょう。〔狭義では、検非違使の尉を指す〕 **―びいき**⑤【―〈贔屓〉】「はんがんびいき」の古風な表現。
ほうがん⓪【砲丸】〔もと、大砲の たまの意〕砲丸投げに使う金属製の たま。 **―なげ**⓪【―投げ】フィールド競技で、砲丸を投げて飛距離を競うもの。
ぼうかん⓪【坊間】〔まちの中の意〕「市中」の意の古風な表現。「―〔=一般の人びとの間〕に伝えられる」
ぼうかん⓪【防寒】寒さを防ぐこと。「―用⓪・―服③・―衣③・―具③」↔防暑
ぼうかん⓪【傍観】―する(他サ) 〔第三者として〕何も手を出さずに見ていること。「―者③・―的⓪」
ぼうかん⓪【暴漢】乱暴なふるまいをする男。
ほうがんし③【方眼紙】縦横に等間隔に線を引き、真四角な目をたくさん書いた用紙。設計やグラフを書く時などに使う。セクションペーパー。かぞえ方 一枚
*__ほうき__⓪①【〈箒・〈帚】〔「ははき」の変化〕ごみなどをはいて除く道具。かぞえ方 一本 **―ぎ**③【―木】荒れ地・畑などに生える一年草。高さ一メートルぐらいで、干して草ぼうきとする。実は、とんぶり。古名、ははきぎ③。ほうきぐさ③。〔ヒユ科(旧アカザ科)〕 かぞえ方 一本 **―ぼし**③【―星】⇩彗星
ほうき①【芳紀】〔「芳」は、美しい人の意〕これから女としての花が開くという年ごろ。若い女性の年齢。「―まさに十九歳」
ほうき①【宝器】「宝物」の意の改まった表現。〔得がたい人物の意にも用いられる〕
*__ほうき__①【放棄・〈抛棄】―する(他サ)〈なにヲ―する〉 自分(たち)が断行しなければならないところのものを、自分(たち)の意志で行使しないでおくこと。「△権利(義務)を―する／責任を―する〔=自分には責任が無いものとして、のほほんとした態度を取る〕／―試合④」
*__ほうき__①【法規】法律と規則。また、法律の きまり。
ほうき①【法器】❶仏道の修行に堪えられる人。❷法要・法事に使う仏具。〔その用を重んじた称〕
ほうき①【蜂起】―する(自サ) 〔支配者の圧政に耐えかね〕おおぜいの人が いっせいに反乱を起こすこと。「武装―」
ぼうぎ①【謀議】―する(他サ) 〔法律で〕数人で集まって、犯罪の計画・方法などを相談すること。「共同―」
ほうきゃく⓪【訪客】その人の所に たずねて来た客。訪問客③。
ぼうきゃく⓪【忘却】―する(他サ) 以前に何か△した(あった)ことや、近い将来すべきことをすっかり忘れること。「―の彼方にある〔=すっかり忘れている〕／ショックで前後を―した」
ぼうぎゃく⓪【暴虐】―な/―に 理由なく人の命を奪うなど、乱暴が許容の範囲を逸脱する△こと(様子)。「―の限りを尽くす」派 **―さ**⓪
ほうきゅう⓪【俸給】(毎月など)定期的・継続的に労働に対して支払われるお金。給料。
ほうぎょ①【崩御】―する(自サ) 「(天皇・皇后・皇太后・太皇太后が)死ぬこと」の意の尊敬語。
ぼうきょ①【暴挙】通念では許されない、ひどい実力行使。「―に出る」
ぼうぎょ①【防御・防〈禦】―する(他サ) 敵から仕掛けられた攻撃を食い止めること。「最大の―は攻撃なり／身をもって―する／―体制④」↔攻撃 表記「御」は、代用字。 **―りつ**③【―率】〔野球で〕投手が一試合平均何点で抑えたかを示す自責点の数。
ほうきょう⓪【豊凶】豊年と凶年。「―を占う」
ほうきょう⓪【豊胸】女性の美しくふっくらとした乳房。また、乳房のふくらみを大きくすること。「―手術⑤」 **―じゅつ**③【―術】女性の乳房を大きく形よく整形する△こと(ための方法)。
ほうきょう⓪【豊《頰】〔苦労を知らないかのような〕肉づきのいい美しい ほお。
ぼうきょう⓪【防共】共産主義が△入り込む(広がる)ことを防ぐこと。「一九三六年に日独―協定が結ばれた」
ぼうきょう⓪【望郷】〔外国など遠い土地にあって〕故郷(の人たち)をなつかしく思うこと。「―の念」
ほうぎょく⓪【宝玉】宝として たっとばれる玉。
ぼうきれ⓪【棒切れ】木の枝や材木などの短い切れ端。「―をふりまわす」
ほうきん⓪【砲金】青銅の一種。銅九〇パーセント、錫一〇パーセントから成る合金。昔は大砲を造るのに使い、今は、軸受け・バルブなどに使う。
ほうぎん⓪【放吟】―する(他サ) あたりかまわず大声で詩歌を吟じること。「高歌―する」
ほうぐ①【《反《故】⇩ほご(反故)
ぼうぐ①【防具】〔武術やスポーツで〕からだの部位を保護する道具。プロテクター。
ぼうぐい⓪【棒〈杭・棒〈杙】丸太の くい。「ぼうくい⓪」とも。かぞえ方 一本
ぼうくう⓪【防空】航空機からの攻撃を防ぐこと。「―壕③・―頭巾⑤」 **―しきべつけん**⑧【―識別圏】国土防衛の必要から、領空とは別に各国が設定した空域。常に監視が行なわれ、届け出なく進入する外国航空機には識別と証明を求め、警告を行なう。
ぼうぐみ⓪【棒組(み)】❶かごかきの あいぼう。〔俗に、仲間を指す〕❷〔活版印刷で〕字詰め・行詰めの大体を整えるだけで、ページや段ごとに区切らずに活字を組んでいくこと。また、その組版。⇩本組み
ぼうグラフ③【棒グラフ】⇩グラフ
ぼうくん①【亡君】先ごろ亡くなった主君。「―の仇討つ」
ぼうくん①【某君】ある男(友達)。〔「某氏」になぞらえて作られた語。⇩某氏〕「―の言によれば」
ぼうくん⓪【傍訓】漢字のそばにつける読みがな。ふりがな。
ぼうくん①⓪【暴君】人民の命を奪うことなど意にもかけず、栄華にふける君主。〔その社会で勝手気ままなふるまいをする人の意にも用いられる〕
ほうけい⓪【方形】四つの内角がすべて直角である四角(形)。すなわち、広義の長方形。「―陣③・正―」
ほうけい⓪【包茎】陰茎の先が成人後も皮に包まれたままになっていること。皮かぶり。
ほうげい⓪【奉迎】―する(他サ) (喜んで)貴人を迎えること。
ぼうけい⓪【亡兄】亡くなった兄。
ぼうけい⓪【傍系】❶本になるものから分かれ出た系統(に属する人・もの)。「―会社⑤」↔直系 ❷その世界

で、主流以外に属する△こと(人)。↔正系

ぼうけい⓪【謀計】はかりごと。

ほうげき⓪-(ハウ)【砲撃】-する(他サ) 大砲をうって敵を攻撃すること。

ほうける③【〈惚ける】(自下一)〔多く「動詞連用形＋―」の形で〕❶続けて何かをしているうちに、心身の働きが衰える。「ほうけたように座っている/病み―」❷何かを夢中になってする。「遊び―」 表記「〈呆ける」とも書く。

ほうけん⓪【奉献】-する(他サ) 神仏などにさしあげること。

ほうけん⓪【宝剣】宝物のつるぎ。

ほうけん⓪【封建】古代・中世において、君主が自分の直轄領を除く土地を諸侯に分け与えて領地を治めさせる代りに、国家有事の際には忠誠を誓わせたこと。 ―じだい⑤【―時代】封建制度の行なわれた時代。 ―しゅぎ⑤【―主義】支配的立場にある人が下の者を、意のままに服従させるやり方。 ―せいど⑤【―制度】国王が貴族の、貴族が家臣の生活を保障すると同時に、絶対的服従を強制する社会制度。 ―てき⓪【―的】-に -な〔封建制度下に見られるように〕上下の従属関係を重んじて、個人の自由や権利を認めない様子だ。

ほうげん③-(ハウ)【方言】地域的に見た、それぞれの言語(体系)の違い。〔狭義では、一地方に行なわれる単語・語法で、△標準語(共通語)と違うものを指す〕「バッテンは長崎―/東京―⑤・関西―⑤」⇩標準語・共通語

ほうげん⓪-(ハウ)【放言】-する(他サ) (部外者が)無責任な発言をすること。また、その発言。〔不都合などを指摘された側が、歯に衣(キヌ)を着せぬ正論を指して用いることもある〕

ほうげん①⓪-(ホフ)【法眼】❶法印に次ぐ僧位。〔僧都(ソウズ)に相当する〕❷〔武家時代に〕医師・画家・連歌(レンガ)師などに与えられた称号。

*ぼうけん⓪【冒険】-する(自サ)〈なにヲ―する〉△危険を承知(不成功を覚悟の上)で行なうこと。アドベンチャー。「―に挑(イド)む/―的な計画/―小説⑤〔=主人公が次つぎと危険に立ち向かい克服していく内容の小説〕・―心③・―家(カ)⓪」

ぼうけん⓪【剖検】-する(他サ) 〔医学で〕解剖して検査すること。

ぼうけん⓪-(バウ)【望見】-する(他サ) はるか遠く△から(を)眺めること。

ぼうげん⓪-(バウ)【妄言】⇩もうげん

ぼうけい ―― ほうさい

ぼうげん⓪【暴言】相手の立場や実情などを全く無視するような乱暴な言葉。「―を吐く」

ほうこ①【宝庫】❶大事な宝物を入れておく蔵。❷有用なものが無限に取り出される所。「知識の―/水産物の―」

ほうご①【《反《故】⇩ほご(反故)

ほうご⓪-(ハウ)【邦語】〔主として外国語が使用される地域における〕日本語。「―文献④」

ほうご⓪-(ホフ)【法語】仏教の教義を分かりやすく解説した△話(文章)。「仮名(カナ)―③」

ぼうご①-(バウ)【防護】-する(他サ) 危害・災害などを受けないように未然に準備すること。「―服③・―壁③」

**ほうこう⓪-(ハウカウ)【方向】❶対象とする△もの(場所)が基準とする位置からみてどの位置にあるかを指し示す際に想定される、両者を結ぶ直線(に沿った範囲)。「△駅(真上)の―を指さす/太陽のある―によって方角の見当をつける/△東(右)の―に進む/霧に巻かれて―を失う〔=進む方向がわからなくなる〕/上り―の車線/アンテナの―/―転換・―指示器・―違い〔=見当違い〕・―感覚・―音痴〔=方向感覚の極端に悪い人〕」⇩方角 ❷直線状にのびるととらえられるもの自体が、一端を起点として他端がどちらにのびているかということ。「△左右(上下)の―に揺れる/壁面に、天井から△下(斜め)の―に亀裂(キレツ)が入る/南北の―にのびる山脈/振子の振動―/垂直―・水平―」❸何を目標として進むかという基本方針(に沿った具体的な活動の計画)。「大学卒業を目前にして、まだ将来の―が定まらない/政治結社としての―を△転換する(見失う)/停戦の―で交渉を進める/事態解決の―への一歩を踏み出す」 ―だ③【―〈舵】飛行機の向きを調整するために、垂直尾翼の後方に取りつけた舵(カジ)。 ―たんちき⑦【―探知器】電波の来る方向を測定することにより、航空機や船が、自分または目標の位置を知る装置。 かぞえ方 一基・一台 ―づける⑥【―付ける】(他下一) どういう方向に向かって△いる(行く)かを決める。 名 方向づけ⓪

ほうこう⓪-(ハウクワウ)【〈彷徨】-する(自サ)「あてもなくさまよう」意の漢語的表現。「道を見失って霧の中を―する」

ほうこう⓪-(ハウカウ)【芳香】柔らかな感じの、いいにおい。「―体⓪〔=ベンゼンを主材料とする、有機化合物〕・―野菜⑤〔=セロリ・パセリなど〕・―剤」

ほうこう⓪-(ハウカウ)【〈咆哮】-する(自サ)「(獣などが)ほえる」意の漢語的表現。

ほうこう①【奉公】-する(自サ) ❶天皇・国家に、一身をささげて仕えること。「滅私―①-①」❷主家・店などに住みこみ、そこの家業・店務の手伝いをすること。「―人(ニン)⓪〔=住込みの店員の旧称〕・女中―(ボウコウ)④」

ほうこう⓪-(ハウカウ)【放校】-する(他サ)「除籍・退学処分」の旧称。

ほうこう⓪-(ハウ)【砲口】大砲などのたまの出る口。砲門。

ほうごう⓪-(ハウガフ)【抱合】-する(自サ) だきあうこと。 ―ご⓪【―語】言語の形態的類型の一つ。文を構成する種々の要素が動詞の前後に密接に結合して、全体で一語のような印象を与える構造の言語。アイヌ語やアメリカ先住民の言語など。

ほうごう③⓪-(ホフガウ)【法号】△受戒の時(死後)に、(俗名(ゾクミョウ)を改めて)授けられる名前。法名(ホウミョウ)。

ほうごう⓪-(ガフ)【縫合】-する(他サ) 傷あとや手術口を縫い合わせること。

ぼうこう⓪-(バウクワウ)【〈膀胱】腎臓(ジンゾウ)から送られる尿をためておく、袋状の臓器。「―炎③・―結石⑤」

ぼうこう⓪-(カウ)【暴行】-する(他サ) 他人に対して暴力を加えること。〔狭義では、女性を強姦することを指す〕「おおぜいが寄ってたかって―を加える」

ほうこく⓪【奉告】-する(他サ) 神に告げること。「―祭④③」

**ほうこく⓪【報告】-する(他サ)〈だれニなにヲ―する/だれニなんだト―する〉与えられた任務について、その結果を△述べること(述べた内容)。「―が届く/中間―を取りまとめる/―書を出す/―事項・公式―」

ほうこく⓪【報国】国の恩に報いること。「一死―」

ぼうこく⓪-(バウ)【亡国】❶滅びた国。「―の民」❷国を滅ぼす結果につながること。「―の音楽/奢侈(シャシ)―論」

ぼうこひょうが①-①【暴虎〈馮河】〔トラを素手で捕らえ、黄河を船を使わずに渡る意〕血気にはやり、百に一つも成功することの無い冒険をすること。「―の勇」

ほうこん⓪①-(ハウ)【方今】「ただいま・現今」の意の古風な表現。

ぼうこん①⓪-(バウ)【亡魂】死んだ人の魂。

ほうざ⓪①-(ハウ)【砲座】大砲を据えておく所。

ぼうさ⓪①-(バウ)【防砂】土砂の崩れや、砂の吹き寄せるのを防ぐこと。砂防。「―林③・―堤⓪」

ほうさい⓪【報〈賽】-する(自サ)「お礼参り❶」の意の古風

ほ

な表現。

ぼうさい⓪【亡妻】亡くなった妻。↔亡夫

ぼうさい⓪【防災】地震や火事などの災害から身を守ったりその被害を最小限にとどめたりすること。「—訓練」

ぼうさい⓪【防塞】敵を防ぐ△とりで(バリケード)。

ぼうざい⓪【防材】敵の艦艇が港湾の中へ侵入するのを防ぐために、鎖などでつなぎ合わせて湾の入口に置くコンクリート・石などの材料。

ぼうさき⓪【棒先】かごの棒の先端(を担ぐ人)。⇩先棒

ほうさく⓪【方策】〔物事の処理のための〕方法・手段。「—を△打ち出す(立てる・取る・見いだす)」

*__ほうさく__⓪【豊作】穀物が豊かに実ること。「—に恵まれる/今年は短編小説—の(=すぐれた短編小説が多く発表された)年だった」⇩不作・凶作・平作

ぼうさげ⓪【棒下げ】相場が一度に下がること。↔棒上げ

ぼうさつ⓪【忙殺】—する(他サ)〔「殺」は、強めの助辞〕〔多く「—される」の形で〕耐えられないほどの忙しい状態に身を置くこと。「仕事に—される」

ぼうさつ⓪【謀殺】—する(他サ)計画的に人を殺すこと。↔故殺

ほうさん⓪【奉賛・奉〈讃】—する(他サ)神社などの事業を(お金を出したりして)後援すること。

ほうさん⓪【宝算】「(天皇の)年齢」の意の尊敬語。

ほうさん⓪【放散】—する(自他サ)外側へ△散らす(飛ばす)こと。「熱を—する」

ほうさん⓪【〈硼酸】つやのある△うろこ状(粉状)の結晶。無味・無臭で、薬用・工業用。「—軟膏⑤」

ぼうさん⓪【坊さん】「坊主❶」を親しんで呼ぶ言い方。「お—⓪」

ほうさんしょう③【法三章】中国、漢の高祖が秦を滅ぼして最初に出した法令。人を殺した者は死罪に、人を傷つけたり物を盗んだりした者は罰したほか、秦の苛法は全部やめて、民生を図った。転じて、法令を非常に簡単にすること。

ほうし①【芳志】〔手紙文で〕「(相手の)厚意・厚情」の意の尊敬語。芳情。芳心。「ご—を賜わる」

*__ほうし__①⓪【奉仕】—する(自サ)❶〈だれ・なにニ—する〉自分にとっての利害や名誉を無視して国家・社会・人のために尽くすこと。「医者として被災者の治療に—する/—活動・社会—・無料—」❷〈だれニ—する〉商人が安い値段で品物を売ること。サービス。「—品⓪」

ほうし①【奉伺】—する(他サ)立場の上の人の御機嫌をうかがうこと。

ほうし①【奉〈祀】—する(他サ)神をその場所に祭ること。

ほうし①【放〈恣】—に・—な 勝手気ままで、だらしがない様子だ。「生活が—に流れる」[表記]「放〈肆」とも書く。

ほうし⓪【放資】—する(自サ)資本を出すこと。

ほうし【法師】[一]①仏法を修め自らを高めると同時に、その教えを広める人の意で、僧の汎称。〔「うちの坊主」と同じ用法で、古くは自分の子供をも指した〕[二]〔造語〕特定の状態にある僧・人・ものであることを表わす。「山—・荒—・影—・—蟬③(=ツクツクボウシ)」

ほうし①【法嗣】〔仏教で〕その法統の あととり。「はっす⓪①・ほっし⓪①」とも。

ほうし①【胞子】〔シダ・コケ・菌類など〕花の開かない植物がふえるのに必要な細胞。「—嚢」 **—しょくぶつ**⑤【—植物】「隠花植物」の改称。↔種子植物

ほうし①【褒詞】「人の業績や善行をほめたたえる言葉」の意の古風な表現。

ほうじ⓪【邦字】❶自分の国の字。❷日本の字。**—し**③【—紙】外国に△在留する日本人(在住する日系人)を対象として発行される、漢字仮名交じりの新聞。邦字新聞④。

ほうじ①【奉持・〈捧持】—する(他サ)ささげ持つこと。[表記]「奉」は、代用字。

ほうじ⓪【法事】死者の冥福を祈るために、忌日に行なう仏教の行事。

ぼうじ⓪【〈牓示・〈榜示】境界のしるしに立てる、くい・札。

ぼうし①【亡姉】亡くなった姉。

*__ぼうし__⓪【防止】—する(他サ)望ましくない事が起こらないようにあらかじめ対策をたてること。「未然に—する/災害—⑤、⓪-⓪・危険—④、⓪-⓪・事故—③、①-⓪」

ぼうし①【某氏】ある人。〔名が分からない、または、名を特にあげることが好ましくない場合に使う〕

ぼうし⓪①【紡糸】糸をつむぐこと。また、つむいだ糸。[かぞえ方]一錘

ぼうし①【〈眸子】「ひとみ」の意の漢語的表現。

*__ぼうし__⓪【帽子】頭にかぶり、寒暑・ほこりを防ぎ、身なりを整えるもの。〔広義では、一般に長い物の先の部分にかぶせるものを指す〕「—をかぶる」

ぼうし①【〈鋩子】「刀剣のきっ先」の意の漢語的表現。

ぼうし⓪【暴死】—する(自サ)〔死ぬべきでない人が〕にわかの事件などで突然死ぬこと。

ぼうじ①【亡児】亡くなった子供。

ぼうじ①【房事】〔「閨房内で人知れずする事」の意〕「夫婦間の性行為」の意の漢語的表現。

ほうしき⓪【方式】〔何かをする上での〕決まった形式・やり方。「一定の—に従う/…という—を取る」

ほうしき⓪【法式】〔儀式や礼儀などの〕決まったやり方。「—にかなった拝礼」

ほうじちゃ③⓪【〈焙じ茶】焙じた番茶。

ぼうしつ⓪【亡失】—する(自他サ)「そのもの△を無くしてしまう(が無くなる)」意のやや古風な表現。

ぼうしつ⓪【忘失】—する(他サ)すっかり忘れること。また、忘れたまま無くしてしまうこと。

ぼうしつ⓪【防湿】—する(自サ)湿気を防ぐこと。「—剤④⓪」

ぼうじま⓪【棒〈縞】太い筋の縦縞。

ほうしゃ⓪【放射】—する(他サ)❶光・熱などを外へ出すこと。❷〔線状のものを〕中心から四方へ出すこと。「—状⓪」 **—せい**⓪【—性】「放射能❶」を持っていること。 **—せいげんそ**⑥【—性元素】放射線を絶えず出す元素。ウラン・ラジウムの類。 **—せん**⓪【—線】❶放射状に広がる線。❷ある種の元素から放射される粒子線(=アルファ線・ベータ線)および電磁波(=ガンマ線)。不透明な物質を通し、また、写真のフィルム・乾板に作用する。 **—のう**③【—能】❶物質から(自然に)放射線が放出される性質。❷「放射能❶」を持つ物質。放射性物質。「—に汚染される/—漏れ」〔❷は本来は誤用〕 **—れいきゃく**④【—冷却】晴れて風の弱い夜などに、地表面から上空に熱を放出して、地面が冷却する現象。遅霜の原因になる。

ほうしゃ①【砲車】砲架に車を付けたもの。[かぞえ方]一両

ほうしゃ①【報謝】—する(自サ)❶恩に報いること。❷僧や巡礼に物を与えること。〔古くは、「ほうじゃ」〕

ほうしゃ①【〈硼砂】防腐剤・防虫剤として用いられる

白い粉で、硼酸とナトリウムの化合物。エナメル・特殊ガラスなどの原料としても使われる。ほうさ[1][0]。

ぼうじゃくぶじん[0]-[0]【傍若無人】-な・-に 〔「傍らに人無きが若(ゴト)し」の意〕そばの人に遠慮せず、勝手な行動をする様子だ。「―なふるまい/―ぶりを発揮する」 派 ―さ[0]

ほうしゅ【宝珠】 ㊀[1] 宝玉。ほうじゅ。 ㊁[0] 〔←宝珠の玉[6]、[0]-[2]〕頭がとがって炎の形をしている玉。

ほうしゅ[0]・[1]【法主】 〔法門の主の意〕 ㊀初め、仏の称。後、真理を説く人の意。 ㊁〔仏教で〕一宗派の長。ほっしゅ。ほっす。

ほうしゅ[1]【砲手】 火砲を発射する任務の兵士。

ぼうしゅ[1]【〈芒種】 二十四(節)気の一つ。太陽暦六月六日ごろ。稲を植える時分の意。

ぼうじゅ[1]【傍受】-する(他サ) 他人の間にかわされている通信を第三者が受信すること。

***ほうしゅう**[0]【報酬】 他人のために何か(仕事)をしたことに対して受けるお礼(の金)。「―を△受け取る(得る・要求する)」

ほうしゅう[1]【豊州】 「豊前(ブゼン)・豊後(ブンゴ)」の総称。「豊前」は今の福岡県東部と大分県北部、「豊後」は今の大分県中部・南部にあたる。

ほうじゅう[0]【放縦】-な・-に 〔生活態度が〕勝手気ままでだらしがない様子だ。ほうしょう。 派 ―さ[0]

ぼうしゅう[1]【防州】 「周防(スオウノ)国」の漢語的表現。今の山口県南部・東部にあたる。

ぼうしゅう[0]【防臭】 臭気を消すこと。「―剤[3][0]」

ぼうしゅう[1]【房州】 「安房(アワノ)国」の漢語的表現。今の千葉県南部にあたる。「―石[3]・―うちわ[5][6]・―砂[3]・―びわ[5]」

ほうしゅく[0]【奉祝】-する(他サ) 国家にとって記念すべきよい出来事について、国民がお祝いすること。「―行事[5]」

ほうじゅく[0]【豊熟】-する(自サ) 穀物が豊かに実ること。

ぼうしゅく[0]【防縮】-する(他サ) 織物が洗濯や熱などで縮まないようにすること。「―加工[5]」

ほうしゅつ[0]【放出】-する(他サ) ためてあった物を一度に出すこと。「―物資[5]」

ほうじゅつ[0]【方術】 〔もと、方法・わざの意〕仙人が使う、不思議な術。

ほうじゅつ[0]【砲術】 大砲を扱う技術。

ぼうじゅつ[0]【棒術】 人の背より少し長いカシの棒を使って防ぎ、また、攻撃する武術。

ほうじゅん[0]【芳純・芳〈醇】-な・-に 酒のかおりが高く、味にこくがある様子だ。 派 ―さ[0][3] 表記「純」は、代用字。

ほうじゅん[0]【豊潤】-な・-に 豊かでうるおいのある様子だ。 派 ―さ[0][3]

ほうしょ[1]【方処】 「事物の移動してくる方向や存在する場」の意の漢語的表現。「―的[0]」

ほうしょ[1]【芳書】 〔手紙文で〕「(相手の)手紙」の意の尊敬語。芳信。「ご―拝見」

ほうしょ[0]【奉書】 〔←奉書紙(ガミ)[0][3]〕コウゾの繊維で作った、厚手で上等な和紙。〔昔、奉書『=天皇・将軍などの意思を奉じて、その任に当たる者がその名を記して発給した文書』に用いられたところから〕 かぞえ方 用紙は一枚。文書は一通

ほうじょ[1]【〈幇助】-する(他サ) 〔「幇」も、助ける意〕(罪になるような事の)手助けをすること。「―罪[3]」

ぼうしょ[1]【防暑】 夏の暑さを防ぐこと。「―服[3]」 ↕防寒

ぼうじょ[1]【防除】-する(他サ) 何かの(災)害を予想し、これに対する処置をしておくこと。「虫害―[5]」

ほうしょう[0]【奉唱】-する(他サ) 厳粛な気持で歌うこと。「君が代―」

ほうしょう[0]【放〈縦】-な・-に ⇩ほうじゅう

ほうしょう[0]【法相】 「法務大臣」の意の漢語的表現。

ほうしょう[0]【報奨】-する(自サ) その組織として歓迎すべき行為に対し、奨励の意味で金品を与えること。「―金[0]・―制度[5]」

ほうしょう[0]【報償】-する(他サ) 損害を与えた相手に、国家や公共団体が弁償すること。「―金[0]」

ほうしょう[0]【褒章】 その職場・専門における長年の活動を通じて社会に貢献した人に対して、表彰の意味で国家が与える記章。 **おうじゅー**[4]【黄〈綬―】 長い間、仕事に励んで功績のあった人に与える、黄色いリボンの付いた褒章。 **こうじゅー**[4]【紅〈綬―】 危険・困難を冒して人命を救助した人に与える、紅色のリボンの付いた褒章。 **こんじゅー**[4]【紺〈綬―】 公益のために自分の財産を寄付した人に与える、紺色のリボンの付いた褒章。 **しじゅー**[3]【紫〈綬―】 学問・芸術の上で功績のあった人に与える、紫色のリボンの付いた褒章。 **らんじゅー**[4]【藍〈綬―】 教育・社会事業・産業などの分野で、公共の利益のために大きな功績のあった人に与える、あい色のリボンの付いた褒章。 **りょくじゅー**[4]【緑〈綬―】 善行や事業を通して社会に尽くした人に与える、緑色のリボンの付いた褒章。

ほうしょう[0]【褒賞】 奇特な行為を表彰したり 人びとの模範となる努力を奨励したり する意味で与える品物。「―金[0]」

ほうじょう[0]【方丈】 〔一丈すなわち、約三メートル四方の狭い部屋の意〕寺の中にある住持の居間。〔狭義では、その寺の住持を指す。例、「―さん」〕

ほうじょう[0]【芳情】 ⇩芳志

ほうじょう[0]【放生】 〔仏教で〕善行の一つとして、捕らえた鳥や魚を逃がしてやること。「―会(エ)[3]〔=陰暦八月十五日にする放生の仏事〕」

ほうじょう[0]【法〈帖】 手習・鑑賞用に、昔の有名な書家の筆跡を石ずりにした折り本。「―〔=折り本〕仕立て」 かぞえ方 一帖

ほうじょう[0]【法城】 〔仏教的な発想において〕心のよりどころとしての仏法。〔広義では、その宗派の団体を指す。例、「ゆらぐ―」〕

ほうじょう[0]-な・-に ㊀【豊〈饒】 土地が肥えていて、穀物・作物が毎年よく実る様子だ。「―な土地」 ㊁【豊〈穣】 その年の作物の出来が良い△こと(様子)。「―〔=豊作〕の秋」 派 ―さ[0][3]

ほうじょう[0]【褒状】 その社会での△模範的(犠牲的)行為を表彰する意味の文書。

ぼうしょう[0]【傍証】-する(他サ) 直接の証拠ではないが、それがあれば証明を強化するのに役立つ幾つかの資料。「―を固める/―固め[5]」

ぼうしょう[0]【帽章】 帽子に付けて、その団体の一員であることを表わす記章。

ぼうじょう[0]【暴状】 社会秩序を無視する行状。

ほうじょうきたい[5]【胞状奇胎】 ⇩鬼胎

ほうしょく[0]【奉職】-する(自サ) 誇りとすべき職場に就職すること。〔狭義では、教員となることを指す〕

ほうしょく[0]【宝飾】 宝石や貴金属類のアクセサリー。「―店[4][3]・―品[0]」

ほうしょく[0]【飽食】-する(自サ) 腹一杯食べて、満ち足りること。「暖衣―[1]-[0]〔=不足の無い生活〕」

ほ

ぼうしょく⓪【防食・防〈蝕〉】―する(他サ) 金属面の腐食を薬剤などで防ぐこと。「―剤④⓪」
ぼうしょく⓪【紡織】 糸をつむぐことと、機(はた)を織ること。
ぼうしょく⓪【望〈蜀〉】 一つの望みを遂げて、さらにその上を望むこと。「―の嘆(たん)」(=限り無く望む意にも用いられる)」
ぼうしょく⓪【暴食】―する(他サ) 食欲に任せ、限度以上に食べること。「暴飲―⓪-⓪」
ほう・じる⓪③【奉じる】(他上一) ㊀献上する。㊁逆らったり批判したりせずに従う。「命を奉じて(=承って)／キリスト教を―(=信仰する)／職を奉じて(=その職場にまじめに勤務して)／天皇を―(=自分の方の旗頭とする)／…思想を―」㊂大事に(して)持つ。ささげる。「校旗を―」 奉ずる⓪③(サ変)。
ほう・じる⓪③【報じる】(自他上一) ㊀相手から受けた行為に対して、こちらからそれに見合うことをすることによって心理的負担をなくす。「△恩に(恩を)―／恨みを―」㊁知らせる。「新聞の―ところ」 報ずる⓪③(サ変)。
ほう・じる⓪③【〈焙〉じる】(他上一) 茶の湿気を取り除き香りを出すために、多少焦がす程度に熱を加える。〔広義では、豆・麦・胡麻(ごま)などを焙炉(ほいろ)に入れて熱を加えることをも指す〕
**ほうしん⓪【方針】〔羅針盤の方位を示す磁針の意〕ある計画を進める上の、大体の方向づけ。「―を△明らかにする(固める・貫く・切り替える)／…の―に沿う／―に△従う(則(のっと)る)／―が△守られる(曲げられる)」
ほうしん⓪【芳心】 ⇨芳志
ほうしん⓪【芳信】 ⇨芳書
ほうしん⓪【放心】―する(自サ)〔突然の出来事などのために〕心を奪われて、ぼんやりすること。「―状態」
運用 多く手紙文で「ご放心ください」の形で、自分側のことに関して、「心配しないでください」「気にかけずに忘れてください」という意の尊敬語として使われる。「ご放念ください」も同様の使い方となる。例、「なにとぞご放心ください」
ほうしん⓪【〈疱疹〉】 ⇨ヘルペス
ほうしん⓪【砲身】 大砲の筒の部分。
ほうじん⓪【方陣】 ㊀兵士を方形に並べた陣。㊁連続する自然数を正方形状に並べ、縦・横・対角線の和がどれも等しくなるように作ったもの。魔方陣。〔1～9を並べ、合計値が15になるようにしたのが最も基本的〕
ほうじん⓪【邦人】 ㊀自分の国の人。㊁外国に居住する日本人。〔日本人が指して言う称〕
ほうじん⓪【法人】 自然人以外のもので、法律上権利・義務の主体たる資格が与えられたもの。その活動・運営は、定款・寄附行為と言われる根本規則により、社員総会や株主総会で意見が決定される。「―税③・―組織」↔自然人 ⇨社団法人・財団法人
ほうじん⓪【砲陣】 大砲を並べた陣地。「―を敷く」
ぼうじん⓪【防〈塵〉】 ちり・ほこりが入るのを防ぐこと。「―装置⑤」
ぼうじん⓪【傍人】「そばに居る人・そのことに直接かかわらない人」の意の古風な表現。
ほうしんのう⑤【法親王】 天皇の子で、出家後、親王の位を授けられた人。「ほっしんのう」とも。
ほうず⓪【方図】 それを限度としてとどまるところ。〔古風な表現〕「―も無い(=限りが無い)事を言う」⇨のほうず
ぼう・ず⓪【〈亡〉ず】(他サ)「忘れる」意の漢文訓読語的表現。「故郷忘じがたし」
ぼうず①【坊主】 ㊀(寺の住職である)僧。〔多く、軽い侮蔑(ぶべつ)を含意して用いられる〕「―憎けりゃ袈裟(けさ)まで憎い／―丸儲(もう)け／生臭(なまぐさ)―・三日―」㊁僧のように、頭に毛の無い△人(状態)。〔木に枝葉が、山に木が無い状態にも言う〕「―頭④・―刈(が)り⓪・丸―・海―・台湾―(=⇨台湾坊主)」㊂男の子の愛称。「うちの―／一年―・いたずら―⑤」㊃花札の「すすき」の二十点札。㊄「茶坊主」の略。 **―まくら**④【―枕】 くくりまくら。
ほうすい⓪【放水】―する(自他サ) ㊀水を引いて流すこと。「―路③」㊁(消火のために)ホースで水を勢いよくかけること。
ほうすい⓪【豊水】 時期的に水量が豊かなこと。「―期」
ぼうすい⓪【防水】―する(他サ) 水が流入したりしみ込んで機能を損なったりしないように手当てをすること。また、その手当て。ウオータープルーフ。「―加工⑤・―性⓪・―服③」
ぼうすい⓪【紡〈錘〉】 錘(つむ)(=原料から糸をつむぐ装置の部品)。「―△形(体)⓪(=同型な二つの円錐(えんすい)を底面でぴたりと重ね合わせたような形)」
ほうすう⓪【〈鳳雛〉】〔「鳳凰(ほうおう)の雛(ひな)」の意から〕将来を嘱望される若い英才。
ほう・ずる⓪③【封ずる】(他サ) 領地を与えて、大小名にする。封じる⓪③(上一)。
ほう・ずる⓪③【崩ずる】(自サ) 天皇がなくなる。
ほうすん⓪【方寸】 ㊀〔一寸四方すなわち、約三センチ四方の狭さの意〕極端に狭い土地。「―の地」㊁心の中。「思いを―に納める」
ほうせい⓪【方正】―な 〔人の態度・行いが〕まじめで、他の模範となる様子だ。「品行―」
ほうせい⓪【法制】〔legislation の訳語〕法律で定められた制度。「シートベルト着用を―化する」 **―きょく**③【―局】 法令の立案・審査・調査などの事務を行なう国家機関。「内閣―①-③・衆議院―③-③・参議院―③-③」
ほうせい⓪【砲声】 大砲をうった時に出る大きな音。
かぞえ方 一発
ほうせい⓪【〈鳳声〉】〔手紙文で〕「伝言」の意の尊敬語。「ご―ください」
ほうせい⓪【縫製】―する(他サ)〔ミシンで〕縫って作ること。「―品⓪・―業③」
ぼうせい⓪【防〈錆〉】 表面をコーティングするなどして、金属が錆(さ)びるのを防ぐこと。「ぼうしょう⓪・ぼうさび⓪」とも。「―加工⑤・―剤③⓪」
ぼうせい⓪【暴政】 人民をしいたげる政治。「―に抗する」
ほうせき⓪【宝石】 硬くて美しい上に、産出量の少ない鉱物。古来、装飾品のほか、富の蓄積にも用いられる。
ぼうせき⓪【紡績】 ㊀糸を紡ぐこと。「―△機(工場)」㊁(↑紡績糸(いと)⑤④) 種々の繊維を紡ぎ、より合わせて作った糸。 **―けんし**⑤【―絹糸】 くず繭などから作った真綿を紡いで作った糸。絹紡⓪。 **―めんし**⑤【―綿糸】 綿花を紡いだ糸。
ほうせつ⓪【包摂】―する(他サ) ある概念をより一般的な概念の中にとり入れること。
ぼうせつ⓪【防雪】 雪が線路や道路の上に△たまる(たまって崩れる)のを防ぐこと。「―林④」
ぼうせつ⓪【暴説】 論理・事実を無視したひどい説。
ほうせん⓪【奉遷】―する(他サ) 神体などを他へ移すこと。
ほうせん⓪【砲戦】 大砲をうち合う戦闘。
ほうぜん⓪【宝前】 神仏の前。
ぼうせん⓪【防戦】―する(自サ)〔戦争・スポーツなどで〕先方の攻撃を防ぐために戦うこと。

ほ

ぼうせん⓪【防潜】敵の潜水艦の侵入・攻撃を防ぐこと。「―網③」

ぼうせん⓪【傍線】縦書きの文章で、注意すべき△字句(文)の右側に引く線。⇨アンダーライン

ぼうせん⓪【棒線】棒状に引いた直線。

ぼうぜん⓪【〈呆然〉】・【〈茫然〉】(―たる/―と) ❶意外な出来事に会い、なす術(スベ)を失ってぼんやりしている様子だ。「―自失」⓪-⓪ ❷つかみどころが無い様子だ。

ほうせんか③【〈鳳仙花〉】庭に作る一年草。夏、葉のかげに赤・白などの花を下に向けて開く。実は熟すとはじけて、種が飛び出す。〔ツリフネソウ科〕かぞえ方 一本

ほうせんきん⓪【放線菌】細菌とカビの中間の微生物。放射状にのびる。ストレプトマイシン・オーレオマイシンなどの抗生物質を作るものがある。

ほうせんちゅう③【方〈尖柱〉】⇨オベリスク

ほうそ①【宝〈祚〉】「天子・天皇」の意の古風な表現。

ほうそ①【〈硼素〉】〔「硼砂(シャ)」の素の意〕非金属元素の一つ〔記号B 原子番号5〕。常温では固体。黒くて金属光沢を持ち、硬いが脆(モロ)い。高温では電気の良導体だが、室温以下では絶縁体となる。航空機の材料や耐熱ガラスに用いられる。

ほうそう⓪【包装】―する(他サ) 売れた商品に上包みをかけること。〔広義では、荷造りをも指す〕「―紙③」

ほうそう⓪【奉送】―する(他サ) 身分の高い人を見送ること。

** **ほうそう**⓪【放送】―する(他サ)〈だれニなにヲ―する〉❶拡声器を使って、多くの人に伝えること。〔興味本位に他人のうわさを情報として第三者に流す意にも用いられる〕❷〔ラジオ・テレビで〕電波に乗せて種々の番組を送ること。「―局③・―中(オンエア)・有線―⑤」 **―えいせい**⑤【―衛星】テレビ放送用の静止衛星。地上局からの電波を受けて増幅した後、一般の受信者に向けて送信する。ビーエス(BS)。 **―きしゃ**⑤【―記者】ラジオ・テレビのニュースや報道番組のための取材をしたり原稿を書いたり必要に応じて番組中で報告・解説をしたりする人。 **―げき**③【―劇】ラジオで放送する演劇。ラジオドラマ。 **―もう**③【―網】〔ラジオ・テレビで〕本局と支局や他の局とを中継回線でつないだ、全国的な放送組織。ネットワーク。

ほうそう⓪【法曹】〔法律の仕事に携わる人の意〕裁判官・検察官および弁護士などの称。「―界③」

ほうそう①【〈疱瘡〉】「天然痘(テンネントウ)」の意の古風な表現。

ほうぞう⓪【包蔵】―する(他サ) △心の中(その組織の内部)に、そのものを持っていること。

ほうぞう⓪【宝蔵】宝物を入れておく蔵。

ぼうそう⓪【房総】安房(アワ)・上総(カズサ)および利根(トネ)川以南の下総(シモウサ)。〔今の千葉県にあたる〕「―半島⑤」

ぼうそう⓪【暴走】―する(自サ) ❶止まるべきところを止まらないで走ること。〔野球では、ランナーが無理に走ってアウトになることを指す〕「車の―」❷運転者のいない車が走り出すこと。「―電車⑤」❸考え無しに自分かってに(性急に)事を行なうこと。 **―ぞく**③【―族】猛烈なスピード(と、うるさい排気音)を出して、オートバイや車を乗り回す若者(の集団)。かみなり族。

ほうそく⓪【法則】❶一定の条件のもとでは常に成り立つものと考えられる、自然界の事物相互の関係。「物質不滅の―」❷自然界に見られる秩序。「自然界の―に逆らう」❸守るべききまり。「詩の―」

ぼうだ①【〈滂沱〉】(―たる/―と) 涙があとからあとから流れ落ちる様子だ。

ほうたい⓪【奉戴】―する(他サ) ❶皇族に会の名誉総裁などになっていただくこと。❷つつしんで承ること。「大詔(タイショウ)―する」

ほうたい⓪【法体】⇨ほったい

ほうたい⓪【包帯・〈繃帯〉】〔「繃」は、たばねる意〕傷口・はれものなどをおおうために巻きつける細長い綿布・ガーゼの類。表記「包」は、代用字。かぞえ方 一本・一巻(ヒトマキ)

ほうだい【放題】(造語) …するままにほうっておき、△制限(制止)を加えないことを表わす。「荒れ―③・食い(たい)―・飲み―③・言い△なり(たい)―・散らかし―⑤」

ほうだい⓪【邦題】外国の文芸作品や映画などに付けた日本での題名。

ほうだい⓪【砲台】大砲・兵員を守り、射撃がしやすいように築いた所。かぞえ方 一基

ぼうだい⓪ ❶【〈厖大〉】(―な/―に)〔「厖」も、大きい意〕規模が大きい様子だ。〔広義では、ただ量が多いことをも指す〕「―な計画/―な予算」❷【膨大】―する(自サ) 目に見えて大きくふくれ上がること。派 ―さ⓪ 表記 ❷の「膨」は、拡大・拡張の意から❶の「厖」の代用字としても用いられる。

ぼうだい⓪【傍題】副題。⇨サブタイトル

ぼうたおし③【棒倒(し)】小・中・高校などの運動会で、行なう競技の一つ。赤組・白組に分かれ、相手の守る棒を早く倒した方を勝ちとする。

ぼうたかとび④③【棒高跳(び)】陸上競技種目の一つ。走って来て棒を突き立て、その反動を利用してバーを跳び越し、その高さを競う競技。表記「棒高飛び」とも書く。

ぼうだち⓪【棒立(ち)】―する(自サ) ❶意外な事に出あったり恐怖・畏怖(イフ)の念に打たれたりして、ただその場に立ったままでいること。❷馬のさお立ち。

ぼうだま⓪【棒球】〔野球で〕スピードが無く、打者に好打されやすい球。

ぼうだら⓪【棒〈鱈〉】マダラを三枚におろし、頭・背を取り去って干した食品。〔俗に、ぶしょう者の形容としても用いられる〕

ほうたん③⓪【放胆】(―な/―に) 非常に大胆な様子だ。「―にふるまう」派 ―さ⓪③

ほうだん⓪【放談】―する(自サ)〔地位・立場などにとらわれず〕思ったままを自由に話すこと。また、その話。「新春―⑤」

ほうだん⓪【法談】仏法の趣旨を分かりやすく説き聞かせること。

ほうだん⓪【砲弾】大砲のたま。かぞえ方 一発

ぼうだん⓪【防弾】ピストルなどをうたれても、たまが通らないようにすること。「―チョッキ⑤」

ほうち①【法治】国民の意思を反映した法律に基づいて行政・司法などの国家権力が行使され、国民の社会生活が法律によって保障されていること。「―国③・―国家④・―主義④」

ほうち①【放置】―する(他サ) なんらかの手当てが必要とされるものを、△対策を講じない(始末をしない)ままほうっておくこと。「請願を―する/―自転車」

ほうち①⓪【報知】―する(他サ) 事件が起こったことや連絡事項などを知らせること。また、その知らせ。「火災―機⑥」

ぼうちぎり③【棒乳切(り)・棒千切(り)】〔「棒ちぎり木」の変化〕棒の切れ端。〔「棒ちぎれ」は、類推による新しい語形〕

ほうちく⓪【放逐】―する(他サ) 追放すること。「群れから―された若いゴリラ」

ほうちゃく⓪【〈逢着〉】―する(自サ) 当面解決を要する事に

出くわすこと。

ほうちゅう[0]【〈庖厨〉】「台所・調理場」の意の古風な表現。

ぼうちゅう[0][1]【忙中】忙しくて、全くひまの無いはずの時分。「―閑あり〔=忙しいとは言っても、たまにはひまな事があるものだ。⇩閑〕」

ぼうちゅう[0]【防虫】衣服・書物などに虫のつくのを防ぐこと。「―剤[3][0]」

ぼうちゅう[0]【傍注・〈旁註〉】本文と同じページに書き込んだ注釈。多く左右の余白を用いる。

ほうちょう[0]【包丁・〈庖丁〉】〔料理を作る人の意〕❶料理用の平たくて薄い刃物。「―の冴え〔=すばらしい料理の腕〕」❷〔料理屋などで〕「板前」の古風な表現。「包丁人[0]」とも。表記「包」は、代用字。かぞえ方 一本・一挺・一丁

ほうちょう[0]【放鳥】―する(自サ)〔放生会の時などに〕功徳のために、つかまえておいた鳥を逃がすこと。また、その鳥。

ぼうちょう[0]【防長】周防と長門。〔今の山口県にあたる〕

ぼうちょう[0]【防潮】津波や高潮の害を防ぐこと。「―堤[0]・―林[3]」

ぼうちょう[0]【防〈諜〉】スパイの侵入・活動を防ぎ止めること。

ぼうちょう[0]【傍聴】―する(他サ)〔当事者でない人が〕会議・公判などの経過を一定の席で聞くこと。ただし、意見を述べることは許されない。「―券[3]・―席[3]・―人[0]」

*ぼうちょう[0]【膨張・膨〈脹〉】―する(自サ)❶物体が熱でその体積を増すこと。ふくれること。「気体の―/―率[3]」❷全体の規模が大きくなること。「経費の―/都市の―」

ほうちょく[0]【奉勅】勅命を承ること。「―撰[4][3][0]」

ぼうっと[0](副)❶―する かすんでいたり 視力が劣っていたりして、ものの形や輪郭がはっきりと目にとらえられない様子。「遠くに―かすむ山/霧の中に―人影が浮かぶ」❷―する のぼせて、意識がぼんやりする様子。「ぼうっと」とも。「熱のせいで頭が―する/あまりの美しさに―なる」❸火が音をたてて急に燃えあがる様子。〔❶～❸とも「ぼおっと[0]・ぼうと[0]」とも〕

ぽうっと[0](副)―する ❶⇩ぼうっと❶ ❷「ぽっと❶❷」の強調表現。

ほうてい[0]―する(他サ) ❶【奉呈】〔天皇に〕提出すること。❷【〈捧呈〉】大事な物をささげるようにして差し出すこと。

*ほうてい[0]【法廷】裁判官が審理・裁判を行なう公的な場。「―に持ち込む/―に出る」

ほうてい[0]【法弟】仏法の教えを受ける門弟。

ほうてい[0]【法定】法律で定めること。「―貨幣〔=⇩法貨〕・―果実〔=⇩果実〕」 ―でんせんびょう[0]【―伝染病】⇩伝染

ほうてい[0]【〈鵬程〉】〔鵬の飛び渡る道のりの意〕目的地に行きつくまでの長い道のり。「―幾万里」

ぼうてい[0]【亡弟】亡くなった弟。

ほうていしき[3]【方程式】〔「方程」は、中国漢代の数学書『九章算術』で連立一次方程式を指した。原義は「数量を並べて比べる」の意という〕❶〔数学で〕未知数(関数)または曲線・曲面などの上の点の座標が満たすべき条件を等式の形に表わしたもの。「―を立てる〔=未知数(関数)が満たすべき条件を等式の形に表わす〕/楕円の―/二次―・微分―・連立―」❷〔自然科学で〕法則を等式の形に表わしたもの。「気体の状態―/運動―・化学―」❸一類の同じような問題を解決・処理するのに有効な方法として定形化された一連の手順。「販売戦略必勝の―を見事確立する」

ほうてき[0]【〈抛擲〉・放〈擲〉】―する(他サ) 自分のなすべき事をしないで(に属するものを使わないで)ほうっておくこと。

ほうてき[0]【法的】―な・―に 法の立場に立つ様子だ。「―〔=法律上の〕根拠[0]-[1]」

ほうてき[0]【法敵】❶仏法の流布を妨げるもの。❷その宗派の布教上じゃまとなる相手(の宗派)。

ほうてん[0]【奉〈奠〉】―する(他サ) 神前に、つつしんで供えること。「玉串―[2]-[0]」

ほうてん[0]【宝典】その方面で貴重とされる書物。〔広義では、日常生活についての知識を集めた便利な本を指す。例、「育児―[4]」〕

ほうてん[0]【法典】同じ種類の法規を秩序立ててまとめた書物。「ハムラビ―[5]・ナポレオン―[6]」

ほうでん[0]【宝殿】宝物(奉納された物)を入れておく所。宝物殿。

ほうでん[0]【放電】―する(自サ) ❶気体などによって絶縁された二つの電極の間の電圧を高くすると、絶縁が破れて両極間に電流が流れること。❷電気を帯びた物体が、その電気を失うこと。「―現象」↕充電

ぼうてん[0]【傍点】読者に注意を促すために(重要な箇所と受け止めた印に)字句のわきに打つ点。

ほうと[1]【方途】「望ましいやり方・進むべき道」の意の漢語的表現。「―をさぐる(探求する・示す)」

ほうど[1]【邦土】「(我が)国土」の意の漢語的表現。

ほうど[1]【封土】「大名の領地」の意の漢語的表現。

ぼうと[1]【暴徒】暴動を起こした者ども。「―と化する」

ほうとう[0]【奉答】―する(自サ) 「(身分の高い人の)問いに答えること」の意の謙譲語。

ほうとう[0]【宝刀】宝物の刀。「伝家の―を抜く〔=⇩伝家の宝刀〕」

ほうとう[0]【宝塔】「多宝塔」の略。

ほうとう[0]【放〈蕩〉】―する(自サ) 〔本来行なうべきことを怠って〕深酒や女遊びなどにふけって身を持ち崩すこと。「―息子」

ほうとう[0]【〈朋党〉】共通の利害・主義などを基にして結ばれた仲間。

ほうとう[0]【法灯】❶〔闇を照らす灯火のように〕迷いを救う仏の教え。❷仏前の灯明。

ほうとう[0]【法統】仏法の伝統。「―を継ぐ」

ほうとう[0]【砲塔】〔軍艦・要塞で〕大砲・砲手などを敵の攻撃から守るための、鋼鉄製の囲い。

ほうとう[0]【〈餺飥〉】〔「ほう」も「とう」も、それぞれの漢字の唐音か〕水で練った小麦粉をひも状に切ったもの。みそ仕立ての汁にカボチャやニンジンなどの野菜を加えて煮込んで食べる。甲州地方〔=山梨県〕の郷土料理。

**ほうどう[0]【報道】―する(他サ)〈(なにデ)なにヲ―する/(なにデ)なんだト―する〉 新聞・テレビ・ラジオなどのマスメディアが広く一般に知らせること。ニュース。「―の自由を貫く」 ―きかん[5]【―機関】新聞社・放送局など、報道を目的とする組織体。 ―じん[3]【―陣】ある事件の報道のために、さまざまの報道機関が準備を整えている態勢。

ぼうとう[0]【冒頭】その文章・談話の始まりの部分。〔広義では、一般に物事の初めを指す〕「―に掲げる/―陳述」

ぼうとう[0]【暴投】―する(自サ) 〔野球で〕キャッチャーがとれないような、見当はずれのたまをピッチャーが投げること。ま

ほ

た、その投球。ワイルド ピッチ。⇩悪投

ぼうとう⓪【暴騰】―する(自サ) 物価・株価などが急に大幅にあがること。「地価の―を招く/天井知らずの―」↕暴落

ぼうどう⓪【暴動】民衆の不満が暴発し、実力行使によって自分たちに有利な政治解決を体制側に迫ること。「各地で発生している―を扱ったあらゆる報道に検閲措置がとられた/都市―」

ほうとく⓪【報徳】受けた恩を返すこと。

ほうどく⓪―する(他サ) 【一】【奉読】改まった気持で襟を正して読むこと。「勅語―⓪-⓪」 【二】【〈捧読】大事な文書をささげ持って読むこと。

ぼうとく⓪【冒〈瀆】―する(他サ) 神聖なものの権威をけがし、傷つけること。「神を―する行為」

ぼうどく⓪【防毒】毒ガスを防ぐこと。「―マスク⑤・―面④」

ほうなん⓪【法難】その宗教・宗派を開き広めようとする時に受ける迫害。

ほうにち⓪【訪日】―する(自サ) 外国人が日本を訪れること。「アメリカ大統領の―」

ほうにょう⓪【放尿】―する(自サ) (所構わず)小便をすること。

ほうにん⓪【放任】―する(他サ) 〔監督し規制しなければならないものを〕成行きに任せ ほうっておくこと。「自由―」

ほうねつ⓪【放熱】―する(自サ) ❶〔機械などが〕熱を放散すること。❷熱を出して室内の空気を暖めること。「―器④③〔=ラジエーター〕」

ほうねん⓪【放念】―する(自サ) 気にかけないこと。「なにとぞご―ください」 運用 ⇩放心 運用

ほうねん⓪【豊年】豊作の年。↕凶年 ―えび③【―〈蝦】水田・沼・池などにすむ小さな細長い動物。初夏にたくさん発生すると、豊年になると言われる。ホウネンムシ③。〔ホウネンエビ科〕

ぼうねん⓪【忘年】❶年齢の違いにかかわらず、お互いの才識を認め合い 気持において通い合うところがあること。〔もと年長者から発せられた言葉だったが、後、年少者が兄の如く敬愛して交際する意にも用いられる〕「―の△交わり〈友〉」 ❷年末に仲間の人が集まって、その年最後の談笑・飲食の機会を持つこと。としわすれ。「―会③⓪」

ほうのう⓪【奉納】―する(他サ) 神仏に喜んで納めていただく目的で、供え物をしたり、舞・踊り・武芸などの芸能をその前でして見せること。「―試合⑤・―ずもう⑤・―額③」

ほうはい⓪【〈澎湃】―たる ―と 〔水がみなぎって波うつ意〕広い範囲にわたって起こり、止めることが出来ない様子だ。「平和を求める声―として起こる」

ほうばい⓪【〈朋輩】・【《傍輩】〔「傍輩」の変化〕同じ△師につく(主人に奉公する)仲間。

ぼうはく⓪【傍白】舞台上の相手には聞こえないことにして、観客にのみ聞かせる形で言う せりふ。

ぼうばく⓪【〈茫漠】―たる ―と ❶無限に広がり、向こうに何があるのか分からない様子だ。「―たる平原」 ❷どのようなものか、その内容がはっきりつかめない様子だ。「―とした意見/―たる前途」 派 ―さ⓪ 表記 「〈茫邈〉」とも書く。

ほうはつ⓪【〈蓬髪】「乱れたままの頭髪」の意の古風な表現。

ぼうはつ⓪【暴発】―する(自サ) ❶不注意のため、ピストル・小銃などの たまが不意に飛び出すこと。❷たまや花火などが不意に爆発すること。〔古くは、革命・暴動の意に用いられた〕

ぼうはてい⓪【防波堤】外海からの荒波を防ぎ、港の中を静かに守るために築いた堤。〔外部からの圧迫を防ぐものの意にも用いられる〕

ほうばん⓪【邦盤】↕洋盤 ❶日本の伝統音楽や歌謡曲のレコードやCD。❷日本で製作されたレコードやCD。

ぼうはん⓪【防犯】犯罪が起こらないようにふだんから気をつけること。「―週間⑤・―協会⑤・―ベル⑤」

ほうひ①【包皮】表面をおおっている皮。

ほうひ①⓪【放〈屁】―する(自サ) 「おなら(をすること)」の意の漢語的表現。

*ほうび⓪【褒美】〔「美」も、ほめる意〕相手の行為をほめるに値するものだとして、奨励のために金品を与えること。また、その金品。「よくがんばったと母親からご―をもらって喜ぶ子供/新製品の開発に成功した―に一週間の休暇をあげる」

ぼうび①【防備】―する(他サ) 敵・災害から自分を防ぎ守ること。また、その準備。「―を固める/無―」

ぼうびき⓪【棒引(き)】❶線を△引く(引いて、帳簿の記載事項を消す)こと。「―仮名遣い〔=⇩仮名遣い〕」 ❷金銭の貸借が無くなったものとすること。帳消し。

ぼうひょう⓪【妄評】―する(他サ) ⇩もうひょう

ぼうひょう⓪【暴評】―する(他サ) 事実に合わない、全く見当違いの批評。〔自分の批評を謙遜して言う時にも使う。例、「―多罪」〕

ほうふ⓪【抱負】ふだんからこのようにやってみたいと心に思っている△考え(計画)。

*ほうふ⓪【豊富】―な ―に 役に立つものの種類・分量が多かったり経験が深かったり内容の幅が広かったりする様子だ。「△農産物(水生生物)も―だ/―な△話題(データ・対訳例文・電力)/カラー写真を―に収録/優勝経験は―にある/―な資料に物を言わせる」 派 ―さ⓪③

ほうぶ⓪【邦舞】日本古来の伝統的な舞踊。日本舞踊④。日舞。↕洋舞

ぼうふ①【亡夫】亡くなった夫。↕亡妻

ぼうふ①【亡父】亡くなった父。↕亡母

ぼうふ⓪【防腐】薬を使ったりなどして、物が腐らないようにすること。「―剤③⓪」

ぼうふ①【暴富】「成り金」の意の漢語的表現。

ぼうふう【防風】❶⓪風がまともにあたるのを防ぐこと。「―林③〔=風害を防止するために設けた林〕・―着③」 ❷③ ⇩はまぼうふう

ぼうふう③⓪【暴風】激しく吹く風。「―圏③・―域③」 ―う③【―雨】激しい風雨。あらし。 ―せつ③【―雪】激しい風を伴った雪。猛吹雪。

ほうふく⓪【抱腹】・【〈捧腹】〔本来の「捧腹」と「腹を抱えて笑う」との混交〕腹をかかえて大笑いすること。「―絶倒する〔=おかしくて、ひっくり返るほど笑う〕」

ほうふく⓪【法服】【一】裁判官が法廷で着るガウン。〔昔は、判事・検事および弁護士なども着た〕 【二】僧の衣。法衣。

ほうふく⓪【報復】―する(自サ) 「仕返し」の意の漢語的表現。「―も辞さない/―措置を△取る(招く)/―手段」

ほうふつ⓪【〈彷彿〉・〈髣髴〉】―たる ―と ❶全く別のものなのによく似ていて、見る人に、記憶にあるそれ△が再現したと思わせる(をイメージさせる)様子だ。「兄の笑顔に亡き父のおもかげが―とする/昔日の栄華を―とさせる遺品の数かず」 ❷紛らわしくてはっきり見分けることができない様子だ。「水天―たる所」

ほうぶつせん⓪【放物線・〈抛物線】斜め上にほうった物が落ちるまでに描く曲線。パラボラ。〔数学では、平面上で定点と定直線とから等距離にある点を連ねた曲線〕 表記 「放」は、代用字。

ぼうォふら[0]【〈孑孑〉】水たまりに居る、カの幼虫。赤色をしており、からだを曲げのばしして泳ぐ。「ぼうふり[0]」とも。表記「〈孑孑〉」とも書く。かぞえ方 一匹

ほうォふん[0]【方墳】方形または長方形で上が平らな古墳。

ほうォぶん[0]【邦文】漢字・かなで書く、現在普通の日本語表記。国文。和文。「―タイプ[5]」⇩欧文

ほうォぶん[0]【法文】❶法令の条文。❷〔大学の分科としての〕法科と文科。「―科[0]・―学部[5]」

ほうォへい[0]【奉幣】―する(自サ) 神前にぬさを奉ること。

ほうォへい[1]【砲兵】旧陸軍兵科の一つ。大砲を使って戦う兵隊。

ぼうォへき[0]【防壁】〔敵・火・風雨などを〕防ぎとめるためのかべ。

ほうォへん[0]【褒〈貶〉】―する(他サ) 〔「褒」はほめる、「貶」はけなすの意〕相手の言動・存在を正しく認めたり低く評価したりすること。「家中の―/毀誉―」

ほうォべん[1]【方便】❶〔仏教で〕衆生を導くための手段。❷〔目的を果たすために仮に用いる〕便宜的な手段。「嘘も―」

ぼうォぼ[1]【亡母】亡くなった母。↔亡父

ほうォほうォ[0]【〈這々〉】(副) あわてふためいて、見るも無残なすがたで逃げる様子。「―の体で退散した」

＊＊ほうォほうォ[0]【方法】目的を果たすための(計画的に考えた)やり方。「―を採る(探る・選ぶ・開発する)/―が講じられる/―的にまちがっている」〔古くは「ほうぼう」とも〕 **―ろん**[3]【―論】研究方法そのものについての学問的論議。〔広義では、その事を、どのような手順・方法で扱っていけばよいかについての具体的な考えをも指す〕

ほうォほうォ[0]【〈蓬々〉】―たる ―と ❶草や木の葉(髪の毛やひげ)が、勢いよく生い茂って(手入れもされずに長く伸びて)いる様子だ。❷煙や蒸気(風)が盛んに立ち上っていたり強く吹いていたりする様子だ。

ほうォぼう[1]【方々】あちこち。「―で行なう/―に借金がある/―〔=いろいろな所を〕捜す」

ほうォぼうォ[0]【〈鋒鋩〉】刃物の切っ先。穂先。〔鋭い気性の意にも用いられる。例、「―を現わす」〕

ほうォぼうォ[0]【〈魴鮄〉・〈竹麦魚〉】海の底にすむ硬骨魚。赤紫色の胸のひれではって歩く。食用。〔ホウボウ科〕かぞえ方 一匹

ぼうォぼうォ[1]【某々】だれだれ。〔名前が分からないか、または あげにくい時に使う〕

ぼうォぼうォ[0]【〈茫々〉】―たる ―と ❶広(遠く隔たり)過ぎて、限界(そこに何があるか)が分からない様子だ。❷やたらに草(髪・ひげ)が生えて、いつ刈ったか分からない様子だ。

ぼうォぼうォ[1](副)―と 炎を上げて火が盛んに燃える様子。「野原の枯れた草が―燃え出す」

ほうォぼく[0]【芳墨】〔においのよい墨の意〕相手の筆跡・手紙の敬称。「―帳[0]〔=署名帳〕」

ほうォぼく[0]【放牧】―する(他サ) 牛馬などを放し飼いにすること。「―地[4][3]」

ぼうォまい[0]【亡妹】亡くなった妹。

ほうォまつ[0]【泡〈沫〉】あわ。〔はかない存在の形容としても用いられる。例、「―会社[5]〔=出来たかと思うと、すぐつぶれてしまう会社〕・―候補[5]」〕

ほうォまん[0]【放漫】―な ―に でたらめで、しまりのない様子だ。「―財政[5]」 派 **―さ**[0][3]

ほうォまん[0]【豊満】―な ―に ❶豊かで十分な様子だ。「―な色彩」❷〔女性の〕肉づきがよくて、見事な様子だ。 派 **―さ**[0]

ほうォまん[0]【飽満】―する(自サ) おなかが一杯になるまで食べること。〔古くは、「ぼうまん」〕

ぼうォまん[0]【暴慢】―な ―に 粗暴で、傲慢な様子だ。 派 **―さ**[0]

ぼうォまん[0]【膨満】―する(自サ) (中にガスがたまって)膨れ上がること。「腹部―」

ほうォみょうォ[0][1]【法名】↔俗名 ❶出家した人につける名前。❷僧が死者に引導を渡す時につける名前。戒名。

ぼうォみん[0]【暴民】暴動を起こした人民。

ほうォむ[1]【法務】❶法律関係の事務。❷ **―しょうォ**[3]【―省】法律に関する事務や人権の保護などの行政を受け持つ中央官庁。〔長官は、法務大臣[4]。別称は法相・法務相[3]〕 ❸大きな寺の庶務係の僧。

＊ほうォむ・る[3]【葬る】(他五) ❶〈どこニだれヲ―〉なんらかの意味で縁のある人(たち)が、死体・遺骨をおさめて、安らかな死後を祈る。❷〈なに・どこカラ(なに・どこニ)なに・だれヲ―〉公表し(され)たくない事柄を、人目につかぬように処置する。「(闇から)闇へと葬られる」❸〈なに・どこカラ(なに・どこニ)なに・だれヲ―〉ねたみ・謀略などに基づいて、世に栄えている勢力者に対し徹底的な打撃を与え、再び社会的活動が出来ないようにする。「社会から葬り去られる」

ほうォめい[0]【芳名】「(相手の)名前」の意の尊敬語。〔冠婚葬祭や宴会などの参加者に対して多く用いられる〕「ご―はうかがっております/―録[3]」

ぼうォめい[0]【亡命】―する(自サ) 政治上・宗教上などの理由で、本国を脱出して他国に逃げること。「―政権[5]」

ぼうォめつ[0]【亡滅】―する(自他サ) その種や国家・民族などが滅びる(を滅ぼす)こと。「ローマ帝国の―」

＊ほうォめん[3]【方面】❶(その)方向の地域。「東京―」❷それに関する分野(部分)。「哲学の―で/―委員[5]〔=民生委員の旧称〕」

ほうォめん[0]【放免】―する(他サ) 無罪と分かった被疑者、刑期を終えた服役者を、自由の身にすること。「仕事から―〔=解放〕される」

ほうォもうォ[0]【法網】罪を犯した者を捕らえるものとされる、法という網。「―をくぐる〔=法の裏をうまくかいくぐって悪事をする〕」

ぼうォもうォ[0]【紡毛】〔↑紡毛糸[3]〕短繊維の獣毛で織った織物。

ほうォもつ[0]【宝物】〔権力・権威の象徴として代々伝えられてきた〕たからもの。「―殿[4]」〔古くは、「ほうぶつ」〕

ほうォもん[0]【法文】仏法を説いた、お経の文章。「―歌[3]〔=一種の和讃〕」

ほうォもん[0]【法門】仏法。仏門。

ほうォもん[0]【法問】仏法についての問答。

ほうォもん[0]【砲門】砲身のつつぐち。砲口。「―を開く」

＊ほうォもん[0]【訪問】―する(他サ) 〈どこヲ―する〉〔用事・挨拶などのために〕目当てとする人の家(居る所)に行くこと。また、行ってその当人に会うこと。「先生のお宅を―する/―着[3]〔=女性の和装の礼服で、紋付に次ぐ晴れ着〕・―客・―販売・家庭―」

ぼうォや[1]【坊や】男の子を親しんで言う言葉。ぼっちゃん。〔世慣れていない男性を、軽い侮蔑を含意して言うのにも用いられる。例、「あいつはいくつになっても―だね」〕

ほうォやく[0]【邦訳】―する(他サ) 外国語の文章を日本文に訳すこと(訳したもの)。「『風と共に去りぬ』は『ゴーン ウィズ ザ ウィンド』を―したものだ/―書[0][5]」

ほうォゆうォ[0]【〈朋友〉】「(信頼し合っている)友達」の意の漢語的表現。

ぼうォゆうォ[0]【亡友】亡くなった、私の友人。

ぼうォゆう⓪【暴勇】 無謀な勇気。

ほうォようォ⓪ー【包容】ーする(他サ) おおらかで、自分と反対意見を持つ人、自分の悪口を言う人などと、承知の上でつきあうこと。「ー力③」

ほうォようォ⓪ー【抱擁】ーする(他サ) だきかかえるようにして△愛撫する(親愛の情を表わす)こと。

ほうォようォ⓪【法要】 死者を弔うためにする法事。「四十九日のーを営む」

ぼうォようォ⓪【亡羊】 逃げた多くの羊。「ーの嘆(=別れ道が多く、逃げた羊を見失って困ることから、学問の道は広いのに自分の能力には限りがあり、前途に光明を失うことのたとえ)」

ぼうォようォ⓪【〈茫洋・〈芒洋】ーたる ーと 広過ぎて、見当のつかない様子だ。派ーさ⓪

ほうォよく⓪【豊沃】ーな 土地が肥えて作物がよく実る様子だ。「ーな大地からの恵み」

ほうォよく⓪【〈鵬翼】 ❶鵬のつばさ。「図南のー(=鵬は南に向かって翼を広げるということから、江戸時代にはるか西欧と修好しようとした、壮大な計画)」 ❷「航空機」の意の古風な表現。

ぼうォよみ⓪ー【棒読㋯】ーする(他サ) ❶漢文を音読みにすること。 ❷句読点や抑揚を無視して一本調子に読むこと。

ボウラー①〔bowler〕 ボウリングを△愛好する(職業とする)人。ボーラー①とも。「プロー」

ほうォらい⓪【〈蓬萊〉】 ❶〔中国の伝説で〕東海にあって仙人の住むという山。「ー山③」 ❷「蓬萊❶」にかたどり、縁起のいい物を飾った台。 ❸〔↑蓬萊飾り⑤〕「三方❷」の上に米を盛り、のしあわび・かちぐり・コンブなどを飾った新年の祝い物。 ❹「台湾」の異称。「ー米⓪」

ほうォらく ー【法楽】 ❶⓪ 神仏の前で読経・奏楽し、芸能を献納して神仏を慰めると同時に、自分も無我の境に浸ること。「ー和歌⑤」 ❷①⓪ 慰み。楽しみ。「見るがー／目ー②」 表記 ❷は俗用で、「放楽」とも書く。

ほうォらく⓪【崩落】ーする(自サ) ❶くずれ落ちること。「橋のー事故」 ❷〔取引で〕相場が急に下落すること。

ぼうォらく⓪【暴落】ーする(自サ) 物価・株価などが急に大幅に下落すること。↔暴騰

ほうォらつ⓪ー【放〈埒】ーな ーに 〔もと、馬が埒外に出て自由に振る舞う意〕気ままに、遊楽にふける様子だ。派ーさ⓪

ほうォらん⓪ー【抱卵】ーする(自サ) ❶親鳥が卵を抱いてあためること。 ❷魚が腹の中に卵を持つこと。

ほうォり①ー【法理】 法律の原理。「ー論③」

ぼうォり①【暴利】 不当に多い利益。「ーをむさぼる」

ほうォりき⓪ー【法力】 仏法の△功徳(威力)。

ほうォりこ・む④ー【放り込む】(他五) (むぞうさに)入れる。「チョコレートを口にー／なんでもかんでも一緒に引出しの中にー／時計を質にー」

ほうォりだ・す④ー【放り出す】(他五) ❶はずみをつけるようにして、そのものを△乱暴(むぞうさ)に別の所に移す。「衝突した車から放り出される／知らない人の間に放り出される〔=なじんだ家庭環境から離れ、自分で一から始める必要のある状況に置かれる〕」 ❷△無用(じゃま)なもの、処理しきれないものとしてあきらめ、捨て去る。「手に持っていた物も放り出して逃げる／仕事をー〔=ⓐ途中で放棄する。ⓑ着手しないでおく。ⓒサラリーマン生活をやめる〕／会社を放り出された〔=首になった〕」 ❸何かの目的のために、自分の財貨を△惜しげも無く提供する(思いきって注ぎ込む)。

**ほうォりつ⓪ー【法律】 社会秩序を守るため、国民が従わなければならないと定められた、その国のきまり。国会の議決など一定の手続きによって制定される。法典。法。「ーで定める／ーに触れる／ーの趣旨を貫く／ー的にはまだ夫婦でない／ー事務所⑥・ー案④・ー問題⑤」 ーか⓪【ー家】 法律の専門家。 ーこうォい⑤ー【ー行為】〔私法上〕一定の法律上の効果が生じることを期待してする行為。

ほうォりな・げる⑤ー【放り投げる】(他下一) 「ほうる」の意の強調表現。

ほうォりゃく⓪ー【方略】 敵対する相手をやっつけたり陥れたりするための はかりごと。計略。

ぼうォりゃく⓪【謀略】 相手を陥れるための はかりごと。

ほうォりゅう⓪【放流】ーする(他サ) ❶せきとめた水などを、せきをはずして流すこと。 ❷養殖のために、卵からかえったばかりの魚を川などに放すこと。

ぼうォりゅう⓪【傍流】 ❶本流から分かれ出た流れ。支流。 ❷主流からはずれた流派・系統。

ほうォりょうォ⓪ー【豊漁】 その時期の漁獲高が例年より多いこと。「今年はサンマのーが見込まれる」

*ぼうォりょく①【暴力】 たいした理由も無いのに人を殴ったり反対意見をおおぜいの力で抑圧したりするような、乱暴な行為。「ーをふるう／ー的な手段／ー政治」 ーだん④【ー団】 暴力を頼んで悪事を働く無法者たちの集まり。

ほうォりん⓪ー【法輪】 「仏法」の美称。「転ー」

ボウリング⓪〔bowling〕 直径約二〇センチのたまを片手でころがして、約一八メートル先に置かれた十本のピンを倒す室内競技。

ほう・る⓪【放る・〈抛る】(他五) 〔「はぶる」の変化という〕 ❶手に持っている物を離れた位置に移そうとして、△軽くはずみをつけて(むぞうさに)投げるようにして手元から離す。「ポイとー〔=ⓐトスする。ⓑ捨てる〕／紙屑を屑籠にー／無神経に本を放ってよこした」〔=投げる〕 ❷△重要でない(不急の)ものとして、積極的には取り上げないでおく。「何も急ぐことはないと、頼まれた用事を放っておく〔=⇩ほっとく〕／仕事を放って〔=ⓐ途中でやめて。ⓑしないで〕テレビを見る」

ボウル⓪〔bowl〕 〔料理の材料を交ぜたり 洗い物をしたりする時に使う〕深い(金属製の)鉢。ボールとも。「サラダー・フィンガーー」

ほうォるい⓪ー【砲塁】 大砲の据え付けてある軍事拠点。

ほうォるい⓪【〈堡塁】 敵の攻撃を防いだり 敵を攻撃したりするための構築物。石・砂利・コンクリートなどで造る。

ぼうォるい⓪ー【防塁】 防御を中心とした堡塁。

ほうォれい⓪ー ■一【法令】 法律と命令。「ー集③」 ■二【法例】 ❶さだめ。しきたり。 ❷法律の適用に関する通則。〔現在は「通則」と言う〕

ほうォれい⓪【豊麗】ーな ーに 肉づきが豊かで美しい様子だ。

ぼうォれい⓪【亡霊】 ❶死者の魂。 ❷幽霊。

ぼうォれい⓪【傍例】 ある事柄の証明となり得る事例。

ぼうォれい⓪【暴戻】ーな ーに 乱暴で、むやみに人民をいじめる△こと(様子)。

ほうォれいせん⓪【法令線】 小鼻の両わきから口の両はしにのびる八の字形のしわ。〔このしわを観相術の用語で「法令」と言うことから〕 表記 「豊麗線・豊齢線」とも書く。

ほうォれき⓪ー【邦暦】 日本の年号によって表示される暦。和暦。「西暦二〇〇〇年はーで平成十二年にあたる」

ほうォれつ⓪ー【芳烈】ーな ーに ❶いいにおいがしきりにする様子だ。 ❷義烈。

ほうォれつ⓪ー【放列】 ❶火砲を射撃出来るように並べた隊形。 ❷ずらりと横に並んだ隊形。「カメラのーをしく」 表記 ❶は、「砲列」とも書く。

ほうォれん⓪【〈鳳輦〉】 屋形の上に金色の鳳凰を飾った

輿コシ。昔、天皇の乗り物に使った。かぞえ方 一台

ほうれんそう③【〈菠薐〉草】畑に作る一、二年草。葉はタンポポに似て、茎・根は赤みを帯びている。鉄分・ビタミン類に富み、おひたしなどにして食べる。〔ヒユ科(旧アカザ科)〕かぞえ方 一束・一把ワ・一袋

ほうろう⓪【放浪】—する(自サ)〔性分または、やむを得ない事情で〕一か所に長くとどまらず、気任せ・足任せに各地を旅すること。「—記③・—者③・—生活」

ほうろう⓪【〈琺瑯〉】△金属器(陶磁器)の表面に焼きつける、ガラス質の不透明なうわぐすり。また、それを焼きつけた物。瀬戸引き。 **—しつ**③【—質】⇩エナメル質 **—びき**⓪【—引(き)】金属器の表面に琺瑯を焼きつけること。また、そのようにした金属器。光沢があり、丈夫で腐食しにくい。

ほうろく⓪【俸〈禄〉】〔武士が〕大名から受けた給料。食禄。

ぼうろう⓪【望楼】「物見やぐら」の意の漢語的表現。

ほうろく⓪【〈焙烙〉】物を煎イったり蒸焼きにしたりするのに使う、素焼きの土なべ。かぞえ方 一枚

ぼうろん⓪【暴論】常識をはずれた、乱暴な議論。

ほうわ⓪【法話】仏法の趣旨を、だれにでも分かるようにやさしく説いて聞かせる話。

ほうわ⓪【飽和】—する(自サ) ある量を含みうる限度に達した状態。「〈商品普及の〉—点に達する/—量③・—状態④」 **—しぼうさん**⓪【—脂肪酸】炭素の二重結合を持たない脂肪酸。牛肉・豚肉などのあぶら、バター・チーズに含まれる。↔不飽和脂肪酸

ポエジー①〔フ poésie ド Poesie=詩〕詩情。詩味。

ほえづら⓪【〈吠〉え面】苦痛にゆがんだ泣き顔。「生意気な口をきいて、—かくな〔=あとで後悔することになっても知らないぞと、相手をおどすのに用いる言葉〕/—をかく」

ポエム①〔poem〕詩(的情緒)。

***ほ・える**②【〈吠〉える・〈吼〉える】(自下一) ❶〈だれ・なにニ〉—〉猛獣・犬などが警戒や合図のため△高い(大きな)声を出す。〔俗に、人が△大声で泣く(どなる)意にも用いられる〕⇩うなる ❷荒天のため、強風が(高木にぶつかったり高波を起こしたりして)大きな音を出す。「△嵐アラシ(海)が—」

ほお①【〈朴〉】げた・版画などに使う落葉高木。五月ごろ、黄色がかった白色で、香気の強い大形の花を開く。ほおのき①。〔モクレン科〕かぞえ方 一株・一本

ほお①【頰】顔の両わきの、柔らかい部分。ほほ。「—が落ちそう〔=とてもうまい〕/—を染める〔=恥ずかしさのために、まっ赤になる〕」

ボー①〔baud ← J. M. E. Baudot=フランスの電信技師〕データ通信の変調速度の単位。一秒間に何回「変調㊃」を行なえるかを表わす。

ボー①〔bow〕襟などにつける、蝶チョウ形に結んだリボン。

ほおあて④⓪【頰当(て)】武具で顔を保護するものの一部。主として顔全体・目から下・顎アゴにあてるものの総称として用いられる。

ボーイ①〔boy〕❶⓪①(年少の)男の子。少年。「—ソプラノ④」↔ガール ❷⓪男性の給仕。ウエーター。

ボーイスカウト⑤↔ガール スカウト ❶〔Boy Scouts〕少年の心身の訓練・ボランティア活動などを通じての社会参加を目的に設立された団体。❷〔boy scout〕「ボーイスカウト❶」の団員。

ボーイッシュ③①—な〔boyish〕〔女性の体形・髪型・服装などが〕少年のような印象を与える様子だ。「—なスタイル」

ボーイフレンド⑤〔boy friend〕交際相手としての男性。または、ごく親しい男友達。↔ガールフレンド

ほおえ・む③【《微笑む》】(自五)〔頰ホオ笑む意〕ほほえむ。

ポーカー①〔poker〕トランプ遊びの一種。「—フェース⑤〔=完全に表情を隠した顔〕」

ほおかぶり③【頰《被(り)》】—する(自サ) ❶〔人に顔を見られないように、また、寒さを防ぐなどのために〕手ぬぐいを頭から頰にかけて包むように被り、あごの下で結ぶこと。❷〔自分に都合の悪いことについて〕知らない顔をすること。「—をきめこむ」〔❶❷とも「ほおかむり③・ほっかむり③」とも〕

ボーカリスト④〔vocalist〕声楽家。

ボーカル⓪①〔vocal〕❶声楽。「—ソロ⑤」❷〔ポピュラー音楽で〕歌唱。ヴォーカルとも。 **—フォア**⑤〔和製英語 ←vocal+four〕四重唱団。

ボーキサイト④〔bauxite〕アルミニウムの原鉱石。

ボーク①〔balk〕❶〔野球で〕走者が居る時の、投手の反則的行為。⇩セットポジション ❷フィールド競技で試技を失敗すること。

ポーク①〔pork〕豚肉。「—カレー・—カツ④・—チョップ④・—ソテー④」

ほおげた④⓪【頰桁】頰骨が高く突き出ている所。

ほお・ける③(自下一)〔タンポポの種などが〕けばだって、乱れる。「ほける」とも。表記「〈蓬ホオ〉ける」とも書く。

ボーゲン①〔ド Bogen=弦〕❶〔音楽で〕弦楽器の弓。❷〔スキーで〕プルークボーゲンの略。二枚の板をV字形に開いた形で回転すること。

ポーション①〔portion〕全体を何人かで分けた際の一人の取り分。

ほおじろ⓪【頰白】スズメに似た小鳥。目の後ろに細く白い線があり、よくさえずる。〔ホオジロ科〕かぞえ方 一羽

ホース①〔hose〕〔ゴム・ビニール・布製の〕水・ガスなどを送る管。かぞえ方 一本

ポーズ① ❶〔pause〕休止。〔朗読・せりふの〕間マ。「—を置く」❷〔pose〕〔絵や彫刻などの〕モデルのとる姿勢。「—をとる〔=カメラを△意識して(の注文に応じて)撮影しやすい姿勢をとる〕/—をつくる〔=気どった姿勢をとる〕/あれは—〔=見せかけの態度〕だけだよ」

ホースアウト④—する(他サ)〔force-out〕⇩フォースアウト

ほおずき⓪③④【〈酸漿〉・〈鬼灯〉】❶庭に植える多年草。実は赤くて丸く、六角の袋に包まれている。中の種を出し、口に含んで鳴らす。〔ナス科〕❷うみほおずき。かぞえ方 一本

ほおずり③⓪④【頰擦(り)】—する(自サ) 親愛の情を表わすために、自分の頰を(相手の頰に)すりつけること。

ボースン①〔boatswain〕船の甲板で作業する乗組員の職長。甲板長コウハンチョウ。ボーシン①とも。〔俗に、親方の意にも用いられる〕

ボーダー①〔border〕❶境界。❷横じま。また、衣服などの縁飾り。「袖ソデの—/—柄ガラのTシャツ」 **—ライン**⑤〔border line〕❶境界線。❷〔どちらとも決めにくい〕すれすれの△所(場合)。「—ケース⑧」 **—レス**①—な・—に〔border-less〕〔どちらとも決めにくい〕すれすれの…

ポーター①〔porter〕❶ベースキャンプまで登山隊の荷物運びをする、(現地の)労働者。❷赤帽❷。

ボータイ⓪〔bow tie〕蝶チョウネクタイ。ボウタイとも。

ポータビリティー④〔portability=持ち歩きができる意〕❶加入している電話事業者を変更しても、電話番号を変えずにそのまま移行できる制度。「番号—⑧」❷確定拠出型年金で、転職時にそれまでの年金資産を転職先に移動

できること。

ポータブル[1]〔portable〕〔レコード プレーヤー・ラジオ・テレビ・タイプライターなどの〕携帯用(のもの)。「―ラジオ」

ポータル サイト[5]〔portal site ポータルは、入り口の意〕インターネットを利用するとき、最初に閲覧するページ。情報の検索が容易になるように多数の検索項目がある。

ポーチ[1]〔porch〕洋風建築の車寄せ。〔米語では、ベランダを指す〕

ポーチ[1]〔pouch〕小物や化粧品などを収納する小形のバッグ。「ウエスト―[5]」

ほおづえ[0][3]【頰〈杖〉】(ホホヅエ) ひじをつき、掌(テノヒラ)で頰を支えること(姿勢)。「―をつく〔=机などに向かって、何かを△ぼんやりと(あれこれと)考える時の動作〕」

***ボート**[1]〔boat〕〔西洋風の〕小舟。「ゴム―・モーター―・U―」 かぞえ方 一艘(イッソウ)・一隻(イッセキ)

ボード[0][1]〔board〕❶板または板状の建築資材。「ハード―[4]」 ❷文字を書き記すための板。ボールドとも。「スコア―・ホワイト―」

ボード ゲーム[4]〔board game〕チェスやバックギャモンなど、盤上で行なうゲームの総称。

ボード セーリング[4]〔board sailing〕⇨ウインドサーフィン

ボードビリアン[4]〔vaudevillian=通俗喜劇の意のフvaudeville に由来する同スペリングの英語に、接辞 -ian を加えたもの〕軽演劇の喜劇俳優。

ポートフォリオ[4]〔portfolio=携帯用の書類入れ〕❶〔経済で〕現金・株式・債券などの資産の構成。❷画家・写真家・デザイナーなどの個人の作品集。

ボート レース[4]〔boat race〕❶ボートをこいで速さを争う競技。❷競艇。

ポートレート[4]〔portrait〕肖像(画)。

ポート ワイン[4]〔port wine, port=ポルトガルの港名 Oporto の変化〕酒精強化をした甘みのある赤ワイン。一般のワインよりアルコール度数が高め。

ボーナス[1]〔bonus〕賞与❷。

ほおば[3]【《朴葉》】(ホホ) ホオの葉。「―味噌(ミソ)」

ほおば[0][1]【《朴歯》】(ホホ) ホオノキで作った厚い歯を入れた高げた。かぞえ方 一足

ほおば・る[3]【頰張る】(ホホ)(他五) 口の中一杯に食物を入れ(て、食べ)る。

ほおひげ[0][2]【頰〈髭〉・頰〈髯〉】(ホホ) 鬢(ビン)の下から、顔の側面に沿って生やした髭。

ホープ[1]〔hope=希望〕将来が期待される(若い)人。

ほおぶくろ[3]【頰袋】(ホホ) サルの頰の内側にあり、食物をたくわえておく袋状の部分。猿頰(サルボオ)[0][2]。

ほおべに[0][3]【頰紅】(ホホ) 頰につける紅。「―を△さす(つける)」

ほおぼね[0]【頰骨】(ホホ) 頰の上部の突き出た骨。顴骨(カンコツ)。「やせて―ばかりが目立つ顔」

ホーマー[1]〔homer〕〔野球で〕本塁打。

ホーム[1] プラットホームの略。「―で待つ/三番―」

ホーム[1]〔home=家庭〕❶我が家。「―ドクター[4]〔=主治医〕・―ヘルパー[4]・―ソング[4]〔=家庭向きの歌〕・―ドラマ・―バー[4]〔=自分の家の食堂などの片すみに作ったバー〕・―シアター[4]〔=自分の家に備える大画面の映像機器(を設置した部屋)〕」 ❷療養所・孤児収容所などの施設。❸〔野球で〕ホーム ベースの略。「―イン[3]〔=生還〕・―スチール[5]〔=本塁への盗塁〕」

ホーム グラウンド[5]〔home grounds〕❶そのスポーツチームの本拠地としての競技場。〔狭義では、プロ野球のそれを指す〕 ❷その人が活躍し慣れた△場所(領域)。

ホームシック[4]〔homesick〕家・故国を離れて暮らしている時に起こる病的状態。「―にかかる」⇨ノスタルジア

ホームステイ[5]―する(自サ)〔homestay〕短期留学生が一般家庭に寄留して、家庭的雰囲気の中で勉学すること。

ホームストレッチ[6]〔homestretch〕競技場・競馬場などで、決勝点に入る最後の直線コース。↕バックストレッチ

ホームスパン[4]〔homespun〕糸の太い、手織り(風)の毛織物。

ホーム センター[4]〔home center〕日曜大工用品・自動車関連用品・園芸用品・家庭用雑貨など、生活用品を幅広く取り扱う大型の小売店。

ホームタウン デシジョン[8]〔hometown decision〕〔ボクシング・サッカーなどで〕とかく地元の△選手(チーム)に有利に判定しがちであること。

ホーム ドア[4]〔和製英語 ←platform + door〕〔駅で客が線路に転落したりするのを防ぐため〕プラットホーム上に線路に沿って設けられたドア。電車のドアに合わせて自動で開閉する。可動式ホーム柵。

ホーム ドラマ[4]〔和製英語 ←home + drama〕家庭の日常生活に起きる出来事を題材としたテレビドラマや映画。

ホーム ドレス[4]〔home dress〕〔女性の〕実用的で簡単な洋風のふだん着。かぞえ方 一枚

ホーム プレート[5]〔home plate〕⇨ホーム ベース

ホームページ[4]〔homepage=本拠となる画面〕インターネット上でその団体・個人が公開する一連の情報のうち、そこに接続した際 最初に表示されるもの。「―を開設する」

ホーム ベース[4]〔home base〕〔野球で〕本塁。略してホーム。またホーム プレートとも。

ホーム ラバー[4]〔foam rubber〕⇨フォーム ラバー

ホーム ラン[3]〔home run〕〔野球で〕本塁打。ホーマー。「―ダービー[6]・場外―[7]」 かぞえ方 一本・一発

ホームルーム[4]〔homeroom〕〔中学校・高等学校で〕教師の指導の下に、担任学級の生徒の自発的な活動を助けて健全な生活態度を育成するための教育活動。また、その時間。

ホームレス[1]〔homeless〕△住む(帰る)ことの出来る家がなく、公園や地下道などに寝泊りしている人。

ボーメ[1]〔Baumé ← A. Baumé=フランスの化学者〕液体の比重を測る時の目盛〔記号 Bé〕。一〇または一五パーセントの食塩水を基準とする。「―比重計[0]」

ポーラー[1]〔poral (=商標名)を耳で聞いたままの形〕より の強い糸で粗く織った、夏服地用織物。ポーラ[1]とも。

ボーリング[0]―する(自サ)〔boring〕❶穴をあけること。「―マシン[7]」 ❷地質調査や石油採掘のため、また井戸を掘るために、地中に深く穴をあけること。

ホール[1]〔hall〕❶(大)広間。「玄関―」 ❷会館。会堂。

ホール[1]〔hole〕〔ゴルフで〕たまを入れる穴。「十八―・―インワン[6]〔=最初の打球でボールがホールに入ること〕」

***ボール**[0]〔ball〕❶たま❷。まり。❷〔野球で〕ストライクにならない投球。(表示板では)Bで表示される。⇨ストライク

ボール(造語)〔board の変化〕〔←ボール紙[0]〕わらを原料とした△黄色(茶色)がかった厚紙。「―箱[0][3]・段―」

ボール[0]〔bowl〕⇨ボウル かぞえ方 一枚

ポール[0][1]〔pole〕❶細長い棒。柱。「トーテム―」 ❷〔路面電車・トロリーバスなどの〕屋根の上にある、架線から電気をとる棒。❸〔棒高跳(ボウタカトビ)の〕棒。❹間竿(ケンザオ)。❺電極。

❻極点。「ついに―に達した」 [かぞえ方] ❶～❹は一本

ボール カウント[4]〔ball count〕〔野球で〕打席に入っている打者に対する、ストライクとボールの数。

ボールド ■一[1][0]〔board〕⇩ボード❶ ■二[1]〔←bold face〕欧文活字体の一つ。肉太が特徴。

ホールド アップ[5]―する(自サ)〔hold up〕〔「手を上げろ、抵抗するな」と命じる語〕両手を上げて抵抗する意思の無いことを表明すること。

ボール ばん[0]【ボール盤】〔オ boor bank から。「盤」は、bank の音訳〕鉄板に穴をあける工作機械。

ボール ベアリング[4]〔ball bearing〕回転軸と軸受けとの摩擦を減らすため 間に鋼鉄製のたまを入れたもの。たま入り軸受け。

ボール ペン[0]〔←ball-point pen〕回転する小さな たまをペン先の代りに はめこんだ筆記用具。 [かぞえ方] 一本

ポール ポジション[5]〔pole position〕自動車レースのスタートで、最も有利な最前列のいちばん内側の位置。予選で最も速い記録を出した車に与えられる。

ボーロ[1][0]〔ポ bolo〕小麦粉に鶏卵を入れて軽く焼いた、小さい丸い形をした菓子。ボール[1][0]とも。

ほおん[0]【保温】―する(自他サ) 冷めないまま一定の温度を保つこと。「―性[0]」

ボーン ヘッド[4]〔bone head〕〔野球で〕だれでも「ぼか」と認める、まずいプレー。ボン ヘッド[3]とも。

*__ほか__ ■一[0]【外・他】❶△問題(話題)として取り上げた範囲には含まれないもの。「―にご意見はありませんか/あの店が休みなら―(の店)を捜そう/その日は都合が悪いから―の日にしたい/関係者ばかりでなく―からも話を聞く/佐藤―(=に加えて)五名」 ❷ある限度・許容範囲を超えたところ。「△沙汰(論・問題)の―/思いの―(=予想外)/恋は思案の―」 ■二(副助)〔「―ない」などの形で〕それ以外には手段・方法が無いことを表わす。「私としては行く―ない/こうなったからにはただ謝る―ない/そうするより―仕方あるまい/△気の毒(迷惑至極)と言う―は無い」 [文法] 動詞、形容詞・形容動詞の連体形、格助詞「より」に接続する。〔名詞との区別がつけにくい〕

[運用] ■二❶は、「ほかでもない(が)」などの形で、当然相手も予期していると思われる重要な事柄を話題とする際の前置きの言葉として用いられることがある。例、「君を呼んだのはほかでもない(が)、例の海外支社設立の件で話をしたいと思ったからだ」

ぽか[1]「なんでもない場面においてしてしまう、予測もしなかった失敗」の意の口頭語的表現。「時どき―をやる/大―[0]」

ほかい[0]【補回】〔野球で〕九回で勝負がつかない時、回を延長すること。また、その回。「―戦[0](=延長戦)」

ほがい[0]【《祝】〔「ことほぐ」意の文語動詞「ほがふ」の連用形の名詞用法〕(その人たちの)祝い事。

ほかく[0]【捕獲】―する(他サ) ❶動物を傷付けずに生け捕りにすること。❷〔敵国の船などを〕つかまえること。

ほかく[0]【補角】〔幾何学で〕平角より小さい角が与えられた時、平角からその角を引いた大きさの角。

ほかげ[0][2]【火影】❶〔暗い所で見える〕灯火の光。❷ともしびにうつしだされた姿。 [表記] 「《灯影」とも書く。

ほかげ[0]【帆影】遠くに見える、船の帆(の姿)。 [かぞえ方] 一幅

ほかけ ぶね[4]【帆掛(け)船】帆をかけて走る船。

ほか・す[2](他五)〔中部以西の方言〕捨てる。そのまま放っておく。 [表記] 「《放す・《放下す」とも書く。

*__ぼか・す__[2]【《暈す】(他五)〈なにヲ―〉❶色の濃淡の境をぼんやりさせる。❷断定的表現を避けるようにする。「意見を―」〔❶の名詞形は、「暈し[3]」〕

ぽかっ と[2](副)〔「ぽかりと[2]」の強調表現〕❶一発げんこつで殴りつける様子。❷全体の中でそこの部分だけがすっかり抜け落ち(て、不都合が生じ)る様子。ぽっかり。「―穴があく」〔❶❷とも「ぽかんと」とも〕

ほかならない[4]【他ならない・外ならない】❶…以外のものではない。まさに…そのものだ。「努力の結果に―」 ❷他の人と違って、特別の関係にある。「―あなたのことだから…」

ほかならぬ[4]【他ならぬ】 ほかならない。「―…である(=今から言及するのは、あなたも御承知の…である)」

ほかほか ■一[1](副)―と―する 快い熱気が伝わってきて、からだがあたたまる様子。「懐炉のおかげで背中が―(と)する」 ■二[0]―に―の 熱気がこもっていて湯気が上がるほどの状態である様子だ。「揚げたて―のコロッケ/温泉につかり体が―になる」

ぽかぽか ■一[1](副) ❶―と―する からだの中まで快い暖かさが感じられる様子。「陽ヒが―と暖かい三月の末/水を浴びたらからだが―してきた」 ❷―と げんこつで続けざまに殴りつける様子。「相手かまわず―(と)殴る」 ■二[0]―に―の 「ほかほか■二」の強調表現。「体操のおかげで体が―になった」

*__ほがらか__[2]【朗らか】―に―な ❶気持が明るくて、少しのわだかまりも無い様子だ。「―な人」 ❷空が晴れ渡り、雲一つ無い様子だ。「―に晴れた秋の空」 [派]―さ[4][3]

ほかん[0]【保管】―する(他サ) 他人の物を預かって管理すること。「―料[2]」

ほかん[0]【補完】―する(他サ) △空白になっている(不十分な)所を補って、全体として完全なものにすること。「―的役割」

ぼかん[0]【母艦】航空母艦・潜水母艦などの総称。

ぽかんと[2](副) ❶⇩ぽかっと ❷突然の出来事にあっけに取られ、(思わず口をあけて)ぼんやりしている様子。「びっくりしてただ―口をあけていた/―見ている奴ヤツがあるもんか」

ほき[1]【補記】―する(他サ) あとから補って△書くこと(書いた物)。

ぼき[1]【簿記】〔book-keeping の音訳〕〔企業体などで〕金の出し入れを帳簿に書き入れて、整理する方法。「―棒[2][0](=簿記に使う棒状の定規)・単式―・複式―」

ボギー[1]〔bogey〕〔ゴルフで〕そのホールの規定打数よりも一つ多い打数。「ダブル―[4](=二つ多い打数)」

ボギー しゃ[2]【ボギー車】〔bogie〕曲がった線路を通る時に車体がよく回れるような構造の(大形の)車両。

ほきだ・す[3][0]【《吐(き)出す】(他五)〔東北から中部までの方言〕はき出す。

ボキャブラリー[2]〔vocabulary〕語彙イ。「―が豊富で表現力に富む」

ほきゅう[0]【捕球】―する(自他サ)〔野球で〕ボールをとること。

*__ほきゅう__[0]【補給】―する(他サ)〈なに・どこニなにヲ―する〉△足り(少)なくなった材料を補い与え(もとどおりにす)ること。「△栄養(ガソリン)の―」

*__ほきょう__[0]【補強】―する(他サ)〈(なにデ)なに・どこヲ―する〉弱い所を手入れしたり足りない所を補ったりして、強くすること。「―を図る/―工事[4]・―材[2]」

ほきん[0]【保菌】体内に病原体を持っていること。 ―しゃ[2]【―者】体内に病原体を持っていて、他に感染させるおそれのある人。キャリア■二❹。〔本人に自覚症状の無い場合〕

ぼきん[0]【募金】―する(自サ) 寄付金などを広く一般から集めること。「街頭―」

ほく(北)→【字音語の造語成分】

ほぐ[1]【《反《故・《反《古】⇩ほご(反故)

ぼく(〈卜・木・目・朴・牧・睦・僕・墨・撲)→【字音語の造語成分】

ぼく[1][0]【僕】(代)〔心情的には貴方(アナタ)の僕(シモベ)に過ぎない私、の意で、もと、男子の謙称〕男が同等(以下)の相手に対して使う、砕けた自称。〔青少年にとっては「おれ」などより改まった言い方として用いられる〕↕君(キミ) ⇩【造語成分】 運用 幼い男の子に対する呼びかけの語として用いられることがある。例、「ぼく、年はいくつ?」

ほくい[1](ヰ)【北緯】地球の北半球にある点の緯度を表わす数値〔=零度から九〇度まで〕の前に添える語。「北極は—九〇度」↕南緯

ほくえつ[0](エツ)【北越】越後(エチゴ)〔=新潟県〕。

ほくおう(オ)[0]【北欧】ヨーロッパの北部。北ヨーロッパ。〔具体的には、ノルウェー・スウェーデン・フィンランド・デンマーク・アイスランドを指す〕「—雑貨」↕南欧

ほく

【北】きた(の方)。「北部・北欧・北上・北極・北限・北辰(シン)」↕南(ナン)

ぼく

【〈卜】うらなう。また、うらなって、決める。「卜者・卜筮(ゼイ)・卜占・亀(キ)卜・売卜」

【木】❶〔草・苔(コケ)・カビなどと違って〕き。「木石・枯木」❷材料としてのき。「木刀・香木」

【目】め。「面目」⇩もく

【朴】切り出したままの材木のように、飾ったところが無い。「朴直・朴訥(トツ)・素朴・質朴・純朴」 表記 「〈樸」とも書く。

【牧】牛・馬・羊などを放し飼いにする。「牧畜・牧場・牧童・牧羊犬・遊牧・放牧」

【睦】仲がよい。むつまじい。むつまじくする。「親睦・和睦」

【僕】めしつかいの男。「下(ゲ)僕・公僕・婢(ヒ)僕・家僕・義僕・忠僕」⇩(本文)ぼく【僕】

【墨】[一]すみ。「墨汁(ジュウ)・筆墨・水墨画」[二](略)墨田川。「墨堤・墨東」 表記 [二]の現在の用字は、「隅田川」。

【撲】なぐる。「撲殺・撲滅・打撲」

ほくが[0](グヮ)【北画】〔←北宗(シュウ)画[0]〕江戸時代の中ごろ、南画が伝わるまで流行した東洋画。鋭い線、強いタッチで山・岩・木の葉などを描くのが特徴。〔雪舟(セッシュウ)は日本における代表作家〕⇩南画

ぼくぎゅう[0](ギウ)【牧牛】放し飼いにした牛。

ほくげん[0]【北限】(その生物がその地域で分布する)北の方の限界。

ボクサー[1]〔boxer〕❶ボクシングの選手。❷ドイツ原産の中形犬。顔つきはブルドッグに似るが体形はスマートで、性質は陽気で人なつこい。番犬・警察犬などに使う。「ボクサー犬」とも。

ぼくさつ[0]【撲殺】—する(他サ) なぐり殺すこと。

ぼくし[1][0]【牧師】〔人民を教化することを羊を飼うのにたとえた語〕〔プロテスタントで〕教区・教会の管理や信者の指導をする職(の人)。⇩司祭・神父

ぼくしゃ[1]【〈卜者】うらないをする人。易者。

ぼくしゃ[1]【牧舎】牧場で、牛馬などを入れておく小屋。

ぼくしゃ[1]【牧者】牧場で牛馬などの世話をする人。

ぼくしゅ[1]【墨守】—する(他サ)〔昔、中国の墨子が城を固守して屈しなかった故事から〕昔からのやり方や自説をがんこに守り通すこと。「旧習—」

ぼくじゅう[0](ジフ)【墨汁】筆やペンにつけてすぐ書けるように製造された、墨色の液。

ぼくしょ[1]【墨書】—する(他サ) 墨で△書くこと(書いた物)。

ぼくしょう(オ)[0](シヤウ)【墨象】〔墨の形の意〕前衛芸術としての書道。「—作家[5]・—画[0]」

ほくじょう(オ)[0](ジヤウ)【北上】—する(自サ) 北に向かって移動すること。↕南下

***ぼくじょう**(オ)[0](ヂヤウ)【牧場】牛馬などを放牧出来るように設備した土地。まきば。 かぞえ方 一面

ぼくしょく[0]【墨色】「すみいろ」の漢語的表現。

ほくしん[0]【北〈辰】「北極星」の古来の称。

ほくしん[0]【北進】—する(自サ) 北方へ向かって進むこと。

ぼくしん[0]【牧神】〔ローマ神話で〕林・牧畜の神。ギリシャ神話のパンにあたる。牧羊神[3]。

ぼくじん[0]【牧人】牧者。

ボクシング[1]〔boxing〕二人の選手が、両手にグローブをはめて、正方形のリングの上で打ち合う競技。拳闘(ケントウ)。

ほぐ・す[2]【《解す】(他五)〔△くっつき合った(塊の)ままでは困る物を〕指先や箸(ハシ)などでさばいて分ける。ほごす。「からまった糸を—/肩の凝りを—〔=かたくなった筋肉を、もんで柔らかにする〕/緊張を—〔=何か ほかの事をして緊張をなくす〕」

ぼく・する[3]【〈卜する】(他サ) ❶うらなう。❷事情を調べた結果、△それ(そこ)がよいと決める。卜す[2](五)。

ほくせい[0]【北西】〔風向などで〕北と西との中間にあたる方角。

ぼくぜい[0]【〈卜〈筮】〔「卜」は亀(カメ)の甲を使った、「筮」は筮竹(ゼイチク)を使ったうらないの意〕「うらない」の総称。

ぼくせき[0]【木石】木と石。〔人情や男女などの情愛の分からない人の意にも用いられる。例、「—漢[4][3]〔=分からず屋。石部金吉(イシベキンキチ)〕」〕

ぼくせき[0]【墨跡・墨〈蹟・墨〈迹】墨で書いたあと。筆跡。〔狭義では、禅林の墨跡を指す〕

ぼくせん[0]【〈卜占】「うらない」の意の古風な表現。

ほくそ[0]【火〈糞】❶ろうそくの燃えがら。❷⇩ほくち

ぼくそう(オ)[0](サウ)【牧草】家畜の飼料に△なる(する)草。

ほくそえ・む[4](エム)【ほくそ笑む・北〈叟笑む】(自五) 自分の思う通りに事が運んだと、ひとり にやにやする。 表記 「ほくそ」を「北〈叟」と書くのは、借字。

ぼくたく[0]【木〈鐸】〔昔、中国で、法令などを人民に触れて歩く時に鳴らした、舌が木製の大きな鈴〕「社会を導く立場にある人」の意の漢語的表現。「新聞は社会の—〔=世論を導くもの〕」

ほくたん[0]【北端】領土や区画など特定の範囲において最も北側の位置。「竜飛崎(タッピザキ)は津軽半島の—に位置する」↕南端

ほくち[0][3][1]【火口】ガマ・ススキの穂やキビ・アサ・イチビなどの茎、もぐさ・キノコ、朽ちた木片などを蒸焼きにし、火の付きやすい消し炭にしたもの。ほくそ。

ぼくち[1]【墨池】❶硯(スズリ)の、水をたたえる所。❷「墨つぼ」の意の漢語的表現。

***ぼくちく**[0]【牧畜】群居性のある、草食の哺乳動物を牧場で飼い馴(ナ)らして、生産物を得る経済活動。「—業[4]」

ぼくちょく[0]【朴直・〈樸直】—な 人ずれがせず、曲がった事が出来ない様子。

ぼくてい[0]【墨堤・〈濹堤】「隅田川(スミダガワ)の堤(ツツミ)」の意の漢語的表現。

ほくてき[0]【北〈狄】〔北方の野蛮人の意〕昔、中国で、匈奴・韃靼など、北方の遊牧民族の称。⇩東夷・西戎・南蛮

ぼくてき[0]【牧笛】牧者が放し飼いにしている家畜を集めたりするために吹く笛。

ほくと[1]【北斗】〔←北斗星[3]〕北極星から少し離れた所にあって、ひしゃくの形をした七つの星。北斗七星[5]。

ほくと[1]【北都】昔、都のあった奈良に対比して、京都の別称。⇩南都

ほくとう[0]【北東】〔風向などで〕北と東との中間にあたる方角。

ぼくとう[0]ー【木刀】木で作った刀。きだち。かぞえ方 一口・一本

ぼくとう[0]【墨東・〈濹東】〔「濹」は隅田川を表わす国字〕隅田川の東。「ー地区」

ぼくどう[0]【牧童】牧場で家畜の世話をする子供。〔おとなを指して言うこともある〕

ぼくとつ[0]【木〈訥・朴〈訥】ーな 人ずれがせず、思っている事を十分に言えない様子だ。派ーさ[0]

ぼくにょう[0]ー【〈攴繞】漢字の部首名の一つ。「敲」の旁など。〔強いて行なう行為を表わす。「散・敵・教」などのように「攵」となるものが多い。「文」に似て、第一画は「ノ」に近いので「のぶん」とも言う〕

ぼくねんじん[3]【朴念仁】〔「ぼくねん」は擬態語、「じん」は人の意〕△無愛想で(頭が固くて)話せない人。

ほくぶ[1]【北部】その地域の△うちで北寄りの部分(北に隣る地域)。↕南部

ぼくふ[1]【牧夫】牧場で家畜の世話をする男性。

ほくべい[0]【北米】「北アメリカ」の漢字表記語。

ほくへん[0]【北辺】北のあたり。北のはて。

ほくぼう[0]ー【北〈邙】〔「邙」は洛陽北方の山の名〕「墓場」の意の漢語的表現。

ほくほく ■一[1](副)ーと ーする 思わぬ幸運に恵まれて、内心うれしくてたまらない様子。「うまいもうけ話だとーしていた」■二[0]ーに ーの ふかしたいもなどが、水っぽくなく、好ましい食感が得られる様子。「ーのカボチャ」

ぼくぼく[1](副)ーと ーする 〔土などが〕粘りけが少なく軟らかで、崩れやすい様子。

ほくほくせい[0]【北北西】北と北西との中間の方角。

ほくほくとう[0]【北北東】北と北東との中間の方角。

ぼくみん[0]【牧民】人民を治めること。「ー官[3]〔=明治時代、地方長官の称〕」

ぼくめつ[0]【撲滅】ーする(他サ)〔社会生活に害のあるものを〕すっかり無くしてしまうこと。

ほくめん[0]【北面】ーする(自サ) 北方に向いている△こと(所)。「ーの武士〔=平安時代末期、院の御所を守護した武士〕」↕南面

ぼくや[1]【牧野】家畜を放牧する野原。

ほくよう[0]ー【北洋】北方の海。〔狭義では、太平洋北部・オホーツク海・ベーリング海を指す〕「ー漁業[5]」↕南洋

ぼくよう[0]ー【牧羊】ーする(自サ) 羊を飼うこと。「ー犬[0]・ー神[3]〔=⇩牧神〕」

ぼくり[1][0]【木履】木製のはきもの。せいが高く、木の中がくりぬいてある。現在は、子供や舞妓がはく。「ぽっくり」とも。かぞえ方 一足

ほくりく[0]【北陸】「北陸道」の略。ーちほう[5]【ー地方】福井・石川・富山・新潟の四県の総称。

ほくれい[0]【北〈嶺】❶伝教大師が開いた比叡山の別称。⇩南山 ❷比叡山にある延暦寺の別称。⇩南都❶

ほぐ・れる[3]【《解れる】(自下一) ほぐした状態になる。「△気持(いとぐち)がー」

ほくろ[0] ⇩しゅんらん

ほくろ[0][3]【〈黶・〈黒子〉】皮膚の表面にある、黒い小さな点。「付けーー[3]」

ほくろくどう[4]ー【北《陸道】もとの七道の一つ。中部地方のうち、日本海沿岸地域の古称。

ぼけ[1]【《木〈瓜】庭に植える落葉低木。枝にはとげがあり、春、紅・淡紅・白・しぼりなどの花を開く。観賞用。〔バラ科〕かぞえ方 一株・一本

ぼけ[2]【〈惚け・〈呆け】❶ぼけること。「いよいよーが来た/寝ー」❷何か他の状態が長く続いたあと、しばらくの間元の通りには頭が働き出さないこと。「連休ー[0]・時差ー[0]」❸〔漫才などの話芸で、「突っこみ」に対して〕とぼけた発言や間の抜けた受け答えなどによって客の笑いを誘うこと。また、その役。

ほけい[0]【〈牡鶏】「おんどり」の意の漢語的表現。↕牝鶏

ほげい[0]【捕鯨】クジラを捕ること。「ー船[0]」

ぼけい[0]【母系】↕父系 ❶母方の血統に属する△こと(者)。母方。❷家系が母方の者によって相続されること。「ー制度[4]」

ぼけい[0]【母型】活字を作るもとになる、金属製の鋳型。

ほけきょう[0]ー【《法華経】〔←妙法蓮華経〕大乗経の一つで、天台宗・日蓮宗はこれによる。八巻もしくは七巻、二十八品。

ほげた[0][1]【帆桁】帆を張るために、帆柱の上に渡す丸い横木。

ほけつ[0]【補欠・補〈闕】❶正式要員の欠員を補充する△こと(ための、控えの人)。「ー募集[4]・ー選挙[4]」❷「補欠選手[4]」の略。↕レギュラー

ほけつ[0]【補血】ーする(自サ) 貧血症に対し、血液を造るのに必要な成分を補給すること。「ー剤[3][0]」

ぼけつ[0]【墓穴】死体や遺骨を埋め(て葬)る穴。はかあな[0]。「自らーを掘る〔=本人の行為・行動が直接の原因となって、破滅する〕」

***ポケット**〔pocket〕■一[2][1] ❶洋服などに縫い付けてある、袋状の物入れ。「かばんのー/内ー[4][3]」❷(ポケットのように)くぼんだ所。「ミットのー/エアーー」■二(造語) ポケットに入るくらい小さい。ポケッタブル[2]。「ー型[0]・ーラジオ[5]・ーブック[5]〔=ⓐ手帳。ⓑ小型の本〕」 ーベル[5]〔和製英語 ←pocket＋bell=商標名〕ポケットに入る小型の、持ち歩き出来る、無線で電話を呼び出す機器。略してポケベル[0]。〔携帯電話が普及する前に使われた〕 ーマネー[5]〔pocket money〕こづかい銭。

ぼけなす[0]【〈惚け〈茄子】「ぼんやりしていて期待する反応を示さない人」の意の口頭語的表現。〔侮蔑を含意して言う〕

ほ・ける[2](自下一) ほおける。

ぼ・ける[2](自下一) ■一【〈惚ける・〈呆ける・〈耄ける】〔年をとったりして〕記憶力・弁別力・集中力が弱くなる。「ーにはまだ早い/寝ー/とー」■二【〈暈ける】はっきりした映像・色感が得られない状態になる。「ピントがー〔=うまく合わない状態で写る〕/△色(焦点)がー」

ほけん[0]【保健】健康を保ち続けること。「ー体操[4]・ー薬[2]・ー室[2]」 ーし[2]【ー師】厚生労働大臣の免許を受けて、受持ち地域の保健指導にあたる資格のある看護師。二〇〇二年「保健士」と「保健婦」を統合して改称。 ーし[2]【ー士】男性の「保健師」の旧称。 ーじょ[0]

④【―所】その土地の公衆衛生指導や健康相談などをする、公立の施設。 **―たいいく**④【―体育】中学校・高等学校の教科の一つ。健康の増進と体力の向上を図り、心身の調和的発達を促すことを目的とする。 **―ふ**②【―婦】女性の「保健師」の旧称。

ほけん⓪【保険】❶偶然の事故によって生じる損害を補償するために「保険金⓪〔＝会社が契約者に支払う金〕」を定め、これに対し、あらかじめ一定の「保険料②〔＝契約者が会社に払い込む金〕」を払う制度。「―に入る/(…に)―を掛ける/生命―・火災―・地震―④」❷目的が達せられなかった場合に生じる損失や危機的状況に備えて、あらかじめ講じておく安全策。「会社に勤めながら―のつもりで税理士の資格をとっておく」❸損害を償う補償。「―が利く/―付き⓪」❹「生命保険・健康保険」の略。「―が利かない/―証⓪」 **―ベッド**④ 健康保険による医療費で入院出来る(数人一室の)ベッド。

ぼけん⓪【母権】その家の支配権を代々母方が持つ△こと(制度)。「―〔＝母に与えられるべき権利〕伸長」↔父権

ほこ①【矛・〈戈・〈鉾】❶長柄の先に両刃の剣を付けた、古代の武器。槍と同じ働きを持ち、儀礼用を兼ねる。「―を収める〔＝△戦闘(攻撃)行為をやめる〕/―を転じる〔＝攻撃の矛先を他に向ける〕」❷〔↑矛山車⓪〕矛を立てた山車。山ぼこ。 かぞえ方 ❶は一本。❷は一台・一基

ほご①【《反《故・《反《古】〔「ほんご」の変化形「ほうご」の短呼。「ほん」は裏返す、「ご」は使用済みの紙の意〕〔紙の貴重であった時代に、字や絵をかいた裏をもう一度使ったことから〕文字・絵のかいてある紙の不要となったもの。「ほぐ・ほうぐ」とも。「―にする〔＝ⓐ不要の物として捨てる。ⓑ約束などを一方的に破る〕」 かぞえ方 一枚・一片

ほご①【保護】―する(他サ)〈(なにデ)だれ・なにヲ―する〉❶行き先を失ったり 生命の危険にさらされたりしている者を救出し、安全な状態にしてやること。「道に迷った園児は警察に無事―された/第三国に亡命した政府要人が、関係機関の―を受けている」❷絶滅のおそれのある動植物の存続や、消失・消滅のおそれのある文化財・景観の保存のために、生態系の維持や人災の防止に積極的に努めること。「ブナの自然林を―するために立入禁止にする/野生動物の―/自然―・環境―・資源―」❸弱い立場にある者の権利や権益が侵害されないように、法的な規制を設けて厳重に監視すること。「悪徳商法から消費者を―する/プライバシー―のために匿名にする/生活―を受ける」 **―かんさつ**③【―観察】犯罪者や非行少年などを施設に収容しないで、指導監督を行ないながら普通の生活をさせて社会復帰を図る制度。 **―かんぜい**③【―関税】自国の産業を保護するために、輸入品にかける高率の関税。 **―こく**②【―国】条約により、他国の主権のもとに保護される国。 **―し**②【―司】法務大臣から委嘱され、犯罪者などの更生を助けるとともに、犯罪の予防活動を行なうボランティア。 **―しゃ**②【―者】親、または、親に代わる人で、未成年者を監督・保護する義務のある人。 **―しょく**②【―色】動物が外敵に見つからぬように周囲の色に似せて自分を保護する体色。↔警戒色 **―すいいき**③【―水域】資源を守るために漁業が制限される、公海の特定区域。 **―ちょう**⓪②【―鳥】⇩禁鳥 **―ぼうえき**③【―貿易】国内産業の保護・育成のため、保護関税を課するなど、国家が統制する貿易。

ほご①【補語】〔文法で〕文の成分の一つ。客語の意味を補う働きをする語。何に…する・何へ…する・何と…する・何で…するなどの文における「何に・何へ・何と・何で」に当たる語。〔英語 complement の訳語〕

ぼご①【母語】❶〔特に、外国語も話す人にとって〕幼児期に最初に習得し、最も自由に使える言語。母国語。❷⇩祖語

ほこう⓪【歩行】―する(自サ)〔人が〕歩くこと。「―者②・―器②」 **―しゃてんごく**⑤【―者天国】盛り場の道路から、休日などの一定時間、車を締め出して、歩行者専用にする△制度(場所)。

ほこう⓪【補講】―する(自他サ) 補充のために行なう講義。

ぼこう①【母后】天皇の母。

ぼこう①【母校】自分がそこで学び、卒業した学校。出身校③。

ぼこう①⓪【母港】その船が根拠地としている港。

ぼこく①【母国】〔外国に居る人にとって〕自分の生まれ育った国。「―語⓪」

ほこさき⓪【矛先・〈鋒・〈鋒先】矛の切っ先。〔広義では、非難・論議などの鋭い勢いや、その攻撃の目標をも指す。例、「―を転じる/―をかわす/―が鈍る」〕

ほご・す②【《解す】(他五) ⇩ほぐす

ほこづくり③【〈戈旁〉】漢字の部首名の一つ。「我・成・戦」などの「戈」の部分。〔多く、武器や戦いに関係のある漢字がこれに属する〕

ポコペン①〔中国・不彀本＝原価が切れる意〕話にならない。とてもだめだ。

ほこら⓪【〈祠】神を祭った、小さいやしろ。 かぞえ方 一棟

ほこらか②【誇らか】―な ―に 自慢そうな様子だ。「金メダルを―に示す」

ほこらし・い④【誇らしい】(形) 人前で自慢できるようなことをして、うれしさを隠しきれない様子だ。「母校の優勝を誇らしく思う」 派 ―さ④③ ―げ⓪④

ほこり⓪【〈埃】すぐ舞い上がるほどの、ごく細かい軽いごみ。「せっかくの新鋭機械が―をかぶっている〔＝使われないままになっている〕/しまい忘れていた物を出して、―を払って使ってみる/たたけば―が出る〔＝一見無難なように見えても、細かい点を探っていけばどんな人でも他人に知られたくない弱みがあるものだ〕」 **―っぽ・い**⑤【―っぽい】(形) 空気が濁っていたり 妙な臭いが漂ったりしていて、ほこりが舞っていると感じられる様子だ。「―部屋/何となく―地下道」

ほこり⓪【誇(り)】自分の△置かれた立場にやましい点は一つもないと自信をいだく(やった仕事は意義があるもので、少しも他人に ひけを取るものではないと思う)気持。また、そういう気持を起こさせる△人(もの)。「―を持つ/どんな人にでも―はあるものだ/三年間無事故が本校の―だ/一家の―/―高い男」

ほこりか②③⓪【誇りか】―な ―に 「誇らか」の古風な異形態。

ほこ・る②【誇る】(他五)〈(だれニ)なにヲ―〉❶〔自分に属するものを〕すぐれたものであると確信△する(して態度に示す)。「自分の腕を―」❷何かの点において誇示するだけの内容を持つ。「△数(実績)を―/東洋一を―〔＝東洋一の、すばらしい〕ビルディング」

ほころ・びる④【綻びる】(自上一) ❶縫い目が△解ける(解けて、すきまが出来る)。❷つぼみが開き始める。「桜が―/顔が―〔＝うれしくて、思わず歯を見せてにっこりする。『顔を△綻ばせる(綻ばす)』とも言う〕/口もとが―〔＝口もとがゆるんで、笑みをたたえる〕」〔❶❷とも「ほころぶ」とも〕 名 綻び⓪④「―を繕う」 運用 ❶の名詞形「ほころび」は、法律や制度が現実に合わなくなったり 論理に矛盾が生じたり することの意を表わすのに用いられることがある。例、「従来の年金関連法にほころび

みが―」が目立つようになった」

ほころ・ぶ③【綻ぶ】(自五) ほころびる。「縫い目が―/つぼ

ほさ①【保佐】―する(他サ) ❶保護し助けること。❷〔法律で〕被保佐人の行なう法律行為を、保佐人が補い助けること。―にん⓪【―人】被保佐人(=もと、準禁治産者)を保佐するものとして家庭裁判所より選任された者。

ほさ①―する(他サ) ❶【輔佐】主たる人のそばに居て、その事務を助ける△こと(人)。❷【補佐】おぎない助ける△こと(人)。「―人ニン⓪・―役⓪②」

ぼさい⓪【募債】―する(自サ) △公債(社債)を募集すること。

ぼざい⓪【母材】材料のうち、最も主要なもの。〔狭義では、コンクリートの場合のセメントを指す〕

ほさき⓪③【穂先】❶イネ・ムギなどの穂の先。❷刃の切っ先。鋒鋩ホウボウ。

ほざ・く②(他五) △かってな事を(感情を包み隠さずに)しゃべる。〔相手を軽蔑ケイベツして言う、ぞんざいな表現〕「生意気なことを―と承知しねえぞ」

ほさつ⓪【捕殺】―する(他サ)〔動物を〕捕らえて殺すこと。

ほさつ⓪【補殺】―する(他サ)〔野球で〕野手がとったボールをある塁へ投げるなどして、走者をアウトにすること。

ぼさつ⓪①【〈菩薩〉】〔←菩提薩埵ボダイサッタ(道・覚サトリを求める人の意の梵ボン語の音訳)〕❶如来の次の位。「―戒③②」❷昔、朝廷から高僧に賜わった号。❸仏になぞらえて用いた、神の尊号。「八幡ハチマン大―」

ぼさっと②(副)―する(自サ) 何を△してよいのかわからず(する気にもなれず)ただぼんやりしている様子。「そんな所に―突っ立っていないで手伝えよ/仕事が一段落して一日家で―していた」

ボサノバ⓪〔ポ bossa nova〕サンバにジャズの要素が加わり、都会的な雰囲気を持った音楽。一九五〇年代、ブラジルで興った。

ぼさぼさ ■①(副)―と―する ❶手入れがされず、髪の毛が乱れている様子。「―した髪の男」❷何をしてよいか分からずぼんやりしているとしか見えない様子。「何を―しているのだ」■⓪―に―な 「ぼさぼさ■❶」に同じ。「寝起きで頭が―だ」

ぼさん⓪【墓参】―する(自サ) 自分となんらかの縁故関係にある故人の墓に参ること。墓参り。

ほし【干(し)】(造語) 干すこと。干したもの。「―草・―場バ③⓪・なま―シボ・みりん―シボ⓪」 表記 もとの用字は、「《乾」。

**ほし⓪【星】❶晴れた夜空にまたたくように光り輝く天体。〔広義ではすべての天体を指し、狭義では太陽・月・地球を除く〕「―移り(=年月が経過し)物変わる/いい―の下(=運勢。⇩九星キュウセイ)に生まれる/―になる(=『死ぬ』の婉曲エンキョク表現)/―月夜ヅキヨ・―祭り」❷人びとの注目を集める輝かしい存在。「角界希望の―」❸〔目印とする〕小さな△丸(点)。「的の―(=中心にある黒丸)/目に―(=斑ハン点)が出来る/勝ち―シボ(=○)・負け―シボ(=●)・―印(=ⓐ★☆。ⓑ*〔=アステリスク〕)」❹〔警察が目星を付けた相手、の意から〕被疑者。「―をあげる」

ほじ①チ―【保持】―する(他サ)〔そうする△意義(必要)のあるものについて〕そのままの状態を持ち続けること。「身の安全を―する/記録―者⑤・秘密―」

ぼし①【母子】母とその子。「―共に健全/―手帳③・―家庭③(=父親が居ない家庭。現在は母・父の区別なく『ひとり親家庭』と言う)」

ぼし①【〈拇指・母指〉】「おやゆび」の意の漢語的表現。

ぼし①【墓誌】故人の姓名・行状などを石にしるして墓の中に納める物。「―銘②(=ⓐ墓誌の最後に加える短い詩文。ⓑ墓石の裏などに故人の行状・業績などを刻みつけたもの。墓碑銘②)」

ポジ①ポジティブの略。↔ネガ

ほしあい⓪アヒ―【星合】〔雅〕牽牛ケンギュウ・織女ショクジョの二つの星が年に一度だけ会うこと。たなばた。「―の空」

ほしあかり③【星明(か)り】星の光で明るいこと。

ほしあ・げる④⓪【干(し)上げる】(他下一) ❶すっかりかわかす。「池の水を―」❷△食事を与えないで(糧道を絶って)苦しめる。表記「《乾し上げる」とも書く。

**ほし・い②【欲しい】(形) ❶できることなら自分の思うままに扱えるようにしたいという願望や欲求をいだく様子だ。「一戸建ての家が―/水が―(=飲みたい)/休養が―/のどから手が出るほど(=何とか機会を得て)―」❷〔「…△て(ないで)―」の形で〕その実現を(切実に)願う気持を表わす。「戦争のない世の中になって―ものだ/それは聞かないで―/親にはいつまでも元気でいて―」派―さ① ―げ⓪③②

文法 ❶は、願望や欲求の対象となるものは「…が」で表わすのが規範的とされるが、近年は格助詞「を」を用いて表わす傾向も認められる。例、「ハイブリッドカーをほしい」

運用 (1)❷は、婉曲エンキョクな要求・命令表現としても用いられる。例、「彼には君から注意してほしい/文句は言わないでほしい/それをちょっと見せてほしい」(2)❷は、「…てほしかった」の形で、何かが実現できなかったことを残念がったり実現させられなかった人への非難の気持をこめたりして用いられることがある。例、「せめて一日くらいは晴れてほしかった/君だけでも約束を守ってほしかった」

ほしい②ホシヒ【〈糒〉】〔「ほしいひ②」の変化〕炊いた米を干してかわかした保存食糧。

ほしいまま②【〈恣〉】―に―な〔「欲ホしきまま」の変化〕相手(の意向)を無視して、自分だけ勝手気ままにふるまう様子だ。「△権力(…の名)を―にする/想像を―にする(=自分勝手に想像する)」表記「《縦・《擅・《横」とも書く。

ほしうお②ウヲ―【干(し)魚】(腸ハラワタを取り)日にかわかした魚。ひもの(干物)。

ほしうらない③ウラナヒ―【星占(い)】星の位置などによって、人の運勢や事の吉凶を占うこと。占星術。

ポシェット①②〔フ pochette=小さなポケット〕肩や首から紐ヒモでつり下げる小型のバッグ。

ほしか⓪【干(し)〈鰯〉・《乾(し)〈鰯〉】脂肪をしぼったあとのイワシを干したもの。肥料にする。

ほしがき②【干(し)柿】渋柿の皮をむき、干して甘みを出した食品。かぞえ方 一連

ほしかげ⓪【星影】〔雅〕星の光。

ほしが・る③【欲しがる】(他五) 欲しいという気持を持っていることが、相手に分かるような言動をする。「△弟(小犬・子供)を―/△車(家・酒・魚・卵・パン・水)を―」

ほしがれい③ガレヒ―【星〈鰈〉】薄茶色で、大きなまだらのあるカレイ。美味。〔カレイ科〕かぞえ方 一匹・一尾・一枚

ほしくさ⓪【干(し)草・《乾(し)草】刈り取って干した草。飼料にする。

ほしくず⓪クヅ―【星〈屑〉】夜空に光って見える、たくさんの小さな星。

ほじく・る③【〈穿る〉】(他五)〔「ほじる」の強調形〕穴を掘るようにして、中の物をつつき出す。「人の欠点をほじくり出す(=いろいろとしつこく探る)/済んだことを今さらほじくり返して(=再び問題として取り上げて)も始まらない/重箱の隅を楊枝ヨウジで―/鼻くそを―」

ほしこ③【干しこ】〔「こ」は、ナマコの意〕干したナマコ。きんこ。

ポジショニング②⓪―する(他サ)〔positioning〕❶〔スポーツ

で〕状況に応じて変えていく選手(相互)の位置。㊁経営戦略などにおける自社製品の位置づけ。

ポジション②〔position〕㊀職務上の地位。㊁〔競技で〕選手の、攻守の位置。

ほしずな⓪【星砂】沖縄周辺の海岸に産する原生動物の死んだ殻。直径一〜二ミリの六本の突起がある星形で、海岸の砂にまじっている。

ほしぞら⓪③【星空】たくさんの星が輝く晴れた夜空。

ほしづきよ④③【星月夜】〔雅〕星の光が月のように明るい夜。「ほしづくよ」とも。

ポジティブ①〔positive〕↔ネガティブ ㊀ーな/ーに 積極的。肯定的。㊁陽画。陽画(用)フィルム。ポジ。

ほしとり⓪④【星取(り)】〔すもうなどの勝負ごとで〕勝ち星をかぞえること。「ー表⓪」

ほしのり②【干(し)〈海〈苔〉〉・《乾(し)〈海〈苔〉〉》】紙のように薄くすいて干したのり。食用。かぞえ方 一枚・一袋：一帖・一箱・一缶

ほしぶどう③【干(し)〈葡萄〉】ブドウの実を干して食用にするもの。料理や菓子の材料にも使う。レーズン。

ほしまつり③【星祭(り)】㊀たなばた祭り。㊁〔雅〕陰陽道で、その年に当たる星を祭る行事。

ほしまわり③【星回り】人の運命を定めるという星のめぐりあわせ。転じて、運命や運勢。

ほしめ⓪【星目・星《眼》】角膜にあわ粒大の白い星のようなものが出来る眼病。

ほしもの③【干(し)物・《乾(し)物》】㊀日に干す(干した)物。㊁洗濯(物)。「ー竿④」

ほしゃく⓪【保釈】ーする(他サ) 保証金を納めさせて、未決勾留中の刑事被告人を釈放すること。「ー金⓪」

ぽしゃ・る②(自五)「〔組織や計画などが〕根本から駄目になる」意の口頭語的表現。

*__ほしゅ__①【保守】ーする(他サ)〈なにヲーする〉㊀〔機械などの〕正常な状態が保てるように絶えず注意すること。「システムをーする/ー点検」㊁時代の新しい風潮などに応じることを拒み、旧来の考え方や伝統的なやり方を守り通そうとすること(態度)。「ー色を帯びる/ー主義③・ー党⓪・ー性⓪」↔革新 **ーてき**⓪【ー的】ーな/ーに 旧来の考え方や伝統的なやり方にこだわり続ける様子だ。「ーで融通のきかない役所/ーな考え方の強い土地」↔進歩的・革新的

ほしゅ①【捕手】〔野球で〕本塁を守り、投手の投げたボールを受ける人。キャッチャー。↔投手

ほしゅう⓪【補修】ーする(他サ) いたんだ所を補い直すこと。「河川のー工事」

ほしゅう⓪【補習】ーする(他サ) 正規の学習の不足を補うために学習すること。また、その学習。

ほじゅう⓪【補充】ーする(他サ) 不足分を補って、もと通り一杯にすること。「ーがつかない/兵員(人員・欠員)ー」

*__ぼしゅう__⓪【募集】ーする(他サ) 必要であることを広く知らせた上で、一般から人・物や作品を集めること。

ぼしゅう⓪【暮秋】〔ものさびしさの感じられる〕秋の終りのころ。九月の別称。

ぼしゅうだん②【母集団】〔統計学で〕調査対象の範囲とする集団。〔ここから標本を抽出する〕

ぼしゅん⓪【暮春】春の末。晩春。

*__ほじょ__①【補助・《輔助》】ーする(他サ) ㊀〈なに・だれヲーする〉主たる役割(責任)を負っているものだけでは十分に目的が達成できない部分を何かで補うこと。また、その役割を担うもの。「事務をーする手段としてのコンピューター/全盲走者のー走者/ー椅子(席)・ータンク」㊁〈だれニなにヲーする〉必要な経費の不足分を出して援助してやること。「全国大会出場者には旅費と宿泊費をーします」 **ーせん**⓪②【ー線】幾何の問題を解く際、解答を導く助けにするために、図形に書き加える線。 **ーてき**⓪【ー的】ーな/ーに 補助としての役割を負わされている様子だ。「健康管理のー手段として栄養剤を常用する/電子レンジのー機能の充実をはかる」 **ーどうし**③【ー動詞】〔日本語文法で〕本来は実質的な用法を持つ動詞が、他の動詞の連用形に接続助詞「て」を介して接し、上の動詞の表わす意味に種々の限定を加えるのに用いられるもの。「やってみる」の「みる」や、「忘れてしまう」の「しまう」など。〔動詞・形容詞の連用形に直接続けて用いるものは、この辞書では「接尾語的に」と扱った。たとえば、「書き始める」の「始める」や、「困りきる」の「きる」、「食べ出す」の「出す」など〕

ぼしょ①【墓所】その人の墓がある所(寺)。

ほしょう⓪【歩《哨》】警戒・監視の任務にある兵。「ーに立つ」 **ーせん**⓪【ー線】敵の侵入を警戒するために配置した歩哨の列。

**__ほしょう__⓪【保証】ーする(他サ)〈だれニなにヲーする/だれニなんだトーする〉 確かだ、まちがい無い(万一の時は責任を取る)と請け合うこと。「元本をーする/…しないというーは無い/ー付き⓪・ー金⓪・ー人⓪・ー責任④」

ほしょう⓪【保障】ーする(他サ) それが守られるように手段を講じること。「権利(人権・生活)をーする/自由がーされる/安全ー⑤」

*__ほしょう__⓪【補償】ーする(他サ)〈なにヲーする〉与えた損害などを償うこと。「災害ー・ー金⓪」

ほじょう⓪【捕縄】警察官が犯人を縛るなわ。かぞえ方 一本

ぼじょう⓪【慕情】恋愛相手・母・旧友や故郷・祖国などを恋い慕う気持。

ほしょく⓪【捕食】ーする(他サ) 生物が他(種)の生物を捕らえて食べること。「大きな両あごと鋭い歯で生きた魚をーするサケ科のイトウ」

ほしょく⓪【補色】二種の色の光を混合して白色光となる時、一方の色を他方の色に対して言う語。藍と黄、赤と青緑などに見られる一対の関係。余色

ほしょく⓪【補食】〔病院などで〕三度の食事のほかに食べる軽い食事。間食より重い。「ー室③」

ほしょく⓪【補職】ーする(他サ) 任官と同時に職務を担当させること(担当させる職務)。

ぼしょく⓪【暮色】日没後、物の輪郭が次第に分からなくなるころの、あたりの感じ。「ー蒼然として迫る」

ほじ・る②【〈穿る〉】(他五) 穴を掘る。また、掘って中のものをつつき出す。〔口頭語的表現〕

ほしん⓪【保身】〔生存競争から脱落しないように〕自分の地位・名声などを守ること。「ーの術に長じる/ーを図る」

*__ほ・す__①【干す・《乾す》】(他五) ㊀〈どこ・なにニなにヲー〉乾くように、日の当たる所や風通しのいい所に何かを置く。「日にー/外に出して干したら、すぐ乾いた」㊁〈なにヲー〉入っている水を全部なくす。「池をー/杯をー〔=杯の酒を全部飲む〕」㊂〈だれヲー〉糧道を絶って(仕事を与えないで)、困らせる。「干された女優」

ボス①〔boss〕㊀仕事を与え、指導する親分。〔狭義では、職人の親方を指す〕㊁生殺与奪の権を握っている顔役。

ポス①【POS】〔←point-of-sale=販売時点〕店舗で商品を販売するごとに、売上や在庫などに関する情報をコンピューターで処理すること(システム)。販売時点情報管理(システム)。

ほすい⓪【保水】ーする(自サ) 水や必要な水分を蓄えておくこと。「ー能力の高いブナの林/ー性⓪」

ほすう[2]【歩数】 何歩 歩いたかという数。「―計[0]」

ホスゲン[1]〔ド Phosgen〕 一酸化炭素と塩素から成る、無色の重い有毒なガス。工業用途のほか、毒ガスに使う。

ホスジャンプ[3]〔←hop, step, and jump〕 三段跳(トビ)。

ほすすき[2]【穂《薄・穂〈芒〉】 穂が出たススキ。

ポスター[1]〔poster〕 絵などをかいた、宣伝用の(大形の)はり紙。かぞえ方 一枚 **―カラー**[5]〔poster color〕 ポスターなどをかくのに使う絵の具。 **―バリュー**[5]〔poster value〕 宣伝効果。

ポスティング[1][0]―する(他サ)〔posting〕 ❶宣伝のびらなどを各家庭の郵便受けに入れること。❷〔簿記で〕帳簿に必要事項を転記すること。❸入札。特に、日本のプロ野球選手が米国メジャーリーグに移籍する際の入札制度。「―システム[6]」

ホステス[1]〔hostess〕 ❶〔パーティーなどで〕接待役の女主人。↕ホスト ❷〔←エア ホステス[3]〕 旅客機で客の世話をする女性乗務員の旧称。キャビン アテンダント。❸〔バー・ナイト クラブなどで〕客の相手をする女性。〔もとの女給に当たる〕

ホステル[1]〔hostel〕 ❶⇩ユース ホステル ❷ユース ホステル式の簡単なホテル・旅館。

ホスト[1]〔host〕 ❶接待役の主人。主催者。「―カントリー・―ファミリー〔=ホームステイの留学生を受け入れる家庭〕」↕ホステス ❷〔バーやクラブなどで〕客の接待をする男性。❸ホスト コンピューター。

***ポスト** [一][1]〔post〕 ❶出す郵便物を入れる所。郵便箱[3]。❷配達される郵便物を受ける所。郵便受け[3]。❸地位。職場。「(重要な)―を占める/社会的―が高い人」 [二](接頭)〔post=以後〕 問題になっているものの次(に来るもの)。「―モダン」↕プレ

ホスト コンピューター[6]〔host computer〕 ⇩コンピューター

ポストモダン[4]〔postmodern=近代より後の〕 個人を重視し、合理的・機能的な近代主義を抜け出し超えようとする立場や考え方。建築の領域から流入した。

ボストン バッグ[5]〔Boston bag〕 底は長方形で中ほどがふくらんだ旅行かばん。略してボストン[1]。

ホスピス[1]〔hospice〕 回復不可能な末期癌(ガン)患者を主に看護する施設。肉体的苦しみをやわらげるとともに、孤独感や死の不安など精神的な悩みの解消にも努め、平安な死が迎えられるようにすることを目的とする。

ホスピタリティー[4]〔hospitality=親切なもてなし〕 接客業で、従業員が客に対して最善のサービスをしようとする気持や考え方。

ほ・する[2]【保する】(他サ) 確かにそう△だと(なることを)請け合う。保証する。

ほ・する[2]【補する】(他サ) 〔官庁などで〕その職務の担当を命じる。

ほせい[0]【補正】―する(他サ) △不十分な(ぐあいの悪い)所をあとから手を加えて直すこと。「誤差の―/―機関」 **―よさん**[4]【―予算】 本予算成立後必要になった経費などを賄うために組まれる予算。「追加予算[4]」と「修正予算[5]」との総称。

ほせい[0]【補整】―する(他サ) 補って整えること。「―振子(シンシ)[4]〔=温度の変化に対して、一定の長さを維持するように作られたふりこ〕」

ほぜい[0]【保税】―する(他サ) かけるべき関税を一時保留すること。「―地域[4]」 **―そうこ**[4]【―倉庫】 輸入手続きの済まない外国貨物を入れておく倉庫。

ぼせい[0][1]【母性】 女性が、自分の生んだ子を守り育てようとする、母親としての精神的・肉体的性質。「―愛[2]・―保護[4]」↕父性

ぼせき[0]【墓石】 「はかいし」のやや改まった表現。

ほせつ[0]【補説】―する(他サ) 補足的な説明(をつけ加えること)。

ほせん[0]【保線】 鉄道線路の安全を確保すること。「―区[2]・―工事[4]」

ほぜん[0]【保全】―する(他サ) 保護を加えて、安全を△確保(保障)すること。「一身の―をはかる/国土の―/(自然)環境を―する」

ぼせん[0]【母船】 作業をする小舟に物資を補給したり漁獲物を貯蔵したりする船。おやぶね❷。

ぼせん[0]【母線】 ❶〔幾何学で〕ある△直線(線分)が運動して、面を作り出す時の、もとの線。また、各瞬間におけるその線。例、円錐(エンスイ)の底面の円周上にある各点と頂点とを結ぶ線分。❷電流を分配する太い幹線。

ぼぜん[0]【墓前】 「墓の前」の意の改まった表現。

ぼせんこく[2]【母川国】 公海を回遊するサケ・マスなどが産卵するためにもどってくる河川が国内にある国。

ほそ【細】(造語) 細い(物)。「―腕・極―(ゴクボソ)」

ほぞ [一][1]【〈臍】 「へそ」の古語。「―を固める〔=決心する〕/―をかむ〔=後悔する〕」 [二][1]【〈枘】 つなぎ合わせる木材などの、一方の材の穴にはめ込むため、他方の材に作る突起。 [三][1]【〈蔕】 カキ・ウリなどの へた。「―落ち」

＊＊ほそ・い[2]【細い】(形) ❶棒状のもの(すべての)側面の幅、また、線状・帯状のものの幅が、△比較の対象とする(一般に予測される)ものより狭い様子だ。「―△鉛筆(糸・針・足・管)/あの―△からだ(腕)でよく持ち上げたものだ/―△帯(眉(マユ)・道)/目を細くする」 ❷〔「細い❶」が頼りない、もろいといった印象を与えることから〕内にこもる力が感じられず、弱よわしい様子だ。「神経が―〔=繊細でもろい〕/―声〔=声量が乏しく、遠くまで響かない声〕/食が―〔=体力を維持できるのかと思われるほど少ししか食べない様子だ〕」〔大部分の用法の対義語は、太い〕 派 **―さ**[1]

ほそう[0]【舗装・〈鋪装】―する(他サ) 〔耐久性のある路面にするために〕道路の表面をアスファルト・コンクリートや煉瓦(レンガ)などで固めること。「簡易―」

ほそうで[0]【細腕】 やせて細い腕。「女の― 一つで〔=他の力を借りず、乏しい生活力だけで〕育てる」

ほぞおち[0][4]【〈蔕落(ち)・〈臍落(ち)】―する(自サ) 果物の実が熟して、へたの所から落ちること。また、その実。

ほそおもて[3]【細面】 どちらかと言うと、細い感じの顔。

ほそく[0]【歩測】―する(他サ) 歩幅を決めて歩き、その歩数で距離を測ること。

ほそく[0]【捕捉】―する(他サ) 〔つかまえる意〕文章などの内容を理解すること。「真意はなかなか―しがたい」

ほそく[0]【補足】―する(他サ) 必要な事柄や不十分な所を、つけ足して補うこと。「―的に言う」

ほそく[0]【補則】 法令の規定を補うためにつけ加えた規則。

ほそざお[0]【細〈棹】 棹が細く胴の小振りな三味線。↕太棹

ほそじ[0]【細字】 細い線の文字。「―用[0]」↕太字

ほそつ[0]【歩卒】 徒歩で従軍する(身分の)兵隊。足軽。

ほそづくり[3]【細作(り)】 ❶細く△作ること(作ったもの)。「―の太刀(タチ)/サヨリの―〔=細く切った刺身〕」 ❷からだが細く出来ていること。きゃしゃ。

ぼそっと[2](副)―する ❶何もせずにぼんやりしている様子。「―つっ立っている」 ❷(小声で)ひとことつぶやく様子。

ほそなが・い[4]【細長い】(形) 〔比較の対象とするものや

一般に予測されるものに比べて〕長さばかりが目立って、幅が△ほとんど感じられない(目立たない)形状を備えている様子だ。〔不安定だとか折れやすそうだとかいう印象を与えることもある〕「—△煙突(針・ツルの脚・魚)/—△短冊(葉)/壁にできた—亀裂(キレツ)/—部屋/南北に細長く続く△山脈(列島・運河)」 派 —さ[3]

ほぞ の お[1]-[1]、[3][4]ヲ-【〈臍の緒】「へそのお」の古風な表現。

ほそ びき[0]【細引(き)】麻で作った、細めで丈夫な縄。

ほそ ぼそ[3]【細々】(副)—と ❶今にも絶えてしまいそうな状態でかろうじて続いている様子。「その血筋は—と続いてはいる」 ❷最低限の状態をやっと保って暮らしている様子。「親子三人—暮らしている」

ぼそ ぼそ ■一[1](副)—と —する ❶聞きとりにくい、低い小さな声で(自信なさそうに)話す様子。「下を向いて—言い訳する」 ❷水分が足りなくて粘り気がなく、口の中で味気なく感じられる様子。「五日もたって—したパン」 ■二[0]—な —に 「ぼそぼそ■一❷」に同じ。「麺はぱさぱさで食感は—だ」

ほそ まき[0]【細巻(き)】細く△巻くこと(巻いたもの)。〔たばこ・のり巻きについて言う〕↔太巻

ほそ み[3]【細み】芭蕉(バショウ)の俳句の根本精神。句の境地が幽玄・微妙になった状態。

ほそ み[0]【細身】〔刀身などの〕幅の狭い、きゃしゃな作り。

ほそ め【細目】❶[0][3] わずかに開けた目。「—をする(=少し目を開いて見る)」 ❷[0][3] 細く△編んだ(織った)目。 ❸[0]—な —に どちらかと言えば細い方である△こと(様子)。「—に切る/戸を—にあける」 表記 ❸は多く「細め」と書く。

ほそ・める[3]【細める】(他下一) 細くする。「目を—(=満足げな表情をする意にも用いられる)」 自動 細まる[3](五)

ほそ やか[2]【細やか】—な —に 細く感じられる様子だ。

ほそ・る[2]【細る】(自五) 細くなる。「暑さで食が—/身も—思い(=悩みごとなどで、やせてしまうような気持)」

***ほ ぞん**[0]【保存】—する(他サ)〈なに・どこニなにヲ—する〉 ❶当面は必要としなくなったものを、後あとの△必要(活用)を考えて、そのままの状態を保たせて取っておくこと。「領収書は原則として一年間は—する/子供の時からの写真をアルバムに大切に—している/—がきく野菜/クラウドにデータが—出来る/—食[2]」 ❷△後の代にまで伝える(消滅を避ける)ために、必要な手段を講じて現状のままの存続が保たれるようにすること。「伝統芸能の—に力を尽くす/資料の散逸を防ぐために博物館で一括—する」

ほた[0][1]【〈榾】(たき物にする)木の切れはし。「ほだ」とも。「—木(ギ)[0]・—火(ビ)[0][2]」 表記 「〈〈榾柮〉〉」とも書く。

ぼた[1][0]【《硬】〔九州方言〕〔炭鉱で〕選炭したあとに残る石や質の悪い石炭。「—山(ヤマ)」 ⇩ずり

ポタージュ[2]〔フ potage〕フランスの汁料理で、どろりとした濃いスープ。↔コンソメ

ぼ たい[0]【母体】❶〔産前・産後の〕母親の からだ。 ❷分かれ出たものの、もとのもの。

すいせん—[5]【推薦—】 選挙に際し、その候補者を、自分たちの活動の目的や利益にかなう人物として推薦するおもだった△団体(組織)。 **せんきょ—**[4]【選挙—】 その立候補者を推薦・支持し、集票活動の推進や資金調達などの応援・援助を行なう△団体(組織)。

ぼ たい[0]【母胎】❶母親の胎内。 ❷母体❷。

ぼ だい[0]【〈菩《提】〔道・覚(サトリ)の意の梵(ボン)語の音訳〕 ❶煩悩(ボンノウ)を絶って得た、無上の悟りの境地。 ❷仏果を得て極楽往生すること。「—を弔う(=死者の冥福(メイフク)を祈る)」 **—じ**[0][2]【—寺】 先祖代々の位牌(ハイ)を納めてある寺。菩提所。だんなでら。 **—じゅ**[2]【—樹】 ❶六、七月ごろ黄色の小さな花を開く落葉高木。中国原産。寺院の庭によく植えられる。リンデン。〔シナノキ科〕 ❷イチジクに似た実を結ぶ常緑高木。インド原産。釈尊がこの木の下で悟りを開いたという。〔クワ科〕 かぞえ方 ❶❷とも一株・一本 **—しょ**[4][0]【—所】 菩提寺。 **—しん**[2]【—心】 ❶仏道に入り、真の道を求める心。善心。 ❷ほとけごころ。

ほださ・れる[4]【〈絆される】(自下一) 〔もと「絆す」の受動形〕△人情(愛情)にひかされて、つい△その気になる(予定外の行動を取る)。「情に絆されて出発を一日遅らした」

ほだし[3][0]【〈絆(し)】〔動詞「絆す」の連用形の名詞用法〕〔「馬の足をつなぐ縄」から転じて、手かせ・足かせの意〕思考・行動の自由を束縛する物事。「うき世の—」

ほだ・す[2]【〈絆す】(他五) つなぎとめる。つきまとう。

ほたて がい[3]ガヒ-【帆立貝】 開いた扇形の貝殻を持つ海産の大形二枚貝。太い貝柱は美味。〔イタヤガイ科〕 かぞえ方 一枚

ぼた ぼた[1](副)—と —する ❶しずくが、重たげに連続してしたたり落ちる様子。〔「ぽたぽた」より少し重い感じ〕 ❷水分が多くて重たげな感じのする様子。「—した雪」

ぽた ぽた[1](副)—と しずくが、軽い音を立てて次つぎとしたたり落ちる様子。また、その音の形容。「ゆるんだ蛇口から水が—落ちて止まらない」

ぼた もち[2]【〈牡《丹餅】「おはぎ」の異称。

ぼた やま[0]【《硬山】〔炭鉱で〕捨てたぼたを積み上げた結果そこに出来た山。

ぽたり[2](副)—と 液体が一しずく音を立てて落ちる様子。また、その音の形容。

ほたる[1]【蛍】 水辺にすむ、舟の形をした小形の昆虫。夜、腹の端から青白い光を出す種もある。ゲンジボタル・ヘイケボタルなど。〔ホタル科〕「—狩(ガリ)」 かぞえ方 一匹 **—いか**[3]【—〈〈烏賊〉〉】 目のまわり・腹の発光器から光を出す、六センチほどのイカ。〔ホタルイカ科〕 かぞえ方 一匹 **—び**[3][0]【—火】 ホタルの出す光(のように、わずかに残った火)。 **—ぶくろ**[4]【—袋】 山野に自生する多年草。夏、白色または紫色の つりがね状の花を垂れる。〔キキョウ科〕 かぞえ方 一本

***ボタン**[0][1]【〈釦】 ■一〔ポ botão〕 シャツ・洋服などの重なる部分の一方につけ、他方の穴にはめて合わせ目をとめる物。「金—の学生服/どこかで—の掛違え(=互いの理解などに食い違いがあること)があったらしく、二人の仲が険悪になった/—ダウン[4]・—ホール[4]・隠し—[4]」 かぞえ方 一枚・一個・一つ ■二〔button〕 ベルを鳴らしたり 機械を動かしたりする時に押す、突き出た部分。「押し—式」

ぼ たん[1]【〈牡丹】 ❶中国原産の落葉低木。五月ごろ、紅・白・紫などの大形の美しい花を開く。観賞用。〔ボタン科〕 ❷イノシシの肉の異称。「—鍋(ナベ)[4]」 かぞえ方 ❶は一株・一本 **—ばけ**[2]【—《刷毛】 毛の開いた、化粧用の丸い刷毛。 **—ゆき**[2]【—雪】 〔「ぼた雪[2]」を美化した表現〕大きな かたまりで降る雪。

ぼち[1]【墓地】 死人を埋葬するように定められた地域。

ぽち ■一[1] 「△小さい(小さく突き出た)点」の口頭語的表現。「ぽち[1]・ぽっち[1]・ぽっち[1]・ぽつ」とも。 ■二(接尾) わずかしか無いことを表わす。〔強調形は「ぽっち」〕「これっ—じゃしかたが無い」

ホチキス[1]〔←Hotchkiss〕⇩ホッチキス

ぽち ぶくろ[3]【ぽち袋】 祝儀(シュウギ)やお年玉などのお金を入れる、小さいのし袋。 表記 「ポチ袋」とも書く。 かぞえ方 一枚・一袋

ぼち ぼち[1](副)—と 〔関西方言〕⇩ぼつぼつ■二❶

ぽち ぽち[1](副)—と ❶⇩ぽつぽつ■一❶ ❷⇩ぽつぽつ■一❷

ぼちゃぼちゃ①(副)-と 大きな音を立てながら水をかき乱す様子。また、その音の形容。

ぽちゃぽちゃ 一①(副)-と・-する ❶軽い音を立てながら水をかきまぜる様子。また、その音の形容。❷〔子供や女性などが〕ふっくらしていて かわいらしく見える様子。「あの子の顔、—している」 二⓪-に・-な 「ぽちゃぽちゃ一❷」に同じ。「赤ちゃんの—のほっぺた」

ほちゅう⓪【補注・補〈註】本文のあとに注釈を付け加えること。また、その注釈。

ほちゅうあみ②【捕虫網】昆虫をつかまえるための、袋形の網。かぞえ方 一本

ほちょう①【ホ調】〔音楽で〕ホの音を主音とする音階（による調子）。

ほちょう⓪【歩調】〔何人かでそろって歩く時の〕歩き方。「共同—を取る／—を△合わせる(そろえる)」(=統一的な行動をする)」

ほちょうき②【補聴器】〔耳の遠い人が〕聴力を補うために耳に当てる器具。

ほっ〈法〉→【字音語の造語成分】

ほっ〈発〉→【字音語の造語成分】

ぼっ〈坊〉→【字音語の造語成分】

ぼつ〈没・勃〉→【字音語の造語成分】

ぼつ①【没・〈歿】一「死んだ」の意。「大正五年—／—後・—年」 二没書。「—にする」 ⇩【造語成分】

ぽつ① ❶⇩ぽち二 ❷〔印刷用語で〕中黒点。「・」

ほつえ⓪〈上《枝》〔雅〕〔「ほ」は先端の意、「つ」は文語の助詞で「の」の意〕上の枝。↔下枝

ぼっか①【牧歌】❶牧童が家畜の番をしながら歌う歌。❷牧者や農夫を主題とする△詩歌(歌曲)。「—調⓪」 **—てき**⓪【—的】-に・-な 日にする風景が〔「牧歌❶」に歌われる世界のように〕のどかで叙情的な様子だ。

ぼつが①【没我】何かをするのに熱中し、時間の経過も食事をすることや食事をしたかどうかさえも忘れること。「—の境に入る」

ほっかいどう③【北海道】〔畿内・七道に新たに加えられた道で、現今ただ一つ残る道〕日本列島の北端にある、大きな島。

ぼっかく⓪【墨客】書画をかく人。「ぼっきゃく⓪」とも。「文人—」

ぽっかり③(副)-と ❶それだけが浮かんでいて、目に付きやすい様子。「青空に一片の雲が—浮かんでいる／沈んだはずのかばんが—水面に浮いている」 ❷⇩ぽかっと❸「—大きな穴があく」

ほつがん⓪【発願】-する(自サ) ❶神仏に願をかけること。❷新たに何かを始めようという気持になること。

ほっき⓪【発起】-する(自他サ)〔「発」も「起」と同じくおこす意〕❶〔何人かが集まって〕事を始めようと計画すること。「—人⓪」 ❷発心❶。「一念—」

ほつぎ①【発議】-する(他サ) ⇩はつぎ

ぼっき⓪【勃起】-する(自サ) 急に力強く起つこと。〔狭義では、性的衝動にかられるなどして、陰茎が伸びてかたくなることを指す〕

ほっきがい③【北寄貝】〔←アイヌ pokise〕東北地方以北の泥海にすむ、大形の二枚貝。肉・貝柱は美味。うばがい②。「ほっき⓪」とも。〔バカガイ科〕かぞえ方 一枚

ぼっきゃく⓪【没却】-する(他サ)〔もとからあるものを〕無視して無いものとすること。

ぼっきょ①【卜居】-する(自サ) 占いでその土地がよいと決めて住むこと。

ほっきょう⓪①【法橋】❶法眼に次ぐ僧の位。❷昔、医師・画家・連歌師などに与えられた称号。

ほっきょく⓪【北極】一↔南極 ❶△地軸(天球軸)の北端。「—点④③」 ❷〔磁石の〕北を指している方の磁極。エヌ(N)極。 二「北極星」の略。 **—かい**④【—海】北極圏の中にある海。〔北氷洋の改称〕 **—ぐま**④⑤【—熊】⇩しろくま **—けん**④【—圏】❶北緯六六度三三分の緯線。❷「北極圏❶」より北の地域。夏至を中心として白夜の期間が有り、冬至を中心として終日太陽を見ない日が続く。 **—せい**④【—星】天球の北極に最も近い星。ほとんど位置を変えないので、北の方角を知るのに使う。

ぽっきり 一③(副)-と〔ちょっとした力が加わって〕かたい棒状の物が、もろく折れる様子。ぽきっと。ぽきりと。「△枝(柄)が—折れた」 二(接尾) 数量がちょうどそれだけで、端数が無い様子。「二万円—で買える」

ホック①〔オ hoek〕洋服の合わせ目などをひっかけてとめる、かぎ形の止め金。フックとも。「鉤—」

ほっく⓪【発句】❶連歌・連句の第一句。十七文字の句。❷俳句。

ボックス①⓪〔box〕一❶箱。「調味料を入れる透明の—／ごみ出し専用の—／アイス—・カラー—④(=着色した箱。いくつか重ねて、棚として使用するもの)」 ❷箱形のもの。「〔コンピューターの〕画面上の—に記入する／—カメラ⑤・—コート⑤・—席④(=劇場・飲食店などの仕切った席)・電話—④・バッター—」 二〔←box calf〕子牛のなめし革。「—の表紙の手帳」

ぽっくり③(副)-と ❶棒状のかたそうな物が突然折れる様子。❷それまで元気でいた人が急病などであっけなく死ぬ様子。「—病⓪」

ぽっくり①【《木履》】「木履」の変化。

ほっけ⓪【〈𩸽】東北・北海道地方でとれる海産魚。からだは細長く灰色。食用。〔アイナメ科〕かぞえ方 一匹

ほっけ⓪【法華】「法華経・法華宗」の略。「—八講④」 **—ざんまい**④【—三昧】懺悔滅罪などのために、一心に法華経を読み修行につとめること。 **—しゅう**③【—宗】法華経を信仰する仏教の宗派。〔広義では天台宗・日蓮宗を含み、狭義では日蓮宗の一派を指す〕

ホッケー①〔hockey〕二組に分かれ、棒で球〔アイスホッケーでは厚い円板〕を打ち、相手のゴールに入れる競技。

ぼっけん⓪【木剣】木で作った刀。木刀。きだち。かぞえ方 一口・一口・一本

ぼつご⓪①【没後・〈歿後】その人が死んだのち。「—の門人／—百年を記念する催し」↔没前

ぼっこう⓪【勃興】-する(自サ)〔国などが〕急に勢いを得て、盛んになること。

ぼっこうしょう③【没交渉】-な かかわるところが無いこと。「ぼつこうしょう③」とも。「世間と—の毎日」

ほっこく⓪【北国】北の寒い△国(地方)。↔南国

ぼつこせい③【没個性】その△人(物)に取り立てて言う特徴もなく、他と違った魅力が何ら感じられないこと。「手書きの文字と比べると印刷された活字は—と言わざるをえない／マニュアル通りの—的な接客」

ぽっこり③(副)-と まるくふくらんだ様子。「最近おなかが—としてきた／—出たおなか」

ぼっこん⓪【墨痕】墨で書いた字の、筆のあと。「—あざやか」

ほっさ⓪【発作】〔「発」はおこる、「作」はおこすの意〕ある症状が突発的に起こること。習慣性・反復性のものが多い。「喘息—・癲癇—・卒中—・心臓—」 **—てき**⓪【—的】-に・-な 前後の行動とは無関係に、その時点において

急に感情が高まったり半ば無意識的に瞬間的な行為が行なわれたりする様子だ。「―△に泣き出す(凶行)」

ほっしゅ⓪【法主】⇩ほうしゅ❶

ぼっしゅう⓪【没収】―する(他サ) 〔「没」は、持っている物を全部取り上げる意〕国家などの権力主体が個人の△所有物(権利)をなんらかの理由で強制的に取り上げること。「財産―」 **―じあい**⑤【―試合】〔野球で〕故意の試合ひきのばしや悪質な反則などの連続が行なわれたとき、審判が試合を中止し、過失のないチームの勝利を宣言すること。また、その試合。

ぼっしゅたいてき①-⓪【没主体的】―な ―に 主体性を全く欠いている様子だ。

ぼっしゅみ③【没趣味】―な 趣味の(感じられ)ない様子だ。ぼっしゅみ③。「―な身なり」↕多趣味

ぼっしょ⓪【没書】△投書(投稿)を採用しないこと。採用されない△投書(投稿)。

ぼつじょうしき③【没常識】―な ―に 常識を欠いている様子だ。

ほっしん⓪①【発心】―する(他サ) ❶思い立つこと。❷仏を信じる心になること。出家すること。発起。

ほっしん⓪【発〈疹】「はっしん」の古風な表現。

ほっす⓪【《払子】 禅宗の僧が法事の時に持つ、はたきに似た仏具。白熊の毛などを束ねて作る。〔もとインドで、ハエを払うのに使った物〕

ほっす⓪【法主】〔「ほうしゅ」の口頭語形〕真宗東本願寺派の管長。

ほつ・す②【《解す】(他五) ほぐす。とく。

ほっ・する⓪③【欲する】(他サ) ほしいと思う。欲す⓪(五)。「富や名誉を―/お金はだれしもが―ものだ/学業の成就せんことを―」

ぼっ・する⓪③【没する・〈歿する】[一](自サ) ❶沈んで、見えなくなる。「日が西に―」 ❷死ぬ。[二](他サ) ❶隠す。「姿を―〔=姿が見えなくなる〕/ひざを―〔=ひざが見えなくなるほど深い〕ぬかるみ」 ❷無視する。「功を―」没す⓪(五)。

ぼつぜん⓪【没前・〈歿前】[一]死ぬ前。↕没後 [二]日が沈む前。

ぼつぜん⓪【勃然】―たる ―と ❶突然抑えがたい意識がわきおこる様子だ。「―と野望にめざめる」 ❷むっとして怒る様子だ。

ほっそく⓪【発足】―する(自サ) 〔出発の意〕団体・会議などが△活動を始める(設立される)こと。はっそく。

ほっそり③(副)―と ―する 見るからに細くて繊細な感じがする様子。「―した△からだつき(白い指)」

ほったい⓪【法体】 髪をそり 法衣を着た、出家の姿。「ほうたい」とも。

ぼったくり⓪ 〔俗に〕客をだまして法外に金をもうけること。ぶったくり。「―の被害にあう」

ぼったく・る④(他五) 実際の値段をはるかに上回る金額をだましたり 脅したりして取る。「飲み代をぼったくられたことに翌朝気付いた」

ほったて⓪【掘っ建て・掘っ立て】❶〔家を建てるのに〕土台を置かずに、柱を直接地面に埋めて建てること。❷〔↑掘建小屋⓪〕きわめて粗末な小屋。[かぞえ方]❷は一軒

ほったらか・す⑤(他五) 本来すべきことを何もしないままにする。[名]ほったらかし⓪

ほったん⓪【発端】〔事件などの〕始まり。

ぽっち(接尾) 〔「ぼち[二]」の強調形〕わずかに…だけ。「十円―・これっ―」

ホッチキス①〔↑Hotchkiss=アメリカのメーカーの名〕 柄を押すと、[の形をした金具が一つずつ飛び出て紙をとじ合わせる仕掛けの器具。ホチキス。〔一般名称は、ステープラー〕 [かぞえ方]一台

ボッチャ①〔イ boccia〕 重度の脳性麻痺や四肢機能障害の身体障害者のために考案されたスポーツ。革製のボールを投げたり ころがしたり して、的となる玉に近づけることを競う。

ぽっちゃり③(副)―と ―する 小太りで、体全体に丸みがあり、かわいらしく見える様子。

ぼっちゃん①【坊ちゃん】〔「坊ちゃま①」の変化〕立場上の人の息子△に呼びかける(を指して言う)語。〔より丁寧には「おぼっちゃん」〕「―育ち⑤〔=苦労を知らずに育った男の人〕」 [運用]世間知らずだ、独善的な男だ、という皮肉や侮蔑の気持をこめて用いることがある。

ぽっちり③(副)―と 小さな点ほどの大きさや広がりであったりほんのわずかな数量であったり することを表わす。

ほづつ⓪【火筒】「銃砲」の意の古風な表現。

ほっつ・く⓪③(自五) ❶何か物欲しそうに、あたりを歩き回る。「ほっつき歩く⑥」 ❷これといった目的も無く、出歩く。〔❶❷とも口頭語的表現〕

ぽっつり③(副)―と 「ぽつり」の強調表現。

ぼってり③(副)―と ―する 厚くふくらんで、見るからに重たげに見える様子。「―とした綿入れの着物/―と厚い唇/―(と)太ったからだ」

ホット①―な ―に〔hot〕 ❶熱い。「―で飲む/―コーヒー⑥④」↕コールド ❷最も新しい。「―な話題/―ニュース④」 ❸最も激しい。「―な論争」

ほっと⓪(副)―する ❶ひと息、息をつく様子。「―ため息をもらす」 ❷それまでの心配や緊張などから解放されて、ああよかったと安心する様子。「仕事が無事終わって―した/―胸をなでおろす」

ポット①〔pot〕 ❶コーヒー・紅茶を入れるための、つぎ口・取っ手の付いた、つぼ形の容器。「コーヒー―」 ❷魔法瓶。[かぞえ方]❶❷とも一本

ぽっと⓪①(副)―する ❶急に火が付いたり 明りがついたりして、明るさが際立つ様子。「―燃え上がった/ろうそくに火が入って―明るくなった」 ❷恥ずかしさなどで顔が赤くなる様子。「斜め向かいの女性に目が行き、思わず―なった/顔が―赤らむ」 ❸何の苦労もないままにいきなり(厳しい)社会

ほっ
[法] 仏教。「法界・法華・法主・法体」⇩ほう

ほつ
[発] ❶あらわれる。生じる。「発端・発疹・発作」 ❷物事を新たに起こす。「発起・発足・発願」

ぼっ
[坊] 男の子。「坊ちゃん」⇩ぼう

ぼつ
[没] ❶沈んで見えなくなる。沈めて見えなくする。「没入・沈没・陥没・埋没」 ❷なくす。なくなる。「没我・死没」 ❸…が無い。「没交渉・没趣味」 [表記]❷は、もと「〈歿」と書いた。⇩(本文)ぼつ【没】

[勃] 〔秘められた力が機会を得て〕表面化する。起こる。「勃然・勃発・勃起・勃興・鬱勃」

に出る様子。「苦労人だから、―出てきた若造とはわけが違う」 **―で**[0]**【―出】** 初めていなかから都会に出て来た△こと(人)。〔その世界に入ったばかりで一人前に扱われない人を、侮蔑(ブベツ)を含意して指すことがある。例、「―の新人のくせに生意気だ」〕

ほっとう(オ)[0]**【発頭】** 〔←発頭人(ニン)[0]〕 計画を最初に立てた人。首謀者。

ぼっとう(オ)[0]**【没頭】**―する(自サ) 他の事を忘れて、その(一つの)事に熱中すること。「△勉強(学問・研究・発明)に―する」

ほっと・く[0](他五) 「ほうっておく[0]-[0]、[0]」の圧縮表現。「あんな奴(ヤツ)はほっとけ(=面倒をみる必要はない)/おれのことはほっといてくれ(=かまわないでくれ)」

ホットケーキ[4]〔hot cake〕 小麦粉・卵・砂糖に ふくらし粉を加えて水でとき、鉄板で平たく丸く焼いたもの。みつ・バターをつけて食べる。

ホットジャズ[4]〔hot jazz〕 楽譜を離れて自由に激しく演奏するジャズ。

ホットドッグ[4]〔hot dog〕 細長いパンに切れ目を入れ、ソーセージをはさんでオーブンであたためて食べるもの。

ホットパンツ[4]〔hot pants〕 股(タマ)下が極端に短い、女性用ショート パンツ。 かぞえ方 一枚

ホットプレート[5]〔hot plate〕 卓上で使う電熱式の鉄板。手軽に鉄板焼きなどが行なえる。

ホットライン[4]〔hot line〕 緊急非常用の直通電話。〔もと、米ソ〖=アメリカとソビエト連邦〗対立時代に戦争防止用に設けられた、米ソの首脳を結ぶ直通電話〕

ほづな[0]**【帆綱】** 帆を上げおろしする綱。 かぞえ方 一本

ぼつにゅう[0](ニフ)**【没入】**―する(自サ) ❶(水面・地平線など より下に)すっかり入りこむこと。❷心を打ちこむこと。「△仕事(役・本の世界)に―する」

ぼつねん[0]**【没年・〈歿年】** その人が死んだ年。〔年齢の場合は「行年(ギョウネン)[0]・享年(キョウネン)」と同義〕 ↕生年

ぽつねんと[0][3](副)―する そこにたったひとり(寂しそうに)居る様子。「とまり木の片隅に―座っていた」

ホッパー[1]〔hopper〕 石炭・砂利などを囲いの中に入れておき、下の口から少しずつ出すようにした装置。

ぼっぱつ[0]**【勃発】**―する(自サ) 事件などが表面化すること。起こること。「戦争が―する」

ほっぴょうよう(オ)[3](ホクヒヤウ)**【北氷洋】** 「北極海」の旧称。

ホップ[1]**【〈忽布】**〔オ hop〕 ヨーロッパ・アジア西部原産の多年生つる草。雌雄異株で、夏に開く緑色で長い、まつかさ状の雌花をビールの苦み・芳香料とする。〔アサ科(旧クワ科)〕 表記 「〈忽布」は、音訳。 かぞえ方 一本

ホップ[1]―する(自サ)〔hop〕 ❶はね上がること。❷片足でとぶこと。「―、ステップ、ジャンプ」

ポップ[1]**【POP】**〔point-of-purchase の略〕 客が何かを買おうとしている、まさにそのとき。「―広告[4](=売り場のポスターや店頭宣伝用の看板など)」

ポップ[1]〔pop〕 ■一―な ❶気取らずに、軽妙である様子。また、前衛的な様子だ。「―アート」 ❷時代に合っていて大衆に受け入れられやすい様子だ。「―なファッション」 ■二ポピュラー音楽。「J〔=ジャパニーズ〕―[3]」

ポップアート[4]〔pop art〕 一九六〇年代に、アメリカを中心に広まった現代美術の一形式。広告・ポスター・漫画などの技法を取り入れた絵画や、日常生活の器物をそのまま用いた造形など、大衆的で反伝統的なモチーフを特徴とする。

ポップコーン[4]〔popcorn〕 はじけさせたトウモロコシの実に塩味などを付けた食品。ポプコーン[3]とも。

ポップス[1]〔pops〕〔米国の〕ポピュラー ソング。「―コンサート」

ほっぺた[3]**【《頰っぺた】** 「ほお」の口頭語的表現。〔幼児語は、「ほっぺ[1]」〕 ⇩しりっぺた

ぽっぽ[1] ■一❶「ふところ。また、ポケット」の俗称。「公金を―に入れる(=横領する)」 ❷汽車やハト(の鳴き声)。〔❶❷とも口頭語的表現〕 ■二(副)―と ❶炎・煙・湯気などが断続的にあがる様子。❷―する 熱気で からだが熱くなる様子。

ほっぽう(オ)[0](ホクパウ)**【北方】** 北(の方角)。「―領土[5](=国後(クナシリ)・択捉(エトロフ)・歯舞(ハボマイ)・色丹(シコタン))」 ↕南方

ぼつぼつ ■一[0](あちこちに見える)小さな突起や吹き出物。 ■二[1](副)―と ❶数多くの小さな点や穴があちこちに散らばってある様子。ぼつぼつ。ぽちぽち。「虫にくわれて―穴のあいたスカート」 ❷(あちこちで)少しずつ△その傾向がはっきりしてくる(何かが始められる)様子。ぼちぼち。ぽちぽち。「花も―咲き始めた/『景気はどうかね』『まあ―です』/では―出掛けるとするか」

ぼつぼつ[0]**【勃々】**―たる ―と 内に秘めた力が機を得て表面化し、止めることが出来ない状態だ。「雄心―[0]-[0]」

ぽつぽつ[1](副)―と ❶⇩ぼつぼつ■二❶ ❷ぽつりぽつり。

ほっぽらか・す[5](他五)〔東部方言〕ほったらかす。

ほっぽ・る[3](他五)〔東部方言〕ほうる。

ぼつらく[0]**【没落】**―する(自サ) 〔今まで栄えていたものが〕現在は衰えて、見る影もなくなること。「―貴族」

ぽつり[2][3](副)―と ❶雨などのしずくが一滴落ちる様子。「涙が―と膝(ヒザ)にこぼれた」 ❷小さい点・穴がそこだけに一つあく様子。 ❸それだけが、他から切り離された状態で存在するという印象を与える様子。「誰も居ない部屋に―と座っている/―ともらした一言(ヒトコト)」

ぽつりぽつり[2]-[2](副)―と ❶雨などのしずくが、間をおいて次つぎに落ちてくる様子。「天井から―と雨漏りがする」 ❷同じ言動が間をおいて少しずつなされる様子。「―と人が集まってくる/思い出を―語る」〔❶❷とも「ぽつぽつ」とも〕

ほつ・れる[3]**【《解れる】**(自下一) きちんとたばねてある△糸(髪など)の先が乱れる。 名ほつれ[3]

ぼつろんり[3]**【没論理】** 物の考え方や文章・議論の展開などに理論的な整合性(を重んじようとする態度)が全く見られないこと。

ぽつんと[2](副) ❶小さい点・穴が一つ出来ることを表わす。 ❷他から離れて孤立していることを表わす。「―一人だけ置き去りになった/一軒だけ―ある人家」 ❸一言だけしゃべり、あとは再び沈黙にもどってしまうことを表わす。「もういやと―つぶやく」

ほてい[0]**【《布《袋】** 七福神のひとり。大きな袋をかつぎ、太鼓腹をした僧。弥勒菩薩(ミロクボサツ)の化身といわれ、背中にも目がある。 **―ばら**[0]**【―腹】** (ほていのように)つきでた大きなおなか。

ほてい[0]**【補訂】**―する(他サ) 〔著作物について〕部分的な補いを施したり 訂正を加えたり すること。

ほてい[0]**【補〈綴】**―する(他サ) ❶足りない所・破れた所などに手を加えてよくすること。〔文章表現にも裁縫にも言う〕 ❷字句をつづりあわせて詩文を作ること。「ほてつ[0]」とも。

ボディー[1]〔body〕 ❶人間の からだ。「―スイング・―チェック」 ❷胴体(に相当する部分)。「自動車の―(=車体)/―ブロー(=相手の腹部や胸部に加える鋭い打撃)」 ❸⇩人台(ジンダイ)

ボディーガード[4]〔bodyguard〕 重要な地位の人の外出時に、その身辺を守ることを職業とする人。

ボディー コンシャス[4]〔body-conscious〕 女性のからだ

の線を考えて、それを強調したファッション。からだにぴったり付いたスーツやワンピースなど。略してボディコン[0]。

ボディーチェック[4]〔body check〕 空港などでピストル・爆薬などの危険物を持っていないかどうか調べるために、係官が直接、衣服をつけたからだに手を触れること。〔本来の英語では、セキュリティーチェックという〕

ボディービル[4]〔body building の日本語形〕 バーベルなどの道具を用いて、筋骨のたくましいからだをつくりあげる△こと(体操)。

ポテト[1]〔potato〕 ジャガイモ。「―チップス[4]・―サラダ・フライドー・スイートー」

ポテト サラダ[4]〔potato salad〕 ゆでたジャガイモをつぶし、キュウリ・ニンジン・ハムなどを刻んで加え、マヨネーズで和ァえた料理。略してポテサラ[0]。

ぼて ふり[0]【《棒手振(り)》】❶商品をてんびん棒でかついで売り歩く△こと(人)。振り売り。❷魚市場と料理屋との間に立って魚の売買をする人。

ぼて ぼて ❶[1](副)―と―する 厚くて重い感じを与える様子。「―(と)した服」 ❷[0]―な―に 「ぼてぼて❶」に同じ。「―に太ったネコ/―のサードゴロ」

ほて・る[2]【火照る・《熱る》】(自五) 〔「火照る」の意〕 顔やからだが熱く感じる。「興奮と恥ずかしさで からだじゅうがほてった」 名 ほてり[3]

ホテル[1]〔hotel〕 西洋風の設備・様式を整えた宿泊設備。食事は、宿泊料とは別。〔日本風の旅館の名称としても用いられる〕 かぞえ方 一軒

ぼて れん[0] ❶「妊娠して腹がふくれている△こと(女性)」の古風な口頭語的表現。「ぼてれん[0]」とも。❷「卵を持って腹がふくれている魚」の俗称。

ほ てん[0]【補塡】―する(他サ) 足りない部分をそれで補充すること。「赤字を―する」

ポテンシャル[2]―な―に〔potential〕 可能性(としての)。潜在的。「災害の―は大きい/高い―を秘めている」

ぽてん ヒット[4] テキサス ヒット[5]。⇩テキサス

ほど ❶[0]【程】❶そこで とどまるべき行動の限界。「―を守る/―を過ごす〔=度を越す〕/身の―〔=分際〕を知れ/―に応じて〔=分相応に〕寄付する/―の良いところで〔=いい潮時を見て〕△散会する(見切りをつける)」 ❷△どれだけあるか(どちらであるか)についての大体の見当。「年の―は三十四、五/希望は山―ある/覚悟の―〔=覚悟が十分にある証拠〕を見せてもらいたい/真偽の―〔=真であるか、偽であるか〕を確かめる/生死の―〔=果たして生きているのかどうか〕を確かめる」 ❸△時間的(空間的)な広がりについてのある範囲。「待つ―も無く〔=そう長い時間待たないうちに〕彼は現われた」 ❹〔手紙文や挨拶アイサツなどで、「…の―」の形で〕その及ぶ範囲を漠然と指す婉曲エンキョク表現として用いられる。「厚意の―〔=過分の厚意を受けたこと〕を謝する/御親切の―〔=親切にしていただいたこと〕は忘れません/御自愛の―お祈り申し上げます/引き続き御愛顧の―お願い申し上げます」 【―が有る】 許容される限度を超えていて、話にならない。「物を知らないにも―」 【―の事は無い】 そうするだけの△価値(必要)が無い。「買う―」 【…と言う―のものは無い】 そう呼ぶのに値する まともなもの△ではない(は存在しない)。「財産―」
❷(副助詞的に) ❶範囲・限度・基準についての およその見当を表わす。「十日―前/彼―の人なら必ず成功する/これ―うれしい事は無い/きのう―は寒くない/目は口―に〔=口に劣らずに〕物を言い/口で言う―簡単ではない」 ❷前件に述べる範囲・限界の変化に応じて後件が成立することを表わす。「考えれば考える―分からなくなる/早ければ早い―いい/飲む―に〔=につれて〕酔う―に〔=につれて〕彼の雄弁は尽きることが無かった」

ほど[1]【歩度】 単位時間に どれだけ歩けるかの度合。また、その時までに何歩歩いたかの合計。「―を速める/―計[0]」

ほど あい[0][3]―アヒ【程合】 ちょうどいい程度。ころあい。「―の甘み」

ほどう[0]ダウ【歩道】 〔区分のある市街道路で〕人が通るように決められた、道の両端の一段高い部分。人道。「横断―」⇩車道 **―きょう**[0]ケウ【―橋】 交通量の多い幹線道路を歩行者が横断出来るように、一定の間隔を置いて地方公共団体が設置した陸橋。〔人間よりも車を優先するということで、しばしば問題にされる〕

ほどう[0]ダウ【補導・〈輔導】―する(他サ) 〔親に代わって〕青少年が不良化しないように指導すること。

ほどう[0]ダウ【舗道・〈鋪道】 舗装した道路。ペーブメント。

ぼどう[1]ダウ【母堂】 「(他人の)母」の意の敬称。「ご―(様)[2]〔=手紙文などで△相手(他人)の母〕」

ほどき もの[0]【《解(き)物》】 ⇩ときもの

ほど・く[2]【《解く》】(他五) 〔結び目や縫い目を切ったりしないで〕結んだり 縫ったりしたのと逆順の操作で、元へ戻す。とく。「包みを―」 自動 ほどける[3](下一)

*__ほとけ__[0][3]【仏】❶悟りを開いた、仏教の聖者。〔狭義では、釈尊(の像)を指す。また、怒ることを知らぬ人・慈悲深い人の意にも用いられる〕「地獄で―〔=⇩地獄❶〕」 ❷〔仏葬を受ける〕死者(の霊)。「―になる」 【―作って魂入れず】 作品・仕事などが一応出来あがっているが、一番大事な点が抜けているので完成したとは言えないたとえ。 【―の顔も三度】 いくらおとなしい人でも ひどいことを たびたびされれば、怒ることがあるものだ。 【知らぬが―】 ⇩知らぬ **―いじり**[4]イヂリ【―《弄(り)》】 むやみに仏を信心すること。 **―くさ・い**[5]【―臭い】(形) 〔その人の言動やその場の様子が〕仏教的な雰囲気を感じさせる様子だ。 **―ごころ**[4]【―心】 〔仏の持つ慈悲深い心〕弱い立場にある人に哀れみを掛けたり 悪事を犯した者に寛容な気持で臨もうとしたりする、人の心のやさしさ。慈悲深い性質。 **―のざ**[0]【―の座】❶春の七草の一つ。山野に生える越年草で、タンポポに似て小形。早春、黄色の花を開く。若葉は食用。たびらこ。〔キク科〕 ❷野原に生える越年草。春、紅紫色の花をつける。花の下の二枚の葉を「仏の座❶」に見たてたもの。〔シソ科〕 かぞえ方 ❶❷とも一本 **―しょう**[0][3]シヤウ【―性】

*__ほどこ・す__[3]【施す】(他五) ❶〈だれニなにヲ―〉 弱い立場にある者に無料で与える。 ❷〈だれ・なにニなにヲ―〉〔効果を期待して〕何かの上にそれを与える。「△恩恵(手当て・彩色)を―/肥料を―〔=やる〕/△濁点(声点ショウテン)を―〔=加える〕」 ❸〈(どこニ)なにヲ―〉 設備をする。「内装を―」 ❹〈(なに・だれニ)なにヲ―〉 「行なう」の やや改まった表現。「仁政を―/策を―〔=計画を立てる〕/手の施し〔=打ち〕ようが無い」 名 施し[0]

ほどちか・い[4]【程近い】(形) 目標とする所まであまり隔たりがない。「△駅から(海に)―所に住む」 ↕ほどとおい

【面目めんもくを―】 ⇩面目❶

ほどとお・い[0]―トホイ【程遠い】(形) 目標とする所までかなりの隔たりがある様子だ。「△完成(解決)までには―/理念からは―/現状は理想に―」 ↕ほどちかい

ほととぎす[3]【〈時鳥〉・〈杜鵑〉・〈子規〉・〈不如帰〉・〈郭公〉】 山地にすむ、中形の鳥。初夏、キョキョキョと鋭く鳴く声は、俗に「テッペンカケタカ」と聞こえるという。卵はウグイスの巣に産む。ふじょき。〔カッコウ科〕 表記 「郭公カッコウ」は元来 別の鳥を指す。 かぞえ方 一羽

ほど なく③②【程無く】(副) たいして待つこともなく予測される事態が実現する様子。「—戻るでしょう/—現われた」

ほとばし・る④【〈迸る】(自五) 〔中にたまっていた液状のものが〕内部の圧力に押されて ひっきりなしに噴出する。〔古くは、「ほどはしる・ほどばしる」〕「情熱が—」[名]迸り⓪

ほと・びる③【《潤(び)る】(自上一) 〔乾燥食品などが〕水につかって軟らかくなる。ふやける。

ポトフ①〔フ pot-au-feu=ストーブの火にかける壺(ツボ)〕 肉と野菜をたくさん入れて煮込んだスープ。ポトフー①とも。

ほど へて③【程経て】(副) 〔雅〕その時からしばらくたって後の事である様子。

ほとほと⓪【〈殆】(副) 〔「殆(ホトンド)」と同源〕当面する事態が、いくらそう言っても言い過ぎることがないと思えるほど、切実に感じられる様子。「子供のいたずらには—手を焼いている/けなげな心に—感心した」

ほど ほど⓪【程々】 その傾向が行き過ぎてもいず、不足しているとも思われない程度である△こと(様子)。「何事も—(にすること)が大事だ/—の通気性は必要だ/ふざけるのも—にしろ」

ほとぼり⓪ ❶火を消したあとの余熱。「狂乱物価の—が強い」 ❷事件が終わったあと、しばらく続く△感情の高ぶり(世間の関心)。「事件の—がさめる」

ボトム アップ④〔↑bottom-up〕 企業経営などで、下の意見を上の者が吸い上げて経営方針に反映させるやり方。↕トップ ダウン

ほどよ・い③【程《好い・程良い】(形) 目的に照らしてちょうどよい程度だととらえられる様子だ。「—△湯加減(味加減)/一日の行楽に—ハイキングコース」[派]—さ③

ほどらい⓪③【雅】〔「程合(ホドアイ)」の変化〕〔そこでとどまるべき〕適当な程度。

ほとり⓪③【《辺・《畔】〔「…の△すぐ近く(周囲)」の意〕岸。きわ。「△川(池)の—」

ボトル⓪〔bottle〕 ❶瓶。「ペット—」 ❷その店に客が預けておく、ウイスキー・焼酎(ショウチュウ)などの瓶。

ボトル キープ④—する(他サ)〔和製英語 ←bottle + keep〕行きつけのバー・飲み屋などで、自分用の飲み分としてウイスキーなどを瓶で買って預けておくこと。

ボトルネック④〔bottleneck=瓶の首〕 全体の進行の妨げとなる△部分(事柄)。隘路(アイロ)。略してネック。

***ほとんど**②【〈殆ど】(副) 〔「ほとほと」と同源〕 ❶少数の例外はあるが、大部分にわたってそういう状況にある様子。「家の中のめぼしいものを—売った/クラスの—だれもが疑わなかった/小学校時代のことは—忘れてしまった」 ❷当面する事態が、そう言い切って差しつかえないほどの状態になっている様子。「それは人間の顔というより、—骸骨(ガイコツ)そのものであった/彼の入れこみようは—病気だ/—気を失いかけていた/—雨はあがった」 ❸「ほとほと」の意の古風な表現。「仲に立って、道綱は一人で—困っていた/僕は—父の真意を知るに苦しんだ」[文法]❶はまた、「忙しくて昨夜はほとんど寝なかった」「先生の質問にほとんど答えられなかった」などと、否定表現と呼応して用いられ、一部の例外を除いて大部分について否定的な形でしかとらえられない状態であることを表わす。

ほなみ⓪【穂並】 イネ科植物の穂が出そろった様子。

ほなみ⓪【穂波】 風に吹かれて波のようにゆらぐ穂。

ボナンザグラム⑤〔bonanzagram. bonanza=大当り表〕(賞金目当ての)クイズの一つ。クロスワード パズルのような形式などで語や文の空白部分を、与えたヒントによって埋めさせるもの。

ポニーテール④〔ponytail〕 女性の髪型の一つ。小馬〔=ポニー①〕の尾のように髪を後ろに束ねて垂らすもの。

ほにゅう⓪【哺乳】 母乳を赤ん坊に飲ませること。「—瓶②・—動物④」 **—るい**②【—類】 脊椎(セキツイ)を持ち、肺で呼吸をし、温血・胎生で、母乳で子を育てる最も高等な動物。〔ただし、カモノハシ・ハリモグラなど単孔類は卵生〕

ぼにゅう⓪【母乳】 母親の乳。

ほにん⓪【補任】—する(他サ) 任官させて、職につかせること。〔古くは、「ぶにん」〕

ほぬの⓪【帆布】 帆に使う、厚い綿布。

****ほね**②【骨】 ❶哺乳類その他 高等動物のからだを形作り、支える働きをする堅い重要なもの。骨が集まって骨格を成す。カルシウム分が多い。「—にこたえる〔=ひどい苦痛が、からだの中心部にまで及ぶ〕△寒さ(苦しみ)/—と皮ばかり〔=やせこけた形容〕/—の髄まで〔=⇨髄❶〕」 ❷器物の中心にあって、紙・布などを張る、木・金属の部分。「△傘(扇)の—」 ❸存在の中心になる、大事なもの。「—〔=気概〕のある人」 ❹何かをするのに要する労力。「この仕事を一日でかたづけるのは—だ〔=かなりの労力が必要だ〕/—を折る〔=物事の成就に△努力(苦労)する〕/—〔=努力すること〕を惜しむ/—を惜しまずに働く」[かぞえ方]❶は一片・一本・一体(イッタイ)。❷は一本

ほねおしみ③⓪【骨惜しみ】—する(自サ) 苦労や努力をいやがって、仕事などをなまけること。「—せず働く」

ほねおり⓪③【骨折り】 努力。苦労。「—損(ゾン)のくたびれもうけ〔=苦労したわりには得るものがほとんど無かったことのたとえ〕」[動]骨折る③(自五)

ほねがらみ③【骨絡み】 梅毒が全身に広がり、骨髄に入ってうずき痛むこと。

ほねぐみ⓪【骨組み】 ❶からだの骨の構造。骨格。 ❷全体を支える仕組み。「建物の—/文章の—」

ほねちがい③【骨違い】 骨が関節からはずれること。脱臼(ダッキュウ)。

ほねつぎ⓪【骨接ぎ】 骨折(コッセツ)・脱臼(ダッキュウ)を治療する△こと(人)。整骨。接骨。

ほねっぷし⓪【骨っ節】〔「ほねぶし⓪」の変化〕 ❶骨の関節。 ❷気骨(キコツ)。

ほねっぽ・い④【骨っぽい】(形) ❶魚などに小骨が多い。 ❷気骨(キコツ)がある様子だ。[派]—さ④

ほねなし⓪【骨無し】 背骨が柔らかくて、直立出来ない者。〔主義・信念・気骨(キコツ)の無い状態(の人)の意にも侮蔑(ブベツ)を含意して用いられる〕

ほねぬき⓪【骨抜き】 魚・鳥などの料理で、骨を抜き△去ること(去ったもの)。〔大切な部分を取り去って、価値・内容の無いものにする意にも用いられる。例、「—にされた原案」〕

ほねばなれ③【骨離れ】 焼くなどした魚の肉が骨から離れること。また、その離れぐあい。「—がいい」

ほねば・る③【骨張る】(自五) ❶やせていて、骨が見え、かどばる。 ❷意地を張る。

ほねぶと⓪【骨太】—な ❶骨格ががっしりしている様子だ。 ❷〔作品や考え方などで〕全体の構成がしっかりとしていて、明確な主張が貫かれている様子だ。「—な△作品(方針)/—の財政再建策」

ほねみ③②⓪【骨身】〔中心を成す骨とそれをおおう肉の意〕体全体。また、体の奥深い所。「—を惜しまず〔=『骨を惜しまず』の強調表現〕/—にこたえる〔=『骨にこたえる』の強調表現〕/—にしみて味わう」

ほねやすめ③【骨休め】—する(自サ) 仕事の合間にからだを休めること。

ほの【〈仄】(造語) ほのかに。わずかに。「—白(ジロ)い④・—暗(グラ)い・—見える④・—ぼの」

***ほのお**[1]【炎・〈焔】〔「火(ほ)の穂」の意〕❶ろうそく・ガスなどが燃える時に揺れ動いて見える、火の先端部。安定した場合は、毛筆の先端に似る。科学的には、目に見えない「酸化炎[3]・還元炎[3]」を指す。「夜空を焦がすたいまつの━」❷(言動や表情に現われる)おさえがたい怒り・ねたみなどの感情。「嫉妬(シット)の━」

ほのか[1]【〈仄(か)】━に ━な はっきり何だとは分からないが、見たり聞いたり においなどによったり などしてそれと知る様子だ。「━に〔=どこからとも無く〕聞こえてくる笛の音(ネ)/━〔=かすか〕に見える光/━に赤みがさす」

ほのぐら・い[4]【〈仄暗い】(形) そのあたりが、本を読んだり手先でする仕事をしたり するのにはやや暗いと感じられる様子だ。 派━さ[3]

ほのじ[2]【ほの字】〔「ほ」は「ほれる」の「ほ」〕ほれていること。「お前はあの娘(コ)に━なんだろう」

ボノボ[1]〔bonobo〕 コンゴ川南岸の森林だけにすむ類人猿。体はチンパンジーより小さく、顔が黒い。ピグミー チンパンジー[7]とも。〔ヒト科〕 かぞえ方 一頭・一匹

ほのぼの[3]【〈仄々〉】(副)━と 明るさや あたたかみなどから受ける印象を通して、人の心を和ませる雰囲気が感じられる様子。「━とした心あたたまる話」

ほのめか・す[4]【〈仄めかす】(他五) 言葉やそぶりに、それとなく表わす。「△決意(意向・態度)を━/言外に━」 名 仄めかし[0]

ほのめ・く[3]【〈仄めく】(自五) ほのかに見える。

ぼば[1]【〈牡馬】 おすの馬。↔牝馬(ひんば)

ホバークラフト[5]〔Hovercraft=商標名〕 船体を浮き上がらせて水面を走る高速船。 かぞえ方 一艘(ソウ)・一隻(セキ)

ほばく[0]【捕縛】━する(他サ) 犯人を捕らえ縛ること。

ほばしら[2]【帆柱】 帆を張るための船の柱。 表記 「〈檣」とも書く。 かぞえ方 一本

ほはば[0]【歩幅】 その人が歩いて一歩進む時の平均的な距離。「━が広い」

ほばらみ[2]【穂〈孕(み)】━する(自サ) イネなどの穂が出る前に、穂の包まれている部分が発育してふくれること。

ホバリング[0]〔hovering〕 ヘリコプターが空中で静止すること。〔蜂鳥(ハチドリ)などの鳥の動きについても言う〕

ぼはん[0]【母斑】 ほくろ・あざ・そばかすなど、皮膚に現われる△褐色(黒色)の斑紋の総称。生まれた時にすでに見えたり 先天性の原因で後年発生したり するので、この称がある。

ほひ[1]【補肥】 追肥(ツイヒ)。おいごえ。

ぼひ[0][1]【墓碑】 死者の名前や没年などを彫り込んだ墓石。「━銘[2]〔=墓石に刻んだ文句〕」

ホビー[1]〔hobby〕 趣味。

ポピー[1]〔poppy〕 ケシ(罌粟)。〔狭義ではヒナゲシを指す〕

ほひつ[0]【補筆】━する(自サ) あとから書き加えること。

ほひつ[0]【補〈弼・〈輔弼〉】━する(他サ) 君主を補佐する△こと(人)。 表記 「補」は、代用字。

ポピュラー[1]━に ━な〔popular〕 広く一般に知られ(親しまれ)ている様子だ。大衆的。「━ソング[5]」

ポピュリズム[3]〔populism〕 政治指導者が民衆の利己的欲望に迎合することで支持を得、権力を維持しようとする政治的態度。「大衆迎合主義[9]」とも。

ぼひょう[0]【墓標】 墓じるしとしての柱や石。 表記 「墓表」とも書く。 かぞえ方 一本・一基

ボビン[1]〔bobbin〕 ❶(紡織用の)筒形の糸巻。❷ミシンの下糸を巻くリール。「━ケース[4]」 ❸電線を巻いてコイルにする筒。

ほふ[1]【保父】 男性の「保育士」の旧称。

ほぶ[1]【歩武】 (行進する時などの)足どり❶。「━堂々」

ボブ[1]〔bob〕 女性のヘアスタイルの一つ。毛先を直線的に切りそろえたもの。ボッブ[1]とも。

ほふく[0]【〈匍匐〉】━する(自サ) 腹ばい(になること)。はうこと。「━前進」

ボブスレー[1]〔bobsleigh〕 冬季オリンピック競技種目の一つ。雪を固めた急カーブのコースを、操縦装置を備えた鋼鉄製のそりで滑降する。二人乗りと四人乗りがある。

ほぶね[0]【帆船】 帆かけぶね。

ホフマン ほうしき[5]【ホフマン方式】〔Hoffmann=ドイツの学者〕 交通事故などの補償額算定に用いられる方式。被害者の将来にわたる年間総収入から、本人の生活費・所得税などの費用を差し引き、それに就労可能年数を掛け、さらにその間の利子を控除する。

ポプラ[1]〔poplar〕 セイヨウハコヤナギ[7]の類の総称。並木などに植える落葉高木。〔ヤナギ科〕「━並木」 かぞえ方 一株・一本

ポプリ[1]〔フ pot-pourri〕 部屋にいい香りを漂わせるために、バラなどの干した花びらと香料とを交ぜて詰めた壺(ツボ)。

ポプリン[1]〔poplin〕 縦糸に絹、横糸に毛または もめんのより糸を用いた織物。夏の婦人服・ワイシャツ用。

ほふ・る[2]【〈屠る】(他五) ❶鳥獣のからだを切り裂く。❷〔戦いで〕敵を皆殺しにする。❸〔試合で〕敵をやぶる。〔古くは、「ほぶる」〕

ほへい[0]【歩兵】 旧陸軍兵科の一つ。徒歩で戦う△兵隊(兵種)。

ぼへい[0]【募兵】━する(自サ) 兵士を広く求め集めること。

ボヘミアン[2]〔Bohemian〕 芸術・文化を好み、習俗を無視して自由放縦な生活をする人(たち)。

ほほ[1]【頰】 「ほお」の新しい言い方。

ほほ[1]【歩々】(副)〔「一歩一歩」の意〕事態が少しずつではあるが確実に進捗(シンチョク)する様子。「その闘(タタカ)いの如何(イカ)は酷烈を極めたるか、如何(イカ)に━予を死地に駆逐したるか。予は到底ここに叙説するの勇気なし」

ほぼ[1]【《略・《粗】(副) 細かい点はともかく、大体においてそうであると判断される様子。「会場は━満員だ/事件の全体が━明らかになった/━時を同じくして」 表記 「《略〻」とも書いた。

ほぼ[1]【保母・保〈姆】 女性の「保育士」の旧称。

ほほえまし・い[5]━【《微笑ましい】(形) 好ましいものとして受け入れることができ、思わずほほえみたくなる感じだ。「━家族団欒(ダンラン)の光景」 派━さ[5][4] ━げ[5][6][0]

ほほえ・む[3]━【《微笑む】(自五) ❶声をたてずににっこり笑う。「運命の女神はいずれに━か〔=いずれに味方するか〕」❷花が少し開く。「ほおえむ」とも。 名 ほほえみ[0] 表記 「頰笑ましい」とも書く。「頰笑む」とも書く。

ほほじろ[0]【頰白】 「ほおじろ」の新しい言い方。

ほぼ ほぼ[1]-[1]【《略《々・《粗《々】(副) 問題となる事柄に関して、完璧だというわけにはいかないが、細かい点を除けば、その人なりに全体にわたって妥当だと判断される様子。「工事は━予定通りに進んでいる/不正融資のからくりが━明るみに出された」

ポマード[2]〔pomade〕 香料を入れて練った油。男の整髪用。「てかてかに━を光らせる」

ほまえ せん[0]━【帆前船】 帆を張り、風力で走る洋式の船。帆船(ハンセン)。 かぞえ方 一艘(ソウ)・一隻(セキ)

ほまち[0][1]【帆待ち・《外待ち】〔「出帆を待つ間の、船頭の稼ぎ」の意〕❶臨時の収入。「━稼ぎ[4]」❷へそくり。

ほまれ[0][3]【誉(れ)】 ❶ほめられて、皆からよく言われること。よい評判。名誉。「名作の━が高い」❷昔、戦いで一番の軍

功。表記 例外=「誉れ」

ほむぎ⓪【穂麦】穂が出たムギ。

ほむら⓪①【《炎・〈焔〉】〔「火群ホムラ」つまり「ほのお」の意の古語〕心の中に燃え立つ恨み・怒り・嫉妬シット・や情熱。「彼女の目は憎悪の―に燃えた」

ホメオスタシス⑤〔homeostasis=同一の状態〕〔生物学で〕食物や気温といった環境の影響を受けて変化した体温や血糖値などの生理的状態に対応して、それらを常に一定の状態に保とうとする体の働き。生体恒常性⓪。恒常性⓪。

ほめごろし⓪【褒め殺し・《誉め殺し】実質以上にほめちぎることで、相手を不利な状況におとしいれたりせっかくの意欲を失わせたりすること。「―にあって閉口した」

ほめそや・す④【褒めそやす・《誉めそやす】(他五)〔「そやす」は、おだてる意〕言葉を尽くしてほめる。

ほめたた・える⑤⓪―タタヘル【褒め《称える・《誉め《称える】(他下一) 盛んにほめる。

ほめちぎ・る④【褒めちぎる・《誉めちぎる】(他五)〔「ちぎる」は、懸命に…する意。また、プラスの状況を強調することを表わす〕△これ以上ほめられないというほど(本人が聞いていても恥ずかしいほど)ほめる。

ほめもの⓪②【褒め者・《誉め者】多くの人からほめられる人。

***ほ・める**②【褒める・《誉める】(他下一)〈だれ・なにヲ―〉〔長所・りっぱな行い・努力した点などを認めて〕良く言う。↔そしる・けなす

ポメロ①〔pomelo〕ザボンや文旦ブンタンなどに似た大きな実をつける東南アジア原産の常緑低木。〔ミカン科〕「―柑カン」

ホモ① ㊀〔←homosexual〕ホモセクシュアルの略。〔差別を含意する〕↔ヘテロ ㊁〔←homogenized〕均質。「―牛乳③・ノン―⓪」

ホモサピエンス③〔ラ homo sapiens=知性ある人〕現在、地球上に住んでいる人類が属する種の学名。現生人類。化石人類も含まれる。

ホモセクシュアル③〔homosexual〕〔男性間の〕同性愛者。略してホモ。↔ヘテロセクシュアル ⇨ゲイ・レズビアン

ほや①⓪【〈海《鞘〉】「海鞘カイショウ目③」に属する動物の総称。からだは赤茶色の袋で包まれ、海中の岩に付着する。食用。

ほや①【火屋】❶香炉・手あぶりの上にかぶせるふた。❷ランプの火をおおい包むガラスの円筒。

ぼや①【〈小火〉】小さい火事。表記「〈小火〉」は義訓。

ぼや①【暮夜】「夜分(になってから)」の意の古風な表現。「―ひそかに」

ぼや・く②(他五)〔中部・近畿・四国方言〕ぶつぶつ△不平(こごと)を言う。名ぼやき③

ぼや・ける③(自下一)〔焦点が〕はっきりしなくなる。「輪郭が―/争点がぼやけ気味」他動ぼやかす③(五)

ぼやっと②(副)「ぼんやり」の意の口頭語的表現。「くもって頂上の方が―している/―して大事な話を聞き損ねた」

ほやほや ㊀①(副)―と 〔加熱された食品などが〕出来たてで、あたたかく湯気が立っている状態。「湯気が―(と)立上る」 ㊁⓪―な その状態になったばかりで、時間がたっていない様子だ。「△覚えたての(新婚)―だ」

ぼやぼや①(副)―と―する 状況に応じた機敏な対応ができなくて、どうしてよいかわからないままぼんやりしている様子。「―していないでさっさと片付けなさい」

ほゆう⓪―イウ【保有】―する(他サ) 自分のものとして、持っていること。「―量②」

ほよう⓪―ヤウ【保養】―する(自サ) ❶一時、勤務や仕事から離れ、心身の健康の回復を図ること。「―地②・転地―」❷美しいものに接し、一時、俗事を忘れ、うっとりとした気分に浸ること。「目の―/いい―を致しました」

ほら①(感) 状況の変化などに応じて相手の注意を喚起するのに発する言葉。

ほら①②【《法《螺】❶ほらがい。❷実際よりずっとおおげさに言うこと。また、その話。「大―ボラを吹く/―吹き②(=おおげさなでたらめを言う人)・―話バナシ」

ほら②①【洞】❶大木が朽ちて、中空になっている部分。「スズメバチは太い木の枝や木の―などに巣を作る」❷洞穴。「山口、秋吉台にある鍾乳洞ショウニュウドウを見学、―の構造や生息するコウモリの話などを聞く」

ぼら⓪【〈鯔・〈鰡】河口(に近い海)にすむ魚。背は黒灰色、腹は銀白色。食用。成長に従って、オボコ・イナ・ボラ・トドなどと呼び方が変わる、出世魚の一つ。〔ボラ科〕⇨とど㊁ かぞえ方 一匹

ホラー①〔horror〕恐怖。戦慄センリツ。「―小説④・―映画④・―漫画④」

ほらあな⓪【洞穴】中がうつろな横穴。

ほらがい②―ガヒ【《法〈螺貝】❶大形の巻貝。頭部はすぼまり、貝殻の表面に美しいまだらがある。肉は食用。〔フジツガイ科〕❷「法螺貝❶」の頭部に穴をあけ、吹き鳴らすようにしたもの。太く大きく響く。昔、山伏が用い、またいくさで合図に使った。かぞえ方 ❷は一枚

ほらがとうげ④―タウゲ【洞が峠・洞ヶ峠】〔京都府と大阪府との境にある峠。山崎の合戦の時、筒井順慶ツツイジュンケイがここに立ち、羽柴秀吉ハシバヒデヨシと明智光秀アケチミツヒデのどちらに付こうかと形勢を観望したという言い伝えから〕伯仲ハクチュウする両勢力を見比べ、優勢になった方へ付こうと、状況の展開を見ること。ひよりみ。「―をきめこむ」

ポラロイドカメラ⑥〔Polaroid camera=商標名〕撮影した画像が印画紙になって出て来るまでの処理が一分間ほどで済むカメラ。ポラロイド③とも。かぞえ方 一台

ボランタリー②〔voluntary〕身体障害者の介護や募金・子供会の世話などの福祉活動に、自発的に無償で参加協力すること。 **―チェーン**⑦〔voluntary chain〕独立した複数の小売店が、仕入れ・宣伝・配送などを共同で行なうもの。任意連鎖店⑥。

ボランティア②〔volunteer〕自由意志をもって社会事業・災害時の救援などのために無報酬で働く△人(こと)。「―活動」

***ほり**②【堀・〈濠】❶地を掘って、水をためた所。「釣り―ボリ」❷防備のため、城の周囲を掘った所。必要に応じて水をたたえたりする。

ほり②【彫り】彫ること。彫った様子。「―の確かな細工/―の深い(=目がへこみ、額が出た彫刻的な)顔」

ほり①【捕吏】江戸時代、罪人を捕らえることを職務とした、下っぱの役人。とりて。

ポリ① ❶ポリエチレンの略。「―バケツ③」❷ポリスの略。

ほりあげ⓪【彫り上げ】浮彫り。

ほりいど③⓪―キド【掘り井戸】掘抜き井戸。

ポリープ②〔ド Polyp〕❶腔腸コウチョウ動物の体形の一つ。管状で、口・触手により、他物に固着する。❷胃・鼻などの粘膜に出来る、棒状に盛り上がったはれもの。鼻たけなど。ポリプ①とも。

ポリウレタン③④〔ド Polyurethan〕⇨ウレタン

ほりえ⓪【堀江】掘って水を通した川。

ポリエステル③〔polyester〕プラスチックの一つ。合成繊維・建築材料などに使う。

ポリエチレン③⓪〔polyethylene〕天然ガスなどからつく

るプラスチック。包装用に使う。

ポリオ①〔polio〕⇩小児麻痺(ショウニマヒ)

ほりおこ・す④【掘(り)起(こ)す】(他五) ❶中の土が表面に出るように、地面を掘る。「畑を—」❷掘り出す。「仏像を—／人材を—」

ほりかえ・す③【掘(り)返す】(他五) ❶田畑の土などを掘って、上下の土を交ぜ合わせる。❷工事などのために、整地されている土地を掘る。「道路を—」❸いったん決着の付いた事柄をふたたび問題とする。「事件を—」

ほりきり⓪【堀切(り)】地を掘って切り通した水路。

ポリグラフ③〔polygraph〕心電図・脈拍・呼吸・脳波などの状態を同時にグラフに書く装置。〔うそ発見器はこれの一種で、心の動揺を身体的現象から測定するもの〕

ほりごたつ③【掘(り)《火〈燵・掘(り)〈炬燵〉】和室などの床を切って低い所に炉を設け、腰を掛けてあたる仕組みの火燵。切り火燵。⇩置き火燵

ほりさ・げる④⓪【掘(り)下げる】(他下一) ❶下へ深く掘っていく。❷深く突っ込んで考える。「△内容(問題点)を—／掘り下げた△議論(論議)」[名]掘下げ⓪

ポリシー①〔policy〕政策。政治的なはからい。方針。

ポリス①〔police〕❶警察。❷警官。ポリ。

ホリゾント①③〔地平線の意のド Horizont (発音はホリツォント)の文字読み〕舞台奥の曲面を成す壁。照明を当てて、空間の感じを出す。

ほりだしもの⓪【掘(り)出(し)物】縁があって、(安く)入手した△価値のある(珍奇な)品。

ほりだ・す③⓪【掘(り)出す】(他五) ❶掘って出す。「石を—」❷思いがけなく、△貴重な(珍しくて安い)物を捜し当てる。「古本屋で珍本を—」

ポリタンク③〔和製英語 ←poly + tank〕灯油や水を入れ、持ち運びしたり、保存しておくポリエチレン製の容器。

ポリティカル コレクトネス⑦〔political correctness=政治的妥当性〕性・宗教・民族などの違いによる差別・偏見を、社会制度や言語表現に含まないように是正すべきだ、という考え方。略してピーシー(ＰＣ)。〔アメリカで起こった思想だが、日本語表現では、「スチュワーデス・スチュワード」を「客室乗務員・フライトアテンダント」に改めるなどの事象がある〕

ホリデー①〔holiday〕休日や祝祭日。

ホリドール③〔ド Folidol〕パラチオンの商品名。

ほりぬきいど⑤【掘(り)抜(き)井戸】地下を深く掘って地下水をわき出させる井戸。「掘抜⓪・掘り井戸」とも。

ほりばた⓪【堀端・〈濠端】堀のすぐそば。

ポリフェノール④〔polyphenol〕植物に含まれている成分で、複数のフェノール水酸基を持つ化合物の総称。カテキン・ルチンなど種類が多い。体内の活性酸素を分解する抗酸化作用があるとされる。

ポリぶくろ③【ポリ袋】ポリエチレン製の薄い袋。

ポリプロピレン⑤〔polypropylene〕プロピレンを重合して得られる化合物。樹脂や合成繊維として用いられる。

ポリマー①〔polymer=重合体〕基本的な単位物質が結合して出来た化合物。たとえば、エチレンの重合体のポリエチレン、プロピレンの重合体のポリプロピレンなど。

ほりもの③【彫(り)物】❶彫刻。❷入れ墨。「—師④」

*__ほりゅう__⓪【保留】—する(他サ)〈なにヲ—する〉その場では決定・発表などしないでおくこと。「態度を—する」

ほりゅう⓪【〈蒲柳】〔「かわやなぎ」の別名で、弱よわしい植物と受け取られたものか〕肉体的に脆弱(ゼイジャク)なこと。「—の質〔=弱くて病気にかかりやすい体質〕」

ボリューム⓪〔volume〕物の量や音量。「—たっぷりの食事／—〔=声量〕のある声／—のある女性〔=俗に、太っている女性〕／—感」

ほりょ①【捕虜】(戦場で)敵に捕らえられた人。とりこ。「—の扱い方によってその民族性が問われる」

ほりわり⓪【掘割】地面を掘って造った水路。

ポリようき③【ポリ容器】ポリエチレン製の入れ物。

*__ほ・る__①【掘る】(他五)〈どこ・なにニ(なにデ)なにヲ—〉△何かが見つかる(目的を達する)まで、堅い物に穴を開けながら進む。また、その結果見つかったものを取り出す。「井戸を—／前足で穴を—／石炭を—／石油を掘りあてる／基盤を掘り崩す」【自(みずか)ら墓穴(ぼけつ)を—】⇩墓穴

ほ・る①【彫る】(他五)〈どこ・なにニ(なにデ)なにヲ—〉刃物で木・石・金属などの△表面に字や平面像を表わす(外側を削り、立体像を作り上げる)。〔入れ墨は前者の特殊な例〕「平らな岩に碑文を—／一木(イチボク)で仏像を—」[表記]「《刻る」とも書く。

ぼ・る①(他五)〔「暴利」の動詞化、「むさぼる」の上略とも〕「不当な利益をむさぼり取る」のやや俗語的表現。

ポルカ①〔polka〕二拍子の快活なダンス(の曲)。

ボルシェビキ③〔ロ Bol'sheviki=多数派〕レーニンを支持した革命的左翼で、ソビエト連邦の実権を握った共産党。⇔メンシェビキ

ボルシチ⓪〔ロ borshch〕ごった煮風のロシア式スープ。ビーツの汁で色がつけてある。

ホルスター①〔holster〕ピストル用のつり革ケース。

ホルスタイン④〔ド Holstein=地名〕乳牛の一種。オランダ原産。黒と白のまだらで、乳量が多い。

ホルダー [一]①〔holder〕❶支え(る物)。「キー—」❷保持者。「レコード—」 [二]⓪①〔forder〕⇩フォルダー❶

ボルダリング⓪〔bouldering〕五メートルほどの高さの岩や壁を、道具を使わずによじ登るスポーツ。

ボルテージ③①〔voltage〕ボルト数。「—が高い〔=ⓐ熱のこもった。ⓑ格調の高い〕演説／彼は妻を失って以来—を下げる〔=積極的に行動しようとする張りを失う〕一方だ」

ポルテニア おんがく⑥【ポルテニア音楽】〔ス porteña=港の。ブエノスアイレス市の〕アルゼンチン タンゴ⑦・ミロンガ②やバルス①〔=アルゼンチン独特のゆるやかなワルツ〕の総称。

ボルト⓪〔bolt〕機材の接合部分を締めつける太い釘(クギ)状の金具。多くは、一方の端にねじが切ってある。⇩ナット [かぞえ方]一本

ボルト⓪①〔volt ←A. Volta=イタリアの物理学者〕国際単位系における電圧の単位で、導体の二点間に一アンペアの定常電流が流れていて消費電力が一ワットである時のその二点間の電圧を表わす〔記号V〕。〔電位を表わす際にも用いられる。一クーロンの電荷を運ぶのに一ジュールを要する二点間の電圧に等しい〕「百—の家庭用電源」

でんし—④【電子—】荷電粒子のエネルギーを表わす時の単位。一電子ボルトは、真空中で一個の電子が、一ボルトの電位差を持つ二点間で加速されることによって得るエネルギー〔=約 1.602×10^{-19} ジュール〕を表わす〔記号eV〕。

ボルドー①〔フ Bordeaux=地名〕フランスのボルドー地方でつくるワイン。 **—えき**③【—液】〔←Bordeaux mixture〕硫酸銅と生(セイ)石灰を水に溶かした農薬。

ポルノ①〔←pornography〕春画やわいせつな△文学(映画)。

ホルマリン⓪〔ド Formalin=もと、商標名〕ホルムアルデヒドの水溶液。殺菌・防腐用。フォルマリンとも。

ホルムアルデヒド⑥〔ド Formaldehyd〕メチルアルコールを酸化させた、強いにおいのするガス。三〇〜四〇パーセント

ほ

の水溶液をホルマリンという。フォルムアルデヒドとも。

ホルモン①〔ド Hormon〕「内分泌腺⓪」から分泌される物質。からだの各部の機能を保ち、増進する上に強力な作用がある。「黄体―」 **―やき**⓪【―焼き】〔臓物にはホルモンが多く含まれていて、食べると体力増強に効果があるという説から。また、「ほうる〔=捨てる〕物」の転からか〕牛・豚・鶏などの臓物を切り焼いた食べ物。

ホルン①〔horn〕角笛から進化した金管楽器。管は円形に巻かれ、先が朝顔形に開いている。「アルプ―④」

ほれい⓪【保冷】低温の状態に保つこと。「―倉庫④・―剤②⓪」 **―しゃ**②【―車】荷台を断熱構造にし、保冷機能を持たせたトラック。生鮮食料品などの輸送に用いる。

ボレー①〔volley〕〔テニス・サッカーなどで〕ボールが地面に落ちないうちに△打ち返す(蹴ヶる)こと。

ほれこ・む③【〈惚れ込む】(自五)すっかり気に入って、あの△人(物)でなくてはと思う。

ほれぼれ③②【〈惚れ〈惚れ】(副)―と―する そのもののすばらしさについ感じ入って、心を奪われてしまう様子。「夫の登山姿に―とする/―するような歌声」

ポレミック③②―な〔polemic〕論争(が好きな様子だ)。

ほ・れる⓪【〈惚れる】(自下一)❶たまらなくそのものが好きになって、他の存在など忘れてしまう。「男が男に―っていうのは、よくよくの事だ」❷〔「動詞連用形＋―」の形で〕そのことに心を奪われ、他のことを忘れてしまうほど夢中になる。「絶景に見―/美しい調べに聞き―」

ほ・れる②【掘れる】(自下一)掘った状態になる。「雨垂れで軒先が―/根が―〔=見えるようになる〕」

ボレロ①〔ス bolero〕❶ボタンの無い、短い上着。女性用。かぞえ方 ❶は一着 ❷四分の三拍子のスペインのダンス(曲)。

ほろ(造語)幾分かそのような感じがすることを表わす。「―苦い・―酔い」

ほろ① [一]【〈幌】雨などを防ぐために、馬車・人力車などにかけるおおい。[二]【〈母衣】】昔、よろいの背に掛けて流れ矢を防いだ、布製の大きな袋。〔後世は、竹や鯨の骨で作った串シクを入れて、風でふくらんだ形を示した〕かぞえ方 [一][二]とも一枚

ぼろ(造語)予測と結果との間に信じられないほどの大きな隔たりがあること。「―もうけ③・―負け・―勝ち」

ぼろ① ❶【〈〈襤褸〉】使い古して、いたんだ衣服(をほどいた布切れ)。❷いたんだ状態。「―家ャ②・―車グルマ③・おんぼろ」 表記 ❶の用字「〈〈襤褸〉〉」は義訓。【―を出す】ぐあいの悪い点が露見する。「ぼろを出さないように周到な用意をする」〔自動形は、「ぼろが出る」〕

ぼろ①【〈梵〈論】〔古〕虚無僧コムソウ。ぼろんじ。

ポロ①〔polo〕馬に乗ってステッキ状の物でたまを打ち合い、ゴールに入れる競技。四人で一組。「―競技③」

ぼろ・い②(形)❶元手・労力がかからない割に利益が非常に多い。「―仕事/―もうけ」❷使い古すなどして、傷みが目立つ様子だ。「―家に住む」 派 **―さ**①

ほろう⓪【歩廊】❶二列の柱の間に設けた通路。❷プラットホームの旧称。

ほろがや②【〈母衣〉蚊〈帳】赤ん坊の寝ている上からかぶせる、小形のかや。傘のように折りたためる。⇩ほろ[二] 表記 ⇩付表「蚊帳」

ぼろきれ②⓪【〈〈襤褸〉〉切れ】使い古していたんだ衣服のきれはし。「ぼろぎれ②⓪」とも。〔使いものにならないもののたとえにも用いられる〕「―のようにみじめな姿で部屋のすみにうずくまっていた」

ぼろくそ⓪【〈〈襤褸〉〉〈糞】―な―に それ以上のけなしようはおよそ考えられないほどひどくののしる△こと(様子)。「―に言う/―に〔=さんざん〕やっつける」

ホログラフィー③②〔holography〕レーザー光線などを利用して、立体的な映像を作り出す技術。

ホログラム③①〔hologram〕ホログラフィーを応用し、特殊なフィルムやカードの平面上に立体画像を再現できるようにしたもの。

ホロコースト③〔holocaust〕大虐殺。〔特に、第二次世界大戦中ナチスが行なったユダヤ人大虐殺を言う〕

ほろし⓪「じんましん」の古称。「ほろせ⓪」とも。

ポロシャツ⓪〔polo shirt=ポロ競技用のシャツ〕頭からかぶって着る、半そで・共襟のスポーツシャツ。かぞえ方 一枚

ホロスコープ④〔horoscope〕占星術。

ほろにが・い④【《微苦い】(形)❶多少苦みが感じられる味だ。「フキノトウは―味が何とも言えない」❷その時にはくやしかったりつらかったりした事が、時間がたった今となってはなつかしく思われる様子だ。「青春時代の―思い出/初恋の―味」 派 **―さ**③

ポロネーズ③〔フ polonaise〕四分の三拍子のゆるやかな、ポーランド特有の民族舞踊(曲)。

ほろばしゃ⓪【〈幌馬車】幌をかけた馬車。⇩箱馬車 かぞえ方 一台

***ほろ・びる**③【滅びる・《亡びる】(自上一)壊滅的な打撃を受け、地上から姿を消して痕跡コンセキをとどめなくなる。「滅ぶ②(五)。「明ミン王朝が―」 名 滅び⓪

***ほろぼ・す**③【滅ぼす・《亡ぼす】(他五)〈どこ・なにヲ―〉滅びるようにする。「国を―/身を―〔=自分自身を台無しにする〕」

ほろほろ①(副)―と ❶小さな物が次つぎと静かにこぼれ落ちる様子。「涙を―とこぼす」❷静けさを破るように、断続的に聞こえて来る山鳥の鳴き声や笛の音などの形容。 **―ちょう**⓪テウ【―鳥】ニワトリに似た、灰白色の鳥。西アフリカ原産。食用。〔ホロホロチョウ科〕かぞえ方 一羽

ぼろぼろ [一]⓪―な―に ❶いたみがひどく、原形をとどめないほど破れたりこわれたりしている△こと(状態)。「―になった洋服/―の家/身も心も―になる」❷必要な粘りけが無くて、△一粒(一かたまり)ずつ離ればなれになっている状態だ。「ご飯が―だ」 [二]①(副)―と ❶△粒状(球状)の物が次つぎとこぼれ落ちる様子。「大粒の涙を―こぼす/―と球を落とす」❷物に粘りけが無くなって、小さなかたまりとなって砕け(落ち)る様子。「土壁が―(と)崩れる」

ぽろぽろ [一]⓪―な―に 「ぼろぼろ[一]❶」の軽い状態。 [二]①(副)―と 「ぼろぼろ[二]❶」の軽い状態。

ほろよい⓪ヨヒ【《微酔い】酒を飲んで、ちょっといい気持になった状態。「―気分・―機嫌」⇩深酔い

ほろり②(副)―と ❶同情するなどして、涙がひとしずく落ちる様子。「思わず―とさせる話」❷酒に軽く酔う様子。

ぽろり②(副)―と ❶△粒状(球状)のものが一つこぼれ落ちる様子。「一粒の涙が―とこぼれた/歯が―と抜けた/外野フライを―と取り落とした」❷ついうっかり口に出してしまう様子。「―と秘密をしゃべってしまった」

ぼろんじ②【〈梵論字】〔古〕⇩ぼろ

ホワイト②〔white〕❶白色(の絵の具)。「―で消す」❷白人。 **―アウト**⑤〔whiteout〕吹雪や見渡す限りの一面の氷雪の中で、方向・距離や前後左右の知覚が失われること。 **―アスパラガス**⑧⑦〔white asparagus〕〔グリーンアスパラガスと違って〕日光を当てずに育て、白い状態で収穫したアスパラガス。ゆでてサラダなどにする。⇩アスパラガス **―カラー**⑤〔←米 white-collar worker〕〔肉体労働者と違って〕背広を着て、事務所で働く人。頭脳

労働者。↔ブルーカラー　ーゴールド⑤〔white gold〕白金に似せた合金。金にニッケル・銀などを交ぜて作る。装飾用・歯科用。　ーソース⑤〔white sauce〕小麦粉・牛乳・バターで作った、白色のソース。　ーハウス⑤〔White House〕ワシントン市にあるアメリカ大統領の官邸。白亜館。　ーボード⑤〔white board=白板〕〔従来の黒板に代わる役割を果たす〕横長の白色の板。チョーク代りにフェルトペンで文字や図形を書き記す。　ーメタル⑤〔white metal〕鉛・錫(スズ)・銅、亜鉛・アンチモンなどを混合した合金。軸受けに用いられる。バビット メタル・マグノリア メタル・イソダ メタル・ケルメット合金など。

ほわた⓪①【穂綿】綿の代用とする、チガヤ・アシなどの穂。

ポワレ①〔フ poêler〕フライパンで魚や肉を焼く調理法。また、水を使わずに、材料を入れた鍋をオーブンに入れて、蒸し焼きにすること。

ほん（反・本・奔・翻）→【字音語の造語成分】

ホン①〔phon の日本語形〕❶音の大きさを表わす数値〔=測定対象の音と同じ大きさに聞こえる千ヘルツの純粋な音の強さをデシベルで表わした数値〕に添える語。フォン①とも。❷〔日本で〕騒音の大きさを表わす数値〔=音の大きさの数値を周波数によって補正して、人間の感じる大きさに近づけた値〕に添える語。デシベル。〔測定は、規格で定めた騒音計による〕「午後九時、渋谷駅前では七二ーであった」

***ほん**①【本】❶人に読んでもらいたいことを△書い(印刷し)てまとめた物。書物。〔広義では、雑誌やパンフレットおよび一枚刷りの絵・図をも含む〕「人にすすめたいー／一冊のー／ー屋・読ー」❷書籍・図書の汎(ハン)称。[かぞえ方]一点・一部・一冊・一巻(イッカン)　⇩【造語成分】

ほん①【《品》】❶〔古〕親王に賜わった位。〔一品(イッポン)から四品まである〕❷〔仏典で〕巻の中の下位区分。「普門ー(ボン)〔=法華(ホケ)経の一章の名〕」

ぼん（凡・盆・〈梵・煩）→【字音語の造語成分】

ぼん①【凡】特別すぐれてはいない△こと(もの)。「ーならざる人物／ー人・非ー」⇩【造語成分】はん

***ぼん**【盆】[一]⓪盛付けを済ませた食器などを客の前に運ぶ、平たくて浅い道具。〔もとは、丸いものが普通だった〕「料理をーにのせて運ぶ／ーのような月〔=満月(に近い丸い月)〕／塗り〔=漆塗りの〕ー⓪・角ー・ー栽・ー景・衣装ー⓪②」[二]⓪①❶「盂蘭(ウラ)盆」の略。「月後れのー／おー・地蔵ー」❷盂蘭盆の時期である、中元。〔昔は七月十五日を指し、今は祭事を離れて七月中旬を指すことが多い〕「ー暮れの付け届けを欠かさない」[かぞえ方][一]は一枚　【ーと正月が一緒に来たよう】❶うれしい事が重なり、忙しくてたまらない形容。❷応対すべき事が重なる形容。

ほんあん⓪【翻案】ーする(他サ)　原作の内容を元にして、改作すること。また、その物。

ほんい①【本位】❶△考え(行動)の中心とする基準。「お客ー〔=お客を一番大事なものと考えること〕・金(キン)ー・ー貨幣④〔=旧制で国の通貨制度の基礎となった貨幣。金本位なら金〕・ー記号〔=⇩ナチュラル[三]〕」❷元の位置。「ーに復する」

ほんい①【本意】〔その人の△本当(本来)の気持の意〕〔多く「ーではない」の形で〕自分の言動に関して、決して本心に基づくものではないと釈明する気持を表わす。

ほんい①【翻意】ーする(自サ)　決心したことを変えること。

ほんいんー(ヰン)【本院】❶⓪〔古〕〔新院に対して〕第一の△上皇(法皇)。❷⓪主となる院。↔分院　❸①この院。

ほんいんぼう③ー(バウ)【本因坊】〔初代算砂(サンシャ)が住んでいた寺の建物の名から〕碁の優勝者に与えられる称号の一つ。

ほんえい⓪【本営】総大将のいる軍営。本陣。

ほんおく⓪ー(ヲク)【本屋】△幾棟(幾部分)かに分かれているその建物の、中心部分。ほんや❶。

ぼんおどり③ー(ヲドリ)【盆踊(り)】盂蘭(ウラ)盆の夜に、あたりの住民が集まってする踊り。

ほんか①ー(クワ)【本科】〔予科・別科⓪①・選科などに対して〕本体となる課程(を学ぶ所)。

ほんか①⓪【本歌】〔和歌・連歌(レンガ)で〕先人の歌の語句や趣向を取り入れて作歌した作品の、原拠となっている和歌。「ー取(ド)り⓪」

ほんかい⓪①ー(クワイ)【本懐】人である以上はかくあるべきだと、日頃(ヒゴロ)思い続けている事柄。「ーを遂げる」

ほんかいぎ③ー(クワイー)【本会議】〔委員会・部会などと違って〕全員が参加して行なう、本式の会議。

ほんかく⓪【本格】元来そうあるべき方式や手続き(に従っていること)。「ー派⓪・ー化⓪・ー芋焼酎(イモジョウチュウ)⑦」　**ーてき**⓪【ー的】ーな ーに　外見や形式だけを整えた一時しのぎのものでなく、その物事に本来必要とされる実質を備えている様子だ。「ーな学術論文／ーに復旧工事を始める／ーな懐石料理を出す店／霧雨がーな雨に変わる」

ほんかんー(クワン)【本官】[一]⓪❶〔見習いや雇(ヤト)いと違って〕正式の官職(についている人)。❷その人本来の官職。↕

ほん

【反】そむく。「謀反」⇩はん

【本】[一]❶もとになる、大事な部分。「本末・基本・根本(ポン)」❷△生まれつき(もとから)備わっている。「本性(ショウ)・本能・本質」❸中心となる。おもな。「本部・本業」❹〔偽(ニセ)や仮と違って〕正当な手続きに従ったものであることが証明される。本当の。「本名(ミョウ)・本物(モノ)・本妻・本葬」❺真実の。「本意・本願・本気・本心・本音(ネ)・本望(モウ)」❻〔練習や略式と違って〕本格的な。「本番」❼今、問題にしている、この。当。「本件・本人・本書」❽話し手・書き手自身に関することを表わす。私(の)。「本官・本校」[二]細く長い物の数や野球の安打数のほか、特定の商品・ズボンやラジオ・テレビの出演数、また小説・ドラマの執筆数などをかぞえる語。⇩いっぽん(一本)[三](略)〔野球で〕本塁。「本盗・三本(ボン)間」
[かぞえ方][二]は一本・六本・八本は「ポン」、三本・何本は「ボン」、八本は「ハチホン」とも。⇩(本文)ほん【本】

【奔】❶急いで、勢いよくはしる。「奔走・奔馬・狂奔」❷家出をする。「出奔(ポン)・淫奔(イン ポン)」❸思うままに。「奔放(ポウ)」

【翻】❶風にひるがえる。「翩翻(ヘンポン)」❷あっちへ行ったかと思うと、すぐこっちへ返って来る。「翻弄(ロウ)・翻意」❸別の形や体系に改める。「翻刻・翻訳」[表記]「〈飜」とも書く。

ぼん

【凡】⇩(本文)ぼん【凡】

【盆】⇩(本文)ぼん【盆】

【〈梵】〔寂夜離欲の意の梵語の音訳〕❶〔仏教で〕清浄な。「梵刹(セツ)・梵鐘」❷サンスクリット。「梵語・梵字」

【煩】思いわずらう。「煩悩」⇩はん

兼官 ■二①(代)〔官吏としての〕私。

ほんかん⓪【本管】〔水道・ガス・下水道などの〕基幹となる太い管。⇩支管

ほんかん【本館】❶⓪〔別館・新館に対して〕もとからある建物。主となる建物。❷①この建物。

ほんがん⓪①【本願】❶宿願。〔狭義では、一切衆生シュジョウを救おうとした仏の誓願を指す〕❷その寺の創立者。

ぼんがん⓪【凡眼】普通の人の、物事を見分ける能力。

ポンかん③⓪【《凸〈柑・〈椪柑〉】〔Poona=地名〕甘くて香気の高い、ミカンの一品種。皮は厚いが、柔らかい。インド原産。〔ミカン科〕 かぞえ方 一玉・一個・一つ

ほんき⓪【本気】─な ─に ❶△冗談では(疑う気持が)なく、心からそう思っている△こと(様子)。「─で言う/─にする(=本当にそうであると思う)」 ❷〔遊び・ごまかし・気まぐれからではなく〕心からそうする気持になっている△こと(様子)。「─になる(=まじめになって、その事にかかる)/─で(=真剣に)やる」

ほんぎ①【本紀】〔列伝に対して〕紀伝体の歴史書で、帝王一代の事跡を書いた部分。

ほんぎ①【本義】❶言葉や文字の本来の意味・用法。⇩転義 ❷これが△何のためにあるか(どういうものであるか)についての根本事情。

ほんぎまり⓪【本決(ま)り・本《極(ま)り】正式に決まること。↕内定

ほんきゅう①⓪【本給】手当などを加えない、基本となる給料。本俸。

ほんきょ①【本拠】生活・仕事をする中心的な場所。根拠地。「─地③」

ほんきょう⓪【本経】その仏教宗派で布教のよりどころとするお経。例、法華ホケ経が天台宗・日蓮ニチレン宗のそれであるなど。

ほんぎょう⓪【本行】〔縦書きの文書で〕天地の書き入れや傍注と違って、本筋の脈絡に従い「大字ダイジ❶」で書かれた文字の連続。

ほんぎょう⓪【本業】幾つかある仕事の中で、その人が本務としている職業。↕副業

ほんきょく【本局】❶⓪〔支局に対して〕中心となる局。❷①この局。

ほんきん⓪【本金】❶元金モトキン。❷純金。

ぼんぐ①【凡愚】世間にざらにある、普通の△こと(人)。

ほんぐう③【本宮】その祭神が元来そこに祭られている、本元の方の神社。⇩新宮

ほんくじ⓪【本〈籤・本〈鬮】頼母子講タノモシコウで掛金の落札者を決める籤。

ほんぐみ⓪【本組(み)】〔活版印刷で、棒組みの校正を終えたものを〕ページに組むこと。また、その組版。ページ組⓪。

ほんぐもり⓪【本曇(り)】全天 雲におおわれ、今にも雨が降り出しそうな状態。

ぼんくら⓪ ─な ─に 〔もと、ばくちで さいころを伏せた盆の中の見通しが きかない意からか〕物事の見通しもきかず、特別すぐれた能力も無い平凡な△様子(人)。〔軽い侮蔑ブベツを含意して用いられる〕 派 ─さ⓪

ほんけ①【本家】❶一門・一族の中心となる家。↕分家 ❷流派がそこから分かれ出た、元の家。家元。「…流華道の─をもって任じている/─本元」 ❸〔商店で、のれん分けをした店に対して〕もとの店。本店。

ぼんげ①【凡下】すぐれた点の無い、平凡な人。

ぼんけい⓪【盆景】盆や盆栽に石・砂などを配して自然の山水の景色をかたどったもの。

ほんけがえり④【本〈卦《還(り)・本〈卦帰(り)】生まれた年の干支エトと同じ干支の年になること。満六十歳。還暦。

ほんけん①【本件】❶この(事)件。❷〔別件に対して〕警察側にとって本来捜査対象としている事件。

ほんけん⓪【本絹】純絹。↕人絹

ほんげん③⓪【本源】物事の根本。

ほんけんちく③【本建築】❶鉄筋コンクリートの建築の称。❷本普請。

ボンゴ①〔ス bongó〕ラテン音楽用の、一対の小型ドラム。股タマにはさみ、両手の指でたたく。

ぼんご⓪【〈梵語】〔古代インドの文章語である〕サンスクリット。〔日本には仏教を通じて伝えられた。例、僧・そとば・だんななど〕

ほんこう⓪【本坑】鉱山の中心になる、おもな坑道。

ほんこう【本校】■一⓪〔分校に対して〕本体となる学校。■二①この学校。私の△勤めて(通って)いる学校。

ほんこく⓪【翻刻】─する(他サ) 原本通りの内容を一字一句の増減・改変も無く伝えるように出版すること。

ほんごく①【本国】❶その人の国籍のある国。❷〔植民地と違って〕その国固有の領土。❸父母または祖先が出た国。

ほんごし⓪【本腰】事にのぞんでとる、本格的な腰の構え。「─を入れて議論する/地球温暖化対策に─を入れる/─を据える/─になる(=本格的に物事にとりかかる)」

ぼんこつ⓪【凡骨】平凡な才能・素質(の人)。

ぽんこつ⓪〔「かじ屋などが使う大ぶりの金づち」の意〕「こわれ(かけ)た自動車」の俗称。〔役に立たなくなりかけたものの意にも用いられる〕「─屋⓪」

ボンゴレ①⓪〔イ vongole〕ボンゴラ (vongola=西洋アサリ)を使ったイタリア料理。

ほんさい⓪【本妻】正式の妻。↕めかけ

ぼんさい⓪【凡才】平凡な才能(の人)。

ぼんさい⓪【盆栽】観賞用に育てた、鉢植えの草木。「─いじり」 かぞえ方 一鉢

ぼんさい⓪【〈梵妻】僧の妻。だいこく。

ぼんさく⓪【凡作】平凡で、つまらない作品。↕秀作

ほんざん①【本山】❶一宗・一派に属する寺の中心となる寺。「総─」 ❷同種・同系統の物事の最高の地位に立つもの。「浮世絵研究の─と目モクされる」 ❸この寺。当山。

ボンサンス③〔フ bon sens〕良識。理性。判断力。

ほんし①【本旨】本来の趣旨。真の目的。「─を見失う」

ほんし①【本志】意図すること。本意。

ほんし① ■一【本紙】❶〔日曜版・号外などに対して〕新聞などの本体となる紙面。❷〔新聞の紙面で〕この新聞。■二【本誌】❶〔別冊・付録などに対して〕雑誌の、中心となる本文の部分。❷〔雑誌の誌面で〕この雑誌。

ほんじ①【本地】仏としての本体。─**すいじゃく**①─⓪【─垂〈迹】神と仏は同一のものであり、日本の神がみは仏が適宜姿を変えて顕現したものだという思想。〔平安時代に生じて明治時代の廃仏毀釈キシャクまで続いた〕

ほんじ⓪【本字】❶〔かなに対して〕漢字。❷くずしたり 略したり しない、本来の書き方の漢字。

ほんじ⓪【翻字】─する(他サ) ローマ字表記を漢字仮名交じり表記に書き替えるなどのように、別の文字体系に移し替えること。〔広義では、昔の写本や難読の手書きの文書などを現在一般に通用する表記に移し替えることをも指す〕

ぼんじ⓪【〈梵字】梵語を書くために考案された文字。

ほんしき⓪【本式】─な ─に ❶〔そのものの本来あるべき姿、の意〕手続きを無視・省略したり 我流に従ってしたりするのではない〕格に かなった△やり方(様子)。「水墨画を─に習う/─に(=ちゃんと床トコを敷いて)寝るとするか」 ❷〔一時の

思いつきや気まぐれからではなく〕継続的に本来の姿に従ってその事が行なわれる様子だ。「—に受験勉強を始める/今度の禁煙は—のようだ/—の(=本格的な)冬がやって来た」

ほんしけん [3][4]【本試験】〔予備試験・臨時試験・追試験・模擬試験などに対して〕(最後に行なう)おもな試験。

＊**ほんしつ** [0]【本質】そのものの特徴となっていて、それ抜きにはその存在が考えられない、大事な性質・要素。「問題の—に触れる/—を△見誤る(見失う)」 **—てき** [0]【—的】—な —に 本質に深くかかわると判断される様子だ。「あの人は—にはやさしい人だ/教えの—な意味」↕末梢(マッショウ)的

ほんじつ [1]【本日】「きょう」の意の改まった表現。「—休業/—はようこそお越しくださいました」

ぼんしつ [0]【凡失】〔野球で〕つまらないところでする失策。

ほんしゃ [1]【本社】❶おおもとをなす神社。↕末社・支社 ❷会社の中心である事業所。↕支社

ぼんしゅ [1]【凡手】❶並の技量(しか持ち合わせていない人)。❷〔碁・将棋で〕積極的な効果の期待できない手。

ぼんしゅ [1]【凡主】これといった才能も無く、また何に打ち込むでもない、ただそのポストに収まっているだけの君主。

ほんしゅう [1](シウ)【本州】日本列島の中で最も大きくて、中心をなす島。本土。

ほんしゅつ [0]【奔出】—する(自サ) 強い勢いでほとばしり出ること。「水が—する」

ほんしょ [1]【本初】〔すべて事物の根源の意〕「物事の基(モト)」の意の漢語的表現。 **—しごせん** [5]【—子午線】イギリスのロンドン郊外のグリニッジを通過し、地球上の経度の測定の基線となる子午線。

ほんしょ [1]【本署】❶その下級官庁が属している、中心の役所。❷その交番が属している中央の警察署。

ほんしょう [1](シャウ)【本性】❶ふだんは隠れていて見えない、生まれつきの(好ましくない)性質。「ほんせい」とも。「酔って—を現わす/隠していた—がついに現われた」❷はっきりした意識の状態。正気(ショウキ)。「生酔い、—違(タガ)わず」

ほんしょう (シャウ)【本省】❶[1][0] 管下の役所を支配する、中央の最高官庁。❷[1] この省。

ほんじょう [1](ジャウ)【本状】「この△書付け(手紙)」の意の改まった表現。〔案内状の中で用いることが多い〕「—持参の者に…」

ほんじょう [0](ジャウ)【本城】ねじろ。ほんまる。

ぼんしょう [0](セウ)【凡小】—な —に 平凡で、器量の小さな△こと(様子)。

ぼんしょう [0]【△梵鐘】鐘楼の つりがね。

ほんじょうたん [3](ジャウ)【本生△譚】釈尊の前生として仮託された古代インドの説話の数かず。ジャータカ[0]。

ほんしょく [0]【本色】❶本来の色。❷生まれつき持っている性質。

ほんしょく【本職】■[0]❶その人が主としている△職業(職務)。↕兼職 ❷それを専門としている職業の人。■[1]〔代〕〔官吏としての〕私。

ほんしん [1]【本心】❶本来の正しい心。「—に立ち返る」❷その人の本当の心。「—を打ち明ける」

ほんしん [0]【本震】一連の地震の中で、一番大きい地震。⇩余震・前震

ほんしん [0]【翻身】—する(自サ) 身をひるがえすこと。

ほんじん [1](ヂン)【本陣】❶一軍の大将の陣所。本営。❷江戸時代、宿駅で諸大名などが泊まるように指定された宿。

ぼんじん [0]【凡人】自らを高める努力を怠ったり 功名心を持ち合わせなかったりして、他に対する影響力が皆無のまま一生を終える人。〔家族の幸せや自己の保身を第一に考える庶民の意にも用いられる〕

ポンず [0]【ポン酢】〔オ pons の日本語形〕 水炊きのつけ汁などにする、ダイダイのしぼり汁。表記「ポン酢」は、借字。

ほんすう [3]【本数】助数詞「本」で、かぞえるものの数。

ほんすじ [0](スヂ)【本筋】中心となる筋道。「話が—からはずれる/—を見失う」

ほんずり [0]【本刷(り)】〔「校正刷り・ためし刷り[0]」などと違って〕下版したものを本式に機械に掛けて印刷すること。また、その刷り物。

ほんせい [1]【本姓】❶旧姓。❷〔筆名や偽名に対して〕本当の姓。

ほんせい [1]【本性】⇩ほんしょう❶

ほんせき [1]【本籍】その人の戸籍のある所。「—地[4][3] (=本籍のある市町村)」

ぼんせき [0]【盆石】盆の上に趣のある石を置いて、自然の風景をかたどった置物。また、その石。

ぼんせつ [0]【△梵刹】寺。寺院。「ぼんさつ[0]」とも。

ほんせん【本船】❶[0][1] 所属の船に指示を与え中心となる船。「もとぶね」とも。❷[1] この船。 **—わたし** [5]【—渡(し)】〔free on board の訳語。FOB〕〔外国商社との取引で〕買い主の指定する船に商品を積み込むまでの費用一切の責任を、売り主が負うこと。

ほんせん [1][0]【本線】〔鉄道などで〕❶幹線。↕支線 ❷〔側線に対して〕いつも列車が通行する線路。

ほんせん [0]【本選】〔予選などを経て〕優勝者を決定する、最後のコンクール。「—会」

ほんぜん [0]【翻然】(副) —たる —と 何かをきっかけに突如として心がけを改める様子。

ほんぜん [0]【本然】△生まれつき(本来)そうであること。「ほんねん」とも。「—の姿」

ほんぜん [1]【本膳】❶〔日本料理で〕客の正面にすえる、主となる膳。一の膳。⇩二の膳・三の膳 ❷〔←本膳料理[5]〕本膳・二の膳・三の膳をそろえた、正式の日本料理。

ぼんせん [0]【凡戦】つまらない試合。

ほんそう [0](サウ)【本葬】本式の葬儀。↕密葬

ほんそう [0]【奔走】—する(自サ) 〔その事がうまくいくように〕関係方面を頼み△回る(回って、世話をやく)こと。

ほんぞう [0](ザウ)【本草】漢方医で、薬物として扱う、植物・鉱物および動物(についての学問)。「—学[3]」

ほんそく [0]【本則】❶法規の本体となる部分。↕付則 ❷元来それに従うべき手続き。

ほんぞく [0]【本属】〔仕事などの上で〕本来所属していること。「—長官[5]」

ぼんぞく [0]【凡俗】—な 〔能力・人柄が〕世間並で、特にすぐれた点が無い△こと(人)。派 **—さ** [0][4]

ほんぞん [1]【本尊】❶本堂の中央に安置され最も重んじられる仏像。⇩脇立(ワキダチ) ❷その事を中心になってする人。張本(人)。❸〔幾分からかった言い方で〕本人。当人。「ごーはいっこうご存じないらしい」 かぞえ方 ❶は一尊

ぼんだ [1]【凡打】—する(自サ) 〔野球で〕ヒットにも犠打にもならない打撃。

ほんたい [1]【本体】❶そのものの本当の姿。正体(ショウタイ)。❷現象の背後にある実体。↕現象 ❸神社の神体または寺の本尊。❹〔機械などの〕中心となる部分。❺消費税や送料などを算出する元になる商品自体。「—価格[5]」

ほんたい【本隊】❶[1][0]〔支隊・別働隊と違って〕本体となる隊。❷[1] この隊。

ほんたい [0][1]【本態】本来の様子・姿。

ほんだい [0]【本題】話題や議論などで主として取り上げる

事柄。「(さて)―に戻ると/―に入る」

ぼんたい [0]【凡退】―する(自サ)〔野球で〕打者がヒットを打てずにアウトになること。「三者―」

ほんたく [0]【本宅】〔別宅などに対して〕ふだん住んでいる方の家。↔妾(ショウ)宅・別宅

ほんだく [0]【本濁】漢字の音で、「牢(ロウ)獄」「至極」のゴクのように、本来の発音が濁音であるもの。⇩新濁

ほんだち [0]【本裁(ち)】おとな用の和服の仕立て。並幅一反を使用する。⇩中(チュウ)裁ち・四つ身

ほんたて [1]【本立(て)】本を立て並べ、倒れないように両側から支える道具。ブック エンド。「ほんだて[1]」とも。

ほんだな [1]【本棚】本を収め並べるために作った棚。「作りつけの―」 かぞえ方 一本・一架

ほんだわら [3]【(ホンダワラ)】褐藻類。長さ約三メートルで、扁平(ヘンペイ)な葉と多数の粒状の気胞とがある。新年の飾りに使う。〔ホンダワラ科〕 かぞえ方 一本

ほんたん [0]【奔〈湍】「流れの速い川」の意の漢語的表現。

ボンタン [0]【《文旦・《文〈橙】ぶんたん。⇩ザボン

ぼんち [1]【《坊ち】〔富山以西、近畿・中国・四国方言〕未成年の男子。〔「ぼんち[1]」とも言う。例、「いかれ―[4]」〕

ぼんち [0]【盆地】周囲が山に囲まれ、その一帯だけ平地になっている所。「甲府―」

ポンチ [1]〔punch の日本語形〕❶ブランデーなどに、果汁や砂糖などを交ぜた飲み物。「フルーツ―」 ❷工作物の中心などに目印をつけるための、先のとがった棒状の道具。 ❸「ポンチ絵」の略。〔❶❷の古風な表現は、ポンス〕 ―え [3][0]【―絵】〔←Punch=英国の絵入り週刊誌名〕漫画。風刺画。また、イラストなどを添えた概略図。

ポンチョ [1]〔ス poncho=中央にあけた穴から頭を出して着る毛布〕防寒や登山者の雨具としてのそで無し羽織。

ほんちょう [0]【本丁】❶幾通か刷った校正刷りのうちで、正式の校正刷りとして印刷所へ送り返すもの。正(セイ)。 ❷〔仮丁と違って〕正式のノンブル。

ほんちょう [1]【本庁】❶[0][1] 中心となる官庁。↔支庁 ❷[1] この庁。

ほんちょう [1]【本朝】〔異朝に対して〕「日本(の朝廷)」の称。↔異朝

ほんちょうし [3]【本調子】❶〔三味線で〕基本となる調子。⇩二上がり・三下がり ❷本来の調子(が出ること)。「退院はしたが、まだからだが―でない」

ぽんつく [1]〔「つく」は擬人化する意の造語成分。⇩だんつく・どんつく〕「ぼんくら」の俗語的表現。

ほんづくり [3]【本造(り)】❶出来あがった原稿を元にして、本の形に仕上げること。 ❷材料も十分に吟味し、手間暇をたっぷりかけ、伝統的な技術を存分に駆使して造ったものであること。「―の味」

ほんつや [0]【本通夜】〔通夜を二、三夜続ける時の〕葬儀前夜の本式の通夜。

ほんて [0]【本手】❶〔勝負事などで〕その局面で出すべき、本来の手。 ❷くろうと。 ❸〔日本音楽で〕主旋律。〔古くは、「ほんで」〕↔替手(カエデ) ❹〔←本手組[0]〕三味線組歌の分類の一つで、最古の作とされるもの。⇩破手(ハデ)

ほんてい [0]【本邸】本宅。⇩別邸

ほんてん [1]【本店】❶[0] 営業の中心となる店。↔支店・分店 ❷[1] この店。

ほんでん [0]【本田】❶苗代田(ナワシロダ)で育った苗を本式に植えつける田。 ❷江戸時代、租税の対象として認めた田。 ❸もとから開墾してある田。↔新田

ほんでん [0]【本伝】その人の伝記のうち、最も△中心的(根幹的)となるもの。

ほんでん [0][1]【本殿】神社で、神体を祭っておく、中心となる社殿。⇩拝殿

ぼんてん [0]【〈梵天】❶帝釈(タイシャク)天と共に常に仏のそばにあり、仏法を守護した神。 ❷祭礼や標示物に用いる、大形の御幣。 ❸延縄(ハエナワ)につける目印。〔古くは「ぼんでん」〕

ほんと [1]【本途】本来の筋道。

ほんど [1]【本土】❶〔植民地と違って〕その国の産業・経済・行政上の中心となる国土。本国。「英(国)―」 ❷〔離島・属国などから見て〕地域的には離れているが、政治・経済上、それに依存し、つながりを持つ主要な国土。

ボンド [1] ■〔bond〕債券。証券。 ■〔Bond=商標名〕木・プラスチック・金属などの接着剤。

ポンド [1]〔オ pond〕❶ヤードポンド法における、質量の基本単位〔記号 lb〕。約四五三・六グラムに等しい。パウンドとも。〔一ポンドは一六オンス。英語のつづりは pound〕 ❷〔イギリスの〕通貨の単位〔記号£〕。一ポンドは、一〇〇ペンス。 表記「封度」は、音訳。「〈听・〈英斤」とも書いた。 表記「〈磅」は、音訳。

***ほんとう** [0]【本当】―に ―な 〔「本途」の変化という〕 ❶事実をゆがめたり偽ったりした点が全く無い△こと(様子)。「冗談のようだが―(の話)〔=事実〕だ/―の年齢を言いたがらない/―を言うとあまり好きじゃない」 ❷経験などを通して、そのものの本来あるべき△すがた(状態)だととらえている物事の△あり方(様子)。「―の〔=本格的な〕寒さはこれからだ/―は〔=本来なら〕こんなことでは済まされない/彼のからだはまだ―〔=本調子〕ではない」〔口頭語形は「ほんと[0]」〕 運用〔多く「ほんと」の形で〕相手の発言内容に対する驚き・喜び・同情・疑いなどの気持を込めて、感動詞的に用いられる。例、「『今度海外に転勤だよ』『ほんと』/『二週間も寝込んでしまいました』『ほんと。それはたいへんだったね』」 ―に [0](副) 実際に経験するなどして、まさにその言葉通りだと感じる様子。「―暑い/―きれいだこと」

ほんとう [1]【本島】❶諸島の中で中心となる島。主島[0]。「沖縄―」 ❷この島。

ほんとう [0]【奔騰】―する(自サ)〔物価・相場などが〕非常な勢いで上がること。

ほんどう [1]【本堂】本尊を安置する建物。

ほんどう [0][1]【本道】❶主たる(大きな)街道。↔間道 ❷〔人間としての〕正しい道。

ほんどこ [0]【本床】本式に作った△床の間(畳の床)。

ほんなおし [3]【本直し】焼酎(ショウチュウ)にみりんを交ぜた酒。

ほんに [1]【本に】(副)〔関西方言〕どんな点から見ても疑い無くそうだと判断される様子。「―いい男だ」

ほんにん [1]【本人】〔代理人などを立てず〕その事に直接△関係(責任)を持つ人。

ほんね [0]【本音】❶本当の音色(ネイロ)。 ❷口に出して△は言わない(言うことがはばかられる)本心。「―と建前の△ギャップ(違い)/―を△聞く(吐く)」

ボンネット [3]〔bonnet〕❶縁(フチ)の無い、女性・子供用の帽子。普通、ひもで あごに結ぶ。 ❷自動車のエンジン部分のおおい。

ほんネル [0]【本ネル】⇩フランネル

ほんねん [1]【本年】ことし。当年。

ほんねん [0]【本然】⇩ほんぜん

ほんの [0]【本の】(連体) その言葉△の真実の意味での(で表わされる程度に過ぎない)。「―〔=つまらない物ですが〕お慰みまでにお納めください/―〔=単なる〕出来心で/―〔=まだ〕赤ん坊だ/―〔=本当に〕名ばかり/―〔=本当に。全く〕少し/―〔=わずか〕二、三分違いで汽車は出てしまった」

*ほんのう①【本能】動物が、教えられたのではなく、生まれつき持っている性質・能力。「母性━・帰巣(キソウ)━」 ━てき⓪【━的】ーな・ーに 本能によって動かされる様子だ。「━に防御の姿勢をとる/火に対する━な恐れ」

ぼんのう⓪【煩悩】(ナウ)〔仏教修行・精神安静のじゃまとなる〕一切の欲望・執着や、怒り・ねたみなど。「━のとりこになる/子━」

ぼんのくぼ③⓪【盆の〈窪〉】うなじの中央のくぼんだ所。

ほんのり③(副)ーと・ーする 好ましいと感じられる現象が全体的にわずかながら認められる△状態(様子)。「恥ずかしそうに━顔を赤らめる/━とバラの香が漂う/━と東の空が白んできた」

ほんば⓪【本場】㊀〔いい品がとれる〕本来の産地。㊁本来その事が行なわれている場所。「━仕込みの英語」㊂〔取引所で〕午前の立会い。前場(ゼンバ)。

ほんば①【奔馬】止める人が無く、狂い走る馬。

ぼんばい⓪【〈梵《唄〉】声明(ショウミョウ)。

ほんばこ①【本箱】(内側に棚を設けて)本をしまうことが出来るように作ってある箱。〔広義では、本棚を指す〕

ほんばしょ⓪【本場所】力士の番付の地位・給料を定める基(モト)となる、本式のすもうの興行。〔昔は年に十日ずつ二回、今は十五日ずつ六回〕

ほんばん⓪【本番】〔映画・テレビ・ラジオなどで〕練習ではなく、本式に行なう演技・放送。「━を迎える/ぶっつけ━・夏━〔=いよいよ本格的な夏〕(が間近)だ」

ぽんびき⓪【ぽん引き】㊀〔取引所の付近に居て〕しろうとをだまして金をまきあげる者。㊁売春の客引き。

ぼんびゃく⓪【凡百】「ごくありふれた状態」の意の漢語的表現。「ぼんぴゃく」とも。「━の人間」

ほんぶ①【本部】その機構の中で、中心となる部分。「大学━・捜査━」〔一部の対義語は、支部〕

ほんぷ⓪【本譜】五線紙に書いた、本式の楽譜。↔略譜

ぼんぷ①【凡夫】〔仏教で〕欲望・迷いを捨て切れないまま一生を送る、大部分の人。〔一般に、凡人の意にも用いられる〕〔古くは、「ぼんぶ」〕

*ポンプ①【〈唧筒〉】〔オ pomp〕〔もと、竜吐水(リュウドスイ)の意で「水竜器③」と言った〕㊀圧力の働きにより、△液体(気体)を吸い込み、また押し出す機械。「往復━⑤・回転━⑤・蒸気━④」㊁「消防ポンプ⑤」の略。[かぞえ方]㊀㊁とも一台

ほんぷく⓪【本復】ーする(自サ)「全快」の少し古風な表現。

ほんぶし⓪【本節】カツオの背中の肉で作った、上等のかつおぶし。⇨かめ節 [かぞえ方]一本

ほんぶしん③【本普請】〔建売住宅や仮普請と違って〕材料も十分に吟味し、手間暇をたっぷり掛けた建築。

ほんぶたい③【本舞台】歌舞伎(カブキ)劇場の正面の舞台。〔広義では、何かを本式に行なう晴れの場所を指す。例、「━を迎える」〕

ほんぶり⓪【本降り】雨や雪がすぐにはやみそうもない勢いで降ること。↔小降り

ほんぶん①【本分】その立場にある者として他の事に優先して果たすべき義務。

ほんぶん①【本文】〔注・解説・付録などに対して〕書物・文書の本体となる部分。

ぼんぶん⓪【梵文】㊀梵字で書いた文章。㊁(古代)インド文学。

ボンベ①〔ド Bombe〕高圧の気体などを入れる、円筒形・鉄製の容器。耐圧容器。[かぞえ方]一本

ほんぺん①【本編・本〈篇〉】㊀〔付録・続編に対して〕書物の本体となる部分。㊁この△編(文章)。

ほんぽ①【本〈圃〉】苗床で育てた苗を本式に植える畑。

ほんぽ①【本舗】(総)本店。

ほんぽう①【本邦】(バウ)㊀「我が国」の意の漢語的表現。㊁〔地理・気象用語で〕「日本列島」の簡略表現。

ほんぽう①【本法】(パフ)本体となる法律。

ほんぽう①【本俸】本給。⇨加俸

ほんぽう⓪【奔放】(バウ)ーな・ーに 世間の慣行・常識などにとらわれず、思った通りにふるまう様子だ。〔のんびりふるまっているように見えてうらやましい意にも、やや常軌を逸してひんしゅくを買う意にも用いられる〕「自由━な生活」[派]━さ⓪

ほんぼし⓪【本星】〔警察の隠語で〕間違いなく犯人だと考えられている人物。

ボンボヤージュ④(感)〔フ bon voyage(ボンボワイヤージュ)〕『=よい旅を』の文字読み〕旅立つ人に、旅の平安を祈ってかける語。ボンボヤージとも。

ぼんぼり⓪【〈雪洞〉】小形のあんどん。六角形で下がつぼまった形の枠組に紙を張り、それに柄と台座をつけたもの。手に持つものもある。[表記]今日の「〈雪洞〉」は、もと茶炉の蔽(オオ)いから転じたもの。[かぞえ方]一本

ぽんぽん①(副)ーと ㊀繰り返して破れたり当たったりする音を表わす語。「花火が━打ち上がる」㊁威勢よく立て続けに事を行なう様子。「不用品を━と捨てる」

ボンボン③〔フ bonbon〕㊀ウイスキー・ブランデーなどを入れたシロップを、砂糖・チョコレートで包んだ菓子。㊁小形の美しいキャンディー。

ぼんぼん③【《坊《々】〔関西方言〕良家の△ぼっちゃん(若だんな)。ぼんち。〔世慣れていない男性を、軽い侮蔑(ブベツ)を含意して言うのにも用いられる〕⇨いとはん

ポンポン①〔フ pompon=房〕毛糸などで作った丸い玉で、帽子・洋服や靴の飾りとするもの。〔広義では、応援団のチアリーダーなどが踊りながら打ち振る、大形のものをも指す〕

ぽんぽん①[一]「おなか」の幼児語。[二](副)ーと ㊀相手に向かって、遠慮することなく、次から次へと意見などを言う様子。「思ったことを━と口に出す」㊁威勢よく立て続けに軽い音を立てる様子。「干した布団を━(と)叩く/━と手を打つ」 ━じょうき⑤【━蒸気】ぽんぽんと発動機の音をたてて走る、小さな蒸気船。河川や沿海で、輸送用・漁船として使われる。[かぞえ方]一艘(ソウ)・一隻(セキ)

ほんま⓪【本真】〔富山以西、近畿・中国・四国方言〕ほんとう。「━に涼しい」

ほんまつ①【本末】もととすえ。特に物事の重要なこととそうでないこと。 ━てんとう①-⓪【━転倒・━〈顛倒〉】物事の重要なことと、そうでないことが逆になっていること。「━もはなはだしい/━の議論」

ほんまつり③【本祭(り)】正式の祭典。↔陰祭り

ほんまる⓪【本丸】㊀城の中心になる部分。普通、中央に天守閣を築き、周囲に堀をめぐらす。⇨二の丸・三の丸 ㊁守備する側の、最後の拠りどころとなる場所。「保守勢力の━/一連の改革の━へいよいよ近づく」

ほんみ⓪【本身】本物の刀。真剣。⇨竹光(タケミツ)

ほんみょう①【本名】(ミャウ)〔芸名・ペンネーム・通称などと違って〕戸籍に登録されている名前。「最後まで━を秘して語らなかった」

ほんみりん③【本味〈醂〉】みりん。〔みりん風調味料や本直しと区別して言う〕

ほんむ①【本務】㊀〔兼務に対して〕その人がその時主として従事している仕事。「趣味のために━をおろそかにする」㊁人間として社会を構成する者の当然なすべきつとめ。

ほんめい⓪【本命】㊀〔競馬・競輪などで〕優勝候補の第一にあげられている馬や選手。㊁同一条件におかれた(同

種の)ものの中で、その人が一番手に入れたいと目をつけているもの。

ほんめい⓪【奔命】忙しく行動すること。「—に疲れる」

ほんもう⓪①【本望】前からの望み(を達して満足している様子)。「さぞ—だろう/—を遂げる」

ほんもと⓪【本元】いちばんのもと。「本家—」

ほんもの⓪【本物】偽りや作り物でない本当の物。実物。「—そっくり/彼の声楽は—(=本格的)だ」⇩にせ物

ほんもん①【本文】❶文書で、前文や付録以外の、中心的な部分を成す文章。ほんぶん。❷注釈などがつけられる、もとの文章。ほんぶん。❸引用の原拠となる、古書の文句。❹古典・古文献を構成し、首尾呼応し、叙述・構成の完結している文章。「—批判⑤(=写本などで数種の異本を比較研究して、正しい本文を復元しようとすること)」

ほんや①【本屋】❶母屋(オモヤ)。ほんおく。↕下屋(ゲヤ) ❷本を売る(出版する)店や人。〔かぞえ方〕❷の施設については一軒・一社・一店

ほんやく⓪【本厄】「厄年(ヤクドシ)」の別称。〔前厄(マエヤク)、後厄(アトヤク)に対する言い方〕「今年は前厄で来年が—」

ほんやく⓪【翻訳】〔—する(他サ)〕〈なにヲ なにニ —する〉ある言語や文章の内容を、他の言語で言い直すこと。また、その直された言葉や文章。「—書⑤⓪・—ソフト⑤・—調⓪」

ぼんやり③[一](副)〔—と —する〕❶物の輪郭がぼやけて全体の形や状態がはっきりとらえられない様子。「遠くに—かすんで見える山/—見える/何分(ナニブン)昔の事で—としか覚えていない」❷思考力が働かなくて、意識を何かに集中させることができない様子。「—(と)考え込む/一日じゅう—と暮らす/何を—突っ立っているんだ/—しちゃいられない」[二]気のきかない人(状態)。「—ですからよろしくお引立てください」

ほんゆう⓪【本有】〔—する(自サ)〕❶先天的に有すること。生得。「—観念」❷本来備えていること。固有。

ぼんよう⓪【凡庸】〔—な —に〕特別すぐれた能力や人を引きつける魅力の無い様子だ。「—ならざる作品」〔派〕—さ⓪

ほんよさん③【本予算】その年度の最初の予算として提出された「総予算③」や「特別会計予算⑨」。⇩補正予算

ほんよみ【本読(み)】❶④⓪本をよく読む人。❷⓪〔演劇・映画などで、けいこ前に〕作者・演出家が出演者を集めて、脚本を読んで聞かせること。また、出演者が役に応じて脚本を読み合うこと。

ほんらい①【本来】❶生まれた時からそうであること。生まれつき。「—無一物(ツ)/人間—の性質/—的でない」❷もとから(持っていること)。「—の使命(面目)」❸道理・筋道から言って、そうあるべきこと。「—ならば(=ⓐ(やかましく)理屈を言えば。ⓑ規則から言えば)」

ほんりゅう⓪【本流】❶その川の本筋の流れ。↕支流・分流 ❷主となる流派。「保守—」

ほんりゅう⓪【奔流】〔—する(自サ)〕(川の流れなどが)激しい勢いで流れること。また、その流れ。奔湍(ホンタン)。「—が渦巻いて流れる」

ぼんりょ①【凡慮】凡人の考え。「もとより—の及ぶところではない」

ほんりょう⓪【本領】❶〔その人や物が〕本来得意(専門)とする領域。「そういう仕事は私の—ではない/万人受けするデザインが、この商品の—(=よい意味における特色)だ/—(=真面目(シンメンモク))を発揮する/生徒をあたたかく愛し厳しく育てるのが教師の—(=真の任務)だ」❷〔古〕本来の領地。「—安堵(アンド)」

ほんるい①【本塁】❶本拠とするとりで。❷〔野球で〕キャッチャーの前のベース。ホーム ベース。〔走者が塁を一周してここへ帰ってくると点が入る〕 **—だ**③【—打】打者が自分の打ったボールで本塁まで帰りうる安打。ホームラン。ホーマー。〔かぞえ方〕一本

ほんれい⓪【本鈴】公演・授業などの始まりを知らせる合図(のベル)。↕予鈴

ほんれき⓪【本暦】関係事項を省略しないで載せた暦。伊勢神宮の「神部(カンベ)署⓪③」で頒布したもの。↕略本暦・略暦

ボンレスハム⑤〔boneless ham〕豚のもも肉から骨を取り除いて加工したハム。

ほんろう⓪【翻弄】〔—する(他サ)〕強い立場にある人が弱い人を手玉にとってからかうこと。思いのままにもてあそぶこと。「奇策を次つぎと打ち出し敵を—した/時代の荒波に—された人生/船が波に—される」

ほんろん①【本論】❶議論・論説で、中心となる論述。↕序論 ❷この論。

ほんわか③(副)〔—と —する〕❶暖かくて気持のよい雰囲気が感じられる様子。「—とした部屋」❷人間関係などがなごやかでほのぼのとした温かさが感じられる様子。「—家族」

ほんわり⓪【本割(り)】〔すもうで〕前もって発表されたその日の取組表に従って行なわれる、本場所での取組。

ま…マ

ま(馬・麻・摩・磨・魔)→【字音語の造語成分】

ま①(副)「まあ[二]」の短呼。「—一つ召し上がれ」

ま⓪【魔】❶人の心を迷わし、悪に引き入れる悪い神。悪魔。「—にとり憑(ツ)かれる/—を払う/好事—多し(=⇩好事❶)/—王・天—・病—・睡—」❷マニアの度を超した人。しつこく…する人。「収集—・電話—・メモ—」【—が差す】〔魔心が生じる意〕❶ふと悪い気を起こす。❷日ごろの本人からは考えられない失敗や事故を招いた理由を、定かでない外在的なものに求める語。【—の】①(たびたび)悪い事が起こる。「—踏切(交差点)/—(=勝っていた試合を、逆転されて負けるようになった)七回」

ま【目】「め」の意の造語・古語形。「—の当たり/—映(バ)ゆい・—庇(ビサシ)・—深(ブカ)い」

ま【真】[一]⓪まじめな態度。「冗談を—に受ける(=本当の事と受け取る)/—顔(ガオ)・—人間」[二](造語)❶純粋で、よごれていない。「—心(ゴコロ)」❷純粋で、ほかの要素が交じっていない。「—北・—新しい・—水(ミズ)」❸〔生物の〕同類の中で一番標準的な。「—アジ・—ガモ」〔カ行音・サ行音・タ行音・ハ行音の造語成分に続く時は「まっ」、ナ行音・マ行音で始まる造語成分に続く時は「まん」となる〕

ま⓪【間】❶何かのあいだにはさまれた空間・時間。「木(コ)の—から赤い屋根が見える/知らぬ—に夜になった/いつの—に盗み出したのだろう/仕事の—(=あいま)を見て/出発までもう—が無い/留守の—にやっておきます/一メートルずつ—(=間隔)を置く」❷〔聴衆や観衆に、個々の場面や状況を強く印象づけるために〕連続して行なわれる話や演技・演奏の中に設ける微妙な時間的空白。「—の取り方が絶妙な咄(ハナシ)家/—拍子(ビョウシ)②」❸Ⓐ部屋。「茶の—・洋—」ⒷⒶをかぞえる語。「二(フタ)—の家」〔運用〕❶は、「約束の場所に早く行き過ぎて間が持てなかった」などの形で、予定された次の行動に移るまでのあいだに時間的空白が生じ、どうしたものかと時間をもてあますことを表わす。また、「みんな黙りこんでしまって間が持てなかった」などの形で、会話がとぎれるなどして気まずい雰囲気になることを表わす。

【—がいい】何かをするのにちょうどいいころあいだ。「出か

ける直前に間がよく〔=運よく〕雨があがった/―時に来合わせた」【―が抜ける】❶いかにも頭の働きがにぶそうに見える様子だ。「間が抜けた顔」 ❷大事な点が欠けていて、全く評価できない様子だ。「日にちだけ言って肝心の集合場所を言い忘れるとは間の抜けた話だ」【―が悪い】❶何かをしようとするタイミングがうまく合わない様子だ。「電話をかけると間が悪くいつも彼は留守だ」 ❷その場にいるのが気まずくなる様子だ。「客の名前が思い出せず―思いをした」

まあ[1] ■一(副) ❶相手の事情はひとまずおいて、こう△しよう(してくれ)と、自分の方の立場を優先させようとする気持を表わす。「―一杯飲めよ/―そう怒らないで/―やめておけ」 ❷満足できる段階からは程遠いが、容認せざるを得ないという気持を表わす。「―いい方だ/―こんなものだろう/―しかたがない」 ■二(感) 驚いたり意外に思ったりして、思わず発する声。〔主として女性が用いる〕「―、すてき/―、あきれた/―、なんてひどいのでしょう/―、これはいったい何なの」 運用 ■一は、短呼形「ま」も含めて、(その人の癖ででもあるかのように)意味もなく、次の言葉を発する際のつなぎとして用いられることがある。例、「まあ、そういうことは、ま、ほとんどないとは思いますが、ま、念のため調べてみましょう」

まあい[0]【間合(い)】(アヒ) 何かをするのに、ちょうどいいタイミングを取ること。また、そのタイミング。「―をはかって客に料理を出す/―を外してバッターの打ち気をそらす」

マーカー[1][0]〔marker〕 △注目(記憶)すべき語句が目立つように、薄い色で印をつける文房具。

マーガリン[1][0]〔margarine〕 ヤシ油などの植物性油を原料として、バターに似た風味をつけた食品。人造バター。

ま

【馬】 ウマ。「馬草(サグ)・馬子(ゴ)・絵馬・桂(イケ)馬」〔常用漢字表では訓とする〕⇩ば

【麻】 ❶植物のアサの類。「麻布(フ)・大麻・胡(ゴ)麻」 ❷「痲」の代用字。「痲」は、感覚を失う。しびれる。「麻酔・麻痺(ヒ)」

【摩】 ❶こする。なでさする。すりきる。「摩擦・摩耗・按(アン)摩」 ❷近づく。「摩天楼」

【磨】 みがく。「磨製石器・研磨・切磋琢磨(セッサタクマ)」

【魔】 ⇩(本文)ま【魔】

マーガレット[1]〔marguerite〕 夏、菊に似た白い花を開く多年草。〔キク科〕 かぞえ方 一本

マーカンティリズム[6]〔mercantilism〕 ⇩重商主義

マーキュロ[0] マーキュロクロムの俗称。 **―クロム**[5]〔mercurochrome〕 緑色を帯びた赤褐色の有機水銀化合物。水溶液は皮膚や粘膜の傷の消毒薬として用いられた。現在では、環境汚染源となるために製造中止。マーキロとも。〔赤色のヨードチンキと混同され、通称は、赤チン〕

マーキング[0] ―する(自サ)〔marking〕 ❶荷物の上に張る商標やあて名を書いた紙。また、それを張ること。 ❷標識をつけること。 ❸動物が自分の行動範囲であることを示すために、尿をかけるなどの行動をすること。

マーク[1]〔mark〕 ❶記号。「トレードー」 ❷―する(自他サ) Ⓐ問題となるものだけに しるしをつけること。Ⓑ〔競技などで〕記録すること。「第五位を―する」 Ⓒ注意を要する人の活動を絶えず監視すること。〔敵の有力選手のそばに始終付いて、相手の活動を抑える意にも用いられる〕

マークシート[4]〔mark sheet〕 大量の答案を短期間に処理するために、正答の欄を塗りつぶさせる用紙。これを読み取り装置にかけてコンピューターに入力して処理する。

マーケット[1]〔market〕 ❶市場(バイチ)❷。「スーパー―」 ❷市場(シジョウ)❸。「―シェア[6]〔=⇩市場占有率〕」

マーケティング[0]〔marketing〕 商品・サービスを市場へ流すための企業の活動。「―リサーチ[8]〔=⇩市場調査〕」

まあじ[0]【真〈鯵〉】(アヂ) 日本人が食べる最も普通のアジ。

マージャン[0]〔中国・麻雀・麻将〕 中国伝来の室内遊戯。竹を裏につけた、百三十六枚のパイを使い、四人で勝負を争う。

マージン[1]〔margin〕 ❶商売での利ざや。「―〔=もうけ〕を取る」 ❷株式売買の証拠金。「―取引〔=信用取引〕・―銘柄〔=信用取引で売買する銘柄〕」 ❸〔印刷で〕本などの、版面(ハンヅラ)のまわりの印刷されていない部分。余白。

マーズ[1]【MERS】〔←Middle East respiratory syndrome〕 中東呼吸器症候群。コロナウイルスの一種による感染症。発熱・せき・息切れがし、肺炎を引き起こすことが多い。

まあたらし・い[5]【真新しい】(形) 今△できあがったばかり(その状態が実現したばかり)であると感じられる様子だ。「―△スーツ(畳)/―足跡/―血痕(コン)」 派 **―さ**[5][4]

マーチ[1]〔march〕 行進曲。「軍艦―[5]」

マーブル[1]〔marble=大理石〕 ❶〔本や帳簿の見返しや小口などに使う〕大理石に似た模様。 ❷子供の おはじき。

マーボーどうふ[5]【《麻《婆豆腐】 〔マーボーは中国語〕 中国、四川(シセン)料理の一つ。豆腐といためた豚ひき肉・ネギなどを、唐辛子味噌(ソミ)を加えて煮て、とろみをつけたもの。

まあ まあ 〔「まあ」の強調形〕 ■一(副) ❶[1]、[1]-[1] 相手のいらだつ気持を抑えたり なだめたりして、自分の提案を通そうとする様子。「―そう言わずに引き受けてくれよ/―落ち着いて話をしようじゃないか」 ❷[3]、[1]-[1] 不満は残るものの、現状を容認せざるを得ないと思う気持を表わす。「この暑さなら―がまんしよう/―の出来だ/今のところ体調は―だね」 ■二[1]-[1]、[1](感) 「まあ■二」の意外だという気持をさらに強めて発する声。〔主として女性が用いる〕

マーマレード[4]〔marmalade〕 オレンジ・ナツミカンなどの皮をまぜて作ったジャム。ママレードとも。

まい(毎・米・妹・枚・味・埋・〈邁〉) →【字音語の造語成分】

まい(助動・特殊型) ❶何かをしないという主体の意志を表わす。「二度と言う―と誓う/彼にさせ―とする/こんな店では二度と買う―」 ❷そうではないと推量・想像することを表わす。「彼もきっと知る―/楽観は許され―/あろうことかある―ことか〔=こともあろうに〕/驚く―ことか〔=なんと驚いたことに〕/娘ではある―し、そんな赤い着物は着られない」 文法 動詞、助動詞「れる/られる・せる/させる・たがる・ます」の終止形に接続する。ただし、上一段・下一段・サ変・カ変動詞、助動詞「れる/られる・せる/させる」は終止形のほか未然形にも接続することがある(「見まい/しまい/侮られまい」など)。後に他の助動詞類を伴うことはない。

まい[0]【舞】(ヒマ) 〔動詞「舞う」の連用形の名詞用法〕歌や音楽に合わせ、からだや手足を上下・左右・前後に曲線的に動かして、ある主題を象徴的に表わす△こと(芸)。〔実質的に「おどり」とほとんど区別の無い「舞」もある〕「―を舞う/―装束[3]・男―[3][0]」 ⇩おどり

まいあが・る[4]【舞(い)上(が)る】(マヒ)(自五) 舞うように揺れながら、上へあがる。〔うれしいことなどがあって、ふだんの落着きを失う意にも用いられる〕「ほこりが一面に―/風で粉雪が―」

まいおうぎ[3]【舞扇】(マヒアフギ) 舞う時に手に持つ扇。

まいおさめ[0]【舞(い)納め】(マヒヲサメ) その人が△生涯で(その年に)する、最後の舞。

まいおさ・める⑤【舞(い)納める】(マヒヲサメル)〔他下一〕舞を予定通り最後まで終える。

マイカ⓪①〔mica〕雲母(ウンモ)。

マイカー③〔和製英語 ←my + car〕その人が通勤やレジャーなどに使うために所有する自家用車。「―族③」

まいかい⓪【〈玫瑰〉】(マイクワイ) ❶赤色の美しい石。❷ハマナス(からとった染料)。

まいきょ①【枚挙】―する(他サ)〔「枚」は、もと種々の物をかぞえた助数詞〕一つひとつかぞえあげること。「―に遑(イトマ)が無い〔=いちいちかぞえあげられないほど多い〕」

マイク① マイクロホンの略。

マイクロ [一]〔接頭〕〔micro-=「小さい」意のギリシャ語に由来〕❶きわめて小さいこと。「―フィッシュ⑤・―フィルム」❷国際単位系における単位名の接頭辞で、基本単位の百万〔=十の六乗〕分の一であることを表わす〔記号 μ〕。ミクロ。「―アンペア⑦⑤・―メートル・―ファラッド」⇩ナノ
[二]⓪ マイクロバス・マイクロフィルムの略。

―カード⑤〔microcard〕本・新聞をページごとにカード式の印画紙に縮写したもの。 **―カプセル**⑤〔microcapsule〕核となる物質を膜で包んだ、直径が数マイクロメートルから数百マイクロメートルの微小の容器。いろいろなものに用いられるが、ノンカーボン複写紙の紙の裏側に塗ってあって、二枚重ねて書くと発色するしかけになっている。 **―キュリー**⑤〔microcurie〕放射能の強さの単位。一キュリーの百万分の一〔記号 μc〕。 **―コンピューター**⑦〔microcomputer〕⇩コンピューター **―は**④【―波】波長が一メートル未満の電波。テレビ放送・レーダー・タクシー無線・電子レンジなどに用いられる。マイクロウエーブ⑥。〔周波数は、三百メガヘルツより大で、三テラヘルツ以下〕⇩超短波 **―バス**⑤〔microbus〕小型バス。 **―フィルム**⑤〔microfilm〕本や書類などを縮写して保存する不燃性の三五ミリのフィルム。〔マイクロリーダーで拡大して読む〕 **―プロセッサー**⑦〔microprocessor〕⇩プロセッサー **―フロッピーディスク**⑩〔microfloppy disk〕⇩ディスク(フロッピーディスクの用例) **―ホン**④〔microphone〕音声を電気の振動に変えて送る装置。送話器。略してマイク。[かぞえ方]一本 **―マイクロキュリー**⑨〔micromicrocurie〕マイクロキュリーの百万分の一〔記号 μμc〕。ピコキュリー③②。 **―マシン**⑥⑤〔micromachine〕きわめて小さい機械。〔通常、数ミリ以下の物を指す〕 **―メーター**⑤〔micrometer〕ねじの回転により、非常に短い長さを精密に計る、糸鋸(イトノコ)の形に似た器具。 **―メートル**⑤〔micrometer〕⇩メートル **―リーダー**⑤〔microreader〕マイクロカード・マイクロフィルムを拡大して読む装置。[かぞえ方]一台

マイクロケ④ 現場にマイクロホンを持って行って直接そこから放送すること。

まいこ⓪【舞〈妓・舞子】(マヒ) 宴会で舞を舞う少女。〔狭義では、京都、祇園(ギオン)で、日本髪を結い振り袖(ソデ)の着物にだらりの帯を締めた姿で宴席に出る、芸妓(ゲイギ)の見習いを指す〕

まいご①【《迷子】(マヒ) △連れにはぐれた(道に迷って家に帰れない)子供、また人。まよいご③。[表記]⇩付表「迷子」

まいこつ⓪【埋骨】―する(自サ) 火葬にした死者の骨をうずめ(て供養す)ること。

まいこ・む③【舞(い)込む】(マヒ)(自五) ❶〔雪・花びらなどが〕舞いながら入って来る。❷思いがけない△人(物)が入り込む。「一通の手紙が―」

マイコン⓪ マイクロコンピューターの圧縮表現。

まいじ [一]⓪①【毎次】(副) 同様の事が時をおいて繰り返されるそのたびごとに。「第一次南極観測隊以来―越冬隊を派遣する」 [二]⓪【毎時】一時間ごと。「最高速度は―三〇〇キロ」

まいしょく⓪【毎食】食事ごと。食事のたび。

マイシン① ストレプトマイシンの略。

まいしん⓪【〈邁進】―する(自サ)〔「邁」は過ぎる意〕どんな困難や危険にもひるまず、つき進むこと。「一路―・勇往―」

まいす①⓪【《売《僧】〔「まいす」は唐音〕〔仏法を商売にする、堕落僧の意〕僧をののしって言う語。[表記]もとの用字は、「《売子」。

まいすう③【枚数】紙・板・着物など、助数詞「枚」でかぞえる物の数。

マイスター①〔ド Meister〕〔ドイツにおける専門技術者の資格制度で高い技能を修得した者に与えられる称号の意から〕芸術家や伝統工芸などの世界における巨匠。

まいせつ⓪【埋設】―する(他サ) 人目に触れない(深い)所に埋め込むこと。「△水道管(ガス管)を地下に―する/コンベヤー―をしたカウンター/農地に―されたままになっている地雷」

まいそう⓪【昧爽】(マイサウ) 「夜明け」の意の古風な表現。

まいそう⓪【埋葬】(マイサウ)―する(他サ) 故人の遺体や遺骨を土の中に葬ること。「―地③・―許可書⑥」

まいぞう⓪【埋蔵】(マイザウ)―する(自他サ) ❶土の中にうずめ隠すこと。「盗品を一時―する」❷鉱物資源などが地中にうずもれていること。「原油の―量③/―物(ブツ)③・―文化財」

まいたけ①②⓪【舞〈茸】(マヒ) 食用となるきのこの一つ。大木の根元などに、白い軸の先に灰色で扇形の傘が多数重なり合った形で生える。歯ざわりがよく、美味で、てんぷらやパスタを主材とする料理の具などに用いられる。

まいちもんじ④【真一文字】―に/―な 「一」の字のように、まっすぐな△こと(様子)。「口を―に結ぶ」

まいど⓪【毎度】今回に限らず、同じような状況のもとではそのことがいつも繰り返されること。「―同じ事を言う/彼が約束を守らないのは―のことだ」 [運用]「毎度(ごひいきにあずかりまして)ありがとうございます」などの形で、商人の客に対する謝礼の挨拶(アイサツ)の言葉として用いられる。日常的な食品などを扱う店では、客への親近感を込めて「毎度(あり)」のような形で用いられることもある。

マイナー⓪①〔minor=より小さい〕⇔メジャー ❶―な 重要度において欠ける様子だ。「―な作曲家/―リーグ⑤」❷短音階。短調。

まいない⓪【《賂・〈賄賂】(マヒナヒ) 「わいろ」の意の古風な表現。

****マイナス**⓪〔minus=「―」という記号の名称〕⇔プラス ❶〔数学で〕Ⓐ負号。〔その△数(式❸Ⓐ)の「符号❷」を変えることをも表わす〕Ⓑ負数。負であること。「出生率の伸びが―に転ずる/―〔=零下〕四〇度・―成長」Ⓒ減法の記号。Ⓓ―する(他サ)〈なにヲ―する〉「引き去る[二]❶」こと。❷Ⓐ〔物理学で〕電気の陰極。また、陰極における電荷(の性質)。Ⓑ〔医学で〕陰性❸。「Rh―」❸従来それがあったために何とか△見られた(均衡を保っていた)ものの、欠陥・欠損が生じ全体として好ましくない傾向が認められるようになること。「―が出る/―に転ずる/―を△生じる(招く・もたらす)/差引(サシヒキ)二万円の―〔=赤字〕だ/その提案は結局―〔=不利〕を味方にもたらしただけだ/終始―〔=暗い〕イメージがつきまとう/『まるで』という副詞は多く―の〔=好ましくない結果を含意する語句と照応する〕用法を持つ」 **―ねじ**⑤【―〈螺子〉】(ネヂ) 頭の溝がマイナス記号の形になっているねじ。

マイナンバー③〔和製英語 ←my + number〕〔「社会

ま

保障・税番号制度」で〕住民票を持つすべての人に国が付ける、十二桁の「個人番号」の通称。「—カード⑦」

まい にち【毎日】［一］①⓪（副）〔ある期間にわたって〕どの日もどの日も何かが行なわれる様子。「——同じ事の繰り返しだ」［二］①その日その日。「—が楽しくてたまらない／さびしくて不安な—を送る」

マイノリティー③〔minority〕数の少ない方の集団であること。少数派。↕マジョリティー

まい はだ⓪〔「槙皮」の変化〕船体や水槽などの水漏れを防ぐために、板の△合せ目（継ぎ目）に詰める、縄状の材料。槙・檜の皮で作る。

まい ひめ②⓪【舞姫】「踊り子・バレリーナ・舞子」の意の美化した表現。

まい ふく⓪【埋伏】—する（自他サ）すっかり隠れてその存在が見えない状態に△なる（する）。「都会の片隅に—する」

マイペース③〔和製英語 ←my＋pace〕周囲の状況に眩惑されず、自分自身に適した進度・速度で物事を行なうこと。

マイホーム③〔和製英語 ←my＋home〕社宅や賃貸住宅などではなく自分の所有物として手に入れた（一戸建ての）家。「—主義」

まい ぼつ⓪【埋没】—する（自サ）地中や水底に隠れて見えなくなること。〔掘り出して使われるべき人や物が、知られずに存在する意にも、一時期何かに熱中する意にも用いられる〕「△土砂（現実）に—する」

まい

［毎］それぞれの。…ごと。「毎朝・毎食・毎次・毎度・毎年・毎日・毎春・毎秒・毎号・毎月曜日」

［米］こめ。「白米・新米・玄米・精米・遅場米・早場米・外米・古米」⇩べい

［妹］いもうと。「弟妹・姉妹・従妹・愚妹・実妹・従姉妹・令妹」

［枚］紙・板など、平たいもの。「枚挙・枚数・大枚」⇩いちまい（一枚）

［昧］❶夜明け前。「昧爽」❷はっきりしない。「曖昧」❸道理にくらい。「愚昧・蒙昧」㊃梵語の音訳に用いる。「三昧」

［埋］うめる。うずめる。うもれる。「埋葬・埋骨・埋没・埋設・埋蔵」

［〈邁〉］❶進み行く。「邁進」❷すぐれる。「英邁・高邁」

まい まい⓪【毎々】（副）事あるたびにいつも。

まい まい⓪③【舞々】❶〔←まいまいつぶろ⑤〕〔神奈川・静岡・岐阜、岡山・広島・福岡方言〕カタツムリ。❷〔←まいまいむし③〕ミズスマシの別称。

まい もど・る④【舞(い)戻る】（自五）〔いろいろな所を転々としたあげく〕元の場所へ帰って来る。

まい・る①【参る・《詣る》】［一］（自五）❶〔多く「まいります」の形で〕「行く・来る」の謙譲語・丁寧語。「ご一緒に参りましょう／お迎えが参りました／買って参ります」❷神仏を拝む。「先祖の墓に—」⇩おまいり ❸極度に困難な状況に身を置いて自分の非力を認めざるを得なくなる。「一本参った〔＝負けた〕／この暑さには—〔＝閉口する〕／あいつ彼女に参って〔＝すっかり、ほれて〕いる／精神的に—／神経がすっかり参ってしまう」㊃昔、女性の手紙の脇付として用いた語。〔御許に差し上げますの意〕「…様—」〔❸は口頭語的表現〕 表記 ❷は「《詣る》」とも書く。 文法 (1)❶は、立場が上の相手とは直接かかわり合いのない話し手自身の行為を表わす場合にも「まいる」が用いられる。学生時代の恩師に「会社の用事で東京へ参りました」、また、会社の上役に「連休中は実家に参るつもりです」などと用いることがある。この種の「まいる」は謙譲語ではなく、丁重な表現を用いることによって間接的に相手に対する敬意を表わしていると解される。(2)駅のアナウンスで「まもなく電車がまいります」、また、日常の談話で、「だいぶ暖かくなってまいりましたね」などと用いられることがある。これも謙譲語ではなく、(1)と同種の用法だと解される。［二］（他四）〔雅〕❶差し上げる。❷「食う・飲む・着る・用いる」などの尊敬語。❸「なす・する」の謙譲語。

マイル①【〈哩〉】〔mile〕ヤードポンド法における 長さの単位で、一七六〇ヤード〔＝約一・六〇九キロメートル〕を表わす。

マイルド①—な〔mild〕〔飲食物の〕口当りが柔らかい様子だ。また、そのもの。「—な味」

マイレージ サービス⑥〔mileage service〕飛行機への搭乗距離の合計に応じて、無料航空券やクーポン券などの特典が得られる航空会社のサービス。略してマイレージ①。

マインド①〔mind〕意志・感情や思考の働きの根源にある心。また、それらの集合した集団としての志向。「残業を評価しない—が必要／消費—が冷え込む／デフレ—」 **—コントロール**⑧〔和製英語 ←mind＋control〕心を平静に保ったり集中力を高めたりするために、自らの感情を制御すること。また、そのように人を仕向けること。〔一部宗教法人や自己啓発セミナー・軍隊など広い領域で取り入れられている〕

***ま・う**⓪①【舞う】（自五）❶〈なにヲ〉—〉舞を演じる。「舞を—／青海波〔＝雅楽の曲名〕を—」❷〈どこヲ—／どこニ—〉円形を描くように、空中を飛ぶ。「トンビが（空を）—／△粉雪（桜吹雪・落葉）が—」［二］【〈眩う〉】気持が悪かったり忙しかったりして、目の前の物がぐるぐる回るように感じる。「目が—」

まうえ③【真上】ちょうどそれの上に当たる所。「太陽が頭の—に来る」↕真下

マウス①［一］〔ド Maus〕医学などの実験に使われるハツカネズミ。［二］〔mouse＝ハツカネズミ〕〔コンピューターで〕表示画面上のカーソルを制御する、ネズミに似た形の装置。

マウスピース④〔mouthpiece〕❶管楽器などを吹く時に口にあてる部分。❷〔ボクシングなどで〕競技者が舌をかまないように口に入れるゴム製のもの。

まうら⓪【真裏】表に対してちょうど裏の部分。「校舎の—」

マウンテン バイク⑥〔mountain bike〕凹凸の多い山道などを△走る（楽しむ）ための自転車。頑丈なフレームと一八～二一段の変速ギヤなどが特徴。

マウンド⓪〔mound＝土手〕〔野球で〕投手が打者に投球する時に立つように定められた、盛り土をした場所。中心に「プレート㊃Ⓑ」がある。

****まえ**【前】［一］①❶人や動物が、自然に顔を向けて△いる（進んで行く）方。「立っている—を車が通り過ぎる／—へ進む／人の—に出て話をするのは苦手だ／—〔＝陰部〕を隠す／目の—が暗くなる／シャツをうしろ—に着る／—身ごろ・—だれ」❷そのものの正面だととらえられる位置に△面する側（ごく近い所）。「家の—に高いビルが建つ／車の—に突然人が飛び出す／この道をまっすぐ行けば学校の—に出る／—庭・駅—・皇居—広場」❸問題とする事柄が起きたり行なわれたりした時よりも早い時点。「カフェを開く—は会社に勤めていた／この点については—に述べた通りだ／発車数秒—に飛び乗った／—〔＝前科〕がある／—祝い・—払い」㊃何

まいにち——まえ

ま

らかの基準に従って△並ぶ(並べられる)ものについて、その配列順位が比較の対象とするものより早いこと。「五十音順の名簿では伊藤君は井上君より一にある/彼は私より三人一に並んでいた/いちばん一の席がとれた」↕後㊁❶ ㊄〔「…を一に(する)/…の一に」などの形で〕△確かな(無視することの出来ない)ものとして、そのことを経験することを表わす。「被災地の現状を一にして自然災害の恐ろしさを思い知らされた/いかなる弾圧の一にも屈しなかった」

㊁(造語) ❶その人に備わっているもので、具体的な言動を通して観察される面を表わす。「気一・建一・自(ジ)一・手一・男一・腕一・持ち一❶」❷(何人かに割り当てられた)分量・金銭。「足(タシ)一・取り一・持ち一❷・分け一・割り一」

㊂(接尾) ❶その人数分に相当する食物・料理の分量。「一人一(イチニンマエ)/二人一(ニニンマエ)食べる」❷昔、貴婦人の名前に添えた語。「玉藻(タマモ)の一」

まえあき ⓪ーマヘ【前明(き)】 衣服のボタンやファスナーなどが、前側についていること。「一のスカート/一にボタンがついた高齢者用の下着」↕うしろあき

まえあし ⓪②ーマヘ【前足】 ❶四足で歩く動物の、前の方の足。↕あと足 ❷踏み出した方の足。↕うしろ足 表記 ❶は、「前脚・前《肢》」とも書く。

まえあて ⓪ーマヘ【前当(て)】 陰部を保護するためにその部分をおおうもの。

まえいた ⓪ーマヘ【前板】 車の前部に渡した板。〔古くは牛車(ギッシャ)の「踏み板」を指し、現代では運転席と向かい合ったダッシュボードを指す〕

まえいわい ③マヘイハヒ【前祝(い)】ーする(自サ) 成功・成立を見越して、前もって祝うこと。

まえうしろ ①③ーマヘ【前後(ろ)】 前と後ろ(を反対にすること)。うしろまえ。

まえうり ⓪ーマヘ【前売(り)】ーする(他サ)〔(発行枚数の限られた)入場券・指定乗車券などを〕使用当日以前に売ること。

まえおき ⓪ーマヘ【前置(き)】ーする(自サ) 本論に入る前に述べる言葉・文章。「一は省いて/一が長くなりましたが」

まえかがみ ③ーマヘ【前《屈(み)》】 からだを前の方にかがめること。また、その姿勢。「まえこごみ」とも。「一になる/一で歩く」

まえがき ⓪ーマヘ【前書(き)】 本文の前に書き添える文句。↕あと書き

まえかけ ⓪③ーマヘ【前掛(け)】 着物のよごれを防ぐために、腰に巻き、ひざの前まで掛ける布。エプロン。かぞえ方 一枚

まえがし ⓪ーマヘ【前貸(し)】ーする(他サ) 支払日より前に給料などを貸し与えること。さきがし。

まえがしら ③ーマヘ【前頭】〔すもうで〕幕内の力士のうち、横綱・三役以外の力士(の位)。平幕。

まえかた ⓪ーマヘ【前方】 ㊀(副)「以前」の意の古風な表現。㊁ーな 「未熟」の意の古風な表現。「一な芸」

まえかぶ ⓪ーマヘ【前株】 会社の名前の前に「株式会社」または㈱を付けること。「あたまかぶ」とも。↕うしろかぶ

まえがみ ⓪ーマヘ【前髪】 ❶額の前の方に(短く)垂らした髪。❷昔、元服前の男子(や女性が、額の前に別に束ねた髪)。

まえがり ⓪ーマヘ【前借(り)】ーする(他サ) 受取日より前に給料などを借り入れること。さきがり。

まえかんじょう ③マヘヂヤウ【前勘定】 品物を受け取る前に、代金を払っておくこと。前払い。先払い。

まえぎり ⓪ーマヘ【前《桐》】 たんすなどで、人目につく前の方だけを桐の木で作ったもの。⇩総桐・三方桐

まえきん ⓪ーマヘ【前金】 前払いとして支払う金。↕あと金

まえく ⓪ーマヘ【前句】〔連歌(レンガ)・俳諧(ハイカイ)で〕ほかの人がそれに付けることを期待してよみかける句。↕付句(ツケク) **一づけ** ⓪【一付(け)】 提示された七七の句に、五七五の句をその場で付け、一首の歌になるようにする言語遊戯。〔当意即妙・滑稽(コッケイ)を主とし、秀作には賞が与えられた。後に川柳となる〕

まえくち ⓪②ーマヘ【前口】 申込み・受付けなどの、順番が早いこと。先(セン)口。↕あと口

まえげい ⓪②ーマヘ【前芸】 曲芸・手品などで、小手調べとして初めにするちょっとした芸。

まえげいき ③ーマヘ【前景気】 ある事の始まる前の景気。「一をつける」

まえこうじょう ③マヘコウジヤウ【前口上】〔芝居などで〕本筋に入る前に述べる言葉。

まえこごみ ③⓪ーマヘ【前《屈(み)》】 上半身を前に△曲げること(曲げた姿勢)。まえかがみ。

まえさがり ③ーマヘ【前下(がり)】 前後がそろうべき物の前部がその後部より下がっていること。

マエストロ ②⓪〔イ maestro〕〔主として芸術の分野で〕卓越した才能や技能を持ち、多くの人から尊敬されている存在。巨匠。〔狭義では指揮者を指す〕

まえずもう ③マヘズマフ【前《相撲》】〔本取組の前に〕入門間もない力士がとる相撲。〔これで規定の成績を上げると「新序①」となり、翌場所初めて「序の口」として番付に載る〕

まえせつ ⓪ーマヘ【前説】〔↑前説明③〕 本題に入る前にする、前置き的な短い話。また、それとともに雰囲気を盛り上げる役。〔狭義では、無声映画上映に先立ってする弁士の説明を指した〕 表記 ⇩付表「相撲」

まえだおし ⓪マヘダフシ【前倒(し)】 翌年度分の予算を繰り上げて、前年度中に執行すること。〔事前に予定されていたよりも早く、何かを始めることの意にも用いられる〕

まえだち ⓪ーマヘ【前立(ち)】 本尊を守護するために前に立つもの。御(オ)前立ち。

まえだて ⓪ーマヘ【前立(て)】〔↑前立物⓪〕 かぶとの前に立てるしるし。〔くわ形や半月形などの金具〕

まえだれ ⓪ーマヘ【前垂(れ)】〔(商人や重い荷物を扱う人などがする)まえかけ。

まえづけ ⓪ーマヘ【前付(け)】 書物の本文の前に付ける、序文・目次など。↕あと付け

まえどおり ③マヘドホリ【前通(り)】 ❶表通り。❷今までと同じであることを表わす。

まえのめり ③ーマヘ【前のめり】 ❶〔多く「一に」の形で副詞的に〕(つまずくなどして)倒れそうになるくらいからだが前に△のめること(のめった状態)。「一に歩く/一に倒れる」❷一歩もひくことなく物事を推し進めること。「△プロジェクト(大学生活)に一で取り組む」❸十分な備えもないままに気持ばかりがあせって行動すること。「あまりにも一(=急ぎ過ぎ)の改革プラン」

まえば ①ーマヘ【前歯】 ❶口の前面にある上下各四枚の歯。門歯。↕奥歯 ❷げたの前の方の歯。かぞえ方 ❶❷とも一枚・一本

まえはば ②①ーマヘ【前幅】 衣服の、前身頃(ゴロミ)の幅。

まえばらい ③マヘバラヒ【前払(い)】ーする(他サ) 買い入れたり借りたりする意思表示を確実にするために、代金・借り賃などを前もって払うこと。先払い。↕あと払い

まえび ①ーマヘ【前日】 事が行なわれる、すぐ前の日。

まえひょうばん ③マヘヒヤウー【前評判】 近ぢか公開・発表が予定されている著作・映画・演劇・演奏会・展覧会などに寄せられる人びとの期待。「一が高い」

まえふり ⓪ーマヘ【前振(り)】 ❶前方向に向かって、振ること。❷本題に入る前や、主役の登場前に、読み手・聞き手や観客の関心を引くために行なう話や芸。前置き。「一が長すぎ

る」

まえぶれ⓪【前触れ】—する(他サ)「前兆・予告」の意の和語的表現。

まえまえ⓪【前々】以前。「—から知っていた」

まえみごろ③【前身頃】衣服の身頃の、前の部分。↕後ろ身頃

まえみつ⓪【前〈褌〉】すもうのまわしで、からだの前にくる部分。「—を取る」

まえむき⓪【前向き】—に—な ↕後ろ向き ❶前方に向く△こと(様子)。❷考え方が発展的・進歩的である△こと(様子)。「—に△とらえる(取り組む)/—の△姿勢(発言)/—な努力/—に検討する〔=要請者の要望に沿うような対策を講ずることを考慮するつもりだ〕」

まえもって③【前《以て》】(副)予測される事態に適切に△対応(対処)できるように、必要な手段を講じておく様子。「—お電話をください/—調べておく」

まえやく⓪【前厄】厄年の前の年。〔厄年に次いで慎むべき年齢とされる〕↕後厄

まえわたし⓪③【前渡(し)】—する(他サ)❶お金や品物を期日より前に渡すこと。❷手付け金。

まえん⓪【魔縁】「悪魔」の意の古風な表現。

まおう②【麻黄】中国の華北原産の常緑低木。夏、茎の先端やこずえに卵形の小さな花をつける。漢方薬で、干した茎をせき止めとする。〔マオウ科〕 かぞえ方 一本

まおう②【魔王】❶〔仏教で〕天魔の王。❷魔物・悪魔の王。

まおか①【真岡】⇩もおか

まおとこ②【間男】—する(自サ)夫のある女性が他の男性と密通すること。また、その男性。

まかい⓪【魔界】魔境。

まがい【《紛い》】❶⓪❷② ❶本物に似せて作ってある△こと(もの)。「—の真珠」❷世間から歓迎されていないものによく似ていること。「ポルノ—のヌード写真/やくざ—の口入屋/脅迫—の△電話(手口)/フーテン—の生活」❸(造語)動詞「紛う」の連用形。

—もの⓪【—物】❶本物に似せて作ったもの。「日本ではアメリカ文化の—が目につく/—のワニ皮」❷本物には違いないが、内実はその物本来のあり方とはほど遠い物。「見かけだけで—の〔=いい加減に作った〕日本料理」

まがいぶつ②【磨崖仏】天然の岩壁に彫刻してある仏像。かぞえ方 一体

まが・う②【《紛う》】(自五)❶よく似ていて、まちがえる。「—方も無い真筆だ」❷入り乱れる。また、入り乱れて区別がつかなくなる。〔❶❷とも「まごう」とも〕〔⇩紛い❸〕

まがお⓪【真顔】まじめな顔つき。「—になる/—で冗談を言う」

まがき①⓪【〈籬〉】〔間垣の意という〕柴・竹などで目を粗くして作った垣。ませ(がき)。

まかげ⓪②【目〈蔭・目陰〉】〔「—をさす」の形で〕遠くを見る時などに、日光をさえぎるために、手を額にかざすことを表わす。

まがごと⓪【《禍事》】〔雅〕わざわい。凶事。

まがし⓪【間貸(し)】—する(他サ)金を取って、家の中の部屋を貸すこと。

マガジン〔magazine〕❶「雑誌」の意の造語形。⇩ブック ❷①特定のカメラの付属品として、生フィルムを詰め、明るい所でも着脱出来るようにした金属の入れ物。⇩パトローネ

—ラック⑤〔magazine rack〕〔持ち運びの出来る〕雑誌・新聞入れ。

まか・す⓪【負(か)す】(他五)相手を負ける状態に追い込む。「初めて横綱を負かした〔=に勝った〕」

まかず⓪【間数】部屋の数。

まかぜ①⓪【魔風】悪魔が吹かせて、人間を悪に誘うという、気味の悪い風。

*__まか・せる__③【任せる】(他下一)❶〈だれ・なにニ なにヲ—〉相手に要求や指示をしたり制約を加えたりせず、その人がよいと思うままに事をさせることにする。「あとの事は君に—/家事を家政婦に—/あなたの△想像(判断・自主性)に—」❷〈なにヲ なにニ—〉自分自身の欲求や意思の実現を求めることなく、何かの力の赴くままにさせるようにする。「ここまで力を尽くしたのだからあとは運を天に—/情熱に身を—/足に任せて歩く/事の成行きに—/荒れるに任せた庭/思うに任せぬ〔=思う通りにならない〕」任す②(五)。名 任せ③⓪ 表記「《委せる」とも書く。「他人—・成行き—」

まがたま⓪【《勾玉・《曲玉》】古代日本人が装身具などに使った巴形の玉。穴をあけ、ひもを通して首にかけたりした。翡翠・瑪瑙などで作ったものが多い。

マカデミア ナッツ⑥〔macadamia nuts〕オーストラリア原産の常緑高木マカデミア⓪の実。形は丸く、油が多い。食用。主にハワイで作られる。マカダミアナッツとも。

かぞえ方 一粒

まかない⓪【賄(い)】〔動詞「賄う」の連用形の名詞用法〕食事を用意して食べさせる△こと(役の人)。また、その料理。「—付きの下宿/—方⓪」

—りょうり⑤【—料理】飲食店などで従業員が自分たちが食べるために作る料理。まかない。

*__まかな・う__③【賄う】(他五)〈なにデ なにヲ—〉❶限られた範囲内の人手・費用などで、用を達する。「医療費を—/台所を—〔=やりくりする〕/経営を—〔=きりもりする〕/需要を—〔=求められる量に足るだけを供給する〕/少ない費用で—」❷〔一定の費用の範囲内で〕食事の用意をして食べさせる。

まがな すきがな①-③【間がな隙がな】(副)わずかでも機会があれば逃すまいとして、いつも隙をねらっている様子。「—彼女に言い寄ろうとする」

まがね⓪【真金】〔すき・くわ・なべなどを作るのに有用な〕鉄の古称。

まかふしぎ①-⓪【摩〈訶不思議〉】—に—な〔「摩訶」は「大」という意の梵語 mahā の音訳〕どう考えても不思議に思われる様子だ。「—な事」

まがまがし・い⑤【《禍《々しい・《凶《々しい》】(形)自分自身に災難が及ぶのではないかと思わせるほど不吉な感じだ。「—△夢(殺人事件)」派 —さ⑤④

まがも⓪【真〈鴨〉】アヒルの原種として知られる、大形のカモ。雄は、頭から首にかけてつやのある緑色をしていて、「あおくび」とも言われる。雌は、全体に黄茶色で、暗褐色の縦のまだらがある。秋、日本に渡って来る。〔カモ科〕 かぞえ方 一羽

まかり【《罷り》】(接頭)〔もと、動詞「罷る②」の連用形〕動詞に続けて、昔は謙譲の、今は強調の意を表わす。

—あ・り④【—在り】(自ラ)〔候文で〕あります。おります。「無事にて—候」

—・でる④②【—出る】(自下一)❶〔貴人の前から〕退いて帰る。❷〔あつかましく〕人の前に出る。

—とお・る④【—通る】(自五)❶通られては困る者が我が物顔に通る。❷やってもらっては困る行為がおおっぴらに行なわれる。「わがままが—/不正が—」

—ならぬ⑤、②-②【—成らぬ】…することは(絶対に)いけない、と禁じることを表わす。〔少し古風な言い方〕

—まちが・う⑥【—間違う】(自五)「まちがう」の意の強調表現。「まかりまちがえば命が無い/まかりまちがっても〔=どんな

最悪の事態でも〕戦争にはなるまい」

まがり【曲がり】 ❶⓪曲がること。曲がりかど。「道の―」 ❷〔造語〕動詞「曲がる」の連用形。 **―かど**④⓪【―角】Ⓐ道の曲がっている角の所。「垣根の―」 Ⓑそれまでに生きてきた道とは異なる道を選択する必要があるのではないかと考えられる時期。「人生の―〔=転機〕を迎える/研究生活を続けるかどうかの―〔=わかれ目〕にさしかかる」 **―がね**③【―金】⇩かねじゃく **―くね・る**⑤(自五) 幾重にも折れ曲がる。 **―なり**⓪【―《形》】曲がった、不完全な形。「―にも⑥〔=どうにかこうにか〕」 **―め**⓪【―目】曲がったさかい目。 **―や**⓪【―屋】L字形の平面を持つ、民家の伝統的形式。〔特に、南部地方のものが有名〕

まがり⓪【間借り】―する(他サ) 金を払って他人の家の部屋を借りること。「―人⓪」

まか・る⓪【負かる】(自五) 値段を安くすることが出来る。「もう少しまからないか」

***まが・る**⓪【曲がる】(自五) ❶〈(どこ)ニ(どこ)―〉 △まっすぐ(垂直)でない状態になる。「腰の曲がった老婆/この先で道が―/地震で柱時計が―」 ❷〈(どこ)ニ(どこ)ヲ―〉移動の途中で進む方向を変える。「右へ―/角カドを―」 ❸心や行いが△すなおで(正しく)なくなる。「根性コンジョウが曲がっている/曲がった行い」〔⇩曲がり❷〕

マカロニ⓪〔フ macaroni〕 パスタの一種。管状の短いもの。普通、乾燥したものが市販される。マッケローネ④。「―グラタン⑥⑤・―ウエスタン⑥〔=イタリアで製作された西部劇まがいの映画の、日本での呼称〕」

まき①【牧】牧場。

まき〔動詞「巻く」の連用形の名詞用法〕 ❶⓪【巻(き)】巻くこと。巻いた程度。「―が強い/鉢―・左―・海苔リノ―」 ❷①【巻(き)】書画の巻物。〔巻物・書物や、糸・細引き・セロテープ・蚊取線香・冷や麦など、総じて巻いた状態にある物をかぞえる時にも用いられる〕 ❸①【巻】書物などの、内容上の大きな区分。「―の上〔古くは音読して、『カンの上』もしくは『ケンの上』と言った〕」 表記 ❸は、本表=「巻」

まき⓪【《薪》】たきぎ。「―割り」

まき①【真木・〈槙〉】〔「ま」は美称。「材木として有用な木」の意〕 ❶ヒノキ・スギなどの総称。 ❷Ⓐイヌマキ②③の別称。関東南部より南の山地に自生する常緑高木。大きいのは二〇メートルに達する。葉の形はヤナギに似て、堅い。〔マキ科〕 Ⓑイヌマキの園芸変種。イヌマキより低く、葉も短い。庭木や生け垣に植える。ラカンマキ②④。〔マキ科〕 Ⓒコウヤマキ③④の別称。近畿地方より西の山地に自生する常緑高木。材は建築・器具材として有用。〔コウヤマキ科〕 かぞえ方 ❷は一株・一本

まきあ・げる④【巻(き)上げる・巻(き)揚げる・〈捲(き)上げる】(他下一) ❶巻いて上にあげる。「幕を―/車が土ぼこりをもうもうと―」 ❷すっかり巻く。「糸を―」 ❸〔だましたりおどしたりして〕奪い取る。「金を―」〔❶❷の自動詞は、巻き上がる④(五)〕 名 巻き上げ⓪

マキアベリズム⑤〔Machiavellism〕 非情なまでの権謀術数によって政事を行なう主義。マキャベリズムとも。〔イタリア ルネサンス期の政治学者マキャベルリが唱えた〕

まきあみ⓪【巻(き)網】魚群をとり囲んで、囲みを縮小しながら魚を捕らえる網。 表記 「《旋網》」とも書く。

まきえ⓪エ【〈蒔絵〉】漆器の表面に、漆でかいた文様が乾かぬうちに上から金・銀・錫ズス・色粉などを蒔マき、塗り固めてから特殊な方法で研ぎ出したもの。

まきえ⓪エ【〈撒(き)餌】―する(他サ) 鳥・魚・獣を寄せ集めるためにえさを撒くこと。また、そのえさ。

まきおこ・す④【巻(き)起(こ)す】(他五) ❶巻き起こるようにする。「風を―」 ❷何かがきっかけになって、多くの人びとに影響を及ぼさないではおかないような激しい変化を生じさせる。「△波紋(反響・ブーム)を―」

まきおこ・る④【巻(き)起(こ)る】(自五) ❶風の力で突然激しい変化が生じる。「△嵐アラシ(うねり)が―」 ❷多くの人びとが無関心ではいられないような事が突然起こる。「△体操(サッカー)ブームが―」

まきおと・す④【巻(き)落(と)す】(他五) 〔すもうで〕差したまま相手が押して来るのを、相手の胴をかかえて左右のどちらかへ巻くようにして倒す。 名 巻き落とし⓪

まきがい②ガヒ【巻(き)貝】サザエなどのように、貝殻がらせん状に巻いている貝類。⇩二枚貝 かぞえ方 一枚

まきかえし⓪カヘシ【巻(き)返(し)】 ❶反対に巻いて、元へもどすこと。 ❷負けそうになった不利な態勢を盛り返すために、反対にしかけること。「―に転じる/―を図る」

まきかえ・す③カヘス【巻(き)返す】(他五) ❶反対に巻いて、元へもどす。 ❷負けそうになった勢いを盛り返すために、反対にしかける。

まきがみ⓪【巻紙】 ❶奉書の半切ハンセツを継ぎ合わせて巻いたもの。毛筆で手紙を書くのに使う。 ❷ものを巻く紙。「たばこの―」 かぞえ方 ❶は一本

まきがり⓪【巻狩(り)】四方を取り巻いてえものを追い込む狩り。

まきぎぬ⓪③【巻(き)絹】絹の「巻物❷❶」。 かぞえ方 一反・一端・一本・一台

まきぐも⓪③【巻(き)雲・〈捲(き)雲】⇩けんうん

まきげ⓪【巻(き)毛】渦のようにゆるくカールしている髪の毛。

まきごえ⓪③②【〈蒔(き)肥】種まきの際に施す肥料。

まきこ・む③【巻(き)込む・〈捲(き)込む】(他五) ❶巻いて中に入れる。 ❷本人の希望しない△つきあい(関係)に引き入れる。「熱狂の渦ウズに―/△主導権争い(悲劇)に巻き込まれる」

マキシ①〔←maximum〕 ロング スカートの異称。⇩ミニ・ミディ

まきじた⓪【巻(き)舌】舌先を巻くようにして発音する(早口の)威勢のいい口調。また、その時の舌の動かし方。

マキシマム①〔maximum〕 ⇩マクシマム

まきじゃく⓪【巻(き)尺】紙・布・はがねなどに目盛りをつけて円形の容器に巻き込んだ、テープ状のものさし。

まきずし②【巻(き)《寿司・巻(き)〈鮨】かんぴょうなどを芯シンにして△干しのり(卵焼)などで巻いて包んだすし。

まきせん⓪【巻(き)線】コイル。

まきぞえ⓪ゾヘ【巻(き)添(え)】他人の△罪(災難・事件)に関連して、罪に問われたりひどい目にあったりすること。かかりあいになること。「巻き添い」とも。「―を食う」

まきたばこ③【巻(き)〈煙草〉】刻んだタバコの葉を紙で巻いたもの。紙巻き。シガレット。 かぞえ方 一本:一箱・一缶

まきちら・す④⓪【〈撒(き)散(ら)す】(他五) 方々へ行き渡るように撒く。「豆をあたりへ―/デマを―〔=一面にばらまく〕」

まきつ・く③【巻(き)付く】(自五) その物のまわりを巻くようにして、離れない状態になる。 他動 巻き付ける④(下一)

まきつけ⓪【〈蒔(き)付(け)】作物の種を蒔くこと。 動 蒔き付ける⓪④(他下一)

まきづめ⓪【巻(き)爪】〔足の親指などの〕爪の両側が丸まって、指の肉に食い込むこと。また、その爪。

まきとりし④【巻(き)取(り)紙】新聞・雑誌などの印刷に使う、大きく巻いた紙。「まきとりがみ④」とも。

まきと・る③【巻(き)取る】(他五) △糸状(帯状)のものを糸巻きやリールに巻いて移し取る。「フィルムを―」 名 巻き

取り[0]

まきなおし[0]【〈蒔(き)直(し)】―する(他サ) ❶〔前に蒔いたことのある種を〕何かの事情で、再び蒔くこと。❷初めからやり直しをすること。「新規―」 動 蒔き直す[0][4](他五)

まきば[0]【牧場】「ぼくじょう」の和語的表現。

まきひげ[0]【巻(き)〈鬚】キュウリやブドウなどのつる植物が伸びる時に巻きつく、鬚状のもの。けんしゅ[1]。〔植物学的には、枝・葉が形を変えたもの〕

まきもど・す[4]【巻(き)戻す】(他五) 巻いて元の状態に戻す。「テープを―」 名 巻き戻し[0]

まきもの[0] [一]【巻物】❶書画を横に長く表装して軸に巻いたもの。❷巻いた反物。 かぞえ方 ❶は一軸・一巻・一本 [二]【巻(き)物】〔すし屋で〕巻きずし。

まぎゃく[0]【真逆】「逆・正反対」の意を強調した口頭語。

マキャベリズム[4]〔Machiavellism〕⇩マキアベリズム

まきゅう[0]【魔球】〔球技で〕全く予想のつかない変化をするなどして、相手選手をとまどわせる球。

まきょう[0]【魔境】何が出て来るか分からない、恐ろしい世界。魔界。

まぎら・す[3]【紛(ら)す】(他五) 「紛らわす」の口頭語的な圧縮表現。紛らかす[4](五)。

まぎらわし・い[5]【紛(ら)わしい】(形) 同種のものとよく似ていて、まちがえやすい様子だ。「殻と穀は―漢字だ/―地名」 派 ―さ[5][4]

まぎらわ・す[4]【紛(ら)わす】(他五) ❶他の異質なものにすりかえて、他人には分からないようにする。「悲しみを笑いに―/姿を―」 ❷楽しくない気分を、しばらくの間他の事をすることによってごまかす。「気を―」

まぎ・る[2]【間切る】(自五) ❶船が波間を切って進む。❷帆船が帆に風を斜めに受けて、ジグザグ形に向きを変えながら進む。

まぎれ【紛(れ)】[一][0] 紛れること。「―も無い〔=まちがいの無い、本当の〕事実」 [二](接尾) 心の負担・重圧からなんと

かして逃れたいと思う状態。「くやし―・苦し―」 [三](造語) △まちがって(分からないように)入り込む。

―こ・む[4]【―込む】(自五)

***まぎ・れる**[3]【紛れる】(自下一) ❶〈なにニ―/なにト―〉まわりのよく似た物にまじって、その存在が分からなくなる。「人混みに―/やみに紛れて〔=乗じて〕姿を隠す」 ❷〈(なにニ)―〉他の事に気を取られて、本来なすべき事や精神的な苦痛、わだかまりなどを忘れる。「忙しさに紛れて失礼しました/どさくさに紛れて忘れてしまった/仕事をしているほうが△気(悲しみ)が―」〔⇩紛れ[三]〕

まぎわ[1]【間際】事が行なわれようとする直前。寸前。「発車―に飛び乗る」

まきわら[0]【巻(き)〈藁】〔弓の的などにするために〕藁を巻いて束ねたもの。

まきわり[0]【《薪割(り)】丸太などを割ってたきぎにすること。また、それに使うおのやなた。

まく(幕・膜) →【字音語の造語成分】

まく(接尾)〔雅〕だろうこと。〔推量の助動詞「む」の未然形+「く〔=ことの意味〕」〕「荒れ―惜しも/掛け―も畏き」

***ま・く**[0]【巻く・〈捲く】(他五) ❶〈(なにニ)なにヲ―/なにデなにヲ―〉何かのまわりを軸からはずれないようにして、長い物や広がりのある物で一周させたり囲んだり包んだりする。「指に包帯を―/お握りをのりで―/遠巻きに―/霧に巻かれる〔=すっかり包みこまれ、方向を失う〕/けむに巻かれる〔=ⓐすっかり煙におおわれ、息が出来なくなる。ⓑ⇩けむ〕/長い物には巻かれろ〔=⇩長い〕」 ❷〈なにヲ―〉(何かを軸にして)長い物を端から折り目を付けずにたたみ込んで、次つぎに一周、二周、三周と何周もさせて次第に大きな丸い形を作る。〔側面から見ると層を成す渦の形になることが多い〕「紙をぐるぐると―/のり巻きを―/△渦(ねじ)を―/舌を―〔=⇩舌〕/いかりを―〔=上げる〕/とぐろを―〔=⇩とぐろ〕/くだを―〔=⇩くだ〕」 ❸〈だれヲ―〉うまい方法を講じて、一緒について来られたくない者から行くえをくらます。「追手を―」〔❶の一用法に基づいて、相手をいたずらにぐるぐる回り続ける結果に終わらせる、の意から来たか〕

***ま・く**[1](他五) [一]【〈蒔く・〈播く】❶〈どこニなにヲ―〉植物の種を散らし植える。「蒔かぬ種は生えぬ〔=労力無しには何事も成就しないものだ〕/権兵衛が種蒔きゃ烏がほじくる/蒔いた種は自らの手で刈らねばならぬ」 ❷〈なにデ―〉蒔絵をする。 [二]【〈撒く】〈どこニなにヲ―〉あたり一面に散らす。「△水(びら・お金・話題)を―」

***まく**[2]【幕】❶物の隔てや仕切りなどにする、広く長い布。〔その開閉が、一連の物事の開始・終結の合図としても用いられる〕「紅白の―を張る/舞台の―が上がる/―を切って落とす〔=物事を始める〕/―を△上げる(開ける・開く・閉じる・引く)/揚―・垂れ―・暗―」 ❷〔演劇で〕舞台の「幕❶」があいてからおりるまでの一続きの場面。「君の出る―〔=場面〕じゃない/二―物」 ❸〔すもうで〕幕内。 かぞえ方 ❶は一張・一本 ⇩【造語成分】まく・ばく

まく[2]【膜】❶動物体の筋肉や諸器官をおおう薄い皮。「角―・鼓―・粘―・皮―」 ❷物の表面をおおう薄い皮。「温めた牛乳に―が張る/被―」 かぞえ方 ❶❷とも一枚

まくあい[0]【幕《間】〔芝居で〕劇が一段落ついて幕をおろしている間。芝居の休憩時間。

まくあき[0]【幕開(き)】〔芝居で〕幕があいて演技が始まること。〔物事の始まりの意にも用いられる。また、最近は誤った類推で「幕開け」と言う向きもある〕 ↔幕切れ

まくうち[0]【幕内】〔すもうで〕番付の最上段に名前を連ねる力士。前頭以上の者。幕の内。〔普通、横綱は別格。例、「―力士の土俵入り」〕

マグカップ[3]〔和製英語 ←mug+cup〕取っ手が付いた円筒形の大きめの湯飲み。略してマグ[1]。

まくぎれ[0]【幕切(れ)】劇の一幕の終り。〔物事の終りの意にも用いられる。例、「意外な―を迎える」〕 ↔幕開き

まぐさ[0]【〈秣・馬草】〔馬草の意〕牛馬の飼料にする草。かいば。 ―ば[0]【―場】秣を刈り取る場所。

まくしあ・げる[5]【〈捲(し)上げる】(他下一) 〔「まくる」と「たくし上げる」との混交〕上の方へまくる。「そでを―」

まくした[0]【幕下】〔すもうで〕幕内に次ぐ位置で、番付の第二段に名前を書かれる者。〔普通は十両の下、三段目の上を指す〕

まくした・てる[5]【〈捲(し)立てる】(他下一) 激しい勢いで続けざまに言う。「速口で―」

まくしつ[0]【膜質】膜のような性質(を持つもの)。

マクシマム[1]〔maximum〕最大限。最高。マキシマムとも。 ↔ミニマム

まくじり[0]【幕尻】〔すもうで〕幕内の最下位。

まぐそ[0]【馬〈糞】ウマの糞。

***まぐち**[1]【間口】家屋・地面などの正面の幅。〔知識や事

まく
【幕】 ❶映画などを映す面。「銀幕・字幕」 ❷外から見えない様子。「内幕」⇩(本文)まく【幕】
【膜】 ⇩(本文)まく【膜】

業の範囲の広さの意にも用いられる〕「新たに店の―を広げる」↕奥行

まくつ⓪【魔窟】 悪魔の居ると言われる所。〔俗に、ならず者や私娼などが集まり住んでいる所の意にも用いられた〕

マグナ カルタ④〔ラ Magna Carta=大憲章〕 一二一五年に制定された、イギリスの憲法の基になったもの。

マグニチュード①〔magnitude=大きさ・規模〕 地震そのものの規模を表わす△数値(尺度)。震央から百キロメートルの所にある標準地震計の記録紙に記録された最大 片振幅をマイクロメートルで表わした数値の常用対数を用いる〔記号M〕。〔震源から出た地震波の総エネルギーは、マグニチュードの値が一だけ大きくなると、約三十二倍となる〕「二〇一一年〔=平成二十三年〕の東日本大震災を引き起こした地震の―は九・〇であった」⇩震度

マクニン①〔Macnin=商品名〕 マクリから作る回虫駆除薬。

マグネシア③〔magnesia〕 酸化マグネシウムの白い粉末。下剤や耐火れんが製造などに使う。苦土①。

マグネシウム④〔magnesium〕 銀白色の軽い金属元素〔記号Mg 原子番号12〕。熱すると強い白色の光を発して燃える。合金・写真撮影・花火用。

マグネチック(造語)〔magnetic〕 磁石の。磁気の。「―スピーカー⑧」

マグネット③①〔magnet〕 磁石。

まくの うち③【幕の内】 ❶まくうち。 ❷〔↑幕の内弁当⑥〕 俵形の小さな握り飯と おかずとを詰め合わせた弁当。

まく ひき⓪【幕引(き)】 Ⓐ舞台の幕を引く△こと(役の人)。「―役⓪」 Ⓑ役目が済んだとして、そこで終りに△する(させる)こと。「独裁政権の―」

マグマ①〔magma〕 岩漿。

まく み⓪【幕見】―する(他サ) 〔歌舞伎などで〕その 一 幕だけを見物すること。

まく や⓪【幕屋】 ❶幕を張り回して、小屋のようにしたもの。 ❷幕の内側の 楽屋。

***まくら**①【枕】 ❶寝る時に頭を載せる寝具。「旅先で―が変わると眠れない/水―・氷―」 ❷〔落語などで〕前置きにする話。「―をふる」【―を交わす】同衾する。【―を〈欹てる】 寝床にありながら耳を澄まして何かの物音を聞こうとする。【―を高くする】⇩高枕❶ 【―を並べて】 仲間として同じ事にかかわっている者が皆そろって。「―落選する」【―を並べて討死する】 その戦場で斬合をした人たちが敵に討たれて、同じように横たわる。〔一緒に△遊んでいた(酒を飲んでいた)人たちが、疲れたり 酔っぱらったり して仲良くその場で寝てしまう意にも用いられる〕 **―え**③【―絵】 「春画」の意の和語的表現。かぞえ方 一葉 **―がたな**④【―刀】 枕もとに置く護身用の刀。 **―がみ**③【―上】 「枕もと」の意の古風な表現。 **―ぎ**③【―木】 レールを固定し、荷重を平均に分散させるために、レールと直角に敷く材。現在は、多くコンクリート製。かぞえ方 一本 **―ぎょう**③⓪【―経】 死者の枕もとであげるお経。 **―ことば**④【―《詞】 〔おもに和歌で〕その言葉の前に添えて△修飾する(語調を整える)一定の言葉。例、「あまざかる」が「ひな」にかかるなど。〔五音節のものが多い〕 **―さがし**④【―捜(し)・―探(し)】 旅客の睡眠中に、金品を盗む△こと(者)。 **―・する**①-⓪(自サ) 枕にして寝る。「流れに―」 **―ばこ**③【―箱】 ❶箱形の木枕。「箱枕」とも。 ❷枕を入れる箱。 ❸漁師が船の中で、私有物や釣り針などを入れて身近に置く箱。 **―びょうぶ**④【―〈屏風】 枕もとに立てる、低い小型の屏風。 **―めし**③【―飯】 死後すぐに死者の枕もとに供える飯。 **―もと**③【―元・―《許】 寝ている人の△枕のそば(頭のあたり)。「夜中に目が覚めて―の時計を見る」

マクラメ⓪〔フ macramé〕 ひもや太い糸を△結(編)んで模様を作る手芸(品)。

まくり⓪ 暖かい海に産する紅藻類。円柱状で不規則に枝分かれし、毛ばが無数にある。古来、甘草と交ぜて湯に浸し、回虫駆除薬とする。かいにんそう。〔フジマツモ科〕 表記「〈海人草〉・〈海仁草〉」(漢語表記)とも書く。かぞえ方 一本

まく・る【〈捲る】 ━⓪(他五) 隠れている部分が見えるように、端の方から(身に着けている物を)折り返す。「スカートを腰まで捲り上げた/上着を脱いで白いシャツの袖を―/腕を―〔=腕捲りする〕/△尻(穴)を―〔=居直る〕」 ━〔「動詞連用形+―」の形で、接尾語的に〕△当初の目的を達する(心ゆく)まで、その動作を続ける。「書き―・追い―・しゃべり―」

まぐれ①【《紛れ】 〔迷ってまぎれこむ意の動詞「まぐれる③(自下一)」の連用形の名詞用法〕全くの偶然でそういう目にあうこと。〔現在では良い事にあう意に用いられる〕「―で合格する/―幸い④」 **―あたり**④【―当(たり)】 そうなるとはあまり期待していなかったのに、運よく当たること。

まくれこ・む④【〈捲(れ)込む】(自五) 先端の方から内側に少しずつ△包み(巻き)込まれるように、折れ曲がる。

まく・れる⓪【〈捲れる】(自下一) 捲った状態になる。「すそが―」

マクロ① ❶―な〔ド makro-=「大きい」意のギリシャ語に由来〕 巨視的であること。「―な視点/―経済」↕ミクロ ❷〔macro〕〔コンピューターで〕複数の作業をまとめて実行する機能。

まぐろ⓪【〈鮪】 海にすむ大形の、赤身の魚。クロマグロ③・キハダマグロ・メバチ・ビンナガ⓪などの総称。おもに、刺身・すしにして食べる。幼魚をメジ、特大のものをシビと言う。〔サバ科〕 かぞえ方 一尾・一匹:一本

マクロコスモス④〔ド Makrokosmos〕 大宇宙。↕ミクロコスモス

マクロファージ④〔macrophage〕 体内のあちこちに存在し、死んだ細胞や侵入した細菌などを取り込んで消化する細胞。大食細胞⑤。

まぐわ⓪【馬〈鍬】 横の柄に数本の太い歯をつけて、牛馬に引かせる鍬。代掻、または、田畑をならすために使う。「まんが」とも。 表記「《万〈鍬」とも書く。 かぞえ方 一本・一挺

まぐわい⓪【目《合(い)】―する(自サ) ❶目と目を合わせて愛情を交わすこと。 ❷情交。 動 まぐわう③(自五)

まくわうり③【真桑〈瓜】 南アジア原産とされる一年生つる草。実はラグビーボールのような形で、独特のかおりがあって甘い。「まくわ⓪」とも。〔ウリ科〕 かぞえ方 一本

まけ⓪【負(け)】 ❶負けること。敗北。「君の―だよ/―がこむ/出ると―/体力―・位―・力―・顔―・剃刀―」↕勝ち ❷おまけ。

まげ⓪【〈髷】 髪のもとどりの余りを束ねたもの。わげ⓪。「―を結う/(髪を)―に結う」

まけいくさ③【負(け)戦・負(け)《軍】 戦いに負けたこと。↕勝ちいくさ

まけいぬ⓪【負(け)犬】 けんかに負けて、しっぽを巻いて逃げる犬。〔競争に負けた方のみじめさの形容にも用いられる〕

まけいろ⓪【負(け)色】 負けそうな様子。「―が見える」

まけおしみ⓪【負(け)惜しみ】 自分の負けたことや失敗したことをすなおに認めず、普通なら負けるはずはない、実力では自分が上だなどと言い張ること。

まげきざいく[4]【曲(げ)木細工】細い木を曲げて家具・運動具などを作る細工。曲げ木[0]。

まけぎらい[3]【負(け)嫌(い)】ーな ⇩負けず嫌い

まけこ・す[3][0]【負(け)越す】(自五) 負けた数が△相手(勝った数)より多くなる。↕勝ち越す 名負け越し[0]

まけじだましい[4]【負けじ魂】他人に負けまいとしてがんばる精神。

まけずおとらず[5]、[0]-[0]【負けず劣らず】(副) その△程度(傾向)の著しさにおいて、優位にあるとみなされるものに比べて、少しの遜色(ソンショク)も見られない様子。「兄もなかなかだが、弟の方も―強情だ/アマチュアだが、プロに―の成績を残している」

まけずぎらい[4]【負けず嫌(い)】ーな 〔「負け嫌い」と「負けず」の混交〕他人に負けることを極端に嫌い、常に他より優位に立とうとする性向(の人)。

まけばら[0]【負(け)腹】くやしくて腹を立てること。「―を立てる」

まけぼし[2][0]【負(け)星】〔すもうの星取り表で〕負けた方の力士の名の上に付ける黒丸。黒星。↕勝ち星

まげもの[0]【曲(げ)物】ヒノキ・スギなどの薄い板を曲げて作った器。蒸籠(セイロウ)・裏ごしなど。檜物(ヒモノ)[0]。「わげもの」とも。〔古くは、「しちぐさ」の意にも用いられた〕

まげもの[0]【〈髷物】〔映画などで〕ちょんまげを結っていた時代〔=江戸時代〕の事を題材にしたもの。時代物。

****ま・ける**[0]【負ける】■一(自下一) ❶〈だれ・なにニー〉相手の強い力に立ち向かうことが出来ず△自分の優位が保てなくなる(抵抗する気力を失う)。「△戦争(圧力)に―/試合に―/訴訟に―/△誘惑(雰囲気)に―/腕力では彼に負けない〔=劣らない〕/きょうのところは負けて〔=相手に従って〕おく/負けずにやり返す/暑さに―/―が勝ち」❷〔うるし・かみそりなどの強い刺激で〕皮膚がかぶれる。■二(他下一)〈なにヲなにニー/なにヲー〉売り手が、客のために特別サービスをする。「百円の品を九十五円に―〔=値引きする〕/鉛筆一本お負けします〔=景品として差し上げます〕」 表記 ■一❶のうち、勝負の場合は「《敗ける」とも書く。

***ま・げる**[0]【曲げる】(他下一) ❶〈なにヲ(なにニ)ー/なにデなにヲー〉曲がった状態にする。「針金を―/へそを―〔=⇩へそ〕」↕伸ばす❷ ❷〈なにヲー〉事実や道理、主義や意志などにそむき、正しくない△扱い(行動)をする。「△法(筆・原則・方針・意志・筋・信念・節(セツ))を―」❸〈なにヲー〉〔質(シチ)

と同音の「七」の第二画の先が曲がっていることから〕質に入れる。 表記 ❶は、「〈枉げる」とも書く。 運用 ❷は、改まった場面や手紙文で、相手に何とか自分の願いを聞き入れてほしいと頼む際に、「あなたの本意には合わないだろうと思うが、そこを何とか」という気持を込めて用いられる。例、「曲げてご承引くださいますようお願い申し上げます」

まけんき[0]【負けん気】〔「負けぬ気」の変化〕どんな事があっても△負けまい(屈しまい)とする強い気性。

****まご**【孫】〔真子の意〕■一[2] その人の子供の生んだ子供。■二(造語) 一つ間を隔てるものがあって、直接は結び付かない関係にある△こと(もの)。「―弟子・―引(ビ)き」

まご[1]【馬子】昔、おもに、人を乗せた馬を引くことを職業とした人。うまかた。「―にも衣装〔=馬子のような者でも、ちゃんとした衣装を着れば立派に見える〕」

まごい[0]【真〈鯉】黒い色のコイ。⇩ひごい

まご・う[2]【《紛う】(自五)「まがう」の古語としての発音。「―方無い」

まごこ[2]【孫子】❶孫と子。❷子孫。「―の代まで」

まごころ[2]【真心】親身になって△尽くす(奉仕する)気持。そのものの将来を真に心配(して奔走)する気持。「―を込めて仕事をする/国を思う―」

まごたろうむし[4]【孫太郎虫】ヘビトンボ〔=トンボに似た虫〕の幼虫。川の中にすみ、からだは紡錘(ボウスイ)形で、胸に三対の足を持つ。干したものを子供の疳(カン)の薬とした。 かぞえ方 一匹

まごつ・く[0](自五) △どうしたら(どこへ行けば)いいか分からず、迷う。まごまごする。

まこと[0]【誠・《実・《真】〔真事の意〕■一❶事実そのものであって誇張したり隠したりした点が全く無いこと。「―を言えば/―は/うそから出た―」❷相手のために尽くそうとする気持だけであって、不純なものが全くまじっていないこと。「―を尽くす」■二(副)「まことに」の省略表現。〔口頭語では、時に、「まっこと[0]」とも〕「―悲しいことです」 **―しやか**[4]【《実しやか・《真しやか】ーな ーに 内実はそうではないのに、外見はいかにも本当らしく見える様子だ。「―なうそ」 **―に**[0](副) 本心からそう思う様子。「―ありがたい/―もって〔=『まことに』の強調表現〕」 表記 「〈寔に」とも書く。

まごのて[3][4]【孫の手】〔「孫」は「麻姑(マコ)」の変化。「麻姑」はつめの長い女の仙人の名前〕尖端(センタン)に小さい指状の物をつけた、背中をかくための棒。

まごびき[0]【孫引(き)】ーする(他サ) 他の本に引用してある文句を、無批判にそのまま引用すること。〔誤りの元になる〕

まごびさし[3]【孫〈庇】母屋(オモヤ)の庇にさらに継ぎ足した庇。 表記 「孫〈廂」とも書く。

まごまご[1](副) ーと ーする まごついて、うろうろすることを表わす。「生まれて初めて外国に行って―する」

まごむすめ[3]【孫娘】その人の孫に当たる、女の子。

まこも[0]【真〈菰】沼や沢に生えるススキに似た多年草。葉でむしろを織る。〔イネ科〕 かぞえ方 一本

マザー〔mother〕■一(造語) ❶母。「―コンプレックス・シングルー」❷データ・音楽などのはいった媒体で、複写の元とする。「―テープ」■二[1] カトリック教会の、女子修道院長。↕ファーザー

マザー コンプレックス[7]〔和製英語 ←mother + complex〕母親や母親に似た女性を思慕する、男性の傾向。略してマザ コン。⇩エディプス コンプレックス

まさか[1](副) 〔「まさ」は、「まさしく・まさに」の語根と同義。「か」は接辞〕あるはずがないと確信している事が、意外にも実現△した場合を想定する(して信じられないことだと思う)様子。 表記 「真逆」と書くこともある。 文法 一般に、否定的な内容の表現を伴ったり含意したりして用いられる。 運用 感動詞的に用いて、相手の発言内容に驚いたり疑いをいだいたりするときの言い方となる。例、「『佐藤さんを次期専務に推す声があるんですよ』『まさか』」 **―のとき**[1]-[2]【―の時】万一の場合。「―の備えとする/―の友は真の友」

まさかり[0]【〈鉞】大型のおの。 かぞえ方 一本・一挺(チョウ)

まさき[0]【〈柾・正木】〔正木の意〕おもに生け垣にする常緑低木。楕円(ダエン)形の葉は厚く、つやがある。〔ニシキギ科〕 かぞえ方 一株・一本 **―のかずら**[0]【―の《葛】❶「ツルマサキ[3]〔=マサキによく似た、ニシキギ科のつる性常緑低木〕」の俗称。❷「テイカカズラ[4]〔=キョウチクトウ科のつる性常緑低木〕」の古名。

まさぐ・る[3]【《弄る】(他五) 〔「ま」は接辞〕〔それで気を紛らすように〕いじりまわす。「母親の乳房を―赤子」

まさご[0]【真《砂・《砂】〔「ま」は接辞〕(海辺の)砂。

マザ コン[0] マザー コンプレックスの略。

まさしく[2]【正しく】(副) 以下に述べる事が、あらゆる点からみて、そうとらえられる条件を備えていると判断する様子。「この絵は―△本物(にせ物)だ/留学中の日びは―悪

夢そのものであった」

**まさつ⓪【摩擦】 ❶—する(自他サ)〈(なにト)なにヲ—する〉 物を何かの表面に押し当てて強くこすり刺激を与えること。また、その刺激。〔物理学的には、他の物体と接触しながら運動する物体が、その接触によって受ける抵抗を指す〕「凍えた手足を—する/木と木を—して火を作る/—で△熱(音)が出る/乾布—④」 ❷意見や感情の食い違いなどから相手との間に生じる険悪な状態。「国境をめぐり両国間に—が生じる/彼は自分勝手な人で、周囲と—を起こしやすい」

まさに①(副) ❶【正に】 以下に述べることが、明らかにそうとらえる以外にはないものだと判断される様子。「—その通り/芳紀—二十歳/これ—一石二鳥なり/—人生の悲劇だ」 ❷【《将に】 紛れもない事実として決定的な瞬間が目前に迫っていると判断される様子。「—戦いの火蓋(ヒブタ)が切られようとしていた/—改革の秋(トキ)迫る」 ❸【《当に】 以下に述べることが、どんな点からみても当然のことであると判断する様子。「—罪を天下に謝すべきである」 表記 ❶は「《当に・《方に」、❷は「正に・《当に」とも書く。

まざまざ③(副)—と 現実のこと△として(のように)目の前にはっきりと意識できる様子。「力の△強さ(違い)を—と見せつけられる/あの時の悲惨な光景を—と思い出す」

まさめ⓪【正目・〈柾目】 上下にまっすぐに通った木目。「桐(キリ)の—の下駄(ゲタ)」 ↔板目 —がみ③【—紙】 ❶厚くて白い杉原紙(スギハラガミ)。 ❷ヒノキ・スギなどの板を薄く紙のように削ったもの。

まさゆめ⓪【正夢】 見た通りのことが現実のこととなって△現われた(現われると考えられる)夢。 ↔逆夢(サカユメ)

*まさ・る②⓪(自五) ❶【勝る】〈なにニ—〉 比較の対象とするものより程度が上になる。「健康は富に—/すべての点において—/—とも劣らない〔=少なくとも同等以上だ〕/無いには—〔=無いよりは、ましだ〕」 ↔劣る ❷【増さる】〈(なにニ)—〉 △前(ふだん)よりも多くなる。「水かさが—/いとしさが—」 名 まさり「男—・親—」 表記 ❶は、「《優る」とも書く。

まざ・る②【交ざる・混ざる】(自五) 異質のものや二つ以上の要素がまじった状態に△なる(なって一体化する)。まじる。 表記 「《雑ざる」とも書く。

まし(助動・特殊型)〔文語助動詞〕 △事実でない(実現不可能な)事を、実現したものと仮定することを表わす。「人にありせば、太刀はけ—を、衣(キヌ)着せ—を/急がずは濡(ヌ)れざら—を〔=濡れなかっただろうに〕/梅の花にも成ら—ものを〔=出来ることなら、なってみたいものだ〕/とやせ—かくやせ—と〔=こうした方がいいか、ああした方がいいかと〕思ひわづらふ」 文法 活用語の未然形に接続する。あとに他の助動詞類を伴うことがない。

まし⓪【増(し)】 ❶〔動詞「増す」の連用形の名詞用法〕 増すこと。ふえること。「日—に/—時間・一割—・水—」 ❷—な—に 〔必ずしも最善の選択とは言えないが〕どっちを取るかという点になれば、比較的その方がいい様子だ。「もうちょっと—な本を読みたまえ/そんなに遊んでばかりいるなら、やめてくれたほうが—だ」

まし①【麻紙】 昔、経巻(キョウカン)などに用いた、麻の繊維で作った紙。

まじ(助動・形シク型)〔文語助動詞〕 ❶そうではないと推量することを表わす。「たはやすく人よりくまじき家を作りて/なほつかうまつるまじきことを参りて申さん」 ❷そう△しないつもりだ(してはならない)と判断することを表わす。「あるまじきふるまい/すまじきものは宮仕え」 文法 動詞(ただしラ変を除く)、動詞型活用の助動詞の終止形に接続する。ラ変型の活用語は連体形に接続する。

まじ①—な—に 〔学生などの間で〕「まじめ」の口頭語における省略表現。「俺(オレ)学校をやめようと—で思っているんだ/それ、—〔=ほんとうか〕」 表記 「〈本気〉・〈真剣〉」とも書く。

*まじ・える③【交える】(他下一) ❶〈(なにニ)なに・だれヲ—〉 異質のものを一緒にする。「私情を—のは良くない/下級生を交えて話し合う」 ❷〈(なにト)なにヲ—〉 同質のもの同士を交差させる。「枝を—/ひざを交えて〔=少数の人が集まって、親しく〕話す」 ❸〈(だれ・なにト)なにヲ—〉 互いに△とりかわす(対抗する)。「言葉を—〔=話し合う〕/砲火を—〔=大砲をうち合う、戦争する〕/干戈(カンカ)を—〔=戦争する〕/一戦を—」 表記 ❶は、「《雑える」とも書く。

ましかく③②【真四角】—な—に 正方形である△こと(様子)。

まじきり②⓪【間仕切(り)】 部屋と部屋のあいだの仕切り。

マジシャン②〔magician〕 人前で奇術をやって見せることを職業とする人。奇術師。

ました③【真下】 ちょうどそれの下に当たる所。直下。「飛行機の進入路の—に当たる地域」 ↔真上

マジック〔magic=魔法〕 ❶①② 手品。 ❷② マジックインキ・マジックナンバーの略。 —アイ⑤〔Magic Eye=もと、商標名〕 ❶ラジオなどのダイヤルを合わせる時、目的の周波数に合ったかどうかが分かるように緑色や赤色に光るもの。 ❷自動ドア開閉などに利用される光センサー装置。 —インキ⑤〔Magic Ink=商標名〕 何にでも書ける速乾性の油性インクをフェルトなどにしみこませた筆記具。マジック。 —ガラス⑤〔和製洋語 ←magic＋オ glas〕 一方からは普通のガラスのように透けて見えるが、反対側から見ると鏡のようになっている特殊なガラス。防犯用の目的で玄関などに付けられる。マジックミラー⑤。 かぞえ方 一枚 —テープ⑤〔Magic Tape=商標名〕 ⇩面(メン)ファスナー —ナンバー⑤〔magic number〕〔プロ野球で〕二位以下の球団が残り試合で全勝しても、一位の球団がリーグ優勝できる勝ち試合の数。マジック。 —ハンド⑤〔和製英語 ←magic＋hand〕 (遠隔操作されて)人間の手の働きをする器械。放射性物質を扱う時などに使われる。

まして①【《況して・増して】(副) 〔程度の著しい場合の例を挙げて、その場合でさえそうだから〕程度がそれ△以上(以下)の場合は言うまでもないことだという意を表わす。「(やさしい)足し算も出来ないのに—掛け算が出来るわけがない/(大の)おとなでも無理なのだから—子供に出来るわけがない/—や③①」

まじない⓪【《呪(い)】 呪う△こと(言葉)。「お—⓪」

まじな・う③【《呪う】(他五) 災いをのがれられるように、また、他人に災いをくだすように神仏などに祈る。

まじまじ③(副)—と 珍しいものでも見るかのように、そのものに注意を集中する様子。「相手の顔を—と見つめた」

まします③【《在す・〈坐す】(自四)〔雅〕〔「ます」の強調形〕神・天皇などがそこにいらっしゃる。「天に—我らの父よ/鎮座—」

*まじめ⓪【〈真面〉目】—な—に 何事にもひたすら一生懸命に取り組もうとする△様子(性格)だ。「—一方の人〔=まじめなだけで、△冗談などを解さない(つきあって、おもしろみの無い)人。俗に、『—人間④』などとも言う〕/どこまでが—〔=本気〕なんだか分からない/くそ—」 派 —さ⓪ 表記 ⇩付表 —くさ・る⑤【—腐る】(自五) いかにもまじめそうな顔つき・様子をする。

ましゃく⓪【間尺】〔建築物の寸法の意〕計算。割。「—に合わない〔=努力の割には報われない。損な〕仕事だ」

ましゅ①【魔手】〔悪魔の手の意〕危害を加えたり 悪に誘惑したりするもの(の手段)。「—にかかる」

まじゅつ①【魔術】 普通の方法では不可能な事を、△トリ

ック(特別の訓練)によって、やって見せる術。〔狭義では、大がかりな手品の意に用いられる。例、「ー団③・ー師③②」〕

マシュマロ⓪〔marshmallow, もと、ウスベニタチアオイ⑦の粘りを利用したことに基づく〕卵の白身・砂糖・ゼラチンなどに香料を混ぜて作った、柔らかくて弾力のある菓子。マシマロ⓪とも。

まじょ①【魔女】中世以降のヨーロッパでキリスト教から見て、魔術を使って悪霊を呼び出すなど社会に害悪をもたらすものとして異端視された女性。「ー狩り⓪」

ましょう⓪ ㊀【魔性】悪魔のように、人をまどわす性質。「ーの者(=人をたぶらかす狐狸など)」 ㊁【魔障】仏道の修行を妨げる悪魔のしわざ。

マジョリカ②〔majolica〕もと、イタリアで産出した、金属のような色彩の絵をかいた陶器。マヨルカ②とも。

マジョリティー②〔majority〕数の上で大きい方の集団であること。多数派。大多数。過半数。↔マイノリティー

ましら⓪①【《猿】サルの古称。まし①。「ーのごとくよじ登る」

まじらい⓪【交(ら)い】「交際」の意の古風な表現。「古き友とのー」

まじりけ⓪【交(じ)り気・混(じ)り気】不純な物。「ーの無いアルコール」 表記「《雑じり気」とも書く。

***まじ・る**②【交(じ)る・混(じ)る】(自五)〈なにニ/なにトー〉等質のものの中に、異質のものが少数△加わる(入る)。異質のものどうしが一緒になる。「お米の中に石がー/白人の血がまじっている/子供にまじっておとなも遊んでいる」 名まじり③ 表記「《雑じる」とも書く。

まじろ・ぐ③【《瞬ぐ】(自五) まばたきをする。 名瞬ぎ③⓪

***まじわ・る**③【交わる】(自五) ㊀〈なにトー〉交差する。「東西の道と南北の道とがー地点/朱に交われば赤くなる(=⇒朱㊀)」 ㊁〈だれトー〉親しくつきあう。「友とー」 ㊂〈だれトー〉肉体関係を持つ。 名交わり⓪

マシン②〔machine〕㊀機械。「ティーチングー・ピッチングー⑦・ーガン②(=機関銃)」 ㊁競走用自動車・オートバイ。「日本製のーで優勝した」

ましん⓪【麻〈疹・〈痲疹】「はしか」の医学用語。

ましん⓪【魔心】人に害をなす邪悪な心。「ーが生じる」

まじん⓪【魔神】災いをもたらす神。魔の神。「大ー③」

ます(助動・サ変型) 表現を丁寧にしようとする気持を表わす。「何がありーか/知りません/始めましょう/来ました/出来△ますれば(ましたら)、明日にしていただきたい/お教えください△ませ(まし)」 表記「⊘」は看板などで、終止形で使うことがある。例、「二階席あり⊘」 文法 ⑴動詞、動詞型活用の助動詞の連用形に接続する。 ⑵「あります」に対して「ありません」、「食べます」に対して「食べません」などと、否定の形は「ません」となる。 ⑶相手に確認を求める表現などで「あそこに赤い建物がありますでしょう」などと用いられるほかは、「ます」のあとに「です」を伴った言い方は一般に用いられない。また、必ずしも一般的ではないが、「…ますれば」の形で用いられることがある。

ま・す①【《坐す・《在す・《座す】(自四)〔雅〕㊀「ある・居る」の意の尊敬語。 ㊁「出る・行く」の意の尊敬語。

****ま・す**⓪【増す・《益す】㊀(自五)〈なにカラなにニー〉ふえる。「△水(税負担・比重)がー/何にも増して(=最も)」 ↔減る ㊁(他五)〈なにカラなにニ/なにヲー〉それまでに比べて△数量を多くする(程度・傾向を強める)。「一キロメートルー毎に一六〇円とする/△明るさ(輝き・暗さ・勢い・厳しさ)をー/△疑問(現実み・重要性)をー」 ↔減らす

マス① マスターベーションの略。「ーをかく」

マス①〔mass〕㊀集まり。集団。「ーゲーム」 ㊁多数。多量。「ーコミ・ーメディア」 ㊂個々の要素が統合された一かたまり。マッス①とも。

ます②⓪ ㊀【升・〈枡】㊀液体・穀物の量をはかる四角柱状の容器。「ー(=ますめ)が足りない」 ㊁原稿用紙の一字分の枠。 ㊁【〈枡】芝居・すもう小屋などで四角に仕切った、見物人の座席。 表記「〈桝」とも書く。

ます⓪【〈鱒】㊀サケ科の「マス」の名のついた魚類の俗称。 ㊁サクラマスの別称。 かぞえ方 一尾・一匹

***まず**①【《先(ず)】(副) ㊀ほかの事はさておいて、その事を当面の優先的な課題として取り上げる様子。「ーはじめに申しあげておきますが/それよりもー問題はあなた自身のことです/ー食えなきゃ、選挙どころじゃないよ」 ㊁当面そう判断して間違いないと確信をいだく様子。「この分ではー雨は降らないだろう/これくらいのきずはー見つかりっこない」

ますい⓪【麻酔・〈痲酔】〔「痲」は、感覚を失う意〕薬を使って△局部(全身)の知覚を一時失わせること。「ーをかける/ー薬②」 表記「麻」は、代用字。「麻睡・魔睡・魔酔」とも書いた。

****まず・い**②(形) ㊀【〈不味〉い】味が悪いと感じられる状態だ。↔おいしい・うまい㊀ ㊁【《拙い】拙劣で評価するに値しない様子だ。「ー訳文/ー外交政策/この犬は顔ーがあいきょうがある」 ↔うまい㊁ ㊂取った手段に欠陥があり、事の進行に不都合が生じそうな状態だ。「なまじ強気に出てー結果を招いた/会いたくない人とー所で会った/国境を巡って隣国とまずくなる」 派ーさ①

ますおとし③【升落(と)し】ネズミを捕らえるために、升を立て掛け、下に餌ェを置いて、触れると升がかぶさるようにした仕掛け。

ますかき④③⓪【〈枡搔(き)】⇒とかき

ますがた⓪【〈枡形・升形】㊀「升㊀㊀」のような四角な箱の形。 ㊁〔昔の城で〕一の門と二の門の間に四角に作った空き地で、戦闘人員をかぞえた所。

マスカット③〔muscat〕ブドウの一品種。ヨーロッパ原産。粒は大きく、薄緑色。甘い。「ネオー」

マスカラ⓪〔mascara〕まつげに付ける墨。

マスク①〔mask〕㊀面。とくに仮面。「ー劇③」 ㊁〔他人に与える印象からとらえた〕顔だち。「精悍セイカンなーをしている」 ㊂〔顔を危険から守るために〕野球の捕手や審判などがかぶる面。 ㊃〔風邪の病菌の吸入・放出を防ぐなどのために〕鼻・口をおおうもの。「ガーゼのー」 ㊄「デスマスク・防毒マスク」の略。 かぞえ方 ㊀㊂㊄は一面。㊃は一枚

ますぐみ⓪【〈枡組(み)】障子・欄干の骨などを、方形に△組むこと(組んだもの)。

マスクメロン④〔muskmelon〕⇒メロン

マスゲーム③〔mass game〕多人数が一団となって行なう体操・ダンス。

マスコット③〔mascot〕幸福をもたらすお守りとする人形や動物など。

マスコミ⓪〔←mass communication〕新聞・テレビ・ラジオなどによって、一時に広い地域の人が事件の報道や啓蒙モウ的解説や芸能などの伝達を受け(て、それに影響され)ること。大衆伝達。「ーに乗る/ーをにぎわす」〔広義ではマスメディアの意にも用いられる。例、「ーの責任」〕

ますざけ⓪【升酒・〈枡酒】酒を小さな升で飲むこと。また、その升についだ酒。「今日はーと行こう」

****まずし・い**③【貧しい】(形) ㊀お金・物資が十分になくて、生活が苦しい状態だ。「ー暮し」 ㊁必要とされる、経験や知的能力が足りない状態だ。「ー才能/発想がー」 派ーさ③② ーげ③④⓪

ますせき⓪【〈枡席・升席】〔すもう小屋などの〕枡の見物

席。

マスター①〔master〕❶商店・酒場などの主人。❷修士。「―コース⑤」❸―する(他サ) 熟達すること。ものにすること。**―キー**⑤③〔master key〕〔ある建物の〕どこの部屋でも開けられる合いかぎ。親かぎ。**―プラン**⑤〔master plan〕基本となる計画や設計。

マスタード③〔mustard〕西洋料理に使うからし。「―入りのソーセージ/―ガス⑥〔=⇩イペリット〕」

マスターベーション⑤〔masturbation〕❶⇩オナニー ❷当人は立派なことをしたつもりでも第三者の目から見れば単なる自己満足のためにやったとしか思われない行為。〔軽い侮蔑を含意する〕

マスチフ①〔mastiff〕大形の洋犬。主人にはよくなつき、番犬として好適。かぞえ方 一匹・一頭

マスト①〔mast〕ほばしら。「メイン―」

マストドン③〔mastodon〕「前世紀❷」にすんでいた、ゾウ科の動物。からだは非常に大きく、化石として出る。

まずは①【《先ず》は】(副) ❶あとの事はさておいて、話題を最初の段階に限る様子。「―順調なすべり出し/第一関門を―無事に突破した」❷他の事はさておいて、話題を当面のその事に限る様子。「―何よりのことで/これで―一安心だ」運用 ❷は、手紙文などで、「まずは…まで」などの形で、儀礼的な時候の挨拶などを省いて主たる用件を述べるにとどめた際の末尾の挨拶の言葉として用いられることがある。例、「まずは一筆御礼まで/まずはご報告まで」

マスプロ⓪〔←mass production〕大量生産。

ますます②【《益》益・《益》益・《益》々・《益》ゞ】(副) それでなくても普通ではなかった事態の程度が、何かをきっかけにさらに進む様子。「年ごろになって―美しくなった/それを聞いて行くのが―いやになった/時下―ご清栄のことと存じます/―のご発展をお祈りいたします」

まずまず①【《先ず》《先ず》】(副) ❶「先ず❶」の強調表現。「―〔=何はともあれ〕こちらへお入りください」❷十分に△満足(納得)できる状態ではないが、一応容認してもよいと判断する様子。「娘の容体は―順調で安心した/遠足には―の空模様だ/―の成績だった」

ますめ⓪③【升目・〈枡目】■一❶升ではかった量。❷水位を測定するため、川岸に立てる柱。一合から一升までの刻み目が付けてある。■二格子状に区切られた枠・模様・欄(などの一つひとつ)。「原稿用紙の―に字を埋める」

マスメディア③〔mass media〕マスコミを取り次ぐもの。新聞・ラジオ・テレビなど。大衆的媒体。

まずもって①-①、①③【《先ず》《以て》】(副)「まずは」の、やや改まった表現。「―ご同慶の至り/―一安心」

ますらお⓪【《益》《男》・《益》《荒》《男》・《丈》《夫》・《健》《男》】弱音などを吐かない、りっぱな男性。〔「ますらたけお⓪」は強調表現〕表記 古くは「《夫》・《大》《夫》」。「《益》《男》・《益》《荒》《男》・《丈》《夫》・《健》《男》」は、近世の用字。**―ぶり**⓪【―振り】万葉集に見られるような男性的なおおらかな歌風。賀茂真淵が和歌の理想に掲げた用語。↕たおやめぶり

まする(助動・サ変型)「ます」の丁寧を一段と強めた古風な表現。「承りますれば」文法 接続は「ます」に準ずる。

ま・する②【摩する】(他サ) すれすれに近づき、どうかすると追いつきそうな勢いを見せる。「天を―〔=もう少しで天に届くほどの高さだ〕/専門家の塁を―〔=専門家と言ってもおかしくないだけの水準に達している〕」

まず・る②(自他五)〔「まずい事になる」の意〕何かをした結果、好ましくない状態が生じる。〔口頭語的表現〕「大事なところでまずったなあ」

マズルカ②〔ポーランド mazurka〕四分の三拍子または八分の三拍子の快活な調子の、ポーランドの舞踊(曲)。

ませ①【〈籬】❶(雅) 柴などで作った低くて目の粗い垣根。❷劇場の「枡」の仕切り。

まぜあわ・せる⑤⓪【交ぜ合わせる・混ぜ合わせる】(他下一) いくつかの異なる素材を(配分良く)交ぜて一体化させる。交ぜ合わす④⓪(五)。「三色を―」

ませい⓪【磨製】(刃先の部分などをみがいて)石の器具・道具を作ること。「―石器④」↕打製

まぜおり⓪【交ぜ織り】違う質の糸をまぜて△織ること(織った織物)。混紡。

まぜかえ・す③⓪【《雑》ぜ返す・混ぜ返す】(他五)〔冗談半分に〕口出しをして、人の話を混乱させる。まぜっ返す④。名 まぜ返し⓪

ませがき②【〈籬垣】❶⇩ませ❶ ❷杭が見えないように両側から柴などをあてて結った垣根。

まぜがき⓪【交ぜ書き・混ぜ書き】―する(他サ) ❶一枚の紙に、違った△書体(色)で書くこと。また、書いたもの。❷漢字で書ける一語を、漢字と仮名とを交ぜて書くこと。「しょう油・誘かい・だ捕」の類。

まぜこぜ⓪【交ぜこぜ】―な ―に いろいろなものが入りまじっている△こと(様子)。

まぜごはん③【交ぜ御飯・混ぜ御飯】炊きあげた飯に味付けをした肉・野菜などを交ぜたもの。まぜめし②。

まぜもの③⓪【混ぜ物・《雑》ぜ物】❶〔食品などで〕主となる材料に他の物を加えて一体化させたもの。「そば粉に茶・シソなどの―をした変りそば」❷純良であることが望まれる製品に異質なものを混ぜること。また、その異質な物。

ま・せる②【〈老成〉る】(自下一) 子供がその年齢にふさわしくないおとなびた言動をする。「年の割にませた子だ」名 ませ①「お―さん②」表記「〈老成〉る」は義訓。文法 日常の談話では、文末の述語については一般に「ませている」の形で用いる。また、連体修飾では「ませている…」「ませた…」の形で多く用いられる。

***ま・ぜる**②【交ぜる・混ぜる・《雑》ぜる】(他下一) ❶〈なにトなにヲ―/なにニなにヲ―〉何かの中に異質の物を△入れる(加える)。異質の物どうしを一緒にする。「米に麦を―」❷〈なにヲ―〉(均質になるように)かきまぜる。「卵をよく―」

マゼンタ②〔magenta〕絵の具や印刷インクの三原色の一つ。赤紫色。⇩三原色

マゾ①マゾヒスト・マゾヒズムの略。↕サド

マゾヒスト③〔ド Masochist〕マゾヒズムの傾向を有する人。略してマゾ。↕サディスト

マゾヒズム③〔masochism〕の日本語形。Masoch=人名〕相手から肉体的・精神的な苦痛を受けることに性的快感をおぼえる異常な性欲。略してマゾ。↕サディズム

まそん⓪【摩損・磨損】―する(自サ) 摩擦の結果、すりへること。

***また**【又】■一②〔多く「―の…」の形で〕❶同じような状況が少し間を置いて繰り返されることを表わす。「―の日〔=ⓐ翌日。ⓑ後日〕/―(の機会)にしましょう」❷同じものについて、違った観点から扱われるものであることを表わす。「―〔=別〕の名」■二(造語)〔名詞に冠して〕間接的な交渉しか無いことを表わす。「―貸し・―借り・―聞き・―いとこ」■三⓪(副) ❶関連する一方と対照的な他方の事を述べる様子。「兄はまじめ一方の努力家だ。弟には―それに加えて天才的なひらめきがある/夫は病気がちだが、妻は―〔=一方において〕健康そのものだ」❷前回と同じ事が、次の機会にも繰り返される様子。「―△伺います(来てね)/―〔=二度

と無い機会/―はずれだ/―そんな事を言う」❸驚きや強い疑問をいだいて、問いなおそうとする気持を表わす。「これは―どうしたことか/なんで―そんな事をするんだ/『俺(オレ)どうも癌(ガン)かもしれない』『―〔=またそんなことを言っても本当にしないぞ〕』」 [表記] ❶は「△亦」、❷は「《復」とも書く。 [運用] 「では、また(ね)」などの形で、別れの挨拶(アイサツ)の言葉としても用いられる。

四⓪①(接) 前に述べた事情のほかに、以下の事情も△共存(継起)することを表わす。「彼は、有数の政治家である。―〔=同時に〕すぐれた音楽家でもあった/浅草に行って映画を見た。―帰りに上野にも寄ってみた」

また②【股】❶一つのもとから二つ以上に分かれている△ものの(所)。「木の―/三つ―」❷胴から足が分かれ出るつけ根の所から両ももにかけての内側の部分を指す。「―(の間)にはさむ/―の間から生まれるのだとばかり久しく思っていた/世界を―にかける〔=ⓐ広く各国を歩き回る。ⓑ広く各国で活躍する〕/両―⓪」 [表記] ❶は、「△叉」とも書く。

***まだ**①【《未(だ)】(副)❶その時点において、△目標とする(予測・期待される)段階・程度にまで至っていない状態にある様子。「―学校から帰ってこない/その時は私は―生まれていなかった/手続きが―の〔=終わっていない〕人は急いでください/出発まで―一か月もある/―一万円残っている/もういいかい、まあだだよ/結婚なんて―先の話だ」❷それですべてを尽くしたわけではなく、同じような事柄が他にもあると考えられる様子。「理由は―ある/そういう人は―ほかにもいるはずだ」❸△現状(それまでの状態)と比べて、どうにか許容できる範囲内にあると判断する様子。「いっそ何も無い方が―ましだ/―何とかがまんできる/彼は憎まれ口ばかりたたくが―かわいいところもある」 [文法] ❶「報告書はまだ書いていない」に対する「報告書はもう書いた」などのように、問題とする状況などにすでに達している状態を表わす場合には、一般に「もう」が用いられる。

マター①〔matter〕(問題として取り上げられる)事柄。「懸案の―が解決する」

まだい⓪【真〈鯛】日本で食べられる代表的なタイ。からだは淡紅色で、側面に青緑色の斑点(ハンテン)がある。〔姿・色・味や「めでたい」と通じる点から、祝儀(シュウギ)に用いられる〕〔タイ科〕 [かぞえ方] 一尾・一匹

まだい⓪【間代】部屋の借り賃。部屋代⓪。

またいとこ③④【又いとこ】親がいとこの関係にある△こと(人)。 [表記] 個々のケースにより、「又〈従兄弟〉・又〈従兄〉・又〈従姉妹〉」などと書く。

またがし⓪【又貸(し)】―する(他サ) 自分が借りたものを(貸し主の承諾を得ないで)さらに他の人に貸すこと。

またがみ⓪【股上】ズボンなどの、足の分かれ目から上の部分(の長さ)。↕またした

またがり⓪【又借(り)】―する(他サ) 人が借りたものを(貸し主の承諾を得ないで)さらに借りること。

***またが・る**③【〈跨(が)る】(自五)〈なにニ―〉❶またを広げた状態で乗る。「馬に―」❷二つ(以上)の地域・領域・時間に直接関係が及んでいる。「隅田(スミダ)川に―〔=かかっている〕橋の数かず/三つの県に―国立公園/用例が次のページにまたがっている/昭和から平成・令和に―〔=わたる〕大事業」 [表記] 「股がる」とも書く。

またぎ⓪ 東北地方の山間に活動する、特殊な伝承を持つ猟師。 [表記] 「〈犭又」とも書く。

またぎ⓪②【股木・又木】二股に分かれた木。

まだき①【《未(だ)き】〔雅〕そうなって早いうちに。「朝―」

またぎき⓪【又聞(き)】―する(他サ)〔当人から直接に聞くのではなく〕その話を聞いた人から間接的に聞くこと。

また・ぐ②【〈跨ぐ】(他五)❶またを広げて物の上を越える。「△どぶ(ガードレール)を跨いで越える/敷居を―」❷間に何かを隔てて、その上を越えて向かい側とのつながりを付ける。「車道を―〔=の上を越える〕歩道橋/本州と四国を―本四連絡橋」 [名] またぎ⓪「ほんの一(ヒト)―の距離」

またぐら⓪【股《座】〔「くら」は、座・谷の意〕広げた両ももの間(の空間)。「―から逆さまに天橋立(アマノハシダテ)を見る」

またぐり⓪【股〈刳(り)】パンツなどの、ウエストの前から股を通って後ろまでの部分。「―がきつい」

まだけ⓪①【《苦竹・真竹】〔真竹の意〕シノよりは太く、モウソウチクよりは細い、最も普通のタケ。皮には黒茶色の斑点(ハンテン)があり、草履(ゾウリ)・笠(カサ)を作ったり 物を包むのに使ったりする。幹は竹ざおや竹細工に使う。たけのこは食用。〔イネ科〕 [かぞえ方] 一本

またげらい③【又家来】ある人の家来の、そのまた家来。陪臣(バイシン)。

またした⓪【股下】ズボンなどの、足の分かれ目からすそまでの長さ。↕またがみ

またしても②【又しても】(副)△予測どおりに(期待を裏切って)、同じ事が今回も繰り返される様子。「―赤組の優勝/―核実験を強行した」

まだしも①【《未(だ)しも】(副) その段階△の(で済む)ことなら何とか容認できる範囲内にある(が問題は以下で述べることにある)という気持を表わす。「炊きたては―、さめると食べられたものではない/机に向かっている仕事なら―、営業マンにとって、雨は〝天敵〟だ/小さな子供なら―大のおとながそんないたずらをするなんて」

また・す②【待たす】(他五)〔「待つ」の使役動詞形〕相手をしばらく待つようにさせる。待たせる③(下一)。「人を―/開店時間まで―」

またずれ⓪【股擦(れ)】―する(自サ)❶ふとり過ぎたために股(モモ)と股とが擦れあって、内側の皮膚が擦りむけること。❷ズボン下をはかなかったりすることが原因で、ズボンに直接触れた股の部分の皮膚が擦りむけること。

またぞろ⓪【又《候】(副)〔「又候(ソウロウ)」の意〕(驚いたりあきれたりしたことに)終わってほしいと思っていた事が、懲りずに繰り返される様子。「一時影をひそめていた違法駐車が―目立ちはじめた/―浮気の虫が騒ぎはじめたようだ」

またた・く③【瞬く】(自五)〔「目叩(マタタク)く」の意〕❶「まばたく」意の古風な表現。❷(光が)△見えたり 見えなくなったり(ちらちら)する。明滅する。「谷間で―灯を見ると、その灯の下で語りあう家族の団らんの光景を想像し心が温まる/ネオン―繁華街/星が―」 [名] またたき⓪ 【―間(ま)に】意外に感じられるほど短時間のうちに事態が展開する様子。「炎は―燃え広がり大火災となった」

またたび⓪【〈木天〈蓼】山地に自生するつる性落葉低木。雌雄異株で、夏にウメに似た花を開く。どんぐり状や球状の実は食用・薬用。ネコの好物として有名。〔マタタビ科〕 [かぞえ方] 一株・一本

またたび⓪【股旅】〔全国を股にかけての旅、の意。ただし、武者修行は含意せず、やくざ稼業のそれを指す〕ばくち打ちが、旅から旅へ一宿一飯の生活を送ったこと。「―物(モノ)⓪〔=旅から旅に明け暮れたばくち打ちを主人公にする映画・小説など〕」

またとな・い②-①【又と無い】△二つ(二度)と無い。「―おもしろさ/―△機会(チャンス)を利用する」 [文法] 助動詞「そうだ(様態)」に続くときは「又となさそうだ」の形になる。また「すぎる」と結びついて複合動詞をつくるときは「又となさすぎる」の形になる。

またどなり③【又隣】隣の隣。一軒おいた隣。

マタニティー（造語）〔maternity〕妊娠の。妊婦の。出産の。 **—ドレス**⑥〔maternity dress〕妊婦服③。マタニティーウエア⑦とも。 **—ハラスメント**⑦〔和製英語 ↑maternity＋harassment〕職場でなされる、妊娠・出産の当事者への いじめ・嫌がらせ、労働条件の切下げ、解雇・雇い止めなど。略してマタ ハラ。 **—ブルー**⑦〔和製英語 ↑maternity＋blue〕妊娠中や出産後の母親に見られる精神的に不安定な状態。〔英語では maternity blues〕

または②【又は】（接）△並列的（選択的）な関連にある二つの事柄を列挙することを表わす。

マタ ハラ⓪ マタニティー ハラスメントの略。

またびろ②【股火】 たき火や火鉢などにまたがるようなかっこうで、あたたまろうとすること。

またひばち③【股火鉢】 火鉢にまたがるようなかっこうで、あたたまろうとすること。「—なんて行儀が悪い」

またまた⓪②【又々】（副）△予想（期待）に反して、同じ事が繰り返される様子。「—うっかりミスだとはたまったものではない／—休日出勤するはめになった／しかし選挙をやってみると、あれほどあきれた行状が天下に知れわたったのに、それが—十何万票もとったりしている」

まだ まだ①【《未だ《未だ】（副）❶現時点に至っても△目標とする（予測・期待される）段階・程度には程遠い状態にある様子。「戦後は—終わっていない／男尊女卑の風潮が—根強く残っている／マイホームなんて—先のことだ／—完成まで程遠い」❷それですべてを尽くしたわけではなく、同じような事柄が、他にも数多くあると考えられる様子。「このほかにも問題は—ある／—真相の一部を語ったにすぎない」❸現時点の傾向が今後も衰えることなく継続すると考えられる様子。「この分では八十歳になっても—現役としてやっていける／不景気は—続く／—伸びる素質を持っている」 運用 ❶❷について、相手から成長・熟達の程度に関して称賛されたとき、「まだまだです」のように謙虚な姿勢の相槌（アイヅチ）として用いられることがある。例、「『お嬢さんは立派な大学生になりましたね』『いいえ、まだまだです』」また、❸については、厳しい試合や訓練の場などで、屈していないことを相手に伝える言葉としても用いられる。例、「『参ったか』『まだまだ』」

マダム①〔madam〕❶奥様。夫人。〔名前の上につけて呼ぶのにも用いられる〕「有閑—」❷酒場などの女主人。

またも②【又も】（副）望んでもいないのに、今回も相変わらず同じ事が繰り返される様子。「—発覚した政治家のスキャンダル／—失敗に終わった」 **—や**②（副）期待した変化が何ら見られず、同じ事が今回も繰り返される様子。「選挙が終わってみれば—与党の勝利／—大義に名を借りた侵略戦争が始まる」

まだら⓪【《斑】—な／—に 地色と違った色が、不規則に交じっている△こと（様子）。「—に残る雪／—馬（マウ）③（＝しま馬）」

まだら⓪【真〈鱈】 日本人が煮たり焼いたりして食べる、最も普通のタラ。 かぞえ方 一尾・一匹

まだるっこ・い⑤【間《怠っこい】（形）〔「間 怠（ダル）い③」の強調形〕物事を処理する動作がおそかったり手順が悪かったりしているので、はたから見ていていらいらさせられる感じだ。〔口頭語では「まだるっこしい⑥・まどろこしい」とも〕「—話し方」 派 **—さ**⑤

まだれ⓪【麻垂れ】 漢字の部首名の一つ。「度・庭・康」などの「广」の部分。〔「麻」は通常「麻」部だが、「麻」に代表させて言う。「广」は屋根の象形、家屋や建物に関係する漢字がこれに属する〕

まち②【町】❶人家が集まって大きな区画をなしている土地。都会。⇩里 ❷行政単位としての、市・区をいくつかの区画に細分化した、一つひとつの地域。〔封建時代には、職業別に集まり住むことが多かった。例、「鷹匠（タカジョウ）—・鍛冶（カジ）—・御徒（オカチ）—」〕❸商店などが表通りに集まって一区画をなしている土地。「—の灯（ヒ）／—の女（＝街娼（ガイショウ））／—の紳士（＝ギャング）／家無き民が—にあふれる／—へ連れ出す」 表記 ❸は、「街」とも書く。

まち①②【〈襠】❶衣服などの幅にゆとりを持たせるために前布と後ろ布の間に別に入れる小布。❷羽織・シャツの脇（ワキ）、袴（ハカマ）・ズボンの内またなどに用いて、開きを楽にする仕切りの布。また、袋物の厚みを出すためにも用いられる。

まち あい⓪【待（ち）合（い）】〔互いに待つ意の動詞「待ち合う③⓪」の連用形の名詞用法〕❶互いに待つ△こと（所）。❷客が芸者などを呼んで遊興する所。 **—しつ**③【—室】〔「まちあい」は、共に待つ意の動詞「待ち合う」の連用形〕駅や病院などで、時刻や順番が来るのを待つ部屋。

まち あか・す④⓪【待（ち）明（か）す】（他五）人が来るのを（待ち遠しい思いで）待ちながら夜を明かす。

まち あぐ・む④⓪【待（ち）〈倦む】（他五）いやになるほど長く待つ。

まち あわ・せる⑤⓪【待（ち）合（わ）せる】（他下一）あらかじめ時刻と場所を約束しておいて、そこで会うようにする。待ち合わす④⓪（五）。 名 待ち合わせ⓪

まち いしゃ⓪【町医者】 個人の開業医。

まち う・ける④【待（ち）受ける】（他下一）〔来（タ）るべきものを〕心の準備をして待つ。

マチエール③〔フ matière〕〔美術で〕材料。題材。

まち おこし③【町起（こ）し・町興し】 地域の文化や経済を活性化させること。また、そのために行なう活動。「B級グルメで—をする」⇩むらおこし

まぢか①⓪【間近】—な／—に 目標となる物や、問題の事態が近くまで迫っている様子だ。「二回目の訓練は津軽海峡を—にした海域で行なわれることになる／四百ドルの大台—で一日の取引が終わった／来日—の人気トランペッター」 派 **—さ**③② **—・い**③（形）目標に到達するのが△時間的（空間的）に非常に近くなっているととらえられる様子だ。「完成—新庁舎／車窓に間近くせまる富士山」

まちがい③【間違（い）】〔動詞「間違う」の連用形の名詞用法〕❶途中の操作や前提が当を得なかったために生じる、正しくない結果。「綴（ツヅ）りの—が目立つ英文／—だらけの伝票／計算—」❷道義的・倫理的な点からみてやってはいけない（として非難される）こと。「追い詰められるとどんでもない—をしでかしかねない／—の無い（＝不正を働く心配のない）男／子供に万一—でもあるといけない／男女が—を犯す」 **—なく**⑤【—無く】（副）その事がどの点からみてもそうでしかないと判断できる様子。「これは—彼のやったことだ」

まちが・う③【間違う】（自他五）〈なにト（なにヲ）—／なにニ（なにヲ）—〉〔「紛（マガ）う」と「違う」との混交という〕不適切な対応などによって△正しくない（好ましくない）結果を招く。「いくつも漢字が間違っているレポート／操作を間違えば大事故になりかねない／まかり間違えば」

まちが・える③④【間違える】（他下一）❶まちがいをする。「答えを—」❷とりちがえる。「どろぼうと間違えられる」

まちがっても③【間違っても】 どう考えても起こり得ない偶然を想定することを表わす。〔下に打消、または禁止を伴う〕「—そんなことのあるはずがない／あんな人には—（＝絶対に）頼まない」

まち かど⓪【街角】❶街路の曲がり角。「—を曲がる」❷街頭。「—で拾った話」 表記「町角」とも書く。

まちか・ねる④⓪【待(ち)兼ねる】(他下一) ❶長い間待って、がまんが出来なくなる。「待ち兼ねて先に帰る」 ❷今か今かと待つ。「母の帰りを―/つゆ明けを―」

まちかま・える⑤(カマヘル)【待(ち)構える】(他下一) 準備をして待ち受ける。待ちもうける。「チャンスが来るのを―」

まちぎ⓪【町着】 買物・散歩などの時の衣服。 表記「街着」とも書く。

まちくたび・れる⑥【待(ち)くたびれる】(自下一) 来ることが期待されるものがなかなか来ないので△いやになる(もうどうでもいいという気持になる)。

まちくら・す⓪④【待(ち)暮(ら)す】(他五) その事の実現を△期待してその日を過ごす(生きる目標として暮らす)。

まちこうば(オ)③【町工場】 町なかにある小さな工場。

まちごえ⓪②【待(ち)肥】 移植する土地に、前もって施しておく肥料。

まちこが・れる⑤⓪【待(ち)焦(が)れる】(他下一) 早く来ないかと待ち続けて、落ち着かない状態になる。「夏休みを―」

まちじかん③【待(ち)時間】 物事が開始されたり自分の番になったりするまでの 待っている間の時間。「出発までの―/診療の―」

まちじょろう(オ)③(ヂヨラウ)【待(ち)女郎】 婚礼の時に花嫁に付き添って、着付け・化粧などの世話をする女の人。〔現在では美容師などが この役をする〕

まちすじ⓪(スヂ)【町筋】 町の道筋。

まちどうじょう(オ)(オ)③(ダウヂヤウ)【町道場】 市中にあって武芸を教える道場。

まちどおし・い⑤(ドホシイ)【待(ち)遠しい】(形) 一刻も早くその時を迎えたいと願いながら何かの実現を待つ様子だ。「春になるのが―」 派 ―さ⑤④ ―げ⑤⓪ ―が・る⑥ ⇩おまちどおさま

まちなか⓪【町中】 町の中で人家・商店が立ち並んでいる所。「―で暮らす」 表記「街中」とも書く。

> **まつ**
>
> **[末]** ❶物の△端(先)。「末端・末尾・本末」 ❷物の終り(の方)。「末世・末代・末席・末流・末輩(イパ)・月末」 ❸こな(薬)。「粉末」
>
> **[抹]** ❶はけで一なでする。「塗抹・一抹」 ❷墨で塗り消す。「抹殺・抹消」 ❸粉にする。「抹茶・抹香」

まちなみ⓪【町並】 遠くや高みから眺めた時に建ち並んで見える家いえ。「昔のままの―が続いている」 表記「街並」とも書く。

まちにまった②-①【待ちに待った】〔連体詞的に〕ずいぶん久しい前から待った。「―お正月」

マチネー①②〔フ matinée〕 昼間の興行。マチネ①とも。

まちのぞ・む⓪④【待(ち)望む】(他五) その事の実現を今か今かと期待して待つ。

まちはずれ③(ハヅレ)【町外れ】 その町の家なみがとだえようとするあたり。 表記「街外れ」とも書く。

まちばり①②【待(ち)針】 布を縫い合わせる際に、縫い目を止めるしるしにしたり 布がずれるのを防いだり するために あらかじめ打っておく、頭に小さな玉などのついた針。小町針。

まちはん⓪【町版】 〔江戸時代に、官版(カンパン)に対して〕版元が営利事業として行なった出版(物)。 ↕官版

まちびと⓪【待(ち)人】 来るのが待たれている人。「―来(タキ)らず」

まちぶぎょう(オ)③(ギヤウ)【町奉行】 江戸幕府の職名。江戸・京都・大坂(オオサカ)・駿府(スンプ)〔=静岡〕に置かれ、市中の行政・司法・消防を取り扱った。

まちぶせ⓪【待(ち)伏(せ)】―する(他サ) 〔「―ぶせ」は、相手に気づかれないように位置する意〕相手の来るのを、(不意を襲うために)隠れて待つこと。 動 待ち伏せる④⓪(他下一)

まちぼうけ(オ)⓪【待(ち)〈惚(け)〉】 そこに来るはずの相手が来なくて、時間をむだにさせられること。「待ちぼけ⓪」とも。「―を食う〔=待っていた人が来ないで、ばかをみる〕」

まちまち②⓪【《区《々】―に ―な 〔そろっていることの期待されるものが〕それぞれ同じでない様子だ。「―な評価/―の服装」 表記 古くは、「《区・《区ゝ」と書いた。

まちもう・ける(オ)⑤⓪(マウケル)【待(ち)設ける】(他下一) 相手がいつ来てもいいように準備を整えて待つ。 表記「待ち〈儲ける」とも書く。

まちや⓪【町家】 町の中にある商家。

まちやくば③【町役場】 町の行政事務を取る所。

まちやっこ③【町《奴】 江戸時代、町人の男伊達(オトコダテ)。侠客(キョウカク)。 ↕旗本(ハタモト)奴

まちやね⓪【町屋根】 〔高い所から市街を見おろした時の〕家いえの屋根。 表記「街屋根」とも書く。

まちわ・びる⓪④【待(ち)〈侘びる】(他上一) 来ることが期待されるものがなかなか来ないので、気をもみながら待つ。「帰ってくるのを―/完成を―」

マチン⓪〔中国・馬銭〕 ❶熱帯アジア・オーストラリア原産の常緑小高木。種は猛毒があり、ストリキニーネを抽出。〔マチン科(旧フジウツギ科)〕 ❷「マチン❶」の種から作った毒薬。少量は健胃・強壮剤に使用。また江戸時代、鼠(ネズミ)・犬を殺すのに用いられた。

まっ【真(っ)】(接頭) 「真(マ)」がカ行音・サ行音・タ行音・ハ行音で始まる造語成分に続く時の形。「―赤(マッカ)・―青(マッサオ)・―平(タイラ)③・―裸(マッパダカ)」

まつ(末・抹) ↓【字音語の造語成分】

ま・つ①【待つ】(他五) ❶〈だれ・なにヲ―〉 何かが△そこに来る(実現する)ものと予期して、それまでの時間を過ごす。「バスを―/発表を―/吉報を―/手ぐすね引いて―/危険の待っている〔=予想される〕場所」 ❷〈なにニ(なにヲ)―〉 事態が進展して好結果が出ることを予期して、成否は局面の展開に任せる。「今後の△努力(調査)に―」 ❸〈なにヲ―〉 相手がどういう行動に出るか、様子をうかがう。「△結論(出方)を―」 ❹〈なにヲ―〉 相手の動向次第で、こちらの態度が決まる。「…の言葉を―までもない/結論を待たずに明らかだ〔=結論が出る前から分かっていることだ〕/言うを待たない〔=もちろんである〕」 表記 ❷は、「〈俟つ」とも書く。
運用 口頭語では、「(ちょっと)△待って(待ってくれ・待ってください)」などの形で、相手の発言の途中に割り込んで自分が発言しようとするときや、興奮している相手をなだめたりするときの言い方として用いられる。例、「ちょっと待って。その言い方は聞き捨てならないな/待ってください。みなさん、ここは少し冷静になりましょう」

まつ①【松】 ❶日本の代表的な常緑高木。木の皮は亀甲(キッコウ)状に裂け、葉は針状。実は まつかさと言う。材は建築・パルプ用。樹脂からはテレビン油などを採る。〔マツ科〕「赤―・黒―・トドー・五葉(ゴヨウ)の―」 ❷〔雅〕「たいまつ」の略。 ❸同種のものに三段階の等級をつけるときの最上位。〔一般に竹・梅がこれに次ぐ〕 かぞえ方 ❶は一株・一本

まつえい⓪【末〈裔】 「子孫」の意の古風な表現。「ばつえい」とも。

まっか③【真(っ)《赤】―に ―な ❶赤以外の何物でもない様子だ。「恥ずかしくて顔が―になる/―になって〔=かんかんに〕怒る」 ❷正真正銘の。まったくの。「―な〔=まぎれも無い〕うそ」 表記 ⇩付表「真っ赤」

まつがえ③【松が《枝】 〔雅〕松の枝(ダエ)。

まつがく⓪【末学】未熟・後進の学者。〔狭義では、学者の謙称としても用いられる〕

まつかさ③【松(毬・松)(笠)】松の実。まつぼっくり。

まつかざり③【松飾(り)】正月の飾りにする門松。〔七日まで飾り、十四日の夜、または、十五日の朝に集めて焼く。⇩どんど〕「―も取れぬうちから」

まつかぜ②③⓪【松風】㊀松に吹く風(の音)。㊁〔茶の湯で〕茶がまの煮え立つ音。

まっき①【末期】終りの時期。〔混乱・腐敗・衰勢・病状などがひどくなって、もう救いがたくなった時期の意にも用いられる。例、「―的症状を△示す(深める)」〕⇩初期・中期

まつぎ①【末技】㊀枝葉(エダハ)の△技術(技芸)。㊁未熟な△技術(技芸)。

マックス①〔max〕最大限。最大(値)。マクシマム。〔副詞的にも用いられる〕「このバッテリーの持続時間は―七時間」

まっくら③【真(っ)暗】―ナ ―ニ 暗くて、△何も(全く希望が)見えない様子だ。「―な足元/―なトンネル/お先―(=先はどうなるか、全く分からない)」 ―がり④完全に暗い△こと(所)。 ―やみ④【―闇】完全な暗闇。真の闇。

まっくろ③【真(っ)黒】―ナ ―ニ ㊀黒以外の何物でもない様子だ。「つやのある―な髪/―に日焼けした(=よく日焼けして黒さが目立つ)顔」 ㊁ひどくよごれて、黒ずみが目立つ様子だ。「垢(アカ)で―に光っている袖口(ソデグチ)」〔「まっくろい④」の形で形容詞としても用いられる〕 ―け⑤⓪④―ニ「まっくろ(だ)」の意の口頭語的な強調表現。

まつげ①【(睫)・(睫毛)】〔「目の毛」の意〕まぶたのふちにある毛。「―をカールする/―を読まれる(=相手に心中を読まれてばかにされる)/つけ―」〔かぞえ方〕一本

まつご①【末期】その人の一生がそれで終わる、という時。 ―のみず①―⓪【―の水】「死に水」の意の婉曲(エンキョク)表現。

まっこう⓪③―カウ【抹香】㊀シキミの△葉(皮)を粉にした、褐色の香。焼香に用いられる。㊁〔↑抹香鯨⑤〕クジラの一種で、暖海にすむ。頭は大きく、方形。良質の「鯨脳油③(=潤滑油精製の素材)」と竜涎香(リュウゼンコウ)の採れるのは、この種類に限られる。〔マッコウクジラ科〕 表記「末香」とも書く。〔かぞえ方〕㊁は一頭 ―くさ・い⑥【―臭い】(形) その場の雰囲気やその人の言動が仏教(にかかわる行事)を連想させる様子だ。「―説教をする先生」

まっこう③―カウ【真(っ)向】〔「真向かう」の変化。もと△額の真ん中(かぶとの はちの前面)の意〕まっ正面。「―から△反対(否定・対立)する」

マッコリ⓪①〔朝鮮 makkeolri〕米や粟(アワ)などから造られる朝鮮の濁り酒。マッカリとも。

まつざ⓪①【末座】しもざ。末席。

マッサージ③―スル(他サ)〔フ massage〕㊀西洋風のあんま。「あん摩―指圧師⑪」 ㊁皮膚に弾力とつやとを保たせるために、顔を手の指などでこすること。

まっさいちゅう③【真(っ)最中】〔「真最中②」の強調形〕㊀一時期その状態が続く中の最盛期。「湾岸戦争の―」 ㊁人が何かに没頭し、他の事を忘れている状態の時。「恋愛の―」

まっさお③―サヲ【真(っ)《青》】―ナ ―ニ 青以外の何物でもない様子だ。「―な空と海/顔色が―だ(=ひどく青ざめて見える)」 表記 ⇩付表「真っ青」

まっさかさま③【真(っ)逆様】―ナ ―ニ 倒れたり落ちたりするものの上下が正反対の状態になっている様子だ。

まっさかり③【真(っ)盛(り)】―ナ ―ニ〔「真盛り②」の強調形〕そのものの△特徴(活動)が最も顕著にうかがえる時期。

まっさきに③【真(っ)先に】(副)〔「まっさき」は「真先⓪」の強調形〕他の何ものよりも先にする様子。「―飛び出す/―(=第一に)言いたいことは…」

まっさつ⓪【抹殺】―スル(他サ) ㊀もと、そこに書いてあったことを、関係の無いものとして削ってしまうこと。「名簿から―する」 ㊁何かが存在△した(する)ことを認めないこと。「キリスト―論/相手の意見を―する/異分子を―する(=人知れず殺してしまう)」

まっさら③【真(っ)《新・真(っ)更》】―ナ ―ニ 新品のままで、その時までまだ使用していない様子だ。「―な浴衣(ユカタ)/―のノート」

まっし⓪【末子】兄弟・姉妹の中で、一番年下の子。「ばっし」とも。⇩長子・次子

まつじ①⓪【末寺】本山の支配下にある寺。

まっしぐら③【真(っ)しぐら】(副)―ニ〔「しぐら」は、軍隊などが密集する意の文語「しぐらう」と同根〕目標に向かって、わき目もふらずつき進む様子。「こうと決めたらあとは―(だ)」 表記「(驀地)」とも書くが、この原義は、「にわかに・たちまちに」。

まつじつ⓪【末日】ある期間の最後の日。〔狭義では、その月の末日を指す〕

まっしゃ⓪【末社】㊀本社に付属した神社。支社。㊁〔江戸時代〕「たいこもち」の異称。㊂〔神奈川の方言〕下っ端の者。

マッシュ①―スル(他サ)〔mash〕野菜をゆでてすりつぶし、裏ごしすること。また、裏ごししたもの。「―(ド)ポテト④⑤」

マッシュルーム④〔mushroom〕広く世界中で栽培される小さい西洋キノコ。かさは まんじゅうがさに似て、薄茶色。つくりたけ③。〔フランス語から入った形は、シャンピニョン〕〔ハラタケ科〕

まっしょ⓪①【末書】㊀ある古典や基本的文献に基づいて祖述・注釈した書物。㊁ある書物の系列に属し、後世組織(の一部)などを改めた書物。

まつじょ①―ヂョ【末女】一番年下の娘。

まっしょう⓪―セウ【末(梢)】㊀枝の最先端。㊁物のはし。また、とるに足らないこと。 ―しんけい⑤【―神経】△脳(脊髄(セキズイ))から分かれて全身に広がる神経繊維の端。↕中枢神経 ―てき⓪【―的】―ナ ―ニ 本筋から離れた問題であって、重要でない様子だ。↕本質的

まっしょう⓪―セウ【抹消】―スル(他サ)〔そこに書かれた事について〕それを△誤りである(不要のもの)として、消すこと。「登録から―する」

まっしょうじき③―シヤウヂキ【真(っ)正直】―ナ ―ニ どの点から見ても正直だとしか言いようが無い様子だ。

まっしょうめん③⑤―シヤウ―【真(っ)正面】〔「真正面②④」の強調表現〕そのものが面しているまっすぐ前の方向にあること。また、その方向にあるもの。〔正攻法で物事をする意にも用いられる。例、「―から△ぶつかって行く(受け止める)」〕

まっしろ③【真(っ)白】―ナ ―ニ 白以外の何物でもない様子だ。〔「まっしろい④」の形で形容詞としても用いられる〕「―な△ウエディングドレス(髪・ハンカチ・シーツ)/―に洗い上げる/―け④③⓪」

まっしん③【真(っ)芯】〔野球のバットの〕ボールを最も鋭く遠くへ打ち返せる部位や角度。

まつすぎ④③⓪【松過(ぎ)】正月の松飾りを取り去ったころ。

*まっすぐ③【真(っ)《直(ぐ)》】―ナ ―ニ ㊀一定の方向をとって少しも曲がらない(で進む)様子だ。「―な線/―(=寄り道しないで)帰宅する」 ㊁少しも曲がったところや隠すところが無い様子だ。「―(=正直)な人」〔東京弁は「まっつぐ③」〕

まっせ①【末世】仏法の衰えた時代。〔広義では、道義の

行なわれなくなった時代を指す」

まっせき⓪【末席】順位が下の座席。しもざ。末座。「ばっせき」とも。「―をけがす〔=自分がその地位にいることの謙称〕」↔上席

まっせつ⓪【末節】本筋からは離れた、重要でない部分。「枝葉シヨウ―」

まっそん⓪【末孫】その系統を受けた、ずっと後の子孫。末葉マツヨウ。「ばっそん」とも。

まった①【待った】〔「待ったり」の変化〕〔勝負事で〕相手がしかけるのを待ってもらう△こと(時に発する声)。「―無しの勝負／工事に―をかける〔=中止を求める〕／―がかかる」

まったい③【全い】(形)「完全だ」の意の改まった表現。

まつだい②【末代】㊀後のちの世。「―までの語り草」㊁死後の世。「人は一代、名は―」

まったき③【全き】〔文語形容詞「まったし」の連体形(の名詞用法)〕完全な(状態)。「―理解／―〔=安全〕を得る／人事に―〔=完璧カンペキ〕を期することは出来ない」

*__まったく__⓪【全く】(副)〔文語「まったし」の連用形から〕㊀すべての面にわたってそうとしかいいようがない様子。「―の」の場合のアクセントは④「―すばらしい出来だ／―おかしな話だ／―の幸運だった」㊁〔否定表現と呼応して〕全面的に否定する様子。「―知らなかった／―お話にならない」 運用 ㊀は、感動詞的に、怒り・いらだちの気持を表わすのに用いられることがある。例、『彼には困ったものだね』『まったく』／こんなに散らかして、まったく」

まつたけ⓪③【松〈茸】秋、主として赤松の林に生えるキノコ。かさの上面は濃い茶色で独特の香気がある。キノコの代表として珍重される。〔キシメジ科〕〔愛知・岐阜、近畿・四国の方言では「まったけ⓪」、古くは「まつだけ⓪」〕 かぞえ方 一本

まっただなか④③【真っ〈只中・真っ〈直中】〔「真マ直中ダタ②」の口語形〕㊀何か(集合しているもの)の中央部分。「△砂漠(荒海)の―／東京の―〔=ど真ん中〕で迷子になった」㊁まさにそれが展開されている最中。「けんかの―に割って入る／青春の―／混乱の―」

まったり③(副)―と ―する ㊀こくのある味わいが口の中に広がっていくのが感じられる様子。「―(と)した味」㊁のんびりして、くつろいだ様子。「―(と)過ごす」

まったん⓪【末端】〔「端」も「末」と同義〕㊀最も端の部分。「棒の―」㊁組織の中核から最も遠い部分。下部組織。「―価格」

*__マッチ__①〔match〕㊀【〈燐寸】赤燐セキリンなどを塗りつけた箱の側面と、発火剤の付いた軸木を摩擦させて発火させる用具。〔狭義では、軸木の方を指す〕「―を擦る／―箱のような家／―棒③・ブック④・ペーパー⑤」 表記「〈燐寸」は、借字。 かぞえ方 一本：一箱

㊁㊀スポーツの試合。「タイトル―・タッグ―」㊁―する(自サ)〈なにニ―する〉〈なにト―する〉調和が取れていること。「上着に―したネクタイ」

マッチ ポイント④〔match point〕〔テニス・卓球・バドミントンなどの終盤戦で〕もう一点取れば勝ちが最終的に決定する得点チャンス。

マッチ ポンプ④〔和製洋語 ←英 match＋オ pomp〕〔自分でマッチで火を付けておいて、ポンプで消火する意〕自分からもめごとを起こしたあとで、その収拾を持ち掛けることにより報酬を受け取ったり自分の手柄にしたりする△こと(人)。

まっちゃ⓪【抹茶】〔茶の湯に用いる〕緑茶を茶うすでひいて粉にした上等の茶。碾ヒき茶。「―入りアイスクリーム」

マッチョ①―な〔macho〕筋肉の発達した体型で、いかにも男くさい様子だ。〔多く、男性優位の価値観や、力に訴える態度にも言う〕「―な△体(政治家)」

まってい⓪【末弟】その兄弟の中で、一番下の弟。「ばってい」とも。

マット①〔mat〕㊀玄関の前・建物の入口などに置いて、履物の泥をぬぐう敷物。昔はシュロで作った。㊁床の上などに敷く敷物。㊂体操競技などに使う厚い敷物。「―に沈む〔=ボクシングの選手が、ノックアウトされて敗れる〕」 かぞえ方 ㊀～㊂とも一枚

まっとう⓪マッタウ ―な ―に【〔全う】〔「全く」の変化〕そのものに求められる、本来あるべき姿だと認められる様子だ。「信者をだますようでは―な宗教とは言えない／素朴で―な考え方だ／―に暮らしている庶民のことを考えてほしい」 派 ―さ⓪③ 表記「真っ当」とも書く。

まっとう・する⓪マッタウ【全うする】(他サ)やり残した点が全くないと納得できるところまで何かをする。「△任務(責務)を―〔=最後までなしとげる〕／最後を―〔=よい最期を遂げる〕／天寿を―〔=その人に許された限り長生きをして、生涯を終える〕」 表記「〈完うする」とも書く。

マットレス①〔mattress〕厚く弾力性のある、西洋風の敷き布団。〔敷き布団の下にも敷く〕 かぞえ方 一枚

まつねん⓪【末年】(その年代の)終りの方の年。「明治―」

まつのうち③【松の内】正月の松飾りのある間。元日から七日までを指す。

まつのは①【松の葉】〔「志ココロザシは松の葉」という諺コトワザを踏まえて、今差し上げる物は松の葉に包むほどのわずかな物ですが、私の志を汲くんでお受け取りください、という微意を込めて、のしという形の「のし」を書いたところから〕「寸志」の意。贈り物の上書きに書く言葉。

マッハ①〔ド Mach ← E. Mach＝オーストリアの物理学者〕高速で飛行する航空機の速さの、音速〔=空気中で時速約一二二五キロメートル〕に対する比の値。マッハ数③。「―二〔=音速の二倍〕で飛行する超音速機」

まつば①【松葉】松の木の葉。 ―**づえ**④ヅエ【―〈杖】足の不自由な人がわきの下に入れてからだを支え歩く杖。 かぞえ方 一本 ―**ぼたん**④【―〈牡丹】庭に植える、たけの低い南米原産の一年草。葉は肉質の線状で、夏、紅・黄・白などの美しい五弁の花を開く。〔スベリヒユ科〕 かぞえ方 一本

まっぱ⓪【末派】㊀芸術・宗教などの末の流派。㊁末輩。

まっぱい⓪【末輩】地位・技術が下の人。末派。〔自分の謙称としても使われる〕

まっぱだか③【真っ裸】―な ―に〔「真裸②」の口頭語形〕日常身につけるべき衣服を何も身につけていない状態だ。

まつばやし③【松林】松の木が目立って生えている林。

まつばら②【松原】松が多く生えている海岸・平地など。

まつび①【末尾】言葉・文章・番号などの一続きに続いているものの終り。↔起首

まっぴつ⓪【末筆】〔手紙文で〕おもな用件を述べ終えたあとに付け加える、用件とは直接関係のない短い文。「―ながら⑤⓪」

まっぴら③【真っ平】㊀(副)「ひらに」の口頭語的な強調表現。「―ごめん」㊁〔「―だ」の形で〕「なんとしても拒否したい気持だ」の意の口頭語的表現。

まっぴるま③【真っ昼間】〔「真昼間②」を強調した口頭語形〕昼間の、特に太陽が高い位置にある時間帯。真昼。昼日中ヒルヒナカ。

マップ(造語)〔map〕地図。「全国の△うまいもの(名所)

―/ドライブ―⑤・ロード―・ハザード―」

まっぷたつ③④【真(っ)二つ】「まふたつ」の口頭語形。「意見が―に△分かれる(割れる)」

まつぶん⓪【末文】❶〔手紙文で〕用件や雑件を書き終えた後、その手紙を終結するために、おもに何の目的で書いたかと一言でまとめる意味の文。「まずは右御礼まで」の類。❷文章の終りの部分。

まっぽう⓪【末法】(―ポフ) ❶〔←末法時(ジ)③〕「像法時(ゾウボウジ)」の後の一万年間で、仏教が衰えるとされる時期。⇩正法(ショウボウ)・像法 ❷末の世。澆季(ギョウキ)。

まつぼっくり③【松〈毬】〔「松ふぐり③」の変化〕まつかさ。

まつむし②【松虫】からだは薄茶色で触角の非常に長い昆虫。初秋に、チンチロリンと鳴く。〔コオロギ科〕かぞえ方 一匹

まつやに⓪【松《脂】松の幹から分泌される、ねばねばした液。せっけん・ニス・リノリウム・テレビン油などの製造用。

まつよいぐさ③④【待宵草】(―ヨヒ―) ❶道ばた・河原などに生える多年草。夏の夕方、黄色の花を開き、翌朝しぼむと赤色になる。❷オオマツヨイグサ・ツキミソウなどの総称。〔❶❷ともアカバナ科で、宵待草(ヨイマチグサ)は俗称〕かぞえ方 ❶❷とも一本

まつよう⓪【末葉】(―エフ) ❶ある時代区分の終りに当たる一時期。⇩初葉・中葉 ❷「末孫」の意の古風な表現。「ばつよう」とも。

まつり①【〈茉莉〉】インド原産の常緑小低木。ジャスミンの一種。夏・秋のころ開く白くて芳香のある花は、中国で茶に入れてジャスミン茶を製する。まつりか③⓪②。〔モクセイ科〕かぞえ方 一株・一本

*__まつり__【祭(り)】■一⓪ ❶神霊に奉仕して、霊を慰めたり祈ったりする儀式。また、その時に行なう行事。〔広義では、仏事をも指す〕「夏の―/お―ばやし」❷Ⓐ記念・祝賀などのために行なう行事。「港―・桜―」Ⓑ商店(街)やデパートが集客を目的として行なう宣伝に用いる語。「町興し―・大呉服―セール」■二(造語) 動詞「祭る」の連用形。

―あ・げる⑤【―上げる】(他下一) 周囲の者がおだてるようにして、ある人を、責任のある地位につかせる。

まつりごと⓪【政】〔「祭り事」の意〕「政治」の意の和語的表現。

まつりゅう⓪【末流】(―リウ) ❶(由緒ある家柄の)子孫。「平家の―」❷その系譜に属する、一番末の方のもの。

まつ・る⓪【〈纏る】(他五) 布の端などがほつれないように、二つか三つに折って手前の布と向こうの布を交互にすくって縫う。〔この方法による縫い方は「まつり縫い⓪」〕

まつ・る【《奉る】〔雅〕■一⓪(他四) たてまつる。■二〔「動詞連用形＋―」の形で、接尾語的に〕…してさしあげる。お…申す。「答え―〔=お答え申しあげる〕」

*__まつ・る__⓪【祭る・〈祀る】(他五) ❶〈なにヲ―〉神霊を慰めるための儀式を行なう。〔広義では、仏事をも指す〕「先祖を―」❷〈どこニなにヲ―〉神としてあがめ、一定の場所に安置する。表記「〈奠る」とも書く。〔⇩祭り■二〕

まつろ①【末路】盛んだったものが衰えた、悲劇的な最後。「△英雄(平家)の―」

まつわりつ・く⑤【〈纏(わ)り付く】(自五)(マツハリ―) ❶しつこく絡まる。「風でスカートが足に―」❷そばを離れようとせずにつきまとう。「母親に―子供」〔❶❷とも「まとわりつく」とも〕

まつわ・る③【〈纏(わ)る】(自五)(マツハル) ❶からみついて、離れないでいる。「まとわる」とも。「着物のすそが足に―/親犬に―子犬」❷△関係(縁)がある。「地名に―伝説」

まで【〈迄〉】■一(格助) ❶空間的な広がりや時間的な継続の限界・終点、つまり、人や物の移動の到達点や、持続的な動きの終結時点を示す。「ここ―来い/一〇〇メートル先―ボールを投げる/六時―待つ/彼が来る―待つ」❷〔「までに」の形で〕物事や動作の継続する期限を示す。「書類は月末―に提出すること」❸「から」と照応して、動作が行なわれたり 作用が生じたりする時間や空間の範囲を表わす。「朝から晩―働く/ロンドンからパリ―移動する」❹時間や距離の計測の目的地を表わす。「大阪―五〇〇キロ/駅―三分の所に住む」❺〔数量を表わす名詞などについて〕動作・変化の限度や区切りとなる数量を表わす。「十―数える/四人―乗れる」■二(副助) ❶〔「までに」の形で〕事柄のおよぶ限度ととらえられる程度を表わす。「いこじな―に遠慮する/完膚(カンプ)無き―にやりこめた」❷同種の物事の中で極端だととらえられる場合を取り上げ、事態がそこに達することを表わす。「そんなこと―言う必要が無い/親に―見放される/富士山はおろかエベレスト(に)―登った」❸物事がそれだけに限定され、それ以外には及ばないことを表わす。「念のために尋ねてみた―だ/右御礼―/いやならやめる―だ/…だけだと言えば、それ―のことだ〔=それ以上問題にすることは無用だ〕」❹〔「…―もない」の形で〕あることをわざわざする必要はないということを表わす。「わざわざ△行く(改めて言う)―も無い」❺〔「…ない―も」「…ぬ―も」の形で、接続助詞的に〕あることは望めないにしても、という気持を表わす。「全部とは言わない―も、半分くらいは済ませてほしい」文法 体言(名詞、またそれに準ずる句)、「が」以外の格助詞、副詞、用言、助動詞「れる/られる・せる/させる」の連体形・接続助詞「て」がついた形に接続する。連体修飾要素に接続する場合、体言や活用語の連体形について、「…まで」の形で名詞句となる。格助詞には前につく場合も後につく場合もある。ただし、「が」の後につくことはない。副助詞「など・くらい」の後につき、「は・も・しか」の前につく。運用 話し手が自分の行為を他人からほめられたときや、そのことは大したことではないという謙遜(ケンソン)の気持を表わすことがある。例、「私は自分の任務を全うしたまでです」

まてがい②【〈蟶貝・馬《刀貝】(―ガヒ) 浅い海の砂の中に深くもぐってすむ二枚貝。食用。〔マテガイ科〕かぞえ方 一枚

までくらせど①-③【待てど暮(ら)せど】〔副詞的に〕一刻も早く来てほしいとひたすら待ち続けているのに、いまだに実現されていない様子。「―帰ってこない/―返事がない/―来ぬ人を宵待草のやるせなさ」

マテリアリズム⑤〔materialism〕唯物(ユイブツ)論。

マテリアル②〔material〕❶材料。原料。❷〔美術で〕材質(感)。❸物質的。

まてんろう②【摩天楼】(―ロウ) 〔天を摩する楼閣の意〕もう少しで天に届くかと思われるほどの 高い建物。

*__まと__⓪【的】❶Ⓐ△弓の矢(弾丸)を当てる目標。「―を射た〔=ⓐ急所を衝(ツ)いた。ⓑ要点を押さえた〕質問」Ⓑこうしようと定めた目標。「憲法改正に―をしぼって議論する/医学系の大学に―をしぼって受験勉強をする」❷非難・攻撃の対象や、一般大衆の関心の対象。「△羨望(センボウ)(あこがれ・注目)の―」かぞえ方 ❶は一枚・一本

**__まど__①【窓】〔間戸の意という〕光の入口・空気の出入口として、部屋の壁や屋根などの一部に作った、仕切り(戸)。「―を△あけ放す(閉ざす)/―〔=窓ガラス〕をこわす/社会の―〔=男性のズボンの前の、ファスナーやボタンで開閉する部分の婉曲(エンキョク)表現〕/目は心の―〔=心の中の澄み濁りを映して見せるものだ〕/―ガラス・フレンチ―〔=⇩フランス窓〕・あかり―・ガラス―」かぞえ方 一枚

まどあかり③【窓明(か)り】窓から入る光。

まとい(マトヒ) ■一⓪【〈纏】❶まとう△こと(もの)。「足手(アシデ)―」

❷昔、陣所で、大将のそばに立てた目じるし。竿の先に作り物をつけて、馬簾を垂らしたもの。❸江戸時代以降、火消しが自分の組の目じるしとして火事場で使ったもの。[かぞえ方]❷❸とも一本 [二]【〈纏(い)】(造語) 動詞「纏う」の連用形。 **—つ・く**[4]【—付く】(自五) からみつく。まつわる。

まどい[0][2]【《団居・《円居】〔「円居」〖=円形に座る〗の意〕❶円陣を作って一か所に集まること。くるまざ。❷家族など親しい者が集まって楽しく過ごすこと。団らん。〔古くは、「まとい」〕

まと・う[2]【〈纏う】(他五) 何かを身につけて、からだを包み隠すようにする。「豪華な衣装を身に—/一糸纏わぬあられもない姿」[⇩纏い[二]]

まど・う[2]【惑う】[一][2](自五) △平常心(初志)をかき乱すような事に心を奪われる。「四十にして惑わず/闇に—」[二]〔「動詞連用形 + —」の形で、接尾語的に〕△どうすればよいか(どちらへ進むべきか)分からないで、ただおろおろする。「泣き—/逃げ—」[名]惑い[2]

まど・う[2]【《償う】(他五)〔北陸・近畿以西の方言〕つぐなう。弁償する。

まどう[0]【魔道】悪魔の△道(世界)。「—に落ちる」

まどお[0]【間遠】—な 繰り返される物事と物事との間隔が隔たっている様子だ。「彼の訪れが—になった」[派]—さ[2][0] **—・い**[3][0](形) 間遠な様子だ。

まどか[1]【《円(か)】—な ❶形が丸い様子だ。❷やすらかな気持でいられる様子だ。「—な夢路」

まどかけ[2]【窓掛(け)】窓にかける布。カーテン。

まどぎわ[0]【窓際】建物や乗り物などの窓のそば(の席)。「—に寄る」 **—ぞく**[4]【—族】〔会社で窓際に机を与えられている者の意〕出世コースから外され、雑務程度の仕事しか与えられない中高年サラリーマン。〔からかいの気持や軽い侮蔑、また自嘲を含意する〕

まどぐち[2]【窓口】❶部屋の一部を仕切って、書類・お金などの受渡しをするように作った所。〔狭義では、役所の中で、何らかの用事があって訪れた人と直接に接触する部門を指す。例、「—を△ふやす(開く・通す)」〕❷△外部(そのもの)との交渉や連絡をする係や経路。「—は一つ/話合いの—を開く」

まとはずれ[3]【的外れ】—な〔矢が的を外れる意〕〔発言が〕目標や要点を外れる様子だ。「—な非難」

まどべ[0]【窓辺】窓にほど近いあたり。「—にたたずむ/—の花」

＊まとま・る[0]【〈纏まる】(自五)〈(なにニ)—〉❶個々のものが集まって、一つ(の統一体)になる。「三十人纏まれば安くなる/纏まった(=かなり多い)金額/クラスが一つに纏まっている」❷(統一の無かったものが一つになり)望ましい結果に落ち着く。「活動方針について意見が—/論文が—(=完成する)/縁談が—(=成立する)/そんなことでは—話も纏まらなくなる」[名]纏まり[0]「—を見せる」

まとめがい[0]【〈纏め買(い)】—する(他サ) 一度にたくさんの物を買うこと。「週末に—する」

＊まと・める[0]【〈纏める】(他下一)〈(なにヲ)(なにニ)—〉纏まるようにする。「十人纏めて申し込む/論文を—(=発表に備えて仕上げる)/△縁談(会議・計画)を—/荷物を—(=出発・退去などの意にも用いられる)」[名]纏め[0]「一—」

＊まとも[0]【真《面】—な・—に〔「真面」の意〕❶そのものと真正面から向き合う様子だ。「恥ずかしくて—に人の顔を見られない/壁に—にぶつかったからたまらない/—に(=避けることなく)相手になろう」❷社会通念からみて、そうあるべきだと考えられる条件を満たしていて、世間に後ろめたさを感じる点が全く認められない様子だ。「冗談を言っているのかと思ったら—な話だった/—な人間の考えることではない/高齢者医療制度について若い人にも—に考えてもらいたい/酔っぱらっていて—に(=ちゃんと)立っていられない」

マドモアゼル[4]〔フ mademoiselle〕お嬢さん。〔未婚の女性の名前の上につけて呼ぶのにも用いられる〕

マドラー[1][0]〔muddler〕カクテルなどの飲み物をかき混ぜる細い棒。

まどり[0]【間取(り)】その家の中で、△どこ(どの方角)にどの部屋があるかという部屋の並び方の関係。

マドリガル[3]〔madrigal〕❶叙情的な短詩。❷五つから六つの声部より成る、伴奏の無い、対位法的な合唱曲。

マトリックス[3]〔matrix〕❶母体。基盤。❷〔数学で〕多数の数あるいは文字を方形格子状に並べたもの。行列。❸複数の要素を組み合わせることで、効率化を目指したり問題点の分析をしたり する手法。「—組織[7]」

マトリョーシカ[3]〔ロ matryoshka〕ロシアの民芸品で、形が同じで大きさの異なる木製の人形を何重にも入れ子にしたもの。

マドレーヌ[3]〔フ madeleine〕小麦粉・バター・卵・砂糖で作った生地を、貝殻形などの型に入れて焼いた洋菓子。

まどろこし・い[5](形)「まだるっこい」の口頭語的表現。「まどろっこしい[6]」とも。

マドロス[0]〔オ matroos〕船員。 **—パイプ**[5]〔和製洋語 ←オ matroos + 英 pipe〕先が太く折れ曲がって、火皿の大きいパイプ。

まどろ・む[3]【〈微睡〉む】(自五)〔「目蕩む」の意〕短い時間、(いい気持で)眠る。[名]まどろみ[0] [表記]「〈微睡〉む」は義訓。

まどわく[0]【窓枠】窓の周囲に取り付けた枠。

＊まどわ・す[3]【惑わす】(他五)〈(なにデ)だれ・なにヲ—〉正しい判断を失わせ、よくない結果に引き入れる。惑わせる[4](下一)。「人心を—(=動揺させたり 不安におとしいれたりする)/流行に惑わされる」

まとわりつ・く[5]【〈纏(わ)り付く】⇩まつわりつく

マトン[1]〔mutton〕食肉用の成長したヒツジの肉。⇩ラム(lamb)

マドンナ[2]〔イ Madonna〕❶聖母マリア(の像)。❷(多くの男性にとって)あこがれの対象となる、魅力的な女性。「…さんは我がクラスの—だ」

まな【《愛】(造語) その人がかわいがって育てているところの人間であることを表わす。「—娘[3]・—弟子[0]」

まな[1]【真名・真《字】〔仮名に対して〕中国から伝来した文字である、漢字。「—仮名(=万葉仮名)・—本[0]」

まな[1]【真《魚】〔雅〕〔食用としての〕魚。

マナー[1]〔manners の日本語形。扱い方の意〕〔礼儀作法にかなっているかどうかという観点から見た〕態度。「舞台の—がいい/運転の—が悪い/グラウンド—[6]・コート—[4]」

テーブル—[5]〔table manners〕⇩テーブル

マナー モード[4]〔和製英語 ←manner + mode〕〔携帯電話で〕他の人に迷惑がかからないよう、着信音が出ない状態にすること。また、その機能。「—にして映画を観る」

まないた[0]【〈俎・〈俎板】〔魚板の意〕包丁で魚や野菜を切る時に、下に敷く厚い板。〔昔は、下駄のように二枚の足を備えていた〕「—にのせる(=取り上げて問題にする)/—の(上の)鯉(=組上の魚の中で、特に、鯉のように往生際の潔いもの)」[かぞえ方]一枚

まなかい[0]【《目交(い)】〔目交・目間の意〕「両眼の視線が交わって出来る空間」の意の古風な表現。

まながつお[3]【真《魚〈鰹】関西の人が好んで照り焼

き、味噌漬(ミソヅケ)にして食べる魚。からだは、まるみを帯びたひし形で、背中は少し青黒く、腹は銀色。〔マナガツオ科〕 かぞえ方 一尾・一匹

まなこ①【眼】〔目の子の意〕「目」の古風な表現。「観念の―を閉じる〔=覚悟して、あきらめる〕/らんらんと輝く―/どんぐり―」

まなご⓪【《愛《児】〔雅〕いとしご。

まなざし⓪【《眼差(し)】〔その人の心情があらわれる〕ものを見るときの目(を向ける方向)。「あたたかい―/―を伏せる」

表記「《目指し・《眼指し」とも書く。

まなじり⓪②【〈眦】〔「目の尻(シリ)」の意〕〔興奮した時などに上がって見える〕めじり。「―を決する〔=目を見開いて△怒った(決心した)顔つきをする〕/―をつり上げる」 表記「〈眥」とも書く。

まなつ⓪【真夏】夏の暑いまっ盛り。↕真冬 **―び**③【―日】一日の最高気温がセ氏三〇度以上の日の称。

まなづる②【《真鶴・真名鶴】秋、大陸から日本に渡って来る、中形の冬鳥。形は丹頂ヅルに似、首・翼が白色を帯びるほかは、全身灰黒色。額・ほおは はだかで赤く、足も赤い。〔ツル科〕 かぞえ方 一羽

まなび⓪【学び】「学問・学習」の意の和語的表現。「―の道/―舎(ヤ)⓪〔=学校〕・初(ウイ)―③」

***まな・ぶ**⓪【学ぶ】(他五)〈(だれ・なに)ニ)なにヲ―/(だれ・なに)カラ)なにヲ―〉〔「まねぶ」の変化という〕教わる通りに、本を読んだり 物事を考えたり 技芸を覚えたり する。「厳しい師匠のもとで芸の道を―/A大学に―〔=A大学の学生となる〕/ひとりでエスペラントを―〔=習う〕/泰西の技法を―」

マニア①〔mania〕 趣味として何かを集めたり 何かをしてみたりすることに熱中している人。「切手―④・鉄道―⑤・コレクト―」

***まにあ・う**③【間に合う】(自五)〈(なに)ニ)―〉〔本当の意味では十分でないが〕(まずその場の)用が足りる。「千円あれば―/汽車に―〔=発車時刻に遅れないですむ〕/準備が間に合わない〔=その時間までに終わらない〕」 運用「間に合って(い)る」などの形で、商品の売込みなどを断わるのに用いられることがある。例、「『我が社の新製品、一度お試しになってみてください』『今は間に合ってるから結構』」

マニアック③〔―な〕〔maniac〕 一つの事に異常なまでに熱中して、狂気じみてさえ見える様子だ。

まにあわせ⓪〔―アハセ〕【間に合(わ)せ】〔本当の意味では十分ではないが〕(まずその場の)用に間に合うようにすること。「―の服/一時の―」 動間に合わせる⑤(自下一)

マニキュア⓪〔manicure〕 手のつめの化粧。⇩ペディキュア

マニフェスト③①〔ド Manifest=宣言・声明文〕 各党派が掲げる公約としての、具体的な数値目標や実施期限などを明示した政策綱領。

まにまに⓪①【〈随意〉・《随に・《任に】(副) 他のものの力や動きに任せて何かが動いていく様子。「波の―漂う」

マニュアル⓪①〔manual〕 ❶手引き。便覧。「学生―」 ❷機械の操作などを手動によって行なう△こと(方式)。特に、自動車の運転で、シフトチェンジをクラッチ操作と連動させて手動で行なう△こと(方式)。「―車④」 ↕オートマチック

マニュスクリプト⑤〔manuscript=手で書かれた物〕 中世ヨーロッパで、羊皮紙などに書かれた手写本。

まにんげん②【真人間】 生活態度や職業などからみて世間でまともだと認められる人間。〔ぐれたとか罪を犯したとかいう前歴のある人間について言う〕「心を入れかえ―になる」

マヌーバー②〔maneuver〕 軍隊・艦隊などの作戦行動。

***まぬか・れる**④【免れる】(他下一)〈なにヲ―/なにカラ―〉 好ましくない物事に出あわないですむ(ようにする)。「まぬがれる」とも。「△死(責任)を―/軽率のそしりを免れない〔=受けないわけにはいかない〕」

マヌカン⓪〔フ mannequin〕 ⇩マネキン❷

まぬけ⓪【間抜(け)】〔―な〕 肝腎(カンジン)なところで手落ちがあって、することがうまくいかない△様子(人)。〔侮蔑(ブベツ)を含意する〕「―な事ばかりする/この―め」 派―さ⓪

***まね**⓪【真《似】〔「学ぶ」と同源の文語動詞「まねぶ」の語幹〕 ❶〔―する(他サ)〈(なに・だれ)ヲ―する〉〕 まねること。「先行書の―はよせ/鵜(ウ)の―をする烏(カラス)〔=⇩鵜〕/がんばりやの先輩の―はできない/物―・口―・猿―・人―・小―」 ❷〔軽蔑(ケイベツ)・後悔に値する〕本気でやっているとは思いたくない行為。〔口頭語的表現〕「少しでも軽はずみな―をしたら、すてがおじゃんになってしまう/そりゃ何の―だ/ばかな―はよせ/ふざけた―をしやがる/あんな―をしなければ良かった」

マネー〔造語〕〔money〕 お金。「―ゲーム・オイル―・ノー―・ポケット―」

マネー ゲーム④〔和製英語 ←money+game〕〔多数の投資家が〕最大限の利益を求めて、投機的に資金を運用すること。

マネージメント②⓪〔management〕 経営。管理。マネジメント②⓪とも。「トップ―・ミドル―⑤〔=部局長級の中間経営管理者〕」

マネージャー⓪②〔manager〕 ❶〔ホテル・食堂などの〕支配人。 ❷〔スポーツのチームの〕雑務を担当する人。 ❸〔芸能人に付き添って〕外部との交渉などについて世話をする人。マネージャ②⓪①・マネジャー①⓪とも。

マネービル④〔和製英語 ←money+building〕 株式や債券などによる利殖。金づくり。

マネー ロンダリング④〔money laundering〕 資金洗浄。不正取引などで得た、汚れた資金の出所を、金融機関との取引や口座間の移動などによって、分からなくすること。

まねき【招(き)】 ❶③ ❶招くこと。「おーくださりありがとう/手―」 ❷見物人を招き寄せるための看板や飾り物。❸(造語) 動詞「招く」の連用形。 **―ねこ**④【―猫】 片方の前足を立ててすわり、もう片方の前足で人を招く姿のネコの置物。縁起物として客商売の家で飾る。

マネキン⓪〔mannequin〕 ❶流行の衣服を陳列する時に使う等身大の人形。マネキン人形。 ❷〔←mannequin girl〕 百貨店などに雇われて、(きれいな衣服をつけて)物品を宣伝・販売する女性。マヌカンとも。 かぞえ方 ❶は一体(イッタイ)

***まね・く**②【招く】(他五) ❶〈(どこ)ニ)だれヲ―〉 手(首)などを振って人を呼び寄せる。 ❷Ⓐ〈(どこ・なに)ニ)だれヲ―〉 お客として来てもらう。「食事に―」 Ⓑ有用な人材だと見込んで来てもらう。「出版担当役員として招かれた」 ❸〈なにヲ―〉 予期しない不結果をひきおこす。「△危機(誤解・惨事・破綻(ハタン)・ピンチ・不安)を―」〔⇩招き❸〕

まねごと⓪【真《似事】 ❶何かのまねをすること。「どれも先行辞書の―に終わっている」 ❷体裁を整えただけで、本格的に行なったものには遠く及ばない事。〔多く、自分の行為を謙遜(ケンソン)して言う〕「仲間と芝居(シバイ)の―をやっています/結婚式の―だけでもしよう」

ま・ねる⓪【真《似る】(他下一)〔「まね」を動詞化したもの〕〔練習や観察をして〕ほかの者がするのと同じ事をできる限りその通りにやってみせる。「△マチスの画風(犬の鳴き声)を―/担任の先生の癖をまねて友達を笑わせる」

まのあたり⓪③【目の当(た)り】〔強い印象を受けるような)事態に直面し、自分の目でしっかりととらえること。「あこ

【】の中の教科書体は学習用の漢字，〈 は常用漢字外の漢字，《 は常用漢字の音訓以外のよみ。

がれのオーロラを―に見て感動した/地獄のような世界を―にする」 表記「《面の当たり・《眼の当たり：《親り」とも書く。

まのび⓪【間延(び)】―する(自サ) ❶間が長くな(ってだらけ)ること。「―した話」 ❷どことなくしまりの無いこと。「―した顔」

まばしら②【間柱】 大きな柱の間にある小さな柱。

まばたき②【《瞬(き)】―する(自サ) まばたくこと。「―ひとつしないで見入っていた」

まばた・く③【《瞬く】(自五) まぶたを瞬間的に閉じたりあけたりする。またたく。

まばゆ・い③【目《映い・〈眩い】(形) 「まぶしい」意のやや改まった表現。「―イルミネーション/―ばかりの王冠」 派 **―さ**③② **―げ**⓪④③ **―が・る**④

まばら⓪【《疎(ら)】―な ―に 〔「間 疎(アラ)」の 変化という〕 ❶△物(人)があちこちに少しずつ△ある(いる)だけで、すきまや間隔が目立つ様子だ。「このあたりは人家が―で夜は寂しい/人影が―だ/―な拍手」 ❷小口取引を専門にする△人(会社)。「―筋(ジス)③」↕大手 派 **―さ**⓪③

***まひ**①【麻〈痺・〈痲痺〉】―する(自サ) 〈(なにデ)―する/(なにニ)―する〉〔「痲」は、感覚を失う、しびれる意〕 ❶〔神経や筋肉などの〕正常な働きが止まること。「感覚が―する/心臓―」 ❷機能が停止すること。「良心が―する/交通の―状態/金銭に―する」 表記「麻」は、代用字。

まひ①【真日】〔短歌などで〕太陽。

まびき【間引(き)】 ■一⓪―する(他サ) まびくこと。「―をする」 ■二(造語) 動詞「間引く」の連用形。「―菜(ナ)③⓪・―運転④」

まび・く②【間引く】(他五) ❶〔密生した作物を〕間をおいて抜き取る。うろぬく。〔元来の予定から言えばそこにあるはずのものを省略する意にも用いられる〕「大根を―」 ❷〔江戸時代、貧困家庭で〕養育困難のため、生まれたばかりの赤ん坊を殺したこと。〔⇩間引き■二〕

まびさし②【目〈庇】 かぶと・帽子などの ひさし。

まひる⓪【真昼】 昼間の、特に太陽が高い位置にある時間帯。「真昼間②」とも。

マフ①〔muff〕 毛皮で作った、円筒状の一種の手袋。両側から手をさしこみ寒さを防ぐ。手套(シュトウ)。 かぞえ方 一枚

まぶ①【間夫】 遊女などの情夫。〔通語〕

マフィア①〔Mafia〕 米国その他に勢力を持つ秘密犯罪組織。麻薬取引や賭博(トバク)などで資金を稼ぐ。

まぶか⓪①【目深】―な ―に 〔帽子などを〕目が隠れるほど深くかぶる様子だ。

まぶし③⓪【〈蔟】 カイコを入れて繭を作らせる道具。わらなどを用いて作る。

まぶし・い③【〈眩しい】(形) ❶そのものの△発する(反射する)光が強過ぎて、見続けていられない様子だ。「朝陽(ヒ)が眩しく射(サ)しはじめた/雲一つなく晴れわたった空の青さが―/菜の花が―ほど咲きほこっている」 ❷そのものが△華やか(立派)過ぎたりこちらに気恥ずかしさがあったりして、まともに向き合うことが出来ない様子だ。「その学界で―存在として尊敬されている碩学(セキガク)/―ほどに美しい女性」 派 **―さ**②③ **―げ**③⓪ **―が・る**④

まぶ・す②【《塗す】(他五) その物の表面に満遍なく行きわたるように、ころがしたり ひっくり返したり して粉などをよくつける。「ごまに―/あんこを―」

まぶた①【〈瞼・目蓋】〔「目の蓋」の意〕目の上をおおう皮膚。「―が重くなる(=眠くなって、目をあけていられなくなる)/―の母(=今は切ない思い出の中に生きている、母のおもかげ)/―に描く(=ただ想像するだけの)離島の生活」

まふたつ②③【真二つ】 少しの狂いもなく半分に分かれること。〔口頭語形は「まっぷたつ」〕「―に切る」

まぶち①【目縁】 目のふち。

まふゆ⓪【真冬】 冬の寒さの最も厳しい時分。↕真夏 **―び**③【―日】 一日の最高気温がセ氏零度に達しない日の称。⇩冬日

マフラー①〔muffler〕 ❶えりまき。 ❷(自動車などの)エンジンの排気を通して、排気の圧力・温度・音を低くする装置。マフラ①とも。 かぞえ方 ❶は一枚

マペット①②〔muppet ←マリオネットと指人形の意のパペット(puppet)との混交〕 中に手や腕を入れて操る人形。

まほ①【真帆】〔雅〕張った帆一杯に風を受けること。また、その状態。⇩片帆

まほう⓪(ハフ)【魔法】〔伝説の中で〕老婆などが使うと言われる魔術。「彼は―を使うように次から次へと物を取り出した/―使い④」 **―びん**②【―瓶】 まわりに真空の層を設けて中の温度を保たせる瓶。ポット。 かぞえ方 一本

まほうじん②(オ―ヂン)【魔方陣】 ⇩方陣❷ 表記「方」を「法」と書くのは誤り。

マホガニー②〔mahogany〕 熱帯産の常緑高木。木材は堅くて木目が美しく、家具の材料に使う。〔センダン科〕「―材④」 かぞえ方 一株・一本

まほし(助動・形シク型)〔文語の助動詞〕(出来るなら)そうありたいと希望する気持を表わす。「かぐや姫を見まほしうて物も食はず思ひつつ」 文法 動詞、動詞型活用の助動詞の未然形に接続する。

マホメット きょう⓪(オ―ケウ)【マホメット教】〔Mahomet, Mohammed=開祖の名〕 ⇩イスラム教

まぼろし⓪【幻】 それを見たり 聞いたり した人があったと言われているのに、現実には存在が確認されていないもの。「―を追う/―の名著/―の(=ついに公認されることなく終わった)世界記録/―の世(=幻のように、はかない人世)」

まほろば⓪〔雅〕美しい自然に恵まれたすばらしい所。まほらま⓪。まほら⓪。「大和(ヤマト)は国の―」

まま【《継】(造語) 親族関係としては親子・同胞であるのに、血のつながりの無いことを表わす。「―子・―母」

ママ①〔ma(m)ma〕 ❶「おかあさん」の幼児語(に基づく愛称)。「―さんチーム・教育―」↕パパ ❷酒場などの女主人。

まま①【《飯】「御飯」の意の古風な表現。「待ってろよ。すぐ―食わせてやるからな/―炊(ダ)き②④⓪・―事(ゴト)」⇩まんま■二

まま■一②【〈儘】〔「―にならない」などの場合のアクセントは⓪〕 ❶その人の△思う(する)所が絶対なものとして許されること。「意の―(=思い通り)になるなら何も言うことは無い/―にならない(=不自由な)下宿住まい/△なすが(思う)―」 ❷△直前(当面)の状態になんら修正を加えないことを表わす。「思い出す―につづる/その―でお上がりください/言われた―にする/現状の―/手つかずの―」 ■二(接続助詞的に)…によって。〔手紙文に使う〕「回復いたし候(ソウロウ)―、ご休心くだされたく」 表記 ■一❶は、「《任」とも書く。

まま①⓪【間々】(副) しょっちゅう経験するというほどではないが、少なからず認められる様子。「―あることだ」

ままおや⓪【《継親】 血のつながりの無い親。ままちち。ままはは。

ままかり⓪【《飯借(り)】〔瀬戸内地方で〕魚のサッパ(の酢漬け)の称。

ままきょうだい③(―キヤウ―)【《継兄弟】 腹違いの兄弟。

ままこ⓪【《継子】 ❶〔実子に対して〕血のつながりの無い

子。〔事ごとに不当に扱われる、意にも用いられる。例、「—扱い④」〕❷〔「継子結び」の略。端を引いてもすぐには解けない意〕〔東北地方の方言で〕こま結び。

ままこ⓪【《継粉》】〔「継子❶」と同源〕粉を液体で溶いてこねる時、均等に交ざらないために出来る部分的なかたまり。「一度にたくさん水を注ぐと、—が出来やすい」

ままごと②③⓪【《飯事》】子供が遊びとして、ミニチュアを使って家庭や食事のまねをすること。「—遊び⑤」

ままし・い③【《継しい》】(形)「なさぬ仲」また「腹違い」の意の古い表現。

ままちち⓪【《継父》】再縁した実母の夫。けいふ。

ままならぬ④【〈儘ならぬ〉】自分の思う通りにならない。「とかくこの世は—/—は浮き世」

ままはは⓪【《継母》】再縁した実父の妻。けいぼ。

ままよ①②【〈儘よ〉】(感)どんな悪い結果になってもいいという主体の気持を表わす。「えい、—」

ママレード③〔marmalade〕⇩マーマレード

まみ①【〈猯〉】❶タヌキの異称。❷アナグマの異称。

まみ①【目見】〔雅〕目もと。目つき。

まみ①【魔魅】人を迷わし、悪に引き入れる魔物。

まみえ①【《眉》】まゆ。まゆげ。

まみ・える③【《見える》】(自下一)〔「ま」は目の意〕立場の上の人にお目にかかる。「戦場にて再び相—〔=顔を合わせる〕/忠臣は二君にまみえず〔=仕えない〕」

まみず⓪ミヅ【真水】〔海水・塩水と違って〕塩分などの交じらない、普通の水。

まみ・れる③【《塗れる》】(自下一)〔血・汗・泥・ほこりなど〕汚ない物が一面に△付く(付いて、よごれて見える)。「ほこりにまみれた古本/一敗地に—〔=⇩一敗❷〕」名まみれ「泥—③・汗—③」

まむかい②ムカヒ【真向(かい)】固定した位置に互いにまっ正面に向かいあっていること。また、その物。

まむし⓪〔京阪方言〕〔塗る意の動詞「まぶす」の連用形の変化という〕うなぎどんぶり。表記 多く「真蒸し」と書く。

まむし⓪【〈蝮〉】〔真虫の意〕湿地にすむ毒ヘビ。からだは短小で、頭は三角形。円形・黒色の斑紋ハンモンがある。卵胎生。くちばみ⓪。〔クサリヘビ科〕かぞえ方 一匹

まむすび②【真結(び)】こまむすび。

まめ⓪—な—に ❶【〈忠実〉】きちょうめんで、努力を惜しまない様子だ。まめやか。「—に働く/筆—な人」❷【〈達者〉】健康な様子だ。「—で暮らせよ」派—さ⓪

**まめ【豆】[一]②❶Ⓐマメ科の植物の種の総称。食用として栽培するものが多い。Ⓑダイズの通称。「節分の夜に—をまく/枝—」Ⓒソラマメ・インゲンマメ・エンドウマメなどの略。Ⓓ形が豆状のもの。「コーヒーの—」❷こすれて手足に出来る、豆のような水ぶくれ。❸「ひなさき」の異称。[二]〔接頭語的に〕小さい。小形の。「—電球③・—自動車④」表記 [二]❷の「〈肉刺〉」は、近代の用字。

まめあぶら③【豆油】ダイズからしぼった油。

まめいた⓪【豆板】❶〔←豆板銀④〕江戸時代の、豆状の銀貨。豆銀。❷いり豆を砂糖で板状に固めた菓子。かぞえ方 ❶❷とも一枚

まめかす⓪③【豆〈粕〉】ダイズから油をしぼったあとの粕。

まめがら⓪【豆《幹》】豆の実を取り去ったあとの茎・枝・さやなど。

まめぎん⓪【豆銀】⇩豆板❶

まめしぼり③【豆絞(り)】豆粒ぐらいの丸い形を一面に染め出した布。

まめぞう⓪ザウ【豆蔵】❶江戸時代、こっけいな身ぶりと早口で人を笑わせて銭ゼニを得た大道芸人。❷おしゃべりな人。〔侮蔑ブベツを含意して用いられた〕

まめたん⓪【豆炭】煉炭レンタンの一種。無煙炭の粉に木炭の粉を交ぜ、卵形や豆形に固めて干した燃料。

まめつ⓪【磨滅・摩滅】—する(自サ)❶表面がすれて、厚さが△薄く(無く)なること。「自転車のタイヤが—した/才能の—〔=活躍場所が与えられなかったりなどしたために、あたら優秀な才能が発揮されないまま人生の終局に近づくこと〕」❷表面がすれて、そこに書いてある文字や絵などが見えなくなること。「碑文が—する」

まめつぶ③【豆粒】豆の一つひとつの粒。〔極めて小さい物のたとえにも用いられる〕

まめでっぽう③パウ【豆鉄砲】たまの代りに豆を使ってうつ、おもちゃの鉄砲。「鳩ハトが—を食ったよう〔=意外な出来事に驚いてきょとんとしている様子〕」

まめのこ⓪④【豆の粉】⇩きなこ

まめほん⓪【豆本】❶〔携帯に便利なように作った〕小型の本。❷〔愛好家だけに頒布ハンプする〕装丁に善美を凝らした、超小型の本。かぞえ方 ❶❷とも一点・一部・一冊・一本・一巻イッカン

まめまき②③【豆〈蒔(き)〉】❶豆の種を畑に蒔くこと。❷鬼やらいの遺制としての、豆を蒔く行事。ついな。表記 ❷は、「豆〈撒き〉」とも書く。

まめまめし・い⑤【〈忠実〉〈忠実〉しい】(形)労を惜しまず働く様子だ。派—さ⑤④ —げ⓪⑤

まめめいげつ③【豆名月】陰暦九月十三夜の月。枝豆を供えて祭る。くり名月。⇩いも名月

まめやか②【〈忠実〉やか】—な—に ⇩まめ(忠実)❶ 派—さ③④

まもう⓪オ【磨耗・摩耗】—する(自サ)すれ合って、厚さが薄くなること。すり減ること。「—を防ぐ」

***まもなく**②【間も無く】(副)その時点からあまり時を置かないで、何かが実現する様子。「転勤して—、妻が病気になった/列車は—運転が再開されるだろう」

まもの⓪【魔物】魔性のもの。悪魔。「女は—〔=対処の仕方を一歩誤ると、相手の男を破滅させるものだ〕」

まもり【守(り)】[一]③❶守ること。防備。「—を△厳重にする(固める)/—〔=守備〕が△堅い(手薄になる・弱い)/—の姿勢」❷おまもり。【—に入る】Ⓐ〔競技・試合で〕点数をリードしたチームが、攻撃を控えて守備に力を注ぐ。「点差が開いた途端、一転して—」Ⓑ挑戦や出世をあきらめ、堅実な生き方を志向する。「人生の下り坂をむかえ、守りに入ったせいか急に大人しくなった」[二]〔造語〕動詞「守る」の連用形。—がたな④【—刀】身を守るための短刀。かぞえ方 一口ヒトフリ・一口イッコウ・一本 —がみ③【—神】災難から守ってくれる神。—ほんぞん④【—本尊】身を守ってくれるものとして信仰する仏像。

****まも・る**②【守る・《護る》】(他五)〔古語「目マ守モる〔=目をその物から離さず見る〕」に基づく〕❶〈(なにカラ)なにヲ—〉他から侵されないように、防ぐ。「国を—/自然を—/△身(一敗・健康)を—/身をもって—」↔攻める ❷〈なにヲ—〉△他との間に(社会的に)決められた状態を、破らずに持ち続ける。「△約束(沈黙・法・秩序)を—/親の言いつけを—/節操を—〔=変えないで通す〕」〔⇩守り[二]〕

まやかし⓪ それらしく△見せかけること(見せかけて、作った物)。ごまかし。「—物モノ⓪」動まやかす③(他五)

まやく⓪【麻薬・〈痲薬〉】〔「痲」は、感覚を失う意〕知覚を失わせる薬。例、モルヒネ・コカイン。〔広義では、ヒロポンなどの覚醒カクセイ剤も含む〕表記「麻」は、代用字。

まゆ①【眉】❶〔感情がそこに現われるものとして見た〕眉毛。「—を△描く(そる)/—に火がつく〔=そのままにしておくと

一大事になる形容〕／―をひそめる〔=心配事があったりデリカシーを欠く相手の言動を見聞きしたり して、心中不快の念を抑えかねる〕／―に唾を付ける〔=だまされないように用心する。⇩まゆつば〕／―を開く〔=心配事が解決して、ほっと安心する〕／―一つ動かさない〔=大事に臨んで、恐れたり心配したり する様子を示さない〕／げじげじ―・三日月―」

まゆ①【繭】 カイコ・イモムシ・ケムシなどが、さなぎになる時に作ってこもる殻状のもの。口から繊維を出して作り、多くは楕円形。〔狭義では、カイコの繭を指す〕

❷まゆずみ。「―を引く」

まゆげ①【眉毛】 目の上に横に連なり生える毛。

まゆじり⓪②【眉尻】 眉毛のうち、顔の中央から遠い端。↕眉根

まゆずみ②【〈黛・眉墨】〔「眉墨」の意〕眉をかくための墨。アイブロー④。

まゆだま⓪【繭玉】❶農村で小正月に飾る飾り物。木の枝に繭の大きさの餅・団子などをつける。❷柳の枝に繭形の菓子や縁起のいい物をつるした(新年の)飾り。

まゆつば⓪【眉唾】〔眉に唾を付けて見れば、キツネやタヌキのいたずらにだまされない、という俗信から〕△正しい(本物)かどうか疑わしいこと。「半値以下で買えるなんて話は―だ」

―もの⓪【―物】 △正しい(本物)かどうか疑わしい物。

まゆね⓪①③【眉根】 眉毛のうち、顔の中央に近い端。「―を寄せる〔=眉をひそめる〕」↕眉尻

まゆみ⓪①【〈檀】〔「ま」は真、弓を作るのに有用な木の意〕山野に自生する落葉低木。時に高木ともなる。紅葉が美しい。材は細工物用。〔ニシキギ科〕 かぞえ方 一株・一本

まよい③②【迷(い)】❶迷うこと。「一時の気の―で言ってしまった／まだ―やためらいがある」❷悟りが開けない状態。❸〔仏教で〕成仏の妨げになる、死者の妄執。

―ばし②③【―箸】 食事の際、どれを食べようかと、あれこれのおかずに箸を向けること。行儀が悪いとされる。

****まよ・う**②【迷う】(自五) ❶〈なにニ―〉決断がつかないで、ぐずぐずする。「△選択(判断)に―」❷〈なにニ―〉行くべき方向が分からないでいる。「道に―」❸〈なにニ―〉(心を奪われ)まちがった方向に進む。「女に―」❹〈(どこ)ニ)―〉死者の霊が成仏出来ないでいる。

まよけ⓪【魔《除(け)】 悪魔を近づけないための物。

まよこ⓪③【真横】 正面に対して、九十度左右に向いた方向。

まよなか②【真夜中】 夜の一番ふけた時。

マヨネーズ③〔フ mayonnaise ←Mahón=ミノルカ島の町名〕 卵の黄身・サラダ油・酢・塩などを混ぜ合わせて作ったサラダ用のソース。 かぞえ方 一本・一点

まよわ・す③【迷わす】(他五) 〔「迷う」の使役動詞形〕迷うようにする。まどわす。迷わせる④(下一)。

まら②①【魔羅】〔「障害(碍)」の意の梵語の音訳〕(男女いずれにとっても、煩悩を起こす元になる)陰茎。

表記 「摩羅」とも書く。

マラカス⓪①〔ポ maracas〕 中南米特有の打楽器。マラカ①というヤシの実で作る。両手に一つずつ持ってリズムを取る。

マラソン⓪〔←marathon race, marathon=もと、ギリシャの地名〕 四二・一九五キロメートルを走る競走。〔俗に、長い時間や年月をかけて継続してやることが必要なものの意にも用いられる〕「ハーフ―④・フル―③・初―③」

マラリア⓪〔ド Malaria〕 ハマダラカによって媒介される感染症。周期的な発熱発作が特徴。

まり②【〈毬】 遊びに使う、球形のたま。〔ゴム・革・布などで作る〕 表記 昔の蹴ヶ毬や手毬は、「〈鞠」とも書いた。

マリア①〔ラ Maria〕 キリストの母の名。「聖母―」

マリーナ②〔marina〕 ヨット・モーターボートなどの小型船舶が停泊する港。

マリオネット④〔フ marionnette〕 糸でつりさげて操る、人形劇の人形。 かぞえ方 一体

まりしてん③【摩利支天】〔「摩利支」は威光・陽炎の意の梵語の音訳〕仏教の守護神。これを念ずれば危難から身を隠すというので、武士の守り本尊とされた神。

マリッジ(造語)〔marriage〕 結婚。 **―ブルー**⑥〔和製英語 ←marriage + blue〕 結婚直前、(はっきりした理由がないのに)情緒不安定になる状態。ウエディング ブルー⑦。エンゲージブルー⑦。

マリネ①〔フ mariné〕 魚や肉・野菜を、△生のまま(揚げてから)香味料を加えて酢と油に漬け込んだ料理。

マリファナ⓪〔marihuana〕 大麻の穂・花から得られる麻薬。タバコに交ぜて吸う。大麻。

まりも⓪【〈毬藻】 緑藻類の一種。緑色で球形の藻。北海道の阿寒湖のものは特別天然記念物。〔シオグサ科〕

まりょく①【魔力】 普通の人の出来ない術で不思議を現出したり 防ぐことの出来ない術で人の心を引き寄せ迷わせたりする超能力。

マリン(造語)〔marine〕❶海の。海洋の。「―スポーツ・―ブルー・―スノー」❷海軍の。「―ルック」

マリンバ②〔marimba〕 金属製の共鳴管をつりさげた、木琴のような形の楽器。

***まる**【丸】■⓪❶円形または球形であること。また、その形。「―に十の字／正答に―をつけよ／―顔・―天井・花―・二重―」❷元の形のまま全部。「―のまま煮る／―ごと食べる／―干し」❸円形をしているものの称。Ⓐお金の婉曲表現。〔会話的場面では、親指と人さし指で輪を作って示す〕〔電報の文で〕―オクレ」Ⓑ円形の記号。「文の終りには―〔=句点〕を打つ／スタジオ一―〔=ゼロ〕二」❹城郭の内部。「本―・二の―」■(接頭)❶完全なさま。まるまる。「―かじり⓪・―漬⓪・―もうけ・―損」❷ある数に満ちること。「―三年」■(接尾)子供・刀・犬・船などの名につける語。「牛若―・蜘蛛切―・浅間―」

表記 ■は、「〇」とも書く。

まるあらい③【丸洗(い)】―する(他サ) 和服などを解かずに、そのまま洗うこと。↕解き洗い

まるあんき③【丸暗記】―する(他サ) 当座の用が間に合うように、内容を取捨選択せず、必要な範囲を全部覚えてしまうこと。「一晩で五十ページ―する」

****まる・い**⓪【丸い・円い】(形)❶△円(球)の形をしている様子だ。「―月／地球は―／背中が―〔=弓なりに曲がっている〕」❷角が取れた感じだ。「―〔=穏やかな〕感じの人柄／争いを丸く〔=衝突を避けるように、うまく〕収める」 派 ―さ⓪ ―み⓪

まるうち⓪【丸打(ち)】 ひもなどを丸く△打つこと(打ったもの)。↕平打ち

まるうつし⓪③【丸写(し)】―する(他サ) 他人の書いた文章を、修正・批判なしに書き△写すこと(写したもの)。

まるえり⓪【丸襟】❶丸みのある襟。❷丸幅で仕立てた羽織の襟。

まるおび⓪【丸帯】 一枚の帯地の幅を二つ折りにして作った、幅の広い礼装用の女帯。⇩昼夜帯 かぞえ方 一枚・一本

まるがお⓪【丸顔】 丸い形の顔。⇩面長

まるがかえ③⓪【丸抱(え)】 置き屋が芸者の生活費を全部負担してやること。〔その人の△生活費(資金)を全部出してやる意にも用いられる〕↕自前

まるがり[0]【丸刈(り)】 男が頭髪を伸ばさずに、短く刈り込むこと。また、その頭。

まるき[0]【丸木】 伐(キ)り出して枝を落としただけで、加工していない木。 **―ばし**[3][0]【―橋】 一本の丸木を渡しただけの橋。 **―ぶね**[4]【―舟】 一本の木の幹をくりぬいて作った舟。 [かぞえ方] 一艘(イッソウ)

マルキシスト[4]〔Marxist〕 マルクス主義者。マルクシスト[4]。〔マルキスト[3]とも言う〕

マルキシズム[4]〔Marxism〕 マルクス主義。マルクシズム[4]。

まるきり[0]【丸きり】(副) ❶否定的な状態が全面的に認められる様子。「おれには、そんな才能は―ない/売上げは―だ」 ❷どの観点から見てもそのとおりでしかないととらえられる様子。「それじゃ―△鳶(トンビ)に油揚げ(子供の使い)だ/あいつの話は―のでたらめだ」〔強調形は、「まるっきり」〕

マルク[1]〔ド Mark〕 ドイツの旧通貨単位〔記号M〕。

まるぐけ[0]【丸〈絎】 ❶ひもなどを丸くくけること。 ❷〔←丸絎帯[5]〕 丸くくけて綿を入れた帯。 [かぞえ方] ❷は一本

マルクスしゅぎ[5]【マルクス主義】 マルクス(Marx)およびエンゲルス(Engels)が唱えた科学的社会主義。資本主義社会の矛盾を衝(ツ)き、社会主義社会へ移行する必然性からプロレタリアートによる革命を説く。「―者」

まるくび[0]【丸首】 シャツなどの首筋から胸にかけての部分が丸くくりぬいてある△こと(もの)。「―シャツ[5]」

マルゲリータ[4]〔イ margherita〕 トマト・モッツァレラ・バジリコの葉をのせたピザ。ピッツァマルゲリータ[1]-[4]。 [かぞえ方] 一枚

まるごし[0]【丸腰】 ❶武士が腰に刀を帯びていないこと。 ❷身を守るべき武器を何も持たないこと。

まるごと[0]【丸ごと】(副) 切り分けたり 一部を取り除いたりすることなく、元の形のままで取り扱う様子。「ブタを―焼いて食べる/リンゴを―かじる/仕事を―委託する」

まるざい[0]【丸材】 木の皮をはいだだけの、丸い木材。

マルサスしゅぎ[5]【マルサス主義】〔Malthus=人名〕 出産を制限し農作を奨励して、人口と食糧との調和をはかることを唱えた主義。⇩新マルサス主義

まるシー[3]【Ⓒ】〔cは、copyright の頭文字〕出版物などの著作権を保護するためのシンボル マーク。

マルセル せっけん[5]【マルセル石〈鹼】〔地名 Marseille の文字読み〕 オリーブ油を原料とした、純良な石鹼。生糸の精練や人絹・毛糸の洗濯用。

まるぞめ[0]【丸染(め)】―する(他サ) 衣服などを、ほどかないで△染めること(染めたもの)。

まるぞん[0]【丸損】―する(自サ) 利益が少しも無く、損をするだけであったこと。↕丸儲(モウ)け

まるた[0]【丸太】〔「た」は接辞〕皮をはいだだけの材木。〔口頭語形は、「丸太ん棒[0]」〕「―を組む/―小屋(ゴヤ)[0]」

まるたけ[0]【丸竹】 伐(キ)り出したままで、割ったり削ったりしていない竹。 [かぞえ方] 一本

まるだし[0]【丸出(し)】 隠すことなく、全部をさらけ出すこと。「お国なまり―で」

マルチしょうほう[4]【マルチ商法】〔multi=多い〕 連鎖販売取引[9][8]。加入者が他の者を次つぎに加入させて、販売組織を広げていく販売法。ねずみ講に類似するため、特定商取引に関する法律によって規制されている。

マルチタレント[4]〔和製英語 ←multi + talent〕 さまざまな分野にわたる芸がこなせるタレント。

マルチメディア[4]〔multimedia〕 伝達効果をあげるために、デジタル化された文字データ・画像・音など、複数の手段を併用すること。〔おもに、通信・芸術・教育・娯楽などの分野について言う〕

マルチョイ[0]〔←multiple-choice test〕〔筆記試験の問題で〕あらかじめ答えの候補が幾つか出ていて、そのうち、正しいと思うものに丸印などをつけさせる方法。

まるっきり[0]【丸っきり】(副) 「丸きり」の強調表現。

まるっこ・い[4]【丸っこい】(形) 「いかにも丸いと感じられる状態だ」の意の口頭語的表現。 [派]―さ[4]

まるつぶれ[0]【丸潰(れ)】〔家屋などが土台から倒れる意〕 ❶その人の存在・行為を支えていた面目や名分がすっかり失われること。「面目―」 ❷△予定していた(何かに当てること が出来る)時間が、何かによって全く無くなること。「子供の入院騒ぎでその日一日―だった」

まるで[0]【丸で】(副) すべての観点から見てそう言ってさしつかえないと思われる様子。「―夢のようだ/―子供だ/―分かっていない/昔とは―違う」

マルティーニ[3]〔イ martini〕 ジンまたはウオッカとベルモットで作るカクテル。マーティニ[3]・マティーニ[2]とも。

まるてんじょう[3]【円天井・丸天井】 半球形の天井。ドーム。〔大空・青空の意にも用いられる〕

まるどり[0]【丸取(り)】―する(他サ) 全部取ってしまうこと。

まるなげ[0]【丸投(げ)】―する(他サ)〔丸ごと投げる意〕建設会社などが、請け負った仕事をそっくり下請けの業者に任せ、マージンを稼ぐこと。〔広義では、上の者が為(ナ)すべき任務を部下にすべて押しつけることをも指す〕

まるね[0]【丸寝】―する(自サ) 着ていた着物を寝間着などに着がえないままで寝ること。

まるのみ[0]【丸飲(み)・丸〈呑(み)】―する(他サ) ❶かまないで呑みこむこと。 ❷よく理解しないで、そっくりそのまま、とり入れたり 覚えたり すること。うのみ。

まるばしら[3]【円柱】 「えんちゅう(円柱)❶」の口頭語形。

まるはだか[3]【丸裸】 からだを保護すべき衣類などを何も着けていないこと。〔身一つで、何も持ち物が無い意にも用いられる。例、「火事で―になる」〕

まるばつしき[0]【○×式・丸ばつ式】〔筆記試験の問題などで〕列挙された事例について、正しいと思うものに「○」、誤りだと思うものに「×」の印をそれぞれ付けさせるもの。「―テスト」

まるはば[0]【丸幅】 織ったままの布の幅。

まるばり[0]【丸針】〔平針などと違って〕普通の縫い物に使う針。 [かぞえ方] 一本

まるひ[0]【㊙】〔「○秘」の意で、秘密文書に押す㊙の印を指す〕外部に対して秘密にすべき事。「この話は―だ/―事項[4]」

まるひも[0]【丸〈紐】〔平紐などに対して〕断面が丸い、最も普通の紐。 [かぞえ方] 一本

まるぼうず[3]【丸坊主】 髪を残らず△そった(短く刈った)頭。〔山などの木が一本も無い状態をも指す〕「―になる/―の野球部員」

まるぼし[0]【丸干(し)】―する(他サ) 魚や大根などを切らないで、そのままの形で△干すこと(干したもの)。

まるぽちゃ[0]【丸ぽちゃ】―な 「(女性の)顔が丸くて、ふっくらした様子だ」の意の口頭語的表現。

まるほん[0]【丸本】 ❶全部そろった書物。完本。↕端本(ハホン)・欠本 ❷一部〔=全段〕そろった浄瑠璃(ジョウルリ)の台本。「まるぼん」とも。

まるぼん[0]【丸盆】 丸い形の盆。↕角盆 [かぞえ方] 一枚

まるまげ[0]【丸〈髷】 日本髪で、頂(イタダキ)に楕(ダ)円形で平たい髷を作ったもの。昔、主として人妻が結った。

まるまっち・い[5]【丸まっちい】(形)〔「丸々しい[5]」の変

化〕〔関東・中部方言〕小柄で、丸い。

まるまど⓪【丸窓・円窓】円形の窓。

まるまる【丸々】（副）❶⓪欠ける部分が全く無く、全部が対象となる様子。「―損をした/―三日間もつぶされた」❷③―と よく太っていて、見た目にいかにも丸い感じがする様子。「―肥えた赤ん坊/―としたからだつき」

まるみ⓪【丸み・円み】丸い△様子（程度）。「―を帯びる」

まるみえ⓪【丸見え】〔よそからは見えないようにしておくべき物が〕すっかり見えてしまうこと。

まるむぎ⓪③【丸麦】押しつぶしたりせず、丸いままの麦。

まるめこ・む④【丸め込む】（他五）❶丸めて中に入れる。❷いろいろとうまい事を言って、人を自分の思う通りにする。まるめる。

まる・める⓪【丸める】（他下一）❶丸くする。「背中を―」❷⇩まるめこむ❷ ❸髪の毛をそ（って出家す）る。「頭を―」❹端数を切り上げ・切り捨て・四捨五入して、切りのいい数値にする。自動 丸まる⓪（五）

マルメロ⓪【{《榲桲》}】〔ポ marmelo〕中央アジア原産の落葉小高木。黄熟する果実は、△セイヨウナシ（リンゴ）形で、かおりがいい。主として、砂糖漬やジャム用。〔バラ科〕 かぞえ方 一株・一本

まるもうけ③⓪【丸〈儲け〉】―する（自サ）元手がかからず、収入の全部が儲けになること。「―の詐欺商法」↕丸損

まるやき⓪【丸焼き】切らずに、元の形のままで焼くこと。「△ブタ（七面鳥）の―」

まるやけ⓪【丸焼け】〔建造物などが〕火事ですっかり焼けること。全焼。

まれ（副助）〔雅〕〔「もあれ」の圧縮形〕それも考慮の対象に入るということを表わす。「これへ―〔=たとえば、ここへでも〕御幸をなしまゐらせん/と―かく―〔=どういう事情があろうとも、ともかく〕まづ請じ入れ奉らん」

まれ⓪【《希・〈稀》】―な ―に めったに無くて、珍しい様子だ。

まろ【麻呂・〈麿〉】■一①（代）〔雅〕平安時代に男女ともに使われた自称。われ。■二（接尾）固有の名称のあとにつけて男性であることを表わす。「柿本人―・坂上田村―」

まろうど②〔雅〕〔「まらびと⓪（まれなひとの意）」の変化〕客。「まれびと⓪」とも。表記 古来の用字は「{賓客}・《客《人」。

まろが・す⓪【《転がす》】（他四）〔雅〕ころがす。「まろばす」とも。

マロニエ⓪〔フ marronnier〕初夏、赤みがかった白い花をつける落葉高木。街路樹にする。セイヨウトチノキ⑤。ウマグリ⓪②。〔トチノキ科〕 かぞえ方 一株・一本

まろ・ぶ⓪【《転ぶ》】（自四）「ころがる・ころぶ」意の古風な表現。「こけつ転びつ・転び出る」

まろ・める⓪【《丸める》】（他下一）「まるめる」の古風な表現。

まろやか②【《円やか》】―な ―に ❶いかにも丸い様子だ。❷しつこくなくて、口あたりがいい感じだ。「―な味」 派 ―さ③④

マロン①〔フ marron〕❶植物のクリ。❷くり色。

マロングラッセ⑤〔フ marrons glacés〕柔らかく煮て、シロップに浸し、砂糖の衣をかけたクリ。高級な西洋菓子。

まわし【回し・〈廻し〉】■一⓪❶回すこと。「たらい―」❷ふんどし。〔狭義では、力士が取組の時に用いる「締込み」とも「褌①」とも言う。⇩化粧回し〕■二（造語）動詞「回す」の連用形。「―飲み⓪」 **―もの**⓪【―者】スパイ。「警察の―」 **―よみ**⓪【―読み】―する（他サ）一冊の本や雑誌などを、何人かで順番に持回りで読むこと。回読。

＊**まわ・す**【回す・〈廻す〉】■一⓪（他五）❶〈（なにデ）なにヲ―〉（何かの力によって）その物全体が回るようにする。「こまを―/目を―〔=ⓐびっくりする。ⓑ気絶する〕」❷〈（なに・どこニ）なに・だれヲ―〉物を順々に送って移していく。「△杯（書類）を―/帽子を回して金を集める」❸〈（なに・どこニ）なに・だれヲ―〉物を本来の（定められた）△用途（順序）からはずして、当面必要とされる所にさし向ける。「車を―/土地を売った金を会社に―〔=貸す〕/余ったら少しおれの方へ回せよ/塩をこちらへ回してください/会計課に回される〔=異動させられる〕」❹〈（なに・どこニ）なに・だれヲ―〉それまでとは対照的な位置を取らせる。「手を後ろに―/親友を敵に―破目になる」❺〈なにヲ―〉〔投資して〕金利を得る。「お金を―/一割に―」❻〈なにヲ―〉普通なら見落としがちなところにまで注意を行き届かせる。「裏から手を―/気を―〔=⇩気〕」■二〔「動詞連用形＋―」の形で、接尾語的に〕❶△まわり全体に（一帯を）…する。「張り―・乗り―・見―・眺め―」❷△次から次へと（順々に）同じ行動を続ける。「飲み―・切り―・使い―⑤〔=散々に使う〕」❸目的を達するまで、しつこく繰り返す。「女性を追い―/刑事につけ回される」〔⇩回し■二〕

まわた⓪【真綿】くず繭を引き伸ばして綿のようにしたもの。「―で首を締めるよう〔=じわじわと痛めつける形容〕」

まわり【回り・〈廻り・周り〉】■一⓪❶回ること。「モーターの―ぐあい/△火（酒）の―が早い/利―・年始―」❷周囲。「池の―」❸その人の起居に遠からぬ距離。「身の―の品」❹その人とごく近い関係を持って生活する人。同居する家族・親族や世話をする人たち。「―には迷惑をかけたくない」表記 ❷❹の意では「{周囲}」とも書く。■二（造語）❶回る回数をかぞえる語。❷太さ・容積などの比較に使う。「ひと―小さい皿」❸〔十二支に基づき〕十二年を一期として年齢（の差）を表わす。「兄と私はひと―〔=十二歳〕違う」❹動詞「回る」の連用形。 **―あわせ**⓪【―合わせ】自然にそうなる運命。めぐりあわせ。 **―えん**③【―縁】部屋の外側に沿って回るようにつけた縁。 **―くど・い**⑤（形）△婉曲な（問題の核心部分に直接触れようとしない）表現ととらえられる様子だ。「―言い回し」 派 ―さ④ **―こ・む**④【―込む】（自五）目標に向かって直進せずに、左右や背後に回るようにして△近付く（到達する）。「ホームベースに―」 **―すごろく**④【―《双六》】さいの目の数で順次に区画を追って進む双六。 **―どうろう**④【―灯籠】回転するにつれて影絵が回って見える灯籠。走馬灯。 **―どお・い**④⑤【―遠い】（形）❶回り道になっていて、遠い。❷直接的でなく、もどかしい。「事故について―説明ばかりしている」 **―ばん**⓪③【―番】❶順番。輪番。❷見回りをする順番。 **―ぶたい**④【―舞台】中央が回転する装置の舞台。 **―みち**③⓪【―道】―する（自サ）遠回りの道（を通ること）。 **―もち**⓪【―持ち】順番に受け持つこと。

＊**まわ・る**【回る・〈廻る〉】■一⓪（自五）❶物が軸を中心にして円を描くように動く。「こまが―/モーターが―/時計の針が―/目が―〔=ⓐめまいがする。ⓑひどく忙しい形容〕/借金で首が回らない〔=⇩首❷〕」❷〈（なにデ）どこ・なにヲ―〉物が円形のふちをたどるように移動する。「月が地球を―/湖（のまわり）を―〔=湖に沿って一周する〕/持って回った表現」❸〈（どこ・なにヲ）―/（どこ・なにニ）―〉順を追って同じ事を繰り返しながら△先に進む（ひとまわりしてもとの所に戻る）。「得意先を―/挨拶に―〔=立ち寄る〕/学校を見て―〔=歴訪する〕/番が回って来る/お鉢が―〔=⇩おはち❶〕/一時を―〔=一時を少し過ぎる〕」❹〈どこ・なにニ―〉途中で

△それまでの(予測される)道筋をはずれて、他の△道(方向)へ進む。「庭先へ—/風が南へ—(=方向を転じる)/会計課へ—(=ⓐ立ち寄る。ⓑ転属する)/昔悪いことをしたつけが—/急がば回れ(=急ぐときは近道でなく遠回りでも確実な本道を行け)」 ❺〈どこ・なにニ—〉予測しうる範囲のあらゆる所に行き渡る。「そこまで手が回らない/各警察に手配書が—/いっぺんに△酒(火)が—」 ❻〈なにニ—〉それまでとは対照的な位置に身を置くことになる。「△聞き役(守勢・反対)に—/後手へ後手へと—」 ❼そのものに期待される機能を発揮する状態になる。「知恵が—(=よく働く)/まだ口が回らない(=まだ口が満足にはきけない)子/筆が—(=言おうと思ったことがすらすら書ける)」 ❽〈なにニ—〉(投資したものが)金利を生む。「一割に—」 ■二(動詞連用形+—)の形で、接尾語的に〉(一定範囲を)移動する。「歩き—・持ち—」〔⇩回り■二❹〕

まわれ みぎ⑤【回れ右】—する(自サ) からだを右に回して後ろに向きを変えること。〔号令としても用いられる〕「道をまちがえて、あわてて—する」

まん(万・満・慢・漫)→【字音語の造語成分】

まん【真ん】(接頭)「真」がナ行音・マ行音で始まる造語成分に続く時の形。「—中・—前」

マン〔man〕■一①人。「—ツー—③(=一対一で、スポーツの訓練や攻守のプレーなどをすること)」 ■二(造語) それを職業とする人。「カメラ—・サンドイッチ—」

まん①【万】❶千の十倍を表わす数詞。十の四乗に等しい。「一—円(この場合の『一』は、千円・百円・十円の場合と異なり、省略できない)」 ❷数量がきわめて多いこと。「—病・—金・—巻・巨—・千—言」 ⇩億 [表記]「〈萬」を大字のように用いることがある。

まん①【満】❶十分な状態。「—を持する(=十分用意して待機する)/—を引く(=ⓐ弓を十分に引きしぼる。ⓑ酒をなみなみとついだ杯を取って飲む)」 ❷年月がめぐって、ちょうど端数の無い数になること。「—三年」↕足かけ ❸「満年齢」の略。「—で二十になる」⇩数え ⇩【造語成分】

まん⓪〔「間」の口頭語的表現〕運。「—の悪いことに/—が直る/—の悪さ」

まん いち①【万一】■一〔万分の一の意〕起こる可能性はほとんど無いと考えられることが(運悪く)現実となった場合(のこと)。「—の場合」に備える/十分用心するが—の時はしかたない」 ■二(副) 現実にはほとんど起こる可能性がないと考えられる(好ましくない)事態を想定する様子。「まんがいち」とも。「—私が旅先で死んだ時には よろしく頼む」

まん いん⓪【満員】❶定員に達すること。「—御礼」 ❷〔乗り物・会場などに〕いっぱいに人が入っている状態。「超—③」

まん えつ⓪【満悦】—する(自サ) 満足し喜ぶこと。「古稀のお祝いに、先生もご—△なさったよう(の体)であった」

まん えん⓪【〈蔓延】—する(自サ) 〔伝染性の病気など良くないものが〕とめどもなく広がること。

まんが⓪ 馬鍬の変化。

***まんが**⓪【漫画】❶滑稽みを主とし、単純な線や色で描いた絵。〔社会風刺・政治風刺を含むものは、カリカチュア・戯画と呼ばれる〕 ❷絵とせりふで構成された物語。「四コマ—・△少年(少女)—・—家⓪・—本⓪・ストーリー—・ギャグ—」 ⇩劇画 [かぞえ方] ❶❷とも作品は一点

—**チック**④—な〔「チック」は英語の形容詞を造る接尾語 -tic〕 ❶漫画の世界のように、現実性に欠けていたり 馬鹿げていたりする様子だ。「—な話」 ❷話題の事件や人物などをからかい半分におもしろおかしく取り上げる様子だ。「—な扱い」〔❶❷とも「漫画的」とも〕

まん かい⓪【満会】 頼母子講などの会期が終わること。

まん かい⓪【満開】—する(自サ) 花がすっかり開くこと。「そろそろ桜も—になる/—のボタン」 ⇩半開

まんが いち①-②、①-⓪【万が一】⇩まんいち■二

まん がく⓪【満額】 △予定(要求)額に達すること。「積立金が—戻ってくる/—回答」

まん かぶ⓪【満株】 株の購入申込み数が募集定数に達すること。

まん かん⓪【満干】 潮のみちひ。干満。

マンガン①〔オ mangaan〕 灰白色で赤みを帯びた金属元素〔記号 Mn 原子番号25〕。鉄より軟らかいが、炭素を含むと硬くてもろくなる。合金用。

マンガン⓪【満貫】〔中国・満款〕〔マージャンで〕規定の最高点での、あがり。

まん がん⓪【万巻】 多くの書物。「—の書」

まん がん⓪【満願】 日数を限って神仏に祈願した、その期限が終わること。結願。

まんかん しょく③【満艦飾】 祝祭日などに、停泊中の軍艦が国旗や国際信号旗などで艦全体を飾ること。〔俗に、女性が美しく着飾ることや、洗濯物を所狭しと干してある情景の形容にも用いられる〕

まん き①⓪【満期】 期限に達すること。

まん きつ⓪【満喫】—する(他サ) 〔もと、十分に飲み食いする意〕△その気分(雰囲気)などを十分に△味わう(楽しむ)こと。

まん きん⓪【万金】 けたはずれに巨額のお金。千金。「—を費やしても得られぬ楽しみ」

まん きん⓪【万〈鈞】 常識をはるかに超えた非常な重さ。〔一鈞=三十斤〕「—の重み」

まん ぎん⓪【漫吟】—する(他サ) 興味に任せて詩歌を△作る(口ずさむ)こと。

マングース③〔mongoose〕 熱帯地方にすむ小動物。大きさ・体形ともイタチに似、毒蛇やノネズミなどを好んで食べる。沖縄・奄美諸島のフイリマングースはインドから移入され野生化したもの。〔ジャコウネコ科〕 [かぞえ方] 一匹

マングローブ④〔mangrove〕 インドネシアやマレー半島の入り江・河口などの泥地に生じる常緑樹の群落。

まんげ きょう⓪【万華鏡】 長方形のガラス板を三枚組み合わせて収めた円筒の中に、小さく切った色紙などを入れたもの。手で回しながら筒の穴からのぞくと、さまざまに変わる美しい模様が見える。カレードスコープ⑥。「ばんかきょう」とも。

まん げつ①【満月】 月が地球から見て太陽と正反対の位置に来た時、月の全面がまんまるに輝いて見える現象。十五夜の月。もちづき。

まん げん⓪【万言】「これ以上は使う言葉がないというほどの多くの言葉」の意の漢語的表現。「—を費やす」

まん こう⓪【満〈腔】 からだじゅう。「—の謝意を表する」

マンゴー①〔mango〕 熱帯産の常緑高木。実は卵形で黄色く、果肉は甘く独特の強いにおいがする。〔ウルシ科〕 [かぞえ方] 一株・一本

まんごく どおし⑤【万石〈簁】 ⇩せんごくどおし

マンゴスチン③〔mangosteen〕 熱帯産の常緑高木。実は球形、皮は紫色で、肉は白く美味。〔オトギリソウ科〕 [かぞえ方] 一株・一本

まん ざ⓪【満座】 その場に居る人全体。「—の喝采」

まん さい⓪【満載】—する(他サ) ❶人・荷物をいっぱい乗せること。❷特定の記事を雑誌などにいっぱい載せること。

まん ざい③【万歳・万才】 普通、二人連れで、年の初めに

家の前に立ち、烏帽子姿でつづみを打ち、祝いの言葉を述べ、滑稽なしぐさの舞をして金銭をもらい歩く者。「三河―」

まんざい[3]【漫才】〔万歳の変化〕二人でおかしい事を言い合いながら客を笑わせる演芸。掛合い漫才[5]。⇩相方❶Ⓑ

まんさく[0]【万作・満作】山地に生じる落葉小高木。早春、黄色で細長い四弁の花を開く。観賞用。〔マンサク科〕 [かぞえ方] 一株・一本

まんさく[0]【満作】豊作。「豊年―」

まんざら[0]【満更】(副)〔「まっさら」の変化〕❶〔否定的な意味の語をさらに否定する表現を伴って〕実際のところは、一見して受けた印象ほど否定的にとらえる必要はなさそうだと判断する様子。「―捨てたものではない/―きらいでもないらしい」❷〔「―でもない」の形で〕実際のところは、一見して感じられたほど否定的なものではないと判断する様子。「会長に推されて、渋い顔をしていたが―でもないらしい」

まんさん[0]【〈蹣跚〉】―たる ―と よろめきながら足を運ぶ様子だ。「酔歩―[1]-[0]」

まんざん[1]【満山】山全体。

まんじ[0][1]【〈卍〉・〈卐〉】〔万字。仏の胸・手足や頭髪にあると言われる、右巻きの旋毛を意味する梵語の訳語〕〔吉祥の印である〕卍の形・紋章。 **―どもえ**[4]【―〈巴〉】(副)「卍」や「巴」の形のように、多くのものが縦横に入り乱れる様子。「まんじともえ[4]、[0]-[0]」とも。「―と△降り来る雪(入り乱れて戦う)」

まん

【万】 ⇩(本文)まん【万】

【満】 ■一❶Ⓐ入れ物が(どれも)一杯だ。「満腹・満タン・満塁・満室」Ⓑ基準量に達し、余裕が無い。「満員・満車・満水」❷全体に行きわたる。「満身・満天下」❸欠けているところが無い。「満月・満点」❹充足している。「満足・円満」■二(略) 満州。⇩(本文)まん【満】

【慢】 ❶おごる。「慢心・高慢・自慢」❷なまける。おこたる。「怠慢」❸あなどる。「慢罵」❹進み方がおそい。「慢性・緩慢」

【漫】 ❶広い。「漫々」❷興味に任せてするだけで、特定の目的・主題が無い。「漫然・漫罵・散漫・冗漫・放漫」❸おもしろおかしい事を広く取り上げる。「漫才・漫談・漫画」

まんしつ[0]【満室】❶ホテルなどで、すべての部屋がふさがり、空室がないこと。❷部屋が人などでいっぱいになること。「―の老若男女が笑いさざめく」

まんしゃ[0]【満車】駐車場などに車がいっぱいであること。

まんじゅう[3]【〈饅〉《頭》】小麦粉をこね、中にあんを包み入れて蒸した菓子。半球形のものが普通。「肉―・焼―[3]・葬式―[5]」 [表記]「万《頭・万十」とも書く。 **―がさ**[5]【―〈笠〉】頂が丸くて浅い笠。 [かぞえ方] 一蓋・一枚

まんじゅしゃげ[3]【〈曼珠〉《沙華》】ヒガンバナの異称。

まんじょう[0]【満場】場内いっぱい(の人)。「―の諸君/―一致で〔=その場に居る人全員が賛成に合意して〕可決された」

マンション[1]〔mansion=もと、大邸宅の意〕高級性を志向した高層アパート型の集合住宅。〔賃貸と分譲方式のものとがある〕「―のスラム化は当初から懸念された問題であった」 [かぞえ方] 一棟。居住者を中心としては一戸。部屋単位では一室

まんじり[3](副)―と ❶〔ひと寝入りすることの意〕〔否定表現と呼応して〕一睡もしない様子を表わす。「心配のあまり、彼はその晩―とも△できなかった(しなかった)」❷大きく目を見開いて対象を見つめる様子。「思わず―と相手の顔を見た」

まん・じる[0][3]【慢じる】(自上一) 慢心する。誇る。慢ずる(サ変)。

まんしん[0]【満身】からだ全体。全身。「―の力/―創痍〔=ⓐからだじゅう傷だらけ。ⓑひどい非難を受けること〕」

まんしん[0]【慢心】―する(自サ) おごり高ぶる△こと(心)。「―をくじかれる」

まんじん[0]【満人】「満州〔=中国の東北地方の旧称〕の住民」の圧縮表現。

まんすい[0]【満水】―する(自サ)〔ダムなどの〕水がいっぱいになること。

マンスリー[1]〔monthly〕❶月単位の。「―〔=一か月契約の〕マンション[6]」❷月刊(雑誌)。〔多く、誌名として用いられる〕⇩デーリー・クォータリー

まんせい[0]【慢性】❶急激な症状は示さないが、長びいて治りにくい、病気の性質。「―胃炎」↕急性 ❷好ましくない状態が長引いて、いっこうに改善される気配が認められないこと。「違法駐車が―化している大通り/―的な△渋滞(不況)」

まんせき[0]【満席】乗り物・劇場・飲食店などで座席が全部客でふさが(ってい)ること。

まんぜん[0]【漫然】―たる ―と 特別の意識や目的を持たないままに何かをする様子だ。「―と眺める」

***まんぞく**[1]【満足】■一―する(自サ)❶〈なにニ―する〉自分の思い通りの状態になっていて、これ以上注文のつけようがないように思われること。「現状に―する/―を得る/―感を味わう/ほぼ―すべき結果を見た/―度[4]・自己―」❷―な ―に 規格・条件の点において申し分が無く、機能も十分に果たされている様子だ。「―の行く出来/―な教育も受けていない/―に寝ていない/五体―」■二―する(他サ)〈なにヲ―する〉〔数学で〕方程式の未知数に適当な数値を与えた時、等式が成立すること。〔条件を満たす意にも用いられる〕

マンタ[1]〔manta〕沖縄県西表島周辺などに生息する巨大なエイ。イトマキエイ属に分類される。ナンヨウマンタ[5]。

まんだら[0]【〈曼陀〉羅・〈曼荼〉羅】〔壇・円輪の意の梵語の音訳〕おおぜいの仏や菩薩を、教理に従って、模様のようにかいた絵。仏教の儀式の時に本堂にかけて拝む。 **―げ**[3][4]【―華】❶〔天妙・悦意・天華の意の梵語の音訳〕〔仏教で〕見る人に法悦を与える、きれいな花。〔俗に、ハスの花を指す〕❷チョウセンアサガオの異名。

マンダリン[0]〔mandarin〕❶マンダリン オレンジ[7]の略。中国原産のミカンの類。日本のミカンもこれに属する。❷北京官話。中国の標準語。〔もと清朝の高級官吏の意〕

まんタン[0]【満タン】〔タンはタンクの略〕タンクいっぱいにガソリンが入った状態。〔広義では、満腹状態や「満杯」を指す〕〔口頭語的表現〕

まんだん[0]【漫談】―する(自サ) とりとめのない滑稽な話(をする演芸)。

まんちゃく[0]【〈瞞着〉】―する(他サ) だますこと。ごまかすこと。

まんちょう[0]【満潮】上げ潮。↕干潮

まんてい[0]【満廷】その法廷の中いっぱい(の人)。「―の人たち〔=その裁判を傍聴するために法廷に詰めかけたおおぜいの人たち〕」

まんてん⓪【満天】 空いっぱい。「―の星」

まんてん③【満点】 ❶〔試験などで〕規定の点数の最高点。 ❷△欠点(不足)が無いこと。完全。「サービス―」

まんてんか③【満天下】 世界じゅう。「―の人びと」

マント①〔フ manteau〕 外套(ガイトウ)の一種で、そでが無いもの。

まんと①【満都】 みやこ全体。みやこの人びと全体。「―の話題をさらう」 かぞえ方 一枚

まんどう①【万灯】 木の枠に紙を張り中に火をともしてさげ持つ あんどん(を数多くともすこと)。 **―え**③(エ)【―会】 万灯をともして供養する法会。

まんどう⓪(ダウ)【満堂】 その建物の中すべて(の人)。満場。

マントー③①〔中国・饅頭〕 ⇩中華まんじゅう

まんどころ③⓪【《政所》】 ❶鎌倉・室町幕府の中央政庁。 ❷〔←北の政所〕 摂政(セッショウ)・関白(や位の高い貴族)の妻の敬称。

マントひひ④③【マント〈狒々〉】 アラビア・北東アフリカにすむヒヒ。雄は頭から肩・胸にかけて灰白色のマント状の長い毛でおおわれる。雌はからだが小さく、長い毛が無い。〔オナガザル科〕

マンドリン⓪〔mandolin〕 胴は半球状で八本の糸を二本ずつ一組として張った弦楽器。べっこう またはセルロイドのつめ形のものを使って弾く。

マントル①〔mantle〕 ❶マント。 ❷ガス灯の炎をおおって強い光を出させる、網状のもの。 ❸地球の地殻と核の中間にあり、地球の全体積の八二パーセントを占める層。最深部は二九〇〇キロメートルで、温度は下部で約五千度。

マントルピース⑤〔mantelpiece〕 壁に作りつけた暖炉の上の飾り棚。〔俗に、暖炉を含めた全体を言う〕〔フランス語形は、シュミネ〕

***まんなか**⓪【真(ん)中】 〔「まなか⓪」の口語形〕両側あるいは四方から同じ隔たりの位置。ちょうど中央。「部屋の―/―の部屋」

まんにょう⓪(エフ)【万《葉》】 「まんよう」の口語形。

まんにん⓪③【万人】 百人や千人どころではない、ちょっとかぞえられないくらい たくさんの人。

マンネリ⓪ マンネリズムの略。「―化⓪」

マンネリズム④〔mannerism〕 一定のやり方が繰り返されるだけで、新鮮味が無いこと。略してマンネリ。

まんねん【万年】 ㊀⓪① 年数が一万であること。きわめて長い年月。「鶴は千年亀(カメ)は―/千年も―も生きていたい」 ㊁(造語) いつになっても同じ状態であること。「―候補⑤・―青年」 **―ぐさ**③【―草】 山地に生じる多年草。茎は肉が多い。初夏、黄色の花が咲く。オノマンネングサ⑤・メノマンネングサ⑤など。〔ベンケイソウ科〕 かぞえ方 一本 **―だけ**③【―〈茸〉】 木の根元に生えるキノコ。かさは つやのある赤(茶)色。柄は黒くてつやがある。かわかして床飾りなどにする。霊芝(レイシ)①。「まんねんたけ」とも。〔タマチョレイタケ科〕 かぞえ方 一本 **―どこ**③【―床】 昼も畳の上に敷きっぱなしにしてある寝床。 **―ひつ**③【―筆】 使うたびにインクをつけたり ペン先を取り替えたり せず、ペン軸の中のインクが自在にペン先に出る仕掛けのペン。万年ペン③⑤。 かぞえ方 一本 **―べい**③【―塀】 コンクリートの板で造った塀。 **―ゆき**③【―雪】 〔高い山の上などの〕いつまでも消えない雪。

まんねんれい③【満年齢】 満でかぞえた年齢。誕生日が来るたびに一歳を加える。↕数え年

まんのう③⓪(オ)【万能】 〔←万能鍬(ワグ)③〕 除草や土寄せなどに用いる鍬。薄い刃が△三本(五本)に分かれている。 かぞえ方 一本

まんば① ―する(他サ) ㊀【漫罵】 はっきりした根拠も無く、悪口のために悪口を言うこと。 ㊁【慢罵】 相手を軽く見て、ののしること。 表記 ㊀は、「〈謾罵〉」とも書く。

まんぱい⓪【満杯】 それ以上(受け)入れる余裕が無いこと。〔口頭語的表現〕「―の駐車場」

まんばけん③【万馬券】 〔競馬で〕配当金が一万円以上になる当たり馬券。

マンパワー③〔manpower〕 〔資源や機械に頼る生産に対して〕人の知的能力や技術によって得られる生産力。

まんぱん⓪【満帆】 船の帆が風をいっぱい受けること。「順風―〔=物事が予定通りに調子よく進行することのたとえ〕」

まんびき⓪【万引(き)】 ―する(他サ) 〔「間(マ)に引(ヒキ)」の意か〕店員の目を盗んで売り場の商品を△自分の持ち物(買った物)であるかのように見せかけたり 隠したり して店外に持ち出す△こと(人)。

まんぴつ⓪【漫筆】 見たり 聞いたり した事についての感想などを順不同に気楽に書き止めた文章。

まんびょう⓪(ビャウ)【万病】 あらゆる病気。「風邪(カゼ)は―のもと」

まんぴょう⓪(ペウ)【満票】 選挙で、関係する全員がその候補者に投票すること。「―で当選する」

まんぴょう⓪(ピャウ)【漫評】 ―する(他サ) (しろうとの)感想を主とした、気楽な批評(をすること)。

まんぷく⓪【満幅】 ❶紙や布などの一面全体。 ❷〔「―の…」の形で〕心の底からそう思うことを表わす。「―の信頼を置く」

まんぷく⓪【満腹】 ―な ―する(自サ) 腹がいっぱい(になること)。「―になる/―感④③」

まんぶん⓪【漫文】 その物事に対する自分の興味を中心に、さらりと書き流した文章。

まんぶんのいち⑦、⓪-②【万分の一】 万に分けた、その一つ。ごくわずか。

まんべんなく⑤【満遍無く・万遍無く】(副) 全体に一様に行き渡るように何かを行なう様子。「―愛嬌(アイキョウ)をふりまく/―工場を見回る」

マンボ①〔ス mambo=反復楽節〕 ラテンアメリカ音楽の一つ。ルンバを基本とし、さらに強烈・明確なリズムを特徴とする。

まんぽ①【漫歩】 ―する(自サ) どこへ行くという はっきりした当てもなく、気楽に気に入った所を歩き回ること。

マンホール③〔manhole〕 下水管などの検査や掃除のために人が出入りするための穴。△鉄(コンクリート)の ふたがしてある。

まんぽけい⓪【万歩計】 〔商標名〕腰に取りつけ、振動により歩数を測定する計器。歩数計⓪。

まんま ㊀③「儘(ママ)」の口頭語形。〔副詞的用法の場合のアクセントは⓪〕「昔の―の店構え/靴の―部屋に上がった」 ㊁①「飯(ママ)」の幼児語。

まんまえ③(マヘ)【真(ん)前】 〔「真前②」の口頭語形〕(そこを出てまっすぐ)進んで行く方向の真正面。「自動車の―を犬が横切った/駅の―に銀行がある」

まんまく⓪【〈幔幕〉】 〔式場などに張りめぐらす、紅白などの〕幕。 かぞえ方 一枚

マンマシンインターフェース⑩、④-⑤〔man-machine interface〕 人間とコンピューターなどの機械とが接触して相互に情報を交換するための仕組み。

まんまと①(副) 〔「うまうまと」の変化に基づく口頭語的表現〕うまく事が運んで、期待どおりの結果が得られる様子。「作戦が―成功した/計略が―図に当たる/敵に―して

やられた」

まんまる⓪③【真(ん)丸】ーな・ーに コンパスで描いたように完全な円形である様子だ。〔形容詞「まんまるい」のアクセントは④〕「―な月」

まんまん⓪【満々】ーたる・ーと 満ちあふれるほど、そこにいっぱいたたえられている様子だ。「―たる大海/―と水をたたえる/不平―・自信―」

まんまん⓪【漫々】ーたる・ーと 遠く広びろとした様子だ。「波―として空と連なり」

まんまんいち③【万々一】「万一」の強調表現。

まんまんなか③【真(ん)真(ん)中】「真ん中」の強調表現。〔関西では「ど真ん中」とも言う〕「―のストライク」

まんまんねん③【万々年】「万年」の強調表現。

まんめん⓪【満面】顔全体。「―に笑みを浮かべる/―朱を注ぐ」

まんもく⓪【満目】見渡す限り。

マンモグラフィー④〔mammography〕乳房のレントゲン撮影法。乳房を圧迫して薄く伸ばして撮影する。乳がんの早期発見に有用。

マンモス①〔mammoth〕「前世紀㊁」にすんでいた、大きなゾウの一種。きばが非常に長い。〔ゾウ科〕〔非常に大きいもの、また、大き過ぎて、半ば機能の喪失されがちなものの意にも用いられる。例、「―タンカー⑤・―都市⑤・―大学⑤」〕

まんゆう⓪【漫遊】ーする(自サ) 方々を当てもなく、のんびり旅行すること。また、その旅行。「―記③」

み

[未] ㊀まだ、その△事が行なわれ(状態に達し)ない。「未完・未決・未遂・未然・未知・未来・未成年・未曽有」 ㊁〔仏教で〕未来。⇩過・現

[味] ㊀食品のあじ。〔食品・調味料の品数をかぞえる時にも用いられる。例、「七味」〕「味覚・美味・珍味・酸味」 ㊁物事の内容(にひそむおもしろみ)。「正味・趣味・意味・情味・風味・妙味・新味」 ㊂あじわう。「味読・玩味・吟味」

[眉] まゆ。「眉間」⇩び

[魅] ㊀木や石などが人の形をとったもの。ばけもの。「魑魅」 ㊁不思議な力で、人の心を引きつける。「魅力・魅惑」

まんよう⓪【万葉】〔↑万葉集③〕日本最古の歌集。二十巻。奈良時代の末に成立。〔口語形は「まんにょう」〕「古―・女人―」 **―がな**⓪【―仮名】漢字の音訓を借りて日本語の発音を写した文字。〔万葉集に例が多く、現在の地名・人名にもしばしば見られる。狭義では、漢字一字で、日本語の一音節を写したものを指す。例、「也末」(=「山」)〕 表記 ⇩付表「仮名」

まんりき⓪【万力】工作材料をはさみ、ねじで締めつけて、しっかり固定させる器具。 かぞえ方 一挺・一丁

まんりょう①【万両】正月の縁起物として生け花などにする常緑小低木。赤い実が木の葉の下部に付く。〔サクラソウ科(旧ヤブコウジ科)〕 かぞえ方 一株・一本

まんりょう⓪【満了】ーする(自他サ) 決められた期間がすっかり終わること。「△任期(刑期)―」

まんるい⓪【満塁】〔野球で〕三つの塁に走者が居ること。フルベース。「―ホーマー・二死―」

まんろく⓪【漫録】気楽に書きしるした随筆・随想を集めたもの。〔多く、編名・書名に用いられる〕「仰臥―④」

み…こ

み（未・味・眉・魅）→【字音語の造語成分】

み【三】(造語)「三」の意の和語的表現。〔単独でかぞえるのに用いる時には「みい」とも〕「―月(=三か月)・―十日・―十一文字・―千年・―日月・―人・―毛猫・―桁・―切れ」⇩よ(四)

み(接頭) ㊀【御】天皇・神仏などに関する語に添えて、尊敬の意を表わす。「―世・―位⓪・―仏⓪・―心⓪」 ㊁【深】もと、「きれいな・賞美すべき」という意味で添えた語。「―雪・―空⓪・―吉野⓪」

み(接尾) ㊀その状態が目立つことを表わす。「赤―・ありがた―・真剣―・軽―・重―」 ㊁全体の中でその状態が認められる部分であることを表わす。「弱―・深―・高―」 ㊂〔雅〕その動作・状態が反復して行なわれることを表わす。「泣き―笑ひ―/降り―降らず―(=さっき降り始めたかと思うと、すぐやんだりして)」 ㊃〔雅〕それを原因・理由とすることを表わす。「瀬を速―(=瀬がはやいので)」 表記 ㊀㊁を「味」と書くのは、借字。

ミ①〔イmi〕〔音楽で〕長音階の第三音、短音階の第五音の名。

み⓪【巳】十二支の第六。蛇を表わす。〔昔、方位では南から三〇度東寄りを、時法では午前九時ごろからの約二時間を指した〕

***み**⓪【身】㊀㊀〔内に心の働きを備えた〕(個々の)生きている人のからだ。「―一つで上京する/軽い―のこなし/不自由な―を押して出席した/危険から―を守る/―の△すくむ(縮む)思い/―も心もささげる/腹も―の内(=⇩腹㊀Ⓐ)/ぼろを―にまとう/寒さが―にこたえる/勉強に―を入れる(=熱心に取り組む)/我が―をつねって人の痛さを知れ/悪銭―に付かず(=⇩悪銭)」 ㊁社会の一員として何らかの役割や責任を負って生きている個々の人(の置かれた立場や境遇)。「昇進し、二十人の部下を持つ―になった/―の振り方(=⇩振り方)/修行中の―/―の不運を嘆く/―に余る光栄/―を持する(=信念に反することのない生き方を貫く)/―のほど(=分際)を知らない/税金を納めるほうの―になって税金のむだ使いはやめてほしい」 ㊂Ⓐ〔動物の外側をおおう皮・殻や体を形成する骨組に対して〕内部を満たす△肉(実質)。「魚の―をほぐす/△白(赤)―の魚/牛の脂―/アサリのむき―/卵の黄―と白―」 Ⓑ〔ふたに対して〕容器の、中に物を収めるほうの部分。「箱のふたと―がうまく合わない/―もふたも無い」 Ⓒ〔鞘に対して〕その中に納まる刀身。「抜き―をひっさげる」

【―が持たない】健康や体力が維持できない。「こう毎晩のように徹夜では―」 【―から出た△錆】よくない事をしたために、自分から招いた悪い結果。 【―に余る光栄】自分にはもったいないほどの光栄。 【―に覚えが有る】確かにその△事(悪事)にかかわったという記憶が残る。 【―に染しみる】直接的な体験を通して△からだのすみずみまで(心底から)忘れがたいものに感じる。「寒さが―/人の情けが―(=心の底までこたえる)/夏でも冷気が―」 【―に付く】学習や訓練を通して、望ましい知識・教養や技芸などが身に備わる。 【―に付ける】㊀衣服などをからだにまとう。 ㊁武器を帯びたり外出に必要な物を携帯したりする。 ㊂学習や訓練を通して、人としての望ましい知識・教養や技芸などを身に備える。 表記 ㊀㊁は「身に着ける」とも書く。 【―に つまされる】人の不幸・苦しみなどを、まるで自分の上に起こったことのように悲しく感じる。 【―の置き所が無い】白眼視されたり死ぬほど恥

ずかしい目にあったりして、どこに逃げて行ったらいいか分からないくらいだ。【―二つになる】妊婦が胎内の子を生み落とす。【―も蓋(ふた)も無い】露骨過ぎて、含蓄が全く無い。【―も世も無い】自分の事も世間の体裁も忘れ去るほど、悲しみに打ちひしがれる様子だ。【―を誤る】まちがった人生の歩み方をする。【―を売る】お金と引換えに、自分のからだを相手の自由に任せる。〔狭義では、芸者・遊女になったり 売春したり することを指す〕【―を起こす】❶起き上がる。❷より高い階層の人となる。【―を落とす】事業などに失敗したりして、全盛期とは打って変わった底辺の生活をする。【―を固める】❶結婚して所帯を持つ。❷定職を持つ。❸しっかり身支度する。【―を切られる】からだが斬(き)られると非常に痛みを感じるように、ひどい寒さやつらさが その人を苦しめる。「住みなれた土地を離れるのは―思いだ」【―を焦がす】恋の世界に没入し、思い悩む。【―を粉(こ)にする】非常に骨を折る。【―を沈める】❶からだを下の方へ向かって沈むように移動させる。「ソファーに―〔=⇩沈める〕」❷水中に身投げをする。❸身を落とす。特に、(良家の子女が)経済的理由で芸妓(ゲイギ)・遊女として生活を立てる境涯に入ることを指す。「苦界に―」【―を捨ててこそ浮かぶ瀬も有れ】命を投げうつ決心があって初めて、難局に活路を見いだし、成功につなげることが出来るのだ。【―を立てる】〔古くは、身を起こす意〕❶生計を立てる。❷所帯を持つ。【―を〈挺(てい)する】他の△人(事)は問題にせず、崇高な使命感にささえられて、自分の一身を危難の中に投げ出す。【―を投じる】❶自分のからだを、その△場所(環境)に置く。「政治の世界に―〔=政界に入る〕/一時、外人部隊に身を投じていた/過激派の運動に―」❷投身する。【―を投げる】❶川・谷や線路などに飛び込んで、自殺を図る。「海に―」❷相手の足下(モト)に、ひれ伏すようにする。【―を乗り出す】強い興味をもって、相手や対象に思わず迫るように接近する。「金の話になった途端に身を乗り出してきた」【―を任せる】自らの判断や抵抗、また余計な考えなどをあきらめて、他人や時流、状況のなすがままに従う。「△成行き(心地よい風・官能)に―」【―を《以(も)って】❶自分自身の行動において。「―△示す(知る)/―〔=からだ一つで。かろうじて〕逃れる」❷自分自身を危険な状態にさらして。「―守る/―の原爆体験」
■二(代)❶〔中世末・近世において〕身分のある男子の自称。❷対称❷。⇩おみ・おんみ

**み[0]【実】❶花が咲いた結果、その部分に出来て、内部に包んだ種を十分育つまで養うもの。丸い形のものが多い。「柿の―がなる/―を結ぶ〔=ⓐ植物の実がなる。ⓑいい結果となって現われる〕/―のある〔=話し方がうまいばかりでなく、聞く人のためになる内容も備えた〕話/花も―もある〔=⇩花❶〕」❷みそ汁・吸い物などの具として入れる、野菜・海藻・豆腐・肉など。

み[1]【〈箕】収穫物の採り入れや運搬に用いたり 穀物を中に入れ、上下に振り動かした勢いで、ちり・殻などを吹き飛ばすようにして取り除いたりするための、竹製の農具。「―作り・唐(トウ)―」[かぞえ方]一枚

みあい[0]〔―アヒ〕【見合(い)】―する(自サ)❶互いに相手を見つめること。❷結婚の意志を持つ男女が、相手を知るために他人をなかだちとして会うこと。「―結婚[4]」❸見合うこと。釣合。「需給の―」❹組織等が新しく出来たり 改まったりすることに伴って、建物の増・改築などをすること。「学部改組―の概算要求」

*みあ・う[2]〔―アフ〕【見合う】■一(自五)〈なにトー/なにニー〉〔収入と支出などが〕釣り合う。「購買力が物価と―/実情に見合った裁定/収入に見合った生活」■二(他五)〈だれト(なにヲ)―〉互いに相手(の様子)を見ようとして向かい合う。

みあかし[0]【《御《灯・《御明(か)し】神前や仏前に供える灯火。灯明。

みあ・きる[0][3]【見飽きる】(他上一)△続けて(何度も)見たので、見るのがいやになる。[名]見飽き[0]

みあ・げる[0]【見上げる】(他下一)❶下から上の方を見る。「空を―」↕見おろす ❷〔一般に「見上げた…」の形で〕〔師表と仰ぐべきものとして〕称賛(サン)・尊敬に値する。「見上げた行い」

みあた・る[0][3]【見当(た)る】(自五)捜していたものが見つかる。「財布が見当たらない」

みあやま・る[4]【見誤る】(他五)そのものを(いい加減に)見て、誤った判断をする。「△信号(本質)を―」[名]見誤り[0]

みあらわ・す[4][0]〔―アラハス〕【見《顕(わ)す】(他五)隠(さ)れていた物事などをはっきりと見つけ出す。「正体を見顕わされる」

みあわ・せる[0][4]〔―アハセル〕【見合(わ)せる】(他下一)❶果たして思う通りになった、これは意外な展開だ、などの意を含めて、互いに相手の顔を見る。❷あれとこれとを比べた上でいいか悪いかなどを判断する。「諸条件を見合わせた上で決める」❸〔事情を考えて〕することを△やめる(延ばす)。「台風が来そうなので旅行を一時(イチジ)―ことにした」見合わす[0][3](五)。[名]見合わせ[0]

みいだ・す[3]【見《出(だ)す】(他五)❶「見つける」のやや改まった表現。「△活路(目標・解決策)を―」❷△そこ(その人)に何か価値のあるものが存在することを認めて、△求めよう(伸ばそう)とする。「△生きがい(才能)を―」

みいつ[1][0]【〈〈稜威〉・《御〈〈稜威〉】〔雅〕「(天皇の)威光」の意の尊敬語。「みいず」とも。

ミーティング[0]〔meeting=会合〕関係者が一堂に会して行なう、連絡や打合せの会。「試合後―を行なう/―ルーム[6]」

ミート[1]〔meat〕〔魚肉や鶏肉と違って〕食用の牛・豚・羊などの肉。「―ソース[4]・コールド―[5]〔=⇩コールド ミート〕・ランチョン―」

ミート[1]―する(自サ)〔meet〕ボールをうまく△バット(ラケット)に合わせて打つこと。「ジャスト―」

みいはあ[3][0]〔「みいちゃん[1]〔↑みよちゃん〕」と「はあちゃん[1]〔↑はなちゃん〕」を続けた「みいちゃんはあちゃん[5]」の略〕みいはあ族。[表記]一般に「ミーハー」と書く。―ぞく[3]【―族】程度の低いことに熱中しやすい若い人たち。〔軽侮(ブベツ)を含意する〕

ミイラ[1]【《木〈乃伊〉】〔ポ mirra=没薬(モツヤク)という防腐剤の名〕人間などの死体が、△自然(人工的)にそのままの形でかわいて固まったもの。蜜人(ミチヒト/ミツジン)。「―取りが―になる〔=人を連れもどしに行った者が、自分も同じようにとりこになってしまう〕」[表記]「木乃伊」は、オランダ語 mummie の音訳という。[かぞえ方]一体(イッタイ)

みいり[0]【実入(り)】❶穀物などの実が成熟すること。また、その程度。❷収入。「―がいい」

ミーリングばん[0]【ミーリング盤】〔milling=平削り〕フライス盤。ミーリング[0]。

ミール[1]〔meal〕トウモロコシなどを、ひき割りにした食品。「オート―・コーン―」

みい・る[2]【見入る・魅入る】(自他五)❶〔我を忘れたように〕じっと見詰める。「なつかしい写真△を(に)―」❷〔「見入られる」の形で〕そのものの持つ抵抗しがたい力などに引きつけられて、そのとりことなる意を表わす。「公金に手をつける

なんて、まさに悪魔に見入られたとしか言いようがない」〔古語は下二段〕

みうけ [0]【身請(け)・身受(け)】―する(他サ) 芸者などの前借金を払ってやって、その勤めをやめさせること。

みう・ける [0]【見受ける】(他下一) そのものを見て、なんらかの印象を受けたり 判断をしたり する。「…する向きも見受けられる/時どき―人だ/お見受けしたところ」

みうごき [2]【身動き】❶―する(自サ) からだを自由に動かそうとすること。「―出来ない朝のラッシュ/―ひとつせずに長い間座っていた」❷困難な状況から脱出して行動の自由を得ようとすること。「―△ならない(出来ない)/借金で―が取れない」

みうしな・う [0][4]【見失う】(他五) ❶今まで△見ていた(見えていた)ものを視界からとり逃がす。「△連れ(書類)を―」❷目指していた△方向(対象)が途中でわからなくなる。「△出口(目的・目標)を―」

みうち [0]【身内】❶からだの内部。「―〔=からだ全体〕が震える」❷親子兄弟など、ごく親しい血縁関係にある人。「―の者」❸同じ親分に属する子分たち。仲間。

みうり [0]【身売(り)】―する(自他サ) 芸者などが前借金と引換えに、約束した期間、身を売って勤めること。〔お金に困って、会社などがお金と引換えに権利・施設などを全部人手に渡す意にも用いられる。例、「工場の―」〕

みえ [2]【見え・見《栄・見得】〔動詞「見える」の連用形の名詞用法〕❶他人に△よく思われよう(いいところを見せよう)として必要以上に体裁をとりつくろうこと。「―で寄付する/―を張る」❷芝居の、特に大事な場面で、役者が(大ぶりな型で)目立つ表情・しぐさをすること。「―を切る〔=△自信あり気な(大げさな)態度を示す意にも用いられる〕」 表記 ❶を「見《栄」、❷を「見得」と書くのは、借字。

みえがくれ [0][3]【見え隠れ】―する(自サ) そのすがたが見えては隠れ、見えては隠れすること。「みえかくれ[0][3][2]」とも。「―にあとをつける/川が―に流れる」

みえす・く [0][3]【見え透く】(自五) 一見△善意(誠意)あるように見える言動の背後に、打算的な意図が見て取れる。「見え透いた△うそ(お世辞)/彼の魂胆は底が見え透いている」

みえっぱり [4][5]【見《栄っ張り】 意地になって見えを張ろうとする△性格(人)。

みえぼう [0][3]【見え坊・見《栄坊】 何かにつけて見えを張りたがる人。 表記 「見《栄坊」は、借字。

みえみえ [0]【見え見え】―な ―に 当人は隠したつもりでも、その打算的な意図などが、はっきりわかる△こと(様子)。〔口頭語的表現〕

****み・える** [2]【見える】(自下一) ❶〈(どこニ)―〉そのものが何かによって妨げられることなく、確かにその存在を目でとらえることが出来る。「△富士山が(外野席でもよく)―/目に見えて〔=だれにもそう見られるほど〕良くなる/声はすれども姿は見えず/ぽつんと浮かび上がって―/夜目にもそれと―」❷〈なにニ―〉対象を観察することによって、そういう状況にあると判断される。「解決したかに―/△限界(かげり・疲れ)が―/反省の色も見えない/初めから勝負は見えていた〔=どちらが勝つか分かっていた〕」❸〈どこニ―〉「来る」の意の尊敬語。「先生が見えた/まだ見えない/主賓がやっと見えた」 文法 「屋上に上れば富士山が見られる」などと、「見える」と類義的な語に、「見る」に可能の意を表わす「れる」の接続した「見られる」がある。「見える」は、普通の視力のある人なら、対象となるものが、適度の大きさを備えていたり 適度の明るさがあったりして、自然に目に入る状態にあることを表わす。それに対して「見られる」は「この熱帯植物は○○植物園の温室に行けば見られる」と用いられるように、何かを見よう、また見たいという意志や欲求をいだいた際にそれが実現することを表わす。

―か [0]【―化】―する(他サ) 目で見て事態・状況が理解できるようにすること。可視化。特に、企業の業務や生産現場で進行・工程・現況・目標・課題などを視覚的に配置して誰もが見られるようにすること。「工場の―で業務改善と効率化をはかる」

みえわかぬ [4]【見え分かぬ】〔「見え分く[3](自四)」の否定形〕はっきりと区別が見えない状態である。

みお [0][1]【〈澪・《水《脈・《水尾】〔「水尾」の意〕〔海岸の近くで〕船が安全に通れる水路。〔口頭語では、「みよ」とも言う〕「―引く〔=船が航跡を残す〕」

***みおく・る** [0]【見送る】(他五) ❶〈なに・だれヲ(どこニ)―〉そのものが視野から去るのを、その場から目で追い続ける。「飛んでいく鳥を―/門口で―/帰るのを―/駅まで―〔=出発する人を送って、駅まで一緒に行く〕/黙って見送って〔=見逃して〕しまえば済むことかもしれないが」❷〈なにヲ―〉そうすることを、次の機会まで待つ。「満員のバスを一台見送った/△採用(実施)を―」❸〈だれヲ(どこニ)―〉亡くなった人の最期ゴサイまでを見届ける。⇩のべ(野辺) 名見送り[0]「―人ニン[0]」

みおさめ [0]【見納(め)】〔「見ることの最後」の意〕そのものを見るのが、それで最後であること。「この世の―」 表記 「見収め」とも書く。

みおつくし [0][4][3]【〈澪《標】〔雅〕〔「つ」は文語の助詞で「の」の意。「くし」は串シクと同源〕みおを示すために立てる木。

みおと・す [0][3]【見落(と)す】(他五) まわりを見ていながら△ついうっかりして(何かの事情で)重要な点を見(ることが出来)ないでしまう。「車窓から駅名を見落としてしまった/まちがいを見落としていた」 名見落とし[0]

みおとり [0]【見劣り】―する(自サ) △ほか(別)のものと比べて、劣って見えること。「―がする」 ↕見ばえ

みおぼえ [0]【見覚え】 そのものを前に見た記憶。「―のある風景」 動見覚える[0][4](他下一)

みおも [0]【身重】「妊娠中」の意の和語的表現。「―のからだ」

みおろ・す [0][3]【見下(ろ)す】(他五) ❶高い所から下の方を△見る(見渡す)。「飛行機から下界を―」 ↕見上げる ❷そのものの上の方から次第に視線を下の方へ移していく。「頭のてっぺんから靴の先まで見下ろした」❸見くだす。 名見おろし[0]

みかい [0]【未開】❶その社会が食糧の多くを採集・狩猟・漁撈ギョロウによって得、職業の分化がほとんど無い、自給自足の状態。〔原始的な農耕・牧畜を営む場合も含む〕「―社会[4]・―人[2]」 ↕文明 ❷土地がまだ開拓されていないこと。「―の土地」

みかい [0]【味解】―する(他サ) 〔単に読み過ごすのでなく〕文章全体の深い意味などを十分に味わいながら読むこと。

みかいけつ [2]【未解決】―な まだ解決していない△こと(状態)。「―の問題」

みかいたく [2]【未開拓】―な ❶土地が十分に切り開かれていない△こと(状態)。「―の荒野」❷まだ十分な意味では手が付けられていない△こと(状態)。「―の分野」

みかいはつ [2]【未開発】―な 土地や天然資源がまだ開発されていない△こと(状態)。「―の地域」

みかえし [0]【見返(し)】❶本の、前後の表紙を裏返した部分。❷〔和裁で〕そでぐち などの始末(に使う布)。❸〔洋裁で〕身ごろの端の合せ目を折り返して、ともぎれをつけ

た部分。↕持ち出し❷

みかえ・す[0][3]（カヘス）【見返す】（他五） ❶〔新たに発見される事は無いかと〕繰り返して見る。「答案を―」 ❷後ろを振り向いて見る。 ❸人から見られたのに対して、こちらからも見る。「平気で―」 ❹かつて自分を侮った者に、りっぱになった自分を見せつける。

みかえり[0]（カヘリ）【見返り】 ❶振り向くこと。「―の松」 ❷Ⓐ△保証（担保）として差し出すこと。また、そのもの。「―物資[5]・―資金[5]」 Ⓑ相手に何かを提供する代償として相手から何かを受け取ること。「留学生に日本語を教える―に英語を教えてもらう／認可を与えた業者から―〔=賄賂（ワイロ）〕を受け取った容疑で警察から取り調べを受ける」

みか・える[0]（カヘル）【見変える・見替える】（他下一） あるものを価値の無いものとして見捨て、他にくらがえする。

みかえ・る[0][2]（カヘル）【見返る】（他五） 振り向く。

みがき【磨き】 ■[0] ❶こすってつやを出したりきれいにしたりする△こと（もの）。「―をかける〔=こすって、つやを出す〕／靴―・歯―」 ❷一段とすぐれたものにすること。洗練すること。「芸に―をかける」 表記 ❷は「《研き」とも書く。 ■（造語） 動詞「磨く」の連用形。 **―こ**[0]【―粉】 物を磨くのに使う粉。

みがきにしん[4]【身欠き鰊】 頭と尾を取って干したニシン。 表記 俗に、「磨（ミガ）《鰊（キ）」とも書く。 かぞえ方 一本

みかぎ・る[3][0]【見限る】（他五） 見込みが無いと思って△あきらめる（取り合わないようにする）。「師匠も―ほどの弟子／医者からも見限られる」 名 見限り[0]

運用 名詞形「見限り」は、「お見限り」の形で、常連客によって支えられている料理屋などで、しばらく足が遠のいて△い る（いた）客の来店をうながそうという気持を込めて、当人やその知合いに「社長さん、このところすっかりお見限りね」などと用いられることがある。

みかく[0]【味覚】 舌などで感じる、味の感覚。「―をそそる〔=味覚を楽しませてくれる〕／北海道の―〔=北海道を代表する食べ物〕毛がにを堪能する／―の秋」

***みが・く**[0]【磨く】（他五）〈なにデ〉なにヲ―〉 ❶何かでこすって汚れを取り、表面を滑らかにしたりつやを出したりする。「△歯（靴）を―／△窓ガラス（レンズ）を―〔=曇りが無くなるまで、ふく〕」 ❷Ⓐ砥石（トイシ）でといだりやすりをかけたりして△刃物の切れ味をよくする（望ましい）状態に仕上がるようにする。「刀を―／牙（キバ）を―〔=『牙を研（ト）ぐ』の新しい言い方〕」 Ⓑ技芸などを上達させるために努力を重ねる。「料理の腕を―／芸を―」 表記 ❷は、「《研く」とも書く。〔⇩磨き■〕

みかけ[0]【見掛け】 外観から受ける、そのものについての印象。「人は―によらない／―ばかりでおいしくない」 **―だおし**[4]（ダフシ）【―倒し】 外観はいいが中身はそれほどよくないこと。「―の料理」

みかげいし[3]【《御影石】 〔「御影」は、神戸市六甲山麓（ロク）のこの石の産地〕「花崗岩（カコウガン）」の石材としての別称。 かぞえ方 一枚

みか・ける[0]【見掛ける】（他下一） それを見た△記憶（経験）を持つ。「時どき―人」

みかじめ[0]【見かじめ】 家業・事業などの後見（コウケン）（に名を借りた強要）。「―料[4]〔=暴力団が飲食店から取り立てる、一種の用心棒代〕」

みかた[2][3]【見方】 ❶対象に即して△的確（効果的）に見るための方法。「△地図（帳簿・グラフ）の―」 ❷問題となる事柄についてのその人の考え方や判断。「日本人特有の物の―／―が甘い」 ❸「見解・観測」の意の和語的表現。「…という―が△強い（強まる・もっぱらである・有力である）／―を変えて」

***みかた**[0]【味方】―する（自サ）〈だれニ―する〉〔古くは、「《御方〕〕自分の属する方（の人）。「―に△つける（引き込む）／―する〔=加勢する〕／正義の―」 ↕敵 表記 「身方」とも書く。「味・身」は、借字。

みかづき[0]【三日月】〔陰暦で〕その月の三日前後の夜に出る、弓形の細い月。また、その形。〔広義では、月の終りの場合の細い月をも指す〕

みがって[2]【身勝手】―な 自分勝手な△こと（様子）。「―が過ぎる／―な人で困ったものだ」 派 **―さ**[0][4]

みかど[0]【《帝】〔雅〕〔もと、「御門（ミカド）」の意で皇居（の門）を指した〕その時の天皇。「下居（オリイ）の―〔=上皇〕」 表記 「《御門」とも書く。

みか・ねる[0][3]【見兼ねる】（他下一） そのまま平気で見ていられない気持になる。「見るに見兼ねて注意する」

みがまえ[2][3]（ガマヘ）【身構え】 相手の出方に対処しようとしてとる、からだの構え。「攻撃の―をとる」

みがま・える[4][3]（ガマヘル）【身構える】（自下一） 相手の出方に対処ができるように態勢を整える。「あやしい人影を見てすぐに―／相手の鋭い視線につい身構えてしまう」

みがら[0]【身柄】〔引取り・保護の対象としての〕当人のからだ。「―を△拘束（確保）する／―釈放[0]-[0]」

みがる[0]【身軽】―な ❶身のこなしが軽い様子だ。「―な身のこなし」 ❷持ち物や責任・義務などが無くて、自由に行動出来る様子だ。「―な服装で散歩する／プレッシャーも無くて―だ」 派 **―さ**[0]

みかわ・す[0][3]（カハス）【見交わす】（他五） 〔気持を伝えようと〕互いに相手を見る。「互いに―顔と顔」

みがわり[0]（ガハリ）【身代わり・身替わり】 本来当人がすべきことを、他の人がその人に代わってすること。また、その代りの人。「首謀者の―になる／―候補」

みかん[0]【未刊】 まだ刊行されていないこと。↕既刊

みかん[0]（クワン）【未完】 まだ全部は仕上がらないこと。「―で終わった大河小説／―の大器」

みかん[1]【《蜜《柑】 栽培する常緑△低木（小高木）。また、その果実の総称。枝にとげがあり、六月ごろ白い花を開く。黄色で丸い果実は甘味・酸味があり、秋から冬にかけての代表的な果物の一つ。品種が多い。〔広義では、柑橘（カンキツ）類を指す〕〔ミカン科〕 かぞえ方 一株・一本

みかんせい[2]（クワン）【未完成】―な まだ完成していない状態だ。「―に終わった作品／―品[4]」 派 **―さ**[0][4]

****みき**[1]【幹】 ❶木の、根から上の方に伸びて枝・葉を出す太い部分。⇩枝 ❷物事の大事な部分。

みき[0][1]【《神《酒・《御《酒】 神に供える酒。⇩おみき

****みぎ**【右】 ❶[0] アナログ時計の文字盤に向かった時に、一時から五時までの表示のある側。〔「明」という漢字の「月」が書かれている側と一致〕「―と左に注意して道路を渡る／玄関を入って―側に受付がある／―から左へ〔=受け取った金銭をすぐ他へ支出してしまう形容〕／―から聞いて左へ抜ける〔=忘れやすい形容〕／―に出る者が無い〔=その人よりすぐれた人がいない〕／―する〔=右の方へ行く〕」 ❷[0]「右❶」の側の手。右手。〔多くの人が、はし・金づち・ペンを持つ方〕「―投げ」 ❸[0]〔思想・政治上の〕右翼。「著しく―寄りの発言」 ❹[1]〔すぐ〕前までに述べたこと。以上。「―〔=右の通り〕御礼まで／―総代」〔❶❷❸の対義語は、左〕

みぎうで[0]【右腕】〔大部分の人にとって利き腕である〕右の方の腕。〔最もたよりにしている輔佐（ホサ）役の人の意にも用いられる。例、「社長の―と言われる人物」〕

みぎかたあがり[5]【右肩上（が）り】 ❶書き癖として、漢字や仮名の横の画が目立って右の方が上がっている形になること。右上がり[3]。 ❷〔折れ線グラフで表わすと、右に行く

み

ほど上がることから〕上昇傾向が長期にわたって持続すること。「―の景気」

みきき①【見聞㋖】―する（他サ）見たり 聞いたり すること。

みぎきき⓪【右利㋖】はしや スプーンを持ったり 字を書き 金づちをたたいたり するのに 右手の方を使う△こと（人）。〔大部分の人は、これ〕↕左利き

ミキサー①〔mixer〕❶セメント・砂利などを交ぜる機械。「―車③」❷果物や野菜・卵などを砕いたりなどして、液状の飲み物を作る器具。「ハンド―④」❸〔音響操作やラジオ・テレビの番組制作などで〕幾つかのマイクロホンやカメラから送られてくる△音（声）や映像を効果的に組み合わせて出力する機器。また、その仕事を担当する技師。ミクサー①とも。 かぞえ方 ❶❷は一台

みぎて⓪【右手】右の方（の手）。↕左手

みぎ ひだり②⓪【右左】❶右と左。「―に別れる」❷右と左とを取り違えること。「足袋が―だ」

みぎへ ならえ⓪-②【右へ倣え】何人かを整列させる時にかける号令。〔無批判に、△前（隣）の人のまねをする意にも用いられる〕

みぎよつ⓪【右四㋡】〔すもうで〕互いに右手を相手の左わきの下に差して組むこと。↕左四つ

みきり【見切㋷】[一]⓪「見切る❷」こと。「―をつける/―品⓪〔＝もうけを抜きにして安く売る商品〕」[二]〔造語〕動詞「見切る」の連用形。 **―はっしゃ**④【―発車】―する（自サ）バス・列車などが、満員になり、乗りきれない乗客を無視して発車すること。〔国会などで、十分な審議をせずに採決に入る意にも用いられる〕

みぎり⓪【〈砌】〔「水限」の意で、もと、雨垂れの落ちる庭石や庭や場所を指した〕「時・折」の改まった言い方。「上京の―はよろしく願います/酷暑の―〔＝時候ですが〕御機嫌いかがでいらっしゃいますか」

みき・る②⓪【見切る】（他五）❶最後の所まで見終わる。「絵を見切らないうちに閉館の時間が来た」❷これ以上見込みが無いと考えて、以後世話をしたり つきあったり することをやめる。みかぎる。〔狭義では、商人が値段を安くして売ることを指す〕❸相手の技などを見きわめる。〔⇩見切り[二]〕

みぎれい②【身〈綺麗・身奇麗】―な/―に 身なりが さっぱりしている様子だ。

みぎわ⓪【〈汀】〔「水際」の意〕〔川・海・湖の〕波が打ち寄せて来る、常に濡れた一帯の砂地。 表記「〈渚」とも書く。

みきわ・める④⓪【見極める】（他下一）物事の動向や真偽・本質などをしっかりと見抜く。「△結果（真相・大勢）を―」 名 見極め⓪「―がつく」

みくず⓪【《水〈屑】〔雅〕水の中のごみ。「海の―となる〔＝水死する〕」

みくだ・す⓪③【見下㋟す】（他五）相手を軽んじた態度で見る。

みくだり はん⑤【三《行半・三下㋷半】〔江戸時代、三行半に書いた習慣から〕妻に与える離縁状。

みくに⓪【《御国】△誇るべき（りっぱな）我が国。「皇―」

みくび・る③⓪【見《括る・見〈縊る】（他五）〔「くびる」は、「くびれる[一]」の連用形の名詞用法「くびれ」を他動詞化したものに基づく〕〔他を、自分より低く見なす意から転じて〕たいしたことではないと判断する。「相手を若造と見括って手を焼く/情報の重要性を見括ったばかりに思わぬ失敗を喫した」

みくら・べる⓪【見比べる】（他下一）二つ（以上）のものを比較△する（して考える）。「二人の顔を―/各党の政策を―」 表記「見《較べる」とも書く。

みぐるし・い④【見苦しい】（形）良識をわきまえている人ならするはずがないと思われるようなことをして、接する人をひどく不快にさせる様子だ。「―言い訳は聞きたくない」 派 ―さ④③

みぐるみ⓪②【身《包み】〔からだを包みおおっている物の意〕追いはぎなどが奪い盗む対象としての、着衣全部。「―脱いで置いて行け」

ミクロ①〔ド mikro-＝「小さい」意のギリシャ語に基づく〕❶―な 微視的。「―の世界〔＝顕微鏡下の、微生物などの世界〕」↕マクロ ❷⇩マイクロ[二]❶「―グラム」

ミクロコスモス④〔ド Mikrokosmos〕小宇宙。↕マクロコスモス

ミクロトーム④〔ド Mikrotom〕プレパラートを作る器具。

ミクロン①〔フ micron〕長さの単位で、マイクロメートル〔＝百万分の一メートル〕の旧称〔記号 μ〕。⇩オングストローム

みけ①【三毛】白・黒・茶色の交じった毛（のネコ）。

みけいけん②【未経験】―な まだ経験したことが無い△こと（様子）。「―者④」 派 ―さ④⓪

みけつ⓪【未決】↕既決 ❶まだ△裁決していない（決まらない）こと。「―の△案件（書類）」❷被告人の有罪か無罪かが、決まっていない段階にあること。「―監③②」 **―しゅう**③②【―囚】勾留されている刑事被告人。

みけん⓪【未見】まだ△見て（会って）いないこと。「―の書/―の間柄」

みけん⓪【眉間】まゆと まゆの間。ひたいの中央。

みこ① [一]【《神子】神・神社に奉仕し、神楽を舞ったりする未婚の女性。[二]【〈巫・〈〈巫女〉】神がかりの状態になって口寄せすることを職業とする女性。東北地方の いちこ・いたこも、この一種。

みこ①【《御子・《皇子・〈親王〉・〈皇女〉】天皇の子。

みご①【〈稭・〈〈稈心〉】〔身子の意という〕わらしべ。 表記「〈〈稈心〉」は、義訓。

みごうしゃ②【見巧者】―な〔芝居などを見なれていて〕見方が上手な△様子（人）。

みこし⓪【見越㋛】その物が、その手前にあって隔てとなる物を越して（高く）見えること。「―の松〔＝塀のそばにあり、それより高い松〕/―入道〔＝金棒を持った、のっぽの坊主のかっこうをした化け物〕」

みこし⓪【《神〈輿・《御〈輿】〔「御輿」の意〕神体を安置した輿。しんよ。「重い―を上げる〔＝俗に、輿を腰の意に取って、立ち上がって仕事に取りかかる、の意に用いられる〕/―を据える〔＝すわりこんで、動かないままでいる〕/―をかつぐ〔＝人を『長』と言われる位置に据えたりして、ちやほやする〕」⇩おみこし かぞえ方 一基 **―ふり**③⓪【―振㋷】渡御の神輿を威勢よくかつぎ動かすこと。

みごしらえ②【身〈拵㋓】―する（自サ）それぞれの行動に適した服装を整えること。

みこ・す⓪②【見越す】（他五）〔「隔てている物を越して見る」の意〕きっとそうなるだろうと予測する。「将来を見越して計画する」

みごたえ⓪②【見応㋓】見るだけの価値があること。「―がする/―のある大会」

みこと⓪【《尊・《命】〔雅〕〔もと、「御言」の意〕△神（貴人）の敬称。〔多く、名の下に付けて用いられる〕「大国主―」

みこと⓪【《御言】〔雅〕「（天皇の）言葉・命令」の意の尊敬語。「大君の―畏み」

***みごと**①【見事・《美事】―な/―に〔「見るだけの値うちがある事」

の意。⇩聞き事」❶出来ばえ・結果などがどの点から見てもりっぱで、感心させられる様子だ。「―な菊／―な〔=すばらしい〕演技／―にやりとげる」❷〔一言の弁解の余地もないほど〕完全な様子だ。〔反語的に用いられる〕「―に失敗した／ものの―にしてやられた」派―さ③ 表記「《美事」は、美的な借字。運用❶は、「お見事、全問正解」の形で感動詞的にも用いられる。

みことのり⓪【詔・《勅】〔「御言(ミコト)宣(ノリ)」の意〕天皇の言葉(を書いたもの)。勅語・詔書など。

みごなし⓪②【身《熟し】からだの動かし方。所作(ショサ)。

*__みこみ__⓪【見込(み)】そうなることが確実だという予測。「治る―が無い／三月卒業の―／(先の)―〔=将来性〕の無い人／―違い④〔=あてはずれ〕」

みこ・む⓪②【見込む】(他五) ❶確実だとか望みがあるなどと△期待(信用)する。「親が見込んで嫁にもらう／上役に見込まれる／△成功(増加)を―／男と見込んで頼む／△黒字(豊作)が見込まれる」❷あらかじめ△計算しておく(勘定に入れる)。「一割の破損を―／退職金を見込んで家を建てる」❸どこまでもとりつく。「悪魔に見込まれる」

みこも⓪【《水〈菰】〔雅〕水中に生えるマコモ。

みごも・る③【身籠(も)る】(自五) 妊娠する。はらむ。

みごろ⓪③【見頃】そのものを見るのに適している時期。「花の―」

みごろ①⓪【身頃・〈裑】衣服のからだの表・背中の全部をおおう部分。「後ろ―・前―」

みごろし⓪【見殺し】人が△殺される(困っている)のを、見ているだけで助け(られ)ないこと。「―にする」

みこん⓪【未婚】まだ結婚していないこと。↕既婚

みこん⓪【未墾】まだ開墾していないこと。「―地②」

ミサ①〔ラ missa〕〔カトリック教会で〕Ⓐ聖餐(セイサン)式。Ⓑ〔←ミサ曲②〕ミサに歌う歌。表記「弥〈撒」は、音訳。

みさい⓪【未済】(物事の処理や金銭の納入・返金などが)まだ済まないこと。「―事件／―の借金」↕既済

ミサイル②〔missile=飛び道具〕△ジェット(ロケット)エンジンで飛び、内蔵する装置または無線操縦によって飛行経路や速度を修正して目標に到達する兵器。誘導弾。かぞえ方 誘導弾も発射台も一基

みさお⓪【操】本来やろうと思ったことや自分の主義・主張を、誘惑や圧迫に負けないで貫くこと。〔狭義では、貞操を指す〕「―を△守る(立てる・破る)」

みさお⓪【《水〈竿】水にさして舟を進めるためのさお。

みさかい⓪【見境】〔慎重に考えれば分かるはずの〕事の善悪・可否などについての判断。「前後の―もなく」

みさき⓪【岬】〔「み」は接辞〕海・湖に突き出た、陸地の先端。「潮(シオ)ノ―」表記「《崎」とも書く。

みさ・げる⓪③【見下げる】(他下一) 対等につきあえない人間だとして、軽蔑(ケイベツ)する。「親にまで見下げられてしまった／見下げはてた〔=どうにも救いがたい〕奴(ヤツ)」

みさご⓪【〈鶚・〈〈雎鳩〉〉】海岸の岩にすむ、トビに似た鳥。背中は暗い茶色。腹は白色。翼は長く、鋭いつめで魚をとって食べる。〔ミサゴ科〕表記「〈雎・〈鴘」とも書く。

みささぎ⓪【陵】〔「み」は接辞〕天皇・皇后の墓。御陵(ゴリョウ)。〔古くは、「みさざき」〕かぞえ方 一羽

みさだ・める④⓪【見定める】(他下一) 〔まちがいないと判断出来るまで〕見て、確かめる。「人柄を見定めた上で採用する」名見定め⓪「―がつく」

みさらし②【未〈晒(し)】まだ晒していないこと。「―のもめん」

みざる きかざる いわざる②-③-③【見猿聞か猿言わ猿】それぞれ手で目・耳・口をふさいだ三匹のサル。〔△自分に都合の悪い(自分の心をまどわす)ものや他人の欠点は見ない、聞かない、言わないのが無難だという意味を表わす〕

**__みじか・い__③【短い】(形) ↕長い ❶連続また持続する物事の、始まりから終りに至るまでの時間が△比較の対象とする(一般に予測される)ものより少ない様子だ。「―時間だが、ぐっすり眠った／―一生を精一杯生きた／十一月に入り、日が短くなって来た／―言葉で簡潔に話す／気が―〔=⇩気〕」❷線状・棒状に伸びているものの、一方の端から他方の端までの隔たりが△比較の対象とする(一般に予測される)ものより小さい様子だ。「時計の―針は何時であるかを示す／髪を短く刈る／帯に短し襷(タスキ)に長し〔=⇩帯❶〕」派―さ③② ―げ⓪④

みじかめ⓪【短目】―な ―に どちらかと言うと短い様子だ。↕長目

みじかよ③【短夜】〔雅〕〔夏の〕短い夜。

みじたく②【身支度】―する(自サ) 外出などのための準備。

みじまい②【身仕舞】―する(自サ) 身じたく。〔狭義では、女性のそれを指す〕「△すそなどを引っ張って(鏡に向かって)―を整える」

みしみし①(副)―と 板などがきしんだりたわんだりして音を立てる様子。また、その音の形容。「廊下が―いう／大風で家全体が―と鳴る」

*__みじめ__①【惨め】―な ―に 〔「見じ目」の意〕❶自分は決してあんなふうになりたくないと思うほど、ひどい様子だ。「―な生活」❷どうしてこんな目にあわなければならないのだろうかと△劣等感(屈辱感)を持つ様子だ。「慰められて かえって―な思いをした」派―さ③

みしゅう⓪【未収】まだ△徴収(収納)していないこと。「―金⓪」

*__みじゅく__⓪【未熟】―な ―に ❶〔果物などが〕まだ成熟していない△こと(様子)。「―な〔=生硬で、広く通用しがたい〕訳語」❷〔学問・技芸・修養などが〕まだ十分でなくそのままではその世界に通用しない様子だ。「―な技術／―者⓪」派―さ⓪③ 運用❷は、自分や自分の身内のことについて、謙遜(ケンソン)して言うのに用いられることがある。例、「何分未熟な者ですがよろしくお願いします」 ―じ③【―児】予定日より早く生まれるなどで、からだの発育が未熟な乳児。〔出生時の体重が二五〇〇グラム未満の場合は「低出生体重児⑨」と言う〕

みしょう⓪【未生】〔仏教で〕その人が、この世に生まれる以前の境涯。「父母(ブモ)―以前の真面目」

みしょう⓪【未詳】一応 方法は尽くしたが、まだ確実な情報が得られないこと。「語源―」

みしょう⓪【実生】〔接ぎ木・挿し木と違って〕種から芽が出て生長する△こと(草木)。みばえ⓪。

みじょう⓪【身性】〔「身上」の湯桶(ユトウ)読みに基づく語〕❶生まれつき(の身分)。「―がいい」❷みもち❶。〔❶❷とも古風な表現〕表記「身状」とも書く。

みしらず②【身知らず】―な ―に 自分(の能力・体力など)を知らない△こと(様子)。「―の望み／―なまね」

みしらぬ⓪【見知らぬ】(連体) △見た(会った)ことが無くて、知らない。「―男」

みしりお・く⓪④【見知り置く】(他五) 会った人を記憶にとどめておく。運用 同等以上の初対面の人に対して、これからも何かと世話になるという気持を込めた挨拶(アイサツ)の言葉として用いられる。例、「今後ともお見知り置きください」

みしりごし⓪【見知(り)越(し)】前に会って以来、ずっと知っている△こと(人)。

みし・る⓪②【見知る】(他五) 見て、知っている。面識があ

る。「会場には二、三見知った顔もあった」

みじろぎ ③②④【身じろぎ】—する(自サ)〔「身じろき」の変化〕自然の状態で何かをしている人が、長い時間のうちに、自然にからだのどこかを動かすこと。「—一つしない〔=緊張したりなどして全く不動の姿勢を保っているかのように見える状態だ〕」 動 身じろぐ③(自五)

ミシン ①〔←sewing machine〕洋服などを縫う時に使う機械。「電動—⑤・—目⓪④〔=切手や伝票などに、切り取るための孔(アナ)が点線状に入っていること〕」 かぞえ方 一台・一点

みじん ⓪【《微〈塵】〔細かい、ちりやほこりの意〕Ⓐ本来、ある形を持っていた物が外界の力を受けて細かい破片の状態になったもの。「—に砕く/こっぱ—」Ⓑごくわずかな量。「—の親切さも感じられない応対/そのような考えは—も無い」 **—ぎり** ⓪【—切(り)】細かく切った野菜(の切り方)。「タマネギを—にする/パセリの—」 **—こ** ⓪【—子】池・沼・たまり水などに浮いて動いている、ごく小さな動物。魚のえさになる。〔ミジンコ科〕 かぞえ方 一匹 **—こ** ⓪【—粉】もち米をひいていった粉。らくがんなどの菓子の材料。

ミス ①—する(自他サ)〔miss〕〔仕事や競技などの上での〕判断の誤りや、やりそこない。ミステーク。「ちょっとの—でも見逃さない/ノー—で完勝」

ミス ①〔Miss〕❶未婚の女性(の名前の上につけて呼ぶ言葉)。さん。嬢。「—中村・ハイ—」↔ミセス ❷その△年度(地域)を代表する女性。特に、容姿・教養などを競うコンテストで選ばれた、(未婚の)女性。「—日本・—ユニバース」↔ミスター

みす ⓪【《御〈簾】〔「す」は「すだれ」の意〕綾(アヤ)などのへりをつけたすだれ。〔宮殿・神殿などに用いる〕 かぞえ方 一枚

ミズ ①〔Ms.〕ミスとミセスの汎(ハン)称。

****みず** ⓪【水】❶泉からわき川を流れ海にたたえられたり雨となって降って来たりする、冷たい液体。化学的には、水素と酸素の化合物としてとらえられる。〔化学式 H_2O〕〔きれいなものは無色透明で飲料に適し、生物の生存に不可欠。熱したものは「湯」、蒸発したものは「水蒸気」、凍ったものは「氷」と言う〕「寝耳に—〔⇒寝耳〕/湧(ワ)き—・飲み—・雨(アマ)—・—争い③・—飢饉(キキン)」 ❷液状の物。「膝(ヒザ)の関節に—がたまる/はな—・—あめ・—ようかん・—おしろい・—物」 かぞえ方 ❶は一滴・一杯 【—がつく】浸水する。【—が出る】大水になる。【—が入(い)る】〔すもうで〕水入りになる。【—に油】性質が正反対で、融和しないことのたとえ。水と油。【—に流す】過去のいざこざなどを無かったことにして、和解する。【—の滴(した)る】鋭気や生気が傍目(ハタメ)にも潑剌(ハツラツ)と映じる形容。〔狭義では、美男・美女の色気に満ちた美しさについて言う〕【—も漏らさぬ】防備・警戒などが非常に厳重な様子を表わす。「—警戒ぶり」【—をあける】ボートレースで一艇身以上の、競泳で一身長以上の差をつける。〔競争相手を目立って引き離す意にも用いられる〕【—を打ったよう】その場に集まったおおぜいの人が静まり返っている様子。【—を掛ける】高揚した気分を冷ますようなことを言う。【—を差す】仲のいい間柄をわざと引き裂いたり意気込んで何かをしようとしている人に嫌みめいたことを言ったりする。【—を向ける】相手の関心を誘うように暗示を与える。

みずあか ⓪—【水〈垢】水に溶けた物質が入れ物にくっついたり水上に浮かんだりしている、垢のようなもの。あか。

みずあげ ⓪—【水揚(げ)】—する(他サ)❶船の荷物を陸へ揚げること。〔狭義では、漁獲量や、水商売などの稼ぎ高を指す。例、「タクシーの—」〕❷〔生け花で〕草花が長持ちするように、水切りしたり切り口を焼いたりなどして、水を十分吸い上げさせること。また、その方法。❸芸者・遊女が初めて客に接すること。〔❸は花柳界の通語〕

みずあさぎ ③—【水浅〈葱】薄い青色。

みずあし ⓪—【水足】川水が急にふえたり減ったりする、変化の度合。「—が速い」

みずあそび ③—【水遊(び)】—する(自サ)❶海・川などで、泳いだりして遊ぶこと。❷子供が水をおもちゃにして遊ぶこと。

みずあたり ③⓪—【水《中(り)】—する(自サ)飲んだ水が原因で腹をくだすこと。

みずあび ⓪—【水浴(び)】—する(自サ)❶水を浴びること。❷(楽しみとして行なう)水泳。

みずあぶら ③—【水油】❶液状の髪油。❷灯油。

みずあめ ⓪—【水〈飴】でんぷんに麦芽の酵素を加えて作った、液状の飴。〔普通、広口の瓶に入れて市販される。また、菓子の加工にも使われる〕

みずあらい ③—【水洗(い)】—する(他サ)せっけんなどを△使わないで(使う前に)水だけで洗って水で落ちる汚れを落とすこと。

みすい ⓪【未遂】悪い事をやりかけたが、結果的には目的を達成しなかったこと。「殺人—⑤・自殺—④」↔既遂

みずいらず ③—【水入らず】身内の者だけで、他人を交えないこと。「親子—の暮らし」

みずいり ⓪—【水入(り)】〔すもうで〕長く組みあったまま勝負がつかず両力士が疲れた時、一時引き離して力水(チカラミズ)を飲み短時間休ませること。みず。「—の大ずもう」

みずいれ ③④—【水入(れ)】硯(スズリ)にさす水を入れておく小さな入れ物。金属・磁器で作る。水滴。

みずいろ ⓪—【水色】空色に似て、それより少し濃い青色。

***みずうみ** ③②【湖】〔水海の意〕まわりを陸に囲まれて水をたたえた所。〔池・沼より大きくて、深いものを言う〕

みずえ ⓪—【水絵】「水彩(画)」の意の和語的表現。

みずえ ⓪—【〈瑞《枝】〔雅〕みずみずしい若枝。

みずえのぐ ③—【水絵(の)具】水でといて使う絵の具。

みすえる ⓪—【見据える】(他下一)❶目を動かさずにじっと見つめる。「相手を—」❷分析的な目で、よく見る。「現実を—/将来まで—/行くえを—」

みずおけ ⓪③【水〈桶】水を△入れる(入れておく)桶。

みずおしろい ③—【水〔白粉〕】⇩おしろい

みずおち ⓪【〔〈鳩尾〕】〔「水落ち」の意〕胸の中央部で腹に接するあたりのくぼんだ所。「みぞおち」とも。〔ここを強く突かれると、気絶したり死んだりする〕

みずおよぎ ③—【水泳(ぎ)】(スポーツとして)水の中を泳ぐこと。

みずかい ⓪【水飼(い)】馬などに、水をやること。「—場(バ)⓪」

みずがい ②【水貝】なまのアワビを薄く切って三杯酢などにして食べるもの。

みずかがみ ③—【水鏡】水面に姿△が映る(を映して見る)こと。また、その水面。

みずかき ③⓪—【水〈搔(き)・〈蹼】〔水鳥・カエルなどの〕足の指の間にある膜。これで水を搔く。

みずがき ②—【〈瑞垣】〔雅〕神社の垣根。 表記 「水垣」とも書く。

みずかけろん ④—【水掛(け)論】それぞれ証拠の無いことについて、自分に都合のいい理屈だけを主張しあって、争点がかみあわないこと。また、そのような議論。「—に終始する」

みずかげん ③—【水加減】〔煮物をする時や田に水を引く時などの〕水の入れぐあい(を調節すること)。

みずかさ⓪ミヅ【水〈嵩〉】川・池・ダムなどの水の量。「―が増す」

みずがし③グヮシ【水菓子】「果物」の意の古風な表現。

みすか・す⓪【見透かす】(他五) 表面に現われていないことの真相まで見抜く。〔隠そうとしているもの〕本当の内容を見て取る。見通す。「足もとを―〔=人の弱みを見抜く〕/底が見すかせない」 名見透かし⓪

みずがみ⓪ミヅ【水髪】油を使わず、水だけでなでつけた髪。

みずがめ⓪ミヅ【水《瓶》】水を入れておく瓶。〔大都会に供給する上水をたたえた貯水池の意にも用いられる〕 表記「水〈甕〉」とも書く。

みすがら②⓪【身すがら】㊀孤独で、天涯無一物の境涯。㊁荷物などを持たず、からだ一つのこと。

みずから①ミヅカラ【自ら】㊀自分自身。〔古くは、身分の高い女性の自称としても用いられた〕「―の道を切り開く/―に言い聞かせる/―を励ます/―の首をしめるようなものだ」 ㊁(副) 自分自身の判断であえてそうする様子。「社長―先頭に立つ/―身を投じる/―身を引く/―墓穴ボケツを掘る〔=⇒墓穴〕」 表記 例外=「自ら」。「〈躬ら〉」とも書く。

みずガラス③ミヅ【水ガラス】「珪酸ケイサンナトリウム⑦〔=ソーダ〕と石英の粉とを火で溶かしたもの」の水溶液。無色透明の水あめ状で、空気中でかわかせばガラス状になる。接合剤・防火剤用。

みずがれ⓪ミヅ【水〈涸れ〉】〔ひでり続きなどで〕井戸・川・田などの水が干上がること。

みすぎ⓪【身過ぎ】―する(自サ) 生計を立てて生活していく△こと(手段)。「―世過ぎ④、⓪-⓪」

みずき⓪ミヅ【水木】山野に生え、初夏に白い花を開く落葉高木。春、芽をふく時、水を地中からたくさん吸い上げるので、この名がある。庭木・細工物用。〔ミズキ科〕 かぞえ方 一株・一本

みずぎ⓪ミヅ【水着】水泳する時に着るもの。水泳着③。海水着。 かぞえ方 一枚

みずききん③ミヅ【水飢〈饉〉】〔晴天が長く続いて〕生活や農耕に必要な水が足りなくなること。「―に見舞われる」

ミスキャスト③〔miscast〕〔演劇・映画などで〕配役の失敗。不適当な配役。

みずきり⓪ミヅ【水切り】㊀―する(他サ) 洗った物についている水分を落とす△こと(ために使う入れ物)。㊁水面をはずんで飛ぶように石を投げる遊び。㊂―する(他サ)〔生け花で〕水揚げの一つの方法。水の中で枝や根元を切る。㊃魚や舟が進む時に感じる、水の抵抗。「―が速い」

みずぎれ⓪ミヅ【水切れ】必要な飲み水などが〔かれて〕無くなること。

みずぎわ⓪ミヅギハ【水際】川・池などの水面と陸地が接している所。「―で〔=やっかいな相手の上陸を〕食い止める/―作戦⑤」 **―だ・つ**⑤【―立つ】(自五) あざやかに見える。「水際立った△美しさ(処理を見せる)」

みずぐき⓪ミヅ【水茎】「毛筆で書いた文字」を美化した表現。〔広義では、手紙をも指す〕「―の跡〔=筆跡〕」

みずくさ⓪ミヅ【水草】水中に生える草。すいそう。

みずくさ・い④ミヅ【水臭い】(形) ㊀水分が多過ぎて〔塩気が薄くて〕、その物の味の良さが感じられない様子だ。「―酒」 ㊁互いに気心が知れていて何でも話せる間柄だと信じていたことが裏切られたかのように思われるほど、相手がよそよそしい態度をとる様子だ。「そんなに困っていたのなら一言言ってくれてもいいのに―じゃないか」 派―さ③

みずぐし⓪ミヅ【水〈櫛〉】水に浸して髪をすく、歯の粗い櫛。

みずぐすり③ミヅ【水薬】水溶液の形で飲む薬。「すいやく」とも。⇔粉薬・丸薬

みずぐち⓪ミヅ【水口】㊀水を取り入れる口。水が△落ちる(出る)口。㊁外の井戸から水をくみ入れるための、台所の出入口。

みずくみ⓪③④ミヅ【水〈汲み〉】―する(自サ) 飲むための水や洗濯などの水を△汲む(汲んで来る)こと。また、その人。「―人夫」

みずぐるま③ミヅ【水車】㊀すいしゃ。㊁刀を振りまわして敵と戦う様子。 かぞえ方 ㊀は一台

みずけ⓪ミヅ【水気】物に含まれている液体の分量。水分。「―の多い果物/―を取る」

みずげい⓪②ミヅ【水芸】水を使ってする曲芸・手品。

みずけむり③ミヅ【水煙】㊀飛び散って、煙のように見える水のしぶき。「―を立てて走る」 ㊁水面に立つ霧。

みずこ⓪ミヅ【水子】㊀流産・堕胎した胎児。「―供養④・―地蔵④・―塚ヅカ③」 ㊁〔中部方言で〕生まれて間マもない子。あかご。〔「みずご」とも〕

みずごえ⓪ミヅ【水肥】⇒すいひ

みずごころ③ミヅ【水心】㊀水泳の心得。㊁「魚ウオ心ゴコロあれば水心」の略。⇒魚心

みすご・す③⓪【見過ごす】(他五) 実際に見て何らかの対応を必要とする状況にあるのに、△気付かずにいる(無視したままにする)。「△道路標識(目印の看板)を―/困っている人を―わけにもいかない/今まで見過ごされてきた放置自転車対策を真剣に考える時期にきた」 名見過ごし⓪

みずこぼし③ミヅ【水《翻》し】〔茶を入れかえる時〕飲み残しの茶や茶わんをすすいだ水を捨てるための茶器。建水ケンスイ。

みずごり⓪ミヅ【水〈垢離〉】⇒こり「―を取る」

みずさいばい③ミヅ【水栽培】水耕(法)。

みずさかずき③ミヅサカヅキ【水杯・水〈盃〉】〔生還を期し難い時に〕酒の代りに水をついで飲みかわす、別れの杯。「―を交わす」

みずさき⓪ミヅ【水先】㊀水の流れて行く方向。㊁船が進んで行く水路。 **―あんない**⑤【―案内】船が港などに出入りする時、水路を案内すること。また、その資格を持つ人。パイロット。

みずさし③ミヅ【水差〈し〉】コップや茶がま・花瓶などにつぐ水を入れておくための入れ物。 表記「水指し」とも書く。

みずし⓪ミヅ【水仕】台所で働く△こと(女の人)。

みずしごと③ミヅ【水仕事】水を使ってする仕事。食事の用意・洗濯など。

みずしぶき③ミヅ【水〈飛沫〉】勢いよく飛び散る水。「―を上げてプールに飛びこむ/噴水の―」

みずじも⓪ミヅ【水霜】⇒つゆじも

ミスジャッジ③〔misjudge〕〔運動競技で〕審判員が間違った判定をすること。誤審。

みずしょう⓪ミヅシヤウ【水性】五行ゴギョウの一つである水の性質を受けて△生まれること(生まれた人)。〔女の人の浮気な性質の意にも用いられる〕

みずしょうばい③ミヅシヤウバイ【水商売】客の人気・都合次第で収入が左右される、不安定な職業。旅館・料理屋・バー、また、芸者やホステスなどの接客業などを言うことが多い。

みずしらず①【見ず知らず】今まで一度も会ったことも、名を聞いたことも無いこと。「―の人に助けられる」

みずすまし③ミヅ【水澄まし】小形で卵形の甲虫コウチュウ。色は薄黒くて、水面を旋回する。まいまい。〔ミズスマシ科〕 かぞえ方 一匹

みずせっけん③ミヅ【水石〈鹸〉】液状にした石鹸。

みずぜめ⓪ミヅ【水攻め】―する(他サ) 敵の城を攻め落とす方法として、川などの水をせきとめて城を水びたしにして孤立させたり 敵の給水路をふさいだり して苦しめること。

み

みずぜめ[0]【水責(め)】─する(他サ) 水を使ってする拷問。

みずた[0]【水田】⇩すいでん

ミスター[1]〔Mister, Mr.〕❶男子の名前の上に冠して呼ぶ言葉。さん。様。❷組織や分野を代表するような秀でた男性。また、男子のコンテストの優勝者。「─ジャイアンツ」↕ミス

みずたき[0]【水炊(き)】なべ料理の一つ。ぶつ切りにした若鶏(ワカドリ)を煮立て、(野菜・豆腐などを加え)つけ汁につけて食べるもの。

みずたま[0]【水玉】❶玉のようになった水滴、または水しぶき。❷〔←水玉模様[5]〕〔洋服地などで〕水玉のような小円をたくさん散らした模様。ドット。

みずたまり[0]【水(溜まり)】雨水などが溜まっている所。「夕立で地面のあちこちに─ができる」

みずち[1][0]【〈蛟】〔「ち」は、大蛇(オロチ)の「ち」と同源〕古代人が歌などに詠んだ想像上の動物。淵(フチ)にすむという、一種の竜。表記「〈虬・〈鮫・〈螭」とも書く。

みずぢゃや[0]【水茶屋】江戸時代、道ばたでお茶などを出して、旅人を休ませた店。

みずっぱな[0][4]【水っ〈洟】〔「水ばな」の口頭語形〕〔風邪(カゼ)を引くなどして〕水のように垂れてくる鼻汁。

みずっぽ・い[4]【水っぽい】(形) 水分が多くて味が薄く、おいしくない感じだ。「─酒」派─さ[4]

ミスティシズム[4]〔mysticism〕神秘主義。ミスチシズム。

ミステーク[3]─する(自他サ)〔mistake〕まちがい。誤り。ミス。

みずでっぽう[3]【水鉄砲】水を筒の先の穴から押し出して飛ばすおもちゃ。かぞえ方 一本

ミステリアス[3]─に〔mysterious〕理性ではとらえきれない謎(ナゾ)の要素を含む様子だ。「─な事件」

ミステリー[1]〔mystery〕❶神秘。不思議。「地球創成の─」❷△推理(怪奇)小説。

みす・てる[0]【見捨てる】(他下一) どうにかしなければならない状況にある相手をほうっておいて、自分だけ他の行動に移る。「見捨てないで〔=今まで通りの関係をやめないで〕ちょうだい」名見捨て[0]「お─なく」表記「見《棄てる」とも書く。

みずてん[0]【見ず転・〈不見〉転】〔今後の成行きや相手などに見通しをつけずに衝動的な行動をする意から〕相手を選ばず、お金次第で客の言いなりになる△こと(芸者)。

ミスト[1]〔mist〕❶霧・かすみ・もや。❷スプレーなどで霧状にして用いるもの。「─機[3]〔=霧状にした液体を送風装置により散布する機械〕」

みずどけい[3]【水《時計】小さい穴から水が漏れ出る量によって、時刻を知る装置。漏刻(ロウコク)。表記⇩付表「時計」

みずとり[0]【水鳥】水辺にすみ、水中の魚をえさとする鳥。みな、水かきを持っている。カモ・カイツブリなど。

みずな[0]【水菜】❶キョウナの異称。❷湿地に生える多年草。若い茎を食べる。うわばみそう[0]。〔イラクサ科〕

みずなら[0]【水〈楢】ドングリのなる落葉高木。葉は卵形で、ふちに荒いぎざぎざがある。五月ごろ開花。材は堅く、建築・家具に使う。「おおなら[0]」とも。〔ブナ科〕かぞえ方 一株・一本

みずに[0]【水煮】─する(他サ) 薄い塩味だけで肉や野菜などを煮ること。また、その煮たもの。〔主として、缶詰に言う〕「△サバ(イワシ・サンマ)の─」

みずのあわ[5]、[0]-[2]【水の泡】水の表面に浮かぶ泡。〔せっかくの心づくしや努力がはかなく消え去る意にも用いられる。例、「せっかくの計画も─だ」〕表記「水の〈沫」とも書く。

みずのえ[3]【〈壬】〔「水の兄(エ)」の意〕十干(ジッカン)の第九。辛(カノト)の次、癸(ミズノト)の前。

みずのて[0][4]【水の手】飲用・消火用の水(を引く水路)。「─が悪い」

みずのと[3]【〈癸】〔「水の弟(ト)」の意〕十干(ジッカン)の第十。壬(ミズノエ)の次。〔十干が一巡し、再び甲(キノエ)に戻る〕

みずのみ[3][4][0]【水飲(み)・水〈呑(み)】水を飲むこと。また、その△器(所)。「─場(バ)[0]」**─びゃくしょう**[5]【─百姓】(自分の田畑を持たない)貧しい農民。

みずば[0]【水場】❶水の得られる所が限定されている山中などで、多種の野生動物が水を飲みに集まる水辺。❷登山などで、飲料水の確保できる場所。

みずばかり[3] ■【水計(り)】水を使って、土地が平らかどうかを計る△こと(道具)。水盛り。■【水〈秤】水を利用して、簡単に何かの比重を計る仕掛け。表記■は、「水《準」とも書く。

みずはけ[0]【水〈捌(け)】雨水や流した水などの流れぐあい。「水はき」とも。「─が△よい(悪い)土地」

みずばしょう[3]【水〈芭蕉〉】尾瀬など、山地の湿原に群生する多年草。初夏、葉に先立って白い苞(ホウ)を持ち、薄緑色で穂状の花が開く。〔サトイモ科〕かぞえ方 一本

みずばしら[3]【水柱】〔重い物が落ちたり噴出したりして〕水が柱のように立ち上がったもの。「─が立つ」

みずばな[0]【水〈洟】⇩みずっぱな

みずばら[0]【水腹】❶暑かったりして、水分を取り過ぎた時の下痢ぎみの腹ぐあい。〔多く、食欲不振を伴う〕❷食べる物が無く、水でやっとひもじさをしのいでいる状態。

みずばり[0]【水張(り)】❶洗濯した布を かわかすのに、のりをつけないで、水で板に張りつけること。❷水彩画などで、紙の伸縮を防ぎ、絵の具の のびをよくするために、用紙を水にぬらして画板に張ること。

みずひき[0]【水引】❶贈り物の包みなどにかける細くて堅いひも。〔細いこよりを数本合わせ のりをひいて固め、中央から金銀・紅白・黒白などに染め分ける〕❷山野の少し湿った所に生える多年草。夏から秋にかけて、深紅色の花を穂状につける。実は鉤(カギ)を持ち、他の物にくっつく。〔タデ科〕かぞえ方 ❶❷とも一本

みずびたし[0][3]【水浸(し)】すっかり水につかること。

みずぶき[0]【水拭(き)】汚れなどを取り除くために水を含んだ雑巾(ゾウキン)や布巾(フキン)などで ふくこと。

みずぶくれ[0]【水膨(れ)・水〈脹(れ)】水分がたまって皮膚の一部が△ふくれること(ふくれたもの)。

みずぶとり[0][3]【水太(り)・水《肥(り)】─する(自サ) からだが締まりなく太っていること。

みずぶね[0]【水船】❶飲み水を運ぶ船。❷水をためておく大きな△箱(おけ)。❸魚を生かしておく水槽。❹難破して浸水した船。表記❷❸は、「水《槽」とも書く。

ミスプリント[4][3]〔misprint〕誤植。略してミスプリ[0]。

みずべ[0]【水辺】海・湖・川・池・沼などの水のほとり。

みずほ[0][1]【〈瑞穂】〔雅〕みずみずしい稲の穂。**─のくに**[0]-[0]、[1]-[0]、[3]【─の国】昔、日本をほめて言った呼び名。

みずぼうそう[3]【水〈疱瘡〉】「水痘(スイトウ)」の俗称。

***みすぼらし・い**[5]【見〈窄らしい】(形) 住まいや身なり・立ち居振る舞いなどから、どう見ても貧乏な暮らしをしているとしか思えない様子だ。「─△格好(裏町)」派─さ[5][4] ─げ[0][6][5]

みずまくら[3]【水枕】中に冷水や氷を入れて頭を冷やす枕。多くゴム製。⇩氷枕

みずまし⓪【水増し】―する(他サ) 本来の分量に何ほどかを加えて、全体の量を多くすること。「△不正に(意図的に)―して請求する/―入学⑤」

みすま・す⓪③【見澄(ま)す】(他五) 十分に△何である(どんな状態)かを見きわめる。「相手の油断を見澄まして」
表記「見済ます」とも書く。

ミスマッチ③〔mismatch〕 不釣合な組合せ。

みずまわり③【水回(り)・水〈廻(り)〉】 家の中で、台所・浴室・便所など、水を使う部分。

みすみす⓪【見す見す】(副) このままではどういう結果になるかが明らかな事態を目の前にしながら、何も△出来ない(しない)でいる様子。「チャンスを―逃がした/今解約すると―損をすることは分かっていた/―知らん顔もできない」

みずみずし・い⑤【〈瑞々〉しい・水々しい】(形) 見るからに△若わかしくて(新鮮味があって)好ましく感じられる様子だ。「―感覚があふれる絵」派―さ⑤④

みずむし【水虫】❶⓪②水の中にすむ、小さい虫。❷⓪手足の指の間などに出来る皮膚病。小さい水ぶくれが出来たり 表皮がむけたりする。白癬菌によって起こり、治りにくい。

みずもち⓪【水餅】 餅がかびたり ひびわれたりするのを防ぐために、水につけて貯蔵しておくこと。また、その餅。

みずもの⓪【水物】❶水分を多く含む物。〔狭義では、飲み物・果物などを指す〕❷運などに左右されやすく、結果について予測のつかない物事。「選挙は―だ」

みずもり⓪【水盛(り)】 水計り。

みずもれ⓪【水漏(れ)】―する(自サ) 〔割れ目や裂け目などから〕中の水が漏れ出すこと。「水漏り」とも。「―注意」

みずや⓪【水屋】❶〔社寺で〕参拝客が手を清める所。「お―⓪」❷茶室に付属する、台所風の一角。〔広義では、食器入れの戸棚を指す〕❸飲み水を売る商売(人)。〔俗に、農業土木で灌漑・水源を扱う専門家を指す〕

みずやり⓪【水《遣(り)》】―する(自サ) 植物に水を与えること。

みずようかん③【水羊〈羹〉】 寒天を煮とかした中にあずきあんを入れ、冷やして固まらせた菓子。

みずら⓪【〈鬟〉】 日本古代の男子の髪の結い方。髪を頭の真ん中から左右に分け、耳のあたりで輪形に結んだもの。
表記 古くは「《巻》」とも書いた。

み・する②【魅する】(他サ) 〔何か不思議な力で〕人を引きつける。「美声に魅せられる/魅せられたる魂」

みずろう⓪【水〈牢〉】 水を満たした牢屋(に入れる刑罰)。

みずわり⓪【水割(り)】❶ウイスキーなど強い酒を飲む時に氷や水を入れて薄めること。❷実質を捨てて、見かけの量だけをふやすこと。

**みせ②【店・見世】〔←見せ棚⓪〕 商品を並べるなどして商売をする所。商店。〔広義では、店舗を持たない露店や、商品を置かないで電話で取引だけをする事務所をも指す〕「―を出す(=商売を始める)/―をたたむ(=商売をやめる)/―を張る(=店舗を構えて、商売をする)/―売り⓪」かぞえ方 一店・一軒

みせい⓪【未成】 人前に見せる程度には十分に出来あがらないこと。「―の書⓪-①、⓪-⓪」

みせいねん②【未成年】 まだ成年に達しない△こと(人)。「―者④」

みせいひん②⓪【未製品】 商品として、まだ全部は出来あがっていない品物。

みせがかり③【店懸(り)】 店の△作り方(構造)。

みせか・ける④⓪【見せ掛ける】(他下一) うわべだけを本当らしく見えるようにする。「病気のように―/実物に―」
名見せ掛け⓪「―の△同情(優しさ)」

みせがね⓪【見せ金】 取引などで、相手を信用させるために見せるお金。

みせがまえ③【店構(え)】 その店の(格や規模を表わしている)建物の作りぐあい。

みせぐち②⓪【店口】 店の間口。

みせけち⓪【見(せ)消(ち)】〔誤りの文字を抹消したりせず〕当該の文字のそばに「:」「ヒ」と書いたりなどして誤りの箇所を示した、昔の訂正法。

みせさき⓪【店先】 その店の、客の出入りする所(で、人目につきやすい所)。「―渡し⑤(=自動車や機械類などを、買い手の所に配達せずに、その営業所で渡すこと)」

みせじまい③【店仕舞】―する(自サ)↔店開き ❶一日の商売が済んで閉店すること。❷〔不況などの事情で〕廃業すること。

みせしめ⓪【見せしめ】〔動詞「見せる」の未然形+使役の助動詞「しめる」の連用形〕他の人が同様の悪事を繰り返さないように、悪い事をした人をきびしく罰して見せること。こらしめ。「―のため、あえて停職処分にする」

ミセス①〔Mrs.←Mistress〕 結婚している女性(の名前の上につけて呼ぶ言葉)。夫人。「―向けの服」↔ミス

みせだい②⓪【店台】❶〔商店で〕勘定をしたり 商品を渡したりするための台。❷商品を陳列する、箱型(でガラス張り)の棚の付いた台。カウンター。

みせつ⓪【未設】 まだそこに△敷設(設備)していないこと。↔既設

みせつ・ける④⓪【見せ付ける】(他下一) 見る人にとって必ずしも快く受け入れられないような△物事(状態)を、その目の前でいやでも見ざるをえないようにする。「仲のいいところを―/力の差をいやというほど見せつけられる」

ミゼット(造語)〔midget=一寸法師〕 超小型。「―カメラ⑤」

みせどころ⓪【見せ所】 ほかのところはともかくとして、そこだけは是非とも人に見てもらいたいと思う最も得意な△演技(場面)。「腕の―」

みぜに⓪【身銭】 本来私的な用向きに当てるための自分のお金。「―を切る(=公用などに自分のお金を使う)」

みせば③⓪【見せ場】〔芝居などで役者が得意な芸として〕特に見せようとする(演技の)場面。

みせばん⓪【店番】―する(自サ) 店に居て、来るお客の応対をする△こと(人)。

みせびらか・す⑤【見せびらかす】(他五) 自分がたまたま入手した得難い物を、得意になって見せて回る。「ダイヤモンドの指輪を―」
名見せびらかし⓪

みせびらき③【店開(き)】―する(自サ)↔店じまい ❶店を開いて、一日の仕事を始めること。❷新しく店を設けて、商売を始めること。

みせもの③【見世物・見せ物】〔「見世」は借字、動詞「見せる」の連用形〕❶見物料を取って曲芸や珍しい物を見せる興行。「―小屋が掛かる」❷おおぜいの人に興味本位で見られる△もの(こと)。「―に△される(なる)」

みせや②【店屋】 店を構えて、物を売買する所。

みせられる④【魅せられる】「魅する」の受け身形。⇩みする

**み・せる■②【見せる】(他下一)❶〈だれニなにヲ―〉△隠すことなく(隠しきれずに)見える状態にする。「笑顔を―/すきを―/△興味(関心)を―(=があることを態度に示す)/△手本(手品)を―/手のうちを見せようとしない/本来の姿を―/痛い目を見せて(=分からせて)やる」❷〈なにニなにヲ〉

―〉見る人に、ほんとうにそうだと思わせるよう装う。「からだを小枝に―シャクトリムシ/本物そっくりに―ために細かいところまでこだわる/化粧して若く―」❸〈だれニなにヲ―〉「見てもらう」の婉曲（エンキョク）表現。「医者にみせた〈=診察してもらった〉方が良い」❹〈なにヲ―〉そのように感じさせる状態を表わす。「△きざし（盛り上がり・とまどい・熱意・怒り・意気込み・意欲）を―」 表記 ❸は「《診せる」とも書く。

■（補動・下一型）❶どうすればうまく出来るかを実際に演技して手本を示す。「まず私が登って―からついて来い」❷他の人にはむずかしいことでも自分ならうまくやってのけるという意気込みを表わす。「合格して―/私が彼女を笑わして―」

み・せる ②【魅せる】（自他下一）〔「魅する」と「見せる」から生じた語〕見せて相手の心を引きつける。「―演技」⇩魅する

みぜん ⓪【未然】まだそうならないこと。まだ起こらないこと。「事故を―に防ぐ」 **―けい** ⓪【―形】〔日本語文法で〕活用語の語形の一つ。意志・推量・打消しなどを表わす助動詞（および文語で特定の助詞）が接続するときの形。将然形⓪。⇩付録「活用表」

みそ ①【味〈噌】❶日本特有の塩味の調味料。ダイズを蒸してつき砕き、こうじと塩を交ぜて発酵させて作ったペースト状のもの。〔原料としては小麦・米なども用いられる〕「―を擂（ス）る〈=相手に取り入ろうとしてへつらう〉」「―もくそも一緒にする〈=価値のあるものも無いものも区別なく同じように扱う〉/―をつける〈=当人の評価を下げるような失敗をする〉/―汁・―煮③⓪・鉄火―」❷「みそ❶」に似た状態の物。「△カニ（エビ）の―〈=内臓〉/脳―」❸表立ってはいないが高い評価を得るもとになっている独自の工夫がみられる点。「クラシック音楽の作曲法に邦楽の要素を取り入れたのが―だ」 かぞえ方 ❶は一樽（ヒトタル）・一本

みぞ ⓪【〈針孔〉】針の穴。めど。 表記 「〈針孔〉」は、義訓。

*__みぞ__ ⓪【溝】❶用水・排水・雨水などを流すために掘った、小さい水路。❷ふすま・障子などを通すために、敷居・かもいなどに作った、細長いくぼみ。〔人と人との間の感情の隔たりの意にも用いられる。例、「二人の間に―が出来る/―を△深める（埋める）」〕 かぞえ方 ❶❷とも一本

みそ あえ ⓪④【味〈噌《和（え）】味噌で△和えること（和えた食品）。 表記 「味〈噌韲〉」とも書く。

みぞう ⓪②【未〈曽有〉】〔ミゾウォウの省略形。ゾウは、「曽」の呉音〕それに類する事件が今までに一度も無かったこと。〔最近は、語源が忘れられ、ミーゾーウという文字読みをすることが多い。「みぞゆう」も誤り〕「古今―の出来事」

みぞ おち ⓪【〈鳩尾〉】「みずおち」の変化。

みそ か ⓪【三《十日・〈晦日】〔その月の第三十日の意〕その月の最後の日。「―払い④」⇩ついたち

みそか ごと ⓪【《密（か）事】〔雅〕人の目を避けるような事。秘密の事。

みそぎ ⓪【禊】―する（自サ）〔「身滌（ミソギ）」の意〕罪やけがれをはらうために、川などで水を浴びて身を清めること。〔スキャンダルのある政治家が、選挙に当選することにより「禊は済ませた」などと言うことがある〕

みそ くそ ⓪【味〈噌糞〉】（副）―に/―な ⇩くそみそ❶

みそ こし ③⓪【味〈噌漉〉（し）】曲げ物の底に細い竹製の網代（ジロ）を張った、味噌を漉す道具。

み そこな・う ④⓪【見損（なう）】（他五）❶見あやまる。見まちがう。「信号を―」❷〔見たいと思ったものを〕うっかりして見ないでしまう。見忘れる。「話題の映画を―」❸評価を誤る。「あいつを見損なったよ」 名 見損ない⓪

みそさざい ③【〈〈鷦鷯〉〉・〈三十三才〉】山中の水べにすむ、小鳥。全身こげ茶色で、忙しそうに絶えずからだを動かす。鳴き声が美しい。〔ミソサザイ科〕 かぞえ方 一羽

みそじ ⓪【三《十】〔雅〕〔「ぢ」は、「はたち」の「ち」と同源か〕❶三十（サンジュウ）。❷【三《十路】三十歳。

みそしき ②【未組織】集団に属するものが、組織としての体裁をとっていない状態にあること。「―〈=労働組合が△組織（結成）されていない職場の〉労働者⑦」

みそ しる ③【味〈噌汁】〔「すましじる④」と違って〕味噌を溶かし、野菜・ワカメ・豆腐などを実に入れて煮た汁。

みそ すり ④③【味〈噌擂〉（り）】❶味噌の中に残っている豆をすりつぶすこと。❷へつらう△こと（人）。 **―ぼうず** ⑤【―坊主】お寺で炊事などの雑用をする、下級の僧。

みそっ かす ④【味〈噌（っ）〈滓】❶味噌を味噌こしでこした滓。〔価値の無い物の意にも用いられる〕❷「遊びの仲間として一人前の扱いをされない子供」の俗語的表現。

みそ づけ ⓪【味〈噌漬（け）】味噌につけた肉・魚・野菜。

みそっ ぱ ②【味〈噌（っ）歯】「子供の、虫歯で黒く欠けた歯」の俗語的表現。

みそなわ・す ④【〈〈臠す〉】（他五）〔「臠」は、「齎」の誤用〕神・天皇などがご覧になる意の古風な尊敬表現。

みそ はぎ ⓪【〈千屈菜〉・〈鼠尾草〉】湿地に生える多年草。夏から秋にかけて、赤紫色の花をふさのようにつける。仏前に供える。「みぞはぎ⓪」とも。〔ミソハギ科〕 かぞえ方 一本

みそひと もじ ④【三《十一文字】〔雅〕（五・七・五・七・七の三十一文字からなる）和歌。短歌。

みそ まめ ⓪②【味〈噌豆】味噌の原料と△なる（して蒸した）豆。

みそ・める ⓪【見初める】（他下一）〔初めて見る意〕一目見て、恋心をいだく。 表記 「見染める」とも書く。

みそら ⓪【身空】境遇。「若い―〈=身の上〉で/生きた―〈=気持〉も無い」

みぞれ ⓪【〈霙〉】雨と雪が交じって降る現象。〔雪が空中で溶けて、半ば雨になったもの〕

み そ・れる ⓪③【見《逸れる】（他下一）〔多く「おみそれする」の形で用いられる〕❶自分の知っているはずのものを、現に見ていながら、それが当のものだとは気づかずにいる。⇩おみそれ❶ ❷不当に低く見るなど、誤った評価をする。⇩おみそれ❷

みだ ⓪【《弥〈陀〉】「阿（ア）弥陀」の略。「―の名号（ミョウゴウ）」

みだい ⓪【《御台】〔↑御台所（ドコロ）②④〕〔貴人の食事をのせた台の意〕昔、大臣・将軍の妻の敬称。

みたいだ（助動・―に/―な型）〔「…を見たような」の変化で、「ようだ」の口頭語的表現〕❶条件に合うものを具体的に例示することを表わす。「所長さんみたいな人が好きです/ヒマラヤみたいに高い山」❷実質的には△それとほとんど異ならない（そう言っても良いくらいだ）、という主体の認識や判断を表わす。「いわば他人みたいな関係ですよ/まるでぼくが馬鹿（バカ）みたいじゃないか」❸そのような様子や状況がうかがわれる、という主体の判断を表わす。「かなりお疲れみたいね/みんな結構信じてるみたい/昼間はことに静かみたいですね」 文法 体言（名詞、またはそれに準ずる句）、形容動詞語幹、動詞、形容詞、助動詞「れる/られる・せる/させる・たい・たがる・ない・ず・ぬ・た」の連体形に接続する。

運用 (1)「…みたいじゃないか」などの形で、相手に対して強い反発を示す言い方として用いられることがある。例、「まるで僕が悪いみたいじゃないか」 (2)❷で、先行する発話を受けて、類例や典型例を提示する言い方になることがある。この場合、多く「みたいな」が文末に置かれる。例、「『何かうまい物を食べに行きたいね』『分厚いステーキみたいな?』」 (3)❸で、「みたいな」の形を続けて、そのように見える、感じられる、

という意を冗談めかして言うときに使われる。この場合、多く、語・句だけではなく文を引用する形式もある。例、「あいつはいつも『わたしは常に正しい』みたいな顔をしている」(4)❸で、相手の判断や認識に同調する言い方として、応答詞的に用いられることがある。例、「『彼女は近ぢか結婚するんだってね』『みたいね』」「…らしいね」も同じような含みで用いられることがある。

みたけ①【身丈】❶「身の丈❶」の意の古風な表現。❷衣服の襟の下からすそまでの、背すじの長さ。

みだし⓪【見出(し)】❶新聞・雑誌などで、内容の要点が一目で分かるように、本文の前につけた短い語句。〔一般に活字が本文より大きい〕「小―」❷本や帳簿などの△目次(索引)。❸見出し語。「親―・子―」❹すぐれたものを見つけ出すこと。「お―にあずかる」[かぞえ方]❶は一本 **―ご**⓪【―語】辞書で項目として出す語形など。〔見やすいように太字や大きい字で示す。また、ある見出し語に付随させた見出し語を「子見出し」、それに対し普通の見出し語を「親見出し」と言う〕

みだしなみ⓪【身〈嗜(み)】❶〔他人に不快な感じを与えないよう〕礼儀・作法を守り、身なりなどを整える△こと(心がけ)。「―がいい」❷指導的階層の人に要求される相応の教養や芸事。

***みた・す**②【満(た)す】(他五)❶〈なに・どこニなにヲ―/なにデなにヲ―〉もうそれ以上は入らないというところまで、その中に何かを入れる。いっぱいにする。「杯に酒を―/腹を―/ホールを聴衆で―」❷〈なにヲ―〉求められていたものを十分に△与えて(実現して)やり、それ以上欲しくないという状況に置く。「△要求(条件)を―/愛情が満たされない」[表記]「《充たす」とも書く。

***みだ・す**②【乱す】(他五)〈(なにデ)なにヲ―〉乱れた状態にする。「△列(髪・足並・秩序)を―」

みたつ⓪【未達】まだ目標に到達していないこと。「目標―⓪-⓪」

みたて⓪【見立(て)】見たてること。「ネクタイの―〔=選ぶセンス〕がいい/医者の―〔=診断〕/―違い④」

みた・てる⓪③【見立てる】(他下一)❶見て、いい悪いの判断をする。「いい柄を―〔=選ぶ〕/糖尿病と―〔=診断する〕」❷何かをする必要上、仮にそれとみなして、その扱いをする。「立ち木を人にみたてて、射撃訓練をする」

みたない②【満たない】その量まで達しない。「半数にも―」

みたま⓪【《御霊・《御《魂】「たましい」の尊敬語。「―のふゆ〔=神または天皇のおかげ・御恩徳。『〈恩頼〉』は、「みたまのふゆ」の表記〕」 **―しろ**⓪③【―代】みたまの代りとして(神殿に入れて)祭るもの。 **―や**⓪【―屋】⇩おたまや

みため⓪①【見た目】外から見たときのそのものの印象。「―は悪いが味はよい/―には仲が良さそうな二人」

みだら①【淫(ら)・〈猥(ら)】―な ―に 性(欲)に関して慎みが無い様子だ。「―な話」[派]**―さ**③⓪

みたらし⓪【《御手《洗】❶神社の拝殿の近くにあって、参拝者が手や口を清める所。❷手水(チョウズ)を使うこと。「みたらい②」とも。

みたり①【三《人】〔雅〕さんにん。⇩よったり

みだりがわし・い⑥(―ガハシイ)【〈猥(り)がわしい・《濫(り)がわしい】(形) みだらだ、という感じを禁じ得ない様子だ。「みだりがましい」とも。[派]**―さ**⑥⑤

みだりに①【《妄(り)に・《濫(り)に・〈猥(り)に】(副)〔多く禁止の表現と呼応して〕正当な理由も無いのにそうしてはいけないと△警告(非難)する気持を表わす。「人のことに―口を出すな/―入るべからず」

みだれ【乱(れ)】■一③❶乱れること。「台風の影響で新幹線のダイヤの―が続いている/すその―/言葉の―/髪の―」❷〔興に乗じ乱れて舞う意〕〔能楽で〕速度が細かく変化する舞。また、その伴奏。❸〔箏(ソウ)曲で〕△段(楽節)の拍数が複雑に変化する曲。■二〔造語〕動詞「乱れる」の連用形。 **―がみ**③【―髪】風に吹かれたり激しい動作をしたりして、ばらばらになった髪。 **―と・ぶ**④⓪【―飛ぶ】(自五)❶虫・鳥などが空中を入り乱れて飛ぶ。❷出所不明の情報があちこちから伝えられる。「噂(ウワサ)が―」 **―ばこ**③【―箱】脱いだ衣類などを入れておく、ふたの無い箱。乱れかご③。

***みだ・れる**③【乱れる】(自下一)〈(なにデ)―〉整った状態やあるべき秩序が失われる。「列が―/国が―〔=統一が失われる〕/髪が―/心が―〔=冷静さが失われる〕/呼吸が―/△足並(新幹線のダイヤ)が―/一糸(イッシ)乱れず」〔⇩乱れ■二〕

****みち**⓪【道・《路・《途】〔「み」は古語で美称の接辞、「ち」は道の意〕❶Ⓐ地面のうち人や動物が往来を繰り返すうちに踏み固められた、ある幅を持つ長いつながり。また、公共の往来・使用のために人為的に開発・整備された地面で、広義では地下道を含む。最近は多く舗装される。「―無き―を行く/学校へ行く―〔=途中〕で先生に会う/―を譲る/千里の―〔=距離〕も遠しとせず/栄光への―〔=栄光を勝ち取るための道程〕/帰り―③」Ⓑそこを出入りしたり通り過ぎたりするための空間。「荷物を運びますので―をあけてください」❷〔それぞれの目的によって決まった段階を経て進み、予想される障害を乗り越えて完成することが要求される〕専門の仕事・分野。「―を究める/進むべき―を誤る/好きな―/その―のベテラン/この―一筋に四十年」❸どんな順序・方法で進んで行けば、どんな所に到達するかという見通し。「生活の―が絶たれる/昇進の―」❹それを踏みはずすと反社会的行為として指弾を受ける、行動の規準。「―を説く/―ならぬ恋/―〔=道理〕にかなう」[かぞえ方]❶は一本・一筋・一条 **【―が付く】**解決や、将来への見通しが出来る。**【―が開ける】**何かをきっかけにして、問題を解決する方法や、進むべき方向が見出(ミイダ)せる。「希望する会社に入れて将来への道が開けた」**【―を付ける】**❶新しい道路を作る。❷進むべき方向のいとぐちを作る。**【―を開く】**❶山村や荒れ野などに新しい道を作る。❷先頭に立って新しい分野を開拓する。

みち①【未知】まだ知られていないこと。「―の世界」↔既知 **―すう**③②【―数】〔数学で〕求めたいけれどもまだ分かっていない数(を文字で表わしたもの)。〔(将来性などが)まだはっきり分からないものの意にも用いられる。例、「実力は―の新人/―の人」〕↔既知数

みちあんない③【道案内】―する(自サ)❶⇩道しるべ❷目的地への道順などを教えるために先に立って歩く△こと(人)。

みちいと⓪【道糸】釣りざおの先端からはりすにつなぐ所までに用いる釣り糸。[かぞえ方]一本

みぢか⓪【身近】―な ―に ❶自分に関係の深い様子だ。「―な問題/―に△感じる(受けとめる)」❷自分(のからだ)に近い所。「―に引き寄せる/―で起こる」[派]**―さ**⓪ **―・い**③(形) 身近な様子だ。

みちが・える⓪(―チガヘル)【見違える】(他下一) 見てすぐにそれと分からず、他のものと判断する。「―ほど変わった」[名]見違え⓪

みちかけ②⓪③【満(ち)欠(け)】月が丸くなることと欠けること。[表記]「〈盈ち〈虧け」とも書く。

みちきり⓪【道切(り)】村の入口にしめ縄などを張って、疫病や悪霊が入るのを防ごうとするまじない。

みちくさ⓪【道草】―する(自サ) ❶道ばたの草(などを、食用や薬用として採取すること)。「―をくう(=途中でほかの事をして時間を費やす)」 ❷「道草❶」のために時間を費やすこと。「―しないで家に帰る」 表記「《路草」とも書く。

みちしお⓪(シオ)【満(ち)潮】 上げ潮。⇔引き潮

みちしば⓪【道芝】 道ばたに生えた芝。

みちじゅん⓪【道順】 目的地へ行く道の順序。〔広義では、物事の順序を指す〕「―が悪い/―がわからない」

みちしるべ③【道《標】 道ばたに立てて、道の方向・距離などを示した、木や石の標識。みちあんない。〔物事の手引きとなるものの意にも用いられる〕

みちすがら⓪【道すがら】(副) 「道みち」の改まった表現。

みちすじ⓪(スヂ)【道筋】 ❶この道を行き、それから次の道へ(折れ曲がって)進むというように目的地まで予定された進行先。「パレードの―」 ❷何かについての判断などで、その発端から結論に至るまでの論理の展開のしかた。「―が立たない」 かぞえ方 ❶❷とも一本

みちた・りる⓪【満(ち)足りる】(自上一) 十分に満足する。「満ち足りた顔」

みちづれ⓪【道連(れ)】 ❶〔旅行などで〕行動を共にする△こと(人)。「旅は―世は情け/旅先で―になった」 ❷本来そうされる謂(イワ)れの無い人を、結果として死に至る行動に無理に引き込むこと。「子供を―に心中する」

みちなか⓪【道中】 ❶道路の真ん中。道路上。「―で寝そべる」 ❷「目的地へ行く途中」の意の古風な表現。

みちならぬ④【道ならぬ】(連体) 道徳にはずれた。「―恋」

みちのく⓪【〈陸奥〉】〔「道の奥」の意〕もとの陸前・陸中・陸奥(ムツ)および磐城(イワキ)・岩代(イワシロ)の称。今の、宮城・岩手・青森および福島の四県に当たる。奥州(オウシュウ)。〔広義では、出羽(山形・秋田県)も含む、今の東北地方もさす〕

みちのべ⓪【道の辺】〔雅〕道ばた。

みちのり⓪【道《程】〔時間のかかりぐあいから見た〕目的地までの距離。〔目的を成就するのにかかった歳月の長さについても用いられる〕「―が△遠い(長い)」

みつ
【密】 ⇩(本文)みつ【密】
【蜜】 ❶蜜のように甘いこと。「蜜月」 ❷梵語(ボンゴ)の音訳に用いる。「波羅蜜(ハラミツ)」 ⇩(本文)みつ【蜜】

みちばた⓪【道端】 道路の周辺部分。〔広義では、道路という場所一般を指す〕「―で遊ぶ/―で拾う」

みちひ①【満(ち)干】 「干満」の意の和語的表現。

みちびき⓪【導(き)】 指導。手引き。

**みちび・く③【導く】(他五)〔道引く意〕 ❶〈どこニ だれヲ―〉途中で迷うことが無いように、△道筋をはっきり示して(自分が連れて行って)目的の所に行くようにさせる。 ❷〈なにニ だれヲ―〉目標を示し、早くたどり着くように教育する。「生徒を―」 ❸〈なにニ なにヲ―〉△自然(必然的)にそうなるように仕向ける。「交渉を有利に―/人類を破滅に―/事態を混乱に―/結論を導き出す」

みちぶしん③【道普請】―する(自サ) 道路を△直す(新たに作る)工事。道路工事。

みちみち⓪【道々】(副) どこかへ向かう移動の時間を利用して何かをする様子。「―相談しながら行こう」

みちゃく⓪【未着】 送った物が まだ着かないこと。

みちゆき⓪【道行(き)】〔道を行く意〕 ❶〔歌舞伎(カブキ)などで〕△旅行する(道中の)場面。〔多く、相愛の男女の駆落ちの場面を指す〕 ❷昔の文体の一つ。旅の途中の光景や旅情を、七五調などの韻文で書いた文章。道行文⓪④。 ❸和服に使う婦人用のコート。被布に似て、襟が細く小襟を角形にしたもの。おもに外出用。 かぞえ方 ❸は一枚

みちょう⓪(チヤウ)【《御帳】 昔、貴人用にあてられた、一種のベッド。四周に帳(=カーテン)を垂れた。帳台。

*__み・ちる__②【満ちる・《充ちる】(自上一) ❶〈なに・どこニ―〉〔限度まで〕いっぱい△になる(ある)。「△活力(苦渋・苦悩・自信・敵意)に満ちた顔/主力選手の復活で、チームが活気に―」⇔乏しい・欠ける ❷月がまんまるになる。「月が―(=ⓐ満月になる。ⓑ出産の時期が近づく)」⇔欠ける ❸一定の期限に達する。「任期が―」 ❹満ち潮になる。「潮が満ちて来る」

みつ(密・蜜) →【字音語の造語成分】

みつ①【密】 [一]―な ―に ❶すきまが無い様子だ。「人口が―だ/連絡を―にする/―集・―室・―着・―生・―閉(ペイ)・厳―」⇔粗 ❷関係が深い様子だ。「―な間柄/―接・親―」 ⇩【造語成分】そ(疎)❷ ❸他人に△知られ(知らせ)ず、こっそりする様子だ。「はかりごとは―なるをもってよしとす/秘―・内―・―告・―輸」 [二]密教。⇔けん(顕)【造語成分】❹

みつ①【蜜】 ❶甘いねばねばした液体。「チョウが―(=花の蜜)を吸う」 ❷よく熟したリンゴの芯(シン)のまわりに出来る半透明の部分。 ❸「蜂(ハチ)蜜・糖蜜」の略。 ⇩【造語成分】

みつ【三(つ)】〔「つ」は接辞。⇩み(三)〕 [一](造語) 「三(サン)」の意の和語的表現。かぞえ上げる個数が三であることを表わす。「―折(リオ)⓪・―星(ボシ)②⓪・―目・―又(マタ)・―揃(ゾロイ)・―巴(ドモエ)・―葉(バ)」 [二]①〔すもうで〕Ⓐまわしの、横の部分と縦の部分が背面で交わる所。〔三結(ミツユイ)の意か〕 Ⓑまわし。「前―」〔⇩よつ(四)〕 表記 [二]は、「〈褌」とも書く。

みつうん⓪【密雲】 厚く重なった雲。

みっか⓪【三日】 ❶月の第三番目の日。 ❷日の数が三つあること。また、その日数。「―にあげず(=三日とは間をあけず。毎日のように)/―と(=あまり長く)続かない」 **―てんか**④【―天下】〔明智光秀(アケチミツヒデ)のごとく〕わずかの間△実権(政権)を握ること。「みっかでんか」とも。 **―ばしか**④【―〈麻〈疹〉】「風疹(フウシン)」の俗称。⇩風疹 **―ぼうず**④(バウ―)【―坊主】 飽きっぽくて、長続きのしない△こと(人)。

みつが⓪(グワ)【密画】 線・色彩を詳しく細かにかいた絵。

みっかい⓪(クワイ)【密会】―する(自サ) 〔恋愛関係にある二人が〕人目を忍んで会うこと。「―を重ねる」

みつがさね⓪③【三(つ)重ね】〔たんす・重箱などで〕三つ重なって一組となるもの。「―の杯」

みつかど⓪【三(つ)角】 ❶三方に道が分かれている所。みつまた。 ❷三つの角。

*__みつか・る__⓪【見付(か)る】(自五) ❶〈だれニ―〉人に見付けられる。発見される。「いたずらを―/迷子が―」 ❷見付けることが出来る。「解決策が見付からない」

みつき⓪【見付(き)】 ❶外から見たところ。外観。「―は立派だが」 ❷建築で、部材の正面(の幅)。

みつぎ⓪【貢】〔「御調(ミツキ)」の意。「調」は、古代の物納税の意〕属国・弱小国から、主権国・強国へ献上する品物。〔室町時代までは「みつき」と清音に発音〕 **―もの**⓪【―物】 貢として献上するお金や品物。

みつぎ①【密儀】〔特定の資格のある者だけが参加して行なう〕非公開の(宗教的)儀式。

みつぎ①【密議】―する(自サ) 秘密の相談。「―をこらす」

みっきょう①(ケウ)【密教】 教旨が深遠秘奥で、灌頂(カンジョウ)を受けない人には示されない教法。真言宗はその一つ。⇔顕教

みつ・ぐ②【貢ぐ】(他五)〔もと、「見継ぐ」意〕定期的に仕

み

送りをして△生活の援助をする（身分の保証を受ける）。「男に―／女に―／親分に資金を―」 表記 「貢ぐ」と書くのは、貢物の語義からの連想に基づく。

みづ・く②【《水《浸く】（自四）〔雅〕水にひたる。「―かばね」 表記 「《水《漬く」とも書く。

ミックス ㊀①〔mix〕㊀―する（他サ）種類の違う物を△交ぜること（交ぜたもの）。「和風と洋風を―したような不思議な料理」 ㊁「ハーフ㊁」の新しい言い方。〔雑種犬などに対しても用いられる〕 ㊁①〔←mixed doubles〕〔テニス・卓球などで〕男女の混成チーム。 ㊂（造語）〔mixed の日本語形〕幾つかのものを交ぜ合わせたもの。「―サンド⑤・―ジュース⑤・ホットケーキ―⑦」

みづくろい②⓪ヅクロヒ【身繕い】―する（自サ）身なりを整えること。

みつくち⓪【三（つ）口・〈兎唇〉】「口唇裂」の俗称。

みつぐみ⓪【三（つ）組（み）】三つで一組となっている△こと（もの）。「―の杯」

みつくろ・う④ツクロフ【見繕う】（他五）目的や予算などに見合う品物を選び整える。「料理を―／祝いの品を適当に見繕って贈る」 名 見繕い⓪

みつけ⓪【見付・見《附】城の最も外側にある「枡形マスガタ」を持った城門で、番兵が見張りをする所。「―門③・赤坂―」

みっけい⓪【密計】秘密の計略。

みつげつ⓪【蜜月】⇨ハネムーン「両国の―時代（＝高度な政治的配慮から友好関係を保っている一時期）」

＊みつ・ける⓪【見付ける】（他下一）㊀〈どこニ（なに・だれヲ）―〉その人が求めているものを捜し出したり△ほしい（必要とする）ものがどこにあるかを知ったりする。「落とした財布を―／仕事を―（＝捜す）／新しい彗星スイセイを―（＝発見する）」 ㊁〈なに・だれヲ―〉しょっちゅうそれを見ていて、珍しいものとは思わなくなる。見慣れる。「見付けた風景」

みつご⓪【三（つ）子】㊀一回の出産で次つぎに生まれた三人の子。㊁三歳の子供。「―の魂百まで（＝小さい時の性格は年をとっても変わらないものだ）」

みっこう⓪カウ【密行】―する（自サ）人に知られないように、どこかに行ったり行動したりすること。

みっこう⓪カウ【密航】―する（自サ）㊀△運賃を払わず（出国の許可を得ないで）船内や飛行機にもぐって外国へ行くこと。㊁禁制を破って航海すること。「―船⓪」

みっこく⓪【密告】―する（他サ）その人が知られては困る事を、本人に知られないようにして、関係当局などに知らせること。「―状⓪」

みっさつ⓪【密殺】―する（他サ）食肉にするためには法的な手続きを必要とする家畜を、ひそかに勝手な方法で殺すこと。

みっし⓪【密使】秘密の使者。

みつじ①【密事】秘密の事柄。

みっしつ⓪【密室】㊀しめきってあり、どこからも出入りの出来ない部屋。「―殺人」 ㊁秘密に作ってある部屋。「地下の―」

みっしゅう①【密宗】「真言宗」の異称。

みっしゅう⓪シフ【密集】―する（自サ）すきまも無いくらいに集まること。「人家が―している／―部隊⑤」

みつしゅっこく③【密出国】―する（自サ）非合法的手段でその国から抜け出すこと。↔密入国

みっしょ⓪①【密書】秘密の手紙。

ミッション①〔mission〕㊀〔キリスト教の〕伝道団体。㊁〔キリスト教の〕布教区。㊂ミッションスクールの略。㊃使節団。代表団。㊄使命。任務。 **―スクール**⑥〔mission school〕キリスト教団体が経営する学校。

みっしり③（副）―と ㊀全体に何かがすきまも無く詰まっている様子。「箱に―詰まっている／剛毛が―生えている／空は厚い雲に―とおおわれている」 ㊁次から次へと課題が詰まっていて、休む時間も（与えられ）無い様子。「朝から晩まで―勉強する／―仕込まれた」〔㊁の口頭語的表現は「みっちり」〕

ミッシングリンク⑥〔missing link＝失われた環ワ〕生物の進化において、生物の系統を鎖の環に見立て、その欠けた部分に予想される未発見の化石生物。例、始祖鳥の化石は、鳥類と爬虫ハチュウ類とのミッシング リンク（＝爬虫類型の骨格と鳥類としての特徴を併せ持ったもの）として発見された。

みっせい⓪【密生】―する（自サ）〔草木や毛などが〕すきま無く生えていること。「竹が―している」

＊みっせつ⓪【密接】㊀―する（自サ）〈なに・どこニ（なにヲ）―する〉ほとんどすきまが無いくらい近づいた状態にあること。「隣家に―して家を建てる」 ㊁―な 切り放すことが出来ないくらい△深い（近い）関係がある様子だ。「―不可分の関係／両国の―な結びつき」 派―さ⓪

みっせん⓪【密栓】堅く△栓（ふた）をすること。

みっせん⓪【蜜腺】花・葉などの、蜜を分泌する器官。

みっそ⓪①【密訴】―する（他サ）相手に知られないように訴えること。

みっそう⓪【密送】―する（他サ）人に知られないように送ること。

みっそう⓪サウ【密葬】―する（他サ）身内の人たちだけで内うちに葬式を済ませること。また、その葬式。↔本葬

みつぞう⓪ザウ【密造】―する（他サ）酒などを禁制を犯して、こっそり作ること。「―酒③」

みつぞう⓪ザウ【密蔵】㊀―する（他サ）他人に知られぬよう、こっそりとしまっておくこと。㊁真言宗の経典。

みつぞろい⓪③ゾロヒ【三（つ）〈揃（い）】同類の三つの物で一揃に△なること（なった物）。スリーピース。〔狭義では、同じ生地の背広上下とチョッキの一揃を指す〕

みつだん⓪【密談】―する（自サ）人に知られないようにして相談すること。また、その相談。「―をこらす」

＊みっちゃく⓪【密着】㊀―する（自サ）〈なに・だれニ―する〉すきまが全く無く、他にぴったりくっつくこと。「生活に―した句（＝毎日の生活のこまごましたところまで深い関連をもつ俳句）／―取材」 ㊁〔写真で〕引き伸ばさず、ネガのままの大きさに焼き△付けること（付けた印画）。ベタ。

みっちょく⓪【密勅】秘密の勅命。

みっちり③（副）「みっしり㊁」のくだけた口頭語的表現。「―稽古ケイコする／―叱シカられる」

みっつ【三つ】㊀③ものの（個）数をかぞえるとき、数が三サンであることを表わす。また、△三歳（第三）を指す。「その原因としては、―の事が考えられる」 ㊁⓪（副）対象とするものが「三つ㊀」である様子。「課題を―あげる」⇨よっつ（四）

みっつう⓪【密通】―する（自サ）昔、禁じられている間柄にある男女が、人目を忍んで性的な関係を持つこと。

みってい⓪【密偵】こっそり相手の秘密や内情などを探る△こと（人）。スパイ。

ミット①〔mitt〕〔野球で〕捕手や一塁手が使う、親指だけが分かれている捕球用具。「ファースト―⑤・キャッチャー―⑤」⇨グローブ㊀㊁

＊＊みつど①【密度】〔一定の範囲内に〕詰まっている度合。〔物理学では、単位体積に含まれる物質の質量を指す〕「人口―を高める／―の高い（＝内容が充実していて、程度も高い）話／―を濃くする」

ミッドナイト〔造語〕〔midnight〕 真夜中。「―ショー[6]・―ブルー[8]」

ミッドフィールダー[4]〔midfielder〕〔サッカーで〕ハーフバック。ミッドフィルダー[4]とも。

みつどもえ[0]【三(つ)〈巴〉】❶三つの巴が組み合わさった模様。❷三者が張りあって争うこと。「―の混戦」

*__みっともな・い__[5]【見っともない】(形)〔「見たくも無い」が変化した「見たうも無い」の変化〕△恥じ入る(体裁が悪い)結果となって、見聞きするのが堪えられないと思う気持だ。「酒に酔って駅のベンチで寝るなんて―/リーグ戦で一勝もできないとは―話だ」 派 ―さ[5] 文法 助動詞「そうだ(様態)」に続くときは「みっともなさそうだ」の形になる。また「すぎる」と結びついて複合動詞をつくるときは「みっともなさすぎる」の形になる。

みつにゅうこく[3]【密入国】―する(自サ) 非合法的手段でその国に入ること。「みつにゅうごく」とも。↔密出国

みつば[0]【三(つ)葉】❶三枚の葉。「―のアオイ」❷山野に自生し、また野菜として栽培もされる、かおりのよい多年草。葉は三枚の小葉からなり、葉柄は長い。葉・茎を吸い物に入れたり おひたしにしたりして食べる。〔セリ科〕 かぞえ方 ❷は一本。小売の単位は一束・一把

みつばい[0]【密売】―する(他サ) 売ることが法律で禁じられている物をこっそり売ること。「麻薬を―する/―組織」

みつばいばい[3]【密売買】―する(他サ) 禁制を犯して、こっそり売ったり買ったりすること。

みつばち[2]【蜜蜂】ミツバチ属のハチの総称。一匹の女王バチ、少数の雄バチ、多数の働きバチが集団となって一つの巣を作る。〔働きバチが集めた蜂蜜を取るために飼育する〕〔ミツバチ科〕 かぞえ方 一匹

みっぷう[0]【密封】―する(他サ) 厳重に封をすること。

みっぺい[0]【密閉】―する(他サ) ぴったりとすきま無く閉じること。「―容器[5]」

みつぼう[0]【密謀】―する(他サ) 人に知られないように、こっそり計画すること。

みつぼうえき[3]【密貿易】禁制を犯してする貿易。

みつまた[0] ❶【三(つ)〈叉〉】❶〔川・道が〕三方へ分かれている△所(こと)。❷先が三つに枝分かれしている道具。さんまた[0]。「―でカキをとる/―ソケット」 かぞえ方 ❷は一本 ❷【三〈椏〉】畑に栽培する、中国原産の落葉低木。枝が三本ずつに分かれる。皮の繊維は強く良質で和紙の原料に使う。

みつまめ[0]【蜜豆】さいの目に切った寒天に蜜をかけ、ゆでたエンドウや、小さく切った果物を添えた食べ物。

みつみ[0]【三(つ)身】並幅一反の布の半分で仕立てる幼児用の和服。

みつみつ[0]【密々】(副)―に 関係者以外には絶対に知られないように事を運ぶ様子。「―に謀る」

みつめ[0]【三(つ)目】❶目が三つある△こと(もの)。「―小僧[5]」❷△婚礼(誕生)の日から三日目に当たること。また、その祝い。「―の祝い」 ―ぎり[3][4]【―〈錐〉】刃が三つの角を持った錐。 かぞえ方 一本

*__みつ・める__[0]【見詰める】(他下一)〈なに・だれヲ―〉特定の対象から目をそらさずに、それだけを見つづける。「△相手の顔(足もと・事態)を―」

みつもり[0]【見積(り)】見積もること。また、見積もった△結果(計算書)。「―を取る/見積書[5][0]」

みつも・る[0][3]【見積(も)る】(他五) あらかじめ、大体の計算をする。「内輪に―」

みつやく[0]【密約】―する(自サ) 秘密裏に約束や条約を結ぶこと。また、その約束や条約。

みつゆ[0]【密輸】―する(他サ) 密輸△出(入)。「金(の延べ棒)を―する/―品[0]」

みつゆしゅつ[3]【密輸出】―する(他サ) 禁制を犯して、こっそり輸出すること。

みつゆにゅう[3]【密輸入】―する(他サ) 禁制を犯して、こっそり輸入すること。

みつゆび[0]【三(つ)指】親指・人差し指・中指の、三本の指を畳などについてする、丁寧なおじぎの仕方。丁重に客などを迎える意にも用いられる。「女将が―ついて玄関に出迎える」

みづら・い[3]【見《辛い》】(形)❶一生懸命見ようとするが(何かに妨げられて)よく見えない。「―観客席」❷「見苦しい」のやや古風な表現。 派 ―さ[3][2]

みつりょう[0] ❶【密猟】―する(他サ) 禁制を犯して、隠れて猟をすること。❷【密漁】禁制を犯して、隠れて漁をすること。

みつりん[0]【密林】すきまが無いほど樹木が茂った(熱帯の)林。ジャングル。

みつろう[0]【蜜〈蠟〉】ミツバチが分泌した蠟。ろうそくなどに使う。

*__みてい__[0]【未定】まだ定まらない状態にあること。「期日は―」↔既定 ―こう[2][0]【―稿】まだ十分に仕上がっていない原稿。↔決定稿

ミディ[1]〔←median skirt〕ひざの隠れる程度の長さのスカート。⇩ミニ・マキシ

ミディアム[1]〔medium〕ステーキの焼き方で、全体にほぼ火が通った程度に焼いたもの。⇩ウエルダン・レア

みてぐら[0]【《幣》】〔雅〕〔「御手座」の意という〕幣帛。

みてくれ[0]【見てくれ・見て《呉れ》】世間の目を意識した服装や体裁。〔口頭語的表現〕「―(=外見)がいい/―ばかり(=うわべがきれいなだけ)の安手な施設」 表記「見て《呉れ》」は、借字。

みてと・る[1]-[1]【見て取る】(他五) 見て、直観的にそうだと判断する。「やる気がないことを―」

みとう[0] ❶【未到】まだそこまで極めた人が無いこと。「前人―の業績」❷【未踏】まだだれも足を踏み入れていないこと。「人跡―の地/―峰」

みとう[0]【味到】―する(他サ)〔内容や意味を〕十分に味わいつくすに至ること。

みどう[0]【《御堂》】仏像を安置した堂。お堂。

*__みとおし__[0]【見通(し)】❶見通すこと。「―のいい道/神は お―だ/明るい―/―が△立つ(つく)/―を誤る/―の甘さ」❷〔建築で〕物が△一直線(一平面)にあること。

みとお・す[0]【見通す】(他五)❶初めから終りまで全部見る。❷さえぎられずに遠くまで見る。「向こうの山まで―」❸そのものの表面に現われている事に基づいて、その裏に隠されている事柄や将来の動向などについて予測する。「先ざきを―」

みとが・める[4]【見〈咎める〉】(他下一) 不審な行動や服装などから怪しい奴と見て、身分や行く先などを問いただす。「門衛に見咎められる/小さなまちがいを見咎めては文句を言う」

みとく[0]【味得】―する(他サ) よく味わって理解し、その知識や技芸などを自分のものとすること。「真髄を―する」

みどく[0]【味読】―する(他サ) 文章の内容をよく味わいながら読むこと。「漱石の小説を―する」↔卒読

みどころ[0]【見所】❶見る値うちのある場面。「芝居の―」❷同類の他のものに見られぬ長所や将来性。「―のある学生」

ミトコンドリア[0][5]〔mitochondria ↑ギ mitos（糸）+chondros（粒）〕 ほとんどすべての細胞の中にある粒子または小さい棒状のもの。〇・三～一・五マイクロメートル。細胞呼吸〔=細胞が、体内に取り入れた酸素を消費し、細胞外に二酸化炭素を出す現象〕をつかさどる働きをする。

ミトス[1]〔ギ mȳthos〕 神話。ミュトス[1]。

みとせ[1]【三《年】〔雅〕さんねん。表記「三《歳」とも書く。

みとど・ける[4][0]【見届ける】（他下一）〔人づてなどによらず〕その状況や結果を、自分の目で見て確認する。「全員帰ったのをみとどけて施錠する／友の最期(ゴサイ)を—」

みとめ[0]【認め】〔動詞「認める」の連用形の名詞用法〕「認め印」の略。「—を押す」 —いん[0]【—印】あまり重要でない文書の発行や物の受領など、日常の用に使う印。⇩実印

**みと・める[0]【認める】（他下一）❶〈なにヲ—〉そこに確かにその△物事（状態）が存在すると判断する。「△人影（異状）を—／△いらだち（苦心の跡）が認められる」❷〈なにヲ—／（なにヲ）なんだト—〉状況から推して、そう判断する。「彼はもう来ないものと—／異議なしと—」❸〈（だれニ）なにヲ—〉相手の判断・意向や申し出などについて、それを△適当（理由があるもの）と判断する。「△意義（現状・非）を—／役所としては—〔=許可する〕わけにはいかない／公式に—」❹〈なに・だれヲ—〉そのものの存在について高く評価してよいものと判断する。「万人の—所／世に認められない作家」

みども[0]【身共】（代）〔雅〕自分（たち）。われ（われ）。

みとり[0]【《看取(り)】 病人について、世話をすること。特に、臨終を迎える人のそばで必要な世話をすること。

**みどり[1]【緑】❶草木の葉の色。黄色と青色の間の色。「—色[0]」❷木、特に松の若芽。❸〔雅〕青色。表記「《翠」とも書く。 —のおばさん[1]-[0]【—の〈小母〉さん】(ヲバサン) 小学生の交通事故を防ぐため、登校・下校の時間に交通整理をする中年の女性。「学童擁護員[7]」の愛称。 —のくろかみ[1]-[0]【—の黒髪】〔若い女性などの〕黒くて、つやのある（長い）髪。緑なす黒髪。 —のはね[1]-[0]【—の羽根】植林の募金運動に協力した人に渡す、緑色に染めた羽根。 —のひ[1]【みどりの日・—の日】「国民の祝日」の一つ。五月四日。〔もと「みどりの日」であった昭和天皇の誕生日四月二十九日は、二〇〇七年から「昭和の日」と改称〕 —むし[3]【—虫】鞭毛(ベンモウ)虫類の原生動物。植物のように葉緑体を持ち、光合成を行なう。ユーグレナ[3]。

みどり[0]【見取(り)】 見渡して自由に選び取ること。「よりどり—[5]〔=多くあるうちから自由に好きなものを選ぶこと〕」

みどりご[3]【〈嬰《児】〔雅〕〔「緑❷」の意味から〕生まれて間もない子供。赤ん坊。

みとりざん[3]【見取(り)算】〔読上げ算と違って〕そろばんで、伝票などの数字を見ながらする計算。⇩読上げ算

みとりず[3](ヅ)【見取(り)図】 地形・建物・機械などの大体の様子を、分かりやすく書いた略図。「—を描(カ)く」

みと・る[2][0]（他五）[一]【見取る】目で見△て（ながら）すぐその場で内容を理解する。[二]【《看取る】病人などのそばについていて（最期(ゴサイ)まで）必要な世話をする。

ミドル[1]〔middle〕❶中間。「—クラス[4]」❷中ぐらいの距離。「—シュート[4]」❸ミドル エージの略。「ナイス—」❹「ミドル級」の略。

ミドル エージ[4]〔middle age〕 中年。五十代から六十代ぐらいまでをさす。

ミドル きゅう[0](キフ)【ミドル級】〔middle weight の訳、middle=中間〕 体重で決めた選手の階級の一つ。スーパーウエルター級の上。プロボクシングでは、約七三キログラムまでの体重。

ミドル ティーン[4]〔和製英語 ↑middle+teen〕 ティーンエージャーの中ごろ。ハイティーンとローティーンの間。十五、六歳。

みと・れる[0]【見〈蕩れる・見〈惚れる】（自下一）あまりの△美しさ（見事さ）に心を奪われて、うっとりとして見入る。「美しいランの花に—」

みどろ（接尾）汗や血がからだじゅうにくっついて、べとべとすること。「汗—・血—」

ミトン[1]〔mitten〕 親指だけが分かれた手袋。〔手袋形の鍋つかみを言うこともある〕 かぞえ方 一双・一組

みな【皆】「みんな」の改まった表現。[一][0]（副）△その場に存在する（そこで問題になる）対象のすべてにわたる様子。「どれも—おもしろい／—同じだ」[二][2]（代）その△場に居る（事に関係する）すべての人△を指して（に呼びかけて）言う語。「—早く帰ってくれ／—の衆[2]〔=そこに居る皆さん〕」 【—が—】全部のものが。残らず。「—分かったわけでは無い／—嫌っている」 【—になる】「商品が全部売り切れる、とっておいた物が底をつく」意の婉曲(エンキョク)表現。

みなお・す[0][3](ナホス)【見直す】[一]（自五）〔病気や景気などが〕よくなる。「病人が見直してきた」[二]（他五）❶見落としや誤りは無いかという目的で、もう一度最初から見る。「△答案（計画）を—」❷気づかなかった値うちを認める。評価を変える。「今度の事で彼を見直した／価値が見直される」 名 見直し[0]「—を迫られる」 運用 事業計画などについて言うときには、そのことの中止を含意することが多い。

みなかみ[0]【《水上】「川の△源流（上流）」の意の古風な表現。

みなぎ・る[3]【〈漲る】（自五）❶水や空気などがその空間いっぱいに満ちる。「池の水が—〔=あふれ出すほどになる〕／異常な空気が議場内に—」❷積極性が、関係者のすべてやその組織のすみずみにまで多分に感じられる。「—△若さ（ファイト）／△活気（機運）が—／意欲を漲らせる」

みなくち[0][2]【《水口】〔雅〕田に引く水の入口。「みずぐち」とも。 —まつり[5]【—祭(り)】苗代に種籾(タネモミ)をまく時に、水口で田の神を迎えて祭る行事。苗代祭り[5]。みと祭り[3]。

みなげ[0]【身投(げ)】—する（自サ）（死を図って）自ら高い所から水中などに身を投じること。

みなごろし[0]【皆殺(し)・〈鏖】△そこに居る（何かにかかわりある）ものを全部殺すこと。

みなさま[2]【皆様】（代）「みな[二]」の△尊敬（丁寧）語。〔口頭語的表現では「みなさん[2]」とも〕「—のご協力を仰ぐ／—お待たせ致しました」

みなし[0]【見〈做(し)・《看〈做(し)】 みなすこと。「—配当[4]・—労働〔=⇩裁量労働〕」

みなしご[3][0]【〈孤児〉】「孤児(コジ)」の和語的表現。表記 古くは「《孤」と書いた。

*みな・す[0][2]【見〈做す・《看〈做す】（他五）〈（なにヲ）なんだト—〉その場の△状況（必要）から、実際はともかく、そうであると判断する。「返事の無い者は賛成と—／百人集まると見做して〔=見当をつけて〕／舞台を死に場と見做して出演」

みなそこ[0]【《水底】〔雅〕水の底。

みなづき[2]【《水無月】（陰暦）六月の異称。

**みなと[0]【港・〈湊】〔水の門の意で、もと河口を指した〕人の乗り降り、荷物の積みおろしなどのために船を止めておく設備のある所。〔外海に比べて波の穏やかな所で、水深のある所を選んで作る〕「—町(チマ)[3]」

みなのか[2]【三七日】〔「みなぬか[2]」の変化〕人の死後二

十一日目(に行なう法事)。さんしちにち。

みなまた びょう⓪(ビャウ)【《水〈俣病】 熊本県水俣市の海岸地帯に一九五三年ごろから集団発生した、一種の中毒性疾患。工場廃液に基づく有機水銀が魚介類を通じて体内に入り発病したもの。視野狭窄(キョウサク)・言語障害・運動障害のほか、死に至るものも少なくない。一九六四年には、新潟県阿賀野川流域にも発生した。公害病に認定。

****みなみ**⓪【南】 東に向かった時、右の方角の称。「みんなみ」とも。「一〔=南風〕が強い/一する⓪-⓪〔=南へ行く〕/一向き・一側(ガワ)」↕北 **一かいきせん**⓪⑥(クワイー)【一回帰線】⇩回帰線 **一かぜ**⓪③【一風】 南の方から吹いて来る風。↕北風 **一じゅうじせい**⑥(ジフー)【一十字星】 南十字座の四つの星、アルファ・ベータ・ガンマ・デルタ。これらを頂点とする四辺形の対角線を結ぶと十字になり、長い軸の延長線が天球の南極を指す。 **一はんきゅう**④(ーキウ)【一半球】 地球の、赤道から南の部分。↕北半球

みなみな さま④②【皆々様】(代) 何かに関係するすべての人に対して(「あなた甲も、あなた乙も」という含みで)呼びかける言葉。

みなも⓪【《水《面】 「水の表面」の意の古風な表現。「みのも」とも。「一を渡る風」

みなもと⓪【源】 〔水の元の意〕「水源(地)」の意の和語的表現。〔広義では、物事の起こり始まる元一般を指す。例、「…に一を発する」〕

みならい⓪(ナラヒ)【見習(い)】 ❶見習うこと。また、その期間にある人。「行儀一④・一奉公」 ❷一人前として正式に役目に就く前に、その業務を実習する△こと(人)。「一中・一生③・一期間⑤」 **一こう**(オ)③⓪【一工】 見習い中の工員。↕熟練工

みなら・う③⓪(ナラフ)【見習う・見倣う】(他五) △模範的(上手)な人のする事をよく見て、まねをすることによって、その精神や技術を体得する。「先輩に学問の方法を一/母親を見習って家事を覚える」

みなり①【身《形】 人前に出る場合の衣服と髪型。「一を整える/りっぱな一にかかわらず心の貧しい人/一に構わない人」

みなれ ざお③(ザヲ)【《水〈馴(れ)〈竿】 水底にさして、舟を進める竿。水竿(ミサオ)。

みな・れる⓪【見慣れる】(自他下一) すでに何回も見たことがあって△その内容を知っている(珍しくない)。「見慣れぬ男/見慣れた顔が集まる」 表記「見〈馴れる」とも書く。

みなわ⓪【《水〈沫】 〔雅〕水のあわ。 表記「《水《泡」とも書く。

ミニ ❶(造語)〔←miniature〕 小型の。「一コンピューター⑤・一コンポ③」 ❷①〔←miniskirt〕 たけがごく短い、ひざの出るスカート。⇩マキシ・ミディ

ミニアチュア③〔miniature〕 ⇩ミニチュア

ミニアチュール④〔フ miniature〕 ⇩ミニチュア❶

ミニカー②③〔minicar〕 ❶〔排気量が六六〇 cc以下の〕小型自動車。軽自動車。 ❷ミニチュアカー。

みにく・い③【見《難い】(形) 何かに妨げられたり 視力が落ちたりして、見ようと思うものがよく見えない状態だ。「講師の顔が一/すみっこの一席/年寄りには小さな字は一」↕見やすい 派 **一さ**③②

***みにく・い**③【醜い】(形) ↕美しい❷ ❶容貌(ヨウボウ)が評価されず、心のうちまでが汚いのではないかと思われがちな様子だ。「醜く描かれた魔女」 ❷抑制しきれない人間的欲望を見せつけられて、不快な感じがする。「一親子兄弟の争い/一エゴイズム」 派 **一さ**③②

ミニ コミ⓪〔和製英語 ←mini + communication〕 ごく少数者だけの間の情報伝達。「一誌」

ミニ シアター③〔和製英語 ←mini + theater〕 小さな映画館。座席数を少なくして、おもに△前衛(実験)的な映画を公開する。

ミニチュア⓪〔miniature〕 ❶細部を省略しないで詳しくかいた、小さな絵。細密画。ミニアチュール。 ❷小型の模型。「一カー④⑤」 ミニアチュア。

ミニ ディスク③〔mini disc〕 コンパクトディスク〔=CD〕より一回り小さい、デジタル方式の録音・再生用光磁気ディスク。略称、エムディー③(MD)。〔直径は六・四センチ〕

ミニ バイク③〔和製英語 ←mini + bike〕 エンジンが五〇cc以下の、小型のオートバイ。原付き自転車。

ミニフロッピー ディスク⑧〔minifloppy disk〕 ⇩ディスク(フロッピーディスクの用例)

ミニマム①〔minimum〕 最小限。最小。↕マクシマム

ミニマリスト④〔minimalist〕 ❶ミニマリズム④〔=建築・美術・音楽・文学などで、ごく短く単純な要素を用いて構成する手法〕の立場に立つ人。 ❷暮しに必要な最小限の物しか持たず、簡素な生活を送ることを信条とする人。

ミニ レター③〔和製英語 ←mini + letter〕 「郵便書簡」の愛称。

***みぬ・く**②【見抜く】(他五)〈なにヲー/なにヲなんだトー〉 隠されている本当の性格・状態などを、鋭い直観や観察眼で察知する。「本心を一」

みね②【峰・〈嶺】 ❶山の頂上(に近い方の部分)。「富士の一」↕尾❷ ❷片刃の刃のある方と反対の側。「一で軽く打つ」 表記「〈峯」は異体字(動用字)。

みねいり⓪【峰入(り)】一する(自サ) 修験者(シュゲンジャ)が修行のため、奈良県吉野(ヨシノ)郡の大峰山に入ること。

みねうち⓪【峰打(ち)】 一時 相手の抵抗力を失わせるだけの目的で、刀の背で相手を斬(キ)るようにすること。「一をくれる」〔古くは、「むねうち」〕

ミネラル①〔mineral〕 (栄養としての)鉱物質。「一入りビタミン剤・一ウオーター⑥」

ミネルバ②〔ラ Minerva〕 〔ローマ神話で〕知恵と武勇の女神。〔ギリシャ神話のアテネ〕「一の梟(フクロウ)〔=梟も知恵の象徴〕」

みの①【〈蓑】 ❶カヤ・スゲ・わら・シュロの毛などを編んで作った、マントのような雨具。〔その先は、乱れた髪のように垂れる〕「一笠(カサ)をつける」 ❷〔❶に形状が似ることから〕牛の第一胃の食材としての称。多く、焼き肉にする。 表記 ❷は、多く「ミノ」と書く。 かぞえ方 ❶は一枚

みの①【《美《濃】 「美濃紙・美濃判」の略。「一大判(バン)」

みの②【三《幅】 並幅の布を三枚合わせた幅(の布団)。「一布団③」⇩の(幅) 表記「三《布」とも書く。

みのう(オ)⓪(ナフ)【未納】 〔定められた金品を〕期日までに納めていないこと。「会費一」

***みのうえ**⓪(ウヘ)【身の上】 その人自身の過去から現在に至った境遇。また、それから予想される今後の運命。「一相談⑤・一判断⑤」

***みのが・す**⓪③【見逃す】(他五) ❶〈なにヲー〉 △何かの事情で(ついうっかりして)、知っていながらそれをとらえるべき機会を失う。「△チャンス(ストライク)を一/ぜったい見逃せない映画」 ❷〈なに・だれヲー〉 好ましくない結果を招くような事態に気付かずにそのまま事を済ます。「誤植を一/X線に映った病巣を一/みすみす犯人を一」 ❸〈なに・だれヲー〉 見た以上は当然対処すべきことでありながら、見なかったことにしてやり過ごす。「今回だけは見逃してくれ/彼の過失を一わけにはいかない」 名 見逃し⓪「一の三振」 表記「見〈遁す」とも書く。

みのがみ⓪【《美《濃紙】和紙の一種。半紙より一回り大きくて、厚くて丈夫なもの。かぞえ方 一枚

みのがめ⓪【〈蓑亀】甲らに藻類がついて、蓑をつけているように見えるカメ。淡水産・海水産のどちらにも見られ、古来めでたいものとされる。

みのかわ⓪-②（カハ）【身の皮】からだをおおっている着衣。「―をはぐ〔=着ている衣服をぬぐ。俗に、生活のために着衣さえ売ることを指す〕」

みのけ⓪【身の毛】からだの毛。「―がよだつ〔=恐ろしさのあまり鳥肌が立つ〕」

みのげ⓪②【〈蓑毛】❶〔全体が鳥の羽であるかのように見える〕蓑に編んだカヤ・スゲなどの葉。「矢が―のごとく鎧（ヨロイ）に立つ」❷サギの首に乱れ垂れた羽毛。

みのこ・す③⓪【見残す】（他五）全部見られないで、一部分を残す。名 見残し⓪

みのしろ⓪④【身㋡代】「みのしろ金」の略。**―きん**⓪【―金】❶人身売買〔=娘などを芸者・遊女に売った時〕の代金。❷金銭目当てに人を誘拐した犯人が、その人を無事に返す条件として相手側に要求するお金。

みのたけ②⓪【身の丈】❶せい。せたけ。身長。「―五尺にも足りない小男」❷自分の実際の経済力や能力。「―に合った暮らし」表記「身の《長」とも書く。

みのばん⓪【《美《濃判】美濃紙の大きさ。

みのほど⓪【身㋡程】自分の身分・能力などの程度。分際。「―を知らない/―知らず」

みのまわり⓪-（マハリ）【身の回り・身の周り】❶おとなで健康な人なら自分で済ませられるはずの日常的行為。「―の事は自分でする/―の品〔=日常生活に必要な着物・履物・所持品など〕/―の世話をする」❷その人自身の責任において解決・処理すべき仕事関係の問題や交際関係など。「―をきれいにしておく」

みのむし②【〈蓑虫】ミノガ科のガの幼虫。木の枝や葉を巻き、糸を吐いて巣を作り、その中にすむ。かぞえ方 一匹

みのも⓪【《水《面】⇩みなも

みのり⓪【実㋷・〈稔㋷】Ⓐ作物などが熟すこと。「―の秋」Ⓑ意欲的に取り組んだり 努力したりして得た成果。「―の多い研究成果」

みのり⓪【《御《法】〔雅〕「仏法」の意の尊敬語。

＊**みの・る**②【実る・〈稔る】（自五）❶〈（なに）ニ〉―〉〔時期がきて植物が〕実を結ぶ。「△イネ（クリ）が―」❷努力・苦心が、成果を得る。「長年の努力が―」⇩なる（生る）〓

みば②【見場】それをちょっと見て受ける印象。それをちょっと見た人に与える印象。「―をよくする」

みはい⓪【未配】まだ配当・配給が無いこと。

みばえ⓪【見栄㋓・見映㋓】その物自身の実質にかかわりなく、見た目によく見えること。「―のする着物」↕見劣り

みはから・う④-（ハカラフ）【見計㋶う】（他五）❶良いころ合いと、見当をつける。「時間を見計らって出かける/タイミングを―」❷見て、適当（な物）に決める。「見計らって買う」名 見計らい⓪

みはず・す⓪③-（ハヅス）【見外す】（他五）そこだけ見ないでしまう。見損なう。

みはつ⓪【未発】❶まだ起こらないこと。❷まだ△発明（発見）しないこと。「前人―の」

みはっぴょう②-（ペウ）【未発表】まだ広く世間に発表されていないこと。「―の論文」

みはてぬ⓪【見果てぬ】（連体）最後の結末まで見届けないまま△になる（終わる）。「―夢〔=いつか果たそうとしてまだ実現するに至っていない理想（的計画）の意や、心残りのかぎりの意にも用いられる〕」

みはな・す⓪③【見放す】（他五）もうだめだと判断して、△世話（関係）することをやめる。「医者に見放される」表記「見離す」とも書く。

みはば①【身幅】〔からだの幅の意〕〔和裁で〕身ごろの幅。表記「身《巾」とも書く。

みはらい②-（ハラヒ）【未払㋑】まだ、代金を支払っていないこと。「みばらい②」とも。

みはらし⓪【見晴㋶し】その場所から見渡される一面の眺め。「―がいい/―台⓪」

みはら・す⓪③【見晴㋶す】（他五）広く遠くまで見渡す。

みはり⓪【見張㋷】―する（自サ）番をして見張る△こと（人）。「―に△立つ（つく）/―〔=見張り役〕を置く/―番⓪」

みは・る⓪【見張る・〈瞠る】（他五）❶目を大きく開いて見る。「△美しさに（驚異の）目を―〔=△我を忘れて（言葉も無く）じっと見つめる〕/目を見張らせる〔=思わず注目させる〕」❷△番（警戒）をする。「どろぼうを―」

みはるか・す⓪④【見《晴かす】（他五）〔空間的・時間的に〕はるか遠くまで見渡す。〔古風な表現〕「日本の将来を―」表記「見〈霽かす」とも書く。

みびいき②【身〈贔〈屓】―する（自他サ）自分△に関係がある（が普段から好意を持っている）という理由で特に贔屓すること。

みひつのこい⓪-①【未必の故意】不結果を事前に予想しながら、なおその行為に及ぶ時の意識。刑法上、問題とされる。

みびょう⓪-（ビヤウ）【未病】〔東洋医学で〕発病はしていないものの、健康だとはいえない状態。肥満・腰痛など。

みひらき⓪【見開㋖】綴本（トジホン）・折り本や、雑誌・新聞を開いた場合、並んで見える左右のページ。

みひら・く③⓪【見開く・〈瞠く】（他五）何かを見るかのように、目を大きく開く。「閉じていた目を―」

みぶな⓪【〈壬《生菜】漬物にする野菜の一種。越年草。キョウナの変種で、京都市壬生の特産。〔アブラナ科〕

みぶよもぎ③【〈壬《生〈艾】サントニンの原料とする多年草。〔キク科〕かぞえ方 一株

＊**みぶり**①【身振㋷】意志や感情を△表わす（表わそうとする）からだの動き。「―手振り」かぞえ方 一本

みぶるい②-（ブルヒ）【身震㋑】―する（自サ）寒さや極度の緊張・感動のために、震えがとまらないこと。「寒さに―（を）する」

みぶん⓪【未分】「未分化」の圧縮表現。まだ分化していないこと。「天地―」

＊＊**みぶん**①【身分】❶職業の有無、財産・収入の多寡、職種・職階の別などによって自然に隔てられる、慣行上・通念上の一種の垣根。社会的地位。「―制度の厳しかった封建時代/もとは―のある人らしい/―不相応なぜいたくな暮らし/―をわきまえる」❷どういう役所・会社に雇われているかについての事実関係。「―を保証する/―を明かしてから捜査を始めた」運用 ❶は、「ご身分」の形で、はたから見ると恵まれ過ぎた境遇にあると思われる人に対して、皮肉の気持を込めて用いられることがある。例、「すわって居て月に百万円入るとは、いいご身分ですね」 **―けん**②【―権】私権の一つ。親族関係における地位に基づいて与えられる、親権や相続権などの総称。 **―しょうめいしょ**⑧⓪【―証明書】官庁・学校・会社などで、その人がそこに所属する公務員・教員・学生・社員などであることを証明する文書。かぞえ方 一通

みぶんか②-（クワ）【未分化】それぞれの△道をたどって（分野を占めて）発展すべきものが、まだ分かれていないこと。

みぼうじん②-（バウ）【未亡人】〔主人の死後も生き続けて

【 】の中の教科書体は学習用の漢字，〈 は常用漢字外の漢字，《 は常用漢字の音訓以外のよみ。

いることを謙遜(ケンソン)して言う語〕夫に死に別れた女性。ウイドー。〔古くは、「びぼうじん」〕

みほ・れる⓪【見〈惚れる】(自下一)「見とれる」の、やや古風な言い方。

*__みほん__⓪【見本】❶全体の質・状態の実例の代表として人に知らせるための△現物(模造品)。サンプル。「新切手の―/商品―⑤・―品⓪」❷代表例。「かれは不良の―だ」 **―いち**②【―市】商品の見本を陳列し、宣伝しながら商売する催し。 **―ぐみ**⓪【―組(み)】これから出版する印刷物の体裁を検討・決定するために、版を組んでみること。また、その印刷物。

*__みまい__⓪(マヒ)【見舞(い)】❶「見舞う❶」△こと(気持を込めて贈る金品など)。「病人は安静第一だから(お)―は遠慮してほしい/病気―④・―金⓪・暑中―」❷「見舞う❷」こと。「一発お―するか(=殴ってやろうか)」 **―じょう**⓪(ジヤウ)【―状】「見舞い❶」の手紙。

*__みま・う__②⓪(マフ)【見舞う】(他五)❶〈(どこニ)だれヲ―〉訪問したり手紙を出したりして、無事でいるかどうかを尋ねる。〔狭義では、災害や病気など苦況にある人を慰問することを指す〕「病床にある恩師を―/被災者を―ために現地に赴く」❷〈だれニなにヲ―〉相手にとって有難くないものを一方的に与える。「一発げんこつを見舞ってやるぞ(=げんこつで殴ってやるぞ)」❸〔「見舞われる」の形で〕(避ける手だても無いままに)△不幸・災難に遭う(災害におそわれる)ことを表わす。「△旱魃(カンバツ)(水害・大地震・不況)に―」

みまが・う③(マガフ)【見《紛う】(他五)他のものと見誤る。「みまごう③」とも。「花と―雪」

みまか・る③【身《罷る】(自四)〔雅〕「(身内の者が)死ぬ」意の丁寧表現。

みまも・る⓪【見守る】(他五)❶そのものが安全であるように、よく注意して見る。「神に見守られて」❷事の成行きを注意して見る。「△経過(交渉・成行き)を―」

みまわ・す⓪③(マハス)【見回す・見〈廻す】(他五)自分の居る位置から動かずに四方を見る。

みまわり⓪(マハリ)【見回り・見〈廻り】警戒のために、必要な箇所を回り歩く△こと(人)。「工場の―」

*__みまわ・る__⓪③(マハル)【見回る・見〈廻る】(自五)〈どこヲ―〉警戒・監督・見物などのために、決まった範囲を回って歩く。

みまん【未満】(造語)定められた基準よりもそのものの数・年齢が少ないこと。「十円―・十八歳―(=十七歳以下)」

__みみ__②【耳】❶音や声を聞き取る器官。また、平衡を保つ役割をも果たす。〔普通ただ「耳」と言えば、耳殻(ジカク)を指す〕「―が遠い(=聴力が弱い)/―がよい/―(=耳殻、特に耳たぶ)が大きい/…を―にする(=…を聞くことがある)/―がある(=(音楽などを)鑑賞する素養を持っている)/―に逆らう/―から口(=聞いた事をすぐに話す)/―に残る(=その人の言った事が忘れられない)/―がかゆい(=他人に自分のうわさや批判をされて平静な気持では居られない)/―を澄ます(=△かすかな(微妙な)音や注意すべき話に神経を集中する)/―を敧(ソバダ)てる(=⇩そばだてる)/―に快い/―を聾(ロウ)する/―の正月(=⇩正月❷)」❷紙・織物など平たい物の△ふち(端)。「紙の―をそろえる/食パンの―(=ふちの堅い所)/―をそろえて(=全額を一まとめにして)借金を返す」 **【―が痛い】人の言う事が自分の弱点・欠点に触れるので、聞くのがつらい。 **【―が早い】**うわさやニュースを聞き知ることが早い。 **【―に逆らう】**他人の言った事が自分にとって都合のよくない事なので、快く聞けない。 **【―に〈胼胝〉(たこ)が出来る】**何度も同じ事を聞かされて、うんざりする形容。 **【―に付く】**❶人に言われた事が忘れられない。❷うるさく聞こえる。 **【―を貸す】**❶聞く。❷聞こうとする態度を示す。 **【―を傾ける】**人の話をよく聞こうという意志を態度に示す。

みみあか⓪【耳〈垢】耳の穴にたまる垢。みみくそ。

みみあたらし・い⑥【耳新しい】(形)初めて聞いて、未知の知識・情報に接する様子だ。「―話」 派 **―さ**⑥⑤

みみあたり③【耳当(たり)】耳で聞いた時の感触や印象。耳触り。「―のいい声」

みみあて⓪【耳当(て)】耳が霜やけになるのを防ぐために当てる毛糸などの製品。

みみうち⓪③④【耳打(ち)】―する(自サ)〔△大声で話すわけにはいかない場で(内密の事柄を)〕相手の耳に口を近づけて小さな声で話すこと。「こっそり―(を)する」

みみかき③【耳〈搔(き)】耳あかを取る、さじ形の小さな道具。 かぞえ方 一本

みみかくし③【耳隠(し)】耳を髪でおおい隠すようにした女性の髪の結い方。大正末期に流行した。

みみがくもん④【耳学問】〔自分で直接学習するのでなく〕他人からちょっと聞いて得た雑学的な知識。

みみかざり③【耳飾(り)】耳たぶにつける飾り。イヤリング。

みみがね⓪【耳金】釜(カマ)などの横に出ている取っ手。

みみくそ⓪②④【耳〈糞】耳あか。

みみこすり③【耳《擦(り)】❶―する(自サ)告げ口などを耳許(トモ)でささやく△こと(人)。耳打ち。❷遠回しに言う悪口・皮肉。

みみざと・い④【耳〈聡い】(形)❶人一倍聴覚が鋭くて、他人の聞き落とすような小さな物音でもすぐ聞きつける様子だ。❷うわさ話などいち早く聞きつける様子だ。 派 **―さ**④③

みみざわり③(ザハリ)□一【耳障(り)】―な 聞いて、不快に感じたりうるさく思ったりする様子だ。「―な言葉」□二【耳触(り)】耳で聞いた時の感じ。「―が△いい(よくない)鳴き声」

みみず⓪【〈〈蚯蚓〉〉】地中にすむ、薄赤くて細長い下等動物。円筒状で、多数の輪のような節から成る。「めめず⓪」とも。「―の のたくったような字(=へたで見るに堪えない字の形容)」 表記「〈歌女〉・〈地竜〉・〈土竜〉」とも書く。 かぞえ方 一匹 **―ばれ**⓪【―腫(れ)】きずを受けた部分が、細長く赤くはれ△あがること(あがった所)。

みみずく②(ミミヅク)【〈木〈菟〉〉】形がフクロウに似て、森などにすみ、夜行性で小動物を捕食する鳥。頭はネコのように丸く、耳状の長い毛がある。ずく。〔フクロウ科〕 かぞえ方 一羽

みみせん⓪【耳栓】防音や防水のために耳の穴につめるもの。

みみだ・つ③【耳立つ】(自五)それが特徴として耳ざわりに聞こえる。「彼の話しぶりには、ネ、ネ、が―」

みみたぶ③⓪【耳〈朶】「耳❶」の下部の垂れ下がったふくらみのある部分。「みみたぼ③⓪」とも。

みみだれ⓪【耳垂(れ)】耳の穴からうみが出る病気。また、そのうみ。

みみっち・い④(形)当人の人格を疑いたくなるほど、けちくさいと感じられる様子だ。〔口頭語的表現〕「賽銭(サイセン)を盗むとは―ことをしたものだ/―根性(コンジョウ)」 派 **―さ**④

みみどお・い③④(ドホイ)【耳遠い】(形)❶聴覚に障害があったり年をとったりして、耳がよく聞こえない状態だ。❷今までに聞いたことがない(と思われる)様子だ。「―話」

みみどしま③【耳年《増】〔恋愛や性的な知識などについて〕まだ若くて経験も無いのに、聞きかじりの知識だけは多い△こと(女性)。

み

みみなり⓪【耳鳴(り)】〔中耳炎や動脈硬化などの時に〕直接何が聞こえて来るのでもないのに、耳の中で音のようなものが絶えず感じられること。「(絶えず)―がする」

みみな・れる④【耳慣れる・耳〈馴れる】(自下一) 何度も聞いており、ちょっと聞いただけでそれが何△であるか(を意味するか)すぐ分かる。「彼の話には耳慣れない漢語や古語がいっぱい出てくる」

みみへん⓪【耳偏】漢字の部首名の一つ。「聴・職・聡」などの、左側の「耳」の部分。〔多く、耳や聴力に関係のある漢字がこれに属する〕

みみもと⓪③【耳元・耳《許】耳のすぐそば。「―でささやく」

みみより⓪【耳寄(り)】―な 聞く機会を得てよかったと思われる△こと(様子)。「―な話」

みみわ⓪【耳輪・耳《環】耳たぶに下げる、飾りの輪。耳飾り。〔かぞえ方〕一本

みむ・く②【見向く】(他五) そのものを見ようとして、そちらの方へ顔を向ける。「見向いてもくれない」〔名〕見向き②①③「―もしない」

みめ①②【見目】〔顔だちのいい悪いなどの感じ〕容貌(ボウ)。「―うるわしい⑥、①-④・―よい③・―形(カタチ)①-⓪」〔表記〕「眉目」とも書く。

みめい⓪【未明】夜が明けきらない時分。「八日―に出発の予定」

みめかたち①-⓪【見目形】顔だちと姿。

ミモザ①〔mimosa〕❶オジギソウの学名。❷俗に、アカシアの一種、「ギンヨウハナアカシア⑧〔マメ科〕」を指す。

みもしらぬ①-⓪【見も知らぬ】(連体)「見知らぬ」の強調表現。「―赤の他人」

みもだえ②【身〈悶(え)】―する(自サ) 肉体的・精神的な苦しさに、からだをねじるように動かすこと。「―して泣く」

みもち⓪【身持(ち)】❶人間としての生活態度。品行。「―の悪い男」❷妊娠した状態にあること。「―の女性」

*__みもと__⓪【身元・身《許】❶〔その人が△だれ(どんな種類の人間)であるかを明らかにするための〕氏名・戸籍や経歴など、その人に関する一切のこと。「―の確かな人に頼む/―不明」❷その人の一身上に関する事。「―を引き受ける」 **―ほしょう**④【―保証】雇主・債権者に対して、雇用者・債務者の、信用・性格・能力などを保証すること。「―人⓪」

みもの③【見物】見るだけの値打ちのあるもの。「優勝の行くえを占う上でこの試合は―だ/アマチュアからプロに転向したそうだが、これからが―だ〔=注目に値する。ひどい結果になることを予測して、皮肉やあざけりの気持を含意して用いられることもある〕」

みもの⓪【実物】〔生け花・園芸で〕果実を主とするもの。果菜。⇩花物・葉物

みもん⓪【未聞】まだ聞いたことが無いこと。「前代―」

みや⓪【宮】〔「御屋(ミヤ)」の意〕❶〔雅〕皇居。御所。❷宮号を賜わって独立した皇族(の一家)。〔狭義では、親王・内親王を指す〕⇩宮様 ❸神社。「一の―・―参り」⇩お宮❶

みやい⓪【宮居】〔雅〕宮❶❸(のある所)。

みゃく〔脈〕→【字音語の造語成分】

*__みゃく__②【脈】❶哺乳類や鳥類などの体内のすみずみまで張りめぐらされた血管。「動―・静―」❷Ⓐ〔生命を保っている証(アカシ)となる〕脈拍。「―をとる〔=脈拍をしらべるなどして、診察する〕」Ⓑ前途へつながる望み。「まだ―がありそうだからもう一度頼んでみよう」⇩【造語成分】

みゃくう・つ③【脈打つ・脈〈搏つ】(自五) ❶動脈が鼓動する。「かすかに脈打っている」❷内部に生き生きとした強い力のこもっていることが感じられる。「真理探究の精神が脈打っている」

みゃくどう⓪【脈動】―する(自サ) ❶脈拍のように、周期的に絶えず起こるかすかな動き。〔主として地殻について言う〕「大地の―」❷「脈打つ❷」こと。「新時代の―」

みゃくどころ③⓪【脈所】❶押さえると脈拍を知ることの出来る、からだの部分。〔狭義では、手首の、親指の付け根に近い所などを指す〕❷物事の急所。

みゃくはく⓪【脈拍・脈〈搏】〔「搏」は、打つ意〕血が心臓から押し出されるにつれて、動脈がふくれる△こと(回数)。「―七十〔=一分間に七十回〕」〔表記〕「拍」は、代用字。

みゃくみゃく⓪【脈々】―たる ―と 本来の力を保ちながら、とだえることなく続く様子だ。「今日まで―と続く伝統/―たる〔=衰えることのない〕気魄(ハク)」

みゃくらく⓪【脈絡】〔血管の意〕必然的なつながり(のある続き方)。関連。「―の無い文章/両者の間には―が認められない/―貫通〔=筋道が首尾一貫して通っている〕」

みやけ②⓪【宮家】宮❷。「三笠(ミカサノ)―・常陸(ヒタチノ)―」

*__みやげ__⓪【〈土産〉】〔「見上げ」の変化〕❶外出先から家へ帰る時や人の家を訪問する時などに持っていくちょっとした品物。「観光地の―物(モノ)・屋/―話・手―」❷何かをした際に得た良い結果で、その人や周囲にとってさらに輝かしい将来を約束するもの。「その出向会社での成功を―に本社の副社長に専念することになった/置き―」〔表記〕⇩付表 **―ばなし**④【―話】〔家人や関係者への報告としてする〕旅行中に△見聞きした(出あった)珍しい出来事や風景についての話。

みやこ⓪【都】〔「宮所(ミヤコ)」の意〕❶△皇居(政府)の所在地。「奈良の―/―を京都から東京へ移した」❷Ⓐ「(大)都会」を美化した表現。「北海道の―札幌/住めば―〔=どんな所でも、住みなれてくれば一番よく感じられるものだ〕」Ⓑ〔「…の都」の形で〕他と違った特徴のある都会。「杜(モリ)の―仙台/花の―パリ」 **―いり**⓪【―入(り)】―する(自サ)〔長い間地方を旅行し続けた人などが〕都に入ること。入京。↕都落ち **―おち**⓪【―落(ち)】―する(自サ) ❶都に居られなくなって、地方へ逃げて行くこと。「平家の―」❷今まで住んでいた都会を去って、地方へ移り住むこと。「転任で―する」↕都入り **―そだち**④【―育ち】「都❶」で△育つこと(育った人)。 **―どり**③【―鳥】ユリカモメの異称。平安時代に、在原業平(アリワラノナリヒラ)が隅田川に群れをなしているのを見て歌に詠んだというので有名。〔その鳴き声「ニアゴ」が、類音のゆえに「都」を思わせたからという〕

みやごう⓪②【宮号】宮家の呼び名。〔一般人の姓に当たる〕

みやざ⓪【宮座】村落の神事・祭礼を独占的に執り行なう、氏子内部の祭祀(シ)集団。

みやさま⓪【宮様】「皇族(の一人 ひとり)」の敬称。

みやしばい③【宮芝居】神社の祭りの時などに、境内でして見せる芝居。

みやす・い③【見《易い】(形) ❶そのものから受ける視覚印象がはっきりしていて、よく内容が分かる状態だ。「きれいで―字」↕見にくい ❷複雑なところがなく、筋道などがだれにでもよく理解できる状態だ。「―道理」〔派〕―さ⓪③②

みやずもう③【宮〈相撲〉】祭礼に神社の境内で興行される相撲。〔表記〕⇩付表「相撲」

みやだいく③【宮大工】社寺・宮殿などを専門に建てる大工。

*__みやづかえ__③【宮仕(え)】―する(自サ)〔もと、宮中・貴人の家に仕える意〕官庁に勤めること。「みやづかい③」とも。

み

〔広義では、一般の会社などに勤めることをも指す。例、「すまじきものは―『=官庁や会社などに就職すると、自由がきかず、人にも話せぬ気苦労が多いものだ』」〕

みゃっかん ⓪【脈管】 血管・リンパ管など、体液を通す管の総称。

みやつくち ②【身八〈つ〉口】 ⇩やつくち

みやつこ ②⓪【《造》】〔雅〕〔「御奴(ミヤツコ)」の意〕姓(カバネ)の一つ。世襲で、部(ベ)を統率したもの。

みやばら ⓪【宮腹】〔雅〕皇女の子として△生まれること(生まれた人)。

みやび ①⓪【《雅》】―な・なる ―に △こと(様子)。「―ごころ④」 趣味が豊かで、身のこなしが上品な流を解し、学芸のたしなみのある男。 **―お** ⓪③【―《男》】〔雅〕風 **―やか** ③ ―な ―に 俗世のこせこせした風を離れ、あたかも古代人の世界に見るようなおおらかさ・優美さが感じられる様子だ。

みやぶ・る ⓪③【見破る】(他五) 隠されている△秘密(はかりごとなど)を、種々の点から総合して知る。「うそを―/詐欺の手口を―/ぺてん師の正体を―/隠された真実を―」

みゃく

[脈] つながりをもって、一続きになっているもの。「脈絡・山脈・鉱脈・文脈・乱脈・一脈・人脈・葉脈」⇩(本文)みゃく【脈】

みょう

[名] ❶なまえ。よびな。「名字・名号・名跡・名代・本名・戒名・幼名・法名・俗名」 ❷ほまれ。評判。「名聞・名利・功名・高名・悪名」 ❸平安・鎌倉期の荘園・国衙領での徴税の基本単位。「名田・大名・小名」

[妙] うら若い。「妙齢・妙麗」⇩(本文)みょう【妙】

[命] ❶立場の下の者に言いつける。「宣命」 ❷いのち。「寿命・常命・不惜身命・帰命頂礼」

[明] その次の。あくる。「明日・明朝・明晩・明夜・明年・明十日・明後日」

[冥] 目に見えない神仏の働き。「冥加・冥護・冥助・冥罰・冥利」

みやま ⓪【《深山》】〔雅〕 ❶山の美称。 ❷奥山。↕端山・外山。 **―おろし** ④【―〈颪〉】「深山❷」から吹きおろす風。 **―ざくら** ④【―桜】 ❶「深山❷」に咲く桜。 ❷桜の一種。山地に生じ、五月ごろ白色・ふさ状の花を開く。〔バラ科〕 かぞえ方 ❷は一株・一本

みやまいり ③【宮参(り)】―する(自サ) △生まれて百日目(七五三の祝い)に自分の子供を連れて氏神に参拝すること。うぶすなまいり。「七五三の、お―」

みやもり ⓪【宮守】 神社の番をする△こと(人)。

みや・る ②【見《遣る》】(他五) ❶遠くの方にあるものを見ようとして、目をそちらに向ける。「海のかなたを―」 ❷そちらの方をちらりと見る。「見やりもせずに過ぎる」

ミュージアム ①③〔museum〕 博物館。美術館。「―グッズ⑥・―ショップ⑥」

ミュージカル ①〔musical〕 音楽を中心とした軽演劇(の映画)。「―コメディー⑥〔=喜歌劇〕・―ドラマ⑥・―ショー⑤⑥〔=音楽と踊りを中心とした演芸〕」

ミュージシャン ③①〔musician〕 作曲家・演奏家・指揮者・歌手など、音楽を職業とする人の総称。音楽家。

ミュージック ①〔music〕 音楽。「―テープ・ダンス―・スクリーン―」 **―コンクレート** ⑨〔フ musique concrète〕 楽器を使わず、動物の鳴き声、都会の騒音その他現実にある音を録音し編集した音楽。具体音楽④。 **―ホール** ⑥〔music hall〕 ❶音楽会場。 ❷演芸場。

ミューズ ①〔Muse〕〔ギリシャ神話で〕芸術を受け持つ九人の女神の総称。

ミュータント ①〔mutant〕 突然変異体。

ミュール ⓪①〔フ mule〕 女性用のサンダルの一種。かかとや甲が開いていて、かかとが高いもの。

みゆき ⓪【〈行幸〉・《御《幸》】〔雅〕〔「御行(ミユキ)」の意〕「(天皇の)外出」の意の尊敬語。 表記 古くは「《行》」と書いた。

みゆき ⓪【《深雪》】〔雅〕 ❶雪の美称。 ❷降り積もった雪。

みよ ①【《御代》】「その天皇が在位している期間」の意の尊敬語。「昭和の―」 表記 「《御世》」とも書く。

みよ・い ②【見《好い》】(形) ❶そのものを見て好感をいだける様子だ。「夫婦げんかは―ものではない」 ❷見たいと思うものをよく見ることが出来る様子だ。「―観客席・―眼鏡」 文法 否定する場合、形式的には「見好くない」の形を想定することができるが、一般には「見好いものではない」などのように言うことが多い。

みょう(名・妙・命・明・冥) →【字音語の造語成分】

みょう ①【妙】 ❶まねることが出来ないほどすぐれていること。「演技の―/自然の―/言い得て―である/―案・―手・巧―」 ❷―な ―に 当面する事態が普通とは違っていて、その原因・理由が納得できずすっきりした気持になれない様子だ。「今ごろ雪が降るとはちょっと―だ/―な事になってきた/―に張り切っているのがあやしい」⇩【造語成分】

みよう ②【見様】 見る方法。見方。「―でどちらとも言える/―見まね②-⓪、②-①〔=人のすることを見て、まねをしているうちに、自然に出来るようになる〕」

みょうあさ ①【明朝】 あすの朝。みょうちょう。

みょうあん ⓪【妙案】 よい思いつき。「―が浮かぶ」

みょうおう ③【明王】 諸悪魔を降伏(ゴウブク)し、仏教を守護する神。怒った顔つきをしている。〔狭義では、不動明王を指す〕

みょうおう ⓪【冥応】 (仏の)ご加護。

みょうおん ⓪【妙音】 なんとも言えず美しい△声(音楽)。 **―ちょう** ⓪【―鳥】「かりょうびんが」の別名。

みょうが ⓪【〈茗荷〉・〈蘘荷〉】 庭の陰などに作る、葉がショウガに似た多年草。地下茎から生じる薄黄色の花は芳香があり、「ミョウガの子」と称して、開花直前に食べる。若い茎も食用。〔食べると物忘れするという言い伝えがあり、「鈍根草(ドンコンソウ)⓪」とも称される〕〔ショウガ科〕 かぞえ方 一本

みょうが ①【冥加】 ❶知らず知らずのうちに受ける、神や仏の加護。おかげ。冥利。「―に尽きる〔=最大限のしあわせに恵まれる〕/―に余る〔=もったいないほど、幸いである〕」 ❷―な ―に 不思議に幸運に恵まれる△こと(様子)。「命―な奴(ヤツ)」 ❸〔↑冥加金⓪③〕Ⓐ冥加を△祈って(得た礼として)奉納するお金。Ⓑ〔江戸時代に〕営業の許可を受けた商人が幕府・領主に納めた礼金。のちには、幕府が金持の商人に割り当てた献金。

みょうぎ ①【妙技】 大変見事で、ほかの人にはまねが出来そうにないわざ。「鉄棒競技で―を披露する」

みょうけい ⓪【妙計】 非常にすぐれたはかりごと。妙案。妙策。「―を案じる」

みょうご 【明後】(造語) 次の次の。「―〔=あさってに当たる〕三日」 **―にち** ③【―日】 あさって。 **―ねん** ⓪③【―年】 次の次の年。さらいねん⓪。

みょうご ①【冥護】〔目に見えない〕神仏の加護。「神

みょうこう [0]【妙工】 すぐれた細工(職人)。

みょうごう [3][0]【名号】 阿弥陀仏の名前。「六字の—〔=南無阿弥陀仏〕」

みょうさく [0]【妙策】 ⇩妙計

みょうじ [1]【名字】・【《苗字》】 ❶公家・武家の階級に属することを表わす家の名。〔封建時代、百姓・町人は名字を唱えることが許されず、名のみを唱えた。功績があり、特に、その許しがあったことを「—帯刀[1]-[0]」と言った〕 ❷明治維新以後は、家の象徴としての氏。姓。

みょうしゅ [1]【妙手】 ❶非常にすぐれたわざ(を持つ人)。「射撃の—」 ❷〔碁・将棋などで〕非常に巧みな手。

みょうしゅ [1]【妙趣】 なんとも言えない、すぐれた趣。「名園の—を味わう」

みょうじゅう [1]【命終】—する(自サ)〔「みょうじゅ」の変化〕「天寿が尽きること」の意の仏教語。

みょうしゅん [0]【明春】 来年の春。来春。

みょうしょ [1]【妙所】 そのもののなかで、なんとも言えない、すぐれた箇所。「作品の—」

みょうじょ [1]【冥助】 神や仏の助け。冥加。「—をこうむる」

みょうじょう [0]【明星】 日の出前に東の空(日没後に西の空)に見える金星。〔その社会で大変人気のある(すぐれた)人の意にも用いられる〕「明けの—/宵の—」

みょうじん [0]【明神】 霊験のある神。〔神の尊称としても使われる〕「大—・神田—」

みょうせき [0]【名跡】 父祖の代から歴世伝えて来た名字・家名・称号など。「めいせき」とも。「—を継ぐ」

みょうせんじしょう [0]-[0]【名詮自性】〔名は自性を詮す意〕〔仏教で〕名前は自然にそのものの性質を表わすということ。

みょうだい [0]【名代】 立場の上の人の代理で(公的な所へ)出ること(人)。「陛下の—として」

みょうちきりん [0]【妙ちきりん】—な/—に〔「変ちくりん」と類似の語構成〕普通とは違っていて、何とも奇妙な様子だ。「みょうちくりん」とも。〔口頭語的表現〕「—〔=奇妙〕なかっこう/—〔=変〕な人間」 派—さ[0]

みょうちょう [0]【明朝】 あすの朝。〔副詞的にも用いられる〕

みょうてい [0]【妙諦】 そのものの存在理由として高く評価出来るよさ。「みょうたい[0]」とも。「政治の—〔=神髄〕」

みょうと [0]【《夫婦》】「めおと」の古風な表現。 表記「《妻夫》・《女夫》」とも書く。

みょうにち [1]【明日】「あす」のやや改まった言い方。

みょうねん [1][0]【明年】「来年」のやや改まった表現。—ど[3]【—度】 次の年度。来年度。

みょうばつ [0][1]【冥罰】 悪事を働いた人に起こる災難・不幸を、神仏がこらしめのためにくだしたものと見て言う言葉。

みょうばん [1]【明晩】 あしたの晩。

みょうばん [0]【明《礬》】 白色、正八面体の結晶。硫酸アルミニウムの化合物で、水溶液は弱い酸性を呈する。染色・防水・工業用に用途が広い。⇩陶砂

みょうほう [0]【妙法】〔仏法のすぐれた教理を説いてある〕法華経。 —れんげきょう [7]【—《蓮華経》】「法華経」の正称。〔「南無—」の形で、日蓮宗の題目としても用いられる〕

みょうみ [1][3]【妙味】 文章などの微妙なうまさ。「—〔=利益〕のある商売/—が発揮されない」

みょうみょうご 【明々後】(造語) 次の次の次の。 —にち[5]【—日】 しあさって。 —ねん[5][0]【—年】 さらいねんの次の年。

みょうもく [0]【名目】「めいもく」の古風な表現。「—上の社長/—読み[0]〔=有職関係の熟語の慣習的な読み方。例、『定考』を『こうじょう』と読むなど〕」

みょうもん [0]【名聞】「世間の評判」の意の古風な表現。

みょうや [1]【明夜】「明晩」の改まった表現。

みょうやく [1][0]【妙薬】 その病気に不思議なほど、よくきく薬。〔どんな困難な局面でも打開出来る手段の意にも用いられる。例、「インフレ防止の—」〕

みょうよう [0]【妙用】 非常にすぐれた作用。

みょうり [1]【名利】〔悟りや精神の平安などを妨げるものとしての〕世俗的な名声や利欲。

みょうり [1]【冥利】〔知らず知らずの間に神仏から受ける恩恵の意〕 ❶〔それ以外のものでは決して味わうことの出来ない〕人間として最高の充足感(幸福感)。「教師—に尽きると言うべきだ/男—・女—」 ❷〔仏教で〕よい行いの結果として受ける、現在の幸福。

みょうれい [0]【妙齢】〔壮年以上の人や男性から見た〕女性の結婚適齢期の称。〔古くは、男性にも言った〕

みよし [0]【《船首》・《舳》】〔「水押」の変化〕〔小型の木造船の〕船首。へさき。↔とも(艫)

みより [0]【身寄(り)】 いざという時、たよって行くことが出来る親類。「—のない老人」

ミラー [1]〔mirror=驚嘆する意のラテン語に基づく。ミラクルと同源〕 鏡。「—つき小物入れ/—ボール[4]・バック—」

みらい [1]【未来】 ❶〔何が起こるかは全く想像の域を出ない〕これから先の時。「豊かな—を切り開く/—図を描く/—を先取りする/—都市[4]」⇩現在・過去:将来 ❷〔仏教で〕死んでから行くといわれる世界。来世。後生。 —えいごう [1]-[0]【—永《劫》】 これから先、永久(に)。 —かんりょう [4]【—完了】〔英文法などで〕時制の一つ。未来のある時点において、その動作・作用などについて完了・継続・経験していることを表わす。 —き[2]【—記】 未来に起こる事を予言した書物。

みらい [0]【味《蕾》】 舌の粘膜に分布している、味覚をつかさどる卵形の感覚細胞。

ミラクル [1]〔miracle〕 奇跡。

みられる [3]【見られる】 ❶「見る」の受身形。「うさん臭そうに—/足もとを—」 ❷そういう状況・様相が認められる。「活気(反省・進展)が—」 ❸見るに堪える。「見られたものではない」

ミリ [一](接頭)〔フ milli- ←mille=千の意のラテン語〕 国際単位系における単位名の接頭辞で、基本単位の千分の一であることを表わす〔記号 m〕。「—メートル〔=⇩メートル〕・—秒・—アンペア・—リットル〔=⇩リットル〕・—グラム〔=⇩グラム〕」 ⇩マイクロ [二][1] ミリメートルの略。

ミリオン [1]〔million=もと、mille(=千)の強調形、すなわち千の千倍の意〕 百万。 —セラー[5]〔million seller〕 百万ほど売れた商品。楽曲や本などに言う。

ミリタリズム [4]〔militarism〕 軍国主義。

ミリは [2]【ミリ波】 波長が一ミリメートルから一〇ミリメートル(一センチメートル)までの電磁波。周波数は三〇ギガヘルツから三〇〇ギガヘルツ。水蒸気や空気で吸収・散乱が起こり、ほとんど赤外線と同じ性質になる。通信衛星・レーダーなどに活用されている。ミリメートル波[6]。

ミリバール [3]〔フ millibar〕 圧力の単位で、千分の一バールを表わす〔記号 mb〕。〔気圧を表わすのによく用いられたが、

現在ではヘクトパスカルを用いる〕⇩気圧❷

みりょう[0]（ミレウ）【未了】 審議がまだ終わらなかったり手続きがまだ終わっていなかったりすること。

みりょう[0]（ミレウ）【魅了】―する（他サ）〔すぐれた内容や美しい外観をもつものが〕人の心をすっかりひきつけて夢中にさせてしまうこと。「読者を―する」

***みりょく**[0]【魅力】 それに接する人の心・気持を強くとらえ、ついにとりこにさせるようなすばらしさ(のあるもの)。〔「みりき[0]」と発音する向きもある〕「―に△ひかれる(欠ける・乏しい)/―を△感じる(失う)/―あふれる…/―的[0]」

みりん[0]【味〈醂〉】 調味用の甘い酒。蒸したもち米と米のこうじを、しょうちゅうに入れて糖化させ、汁をしぼったもの。「―漬け[0]〔=味醂のかすに漬けた漬物〕・―干(ボ)し[0]〔=小魚を、味醂にしょうゆ・砂糖などを交ぜた汁にひたし、かわかしたもの〕」 表記 「味〈淋〉」とも書いた。

****みる**❶[1]【見る・《覧る・《観る・《看る・《診る・《視る】(他上一) ❶〈(どこ)ニ)なにヲ―/なにデなにヲ―〉 目を対象に向けて、その存在・形・様子を自分で確かめる。「目(マ)のあたり(に)―/―ともなく―/見た目〔=感じ〕がいい/見た所〔=ⓐちょっと見た限りでは。ⓑ外から見た様子では〕、なんの奇も無い/野球を―〔=見物する〕/本を―〔=ⓐながめる。ⓑ内容を(軽く)読む〕/―〔=そのまま見ている〕に忍びない/日の目を―〔=⇩日の目〕/見て見ぬふり(をする)」 ❷〈(どこ)ニ)なにヲ―/なにデなにヲ―〉 物事の状態を△調査(観察・判断・評価)する。「△折(顔色・相手・出方)を―/経過を―/―目が変わる/しばらく様子を―/患者を―〔=診察する〕/運勢を―〔=占う〕/人を―〔=どういう人柄であるかなどを見通す〕目がある/私の―所では/出来ないものと―〔=推定する〕/たとえ十日かかると見ても〔=仮定しても〕/疲労の色が見られる〔=第三者にも観察される〕/△警戒の(長い)目で―/事態を重く―/衆目の―所」 ❸〈なにヲ―〉 複雑な事柄の処理や世話などを、責任をもってする。「△事務(政務・あと・子供の勉強・めんどう)を―」 ❹〈なにヲ―〉 好ましくない状況に実際に出あう。「△ばか(うき目)を―」 ❺〈なにヲ―〉 そういう場面を実際に経験する。「史上まれに―/△類(例・先例)を見ない」 ❻〈なにヲ―〉 新たな状況を迎える。…するに至る。「△完成(意見の一致・解決・実現)を―」 【―影も無い】 昔のりっぱな姿とは見違えるほど、みじめだ。【今に見ろ】 現在は自分をばかにしているが、その考えのまちがっていることは将来すぐ分かるだろう。〔「見ていろ」とも言う〕 【それ見たことか】 以前自分の言ったことを無視しなければよかった、と思い知ったことだろう。【血を―】⇩血

❷(補動・上一型) ❶〔解決を期待して〕とにかくその事をする。「食べて―/考えてもみろ」 ❷実際に…の状況に出あう。「いざ、会って―と何も言えない/起きてみたらだれも居なかった/親にしてみれば無理も無い話だ」

[民] ❶(一般の)人びと。〔狭義では、国家社会を構成する人、また君主に対しての臣下を指す〕「民衆・民意・民間・民族・人民・官民・住民・庶民・難民」 ❷(略) 民間。「民営・民放(ポウ)」

[眠] ❶ねむる。ねむり。「眠食・安眠・永眠・仮眠・睡眠」 ❷カイコが、ある期間、活動をやめて動かない状態になる。「休眠・一眠」

みる[1]【{海松}・{水松}】 緑藻類の一種。浅い海の岩に生える。茎は細い円柱形で、多くに枝分かれしている。食用。〔ミル科〕 表記 古来の用字は「{海松}・{水松}」。 かぞえ方 一本

みるがい[2]（ガヒ）【{海松}貝】 日本の浅海でとれる、やや卵形の二枚貝。すしだねや刺身にする。ミルクイ[2][0]。〔バカガイ科〕

みるからに[1]【見るからに】(副) 一見しただけで、そういう印象を受ける様子。「―強そうな男」

ミルク[1]〔milk〕 ❶牛乳。「―ティー[3][4]・―キャラメル[4]・―ホール[4]〔=牛乳・パン・飲み物などを出す、簡易食堂〕」 ❷コンデンスミルク・粉ミルクの略。

ミルクセーキ[4]〔milk shake を明治末期に取り入れた形〕 牛乳に卵・砂糖などを入れてかきまぜ、氷で冷やした飲み物。

ミルクプラント[5]〔milk plants〕 牛からしぼった乳を殺菌して販売できるようにしたり種々の乳製品を製造したりする総合的な施設。

ミルフィーユ[3]〔フ millefeuille=千の葉〕 薄いパイを何枚も重ね合わせた層の間にクリームなどをはさんだ洋菓子。

みるべき[1]【見る《可き】(連体) 特に取りあげて云々(ウンヌン)するに値するほどすぐれている。「―ものが無い」

みるみる[1]【見る見る】(副) 事態の△変化(進展)が見ている間にそれと認められるほど急激な様子。「打った所が―はれてきた/子供というものは―大きくなるものだ」〔「見る見るうちに[1]」も同義〕

ミレニアム[2]〔millennium=千年紀〕 西暦二〇〇〇年の特称。

みれん[1]【未練】―に ―な 後ろ髪を引かれるような思いを、断ち切ることが出来ない△気持(様子)。「―が残る/―な男」 ―がまし・い[6](形)〔もはやどうにもならないのに〕あきらめることができず、いつまでも念頭から離れない様子だ。「―ことを言う」 派 ―さ[0][6] ―たらし・い[6](形) 未練がましくて、接する人をうんざりさせる様子だ。

みろく[0]【《弥〈勒】〔慈悲深い存在の意の梵(ボン)語の音訳〕 釈尊の説法を受けなかったすべての人びとを救うという菩薩(ボサツ)。〔釈尊の死後、五十六億七千万年の後に兜率天(トソツテン)からくだってこの世に現われるといわれる〕

みわく[0]【魅惑】―する（他サ） 我を忘れさせるほど、妖(ヤア)しい魅力で人をひきつけること。「―的な目」

みわけ[0]【見分(け)】 見分けること。「―がつかない/―方を学ぶ」

みわ・ける[0]【見分ける】(他下一) よく見て、当否・可否・真偽・善悪などを判断する。「事の真相を―」

みわす・れる[4][0]【見忘れる】(他下一) ❶以前に△見(会っ)た時の記憶をすっかり失って、それを見ても思い出さなくなる。❷見ようと思っていた映画・テレビ番組などをうっかりして見ないでしまう。見損なう❷。 名 見忘れ[0]

みわた・す[0][3]【見渡す】(他五) 広い範囲にわたって見る。「―限りの〔=遠くの方まで続いて見える〕人の波/△全体(周囲)を―」 名 見渡し[0]「―のいい所」

みん（民・眠）→【字音語の造語成分】

みんい[1]【民意】 国民の意思。「―に問う/選挙で―を問う/―を反映させる」 文法 「民意に問う」は問いかける相手が誰であるかに注目した言い方、「民意を問う」は「民」から得られる答えに注目した言い方と解される。

みんえい[0]【民営】 民間で経営すること。「―化[0]・―鉄道[5]」↕国営・官営

みんおく[0]（ヲク）【民屋】 一般の人びとの住む家。民家。

みんか[1]【民家】〔公共建築物・デパート・旅館などと違って〕その地域の住民の住んでいる家。〔広義では商店を含み、狭義では除外する〕 かぞえ方 一戸(イッコ)・一軒

***みんかん**[0]【民間】 ❶特殊な専門家・研究者の側に属さない一般国民の形作っている社会。世俗。「―薬(ヤク)[3]・―

信仰⑤・—〔=世間一般に行なわれているだけで、学問的裏づけの無い〕療法⑤・—語源⑤」 ❷軍・政府・官庁などの公的な機関に属さない△こと(人たち)。「—ベースで進められる/—人③・—会社⑤」 **—でんしょう**⑤【—伝承】 古くから「民間❶」に伝わって来た伝説・習俗など。 **—ほうそう**⑤【—放送】 国庫補助によらず、もっぱら広告放送の料金で経営する、民間の企業による放送。商業放送⑤。略して「民放」。↕公共放送

みんき①【民器】 庶民が日常生活の中で普通に用いているさまざまの器具。

みんぎょう⓪【民業】 「民間❷」の経営する企業。「—移管・—圧迫⓪-⓪」

ミンク①〔mink〕 北米原産の、イタチの一種(から取った高価な毛皮)。〔イタチ科〕「—のコート」 かぞえ方 一匹

みんぐ①【民具】 民芸品として見た日常生活の用具。たんす・なべ・かま・ざる・茶わんなど。 かぞえ方 一点

ミンクくじら④【ミンク鯨】 全長八～一〇メートルほどの小形のクジラ。ずんぐりしたからだで、背側は青黒く、腹側は白い。世界の海洋に広く分布。コイワシクジラ。〔ナガスクジラ科〕 かぞえ方 一頭

みんげい⓪【民芸】 民衆の生活の中から生まれ伝えられてきた郷土色の強い素朴で実用的な工芸(品)。「—品⓪」

みんけん⓪【民権】 自分の生命・身体・財産を安全に保つ権利、政治に参与する権利、などの国民の権利。 **—しゅぎ**⑤【—主義】 ❶民権の伸張を目的とする主義。❷中国の孫文(ソンブン)の三民主義の一つ。一切の権利を民衆共有のものとする主義。

みんごと①【見ん事】(副) 「みごと」の口頭語的な強調表現。

みんじ①【民事】 国・公共団体・刑法に関係しない、私人と私人との間の生活関係の事柄。「—事件」↕刑事 **—さいせいほう**⓪、①-⓪【—再生法】 破産するおそれのある会社や個人に対して、再建型の倒産処理手続きを定めた法律。和議法に代わって、二〇〇〇年施行。 **—せきにん**④【—責任】 不法行為により、他人に加えた損害を賠償する私法上の責任。↕刑事責任 **—そしょう**④【—訴訟】 私権に関する争いの解決・調整・制裁を裁判所に請求する手続き。略して「民訴」。

みんしゅ①【民主】 ❶政治運営上の権力が(独裁)君主にではなく、人民一般にあること。「—社会」❷「民主主義」の略。「—政治」 **—か**⓪【—化】—する 独裁的な政治体制から民主主義的な政治体制に△変える(変わる)こと。 **—こく**③【—国】 民主△政体(主義)の国。 **—しゅぎ**④【—主義】 人民が主権を持ち、人民の意思をもとにして政治を行なう主義。デモクラシー。〔民主的なやり方の意にも用いられる〕「—が根づかぬ/—を△揺るがす(育てる)」 **—てき**⓪【—的】—な —に どんな事でも関係する一人ひとりの意見を平等に尊重しながらみんなで相談して決め、だれでも納得の行くようにする様子だ。↕独裁的

みんじゅ①【民需】 民間の需要。「—品⓪」↕軍需・官需

みんしゅう⓪【民衆】 国家・社会を構成している人びと。〔普通、被支配階級である一般市民や農民などを指す〕「—的⓪・—駅③〔=第二次世界大戦後 民間と旧国鉄の共同出資で造られた、ショッピングセンターなどを兼ねた駅〕」

みんしゅく⓪【民宿】 農家などが副業的に行なう宿泊施設。また、そこに泊まること。 かぞえ方 一軒

みんしょ①【民庶】 「庶民」の意の古風な表現。

みんじょう⓪【民情】 国民の生活の実情。

みんしょく⓪【眠食】—する(自サ) 〔眠ることと食べることの意〕日常生活を営むこと。

みんしん⓪【民心】 家族や隣近所の平和・幸福を願いつつ生活している国民の気持・考え。「—の安定」

みんせい⓪【民生】 衣・食・住など、人間生活の基本に関する諸条件が充足されるように配慮すること。「—局③・—部③」 **—いいん**⑤【—委員】 保護を必要とする人たちの世話をする職務の人。また、その職務。都道府県知事の推薦に基づき、厚生労働大臣が民間人に委嘱する。

みんせい⓪【民政】 〔軍政に対して〕軍人以外の人によって行なわれる政治。「—に移管される」

みんせん⓪【民選】 人民の選挙によって、国家・地方公共団体などの長や議員を選出すること。↕官選

みんそ①【民訴】 「民事訴訟」の略。↕刑訴

みんぞく①【民俗】 地方・時代によってそれぞれ独特の特徴を持っている、民間の生活様式や風俗。 **—がく**④【—学】 民間伝承を調べることによって、一般民衆の生活文化の発生と変遷を明らかにしようとする学問。フォークロア。 **—ごい**⑤【—語彙】 〔民俗学で〕民間伝承の個々の事象を表示する際に使われる、その土地の言葉。

***みんぞく**①【民族】 〔人種と違って〕言語・宗教・生活慣習など、文化的な観点から見て、共通意識をいだいている一まとまりの人びと。〔他民族に対する時は、個々の利害を超えた緊密な連帯感を持つことが多い〕「—性⓪・—自決①-⓪〔=各民族は他民族の干渉・支配を受けず、その民族自身によって政治その他を行なうべきである、とすること〕・—紛争」 **—がく**④【—学】 諸民族の宗教・社会制度などの比較調査を通じて、人類文化の発生・伝播(デンパ)などを研究する学問。エスノロジー。 **—しゅぎ**⑤【—主義】 ❶同じ民族で国家を形づくろうとする主義。❷自分の属する民族の自立と発展を政治的・文化的な最高の目標とする主義。ナショナリズム。

みんだん⓪【民〈譚】 「民間説話」の意の古風な表現。「みんたん」とも。

みんち①【民地】 「民有地」の略。

みんちょう①【《明朝】 〔中国の明の△朝廷(国)の意〕〔←明朝活字⑤〕日本における活字の書体の一つ。現在、最も普通に使われる。この辞典の本文の活字がそれ。

みんてき⓪【《明笛】 明楽(ミンガク)〔=中国の明時代『=一三六八～一六四四』の音楽〕に使う横笛。指穴が六つある。

ミント①〔mint〕 ⇩はっか(薄荷)

みんど①【民度】 その地域に住んでいる人びとの経済力や文化の程度。「—が低い」

***みんな**【《皆(ん)な】 「みな」の口頭語形。❶⓪(副)⇩みな❶「—私が悪いのです/—上げるよ/—〔=全員〕賛成した」❷③(代)⇩みな❷「—のおかげで予定通りに事が進んだ/—にこれ上げるよ」

みんなみ⓪【《南】 〔雅〕〔「みなみ」の変化〕⇩みなみ

みんぱく⓪【民泊】—する(自サ) ❶民家に泊まること。❷個人の住宅を宿泊料を取って旅行者に貸すこと。

みんぺい①⓪【民兵】 △国土(郷土)の安全を守るため、民間人で編制する軍隊。

みんぼう⓪【民望】 その人に民衆から寄せられる信用・人気。

みんぽう⓪【民放】 「民間放送」の略。

みんぽう①【民法】 おもに親子・親族などの、身分や、財産の相続・処分に関する通則を規定した法律。

みんぽう⓪①【民報】 「民間の新聞」の意で、主として新聞の名に使われる称。

みんぽんしゅぎ⑤【民本主義】 大正時代において、民主

主義の称。

みんみんぜみ [3]【みんみん〈蟬〉】セミの一種。からだは大形・黒色で緑色のまだらがある。盛夏に、ミーンミーンと鳴く。〔セミ科〕 かぞえ方 一匹

みんやくせつ [4][3]【民約説】社会はその成員である個人相互の契約によって成立するという学説。ルソーらが唱え、フランス革命の思想的導火線となった。社会契約説。

みんゆう [0]【民有】所有者が民間人である△こと(もの)。「―地[3]」↕官有・国有

みんよう [0]【民謡】民衆の中から生まれ、民衆の生活・感情をうたって伝えられて来た歌。〔広義では、大正・昭和初期にかけて大量に作られた、いわゆる「新民謡[3]」も含む〕「スコットランド―」

みんりょく [1]【民力】経済的な観点から見た、国民の力。

みんわ [0]【民話】民衆の中から生まれ、民衆の生活・感情を反映して語り伝えられて来た話。

む…ム

む (矛・武・務・無・夢・謀・霧) ↓【字音語の造語成分】

む (助動・四段型)〔文語の助動詞〕❶ある事柄について推量することを表わす。「かばかり守る所に天の人にも負けーや/生きてあらー限り、かく歩きて/このかはころもは火に焼かーに、焼けずはこそ誠ならめと思ひて」❷主体の意志を表わす。「先ざきも申さーと思ひしかども/さてこそ取らしめたまはめ(=お取りください)と申す」 文法 活用語の未然形に接続する。あとに他の助動詞類を伴うことがない。終止形・連体形の発音は「ん」。現代語の「う」「よう」に当たる。

む [1]【無】❶何も無いこと。「―に等しい/―に帰する/―(=何も無い所)から有(=何か形のあるもの)を生じる/皆―」↕有 ❷むだ。「せっかくの善意が―になる」⇩【造語成分】【―にする】[1][0] むだにする。「人の好意を―わけにはいかない」

む【六】(造語)「六」の意の和語的表現。かぞえ上げる個数・回数などが六であることを表わす。〔かぞえる時のみ単独で用いる。その場合は「むう[1]」とも〕「―月[1](=六か月)」・「―年[1]・―組・―十(路)」⇩なな(七)

むい [1]【無位】民間にあり、△朝廷(政府)から位をもらっていないこと。「―無官[1]-[0]」

むい [1]【無医】その地域に定住する医者が居ないこと。「―村・―地帯[3]」

むい [1]【無為】❶自然のままで人の手を加えないこと。「―にして化す(=支配者が格別何をしたというわけでもないのに、その徳で自然に天下が治まる)」❷〔仏教で〕生滅・変化しないもの。↕有為 ❸これといった事もしないうちに、時間が過ぎること。「―に日を過ごす/この回の攻撃も―に終わった/―無策のまま/―徒食[1]-[0]」〔古くは、「ぶい」〕

むい [1]【無意】そうする特別の意志・意味が無いこと。「―的[0]」↕有意

むいか [0]【六日】〔「むゆか[0]」の変化〕❶月の第六日。❷日の数が六つあること。また、その日数。 **―のあやめ** [0]-[0]【―の〈菖蒲〉】〔あやめの節句〖=端午の節句〗の翌日の意〕時機に遅れて役立たないこと。「―十日の菊(=五月五日の端午の節句の翌日のアヤメや、九月九日の重陽の節句の翌日の菊のように、せっかく用意したが、肝腎の△時機(期限)に遅れて役に立たないもののたとえ)」

むいぎ [2]【無意義】―な/―に どんな点から見ても、そうするだけの価値が無い様子だ。「―な△計画(生活)」↕有意義

***むいしき** [2]【無意識】―な/―に ❶意識を失っている△こと(様子)。「―の状態」❷はっきりした△意識(自覚)が無くて、何かをする様子だ。「―に手を引っこめる/―的[0]」

むいそん [2]【無医村】医師のいない村。

むいちく [3]【無医地区】医師が定住していない村や地域。

むいちもつ [3]【無一物】財産といえるような物を何一つ持っていないこと。「むいちぶつ[3]」とも。

むいちもん [3][2]【無一文】お金を全然持っていないこと。一文無し。「―になる」

むいみ [2]【無意味】―な/―に ❶ちょっと接した時には音声や文字など意味を表わす記号のような印象が感じられるが、よく観察すると何の意味もないと判断される様子だ。「―な音の連なり/―な笑みを浮かべる」❷そう△言う(する)だけの価値が認められない様子だ。「―な(=つまらない)仕事/彼の努力も―に終わった/年賀状なんか―だと言う人がいる」 派 ―さ[0][3]

むいん [0]【無韻】〔詩で〕韻を踏まないこと。「―の詩」

ムース [1]〔フ mousse=泡〕泡立てた卵白や生クリームを使った、ふんわりした感じの料理や冷菓など。

***ムード** [1]〔mood〕❶雰囲気。「―(=甘く柔らかい感じの)音楽/―に弱い」❷そうしようとする動き。「―が△高まる(盛り上がる)/―を盛り上げる/―に乗る」❸⇩法[1]❹

ムートン [1][1]〔フ mouton〕羊の毛皮。

ムービー [1]〔movie〕映画。「アクション―」

ムーブメント [1]〔movement〕❶政治・経済・芸術などの分野で何らかの主義・主張を実現させるための運動。❷〔芸術作品で〕接する人に生き生きとした印象を与える躍動感。❸〔交響曲などで〕楽章。

ムームー [3]〔ハワイ muumuu=女性服〕ゆったり仕立てた、はでな柄の女性用の家庭着。 かぞえ方 一枚

ムールがい [3]【ムール貝】〔ムール=フ moule〕ムラサキイガイ[5]。三角形に近い楕円形の二枚貝。殻は黒ずんだ紫色。フランス料理のブイヤベースなどに用いられる。

むえき [1]【無益】―な/―に 利益・効果が無い様子だ。↕有益 派 ―さ[3][0]

ムエタイ [0]〔タイ muay-thai〕パンチ・蹴り・ひじ打ちを駆使して戦うタイの国技。「タイ式ボクシング」とも。

むえん [0]【無援】助けてくれる人が無いこと。「孤立―の立場」

むえん [0]【無塩】塩分を含んでいないこと。「―醬油[4]・―バター[4]」

む

【矛】長い柄の先端に両刃の剣を取り付けたもの。ほこ。「矛盾」

【武】相手と戦う力や技術。「武者」

【務】引き受けてする仕事。つとめ。「公務・急務・業務・任務・勤務・義務」

【無】問題とする物事が欠けていることを表わす。「無常・無線・無神経・無気力・無能力・無精卵・無資格・無抵抗」↕有 ⇩(本文)む【無】

【夢】ゆめ。「夢中・夢幻・夢想・夢魔・悪夢・白昼夢・残夢・霊夢」

【謀】たくらむ。「謀反」⇩ぼう

【霧】きり。ガス。「霧氷・雲散霧消・霧中・霧笛・煙霧・濃霧」

むえん⓪【無煙】煙が出ないこと。**―かやく**④【―火薬】綿火薬・ニトログリセリンを成分として作り、爆発の時に煙を出さない火薬。**―たん**⓪【―炭】炭素九〇パーセント以上の質のよい石炭。燃える時に煙が出ない。

むえん⓪【無縁】―に ㊀両者の間に関係が無い様子だ。「政治には―だ／…と―ではない／一般庶民には―の話だ」↔有縁 ㊁死後を弔う親類や知合いが居ない△こと（様子）。「―の死者／―墓地・―仏④」

むおん⓪【無音】音が聞こえ(て来)ない状態。「―タイプライター・―カメラ」

むか①【無価】「通俗的な評価をはるかに超えているほど貴重な」の意の漢語的表現。「―の宝珠」

むが①【無我】㊀私心・私欲を捨て去った状態。「―の愛」㊁自分という存在を忘れること。無意識。「―の境地」㊂〔仏教で〕自我をなくすこと。**―むちゅう**①-⓪【―夢中】何かに心を奪われ、我を忘れること。「―で逃げ帰る／―に走り続ける」

むかい【向(か)い】㊀⓪向かい合う位置にある△こと（所）。「―の家／真―・お―さん②（=向いの家）」㊁（造語）動詞「向かう」の連用形。**―あ・う**④【―合う】（自五）互いに正面に△相手（対象）を見る△姿勢（位置）にある。名向かい合い⓪ **―あわせ**⓪④【―合(わ)せ】向かい合っていること。「学校と―の文房具店」**―かぜ**③⓪【―風】進んで行く方向から吹いて来る風。逆風。↔追い風 **―び**③⓪【―火】焼けて来る火の火勢を弱らせるために、逆にこちらからもつける火。

*__むかい__⓪【迎(い)】「迎え」の変化。

*__むがい__①【無害】―な（生物などに）害が無い△こと（様子）。「有益―の薬品／人畜―」↔有害

むがい⓪【無蓋】おおいとなる屋根が無いこと。「―貨車④」↔有蓋

**__むか・う__⓪【向(か)う】（自五）㊀〈どこ・なにニ〉対象とするものをその人自身の正面に見る姿勢をとる。「黒板に向かって右側の席／鏡に向かって髪をとかす／机に―（=机の前にすわって、仕事や勉強をする）／親に向かって（=対して）なんて事を言うんだ／天に向かってつばを吐く（=悪意をいだいて人に何かをしても、かえって自分の身に災難が降りかかってくるものだということ）」㊁〈どこ・なにカラ〉どこ・なにニ〉（障害などを排除して）△目的地の（目標とする）方向に進む。「東京を発ってパリに―／出口に向かって人が殺到する／北へ―船／風に向かって歩く／勇敢に敵に向かって行く／勝利に向かって一歩前進する」㊂〈なにニ〉時の経過に従って、事態がある△決まった（傾向を帯びた）方向に進む。「冬に向かって風邪の患者が増える／病気が快方に―／このままではいずれ破局に―だろう」〔⇩向かい㊁〕

むかうのさと①-⓪、②-⓪【無何有の《郷》】〔「無何有」は何も存在しない意〕自然のままで、苦労やいざこざなどの全く無いという理想郷。ユートピア。

むかえ【迎(え)】㊀⓪迎えること。また、迎えに行く人。「―に行く／―（の車）を頼む／―を出す／お―が来る（=浄土に来たれと、仏が呼びに来る。死期が迫ることを婉曲に指す）」㊁（造語）動詞「迎える」の連用形。**―い・れる**⑤【―入れる】（他下一）迎えて内へ入れる。「客を―」名迎え入れ⓪ **―う・つ**④【―撃つ】（他五）攻めて来る敵を待ち構えて戦う。表記「〈邀え撃つ〉」とも書く。**―ざけ**③【―酒】二日酔をなおすために飲む酒。「むかいざけ」とも。**―と・る**④【―取る】（他五）㊀迎えて家に入れる。「嫁を―」㊁迎えて自分の身に受ける。**―び**⓪③【―火】お盆の七月十三日の夕方、△祖先（死者）の霊を迎えるために門前でたく火。「向い火」とも。↔送り火 **―ぼん**③②⓪【―盆】〔盂蘭盆ボンの行事で〕祖先の霊や死者の魂を家に迎える日。（陰暦）七月十三日に当たる。↔送り盆 **―みず**③⓪【―水】⇩呼び水

*__むか・える__⓪【迎える】（他下一）㊀〈なにニ〉だれヲ〉自分の所へ△来る人を受け入れる（来てもらうようにする）。また、そのために、十分準備して待つ。〔狭義では、出迎えることを指す〕「拍手をもって迎えられる／笑顔で客を―（=客に会う）／医者を―（=呼ぶ）／嫁を―（=もらう）準備／会長に―（=なってもらう）／意を―（=他人の気持に逆らわないようにする）／新手アラテを―（=敵を待ち構える）」↔送る ㊁〈なにヲ〉時が移り、△特定の（特記すべき）時期になる。「なんらなすこと無く今日を―／△新時代（正念場）を―」㊂〈なにヲ〉決定的な段階となる時期を目前にする。「正月を―準備／△千秋楽（老い）を―／△大詰め（破局・転換期）を―」表記 ㊀の「新手を迎える」は、「〈邀える〉」とも書く。〔⇩迎え㊁〕

むがく①【無学】―な △十分（専門的）な教育を受けていない△こと（様子）。〔仏教では、「有学ガク①」の対として、真理を窮めつくして、もはや学ぶ必要が無いことを指す〕

むかご⓪【〈零余子〉】ヤマノイモの葉のわきに出る、小さなイモのようなもの。食べられる。「ぬかご」とも。

__むかし__⓪【昔】過去の時代。〔自分が経験したことのある近い過去から、経験する以前の遠い過去までも指す〕「―はよかった／そんなことは―からあったことだ／十年一ヒト―／城下町と言っても―のおもかげはない」↔今 **―かたぎ④【―〈気質〉】―な 考え方ややり方が古風で一本気な性質。**―がたり**④【―語り】昔話として伝えられている事柄。また、それを話すこと。**―ながら**④⓪【―〈乍(ら)〉】（副）昔の状態のままで、少しも変わっていないと判断される様子。「―の生活様式」**―なじみ**④【―〈馴染(み)〉】昔仲よくしていた△こと（人）。**―ばなし**④【―話・―噺】㊀自分（たち）が以前に経験したことなどの話。「―にふける」㊁「昔むかし」などの句で始まり、昔から伝わった空想的な内容を語り聞かせる話。桃太郎・花咲爺ハナサカジジイなどの話。㊂過去の出来事で、現在は人びとの記憶に薄れている話。「もう今は―になってしまったが」**―ふう**⓪【―風】―な 昔ながらの△様式（風習）に従っている様子だ。**―むかし**⓪【―昔】大昔。〔「昔話」の冒頭の言葉などに使われる〕「―ある所に…」

むかしつせきにん⑤【無過失責任】法律上、過失の責任は無くても、損害賠償等の責任を負うべきこと。

むかつ・く⓪（自五）㊀胃の中の物を吐きそうな感じがする。「胸が―」㊁今にも△声（言葉）に出して怒りたくなる。名むかつき⓪

むかっぱら⓪【向(か)っ腹】〔「―が立つ」「―を立てる」の形で〕「ちょっとしたことが、きっかけとなって、むらむらと憤りがこみ上げてくる。また、それを言動や態度に表わすこと」の口頭語的表現。

むかで⓪【〈百足〉・〈蜈蚣〉】節足動物の一つ。からだは平たくて細長く、多数の輪のような節から成り、節ごとに一対の足があり、口に毒腺センがある。「―競走④」かぞえ方 一匹

むかばき⓪【〈行縢〉】昔、武士が狩りや乗馬の時に使った、腰の前面から足にかけて着けた毛皮。

むかむか①（副）―と・―する ㊀（胃の調子が悪くて）吐き気をもよおす様子。「食べすぎて―（と）する」㊁不愉快で抑えようもなく怒りがこみあげてくる様子。「話を聞いただけで―（と）する」〔㊀㊁とも瞬間的な場合は「むかっと②」。例、「―くる」〕

むかん⓪①【無官】官職についていないこと。「無位

—」 —のたゆう⓪-①、①-①【—の《大《夫】❶五位で官職の無い人。〔狭義では、平敦盛の特称〕❷公家の子で、元服しないうちに五位の位を受けた人。

むかん⓪【無冠】位を持っていないこと。「—の帝王〔=ⓐ権威に迎合せず論評を加えるところから、俗に、ジャーナリストの称。ⓑその世界で実力が認められ、一目置かれる存在でありながら、タイトルなどを取ったことの無い人をからかい気味に言う語〕」

むかんがえ②【無考え】—な/—に 深い考えや思慮が無いまま何かをする様子だ。「—な行動」

むかんかく②【無感覚】—な/—に ❶感覚が麻痺して、痛みなどを感じない様子だ。❷相手の気持やその場の雰囲気などを何も感じ取らない様子だ。「なんて—〔=無神経〕なやり方なんだろう」派—さ⑤⓪

むかんけい②【無関係】—な/—に その物事との間になんの関係も認められない様子だ。

むかんじしん④【無感地震】⇩地震

***むかんしん**②【無関心】—な/—に その事柄に関心を持って注意を払ったり主体的に取り組む気持が無かったりする様子だ。「政治に—な人/—を装う」派—さ④⓪

***むき**①【向き】〔動詞「向く」の連用形の名詞用法〕［一］❶移動するものが、どこからどの方へ進むか、ということ。「ビデオを逆の—に再生する/風の—が変わる/矢印で一方通行の—を表示する/カニは横—に歩く」❷△そのものの正面(細長いものの一方の端)がどの方を向いているか、ということ。「机の—を変える/体の—を斜めにする/風見鶏の—/磁石の針の—/南—の座敷/後ろ—になる/表—の理由」［二］❶全体的な傾向としてそのようなことが認められること。「人にはそれぞれ—不—〔=能力・興味などの点から見た適・不適〕がある/何事も悲観的に見る—〔=心的傾向〕がある/高齢者—・子供—」❷何らかのかかわりを持ち、必要に応じた対応をする△こと(人)。「ご用の—〔=趣旨〕を承りましょう/ご希望の—〔=人〕には差し上げます/その—〔=関係当局〕に届け出る/中には不満とする—も見受けられる」【—になる】客観的にはそうまでする必要は無いと思われるのに、本気になって対抗的な言動をとる。「向きになって腹を立てる」

むき①【無季】その俳句の中に、△季題(季語)が無いこと。

むき①【無期】特にいつまでと期限△が決まっ(を決め)ていないこと。「—延期①-⓪・—懲役①-⓪」〔古くは、「むご」〕↕有期

むき①【無機】「無機物・無機質」の略。「—のゲルマニウムは飲まない/—塩②・—材質・—酸②」↕有機 —かがく③【—化学】無機物について研究する、化学の一部門。↕有機化学 —かごうぶつ④【—化合物】有機化合物以外のすべての化合物。炭素を含まないもの、炭素を含んではいるが、それ以外の元素が主体となっているもの、炭素を主体とするもののうち、低分子量のものの一部などの別がある。↕有機化合物 —しつ②【—質】❶無機物(の性質を持っていること)。❷—な/—に 機能は十分に作動しているが、一面において接する人の心をなごませる面に欠ける点が見られる様子。「コンクリートの家の中で暮らしていると、人間も—になりがちです/コンピューター ミュージックという言葉は—でありながら、なぜか未来志向のイメージを持つ/水にもぐった白鳥の長い首が水の波紋にゆらぎ、—な木製人形のように見えて、生き物の生命感と交差して不思議な幻覚を誘う」派—さ④ —ひりょう③【—肥料】無機物から成る肥料。↕有機肥料 —ぶつ②【—物】〔生活機能を持たない物質の意〕「単体❷」と無機化合物の総称。例、骨・組織・体液に含まれているカルシウム・燐酸・水・鉄分など。↕有機物

***むぎ**①【麦】畑に栽培される、大麦・小麦などの総称。主食に準ずる穀物として、重要。六月ごろ実り、多く芒がある。〔広義では、ライ麦・エンバクをも指す〕〔イネ科〕「—畑③・—蒔②③・—搗②」かぞえ方 売買取扱いの単位は一俵・一袋

むきあ・う③【向き合う】(自五) 互いに向かい合っている状態である。

むぎあき②【麦秋】麦のとりいれどき。六月ごろ。ばくしゅう。〔古くは、陰暦五月を指した〕

むぎうち⓪②【麦打ち】麦の穂を打って、実を落とす△こと(ための道具)。

むきおん②【無気音】〔言語学で〕破裂音を発音するとき、破裂によって生じさせた子音に呼気を伴わないもの。中国語・朝鮮語・タイ語などでは、呼気を伴う音〔=有気音〕との間に異なる音として弁別される。日本語では沖縄方言の一部を除いては弁別性がない。⇩有気音

むきかわ・る④【向き変わる】(自五)〔前後左右・東西南北など〈へ〉向きが変わる。「こちらへ—」

むきげん②【無期限】いつそれを終えるか、期限が決まっていないこと。「—スト」

むぎこ③【麦粉】麦、特に小麦をひいた粉。小麦粉。

むぎこう②【無技巧】—な/—に 一見、何も技巧をこらしていないように見える△こと(様子)。「—の技巧」

むぎこがし③【麦焦がし】大麦を煎ってひいた粉。湯で溶いて、砂糖を加えて食べる。香煎。

むぎさく⓪【麦作】❶麦を作ること。❷麦のとれ高。

むきず①【無傷・無疵】—な 傷が無い△こと(様子)。〔広義では、失敗・負け・罪などが全く無いことを指す〕「奇跡的に—だった/—のリンゴ」

むきだし⓪【剝き出し】—な/—に ❶普通の人ならば包み隠すべき感情・内情などを表に現わしてはばからない様子だ。「感情—で/不信感を—にする/エゴイズムが—になる」❷普通は隠れている部分を(意図的に)出したままにする様子だ。「—にした腕」

むきだ・す③【剝き出す】❶普通は外に現わしていない部分を(意図的に)露骨に現わす。「歯を剝き出して怒る/牙を—」❷うちにおさめておくべき感情などを、はっきりと現わす。「敵対心を—/自我を—」

むぎちゃ②【麦茶】殻のついたまま煎った大麦(をせんじた、主として夏の飲料)。麦湯。

むきどう②【無軌道】—な/—に ❶軌道が無い△こと(様子)。「—電車〔=トロリーバス〕」❷常軌を逸して放縦な行動をする△こと(様子)。「—ぶり⓪・—娘⑤」派—さ③⓪

むぎとろ⓪【麦とろ】とろろをかけた麦飯。

むきなお・る④【向き直る】(自五)〔今まで他の方を向いていた者が〕改めてその方へ向きを正す。

むぎのあき①-①【麦の秋】〔俳句などで〕むぎあき。ばくしゅう。夏の季語。

むぎぶえ⓪【麦笛】麦の茎で作り、笛のように吹き鳴らすもの。

むぎふみ②③【麦踏み】〔麦を丈夫に育てるために〕春に先立って麦の芽を足で踏みつけること。

むきみ⓪【剝き身】殻から取り出した、貝などの肉。「アサリの—」

むきむき ［一］①(副)—と/—する 〔俗に〕筋肉が隆々としている様子。「一年間筋トレを続けて全身—(と)している」［二］⓪—な/—に 「むきむき［一］」に同じ。「筋トレのおかげで全身が—になった/筋肉が—だ」

むきむき②⓪【向き向き】人の好みによってそれぞれ違っ

ている△こと(面)。「─に応じて適所にふり分ける」

むきめい②【無記名】〔証券・調査票などに〕自分の署名をしないこと。「─投票・─預金」

むぎめし⓪【麦飯】大麦や裸麦を(米に交ぜて)炊いたもの。

むぎゆ②【麦湯】麦茶。

むきゅう⓪【無休】(キウ) 休暇を取らずに△営業(勤務)すること。「年内─/年中─のコンビニエンス ストア」

むきゅう⓪【無給】(キフ) 働いたことに見合う報酬をもらわない(約束である)こと。「─副手・─医局員」↔有給❶

むきゅう⓪【無窮】─なる/─に 限りや終りが無い様子だ。「─に伝わる/天壌(ジョウ)─(=⇒天壌無窮)」

むぎょう⓪【無業】(ゲフ) 職業についていないこと。無職。「─者」↔有業

むきょういく②【無教育】(ケウ) ─な 正規の教育を受けていないこと。また、そう思われるほど常識的な知識・教養を身につけていない△こと(様子)。派 ─さ⓪⑤

むきょうそう②【無競争】(キヤウサウ) ある資格を得るのに、試験とか選挙とかの関門を経る必要が無いこと。

むきりょく②【無気力】─な/─に 何事かを積極的にしようとする気力の無い△こと(様子)。「─な生活/─に陥る」派 ─さ④⓪

むぎわら⓪【麦︿藁】麦の穂を取り去ったあとの茎。「─帽子⑤」かぞえ方 一本 **─とんぼ**⑤【─︿蜻蛉】シオカラトンボの雌。

むきん⓪【無菌】細菌の無い△こと(状態)。「─室②」

＊＊む・く⓪【向く】(自五) ❶〈どこ・なにヲ─/どこ・なにニ─〉そのものの△正面(先端)の前方が、対象とする(ものの存在する)方向と一致するように△位置(姿勢)をとる。「△前(後ろ)を─/そっぽを△─(向かれる)/右向け右/風にあおられて看板が横を─/磁石の針の─方が北だ/△海(南)に向いて(=面して)いる部屋が人気がある」❷〈(なにニ)─〉事態が、何かがきっかけとなって意外な方向に進む。「足の─まま気の─ままに旅する/気が向かない(=乗り気になれない)仕事/いい人にめぐり会えて、運が向いてきた」❸〈なに・だれニ─〉全体的な傾向として、その△もの(人)に適した条件が備わる。「今の仕事は私に向いている/結婚に─人向かない人はあるだろう/この絵は子供の絵本には向かない」文法 日常の談話では、文末の述語としては「向いている」の形で用いられる。

＊む・く⓪【︽剝く】(他五)〈(なにデ)なにヲ─〉(中身とは違った状態の)薄い表面を本体から離して中身が現われるようにする。「ミカンの皮を─/指(=指の皮)を─/豆(=豆のさや)を─/目を─(=怒ったり驚いたりして、目を大きく見開く)/牙(キバ)を─」

むく① ムクロジ(の実)。

むく①【︿尨】「むく毛・むく犬」の略。

むく①【︿椋】ムクノキ・ムクドリの略。

むく①【無︿垢】❶─な 〔仏教で〕煩悩を離れて、汚れが無い状態だ。〔広義では、汚れが無い状態を指す。例、「─なおとめ」〕❷─な 交じりものが無い様子だ。「金─(=純金)・─材(イザ)」❸全体が無地で、一つの色(特に、白色)の衣服。〔染めていない物について言う〕「白─の花嫁衣装」 **─ざい**⓪②【─材】〔建築で〕丸太から、使用する形に切り出した木材。無垢。「─家具⑤」↔集成材

むくい③②⓪【報(い)】〔動詞「報う」の連用形の名詞用法〕❶以前した行いの総決算としてその人に与えられる、負の結果。〔古くは、プラスの面についても言った〕「昔の─/─を受ける」❷仏教的な意味における現世の果報、また、現世的な意味における報酬・復讐(フクシュウ)。表記「︽酬い」とも書く。

むくいぬ⓪【︿尨犬】むく毛の犬。

＊むく・いる③【報いる】(自他上一)〈だれ・なにニ─/だれニなにヲ─〉相手から受けた△恩恵(屈辱)などに対して、相手にそれに見合うことをして、自分の負い目や引け目をなくす。「恩に─/一矢(イッシ)を─/親の仇(アダ)に─」表記「︽酬いる」とも書く。

むく・う②【報う】(ムクフ)(自他五) 報いる。「報われぬ一生」

むくげ⓪【︿槿・︿木︿槿・無︽窮︽花】生け垣などに植える落葉低木。夏・秋のころ、紫・白のフヨウに似た花を開き、一日でしぼむ。モクゲ⓪。キハチス②。〔アオイ科〕かぞえ方 一株・一本

むくげ⓪【︿尨毛】〔けだものの〕(長くて)密生している毛。

むくち①【無口】─な 性分として、必要な事以外はしゃべらないで済ませる△こと(様子)。「─な人」

むくつけき④(連体)〔文語形容詞「むくつけし④」の連体形〕見るからに清潔さの感じられない。「─男(オノコ)/─姿」

むくどり②【︿椋鳥】❶中形の野鳥。背中は黒みを帯びた灰色、顔・腹・尾は白い。人家近くの森に群がりすみ、にぎやかに鳴く。益鳥。〔ムクドリ科〕❷江戸時代、地方から出稼ぎなどのために都に出てきた人。❸〔相場で〕だましやすいしろうとの称。かぞえ方 ❶は一羽

むくのき①【︿椋の木】山地に生える落葉高木。五月ごろ薄緑色・小粒の花を開く。葉は長卵形で、ざらざらしており、物を磨くのに使われる。実は食用、材は器具用。「むく」とも。〔アサ科(旧ニレ科)〕かぞえ方 一株・一本

むくみ③⓪【︿浮腫(み)】むくむこと。また、むくんだ状態。「─が日に日にひどくなる/全身に─が現われる」

むく・む②【︿浮腫む】(自五)〔病気などのために〕内部に水分がたまり、からだ(の部分)が一体にはれた感じになる。「△顔(足)が─」表記「︿浮腫む」は義訓。

むくむく①(副)─と/─する ❶〔煙や雲など〕わき起こったものが、見る見る盛り上がり大きなかたまりになっていく様子。「雲が─とわく/火口から─と噴煙が上がる」❷密生する毛などで、全体がふっくら盛り上がって見える様子。「─した犬」

むぐら⓪【︿葎】ヤエムグラなどの、繁茂してやぶを作るつる草の総称。

むく・れる⓪(自下一) ❶「怒っていることがはっきり分かるような、不機嫌な表情や態度を見せること」のやや口頭語的表現。❷〔東北地方、新潟・長野・静岡の方言〕皮など表面にあるものが、ひとりでにはがれる。表記「︽剝れる」とも書く。

むくろ⓪【︿軀・︽骸】❶(死んだ人の)からだ。❷中が腐った木の幹。

むくろじ③⓪【︿無患子・︿木患子】山林に生える落葉高木。六月ごろ、薄緑色で小粒の花を開く。材は細工用。種は堅くて、数珠や羽根突きのたまにする。果皮はかつて、せっけんに代用された。むく。もくれんじ③⓪。〔ムクロジ科〕かぞえ方 一株・一本

むくわ・れる⓪【報(わ)れる】(ムクハレル)(自下一)〔「むくう」の受動形〕報いられた状態になる。「報われない一生を送る/苦労が─」

むけ【向け】(造語)〔動詞「向ける」の連用形の名詞用法から〕〔…の方に〕向けてすること。「アメリカ─の輸出/子供─の番組」

むげ①【無︿碍・無︿礙】─な/─に 自由な△行動(思考)をじゃまするものが無い様子だ。「融通─」

むけい⓪【無形】視覚的にとらえられる動作・作用や精神的行為として、その存在が認められる△こと(もの)。「─の財産/─物②」↔有形 **─ぶんかいさん**⑦【─文化遺産】(クワ) 知識や技術や慣習など無形の文化を保護するユ

ネスコ事業の一つ。 **―ぶんかざい**[6](クヮー)【―文化財】特定△個人(団体)が伝承する特別な歌舞・芸能や工芸技術のうちで、国や県などが特にその保存に意を用いて後代に伝える価値があると認めるもの。「―保持者」

むけい[0]【無稽】〔「稽」は、根拠の意〕現実には全くあり得ないこと。〔単に、でたらめの意にも用いられる〕「荒唐―」

むげい[1]【無芸】―な 人に見せるべき芸が何も無い様子だ。「―大食(イタ)[1]-[0]」

むけいかく[2](クヮク)【無計画】―な/―に (はっきりした)計画を持たない様子だ。 派 **―さ**[0][5][4]

むけつ[0]【無欠】 かけたところのないこと。欠点のないこと。「完全―」

むけつ[0][1]【無血】〔戦争・革命の時に〕武器で相手方を殺傷することが無いこと。「―革命[4]・―占領[4]」

むげつ[1]【無月】〔俳句で〕空が曇って月の見えないこと。秋の季語。「―中秋[1]-[0]」

むけっせき[2]【無欠席】 欠席しないこと。「無遅刻―」

むげに[1]【無下に】(副) 考慮すべき価値が全く無いものとして扱う様子。「せっかくの好意を―する〔=無視する〕わけにはいかない/あの男は失敗ばかりしているようだが、―見捨てたものでもない/―断わるのも悪い」

****む・ける**[0]【向ける】(他下一) ❶〈どこ・なにニなにヲ―〉 対象とする(ものの存在する)方に向くようにする。「△顔(目・視線)を上に―/大恩のある君には足を向けて寝られない/背を―〔⇩背〕/敵に刃(ヤイバ)を―/年金問題に△関心(意識)を―」 ❷〈どこ・なにニだれ・なにヲ―〉 人や物を△目的地の(目標とする)方向に進ませる。「代理の者を―〔=行かせる〕/ただちに救援隊を現地に―/中国に向けて輸出する/新会社設立に向けて準備を始める」 ❸〈なにニなにヲ―〉 特定の用途に割り当てる。「△自家用(工業用・輸出用)に―」

む・ける[0]【《剝ける》】(自下一) ❶薄い表面が本体から離れて中身が現われるようになる。「皮が―」 ❷〔「剝く」の可能動詞形〕剝くことができる。「一人でミカンの皮が―ようになった」

むけん[0]【無間】〔↑無間地獄[4]〕〔仏教で〕絶え間無く苦(ク)を受ける阿鼻(ビア)地獄。「むげん[0]」とも。

むげん[0]【無限】―な/―に その物事の数量・程度などについて、限度があると認めることが出来ない△様子(こと)。「―の空間/―の可能性」↕有限 **―えん**[2][0](エン)【―遠】〔レンズの焦点などが〕限り無く遠い△こと(距離)。 **―きどう**(ォ)[4](ダウ)【―軌道】 前後輪の代りに渡し掛けた鉄製のベルトを回転させ、車体を走行させる装置。また、そのベルト。⇩キャタピラ **―せきにん**[4]【―責任】 債務者の全財産で債務を支払う責任。↕有限責任 **―だい**[0]【―大】 ❶―な/―に 限り無く大きい△こと(様子)。 ❷〔数学で〕変数の値が、どんな大きな正数よりも大きくなること〔記号 ∞〕。

むげん[0]【夢幻】 夢やまぼろし(のようにはかないこと)。 **―てき**[0]【―的】―な 夢幻のように超現実的な感じがする様子だ。「―な作風の映画」

むこ[1]【婿】 娘の夫として、その家に迎え△入れられる男性(入れること)。〔狭義では、新婚のそれを指す〕「―養子」↕嫁❶ 表記「〈聟・〈壻」とも書く。

むこ[1]【無〈辜】〔「辜」は罪の意〕身にやましい点が何もないこと。「―の人民〔=たまたま△そこに居合わせた(その時代に生まれ合わせた)ために、戦火を受けるなど、迷惑する住民たち〕/―感染[3]」

むご・い[2]【《惨い》】(形) あまりにもひどい仕打ちや出来事に接して、当人自身が堪えがたい思いをしたりはたの人が義憤を感じたり正視に堪えなかったりする様子だ。「―扱いを受ける/―台風の爪あと」 派 **―さ**[1] 表記「《酷い》」とも書く。

むこいり[0]【婿入(り)】―する(自サ) 婿になる△こと(時の儀式)。↕嫁入り

***むこう**(ォ)[2](ムカフ)【向(こ)う】〔文語動詞の連体形「むかふ」の名詞用法。連用形「むかひ」のウ音便とすれば「ムカウ」〕 ❶何かの正面に面している方。「―の家/お―〔=向いの家〕」 ❷これから目指して行こうとする所。目的地。「―へ着いてから知らせる」 ❸△これ(それ)から先。「二月から―は忙しい/これから―は津軽だ」 ❹何か隔たりとなる物に面して、それを越えた先の方。「―の岸に渡る/山の―〔=あちら側〕/川―」 ❺自分と対立する関係にある相手。「―に回す〔=相手にして戦う〕/一流メーカーの―を張る〔=堂々と対抗する〕/―が―ならこっちにもこっちの考えがある/―さん[0]〔=自分とは立場や考えを異にする相手〕/―持ち[0][5]」 運用 ❹は、「海を隔てた向こう」の意で、自分のいる所〔=日本〕を「ここ」ととらえるのに対して、海外・外国を指すのに用いられることもある。例、「向こうでの生活が長かった」 **―いき**[0][4]【―意気】 相手に負けないで、やろうとする気持。「―の強い男」 **―がわ**[0](ガハ)【―側】 ❶何かを隔てた、その先の方。「あの家の―に池がある」 ❷相手の方。 **―ぎし**[0]【―岸】 向こう側の岸。岸向こう。対岸。 **―きず**[2]【―傷】 顔や額などに受けた傷。↕後ろ傷 表記「向こう〈疵」とも書く。 **―じょうめん**(ォ)[4](ジャウ)【―正面】〔すもうで〕正面〔=北側〕に対する南側。裏正面。 **―ずね**[0]【―〈臑・―〈脛】 すねの前の方。 かぞえ方 一本 **―づけ**[0]【―付】〔正式の日本料理で〕膳(ゼン)の、客から遠い側につける料理。〔刺身・酢の物など〕 **―づら**[0]【―面】 ❶向き合った相手の顔。 ❷〔敵対する〕相手の方の側。「―にまわる〔=敵側にくみする〕」〔❶❷とも、やや古風な表現。 **―はちまき**[5]【―鉢巻(き)】 額の上で結んだ鉢巻。↕後ろ鉢巻 **―みず**[2]【―見ず】―な/―に どういう結果になるかをよく考えずに、思ったことをいきなり行動に移す△こと(様子)。「―に突っ走る」

***むこう**(ォ)[0](カウ)【無効】―な △効力(効果)が無い△こと(様子)。「―投票」↕有効

むこがね[0][2]【婿がね】 婿とすることに決めている人。

むこく[0]【無告】〔古〕苦衷を訴える相手がいない状態。「―の民〔=虐待されたり災難にあったりしても、自分の苦しみを告げる当てが無い人びと〕」

むこくせき[2]【無国籍】 どこの国籍も持っていないこと。また、国籍を特定出来ないこと。「―料理[6]」

むごし[1]【無腰】 まるごし。

むごたらし・い[5]【《惨たらしい》】(形) 人間らしい扱われ方をされなかったり異常な死に方をしたりなどして、正視に堪えない状態だ。「―殺人事件」 派 **―さ**[4][5] **―げ**[5][6][0] 表記「《酷たらしい」とも書く。

むことり[3][4][0]【婿取(り)】 その家に婿を迎えること。↕嫁取り

むこようし(ォ)[3](ヤウ)【婿養子】 娘の夫となるとともに法律上、娘の親とも養子縁組をする△こと(人)。

むこん[0]【無根】―な 証拠や根拠が全く無い△こと(様子)。「事実―だ」

むごん[0]【無言】 物を言わないこと。「―の行(ギョウ)/―の帰宅〔=△遺体(遺骨)となって自分の家に帰ること〕」 **―げき**[2]【―劇】 ⇩パントマイム

むさ・い[2](形) きたならしかったりあかぬけしていなかったりして一緒にいるのを避けたくなるような感じだ。〔口頭語的表現〕「伸び放題の―髪/じじ―」

むさい[0]【無才】 △それだけ(取り立てて言うほど)の才能が無いこと。「―の博士/無学―[1]-[0]」

むざい①【無罪】罪を犯したものとは認められないこと。〔法律上は、容疑事実があっても、犯罪が成立しないことや認定出来ないことを指す〕「―放免」⇔有罪

むさいしょく②【無彩色】〔「むさいしき」とも〕彩りの無い、黒・白・灰色など。⇔有彩色

むさく⓪①【無策】適当な方策・対策が何も無いこと。「無為―①-⓪」派―さ⓪③

むさくい②【無作為】〔推計学などで〕全体の平均値などを標本調査する時、すべての対象が同じ確率で抽出されるようにくふうしてある様子。ランダム。「―に選ぶ/―抽出」⇩不作為

むさくるし・い⑤【むさ苦しい】(形)〔室内・服装などが〕見るからにきたならしく、接する人に不快感を与える様子だ。「―部屋/雑草ばかりが目立つ―庭」派―さ⑤④ ―げ⑤

運用 自分の家に人を招待するときに「むさくるしいところですが、お出でいただければ幸いです」などと人を招くほどの家ではないがと謙遜ケンソンして用いられることがある。

むささび⓪【〈鼯鼠〉】リスに似た小動物。夜行性で、前足と後ろ足の間に皮の膜があり、木から木に滑空する。ノブスマ。バンドリ⓪。〔リス科〕かぞえ方 一匹

むさし①【六指・武〈蔵〉】㊀互いに石を三つずつ持って、九本の線をたどって早く決勝線に石を並べることを競う遊び。㊁「十六ジュウロク六指」の略。

むさつ⓪【無札】入場券・乗車券を持っていないこと。「―入場」

むざつ⓪【無雑】―な 余計な物が全く交じっていない様子だ。「純一―」

むさべつ②【無差別】―に/―な 区別⊿をしない(が無い)様子だ。「―爆撃⑤・―級⓪」

むさぼ・る③【貪る】(他五)〔「むさ」は擬態語、「ほる」は「ほっする」と同源の文語〕まだ十分ではないとして⊿ほしがる(その行為を続ける)。「―ように食べる/安逸アンイツを―/貪り読む」

むざむざ①(副)―と 事前に有効な対策を講じないままに、予測された不本意な結果を招く様子。「―敵の手に落ちた/―手放すことはない」

むさん⓪【無産】財産のたくわえの無いこと。⇔有産 ―かいきゅう④キフ【―階級】財産のたくわえが無く、労働の賃金によって生活する階級。労働者階級。プロレタリアート。⇔有産階級

むさん⓪【霧散】―する(自サ) 霧のようにすぐ散って、無くなること。雲散霧消。

むざん①【無残・無惨・無〈慚〉】―に/―な〔もと「無慙・無慚」と書いて、僧が罪を犯しながら心に恥じるところの無いことを指した〕⊿むごたらしくて(かわいそうで)見ていられない様子だ。「見るも―な最期/―にも人を殺す」派―さ⓪ 表記「無残・無惨・無〈慚〉」は、借字。

**むし⓪【虫】㊀Ⓐ湧ワくようにして生まれて来、地上を⊿はい(飛び)回ったり池・川や海中・地中にすんでいたりする、小さい動物。〔一般には昆虫を指し、広義では寄生虫をも指す〕「―に刺される/飛んで火に入る夏の―/―も殺さぬ〔=殺生セッショウなど、とてもしそうには思われないほど温和な〕顔/―がつく〔=ⓐ虫に食われて、きずものになる。ⓑ未婚の女性に、親としては好ましくない相手が出来る〕/―下し」Ⓑ鳴き声に季節を感じたり情趣を覚えたりする「虫㊀Ⓐ」。「―の音ネを楽しむ/―取り⓪③④」

㊁体内にあって、人間の心的状態を左右すると考えられるもの。「―が起こる〔=子供が体質的に疳カンが強い状態になる〕/ふさぎの―/―が知らせる〔=何かが起こりそうな予感がする。⇩虫の知らせ〕/―が好かぬ〔=なんとなく、嫌いだ〕/―を殺す〔=かんしゃくが起こるのを、じっとがまんする〕/腹の―がおさまらない/―の居所が悪い〔=ふだんと違って、何かにつけて、機嫌が悪い〕/―のいい〔=自己中心的で、ずうずうしい〕話だ」

㊂普通の人とだいぶ違った心的傾向を持っている人。「本の―〔=本に熱中して他の事を顧みない人。『…の鬼』よりも執念が微視的〕/仕事の―/怒り―③〔=ちょっとした事にすぐ反応して、怒ったりする人〕・泣き―・弱―」

㊃バグ。「―を取る〔=誤りを正す。デバッグする〕」かぞえ方 ㊀は一匹

むし①【無死】〔野球で〕攻撃側が一人もアウトになっていないこと。ノーダン。「―満塁①-⓪」

むし①【無私】―な 情実にひかれて判断・処置を誤ることが無い様子だ。私欲のない様子だ。「公平―な態度」

むし①【無始】〔仏教で〕物事に始まりが無いと考えること。「―無終ムジュウ①-⓪〔=始まりも無く、終わりも⊿無い(無く輪廻リンネを繰り返す)こと。常住不変⓪-⓪〕/―〔=限りも無く遠い昔から〕の罪業ザイゴウ」

*むし①【無視】―する(他サ)〈なに・だれヲ―する〉そこにあるものの⊿存在(価値)を考慮に入れないこと。「頭から―する/⊿赤信号(ルール)を―する」

むじ①ヂ【無地】〔布・紙などの〕全体が一色で、模様の無いこと。「―の着物」

むしあつ・い④【蒸し暑い】(形)暑い上に風も無く、湿度が⊿高い(高くてひどく不快に感じられる)様子だ。派―さ③

むしおくり③【虫送り】〔農村で〕たいまつをたき、鉦カネや太鼓をたたいて作物の害虫を追い払う行事。その年の豊作を祈願し、多く初夏に行なわれる。

むしおさえ③―オサヘ【虫押さえ】子供に「虫㊁」が起こらないように飲ませる薬。

むしかえ・す③⓪―カヘス【蒸し返す】(他五)㊀冷えた御飯・まんじゅうなどを、もう一度蒸す。㊁一度解決した(と思われる)事を、また問題として取り上げる。「議論を―/議論が蒸し返される」名蒸し返し⓪

むしかく②③【無資格】資格が無いこと。「―で患者を診療する/―者④③」

むじかく②【無自覚】―に/―な 自分のしていることの意味や、義務・責任・位置などについて、本当には分かっていない様子だ。「―な行動」派―さ⓪④

むしかご⓪【虫籠】虫を入れて飼うための籠。

むしがし③グヮ―【蒸し菓子】蒸して作ったもち菓子。むしもの。例、まんじゅう。

むしがれい③ガレヒ ㊀【蒸し〈鰈〉】塩蒸しにしたあと、陰干しにしたカレイ。あぶって食べる。かぞえ方 一枚 ㊁【虫〈鰈〉】褐色の地に、黒っぽい虫食いのような大小の丸い斑紋があるカレイ。冬季美味。ミズガレイ③。〔カレイ科〕かぞえ方 一尾・一匹・一枚

むしき①【無識】〔その方面の〕知識や見識のないこと。

むしき②③【蒸し器】御飯・赤飯などを蒸す用具。御飯蒸し。

むしくい⓪クヒ【虫食い・虫〈喰〉い】㊀虫が食うこと。また、その食った⊿あと(物)。「―葉バ③」㊁〔←虫食い茶わん⑤〕うわぐすりがよく付かなかったため、虫が食ったように見える茶わん。茶人が珍重して使う。動虫食う③(他五)

むしぐすり③【虫薬】「虫気㊀」を治す薬。

むしくだし⓪③【虫下〈だ〉し】腹の中の回虫などをからだの外へ出す薬。駆虫剤。

むしけ⓪【虫気】㊀子供が、回虫や消化不良のためにから

だが弱って神経質になること。虫❸。❷〔雅〕産気。「―づく」

むしけら⓪【虫〈螻】小さくて、取るに足りない虫。〔くだらない人間の意にも用いられる〕「―同然に扱われる」

むしけん②③【無試験】〔学校に入ったり 資格を取ったりするのに〕試験(を受ける必要)が無いこと。「―入学⑤」

むしけん⓪【虫拳】「じゃんけん」の一種。手の親指をカエル、人さし指をヘビ、小指をナメクジにたとえて勝負を争う。

むじこ②【無事故】事故△のない(を起こさない)こと。「―週間④・―運転④」

むしさされ③【虫刺され】カ・アブ・ハチなどに刺されること。また、そのために起こる、かゆみ・はれなどの症状。「―に効く塗り薬」

むしず⓪【虫酸】〔胸が むかむかした時〕胃から口へ出てくる、すっぱい液体。「―が走る〔=いやで たまらない感じになる〕」 表記「虫《唾ツムシ》」とも書く。

むじつ①【無実】❶証拠だてる事実が無い(のに、罪を犯したとされる)こと。「―の罪を着せられる/―を訴え続ける」❷実質が伴わないこと。「有名―〔=⇩有名無実〕」〔❶は、古くは、「むしつ」〕

むじな⓪【〈狢・〈貉】❶タヌキの異称。「同じ穴の―〔=⇩同じ〕」❷アナグマの異称。

むしなべ⓪【蒸(し)鍋】蒸す時に使う鍋。底が二重で、中底に細かい穴のあいた鍋。

むしのいき④【虫の息】息が絶えそうになった、死の寸前の状態。

むしのしらせ⓪-⓪【虫の知らせ】自分のとった妙な行動や何かから受けたいやな感じは、偶然そうなったのではなく、不幸な出来事に対する予感であったと思うこと。〔多く、後になって思い当たった場合に用いる〕「―というのか朝から妙に落ち着かなかった」⇩虫❷

むしば⓪【虫歯】細菌のために侵されて、穴があいたり 欠けたりした歯。齲歯ウシ。 かぞえ方 一本

むしば・む③【〈蝕む】(他五)❶虫が食って損傷を与える。「木を―虫」❷悪習や病気などが、徐々に健全な心や身体に悪影響を及ぼす。「△童心(心身)を―」 表記「虫《食む》」とも書く。

むしばら⓪【虫腹】回虫などのために腹が痛むこと。「―が痛む」

むしパン⓪【蒸(し)パン】小麦粉や上糝粉ジョウシンコ〔=糝粉の細かいもの〕などの生地に△イースト(ベーキング パウダー)を加えて蒸し上げたパン。 表記「蒸し〈麺包〉・蒸し〈麺〈麹〉」とも書く。

むじひ②【無慈悲】―な ―に 他人の苦しみを思いやる気持が全く無い様子だ。 派 ―さ③⓪

むしピン⓪【虫ピン】昆虫を、標本箱に止めておくための、針のようなピン。 かぞえ方 一本

むしふうじ③⑤【虫封(じ)】子供に虫気が起こらないようにするまじない。また、その護符。

むしぶろ⓪【蒸(し)風呂】周囲を堅く閉ざして、湯気でからだを蒸し暖める風呂。サウナは、これの一種。

むしへん⓪【虫偏】漢字の部首名の一つ。「蚊・蛇・蟻」などの、左側の「虫」の部分。〔多く、昆虫や小動物を表わす漢字がこれに属する〕

むしぼし⓪【虫干(し)】―する(他サ) 夏の土用のころ、カビ・虫の害を防ぐために衣類や書物を日(陰)に干し、風に当てること。風ザカ入れ⓪。土用干し。

むしむし①【蒸(し)蒸(し)】(副)―と ―する 蒸し暑くて不快に感じられる様子。「梅雨時で―する」

むしめがね③【虫《眼《鏡】❶細かい物を大きくして見るための凸レンズ。拡大鏡⓪。ルーペ。❷〔すもうの番付で〕「虫眼鏡❶」で見なければ見えないほど小さく最下部に名を書かれる、序の口・序二段クラスの力士名の俗称。〔❷は俗用〕 表記 ⇩付表「眼鏡」 かぞえ方 ❶は一面・一枚

むしもの③⓪【蒸(し)物】❶茶わん蒸しなど、蒸した料理。❷蒸し菓子。

むしゃ①【武者】〔よろい・かぶとをつけた〕武士。「あっぱれな―振ブリ/―絵②⓪・荒―・落ち―・若―」 **―しゅぎょう**オ③ギャウ【―修行】―する(自サ) 武術鍛練のために諸国の武芸者をたずね回ること。 **―にんぎょう**オ③ギャウ【―人形】五月の節句に飾る、武者の姿をした人形。 **―ぶるい**③ブルヒ【―震(い)】―する(自サ)〔出陣の際など〕気負いと不安から、緊張のためにからだが震えること。

むしやき⓪【蒸(し)焼(き)】器に入れ、密閉して△焼くこと(焼いたもの)。「アワビの―」

むじゃき①【無邪気】―な ―に こだわりや悪気が無く、あっさりしている様子だ。「―な〔=まだ おとなの世界が分からず、かわいい〕子供/―な〔=考えが単純な〕質問」 派 ―さ③⓪

むしゃくしゃ [一]①(副)―と ―する 何かと不愉快なことがあって、腹立たしい気持を押さえきれない様子。「朝から―する」[二]⓪―な ―に 髪などが△乱れ(もつれ)たり 葉などが乱雑にむしられたりして見苦しい様子だ。むしゃむしゃ。「台風による強風で街路樹が―になっている」

むしゃぶりつ・く⑤(自五)〔「むしゃぶる」は「貪ムサボる」と同義の「むさぶる」の変化〕その人(やもの)に放すまいと、すがりつく。「△母親(ケーキ)に―子供」 表記「武者振り付く」の「武者」は、借字。

むしゃむしゃ①(副)❶―と 〔大きな口をあけたり 手づかみにしたりして〕体裁もかまわずひたすら食べる様子。「―(と)平らげる」❷―する むしゃくしゃ[二]。

むしゅう⓪シウ【無臭】臭みが無いこと。「無味―の液体」

むじゅう⓪ヂユウ【無住】寺に住職がいないこと。「―寺②⓪」

むしゅうきょうオ②ケウ【無宗教】❶信仰する宗教を持たないこと。❷〔葬儀などで〕どの宗教の儀式にも拠ヨらないこと。「―葬」

むじゅうりょうオ②ヂユウリヤウ【無重量】重量がないこと。宇宙空間などにおいて、地球などの引力が作用しないで、重さを感じない状態になる。無重力状態⑥。

むじゅうりょく②ヂユウ【無重力】無重量。「―感⑤④」

むしゅく①【無宿】〔古〕❶〔放浪生活をしていたりして〕住む家が無い△こと(人)。❷戸籍が無い△こと(人)。「―者ノモ⓪」

むしゅぶつ②【無主物】所有者が無い物。

むしゅみ②【無趣味】―な ❶芸術性や、すぐれた趣が何も認められない様子だ。「―な〔=つまらない〕物ばかり買い集める」❷〔仕事や実務に没頭・満足するだけで〕趣味を何も持たない△こと(様子)。無ブ風流。「ぶしゅみ」とも。

*__むじゅん__⓪【矛盾】―する(自サ)〈なにニ―する/なにト―する〉二つのものが、論理的に整合しないこと。「―が解消される/―に満ちた/―を△おかす(はらむ・あばき出す・来す)/―した発言/―撞着ドウチャク⓪-⓪・自己―」

むしょ①「刑務所」の俗称。〔虫寄場ムシヨセバ〘=監獄〙の略で、「刑務所」の略とするのは俗解〕

むしょうオ⓪シヤウ【無性】(副)―に これといった原因・理由も無いのにその△感覚(感情)が強まって抑えることが出来ない様子。〔強調して「無性やたらに⓪-⓪」とも〕「―に眠い/―に会いたくなって出掛けていった」

むしょうオ⓪シヤウ【無償】↔有償 ❶仕事に対して、お金などをもらわないこと。「―の愛/―奉仕」❷物を与えても、そ

のお金を取らないこと。ただ。無料。「―で交換します／有償―を問わず／―配布」

むしょう⓪セウ【霧消】―する（自サ）霧が晴れるように、あとかたもなく消えて無くなること。「雲散(ウンサン)―する」

むじょう⓪ジヤウ【無上】この上もないこと。最上。「―の光栄／―の喜び」

むじょう⓪ジヤウ【無常】―な〔仏教で〕生あるものは必ず滅び、何一つとして不変・常住のものは無いという△こと（様子）。〔俗に、「はかない」の意にも用いられる〕「諸行―／―な世／―の風／―観②・―迅速⓪-⓪（＝きのうまで元気であった人がぽっくり死んだり 若い人が老人に先立って死んだりするように人の世のはかないこと）」↔常住

むじょう⓪ジヤウ【無情】―な ―に ❶思いやりの無い様子だ。「―の雨」❷人間らしい感情が無い様子だ。「―にも、妻子を振り切って出家した」派―さ⓪

むしようかん③ヤウ【蒸(し)羊〈羹】あずきあんに小麦粉などを入れて蒸した、（甘みの少ない）羊羹。「栗―⑤」⇩練り羊羹

*__むじょうけん__②デウ【無条件】何の条件もつけないこと。「―で認める／―（＝文句無し）に認める／―降伏」

むしょく①【無色】❶（そのものに固有の、また着色した）色が無いこと。「―の綿織物／―の麻地／―透明①-⓪」❷どちらの立場にも偏らずに中立を保つこと。「―の立場」

むしょく①【無職】職業を持っていないこと。〔狭義では、失職を指す〕

むしよけ⓪【虫《除け》】❶毒虫がつかないようにする△こと（仕掛け・薬）。防虫剤。❷毒虫を防ぐというお守り。

むしょぞく②【無所属】どの党・派・会・部門などにも属していないこと。「―議員⑤」

むしりと・る④【〈毟り取る】（他五）力ずくで引っ張るようにして、そこから離し取る。「込んだ電車で上着のボタンを毟り取られた（＝引きちぎられた）」

むし・る⓪【〈毟る・〈挘る・〈𢪸る】（他五）❶〔何かの表面に植わっている物を〕指先でつまんで、一緒に何本か引き抜く。「△毛（草）を―／△パン（干だら）を―（＝少しずつちぎる）／髪を掻(カ)き―」❷煮たり 焼いたりした魚などの身を、骨から少しずつ離して取る。

むじるし②【無印】❶〔屋号・紋所などが入っているものに対して〕所有者や所属先を示す印となるものが何も付いていないこと。「―の△ちょうちん（半纏(ハンテン)・番傘）」❷〔競輪・競馬などの予想表で、上位になる可能性を示す記号が何も入ってない意から〕好結果の期待できない人や馬。❸〔商標登録されている銘柄品に対して〕知名度の低い会社の製品で、品質はそれと変わらないものを、廉価(レンカ)で販売するためにあえて商標登録しないこと。「―だが勝(スグ)れ物だ／―商品」

むしろ①【《寧ろ》】（副）❶どちらか一方にどうしても決めなければならない場合に、悩んだ末の選択としてその方を選ぶという判断を表わす。「名よりも―実を選ぶ／生きて恥をさらすくらいなら―死んだ方が ましだ」❷どちらかと言えば以下に述べる方がより適切だとする判断を表わす。「彼は日本一の、いな―世界一の海運王だ／あの男は、暇があれば酒を飲んでいるというより―飲んでいる合間に仕事をしているといった方がいい」文法 選択の余地がある中で△どれ（どちら）を選ぶかという判断を表わすことから、一般に「…よりむしろ」などと何かと比較する表現や「…ならむしろ」などと仮定的な事柄との対比を表わす表現を前に伴って用いられる。

むしろ③【〈筵・〈蓆・〈莚】❶イ・ガマ・わら・竹などで編んだ敷物。〔狭義では、わらのものを指す〕「粗(ラア)―・長―③・わら―・稲(イナ)―③」❷〔雅〕〔宴会などの〕座席。「うたげの―」表記 ❷は、「《席》」とも書く。かぞえ方 ❶は一枚 **―ど**③⓪【―戸】筵を張って作った戸。 **―ばた**③⓪【―旗】筵を旗にしたもの。百姓一揆(イッキ)に用いられた。

むしん⓪【無心】■一―な ―に 俗念や邪心にまったくとらわれていない様子だ。「―に遊ぶ子供／―に鳥の声に耳を澄ましていた」■二―する（他サ）お金・品物などを（当然のことのように）平気でねだること。「お金を―する」

むじん⓪【無人】人がそこに（住んで）いないこと。「むにん」とも。「廃坑になったあとの―の町／―島⓪」

むじん⓪【無尽】❶いつまでも無くならないこと。「―灯⓪」❷一定の掛金を出して、組合員が、一定期日に△くじ（入札）で優先的に融通の権利を得る仕組みの組合（の東日本における称）。〔西日本では多く「頼母子講(タノモシコウ)⓪④」と言う〕 **―ぞう**②ザウ【―蔵】―な ―に〔有用なものが〕無限にありそうに見える△こと（様子）。「―の資源」

むしんけい②【無神経】―な ―に〔感じが鈍くて〕自分の言動により△相手（まわりの人）が、どう受け取るか、どんなに迷惑をするかをかまわず行動する様子だ。派―さ⓪④

むしんろん②【無神論】神の存在を否定する考え方。「―者(ジャ)④」

む・す①【《産す・《生す】（自四）〔雅〕生まれる。生じる。「こけの―（＝生える）まで」

*__む・す__①【蒸す】■一（自五）蒸し暑く感じられる。むしむしする。「今夜は蒸しますね」■二（他五）〈なにヲ―〉下から強い蒸気を当てて、そのものに十分に熱を△通す（通し、変化を起こさせる）。〔狭義では、赤飯・茶わん蒸しを作ったり冷えた御飯などを温めたりすることを指す〕「蒸したもち米をついて、もちを作る／御飯を―（＝ふかす）／毛糸を―／蒸したタオル」⇩煮る・ゆでる

むず（助動・サ変型）〔文語の助動詞〕〔「むとす」の変化〕何かを必ずやりとげようという決意やきっとそうであるに違いないという判断を表わす。「いづちもいづちも足の向きたらん方へ去(イ)な―／迎へに人びとまうで来(コ)―」文法 活用語の未然形に接続する。

むすい⓪①【無水】❶そのものの組織などに必要な水分が無いこと。❷使用するのに水分などを必要としないこと。「―料理」❸〔酸化物が〕水と作用しなければ酸を生じない化合物であることを表わす。「―炭酸（＝炭酸ガス）」 **あひさん**⑤【―亜〈砒酸】「硫化鉄鉱④」を空中で焼いて作る、白色の粉。猛毒。医薬・防腐剤や、ネズミ取りに使う。 **―アルコール**④ 濃度九八パーセント以上のアルコール。無水エタノール⑥。

むすう②⓪【無数】―な ―に かぞえ切れないほど多い様子だ。「―の星」

__むずかし・い__④⓪ムヅカシイ【難しい】（形）何らかの対処を必要とする事柄について、容易に△解決（克服）することができない状態だ。「むつかしい」とも。「―問題／対応が―外交問題／―立場に立たされる／―（＝煩雑な）手続きを簡略化する／―（＝深刻そうな）顔をしている／―（＝気むずかしい）人」〔大部分の用法の対義語は、「易しい■二・たやすい」〕派―さ③ **―が・る⑤ 表記「〈六ケ敷〉・〈六借〉」とも書いた。運用 相手の依頼、申し出などに対して「それはむずかしい」などの形で、婉曲(エンキョク)に断わる言い方になることがある。例、「『この企画を採用していただけないでしょうか』『それはむずかしいよ』」

むずがゆ・い④【むず〈痒い】（形）むずむずと痒い。派―さ③

むずか・る③⓪ムツカル【《憤る】（自五）〔機嫌が悪くなって幼児が〕泣いたり だだをこねたりする。「むつかる」とも。

*__むすこ__⓪【《息子】〔「むす」は、産(ム)す意〕❶親にとって、子

む

供のうちで男性の方。せがれ。〔広義では養子をも含む〕「おばの子をうちの―〔=養子〕にした」↕娘 ❷「陰茎」の卑俗な異称。表記 ⇩付表「息子」

むすっと [2] (副)―する 気難しそうに押し黙り、いかにも不機嫌そうに見える様子。「―した表情」

むずと [1] (副) 無遠慮に、いきなり荒あらしい動作に出る様子。〔強調形は「むんずと」〕「―手をつかまれた／―あぐらをかく」

むすば・れる [0]【結ばれる】(自下一) 〔「結ぶ」の受動形〕 ❶結んだ状態になる。「焦点が―〔=一点に集中する〕」 ❷縁あって夫婦(の関係)となる。

むすび [0]【結び】[一] [0] ❶結ぶこと。「縁―・小間―・蝶(チョウ)―」 ❷終り。しまい。「―の言葉／―の一番」 ❸⇩係り結び ❹〔←結び飯(メシ) [3]〕 握り飯。「お―」 **―のかみ** [5]【―の神】〔「むすぶの神」の変化〕男女の縁を取り結ぶ神。[二]〔造語〕 動詞「結ぶ」の連用形。 **―あわ・せる** [6]【―合(わ)せる】(他下一) ❶短いひもなどを二本結んで、一本の長い状態にする。 ❷何かの縁で結合・一体化させ、関連づける。 **―きり** [0]【―切(り)】 水引や羽織のひもなどの結び方の一つ。固く結んだだけの状態にすること。こまむすび。 **―つ・く** [4]【―付く】(自五) ❶結ばれて、一つになる。 ❷密接な関係を持つ。「努力が成功に―〔=成功をもたらす〕／政治家に結び付いた〔=…と利害関係を一(イツ)にする〕商人」 名 結び付き [0] 「―を△深める(強める)」 **―つ・ける** [5]【―付ける】(他下一) ❶△結んで(縛りつけて)動かないようにする。 ❷関係づける。「原因と結果を―」 **―め** [0]【―目】〔ひも状のものを〕結び合わせた所。「―をほどく」

むす・ぶ [0]【△掬ぶ】(他四) 〔雅〕(飲むために)水を手ですくう。

****むす・ぶ** [0]【結ぶ】[一](他五) ❶〈(なにニ)なにヲ―／なにトなにヲ―〉 二度からめて輪を作った糸などの両端を引っ張って、すぐにはほどけないようにする。「△帯(靴のひも・ふろしき)を―」 ❷〈だれ・どこトなにヲ―〉 今まで無かった新しい状態を作って、破られないようにする。「縁を―／契約を―／△外交関係(国交)を―〔=樹立する〕／口を堅く―〔=しっかりと閉じる〕／最短距離を―〔=つなぐ〕」 ❸〈(なに・どこニ)なにヲ―〉 ある結果を生じさせる。「△実(露)を―／像を―〔=はっきりとした像が現われる〕」 ❹〈なにデなにヲ―〉 話などをそこで終え、まとまりをつける。「『めでたしめでたし』で―／係助詞を受けた場合は連体形、已(イ)然形で文を―」 [二](自五) ある結果が生じる。「△実(露)が―」 〔⇩結び[三]〕 【手を―】⇩手 【実(み)を―】⇩実❶ 【夢を―】⇩夢

むすぼ・れる [0]【結ぼれる】(自下一) 〔結んで解けない状態になる意〕「ゆううつな状態になる」意の古風な表現。結ぼおれる [0][5](下一)。「△思い(気)が―」

むずむず [1] (副)―と―する ❶からだの上を虫がはうようで、くすぐったいようなかゆいような感じがして落ち着いていられない様子。「鼻のあなが―して思わずくしゃみをした」 ❷自分もやってみたいという衝動にかられて、じっとしていられない気持になる様子。「行きたくて―する」⇩うずうず

***むすめ** [3]【娘】〔「むす」は、産(ム)す意〕 ❶親にとって、子供のうちで女性の方。「いとこの子をうちの―〔=養女〕にした／一人―・愛(マナ)― [3]」↕むすこ ❷△若い(未婚の)女性。〔「―さん」の形で、呼びかけに用いられることもある〕「―のころに着た着物／近ごろの―はしっかりしている」 表記 古くは「《女》」とも書いた。 **―ごころ** [4]【―心】 娘らしい、純情で感じやすい気持。 **―ざかり** [4]【―盛(り)】 娘として最も美しい年ごろであること。 **―むこ** [4]【―婿】 その人の娘の配偶者。女婿(ジョセイ)。

むせい [0]【無声】 ❶声を伴わないこと。「―の詩〔=絵画〕／―映画 [4]」 ❷〔言語学で〕声帯を振動させないで言語音を発すること。「―化 [0]」↕有声 **―おん** [2]【―音】〔言語学で〕言語音の中で「無声❷」のもの。[p][t][k][s]など。↕有声音

むせい [0]【無性】 雌雄の区別が無いこと。 **―せいしょく** [4]【―生殖】 分裂・出芽・胞子などによって新個体が発生する、生殖の方式。単細胞生物に多く見られる。↕有性生殖

むせい [0]【夢精】―する(自サ) 夢の中で性的に興奮して精液を漏らすこと。

むぜい [1]【無税】 税がかからないこと。↕有税

むせいげん [2]【無制限】―な―に その事柄について、いっさいの制限が加えられていない△こと(様子)。「―に許可するわけにはいかない」

むせいふ [2]【無政府】 政府△が無い(を無くす)こと。「―状態 [5]〔=形式的には政府が存在しているが、なんらその機能を発揮し得ない状態〕」 **―しゅぎ** [5]【―主義】 国家などすべての権力と強制を排除し、個人の完全な自由と独立を保障しようとする空想的な理想主義。アナーキズム。

むせいぶつ [2]【無生物】 水・石などのように、生命が無くて生活機能を持たないもの。↕生物

むせいらん [2]【無精卵】 受精していないため、ひなにかえらない卵。〔食用卵の大部分はこれ〕

むせかえ・る [3][0]【△噎(せ)返(カヘ)る】(自五) ❶ひどく噎せる。「たばこの煙で―」 ❷激しくむせび泣く。

むせき [1][0]【無籍】 国籍・戸籍・学籍などが無いこと。「―者(モノ) [0]」

むせきついどうぶつ [6]【無脊椎動物】 からだに終生脊椎を持たない動物の総称。脊椎動物以外のすべての動物。海綿動物・軟体動物など。⇩脊椎動物

***むせきにん** [2]【無責任】―な―に ❶その事について責任を負うべき立場にない△こと(様子)。「隣国の問題を―な立場で傍観する」 ❷その事について責任を負うべき立場にありながら、責任を△負おうとしない(免れようとする)△こと(様子)。「―のそしりを免れない／事故の後始末を人に押し付けるのは―だ」 派 **―さ** [4][0]

むせっそう [2]【無節操】―な―に 倫理的に見て、行為や考え方に一貫性が認められない△こと(様子)。「―な政治家」

むせびな・く [4][0]【△噎(び)泣く】(自五) しゃくりあげるようにして泣く。名 噎び泣き [0]

むせ・ぶ [0][2]【△噎ぶ・《咽ぶ》】(自五) ❶むせる。「煙に―」 ❷噎び泣きをする。〔風などのヒュウヒュウという音の形容にも用いられる〕「涙に―」

む・せる [2][0]【△噎せる】(自下一) 煙や飲食物などが、気管に入って、息がつまりそうに△なる(なって、せきが出る)。「―ような花のかおり／煙に―」

むせん [0]【無銭】 それをするのに必要なお金を持たないで行動すること。「―旅行 [4]・―飲食 [4]」

むせん [0]【無線】 ❶電線を使わないこと。↕有線 ❷「無線電信・無線電話」の略。「―通信士 [6]」 **―そうじゅう** [4]【―操縦】 電波で指令して、離れた所にある無人の艦船・航空機・戦車などを動かすこと。 **―でんしん** [4]【―電信】 互いに隔たった地点の間で、電波によって行なう通信。略して「無電」。 **―でんぽう** [4]【―電報】 無線電信による電報。 **―でんわ** [4]【―電話】 無線電信を応用した電話。

むせんまい [0]【無洗米】 糠(ヌカ)があらかじめ取り除かれていて、水を加えるだけでとがずに炊けるように加工された米。

む

むそう[0]【無双】❶〔同類の中で〕比べるものが無い(ほどすぐれている)こと。「△古今(大力ダイリキ)—」❷〔衣服・器具などで〕表裏・内外が同じこしらえ(の物)。「—だんす[4]」❸「無双窓」の略。❹〔すもうで〕片手を敵のももにあてて倒すこと。「内—・外—」 —まど[4]【—窓・夢想窓】〔採光・通風などのために〕雨戸などに取りつけた引き戸風の窓。閉めると一枚の板張りのようになり、開けると一つ置きにすきまが出来るようになっている。

むそう[0]【無想】俗事などを何も考えないこと。「無念—の境地」

むそう[0]【夢想】—する(他サ) ❶〔現実には実現しないことを〕(期待するあまり)夢の中で見ること。「—だもしなかった」❷心の中で、夢のようなことを考えること。空想。「—家カ[0]」❸夢で神や仏のお告げがあること。「ご—[0]」

むぞうさ[2]【無造作】—な・—に 大変な事とは考えずに気軽にする様子だ。「帽子を—にかぶる/—に(=むずかしい事は言わず、あっさりと)引きやってのける/—(=(いとも)簡単」に受ける/—な(=気楽に何でも引き受ける)人柄」

むそじ[1][0]【六《十》】〔雅〕〔「ぢ」は「はたち」の「ち」と同源か〕❶六十ロクジュウ。❷【六《十路》】六十歳。

むぞり[0]【無反(り)】刀身にそりが無く、まっすぐな△こと(もの)。

*むだ[0]【無駄】—な・—に〔もと、擬態語〕❶せっかく何かをしても、それだけの かいが無い△こと(様子)。「忠告しても—だ/—な努力/—事ゴト[0]・—死ジに[0]」❷役にも立たない使い方をする△こと(様子)。「—(=浪費)を省く/—な金を使う/—が△大きい(目立つ)」 派—さ[0] 表記「無駄」は、借字。「《徒》」とも書く。

むだあし[0]【無駄足】行っても目的が果たせないこと。「—を踏む/—だった/—かもしれないが」

むたい[1]【無体】❶—な・—に どうしてそのような目にあわなければならないのか、どう考えても理由が見出せないような△こと(様子)。「ごーな/無理—(=⇩無理無体)」 派—さ[2][4][0] ❷〔法律で〕物質的な形をそなえていないこと。「—財産」 表記❶は、「無代」とも書く。 —ざいさんけん[6]【—財産権】私権の一つ。発明・考案や創作など、知的生産物の利益を支配出来る権利。特許権・実用新案権・意匠権・商標権や著作権などを指す。知的財産権。知的所有権。 —ぶつ[2]【—物】〔法律で〕形体が無く、観念上でだけ理解されるもの。例、音響・香気・光など。↔有体物

むだい[1]【無代】代金のいらないこと。ただ。「—進呈[1]-[0]」

むだい[1][0]【無題】❶題にとらわれること無く作った詩や歌。❷〔文章・絵画などで〕作品の題が無いこと。

むだぐち[0]【無駄口】単に時間つぶしにしかならないような、無用の おしゃべり。「—を△たたく(きく)」

むだげ[0]【無駄毛】顔・襟足・腕・足などに生えている、美容上好ましくない毛。「—を剃ソる」

むだづかい[3]【無駄遣(い)】—する(自他サ) 金などを△必要以上(役に立たないこと)に使うこと。「予算を—する」 表記「無駄使い」とも書く。

むだばな[0]【無駄花】あだばな。

むだばなし[3]【無駄話】—する(自サ) 役に立たない話。おしゃべり。

むだぼね[0]【無駄骨】「無駄骨折り」の略。「—を折る」

むだぼねおり[0][3]【無駄骨折(り)】一生懸命やったことが何の役にも立たないこと。骨折り損。「—に終わる」

むだめし[0]【無駄飯】働かずに食べているだけの飯。「親戚の家に居候して—を食う」

むたん[0]【夢〈譚〉】「ゆめものがたり」の漢語的表現。

*むだん[0]【無断】〔自分ひとりの判断でしては いけないことを〕△前もって(だれにも)許しを受けないですること。「—で入り込む/—立入りを禁ず/—借用・—欠勤」

むち[1]【〈鞭〉】❶Ⓐ馬などを打って進ませるために作った△細長い棒(革のひも)。「愛馬に—を入れて一着を勝ち取る」Ⓑ人をしかったり 励ましたりする手段・方法。「愛の—(=⇩愛)/飴アメと—(=⇩飴)」❷〔おおぜいの人に見せるために〕物を指し示すのに使う、細長い棒。「黒板の字を—で指す」 表記「《策・〈笞》」とも書く。 かぞえ方 ❶❷とも一本

むち[1]【無知・無〈智〉】—な ❶その方面の知識が無い様子だ。❷知的な能力に欠けていて、普通の人と同じような知識や判断力を持ち合わせていない△こと(様子)。「—文盲モンモウ[1]-[0]」 表記❷の もとの用字は、「無〈智〉」。

むち[1]【無恥】—な 〔神経が鈍くて〕それを恥だとする道徳観念が ひどく欠けている様子だ。「厚顔—」

むちうちしょう[0][4]【〈鞭打(ち)症】自動車の追突・衝突などのために、首の骨をいためること。頭痛や しびれなどの後遺症の出ることが多い。

むちうつ[1]、[1]-[1]【〈鞭打つ】■一(自他五) 鞭で打つ。「馬に—/馬を—」 ■二(自五) 自分を励まして、何かをしようと努める。「老骨に—/怠け心に鞭打って」 表記「〈鞭つ」とも書く。

*むちゃ[1]【無茶】—な・—に 〔もと、擬態語〕❶言動が常識や論理を逸脱していて△まともだとは考えられない(人に迷惑をかける)△こと(様子)。「—な事を言う/—をやる」❷異常と感じられるほど程度がはなはだしい様子だ。「—に(=ひどく)暑い」 派—さ[2] 表記「無茶」は、借字。

むちゃくちゃ[0]【無茶苦茶】—な・—に 〔「くちゃ」は上の「むちゃ」に添えた語〕❶「むちゃ」の強調表現。〔俗に副詞的にも用いられる〕「—な事を言う/—(=がむしゃら)に勉強する/—がんばる」❷ある べき秩序や筋道が全く認められない様子だ。「—に押し込む/部屋の中は—だ(=とてつも無く散らかっている)」 派—さ[0] 表記「無茶苦茶」は、借字。

むちゃくりく[2][3]【無着陸】〔長距離飛行で〕途中で地上に降りて給油することなく、目的地まで飛行すること。「—横断(飛行)」

むちゃぶり[0]【無茶振(り)】—する(自サ) 不意であったり事情があったりして、対応しづらいことを、あえて要求すること。〔もと、漫才の用語〕「—を承知で聞いてみた」 表記「無茶」は、借字。

**むちゅう[0]【夢中】■一夢△の中にいること(を見ている間)。■二—な・—に ❶何かにひどく興奮した勢いで思いきった事をする様子だ。「—で飛び込む/無我—」❷何か一つの事に心を奪われて、それ以外の事には全く関心を示さない様子だ。「—になって研究する」

むちゅう[0]【霧中】霧の中。「—信号[4]・五里—」

むちん[0]【無賃】料金△の いらない(を払わない)こと。ただ。「—乗車[4]」

むつ【六(つ)】〔「つ」は接尾辞 ⇩む(六)〕 ■一(造語)「六ロク」の意の和語的表現。かぞえ上げる個数などが六であることを表わす。〔単独でかぞえるのに用いる時は「む(う)」と言う〕「—切リギ[0]」⇩むっつ ■二[2] 昔の時法において、今の△午前(午後)六時ごろ。むつどき。〔時の鐘または太鼓を六回鳴らした〕「—の鐘/明け—(=午前六時ごろ)/暮れ—(=午後六時ごろ)」

むつ[1]【〈鯥〉】深海に生息する海水魚。全長六〇センチくらいで、背は紫黒色、腹部は淡灰色。冬に美味とされ、特に卵巣は「むつの子」と呼び賞味される。〔ムツ科〕 かぞえ方 一匹・一尾

【】の中の教科書体は学習用の漢字,〈 は常用漢字外の漢字,《 は常用漢字の音訓以外の よみ。

むつう[0]【無痛】 痛みを感じさせないようにして、すること。「―手術[4]・―分娩[4]」

むつかし・い[0][4]【難しい】(形) むずかしい。

むつか・る[3][0]【《憤る》】(自五) むずかる。

むつき[1]【〈襁褓〉】〔雅〕❶うぶぎ。❷おしめ。おむつ。

むつき[1]【《睦月》】(陰暦)一月の異称。

ムック[1]〔mook ←magazine + book〕 写真やイラストなどを多用した情報提供性の高い単行本。

むっくと[3](副) むっくりと。

むっくり[3](副)―と―する ❶起き上がる動作が大きくて目立つ様子。「―(と)起きあがる」 ❷⇩ずんぐりむっくり

むつごと[0]【《睦言》】〔恋人同士が〕(寝室で)睦まじくかわしあう言葉。

むつごろう[2]【〈鯥五郎〉】 沿岸にすむ海水魚。目は頭から突き出ていて、よく動く。干潟の上を胸びれではい回ったり全身で跳ねたりして移動する。日本では有明海・八代海に生息。食用。〔ハゼ科〕

ムッシュー[1]〔フ Monsieur, M.〕〔男性の名前の上につける〕さん。様。〔英語のミスターに当たる〕

むっちり[3](副)―と―する 〔腕・乳房などの〕肉づきがよくて引きしまっている様子。「若い娘の―した二の腕がまぶしい」

むっつ【六つ】 ❶[3]〔「むつ」の変化形〕ものの(個)数をかぞえるとき、数が六であることを表わす。また、△六歳(第六)を指す。「―の町村が合併して新しい市となる/―で小学校に上がる」 ❷[0](副) 対象とするものが「六つ❶」である様子。「―だけ課題を与える」⇩ななつ

むっつり[3](副)―と―する 無愛想におしだまって(不愉快そうな顔をして)いる様子。「―(と)してにこりともしない/―屋[0]」

むっと[0](副)―する ❶相手の不愉快な言動に接して、思わず怒りがこみ上げて来る様子。「非難がましい言葉に、いささか―して、席を立った/内心―くるのを強いて抑えて…」 ❷熱気や においで思わず息が詰まりそうになる様子。「熱気がこもって―する部屋」

むつどき[0]【六つ時】 むつ(六つ)❷。

むつ・ぶ[2][0]【《睦ぶ》】(自上二・四)〔雅〕〔仲間同士で〕分け隔てなく、仲よくする。むつまじくする。「睦む」とも。「睦び合う」 名むつび[0]

むつまじ・い[4]【《睦まじい》】(形) 夫婦や親子、きょうだいなどの間で互いの気持が通じ合い、誰の目にも円満な△家族(家庭)だと感じられる様子だ。〔古くは「むつましい」とも〕「仲―/親子四人が睦まじく暮らす」 派―さ[4][3] ―げ[4][5][0]

むつまやか[3]【《睦まやか》】―な―に 睦まじい様子だ。

むつ・む[2][0]【《睦む》】(自五) むつぶ。 名むつみ[0]

むつものがたり[5]【《睦物語》】〔恋人同士が〕睦まじく語り合って話をしていること。また、その話。

むて[2][1]【無手】 ❶武器を何も身に付けていないこと。素手。 ❷手段・資本などを全く持たないこと。

むていけい[2][0]【無定形】 ❶一定の形が無いこと。「―生物」 ❷〔化学で〕ゴム・ガラスなどのように、固体物質が明確な結晶状態を示さずに集合している様子。アモルファス[2]。「―炭素(=木炭・コークスなど)」

むていけい[2][0]【無定型】 一定の型が無いこと。「―詩[4]」

むていけん[2]【無定見】―な―に 自分の決まった考えが無く、他人に追随したり ぐらぐら変わったりして、たよりない様子だ。 派―さ[4][0]

むていこう[2]【無抵抗】―な―に 武力や暴力に対して、逆らおうとしない様子だ。「―主義[6]」

むてかつりゅう[0]【無手勝流】 ❶戦わないで勝つ方法の称。 ❷「自分勝手な流儀」の俗称。

むてき[0]【無敵】―な その社会で、相手になる者が無いほど強い様子だ。「―の横綱/―艦隊[4]・天下―[1]-[0]」 派―さ[3][0]

むてき[0]【霧笛】 霧の深い時、航海の安全のために、船・灯台が鳴らす、太い音の汽笛。きりぶえ[0]。「―信号[4]」

むてっぽう[2]【無《手法》】・【無鉄砲】―な―に 〔「無手法」の意〕前後のことをよく考えない、むちゃな様子だ。向こう見ず。「―な計画/命知らずの―な連中/―に突進する」 派―さ[0][4] 表記「無鉄砲」は、借字。

むでん[0]【無電】「無線△電信(電話)」の略。「―を打つ/緊急―」

むてんか[2]【無添加】 食品などの素材に防腐剤・着色剤などの添加物を加えていないこと。「―食品[5]」

むとう[0]【無灯】 夜、乗り物にあかりをつけないこと。無灯火[2]。「―で自転車に乗ってはいけない」

むとう[0]【無党】 どの党派にも属さないこと。 ―は[2]【―派】〔労働組合などで〕既成の どの政党△にも属して(をも支持して)いない人びと。「―層」

むとう[0]【無糖】 砂糖分が入っていないこと。「―の練乳/―飲料」

むどう[1]【無道】―な―に 道理に△はずれている(そむく)△こと(様子)。「悪逆―」 派―さ[0]

むとうせき[2]【無答責】〔法律で〕責任を持たなくてもいいこと。

むとうひょう[2]【無投票】〔選挙で〕候補者が定数以内の時、投票をしないこと。「―当選」

むどく[1]【無毒】 それを飲んだり食べたりしても、身体に障害や生命の危険をもたらしたりしないこと。↕有毒

むとくてん[2]【無得点】 得点が無いこと。「―に終わる」

むとどけ[2]【無届(け)】〔前もって届けるべきことを〕届けないで済ますこと。「―欠勤[5]・―集会[5]・―デモ[5]」

むとんじゃく[2]【無頓着】―な―に 〔「無貪着」の変化〕Ⓐ相手の事情・思惑や細かい物事について気にかけない様子だ。「仕事にかまけて子供に―な父親」 Ⓑ自分の身なりや言動について、人がどう思うかなどは少しも気にしない様子だ。「服装に―だ」〔最近では「むとんちゃく[2]」と言う向きが多い〕 派―さ[5][0]

むな【胸】(造語) 胸△の(が)。「―ひげ[0]・―毛・―騒ぎ」

むな【棟】(造語) 棟の。「―がわら[3]・―札[0]・―門[0]」

むないた[0]【胸板】 ❶胸部の平たい部分。「―を撃ち抜かれる」 ❷よろいの胸部。

むながい[0]【〈鞅〉】〔「むなかき」の変化〕馬の胸から鞍にかける組紐。⇩おもがい・しりがい 表記「胸〈繫」とも書く。

むなぎ[0]【棟木】 屋根の棟に使う木。⇩梁

むなくそ[0]【胸〈糞】〔「―が悪い」の形で〕不愉快な事があるなどして、気分がすっきりしない様子だ。「まともな挨拶もしないとは―が悪い奴だ」

むなぐら[0]【胸倉】〔「胸座」の意〕衣服の、左右の襟の合わさるあたり。「―をつかむ」

むなぐるし・い[5]【胸苦しい】(形) 胸を圧迫されるようで息をするのが苦しい。 派―さ[4][5] ―げ[5][6][0]

むなげ[0]【胸毛】 胸に生えている毛。

むなさき[0]【胸先】 胸の みずおちのあたり。むなもと。

むなさわぎ[3]【胸騒(ぎ)】 心配事や不吉な予感などのために、胸がどきどきすること。「―がする」

むなざんよう[3]【胸算用】―する(自サ)〔収入などについて〕自分でひそかに見積りを立てること。むなづもり。「―をする」

むなし・い[3]【《空しい》・《虚しい》】(形) ❶そこに△あるべき

(あることが望ましい)ものが認められない様子だ。「大火事に見舞われ一夜にして空しく灰燼(カイジン)に帰した/論文とは名ばかりで—作文に過ぎない/—〔=死んで魂の脱け出たあとの〕なきがら/空しく〔=むだに〕五年を費やした」 ㊁努力したのに、報いられるところが△ない(少ない)様子だ。「資金の調達ができず計画が—結果に終わる/善戦空しく敗れる/—〔=積極的な意義の感じられない〕人生だった」 派—さ③②

むなしく なる【《空しくなる】「死ぬ」意の婉曲(エンキョク)表現。

むな だか⓪【胸高】帯を胸のあたりの高い位置に締めること。「—帯」

【一世(いっせい)を〈曠(むな)しゅうする】⇩一世㊀ 【己れを《空しくする】⇩おのれ㊁

むなつき はっちょう⑤【胸突(き)八丁】〔もと、富士登山で頂上まで八丁〔=約八七三メートル〕のけわしい道の称〕頂上真近の急傾斜。〔広義では、物事の成就する手前の一番苦しい時を指す〕

むな づもり③【胸積(も)(り)】—する(自サ) むなざんよう。

むな ひも⓪【胸〈紐】着物の胸の部分につけてある紐。「むね紐」とも。

むな びれ⓪【胸〈鰭】魚の胸にある一対のひれ。

むな もと⓪【胸元】むなさき。「—をとらえる」

むに①【無二】㊀比べるものが他に無いほどすぐれていること。無比。「—の宝/当代—の詩人」 ㊁かけがえの無いこと。「—の親友」

ムニエル①〔フ meunière〕魚に小麦粉をまぶして、バターで焼いた料理。

むにゃ むにゃ①(副)—と 口の中でわけの分からないことを言う様子。「—と寝言を言う」

むにん⓪【無人】⇩むじん

むにんしょ だいじん⑤【無任所大臣】特定の省庁の事務をとらずに、単に国務大臣として内閣に列する人。別称「無任所相(ショウ)④」。

むね②〔「峰」の変化〕㊀【棟】〔刀の〕背。㊁手の甲。表記㊀は「〈鉦」とも書く。

むね②①【旨】〔「宗(ムネ)」と同源〕(伝えるように)言われたことの△おもな点(意味)。「その—を伝える/主人の—〔=命令〕/…である—を定める」

むね②①【《宗・旨】第一(に大切なこと)。「節約を—とする」

****むね**②【胸】㊀人間などのからだの前面で、首と腹の間の部分。また、その中にある肺臓・心臓・胃など。「—〔=肺〕を病む/—〔=心臓〕が騒ぐ/—〔=胃〕が焼ける/—を△かきむしる(なでおろす)/—に手を当てる/—のすくような〔=痛快な〕/—を張る〔=△悪びれない(誇らしい)態度をとる〕/—をときめかす〔=期待でわくわくする〕/—がいっぱいになる〔=言いたい事があり過ぎたり 強い感情に迫られたり して、何も言えない状態になる〕/—を借りる〔=すもうで、下位の者が上位の人に稽古(ケイコ)をつけてもらう〕」 ㊁「胸㊀」の中に宿ると考えられている、人の心。「—を打つ話/—のうちを明かす/—を開いて語り合う/—に△懐(ダイ)く(刻む)」【—が熱くなる】感動がこみ上げてくる。【—が躍(おど)る】感動や期待で胸が高鳴る。【—が騒ぐ】㊀何か悪い事が起こりそうな気がして心配する。㊁期待で、軽い興奮を覚える。「先端情報ネットワークに胸が騒いだ」【—が潰(つぶ)れる】ひどい悲しみや恐怖などで、衝撃を受ける。【—が弾(はず)む】強い期待や喜びなどのために胸が高なる。【—に納める】見聞きしたことや感じたことを、だれにも言わず自分の心の中にだけとどめておく。【—を焦がす】恋に思い悩む。【—を突く】㊀胸がぶつかりそうだと感じられるほど、傾斜が急になる。「—急坂」 ㊁事態の急な展開に驚いて、はっとする。【—を割る】本心を隠したり 偽ったり せず、率直な態度で応対する。 ㊂いろいろの思いが胸をいっぱいにする。

むね【棟】㊀②㊀屋根の一番高い所。㊁棟木(ムナギ)。〔建物をかぞえる時にも使う〕 ㊁(造語) 釘(クギ)九本を一単位としてかぞえる語。「釘十五—」

むね あき⓪【胸開(き)】㊀衣服の胸元のあいた部分。「—の広いドレス」 ㊁衣服の胸元の部分が(切り抜かれたように)あいているデザイン。「—トップス⑤」 表記「胸明き」とも書く。

むね あげ⓪【棟上(げ)】家を建てる時、骨組が出来て、その上に棟木(ムナギ)を上げること。また、それを祝って行なう式。上棟(ジョウトウ)。建て前。

むね あて⓪【胸当(て)】胸の所に当てる△布(よろい)など。むねかけ⓪。

むね うち⓪【棟打ち】みねうち。

むね さんずん③【胸三寸】胸のうち。「—に納める」

むね つ⓪①【無熱】病気なのに、体温が普通であること。「—患者」

むねとの①【《宗との】(連体)〔「宗と」は、重要度において一、二とかぞえられる、の意〕おもだった。「—者ども」 表記「《宗徒の」は、借字。

むね やけ⓪【胸焼(け)】—する(自サ) みずおちの部分に焼けるような感じとか、鈍痛を感じる症状。胃液の中の酸が多過ぎるか、少な過ぎることによって起こる。「むなやけ⓪」とも。

むねわり ながや⑤【棟割長屋】一棟の家を壁で仕切った長屋。

むねん⓪①【無念】—な ㊀精神を統一して、余計な事を何も考えない様子だ。「—無想⓪-⓪、①-⓪」 ㊁(大きな力に対してあまりにも無力であって)今となってはどうすることもできないことを思い知ってくやしく思う様子。「—の涙をのむ/残念—③-⓪、③-①」 派—さ⓪

むのう⓪【無能】—な 能力や才能が無い△こと(様子)。「—呼ばわり」 ↕有能 派—さ⓪

むのうりょく②【無能力】㊀—な 物事をする能力の無い様子だ。派—さ⓪⑤ ㊁(法律で)(単独で)権利を行使することを制限されることを言った語。現在は使われない。「—者(シャ)⑤④〔=現在は『制限行為能力者』〕」

むはい⓪【無配】株式などの配当金の無いこと。無配当②。↕有配

むはい⓪【無敗】試合・戦闘に勝ち続け、負けたことが一度も無いこと。「—を誇る/—のまま折り返す」

むひ①【無比】—な 比べるものが無い(ほどすぐれている)こと。無二。「正確—な読み/残酷—な人/当代—・痛快—」

むび①【夢〈寐】「眠って(夢を見て)いる間」の意の漢語的表現。「—だも忘れない」

むひつ①【無筆】読み書きが出来ない△こと(人)。文盲(モンモウ)。

むひはん②【無批判】—な —に その事に対して意見を述べるべき立場にある人が、全く批判を加えない様子だ。「—に受け入れる」

むびゅう⓪【無〈謬】—な △理論(予測)(に基づいた行動)などに誤りが無いと判断される△こと(様子)。

むひょう⓪【霧氷】樹氷・樹霜・「粗氷⓪」の総称。〔「樹霜」は、水蒸気が昇華して出来た、針状・板状・樹枝状の結晶。「粗氷」は、気温が零度に近い時出来る、半透明か限り無く透明に近い結晶で、樹木以外の地物などにも付着する〕

むびょう①【無病】病気しないこと。「—息災①-⓪」

むひょうじょう②【無表情】—な —に 喜怒哀楽の表

情の動きが無い様子だ。「石のように—な顔」派—さ⓪④

むふう⓪【無風】❶風が無いこと。〔普通、煙がまっすぐ立ち上るぐらいの状態を指す〕❷一見平穏であるかのように見えること。「—状態〔=無投票による当選をも指す〕・—地帯④」

むふんべつ②【無分別】（—な・—に） 自分のとった行動の結果が、どんな好ましくない結果を招くかについて、よく考えもせずに無謀なことをする様子だ。「—な行動」派—さ⓪⑤

むべ①【《宜】（副）〔雅〕全くその通りであると肯定し、納得する様子。「うべ」とも。「—なるかな」

むべ①【〈郁子〉】山野に生える常緑・つる性の低木。五、六月ごろ、白くて、紅紫色がかった花を開く。アケビに似た実は食用。茎・根は薬用。〔アケビ科〕かぞえ方 一株・一本

むへん⓪【無辺】（—な・—に） 広く大きくて、限りの無い様子だ。無辺際（イサイ）②。「広大—の慈悲心/—大の〔=果てし無く大きい〕夢」

むほう⓪（ハフ）【無法】（—な・—に） 法や社会秩序が無視されたり常軌を逸したりしている様子だ。「—な振舞/—者（ノモ）⓪〔=乱暴者〕・—地帯④」派—さ⓪

むぼう⓪【無帽】帽子をかぶらないこと。「—主義④」

むぼう⓪【無謀】（—な・—に） それをした結果どういうことになるかを考えないで何かをする様子だ。「—な計画」派—さ⓪

むほうしゅう②（シウ）【無報酬】報酬の無いこと。報酬を受けないこと。「—で働く」

むぼうび②（バウ—）【無防備】（—な） （敵などを防ぐ）備えが無くて、すきだらけである様子だ。「—地帯⑤」派—さ④⓪

むほん⓪【無《品】昔、親王で位階を持たなかった人。

むほん①【謀反・謀〈叛〉】（—する）（自サ） 自分が代わって君主になろうとして、兵を起こすこと。「—人（ニン）⓪」

むま①【夢魔】❶夢の中に現われて苦しめるという、悪魔。❷ひどい不安や恐怖を感じさせる夢。「—に襲われる」

むみ①【無味】❶味が無いこと。「—無臭①-⓪」❷おもしろみが無いこと。「—乾燥な話」

むみょう⓪①（ミヤウ）【無明】〔仏教で〕煩悩におおわれて、道理をはっきり理解出来ない精神状態。

むめい⓪【無名】❶そのものを特定する名が（まだ）付けられていない状態にあること。「生まれて三日、まだ—である/—の△星（犬）」❷そのものの固有の名が明らかでない状態にあること。「—の〔=名前が書かれていない〕投書/—戦士の墓」❸その人の名がまだ世間一般に知られていない状態にあること。「今なお—であるが、実力の点ではなまなかの大学教授が束になってもかなわない/—の新人/まだ—の時期」 **—し**②【—氏】❶名前が分からない人。❷失名氏。 **—し**②【—指】くすりゆび。 **—すう**②【—数】単位の名を付けない、ただの数。不名数。1・9など。↔名数

むめい⓪①【無銘】〔未完成であったり事情があったりして〕美術品の制作者の名が記されていない△こと（もの）。「—の刀」↔在銘

むめんきょ②【無免許】免許を受けていないこと。「—運転」

むもん⓪①【無紋】❶〔布地などで〕模様が無いこと。❷〔着物などで〕紋が無いこと。表記 ❶は、「無文」とも書く。

むやく①【無益】（—な・—に）「むえき」の古風な表現。

むやみ①【無闇】（—な・—に）〔理非を超越する意の「闇」に、否定辞「無」を冠したもの〕そうする必要性は（必ずしも）無いのに、度を超えて何かをする様子だ。「—に山の木をきる/—に△かわいがる（ほしがる）/—に口を出すな/そう—に急ぐな」表記「無《暗」とも書く。 **—やたら**①-⓪【—矢〈鱈】（副）（—に）「むやみ」の強調表現。

むゆう⓪（イウ）【無憂】悲しみや不安、悩みや心配事など心を暗くする要素が全く無いこと。

むゆうびょう⓪（—イウビヤウ）【夢遊病】睡眠中に（発作的に）起き出して、歩いたり何かをしたりしたあと再び眠りに就き、その間の行動を全く記憶していない病的状態。「—者（シャ）④」

むよう⓪【無用】（—な） ↔有用 ❶役に立たない△こと（様子）。「—の長物（チョウブツ）⓪-⓪、⑤〔=⇩長物〕/—の用〔=普通の意味では役に立たないとされているものが、何かの場合には非常に役に立つということ〕」❷そうする必要が全く無い（と認められる）△こと（様子）。「問答—/心配ご—/—の者〔=関係の無い人は〕入るべからず/—の〔=しないで済む〕混乱を避ける/—〔=余計〕な刺激は禁物だ」

てんち—①-⓪【天地—】⇩天地

むよく①【無欲・無〈慾〉】（—な）〔人を押しのけてまで求める〕欲が無い△こと（様子）。「—の人/—恬淡（テンタン）①-⓪」↔貪欲（ドンヨク）

むら【群・〈叢〉】（造語）〔雅〕むれ（をなしている）。〔群生（ソウセイ）する植物、叢生する花・実、雪、殺気などをかぞえる時にも用いられる〕「一（ヒト）—の草/—すずめ・—ちどり」

むら⓪【《斑】〔群・村と同源〕❶物の仕上がりが一様になっておらず、濃淡・厚さなどがそろわない状態。「色に—が出来る」❷関係する部面により△出来（成績）などの状態が一定せず、極端な差があること。「気分に—がある/—のある成績」

****むら**②【村】❶郡の地理上の下部単位で、町に比して商工業地の占める割合が少なく、山林・田畑の割合が多い地域。❷Ⓐ農業・林業・漁業などに従事する人たちが一かたまりとなって住んでいる地域。周囲が多く山林・田畑・海などに囲まれている。「村落」とも。「—の鎮守の△森（お祭り）」Ⓑ地縁・血縁による結びつきの強い、伝統的な共同体（の生活様式）。「—社会・—八分（ハチブ）」

むらおこし③【村起（こ）し・村興（し）】過疎化などで活気を失った村を活性化する△こと（ための企画）。

むらおさ⓪（ヲサ）【村《長】〔雅〕村の長。

***むらが・る**③【群がる】（自五）〈どこ・なにニ—〉密集した一団となって、一か所に集まる。「電線に—鳥/—労務者」名 群がり⓪④ 表記「〈叢る・〈簇る」とも書く。

むらぎ⓪【《斑気】（—な） 気分が変わりやすい△こと（様子）。「むらき」とも。「—△の（な）男」

むらぎえ⓪【《斑消（え）】〔雪などが〕ある部分は残り、ある部分は消えるというように、ふぞろいに消えること。「雪の—」

むらくも⓪【〈叢雲】❶〔和歌などで〕一（ヒト）むれの雲。「月に—花に風〔=⇩月❶〕」❷「高積雲」の俗称。

***むらさき**②【紫】❶山野に生える多年草。夏、白色の小花を開く。根からとる染料は「紫❷」の代表とされる。〔ムラサキ科〕❷赤と青を交ぜて出来る色。虹（ニジ）の最も内側の色で、ナスの皮の色からキキョウの色まで幅が広い。「—の袱紗（フクサ）/古代—・江戸—」❸「しょうゆ」の異称。かぞえ方 ❶は一本 **—ずいしょう**⑤（シヤウ）【—水晶】紫色をした水晶。アメシスト。アメジスト③。

むらざと⓪【村里】都会を離れた所にある「村❷」。「山深い—」

むらさめ⓪【村雨・〈叢雨】〔むら気な雨の意〕局地的に、ひとしきり降って、すぐやむ雨。にわか雨。表記「村」は、借字。

むらじ①【《連】上代の姓（カバネ）の一つ。「大連（オオムラジ）③」は、国務を担当する最高位の家柄であった。

むらしぐれ③【村〈時雨〉・〈叢〈時雨〉】〔むら気な時雨の意〕局地的にひとしきり降って、過ぎるにわか雨。表記 ⇩付表「時雨」。「村」は、借字。

むらしばい③（シバヰ）【村芝居】村で興行する芝居。その村

の人が出演するものもある。いなか芝居④。

むら・す②【蒸らす】(他五) よく「蒸れる❶」ように、炊き上がった御飯を、火を△弱くしたまま(消したあと)、しばらくふたを開けずにおく。

むらすずめ③【群〈雀】 群がっているスズメ。

むらたけ②【群竹・〈叢竹】〔和歌などで〕群がって生えている竹。

むらだ・つ③【群立っ】(自四)〔雅〕群がって立つ。「むれだつ」とも。

むらちどり③【群千鳥】〔和歌などで〕群がっている千鳥。

むらっけ⓪【《斑っ気】ーな ーに 気分が変わりやすい△こと(様子)。むらぎ。むらき。

むらはちぶ④【村八分】 村じゅうの人が、村のおきてを破った人とその家族をのけものにして、つきあいをやめること。〔葬式と火事の時は除かれるという。また、広義では、その組織の中で仲間はずれにする意にも用いられる〕「ーにする」

むらばらい③(バラヒ)【村払㋑】 江戸時代、その村から追放した刑。

むらびと⓪【村人】 村に住んでいる人。村民。

むらむら①(副)ーと ーする 見たり 聞いたりしたことがきっかけとなって、にわかに抑えがたい激しい感情や欲望がわき起こる様子。「怒りがーとこみあげて来る/ーと悪心を起こす」

むらやくにん③【村役人】 江戸時代、村の事務をとった村人。

むらやくば③【村役場】 村長が村の事務をとる所。

***むり**①【無理】ーな ーに ❶そうするだけの理由が無く、筋道も通っていない△こと(様子)。「ーな要求/ーが通れば道理(が)ひっこむ/…するのもーは無い(=道理だ)/ー難題」 ❷客観的に見て障害が多すぎ、目的を達成することが困難だと判断される△こと(様子)。「…することにーがある/ーが△生じる(ともなう)/君にはーだよ」 ❸好ましくない結果になることが分かっていながら、強行する△こと(様子)。「ーがたたって病気になる/ーにーを重ねる/ーに行かせる/ーは禁物/暑いのであまりー(を)するなよ」 運用 ❶は、「ご無理を申し上げますが」などの形で、相手に大きな負担をかけることを依頼する際の挨拶(アイサツ)の言葉として用いられる。

ーおうじょう③(ワウジヤウ)【ー往生】〔この意味での「往生」は、「《圧状(アフジャウ)」の借字。「圧状」は、強制的に書かせた文書の称〕無理に押しつけて服従させること。 **ーおし**⓪【ー押㋛】ーする(自サ) 無理に押し進めること。「自説をーする」 **ーからぬ**④(連体) 多分に道理がある。もっともな。「ーこと」 **ーさんだん**①-⓪、③、①-①【ー算段】ーする(他サ) 無理をしたり 人に言われぬ苦心をしたりして、必要なお金を用意すること。 **ーじい**⓪(ジヒ)【ー強い】ーする(他サ) 相手がしたがらない事を、無理にすすめてやらせようとすること。 **ーしんじゅう**③(ヂユウ)【ー心中】ーする(自サ) 死ぬ意志の無い相手を無理に道づれにして自殺すること。 **ーすう**②【ー数】〔「整数の ratio (=比)で書けない数」の意の irrational number を不適切に訳した語〕〔数学で〕有理数以外の実数の称。例、$\sqrt{5}$ (=「ルート五①-①」と読む)、$\sqrt[3]{2}$ (=二の立方根)、π(パイ) (=円周率)。「ーを小数に直すと、どこまでいっても循環しない小数になる」↕有理数 **ーなんだい**①-⓪【ー難題】 その人の置かれている環境では△実現(解決)不可能なことが分かりきっている、むずかしい問題。「ーを吹っかける」 **ーむたい**①-⓪、①-①【ー無体】ーな ーに あきれて物が言えないほど、相手の要求などが「無理❶」な△こと(様子)。「ー(なこと)を言う」 **ーやり**⓪【ー《遣㋷】(副)ーに △困難が伴う(相手がいやがる)ことを承知で、思った通りに強行する様子。「仕事をー(に)押しつける」 表記 「やり」を「矢理」と書くのは、借字。

むりかい②【無理解】ーな 相手の心情などに理解が無い様子だ。 派 ーさ③⓪

むりし②【無利子】 利子がつかないこと。無利息。

むりそく②【無利息】 無利子。

むりょ①【無慮】(副)〔数量がきわめて多いものについて〕その数値をおおよそのところでとらえる様子。「死傷者はー数千人」

むりょう⓪(レウ)【無料】❶何かをするのにお金を△払わない(払わなくてもよい)こと。「ー電話(=⇩フリーダイヤル)・入場ー」↕有料 ❷何かをしてもお金をもらわないこと。「ー奉仕・ー診療」

むりょう⓪(レウ)【無〈聊】ーな ーに ⇩ぶりょう

むりょう⓪(リヤウ)【無量】 どれだけ△ある(深い)か、簡単には言い尽くせないこと。「感慨ー」 **ーたいすう**④⑥【ー大数】〔和算で〕十の六十八乗を表わす数詞。〔十の八十八乗としたものもある〕⇩大数(タイスウ)❷

むりょく①【無力】ーな 体力・勢力・資力・働きなどが無い△こと(様子)。「ーな学生/ー感③②」↕有力

むるい⓪【無類】ーな ーに その程度がはなはだしくて他に例を見ないものである△こと(様子)。「ーの優しさを秘めた人/ーの記憶力/珍ー」

***むれ**②【群㋹】 群がっている△こと(もの)。「魚のー/ーをなして飛ぶ」

むれた・つ③【群れ立っ】(自五) 杉、ヒノキやススキなどの背の高い木や草が△そこに(一面に)群がって生える。

む・れる②【群れる】(自下一) そこに集まっているものが集団をなした状態で居る。

む・れる②【蒸れる】(自下一) ❶炊きあがった御飯の水気がひいて、食べごろの状態になる。「御飯がー」 ❷一度高くなった温度・湿度が、下がらないまま、そこにこもった状態になる。「干し草が蒸れて腐る/足がー/部屋の中がー」

むろ②【室】 ❶△外気から隔てて(中の温度を一定にして)物を入れたり 育てたりする所。「ー咲き・こうじー⓪・氷(ヒ)ー」 ❷山腹に掘ったいわや。「岩ー」 ❸「僧房」の別称。「御(オ)ー」

むろ①【無《漏】〔仏教で〕心に迷いやけがれが無い悟りの境地。↕有漏(ウロ)

むろあじ②(アヂ)【室〈鰺・〈鯥】 少し大形のアジ。からだは丸くて細長く、背中は青黒くて、腹は銀白色。食用。〔アジ科〕 かぞえ方 一尾・一匹

むろく①⓪【無〈禄】 俸禄・給与が無いこと。

むろざき⓪【室咲㋖】 温室で咲かせた花。

むろまちじだい⑤【室町時代】 足利(アシカガ)氏が政権を握り、京都室町に幕府を開いていた時代。足利尊氏(タカウジ)が幕府を開いた一三三六年から、十五代将軍義昭(ヨシアキ)が織田信長(オダノブナガ)に追放された一五七三年までの約二四〇年間。足利時代⑤。

むろん⓪【無論】(副) 言うまでもなく当然のことである様子。「君はー賛成だろう」

むんずと①(副)「むずと」の強調表現。

むんむん①(副)ーと ーする ひどく蒸れることを表わす。「人いきれで部屋の中がー(と)する」

め…メ

め《馬》→【字音語の造語成分】

め【《奴】(接尾) ❶歓迎出来ない相手に対して、いとうべき者という意を含めて突っぱなす意を表わす。「こいつー、よく

言うわ/あの卑怯(ヒキョウ)者—が/馬鹿(バカ)者—が何を言うか」❷自分という存在を、相手が嫌悪の対象としているかも知れないということを考慮して、謙遜(ケンソン)する気持を表わす。〔やや古風な表現〕「私—にお申しつけ下さい/この親仁(オヤジ)—に免じてお許し下さい」 **表記** 「《奴」と書くのは、「あいつ—」「こいつ—」という熟語に牽引(ケンイン)されたものか。 **運用** 気心の知れた相手を軽いからかいの気持を込めて指すのに用いることがある。例、「あのうぬぼれ野郎めが またえらそうなことを言ってたよ」

め ■一①【女】〔雅〕❶女。女性。「—の わらわ/しずの—/—神・はした—」❷妻。「本(モト)の—/—おと」■二(造語)❶【女】二つ対する物のうち、勢いの弱い方。「—滝(ダキ)・—波」↔雄(オ)・↔男(オ) ❷【雌・〈牝】めす。「—牛⓪・—花(バナ)」↔雄(オ)

****め**** ①【目・《眼】■一❶物を見る働きをする器官。人間では顔に左右対称に二つあり、顔だちを特徴づける中心となる。〔眼球と視神経とから成り、それを保護するものに、まぶた・まつげと眉毛(マユゲ)がある〕「青い—〔=瞳(ヒトミ)〕/—を△開ける(つぶる)/—が疲れる/—がいい〔=視力が強くて、△遠くの(細かい)物までよく見える〕/—が早い/—から火が出る〔=△頭(顔)を何かに強くぶつけて痛さにぼうっとなる〕/—の上のたんこぶ〔=⇩たんこぶ〕/—の中に入れても痛くない孫娘/情景が—に浮かぶ」❷その人がものを見るときの、何らかの意志・感情が表われている目。「—にものを言わせる〔=目の表情で意思や気持を伝える〕/—の色をうかがう/—がきつい/△変な(いやらしい)—で見る/険のある—/鋭い—/遠い—をする」❸その△実体(内容)を知ろうとして、対象に向ける目。「—に余る〔=まともに見ていられないほどひどい〕/—に止まる〔=ⓐ見える。ⓑ見て△印象に残る(気に入る)〕/(…の)—を盗む〔=見つけられないように、こっそりと何かをする〕/—に物見せてくれるぞ〔=今に思い知らせてやるぞ〕/—を疑う/—の遣場(ヤリバ)に困る/—のつけどころが良い/—〔=視線〕をそらす/思わず—をそむけたくなるような惨状/そば—・はた—・人—・よそ—」❹経験や知識に支えられた、その人自身の、対象△に対する見方(を見て下す判断)。「そういう—で見ると疑わしいとも言える/素人(シロウト)の—には異状が認められないが、専門家の—から見ればかなりの重症だ/人を見る—〔=⇩見る■二❷〕が無い/なかなか—が肥えている」❺一見してそのものから受ける、直感的な印象。「見た—〔=感じ〕がいい/見た—には無愛想だが根(ネ)はやさしい男だ」❻その人自身にとって、長く記憶にとどまるような得がたい体験。「△憂き(いい)—を見る〔=思いをする〕/△辛い(ひどい・怖い・とんだ・えらい)—にあった」■二❶「目■一❶」に似た形のもの。「台風の—〔=⇩台風の目〕/針の—〔=縫い針の めど。『耳』とも言う〕/うおの—/鳩(ハト)—」❷(碁で)自分の石によって囲んだ、ただ一点から成る空所で、囲みが相手の石によって切断される可能性の無いもの。〔広義では、交互の着手によって、そのような空所が確保できる石の配置をも指す〕「—が二つあれば活(イ)きる〔=⇩生き■二❷〕/—が出来ている〔=死なない石の並びが見られる。⇩死ぬ❷『石が死ぬ』〕/—形(ガタチ)〔=目が出来そうな石の配置。眼形(ガンケイ)〕」〔碁盤の「目■三❶」や「目(モク)」(【造語成分】❹)」と区別するために「《眼」と書くことが多い。また「目(メ)」の数をかぞえる時には「眼(ガン)」を用いる。例、一眼(イチガン)・二眼(ニガン)〕⇩欠け目❸ ❸すごろくなどの采(サイ)の面に付けられた、一から六までの点。〔二個の目が同じ数でそろったり 一・六の組合せが出たりすると有利とされる〕「いい—が出る/乞(コイ)—〔=出て欲しいと思うすごろくの目〕を願う/逆転の—〔=可能性〕が無くなる/采の—」■三❶縦と横の線が織り成す四角い形(をしたすきま)。また、その交差した箇所。「—のつんだ△布(編物)/—の粗いふるい/網の—からもれる/畳の—/碁盤の—〔=⇩碁盤 ⇩駄目・【造語成分】もく(目)❹〕/編み—」❷布に点状に残された、一針一針縫った糸のあと。〔かぞえる時にも用いられる〕「細かい—で縫う/ミシン—⓪④・縫い—」❸〔木の〕もくめ。「—の△粗い(つんだ)板/柾(マサ)—・板—」■四❶Ⓐ数量を示すために、はかり・ものさしなどの表面に付けたしるし。「はかりの—」Ⓑ量。「—が足りない/—が切れる〔=目方が少し足りない〕/—を盗む〔=客の目をごまかして少なめに量る〕/—減(ベ)り・—一杯・斤—・枡(マス)—」❷のこぎりや やすり・すり鉢などの表面に並べて刻まれた ぎざぎざ。「長く使われて—がつぶれる/—立て」■五(造語)❶△一見(比較的に)そういう傾向や性質を持っていることを示す。「長—・少な—」❷他との区切りや違いが特に目立つ△時(所)。「物価の上がり—/結び—・割れ—」❸状況が転換する決定的な時点。「落ち—/金の切れ—/時候の変り—/弱り—・死に—」❹そのものの存在が許される限界点。「文(アヤ)—・筋—・境—・役—」■六(接尾)❶数をかぞえる語に添えて、ちょうどその順番に当たる△物(人・時)であることを表わす。「三年—・五軒—・二人—・六つ—」❷「匁(モンメ)」の略。「百—ろうそく」 **表記** 特に■一❶は、「《瞳」とも書く。

【—が明く】❶目が見えるようになる。❷力士が、初日(ショニチ)を出す。【—が利く】鑑識眼がすぐれている。【—が堅い】夜が更けても眠くならないでいる。【—が〈眩(くら)む】❶強い光を受けたり 強い刺激を受けたりして、何も見えなくなる。❷めまいがする。❸何かにまどわされて、正常な判断力を失う。「△金(欲・色)に—」【—が肥える】同種類の(よい)物を数多く見て、価値の見分けがつく。【—が〈冴(さ)える】〔興奮したりして〕なかなか眠くならない状態に△ある(なる)。【—が覚める】〔眠りから覚めて、まぶたが開く意〕❶心の迷いが去って、本来の姿に立ち返る。❷新鮮なものに接して心が洗われる。【—が高い】物事の本質・価値を見抜く力がある。【—が近い】近視だ。【—が出る】❶すごろくや博打(バクチ)で、乞目(コイメ)〔=希望の目〕が出る。❷幸運がやって来る。【—が届く】(細かいところまで)よく注意が行き渡る。【—が無い】〔何かに心を奪われて、対象を見る目を無くする意から〕❶鑑識眼や判断力が無い。❷ほかの何ものにも代えられぬほど それが好きである。「甘い物に—」【—が回る】目がくらむ❷。〔多忙の形容としても用いられる〕 **表記** 「目が〈廻る」とも書く。【—から〈鱗(うろこ)が落ちる】何かがきっかけになって、今までよく分からなかった事が 突然はっきり分かるようになる。〔出典は新約聖書。もと、失明していた人が突然視力を回復する意〕【—から鼻へ抜ける】頭の回転が速い形容。〔利害に敏感で抜け目無い意にも用いられる〕【—じゃない】〔出てほしいと思う目ではない、の意〕「自分としては全く意に介さない程度の事柄だ」の意の口頭語的表現。【—と鼻の△先(間)】問題とする物の所在地が至近距離にある形容。【—に入れても痛くない】普通、異物が目に入ると痛くてたまらないものだが、溺愛(デキアイ)する者の場合には かわいさが先立ち、どんなひどいことをされてもがまんできる、という形容。【—に角(かど)を立てる】怒っているという きびしい目つきでにらむ。〔とがめる気持を表わす〕「子供のいたずらなのだから—ことはない」【—に染(し)みる】❶目の神経を刺激する。「煙が—」❷色彩が鮮やかで目に強く印象づけられる。「柿(カキ)の若葉が—」

め
【《馬】ウマ。「馬頭(ズ)・馬手(テ)・駿(シュン)馬・神馬・流鏑馬(ヤブサメ)・竜馬」⇩ば

【ーにする】自然にそのものが目に入ってくる。「町中で偶然目にした出来事」【ーに立つ】目立つ。【ーに付く】見て、その存在・状態に△気付く（注意が引かれる）。【ーに残る】鮮やかな視覚映像が、見た後まで印象づけられる。【ーに入る】自然に見えて来る。【ーに見えて】そうなることについて疑う余地は無いことを表わす。「ー〔＝著しく〕進歩する／失敗はーいる〔＝明白だ〕」【ーの敵（かたき）にする】許しがたい相手だとして何かにつけて敵対する。【ーの覚めるような】思わず目を引きつけられるほどすばらしい。「ー紅葉の赤／ー△ファイン プレー（美人）」【ーの毒】見るとほしくなる（害になる）もの。【ーの前が暗くなる】失望・落胆することの形容。【ーの寄る所に玉（が寄る）】似た者同士が集まることの形容。【ーは口ほどに物を言う】情愛のこもった目つきは、口で言うのと同じくらいに愛情を伝えるものだ。【ーも当てられない】まともに見ていられない（ほど、ショックを受ける）。【ーも文（あや）に】眩惑（ゲンワク）されて、我を忘れるほどだ。〔美しい事にも、意外な事にも言う〕【ーもくれず】全く興味や関心を示さず無視する様子。【ーを射る】強い光や印象が目に焼き付けられる。【ーを疑う】たしかに自分の目にはそのように見えるが、もしかしたら何かの間違いではないかと思う。【ーを奪う】印象が強烈で見る人の注意をその点に集注させる。【ーを覆（おお）う】現実を直視することがためらわれて、見ないで済ませようとする。「ーばかりの惨事」【ーを落とす】今まで前方を直視していた者が、視線を下に向ける。【ーを掛ける】成長や発展を期待し、好意を持って世話をする。【ーを皿にする】よく見ようとして目を大きく見開く。「目を皿にして捜す」【ーを三角にする】怒りなどで、目尻（メジリ）を吊（ツ）り上げ険しい目付きになる。【ーを白黒させる】〔ひどく驚いたり 苦しんだりして〕目の玉をあわただしく動かす。【ーを〈欹（そばだ）てる】❶よく見ようとして、目を近づける。❷まともに見られない事情があって、横目で見る。【ーを付ける】関心を持ったり ねらいをつけたりして、そのものに特別に注意を向ける。「将来有望だと目を付けていた男に死なれる」【ーを〈瞑（つぶ）る】❶まぶたを閉じる。❷見て、見ないふりをする。「今回だけは目をつぶって見逃してやる」❸〔「永久に目をつぶる」の略〕「死ぬ」の婉曲（エンキョク）表現。【ーを開かれる】すぐれた考えや自分の今まで知らなかった世界・知識に接して、新しい知見が啓発される。【ーを細める】かわいらしいものを見たりうれしかったりなどして、笑顔になる。【ーを丸くする】驚いて、目を大きく見開く。【ーを向ける】その事に関心を向ける。「世の中の動きに絶えずー／政府の政策に△厳しい（批判の）ー」【おーに掛かる】⇩御目（メオ）【おーに掛ける】⇩御目

＊＊**め**①【芽】❶種・根・枝の先や一部分が少しふくらんで、やがて葉・茎や花などに生長する部分。❷卵の胚（ハイ）。❸そのまま△うまく行けば（ほうっておけば）大きくなったり 発展したりしそうに思える状態（にあるもの）。「ーを△育てる（伸ばす）／事業にーが出る〔＝成功のきざしが見える〕／危険のーをはらむ」【ーを摘（つ）む】他の芽の生長をじゃまする芽を取り除く。〔決定的な結果が生じないように、早期に除いたりつぶしたりする意にも用いられる。例、「悪のー／努力のー」〕

めあか③【目〈垢】目やに。

めあかし⓪②【目明（か）し】江戸時代、町奉行（マチブギョウ）所の与力（ヨリキ）・同心の下に属し、犯人の捕縛や探索に当たった町人の身分の者。

めあき③【目明（き）】❶目の見える△こと（人）。❷物の道理が分かる人。「ー千人盲（メクラ）千人〔＝世間には物の道理の分かる人が少なからず居るものだが、それに負けず劣らず分からない者の数も少なくないものだ〕」❸文字の読み書きが出来る△こと（人）。

めあたらし・い⑤⓪【目新しい】（形）珍しかったり 新鮮さが感じられたりして、今まで見たことがないというような印象を受ける様子だ。「父はとかくーものに飛びつきたがる／十年ぶりに再訪して街並みが目新しく感じられた」派ーさ⑤④

めあて①【目当（て）】❶方向の指針として、見失うことのないように注意して見るもの。目じるし。目標。「テレビ塔をーに歩く」❷△興味や関心を寄せる（手に入れようとする）対象として目を付けるもの。「図書館でやっとーの本を見付けた／保険金をーに放火する／おーの〔＝ぜひ見たいと思っている〕女優が出演する芝居」

めあわ・せる④（メアハセル）【〈娶せる・《妻合（わ）せる】（他下一）〔妻（メ）を合わせる、もしくは妻として合わせる、意〕〔女性を男性と〕結婚させる。めあわす③（五）。〔やや古い表現〕⇩娶（メト）る

めい（名・命・明・迷・冥・盟・銘・鳴）→【字音語の造語成分】

めい①【命】❶いのち。寿命。「ー旦夕（タンセキ）に迫る〔＝⇩旦夕〕／長ー」❷運命。「ー、天にあり／ーなるかな／宿ー」❸〔上司・長上の〕命令。「ーにより／ーを受ける／任ー」⇩【造語成分】めい・みょう

めい①【明】❶あかるさ。「ー皓々（コウコウ）たる」↕暗 ❷見通す力。眼識。「先見のーがある／賢ー」❸視力。「ーを失う／失ー」⇩【造語成分】めい・みょう

めい①【盟】誓い。仲間と△なる（の）約束。「ーを破る／ー約・ー友・加ー・同ー・連ー」

めい①【銘】❶いわれなどを器物・金石などに刻みつけた言葉・文章。〔多くは漢文〕❷いましめの言葉。「座右（ザユウ）のー」❸〔作品に責任を持つ意味で〕製作物に入れる、作者の名前。❹〔特製品・上製品の意味で〕個々の器物・食品に付けた名称。銘柄。⇩【造語成分】

めい⓪①（メヒ）【〈姪】その人の兄弟や姉妹がもうけた女の子。「ーっ子⓪②〔＝姪に当たる子供〕」↕甥（オイ）⇩めいご

めいあん⓪【名案】すばらしい思いつき。

めいあん⓪【明暗】❶明るい△事（面）と、暗い△事（面）。「人生のー／ーを分ける〔＝成功と失敗、勝利と敗北などがそれによって分かれる〕」❷〔絵画・写真などで〕明るい色と暗い色の対照のしかた。「ーをつける」

めいい①【名医】医術にすぐれている医師。

めいう・つ①、①-①【銘打つ】（他五）〔宣伝のために〕△大げさ（りっぱそう）な名称をつける。「慈善事業とー」

めいうん⓪【命運】成功して存続・発展するか、それとも失敗して衰退・滅亡するかの運命。「ーを△賭（カ）ける（左右する）／ーにかかわる／ー〔＝寿命〕が尽きる」

めいえん⓪【名園・名〈苑（エン）】りっぱな（ことで有名な）庭園。「天下のー」

めいえん⓪【名演】すぐれた演技・演出・演奏。

めいおうせい⓪③【冥王星】もと、太陽系の第九惑星とされた天体。〔二〇〇六年に惑星の定義が変更され、冥王星は惑星に準じる天体すなわち「準惑星」に分類されることとなった〕

めいか①【名花】△美しい（美しくて、りっぱな）花。〔その△社会（日の集まりなど）で一番の美人の意にも用いられる〕

めいか①【名家】❶その△地方（社会）に古くからあり、代々すぐれた人が出た、りっぱな家柄。「ーの出」❷その道にすぐれている（ことで評判のある）人。「ー文集／舞踊のー」

[かぞえ方]㊀は一軒

めいか①クワ【名菓・銘菓】 おいしい(と皆に評価される)菓子。

めいか①【名歌】 すぐれているという点で△繰り返し皆に愛唱される(いつまでも世人の記憶に残る)詩歌。

めいか①クワ【銘菓】 特別な名称のある、上製の菓子。

めいが①グワ【名画】 すぐれている(と世間でもてはやされる)絵・映画。「―の鑑賞/泰西―」

めいかい⓪ [一]クワイ【明快】―な ―に その人の考え方やその時の説明の仕方に、あいまいさが無く筋が一貫していると思われる様子だ。「―な結論をくだす」 [二]【明解】 ㊀(簡潔で)要領を得た解釈。 ㊁―な いちいち説明されなくても、その意味するところがよく分かる様子だ。[派]―さ⓪③

めいかい⓪【冥界】 冥途メイド。あの世。よみじ。

めいかく⓪【明確】―な ―に 他と紛れようが無いほど区別がついている様子だ。「―な(=的を射ていて、信頼し得る)判断/―な(=どこにも誤りが無く、相手を十分に納得させる)答え/―に一線を画する/責任の所在が―でない/―を欠く/―化する/不―②」↔曖昧アイマイ [派]―さ⓪ 【―にする】 明らかにする。「責任(の所在)を―/△態度(立場・努力の方向)を―」

めいがら⓪【銘柄】 ㊀取引所で取引に使う品物や株式(の名前)。「―取引」 ㊁△特製(上製)の商品であることを表わすための名前。「―品⓪」

めいかん⓪【名鑑】 関連のある人や物の名を集めて、一定の基準で分類して作った名簿。「科学者―⑤」

めいかん⓪【銘肝】―する(自サ) ⇩感銘

めいき①【名器】 △名作の評判の高い(名高い製作者の会心の作である)器物。

めいき①【明記】―する(他サ) 〔よく△読める(分かる)ように〕はっきり書くこと。「氏名を―する」

めいき①【銘記】 ㊀―する(他サ) 深く心に刻みつけて忘れないこと。「心に―する」 ㊁「銘㊀」としてしるしつけた言葉。

めいぎ①【名妓】 △芸のすぐれた(美人で評判の)芸者。

めいぎ①【名技】 名人と言われるほど、すぐれた△わざ(演技)。

めいぎ③【名義】 ㊀書類などで使う、表だった名前。「―上⓪・―人⓪・―変更・―書換え・他人―」 ㊁名分㊁。「―が立たない」 [表記]「名儀」と書くこともある。

めいきゅう⓪【迷宮】 ㊀labyrinth の訳語。中に入ると出口が分からなくなるように造った、複雑な建物。 ㊁犯罪事件などで、解決の糸口がつかめない状態にあること。〔警察関係の隠語では「お宮ミヤ」と言う〕「―入り⓪」

めいきょうしすい⓪-⓪、⑤―キャウ【明鏡止水】 〔曇りの無い鏡と、静かにたたえた水の意〕心の平静を乱す何ものも無い、落ち着いた静かな心境。〔不明朗のうわさがある高官などが、世間に対して弁明する時などによく使われる〕

めいきょく⓪【名曲】 すぐれている(という評判のある)楽曲。「―鑑賞会」

めいきょく⓪【名局】 〔囲碁や将棋で〕後のちの模範となるような、すばらしい対局。

めいきん⓪【鳴禽】 よく鳴きさえずる小鳥。例、ウグイス・ヒバリ・カナリアなど。「―類③」

めいぎん⓪【名吟】 ㊀すぐれた「吟詠㊁」。 ㊁すぐれている(ことで有名な)詩歌・俳句。

メイク①―する(自サ) 〔make〕〔メイクアップ④の略〕メーキャップ。メークとも。「アイ―③(=目を美しく見せる化粧)」

めいく①【名句】 ㊀すぐれている(ことで有名な)俳句。「古今の―」 ㊁その場の雰囲気△にうまく適合した(をうまく表現した)即興の短句・警句。名言。「―を吐く」

めいくん①⓪ [一]【名君】 善政を行なう、すぐれた君主。 [二]【明君】 時局を見る明のある、すぐれた君主。↔暗君

めいげつ① [一]【名月・明月】 古来、明月を観賞する習慣のある、陰暦八月十五夜・九月十三夜の月。〔前者を「中秋の名月」、俗に「いも名月」と言い、後者を「後の月」、俗に「くり名月・まめ名月」と言う〕 [二]【明月】 曇り無く澄み渡った月。特に、満月。

めいけん⓪【名犬】 性質・気品のすぐれている(ことで評判を取った)犬。

めいけん⓪【名剣】 〔名高い刀鍛冶カジが作った〕評価の高い剣。

めいげん⓪【名言】 ㊀事柄の本質をよくとらえて表現した、短い言葉。「けだし―だ」 ㊁人生の機微を表現し得た、短い言葉。金言。「―集③」〔迷言は、これのもじり〕

めいげん⓪【明言】―する(他サ) はっきり言うこと。「―を避ける/実施を―する」

めいご⓪①メヒ【〈姪御】 〔一般に「―さん」の形で〕他人の姪の敬称。

めいご①【冥護】―する(他サ) 神仏がその人の身の安全や将来を守ってくれること。「みょうご」とも。

めいこう⓪【名工】 すぐれた工芸品を作るということで評判の高い職人。「―柿右衛門カキエモン」

めいこう⓪カウ【名香】 すぐれた(ことで評判のある)香。

めいコンビ③【名コンビ】 よく息が合っていい仕事をするという評判の高いふたり。

めいさい⓪【明細】 [一]―な ―に 細かい点まで省略しないで、詳しく書き出してある様子だ。「―な会計報告」 [二](←明細書ショ⑤⓪) 内容の品目などを書き出した書類。「明細書き⓪」とも。[かぞえ方]一枚・一通

めいさい⓪【迷彩】 〔敵の目をだますために〕建物や武器な

めい

【名】 ㊀な。なまえ。「名簿・名刺・氏名・人名・地名」 ㊁すぐれた。「名著・名医・名人」 ㊂名高い。有名な。「名声・名誉・名士・有名・高名」 ㊃人数をかぞえる語。〔特に、定員のあるものや定数のある場合のほか、改まった表現をしようとする際は、「人ニン」よりも「名」を使うことが多い〕

【命】 Ⓐ名づけること。「命名」 Ⓑ戸籍簿。「亡命〔=もと、逃げて戸籍から削られる意〕」 ⇩(本文)めい【命】

【明】 [一]㊀あかるい。あかり。「明暗・月明」 ㊁あかりがつく。「明滅」 ㊂はっきりしていて、疑いが無い。あきらか。「明示・明言・明白・不明」 ㊃疑問の点をはっきりさせる。あきらかにする。「説明・証明」 [二]元号「明治」の略。「明初」⇩大・昭・平・令 ⇩(本文)めい【明】

【迷】 ㊀まよう。まよい。まよわす。「迷路・迷信・低迷・混迷」 ㊁〔名メイのもじりで〕ふるった。傑作の。おかしな。「迷論・迷文」

【冥】 ㊀くらい(所)。「冥々」 ㊁死者の行くという世界。あの世。「冥途ド・冥界」 ㊂目に見えない神仏の働き。「冥護」 ㊃道理が分からない。「頑ガン冥」

【盟】 ⇩(本文)めい【盟】

【銘】 心に刻みこみ、忘れないようにする。「銘記・感銘」 ⇩(本文)めい【銘】

【鳴】 ㊀(鳥などが)なく。なき声。「鳴禽キン・鶏鳴・悲鳴」 ㊁音△がする(を出す)。なる。また、その音。「鳴動・共鳴・吹イ鳴・雷鳴」

どに、種々の色を塗り、まわりと区別しにくいようにすること。カムフラージュ。「戦車に—を施す／—服③」

めいさく⓪【名作】万人の共感を呼ぶ傑作。「古今の—」〔迷作は、これのもじり〕

めいさつ⓪【名刹】古くからあり、高名な僧が代々そこに住んだ寺。

めいさつ⓪【明察】—する（他サ）真相をはっきりと見抜くこと。〔相手の推察に対する尊敬語としても使う。例、「ご—、恐れ入ります」〕

めいさん⓪【名産】その土地を代表する特産物。〔どこででも取れるもの、たとえば主食品や普通の魚や野菜などについては言わない〕

めいざん①【名山】仰ぎ見た姿が品格のある山。「三国一の—、富士／—霊峰①-⓪」

めいし①【名士】経験が豊かで識見が高いという意味でそれぞれの分野を代表する人。〔俗に、各界の知名人の意に用いられる〕

めいし⓪【名刺】〔「刺」は名札の意〕小型・厚めの白い紙に名前などを印刷した物。〔日本で、初対面の時などに出す〕「—の交換／—代(ガワ)り④」 かぞえ方 一枚・一葉(イチヨウ) **—ばん**⓪【—判】引伸しの写真の寸法で、最も小さいもの。〔一辺が八・三センチ、他辺が五・四センチ〕

めいし⓪【名詞】〔文法で〕人や物の名前を表わし、また、物事の状態などに名づける言葉。例、雨・社会・美しさ・驚き。普通名詞・固有名詞・抽象名詞・形式名詞、代名詞など。〔日本語文法では、体言の一つ〕

めいし⓪①【明視】—する（他サ）はっきり△見る（見える）こと。「—距離④・—スタンド⑤」

めいじ⓪【名辞】〔論理学で〕概念を言葉に表わしたもの。〔主辞と賓辞とがある〕

めいじ①⓪【明示】—する（他サ）はっきりと分かるように示すこと。「理由の—／△方向（方針）を—する」

めいじつ⓪【名実】名前と△実質（内容）。評判と実際。「—相伴わぬ／—共に」

めいしゃ①【目医者】目の医者。眼科医③。 表記 「《眼医者」とも書く。

めいしゃ①【鳴謝】—する（自サ）有難い事でした、と礼を言うこと。「ご芳情の段—します」

めいしゅ①【名手】❶一般には容易に到達することができない高度な技芸を身につけた人。「ピアノの—」❷〔碁・将棋などで〕うまい手。「—を打つ」

めいしゅ①【名主】「名君・明君」と臣下からあおがれる君主。↔暗主 表記 「明主」とも書く。

めいしゅ①【盟主】同盟の中心となる△人（国）。「…を—と仰ぐ」

めいしゅ⓪ ㊀【銘酒】銘柄のある（上等の）酒。「—屋⓪〔=明治・大正時代、淫売(バイイン)宿〕」 ㊁【名酒】品質のすぐれている点で指折りの酒。

めいしょ⓪【名所】（景色・古跡などで）有名な土地。「桜の—／—旧跡⓪-⓪・—図会(ズエ)④〔=絵入りの名所案内〕」 **—え**③【—絵】昔から歌枕(ウタマクラ)などに好んでとり上げられた名所の、四季折おりの美しさを描いた絵。

めいしょ①【明初】「明治初年①」の意の圧縮表現。「幕末—」

めいしょう(シヤウ)⓪【名匠】学芸のすぐれている（ことで有名な）人。〔学者・芸術家などを尊敬の意味で指す〕

めいしょう(シヤウ)⓪【名相】政務処理の才のすぐれている（ことで有名な）（総理）大臣。

めいしょう(シヤウ)⓪【名将】戦略・兵術のすぐれている（ことで有名な）武将・将軍。

めいしょう⓪【名称】〔生物以外のものにつける〕名前。「新製品の—／—を変える」

めいしょう⓪【名勝】景色が見事な（ことで有名な）土地。「—を探る」

めいしょう⓪【明証】—する（他サ）動かない証拠（を挙げて、証明すること）。

めいじょう(ジヤウ)⓪【名状】—する（他サ）状態を言葉で言い表わすこと。〔普通、否定的な文脈以外には用いない〕「—しがたい不安に襲われる」

めいじょう(ジヤウ)⓪【名城】❶△堅固な（姿のきれいな）ことで、天下に知れ渡っている城。❷「名古屋城③」の略。

めいしょく⓪【明色】明るい感じの色。↔暗色

***めい・じる**⓪③【命じる】（他上一）❶〈だれニなにヲ—〉言いつける。命令する。「退場を—／良心が—〔=良心が私にそうしろという〕」❷〈だれニなにヲ—／なにニだれヲ—〉任命する。「田中君を広報担当に—／課長を命じられる」❸〈なにヲなんだト—〉名づける。命ずる⓪③（サ変）。

めい・じる⓪③【銘じる】（他上一）心に刻みつける。銘ずる⓪③（サ変）。「△心（肝(キモ)）に—」

めいしん⓪【名臣】私心を無くし、君主を助ける点において、顕著な功績のある臣下。

めいしん①【名神】名古屋市と神戸市（の間の地域）。「—高速道路⑨、①-⑤」

めいしん⓪【迷信】❶客観的な根拠のないことを事実だと思い込むこと。❷〔その時点における〕科学の知識がある程度あれば、まちがいだということに気づくはずの事を、正しいと思いこむこと。「祖父は—深い人であった／—家(カ)⓪」

めいじん③【名人】❶技芸のすぐれた人。「竹細工の—／鮎(アユ)釣りの—／うそつきの—〔=半ば習慣的にうそをつく人〕」❷〔碁・将棋で〕最高の地位の一つ。「—位」 **—かたぎ**⑤【—気質】自分の仕事に絶大の自信と誇りを持ち、凝り性のため気に入らない仕事は受けないなどの性質。 **—げい**③【—芸】❶十分訓練を積んだ人だけがなしうる高度の技芸。❷その場に臨んで蓄積した経験やそれに支えられた勘に頼って、他の人には真似できないようなすばらしいことをやってのける才能。 **—はだ**③【—肌】自分（の技芸）に対する自信が強くて、他人から言われた事や新しいものなどを一切受け入れようとしない、気むずかしい性質。

めいすい⓪【名水・銘水】茶の湯などに適するとされることで有名な湧(ワ)き水。

めいすう③【名数】❶なんらかの意味で並べられる、同類のすぐれた幾つかのものを、三・五・七などの数をつけてまとめて言う、一定の呼び方。例、三景・四天王・五経・七福神。❷数に単位名をつけたもの。例、十人・百日。↔無名数

めいすう③【命数】❶〔天から与えられた〕命の長さ。寿命。「—が尽きる」❷自分の力ではどうすることもできない運命。「—〔=運命〕とあきらめる」 **—ほう**(ハフ)⓪【—法】〔数に命名する方法の意〕その言語における数詞の体系。「十進—」⇩記数法

めい・する③【銘する】（他サ）消えて見えなくならないように、堅く（金属・石などに）刻みつける。

めい・する③【瞑する】（自サ）❶目をとじる。❷安らかに死ぬ。「もって瞑すべし〔=ⓐあとの事は私どもが引き受けますから、あなたは安心してあの世へいらっしゃい。ⓑそれだけの事があれば、（満足して）あきらめていい〕」

めいせい⓪【名声】〔人柄・実力・業績などに関する〕世間のもっぱらの評判。「—が高い／—を得る／—を博する／—に甘えておごるようになってきた／世界的—」

めいせき⓪【名跡・名蹟・名迹】❶有名な古跡。❷

古人の、すぐれた筆跡。❸⇩みょうせき

めいせき[0]【明(晰)】—な —に △筋道が通って(発音がはっきりして)いて、言うことがだれにでもよく分かる様子だ。「—な文章／言語—[1]-[0]」 派 **—さ**[0]

めいせつ[0]【名節】 名誉と節操。「—を重んじる」

めいせつ[0]【名説】 物事の道理を的確に言い得た、すぐれた説。

めいせん[0]【名川】 沿岸の景色などがりっぱな(ことで有名な)川。

めいせん[3][1][0]【銘仙】 和服地・布団地に使う絹織物。染色した玉糸などを平織にしたもの。

めいそう[0]【名僧】 知徳がすぐれている点で、その時代を代表する高僧。「—知識」

めいそう[0](サウ)【明窓】 外からの光が適度に入ってくる窓。「—浄机(ジョウキ)[5](=明窓とよく整とんされた机(ツク)エ。勉学に理想的な環境を言う)」

めいそう[0]【迷走】—する(自サ) ❶移動するものが進むべき方向を見失って、どこへ行くのかわからない状態にあること。「砂漠を—するラリー車／—台風[5][7]」 ❷考え方などが二転三転し、最終的な結論の見通しが立たないこと。「外交政策をめぐって—を続ける政局」 **—しんけい**[5]【—神経】 延髄から出る脳神経の一つ。内臓の運動・分泌などを受け持つ。

めいそう[0](サウ)【(瞑想)】—する(自サ) 目を閉じて、雑念・妄念を退けて、深く考えること。黙想。「—にふける／—的[0]」 表記「冥想」とも書く。

めいた[0]【目板】 ❶板塀や羽目などの板の合せ目に打ちつける、幅の狭い板。 ❷(↑目板ガレイ[4]) 近海の泥の底にすむ魚。からだは卵形で薄く、口は小さく、目は大きい。このはがれい。(カレイ科) かぞえ方 ❶は一枚。❷は一尾・一匹・一枚

めいだい[0]【命題】 ❶(論理学で) 一つの判断の内容を、「AはBだ」のような形で表わしたもの。(数学では、その理論において真か偽(ギ)か原理的に定まっているものの称。広義では、変数を含み 変数の値が定まるごとに真か偽か定まるものをも指す。例、「xは^2xと等しい」⇩条件❷)「—論理」 ❷△課せられた(自らに課した)問題。「—の解明に当たる」

めいたつ[0]【明達】 賢くて、道理によく通じていること。「—の士」

めいだん[0]【明断】—する(他サ) 迷う所無く、いい悪いを決めること。「—を下す」

めいち[1]【明知・明(智)】 何一つ分からぬということの無い、すぐれた知恵。表記 もとの用字は、「明(智)」。

めいちゃ[0][1]【銘茶】 銘柄を持つ、上製の茶。

めいちゅう[0]【命中】—する(自サ) (たまやねらいが)目ざす物にぴたりと当たること。「的に—する／—率[3]」

めいちゅう[0]【鳴虫】 秋に、いい声で鳴く虫。

めいちゅう[0]【(螟虫)】 ⇩ずいむし

めいちょ[1]【名著】 その△時代を代表する(学問の領域で)、すぐれた内容の本。「—文庫」(迷著は、これのもじり)

めいちょう[0]【明徴】 はっきりそうであると証明すること。

めいちょう[0](チヤウ)【明(暢)】—な ❶(青く晴れわたった空のように)明るく伸びやかな気分に満ちている様子だ。 ❷(歯切れの良い発音や筋の運びで)論旨が明確に伝わる様子だ。

めいちょう[0]【明澄】—な 曇り無く澄み渡る△こと(様子)。「—の気」

めいちょう[0](テウ)【迷鳥】 渡りの途中で進路を誤った渡り鳥。(普通、群れを離れたものを指す)

めいっぱい[2]【目一杯】 (副詞的に)許される限度ぎりぎりのところまでする様子。「—に見積もる／—の値上げ／—おしゃれする」

めいてい[0]【(酩酊)】—する(自サ) ひどく酒に酔うこと。

めいてつ[0]【明哲】—な りこうで、物の道理がよく分かる△こと(人・様子)。「—保身の術(=世の中の大勢がどうなるかを見通し、流れに逆らわず、自分を安全に保つ処世法)」

めいてん[0]【名店・銘店】 有名な商店。「—街[3]」

めいてんし[3]【明天子】 すぐれた、賢い天子。

めいど[1]【明度】 (美術で)色の明るさの度合。⇩彩度

めいど[0]【冥途・冥土】 (仏教で)死んだ人の霊魂が行くという所。あの世。よみじ。「門松は—の(=に赴く)旅の一里塚／—のみやげ(=生きている時の楽しい思い出)に一度訪れたかった土地」

めいとう[0](タウ)【名刀】 (名高い刀鍛冶(カジ)が作った)評価の高い刀。「正宗(マサムネ)の—」

めいとう[0](タウ)【名湯】 病気やけがの回復などにすぐれた効能があるとされることで有名な温泉。

めいとう[0](タフ)【名答】 出題の趣旨にぴたりと合った、最上の答え。「ご—[0]」(迷答は、これのもじり)

めいとう[0](タフ)【明答】—する(自サ) はっきりした返事。確答。「—を避ける」

めいとう[0](タウ)【銘刀】 「銘❸」を入れた刀。

めいどう[0]【鳴動】—する(自サ) 大きな物が、音を立てて、揺れ動くこと。「大山(タイザン)—して鼠(ネズミ)一匹(=⇩大山)」

めいとく[0]【明徳】 ❶(君主の)すぐれた徳行。 ❷(儒学で)生まれつきの、曇りの無い徳性。「—を明らかにする」

めいにち[1]【命日】 その人が死んだ日に当たる、毎月のその日。(狭義では、祥月(ショウツキ)命日を指す)

めいば[1]【名馬】 性質・気品のすぐれている(ことで代表的な)馬。

*__めいはく__[0]【明白】—な —に だれにでも疑い無くそうだと承知される様子だ。「戦略の一環であることは—だ／—な事実／事理—[1]-[0]」 派 **—さ**[0]

めいばく[0]【名(瀑)】 その姿が美しくてりっぱな(ことで有名な)滝。「日本三—[1]-[3]」

めいばん[0]【名盤】 すぐれた演奏を録音したレコードやCD。

めいばん[0]【銘板】 その場所や建物が、著名な人物や歴史上の出来事などにゆかりの深いものであることを刻し、そこにはめ込んである(金属)板。プレート。

めいび[1]【明(媚)・明美】—な (「媚」も美しい意)山・川などの線や色が美しく見えて、人を強く印象づける様子だ。「風光—」 派 **—さ**[3] 表記「美」は、代用字。

めいひつ[0]【名筆】 その時代の代表的な書家・画家(が書いた、気品のすぐれた作品)。

めいひん[0]【名品】 技術・気品がすぐれている、その時代の代表的な作品。

めいひん[0]【銘品】 名の知られた上等の品物。

めいびん[0]【明敏】—な —に 頭の働きが鋭くて、どんな物事でもすぐ△分かる(処理出来る)様子だ。「—な頭脳／頭脳—[1]-[0]」 派 **—さ**[0][3]

めいふ[1]【冥府】 ❶「冥途」の意の古風な表現。 ❷(古)閻魔(エンマ)の庁。

めいふく[0]【冥福】 死後の幸福。後生(ゴショウ)。「故人の—を祈る」

めいぶつ[1]【名物】 ❶その土地の名産。(特に、みやげの対象となる食品を指す)「—の手打そば／—にうまい物無し」 ❷(その△社会(地域)で)変わっている点で評判になっているもの。「銀座の—男／—教授[5]」 **—ぎれ**[0]【—切(れ)・—《裂(れ)》】 ❶古来茶人に珍重される古筆切(コヒツギレ)。❷宋

ソウ・元から舶来した、金襴緞子などの織物の切れ。

めいぶん[0]【名分】❶その身分に属する人が、これだけは守らなければならない、とされる実践道徳。「大義ー」❷表向きの理由。名目。名義。「ーが立たない/ーに欠ける」

めいぶん[0] ■一【名文】❶論旨がだれにでもよく分かり、しかも訴える力の強い文章。「古来のーと称される/ー家[0]」↔悪文 ❷著名な古典を代表する、有名な文章。〔迷文は、❶のもじり〕 ■二【明文】 条文としてはっきり示された文章。「ー化する」

めいぶん[0]【名聞】〔その人に対する〕世間の評判。「ーを意に介せぬ」

めいぶん[0]【銘文】「銘❶」として記された△語句(文)。

めいべん[0]【明弁】ーする(他サ) ❶はっきり述べること。❷物の道理をはっきりと考え分けること。「理非をーする」
[表記]「弁」の旧字体は❶「〈辯」、❷「〈辨」。

めいぼ[0]【名簿】 その組織・団体に属する人の名前や住所などを一定の順序に配列した△表(冊子)。「会員ー[5]」

めいほう[0]【名宝】 その場所に古来伝えられる、代表的な宝物。

めいほう[0]【盟邦】 その国と同盟を結んだ国。同盟国。

めいぼう[0]【名望】 その社会で評判がよく、また、おおぜいの人から尊敬されていること。「ー家[0]」

めいぼう[0]【明〈眸】〔美人の〕はっきりして美しい目もと。「ー皓歯[5]〔=明眸で、歯並びがきれいでまっ白なこと〕」

めいぼく[0]【名木・銘木】❶樹齢が古く、姿が気品を備えている木。❷すぐれた香木。

めいぼく[0]【銘木】 形・つや・材質などが特別な、りっぱな木。床柱などに使う。「ー屋[0]」

めいみゃく[0]【命脈】「命」の意の古風な表現。〔多く、消極的な意味で用いられる〕「ーを保つ〔=細ぼそと生き長らえる〕/敵のーを絶つ/ーが尽きる」

めいむ[1]【迷夢】 口にするのもはばかられるような、心の迷い。「ーからさめる」

めいむ[1]【迷霧】 方角が分からないほどの深い霧。〔心の迷いの意にも用いられる〕

めいめい[0]【命名】ーする(自他サ) 名前をつけること。「第一子に一郎とーする/ー式[3]」

めいめい[0]【冥々】❶暗くて、よく見えない様子。❷なぜか分からないが、自然に心にそう感じられる様子。「ーのうちに〔=知らず知らずの間に〕」

めいめい[3]【銘々】 ひとりひとり。おのおの。「ーの考えを聞く/切符はー(に)お持ちください」 ーざら[3]【ー皿】 ひとりひとりに食物を取り分けるための皿。[かぞえ方]一枚

めいめい はくはく[0]-[0]【明々白々】ーな ーたる 〔「明白」の強調形〕はっきりしていて、少しも疑わしいところの無い様子だ。「彼の無実はーの事実だ」

めいめつ[0]【明滅】ーする(自サ) 明りが明るくなったり消えたりすること。明りをつけたり消したりすること。「ネオンのー」

めいもう[0]【迷妄】 物事の道理を知らないために持つ、まちがった考え。心の迷い。「世人のーをひらく」

めいもく[0]【名目】❶表向きの名前。「ーだけの役員/ーだけの会長/ー上は独立国だが属国に等しい」❷表向きの理由。「ー△に掲げる(をつける)」 ーちんぎん[5]【ー賃金】〔実質賃金と違って〕金額で表わした賃金の高。〔金額は前と同じでも、物価が上がれば実質において賃金は下がったことになる〕

めいもく[0]【〈瞑目】ーする(自サ) ❶〔人が〕目を閉じること。「じっとーして考える」❷安らかに死ぬこと。

めいもん[0]【名門】 名家。〔その世界で由緒があり、名の通っている存在の意にも用いられる。例、「ー校[3]」〕

めいやく[0]【名訳】 すぐれている(ことで有名な)翻訳。

めいやく[0][1]【名薬】 よくきく(ことで有名な)薬。

めいやく[0]【盟約】ーする(他サ) 堅い約束(をすること)。「ーを結ぶ」

めいゆう[0]【名優】 その時代を代表する、すぐれた演技で知られる俳優。

めいゆう[0]【盟友】 堅い約束を結んだ友人。同志。

**めいよ【名誉】 ■一[1]ーな ❶△業績を上げた(社会に尽くした)などの点で、世間の人からりっぱな人だと高い評価を受けて誇りに思う△こと(様子)。「新人賞を受賞とはーな事だ/ーに△かかわる(かけても)/ーを傷つける/ー挽回・ー毀損」↔不名誉 ❷〔古〕有名。「ーの歌詠み」 ■二(造語)〔長年そこに関係し、功績があったために〕ある団体から尊敬のしるしとして、その呼び名を与えられること。「ー教授[4]・ー市民[4]」 ーしょく[3]【ー職】 民生委員や保護司など、別に本業を持つことが出来、生活費としての俸給が支給されない公職。〔その組織の権威や信用を高めるために設けられた、単に名目だけで実質的な責務を負わされていない(無報酬の)役職の意にも用いられる〕 ーりょうじ[4]【ー領事】〔領事館の無い外国の土地で〕領事の事務を委嘱して行なわせる人。〔多く、接受する国の人が任命される〕

めいり[1]【名利】 みょうり。「ーに超然としている/ーの地」

めいりゅう[0]【名流】 世俗的な意味で上流階級に属すると言われる人びと。名士。「ー婦人[5]」

*めいりょう[0]【明瞭】ーな ーに 他との弁別性や境界がはっきりしていて、認識のさまたげとなる点がどこにも感じられない様子だ。「発音がーだ/ーな会計報告/事はいたって簡単ー」↔曖昧 [派]ーさ[0]

めい・る[2]【《滅入る》】(自五) 〔「滅る」の長呼の変化。⇩めり・めりこむ〕積極的に取り組む元気を失い、ゆううつになる。「気がー/ー話だ」

**めいれい[0]【命令】ーする(他サ) ❶〈だれニなにヲーする/だれニなんだトーする〉 立場の下の者に対して、自分の思うままに行動するよう、言いつけること。「ーを△下す(出す)/ーが出される/言い方がー的だ/すぐー口調が出る/ー通りやれ/行政ー[5]・業務ー」❷〈なにニなにヲーする/なにニなんだトーする〉 コンピューター(の処理装置)に対し、演算・記憶・入出力など、特定の処理を行なうように指示すること。また、その指示。「加算ーの実行時間/機械ー」 ーけい[0]【ー形】〔日本語文法で〕活用語の語形の一つ。命令の意味を表わすときの形。例、「行け」。⇩付録「活用表」

めいろ[0][3]【目色】 ⇩めのいろ

めいろ[1]【迷路】❶外部から来た者がそこへ入り込むと、どこへも出られなくなるように作った道。〔広義では、迷いやすい道を指す〕「ーに△陥る(踏み込む)」❷「内耳」の別称。

*めいろう[0]【明朗】ーな ❶こだわりが無く、性質が明るい感じだ。「ーな青年/ー活発[0]-[0]」❷隠すところが無く、公正に行なわれる様子だ。「ーな政治/ー会計[5]」 [派]ーさ[0][3]

めいろん[0]【名論】 核心を衝いていて、格調の高い議論。「ー卓説[0]-[0]」〔迷論は、これのもじり〕

**めいわく[1]【迷惑】ーな ーする(自サ) 〈なに・だれニーする/なにデーする〉 その人のした事が元になって、相手やまわりの人がとばっちりを受けたり いやな思いをしたりする△こと(様子)。〔古くは、当人が困惑する意にも用いられた〕「ーを△かける(及ぼす・受ける・こうむる)/ーな話/ー千万[1]-[0]〔=大変迷惑だとしか言いようの無い様子〕」 [派]ーさ[3][4][0]

メイン[1]〔main〕 主要な(物)。メーンとも。「ーの仕事/ーバ

ンク・—テーブル④〔=主賓がすわるテーブル〕」

メインイベント④〔米 main event〕〔一連の行事や催し物で〕最も△主要な(盛りあがりを見せる)もの。メインエベントとも。〔ボクシングの興行などでは、その日の最後に行なう対戦を指す〕

メインスタンド⑤〔和製英語 ←main + stand〕〔競技場の〕正面の観覧席。

メインストリート⑥〔main street〕本通り。大通り。

メインディッシュ④〔main dish〕正餐セイサンの中心となる料理。

メインポール④〔和製英語 ←main + pole〕〔競技場の〕旗を掲げる、一番中心の柱。

メインマスト④〔mainmast〕船の一番高い帆柱。

***めうえ**⓪③ウヘ【目上】自分より地位や年齢が上である△こと(人)。↕目下

めうし⓪【雌牛・〈牝牛】めすの牛。↕雄牛オウシ かぞえ方 一匹・一頭

めうち⓪③【目打(ち)】❶千枚通し。❷ウナギなどをさく時、目の所にきりを打ちつけること。❸郵便切手などを切り放すための小さな穴のつながり。

めうつり②【目移(り)】—する(自サ)(幾つか並んでいる)ほかの物に、知らず知らずのうちに△視線(関心)が移り、それに気を取られること。「新しい物に—(が)する」

メーカー①⓪〔maker〕(有名な製品の)製造△業者(会社)。「一流の—/—品⓪」↕ユーザー

メーキャップ③—する(自サ)〔make-up〕〔俳優やテレビ出演者の〕化粧や扮装フンソウ。メイクアップ④。メイク。「—を落とさないまま記者会見に臨んだ」

メーク①—する(自サ)〔make〕⇩メイク

メーター⓪〔meter〕❶メートル❶。「ガスの—の検針」❷メートル❷。

メーデー①〔May Day=五月祭〕毎年五月一日、それぞれの国の労働者がそれぞれ集まってデモなどをする、労働者の祭典。労働祭。

メード⓪①〔maid〕ホテルや外国人の家庭に雇われて働く女性。メイド⓪とも。「—喫茶④〔=メードの扮装フンソウをした女性が給仕する喫茶店〕」

メードインジャパン⑦〔made in Japan〕日本製(品)であることの断り。〔主として輸出製品につける〕

メートル⓪〔フ mètre=「尺度」の意のギリシャ語に由来〕❶自動式の計(量)器。メーターとも。「—を上げる〔=俗に、酒を(たくさん)飲んで勢いづく〕」❷国際単位系における長さの基本単位〔記号m〕。地球の北極から赤道に至る経線の長さの一千万分の一として制定され、メートル原器が作られたが、一九六〇年に、クリプトン八六という原子の出す光の波長に基づいた定義が採択され、さらに一九八三年、光が真空中で二億九九七九万二四五八分の一秒の間に進む距離と定められた。メーターとも。〔三・三尺に等しい〕 表記「《米」とも書く。「米」は音訳「米突」から。 —**グラス**⑤〔和製洋語 ←フ mètre + glass〕目盛りを刻んだガラスの容器。メスシリンダー。 —**せい**⓪【—制】❶メートル法を使う制度。❷〔電気・ガス・タクシーなど〕計器の目盛りによって料金を定める制度。「メーター制⓪」とも。 —**トン**④〔和製洋語 ←フ mètre + ton〕⇩トン❶ —**ほう**⓪ハフ【—法】長さ・容積・質量の基本単位をそれぞれメートル・リットル・キログラムとする、十進法に基づいた度量衡法。〔フランス革命直後にフランスで制定され、現在の国際単位系の基礎となった。基本単位にキロ・ヘクト・デカ・デシ・センチ・ミリなどの接頭辞を付けて単位名を作る〕

キロ—③〔フ kilomètre〕国際単位系における長さの単位で、千メートルを表わす〔記号km〕。略してキロ。 表記「〈粁」とも書く。 **センチ—**④〔フ centimètre の文字読み〕国際単位系における長さの単位で、百分の一メートルを表わす〔記号cm〕。略してセンチ。 表記「〈糎」とも書く。 **マイクロ—**⑤〔micrometer〕国際単位系における長さの単位で、百万分の一メートルを表わす〔記号μm〕。旧称ミクロン。 **ミリ—**③〔フ millimètre〕国際単位系における長さの単位で、千分の一メートルを表わす〔記号mm〕。略してミリ。「一センチメートルは、十—に等しい」 表記「〈粍」とも書く。

メーリングリスト⑥〔mailing list〕電子メールで、利用者を登録しているリスト名のアドレス宛に出したメールが、登録されている利用者全員に同時に送信される仕組み。また、その登録リスト。

メール⓪〔mail〕❶郵便(物)。「—ボックス・エアー—」❷「電子メール」の略。「—アドレス」〔❶❷ともメイルとも〕

メールオーダー④〔mail order〕通信販売。

メーン①〔main〕⇩メイン

めおと⓪ヲト【〈夫婦〉】〔「妻夫メオト」の意〕「夫婦」の意のやや古風な表現。「みょうと」とも。「—雛ビナ・—茶碗ヂャワン④〔=大小二つで一対イッの茶碗〕・—岩ワイ③」 —**びな**④③【—〈雛】男女一対のひな人形。 —**ぼし**③【—星】ひこぼしと「たなばた❶」。

メカ①メカニズム・メカニカルの略。機械の構造や仕組みに△ついての知識(応じた取扱い)。「—に弱い」

メガ(接頭)〔mega-=もとギリシャ語で、「大きい」の意〕Ⓐ国際単位系における単位名の接頭辞で、基本単位の百万〔=十の六乗〕倍であることを表わす〔記号M-〕。「—トン〔=⇩トン〕・—ヘルツ」Ⓑ〔コンピューター関係で〕単位名の接頭辞で、基本単位の百万倍であることを表わす〔記号M-〕。「—バイト」〔基本単位の二の二十乗〘=一〇四八五七六〙倍であることを表わす場合はメビ(mebi)〘記号Mi-〙を用いる〕⇩ギガ

めがお⓪①ガホ【目顔】目の表情。「—で知らせる」

めかくし②【目隠(し)】❶—する(自サ)目を布切れなどでおおって見えないようにすること。❷家の中が外から見えないようにするための物。〔囲い・塀・植木など〕❸「目隠し鬼」の略。 —**おに**④【—鬼】子供の遊戯の一つ。目隠しされた鬼が、手を打って逃げる者をつかまえて、自分の代りに鬼にするもの。略して「目隠し」。

めかけ③【〈妾】その男性と肉体関係を持ち生活を保証されているが、正式な妻としては扱われないで暮らす女性。〔古くは、「てかけ」〕「—を囲う/男—」↕本妻

めが・ける③【目掛ける】(他下一)そこを目標としてねらいをつける。「ゴール目掛けて突進する」 表記「目懸ける」とも書く。

めかご①【目籠】物を入れる、目のあらい籠。

めかしこ・む④【めかし込む】(自五)ひどくめかす。「めかし込んでデートに出かける」

めかしや⓪【めかし屋】いつもしゃれた服装を好んでする人。

めがしら②【目頭】目の、鼻に近い端。「—をぬぐう/—が熱くなる〔=感動して涙が浮かんでくる〕/—を押さえる〔=涙が出そうになるのを、目頭を押さえてとめる〕」↕目尻メジリ

めか・す ■一(造語・五型)いかにもそのように見せかけることを表わす。「都ミヤコ—⑤・冗談—⑥・ほの—・時—」■二②(自五)身なりを飾る。おしゃれをする。「今日はいやにめかしているわね」 名 めかし③ ⇩おめかし

***めかた**⓪【目方】〔はかりで量った時の〕重さ。重量。「—で売る〔=客のほしいだけをグラム幾らなどで売る〕/—が切れる

〔=規定量よりも少ない〕/ーをはかる〔=体重をはかる〕」

めがたき②【女敵】 自分の妻と通じた、憎い男。

めかど①【目角】 〔きびしい目つきをした時の〕目のはし。「ーを立てる〔=怒った様子で、鋭い目つきで見る〕」

メカトロニクス⑤〔和製英語 ← mechatronics: mechanics + electronics〕 機械工学と電子工学を統合した分野。

メガトン①②〔megaton〕 ⇩トン

メカニカル②ーな ーに〔mechanical〕 ❶機械の動きのように正確な様子だ。 ❷機械(論)的。メカニック③とも。

メカニズム③〔mechanism〕 ❶機械の装置。 ❷機構。からくり。「現代政治のー」 ❸すべての宇宙現象を自然的な因果関係によって説明する考え。機械論②。

***めがね**①【《眼《鏡】 ❶目の悪い人がレンズなどを使って、△物が正しく見えるようにする(目を保護する)ために、目に当てるもの。がんきょう。「ーを△かける(とる・はずす)/色ー・水中ー⑤」 ❷〔「目矩(ガネ)」の意〕物の形・性質・よしあしなどを見分ける尺度としての目。「ー違い④〔=期待はずれ〕/ーにかなう〔=⇩おめがね〕」 表記 ⇩付表「眼鏡」。❷を「〈鑑定〉・〈鑑識〉」と書くのは、義訓。 かぞえ方 ❶は一台・一本 **ーばし**③【ー橋】 橋の台が眼鏡を前から見た形(の上半分)に似た橋。二つのアーチ形をなす橋。 **ーへび**④【ー蛇】 コブラの異称。

めかぶ①【雌株】 植物の中で雌花だけをつける株。↕雄株

めかぶ①⓪【和布〈蕪】 ワカメの茎の下方にできるひだ状の部分。ぬめりが強く、歯ごたえがあり、酢醤油(スジョウユ)などをかけて食べる。

メガフロート④〔Mega-Float〕 巨大な浮遊式の海上構造物。空港や海上都市・石油備蓄基地などへの利用が構想される。

メガホン①〔megaphone〕 声を大きくして遠くまで届かせるための らっぱ形の筒。メガフォン①とも。 かぞえ方 一本

めがみ①【女神】 女性の神。〔西欧神話では、幸福をもたらすとされることが多い〕「自由のー/幸福のー/勝利のーが…にほほえむ〔=…が競技などに勝つ。ギリシャ神話では、アテナが戦いの女神として語り伝えられていることから〕」

メガロポリス④〔megalopolis〕 幾つかの巨大都市が帯状に連なって造る都市群。〔日本では 東京から大阪に至る都市群を「東海道メガロポリス③-④、⑩」と呼ぶ〕

めきき③⓪【目利(き)】 (書画・刀剣・器物などの)真偽やよしあしを見分ける能力がある△こと(人)。

めきめき①(副)ーと 成長や進歩が目に見えて著しい様子。「ー上達する」

めキャベツ②【芽キャベツ】 葉のつけ根などにキャベツを小形にしたような、直径三センチぐらいの小球がらせん状につく西洋野菜。こもちたまな④。〔アブラナ科〕 かぞえ方 小売の単位は一パック

めぎれ③⓪【目切(れ)】 目方の不足。

め・く(接尾・五型) …の要素を持っているように見える。…らしく見える。「皮肉めいた言い方/春ー」

めくぎ①【目〈釘】 刀身が柄(ツカ)から抜けないようにさす竹などで出来た止め具。「ーを湿(メシ)す〔=目釘が抜け落ちないように、つばなどでぬらして、抜刀・戦闘の用意をする〕」

めくされ②【目腐(れ)】 眼病で目のふちが△ただれること(ただれた人)。〔侮蔑(ブベツ)を含意して用いられることがある〕 **ーがね**④⓪【ー金】 わずかばかりのお金。はした金。

めくじら②【目くじら】 〔「くじら」は「すまくじら」の略、すみっこの意〕目角。目のすみ。「ーを立てる〔=目に角(カド)を立てて、他人△の欠点を捜し出す(をそしり ののしる)〕」

めぐすり②【目薬】 眼病を治すために、目にさす薬。「二階からー〔=⇩二階❶〕」

めくそ③⓪【目〈糞】 めやに。「ー(が)鼻くそを笑う〔=自分の欠点には気づかずに、他人の欠点をおかしいと言う〕」 表記「目〈屎」とも書く。

めくばせ②【目配せ】ーする(自サ) 目だけを動かして、気持を表わしたり 何かを知らせたり すること。「めくわせ」とも。

めくばり②【目配(り)】ーする(自サ) あちらこちらに目を向けて注意すること。「下の人にまでーがきく」

***めぐま・れる**⓪【恵まれる】(自下一) 〔「恵む」の受動形〕 ❶必要なものが十分にあって、不平・不満を感じない状態にある。「恵まれない〔=幸せとは無縁の〕人びと/恵まれた環境」 ❷〈なにニー〉 幸いに△めぐり合わせる(よい状態を与えられる)。「△機会(健康・天候・資源)にー」

めぐ・む⓪【恵む】(他五) ❶情けをかける。あわれむ。 ❷かわいそうに思って、金や物を与える。「こじきに金をー」 名 恵み⓪「ーの雨/神のー」 表記「〈恤む」とも書く。

めぐ・む②【芽ぐむ】(自五) 芽を出しかけて、ふくらむ。きざす。 表記「〈萌む」とも書く。

めくら③【《盲】 ❶目が見えない△こと(人)。「番町で目明きーに物を聞き」 ❷物事の道理が分からない人。「目明き千人ー千人〔=⇩目明き❶〕」 ❸文字の読み書きが出来ない△こと(人)。〔❶〜❸は侮蔑(ブベツ)を含意して用いられることがある〕 **ーごよみ**④【ー暦】 文字が読めない人のために、絵で示した暦。絵暦。 **ーさがし**④【ー捜し】 手探りで捜すこと。 表記「《盲探し」とも書く。 **ーじま**⓪【ー〈縞】 縦糸・横糸ともに紺色の もめん糸で織った、無地の平織物。 **ーばん**⓪【ー判】 書類の内容をよく調べないで、はんこを押すこと。 **ーへび**④【ー蛇】〔↑盲蛇におじず〕 事情を知らないために、むてっぽうなこと。 **ーめっぽう**④(ーボウ)【ー滅法】ーな ーに 見当をつけずに何かをする様子だ。やみくも。

めぐら・す⓪③【巡らす】(他五) ❶ぐるりと反対の方向へ回す。「きびすをー」 ❷まわりを囲むように作る。「垣根をー」 ❸あらゆる方面を視野に入れて考える。「△思い(深謀遠慮)をー」 巡らせる⓪(下一)。 表記 ❶❸は、「《回らす・《転らす」とも書く。❷は、「〈繞らす」とも書く。

めくらまし②③【目〈眩(ま)し】 ❶事を有利に進めるために相手をごまかすこと。 ❷「手品❶」の、古風な表現。

めくら・む③【目〈眩む】(自五) 高い所から下を見下ろして急にめまいを覚えたり 強い光を浴びて一時的に何も見えなくなったり する。〔そのものの魅力にすっかり眩惑(ゲンワク)されて正常な判断を失う意にも用いられる〕

めぐり【巡(り)】 [一]⓪ ❶回って、元の所へもどること。循環。「血のーが悪い〔=⇩血〕/池を一(ヒト)ーする」 ❷あちこち立ち寄ること。歩き回ること。「島ー・寺ー③・ワイナリーー」 ❸まわり。周囲。「池のー」 表記「《回り」とも書く。 [二](造語) 動詞「巡る」の連用形。 **ーあ・う**④(ーアフ)【ー会う・ー合う】(自五) 長い間求めていたものに思いがけない所で出会う。 名 巡りあい⓪ **ーあわせ**⓪(ーアハセ)【ー合(わ)せ】 だれかが良い目に、また、だれかが悪い目にあうことになる、不特定の順。まわりあわせ。〔狭義では、運命の意に用いられる〕「不思議なー」 動 巡り合わせる⑥(自下一)

***めく・る**⓪【〈捲る】(他五)〈なにヲー〉 重なっている物の、上の一枚を端から折り返すように持ち上げて、その下にある物を現わす。「トランプをー/ページをー音だけが響く/△書類(新聞・本)をー」 名 捲り⓪「日ー」

***めぐ・る**⓪【巡る】(自五) ❶ぐるりとひと回りして元へもどる。「因果はー/ー年月」 ❷〈どこヲー〉 目指す所を次つぎと訪ねてまわる。「名所旧跡をー旅/知人の家を巡り歩く」 ❸〈なに・だれヲー〉 そのものを中心として物事が展開する。

め

「彼を―五人の女性の物語/賛否をめぐって会議が紛糾する/消費税を―論議」 表記 「《回る・〈繞る」とも書く。[⇩巡り㊁]

めくるめ・く④【目〈眩く】(自五) 目がくらむ。目くらむ。「―ような美しさ」 文法 一般に「めくるめく△恋の炎(日の光)」などと、連体修飾語として用いられる。

めく・れる⓪【〈捲れる】(自下一) 薄い物の端の方が、あらぬ方向に反り返る。「捲れたページ/大きく捲れ上がって引きちぎられたボンネット カバー/捲れた唇」

めくわせ②【〈眗】(ハメクセ)―する(自サ) ⇩めくばせ

め・げる②(自下一) ㊀〔東京から中国・四国までの方言〕欠けて、こわれる。㊁弱気になる。「困難にめげず」

めこぼし②【目《零(し)・目〈溢(し)】―する(他サ) とがめないで、知らぬふりして過ごすこと。〔「おー」の場合のアクセントは⓪〕「おーをお願いします」

めさき③【目先】㊀目の前。「彼の顔が―にちらつく」㊁(ごく)近い将来。「―の事」㊂(すぐ)先の見通し。〔元来無色透明のはずであったが、最近はマイナスのニュアンスを含めて使われることが多い〕「―がきく/―ばかりにとらわれる/―の利益」㊃その時その場でだれの目にでも入る△おもしろい(変わっている)思いつき。「―を変える」㊄△当座(目の前)の相場の小さな変化。 表記 「目《前」とも書く。

めざし⓪【目刺(し)】(塩水につけて)数尾連ねたイワシの目に、わらやくしを刺して干したもの。 かぞえ方 一連

***めざ・す**②【目指す】(他五) ㊀〈どこ・なに・だれヲー〉ほかのものではなく、最初からそのものだけを目あてとする。「頂上を―/―敵」㊁〈なにヲー〉「志向する」意の和語的表現。「△解決(地位向上・実現・奪回)を―」 表記 「目差す」とも書く。

めざと・い③【目《敏い】(形) ㊀他の人が気がつかないような物を見つけることが速い。「掘り出し物を目敏く見つける」㊁ちょっとした刺激ですぐ目がさめる様子だ。「―ので困る」 派 ―さ③② 表記 「目〈聡い」とも書く。

めざまし②【目覚(まし)】㊀(眠い)目をさます△こと(もの)。㊁⇩おめざ ㊂「目覚まし時計」の略。「―が鳴る/―をセットする」 ―どけい⑤【―《時計】 あらかじめ設定しておいた時刻にベルが鳴る仕掛けの時計。略して「目覚し」。 表記 ⇩付表「時計」

めざまし・い④【目覚(ま)しい】(形) (それまでの停滞気味の状態と比べて)活躍ぶりなどが思わず感嘆するほどすばらしい。「―働きを見せる/―発展/△進出ぶり(成果)が―」 派 ―さ③

めざま・す③【目覚(ま)す】(他五) ㊀目ざめるようにする。㊁呼び起こす。「良心を―」

めざめ③【目覚(め)】㊀眠りから覚めること。「もうおーですか/春の―」㊁ひそんでいた本能・意識が働き始めること。「△自我(良心)の―」㊂何かがきっかけになって、本心に立ち返ること。

めざ・める③【目覚める】(自下一) ㊀眠りからさめて、外界の刺激に対し反応を示すようになる。「すっきりと―」㊁表面化しないでいた本能・意識が働き始める。「性に―/△自我(良心)に―」㊂何かがきっかけになって、現実の偽らぬ姿や自分のとるべき態度などをはっきりと意識するようになる。「△民族意識(公害問題)に―」

めざる①【目〈笊】 目の粗い笊。 かぞえ方 一枚

めされる③【召される】㊀「召す㊀」の受動形。「△神(天国)に―(=死ぬ)」㊁「召す㊁」の尊敬語。「お風邪を―」㊂〔雅〕「する」の尊敬語。なさる。あそばす。「お覚悟召されよ」

めざわり②【目障(り)】(ザハリ)―な Ⓐ見るのにじゃまになる△こと(もの・様子)。「電柱が―になる」Ⓑ見るだけで不愉快になる様子だ。「あまりにも きざで―な服装」

めし②【飯】〔もと、「召し上がるもの」の意〕〔一般に男性の口頭語で〕㊀米・麦などを炊いた食べ物。ごはん。「米の―/麦―・まぜ―」㊁食事。ごはん。「―にしよう/三度の―より好きだ」 【―…で―を食う】 …で生計を立てる。【―の食い上げ】 収入が無くなり、生活が出来なくなること。

めじ① メジマグロの略称。

めじ①(チー)【目地】 石やれんがを積んだりタイルを張ったりする時に出来る継ぎ目。「横―⓪・化粧―②④」

めじ①(チー)【《眼路】 目に見える限り。「―の限り」 表記 「目路」とも書く。

メシア①〔ヘブライ Messiah=聖油をそそがれた者。司祭。王〕 救世主。〔旧約聖書で、神の救いの日に、イスラエルを統御して、栄光に与(アズカ)ることを得させる王者の称。「キリスト」はそのギリシャ語訳に由来。初期のキリスト教徒は、イエスをもってメシア、すなわちキリストと考えた〕

めしあが・る⓪④【召(し)上(が)る】(他五) 「飲む・食う」の尊敬語。「たんと召し上がれ」

めしあ・げる④⓪【召(し)上げる】(他下一) 〔上の者が〕取り上げる。没収する。「財産を―」

めしい②(メシヒ)【《盲】 〔視力を失う意の文語動詞「めしふ」の連用形の名詞用法〕「盲目」の意の古風な表現。

めしうど②【召(し)《人】 歌会始(ウタカイハジメ)に召されて詠進歌を献じる人。「めしゅうど」とも。

めしうど②【《囚《人】 罪を犯して獄につながれている人。「めしゅうど」とも。

めしかか・える⑤⓪(カカヘル)【召(し)抱える】(他下一) 〔家来として〕雇って、生活の一切について世話する。「運転手をひとり―」 名 召し抱え⓪

めしぐ・す③【召(し)具す】(他四) 〔雅〕ひきつれる。

めしじゃくし③【飯〈杓子】 飯を、△かまから おひつ(おひつから茶わん)に盛る杓子。しゃもじ。 かぞえ方 一本

めしじょう⓪②(ジヤウ)【召(し)状】 呼出し状。

メジシン ボール⑤〔medicine ball〕 体操をする時などに用いる、大きくて重く弾力性の乏しい、やわらかいボール。また、それを投げ上げたり からだのまわりを回転させたり パスしたり する運動(競技)。メディシン ボールとも。

***めした**⓪③【目下】 自分より地位や年齢が下である△こと(人)。「―の者」 ↕目上

めしたき⓪【飯炊(き)】 飯を炊く△こと(人)。

めしだ・す③⓪【召(し)出す】(他五) ㊀呼び出す。㊁呼び出して職・給料を与える。

めしつかい③(ツカヒ)【召(し)使(い)】 雇って、家の雑用をさせる人。下男・下女。

めしつか・う④⓪(ツカフ)【召(し)使う】(他五) 雇って、自分の身のまわりの仕事や家の雑用をさせる。

めしつぶ③【飯粒】 炊いた米の粒。ごはん粒。「―大⓪④」

めしつ・れる④⓪【召(し)連れる】(他下一) △呼び出して〔一緒に〕連れて行く。

めしどき⓪【飯時】 食事する時刻。食事時(キドキ)⓪。

めしと・る③⓪【召(し)捕る】(他五) 罪人を捕らえる。「賊(ゾク)を―」

めしのたね④【飯の種】 日びの生活を営むための収入源としての△仕事(職業)の俗称。〔多く自嘲的に用いられる〕

めしびつ⓪②【飯〈櫃】 飯を入れておく、木製の入れ物。おひつ。おはち。

めしべ①【雌〈蕊】 雄蕊(シベ)が取り巻く真ん中にあって、雄蕊から花粉を受けるしべ。「しずい」とも。 ↕雄蕊

めじまぐろ③【めじ〈鮪】 〔関東方言〕ホンマグロの幼魚。

一メートル未満のもの。略して「めじ」。〔関西方言では、よこわ〕

めしもり②④【飯盛(り)】江戸時代に、宿場の宿屋に居て、客の給仕をした女性。多く、売春もした。「―女⑤」

めしや②【飯屋】安い値段で食事が出来る店。

メジャー①⓪〔major の日本語形〕↕マイナー ❶重要度において高い。大手。主流。「―リーグ④」❷長音階。❸大手国際石油資本。

メジャー①⓪〔measure〕❶定量。計量。「―カップ④・―スプーン⑤」❷〔洋裁用の〕巻尺。

めしゅうど②【召(し)《人》】【《囚》《人》】⇩めしうど

めしょう②【目性】目のたち。「―が悪い」

めしよ・せる④⓪【召(し)寄せる】(他下一) ❶呼んで、来させる。❷持って来させる。取り寄せる。

めじり①【目尻】(生まれつき上がっていたり 下がっていたりする)目の、耳に近い端。「―〔=目尻に近いあたりの皮膚〕にしわが寄る/―を下げる〔=にこにこして満足この上ないといった表情をする〕」↕目がしら

めしりょう②【召(し)料】高貴の人が使う物。「お―③」

めじるし②【目印】覚えたり 見つけたりする便宜のための手がかり(として、そこに「印す」もの)。「―をつける」 表記 「目《標」とも書く。

めじろ⓪【目白】美しい鳴き声を観賞する小鳥の名。背は黄色を帯びた緑、腹部は灰白色で、目の周囲は銀白色。〔メジロ科〕 表記 「《眼白」とも書く。 かぞえ方 一羽 **―おし**⓪【―押し】〔メジロは、枝の上に止まる時、押し合うようにたくさん並ぶ習性を持つところから〕❶子供の遊戯の一つ。押し出された子供が端に行って、中に居る子供を押し出すもの。❷多くのものが先を争うようにしてその場所をとって並ぼうとすること。「―に並ぶ/公共料金の値上げが―に控えている」

め・す①【召す】(他五) ❶「呼び寄せる」「招く」の意の尊敬語。「家老を―/御前に召される」❷「食う」「飲む」「着る」「入浴する」「買う」「乗る」「風邪をひく」など、何かを身に受け入れる行為を表わす尊敬語。「オーバーをお召しください/毎晩御酒をお召しになる/お年を―〔=御高齢の意の婉曲表現〕」⇩お召し・召される

メス①〔オ mes〕手術・解剖などに使う小刀。「―を入れる〔=ⓐ解剖する。ⓑ根本的解決のために、思い切った処置(批判)をする〕/―を加える(振るう)」 かぞえ方 一本

***めす**②【雌・〈牝】動物で、受精して子をはらむ方。↕雄

めず①【《馬頭】〔仏教で〕からだは人で頭が馬の形をしているという、地獄の番人。⇩牛頭

メスシリンダー④〔ド Messzylinder〕メートル グラス。

めずらか②【珍か】―な 珍しい感じだ。

****めずらし・い**④【珍しい】(形)〔文語の形容詞「愛づらし」、すなわち「賞美に値する」の意から〕一般には見たり聞いたりすることがほとんど予測(期待)できなかったりする物や事柄に接する様子だ。「バラの花にしては―色だ/―〔=希少価値がある〕本/パリで―〔=思いがけない〕人に出会った/珍しく〔=たまたま〕家にいる」 派 **―さ**③ **―げ**④⑤⓪ **―が・る**⑤

めずる②【《愛ずる】⇩めでる

メセナ①〔フ mécénat〕〔文化の擁護の意〕企業が社会に貢献したり 慈善のために寄付したりする一環として行なう学問・芸術を支援する活動。

めせん⓪【目線】❶〔舞台・映画撮影などで〕演技者やモデルなどの目の向いている方向・位置・角度など。〔俗に「視線」の意でも用いられるが、「目線」は目の動きに応じて顔も動かす点が異なる〕「―が合う/―をはずす」❷ものの見方やとらえ方。「上から〔=相手を立場が下だととらえて見くだしたような〕―/子供の―で見る」

メソジストきょうかい⑥【メソジスト教会】〔Methodist〕キリスト教新教の一派。十八世紀中ごろにイギリスに起こり、聖書による厳格な宗教生活を主張する。

メゾソプラノ③〔イ mezzosoprano〕〔音楽で〕ソプラノとアルトとの間の声域(の女性歌手)。次高音部。

メソッド①〔method〕方法。

メゾネット③〔maisonette〕一戸分が上下二つの階にわたる構造の共同住宅。メゾネット タイプ⑥とも。

めそめそ①(副)―と ―する 何かというとすぐに涙を見せて、沈んだ調子で泣き続ける様子。「人に隠れて―する/いつまでも―するなと叱られた」

メソン①〔meson〕⇩中間子

めだい⓪【女〈鯛】イシナギの異称。

めだか⓪【目高】真水にすむ三センチぐらいの小魚。背中は薄黄色、腹は白い。目が大きくて目立ち、群がって泳ぐ。日本にはキタノメダカ・ミナミノメダカが生息する。ヒメダカ・シロメダカなどは観賞用に改良された品種。〔メダカ科〕 かぞえ方 一匹

めだき①【女滝・雌滝】近くにある二本の滝のうち、勢いがゆるく幅も狭い方。↕雄滝

めだけ①【雌竹・女竹】タケの一種。幹が細く、節と節との間が長い。幹は釣りざお・うちわの柄などに、たけのこは食用にする。〔イネ科〕 かぞえ方 一本

メタげんご③【メタ言語】〔metalanguage の訳語〕言語(表現)について説明する記号として用いる言語。高次言語④。

めだし③【芽出し】芽を出すこと。出てきた新芽。芽立ち。「―柳④・―あじさい⑤」

めだしぼう③【目出(し)帽】目の部分だけあけて、頭からすっぽりかぶる帽子。

メタセコイア④〔metasequoia=セコイアの変種〕巨大な落葉高木。高さは、時に三〇メートルにも及ぶ。あけぼのすぎ④。〔中生代の終わりから第三紀にかけて世界じゅうに繁茂。化石として日本初め各地で知られていたが、中国の奥地で原生種が発見されて以来、世界各地に栽培〕〔ヒノキ科(旧スギ科)〕⇩埋もれ木 かぞえ方 一株・一本

***めだ・つ**②【目立つ】(自五)〈(どこ)ニ―〉その存在(状態)が、他からはっきり区別されて、見える。「ひときわ(ひどく)―/アンバランス(動き・格差・退潮・立ち遅れ・疲弊の色・むだ・躍進)が―/目立たない存在/目立って〔=変化した事にだれでもすぐ気づくほど、著しく〕大きくなった」

めだ・つ②【芽立つ】(自五) 芽が出る。 名 芽立ち③

めたて⓪③【目立(て)】のこぎり・やすりなどの目の鈍くなったのを鋭くすること。「―屋⓪」

メタノール③〔ド Methanol〕⇩メチルアルコール

メタファー①〔metaphor〕⇩隠喩

メタフィジカル③―な〔metaphysical〕形而上学的。思弁的。抽象的。

メタフィジック③〔metaphysics の日本語形〕形而上学。

メタボ①「メタボリック症候群」の略。

メタボリズム④〔metabolism〕生命維持のために生体内で行なわれる物質の化学変化。物質交代⑤。物質代謝⑤。新陳代謝。

メタボリックしょうこうぐん⑨【メタボリック症候群】〔metabolic syndrome〕肥満に加え、高血糖・高中性脂肪血症・高コレステロール血症・高血圧のう

ち二つ以上が重なっている状態。糖尿病・心筋梗塞(コウソク)・脳卒中などを起こしやすくなる。内臓脂肪症候群⑩。メタボリック シンドローム⑩。また、略してメタボ。

めだま③【目玉】❶目の中の玉。眼球。まなこ。❷⇩おめだま「大—」【—が飛び出る】ひどくしかられたりあまり値段が高いのに驚いたりする形容。**—しょうひん**④【—商品(シャウー)】〔デパートなどで〕その日の特売品の中で、客寄せを目的とした、買い得の商品。**—やき**⓪【—焼(き)】鶏卵を二つ落として、並べて焼いた卵焼き。〔広義では、卵一つ使用のものをも指す〕

めためた [一]⓪ —な —に 「めちゃめちゃ」のやや俗語的表現。「—に負ける/もう身も心も—だ」[二]①(副) —と 「めためた[一]」に同じ。「昨日の試合は後半—と崩れて負けた」

メタモルフォーゼ⑤〔ド Metamorphose〕外形・性質・状態の完全な変化。〔狭義では、伝統にとらわれない、全く新しい発想に基づく芸術の形態を指す〕

メダリスト③〔medalist〕競技の上位入賞者で、金・銀・銅などのメダルをもらった人。「オリンピック—」

メタリック〔metallic〕[一]③ —な —に 金属に特有の光沢を持った状態だ。「—な感じに仕上げる/—カラー⑥〔=金属性の色〕」[二]③②〔←メタリック塗装⑥〕溶かした金属片やセラミック片などと着色料を混ぜて、吹きつけて塗装したもの。〔自動車などで、普通のエナメル塗装に対して言う〕

メタル⓪〔metal〕❶金属(で作ったもの)。「—ラス〔=モルタルの下地に張る金属の網〕」❷⇩メダル

メダル⓪〔medal〕賞や記念とするための金属製の記章。〔誤って、メタルとも〕「金〔=優勝・一等賞としての〕—③・銀〔=二等賞としての〕—③・銅〔=三等賞としての〕—③」 かぞえ方 一枚

メタン ガス④〔ド Methangas〕沼・池などの底に沈んだ動植物が腐敗して生じるガス。無色・無味で燃えやすい。燃料用。メタン①とも。

メタン ハイドレート⑦〔methane hydrate〕メタンガスが水に溶け込んで氷状になったもの。「燃える氷」ともいわれ、深海底や永久凍土に存在する。〔新しいエネルギー資源とされる〕

メチエ①〔フ métier〕絵画・彫刻・文学などの表現に要する△技巧(技術)。メチエー①②とも。

めちがい②【目違(い)(チガヒ)】見そこない。見あやまり。

めちゃ①【目茶・《滅茶》】 —な —に 〔もと、擬態語〕「筋道が立たない様子だ」の意の口頭語的表現。「—を言う/—な議論/—〔=法外〕な値段」〔俗に、強調する意で副詞的にも用いられる。例、「—うれしい」〕 表記「目茶・《滅茶》」は、借字。

めちゃ くちゃ⓪【目茶苦茶】 —な —に 〔「くちゃ」は、「めちゃ」に添えて語調を整えるための語〕「秩序や節度を無視して何かが行なわれる様子だ」の意の口頭語的表現。〔俗に副詞的にも用いられる〕「—に走る/—な値段だ」⇩むちゃくちゃ 表記「目茶苦茶」は、借字。

めちゃ めちゃ⓪【《滅茶《滅茶・目茶目茶】 —な —に 「何かの力や影響を受けてすっかり△こわれ(機能を失い)、二度と元にもどせない状態になる様子だ」の意の口頭語的表現。「—に破壊する/これで何もかも—だ」〔俗に、強調する意で副詞的にも用いられる。例、「—愉快だ」〕 表記「《滅茶《滅茶・目茶目茶」は、借字。

めちょう①【雌(蝶)(テフ)】めすのチョウ。⇩雄蝶(ヨウ)雌蝶(オチ)

メチルアルコール④〔ド Methylalkohol〕△木材を乾留して(一酸化炭素と水素とを高温で処理して)出来る、無色で有毒の液体。木精。メタノール。〔化学式 CH_3OH〕⇩エチルアルコール

めつ(滅)→【字音語の造語成分】

めつ①【滅】スイッチの記号。電気の通路が遮断されていること。↕点㊇ ⇩【造語成分】

メッカ①〔オ Mekka〕❶サウジアラビア西部にある、イスラム教の聖地。開祖ムハンマドがこの地で生まれた。❷その方面の中心地で、(その世界の根源が求められる所として)多くの人が一度行ってみたいと思っている所。「高校球児の—甲子園」〔❷の用法は本来誤り〕

めづかい②【目遣(い)(ヅカヒ)】物を見る時の目の動かし方。目つき。

めっかち① ❶片目が見えない△こと(人)。❷左右の目の大きさや視力が違う△こと(人)。〔❶❷とも侮蔑(ブベツ)を含意して用いられることがある〕

めっか・る⓪【目っかる】(自五)〔東北・関東方言〕見つかる。「めつかる⓪」とも。

めっき⓪【滅《金・《鍍金》】 —する(他サ)〔仏像の金メッキに用いた金アマルガムの意〕❶〔装飾・防食などのために〕金属面に金・銀・クロム・ニッケルなどの薄い層を△かぶせること(かぶせた物)。ときん。「金—」❷表面だけを飾って、中身の劣悪を△隠すこと(隠したもの)。てんぷら。「—がはげる」 表記 古来の用字は「滅《金」。日常語としては「メッキ」と書く。

めつき①【目付(き)】物を見る目の様子。目見(ミマ)。

めつぎ③⓪【芽接(ぎ)】〔果物の木などの〕新芽を取って台になる木にはめ入れる、接ぎ木の方法。

めっ きゃく⓪【滅却】 —する(自他サ)❶無く△なって(して)しまうこと。「心頭—すれば〔=心から雑念・妄念を無くしてしまうと〕火もまた涼し」❷△滅び(滅ぼし)てしまうこと。

めっきり③(副) —と 時が推移して、変化の△実態(傾向)がだれの目にも明らかに認められる様子。「三月になって、—日が長くなった/長患い後、—と気力が衰えた/最近都市ではツバメを—見かけなくなった」

めっ きん⓪【滅菌】 —する(他サ)熱や薬品の力で、細菌を殺すこと。

めつけ③⓪【目付】江戸時代、旗本の非行などの取締りを役目とした武士の職名。「—役⓪③」⇩大目付

めっけもの⓪【目っけ物】〔「見付け物」の変化〕「思いがけなく得た△いい物(幸運)」の口頭語的表現。

めっ・ける⓪【目っける】(他下一)〔東北・関東方言〕見つける。

めつご①【滅後】〔仏教で〕釈尊の死後。

めつざい⓪【滅罪】〔仏教で〕懺悔(ザンゲ)や念仏の力で、罪を滅ぼすこと。「懺悔—①-⓪」

めっし①【滅私】私心を無くすこと。「—奉公①-①」

めつじ⓪【滅字】表面の摩滅した活字(で印刷された文字)。

めっしつ⓪【滅失】 —する(自サ)価値△のあるものが滅びて無くなる(が無くなる程度に破壊する)こと。

メッシュ①〔フ mèche=髪の房〕毛の一部分を染めること。「髪に—を入れる」

メッシュ①〔mesh〕網目(の大小を表わす単位)。〔数値が大きいほど細かい〕「夏向きの—のハンドバッグ」

めつじん⓪【滅尽】 —する(自他サ)跡形無く消すこと。また、消えうせること。

めっ・する⓪【滅する】[一](自サ)生命が無くなる。「生あ

めつ
[滅] ❶ほろびる。ほろぼす。なくなる。なくす。「滅亡・滅私・全滅・不滅・破滅」❷あかりが消える。「明滅・点滅」❸仏・僧侶(ソウリョ)の死。「滅後・入滅・寂滅」⇩(本文)めつ【滅】

る者は必ず―」㊁(他サ) よくないものとして、無くす(る)。「私心を―」 滅す⓪(五)。

メッセ①〔ド Messe〕(常設の)見本市。「幕張(マクハリ)―⑤」

メッセージ①〔message〕 挨拶(アイサツ)。声明書。伝言。

メッセンジャー③〔messenger〕 頼まれた品物・伝言などを送り届けることを職業とする人。「―ボーイ⑦」

めっそう③ー【滅相】㊀〔仏教で〕業(ゴウ)が尽きて、命が終わること。㊁ーな そのようなことは△あるはずがない(あってはならない)と判断する様子だ。〔多く、相手の発言を受けて、これを強く否定するのに用いられる〕「―なこと」 **【―もない】**「滅相㊁」の意の強調表現。「わたしが詐欺師だなんてそんな―ことを言わないで下さい」

めった①【滅多】ーな 〔無分別を意味する中世語「めた」の変化〕どんな結果になるかを考えもせずに、やりたいほうだいのことをする様子だ。「―な事を言うものではない/―打ちにする」 表記「滅多」は、借字。 文法「めったな＋体言」の形は、一般にあとに否定表現を伴う。 **―に**①(副)〔もと、「普通以上に」の意〕〔否定表現と呼応して〕特別の場合でない限りそうはしない様子を表わす。「あの人が休むなんて―無いことだ/―気が許せない/―出掛けない」 **―やたら**①-⓪、⓪【―矢《鱈】(副)ーに 常識で考えられる限度を超えて、やりたいだけやる様子。「唐辛子(トウガラシ)を―にきかせる/―(に)ブランド品を買いあさる」

メッチェン①〔ド Mädchen〕「若い女の子」の意の、旧制高校生などを中心とした学生語。

めつど①【滅度】〔仏教で〕❶煩悩の火を焼き尽くして、悟りの境地に入ること。❷釈尊が死ぬこと。

めつぶし②【目潰(し)】 相手の目をめがけて投げつけ、目をくらますこと。「―の砂/―にあう」

めつぼう⓪ー【滅亡】ーする(自サ) 〔国などが〕滅びること。「ローマ帝国の―」

めっぽう③ー【滅法】〔滅法智(チ)が一切の真理を悟るところから言うか〕㊀ーな 常識・常軌を逸脱している様子だ。〔古風な表現〕「―な事を言うな」 ㊁(副) その程度や傾向が並はずれてはなはだしい様子。「富公が―遊び好きで、毎晩のように白壁町へかよい詰めた/酒が―強い」 **―かい**③【―界】ーな ーに 「滅法㊁」に同じ。〔高年層の用語〕「―な事を言うものだ/このウイスキーは原酒で、ブレンドされていない。こいつがまた―(に)うまい」

めづまり②【目詰(ま)り】ーする(自サ) 網などの目がほこりやごみなどで、詰まること。

めづもり②【目積(も)り】ーする(他サ) 目で見て、大体の分量を察すること。目分量。

めて①【《馬手・《右手】↕弓手(ユンデ) ❶〔馬の手綱を持つ方の手の意〕右の手。❷〔雅〕右の方。

メディア①⓪〔media〕 手段。媒体。「コミュニケーションの―/マス―」

メディア ミックス④〔media mix〕 広告する主体が効果を高めるために行なう、複数のメディアを組み合わせた広告活動。例えば、放送・新聞・雑誌・ダイレクトメール・インターネットを組み合わせたりする。

メディア リテラシー④〔media literacy〕 ❶インターネットなど、先端的な情報通信技術や機器を使いこなす能力。❷新聞・雑誌・インターネットなどから得られる多くの情報をみずからの判断で正しく評価し、活用する能力。

メディカル(造語)〔medical〕 △医学上の(医療用の)。「―チェック⑤」

***めでた・い**③(形)〔もと、「愛(メ)でたい」の意〕❶当人やその回りの人びとにとって好ましいこととして喜ぶことが出来る状態だ。「初孫の誕生、三女の結婚と―ことが続く」⇩おめでたい ❷〔「覚えが―」の形で〕上に立つ人から信用され他に先がけて取り立てられる様子だ。「部長の覚えが―」〔=評価が高く、早い昇進が望めそうだ〕 派 **―さ**③② **―が・る**④ 表記「目出《度い・目《出い・芽出《度い」は、借字。 **めでたく なる**〔長寿をまっとうした人が〕「死ぬ」意の婉曲(エンキョク)表現。

めでたし③〔文語形容詞「めでたし」の終止形に基づく〕結果が上首尾に終わること。ハッピー エンド。「万事丸く収まって―だ/このおとぎ噺(バナシ)は――で終わる」

め・でる②【《愛でる】(他下一)〔終止・連体形は文語形下二段活用の残存形式「めずる」の形でも用いられる〕❶美しいものを見て、一時他の事を忘れて楽しむ。「月を―」 ❷ほめる。感心する。「忠勤にめでて」

めど①【目《処・目途】❶糸を通すための、針の穴。❷事を進めていく上での、目標とするところ。「五月を―に完成させる/いっこうに問題解決の―が立たない〔=いつ解決するかはっきりしない〕」 表記❷は「目途」とも書く。また、片仮名で書くことも多い。但し❶は、「《孔・〈針孔〉」とも書く。

めどおし②ドホシ【目通(し)】 一通り見ること。〔「お―」の場合のアクセントは⓪〕「お―を願う」

めどおり⓪ドホリ【目通(り)】❶〔立ち木の太さを計る時に〕木の根もとに立って見た、目の高さのあたりの直径。❷〔「お―⓪」の形で〕身分の高い人に会うこと。「ようやく会長にお―がかなう」

めどぎ⓪【〈蓍】❶メドハギの異称。❷〔もと、メドハギの茎を用いたところから〕筮竹(ゼイチク)。

めどはぎ②⓪【〈蓍萩〉】 山野に生える低木状の多年草。夏、紫の筋のある白い蝶形(チョウガタ)の花を開く。〔マメ科〕 かぞえ方 一本

めと・る②【〈娶る】(他五)〔「妻(メ)取る」の意〕妻として迎える。⇩娶(メア)わせる

メドレー①〔medley〕❶多くの曲の中から有名な部分だけを抜いて、つづり合わせた曲。混成曲。❷メドレー リレーの略。 **―リレー**⑤〔medley relay〕❶陸上競技で、走者の走る距離がそれぞれ違うリレー。❷水泳で、泳者の泳ぎ方がそれぞれ違うリレー。「個人―」

メトロ①〔フ métro ← (chemin de fer) métropolitain=首都の(鉄道)〕(パリの)地下鉄。

メトロノーム④〔ド Metronom〕〔音楽で〕演奏の速さを正確に決めるための、振り子式の器械。拍節器④③。 かぞえ方 一台

メトロポリス④〔metropolis〕 首府。大都会。

めなだ⓪【〈赤目魚〉】 ボラによく似ている魚。背中は青い灰色、腹は銀白色。美味。北日本に多い。あかめ。〔ボラ科〕 かぞえ方 一尾・一匹

めなみ①【女波】〔打ち寄せる波の中で〕低く弱い方の波。↕男波(オナミ) 表記「女《浪」とも書く。

めな・れる③【目慣れる】(自下一) 見慣れる。 表記「目〈馴れる」とも書く。

メニエール びょう⓪ービヤウ【メニエール病】〔←Ménière=人名〕 発作的なめまいが繰り返し起き、耳鳴り・難聴を伴う内耳の病気。

メニュー①〔menu〕 献立(表)。〔ある程度の期間 継続して行なう作業の予定表の意にも用いられる〕

メヌエット①〔ド Menuett〕 二人で踊る、四分の三拍子の上品でゆるやかなダンス(の曲)。ミヌエットとも。

めぬき⓪③①【目抜(き)】 最も目立つ△こと(所)。「―通り」

めぬき①③【目《貫】 刀の目くぎ(につける装飾金具)。

めぬけ⓪【目抜】 カサゴ科の海魚のうち、赤色のものの総称。アコウダイなど。釣りあげられた時、水圧の変化で目が飛

び出すところから、この称がある。美味。

めぬり⓪③【目塗⑴】〔火気・湿気を防ぐために〕板や戸の合せ目を塗ってふさぐこと。「土蔵の—」

めねじ②【雌〈螺子〉】雄ねじを受け入れるように、円筒や丸い穴などの内側に溝を切ってあるねじ。ナット。↕雄ねじ

めのいろ【目の色】❶①-②瞳(ヒトミ)の色。❷①④目付き。「—を変える〔=ⓐ怒ったり驚いたりして目を血走らせる。ⓑ一心不乱に物事をする〕」「めいろ」とも。[表記]「《眼の色」とも書く。

めのう①⓪【〈瑪瑙〉】石英・玉髄・たんぱく石の混合物。紅・緑・白などの美しい色の模様を表わす宝石。細工物・彫刻用。

めのこざん③【目(の)子算】目で見ただけの、おおよその計算。目の子勘定④。略して「目の子②⓪」。

めのした①【目の下】目から尾の先まで(の長さ)。〔魚の大きさを計る基準とする〕「—八寸〔=約二四センチ〕」

めのたま①、①-②【目の玉】めだま❶。〔口頭語的表現は「めんたま」〕「—の黒い内〔=自分の存命中〕/—の飛び出る〔=びっくりする〕ほど△高価だ(しかられた)」[表記]「《眼の玉」とも書く。

めのと②① ❶❶【〈乳母〉】〔雅〕昔、主家などの子供に乳を飲ませて育てた、母代りの女性。うば。おんば。❷【〈乳女〉・〈乳人〉】高貴の家の乳児に一時期授乳することを依頼された女性。❸【〈傅〉】〔雅〕貴人の子供の養育係に任じられた男性。もりやく。 **—ご**③【〈乳母〉子】めのとによって育てられた人〔=貴人〕の側から見た、そのめのとの実子。〔略して、単に「めのと」とも言う〕[表記]「〈傅子」とも書く。

めのまえ③【目の前】❶〔見ている方向の〕きわめて近い所。眼前。❷〔将来の〕きわめて近い時。目前。【—が真っ暗になる】将来にかけた希望が全く無くなる。

めのわらわ③、①-①【女の《童】〔雅〕少女。召使の少女。

めば・える③【芽生える】(自下一)❶種や枝の先から、芽が現われる。「柳が—」❷物事や状態が起こり始める。「△友情(機運)が—」[名]芽生え⓪③「恋の—」

めはし①【目端】〔目の端にとらえて抜け目なく物を見ることの意〕状況に応じた的確な判断力。「アルバイトながら—がきく店員」

めばち⓪【《眼〈撥】マグロ類の一種。熱帯性の魚で、体長約二メートル。目が大きい。〔サバ科〕[かぞえ方]一尾・一匹

めはちぶ③【目八分】❶自分の目より少し低い位置にささげ持つこと。「お膳(ゼン)を—にささげる」❷八分目。「御飯を—に盛る」❸視線をちょっと下に向けて見ること。「—に見る〔=高慢な態度で人を見下す〕」

めはな①【目鼻】❶目と鼻。「—を描(カ)く」❷「目鼻立(ダ)ち」の略。❸物事の輪郭や大体の結末。「—がつく/—をつける」 **—だち**⓪③【—立ち】目や鼻などの形や、それがある位置。顔だち。「—の整った顔」

めばな①【雌花】〔おしべが無くて〕めしべだけある花。↕雄花

めばや・い③【目早い】(形)〔普通の人が見落としがちなことを見て〕気がつくことがすばやい。「古本市で目早く珍本を見つける」[表記]「目速い」とも書く。

めばり⓪③【目張⑴】—する(自他サ)❶〔窓・戸・障子などの〕すきまに紙を張ってふさぐこと。❷〔女性の化粧や役者のメーキャップで〕目を大きく見せる△こと(方法)。「—を入れる」[表記]「目貼り」とも書く。

めばる⓪【《眼張・目張】岩の間にすむ近海魚。目・口が大きく、からだ全体が黒っぽい。体長約二〇センチで、美味。〔カサゴ科〕[かぞえ方]一尾・一匹

めひきそでひき①-⓪【目引き袖引き】〔副詞的に〕仲間うちで互いに目くばせをしたり袖を引っ張り合ったりして、第三者をあざけりそしる様子。「町内の人が—笑う様子がしゃくにさわった」

めびな①【女〈雛】内裏雛(ダイリビナ)のうち、皇后をかたどったもの。↕男雛(オビナ)

メフィストフェレス⑤〔ド Mephistopheles〕ゲーテの作品「ファウスト」を通じて知られる悪魔。メフィスト②とも。

めぶ・く②【芽吹く】(自五)〔木の枝から〕芽がわずかに出る。「柳が—」[名]芽吹き③⓪

めぶんりょう②【目分量】目ではかった、大体の分量。⇩手加減

めべり⓪【目減⑴】—する(自サ)❶こぼれたり水分が蒸発したりなどして、はかりにかけた時、はじめの目方より減ること。❷預貯金や有価証券などが、金利や相場の下落によって△元金(当初予測していた金額)以下になること。「資産が—する」

めへん⓪【目偏】漢字の部首名の一つ。「眼・眠・瞬」などの、左側の「目」の部分。〔多く、目や視力に関係する漢字がこれに属する〕

めぼし①⓪【目星】❶そこにねらいを定めること。「—〔=見当〕をつける」❷目の玉に出来る白い点。

***めぼし・い**③【目星い】(形)見てすぐにほしいと思ったり他の物よりは価値があると判断したりする様子だ。「現党首の後継者として—人物をリストアップする/—〔=金目の〕物は皆盗まれた」

めまい②【〈眩暈〉・目〈眩⑴】身体的な違和から、一時目に映るものがぐるぐる回ったり、足もとがゆらゆらするような不安定な感じがする状態。「—(が)する/—におそわれる」

めまぐるし・い⑤【目《紛しい】(形)〔「目紛(ギマ)ろし」の変化〕見ているものの動きや状態の変化が激しくて、順を追ってそれをとらえることが出来ないほどだ。「目まぐるしく変わる世界情勢/春先の—気象の変化」[派]—さ⑤④

めまぜ①⓪【目交ぜ】—する(自サ)めくばせ。

めまつ①【雌松・女松】アカマツの異称。↕雄松

めみえ⓪③【目見え・目見得】—する(自サ)⇩おめみえ

めめし・い③【女々しい】(形)難局に身を挺(テイ)して立ち向かうだけの勇気がなく、危険や困難に出会うとすぐくじけてしまう様子だ。〔おもに男性について言う〕↕雄々(オオ)しい [派]—さ③② —げ③④⓪

***メモ**①—する(他サ)〔memo〕〈なにニなにヲ—する/なにニなんだト—する〉〔後の必要に備えて〕手帳・ノート・カードなどに大事なことの要点などを△書き記すこと(書き記したもの)。覚え書。「—を取る〔=書き記す。俗に『メモる②』とも言う〕/—帳⓪・—用紙③」[かぞえ方]一枚

めもと③【目元・目《許】目のあたり。目見(ミマ)。「—は純真さをたたえている/—ぱっちり」

メモランダム③〔memorandum〕〔外交上の〕覚え書。略してメモ。

めもり⓪③【目盛⑴】ものさし・はかりなどに、長さ・容積・目方などを示すためにつけたしるし。「—を読む」[動]目盛る②(他五)

メモリアル〔造語〕〔memorial〕墓地や記念碑・記念館・記念行事など、故人の功績や歴史的な事件などを記念するためのもの。「—パーク⑥・—ホール⑥」

メモリー〔memory〕❶①記憶。思い出。❷⓪①コンピューター本体の中にあって、文字や記号などのさまざまな情報

め

を記憶させておく装置。メモリ①とも。 **―カード**⑤〔memory card〕デジタルカメラ・携帯電話などに利用される小さなカード状の記憶装置の総称。個々の製品としてはSDカード・メモリー スティックなどがある。

メモワール③〔フ mémoire〕第一線を引退したりした人が、自分の体験した秘史・裏話を交えて書き残す記録。回想録③。〔多く、著名な政治家・外交官のそれを指す〕

めやす①⓪【目安】〔もと、箇条書の△文書(訴状)の意〕目あて。基準。「―がつく/―に置く」 **―ばこ**③【―箱】江戸時代、八代将軍徳川吉宗が、広く庶民の要望や不満などを受け付けるために設けた投書箱。直訴箱。訴状箱。

めやに③【目《脂】目から出る粘液。めくそ。

メラニン⓪〔melanin〕動物の皮膚・体毛に含まれる黒色系統の色素。日焼け・ほくろ・そばかすなどは、これの増大が原因。

メラミン⓪①〔melamine〕石灰窒素からつくる一種の化合物。合成樹脂の原料。 **―じゅし**⑤【―樹脂】不燃性・耐熱性・耐水性で、表面硬度の高い合成樹脂。食器・電気部品・塗料・接着剤などに広く用いられる。

めらめら①(副)ーと 炎をあげて△燃える(燃え出す)様子。

メランコリー②〔melancholy〕物事を深刻に悲しみ、意気消沈したり 積極的に行動する意欲を失ったりする病的症状。憂鬱(症)。

めり(助動・ラ変型)〔文語の助動詞〕そう判断されるような様子が感じられるということを表わす。「子に成りたまふべき人なー/すずろなる死にをすべかめるかなとかぢ取り泣く」 文法 動詞(ラ変を除く)、助動詞の終止形に接続する。また、ラ変型活用語には連体形に接続し、また「あんめり」「なんめり」のような音便形で現われることがある。

めり②【《乙】〔衰える意の文語動詞「める」の連用形の名詞用法。⇩めいる〕調子を低くすること。「―はり」

メリー クリスマス⑥⑤(感)〔Merry Christmas〕〔クリスマスを祝って言う言葉〕クリスマスおめでとう。

メリー ゴーラウンド④⑥〔merry-go-round〕遊園地で子供を遊ばせる乗り物の一つ。円形の大きな台の上に据えた多数の木馬が回転と同時に上下する。回転木馬。メリーゴーランド④とも。

めり かり⓪【〈甲乙〉】〔「乙甲」の意〕(笛・尺八など和楽器の)音の高低。抑揚。めりはり。

メリケン⓪〔American を明治人が耳で聞いたままの形〕❶アメリカ(製)の。アメリカ人。「―松⑤③・―針⑤」 ❷げんこつで相手の顔などをなぐること。「―をくらわせる」 表記「米利堅」は、音訳。 **―こ**⓪【―粉】小麦粉。

めりこ・む③⓪【《減り込む】(自五) 強く押されたり 重みがかかったりして、何かの中へはまりこむ。「車輪がぬかるみに―」

メリット①〔merit〕↕デメリット ❶積極的価値。そうするだけの長所。「会社合併の―/―が大きい」 ❷功績。「―をもたらす」

めり はり②⓪【めり張り・《減り張り】 ❶【《乙 張り】⇩めりかり ❷リラックスのあとに高揚・緊張が、平叙・休息のあとに強調が来るような、言動のリズム感。「―に欠ける文章/△生活(四季)の―/―を△きかす(つける)」

めり めり①(副)ーと 何かが音を立てて折れたり つぶれたりする様子。また、その音の形容。

メリヤス⓪【〈〈莫大小〉〉】〔ポ meias=靴下〕細目のもめん糸や毛糸を使って機械で横編みした衣類。適度に伸びるのが特徴。⇩トリコット 表記「〈〈莫大小〉〉」は、伸縮自在の意を生かした義訓。 **―あみ**⓪【―編(み)】〔編物で〕表編みと裏編みを一段ごとに繰り返す編み方。

メリンス⓪〔ス merinos の変化〕薄地の柔らかな毛織物。モスリン。

メルクマール④〔ド Merkmal〕〔抽象的・観念的な物事について〕そのものの特徴をつかんだり 他の類似のものと区別したり する上で手がかりとなる基準。目印。徴表。

メルシー①(感)〔フ merci〕ありがとう。

メルトダウン④〔meltdown〕原子炉の炉心が高温によって溶解すること。炉心から発生する熱が、冷却装置の故障などによって冷却できなくなって起こる。

メルトン①〔melton〕けばだてた、柔らかなラシャ。

メルヘン①〔ド Märchen〕おとぎばなし。童話。

メルルーサ③〔ス merluza〕大西洋・太平洋北部のおもに深海にすむ魚。十数種がある。からだは細長く、口が大きい。全長一メートルを超すものもある。古くから食用として利用。〔メルルーサ科〕

めろう②【女郎】❶女童の変化形「めわらう」の変化。⇩めのわらわ ❷〔野郎に対比して作られた造語〕女性をののしって言う言葉。

メロディー①〔melody〕旋律。ふし。

メロドラマ③〔melodrama〕❶歌の音楽をふんだんに使った、興味本位の通俗劇。❷愛し合いながら なかなか結ばれない男女などの姿を感傷的に描いた通俗ドラマ。

めろめろ⓪ーに ーな まともに見てはいられないほど、しまりの無い態度を見せる様子だ。「酔って―になる/孫には―だ」

メロン①〔melon〕球形で甘い実のなるウリの総称。特に、マスクメロンについて言う。「―パン」

スイートー⑤〔和製英語 ←sweet + melon〕西洋種の黄色いマクワウリ。甘みが強い。 **プリンスー**⑤〔和製英語 ←prince + melon もと、商品名〕ニューメロン③とマクワウリを交配させたメロンの一品種。小形で丸く、表面は灰色がかった緑色。果肉はオレンジ色で、甘い。〔ウリ科〕

マスクー④〔muskmelon, musk=じゃこう〕高級な果物の一種。球形で、薄緑色の皮に細かな網目がある。甘くてかおりがよい。〔ウリ科〕 かぞえ方 一玉・一個・一つ

めん(免・面・綿・麺)→【字音語の造語成分】

メン(造語)〔men〕「man」の複数。「ジャズ―②・G―」

めん【面】❶⓪ 顔。「お―がいい〔=俗に、顔形が美しい〕/―が割れる〔=顔でだれであるかが分かる〕」 ❷⓪〔能楽・神楽などで〕劇中人物の象徴として顔につけるもの。「仮面」とも。〔かぞえる時にも使う〕「翁の―/△おかめ(ひょっとこ)の―/―を打つ〔=(能で用いる)面を制作する〕/―打ち⓪④〔=(能で用いる)面の制作(を職業とする人)〕」 ❸〔剣道で〕Ⓐ⓪ 顔・頭をおおう防具。「面頰」とも。Ⓑ⓪①「面Ⓐ」をねらって攻撃するわざ。「―を一本取る」 ❹①Ⓐ 立体と外部との境目を成し、広がりを持つが厚みは持たず、折れたり 角張ったりした所の無い一つながりの部分。「円錐の底―/円柱の側―/直方体の相対する―は三組/一―〔=新聞の第一ページ〕トップの記事/平―・曲―・球―・多―体」 Ⓑ〔幾何学で〕ある立体図形と外部との境目になっているか否かにかかわらず、そのような形状を持つ図形。 ❺①△二つ(二つ以上)のとらえ方があると判断されるものの、特定の一つ。「外交の―ではあまり期待できない現政権/学力の―だけから見れば申し分ない」 **【―と向かって】〔副詞的に〕直接言うのがはばかられるようなことを当人に向かって遠慮なく言う様子。「陰でこそこそ言うより、―言ったほうがいい/―罵倒する」 **【―を取る】** 四角に切った物の稜を少し切り落として、新たに小さな「面❹」を作る。〔建築で柱の角を軽く削って 安全を図ることや、料理で四角に切った野菜の稜を少し切り落として美

観を与えたり煮くずれを防いだりすることなど」⇩【造語成分】

めん[1]【綿・〈棉】もめんわた。もめん。「—の仕事着/—糸(メンシ)」⇩【造語成分】

めん[1]【麺】うどん・そば・中華そばなど、麺類に含まれるものの、それぞれ。「しっかりと腰のある—を味わう/打ち立ての—をゆでる/即席—・カップ—・ゆで—」⇩【造語成分】

めん[1]【《雌】「めす」の口頭語的表現。↕おん

めんえき[0]【免役】服役を免除すること。

***めんえき**[0]【免疫】からだに入ってきたり生じたりした病原体・毒素・異物などに対して抵抗し、排除することで病気に△かからない(かかりにくい)ようにする体内の仕組み。また、一度入ってきたものに対して抗体を作り、発病を防ぐ能力。〔物事がたび重なって、慣れてしまう意にも用いられる〕「—が出来る/—性[0]・集団—[5]」 **—げん**[4]【—原・—元】免疫を生じるもと。 **—たい**[0]【—体】抗体。

めんおりもの[4][3]【綿織物】綿糸の織物。綿織り[0]。

めんか[1](クワ)【綿花・〈棉花】ワタの種を包む繊毛から取った△白い(薄茶色の)繊維。綿織物の原料。

***めんかい**[0](クワイ)【面会】—する(自サ)〈だれニ—する/だれト—する〉△わざわざ訪ねて行った(自分の所に訪ねて来た)人に会うこと。「—を求める/—日(ビ)[3]・—謝絶[0]-[0]」

めんかやく[3](クワ)【綿火薬】綿を硝酸と硫酸との混合液に浸して作った火薬。

めん

[免] ❶まぬかれる。「免疫」 ❷許す。まぬかれさせる。「免許・放免」 ❸職などをやめさせる。「免職・任免」

[面] ❶(直接)顔を合わせ(てす)る。「面責・面談」 ❷側面。「正面・前面」 ❸そこに書いてある限り。「字面(ジヅラ)・書面・証書面」 ❹⇩いちめん(一面)❸ ⇩(本文)めん【面】

[綿] ■一❶〔糸をつないだように〕長く続く。「綿々・連綿」 ❷〔綿のように〕非常に細かく、くわしい。「綿密」 ■二(略) 綿糸・綿織物。「綿セル・綿ネル」 表記「〈緜」とも書く。⇩(本文)めん【綿】

[麺] 〔小麦粉などで作った〕うどん・そば・中華そばなどの類。「麺類・素麺(ソウメン)・棊子麺(キシメン)・湯麺(タンメン)」 表記「〈麪」とも書く。⇩(本文)めん【麺】

めんかん[0](クワン)【免官】—する(他サ) 官職をやめさせること。「依願—[1]-[0]」

めんきつ[0]【面詰】—する(他サ) 面と向かって、相手の悪いことをとがめること。

めんきゅう[0](キウ)【綿球】⇩タンポン

めんきょ[1]【免許】—する(他サ) ❶△政府(官公庁)が、特定の事をすることを許すこと。「—停止処分/—証[3][0]〔=運転免許証の略〕・—状[0]・運転—[5]」 ❷師匠が弟子に奥義を伝えること。 **—かいでん**[1]-[0]【—皆伝】奥義をすっかり伝えられること。「—の腕前」

めんくい[0][3](クヒ)【面食(い)・面〈喰(い)】交際や結婚の相手として顔のきれいな人ばかりを選ぼうとする心的傾向。器量好み。

めんくら・う[4][0](クラフ)【面食(ら)う・面〈喰う】(自五)〔目に喰うの意〕突然の事であわてる。

めんこ[0]【面子】ボール紙などを小さく△丸く(長方形に)切った、子供のおもちゃ。地面に置いた相手の「めんこ」に自分のをぶつけて、裏返らせると勝って相手のを取る。ぱっち[0]。ぱった[0]。 かぞえ方 一枚

めんご[1]【面〈晤】—する(自サ)〔古〕〔「晤」も、会う意〕面会して話すこと。「御—[2]」

めんこ・い[3](形)〔東北方言〕〔乳幼児や動物の子について〕小さくてかわいいと感じられる様子だ。

めんこうふはい[0]-[0](カウ)【面向不背】〔「面と向かうにそむかず」の意という〕どちらから見ても美しくて整っており、何ら欠点が見いだせない状態。「—の玉」

めんざい[0]【免罪】何かの理由によって罪を△許す(まぬかれる)こと。 **—ふ**[3]【—符】中世、ローマカトリック教会が罪の赦(ユル)しを与えるものとして発行した証書。「贖宥状(ショクユウジョウ)」とも。〔金品の寄進者に無制限に濫発され、宗教改革の端緒となった。悪事に対し、その罪や責任をまぬかれたりおおいかくしたりするための行為や事柄のたとえとして用いられる。例、「福祉のためという—を得て暴利をむさぼる」〕

めんざんし[3]【綿〈撒糸】外科医が手術後、傷口に詰めたもの。もめんをほぐし(薬液に浸し)たもの。「めんさっし」とも。〔和語では「ほっしもめん[4]」と言う〕

めんし[1]【綿糸】もめんの糸。 **—ぼうせき**[4](バウ)【—紡績】ワタの繊維から糸を作ること。綿紡。

メンシェビキ[3]〔ロ menshevikí〕帝政ロシア時代の社会民主労働党の中の少数派。漸進的かつ穏健な革命を主張した。↕ボルシェビキ

めんしき[0]【面識】以前に会っていて、互いに顔を見知っていること。「—がある」

めんじつゆ[4]【綿実油・〈棉実油】ワタの実からしぼった油。食用・工業原料用。

めんしゅう[0](シウ)【免囚】刑期を終え、放免された人。「—保護」

めんじゅうふくはい[0]-[0]【面従腹背】—する(自サ) 表面では服従しているように見せかけて、内心では反抗していること。

***めんじょ**[1](ヂヨ)【免除】—する(他サ)〈なにヲ—する〉義務や役目を果たさなくてもいいと、許すこと。「授業料を—する」

めんじょう[3][0](ジヤウ)【免状】❶免許のしるしとして渡される文書。免許状。「危険物取扱者—を有する」 ❷卒業証書。 かぞえ方 ❶❷とも一枚

めんじょう[0](ジヤウ)【面上】〔喜怒哀楽の情が現われるものとしての〕顔。「—に喜色をただよわす」

めんしょく[0]【免職】—する(他サ) 職をやめさせること。「—処分[5]・懲戒—」

めん・じる[0][3]【免じる】(他上一) ❶義務・責任を果たさなくてもいいという旨を達する。「授業料を—〔=出さなくてもいいという扱いにする〕/職を—〔=やめさせる〕」 ❷その人や関係者の功労・面目などを重んじて、扱いを寛大にする。「年の若いのに免じて許す」 免ずる[0][3](サ変)。

めんしん[0]【免震】地震や風による建物などの振動を減らすようにすること。「—構造[5]・—ビル[5]」

メンス[1]〔←ド Menstruation〕月経。

めん・する[3]【面する】(自サ) ❶特定の方向を向いている。「南に—窓」 ❷Ⓐそのものの存在する方向を向いていて、それが直接見通せる位置にある。「大通りに—家/太平洋に—側」 Ⓑ無視できない事態に直面する。「危機に—/困難に—」 面す[1](五)。

めんぜい[0]【免税】—する(他サ) 税金を免除すること。「—の手続き/—措置・—店[3]」

めんせき[0]【免責】—する(他サ) ❶そのことについての責任を問われるのをまぬかれること。 ❷債務の△一部(全部)が消滅し、債務者として法律上の義務をまぬかれること。

めんせき[0]【面責】—する(他サ) 面と向かって、しかったり非難したりすること。

***めんせき**[1]【面積】平面図形や曲面△自体(内の図形)な

ど、二次元の図形が占めている部分の大きさ。「三角形の—/円錐の底—/円柱の側—/床—を計算する」

めんせつ[0]【面接】—する(自サ)〔人柄を調べたり能力をためしたり などするために〕じかにその人に会うこと。「—試験[5][6]」

めんセル[0]【綿セル】セルに似た綿織物。

めんぜん[0]【面前】目の前。「公衆の—で恥をかく」

めんそ[1]【免租】—する(自サ) 租税を免除すること。「—地[3]」

めんそ[1]【免訴】—する(他サ)〔刑事被告人に〕有罪・無罪の判断をしないで、訴訟を打ち切る裁判。

めんそう[1][3]【面相】〔性格や感情のあらわれとしての〕顔つき。「虫も殺さぬ—をしていて/—〔=顔色〕を変えて怒り出す」 運用 「ご面相」の形で、当人自身は自覚していないようだが、外から見ればとても美男(美女)とは言えないと評価する気持を込めて言うのに用いられる。例、「あのご面相で若い女性にもてると思っているとはいい気なものだ」

メンター[1][0]〔mentor=ギリシャ神話で、トロイ戦争に出陣するオデュッセウスが、我が子の教育を託した名教師の名〕自分の進路や生き方を決定する上に与って力がある(あった)人。〔ビジネスの社会では、部下を指導・教育し、仕事・ポストを与える実力者を指す〕

めんたい[0]【《明太》】〔←明太魚[3]〕スケトウダラの朝鮮名。 **—こ**[3]【—子】 スケトウダラの卵。トウガラシ・塩を用いて加工する。

メンタリティー[3]〔mentality〕 日常の言動や対人態度などに反映される、その人の気持の持ち方やものの考え方。

メンタル[1]—な〔mental〕〔物質よりも〕主として精神の方に関係がある様子だ。「—な面/—が強い(弱い)」 **—テスト**[5]〔mental test〕 実験心理学の成果に基づき、個人の知能・性格を知るために行なう、簡単な検査。知能検査。 **—トレーニング**[6]〔mental training〕〔おもにスポーツで〕不安・緊張・迷いなどの感情に邪魔されることなく、競技・試合に集中し最高の結果を出せるような精神力をつちかう訓練。 **—ヘルス**[5]〔mental health〕 精神的なストレスや心の病に対する予防や治療。心の健康。

めんだん[0]【面談】—する(自サ) じかに会って、話をすること。「委細—[1]-[0]」

メンチ[1]〔mince の変化〕 ひき肉。ミンチとも。

メンチ カツ[4]〔和製英語 ←mince＋cutlet〕 ひき肉にみじんに刻んだタマネギなどを加えたものを平たく伸ばし、パン粉をつけて油で揚げた料理。

メンチ ボール[4]〔和製英語 ←mince＋ball〕 メンチカツと同材料で作った肉団子。

めんちょう[1]【面疔】 顔に出来る、悪性のはれもの。

メンツ〔中国・面子〕 ❶[1][0] 体面。面目。「—を立てる(保つ)/—にかける(とらわれない)/—がかかる」 ❷[0] (麻雀の)メンバー。

めんつう[3]【面桶】〔「つう」は「桶」の唐音〕飯を一人前ずつ盛る曲げ物。 かぞえ方 一枚

めんつゆ[0]【麺《汁》】 そば・うどんなどを食べるときに使うつゆ。だしにしょうゆ・みりんなどを加えたもの。〔調味料として市販されているものを言うことが多い〕

めんてい[0]【免停】 「免許停止処分[1]-[4]」の略。

めんてい[0]【面体】〔身分・性格・行状を表わすものとして見た〕顔(つき)。〔いい意味には使わない〕「怪しい—の男」

メンテナンス[1]—する(他サ)〔maintenance=維持〕 建物・機械・自動車などの、保守・管理。「ビルの—」

メンデリズム[4]〔Mendelism〕 一八六五年にメンデルが発表した、遺伝の法則。

***めんどう**[3]【面倒】—な 〔そうすることがむだだの意の雅語「だうな」に「目」を冠した「目だうな」の変化という。原義は「見るのもわずらわしい」の意〕 ❶解決や処理するのに手数がかかってわずらわしく思われること(様子)。「—な問題は後回しにする/—な事を言い出す/ひどく疲れて何をするのも—だ」 ❷他からの助力(援助)が必要となって、相手に負担をかける結果になること(様子)。「—を見る〔=世話をする〕/彼にはすっかり—をかけた〔=世話になった〕」 派 **—が・る**[5] 表記 「面倒」は、借字。 運用 ❷は、「ごめんどう様ですが/ごめんどうをおかけしますが」などの形で相手に何かを依頼する時の手紙文や挨拶で、そのために負担をかけることを済まなく思う気持を込めた、前置きの言葉として用いられる。例、「ごめんどう様ですが、乗車券を拝見させていただきます」 **—くさ・い**[6]【—臭い】(形) めんどうだと感じて積極的にしようという気持になれない(出来ることなら避けたいと思う)様子だ。〔口頭語形は、「めんどくさい[5]」〕 派 **—さ**[5] **—げ**[6][7][0] **—が・る**[7] **—み**[0]【—見】 他人、特に後輩の結婚・就職などの斡旋を、めんどうがらずにすること。「—のよい人」

めんどおし[3]【面通(し)】—する(自サ) 事件の容疑者を関係者に見せて、犯人かどうかを確かめること。面割り[0]。

メントール[3]〔ド Menthol〕 ハッカの葉を水蒸気とともに蒸留して得られる無色・針状の結晶。よいかおりと清涼な味を持つ。菓子・医薬用に使う。薄荷脳[3]。メンソール[3]とも。

めんとり[0]【面取(り)】—する(自他サ) 面を取ること。また、野菜などの角を落とすこと。⇩めん㊃

めんどり[0]【《雌鳥》】 めすの鳥。↕おんどり 表記 ニワトリの場合は、「《雌《鶏》」とも書く。

めんない ちどり[5]【めんない千鳥】〔「めんない」は「目の無い」の変化〕子供の「目かくし(鬼)」の遊び。

めんネル[0]【綿ネル】〔←綿フランネル[4]〕 フランネルに似せた綿織物。

めんば[1]【面罵】—する(他サ) 面と向かってののしること。「—を浴びせる」

****メンバー**[1]〔member〕 Ⓐその組織・集団に属する人。「新プロジェクトの—に加える/構成—」 Ⓑ試合や競技会に出場する資格を得ている人。「両軍監督が—表を交換する」 Ⓒ顔ぶれ。参加者。「いつもの—が集まる」

めんぴ[1]【面皮】 (厚い)つらの皮。「—をはぐ〔=厚かましい相手をやりこめて、恥ずかしいという気持にさせる〕/鉄—」

メンヒル[1]〔ド Menhir〕 ヨーロッパ西部に多い、先史時代の巨石記念物の一つ。巨大な石をただ垂直に立てたもの。新石器時代の墓標とも考えられる。立石[0]。

めんビロード[4][3]【綿《天《鵞絨》》】 綿糸で作ったビロード。

めんぷ[1]【綿布】 綿糸で織った織物。もめんの布。

めんファスナー[3]【面ファスナー】 マジックテープの一般名称。重ね合わせるだけで布を止める、テープ式の仕掛け。

めんぷく[0]【綿服】 綿織物で作った衣服。

めんぺき[0]【面壁】 壁に向かって座禅すること。「—九年〔=達磨大師が九年間面壁して悟りを開いたこと〕」

めんぼう[0]【面貌】 「顔つき」の意の古風な表現。

めんぼう[0]【綿紡】 「綿糸紡績」の略。

めんぼう[1] ❶【綿棒】 耳・鼻などに薬を塗るために、先に綿を巻いた細い棒。 ❷【麺棒】 うどん・そばなどを作る時、こねた粉を押しのばす棒。 かぞえ方 ❶❷とも一本

めんぼお[0]【面頬】 ❶かぶとに付属し、顔の形に作って顔に当てる武具。 ❷〔剣道で〕顔や頭を守るためにかぶる

道具。面❸Ⓐ。

めんぼく [0]【面目】「めんもく」のやや改まった言い方。 **――しだい** [5]、[0]-[0]【――次第】〔「――も無い」の形で〕「めんぼく無い」の丁寧な言い方。「――もございません〔=かしこまってわびる言葉〕」 **――な・い** [5]【――無い】(形) 自分や自分の関係者のしたことが世間に恥ずべきこととして顔向けできないと思う気持だ。派 **――さ** [5] 文法 助動詞「そうだ(様態)」に続くときは「面目なさそうだ」の形になる。また「すぎる」と結びついて複合動詞をつくるときは「面目なさすぎる」の形になる。 運用 〔多く男性が〕相手の期待に応(コタ)えられない結果になった時などに、謝罪する言葉として用いることがある。「『一日で済ませると、あれだけ言ったじゃないか』『いやあ、めんぼくない』」

メンマ [1]〔中国・麺麻〕 麻竹(マチク)〔=中国産の竹の一種〕の筍(タケノコ)を加工した食品。中華料理に使う。しなちく。

***めんみつ** [0]【綿密】――な ――に 細かいところまで考えてあって、欠点・見落しなどが無いように見える様子だ。「――な計画/――に分析する」 派 **――さ** [0]

めんめん [3]【面々】 めいめい。おのおの。ひとりひとり。「重役の――」

めんめん [0]【綿々】――たる ――と どこまでも続いて絶えることのない様子だ。「――として尽きない恨み/――と△訴える(綴(ツヅ)る)」

めんもく [0]【面目】 ❶その人の顔つきやそのものを外から見た様子。「町は――を一新した」 ❷その人(の属する組織・団体)に与えられる世間の高い評価。「――を施す〔=評価を高めるような事をする〕/――にかかわる/――まるつぶれ/――躍如たるものがある/――を一新する〔=今までの評価をくつがえすような見事な事をやってのける〕/――を△保つ(失う)/――を立てる〔=高い評価を得る〕」 **――だま** [0]【――玉】「めんもく」のやや古風な表現。「――をつぶす」

めんよう [0]【面妖】――な 〔「名誉」の変化「めんよ」の長呼に基づく〕にわかには信じがたいほど△奇妙な(怪しい)様子だ。〔古風な表現〕「はて、――な/――な話」 派 **――さ** [3][0] 表記 「面妖」は、借字。

めんよう [0]【面容】「顔かたち」の意の漢語的表現。

めんよう [0]【綿羊・〈緬羊】 ヒツジの別名。 表記 もとの用字は、「〈緬羊」。 かぞえ方 一頭・一匹

めんるい [1]【麺類】 小麦粉・そば粉などで作った、細く長い食品、うどん・そば・きしめん・そうめんなどの総称。〔広義では、中華そば・スパゲッティなども含む〕

も…モ

も〔茂・〈摸・模〕→【字音語の造語成分】

も ■一(副助) ❶類似した事柄を列挙したり 同様の事柄がまだあることを言外に表わしたり する。「あなたが行けば、私も――行く/本――買った/菊――かおる季節/あれ――これ――と願う親心/海――山――人で一杯だ/雨――降るし、風――強い」 ❷(極端な場合を取り上げ)そのものが例外ではないということを表わす。「子供に――〔=さえ〕分かる/挨拶(アイサツ)――しない/猿――木から落ちる/どこ――満員だ/私で――出来ますか/何――無い/一つ――無い/一度――来ない」 ❸予期される程度を超えていたり 限界に達していたり することを表わす。「雨は三日――降り続いて、ようやくやんだ/何を思ったか、私に十万円――くれた/遅く(と)――三日で仕上げてくれ/高く(て)――一万円以上はしない」 ❹限界的な状況であったととらえることを表わす。「運悪く――見つかってしまった/惜しく――敗れた」 ❺その中が さらに幾つかの△部分(程度・段階)に分かれていることを表わす。「東京――〔=と言っても〕西の はずれ/二十世紀――〔=ではあるが〕初めのころ/北――北〔=同じ北とは言っても〕、北海道の果てだ/書き――書いたり〔=よくぞここまで書いたものだ〕、無慮十万枚/本と言って――ゾッキ本だ/学者に――いろんなタイプがある/店に――よりけりだ」 ❻そのものの場合を一応肯定することを表わす。「飯――飯だが〔=御飯を食べたいのは山やまだが〕、まず酒だ/子供――子供だが〔=子供の方にも それなりに問題はあるが〕、親――親だ〔=親の方も負けず劣らず どうかしている〕」 文法 ❶は、体言(名詞、またそれに準ずる句)、用言・助動詞「れる/られる・せる/させる」の連用形、格助詞(「が」を除く)に接続する。❷は、体言(名詞、またそれに準ずる句)、副詞、用言・助動詞「れる/られる・せる/させる」の連用形、格助詞(「が」を除く)、副助詞「さえ」「まで」などに接続する。❸は、体言(名詞、またそれに準ずる句)、副詞(数量や程度の語)、形容詞連用形、助詞「と」「て」に接続する。❹は、情意や評価を表わす形容詞・形容動詞の連用形に接続する。❺は、体言(名詞、またそれに準ずる句)、活用語の連用形に接続する。❻は、体言(名詞、またそれに準ずる句)、形容動詞語幹に接続する。❶❷で、動詞・助動詞「れる/られる・せる/させる」の連用形につく場合には「…も△する(しない)」、形容詞・形容動詞の連用形につく場合には「…も△ある(ない)」の形となる。 ■二(接助)〔やや古風な表現〕前件から予測される事態とは対照的な結果と結びつけることを表わす。「提案する――賛同を得られず/連絡する――応答なし」 文法 動詞、助動詞「れる/られる・せる/させる」の終止・連体形に接続する。

も [0](副)「もう■二」の口語的表現。「――一つ [0]」

も [1]【《面】〔雅〕〔「おもて」の意の「おも」の省略形〕表面。「水(ミ)の――/此(コノモ)――彼(カノモ)――〔=こちら側とあちら側〕/川――」

も [0]【喪】 死んだ人の身内の人が、ある期間、他との公的な交際を避けること。「――に服する/――〔=喪の期間〕が明ける/――を発する〔=(身内の)人が死んだことを公表する〕/――を秘する〔=事情があって、喪を発しない方針をとる〕」

も [0]【〈裳】 昔、貴族が正装の時に袴(ハカマ)の上につけた衣。〔狭義では、女子のそれを指す。後方につけるのが特徴〕

も [0]【藻】 水草・海藻の総称。藻草。〔花の咲くものは含まない〕

モアレ [1]〔フ moiré〕 ❶規則正しく繰り返す模様を重ね合わせた時に干渉によって生じる斑紋(ハンモン)。 ❷見る方向により木目の模様のあらわれる織物。

モイスチャー [1][2][0]〔moisture〕 湿気。水分。「――クリーム [7]」

もう〔亡・毛・妄・〈孟・盲・耗・望・猛・〈蒙・網〕→【字音語の造語成分】

***もう** ■一 [1](副) 現時点ですでにその△状態(時期)になっている様子。「会場は――いっぱいだ/今からでは――おそい/――ここには居ません/――正午か/――来るだろう/――だまってはいられない/――これ以上はごめんだ」 文法 「宴会はもう始まっていた」に対する「宴会はまだ始まっていなかった」などのように、問題とする状態や時期などに達していない状況を表わす場合には、一般に「(い)まだ」が用いられる。 ■二 [0](副)〔「今■二」の変化形「ま」の長呼形「まう」の変化〕現在の状態にさらに同種のものを加える(必要がある)様子。「水を――一杯ください/――片方のくつ下が見つからない/何か――一つ足りない/――すぐ春です」 ■三 [1](感) それ以上 何と言おうとも、そのひどさを表わしきれるものではないと、痛切に感じたときに発する語。「天気は――ひどいもんでしたよ/――おもしろいったらなかった/全く――

もう①【〈蒙】知識が無く、道理にくらいこと。「—をひらく/—味・愚—・啓—・訓—」⇩【造語成分】〔=あきれはてものを言う気も起きない〕/あきれたな—」

もうあ①【盲〈唖】視力が極端に弱っていたり言葉を発することが著しく困難であったりする身体障害。

もうあい⓪【盲愛】—する(他サ)その子の将来がどうなるかも考えず、むやみにかわいがること。盲目的な愛。

もうあく⓪【猛悪】—な 乱暴で、悪い事を平気でする様子だ。

もうい①【猛威】〔人間の社会生活を脅かす〕ものすごい力。「△台風(インフルエンザ)が—を振るう」

もうう①【猛雨】激しく降る雨。

もうお⓪【藻魚】藻が茂った所にすむ魚類。例、メバル。

もうか①【〈孟夏】〔昔の本の序文や刊記などで〕夏の初め。〔陰暦では四月を指す〕

もうか①【猛火】激しく燃える火。〔古くは「みょうか」〕

もうがっこう③【盲学校】視覚障害者に対し、普通教育を行なうとともに その障害に適した特別な学芸・技能を教える学校。〔二〇〇七年、特別支援学校に再編〕⇩特別支援教育

*もうか・る③【〈儲(か)る】(自五)〈(なにデ)—〉結果として、儲けた状態になる。利益になる。「金が—商売」

もうかん⓪【毛管】❶細いガラス管。毛細管。「—現象」❷動脈と静脈との間にあって全身に分布する、微細な血管。毛細血管。

もうかん⓪【盲官】昔、盲人で琵琶などの音楽や按摩・鍼などで生計を立てた者に対して与えられた官名。検校・勾当・座頭などの区分があった。

もうかんじゅうそう⑤【盲管銃創】当たった弾丸が突き抜けずに からだの中にとどまっているたまきず。↕貫通銃創

もうき①【盲亀】目の見えないカメ。【—の浮木】①-⓪百年に一度しか水面に浮上しないという目の見えない亀が、たまたまそこを漂っていた浮き木の穴に頭を入れるという故事から、めったに出会えないことのたとえ。浮き木の亀。「—、うどんげの花」

もうき①【〈濛気】一面にたちこめる、霧や もやなどの細かい水気。[表記]「〈朦気」とも書く。

もうきん⓪【猛〈禽】大形で速く飛び、鋭いくちばしとつめを持ち、小鳥や小動物を捕食する鳥。例、ワシ・タカなど。猛鳥。「—類③」

もうけ③【設け】特に準備しておくこと。「—の席に着く/特別席の—〔=用意〕は無い」

もうけ【〈儲(け)】■③△儲けること(儲けたもの)。とく。利益。「—を山分けする/ぼろ—をねらう/大—・まる—」■(造語) 動詞「儲ける」の連用形。「—頭④・—物⓪〔=思いがけなく利益となったもの〕」—ぐち③⓪【—口】金儲けの機会や、そのための仕事。

もうげき⓪【猛撃】—する(他サ) 激しい攻撃(をすること)。「—を加える」

**もう・ける③【設ける】(他下一)❶〈(どこニ)なにヲ—〉(前もって準備して)その機会を作る。「一席—〔=客を酒食の席に招待する〕/思い—・待ち—」❷〈(どこ・なにニ)なにヲ—〉何かを運営するために、必要な施設・組織・基準などを作る。「事務所を—〔=開設する〕/口実を設けて〔=作って〕断わる/条件を—/△委員会(機関・制度)を—〔=設立する〕/△ガイドライン(枠・規定・制限・特例)を—」

**もう・ける③【〈儲ける】(他下一)❶〈(なにデ)なにヲ—〉働いたり お金を動かしたり した結果として、必要経費を差し引いてなお何か有用なものをあとに残す。利益を上げる。「骨を折って儲けた金/一日—〔=何かに使える一日が浮く〕」❷(何かをした結果)有利な立場に立つ。「一番儲けたのはあいつだ」❸〈だれヲ—〉〔結婚して〕子を得る。「一男一女を—」〔⇩儲け■〕

もうけん⓪【猛犬】性質が乱暴で、人に危害を加えるおそれのある犬。

もうげん⓪【妄言】事実・論理に合わない、でたらめな言葉。「ぼうげん」とも。

もうこ①【猛虎】性質の荒あらしいトラ。

もうご⓪①【妄語】〔仏教で〕うそをつくこと。「—戒③」

もうこう⓪【猛攻】—する(他サ) 激しい攻撃(をすること)。「—を△受ける(加える)/—に屈する」

もうこはん③【〈蒙古斑】黄色人種の子供の尻などに見られる、青黒いあざ。七、八歳までとれない。児斑。

もうこん⓪【毛根】生えている毛の、表皮より内側にある部分。

もうさいかん⓪【毛細管】⇩毛管❶

もうさいけっかん⑤【毛細血管】⇩毛管❷

もうし①【申(し)】(感)〔各地の方言〕〔「申し上げます」の圧縮表現〕人に呼びかける時の丁寧な言い方。

もうし⓪【〈孟子】❶中国戦国時代〔=前四〇三～前二二一〕の思想的指導者。孔子のあとをついで、その説を発展させた。❷四書の一つ。「孟子❶」の著書の名。〔❷は、かつて「もうじ」とも〕

もうしあい⓪【申(し)合(い)】〔すもうで〕一定の水準以上の力士どうしが稽古をすること。〔部屋どうしの合同稽古をも指す〕

もうしあ・げる⑤【申(し)上げる】(他下一)「申す■❶」より立場が上の者への高い敬意をこめた謙譲語。「—ことは以上です/ご来店をお待ち申し上げます/厚く御礼申し上げます」

もうしあわせ⓪【申(し)合(わ)せ】〔規則までには ならないが〕話し合って決めた約束。「—事項⑦」[動]申し合わせる⑥(他下一)

もうしいで⓪【申(し)《出(で)】「もうしで」の古風な表現。

もうしい・れる⑤【申(し)入れる】(他下一) 意見・希望・要求などを、△おおやけ(正式)に申し出る。「行政に改善を—」[名]申し入れ⓪

もうしう・ける⑤【申(し)受ける】(他下一)「受ける」「受け取る」「依頼される」の謙譲語。「ご注文を申し受けます/実費を申し受けます」

もうしおくり⓪【申(し)送(り)】❶相手へ言ってやること。❷事務・命令などの内容を次の者に言い伝えること。「—事項」[動]申し送る⑤⓪(他五)

もうしおく・れる⑥⓪【申(し)遅れる】(自下一)「もっと早くに言うべきことを時機を逸した今になって言う」意の謙譲語。「申し遅れましたが、わたくし山田と申します」

もうしか・ねる⑤【申(し)兼ねる】(他下一)「言い兼ねる」の謙譲語。「私の口からは申し兼ねますが」[表記]「申し後れる」とも書く。

もうじき⓪【もう直】(副) その時点から何かが実現するに至るまでの時間が、ほんの少しである様子。「その書類は—仕上がります/先生は—お見えになります」

もうしきか・せる⑥⓪【申(し)聞(か)せる】(他下一)「(立場の上の人の意を受けて)言い聞かせる」意の謙譲語。申し聞かす⑤⓪(五)。

もうしき・ける⑤⓪【申(し)聞ける】(他下一)「申し聞かせる」の古風な表現。

もうしご③【申(し)子】神仏に祈って授けられた子。

〔俗に誤って「落とし子」の意に使われる。例、「暴走族は現代文明の鬼子か―か」〕

もうしこし [0]【申(し)越(し)】 手紙・使いなどを通じて言ってよこすこと。「お―の通り」

もうしこ・す [4][0]【申(し)越す】(他五) 手紙・使いなどを通じて他から言ってよこす。また、こちらから他へ言い送る。

もうしこみ [0]【申(し)込(み)】 申し込むこと。「―を受ける/―書[6][0]」

***もうしこ・む** [4]【申(し)込む】(他五)〈だれ・なにニなにヲ―〉 相手が応じることを期待して、申し出る。「△結婚(試合・寄付・苦情)を―」

もうしそ・える [5][0]【申(し)添える】(他下一) 「言い添える」の謙譲語。「最後に一言申し添えます」

もうした・てる [5]【申(し)立てる】(他下一) 裁判所などに対して、また立場の上の人などに対して、自分の意見を主張する。「異議を―」 名申し立て[0]「法廷での―」

もうしつぎ [0]【申(し)継(ぎ)】 当番の交替や仕事の引継ぎなどの際に、それまでの勤務時に気づいた事や今後注意すべき事などを口頭で伝えること。 動申し継ぐ[4][0](他五)

もうしつ・ける [5]【申(し)付ける】(他下一) 〔立場の上の人が下の者に〕用を言いつける。「なんなりとお申し付けください」 名申し付け[0]

***もうし・でる** [4]【申(し)出る】(他下一)〈だれ・なにニなにヲ―〉 自分にそういう意志・意見や希望・要求があることを、△立場の上の人(関係当局の者)に正式に伝達する。「会社側の提案に応じ、希望退職を―/密入国者が関係機関に難民としての申請を申し出た」 名申し出[0]

もうしの・べる [5]【申(し)述べる】(他下一) 「事柄の内容を口頭で伝える」意の謙譲語。

もうしひらき [0]【申(し)開(き)】 そう△せざる(ならざる)をえなかった理由や事情を説明すること。「―が出来ない/―をする」 動申し開く[5][0](他五)

もうしぶみ [0][3]【申(し)文】 王朝時代、官庁に上申した文書の称。

もうしぶん [0]【申(し)分】 その物事に対して批判すべき点や注文をつけたいと思う点。「先方の―〔=意見・不平不満や言いわけなど〕を聞く/―無い〔=非難すべき点が無い。よく出来ている〕」

もうしゃ [1]【盲者】 ⇩盲人

もうしゃ [1][0]【猛射】―する(他サ) 激しく射撃すること。

もうじゃ [1]【亡者】 △死んだ(死んで、成仏出来ないでいる)人。〔金銭欲などの執念にとりつかれている人の意にも用いられる。例、「我利我利―」〕

もうしゅう [0]【妄執】 迷いの心から起こる執念。妄念。「修羅の―」

もうしゅう [0]【〈孟秋】 〔昔の本の序文や刊記などで〕秋の初め。〔陰暦では七月を指す〕

もうしゅう [0]【猛襲】―する(他サ) 激しい襲撃(を加えること)。

もうじゅう [0]【盲従】―する(自サ) いい悪いの区別無く、ただ相手の言う通りになること。

もうじゅう [0]【猛獣】 大形で速く行動し、他の動物を好んで食うけもの。

もうしゅん [0]【〈孟春】 〔昔の本の序文や刊記などで〕春の初め。〔陰暦では正月を指す〕

もうしょ [1]【猛暑】 〔真夏の〕激しい暑さ。 **―び** [3]【―日】 一日の最高気温がセ氏三五度を超える日の称。

もうしょう [0]【猛将】 強い△大将(選手)。

もうじょう [0]【網状】 網の目のような△形(状態)。「―膜[3]」

もうしわけ [0]【申(し)訳】 ❶自分の犯した誤り・失敗などについて相手に申し開きをすること。また、その言葉。「当方の手違いです。―のいたしようもございません/そんなことで―が立つと思うか」 ❷〔多く「―ばかり」の形で〕形式的にそうしたというだけで、実質を伴っていないこと。〔自分の行為に対する謙遜や他人に対する侮蔑や皮肉を含意する〕「―ばかりのお礼の品を送る/―程度の謝罪ではかえって不愉快だ」 表記「申し分け」とも書く。

【―(が)無い】 自分のことで相手に負担をかけたことに対する△謝罪(感謝)の気持を表わす語。「約束を守れず―ことをした/ごめんどうをおかけして申し訳無く存じます/おみやげまでご用意いただき申し訳ありません」 文法 助動詞「そうだ(様態)」に続くときは「申し訳なさそうだ」の形になる。また「すぎる」と結びついて複合動詞をつくるときは「申し訳なさすぎる」の形になる。

もうしわた・す [5][0]【申(し)渡す】(他五) 「言い渡す」

も

[茂] 草がしげる。「繁茂」

[〈摸] 本物の通りに作る。似せる。「摸造・臨摸」 表記「模」とも書く。

[模] ❶手本。「模範・模様・模型」 ❷⇩摸

もう

[亡] ❶しぬ。なくなる。「亡者」 ❷うしなう。なくする。「損亡」⇩ぼう

[毛] [一]❶け(のように細いもの)。「毛髪・毛布・毛筆・毛細管・純毛・羽毛・繊毛・旋毛」 ❷作物が出来ること。「不毛・二毛作」 ❸一厘の十分の一を表わす。Ⓐ通貨の単位。百分の一銭に等しい。Ⓑ割合の単位。全体を一とした時の一万分の一に等しい。Ⓒ尺貫法における長さの単位。千分の一寸〔=約〇・〇三ミリメートル〕に等しい。Ⓓ尺貫法における質量の単位。千分の一匁〔=三・七五ミリグラム〕に等しい。 [二](略) 羊毛。「再生毛」

[妄] ❶節度・常軌を超えてする。むやみ(やたら)。「妄想・妄動・妄信・妄念」 ❷でたらめ。「妄言・妄語・虚妄」

[〈孟] [一]初め。「孟春・孟夏」〔もと、長子の意〕 [二](略) 孟子。「孟母・孔孟」

[盲] ❶目が見えない(人)。「盲目・群盲・全盲」 ❷(わけも分からず)むやみにする。「盲爆・盲進」 ❸色盲。「紅緑盲」 ❹先がふさがっている。「盲腸・盲管銃創」

[耗] すり減る。使ってへらす。「消耗・損耗・減耗・摩耗」

[望] のぞむ。のぞみ。「所望・大望・本望」⇩ぼう

[猛] 勢いが激しい。「猛烈・猛進・猛威・猛雨・猛火・勇猛・獰猛」

[〈蒙] [一]かぶる。「蒙塵」 [二](略) 蒙古。「外蒙」 ⇩(本文)もう【蒙】

[網] あみ(の目のようにはりめぐらしたもの)。「網膜・網羅・魚網・天網・法網・通信網・鉄条網・鉄道網・放送網」

の荘重な言い方。「刑を―」 名 申し渡し[0]

もうォしん[0]【妄信・盲信】―する(他サ) わけも分からずに、ただ信じこむこと。

もうォしん[0]―する(自サ) [一]【盲進】 向こう見ずに進むこと。 [二]【猛進】 積極的に前進すること。「猪突―」

もうォじん[0]【盲人】 視力に障害のある人。盲者。

もうォじん[0]【〈蒙塵〉】―する(自サ) 〔塵をかぶる意〕昔、天子が難を避けて御所の外に逃げること。

もうォ・す【申す】 [一][1](他五) ❶「言う」「語る」「告げる」「唱える」など、ことばによる表現行為を表わす△謙譲(丁寧)語。「いまさら―に及ばず/わたくし山田と申します/一言申したく存じます」 ❷〔一般に、「申し…」と複合語の形で。神仏や支配者、立場の上の人に〕何かを△願う(望む)意を表わす。「希望者は早めに申し出ること/兄の子を養子に申し受ける」 [二]〔「お＋動詞連用形＋―」などの形で、接尾語的に〕「する」の意の謙譲表現となる。いたす。「お願い申します/ご案内申しましょう」 運用 [一]❶は、尊敬の助動詞「れる」を添えた「申される」を、当の相手に向かって「あなた様が申されましたように」などと尊敬表現として用いる向きもあるが、謙譲語「申す」に尊敬の助動詞を添えても尊敬表現にはならないとされる。

もうォすぐ[3]【もう《直ぐ》】(副) 何かがあってから次のことが行なわれるまでに、ほんの少しの時間である様子。「―△客(夏)が来る」

もうォせい[0]【猛省】―する(他サ) 深く反省すること。「―を△促す(求める)」

もうォせつ[0]【妄説】 全く根拠の無い、でたらめな説。「ぼうせつ」とも。

もうォせん[3][0]【毛〈氈〉】 毛と綿を交ぜて加工し、厚い織物のようにしたもの。敷物用。フェルト。 かぞえ方 一枚

もうォぜん[0]【猛然】―たる ―と 勢いの激しい様子だ。「―と突進する/敵に―と襲いかかる」

もうォそう[0]【妄想・盲想】―する(他サ) 〔仏教語としては、「もうぞう」〕 ❶あれこれと想像したことを事実であるかのごとくに堅く信じてしまう心的傾向。「誇大―・被害―」 ❷夢想❷。 表記「盲」は、代用字。

もうォそう[0]【〈孟宗〉】〔←孟宗竹[3]〕幹が太く、節と節の間が短いタケの名。幹は器具材用、たけのこは食用、その皮は草履などに使う。〔イネ科〕 かぞえ方 一本

もうォだ[1]【猛打】―する(他サ) 相手に二度と立ち直れないほどの強烈な打撃を(繰り返し)加えること。特に、野球で、得点につながるヒットを連発して相手投手を打ちくずすこと。

もうォたん[0]【妄誕】―な 話などがでたらめな△こと(様子)。「ぼうたん」とも。

もうォだん[0]【妄断】―する(他サ) これといって根拠のないひとりよがりな△判断(断定)をすること。「ぼうだん」とも。

もうォちょう[1]【盲腸】 ❶大腸の始まる部分〔=多く右腹の下〕にある、腸の一部。 ❷盲腸の下部にある虫垂(の炎症〔=盲腸炎[3][0]〕)。

もうォちょう[0]【猛鳥】 ⇩猛禽

もうォつい[0]【猛追】―する(自サ) 激しい勢いで敵や競技の相手(チーム)を追い上げること。「敵の―を何とかかわす」

もうォ・でる[3]【詣でる】(自他下一) 神社・寺・墓所などにお参りする。 名 詣で[3][1]「初―・神―」

もうォてん[1]【盲点】 ❶網膜に入り込む、視神経の元の部分。物が見えない所。 ❷細心の注意を払ったつもりでも見落とされがちな(不都合な)部分。「△法律(警備)の―を衝く/日本経済の―」

もうォとう[0]【毛頭】(副) 〔「毛の先ほども」の意〕〔否定表現と呼応して〕そのような(気持や考えをいだく)可能性はほんの少しも無いと断言する様子。「―疑い無い」 運用 自分の言動を相手が誤解することを避けるための弁明としても用いられる。例、「君をだますつもりは毛頭無かった」

もうォとう[0]【〈孟冬〉】〔昔の本の序文や刊記などで〕冬の初め。〔陰暦では十月を指す〕

もうォどう[0]【妄動・盲動】―する(自サ) 前後の考えなしに、軽がるしく行動すること。「軽挙―を慎む」 表記「盲動」は、代用字。

もうォどう[0]【〈艨艟〉】〔もと、細長い形の戦闘用の船で、敵船に体当りして沈めるものを指した〕明治時代、軍艦の称。

もうォどうけん[0]【盲導犬】 視覚障害者の道案内や介助をするように特別訓練を受けた犬。 かぞえ方 一頭

もうォどく[0]【猛毒】 生命に危険を与える作用を持つ、激しい毒。

もうォねん[0][1]【妄念】 妄執。

もうォのう[0]【毛〈嚢〉】 毛根を包む、嚢状の部分。毛包[0]。

もうォばく[0]【盲爆】―する(他サ) 目標の定まらないままでたらめに爆撃すること。

もうォばく[0]【猛爆】―する(他サ) 激しい爆撃(をすること)。

もうォはつ[0]【毛髪】「髪の毛」の意の漢語的表現。「―湿度計[0]」

もうォひつ[0]【毛筆】 獣の毛を束にして作ったふで。また、それで書かれたもの。「―の手紙/―画[0]・―書写[5]」↔硬筆 かぞえ方 一本：一管・一茎・一穂

もうォひょう[0]【妄評】―する(他サ) 見当違いの批評。「ぼうひょう」とも。「―△多罪(多謝)〔=私の批評がもしまちがいであったらお許し下さい〕」

***もうォふ**[1]【毛布】 厚い地の毛織物。寝具などに使う。〔混紡糸・化学繊維などを用いたものもある〕 かぞえ方 一枚

もうォふぶき[3]【猛〈吹雪〉】 猛烈な吹雪。暴風雪。「―に見舞われる」 表記 ⇩付表「吹雪」

もうォぼ[1]【〈孟母〉】 孟子の母。代表的な賢母とする伝説がある。 【―三遷の教え】 孟子の母は初め墓場のそばにあった住居を教育環境に不適として次に市場の近くに、三度目に学校の前に移したという。教育には環境が大事であるという教え。「孟母三遷[1]-[0]」とも。 【―断機の教え】 孟子の母が機織り中の織物を切って、中途で学問をやめようとしていた孟子をいさめたという故事。「孟母断機[1]-[1]」とも。

もうォまい[0]【〈蒙昧〉】―な 知識が十分でなくて、物の道理が分からない△こと(様子)。「無知―〔=知識・判断力を全く欠如していること〕の輩」 派 ―さ[0]

もうォまく[0][1]【網膜】 眼球の奥の壁にあって視神経が分布している膜。 **―はくり**[5]【―剝離】 強度の近視眼の人がなりやすい病気。網膜がその下の膜からはがれて、両者の間に水がたまり、視野に白い膜がかかり視力が衰える。

もうォもう[0]【〈濛々〉】―たる ―と 霧・煙・ほこりなどがたちこめて、見通しが悪くなる様子だ。 表記「〈朦々〉」とも書く。

もうォもく[0]【盲目】 目が見えない(のと同じ)状態。「―のピアニスト」 **―てき**[0]【―的】―な ―に 当面する事態を批判的・客観的に見ることが全く出来ないままに行動する様子だ。「権威の説に―に従う/―な情熱/―愛情」

もうォゆう[0]【猛勇】―な 荒あらしく勇ましい△こと(様子)。「―をもって鳴る/―な将軍」

もうォら[1]【網羅】―する(他サ) 〔「網」は魚を取るあみ、「羅」は鳥を取るあみの意〕関係のあるものを残らず集め尽

も

くすこと。「関連資料を―する/―的⓪」

もうりょう⓪（マウリヤウ）【〈魍魎〉】 古代人がその存在を信じていた、山・川や木・石の精。「魑魅(チミ)―」 表記 「〈罔両〉」とも書く。

もうれつ⓪（マウレツ）【猛烈】―な/―に 勢い・程度が普通の状態をひどく超えている様子だ。「―なタックル/―社員⑤」 派 ―さ⓪

もうろう⓪【〈朦朧〉】―たる/―と もやもやとしていて、△正体（実体）がよくつかめない様子だ。「記憶が―とする/意識―①-⓪・酔眼―⓪-⓪〔=正体なく酔っている形容〕・―〔=相手次第で不当な料金を要求する〕タクシー⑤」

もうろく①【〈耄碌〉】―する（自サ） 〔「耄」は、平均寿命が五十歳のころの八十、九十歳の意。「碌」は役に立たない意〕 年をとった結果、思考力・記憶力などがひどく悪くなること。〔自嘲(ジチヨウ)、また、他者に対しては軽い侮蔑(ブベツ)を含意して用いられることがある〕

もえ⓪【〈萌え〉】 ある人物やものに対して、深い思いが芽生えることを言う若者言葉。⇩もえる❷❶

もえ⓪【燃(え)】 燃える△こと（ぐあい）。「―がいい」

もえあが・る④【燃(え)上(が)る】（自五） 燃えて、炎が高く上がる。〔（一時的に）特定の△感情（状態）が強まる意にも用いられる。例、「批判の火が―」〕

もえがら⓪【燃(え)殻】 燃えたあとに残った殻。「石炭の―」

もえぎ⓪【〈萌葱〉・〈萌黄〉】〔萌え出たばかりのネギの色の意〕青と黄の間の色。「―色(イロ)⓪」

もえくさ⓪【燃(え)《種】 火を△燃やす（燃えつかせる）ための材料。

もえさか・る④【燃(え)盛る】（自五） 盛んに燃える。〔ある種の感情が激しく高まる意にも用いられる〕「―火の手」

もえさし⓪【燃(え)差(し)】〔「さし」は中止する意味の動詞「さ（止）す」の連用形の名詞用法〕火をつけたものが、最後まで燃えずに一部残ったもの。「マッチの―/たばこの―」

もえだ・す③【燃(え)出す】（自五） くすぶっていたものが炎をあげて燃え始める。

もえた・つ③【燃(え)立つ】（自五） ❶火がついて、一気に炎をあげて燃える。❷ある感情が、激しく湧(ワ)き起こり盛んになる。「△復讐(フクシュウ)の念（怒り）に―」

もえつ・きる④【燃(え)尽きる】（自上一） 燃料となるものが燃えてすっかりなくなる。〔仕事などに全精力を使い果たし、さらに何かをしようとする気力を失う意にも用いる〕

もえつ・く③【燃(え)付く】（自五） 何かに火が付いて燃える。

もえ・でる③【〈萌(え)出る】（自下一） 草や木の芽が出る。「草木の―春」

もえのこり⓪【燃(え)残(り)】 完全に燃えきれないで残ったもの。 動 燃え残る④（自五）

**も・える ⓪（自下一） ❶【燃える】 ❶火がついて、赤熱したり炎を出したりなどする。その結果、あとに何もとどめなくなったり灰を残すのみとなったりする。〔広義では、核△融合（分裂）反応を起こすことをも指す〕「―ごみ、燃えないごみを分別(ブンベツ)する/家が―〔=火事になる〕/―炎の中から子供を救出する/かげろうが―〔=ゆらゆらと立ちのぼる〕/火の手が燃え広がる」⇩焼ける・焦げる ❷〈なにニ〉―〉 その感情が一気に高まって強く心を支配し、積極的な気持になる。「―思い/△向学心（意気・使命感）に―/怒りに―〔=怒りの感情に心の平静がすっかり失われる〕」 ❷【〈萌える〉】 ❶若芽が出て伸びる。「若草―春の野/新緑△に（が）―」 ❷〔俗に〕「もえ」の状態になる。 表記 ❷の一部の用法は、「燃える」とも書く。

もおか①（マヲカ）【《真岡】〔↑もおかもめん④〕 栃木県真岡地方から産する、丈夫なもめんの織物。

モーグル①⓪〔mogul〕 フリースタイル スキーの競技種目の一つ。こぶのように凹凸のある斜面を滑り、途中でジャンプして空中演技を行なう。滑走技術・演技・滑走時間の得点によって競う。

モーゲージ③①〔mortgage〕 抵当（権）。モアゲージ③とも。

モーション①〔motion〕 身体部位のちょっとした動き（によって知られる、主体の意思表示・行動予告や、気分のぐあい）。「走者に投球―を簡単に盗まれる/―が大きくなっている/―を起こす/―をかける〔=ⓐ他人に働きかける。ⓑ異性などに色目を使う〕/スロ――」「ゼネラル―」

モーゼル①〔Mauser=人名〕〔↑モーゼル銃④〕 遠距離用の連発銃。

*__モーター__①⓪〔motor〕 ❶電動機。❷発動機。❸〔↑motorcar〕 自動車。 **―サイクル**⑤〔motorcycle〕⇩オートバイ **―ショー**⑤③〔motor show〕 各社の新型車などを一堂に集めて催される展示会。 **―バイク**⑤〔motorbike〕 小型のガソリン エンジンを取りつけた自転車。略してバイク。 かぞえ方 一台 **―プール**⑤〔motor pool〕 駐車場。 **―ボート**⑤〔motorboat〕 発動機で走る快速船。自動艇⓪。「―レース⑧」 かぞえ方 一隻(イッセキ)

モータリゼーション⑤〔motorization〕 生活必需品としての自動車の（異常な）普及。

モーテル①〔motel=motor と hotel の混交〕 自動車旅行をする人のための、車庫つきの簡易ホテル。モテルとも。〔日本では、車ごと入れる連込み旅館を指す〕

モード①⓪〔フ mode〕 流行（の様式）。「トップ―・ニュー―」

モーニング①〔morning〕 ❶朝。午前。「―ショー」 ❷モーニング コートの略。 ❸モーニング サービスの略。 **―カップ**⑥〔morning cup〕 朝食で、ミルクなどを飲むのに用いる、大きめのカップ。 **―コート**⑥〔morning coat〕 男子が着る（昼間の）礼服の上着。黒無地で、前すそは斜めに切れ、うしろに長い。組み合わせるズボンは黒とグレーの縦じま。略してモーニング。 **―コール**⑥〔morning call〕 ホテルなどで、指定した時刻に電話で起こしてもらうこと。 **―サービス**⑥〔和製英語 ←morning + service〕〔喫茶店などで〕開店から午前中の一定時刻まで、他の時間帯よりも割安料金の商品を提供すること。略してモーニング。

モーラ①〔ラ mora=等時的なリズムの単位、モラ①〕⇩拍

モール①⓪〔mall〕 ❶大型の並木道。 ❷ショッピングモールの略。

モール①⓪〔オ moor ←インドの地名 Mogol〕 ❶もと、インドで作られた浮き織の毛織物。どんすに似ている。「金―・銀―」 ❷商店の飾りなどに使う、色糸やビニールなどで毛の立ったようにしたひも。 かぞえ方 ❶は一枚。❷は一本

モールス ふごう⑤―（ガウ）【モールス符号】〔Morse=人名〕 電信に使う符号の一つ。長短二種の符号を組み合わせて送る。トンツー③①。

モカ①〔↑Mocha coffee〕 コーヒーの代表的な品種の一つ。独特の香りを持つ。〔イエメンのモカ港から輸出されたことによる命名〕

もが・く②【〈踠く〉】（自五） ❶苦痛や束縛からのがれたいと、手足をばたばたさせたりからだをくねらせたりする。 ❷当面する問題を何とか処理したいと、好ましい結果が得られる当てもないままに、あれこれやってみる。「今になっていくらもがいても始まらない」

もがな（終助）〔雅〕そうであることを希望する意を表わす。「世の中に避(サ)らぬ別れの無く―」〔願望を表わす終助詞「が」に終助詞「な」がついたものから。上代「もがも」にかわり

中古以降に用いられた。「もがな」は「も-がな」と意識されたことから「がな」が切り離されて広く用いられるようになったという〕⇩あらずもがな・いわずもがな・なくもがな

もがり⓪〔「言掛かりをつける」意の文語動詞「もがる」の連用形の名詞用法〕ゆすり。

もがり⓪③【〈虎落〉】〔雅〕❶竹を筋違いに組んで作ったさく。❷物干しに使う、枝の付いた竹。表記「〈虎落〉」は、割り竹を組んで作った垣の、中国での称。 **―ぶえ**④③【―笛】強い冬の北風が竹垣やさくに吹きあたって鳴る、笛のような音。

もがり⓪【〈殯〉】〔雅〕昔、貴人の死体を葬る前に、棺に納めてしばらく安置した△こと(時に行なう儀式)。あらき①。

もぎ①【模擬・〈摸擬〉】本物になぞらえてやってみること。「―実験・―試験・―国会③」表記本来は、「〈摸擬〉」。 **―しけん**③④【―試験】入学試験や資格試験をこれから受けようとする人を対象にして、実際の試験の形式や内容を予想して行なう試験。 **―てん**⓪②【―店】バザー・園遊会・学園祭などで屋台店の形で飲食物を出す所。

もぎどう②【《没義道》】(ダウ)―な ―に 人情を全く△無視して(理解しないで)事を行なう様子だ。

もぎと・る③⓪【〈捥取る〉】(他五) △もぎって(もぐようにして)取る。「リンゴを枝から―/一勝を―〔=大変な努力の結果、手に入れる〕」

もぎり【〈捥り〉】❶③もぎること。❷①劇場・映画館などの入口で、入場券の一部をもぎ取って渡す人。

もぎ・る②【〈捥る〉】(他五) 手でつかんだ何かの一部分を、引っぱったりねじったりして、取る。もぐ。「半券を―」

もぎ・れる③【〈捥れる〉】(自下一) ねじれて取れる。

もく(木・目・黙)→【字音語の造語成分】

もく⓪① たばこ。〔江戸時代からの隠語〕「―拾い③・洋―」

もく⓪①【木】❶き。「古い―/―材・樹―」❷「木目」の略。「―がいい/うずら―」⇩【造語成分】

もく①【目】❶もく(木)❷。❷分類した小さな区分。〔予算編成では、節の上、項の下を指す〕「項―・細―」❸生物分類上の一段階を成す区分で、共通の特徴を持つ幾つかの「科❷」を合わせたもの。〔綱(コウ)の下位区分で、慣用では「類」〕❹〔古〕いくつか並び称せられるものの一つひとつ。⇩【造語成分】もく・ぼく

も・ぐ①【〈捥ぐ〉】(他五) ❶本体から分かれ出ている部分を、付け根の所から引っぱったりねじったりして、取り離す。「リンゴを―/ナシもぎ」❷もぎる。「入場券を―」

もくあみ⓪【木〈阿《弥・〈杢阿〉《弥】木阿弥は人名。【元(もと)の―】⇩もと(元)❷

もくぎょ①【木魚】読経(ドキョウ)の時にたたく、木製の仏具。魚のうろこの形が彫り付けてあり、球に近い形で中空。

もくぐう⓪【木偶】木で作った人形。でく。

もくげい⓪【目迎】―する(他サ)〔威儀を正して〕その人が来るのを注目して迎える△こと(礼)。「―目送⓪-⓪」

もくげき⓪【目撃】―する(他サ) 何かが起こったのを実際にその場で見ること。「―者④③」

もくげき⓪【黙劇】〔言葉を使わないで〕踊り・身ぶり・表情だけで事柄や感情を表現する劇。パントマイム。

もくざ①【黙座・黙〈坐〉】―する(自サ) 無言ですわっていること。表記もとは、「黙〈坐〉」。

もぐさ⓪【〈艾〉】〔「燃え草」の意という〕干したヨモギの葉の裏にある毛を集めて作った、綿状の物。灸(キュウ)に使う。

もぐさ⓪【藻草】⇩藻

もくざい②⓪【木材】〔鉄材・石材などと違って〕建築や器具の材料としての木。「―パルプ⑤」

もくさく⓪【木柵】木の柵。

もくさく⓪【木酢・木〈醋〉】木材を乾留して得る酢酸。防腐剤などにする。「―液」

もくさつ⓪【黙殺】―する(他サ)〔「黙」は無の意、「殺」は強めの言葉〕〔他人の発言・行動などを〕無視して全く問題にしないこと。「反対意見を―する」

もくさん⓪【目算】―する(他サ) ❶大まかな見当。「―を立てる」❷段取りについての計画。「―〔=もくろみ〕が△はずれる(狂う)/―違い(をする)」

もくし①⓪【目視】―する(他サ) 目標物を肉眼で認めること。「―及びレーダーで捕捉(ホソク)する」

もくし⓪【黙示】❶暗黙のうちに意志を伝えること。❷〔キリスト教で〕神意・真理を、神が人に示すこと。啓示。「―録」〔「もくじ」とも言う〕 **―ろく**③【―録】新約聖書の最後に置かれる預言の書。終末や新世界に関する神の啓示を記す。ヨハネの黙示録。〔この世界の終末や、荒廃した状況を描く際に象徴的に用いられることもある〕

もくし①⓪―する(他サ) ❶【黙止】黙って、そのままにしておくこと。❷【黙視】〔口出ししないで〕黙って見ていること。

もくじ⓪【目次】書いた物の内容を小分けしたそれぞれの題目を、書かれた順序に配列した見出し。

もくしつ⓪【木質】❶木△の(に似た)性質。「―繊維⑤」❷木の幹の内部の部分。「―部④」

もくしょう⓪(セフ)【目〈睫〉】〔「睫」は「まつげ」の意〕「目の前」の意の漢語的表現。「―の間(カン)に迫る」

もくず⓪(クヅ)【藻〈屑〉】海中の、藻の切れ端。「海底の―と消える〔=水難・海戦などで死ぬ〕」

もく・する③【目する】(他サ) 種々の点からそうだと判断する。目す②(五)。〔多く受身の形で用いられる〕「名があがった人びとの中には事件と無関係と目される人も数多く含まれている/多くの人が彼を次代のリーダーの一人と目している/△次代(若手)のホープと目される/△犯人(仕掛人・優勝候補・本命)と目される」

もく・する③【黙する】(自サ)「(言うべき事があるのに)だまり続ける」意の漢語的表現。「黙して語らず」

もくせい⓪【木星】太陽系の惑星で、五番目に太陽に近いもの。判明しているだけでも七十個以上の衛星を持つ。約十一・九年で太陽を一周する。

もくせい⓪【木〈犀〉】庭木にする常緑小高木。秋、△黄茶(白)色の独特の香りのある小形の花をつける。〔狭義では、ギンモクセイを指す〕〔モクセイ科〕かぞえ方一株・一本

もくせい⓪【木精】❶木に宿るという精。こだま。❷⇩メチルアルコール

もくせい⓪【木製】〔道具などについて〕木で△作ること(作った物)。きづくり②。「―品⓪」

もくぜん⓪【目前】❶目のまえ。「―で起こった衝突事故/―〔=当面〕の小利を追う」❷その事の実現まで、時間的な余裕がほとんど無いこと。「期日が―〔=今明日(コンミョウニチ)〕に迫る/試験を―に控える/勝利を―にして〔=手に入れる直前に〕一球に泣いた」

もくぜん⓪【黙然】―たる ―と 黙っている様子だ。「もくねん」とも。

もくそう⓪(オ)【目送】―する(他サ)〔威儀を正して〕その人が去って行くのを注目して送る△こと(礼)。「目迎―」

もくそう⓪(サウ)【黙想】―する(自サ)〔思想を△まとめる(深める)ために〕他との会話や外界との接触を絶ち、ひとり静かに考えこむこと。「しばし―にふける」

もくぞう⓪(ザウ)【木造】木で造った△もの(こと)。「―家屋⑤・―船⓪」

もくぞう⓪(ザウ)【木像】木造りの像。かぞえ方一体

もくそく⓪【目測】―する(他サ)〔実測でなく〕目で見て、長

も

さ・高さ・深さ・広さなどの見当をつけること。「―を誤る」

もくだい②【目代】国守の代理をした、昔の地方官。

もくだく⓪【黙諾】―する(他サ) 暗黙のうちに承諾していること。

もくたん③【木炭】❶燃料としての「すみ❶」。〔石炭などに対する語〕 ❷デッサンをかくのに使う、細くて柔らかなすみ。[かぞえ方]❶は一本：一俵。❷は一本 **―が**⓪(グワ)【―画】「木炭❷」でかくデッサン。 **―し**③【―紙】木炭画をかくのに使う、ざらざらでまっ白な紙。

もくちょう⓪(テウ)【木彫】木材に彫刻すること。また、その彫刻。〔木材を用いる手芸の意にも使われる〕「―家(カ)⓪」

** **もくてき**⓪【目的】行動を始めるに際して、最終的な成果として期待し、その実現に向かって努力しようとする事柄。「―が定まる/―を△果たす(達する)/―に△かなう(沿う・反する)/―があってこの大学に進んだ/―のためには手段を選ばない/―地④③・―物(ブツ)④」 **―いしき**⑤【―意識】その行為の目的は何であるかということについての、はっきりした自覚。 **―ご**⓪【―語】⇩客語(キャクゴ) **―ろん**④【―論】すべての事象は、それなりの目的をもって行なわれるものであるとする考え方。

もくと①【目途】「目標」の意のやや改まった表現。「来春を―として」

もくと①【目〈睹】―する(他サ)「自分の目で確かめる」意の古風な表現。

もくとう⓪(タウ)【黙〈禱】―する(自サ)〔死んだ人の安らかな眠りを願って〕無言のまま、しばらく目をつぶること。

もくどく⓪【黙読】―する(他サ) 声を出さずに、文字を読んで行くこと。「読み❶」の最も一般的な方法。⇔音読❷

* **もくにん**⓪【黙認】―する(他サ)〈なにヲ―する〉はっきり△いい〔許可する〕とは言わないで、見のがすこと。「国外脱出を―する」⇔公認

もくねじ⓪(ネヂ)【木〈螺子〉・木〈捻子〉】らせん形の溝のある金属製のくぎ。ねじくぎ。〔ドライバーで木材にねじ込む〕

もくねん⓪【黙然】―たる ―と ⇩もくぜん

もくば⓪①【木馬】❶〔子供が乗って遊べるように〕木で馬の形に作ったもの。❷器械体操の用具で、とびはねて越えるのに使うもの。

もくはい⓪【木杯・木〈盃】木製のさかずき。

もくはん⓪【木版・木板】字や絵を彫りつけた木の板(で印刷したもの)。「―画⓪」 **―ぼん**⓪【―本】木版印刷による書物。

もくひ①【木皮】〔漢方薬に使う〕木の皮。「草根―」

もくひ⓪①【黙秘】―する(自サ)〔自分に不利な事を〕言わないで通すこと。 **―けん**③【―権】△被疑者(被告・証人)が、捜査機関の取調べや公判などで、自分に不利益な供述を拒否し黙秘することが出来る権利。日本国憲法で、基本的人権の一つとして規定されている。

もくひつ⓪【木筆】〔日本画で〕なま木の先を焼いて、筆としてかく道具。

** **もくひょう**⓪(ヘウ)【目標】行動するに際して、そこまでは到達△しよう(させよう)と決めた△ところ(こと)。「―を△打ち出す(掲げる・決める・しぼる・見失う)/―に置く/射撃の―〔=的〕/今月の売上げ―を達成する/―物(ブツ)③・努力―」

もくぶ①【木部】△木(木質)の部分。「植物の―」

もくへん⓪【木片】木の切れ端。

もくほん⓪【木本】「木(キ)」の、植物学における称。⇩草本

もくめ⓪③【木目】木の切り口に見られる年輪・繊維・導管などの模様。きめ。〔板目と柾(マサ)目の総称〕「―板」[表記]「〈杢目・木《理」とも書く。

もくもく①(副)―と 煙が続けざまに吐き出される様子。「蒸気機関車の煙突から―と煙が上がる」

もくもく⓪【黙々】―たる ―と 周囲を顧慮せず、自分のペースを保って(仕事をして)いる様子だ。「―として働く」

もぐもぐ①(副)―と ―する ❶ほおばった食べ物を、口の中で長い間かみ続ける様子。❷口の中で何かを言っているのだが、不明瞭(フメイリョウ)で聞き取れない様子。「―言うばかりで要領をえない」

もくやく⓪【黙約】〔表向きではないが〕互いの了解のもとに結んだ約束。「―がある」

もくよう③(エウ)【木曜】一週の第五日。水曜の次、金曜の前。木曜日③。〔週の始まりを月曜とすれば、一週の第四日〕

もくよく⓪【〈沐浴】―する(自サ)〔清めるために〕髪・からだを洗うこと。「斎戒―⓪-⓪」

もぐら⓪【〈土竜〉・〈田〈鼠〉】〔土を高く盛り上げる意の動詞「うぐろもつ」の名詞形「うぐろもち」の変化形「むぐろもち」の省略形〕土の中にすむ、小さいけもの。ネズミに似て、目が小さく、前足が土かきの役をする。田畑の作物を荒らす。日本ではアズマモグラ・コウベモグラなどが生息する。もぐらもち③。〔モグラ科〕[表記]古来の用字は「〈鼴〈鼠〉」。「〈土竜〉」はミミズとしても用いる。[かぞえ方]一匹 **―たたき**④【―〈叩(き)】❶ゲーム機による遊戯の一つ。あちこちの穴から不規則に飛び出すモグラをかたどった人形の頭をたたき、その回数によって得点を競う。❷〔比喩的に〕一つの問題を処理しても、同様の事例が次つぎに起こり、ほっとする間も無いことのたとえ。

もくり①【木理】「もくめ」の意の漢語的表現。

もぐり【潜(り)】■一❶③「もぐる❶」△こと(もの)。「―の名人/素(ス)―」❷①正式の許可を得ないで物事をする△こと(人)。「―の業者/この俺(オレ)を知らぬとは―だな」■二(造語) 動詞「もぐる」の連用形。 **―こ・む**④⓪【―込む】(自五)❶水中や穴の中、物の下などにからだごとすっぽり入る。「布団に―」❷組織や団体などの中に、△身分を偽って(正式な手続きをとらずに)、その一員になりすまして入り込む。「反対派の会合に―」

* **もぐ・る**②【潜る】(自五)〈どこ・なにニ―〉❶何かをする目的で水に入り、全身を水面下に沈める。「海に潜って貝をとる」❷からだごとすっぽりと何かの△中(下・間)に入って身を隠す。「△布団(こたつ・机の下)に―/地下に―〔=警察の目を避けて潜伏する〕」〔⇩潜り■二〕

もくれい⓪【目礼】―する(自サ)〔からだを曲げたり頭を下げたりしないで〕目の表情だけで敬意を表わすこと。「―をかわす」

もく

【木】■一き。「木馬・草木」■二(略) 木曜日。⇩(本文)もく【木】

【目】❶め。「目前・目礼・目測・頭目・面目・耳目・注目」❷大事な点。「要目・眼目」❸見出し。「目次・題目・書目・編目」❹〔碁で〕碁盤上の「点」の数を表わす数詞に添える助数詞。〔「地(ジ)■二❸」の多さの単位として用いられる。俗に、「子(シ)【造語成分】■一❻」の意にも用いる。例、「彼には一目も二目も置いている」〕「白の三目勝ち〔=白の地が黒の地より三目多くて、白の勝ち〕/岡目(カオ)八目」❺〔生物の分類で〕原則として、いくつかの「科」をあわせたもの。〔慣用では「類」〕「食肉目・霊長目」⇩綱(コウ) ⇩(本文)もく【目】

【黙】物を言わないでいる。だまる。「黙々・黙殺・黙認・黙然・黙読・暗黙・沈黙・寡(カ)黙」

もくれい⓪【黙礼】―する（自サ） 黙ったまま敬礼すること。

もくれん①②【木〈蓮】 庭木にする、中国原産の落葉小高木。三、四月ごろ、葉に先だって、赤紫色・白色で大形の花をつける。〔モクレン科〕 表記「木〈蘭」とも書く。 かぞえ方 一株・一本

もくれんが③（―グヮ―）【木〈煉瓦】 木材を煉瓦の形に作ったもの。建築・舗装用。

もくろう⓪（―ラフ）【木〈蠟】 ハゼノキなどからとった蠟。ろうそくなどの材料。生蠟(キロウ)⓪①。

*__もくろく__⓪【目録】 ❶幾つかのもので一まとまりをなしているものの内容の△名(題名)を書き並べたもの。「結納の―／本の―〔=目次〕／記念品の―贈呈／展覧会の出品―／総―③・蔵書―④」 ❷武術や芸道の修行が進んで、独立して門人を取ってもよいと認められる段階に達したこと。

もくろみ⓪【目《論見】 企て。計画。「―が的中する／―を遂げる／―書(ガキ・ショ)⓪・―はずれ⑤」

もくろ・む③【目《論む】（他五）〔「目論(モクロン)」の動詞化というのは、非〕企てる。たくらむ。「大事業を―」

*__もけい__⓪【模型】 実物を象(カタド)って△縮小(拡大)して作ったもの。ひながた。「―飛行機⑤」

も・げる②【〈捥げる】（自下一） もがれた状態になる。「人形の腕が―〔=取れる〕」

もこ①【模〈糊】―たる ―と 〔もと、明らかでない意〕本当はどういう△形(姿)であるか、はっきり△見えない(分からない)様子だ。「―の説／曖昧(アイマイ)―」

もこくぼん⓪【模刻本・〈摸刻本】 原本の筆跡をそのまま模して彫刻した版による本。

もこし⓪【〈裳《層・〈裳《階】 建物のまわりに作られた、ひさし状の出っ張り。薬師寺の三重の塔などに見られる。

もこもこ①（副）―する やわらかくふくらんでいて厚みのある様子。「―した羽毛入りの防寒着」

もごもご①（副）―する ❶もぐもぐ。「何か言いたそうに口を―させる」 ❷覆われたり包まれたりしたものの中で何かがうごめく様子。「落ち葉の下で―するものがいる」

もさ①【《猛《者】 〔荒っぽいスポーツなどの分野で〕技術や体力などが人なみ以上にすぐれていて、相手から恐れられている存在。「柔道部の―」 表記 ⇩付表「猛者」

モザイク②〔mosaic〕 ガラス・タイル・大理石・木などの小片を組み合わせ、はめこんで模様や絵画を表わしたもの。〔広義では、材質にかかわらず、各種の色の小片を組み合わせて作った模様などをも指す。例、「―模様のネクタイ」〕 **―びょう**⓪（―ビヤウ）【―病】 植物にウイルスが寄生して、葉などに斑点(ハンテン)が出来る病気。タバコなどに多い。

もさく⓪【模作・〈摸作】―する（他サ） 〔人の作品を〕まねて△作ること(作ったもの)。 表記「摸」は、代用字。

もさく⓪【模索・〈摸索】―する（他サ） どうすべきか、自分でいろいろと試行錯誤を繰り返しながら、その方法などを探っていくこと。「―を続ける／暗中―」

もさっと②（副） 「何をするべくもなく、ただぼんやりとしている様子」の口頭語的表現。「―つっ立っている」

もさもさ [一]①（副）―と ―する ❶動作が緩慢で、見ていてじれったい感じがする様子。「ようやく弟が待ち合わせ場所に―(と)やって来た」 ❷雑草や髪の毛などがまとまりなく密生している様子。「しばらく切らなかったので髪が―してきた」 ❸口に入れた食べ物が口当たりが悪く、どうにも飲み込みにくい様子。「―した食感のパン」 [二]⓪ ―な ―に ❶「もさもさ[一]❷」に同じ。「手入れをしてなかったので、花壇が雑草で―だ」 ❷「もさもさ[一]❸」に同じ。「日が経ったせいかマフィンが―になる」

もさ・る②（他五） 「何かと理由を付けたりして、相手の所有物を無理にもらう」の意の口頭語的表現。

もし①（感）〔↑申し〕呼びかける時に使う語。〔やや古風な表現〕「―、そこのお嬢さん」

もし①【若し】（副）〔「―+仮定表現」の形で〕 ❶将来起こりうると予想される事態が起こった場合を仮定する様子。「―雨が降ったらやめにしよう」 ❷〔ありえないことだが〕事実と反対の事態を想定してみる様子。「―戦争に勝っていたら／―私があなたの立場だったらどうするか」 表記 本表=「若しくは」のみ例示。

もし①【模試】「模擬試験」の略。

*__もじ__【文字】〔「もんじ」の変化〕 [一]① ❶音声言語を目に見える形に記号化したもの。字。「―を覚える／表意―・絵―」 ❷〔↑文字記号③〕〔おもに自然科学で〕考察の対象を表わすために、文字を狭義の記号に限定使用したもの。「未知数を表わす―として x を選ぶ／―式②」 [二]（造語）（一つの言語を書き表わす）文字の数をかぞえる語。「いろは四十七―／アルファベット二十六―／みそひと―〔=和歌〕」 **―か**⓪（クヮ―）【―化】―する（他サ） ❶音声で表現された講演・談話などの内容を、文字による記録の形に直すこと。 ❷人間がすぐには読み得ない性質の符号で記録されたものを、人間が読める文字体系に直すこと。 **―げんご**③【―言語】〔「音声言語」に対して〕文字で記されている言語。 **―ことば**③【―《詞】 昔、女官などがそのものを婉曲(エンキョク)に言うための表現。その頭(文)字の部分に「文字」を加えて「…もじ」と言うことが最も普通。例、かもじ〔=髪〕・おはもじ〔=恥ずかしい〕・ひもじい〔=ひだるい〕。 **―づら**⓪【―面】 じづら。 **―どおり**③（―ドホリ）【―通(り)】 その言葉が意味する額面の通りであること。「―幸運の一語に尽きる／―骨と皮ばかりだ」 **―ばけ**⓪【―化(け)】〔コンピューターで〕文字データが正しく読み取れず、意味のない数字や記号などに変換されてしまうこと。 **―ばん**⓪【―盤】 時計・タイプライターなどの、目盛りや文字を書いた盤。 **―ほうそう**③（―ハウ―）【―放送】 ❶テレビ電波の未使用の部分を利用して流される放送方式。文字や図形による静止画を次つぎに見ることが出来る。文字多重放送。 ❷テレビ番組の音声に連動して、テレビ画面の下の部分に示す字幕放送。主として聴力障害者を対象とする。 **―よみ**⓪【―読(み)】 漢語表記の正しい読み方を知らない人が個々の漢字に引かれて誤読すること。「好事家(コウズカ)」を「こうじか」、「遂行(スイコウ)」を「ついこう」、「猛者(モサ)」を「もうしゃ」、「Chopin（人名、ショパン）」を「チョピン」と読んだりするなど。〔古くは、「念珠(ネンジュ)」を「おもいのたま」と読むことなどをも指した〕

もしお⓪（―シホ）【藻塩・藻〈汐】 昔、海藻に海水をそそぎ、焼いて水に溶かし、そのうわずみをとって煮つめた塩。また、それを作るためにくんだ海水。 **―ぐさ**③【―草】 藻塩をとるためにかき集めた海藻。〔ひまな時どきに書き集めた筆録・随筆の意にしばしば用いられる〕

もしか①【若しか】（副）「もしかしたら・もしかして」の省略表現。 **―したら**①、①-②（副） そのような事はないだろうと思いながらも、可能性の一つとして△予測(想定)する様子。「―間違いかもしれない／―行けなくなるかもしれない」 **―して**①（副） ❶〔「―+仮定表現」の形で〕（ほとんど）その可能性がない事態が起こった場合を想定してみる様子。「―駄目だったらすぐ知らせて下さい／―クレオパトラの鼻が一寸低かったら…」 ❷絶対にそうだとは言えないが、ある程度の確信をもって予測する様子。「―ひとりで居るんじゃないかと思って／―君は田中君じゃありませんか」 **―すると**①（副） 実現するとは思えないような事態が、事の成行き次第では起こるかもしれないと予想する様子。「―〔=うまく行けば〕助かるぞ／―あの男が社長になるかもしれない」

もしきず③ツー**【模式図】** 事物の変化・進行・組織などの全体を理解しやすいように、図式的に整理・配列したもの。「日本海流の―／地形の―」

もしくは①**【若(し)くは】**(接) どちらか一つを選択することを表わす。あるいは。または。〔「もしくば」と言う向きもある〕

もしそれ①**【若(し)《夫(れ)》】**(接) では次の事はどうだろうか、という意味で、論調を改める時に使う古風な表現。

もじつ・く⓪モヂ(自五) 恥ずかしさや気おくれのために、いつまでもはっきりとした態度がとれず、かたわらの者さえじれったい気持にさせる。

もしも①**【若しも】**(副) 〔「―＋仮定表現」の形で〕「もし」の強調表現。特に、起こってはならない事を予測して言う語。「―主役が病気になったら、代役を立てるしかない／―の事〔＝万一の事。特に、死〕があったらどうしよう」

もしもし①(感) 「もし」の強調表現。〔電話で使うことが多い〕「―お客さん、忘れ物ですよ／―山田です」

もじもじ①モヂモヂ(副)―と―する 〔遠慮したり 恥ずかしがったりして〕△言いたい(したい)事があるのに、ぐずぐずしている様子。

もしゃ①**【模写・〈摸写】**―する(他サ) 本物の通りに写すこと。「壁画の―／声帯―〔＝⇩声帯模写〕」

もしや①**【若しや】**(副) 「もしかしたら」「もしかして」の、やや古風な表現。「―山田さんじゃありませんか／―御存じじゃないかと思いまして／―と思って来てみたら案の定でした」

もしゃもしゃ ❶①(副)―と―する ⇩もじゃもじゃ❶ ❷⓪―な―に ⇩もじゃもじゃ❷

もじゃもじゃ ❶①(副)―と―する 密生した頭髪やひげ、また草花などの手入れが十分でなくて、むさくるしい印象を与える様子。「もしゃもしゃ」とも。「―と白いひげを生やした老人」 ❷⓪―な―に 「もじゃもじゃ❶」に同じ。「―のひげ面ヅラ」

もしゅ①**【喪主】** 葬式を行なう際の執行名義人。〔普通は、故人の後継者、特に配偶者・長男がなる〕

モジュール②〔module〕 ❶〔建築や物品製造で〕設計や製作の基準となる△寸法(構成単位)。 ❷〔コンピューターで〕ハードウエア・ソフトウエアを構成する部分のうち、他のものと交換可能な△部品(単位)。 ❸宇宙船の一部として、独自の機能を持つ構成要素。月面着陸機など。

モジュラージャック⑤〔modular jack〕 電話線用などの接続器具。プラスチック製のプラグに爪が付いた形をしており、簡単に着脱できる。

もしょうオ⓪シャウ―**【喪章】** 人の死をいたみ弔う気持を表わすためにつける黒い△布(リボン)。

もじり③モヂリ**【〈捩り】**〔動詞「捩る」の連用形の名詞用法〕 ❶もじった表現。〔多くは風刺的・遊戯的。特に江戸時代では一つの言語遊戯として成立〕 ❷男子が着物の上に着る、角袖の外とう。

もじ・る②モヂル**【〈捩る】**(他五) 〔古くは、ねじる意〕すでに慣用的になっている表現を応用して、多少の言い替えをする。「古歌を―」〔風刺や笑いを含めることが多い〕

も・す⓪**【燃す】**(他五) 〔東北・関東方言〕燃やす。

モス① 〔モスリンの略〕メリンスの異称。

もず①**【〈百舌〉・〈百舌鳥〉・〈鵙】** スズメより少し大形の野鳥。性質が荒く、カエルなどを取ってカラタチなどにさす〔これを「―の速贄ニエ」と言う〕。秋、人里近くで鋭い声で鳴く。〔モズ科〕 表記「〈伯労〉」とも書く。 かぞえ方 一羽

モスク①〔mosque〕 イスラム教の寺院。

もずく⓪③クモツ**【〈海雲〉・〈水雲〉】** ❶褐藻類の一種。ホンダワラ類につき、糸のような形で、多数の枝に分かれ、ぬるぬるしている。三杯酢などにして食べる。〔モズク科〕 ❷「モズク❶」に似た、食用とするオキナワモズク・フトモズクなど。〔ナガマツモ科〕 表記 当初の用字は「〈水雲〉」。

モスグリーン④〔moss green, moss＝こけ〕 くすんだ黄緑色。

もすこし③**【も少し】**(副) 「もう少し」の圧縮表現。

もすそ⓪**【〈裳裾】** 〔裳の裾の意〕女性の着物の裾。

モスリン⓪①〔フ mousseline, 最初の生産地であるイラクの Mosul から〕 メリンスの異称。略してモス。

も・する②**【模する・〈摸する】**(他サ) ある形に似せる。まねる。模す①(五)。「正倉院に模して造る」 表記「模」は、代用字。

もぞうオ⓪ザウ―**【模造・〈摸造】**―する(他サ) 希少品の保存・普及のために、原物に似せて△つくること(つくった物)。「―真珠・―品⓪」 **―し**②**【―紙】** 局紙に似せてつくった上質の洋紙。

もそっと②(副) 「もすこし」の意のやや古風な表現。「―前へ」

もぞもぞ①(副)―と―する ❶落ち着きなくからだ(の一部)を動かす様子。もそもそ。「ポケットの中で手を―させる」 ❷小さな虫などが全身を動かしながら△はいまわる(はいまわっている)ような気持悪さを感じる)様子。「背中のあたりが―する」

もだ・える③**【〈悶える】**(自下一) 〔文語「もだゆ」は、気絶する意〕心身の苦痛からのがれようにものがれられず、ひどく苦しむ。「いいアイデアが浮かばずもだえ苦しむ」 名 悶え③②「心の―／身―する」

もた・げる⓪③**【〈擡げる】**(他下一) 〔「持ち上げる」の変化〕 ❶今まで垂れていた首などを、起こす。「頭を―／ヘビがかま首を―」 ❷今まで目立たなかったものが、はっきりとその存在を現わす。「心の底に疑念が頭をもたげた」

もた・す②**【持たす】**(他五) 〔「持つ」の使役動詞形〕持たせる。「手みやげを持たして帰す」

もだ・す②**【《黙す】**(自五) 黙っている。また、そのままにしておく。「君命もだし難ガタし／懇請をもだしかね〔＝断わることが出来ないで〕承諾を与えた」 表記 連用形は「〈黙止〉」とも書く。

もたせか・ける⑤⓪**【〈凭せ掛ける】**(他下一) しっかりした物をささえにして、それによりかからせる。「からだを椅子イスの背に―／板を塀に―」 表記「持たせ掛ける」とも書く。

もたせぶり⓪**【持たせ振(り)】** いかにも何かが期待出来そうにもったいぶったそぶりをすること。

もた・せる③**【〈凭せる】**(他下一) もたせかける。「手すりに身を―」 表記「持たせる」とも書く。

もた・せる③**【持たせる】**(他下一) 〔「持つ」の使役形〕 ❶持つようにさせる。「所帯を―／氷で―〔＝保たせる〕／費用を―〔＝負担させる〕／かばんを―／気を―〔＝もしかしたらと相手に期待させる〕／△幅(含み・ゆとり・期待)を―／花を―〔＝⇩花〕」 ❷持つように図る。「△一貫性(…の性格・節度・弾力性)を―」 ❸持って行かせる。「△手紙(お金)を―」 名 持たせ③⓪ ⇩おもたせ

もたつ・く⓪(自五) 何かにさまたげられて、物事の順調な進展が困難な状態になる。「解決が―／材料の調達に―／足が―」 名 もたつき⓪

モダニズム③〔modernism〕 伝統的なものを否定し、近代人としての新しい感覚を主張する考え方。

もたもた①(副)―と―する 動きが鈍かったり 不器用であったりして、何かと手間どっている様子。「早くしろ。いつまで―しているんだ」

もたら・す③⓪**【〈齎す】**(他五) ❶(他の所から運んで来るなどして)そこに何かを伝える。「古代中国から多くの文物がもたらされた／吉報を―」 ❷何かが原因となって当事者の利害にかかわる事態を生じさせる。「台風がもたらした被害／和平交渉が成功し、やっと平和がもたらされた／△危機(弊

害・勝利・新風・豊かさ)を―」

モダリティ[2]〔modality=叙法〕〔文法用語で〕ある事柄を表現・伝達する際に、表現主体である話し手の判断や態度を表わす文法形式。助動詞の「らしい」「ようだ」「そうだ」「まい」、終助詞の「の」「な」「か」「よ」など。西洋言語学から取り入れられた概念。

もたれ あ・う[4][0]（アフ）【〈凭れ合う】（自五）両者が互いに依存する関係にある。特に、相手の立場を利用し合って利益を図ろうとする関係にあることを指す。「一部の業者ともたれあっていると指摘された公務員」[名]凭れ合い[0]

もたれ かか・る[5]【〈凭れ掛かる】（自五）自立することが出来なくて、ついからだを他に預けるようになる。〔他に依存する意にも用いられる〕[表記]「〈靠れ掛かる」とも書く。

もた・れる[3]【〈凭れる】（自下一）❶ささえになるものに重みをかけてからだを楽な状態におく。よりかかる。❷食べた物がよく消化せず、胃が重く感じられる。「食べ過ぎて胃が―」[名]凭れ[3]「胃―」[表記]「〈靠れる」とも書く。

モダン[0]（―な・―に）〔modern〕現代的。当世風。「―なデザイン/―アート[4]・―ボーイ[4]・―バレエ・ポスト―」

もち[2]【持(ち)】❶持つ△こと(人)。「衣装―・婦人―(=用)・先方―(=負担)」❷長期間の△保存がきく(使用に耐える)こと。「―がいい」❸〔雅〕(勝負などの)引分け。「じ」とも。

もち[1]【《望】〔雅〕望月(モチヅキ)。「―の日(=陰暦十五日)」

もち[0] ❶【餅】糯米(モチゴメ)を蒸してついた食品。〔正月・物日(モノビ)などにつく〕「―は餅屋(=何事にも専門家があり、しろうとなどがなまじ努力してもかなわないものだ)」[かぞえ方]のし餅は、一枚 ❷【〈糯】穀類で、粘りけが強く、ついて餅にすることが出来るもの。「―米(ゴメ)・―きび」↔粳(ウルチ)

もち[1]【〈黐】❶モチノキの略。❷モチノキなどの皮を煮て作った、ねばねばしたもの。鳥などをとるのに使う。鳥黐。

もち あい[0]（アヒ）【持(ち)合(い)】❶互いに力を合わせて持つこと。「株式の―/―所帯(ジョタイ)[5]」❷力などがほぼ同じで、釣合が取れていること。「―の勝負」❸相場に変動が無いこと。「―相場[5]」[表記]❸は、「《保ち合い」とも書く。

***もち あが・る**[0][4]【持(ち)上(が)る】（自五）❶〈(どこカラどこニ)―〉陸地・海底などの一部が隆起する。「噴火で火口の周辺が―」❷〈どこニ―〉〔手に持って〕上へ上げることが出来る。「重くて持ち上がらない」❸〈(だれ・なにニ)―〉突然に事が起こる。「△大事件(紛争)が―/縁談が―」❹担任教師が、年度が変わっても同じ△学級(学年)を受け持つ。[名]持ち上がり[0]「―のクラス」

もち あ・げる[0]【持(ち)上げる】（他下一）❶手などで持って上に上げる。「荷物を―/クレーンで―」❷伏せた状態のものを起こす。「△頭(首)を―」❸おだてる。「持ち上げられていい気になる」

もち あじ[2]（アヂ）【持(ち)味】❶〔食物に〕元から備わっている味。「―が違う/―を生かす」❷他のものからは得られない、そのもの独自のよさ。「―を出す」

もち あつか・う[5][0]（アツカフ）【持(ち)扱う】（他五）もてあつかう。[名]持ち扱い[0]

もち あみ[0]【餅網】❶餅を焼く金網。❷餅を入れて(つるして)おく網。[かぞえ方]❶❷とも一枚

もち ある・く[4]【持(ち)歩く】（他五）外出などの際に、その物を身に付けたり手に下げたりして行く。「傘を―」

もち あわせ[0]（アハセ）【持(ち)合(わ)せ】その時持っている物。〔狭義では、所持金を指す〕「あいにく―が無い」

もち あわ・せる[5][0]（アハセル）【持(ち)合(わ)せる】（他下一）〔ちょうどその時〕持っている。持ち合わす[4][0](五)。

もち いえ[0]（イヘ）【持(ち)家】その人の所有している家。「持ちや」とも。↔借り家

モチーフ[2]〔フ motif=動機〕❶〔芸術で〕表現活動の動機(となる中心思想)。主題。「△小説(絵)の―が問題となる」❷〔音楽で〕楽曲の構造の最も小さい単位で、楽節を作る基礎になる部分。モチーブとも。❸〔装飾・編物で〕連続模様を構成する基本単位。

***もち・いる**[3][0]（モチヰル）【用いる】（他上一）〈(なにニ)なにヲ―〉〔「ゐる」は、率いる意〕役に立つものとして使う。「世に(広く)用いられる/下剤を―/意を―(=特別に配慮(して努力)する)/新人を―(=能力を認めて△登用する(ポストに就かせる))/新戦法を―(=よいものとして、採用する)」[表記]「もちひる」は許容かなづかい。

もち うた[0]【持(ち)歌】その歌手が自分の歌として持っている得意な歌。レパートリー。

もち おもり[0]【持(ち)重り】持った時にはそれほどではないが、持っているうちに次第に重くなってくる感じ。「―がする」

もち か・える[0][4][3]（カヘル）【持(ち)替える・持(ち)変える】（他下一）❶持ち方の手段をかえる。「脇にはさんでいたバッグを左手に―/バットを短く―」❷持っている物をかえる。「ペンを毛筆に―/銃をつるはしに―」[名]持ちかえ[0]

もち かえ・る[3][0]（カヘル）【持(ち)帰る】（他五）❶(そこで何かを済ませる代りに)品物などを自宅などに持って帰る。「獲物を―/仕事を―」❷会議などで提案された事項について、自分の所属する△機関(部署)で検討するために、賛否などの態度を保留したまま帰る。「持ち帰って検討します」[名]持ち帰り[0]

もち か・ける[4][0]【持(ち)掛ける】（他下一）話を出して、働きかける。「相談を―」

もち がし[3]（グワ―）【餅菓子】餅・葛(クズ)などをおもな材料として作った菓子。

もち かぶ[0]【持(ち)株】自分の物として持っている株。―**がいしゃ**[5]（グワイ―）【―会社】他の会社の株式を所有することによって、その事業活動を支配する会社。特に、同じグループに属し、個々に事業活動を行なう会社を統括する機能を果たすものを指す。「金融―」

もち きた・す[4][0]【持(ち)来(た)す】（他五）それが原因となって、ある状態を生じさせる。〔やや、古風な表現〕

もち きり[0]【持(ち)切(り)】△居合わせた人びと(関係者)が、そのうわさ話に終始すること。「寄るとさわると新製品の話で―だ」

もち き・る[3][0]【持(ち)切る】（自五）もちきりの状態となる。「休み時間中その話で―」

もち き・れる[4]【持(ち)切れる】（他下一）〔「持ち切る」の可能動詞形〕〔多く「**持ち切れない**」の形で〕❶持つべき物を、全部持つことが出来る。「持ち切れないほどの荷物」❷(ある期間)維持することが出来る。「相続税がかかり、親の土地が持ち切れなくなる/援軍が来るまで城を持ち切れない」

もち ぐさ[0]【餅草】餅に入れてつく、ヨモギの若葉。

もち ぐされ[0]【持(ち)腐(れ)】そのものが持っている有用性が十分に活用されていないこと。「宝の―/―の知識」

もち くず・す[4]（クヅス）【持(ち)崩す】（他五）平衡状態を崩す。「身を―(=酒や女におぼれたりして、生活の軌道を乱す)/身上(シンショウ)を―(=財産を使い果たす)」

もち こ・す[0][3]【持(ち)越す】（他五）解決がつかないままの状態で次の時期へ送る。「次回に―/△解決(結論)を―」[名]持ち越し[0]「―となる」

もち こた・える[5][0]（コタヘル）【持(ち)《堪える】（自他下一）今のままの状態をなんとか続けて、破滅的な状態にならないようにする。[名]持ち堪え[0]

もちごま⓪【持(ち)駒】〔将棋で〕相手から取って自分の手元にあり、いつでも打って使える駒。手駒。〔俗に、いつでも自分の思うように使える人物の意にも用いられる〕

もちこ・む⓪③【持(ち)込む】(他五) ❶〔通念において歓迎されない物を〕その場所に持って入る。「宴会場である料理屋に酒を―」❷〔解決を要するものを〕持って来る。「△難題(苦情)を―」❸〔未解決のまま〕次の状態に移行させる。「△起訴(訴訟)に―/延長戦に―(=もつれこませる)/和解に―」名持ち込み⓪「ノートの―禁止」

もちごめ⓪【〈糯米〉・餅米】 粘りけが多くて、餅(モチ)にするのに適した米。⇩うるち

もちざお⓪【〈黐竿〉】〔虫や小鳥をとる時に使う〕とりもちを塗った竹竿。かぞえ方 一本

もちだし⓪【持(ち)出し】❶持ち出すこと(もの)。「図書の―禁止/非常―/規定の旅費では―(=不足分は自己負担)になる」❷洋服の前の見返しなどの下に重なるように余裕を見込んだ部分(の布)。↕見返し❸

もちだ・す⓪③【持(ち)出す】(他五) ❶持って外へ出す。「家財を―/金庫の金を―(=盗む)」❷問題を取り上げて△公の場(人の前)に出す。「△話(問題)を―/前面に―」❸費用を補うために自分の金を出す。「運動費にだいぶ持ち出したはずだ」❹持ち始める。「自信を―」

もちつき③②④【餅〈搗き〉】餅を搗く△こと(人)。

もちづき②【〈望月〉】 陰暦十五日の夜の月。満月。

もちて③⓪【持(ち)手】❶その物を持つ人。❷器具を持つための握り。

もちてん⓪③【持(ち)点】 競技や勝負事などで、あらかじめ各人△が持って(に割り当てられて)いる点数。

もちなお・す④⓪【持(ち)直す】㊀(自五) 一度悪くなった状態が、いい方向へ向かう。回復する。「病人が―/景気が―」㊁(他五)〔重くなった荷物などを〕持っていた手から離して、もう一度△別の手で(持ちやすいように)持つ。「荷物を―」名持ち直し⓪

もちにげ⓪【持(ち)逃げ】―する(他サ) 他人から預かったお金や品物をそのまま持って逃げること。

もちぬし②【持(ち)主】 そのものを自分の物として持っている人。所有者②。「―の分からない不審物/すぐれた天分の―/不退転の闘魂の―」

> **もつ**
> **【物】** もの。「荷物・書物・臓物・一物・逸物・御(ゴ)物・供(ク)物・献物・作物・什(ジュウ)物」⇩ぶつ

もちのき①【〈黐の木〉】 マサキに似た常緑高木。葉が堅く、赤い実がなり、皮から鳥黐をとる。庭木にする。〔モチノキ科〕かぞえ方 一株・一本

もちば③【持(ち)場】 各自が受け持っている仕事(をする場所)。「最後まで―を離れるな/めいめい―につく」

もちはこ・ぶ④⓪【持(ち)運ぶ】(他五) 持って、ほかの場所へ運ぶ。運搬する。名持ち運び⓪

もちはだ⓪【餅肌・餅〈膚〉】 つきたての餅のように、色が白くなめらかで、ふんわりした感じの肌。↕さめはだ

もちばな⓪【餅花】 餅を薄くのばして、丸く平たく切り、柳などに付けたもの。正月の飾りに使った。まゆだま。

もちばら⓪【餅腹】 餅をたくさん食べたあとの、もたれた感じのおなか(の状態)。

もちばん②【持(ち)番】 その人の担当する番。

もちふだ②⓪【持(ち)札】〔トランプ・花札などで〕その時自分の手元にある札。〔「手駒(テゴマ)❷」の意にも用いられる〕

もちぶん②【持(ち)分】❶〔費用・株などについて〕全体の中の、各人が受け持つ部分。❷〔共有の財産・権利などについて〕各人が△所有(行使)する割合。

モチベーション③⓪〔motivation〕 その人の心に働きかけ何らかの行動を起こさせるきっかけとなるもの。動機付け。「優勝という目標が―につながる」

もちまえ⓪【持(ち)前】❶生まれつき器量として備わっている性質・気質。「―のおとこ気/せんさく好きは彼の―らしい」❷全体の中で、その人が分担することに△なる(なっている)費用・株など。

もちまわり⓪【持(ち)回り・持(ち)〈廻り〉】 関係者の間を次から次へと渡って行く△もの(こと)。「―の優勝カップ/会場の―/―閣議」動持ち回る④⓪(他五)

もちもの②③【持(ち)物】 その人の持っている物。「―検査」

もちや⓪②【持(ち)家】 持ちいえ。表記「持ち屋」とも書く。

もちや⓪【餅屋】 餅を(ついて)売る△人(店)。「餅は―(=⇩餅)」

もちゅう⓪【喪中】 喪に服している期間。「―につき年賀欠礼」

もちよ・る③⓪【持(ち)寄る】(自五)〔事前に集めたり前もって準備したりするのに支障があって〕各人がそれぞれの所有のものを持って寄り集まる。「資料を―/意見を―/各人がごちそうを持ち寄ってパーティーを開く」名持ち寄り⓪

もちろん②【〈勿論〉】(副)〔議論の必要が無い意〕当然のことであって、わざわざ言うまでもないと判断する様子。「―行くよ/英語は―のことフランス語も出来る/それは―だ」

もつ(物)→【字音語の造語成分】

****も・つ**①【持つ】㊀(自五) ❶存在が保たれる。「大分曇ってきたが、夕方までは―(=雨が降らない)だろう/そんなに働きづめでは身が持たんよ/この花も、あと一週間は―(=大丈夫)と思うね/食べずに残しておいても、夏場だからとても―まい(=早晩、腐ると思う)/尾張(オワリ)名古屋は城で―/薬の効き目ではなく、気で持っているんだね/座が持たない(=共通の話題が無かったり乏しかったりして、しらけた雰囲気になる)」❷苦痛・欠乏などに耐え、何とか事態を乗り切る。「これだけで、あと一か月は―だろう」

㊁(他五) ❶〈なに・どこニ〉なにヲ― その人自身の手でつかみ、離さないようにする。「両手に荷物を―/もっとしっかり持て/弁当を持って来る(=ⓐ運んで来る。ⓑ用意して来る)/持ちつ持たれつ(=相手の手が足りない時は自分が力を貸してやり、自分が不自由な場合は相手の力を借りる、相互扶助の関係)」❷〈なに・どこニ〉なにヲ― その人自身のものと△する(している)。「よい△友達(先輩)を―/家を―(=所有する)/所帯を―(=結婚する)/持って生まれた性質/肩書きを―/なんら打つ手を持たない」❸〈なにヲ―〉その人自身のものとしてある属性や心的態度を備え(てい)る。「△自信(希望・関心・勇気)を―/少年よ、大志を持て/心の持ち方」❹〈なにヲ―〉その人・物から切り離せないものとしてそのような状態が認められる。「長い歴史を―国/意義を―」❺〈だれ・なにニなにヲ―〉人や物に、いざという時にその力を発揮する機能が認められる。「△影響力(権限・説得力・発言力・隠然たる力)を―」❻〈だれ・なにニなにヲ―〉相手に対して何らかの心的態度をいだいた状態にあることが認められる。「△警戒心(反感・不信感・親近感・かかわり・交渉)を―」❼〈なに・だれヲ―〉自分(たち)に与えられたものとして、果たす責務を負う。「△役割(責任)を―/一年生を―(=担当する)/費用を―(=負担する)」❽〈なにヲ―〉関係者が何らかの必要を満たすものとして、その事を実現させる。「定期的に会合を―/仲間を集めて話合いを―」

【肩を―】⇩肩

もつ①〔↑臓物(モツ)〕「焼き鳥などの材料にする、鳥獣の臓

物」の通称。「―焼き⓪・―鍋⓪・―煮」

もっか①(モク―)【目下】 さしあたった現在。ただいま。「―の急務/―検討中」

もっか⓪(モククワ)【黙過】―する(他サ) 知らないふりをして見のがすこと。

もっかい⓪(モククワイ)【木灰】〔農家で〕きばい。

もっかん⓪(モククワン)【木管】 ❶木で作った△くだ(管楽器)。「―楽器⑤」 ❷糸を巻き取るのに使う管。ボビン。

もっかん⓪(モク―)【木簡】 紙が貴重品であった上古、△官庁間(対官庁へ)の連絡用のメモをしるした、薄くそいだ細長い木の札。[かぞえ方] 一枚・一片・一点

もっきょ①(モク―)【黙許】―する(他サ) 〔本当はいけない事だがとがめだてをしないで〕許しておくこと。

もっきり⓪【盛(っ)切(り)】〔東部方言〕 ❶「盛り切り」の変化。「―めし④」 ❷大きな入れ物に盛った酒。「――杯」

もっきん⓪(モク―)【木琴】 いろいろの長さの木片を音階順に配列し、先に丸いたまの付いたばちで打ち鳴らす楽器。シロホン。[かぞえ方] 一台

もっきん⓪(モク―)【木筋】 コンクリートの建物の芯(シン)に入れる木材。「―コンクリート」↔鉄筋❶

モックアップ④〔mock-up〕 実験・研究・展示用のために作られる実物大の模型。

もっけ⓪【〈勿《怪〉】〔「もののけ」の変化〕「思いのほか」の意の古風な表現。「―のさいわい」

もっけい⓪(モク―)【黙契】―する(自サ) 暗黙のうちに気持が合って出来た約束。「―が成り立つ」

もっこ⓪【〈畚〉】〔「持ち籠(コ)」の変化〕縄を網のように編んで、四隅に綱をつけたもの。土などを運ぶのに使う。「―かつぎ④」[かぞえ方] 一枚 **―ふんどし**④【―〈褌〉】 短い布切れの四隅にひもを付け、足をふみ入れて結ぶ褌。もっこべこ④。[かぞえ方] 一枚

もっこう⓪(モク―)【木工】 ❶大工。 ❷木材の工芸や、簡単な加工。「―品⓪・―機械・―所(ジョ)⓪⑤」

もっこう⓪(モク―)【〈沐猴〉】 サルの意の古風な表現。「―にして冠(カン)する者〔=服装はりっぱだが、品性の下劣な人のたとえ〕」

もっこう⓪(モクカウ)【黙考】―する(自サ) 黙って、じっと考えること。「沈思―①-⓪」

もっこく⓪(モク―)【木〈斛〉】 庭木にする常緑高木。葉は楕円(ダエン)形で、厚くつやがある。夏、黄色を帯びた白色の花を開く。〔モッコク科(旧ツバキ科)〕[かぞえ方] 一株・一本

もっこつ⓪(モク―)【木骨】〔煉瓦造(レンガヅクリ)・石造(セキゾウ)などの〕建築物の骨組を木造にすること。↔鉄骨

もっこん⓪(モク―)【目今】「現今」の意の古風な表現。「―の情勢は」

もっさり③(副)―と―する 見てくれがぱっとしない上に動作が鈍く、いかにも気がきかないように見える様子。もっそり。「―した奴(ヤツ)だ」

もっそう③⓪(モッサウ)【物相】 ひとり分ずつの飯を盛る器。〔昔、斎会(サイエ)などで、おおぜいの僧に食事を供するのに使った〕 **―めし**③【―飯】〔昔、牢屋(ロウヤ)で与えた〕物相に盛った飯。

もっそり③(副)―と ⇩もっさり

もったい⓪【〈勿体〉】〔「勿」は無い意、「体」は正体の意〕実質はさほどでないのに、ちょっと見には内容のあるものを秘めているかのように見せかけること。「―をつける〔=何か重要な△事柄(価値)があるらしいふりをして見せる〕」[表記]「物体」とも書く。 **―な・い**⑤【―無い】(形) ❶もっと有意義な使途があると思われるので、現在の△むだ(粗末)な扱い方が惜しまれる様子だ。「△まだ使えるのに(捨てるなんて)―/△日曜日を寝て過ごす(たんすにしまっておく)なんて―話だ」 ❷自分自身を客観的に評価してそれを受ける器(ウツワ)に値しない、と考える様子だ。〔謙遜(ケンソン)を含意して用いられることがある〕「私がプロジェクトの責任者だとは―お話です」[派] **―さ**⑤ **―げ**⑤⑥⓪ **―が・る**⑥ [文法] 助動詞「そうだ(様態)」に続くときは「勿体なさそうだ」の形になる。また「すぎる」と結びついて複合動詞をつくるときは「勿体なさすぎる」の形になる。 **―ぶ・る**⑤【―振る】(自五) (必要以上に)重おもしそうにする。 **―らし・い**⑥(形) いかにももったいぶった言動をする様子だ。「気取って勿体らしく振る舞う」

モッツァレラ③〔イ mozzarella〕南イタリア産の生チーズの一つ。柔らかく、くせの無い味わいをもつ。本来は水牛の乳から作られたが、牛乳で代用されることが多い。モツァレラ⓪②とも。

もって①【《以て》】〔もと、「持って」の意〕 ■一〔格助詞的に〕 ❶…によって。「至誠―事に当たるのみ/好意を―迎えられる/書面を―〔=書いたもので〕答える/百を―〔=単位として〕かぞえる/…の本家を―任じる〔=⇩任じる■二〕/身を―〔=⇩身〕」 ❷…を理由にして。「老齢を―引退する/おかげをもちまして〔=おかげさまで〕」 ❸…を区切りとして。「本日を―〔=本日で〕△満二十歳となりました(閉店いたします)」 ■二〔接続詞・接続助詞的に〕 ❶それによって。「―瞑(メイ)すべしの〔=それだけ△やれば(確認出来れば)死んでも構わないという〕心境」 ❷それについて。「貴殿―いかんとなす〔=どう思われるか〕」 ❸そして。「安価で―美味」 ■三〔副助詞的に〕副詞や句の表わす意味を強調することを表わす。「本庁の通達で―/世界で―/今を―黄金時代とする/何を―…とするか/今―・前―・全く―・この上―」 **【―する】** …を△活用(応用)する。「彼の明敏な頭脳を以てしても解決出来なかった/現代の技術を以てすれば決して実現不可能ではない」 **―のほか**③⓪【―の外】―に―な 〔「以」は、思うの意〕 ❶思いのほかの△こと(様子)。意外。「―の立腹」 ❷とんでもない△こと(様子)。「教育上―だ」

もってうまれた①-⓪【持って生(ま)れた】〔連体詞的に〕生まれつきの。「―性質」

もってきて①【持って来て】〔接続詞的な用法〕それだけでなく、さらに悪い条件が重なる意。「ころんだところへ―横から自転車が突っ込んできた」

もってこい④【持って来い】〔注文してもこれ以上うまく適合することは無いと思われるほど〕適当でぴったり合う様子。「この仕事は彼には―だ/身を隠すに―の場所」

もってまわった①-⓪(―マハッ―)【持って回った・持って〈廻った〉】〔連体詞的に〕遠回しな。「―言い方」

***もっと**①(副) ある程度にまで至っている現状に、それ以上の△こと(状態)を△予測(要求)する様子。「来月は―寒くなる/―話を続けてよ/ほしければ―持って行くがいい」

モットー①〔motto〕日常生活における努力の目標として掲げる言葉。標語。座右の銘。「親切を―とする」

***もっとも**③【最(も)・〈尤(も)〉】(副) 程度に関して、同類の中の一方の極にあって、それ△以上(以下)のものが無い様子。「新橋 品川間に―早く鉄道が敷かれた/この辺が被害の―大きい地域だ」

***もっとも**【〈尤(も)〉】 ■一③―な―に 〔だれかの△動議(提案)について〕受け入れられる理があるものとして、自分も全面的に賛意を表わす様子だ。「―な意見/社長の提案に営業部長が反対するのも―だ/―(千万(センバン))だと思う/ご無理ご―〔=相手の言動を無批判に受け入れること〕」[運用]「ごもっとも」の形で、相手の発言を表面では肯定する形をとって、批判や皮肉を含意することがある。例、「お説ごもっとも。で

も実現性はゼロに近い」

―らし・い⑥(形) ❶表面的には道理にかなっているように思われる様子だ。「―意見」 ❷それなりの道理を踏まえているのだと△自分の発言を合理化しようとする(相手の発言を受け入れようとする)態度を言外に示す様子だ。「―顔つき/尤もらしくあごをなでる」 派 ―さ⑥⑤ ―げ⓪⑥⑦

[三]③①(接) 前述の主張に多少の例外を想定して以下で述べることを表わす。そうは言うものの。「あすは雨でも出かけよう。―よほどひどければ別だが」

もつに⓪【もつ煮】 鳥獣の臓物(ゾウモツ)に野菜・豆腐・こんにゃくなどを加えて煮込んだ料理。もつ煮込み③。

***もっぱら**⓪【専ら】(副) 〔古語「もはら」の変化〕その場面で想定されうる他のすべての可能性を退けて、それだけに事が集中する様子。「―輸出向けだ/―研究に打ち込む/権勢を―にする(=独占する)/彼が辞職するといううわさが―だ(=しきりに行なわれている)」

モッブ①〔mob〕 ⇨モブ

モップ⓪①〔mop〕 柄のついたぞうきん。 かぞえ方 一本

もつやく⓪【《没薬》】 アフリカ北東部などに生える、ミルラ①という木の脂(ヤニ)から製したもの。健胃剤などに使われる。⇨ミイラ

もつれあ・う④(アフ)【縺(れ)合う】(自五) 異質な要素がからみ合ったまま、△収拾のつかない(進展の見られない)状態をしばらく保つ。 名 縺れ合い⓪

もつれこ・む④【縺(れ)込む】(自五) 話や試合の経過がすっきり行かなくて、延長状態に入る。「延長戦に―」

***もつ・れる**③【縺れる】(自下一) ❶からまった状態になる。「糸が―(=からまって、解けなくなる)」 ❷正常さを失って、なめらかに動かなくなる。「舌が―/足が―」 ❸話や事件の筋が入り乱れて、解決がつかなくなる。「話が―/縺れきった与野党の関係」 名 縺れ③「感情の―」

もて 〔「以(モッ)て」の変化〕(雅) [一](格助詞的に) 方法・手段や道具であることを表わす。…で。「手―書く」 [二](接続助詞的に) 順を追って。「書き―行けば」

もて【持て】(雅:近畿・四国方言)〔「…しながら」の意〕「持って」の変化。「―渡る/―来(コ)」

もてあそ・ぶ④⓪【弄ぶ】(他五) 〔「持て遊ぶ」の意〕 ❶手に持って遊ぶ。いじくる。「ライターを―」 ❷自分の心を慰めるものとして、興じる。「月花を―」 ❸自分の欲望を満たすことだけを目的としてそのことにかかわる。「△女(政治)を―」 ❹「弄(ロウ)する」の和語的表現。「△策略(小手先の細工)を―」 名 弄び⓪「―物(モノ)⓪」 表記 ❷は、「《玩ぶ》」とも書く。

もてあつか・う⑤⓪(アツカフ)【持て扱う】(他五) 〔古くは、取り扱う意〕扱いに困る。「もちあつかう」とも。

もてあま・す④⓪【持て余す】(他五) 取扱いや処置に困る。「親も―いたずらっ子/△からだ(ひま)を―」 名 持て余し⓪

***もてな・す**③⓪【持て成す】(他五)〈なにヲ(デ)だれヲ〉 心をこめて客に応対する。〔狭義では、客に(心をこめた)茶菓・酒食を供することを言う〕「一家をあげて―」 名 もてなし⓪「茶菓の―(=ふるまい)を受ける」

もてはや・す④【持て囃す】(他五) 〔「持て映やす」意〕(多く受身の形で)他に比べるものが無いほどすぐれていると(多くの人びとが)評する。「革命的な理論家として持てはやされる/若い人たちの間で持てはやされている」

モデム⓪〔modem←modulator-demodulator=変復調器〕〔コンピューターで〕△電話(通信)回線によって遠方にデータを送るために、計算機用のデジタル信号を△電話(通信)回線用の信号に変換(=変調)したりその逆変換(=復調)を行なったりする装置。変復調装置。〔データ通信を行なう時に、計算機と電話機の間に接続する〕

もてもて⓪【持て持て】―な 「予測をはるかに超えて人気を得て、世間にもてはやされる△こと(様子)」の口頭語的表現。

モデラート③〔イ moderato〕〔楽譜で〕中ぐらいの速度。

モデリング⓪①〔model(l)ing〕〔美術で〕△肉付け(陰影による立体感を与える方法)を施すこと。

も・てる②【持てる】(自下一) 人気があって、何かにつけて機嫌を損ねることがないように扱われる。特に、多数の人からちやほやされることを指す。「偉ぶったところがなく店の人に―客/―男はつらい」

もてる②【持てる】〔「る」は、文語の助動詞「り」の連体形〕(連体詞的に)(必要以上の財産などを)持っている。「―者の悩み」

モテル①〔motel〕 ⇨モーテル

***モデル**⓪〔model〕 ❶①⓪ Ⓐ模型。「プラ―」 Ⓑ⇨かたしき「ニュー―」 Ⓒ見本。手本。模範。「―スクール⑤(=実験学校)・―地域④」 ❷⓪① 美術家が制作の題材とする人。「我が子を―に画架に向かっている/―業③」 ❸①⓪ 文学作品の素材と△なる(なった)人物。「―小説④(=実在の人物を素材にして書いた小説)」 ❹⓪ ファッションモデルの略。

モデルカー③〔model car〕 ❶模型自動車。ミニチュアカー。 ❷(新車種・新型車開発のための)試作車。

モデルケース④〔model case〕 代表的な事例。代表例。

モデルチェンジ④―する(自他サ)〔和製英語 ←model+change〕 購買意欲が高まるように、商品の性能や形・デザインを、従来とは違ったものに変えること。

モデルノロジー④〔和製英語 ←modern+nology〕 考現学。

もと②【下・元・《許》】 ❶その物をささえている下の方の部分。〔植物では、根を指す〕「花の―/旗の―/松の木の―(=根もと)/垣根の―(=きわ)」 ❷その人の勢力の及ぶ範囲内。「親の―(=そば)を離れる/友人の―(=家。宿)をたずねる/勇将の―(=指揮下)に弱卒無し/手―」 ❸〔…の―に〕その制約を受けた状況に△それがある(おいて、何かが成立する)ことを表わす。「監視―置かれる/年末までという約束―/慎重な配慮―/学会主催―(=という名目で)/…という美名―/…の旗印―(=『旗印の下で』とも言う)」

***もと**①【元】 [一]以前の△時(時代)。「―の(=昔、△住んで(持って)いた)家」 [二]【―の木阿《弥》(もくあみ)】 せっかく苦労してやったことが、何らかのきっかけで再び前の状態にもどってしまうこと。〔戦国武将の筒井順昭が死んだ時、子の順慶がまだ幼かったので、順昭の死を隠すため木阿弥に身代わりをさせた。順慶が成長するに及んで、その役を解かれて以前の木阿弥に戻ったことからとする説などがある〕 表記 「元の《杢阿》《弥》」とも書く。 [三](連体) 「前(ゼン)」よりまえの。「―校長・―代議士」 表記 「《旧・《故》」とも書く。

****もと** [二]【元】 ❶⓪② 物事がそこから始まった、最初の所。はじめ。起こり。「―(=ⓐ起源。ⓑ根源)をたずねる/―(=ⓐ素性。ⓑ原因)をただせば/踏み台から落ちたのが―で長い間寝込むようになった」 ❷②⓪ それが成り立つ基礎・根源となるもの。「農は国の―/―通(ド)りに直す/外国の技術を―にして/失敗は成功の―/豆を―(=原料)にして作った調味料」 ❸②⓪ その働きや作用が△生じる(出て来る)最初の所。「火の―に注意/カビやダニはアレルギーの―になる/製造―・販売―・おろし―」 ❹⓪ 利益を生じるよりどころとしての元金・資金。「―(=元手)がかかる/―(=元値)が切れる/―(=元値)を割る/―を取り戻す/―も子も無い」 表記 ❶は「本・基」、❹は「《素》」とも書く。

も

㊂【本】(造語) ❶〔雅〕草木の株をかぞえる語。「一(ヒト)―」 ❷タカ・ハヤブサなど、飼っている猛鳥をかぞえる語。

もとい②【元い】(感)〔「元へ」の変化〕言い直しをする時の語。〔日常の会話では接続詞的にも使う〕⇩もとへ

もとい②【基】〔「本居(モトイ)」、つまり土台〕「元・本(モト)」の改まった表現。基礎。

もとうけ⓪【元請(け)】〔「下請け」に対して〕依頼主から直接に仕事を受注する△こと(業者)。

もとうた⓪【元歌】❶替え歌の元になった歌。❷翻案された歌になる前の歌。「『蛍の光』の―はスコットランドの民謡」 表記「本歌」とも書く。

もとうり⓪【元売(り)】卸売りを専門にする△こと(会社)。「石油の―価格/―五社」

もどかし・い④(形) 期待通りに事が進まないので、早く何とかならないかといらだちを覚える気持だ。「彼の無器用な手つきを見ていると、代わってやれたらと―」 派―さ④③ ―げ④⑤⓪ ―が・る⑤

もとき⓪【本木】木の△幹(根の方)。「―にまさる末木(ウラキ)無し〔=気に入らなくて次つぎに取り替えてみたものの、やはり最初のものが一番よかった、という教え〕」 ↔うらき

もどき①【《擬》】〔動詞「もどく」の連用形の名詞用法〕何かに似ている(ように作る)こと。また、その物。「梅―・芝居―・雁(ガン)―」

もときん⓪【元金】❶貸し借りの対象となったお金。がんきん。↔利子 ❷事業を始めるのに必要なお金。資金。

もど・く②【《擬く》・〔抵〈牾〉く〕】(他四)〔雅〕❶相手の言動を容認せず、あしざまに△批評(非難)する。❷何かと張り合うかのようにして似せて作る。

モトクロス③〔motocross〕山林、原野に作った悪路・急坂を走ってスピードを競うオートバイのレース。

もとごえ⓪【本肥・基肥】発芽後の成長を促進するために、種まきや定植の際に施す肥料。↔追肥(ツイヒ)

もとごめ⓪【元込(め)】銃身・砲身の後ろの部分からたまをこめること。「―銃④」↔先込め

もとじめ⓪【元締(め)】❶勘定のしめくくりの役(をする人)。❷全体をまとめる△こと(人)。「総―③」

*__もど・す__②【戻す】(他五) ❶〈(どこ・なに・だれニ)なに・だれヲ―〉他の所に移動△した(させた)ものを、進む方向を逆にして、元の所へと向かわせる(まで移動させる)。「進んでいる時計の針を―/持ち出した本を棚に―/話を前に―/株価が値を―/拾得物を持ち主に―/食べたものを―/押し―」 ❷〈(なにニ)なにヲ―〉ある状態になっていたものを元通りの(望ましい)状態にする。「規約を元に―/冷凍食品を―〔=解凍する〕/縒(ヨ)りを―〔=⇩縒り[二]〕/掘った穴を埋め―」

もとせん⓪【元栓】ガス・水道などが家の中に引き込まれる所に取り付けられた栓。「ガスの―を閉める」

もとだか②③【元高】〔歩合や利息の計算で〕元になる金高。元金。原価。

もとだね⓪【元種】元にする種。原料。

もとちょう⓪【元帳】勘定の科目ごとに口座を分けて書き入れる、会計の原簿。

**__もとづ・く__③【基づく】(自五)〈なにニ―〉❶既定の△根本主張(指導原理)の線に沿って何かが行なわれる。「△憲法(原則)に―〔=準拠する〕/既定の方針に基づいて〔=沿って〕」 ❷ある客観的な事実や、とらわれた主観が主材料となって、何かが行なわれる。「△結果(実績)に―〔=を基盤とする〕/誤解に―〔=起因する〕けんか」

もとづめ⓪【本詰(め)】製造元・醸造元などで△詰めること(詰めたもの)。

もとで⓪【元手】❶何かをする元として必要なもの。「からだが―/商売の―〔=資金〕」 ❷元金。

もとどり⓪【〈髻〉】〔日本髪で〕髪の毛を集めて束ねた所。

もとなり⓪【本《生(り)》】植物のつるや幹のもと近くに実がなる△こと(もの)。↔うらなり 表記「本成り」とも書く。

もとね⓪【元値】仕入れた値段。↔売値

もとばらい③【元払(い)】荷物を送る人が運賃を前もって支払うこと。⇩着払い

もとぶね⓪【本船】大型のため接岸出来ないで、沖にとまっている船の称。親船。⇩はしけ 表記「元船」とも書く。

もとへ②【元へ】(感)〔体操・軍隊などで〕やり直し・言い直しをする時にかける号令。「もとい」とも。

もとま・る③【求まる】(自五)「求められる」の口頭語的表現。〔数学者などが多く使用する〕「答えが―」

もとみや⓪②【本宮】❶本社。❷本殿。

もとめ【求め】[一]③求めること。要求。需要。「―に応じる」 [二](造語) 動詞「求める」の連用形。 運用 [二]は、「お求めやすい」の形で、商人が割安な価格であることを言うのに用いるが、「お求めになりやすい」の誤用によるものとされる。

もとめて②【求めて】(副) 普通なら成行き上しかたなくするようなことを、自分から積極的にしようとする様子。「先生は変人だから、―だれとも交際しない」

**__もと・める__③【求める】(他下一) [一]❶〈(なに・どこニ)なに・だれヲ―〉△希望する(必要とする)ものを、方法を尽くして手に入れ(ようとす)る。「△技術者(ボランティア・経験者)を―/新天地を―/静かな地を求めて旅する/△活路(涼(リョウ))を―/求(モト)む、編集者〔=求人広告の古風な表現。『求む(下二)』は、『求める』の文語形〕/答えを求めよ〔=出せ〕」 ❷〈(だれニ)なにヲ―〉△希望(要望)を相手に伝えて、その実現を△迫る(期待する)。「△自覚(退陣・反省・奮起)を―/掲載許可を―/早急な対策を―」 ❸〈(なにニ)なにヲ―〉事の原因を追っていって、そこにあると判断する。「少年非行の原因を学校の荒廃に―声が高い」 [二]〈なにヲ―〉「買う」のやや改まった表現。「当店でお求めください」〔⇩求め[二]〕

*__もともと__⓪【元々・本々】(副) ❶何かをした結果が元の状態と変わらず、得たものも失ったものも無い様子。「失敗しても―だ」 ❷現在問題とされていることをつきつめていけば、そのものの△本質的な性格(出発点における状態)においてすでにそうであったととらえられる様子。「私は―がんこな人間でして/―欠陥商品であった可能性が高い」 ❸そのものの、今とは異なる当初の状態を問題として取り上げる様子。「今は美術館にあるが、あの絵は―父が所蔵していた」

もとゆい③【元結(い)】もとどり(を結う時に使う細いひも)。「もっとい③」とも。 かぞえ方 一本

もとより①【元より・本より・《固より》・《素より》】(副) ❶その△こと(状態)が以前からのことであって、今に始まったものではないと判断する様子。「私は―行く気はない/当人は―望むところ/―気のきかない者ですがお役に立てればと」 ❷〔多く、「…は―…△まで(も)」の形で〕〔問題とする対象が他にもある中で〕その事については改めて言うまでもないことだと判断する様子。「彼は―妻子までもサッカー好きだ/国内は―海外にもその名声が聞こえている」

もどり【戻り】[一]③❶戻ること。❷帰り(道)。↔行(ユ)き ❸鉤(カギ)・釣り針の端の、逆方向にとがった所。物を刺して引っかけるのに使う。❹相場が回復すること。 [二](造語) 動詞「戻る」の連用形。 **―うり**③【―売(り)】下がった相場がまた上がってきた時に売ること。 **―がけ**⓪【―掛(け)】帰りの途中。 **―づゆ**③④【―〈梅雨〉】梅雨が明けた後に、また、梅雨時のような気象状態になること。 表記⇩付表「梅雨」 **―みち**③【―道】帰り道。

もと・る ②【〈悖る〉】(自五) 正しいあり方に反する。「△原則(道理・人性・長幼の序)に—」

***もど・る** ②【戻る】(自五) ❶〈どこ・なに・だれニ—〉 他の所に移動したものが、進む方向を逆にして元の所△へと向かう(まで移動する)。「あとに—/自分の席に—/この辺で戻った〔=引き返した〕方がいい/流出文化財が祖国に—/落し物が無事に—/冬に戻った〔=逆行した〕ような寒さ/ふり出しに—」 ❷〈(なにニ)—〉 ある状態に変わっていたものが再び元通りの(望ましい)状態になる。「エンジンの調子が元に—/△意識(笑顔・昔のにぎわい)が—/水に漬けた干椎茸(ホシシイタケ)が—/白紙に—〔=⇩白紙〕」〔⇩戻り㊁〕 運用 結婚などに際しては避けるべき言葉とされる。

もなか ①【《最中》】〔「真ん中」の意〕 ❶〔最中の月『=十五夜の月』を象(カタド)ったという〕米の粉をこね薄く伸ばして焼いた皮の間にあずきあんなどを詰めた菓子。 ❷〔雅〕もっとも盛んな時期。「秋の—」

モニター —する(他サ)〔monitor〕 ❶⓪① 送信・録音などを調整・点検する装置。また、その調整技術者。 ❷① 頼まれて、放送や記事の内容・商品などについて意見を述べる人。 ❸⓪ ディスプレー㊂。

モニタリング ⓪〔monitoring〕 自然環境や市場の状況などを継続的に観測・監視すること。「—ポスト⑦〔=放射線量の測定装置〕」

モニュメント ①〔monument〕 ある事件や人物などを記憶にとどめるために建てられる建造物。記念碑・記念像。

もぬけ ⓪【〈蛻〉】〔「裳(モ)抜け」の意〕セミ・ヘビなどが、外の皮を脱ぐこと。「—の殻⑥、⓪-②〔=ⓐ人が逃げたあとなどの様子。ⓑ魂が抜け去ったからだ〕」 表記 「藻抜け」は、借字。

もの(終助) 〔「もの㊂」から〕 Ⓐ理由をあげて、自分の立場を正当化したり、自分に加えられた仕打ちを不当のものとして非難することを表わす。「だって嫌いなんだ—/そんなこと、知らない—」 ⒷⒶの接続助詞的な用法。「からだが弱いのだ—、無理はできないよ」〔くだけた言い方では、「もん」とも〕 文法 活用語の終止形に接続する。

****もの** ㊀②⓪【物】 ❶〔事・状態などに対して〕見たり さわったりして 実際にあることが確かめられる、具体的な形・大きさなどを備えた一つひとつ。〔狭義では視覚的にとらえられる物質を指し、広義では視覚的にはとらえにくい空気・ガスなどの気体をも指す。例、「ガスのような有毒な—」〕「この世のすべての—の創造主/手の先に堅い—が触れる/白い—が降ってくる」 ❷物質・物資・物品など、△行為を向ける(意志や欲求をいだく)対象としてとらえた「物㊀❶」。「心より—が大事にされる世の中/—に執着する/洗った—を乾かす/何か冷たい—が飲みたい/—〔=物資〕のない時代に生まれ育つ/いい—〔=材料〕を使った家具/—〔=品物(の品質)〕をよく見てから買うかどうか決めよう/国産の—より輸入した—のほうが安い」 ❸〔抽象的な存在である〕何らかの思考や判断の対象となる ひとまとまりの内容(を備えた物事や事柄)。「病気という—は経験しなければそのつらさがわからない/山登りほど楽しい—はない/—には順序がある/政界の腐敗には△憤慨にたえない(目に余る)—がある/—のはずみで〔=ちょっとした成行きで〕/—は相談だが〔=相談次第でよい結果が得られるが〕/—は試しだ、一つやってみよう/—〔=物事の道理や人情〕の分かった人/—の哀れ/—を知らない〔=基本的な知識や常識に欠ける〕にもほどがある/—の序(ツイデ)〔=⇩事の序〕/—も言わず〔=一言もしゃべらず〕部屋を出ていった/—を言う〔=ⓐ口をきく。ⓑ効果を現わす〕/知らない—は何といわれようが知らない/—につけ事に触れて思い出す」 ❹何らかの有効な働きが認められる存在。「高度な技術を—にする〔=習得する〕/あの若者は将来—になりそうだ〔=役に立つ人物になりそうだ〕/—の△用(役)に立たない〔=いざという時の役に立たない〕/金に—を言わせる〔=⇩言わせる〕/目に—を見せる〔=痛い目にあわせて思い知らせる〕/困難を—ともしない〔=問題にしない〕」 ❺目に見えず、正体はわからないが、不思議な力を持ち、人間の精神を支配(して異常な状態に)すると考えられる存在。「—に狂う/—に△取りつかれる(襲われる)/—の怪(ケ)」

㊁②【者】〔「……—」の形で〕社会的な存在として、何らかの△状況に置かれた(役割を負わされた)個々の人(を客観的にとらえて言う語)。「使いの—を差し向ける/ここは若い—に任せよう/無用の—の立入りを禁じる/持てる—の悩み/来る—は拒まず、去る—は追わず/奢(オゴ)る—は久しからず/働き—・食わせ—・あわて—・怠け—」

㊂〔形式名詞的に〕 ❶社会一般の△慣習(傾向)としてそのようなことが認められると判断することを表わす。「昔は家は長男が継ぐ—と決まっていた/甲は乙に対してその責を負う—とする」 ❷⇩ものか(終助)・ものだ・ものだから・もので(接助) ⇩もの(終助)

㊃(接頭) 何によるものかこれといって特定はできないが、そういう感じがすることを表わす。「—悲しい・—寂しい・—静か・—騒がしい」

㊄(造語) ❶そうするだけの価値のある物事。「買い—・見—・聞き—」 ❷同類を分類した一つひとつを表わす。Ⓐ…△に関する(として扱う)もの。「時代—〔=⇩時代〕・世話—・母—・暗記—・恋愛—〔=恋愛に関する葛藤(カットウ)を筋の中心とした作品〕・犯罪—〔=推理小説〕・四巻—〔=四巻仕立ての作品及び作品集〕・御飯—・噴飯(フンパン)—」 Ⓑ〔衣類などについて〕…△が(に)用いるもの。「男—・女—・婦人—・夏—・冬—・汁—」 ❸異常な体験に満ちた状態を表わす。「一晩じゅう、びくびく—だった/ひやひや—だ」

表記 ㊂は普通、ひらがなで書く。㊃㊄は「物」とも書く。

もの あわれ ③-【物哀れ】—な △見るからに(いかにも)哀れな様子だ。

もの あんじ ③【物案じ】—する(自サ) 心配して考えこむこと。「—顔(ガオ)」

もの いい ③-【物言い】 ❶言い方。言葉づかい。「—を知らない」 ❷〔すもうなどで〕△判定(決定)について反対が出ること。異議。「—がつく」 動 物言う②(自五)

もの いみ ④③⓪【物忌み】—する(自サ) 〔昔、陰陽(オンミョウ)道などで〕ある期間、食事や外出・面会などを慎み、心身を清めること。

もの いり ⓪【物要り・物入り】 〔家庭の経済で〕何かとふだんより多く金を出す必要のあること。出費。「四月は何かと—が多い/今月は—な事が続く」

もの いれ ④⓪【物入れ】 ❶納戸・押入れ・箱・袋など、物品を入れておく所や物。 ❷ポケットの古風な表現。

もの う・い ③⓪【物憂い・〈懶い〉】(形) 不快なことが続くなどして、暗く沈んだ気分にさせられる様子だ。「—天気が続く北国」 派 —さ③⓪ —げ⓪「—な微笑」

もの うり ③④⓪【物売り】 〔こまごました物を〕売り歩く△こと(人)。

もの おき ③④【物置】 ストーブ・扇風機など、しばらくの間使わない道具や燃料などを入れておく所。「—小屋⓪」 かぞえ方 一棟(ヒトムネ)・一台

もの おじ ⓪③-【物《怖じ》】—する(自サ) 〔性格として〕人見知りをしたり 引っ込み思案に傾いたり すること。「—しない子」

もの おしみ ③-【物惜しみ】—する(自サ) どんな物でも惜しがって、人にやったりしないこと。

ものおそろし・い[6]【物恐ろしい】(形) 自分の置かれた状況が何となく恐ろしいと感じられる雰囲気に包まれている様子だ。[派]—さ[6][5] —げ[6][7][0]

ものおと[3]【物音】(特定出来ないが)風・波などの自然物以外の物から生じたと思われる音。「—一つしない」

ものおぼえ[3]【物覚え】物事を覚えること。記憶(力)。「—がいい」

ものおもい[3]（—オモヒ）【物思(い)】心配したりして、普通は考えない事までもいろいろ考えること。「—に△沈む(ふける)」[動]物思う[4][2](自五)

ものか(終助) ❶決してそのようなことは(言え)ないと、反駁(ハンバク)・反論したり決意したりする気持を表わす。「そんなことがあってたまる—/負けてなどいられる—/こんなまずい店二度と来る—」❷〔否定表現に付いて〕その場で望まれることを表わす。「何かおいしいものはない—/もう少し休みがとれない—」❸ある出来事に出会った感慨を表わす。「こんなに美しい絵がある—/こうも待遇が違う—」❹〔疑問語を伴って〕どうすればよいか考えあぐねていることを表わす。「誰に相談すればいい—/結婚話を何と言って切り出した—」❺疑問に思われることを文中に挟み込む。「赤ん坊は、何か物音がした—、急に目を覚ました」[文法](1)活用語の連体形に接続する(名詞は「名詞＋な＋ものか」となる)。(2)形式名詞「もの」に文語の係り助詞「か」の付いた連語「ものか」が一語化したもの。(3)丁寧な表現では「ものですか」。口頭語では「もんか」とも。例、「何がこわいものですか」「絶対に歯医者なんか行くもんか」

ものかき[3][4]【物書き】〔もと、書記役の意〕文筆(に従事する人)。〔生きるための手段に過ぎないという気持を込めて自嘲(ジチョウ)気味に用いられることがある〕「一介の—でいい、ということで大学教授の口を辞退した」

ものかげ[0] ■一【物陰】物に隠れて見えない所。「—に隠れる」■二【物影】何かの姿・形。「—の動くのを認める」

ものがた・い[4]【物堅い】(形) すべての点で慎み深く、義理堅い様子だ。[派]—さ[3][4]

ものがたり[3]【物語】❶物語ること。また、その内容。❷〔平安時代以降の〕散文の形式を取った文学作品。「たあいも無い—に過ぎなかった/—上の人物/—性[0]・歌—・説話—・軍記—」

ものがた・る[4]【物語る】(他五) ❶筋道なり事件なりを追って話をする。「体験を—」❷〔具体的な材料が〕そうなるに至った事情をよく説明する。「昔を—記録/苦労を—顔のしわ/厳しさを—/△端的(如実)に—」

ものがなし・い[5][0]【物悲しい】(形) これといった理由もないのに悲しく感じられる様子だ。[派]—さ[5][4] —げ[5][0]

ものかは【物かは】❶[2] 全く気にかけることがない様子だ。「雨も—〔=雨を物ともせず〕」❷〔雅〕「ものか」の強調表現。「月はくまなきをのみ見る—」

ものから〔雅〕❶…ではあるが。…(である)ものの。「美しき—」❷…(である)ものだから。「忘れざる—」

ものぐさ[0]【物臭】—な —に 何をするのもめんどうくさがる△様子(人)。「—太郎[5]」[表記]「物臭」は、借字。

モノグラフ[1]〔monograph〕特に一つの事について研究した論文。モノグラフィー[3][4]〔フ monographie〕。

モノグラム[3][1]〔monogram〕姓名の頭文字などのローマ字を組み合わせて図案化したもの。

ものぐるい[3]（—グルヒ）【物狂(い)】「狂人・狂気」の意の古風な表現。

ものぐるおし・い[6]（—グルホシイ）【物狂おしい】(形) 何かに取りつかれたかのように、常軌を逸していると思われる様子だ。ものぐるわしい。「—ほどに切ない/心が物狂おしくもだえる」[派]—さ[5] —げ[6][7][0]

ものぐるわし・い[6]（—グルハシイ）【物狂わしい】(形) ⇩ものぐるおしい [文法]「ものぐるおしい」が主に平安時代のかな書きを主体とした文学作品の系統を継ぐ語であるのに対し、「ものぐるわしい」は多く説話文学の系統を継ぐ語である。

モノクロ[0]〔←monochrome〕白黒写真[5]。モノクローム[4]。↔カラー

ものごい[0]（—ゴヒ）【物乞(い)】—する(自サ) こじき△が(のように)なんでもいいから恵んでくださいと頼むこと。また、その人。

ものごころ[3]【物心】人情・世態についての知識。「—(が)つく〔=子供が、世の中の裏表や、デリケートな人間関係や人の気持などについて分かり始める〕」

ものごし[0]【物越(し)】何か物を隔てること。「—に呼ぶ」

ものごし[0]【物腰】人に接する時の態度一般。〔かつては、言葉だけを指した〕「—の柔らかい人」

****ものごと**[2]【物事】❶思考・行動の対象となるすべて。❷一切の事柄。「—をいいかげんにやる」

***ものさし**[3]【物差(し)】❶物にあてがって長短を計る用具。さし。「—を当てる/子供のころ—でたたかれたものだ」❷評価の△尺度(基準)。「服装を—にして人をはかる」[表記]「物指し」とも書く。[かぞえ方]❶は一本

ものさびし・い[5]【物寂しい・物〈淋しい〉】(形) これといった理由もないのに何かにつけて寂しく感じられる様子だ。「秋は—季節だ」[派]—さ[5][4] —げ[5][6][0]

ものさびた[3][0]【物さびた】(連体) 古色を呈したたたずまいに趣が感じられる。「ひっそりと—社(ヤシロ)」

ものさわがし・い[6]【物騒がしい】(形) ❶あたりがざわざわとしていて、やかましい様子だ。❷次つぎと事件が起こるなどして、△落ち着いていられない(不安にかられる)様子だ。[派]—げ[6][7][0]

ものしずか[3]（—シヅカ）【物静(か)】—な —に ❶ひっそりとしていかにも静かな様子だ。「—な山林」❷人に接する時の態度・言葉つきなどが穏やかな様子だ。「—に話しかける/—な青年」[派]—さ[0][5]

ものしらず[3]【物知らず】常識として持っていることが必要な、社会生活上でのしきたりや礼儀についての知識・配慮が全く欠如している△こと(人)。

ものしり[3][4][0]【物知(り)・物《識(り)》】なんでも雑学的に知っている△こと(人)。博識。「—顔(ガオ)に話し続けた」

もの・す[2]【物す】(自サ)〔雅〕何かをしている(状態にある)。「抗議の一文を—」

ものずき[3][2]【物好き】—な —に 普通の人があまり△やらない(やりたがらない)事を好んでする様子だ。また、そのような人。〔自嘲(ジチョウ)や軽い皮肉・軽蔑(ケイベツ)を含意して用いられることがある〕「—にも程がある/世間には—が多いものであっという間にやじ馬が集まった」

ものすご・い[4]【物《凄い》】(形) 一般に予測される程度をはるかに超えた状態だ。「—〔=なんとも恐ろしい〕顔/—〔=激しい〕台風/—人気/—暑さ」[派]—さ[3]

ものすさまじ・い[6]【物《凄まじい》】(形) なんともことばでは表わせないほど凄まじい。「—怒りの表情」[派]—さ[6][5]

もの・する[2][3][0]【物する】(他サ) 詩歌を作ったり書(ショ)を書いたりする。「一句—」

ものだ〔形式名詞「もの」＋断定の助動詞「だ」〕❶一般的な事実であることを表わす。「年をとると物忘れがひどくなる—/入学式の後はオリエンテーションがある—」❷そうすべきであることを一般論であるかのように述べる。「お年寄りには親切にする—/知っている人に会ったら、挨拶をする—」❸過去に何度もそのようなことがあったことを回想する。「子供のころはよく弟とけんかをした—/若いころは一晩に何軒

も

も飲み歩いた—」❹ある出来事に対する感慨や詠嘆の気持を表わす。「思えば遠くに来た—/よくあんなに食べられる—/そこはよくしたもので、何とか無事に収まった/二十年とは早いもので、あの赤ん坊がもう成人だ」❺〔「たい」のあとに用いて〕話し手が希望することを表わす。「一生に一度は行ってみたい—/私も彼のようになりたい—」❻何らかの事態に対して解説を施すことを表わす。〔主語に対して「ものだ」も含めて述語となる〕「提案は両者が満足できるものだった」❼話し手自身の態度や立場を表わす。「私はこの政策には反対する—」 文法 (1)活用語の連体形に接続する。(2)❼は、演説などに多く用いられる。本来「者」の意か。(3)丁寧な表現は「ものです」。口頭語では「もんだ」とも。

モノタイプ③〔Monotype=商品名〕キーを押すと、自動的に活字が鋳造されて原稿通りに並ぶ装置。自動鋳造植字機⑩。

もの だから〔形式名詞「もの」+断定の助動詞「だ」+接続助詞「から」〕後件の理由を、前件で個人的な事情として述べることを表わす。「もので」とも。「体が弱い—、無理がきかない/用事がある—、今日はお先に失礼する」 文法 (1)活用語の連体形に接続する。(2)丁寧な表現は「ものですから」。口頭語では「もんだから」とも。

もの だち⓪【物断ち】茶断ち・塩断ちなどの総称。

もの だね⓪【物種】物事の元になるもの。「命あっての—〔=どんな事をしても、命を無くしては元も子も無い〕」

もの たりな・い⓪【物足りない】(形) 期待していた程度にわずかに及ばず、満足出来ない様子だ。「あれだけ騒がれていて銅メダルとは—成績だ」 派 **—さ**⑤「—が残る」

もの づくし③【物尽くし】その種類に属する物を全部列挙△すること(したもの)。例、花尽くし・国尽くし。

もの で(接助)「ものだから」に同じ。「音楽には疎い—、どこがいいのかよく分かりません」 文法 (1)活用語の連体形に接続する。(2)形式名詞「もの」に断定の助動詞「だ」の連用形が付いた「もので」が一語化したもの。(3)口頭語では「もんで」とも。

モノトーン③—な〔monotone〕❶〔文章表現や音楽で〕(期待・予測に反して)単調な△こと(状態)。❷色彩の構成が、△単一色(黒白などの無彩色)の濃暗・明淡だけである△こと(様子)。

もの ども②【者共】〔雅〕〔いざという時に役立つ人たちの意〕主人が従者たちを呼ぶ言葉。お前たち。

もの とり③【物取り】「どろぼう・おいはぎ」の意の、古風な表現。「—の仕業か/—強盗」

もの なら(接助)❶実現が不可能だと思われる事柄を想定することを表わす。「行ける—行ってみたい/やれる—やってみろ」❷好ましくない結果になりそうな事態を想定することを表わす。「うそをつこう—、ただではおかない」 文法 (1)❶は可能動詞「出来る」、可能用法の助動詞「れる/られる」に接続する。(2)❷は助動詞「う/よう」の連体形に接続する。口頭語では「もんなら」とも。

もの な・れる④【物慣れる】(自下一) いつでもその事をして△いて(いるようで)、上手にやる。「物慣れた手つき」 表記 「物〈馴れる」とも書く。

もの の(接助) 何らかの評価基準の上で、プラスに評価されることと、マイナスに評価されることとが同時に成り立つことを表わす。「学校は出た—、勤め先はない/このマンションは家賃は高い—、設備は申し分ない」 文法 (1)活用語の連体形に接続する。(2)形式名詞「もの」に同格の格助詞「の」の付いた「ものの」が一語化したもの。(3)「ものの」は、「が」「けれど」「のに」のような典型的な逆接とは異なり、あることがらのプラス・マイナスの両側面を表わす場合に用いられる。古典語では「Pするものの(=ものであって)Qする(もの)」というように、あるものやことの二つの側面を述べる表現であったところから生じた意味であると考えられる。

もの の⓪【物の】(副)❶だれの目にもそうとらえられると判断される様子。「—見事に△成功した(しりもちをついた)」❷〔多く否定表現と呼応して〕言ってみたところで、その程度のことでしかないと判断される様子。「—数(=特にかぞえたてるほど価値のあるもの)でない/—(=せいぜい)五分もたたないうちに/—(=ほんの)二キロも歩いたころ」

ものの あわれ④—アハレ【物の哀れ】❶目に触れ耳に聞く物事につけて感じられる、しみじみとした情趣。〔『源氏物語』に一貫してみられる理念だとされる〕❷四季の移ろいに応じた草木の姿や、年をおうごとに衰えていく人の一生などを通して感じられる無常感。

ものの ぐ③【物の具】〔雅〕道具一般。調度。〔特に、武家社会では、よろい・かぶとを指した〕

ものの け⓪【物の《怪》】人にとりついて悩ましたという死霊(シリョウ)・生霊(イキリョウ)など。「—に取りつかれる」 表記 「物の気」とも書いた。

ものの ふ⓪【物夫・〈武士〉】〔雅〕〔「もの」は「物❶㊃」の意か。「ふ」の意は未詳〕武士。

ものの ほん④【物の本】(その方面の事が書いてある)本。「—によると」

ものは づけ⓪【物は付け】雑俳(ザッパイ)の一種。「…(する)物は」という題に応じて、答えの句を付けるもの。

もの び②【物日】祝い・祭りなど、何か特別の事のある日。

もの ほし③【物干し】洗濯した物を干すこと。また、その場所。「—ざお④・—台⓪」

ものほし げ⓪⑤【物欲しげ】—な/—に いかにも欲しそうな様子だ。ものほしそう⑤。「—な顔つきをする」

モノポリー②〔monopoly〕独占(権)。専売(権)。

モノマニア③〔monomania〕関心を持つ特定の事に病的に熱中し、常軌を逸した行動に走る傾向のある△こと(人)。偏執狂。〔モノマニアック⑤も原語では名詞〕

もの まね⓪【物真《似》】—する(他サ) 人・動物の声や、物の音・様子などを真似る△こと(芸)。

もの み③【物見】❶見るに値する物を見に行くこと。「—遊山(ユサン)④」❷戦陣で敵側の動きを見張る(役)。❸(↑物見やぐら④) 遠くを見るための、やぐら。望楼。 **—だか・い**⑤【—高い】(形) ちょっとしたことに好奇心をいだき、すぐに見聞きしたがる様子だ。「—野次馬」

もの めずらし・い⑥—メヅラシイ【物珍しい】(形) 初めて接するなどして珍しく感じられる様子だ。「異国の街を物珍しそうに見て歩く」 派 **—さ**⑤ **—げ**⓪⑦⑥

もの もう⓪③—マウ【物申】(感)〔↑物申す〕江戸時代、人の家をたずねて案内を請う時に言った言葉。〔今の「ごめんください」、方言の「申し」に当たる〕

もの もう・す③②—マウス【物申す】(自五) 組織体のあり方などについて、△批判(抗議)的な発言をする。〔古語では、「ものもう」を言う意に使う〕

もの もうで③—マウデ【物詣で】神社や寺へ参拝すること。

もの もち【物持ち】❶③△品物(お金)を多く持っている人。❷⓪③品物をこわしたり無くしたりしないで持ち続けること。「—がいい」

ものもの し・い⑤【物々しい】(形)❶不測の事態に対する備えなどが、そこまでする必要があるのかと思われるほど大げさだ。「—警備・—いでたち」❷言動や態度・表情などから軽がるしい対応は出来ないといった威圧感を受ける様子だ。「—口調で語りだす」 派 **—さ**⑤④ **—げ**⑤⑥⓪

もの もらい③—モラヒ【物〈貰い〉】❶こじき(をすること)。❷

まぶたに出来る、小さいはれもの。麦粒腫(バクリュウシュ)。

ものやわらか④⑤【物柔(ヤハラカ)らか】—な/—に 人に接する態度や言葉つきなどが△柔らかい感じ(穏やか)だ。「—にさとす/—な話しぶり」 派 —さ⑥⑤

モノラル①〔monaural〕 ❶立体音響でなく、音を単一的に再生する普通の△放送(録音)。「—放送⑤・—録音⑤」 ↕ステレオ❶❷ ❷〔←monaural record〕 モノラル録音によるレコード。「—盤⓪」 ↕ステレオ❸

モノレール③〔monorail〕 一本のレールに△つり下がって(またがって)走る電車。モノレール カー⑤⑥。

モノローグ③①〔monologue〕 独白(ドクハク)。 ↕ダイアローグ

もの わかり③⓪【物分(か)り】 人の意見や立場などを理解する△こと(程度)。「—が△いい(早い)」

もの わかれ③【物別(れ)】 話合いがまとまらないまま別れること。「—に終わる」

もの わすれ③【物忘(れ)】—する(自サ) なんでも忘れやすいこと。「—が多くなる/—がひどくなった」

もの わらい③—(ワラヒ)【物笑(い)】〔何かの機会に引合いに出して〕ばかにして笑うこと。「—の種になる/世間の—になる」

もの を(接助)〔「もの❸」に文語の間投助詞「を」のついたものから〕事態を好ましい方向に進展させることが出来なかったことを、不満・悔恨などの気持をこめて表わす。〔後件を略して終助詞的にも使う〕「一言(ヒトコト)謝ればいい—意地を張っている/あんなにいやがる—無理にさせるのではなかった/早く来ればいい—」 文法 (1)活用語の連体形に接続する。 (2)口頭語では「もんを」とも。

もば⓪【藻場】 海草や海藻(カイソウ)が茂っている場所。魚類が集まる。例、アマモ場・ガラモ場など。

モバイル②〔mobile=移動できる〕 移動中や外出先で、携帯型パソコン・携帯電話などを使い、ネットワークを通じて情報の処理や送受信を行なうこと。また、それに使う情報機器。「—ゲーム⑤・—決済⑤」 ⇩モビール

もはや①【《最早》】(副)〔「もうはや」の変化〕 ❶気が付くと、まだまだだと思っていた△時刻(時期)に至っている様子。「—十二時を回っている/—△日暮れ(年の瀬)も近い」 ❷現時点においては、すでに状況が変化していて、過去の状態△が通用しなく(を取り戻せなく)なっていると判断される様子。「—手遅れだ/彼の名声は—過去のものだ/万策尽き—これまでだ」

***もはん**⓪【模範】 それを見習うべき、りっぱな△やり方(手本)。「—を示す」 —てき⓪【—的】—な/—に 模範に△なる(して いい)様子だ。「—な運転」

モヒ① モルヒネの略。

モビール〔フ mobile=移動性の〕 ❶② 動く部分のある彫刻。木片や金属片を糸や針金でつるし、バランスの美しさを楽しむもの。 ❷(造語) 可動性の。「ブック—⑤(=移動図書館)・—ハウス⑤(=移動住宅)」〔❶❷ともモービル①とも〕 —ゆ④【—油】〔mobile=自動車〕 発動機の摩擦を防ぐためにさす油。モビルオイル④。「モビル油③」とも。

モヒカン がり⓪【モヒカン刈(り)】 頭髪の左右をそり落とし、中間部分の髪だけを残す髪型。〔モヒカン(Mohican)は北アメリカ先住民の一部族名〕

モブ①〔mob〕 群衆。集団。モッブとも。「—シーン③(=映画などで、群衆を映した場面)/—キャラクター③④」

もふく⓪【喪服】 葬式・法事などに着る、黒または薄墨色の礼服。

モヘア①〔mohair〕 アンゴラヤギの毛で織った、上等の布(のイミテーション)。洋服地・ショールなどにする。モヘヤとも。

もほう⓪—(ハウ)【模倣・〈摸倣〉】—する(他サ) 今までにあることや既に出来上がっているものをそのまま踏襲し、創意工夫を示さないこと。似せること。「製品を—する」 ↕創造 表記 もとの表記は、「〈摸倣〉」。

もほん⓪【模本・〈摸本〉・〈摹本〉】 ❶模写して作った本。 ❷習字などの手本。

もみ①【《紅》】 紅色で無地の、薄い絹布。女性の和服のそでやすその裏などに使う。「—裏」 表記 「〈紅絹〉」とも書く。

もみ①⓪【〈籾〉】 ❶もみごめ。「苗代に—を蒔(マ)く」 ❷もみがら。「御飯の中に—が交じっている」

もみ①【〈樅〉】 若木をクリスマス ツリーに使う常緑高木。堅い葉が細かく小枝の両側に並ぶ。材は建築・器具・製紙材料用。〔マツ科〕 かぞえ方 一本・一むら

もみ あ・う③—(アフ)【〈揉(み)合う〉】(自五) おおぜいの人が一か所に群れてからだをぶつけて争う。「入口で—/会議で—」 名 揉み合い⓪

もみ あげ⓪【〈揉(み)上(げ)】 頭髪が耳の前に細く生え下がった部分。

もみ うら⓪【《紅裏》】 もみの裏地(を使うこと)。 表記 「〈紅絹〉裏」とも書く。

もみ がら⓪【〈籾殻〉】 もみ米をついて玄米を得たあとに残る、外側の堅い殻。もみぬか。

もみ くちゃ⓪【〈揉(み)くちゃ〉】—な/—に 揉まれて△しわになる(ひどい目にあう)△こと(様子)。「もみくしゃ⓪・もみくた⓪」とも。「満員電車で—に△なる(される)」

もみ け・す③⓪【〈揉(み)消す〉】(他五) ❶揉んで火を消す。「たばこの吸いさしを—」 ❷事件や悪いうわさが△広く知られ(これ以上広まら)ないように抑える。「スキャンダルを—」 名 揉み消し⓪「事件の—を図る」

もみ こ・む⓪③【〈揉(み)込む〉】(自他五) その中に入れる(かのように、△繰り返し(無理矢理)もむ。「キャベツに塩を—/錐(キリ)をもみ込まれるような激痛」

もみ ごめ⓪【〈籾米〉】 稲の穂から取り去っただけで、まだ脱穀していない米。もみ。

もみじ①—(モミヂ)【〈紅葉〉・〈黄葉〉】 ❶—する(自サ) 木の葉が晩秋に黄色や赤い色に変わること。「—した山」 ❷〔↑もみじば③⓪〕 赤くなった(カエデの)木の葉。 ❸カエデの異称。「—が色づく/—を散らす(=顔が まっかになる)」「赤ちゃんの—のような手」 表記 ⇩付表 かぞえ方 ❸の樹木は一本・一樹。葉は一枚 —おろし④【〈紅葉〉下(ろ)し】 ❶すりおろしたニンジンを交ぜた大根おろし。 ❷大根と赤トウガラシを一緒におろしたもの。「もみじ❶」をたずねて、見て楽しむこと。 —がり⓪【—狩(り)】 山野に「もみじ❶」をたずねて、見て楽しむこと。

もみ すり③⓪④【〈籾摺〉(り)】 籾米をうすなどで摺って、籾殻を取り去ること。「—機④」

もみ で⓪【〈揉(み)手〉】 両手を互いに揉むようにしたりこすり合わせたりすること。〔狭義では、詫(ワ)びを入れたり 頼みごとをしたり する際の手つきを指し、広義では、その人の言動に反映する、相手にへつらおうとする態度をも指す〕

もみ ぬか⓪【〈籾糠〉】 ⇩もみがら

もみ りょうじ③—(レウヂ)【〈揉(み)療治〉】 揉んだり さすったりして筋肉の凝りを治す療法。あんま。

***も・む**⓪【〈揉む〉】(他五) ❶〈(なにデ)なにヲ—〉 堅い状態のものを柔らかくなどするために、その物を手でつまんだり 掌(テノヒラ)にはさんだりしていろいろな方向から押すようにして強い力を加える。「肩を—/堅い紙を揉んで柔らかにする/手で揉んで洗う/きりで揉まれるように痛む/両手を—(=ひたすら下手に出る様子)/もう少し揉んで(=議論しあって)から結論を出すことにしよう」 ❷〈なにヲ—〉 いろいろな方向から強い力が加えられて、その物を激しく揺り動かす。「△風(波)に揉まれる/みこしを—(=一か所に止まり、激しく揺り上げ揺り下げする)/満員電車△で(に)揉まれる」 ❸〈だれヲ—〉〔すも

も

う・勝負事などで〕対戦相手になって鍛えてやる。「いっちょう揉んでやろう」 **もまれる**【〈揉まれる】 いろいろな経歴の人と出会い、さまざまな苦労や経験をして、一人前らしくなる。「世の荒波に—〔=鍛えられる〕」

【気を—】⇩気

もめごと[0]【〈揉め事】 ごたごたした争い。いざこざ。「内輪の—が絶えない」

***も・める**[0]【〈揉める】（自下一） [一]〈（なにデ）—〉意見の相違などで言合いや論争がかわされる。「また揉めてるな／一(ヒト)揉め—」 [二]心の冷静さがかき乱された状態になる。「気が—」

もめん[0]【《木綿】 ❶〔←木綿わた[2]〕ワタの種についている白色の繊維を精製したもの。きわた。 ❷〔←木綿糸(トイ)[4]〕「木綿❶」を紡いだ糸。綿糸。カタン糸。 ❸〔←木綿織[0]〕綿(糸)織物。綿布(メンプ)。 表記 ⇩付表「木綿」

モメント[1] [一]〔moment=瞬間〕 ❶きっかけ。動機。 ❷要素。 [二]〔ド Moment〕〔哲学で〕契機。 [一][二]ともモーメント[1]とも

もも[1]【《百】（造語）〔雅〕百(ヒャク)。かぞえ上げる個数・回数などが百であることを表わす。〔数が非常に多いことを含意することもある〕「—歳(トセ)・—度(タビ)・—日(カ)・—夜(ヨ)」

もも[1]【股・〈腿】 ❶足の上部の、腰に連なる部分。しなやかな筋肉と太い骨から成る。 ❷また。「高—」

もも[0]【桃】 ❶畑地・庭に植える、中国原産の落葉小高木。実は大形で美味。品種が多い。〔バラ科〕 ❷桃色。 かぞえ方 ❶は一株・一本

もも いろ[0]【桃色】 モモの花のような薄赤い色。淡紅色。「—遊戯[5]〔=(未熟な若者同士の)ふまじめな△恋愛(性愛)〕」

もも しき[0]【《百敷】〔雅〕宮中。皇居。 表記 「《百〈磯《城」とも書く。

もも じり[0]【桃尻】〔馬に乗るのがへたで〕鞍(クラ)に尻がしっかりすわらないこと。

もも だち[0]【《股立(ち)】 はかまの両わきの、あいた所。「—をとる〔=はかまの左右のすそをつまみ上げて、帯にはさむ〕」

もも たろう[2]【桃太郎】 おとぎ噺(バナシ)の主人公。桃の中から生まれ、イヌ・サル・キジを連れて鬼が島へ鬼退治に出かけたという。

もも ち[1][0]【《百千】〔雅〕数の多いこと。「—の秋の草花」 **—どり**[3]【—鳥】〔俳句で〕春に、さえずりかわす多くの小鳥。

もも とせ[2]【《百《歳】〔雅〕百年。〔多くの年のたとえ〕

もも にく[2][0]【《股肉】 鶏や牛・豚などの、股の部分の食肉。 かぞえ方 一枚

ももの せっく[0]-[0]【桃の節句】 雛(ヒナ)祭り。

もも ひき[0]【《股引(き)】 ❶タイツに似たズボン形の(男性用)衣服。下着用と作業用とがある。 ❷〔←さる股引[4]〕さるまた。 かぞえ方 ❶❷とも一枚

もも われ[0]【桃割(れ)】 十六、七歳の少女が結う日本髪の髪型の一つ。左右に毛を分け輪にしてとめ、まげを、桃を二つに割ったような形にする。

ももんが[2] ❶【〈鼯鼠〉】 ムササビ。 ❷形がムササビに似る、小動物。夜行性で、前足と後ろ足との間の膜を使って木の間を飛び移る。「ももんがあ」とも。〔リス科〕 かぞえ方 ❶❷とも一匹

ももんがあ[2] ❶ももんが❷。 ❷毛深い化け物。〔目・口などを両手で広げ、子供をおどしたりする時に発する語。「ももんじい」とも〕

ももんじい[2][4] ❶⇩ももんがあ❷ ❷イノシシ・シカなどの肉の異称。

もや[1]【〈靄】〔季節・場所を問わず〕空気中に一面に水蒸気が立ちこめる状態で、霧より見通しの良いもの。「—がかかる／朝—[0]・夕—」

もや[1]【《母屋】 ❶家の中のおもな部屋。寝殿造(ヅクリ)で、中央の間。⇩ひさし❶ ❷〔大工用語で〕家の軒の内。

もや[1]【喪屋】 ❶喪中の間、遺族がこもるために墓の近くに作られた家屋。 ❷〔雅〕殯(モガリ)を行なうための家屋。

もやい[0] 共同で使ったり所有したりすること。「—にする」 動 もやう[2][0]（他五） 表記 「〈催合〉」と書くのは、義訓。

もやい ぶね[4]【〈舫(い)船】 △互いに(陸地に)つなぎとめた船。

もや・う[2]【〈舫う】（他五） 船を△互いに(陸地に)つなぎとめる。

もやし[3][0]【〈萌(や)し】〔芽を出させる意の動詞「萌やす」の連用形の名詞用法〕日光に当てないようにして出させた米・麦・豆類・野菜の芽。〔大麦のもやし『=麦芽』は醸造用の外に、あめを作るのに用いられる〕 かぞえ方 小売の単位は一袋 **—っこ**[0]【—っ子】 過保護下で育った、苦労知らずのひ弱な(都会の)子供。

***もや・す**[0]【燃(や)す】（他五）〈（なにニ）なにヲ—〉 ❶燃えるようにする。「△枯れ草(紙・石炭)を—」 ❷感情を高まらせ、積極的な行動に出ようとする。「△意欲(好奇心・執念・情熱)を—」

もや もや [一][1]（副）—と—する ❶もやが立ちこめているようで実体がはっきり分からない様子。 ❷解決したり明らかになったりしないため、不安・不満などが無くならない様子。「—した空気」 [二][0]「もやもや[一]❷」した状態。わだかまり。「党内に—がある／—を払う」

もや・る[2]【〈靄る】（自五） 一面に靄がかかった状態になる。

もよい【《催い】（造語） 雨や雪が降り出しそうなこと。「雪—」

***もよう**[0]【模様】 ❶〔衣服・工芸品などに〕飾りとしてつける形・絵。「イチョウの葉を—化する／花—[3]・—編み[0]・—入り[0]」 ❷模様のように込み入ったありさま。「人生—[5]」 ❸ありさま。状況。「その場の—」 ❹そうなる(らしい)様子。「廃止する—だ／雪—・荒れ—」 **—がえ**[0]【—替(え)】—する（他サ） 様子をかえること。「部屋の—〔=主として、道具などの配置がえ〕／駅の—〔=改築〕／計画の—〔=やり方・順序などの変更〕」

***もよおし**[0]【催(し)】 ❶催すこと。「県の—〔=主催〕」 ❷〔←催し物[0]〕計画して開いた、多人数の集まり。「文化の日の—」 ❸ある生理作用が起こる気持になること。

***もよお・す**[3][0]【催す】 [一]（他五）〈（なにニ）なにヲ—〉 ❶計画して、会などを開く。「身障児のためにチャリティーショーを—」 ❷△外的条件が刺激となって(何かがきっかけになって)、そういう生理的・精神的状態を生じさせる。「眠けを—／涙を—／△便意(尿意)を—」 [二]（自五） 何かの状態になろうとするきざしが見える。「だいぶ前から嵐(アラシ)が催していた」

もより[0]【《最寄(り)】 そこから最も近いこと。「—の駅はどちらですか」 表記 ⇩付表「最寄り」

モラール[2]〔morale〕 組織・集団の士気。やる気。労働意欲。

もらい【〈貰(い)】 [一][0] 貰う△こと(もの)。「—が多い」 [二]（造語） 動詞「貰う」の連用形。 **—う・ける**[5]【—受ける】（他下一）（自分から願って）他の人が大切にしているものをもらい、自分のものとする。「養子に—／秘蔵の品を—」 **—ご**[0]【—子】 他人の子を貰って自分の子として育

てること。また、その子。養子。 —さ・げる⑤【—下げる】(他下一) ❶役所や会社で不要になったものを有償または無償でもらって自己の所有とする。❷警察に拘束されている者の身柄を、身元を保証して引き取る。 —ぢち⓪②【—乳】〔母乳が出ない時〕他人の乳を貰って育てること。また、その乳。「もらいぢ⓪②」とも。 —て⓪【—手】貰い受ける人。↔くれ手❶ —なき⓪【—泣(き)】—する(自サ) 他人が泣くのに同情し、つられて自分も泣くこと。「思わず—した」 —び⓪③【—火】❶よそから火種を貰うこと。また、その火種。❷よそからの火事で自分の家も燃えること。 —もの⓪【—物】人から貰うこと。また、貰ったもの。

*もら・う【〈貰う〉】(モラフ) 🈩⓪(他五) ❶〈だれカラなにヲ—／だれニなにヲ—〉△人がくれると言うものを(頼んで)自分の物にする。「△手紙(お菓子・おこづかい)を—／△娘(嫁)を—〔=自分の配偶者として迎える〕」 ❷〈なにヲ—〉勝負・勝敗の行くえなどを自分の手中に収める。「そのけんかは おれが貰った〔=仲裁してやる〕／この勝負は貰った〔=自分の勝ちだ〕」 ❸〈(だれカラ)なにヲ—／だれニなにヲ—〉病気をうつされてしまう。「幼稚園で水ぼうそうを貰って来た」 🈔(補動・五型) だれかから、その人やものにとって何らかの△利益(恩恵)となるような行為を受けることを表わす。「母に買って—／友だちに教えてもらった」〔⇩貰い🈪〕 文法 🈩❶は、「やる」または「あげる」、「くれる」と組になって受給表現を表わす。「…てもらう」と補助動詞として用いる場合も同様。 運用 (1)🈔で、「…てもらいたい」などの形で、相手に対して強い要望を述べる言い方となるが、指示・命令を含意した表現となる。例、「次回からは十分注意して事に当たってもらいたい」⇩いただく 運用 (2)🈔で、「…てもらって(も)いい(ですか)?」などの形で、同等以下の相手に、やや遠慮がちに依頼する言い方となる。例、「そこの皿をとってもらっていい?」⇩いただく 運用

*もら・す【漏(ら)す・〈洩(ら)す〉】🈩②(他五) ❶〈(どこニ)なにヲ—〉内部にとどめておくべき液体・気体・光などを、つい漏れた状態にする。「水も漏らさぬ警戒ぶり〔=⇩水〕／天網恢恢(カイカイ)疎にして漏らさず〔=⇩天網〕／小便を—／△ため息(あくび・笑み)を—」 ❷〈どこ・だれニなにヲ—〉内部だけにとどめておくべき事柄を、何かの拍子に表に出す。「△機密(秘密)を外部に—／△一端(不満)を—」 🈔〔「動詞連用形+—」の形で、接尾語的に〕当然しておかなければならないことをしないままで終わらせてしまう。…し落とす。「聞き—・言い—・書き—」

モラトリアム③〔moratorium〕非常の場合、法令で一定の期間、債務者の支払いを延期すること。支払猶予⑤。「—人間〔=社会的な責任や義務を一時 猶予された状態にある青年期の人〕」

モラリスト③〔moralist〕道徳家。

モラル①〔moral〕❶道徳。倫理。「—が△高まる(低下する)／—に欠ける／—を軽んじる／—ハザード⑤④〔=道義的に無責任な状態〕」 ❷〔寓話(グウワ)・挿話など〕語られた一連のものの、究極に△意味する(教える)ところ。

もり①【守(り)】〔動詞「守る」の連用形の名詞用法〕❶子供(同然の人)の番をし、相手になって遊んでやる△こと(人)。子守。「—をする／社長のお—」 ❷〔まちがいが起こらないように〕番をし、世話をする△こと(人)。「墓の—をする／灯台—・墓—」

もり⓪【盛(り)】❶盛ること。盛ってある程度。「—がいい／—が多い」 ❷「もりそば」の略。↔掛け🈔❸

*もり⓪【森・〈杜〉】〔遠くから見ると濃い緑が盛り上がって見え、近づいて見ると日のさすことが ほとんど無い所の意〕まわりに比べて際立って高く大きな木が茂っている所。〔日本では、多く神社や旧家があって、その一帯が四辺から顕著に区別される所を指す〕「鎮守の—／—の都〔=公園や家いえの緑が目立つ地方都市〕」⇩林

もり②【漏(り)】水などが漏ること。「—がひどい／雨(アマ)—」

もり⓪【〈銛〉】△投げ(突い)て魚などを刺す用具。 かぞえ方 一本

もり あがり⓪【盛(り)上がり】盛り上がること。また、盛り上がった状態。「—を△見せる(欠く)／—が△弱い(欠ける)／—に△欠ける(乏しい)」

もり あが・る④【盛(り)上(が)る】(自五) ❶〔外・上へ向けて〕盛ったように高くなる。「土が—／筋肉が盛り上がった腕」 ❷抑えることの出来ない強い力で沸き起こる。「△意欲(人気・ムード)が—」 他動 盛り上げる④(下一)「機運を—」

もり あわせ⓪【盛(り)合(わ)せ】(—アハセ) ❶大きな皿に幾種類かの料理をきれいに盛り、何人かで分けて食べるもの。「刺身の—」 ❷一つの器に一人前の副食物を適宜何種類か△盛った(詰め込んだ)もの。〔折詰弁当は、一般にこれ〕「—定食」 動 盛り合わせる⑤(他下一)

もり かえ・す③【盛(り)返す】(—カヘス) (他五) 衰え(かけ)た勢いを元通りにする。「△勢い(人気)を—」

もり がし③【盛(り)菓子】(—グワー) 器物に山盛りにして神仏に供える菓子。

もり きり⓪【盛(り)切(り)】御飯などを一度盛って入れただけで、お代りの無いこと。

もり こ・む③⓪【盛(り)込む】(他五) ❶器物の中に、△たっぷり(いろいろ)入れる。 ❷その内容を組み入れる。「宣言に—／主張を—」

もり ころ・す④【盛(り)殺す】(他五) ❶毒を飲ませて殺す。 ❷薬の調合をまちがって、死なせる。

もり じお⓪【盛(り)塩】(—ジホ) 日本風の水商売で、客来に備えて夕刻、門口に小さな山形に塩を盛ること。また、その塩。縁起を祝って行なう。盛り花(バナ)。波の花。

もり ずな⓪【盛(り)砂】〔昔、貴人の出迎えや儀式などの時に〕門の左右に高く盛って飾った砂。

もり そば⓪【盛(り)〈蕎麦〉】蒸籠(セイロウ)に盛った蕎麦。略して「もり」。↔かけそば かぞえ方 一枚

もり だくさん③⑤④【盛(り)沢山】—に —な 〔限られた時間・空間の中に〕余裕が全く感じられないほど、詰まっている様子だ。「—の行事／—な料理／—な記事」 表記 「盛り沢山」は、借字。

もり た・てる④【《守(り)立てる》】(他下一) いろいろ世話をして、人を一人前にしたり 応援したり、または組織体を盛んにしたりする。「幼君を—／会社を—」 表記 「盛り立てる」とも。

もり つ・ける④【盛(り)付ける】(他下一) 料理を食器に美しく入れる。 名 盛り付け⓪

もりっ こ⓪①【守っ子】「子守の子供」の古風な表現。

もり つち⓪【盛(り)土】土を盛って高くすること。また、その土。〔建設業界などでは「もりど」とも〕

もり つぶ・す④【盛(り)潰す】(他五) 酔いつぶれるまで酒を飲ませる。

もり ばな⓪【盛(り)花】❶〔生け花で〕水盤・かごなどに、盛ったような形に花を生ける△こと(生け方)。 ❷盛り塩。

もり ばん⓪【森番】森の番人。

モリブデン③②〔ド Molybdän〕白色の硬い金属元素〔記号Mo 原子番号42〕。鋼鉄に加えて特殊鋼を作る。水鉛。

もり もの⓪【盛(り)物】❶膳(ゼン)に盛っておく食物。 ❷神仏の供え物。

もりもり①(副)ーと 意欲・活力などが、押さえがたい勢いでわきおこってくる様子。「ー働く/ー〔=盛んに〕食べる/ー元気が出る」

もりやく⓪②【守役】守の役(をする人)。

もる①【守る】(他五)〔中部以西の方言〕守をする。

＊**もる**⓪【盛る】(他五) ❶〈どこ・なにニなにヲー〉山の形に積み上げる。「土をー/皿に果物をー」❷〈なにニなにヲー〉茶わんなどの入れ物に(山の形になるまで)入れる。「飯をー」❸〈(だれ)ニ(なに)ヲー〉薬を(調合して)飲ませる。「毒をー」❹〈なにニなにヲー〉盛り込む。「新味をー」❺〈なにニなにヲー〉〔「目をー」の形で〕目盛りを付ける。❻〔俗に〕大げさに飾り立てたり 化粧を濃いめにしたりする。「髪をー/話をー/盛って合コンに行く」

もる①【漏る・洩る】(自五)❶液体を△受けささえて(たたえて)いる部分に穴などが開いて、少しずつそこを伝って外へ出る。「雨がー天井/屋根がー」❷「漏れる❶」の口頭語的表現。「ガスが漏っている」

モル①〔mole←molecule=分子〕国際単位系における物質量の基本単位〔記号mol〕。〔炭素十二という原子一二グラムの中に含まれている原子の個数【=アボガドロ数】との比と定められていたが、二〇一八年にアボガドロ数を厳密に一モルあたり$6.02214076 \times 10^{23}$個とする定義への変更が決議され、翌年施行〕

モルタル⓪〔mortar〕セメントに砂を交ぜ水で練ったもの。石・れんがの接合、家の外壁などに使う。「ー塗り⓪」

モルト①〔←malt whisky, malt=麦芽〕❶大麦を水に浸し発芽させたもので、ウイスキーやビールの醸造用。❷麦芽を原料として醸造・蒸留され、樽に入れて熟成したウイスキー。モルト ウイスキー。

モルヒネ⓪〔オ morfine〕阿片の主成分として含まれるアルカロイド。無色で苦い結晶。鎮痛・麻酔に使う。略してモヒ。「ー中毒」

モルモット③〔オ marmot〕実験などに使うテンジクネズミの俗称。形はウサギに似て、耳は小さい。尾は無く、毛色は雑多。〔他人の実験台として利用されるだけの人の意にも用いられる〕かぞえ方 一匹

もれ②【漏れ・洩れ】漏れること。「情報のーを防ぐ/記載にーがないか確かめる/ガスー・記載ー」

もれきく⓪③【漏れ聞く・洩れ聞く】(他五)〔本人から直接にではなく〕よそから間接にその話を聞く。〔「漏れ承る⑦、①-⑤」は、これの敬語〕運用「漏れ聞くところでは」などの形で、「間接的に得た情報なので真偽のほどについては確信がないが」の気持を込めて、話を切り出す前置きとして用いられることがある。

もれなく②【漏れ無く・洩れ無く】(副)残ることがない様子。例外がない様子。「ー賞品が当たります/ー調査する」

＊**もれる**②【漏れる・洩れる】(自下一)❶〈(どこ・なにカラ)(どこ・なにニ)ー〉〔液状・粉状の物や、気体・音・光などが〕内外をしきる隔てを通過して外部に出て来る状態になる。「木の間からー陽光/ガスがー/網の目からー/上手の手から水がー〔=⇒上手〕」❷〈だれニー〉秘密にすべきであった事が、何かの拍子で外部に知られる状態になる。「試験問題がー/情報がー」❸〈なにカラー/なにニー〉何かの範囲に収まることが期待されるものが、入らないままになってしまう。「△選(くじ)にー/△名簿(候補)からー/その例に漏れない/御多分に漏れず」

もろ①【諸】(造語)関係するすべてにわたることを表わす。「ー人/ー〔=両方の〕そで⓪・ー刃・ー共」表記「《両・《双」とも書く。

＊**もろい**②【脆い】(形)❶外部から加えられる力で、容易にこわれてしまう様子だ。「熱にー材質/初日から横綱が脆くも敗れる」❷置かれた状況に冷静に対処する気力に乏しい様子だ。「情にー〔=同情しやすい〕/涙ー〔=何かにつけて涙をこぼしがちだ〕」派ーさ①

もろきゅう②【ーキュウ】生のキュウリにもろみを添えた食品。酒のさかななどにする。

もろこ⓪【《諸子》】からだの上部は暗灰色で、下方は白く、側面の前後方向に青黒い線がある淡水魚。琵琶湖に多く、甘露煮にして食べる。〔コイ科〕かぞえ方 一匹・一尾

もろごえ⓪③【《諸声》】〔雅〕互いに呼び合う声。「ーに鳴く」

もろこし⓪ 一【〈大唐〉・《唐》・〈唐土〉】〔雅〕〔国名「越」の意の「諸越」の訓読から来たという〕中国。二【〈黍〉・〈蜀黍〉】〔唐土、すなわち中国から渡来した物の意〕❶葉・茎はトウモロコシに似る一年草。粒は赤茶色で丸く、酒・菓子の材料や家畜のえさにする。もろこしきび⑤。〔イネ科〕❷トウモロコシの別名。かぞえ方 二は一本

もろざし⓪【《両差し》】〔すもうで〕両手を相手のわきの下に差し入れる体勢(にする わざ)。表記「《諸差」とも書く。

もろて⓪【《両手》】りょうて。「ーをあげて賛成する〔=大賛成する〕」表記「《諸手」とも書く。

もろとも⓪【《諸共》】全部の人が行動を共にすること。ともども。「死なばー/ー〔=一緒〕に」

もろに①(副)〔「諸(もろ)」の意〕「(好ましくない)影響を全面的に受ける結果となる様子」の意の口頭語的表現。〔俗語では「もろ①」とも〕「車にどろみずをーあびせかけられる/バケツの水をーかぶってずぶぬれになった/北風をー受ける/被害をーかぶる/影響をー受ける」

もろは⓪【《両刃》】⇒りょうば 表記「《諸刃」とも書く。

もろはく⓪【《諸白》】〔こうじも米も共に白い、の意〕精白した米から造った、上等な酒。↔片白(かたはく)

もろはだ⓪【《両肌》】両方の肩の肌。上半身全部の肌。「ー脱ぎ⓪」↔片肌 表記「《諸肌」とも書く。

もろひざ⓪【《両膝》】両方の膝。「ーを突く」表記「《諸膝」とも書く。

もろびと⓪【《諸人》】〔雅〕多くの人。一同。「ーこぞりて迎えまつれ」

モロヘイヤ③〔アラビア molokheiya〕畑に作る一年草。中東・北アフリカ原産。青ジソに似て、包丁で刻むと独特のねばりが出る。スープなどに入れる。〔シナノキ科〕かぞえ方 一本

もろみ⓪【〈醪〉】まだ こさない、粒の交じった△酒(しょうゆ)。表記「《諸味」とも書く。

もろもろ⓪【《諸》】いろいろの多くのもの。「ーの賞品を与える」表記「《諸《諸・《諸《々・《諸〻」とも書く。

もろや⓪【《両矢》】〔雅〕一対の矢。甲矢(はや)〔=初めに射る矢〕と乙矢(おとや)〔=次に射る矢〕。表記「《諸矢」とも書く。

もん(文・門・紋・問・〈悶〉・〈聞〉)⇒【字音語の造語成分】

もん①【文】「経文・呪文」の略。「ーを唱える」⇒【造語成分】

＊**もん**①【門】❶建物や敷地の出入口(になる構造物)。「ーを閉ざす/ー前・ー番・ー校・ー山ー・通用ー・凱旋ー」❷出入り(を管理・制限)する所。「就職のーを開く/再審のーを広げる/ー歯・肛ー」【ーに入る】弟子入りする。入門する。❸生物分類上の一段階を成す区分で、共通の特徴を持つ幾つかの綱を合わせたもの。〔界の下位区分〕⇒【造語成分】

もん①【紋】❶模様。「ーがある/ー羽二重」❷紋所(もんどころ)。「ーつき羽織」⇒【造語成分】

も

もん①【《物・《者】「もの(物・者)」の口頭語的表現。「あんな―の言うことは信用できない/人生とはこんな―だ」

もんえい⓪【門衛】門の所にいて人の出入りを見張る役(の人)。門番。

もんおめし④【紋〈御召(し)】紋織りの「御召し❸」。

もんおり⓪【紋織(り)】「紋❶」を浮かして織った布地。「―物④③」

もんか(終助)「ものか」の口頭語的表現。「もんかい」とも。「そんなこと知る―」 文法 ⇩ものか

もんか①【門下】その先生について親しく教えを受ける△こと(人)。門人。 **―せい**③【―生】門下の弟子。〔今日では、葬式の時に受業生代表の意で「門下生代表」と使うことが多い〕

もんがい①【門外】❶門のそと。家のそと。「―に追い出す」 ❷専門でないこと。専門外③。 **―かん**③【―漢】❶畑違いの人。❷第三者。〔「漢」の原義は「男」。⇩【造語成分】かん(漢)❶〕 **―ふしゅつ**①-⓪【―不出】△門(家)の外に出さない(ほど大切にする)こと。「―の名刀」

もんかしょう③【文科省】「文部科学省」の略。

もんがまえ③【門構(え)】❶門を構えること。また、その造り。「―のりっぱな家」 ❷漢字の部首名の一つ。「間・開・関」などの外側の「門」の部分。〔多く、門や出入口に関係のある漢字がこれに属する〕

もんがら⓪【紋柄】織物に織り出された模様の様子。模様の柄。

もんかん⓪【門鑑】門の出入りを許されていることを証明するもの。

モンキー① ■一〔monkey〕❶猿。「―センター⑤」 ❷杭打(クイウチ)機が、動力でコンクリート杭を強く押して地中に沈めるための重し。落としづち③。■二〔←monkey wrench〕あごの開きがねじで自由に変えられるレンチ。自在スパナ⑤。モンキーレンチとも。 かぞえ方 ■二は一本

もんきりがた⓪【紋切(り)型】〔紋の型を切り抜くための方式の意〕決まりきったやり方。形式通りで、新味・誠意が無いこと。「―の挨拶(アイサツ)」 表記「紋切り形」とも書く。

もんく①【文句】❶幾つかの語が続いたもの。語句。「―を練る/謳(ウタ)い―・殺し―」 ❷不平・不満・不賛成などの言い分。「―があったら何なりと言いたまえ/―の△言いよう(つけよう)が無い/―をつける」 運用 ❷は、「文句があるか」などの形で、相手の不平・不満や反駁(ハンパク)などを封じようとする言葉として用いられることがある。例、「お前などの指図を受ける気はない。何か文句あるか」

もんげん③【門限】❶夜、門をしめて出入りを止める、決まった時刻。「―は十時」 ❷外出から帰らなければならない刻限。「―に遅れる」

もんこ①【門戸】❶門と戸。「―を閉ざす(=部外者の立ち入りをきびしく制限する)/―を開く(=制限を設けず、外部との交渉に応じる)/―開放①-⓪」 ❷自分の流儀。一派。「―を成す」 **【―を張る】**❶一家を構える。❷見えを張って家の外観をりっぱにする。❸独立して、一派を立てる。

モンゴロイド④〔Mongoloid=モンゴル系の〕黄色人種。

もんごん⓪③【文言】文章中の語句や手紙の文句。

もんざい⓪【問罪】―する(自サ) 罪を問いただすこと。「―の師(=軍隊)を起こす」

もんさつ⓪【門札】家の門に出す、名札。門標。表札。

もんし①【門歯】前歯(マエバ)。

もんし⓪【〈悶死】―する(自サ) もだえ苦しんで死ぬこと。

もんじ①【文字】❶もじ。❷文章。「警世の大―」

もんした⓪④【紋下】昔、大阪の文楽(ブンラク)座で、最高の地位の太夫(タユウ)。やぐらした。

もんしゃ①【紋〈紗】紋織の紗。

もんじゃやき⓪【もんじゃ焼(き)】小麦粉をごくゆるく水に溶き好みの具を交ぜ、(少量のウスターソースを加えて)鉄板の上に流して焼いたもの。小さなへらですくって食べる。「もんじゅ」とも。

もんしゅ①⓪【門主・門首】門跡(モンゼキ)である住職。

もんじゅ⓪①【文殊・文珠】〔妙徳の意の梵(ボン)語の音訳〕〔←文殊菩薩(ボサツ)④〕知恵の徳を受け持つという菩薩。獅子(シシ)に乗り、普賢(フゲン)と相対して釈尊の像の左に居る。「三人寄れば―の知恵(=⇩三人)」

もんじょ①【文書】書類。ぶんしょ。「古―」

もんしょう⓪【紋章】△家(団体)を表わすしるしとしての図がら。〔動植物を象(カタド)ったものが多い〕「ご―⓪」

もんしろちょう④【紋白〈蝶】代表的なチョウの名。中形で、白い羽の中に黒い点が三つあり、先は黒茶色。幼虫は青虫で、菜や若葉を食べる。〔シロチョウ科〕 かぞえ方 一匹・一羽；一頭

もんしん⓪【問診】―する(他サ) 医者が、患者の訴えを聞き、細部に関して尋ねながら病状の大体を判断すること。⇩視診・触診・聴診・打診

もんじん⓪【門人】門下の人。弟子。門弟。

もんすう③【文数】足袋の大きさを表わす数。〔一時期前までは、靴もこれで計った〕⇩【造語成分】もん(文)❹

モンスーン③〔monsoon〕季節風。

モンスター①〔monster〕❶化け物。怪物。「―ペイシェント⑥(=医療機関や医療従事者に対して、理不尽な要求や苦情を言ったり暴力を振るったりするような患者)」 ❷ずばぬけて大きなもの。「―タンカー⑥(=十万トン以上の大型油送船。現在は、『マンモスタンカー⑤』と言う)」 **―ペアレント**⑥〔和製英語 ←monster＋parents〕学校に対して過度な要求や理不尽な干渉をする保護者。モンスターペアレンツとも。略してモンペ⓪。

もんせい⓪【門生】「門人」の意の古風な表現。

もんせき⓪【問責】―する(他サ) (責任を)問い詰めること。「関係者を―する/―決議が可決される」

もんぜき⓪①【門跡】❶一門の仏法の系統を継ぐ寺院の資格。❷皇族や貴族の子が仏法の系統を継ぐ寺院。また、そこの住持。❸本願寺(の管長)の称。

もんぜつ⓪【〈悶絶】―する(自サ) もだえ苦しんで気絶すること。「今にも―せんばかりに泣き叫ぶ」

もんぜん⓪【門前】門の前。 **【―市(イチ)を成す】**門前に人や車馬が群がる。訪問客の絶え間が無い形容。 **【―、〈雀羅(ジャクラ)を張る】**〔「雀羅」は「スズメを捕らえる網」の意〕訪問客が極めて少ない様子の形容。 **【―の小僧、習わぬ経を読む】**本式に習わなくても、日常見聞きしているとその事を覚えてしまうことがあるものだ。環境の与える影響力の大きさをいうたとえ。 **―ばらい**⑤【―払(い)】来訪者を、会わずに帰すこと。〔広義では、用件を聞くか聞かないかのうちににべも無く拒絶する意にも用いられる〕「―をくわせる/―にする」 **―まち**③【―町】寺・神社などの前に発達した町。例、善光寺のある長野市、伊勢神宮のある伊勢市など。

もんぜんよみ⓪【文選読(み)】〔漢文の訓読で〕主として二字の熟語をまず音で読み、続けて訓で読む△こと(読み方)。かたちよみ⓪。例、「直下(チョッカ)と見おろす」「商賈(ショウコ)のあき人(ビト)(=あきんど)」など。〔文選・千字文などの訓読に見られる〕

モンタージュ③―する(他サ)〔フ montage〕❶〔写真・映画

で〕手持ちの多数の材料を組み合わせて、新しい一つの画面や作品を作り△上げること(上げたもの)。「―写真[6]」❷フ〔=組み合わせて作った写真。犯人捜査などに使う〕」❷フィルムの編集。

もんだい[0]【問題】 ❶〔実力・知識や理解の程度、また教育の効果などを△試す(知る)ために〕解いたりある事柄について述べたりすることを要求する文章。〔口頭によるものも含む。また、学問上、未解決のものをも指す〕「―を解く/試験―・練習―〔=学力をつけるための問題〕」 ❷〔解決すべき〕めんどうな事柄(をひき起こすこと)。「―児[3]・社会―・環境―」 ❸〔解決を求めるために〕とり上げるべき事柄。「―点[3]」 ❹まともに相手取ったり 取り上げたり するのに値する対象。「―にならない/―以前/―にせず〔=簡単に〕相手を負かす/―作[3]」 ❺事柄。「謝ってすむ―ではない/それは別―だ」 **―いしき[5]【―意識】** ある現象に接した時に、その重要性を的確に見抜き、積極的に事に当たろうとする知的な姿勢。〔専門家、特に学者の実力の一つの指標とされる〕「―が無い/―が高い」 **―がい[3]【―外】** 当面 取り上げるべき事柄の範囲外。 **―せい[0]【―性】** ❶その作品・事件や歴史的な出来事が、社会や人びとに深い影響を与える上で含み持つ さまざまの意味合。 ❷問題(の所在)。「新鮮な感覚と精確な判断力で日本近代の断面と―をあざやかに抉る」

もんち[1]【門地】 「家柄・家格」の意の古風な表現。「現行憲法下では―による差別は一切ない」

もんちゃく[1][0]【〈悶着】 ―する(自サ) 感情がもつれたり 意見が分かれたり して互いに争うこと。「―が起こる/一―」

もんちゅう[0]【門柱】 門の両わきにある柱。

もんちょう[0]【紋帳】・【紋〈帖】 紋所の見本を集めた本。

もんちりめん[3][0]【紋《縮〈緬】 紋織りの縮緬。

もんつき[1]【紋付(き)】 紋所をつけた衣服。和装の礼服。紋服。 かぞえ方 一枚

もんてい[0]【門弟】 (その世界で名の通った)師匠の指導を受け修行にはげむ人。門下(生)。

もんていし[3]【門弟子】 門弟。弟子。

もんと【門徒】 ❶[1] 門下の学徒。門人。「―三千人と称する」 ❷[1][0] 〔仏教で〕Ⓐ宗門、特に浄土真宗の信徒。Ⓑ寺院の檀家。Ⓒ〔↑門徒宗[3]〕浄土真宗。

もんとう[0]【門灯】 門に取りつけた電灯。 かぞえ方 一灯

もんどう[3]【問答】 ―する(自サ) 一方の質問に対して他方が答えること。「―を重ねる/―〔=話合い〕無用/―体[0]・押し―・禅―」

もんどころ[0]【紋所】 家によって決まっている紋章。定紋。

もんどり[0][3]【〔翻筋斗〕・〔筋斗〕】 〔「〔戻り〕」の強調表現〕とんぼ返り。「―うつ」

もんなし[0]【文無(し)】 ❶所持金が全く無いこと。一文なし。 ❷とびぬけて大きい足袋。

もんぱ[1]【門派】 宗門の流派。

もんばつ[0]【門閥】 ❶家柄。門地。 ❷いい家柄。名門。「―家[0]」

もんはぶたえ[3]【紋羽二重】 紋織りの羽二重。

もんばん[1]【門番】 門の所に詰める番人。門衛。

もんぴ[1]【門扉】 門のとびら。「―を閉ざす」

もんぴょう[0]【門標】 門札。表札。

もんぶ[1]【文部】 「文部省」の略。「―官僚[4]・―行政」 **―かがくしょう[6][5]【―科学省】** △学校(社会・生涯)教育、学術・文化・スポーツ、科学技術などの行政事務を担当する中央官庁。二〇〇一年文部省と科学技術庁を統合して発足。略称、文科省。〔長官は、文部科学大臣[7]。別称は文科相[3]〕 **―しょう[3]【―省】** 国民の教育、学術・文化・スポーツなどの行政を受け持った中央官庁。〔長官は、文部大臣[4]。二〇〇一年「文部科学省」に吸収〕

もんぷく[0]【紋服】 紋つき。

もんぺ[0] 〔農村・山村などで〕△野良着(冬の外出着)として着物の上からはく一種のズボン。腰のあたりで袴のように結ぶ。防寒用を兼ねる。〔一般的には女性が用いる〕 かぞえ方 一枚

もんみゃく[0][1]【門脈】 ❶毛細血管が集まって太くなり、心臓に戻る途中で再び毛細血管となる静脈。普通、消化器から集めた血液を肝臓へ運ぶ肝門脈をいう。 ❷その流派の伝統。

もんめ[3]【〈匁】 ❶尺貫法における質量の単位で、千分の一貫〔=三・七五グラム〕を表わす。真珠の目方をはかる単位として現在も用いられる。「一―は十分」 ❷昔の通貨の単位で、小判一両の六十分の一。

もんもう[0]【文盲】 何らかの事情で学習する機会が得られず、文字に関する知識に著しく欠ける△こと(人)。非識字者。「―追放運動・―率[3]」 表記 「《蚊〈虻」とも書いた。

もんもん[0]【〈悶々】 ―たる ―と もだえ苦しむ様子だ。「―たる一夜を明かす」

もんよう[0]【文様】・【紋様】 紋の模様。

もんよう[0]【門葉】 その一門・一族につながる人(の総称)。

もんりゅう[0]【門流】 一門のわかれ。一門の中の流派。

もんろ[1]【紋〈絽】 紋織りの絽。

モンローしゅぎ[5]【モンロー主義】 〔Monroe=人名〕 ❶一八二三年アメリカ大統領モンローが発表した主義。アメリカとヨーロッパとは相互に内政干渉をしないという主張。 ❷〔外交上の〕不干渉主義。孤立主義。

もん

［文］ ❶文。文字。言葉。「文句・文書・本文」 ❷もよう。「文様・地文」 ❸昔の通貨の最小単位で、最も生活に関係が深かったもの。一文は一貫の千分の一。 ❹昔、はきものの大きさを計るのに用いた単位。一文は一文銭の大きさ〔=約二・四センチ〕。⇩(本文)もん【文】

［門］ ━❶学問などを始める時の△通路(順路)。「入門・関門・登竜門」 ❷その先生を中心とする△一派(仲間)。「門下・同門・破門」 ❸家。家柄。「門地・門閥・名門」 ❹学問などのそれぞれの方面・系統。「仏門・部門・専門」 ❺〔生物の分類で〕原則として、幾つかの「綱」をあわせたもの。「脊椎動物門」 ⇩界 ━❷大砲・大筒をかぞえる語。⇩(本文)もん【門】

［紋］ ❶模様。「紋様・指紋・波紋・風紋」 ❷紋所。「紋服・家紋・定紋・大紋」 ❸学校や会社などの団体のしるし。「紋章」 ⇩(本文)もん【紋】

［問］ ❶とう。たずねる。「問答・学問・疑問・質問」 ❷問題。〔とうべき事柄の数をかぞえる時にも用いられる〕「難問・第一問」 ❸おとずれる。見舞う。「訪問・慰問」

［〈悶］ ❶もだえる。「悶々・悶絶・苦悶・憂悶・煩悶」 ❷もつれる。「悶着」

［聞］ ❶きく。きこえる。「聴聞」 ❷耳にした事柄。うわさ。「名聞」 ⇩ぶん

や…ヤ

や（治・夜・野・〈爺）→【字音語の造語成分】

や【八】（造語）「八(ハチ)」の意の和語的表現。❶かぞえ上げる個数・回数などが八であることを表わす。〔かぞえる時のみ単独に用いる。その場合は「やあ①」とも〕「—度(タビ)・—十(ソジ)・八百(ハッピャク)—町・二十(ニジュウ)—星テントウ」⇩ここの(九) ❷数が多いことを表わす。「七転(ナナコロ)び—起き／—重(エ)・—百(オ)屋・—千代(チヨ)」

や【屋・家】■一（造語）❶いえ。「賤(シズ)が—・—主(ヌシ)・—鳴り震動・空き—」❷それだけを専門に扱う職業(の人)。〔その商店を指す場合もある〕「肉—②・花—②・八百(オヤ)—・植木—⓪・事務—・技術—・何でも—」❸(いつも)そう△する(いう)傾きのある人。「やかまし—・気取り—」■二（接尾）屋号・雅号の下に添える語。「木村—・鈴の—」 表記 「《舎」とも書く。 運用 ■一❷の例にある「肉屋・八百屋・植木屋」などのような、伝統的職業、または商店以外に用いるときは、自らの職業を「事務屋・技術屋」のように謙遜(ケンソン)して用いることがある。また、他人の職業について批判または揶揄(ヤユ)の気持を含意して用いられることもある。例、「あいつは政治家じゃなく政治屋だ」

や（接尾）使用人や幼児に対して親しく呼びかける意を表わす語。「竹—・ねえ—・ばあ—・坊—」

や ■一（副助）❶同種の物事を必ずしもそれだけに限定されるのではないという含みを残して列挙することを表わす。「新聞—雑誌を読む／赤いの—白いの—青いのなど」❷〔雅〕疑問の意を表わす。〔終助詞的にも用いられる〕「ここに—いますなど問ふ／天の人にも負けん—〔=負けることがあろうか。よもやあるまい〕」 文法 ❶は、体言(名詞、またそれに準ずる句)に接続する。❷⇩やいなや■一
■二（接助）何かをきっかけとして、事態が生ずることを表わす。「この計画が発表される—、『騒音・振動・排ガスなどの自動車公害が出る』と沿線住民がいっせいに反発」 文法 動詞、受身・使役を表わす助動詞「れる/られる・せる/させる」の終止・連体形に接続する。⇩やいなや■二
■三（終助）❶同輩・立場の下の者を軽く促す気持を表わす。「もう帰ろう—／早く行け—」❷自分自身に言い聞かせるような気持を表わす。「君が行かなきゃつまらない—」❸名前のあとに付けて、呼びかけることを表わす。「太郎—、ちょっとおいで」❹〔雅〕感動の気持を込めて文を終止したり、その言葉を述べることを表わす。「悲しいかな—／松島—ああ松島—松島—／古池—蛙(カワズ)飛び込む水の音」 文法 ❶は動詞の命令形、意志を表わす助動詞「う/よう」の終止・連体形に接続する。❷は形容詞の終止・連体形に接続する。❸は名詞に接続する。

や（助動・特殊型）〔「じゃ」の変化〕〔富山・岐阜以西、近畿方言〕主体の断定的な判断を表わす。「ほんまに、そう—おまへんか〔=本当にそうではありませんか〕／あるん—〔=あるんだ〕／そう—」 文法 接続は助動詞「だ■一」に準ずる。

や①【野】❶「の(はら)」の意の漢語的表現。「秋の声、—にみつ／—球・原—」❷〔「朝(チョウ)」に対立するものとしての〕民間。「—に下(クダ)る〔=役人をやめ(て、政府を批判する側にな)る〕」↕朝 ⇩【造語成分】

***や**①【矢】❶細い竹の棒の一端に羽根を、他方の端に鏃(ヤジリ)を付け、弓の弦につがえて射る武器。「—の催促〔=しきりにせきたてる形容〕／鋭い批判の—を浴びせられる」❷△木(石)を割るのに打ちこむくさび。 表記 「〈箭」とも書く。 かぞえ方 ❶❷とも一本。❶は昔、二本で一手(ヒトテ)と言った。
【—も盾(たて)も《堪(たま)らない】その事をしたいという衝動をどうにも抑えることが出来ない。

や①【〈輻】車輪の中心部からまわりへ放射状に出ている棒。 かぞえ方 一本

やあ①（感）❶意外なことに驚いて思わず発する声。「—すばらしい眺めだ／—もう来ていたのか」❷同等以下の人に(久しぶりに)会った時の、軽い挨拶(アイサツ)の言葉。「—、しばらく／—昨日はお疲れ様」❸気合をこめて何かをする時の掛け声。

やあい①（感）はやしたてる時や、遠くから呼びかける時などに発する声。「—、意気地なし／泣き虫—」

ヤード①〔yard〕■一【〈碼】ヤードポンド法における、長さの基本単位〔記号yd〕。〇・九一四四メートルに等しい。〔一七六〇ヤードを一マイル、三分の一ヤードを一フィートと称する〕■二鉄道操車場。「貨物—」

ヤードポンド ほう⓪【ヤードポンド法】長さ・重さ・容積の基本単位をそれぞれヤード・ポンド・ガロンとする、英米の度量衡の体系。

ヤール①〔ヤードの、日本語におけるダブレット〕洋服地の長さの単位で、九一・四四センチメートルに等しい。

ヤール はば③【ヤール幅】服地の幅が一ヤールあるもの。

やあわせ②【矢合(わ)せ】昔、戦闘に先立ち、かぶら矢を射合って、気勢をあげ、開戦の合図としたこと。

やい ■一①（感）ぞんざいに呼びかける言葉。「—、返事をしろ」■二（終助）軽く命令したり 強調したりする意を表わす。「よせ—／いらない—」 文法 名詞、動詞・形容詞・形容動詞、助動詞「れる/られる・せる/させる」、打消を表わす助動詞「ない」の終止・命令形に接続する。

やいた⓪【矢板】工事現場で、土砂の崩壊や浸水を防ぐために並べて打つくい。「木(キ)—②・鋼(コウ)—③」 かぞえ方 一枚

やいと⓪〔「焼《処(ヤキト)」の変化〕「灸(キュウ)」の古称。

やいなや【や否や】■一〔「や」は副助詞〕…かどうか。「ある—は疑問だ」■二〔「や」は接続助詞〕…したかと思うとすぐ。…するが早いか。「起きる—飛び出した／電車が止まる—乗客が入口に殺到した」

やいのやいの①-①（副）〔「の」は終助詞〕「やいやい■二」の強調表現。「—と責められて」

やいば①⓪【《刃】〔「焼刃(ヤキバ)」の変化〕❶刃物の、物を切る部分(に現われた模様)。「やきば⓪」とも。❷刃物。刀剣。「氷の—」

やいやい① ■一（感）「やい■一」の強調表現。■二（副）△相手からしつこく(まわりの者からうるさく)責め立てられる様子。「早く仕上げろ、仕事が遅いと—言われる」

やいん⓪【夜陰】夜(の暗い時)。「—に乗じて」

やうつり②【家移(り)】—する(自サ)引っ越しすること。「—をする」

やえ①【八重】❶八つに重なった△こと(もの)。「七重(ナナエ)のひざを—に折る〔=礼儀を尽くして人に物事を頼んだりあやまったりするたとえ〕」❷数多く重なった△こと(もの)。「—の潮路〔=長い航路〕」❸〔↑八重咲き⓪〕花びらが幾つも重なって咲く△こと(もの)。「—の桜」⇩一重(ヒトエ)

やえい⓪【夜営】—する(自サ)〔軍隊が〕夜、野外に陣営を張ること。

やえい⓪【野営】—する(自サ)兵営以外の所で陣営を張ること。〔「野宿(ノジュク)」の意にも用いられる〕「—地②」

やえざくら③【八重桜】桜の一種。花びらが重なった状態に咲き、一重(ヒトエ)のものより色が濃い。他の桜より遅れて咲く。 かぞえ方 一株・一本

や

やえじゅうもんじ⑤【八重十文字】縦横に何回も縛ること。

やえなり⓪【八重《生り》】エダマメのように、草木で一本の軸に実が重なるように生ること。

やえば①【八重歯】横に並んで生えるはずの歯が重なるように生えたもの。〘かぞえ方〙一枚・一本

やえむぐら③【八重〈葎〉】❶〔雅〕繁茂した葎。❷茎は四角形でとげがあり、小さい葉が六～八枚輪生する一、二年草。夏、枝先に黄緑色の細かな花を開く。〔アカネ科〕〘かぞえ方〙一本

やえん⓪【野宴】野外で行なう宴会。

やえん⓪【野猿】野生のサル。

やお【八《百》】(造語)〔百の八倍の意〕△たくさん(いろいろの物が)あることを表わす。「―日⓪」

やおちょう⓪【八《百長》】〔もと、八百屋の長兵衛が碁敵であるすもうの年寄との勝ち負けを巧みに調整したことから〕〔すもう・試合などで〕前もってどちらが勝つか打ち合わせておいてうわべだけ勝負を争うこと。〘表記〙⇩付表「八百長」

やおもて②【矢面・矢表】矢の飛んで来る正面。〔質問・非難などをまともに受ける立場の意にも用いられる。例、「抗議の―に立たされる」〕

やおや⓪【八《百屋》】❶野菜類の小売商(の店)。青物屋。❷深くはないが、何でも知っている人。〔趣味・専門の広い人をも指す〕〘表記〙⇩付表「八百屋」

やおよろず⓪③【八《百《万》】〔雅〕いちいちかぞえることが出来ないほど数の多いこと。「―の神がみ」

や

［冶］ ❶金属をとかして鋳物を作ったり 吹き分けたりする。「冶金・陶冶」 ❷なまめかしい。「艶冶・遊冶郎」

［夜］ よる。「夜間・夜景・夜陰・夜気・夜勤・夜行・昼夜・十五夜」

［野］ [一]❶範囲。「視野・分野」 ❷自然の中で育ち、人の手が加わっていない。「野生・野草・野鳥」 ❸のそだちで△洗練されていない(荒っぽい)。「野人・野蛮・野趣・粗野」 [二](略) 下野国。「野州」⇩(本文)や【野】

［〈爺〉］ 年をとった男性。じじ(い)。「老爺・好々爺」

やおら⓪(副) 目立った動きの見られなかった状態からゆっくりと動作を起こす様子。〔突然の意味に用いるのは誤用〕「―立ち上がって発言し始めた」

やかい⓪【夜会】❶社交界が催す、夜のダンスパーティーなど。❷夜に催される音楽会など。 **―ふく**②【―服】「夜会❶」に着るべきだとされる洋服。〔男性は燕尾服、女性はイブニング ドレス〕〘かぞえ方〙一着

やがい【野外】[一]①屋外、また野原・郊外。「都塵を離れて、―の空気を吸う」 [二](造語) 特別の目的で、催しなどが屋外やその施設の外で行なわれること。「―演習④・―劇②」

やかく⓪ [一]【夜《鶴》】「夜、巣の中で子を育てるツル」の意の古語。 [二]【野《鶴》】⇩閑雲野鶴

やがく⓪【夜学】夜授業することを建前としている学校。「社会人のために―から出発した私学/―生③」

やかず①⓪【矢数】❶矢の(当たった)数。❷〔通し矢などで〕射手が競争して多くの矢を射ること。「大―③〔=ⓐ江戸時代、陰暦四、五月に京都三十三間堂で行なわれた通し矢の競技。ⓑ俳諧で、一定時間に最も多くの句を詠んだ者を勝ちとするもの〕」

やがすり②【矢〈絣・矢〈飛白〉〉】矢羽根の模様の絣。

やかた⓪【屋形・館】❶〔雅〕貴族・豪族の屋敷。❷昔、身分の高い人の尊称。「お―⓪②」 ❸船・牛車などの上に設けた、屋根と簡単な囲いとから成るおおい。❹「屋形船」の略。 **―ぶね**④【屋形船】屋根を取りつけた和船。略して「やかた」。主として観光用に用いられている。

*__やがて__⓪【〈軈〉て・《頓》て】(副) ❶事が進んで、あまり時間が経過したとは感じられないうちに△新たな局面を迎える(最終的な局面に至る)様子。「帰っていく友達の後姿は次第に小さくなり、―見えなくなった/子供たちも―成長し親もとから離れていく」 ❷〔雅〕その状態のままで、時を置かず次の事態に移行する様子。「―起きも上がらず病み臥せり」

*__やかまし・い__④【〈喧しい〉】(形)〔「や」は、もと接辞〕❶不快だとしか感じられないような音や声が耳に強く響いてきて、がまんしようと思っても出来ない状態だ。「深夜まで―繁華街/―おしゃべり」 ❷強い△支配力(影響力)を持ち、相手の行動を厳しく拘束する様子だ。「子供の時からやかましく仕付けられた/やかましく〔=厳密に〕言うと、被告と被告人は区別して用いなければならない/△礼儀作法(マナー・時間)に―」 ❸その事柄が世間の人の興味や関心をひき話題となることが多い様子だ。「これがやかましく噂されている新しいタイプの携帯電話です/口―世間」 ❹自分の好みを通そうとする気持が強くて安易に妥協しない様子だ。「△着る物(食べ物)に―」⇩うるさい 〘派〙**―さ**③④ **―げ**⓪⑤④ **―が・る**⑤

やかましや⓪【〈喧し屋〉】よく理屈や小言を言う人。

やから⓪〔もと、同族の意〕[一]【《族》】〔雅〕家族。一族。 [二]【《輩》】自分(たち)とは相容れない連中。〔多く侮蔑や嫌悪感を含意して用いられる〕「不逞の―」

やがら⓪【矢柄】矢の、棒の部分。普通、竹で作られ、羽根や鏃などが付いている。

やが・る(造語・五型)〔「あがる」の変化か。一般に男性の口頭語に用いられる〕❶〔「動詞連用形＋―」の形で〕相手の(自分に向けられた)言動について、許しがたいととらえる気持を表わす。「おれをばかにしやがったな/一人でがぶがぶ飲みやがって/とっとと消えて失せやがれ」 ❷〔「接続助詞『て』＋(い)―」の形で〕(侮蔑の気持を込めて)相手の言動や状態を△納得できない(ばかげている)ととらえられる様子だと判断することを表わす。「何をぼやぼやして―んだ/どこを向いてい―のだ」

やかん①【夜間】「夜(の間)」の意の漢語的表現。「―営業④・―受付④・―部(学生)・―飛行④」↕昼間

やかん⓪【《薬缶・《薬〈鑵〉》】△銅(アルマイト)などで作った、湯沸かしの器具。〔もとは、薬をせんじた〕 **―あたま**④【―頭】「はげあがった頭」の俗称。〔からかいや軽い侮蔑を含意して用いられることがある〕

やき⓪【焼(き)】❶焼く△こと(程度)。また、(製品として)焼いたもの。「―がいい/有田―の茶わん/野―」 ❷〔鍛冶で〕刃を熱して水に入れ、冷やして堅くすること。「―を入れる〔=強くこらしめて反省させる意やリンチを加える意にも用いられる〕/―が回る〔=ⓐ必要以上に熱が加えられて、かえって切れ味が鈍る。ⓑ年を取り役に立たなくなる〕」

やき①【夜気】❶夜になってからの冷たい外気。「―に当たる」 ❷静かな、夜のたたずまい。「―が迫る」

やぎ①【〈山羊〉】多く、白色・短毛で、中形の家畜。ヒツジに似て、角が後方に弓形に伸び、雄はあごの下にひげがある。毛・乳・肉・皮は有用。品種が多い。〔ウシ科〕「―ひげ」〘表記〙もと「野牛」と書いたのは音訳か。〘かぞえ方〙一匹・一頭

やきあ・げる④【焼(き)上げる】(他下一) ❶もうこれで十分というところまで焼く。❷焼いて作りあげる。「菓子を—」 自動 焼き上がる④(五)

やきあみ⓪【焼(き)網】肉類などを焼く金網。

やきいも⓪【焼(き)芋】サツマイモを焼いた食品。「石—」

やきいれ⓪【焼(き)入(れ)】鉄鋼を加熱したのち、急に冷やし、堅さを増すこと。「—不足」

やきいん⓪【焼(き)印】〔銘柄や所有者、また時に使用者の名などを示すために〕火で熱して、木製品やげたなどに押す金属製の印。また、押されたしるし。「—を押す」

やきうち⓪【焼(き)討(ち)・焼(き)打(ち)】—する(他サ) △敵を攻撃する手段の一つとして(憎悪の表明のために)相手方の城・建物などに火をつけ(て攻め)ること。「—をかける/豪商をねらった—事件が続発した」

やきえ⓪【焼(き)絵】熱したこてなどをその表面に押し付けて、木・竹・革などに絵をかくこと。また、その絵。

やきがね⓪【焼(き)金】❶熱した鉄を罪人の顔や牛馬の尻(シリ)などに押して、しるしとすること。また、そのしるし。❷外科用の、熱した金属の鍼(ハリ)。できものの中の腐った肉を取り去るのに使った。❸吹き分けて取り出した、純粋の金(キン)。

やきき・る③【焼(き)切る】(他五) 金属・ガラスなどを火で焼いて切り△取る(開く)。名 焼き切り⓪「—強盗」

やきぐし⓪【焼(き)串】魚や肉をあぶり焼くために刺す串。

やきごて⓪【焼(き)〈鏝〉】❶布や紙のしわを伸ばすために、火で熱して押しあてる鏝。❷焼き絵に使う、小さな鏝。

やきごめ⓪【焼(き)米】米をもみのままいり、うすでついてもみ殻を除いたもの。保存食用。いりごめ。〔収穫を祭る神事に供える場合には新米を用いた〕

やきざかな③【焼(き)魚・焼(き)〈肴〉】魚の身を火であぶったもの。

やきしお⓪【焼(き)塩】〔食卓用に〕ほうろくなどでいった食塩。湿気や苦みが無くなり風味が増す。

やきそば⓪【焼(き)〈蕎麦〉】蒸した中華そばを△いため(揚げ)た料理。中華料理では、点心の一種。

やきだま きかん⑤【焼(き)玉機関】内燃機関の一種。シリンダーの圧縮室の一部を赤く熱してガスを爆発させる。略して「焼き玉⓪」。焼き玉エンジン⑤。

やきつぎ⓪【焼(き)接(ぎ)】—する(他サ) 陶磁器の破片にうわぐすりを掛け、焼いて接ぎ合わせること。

やきつ・く③【焼(き)付く】(自五) ❶物の映像がフィルムにはっきりと写る。〔心に強い印象を受ける意にも用いられる。例、「網膜に焼き付いた母親の顔」〕❷⇩やけつく

やきつけ⓪【焼(き)付(け)】—する(他サ) ❶陶磁器にうわぐすりで模様を描き、窯に入れて焼くこと。❷〔写真で〕原板と印画紙とを重ね、光線に当てて陽画を作ること。❸メッキ。

やきつ・ける④【焼(き)付ける】(他下一) ❶熱した金属を押しあてて、物にしるしをつける。焼き印を押す。〔強い印象を与える意にも用いられる。例、「光景を心に—」〕❷焼付けをする。「模様を—」❸金属を高温に熱して、くっつける。「鉛管を—」

やきどうふ③【焼(き)豆腐】堅めに作った豆腐をあぶって焦げ目をつけた食品。田楽・すき焼などに用いる。

やきとり⓪【焼(き)鳥】❶小さく切った鶏(トリ)肉を串(クシ)に刺して焼いた料理。〔広義では、もつ焼をも指す〕❷ウズラ・スズメなど小鳥の肉を開き、串に刺して焼いた料理。かぞえ方 ❶❷とも一本・一串

やきなおし⓪【焼(き)直(し)】—する(他サ) ❶もう一度焼くこと。❷すでに発表された作品や文章に少しばかり手を加え、新作として発表△すること(したもの)。動 焼き直す④(他五)

やきなまし⓪【焼(き)《鈍し》】〔内部のひずみを取り除くために〕金属・ガラスを加熱したのち、ゆっくりさますこと。しょうどん(焼鈍)。

やきにく⓪【焼(き)肉】牛・豚・羊などの肉を あぶり焼きにした食品。「—料理」

やきのり⓪【焼(き)〈海苔〉】干しのりをあぶってすぐ食べられる状態にした食品。〔広義では、味付けのりをも含む〕かぞえ方 一枚・一袋:一帖(イチジョウ)・一箱・一缶

やきば⓪【焼(き)場】❶物を焼く場所。❷火葬を行なう場所。火葬場。

やきばた⓪【焼(き)畑・焼(き)〈畠〉】草木を焼き払ってその跡に作物を植えること。また、その畑。「やきはた⓪・やいばた⓪」とも。表記 この意味では、本来は「畑」。

やきはら・う④【焼(き)払う】(他五) あたり一面をすっかり焼いてしまう。「ジャングルを—」

やぎひげ②【〈山羊〉〈鬚〉・〈山羊〉〈髭〉】〔雄ヤギのひげに似ていることから〕長く△のびた(のばした)あごひげ。「—をたくわえた老人」

やきふ⓪【焼(き)〈麩〉】グルテンに小麦粉を加えて焼いた麩。

やきぶた⓪【焼(き)豚】豚肉を かたまりのまま蒸焼きにした食品。チャーシュー。

やきふで⓪【焼(き)筆】下絵をかく時に使う、木炭の筆。

やきまし⓪【焼(き)増(し)】—する(他サ) 写真の印画を追加して△焼き付けること(焼き付けたもの)。

やきみょうばん③【焼(き)明〈礬〉】明礬を加熱して作った白い粉。消毒剤とする。

やきめし⓪【焼(き)飯】❶いため御飯。〔中華料理のチャーハンに相当〕❷握り飯をあぶった食品。やきおにぎり④。

やきもき①(副)—する 事が思うように進まず、好ましくない事態に至るのではないかと気をもむ様子。「このままでは間に合いそうもなくて、当人よりまわりの者が—する」

やきもち【焼(き)餅】❶③⓪ 網にのせてあぶった餅。「あん—④」❷③〔「焼く」は嫉妬(シット)する意〕やきもちを焼くこと。「—半分」【—を焼く】〔「餅を焼く」にかけて〕嫉妬する。

やきもどし⓪【焼(き)戻(し)】—する(他サ) 焼き入れした金属材料を、焼き入れの温度よりは低い温度で再び熱し、硬度を加えること。

やきもの⓪【焼(き)物】❶〔中国・四国以西の方言〕陶磁器・土器などの総称。瀬戸物。「—師④」❷土を焼いて作った美術品。❸魚・鳥肉・マツタケなどをあぶり焼いた料理や、くりまんじゅう・どら焼の類の称。⇩煮物

やきゅう⓪【野球】九人ずつの二チームが、交替で攻守の位置につき、ボールを打って得点を争う球技。普通は、各九回攻防する。ベース ボール。「プロ—・草—」

やぎゅう⓪【野牛】❶野生のウシ。❷「野牛❶」のうち、特に「バイソン①」を指す。北アメリカ産とヨーロッパ産の二種がある。からだの毛が黒茶色で背中の前半が山形に盛り上がる。〔ウシ科〕かぞえ方 一頭

やぎょう⓪【夜業】—する(自サ) 夜間に行なう業務。

やきょく①【夜曲】⇩セレナーデ

やきん⓪【冶金】原鉱から純粋な金属成分を取り出したり合金を作ったりすること。

やきん⓪【夜勤】夜の勤務。↕日勤❷

やきん⓪【野〈禽〉】野鳥。↕家禽(カキン)

やく(厄・役・疫・約・益・訳・薬・躍)→【字音語の造語成分】

＊＊や・く⓪【焼く】■(他五) ❶〈(なにデ)なにヲ—〉(灰になるまで)燃やす。「ごみを—/死体を—/民家二棟(フタムネ)を—〔＝火

事で失う〕」 ❷〈(なにデ)なにヲ—〉火や熱源に直接当て、少し焦げたり部分的に変化を生じたりするまで十分に熱を加える。「火ばしをまっかに—/炭を—〔=生木を蒸焼きにして、炭を作る〕/もちを—〔=熱して、食べられるようにする。火を通す。あぶる〕/パンを—〔=ⓐ小麦粉などの原料からパンを作る。ⓑパンを、少し焦げる程度にあぶる〕/硝酸銀で—〔=焼けるような刺激を与えて患部を治療する〕/日光で(背中を)—〔=日光に当てて、その部分を黒くする〕」 ❸〈なにヲ—〉〔写真で〕焼付けをする。「濃く—〔=ⓐ写真の原板から陽画を作る。ⓑ複写する〕」 ❹〈なにヲ—〉嫉妬(シット)する。
表記 ❹は、「《妬く」とも書く。
【世話を—】⇩世話 【手を—】⇩手
□(自下二) 「焼ける」の文語形。「国宝—〔=焼けた〕」
ヤク①【〈犛牛〉】〔yak〕 北インド・チベットなどの高地にすむ哺乳動物。形はウシに似て強大。角があり、茶色の長い毛を生じ、尾はウマの尾に似る。運搬用、肉・乳は食用。〔ウシ科〕 かぞえ方 一頭
やく②【厄】 ❶わざわい。苦しみ。「類焼の—にあう/—落とし・災—」 ❷「厄年」の略。「あと—」
****やく**②【役】 〔公用のための徴用(の代りとして出した銭)の意〕 ❶その人の責任で果たすことが(公的に)求められる事柄。また、それに当たる人。「副として長を補佐する—を負う/仲人(ナコウド)の—をつとめる/—目・—割・—立たず・世話—・まとめ—・女房—」 ❷劇などで、その人物になって演じる、俳優の受持ち。役割。〔かぞえる時にも用いられる〕「—を振る〔=割り当てる〕/主—・脇(ワキ)—・切られ—」 ❸人の上に立つ、高い地位・任務。「—がつく/—員・—職・—付(ツ)き・助—・重—」 ❹そのものに備わっていて、他のものに何らかの効果を及ぼす働き。「庭先のケヤキの木が夏の日差しを遮る—をしている/つまらない物ですが、何かの—に立ててください」 ❺花札・マージャンなどで、特別な点となる札や牌(パイ)の組合せ。
運用 ❹は、「お役に立てず申し訳ありません」などの形で、相手の期待に添えないことをわびたり依頼を婉曲(エンキョク)に断わったりする言葉として用いられることがある。
【—に立つ】 ❶その仕事をするのに、十分な働きがある。❷十分、使える。❸仕事を依頼した側のプラスになる。
***やく**①【約】 □❶「約束」の意のやや古風な表現。「—にそむく/条—」 ❷「約音」の略。 □(副) 数量について、大体その程度であるととらえる意を表わす。「—一時間・—半分」 ⇩【造語成分】
やく②①【訳】 外国語・古文・方言など、体系の異なる言語で述べられた内容を△現代の普通の言葉で表わす(その国の言葉に直す)こと。また、そうしたもの。翻訳。「現代語—⑤⓪・英文和—」
やく①【〈葯〉】 雄しべの先端にあって、花粉を生じる、袋の形の器官。
やく①【薬】 〔密売の対象としての〕麻薬。「—が切れた」 ⇩【造語成分】
やぐ①【夜具】 寝る時に使う布団・毛布など。 かぞえ方 一点・一枚・一組・一重ね
やくいん⓪【役印】 職印。
***やくいん**②【役員】 ❶会社や団体などで、その運営・監督を受け持つ人。幹部職員。〔法律上は、会社の重役を指す〕 ❷会合や催しなどで係を受け持つ人。
やくえき⓪【薬液】 液体になった薬。
やくえん⓪【薬園】 薬草を栽培する畑。
やくおとし③【厄落(と)し】—する(自サ) 厄払い。
やくおん⓪【約音】 連続する母音の一つが脱落して一音節になること。約言。略して「約」。例、araiso → ariso (荒磯)。
やくか①【薬禍】 ⇩やっか(薬禍)
やくがい⓪【薬害】 薬・薬剤の副作用によって受ける害。
やくがえ⓪④【役替(え)】—する(自サ) ある人の「役❶❸」をほかの人に替えること。
やくがく⓪②【薬学】 薬剤の化学的性質・製法・効果などを研究する学問。
やくがら⓪【役柄】 ❶「役❶❷」の性質。「—上、やむを得ない」 ❷役目のある身分。役目に対する体面。「—を重んじる」 ❸役目。「—を押しつける」
やくぎ①【役儀】 「役❶」の意の古風な表現。「—ご苦労/—柄(ガラ)」
やくぎょう⓪【訳業】 翻訳の△仕事(業績)。「—成る」
やくげん⓪【約言】 ❶—する(他サ) 要約して言うこと。 ❷約音。
やくご⓪【訳語】 訳に△使う(使った)言葉。 ⇩原語
やくざ① —な 〔もと、「三枚」というばくちで、八(ヤ)・九(ク)・三(サ)の目が出ると負けになったことから〕 ❶生活態度がまともで△ない(なく、正業についていない)こと。また、その者。〔狭義では、ばくち打ち・不良を指す〕「—な男」 ❷出来が悪くて役に立たない△こと(物)。
やくさい⓪【厄災】 ⇩災厄
やくさい⓪【訳載】—する(他サ) 翻訳して雑誌などに載せること。
やくざい②⓪【薬剤】 それぞれの用途に応じて調合された薬品。「—撒布(サップ)・—散布」 **—し**③【—師】 国家試験に合格し、処方箋(セン)の薬を調合する人。
やくさつ⓪【〈扼殺〉】—する(他サ) 〔手・腕で〕首を締めて殺すこと。
やくさつ⓪【薬殺】—する(他サ) 毒薬を食べさせて、害になる獣などを殺すこと。「狂犬を—する」
やくさの かばね①-⓪【八《色の《姓】 上代、天武天皇の時代に定められた、当時の氏族の階級を示す八種類の姓。真人(マヒト)・朝臣(アソミ)・宿禰(スクネ)・忌寸(イミキ)・道師(ミチノシ)・臣(オミ)・連(ムラジ)・稲置(イナキ)の称。
やくし⓪【訳詞】 外国の歌の言葉を翻訳△すること(したもの)。
やくし⓪【訳詩】 外国の詩を翻訳△すること(したもの)。
やくし①【薬師】 「薬師仏③・薬師堂⓪・薬師如来」の略。「お—様②〔=薬師如来の(親しみの気持を込めた)敬称〕」 **—にょらい**④【—如来】 一切の人間の病気を治

やく
【厄】 ⇩(本文)やく【厄】
【役】 ⇩(本文)やく【役】
【疫】 流行病。「疫病神」 ⇩えき
【約】 ❶つづめる。ひきしめる。まとめる。「約音・約分・要約」 ❷控えめにする。「節約・倹約」 ❸〔数学で〕割り切る。「約数」 ⇩(本文)やく【約】
【益】 めぐみ。「御利益」 ⇩えき
【訳】 ⇩(本文)やく【訳】
【薬】 ❶くすり。「薬草・農薬・内服薬」 ❷化学変化を起こさせるための材料。「火薬・爆薬・試薬」 ⇩(本文)やく【薬】
【躍】 △ぴょんと(高く)とびはねる。「躍進・飛躍・勇躍・活躍」

すという如来。薬師瑠璃光(ルリコウ)如来。

やくじ①【薬事】薬品・医療費・調剤・薬剤師などに関する事柄。「―法⓪(=『薬機法』の旧称)・―審議会」

やくじ⓪①【薬餌】〔病人にとっての〕薬(と食べ物)。「―に親しむ(=病気がちだ)/―療法」

やくしゃ⓪【役者】❶舞台に上がって、与えられた役を何であれこなすことを職業とする人。〔広義では映画・テレビ俳優をも含む〕「渋い演技で大向うをうならせる―/歌舞伎(カブキ)―・能―・千両―・旅―・道化―」❷巧みなパフォーマンスや話術で、自分(たち)に有利な方向に事を進める力を備えた人。「国際会議で存分に―ぶりを発揮する」【―が一枚上だ】世故にたけていたりして、かけひきなどが一段と上手(ウワテ)だ。【―が〈揃(ソロ)う】❶その場に必要な顔ぶれが全部出そろう。❷海千山千のつわものが関係者として顔を並べる。 ―え③⓪【―絵】歌舞伎(カブキ)役者の舞台姿や日常の姿などを描いた浮世絵。かぞえ方 一点・一枚

やくしゃ①【訳者】その翻訳を△する(した)人。翻訳者。

やくしゅ⓪①【薬酒】薬とされる成分を含む酒。例、漢方薬を入れた酒や、まむし酒など。

やくしゅ⓪①【薬種】漢方薬の材料。「―店③」

やくしゅつ⓪【訳出】―する(他サ)(苦心して)翻訳すること。〔狭義では、初訳を指す〕

やくじゅつ⓪【訳述】―する(他サ)❶口に出して訳すること。❷翻訳(して著わすこと)。

*やくしょ③【役所】国・地方公共団体の行政事務を取り扱う所。〔広義では、幕府などのそれをも指す〕「―勤(ヅト)め」〔かつては、「お―仕事」の形で、形式や前例にこだわった杓子(シャクシ)定規な扱いしかできない上に、能率の悪い仕事ぶりを(役所に限らず)指して、皮肉ったり非難したりするのに用いられた〕

やくしょ③⓪①【訳書】翻訳した書物。⇩原書

やくじょ①【躍如】―たる/―と 現実に目の前に見えるような様子だ。「面目―たるものがある」

やくじょう⓪【約定】―する(他サ) 何かをする約束を取り決めること。また、その取決め。「―書⓪⑤・御―済(ゴヤクジョウズミ)」

やくしょく⓪【役職】組織を運営する上での重要な地位。管理職。議長・局長・重役など。

やくしん⓪【薬〈疹】ある特定の薬によって生じる発疹。

やくしん⓪【躍進】―する(自サ) 以前に比べて、目立って△進出(発展)すること。「―が目立つ/第一位に―する/目覚ましい―を遂げる」

やくすう③【約数】〔数学で〕その△自然数(多項式)を割り切ることが出来る△自然数(多項式)。「12の―は1・2・3・4・6・12/公―」↔倍数 ⇩因数

やく・する③【〈扼する】(他サ)〔もと、握る意〕❶動かないように両手で強く△押さえる(締める)。「腕を扼して残念がる」❷要所を押さえるように位置する。「海峡を―地点」扼す②(五)。

やく・する③【約する】(他サ)❶約束する。「後日を―」❷簡略に表現する。「長い名称を約して言う」❸節約する。「経費を―」❹〔数学で〕約分する。約す②(五)。

やく・する③【訳する】(他サ)❶翻訳する。❷解釈する。訳す②(五)。

やくせき⓪【薬石】〔医療に使う、薬と鍼(ハリ)〕医師の患者に対する治療。「―効無く(=せっかく養生をしたかいも無く)」

やくせつ⓪【約説】―する(他サ) かいつまんで説明すること。

やくぜん②【薬膳】〔医食同源の考え方から〕漢方薬の素材を組み入れた中国料理。健康維持、病気の予防・治療、老化防止などを図ろうとする。「薬膳料理⑤」とも。

やくそう⓪③【役僧】法会(ホウエ)・葬儀などで、それぞれ決まった役をつとめる僧。

やくそう⓪【薬草】病気や傷を治すための薬として使う草。例、センブリ・ゲンノショウコ・ドクダミなど。↔毒草

**やくそく⓪【約束】〔「約」も「束」も、ちかう、ちぎる意〕❶―する(他サ)〈だれニなにヲ―する/だれトなにヲ―する〉必ずその通りのことを実行すると△相手方に伝え、了承を得る(相互に取り決める)こと。また、その内容。「再会を―して、友と別れる/行くと―した以上は何が何でも行かなければならない/有権者への―は守ってほしいものだ/△結婚(取引・試合・執筆)の―をする/―を△破る(反故(ホゴ)にする)/人権問題に配慮する―で経済援助を申し出た/口―・空(カラ)―」❷それに従うことが△不可欠な(当然の)こととされる、その世界における(不文律の)決まり・慣習や記号に与えた意味付けなど。「俳句は季語を詠み込む―になっている/―が多過ぎると、かえって辞書は引きにくくなる/前世の―(=宿命)」 ―ごと⓪【―事】❶「約束❶」として△決意した(相互に取り決めた)事柄。「自らに課した―は何としても守り通そう」❷「約束❷」として、それに従うことが△不可欠な(当然の)こととされる事柄。「歌舞伎(カブキ)のおもしろさを味わうには いくつかの―を知っておくほうがよい/地図で上が北、下が南というのは単なる―だ/〃+〃や〃−〃は―として定められた記号で、形には特別な意味があるわけではない」 ―てがた⑤【―手形】債務者が債権者に、一定の期日に支払うことを約束して振り出す手形。略して「約手」。

やくたい⓪【益体】「役に立つこと」の意のやや古風な表現。「―も無い(=だらしがない。たわいもない)」

やくたい⓪【薬袋】薬を入れる紙の袋。

やくだい⓪【薬代】治療費として医者に支払うお金。「くすりだい」とも。

やくたく⓪【役宅】昔、その役の人が在職中住むように提供された宿舎。〔現在の公舎に当たる〕

やくだく⓪【約諾】―する(他サ) 確かに引き受けたと約束すること。

やくたたず③【役立たず】―な 〔人や機械などが〕望まれる△力(性能)に劣っているなどして、ものの役に立たない△こと(もの・様子)。「この―め」

やくだ・つ③【役立つ】(自五) 役に立つ。「実際に―知識」 他動 役立てる④(下一)

やくちゅう⓪【訳注・訳〈註】❶翻訳しながら、必要な部分に注を加えること。❷翻訳に際してつけた注釈。⇩原注

やくづき⓪【役付き】「役❸」に△つくこと(ついている人)。「やくつき」とも。

やくづくり③【役作り】〔演劇・映画などで〕演技にくふうをこらすなどして、割り当てられた役にふさわしい人物像をつくり上げること。

やくて⓪【約手】「約束手形」の略。

やくとう⓪【薬湯】❶薬を入れたふろ。「くすりゆ」とも。❷容器に薬を入れて煮出したもの。せんじ薬④。

やくどう⓪【躍動】―する(自サ) あふれるばかりの元気・若さをもって活動すること。「―感③・生気―」

やくとく⓪【役得】その役目についている人の余禄(ヨロク)として入る、特別の収入や利益。

やくどく⓪【訳読】―する(他サ)〔学校の授業などで〕外国語の本を訳して読むこと。

やくどく⓪【薬毒】その薬の△多用(誤用)に基づく副作用の害毒。

やくどころ⓪【役所】その人にぴったり合った△役目(配

【】の中の教科書体は学習用の漢字，︿ は常用漢字外の漢字，︽ は常用漢字の音訓以外のよみ。

役)。

やくどし②【厄年】〔陰陽(オンミョウ)道で〕災難にあうというので特別注意すべき年齢。例、男性の四十二歳、女性の三十三歳など。〔広義では、災難の多く起こる年を指す〕⇩前厄(ヤクマエ)・後厄(アトヤク)・大厄(タイヤク)

やくなん②⓪【厄難】「災難」の意の古風な表現。

やくにん⓪【役人】❶役所の一員として権力を行使する人の総称。「奉行所の―/―風(カゼ)を吹かせる〔=⇩風㊁❶〕」❷行政事務に従事する公務員の俗称。「外務省の―/(お)―的〔=役人に特有だとされた、杓子(シャクシ)定規で融通のきかない考え方をする様子だ〕」

やくば③【役場】❶町村などの地方公務員が事務をとる所。❷公証人などが事務をとる所。

やくはらい③【厄払(い)】(ハラヒ) ❶―する(自サ) 神仏に祈るなどして、災いを防ぐこと。厄落とし。❷△おおみそか(節分)の夜に、「厄払い❶」の言葉を唱えて門付(カドヅケ)した人。〔❶❷とも「やくばらい」とも〕

やくび②【厄日】❶〔陰陽(オンミョウ)道で〕災難にあうというので、行動に特別注意を要する日。❷〔その人にとって〕何かと災難に見舞われる日。

やくひつ⓪【訳筆】訳し方。訳文の調子。

やくびょう(オ)⓪②(ビャウ)【疫病】一度はやると多くの人びとが死ぬ、伝染性の病気。えきびょう。 **―がみ**③【―神】疫病を流行させるという神。〔他人から嫌われる人の意にも用いられる〕

やくひん⓪【薬品】❶一つひとつの薬。❷化学的変化を起こさせるために作った、固体・液体など。「化学―④」

やくぶそく③【役不足】―な ―に 割り当てられた役目が△軽過ぎる(軽過ぎて、それに満足出来ない)と思う様子だ。〔「役不足ながらその任を全うしたい」などと、自分の能力不足を謙遜(ケンソン)する言い方に用いるのは誤り〕「―だと文句を言う」

やくぶつ②⓪【薬物】(人が摂取する)薬。「―アレルギー⑥・―依存②-⓪、⑤・―学④」

やくぶん⓪【約分】―する(他サ) 〔数学で〕分数(式)の分母・分子を共通の約数〔=公約数〕で割ることにより、値を変えないで簡単な形の分数(式)にすること。例、$\frac{14}{35}$の分母・分子を7で割って$\frac{2}{5}$を得る。

やくぶん⓪【訳文】訳した文章。↕原文

やくほ①【訳補】―する(他サ) 〔訳するだけで不十分な場合に、読者の理解を深める目的で〕原文に無い文を補うこと。

やくほう(オ)⓪(ハウ)【薬方】薬を調合する方法。薬の処方。

やくほうし(オ)③(ハウ)【薬包紙】粉薬を包む紙。かぞえ方 一枚

やくほん⓪【訳本】原本を他の言語に翻訳した本。

やくまえ③(マヘ)【厄前】厄年の前の年齢。「前厄」とも。

やくまわり③(マハリ)【役回(り)】たまたまその人に割り当てられた役目。「損な―」

やくマン⓪【役満】〔マージャンで〕牌(パイ)の組合せによって決められた、高得点となる役。普通の満貫(マンガン)の数倍の点数になる。

やくみ③⓪【薬味】❶ある種の料理に添えて出し、食欲を進める香辛料。例、七味唐辛子やワサビ・ショウガ・ネギなど。「―をきかす/―を加える」❷薬剤の種類。

やくむき⓪【役向(き)】役(目)の性質。役柄。

***やくめ**③【役目】責任をもって果たさなければならない仕事。「重要な―を果たす/侍としての―/名詞の―〔=働き〕をする/―柄(ガラ)」

やくめい⓪【役名】役の名前。

やくめい⓪【訳名】翻訳してつけた作品名。⇩原名

やくめい⓪【薬名】薬の名前。

やくよう(オ)⓪【薬用】薬として使うこと。「―せっけん⑤・―植物⑥・―成分」

やくよけ⓪【厄《除(け)》】災難を払いよける△こと(方法)。「―のお守り/―地蔵⑤」

やぐら⓪【〈櫓・矢倉】〔もと矢の倉の意で、武器庫を指した。中世では、城の中にあって、見渡したり矢を射たりするために作った、高い建物を指した〕❶木材や鉄材などを組み合わせて高く作った小規模の構築物。〔後世は、主として火の見櫓・盆踊りの櫓、または、すもう・芝居の小屋などで、太鼓を鳴らすために特設された高い台を指す〕❷〔↑船(フナ)やぐら③〕親船の甲板。❸〔↑こたつやぐら④〕その上に布団をかけて、こたつを作る台。❹〔すもうで〕相手のからだをつり上げて投げるわざ。❺将棋の陣立ての一つ。「―に囲う/銀―」 表記 ❹は「〈櫓」、❺は「矢倉」と書く。かぞえ方 ❶❷は一基 **―した**⓪【〈櫓下】文楽で、最高の位の太夫(タユウ)。紋下(モンシタ)。 **―だいこ**④【〈櫓太鼓】芝居・すもうの櫓で打つ太鼓。 **―もん**③【〈櫓門】上に櫓を構えた門。

やくり①【薬理】薬品使用の結果期待される効用や副作用など。「―作用④・―学③」

やくりきし③【役力士】〔すもうで〕横綱・大関・関脇(セキワケ)・小結の総称。

やくりょう(オ)⓪(レウ)【訳了】―する(他サ) その原書を訳し終えること。

やくりょう(オ)⓪②(リヤウ)【薬量】薬の分量。

やぐるま②【矢車】軸の周囲に矢の形を放射状に付けたもの。こいのぼりのさおに付ける。 **―ぎく**④【―菊】庭に植える一年草。夏の初め、青・紫・赤・白などの、矢車に似た形の頭状花を開く。茎や葉に白い綿毛がある。〔キク科〕かぞえ方 一本 **―そう**(オ)⓪(サウ)【―草】❶山地に自生する多年草。大きな矢車を連想させる形の葉を持ち、夏、白い花を開く。〔ユキノシタ科〕❷やぐるまぎく。かぞえ方 一本

やくれい⓪【薬礼】診察料・薬代として、医者に払う金。

やくれき⓪【薬歴】薬剤師が作成する、薬の調剤や患者への服薬指導などの記録。「電子―④」

やくろう(オ)⓪【薬籠】❶「くすりばこ」の意の漢語的表現。「自家―中の物〔=意のままに役立てられる人や技術〕」❷携帯用の丸薬入れ。小形で、つぼやナツメの形をしたものが多い。印籠(インロウ)。〔古くは「やろう⓪」とも言った〕

***やくわり**③⓪④【役割】❶その人に割り当てられた△役(任務)。「―を△与える(演じる・負う・分担する・担う・果たす)/―が△大きい(重い・薄れる)」❷⇩役❶

やくわん⓪【〈扼腕】―する(自サ) 「くやしがったり憤ったりして、腕をぎゅっと握りしめる」意の漢語的表現。「切歯(セッシ)―」

やけ①【〈自棄〉】〔一度焼けてしまった物は取り返しがつかない事から〕どうしようも無い不結果に心の平静を失い、つい不摂生を重ねたりむちゃな事をやったりすること。〔強調表現は、「やけくそ・やけっぱち・やけのやんぱち①-④、①-③」〕「―を起こす」 表記 「〈自棄〉」は、義訓。

やけ【焼(け)】㊀(造語) 焼けること。「日―・朝―・夕―・酒(サカ)―・おしろい―」㊁⓪ 金属の鉱床が地表に露出し、焼けたような色に見える所。

やけあと⓪【焼(け)跡】火事の跡。「―の片づけ」

やけあな⓪【焼(け)穴】布などの一部分が焼けてあいた穴。

やけい⓪【夜景】夜の景色。

やけい⓪【夜警】夜、見回って歩き、火事・盗難などの警戒をする△こと(人)。

やけいし⓪【焼(け)石】△火(日)に焼かれて、熱くなった石。 **【―に水】** 焼け石に水を少しばかりかけても石が冷めないように、その程度の援助では到底ききめが無いたとえ。

やけいろ[0]【焼(け)色】△火(日)にあたって焼けた色。

やけお・ちる[4]【焼(け)落ちる】(自上一)(建物が)焼けて倒れくずれる。

やけき・れる[4]【焼(け)切れる】(自下一) 金属製品などが△連続して(何回も)高熱を帯びたために焼けて切れたり剝がれたりする。「やききれる[4]」とも。「フィラメントが―/エンジンが―」

やけくそ[0]【〈自棄〉〈糞〉】―な/―に 「やけ」の強調表現。「―になる/―半分」

やけこがし[0]【焼(け)焦(が)し】 焼け焦げ。動焼け焦がす[4](他五)

やけこげ[0]【焼(け)焦(げ)】 火に焼けて△焦げること(焦げた所)。動焼け焦げる[4](自下一)

やけざけ[0]【〈自棄〉酒】 やけになって飲む酒。「―をあおる」

やけださ・れる[5]【焼(け)出される】(自下一) 家が火事で焼けて、住む所が無くなる。

やけつ・く[3]【焼(け)付く・〈灼(け)付く・焼(け)《附く》】(自五) ❶高温で熱せられた結果、そのもの(の一部)が溶けて他のものに堅くくっついたままになる。「焼け付いて離れない/―ような日ざし」 ❷(エンジンや機械類が)△長時間の(不自然な)使用のために過熱されて、そのものの機能が(十分に)果たせなくなる。〔❶❷とも「やきつく」とも〕

やけっぱち[0]【〈自棄〉っぱち】―な/―に 「やけ」の口頭語的な強調表現。「―な態度」

やけっぱら[0]【〈自棄〉っ腹】―な/―に 〔「やけばら[0]」の変化〕やけを起こして、腹を立てる△こと(様子)。「―になる」

やけど[0]【〈火傷〉・〈熱傷〉】―する(自サ) 〔「焼け処(ド)」の意〕 ❶火・熱湯などの高熱の影響を受けて、皮膚に生じるただれなどの症状。また、そのただれた所。極端な低温にさらされたことによる同じような症状についても言うことがある。「熱湯で―をする/ドライアイスで―する/低温―」 ❷危険な事に手を出して手痛い損害を受けること。「株の売買で大―した」

やけに[1](副) 「何か変だと感じられるほど、事態の程度が普通とは違っている様子」の口頭語的表現。「―暑いね/きょうは―親切だ」

やけの[0]【焼(け)野】 野火で焼けた野。 ―がはら[4]【―(が)原】 焼け野。「焼け野原[3]」とも。〔市街などの、一面に焼けてしまった所の意にも用いられる〕

やけのこ・る[4]【焼(け)残る】(自五) 同じ火事で他が焼けたのに、それだけが無事に残る。名焼け残り[0]

やけのみ[0]【〈自棄〉飲み】―する(自他サ) 不快なことを忘れようとして、どうなってもいいという気分で酒を飲むこと。

やけぶとり[0]【焼(け)太(り)】―する(自サ) 火災にあったことがきっかけで、思いがけない人の善意に恵まれるなどして、以前よりもかえって△生活が豊かに(事業が大きく)なること。

やけぼっくい[3]【焼(け)《棒〈杭》】〔「焼け棒杙(ボウクイ)」の変化〕焼けて黒焦げになった△杙(切り株・柱など)。「―に火がつく〔=しばらく別れていた恋人の関係が元にもどる〕」

やけやま[0]【焼(け)山】 山火事で草木の焼けた山。〔俗に、(休)火山の意にも用いられる〕

*や・ける[0]【焼ける】(自下一) ❶〈なにデ―〉 火などで強く熱せられた物が△変形(変質)して、元と違った状態になる。〔結果を問題とする言い方〕「火事で街の三分の一が焼けた/真っ赤に焼けた鉄を鍛える/もう一時間もすればパンが―だろう/太陽で焼けた〔=熱くなった〕砂/空が―〔=朝日・夕日・火事などで空が赤く見える〕/浅間山が―〔=噴火して炎や煙が出る〕」 ❷〈なにデ―/なにニ―〉 長い間 空気に触れたり 日光や薬品の影響を受けたりして、皮膚・紙・布などの色が変わる。「△朱の色(銀箔(ギンパク))が―/アルバムの表紙が日に―/酒で焼けた顔」 ❸食物が胃にたまって、胸が熱いように感じる。「胸が―」 ❹思わず嫉妬(シット)心をいだく。「あまり二人の仲が良いのでやけてくる」 表記 ❹は、「《妬ける」とも書く。 運用 新築などに際しては避けるべき言葉とされる。

やけん[0]【野犬】 飼い主の無い犬。のら犬。「―狩(ガリ)[0]」

やげん[0]【《薬研》】 薬種を細かく砕くのに用いる、舟形の器具。

やご[1]【〈水〈蠆〉】 トンボの幼虫。

やこう[0]【夜光】 ❶暗い所で光ること。「―の玉/―時計(ドケイ)[4]・―塗料[4]」 ❷晴れた夜空の、星の光以外の薄明るい光。「―現象[4]」 ―ちゅう[2][0]【―虫】 ごく小さな下等動物の一つ。海中に群集し、夜に光を出す。

やこう[0]【夜行】 [一][0]〔↑夜行列車[4]〕深夜に△走行(通過)する列車。「―で行く/―便[0]・―バス[4]」 [二](造語) 昼は休んでいて、もっぱら夜活動すること。「―動物[4]・―性[0]」

やごう[1]【屋号】 ❶商店や歌舞伎(カブキ)役者などの、家を指す呼び名。 ❷〔農漁村などで〕一般に家を指す呼び名。姓の代りに用いられる。

やごう[0]【野合】―する(自サ) 〔「野」は、いやしい、「合」は合体の意〕 ❶「婚前交渉」「内縁」「同棲(ドウセイ)」を反社会的行為として指すのに用いた語。 ❷本来、理念や目的を異にする組織・団体どうしが、長期的な見通しもなく目先の利益にとらわれて一体化すること。「野党間で共同戦線を張ったのは選挙を前にしての―だと言われてもしかたない」

やごえ[1]【や声】「や」といった、昔の「掛け声❷」。えい声[1]。〔現在の「よいしょ」に相当〕 表記 「矢声」とも書くので、「矢を射る時の声」という俗解も行なわれ、「矢叫び」と同意とすることもある。

やこぜん[2]【野〈狐禅】 禅を学んで、まだ本当に深い境地にまで達していないのに、本人は悟り切ったつもりになっている△こと(人)。

やごろ[0]【矢頃】 矢を射るのに適当な距離。「―を計る」

やさ【優】(造語) 見るからに上品でやさしい感じの。「―男[3]・―姿[3]」

**やさい[0]【野菜】 副食にするために畑などに作る植物。あおもの。「―物・―スープ・清浄―・有機―・有色―」

やさがし[2]【家捜(し)・家探(し)】―する(自サ) ❶家の中をすべて調べて捜すこと。 ❷俗に、住むべき家や貸家を捜すこと。

やさがた[0]【優形】 からだつきが優しいこと。「―の男」

やさき[0][3]【矢先】 〔もと、鏃(ヤジリ)・矢おもて、の意〕予定の行動にかかろうとする、ちょうどその時。「外出しようという―に電話が鳴った」

やさけび[2]【矢叫(び)】 ❶矢を射た直後、手ごたえのあった時に「得たりや、おう」などと叫んだ声。 ❷〔昔、戦場で〕戦闘開始の際、遠矢を射合う時にあげた、ときの声。

**やさし・い[0][3](形) [一]【優しい】 ❶表情や対人態度などから受ける印象が穏やかで好ましく感じられる様子だ。「―△目つき(声)」 ❷〈だれニ―〉 相手に対する思いやりや心づかいが十分にあるととらえられる様子だ。「気だての―娘/被災者に―言葉をかける/心―」 ❸〈だれ・なにニ―〉 そのものに悪い影響を与えないよう配慮がなされているととらえられる様子だ。「高齢者に―街づくり/環境に―洗剤」 [二]【易しい】 △精神的(肉体的)に負担だと感じることなく何かが実現出来る様子だ。「口で言うのは―が実行には困難が伴う/―数学の問題」 ↔むずかしい 派―さ[3][0][2] ―げ[0]

やさつ[0][1]【野冊】 野外で採集した植物をはさんで、持ち帰るための道具。二枚の△板(竹)と新聞紙などから成る。

やし①【〈椰子〉】熱帯産の常緑高木。大形の実の内部の、乳のような液は飲料。繊維は敷物用。また、椰子油は、マーガリン・せっけん・ろうそくなどの原料。品種が多い。〔狭義では、ココヤシを指す〕〔ヤシ科〕 かぞえ方 一株・一本

やし①【野史】〔「野」は「在野の人」の意〕「外史」の意の古風な表現。⇩正史

やし①【〈香具〉師】〔「野士」の意という〕〔縁日などで〕路上で手品・居合抜きなどを見せたあと、歯磨などの薬類や香具類を売りつけた人。てきや。

やじ①【野次・弥次】〔←やじうま〕やじる△こと(言葉)。「―を飛ばす/―と怒号に包まれる」 表記 「野次・弥次」は、借字。

やじうま⓪【野次馬・弥次馬】当人とは無関係の事件に、興味本位から見物に繰り出したり おもしろ半分に騒ぎたてたりする△こと(人)。「―根性⑤」 表記 「野次馬・弥次馬」は、借字。

やしおじ③⓪【八潮路】〔雅〕長い航路。

やしき③【屋敷】❶その中に家が建っている一区切りの土地。「―内に建て増す」 ❷「屋敷❶」も広く、構えもりっぱな家。邸宅。「お―⓪・―町③」 表記 「《邸」とも書く。 **―がみ**③【―神】「屋敷❶」の一隅に祭られている神。 **―りん**③【―林】〔防風・防火などのため〕家のまわりに植えた林。

やじきた⓪【弥次喜多】〔十返舎一九の「東海道中膝栗毛」の主人公、弥次郎兵衛・喜多八の略称〕 ❶気の合った(男)二人で、のんびり楽しい旅行をすること。 ❷よく気の合った、剽軽者のコンビ。

やしない⓪【養い】❶養うこと。「―親⓪(=養子を育てる親)・―子③(=養子)」 ❷栄養分。

*__やしな・う__③【養う】(他五) ❶〈だれヲ―〉△経済的(肉体的・精神的)に自立できない人の生活のめんどうを見る。「子を―/女子と小人とは養い難し(=⇩女子)/豚を―(=飼う)」 ❷〈だれヲ―〉その身に望まれるものを自分のものにするために、好ましい環境に身を置いたり 必要な訓練を受けたり する。また、他の者をそのように仕向ける。「△情操(精神・物を見る目)を―/勤労の風を―」 ❸〈なにヲ―〉外力に堪えられる力を△付ける(回復する)まで、他からの影響を受けることが少ない環境に置くようにする。「英気を―/病を―(=ⓐ病気の療養をする。静養する。ⓑ病気で衰えたからだの回復をはかる)」

やしゃ①【夜〈叉〉】〔暴悪の意の梵語の音訳〕人を食うという鬼。〔仏法に帰依して後は、諸天を守り、特に毘沙門天の従者として北方守護に任じた〕「内心如―」

やしゃ ご⓪【〈玄孫〉】その人の ひまごの子。「やしわご⓪」とも。

やしゅ①【野手】〔野球で〕内野手・外野手の総称。フィルダー。 **―せんたく**①-⓪、③【―選択】〔野球で〕野手が打者のボールをとったあとボールの送り先に迷い、打者・走者の両方を生かすこと。略して「野選」。フィルダーズチョイス。

やしゅ①【野趣】△素朴(粗削り)ではあるが、技巧の勝ったものには見られない、独特の味わい。

やしゅう⓪【夜襲】―する(他サ) 夜のくらやみを利用して敵を攻めること。夜討ち。「―をかける」

やしゅう①【野州】「下野国」の漢語的表現。今の栃木県全体にあたる。「―手鞠④」

やじゅう⓪【野獣】野生のけもの。 **―は**⓪【―派】⇩フォービスム

やしょく①⓪【夜色】「夜景」の意の古風な表現。

やしょく⓪【夜食】夕食(のあと、もう一度、夜おそくなってから食べる簡単な食事)。

やじり⓪【〈鏃・矢尻〉】〔「矢尻」の意〕矢の先の とがった部分。矢の根。矢先。

やじり きり③【家《後切(り)】家や蔵の裏の壁や戸を切って忍び入る△こと(盗賊)。 表記 「家尻切り」とも書く。

やじ・る②【野次る・弥次る】(他五) ❶一生懸命 演説している弁士に水を差すような、からかいや非難の言葉を掛ける。 ❷〔味方を応援するために〕集中力を失わせるような ひやかしの言葉などを相手方に掛ける。 表記 「野次る・弥次る」は、借字。

やじるし②【矢印】行く先などを示すための、矢の形の印。

やしろ①【社】「(一定の格式を持った)神社」の意の和語的表現。⇩ほこら

やじろべえ③【弥次《郎〈兵衛〉】〔もと、振分けの荷を肩にした弥次郎兵衛の人形を使ったことから〕先端におもりをつけた両腕を、半円の形に張ったおもちゃ。一本の足をささえるだけで、釣合が取れるように出来ている。また、それと同じ仕組みのもの。〔もと江戸方言。関西では「釣合人形」と言う〕

やしん①【野心】〔「野」は、もと、なれ親しまない意で、主人に取って代わって天下を自分のものにしようというような高望み〕その人の経歴からは到底実現出来そうもないとだれもが思っていることを、見事にやってのけて世間を驚かせようとひそかにいだく気持。「―家⓪・―作②・―満々・―的⓪」

やじん⓪【野人】❶いなかの人。「田夫―①-⓪」 ❷身なり・礼儀や世間一般の慣行などを気にしない人。〔どちらかと言えば、粗野な人〕 ❸在野の人。一般の民間人。

やす【安】(造語) ❶お金が△少ない(かからない)。「―月給③・―普請」 ❷価格が下がること。安値。「五円―」↕高 ❸軽がるしい。軽はずみな。「―請合い」

やす(助動・特殊型)〔「ます」の変化〕 ❶叙述に丁寧の意を添える古風な表現。「あり―/生まれは駿河で―(=でございます)」 ❷〔西日本方言〕なさいませ。「早うお戻り―/おいで―(=いらっしゃいませ)」 文法 動詞、形容動詞型活用の助動詞、助動詞「だ」の連用形に接続する。

やす⓪【〈簎〉】柄の先に取り付けた鋭い数本のきっ先を持つ刃物で、水中の魚を刺して、つかまえる道具。「―で△突く(捕る)」 かぞえ方 一本

やす あがり③【安上(が)り】―に ―な △安い値段(少ない費用)で済む様子だ。

**__やす・い__②【安い】(形) ❶何かに要する費用が思っていたよりも少なくてすむ様子だ。「バーゲンセールでブランド品を安く買う/味の割には―店/今度の旅行は安くついた/―買物だった」↕高い ❷〔文語形容詞「やすし①」の残存形〕無事で平穏だ。「安き心もなし(=不安にかられる様子だ)/霊よ、安かれ(=安らかに眠るように)/安からぬ(=落ち着いていられない)気持」 派 ―さ① 表記 ❶は、「《廉い」とも書く。【お安くない】⇩お安い 運用 【安かろう悪かろう】値段の安いことは事実だが、それ相応に品物の質も良くない。

やす・い【《易い】■②(形) だれにでも簡単に出来る様子だ。「口に言うは易く、行なうは難し」⇩お易い ■〔「動詞連用形+―」の形で、接尾語的に〕↕にくい■ ❶△抵抗(無理)なくそうすることが出来る状態だ。「話し―人/わかり―文章/住み―間取り」 ❷ちょっとしたきっかけですぐそうなりがちな状態だ。「燃え―素材/変わり―山の天気/怒り―人」 派 ―さ①

やすうけあい③④【安請(け)合(い)】―する(他サ) どんな結果になるか深く考えないで軽がるしく引き受けること。

やすうり⓪【安売り】―する（他サ）❶安値で売ること。「大―」❷本来は貴重に扱うべきものを△惜しげもなく与える（無力なものとして扱う）こと。「親切の―」

やすき①〔文語形容詞「やすし」の連体形の名詞用法〕❶【《易き》】いくつか選択の余地がある中で楽な方。「―につく〔＝安易な方（法）を選ぶ〕」↔難き ❷【安き】（絶対）心配のない状態。「泰山の―に置く〔＝⇩泰山❶〕」

やすけ⓪【弥助】〔もと関西方言〕〔浄瑠璃（ジョウルリ）の「義経（ヨシツネ）千本桜」に出てくるすし屋の名から〕握りずし。

やすっぽ・い④【安っぽい】（形）❶いかにも品質が劣っていると感じられる様子だ。「―造りの家具/―既製服」❷見かけだけで実質をともなっていないことがすぐに見破られる様子だ。「見栄をはっているだけの―人/―理論をふりかざして得意がる」派―さ④

やすで⓪【安手】―な ❶同種の物の中で値段が安い部類に入る物。「―の品ばかり置いてある店」❷安っぽい様子だ。「―な作りのドラマは飽きられる」

やすね②⓪③【安値】安い値段。〔狭義では、株などの取引で、その日の最も安い値を指す〕↔高値

やすぶしん③【安普請】安い費用で粗雑な家を建てること。また、その家。

やすま・る③【休まる】（自五）からだや心が安らかになる。「気が―/心の―ひまが無い」表記「安まる」とも書く。

＊やすみ【休み】❶③❶仕事や勉強を休む△こと（時間・日・期間）。「あすは―だ/お―中のところをなんですが/昼―」❷眠ること。「お―のところお騒がせして恐縮です」❸〔造語〕動詞「休む」の連用形。 **―やすみ**④【―休み】（副）何度も途中で休みながら、同じ動作を続ける様子。「―歩く/ばかも―言え〔＝よく考えて、控えめに言え〕」

＊＊やす・む②【休む】（自他五）❶△仕事（活動）を一時やめて、心身を楽にする。「ツバメが電線に休んでいる〔＝とまっている〕/しばらく―〔＝休憩する〕か」❷睡眠をとるために寝る。「もう遅いから、休もう」❸〈（なにデ）なにヲ―〉個人の都合で、本来その日にしなくてはならない△通勤（通学）をやめたり仕事をしなかったりする。「△学校（会社）を―/病気で―/日曜も休まずに勤めに出る」❹〈なにヲ―〉組織体の申合せにより、その日の業務は行なわないことにする。「週に二日―会社」〔⇩休み❸〕

やすめ②【休め】（感）〔体操などで〕片足を△前に出して（横に開いて）楽な姿勢を取らせる時の号令。↔気を付け

やすめ⓪【安目】（物価が）少し安い程度。↔高目

やす・める③【休める】（他下一）休むようにする。休ませる。「しばらく仕事の手を―/心を―〔＝安らかにする〕/機械を―」

やすもの⓪【安物】値段の安い、粗悪な品物。「―のコートについ手が出てしまった/―買いの銭失い」

やすやす③【《易《々》】（副）―と これといった障害も無く、何の苦労もせずに事を処理する様子。「重い石を―（と）持ち上げる/頼まれたからと言ってそう―と引き受けられない」

やすやど⓪【安宿】宿泊料の安い（下等の）宿屋。

やすら・う③【休（ヤスラ）らう】（自五）「休む❶」の古風な表現。名休らい⓪

やすらか②【安らか】―な・―に 平穏で何の心配・不安も無い様子だ。「―な老後の生活を願う/―な寝顔」派―さ④③

やすらぎ⓪【安らぎ】自分を取り巻く環境に何の不安も無く、毎日の生活を満ち足りたものに思う気持。「―を見いだす」

やすら・ぐ③【安らぐ】（自五）不安を感じたり思い悩んだりすることがなく、落ち着いた気持に身を置くことが出来る。「新緑の林を逍遥（ショウヨウ）し、心身ともに―」

やすらけく④③【安らけく】（副）〔雅〕身のまわりが平穏無事である様子。

やすり⓪【〈鑢】❶△棒（板）状の鋼の表面に鋭くて細かいぎざぎざを焼き入れした工具。のこぎりの目立てや金属面を平らに仕上げるのに用いられる。「―をかける」❷〔↑やすり板（バン）⓪〕謄写版の原紙を切る時に下に敷く鋼鉄板。かぞえ方❶は一挺（チョウ）・一丁 **―がみ**③【―紙】サンドペーパー。かみやすり。かぞえ方一枚

やすん・じる④【安んじる】❶（自上一）❶まちがい無いものとして、信頼する。「安んじて任せる」❷与えられたものに満足して妥協する。「現状に―」❷（他上一）安らかにする。安心させる。「人心を―」安んずる④（サ変）。

やせ【痩（せ）】❶⓪痩せる△こと（程度）。「―薬（グスリ）③・夏―・着―」❷①痩せている△こと（人）。「―の大食い/お―②・―△形（型）」表記「〈瘠せ」とも書く。

やせい⓪【野生】―する（自サ）（動植物が）自然に山野で育つこと。「―のイチゴ/―種②・―動物④」

やせい⓪【野性】❶野生の動物に備わっている本能（に従った行動様式）。「―に目覚めたクマがおりから逃げ出した」❷人間の持つ動物としての本能に基づいたかと思われる、したたかに生き抜こうとするたくましさや、そのための闘争心。「―を発揮する/―味に乏しい/―的な魅力が売り物だ」

やせうで⓪【痩（せ）腕】〔痩せた腕の意〕望まれる能力に欠けていること。また、収入を得る能力にとぼしいこと。「夫の死後、―一つで何とか商売を切り盛りしている」

やせおとろ・える⑥⑤【痩（せ）衰（オトロヘ）える】（自下一）からだが痩せて体力がなくなる。「病気で―」

やせがまん③【痩（せ）我慢】―する（自サ）我慢して、無理に平気そうに見せかけること。「―を張る」

やせぎす⓪【痩（せ）ぎす】―な 痩せて骨ばって見える△こと（様子）。また、その人。「―△な（の）体」

やせこ・ける④【痩（せ）こける】（自下一）ひどく痩せて肉が落ちる。

やせさらば・える⑥【痩せさらば（サラバヘ）える】（自下一）痩せて骨と皮だけのようになる。

やせじょたい③【痩（せ）所帯】貧しい暮らし。表記「痩せ《世帯》」とも書いた。

やせち⓪【痩（せ）地】土質が悪く、作物が育ちにくい土地。

やせっぽち④【痩（せ）っぽち】―な〔「痩せ法師③」の変化〕からだが痩せていて、貧弱な感じがする△こと（人）。「痩せっぽ⓪」とも。〔多く自嘲（ジチョウ）気味に、あるいは、他人に対してはからかい気味に用いられる〕

やせほそ・る④【痩（せ）細る】（自五）（からだが）痩せて細くなる。「痩せ細った△腕（足）」

やせやま⓪【痩（せ）山】土質が悪くて、木などの育ちにくい山。

＊や・せる⓪【痩せる】（自下一）〈（なにデ）―〉△栄養（からだ）が悪かったり生活上の苦労が重なったりして、目方が減る。「夏ばてで、最近目に見えて痩せてきた/痩せた〔＝生産力の乏しくなった〕土地」↔ふとる 表記「〈瘠せる」とも書く。【痩せても枯れても】「老い衰えたり落ちぶれたりした今になっても」の意で、かつての意地や誇りを失っていないことを強調する気持を表わす。「―武士の端くれ、見損わないでほしい」

やせん⓪①【夜戦】夜の戦闘。

やせん⓪【野戦】❶要塞（ヨウサイ）戦・攻城戦・市街戦以外の山野で行なう戦闘。❷戦場。「―病院④・―料理④」

やせん①⓪【野選】「野手選択」の略。

やぜん⓪①【夜前】「きのうの夜」の意の古風な表現。「―〔＝ゆうべ〕の雨」

ヤソ①【〈耶蘇〉】「イエス キリスト・キリスト教(徒)」の意の古風な表現。表記「〈耶蘇〉」は、音訳。

やそ①【八《十》】〔雅〕❶十の八倍。はちじゅう。❷数の多いこと。「—島⓪」

やそう⓪【野草】山野に自生する草。「—料理④」

やぞう②【弥蔵】「ふところ手をして、握りこぶしを乳のあたりで突き上げるようにしたかっこう」の擬人化した古風な表現。「—をきめ込む」

やそうきょく②【夜想曲】〔ピアノやオーケストラで〕夜の情景・気分を表わした曲。ノクターン。

やそじ⓪【八《十》】〔雅〕〔「ぢ」は、「はたち」の「ち」と同源か〕❶八十。❷【八《十路》】八十歳。

やだ①〔「いやだ」の圧縮形〕❶相手の依頼や要求を拒否する口頭語的表現。「そんな役は絶対に—」❷(感)自分が不覚であったことに気づいたりして、思わず発する声の口頭語的表現。「—、そんなことってあるかしら/—、もう十時だわ」

やたい①【屋台】❶簡単に移動出来る、屋根をつけた売り台。道ばたなどで商品を売る。「縁日の—店」❷お祭りの時、踊りの舞台になる屋根のついた台。❸能楽・演劇などで、家にかたどって使う大道具。❹「屋台骨」の略。「—が傾く」かぞえ方 ❶は一台:一軒。❷は一台 **—ばやし**④【—〈囃子〉】ばかばやし。**—ぼね**⓪【—骨】屋台の骨組。〔その家を支える財産の意にも用いられる〕「—がかしぐ」**—みせ**②【—店】屋台の売店。かぞえ方 一軒

やだいじん②【矢大神】神社の随身門に安置した武官の像で、右(=向かって左)の方。剣をはき、弓を持つ。〔向かって右の方の側は左大神〕「—をきめ込む(=居酒屋で、あきだるに腰をかけて、酒を飲む)」

やたけ①⓪【弥《猛》】〔雅〕いよいよ勇み立つことを表わす。「心は—にはやれども/—心④」

やたけび②⓪【矢《叫(び)》】〔「矢さけび」と「雄たけび」との混合〕昔、戦いを始める時に、そろって声を出し、気勢をあげたこと。また、その叫び声。「—の声」

やたて③⓪【矢立(て)】❶矢を入れる入れ物。やなぐいの類。❷昔、えびらの中に入れて戦陣に携帯したすずり箱。❸墨つぼに筆筒をつけた、携帯用の文房具。かぞえ方 一本

やだね②①【矢種】用意した矢の総量。「—が尽きる」

やだま⓪【矢弾・矢玉】〔「矢玉」の意〕〔戦闘に欠くことの出来ない〕矢と弾丸。「—が尽きる」

やたら⓪【矢〈鱈〉】—に —な〔むやみに速く奏する意の「やたら拍子」から来たものという〕「物事に根拠や秩序の無い様子だ」の意の口頭語的表現。〔副詞的にも用いられる〕「—なことを言う/—に(=むしょうに)眠い/—(と)詰め込む」表記「矢〈鱈〉」は、借字。

やち①【《谷・《谷地》】〔もと、アイヌ語〕沢などの湿地。「やつ・やと」とも。

やちぐさ②【八千草】〔雅〕たくさんの草。「庭に茂る—」

やちゅう①⓪【夜中】(前の日の)よなか。夜間。「—(=ⓐ夜になって。ⓑよなか)おそくなって」

やちょ①【野〈猪〉】イノシシの漢語的表現。

やちよ①【八千代】〔雅〕多くの年代。よろずよ。「千代に—に/—ひも③(=リリヤン)」

やちょう⓪【夜鳥】夜に活動する鳥。

やちょう⓪【野鳥】野生の鳥。「—保護法」↔飼い鳥

やちょく⓪【夜直】宿直。↔日直

やちん①【家賃】家の借り賃。たなちん。「三月分の—を滞らせた」

やっ(感)❶掛け声やはやしの声。❷同等以下の身近な人に会った時の、軽い挨拶の言葉。「—(昨日はどうも)」❸驚いた時に思わず発する声。「—、驚いた」

やつ【八(つ)】〔「つ」は接尾辞。⇩や(八)〕❶(造語)「八」の意の和語的表現。かぞえ上げる個数などが八であることを表わす。「—がしら・—裂き・—当たり・—手」⇩やっつ ❷② ❶昔の時法において、今の午前(午後)二時ごろ。やつどき。「お—」❷〔写真の大きさで〕「八つ切り」の略。

やつ①【《奴》】〔もと、卑称〕❶人(物・事)を、取るに足りないものだと軽い侮蔑を込めて指し示す(呼ぶ)語。「変な—がいる/よくある—(=手。物)だ」❷(代)「あいつ」の意のぞんざいな言い方。「きゃつ」とも。「—のしわざだろう」運用 ❶❷は、身近な人について、親愛の気持を込めて用いることもある。例、「あの男は見かけによらずいい奴だよ/いかにも奴が言いそうなことだ」

やつあたり⓪③【八つ当(た)り】—する(自サ)〔抑えきれない怒り・不満などを発散させるため〕その事に関係の無いものにまで だれかれの区別なく当たり散らすこと。

やっか①【薬価】❶薬の値段。❷薬代。

やっか⓪【薬科】薬学に関する学科。「—大学④」

やっか①【薬禍】薬の飲み過ぎや誤用、副作用などによって起こる肉体的(精神的)障害。「やくか」とも。

***やっかい**①【厄介】〔「厄会」の変化〕❶—な 手数がかかりそうで、出来れば避けたい状態だ。「—な話を持ち込む」❷❶世話。「—をかける/—になる」❷厄介者。「—払いする」派 **—さ**③⓪ **—もの**⓪【—者】❶食客。❷手数のかかる人。「—扱いにする」

やっかい⓪【訳解】—する(他サ)外国語(古典)を翻訳して、解説をつけること。また、その訳と解説。

やつがしら③⓪【八(つ)頭】サトイモの一品種。親芋のまわりに数個の子芋が、こぶのようにつく。食用。〔茎のズイキも食用〕

やっかむ③(他五)〔東北・関東方言〕ねたむ。そねむ。名 やっかみ⓪④

やつがれ⓪【《僕》】(代)〔雅〕自分の謙称。

やっかん⓪【約款】法令・契約などに定められた、一つひとつの条項。「条約の—に違反する」

やっき⓪【躍起】—に —と〔もと、おどり立つ(上がる)意から〕思い通りに事を運ぼうとしてむきになる様子だ。「—に(と)なって反論する」

やつぎばや⓪【矢継(ぎ)早】—に —な〔矢の継ぎかえが早い意〕同じような性質の事を次から次とたたみかけるように行なう様子だ。「—に質問する」

やっきほう⓪【薬機法】医薬品や医療機器等の品質・有効性・安全性の確保等について定めた法律。〔旧称、「薬事法」。二〇一四年に改正・改題された。一般に「医薬品医療機器等法」「医薬品医療機器法」と呼ばれる〕

やっきょう⓪【薬〈莢〉】弾丸をうち出す火薬を包み入れた、金属製の筒。

やっきょく⓪【薬局】❶〔病院などで〕薬を調合する所。❷薬剤師が薬を調合したり既製の売薬を売ったりする店。**—ほう**④⓪【—方】「日本薬局方②-④」の略。薬剤の調合や与える分量などを厚生労働省で規定したもの。

やつぎり⓪【八(つ)切(り)】〔写真の大きさで〕四つ切りの半分の大きさ。〔二一・六センチ × 一六・五センチ〕

やつくち⓪【八(つ)口】〔女性や子供用の和服で〕そでのつけ口の、わきの下に当たる部分で、縫い合わせていない所。身八つ口。

やづくり②【家作(り)・家造(り)】❶家を作ること。「—を始

める」❷家の作り方。「りっぱな―」

ヤッケ① ウインドヤッケの略。

やっこ⓪【《奴》】〔古くは「やつこ」。「家つ子」のことで、下男の意〕❶武家の、中間の男だて。侠客。❷「やっこ豆腐」の略。❸「やっこ」の略。「冷や―」 **―さん**⓪〔男性が〕同等以下の者を、親しみを込めて指す語。「―なかなかやるな」 **―だこ**④③【―〈凧】「奴❶」の姿に似せて作った凧。 **―どうふ**④【―豆腐】豆腐を小さく切って水にひたし、しょうゆ・薬味で食べる料理。ひややっこ。やっこ。

やっこう⓪【薬効】 薬のききめ。「この温泉の―は胃腸障害にある/―成分」

やつざき⓪【八つ裂き】 ずたずたに裂くこと。「―にする」

やっさもっさ①-①、④(副)―する おおぜいの人が、一つの事を巡って、ああでもないこうでもないとさわぎ立てる様子。

やつ・す②【〈窶す・〈俏す】(他五) ❶見すぼらしく、目立たないように、姿を変える。「旅の僧に身を―」 ❷やつれて見えるほど思い悩む。「憂き身を―〔=なりふり構わず、何かに熱中する〕」 ❸〔岐阜・愛知以西の方言〕おしゃれをする。

やっちゃば⓪【やっちゃ場】〔東京方言〕青果市場。

やっつ③【八つ】〔「やつ」の「や」と「つ」の間に促音が入った形〕ものの(個)数をかぞえるとき、数が八であることを表わす。また、△八歳(第八)を指す。〔副詞的にも用いられ、アクセントは⓪〕「三角形を―張り合わせて八面体を作る」⇩ここのつ

やっつけしごと⑤【《遣っ付け仕事》】 急ぎの用にまにあわせるための、いいかげんな仕事。略して「やっつけ⓪」。

やっつ・ける④【《遣っ付ける》】(他下一) ❶(二度と対抗する気になれないほどの)ひどい目にあわせる。「相手をこてんぱんに―」 ❷(結果のよしあしなど気にせず)集中的に取り組んでその事を済ませる。「この仕事は何としても今日中にやっつけてしまおう」 名やっつけ⓪

やづつ①⓪【矢筒】 矢を入れておく筒。 かぞえ方 一本

やつで⓪【八つ手】 冬、白色の小さな花を多数円錐状につける常緑低木。葉は大きくて、掌状に裂ける。観賞用。〔ウコギ科〕 かぞえ方 一株・一本

やっていく⓪-⓪【《遣って行く》】(自五) ❶人とのつきあいや仕事などを続ける。「友達とうまく―」 ❷日びの暮らしをたてる。「毎日どうにか―」

やってくる④、⓪-①【《遣って来る》】(自カ) ❶△近づいて(たずねて)来る。「かけ足で―」 ❷生活をして、今日に至る。「これまでやって来られたのは…さんのおかげです」

やってのける⓪【《遣って《退ける》】(他下一) (むずかしいと思われていたことなどを)挫折することなく完成させる。

***やっと**⓪(副) ❶精一杯努力した結果、そのことを最低限の状態で達成する様子。「背伸びして―棚に手が届く/―遅刻せずに済んだ/―の思いで歩く/原稿を一日二十枚書きあげるのが―だ/―の事で暮らしている」〔名詞的にも用いられ、アクセントは③〕 ❷待ち望んだ事態が、予想以上に時間や労力がかかった末に実現する様子。「―電車が来た/―暖かくなった/―完成した」

やっとう① 〔剣術の際に発する掛け声〕「剣術」の意の古風な口頭語的表現。

やっとこ⓪(副) 「やっと」の口頭語的表現。「―出来た/―すっとこ⑤」

やっとこ⓪【〈鋏】 針金・板金・熱した鉄などをはさんで持つのに使う、くぎ抜きに似た工具。 かぞえ方 一挺・一丁

やっとこさ④⓪(副) 〔「さ」は接辞〕「やっと」の口頭語的な強調表現。「―見つけたと思ったら、またすぐいなくなってしまった/―追いついた」

やっとな①(感) 昔、動作を起こす時に発した掛け声。

やつはし②【八つ橋】〔もと、聖護院の名産〕京都名産の菓子。米粉に砂糖と肉桂を混ぜ、長方形にして堅焼きにしたせんべい。反りのあるのが特徴。「生―④」

やっぱし③(副) 「やっぱり」の口頭語的表現。

やつばら②⓪【《奴原》】〔雅〕「やつ」の複数。奴ども。奴ら。

やっぱり③【矢っ張り】(副) 「やはり」の口頭語形。

やつぼ①【矢〈壺】 矢を射る時にねらう所。

ヤッホー①(感)〔yo-ho の日本語形〕 登山した人たちなどが呼びあう声。

やつめうなぎ④【八つ目〈鰻】 ウナギに似た形の動物。目の後方の体側に、目のような形のえらが七つあるので、左右両側に目が八つずつあるように見える。食用・薬用。〔ヤツメウナギ科〕 かぞえ方 一匹

やつら①【《奴《等》】〔侮蔑や憎悪を含意して〕何人かの人をまとめて指す語。「―のしわざだ/たちの悪い―だ」

やつ・れる③【〈窶れる】(自下一) 病気・心労や老齢などのためにやせ衰えて、別人かと思われるほどみすぼらしくなる。「窶れ果てた姿」 名窶れ③ 「面―・旅―」

やと①【《谷戸》】 丘と丘とに挟まれた(水流などの見られる)低地。「やち・やつ①」とも。

やど①【宿】 ❶Ⓐその人の△住む(住んでいる)家。「舌切雀のお―は何処じゃ/我が―は都の巽鹿ぞ住む/埴生の―/―無し」 Ⓑ奉公人にとって自分の家である親許、または請人。「―下がり」 Ⓒその家の主人である、自分の夫。「―は今留守です/―六」 ❷旅先で泊まる所。〔狭義では、宿屋を指す〕「―はまだ決まっていない/(ホテルに)―を取る/定―」〔❶は古風な表現〕

やとい【雇い】 ❷② ❶△雇う(雇われる)こと。また、雇われた人、使用人。「臨時―・日―」 ❷(官庁で)本官の事務を助ける補助職員。 表記 「〈傭い」とも書く。 ❸〔造語〕動詞「雇う」の連用形。「―入れ⓪」 **―どめ**⓪【―止め】―する(他サ) 労使関係において、使用者が有期雇用の契約更新を打ち切ること。 **―にん**⓪【―人】 雇い主と契約を結び指示された業務に従事する人。 **―ぬし**③【―主】 報酬などを提示して雇い人を業務に従事させる人。

***やと・う**②【雇う】(他五)〈なに・どこニ〉だれ・なにヲ―〉 お金を払って、人や乗り物をある期間使う。「店員を―/船を―」 表記 「〈傭う」とも書く。〔⇩雇い❸〕

やとう⓪【夜盗】 夜の闇に紛れて盗みを働く△こと(者)。

やとう①【野党】 政党で、現在内閣を組織していない方。↕与党

やどがえ⓪【宿替(え)】―する(自サ) 「転居」の意の古風な表現。

やどかり⓪【宿借(り)・〈寄居虫〉】 エビとカニの中間の形をしている節足動物。巻貝の殻の中にすむ。〔甲殻類〕 かぞえ方 一匹

やどさがり③【宿下(がり)】―する(自サ) 奉公人がしばらく暇をもらって親もとまたは保証人の所へ帰ること。

やど・す②【宿す】(他五) △内部(表面)に持つ。「非行の芽を―/胤を―〔=妊娠する〕/月の影を―〔=映す〕」

やどせん②【宿銭】 「宿泊料」の意の古風な表現。

やどちょう⓪【宿帳】 旅館で、旅客に住所・姓名などを書いてもらう帳面。

やどちん②【宿賃】 「宿泊料」の意の古風な表現。やどせん。

やとな⓪【雇《女》】〔京阪方言〕臨時に雇う仲居。

やどなし⓪【宿無し】 泊まる家や、住む家が無い△こと(人)。

やどぬし[2]【宿主】❶宿の主人。❷〔生物学で〕寄生される方の動物や植物。例、宿り木に寄生されるエノキなど。「しゅくしゅ」とも。

やどひき[2][0]【宿引(き)】宿屋の客引き。「やどびき」とも。

やどもと[0]【宿元・宿《許】〔もどって身を落ち着けることの出来る〕宿❶Ⓑ。

やどや[0]【宿屋】設備のあまり近代的でない旅館。「宿場町の面影をとどめる―」

やどり【宿(り)】❶[3]❶宿ること。また、その場所。「仮の―」❷〔雅〕星の宿り。星座。❸〔造語〕動詞「宿る」の連用形。 **―ぎ**[0][3]【―木・〔寄生〕木】エノキなどの他の木の枝に寄生する常緑小低木。竹とんぼのような厚い葉を出し、春、薄黄色の花を開く。ほや[1]。〔ヤドリギ科〕 表記 古来の用字は「〔寄生〕」。 かぞえ方 一株・一本

やど・る[2]【宿る】(自五) ❶移動をやめ、しばらくその場所に居る。「―家も無い/しし座に―〔=星が、その星座に居る〕」 ❷ある場所に位置を占め、動かないでいる。「露が―〔=結ぶ〕/胤(タネ)が―〔=妊娠する〕/回虫が―〔=寄生する〕」 他動 宿らせる[4](下一)「病根を―」〔⇩宿り❸〕

やどろく[0]【宿六】〔「六」は、ろくでなしの意〕「妻が、自分の夫を、たいしたことのない人間だ、の意を込めて他人に対して言う謙称」のやや古風な口頭語的表現。〔夫に対する親愛の情や、他人に対するのろけを含意することもある〕

やどわり[0]【宿割(り)】―する(自サ) 団体が、幾つかの旅館や民家に分宿する場合に、だれがどこに泊まるかを割り振る△こと(係)。「しゅくわり」とも。⇩部屋割り

やな[1]【〈梁・〈簗】水流をせきとめた川の瀬の一か所に簀(ス)を張り、魚を捕らえる仕掛け。

やながわ[0]【《柳川】(ヤナガハ)〔↑柳川なべ[5]〕開いた骨抜きのドジョウに細くそいだゴボウを加え土鍋(ドナベ)で煮た卵とじ。

やなぎ[0]【柳】❶ヤナギ科の植物の総称。落葉樹で、水辺に多く育ちが早い。春、穂のような花を垂れる。〔高木または低木〕 ❷シダレヤナギの略。「―に風と受け流す〔=穏やかにあしらって逆らわないようにする〕」 かぞえ方 ❶は一株・一本 **―ごうり**[4](―ガウリ)【―行〈李】コリヤナギ〔=背の低い、ヤナギの一種〕の枝を編んで作った行李。 **―ごし**[0]【―腰】〔女性の〕細いしなやかな腰つき。「―の美人」 **―だる**[0]【―〈樽】❶「角樽(ツノダル)」の異称。❷「酒」の異称。 表記 「家《内喜多留」とも書く。 **―ば**[0][3]【―刃】刃先のとがった細身の包丁。刺身をつくったりするのに用いる。

やなぐい[0](ヤナグヒ)【〈箙・〈〈胡籙〉〉】昔、武人が矢を入れて背負った武具。〔源平合戦以後は、やなぐいは朝廷の神事や儀式に用いられ、武士は箙(エビラ)を用いた〕 表記 「〈〈箶簏〉〉・〈〈箶籙〉〉」とも書く。

やなみ[0]【家並】❶いえなみ。「―がそろっている/古い―」❷家ごと。軒並。 表記 「屋並」とも書く。

やなり[0]【家鳴(り)】―する(自サ)〔地面の震動で〕家が音を立てて動くこと。「一日じゅう―(が)する」

やに[2]【《脂】❶木の皮からにじみ出る、水あめ色の粘液。「松―」 ❷パイプやきせるにたまった、たばこの粘液。

やにさが・る[4][0]【《脂下(が)る】(自五)〔がん首を上に立てるようにして、悠然ときせるをくわえるかっこうから〕事態をすっかり楽観し、いい気分になって、にやにやする。

やにっこ・い[4]【《脂っこい】(形) ❶中に含まれる脂の成分が多いと感じられる様子だ。「妙に―石鹸(セッケン)」 ❷何かにつけてしつこくつけ回す様子だ。「―男」

やにょうしょう[0](ヤネウシヤウ)【夜尿症】寝小便を続ける、一種の病的状態。遺尿症[0]。

やにわに[0](ヤニハ―)【矢庭に】(副)〔「矢庭」すなわち、△矢を射た(矢に当たった)その場所で、の意〕何かをしたその場で、一気に次の行動に移る様子。「電話をかけ終わったかと思うと、―飛び出していった/顔が合うと―なぐりかかってきた」

やぬし[1]【家主】大家(オオヤ)。

***やね**[1]【屋根】〔雨露・風雪・寒暑などを防ぐために〕家・建物の上部につけたおおい。また、それと同じ働きをする、物の上につけたおおい。「台風で―を飛ばされる/世界の―〔=一番高い所〕、ヒマラヤ山脈/一つ―の下で〔=生活を共にして〕暮らす/丸―[0]・―伝(ヅタ)い[3]」

やねいた[0]【屋根板】屋根をふく板。 かぞえ方 一枚

やねうま[0]【屋根馬】テレビ・無線などのマストを屋根の上で固定する、足のついた土台。〔ルーフタワー[4]は、これの大規模なもの〕 かぞえ方 一台

やねうら[0]【屋根裏】屋根の下、天井の上の空間(に作った部屋)。「―部屋(ベヤ)[0]」

やねぶね[0][3]【屋根船】屋形船より小型の、屋根のある船。川遊びに使う。

やのあさって[4]【弥の〔明後日〕】❶しあさっての次の日。❷〔東北・関東各地の方言〕あさっての次の日。しあさって。〔❶❷とも「やなあさって[4]」とも〕

やのじむすび[4]【やの字結(び)】「や」の字の形に結ぶ、女性の帯の結び方。やの字[2]。「たて―」

やのね[1]【矢の根】⇩やじり「―石[3]〔=黒曜石〕」

やば[0][2]【矢場】弓を射る所。弓場(ユバ)[1][2]。

やば・い[2](形)〔もと、香具師(シャ)や犯罪者仲間などの社会での隠語〕❶違法なことをするなどして、警察の手が及ぶおそれのある状態だ。「そんな偽物を売ったら―ぞ」 ❷自分の身に好ましくない結果を招く様子だ。「今のままでは単位不足で卒業がやばくなる」〔❶❷とも口頭語的表現〕 運用 最近の若者の間では「こんなうまいものは初めて食った。やばいね」などと一種の感動詞のように使われる傾向がある。

ヤハウェ[1]〔Yahweh〕〔旧約聖書で〕イスラエル人が崇拝した唯一の神。万物の創造主。エホバ・ヤーウェ[1]とも。

やはず[0]【矢〈筈】❶矢の、弦にかける部分。はず。❷「矢筈❶」の形の模様。「―がすり[4]」 ❸棒の先にふたまたをつけて、掛け軸を掛ける用具。 ❹紋所の一つ。

やばね[0][1]【矢羽根】矢に回転・直進性を与えるための羽根。ワシ・タカなどの羽を用いた。 表記 「矢羽」とも書く。

やはり[2]【矢張】(副) ❶時間の経過にもかかわらず以前のままの状態が認められる様子。「今でも―米屋をやっている/前から変だと思っていたが―どこかおかしい」 ❷他の可能性も考えられないではなかったものの、結果として当初△予測(期待)した通りのことが認められる様子。「一縷(イチル)の望みをいだいていたが―助からなかった/―彼が犯人だった/―言った通りになった」 ❸他の可能性も考えられたものの、最終的な結論としては、同類の他のものと変わらない状態が認められる様子。「何と言っても―母親は強い/―名人のやることは違う/りこうそうでも―子供だ/私たちも―反対だ/皆が行くなら―私も行くことにしよう」 表記 「矢張」は、借字。

やはん[0]【夜半】(真)夜中。「―過ぎ[4][5]」

やばん[0]【野蛮】―な・―に ❶未開の状態にあることを、発達途上の段階にあるものととらえ、批判して言う語。 ❷粗野でデリカシーが無い様子だ。「―な人/―な振舞/―人(ジン)[4]」 派 ―さ[0][2]

やひ[1]【野卑・野〈鄙】―な・―に 言葉や動作が下品であったり洗練されていなかったりする様子だ。「―な冗談」 派 ―さ[2][1][0]

やぶ[0]【〈藪】❶低木・つる草・竹などが一面におい茂っていて、踏み込めない所。〔狭義では、竹やぶの称〕「深い―/―をつついて蛇を出す〔=⇩藪蛇〕/竹―」 ❷「藪医者」の略。

【—から棒(に)】 だしぬけなこと。突然に。【—の中】 それを包み隠す何かがあって、実情はいっさい判明しない。「霧の中」、また「闇(ミャ)の中」とも。

やぶいしゃ⓪【〈藪医者】 〔「やぶ」は「やぼ」と同源で、事情に暗い意〕適切な処置・治療が出来ず、当てにならない医者。〔侮蔑(ブベツ)を含意する〕

やぶい ちくあん⓪-②、⓪-①【〈藪医竹〈庵】 「藪医者」の人名めかした表現。表記「〈藪井(ヤブキ)竹〈庵」とも書く。

やぶいり⓪【〈藪入(り)】 正月・七月(=お盆)の十六日ごろに奉公人が自宅に帰ること。また、その日。

やぶか⓪【〈藪蚊】 藪にいる、普通より大形の蚊。昼間から出て人を刺す。かゆみが激しい。〔狭義では、黒色に白い斑点(ハンテン)のあるものを指す〕 かぞえ方 一匹

やぶかげ⓪【〈藪陰】 藪の陰になって見えない部分。

やぶからし⓪③【〈藪枯(ら)(し)】 山野に自生する多年生のつる草。他の草木にからみついて繁茂する。「やぶがらし」とも。びんぼうかずら⑤。〔ブドウ科〕 かぞえ方 一本

やぶ・く②【破く】(他五) 〔「破る」と「裂く」の混交〕紙や布をやぶった状態にする。「△服(包み紙)を—/書類をびりびりに—」

やぶ・ける③【破ける】(自下一) 〔「やぶく」の自動詞形〕紙や布が引っ張られるなどしてやぶれた状態になる。「スカートが—」

やぶこうじ③⓪【〈藪柑〉子】(コウジ:カウー) 山林の日陰の土地に生える常緑小低木。冬に紅色・球形の小さな実を結ぶ。観賞用。〔サクラソウ科(旧ヤブコウジ科)〕 かぞえ方 一株・一本

やぶさか⓪【〈吝(か)】 〔ためらいを感じる意〕〔一般に「…に—でない」の形で〕そうすることに△努力を惜しまない(何のためらいもない)の意を表わす。「過ちを改めるに—でない/協力するに—でない」

やぶさめ⓪【〈流〈鏑馬〉】 〔語源は未詳〕〔狩り装束の騎士が〕馬を走らせながら、かぶら矢三本を次つぎに放って三か所の的を射ること。

やぶ そてつ③【〈藪蘇〉鉄】 常緑性のシダ植物。暖地の林の近くや川岸などに生える。とらのお。〔オシダ科〕

やぶ だたみ③【〈藪畳】 ❶藪の茂った所。❷芝居の大道具の一つ。枠に葉竹をたくさんつけて、藪に見せかけるもの。

やぶ にらみ⓪【〈藪睨(み)】 ❶物を見る時に ひとみが斜めに向くこと。斜視。❷〔考えること・言うこと・することなどが〕見当違いであること。

やぶ はら⓪【〈藪原】 藪になっている原。

やぶ へび⓪【〈藪蛇】 〔藪をつついて蛇を出すことから〕余計なことをしたために思わぬ災難を受けること。

やぶみ⓪①【矢文】 昔、矢などに結び付けて飛ばした手紙。

やぶ・る②【破る】(他五) ❶〈(なにデ)なにヲ—〉 薄い物や平たい物を引き裂いたり 穴を開けたりして、その物を不完全なものとする。「△障子(ガラス・カーテン)を—/壁を—」❷〈(なにデ)なにヲ—〉 何かによって、それまで続いた状態を終了させる。「△型(古い殻・原則・枠)を—/平和を—/太平の夢を—(=目をさまさせる)/記録を—(=更新する)」 ❸〈なにヲ—〉 規則を無視した行動をする。「約束を—/関所を—(=暴力で、監視・制止を無視して進む)/金庫を—」 ❹〈だれヲ—〉 勝負で相手を負かす。「強敵を—」
🅑【敗る】(自下一) 「敗れる」の意の文語形。「優勝候補—(=…が負けた)」

やぶれ【破(れ)】 ❶③ 破れること。破れた△所(程度)。「障子の—/八方—」 ❷(造語) 動詞「破れる」の連用形。「—傘(ガサ)④・—太鼓(ダイコ)④・—障子④」 **—かぶれ**④(—な・—に) 「どうにでもなれという気持で、やけになる様子だ」の意の口頭語的表現。「ふられて—になる」

やぶ・れる③(自下一) 🅐【破れる】 ❶〈(なにデ)—〉 薄くて平たい物が切れたり 傷がついたりする。「障子が—/血管が—」 ❷〈(なにデ)—〉 それまで保たれていた状態が失われる。「縁談が—/均衡が—/夢破れて故郷に帰る/国破れて(=滅んで)山河(サンガ)あり」〔⇩破れ🅑〕 🅑【敗れる】〈だれ・なにニ—〉 戦争や勝負事に負ける。「決勝で—」⇩やぶる🅑

やぶん①【夜分】 〔公的な職分から解放される〕よるの時間帯。「—遅くに伺いまして」 運用 結婚などに際しては避けるべき言葉とされる。

やへん⓪【矢偏】 漢字の部首名の一つ。「短・知・矯」などの、左側の「矢」の部分。〔武器の矢を表わす〕

やぼ①【野暮】—な 〔「やぶ」と同源で、もと遊里の事情に暗いことを指した〕↕いき・すい ❶世間の実情や人情の機微などにうとくて、その場に応じた適切な対応ができない△こと(人・様子)。「—な人間で、どうもお茶席は苦手だ/お熱い仲の二人をいつまでも引き留めておくのは—(の骨頂)だ」 ❷言動・身のこなし・服装などが、見るからに洗練されていない△こと(人・様子)。「時代遅れの△—な(—くさい)髪型/すぐに人前で肩書をちらつかせるのは—の典型だ」 派 —さ① ② 表記「野暮」は、借字。 運用 ❶について。(1)「聞くだけやぼだ」の形で、相手の微妙な心情や人間関係を、聞くまでもなく敏感に推察すべきだ、の気持を込めて用いられる。例、「二人の仲がどうのこうのと聞くだけやぼだ」 (2)「やぼなことは言わない」などの形で、事情などは穿鑿(センサク)せず、おおらかな態度をみせようという気持を込めて用いられる。例、「それくらいの金なら、やぼなことは言わずに貸してやるよ」

やほう①【野砲】(ハウ) 野戦用の大砲。

やぼう⓪【野望】(バウ) 大それた望み。「—をいだく」

やぼった・い④【野暮ったい】(形) 言動や服装、身のこなしなどが、いかにもやぼだと感じられる様子だ。「—服装/—格好」 派 —さ④

やぼてん⓪【野暮天】 「やぼ」の強調表現。〔多く、侮蔑(ブベツ)を含意して用いられる〕

やぼよう⓪【野暮用】 「他人にいちいち説明することがやぼだと思われるくらいの、つまらない用事」の口頭語的表現。 運用 「やぼ用で…」などの形で、他人から外出の目的などを問われた際に「説明するほどもないつまらない用事だ」といった意味をほのめかすことによって追及をかわすのに用いられることがある。例、「『これからどちらへ』『ちょっとやぼ用で』」

やま【山】 ❶② ❶陸地の中で、表面が著しく隆起し、他より高くなった部分。古くは、神が住む神聖な地域とされ、信仰の対象とされたり 仏道修行の場とされたりした。「周囲を—に囲まれた盆地/—の高い帽子/タイヤの—(=盛り上がった部分)/海のものとも—のものとも分からない(=どうなるのか全く見込みが立たない)」⇩丘 ❷Ⓐたきぎ・キノコなどを取りに行く対象となる「山❶」。「裏の—でシイタケを栽培する」Ⓑ鉱山、また鉱脈があると推測される「山❶」。「—を当てる/—師」Ⓒ登る対象としての「山❶」。Ⓓ比叡山(ヒエイザン)(延暦寺(エンリャクジ))の特称。「—法師」 ❸うずたかく盛り上げたもの。「書類の—/リンゴ一—/質問が—ほど(=たくさん)ある/—なす(=山のように高い)波」 ❹継起的に行なわれることの中で、最大の△難関となる(盛り上がりを見せる)場面。「難工事も大きな—を越える/祝賀会も—を迎える/—(=盛り上がり)の無い文章」 ❺〔試験問題や勝負事・賭け事などについて〕多分このようなことになるだろうと事前に推測すること。「—が当たる/—を△かける(張る)」 ❻「山ぼこ」の略。 かぞえ方 ❶は一座・一峰・一山(イチザン)・一岳(イチガク) 【—になる】 「無くなる」意の通語「皆になる」の婉曲(エンキョク)

表現。【—笑う】〔俳句で〕春になり草木が萌(モ)え始めた、明るい山の形容。【—を踏む】「犯罪を犯す」意の通語。㊁〔造語〕❶いなかの。「—家(ガ)・—行き・—出し」❷野生の。「—鳩(バト)・—猫・—ツツジ③④・—ツバキ③」

やまあい⓪【山《間】四周が山に囲まれた低地。「—の村落」

やまあし⓪【山足】〔スキーで〕斜面に対して横向きに立った時の上方の足。↔谷足

やまあらし③【山荒】からだはウサギ大で、胴・尾にとげ状の太い毛がある哺乳動物。夜行性で昼間は岩陰や地中の穴にいる。〔ヤマアラシ科・アメリカヤマアラシ科〕かぞえ方 一匹

やまあらし③【山嵐】山△に吹く(から吹いて来る)嵐。

やまい①【病】〔文語の動詞「病ふ」の連用形の名詞用法〕Ⓐ〔長く、重い〕病気。「—をおして出かける/—の床/—を養う/不治の—におかされる」Ⓑ容易には直りそうにない悪い癖。「あの男のギャンブル好きは—としか言いようがない」【—〈膏肓(こうこう)に入(い)る】❶病気が進行して治る見込みのない状態になる。❷すっかり何かに病みつきになり、他人の忠告などを全く受け入れない状態になる。⇨膏肓【—は気から】病気は心の持ち方次第で起こり、また、良くも悪くもなるものだ、ということ。**—だれ**⓪【—垂れ】漢字の部首名の一つ。「痛・疲・療」などの、左上の「疒」の部分。〔多く、病気や苦痛に関する漢字がこれに属する〕

やまいぬ⓪【山犬】❶ニホンオオカミの別称。〔イヌ科〕〔日本の固有種であるが、絶滅したと言われる〕❷野生の犬。

やまいぬ⓪【《病犬】❶病気の犬。❷狂犬。

やまいも⓪【山芋】⇨やまのいも

やまうば②【山《姥】山に居るという(こわい)老女。「やまんば②」とも。

やまおく③【山奥】人里から遠く離れた、山の奥深い所。

やまおとこ③【山男】❶山の中に住むという(こわい)男。❷山の中△に住んで(で働いて)いる男性。「あらくれの—」❸山登りが好きで、しょっちゅう山に登っていなければ気のすまない男性。(❸の俗語的な対義語は、「山女③」)

やまおり⓪【山折(り)】〔折り紙などで〕紙などを折るとき、折り目が外側になるように折ること。↔谷折り

やまおろし③【山《颪】山から吹きおろす(強い)風。

やまが⓪ ㊀【山家】山の中の家。㊁〔「山処(ガヤマ)」の意〕山村。いなか。「—育ち④」

やまかい⓪【山《峡】「山あい」の意の古風な表現。

やまかがし③【赤〈楝蛇〉】山林・谷あいにすむヘビ。マムシに似ているが、斑紋(ハンモン)は赤く、頭は丸い。歯の奥に毒腺(セン)を持つ。〔ナミヘビ科〕かぞえ方 一匹

やまかけ⓪【山掛(け)】〔←山芋掛け⓪〕マグロの刺身などに、とろろをかけた料理。

やまかげ⓪【山陰】山のために日陰となる△こと(所)。「—の道」

やまかげ⓪【山影】直接眺められたり、水面に反射したりして見える、山の姿形。「対岸の—を望む/湖面に映る—」

やまかご⓪②【山《駕籠】昔、山道などで使った、竹で編んだ軽便な駕籠。

やまかじ⓪【山火事】吸殻やたき火などの不始末、落雷や自然の乾燥などから山林に起こる火災。

やまかぜ②【山風】❶山の風。山△の中で(から)吹く風。❷夜、山腹の温度が下がり密度が大きくなって、山頂から山腹に沿って吹きおろす風。↔谷風

やまがた⓪【山形】❶山に似た形(の物)。❷弓の的の後方に引いた幕。❸紋所の一つ。

やまがたな③【山刀】きこりが使う、なたに似た刃物。かぞえ方 一挺(チョウ)・一本

やまがつ⓪【山《賤】〔雅〕〔都の人から見て〕山の中で生活するきこりなど、身分の卑しい人。「しず—①-⓪」

やまがら⓪【山〈雀】人家近くにも飛んで来る小鳥。形はスズメ大。上部はくり色・灰色、下部は薄茶色。教えると、よく芸を覚える。〔シジュウカラ科〕かぞえ方 一羽

やまがり⓪【山狩(り)】—する(自サ)❶山で鳥獣をとること。❷山の中に逃げこんだ犯人などを追って、山中を捜すこと。

やまかわ②【山川】〔地形を構成する要素として景観に変化を与える〕山と川。

やまがわ⓪【山川】山の中を流れる川。

やまかん⓪【山勘】❶「山師❷」の意の古風な表現。❷未知・未経験の事柄について自分自身の経験や直感などに基づいて多分こうだろうと判断する心の働き。「—で答えたら当たっていた」

やまぎし⓪【山岸】❶山の中のがけ。山の切り立った所。がけ。❷山の端が岸になった所。

やまぎわ⓪【山際】❶山の(すぐ)そば。「—の家」❷〔雅〕稜線(リョウセン)。「—からさす朝日」

やまくじら③【山鯨】〔江戸時代、獣肉を食べることを忌んでクジラに見立てたことから。食肉としての〕イノシシの肉。

やまくずれ③【山崩れ】—する(自サ)山腹の斜面にある土・岩が、いろいろな原因で安定を失い、急速に崩れ落ちる現象。規模の大きなものは山間部の交通路や村落を破壊したり川をせきとめたりする。主因は降雨であるが、大地震・火山の爆発によっても起こり、土木・砕石工事に伴って起こることもある。⇨地すべり

やまぐに②【山国】山△の多い(山に囲まれた)国や地方。「—育ち」

やまけ⓪③【山気】冒険・投機を好む心。〔強調表現は「やまっけ」〕「—の多い青年」

やまこ②⓪【山子】山林で働く人。「やまご」とも。

やまごえ⓪【山越(え)】—する(自サ)❶山を越える△こと(所)。❷昔、関所札を持たない者が、間道を抜けて山を越えたこと。

やまことば③【山《詞・山言葉】猟師などが山に入って仕事をする時だけに使う、特有の用語。山の神のたたりを恐れ、安全を願うために使うもの。例、犬を「せた」。

やまごもり③【山籠(も)り】—する(自サ)仕事・修行などのために山の中で起居し、一時外界との交渉を絶つこと。

やまごや⓪【山小屋】登山者の宿泊施設として、山の中に建てた小屋。かぞえ方 一軒・一棟(ムネ)

やまさか②【山坂】❶〔徒歩旅行者に難儀を与えるものとしての〕山と坂。「—越えて」❷山にある坂道。

やまざくら③【山桜】❶山に咲く桜。❷桜の一種。若葉と一緒に花が咲く。ソメイヨシノに似て、色は少し濃い。〔バラ科〕かぞえ方 ❷は一株・一本

やまさち⓪【山幸】やまのさち。↔海さち

やまざと⓪【山里】山中の人里。

やまざる⓪【山猿】山にすむ猿。〔礼儀作法などを知らない人を侮蔑(ブベツ)を含意して指すのにも用いられる〕

やまし②【山師】❶山林の買付けや鉱脈の発見・見立てを職業とする人。❷〔鉱山の採掘事業が当り外れの多いことから〕投機的な事業で一攫千金(イッカクセンキン)をもくろむ人の称。〔広義では、詐欺師を指す〕

やまじ⓪【山路】「山の中の小道」の意の古風な表現。

やまし・い③【〈疚しい】(形)道義に反することなどをして、良心がとがめる様子だ。「身に—ところがないのに警察で容疑者扱いを受ける」派 —さ③② —げ③④⓪

やましごと③【山仕事】❶伐採・炭焼きなど、山でする仕事。❷欲にかられた投機的・冒険的な事業。

やますそ⓪【山裾】山の下の方の、なだらかな広い部分。

やませ①【山背】〔もと、山の頂上から吹きおろす風の意〕❶〔日本海側で〕初夏から冬にかけて吹く、東から南西の寒冷な風。長期にわたるので、漁に被害を与える。❷六、七月ごろ東北地方中北部の太平洋岸を吹き抜ける北東風。冷たくて湿気を帯び、長期にわたると冷害を招く。

やませみ⓪【山〈翡翠〉】山の渓流にすむ大形のカワセミ。背中・尾は白と黒のまだらで、頭に冠のような毛がある。長いくちばしで魚を取って食う。カノコショウビン④。〔カワセミ科〕 かぞえ方 一羽

やまたかぼう④【山高帽】上部が半球形で高い帽子。礼服の時、かぶる。略して「山高⓪」。

やまだし⓪【山出し】❶〔材木・炭・石材などを〕山から運び出すこと。「―のままの炭」❷いなかから出て来たばかりで、都会の風習に慣れていない△こと(人)。「ぽっと出の―」

やまっけ⓪【山っ気】「山気ヤマケ」の強調表現。「―を出して大損する」

やまづたい③【山伝(い)】山から山を伝って行くこと。

やまつなみ③【山津波】大雨や地震などのために、山腹などの斜面が広い範囲にわたって崩れ落ち、土砂や水が押し流されて来る現象。表記「山津《浪》」とも書く。

やまづみ⓪【山積(み)】―する(自他サ) 商品などを山のように積み上げること。また、うずたかく積み上げた状態。「店頭に―にされているリンゴ/処理すべき問題が―だ」

やまて⓪①【山手】❶〔町や村で〕平地部に対比して、山に近い方(の高台)。山の手。❷山のある方角。↔浜手・海手

やまでら②【山寺】❶山の中の寺。❷山形県の「立石寺リッシャクジ①」の俗称。

やまと【〈大和〉】㈠①〔平城京およびそれ以前に歴代の都が置かれた国名。今の奈良県〕「日本国」の古称。㈡〔造語〕日本△だけに存在する(で作られた)。表記⇩付表。「《和・〈倭〉:〈日本〉」とも書く。
―いも③⓪【―芋】ナガイモの一品種。イモは塊状でねばりが強い。〔ヤマノイモ科〕 かぞえ方 一本 **―うた**③【―歌】〔漢詩を「からうた⓪②」と言うのに対比して〕和歌の称。男女間の思いを交わすところから始まり、後、花鳥風月を対象として詠じるに至った。「―は人の心を種として」 **―え**③⓪【―絵】❶日本の風景・事物を描カいた絵。❷平安時代に起こった、日本画の一流派。 **―ごころ**④【―心】多くの日本人に通有の心的傾向。清潔・淡泊を好むなど。↔漢心カラゴコロ **―ごと**④【―琴】和琴ワゴン。 **―ことば**④【―言葉・―《詞》】❶〔漢語・外来語に対して〕日本民族固有の言葉。「和語」とも。❷〔雅〕和歌。 **―じだい**④【―時代】奈良盆地〔=大和盆地〕を中心とする、畿内に朝廷〔=大和朝廷〕のあった時代。考古学上の古墳時代にほぼ相当する。⇩古墳時代 **―しまね**④【―島根】〔雅〕日本国の別称。 **―だましい**④【―魂】日本民族に固有の気性(のうち、よい面)。 **―なでしこ**⑤【―〈撫子〉】❶ナデシコの異称。⇩からなでしこ ❷〔か弱いながらも、りりしいところがあるという意味で〕日本女性の美称。 **―べい**③【―塀】杉皮を縦に並べ、さらした竹でふちを押さえた塀。 **―みんぞく**④【―民族】日本国の住民の中心をなす民族。

やまどめ⓪【山止(め)】―する(他サ) △無断で行なう伐採・採取を禁じる(人に災害が及ぶことを防止する)ために、その山への立ち入りを禁止すること。

やまどめ⓪【山留(め)】〔鉱山などで〕土砂の崩壊を防ぐための設備。

やまどり②【山鳥】❶山の中にすむ鳥。❷日本特産の鳥。山地にすみ、形はキジに似る。全身、赤茶色。〔キジ科〕 かぞえ方 ❶❷とも一羽

やまない⓪③【《止まない・〈已まない》】そういう行為・状態が衰えずに続き、とどまるところを知らない。〔丁寧に言うときは、「…してやみません」〕「聴衆の心を衝ツき動かして―得難き体験談/△祈って(望んで)―〔=心から△祈る(望む)次第だ〕」

やまなみ⓪【山並】〔遠方に〕連なって見える山やま。「遠くに雪をいただいた―が見える」 表記「山《脈》」とも書く。

やまなり⓪【山《形》】輪郭が山のような形である状態。「―に弧を描く/―のスローボール」

やまなり⓪【山鳴(り)】火山の噴火などで山全体が鳴るように聞こえること。また、その響き。「不気味な―がする」

やまねこ⓪【山猫】❶山野にすむ野生のネコ。❷西表イリオモテ島や朝鮮の林の中にすむ、中・小形のネコ。ツシマヤマネコ・イリオモテヤマネコなど。〔ネコ科〕 かぞえ方 ❶❷とも一匹・一頭 **―スト**⑥⑤ 労働組合の一部の者が本部の指令を無視してするストライキ。

やまのいも⑤⓪【山の芋】長い円柱形の根を持つ多年生つる草。夏、白い細かな花を開く。むかご・根は食用。じねんじょ。やまいも。〔ヤマノイモ科〕 表記「〈〈藷蕷〉〉・〈〈薯蕷〉〉」とも書いた。 かぞえ方 一本

やまのかみ③④【山の神】❶山を支配するものと農民・猟師たちに信じられている神。❷「夫から見て、実権を握られていて、頭の上がらない妻」の意の婉曲エンキョク表現。

やまのさち⓪-①【山の幸】山でとれる、食用となる動植物の美称。〔古くは、鳥や獣などの獲物を指した〕⇩海の幸

やまのて⓪【山の手】〔山に近い方の意〕高台の住宅地。「山手線⓪」↔下町

やまのは⓪【山の端】「稜線リョウセン」の意の古風な表現。

やまのひ④【山の日】「国民の祝日」の一つ。八月十一日。〔二〇二〇年は八月十日〕

やまのべ⓪【山の辺】〔雅〕山のあたり。「―の道」

やまのぼり③【山登(り)】―する(自サ) 山に登ること。登山。「休日は―を楽しむ」

やまば⓪【山場】一連の過程の中で、事の成否を決する最も重要な△局面(段階)。「交渉の―/―を迎える」

やまはた⓪【山畑】山に作った畑。「やまばた」とも。

やまはだ⓪【山肌・山《膚》】山の、草木におおわれていない部分。山の地はだ。

やまばと⓪【山〈鳩〉】❶山にすむハト。❷日本で最も普通の野生のハト。からだは灰色で、羽に茶色と空色の模様がある。デデッポッポーと鳴く。キジバト。❸日本特有のハト。全体がほぼ緑色で美しい。アオバト。 かぞえ方 一羽 **―いろ**⓪【―色】青黒みを帯びた薄い黄色。

やまばん⓪【山番】〔山火事や盗伐を見張る〕山の番人。

やまびこ⓪【山〈彦〉】「こだま❶」の現象を、山の神が答えるものとしてとらえた語。

やまひだ⓪【山〈襞〉】遠くから見ると、着物の襞のように見える山の姿。

やまびと⓪【山人】❶山里に住む人。❷仙人。

やまびらき③【山開(き)】❶山を切り開いて、新しく道を作ること。❷霊山が、特定の日を決めて、その日から入山や登山を許したこと。❸〔夏になって〕大きな山(の近く)に山小屋などが開かれて、登山が出来るようになること。また、その初日の行事。⇩海開き・川開き

やまぶき②【山吹】山野に生じる落葉低木。春にあざやか

な黄色の花を開く。〔バラ科〕［かぞえ方］一株・一本 ーいろ⓪【ー色】だいだい色に近い黄色。「ーの小判」

やまぶし②【山伏】❶山野に起居して修行する僧の称。法印。❷修験者。

やまふところ④⓪③【山懐】奥深い山の間にある窪地で、人のあまり行き通わぬ所。

やまべ⓪ ❶〔関東地方で〕オイカワの異称。❷〔北海道・東北地方で〕ヤマメの異称。

やまべ⓪【山辺】△山の近く(山に近い一帯)の地域。「山のべ」とも。「ーの道」⇩海辺

やまへん⓪【山偏】漢字の部首名の一つ。「岬・崎・峰」などの、左側の「山」の部分。〔多く、山や地形に関係する漢字がこれに属する〕

やまほうし③【山法師】比叡山(延暦寺)の僧兵。〔東大寺・興福寺などの僧兵である「奈良法師③」に対しての称〕

やまぼこ⓪【山〈鉾〉】台の上に山の形を作り、鉾・なぎなたなどを立てた山車。「ー巡行」［かぞえ方］一台

やままゆ⓪【山〈繭〉】「ヤママユガ④」科の昆虫。成虫は△黄色(茶色)の大形のガ。幼虫は緑色で白いしまがあり、クヌギ・ナラなどの葉を食って繭を作る。天蚕糸をとる。［かぞえ方］一匹

やまめ⓪【山女】谷川にすむ、サクラマスの陸封種。幼魚の時に海に下らず、川にとどまって成長したもの。背は青黒く、側面に黒い斑点がある。美味。〔東北・北海道ではヤマベと言う〕〔サケ科〕［かぞえ方］一尾・一匹

やまもと⓪【山元】〔もと、山のふもとの意〕❶山の持主。❷鉱山・炭坑の現場。

やまもり⓪【山盛(り)】山のように盛ること。↔すりきり

やまやき⓪【山焼(き)】ーする(自サ) 春の初めに、新しい草の芽がよく出るように山の枯れ草を焼くこと。

やまやま【山々】[一]②あの山この山。「伊豆のー」[二]⓪(副) ❶そうしたくても現実にはそのとおりに実現できそうにない事がたくさんある様子。「△書きたい(文句を言いたい)ことはーある」❷実際にはそうはいかないが、この上もなくそうしたい気持をいだく様子。「行きたいのはーだが」

やまゆき⓪【山行(き)】〔必ずしも登頂を目的とせず〕山の霊気にひたり、清澄な自然の美しさを味わうために山に出かけること。

やまゆき②【山雪】季節風の影響で特に山岳部に降る(大)雪。↔里雪

やまゆり②【山〈百合〉】山野に生じる多年草。夏、白色・大形で、かおりの高い花を開く。鱗茎は食用。観賞用に栽培もされる。〔ユリ科〕［かぞえ方］一本

やまよい⓪【山酔(い)】ーする(自サ) 山に登りつけていない人がかかりやすい、一種の高山病。

やま・る⓪【《止まる》】(自五) やめた状態になる。「やむ」とも。「道楽がー」

やまわけ⓪【山分(け)】ーする(他サ) 〔もうけなど、たくさん手に入れたものを〕みんなで(等分に)分けること。

やみ②【闇】❶光が全くささず、何も見えない△こと(所)。「くらやみ」とも。「ーに閉ざされる/ーにまぎれる/一寸先はー/我が子を思う心のー〔=一つのことに心を奪われ理非・分別を失う〕」❷事の推移や事実関係・真相などについて知る手がかりが全く得られない状態にあること。「ーからーに流れた密約/事件の真相がーに葬られる」❸闇取引をすること。また、その方式で売買される品物。「ー商人③・ー市・ー営業③」［表記］「《暗》」とも書く。

やみあがり⓪【病(み)上(がり)】病気が治ったばかりで、まだ体力が元どおりにならない状態(にある人)。「とてもーとは思えないほど元気な姿」

やみいち②【闇市】闇取引の品物を扱う市場。「闇市場③」とも。

やみうち⓪【闇討(ち)】ーする(他サ) ❶闇にまぎれて不意に襲撃すること。❷人の不意をついて驚かすこと。「ーを食う」

やみがた・い④【《止(み)難い》】(形) そのような感情が心の中に沸きあがるのを抑えることが出来ない様子だ。「望郷の念やみがたく」

やみきんゆう③【闇金融】貸金業としての法的要件を満たしていない金融業者が行なう違法な金融。暴力的な厳しい取り立てを行なうなど、しばしば犯罪行為に及ぶ。略して「闇金⓪」。

やみくも⓪【闇雲】ーに・ーな ❶先の見通しもつかないままにする様子だ。「ーに突っ走る」❷△理由(説明)も無しに、だしぬけに何かを要求したり されたり する様子だ。「ーにぶん殴られた」

やみじ⓪②【闇路】〔雅〕闇の中の道。〔分別がつかない意にも用いられる。例、「恋のー」〕

やみしょうぐん③【闇将軍】人目に立たないように、他人を操るなどして権力をふるう人。

やみじる⓪【闇汁】明りを消した中で、持ち寄った食物を同じなべに入れて煮、それを食べ合う遊びとしての会食。また、その食べ物。やみなべ⓪。

やみそうば③【闇相場】闇取引の値段。

やみつき⓪【病(み)付(き)】〔動詞「病み付く」の連用形の名詞用法〕何かのきっかけで、その趣味・スポーツ・社会活動や勝負事などにのめり込み、やめられなくなること。「五十を過ぎて始めたスキーがーになった/一度大穴を当てたばかりに、競馬にーになってしまった」

やみつ・く③⓪【病(み)付く】(自五) ❶病気で長い間寝込む(きっかけとなる)。❷やみつきになる。

やみとりひき④③【闇取引】ーする(他サ) ❶統制品や売買を禁じられた商品をこっそり取引すること。❷公定価格を無視して取引すること。❸当事者間の利益をはかるために、物事を△公正な手続き(公の承認)を経ずに、こっそりと処理すること。

やみね②⓪【闇値】闇取引の値段。

やみほう・ける⑤【病(み)〈惚ける〉・病(み)〈耄ける〉】(自下一) 長い間病気をして△からだ(気力)がすっかり弱くなる。

やみや②【闇屋】△闇相場(闇物資)の売買をする商売(の人)。

やみやみ③①【闇々】(副) 「むざむざ」の意の古風な表現。

やみよ②【闇夜】月の無い、まっくらな夜。暗夜。↔月夜

*や・む⓪【《止む・〈已む・《罷む》】(自五) それまで続いて来た勢いが、そこで終りになる。「雨がー/泣きーまで待っていた/騒乱は間も無く止んだ/斃れて後ーむ〔=死ぬまでは、どんな事があっても頑張る積りだ〕」

や・む①【病む】(自五) からだ(の部位)が違和を覚えたり痛みを訴えたりする。「からだは病んでも心は明るく、と話す癌患者/胸をー恋人の容体を気づかう」⇩病める【気にー】⇩気

ヤムチャ②⓪〔中国・飲茶〕中国茶を何杯もお代りをして飲みながら点心を食べる中国人の慣行。

やむな・い③【〈已む無い〉】(形) 「しかたが無い」のやや改まった表現。「已む無く中止することにした/一時延期の已む無きに至った」［文法］助動詞「そうだ(様態)」に続くときは「やむなさそうだ」の形になる。また「すぎる」と結びついて複合動詞をつくるときは「やむなさすぎる」の形になる。

やむにやまれず⓪-⓪【《止むに《止まれず》】どうしてもそ

うしないではいられない(で)。「止むに止まれぬ△事情(提言)」

やむをえず④【〈已むを得ず〉】(副) 本当はそうしたくは無かったのだが、△まわり(諸般)の事情から、しかた無くそうする事態になったと判断する様子。「―引き受けた/万(バン)―〔=ほかに方法が無いので〕/―最後の手段に出る」

やむをえない④【〈已むを得ない〉】△受け入れる(そうする)よりしかたが無い。やむをえぬ。「―事情/休むのも―」

***や・める**⓪【辞める・《止める・《罷める】(他下一)〈(なにデ)なにヲ―〉 ❶今まで続けてきたことを、そこで打ち切る(ことにする)。よす。「たばこを―/学校を―/会社を―〔=ⓐ辞職する。ⓑ退職する〕/店を―〔=ⓐ退職する。ⓑ廃業する〕」 ❷するつもりでいたことをしないことにする。「旅行を―〔=とりやめる〕」 名 やめ⓪「―にする」

や・める②【病める】 ■一(連体詞的に用いる) ❶病臥(ビョウガ)中の。「―恩師の枕許(マクラモト)に集まる」 ❷順調な進展を妨げる欠陥が認められる。「―△現代(地球・文明)」 ■二(自下一)「痛む」意の古風な表現。「後腹(アトバラ)が―」

やもう⓪【夜盲】(ヤマウ) 夕ぐれや光線の少ない所では全く物が見えない△こと(人)。「―症⓪」

やもお⓪(ヲ)【〈〈鰥夫〉〉】⇩やもめ■二

やもしれず①-⓪【〈やも知れず〉】…かも知れない。「中止する―」

やもめ⓪ ■一【〈〈寡婦〉〉】後家(ゴケ)。未亡人。「戦争―⑤」 ■二【〈〈鰥夫〉〉】妻をなくした人。「男やもめ・やもお」とも。(■一■二とも古くは「やまめ」) 表記 ■一は、古くは「《寡」と書いた。「〈孀」とも書く。■二は、「〈鰥」とも書く。

やもり①【〈〈守宮〉〉・〈〈壁虎〉〉】〔家守の意〕トカゲに似た、爬虫(ハチュウ)類の小動物。からだは平たく、黒みがかった灰色。夜、出てきて壁などをはいまわり、小さな虫を食う。〔ヤモリ科〕 かぞえ方 一匹

やや①【〈稍〉】(副) わずかではあるが△その傾向(程度の差)が認められる様子。「―左に傾いている/―良好」 表記「〈稍々〉・〈稍〉」とも書く。【―有って】しばらく間を置いて。

やや①〔各地の方言〕赤ん坊。ややこ②。

ややこし・い④(形) 事柄がこみいっていて、扱いがめんどうな様子だ。〔強調形は「ややっこしい⑤」〕「―話」 派 ―さ④③ ―げ⓪⑤

ややもすれば①-②【《動もすれば】(副) 事の成り行きにまかせておくと、そうなりがちな傾向が認められる様子。〔「ややともすれば・ややともすると」とも言う〕「夏は―睡眠不足に陥りがちだ/慣れてくると―緊張がゆるむ」

やゆ①【〈揶揄〉】―する(他サ)「皮肉を言ってからかうこと」の意の漢語的表現。「政治家を―した漫画/―的な意味」

やよい⓪(ヤヨヒ)【弥《生】 ❶(陰暦)三月の異称。 ❷「弥生文化」の略。「―土器」 表記 ⇩付表「弥生」 **―じだい**④【―時代】日本の考古学上の時代区分。弥生土器が製作・使用された時代。縄文時代に続く、紀元前四、五世紀ごろから紀元後三世紀ごろまでの時代。 **―ぶんか**④(―クワ)【―文化】二千年ほど前に日本にあった古代文化。水稲を作り、青銅器・鉄器を使い、薄手の土器を焼いた。〔一八八四(明治十七)年、東京本郷の弥生町貝塚から発見された土器に因(チナ)んで言う〕

やら ■一(副助) ❶断定的に言い切ることに確信がいだけない気持を表わす。「何のために作ったものか―いまだに分からない/中野の南町と―に家を建てたそうだ/来るの―来ないの―はっきりしない/何―白い物が浮いている/だれ―が来た」 ❷いくつかを例示することによって、同種の△事物(事柄)が△他にもあること(何であるか)をほのめかすことを表わす。「娘にはお花―お茶―を習わせたい/何―か―文句を言ってくる」 文法 体言(名詞、またそれに準ずる句)、形容動詞語幹、形容動詞を除く活用語の連体形に接続する。「が」以外の格助詞には前につく場合も、あとにつく場合もある。「が」格の語に接続する場合は「やら」「やらが」の形のみで、「が」のあとに接続することはない。 ■二(終助) 全く△見当がつかず(見通しが立たず)、思いあぐねる気持を表わす。「完成するのはいつのこと―/とんぼつり、今日は何処(ドコ)まで行った―」 文法 体言(名詞、またはそれに準ずる句)、形容動詞語幹、形容動詞以外の動詞・助動詞の終止・連体形に接続する。

やらい⓪(ヤラヒ)〔追い払う意の動詞「やらふ」の連用形の名詞用法。⇩鬼やらい〕〔敵討(カタキウチ)などで当事者以外の介入を避けるために〕竹・木をあらく編んだ囲い。「竹―」 表記「矢来」は、借字。

やらい⓪①【夜来】 ❶△昨夜以来(数晩この方)ずっと同じ状態を保っていること。「―の夢」 ❷〔雨や風などが〕前の晩から△降り(吹き)始めたことを表わす。

やらか・す③⓪【《遣らかす】(他五)「やる」のくだけた口頭語的表現。〔とんでもない事をする意にも用いられる。例、「へまを―」〕

やら・す⓪【《遣らす】(他五)〔「遣る」の使役動詞形〕何かをさせる。やらせる⓪(下一)。

やらずの あめ⑤【《遣らずの雨】来客を帰さないためであるかのように、降ってくる雨。

やらず ぶったくり⓪-⓪「人に与えることはせず、取り上げる一方であること」のやや俗語的表現。

やらせ⓪【《遣らせ】〔動詞「やらせる⓪(他下一)」の連用形の名詞用法〕テレビのドキュメンタリー番組などで、出演者と事前に示し合わせておいて慣れ合いでもっともらしく何かを行なわせること。

やら ぬ【《遣らぬ】(造語) 完全には…△しない(しきらない)。「晴れ―/明け―空」

やられる⓪〔「やる」の受身形〕攻めたり襲ったりしてくるものに屈し、なすがままにされ、また、時にはひどく痛めつけられる。「寝技で―〔=負ける〕/空き巣に―〔=盗まれる〕/暑さで―〔=体調を崩す〕/ウイルスに―〔=感染し、病気になる〕/メンタルを―〔=精神的に病む〕/台風で出荷前のリンゴが―〔=傷んで駄目になる〕/被害者がやられた〔=殺された〕現場/迫力ある演奏に―〔=魅了され、とりこになる〕」

やり⓪【〈槍・〈鑓】 ❶長い柄の先に細長い刃をつけた、突きさす武器。「雨が降っても―が降っても〔=どんな事があっても〕行く/―先⓪・十文字―・鎌(カマ)―」 ❷槍を使う術。「―一筋に生きる」 ❸槍投げ競技(の槍)。 ❹〔将棋で〕香車(キョウシャ)。 かぞえ方 ❶は一本・一筋・一柄(エ)

やりあ・う③(アフ)【《遣り合う】(自他五) 相手に負けずに、こちらも同じ事をする。「販売競争を―/国会で―〔=論戦する〕/負けずに―〔=口げんかをしたり腕力に訴えたりする〕」 名 遣り合い⓪

やりいか②⓪【〈槍〈〈烏賊〉〉】イカの一種。からだは細長くて後方がとがる。食用。〔ジンドウイカ科〕 かぞえ方 一匹・一杯・一本

やりがい⓪(ガヒ)【《遣り《甲〈斐】仕事・事業などに取り組む際に感じられる充足感。「この仕事は大変だが―はある」

やりかえ・す③(カヘス)【《遣り返す】(他五) ❶何かをし直す。「計算を―」 ❷〔議論などで〕相手の攻撃に対して負けていないで逆にやりこめる。 名 遣り返し⓪

***やりかた**⓪【《遣り方】物事をする△方法(態度)。「練習の―/ひどい―」

やりきれない④【《遣り切れない】このままの状態でがまんを強いられることには耐えられそうにもないという気持にさ

せられる様子だ。「やりきれぬ」とも。「こう暑くては—／テロのニュースを見聞きするにつけて—気持になる」 派 **やりきれなさ**⑤

やりくち②【《遣(り)口》】 批判の対象になる、物事のしかた。「ひどい—だ／△汚い(卑劣な)—」

やりくり②【《遣(り)繰(り)》】—する(他サ)〔無理なのを〕なんとか都合をつけること。「家計の—／苦しい—に追われる」 動 遣り繰る③(他五) **—さんだん**⑤【—算段】—する(自サ)(金銭上の)やりくりのくふう。

やりこな・す④【《遣り《熟す》】(他五)〔むずかしい事などを〕(思い通りに)やってのける。「課題をりっぱに—」

やりこ・める④【《遣(り)込める》】(他下一) 議論して、それまで優位に立っていた相手を負かして反論出来なくさせる。「先生を—／逆にやりこめられる」

やりす・ぎる④【《遣(り)過ぎる》】(他上一) 限度を超えてしたために、弊害が出る。 名 遣り過ぎ⓪

やりすご・す④【《遣(り)過(ご)す》】(他五) ❶本来ならば交渉を持つべきものをことさらに避けて、通過させる。「二、三台遣り過ごして〔=乗らないで見送り〕すいたのに乗った／なんとか言い繕ってその場を—〔=適当に済ます〕」 ❷やりすぎる。「酒を—」

やりそこな・う⑤【《遣(り)損(な)う》】(他五) 「しそこなう」の口頭語的表現。「計算を—」 名 遣り損ない⓪

やりたい ほうだい⑤【《遣(り)たい放題》】 相手や周囲の思惑などを無視して思いのままにすること。

やりだま⓪【〈槍玉〉】〔槍で攻めるのにかっこうの目標の意〕〔「—にあげる」「—にあがる」の形で〕非難・攻撃などの対象として取り上げ(られ)ることを表わす。「政界の腐敗を—にあげて鋭く論評する」

やりっ ぱなし⓪【《遣(り)っ放し》】〔「やりばなし⓪」の強調形〕何かをしたままで△しめくくり(あと始末)をしないこと。

やりて⓪【《遣(り)手》】 ❶その事を引き受けてする人。「仕事の—が居ない」 ❷与える人。「もらい手はあっても—がない」 ❸他の人にはまねのできないような思い切った方法・手段を用いて難問を処理する能力のある人。〔方法・手段の強引さから、非難や侮蔑(ブベツ)を含意して用いられることがある〕「—の外交官／あの経営者はなかなかの—だ」 ❹〔↑やり手ばばあ⑤〕もと、遊郭で遊女を監督した老女。

やりど②⓪【《遣(り)戸》】 引き戸。 かぞえ方 一枚

やりと・げる④【《遣(り)遂げる》】(他下一)(途中の困難などを克服して)目的とすることを最後まで行なう。

やりとり②【《遣(り)取(り)》】—する(他サ) ❶相手の側からもらうことと、こちらの側から与えること。「杯の—／生命の—〔=相手の命を奪うか、こちらが奪われるか〕」 ❷相手との間に意志の伝達を図るに足る言葉や手紙の往復が行なわれること。「賑(ニギ)やかな—／激しい言葉の—／手紙の—だけはしている」

やりなお・す④【《遣(り)直す》】(他五) △不完全な(まちがった)仕事などを初めからもう一度して、不備を補ったり完全なものにしたりする。 名 遣り直し⓪「—がきく」

やりなげ⓪【〈槍投(げ)〉】 フィールド競技の一つ。槍を投げ飛ばして、その距離を競う競技。

やりのこ・す④【《遣(り)残す》】(他五) 当初の計画の中にありながら△何もしない(結果が得られない)ままに終わる。「やりのこした仕事」 名 遣り残し⓪

やりば⓪【《遣(り)場》】 持って行きどころ。「目の—に困る／不平の—〔=はけ口〕が無い」

やりぶすま③【〈槍衾〉】 おおぜいの人が、それぞれの槍を、すきまなく並べて突きつけること。「—をつくる」

やりみず⓪②【《遣(り)水》】 ❶〔寝殿造(シンデンヅク)リで〕外から引き入れて作った水の流れ。 ❷植木や盆栽に水を与えること。

やりもち⓪【〈槍持(ち)〉】 槍を持って歩いた従者。

や・る（）**[一]⓪【《遣る》】(他五) ❶〈どこ・なに・だれ二なに・だれヲ—〉他の場所へ移す(ようにする)。「時計を直しに—〔=出す〕／手紙を—〔=出す〕／車外に目を—〔=向ける〕／△馬(舟)を—〔=進ませる〕／使いを—〔=つかわす〕／子供を大学へ—〔=行かせる〕／一人娘を嫁に—〔=とつがせる〕／ここにあった本をどこへやった?」 ❷△下の立場の者(自分の力では得ることができないもの)に何かを与える。「兄が妹に人形をやった／犬にえさを—／花に水を—」 ❸〈なにヲ—〉すっきりしない心やふさぎがちな気持を、何かでまぎらす。「思いを—〔=晴らす〕／鬱(ウツ)を—〔=慰める〕／心を—」 ❹〈なにヲ—〉問題になっている何かをする。〔狭義では、俗に、合体を指す〕「よかれと思ってやった事だ／勉強をよく—／△酒(たばこ)を—〔=たしなむ〕／一杯—〔=酒を飲む〕／対立する組織のボスを—〔=殺す〕」 ❺〔自動詞的に〕暮らし向きが立つ状態にある。「楽ではないが、どうにか遣っています／自分の稼ぎで遣っていくしかない」 ⇩やられる

[二](補動・五型) ❶相手に何らかの△利益(恩恵)を与えるような行為をすることを表わす。「読みたかったら貸してやろう／君にも教えて—よ」 ❷他人に対して△あてつけ(恩着せ)がましく何かをすることを表わす。「死んで—から／お前を殴ってやろうか」 文法 [二]❶について。「…てやる／…てあげる／…てさしあげる」、「…てもらう／…ていただく」、また、「…てくれる／…てくださる」は一般に「やりもらい(の)表現」「受給表現」「授受表現」などと呼ばれる。これらは一方から他方へ何らかの意味で利益や恩恵が流れることを表現面に反映させるために用いられる。従って、利益・恩恵の与え手と受け手の存在が必要とされる。その際の与え手と受け手の立場の上下関係によって異なった表現形式が用いられる。個々に示せば以下のようである。(『>』は「立場が上>立場が下」という関係を表わす。『=』は与え手と受け手が対等の関係であることを表わす)

(a)動作主〔=いわゆる主語〕が与え手である場合。

…てやる	与え手≧受け手	兄が妹に人形を買ってやった。
…てあげる	与え手≧受け手	僕は田中君に本を貸してあげた。
…てさしあげる	与え手<受け手	私はお年寄りの荷物を持ってさしあげた。(相手によっては謙譲表現を使う方がよい)

(b)動作主が受け手である場合。

…てもらう	受け手≧与え手	(与え手は、自分や自分の側の者を除く)私は山田さんにテニスを教えてもらった。
…ていただく	受け手<与え手	(与え手は、自分や自分の側の者を除く)僕は館長に博物館の中を案内していただいた。

(c)動作主が与え手で、受け手が自分や自分の側の者である場合。

…てくれる	与え手≦受け手	鈴木君が僕に本を貸してくれた。
…てくださる	与え手>受け手	係の人が僕たちに説明してくださった。

(a)で、立場の関係が同じであるのに、「…てやる」と「…てあげる」の二つの表現形式があるのは、近年、「やる」を使うことに抵抗感を覚える人が多くなったことによると解される。それで

やりくち——やる

や

本来「…てやる」を用いてよいところに「…てあげる」が用いられるようになった。また、「…てさしあげる」を用いると、立場の上の人に対していかにも恩着せがましい行為を行なうという印象を与えるおそれがあるので、「私が先生の荷物をお持ちしました」などと謙譲表現を用いる方が適切な場合もある。

運用 (1)❶❸は、「やった、これで完成だ」などと、必ずしも意図したとおりになるとは思っていなかったことが、（意外にも）うまくいったことに対する驚きや喜びの気持を、感動詞的に表わすのに用いられる。(2)⇩あげる **運用**

やるかた⓪【《遣る方》】△心のわだかまり（もやもや・いらいら）などを晴らす方法。「無念—（が）ない」

やるき⓪【《遣る気》】何かをしようとする積極的な気持。「—が出る/—を△起こす（失う）/—満々(マンマン)⓪-⓪」

やるせ⓪【《遣る瀬》】〔「瀬」は浅瀬の意〕立つことが出来そうもない深い淵(フチ)に対して、心の安らぎが得られるところを言う。**—な・い**④【—無い】（形）心の内の苦しさや悲しさをまぎらわすものがなく、暗澹(アンタン)たる気分に陥る様子だ。

派 **—さ**④ **—げ**④⑤⓪ **文法** 助動詞「そうだ（様態）」に続くときは「やるせなさそうだ」の形になる。また「すぎる」と結びついて複合動詞をつくるときは「やるせなさすぎる」の形になる。

やれ①（感）〔もと、立場の下の者に対して、「や、うれ〖=おのれ〗」と呼びかけた語の変化〕❶Ⓐ〔「や、おい」の意〕心からなる感動・感激を表わす。「—〔=なんと〕生きていたか/—〔=どうやら〕助かったか/—〔=いやはや〕恐ろしや〔=恐ろしい極みだ〕/—〔=本当に〕かわいそうに」Ⓑしみじみとした実感を表わす。「—これで一段落か/—〔=全く〕疲れた、もう動けない」❷その人にとって△次元の低い（関心の無い）事柄を列挙することを表わす。「同じ形で同じ素材の、国産品をお勧めしても、—使いにくいだの—大きすぎるだの、文句が返ってきます/—〝週休二日〟だの〝時短〟だの〝ゆとりの生活〟などと、我われにとって別世界の夢物語としか思えない話だ」〔❶Ⓐは、「やれさて①」と言うこともある〕

やれ②【《破れ》】〔破れる意の文語動詞「破ャる」の連用形の名詞用法〕❶やぶれ（ること）。やぶれた△所（程度）。「ふすまの—」❷刷りそこなったりして、だめになった印刷物。刷りやれ。「—が出る/—本⓪」〔❷は通語〕

やれやれ①（感）「やれ❶Ⓑ」の強調表現。「娘の結婚式が済み、正直言って—〔=ほっと一安心〕といったところだ/追加点なしの辛勝に—〔=ほっとしているところだ〕/〝—〔=骨が折れる事だ〕ヒト助けも楽じゃない〟って表情の警察犬」

やろう②⓪【野郎】「（男くさい）男性」の意の野卑な表現。〔自嘲(ジチョウ)や侮蔑(ブベツ)を含意して用いられることがある〕「—ばかりが集まる色気のない飲み屋/—のくせに意気地(イクジ)が無い/あの—がまたうろついている/ばか—」

運用 (1)代名詞的に特定の男性を指すのに用いられることもある。例、「野郎〔=あの男〕を逃がすな/野郎〔=おまえ〕謝りもしないで帰る気か」(2)「この野郎」の形で、おもに男性が相手（の男性）を面と向かってののしる言葉としても用いられる。例、「この野郎、ただじゃあおかないぞ」

やろうじだい④【夜郎自大】〔「夜郎」は昔、中国の西南部〖=今の貴州省あたり〗に居た野蛮人の意。漢の強大さを知らなかったことから〕自分の力量を知らないで、狭い仲間うちでいばる者。

やわ①【柔】—な —に〔各地の方言〕出来が十分でない様子だ。「—〔=きゃしゃ〕なからだ/—〔=中途はんぱ〕な仕事」

やわ①【夜話】❶よばなし（を集めた本）。❷肩のこらない話（を集めた本）。「文学—」

やわ・い②【柔い】（形）〔各地の方言〕柔らかい。

やわか①（副）〔雅〕どんな方法を取っても。「—勝たでおくべき/—劣るべき〔=どうして劣ることがあろう〕」

やわね⓪【柔根】すぐに抜けたり 折れたりするようなひ弱な根。↔荒根(アラネ)

やわはだ⓪【柔肌】（女性の）柔らかな肌。

やわら⓪【柔ら】「柔術」の意の和語的表現。

やわらか③【柔らか・和らか・軟らか】—な —に ❶「やわらかい❶」状態だ。「—な粘土/—な御飯」❷「やわらかい❷」状態だ。「老人の—な眼(メ)/—な春の陽(ヒ)/—な論調」❸「やわらかい❸」状態だ。「—な発想」**—ぼん**⓪【—本】軟派の小説本。**—め**⓪⑤【—目】どっちかというと、柔らかい性質であること。「御飯を—に炊く」↔かた目 **—もの**⓪【—物】手ざわりの柔らかい織物。絹布（の衣服）。

やわらか・い④【柔らかい・和らかい・軟らかい】（形）❶外部から加えられた力に対して、耐える度合が弱く、容易に形や元の状態を変える様子だ。「鉛は—金属だ/—△肉（パン）/—土」❷そのものが与える印象が穏やかで、接する人に無理なく受け入れられる様子だ。「—午後の陽射(ヒザ)し/春の—風を頰(ホオ)に受ける/—△物腰（表情・色合）」❸融通がきき、その場に応じた適切な対応ができる様子だ。「頭が—〔=柔軟だ〕」**派** **—さ**④ **—み**⓪④

やわらぐ③【和らぐ】（自五） 波・風・暑さ・寒さによる抵抗や、痛み・怒り・悲しみなどによる心の騒ぎ・乱れがおさまったり 対立感が無くなって平静になったりする。「態度が—/危機が—〔=回避される〕」**名** 和らぎ⓪

やわら・げる④【和らげる】（他下一） 穏やかな状態にする。「△声（態度）を—/表現を—〔=ⓐ穏やかなものにする。ⓑ分かりやすくする〕/△いらだち（取締り）を—」

ヤンガージェネレーション⑦〔younger generation〕次代を担う若い世代。青少年層。

ヤンキー①〔Yankee〕〔オランダ語からか〕アメリカ人の俗称。〔侮蔑(ブベツ)を含意して用いられることもある〕

ヤング〔young〕❶（造語）若い。「—ジェントルマン・—コーン④」❷①若者（たち）。「—に受ける/—の世界」

ヤングアダルト⑤〔young adult〕（服飾品などへの購買欲の盛んな）十代後半から二十代前半ぐらいの若者。

やんごとな・い⑤【《止ん事無い》】（形）〔「止む事無い」の変化で、もと、かけがえの無い意〕非常に身分が高い。〔「やんごとなき（お）方」などの形で、皇族を指すことがある。また、「やんごとない理由」などと、「やむをえない」の意に用いるのは誤用〕「—生まれ」**文法** 助動詞「そうだ（様態）」に続くときは「やんごとなさそうだ」の形になる。

やんちゃ⓪—な〔「やにちゃ⓪」の変化という〕❶子供がいたずらをする△こと（様子）。また、そのいたずら（な子）。「—を言う/—な〔=いたずら好きな〕子/—坊主④」❷〔若者が〕ぐれること。「若いころは、ずいぶん—をしたものだ」

やんぬるかな③【〈已んぬる〈哉〉】（感）〔「やみぬるかな」の変化〕決定的な最悪の事態に至るのは今さらどうすることも出来ないという嘆きを表わす語。

やんま⓪【〈蜻蜓〉】大形のトンボ。

やんや①（感）ほめて、はやしたてる声。「—と言わせる/—のかっさい」

やんわり③（副）—と —する 相手を傷つけないように（言葉づかいに）配慮する様子。「—とことわる/—とくぎをさす/—と小指をかむ」

ゆ…ユ

ゆ〔由・油・喩・愉・遊・諭・輸・癒〕→【字音語の造語成分】

ゆ（格助）〔雅〕㊀より。「田子の浦―／天地(アメツチ)の分かれし時―」㊁何を使ってそれをするかを表わす。「歩(カチ)―行く」

ゆ（助動・下二型）〔文語の助動詞〕「る」の奈良時代の形。「泣か―」 文法 接続は助動詞「れる」に準ずる。

ゆ①【〈淦〉】木の船の中にたまった水。あか。

****ゆ**①【湯】㊀（加熱され）温度の高くなった水。「―が沸く／―を沸かす〔=水を沸かして、湯にする〕／さ―」㊁Ⓐふろ。「―に入る／―を使う〔=ふろに入る〕／―船・―上がり」Ⓑ温泉。「―が湧く／―の町／―の花」Ⓒふろ屋。「―に行く」

ゆあか③【湯〈垢〉】ふろ・鉄瓶などの内部につく水あか。

ゆあがり②【湯上(が)り】㊀ふろから△出ること〔出た時〕。㊁〔←湯上がりタオル⑤〕入浴後、からだをふくのに使う、大きなタオル。㊂入浴後着る△ひとえ〔タオル〕の着物。
かぞえ方 ㊁㊂は一枚

ゆあたり②【湯《中り》】―する（自サ） 長時間、△温泉（風呂(フロ)）に入ったため、からだの具合が悪くなること。⇩湯疲れ

ゆあつ⓪【油圧】高い圧力を加えた油を利用して、モーターやシリンダーを動かし、ピストンなどを作動させること。「―装置／―ジャッキ④〔=油圧を利用したジャッキ〕」

ゆあみ⓪③【湯《浴み》】―する（自サ）「入浴・行水」の古風な表現。

ゆい（由・唯・遺）→【字音語の造語成分】

ゆい⓪①(ユヒ)【結い】〔動詞「結う」の連用形の名詞用法〕㊀ゆうこと。「髪―」㊁〔農村などで〕仕事の忙しい時に住民相互に労働力を提供し合うこと。手間替え⓪。

ゆいいつ①【唯一】同種・同類の存在が、それを除いては全く認められないこと。〔口頭語では、「ゆいつ①」とも言う〕「―の〔=ただ一人しか居ない〕親友／―神④・―無二」

ゆいがどくそん①-⓪【唯我独尊】〔釈尊が誕生の際、口にしたと言い伝えられる語〕自分がただひとりの存在であるということ。〔自負・自尊の意にも、うぬぼれの意にも使う〕

ゆいごん⓪【遺言】―する（自他サ）〔死を自覚した人が〕死後の処置や、戒めとすべきことなどについて身寄りの者などに言い残す△こと〔言葉〕。〔法律用語としては「いごん」〕「―状⓪」

ゆいしき⓪②【唯識】〔仏教で〕すべての物事は、それ自体存在するのではなく、それを認識する人の心の働きによるものだとする考え方。

ゆいしょ①【由緒】物事の起源と、歴史。「―〔=りっぱな歴史が〕ある家柄／―正しい」〔古くは、「ゆうしょ」〕

ゆいしん⓪【唯心】㊀その人自身の心だけが真の存在で、他は主体の心の働きによって認められるに過ぎないという考え方。㊁〔仏教で〕唯識。 **―ろん**③【―論】宇宙の諸現象の本質は、主体の精神の働きそのものであるとする説。↕唯物論

ゆいのう⓪(ユヒナフ)【結納】婚約のしるしに〔両家の間で〕品物を交換すること。また、その品物。「―をとりかわす／―金⓪」

ゆいび①【唯美】人間生活にとって最も価値のあるものは美であるという主張に立つこと。「―主義④・―的⓪・―派⓪」⇩耽美(タンビ)

ゆいぶつ⓪【唯物】真の存在はただ物質だけであると考えること。 **―しかん**⑤⑥(クワン)【―史観】マルクス主義の歴史観で、人間社会の変動は、社会の生産力と生産関係との矛盾によって引き起こされる階級闘争に基づくとするもの。 **―べんしょうほう**⓪-(ハフ)【―弁証法】マルクス主義の方法論で、唯物論の立場に立つ弁証法。 **―ろん**④【―論】宇宙の諸現象の本質は主体を離れた客体的な物質であって、人間の精神も物質としての頭脳の一つの機能に過ぎないという説。〔狭義では、マルクス主義を指す〕↕唯心論

ゆいわた⓪(ユヒ)【結(い)綿】㊀祝い物に使う、真綿の中央を結び束ねたもの。㊁日本髪で、まげの中央にかのこしぼりの手絡(テガラ)を掛けた島田まげ。未婚の女性用。

ゆう（友・右・由・有・〈酉・勇・幽・悠・郵・湧・猶・裕・遊・雄・誘・憂・融・優）→【字音語の造語成分】

ユー① ㊀【U・u】英語アルファベットの第二十一字。「Uターン・U字管」㊁【U】〔←ド Uran〕ウランの元素記号。

ゆ・う⓪(イフ)【言う】（自他五）「いう」の、発音に近い表記。

ゆ・う⓪①(ユフ)【結う】（他五）むすんで、整え〔作〕る。「髪を―／垣根を―／筆を―〔=タヌキの毛などを結って、筆を作る〕」

ユー①（代）〔you〕あなた。きみ。

ゆう①(イウ)【友】相手を差別せず、人間愛をもってつきあうこと。また、そのような人間関係。「兄弟(テイ)に―に／―愛」⇩【造語成分】

ゆう①(イウ)【〈尤〉】―なる 「その同類の中で最もすぐれている」意の古風な表現。「菊は花の―なるもの／―物(ブツ)」

ゆう①(イウ)【有】㊀あること。存在すること。「―か無か〔=存在するかしないか〕」↕無 ㊁所有〔物〕。「…の―に帰した」⇩【造語成分】

ゆう①【勇】㊀必要に応じ発揮される勇気。「―を奮う／―を鼓(コ)す〔=奮い起こす〕」㊁豪勇。「―をもって鳴る」⇩【造語成分】

ゆう①【雄】実力者。「一方の―／斯界(シカイ)の―」⇩【造語成分】

ゆう①(イウ)【優】〔四段階の成績評価で〕最優秀の出来ばえであること。「―、良、可、不可」⇩優に ⇩【造語成分】

ゆう⓪①(ユフ)【夕】「日が暮れて夜になろうとする時」の意の古語形・造語形。「朝な―な／朝に―に／二十三日―成田空港着の臨時便で来日」

ゆう①(ユフ)【〈木綿〉】コウゾの皮をはぎ、その繊維を蒸して水にさらし、細かにさいて作った糸。榊(サカキ)に掛けて垂らし、神事の時に幣(ヌサ)として用いる。〔後世は紙も用いた〕

ユーアールエル⑥【URL】〔←uniform resource locator=一律に定めた、資源の場所表示〕〔インターネットで〕一まとまりの情報の所在を表わすために、統一的な規則に基づいて決められた記号列。

ゆうあい⓪-(イウ)【友愛】知人に対しては献身的な愛をささげ、見知らぬ他人に対しても必要な愛を惜しまないこと。「―精神⑤」

ゆうあかり③-(ユフ)【夕明(か)り】日が沈んでからもしばらく続く〔空の〕明るさ。

ゆうあく⓪-(イウ)【優〈渥〉】―なる 「君主が人民の置かれた状況を心から心配する△こと〔様子〕」の意の古風な表現。「―なる勅語」

ゆうあん⓪-(イウ)【幽暗・幽《闇》】―な ―に 奥深く傍目(ハタメ)にはうかがい知れないものがある様子だ。

ゆうい①(イウヰ)【有為】―なる 将来大きな仕事をしそうな才能を持っているように思われる様子だ。「―の青年／前途―」

ゆうい①-(イウ)【有意】↕無意 ㊀そうしようとする意志が認められること。「―行為④」㊁―な ―に 偶然そうなったとは認めがたい様子だ。「―な差が認められる／―的⓪」

ゆうい①-(ヰ)【雄偉】―なる 規模が大きくて、見事な様子だ。

ゆうい①(イウヰ)【優位】△ほかより良い〔有利な〕位置や立場。「―を占める／―に立つ／―性⓪」↕劣位

ゆういぎ③-(イウ)【有意義】―な ―に その人の属する社会やその人自身にとって、△そうする〔それが存在する〕だけの積極的な意味が認められる様子だ。「―な学生生活を送る／―に過ごす」↕無意義

ゆういん⓪ イウ【誘引】―する(他サ) うまく誘って△おびき出す(仲間に引き入れる)こと。

ゆういん⓪ イウ【誘因】 ある事を引き起こす、直接の原因。

***ゆううつ**⓪ イウ【憂鬱】―な・―に 〔天気が悪かったり、心配事があったりして〕気持が晴れない状態だ。「―な天候/―症⓪〔=⇩鬱病〕」 派―さ⓪④ ―しつ④【―質】 ヒポクラテス以来行なわれてきた、気質の四分類の一つ。刺激に対する反応はおそいが強いので、感情を外面に表わすことは少ないが、根強く長続きしやすい。一口で言えば、陰気。⇩気質

ゆうえい⓪ イウ【遊泳】―する(自サ) 〔もとの用字は、「〈游泳」。「游」も泳ぐ意〕❶楽しみとして、およぐこと。「波が高く―が禁止された海水浴場」 ❷好ましい対人関係を保った世渡り。「―術③」 表記「〈游泳」とも書く。

ユー エイチ エフ⑥【UHF】〔←ultrahigh frequency〕⇩極ゴク超短波

***ゆうえき**⓪ イウ【有益】―な・―に そう△する(なる)ことの意味や、その存在の意義が積極的に認められる様子だ。「―な〔=ためになる〕話/夏休みを―〔=効果的〕に過ごす」 ↔無益

ゆうえき⓪ イウ【誘〈掖】―する(他サ) 「手をとって指導する」意の古風な表現。

ユー エス エー⑤【USA】〔←United States of America〕アメリカ合衆国。⇩付録「世界の国名一覧(アメリカ❸)」

ユー エス ビー⑤【USB】〔universal serial bus の略〕パソコンと周辺機器をつなぐための汎用規格。「―メモリー⑦〔=ケーブルを用いず、USB端子に本体を直接つなげる小型の記憶装置〕」

ゆうえつ⓪ イウエツ【優越】―する(自サ) ほかのものと比べて、ずっとまさった状態にあること。「―性⓪」 ↔劣等 ―かん④③【―感】 自分が他よりすぐれた存在であるという抜きがたい気持。「―をいだく/―に浸る」 ↔劣等感

ゆうえん⓪ イウエン【幽遠】―なる 俗人の住む世界からはるかに遠く離れている様子だ。「―の境地」

ゆうえん⓪ イウ【幽艶】―なる 〔女性が〕奥深い美しさをたたえている様子だ。 表記「幽〈婉イウエン」とも書く。

ゆうえん⓪ イウエン【悠遠】―なる 今から見て、かぞえきれないほど長い年月を隔てている様子だ。「―の昔」

ゆうえん⓪ イウエン【遊園】 遊び場所の無い都会人のいこい場所として作られた施設。〔緑の多い公園を主体とするものと、娯楽設備を主体とするものとがある〕「―地③」

ゆうえん⓪ イウエン ―なる ❶【優〈婉】 〔女性が〕しとやかで美しい形容。 ❷ イウ【優艶】 〔女性が〕上品で美しい形容。

ゆうおう⓪ イウワウ【勇往】 元気を出して、くじけずに目的(地)に向かって進むこと。「―邁進マイシン(する)」

ゆうか① イウ【有価】 金銭と同様の価値があること。〔「積極的な意義を有すること」の意にも用いられる。例、「書物を生かす、より―的な道」〕 ―しょうけん④【―証券】 債券・株式のほか、小切手など、そのもの自体財産価値を持つもの。

ゆうが① イウ【優雅】―な・―に ❶行動に節度があって、上品な様子だ。「―な身のこなし」 ↔粗野 ❷△ゆとりがあって(悠々としているように見えて)、うらやましく感じられる様子だ。「―な生活」 派―さ⓪

ゆうかい⓪ イウ【幽界】 「あの世」の意の漢語的表現。

ゆうかい⓪ イウ【誘拐】―する(他サ) 人をだまして△誘い出す(連れ去る)こと。かどわかすこと。「―魔③」

ゆうかい⓪【融解】―する(自他サ) 固体を熱で溶かすこと。また、溶けて液体となること。溶融。「―点③〔=固体が融解し始める温度〕」 ↔凝固

***ゆうがい**⓪ イウ【有害】―な・―に その行為や存在が好ましくない結果をもたらすと認められる様子だ。「自然界に存在する物質でも人間の活動によって―になることがあるとも言われる/―性が問題とされる食品添加物/―無益⓪-①・―物質⑤」 ↔無害

ゆうがい⓪ イウ【有蓋】 おおいとなる屋根があること。「―貨車⑤」 ↔無蓋

ゆうがお⓪ ユフガホ【夕顔】 ❶夏の夕方、葉のわきに白い小さな花をつける一年生つる草。大きな△円柱(球)形の実が出来、これから「かんぴょう」をつくる。変種が多い。〔ウリ科〕 ❷夏の夕方、アサガオに似た白い大きな花を開くアメリカ大陸の熱帯地域原産の一年生つる草。よるがお⓪。〔ヒルガオ科〕 かぞえ方 ❶❷とも一本

ゆうかく⓪ イウ【遊客】 ⇩ゆうきゃく

ゆうかく⓪ イウクワク【遊郭・遊〈廓】 もと、遊女屋が集まっていた一区画。

ゆうがく⓪ イウ【遊学】―する(自サ) 〔「遊」は、故郷を離れて

ゆ

【由】 ❶(道筋上)そこを通って、他の場所へ行く。「経由」 ❷(そうなった)わけ。「由来・因由・来由ユウ」

【油】 ❶あぶら。「油脂・油田・油煙・油断・肝油・給油・原油・鉱油・採油・搾油・重油・石油・香油・灯油・揮発油・食用油・植物油・魚灯油」 ❷雲がさかんに起こるさま。「油ユウ然」

【喩】 ❶たとえる。たとえ。「比喩・暗喩・隠喩・明喩・直喩・諷フウ喩・引喩」 ❷教えさとす。「教喩・訓喩・告喩」 表記 ❷は「諭」とも書く。

【愉】 たのしい。よろこぶ。「愉快・愉悦・愉楽ラク」

【遊】 ❶あそぶ。「遊山」 ❷回り歩く。「遊行ギョウ」 ⇩ゆう

【諭】 言い聞かせる。「諭告・諭旨・説諭・告諭・教諭・訓諭」

【輸】 はこぶ。おくる。「輸血・輸液・輸送・輸出入・運輸・空輸・密輸」

【癒】 病気や傷がなおる。「癒合・快癒・全癒・治癒・平癒」

ゆい

【由】 もともとの、おこり。「由緒」 ⇩ゆ

【唯】 ただ(そのものだけ)。「唯一・唯我独尊・唯美主義・唯物・唯心」

【遺】 △あと(死後)にのこす。「遺ユイ戒・遺ユイ言」 ⇩い

ゆう

【友】 ❶とも。ともだち。仲間。友人。「友邦・友軍・親友・朋ホウ友」 ❷ともだちとしての親しみ。「友情・友愛・友好」 ⇩(本文)ゆう【友】

【右】 ウイ ❶みぎ。「左右・座右」 ❷〔音オンが「祐」と通じる〕助ける。「右筆」 ❸たっとぶ。「右文」

【由】 ウイ ❶よる。したがう。「自由・来由ユウ」 ❷(そうなった)わけ。「理由・事由」 ⇩ゆ

【有】 ウイ ❶何かがある。「有益・有害・有望・有志・有意義」 ↔無 ❷持つ。所有。〔接頭語的にも用いられる〕「共有・国有・私有・専有・有資格者」 ❸〔音オンが「又」と通じる〕また。…に加える。「十有五年」 ⇩(本文)ゆう【有】

【〈酉〉】(ウイ) 十二支の第十。とり。「辛酉」

【勇】 いさましい。「勇気・勇士・勇壮・義勇・剛勇・知勇・武勇・猛勇」⇨(本文)ゆう【勇】

【幽】(ウイ) ❶奥深い。「幽玄・幽谷」 ❷世間との交渉を絶つ。「幽閉」 ❸死者の世界。「幽界・幽霊・幽鬼」

【悠】(ウイ) ❶果てしなく遠く続くさま。はるか。「悠遠・悠久」 ❷ゆったりしているさま。ゆっくり。「悠然・悠長・悠揚・悠々自適」

【郵】(ウイ) 〔もと、宿場の意〕小型の物品の官営による輸送制度。「郵便・郵送・郵券」

【湧】 地下から水や湯がわきでる。「湧出・湧水・湧泉」

【猶】(ウイ) ❶ためらう。ぐずぐずする。「猶予」 ❷まるでそのようである。「猶子」

【裕】 ❶物が十分ある。ゆたか。「裕福・富裕」 ❷ゆったり。「寛裕」

【遊】(ウイ) 〔一〕❶楽しい事をしてあそぶ。「遊楽(クラ)・遊興(キョウ)・遊戯・遊園・豪遊・園遊会」 ❷旅に出る。「遊覧・遊学・外遊・巡遊・漫遊・回遊」 ❸必要に応じて行動する。「遊撃・遊牧・遊軍・遊水池」 ❹現在、活動していない。「遊金・遊休」 〔二〕(略)〔野球で〕遊撃手。「三遊間」

【雄】(ウイ) ❶おす。お。おん。「雄性・雌雄」↔雌(シ) ❷(することの)規模が大きくて、りっぱだ。「雄大・雄姿・英雄・群雄」⇨(本文)ゆう【雄】

【誘】(ウイ) ❶何かをするように△さそう(すすめる)。「誘導・誘致・勧誘」 ❷不結果な事にさそい出す。「誘惑・誘拐(カイ)・誘蛾(ガ)灯」 ❸ある結果をひき起こす。「誘発・誘因」

【憂】(ウイ) 心配する。心配。「憂愁・憂慮・一喜一憂・内憂外患」

【融】 ❶とかす。とける。「融解・熔(ヨウ)融」 ❷とどこおりなく通る。「融通・金融」 ❸心がとけあう。「融和・融然」

【優】(ウイ) ❶すぐれている。「優位・優越・優秀・優勝・優等・優劣」 ❷上品(で、奥ゆかしい)。「優美・優雅・優麗」 ❸動作が△ゆったり(のんびり)している。「優長・優柔不断」 ❹てあつい。待遇がいい。「優遇・優待・優渥(アク)」 ❺役者。「俳優・女優・名優・声優・老優」⇨(本文)ゆう【優】

他国へ行く意〕我が家・故国を離れて、必要な学問を習い研究すること。

ゆうがくかいとう [5] (イウ―クワイタフ)【有額回答】〔労使交渉で〕使用者が労働者に対する回答として、給料などの額や率を具体的な数字で示すこと。

ゆうかげ [0][3] (ユフ―)【夕影】〔雅〕夕日の光。

ゆうかぜ [0] (ユフ―)【夕風】夕方に吹く涼しい風。↔朝風

***ゆうがた** [0] (ユフ―)【夕方】日が西に傾いてから、あたりが暗くなるまでの間。夕刻。

ゆうがとう [0] (イウ―)【誘〈蛾灯】夜、ガなどの害虫をおびき寄せ、水におぼれさせる仕掛けの灯火。 かぞえ方 一本

ユーカラ [0]〔アイヌ Yukar〕アイヌ民族に口伝えに伝わる民族叙事詩の総称。神がみや英雄に関する物語で、これに簡単な旋律をつけて歌う。

ユーカリ [0]〔←eucalyptus〕オーストラリア原産の常緑高木。高さは百メートル以上に及ぶ。コアラは葉を常食とする。葉からユーカリ油をとり、香料・薬用に、材は建築用にする。〔フトモモ科〕 かぞえ方 一株・一本

ゆうかん [0] (イウ―)【有閑】生活に余裕があり、ひまを持て余すこと。「―マダム[5]」

***ゆうかん** [0]【勇敢】(―な/―に) 勇気があり、困難にひるまず物事をする様子だ。「―な先駆者/―に進み出る」 派 ―さ[0]

ゆうかん [0] (イウクワン)【憂患】どうしたものかと思い悩む心配事。「―を共にする」

ゆうかん [0] (ユフ―)【夕刊】日刊新聞のうち、夕方に発刊されるものの方。「―紙[3]」↔朝刊 かぞえ方 一部

ゆうかんじしん [5] (イウ―ヂー)【有感地震】⇨地震

ゆうき [0] (ユフキ)【結〈城】❶〔←結城つむぎ[4]〕茨城県結城地方から産するつむぎ織。 ❷〔←結城じま[0]〕しま柄(ガラ)の結城つむぎや結城もめん。 ❸〔←結城もめん[4]〕結城つむぎをまねて織った綿織物。

ゆうき [1] (イウ―)【有期】一定の期限があること。「―刑[3]」↔無期

ゆうき [1] (イウ―)【有機】↔無機 ❶生活機能を持つ△こと(もの)。 ❷「有機物」の略。 **―かがく** [4] (―クワー)【―化学】有機化合物に関する化学。↔無機化学 **―かごうぶつ** [5] (―クワガフ―)【―化合物】炭素をおもな成分とする化合物。主として動植物の組織の中に見られる。有機物。↔無機化合物 **―かんかく** [4]【―感覚】内臓諸器官から来る感覚。例、のどの渇き・ひもじさなど。 **―さいばい** [4]【―栽培】化学肥料や農薬を控え、有機肥料などを使って、人間のからだに安全な食糧生産をめざす栽培法。⇨オーガニック **―さん** [0]【―酸】動植物の体内にある酸類。 **―しつ** [3]【―質】有機物を含む物質。↔無機質 **―すいぎん** [4]【―水銀】水銀を含む有機化合物の総称。一般に猛毒で、メチル水銀は、水俣(ミナマタ)病の原因となった。有機水銀化合物。 **―たい** [0]【―体】それ自体が生活機能を持つ組織。生物を指す。〔組織的な統一体の意にも用いられる〕 **―てき** [0]【―的】(―な/―に) 生物のからだのように、一つの中枢的な部分を中心にして、全体が関連のある働きをする様子だ。 **―のうほう** [4] (―ハフ)【―農法】有機栽培で行なう農業。有機農業。⇨有機栽培 **―ひりょう** [4] (―レウ)【―肥料】動植物を原料とする肥料。↔無機肥料 **―ぶつ** [3]【―物】↔無機物 ❶生活体(の部分としてそれぞれ独自の生活機能を持つもの)。 ❷有機化合物。

***ゆうき** [1]【勇気】普通の人が不安・恐れをいだいたり躊躇(チュウチョ)・恥ずかしさを感じたりするところを屈しないで、自分が正しいと思った通りやってのけようという積極的な気力。「―のある決断/―を試す/―凛々(リンリン)[1]-[0]」 **―づける** [5]【―付ける】(他下一) 自信を失ったり消極的になったりしている者を励まして、あきらめずにがんばろうという気にさせる。 名 勇気付け[0]

ゆうき [1] (イウ―)【幽鬼】「亡霊」の意の古風な表現。

ゆうぎ [1] (イウ―)【友〈誼】友達としての親しいつきあい。「―を結ぶ/―団体[4]」

ゆうぎ [1] (イウ―)【遊技】娯楽として行なうゲーム。「―場[0]」

ゆうぎ [1] (イウ―)【遊戯】(―する)(自サ) ❶遊び(としてすること)。 ❷幼稚園や小学校の低学年の子供にリズム感を与えたり団体行動の訓練をさせたりするために行なう、簡単な遊びや踊り。「―場[0]・恋愛―[5]」「お―」 **―てき** [0]【―的】(―な/―に) 遊び半分でする様子だ。 **きのう―** [4]【機能―】⇨機能遊戯

ゆうきおん [3] (イウキ―)【有気音】〔言語学で〕破裂音を発音するとき、破裂によって生じさせた子音に強い呼気を伴うもの。中国語・朝鮮語・タイ語などでは、呼気を伴わない音〔=無気音〕とは異なる音として弁別される。日本語では沖

ゆ

縄方言の一部を除いては弁別性がない。「帯気音」とも。⇩無気音

ゆうきゃく [0]【遊客】❶慰安・休養などのために来る人。「ゆうかく」とも。「温泉の―」❷遊郭で遊興する人。〔❶❷とも、古風な表現〕

ゆうきゃく [0]【誘客】―する(他サ)(宣伝などに工夫をこらして)客を誘致すること。「―作戦[5]」

ゆうきゅう [0]【有休】「有給休暇」の略。

ゆうきゅう [0]【有給】❶労働の報酬として、規定通りの給料が支払われること。「ボランティアといっても―のこともある」↔無給 ❷「有給休暇」の略。「―をとって海外に行く」 **―きゅうか** [5]【―休暇】労働基準法で定められている、使用者が有給で与える休暇。年次有給休暇[8]。略して「有休・有給」。

ゆうきゅう [0]【悠久】―なる 想像もつかないほど遠い過去から変わらずに続く様子だ。「―の昔」 [派]―さ[0][3]

ゆうきゅう [0]【遊休】〔すぐ使えるようになっているのに〕現在、活用されていない状態にあること。「―施設[5][6]・―資本[5]〔=⇩遊資〕」

ゆうぎょ [1]【(游魚・遊魚)】水中を泳いでいる魚。「―石[3]〔=遣水の飾りに置く石〕」

ゆうきょう [0]【幽境】俗世間を遠く離れた、静かな所。

ゆうきょう [0]【遊〈俠〉】「おとこだて」の意の漢語的表現。「―の徒」

ゆうきょう [0]【遊興】―する(自サ) 料理屋や待合などで、仲居などをはべらせながら飲み食いなどをして時間を過ごすこと。〔法律的には、家庭外で飲み食いする行為一切を含む〕「―に身を持ち崩す/―飲食税[8]・―費[3]」

ゆうぎょうじんこう [5]【有業人口】〔失業人口に対して〕職業について労働している人びとの数。就業人口。

ゆうぎり [0]【夕霧】夕方に立ちこめる霧。

ゆうきん [0]【遊金】❶現在事業資金や利殖投資に当てられていなくて、使おうと思った時にいつでも使えるお金。❷適当な儲けを生じてこないお金。

ゆうぎん [0]【遊吟】―する(自サ) ぶらぶら歩きながら、詩・俳句などを詠むこと。

ゆうく [1]【憂苦】心配事や苦しみ。

ゆうぐ [1]【遊具】ぶらんこ・おもちゃなど、子供の遊びに用いられるものの総称。[かぞえ方] 一点

ゆうぐう [0]【優遇】―する(他サ) 他の(人の)場合よりよい待遇をすること。〔具体的には、給料・手当を多く出すことなどを指す〕「―措置[5]」

ゆうぐれ [0]【夕暮(れ)】日が沈み、あたりが一面に薄暗くなるころ。「―どき[0]」

ゆうくん [1]【遊君】「遊女」の意の古風な表現。

ゆうぐん [0]【友軍】△行動を共にする(応援にかけつける)味方の軍隊。

ゆうぐん [0][1]【遊軍】急な事態に応じられるよう、一定の部署を持たず待機している△軍隊(人たち)。「―記者[5]」

ゆうげ [0]【夕〈餉〉】〔「け」は、食事の意〕「夕飯」の意の古風な表現。

ゆうけい [0]【有形】物質的な△こと(存在として認めることが出来るもの)。〔狭義では、固定的にとらえられるものを指す。普通、金銭に置き換えられるものを指す〕「―無形の援助を受ける」↔無形

ゆうけい [0]【雄〈勁〉】―なる 〔書いたものに〕張りと力が みなぎっている様子だ。「筆力―[2]-[0]」

ゆうけい [0]【夕景】❶「夕方」の意の古風な表現。「ゆうけ」とも。❷夕方の景色。「湖上から見る―もまた一興」

ゆうげい [0]【遊芸】趣味としてたしなむ芸能。踊り・音曲・茶の湯・生け花など。

ゆうげき [0]【遊撃】❶待機していて、必要に応じて随時攻撃する△こと(軍隊)。「―隊[0]」❷「遊撃手」の略。 **―しゅ** [4][3]【―手】(野球で)二塁と三塁との間を守る内野手。略して「遊撃」。ショート(ストップ)。 **―せん** [0]【―戦】機動性がある野戦のしかた。

ゆうげしき [3]【夕《景色》】明から暗へと刻々変化し、何らかの感懐をいだかせる、夕方の景色。[表記] ⇩付表「景色」

ゆうけむり [3]【夕煙】❶夕食の準備などのために立ちのぼる煙。「夕げむり[3]」とも。❷夕もや。

ゆうけん [0]【勇健】―な 〔手紙文などで〕相手の壮健を祈って言う語。「ますますご―の由」

ゆうけん [0]【郵券】「郵便切手」の意の古風な表現。

ゆうげん [0]【有限】―な/―に その物事の数量・程度などが、ある範囲を超えない△こと(状態)。↔無限 **―がいしゃ** [5]【―会社】⇩会社 **―せきにん** [5]【―責任】債務の引当てとなるものが、債務者の財産のうちの一定額もしくは ある範囲内に限られること。↔無限責任

ゆうげん [0]【幽玄】〔奥深い意〕中世日本文学の美の理念の一つ。言葉に表わされない、余情を感じさせる深い趣。[派]―さ[0]

ゆうげんじっこう [0]-[0]【有言実行】〔「不言実行」をもじった造語〕(人の上に立つ者などが)発言したことは責任を持って実行すること。

ゆうけんしゃ [3]【有権者】選挙権のある人。

ゆうこう [0]【友好】〔もと、友達としてのつきあいの意〕国家・団体・組織など相互の間で、摩擦無く交際し交流すること。「―関係を△築く(深める)/―親善・―的[0]・善隣―」[表記]「友交」とも書く。

ゆうこう [0]【有功】功績があること。「―章[3]」

***ゆうこう** [0]【有効】―な/―に △効力(効果)がある様子だ。「―に使う/―な手段/―性を失う」↔無効 **―すうじ** [5]【―数字】〔位取り記数法で表わされた数において〕位取りのためだけでなく、その数字が表わす数の大きさ自体に意味がある個々の数字。例、○・○○一○三における小数第三~五位の数字。〔位取りのためだけに書かれている零や、測定・近似計算による誤差を含むため信頼出来ない数字を除外した残りを指す〕

ゆうこう [0]【遊行】あてもなくふらふらと(出)歩くこと。「夢中―症[0]〔=夢遊病〕」

ゆうごう [0]【融合】―する(自他サ) 二つ(以上)の組織・成分が一緒になってよく交じり、全く元の組織・成分の跡をとどめていない状態になること。「核―」

ゆうこうせんぶん [5]【有向線分】〔幾何学で〕線分に「向き❷❶」を付けたもの。〔一方の端に矢の尖端の印を付けて表示する〕⇩ベクトル

ゆうこく [0]【幽谷】人里はるかに離れた谷。「深山―[1]-[0]」

ゆうこく [0]【憂国】現在の国情についてこのままではいけないと心配し、国家百年の大計について人に先立って考え(行動す)ること。「―の士/―の情」

ゆうこく [0]【夕刻】「夕方」の やや改まった表現。

ゆうごはん [3]【夕御飯】「ゆうはん」の丁寧な言い方。

ゆうこん [0]【幽魂】亡魂。

ゆうこん [0]【雄〈渾〉】―な/―なる 〔書いた文章・文字が〕張りがあり、見る人に勢いを感じさせる様子だ。

ユーザー [1][0]〔user〕自動車・機械などの生産者に対比して、その使用者。「―ユニオン・エンド―[4]」↔メーカー

ゆうざい⓪【有罪】 裁判の結果、罪を犯したと認められること。「ーを言い渡される/ー判決⑤」 ↔無罪

ゆうさいしょく③【有彩色】 黒・白・灰色以外のすべての色の称。↔無彩色

ゆうさり⓪【夕さり】〔雅〕夕方。

ゆうされば③【夕されば】〔雅〕夕方になると。

ゆうさん⓪【有産】 財産があること。↔無産 **ーかいきゅう**⑤【ー階級】 資本家・地主など、財産を多く持つ豊かな階級。↔無産階級

ユーザンス①〔usance〕 輸入品の為替手形の支払い期限(を延長する措置)。

ゆうし①【有司】「役人」の意の古風な表現。「百官ー」

ゆうし①【有史】 文字による記録をたどって、歴史が分かること。「ー以前④、①-①・ー以来④、①-①・ー時代④〔=先史時代と違って、文献的史料が残されている時代〕」

ゆうし①【有志】 その事に関心を持ち、一緒に何かを促進しようという気持のある△こと(人)。「ーを募る」

ゆうし①【有刺】 とげがあること。「ー植物⑤」 **ーてっせん**④【ー鉄線】 △二(五)本束ねた針金の所どころにとげ状の突起を付けたもの。侵入や逃亡を防ぐ柵などに用いる。

ゆうし①【勇士】〔実戦に参加する者としての〕軍人。〔勇者の意にも用いられる〕「百戦錬磨のー」

ゆうし①【勇姿】〔何か大事をなしとげようという気魄が感じられる〕張り切った姿。「馬上のー/ーを見送る」

ゆうし①【猶子】〔「なお、子のごとし」の意〕(兄弟の子で)養子になったものの称。

ゆうし①【遊子】「旅人」の意の漢語的表現。

ゆうし①【遊資】〔↑遊休資本⑤〕 運用されないままの資本。

ゆうし①【雄志】 大いに何かをしようという、張り切った意気込み。

ゆうし①【雄姿】〔思わず仰ぎ見るほどきりっとした〕りっぱな姿。

ゆうし①【雄視】ーする(自サ) 他が束になってかかっても及ばない実力者として存在すること。「斯界にーする」

ゆうし①【融資】ーする(自他サ) 資金を融通すること。「ーを受ける」

ゆうじ①【有事】 戦争・事変や特別大きい天災・人災など、緊急の事態が起こること。「一朝ーの際は/ー駐留④」↔無事 **ーりっぽう**④【ー立法】 有事の際に対応するような法律を作ること。

ゆうしお⓪【夕潮・夕〈汐】 夕方の△満潮(干潮)。↔朝潮

ゆうしかいひこう⑥⑦【有視界飛行】 操縦士が地形・事物などの視覚的目標に頼って飛行機の操縦をすること。↔計器飛行

ゆうしき⓪【有識】 博識で専門とする分野についてすぐれた見識を備えていること。また、その人。〔狭義では、儀式・先例に明るい人の称。⇩ゆうそく〕 **ーしゃ**④【ー者】 それぞれの専門についての知識が広い上に経験も深く、大局的な判断が出来る点で社会の指導的地位にある人。識者。

ゆうじめり⓪③【夕湿り】 (夏の)夕方、気温の低下とともに空気が湿り気を帯びてくること。「ゆうしめり」とも。

ゆうしゃ①【勇者】 ほかの人が恐れてなし得ない事を、すぐれた判断力・忍耐力で見事にやってのける人。「真のー」

ゆうじゃく⓪【幽寂】ーな 人里離れて、もの静かな様子だ。

ゆうしゅう⓪【有終】 自分がしてきたことのけじめをつけるべき終り。「ーの美を成す〔=物事の最後の仕上げをなし終え、りっぱな成果をあげる〕」

ゆうしゅう⓪【幽囚】〔「幽」は、捕らえる意〕牢獄に入れられること。また、その人。「ーの身となる〔=つかまって、牢屋に入れられる〕」

ゆうしゅう⓪【幽愁】 憂えずにはいられないことがあるなどで暗く沈んだ心情をいだくこと。

ゆうしゅう⓪【憂愁】 心の底を離れることの無い、心配と悲しみ。「深いーに閉ざされる」

*__ゆうしゅう__⓪【優秀】ーな〔ほかのどのものと比べてみても〕すぐれている様子だ。「ーな頭脳/成績ー⓪-⓪・ー性⓪・最ー③」 派ーさ⓪③

ゆうじゅうふだん⓪-⓪【優柔不断】ーな ぐずぐずしていて、決断力が足りない様子だ。

ゆうしゅつ⓪【湧出・〈涌出】ーする(自サ) 〔水・温泉・石油などが〕地中からわき出ること。「ー量④」

ゆうしゅん⓪【優〈駿】 特にすぐれた、競走用の馬。

ゆうじょ①【〈佑助】「天の助け」の意の漢語的表現。

ゆうじょ①【〈宥恕〉】ーする(他サ) 寛大な心で、罪を許すこと。「ーを請う」

ゆうじょ①【遊女】 ❶中世の芸者。白拍子。 ❷江戸時代、遊郭・宿場にいた売春婦。「一つ家にーもねたり萩と月/ーといっても昔は人格、識見ともにすぐれた者が多かった」

ゆうしょう⓪【有償】 他から受けた利益に対して、代価を支払うこと。↔無償

ゆうしょう⓪【勇将】 戦略がすぐれている上に、武勇のすぐれた大将。「ーの下に弱卒なし」

*__ゆうしょう__⓪【優勝】ーする(自サ) ❶〈なにニーする/なにデーする〉 競技で第一位になること。「ー旗③・ー杯③」 ❷すぐれたものが勝つこと。「ー劣敗⓪-⓪〔=生存競争の異称〕」

ゆうしょう⓪【優賞】ーする(他サ) 上に立つ人が下の者の功績を手厚くねぎらうこと。また、手厚いほうび。

*__ゆうじょう__⓪【友情】 友人として、相手を思い、また裏切らぬ真心。

ゆうじょう⓪【優〈諚】 天皇から賜わる、ありがたい言葉。

ゆうしょく⓪【有色】 白以外のなんらかの色が認められること。「ー野菜⑤〔=⇩緑黄色野菜〕」 **ーじんしゅ**⑤【ー人種】 肌の色が黄・黒などの人種。↔白色人種

ゆうしょく⓪①【有職】 ❶職業についていること。「ー者④」↔無職 ❷⇩ゆうそく

ゆうしょく⓪【憂色】「うれいを帯びた表情」の意の漢語的表現。「ー漂う」

ゆうしょく⓪【夕食】「ゆうはん」のやや堅い表現。⇩朝食・昼食

ゆうしん⓪【雄心】 張り切って事に当たろうとする気持。「ー勃々⓪-⓪」

ゆうじん⓪【友人】「とも(だち)」の意の やや改まった表現。「ー代表として祝いの言葉を述べる」

ゆうじん⓪【有人】 宇宙船や宇宙探査機などによる宇宙旅行に、安全が証明されて、飛行士を乗せて実施すること。「ーロケット⑥⑤・ー飛行」↔無人

ゆうすい⓪【幽〈邃】ーなる 〔環境的に〕世間の騒がしさが全く感じられず、静かな様子だ。

ゆうすい⓪【湧水】「わきみず」の漢語的表現。

ゆうずい①【雄〈蕊】「おしべ」の漢語的表現。↔雌蕊

ゆうすいち③【遊水池・遊水地】 洪水時に増量する水をそこに誘導して貯水するため川に隣接して設けておく、

** * は重要語，⓪ ①… はアクセント記号，品詞の指示の無いものは名詞および いわゆる連語。

広い池など。「渡良瀬ワタラセ―」

ゆうすう⓪【有数】―な ずばぬけている点で、その社会で五位・十位以内にかぞえられる様子だ。「―の学者」

ゆうずう⓪【融通】〔ここでは「融」も「通」と同義で、もと、現象的には 表裏の関係にあるものが実は一体である意〕❶その場その場に即した適切な対応。「―がきく〈1ⓐ堅苦しい考えから解放され その場に応じた処理が出来る。ⓑ金銭的に余裕がある〉/―性⓪」❷―する(他サ)〔流通の意から〕持っている人が、必要な向きに金銭・物資を貸借し合うこと。 **―てがた**⑤【―手形】一時、資金の融通を得るために振り出す手形。空カラ手形。 **―ねんぶつしゅう**⑧⑦【―念仏宗】良忍リョウニンが始めた浄土教の一派。本山は大阪市大念仏寺。大念仏宗。 **―むげ**⓪-①【―無〈碍〉】考え方や行動が、何物にもとらわれず自由であること。

ゆうすずみ③【夕涼み】夏の夕方、外や縁側に出て涼しい風に当たり昼の疲れをいやすこと。

ゆうずつ⓪【夕《星》】〔雅〕よいのみょうじょう。

ユース ホステル④〔youth hostel〕青少年の旅行者のための、手軽で健全な宿泊施設。会員制を原則とする。略してユース①。また、ホステルとも。〔一定の規律が要求され、禁酒・禁煙で、掃除も各自で行なうのが建前〕

ゆう・する③【有する】(他サ) その人のものとして何かを身に備える。何かを所有する。「権利を―/義務を―/莫大バクダイな資産を―富豪」

ゆう・する③【幽する】(他サ) 罪人として牢ロウなどに幽閉する。

ゆうせい⓪【有声】〔言語音を発する際〕声帯を振動させること。「―化⓪」⇔無声 **―おん**③【―音】言語音の中で有声のもの。母音や[b][d][g][m][n]など。⇔無声音

ゆうせい⓪【有性】雌雄の区別があること。 **―せいしょく**⑤【―生殖】〔生物で〕雌雄の区別があり、二つの生殖細胞の結合によって新個体が発生する、生殖の方式。⇔無性生殖

ゆうせい⓪【幽〈棲〉・幽〈栖〉】―する(自サ) 俗世間との交渉を絶った、静かな住まい。また、そのような環境に住むこと。

ゆうせい①⓪【郵政】郵便に関する行政。 **―こうしゃ**⑤【―公社】郵便・郵便貯金・簡易生命保険などの郵政事業の業務を行なった国営公社。二〇〇三年、総務省の外局であった郵便事業庁の業務を引き継ぎ発足。二〇〇七年民営化し、日本郵政株式会社となった。日本郵政公社。 **―しょう**③【―省】郵政・電気通信行政を扱った中央官庁。〔長官は、郵政大臣⑤。二〇〇一年「総務省」に吸収。二〇〇三年郵政事業を日本郵政公社に移行〕

ゆうせい⓪【遊星】⇩わくせい

ゆうせい⓪【雄性】雄スの性質。⇔雌性シセイ

ゆうせい⓪【優生】悪い遺伝を避けようとすること。「―学③」

ゆうせい⓪【優性】❶他に比べてすぐれた性質(のもの)。⇔劣性 ❷⇩顕性ケンセイ❶

ゆうせい⓪【優勢】―な・―に 勢いや勝負の状況が△ほか(相手)よりもいい△こと(状態)。⇔劣勢

ゆうぜい⓪【有税】税金がかかること。⇔無税

ゆうぜい⓪【郵税】〔←郵便税③〕「郵便料」の旧称。「―不足」

ゆうぜい⓪【遊説】―する(自サ) 各地へ出かけて行って、自分の政治上の意見を説くこと。「―隊⓪・全国―⑤」

ゆうせき⓪【有責】そのことについて何らかの責任を負わされること。「―性を回避する」

ゆうせつ⓪【融雪】雪がとける(ようにする)こと。また、その雪。「―装置・―期④」

ゆうせん①【有線】〔通信に〕電線を使うこと。「―放送⑤」⇔無線

ゆうせん⓪【勇戦】―する(自サ) 持てる力をすべて発揮して戦うこと。「―奮闘⓪-⓪」

ゆうせん⓪【郵船】郵便物を運び、航海中に郵便事務を取り扱う船。郵便船⓪。

***ゆうせん**⓪【優先】―する(自サ)〈(なにニ)―する/なにヲ―する〉緊急度・必要度の高いものとして、真っ先にそれをすること。「安全を最―させる/―度が高い/―順位⑤」 **―けん**③【―権】ほかのだれよりも先に行使出来る権利。「―を持つ」 **―せき**③【―席】〔電車やバスで〕高齢者や体の不自由な人・妊婦ニンプ・けが人などが優先的に座れるように設けられた席。プライオリティー シート⑧。シルバー シート。 **―てき**⓪【―的】―な・―に ほかの何よりも先にそれをする様子だ。

ゆうぜん①【友禅】〔←友禅染め⓪〕絹布などに花鳥・草木・山水などの模様をあざやかに染め出したもの。また、その染め方。「―ちりめん⑤・―模様⑤」

ゆうぜん⓪【《油然》】―たる・―と 止めることが出来ない勢いで盛んにわきおこり△滲透シントウして(広がって)いく様子だ。「ゆぜん」とも。「―とわく雲」

ゆうぜん⓪【悠然】―たる・―と 普通の者ならせせこましく動いたり ためらったり するところを、△なんの こだわりも無く(何事も意に介さないという風に)ふるまう様子だ。「いかにも自信ありげに、―とかまえている/その―とした語り口をきいていると、ふしぎに心がなごむ/大空を飛び回っているユリカモメの姿は、―たるものだ」

ゆうぜん⓪【融然】―たる・―と 気分がやわらいでゆったりとしている様子だ。 表記「裕然ユウゼン」とも書く。

ゆうそう⓪【勇壮・雄壮】―な・―に 張りがあって、△聞く(見る)側の気持を思わず引き立て盛り上げるような感じを与える様子だ。「―な行進曲」

ゆうそう⓪【郵送】―する(他サ) 郵便で送ること。「―料③」

ゆうそく⓪①【有《職》】〔有識ユウシキの変化〕朝廷・武家の官制や行事の慣行に関する知識。また、それに明るい人の称。「ゆうしょく」とも。「―故実⑤」

ゆうぞくぶん④⓪【有属文】⇩複文Ⓑ

ゆうぞら⓪【夕空】夕方の時刻の空。「―が真っ赤に染まる」

ゆうだ①【遊惰】―な・―に 定職が無く、遊んで毎日を暮らす様子だ。「―の徒/―な風俗/―な生活に身を持ち崩す」

ユーターン③【Uターン】―する(自サ) ❶〔自動車が〕U字形に回って、反対の方向に進路を変えること。「交差点で―する/―禁止」❷〔一時的に〕生活の本拠を離れた者が再び元の所に戻ること。「郷里に―して地元の会社に就職する/お盆休みの後の―ラッシュ」

ゆうたい⓪【勇退】―する(自サ)〔役職にある人が後進に道を譲るべく〕定年を前に、自ら進んでその職をやめること。

ゆうたい⓪【郵袋】郵便物を入れて輸送する袋。〔「行嚢コウノウ」の改称〕

ゆうたい⓪【優待】―する(他サ) 何かの条件にあっている人だけに対して特別有利な扱いをすること。「―券③・株主―」

ゆうたい⓪【優退】―する(自サ)〔勝抜き試合などで〕何試合か続けて勝った者が、規約によって引き下がること。

ゆうだい⓪【雄大】―な・―に 規模が大きくて、思わず感動させられる様子だ。「―な計画/―な自然」派 ―さ⓪③

ゆうたいぶつ③【有体物】〔法律で〕権利の目的とな

りうる物。固体・液体・気体などのほかに、財産的価値のある電気・熱などのエネルギーも含む。↕無体物

ゆうたいるい[3]【有袋類】 胎盤が不完全で、子は未熟の状態で生まれ、母親の腹部にある育児嚢と呼ばれる袋の中で育てられる動物。カンガルー・コアラ・オポッサムなど。おもにオーストラリア・南アメリカにすむ。

ゆうだち[0]【夕立】 夏の午後、急に曇って局地的に一時激しく降り、しばらくたってやむ雨。雷を伴うことが多い。

ユータナジー[3]〔フ euthanasie〕⇩安楽死

ゆうだん[0]【勇断】—する(他サ)〔普通(の人)には決しかねるところを〕思い切って決断すること。「—を△くだす(振るう)」

ゆうだんしゃ[3]【有段者】〔武道・碁・将棋などで〕段位を持つ人。

ゆうち[1]【誘致】—する(他サ) ❶〔地方公共団体などが〕積極的な受入れ態勢を整えてそこに来るようにすすめること。「工場の—」 ❷その状態を、結果的にもたらすこと。「国家の滅亡を—する」

ゆうちくのうぎょう[5]【有畜農業】 畜力や厩肥を利用するほか、酪農などをも営む農業形態で、昭和初期に政府が奨励した。

ゆうちょう[1]【悠長】—な あわただしい世間の動きなどから超越してでもいるかのように、のんびりと構え、一向にあわてる気配を見せない様子だ。「そんな—なことをしていられるか／計画に五年を要するとは、何とも—な防災対策だ／—な言葉づかい」 [派]—さ[3][0] [表記]「優長」とも書く。

ゆうづき[0]【夕月】 夕方の空に見える月。

ゆうづくよ[4][3]【夕《月夜》】〔雅〕夕暮れに出ている月。また、その△夕暮れ(月)。「ゆうづきよ[4][3]」とも。

ユーディー[3]【UD】 ユニバーサル デザインの略称。

ユーティリティー[3]〔←utility room, utility=実用性。効用〕〔洗濯・アイロンかけなど〕炊事以外の家事が集中的に出来るように設けられた空間。多く、台所に隣接して造られる。 **—プログラム**[9]〔utility program〕 コンピューターのオペレーティング システムの機能を補完・拡張し、使い勝手を高めるソフトウエア。

ゆうてん[1]【融点】「融解点」の略。

ゆうと[1]【雄図】「雄大な計画」の意の古風な表現。「—空しく挫折する」

ゆうと[1]【雄途】 大△事業(旅行)への出発。「—につく」

ゆうとう[0]【友党】 たまたま、ある点で行動・綱領を同じくする幾つかの政党。

ゆうとう[0]【遊〈蕩〉】—する(自サ) △定職が無く(職業を放棄して)酒色にふけること。「—に身を持ち崩す／—三昧・—児[3]」

ゆうとう[0]【優等】 学校の成績がずばぬけていいこと。「—賞[3]」↕劣等 **—せい**[3]【—生】 成績が優等な生徒。〔模範生の意にも、がり勉をするだけで人間的におもしろみの無い者の意にも用いられる〕↕劣等生

ゆうどう[0]【遊動】—する(自サ) あちこちと所を定めず動き回ること。 **—えんぼく**[5]【—円木】 一本の丸太の両端に鉄の鎖をつけて、地上すれすれの高さにつり下げた運動用具。その上を揺り動かしながら歩いて渡る。

***ゆうどう**[0]【誘導】—する(他サ) ❶〈どこニだれ・なにヲ—する〉目的の所へ導くこと。「避難場所に生徒を—する」 ❷〈どこニなにヲ—する〉 飛翔体を、その飛行中に△内蔵する装置(外部からの指令)によって飛行経路に修正を加えつつ目標に到達させること。 ❸〔物理で〕電場や磁場がその領域内の物体に電気的・磁気的作用を及ぼすこと。「静電—・電磁—」 **—じんもん**[5]【—尋問】 検察官・警察官が、期待する罪状を被疑者に自白させるように、巧みに尋問を進めること。「—にひっかかる」 **—たい**[0]【—体】 その化合物に対して、化合物の分子内の一部分が変化して出来る化合物の称。 **—だん**[3]【—弾】 ⇩ミサイル

ゆうとく[0]【有徳】—な 善行が多く、人から慕われる△こと(人・様子)。〔古くは、「うとく」〕 [表記]「有得」とも書く。

ゆうどく[0]【有毒】—な それが体内に入ると、身体に障害や生命の危険がもたらされる恐れがある様子だ。「—ガス[5]」↕無毒

ユートピア[3]〔Utopia=「どこにも無い国」の意のギリシャ語に基づき、ラテン語風に造語したもの。トマス モアの小説の題名に由来〕 理想郷。⇩桃源郷

ユートピアン[3]〔Utopian〕 空想(的な社会改良)家。

ゆうなぎ[0]【夕〈凪〉】 夕方、海上の風が静まり穏やかになること。↕朝凪

ゆうに[1]【優に】(副) ❶心遣いや身のこなしなどが、見るからに上品で奥ゆかしいと感じられる様子。「—やさしい」 ❷多めに見積もった数量を、さらに超えると判断する様子。「—百万を超える／—二千人は収容できるホール／今のペースだと—〔=たっぷり〕一か月はかかる」

ゆうのう[0]【有能】—な その面についてすぐれた△才能(働き)を発揮する△こと(様子)。↕無能 [派]—さ[0][3]

ゆうはい[0]【有配】 株式などの配当があること。「—株[3]」↕無配

ゆうばえ[0]【夕映(え)】 夕日を受けて照り輝くこと。また、夕焼け。

ゆうばく[0]【誘爆】—する(自サ) 何か外的条件がきっかけになって爆発を起こすこと。

ゆうはつ[0]【誘発】—する(他サ) それがきっかけになって、他のかんばしくない事を引き起こすこと。「爆発を—する」

ゆうばれ[0]【夕晴(れ)】 夕方、空が晴れ上がること。

ゆうはん【有半】(造語)〔「有」は、又の意〕…とその単位の半分。「一年—」

ゆうはん[1]【雄藩】 大きな領地を持つ、勢力のある藩。

ゆうはん[0]【夕飯】 夕方の食事。〔丁寧表現は、「夕御飯・お—[0]」〕

ゆうひ[1]【雄飛】—する(自サ)〔雄鳥が、はばたき飛ぶ意〕新天地で思いきり活躍すること。「海外に—する」↕雌伏

ゆうひ[0]【夕日・夕《陽》】 入り日。↕朝日 **—かげ**[3][4]【—影】 夕日の光。〔アクセント[3]は、「ゆう ひかげ」と区切って読む場合〕↕朝日影

ゆうび[1]【優美】—な 上品で、奥ゆかしい美しさを持っている様子だ。「—な曲線を描く山すそ／—な舞姿」 [派]—さ[3][0]

ゆうびえ[0]【夕冷(え)】 晩秋から冬にかけて、日没後急に気温が下がり、肌寒さを覚えること。また、その時期。

ゆうひつ[1][0]【右筆・〈祐筆〉】〔もと、貴人の秘書の意〕武家で、記録を受け持った職。

****ゆうびん**[0]【郵便】 ❶通信文や小包などを伝達する制度。日本では、日本郵便株式会社が行なっている。 ❷〔←郵便物[3]〕郵便で送る手紙・小包など。「—箱[3]・—受け[3]・—車[3]・—配達」 **—がわせ**[5]【—〈為替〉】 郵便局の為替で送金する方法。また、その為替の証書。〔現在はゆうちょ銀行が扱う〕 [表記]⇩付表「為替」 **—きって**[5]【—切手】 郵便で送るための料金を支払ったしるしに貼△る、図案を印刷した証票。略して「切手」。 [かぞえ方]一枚 **—きょく**[3]【—局】 郵便・貯金・生命保険などの窓口業務を取り扱う事業所。日本郵便株式会社が運営している。 **—しょかん**[5]【—書簡】 封筒と便箋を兼ねた、日本郵便株式会社発行の通信用紙。ミ

ゆ

ニレター。かぞえ方 一枚 **―はがき**⑤【―葉書】郵便切手が刷り込んである、日本郵便株式会社発行の通信用紙。かぞえ方 一枚 **―ばんごう**⑤【―番号】郵便物の表面上部に記入する、地域ごとに決められた七桁の番号。**―ふりかえ**⑤【―振替】ゆうちょ銀行に決済専用口座を設け、代金の受払いや送金を現金を用いずに「振替㊁㊀」によって行なうこと。

ゆうぶ①【勇武】―なる 勇気があって、戦いに強い△こと(様子)。

ユーブイ③【UV】〔←ultraviolet〕紫外線。「―ケア⑤・―カット⑤」

ユーフォー①【UFO】〔←unidentified flying object〕未確認飛行物体。

ゆうふく①【裕福】―な・―に 財産・収入などが人より多くて、経済的に恵まれている様子だ。派―さ④⓪

ゆうぶつ⓪【〈尤物】「同類の中ですぐれたもの」の意の古風な表現。〔狭義では、美人を指す〕

ゆうふん⓪【憂憤】社会的な問題について心配し、憤慨すること。「―やるかた無く」

ゆうぶん⓪【右文】「学問・文事を重んじる」意の古風な表現。↔左武

ゆうべ③⓪ ㊀【夕べ】「夕方(になろうとするころ)」の意の古風な表現。「―の祈り/―の秋〔=俳句などで重んじられる、秋の夕方〕」↔あした ㊁【《夕》】〔ド Abend の訳語〕特定の催し物をする夜。「映画の―/音楽の―」

ゆうべ③【〈昨夜〉・〈昨夕〉】きのうの夜。〔古くは、昨夜から、けさ起きるまでの間を指した〕〔副詞的にも用いられる。アクセントは⓪〕「―は風の音で眠れなかった」表記「〈昨夜〉・〈昨夕〉」は、義訓。

ゆうへい⓪【幽閉】―する(他サ)〔「幽」は、捕らえる意〕自由に行動してもらっては困る人を、ある場所に閉じこめること。

ゆうへん⓪【雄編・雄〈篇〉】作者が力を入れた、規模の大きい△著作(作品)。表記 もとの用字は、「雄〈篇〉」。

ゆうべん⓪【雄弁】―な・―に 話術がすぐれていて△論理的な印象を人に与える(説得力がある)様子だ。「―をふるう/事実が―に物語っている〔=今さら説明の必要がないほどはっきり示している〕/―家⓪」表記「弁」の旧字体は、「〈辯〉」。

ゆうほ①【遊歩】―する(自サ)「散歩」の気どった表現。「―甲板④・―道③」

ゆうほう⓪【友邦】親しく交際している国。〔狭義では、軍事同盟などによって結ばれている国を指す〕

***ゆうぼう**⓪【有望】―な・―に 将来に期待が持てる様子だ。「―視(される)/前途―①-⓪」派―さ⓪

ユーボート③【Uボート】〔U-boat ←ド Unterseeboot〕〔第一次・二次世界大戦当時の〕ドイツ軍の潜水艦の称。〔原語ドイツ語では「ウーボート」〕

ゆうぼく⓪【遊牧】―する(自サ) 一か所に定住せず、家畜を飼うための牧草地を求めながら移動すること。「―の民/―民族」

ゆうまぐれ③【夕間暮㋹】夕方の薄暗いころ。

ゆうみん⓪【遊民・〈游民〉】これという職業も持たないで暮らす人。「高等―」

***ゆうめい**⓪【有名】―な・―に 人にすぐれた△業績を上げたり(特徴を有したり)などして(時代を超えて)後世まで喧伝されるようなことをしたりなどして多くの人にその存在が知られている様子だ。「―な画家/―人になる/―税③〔=有名であるばかりに何かにつけて生じる不都合〕」**―むじつ**⑤【―無実】―な・―に 名ばかりで実質が伴わない△こと(様子)。

ゆうめい⓪【勇名】人のまねの出来ないようなことを見事にやってのけ、たいしたものだと評判になって広まる名前。〔皮肉やからかいの気持を含意して用いられることもある〕「―を馳せる」

ゆうめい⓪①【幽明】「あの世とこの世」の意の漢語的表現。「―境を異にする〔=死んであの世に行く〕」

ゆうめい⓪【幽冥】「あの世」の意の漢語的表現。「―界③」

ゆうめし⓪【夕飯】「ゆうはん」のややぞんざいな言い方。

ゆうめん⓪【〈宥免〉】―する(他サ) 罪や過ちを大目に見てゆるすこと。

***ユーモア**①〔humour〕△社会生活(人間関係)における不要な緊迫を和らげるのに役立つ、婉曲表現によるおかしみ。〔矛盾・不合理に対する鋭い指摘を、やんわりした表現で包んだもの〕「巧まざる―/―を解しない日本人」

ブラックー⑤〔black humour〕⇩ブラックユーモア

ゆうもう⓪【勇猛】―な・―に ちょっとやそっとの抵抗にあってもひるまない△こと(様子)。「―果敢に突進する/―心」派―さ⓪

ゆうもや⓪【夕〈靄〉】夕方に立ちこめる靄。

ユーモラス①〔humorous〕―な・―に ユーモアのある様子だ。

ユーモリスト④〔humorist〕㊀ユーモアに富む言動をする人。㊁ユーモアに富んだ内容の作品を書く作家。

ユーモレスク④〔フ humoresque〕軽快な感じの小曲。

ゆうもん⓪【幽門】胃の出口で、十二指腸に続く部分。「―狭窄⑤・―閉塞⑤」⇩噴門

ゆうもん⓪【憂〈悶〉】―する(自サ) 個人的な事柄について心を悩まし心配すること。

ゆうやく⓪【勇躍】(副)―する(自サ) 決意も新たに、困難や危険の予想される事に取り組もうとふるい立つ様子。「―新天地に出発した/―敵地に乗り込んだ」

ゆうやく①【〈釉〉薬】〔「〈釉〉」は、光沢・うわぐすりの意〕陶磁器の表面に塗ってつやをつけるもの。つや薬③。「―をかける」

ゆうやけ⓪【夕焼㋘】太陽が沈む時、西の空が赤く染まったように見えること。「―空⑤・―小焼け〔=夕焼けがだんだん薄れること〕」↔朝焼け

ゆうやみ⓪【夕闇】夕方(に月が無くて)暗いこと。「―が迫る/―に包まれる」

ゆうやろう③【遊冶郎】〔「遊冶」は、遊びにふけり容姿を飾る意〕酒や女遊びにおぼれた男。

ゆうゆう⓪③【悠々】―たる・―と〔副詞としても用いられる〕㊀時間に束縛されたり周囲の状況にわずらわされたりすることなく、自分のペースで△落ち着いて行動する(事が進行する)様子だ。「―と道を横切る/期限が迫っているのに―としてあわてない/時間が―と流れるインドでの生活」㊁時間的・空間的に十分に余裕があると判断される様子だ。「今から出掛ければ発車時間に―間に合う/大型車でも六台は―入れるガレージ」**―かんかん**⓪-⓪、③-⓪【―閑々】―たる・―と ゆっくり構えて落ち着いている様子だ。**―じてき**⓪-⓪、③-⓪【―自適】―する(自サ) 勤めなどをやめ自分のしたい通りの事をして毎日を過ごすこと。「―の生活」

ゆうよ【有余】(造語)〔「有」は、又の意〕さらに幾らか。「一年―〔=余り〕」

ゆうよ①【猶予】―する(他サ) ㊀ぐずぐずして、△決定(決行)を遅らせること。「もはや一刻の―も許されない」㊁何かを実行・実現する時間的な限界を先に延ばすこと。「―期間を置く/執行―」表記「猶与」または「《容与》」の、借字。

ゆうよう⓪【有用】―な・―に 役に立つ様子だ。「組織に―な人材/―性⓪」↔無用

ゆうよう⓪【悠揚】ーたる 不利な状況や切迫した情勢にありながらも、落着きを失わない様子だ。「ー迫らぬ態度」

ゆうよく⓪【遊弋・〈游弋〉】ーする(自サ)〔警戒のために〕艦船が海上をあちこちと航行すること。

ゆうらく⓪【遊楽】ーする(自サ) 苦労はおろか、仕事などせずもっぱら遊び事にふけること。

ゆうらん⓪【遊覧】ーする(自サ) ある地域を見物して回ること。「ーバス⑤・ー船⓪・ー客」

*__ゆうり__①【有利】ーな 何かに関して、ほかのものよりも望ましい条件を備えている様子だ。「ーな形勢/交渉をーに進める/立場をーにする」↔不利 派ーさ③

ゆうり①【遊里】「遊郭」の別称。

ゆうり①⓪【遊離】ーする(自サ) ❶本来一体であるはずのものから離れ、孤立して存在すること。「大衆からーした議論」❷〔化学で〕他と化合しないで存在すること。「ー酸⓪」

ゆうりすう③【有理数】〔「整数のratio(=比)で書ける数」の意のrational numberを不適切に訳した語〕〔数学で〕分母が自然数、分子が整数であるような分数として表わせる数。〔分母が1の場合として、整数を含む〕「ーの範囲で四則演算が可能である/有限小数か循環小数で表わせる数がーにほかならない」↔無理数

ゆうりょ①【憂慮】ーする(他サ) 近い将来における不結果を予測して心配すること。「ーにたえない/ーすべき事態」

ゆうりょう⓪【有料】 利用するのに料金が必要なこと。「ー道路⑤・ー老人ホーム」↔無料

ゆうりょう⓪【遊猟】ーする(自サ) 猟をして楽しむこと。

ゆうりょう⓪【優良】ーな 性状・品質・成績などが水準以上で、模範とするに足る様子だ。「成績ーにつき/ー品⓪・ー種③・ー株③」↔劣悪 派ーさ⓪

*__ゆうりょく__⓪【有力】ーな ❶他に△影響を及ぼす(対抗する)力がまさっている様子だ。「ーな精鋭部隊/ーな支持者を得て立候補する」↔無力 ❷他の考えを圧倒するほどの支配力を持つと△判断される(多くの人に容認されている)様子だ。「ーな△根拠(容疑者)/癌は治せる病気だという考えがーになってきた」 ーしゃ④③【ー者】 その社会を動かす実質的な力を持っている人。

ゆうれい①【幽霊】❶死者の霊が生前の姿になって現われたととらえられるもの。〔広義では、実在するかのように思わせて、強迫観念などにとらわれている人を不安に陥れるものをも指す〕❷見せかけの形式を備えてはいるものの、実質的な内容は全く無いもの。「ー会社⑤・ー人口⑤」

ゆうれい⓪【優麗】ーな 優雅で美しい様子だ。

ゆうれき⓪【遊歴】ーする(自サ)〔長い期間気の向くままに〕各地を歩き回ること。歴遊。

ゆうれつ①【優劣】㊀どちらがすぐれているか、どちらが劣っているか(の違い)。「ーが無い/ーを論じる」㊁〔意味の実質は「優」にある。⇩帯説〕他よりもすぐれていること。「ーを△競う(争う)」

ユーロ【Euro】㊀① 一九九九年に移行された欧州連合の単一の通貨の単位〔記号€〕。㊁(造語)❶ヨーロッパ(の)。「ーコミュニズム⑥」❷〔金融で〕発行国以外の市場で流通する通貨(の)。「ーダラー④(=アメリカ以外の金融市場に出まわっている米ドル)」

ゆうわ⓪【宥和】ーする(自サ) 大所高所に立って、相手の態度を許して仲よくすること。「ー策③」

ゆうわ⓪【融和】ーする(自サ) 対立するものとの間にあった違和感やわだかまりが全く無くなって一体になること。「ーを図る」

*__ゆうわく__⓪【誘惑】ーする(他サ)〈だれヲ(なにニ)ーする〉 相手を、その本来△の意図に反する方向(置かれるべき状況とは異なった状況)に誘いこむこと。「ーに△かられる(屈する・負ける・陥る・乗る)」

ゆえ【故】㊀② わけ。理由。「ーあって出家する/ーあるかな/ー無くして/ー無しとしない/ー無き事ではない」㊁〔接続助詞的に〕理由を表わす。(…の)ため。「あなたー」

ゆえありげ④⓪【故有りげ】ーに 何かわけがありそうな様子だ。「ーな表情」

ゆえい⓪①【輸贏】〔シュエイの慣用読み〕負けと勝ち。勝敗。「ーを争う」

ゆえき⓪【輸液】ーする(自サ) 水分や栄養の補給のために、△静脈(皮下)にまとまった量を注射すること。また、その人工溶液。点滴によることが多い。

ゆえつ⓪【愉悦】ーする(自サ)(心から)喜ぶこと。「一大ー境」

ゆえに②①【故に】(接)「従って」のやや改まった言い方。

ゆえよし②【故由】「わけ・いわれ」の意の古風な表現。

ゆえん⓪【〈所以〉】〔「ゆえに」の変化〕そうするについての方法や、そうである理由。「その名があるー(=わけ)である/友につくすー(=方法)は決してそれのみに限らない」

ゆえん⓪【油煙】 石油・ろうそくなどの不完全燃焼によって出る、ごく細かい、黒くて軽い粒。「ー墨②⓪②」

*__ゆか__⓪【床】❶家の中で、(地面より一段高く)板を張って畳などを敷く所。また、板敷の所。↔天井 ❷浄瑠璃を語る高座。ちょぼ床。表記「〈牀〉」とも書いた。

ゆかあぶら③【床油】 西洋式の建物で、汚れやほこりの防止のために床に塗る油。ワックス。

*__ゆかい__①【愉快】ーな ❶そのものの持つおおらかさ・おもしろさ・楽しさが、日常たまったストレス・わだかまりや憂うつなどを一時忘れさせ、しばらくの間伸びやかで満ちたりた気分にさせる様子だ。「ーな一日を過ごした」❷その人の言行に接していると、他の人では味わえぬ趣があり、思いのほか時のたつのを忘れさせる様子だ。「いつもーな事を言う/ーな人」❸意想外の出来事なので、それに接する人に意外感や一種の痛快感を与える様子だ。「あいつが△卒業出来た(落第した)とはーだ」 派ーさ③⓪② ーはん②【ー犯】 社会を騒がせてその反響を楽しむ犯罪。また、その犯人。

ゆかいた⓪【床板】 床に△張る(張ってある)板。

ゆかうえ⓪【床上】 床よりも上。「ー浸水⑤」↔床下

ゆかうんどう③【床運動】 体操競技の一種目。十二メートル四方のマットの上で、宙返り・倒立など種々の運動を組み合わせて行なう。

ゆが・く②【湯〈掻く〉】(他五) 野菜のあくを取るために、さっと湯を通す。

ゆがけ③【〈弓懸(け)〉・〈韘〉】 弓を射る時、指を傷つけないようにつける、革の手袋。

ゆかげん②【湯加減】 茶の湯や薬湯などの、適当な温度。〔狭義では、入浴に適した風呂の温度や、焼入れの際に用いる水温の調節を指す〕

ゆかし・い③【床しい】(形) ❶人前でいばったり大げさに振る舞ったりすることがなく、好感がいだける様子だ。「ー人柄」❷想像をかきたて、もっと深く接してみたいという気持をいだかせる様子だ。「古式ー(=往時がしのばれる)催し」 派ーさ③② ーが・る④ 表記「床しい」は、借字。

ゆかした⓪【床下】 床よりも下。「ー浸水⑤」↔床上

ゆかた⓪【〈浴衣〉】〔←湯かたびら②〕〔入浴後や夏に着る〕もめんのひとえ。「ーがけ⓪」 表記⇩付表。「ゆかたびら」は入浴時に着たもので、「〈内衣〉」・「〈明衣〉」とも書いた。 かぞえ方 一枚

ゆかだんぼう③【床暖房・床〈煖房〉】家屋の床の中にオンドルやパネルヒーターなどの設備を組み込んだ暖房。

ゆかない⓪【行かない】△思った(計画)通りに、物事が進まない。「いかない」とも。「一筋縄では―/△計算(理屈)通りに―」

【(…する)訳には―】無条件に…することは△出来ない(許されない)。「訳にはいかない」とも。「避けて通る―」

ゆかぼん⓪【床本】浄瑠璃の太夫が高座で語る時に使う浄瑠璃本。

*__ゆが・む__⓪【〈歪む〉】(自五)㊀《なにデなにニ―》押されたり引っ張られたりなどして、その物の形が変わる。「ネクタイが―/(苦痛で)顔が―」㊁《(なにデ)―》心や行いが正しくなくなる。「歪んだ根性」名歪み③⓪

ゆが・める⓪③【〈歪める〉】(他下一)「ゆがむ」ようにする。「△顔(唇・口)を―/△真実(事実)を―」

ゆかめんせき③【床面積】建物の、それぞれの階の面積。⇩延べ面積

ゆかり⓪【《縁・〈所縁〉》】㊀たどって行けばその人になんらかの関係があること。「故人―の(=故人と関係の深い)地で/縁も―(=ちょっとしたつながり)も無い」㊁〔「ゆかり紫蘇③」の略〕梅干しを漬ける時に一緒に漬け込んだ紫蘇の葉を干して粉にしたもの。御飯に振りかけたり菓子に加えたりするほか、湯に入れて飲み、香りを味わう。―の**いろ**⓪【―の色】〔雅〕紫色。

ゆかん⓪【湯〈灌〉】―する(他サ)〔仏葬で〕遺体を棺に納める前に湯でふき清めること。

*__ゆき__⓪【行き】目的地に向かって△行く(進む)こと。「いき」とも。「―の切符/博多―特急」↔帰り・もどり 表記「《往き》」とも書く。

ゆき②①⓪【〈裄〉】〔和服で〕背中の中心の縫い目から袖口までの長さ。

**__ゆき__②【雪】冬、空から降ってくる、細かい氷の結晶。〔気象学的には、大気中の水蒸気が冷えて出来た結晶とされる〕「―が積もる/―の(=まっ白な)肌/頭に―(=しらが)をいただく/―を欺く(=雪のようにまっ白な)」かぞえ方 一片

ゆぎ①【〈靫〉・〈靭〉】昔、武人が矢を入れて背負った器具。

ゆきあ・う③【行き会う・行き〈逢う〉】(自五) 途中で、向こうから来る△人(物)に会う。「いきあう」とも。名行き会い⓪

ゆきあかり③【雪明かり】〔積もった〕雪のために明るく見えること。

ゆきあそび③【雪遊び】雪だるまを作ったり雪合戦をしたりして遊ぶこと。

ゆきあたりばったり⑥⑧【行き当たりばったり】どうするかという方針を初めからは立てず、その時の様子や成行きに任せ、適当にすること。「いきあたりばったり」とも。

ゆきあた・る④【行き当たる】(自五)㊀まっすぐ進んで行って、塀・壁などに突き当たる。㊁行き会う。〔「いきあたる」とも〕名行き当たり⓪

ゆきあわ・せる⑤【行き合わせる】(自下一) たまたま通りかかって、その場に△出(立ち)あう。ゆきあわす④(五)。「事故現場に―」

ゆきうさぎ③【雪〈兎〉】ウサギの形を雪で作ったもの。盆の上などに置く。

ゆきおこし③【雪起こし】雪が降る前に発生する雷。

ゆきおとこ③【雪男】ヒマラヤ山中に住むという、人間に似た動物。全身、毛におおわれているという。

ゆきおれ⓪【雪折れ】―する(自サ)降り積もった雪の重さで枝・幹が折れること。また、折れた枝・幹。「柳に―無し(=抵抗の無いものは、弱いようでかえって長持ちするものだ)」

ゆきおろし③【雪下ろし】㊀―する(自サ)屋根の雪をかきおろすこと。㊁雪を伴って山から吹きおろす風。表記「雪降ろし」とも書く。

ゆきおんな③【雪女】〔雪国で〕雪の精が女の姿で現われるというもの。雪女郎。雪娘。

ゆきか・う③【行き交う】(自五)ある者は行き、ある者は来る。「いきかう」とも。名行き交い②③

ゆきかえり⓪【行き帰り】行きと帰り。往復。「いきかえり」とも。

ゆきがかり⓪【行き掛かり】物事がすでに進行し、個人の意志では止められない状態にまで来ていること。「いきがかり」とも。「―上(=ⓐ事が、そこまで運ばれた以上。ⓑそれまでその事に関係してきた以上)やめられない/従来の―を捨てる」

ゆきかき③【雪〈掻き〉】―する(自サ)積もった雪を掻きのけること(道具)。

ゆきがけ⓪【行き掛け】行く△ついで(途中)。「いきがけ」とも。「―の駄賃(=何かをするついでにほかの事をすること)」

ゆきがこい③【雪囲い】―する(他サ)雪の害を防ぐために、植木や家の入口・まわりなどを わら・むしろ・板などで△囲うこと(囲ったもの)。

ゆきかた⓪【行き方】㊀ある場所へ行く道順。「―を教わる」㊁やりかた。「―の全く違う二人」〔「いきかた」とも〕

ゆきがた⓪【行き方】「ゆくえ」の意の古風な表現。「―知れずになる」

ゆきがた⓪【雪形】高山の残雪(によって囲まれた一帯の露岩など)を低地から望見して動物・人・農機具などの像に見立てた、△白(黒)の図形。その出現・淡化・消滅は田植え・代掻き・苗作り・豆まき・種まきなど、農作業のおよその時期の確定に古来必須の目安とされた。

ゆきがっせん③【雪合戦】〔二陣に分かれたりして〕雪でたまを作り、ぶつけ合う遊び。雪投げ⓪④。

ゆきがまえ③【行き構え】漢字の部首名の一つ。「術・街・衛」などの、中央部を除いた外側の部分。「行」の字の形になるので言う。音読みして「行構え」とも。〔交通や行動に関係のある漢字がこれに属する〕

ゆきき②⓪【行き来】―する(自サ)㊀人や物が行ったり来たりすること。「―が△激しい(絶える)」㊁つきあい。「今はもう―をしていない」〔「いきき」とも〕表記「《往来》」とも書く。

ゆきぐつ⓪②【雪靴】雪道を歩くために、底にすべり止めをくふうした靴。〔古くは、わらぐつが、その用をなした〕表記「雪〈沓〉」とも書く。かぞえ方 一足

ゆきぐに②【雪国】北国で、雪の多い地方。

ゆきぐも⓪③【雪雲】雪を降らせそうな、鉛色の雲。

ゆきぐもり⓪③【雪曇り】今にも雪の降り出しそうな、曇った空模様。

ゆきくら・す④【行き暮らす】(自五)〔そうなることを覚悟の上で〕日が暮れるまで歩き続ける。

ゆきく・れる④【行き暮れる】(自下一) 歩いて行くうちに日が暮れる。

ゆきげ⓪【雪〈消〉】〔雅〕雪どけ。

ゆきげしき③【雪《景色》】雪の△降る(積もった)景色。表記⇩付表「景色」

ゆきげしょう③【雪化粧】―する(自サ) あちこちに雪が積もり、白く化粧をしたように見えること。

ゆきけむり③【雪煙】風などで雪が舞い上がること。

ゆきしつ⓪【雪質】⇩せきしつ(雪質)

ゆきじょろう③【雪女郎】「ゆきおんな」の異称。

ゆきす・ぎる④【行き過ぎる】(自上一)㊀通り過ぎる。

❷目的地より先へ行く。❸度を超え(てす)る。「警備は行き過ぎないように」〔「いきすぎる」とも〕 名行き過ぎ[0]「—を△抑える(批判する)」

ゆきずり[0]【行きずり】 どこかへ行く途中で初めて知り合ったこと。「—〔=旅の途中などでたまたま話をしたりしただけで、その後は何の関係も無いこと〕の縁/—に言葉をかわす」

ゆきぞら[3][0]【雪空】 今にも雪が降りそうな空模様。

ゆきだおれ[0]【行(き)倒(れ)・行(き)〈斃(れ)〉】 〔飢え・寒さ・暑さ・病気などで〕道ばたに倒れて△死んでいる(死なんばかりの)人。また、そういう状態。「いきだおれ」とも。

ゆきたけ[2][3]【〈裄丈〉】 〔和服で〕裄と丈。また、裄の長さ。

ゆきだるま[3]【雪《達磨》】 雪で作った、だるま・人などの像。 **—しき**[0]【—式】 〔雪の上をころがしていくうちに、雪だるまにする雪のかたまりが大きくなるように〕好ましくない状態が加速度的に進んでいくこと。「—に借金がふえる」

ゆきちがい[0]【行(き)違(い)】 行き違うこと。「いきちがい」とも。「些細な事が原因での感情の—〔=違和〕を防ぐことが大切だ/ちょっと言葉の—〔=食い違い〕があった/ちょっとした—〔=誤解〕から大げんかを始める」

ゆきちが・う[4]【行(き)違う】(自五) ❶すれ違う。「—列車との関係で、急行はたびたび無人駅に停車した」 ❷〔互いに連絡を取るつもりの行動が〕時間の打合せや連絡の方法が不十分であったりして、不成立に終わる。「行き違ってとうとう会えなかった」〔「いきちがう」とも〕

ゆきつ・く[3]【行(き)着く】(自五) 行こうと目指した目的地に着く。「いきつく」とも。「—所は一つ/やっと山頂に—」

ゆきつけ[0]【行きつけ】 その店をいつも利用していること。「いきつけ」とも。 動行きつける[4](自下一)

*__ゆきづま・る__[4]【行(き)詰(ま)る】(自五) 道が無くて先へ行けなくなる。「いきづまる」とも。〔広義では、交渉・仕事などがうまく進まず、動きがとれなくなることを指す。例、「△運動(話合い)が—」〕 名行き詰まり[0]「—を△打開する(突き破る)」

ゆきつもどりつ[2]-[3]、[2]-[2]【行きつ戻りつ】 〔「つ」は接続助詞。副詞的に〕立ち去りがたくて、同じ所を何度も行ったり来たりする様子。「—(して)思案に暮れる」

ゆきつり[0][4]【雪釣(り)】 糸の先に炭などを結びつけて雪の積もった上におろし、雪をたくさんくっつける遊び。

ゆきづり[0]【雪〈吊(り)〉】 雪折れを防ぐために庭木などの枝を縄などで吊っておくこと。「ゆきつり」とも。

ゆきどけ[0]【雪解(け)】 積もった雪が春になってとけること。〔国際間などの、緊張緩和の意にも用いられる〕「—水[4]」 表記「雪《融け」とも書く。

ゆきとど・く[4]【行(き)届く】(自五) 〔心遣い・注意が〕細かいところまで届く。「いきとどく」とも。「監視の目が—/末端まで神経が—」 運用「行き届きませんで」の形で。(1)客からの「お世話になりました」というお礼の言葉に対して、「十分もてなしが出来なかった」の気持を込めて謙遜した返礼の言葉として用いられる。(2)相手に、自分の子供や部下などの不始末をわびる際に、「自分の責任だ」の気持を込めて用いられることがある。

ゆきどまり[0]【行(き)止(ま)り】 道などで、その先へは行けない状態になっている△こと(場所)。「いきどまり」とも。「部長で—〔=それ以上昇進の見込みが無い〕の人物だ」 動行き止まる[4](自五)

ゆきな[0]【雪菜】 〔東北地方で〕冬に作る菜っ葉の類。〔アブラナ科〕 かぞえ方 一本

ゆきなだれ[3]【雪〈雪崩〉】 斜面に積もった雪がくずれ落ちること。また、その雪。 表記 ⇩付表「雪崩」

ゆきなや・む[4]【行(き)悩む】(自五) 障害があって思うように先へ進めなくなる。「大雪で—/資金面で—」 名行き悩み[0]

ゆきのした[3]【雪の下】 木の下などの日陰に△生える(植える)背の低い多年草。葉は丸くて、厚ぼったい。初夏、白い小形の花を開く。葉は薬用。〔ユキノシタ科〕 かぞえ方 一本

ゆきば[0]【行(き)場】 そこから移って行って、落ち着くことが出来る他の場所。「いきば」とも。「—の無い人びと」

ゆきばかま[3]【雪〈袴〉】 ⇩たっつけ

ゆきはだ[0]【雪肌・雪《膚》】 積もった雪の表面。〔美人の、白い肌の意にも用いられる〕

ゆきばな[0]【雪花】 花の散るように降る雪。

ゆきばら[0]【雪腹】 雪の降る時に、腹が冷えて痛むこと。

ゆきびさし[3]【雪〈庇〉】 △屋根の端(山の尾根の片側)の、雪が積もって庇のように突き出た△所(もの)。「せっぴ」とも。

ゆきひら[2]【行平・雪平】 〔←行平なべ[5]〕つぎ口・取っ手・ふたのある、陶器の平なべ。また、打ち出した金属製の片手なべ。

ゆきふり[0]【雪降(り)】 雪が降ること。また、雪の降る天気。

ゆきま[0][3]【雪間】 ❶雪のやんだ間。 ❷積もった雪の所どころ消えた所。

ゆきみ[3]【雪見】 雪景色を眺めること。また、その酒宴。「—酒[3]・—草[3]〔=ウツギ〕・—月[3]〔=陰暦十一月〕・—障子[4]」 **—どうろう**[4]【—灯籠】 石灯籠の一種。足が△三方(六方)に広がった、丈が低く笠が大きいもの。庭園用。 かぞえ方 一基

ゆきみち[2]【雪道・雪《路》】 雪のたくさん△降る(降り積もった)道路。

ゆきむすめ[3]【雪娘】 「ゆきおんな」の異称。

ゆきむろ[0]【雪室】 降り積もった雪で作った冷蔵施設。

ゆきめ[0][2]【雪目】 〔雪原などで〕雪に反射した紫外線の刺激によって起こる目の炎症。雪眼炎。紫外線眼炎。 表記「雪《眼」とも書く。

ゆきもち[0]【雪持(ち)】 ❶雪をかぶること。「—の竹」 ❷屋根の上の雪が滑り落ちるのを防ぐための装置。

ゆきもよい[3]【雪《催(い)》】 「ゆきもよう」の意の古風な表現。

ゆきもよう[3]【雪模様】 雲の状態などから見て、今にも雪が降りそうだと判断される空の様子。

ゆきやけ[0]【雪焼(け)】 ❶—する(自サ) 〔スキーなどで〕雪に反射する日光で皮膚が黒くなること。 ❷〔日本海沿岸の方言〕霜焼け。

ゆきやなぎ[3]【雪柳】 庭に植える落葉低木。春、細い枝を出し、米粒ほどの白い五弁の花を、雪のようにつける。こごめばな。こごめざくら[4]。〔バラ科〕 かぞえ方 一株・一本

ゆきやま[0]【雪山】 ❶〔登山の対象としての〕雪の積もった山。 ❷〔雅〕雪をかき集めて、小高く積み上げたもの。

ゆぎょう[0]【遊行】—する(自サ) 〔修行などのために僧が〕各地を廻り歩くこと。行脚。「—僧[2]」

ゆきわた・る[4]【行(き)渡る】(自五) 全体に及ぶ。「いきわたる」とも。「△注意(認識)が—/お土産が全員に行き渡った」

ゆきわりそう[0]【雪割(り)草】 ❶クローバー形の葉を持つ多年草。早春、赤色・白色などの小形の花をつける。正月の飾りに使う。みすみそう[0]。〔キンポウゲ科〕 ❷夏、サクラソウに似た、紅紫色の花を開く多年生の高山植物。〔サクラソウ科〕 かぞえ方 ❶❷とも一本

**__ゆ・く__【行く】 ▬[0](自五) 〔音便形は、「いった」「いって」。口頭では多く「いく」が用いられる〕 ❶〈(なにデ)—/どこヲ—〉〈(どこカラ)どこ・なにニ(進む)〉その場所から、他の場所へ△移動する。「一足先に—/△先頭(我が道)を—/行き着く所

まで―/△学校へ(買物に)―/先方に望まれて―(=嫁に行く)決心をした/養子に―/△正道(先端)を―(=歩む)/死にに―ようなものだ/△知らせ(連絡)が―(=届く)/鍵がどこかへ行ってしまった」❷物事が進行する。「…(のたとえ)を地で―(=⇩地)/その伝で行けば(=そのやり方に従うと)/捗が―/にっちもさっちも行かぬ/就職がうまく行かない/△計画通り(…しないわけ・そう簡単)には行かない/年端の行かぬ子供」❸(物事が)△好(望)ましい状態に達する。〔狭義では、合体時にクライマックスに達することを指す〕「△満足(得心・納得・合点)が―/心―ばかり(まで)語り合う」❹ある状態になる。「損が―(=損になる)/△十分(失敗作)とまでは行かないが/そこへ―と(=その点になると)」[二](補動・五型)〔動詞の連用形または連用形に接続助詞「て(で)」を添えたものについて〕❶引き続き△行なわれる(その傾向が見られる)。「この点を詰めて―/やって―うちに/△飛んで(ふくれ上がって)―」❷引き続き変化が進行し、ある状態になる。「きれいになって―」❸決定的な状態に近づく。「滅び―もの/衰え―」表記[一]は、「《往く》」とも書く。[一]❷のうち、出征の意では「《征く》」とも書く。

ゆ・く⓪【逝く】(自五) ❶遠くへ行って、再びもどらなくなる。「―年来る年/―(=過ぎ行く)春/―(=流れ去る)水」❷死ぬ。表記❶は、「行く」とも書く。

ゆくえ⓪【行《方》】❶捜索される対象の△行く(行った)方角や場所。「―定めず出発する/―知れず④・―不明④」❷将来の動向。「―をじっと見守る/…の―を占う/―が定かでない」表記⇩付表「行方」

ゆくさき⓪【行(く)先】❶その人がこれから行こうとする目的の場所。〔将来の身の落ち着け方の意にも用いられる〕「まず―を考えなければ」❷以前そこに居た人の行った先。「ゆきさき・いきさき・いくさき」とも。「―をたずねる」

ゆくさきざき④【行(く)先々】行く所のどこでも。「いくさきざき④」とも。「―で歓迎を受ける」

ゆくすえ⓪【行(く)末】❶これから先。「―長く連れ添う」❷〔△不安(楽しみ)の対象としての〕将来の運命の展開のしかた。「国の―が思いやられる」

ゆぐち①【湯口】❶温泉のわき出る△口(穴)。❷〔風呂で〕(かまで熱せられた)湯の、ゆぶねに流れこむ口。

ゆくて⓪③【行(く)手】その人がこれから向かって行こうとする方向・場所。「―をさえぎる」

ゆくゆく⓪【行く行く】(副)❶ある場所へ行くまでの間に、その道中でする様子。「―車窓から作物の出来を見る/―考える」❷〔多く「―は」の形で〕現在の心づもりとして、将来のことについて△想定(願望)する様子。「―はこの子に跡を継がせるつもりだ/―はあの二人を添わせてやりたい」

ゆくりなく④(副)〔「ゆくり」は、突然の意の上代語。「なく」は、形容詞を形づくる接辞「なし」の連用形〕〔一般に「―も」の形で〕「思いがけなくも」の意を表わす、やや古風な表現。「旅先で昔の友人に会い―も思い出話をする機会を得た/―も耳にしたお国言葉に心がなごんだ」

*ゆげ①【湯気】湯などの表面から立ちのぼる蒸気(が冷えて水滴になったもの)。「―が立つ」

ゆけつ⓪【輸血】―する(自サ) 多量の出血や手術の際に、患者の静脈の中に、健康な人から採った血液を送りこむこと。

ゆけむり②【湯煙】熱いふろや温泉の湯から立ちのぼっている蒸気。

ゆごう⓪【癒合】―する(自サ) 傷が治り、皮膚・筋肉がくっつきふさがること。

ゆこく⓪【諭告】―する(自サ)〔立場の上の者が下の者に〕さとし聞かせる△こと(言葉)。

ゆごて①【《弓籠手》】弓を射る時、左のひじにつける、革製のおおい。

ゆさい⓪【油彩】油絵の具で絵をかくこと。油絵。↔水彩

ゆざい⓪【油剤】△油のような(油の入った)薬剤。

ゆさぶ・る⓪【揺さぶる】(他五) 外から力を加えて、大きく揺れるようにする。〔なんらかのショックを与えて、相手の気持を動揺させる意にも用いられる。例、「△心(足もと・基盤・政局)を―」〕名揺さぶり⓪「―をかける」

ゆざまし②【湯冷(ま)し】❶飲むためにさました湯。❷さめた湯。

ゆざめ③⓪【湯冷め】―する(自サ) 秋・冬の候など、入浴後時間がたつにつれて、からだが冷えて寒さを感じること。

ゆさゆさ①(副)―と(―する) △土台(根元)から物が大きく揺れる様子。「強い風に街路樹が―揺れる/地震でビルが―する」

ゆさん⓪【遊山】「行楽」の意の古語的表現。「―や息抜きの旅は全くしたことが無い/物見―④」

ゆし①【油紙】(傷口に当てる)油を塗った、薄い紙。「あぶらがみ」とも。かぞえ方 一枚

ゆし①【油脂】油と脂肪。「―工業③」

ゆし①【諭旨】立場の上の者が下の者に対して、事の趣や理由などをよく言い聞かせること。「―退学③・―免職③」

*ゆしゅつ⓪【輸出】―する(他サ)〈(どこカラ)どこニなにヲ―する〉外国へ向けて産物・生産技術などを送り出すこと。「△食糧(車)を―する/思想の―/―品⓪」↔輸入 ―ちょうか④・⓪―⓪【―超過】その国のある期間内の輸出総額が輸入総額よりも多いこと。略して「出超」。↔輸入超過 ―にゅう③【―入】輸出と輸入。「―銀行」

ゆじゅん⓪【由旬】〔限量・里程・駅の意の梵語の音訳〕古代インドで、距離の単位。軍隊の一日の行程という。

ゆじょう⓪【油状】油のようにねっとりした状態。

ゆす①【《柞》】本州中部以西の暖地に自生する常緑高木。材は堅く、建材や櫛などとして使われる。ひょんのき①。

ゆず①【《柚・柚子》】ミカンの木に似た常緑小高木。ミカンに似た黄色い実は、やや扁平で、でこぼこがある。独特の香気と酸味が強く、香味料・食用などにする。〔ミカン科〕「―湯」かぞえ方 一株・一本

ゆす・ぐ⓪(他五) [一]【《濯ぐ》】水の中で揺り動かして、よごれなどを落とす。ざっと洗う。「二、三度さっと―」[二]【《漱ぐ》】うがいをする。名ゆすぎ⓪

ゆずこしょう③【《柚子》《胡椒》】〔九州ではトウガラシを「こしょう」と呼ぶことから〕ユズの皮・トウガラシ・塩をすりつぶして作った調味料。九州の名産。「ゆずごしょう」とも。

ゆすぶ・る⓪【揺すぶる】(他五) 大きく揺れるように動かす。「からだを―」

ゆずゆ②【《柚湯・柚子湯》】ユズの実を切って湯に入れたふろ。冬至の日に入る風習がある。

ゆすら⓪【《梅桃》・《山桜桃》・《英桃》】〔↑ゆすらうめ③〕春、梅に似た、白い小さな花をつける中国原産の落葉低木。丸く赤い実は食べられる。〔バラ科〕

ゆすり⓪【強請・強迫】〔「揺する」と同源の動詞「ゆする」の連用形の名詞用法〕おどかして、相手の動揺に付け込み無理にお金や物品を出させる△こと(人)。「―やたかり」表記「《強請》・《強迫》」は、義訓。

ゆずり⓪【譲り】[一]⓪△譲る(譲った)こと。譲り△受ける(受けた)こと。「姉のお―/親―の才能」 ―は③【―葉・《交譲木》】庭に植える常緑高木。葉はビワに似ており、春、黄色みを帯びた若い葉が出たあとで、古い堅い葉が落ちる。葉を正月の飾りにする。〔ユズリハ科〕かぞえ方 一株・一本 [二](造語) 動詞「譲る」の連用形。「―合い⓪・―渡し⓪」 ―う・ける⑤【―受ける】(他下一) ほかの人から譲られて受け取る。 ―じょう⓪③【―状】 譲った旨の

証書。かぞえ方 一通　**―わた・す**⑤【―渡す】(他五)　譲って、ほかの人に渡す。

ゆ・する②【輸する】(他サ)　勝負事などで相手に負ける。「一籌を―〔=ひけをとる〕」

ゆす・る⓪【〈強請〉る・〈強迫〉る】(他五)　人をおどして、金品をまきあげる。「人の弱みにつけこみ金を―」 表記「〈強請〉る・〈強迫〉る」は、義訓。

ゆす・る⓪【揺する】(他五)　△小刻みにふるえる(ゆったりと弧を描く)ように動かす。「木を揺すって実を落とす／肩を揺すって笑う」 名 揺すり⓪「貧乏―」

****ゆず・る**⓪【譲る】(他五)　❶〈だれニなにヲ―〉 自分の占めている権利・地位・位置などを、しかるべき人に与える。「△王座(政権・財産・席)を―／首位の座を―〔=他の人に占められる〕／道を―〔=代わって、人を先に進ませる〕／後進に道〔=ポスト〕を―／一歩も譲らない〔=主張などを変更したり撤回したりする気が全くない〕」 ❷〈だれニなにヲ―〉 △頼まれて(依頼に応じた形で)手放す。〔「売る」の婉曲表現〕「別荘を知人に―／仔猫譲ります／五万円でよければ君に譲ろう」 ❸〈なにニなにヲ―〉 順当に行けばすぐ次に取り上げるべきものを、その時は取りやめ次の機会にすることにする。「話は他日に―」〔⇩譲り❸〕

ゆせい⓪【油井】 石油を採るために掘った井戸。かぞえ方 一基・一本

ゆせい⓪【油性】 油の性質(を持っていること)。「―のペンキ」⇩水性

ゆせん⓪【湯煎】―する(他サ)　〔酒の燗をするように〕容器に入れたまま湯の中に入れて、間接に熱すること。

ゆせん①【湯銭】「入浴料金」の意の古風な表現。

ゆそう⓪【油送】―する(他サ)　石油を送ること。「―管」　**―せん**⓪【―船】 タンカー。油槽船。かぞえ方 一艘・一隻

ゆそう⓪【油層】 石油のたまっている地中の層。

ゆそう⓪【油槽】 石油・ガソリンなどをためておく大きな容器。油タンク。　**―せん**⓪【―船】 油送船。タンカー。

****ゆそう**⓪【輸送】―する(他サ)〈どこカラどこニなにヲ―する〉 まとまった量の物や人を運ぶこと。「―機関④・―量②」

ユダ①〔Judas〕 キリストの十二使徒の一人。最後の晩餐の折、わずかな金でキリストを敵方に売った背信行為で知られる。〔裏切者の意の代名詞としても用いられる〕

***ゆたか**①【豊か】―な ―に ❶一般に予測されるものと比べて望ましいと思われるものが十分満たされているととらえられる様子だ。「何不自由のない―な〔=経済的な面をはじめ多くの点で恵まれた〕一人暮らし／―な△実り(内容)／―な〔=どれだけ奥深いか分からない〕才能／六尺―な〔=六尺は十分にある、背の高い〕男／馬上―に〔=馬の上に、悠々と〕／古式―に〔=その時代を髣髴とさせる内容・形式で〕」↕乏しい・貧しい ❷いかにもおおらかで、せせこましさを感じさせない様子だ。「白い―な大輪の花／古代人の―な精神生活／―な心〔=広い度量を持って社会を見て、対人関係を築こうとする気持の持ちよう〕」↕貧しい ❸〔造語成分的に〕その要素が、隠すべくも無く あたりに漂っている様子だ。「郷土色―な舞踊／個性―な」↕乏しい・貧しい 派 **―さ**③

ゆだき⓪①【湯炊き】―する(他サ)　分量の水を煮立ててから米を入れて炊くこと。

ゆだ・ねる③【委ねる】(他下一)　すっかり任せる。「△政権(判断)を…に―／…の選択に―／全権を―／教育に身を―〔=すべてをささげる。うちこむ〕」

ゆだま⓪【湯玉】 ❶煮え立つ湯にわき上がる泡。 ❷玉のように飛び散る熱湯。「走る―」

ユダヤ①【《猶》《太》】〔ラ Judaea〕 ❶紀元前十世紀～前六世紀ころ、パレスチナにあった王国。 ❷「ユダヤ人・ユダヤ民族④」の略。 表記「猶太」は、音訳。

ユダヤじん③【ユダヤ人】 古代パレスチナに住んでいた、セム族の一部族。ローマに国を滅ぼされてから、世界各地に分散したが、一九四八年イスラエル国として独立。差別と圧迫を受けたが、経済的実権を握り、優秀な学者を輩出。その信奉する「ユダヤ教⓪」は、唯一神ヤハウェのみを信じ、偶像を否定する。

ゆだ・る②【〈茹〉る】(自五)　十分にゆでられる。うだる。

ゆたん⓪①【油単】 たんす・長持などのおおいにしたり 敷物にしたりする油びきの紙・布。かぞえ方 一枚

***ゆだん**⓪【油断】―する(自サ)〈なに・だれニ―する〉 気をゆるして、必要な注意を怠ること。「―もすきも無い〔=全く油断が出来ない意の強調表現〕／―がならない／―は禁物」　**―たいてき**⓪-⓪【―大敵】 油断は失敗や身をあやまるもとで、何よりもこわい敵だ。

ゆたんぽ②【湯《湯《婆】〔「たんぽ」は「湯婆」の唐音〕中に湯を入れ寝床などに入れて、足・腰などをあたためる道具。

ゆちゃ①【湯茶】〔飲むための〕湯や茶。「―の接待」

ゆちゃく⓪【癒着】―する(自サ)　❶離れているべき皮膚・膜などが、炎症などのためにくっついてしまうこと。〔手術のあとに起こることもある。例、「傷口が―する」〕 ❷必要以上に何かの組織に べったり依存する。「財界との―を断ち切る」

ユッカ①〔yucca〕 堅い剣状の葉が群がり出る常緑低木。夏から秋にかけて白・黄・赤などの鐘状の花をつける。北米原産。イトラン・キミガヨランなどが観賞用として植えられる。〔キジカクシ科(旧リュウゼツラン科)〕 かぞえ方 一株・一本

ゆづかれ②【湯疲れ】―する(自サ)　ふろ・温泉に長くつかり過ぎて、疲れること。⇩湯あたり

***ゆっくり**③(副)―と ―する　❶△時間をかけて(時間に制約されない状態で)何かをする様子。「二階から―おりてくる／分かりやすく―と話す／―と検討する／安全第一に―運転する／あしたは休みだから―遊んでいけよ／―急げ〔=急ぐ時こそあわてずに、慎重に事を運ぶことが必要だ〕」 ❷時間的・精神的に十分余裕があって、緊張を強いられることのない状態。「出発時間に―間に合う／日曜日は家で―できる／朝まで―眠る」 運用 ❶は、「どうぞごゆっくり」などの形で、訪問客に対する挨拶の言葉として用いられることがある。

ユッケ①〔朝鮮 yukhoe (肉膾)〕 朝鮮料理の一つ。牛の赤身の生肉を細かくたたき、しょうゆ・ごま油・ニンニク、唐がらし入り味噌などの調味料とあえたもの。「―ビビンパ⑤〔=ユッケ丼〕」

ゆづけ⓪③【湯漬け】 飯に湯をかけて食べる△こと(もの)。

ゆったり③(副)―と ―する　❶空間的に十分余裕があって、圧迫感を感じることがない様子。「―した上着／―とした間取り」 ❷仕事などから解放されて、のんびりした気持でくつろぐ様子。「―した気分／―と温泉につかる」

ゆつぼ①【湯〈壺】〔温泉などで〕湯をためる所。ゆぶね。

ゆであずき③【〈茹〉で〈小豆〉】 茹でたアズキ(に甘く味つけしたもの)。 表記 ⇩付表「小豆」

ゆでこぼ・す④⓪【〈茹〉で〈溢す】(他五)　茹でた汁を流し捨てる。 名 茹で溢し⓪

ゆでじる⓪【〈茹〉で汁】 ものをゆでたあとの汁。「パスタの―」

ゆでだこ⓪【〈茹〉で〈蛸】 茹でて赤くなったタコ。〔入浴・飲酒や激怒などで顔やからだがすっかり赤くなった形容に用いられる〕

ゆでたまご③【〈茹〉で卵・〈茹〉で玉子】 鶏卵を殻のまま茹でたもの。

ゆ・でる②【〈茹〉でる】(他下一)　❶熱湯の中へしばらく入

れて煮る。うでる。⇩煮る・蒸す ㊁〔雅〕たでる㊀。

ゆでん⓪【油田】石油の採れる地域。「―地帯④」

ゆど①【油土】彫刻・鋳金などの原型製造に使われる、あぶら粘土。

ゆとう⓪【湯〈桶】〔寺社などで〕食後に飲む湯を入れておく、木製の器。普通、漆塗りで、つぎ口と柄がある。

―よみ⓪【―読(み)】漢字二字の熟語で、上は狭義の和語、下は字音語で構成されているもの。例、湯桶・見本・切符。↔重箱読み

ゆどうふ②【湯豆腐】なべ料理の一つ。四角に切った豆腐を、昆布を敷いた湯の中に入れて熱くし、しょうゆ・薬味をつけて食べる。⇩冷や奴

ゆどおし②⓪【湯通(し)】―する(他サ) ㊀〔あとで縮むのを防いだり糊けを取ったりするために〕新しい織物を湯にくぐらせること。㊁〔料理で〕材料の臭み・油分を除いたりするために、熱湯にさっとくぐらせること。

ゆどの⓪【湯殿】「ふろ場」の意の古風な表現。

***ゆとり**⓪ 当面の必要を満たしたあとに、自由に使うことが出来る空間・時間や体力、他のことを考えるだけの気力があること。「敷地にガレージを取るだけの―が無い/―のある暮らし/日程に―を持たせる」

ゆとん⓪①【油団】〔「とん」は「団」の唐音〕紙一面に△油(漆)を塗った夏向きの敷物。座布団としても使用する。 [かぞえ方] 一枚

ゆな①【湯《女】㊀昔、温泉宿で、客の世話をした下女。㊁江戸時代、市中の湯屋に居た娼婦。

ゆに②【湯煮】湯で煮ること。また、湯で煮た食べ物。

ユニーク②【―な/―に】〔unique=唯一の〕独特。独自。「―な発想」 [派]―さ⓪④

ユニオン①〔union〕労働組合。連合体。「ユーザー―」 **―ジャック**⑤〔Union Jack〕㊀英国の国旗。㊁英国。 **―ショップ**⑤〔union shop〕クローズドショップの一種。会社などに入った人は一定期間内に必ず組合に加入しなければ自動的に解雇され、また組合員の資格を失った人も解雇されるという雇用制度。「―制⓪」

ユニコード③〔Unicode〕世界のあらゆる文字表現に対応することを目指して作られたコンピューター用の統一文字コード。

ユニコーン①③〔unicorn〕⇩一角獣

ユニセックス③〔unisex〕服装や髪型などの外見からは男女の区別がつかない△こと(状態)。

ユニセフ①【UNICEF】〔←United Nations International Children's Emergency Fund〕「国際連合児童基金」の略称。世界の母子福祉のために活動している。

ユニゾン①〔unison〕〔音楽で〕㊀同じ高さの音。㊁同じ高さの二音が形成する音程。㊂斉唱。斉奏。

ユニット①〔unit=単位〕㊀単独使用も可能だが、幾つか組み合わせても使えるように作ってある△こと(もの)。「―システム⑤」㊁〔教育で〕単元。㊂個人の組み合わせによる集団。特に、音楽や演劇などで一緒に公演活動をする(比較的少人数の)グループ。「―で活動する/演劇―⑤・ダンス―④」㊃〔組織の中の〕部門。 [かぞえ方] ㊀㊂は一組 **―かぐ**⑤【―家具】統一されたデザインや寸法で、それぞれを自由に組み合わせて使えるようにした家具。 **―バス**⑤〔和製英語 ←unit + bath〕ホテルやマンションなどで、浴槽・便所・洗面所・換気設備・電気設備を一つにつなげた形で大量生産した設備。

ユニバーサル③【―な/―に】〔universal=普遍的〕㊀△宇宙に関係する(世界的な広がりがある)様子。「―な視野に立つ/―タイム⑦(=世界時)」㊁問題とする事柄が普遍的な様子。「核廃絶は―な課題」 **―サービス**⑦〔universal service〕だれもがどこにいても△均一の(低廉な)料金で受けられる電話・メールなどのサービス。 **―デザイン**⑧〔universal design〕障害者・健常者、老若男女、国籍・文化の違いを問わず、すべての人にとって使いやすい製品・施設・環境を作ること。略称、ユーディー(UD)。

ユニバーシアード⑥〔Universiade〕大学生を中心とした国際スポーツ競技大会。一年おきに開く。

ユニバーシティー③〔university〕総合大学。⇩カレッジ

ユニホーム①③〔uniform〕〔スポーツ用の〕制服。ユニフォームとも。

***ゆにゅう**⓪【輸入】―する(他サ)〈どこカラ(どこニ)なにヲ―する〉外国の産物を買い入れたり制度などを導入したりすること。「―が伸び悩む/―規制に出る/―品⓪・―税②・逆―」↔輸出 **―ちょうか**④、⓪―⓪【―超過】その国のある期間内の輸入総額が輸出総額よりも多いこと。略して「入超」。↔輸出超過

ゆにょうかん②【輸尿管】腎臓から膀胱に尿を送る管。尿管。

ユネスコ⓪【UNESCO】〔←United Nations Educational, Scientific and Cultural Organization〕「国際連合教育科学文化機関」の略称。戦争の防止や国際平和を目的とする。

ゆのし③【湯〈熨・湯〈熨斗〉】―する(他サ) 布を蒸気に当てて、しわを伸ばすこと。

ゆのはな①【湯の花・湯の華】温泉の沈澱物の一部が取り出されたもの。硫黄が代表的。

ゆのみ③【湯〈呑(み)・湯飲(み)】〔←湯呑茶碗④〕湯茶をのむ器。

ゆば①【湯葉・湯波】豆乳を煮た時、表面に出来る、黄色の薄い皮(を干した食品)。

ゆはず⓪【《弓〈筈】弓の両端の、弦をかける部分。「ゆみはず⓪」とも。

ゆばり⓪【《尿】〔雅〕〔湯放りの意という〕小便。「いばり」とも。

****ゆび**②【指】手足の先端の、五本に分かれ出た部分。「―を折る(=ⓐ指を折りながら数える。ⓑ多くのものの中で指を折って数えられるほどすぐれている。⇩指折り)/―で指し示す/―一本も差させない(=少しも非難・干渉させない)/―をくわえる(=人の様子をうらやましげに見る形容)/―を染める(=手をつける)/入口の方へ―を指した(=出て行け、という意思表示をした)」 [かぞえ方] 一本

ゆびあな⓪【指穴】笛の側面にある幾つかの穴。指で押さえたり離したりして、音の高さを変える。

ゆびおり⓪【指折(り)】手の指を使って幾つと数えること。「―数えて待つ(=その日の来るのを待ち望む)/―の名人(=優秀な五人の中に入る、技量のすぐれた人)」

ユビキタス②③〔ubiquitous=どこにでもある〕生活のあらゆる場面でインターネットなどの情報ネットワークが常に利用できる環境。「―社会⑥」

ゆびきり③【指切(り)】―する(自サ)〔約束を破らないしるしに〕(子供同士が)手の小指をひっかけ合うこと。げんまん。

ゆびく②【湯引く】(他五) 魚肉などを湯でさっと煮る。 [名]湯引き③

ゆびさき⓪【指先】手・足の指の尖端。楽器をひいたり物にさわってその存在を確かめたりする。「―が器用だ」

ゆびさす③【指差す・指指す】(他五) 人差し指の先の方向で、△そっちの方(それ)だということを示す。「ゆびざす」

③」とも。名 指さし④③

ゆびしゃく⓪【指尺】 手の指を広げて長さなどを計ること。指で尺を取ること。

ゆびずもう③(ズマフ)【指〈相撲〉】 二人が互いに人差し指から小指までを折り曲げて組み合わせ、親指を立てて、相手の親指を一定時間押さえつけて勝敗を決める遊び。表記 ⇩付表「相撲」

ゆびづかい③(ヅカヒ)【指使(い)・指遣(い)】 ⇩運指

ゆびにんぎょう③(ギヤウ)【指人形】 手の指であやつる、布製の人形。ギニョール。

ゆびぬき③④【指《貫(き)】 裁縫で、針の頭を押すために手の指にはめる△革(金属)製の輪。

ゆびぶえ⓪【指笛】 ❶指を口へ入れて強く息を吹き、横笛のようなするどい音を出すこと。❷折り曲げた指を口にくわえて、メロディーを吹き鳴らすこと。

ゆびもじ⓪【指文字】 聴覚障害者(また聴覚障害者相互)の伝達に用いる、指を組み合わせて作る(仮名に相当する)表音的記号。手話に交えて用いることもある。

ゆびわ⓪【指輪・指《環】 飾りとして手の指にはめる輪。多く、(宝石などをはめこんだ)貴金属製。リング。かぞえ方 一本・一点

ゆぶね①【湯船・湯《槽】 その中につかることが出来るように、入浴用の湯をたたえたもの。浴槽。

ゆべし①【〈柚《餅子】 米の粉にユズの実の皮などを加えて蒸した餅菓子(モチガシ)。「ゆびし」とも。〔もと、ユズの実の中をくりぬいて、そこにゴマやショウガなどをまぜた味噌(ミソ)を詰めて蒸した後、乾燥させたものを指した〕

ゆぼけつがん④③【油母〈頁岩】 ⇩オイル シェール

ゆまき③【湯巻(き)】 ❶昔、貴人が入浴の時に△着たひとえ(奉仕した女性が着衣の上につけたもの)。❷腰巻。

ゆまく⓪【油膜】 水の表面や物の表面上に生ずる油の膜。

ユマニテ②⓪〔フ humanité〕 人間性。ヒューマニティー。

*__ゆみ__②【弓】 ❶弦を張り矢をつがえて射る△武器(武術)。「―を射る/―を引く〔=そむく〕/―を外す〔=武装を解く〕/―の名手」 ❷弓の形をしたもの。特に、バイオリンなどの弦楽器の糸をこすり、音を出すもの。楽弓(ガッキュウ)⓪。かぞえ方 ❶とも一挺(チョウ)・一丁・一本・一張(ヒトハリ/イッチョウ)

ゆみず①(ミヅ)【湯水】 湯や水。「―ものどを通らなくなる〔=重態の形容〕/(お金を)―のように使う」

ゆみとり④③【弓取(り)】 ❶〔雅〕弓を手に持つ△こと(人)。❷〔雅〕弓を射るのが上手な人。武士。「海道一の―〔=ⓐ今川義元(ヨシモト)。ⓑ徳川家康(イエヤス)〕」 ❸〔すもうで〕昔、横綱が勝者の舞として弓を手に取ってした儀式。〔今は、ほかの力士が代わって、取組の終わった後に行なう〕「―式⓪」

ゆみなり⓪【弓《形】 弓のように曲がった線の形。「ゆみがた⓪」とも。「―になってこらえる」

ゆみはり④⓪【弓張(り)】 ❶〔雅〕弓に弦を張る△こと(人)。❷「弓張り月・弓張り提灯(チョウチン)」の略。 **―ぢょうちん**⑤(ヂヤウ―)【―《提《灯】 弓のように曲げた竹を柄とし、その上下にかけて張り開く提灯。 **―づき**④【―月】 弓形の月。弦月(ゲンゲツ)。

ゆみひ・く②【弓引く】(自五) 弓を射る。〔主人に向かって弓を射る意から、反逆行為の意にも用いられる〕

ゆみへん⓪【弓偏】 漢字の部首名の一つ。「引・張・弾」などの、左側の「弓」の部分。〔多く、弓の性質や部分に関係する漢字がこれに属する〕

ゆみや②【弓矢】〔昔、武器の代表とされた〕弓と矢。「―取る身〔=武士(の身分)〕/―の道〔=武士道〕/―の神〔=ⓐいくさの神。ⓑ武士が戦勝を祈願する神〕」 **―はちまん**②-②、⑤【―八《幡】〔武神である八幡大菩薩(ボサツ)の意〕決して偽りは無いと、八幡にかけて武士が誓った言葉。

ゆめ①【《努】(副) ❶〔禁止の表現と呼応して〕万が一にもそうあってはならないと、きびしくいましめる意を表わす。「―屈する(こと)なかれ/―(さら)疑うなかれ」 ❷〔否定表現と呼応して〕事態を全面的に否定する意を表わす。「そんな事とは―知らず/―考えもしない」

**__ゆめ__②【夢】〔「寝目(イメ)」の変化という〕 ❶睡眠中 当人の意識としては現実の生活のことであるかのような出来事の中に身を置いているが、目覚めるとそれが非現実のものであると気付く、一種の幻覚。「亡き母の姿を―に見る/―一つ見ずに眠った/―を見てうなされる/―は逆夢(サカユメ)/名残(ナゴリ)の―」 ↕うつつ ❷実際にはありそうにも思われないが、万一 実現すればいいと思って△いる(いた)事柄。「―を△描く(追う)/宇宙旅行が子供の時からの―だ/―が叶(カナ)う/―が破れる」 ❸実社会や厳しい現実から遊離して暫時(ザンジ)享楽する、甘くて楽しい環境。「△太平(新婚)の―をむさぼる」 運用 ❷は、「夢を見る」などの形で、願望する世界にあこがれ現実感覚に欠けている人をからかって言うことがある。例、「いつまでも夢ばかり見ていないで、まともに働けよ」 【―に見る】 現実には実現しそうにもない理想の状態を、将来像として思い描く。「夢にまで見た優勝が現実のものとなった/海外雄飛を―」 【―の世】 はかないこの世。【―を結ぶ】 落ち着いて眠りにつく。

ゆめあわせ③(アハセ)【夢合(わ)せ】 夢の吉凶についての判断。夢うらない③。夢判断③。夢うら⓪。

ゆめうつつ⓪【夢《現】 夢か現実か、意識のぼんやりした状態。

ゆめがたり③【夢語(り)】 ❶目をさましてから、夢で見た事柄を話すこと。また、その話。❷夢物語。

ゆめごこち③【夢《心地】 夢を見ている時の(ようなうっとりとした)心持。「―で聞いている」 表記 ⇩付表「心地」

ゆめさら②⓪【夢更】(副)〔下に否定表現をともなって〕そのようなことを全く意識しない様子。「事件にまきこまれるなんて―思わなかった」

ゆめじ⓪(ヂ)【夢路】「夢(を見ること)」の意の古風な表現。「―をたどる〔=夢を見る〕」

ゆめちがえ③(チガヘ)【夢違(え)】 悪い夢を見た時、まじないをして災難をのがれること。夢違い。

ゆめにも②【夢にも】(副)〔否定表現と呼応して〕たとえ夢の中という非現実の世界であろうと、そのような事は全く想定できないということを表わす。「―〔=全く〕考えなかった事/君だとは―思わなかった」

ゆめまくら③【夢枕】 その人が眠っている時に見る夢の中。「―に立つ」

ゆめまぼろし⓪、②-⓪【夢幻】 夢や幻(のようにはかないこと)。「―の世の中」

ゆめみ③【夢見】 夢を見ること。また、その夢。「―が悪い/―ごこち④〔=夢ごこち〕」

ゆめ・みる②③【夢見る】 ❶(自上一) 夢を見る。「夢にも―ここち〔=夢の中でまた夢を見るような、この上もない夢ごこち〕」 ❷(他上一) 願望している事柄の実現を想像する。「自分の花嫁姿を―」

ゆめものがたり⑤【夢物語】 ❶夢で見た出来事のようにとりとめもない話。❷実現できればすばらしいことだが、その可能性はほとんど無い、心に描いた構想や計画。「今にしてみれば一戸建てのマイホームも―に終わった」

ゆめゆめ⓪②【《努《々】(副) 「努(ユメ)」の強調表現。「―疑うことなかれ/―知らなかった」

ゆもじ⓪①【湯文字】〔「ゆまき」の女房詞(コトバ)〕 ❶昔、女性が入浴の際、腰につけたもの。湯具①。❷腰巻。

ゆもと③【湯元】 温泉のわき出るもと(の場所)。 表記「湯本」とも書く。

ゆや②【湯屋】 銭湯。公衆浴場。

ゆやせ⓪③【湯痩(せ)】—する(自サ) 湯あたりしたためからだが痩せること。

ゆゆし・い③【由々しい】(形) そのままほうっておくと、取返しがつかない災難を招くおそれがある様子だ。「ちょっとした不注意から—事態に発展する/外交上—問題が生じる」 派—さ③② —げ③④⓪ 表記「由々しい」は、借字。

ゆらい【由来】[一]⓪ ❶どのようにして、それが現在まで伝えられて来たかの歴史。来歴。いわれ。「—書⓪〔=物事の由来や人の来歴を記した文書〕」 ❷—する(自サ) 起源を尋ねると、そこまでさかのぼることが出来ること。「地名の—/中国に—する美術」 [二]①(副) その物事の始まりからそのような性格や傾向が備わっていると判断される様子。「—役人というものは、保身の術にたけているものだ」

ゆらく⓪【愉楽】「たのしみ」の意の古風な表現。

ゆら・ぐ⓪②【揺(ら)ぐ】(自五) ❶揺れて動く。「風に—/国是が—」 ❷〔決定的な打撃を受けたりして〕存立が危うくなる。「△身代(体制・地位・信頼)が—」 名ゆらぎ⓪③

ゆら・す⓪【揺(ら)す】(他五) 外部から力を加えてその物を揺り動かす。「木を—/ぶらんこを—」

ゆらめ・く③【揺(ら)めく】(自五) ゆらゆらする。ゆらぐ。 名揺らめき⓪④「炎の—」 他動揺らめかす④(五)

ゆらゆら①(副)—と —する 全体がゆっくりと揺れる様子。「煙が—と立ちのぼる/かげろうが—揺れる/柱が—する」

ゆらり②(副)—と ❶一瞬大きく揺れる様子。「舟が—とする/酔っぱらって上体が—と傾く」 ❷ゆっくりとからだを動かす様子。「—と椅子から立ち上がる」

ゆら・れる⓪【揺られる】(自下一)〔「揺る」の受身形から〕ゆり動かされる。「毎日満員電車に揺られて会社に行く」

ゆらんかん⓪【輪卵管】⇩卵管

ゆり⓪【〈百合〉】 葉はササに似た多年草。枝の先に、六枚の花びらがある大形の花を開く。花弁の根元は筒のようになっていて、種類が多い。一部の鱗茎は「ゆりね」と呼ばれ食用。〔ユリ科〕 かぞえ方 一株・一本。花は一輪

ユリアじゅし④【ユリア樹脂】〔urea〕⇩尿素樹脂

ゆりうごか・す⑤【揺り動かす】(他五) 揺さぶって動かす。動揺させる。「心を—〔=ⓐぐらつかせる。ⓑ感動させる〕」 自動揺り動く④(五)

ゆりおこ・す④【揺り起(こ)す】(他五) 揺さぶって△起こす(目ざめさせる)。

ゆりかえし⓪【揺り返し】 ❶揺れた反動で、また揺れること。 ❷余震。「—が来る」 動揺り返す③(自五)

ゆりかご⓪【揺り籠】〔眠らせるために〕赤ん坊を入れて揺り動かす籠。「—から墓場まで」

ゆりかもめ③【〈百合〉〈鴎】 カモメ・ウミネコより少し小形の渡り鳥。全体がほぼ白く、くちばしと足が赤い。〔和歌では「都鳥」と言った〕〔カモメ科〕 かぞえ方 一羽

ゆりね⓪【〈百合〉根】 食用とされるユリ属の鱗茎。ゆでたり油で揚げたりする。ほくほくとして美味。

ゆりもどし⓪【揺り戻し】 ❶大きな地震のあとに続いて起こる小さな震動。揺り返し。 ❷〔すもうで〕「呼び戻し」の別名。

ゆりょう⓪②【湯量】 温泉の、わき出る湯の量。「濫開発で—がめっきり減った温泉地」

ゆ・る⓪【揺る】(他五) ❶振り動かす。揺さぶる。 ❷水中で、米や砂金をゆすぶって、不純物を取り除く。〔現在では、「ゆり動かす」「ゆり起こす」など複合語として用いられる〕 表記 ❷は、「〈淘る・《汰る」とも書く。

***ゆる・い**②【緩い】(形) ❶しめ方や密着の度合が少なくて、そのものとしての機能を十分に果たしていない状態だ。「帯が—/△ズボン(靴)が—」↔きつい❶ ❷(期待される)厳正さに欠ける様子だ。「△取締り(規制)が—」 ❸変化のしかたが△急で(速く)ない状態だ。「—カーブ/—坂/—〔=おそい〕流れの川」 ❹水分が多過ぎて、固まらない状態だ。「—かゆ/腹が—〔=下痢の症状を起こしている〕」 派—さ①

ゆるが・す③【揺(る)がす】(他五) 震動や衝撃を与えて、それを極めて不安定にさせる。揺るがせる④⓪(下一)。「△地底(基盤・根幹・信頼感・体制・民主主義)を—/△土台(地底)から—」

ゆるがせ⓪【〈忽せ】—な —に 大事なこととは考えずに、いいかげんにしておく様子だ。〔古くは、「いるかせ」〕「若い選手の育成を—にする傾向に問題がある」

ゆるぎな・い④【揺(る)ぎ無い】(形) 外部から加わる力などに屈することなく安定した状態を保つ様子だ。「—地歩を占める/関係を揺るぎ無きものにする」 文法 助動詞「そうだ(様態)」に続くときは「揺るぎなさそうだ」の形になる。また「すぎる」と結びついて複合動詞を作るときは「揺るぎなさすぎる」の形になる。

ゆるキャラ⓪〔「緩いキャラクター」の略。商標名〕おもに、自治体や企業などが観光・宣伝のために考案する、特産品などを親しみやすく擬人化したキャラクター。

ゆる・ぐ②【揺(る)ぐ】(自五) 揺れて安定を欠いた状態になる。「△信念(価値観・体制)が—」

****ゆる・す**②【許す・《免す・《赦す】(他五) ❶〈だれ・なにニなにヲ—〉 必要な注意・警戒を怠る。「気を許せない/心を—〔=相手を信用する〕」 ❷〈(なにヲ)—〉 何かをするだけの△余裕(自由)を認める。「△時間の(事情が)—限り…」 ❸〈だれニなにヲ—〉 罪・罰・義務などから放してやる。免除する。「税を—」 ❹〈だれニなにヲ—〉 希望を聞き入れて、してもいいとする。「入学を—/親に彼との結婚を許してもらった」 ❺〈だれニなにヲ—〉 やらせまいとしていたことを(思うままに)やらせる。「△横行(本塁打)を—/一遍の謝罪をすることすら彼のプライドが許さなかった」 ❻〈(なにヲ)—〉 手放しで、そうであることを認める。「自他ともに—」 ❼〈なにヲ—〉 手放しで、そうすることを認める。「予断が許されない〔=不可能だ〕/前途は楽観を許さない〔=決して楽観出来ない〕」 名許し③「(相手に)—を求める/お—⓪・奥—」 運用 ❹は、「…をお許しください」の形で、本来相手の許可を必要としない△事柄(場面)で、謙遜した態度を示そうとして用いられることがある。例、「ご指名にあずかり、僭越ながら乾杯の音頭をとることをお許しください」

***ゆる・む**②【緩む】(自五) ↔締まる ❶緩くなる。緩やかになる。「△制限(ねじ・寒さ・気)が—/緊張(感)が—/△たが(地盤・ブレーキ・追及の手・便)が—」 ❷しっかりしていた相場が安くなる。 名緩み③「△気(心)の—/たがの—」 表記「〈弛む」とも書く。

***ゆる・める**③【緩める】(他下一) ❶〈なにヲ—〉 きつすぎる力を弱めて、今までより楽な体勢をとる。「△ベルト(ネクタイ)を—/△手(手綱)を—/スピードを—〔=落とす〕/ねじを—」 ❷〈(なにニ)なにヲ—〉 △きびしい(張り詰めた)姿勢を和らげて、今までよりゆとりを持たせる。「警戒を—/△規則(制限)を—/△緊張(気)を—」 自動緩まる③(五) 表記「〈弛める」とも書く。

***ゆるやか**②【緩やか】—な —に 斜面の傾斜や曲線の曲がりぐあい、風の吹きぐあいなどの程度があまり急激でない様子だ。「テンポが—だ/—な回復/定義を—にする/—な斜面/—に

ゆ

カーブする道/風が―に吹く」 派―さ③④

ゆるゆる【緩々】 ■一①③(副)―と ❶これ以上緩いものは無いと思われるくらい△緩い(締まりのない)様子。「―(と)したかゆ」 ❷十分に、時間をかけて、ゆっくりと進む様子。「台風は―と北上中」 ■二⓪―な・―に 「ゆるゆる■一❶」に同じ。「―のズボン/あまりの感動に涙腺が―になる」

ゆるり②【緩り】(副)―と 「ゆっくり❶」の意の古風な表現。「涼しくなるまで―としていよう/ご―とおくつろぎください」

ゆれ⓪【揺れ】 ❶揺れること。また、その程度。「激しい―を感じた」 ❷同じ意味を表わすととらえられる一つの語に、発音・アクセント・語形・表記などの点で、二つ(以上)の形式があり、どの形式が正しいとも決められない状態にあること。例、「にほん」と「にっぽん」、「きかえる」と「きがえる」など。

ゆれうご・く④【揺れ動く】(自五) 安定を保てないまま、前後・左右・上下などに揺れる。「風で木の葉が―/信じてよいものかと心が―」

ユレダス①【UrEDAS】〔← Urgent Earthquake Detection and Alarm System=早期地震検知警報システムの略〕 地震の初期微動を検知し、即座に警報を発するとともに、運行中の新幹線や在来線を緊急停止させ、被害を抑えるシステム。〔現在、後継の地震計に更新〕

***ゆ・れる**⓪【揺れる】(自下一)〈(なにデ/なにニ)―〉 左右・上下に動いていて、不安定な状態に△ある(なる)。「船が―/考えが―/―日本語/内閣が大いに―〔=つぶれそうになる〕/―〔=そのあり方が根底から問題にされる〕大学/心が微妙に―」

ゆわいつ・ける⑤ ユハヒ―【結わい付ける】(他下一) 〔「ゆわえつける⑤」の変化〕結びつける。

ゆわ・える③ ユハヘル【結わえる】(他下一) 細長い物の両端を交差させて輪を作り、互いの先端をその輪の中に通して、解けないように締める。

ゆわかし②【湯沸かし】 湯を沸かす、やかんなどの金属製の道具。「―器④」

ゆわ・く② ユハク【結わく】(他五) 「ゆわえる」意の口頭語的表現。

ゆんぜい⓪【《弓勢》】 弓を引く力。弓を射る力の強さ。

ゆんづえ③ ―ヅエ【《弓〈杖》】 ❶弓を杖として休むこと。 ❷弓の長さ。

ゆんで⓪①【《弓手》】 ❶〔弓を持つ方の手の意〕↕馬手 左の手。 ❷〔雅〕左の方。

よ…ヨ

よ(与・予・余・誉・預・〈輿〉)→【字音語の造語成分】

よ【四】(造語) 「四」の意の和語的表現。〔「ひ(い)、ふ(う)、み(い)」とかぞえる時のみ単独で用いる。その場合は、「よお」と発音されることもある。また、「―…」の形では「よん…」と言う場合もある〕〔⇩よっか・よん〕 ❶かぞえ上げる個数・人数・回数などが四であることを表わす。「―隅・―方・―十(路)・―切れ・―さじ・―筋・―針・―列・―人・―二ン・―タリ・三、―年・―次元空間・―字熟語」 ❷「第四の」の意を表わす。「―番打者・柔道―段」 ⇩いつ(五)

よ(格助)〔雅〕より。「古―今の現に/繁き木の間―立つ鳥の/薬はむ―は都見ば/さゐ川―雲たちわたり」

よ(終助) 主体の意志・感情・判断・意見などを強く相手に押しつけようとする気持を表わす。〔「よう」ともなる〕「行こう―/早くしろ―/ちょっと待って―/それは違う―/これはとてもおいしいわ―/また来る―/いいか、十時だ―/今度はあなたの番―/何言ってるの―/分からないのか―」 文法 文末および文節末に接する。体言(名詞、またそれに準ずる句)、活用語の終止・命令形、格助詞、副助詞、接続助詞、終助詞「わ・こと・な・か」に接続する。また形容動詞は語幹に接続することもある。

運用 一般に「かよ」「だよ」は男性、「わよ」「のよ」は女性が使うが、近年若い世代では、「だよ」「わよ」「かよ」については、性別による使い分けが失われる傾向にある。

よ①【余】 ■一❶当面必要な△もの(部分)を取り除いた残り。「―は知らず〔=ほかの△事(場合)はどうか関知しないことだが〕/―分・―裕・―波・残―」 ❷〔数を表わす語につけて、接尾語的に〕「…とちょっと」の意を表わす。「五万―円」 ■二(代) 自分。わたし。〔主として漢文風の文章に使う〕 表記 ■一は、「〈餘」を略した新字体。■二は、「余」が本来の字。「予」とも書く。

***よ**【世】 ❶①人間が互いにかかわりを持って生活を営んでいる場。「―を渡る〔=生活する〕/―に聞こえた〔=有名な〕/―を去る〔=死ぬ〕/…の風潮が―にはびこる/作家として―に出る〔=世間に名を知られる〕」 ❷①⓪ある△人(力)が支配する期間。時代。「―が―ならば〔=(今は落ちぶれているが)自分の得意な時代であったなら〕/―にある〔=栄える〕」 ❸①〔仏教で〕三世のそれぞれ。「この―/あの―」 表記 ❸は、「代」とも書く。【―に《容れられない》】 高邁な意見や、すぐれた才能を持ってはいるが、常識とかけ離れていて、世間一般が認めるには至らない。【―を挙げて】 世の中の人が残らず同じことをする様子。

よ①【夜】 よる。〔「よる」に比べて、多く慣用的な用法に用いられる〕「―が△明ける(ふける)/―を徹して作業を行なう/―の目も寝ずに〔=一晩じゅう眠らないで〕/小―・一―・その―」 【―も日も明けぬ】 (…がそばに無いと)一時は―」 【―をこめて】 〔雅〕夜が明けるにはまだ時間があるうちに。 【―を日に継ぐ】 昼夜の区別無く、休まずに行なう。

よ①【《節》】 竹などの、ふしとふしとの間。

よあかし②【夜明かし】―する(自サ) 一晩じゅう眠らないで、朝を迎えること。

よあけ③【夜明け】 夜が明けるころ。あけがた。「新しい時代の―が来た〔=新しい時代が訪れた〕/―前④〔=一つの変革期の直前の意にも用いられる〕・―方⓪」 ↕日暮れ

よあそび②【夜遊び】―する(自サ) 夜に遊び歩くこと。

よあつ⓪【与圧】―する(自サ) 高高度を飛ぶ飛行機などで、地上の気圧に近くなるように加圧すること。「―室③・―装置④」

よあらし②【夜嵐】 夜に吹く強い風。

よあるき②【夜歩き】―する(自サ) 夜、出歩くこと。

****よ・い**【良い・善い・《好い》】 ■一①(形) 〔口頭語では、終止形・連体形は多く「いい」を用いる〕 ❶その社会において倫理的に、そうするのが△好ましい(望ましい)ことだとされている様子だ。「日ごろの―行い/―ことをして褒められる/―と信ずるところに従って行動する」 ❷〈(だれニ)―〉 道義や社会通念にかなっていて対人関係などに好ましい影響をもたらす様子だ。「―隣人に恵まれる/彼のことをよく言ってもらえてうれしかった/自分だけ―子になる/人〔=人柄〕が良くて皆に好かれる/一緒に仕事をするのに―相手」 ❸〈(なにニ)―〉 好ましい△状況におかれている(結果につながる)ととらえられる様子だ。「助かったのは運が―/△お日柄(縁起)が―/仲のよかった友に死なれる/―所に来た/手ざわりの―タオル/早ければ早いほど―/旅行に―季節/心臓

によくない/からだに―とされる運動をする」
❹△標準よりすぐれて(基準にかなって)いる状態だ。「△頭(器量・品・出来)が―/発音が―/この作文は小学生にしてはよく書けている/―△男(女)」
❺正常な△機能(状態)が保たれている様子だ。「エンジンの調子が―/体調がよくて仕事がはかどった」
❻必要な△準備(心構え)が十分にできている状態だ。「いつ出港しても―状態だ/覚悟は―か/―年をして(=年相応の分別をわきまえているべきであるのに)恥さらしなことをするな」
❼(「…△て(で)―」の形で)差しつかえないものとして△許容(容認)することができる様子だ。「君はもう帰って(も)―/それで―/十中八九合格できると見て―/ほぼ完了したと言ってよさそうだ」(❶～❺の対義語は、悪い)
■(「動詞連用形+―」の形で、接尾語的に)快いものとして、積極的に受け入れられる状態だ。「書き―筆/住み―家」⇩易い■ 派―さ①
表記「《佳い」とも書く。
運用 ■❹で、皮肉を含意して「よい△ご趣味(ご身分)でらやましい」などと用いることがある。⇩いい 運用

よい⓪【宵】❶日が沈んでまもないころ。「―の明星」❷夜のまだふけないころ。

よい②⓪【酔(い)】酔うこと。酔った△状態(程度)。「―が回る/―をさます/ほろ―・悪―・船―」

よいかな①【善(い)《哉】(感)「いいなあ」と感動をこめてほめる言葉。「よきかな」とも。「―言や」

よいごこち⓪【酔(い)《心地】酒を飲んだ時の(いい)気持。表記⇩付表「心地」

よいごし⓪【宵越(し)】(そのままの状態で)翌日に持ち越すこと。「江戸っ子は―の金は持たぬ」

よいさ①(感)❶歌などのはやし声。「よいやさ①」とも。❷物を受け渡しする時などに調子を取るための掛け声。

よ

［与］❶あたえる。「贈与・貸与・賞与・生殺与奪」❷組になって何かをする。「与国・与党」❸自分もその事に一枚加わる。仲間関係にある。あずかる。「関与・参与」

［予］■前まえから(その事を期待して)。前もって。「予定・予約・予期・予報・予算・予後」■(略)伊予国。「予州」表記■■とも、「〈豫」の略字。

［余］⇩(本文)よ【余】

［誉］❶ほめる。ほめたたえる。「称誉・毀誉褒貶」❷皆からほめられる。よい評判。ほまれ。「名誉・栄誉」

［預］❶あずける。あずかる。「預金・預託・預言」❷⇩予■

［〈輿］❶乗せる。「輿地」❷乗り物。「車輿・乗輿」❸こし。「神輿・輦輿」❹衆(人)。「輿論・輿望」

よう

［幼］⇩(本文)よう【幼】

［用］❶使う。もちいる。「用法・用心・運用・採用・使用・利用・濫用・工業用」❷ある事をするのに必要である(もの)。「用地・用水・費用」❸そのものの働きを増進するのに役にたつ。「有用・効用・作用」⇩(本文)よう【用】

［羊］ヒツジ。「羊毛・羊頭狗肉・綿羊・亡羊・牧羊・羚羊」

［妖］❶△若い(若作りの)女性があやしい魅力で男性を誘惑する。「妖艶・妖婦」❷人に災いを与えそうで、何か怪しい様子がある。「妖気・妖怪・妖星」

［洋］❶広い海。「洋上・大洋・海洋・北洋・太平洋」❷西洋(式の)。「洋風・洋式・洋室・洋画・洋楽・洋裁・和洋折衷・和漢洋」⇩(本文)よう【洋】

［要］大切な。「要所・要件・要素・要因・要員・要求・主要・需要・所要・重要・肝要」⇩(本文)よう【要】

［容］❶何かをその中にいれる。「容器・内容・包容・収容」❷外から見た様子。姿。「容姿・容貌・美容・威容・形容」❸聞き入れる。ゆるす。「容認・寛容・許容」

［庸］❶特別すぐれたところが無い。「庸君・凡庸」❷恒久かつ不変だ。「中庸」❸人を用いる。「登

よいざまし⓪③【酔(い)《醒(ま)し・酔(い)覚(ま)し】酒の酔いが早くさめるようにすること。「―に風に当たる」

よいざめ⓪【酔(い)《醒(め)・酔(い)覚(め)】酒の酔いが△さめること(さめた時)。

よいしょ①■(感)△重い物を上げ下げしよう(動作を起こそう)として、腰に力を入れる時に発する掛け声。〔多く腰の上げ下ろしに負担を感じるようになった世代の人が言う〕■(「―する」の形で、「人を持ち上げる」意を含意して)何かの魂胆があって、目当ての人をおだてる。「人事異動があるというわさを聞いて、早速部長に―する連中」

よいし・れる④⓪【酔(い)《痴れる】(自下一)ひどく酔って、正気で無くなる。「成功に酔い痴れて(=いい気持になって我を忘れて)ばかりは おれない」

よいち①【夜市】夜に開く市。特に、海外で夜に営業する屋台・露店・売店などが集まっている場所。「よるいち」とも。「台湾の―」

よいっぱり⓪④【宵っ張(り)】多くの人が寝静まったあとまで、何かをして時間を過ごす△こと(人)。「―の朝寝坊」

よいつぶ・れる⑤⓪【酔(い)潰れる】(自下一)酒に酔って正体が無くなったり 寝込んだり してしまう。

よいとな①(感)掛け声として発する声。

よいとまけ⓪地形のために、重い槌を滑車で上げおろしする△こと(女の人)。〔その時に発する掛け声から〕

よいどれ⓪【酔いどれ】ひどく酒に酔うこと。また、酔った人。よっぱらい。

よいね⓪【宵寝】―する(自サ)❶宵の口から寝てしまうこと。❷宵の間ちょっと寝て、またすぐ起きること。

よいのうち⓪【宵の内】宵の口。〔かつて気象用語として十八時から二十一時を指す語として用いられた。現在では「夜のはじめ頃」と言う〕

よいのくち⓪【宵の口】❶日が沈んで間もないころ。❷夜のまだ更けない時分。「彼にとっては十時はまだ―だ」

よいのみょうじょう⓪-⓪【宵の明星】日没後に、西の空に見える金星。↕明けの明星

よいまちぐさ④【宵待(ち)草】オオマツヨイグサ・マツヨイグサの俗称。⇩つきみそう

よいまつり③【宵祭(り)】⇩よいみや

よいみや⓪【宵宮】祭日の前夜に行なう祭り。宵祭り。夜宮。

よいやみ⓪【宵闇】❶十五夜が過ぎたあとの数日間、

庸」 表記 ❸の代用字は、「用」。⇩(本文)よう【庸】

【揚】 ❶△高く(上の方に)あげる。あがる。「揚水・揚陸・揚力・掲揚・高揚・浮揚・飛揚・抑揚」 ❷ほめる。「称揚」

【揺】 手でゆり動かす。ゆれる。「揺籃・動揺」

【葉】 ❶草木のは。〔木の葉や、紙・写真・地図・絵など薄くてひろがりのある物をかぞえる時にも用いられる〕「葉脈・葉緑素・落葉」 ❷脳・肺などの一区切り。「前頭葉」 ❸飛行機の翼。「単葉・複葉」 ❹特定の時期を三つに分けた時代区分の一つ。「初葉・中葉・末葉」

【〈遥】 ❶はるか。「遥拝」 ❷気ままに歩く。「逍遥」

【陽】 ❶太陽。「陽光・陽暦・落陽・斜陽・夕陽」 ❷山の南側。〔川については北側を指す。例、「洛陽」〕「山陽道」↕陰 ❸男子の生殖器。「陽物」⇩(本文)よう【陽】

【〈傭】 やとう。「傭兵・雇傭」 表記 代用字は、「用」。

【溶】 液体中にまじった物質が均質にとける。とかす。「溶液・溶解・水溶液」 表記 金属が熱せられてとけることは、「〈熔」と書く。例、「熔鉱炉・熔岩」。「〈鎔」は、「熔」の本来の字。

【腰】 こし。「腰骨・腰囲・腰椎・腰痛・細腰・柳腰」

【様】 ❶ありさま。「様子・様相・様態」 ❷図柄。「模様・文様」⇩(本文)よう【様】

【瘍】 ⇩(本文)よう【瘍】

【踊】 おどる。おどり。「踊躍・舞踊」

【窯】 かま(で焼いた物)。「窯業・窯変・陶窯」

【養】 ❶食事の世話を△する(し、育てる)。やしなう。「養育・養護・養殖・養蚕・養豚・扶養」 ❷注意して、健全な心身の発達・維持をはかる。「養成・教養・修養・栄養・静養」 ❸実子ではない者を、子として育てる。「養子・養家・養父母」

【擁】 ❶だきかかえる。「抱擁」 ❷囲むようにして助ける。「擁護・擁立」

【謡】 ❶流行歌。「民謡・俗謡・童謡・歌謡曲」 ❷能楽のうたい。「謡曲」

【曜】 ❶一週間を構成する日の名の下に添える語。「曜日・七曜・月曜」 ❷輝く。「黒曜石」 表記 「〈旺」は略字。

日が暮れてから月が出るまでの間が暗いこと。また、その闇。 ❷夕やみ。

よいよい ③ アルコール中毒や脳卒中の後遺症などで、手足がしびれ、口が回らない病気(の人)の俗称。〔侮蔑を含意して用いられることがある〕

よいん ⓪【余韻】 ❶鐘を撞いたあとにしばらく続く響き。「―が残る/―嫋々⓪-⓪」 ❷気持よく事が終わったあとにしばらく残る△いい感じ(趣)。また、詩文などの、言外に感じられる趣。「―を楽しむ」

よう(幼・用・羊・妖・洋・要・容・庸・揚・揺・葉・〈遥・陽・〈傭・溶・腰・様・瘍・踊・窯・養・擁・謡・曜)→【字音語の造語成分】

よう【様】(造語) どういう風△にするか(な状態であるか)を表わす。「歯ブラシ―の物/なんとも手の尽くし―が無い/言い―・聞き―・見―・唐―」⇩【造語成分】

よう(助動・特殊型) ■〔主体の意志にかかわる用法〕❶

よいよい ―― よう

主体の意志を表わす。「明日の朝は早めに起き―/もう酒はやめ―/連絡し―にも連絡先が分からない」 ❷相手に対する勧誘を表わす。「さあ、いっしょに食べ―/いやな事はお互い早く忘れ―よ」 ❸〔「―とする」の形で〕その△行動を始める(事態に変化する)寸前の状態にあることを表わす。「出かけ―としていたら電話がかかって来た/今年も早 暮れ―としている」 ■〔主体の推量・判断にかかわる用法〕❶△実現していない(事実かどうかわからない)事柄について推量することを表わす。〔断定を避けた婉曲表現に用いられることもある〕「来月になれば雪も消え―/苦労のほどがしのばれ―/これでまず安心でき―」 ❷〔「―(か)」の形で〕「…だろう」と推量し、それを反語的に否定することを表わす。「こんな不便な所にだれが来―/安易にそんなことが言え―か」 ❸△同種の(対照的な)事柄の一つとしてその事態を想定することを表わし、それにかかわりなく成り立つ後件と結び付ける。「信じ―と信じまいと君の勝手だ/なぐられ―が蹴られ―が口を割らなかった」 文法 ■■とも、五段活用を除く動詞、助動詞「れる/られる・せる/させる」の未然形(「する」は「し」の形)に接続する。 運用 ■❶は、相手にかかわりのあることを直接その相手に向かって言うときには、要求・提案などの気持を含意することがある。例、「ここの勘定は君に任せよう」

よう(感) 呼びかけ、またはそれに応じる言葉。「―、しばらく/―ってば〔=何かを促す時の言葉〕」

***よ・う** ①【酔う】(自五)〔「ゑふ」の変化〕 ❶〈なにニ―/なにデ―〉アルコール分が全身に回り、心身の状態が正常でなくなる。「奈良漬に―」 ❷〈なにニ―〉乗り物の動揺や人混みなどのために、気分が悪くなる。 ❸〈なにニ―〉ある雰囲気に浸り、批判力・自制心を失う。「太平に―世人/勝利に―/歓喜に―/すばらしい演技に―〔=接して、うっとりする〕/自分の書いた文章に―」

よう ①【幼】 おさない△時分(子供)。「―にして学に長じ/―少・長―」

***よう** ①【用】 ❶当面△しなければならない(済ますことが求められている)事。「―がある/―を足す〔=ⓐ用事を済ます。ⓑ大小便をする〕」 ❷人生・社会になんらかのよい働きをしていること。「種々の―〔=使い道〕に供せられる/時計の―〔=働き〕をなさない/―にたつ〔=役に立つ〕/―を達する〔=必要なことを果たす〕」 ❸「入り用」の意の古語。費用。「―を節する」⇩【造語成分】 運用 ❶で、相手からの依頼・要求・勧誘・命令などに対して、「用がある」などの形で断りの表現として用いられる。例、「『今晩いっしょに食事でもどうですか?』『すみません。今晩はちょっと用があります』」

よう ①【洋】 東洋と西洋。また、東洋か西洋。「―の東西を問わず〔=東洋・西洋の区別無く〕」⇩【造語成分】

よう ①【要】〔扇のかなめの意〕 ❶全体のしめくくりとなる、大切な点。「簡にして―を得ている/―約・概―」 ❷必要。「戒心の―がある/―確認・―注意・―用・―保護児童」⇩【造語成分】

よう ①【庸】 昔の税法の一。労役の代りの物納。「租―調」⇩【造語成分】

よう ①【陽】↕陰 ❶表から見える所。「陰に―に/―動」 ❷〔易学で〕地に対する天、月に対する日、女性に対する男性など、積極的な性質を持つもの。「陰―二気・―性・―電気・―イオン」⇩【造語成分】

よう ①【瘍】(頭の)できもの。「潰―」

よ

ようオ①【癰】首・背中・おなかなどに出来るはれもの。痛くて、高熱を伴う。

**ようあん⓪【溶暗】↔溶明 ⇨フェードアウト

**ようい①【用意】─する(他サ) ㊀Ⓐ〈だれニなにヲ─する〉何かをする前に、それが△すぐ始められる(うまくいく)ように必要な物や環境を整えること。「旅行の─/食事を─する〔=客に食事を出す手はずを整える〕/海側の部屋をご─できます」Ⓑ〔競走や競泳で〕すぐにスタートできる体勢を取らせるためにかける号令。「位置について、─〔スタート〕」㊁万一の事を考えて、細かい点まで注意すること。「心の─/─おさおさ怠り無し/十分な─を欠く/─周到①-⓪〔=注意が行き届いていて少しも手落ちが認められないこと〕」 ─どん①-①〔「どん」はスタートの合図に発する銃の音〕㊀△競走(競泳)の選手が合図によってスタートを切ること。㊁△その場に居る人が一斉に(時を同じくして各所で)同じことをし始めること(様子)。「開店と同時に客が─でバーゲン会場になだれ込む/各社が似たような製品の開発に─したが、ものになったのは一社だけだった」

*ようい⓪【容易】─な〔「容」も「易」も、たやすい意〕何かをするのに、前からの準備や心の用意、また、労力や時間をたいして必要としない様子だ。「いとも─〔=簡単〕だ/─ならざる〔=ほうっておくと大変な事になりそうな〕事態/─には動かせない」派─さ⓪

ようい①【庸医】(開業しているだけで)特別に腕がいいとは言えない医者。「良医を求め、─に委ゆだぬべからず」↔良医

ようい①【腰囲】「こしまわり」の漢語的表現。

ようイオン③【陽イオン】⇨イオン

よういく⓪【養育】─する(他サ) (他人の)子供を自分の手もとで、めんどうを見ながら育てること。「─権④・─費④・─者④・─料④」

よういん⓪【要因】〔「要」も「因」も同義〕因子。「政治問題化の─をはらむ/複雑な─がからむ」

よういん⓪【要員】その仕事をするために必要な、何人かの人。

ようえん⓪【妖雲】何か不吉な事が起こりそうな感じのする、気味の悪い雲。

ようえい⓪【揺〈曳〉】─する(自サ) ㊀ゆらゆらとなびくこと。㊁あとまで長く尾を引くこと。

ようえき⓪①【用役】なんらかの経済的価値を生じると考えられる労働力・土地・財物などの働き。〔ただし、財と対比される場合は、医師・弁護士などのサービス業務を指す〕

ようえき⓪①【用益】使用と収益。「─権・─物権」

ようえき①【溶液】薬品などが溶けてよく混じった液体。

ようえん⓪【妖艶】─な 女性の姿が美しく、あやしくなまめかしい様子だ。派─さ⓪ 表記「妖〈婉〉」とも書く。

ようおん①【拗音】「や・ゆ・よ・わ」のかなを、他のかなの右下に小さく書いて表わす音。〔音声学的には、「子音＋j(w)＋母音」のような構造を持った音節〕例、「きゃ(kja)・くゎ(kwa)」。〔「くゎ」は共通語にはない〕⇨直音

ようか①【妖花】気味悪い感じを持つほどきれいな花。〔そのような感じの女性の意にも用いられる〕

ようか⓪【(沃化)】─する(自サ) 沃素と化合すること。

ようか⓪①【洋花】欧米△原産の(で作出・増殖された)花で、輸入され、栽培・販売されるもの。「ようばな⓪」とも。↔和花

ようか①【養家】養子となって行った先の家。↔実家

ようか⓪【八日】㊀月の第八日。㊁日の数が八つあること。また、その日数。

ようが⓪【洋画】㊀西欧風の手法による絵画。西洋画⓪。↔日本画 ㊁欧米から輸入した映画。↔邦画 かぞえ方 ㊀は一枚・一幅、㊁は一本・一巻

ようが⓪【陽画】△明暗(色彩)が被写体と同じに見える、写真の△原板(フィルム)。ポジ。ポジティブ。↔陰画

ようかい⓪【妖怪】正体が何か分からないが、人を驚かす不思議な変化を見せるもの。化け物。「─変化へんげ⑤」

ようかい⓪【容〈喙〉】─する(自サ)〔「喙」は、くちばしの意〕横から余計な口出しをすること。

ようかい⓪【溶解】─する(自他サ) ㊀とけること。また、とかすこと。㊁〔化学で〕物質が液体中によく混じり、溶けこむこと。また、そうさせること。

ようかい⓪【溶解・(熔解)・(鎔解)】─する(自他サ) 固体が熱のために溶けて、液状になること。また、そうさせること。表記「溶」は、代用字。 ─ろ③【─炉】金属を融解する炉。

ようがい⓪【要害】㊀味方にとっては守りやすく、敵にとっては攻めにくい地勢のけわしい場所。「─の地」㊁とりで。「自然の─」

ようがく⓪【洋学】江戸時代に入って来た、西洋の学問(を学ぶ手段としての西洋の言葉)。⇨和学・漢学

**ようがく⓪【洋楽】西洋の音楽。↔邦楽

ようがさ③⓪【洋傘】⇨こうもり㊁

ようがし③【洋菓子】小麦粉・砂糖・鶏卵などで作った、西洋風の菓子。ケーキ。↔和菓子

ようかん①【羊〈羹〉】〔ヒツジの肝の形に似せて作ったアズキの蒸し物を羹あつものに入れたのを原形とする〕寒天を煮溶かし、練ったあんを加えた和菓子。多くは細長い積み木状にする。「練り─・蒸し─・水─・栗くり─・いも─」かぞえ方 一棹ひとさお・一本 ─いろ⓪【─色】黒色・紫色などの色があせて、赤みを帯びたもの。

ようかん⓪【洋館】明治・大正時代に、西洋風建築の家を指した称。

ようかん⓪【腰間】「〔刀を帯びる〕腰のあたり」の意の漢語的表現。「─の秋水〔=日本刀〕」

ようがん⓪【容顔】〔美醜の観点から見た〕顔のつくり。「─美麗⓪-⓪」

ようがん①【溶岩・(熔岩)】火山の噴火口から噴き出した、どろどろした岩石(が冷えて固まった物)。ラバ。表記「溶」は、代用字。 ─りゅう③【─流】火山の噴火に伴って、比較的粘度の低いマグマが溶岩となって地表に噴出し、流れ下る現象。また、その結果残された地表の地形。

ようき①【妖気】何か(悪い事)が起こりそうなけはい。

ようき①【妖〈姫〉】不気味な美しさを持つ女性。

ようき①【容器】中に何かを入れるためのもの。

ようき①【揚棄】─する(他サ) ⇨しよう(止揚)

ようき⓪【陽気】㊀〔生活に快適かどうかという観点から見た〕時候。「─がいい(ばか─)」㊁─な ↔陰気 ㊀性格が明るくて、元気よくふるまう様子だ。㊁不平・不満などの暗い面を忘れて、一緒に愉快に時を過ごす様子だ。「─〔=にぎやか〕に騒ぐ」派─さ⓪

ようぎ①【容疑】〔犯罪の〕疑い(があること)。「─を△受ける(固める)/─が晴れる」 ─しゃ③【─者】「被疑者」の通称。

ようぎ①【容儀】〔人前で見せる時の〕きちんとした△態度(姿勢)。「─を正す」

ようきが⓪③【用器画】製図用の器具を使って描かく幾何学的図形。↔自在画

ようきゅう⓪ ㊀【洋弓】西洋風の、小型の弓。アーチエリー。㊁【〈楊弓〉】〔江戸時代に〕遊戯に使われた、すわったままで射る小弓。

**ようきゅう⓪【要求】─する(他サ)〈だれニなにヲ─する/だれニ

〈なんだト—する〉 必要なものとして、その△実現(出現)を強く求めること。「正当な労働者の—/—を△突きつける(のむ・ける)/—に応じる/体力が—される作業/△賃上げ(退陣・金・返答)を—する/—貫徹⓪-⓪」

ようぎょ①【幼魚】 卵からかえって少したった魚。〔稚魚よりは大きい〕⇩稚魚・成魚

ようぎょ①【養魚】 魚を飼って、人工的にふやすこと。「—場⓪」

ようきょう⓪【〈佯狂】 狂人のふりを△すること(した人)。

ようきょう⓪【容共】 共産主義を容認すること。↕反共

ようぎょう①⓪【窯業】 窯で土・砂などを高熱処理して、陶磁器を造る工業。〔広義では、れんが・セメント・ガラス工業をも指す〕

ようきょく⓪【陽極】↕陰極 ❶〔二つの電極の間に電流が流れている時〕電位の高い方の称。プラス。❷磁石の北極。エヌ(N)極②。

ようきょく⓪【謡曲】 能楽の詞章(に従って問答したり節をつけて歌ったりすること)。うたい。かぞえ方 一番

ようきん⓪【用金】 ❶公用の金。❷武家時代に、領主が臨時の支出をまかなうために、領内の人民から徴収した金。「御—⓪②」

ようきん⓪【洋琴】 ピアノの古風な表現。

ようぎん⓪【洋銀】 銅とニッケル・亜鉛との合金。銀白色。〔さびにくいので、洋食器などに用いられる〕

ようぐ①【用具】 何かをするために△使う(必要な)道具。「体操—⑤・筆記—④」 表記「要具」とも書く。

ようぐ①【庸愚】—な どうにか人並の能力を備えているが、取り立てて言うほどのこともない様子だ。

ようくん①【幼君】 年の幼い主君。

ようけい⓪【養鶏】 〔肉・卵を利用するために〕ニワトリを飼育すること。「—業③」

ようげき⓪—する(他サ) ❶【要撃】 敵を待ちぶせていて、攻撃すること。↕出撃 ❷【〈邀撃】 迎撃。「—機」

ようけつ⓪【要〈訣】 その事をなしとげるのに最も大事なこつ。

ようけん③【用件】 △改まった(表向きの)用事。

ようけん⓪【洋犬】 〔和犬に対して〕西洋種の犬。

ようけん③【要件】 ❶大切な用事。❷必要な条件。「三つの—を満たす」

ようげん①【用言】 〔日本語文法で〕活用語のうち、動詞・形容詞・形容動詞の総称。単独で述語になりうる。↕体言

ようげん⓪【妖言】 悪い事が起こるなどと言って人をことさらにおびえさせ、迷わす言葉。

ようげん⓪【揚言】—する(他サ) 〔遠慮せず〕公然と言うこと。

ようご⓪【用語】 △その人(特定の部門)によって使われる言葉。「近松の—〔=語彙〕/専門—・文法—・学術—」

ようご⓪【洋語】↕和語 ❶西洋の言語。❷江戸時代に、狭義の外来語を指した称。

ようご⓪【要語】 その△作品(文献)を理解する上での重要語。「—索引④」

ようご①【養護】—する(他サ) ❶〔からだの弱った高齢者やからだに障害のある人に対して〕日常生活のめんどうを見、世話をすること。「—施設の充実が急務とされる/—老人ホーム⑧」 ❷からだの弱い児童を保護することに配慮して教育すること。「—学級④〔=特別支援学級〕・—学校〔=⇩特別支援教育〕」 **—きょうゆ**④【—教諭】 小・中・高等学校で、保健管理と指導を専門の仕事とする教諭。

ようご①【擁護】—する(他サ) 〔危害・破壊を加える向きに対抗して〕そのものが存立出来るように積極的に努力すること。〔古くは「おうご」〕「—を△叫ぶ(主張する)/新しい潮流を—する/既得権の—/△人権(平和・憲法)—」

ようこう⓪【妖光】 何か不吉な事が起こりそうな感じがする光。

ようこう⓪【洋行】 ❶—する(自サ) 「欧米への旅行・留学」の意の古風な表現。❷〔中国で〕外国人の商店(の屋号に添える言葉)。

ようこう⓪【洋紅】 食品・化粧品などの染色や、絵の具に使う紅色の色素。⇩カーマイン レッド

ようこう⓪【要港】 軍事・産業上、重要な港。

ようこう⓪【要項】 △必要(重要)な事柄。また、それをまとめたもの。「入試—」

ようこう⓪【要綱】 その事柄に関する△重要(根本的)な事項。また、それをまとめたもの。〔本の名前にも用いられる〕「—がまとまる/設立—〔=趣意書〕・災害予防—〔=計画を書いた書類〕」

ようこう⓪【陽光】 さんさんと降りそそぐ、太陽の光。

ようこうろ③【溶鉱炉・〈熔鉱炉・〈鎔鉱炉】 鉱石を加熱してとかし、鉄や銅をとる炉。普通、筒形で、上から鉱石を入れ下から熱風を送る。高炉。表記「溶」は、代用字。かぞえ方 一基

ようこく⓪【陽刻】—する(他サ) 〔押した時に文字の形がはっきり見えるように〕印判の面に、文字などを突き出るように彫ること。↕陰刻

ようこそ①(感) 〔「よくこそ」の変化〕相手の訪問などを喜び迎える時の言葉。

ようこん⓪【養根】 植物の根に水を与えたり 肥料を施したりして、生長を促すこと。

ようさい⓪【洋菜】 最近の食生活に取り入れられるようになった西洋野菜。アーティチョーク・エンダイブ・ズッキーニ・チコリー・パプリカなど。

ようさい⓪【洋裁】 洋服の裁縫。↕和裁

ようさい⓪【要塞】 外敵の侵攻に備えるため、重要な地点に設けた、砲台その他の防備施設。「—戦⓪」

ようさい⓪【葉菜】 茎や葉を食用とする野菜。ホウレンソウ・キャベツなど。⇩根菜・花菜・果菜❶

ようざい⓪【用材】 ❶建築・木工などに使う材木。❷材料として用いるもの。

ようざい⓪【溶剤】 〔化学で〕物質を溶解させるのに用いる液体。

ようさん⓪【葉酸】 ビタミンBの一種。肝臓・ホウレンソウなどに多く含まれ、貧血にきく。

ようさん⓪【養蚕】 〔繭をとるために〕カイコを飼うこと。「ようざん」とも。

ようし⓪【用紙】 何かに使う紙。「原稿—・答案—」

ようし⓪【洋紙】 パルプなどから作った紙。普通は、ロールを掛けて厚さや密度がほぼ一定している。西洋紙。↕和紙

ようし①【要旨】 講演・研究発表・論文などに△述べられる(述べられた)事の、大事な部分を短くまとめたもの。

ようし① ❶【容止】 身のこなし。❷【容姿】 〔美的観点から見た〕顔かたちや姿。「整った—/—端麗」

ようし①【陽子】 原子核を作る、素粒子の一つ。電子と同じ量の陽電気を帯びる。プロトン。

ようし⓪【養子】 〔実子に対して〕養子縁組によって子の資格を得た人。「—をとる」⇩養親 **—えんぐみ**⓪-⓪、④【—縁組】 血統において親子ではない者の間に、法律上、親子の関係を生じさせる行為。

ようじ ①【幼児】 乳離れしてひとりで立ち歩きする時分から物心(ゴコロ)が付く前後までの子供。「—性⓪・—音(オン)③〔=幼児特有の発音。『魚』を『チャカナ』、『靴』を『クチュ』など〕」 **—ご** ⓪【—語】 言語習得期にある幼児に対して養育者が、発音しやすいようにとの配慮から与える片言(カタコト)に似た表現。また、それをまねていう幼児の表現。「よしよし」を「ヨチヨチ」、「犬」を「ワンワン」と言うなど。〔広義では、小学校低中学年の児童の使う言葉をも指す〕

ようじ ①【幼時】 その人の幼年時代。「—体験」

ようじ ⓪【用字】 その△人(文献)における文字の使用上の特徴。また、そこに使われている文字の現況。「—法⓪」

****ようじ** ⓪【用事】 その時△第一に(さしあたって)しなくてはならないと前から予定されている事柄。「—を済ます/—を頼まれる/—で出かける/たいした—でもない/話に夢中になっている間に—を忘れてしまった/なんだったか—があったんだが」

ようじ ①⓪【要事】 △必要(大切)な事柄。

ようじ ⓪【〈楊枝】 〔楊は、柳の意〕 ❶歯の垢(カア)を取り除き、清潔を保つための用具。柳の枝の先端を叩(タタ)いて、総(フサ)状にしたもの。インド起源で、もと仏具。ふさようじ③。〔現在の歯ブラシに当たる〕 ❷つまようじ。 表記「〈楊子」とも書く。 かぞえ方 ❶❷とも一本

ようしき ⓪【洋式】 西洋風の様式。↕和式

ようしき ⓪【様式】 ❶歴史の流れや社会状況の変化などから、自然に同類のものの間でそう決まった、共通の△型(やり方)。「—化された和風建築/生活—」 ❷それによるものとして決められた、一定の形式。「書類の—」〔❶❷とも個人の恣意(シイ)による変更を許さぬ点で共通する〕 ❸芸術作品・建築物などに見られる独特の表現形態。「—美・建築—」

ようしし ③【養嗣子】 〔民法の旧規定で〕家督相続人の身分を持つ養子。

ようしつ ⓪【洋室】 洋風の部屋。↕和室

ようしつ ⓪【溶質】 〔化学で〕その溶液の中に溶け込んでいる物質。↕溶媒

ようしゃ ①【用捨】—する(他サ) 好ましい結果を得るために取捨選択に意を用いること。「善政は賢臣の—にあり」

ようしゃ ①【容赦】—する(他サ) その罪を許して、とがめないこと。「不行き届きの点はご—のほど/情け—も無く〔=少しも手加減をせずに〕責める/—無く〔=こちらの事情にはおかまいなく、どんどん〕時が過ぎる」 表記「用捨」とも書く。 運用「ご容赦ください」などの形で、相手の要求を拒否する婉曲(エンキョク)表現として用いられることがある。例、「『少しまけてもらえないか』『それだけはご容赦ください』/△返品(分売)はご容赦ください」

ようしゃく ⓪【用尺】 衣服・カーテンなどを裁断するのに必要な布地の長さ。 表記「要尺(エウシャク)」とも書く。

ようじゃく ⓪【幼弱】—な まだ幼くて、からだが弱い△様子(人)。

ようしゅ ①【幼主】 年の幼い△君主(当主)。

ようしゅ ⓪【洋酒】 西洋(風)の酒。ウイスキー・ブランデーなど。↕和酒 かぞえ方 一本

ようしゅ ⓪【洋種】 西洋の系統。西洋種③。

ようしゅ ①【庸主】 父祖のあとを継いで君主の位置にあるだけの人。

ようじゅ ①【〈榕樹】 ガジュマルの異称。

ようしゅう ①【〈雍州】 「山城(ヤマシロノ)国」の漢語的表現。今の京都府南東部にあたる。〔中国の唐の都のあった州名に由来〕

ようじゅつ ①⓪【妖術】 普通の人には仕掛けが見破られない、目くらまし。

ようしゅん ⓪【陽春】 気候が暖かくなり、草木が芽ぐむ、春。〔陰暦では、正月の異称〕

ようしょ ⓪【洋書】 ❶西洋の本。〔江戸時代の言葉〕 ❷外国の本。「—部③」 ❸洋装本。〔❶❷の対義語は、和書❶。❸の対義語は、和書❷〕

ようしょ ⓪①【要所】 大切な場所。「——をしめる」

ようじょ ①【幼女】 まだ小さい女の子。

ようじょ ①【妖女】 ❶魔法使いの女。 ❷妖婦。

ようじょ ①【養女】 養子となった娘。

ようしょう ⓪【幼少】 まだ幼いこと。「(ご)—のみぎり」

ようしょう ⓪【要衝】 △交通(軍事)上、大切な場所。

ようじょう ⓪【洋上】 ❶大洋の波の上。「—を漂う」 ❷海上を航行する船を舞台として何かが行なわれること。「—会談⑤・—作戦⑤」

ようじょう ③①【養生】—する(自他サ) ❶無理・不健全な生活をせず、健康の保持・増進を心がけること。〔狭義では、病後の体力回復を指す。⇩後(アト)養生〕「—訓③」 ❷土木建築などの作業現場で、完成の前段階にある部分に外部からの力や作用が加わったり及んだりすることを防ぐこと。また、その保護のための覆い。〔広義では、作業現場を周辺の建物や道路から隔離するために囲いを設ける△こと(ための柵や幕など)をも指す〕「コンクリートを—する/—中の芝生(シバフ)」 ❸花を生ける際に、美しさを保ちしおれないように保護を加えること。 表記 ❶は、「養性」とも書いた。

ようしょく ⓪【洋食】 欧米風の材料・調理法による料理。↕和食

ようしょく ⓪【要職】 重要な職務。重職。「—に△就く(ある)」

ようしょく ⓪【容色】 〔美しい〕顔の色つや・はり。「いまだ衰えぬ—」

ようしょく ⓪【養殖】—する(他サ) 〔魚・貝などを〕人工的に養いふやすこと。「資源保護や安定供給の観点からも今後ますます—が求められるだろう」

ようしょっき ③【洋食器】 フランス料理など西洋料理を盛りつけたりするために用いる食器。↕和食器

ようしん ⓪【〈痒疹〉】 かゆい、慢性の吹き出物。

ようしん ⓪【葉身】 ❶葉のおもな部分で、平らで広い所。 ❷「葉身❶」に似た形のもの。「プロペラの—」

ようしん ⓪【養親】 養い親。⇩養子

****ようじん** ①【用心】—する(自サ)〈なに・だれニ—する/なにヲ—する〉 不測の事態に遭ってもあわてないで済むような対策を事前に講じておいたり心構えを怠らないでいたりすること。「火の—③/—してもう千円持って行こう/—に傘を持って行く/万一の—のため/—のいい人/—の上にも—が肝要だ」 表記「要心(エウジン)」は、明治以降の用字。 **—ぶか・い** ⑥【—深い】(形) 何事につけても用心を怠らない様子だ。 派 **—さ** ⑤ **—ぼう** ③【—棒】 〔もと、しんばり棒や、盗人などに備えて用意しておく棒の意から、万一の場合に備えて雇っておいた、腕きの武芸者・浪人など〕身辺警護のために私的に雇われた人。〔多く、軽い侮蔑(ブベツ)を含意する〕

ようじん ⓪【要人】 〔国などの〕重要な地位にある人。

ようしんし ③【養親子】 養子縁組による親子。

****ようす** ⓪【様子】 △なんらかの判断や感情をもたらす(その人の判断や感情を通してとらえられた)物事の状態。「—を見る〔=即断を避け、今後の成り行きを静観する〕/出かけた—〔=形跡〕が無い/帰る—〔=兆候〕も無い/みすぼらしい—〔=身なり〕/—〔=態度〕がおかしい/土地の—〔=内情〕に明るい/病人の—〔=容体〕が変だ/どこにも居ない—だ〔=らしい〕/—ありげ〔=いつもと違って、何か特別なわけがあるらしい〕」 表記「容子(ヨウス)」とも書く。

ようず ⓪【要図】 必要な事だけを簡単に書いた図面。

ようすい ⓪【用水】 飲料・灌漑・消火などに使う水(を送る水路や装置)。「—路③・野火止—」

ようすい ⓪①【羊水】 子宮の羊膜を満たし、中の胎児を保護する液。〔出産時に流出し分娩を容易にする〕

ようすい ⓪【揚水】—する(自他サ) 水を高い所にあげること。「—ポンプ」

ようすうじ ③【洋数字】 ⇩アラビア数字

ようずみ ⓪【用済(み)】 ❶使い終わって当面は必要としないこと。「もうご—ですか」 ❷役目を果たし終わって、不要に△なること(なったもの)。また、そのもの。「—の選手村」

ようする ③【要する】(他サ) ❶〈(なにニ)なにヲ—〉 必要とする。「人手を—/△技術(熟練・努力・体力)を—/(緊急を—〔=急がなければならない〕/かなりの日数を—/注意を—〔=注意しなければならない〕/時間を—〔=時間がかかる〕/△手術(警戒・決断)を—/(再)検討を—/一考を—/多言を要しない」 ❷〈どこニ—〉「待ち伏せする」意の古風な表現。「道に要して」 要す①(五)。 **—に ③(副) 前に述べたことから導かれる結論(の要点)を、別の△表現で(観点から)簡潔に示す様子。「あれこれとけちばかりつけている。—彼はこの品を気に入らないのだ/この絵がどこか弱い感じがするのは、—構図の問題だ」

ようする ③【擁する】(他サ) ❶抱きかかえる。「相擁して泣く」 ❷自分の△指揮(勢力)下に持つ。「大軍を—〔=率いる〕/巨万の富を—〔=持つ〕/幼帝を—〔=頭にいただく〕」

ようせい ⓪【(夭逝】—する(自サ) 夭折。

ようせい ⓪【幼生】 卵からかえった時の形が親と違う状態を示すもの。〔昆虫の場合は、幼虫と言う〕「オタマジャクシは、蛙の—」

ようせい ⓪【妖星】 昔、災害の前兆と信じられた、不気味な星。

ようせい ⓪【妖精】 ❶怪しい精霊。 ❷〔西洋の伝説・童話などに出て来る〕動植物や森・湖など自然物の精。たいていは小人の姿をしたもの。フェアリー。

***ようせい** ⓪【要請】 ❶—する(他サ)〈だれニなにヲ—する/だれニなんだト—する〉 必要だからそうしてほしいと願い求めること。「人びとの—にこたえる/—が強い/出馬の—を受ける/協力を—する」 ❷学問上の認識・理論が成立するための前提として必要な事柄。 ⇩公理

ようせい ⓪【陽性】 ↕陰性 ❶△陽気(積極的)な性質。 ❷〔医学で〕検査で病原菌やウイルスなどに感染している反応があ(らわれ)ること。陽性反応⑤。

***ようせい** ⓪【養成】—する(他サ) 鍛えて、一定の段階にまで高めること。「独立精神を—する/選手—①-⓪」

***ようせき** ①【容積】 その容器の中に一杯に満たしたと想定した時の△液体(気体)の体積。容量。〔容器の内容物の体積の意に用いる場合もある〕「瓶の—/ダムの—/—率④」〔=建物の全階の延べ面積の、敷地面積に対する割合〕」

ようせつ ⓪【(夭折】—する(自サ) 期待された才能が開花しないうちに、年若くして死ぬこと。夭逝。

ようせつ ⓪【要説】—する(他サ) 要点をかいつまんで説明すること。書名などに用いられる。「日本語—」

ようせつ ⓪【溶接・(熔接】—する(他サ) 金属を強く熱して、つぎ合わせること。 表記 「溶」は、代用字。

ようせん ⓪【用船】 何かのために使う船。

ようせん ⓪【用箋】 手紙・原稿を書くために特別に用意した紙。便箋・原稿用紙など。

ようせん ⓪【(傭船・用船】—する(他サ) 船をやとい入れること。また、その船。チャーター(船)。「—料」

ようせん ⓪【溶(銑・(熔銑)】 銑鉄をとかすこと。また、とけた銑鉄。 表記 「溶」は、代用字。

ようぜん ⓪【(杳然】—たる —と ❶はるかに遠い様子だ。 ❷奥深くその先がはっきり見えない様子だ。「—とたそがれて来た」 表記 ❷は「(窈然」とも書く。

ようそ ①【《沃素】 ハロゲン族元素の一つ〔記号I 原子番号53〕。黒紫色の結晶をなし、でんぷんの溶液によって、濃い青色となる。医薬用。ヨード。ヨジウム。

****ようそ** ①【要素】 ❶物事の成立に必要な△成分(条件)。「流動の—をはらむ/危険な—を含む/重要な—が加わる/生活をささえるものとしての衣・食・住の三—/勝利の第一—はチームワークの良さにある/構成—」 ❷〔数学で〕集合を構成する一つひとつのもの。元。

ようそう ⓪【洋装】 ↕和装 ❶—する(自サ) 洋服を着ること。 ❷西洋風の本の装丁。「—本⓪」

ようそう ⓪【様相】 内面的変化が感得される、物事の状態。「波乱含みの—を帯びる/複雑な—を呈する/…の—が濃い/中だるみの—を深める/—ががらりと変わる」

ようだ【様だ】(助動・—な型) ❶ある事柄が、それに似ている何かを思わせるという判断を表わす。「専門家が作った—/まるで本物のようだろう/飛ぶように売れた/猫の目のように変わる/まるで他人事のように/恥ずかしいような気持/バールのような物でこじあけた跡があった」 ❷条件にかなうものを具体的に例示することを表わす。「スキーのような冬のスポーツ/この辺のように便利な所がいい」 ❸明確な根拠は無いが、そう判断しうることを表わす。「あまりよくない—/問題がやさしすぎたようで、みんな点がいい/気の遠くなるような/酷な—が〔=酷かもしれないが〕」 ❹△すでに述べた(これから述べる)内容を指示することを表わす。「要約すれば以上のようである/ご承知のように」 ❺願望・依頼・注意などの内容を表わす。「一日も早く全快なさいますように/すぐ来てくれるよう(に)頼みなさい/遅れないように早めに家を出る/風邪をひかないように注意しよう」 文法 (1)動詞、形容詞、形容動詞、助動詞「れる/られる・せる/させる・たがる・ない・ぬ・た・たい」の連体形、格助詞「の」に接続する。❸❺以外の用法では、指示機能を表わす連体詞「この・こんな」の類にも接続する。❷は、「ようだ」の形は使わない。また❺は、「ように」の形しか使わない。 (2)❸は、「まだ雨が降っているようだ」に対して「まだ雨が降っているらしい」という表現がある。上の文の「ようだ」と「らしい」は一見類義的だととらえられがちであるが、両者には以下のような違いがある。「ようだ」は、それなりの判断のよりどころがある場合でもその真偽について確かめたわけではないという気持、つまり主観的な判断にかたよっているかもしれないという含みをもたせて用いる傾向がある。それに対して「らしい」は、自分なりに客観性があると思われる判断に基づいているのだという気持をこめて用いられる傾向がある。先の例でも、たとえば、窓の外を見ながら「ここからはよくわからないが、傘をさして歩いている人がいるところを見ると、まだ雨が降っているらしいね」などと、「雨が降っている」と判断して当然だと思われる根拠を明示したりもする。到着が遅れている電車を待っている場合などでも、電車が遅れるのは事故があった場合に決まっているという経験をもとにした判断として「事故があったようだ」という表現はごく普通に用いられる。そのような際に、駅員の緊張した表情やあわただしい動きなどをもとにすれば「事故があったらしい」と判断することも十分にありえる。

ようたい ⓪【様態】 物の存在や人の行動のありさま。〔古くは「ようだい」〕

ようだい ⓪【容体・容態】 〔「様態」と同源で、もと「なりふり」の意〕からだの状態。「ようたい」とも。〔狭義では、病気やけがの様子を指す。例、「—が悪化した」〕

ようたし[3]【用足(し)】—する(自サ) ❶用事を済ませること。❷大小便をすること。

ようたつ[0]【用達】—する(他サ) 〔もと、調達の意〕その役所などに常に出入りして商品を納めること。また、その商人。〔俗に、「用たし」とも言う〕 ⇩ご用達(ツタ)

ようだ・てる[4]【用立てる】(他下一) ❶本来別の用途に当てるはずのものを、その場の用に使う。❷相手の事情を察して、金を貸したり代りに支払ってやったりする。名用立て[0] 自動用立つ[3](五)

ようだん[0]【用談】—する(自サ) 仕事の上での話合い。「—を先にしよう/折入って—したい事がある」

ようだん[0]【要談】—する(自サ) 重要な話合い。「居残って社長と—した」

ようだんす[3]【用〈箪笥〉】 身のまわりの物を入れておく、小さい箪笥。

ようち[0][3]【夜討(ち)】 「夜襲」の意の和語的表現。↔朝駆け

ようち[0]【幼稚】—な/—に ❶年齢がごく低い様子だ。❷年齢や経歴の割には考え方ややり方が未熟で、おとなの世界では通用しない様子だ。「—なうそ」 派—さ[0][3] **—えん**[3]【—園】 小学校に入る前の子供を入れて、集団生活に慣れさせ、心身を発達させるための教育施設。

ようち[1]【用地】 〔以前の状態を変更した後〕何かに使うために確保してある土地。「ビル建設—」

ようち[1]【要地】 何かの視点から見て重要な役割を果たす土地。「交通上の—」

ようち[1][0]【揚地】 着いた船の荷物を陸にあげる場所。陸あげ地。

ようちく[0]【用畜】 ❶子を繁殖させたり卵・肉などをとったりするために飼う家畜。❷家畜を使用すること。

ようちく[0]【養畜】 家畜を飼うこと。「養蚕—[0]-[0]」

ようちゃく[0]【溶着】—する(他サ) 金属△に(相互を)溶接して、くっつけること。「高周波による—」

ようちゅう[0]【幼虫】 昆虫の成長の過程で、卵からかえりさなぎ・成虫になる前の状態。↔成虫

ようちゅうい[3]、[1]-[1]【要注意】 その者の健康や思想・素行などに、注意・警戒の必要があること。「—の人物」

ようちょう[0]【羊腸】—たる/—と 山道がヒツジの腸のように曲がりくねっている△こと(様子)。「—の小径(ショウケイ)」

ようちょう[0]【〈窈窕〉】—たる 「気品があって美しい様子」の意の古風な表現。「—たる美女」

ようちょう[0]【〈膺懲〉】—する(他サ) 敵に大打撃を与え、二度と戦争が出来ないようにこらしめること。

ようつい[0][1]【腰椎】 腰の部分をささえる背骨。五つの骨から成る。

ようつう[0]【腰痛】 腰の痛み。

ようてい[0]【要諦】 そこをしっかりとつかまなければ、そのものの本質が見失われるという、大切な点。「ようたい」とも。

***ようてん**[3]【要点】 事柄の大切な箇所。「—をとらえ(てい)る」

ようてん[0]【陽転】—する(自サ) 〔医学で、「陽性転化」の略〕検査の反応が、陰性から陽性に変わること。特に感染症の検査やツベルクリン反応検査についていう。

ようでんき[3]【陽電気】 ガラス棒などを絹でこすった時、ガラス棒の方に生じる電気の類。正の電気。↔陰電気

ようでんし[3]【陽電子】 電子と質量が同じで正の電気を持つ素粒子。↔陰電子 ⇩反物質

ようと[1]【用途】 その物やお金がどんな(範囲の)事に使われるかということ。〔古くは「ようど・ようどう」。お金の意に使われた〕「募金の—を明確にする/—の広い品」

ようど[1]【用度】 ❶「費用」の意の古風な表現。❷〔官庁・会社などで〕物品を供給すること。「—係[4]」

ようとう[0]【洋陶】 西洋風の陶器。↔和陶

ようどう[0]【幼童】 まだ年の小さい子供。

ようどう[0]【陽動】—する(自サ) 意表をついた挑発的な行動をあちこちでとって、敵の注意をそらせ、情勢判断を誤らせようとすること。 **—さくせん**[5]【—作戦】 敵を陽動することによって、戦いを有利に展開させようとする作戦。

ようとうくにく[0]-[0]、[5]【羊頭〈狗肉〉】 〔ヒツジの頭を看板に出して、実際はイヌの肉を売る意〕見かけはりっぱだが、内容が伴わないことの形容。見かけ倒し。

ようとく[0]【陽徳】 世間に知られるように行なわれた、よい行い。↔陰徳

ようとじ[0]【洋〈綴(じ)〉】 西洋式製本の綴じ方(によった書物)。↔和綴じ

ようとして[1]【〈杳として〉】(副) 〔「杳」は暗くはっきりしない意〕〔否定表現と呼応して〕事情などがはっきりせず、全く見当もつかない様子。「—消息が分からない」

ようとん[0]【養豚】 肉・皮などをとるためにブタを飼うこと。「—業[3]」

ようなし[0]【洋梨】 〔↑西洋梨[3]〕明治以後輸入された西洋種のナシ。ペア。

ようなま[0]【洋生】 〔↑洋生菓子[5]〕西洋風の生菓子。↔和生

ようにく[0]【羊肉】 〔食用の〕ヒツジの肉。⇩マトン・ラム

ようにん[1][0]【用人】 江戸時代に、大名・旗本の家で、主君のそば近く仕え、庶務・出納を受け持った人。

ようにん[0]【容認】—する(他サ) 〔本来認めてはならないことを〕それでよいと△許す(大目に見る)こと。「—しがたい」

ようにん[0]【〈傭人〉】 ❶やとわれた人。❷〔官庁などで〕雇員より下の階級の人。

ようねん[0]【幼年】 物心(モノゴコロ)がついてから後、小学校に入学するころまでの年齢(の子供)。「—期[3]」

ようは[1]【要は】 他の細かい問題は切り捨て、最も大切な点だけを取り上げて言うことを表わす。「—気力だ」

ようはい[0]【〈遥拝〉】—する(他サ) はるか遠くから礼拝すること。

ようばい[0]【溶媒】 〔化学で〕他の物質を△溶かす時使う(溶かしている)液体。↔溶質

ようはつ[0]【洋髪】 洋式の髪型。

ようばん[0]【洋盤】 ↔邦盤 ❶西洋音楽のレコードやCD。❷外国、特に欧米で製作されたレコードやCD。

ようび[1]【妖美】 人を迷わす、あやしい美しさ。

***ようび**[0]【曜日】 一週間を構成するそれぞれの日に名前を付けて、週内での位置を表わしたもの。「休暇中は—の観念が無くなる」

ようひし[3]【羊皮紙】 紙が普及する以前、本を写し、後には表紙に使ったヒツジの皮。古代・中世のヨーロッパで用いた。パーチメント[1]。

ようひつ[0]【用筆】 ❶字や絵をかくのに使う筆。❷ふでづかい。運筆。

ようひん[0]【用品】 何かに△使う(必要な)品物。「事務—・スポーツ—・ベビー—」

ようひん[0]【洋品】 西洋風の衣類やその付属品、服飾品。シャツ・靴下・ハンカチ・ブローチなど。「—雑貨」

ようふ[1]【用布】 衣類を仕立てるのに使う布。

ようふ[1]【妖婦】 人を惑わす、あやしい魅力を持った美女。妖女。バンプ。

よ

ようふ①【養父】 養子に行った家の父。↔実父

ようぶ⓪①【洋舞】 近代舞踊・バレエの総称。西洋舞踊⑤。↔日舞・邦舞

ようぶ①【腰部】 腰の部分。

ようふう⓪【洋風】 作り方・使い方やそのものの形式などが欧米の様式であること。↔和風

***ようふく**⓪【洋服】 西洋風の衣服。〔男子は上着とズボンを、女子はワンピース・スーツ・スカートなどを用いる〕↔和服 かぞえ方 一着・一枚

ようぶん①【養分】 栄養となる成分。

ようへい⓪【用兵】 戦闘の際の兵力の使い方。

ようへい⓪【葉柄】 葉の一部で、葉を枝・茎につける、柄状の部分。

ようへい⓪【傭兵】 給料を与えてやとう兵。「外国人―」

ようへき⓪【擁壁】 土木工事で、盛り土やがけの切り取り箇所がくずれないように作った防護壁。

ようべや⓪【用《部屋】 ㊀仕事をする部屋。㊁〔江戸幕府で〕政務を相談した部屋。御用部屋。表記 ⇩付表「部屋」

ようへん⓪【窯変】―する(自サ) 窯で陶磁器を焼く時に、火炎の性質や釉の関係などで、予期しない色や文様になったり変形したりすること。また、その器物。表記 器物については、「曜変」とも書く。

ようべん③⓪【用便】―する(自サ) 大小便をすること。

ようぼ①【養母】 養子に行った家の母。↔実母

ようほう⓪【用法】 そのものの△使い方(用い方)。

ようほう⓪【陽報】 何かをした結果が、てきめんにある事になって現われること。「陰徳あれば―あり(=人に知られなくても善行をする人は、いつか必ず明らかなよい報いを受けるものだ)」

ようほう⓪【養蜂】 蜜をとるためにミツバチを飼うこと。「―家⓪・―業③」

ようぼう⓪【要望】―する(他サ) 何かをしてほしいと望むこと。「―が強い/―にこたえる/国民の―をくみ取る」

ようぼう⓪【容貌】 「顔かたち」の意の漢語的表現。

ようぼく⓪【用木】 何かを作る材料として使う木。

ようほご③、①-①【要保護】 社会的保護を必要とすること。「―児童⑤・―生活水準家庭」

ようほん⓪【洋本】 ㊀西洋の書物。原書。㊁洋とじの書物。洋装本⓪。⇩和本

ようま①【妖魔】 接する人に災いを及ぼしそうに感じられる正体不明のもの。

ようま⓪【洋間】 洋式の部屋。西洋間⓪。↔日本間

ようまく①⓪【羊膜】 子宮内で胎児を包んでいる膜。

ようみゃく⓪【葉脈】 葉の面に分布する脈。水分・養分の通路となる。

ようみょう⓪【幼名】 ⇩ようめい

ようむ①【用務】 「与えられた義務としてしなければならない仕事」の意の漢語的表現。 **―いん**③【―員】 学校・会社などで雑用をする人。〔「小使」の改称〕

ようむ①【要務】 重要な職務。

ようむき⓪【用向き】 用事(の内容)。「―を伝える」

ようめい⓪【幼名】 その人の小さい時の名前。「ようみょう」とも。

ようめい⓪【用命】 ㊀用を言いつけること。「主君の―を受け関東に下向する」 ㊁〔「ご―」の形で〕△商人(商店)が客の注文を受けること。また、その注文。「広告のご―は当社まで/地方発送のご―を承ります」

ようめい⓪【溶明】 ↔溶暗 ⇩フェードイン

ようめいがく③【陽明学】 中国の王陽明が唱えた儒学。知識と行動を一致させるべきことを説く。

ようもう⓪【羊毛】 毛織物・毛糸の原料となる、綿羊の毛。

ようもうざい③⓪【養毛剤】 毛生え薬。

ようもく⓪【要目】 注意すべき重要な事柄。

***ようやく**⓪【《漸く】(副) △込み入った経過をたどって(予想以上に時間がかかって)期待していた事態が実現する様子。「三十年の年月を経て―完成を見た辞書/―春らしくなった/約束の期日に―間に合った/道に迷ったが―のことで下山できた」

ようやく⓪【要約】―する(他サ) 話・文章の重要な点を短くまとめること。また、そうしたもの。「一言で―して言えば」

ようやっと⓪(副) 〔「ようやく」と「やっと」の混交〕「ようやく」の意の口頭語的な強調表現。「―完成にこぎつけた」

ようゆう⓪【溶融・《熔融】―する(自サ) 融解。表記 金属に用いる「溶」は、代用字。

ようよう⓪【《漸う】(副) 「ようやく」の意のやや古風な表現。「―の思いで」

ようよう⓪【洋々】―たる ―と ㊀水が満ち満ちて、限りなく広がっている様子だ。「―たる大洋」 ㊁将来が希望に満ちている様子だ。「前途―①-⓪」

ようよう⓪【要用】 〔もと、重要の意〕㊀さしあたって必要なこと。㊁大事な用事。「取り急ぎ―のみ(=手紙文の最後に記す言葉)」

ようよう⓪【揚々】―たる ―と 得意な様子だ。誇らしげな様子だ。「意気―①-⓪」

ようらく⓪【《瓔珞】 仏像・天蓋などにかける、宝石・貴金属をつないだ飾り。もと、インドの貴族の装身具。

ようらん⓪【要覧】 統計資料などを使って、その施設などの要点をまとめ、見やすくした印刷物。「学校―」

ようらん⓪【洋《蘭】 観賞用のラン科植物のうち、熱帯・亜熱帯原産で、日本に移入されたものの総称。カトレア・シンビジウム・デンドロビウムなど種類が多い。

ようらん⓪【揺《籃】 「ゆりかご」の意の漢語的表現。〔物事の発展の初めの意にも用いられる。例、「―期③/―の地」〕

ようり①【要理】 大切な△教理(理論)。「聖教―」

ようりく⓪【揚陸】―する(自他サ) ㊀「陸揚げ」の意の漢語的表現。㊁上陸。「―艦艇⑤」

ようりつ⓪【擁立】―する(他サ) 自分の方の君主として、その人を戴き、位につかせること。

ようりゃく⓪【要略】―する(他サ) 要点だけを簡単に△まとめること(まとめたもの)。

ようりゅう⓪【楊柳】 〔楊はカワヤナギで葉が広く、柳はシダレヤナギで葉が細い〕ヤナギの意の漢語的表現。

ようりょう③【用量】 その時どきで使用すべき、薬の一定分量。

***ようりょう**③【要領】 ㊀事柄の要点。「―を得ない(=何を言おうとしているのか、はっきりしない)返事」 ㊁物事の処理のしかた(のこつ)。「―がいい(=ⓐむだ無く、やってのける。手ぎわがいい。ⓑ表面だけはいいように見せかけ、実際の作業は手を抜くことのうまい)人」

ようりょう③⓪【容量】 入れ物の中に入れることの出来る分量。〔「重量」と対比して、単に「体積」の意に用いることもある〕「記憶―」

ようりょく①【揚力】 飛行中の航空機を空中にささえる力。〔垂直上向きに作用する〕⇩浮力

ようりょくそ③④【葉緑素】 植物の葉に含まれる、緑色の色素。

ようれい⓪【用例】 その言葉が実際に使われた例。

ようれき⓪【陽暦】「太陽暦」の略。↔陰暦

ようろ①【要路】❶幹線道路。❷その組織体での重要な地位。「―の大官/―につく」

ようろ①【溶炉・〈熔炉】金属をとかす炉。表記「溶」は、代用字。かぞえ方 一基

ようろう⓪【養老】老後を安楽に送ること。「―保険」

―いん③【―院】「老人ホーム」の旧称。

ようん⓪【余〈蘊】〔もと、余分の貯えの意〕まだ不足なところ。「説きつくして―が無い」

よえい⓪ ❶【余映】余光。❷【余栄】死後に受ける名誉。

よおう①⓪【余〈殃】先祖の行なった悪事の報いとして子孫にまで及ぶ災難。↔余慶

ヨーク①〔yoke〕肩やスカートの上部の布を、切りかえてつけたもの。

ヨーグルト③〔yogurt=もと、トルコ語〕牛乳・ヤギの乳などに乳酸菌を作用させた、クリーム状の食品。かぞえ方 一本・一連

ヨーチン⓪ ヨードチンキの略。

ヨーデル①〔←ド Jodellied〕スイスなど、アルプス地方特有の民謡(の発声法)。裏声を多く使うのが特色。

ヨード①【《沃度】〔ド Jod の文字読み〕沃素。表記「沃度」は、音訳。

ヨードカリ④〔ド Jodkalium〕沃素とカリウムの化合物。水に溶けやすい無色立方体の結晶。医薬に使う。沃化カリウム⑤。

ヨードチンキ④〔←ド Jodtinktur〕ヨードをアルコールに溶かした液。塗布薬用。ヨジウムチンキ。略してヨーチン。

ヨードホルム④〔ド Jodoform〕ヨードとクロロホルムを化合させた、黄色い粉。消毒・防腐・止血用に用いられた。

ヨーヨー③〔Yo-Yo=商品名〕❶まんじゅうを平たく割ったような形の木片二個を、丸みを外側にして合わせ、その軸に結びつけた長いひもを手にぶらさげ、上下して回転させて遊ぶおもちゃ。❷小形のゴム風船に水を入れて、ゴムひもで上げ下げするおもちゃ。水ヨーヨー⑤。

ヨーロピアン③〔European〕ヨーロッパ風(の)。ヨーロッパ人(の)。「―スタイル⑧」

よか(格助)「よりか」の口頭語的な圧縮表現。「サッカー―野球の方が好きだ」文法 接続は「より」に準ずる。

よか①【良か・善か】〔形容詞「よし」に助動詞「なり」の接続した「よかるなり・よかるなる」の変化形「よかんなり・よかんなる」の圧縮表現〕〔九州西部の方言〕よい。「―稚児/泣かんで―」

よか①【予価】〔発売に先立って広告される本などの〕予定価格。〔ページ増や出版遅延などに備えての措置〕

よか①【予科】本科に進む前段階としての課程。〔一般に旧学制の大学予科を指す〕

よか①【余暇】その人の生活時間のうち、生活維持に不可欠な事柄以外に充当される自由時間。レジャー。

ヨガ①〔サンスクリット yoga=統一。相応〕インド独特の精神統一法。座禅のように姿勢を正し、呼吸を整えてする。もと一種の苦行として始められたが、近年は健康法をも兼ねる。ヨーガ①とも。表記「〈瑜伽〉」は、音訳。

よかく⓪【予覚】―する(他サ) 動物などが本能的に雨・嵐・地震などの起こることを察知すること。

よかく⓪①【余角】〔幾何学で〕与えられた鋭角を直角から引いた残りの大きさの角。

よかぜ①【夜風】夜吹く風。

よからぬ③【良からぬ・善からぬ】(連体) よくない。「―企て」

よが・る②【良がる・善がる】(自五)〔よいと思う意〕満足そうな様子をして見せる。

よかれ①【善かれ・良かれ】よい結果になるように。「―(かし)と思ってやったこと」 ―あしかれ②-③、①-③、①-②【―《悪しかれ】(副) そのことがよいとか悪いとかというような問題は別にして、大筋は次のごとくである、という判断を表わす。「―最終的な判断を司法の手にゆだねることになる」

よかん⓪【予感】―する(自他サ) ある結果になることを前もってちょっとした事で感じること。

よかん⓪【余寒】立春後まで残る寒さ。

よき①〔文語形容詞「よし」の連体形〕❶【《佳き】祝すべき。おめでたい。「きょうの―日に」❷【善き】善いこと。「―につけ〔=好ましい結果になるにせよ〕、悪しきにつけ」

よき①【予期】―する(他サ) 何かが起こることを前もって推測すること。また、そのための心構えや準備をすること。「―せぬ出来事(事件・結果)/癌の宣告を受けることは―していた」

よぎ①【余技】何か専門を持つ人が、趣味として身につける技芸。

よぎ①【夜着】寝る時にかける夜具。

よぎしゃ①【夜汽車】夜間走る汽車。

よぎな・い①-①、③①【余儀無い】(形) 他に取って代わる方法がないととらえられる状態だ。「余儀無く〔=やむを得ず〕欠席する/再考(後退)を余儀無くされる〔=強いられる〕」文法 助動詞「そうだ(様態)」に続く時は「余儀なさそうだ」の形になる。また「すぎる」と結びついて複合動詞をつくる時は「余儀なさすぎる」の形になる。

よきょう⓪【余興】宴会・集会などで座興のためにする、演芸や隠し芸。

よきょう⓪【余響】鳴り終わったあとまで残るひびき。

よぎり①【夜霧】夜、立ちこめる霧。

よぎ・る②【《過る】(自五)「(ふと)通り過ぎる」意のやや改まった表現。「脳裏を―」

***よきん**⓪【預金】―する(自他サ)〈どこニなにヲ―する〉お金を銀行などに預けること。また、そのお金。「―高を確かめる/―通帳④・簞笥―」

ていき―④【定期―】銀行が三か月・六か月・一年・二年などの期限を定めて預かる預金。普通預金に比べて、利率が高い。

とうざ―④【当座―】現金の受渡しによる事故を防ぐために業者などが利用する預金。必要な金額を預金者の振り出す小切手によっていつでも払い戻しするが、無利息。

ふつう―④【普通―】一円から預けることが出来、いつでも自由に引き出せる預金。利率は最も低い。

よく(抑・沃・浴・欲・翌・翼)→【字音語の造語成分】

***よく**①【《能く・善く・良く】(副)〔形容詞「よい」の連用形から〕❶その行為を、効果が現われる(納得できる)ところまでする様子。「―見たら昔の教え子だった/―考えたほうがいい/―焼けていない魚/人に―馴れた犬/―分かったから安心しろ」❷ちょっとした機会にでもその状態が認められる様子。「年取ったせいか―ころぶ/昔はこの辺でもタヌキを―見かけたものだ/―吠える犬/世間に―ある話だ」❸行為の結果に感動する(満足感を覚える)様子。「―これだけの大作を仕上げたものだ/彼は逆境を―(ぞ)切り抜けた/我ながら―やったと思う/こんな遠くまで―来てくれた」表記 打ち勝つ意味では、「《克く」とも書く。運用 ❸について。(1)「よくお出でくださいました」などの形で、来客に対してその来訪を歓迎する気持を込めた挨拶の言葉として用いられることがある。(2)「よく(も)…ものだ」などの形で、反語的に、人の厚かましい言動に対して、驚

きあきれたという気持、また、皮肉や侮蔑(ブベツ)の気持を込めて用いることがある。例、「よくあんなことが言えたものだ/よくものこのこ顔を出せたね」

よく②【欲・〈慾】 自分の物にしたい自分でそれをしたい、と思う心。「―を言ったら限(リキ)が無い/食―・私―・愛―・金銭―」【―が出る】 一つの物事が成就したことで△気を良くして(自信を得て)、さらにもう一つ上の段階を望もうという積極的な気になる。【―が深い】 当座の必要以上に物をほしがる気持が強い。【―に目がくらむ】 物ほしさの一念で理性を失い、悪の道に足を踏み込む。【―の皮が突っ張る】 飽くことを知らぬ所有欲に駆られる。【―を〈掻(か)く】 いやが上にも欲ばる。【―を出す】 一つの物事が成就したことで気を良くし、(分不相応に)もう一つ上の段階を望む。

よく①【翼】 (鳥・飛行機の)つばさ。「銀の―を輝かせて大空に飛び立つ/―棟・―端・両―・尾―・比―」 かぞえ方 一枚 ⇩【造語成分】

よくあさ⓪【翌朝】 その次の日の朝。〔副詞的にも用いられる〕

よくあつ⓪【抑圧】―する(他サ) 〔行動・欲望・意識などを〕おさえつけること。「―が加えられる/△自由な言論(報道活動)が―される/―感④③(=抑圧されているという意識が強く、のびのびした行動が取れない感じ)」

よく

【抑】 ❶おさえつける。「抑圧・抑制・抑留・謙抑」 ❷低くする。下げる。「抑揚」

【沃】 〔原義は、水をかける意〕水がたっぷりあって、地味が肥えている。「沃土・沃野・肥沃・豊沃」

【浴】 湯や水などをからだにそそぎかけ、また、その中にひたる。「浴場・浴室・入浴・海水浴・沐(モク)浴・森林浴・日光浴」

【欲】 ⇩(本文)よく【欲】

【翌】 話題になった年月日などの次の。「翌日・翌週・翌年・翌朝(アサ/チョウ)・翌春」〔「翌二十五日・翌昭和五十年」のように、連体詞として使うこともある〕

【翼】 ❶本体になるもののそばにあって、助ける。「翼賛・扶翼」 ❷本隊の左右にある部隊。「右翼・左翼」 ⇩(本文)よく【翼】

よくいにん③【〈薏苡〉《仁】 ハトムギの種。漢方で、消炎・利尿・鎮痛剤として用いられる。

よくうつしょう⓪(シャウ)【抑鬱症】 常におさえつけられているような、重い沈んだ気分になっている症状。

よくかい⓪【欲界】 ⇩よっかい

よくけ⓪③【欲気・〈慾気】 もう少しとさらにほしがる気持。

よくげつ⓪【翌月】 その次の月。〔副詞的にも用いられる〕

よくご⓪①【浴後】 ふろに入ったあと。

よくさん⓪【翼賛】―する(他サ) 天子の政治を助けること。「大政―」

よくし①⓪【抑止】―する(他サ) そうさせないようにおさえること。「犯罪を―する/核は戦争の―力となりうるか」

よくしつ⓪【浴室】 ふろば。「―ユニット」

よくじつ⓪【翌日】 その次の日。〔副詞的にも用いられる〕

よくしゅう⓪(シウ)【翌週】 その次の週。〔副詞的にも用いられる〕

よくじょう⓪(ジャウ)【沃壌】 肥沃な土地。

よくじょう⓪(ヂャウ)【浴場】 旅館などにある、大きなふろば。「公衆―(=ふろ屋。銭湯。『大衆浴場⑤』とも言う)」

よくじょう⓪(ジャウ)【欲情・〈慾情】 ❶強く物をほしがる心。欲心。❷―する(自サ) 性欲(を起こすこと)。

よくしん⓪③【欲心・〈慾心】 名利などを、しきりにほしがる心。欲念。

よく・する③【浴する】(自サ) 〔入浴する意〕ありがたいものとして身に受ける。浴す②(五)。「△日光(栄誉)に―」

よく・する①【善くする・《能くする】(他サ) ❶意のままに、十分することが出来る。「凡人の―ところではない/詩を―」 ❷案外都合よく行く。「世間はよくしたもので」

よくせい⓪【抑制】―する(他サ) 度を超さないように、勢いをおさえとめること。「ストを―する/―の利いた文章」

よくせき⓪(副) 〔「せき」は「関」で、限度の意か。⇩関の山〕「本当にやむをえない事情で何かをする様子」の意の古風な表現。「あんな事をしたのは―のことだろう」

よくそう⓪(サウ)【浴槽】 入浴用の湯ぶね。

よくち①⓪【沃地】 地味が肥えていて、作物に向いた土地。

よくちょう⓪(テウ)【翌朝】 その次の日の朝。〔副詞的にも用いられる〕

よくど①【沃土】 地味の肥えた△土(土地)。肥土①。

よくとう⓪【翼棟】 母屋(オモヤ)の両端に直交し、張り出して建てられた建物。母屋を含めて、全体がコの字のようになる。

よくとく⓪④【欲得】 貪欲と利得。所有欲や金銭欲。

―ずく⓪(ヅク)【―《尽〈く】 すべて欲得に基づいてすること。「―で結婚相手を決める」

よくねん⓪【欲念】 欲心。

よくねん⓪【翌年】 その次の年。「よくとし⓪」とも。〔副詞的にも用いられる〕

よくばり③【欲張(り)・〈慾張(り)】―な 欲張る△こと(人・様子)。

よくば・る③【欲張る・〈慾張る】(自五) 〔「欲ほる」の変化という〕△必要(能力)以上に何かをしたがる。

よくばん⓪【翌晩】 その次の日の晩。〔副詞的にも用いられる〕

よくふか⓪【欲深・〈慾深】―に ―な 欲が深い△こと(人)。また、その様子だ。「よくぶか」とも。派―さ④③ ―・い④(形) 非常に欲張りである様子だ。「よくぶかい」とも。

***よくぼう**⓪(バウ)【欲望・〈慾望】 物質的・肉体的に常により良い状態に自分を置きたいと思い続けてやまない心。「―をコントロールする」

よくめ③【欲目・〈慾目】 自分に都合のいい見方。ひいき目。「親の―で」

よくも①(副) 「よく❸」の反語的用法。「―だましたな」

よくや①【沃野】 地味の肥えた平野。

よくや⓪【翌夜】 その次の日の夜。〔副詞的にも用いられる〕

よくよう⓪(ヤウ)【抑揚】 文の意味に応じて声を上げるべき所を上げ、下げるべき所を下げること。イントネーション。

よくよう⓪【浴用】 入浴の時に使う△こと(もの)。「―せっけん・―タオル」

よくよく⓪【善く善く・《能く《能く】(副) 〔「よく」の強調表現〕 ❶その行為を、十分に△効果が現われる(納得できる)ところまで徹底的にする様子。「―考えて見れば、そんなに心配することもなかったのだ/―念を入れてやりなさい/彼には―注意したのだが」 ❷どんな点から見ても、そう結論づけられる様子。「―金に困ったらしい/―の(=とてつも無い)ばかだ」 ❸〔「―のこと」の形で〕事態がきわまって、それ以外にどうしようもない様子。「家を飛び出すなんて―のこと

よ

だ/―のことでもない限り顔も見せない」

よくよく⓪【翼々】―たる ―と 「用心深い様子」の意の漢語的表現。「小心―⓪―⓪」

よくりゅう⓪―【抑留】―する(他サ)〔ある場所に強制的にとどめ置く意〕❶比較的短期間、身体の自由を拘束すること。❷〔国際法で〕他国の人や物を、その国に帰さないで、強制的にそこにとどめておくこと。「―生活・シベリア―」

よくりゅう⓪②【翼竜】中生代に空を飛んでいた爬虫類の総称。体は鳥に似ていて、つばさを持つ。例、プテラノドン④。「―類③」

よくん⓪【余薫】❶余香。❷偉大な先人の(業績の)おかげ。

よけ【《除(け)】(造語)…を防ぐ△もの(こと)。「魔―・霜―・日―・泥―・厄―・虫―」

*__よけい__⓪【余計】■―な 許容される△程度(限度)を超えている様子だ。「その一言が―だ/―な△心配(お世話)」■(副)―に ❶△一般に予測される(比較の対象とする)ものに比べて、程度・分量が多い様子。「△人(いつも)より―(に)働く/正月だから小遣いを―にもらった」❷ただでさえその傾向が認められるのに、何らかの事情が手伝って一層程度が増す様子。「病弱なだけに―心配だ/見るなと言われると―見たくなる」

よけい①⓪【余慶】先祖または他人の行なった善行のおかげで、子孫または自分が得る幸福。↕余殃

よけつ⓪【預血】―する(自サ) 血液銀行に自分の血を提供すること。〔現在は行なわれていない〕

*__よ・ける__②【《避ける・《除ける】(他下一)〈(なにデ)なにヲ―〉危害や損失を与えるおそれがあるもの△に(が)直接触れないように、位置を変えたり 間を隔てる物を置いたりする。「△水たまり(夏の日ざし・車)を―」

よけん①【与件】推理・研究の出発点として与えられ、または仮定される事柄。所与。

よけん⓪【予見】―する(他サ) まだ起こらない先に知ること。

よげん⓪【予言】―する(他サ)〔「予」は、「預」の略字〕未来を予測して言う△こと(言葉)。「―が的中した/―者②」表記 キリスト教やイスラム教などで神託を指す場合は、「預言」を専用する。

よげん⓪①【余弦】〔直角三角形で〕コサイン。「―定理」⇩正弦

よこ⓪【横】❶水平の方向(の長さ)。「―に穴を掘り進める/地震の―揺れ/―になる〔=寝る(時と同じ姿勢をとる)〕/組織の―のつながりを強める」❷そのものを通常見る方向から見て、左右の方向と平行な方向(の長さ)。「木の字は―の画から書く/縦一三センチ、―八センチのカード/首を―に振る〔=不承知の意思表示をする〕/左―書き・―笛・―軸」❸ものどうしが左右に接して(連続的に)続く方向。「デパートの―にある銀行/三人の走者が―一線となってゴールに入る」❹〔そのものの組織や構造に本来方向性が認められるものについて〕その方向に垂直な方向。「丸太を―に挽く/柄を―に織り出す/道を―切る」❺そのものの正面に対して、左右の側面。「―から口を出す/―顔・―取り・―流し・真―」〔❶~❹の対義語は、縦〕【―から見ても縦から見ても】どんな点から見ても。「縦から見ても横から見ても」とも。【―の関係】社会構造のとらえ方の一つ。自分から見て相手が社会的に同一・類似の環境にあって、共通の利害関係・関心を持つものであるかどうかによって自分の取るべき態度や行動の仕方が左右されるものと意識される対人関係。「―〔=同一企業体・組織における上下の関係に対して、同種類の他のそれとの連絡〕を密にする」【―の物を縦にもしない】ぶしょう者のたとえ。「縦の物を横にもしない」とも。

よご①【予後】病気の治療後の経過。〔原義は、病気の経過に関する医学上の見通し〕

よこあい⓪―【横合(い)】❶横の方。「―から殴りかかる」❷その事に直接関係の無い立場。「―から口を出す」

よこあな⓪【横穴】〔古代住居として〕山のふもとや中腹に横にあけた穴。↕縦穴

よこいと⓪【横糸】〔織物で〕織る△人(方向)から見て「横」に通っている糸。緯糸。↕縦糸 表記 古来の用字は「《緯・《緯糸」。

よこう⓪―【予行】―する(他サ)〔儀式などがうまくいくように〕前もって本番通りにしてみること。「―演習④」

よこう⓪―【予稿】演説や研究発表などの前に、あらかじめ準備しておく あらまし。「―集②」

よこう⓪―【余光】日が沈んだあと、空に残る光。余映。〔△昔(前)の人が残した仕事のおかげの意にも用いられる〕

よこう⓪―【余香】その人△が去った(と別れた)あとまで、その人をしのばせる いいかおり。余薫。

よこがお⓪―【横顔】❶横から見た顔。横向きの顔。❷ある△人(物)の一般にはあまり知られていない一面。プロフィール。「出場校の―/中国の珍しい―を紹介する」

よこがき⓪【横書(き)】文を書く場合に、行が横の方向に順に書くようになっていること。「左―・右―」↕縦書き

よこがた⓪【横型】直方体で、左右の方向に長い型。

よこがみ⓪【横紙】❶紙のすき目が横に通っている紙。❷紙を横長にして使うこと。また、その紙。 **―やぶり**⑤【―破(り)】〔上の立場にある人などが〕なんでもかんでも〔=時には不合理な事や慣行に反する事まで〕自分の考え通りにしようとすること。また、そのような人。〔和紙の繊維が横にはすっきり破れないことから言うとする説がある〕

よこぎ⓪【横木】横に渡した木。⇩バー

*__よこぎ・る__③【横切る】(他五)〈どこ・なにヲ―〉横の方向に△通り過ぎる(渡る)。「眼前を―/道を―」

よこく①【与国】軍事的に行動を共にする国。同盟国。

よこく⓪【予告】―する(他サ)△そういう状態になる(何かが行なわれる)ことを前もって知らせること。「将来を―する/映画の―編/―状⓪」

よこぐみ⓪【横組(み)】活字を横の方向に組むこと。↕縦組み

よこぐも⓪【横雲】横に長くたなびいている雲。

よこぐるま③【横車】❶車を動かそうとして、押すべきでない横の方から押すこと。「―を押す〔=道理に合わない事を無理に押し通す〕/―〔=理不尽な強引さ〕に屈する」❷棒・なぎなたなどを横に振り回す、武術の手。

よここう⓪―【横坑】横に掘り進んである坑道。↕縦坑

よこざ⓪【横座】いろりの四周で、主人のすわる所。かぞえ方 一本

よこざん⓪【横桟】戸の上下のかまちの中間にある、横の桟。↕竪桟

よこじく⓪―【横軸】〔数学で〕平面の原点で直角に交わる座標軸のうち、横の方のもの。↕縦軸

よこしま⓪【《邪(ま)】―な ―に 道理にはずれていて、正しくない△こと(様子)。

よこじま⓪【横(縞】左右の方向に入っているととらえられる縞模様。↕縦縞

よこ・す【《寄越す・《遣す】〔「《遣す」の変化〕■②(他五)〔物・人をこちらに〕△渡す(送って来る)。「手紙を―/使いの者を―」■(補動・五型)相手の動作によって何かがこちらに到達する意を表わす。「手紙で言って―/電話をかけて―」表記

「寄越す」という用字は、「よこす」と同義の文語の動詞「よす」「こす」への連想に基づくもの。

*よご・す⓪【汚す】(他五) ㊀❶〈(なにデ)なにヲ―〉 しみ・泥・油など、きたない物を付けたりして、きれいな地肌・生地などを、そのままでは使用に堪えない状態にする。「△口(手)を―」 ❷〈なにヲ―〉 けがす。 ㊁〈なにデなにヲ―〉 あえ物にする。「セリを胡麻ゴマで―」 名 汚し⓪「書き―・口―・面ツラ―」

よこずき⓪【横好き】 上手でもないのに好んで何かをすること。「へたの―〔⇒へた❶〕」

よこすじ⓪【横筋】 ❶横に通った筋。❷よこみち❷。

よこすべり⓪③【横滑り・横〈辷り〉】―する(自サ) (前を向いたまま)横の方向に滑ること。〔同格の別の△役(職)に移る意にも用いられる〕

よこずわり⓪【横座り・横〈坐り〉】―する(自サ) 両足をそろえて横に出した、正座の姿勢をくずした座り方。表記 本来の用字は、「横〈坐り〉」。

よこた・える④③【横たえる】(他下一) 横に△する(して置く)。〔古くは「よこだえる」とも〕「疲れたからだをベッドに―/刀を腰に―〔=帯びる〕」

よこたおし⓪【横倒し】 立っていた物が倒れて横になること。〔「よこだおし」とも〕「―になる」

よこたわ・る④【横たわる】(自五) ❶(その場所を塞ぐように)横になる。「ベッドに―/大木が横たわっている」 ❷容易には解決したり処理したりすることができそうもない困難・障害が行く手にある。「用地の取得という大きな問題が―/前途に―困難」

よこちょう⓪【横町・横丁】 表通りから横へ入った△町(通り)。

よこづけ⓪【横付け・横《附け》】―する(他サ) 船・車などの側面を、目的の場所に直接につけること。「船が岸壁に―になる」

よこっちょ⓪【横っちょ】 「横(の方)」の口頭語的表現。「帽子が―へずれた」

よこっつら⓪【横っ面】 〔「よこつら⓪」の口頭語形〕 ❶顔の横がわ。「―を張りとばす」 ❷乗り物などの側面。

よこづな⓪【横綱】 ❶(すもうで)最高位の力士の称。また、その者が締めることを許された、白麻の太い綱。土俵入りの時、化粧回しの上に着け、「しで」を垂らす。〔もと、大関の中の最強者。また、その者が締めることを許された綱を指した〕「―を張る」 ❷同種のものの中で最大級の評価を与えられ、最高位に格付けされたもの。「西の―と言われる…温泉/我われの間で酒豪という点では彼は―(級)だ」

よこて⓪【横手】 横に当たる△方(側)。

よこで⓪【横手】 〔△うまくいった(なるほどと思った)時などに思わず〕てのひらを打ち合わせること。「―を打つ」

よことじ⓪【横〈綴じ〉】 横長に綴じること。「―本ボン⓪」

よこどり⓪【横取り】―する(他サ) 〔他人の物を〕横合いから奪い取ること。

よこなが⓪【横長】―に 〔同種のものの中で〕縦の長さに比べて横の長さが目立つ△こと(様子)。「―の封筒/―の看板」↔たてなが

よこながし⓪【横流し】―する(他サ) 配給品・統制品などを不正に転売すること。

よこながれ⓪【横流れ】―する(自サ) 横流し△されること(された物)。

よこなぐり⓪【横殴り】 横の方から△殴り(たたき)つけること。「雨が―に降る」

よこなみ⓪【横波】 ↔縦波 ❶船体の横から打ちつける波。❷電磁波などのように、媒質の振動の方向と、波の進行方向が垂直である波。

よこならび⓪【横並び】 ❶横一列に整列すること。❷(競い合う関係にあるものが)一様に同じ程度を保っていること。「各社―で値上げした/―の候補者たち」

よこね⓪【横根】 ❶横にのびた根。❷〔性病などのために〕ももつけねのリンパ節に生じるはれもの。

よこばい⓪【横〈這い〉】 ❶横に這うこと。「カニの―」 ❷〔相場・物価や業績・成績などが〕これといった目立った変化が認められない状態で推移すること。「―(の状態)を続ける」 ❸ウンカの類。農作物の害虫の一つ。

よこはいり⓪【横入り】―する(自サ) 〔もと、東海地方・神奈川の方言〕並んでいる人たちの列に横から割り込むこと。「レジ待ちで―された」

よこはば⓪【横幅】 「幅」の重言ジュウゲン。

よこばら⓪【横腹】 ❶腹の横側。❷乗り物などの左右の側。〔口頭語では、「横っぱら⓪」〕「船の―に穴をあける」

よこびき⓪【横〈挽き〉】 のこぎりで、木材の繊維と直角方向に切ること。

よこぶえ⓪【横笛】 横に持って吹く笛の総称。歌口のほかに穴が七つある。⇩縦笛 かぞえ方 一本・一管

よこぶとり⓪【横太り】―する(自サ) 身長のわりに太っている△こと(人)。

よこぶり⓪【横降り】 〔強い風のために〕雨や雪が横から吹きつけるように降ること。

よこほん⓪【横本】 横長の本。

よこみ⓪③【横見】―する(自サ) ❶横側から見ること。❷⇩わきみ

よこみち⓪【横道】 ❶本道からわきにそれた道。〔広義では、邪道を指す〕 ❷本筋からそれた話題。よこすじ。「話が―にそれる」 表記「横《路》」とも書く。

よこむき⓪【横向き】 横を△向くこと(向いた状態)。

よこめ⓪【横目】 ❶顔の向きを変えずに、目を横に動かして見る△こと(目つき)。「―でにらむ/…を―に見やる/―を使う」 ❷〔印刷用紙で〕紙の漉目スキメが横方向であること。〔製本の際、紙を横目に使うと、しわが寄る〕 ❸〔↑横目付③〕武家の行動を監視し、その非行を摘発する職。

よこめし⓪【横飯】 〔和食に対して〕洋風の△食事(料理)の俗称。〔「横」は「横文字」に由来する。この表現をもじって和食を「縦飯⓪」と呼ぶ向きもある〕

よこもじ⓪【横文字】 ローマ字のように横に書きつづる文字。〔広義では、西洋の言語を指す。例、「―に強い」〕

よこもの⓪【横物】 額や軸物で、横長のもの。

よこやり⓪【横〈槍〉】 戦っている当事者の横合いから第三者が槍を突き入れること。「―を入れる〔=他人の話や仕事にわきから口を出して、文句をつける〕」

よこゆれ⓪【横揺れ】―する(自サ) ↔縦揺れ ❶船・飛行機や列車などが左右に揺れること。ローリング。❷地震で、左右に揺れること。

よごれやく⓪【汚れ役】 〔ドラマなどの登場人物で〕娼婦ショウフや、犯罪者・浮浪者など、冷たい目で見られがちな境遇にある人の役。

**よご・れる⓪【汚れる】(自下一) 〈(なにデ)―/(なにニ)―〉 しみ・泥・油など、きたない物が付いたりして、きれいな地肌・生地が、見苦しい状態になる。「手垢アカに―/白いセーターは、すぐ―のが欠点だ/身も心も―」 名 汚れ⓪「油―」

よこれんぼ③【横恋慕】―する(自サ) 既婚者や、婚約者のある人に他の者が横合いから恋をすること。

よこわり⓪【横割り】 ↔縦割り ❶横に割ること。❷その組織内での同じ身分・資格の者同士や関連する他の部署との関係(が取られていること)。

よさ①【善さ・良さ・《好さ》】 よいと思われる点。「古い物の

―／人柄の―」

よざい⓪①【余財】余った財産。

よざい⓪【余罪】今問われている罪以外に犯している罪。「―を追及する」

よざくら②【夜桜】夜、観賞する桜の花。「―見物」

よさむ⓪【夜寒】〔晩秋に〕夜になって感じる寒さ。また、その季節。「よざむ⓪」とも。

よさり①【夜さり】〔雅:各地の方言〕夜(になったころ)。

****よさん**⓪①【予算】前もって必要な費用を見積もること。また、その費用。「―を△組む(立てる・割り振る)／―がつく／―に盛り込む／旅行の―／国家―④・―案②」

よし①(感)〔文語形容詞「良ょし」から来た語〕決意・承認の意味を表わす言葉。「―、そこまで／―、やろう／―きた」

よし①【《縦(し)】(副)〔「良し」と同源〕その事態が実現したとしても判断に変りがないということを表わす。「―失敗したとて」⇩よしんば

よ・し①【良し・善し・《好し・《佳し】(形ク) 形容詞「よい」の文語形の残存形式。「(…を)―とする〔=一応満足出来るものとして容認する〕／帰って―／すなおに言う事を聞けば―〔=よいが〕、さもないと承知しないぞ」↕悪ァし

よし①【《止し】〔動詞「止す」の連用形の名詞用法〕何かをしないで済ますこと。やめること。「もう―にしよう」

よし①【由】❶そうであるだけの理由や事情。「―ありげな様子／―も無く反対する／神ならぬ身の知る―も無い〔=知ろうとしても、知るすべが無い〕」❷△伝達(伝聞・見聞)の内容。「この―をお伝えください／ご病気の―〔=だそうで〕」

よし①【〈葦・〈蘆・〈葭】植物のアシの忌み言葉。「―の髄から天井のぞく〔=見識が狭いこと〕」

よじ①【余事】❶それ以外のこと。❷余暇にする仕事。

よしあし①②【善し《悪し】いいか悪いか△の区別(簡単には決められないこと)。「よしわるし③」とも。「事の―を決める／しかるの―だ／機嫌の―／道具の―にこだわらない名手」表記「良し《悪し」とも書く。

ヨジウム②〔オ jodium〕⇩沃素 ―チンキ⑤〔↑オ jodium tinctuur〕⇩ヨードチンキ

よしきり⓪【〈葦切】アシの中にすむ鳥。からだはウグイスの二倍以上で、夏のころ、やかましく鳴きたてる。行々子。日本では主にオオヨシキリ・コヨシキリが見られる。〔ヨシキリ科〕かぞえ方 一羽

よじげん②【四次元】その空間の次元が四であること。「しじげん」とも。 ―くうかん⑤【―空間】〔数学で〕その空間内の点の位置を表わすのにちょうど四つの実数を必要とする空間。〔相対性理論では、通常の三次元に時間を加えて考えた空間〔=時空〕を指す〕

よしごい②【〈葦五位】アシの中にすむ鳥。形は優美で、色が美しい。〔サギ科〕かぞえ方 一羽

よじじゅくご③【四字熟語】漢字四字で構成される熟語や成句。例、「弱肉強食」「韋編三絶」「一陽来復」など。

よしず⓪【〈葦簀〉・〈葦簾〉・〈葭簾〉】アシの茎で編んだすだれ。かぞえ方 一枚 ―ばり⓪【―張(り)】よしずで△囲うこと(囲った小屋)。

よじつ⓪①【余日】❶〔期限までに〕残っている日数。「年内―無く」❷その日以外の、別の日。

よしど②⓪【〈葦戸・〈葭戸】よしずを張った戸。

よしな・い③、①-①【由無い】(形) ❶そうしようにも手がかりが得られない。「若草も藉くに由無し〔=方法が無い〕」❷そうするだけの意義がない。「―ことに荷担して／―〔=するほどの価値がない〕長物語／やいやい言われて由無く従う」〔❶❷とも古風な表現〕文法 助動詞「そうだ(様態)」に続くときは「よしなさそうだ」の形になる。また「すぎる」と結びついて複合動詞をつくるときは「よしなさすぎる」の形になる。

よしなに①⓪(副)「いいように・よろしく」の意のやや改まった表現。「―お取りはからいのほどを」

よしの①【《吉野】〔↑吉野紙③〕コウゾで作った非常に薄い和紙。 ―くず④③【―葛】奈良県吉野でとれる上等の葛。

よしのぼり③【〈葦登】頭は幅が広く、あごが発達した川魚。全長、八センチぐらい。美味。〔ハゼ科〕かぞえ方 一匹

よじのぼ・る④【〈攀(じ)登る】(自五) 何かにつかまって、はうようにして登る。

よしみ①【〈誼(み)・《好(み)】❶(親しい)交わり。「―を結ぶ／―を通じる」❷何かの縁でつながりがあり、仲間意識が働いて、すげなくは扱えない関係。「昔の―で」

よしや①【《縦(し)や】(副)〔「よし」に感動の助詞「や」がついた語〕懸念される事態がかりに起こったとしても、大勢に影響はないと判断する様子。「―彼が来なくても出発をのばすわけにはいかない」

よしゅう①【予州】「伊予国」の漢語的表現。今の愛媛県全体にあたる。「―松山城」

よしゅう⓪【予習】―する(他サ) 習う前に前もって勉強しておくこと。↕復習

よしゅう⓪【余臭】あとまで残っているにおい。転じて、前の時代から引き続き行なわれている事柄。「前代の―〔=昔からの、なごり〕」

よじゅう⓪【夜中】「一晩じゅう」の意の古風な表現。「―騒音に悩まされる」

よしゅつ⓪【預出】―する(他サ) 預貯金を預け入れたり引き出したりすること。

よじょう⓪【余剰】必要を満たした後に生じるあまり。「―物資」 ―かち④【―価値】⇩剰余価値

よじょう⓪【余情】❶何か印象深い経験をしたあとまでも心に残る、しみじみとした味わい。❷(詩や文章の)言外の趣。〔古くは「よせい」〕

よじょうはん②【四畳半・四〈帖半】日本家屋で、畳が四枚半敷ける、小さい四角な部屋。〔狭義では、待合などの小部屋を指す〕 ―しゅみ⑥【―趣味】いきな小部屋で、芸者などを相手に小唄などを口ずさみながら酒を飲む日本趣味。

よしょく⓪【余色】補色。

よ・じる②【〈攀じる】(自上一) (登ろうとして)岩などにすがりつく。

よ・じる②【〈捩る】(他五) 無理な力を加えて、捩れた状態にする。「からだを捩って笑う」

よじ・れる③【〈捩れる】(自下一) 〔△直線(平面)状であった物に無理な力が加わって〕ゆがんだり折れ曲がったりして、本来の望ましい状態が失われる。「△ネクタイ(洗濯物)が―／文脈が―／おかしくて腹の皮が―」名 捩れ③

よしわら②【《吉原】東京の台東区にあった遊郭。なか。 ―すずめ⑤【―〈雀】吉原の△内情に詳しい人(ひやかし客)。

よしん⓪【与信】金融機関が融資を行なう時の、顧客に対する信用。「―契約④／(カードローンの)―枠②〔=貸付限度額〕」

よしん⓪【予診】―する(他サ) 診察に先だって、患者の病歴や病状など、必要なことを聞き取ること。「―室②」

よしん⓪【予審】〔旧刑事訴訟法で〕刑事事件を公判にかけるべきかどうかを決めるための審理。

よしん⓪【予震】大きな地震が起こる前に、前兆ととらえられる小さな地震。前震。

よしん⓪【余震】 大きな地震のあとしばらくたってから、続いて起こる(小さい)地震。ゆりかえし。⇩本震・前震

よじん⓪【余人】 当事者または関係者以外の人。「―を交えず/―を以ッモて代えがたい」

よじん⓪【余〈燼〉】 火事場でまだくすぶっている火。「事件の―はいまだにくすぶっている〔=事件は、すっかり解決したわけでは無く、まだいろいろなところに尾を引いている〕」

よしんば②【《縦(し)んば》】(副) 論旨を明確にするために、極端な事態を想定してみる様子。「―地震が起きても、ここなら安全だ/ひとたび新たな経験を積んだ者は、―その経験をいっときは忘れようとも、経験を積む以前の自分にはもはや戻らない」

よ・す①【《止す》】(他五) やめる。中止する。「止せばいいのにまた始めてしまった/酒はこのくらいでもう止せ」

よすが①【《縁》】〔「寄す処ガ」の意〕何かをする上で、たよりや助けとなる△もの(こと)。「身を寄せる―〔=よるべ〕も無い/先生を偲ノシぶ―とする」

よすがら②⓪【夜すがら・〈終夜〉】(副) よもすがら。

よすぎ⓪③【世過ぎ】 (曲がりなりにも自分の力で)生計を立てていくこと。「身過ぎ―④、⓪-⓪」

よすてびと③【世捨(て)人】〔僧・隠者など〕俗世間との交渉を絶った(はずの)人。

よすみ①【四隅】 四方のすみ。

よせ⓪【寄(せ)】 ❶寄せること。「客―」 ❷〔碁・将棋で〕対局が終りに近づいて、勝負を決める段階(における手順)。

よせ⓪【〈寄席〉】〔↑よせ席⓪〕人を集め、金をとって、落語・講談・浪花節ナニワブシなどを聞かせる所。「―芸人」 表記 ⇩付表

よせあつめ⓪【寄(せ)集(め)】 何かに備えるため必要な員数を集めて来たもの。〔多く、内容が雑多で、質のそろわないものを指す〕「―のチーム」 動 寄せ集める⑤(他下一)

よせい①【余生】 老後に残された生活。「△安楽に(楽しく)―を送る」

よせい⓪【余勢】 何かをやってのけたあと△の はずみ(に まだ残っているエネルギー)。「―を駆カって一気に勝ち進む」

よせがき⓪【寄(せ)書(き)】―する(自サ) 二人以上の人が一枚の紙に字や絵をかくこと。また、それをかいたもの。

よせか・ける④【寄(せ)掛ける】(他下一) もたせかける。

よせぎ⓪【寄(せ)木】 ❶木片を組み合わせて作ったもの。❷「寄せ木細工」の略。 **―ざいく**④【―細工】 色・木目の違う木片を組み合わせて、ある模様を表わした細工。 **―づくり**④【―造(り)】 木彫仏の造り方の一つで、頭や胴体の部分を(一木イチボクではなく)いくつかの木を寄せ合わせて造るもの。⇩一木造

よせぎれ⓪【寄(せ)切(れ)】 裁ち残りの布きれを 寄せ集めたもの。

よせざん②【寄(せ)算】「足し算」の別称。

よせつ・ける④【寄(せ)付ける】(他下一) 近づける。「風邪を寄せ付けぬ元気さ/圧倒的に強くて他を寄せ付けない」

よせて⓪【寄(せ)手】 攻めて来る方の△人(軍勢)。

よせなべ⓪【寄(せ)鍋】 あらかじめ薄味を付けた汁をたっぷり入れた鍋で、魚介・野菜などいろいろな物を一緒に煮ながら食べる料理。

よせもの⓪【寄(せ)物】 魚類の すり身・とろろじる・卵などの種々の材料を調合し煮たものを寒天で固め、羊羹ヨウカンのようにした料理。口取り、または焼き物に添える。

***よ・せる**⓪【寄せる】 ㊀(自下一)〈どこニ―〉 こちらへ近づく。「寄せては返す波/寄せ〔=攻めて〕来る敵兵」 ㊁(他下一) ❶〈どこ・なにニなにヲ―〉 ほかの物のすぐそばに△近づける(近づけて、ある物を置く)。「車を隅ミスに―/焚火タキビに身を―〔=からだを近づける〕/焼け出されて しばらく兄の所に身を寄せて〔=世話になって〕いる」 ❷〈なに・だれニなにヲ―〉 何かしら引かれるものがあって、その△人(もの)に気持を向ける。「△関心(期待・共感)を―/△心(思い)を―〔=相手に好意(以上のもの)を持つ〕」 ❸〈どこ・なにニなにヲ―/なにトなにヲ―〉 一か所に集める。「顔を―〔=くっつける(ように近づける)〕/目じりに しわを―/力を寄せ合う」 ❹〈だれニなにヲ―〉 △相手(先方)に送る。「回答を―/祝電が寄せられる」 ❺〈なにニ―〉 ある事に関係づける。「花に―〔=なぞらえる〕恋/他人の事に寄せて〔=かこつけて〕文句を言う」 ❻〈なにニなにヲ―〉 数を加える。「二に三を―」 【寄せて《戴いただく》】 「相手の家を訪れる」意の△謙譲(丁寧)表現。

よせん⓪【予洗】―する(他サ) 洗濯物を、本洗い〔=本式に洗うこと〕の前に水でざっと洗うこと。

よせん⓪【予選】 ❶―する(他サ) 多くの応募作品などの中から一定の水準以上のものを、あらく選び出すこと。⇩本選 ❷△本大会(決勝レース)への出場資格者を少数に絞るための競技。

よぜん⓪【余〈喘〉】「虫の息」の意の漢語的表現。「―を保つ〔=やっと△生きて(続いて)いる〕」

よせんかい②【予〈餞会〉】クヮイ 卒業の前に済ませておく送別会。

***よそ**②①【余《所・〈他所〉》】〔文語動詞「装ソヨふ」の語幹と同源〕 ❶自分の△家(属する組織・団体)以外の所。「―の△家(会社・子供)/―事ゴト」 ↕うち(家・内) ❷そこ以外の(遠い)所。「―から来た人」 表記 「余《所・〈他所〉》」は、義訓。 【―にする】 自分に直接関係無い事として、無視する。「勉強を―〔=怠ける〕/浮世を―〔=全く離れて、生活する〕」

よそいき⓪【余《所行き》】 ❶外出(用のもの)。「―の服」 ❷改まった言語・動作。「―の顔」 よそゆき。

よそ・うヨソフ【《装う》】(他五)〔準備を整える意の文語動詞「装ソヨふ」の意義変化に基づく語〕 ❶⓪ 飲食物を器に盛る。よそる。 ❷②「よそおう❷」の意の口頭語的表現。

****よそう**⓪ヨサウ【予想】―する(他サ)〈なにヲ―する/なんだト―する〉 前もって見当を△つけること(つけた事柄)。「―が△つく(強い)/―を大きく上回る/―を△覆す(裏切る)/―に反する/△困難(難航)が―される」 **―がい**②グヮイ【―外】―な/―に 思いのほかである△こと(様子)。「―の成功/―に不調」

よそ・える⓪③ヨソヘル(他下一)〔「寄す」の変化「寄そふ」の口語形〕 ❶ことよせる。 ❷なぞらえる。たとえる。 表記 「《比える・《擬える・《寄える」などとも書く。

よそおい⓪ヨソホヒ【装(い)】〔動詞「装う」の連用形の名詞用法〕〔その△季節(向き)に応じた〕飾り付け・身なり・設備など。「夏の―/―を新たにする〔=店舗などを改装する〕/新たな―をこらす」

よそお・う③ヨソホフ【装う】(他五) ❶他人に見られて恥ずかしくないように、身なりを(美しく)整える。「はでに―〔=着飾る〕」 ❷本当は そうでないのに、いかにも そのように見せかける。「留守を―/平静を―〔=平気な ふりをする〕」

よそぎき⓪【余《所聞(き)》】「外聞・人聞き」の意のくだけた口頭語的表現。「―の悪いことは言うな」

***よそく**⓪【予測】―する(他サ)〈(なにカラ)なにヲ―する/(なにカラ)なんだト―する〉 将来の事を前もって推しはかること。また、その内容。「―を下す/―が狂う/将来を―する」

よそごと⓪【余《所事》】 自分に関係の無い事柄。

よそじ⓪ヂ【四《十》】〔雅〕〔「ぢ」は、「はたち」の「ち」と同源か〕 ❶四十シジュウ。 ❷【四《十路》】 四十歳。「―の春」

よそながら⓪③【余《所ながら》】(副) 第三者的な立場にありながら、強い関心を示したり 誠意をもって行動したりす

る様子。「彼のことは—声援を送っている/—聞いて知っている/—御案じ申し上げております」

よそ み②【余《所見】—する(自サ) ❶見るべき方向以外に目を向けること。わきみ。❷他人から見られること。よそめ。「—が悪い」

よそ め⓪【余《所目】 ❶他人の△目(立場)で見ること。はため。「—にもうらやましい仲/—には幸福そうに見えたが」❷よそみ❷。

よそ もの⓪【余《所者】 その土地で生まれ育った人でなく、他の土地から新たに移住してきた(ばかりの)人。〔多く、違和感をもって排斥される対象を指す。「よそもん」とも〕

よそ ゆき⓪【余《所行き】 ⇩よそいき

よそよそ し・い⑤【余《所余《所しい】(形) 期待に反して自分には関係がないというような冷淡な態度をとる様子だ。「—態度/いつもは気さくな彼女が今日は妙に—」派 —さ⑤④

よ ぞら①【夜空】 夜の(くらい)空。

よそ・る⓪(他五)〔「装う」と「盛る」の混交〕⇩よそう❶

よ た①【与太】〔虚弱・粗悪・いたずら・放蕩(ホウトウ)の意〕❶「よた郎・よた者」の略。❷いいかげんな事。「—を飛ばす〔=でたらめを言う〕/—話(バナシ)③」表記「与太」は、借字。

よ たか①【夜〈鷹】 ❶タカに似た形の、中形の夜鳥。キョキョと高い声で鳴き、昆虫を捕らえて食う。〔ヨタカ科〕❷江戸時代、夜、街頭で客を引いた売春婦。かぞえ方 ❶は一羽 —そば④【—〈蕎麦〉】 夜おそくまで売り歩くそば屋。また、そのそば。夜鳴きそば④。

よ たく⓪【余沢】 先人の残した恩恵。

よ たく⓪【預託】—する(他サ) あずけて任せること。「—料」

よ だち⓪【夜立(ち)】—する(自サ) 夜(おそく)出発すること。↕朝立ち

よだ・つ②【《弥立つ】(自五) 恐ろしさや寒さのためにぞっとして、からだの毛が立つ。「身の毛が—〔=立つ〕」

よ だつ⓪【与奪】「与えることと奪うこと」の意の漢語的表現。「生殺(セイサツ)—⓪-⓪(の権)〔=⇩生殺〕」

よた もの⓪【与太者】 ゆすり・たかりや用心棒などをして世を渡る、町の小悪党。〔「よたもん・よた公③」とも言う〕

よた よた ■一①(副)—と—する 足にちゃんと上体を支えるだけの力が無く、よろめきながら歩く様子。「△太り過ぎて(背中の荷物が重過ぎて)—歩く」■二⓪—に「よたよた■一」に同じ。表記「与太」は、借字。

「疲れて—になる」

よた・る②【与太る】(自五) ❶よた者がするような不良な言動をする。❷口から出まかせに言う。表記「与太」は、借字。

よ だれ⓪【〈涎】 口の中にたまって抑えきれずに外に流れ出るつばき。「—を垂らす〔=ほしくてたまらない様子の形容。『よだれが出る』も同義〕」 —かけ③【—掛(け)】 乳児などの首に掛けて、涎を受ける布。

よたろう⓪(ヨタラウ)【与太郎】 知恵の足りない愚か者やうそつき。〔侮蔑(ブベツ)を含意する〕表記「与太」は、借字。

よ だん⓪【予断】—する(他サ) どういう結果になるか、前もって判断すること。「—を許さない/—と偏見」

よ だん⓪【余談】 本筋とは無関係な話。

よ ち①【予知】—する(他サ)〔異変とか自然界における適・不適などを〕前もって知ること。「地震を—する」

よ ち①【余地】 まだ何かをすることが出来る△場所(ゆとり)。「立錐(リッスイ)の—も無い〔=⇩立錐の余地〕/疑う—が無い/なお検討の—がある」

よ ち①【〈輿地】〔万物を載せている大地、の意〕地球。

よ ちょう⓪(—テウ)【予兆】—する(自サ) 何かが起ころうとする前触れ(として示されること)。

よ ちょきん②【預貯金】 銀行への預金と郵便貯金。

よちよち①(副)—と—する 歩き始めたばかりの幼児などが、やっと歩いているという感じで一足一足進む様子。「—歩き」

よ つ【四㋡】〔「つ」は接尾辞。⇩よ(四)〕■一(造語)「四(シ)」の意の和語的表現。「—葉(バ)のクローバー/—足・—角(カド)」■二❶②昔の時法において、今の△午前(午後)十時ごろ。よつどき。〔時の鐘または太鼓を四回鳴らした〕❷②〔写真で〕「四つ切り」の略。❸①〔すもうで〕互いに左右の手を差し合うわざ。「—に渡る/右—・左—」

よつ あし⓪【四㋡足】 足が四本ある△こと(もの)。〔狭義では、牛馬などの けものを指す〕

よっ か①(ヨククワ)【欲火・〈慾火】 わきおこっておさえがたい情欲。

よっ か①(ヨク—)【翼下】 ❶△はね(飛行機の翼)の下。❷その組織・団体などの勢力や系列の内。よくか。〔❶❷とも「よくか」とも〕

よっ か⓪【四日】 ❶月の第四日。「四月—/二十—」❷日の数が四つあること。また、その日数。「(十)—間」

よっ かい⓪(ヨク—)【欲界】〔仏教的世界観で〕種々の欲望に満ちた生物が住む、この世界。「よくかい」とも。⇩三界(サンガイ) ■二頭語形。

よっ かか・る④【寄㋡掛かる】(自五)「寄りかかる」の口

よっ かく⓪(ヨク—)【浴客】 ⇩よっきゃく

よつ かど⓪【四㋡角】 二本の道が直角に交わっている所。よつつじ。十字路。

よつ がな⓪【四㋡仮名】「じ」「ぢ」「ず」「づ」の四つの仮名△の使い分け(で表わされる音)。室町時代末期までは「じ」「ぢ」、「ず」「づ」に発音の区別があった。表記 ⇩付表「仮名」

よつ ぎ⓪①③【世継(ぎ)】 家督を継ぐ△こと(人)。表記「世《嗣」とも書く。

よっ きゃく⓪(ヨク—)【浴客】 ふろ屋・温泉などに入浴しに来る客。「よっかく」とも。

***よっ きゅう**⓪(ヨクキウ)【欲求】—する(他サ)〈なにヲ—する〉 何かが△したい(ほしい)と日夜それを求めること。「—を満たす/—が高まる」 —ふまん⓪-⓪【—不満】 内的・外的障害のために欲求が満たされずいらいらしたりして楽しくない精神状態。フラストレーション。「—が高じる/—を解消する/—に陥る」

よつ ぎり⓪【四㋡切㋷】 全体を四つに切り△分けること(分けたもの)。写真では、全紙の四分の一〔=二五・五センチ×三〇・五センチ〕。

よつ ずもう③(—ズマフ)【四㋡〈相撲〉】「よつ■二❸」に組むすもう。表記 ⇩付表「相撲」

よつ だけ⓪【四㋡竹】 割った竹で作ったカスタネットに似た、簡単な楽器。

よっ たり③④【四《人】〔「よたり」の変化〕よにん。〔副詞的にも用いられ、アクセントは⓪〕

よっ つ【四つ】 ■一③〔「よつ」の「よ」と「つ」との間に促音が入った形〕ものの(個)数をかぞえるとき、数が四(シ)であることを表わす。また、△四歳(第四)を指す。「—の自由」■二⓪(副) 対象とするものが四(ヨ)つ■一である様子。「ドアを—叩いたら開けること」⇩よつ・いつつ

よつ つじ⓪【四㋡〈辻】「よつかど」の古風な表現。

よっ て⓪〔「よりて」の変化〕■一【〈仍て】(接) 前の文で述べたことを理由とすることを表わす。それだから。「挙手多数です。—本件は可決されました」■二【因って】 原因・根拠とすることを表わす。「—立つ〔=よりどころにする〕」

表記 ㊁は、「《依って」とも書く。そのもとなった。「―原因」 ―きたる⑤【―来(た)る】

よつで⓪【四(つ)手】〔←四つ手網③〕四すみを竹で張り、水中に沈めて魚を捕らえる網。

よってたかって⓪-⓪【寄ってたかって】おおぜいの人が何かを中心に囲むようにして集まって。「―いじめる」

ヨット①〔yacht〕スポーツ用の軽快な小型帆船。〔広義では、発動機のついたものや、外洋航行用のものなどを含む〕 かぞえ方 一艇(テイ)

よつどき⓪【四(つ)時】⇨よつ㊁㊀

ヨットハーバー④〔yacht harbor〕ヨット専用の港。

よつば⓪【四(つ)葉】葉が四枚あること。また、そのような葉。「―のクローバー」

よっぱらい⓪【酔(っ)払(い)】酔っぱらった人。よいどれ。

よっぱら・う⓪④【酔(っ)払う】(自五)酒に酔って、正常な状態でなくなる。

よっぴいて③【《能(っ)引いて】〔雅〕〔「よく引いて」の変化〕弓を十分に引いて。

よっぴて⓪【夜っぴて】(副)〔「夜一夜」の変化形「よひとい」の圧縮表現という〕一晩中眠らずに何かをする様子。「―踊りあかす/―将来のことを語り合う」

よっぽど⓪【余(っ)程】(副)㊀〔雅〕〔「よきほど」の変化。さらに変化して「よほど」とも〕だいたいのところ。「―同じようなり」㊁「よほど」の口頭語的な強調表現。「こっちの方が―いいや/―気に入ったんだね/―出て行こうと思ったんだが/―の事が無ければお供します」

よつみ⓪【四(つ)身】㊀十歳前後の子供の和服(の裁ち方)。身長の四倍の並幅の布を、縫い合わせて作る。⇨中裁ち・本裁ち ㊁〔すもうで〕「よつ㊁㊀」に組んだ体勢。

よつめ⓪【四(つ)目】㊀目が四つある△こと(もの)。㊁四角を四つ組み合わせた模様。 ―がき③【―垣】竹をあらく編んで四角形のすきまが出来るように作った垣根。 ―ぎり③④【―錐】刃が四つの角を持った錐。 かぞえ方 一本

よづめ①【夜爪】夜切る爪。「出爪―は切るな(=外出の前に爪を切ったり夜に爪を切ったりするな。いずれも縁起が悪いとして嫌う)」

よつゆ①【夜露】夜の間に置く露。

よづり①【夜釣(り)】夜に魚を釣ること。

よつんばい⓪【四(つ)ん〈這(い)】〔「四つに這い」の変化〕両の手足を地につけて這う(形になる)こと。

**よてい⓪【予定】―する(他サ)〈なにヲ―する/なんだト―する〉〔将来の行動などを〕前もって△定めること(定めたもの)。「―を繰り上げる/―表⓪」 ―ちょうわ④【―調和】㊀〔十八世紀ドイツの哲学者ライプニッツの説〕神が世界の調和をあらかじめ定めているという考え。㊁多くの人がそうなるであろうと考える方向へと事態が動き、まさにその通りの結果になること。「―に落ち着く/―的には進められない」 ―び②【―日】その行事が行なわれることになっている日。〔狭義では、出産予定日を指す〕「帰国の―」

よてき⓪【余滴】㊀〔筆先などに〕残ったしずく。㊁雨が止んだ後に、何かから落ちてくるしたたり。〔㊀㊁とも、漢語的表現〕

よど①【〈淀】水が流れずにたまっている所。

よとう①【与党】〔「与」は、くみするの意〕政党で、現在政権を担当している方。↔野党

よとうむし②【夜盗虫】ネキリムシの異称。

よどおし⓪【夜通し】(副)一晩じゅうずっと、その状態が続く様子。「赤ん坊は―泣いていた/台風が心配で―起きていた」

よとぎ⓪【夜〈伽】―する(自サ)夜通し、伽をすること。

よとく⓪【余得】〔その地位に居るために入る〕正規の収入以外の利益。余禄(ヨロク)。

よとく⓪【余徳】死後にまで残ったその人の徳。

よどく⓪【余毒】あとに残った(害)毒。

よどみ⓪【〈澱(み)・〈淀(み)】㊀澱むこと。「―無い(=つっかえたり言いまちがったりしない)雄弁」㊁川・湖などの澱んだ所。「―に浮かぶうたかた」

よど・む②⓪【〈澱む・〈淀む】(自五)㊀水や空気の流れがとまったりして、動きの無い状態を保つ。「言い―」㊁水に溶けないものが混じって濁った状態になる。㊂活気を欠く。「蒼黒(アオグロ)く澱んだ表情」

よな①〔長野・九州の方言〕火山灰。

よな(終助)〔雅〕感嘆の気持を込めて確認したり念を押したりすることを表わす。「はかなき世の中の癖にて―/四部の弟子は―(=だな)、比丘(ビク)よりは比丘尼(ニ)は劣り…」

よなおし②【世直(し)】―する(自サ)世の中のよくない状態を改めること。

よなか③【夜中】夜も更けて、たいていの人が寝静まった時分。「地震で―に目が覚めた/真―」

よなが⓪【夜長】日が早く落ち、夜が長くなったと感じられる△こと(季節)。↔日なが

よなき⓪③【夜泣(き)】―する(自サ)幼児が夜(急に)泣くこと。

よなき⓪③【夜鳴(き)・夜〈啼(き)】㊀鳥などが夜に鳴くこと。㊁夜、屋台を引いて、声を掛けながら売り歩くこと。「―うどん④」 ―そば④(=⇨夜たかそば)」

よなげや⓪【〈淘げ屋】川底やごみ捨て場の土をふるって、金属など金目の物を拾い上げる業者。

よな・げる③【〈淘げる】(他下一)㊀米をとぐ。㊁穀類を水につけて、砂などを取り去る。

よなべ⓪【夜なべ】―する(自サ)昼働いただけでは△まにあわない分を(足りないので)夜も引き続いてすること。「―で仕上げる/―仕事に解(ト)き物をする」

よなよな⓪【夜(な)夜(な)】(副)「毎夜」の意の古風な表現。⇨朝な朝な

よな・れる③⓪【世慣れる】(自下一)いろいろ経験して世間の慣行や、(裏面の)実情に慣れる。「世慣れた人の挨拶(アイサツ)」 表記「世〈馴れる」とも書く。

よにげ⓪③【夜逃(げ)】―する(自サ)〔そこに居られなくなり〕夜中にそっと逃げ出して他の土地へ行くこと。「―同然」

よにも①【世にも】(副)現実の世界の出来事だとは信じられないほど珍しい様子。「―不思議な話」

よね①【《米】「こめ」の異称。

よねつ⓪【予熱】―する(他サ)〔エンジン・機器などを〕すぐ△作動する(使える)ように、あらかじめ温めておくこと。

よねつ⓪【余熱】さめきらずに残っている熱気。「アイロンの―/インフレの―がくすぶる」

よねん⓪【余念】〔一般に「―がない」「―なく」の形で〕△ほかの(余分の)考え。「△原稿の執筆(おしゃべり)に―が無い(=熱心にしている様子だ)/―なく研究に打ち込む」

よの②【四《幅・四《布】〔反物で〕並幅(ナミハバ)の布を四枚縫い合わせた△もの(幅)。⇨の(幅)

よのう⓪【予納】―する(他サ)手続き上、事が行なわれるに先立ってその費用を納めること。

よのぎ⓪【余の儀】〔一般に否定表現と呼応して〕「無視するわけにはいかないこと」の意の古風な表現。「―にあらず」

よのためし①-③【世の《例(し)】世間に昔からよくあることで、少しも珍しくないこと。

よのつね①-①【世の常】❶世の習い。「弱者ばかりがつらい目を見るのが—だ」❷世間に普通に△見られる(行なわれている)物事。「—の人間ならば」

***よのなか**②【世の中】❶社会人として生きる個々の人間が、だれしもそこから逃げることのできない宿命を負わされているこの世。一般に、そこには複雑な人間関係がもたらす矛盾とか政治・経済の動きによる変化とかが見られ、許容しうる面と怒り・失望をいだかせる面とが混在するととらえられる。「物騒な—/—(=現世)がいやになる」❷現在の時点・環境を、これまで経験してきた環境となんらかの意味で比べて批評して言う語。時代。時節。「せちがらい—だ/大変な—になったものだ/今はコンピューターの(=コンピューターが必要とされる)—だ/実力の(=実力が物を言う)—」

よのならい①-②、①-ナラヒ【世の習(い)】正義感に燃える若者にとっては矛盾・不合理と見える事であっても、慣行上認めざるを得ない事柄。

よのぶとん③【四《幅布団・四《布布団】四幅の布で作った布団。

よのめ①【夜の目】夜、眠る目。「—も寝ずに(=夜も眠らないで)」

よは①【余波】❶風がやんでも、なお立っている波。なごり。❷(あまり歓迎出来ない)影響。「不況の—が及ぶ/インフレの—を受ける」

よはい①【余輩】(代)「自分(たち)・われわれ」の意の古風な表現。

よばい②ヨバヒ【夜〈這(い)】—する(自サ)〔文語動詞「嫁ヨバふ」の連用形の名詞用法〕昔、男が夜、女の所に行って情交を結んだこと。表記「夜〈這い」は、借字。

よはく⓪【余白】〔何かが△書いて(印刷して)ある紙の〕何も書かれていない白い部分。スペース。〔行間は含まない〕

よばたらき②【夜働(き)】—する(自サ)普通の人が寝ている夜に働く△こと(仕事)。〔俗に、泥棒を指す〕

よばなし②【夜話・夜〈咄】仕事が終わって夜になってからする、くつろいだ話。

よばわりヨバハリ【呼ばわり】(造語)〔「大声で呼ぶ」意の動詞「呼ばわる③」の連用形の名詞用法〕いかにもそうであるかのようにずけずけ言うこと。〔名誉な事については言わない〕「泥棒—⑤」

よばん①【夜番】夜、番をする△こと(人)。やばん。

***よび**①【予備】❶前もって準備して△おくこと(あるもの)。「—的な演技/—校⓪・—工作③・—費②」❷「予備役」の略。 **—えき**②【—役】〔旧軍隊の制度で〕現役を終えた軍人が、ふだんは市民生活を送り、非常時・演習時に限って服する兵役。一定期間後は後備役コウビエキとなる。⇩現役・後備役 **—ぐん**②【—軍】❶予備役の兵で編制した主力軍隊の支援をする予備の軍隊。❷将来、そうなる可能性のある人びと。「糖尿病の—/うつ病の—」 **—ちしき**③【—知識】ある事物や事柄を正しく△判断(理解)する上で、あらかじめ持っていることが必要とされる知識。

よびおこ・す④【呼(び)起(こ)す】(他五)❶眠っている人を、声をかけたりして起こす。❷何かが起爆剤となってそれまでに見られない状態を起こさせる。「△関心(感動・新たな緊張関係・警戒心・信頼・反発)を—」

よびかけ⓪【呼(び)掛(け)】呼びかける△こと(形式の朗読劇)。「—を行なう/—に応ずる/参加の—」

***よびか・ける**④【呼(び)掛ける】(他下一)❶〈だれニ—〉注意をひくようにその人に向かって声をかける。❷〈だれニなにヲ—〉意見を述べて(広く)賛成を求める。「国民に—/△協力(参加)を—」

よびかわ・す④-カハス【呼(び)交(わ)す】(自他五)相手が呼ぶのに応じてこちらも呼ぶ。

よびこ⓪【呼(び)子】人を呼ぶ合図の笛。よぶこ。

よびごえ⓪-ゴヱ【呼(び)声】❶呼ぶ声。「物売りの—」❷〔任命・人選などについての〕うわさ。「—が高い」

よびこ・む③【呼(び)込む】(他五)❶〔劇場や商店などで〕客を呼んで中に入れる。❷甲が直接の原因となって、乙という現象を起こさせる。「そうした不穏な動きが警戒を—」 名呼び込み⓪

よびさま・す④【呼(び)覚(ま)す】(他五)❶眠っている人に声をかけて目を覚まさせる。❷何かがきっかけとなって古い記憶をよみがえらせる。

よびじお⓪-ジホ【呼(び)塩】塩からい食品を塩水につけて塩を抜くこと。また、その塩。

よびすて⓪【呼(び)捨(て)】人の名前を、敬称を添えないで呼ぶこと。動呼び捨てる④(他下一)

よびだし⓪【呼(び)出(し)】❶呼び出すこと。「警察からの—/—をかける/—状⓪」❷〔↑呼出し電話⑤〕Ⓐ電話を持たない人が近所の電話で取り次いでもらうこと。また、その電話。Ⓑ遊びに来いなどという誘いの電話。❸〔↑呼出しやっこ⑤〕〔すもう場で〕東西の力士の名を呼び上げて、登場させる係。

よびだ・す③【呼(び)出す】(他五)呼んでそこへ来させる。「電話口へ—/テニスに—(=誘い出す)」

よびた・てる④【呼(び)立てる】(他下一)❶声を張り上げて呼ぶ。❷わざわざ呼び出す。名呼び立て⓪ ⇩およびたて

よびつ・ける④【呼(び)付ける】(他下一)❶〔立場の上の人が下の者を〕呼んで自分の所へ来させる。❷呼びなれる。名呼び付け⓪

よびと・める④【呼(び)止める】(他下一)歩いたり運転したりしている人に声を掛けて、止まらせる。

よびな⓪【呼(び)名】(ふだん呼びならわしている)名前。

よびならわ・す⑤-ナラハス【呼(び)《慣わす】(他五)習慣としてそのように呼ぶ。「浅草寺センソウジは浅草アサクサの観音様と呼び慣わされている」

よびな・れる④【呼(び)慣れる】(他下一)❶初めは抵抗があったが、いつもそう呼んでいるうちに違和感を感じなくなる。❷いつもそう呼んでいるので何かの折に自然にその言い方が出てくる。「同窓会では呼び慣れた旧姓で声を掛けてしまう」表記「呼び〈馴れる」とも書く。

よびね⓪【呼(び)値】〔取引で〕売買物件の単位数量に対する値段。たとえば、米なら一石コク、株式なら一株の値段。

よびみず⓪-ミヅ【呼(び)水】ポンプから水が出ない時に、水を導くために上から別の水を入れること。また、その水。さそい水。迎え水。〔何かを引き出すきっかけを作るものの意にも用いられる〕

よびもどし⓪【呼(び)戻(し)】❶呼び戻すこと。❷〔すもうで〕四つ身になり、相手の体を引き寄せておいて反動をつけ、体が浮いたところを、差し手を返しながら突き出して倒すわざ。ゆりもどし。

よびもど・す④【呼(び)戻す】(他五)❶呼んで元の所へ戻す。❷失われた状態を回復する。「△記憶(過去)を—」

よびもの⓪【呼(び)物】〔催し物などで〕それで人を集める、人気のある出し物。

よびや⓪【呼(び)屋】外国から芸能人などを呼ぶ興行師。プロモーター。

よびょう⓪-ビヤウ【余病】ある病気に伴って起こる他の病気。「—を併発する」

よびよ・せる④【呼(び)寄せる】(他下一)❶呼んで自分の近くへ来させる。❷芸人を呼んできて興行する。

よびりん⓪【呼び鈴】人を呼ぶために鳴らすベル。

**よ・ぶ⓪【呼ぶ】(他五) ㊀〈だれヲー〉(注意を引くように)声をかける。「後ろから呼ばれる/助けを―」 ㊁〈どこ・なにニ だれヲー〉自分の所へ来るように、声をかける。「夕食に呼ばれる(=招かれる)/医者を―(=往診を依頼する)/車を―」 ㊂〈なにヲー〉何かがきっかけとなってそのような事態を生じさせる。「人気を―/嵐を―/うわさがうわさを―/△関心(感動・反響・話題)を―」 ㊃〈なにヲなんだトー〉名づける。称する。「この辺一帯は北アルプスと呼ばれる」

よふかし③②【夜更かし】―する(自サ) 夜おそくまで起きていること(人)。

よふけ③【夜更け】夜の更けた時分。深夜。

よぶこ⓪【呼ぶ子】よびこ。 ―どり③【―鳥】「郭公」の異称。

よふね①【夜船】夜に航行する船。「よぶね」とも。「白河―」

よふん⓪【余憤】怒りがまだすっかり静まらないで残っているもの。「―をもらす」

よぶん⓪【余分】―な ㊀必要量をまかなってなお残る△もの(同類・様子)。「―(=あまり)の切符」 ㊁必要とされる量をはるかに超えている△こと(様子)。「―の負担を課す/人より―に働く」

よぶん⓪【余聞】余話。

よへい⓪【余弊】㊀現在まで尾を引いている弊害。 ㊁何かに伴って生じた弊害。「文明の―」

*よほう⓪【予報】―する(他サ)〈なにヲ―する/なんだト―する〉観測データなどに基づいて、天気などを事前に推測する△こと(内容)。「―官②・天気―」

**よぼう⓪【予防】―する(他サ)〈なにデ なにヲ―する〉(病気・災害などを)前もって防ぐこと。「―注射・火災―」 ―せっしゅ④【―接種】病気を予防するために、ワクチンなどをあらかじめ体内に入れて、免疫をつけること。 ―せん⓪【―線】相手方の△攻撃(非難)に備えるために、前もって打つ手。「―を張る」

よぼう⓪【輿望】世間の期待。「―をになって」

よほど⓪【余程】(副)〔「よっぽど㊁」の変化〕㊀常識的に見て、これくらいが限度だろうと考えられる程度をはるかに超えている様子。「―困ったのだろう/自分でやる方が―楽だ/―気を引き締めてかからないと失敗する/あそこまで見えるのは―目が良い人だ」 ㊁△もう少し決断力があれば(ほんのわずかのためらいがなければ)実行に踏み切っていたと判断される段階にある様子。「自責の念に駆られて―辞職しようかと思った/―途中で投げ出そうと思ったほどだ」(㊀㊁の口頭語的強調表現は「よっぽど」) 表記「余程」は、借字。

よぼよぼ ㊀①(副)―と―する 年を取って体力が衰え、歩きぶりや動作が見るからに頼りない感じがする様子。「杖を頼って―と歩く」 ㊁⓪―な―に 「よぼよぼ㊀」に同じ。「あと十年もすればこっちも―だ/―のおじいさん」

よまいごと⓪【世《迷言》】〔「よまい」は、ぐちを言う意の動詞「よまう②」の連用形の名詞用法〕いくら言ってもどうしようもないのに、本人としては口に出さずにはおられないぐち。

よまき⓪【余《蒔》き】その年に取れた種をもう一度蒔いて、取り入れること。

よませる③【読ませる】〔「せる」は使役の助動詞〕△構想力(描写力)がすぐれていて、読者が△一気呵成に(興味をもって)読むように仕向ける。読ます②。「なかなか―ね」

よまつり②【夜祭り】夜、行なう祭り。

よまわり②【夜回り】―する(自サ) 夜、警戒のために回って歩く△こと(人)。

よみ①【《黄泉》】死者の魂が行くという所。あの世。

よみ②【読み・《訓み》】㊀読むこと。「―が浅い/―を誤る/棒―・秒―」 ㊁漢字一つひとつの読み方。〔狭義では、訓を指す〕

よみあげ⓪【読み上げ】読み上げること。 ―ざん④【―算】数字を人に読み上げてもらってする計算。⇩見取り算

よみあ・げる④⓪【読み上げる】(他下一) ㊀声高く読む。「抗議文を―」 ㊁(難解な本や大部のものを)読み終える。

よみあさ・る④⓪【読み《漁る》】(他五) 必要な情報を探したり興味を満足させようとしたりして、(関係する)いろいろな本を次から次に読む。「歴史の本を―」

よみあわせ⓪【読み合わせ】㊀読み合わせること。「―校正」 ㊁(演劇で)演出前に役者が集まって各自のせりふを読み合ってするけいこ。本読み。

よみあわ・せる⑤⓪【読み合わせる】(他下一)(誤りが無いかを確かめるために)原稿と校正刷り、原本と写しなどを、一人が読みあげ、別の一人がそれを聞きながら他方の文面を目で追う。

よみうり⓪【読み売り】江戸時代に、瓦版を読みながら売り歩いた△こと(人)。

よみかえ・す③④【読み返す】(他五) 前に読んだものをもう一度読む。「―たびに新しい発見がある」

よみか・える④③⓪【読み替える】(他下一) ㊀一つの漢字を、別な読み方で読む。 ㊁(法律で)条文中にある語句に、それと同じ条件だと認められる他の語句をあてはめて、それを適用する。

よみがえ・る③④【《蘇る》・《甦る》】(自五)〔よみの国から帰る意という〕㊀いったん死んだ(ようになった)ものが、生き返る。〔弱りきったものが元気をとりもどす意にも用いられる〕「村の伝統行事を蘇らせる/久しぶりの雨で草木が―」 ㊁以前の(好ましい)状態に戻る。「△記憶(平和)が―」 名 蘇り⓪

よみかかり⓪【読み掛かり】読みかけ。読みさし。

よみかき②①【読み書き】社会生活をする上で最低必要な、読解と文字表記の技能。

よみかけ⓪【読み掛け】まだ読み終えぬ途中。よみかかり。

よみかた③④【読み方】㊀文字によって表わされた言葉をどう発音し、どう理解するかということ。 ㊁もと、小学校の国語教科の一つ。「読み方㊀」の学習をした。

よみきかせ⓪【読み聞かせ】(子供などに)本や絵本を読んで聞かせること。

よみきり⓪【読み切り】〔雑誌などに載せる読み物で〕一回で完結するもの。↕連載

よみき・る③⓪【読み切る】(他五) ㊀一冊の本や続き物などを、終わりまで読む。 ㊁局面が展開して行き着く結末までで完全に見通す。「時代の流れを―」

よみくせ⓪【読み《癖》】㊀習慣上定まっている、熟語・固有名詞などの読み方。〔「牛車」を「ぎっしゃ」、「由緒」を「ゆいしょ」、「紫宸殿」を「ししいでん」、「烏丸」を「からすま」と読む類〕 ㊁書いた物を読む時の独特な抑揚で、他人には耳障りに聞こえるもの。「よみぐせ⓪」とも。

よみくだ・す④⓪【読み下す】(他五) ㊀初めから終りまで(ざっと)読む。 ㊁漢文を日本語の語順に直して読む。 名 読み下し⓪

よみごたえ⓪【読み応え】読んだ△(でいる)という心の張りあい。「―のある(=ⓐ読むのに時間がかかる。ⓑ内容的に考えさせられるものがある)本」

よみこな・す④⓪【読み《熟す》】(他五) 読んで内容を完

全に理解する。

よみこ・む③⓪ ■【読(み)込む】❶その素材・言葉を表現に取り入れる。❷完全に理解出来るまで徹底的に読む。❸状況がどう展開するかを、予測する。❹〔将棋や碁で〕何手も先までよく読む。❺〔コンピューターが〕データやプログラムを内部に取り入れる。■【詠(み)込む】その物事や言葉を、和歌や俳句の中に特に取り入れて詠む。

よみさ・す③【読(み)《止す》】(他五) ❶途中まで読む。❷読んでいるのを途中でやめる。⇩さす(止す) 名読みさし⓪

よみじ①②(ヂ)【〈黄泉〉・〈黄泉〉路】〔雅〕よみの国(へ行く時、通るといわれる道)。

よみ・する③【〈嘉する〉】(他サ)「〔立場の上の人が下の者の行為などを〕△よくやった(りっぱだ)とほめる」意の古風な表現。「志を―/功績を―」

よみせ⓪【夜店・夜見世】夜、道ばたで物を売る店。かぞえ方 一店・一軒

よみだ・す③⓪【読(み)出す】(他五) ❶読み始める。❷〔コンピューターで〕記憶装置に格納されているデータをその外に取り出す。↔書き込む❸ 名読み出し⓪「―専用記憶装置⑫⓪-④(=⇩ロム(ROM))」

よみち①【夜道】夜の(暗い)道(を歩くこと)。

よみて⓪③ ■【読(み)手】❶その文書を読む人。⇩書き手・聞き手 ❷その歌がるたの文句を読む人。↔取り手 ■【詠(み)手】和歌や俳句の作者。

よみで⓪【読みで】分量があって、読みごたえがあること。「―がある」

よみと・く③⓪【読(み)解く】(他五) 文字表記や内容の上で難解な文章・暗号などを、正しく読む。

よみとば・す④⓪【読(み)飛ばす】(他五) ❶不必要なところや興味の無いところなどを抜かして読む。❷(おおよその内容が分かればよいというつもりで)速く読む。

よみと・る③⓪【読(み)取る】(他五) ❶読んで内容を理解する。「△文書の意図(詩・大意)を―」❷△現象面(外観)を通じて、内面にひそむものを感じ取る。「△苦悩(自信)のほどが読み取れる」名読み取り⓪

よみなが・す④【読(み)流す】(他五) ❶よどみなくすらすらと読む。❷細かい点にまで注意しないで全体をざっと読む。名読み流し⓪

よみのくに①【〈黄泉〉の国・夜見の国】〔古来の信仰で〕死者の魂が行くという所。

よみびと⓪【読(み)人・詠(み)人】その歌を実際に作った人。「―知らず⑤(=作者不明)」

よみふけ・る④⓪【読(み)〈耽る〉】(自他五) 時がたつのも忘れて読み続ける。「推理小説を―」

よみふだ②【読(み)札】歌がるたで、読む方の札。↔取り札

よみほん⓪【読(み)本】江戸時代後半期の小説の一種。絵を主にした草紙に対して、読むのを主にした小説。「本朝水滸伝(スイコデン)」などの類。

よみもの③②【読(み)物】❶電車の中や仕事休みに一服している時などにも気軽に読める物。〔主として、啓蒙(ケイモウ)的な教養書や大衆文芸・中間小説などを指す〕「少年向きの―/―風な文章」❷講談師が演じる題目。❸読みごたえのある文章。「この論文集で一番の―」

よみや①【夜宮・《宵宮》】⇩よいみや

****よ・む**①【読む】(他五)《なにヲ》❶書かれている文字の音を声に出す。「朗々と―/経を―」❷文字や図などを見て、そこにかかれていることを理解する。「△手紙(グラフ・目盛り・数字)を―」❸現われている事柄から深い意味を察知したり将来の動きを推測したりする。「相手の心を―/作戦を読まれる/票を―/鼻毛を―(=自分にほれている男の心を見すかして手玉に取る)」❹漢字・漢文を訓で表わす。⇩よみ❷ ❺詩歌を作る。❻数をかぞえる。「さばを―」表記 訓読する場合「《訓む》」、歌などの場合「詠む」とも書く。

***よめ**⓪【嫁】❶息子の妻として、その家族に迎え入れること。また、その女性。〔狭義では、新婚のそれを指す〕↔婿 ❷結婚した女性。妻。表記「〈娵〉」とも書いた。

よめ①【夜目】夜、暗い中で見ること。「―にもそれと分かる/―遠目笠(カサ)の内(=暗がりで見たり遠くから見たりした女性や、かぶり物をかぶった女性の容姿は、実際よりもきれいに見えるものだ)」

よめい⓪①【余命】〔一生の終りに近づいていると見られる人について〕残り少ない命。「―いくばくも無い」

よめいり⓪【嫁入(り)】―する(自サ) 女性が結婚して夫の家に行くこと。とつぐ△こと(儀式)。「狐(キツネ)の―(=⇩狐の嫁入り)/―道具」↔婿入り 動嫁入る③(自五)

よめご⓪②【嫁御】嫁に対する尊敬語。

よめじょ②(ヂョ)【嫁女】「よめ」の意の古風な表現。

よめとり⓪④③【嫁取(り)】家に嫁を迎える△こと(儀式)。↔婿取り

よめな⓪【嫁菜】山野や道端などに自生する多年草。秋、淡い青紫色の小さな花をつける。春、若菜をつんで食べる。〔キク科〕

よも①【四《方》】〔雅〕まわり。「―の景色」

よもぎ⓪【〈蓬〉・〈艾〉】山野に生じる多年草。葉の下面は毛が生えて、灰白(カイハク)色。かおりが強い。若葉を草餅(モチ)に用いる。また「もぐさ」用。もちぐさ。〔キク科〕かぞえ方 一本 **―う**⓪(フ)【―《生》】〔雅〕ヨモギなどが茂った土地。〔荒れた所の意にも用いられる〕

よもすがら⓪①【〈終夜〉・夜もすがら】(副) ある行動や状態が一晩じゅう休みなく続く様子。「よすがら」とも。〔古風な表現〕「―もの思いにふける」↔ひねもす 表記「〈通夜〉・〈竟夜〉」を経て、近代では「〈終夜〉」と書くことが多い。

よもや①(副)〔副詞「よも」に感動の助詞「や」の付いたもの〕万が一にもそのような可能性は無いと判断していることが実現した状況を想定する様子。また、あってはならないと思う様子。「―あの老練な人に手ぬかりなどのあろうはずはない/世間には―と思うような出来事があるものだ」

よもやま⓪【四《方山》】〔「四方八方(ヨモヤモ)」の変化〕世間(のこと)。「―話(バナシ)⑤」

よやく⓪【予約】―する(他サ)〔おおよその「めど❷」を定める意〕そうすることが是非必要である旨を先方に申し入れ、確実に実現する方法を講ずること。また、その申し入れ。「切符は三か月前から―を受け付けている/△歯医者(ホテル・レストラン)の―を取る/―金⓪・―制⓪・―席③」

***よゆう**⓪【余裕】いざという時のために、△全力を出しきる(全部を使いきる)ことなく、必要を満たしたあとに、多少の余力・余地などを残すこと。「―が出来る/ぜいたくをする―は無い/レースが終わってもグラウンドを一周する―を見せる/―を見込む」**―しゃくしゃく**⓪-⓪【―〈綽々〉】―たる(ト) ゆったりとして落ち着いている様子だ。「―たる態度」

よよ①(副) 声をあげて泣きくずれる様子。「老婆は孫にとりすがり―と泣いた」

よよ①【代々・世々】(副)「だいだい」の意の古風な表現。

よよ①【夜々】(副)「毎夜」の意の古風な表現。

より(格助) ❶「から」のやや改まった言い方。「この川―北は埼玉県だ」❷それを比較の基準とすることを表わす。「去年―寒い/飲む―食べる方がいい/君―も大分先に来た」❸何かと対比させることを表わす。「歩く―しかたない」❹

「…するとすぐに」の意のやや古風な表現。「ただいまの声を聞くー、娘がかけよってきた」❺〔雅〕それを使って何かをすることを表わす。「歩(カチ)ー行く」文法 体言(名詞、またそれに準ずる句)、格助詞「から・まで」、副助詞「だけ・ばかり」、活用語の連体形に接続する。

より⓪①(副)〔翻訳調の言い方で〕△何か(現状)に比べて程度が進んでいる様子。「ー強力な機械/ー楽しい人生/人生をー良く生きることを考える」

より⓪【寄り】〔動詞「寄る」の連用形の名詞用法〕❶集まること。「きょうはーが悪い」❷位置・方向などが、何かに近い△こと(状態)。「西ーの風/与党ーの野党」❸「よりつき❶」の略。

より【〈縒(り)・〈撚(り)】■❷縒ること。縒ったもの。「羊毛にーをかける/ーを戻す〔=元の一心同体の関係を復活させる。多く、恋愛関係について言う〕」■〔造語〕動詞「縒る」の連用形。「ー合わせる/ーかける/ー込む/ー糸③⓪・ー綱(ナツ)」

よりあい⓪(アヒ)【寄(り)合(い)】❶相談のための集まり。会合。❷雑多なものの集まり。「ー所帯」❸〔すもうで〕互いに四つに組み、相手を押さえこもうとすること。❹〔連歌(レンガ)・俳諧(ハイカイ)で〕前句の中の言葉・物と縁を持つもの。

よりあ・う③(アフ)【寄(り)合う】(自五)〔相談などのために〕人びとが一か所に集まる。

よりあつま・る⑤【寄(り)集(ま)る】(自五) 多くのものが一か所に集まる。名寄り集まり⓪

よりうど②【寄《人】「よりゅうど」の歴史的かなづかいによる表記。

よりかか・る④【寄(り)掛(か)る】(自五) 他を当てにして、自分から進んでからだを預ける。「壁にー/親にー〔=経済的に依存する〕」名寄り掛かり⓪「ーの無い椅子(イス)」表記「〈凭り掛かる」とも書く。

よりき①⓪【与力】〔もと、助力の意〕江戸時代、奉行(ブギョウ)などの配下に属して、部下の同心を指揮した役(人)。

よりき・る③【寄(り)切る】(他五)〔すもうで〕組んだまま相手を押していって、土俵の外に出す。名寄り切り⓪

よりけり②③【因りけり】…によって決まる(ことで、一概には言えない)。「買うかどうかは値段にーだ/冗談も時にーだ〔=言っていい時と悪い時がある〕」

よりごのみ⓪③【《選(り)好み】ーする(自サ) えりごのみ。「ーをする/ーが激しい」

よりしろ⓪【《依(り)代】 神霊が現われる時の媒体となるもの。〔樹木が、最も代表的〕

よりすが・る④【寄(り)〈縋る】(自五) ❶寄りかかるようにとりつく。すがりつく。❷それを力としてたよりきる。

よりすぐ・る④【《選りすぐる】(他五) えりすぐる。

よりそ・う③(ソフ)【寄(り)添う】(自五) 相手のからだに触れんばかりに近くに寄る。

よりたお・す④(タフス)【寄(り)倒す】(他五)〔すもうで〕四つに組んだまま相手を土俵ぎわまで追いつめて、土俵の外に倒す。名寄り倒し⓪

よりつき⓪【寄(り)付(き)・寄(り)《附(き)】❶〔取引で〕その日の前場・後場の最初の立会い(の値段)。↕大引け ❷入ってすぐの部屋。❸〔庭園などの〕簡単な休憩所。

よりつ・く③【寄(り)付く・寄(り)《附く】(自五) ❶接触を求めてそばに近づく。「こわがってだれも寄り付かない」❷〔取引で〕その日最初の立会いが成り立つ。

よりて⓪①【因(り)て・〈仍(り)て】⇩よって

よりどころ⓪【《拠(り)所】〔もとの用字は、「《拠」。⇩よんどころ無い〕❶根拠。❷そのものを支えており、それが無くなればそのもの自身の成立が危うくなるもの。「生活のー/心のー〔=生きていく上に必要な、生きがいを与えるもの〕」

よりどり⓪【《選(り)取(り)】 多くのものの中から自分の好きなものを自由に選び取ること。「ーで一つ百円/ー見取り⑤」

よりによって②-⓪【《選りに《選って】 もっとましな事がいくらでもあろうに、最悪の事態に遭遇したという、主体の心情を表わす。「ー大みそかに泊り客が来る」

よりぬき⓪【《選(り)抜(き)】 えりぬき。動選り抜く③⓪(他五)

よりまし⓪ 神霊のよりつく人間。特に、児童のこと。〔狭義では、祈禱(キトウ)師が神霊や物の怪(ケ)を乗り移らせるための子供を指す〕表記「〈憑坐〉・〈尸《童」などと書く。

よりみ⓪【寄(り)身】〔すもうで〕四つに組んで相手を押し立てていく△こと(体勢)。

よりみち⓪【寄(り)道】ーする(自サ) 目的の所へ行く途中、ついでに他の所に立ち寄る△こと(道)。回り道。

よりめ⓪【寄(り)目】 双方の目が内側に寄る「内斜視」の俗称。

よりゅうど②(ヨリウド)【《寄《人】 宮中の御歌所(オウタドコロ)の職員。よりうど。

よりょく⓪【余力】〔使っても〕まだ余っている力。

よりより⓪【寄り寄り】(副)〔雅〕時どき。「弟子たちの間にはーその話が出た」

よりわ・ける④【《選(り)分ける】(他下一) えりわける。名選り分け⓪

よ・る⓪【因る・《依る・《拠る】(自五)〈なにニー〉❶よりどころとする。たよる。「規則によって罰する/命(メイ)により〔=従って〕行なう/一説にーと/ことにーと/天気予報によれば/労働にー所得/生活費は親からの仕送りにー〔=依存する〕/城にー〔=たてこもる〕」❷それに原因がある。「…にー所が△大きい(大である)/不注意にー事故」❸個々に差違が認められ、統一的な扱いが出来ない状態にある。「何事によらず〔=どんな事についても例外無く〕/努力いかんにー/成行きいかんによっては/時と場合にー/考えようによれば/方針にー〔=方針次第だ〕」表記「《由る・《縁る」とも書く。

よ・る⓪【寄る】(自五) ❶〈(どこニ)ー〉その△方向へ移る(ものの近くに位置する)。「波がー/すみにー/右へー/三人寄れば〔=集まれば〕/思いも寄らない〔=意外だ〕/ーとさわると⓪-⓪、②-③〔=人が集まって、これを問題にするたびごとに〕」❷〈(どこニ)ー〉重なる。「しわがー/年がー」❸〈どこ・なにニー〉目的の所へ行く途中、ついでに他の所をたずねる。❹〈(どこニ)ー〉からだの上部や手を、そのものにもたせかける。「柱にー/壁にー/欄干にー」❺〈(どこニ)ー〉〔すもうで〕相手のまわしを取って体を合わせて押して行く。❻〔取引で〕寄り付く❷。表記❹は、「〈凭る」とも書く。

よ・る①【《選る】(他五) 多くの中から取り出す。えらぶ。

よ・る①【〈縒る・〈撚る】(他五)〔繊維など、細長いものを丈夫にするために〕逆方向に回すような力を、両端から繰返し繰返し加える。「糸をー/腹の皮をー〔=大笑いをする〕」

[⇩縒り■]

よる①【夜】 一日のうち、太陽が沈んで暗い間。日の入りから日の出までの間。「月の明るいー/ーに入って雨になった/ーのとばりが下りる/昼寝てー働く/ーも昼も」↕昼

よるい⓪①【余類】 残党。

よるうぐいす④(ウグヒス)【夜〈鶯】⇩ナイチンゲール❶

よるひる①【夜昼】 夜と昼(の区別をしない状態)。〔副詞的にも用いられる〕「ー通しての突貫作業/ー無く働く」

よるべ⓪【寄(る)辺】〔親類など〕たよりとする△所(人)。「ーの無い身」

よるよなか①【夜夜中】 夜の、しかも夜中という時分。

** *は重要語，⓪ ①… はアクセント記号，品詞の指示の無いものは名詞および いわゆる連語。

よれい⓪【予鈴】本鈴を予告するために、その少し前に鳴らす合図(のベル)。↕本鈴

よれよれ ■一①(副)_|と_|する ❶着古されるなどして、衣服や紙などが張りを失い、形くずれしたりしわになったりしている様子。「—したスーツをまだ着ている」 ❷疲れ切って立っている のもようやくという様子。「よほど疲れたのか—(と)帰ってきた」 ■二⓪_|な_|に ❶「よれよれ■一❶」に同じ。「兄のおさがりのシャツは—だった/—のノートに何か書いている」 ❷「よれよれ■一❷」に同じ。「残業を終えて—になって会社を出た」

よ・れる②【〈縒れる】(自下一) ❶細長いものがよじれる。「糸が—」 ❷しわがよった状態になる。「着物の裾が—」

よろい⓪【〈鎧・《甲・〈冑】〔備わる意の「具(ヨロ)ふ」と同源の文語動詞「鎧(ヨロ)ふ」の連用形の名詞用法〕昔、戦争の時に、からだを保護するために着た武具。「衣の下から—がちらつく(=本心が見える)」 かぞえ方 一領・一着・一具 **—いた**④【—板】直射日光を防ぎ、通風を加減するために窓に取りつける装置。窓などの大きさの枠に、幅の狭い、薄い板を何枚も斜めにすえて並べた構造のもの。 **—ど**⓪③【—戸】 ❶よろい板を取りつけた戸。 ❷細い鉄板を横に並べて連結した戸。巻き上げてあける。シャッター。「店の—をおろす」 **—どおし**④【—通(し)】(ドホシ) 昔、右腰に帯び、戦場で敵と組んだ時、刺すのに用いた短刀。長さ九寸五分(=約二九センチ)。 かぞえ方 一口(ヒトフリ)

よろく⓪ ■一【余〈禄】正規の収入以外の利益。余得。■二【余録】主要な記録以外の記録。余話。

よろけ⓪〔動詞「よろける」の連用形の名詞用法〕炭肺(タンハイ)。珪肺(ケイハイ)。

よろ・ける⓪【〈〈蹌踉〉〉ける】(自下一) つまずくなどしてからだのバランスを失い、ころびそうになる。

よろこばし・い⑤【喜ばしい】(形) 喜ぶべきものとして、その状態を受け入れることができる気持だ。「この川に魚がすみつくようになったことは—限りだ/本日の盛典を迎えることが出来ますことは誠に—次第であります」 派 **—さ**⑤④ **—げ**⑤⑥⓪ 表記「《悦ばしい」とも書く。

よろこび⓪【喜び・《悦び・《慶び・《歓び】 ❶喜ぶ△こと(気持)。「合格の—」 ❷めでたい事柄(を祝う言葉)。「新年のお—を申し上げます」 表記「〈欣び」とも書く。

*__よろこ・ぶ__③【喜ぶ・《悦ぶ・《慶ぶ】(自五)〈なにニ—/なにヲ—〉よい事に出あって非常に満足し、△うれしい(ありがたい)と思う。「親孝行をして、父の—顔が見たい/人に喜ばれる親切/人の注意を喜んで聞く/手放しで—のはまだ早い」 ↕悲しむ

よろし・い③【《宜しい】(形)「よい」の意のやや改まった言い方。「ご都合の—時/帰って—」 運用 相手からの依頼などを承知した意を表わすのに用いられることがある。丁寧には「よろしゅうございます」などとも。例、「『このお仕事お願いできませんでしょうか』『よろしい、引き受けましょう』」

よろしき②【《宜しき】〔文語形容詞「宜し」の連体形の名詞用法〕ちょうどいい△こと(程度)。適切なこと。「指導—を得て(=うまい指導で)全員合格した」

よろしく⓪【《宜しく】(副) ❶成行きに従って適切に対処して事をうまく進める様子。「君の判断であとは—頼む/彼女と—やっている」 ❷〔「—…べし」の形で〕そうすることが必要であることを表わす。「—△反省(刷新)すべきだ」 ❸〔副助詞的に〕いかにもそれに似つかわしいかっこうをする様子。〔多くは得意げな様子を表わす〕「だて男—ベレー帽をかぶる」 運用 ❶は、「…さんによろしく(お伝えください)」などの形で、その場に居合わせない人に寄せる好意を伝えてもらおうとしたり、「(今後とも)よろしくお願い△いたし(申し上げ)ます」などの形で、自分を見限ることなく長く付き合ってほしいと願う気持を表わしたりする、挨拶(アイサツ)の言葉として用いられる。

よろず(ヨロヅ)【《万】■一(造語)〔雅〕〔「万(マン)」の意〕Ⓐかぞえ上げる個数・回数などが万であることを表わす。「—度(タビ)・—代(ヨ)③⓪(=永久)」「—歳(トセ)」 Ⓑ数がけたはずれに多いことを表わす。■二⓪①(副) すべての点において例外なくその△傾向(状態)が認められる様子。「—もの知り顔なのが気に障る/—承ります(=何でも相談に応じます)」 **—や**⓪【—屋】 ❶いろいろな種類の物を売る店。 ❷〔浅くはあるが〕なんでも一通り△知っている(出来る)人。

よろぼ・う(ヨロボフ)③【〈〈蹌踉〉〉う】(自五)〔雅〕よろよろ歩く。また、倒れそうになる。

よろ・めく③【〈〈蹌踉〉〉めく】(自五) ❶足でからだを支えることができず、足取りが乱れて△正しく歩けない状態(倒れそう)になる。 ❷強く引かれるものを感じて、その人に心を傾ける。〔狭義では、浮気をすることを指す〕〔❷は婉曲(エンキョク)表現〕 名 よろめき⓪④

よろよろ ■一①(副)_|と_|する 足もとが不安定で今にも転びそうに見える様子。「—しながら立ち上がった」 ■二⓪_|な_|に 「よろよろ■一」に同じ。「長時間の旅で—になって到着した」

*__よろん__①【〈輿論】〔「輿」は、衆の意〕それぞれの問題についての世間の人の考え。「—が△高まる(落ち着く・割れる・沸騰する)/—調査④」 表記 当用漢字制定以後は、この意味で「世論」と書き、「せろん」と言うことが多い。「与論」は、代用字として用いられることもあった。

よわ①(ヨハ)【《夜・夜《半】〔雅〕〔「は」は接辞〕よる。よなか。 表記「夜《半」は、借字。

よわ①【余話】ある出来事について、一般には知られていない話。余聞(ヨブン)。余録。こぼればなし。

__よわ・い__②【弱い】(形) ↕強い ❶〈なにニ—〉能力が劣り、対立関係にある相手や困難・障害などにうち勝つ見込みがない様子だ。「△気(意志)が—/△からだ(胃腸・握力)が—/発言力が—」 ❷勢いがなく、他に及ぼす影響力が小さい様子だ。「—風/—立場に置かれる」 ❸〈なにニ—〉その面に関する能力が欠けていたり 知識を持ち合わせていなかったりする様子だ。「ビタミンCは熱に—/△英語(法律)に—」 派 **—さ①「足腰の—」 **—げ**⓪③②

よわい(ヨハヒ)⓪【《齢】「とし・年齢」の意の改まった言い方。 **—・する**②(自サ)「自分たちの仲間として待遇する・立ち並ぶ」意の古風な表現。「こんな手合いとは よわいせず」

よわき⓪【弱気】↕強気 ■一_|な どうせ△負ける(失敗する)だろうと思って、消極的な気持になる様子だ。また、その気持。■二〔取引で〕相場の下落を予想する△こと(人)。

よわごし⓪【弱腰】 ❶腰の左右の細い部分。「—をける」 ❷_|な_|に 態度が弱くて、ひっこみ思案である△こと(様子)。「—になる/—を見せる」 ↕強腰

よわたり②【世渡(り)】_|する(自サ) 人なみの暮らしをしていくこと。「—がうまい(=要領よく人と付き合い、いいポストを次つぎに見つけて、うまく世の中を生きていく。軽い侮蔑(ブベツ)を含意することがある)/彼のような—上手(=処世術のうまい人)としては珍しい失敗だった」

よわね⓪【弱音】意気地の無い言葉。「—を吐く」

よわび⓪【弱火】とろ火の、文字読みによる新語形。

よわふくみ③【弱含(み)】〔取引で〕相場が多少下がる傾向にあること。「よわぶくみ」とも。 ↕強含み

よわま・る③【弱まる】(自五) 弱くなる。「△体質(発言力・寒さ)が—」 ↕強まる 名 弱まり③

よわみ③【弱み・弱味】〔他人と比べて〕自分でも△劣っている(やましい)と自覚し、他にねらわれることを恐れている点。「彼は—を見せない/他人の—につけこむ」 ↕強み

よわ みそ 表記「弱味」は、借字。

よわみそ⓪【弱味〈噌〉】〔近畿・四国などの方言〕「よわむし」の変化。

よわむし②【弱虫】△気の弱い(意気地の無い)人をあざけって言う言葉。

よわ・める③【弱める】(他下一)〔ものの度合・程度を〕弱くする。弱らせる。「△影響力(結束・権利・刺激・抵抗力)を一」↔強める

よわよわし・い⑤【弱々しい】(形) 接する人にいかにも力に欠けているといった印象を与える様子だ。「冬の一陽射し/一声」 派 **ーさ**⑤ **ーげ**⑤⓪

よわりめ⓪【弱り目】 弱った△時(場合)。「一に祟り目〔=運が悪い時にさらに不運な事が重なる〕」

*__よわ・る__②【弱る】(自五) ❶弱くなる。「△勢い(体力)が一」 ❷〈なにニー〉適切な対応策が得られず、困り切った状態になる。「処置に一/弱ったことになった」

よん【四】(造語)〔「よ」に撥音「ん」の付いた形。し(四)に代わって、単独でかぞえる時にも用いられ、また、造語成分として、字音語・外来語とよく結び付く〕 ❶⇩よ(四) ❶「一十①(シジュウと読めば②)・一百①(シヒャクと読めば⓪)・一千③・一万③・一億①・一倍⓪・一回・一軒・一度・一本・一枚・一匹・一色・一週間・一泊五日・一両連結・一か国・一拍子・一羽」 ❷⇩よ(四) ❷「新聞の(第)一面/一階への階段/一着に入る/彼は一男だ/一位・一番①(ヨバンと言えば⓪)」

よんく①⓪【四駆】「四輪駆動」の略。

よんこま まんが⑤【四〈齣漫画〉】 四つのこまを使って起承転結をつける漫画。笑いを中心とし、漫画の基本とされている。 表記「四コママンガ」とも書く。

よんどころ な・い⑥【《拠無い・《拠ん所無い》】(形)〔拠りどころが無いの意〕そうするよりほかに方法がない様子だ。また、他のことを犠牲にしてもそうしなければならない様子だ。「一用事」 文法 助動詞「そうだ(様態)」に続く時は「よんどころなさそうだ」の形になる。また「すぎる」と結びついて複合動詞をつくる時は「よんどころなさすぎる」の形になる。

よんりん⓪【四輪】 四つの車輪を持っている△こと(車)。 **ーくどう**⑤【一駆動】〔自動車で〕四つの車輪すべてに動力を与えて動かせること。略して「四駆」。 **ーしゃ**③【一車】 大型トラックなどを除く四輪の自動車。「よりんしゃ②」とも。「小型一⑥・軽一⑤」

ら…ラ

ら〔拉・裸・羅〕→【字音語の造語成分】

ら【《等》】(接尾)〔種々の(人に関する)名詞や代名詞に付いて〕複数であることや、それに限らず他の同類のものも含めて指すことを表わす。「子供一/あれは佐藤一のしわざだ/お前一よく聞けよ/これ一の事件に共通する特徴/わたし一には分からぬ」⇩たち 運用「わたしら/わしら」などは謙遜の気持を、「お前ら/佐藤ら」などは、その人に対する軽い侮蔑を含意することが多い。

ラ①〔イ la〕〔音楽で〕長音階の第六音、短音階の第一音の名。

らあ〔動詞終止形の活用語尾「る」+終助詞「わ」の変化〕「…るよ」のぞんざいな言い方。〔短呼して「ら」とも言う〕「聞こえ一/鳴いて一/そんな事もあ一な」

ラーゲル①〔ロ lager〕 捕虜収容所。ラーゲリ①とも。

ラード①〔lard〕 ブタの脂肪からとった料理用のあぶら。半固体状。

ラーメン① ❶〔中国・拉麺〕 中華そばの、料理としての称。「味噌一・バター一・塩一・インスタント一」 かぞえ方 インスタントラーメンは一袋・一箱。めんは一玉 ❷〔ド Rahmen=枠〕 他からの力に容易に変化しない強い接合による骨組み。ラーメン構造⑤。

ラーユ⓪〔中国・辣油〕 トウガラシ入りのごま油。ギョーザを食べる時などに使う。

らい〔礼・来・雷・頼〕→【字音語の造語成分】

ライ①〔rye〕 ライ麦。

らい①【雷】 かみなり。「䨻声、一の如し/一神・一鳴・避一針・春一」⇩【造語成分】

らい①【〈癩】⇩ハンセン病「救一事業」

らいい①【来意】 ❶訪問した用向き。「一を告げる/ご一の趣を伺いましょう」 ❷〔手紙文で、「ご一」の形で〕相手からの手紙で言って来た用件。

らいいん⓪【来院】一する(自サ) 病院など「院」と名のつく所へ来ること。

らいう①【雷雨】 雷が鳴り雨が降ること。雷鳴に伴って降る雨。

らいうん⓪【雷雲】「積乱雲」の俗称。雷雨の前触れと受け取られるので、この名前がある。かみなりぐも。

らいえん⓪【来援】一する(他サ) そこへ来て△応援する(助ける)こと。

らいえん⓪【来演】一する(自サ) その土地に来て演技・演奏などをすること。

らいおう⓪【来往】「ゆきき」の意の漢語的表現。

ライオン⓪〔lion〕 アフリカ・インド西部にすむ猛獣。体長二メートルに達し、黄茶色の短い毛を持つ。雄はたてがみを持ち、大形の動物を捕食し、百獣の王と言われる。獅子。〔ネコ科〕 かぞえ方 一頭

ライオンズ クラブ⑥〔Lions Clubs〕〔Lions←**L**iberty, **i**ntelligence, **o**ur **n**ation's **s**afety〕アメリカの有力実業家たちが作った国際的な社会奉仕団体。

らいか①【雷火】 ❶いなびかり。 ❷落雷によって起こる火事。

らいが①【来〈駕〉】〔一般に「ご一」の形で〕「(相手が)自分の所に来る」の意の尊敬語。「ご一を仰ぐ」⇩来車

らいかい⓪【来会】一する(自サ) 会合や催し物にやって来ること。「ご一の皆様」

ライカばん⓪【ライカ判】〔ド Leica←**Lei**tz **Ca**mera 商標名〕 フィルムで、画面の大きさが二四ミリ × 三六ミリのもの。

らいかん⓪【来館】一する(自サ) 映画や本・展示物などを見に、映画館・図書館・博物館などの施設にやって来ること。「一者③」

らいかん⓪【来簡・来〈翰】〔手紙文で〕相手から届いた手紙。

らいかん⓪【来観】一する(他サ) 何かを見に、その場所にやって来ること。「一者③」

らいかん⓪【雷管】 爆薬を爆発させるための発火具。起爆薬を金属製の筒などに詰めた物。 かぞえ方 一本

らいき①【礼記】 五経の一つ。中国古代周末から秦・漢にかけて行なわれた社会的儀礼に関する多くの儒者の所説を編集したもの。四書のうちの「大学」「中庸」は、もと本書中の一篇に属する。

らいきゃく⓪【来客】(自分の所へ)△来た(来る)客。

らいぎょ①【雷魚】 タイワンドジョウとカムルチーの通称。体長約六〇〜八〇センチに及ぶ川魚で、からだに、ヘビに似た模様がある。タイワンドジョウは台湾、カムルチーは朝鮮半島

から移入された。食用魚。ウナギ・フナなどを貪欲(ドンヨク)に食う。〔タイワンドジョウ科〕かぞえ方 一尾・一匹

らいげき⓪【雷撃】―する(他サ) 魚雷で敵の艦船を攻撃すること。

らいげつ①【来月】 今月の次の月。〔副詞的にも用いられる〕↔先月

らいこう⓪【来光】 ⇨ご来光

らいこう⓪【来貢】―する(自サ) 外国から使者が来てみつぎものを献上すること。

らいこう⓪【来航】―する(自サ) 外国から船でやって来ること。

らいこう⓪【来寇】―する(自サ) 外国から侵略して来ること。「元(ゲン)の―」

らいこう③①【雷公】「かみなり様」の意で、擬人化した表現。

らいごう⓪【来《迎》】―する(自サ) 〔仏教で〕臨終の時に仏が来て、その人を浄土へ迎えること。⇨ご来迎

らいさん⓪【礼賛・礼〈讃〉】―する(他サ) ❶仏を礼拝してその功徳(クドク)をたたえること。❷ありがたい(すばらしい)と感じて、ほめたたえること。「陰翳(インエイ)―⓪-⓪」

らいし⓪【礼紙】 ❶手紙・目録などを包むのに用いた、別の白い紙。❷手紙で、便箋(セン)一枚で用件が済んだ場合に、さらに儀礼として添える一枚の白紙の便箋。

らいし①【来旨】 相手から言ってよこした用件や趣旨。

らいじ⓪【来示】〔手紙文で、多く「ご―」の形で〕「〔相手が書いて来た〕自分への指示・教示」の意の尊敬語。

らいしゃ⓪【来社】―する(自サ) 外部の人が会社などを訪れること。

らいしゃ⓪【来車】〔手紙文・挨拶(アイサツ)などで、多く「ご―」の形で〕「来駕(ライガ)」の新しい表現。

らいしゃ①【〈癩者〉】「癩病にかかっている人」の意の古風な表現。

らいしゅう⓪【来週】 今週の次の週。〔副詞的にも用いられる〕↔先週

らいしゅう⓪【来集】―する(自サ) 集まって来ること。「ご―⓪」

らいしゅう⓪【来襲】―する(自サ)〔好ましくないものが〕いっせいにどっと襲って来ること。「敵(台風)の―」

らいじゅう⓪【雷獣】 落雷が人畜を害するのを、想像上の怪物に擬した語。

らいしゅん⓪【来春】 ⇨らいはる

らいしょ①【来書】「来信」の意の古風な表現。

らいじょう⓪【来状】 案内状・招待状など自分宛(アテ)に来た手紙。「ご―⓪」

らいじょう⓪【来場】―する(自サ) その場所(会場)にやって来ること。「ご―の皆様」

らいしん⓪【来信】 自分宛(アテ)に来た手紙。「ご―⓪」

らいしん⓪【来診】―する(自サ) ❶医者が患者の家に来て診察すること。〔患者側から医者に依頼するときに使う〕❷病院(医院)へ行って診察を受けること。

らいじん⓪【雷神】 科学的知識の普及しなかった昔、雷を起こすと考えられた神。

らいしんし③【頼信紙】 電報を打つ時、その文句を書く、規定の用紙。〔「電報発信紙⑦」の旧称〕かぞえ方 一枚

ライス①〔rice〕〔飲食店で、客に出す〕ごはん。「―一丁・―カレー④(=カレーライス)・チキン―・カツ―・オム―」

ライスペーパー④〔rice paper〕❶巻きたばこを巻く薄い紙。造花の材料にも使う。❷水に浸した米を細かく砕き薄く広げて蒸した、春巻きの皮に似た食品。ベトナム料理などに用いる。かぞえ方 ❶❷とも一枚

らいせ①【来世】〔仏教で〕死んだのち、また生まれ変わるという世界。後世(ゴセ)。

らいせい⓪【来征】―する(自サ) △試合(戦争)をしに、遠くからやって来ること。

ライセンス①〔license〕❶許可(証)。免許状。鑑札。❷輸(出)入許可証。

らいだ①【〈懶惰〉】 ⇨らんだ

ライター ▬①〔lighter〕たばこに火をつけるための、小型の着火装置。「ガス―③」▬①⓪〔writer〕作家。作者。「シナリオ―・ゴースト―」

ライダー①〔rider〕❶オートバイの乗り手。❷騎手。

らいたく⓪【来宅】―する(自サ) 人が自分の家にやって来ること。

らいだん⓪【来談】―する(自サ) やって来て、用件を話すこと。

ライチー①【〈茘《枝》〉】〔litchi〕〔中国音〔=lìzhī〕のローマ字表記を英語読みしたもの〕⇨茘枝(レイシ)

らいちゃく⓪【来着】―する(自サ) 遠くからやって来て、その地に着くこと。「ご―⓪」

らいちょう⓪【来朝】―する(自サ) 外国人が日本にやって来ること。

らいちょう⓪【来聴】―する(自サ) 講演会などにやって来て、講師の話を聞くこと。「―歓迎⓪-⓪」

らいちょう⓪【雷鳥】 立山(タテヤマ)などの高山にすむ、中形の鳥。羽は、夏は茶色で冬は白く変わる。ニホンライチョウ④。特別天然記念物。〔キジ科〕かぞえ方 一羽

ライツビジネス④〔rights business〕著作権をもつ創作物を利用したビジネス。人気漫画のキャラクターグッズを製造・販売するなどの、商標や意匠にかかわる二次的創造物も含まれる。「著作権ビジネス⑥」とも。

ライティングビューロー⑥〔writing bureau〕書斎用の机。書記用の板が、不用の際は立ててあり、使用時は倒して使う仕組みのもの。かぞえ方 一本

らいてん⓪【来店】―する(自サ)〔客が〕店にやって来ること。「ご―ありがとうございます」

らいでん⓪【来電】―する(自サ) 電報が届くこと。また、届いた電報。

らいでん⓪【雷電】 雷といなびかり。

ライト〔light〕▬① ❶―な 軽い。「スリムで―な新製品/―ウエート」❷Ⓐあかり。「車の―」Ⓑ照明。「―を当てる/フット―・ルーム―」かぞえ方 ❷は一基・一灯 ▬〔造語〕❶明るい。「―ブルー⑤」❷〔本格的ではなく〕手軽なこと。軽いこと。「―オペラ④・―コメディー④・―級」

ライト① ↔レフト ▬〔right〕❶右側。右(手)。「―ウィング⑤」❷権利。「コピー―」▬❶〔←right field〕〔野球で〕右翼❸。❷〔←right fielder〕〔野球で〕右翼手。

ライトアップ④―する(他サ)〔light up〕夜間、建物などに明りをつけたり投光機で照らし出したりすること。

らいとう⓪【来島】―する(自サ) その島にやって来ること。

らいどう⓪【雷同】―する(自サ) 自分のはっきりした考えを持たず、簡単に他人の意見に同調すること。「付和―」

ライトきゅう⓪【ライト級】〔light weight の訳で、light=軽い〕〔ボクシングなどの格闘技で〕体重で決めた選手の階級の一つ。フェザー級の上。

ライトバリュー④〔light value〕〔写真で〕レンズに入る光の分量を、数字で表わしたもの。露出指数。

ライトバン⓪〔和製英語 ←light + van〕車内の後部に荷物が積み込めるようにした箱形の自動車。貨物を主とする貨客両用車。

ライトヘビーきゅう⓪【ライトヘビー級】〔light

ら

heavy weight の訳〕体重で決めた選手の階級の一つ。スーパーミドル級の上。男子プロボクシングでは七九・三八キログラムまでの体重。

ライトモチーフ⑤④〔ド Leitmotiv〕❶〔音楽で〕楽曲の主要な概念や劇的な状況などを象徴する部分。❷作品の中心思想。

ライナー①〔liner〕❶〔野球で〕直線的に飛ぶ打球。「弾丸―⑤」⇩フライ ❷定期貨物船。大型客船。❸コートの裏につける、取りはずしのできる裏地。 **―ノート**⑤〔liner notes, liner=レコードのジャケット〕レコード・CDなどのパッケージや別紙に付いている解説。ライナーノーツとも。

らいにち⓪【来日】―する（自サ） 外国人が日本にやって来ること。「―公演・初―」↕離日

らいにん⓪【来任】―する（自サ） 赴任して来ること。

ライニング⓪①〔lining〕 腐食や磨耗を防ぐために裏打ちする△こと（もの）。

ら

【拉】 引っ張るように無理やりにつれて行く。「拉致」

【裸】 はだか。「裸体・裸婦・裸眼・裸身・全裸・赤裸々」

【羅】 [一]❶鳥を取るあみ。「雀ジャ羅ラ」❷残らず取る。「網羅」❸薄い絹織物。「綺キ羅」❹まわりを囲むように△並ぶ（並べる）。「羅列・羅針盤・森羅万象」❺梵語ボン ゴ・外来語などの音訳字として用いられる。「羅漢・伽ャキ羅・修羅・曼陀羅・羅紗ャシ・羅宇」[二]（略）❶ラテン（羅甸）。「羅葡ポ日辞書」❷ローマ（羅馬）。❸ルーマニア（羅馬尼亜）。

らい

【礼】 ❶社会生活上の作法。「礼紙」❷頭を下げてうやまう。「礼賛・礼拝・帰命ミョウ頂礼」

【来】 ❶こちらへくる。「来客・外来・往来」❷その時から現在に至るまで。「来歴・以来・古来・夜来」❸現在の次にくる。きたる。「来年・来世」〔❸は、連体詞としても使う〕❹来年の。「来夏・来秋」

【雷】 はげしい音をたてて爆発する兵器。「雷撃・雷管・魚雷・地雷」⇩（本文）らい【雷】

【頼】 たのむ。たよる。あてにする。「頼信紙・信頼・依頼・無頼」

らいねん⓪【来年】 ことしの次の年。〔副詞的にも用いられる〕

ライノタイプ④〔Linotype=商標名〕 タイプライター式のキーを押すと自動的に鋳造された活字が一行単位に植字されて出て来る機械。リノタイプ③とも。

らいはい⓪【礼拝】―する（他サ） 仏をおがむこと。「―堂⓪」⇩れいはい

らいはる⓪【来春】 来年の春。「らいしゅん」とも。

ライバル①〔rival=同じ川を使用する者〕 競争相手。〔古くは特に、恋がたきを指した〕「―が現われる/―をたたく/仲のいい―/―意識⑤」

らいばん⓪【礼盤】 仏を礼拝するために、導師が上がる、高い壇。

らいひ①【来否】 来るかどうか（の返事）。「―を確かめる」

らいびょう⓪ビャウ【△癩病】「ハンセン病」の旧称。

らいひん⓪【来賓】 公式行事などの招待客。「―席③」

ライフ（造語）〔life〕❶生命の。一生の。「―プラン④・―ライン」❷救命用の。「―ジャケット・―セービング④」❸生活。「キャンパス―」

ライブ①⓪〔live〕❶生中継。実況放送。❷〔録音・録画と違って〕聴衆の前で行なわれる演奏。また、その実況中継。「―ステージ・―レコード」

ライフ サイエンス④〔life science〕 生命とは何かという問題を根源的に解明しようとする学問。生命科学⑤。

ライフ サイクル④〔life cycle〕❶動物の個体が発生してから死ぬまでの過程の称。❷その物が売れ始めてから商品としての寿命が尽きるまでの期間。❸結婚に始まり、家族の発展・自己の死亡に至る長期展望。

ライフジャケット④〔life jacket〕 船・航空機などに備えつけてある救命胴衣。 かぞえ方 一枚

ライフスタイル⑤〔lifestyle〕 人生観・価値観などに基づき、個々に選択する、個人（や集団）の生き方。

ライフセーバー④〔lifesaver〕 海岸などで水難事故が起きないように監視したり事故に際して救助を行なったりする人。水難救助員⑦。〔職業として行なう人はライフガード④と言う〕

ライブ ハウス④〔和製英語 ←live + house〕 出演者が演奏するのを聴きながら飲食のできる店。

ライフボート④〔lifeboat〕 ⇩救命ボート

ライフライン④〔lifeline=命綱〕 都市生活者の生命維持に欠くことの出来ない電気・ガス・水道などの供給路や通信・輸送の手段。「―の確保」

ライブラリー①〔library〕❶図書館。また、学校などの図書室。❷蔵書。❸叢書ソウショ。文庫。

ライフル じゅう④【ライフル銃】〔rifle=溝〕〔たまを回転させてよく当たるように〕らせん状の溝を銃身の内側面クメンナイソに入れた小銃。略してライフル①。 かぞえ方 一挺チョウ・一丁。弾丸および発射は一発

ライフワーク④〔lifework〕 その人が一生をかけて△する（した）、中心的な△業績（作品・研究）。

らいほう⓪ハウ【来訪】―する（自サ） だれかがその人の所にたずねて来ること。「―者③」↕往訪

らいほう⓪オ【来報】―する（他サ） やって来て知らせること。また、その知らせ。

ライム①〔lime〕 熱帯産の常緑低木。レモンよりやや小さめで、酸味と芳香に富む実が、ジュースやカクテルなどに利用される。〔ミカン科〕 かぞえ方 一株・一本

ライむぎ⓪【ライ麦】 麦の一種で、寒い地方で採れる越年草。実は黒みを帯び、黒パンにする。〔イネ科〕「―パン」 かぞえ方 一本

ライムライト④〔limelight〕「酸水素炎⑤〔=酸素と水素の混合気体が燃えて発するほのお〕」を石灰の棒に吹きつけて出す、強い白色光。昔、舞台照明などに用いた。〔人目をひくことや、人気・評判・名声の意にも用いられる〕

らいめい⓪【雷名】 世間に広く知れ渡っている名声。「―をとどろかす/ご―⓪〔=有名な、あなたのお名前〕」

らいめい⓪【雷鳴】 かみなりの音。

らいゆ⓪①【来由】―する（自サ） それが原因でそういう△状態（事）になること。また、そのいわれ。「らいゆう⓪」とも。

らいゆう⓪イウ【来遊】―する（自サ） 遊びにやって来ること。

らいよけ⓪④【雷《除け》】❶かみなりをよけるまじない（の札）。❷避雷針。

らいらく⓪【△磊落】―な ―に 〔性格が〕さっぱりしていて、細かい事にこだわらない様子だ。「―な態度/―に笑う/豪放―⓪-⓪」 派 ―さ⓪

ライラック③〔lilac〕 ⇩リラ[二]

らいりん⓪【来臨】―する（自サ） 〔一般に「ご―」の形で〕「恐れ多いことだがその場所に来てくれること」の意の尊敬語。「ご―を賜わる」

ら

** *は重要語，⓪①… はアクセント記号，品詞の指示の無いものは名詞およびいわゆる連語。

らいれき⓪【来歴】その物事が、今までどういう経過をたどって来たかという歴史。由来。「故事—①-⓪」

ライン①〔line〕❶線。「—を引く」❷航（空）路。「香港（ホンコン）—」❸列。行（ギョウ）。「—ダンス④〔=レビュー❸で、踊り子がおぜい横一列に並んで踊る踊り〕」❹系列。❺経営のいろいろな部門ごとに、縦に分けた組織（に属する人）。

ライン⓪―する（自サ）〔LINE=商標名〕〔スマートフォンなどで〕同時に複数の人がメッセージをやりとりすることができるサービス。気分や感情をイラストで表現する「スタンプ❹」という機能がある。

ラインアウト④〔lineout〕❶〔ラグビーで〕ボールまたはボールを持ったプレーヤーがタッチラインの外に出たときに行なわれる競技再開の方法。❷〔野球で〕塁と塁の間を走っている走者が、野手のタッチを避けようとして、塁間の線から三フィート以上外に出てアウトになること。

ラインアップ④〔lineup〕〔野球で〕打順（を示した一覧表）。ラインナップ④とも。

ライン アンド スタッフ⑧〔line and staff=戦闘部隊と参謀〕〔会社の経営で〕直接、製造・販売を行なう部門〔=ライン〕と、その活動を助けるために設けた企画・総務・経理・技術部などの部門〔=スタッフ〕。

ラインズマン④〔linesman〕⇩線審❶

ラウ①②【羅宇】〔ラオの変化〕きせるの、竹のくだの部分。 表記 「羅宇」は、音訳。

ラヴ①〔love〕⇩ラブ

ラウドスピーカー⑤〔loudspeaker〕拡声器。

ラウンジ⓪①〔lounge〕〔ホテルなどの〕休憩室。社交室。「カクテル—⑤」

ラウンド⓪①〔round=丸い。ひと回り〕❶〔ボクシングなどの試合の〕回。「最終—⑤」❷〔ゴルフで〕全ホールの一巡。❸〔「車座」の意から〕関税や貿易などの多国間同時交渉。—テーブル⑤〔round table〕円卓（会議）。—ナンバー⑤〔round number〕端数のつかない、零で終わる数字。

ラオ①②〔Lao=今のラオスに当たる国の名〕⇩ラウ

ラオチュー②〔中国・老酒〕アワ・キビ・もち米などから造る、中国酒の総称。

ラガー①〔rugger〕ラグビー（の選手）。「—シャツ④」

ラガー ビール④〔lager beer←ド Lagerbier〕❶低温で数か月貯蔵して熟成させたビール。❷〔日本で〕瓶詰・缶詰にしてから加熱・殺菌したビール。⇩生（ナマ）ビール

らかん①【羅漢】〔↑阿（ア）羅漢。煩悩（ボンノウ）を殺す意の梵（ボン）語の音訳〕完全に悟りを開いた、小乗仏教の修行者。「五百—」

らがん⓪【裸眼】眼鏡などを使わないで物を見る時の△目（視力）。

らぎょう（ギヤウ）⓪【裸形】「裸の姿」の意の漢語的表現。〔「余計な物を取り去った△本来（ありのまま）の姿」の意にも用いられる〕「—の童子」

らく（〈洛・絡・落・楽・酪）→【字音語の造語成分】

らく【楽】一②―な ―に ❶肉体的・精神的な苦痛や負担を感じない状態になる△こと（様子）。「両親に—をさせる/—な仕事/苦あれば—あり」↕苦 ❷十分なゆとりをもってそれをすることが出来る様子だ。「生活が—になる/今からでも—に間に合う/袖（ソデ）ぐりが—で着やすい」二①「千秋楽・楽焼き」の略。⇩【造語成分】 運用 一❶は、「どうぞお楽に」などの形で、客に対して緊張を和らげる配慮の言葉として用いられる。また、正座している客に「膝（ヒザ）をくずしてください」という意味で用いられることもある。

ラグ①〔rug〕厚手の毛織物。床の一部に敷く敷物や、膝（ヒザ）掛けなどに用いる。

らくいん⓪【〈烙印】昔、刑罰として罪人の額などに押した焼き印。「—を押される〔=ぬぐい去ることの出来ない汚名を受ける〕」

らくいん⓪【落〈胤】「おとしだね」の意の漢語的表現。

らくいんきょ③【楽隠居】―する（自サ）心配や苦労の無い、安らかな隠居生活（を送る人）。

ラグーン②〔lagoon〕⇩かた（潟）❶

らくえき⓪【絡〈繹】―たる ―と「道を人や馬が、ひっきりなしに通る様子だ」の意の古語。

らくえん（エン）⓪【楽園】心配や苦労が無く、楽しく過ごせる場所。パラダイス。「地上の—」

らくがい（グワイ）②【〈洛外】都の外。〔日本では、京都の郊外の特称〕↕洛中

らくがき⓪【落書（き）】―する（自他サ）本来書いてはいけない所にいたずら書きをすること。また、そのいたずら書き。「らくしょ」とも。 表記 「楽書き」とも書く。

らくがん②【落〈雁】❶空から地上におりる雁。❷干（ヒ）菓子の一つ。きな粉・麦粉などの穀粉に砂糖とあめを交ぜて固め、木型に入れて押し出したもの。

らくご⓪【落後・落〈伍】―する（自サ）仲間から遅れて、ついて行けなくなること。脱落。「—者（シャ）③」 表記 「後」は、代用字。

らくご⓪【落語】こっけいな話の終りに、おちの付いている寄席演芸。おとしばなし。はなし。—か⓪【—家】落語を話して聞かせるのを職業とする人。

らくさ①【落差】流水が落下する時の高度差。〔高低の差の意にも用いられる。例、「文化の—」〕

らくさつ⓪【落札】―する（他サ）入札した結果、目的△物（の工事の請負などの権利）を自分の物にすること。

らくじ⓪【落字】脱落している文字。脱字。

らくじつ⓪【落日】西の空に沈もうとしている夕日。〔落ち目の意にも用いられる。例、「売れ行きはすでに—であった」〕

らくしゅ①⓪【落手】❶―する（他サ）〔手紙文で〕「（相手からの手紙などを）受け取る」意の漢語的表現。「本日お手紙—、ご用の趣承りました」❷〔碁・将棋で〕見落とした手。

らくしゅ⓪①【落首】〔落書（ラクショ）の変化とも、「落書の一首」の意ともいう〕狂歌などによる落書。

ラグジュアリー③①―な ―に〔luxury〕一見豪華で人目をひく様子だ。「—なニット スーツ」

らくしょ①【落書】❶おとしぶみ。❷―する（自他サ）らくがき。

らくしょう（シヤウ）⓪【落掌】―する（他サ）「落手」の一層改まった表現。「本日ご書状確かに—いたしました」

らくしょう⓪【楽勝】―する（自サ）Ⓐ終始優勢を保ったまま勝つこと。「監督の采配（サイハイ）があたり—した」↕辛勝 Ⓑ（予想外に）ほとんど負担を感じないで事が済むこと。「今回の試験は—だった」

らくじょう（ジヤウ）⓪【落城】―する（自サ）城を攻め落とされること。〔俗に、くどかれて承諾する意にも用いられる〕

らくしょく⓪【落飾】―する（自サ）貴人が落髪すること。

らくせい⓪【〈洛西】都の西（の地域）。〔日本では、京都で、鴨川（カモガワ）より西の地域の特称〕↕洛東

らくせい⓪【落成】―する（自サ）〔「落」は、完成式の意〕建築工事が終了して、建物などが出来あがること。「—式③」

らくせき⓪【落石】―する（自サ）△山（崖（ガケ））の上から石が落ちて来ること。また、その石。

らくせき⓪【落籍】―する（自サ）〔もと、戸籍簿から名前が

落ちている意〕前借金などを払ってやって、芸者などをやめさせること。

らくせつ⓪【落雪】—する（自サ） 屋根などに積もった雪が落ちて来ること。また、その雪。

らくせん⓪【落選】—する（自サ） ㊀選挙に落ちること。「枕を並べて—する」↔当選 ㊁選考に落ちること。↔入選

らくだ⓪〔駱駝〕 ㊀首・足が長く、背中にこぶがある大形の獣。砂漠の旅に適し、毛は織物に使う。〔ラクダ科〕 ㊁ラクダの毛の織物。「—のシャツ」 かぞえ方 ㊀は一頭

らくたい⓪【落体】〔物理で〕重力の作用で落下する物体。「—の法則」

らくだい⓪【落第】—する（自サ） 試験に合格しないこと。〔広義では、留年や、ある一定の資格や基準・考課に達しないと認められることをも指す〕「—生③・—坊主⑤」↔及第 **—てん**③【—点】 採点の結果、不合格と認められる点。赤点。「—を△つける（取る）」

らくたん⓪【落胆】—する（自サ） 期待に反した結果にショックを受けて、何をする元気も無くなること。

らくちゃく⓪【落着】—する（自サ） 物事の結末がつくこと。〔古くは、「らくじゃく」とも〕「△事件（問題）が—する／一件—⓪-⓪（⇩一件㊀）」

らくちゅう⓪③【〈洛中】 都の中。洛内②。〔日本では、京都市中の特称〕「—洛外図」↔洛外

らくちょう⓪【落丁】 本の中の何枚かが（まとまって）抜け落ちていること。〔洋装本では普通、折が単位になって脱落する〕「—や乱丁／—本⓪」⇩乱丁

らくちょう⓪【落潮】 ㊀「引き潮」の意の漢語的表現。〔落ち目の意にも用いられる〕 ㊁〔取引で〕株の相場が下落の傾向を見せること。

らくちん⓪【楽ちん】—に 「肉体的な負担がなく、快適な様子」の俗語的表現。「下り坂は—だ」

らくてん⓪【楽天】 生きることを楽しいと思うこと。 **—か**⓪【—家】 楽天的な性格の人。オプチミスト。 **—しゅぎ**⑤【—主義】 ㊀現実を最良の世界とみなし、人生は善であり、愉快であり、希望は実現されると考える主義。オプチミズム。 ㊁くよくよしないで、すべてを楽観的に見る考え方。 **—ち**③【—地】 衣食住などに苦労することもなく、楽しく豊かに暮らせる所。楽園。 **—てき**⓪【—的】—な ㊀現実を肯定的にとらえ、置かれた環境なりに楽しみを見いだしている様子だ。 ㊁物事をすべてよい方に考えていて、のんきな様子だ。「—な人」

らくど①【楽土】 心配や苦労が無く、安らかに過ごせる理想的な環境を備えたところ。「王道—」

らくとう⓪【〈洛東】 都の東（の地域）。〔日本では、京都で、鴨川より東の地域の特称〕↔洛西

らくなん⓪【〈洛南】 都の南（の地域）。〔日本では、京都の町の南の地域の特称〕↔洛北

らくに②【楽に】 ⇩らく㊁

らくね②【楽寝】—する（自サ） 気にかかる事も無く、のんびり寝ること。

らくのう⓪【酪農】 農業の一部門で、ウシ・ヒツジなどを飼って乳や乳製品を作る仕事。

らくば⓪【落馬】—する（自サ） 乗っていた人が馬から落ちること。

らくはく⓪【落剝】—する（自サ） 「塗料がはげ落ちる」意の古風な表現。⇩剝落

らくはく⓪【落〈魄】—する（自サ） 〔「魄」の本来の字音は、タク〕もと持っていた栄位・職業や生計の手段を失い、する事も無く、ひっそりしていること。おちぶれること。

らくばく⓪【落〈莫】—たる 見るべきものが何も無く、さびしい様子だ。「—たる廃坑」

らくはつ⓪【落髪】—する（自サ） 髪の毛をそり落として、僧や尼になること。

らくばん⓪【落盤・落〈磐】—する（自サ） 鉱山で、坑内の天井や壁などの岩石がくずれ落ちること。「相次ぐ—事故」

らくび②【楽日】 千秋楽の日。興行の最後の日。

ラグビー①〔rugby〕〔←ラグビー式フットボール⓪-④〕 一組十五人で対戦する球技。楕円形のボールを手に持って走ったりけったりして、相手側のゴールの地面につけることによって得点を争う競技。ラ式蹴球④、⓪-⓪。ラガー。

らくほく⓪【〈洛北】 都の北（の地域）。〔日本では、京都の町の北の地域の特称〕↔洛南

らくめい⓪【落命】—する（自サ） 戦争や災害などで死ぬこと。

らくやき⓪【楽焼（き）】 ㊀手で形を作り、低い温度の火で焼いた陶器。〔うわぐすりによって色合の異なる赤楽・黒楽の別があり、ほとんどが茶わん〕 ㊁素焼きの陶器に、客に絵などを書かせ、短時間で焼きあげる焼き物。

らくよう⓪【〈洛陽】 中国の古都の名。〔広義では都。日本では、京都の別称としても用いられた〕「—の紙価を高める〔=著書の売れ行きが非常によくて、紙の値段が上がるほどだ〕」

らくよう⓪【落葉】—する（自サ） 木の葉が枯れて落ちること。また、その葉。「おちば」とも。「—高木」 **—じゅ**③【—樹】 初冬に葉が落ち、翌春若葉が出る樹木。↔常緑樹 **—しょう**③【—松】 カラマツ。

らくよう⓪【落陽】 落日。

らくらい⓪【落雷】—する（自サ） 「雷が落ちる」意の漢語的表現。

らくらく③⓪【楽々】（副）—と 危険や困難が予想される事態を、精神的・肉体的にこれといった苦痛や負担を感じることもなく済ませる様子。「—難関を突破した／これだけあれば一生—と暮らせる」

ラグラン①〔raglan=もと、人名〕 首筋からすぐそでに続いた、ゆるやかな仕立て方。また、そのそで。

らくるい⓪【落涙】—する（自サ） 「涙を落とす」意の漢語的表現。

ラクロス①〔lacrosse〕 一チーム十人（女子は十二人）の選手が、先端にネットのついたスティックでボールを奪い合い、相手ゴールにシュートする球技。

ラケット②〔racket〕〔テニス・卓球・バドミントンなどで〕たまを打つ道具。 かぞえ方 一本

ラザーニャ②〔イ lasagna〕 薄い板状のパスタをひき肉やチ

らく

【〈洛】〔黄河の支流の名。この川の北〔=陽〕にあった周の都、洛陽から〕都の汎称。〔日本では、特に京都の異称〕「洛北・洛中洛外・上洛」

【絡】 ㊀まつわる。からむ。からまる。「籠絡」 ㊁つなぎあわせる。つなぐ。つづく。「連絡・脈絡」

【落】 ㊀おちる。おとす。「落葉・落伍・落下・落命・墜落・脱落・零落」 ㊁人の集まり住むが看取される所。〔かぞえる時にも用いられる。例、「一落の村、次第に近し」〕「村落・部落」

【楽】 よろこびたのしむ。「楽園・楽天・楽土・悦楽・快楽・哀楽・娯楽」⇩（本文）らく【楽】

【酪】 牛・ヤギなどの乳を煮て作った汁。「酪農・乳酪・乾酪」

ーズなどといっしょに焼いたイタリア料理。ラザニア⓪とも。

ラジアル①〔radial〕〔ラジアル タイヤ⑤の略〕高速で走るのに適した自動車のタイヤ。

ラジアン①〔radian（原義は「半径の」）の日本語形〕〔数学で〕理論面における角度の単位で、円の半径と等しい長さの円弧に対応する中心角の大きさ〔=（円の大きさに関係せず）約五七・二九五八度〕を表わす〔記号 rad〕。弧度。〔三角関数を微分した時に、煩わしい係数が出ないようにするために考えられた、国際単位系における補助単位〕「百八十度は π（パイ）―」

らし・い ❶（接尾・形型）…といわれる諸条件を十分に備えている様子だ。「学者―学者／外遊中、和服で通したとはいかにも彼―ね／チャンピオンらしからぬ試合」⇩らしさ ❷（助動・形型）そう判断出来るだけの客観性のある根拠をもとにして推定することを表わす。〔婉曲（エンキョク）な断定にも用いられる〕「外は暑い―ね／雨が降り始めた―／髪の毛は長いが、どうやら男―／彼の力ではこれをするのがやっと―」

文法 名詞、副詞、形容動詞語幹、助動詞「そうだ」の語幹と、動詞・形容詞・助動詞「れる／られる・せる／させる・たがる・ない・ぬ・た・たい」の終止形に接続する。

運用 ❷について。⑴自分の発言に対する責任を回避しようとする表現に好んで使われる。例えば、当人から直接そのことを聞いたりその事実を見届けたりしていながら、他の人に「…さんは会社をやめるらしいね／『…さんはどこ』『もう帰ったらしいよ』」などと言う。⑵場面や文脈などから「…らしい」の「…」が明確な場合には、「らしい」だけが用いられることもある。例、「『彼合格したそうだ』『らしいね』」

⇩こと 文法 ⑴⑵・ようだ 文法 ⑵

ラジウム②〔radium〕放射性元素の一つ〔記号 Ra 原子番号88〕。銀白色で、広く岩石・温泉などに含まれる。強い放射能を持ち、医療や理化学の研究に使われる。

ラジエーター③〔radiator〕❶暖房装置の放熱器。❷水冷エンジンの冷却器。かぞえ方 ❶❷とも一台

**ラジオ①〔radio〕❶電波による通信。❷放送局から受信者に対して「ラジオ❸」によってニュース・音楽・演芸などを放送する機構。〔狭義では、その放送内容を指す。例、「―から得られる情報は多い／―ドラマ④・―体操④」〕❸「ラジオ❷」の受信機。「カー―・新型―」かぞえ方 ❸は一台

ラジオアイソトープ⑦〔radioisotope〕放射性を持つアイソトープ。天然に存在するものと原子炉などで人工に作られるものとがある。計測・検査用や医療に利用される。放射性同位体⓪。

ラジオ コンパス④〔radio compass〕船・航空機などが、二つ以上の無線電信局から来る電波の方向を測定して、自分の居る位置を知る装置。

ラジオゾンデ④〔ド Radiosonde〕気球などに取りつけ、電波で自動的に高空の気圧・気温・湿度などを通信する装置。ゾンデとも。

ラジオ ビーコン④〔radio beacon〕「ラジオ❶」による航空標識。一定の地点から電波を発信し、航空機や船に位置を教える。

ラジオ ブイ④〔radio buoy〕船が遭難した時など水面に浮かべて、電波で自動的に位置を知らせる装置。

ラジ カセ⓪〔ラジオ カセット⑤の略〕ラジオとカセットテープレコーダーを一つにまとめたもの。

ラジカル①―な〔radical〕❶根本的。「―な考え」❷急進的。「―な問題」

ラジ コン⓪〔ラジオ コントロール⑦の略〕電波による無線操縦。また、それを用いた模型の飛行機や自動車。略してアールシー（RC）。

らしさ① そのものが飾らずして備えている独自性。「自分―を出す」⇩らしい

らししょくぶつ④【裸子植物】種子植物で、胚珠（ハイシュ）が露出するもの。マツ・イチョウ・ソテツなど。↔被子植物

ラシャ①【羅〈紗】〔ポ raxa〕地が厚くて織り目がはっきりせず、けば立っている毛織物。表記「羅〈紗」は、音訳。

ラジャー①〔roger=無線通信などの用語で r 字を言い、received〔=受信した〕のこと〕相手に対して了解の意を表わす応答のことば。

ラシャ がみ⓪【ラシャ紙】ラシャのくずなどを加えてすいた、外観がラシャに似た厚紙。

ラシャ めん⓪【ラシャ綿】❶綿羊。❷〔江戸末期から明治初期に〕外国人のめかけになった日本女性を、侮蔑（ブベツ）を含意して言った言葉。洋妾（ヨウショウ）⓪。

らしゅつ⓪【裸出】―する（自サ）おおいが無くて、そのままむきだしになっていること。

らしんぎ②【羅針儀】⇩らしんばん

らしんばん⓪【羅針盤】盤の中央に羅針〔=磁針〕を装置し、方位を測る器械。コンパス。船や航空機が進路を測定するのに使う。「羅針儀」とも。

ラス①〔lath〕モルタル塗りの下地に使う針金や金網。「ワイヤー①・メタル―④」

ラスク①〔rusk〕食パンなどを小さく薄く切り、卵白に砂糖を交ぜたものを塗って焼いた菓子。

ラスト①〔last〕最後（の）。最後のもの。「これで―にしよう／―シーン④・―ヘビー④〔=競技などで、最後のがんばり〕・―スパート⑤〔=最後の力走・力泳・力漕（ソウ）（にたとえた表現）〕」

ラスト オーダー④〔last order(s)〕飲食店で、その日の閉店前の一定の時刻に、客から最後の注文を受けること。また、その注文。オーダー ストップ。「―の時間」

ラスト ベルト④〔Rust Belt=錆びの地帯〕アメリカ合衆国の中西部から北東部にかけての、かつて鉄鋼業や自動車産業などの重工業・製造業が盛んだった地帯。工場の閉鎖などでさびれた。

ラズベリー③①〔raspberry〕落葉低木。木イチゴの実。暗紅色や白・黄・紫・紅色などのものがあり、香りが高い。主として、北アメリカで栽培され、生で食べるほか、ゼリー・ジャムなどに用いる。〔バラ科〕かぞえ方 一株・一本：一粒

らせつ①【羅刹】〔暴悪で恐ろしい意の梵（ボン）語の音訳〕〔仏教で〕空中を飛行し、人を食うといわれる、男女の鬼。

らせん⓪【〈螺旋】❶巻貝の殻のように回りながら次第に△上（下）がっていくもの。「―状⓪・―階段④」❷ねじ。

らぞう⓪（ザウ）【裸像】はだかの人の像。

らそつ⓪【〈邏卒】〔「邏」は、巡る意〕明治初期における、巡査の旧称。

らたい⓪【裸体】はだかのままのからだ。「―画⓪」

ラタトゥイユ③〔フ ratatouille〕南仏の野菜料理。ナス・トマト・ズッキーニ・玉ネギ・赤ピーマンなどをオリーブ油とニンニクで煮込んだもの。

らち①【〈埒】〔馬場の周囲の柵（サク）の意〕そこを越えることが許されない区切り。「―を超える」【―が明かない】踏ん切りがつかないで、いつまでももたもたしている。「押し問答の繰返しで、いっこうに―〔=いっこうに進展しない〕」【―も無い】〔「〈藹次（ラッシ）も無い」の変化〕とりとめも無い。

らち①【拉致】―する（他サ）無理に連れて行くこと。「らっち」とも。「小学生が何者かに―された」

らちがい②（グワイ）【〈埒外】許された△範囲（限界）の外。「学生として―の行動だ」↔埒内

らちない②【〈埒内】許された△範囲（限界）の内。↔埒

ら

らつ 外（辣）→【字音語の造語成分】

らっか [0]【落下】―する（自サ） 高い所から下へ落ちること。 **―さん** [3]【―傘】 使用時には かさ形に開く、△ナイロン(絹布)製の用具。航空機から飛び降りて安全に着陸するためや物資の投下に用いられる。パラシュート。「―部隊」 かぞえ方 一本・一枚

らっか [1]【落花】 散って落ちる花。「―狼藉 [1]-[0]」〔=ⓐ花を散らしたように、ものが散乱している形容。ⓑ女子が手ごめにされる時の形容〕 かぞえ方 一片 **―せい** [3]【―生】 豆の一種。開花後 子房が地中に伸び、豆を実らせる。種は繭の形の殻の中に入っていて、いったりゆでたりして食べる。〔一般に殻から取りだした豆をナンキンマメ、薄皮をむいて味をつけたものをピーナッツと言うことが多い〕〔マメ科〕 かぞえ方 一本

らっか [1]【落果】 収穫前に木から落ちた果物。

ラッカー [1]〔lacquer〕 繊維素・合成樹脂の溶液に顔料を交ぜた塗料。かわきが速く、熱や湿気に強い。「―を塗る」

らっかん [0]【落款】―する（自サ）〔完成したしるしに〕書画に筆者が、署名・捺印 することを。また、その△署名(印)。

***らっかん** [0]【楽観】―する（他サ）〈なにヲ―する〉 物事の成行きが△簡単に(うまく)いくだろうと考えて心配などしないこと。「前途は―を許さない/―は禁物」 ↔悲観 **―てき** [0]【―的】―に ―な 物事をすべてうまくいくものと△思う(思いがちな)様子だ。「―な空気が支配する」 ↔悲観的

ラッキー [1] ―な〔lucky〕 運のいい様子だ。「―な事には/―ボーイ [5]〔=幸運児〕」 **―セブン** [5]〔←lucky seventh〕〔野球で〕一試合中の七回目の攻撃。〔得点のチャンスに恵まれることが多いところから言う〕

らっきゅう [0]【落球】―する（自サ）〔野球で〕一度受けとめたボールを落とすこと。

らっきょう [0]【辣〈韮〉】〔「らっきう」の変化〕畑に作る多年草。白い鱗茎はニンニクに似て細長く、独特の強いにおいがある。塩や甘酢などに漬けて食べる。「らっきょ [0]」とも。〔ヒガンバナ科(旧ユリ科)〕 かぞえ方 一本

> らつ
> [辣] ❶刺激性の味・臭いがある。「辣韮」 ❷容赦なく手厳しい。「辣腕・辛辣・悪辣」

ラック [1]〔lac〕 ⇩シェラック

ラック [1]〔rack=棚〕 物を入れたり載せたりして整理して掛けておくための台。〔可動性のものもある〕「マガジン―〔=雑誌入れ〕」 かぞえ方 一台

らっけい [0]【落慶】〔「落」は、落成の意〕神社・仏殿などが出来あがったお祝い。〔古くは、「らくぎょう」と言った〕「―供養 [5]」

ラッコ [0] [1]【《猟虎》】〔アイヌ rakko〕 中形の海獣。形はタヌキに似て、胴は円筒形、あと足は大きなひれのような形をしていて、指の間に水かきがある。海面にあお向けに浮かんで、殻が硬いものは石を用いて割って食べる。毛皮は濃い茶色で珍重される。〔イタチ科〕 表記「猟虎」は、音訳。 かぞえ方 一頭

ラッサねつ [3]【ラッサ熱】〔←Lassa fever〕 ラッサウイルスの感染によって起こる急性の感染症。一九六九年ナイジェリアのラッサ村で流行した。インフルエンザに似た症状で始まり、出血が激しく、死亡率が高い。

らっし [1]【〈臈次〉】 順序。 ⇩埒も無い

ラッシュ [1]〔rush〕 ❶多数の人が△一時(狭い場所)に押し寄せること。混雑。「―アワー」 ❷にわか景気。「ゴールド―」 ❸〔映画などで〕編集される前の試△写(聴)用のフィルムやテープ。 ❹―する（自サ）〔ボクシングで〕相手にものすごい勢いで突進し、猛打を浴びせること。

ラッシュ アワー [4]〔rush hour〕 朝夕の通勤・通学者で交通機関が混雑する時間。ラッシュ タイム [4]。略してラッシュ。

らっ・する [3] [0]【《拉する》】（他サ） 無理に連れて行く。

ラッセル [1]〔←ド Rasselgeräusch〕〔呼吸器が悪い時〕気管などに粘液・うみなどがあるために、聴診器を当てると聞こえる、異常な呼吸音。ラッセル音 [4]。水泡音。

ラッセル [1]〔russel〕 ❶―する（自サ）〔登山で〕深い雪を分け、道をひらきながら進むこと。 ❷〔←ラッセル車 [4]〕 前部に雪かきをつけた除雪車。 かぞえ方 ❷は一両

ラッチ [1]〔latch〕〔ドア・門などの〕かけがね。

ラット [1]〔rat〕 クマネズミやドブネズミなど、マウスより大形のネズミ。特に、実験用に飼育されるものをいう。 ⇩マウス

らっぱ [0]【〈喇叭〉】〔オランダ語 roeper から来たともいう〕 先が大きく開いている管に息を吹き入れて音を出す楽器。〔広義では、金管楽器一般を指す〕「―を吹く〔=ほらを吹く〕/進軍―・起床―」 かぞえ方 一本 **―かん** [0]【―管】 ⇩卵管 **―のみ** [0]【―飲(み)】―する（他サ） 瓶の口に直接口をつけて、中の物を飲むこと。

ラッピング [0]〔wrapping〕〔贈答品などを〕美しく包装する△こと(ための包装紙やリボンなど)。

ラップ [1] [0]〔lap〕 ❶〔競走で〕走路の一回り。〔競泳で〕プールの一往復。 ❷ラップ タイムの略。

ラップ [0]〔rap←rap music〕 軽快なリズム演奏に合わせて、歌手が語るように歌う音楽。アメリカ ニューヨークを中心に流行。

ラップ [1] [0]―する（他サ）〔wrap=包む〕 食品などの包装・保存に用いる透明の薄いフィルム状のもの。また、それで包むこと。「―をかける」

ラップ タイム [4]〔lap time〕 競技で、全コース中の一定区間ごとの所要時間。「折返し点での―」

ラップトップ [4]〔laptop=膝の上〕 膝の上に載せて操作できる程度に小型で軽いコンピューター。

らつわん [0]【辣腕】―な〔遠慮などしないで〕てきぱきと物事を処理する能力(を備えている様子だ)。「―をふるう/―家 [0]」

ラディッシュ [1]〔radish〕 ⇩はつかだいこん

ラテックス [2]〔latex〕 ゴムの木からとれる乳状の液。生ゴム・ゴムの原料。ゴム汁。

ラテン【拉《丁・羅〈甸》】〔Latin〕 ■一 [0]「ラテン音楽」の略。 ■二（造語） 古代ローマの系統の。 表記「拉丁・羅〈甸」は、音訳。

らでん [0]【〈螺鈿〉】 漆器などの表面に、真珠色の光を放つ貝殻の薄片を文様に切り取り はめこんだもの。アワビ貝・夜光貝などを使う。

ラテン アメリカ [4]〔Latin America〕 南アメリカ大陸・中央アメリカ・メキシコ・西インド諸島を合わせた称。 ⇩付録「世界の国名一覧」

ラテン おんがく [4]【ラテン音楽】 ラテンアメリカの音楽。例、ルンバ・タンゴなど。

ラテンご [0]【ラテン語】 古代ローマ人の用いた言語。インドヨーロッパ語族に属し、今のイタリア語などロマンス諸語の祖語。現在は死語で、動植物の学名や、ことわざなどに用いられるのみ。

ラテン みんぞく [4]【ラテン民族】 ラテン語系統の言語を使用する民族。フランス人・イタリア人・スペイン人・ポルトガル人・ルーマニア人など。

ラテンもじ④【ラテン文字】⇩ローマ字❶

ラド①〔rad ← radiation=放射〕吸収線量の単位で、放射線の照射によって物質一キログラムあたり〇・〇一ジュールのエネルギーが吸収される時の量を表わす。ラッド①とも。

ラドン①〔radon〕希ガス類に属する放射性元素の一つ〔記号Rn 原子番号86〕。ラジウムが崩壊して生じる気体。ウラン鉱物中に含まれ、鉱泉・温泉・地下水などにも溶けている。エマネーション③。

ラニーニャ②〔ス La Niña=少女〕日付変更線より東の太平洋赤道付近で生じる、海水の異常低温現象。エルニーニョと逆の現象で、広域の気象に影響が及ぶと見られる。この現象が生じると、日本では、猛暑・寒冬などになりやすいとされる。

らぬきことば④【ら抜き言葉】「見れる」「起きれる」「出れる」「食べれる」などのように、可能の意を表わすのに、「見られる」「起きられる」「出られる」「食べられる」の「ら」を脱落させた表現形式。規範を重視する立場からは、誤用とする向きが多い。〔本来、上一段・下一段活用動詞の可能表現の形式は、「動詞未然形＋助動詞『られる』」であるが、五段活用動詞の可能動詞形「読める」「飛べる」などからの類推によるものと考えられる〕

ラノリン②⓪〔lanolin〕羊毛に含まれる蠟(ロウ)のような柔らかい脂肪質のかたまり。青みのある白色で、軟膏(ナンコウ)用。羊毛脂。

ラバ①〔イ lava〕溶岩。

らば①【騾馬】雌のウマと雄のロバとの間に出来た雑種。馬より小形であるが、耐久力が強く粗食に耐える。労役用。かぞえ方 一匹・一頭

ラバー①〔rubber〕ゴム。ラバ①とも。「フォーム―」

ラバーセメント④〔rubber cement〕ゴムとゴムをくっつける接着剤。

ラバーソール④〔←rubber soled shoes〕〔厚い〕ゴム底の靴。ラバソール③とも。

ラビオリ⓪〔イ ravioli〕イタリア料理で、二枚の生地(ジキ)〔=パスタ〕の間にひき肉・野菜・チーズなどを入れたもの。スープに入れたりゆでてソースをかけたりして食べる。

ラピスラズリ④〔lapis lazuli〕ナトリウムのアルミノケイ酸塩で少量の硫黄・塩素などを含むもの。和名「瑠璃(ルリ)❷」。古来邪気を退けるとされ珍重されている。

ラフ①〔rough〕❶―な ―に 全体にわたって大まか△な(で、細かいところに注意が行き届かない)様子だ。「―な感覚/―な〔=形式にこだわらないが、粋(キイ)な〕着こなし/―プレー④〔=反則になりかねない乱暴なプレー〕・―スケッチ④」派―さ② ⓪❷〔ゴルフで〕フェアウエー〔=グリーンに至る整地された部分〕・グリーンの周辺の手入れされていない草地。

らふ①【裸婦】〔モデルになる〕はだかの女性。

ラブ①〔love〕❶(特定の)相手を愛すること。(恋)愛。「―ストーリー④・プラトニック―」❷〔テニスで〕無得点。「―ゲーム③」ラヴとも。

ラブコール③〔和製英語 ←love＋call〕〔夫婦の間や恋人同士で〕愛情を込めてする電話。〔熱心な勧誘の意にも用いられる〕

ラブシーン③〔love scene〕〔映画・演劇などで〕恋人同士が接吻(セップン)したり抱擁したりする場面。

ラプソディー①〔rhapsody〕形式にとらわれない、はでな器楽曲。狂詩曲。「ハンガリアン―」

ラフランス③②〔フ La France〕洋ナシの一品種。皮は薄緑色で、果汁が多く、香りがよい。

ラブレター③〔love letter〕恋文。艶書(エンショ)。かぞえ方 一通

ラベル⓪①〔label〕物にはりつけて、その物に必要なちょっとした情報や注意を記した紙の札。レーベルとも。「本の背表紙に禁帯出の―をはる」⇩レッテル かぞえ方 一枚

ラペル①〔lapel〕〔スーツの襟などで〕身ごろを折り返した部分で、切れ込みから下の方。

ラベンダー②〔lavender〕地中海沿岸原産の常緑低木。花は小さく薄紫色で、穂を成して咲き、かおりがよい。香水の原料。〔シソ科〕かぞえ方 一株・一本

ラボ①〔ランゲージ〕ラボラトリーの略。

ラボラトリー②①〔laboratory〕研究室。実験室。略してラボ。「ランゲージ―」

ラマ①【〈喇嘛〉・〈剌麻〉】〔チベット blama=師匠〕チベット仏教の僧。表記「〈喇嘛〉・〈剌麻〉」は、音訳。

ラマきょう⓪【ラマ教】チベット・モンゴルなどに広がり、ラマを生きた観音として信仰する仏教の一派。チベット仏教の俗称。

ラマダン⓪①〔アラビア Ramaḍān〕イスラム暦〔=太陰暦〕の第九番目の月。イスラム教徒はこの一か月間、日の出から日没まで一切の飲食が禁じられる。断食月④。ラマダーン③とも。

ラミー①〔ramie=マレー語起源の英語〕台湾で栽培される、カラムシの一変種。繊維は水に強いので、船の索具・魚網などにする。〔イラクサ科〕かぞえ方 一本

ラミネート③―する(他サ)〔laminate〕薄板に△する(して重ねる)こと。「―コーティング・―チューブ⑥」

ラム①〔lamb〕(食用、また、毛をとるための)子羊。「―チョップ・―ウール」⇩マトン

ラム⓪①【RAM】〔←random access memory〕〔コンピューターで〕読み取りも書き込みも、随時可能な半導体記憶装置。〔本来は、どの部分に対してもほぼ同じ時間でデータの読み書きが出来る記憶装置の意〕⇩ロム(ROM)

ラム①〔rum〕サトウキビの糖蜜(ツミ)を発酵させて蒸留した、アルコール分の強い酒。火酒。西インド諸島の特産。かぞえ方 一本

ラムウール③〔lamb's wool の日本語形〕子羊の毛。「―セーター」

ラムジェット③〔ramjet〕ジェット エンジンの一種。前の開いた口から空気を取り入れ、燃料と交ぜて爆発させる。⇩ターボジェット

ラムネ⓪〔lemonade の変化〕❶炭酸水にシロップ・香料を入れて作った清涼飲料水。〔瓶に詰め、ガラス玉で密栓をする〕❷〔ラムネを飲むと、げっぷが出ることから〕「月賦」の意の婉曲(エンキョク)表現。

ラメ①〔フ lamé〕金属製の、金・銀の色の糸。「―入り⓪」

ララバイ①〔lullaby〕子守歌。

ラリー①〔rally〕❶〔卓球・テニスなどで〕互いに相手のたまをはずさず、打ちあいを続けること。❷自動車による長距離競走。きびしい条件のもとに一定のコースを走り、技術と耐久力を競う。

らりこっぱい①―⓪【《乱離骨灰・羅利《粉灰》】―に ―な〔語源未詳〕復元不可能なまでにめちゃめちゃになる△こと(様子)。

ラルゲット①〔イ larghetto〕〔楽譜で〕ややゆっくりと。〔ラルゴよりやや速く〕

ラルゴ①〔イ largo〕〔楽譜で〕きわめてゆっくりと。

られつ⓪【羅列】―する(自他サ)なんらかの意味で同一条件にある物事を、配列順などと関係なく思いつくままに並べあげること。「単語の無意味な―」

られる（助動・下一型）❶その動作・作用を他から受けることを表わす。「先生にほめ―／休暇を認め―」❷その動作・作用の主体に対する敬意を表わす。「今朝は何時に起きられましたか／もうすぐお客さんが来(コ)―」❸△そうすることが可能な(自然にそうなる)状態であることを表わす。「難しくてなかなか覚えられない／屋上に上れば富士山が見―」⇩れる 文法 (1)上一段・下一段・カ変動詞・助動詞「す／さす」の未然形に接続する。(2)サ変動詞には未然形に「れる」が接続し「…される」になるのが基本だが、「達する」「察する」など語幹末が促音となるサ変動詞では、未然形「せ」に「られる」が接続し「達せられる」「察せられる」となる。運用 ❷について。口頭語では、「お＋動詞連用形＋になる」などによる尊敬表現や、「おっしゃる・召し上がる」などの敬語動詞による尊敬表現に比して、敬意が軽いと受け取られる傾向がある。

ラワン①〔マレー lauan〕東南アジアに生える常緑高木。材は赤・黄・白などで、家具・器具に使う。〔フタバガキ科〕「―材②⓪」かぞえ方 一株・一本

らん

【乱】❶みだれる。みだす。「乱心・乱暴・狂乱・酒乱」❷⇩濫 ⇩(本文)らん【乱】

【卵】〔鳥・虫など動物の〕たまご。「卵生・累卵・鶏卵」⇩(本文)らん【卵】

【《嵐】青あおと見える山の△空気(もや)。「嵐気・嵐翠(イ)・青嵐」

【覧】❶広く見る。高い所から四方を見る。「観覧・展覧・一覧」❷(よく)見る。「博覧・回覧・便覧(ビンラン／ベンラン)・内覧会・天覧」

【濫】❶水があふれる。「氾濫」❷〔度が過ぎて、自分自身でもおさえられないことから〕むやみに。「濫用・濫伐・濫造」表記 ❷は、「乱」とも書く。

【藍】あい。あいいろ。「藍汁・藍碧(ペキ)・藍綬褒章(ランジュホウショウ)・出藍」

【〈蘭】(略)オランダ(和蘭陀)。「蘭学・蘭方医・蘭語・蘭書」⇩(本文)らん【蘭】

【欄】てすり。「欄干・勾欄(コウ)」⇩(本文)らん【欄】

【〈爛】❶(熟し過ぎて)くさる。「爛熟・腐爛」❷色彩があざやかだ。「爛漫・絢爛(ケン)」

らん〔乱・卵・《嵐・覧・濫・藍・〈蘭・欄・〈爛〕↓【字音語の造語成分】

ラン（造語）〔run〕❶興行が続くこと。うちつづけ。「ロング―」❷〔野球で〕走塁(して得点すること)。「ホーム―・アーンドー⑤」❸走ること。「オーバー―」

らん（助動・特殊型）〔文語の助動詞〕❶現在どこかで行なわれている事柄について推量することを表わす。「我(ワ)がせこは何処(イヅク)行くー沖つ藻(モ)の名ばりの山を今日(ケフ)か越ゆ―」❷現実に起こっている事柄の原因・理由などについて推定することを表わす。「らむ」とも。「久方(ヒサカタ)の光のどけき春の日に静心(シヅゴコロ)無く花の散る―(=ⓐどうして静心無く花が散るのだろう。ⓑ花が散るのは静心が無いからであろうか)」文法 動詞(ただしラ変を除く)、助動詞の終止形に接続する。ラ変型の活用語は連体形に接続する。後に他の助動詞類を伴うことがない。

ラン①【LAN】〔←local area network=構内通信網〕一つの会社や学校など、比較的狭い範囲にある多くのコンピューターや周辺装置をつなぎ、データ通信のネットワーク。

らん①【乱】❶秩序・規律の無い状態。「―に及ばず／―筆・混(ピ)―」❷社会秩序の失われた状態。〔狭義では、反乱・内乱を指す。例、「壬申(ジンシン)の―／応仁(オウニン)の―」〕「―を起こす」⇩【造語成分】

らん①【卵】〔動物学で〕卵子。「―巣・受精―」⇩【造語成分】

らん①【〈蘭】園芸植物として栽培されるラン科植物の総称。葉は多く細長く、花びらは色も形もさまざまである。⇩【造語成分】

らん①【欄】〔もと、手すりの意〕Ⓐ本や印刷物などで、ここは本文に当てられる、ここは特定の記事を載せる約束であると、規定された場所。「所定の―に記入せよ／―外・氏名―・上―・空―・解答―」Ⓑ〔新聞・雑誌などで〕区分されたそれぞれのまとまった記事(を掲載する箇所)。「経済―・学芸―・家庭―・投書―」⇩【造語成分】

らんい①【〈蘭医】江戸時代、オランダ医学を学んだ医者。

らんうん⓪【乱雲】❶嵐(アラシ)の前などに、速い風に吹かれて空をちぎれちぎれに飛ぶ雲。❷雨が降る前に空を暗くおおう、形の不ぞろいな雲。

らんえんけい⓪―(エン)【卵円形】鶏卵の全形に似た形。「卵形」とも。

らんおう⓪―(ワウ)【卵黄】ニワトリなど鳥の卵の中身の黄色の部分。脂肪・たんぱく質が多い。黄身。⇩卵白

らんがい⓪①―(グワイ)【欄外】〔書籍や印刷物などの〕本文に当てられる部分の上下などにある余白。

らんかいはつ③【乱開発・濫開発】―する(他サ)宅地造成、道路の拡張整備、観光施設の建設などの名目のために山林を切り崩したり河川を埋めたりして、自然環境を破壊してしまうこと。

らんかく⓪―(クワク)【乱獲・濫獲】―する(他サ)鳥・獣・魚などを絶滅するおそれがあるほどやたらにとること。

らんかく⓪【卵殻】たまごのから。

らんがく⓪【〈蘭学】江戸時代中期以後、オランダ語(の本)を通じて日本に入った、西洋の学問。

らんかん⓪―(クワン)【卵管】卵巣内の卵子を子宮に送る管。輸卵管。らっぱ管。

らんかん⓪【欄干】橋・縁側の端などに設ける柵(サク)。人が落ちるのを防止し、かたわら装飾ともする。かぞえ方 一本

らんき①【《嵐気】「山の中にただようもやのようなもの」の漢語的表現。

らんぎく①【乱菊】長い花弁を交え、わざとふぞろいに作った菊の花(の模様)。

らんぎゃく⓪【乱逆】△乱心(逆上)状態になって、人道にもとる残虐や、主君に対して反逆的な行動を取ること。「らんげき」とも。

らんぎょう⓪―(ギヤウ)【乱行・濫行】酒色にふけるなど不品行な事をしたり何かにつけて暴力を振るったりすること。「らんこう」とも。「酩酊(メイテイ)して―に及んだ」

らんぎり⓪【乱切(り)】〔料理で〕形をそろえないで大まかに野菜を切ること。

らんぎり⓪【卵切(り)】つなぎに鶏卵の黄身を多く用いたそば。卵麺(ランメン)⓪①。

らんきりゅう③―(リウ)【乱気流】気流の乱れ。高山の地表面が加熱されて起こるものや、強い日射で地表面が加熱されて起こるものなどがある。航空機事故の原因となる。

ランキング①⓪〔ranking〕(エントリーした)選手の順位づけ。「世界―三位のボクサー／会社の―(=業界の評価の順位)が問題になる」

ランク①―する(他サ)〔rank〕それぞれの分野に所属するメンバーの評価について、一定の方法で順位を付けること。また、その順位。〔比例代表制選挙における党内順位などについても用いられる〕「―を落とす／第一位に―する」

らんぐい⓪グヒ【乱︿杙・乱︿杭】ふぞろいに打ち込んだ杙。「―歯バ③〔＝歯ならびの悪い歯〕」

らんくつ⓪【乱掘・濫掘】―する（他サ）石炭などを長期の計画も立てずに、むやみに掘り出すこと。

らんぐん⓪【乱軍】⇩乱戦❶

らんけい⓪【卵形】卵円形。「長―⓪」

ランゲージ ラボラトリー⑦⑥〔language laboratory〕外国語教育で、隔離された一人ひとりの仕切り（ボックス）の中で、テープレコーダーなどを利用して学習する訓練教室。略してランゲージラボ⑥。エル エル（ＬＬ）。ＬＬ教室⑤。

らんげき⓪【乱撃】―する（他サ）〔火器などを〕激しく、めちゃくちゃにうつこと。「乱射―」

らんご⓪【︿蘭語】オランダ語。

らんこう⓪カウ【乱交】―する（自サ）幾人かが集まって、それぞれ不特定の相手と合体すること。

らんこう⓪カウ【乱行】⇩らんぎょう

らんこうげ③カウー【乱高下】―する（自サ）相場・物価などが、短期間のうちに激しく上がったり下がったりすること。

らんごく⓪【乱国】〔政権の不安定などで〕国内が乱れること。また、乱れている国。

らんこん⓪【乱婚】⇩雑婚

らんさく⓪【乱作・濫作】―する（他サ）〔内容や実質などは二の次にして〕量だけ△やたら（無計画）に多く作ること。

＊**らんざつ**⓪【乱雑】―な ―に 整理・整とんされていず、あるべき秩序が見られない△状態（様子）だ。「―に物が散らかった部屋」派―さ⓪④

らんし⓪【乱視】目の角膜または水晶体の曲面にひずみがあって、物がゆがんで見える△状態（目）。

らんし①【卵子】雌の生殖細胞。人間などの卵子は精子と結合して個体を作る。

ランジェリー①〔フ lingerie〕〔女性の、洋装用の〕肌着。かぞえ方 一枚・一点

らんししょく③【藍紫色】あい色がかった紫色。

らんしゃ⓪【乱射】―する（他サ）ねらいも決めず、続けてめちゃくちゃに射撃すること。「―乱撃⓪-⓪」

らんじゃ①【︿蘭︿麝】蘭の花と麝香の いいにおい。

らんしゅ⓪【乱酒】酒乱。

らんじゅう⓪ジフ【藍汁】藍イア染めの染料とする、藍を溶かした液。

らんじゅく⓪【︿爛熟】―する（自サ）〔果物などが熟し過ぎる意〕物事が極度に発達・成熟すること。〔弊害が現われ始めたことを意味する〕「―した文化」

らんじゅ ほうしょう④シヤウ【藍︿綬︿褒章】⇩褒章

らんしょ⓪①【︿蘭書】〔江戸時代に代表的な外国語であった〕オランダ語で書いた書物。

らんしょう⓪シヤウ【濫︿觴】〔「濫」はあふれる、「觴」はさかずきの意〕「始まり・源」の意の漢語的表現。〔長江のような大きな川も、水源を探ると小さな杯を浮かべた時にあふれる程度の湧ワき水から始まるということから〕

らんしん⓪【乱心】―する（自サ）正常な精神状態でなくなること。「主君のご―で家中が騒然となる」
運用「ご乱心」の形で、上の立場にある人が、常軌を逸した言動をした際に侮蔑ブベツを含意して用いることがある。例、「見境もなく事業を広げるとは、社長もご乱心のようだ」

らんしん⓪【乱臣】反乱を企てる臣下。**―ぞくし**⑤【―賊子】不忠不孝の者。

らんすい⓪【乱酔】―する（自サ）ひどく酒に酔って、人に嫌われる言動をすること。

らんすう ひょう⓪ヘウ【乱数表】0から9までの数字が不規則に並んでいる表。全体としては数字の出現の度数が等しくなっている。〔標本調査や抜取り検査などの任意抽出などに広く利用される〕

らんせ①【乱世】⇩らんせい

らんせい①【乱世】❶政治的統一がなく、人心が乱れ、事件が多発する世の中。「―の英雄」↔治世 ❷国家や組織体について興亡のはなはだしい激動の時代。「大型量販店が―を迎えた」「らんせ」とも。

らんせい⓪【卵生】―する（自サ）卵の形のままで生まれ、孵化フカする△こと（もの）。「―動物」↔胎生

らんせいしょく③【藍青色】あい色を帯びた青色。

らんせん⓪【乱戦】❶敵・味方とも隊伍タイゴを崩し、入り乱れて戦うこと。また、その戦い。乱軍。❷双方が大量点をあげるなど、どちらが最後に勝つか予断を許さない試合。「―模様になる」

らんそう⓪サウ【卵巣】子宮の外側にあって、卵子を作る生殖器官。

らんぞう⓪ザウ【乱造・濫造】―する（他サ）〔品質のよしあしは考えず〕量ばかりやたらに多く作ること。「粗製―」

らんそううん③【乱層雲】二千メートルくらいの空に現われる、暗い灰色の雲。雨や雪を降らせる。雨雲。⇩雲級

らんだ①【乱打】―する（他サ）❶続けざまに、激しく打つこと。「警鐘を―する」❷〔バレーボール・テニスなどで〕練習のためにボールを打ち合うこと。**―せん**⓪【―戦】〔野球で〕両チームとも投手が打ち込まれ、激しい点の取合いになること。「―を制する」

らんだ①【︿懶︿惰】―な なまけて、仕事・勉強などをしないでいる様子だ。「―な性格」〔「懶」を「らい」と読み誤って「らいだ」とも言う〕

らんたいせい③【卵胎生】卵生の動物のうちで、新しい個体が卵でなく親に近い形で生まれるもの。母体内では卵黄により発育・孵化フカされる。例、マムシ・タニシなど。

ランダム①―な ―に〔random＝手当り次第の〕何かを無作為に行なう様子だ。「―に選び出す」**―サンプリング**⑤〔random sampling〕〔統計で〕調査すべき見本を、無作為に抽出する方法。

ランタン③①〔lantern〕角柱形でガラス張りの、手さげランプ。かぞえ方 一灯

ランチ①〔launch〕港湾で本船モトブネと陸上との連絡などに使う、小型の（蒸気）船。かぞえ方 一艇イテ・一隻セキ

ランチ①〔lunch〕簡単な洋食。特に、昼食。「―メニュー④」

らんちき⓪【乱痴気】―な〔「ちき」は、「いんちき」「とんちき」の「ちき」と同意の接辞〕酒に酔うなどして、思慮分別を失ってばか騒ぎをする△こと（様子）。「酒宴の果てはお決まりの―騒ぎ」表記「乱痴気」は、借字。

らんちゅう⓪③チウ【︿蘭虫】・【︿蘭︿鋳】キンギョの一種。からだは球形にふくらんでいて、背びれが無い。まるこ⓪。かぞえ方 一匹

らんちょう⓪チヤウ【乱丁】本の中の何枚かの紙の順序が（まとまって）入れ違っていること。⇩落丁

らんちょう⓪テウ【乱調】❶調子が乱れること。乱れた調子。「乱調子③」とも。❷〔経済で〕相場の変動が激しいこと。

ランチョン①〔luncheon〕通常よりも格式ばった昼食。〔文脈によっては「軽い昼食」の意にも用いられる〕**―マット**⑤〔luncheon mat〕食器をのせるために食卓に敷く布・ビニールなど。**―ミート**⑤〔luncheon meat〕型に入れて調理したものを包装してすぐに食べられるようにした肉。

ランディング[0]―する(自サ)〔landing〕❶飛行機などが所定の飛行場などに着陸すること。❷〔スキーやスケートで〕ジャンプした△選手(演技者)が着地すること。

ランデブー[3]―する(自サ)〔フ rendez-vous〕デート。〔二つ以上の人工衛星・宇宙船が、ドッキングするために 宇宙空間で出会う意にも用いられる〕

らんとう[0]【乱闘】―する(自サ) 敵味方が入り乱れて取っ組み合いの争いをすること。また、その争い。

らんとう[0]【卵塔】❶台座の上の部分が卵形の墓石。❷墓場。「―場[0](=墓地)」〔表記〕「〈蘭塔」とも書く。

らんどく[0]【乱読・濫読】―する(他サ) 目的もたてず、また選択することもせずに、手当り次第に本を読むこと。↕精読

ランドセル[4][3]〔オ ransel の変化〕小学生が学用品を入れて背負うかばん。

ランドマーク[4]〔landmark〕高い山や(特徴のある)高層ビルなど、その土地の目印やシンボルとなるような△遠く(空中)からも目に付きやすい地形や建造物。

らんどり[0][4]【乱捕り・乱取り】〔柔道で〕各人が自由に行なう練習。

ランドリー[1]〔laundry〕クリーニング屋。「コイン―」

ランナー[1]〔runner〕〔陸上競技や野球の〕走者。**―ズハイ**[6]〔runner's high〕マラソンなどの長距離走で、途中、一時的に苦しさが消え、爽快な気分に陥る現象。

らんにゅう[0]【乱入】―する(自サ) おおぜいが一時に怒濤のごとき勢いで その域内に入りこむこと。

ランニング[0]〔running〕❶〔スポーツで〕ある距離を走ること。狭義では、体力増強や準備運動のために、あまりスピードを出さずに走ること。「―シューズ[6]」❷〔和製英語 ← running + shirt〕そでが無く、襟ぐりの大きいシャツ。〔陸上競技用。現在は男性のアンダーシャツとして一般に用いられる〕**―コスト**[6]〔running cost〕❶企業が経営を維持していく上で通常必要とする費用。運転資金。❷建造物を維持したり 機械を常時作動させたり するのにかかる費用。

らんのう[0]【卵〈嚢】〔軟体動物の〕卵が入っているふくろ。

らんばい[0]【乱売】―する(他サ)「投げ売り」の意の漢語的表現。

らんぱく[1][0]【卵白】卵の白身。⇩卵黄

らんばつ[0]【乱伐・濫伐】―する(他サ)〔治水や植林などを考えず〕むやみに山や林などの木を切ること。

らんぱつ[0]【乱発・濫発】―する(他サ) ❶十分な計画や周到な配慮無しに法令や貨幣などを△出す(発行する)こと。「―手形の―」❷必要もないのに、やたらに放つこと。「―する」

らんはんしゃ[3]【乱反射】―する(自サ) 表面にでこぼこがある物体に光線が当たって、いろいろの方向に反射すること。

らんぴ[0][1]【乱費・濫費】―する(他サ) むだづかい。「―を抑える/エネルギーの―」

ランビキ[0]【〈蘭引】〔アラビア語起源の ポ alambique の日本語形〕江戸時代、酒類などを蒸留するのに用いた器具。〔表記〕「〈蘭引」は、音訳。

らんぴつ[0]【乱筆】乱雑な筆跡。乱暴な書き方。〔多く手紙文の終りに書く謙遜語〕「―ごめんください」

らんぶ[1]【乱舞】―する(自サ) ❶大勢の人が入り交じってすき勝手に踊ること。❷多くのものが同時に入り乱れて飛びかう。「蝶が―する/(花火大会の)夜空を彩る光の―に酔いしれる」

ランプ[1]〔lamp〕❶石油を燃料とする、西洋風のあかり。❷電灯。「―シェード[4]」〔表記〕「〔洋灯〕」とも書く。

〔かぞえ方〕❶❷とも 一基・一本

ランプ[1]〔ramp=傾斜路〕高速道路へ出入りするための、連絡用の坂道。ランプウエー[5]。「羽田―[4]」

らんぶん[0]【乱文】急いで書いたりしたために趣旨が明らかでない文章。〔多く手紙文で、自分の文章について謙遜して言う。例、「乱筆―お許しください」〕

らんぺき[0]【藍〈碧】あいのように濃い青色。あおみどり。

*__らんぼう__[0]【乱暴】❶―な/―に ❶物の扱いなどに心配りが見られず、△粗雑(力任せ)に何かをする様子だ。「精密機械だから―に扱わないように/ドアを―に蹴って出ていく/―な子で、すぐおもちゃをこわしてしまう」❷△どんな結果になるか(他人がそれをどう思うか)などを考えもしないで思うままの言動をする様子だ。「―な計画/金を―に使う/―な△言葉づかい(字)」⇩丁寧 〔派〕**―さ**[0]「―加減[6]」

❷―する(自サ)〈だれニ―する〉 気に入らないことがあると言って、衝動的に相手に腕力をふるったり 何かをたたきこわしたりすること。「思い通りにならない事があっても―だけはやめなさい/酔った勢いで―を働く」

らんぽう[0]【〈蘭方】江戸時代にオランダから伝わった医術。「―医[3]」⇩漢方

らんぽん[0]【藍本】創作などの下地となった先行文献。

らんま[1]【乱麻】こんがらかった麻。「快刀―を断つ(=⇩快刀)」

らんま[0]【欄間】天井と△かもい(なげし)との間の、格子や透かし彫りの板を取りつけた部分。

らんまん[0]【〈爛漫】―たる/―と 花が咲き乱れて、ぱっと明るい感じを与える様子だ。「天真―」〔派〕**―さ**[0]

らんみゃく[0]【乱脈】―な 秩序や きまりが守られず、物事の筋道が立たない様子だ。「―な経理」〔派〕**―さ**[0]

らんみん[0]【乱民】仲間を作って社会を乱す人びと。

らんよう[0]【乱用・濫用】―する(他サ) 一定の基準や限度を超えて△勝手(やたら)に使うこと。「職権―」

らんようしゅ[3]【卵用種】卵を生ませることを目的として飼う、鶏の品種。⇩肉用種

らんらん[0]【〈爛々】―たる/―と〔もと、光り輝く意〕(相手に恐怖感や畏怖の念をいだかせるほど)眼光が鋭い様子だ。「―たる目の輝き」

らんりつ[0]【乱立・濫立】―する(自サ)〔もと、ふぞろいに立ち並ぶ意〕不純な目的を持った者も交じったりして、やたらに名前が並ぶこと。「候補者の―/コミック誌が―する」

らんりゅう[0]【乱流】❶はげしく乱れて流れること。❷流体の各部分が入り乱れて不規則に運動し、流線が細かい不規則な変動を示す流れ。大気や河川などの自然界の流れはほとんどこれである。

らんりん[0]【乱倫・濫倫】―な/―に 人としての道に はずれた行いをする△こと(様子)。〔狭義では、男女関係の乱れを指す〕

らんる[1]【〈襤褸】ぼろな着衣。「―を身にまとう」

り …り

り〈吏・利・里・〈俚・《厘・理・痢・裏・履・璃・〈罹・離〉→【字音語の造語成分】

り【《人】(接尾) 人数をかぞえる語。「一―・二―」〔三人以上の場合の、「たり」と対応する。例、「三人、四人」〕

り(助動・ラ変型)〔文語の助動詞〕その動作・作用が完了したあとの状態が現在も引き続き見られることを表わす。「我れ勝て―/五人の中にゆかしき物を見せ給へらんに(=お見せくださった人に)/罪を作り給へ―ければ/白き玉を

実として立てる木あり／泣きてふせれば」[文法] 四段活用動詞の命令形、サ変動詞の未然形に接続する。

り[1]【利】❶有利。その人にとって都合がいい状態になること。「地の―／時、―あらず／戦い―あらず／―用・便―」❷もうけ。「―(=損得勘定)にさとい／―潤・巨―」❸利子。「―が―を生む／年―」⇩【造語成分】

り[1][0]【理】❶原理。法則。「陰陽の―にもとづく／真―」❷理屈。「―にかなう／―の△当然(通らぬ)／―を尽くして／―が勝つ(=理知的に過ぎて、暖かみや潤いに欠ける)／―に落ちる(=話などが理屈っぽくなる)／―由」❸道理。「ぬすびとにも三分の―／義―」⇩【造語成分】

リア エンジン[3]〔rear engine〕〔普通の自動車・飛行機がフロント エンジン[5]であるのと違って〕車体の後ろの方に付けたエンジン。

リア カー[3][2]〔和製英語 ←rear + car〕〔自転車の後部に連結して〕荷物を運ぶ二輪車。リヤカーとも。[かぞえ方]一台

リアクション[2][0]〔reaction〕反動。反応。

りあげ[0]【利上(げ)】―する(他サ) 利子・利率を引き上げること。↕利下げ

リアスしき かいがん[6]、[0]-[0]【リアス式海岸】〔rias=入り江の意のスペイン語 ria の複数形に由来〕岬と入り江が、のこぎりの歯のように複雑に入りくんだ海岸。例、三陸海岸。

リアリスティック[5][3]―な〔realistic〕❶写実(主義)的。「―な描写」❷現実(主義)的。

リアリスト[3]〔realist〕 現実主義者。

リアリズム[3]〔realism〕 あるべき理想よりは実際的な△利害(問題解決)を重視する考え。現実主義。レアリスム。〔狭義では、芸術における写実主義を指す〕

リアリティー[2]〔reality〕 現実性。実在性。レアリテとも。「作品に―がある」

リアル[1]―な―に〔real=あるがまま〕 写実的。「―な描写」

リアル タイム[4]〔real time=即時。同時〕 中継放送やコンピューターによる情報処理などが、現実の事態と同時に進行すること。実時間[3]。即時処理[4]。「―で伝える」

リーガー(造語)〔leaguer〕〔野球で〕リーグ所属の選手。「大―[3]」

リーク[1]―する(自他サ)〔leak〕❶(乾電池などの)漏電。❷機密△が漏れる(を漏らす)こと。「政界筋が新聞各社に―した」

リーグ[1]〔league〕同盟。連盟。「セントラル―・リトル―」

リーグ せん[0]【リーグ戦】△加盟チーム(参加チーム・参加者)の間で行なわれる総当り戦。「六大学―」⇩トーナメント

リース[1]―する(他サ)〔lease〕〔機械・設備などの〕比較的長期間にわたる賃貸借契約。⇩レンタル

リーズナブル[1]―な〔reasonable〕❶理に適ヵナっていて納得出来る様子だ。「―な方法」❷商品の質や価値に見合った適正な値がついている様子だ。「―(=手ごろ)なお値段」

リーゼント[1]〔regent=摂政〕 前髪を高くして後ろへそらせ、横の毛をなでつける、男の髪型。「―スタイル[7]」

リーダー〔leader〕❶[1] その組織を正しく機能させ、より良い状態に保ち、また、ある目標を達成するなどのために選ばれたり 推挙されたりして、その任を果たすべく努める(と目される)△指導者(指揮者)。「△クラブ活動(一国・次世代)の―」❷[0]〔印刷で〕点線。「三点―(=…)」 **―シップ**[5]〔leadership〕❶指導権。指導的地位。「―を取る」❷指導力。統率力。「―に欠ける」

リーダー[1][0]〔reader=読む訓練のためのもの〕〔外国語の初歩を学ぶための〕教科書。読本。「英語の―」

リーチ[1]〔中国・立直〕 マージャンで、テンパイしたときにかける宣言。宣言後は牌パイを変えることはできない。「―をかける」【―が掛かる】❶マージャンでリーチが宣言される。❷〔転じて〕物事が成就する直前の状態になる。

リーチ[1]〔reach〕〔ボクシングなどで〕伸ばした腕の長さ。

リーディング[1][0]〔reading〕❶〔おもに英語の〕読み方。朗読。❷読書。「―ルーム[6]」

リーディング ヒッター[6]〔leading hitter〕〔野球で〕打撃率の最もいいバッター。リーディング バッター[6]。首位打者[3]。

リート[0][1]〔ド Lied〕 ドイツの歌曲。〔「リード」は、原つづりの文字読み〕「シューベルトの―」

リード〔lead〕❶[1]―する(他サ) 指揮した通りに行動させること。「―のしかたが上手だ／ミス―[3](=誤った方向に人を導くこと)」❷[1]―する(他サ)〔競技・試合で〕相手より優位に立つこと。「五メートル―する／三点の―」❸[1]―する(自サ)〔野球で〕盗塁・走塁に備えて、ランナーが塁から離れた所に位置すること。「大きく―を取る」❹[1]〔新聞記事で〕見出しの次に出す、内容全体を要約した文章。前文ブマェンフ[0]。❺[1]〔音楽で〕(主)旋律。「―シンガー」❻[0]馬・犬などの引き綱。❼[1]電気器具や電気装置の導線。

リード[1][0]〔reed〕 木管楽器やオルガンなどの、簧シタ。「―楽器」[かぞえ方]一枚

リードオフ マン[4][5]〔lead-off man〕❶〔野球で〕そのチームの一番バッター。❷チームやグループの先頭に立って、人びとを引っ張って行く人。

リード ギター[4]〔lead guitar〕〔軽音楽で〕主なメロディーやソロ パートを受け持つギター(の奏者)。

リード せん[0]【リード線】 電流を流すための金属線。「導線」とも。

リーフ パイ[4]〔leaf pie〕 木の葉の形をしたパイ。

リーフレット[1]〔leaflet〕 一枚刷りの宣伝用印刷物。〔多くは、折りたたんだものを指す〕

リーベ[1]〔ド Liebe〕「△愛(恋)する女性」の意の旧制高校生などを中心とした学生語。

リーマー[1]〔reamer〕 ドリルで穴をあけたあとの仕上げをする工具。リーマ[1]とも。

リール[0]〔reel〕❶釣り糸・録音テープ・フィルムなどを巻き取るための用具。❷映画のフィルムの一巻き。[かぞえ方]❶❷とも一本

りいん[1]リーキン【吏員】 公共団体の職員。公務員。

リウマチ[0]〔オ rheumatisch〕 関節・筋肉が痛んだりこわばったりする病気の総称。免疫の疾患。関節リウマチ。リウマチス[3]・リョーマチ・リューマチとも。

りうん[1]【利運】 よいめぐり合わせ。

****りえき**[1]【利益】 何かをすることによって得られる、(将来)って得られる結果。何らかの役に立つととらえられる結果。特に、経済活動によって得られる結果を指す。「新製品の売れ行きがよくて大きな―をあげる／目先の―にとらわれて大局を見失う／派閥争いを繰り返していても組織にとって何の―にも△ならない(つながらない)」↕損失 **―しゃかい**[4]クワイ【―社会】 成員が利益を得る目的で結合した社会。営利会社・労働組合など。ゲゼルシャフト。↕共同社会

りえん[1]エン【《梨園》】〔唐〔=六一八～九〇七〕の玄宗が、梨シナの木のある庭園で音楽を教えたという故事から〕「演劇界」の意の古風な表現。〔狭義では、歌舞伎カブキ俳優の世界を指す〕

りえん[1]【離縁】―する(自他サ) ❶縁を切ること。夫婦や養子の関係を絶つこと。〔現行民法では、養子の縁を切ること

を指す」❷「離婚」の俗称。 ―じょう（ジャウ）⓪【―状】 夫から妻に離縁の趣旨を書いて与えた書きつけ。去り状。〔昔は、三行半で書いたので、「みくだり半」とも言う〕

りか①【〈李下】 スモモの木の下。 **―のかんむり**①-⓪、①-③【―の冠】 〔スモモの木の下で冠を直すと、スモモの実を盗んでいるように疑われるということから〕不用意に人から疑われるような行いはするな、という教え。「李下に冠を正さず」とも。⇩瓜田（カデン）の履（クツ）

りか①（クワ）【《梨花】 「ナシの花」の意の漢語的表現。「―一枝（イッシ）」

りか①（クワ）【理科】 ❶初等・中等教育の教科の一つ。自然科学に関する基礎的・一般的な問題を取り上げて指導するもの。〔高校では、生物・地学・化学・物理の総称〕 ❷〔大学の専門課程で〕文科系統以外のもの。〔数学・物理学・化学のほか、工学・農学・医学・薬学をも含む〕↕文科❶

リカー①〔liquor〕 蒸留酒。ウイスキー・ブランデーなど。

りかい①（クワイ）【理会】―する（他サ） ❶深い道理を知ること。❷理解。

**りかい①【理解】―する（他サ）〈なにヲ（なんだト）―する〉 物事に接して、それが何△であるか（を意味するか）正しく判断すること。「―が△いく（広まる）/―を△示す（得る・求める・高める・深める）/―の深さ/―に苦しむ/あの人は、とても―のある人だ/―者②・―力②・無―」 表記 「理会（リクワイ）」とも書く。 運用 (1)話題の人物の評価として、「理解△している（できる）」などの形で、話し手がその人物にそなわっている長所を認める意になることがある。例、「世間の評価はともかく、私は彼のことを理解している」。また、「理解△できない（を越える）」などの形で、その人物の性向・言動などについて、非難や困惑・あきらめ・嘲笑（チョウショウ）を含意することがある。例、「彼女の金銭感覚は理解できない」 (2)「ご理解△ください（をお願い申し上げます）」などの形で、相手に負担・不利益が生じることをわびるとき、また、そのような状況下で何かを要請し、事前に承諾を得ようとする言い方となることがある。例、「一度納入された会費は理由のいかんにかかわらずお返しできません。ご理解くださるようお願い申し上げます」

りがい①【利害】 利益と損失。「―が相反する/―が対立する（相手）/―の一致」 **―かんけい**④（クワンー）【―関係】 なんらかの点で互いに共通の利害を得たり利害が相反したりする関係（にあったりする間柄）。

りがい①（グワイ）【理外】 普通の道理では説明出来ないこと。「―の理」

りかがく②（クワー）【理化学】 物理学と化学。

りかく⓪【離隔】―する（他サ） 隔離。

りがく①【理学】 ❶自然科学の理論的研究および基礎部門の称。「―博士④・―部③②」⇩工学 ❷中国の宋（ソウ）代の儒学。 **―りょうほう**④（レウハフ）【―療法】 身体に障害のある人の機能回復のために行なう、歩行訓練・マッサージなどの治療。 **―りょうほうし**⑥（レウハフー）【―療法士】 医師の指導下で理学療法に取り組む専門技術者。

リカバリー②〔recovery=復旧〕 障害を起こしたコンピューターのシステムを元の状態に修復すること。

りかん⓪（クワン）【〈罹患】―する（自サ） 病気にかかること。罹病。「―率」

りかん⓪【離間】―する（他サ） 互いの仲をさくこと。仲たがいをさせること。「―策②」

りき（力）→【字音語の造語成分】

りき①【力】 「ちから」の意の漢語的表現。「―がある/―士・―量・怪―・千人―」⇩【造語成分】りき・りょく

りき①【利器】 ❶鋭い△武器（刃物）。↕鈍器 ❷便利な発明物。「文明の―（=電信・電話や航空機など、新たな社会生活を開いた発明物）」

りきえい⓪【力泳】―する（自サ） 〔競泳で〕力一杯泳ぐこと。

りきえん⓪【力演】―する（自サ） △力（熱意）をこめて、演じること。熱演。

りきがく②⓪【力学】 ❶物体間に働く力と物体の運動との関係を論じる、物理学の基礎分野。❷その時どきによって変わる、政治・経済・社会などの面に見られる力関係。「時勢の―に敏感な人/政治―」

りきかん⓪【力感】 動作や作品から感じられる、いかにも力がこもっているという印象。「―あふれた大作」

りきさく⓪【力作】 （その人なりに）全精力を傾けて仕上げたという印象が感じられる作品。

りきし①【力士】 ❶「すもうとり」の意の漢語的表現。❷「金剛力士」の略。

りきせつ⓪【力説】―する（他サ） 特にその点を、強調すること。

りきせん⓪【力戦】―する（自サ） 力一杯戦うこと。力闘。

り

【吏】 （下級の）役人。「吏務・吏道・官吏・公吏・獄吏・税関吏」

【利】 ❶よく切れる。鋭い。「利剣・鋭利」❷△すること（反応）が速い。「利口・利発」❸利益がある。よい。「利運・利点」⇩（本文）り【利】

【里】 ❶人が集まって住む所。さと。いなか。「里道・郷里」❷尺貫法における長さの単位で、三六町（=約三・九キロ）を表わす。「里程・一里塚（ヅカ）」

【〈俚】 △世間で普通に（いなかで）行なわれている。「俚言・俚謡・俚語」

【《厘】 一の百分の一。「毫（ゴウ）厘」 表記 「〈釐」とも書く。

【理】 〔一〕❶（玉をみがくように）物事を、きちんとあるべきように整える。「理事・理髪・処理・管理・調理」❷物の表面に見える筋。模様。「木（モク）理・連理」 〔二〕（略）❶理学。「理工系・理博」❷物理学。「理化学」❸理科。⇩（本文）り【理】

【痢】 はらくだり。はらくだし。「痢病・下（ゲ）痢・赤痢・疫痢」

【裏】 ❶うら。「裏面・表裏」↕表（ヒョウ）❷内側。内面。うち。「脳裏・胸裏・内（ダイ）裏・禁裏」❸そういう状態のうちに。「暗々裏・成功裏」 表記 ❷❸は、「〈裡」とも書く。

【履】 ❶（革で作った）はきもの。「草（ゾウ）履・弊履・木（ボク）履」❷実際に（経験し）行なう。「履行・履歴・履修」

【璃】 梵語（ボンゴ）の音訳字として用いられる。「瑠璃・浄瑠璃・玻（ハ）璃」

【〈罹】 ひどい病気になったり災害などを受けたりする。かかる。「罹災・罹病・罹患」

【離】 ❶はなれる。はなす。「離陸・離合・離島・隔離・距離・電離・分離」❷別れる。「離婚・離縁・別離」

りき

【力】 ❶ちからの限り何かをする。いっしょうけんめい。「力泳・力演・力作・力説・力走」❷作用。はたらき。「力学・力点・万力・馬力」⇩りょく ⇩（本文）りき【力】

りきそうオ[0]―する(自サ) ❶【力走】〔競走で〕力一杯走ること。❷―サウ【力〈漕〉】〔ボートなどを〕力一杯こぐこと。

りきてん[0][3]【力点】てこで力のかかる点。〔主眼とするところや、力を入れる意にも用いられる。例、「…に―〔=強調点〕を置く/―〔=アクセント〕が置かれる」〕⇩作用点・支点

りきとうオ[0]【力投】―する(自サ)〔野球で投手が〕持てる力をすべて発揮して投げること。「A投手の―により大勝」

りきとうオ[0]【力闘】―する(自サ) 戦争や勝負事で全力を出してたたかうこと。

りき・む[2]【力む】(自五) ❶息を詰めて、力をこめる。「力んで持ち上げようとしたが、だめだった」❷気負う。「今度は勝ってみせると力み返った」〔方言としては、いばる意に用いる所もある〕 名力み[3]

りきゅう[0]【離宮】皇居以外に設けられた宮殿。「赤坂―・浜―」

りきゅういろ[0]―キウ―【利休色】緑色を帯びた灰色。

りきゅうこうじゅうオ[4]―キフ―ヂユウ【裏急後重】〔漢方の用語で〕しぶりばら。

りきゅうねずみ[4]―キウ―【利休〈鼠〉】緑色を帯びた鼠色。利休色で鼠色がかったもの。

リキュール[2]〔フ liqueur〕洋酒の一つ。精製したエチルアルコールに砂糖・植物性香油などを加えて作った混合酒。例、キュラソー・ペパーミントなど。

りきょうオ[0]―キヤウ【離京】―する(自サ)〔「京」は、都の意〕△東京(京都)を離れること。↕上京ジョウキョウ

りきょうオ[0]―キヤウ【離郷】―する(自サ) 郷里を離れること。

りきりょうオ[0]―リヤウ【力量】〔「量」も、ちからの意〕何かを十分になしうるかどうかという観点から見た、その面の能力。「―を△高める(問われる・試される)/―に欠ける」

りく《六・陸》→【字音語の造語成分】

*りく[0][2]【陸】地表のうちで、水でなく岩・土などで覆われている部分。「―の孤島/―水・大―・内―」↕海 ⇩【造語成分】

りくあげ[0]【陸揚げ】―する(他サ) 船の荷物を陸へ揚げること。荷揚げ。揚陸ヨウリク。

りぐい[0]―グヒ【利食い・利〈喰〉い】―する(自サ)〔相場で〕転売・買いもどしによって差額をもうけること。

りくう[2][0]【陸羽】〔陸奥ムツの国と出羽デワの国〕東北六県の称。「―東線」

りくうん[0]【陸運】陸上の運送。「―業[3]」↕海運

リクエスト[3]―する(他サ)〔request=要求〕視聴者や来店者・参加者が出す希望・注文。「―曲[5]」

りくかい[0][3]【陸海】❶陸(上)と海(上)。❷陸軍と海軍。「りっかい」とも。「―空[1]-[1]-[1]〔=陸軍と海軍と空軍〕・―軍[3]」

りくぎ[1]【《六義》】古代中国の詩を、内容や様式から分類した六種。風〔=諸国の民謡で、人民が天子の政治を風刺したもの〕・雅〔=天子・諸侯の政治を述べたもの〕・頌ショウ〔=神を祭るに際して、その徳をたたえたもの〕・賦〔=心に受けた感動をそのままに述べたもの〕・比〔=心に感じた事を何かにたとえて述べたもの〕・興〔=自己の心情を何かに託して述べたもの〕を指す。

りくぐん[2]【陸軍】陸上の戦闘・防備に当たる軍隊。⇩海軍・空軍

りくげい[0]【《六芸》】中国の周時代〔=前一〇五〇?～前二五六〕に、士以上の必修科目であった六種の学芸。礼・楽・射〔=弓術〕・御ギョ〔=馬術〕・書・数。

りくごうオ[0]―ガフ【《六合》】〔△天地(上下)と四方の意〕「考えられる全世界としての宇宙」の意の漢語的表現。

りくさん[0]【陸産】〔食品について〕陸上で産する△こと(物)。「―物[3]〔=穀類・野菜・果物など〕」↕海産

りくしょ[1]【《六書》】❶漢字の構成・運用に関する六つの種別。象形ショウケイ・指事・会意・形声〔以上構成〕・仮借カシャ・転注〔以上運用〕。❷⇩りくたい

りくしょうオ[0]―シヤウ【陸相】「陸軍大臣[5]」の別称。

りくしょうオ[0]―シヤウ【陸将】陸上自衛官の階級の最高位。

りくじょうオ[0]―ジヤウ【陸上】陸地の上。↕海上・水上 ―きょうぎオ[5]―キヤウ―【―競技】地上で行なわれる競技。トラック競技・フィールド競技の各種目やマラソン競走など。

りくすい[0]【陸水】〔海水に対して〕陸地に存在するととらえられる水。地表水[2]〔=氷河・川・湖などの水〕と地下水。

りくせい[0]【陸生・陸〈棲〉】―する(自サ)〔動物が〕陸上にすむこと。「―動物[5]」↕水生

りくせん[0]【陸戦】陸上で行なわれる戦い。地上戦。⇩海戦・空中戦 ―たい[0]【―隊】海軍のうちで、敵地に上陸して治安の維持や攻防に任じる部隊。

りくそうオ[0]【陸送】―する(他サ) 陸上の輸送(を行なうこと)。「新車を―する/―屋[0]」

りくぞく[0]【陸続】(副)―と〔人馬の往来などが〕絶えまなく、次から次へと続く様子。「―と仲間がつめかける」

りくたい[0]【《六体》】漢字の六種の書体。大篆ダイテン・小篆ショウテン・八分ハップン・隷書レイショ・行書・草書。六書。

りくだな[0]【陸棚】海岸から、深さ二百メートルぐらいまでの間の、なだらかな海底。りくほう[0]。大陸だな。

りくち[0]【陸地】山・川があり、森・林が茂り、動物が走り歩くことの出来る一帯の地続きの称。

**りくつ[0]【理屈・理窟】❶世の多くの人が社会の現実を念頭に置いて当然だとする考え方。「世間は―通りには行かない/―に合わない/―〔=世間的な物の道理〕の分かった人」❷自分の意見や行動を合理化するための、筋道が立っているように見える理由づけ。「なんとか―を付ける/あいつは―ばかり言って何も仕事をしない/―が成り立つ/―を並べる/―屋[0]・屁へ―」 ―っぽ・い[5](形) 何かにつけて、当面する問題を考える上ではそれほど必要とも思われない理屈をあれこれと言い立てる様子だ。「あの―男には辟易ヘキエキさせられる」 派―さ[5]

りくつづき[3]【陸続き】その二地点間が海や大河で隔てられておらず、陸路で行き来が出来ること。

りくとうオ[0]―タウ【陸島】もと、大陸の一部であったのが、大陸との接続部の陥没により島になったもの。例、日本列島。

りくとうオ[0]―タウ【陸稲】畑で作るイネ。おかぼ。↕水稲

りくどうオ[2]―ダウ【《六道》】⇩ろくどう

りくとうさんりゃく[5]、[0]-[0]―タウ【《六〈韜三略》】太公望が書いたという六韜と、黄石公が書いたという三略。どちらも中国の昔の有名な兵書。〔俗に、とらの巻の意にも用いられる〕

りくなんぷう[3]【陸軟風】夜間吹く陸風。↕海軟風

りくはんきゅう[3]―キウ【陸半球】地球の「半球❷」のうちで、陸の占める面積が最大となるものの称。その中心〔=極〕は、パリの西南西約二二〇キロの北緯四八度、東経三〇分にあり、全面積の四九パーセントが陸で、地球の全陸地の八四パーセントを含む。↕水半球

りくふう[0]【陸封】川で産卵する海の魚の幼魚が、何かの原因でそのまま淡水にとどまってすみつくようになる現象。「ヤマメはサクラマスの―型である」

りくふう[0]【陸風】夜間に陸上から海へ向かって吹く微風。〔広義では、陸地から海洋へ向かって吹く季節風をも指す〕↕海風❷

リクライニングシート[8]〔reclining seat〕〔客車・バ

ス・自動車などで〕後ろに傾くように調節の出来る座席。

りくり①【陸離】―たる 色があざやかで、光りきらめく様子だ。「光彩―たるものがある」

リクリエーション④〔recreation〕⇩レクリエーション

リクルート③〔recruit=新兵募集〕企業などが人材を求めること。人材募集。〔狭義では学生の就職活動を指す。例、「―スーツ」〕

りくろ①【陸路】陸上の交通路。〔交通の手段として陸上を選ぶ意にも用いられる〕⇩海路・空路

りけい⓪【理系】大学の学部などで、数学・物理学・化学などの理科の系統。〔広義では、工学・農学・医学なども含む〕↔文系

リケッチア②〔rickettsia=もと、人名〕細菌より小さくウイルスより少し大きい微生物の総称。発疹(ハッシン)チフス・ツツガムシ病などの病原体。

りけん⓪①【利剣】「鋭いつるぎ」の意の漢語的表現。「降魔(ゴウマ)の―」

りけん⓪【利権】〔業者が政治家・公務員と結託して得る〕利益を伴う権利。「―あさり④・―屋⓪」

りげん⓪【俚言】❶方言の中で、地方的特色のある個々の単語。「―集②」❷俗語。〔❶❷とも「俚語」とも〕↔雅言(ガゲン) 表記 ❶は、「里言」とも書く。

りげん⓪【俚諺】庶民の間で使われることわざ。

りこ①【利己】自分だけの利益をはかること。「―的⓪」↔利他　―しゅぎ③【―主義】自分だけの利益・幸福・快楽を求めて、他人の立場を全く考えない態度。エゴイズム。↔利他主義

りご①【俚語】俚言(リゲン)。

*りこう⓪【利口】・(リカウ)【利巧・〈悧巧〉】―な・―に Ⓐその場その場における判断力にすぐれ的確な対処をすることが出来る様子だ。「よく気がきく―な店員/―な犬/―者(モノ)⓪」Ⓑ判断力にすぐれ要領がよく、状況に応じて適切に対処できる様子だ。「何かにつけて―に立ち回る男だ」 派 ―さ⓪ 運用 「お利口さん」の形で、聞分けがよかったり利発さを感じさせる言動をしたりした子供へのほめ言葉としても用いられる。

りく
【《六》】〔古〕むっつ(の)。「六芸・六書・六義」
【陸】㊀数字の「六」の大字。㊁(略)❶陸軍。陸上自衛隊。「陸相(ショウ)・陸将・陸海」❷絶えまなく続く。「陸続」㊂陸奥(ムツ)国。「陸前・陸中・陸羽」⇩(本文)りく【陸】

りこう⓪【理工】理学と工学。「―学部」

りこう⓪(リカウ)【履行】―する(他サ)契約・義務などで定められたことを、その通りたがえずに実行すること。「契約を―する/忠実に―する/債務―を迫る」

りごう⓪①(リガフ)【離合】―する(自サ)人が集まって仲間を作ることと、別れて仲間が無くなること。　―しゅうさん⓪-⓪①-⓪(シフー)【―集散】人が、離れたり集まったり一緒になったり別れたりすること。「会派が―を繰り返す」

リコーダー⓪②〔recorder〕縦笛の一種。簧(シタ)を持たず、狭い吹き口に息を当てて音を出す。音色は明るくて柔らかい。材質・大きさはさまざまで、簡単なものは小学校で教材として用いられる。かぞえ方 一本

リコール②―する(他サ)〔recall=召還〕❶選挙で選んだ首長・議員などを、住民投票によって、解職を要求出来る△こと(制度)。解職請求。「―運動⑤・―制⓪」❷〔回収する意〕機器の無償点検と異常部品の交換。

リコピン①〔lycopene〕トマトに多く含まれる赤い色素。活性酸素を抑え、癌(ガン)や老化の予防に効果があるといわれる。

リゴリズム③〔rigorism〕自己をきびしく規制して、常に倫理的に生きようとする考え。厳格主義。

りこん⓪【利根】―な 生まれつき賢い△こと(様子)。↔鈍根

りこん⓪【離婚】―する(自サ)夫婦の関係を解消すること。離縁。夫婦別れ。

リコンファーム④―する(自サ)〔reconfirm=再確認する〕飛行機の搭乗日時近くに、予約の再確認を行なうこと。

リサーチ②―する(他サ)〔research〕広く実際に当たって調査・研究すること。「マーケティング―」

リザーブ②⓪―する(他サ)〔reserve=保留〕〔座席やホテルの部屋などを〕前もって取っておくこと。予約。

りさい⓪【罹災】―する(自サ)〔地震・火事・大水などの〕災難にあうこと。被災。「―者②・―民②」

りざい⓪①【理財】〔利益があるように〕財産やお金をうまく動かすこと。「―局・―家⓪」

リサイクリング②〔recycling〕⇩リサイクル

リサイクル②―する(他サ)〔recycle〕いったん使用され廃物となった新聞紙・金属製品などを捨てずに回収して、再び資源として利用すること。リサイクリングとも。〔広義では、日常生活の不用品をそのまま他の者が譲り受けて利用することも指す〕

リサイタル②〔recital〕独奏会。独唱会。

りさげ⓪【利下(げ)】―する(他サ)利子・利率を引き下げること。↔利上げ

りざや⓪【利〈鞘〉】〔取引で〕売り買いの差額として得た、利益金。「―を稼ぐ」

りさん⓪【離散】―する(自サ)一か所に居た人が別れて、離ればなれになること。「一家―する」　―てき⓪【―的】―な・―に〔数学・物理学で〕個々の要素間につながりがなく、離ればなれになっている様子だ。

りし①【利子】お金の貸し借りで、利益供与の見返りとして、△借りた側が貸した側に支払う(貸した側が借りた側から受けとる)お金。元金に対して一定の割合で算出される。利息。「―を付けて返す(=相手から受けた恩恵以上の礼をする)」↔元金(ガンキン・モトキン) 運用 「利子を付けて返すぞ」などの形で、けんかなどで劣勢に立たされた者が、(そのうち)自分がされたこと以上の仕返しをしてやる、の意を込めて、おどしの言葉として用いることがある。

りじ①【俚耳】「世間一般の人の耳(に聴こえる噂話(ウワサバナシ)など)」の意の古語。「―に入りやすい」

りじ①【理事】❶公益法人を代表し、権利を行使して事務を処理する機関。「―会②⓪・常任―⑤」❷団体の事務を取り扱う役職。「―国②」

りしゅう⓪(シウ)【履修】―する(他サ)規定の学科や課程などを定められた期間学ぶこと。「―届④・―登録④」

りしゅう⓪(シウ)【離愁】別れのやるせない悲しみ。

りじゅん⓪【利潤】企業の総収益から一切の必要経費を差し引いた残り。もうけ。「―を△上げる(追求する)」

りしょう⓪(シャウ)【利生】仏が衆生(シュジョウ)に与える利益(リヤク)。

りしょう⓪(シャウ)【離床】―する(自サ)△目がさめて(病気が治って)、寝床を離れること。

りしょう⓪(セウ)【離礁】―する(自サ)船が、乗りあげた暗礁から離れること。

りしょく⓪【利殖】―する(自サ)利子・利益や、土地・株などの値上がりによって財産をふやすこと。「―の道」

りしょく⓪【離職】―する(自サ)その職から離れること。〔退職と失業の婉曲(エンキョク)表現としても用いられる〕

りじん⓪【利刃】「よく切れる△やいば(刀)」の意の漢語的

表現。「—一閃イッセン」

りす①【〈栗鼠〉】 森林にすむ尾がふさ状の小動物。巧みに木の上を活動する。日本固有種のニホンリスは背中が褐色で腹部は白色。きねずみ。〔リス科〕 かぞえ方 一匹

りすい⓪【利水】 ❶水の通りをよくすること。❷水の利用をはかること。水利。「—工事④」「—組合④」

りすい⓪【離水】—する(自サ) 飛行艇などが水面を離れて飛び立つこと。↕着水

りすう②【里数】 里を単位としてかぞえる道のり。里程。

りすう⓪【理数】 理科と数学。「—科⓪」

リスキー①—な〔risky〕 危険がある様子だ。「—な投資」

リスク①〔risk〕〔事業をするのに見込まれる〕危険。「営業上の—/—が△大きい(つきまとう)/—を取る〔=危険を冒カオす〕/ハイ—ハイリターン」

リスト①〔list〕 一覧表。目録。「ブラック—」

リスト①〔wrist〕 手首。特に、手首の力や働き。「—が強い/—バンド③」

リストアップ④—する(他サ)〔和製英語 ←list + up〕 選び出して、△名簿(一覧表)を作ること。

リストカット④〔wrist cut〕 自分の手首を、△自殺(自傷行為)のために切ること。

リストラ⓪〔←リストラクチュアリング (restructuring)=再構成〕 ❶構造改革。特に、企業が部門の統廃合、新しい部門への進出など、事業内容全体を変えること。❷—する(他サ) 企業が人員削減をすること。

リスナー①〔listener〕 (ラジオなどの)聴取者。

リスニング①⓪〔listening=聞くこと〕 ❶〔会話の訓練の一環として〕外国語による実際の会話などを聞いて、その内容を正しく理解すること。⇩ヒアリング ❷オーディオで、音楽鑑賞をすること。「—ルーム」

リスペクト③—する(他サ)〔respect〕 尊敬すること。敬意を表わすこと。「先輩を—する」

リズミカル③②—に—な〔rhythmical〕 律動的。「—に歩く」

***リズム**①〔rhythm〕 音の長短や強弱の組合せが一定の間隔で交互に繰り返されること。「ワルツの—/—に乗る/生活の—が△狂う(失われる)/—感③・—運動④」

リズム アンド ブルース⑧〔rhythm-and-blues〕 アメリカの黒人から始まった音楽の一つ。電気楽器によるバンド形式で、リズムに乗って叫ぶように歌うもの。

リスリン⓪ グリセリンの変化。

り・する②【利する】 ❶(自サ) 利益を得る。ためになる。「外遊は—ところが大きい」 ❷(他サ) ❶利益を得させる。便宜を与える。「社会を—/敵を—」 ❷うまく使う。利用する。「地勢を利して」 利す①(五)。

りせい①【理性】 感情に動かされたりしないで、論理的に考えをまとめたり 物事を判断したりする頭の働き。⇩感性・悟性 **—てき**⓪【—的】—に—な 理性に従って判断・行動する様子だ。↕感情的

りせき⓪【離籍】—する(他サ) 〔民法の旧規定で〕戸主が家族に対して、家族の身分を取り除いたこと。離婚や養子縁組の解消などに基づく。

りせつ⓪【利雪】 雪を資源として有効に活用すること。

リセット②—する(他サ)〔reset=再設定〕 使用中の機器を、始動時の状態に戻すこと。〔コンピューターなど電気機器の場合は、電源を切らずにそうすることを指す〕

りせん⓪【離船】—する(自サ) 乗組員などが、船を離れること。

****りそう**⓪【理想】 実際には実現出来ないとしても、理念としては追求し続けるところの、物事の最も望ましい状態。「高い—を掲げる/—と現実のギャップ/—像②」↕現実 **—か**⓪【—化】—する(他サ) 理想的なものと見なすこと。 **—か**⓪【—家】 現実と妥協せず、常に理想を求めて思索し行動する人。「—肌④」 **—きょう**⓪【—郷】 想像上の、理想的な社会。ユートピア。 **—しゅぎ**④【—主義】 ある理想を持ち、それを実現するためにどこまでも努力していくという考え方。 **—てき**⓪【—的】—に—な 理想に合っている様子だ。「—な生活」

リソース②〔resource=資源・資産〕〔コンピューターで〕稼働させるのに必要な、ハードウェア・ソフトウェア・データなどの環境。

リゾート②〔resort〕 レジャーに人が多く集まる土地。保養地・行楽地など。「—開発」

リゾール②〔ド Lysol〕 クレゾールせっけん液の商標名。消毒に使う。「—水④」

***りそく**⓪【利息】 「利子」の通称。

リゾット①②〔イ risotto〕 イタリア料理の一つ。米をタマネギとともにいため、白ワインやブイヨンを加えて炊き上げた雑炊ゾウスイ風のもの。キノコ・肉・魚介などを入れる。

りそん⓪【離村】—する(自サ) 村を離れ(て移住・出稼ぎす)ること。

りた①【利他】〔もと、阿弥陀仏アミダブツの衆生済度サイドの意から〕他人の△ため(幸福)を第一に考えること。↕利己 **—しゅぎ**③【—主義】 利他を行動の規準とする主義。愛他主義。↕利己主義

リターン②—する(自他サ)〔return〕 ❶戻ること。戻すこと。❷利益。報酬。「ハイリスクハイ—」 ❸〔テニスや卓球などで〕球を打ち返すこと。「—エース⑤」 **—マッチ**⑤〔return match〕〔ボクシングなどで〕タイトルを奪い返すために、もう一度同じ相手とする試合。

リタイア②—する(自サ)〔retire=退く〕 ❶現役を退くこと。❷〔自動車レースなどで〕故障により退場・棄権すること。

リダイヤル②—する(自サ)〔redial〕 直前にかけた電話番号に、再びかけること。

りたつ①⓪【利達】 立身出世。

りだつ⓪【離脱】—する(自サ) 自分が本来属している所から△脱退(脱却)すること。「職場を—する/煩悩—」

りち(律)→【字音語の造語成分】

りち①【理知・理〈智〉】 物事について正しい認識を持ち、それを基に論理的に思考したり 判断したりする能力。 表記 もとの用字は、「理〈智〉」。 **—てき**⓪【—的】—な 理知に従って判断・行動する様子だ。

リチウム②〔ド Lithium〕 金属元素の一つ〔記号 Li 原子番号3〕。外観はマグネシウムに似て、銀白色で軟らかく、金属として最も軽い。電池・ガラス工業用。

りちぎ①【律儀・律義】—に—な まじめ一方で、融通がきかないと思われるほど、自分の信条に忠実な様子だ。「—一点張り/—者ノモ⓪」 派 **—さ**⓪③

りちゃくりく③②【離着陸】—する(自サ) 〔航空機などの〕離陸と着陸。

りつ(立・律・率・慄)→【字音語の造語成分】

りつ①【律】 ❶雅楽で言う音階の名。〔西洋音階のレ・ミ・ソ・ラ・シの配列にあたる〕↕呂ヨリ ❷漢詩の一体。五言律と七言律とがあり、それぞれ八句から成る。律詩。❸〔仏教で〕戒律。❹〔規則の意〕隋ズイ・唐トウおよび日本の王朝時代の基本法典。〔狭義では、刑法を指す〕「—令リョウ」 ❺〔仏教で〕律宗。⇩【造語成分】りつ・りち

***りつ**①【率】 ❶全体を基準として見た、そのものの占める分量の程度。割合。「…の—が高い/合格の—がいい/進学—が低下する/効—・勝—・税—・打—・伸び—・百分—」 ❷〔同じような他の場合に比べて〕有利不利の程度。「—の

り

りつあん[0]【立案】―する(他サ) ❶計画を立てること。「機構改革の―に当たる」 ❷文章の草案を作ること。「法律を―する/―者[3]」

りっか[1][0]【立花】 生け花の生け方の一つ。中心に花木を高く立てる型を基本とする。室町期に始まる最も古い形式のもの。「たてはな[2]」とも。表記「立華」とも書く。

りっか[1]【立夏】 二十四(節)気の一つ。太陽暦五月六日ごろ。暦の上で、夏が始まるとされる日。

りつがん[0]【立願】―する(自サ) 神仏に願をかけること。〔古くは「りゅうがん[0]」〕

りつき[0][3]【利付(き)】〔株式・公債などで〕利子・配当の付くもの。「(五分)―債券」

りっきゃく[0]【立脚】―する(自サ) そのものの(によって立つ立場をそこに求めること。「体験に―して/生きた事実に―する」 **―ち**[4][3]【―地】 新たな活動を始める、また、新たな論を展開する際のよりどころとするところ。

りっきょう[0]【陸橋】 道路・鉄道線路の上などに掛けた橋。〔広義では、歩道橋をも含む〕 かぞえ方 一本

りっけん[0]【立件】―する(他サ) 〔刑事事件で〕起訴するに足る条件が整ったものと捜査当局が判断して、容疑者の逮捕・取り調べなどを始めること。また、その結果を踏まえて、検察官が公訴の手続きに入ること。

りっけん[0]【立憲】 憲法を定めること。 **―せいじ**[5]【―政治】 立憲政体の政治。 **―せいたい**[5]【―政体】 憲法を定め、立法・司法・行政の各独立機関を設けた政体。〔大部分のものは国民の参政権を認める〕

りつげん[0]【立言】―する(自サ) 自分の考えとして述べること。

りっこう[0]【力行】―する(自サ) 誘惑などに負けないで、初志を貫徹すること。「苦学―の士」

りっこう[0]【立項】―する(他サ) 辞典など編纂物の見出しとして、ある語詞を立てること。

りっこうほ[3]【立候補】―する(自サ) ❶候補者として届け出ること。「―者[5]」 ❷候補者や候補地として名乗り出ること。「開催地として―する」

りっこく[0]【《六国》】 中国の春秋戦国時代〔=前七七〇～前二二一〕の斉・楚・燕・韓・魏・趙の六つの国。

りっこく[0]【立国】 ❶建国。「―の精神」 ❷産業などによって国力を盛んにすること。「工業―・観光―[5]」

りっし[1][0]【立志】 生涯の目的を決めて、万難を排しそれをなしとげようと決心すること。「―伝中の人〔=若い時に人に言われぬ苦労を味わい、人一倍の努力を積み重ねて社会にその存在を認められるようになった人〕」

りっし[1]【律師】〔仏教で〕 ❶戒律を保ち、徳望の高い僧。 ❷僧官の一つ。僧都の次。

りっし[0][1]【律詩】 ⇩律❸

りっしゅう[0]【立秋】 二十四(節)気の一つ。太陽暦八月八日ごろ。暦の上で、秋が始まるとされる日。

りっしゅう[1][0]【律宗】「四分律[2]」というお経によって宗義を立てる、仏教の一派。奈良時代に唐の鑑真が伝えた。現在、総本山は唐招提寺。

りっしゅん[0]【立春】 二十四(節)気の一つ。太陽暦二月四日ごろ。暦の上で、春が始まるとされる日。〔八十八夜・二百十日などは、この日から起算する〕

りっしょう[0]【立証】―する(他サ) 証拠をあげてその事実を明らかにすること。「無罪の―」

りっしょく[0]【立食】―する(自サ) カクテル パーティーなどで、席を定めず参加者が自由にテーブル上の好みの飲食物を食べる方式。「―形式の宴会」

りっしん[1]【立身】―する(自サ) 社会的に認められる、いい地位につくこと。 **―しゅっせ**[1]-[0]【―出世】―する(自サ) 立身し、その社会で高い評価を受ける存在となること。

りっしんべん[3]【立心偏】 漢字の部首名の一つ。「愉・快・悟」などの、左側の「忄」の部分。〔立った字形の心の意。ふつうは心部に含める。多く、心や感情の活動に関係のある漢字がこれに属する〕

りっすい[0]【立錐】 細長い錐を一本立てること。 **―のよち**[0]-[1]【―の余地】〔錐を立てるほどの〕ごくわずかな空間。「会場は―も無い〔=もう入る余地がないほど超満員の状態である〕」

りっ・する[3][0]【律する】(他サ) ある規準で判断(し、処理)する。律す[0](五)。「おとなの頭で子供を―/行動を―/自らを厳しく―〔=自分に課題を課し、それが実行出来たかどうかを、自分に問いかける〕/それを反動と律し去る〔=公式的に扱う〕ほど私も単純ではないが」

りつぜん[0]【慄然】―たる ―と 恐ろしさにぞっとする様子だ。

りつぞう[0]【立像】 立っている姿の像。〔古くは「りゅうぞう[0]」〕 ⇩胸像・座像

りったい【立体】 ❶[0] ❶三次元空間の一部分を占め、幅・奥行・高さを持ち一まとまりを形作っているもの。〔有限の広がりを持ち、中身がつまっているものを指すことが多い。幾何学では、「立体図形」の略称〕 ❷〔活字・写真植字で〕「天❺」・「地❸」に垂直に立つ、普通の字体。⇩斜体 ❷(造語) Ⓐ実際にその場に臨んでいる印象を与えるように、前後・上下・左右の広がりが感じられる仕組みに何かを構成する。「―視・―構造・―音楽[5]」 Ⓑ〔幾何学などで〕多く、「三次元空間における」の意味を表わす。「―幾何学・―化学」 **―かん**[3]【―感】 ❶(平面であるのに)立体であるかのように受け止められる感じ。 ❷いかにも奥行きがあるかのような印象を与える状態。 **―きょう**[0]【―鏡】 平面の図形を実物のように立体的に見せる仕組みの装置。実体鏡。 **―こうさ**[5]【―交差】―する(自サ) 〔地上で普通に見られる平面交差と違って〕二つの道の高さを違えて、ぶつからないようにした方式の交差。 **―ずけい**[5]【―図形】〔幾何学で〕現実に存在する立体から、色・硬さ・材質などを無視して、位置と形と大きさだけを考えたもの。例、「直方体・球」。〔空間図形と同義に用いることもある〕 ⇩平面図形・空間図形 **―てき**[0]【―的】―な ―に ❶立体の感じを与える様子だ。 ↕平面的 ❷一つの物

りち

[律] きまり。おきて。「律儀」 ⇩りつ

りつ

[立] ❶たつ。たてる。「立像・立志・立証・立腹・直立・確立・中立・設立」 ❷…が設立した。「国立・市立・村立・公立・私立」 ❸きめる。さだめる。「立憲・立太子」 ❹季節の変わり目になる。「立春・立夏・立秋・立冬」

[律] ❶音楽や詩歌の調子。韻律。「旋律・音律・調律・平均律」 ❷法則。「因果律・周期律」 ❸国家などの組織体で決めたきまり。おきて。「律令・法律・規律・軍律」 ⇩(本文)りつ【律】

[率] ⇩(本文)りつ【率】

[慄] 恐れ・興奮・寒さなどのために体がふるえる。おののく。「慄然・戦慄」

事をいろいろな観点から全体的にとらえる様子だ。**―は**⓪【―派】二十世紀の初め、フランスに起こった美術上の運動。セザンヌの影響から出発し、立体の感じを強く主観的に表現する。立体主義⑤。キュービズム。 **―ほうそう**⑤【―放送】「ステレオ❷」による放送。

りったいし③【立太子】〔時の天皇が〕皇子・皇孫などの中から最も適当な人物を選び、公式に皇太子と決めること。「―礼・―式⑤」

リッチ①―な〔rich=金持の〕△経済的(精神的)に豊かな状態だ。「―〔=裕福〕な生活をしているが、精神までが―〔=充実している〕とは言えない」↔プア 派 **―さ**③④⓪

りっち⓪【立地】―する(自サ) ❶そこで行なう農業・工業などに影響を与える、その土地の地勢・気候・環境など。「―条件④」 ❷建造物などを設置する場所として決めること。「原発が―する自治体」

りっとう⓪【立刀】漢字の部首名の一つ。「刊・列・刻」などの「刂」の部分。〔立った字形の刀の意。多く、刃物やそれに関連する行為を表わす漢字がこれに属する〕

りっとう⓪【立冬】二十四(節)気の一つ。太陽暦十一月八日ごろ。暦の上で、冬が始まるとされる日。

りっとう⓪【立党】―する(自サ) その政党・党派を新しく作ること。「―の精神」

りつどう⓪【律動】―する(自サ) 周期的な動きが認められて、見たり聞いたりする人に快い感じを与えるもの。 **―てき**⓪【―的】―な ―に 一定の周期をもって運動が繰り返される様子だ。リズミカル。「―な響き」

リットル⓪〔フ litre〕メートル法における容積の単位で、一辺が一デシメートル〔=十センチメートル〕の立方体の容積〔=千立方センチメートル〕を表わす〔記号L〕。リッターとも。「デシ―」 表記 「《立」とも書く。「立」は音訳から。「1」「I」などと区別するために「l」でなく「L」と書く。〔「l」「ℓ」とも書かれることがある〕

キロ―③〔フ kilolitre〕メートル法における容積の単位で、千リットルを表わす〔記号kL〕。 表記 「〈竏〉」とも書く。

デシ―③〔フ décilitre〕メートル法における容積の単位で、十分の一リットルを表わす〔記号dL〕。 表記 「〈竕〉」とも書く。 **ミリ―**③〔フ millilitre〕メートル法における容積の単位で、千分の一リットルを表わす〔記号mL〕。〔酒・しょう油などの分量を表わすのに用いられ、cc〔=立方センチメートル〕に等しい〕「一八〇―は約一合に等しい」 表記 「〈竓〉」とも書く。

***りっぱ**⓪【立派】―な ―に 〔因明での用字は、「立破」。相手の説を論破することから〕❶△内容(外観)が優れ、多くの人から称賛を受ける様子だ。「―な家に住んでいる/どこへ出しても恥ずかしくない―な青年だ/―な△人格(業績)」 ❷(予測されていた段階を超えて)最低限必要な条件を満たしており、非難すべき点は無いと評価される様子だ。「失業中とは言え―に生活している/しろうとでこれだけ出来れば―だ/初出場ながら強豪相手に―に戦った/そんな事をすると―な〔=どう見ても疑う余地の無い〕犯罪になる」 派 **―さ**⓪③ 運用 「ご立派」の形で、皮肉やからかいや驚きの気持を含意することがある。例、「七十歳を過ぎてパイロットの資格を取ろうとは、ご立派なことだ」

リップ①〔lip〕❶唇。「―スティック⑤〔=棒状の口紅〕」 ❷口先。「―サービス④〔=主として政治家が、口先だけでうまいことを言うこと〕」

りっぷく⓪【立腹】―する(自サ) 怒りをおぼえて言動や態度などにそれを表わすこと。

りっぽう【立方】❶⓪―する(他サ) 三乗。「―に開く〔=立方根を求める〕」 ❷(造語) 立方体。「二メートル―〔=一辺の長さが二メートルの立方体〕の箱・―メートル〔=体積の単位で、一メートル立方の体積を表わす。立米〕」 **―こん**③【―根】〔数学で〕与えられた数に対し、立方〔=三乗〕するとちょうどその数になる数の称。三乗根。例、二は八の立方根。 **―たい**⓪【―体】〔幾何学で〕縦・横・高さがすべて等しい直方体。正六面体。〔角砂糖・さいころのような形のもので、面は六つあり、すべて正方形〕

りっぽう⓪【立法】〔司法・行政と並ぶ国家権力の行使として〕国会の権限として法律を定める△こと(機能)。また、その定められた法律。「―の精神/―措置を講ずる/―化⓪・時限―」 **―きかん**⑤【―機関】国会など、その国の立法の中心となる機関。 **―けん**③【―権】法を制定する国家の権能。〔立法の手続きは国会が行なう〕⇩司法権・行政権 **―ふ**③【―府】立法機関。〔国会の称〕

りっぽう⓪【律法】❶ 神から与えられた生活や宗教上の規範。宗教法。「―主義⑤」 ❷ 仏教の戒律。

りづめ⓪【理詰め】話や論を純粋に理屈・道理で推し進めること。「―ではいかない」

りつりょ①【律《呂】〔律も呂も雅楽の音階の意〕音楽の調子。

りつりょう⓪【律《令】律と令、すなわち奈良・平安時代の法令。「―制⓪」

りつれい⓪【立礼】立ち上がって行なう敬礼。↔座礼

りつろん⓪【立論】―する(自サ) 議論の筋道を組み立てること。また、その議論。

りてい⓪【里程】道のり。里数。「―標⓪」

りてき⓪【利敵】〔本来味方を守る立場にある者が〕敵の利益になるようなことをすること。「―行為」

リデュース②―する(他サ)〔reduce=削減する〕環境保護の立場から、廃棄物を減らすこと。〔資源を大切にするという考え方から、リサイクル・リユースとともにスリーアール(3R)と呼ばれることがある〕

リテラシー①〔literacy〕❶読み書き能力(の程度)。 ❷〔昔は、読み・書き・そろばんだったが、現代では情報機器を使いこなす能力だとされる〕「コンピューター―」

りてん⓪【利点】利益のある点。有利な点。「―が大きい/地元の―を生かす/数かずの―がある新製品」

りと①【吏《読】ハングルが作られる前の一時期、朝鮮語の助辞を書き表わした漢字。片仮名の最初期の用法に似る。 表記 「吏《道・吏吐」とも書く。

りと①【〈李杜〉】中国唐代〔=六一八～九〇七〕を代表する詩人、李白と杜甫。

りとう⓪【利刀】切れ味の鋭い刀。↔鈍刀

りとう⓪【離党】―する(自サ) 属していた△政党(党派)との関係を絶つこと。↔入党 ⇩脱党

りとう⓪【離島】❶大きな陸地や周辺の島から孤立している島。 ❷―する(自サ) 住んでいた島から離れること。

りどう①【吏道】官吏として当然守り、勤めなければならない道。

りどう⓪①【里道】国道・県道以外の公道の旧称。市町村道。

りとく⓪【利得】「利益」の意のやや古風な表現。「―に走る/不当な―」

リトグラフ③〔lithographの日本語形。「石に描かれた物」が原義〕石版画。石版印刷。 かぞえ方 一点・一枚

リトマス⓪〔litmus〕リトマスゴケ④という地衣類から採った、紫色の色素。アルカリにあうと青くなり、酸にあうと赤くなる。酸・アルカリ性の反応試験用。「―試験紙⑥・―反

り

応⑤」

リトミック③〔フ rythmique〕 心身の調和を目的とした、リズムによる(音楽の)教育法。エミル ジャック ダルクローズの創案。

リトル〔little〕 ❶①リトル リーグの略。「―出身のプロは多い」❷(造語) 小さい。子供の。「―トーキョー④」

リトル リーグ④〔Little League〕 九歳から十二歳までの少年・少女で構成される硬式野球リーグ。

りどん⓪①【利鈍】 ❶刃物などの、鋭いことと鈍いこと。❷賢いことと愚かなこと。

リニア モーター カー⑥〔linear motor car〕 可動部が直線運動をするモーターによる高速の車両。磁石の持つ反発力を利用するものと吸引力を利用するものがある。

りにち⓪【離日】―する(自サ) 外国人が、日本を離れ去ること。↔来日

りにゅう⓪【離乳】―する(自サ) 歯の生え始めた乳児が次第に母乳以外の食物を食べ始めること。「―期②・―食②」

リニューアル②―する(自他サ)〔renewal=再開。回復〕 ❶老朽化した店などを新しく作り直すこと。改装。〔広義では、都市の再開発をも指す〕「―オープン」 ❷契約の更新や期限延長。

りにょう⓪【利尿】(ネウ) 小便の出をよくすること。「―作用のある食品/―剤②⓪」

りにん⓪【離任】―する(自サ) その職務から離れること。退任。↔就任

リネン①〔linen〕 ⇨リンネル

りねん①【理念】 何を最高のものとするかについての、その△人(面で)の根本的な考え方。「文化国家の―を掲げる/―に△沿う(徹する)/…の―に支えられる」

りのう⓪【離農】―する(自サ) 農民が農業をやめて別の職業につくこと。

リノベーション③―する(他サ)〔renovation〕 ❶改革。刷新。❷修理。改築。❸〔建築で〕建物を大規模に改装し、建築物に新しい価値を加えること。〔小規模な補修を意味するリフォームと対比的に使われる〕

リノリウム③〔linoleum〕 乾性油に樹脂・ゴム・コルクの粉などを練り合わせて布におしつけたもの。敷物用。

リハーサル②⓪〔rehearsal〕〔演劇・演奏・映画撮影・放送などの〕下げいこ。練習。

リバーシブル②〔reversible〕〔洋服・布などで〕表裏両面が使用出来る(ようになっている)もの。「―コート⑦」

リバイバル②―する(自サ)〔revival〕 復活。再流行。「―ブーム⑥」

リバウンド⓪②―する(自サ)〔rebound〕 ❶〔バスケットボールで〕シュートしたボールがリングなどに当たってはねかえること。また、そのボールを奪うこと。❷ダイエットをやめたあと、一度減った体重が再び増えること。❸治療や投薬をやめたあと、かえって病状が悪化すること。

りはつ⓪【利発・(悧発)】―な/―に 〔利口発明の意〕〔その年齢の子供としては〕賢い様子だ。「―な少年」 派―さ⓪③

りはつ⓪【理髪】―する(自サ) 〔おもに男性の〕髪を刈って髪の形を整えたり ひげなどをそったり すること。「―店③」

りはっちゃく②【離発着】―する(自サ) 〔空港で〕航空機の出発と到着。「羽田を―する便」

リバノール③〔ド Rivanol=日本薬局方「アクリノール④」の商品名〕 黄色い結晶をした薬品。水溶液を、傷口の殺菌や消毒などに使う。

りはば⓪【利幅】 利益になる大きさ。「―の大きい商い」

リハビリテーション⑤〔rehabilitation=復旧・復職〕 長期療養者・身体障害者などを社会生活に復帰させるための指導・訓練。略してリハビリ⓪。

りばらい②【利払(い)】(バラヒ) 利子の支払い。

りはん⓪【離反・離(叛)】―する(自サ) 今まで従っていた者や組織・機関などから離れそむくこと。「人心が―する」

りひ①【理非】 道理にかなうことと かなわないこと。「―曲直を論ずる」

リピーター⓪②〔repeater〕 ❶繰り返し行なう人。「―医師〔=医療過誤を繰り返す医師〕」 ❷同じ土地に何度も旅行したり 同じホテルやレストランなどを繰り返し利用したりする人。

リピート②⓪―する(他サ)〔repeat〕 ❶繰り返すこと。「昨日習ったことを―〔=復習〕する」 ❷〔楽譜で〕曲の一部または全部を繰り返して演奏すること。また、その記号。反復記号。

リビドー①②〔ラ libido〕〔精神分析学で〕人間の行動のもとになる性的欲望。性衝動③。リビド①とも。

りびょう⓪【(罹病)】(ビヤウ)―する(自サ) 病気にかかること。罹患(リカン)。「―率②」

リビング ❶(造語)〔living〕 生活すること。暮らすこと。「―ルーム⑤〔=(洋風の)居間〕・モダン―④〔=近代(的)生活〕」 ❷①リビングルームの略。 **―ウイル**⑥〔living will〕 不治の病気などの場合、尊厳死を希望することをあらかじめ表明しておく△こと(文書)。⇩尊厳死 **―キッチン**⑤〔和製英語 ←living + kitchen〕 ダイニング キッチンを大きくして居間としても使えるようにした部屋。

リファイン②―する(他サ)〔refine〕 洗練。

リフォーム②―する(他サ)〔reform=改善・改良〕 ❶仕立て直して、流行に合うようにしたり 別の用途に合うように改めたりすること。リホームとも。「着物を―してワンピースにする」 ❷建物の増改築や模様替え。

りふじん②【理不尽】―な/―に 筋の通った論拠に基づくことなく、弱い立場にある相手に有無を言わさず自分の方の主張を一方的に通そうとする様子だ。「軍事大国の―な要求/―な処遇」 派―さ⓪③

りふだ①【利札】 利子を支払う証拠として、債券に刷りこまれ、一枚一枚切り放せる、小さな札。「りさつ」とも。〔債券の電子化前に用いられた〕

リフト①〔lift=持ち上げる〕 ❶スキー客や観光客を、腰掛けたままで山の上へ運んだり麓(フモト)へ下ろしたり する装置。❷店で商品や料理を、また、図書館で本を上の階に運び上げる、小型のエレベーター。❸荷物を上げ下ろしする機械。「フォークー」 ❹〔ダンスやフィギュア スケートで〕パートナーを持ち上げる演技。 かぞえ方 ❶❷とも一基

リプリント③―する(他サ)〔reprint〕 (出版物の)複製。

リフレーション③〔reflation〕 デフレから脱却したが過度なインフレにはならず、物価が安定した状態のこと。また、そうなるように通貨を調節すること。略してリフレ⓪。

リフレーン③〔refrain〕 詩歌や楽曲の終りの繰返しの部分。〔フランス語に基づく形は、ルフラン①③〕

リフレッシュ③―する(他サ)〔refresh〕 休んだり 好きな事をしたり して、心身を爽快(ソウカイ)にし、疲れを一掃すること。「―休暇⑥」

リペア②〔repair〕 修繕。修理。「―ショップ④」

リベート②⓪〔rebate〕 ❶支払い代金や利子などの一部を支払人に戻すこと。また、その金銭。割戻し(金)。❷世話料。手数料。「―を取る」

りべつ⓪【離別】―する(自サ) 愛する人と別れること。〔狭義では、離婚を指す〕

リベット②〔rivet〕 金属板をつぎ合わせるのに使う大型の

り

鋲ビョウ。短くて丸いはがねの棒で、まんじゅう形の頭を持つ。「地を響かす―打ちの音」かぞえ方 一本

リベラリスト④[liberalist] 自由主義者。「オールドー」

リベラリズム④[liberalism] 自由主義。

リベラル①―な[liberal] ➊△自由(寛大)な様子。「―な△考え(風潮)」 ➋自由主義的。

リベロ①[イ libero=自由な] ➊[サッカーで]通常はゴール前で守備に当たるが、機に応じて積極的に攻撃に参加する攻撃的なポジション。 ➋[バレーボールで]レシーブ専門の選手。サーブや攻撃的なプレーは禁止されているが、何度でも後衛の選手と交代できる。

りべん⓪【利便】 それを使って直接何かに役立てることが出来ること。「交通の―が悪い(=交通が不便だ)/―を図る[=好都合に事が運ぶような方法を講じる]」

リベンジ②―する(自サ)[revenge=復讐フクシュウ] 負けたり失敗したりした物事にもう一度挑戦し、雪辱を果たそうとすること。

リポイド②[lipoid] 動植物の細胞に含まれる、脂肪やそれに似た物質。類脂質③。

りほう⓪①【理法】ハフ 道理にかなったきまり。「自然の―」

リポーター⓪②[reporter] ⇨レポーター

リポート②⓪―する(他サ)[report] ⇨レポート

リボばらい③【リボ払い】バラヒ [リボ←revolving=回転] 決められた月間利用限度枠の中でクレジットカードやキャッシングサービスを利用し、返済は一定の額や率で毎月支払っていく方式。リボルビング ローン⑦とも。

***リボン**①[ribbon] ➊平紐ヒラヒモ状の織物。帽子・髪・贈り物などにつけて飾りにする。 ➋[タイプライターなどで]印字用のインクをしみ込ませたテープ。かぞえ方 ➊➋とも一本

リマスター②―する(自他サ)[remaster] 古くなった原盤などを新しく作り直すこと。「デジタル―⑥」

りまわり②【利回り】マハリ △利子(配当)の、元金や相場などに対する割合。

リミット①[limit] 何かの状態を持続出来る限界。「タイムー」

リム①[rim] 車輪の外枠。自転車などではここにタイヤをつける。

りむ①【吏務】 役人としての職務。「―を忠実に果たす」

リムジン①[limousine] ➊大型の高級箱型乗用車。運転席と客席との間にガラスの仕切りがある。 ➋空港送迎バス⑨。リムジンバス⑤。

リメイク②―する(他サ)[remake] 作り直すこと。改作。リメークとも。[狭義では、既に作られた映画作品の再映画化を指す]

***りめん**①⓪【裏面】 ➊その物を正面から見た時に、反対側を向いている部分。うらめん。「封筒の―」↔表面 ➋なんらかの事情で、一般には△知られ(知らせ)ない部分。「―史②・―工作④」

リモート コントロール⑧―する(他サ)[remote control] 離れた所から自由に△動かす(操る)こと。遠隔操作。略してリモコン、アール シー(RC)。「この機械は―出来る/だれかが―している」

リモコン⓪ リモートコントロール(用の装置)。

リヤカー③② ⇨リア カー

りゃく(△掠・略)→【字音語の造語成分】

りゃく②①【略】 ➊何かの関係で(不要な部分を)省くこと。「以下―/前―」 ➋【造語成分】

りやく①【利益】 ⇨ごりやく

りゃくが⓪【略画】グヮ その物の特徴を示す輪郭だけをかいた絵。

りゃくぎ⓪①【略儀】 期待される手続きをきちんと踏んでいないこと。「―ながら⓪①(手紙文でよく使う)」

りゃくげん⓪【略言】 ➊―する(他サ) 言葉を少なくして、あらましを言うこと。↔詳言 ➋語が複合する時、中間部分の音節が一つ省かれること。「くすりし」が「くすし」となる類。

りゃくご⓪【略語】 日常の社会生活で使う長い語を、その一部分だけで簡略に言う語。例、「国際連合」を「国連」、「ストライキ」を「スト」、「パーソナル コンピューター」を「パソコン」と言う類。[広義では、「PTA」・「USA」の類や、この辞書で約束として使う諸記号なども指す]

りゃくごう⓪【略号】ガウ 何回も使う言葉の代りに、ある約束で表わす簡単な記号。電動普通車の「モハ」、校正記号の「イキ」「ママ」、野球で三振を表わす「K」など。

りゃくじ⓪【略字】 ➊点・画カクの一部を省いたり変化させたりした簡略な字体。「關」を「関」、「應」を「応」とする類。略体。略筆。↔正字 ➋「NHK(日本放送協会)」など、ローマ字による略記。

りゃくしき⓪【略式】 △目的(雰囲気)を損なわぬ範囲内での簡略なやり方。「―の服装/―起訴」↔正式

りゃくしゅ①【略取・(△掠取)】―する(他サ) 奪い取ること。[法律では、暴行や脅迫などによって、無理やり連れ去ることを指す。例、「―誘拐罪①-③、⑥」]

りゃくじゅ①⓪【略(綬)】 勲章・記章の代りにつける(それと同じ色の)略式のしるし。

りゃくじゅつ⓪【略述】―する(他サ) 大体を述べること。↔詳述

りゃくしょ⓪①【略書】―する(他サ) 簡略に△書くこと(書いたもの)。

りゃくしょう⓪【略称】―する(他サ) 正式の呼び名の代りに使う、簡略な通称。また、その通称で呼ぶこと。「東京大学」を「東大」、「日本放送協会」を「NHK」と呼ぶ類。

りゃくしょう⓪【略章】シャウ 正式の△勲章(記章)の代りにつける、同色で小形のもの。

りゃく・す②【略す】(他五) ➊当面重要でない部分を除く。「この間カンの手続きは―ことにしまして」 ➋(△長(複雑)過ぎるものについて)切り詰めて、簡単にする。「『日本美術展覧会』を『日展』と―/漢字を略して(=書きやすい字体で)書く」 ➌「攻略する」意の古風な表現。「城を―」[やや改まった表現は、略する③(サ変)]

りゃくず⓪【略図】ヅ 必要部分だけを簡略に書いた図。

りゃくせつ⓪【略説】―する(他サ) 要点に限って説明すること。また、その説明。↔詳説

りゃくそう⓪【略装】サウ 略式の服装。↔正装

りゃくたい⓪【略体】 略した字体。略字。

りゃくだつ⓪【略奪・(△掠奪)】―する(他サ)[戦争・暴動などで]△住民(非戦闘員)の財貨などをほしいままに奪い取ること。

りゃくでん⓪【略伝】 簡略な伝記。↔詳伝

りゃくひつ⓪【略筆】 ➊―する(他サ) 必要な大筋だけを△書くこと(書いた文章)。 ➋略字。

りゃくひょう⓪【略表】ヘウ 簡略に記した表。

りゃくふ⓪【略譜】 ➊概略を記した系譜。 ➋算用数字で表わした、略式の楽譜。↔本譜

りゃくふく⓪【略服】 略式の服装。

りゃくほう⓪【略報】―する(他サ) 重要な点や大筋だけを重点的に取り上げて述べた△報告(報道)。↔詳報

りゃくぼう⓪【略帽】 戦闘帽。↔正帽

りゃくほんれき③【略本暦】 ⇨略暦

りゃくれき⓪【略暦】[↑略本暦] 本暦を簡略にして、一般の人が使用しやすい形にまとめたもの。[本暦と違い、発

り

行主体は私人だった〕↕本暦

りゃくれき⓪【略歴】大体の経歴(を記したもの)。

りゃっかい⓪【略解】—する(他サ) 要領を得た解釈(をすること)。「りゃくかい」とも。〔古典の注釈書の名に多く用いられる。古くは、「りゃくげ⓪」〕↕詳解

りゃっき⓪①【略記】—する(他サ) 略して簡単に△記すこと(記したもの)。「—法⓪〔=『五十三』を『五三』、『百二十』を『一二〇』と書くなど、位取りによる記数法〕」↕詳記

リャン①〔中国・両〕二。ふたつ。

リャンコ①〔中国・両個〕❶二個。二つ。❷〔江戸時代「武士」の隠語。二本差し。〔リャンは、「両」の唐音〕

りゅう〔立・柳・流・留・竜・粒・隆・硫・〈旒・〈溜・〈瘤〕→【字音語の造語成分】

りゅう①【竜】❶想像上の動物。水中にすみ、形は大きなトカゲに似て、胴体が長く二つの角とひげと四本の足がある。自由に飛行して雲を起こし、雨を降らすという。たつ。「りょう」とも。❷〔将棋で〕「竜王」の略。表記「〈龍」は、旧字体。

**りゅう⓪【理由】❶その△人(時)の行為を正当化し根拠づけるものやこと。「—の無い非難/その—に挙げる/—を明らかにする/—が希薄になる/—に乏しい/—づけ⓪」❷何がもとになってその事柄が起きたかについて、理屈でつじつまを合わせたもの。「風邪を—〔=口実〕に欠勤した」かぞえ方 ❶は一匹・一頭 ⇩【造語成分】

りゅうあん①⓪【硫安】「硫酸アンモニウム」の略。表記「安」は、音訳。

りゅうあんかめい⑤、⓪-⓪【柳暗花明】〔柳が茂って陰がほの暗く感じられ、花が色あざやかに咲いている春の野の眺め、の意〕「花柳街」の異称。「—の巷」

りゅうい①【留意】—する(自サ) 無視することが無いように気をつけること。また、そのように言動すること。「健康に—する」

*__りゅういき__⓪【流域】その川の流れに沿った一帯の地域。

りゃく

【〈掠】他人の物を奪いとる。かすめとる。「掠奪・殺掠・侵掠」

【略】❶はかりごと。考え。「計略・戦略」❷攻めとる。かすめとる。「攻略・侵略」❸目的を達する限度内で、△手間(細部の叙述)を省くこと。「略式・大略」表記 ❷は、「〈掠」とも書く。⇩(本文)りゃく【略】

りゅう

【立】[一]たてる。たつ。「立願・建立」[二](略) 立方。「開立・立米」⇩りつ

【柳】❶シダレヤナギ。「柳絮・楊柳」❷ヤナギのような。「柳眉・柳腰・蒲柳」

【流】❶〔水などが〕ながれる。ながす。「流水・流血・逆流・放流」❷〔川・潮・電気などの〕ながれ。〔かぞえる時にも用いられる〕「本流・上流・暖流・電流」❸さまよいあるく。さすらう。「流民・流離」❹世間に伝わる。「流行・流言」❺成りたたないでしまう。形を成さずに終わる。「流会・流産」❻流派。〔かぞえる時にも用いられる〕「小笠原流」❼しかた。様式。〔多く、好ましくないやり方として批判されることを表わす〕「自己流・我流・金釘流」❽社会階層・等級を表わす語。「一流の人物」❾よどみなく行なわれる。「流麗・流暢」⇩る

【留】❶立ち去らずにその場にいる。とまる。とめる。「留学・留鳥・留任・慰留・駐留・逗留・抑留・保留・停留所」❷純粋な成分をとること。「乾留・蒸留・分留」表記 ❷は、もと「溜」と書いた。

【竜】❶天子に関する物事について言う語。「竜顔」❷竜のように特別すぐれている。「竜馬」⇩(本文)りゅう【竜】

【粒】穀物の種子(のように小さくて丸い物)。つぶ。〔かぞえる時にも用いられる。例、「丸薬三粒」〕「粒食・顆粒・根粒・微粒子」

【隆】❶たかくなる。たかくする。「隆起・隆鼻術」❷さかんになる。栄える。「隆盛・興隆」

【硫】[一]いおう(硫黄)。「硫酸・硫化水素・脱硫」[二](略) 硫酸。「硫安」

【〈旒】はた。〔かぞえる時にも用いられる〕「旗旒信号」

【〈溜】❶たまる。ため。「溜水」❷とどこおる。「溜飲」❸したたり落ちる。「蒸溜」⇩留❷

【〈瘤】病気などのため、こぶのように高く盛りあがったもの。「根瘤・静脈瘤」

りゅういん⓪【留飲・〈溜飲】〔漢方で〕飲食物がよく消化されずに、胃の中にたまって、すっぱい液が出て来ること。また、その液。「—が下がる〔=わだかまりや不満が解消する〕」

りゅうえい⓪【柳営】〔漢の将軍周亜夫が細柳という地に陣を構えた故事から〕「将軍の陣営・幕府」の意の別称。〔狭義では、将軍(家)を指す〕

りゅうおう③【竜王】❶竜神。「八大—雨やめたまへ」❷〔将棋で〕飛車が成ったもの。斜めに一格ずつ動けるようにもなる。略して「竜」。

りゅうか①⓪【流下】—する(自他サ) 流れ下ること。流し下すこと。「—物③」

りゅうか⓪【硫化】硫黄と化合すること。「—銀③・—水素④」

りゅうかい⓪【流会】—する(自サ) 〔出席者の数が少なくて〕会合や会議が成立せず、中止になること。

りゅうがく⓪【留学】—する(自サ) 外国など、よその土地にある期間とどまって専門の知識を習得すること。「—生④③・内地—④・自費—③」

りゅうかん⓪【流汗】「流れる汗」の意の漢語的表現。「—淋漓として」

りゅうかん⓪【流感】「流行性感冒」の略。

りゅうがん⓪【竜眼】三、四月ごろ、白色・小粒の花を開く常緑高木。径二〜三センチの球形、橙色の実を結ぶ。中国南部の原産。〔ムクロジ科〕かぞえ方 一株・一本

—**にく**③【—肉】竜眼の実の果肉。食用・薬用。

りゅうがん⓪【竜顔】〔頬骨が秀でた高貴の骨相、の意〕「天皇の顔」の意の漢語的表現。〔古くは、「りょうがん」〕

りゅうき①【隆起】—する(自サ) 周囲に比べてその部分だけが高く盛り上がること。「土地の—」

りゅうぎ③①【流儀】その△人(流派・時代・地方)独特のやり方。「昔の—/私の—でやらせてもらいます」

りゅうきへい③【竜騎兵】〔昔、欧州で〕銃を持った騎馬の兵隊。

りゅうぐう⓪【流〈寓】—する(自サ) 住むべき所が無くて、あちこちさすらうこと。

りゅうぐう③【竜宮】深海の底にあって竜神や乙姫が住むという宮殿。竜宮城⓪。

りゅうけい⓪【流刑】罪人を遠方の△島(土地)に追い

やった刑罰。るざい。島流し。「るけい」とも。「―に処する」

りゅうけつ⓪【流血】不測の事故やけんか・戦闘などで死者やけが人が出ること。「―の惨事」

りゅうげん⓪【流言】根拠の無いうわさ。デマ。流説。「―にまどわされる」 **―ひご**⑤【―飛語・―〈蜚語〉】根拠が無いのに、言いふらされるうわさ話。扇動的な宣伝。デマ。

りゅうこ①【竜虎】〔竜と虎の意〕互いにまさり劣りが無く、天下を二分する英雄。〔古くは「りょうこ」〕「―相搏つ」

***りゅうこう**⓪【流行】―する(自サ)〈どこニ〉〔時とともに変わる意。⇩不易〕ある事物や現象が一時的に急速な勢いでその社会に広まり、多くの人がその影響を受けること。「インフルエンザの―/―に惑わされる/―色③・―語⓪」 **―か**③【―歌】その時どきの一般大衆の生活感情を反映しているものとして、多くの人に受け入れられる歌謡曲。はやりうた。 **―じ**③【―児】一時期評判になり、多くの人にもてはやされる人。「文壇の―」 **―せいかんぼう**⑦【―性感冒】インフルエンザ。略して「流感」。 **―びょう**⓪【―病】急激な勢いで伝染して多くの人がかかる病気。はやりやまい④。

りゅうこつ⓪【竜骨】❶地質時代にいた大きな動物マストドンなどの骨の化石。〔昔の人は「竜の骨」と思っていた〕❷船首から船尾にかけて船底の中心をまっすぐに通した主要材。キール。

りゅうさ①【流砂】⇩りゅうしゃ

りゅうさん⓪【硫酸】硫黄・酸素・水素が化合した、強い酸性の液。無色・無臭で粘りけが強く、水に交ぜると多量の熱を出す。化学工業用。〔化学式 H_2SO_4〕 **―アルミニウム**⑧ アルミニウムの硫酸塩。無色の結晶。水に溶け、水溶液は弱酸性。媒染剤・皮なめし・浄水・泡沫消化剤・医薬として広く用いられる。 **―アンモニウム**⑧ アンモニアを硫酸に吸収させて作る、白色の結晶。代表的な窒素質の肥料。硫安。 **―えん**③【―塩】硫酸中の水素△二(二)個が金属に置き換えられた化合物。 **―し**③【―紙】硫酸につけて半透明にした、なめらかな洋紙。バター・薬品などの包装用。

りゅうざん①【流産】―する(自サ) 妊娠二十二週未満で、胎児が死んで生まれること。〔計画した事が完成しないうちにだめになる意にも用いられた〕

りゅうし①【柳枝】「柳の枝」の意の漢語的表現。〔「女性の細くしなやかな腰つき」の意にも用いられる〕

りゅうし①【粒子】その物質を作っている細かい粒の一つひとつ。「おしろいの―/微―」 **―せん**⓪【―線】放射線の一つで、粒子が一定方向に束になって飛ぶもの。電子線・陽子線・中性子線などがある。〔正確な位置に照射できるため、がんの治療に利用される〕

りゅうしつ⓪【流失】―する(自サ)〔大水などで〕家・橋などが流されて無くなること。「家屋の―」

りゅうしゃ①【流砂・流〈沙〉】❶水の流れに流されて運ばれた砂。❷砂漠。〔❶❷とも「りゅうさ」とも〕

りゅうしゃく⓪【留〈錫〉】―する(自サ) 行脚の僧が行く先ざきの寺にとまること。

リュージュ①〔フ luge〕小型の強化プラスチック製のそり(を使った冬季オリンピック競技種目の一つ)。凍らせたコースを かじ無しで滑り降りる。トボガン①。

りゅうしゅつ⓪【流出】―する(自他サ) ❶そこに収まっていたものが△水勢に押し流されて(隔壁が破れるなどして)他の場所に移動すること。「土砂の―/タンカーの石油―事故」 ❷内部にとどまっていてほしいものが一時に多く△国外(その組織の外部)に出る。「金の国外―/頭脳の―が相次ぐ」 ↔流入

りゅうしゅつ⓪【留出・〈溜出〉】―する(自他サ) 蒸留の時、液体となってしたたり△出る(出させる)こと。

りゅうじょ①【柳〈絮〉】綿毛を持ったヤナギの種が、綿屑のように飛び散るもの。

りゅうしょう⓪【隆〈昌〉】大いに栄えること。隆盛。「国運の―」

りゅうじょうこはく⑤【竜〈攘〉虎〈搏〉】〔「攘」ははらう、「搏」は打つ意。竜と虎が戦うことから〕「強い者同士が激しく戦う」意の古風な表現。

りゅうしょく⓪【粒食】穀物を、粒のままで食べること。↔粉食

りゅうじん⓪【竜神】仏法を守り雨を降らせ水を守るという、竜の形をした神。竜王。

リユース②―する(他サ)〔reuse〕〔いったん使用されたペットボトル・空きかん・空きびんなどを〕再使用すること。

りゅうず⓪【竜頭】❶吊鐘をつるすために、鐘の上につけてある竜の頭の形をした部分。❷腕時計・懐中時計のぜんまいを巻くためのつまみ。「―を巻く」

りゅうすい⓪【流水】流れ△ていく(る)水。「行雲―」 ↔静水・止水

りゅうすい⓪【〈溜水〉】「たまりみず」の意の漢語的表現。

りゅうせい⓪【流星】急に空に現われ快速力で光りながら落下する、天体の破片。ながれぼし。〔引力によって地球に引きつけられ、大気圏に突入し、大気と摩擦して発光したもの〕⇩隕石

りゅうせい⓪【隆盛】―な 〔国家や、その国の文化などの〕勢いが他を圧して盛んな△こと(様子)。

りゅうせつ⓪【流説】流言。

りゅうぜつらん④【竜舌〈蘭〉】細長く厚くて、堅い葉を持つ常緑多年草。ふちが白くほつれたようになっている。メキシコ原産で観賞用。汁からテキーラを作る。〔キジカクシ科(旧リュウゼツラン科)〕 かぞえ方 一本

りゅうせんけい⓪【流線形・流線型】水・空気の中を運動する時、抵抗が最も少なくなるような物体の形。魚・鳥の体形および、これにならった自動車・機関車・ロケットなどに見られる。

りゅうぜんこう③【竜〈涎香〉】マッコウクジラの胆嚢結石から作る香料。かおりはジャコウに似る。

りゅうそく⓪【流速】△水(流体)の流れの速さ。

りゅうぞく⓪【流俗】ごくありふれた世間一般。また、そこに生きる人。

りゅうたい⓪【流体】気体と液体との総称。「―力学⑥⑤」

りゅうたい⓪【隆替】―する(自サ) 盛衰。「一国の―」

りゅうたく⓪【流〈謫〉】罪によって遠方の△島(土地)へ追いやられること。「るたく」とも。「―の身/―の地」

りゅうだん⓪【流弾】「流れだま」の意の漢語的表現。

りゅうだん⓪【〈榴弾〉】砲弾の一種。中に炸薬を詰めて、命中と同時にさけ散らせるもの。破壊力が強い。

りゅうち⓪①【留置】―する(他サ)〔取り調べるために〕犯罪容疑者を警察署の中にとどめておくこと。 **―しせつ**④【―施設】容疑者を留置する刑事収容施設。〔「留置場」の改称〕 **―じょう**⓪【―場】「留置施設」の旧称、また俗称。

りゅうちょう①【流〈暢〉】―に ―な〔中身があるかどうかは別として〕聞く耳に抵抗感がなく、途中でつかえたりしないように話す様子だ。「英語を―に話す/―な話し方だったが、

内容は必ずしもいただけなかった」 派 **―さ**⓪③

りゅうちょう⓪【留鳥】 季節による移動をせず一年じゅう、同一地域にとどまる鳥。例、カラス・スズメなど。⇩渡り鳥・漂鳥

りゅうつう⓪【流通】―する(自サ) ❶空気や水などが他の空間へ流れること。「空気の―が悪い」 ❷〔通貨・手形・証券などが〕広く世間に通用すること。「―貨幣⑤」 ❸商品の売り買いが正常に行なわれること。「―経路⑤・―経済⑤・―機構⑤⑥〔=品物が生産者から消費者へ渡るまでの仕組み〕」

りゅうつぼ⓪【立坪】 尺貫法における土砂などの容積の単位で、一辺が一間の立方体の容積〔=約六・〇一立方メートル〕を表わす。「りっつぼ⓪」とも。

りゅうてい⓪【流〈涕】―する(自サ) 「〔感極まって〕涙を流して泣く」意の古風な表現。「―焦がれ泣き給ふ」

りゅうでん⓪【流伝】―する(自サ) 世間に伝わり広まること。〔古くは、「るでん⓪」〕

りゅうと①(副) 服装などが見た目にりっぱで、際立った印象を与える様子。「―した身なりの紳士」

りゅうとう⓪【流灯】 「灯籠流し」の意の古風な表現。流灯会③。

りゅうとう⓪【竜灯】 ❶特定区域の海上に深夜 明りがつながったように見える現象。海中の燐光の作用とも、漁火による蜃気楼現象ともいう。有明海のものが有名。 ❷神社でともす神灯。

りゅうどう⓪【流動】―する(自サ) その時どきの条件に応じて動き変わること。「―性⓪」 **―しさん**⑤【―資産】 現金と、現金化の容易な資産。預金・売掛金、一年以内で満期になる債券など。⇩固定資産 **―しほん**⑤【―資本】 一回の使用でその機能を果たす資本。材料・商品・賃金など。↕固定資本 **―しょく**③【―食】 消化しやすい液状の食物。例、おもゆ・牛乳。流動物。 **―たい**⓪【―体】 流体。特に、濃い液体を指す。 **―てき**⓪【―的】―な・―に その時どきの条件に左右されて絶えず変化する様子だ。「情勢は―だ/戦況は―だ〔=どちらが優勢ともにわかに言いがたいほど目まぐるしく変わる様子だ〕」 **―ぶつ**③【―物】 ❶水のように、流れやすい状態のもの。液状のもの。 ❷流動食。

りゅうとうだび⑤【竜頭蛇尾】 初めはすさまじい勢いだが、終りは奮わない△こと(様子)。「りょうとうだび」とも。「―に終わる」

りゅうどすい③【竜吐水】 ❶昔の消火器の名。水を入れた箱の中に押上げポンプを装置したもの。 ❷水鉄砲。

りゅうにち⓪【留日】―する(自サ) 外国人が日本に留学すること。「―学生⑤」

りゅうにゅう⓪【流入】―する(自サ) 水・気体や水勢に押し流された何かが、その場所に入りこむこと。〔一時に多くのものが△国内(その組織の内部)に入りこむ意にも用いられる。例、「外資の―」〕↕流出

りゅうにん⓪【留任】―する(自サ) やめずに、今の官職や役目を続けること。「―運動⑤」⇩辞任

りゅうねん⓪【留年】―する(自サ) 〔大学生が〕単位不足のため、もとの学年にとどまったり 期限になっても卒業出来なかったり 個人的な事由で卒業を延期したりすること。

りゅうのう①⓪【竜脳】 竜脳樹〔=スマトラ・カリマンタン島産のフタバガキ科の常緑高木〕の樹液からとった白い結晶。樟脳に似たにおいがする。香料・医薬用。

りゅうのひげ①【竜の〈髭・竜の〈鬚】 ジャノヒゲの異称。

りゅうは①【流派】 〔芸術・芸道・技芸などで〕主義や方法などの違いによって分かれた、それぞれの仲間。

りゅうび①【柳眉】 ヤナギの葉のように細くてきれいな美人のまゆ。「―をさか立てる〔=美人が怒る形容〕」

りゅうびじゅつ③【隆鼻術】 合成樹脂などを入れて、鼻を高くする形成外科手術。

りゅうひょう⓪【流氷】 寒帯地方において、海水の凍結による氷が割れて、凍っていない海へ流れ出たもの。

りゅうへい⓪【流弊】 「広く世の中に行なわれる、悪いならわし」の意の漢語的表現。

りゅうべい①【立米】 「立方メートル」の圧縮表現。〔「りゅうべ」は短呼形〕

りゅうべつ⓪【留別】―する(自サ) 去る人が、後にとどまる人に別れを告げること。「―会④③⓪」↕送別

りゅうほ①【留保】―する(他サ) ❶すぐにそうしないで、一時さしひかえること。「回答を―する/―つき(の)」 ❷〔国際法で〕条約に加わっている国が、自分の国については適用に制限をつけると言い出すこと。

りゅうぼく⓪【流木】 ❶海・川に漂っている木材。「―が打ちあげられる」 ❷山で切り出し、川の流れを利用して川口まで運ぶ木材。 かぞえ方 ❶❷とも一本

リューマチ⓪〔オ rheumatisch〕 ⇩リウマチ

りゅうみん⓪【流民】 天災・戦乱・政変などで住む所を失い、その土地を離れて放浪する人びと。「るみん」とも。

りゅうめ①【竜《馬】 ❶足の速い、いい馬。「りょうめ」とも。 ❷〔将棋で〕角の成ったもの。前後・左右に一格ずつ動けるようにもなる。

りゅうよう⓪【柳腰】 「やなぎごし」の意の漢語的表現。

りゅうよう⓪【流用】―する(他サ) 〔用意してあるお金や物を〕本来の目的以外に使うこと。「図書費の―」

りゅうよう⓪【留用】―する(他サ) 人を自分の国にとどめておいて使うこと。

りゅうり①【流離】―する(自サ) 故郷から遠く離れた他国をさすらうこと。「―の涙/貴種―譚〔=⇩貴種流離譚〕」

りゅうりゅう⓪③【流々】 技芸の種類や仕方。また、流派によるそれぞれの仕方・流儀。⇩細工❶

りゅうりゅう⓪③【隆々】―たる・―と ❶〔筋肉が〕たくましく盛り上がっている様子だ。「筋肉―①-⓪、①-③」 ❷その△人(組織)などの勢いが ますます盛んな様子だ。「―たる勢い」

りゅうりゅうしんく⑤【粒々辛苦】―する(自サ) 〔米の一粒一粒に農民の苦労がこもっていることから〕細かい点まで非常に苦心をすること。

りゅうりょう⓪③【流量】 単位時間〔=普通、一秒〕内に管・溝などの断面を通過して流れる流体・電気・熱の量。「豊富な―を持つ川/―計⓪」⇩流速

りゅうりょう⓪【〈瀏亮】―たる・―と 楽器の音がさえわたってよく聞こえる様子だ。 表記 「〈嚠喨〉」とも書く。

りゅうれい⓪【流麗】―な・―に 〔文章・筆勢・音楽などが〕のびのびとしてきれいな様子だ。「―な文章」 派 **―さ**⓪

りゅうれん⓪【流連】―する(自サ) 遊郭などに居続けて、家に帰るのを忘れること。いつづけ。「―荒亡⓪-⓪〔=家も仕事も忘れ、遊興にふけること〕」

りゅうろ①【流露】―する(自他サ) 内にあるものが抑えきれずに自然に現われること。また、現わすこと。「真情を―する」

リュックサック④〔rucksack の変化〕 登山やキャンプに行く時などに、食糧・衣類や必要な装備を入れて各人が背負う袋。ルックサック④・リックサック④とも。略してリュック①。また、ザック。

りょ〔侶・旅・虜・慮〕→【字音語の造語成分】

りょ①【《呂》】雅楽でいう音階の名。〔西洋音階のファ・ソ・ラ・ド・レの配列にあたる〕↔律

りょ①【里余】「一里余り」の古風な表現。「―の道」

りょう（了・両・良・〈凌・料・〈梁・涼・猟・陵・量・僚・漁・領・寮・〈輛・霊・療・瞭・糧）→【字音語の造語成分】

りょう①【了】㊀終わること。終り。「上巻―・完―・校―・終―・満―」㊁【〈諒】相手の事情がどんなであるか分かること。「―とする〔=事情をやむを得ないものとして受け入れる〕／―解・―承」 表記 ㊁で「了」は、代用字。⇩

りょう①【《令》】奈良・平安時代に、律とともに国の根本をなした おきて。「大宝律―」⇩【造語成分】

りょう⓪①【両】相対して一組となるものの双方。両方。「―の手④／―親・―極端・一―日」⇩【造語成分】

りょう①【良】㊀普通よりは出来が少しいい△こと（もの）。「―の部類／―案・―縁・―不良・―臣⓪・善―・最―・優―」㊁四段階の成績評価で、上から二番目のもの。「優、―、可、不可」

りょう①【料】何かに使うために必要なもの。「研究の―〔=材料〕にする／材―・原―・調味―」⇩【造語成分】

りょう①【《竜》】⇩りゅう㊀

りょう①【涼】「涼しさ」の意の漢語的表現。「―を△取る（入れる）〔=場所を移動したり 何かくふうを凝らしたりなどして、涼む〕／秋―」⇩【造語成分】

***りょう**①【猟】野生する鳥獣を追い、捕らえること。狩猟。「―をする／―犬・―師・―銃・禁―・不―・密―」⇩【造語成分】

****りょう**①【量】〔問題とする物体・物質のあり方や精神活動（の所産）について〕数の多少〔=個数〕・見た目の大きさ〔=長さ・面積・体積など〕・重さや△生産（消費）に要する時間・エネルギー、また、△獲得（発揮）された実質的内容などについての、ひとまとまりのものとしてとらえたときの 広がりの程度。〔多く単位を定めて測ることにより、数値で表わすことができる。自然科学では、物理的な性質の強さ『=速度・温度・密度・確率など』をも指す〕「この工事に必要なセメントの―を試算する／若い人の食事は質より―だ／一日に消費されるカロリーの―／練習の―を毎日二時間増やす／―販店・大―・適―・数―・分―・度―衡・供給―」⇩【造語成分】

りょう①【〈稜】㊀とがったかど。「―線」㊁〔幾何学で〕多面体の面をなす多角形の辺。「直方体には十二本の―がある／多面体の隣り合った二つの面の交線が―にほかならない／―角」

りょう①【領】支配している土地。領土。領地。「他国の―を侵す／―民・英―・フランス―」⇩【造語成分】

***りょう**①【漁】魚・貝などをとること。〔元来の音は、ギョ。「猟」の音を転用したもの〕「―が解禁になる／―に出る／―師・大―」⇩【造語成分】ぎょ

***りょう**①【寮】㊀昔、省の下に属した役所。「図書（ズショ）―」㊁同じ△組織や団体に属する（条件を備えた）人たちが自分の家として生活する建物。〔狭義では、学生の寄宿舎を指す。例、「全―制の高校／―生・―歌」。また、別荘・茶寮・集会所などの名前ともする〕「―に入る／―母・―生活・独身―・母子―」

****りょう**⓪【利用】―する（他サ）〈（なにニ）なにヲ―する〉 かぞえ方 ㊁は一棟（ひとむね） ㊀本来そのためにあるわけではないものを、うまく使って△何か（自分）に役立たせること。「廃物を―する／親の肩書きを―する／―者②・―客②」㊁そのものの持つ利点を積極的に生かして使って、恩恵を受けること。「水力を―する／飛行機を―して九州へ飛ぶ」 **―かち**④【―価値】利用するだけの値うち。「―が高い」

りょう⓪【里謡・〈俚謡】㊀民間のはやり歌。㊁その地方地方の民衆の間に伝えられて来た歌。俗謡。

りょう⓪【理容】「理髪」の意の新しい造語形。「―師②・―学校④」

りょうあん⓪【良案】これならばうまく行くと思われるいい△思いつき（考え）。

りょうあん⓪【〈諒《闇】△天皇（皇太后・太皇太后）の崩御により、皇室を初め国民が喪に服する期間。〔一年間とされた〕

りょうい①【良医】患者の病状をよく見届け、至急適宜の処置が取れる いい医者。↔庸医

***りょういき**⓪【領域】㊀〔国際法で〕その国家の主権が及ぶ範囲の区域。領土・領海・領空の全体を指す。㊁その専門の担当の範囲以内。「科学の―／広い―にわたる／大きな―を占める」㊂〔物理学・数学で〕平面や「空間㊁」の一部分で、一つながりになっているもの。

りょういく⓪【療育】身体障害者などを、治療しつつ教育すること。「―相談・―施設」

りょういん⓪【両院】△参議院（上院）と△衆議院（下院）。「衆参―①-⓪・上下（ジョウカ）―・―協議会」

りょういん【料飲】（造語）料理と飲食。「―業③・―店③・―税③」

りょうう①【涼雨】涼感をもたらす、夏の雨。「一陣の―」

りょううで⓪【両腕】左右両方の腕。〔身近にいて、ある人の仕事を全面的に助ける二人の者の意にも用いられる〕

りょうえん⓪【良縁】両家の家柄も似合い、幸福な家庭が築けそうな、いい縁組。

りょうえん⓪【〈遼遠】―な 見当のつかないほど遠い先まで続く様子だ。「前途―①-⓪」

りょうか①【良家】⇩りょうけ

りょうか①【良貨】まぜ物の少ない、金・銀・銅の貨幣。「悪貨は―を駆逐する」↔悪貨

りょうか①【寮歌】〔その寮で起居する学生などの〕寮生活の理想や精神を盛り込んで作った歌。

りょうが①【〈凌駕〉・陵〈駕】―する（他サ）〔すぐれているとされる〕他のものを上回る（ようにする）こと。「スポーツ界で女子の活躍ぶりは今や男子を―するほどだ」

***りょうかい**⓪【了解】・【〈諒解】―する（他サ）〈なにヲ（なんだト）―する〉 ㊀事の内容や事情が△分かる（分かって納得する）。「―を△得る（とりつける・求める）／―事項⑤」㊁思いやって事情などを容認すること。 表記 ㊁は、「領会・領解」とも書く。 運用 ㊀は、相手からの指示・命令に対して納得したことを表わす返事として用いられることがある。例、『救援隊ただちに出動せよ』『了解』

りょうかい⓪【領海】その国の主権が及ぶ沿海。普通、干潮時の水陸分界線から十二浬（カイリ）以内。↔公海

りょうがえ⓪【両替】―する（他サ）㊀ある貨幣を同価値の他の種類の貨幣にかえること。「ドルに―する／一万円札を―する〔=くずす㊂〕」㊁有価証券などと現金とを取りかえること。 **―や**⓪【―屋】両替を業とする△商人（店）。

りょうかく⓪【〈稜角】物の形を構成している部分に見られる、鋭くとがった角。

りょうがわ⓪【両側】〔右左・裏表のように〕相対する二つの側。「道の―」↔片側

りょうかん⓪【涼感】涼しそうな感じ。「あふれる―」

りょうかん⓪【猟官】官職に つこうとして懸命に奔

走すること。「―運動」

りょうかん⓪【量感】 その物を△見た(持った)だけで感じられる、厚みや重み。ボリューム。

りょうかん⓪【僚巻】 一部何巻かから成る巻子本が分蔵されている時、その相互の称。

りょうかん⓪【僚艦】 同じ艦隊に属する味方の軍艦。

りょうがん⓪【両眼】「両方の目」の漢語的表現。⇩隻眼

りょうき①【涼気】 涼しい空気。涼しさを感じさせる気分。「―堂に満つ」

りょうき①【猟奇】 普通の人の感覚では堪えられないほどグロテスクであったり残忍であったりすること。「―的⓪・―小説④」

りょうき① [一]【猟期】 ❶その鳥や獣がよくとれる時期。❷その鳥や獣の狩猟が許可されている期間。[二]【漁期】 ❶その魚がよくとれる時期。❷その魚の漁獲が許可されている期間。

りょうき①【僚機】 一緒に行動する、仲間の飛行機。

りょうぎ①【両義】 一つの統合体ととらえられるものに認められる、相反する二つの意味。「文化の―性」

りょうきゃく⓪【両脚】 左右の足。

りょうぎゃく⓪【〈凌虐・陵虐】―する(他サ) ❶ひどくいためつけ、はずかしめること。❷〔法律で〕容疑者の取調べなどの際に、暴行以外の方法で肉体的・精神的苦痛を与えること。

りょうきょく⓪【両極】 ❶南極と北極。❷陰極と陽極。❸両極端。「―性⓪」

りょうきょくたん③④⑤【両極端】 同一△系列(範疇)に属するものの中で、左翼と右翼のように、互いに反発し排除し合う関係にあるもの。

りょうぎり たばこ⑤【両切(り)〔煙草〕】 両端を切ったままの、吸い口の付いていない巻きたばこ。略して「両切り⓪」。かぞえ方 一本・一箱・一缶

***りょうきん**①【料金】 そのものを△使用(利用)したことに対して支払うお金。「―を据え置く/水道―⑤」

りょうぐ①【猟具】 猟に使う器具。網・銃など。

りょうくう⓪【領空】 その国家の主権が及ぶ空。領土・領海の上空。「―侵犯⑤、⓪-⓪」

りょうくん①【両君】 同輩または立場の下の二人(の男性)に対して、「あなたがた(お)二人」の意で使う語。

りょうぐん⓪【両軍】 互いに戦う、双方の△軍隊(チーム)。

りょうけ①【両家】〔なんらかの意味で対比され、結びつけられる〕二つの△家(家庭)。

りょうけ①【良家】 家柄・暮らし向きが水準以上の家や、しつけのいい家庭。「りょうか」とも。「―の子弟」

りょうけい⓪【良計】 すぐれた計画やたくみなはかりごと。「―を施す」

りょうけい⓪【量刑】 刑罰の程度を決めること。「不当な―」

りょうけん①【料《簡・了《簡・了見】 ❶どう対処するかについての、個人の考え。「悪い―を起こす/―が狭い」〔1望

りょ

【侶】 仲間。とも。つれ。「伴侶・僧侶」

【旅】 ❶たび。「旅行・旅情・旅愁・旅費・旅館・旅装・旅客・逆旅」 ❷中国、周代の軍制で、兵五百の称。「旅団・軍旅」

【虜】 とらわれた人。とりこ。「虜囚・捕虜・俘虜」

【慮】 考える。思う。おもんぱかる。「慮外・考慮・遠慮・苦慮・顧慮・熟慮・浅慮・短慮・念慮・配慮・不慮・凡慮・無慮・憂慮」

りょう

【了】 はっきりしている。「了然」⇩(本文)りょう【了】

【両】 [一]❶昔の重さの単位。一斤の十六分の一。❷薬種の目方。一両は四匁〔=約一五グラム。四匁四分、五匁のものもある〕。❸昔の通貨の単位。一両は江戸時代には銀六〇匁、または銅銭か鉄銭の四貫文。❹円。〔❹は俗用〕 [二]大きな「車」。〔かぞえる時にも用いられる〕「車両・三両連結」 表記 [二]は、「〈輛」とも書く。⇩(本文)りょう【両】

【良】 ⇩(本文)りょう【良】

【〈凌】 ❶しのぐ。こす。「凌駕」 ❷はずかしめる。「凌辱」

【料】 [一]❶おしはかる。考える。「料簡・思料」 ❷何かを△する(してもらう)ために出すお金。「料金・有料・無料・給料・稿料・送料・借料・受験料」 [二]〔略〕料理。「料亭」⇩(本文)りょう【料】

【〈梁】 ❶屋根や棟を受ける横木。はり。うつばり。「梁上・梁木・棟梁・虹梁」 ❷橋。〔かぞえる時にも用いられる〕「橋梁」

【涼】 ❶すずむ。すずしい。「涼風・涼味・納涼・清涼剤」 ❷うすら寒い。「荒涼」⇩(本文)りょう【涼】

【猟】 狩りをするように広くあさる。「猟奇・渉猟」⇩(本文)りょう【猟】

【陵】 ❶おか。「丘陵」 ❷天皇・皇后の墓。みささぎ。「陵墓・御陵」

【量】 ❶物の容積・大小・軽重などをはかる。「測量・計量」 ❷他人の心中をおしはかる。「思量・推量」 ❸心や能力などの大きさ。「雅量・度量・力量」⇩(本文)りょう【量】

【僚】 ❶仲間。友だち。「僚友・同僚」 ❷役人。官吏。「官僚・属僚・幕僚」

【漁】 ⇩(本文)りょう【漁】

【領】 ❶首筋。えり。「領巾」 ❷大事なところ。中心。「要領・本領・綱領」 ❸おさめる人。かしら。「首領・総領・大統領・領袖」 ❹支配する。「領土・領地・領空・領民・占領・日本領」 ❺受ける。「領収・拝領・受領」 ❻装束や鎧をかぞえる語。「具足三領」⇩(本文)りょう【領】

【寮】 ⇩(本文)りょう【寮】

【〈輛】 車の数をかぞえる語。表記「両」とも書く。

【霊】 死者の魂。「悪霊・死霊」⇩(本文)れい【霊】

【療】 病気や傷をなおす。いやす。「療養・療治・医療・治療・施療」

【瞭】 あきらか。「明瞭・一目瞭然」

【糧】 食料品。かて。〔狭義では、携帯食糧を指す〕「糧食・糧米・食糧」

まれる度量に欠ける様子だ」 ㊁ ―する（他サ）「（相手の過ちや非礼などを）がまんすること」の意の古風な表現。「―してくれ」

りょうけん⓪レフ【猟犬】 狩りに使うように訓練された犬。 かぞえ方 一頭

りょうげん⓪レウ【〈燎原】 勢いよく野原に燃え上がる火。「―の火のごとし（＝防ぎとめようが無い状態だ）」

りょうげんちょく③リヤウ【両舷直】 軍艦の左右両舷の当直の（水）兵。

りょうこ①リヤウ【両虎】 力の差のつけにくい、相対する二人の△勇者（実力者）。「―相搏つ」

りょうこ①【《竜虎】 ⇩りゅうこ

りょうこう⓪リヤウ【良工】 技術のすぐれた職人。「―は材を選ばず」

りょうこう⓪リヤウカウ【良好】―な 状態・結果などが良くて、期待通りの状態である△こと（様子）。「成績―⓪-⓪・経過―⓪-⓪」↔不良 派 ―さ⓪③

りょうこう⓪リヤウカウ【良港】 船が停泊するのに都合のいい港。「天然の―」

りょうこく①リヤウ【両国】 両方の国。「りょうごく①」とも。「日米―」

りょうごく①⓪リヤウ【領国】 大名の領地。「―争い⑤」

りょうさい⓪リヤウ【良妻】 〔夫の社会活動をささえ、家庭を守る〕いい妻。〔多く、封建的・家父長制的な価値観の中で、特に評価され、用いられた〕「―賢母⑤」↔悪妻

りょうざい⓪リヤウ【良材】 ㊀質のいい材木。 ㊁何かをまかせることができるすぐれた人物。「天下の―を求める」

りょうざい⓪リヤウ【良剤】 その面で特殊な効果のある薬剤。「錆止めの―」

りょうさく⓪リヤウ【良策】 いいはかりごと。

りょうさつ⓪レウ【了察】・リヤウ【〈諒察】―する（他サ） 〔手紙文などで〕相手の身になって考えてやること。「ご―ください」

りょうさんリヤウ【両三】（造語） 二、または三。「―度③・―日③」

りょうさん⓪リヤウ【量産】―する（他サ） 「大量生産⑤」の略。「―品」

りょうざんぱく③リヤウ【〈梁山泊】 〔中国の小説「水滸伝」の故事から〕豪傑や野心家の集まる所。

りょうし①リヤウ【良師】 〔実力・指導力がある上に、人格形成の点でも好影響を与える〕いい△師匠（先生）。

りょうし①レウ【料紙】 何かを書いたり 印刷したり するために使う紙。

りょうし①レフ ㊀【猟師】 猟を職業としている人。かりゅうど。かりうど①②。 ㊁【漁師】 漁を職業としている人。〔「漁」の本来の字音は、ギョ。生き物を捕ることを生業とするところから「猟」の字音を用いるに至った〕

りょうし①リヤウ【量子】 〔極微の世界を扱う物理学で〕エネルギー・電気量などの最小単位量。〔これらの量はすべて、最小単位量の整数倍となる〕「エネルギー―⑥・―力学⑤」

りょうじ①リヤウ【《令旨】 皇太子・皇后などの命令をしるした文書。「れいし」とも。

りょうじ①リヤウ【両次】 第一回目と第二回目。「先の―の大戦」

りょうじ①レウ【〈聊爾】―な 〔江戸時代の中ごろまで用いられた語〕ぶしつけな△こと（様子）。「―を申した」

りょうじ①リヤウ【領事】 外国に駐在して自国の通商を保護・奨励し、在留する自国民の保護・取締りをする官職。総領事・領事・副領事などの階級がある。領事官③。〔狭義では、（領事館の長を勤める）階級の一つとしてのそれを指す〕 ―かん③クワン【―館】 領事〔＝この場合は狭義〕が駐在地で職務を行なう役所。〔通商・貿易上、特に重要な拠点となる都市・港や在留する自国民の著しく多い地域などには、普通の領事館より一段上位の総領事館が置かれる。館長は、総領事〕

めいよ―④【名誉―】 ⇩名誉領事

りょうじ⓪レウヂ【療治】―する（他サ） 「治療」の意の古風な表現。「荒―・もみ―」

りょうしき⓪リヤウ【良識】 健全な判断力。ボンサンス。「―に訴える/―を△発揮する（疑う・欠く）/―の目を光らせる/―的⓪」

りょうしつ⓪リヤウ【良質】―な 品質がいい△こと（様子）。↔悪質

りょうしゃ①リヤウ【両者】 相対する二つの△もの（人）。

りょうしゃ①レウ【寮舎】 その寮の建物。

りょうしゅ⓪①リヤウ【良種】 ㊀いい品種。「―育成⓪-⓪、①-⓪」 ㊁いいたね。

りょうしゅ①リヤウ【領主】 ㊀領地・荘園の持主。 ㊁〔中世ヨーロッパの封建社会で〕騎士として農民を支配した人。 ㊂〔戦国時代以後の〕大名。

りょうしゅう⓪リヤウシウ【涼秋】 ㊀涼しさが身にしみて感じられる秋。 ㊁陰暦九月の異称。

りょうしゅう⓪リヤウシウ【領収】―する（他サ） 〔お金などを〕受け取ること。 ―しょ⑤⓪【―書】 代金・手数料などを受け取った証拠として、その金額を記入して支払った側に渡す正式の書類。うけとり㊂㊀。領収証⓪⑤。⇩レシート

りょうしゅう⓪リヤウシウ【領袖】 〔えりとそでの意。共に着物の目立つ部分である所から〕集団のかしら。「政党の―」 かぞえ方 一枚

りょうじゅう⓪レフ【猟銃】 狩猟に使う銃。 かぞえ方 一挺・一丁

りょうしょ①リヤウ【両所】 ㊀（相対する）二つの場所。「東西―①-①」 ㊁「両人」の敬称。「ご―②」

りょうしょ①リヤウ【良書】 読む人のためになるいい本。↔悪書

りょうじょ①リヤウ【〈諒恕】―する（他サ） 相手の事情に同情して許すこと。

りょうしょう⓪レウ【了承】・リヤウ【〈諒承】―する（他サ） よく理解して承知すること。「―を得る/―が得られる」 表記 「領承・領掌」とも書く。 運用 手紙文や挨拶で「（なにとぞ）ご了承ください」などの形で、相手の意向に必ずしも添えないものであるが、何とか納得してほしい、の意の謙遜した言い方として用いられることがある。

りょうしょう⓪レウセウ【料〈峭】―たる 春風が肌に寒く感じられる様子だ。「春寒―⓪-⓪」

りょうじょうのくんし⓪-①、⑥リヤウジヤウ―【〈梁上の君子】 〔後漢の陳寔が、はりの上に忍び込んだ盗賊を指して、「梁上の君子、もと性善なるを、習い性となってこのような非行を敢てするに至る」と家人に言った故事に基づく〕「どろぼう・ネズミ」の異称。

りょうしょく⓪リヤウ【糧食】 〔「糧」は旅行用の、「食」は家に居る時の食料の意〕何日間で食べるか、補給がつくかどうかという観点でとらえられた食料。

りょうじょく⓪【〈凌辱・陵辱】―する（他サ） ㊀（尊厳）を傷つけるような言動に出ること。「―を加える」 ㊁暴力で女性を犯すこと。 ㊀△プライド

＊＊りょうしん①リヤウ【両親】 〔その人を生み、育てた〕父と母。「六つの時生き別れしたので、―の顔とて覚えていない/―の寵を一身に集めて成長する/―とも教育家だ」

＊りょうしん①リヤウ【良心】 自分の本性の中にひそむ欺瞞

(ギマン)や打算的な考えなどを退け、自分が人として本来あるべきだと信じるところに従って行動しようとする気持。「―に恥じる/―にまつところが大きい/―を疑う/―が麻痺(ヒマ)する/学的―」 **―てき**⓪【―的】―な/―に 良心の命じるところに従って行動する様子だ。「―な店」

りょうじん⓪(リヤウ)【良人】「夫」の意の古風な表現。

りょうじん⓪(レフ)【猟人】「狩人」の意の漢語的表現。

りょうすい⓪(リヤウ)【量水】水位・水量などを計ること。「―器③・―標⓪」

りょうすい⓪(リヤウ)【領水】その国の主権の及ぶ範囲の水域。領海と内水とから成る。

りょう・する③(リヤウスル)【領する】(他サ) ❶自分の領土にする。❷自分の所有にする。❸承知する。領す①(五)。

りょうせい⓪(リヤウ)【両生・両〈棲】動物が水中・陸上の両方にすむことが出来ること。「―動物⑤」 表記「生」は、代用字。 **―るい**③【―類】 変温脊椎(セキツイ)動物の一つ。卵生で、たいてい四足を持ち、幼い時はえらで呼吸して水中にすむ。成長後は、多く肺で呼吸して陸上にすむが〔例、カエル・イモリ〕、まれに終生えらで呼吸し水中生活をするものもある〔例、一部のサンショウウオ〕。

りょうせい⓪(リヤウ)【両性】❶男性と女性。雄と雌。「―具有」❷異なる二つの性質。

りょうせい⓪(リヤウ)【良性】いい△性質(性能)。「―の腫瘍(シュヨウ)」↕悪性

りょうせい⓪(レウ)【寮生】その寮に住む△生徒(学生)。

りょうせいばい③(リヤウ)【両成敗】両方に罪があるとして罰すること。「喧嘩(ケンカ)―」

りょうぜつ⓪(リヤウ)【両舌】〔仏教で〕十悪の一。それぞれの人に違うことを言って、二人の仲を割くこと。〔広義では、二枚舌を指す〕

りょうせん⓪【〈稜線】山の尾根の線。

りょうせん⓪(レウ)【僚船】(一緒に航行する)仲間の船。

りょうぜん⓪(レウ)【了然】―たる/―と はっきりとわかる様子だ。「真意は―としている」

りょうぜん⓪(リヤウ)【両全】両方ともに△完全(安全)なこと。「―の策」

りょうぜん⓪(レウ)【瞭然】―たる/―と はっきりしていて、疑いの無い様子だ。「一目(イチモク)―②-⓪」

りょうぞく⓪(リヤウ)【良俗】みんなで守るべき、健全な△風俗(習慣)。「―に反する/公序―①-⓪」

りょうそで⓪(リヤウ)【両袖】❶両方の袖。❷〔机で〕床近くまで付けられた引出しが両側にあること。⇩片袖

りょうだて よきん⑤⓪(リヤウ)【両建(て)預金】 銀行が、優越的地位を使って、預金を条件として貸出しをしたり貸出金の一部を定期預金などにして預けさせたりするもの。〔後者が、歩(ブ)積み預金④〕

りょうだめ⓪(リヤウ)【両《為】両方の△ため(利益)。

りょうたん⓪③(リヤウ)【両端】両方のはし。「―を持(ジ)する〔=⇩首鼠(ソシュ)―〕」

りょうだん⓪(リヤウ)【両断】―する(他サ) ま二つにたち切ること。「一刀―のもとに」

りょうち①(レウ)【了知】―する(他サ) ある事柄について十分な理解を示すこと。〔官庁の文書に多く用いられる〕

りょうち①(リヤウ)【良知】生まれつき持っている知能。「―良能①-⓪」

りょうち①(リヤウ)【領地】それぞれの支配者の領有している土地。〔広義では、領土を指す〕

りょうち①(レウ)【料地】皇室の所有地。御(ゴ)料地。

りょうちょう①(リヤウテウ)【両朝】❶△両方(両国)の朝廷。「南北―①-①」❷二代の天皇。

りょうちょう①(レウチヤウ)【寮長】その寮の△取締りをする人(代表者)。

りょうて⓪(リヤウ)【両手】左右両方の手。「―を広げて歓迎する/―に一杯荷物を持つ/―に花〔=二つの価値あるものを同時に持つ形容〕」↕片手

りょうてい⓪(レウ)【料亭】日本料理を供する、広壮な構えの料理屋。

りょうてい⓪(リヤウ)【量定】―する(他サ) はかって決めること。「刑の―」

りょうてい⓪(レウ)【僚艇】(一緒に行動する)仲間の小船。

りょうてき⓪(リヤウ)【量的】―な/―に 物を量の方面から見た様子だ。↕質的

りょうてんびん③(リヤウ)【両天〈秤】一方がだめになっても困らないように、ふたまたをかけること。「両大国を―にかける巧みな外交政策」

りょうど①(リヤウ)【両度】「二度・ふたたび」の意の漢語的表現。「―の世界大戦」

りょうど①(リヤウ)【領土】❶その国家の主権が及ぶ範囲の土地。「日本の―」❷中世、その人が所有していた土地の称。領地。「―安堵(ド)」

りょうとう⓪(リヤウタウ)【両刀】❶武士が差した大小二本の刀。❷「両刀使い」の略。 **―づかい**⑤(ヅカヒ)【―使い・―遣い】❶両手に刀を持って戦う剣術(をする人)。❷普通には両立しがたいと思われる事をどちらも同じようにしてのけること。「甘辛(アマカラ)―」「両刀つかい⑤」とも。 **―ろんぽう**⑤(パフ)【―論法】「ジレンマ」の訳語。〔俗に、結論がどちらになっても困らないように構成した論法の意にも用いられる〕

りょうとう⓪(リヤウ)【両統】(対立する)二つの△血統(系統)。

りょうとう⓪(リヤウ)【両頭】❶一匹の動物に頭が二つ付いていること。「―のヘビ」❷同時代における、二人の△支配者(巨頭)。「―政治⑤」

りょうどう⓪(リヤウダウ)【両道】❶二つの交通路。「東海・東山の―」❷(相対する)二つの方面。「文武―①-⓪」

りょうどう⓪(リヤウダウ)【糧道】〔軍隊の〕食糧を△送る(得る)道筋。「―を絶つ〔=生活の基盤を奪う意にも用いられる〕」

りょうどうたい⓪(リヤウダウ)【良導体】熱・電気をよく伝える物体。導体。⇩不良導体

りょうとうの いのこ⑥、⓪-①、⓪-⓪(レウ)【〈遼東の〈豕】〔「豕」はブタの意〕見識が狭いために、あたりまえのことを珍しがって自慢する△こと(人)。〔古代中国、遼東でブタが白頭の仔(コ)を生んだので珍しく思い献上したが、河東に行ってみたらその地のブタはすべて白頭であったという故事に基づく〕

りょうとく⓪(レウ)【了得】―する(他サ) その内容・事情などを十分に承知すること。

りょうとく⓪(リヤウ)【両得】❶二重の利益。「一挙―」❷双方の利益。〔❶❷とも「りょうどく」とも〕

りょうどなり③⓪(リヤウ)【両隣】自分の家の右の隣と左の隣。「向こう三軒―」

りょうながれ③(リヤウ)【両流れ】棟を中央にして左右へ傾斜している(最も普通の)屋根の造り。↕片流れ

りょうにん①(リヤウ)【両人】△相対する(そろっている)ふたり。「ご―の門出を祝して乾杯」

りょうのう⓪(リヤウ)【良能】生まれつき持っている才能。「良知―」

りょうば⓪(リヤウ)【両刃】両側に刃がある△こと(もの)。もろは。「―のつるぎ〔=自分を有利に導く反面、不利な立場に追いこまれる危険性も持ち合わせている論法など〕」↕片

刃

りょうば[0][3] レフ 【猟場】猟をするのに適した所。狩り場。【漁場】漁をするのに適した所。「ぎょば」とも。

りょうはん[0] リヤウ 【量販】―する(他サ) 大量に生産・販売することによって値段を安くし、利用者の便宜を図ること。マスセールス[3]。「―店[3]」

りょうひ[1] リヤウ 【良否】よしあし。「―を見分ける/―をわきまえる」

りょうひ[1] レウ 【寮費】その寮を維持するために入寮者が払うお金。

りょうびょう[0] レウビヤウ 【療病】病気の治療をすること。「―生活」

りょうびらき[3][0] リヤウ 【両開(き)】⇩観音開き

りょうひん[0] リヤウ 【良品】品質のいい品物。

りょうふ[1] リヤウ 【両夫】△死んだ(別れた)夫と現在の夫。

りょうぶ[1] リヤウ 【両部】❶真言宗の金剛界[3]・胎蔵界[3]〔=大日如来ニョライの知恵と慈悲の両面の世界〕の二つ。❷〔←両部神道シントウ[4]〕〔真言宗の〕「両部❶」の教理によって神道を説明し、神道・仏教の一致を唱える宗派。

りょうふう[0] リヤウ 【良風】その社会をささえている、健全な△風習(風俗)。「―美俗」↕悪風

りょうふう[0] リヤウ 【涼風】「すずかぜ」の意の漢語的表現。

りょうぶた[0] リヤウ 【両蓋】懐中時計の裏・表の両面に金属製の ふたがある△こと(もの)。

りょうぶん[0] リヤウ 【両分】―する(他サ) 大きく二つに分けること。「世界を―する二大勢力」

りょうぶん[1] リヤウ 【領分】❶領地。❷△勢力の及ぶ(受け持つ)範囲。「人の―をおかす」

りょうへん[1][0] リヤウ 【両辺】〔数学で〕(不)等式の左辺と右辺。「―を平方する」

りょうぼ[1] リヤウ 【陵墓】天皇・皇后・皇太后および皇族の墓。みささぎ。

りょうぼ[1] レウ 【寮母】寮で、母親代りに食事をはじめ寮生の世話をする役の女性。

りょうほう[3][0] リヤウハウ 【両方】(相対する)二つの物事。双方。↕片方

りょうほう[0] レウハフ 【療法】治療のしかた。「物理―・化学―・行動―・食餌ジ―」

りょうぼく[0] リヤウ 【〈梁木】器械体操の用具の一つ。二本の高い柱の最上部に横木を渡し、縄・輪・棒などをかけたもの。かぞえ方 一台

りょうぼせい[0] リヤウ 【両墓制】〔民俗学で〕埋葬地とは別の場所に霊を祭る墓所を設け、一定期間の後は専ら後者で祭祀サイシを行なう習俗。

りょうまい[0] リヤウ 【糧米】食糧にするための米。

りょうまえ[0] リヤウマへ 【両前】洋服・外とうの、前を深く合わせて、ボタンを二列に付けたもの。ダブル(ブレスト)。↕片前

りょうまつ[0] リヤウ 【糧〈秣】軍隊で、人と馬の食べ物。

りょうみ[1] リヤウ 【涼味】涼しい感じ。涼しさ。「―満点」

りょうみん[0] リヤウ 【良民】勤勉な一般人民。

りょうめ[0] リヤウ 【両目】両方の目。「―が明く〔=今までずっと負けていた者が、やっと一勝する〕」⇩片目❶

りょうめ[0] リヤウ 【量目】計量器にかけて はかった品物の目方。かけめ。「―不足」

りょうめん[0][3] リヤウ 【両面】❶裏表二つの面。「レコードの―/―刷ズリ[0]」↕片面 ❷二つの方面。「―作戦[5]」

りょうもう[0] リヤウ 【両毛】〔←上毛野カミツケノ=上野コウズケ、下毛野シモツケノ=下野シモツケ〕群馬県と栃木トチギ県。「―線[0]」

りょうや[1] リヤウ 【良夜】「月の明るい夜」の意の漢語的表現。〔狭義では、中秋の名月の夜を指す〕

りょうや[1] リヤウ 【涼夜】「涼しい夜」の意の漢語的表現。

りょうやく[1][0] リヤウ 【良薬】その(人の)病気・傷によくきく薬。「―は口に苦し〔=忠言は耳に痛い意にも用いられる〕」

りょうゆう[0] リヤウイウ 【両雄】(相対する)二人の英雄。「―並び立たず」

りょうゆう[0] リヤウイウ 【良友】つきあってためになる友人。益友。↕悪友

りょうゆう[0] レウイウ 【僚友】同じ職場の友達。

りょうゆう[0] リヤウイウ 【領有】―する(他サ) 自分の△土地(もの)として持つこと。「日本が―する島じま/―権[3]」

りょうゆう[0] レウイウ 【療友】〔同じ病院・療養所などで〕一緒に療養している仲間。

りょうよう[0] リヤウ 【両用】両方の目的に△使う(使える)こと。「水陸―[1]-[0]・遠近―レンズ[1]-[5]」

りょうよう[0] リヤウヤウ 【両様】二通り。「―の意味」

*__りょうよう__[0] レウヤウ 【療養】―する(自サ) 〔病気を治すために〕手当てをし、からだを休め、栄養をとること。「病気―中の身/―所ジョ[0][5]・―生活[5]」

りょうよく[0] リヤウ 【両翼】❶鳥・飛行機などの、左右の翼。❷横に一列に並んだ兵隊などの、左右の両端。

りょうら[1] 【〈綾羅】「あやぎぬとうすぎぬ」の意の漢語的表現。「―錦繡キンシュウ[1]-[0]〔=美しい着物のたとえ〕」

りょうらん[0] レウ 【〈繚乱】―たる ―と 〔「繚」は、まつわる意〕いろいろの花が一面に咲き乱れる様子だ。「百花―[1]-[0]」 表記 「〈撩乱」とも書く。

りょうり[1] リヤウ 【良吏】良心的な態度で自分の職務に励む役人。⇩能吏

りょうり[1] レウ 【料理】―する(他サ)〈なにヲ―する〉❶材料に手を加えて(おいしく)食べられる状態に△すること(した食物)。「家庭―・日本―・懐石―・イタリア―」❷物事をうまく処理すること。「国政を―する/強敵を―する」 **―にん**[0]【―人】食物の料理を(専門に)する人。 **―や**[3]【―屋】食物を料理して客に食べさせる店。料理店[3]。「小コ―」 かぞえ方 一軒

りょうりつ[0] リヤウ 【両立】―する(自サ) 相対する二つの事の、どちらも△成り立つ(存在し得る)こと。「趣味と実益の―を図る」

りょうりつ[0] レウ 【料率】保険料など、条件によって変わる料金の増減を決める基準となる率。「保険―[4]」

りょうりょう[0] リヤウリヤウ 【両々】二つのものが△どちらも(互いに)。「―相譲らない/―相俟マアいって〔=⇩相俟つ〕」

りょうりょう[0] リヤウリヤウ 【〈喨々】―たる ―と 管楽器の音が晴れやかに響き渡る様子だ。「―たるらっぱの音ネ」

りょうりょう[0] 【〈稜々】―たる 〔=守る所が強く、不正不義をみじんも容赦しない性質〕」 かどばっていることが目立つ様子だ。「気骨―[0]-[0]

りょうりょう[0] レウレウ 【〈寥々】―たる ―と 数が少なくて、わびしい感じがする様子だ。「他に誇れる実績は―たるものだ」

りょうりん[0] リヤウ 【両輪】車の左右の輪。「車の―〔=二つのものが一つになって初めて役立つこと〕/―を成す〔=ⓐ一つだけでは役立たず 二つそろって初めて役をなす。ⓑその社会での双璧ソウヘキとしての位置を占める〕」

りょうる[1] レウ 【料る】(他五) 「料理する」意の古風な表現。

りょうわき[0] リヤウ 【両脇】左右の脇(に接した外側の部分)。「荷物を―に抱える/美女を―にはべらせる」

リョーマチ[0]〔オ rheumatisch〕⇩リウマチ

りょがい[1][0] グワイ 【慮外】―な ❶「思いの外」の意のやや古風な表現。「―の出来事」❷ぶしつけ。無礼。「―ながら申

し上げます／―者[0]」

りょ かく[0]【旅客】〔「旅人」の意〕旅行のために運輸機関を利用する人。「りょきゃく[0]」とも。「―列車[4]・―機[2]」

***りょ かん**[0]【旅館】営業として旅行者を泊める施設。〔多く、施設や客の扱いが和風のものを指す。⇩ホテル〕［かぞえ方］一軒

りょく（力・緑）↓【字音語の造語成分】

りょく[1]【利欲・利〈慾〉】利益をむさぼろうとする心。「―に目がくらむ」

りょくいん[0]【緑陰】青葉の茂った木の下（の涼しい所）。「―に憩う／―子供会[7]」

りょくう[1]【緑雨】新緑の季節に降る雨。

りょくおうしょく[3]【緑黄色】緑色を帯びた黄色。

―やさい[7]【―野菜】見た目の色が濃く、カロテン・ビタミンなどの栄養素を多く含む野菜。ニンジン・カボチャ・ホウレンソウ・トマトなど。「有色野菜[5]」とも。

りょくぎょくせき[4][3]【緑玉石】⇩エメラルド❶

りょくしゅ[1]【緑酒】〔浅葱色の酒の意〕〔うまく飲める〕良質の酒。「―に月の影宿し」

りょくじゅ[1]【緑樹】青葉の茂った木。

りょくじゅうじ[3]【緑十字】植林によって国土の緑化をはかる運動のシンボル マーク。「みどり十字」とも。「―運動[6]」

りょくじゅ ほうしょう[4]【緑〈綬褒章〉】⇩褒章

りょくそう[0]【緑藻】葉緑素を持ち、緑色に見える藻の総称。例、アオミドロ・アオノリなど。「―類[3]」

りょくち[0]【緑地】草木の茂っている土地。公園や農地など。

―たい[0]【―帯】〔都市計画で〕都市の美観・防火や自然保護・大気浄化などをはかるために造る、緑地のある地域。

りょくちゃ[0]【緑茶】日本で普通に飲む緑色のお茶。若葉を蒸し、焙炉でもみながら作る。

りょくど[1]【緑土】❶草木の茂った国土。❷鉄・カリウム・マグネシウムの珪酸塩から成る、緑色の土。

りょくとう[0]【緑豆】アズキによく似た一年草。豆は緑色で小さく、そのもやしを食べたり はるさめの材料にしたりする。〔マメ科〕［かぞえ方］一本

りょくどう[0]【緑道】〔都市計画で〕歩行者や自転車のために造られた、草木の茂っている道。「―公園[5]」

りょくないしょう[0]【緑内障】眼球中の圧力が異常に高くなるために起こる目の病気。眼痛・頭痛・視力不良などの症状があり、失明することもある。瞳孔が緑色に見えることが多い。あおそこひ[3]。

りょくひ[1][0]【緑肥】ウマゴヤシ・レンゲソウなどを青草のまま土にすきこんで、作物の肥料とするもの。草ごえ。

りょくふう[0]【緑風】青葉を渡る、初夏の風。

りょくべん[0]【緑便】乳児が消化不良などのために出す、緑色の大便。

りょくや[1]【緑野】草木の緑に茂った野原。

りょくりん[0]【緑林】〔昔、中国の緑林山に盗賊がこもった事から〕「群盗・馬賊」の異称。「―の英雄」

りょけん[0]【旅券】外国へ旅行する人の国籍・身分を証明する公文書。パスポート。［かぞえ方］一通

***りょ こう**[0]【旅行】―する（自サ）〈どこヲ―する／どこニ―する〉ふだん生活している所からしばらく離れて、遠隔地へ赴くこと。〔多く、交通機関を利用するものを指す〕「―に出る／―のシーズン／―者[2]・観光―・研修―・海外―・修学―・新婚―」⇩たび

りょしゅう[0]【旅愁】旅人として折おりに感じる、しみじみとしたさびしさ。

りょしゅう[0]【虜囚】「捕虜」の意のやや古風な表現。「―の身」

りょしゅく[0]【旅宿】△旅行者（他郷へ遊んだ者）が一時的に泊まる所。

りょじょう[0]【旅情】旅をしている者として土地土地、折おりで感じる、しみじみとした思い。

りょじん[0]【旅人】「たびびと」の漢語的表現。「―宿[4]」

りょそう[0]【旅装】旅行をするための服装。旅じたく。「―を解く〈＝宿に着いて（旅行から帰って）くつろぐ〉」

りょだん[1]【旅団】陸軍部隊を編制する単位。普通、二個旅団は二個連隊から成る。

りょっか[0]【緑化】―する（自他サ）地肌がむき出しになった山腹や荒れ地に、木や草をたくさん植えて、緑の豊かな国にすること。「―運動[4]」

りょてい[0]【旅亭】「旅館」の意の古風な表現。

りょてい[0]【旅程】❶旅行の道のり。「一日の―」❷旅行の日程。「―を組む」

りょひ[0]【旅費】その旅行に必要なお金。「出張―」

りょよう[0]【旅用】「旅費」の意の古風な表現。「―の調達」

りょりょく[1]【〈膂力〉】〔「膂」は、背骨の意〕物を持ったりかついだり 受け止めたりする肉体の力。〔腕力の意に用いるのは本来は誤り〕

リラ[1] ［一］〔フ lilas〕庭に植える落葉低木。春、芳香のある薄紫色・白などの小さな花を房のようにつける。ライラック。〔モクセイ科〕［かぞえ方］一株・一本 ［二］〔イ lira〕トルコの通貨の単位。イタリアの旧通貨単位。

リライト[2]―する（他サ）〔rewrite〕〔編集目的に合うように〕原著者の文章を書き直すこと。

リラクゼーション[4]〔relaxation〕くつろぐこと。心身の緊張を解くこと。リラクセーションとも。「海辺の環境の―効果」

リラックス[2]―する（自サ）〔relax〕緊張をとき、のんびりした気分△で何かをする（になる）こと。

リラ びえ[0]【リラ冷㋈】〔北海道で〕リラの花が盛りの五月末ごろ、気温が下がり、冷えこむこと。

リリース[2]―する（他サ）〔release〕❶レコードやCDを発売すること。また、新しい楽曲を配信すること。❷釣った魚を生きているうちに、もとの海や川などに戻すこと。「キャッチアンドー」

リリーフ[2] ［一］〔relief〕浮き彫り❶。レリーフとも。［二］―する（他サ）〔relief〕〔野球で〕それまで投げていた投手が疲れたりコントロールを失ったりした時に、救援すること。「―ピッチャー[5]」

リリカル[1]―な〔lyrical〕叙情（詩）的。情緒的。「―な旋律」

りりく[0]【離陸】―する（自サ）航空機が陸地を離れて飛行の態勢に移ること。↕着陸

りりし・い[3]【〈凛々〉しい】（形）若い上にたくましくて、接する人がはつらつとした感じを受ける様子だ。「―武者ぶり」［派］―さ[3][2] ―げ[3][4][0]

リリシズム[3]〔lyricism〕叙情（詩）的な趣。叙情性。

りりつ[0]【利率】利子の元金に対する割合。「―年五分」

リリック[1]〔lyric〕［一］叙情詩。↕エピック ［二］―な 叙情的。

リリヤン[1][2]〔lily yarn〕人絹糸を細い丸ひもに織ったもの。手芸材料用。リリアンとも。八千代ひも[3]。

リレー[0]〔relay〕❶―する（他サ）急いで目的地へ何かを届けたり 通信連絡したり するために、要所要所に人を配置し

て中継を行なうこと。「水をバケツの―で運ぶ」 ㊁継電器。「―回路」 ㊂〔←relay race〕 陸上・水上競技で、普通四人が一組となって、一人ひとりが一定の距離を順番に△走る(泳ぐ)競技。

りれき[0]【履歴】 その人が今までに経験してきた学業・職業・賞罰など。〔物についても言うことがある〕 **―しょ**[4][0]【―書】 履歴を年代順に書いた文書。[かぞえ方] 一通

りろ[1]【理路】 話・文章などの論理の構成。「―整然とした話しぶり」

＊＊**りろん**[1]【理論】 個々の現象に適用し得るものとして組み立てられた、普遍的かつ体系的な説明・概念・知識の総体。「―では〔=理屈の上では〕そう言えても／―と実際とは違う／―倒れ〔=ⓐ理屈をこねるだけで、実行に及ばないこと。ⓑ理論的には可能であるが、実際上は出来ないこと〕／―づけ[0]・―化[0]・―家[0]・―的[0]」

りん(林・厘・倫・〈淋・鈴・〈綸・〈凜・輪・隣・臨・〈鱗)
↓【字音語の造語成分】

りん[1]【鈴】 ㊀お経を読む時、区切りを知らせるためにたたく、金属製の鉢形の仏具。㊁合図などのために振って鳴らす、金属製の鐘の形の道具。すず。「―を鳴らす／始業の―が鳴る／風―」 ㊂電鈴。ベル。「呼び―」 ⇩れい(鈴)

りん[1]【〈燐】 ㊀非金属元素の一つ〔記号P 原子番号15〕。「燐灰石[3]」として天然に産するほか、動植物体、特に骨・歯の中に多く含まれる。暗い所で見ると青白い微光を放つ。黄燐と赤燐とがあり、前者は有毒だが肥料などに使われる。㊁燐火。[表記] 多く、「リン」と書く。

りんう[1]【〈霖雨】 「ながあめ」の意の漢語的表現。

りんか[1]【輪禍】 自動車・電車などにはねられたりひかれたりする災難。「―にあう」

りんか[1]【〈燐火】 燐が燃える青白い火。墓場・湿地などで見られる。おにび。きつねび。

りんか[1]【隣家】 「隣の家」の漢語的表現。「―の火事」

りんが[0]【臨画】―する(他サ) 手本を見て△絵を習うこと(かいた絵)。

りんかい[0]【臨海】 海のそばにあること。「―実験所／―工業地帯」 **―がっこう**[5]【―学校】 夏、児童・生徒を海のそばに集めて、からだを鍛える教育活動。

りんかい[0]【臨界】 △物理的(化学的)変化が起こる境目にあること。「―に達する〔=核分裂などの反応が、持続的に進行する状態になる〕／―状態[5]〔=気体が液化する温度や圧力の下にある状態〕」

＊**りんかく**[0]【輪郭・輪〈廓】 ㊀そのものをある面からとらえた時の まわりの線。〔狭義では、顔だちを指す〕 ㊁〔アウトラインの訳語〕物語・事件・計画などの全体的な骨組。「―をつかむ／―が浮かびあがる」

りんがく[0]【林学】 農学の一分野。木に関する基礎理論、林業に関する技術・経営・経済などを研究する学問。「―博士」

リンガフォン[1][3]〔Linguaphone=商標名〕 英国製の外国語学習用△レコード(テープ)。リンガホンとも。

りんかん[0]【林間】 林の中。「―に遊ぶ」 **―がっこう**[5]【―学校】 夏、林の中や高原に児童・生徒を集めて、からだを鍛える教育活動。

りんかん[0]【輪〈奐】 〔「輪」は高大、「奐」は盛大の意〕社寺などの建築物が大きくて、りっぱなこと。「―の美」

りんかん[0]【輪〈姦】―する(他サ) 数人の男が、かわるがわる一人の女性に暴行を加えること。

りんき[1]【〈悋気】―する(自サ) (男女の間の)やきもち。

りんき[1]【臨機】 その場合場合に応じて適宜に何かをすること。「―の処置」 **―おうへん**[1]-[0]【―応変】 あらかじめ決めた方針にとらわれず、その場合場合の状況に応じた対処のしかたをすること。

りんぎ[1]【〈稟議】 〔本来の字音はヒンギ。「りんぎ」は類推読み。「ヒン」は受ける意、「リン」は米倉の意〕〔会議を開く手間を省いて〕おもな担当者が案を作って関係者に回し、承認を得ること。「―書[0][4]」

りんきゅう[0]【臨休】 「臨時休業[4]」の略。

りんぎょ[1]【臨御】 「(天皇が)その△場所(会場)に来ること」の意の尊敬語。

りんぎょう[1]【林業】 木を植えて育て、それを人間生活に役立たせることを目的とした生産業。「農―」

りんきん[0]【〈淋菌・〈痳菌】 淋病の病原菌。

リンク[1] ㊀〔link=くさりの輪〕 ㊀―する(自他サ) 二つ(以上)の事柄を△関連づける(連動させる)こと。「外交問題と経済援助を―させて議論する」 ㊁(インターネットで)あるページから指定する別のページへと移動できるように、接続先のアドレスを記した文字列。また、その接続先のページに移動すること。「関連サイトの―を貼る」 ㊂⇩リンク制

㊁〔←links〕 ゴルフ場。ゴルフリンク。[かぞえ方] ㊁は一面

リンク[1]〔rink〕 △アイス(ローラー)スケートを行なう専用の場所。「スケート―」 [かぞえ方] 一面

リング[1]〔ring〕 ㊀輪。「―ブック[4]〔=リングで差替えが自由に出来るノート〕」 ㊁指輪。「エンゲージ―[6]」 ㊂ボクシング・プロレスの試合場。高い台の上に、マットを正方形に敷き、ロープを張る。「―に上がる／―ネーム」 ㊃器械体操の、つり輪。㊄スキーのストックの先についている、雪押え用の輪。㊅避妊用具の一つ。子宮内に装着する。[かぞえ方] ㊁は一本・一点

リングサイド[4]〔ringside〕 拳闘場の、最前列の席。

リンクせい[0]【リンク制】 ㊀製品の輸出を条件にして、その原料・材料の輸入を許す制度。㊁統制経済のもとで、売っただけを仕入れ出来るようにする制度。

りんけい[0]【〈鱗形】 うろこに似た形。

りんけい[0]【〈鱗茎】 ユリ・タマネギ・スイセンなどの球根のように、まわりに肉の厚い鱗形の葉をつけた地下茎。

りんげつ[1]【臨月】 子供が生まれる(予定の)月。産み月。

リンゲル[1]〔←リンゲル氏溶液[6]。Ringer=人名〕 食塩そのほかの塩類を溶かした液体。出血の多い時などに、体液を補うために注射する。[かぞえ方] 取扱いの単位は一本

りんけん[0]【臨検】―する(他サ) その場に行って取り調べること。

りんげん[0]【〈綸言】 天皇の言葉。「―汗のごとし〔=君主が一度口に出した言葉は、出た汗のごとく二度と引っこめることは出来ない〕」

りんこ[1]【〈凜乎】―たる ―と 凜然として近寄りがたい様子だ。

りんご[0]【林〈檎】 寒地で栽培される落葉高木。春、白色の花を開く。果実は球形で赤く、甘くてさわやかな酸味がある。日本の代表的な果実の一つで、品種が多い。〔バラ科〕「―酒[3]」 [表記] 店屋では、「林子」とも書く。[かぞえ方] 一株・一本：一顆

りんこう[0]【輪講】―する(他サ) 一つの本を研究会の同人が分担して、当番の人が講義すること。

りんこう[0]【〈燐光】 ㊀黄燐を空気中に放置する時、自然に生じる青い色の光。㊁硫化カルシウムや弗化カルシウムなどの物体を光・X線などの電磁波にさらしたあと、その刺激によって発した光を取り去っても残存する光。

りんこう[0]【〈燐鉱】 燐酸カルシウムを多量に含む鉱物の総称。人造肥料の原料となる。「―石[3]」

りんこう[0]【臨幸】―する(自サ) 「(天皇が)その場に△出

かける(出る)こと」の意の尊敬語。「―を仰ぐ」

りんこう⓪(―カウ)【臨港】 港の(すぐ)そばにあること。「―線⓪・―地帯⑤」

りんごく⓪【隣国】 隣合う国。「―の人とつきあう/―の事情を理解する」

りんざいしゅう③【臨済宗】 禅宗の一派。曹洞(ソウトウ)宗・黄檗(オウバク)宗と共に日本の三禅宗の一つ。開祖は、唐〔六一八～九〇七〕の僧、臨済。

りんさく⓪【輪作】―する(他サ) 同じ土地にいろいろの作物を一定の順序で作ること。↔連作

りんさん⓪【林産】 山林から取れる△こと(物)。「―物③」

りんさん⓪【〈燐酸】 燐を硝酸とともに熱した時などに得られる、柱状の結晶。医薬用・化学工業用。 **―えん**③【―塩】 燐酸中の水素を金属元素で置き換えたもの。 **―カルシウム**⑦ 燐酸を含んでいる石灰。肥料や燐の製造に使う。燐酸石灰。 **―ひりょう**⑤(―レウ)【―肥料】 燐酸を多く含む肥料。略して「燐肥(リンピ)」。例、過燐酸石灰。

りんし①⓪【臨死】 死に直面し、死を感じ取ること。 **―たいけん**④【―体験】 死にかけた人が、夢うつつの状態で、死の世界をかいま見たと信じるような体験をすること。また、その体験。

***りんじ**⓪【臨時】 予定されたもの△以外の(が何かの事情でだめになった場合に、それに代わる)もの。「―に雇う/―国会④・―工⓪③・―収入④・―停車④」↔経常・通常

りんしつ⓪【〈淋疾・〈痳疾】「淋病」の意の古風な表現。

りんしつ⓪【隣室】 隣の部屋。

りんしもく③【〈鱗翅〉目】 昆虫の一つの分類。はねやからだが鱗粉と絹のような毛とでおおわれる。チョウ・ガの類。

りんしゃ⓪【臨写】―する(他サ) △手本(原本)を横に置いて、その通りに写すこと。「―本(ボン)⓪」

りんじゅう⓪【臨終】 Ⓐ命が、今終わろうとするまぎわ。「―を迎える/―に言い残した言葉」 Ⓑ死の意の婉曲(エンキョク)表現。「医者が患者の家族に―を告げる」

りんしょ⓪【臨書】―する(他サ) 手本を見て、その通りに書くこと。

りんしょう⓪(―シヤウ)【輪唱】―する(他サ) 同じ旋律を、(声域の違う)二人以上の人が等しい間隔をおいて追いかけるように歌う合唱のしかた。

りんしょう⓪(―シヤウ)【臨床】 実際に個々の病人について、病状の観察・治療をすること。「―講義⑤・―医学⑤」

りんじょう⓪(―ヂヤウ)【臨場】―する(自サ) 〔上の立場にある人が〕式場・会場などに出ること。臨席。 **―かん**③【―感】 〔主体のリアルでデリケートな心情や、その置かれた環境のディテールが〕直接はそのことが行なわれている場にはいないのに、あたかもその現場に居合わせているかのような印象を受ける感じ。「立体音響で―あふれるオペラを鑑賞する/―に満ちた3D映画」

りんしょく⓪【〈吝嗇〉】―なる どんな事にでもお金を使うことを極端に惜しむ△こと(様子)。けち。「―漢④③」 **―か**⓪【―家】 吝嗇な人。けちんぼ(う)。

りんじん⓪【隣人】 隣近所に住んでいる何らかのかかわりあいのある人。「―愛③」

リンス①―する(他サ)〔rinse=すすぐ(こと)〕 洗髪後、シャンプー・せっけんのアルカリ分を中和させたり 髪に油分を与えたりするために使う薬剤。またその液ですすぐこと。

りんず⓪【〈綸子】 紋の模様を織り出した、絹織物。

りんせい⓪【林政】 林業に関する行政。

りんせい⓪【〈稟請】―する(他サ) 〔本来の字音はヒンセイ。「りんせい」は類推読み。⇩稟議〕上役に申し出て請求すること。

りんせい⓪【輪生】―する(自サ) 茎の一節から三枚以上の葉が、車の輻(ヤ)のように生えること。例、クルマユリ③。⇩互生・対生

りんせき⓪【隣席】 隣の席。

りんせき⓪【臨席】―する(自サ) 公の会場や式場に出ること。

りんせつ⓪【隣接】―する(自サ) 隣りあっていて、密接な関係を持っていること。「―町村・―科学」

りんせつ⓪【〈鱗屑〉】 皮膚の表面の角質細胞が、薄い紙きれのようにはがれ落ちたもの。〔「ふけ」は、頭部の鱗屑〕

りんせん⓪【林泉】「木を植え、池を造った庭園」の意の漢語的表現。「―の美」

りんせん⓪【臨戦】―する(自サ) すでに戦闘が開始され、勝敗を決しなければならない段階にあること。「―態勢⑤」

りんぜん⓪【〈凛然〉】―たる ―と ❶寒さがきびしい様子だ。❷凛とした様子だ。「―たる態度」

りょく

［力］ ❶ちから。「能力・学力・理解力・政治力・労働力」 ❷力を出してつとめる。「努力・尽力」

［緑］ みどり(の)。「緑樹・緑茶・緑陰・緑地・緑風・緑化(リョッカ)・新緑・葉緑素」

りん

［林］ ❶(伐採の対象としての)はやし。「林間・林立・林道・林業・森林・密林・造林・針葉樹林」 ❷物事の集まり。「書林・辞林・芸林・酒池肉林」

［厘］ ❶〔一の百分の一の意〕明治以後の通貨の単位。一厘は一銭の十分の一。〔一八七一年から一九五三年まで使われた〕 ❷一分(ブ)の十分の一を表わす単位の称。Ⓐ割合の単位。全体を一とした時の千分の一を表わす。「打率は三割三分三厘」 Ⓑ尺貫法における長さの単位。約〇・三〇三ミリメートル。 Ⓒ尺貫法における質量の単位。三七・五ミリグラム。⇩毛(モウ)

［倫］ ❶なかま。同類。「絶倫・比倫」 ❷人の守るべき道。「倫理・人倫・不倫」

［〈淋］〔もと、水をそそぐ意〕 ❶水がしたたりおちる。「淋漓(リ)」 ❷うみが出たりする、尿道粘膜の炎症。「淋病・淋疾」 表記 ❷は、「〈痳」とも書く。

［鈴］ ⇩(本文)りん【鈴】

［〈綸］ ❶国をおさめる。つかさどる。「経綸」 ❷天子の命令。「綸言・綸旨(ジ)・綸命」

［〈凛］ ❶寒さがきびしい。「凛冽(レツ)」 ❷きりっと引きしまっている様子。「凛然・凛乎(コ)」

［輪］ ❶車のわ(の形をしたもの)。「輪転・後輪・車輪・前輪・脱輪・動輪・四(ヨン)輪・両輪」〔⇩いちりん(一輪)〕 ❷車。「輪禍」 ❸自転車。「銀輪・競輪・駐輪場・輪タク」 ❹順番に回る。「輪番・輪読・輪作・輪唱・輪廻(ネ)・輪講」 ❺物のまわり。「輪郭・外輪」

［隣］ となり(の)。となり合っている。「隣家・隣国・隣接・隣人・近隣・四隣・善隣」

［臨］ ❶上から下を見おろす。(立場の上の人が下の人に)向かいあう。「臨御(ギョ)・君臨・照臨」 ❷その場にあたる。のぞむ。「臨界・臨席・臨終・臨海」 ❸手本をそばに置いて習う。「臨画・臨書・臨模(モボ)」 ❹臨時。「臨休」

［〈鱗］ うろこ。「鱗粉(プン)・魚鱗・銀鱗・逆(ゲキ)鱗・片鱗」

りんそう[0]【林相】 その森林の特徴的な様相。

りんタク[0]【輪タク】〔タクはタクシーの略〕自転車の後部(側面)に、客が乗る席を設けた乗り物。〔第二次世界大戦後、一時期流行した〕 かぞえ方 一台

リンチ[1]—する(他サ)〔lynch〕正規の裁判などの手続きを取らずに行なう暴力的制裁。私刑。「—を加える/—事件」

りんち[1]【林地】 森林のある(を育てる予定の)土地。

りんち[0][1]【臨地】 その土地へ実際に行くこと。「—調査」

りんち[1]【臨池】〔後漢の張芝が池のそばで習字をし、池の水がまっくろになったという故事から〕書道。

りんてん[0]【輪転】—する(自サ) 車の輪のように回ること。「—式[0]」 **—き**[3]【—機】 大量・高速に印刷するための印刷機。円筒の形をした印刷面を回転させて、長い巻取り紙に続けて印刷する。 かぞえ方 一台

リンデン[1]〔linden〕⇩菩提樹❶

リント[1]〔lint〕 湿布・包帯用の、厚くて柔らかな布。ネルや綿布をけば立たせたもの。

りんと[1]【〈凜と】(副) 態度や声などにきびしさがあって、つけ入るすきを与えない様子だ。「—した態度で皆の前に立つ/『そんな事はできない』と—した声で言い放った」

りんどう[0]【林道】 山で切った材木などを運ぶための道。 かぞえ方 一本

りんどう[1]【《竜《胆】 山野に生える多年草。秋、青紫色・筒状の花を開く。観賞用。根は薬用。種類が多い。〔リンドウ科〕 かぞえ方 一本

りんどく[0]【〈淋毒・〈痳毒】 淋病の毒。

りんどく[0]【輪読】—する(他サ) 一つの本を当番の人が順番に読み進み、問題の箇所について説明したりすること。

りんね[1]【輪〈廻・輪《回】—する(自サ)〔仏教で〕生物が生まれては死に、また他の世界に生まれ迷うことを、いつまでも繰り返すこと。流転。「六道に—する」

リンネル[1]〔フ linière=亜麻畑〕亜麻の繊維で織った薄い織物。リネンとも。

リンパ[1]〔ラ lympha〕「リンパ液・リンパ節」の略。 表記 「〈淋巴〉」は、音訳。

リンパえき[3]【リンパ液】 脊椎動物の身体組織の間にある液体の一種。組織に栄養を与え、老廃物を運び去る。

リンパかん[0]【リンパ管】 リンパ液を身体組織の各部分から血管へ運ぶ管。

リンパきゅう[3]【リンパ球】 白血球の一種。抗体を作り出すなど、免疫反応に直接的な働きをする。

リンパせつ[3]【リンパ節】 リンパ管の所どころにある小さい堅いもの。〔腫れた状態を俗に「ぐりぐり」と言う。旧称・俗称は、「リンパ腺[0]」〕

りんばつ[0]【輪伐】—する(他サ) 毎年、森林の一部分ずつを順番に切りとること。

りんばん[0]【輪番】 全体にかかわる仕事などについて、関係者が順番にその役に当たること。まわり番。「—制[0]」

りんぴ[1]【〈燐肥】「燐酸肥料」の略。

りんびょう[0]【〈淋病・〈痳病】 淋菌におかされたために起こる尿道粘膜の炎症。〔梅毒とともに代表的な性病の一つ〕

りんぶ[1]【輪舞】—する(自サ) おおぜいが輪になって、回りながら踊ること(踊り)。 **—きょく**[3]【—曲】⇩ロンド❷

りんぷん[0]【〈鱗粉】 チョウ・ガの羽の全面を覆っている薄くて平たい小片。〔肉眼では粉状に見える〕 かぞえ方 一枚

りんぺん[0]【〈鱗片】 うろこ形をした小さな片。

りんぽ[1]【隣保】(共同体としてとらえた)隣近所。「—組織」 **—かん**[3]【—館】 その地域の住民のために社会教育・福祉活動等を行なう公共施設。

りんぽう[0]【隣邦】「隣国」の別称。

りんぽん[0]【臨本】 ❶臨写の手本とする書画。 ❷臨写した本。

りんめい[0]【〈綸命】 天皇の命令。

りんも[1]【臨模・臨〈摸・臨〈摹】—する(他サ) 本や実物を見ながら(写して)書くこと。「りんぼ[1]」とも。

りんもう[0]【厘毛】「ごく わずか」の意の漢語的表現。「—の狂いも無い」

りんもう[0]【〈鱗毛】 ❶〔シダなどにある〕うろこのように表面をおおい保護する、短い毛。 ❷ガの体表や羽をおおう、非常にこまかく細い毛。

りんや[1]【林野】 森林と原野。「—局[3]」 **—ちょう**[3]【—庁】 農林水産省の外局で、国有・公有の林野の管理や林業に関する事務を扱う機関。

りんらく[0]【〈淪落】—する(自サ)〔「淪」は、沈没の意〕堕落して身を持ちくずすこと。「—の身」

りんり[1]【倫理】 ❶行動の規範としての道徳観や善悪の基準。「—観[3]・—感[3]」 ❷「倫理学」の略。 **—がく**[3]【—学】 道徳とは何か、善悪の基準を何に求めるべきかなどを通して社会的存在としての人間のあり方を研究する学問。 **—てき**[0]【—的】—な 倫理をわきまえて行動する(いるかどうかについて問題にされる)様子だ。

りんり[1]【〈淋〈漓】—たる —と〔「漓」は、びっしょりぬれる意〕汗などがあふれ出て、したたる様子だ。「流汗—」

りんりつ[0]【林立】—する(自サ) 林の木のようにたくさん立ち並ぶこと。「—する煙突」

りんりん[0]【〈凜〈々】—たる —と〔寒さ・緊張などで〕身が引きしまる様子だ。「勇気—[1]-[0]」

りんれつ[0]【〈凜〈冽】—たる —と〔「冽」は、寒い意〕寒さの厳しい様子だ。「寒気—[1]-[0]」

りんろう[0]【〈琳〈琅】 美しい玉(の触れ合う響き)。すぐれた才能やみごとな詩文などのたとえ。

る … ル

る〔流・留・〈屢・瑠・〈縷〕→【字音語の造語成分】

る(助動・下二型)〔文語形〕⇩れる

ルアー[1]〔lure=誘惑物〕(魚を釣るための)釣り針の付いた「擬餌」。 かぞえ方 一本

るい〔涙・累・塁・類〕→【字音語の造語成分】

るい[1]【累】「迷惑」の意の漢語的表現。「—を及ぼす」⇩【造語成分】

るい[1]【塁】 ❶味方の拠点として作った小規模の構築物。「—を摩す〔=ⓐ敵塁に迫る。ⓑ勢力・腕前などが、もう少しで第一人者(対抗者)と匹敵するほどになる〕/堅—・孤—」 ❷〔野球で〕内野の四隅に設けられた、攻撃・守備上の拠点。攻撃側は必ず、一・二・三塁を経由して本塁に戻って得点しようと心がけ、守備側は補殺しやすい所定の位置でこれを阻止しようとする。ベース。「—に出る/—を離る/—を賑わせる/—間距離・—上[0]・出—・盗—・走—・本—・満—」

るい[1]【〈誄】〔弔辞の意〕〔神式の葬儀で斎主などが〕死んだ人の業績などを述べるとともに哀悼の意を表わすこと(言葉)。しのびごと[0]。

るい[1]【類】 ❶よく似通ったもの(事柄)。「世界に—を見ない/—〔=類例〕の無い事件/—は友を呼ぶ〔=同じ傾向を持つ者は自然に集まるものだ〕/—似・—型・—例・比—・

無―」㊁〔哲学・論理学で〕「種」の上位概念。⇩類概念⇩【造語成分】

るいえん⓪【類縁】〔もと、親類関係の意〕〔生物などで〕互いの形・性質が似ていて、〔発生の順序が〕近い関係にあること。「文学を中心に―の演劇、美術、歴史などの分野から…」/―関係・―種③」

るいおん⓪【類音】（発）音が似ていて、ちょっと聞いた限りでは、聞き誤られがちなもの。「しち」と「ひち」、「じゅく」と「じく」など。「―語⓪」

る

【流】㊀世間に△広まる（広める）。「流布・流説」㊁あちこちさまよう。「流浪・流民」㊂刑罰として遠方に追いやる。「流罪・流刑・流人・遠流」⇩りゅう

【留】とどまる。「留守」⇩りゅう

【〈屢】しばしば。たびたび。「屢次」

【瑠】梵語の音訳字として用いられる。「瑠璃・浄瑠璃」

【〈縷】いと（のように細く長いもの）。「縷々・縷説・一縷」

るい

【涙】なみだ。「涙腺・熱涙・落涙・感涙」

【累】㊀断ちきることの出来ない、わずらわしい関係。「俗累・係累」㊁次つぎと△かさねる（かさなる）。「累代・累計・累犯・累進・累積・累卵」⇩（本文）るい【累】

【塁】⇩（本文）るい【塁】

【類】㊀〔共通の特徴などによって〕一まとまりに出来る△もの（事柄）。「類例・類別・種類・同類・人類・分類」㊁〔生物の分類で〕「綱・目」などを表わす慣用語。「菌類・哺乳類〔=綱〕・霊長類〔=目〕」㊂巻きぞえをくう。「類火・類焼」㊃△相違点（共通点）を見て等しく扱う。「類纂・類集・類推」㊄同族。「類縁・親類」⇩（本文）るい【類】

るいか⓪①【累加】―する（自他サ）△ふえ方（増加のしかた）が多くなること。「税率の―/―的に列挙する」

るいか⓪【類化】㊀生物の同化（作用）。㊁―する（他サ）共通点・相違点に着目して、同類の物を幾つかに分類すること。

るいか⓪【類火】「もらい火」の意の漢語的表現。

るいか①⓪【類歌】その歌と発想・表現がよく似た歌。

るいがいねん③【類概念】本質的な特徴を共通に持つ個物をすべて集めた概念。〔たとえば、「哺乳類」は「牛」「馬」に対して類概念〕⇩種概念

るいかん⓪【塁間】〔野球で〕ベースとベースとの間（の距離）。

るいぎ⓪【類義】意味が似ていること。また、似た意味。**―ご**⓪【―語】「まざる」と「まじる」、「美しい」と「きれい」、「体勢」と「態勢」のように、普通の場合あまり意味の差異を意識しないで使っている言葉。類語。

るいく⓪【類句】㊀その句と表現がよく似通っている俳句・川柳。㊁歌集・句集などの和歌・俳句を構成する、五音・七音などの一区切りを単位として索引のように並べたもの。「万葉集―」

るいけい⓪【累計】―する（他サ）たくさんのものの数量を総計するに当たって、途中で得た小計を順に幾つか足して合計すること。また、その時までの小計を合計した結果。「月ごとに経費を―していく/入場者は―五百万人に達する」

るいけい⓪【類型】対象として取り上げるものが、形や性状などの点で基準とするものと共通の要素を備えたものであること。また、その要素を備えた型。「日本各地の民話には―が多い/―を△探す（求める）/どの―にもあてはまらない」**―てき**⓪【―的】―な ―に 同類の他のものと比べて、これといった目新しい特徴が認められない様子だ。「―な表現」

るいげつ⓪【累月】何か月も続くこと。「―に及ぶ」

るいげん⓪【累減】―する（自他サ）時間の経過とともに次第に△減る（減らす）こと。↕累増

るいご⓪【類語】⇩類義語 **―じてん**④【―辞典】㊀類義語を集め（て、それぞれの用法の区別などを指示し）た辞典。㊁ある語と何らかの関係を持つ語を集めて、作文・修辞の参考に供する辞典（風の書物）。

るいこん⓪【涙痕】「涙の（流れた）あと」の意の漢語的表現。

るいさん⓪【累算】―する（他サ）「累計」の意の古風な表現。

るいさん⓪【類〈纂】―する（他サ）㊀（逐次発行される）同類の文献を集めて、関係記事を一覧しやすいものにすること。また、その書物。「法規―・文芸―」㊁ある分野に属する種々の術語・事柄を分類して解説したもの。

るいし①【〈誄詞】「誄」の言葉。

るいじ①【累次】同じような事が何度も重なり起こること。「―〔=たびたび〕の災難」

るいじ⓪【類字】㊀形が似ていて、ちょっと見た限りでは、まちがいやすい漢字。㊁見出しを「いろは」などで分類すること。

***るいじ**⓪【類似】―する（自サ）〈なにニ―する/なにト―する〉二つ以上のものの間に共通点が多く見られること。「―の品/―性⓪・―点③」

るいじつ⓪【累日】きょうもまたかという感じを受けるほど同じようなことが幾日も続くこと。

るいじゃく⓪【〈羸弱】―な・なる からだが並はずれて弱い△こと（様子）。「―の身」

るいじゅう⓪【類〈聚】―する（他サ）〔「るいじゅ①」の変化〕〔雑纂とか年代順とかなどではなく〕同じ種類の事柄をそれぞれ一か所に集め、分類・編纂すること。表記 書名として用いる時は、「類従・類集」とも書く。

るいしょ⓪①【類書】㊀内容・形式ともに、同一範疇に属する本。類本。㊁〔分類体の〕昔の百科事典。

るいしょう⓪【類焼】―する（自サ）よそで起きた火事が燃え移って、その所も焼けること。

るいじょう⓪【累乗】―する（他サ）その△数（式㊂Ⓐ）の何乗かを求めること。また、その結果。冪。冪乗⓪。例、四乗。〔何乗するかを表わす数、すなわち指数は、二以上の自然数の場合が普通。広義では指数が一、零やさらには負の整数の場合にも言うことがある〕**―こん**③【―根】与えられた数に対し、累乗するとちょうどその数になる数の称。ルート。冪根⓪。例、平方根・立方根・四乗根③。

るいしん⓪【累進】―する（自サ）㊀〔エリートコースに乗り〕地位などが次つぎと進むこと。「局長に―する」㊁数量がふえるにつれて、それに対する比率が増すこと。「―課税⑤」

るいしん⓪【塁審】〔野球で〕一・二・三塁のそばに居る審判。⇩球審・線審

るいじんえん③【類人猿】サル類の中で最も人間に近いもの。あと足で直立することも出来る。例、チンパンジー・

ゴリラ・オランウータンなど。

るいすい⓪【類推】―する（他サ）既得の知識を応用して、同じ条件にある未知の物事について多分そうではないかと判断を下すこと。**―よみ**⓪【―読み】漢字の読み方で、正しい音、慣用の音以外の誤った読み方。字の旁(リック)から類推することが多い。〔以前は「百姓読み」と言われていた〕「哀悼(アイトウ)」を「あいたく」、「絢爛(ケンラン)」を「じゅんらん」と読む類。

るい・する③【類する】（自サ）似通う△点（性質）がある。「これに―ことは」

るいせい⓪①【累世】「累代」の意の古風な表現。「―の臣」

るいせき⓪【累積】―する（自他サ）前からの問題の事柄が（解消されずに）ある上に、さらに次から次へと△積み重ね（積み重な）ること。「―赤字⑤」

るいせつ⓪【〈縲絏〉】〔罪人をつなぐ黒い縄の意〕「罪を犯したため、牢屋(ロウヤ)に入れられる」意の漢語的表現。「―のはずかしめを受ける」 表記「〈縲紲〉」とも書く。

るいせん⓪【涙腺】涙を分泌する腺。

るいぞう⓪【累増】―する（自他サ）時間の経過とともに次第に△ふえる（ふやす）こと。⇔累減

るいだい⓪①【累代】何代にもわたって代を重ねること。「田中家―の墓」

るいだい⓪【類題】❶和歌・俳句などを、「題❶」によって分類し集めたもの。❷同じ種類の問題。「算数の―」

るいどう⓪【類同】大まかに見て、似通っていること。

るいねん⓪【累年】来る年も来る年も同じようなことが続くこと。「―の災害」

るいはん⓪【累犯】何度も重ねて罪を犯すこと。〔法律では、懲役になった者が、刑の終了後五年以内にまた罪を犯して、懲役に処せられること〕

るいひ①⓪【類比】―する（他サ）同じ条件にあるものについて、共通点の有無を調べてみること。

ルイベ①〔アイヌ ruibe〕生のサケを凍らせたもの。刺身のようにして食べる。

るいへき⓪【塁壁】とりでの周囲に壁のように積み上げた土や石。

るいべつ⓪【類別】―する（他サ）共通点に着目して全体を大きく幾つかの類に分けること。「一夏かかって集めたチョウを―して標本箱に収めた」

るいほん⓪【類本】類書。

るいらん⓪【累卵】〔卵を積み重ねる意〕安定の悪いものを積み重ねた状態。「―の危うき〔=きわめて不安定で、ちょっとしたきっかけから最悪の事態を引き起こしかねない状態〕」

るいるい⓪【累々】―たる ―と 折り重なるように あたり一面をふさいでいる様子だ。「―たる死体」

るいれい⓪【類例】〔今問題になっているものと〕同じような例。「―を挙げる／―はすこぶる乏しい」

るいれき⓪【〈瘰癧〉】首のリンパ節がはれて、しこりの出来た症状。多くは結核性で、普通、子供に見られる。

ルー①〔フ roux〕小麦粉を△油（バター）でいためたもの。カレー・シチューの とろみを出したり スープ・ソースの基にしたりする。

ルーキー①〔rookie〕〔野球で〕新人の選手。

ルージュ①〔フ rouge〕口紅。

ルーズ①―な ―に〔loose の日本語形〕しまりの無い様子だ。「時間に―だ／―な管理／―ソックス④」 派 **―さ**⓪③

ルーズリーフ④〔loose-leaf〕用紙を一枚一枚自由に入れたり はずしたり 出来る帳面。かぞえ方 一冊

ルーター⓪〔router〕〔コンピューターで〕ネットワーク同士を、最適な経路を選択してつなぐ装置。

ルーチン①〔routine=「踏み固められた道」の意のフランス語に由来〕❶（決まっている）日常（の業務）。「―の仕事をはずす／―ワーク」 ❷〔コンピューターで〕プログラムの中の、一まとまりの作業をする（一連の命令から成る）部分。〔絶対的な基準は無く、相対的な用語〕「入出力―・主―・サブ―」〔❶❷ともルーティン①・ルーティーン③とも〕

ルーツ①〔roots=根〕❶さかのぼれる限りの、その△人（民族など）の祖先（の発祥の地）。「日本民族の―」 ❷その物事の起源。「ラーメンの―を探る」

ルーデサック④〔オ roedezak, roede=竿(サオ)・陰茎〕⇩コンドーム

ルート① ❶〔root〕〔数学で〕Ⓐ根号。「√￣」 Ⓑ累乗根。〔狭義では、（正の）平方根を指す〕 ❷〔route〕そこを通れば目的点へ達する道。「調達―に乗る／特別な―〔=てづる〕で入手する／密輸―」

ルーバー①〔louver〕よろい戸（式の おおい・窓）。

ルーフ（造語）〔roof〕屋根。「―ガーデン④〔=デパートなどの屋上庭園〕・サン―」

ループ①〔loop〕❶〔糸・ひも・針金・レールなどの〕輪（の形になったもの）。「―アンテナ④〔=室内に置く、輪の形をした、テレビ受信用のアンテナ〕」 ❷コンピューターのプログラムで、何回も繰り返して実行される命令群。 ❸〔←ループ線⓪〕登山鉄道などで、輪をえがくように線路を敷いて登りやすくしたもの。

ルーフィング①⓪〔roofing〕建物の屋根や地下室の防水に使う、繊維品にアスファルトをしみこませた紙状のもの。

ループタイ④〔和製英語 ←loop + tie〕とめ具でとめるひも状のネクタイ。

ルーブル①【《留》】〔ロ rubl'〕ロシア連邦の通貨の単位。ループリ①とも。 表記「留」は、音訳。

ルーペ①〔ド Lupe〕むしめがね。拡大鏡。

ルーム（造語）〔room〕部屋。「―サービス④・サン―・ベッド―・リビング―・シャワー―・ワンルームマンション」

ルームシェア④―する（自サ）〔room share〕他人同士が共同で一つの部屋を借りて一緒に住むこと。

ルームチャージ④〔room charge〕ホテルの、宿泊料金。

ルームメート④〔roommate〕〔寮などで〕同じ部屋に住んでいる者同士。

ルーメン①〔lumen〕国際単位系における光のエネルギーの流れの単位で、ある面を単位時間に通過する放射エネルギーの量を表わす〔記号 lm〕。

ルーラー①〔ruler〕❶定規。❷簿記に使う、丸い棒。

***ルール**①〔rule〕❶会議・運動競技などを公正に行なうために決めた規則。「―を確立する／―の設定／―を無視する／―づくり」 ❷ものさし。定規。「スライド―⑤〔=計算尺〕」

ルールブック④〔rulebook〕競技の規則書。

ルーレット①〔フ roulette〕❶〔洋裁などで〕紙・布地などの上を回転させて点線の跡をつける歯車のついた道具。ルレット①②とも。❷賭博(トバク)用具の一つ。黒・赤で〇から三十六までの数字を書いた円盤の任意の所に賭(カ)けて、円盤を回転させ、たまを入れて円盤が止まった時の たまの位置によって勝負を争う。かぞえ方 ❶は一本。❷は一台

るきん⓪【〈鏤金〉】金属製の器に、花鳥・山水などを彫った工芸品。

ルクス①〔ド Lux=光の意のラテン語に由来〕国際単位系における照度の単位で、一カンデラの光度を持つ等方性の点光源から一メートル離れた場所における光の強さを表わす〔記号 lx〕。ルックス①とも。

る

るけい[0]【流刑】「りゅうけい」の古称。「―囚[2]」

ルゴール[2]〔←ルゴール液[4]、Lugol=人名〕ヨード・グリセリンなどを交ぜた赤みを帯びた茶色の液体の薬。扁桃腺がはれた時などに塗る。

るこく[0]【鏤刻】―する（他サ）❶金属や木に、文字・絵などを彫り刻むこと。❷苦心して文章を整えること。〔❶❷とも「ろうこく」とも〕

るこつ[0]【鏤骨】〔もと、肌に銘じ骨に刻して忘れないようにする意〕文章を書く時などに非常に苦心すること。「ろうこつ」とも。「彫心―〔=⇩彫心鏤骨〕の作品」

るざい[0]【流罪】⇩りゅうけい

るじ[1]【屢次】「しばしば」の意の古風な表現。「―〔=たびたび〕に渡る」

るしゃな[0]【盧遮那】「毘盧遮那仏[4]」の略。

るじゅつ[0]【屢述】―する（他サ）「たびたび（繰り返し）述べる」意の漢語的表現。

るじゅつ[0]【縷述】―する（他サ）「事こまかに述べる」意の漢語的表現。

**るす[1]【留守】―する（自サ）〔帝王の地方巡幸中、王城に留まって執政を代行する（者の）意〕❶主人や家人が外出したあと残っていて（頼まれて）その家の番をする（こと・人）。留守居。留守番。❷外出・出張などの事由で、その人が家に居ないこと。「ご主人の―にお邪魔する／―宅[0]」❸〔「おーになる」の形で〕他の事に気をとられて、しなくてはならないことをしないでいる、の意を表わす。「クラブ活動に夢中で勉強がお―になる」 表記「留主」と書くこともある。

―い[3][2][0]【―居】⇩留守❶ **―でん**[0]【―電】「留守番電話[5]」の略。留守中でも、かかってきた電話の内容が自動的に録音出来る装置。 **―ばん**[0]【―番】⇩留守❶

るせつ[0]【流説】❶世間一般に広まった説。❷流言。

るせつ[0]【屢説】―する（他サ）「たびたび（繰り返して）説明する」意の漢語的表現。

るせつ[0]【縷説】―する（他サ）「細かいところまで詳しく説明する」意の漢語的表現。

るたく[0]【流謫】⇩りゅうたく

ルチン[1]〔rutin〕ソバ・トマトなどに含まれる成分。毛細血管のもろくなるのを防ぎ、高血圧の予防薬にする。

ルックス[0][1]〔looks〕「容貌」の意の、気取った表現。

ルッコラ[1]〔イ rucola〕イタリア料理の香味野菜に用いるアブラナ科の一年草。地中海沿岸原産。和名はキバナスズシロ。ゴマに似た風味と辛みがあり、サラダに用いられる。ロケット[2]とも。

るつぼ[1][0]【坩堝】〔「坩」は土製の容器、「堝」は陶製の容器〕❶金属を強く熱する時に用いる、耐熱性の容器。❷熱狂した雰囲気がその場を支配すること。「思わぬ勝利にスタンドは歓喜（興奮）の―と化した」❸異質のものが混然としていること。「人種の―」

ルテイン[2]〔lutein〕緑黄色野菜などに多く含まれる黄色い色素。抗酸化物質で、生体内では目に存在する。

るてん[0]【流転】―する（自サ）❶〔「流」は相続、「転」は起こる意〕〔仏教で〕迷いの生死を続け、六道の間を生まれ変わること。輪廻。❷限りなく移り変わること。「万物―[1]-[0]」

るにん[0]【流人】流罪に処せられた人。「―の島」

ルネサンス[2]〔フ Renaissance=再生〕十四世紀から十六世紀にかけてヨーロッパ全体に広がった学問・芸術など、文化上の革新運動。人間性の尊重、個性の解放をめざす一方、ギリシャ・ローマの古典文化の復興を唱えた。文芸復興。ルネッサンス[2]とも。

ルバーシカ[2]〔ロ rubashka=シャツ〕ロシアの民族衣装。詰め襟で、ボタン止めの襟あきが わきに付き、腰にベルトをしめる。女性用の晴れ着には、襟もとそでに、装飾を施すことが多い。ルバシカ[0][2]・ルパシカ[0][2]とも。 かぞえ方 一着

ルビ[1]〔ruby〕〔イギリスの活字の大きさの古称ルビーから〕ふりがな（用の小さな活字）。「―を振る／―つき[0]・総―・ぱら―」

ルビー[1]〔ruby〕❶紅色の宝石。コランダム〔=鋼玉〕の一種。紅玉。❷ルビ。

ルピー[1]〔rupee〕インド・パキスタンなどの通貨単位。

ルビコン[0][1]〔Rubicon〕古代ローマ時代、ローマ属領とローマ共和国との境であった川。「―（川）を渡る〔=昔、カエサルが、『さいは投げられた』と言って、渡ることを禁じられたこの川を渡り、元老ポンペイウスに決戦をいどんだことから、重大な決意をして、物事を始める意にも用いられる〕」

るふ[1]【流布】―する（自他サ）その物事が世間に広く行き渡る（行き渡らせる）こと。 **―ぼん**[0]【―本】古典の本文で、それぞれの時代に広く行なわれた本。

ルポ[1] ルポルタージュの略。「現地―[4]」

るほう[0]【屢報】―する（他サ）たびたび（繰り返し）知らせること。

ルポライター[3]〔和製洋語 ←フ reportage + 英 writer〕社会的な事件・事象などについて現地で（関係者から）取材して記事にまとめる人。

ルポルタージュ[4]〔フ reportage〕事件が起こった時、特派された記者による現地報告。〔広義では、現地報告的な文学作品をも指す〕

るまた[0]【ル又】漢字の部首名の一つ。「段・殺・殴」などの、右側の「殳」の部分。「ル」+「又」の形に似るところから言う。「ほこづくり」とも。〔「殳」は手に武器を持つ意。多く、打撃を加える動作にかかわる漢字がこれに属する〕

ルミノール はんのう[6]【ルミノール反応】〔luminol=発光物質の名〕血痕が付いている衣類などに見られる反応。ルミノールに過酸化水素を作用させると、血液があれば、青白い蛍光を発する。

るみん[0]【流民】⇩りゅうみん

るり[1]【瑠璃】〔梵語の音訳〕❶七宝の一つ。紺色の宝石。❷美しい青色をしていて、こがね色の細かい点が入った鉱物。ラピス ラズリ。❸ガラスの古い名。❹「るり色・るり鳥」の略。

るり いろ[0]【瑠璃色】紫色を帯びた紺色。

るりこうにょらい[5]【瑠璃光如来】薬師如来。

るりちょう[0]【瑠璃鳥】ツグミ科のコルリと、ヒタキ科のオオルリの総称。〔狭義では、後者を指す〕 かぞえ方 一羽

るる[1]【縷々】（副）❶内容を細部にわたってこまごまと述べる様子。「事情を―説明する／窮状を―述べ立てる」❷細く長く、もう終わるのかと思うと また続く様子。「白い煙が―として立ちのぼる」

るろう[0]【流浪】―する（自サ）〔定住することが出来ず〕この地からあの地へと、あてもなく毎日宿を変えながら歩くこと。「―の民」

ルンゲ[1]〔ド Lunge=肺〕肺結核。

ルンバ[1]〔ス rumba〕キューバ起源のラテン音楽（に基づく民族舞踊）。四分の二拍子で、律動的。

ルンペン[1]〔ド Lumpen=ぼろ。古着〕浮浪者。失業者。

るんるん ❶[1]（副）―と「うれしくてたまらず、思わず歌いたくなるような気分である様子」の口頭語的表現。「楽しく遊んで―と家に帰る／―気分」❷[0]―な ―に「るんるん❶」に同じ。「休暇がとれて―だ／上天気になり、―で出かけた」

る

れ…レ

レ①〔イ re〕〔音楽で〕長音階の第二音、短音階の第四音の名。

レア①〔rare〕ステーキの焼き方で、表面だけ火を通し、中がほぼ生の状態に焼いたもの。⇩ウエルダン・ミディアム

レア アース③〔←rare earth elements〕⇩希土類

レア メタル③〔rare metal〕産出量がきわめて少ないが、特殊な用途に必要な金属。ニッケル・コバルト・リチウム・チタン・バナジウムなど。希少金属④。

レアリスム③〔フ réalisme〕⇩リアリズム

レアリテ②⓪〔フ réalité〕⇩リアリティー

れい（令・礼・冷・励・戻・例・鈴・零・霊・隷・＾嶺・齢・麗）→【字音語の造語成分】

レイ①〔ハワイ lei〕ハワイ諸島で首や頭にかける花輪。客の首にかけて歓送迎の気持を表わすのにも用いられる。

れい①【令】誰かに発せられた命令。「―に応じる/―にそむく/―を下す」⇩【造語成分】

***れい**【礼】❶①その社会で慣習化されている、敬意表現の規範的形式。「―を△尽くす(失する・欠く)/―儀・―節・―服・敬―・非―・無ブ―」❷①（❶の具体的な現れとしての）おじぎ。「―をする/起立、―/―拝・目―・敬―・拝―」❸⓪感謝の気持を表わす△こと（金品）。「―を言う/―をする/―金・―状・謝―・返―」❹①儀式。「即位の―/婚―・祭―・大―・典―」⇩お礼 ⇩【造語成分】らい

***れい**①【例】❶昔からの習わし・ことわざで、後の世の人に踏襲されるもの。「これまでに―〔=先例〕を見ない/好事ジ魔マ多しの―に漏れず〔=よく…と言われるが、本当にその通りで〕/悪―・旧―」❷これまでに△行なわれた（存在が報告された）ものと、性質・傾向が同一であると認められる△こと（もの）。「先人の―に倣う/同種の壺ボッはこれまで全国で六―発掘されている/―外・類―」❸その地域社会や個人において、いつもそのような傾向が認められること。「末っ子の―でわがままに育った/―によって―のごとし〔=ふだんの通りで、別に変わったところも無い〕/―年・定―」❹〔ある理論・序列・公式などが正しいことを説明するのに〕△よりどころ（証拠）として示す物事。「―をあげれば限リキが無い/…を―に引く/―証・―題・事―」⇩【造語成分】

れい①【鈴】金属性の仏具。柄のついた小さな鐘で、内部に「舌❷Ⓑ」があり、振って鳴らす。「卓タク―⓪・土ド―」⇩【造語成分】

れい①【零】❶Ⓐ個数が一つも無いこと。〔基数詞の一つ〕「三対―で勝つ/―時半・―歳(八か月)」Ⓑ（普通は正の）連続量として表わされるものの量が全く無いこと。「雨の降る確率は―パーセント/百点満点で―点」❷一番目のもう一つ前であること。〔序数詞の一つ〕「―番線」❸連続量（を数値で表わす時）の基点として採用する量であること。「セ氏―度/―下〔=氷点下〕」❹〔数学で〕いかなる△実数（複素数）に加えても、和がもとの△実数（複素数）と等しくなるような△実数（複素数）の称。〔実数としての零は正と負の境の数で、「零❶❷❸」に対応〕「実数の範囲では、―による割り算を除けば、加減乗除が自由に行なえる」❺「零❹」を表わす記号である漢数字〇の名称。例、一〇八・〇五〔=「百八点零五」と読む〕。東京都区内への電話は（〇三）。〔ゼロの漢字表記語で、アラビア数字0の名称としても用いられる。例、『―の発見』〕〔ゴシックの用例のうち、―の部分は「ゼロ」を代入することが出来ない〕⇩ゼロ ⇩【造語成分】

れい①【霊】❶人間の知識や経験を超えてそこに何かあると感じられるが、実体としてはとらえられない神秘的△な現象（存在）。「―の存在を疑う/山の―/―感・―験ゲン・―気・―木・―域・神―・聖―」❷死者の魂。〔まつる対象となる際は「神」としてとらえられる〕「先祖の―を慰める/―魂・―前・―媒・慰―・英―・亡―・幽―」❸精神。「―肉一致①-⓪、⓪-⓪・心―現象」⇩【造語成分】りょう

れい①【隷】⇩隷書 ⇩【造語成分】

レイアウト③―する（他サ）〔layout〕❶ポスターや雑誌・書籍などの紙面に、文字・さし絵・写真などを効果的に配置すること。また、その割付け。❷Ⓐ建物や、工場内の機械などの配置。Ⓑ商店内の、商品・棚・レジなどの配置。

れいあん⓪【冷暗】直射日光が差し込んだりせず温度が低い状態で保たれること。「―所⓪⑤」

れいあんしつ③【霊安室】病院などで遺体を安置しておく部屋。

れいあんぽう③オ|パフ【冷＾罨法】冷たい刺激を与えて、炎症や痛みをとめる治療法。冷たい湿布をしたり 氷嚢ヒョウノウを当てたり する。↔温罨法

れいい①キ|【霊位】死んだ人の魂が乗り移っているものとして代りに祭るもの。〔神道における霊代タマシロ〔=死んで神格化した人の霊が乗り移ったもの〕、仏教における位牌ハイを指す〕

れいい①キ|【霊威】神仏の発揮する不思議な威力。

れいい①【霊異】どうしてそういうことが起こったのか、人間の知恵では計り知れないこと。

れいいき⓪キキ|【霊域】社寺などがある（普通の人が勝手に入れない）神聖な場所。

れいう①【冷雨】冷たい雨。

れいえん⓪エン|【霊園・霊＾苑】区画や道・樹木などを整備して、（公園風に）造った共同墓地。「富士―」

レイオフ③〔layoff〕不況対策の一つとしての、一時△解雇（休職）。将来の再雇用を条件に、従業員を一時的に解雇すること。

れいおん⓪ヲン|【冷温】❶冷たい（もの）と、温かい（もの）。「―両用⓪-⓪」❷低い温度。「―貯蔵⑤」

れいか①【冷夏】例年に比べて（最高）気温が低い状態が続く夏。「―型の天候」

れいか①クワ|【冷菓】「氷菓」の改まった表現。例、アイスクリーム・シャーベット・ゼリー・ババロアなど。

れいか①【零下】（セ氏の）零度以下。氷点下。

れいか⓪クワ|【霊化】―する（自他サ）霊的なものに△なる（する）こと。

れいか①【霊歌】⇩黒人

れいか①【隷下】その人の下に従属すること。「―の部隊」

れいかい⓪クワイ|【冷灰】「火が消えて冷たくなった灰」の意の漢語的表現。

れいかい⓪クワイ|【例会】（日を決めて）定期的に開く会。

れいかい⓪【霊界】❶霊魂のかかわる死後の世界。「―通信⑤」❷宗教・信仰のかかわる世界。↔肉界

れいがい⓪【冷害】例年より夏季の気温が低く、日照時間も少ないために農作物が受ける被害。「―に見舞われる」

れいがい⓪グワイ|【例外】一般の原則に合わず、特別の事情にあると認められる△こと（もの）。「―の無い規則は無い/―中の―」↔原則

れいかん⓪【冷汗】「ひや汗」の漢語的表現。「―三斗⓪-①〔=恐ろしさや恥ずかしさなどでショックを受けた時の形容〕」

れいかん⓪【冷寒＾】―な 冷えびえとして寒い△こと（状態）。

れ

れいかん[0]【霊感】❶人の祈願に対して現われる神仏の反応。❷神仏から人が受ける啓示。おつげ。❸インスピレーション。

れいがん[0]【冷眼】人をばかにするような、冷たい目つき。「—視する〔=同情すること無く、人をさげすむように見る〕」

れいかんしょう[0]《シヤウ》【冷感症】女性の、全く性的△欲望が無い（快感が得られない）症状。

れいき[1]【冷気】肌に冷たく感じる空気。

れいき[1]【励起】—する（自他サ）Ⓐ物質が通常よりも高いエネルギーを持った状態になること。「葉緑素は光を受けて—状態になる」Ⓑ関心や気力を奮い起こし、活性化すること。「人口問題への意識を—させる〔=高める〕」

れいき[1][0]【例規】〔法令の解釈などで〕先例とする規則。

れいき[1]【霊気】非日常的な世界に身を置いた時、気配でそれと感じとられる神秘的な何ものか。「山の—」

** **れいぎ**[3]【礼儀】〔他人と交渉を持つ時に〕尽くすべき敬意表現と、越えてはならない言動の壁。「—にかなう/親しき中にも—あり/—を△尽くす（わきまえる）/—正しい[6]・—知らず[4]・—作法[4]」

れいきごう[3]《ガウ》【零記号】❶数としての零を表わす記号。例、アラビア数字の0（ゼロ）、漢数字の〇（零）。❷⇩ゼロ記号

れいきゃく[0]【冷却】—する（自他サ）❶高くなり過ぎた温度を冷やすこと。また、温度が冷えること。「—装置[5]」❷興奮状態が治まり冷静さを取り戻すこと。　**—きかん**[5]【—期間】争い事などが円満に解決するように、当事者の感情的対立が多少とも静まるのを期待して、交渉などをしばらく休む期間。「—を置く」

れいきゅう[0]《キウ》【霊〈柩】遺体を納めたひつぎ。「—車[3]」

れいきょう[0]《キヤウ》【霊境】神秘的な（感じのする）場所。

れいきん[0]【礼金】お礼として出すお金。〔狭義では、部屋や家を借りたりする時に家主に払うことを要求される一時金を指す。⇩敷金〕

れいく[0][1]【例句】実例として△引かれる（載せる）俳句。

れいく[1][0]【麗句】実際以上に美しく飾り立てた語句。「美辞—を連ねて、だます」

れいぐう[0]【礼遇】—する（他サ）礼儀を尽くして厚くもてなすこと。「前官—[0]-[0]、[5]〔=旧憲法下で、在官中、特に功労のあった高官に対し、退官後も在官当時と同様の待遇を与えたこと。また、その待遇〕」

れいぐう[0]【冷遇】—する（他サ）相手に対して、当人が自負するほどには評価していないと受け取られる扱いをすること。また、その扱い。「学歴がないばかりに役所では—されてきた」↕厚遇

れい

【令】■一❶きまり。おきて。法令。「省令・戒厳令」❷[古]長官。「県令」❸よい。〔相手の身内を尊敬して言う時にも使われる。例、「令嬢・令息・令夫人」〕「令名・巧言令色」■二元号「令和」の略。⇩明・大・昭・平⇩（本文）れい【令】

【礼】⇩（本文）れい【礼】

【冷】❶ひえる。ひやす。「冷却・冷凍・冷暖房・秋冷」❷つめたい。ひややかな。「冷雨・冷風」❸気持がつめたい。「冷淡・冷酷・冷評」

【励】はげむ。はげます。「励行・激励・精励・奨励・勉励・奮励」

【戻】❶道理にそむく。もとる。「暴戻」❷かえる。かえす。もどす。「返戻」

【例】きめられた事柄。きまり。「例規・例言・条例・凡《ハン》例・範例・法例」⇩（本文）れい【例】

【鈴】❶すず。「金鈴・銀鈴」❷りん。「振鈴・電鈴」⇩（本文）れい【鈴】

【零】❶きわめて△小さい（少ない）。わずか。「零細・零本・零墨」❷おちる。おちぶれる。「零落」⇩（本文）れい【零】

【霊】⇩（本文）れい【霊】

【隷】つき従う（人）。「隷属・隷従・隷農・奴隷」⇩（本文）れい【隷】

【〈嶺】山の頂。みね。「山嶺・銀嶺・海嶺・峻《シュン》嶺・分水嶺」

【齢】とし。よわい。「学齢・月齢・年齢・高齢・妙齢・樹齢・馬齢・老齢・加齢・蚕齢・寿齢・船齢・適齢」

【麗】うるわしい。うつくしい。「麗姿・麗質・麗人・美辞麗句・綺麗・端麗・秀麗・鮮麗・美麗・豊麗・妙麗・流麗」

れいけい[0]【令兄】〔手紙文で〕「（相手・他人の）兄」の敬称。

れいけい[0]【令〈閨】〔手紙文で〕「（相手・他人の）妻」の敬称。

れいけつ[0]【冷血】人間らしいあたたかみが無いこと。「—漢[4][3]」　**—どうぶつ**[5]《ドウ》【—動物】「変温動物」の旧称。〔冷酷な人、不人情な人の意にも用いられる〕↕温血動物

れいげつ[0]【例月】〔毎月そう△である（する）ことに決まっている物事について〕それぞれの月。いつもの月。

れいけん[0]【霊剣】不思議な威力を持つと言われる剣。

れいげん[0]【冷厳】—な　❶一切の感情を抑え、冷静に対処する様子だ。「—な態度」❷ごまかしたり無視したりすることの出来ない何かが存在する様子だ。「—な△事実（現実）」

れいげん[0]【例言】❶凡例《ハンレイ》。❷—する（自サ）例として言うこと。

れいげん[0]【霊験】人の祈りに対して神仏が現わす不思議な働き。「れいけん[0]」とも。「—あらたか」

れいご[1]【〈囹圄】「牢屋《ロウヤ》」の意の古風な表現。〔古くは「れいぎょ[1]」〕「—の人と成る」

れいこう[0]《カウ》【励行】—する（他サ）決められた規律や約束を破らないように、一生懸命努力すること。「早寝早起きを—する/時間—[0]-[0]」

れいこく[0]【冷酷】—な　思いやりが無くむごい様子だ。「—な仕打ち」[派]—さ[0][4]

れいこく[0]【例刻】〔主体とその相手の間に了解されている〕いつもの決まった時刻。

れいこん[1]【霊魂】その人が生きている間はその体内にあってその人の精神を支配し、死後もいろいろな働きをなすと考えられるもの。「—不滅説[1]-[3]、[1]-[2]」

れいさい[0]【冷菜】〔中華料理などで〕前菜として出る、つめたい料理。

れいさい[0]【例祭】〔神社や神道系の宗派で〕△毎年（毎月）決められた日に行なう祭儀。「秋の—」

れいさい[0]【零細】—な　きわめて△量が少ない（規模の小さい）様子だ。「—な預金/—企業[5]」

れいさつ[0]【霊刹】霊験あらたかな仏を祭る寺。霊寺[1]。

れいざん[1]【霊山】神仏を祭った神聖な山。[かぞえ方]一峰《ポウ・イッポウ》・一岳《イチガク》

れいし[1]【〈荔枝】円錐《イス》状・小粒で花弁の無い花を開く

常緑小高木。実は小さい球形で、うろこ状のものにおおわれる。食用。中国南部の原産。ライチ①・ライチーとも。〔ムクロジ科〕かぞえ方 一株・一本

れいし①【令旨】⇩りょうじ

れいし①【令姉】〔手紙文で〕「(相手・他人の)姉」の敬称。

れいし①【令嗣】〔手紙文で〕「(相手・他人の)あととり息子」の敬称。

れいし①【麗姿】「美しく整った姿」の意の漢語的表現。「富士の―」

れいじ①【零時】現在の時法において、一日の起点(=午前零時)および中間点(=午後零時。正午)として採用する時刻の称。

れいじ⓪【例示】―する(他サ) 何かの例を(として)示すこと。

れいじ⓪【霊示】―する(自サ) 神仏が何かを示すこと。また、その事柄。

れいしき⓪【礼式】公の席でそうするように決まっている礼法。

れいしつ⓪【令室】〔手紙文で〕「(相手・他人の)妻」の敬称。

れいしつ⓪【麗質】〔生まれつきの〕すぐれた(美しい)素質。

れいじつ⓪【例日】いつもの(決まった)日。

れいしっぷ③【冷湿布】患部を冷やすための湿布。↔温湿布

れいしゃ①【礼者】年賀に回って歩く人。

れいしゅ⓪【冷酒】㊀燗カンをしないで飲む日本酒。「ひやざけ」とも。↔燗酒カンザケ ㊁冷用酒。

れいじゅう⓪【霊獣】けものの中で、瑞祥ズイショウ(異能あり)とされるもの。例、「麒麟キリン㊀」やキツネなど。

れいじゅう⓪【隷従】―する(自サ) 部下としてつき従うこと。

れいしょ①【令書】行政処分を言い渡す書類。「徴税―」かぞえ方 一通

れいしょ⓪【隷書】漢字の書体の一つ。篆書テンショを簡略にしたもので、直線的。略して「隷」。

れいしょう⓪【冷床】〔人工的に熱を加えたりしない〕自然のままの苗床。↔温床

れいしょう⓪【冷笑】―する(自サ) さげすんで笑うこと。

れいしょう⓪【例証】―する(自サ) 例を挙げて証明すること。また、その証拠として挙げる例。

れいじょう⓪【令状】㊀裁判所(官)が勾引コウインや家宅捜索・差押えなどの強制処分を行なう時に出す命令書。㊁警察などが逮捕などの強制処分をする時に裁判所が出す許可書。「―を取る(=被疑者の逮捕のために令状を発行してもらう)」㊂〔↑召集令状⑤〕昔、軍隊で、在郷軍人を召集する時に出した命令書。かぞえ方 一通

れいじょう⓪【令嬢】〔多く手紙文で〕「(相手・他人の)娘」の敬称。

れいじょう⓪【礼状】お礼の手紙。かぞえ方 一通

れいじょう⓪【礼譲】相手に対して、礼儀を尽くすために自然とへりくだること。

れいじょう⓪【霊場】霊験あらたかなお寺として信仰を集める所。

れいしょく⓪【令色】「こびへつらう顔つき」の意の漢語的表現。「巧言―」

れいじん⓪【伶人】〔「伶」は楽師の意〕㊀神式の儀式の時に、しょう・ひちりきなどを奏する人。㊁雅楽の演奏者。楽人ガクニン。

れいじん⓪【霊神】霊験のある神。

れいじん⓪【麗人】気品を備え美しい顔立ちの女性。

れいすい⓪【冷水】冷たい水。「…に―を浴びせる(=いい気に(夢中に)なって何かをやっている人の気をそぐような鋭い批評を言ったり無遠慮にしかったりする)」**―まさつ**⑤【―摩擦】―する(自サ) 冷水にひたしてしぼった手ぬぐいで、からだをこすること(健康法)。血行を良くして抵抗力を高める。**―よく**③【―浴】―する(自サ) 寒中などに、冷水をかぶって、皮膚を強くすること。

れいすい⓪【霊水】〔それを飲むと病気が治るというような〕霊験のある水。

れい・する③【令する】(他サ) 言いつける。命令する。

れいせい⓪【冷製】〔西洋料理で〕調理した後、ひやした状態で供する料理。「エビの―/―スープ」

***れいせい**⓪【冷静】―な 感情にかられたり物事に動じたりしないで、落ち着いている様子だ。「―な態度/―に判断する」派**―さ**⓪③「―を取り戻す(欠く)」

れいせい⓪【厲声】「声をはりあげること。また、その声」の意の漢語的表現。「―一番」

れいせつ⓪【礼節】その社会の秩序を保つための礼儀作法や節度のある行動のしかた。「―を守る」

れいせん⓪【冷泉】冷たい泉。〔狭義では、セ氏二五度以下の鉱泉を指す〕

れいせん⓪【冷戦】〔cold war の訳語〕二か国の間に、戦争には至らないが、きびしく切迫した抗争・対立の状態があること。冷たい戦争。特に、第二次世界大戦後の米ソ間の関係を指す。「あの二人は今―状態にある」

れいせん⓪【霊泉】不思議なほど病気や傷などにききめのある(温)泉。

れいぜん⓪【冷然】―たる ―と いかなる事態にも動じること無く、ひややかに物事に対する様子だ。「―たる態度」

れいぜん⓪【霊前】死者の霊をまつってある、その前。「御―(=霊前にささげる供物の上書き)」

れいそう⓪【礼奏】アンコールにこたえてする演奏。

れいそう⓪【礼装】―する(自サ) 儀式に出る時の礼式にかなった服装。

れいそう⓪【霊草】薬としてききめがあるとされる草。

れいぞう⓪【冷蔵】―する(他サ) 食料品などを低温にして貯蔵すること。「―温度」**―こ**③【―庫】飲食物を保存したり冷やしたりするために電力などで低温を保たせる機能を備えた箱。「電気―⑥」かぞえ方 一台

れいぞう⓪【霊像】神仏などの像。

れいそく⓪【令息】〔手紙文で〕「(相手・他人の)息子」の敬称。

れいぞく⓪【隷属】―する(自サ) 〔国や人などが〕経済的に従属したり下級の存在として命令に義務的に服したりすること(人)。

れいそん⓪【令孫】〔手紙文で〕「(相手・他人の)孫」の敬称。

れいだい⓪【例題】〔教科書などの〕教科内容を理解・練習させるために出す、その内容に即した具体的な問題。

れいたいさい③【例大祭】毎年その神社で決まった日に行なわれる大祭。

***れいたん**③【冷淡】―な 〔相手のする〕物事に興味・関心を見せなかったり同情心を持たなかったりする様子だ。「親類づきあいに―な男/役所の―な対応」派**―さ**⓪③

れいだんぼう③【冷暖房】冷房と暖房。「―完備」

れいち①【霊地】霊場のある土地。

れいち①【霊知・霊〈智〉】不思議で、すぐれた知恵。

れいちょう⓪【霊長】生物の中で最も進化したもの。「万物の―(=人間)/―類③(=ヒトとサルの総称)」

れいちょうォ[0]テウ【霊鳥】 鳥の中で最も尊いとされる鳳凰ホウオウの称。

れいてい[0]【令弟】〔手紙文で〕「(相手・他人の)弟」の敬称。

れいてき[0]【霊的】―な ^霊(精神)に関する様子だ。「―な力/―世界」↕肉的

れいてつ[0]【冷徹】―な ―に 物事を冷静に深く鋭く見通している様子だ。「―な観察力/―な視線/―な頭脳の持ち主」 派―さ[0][4]

れいてん[0]【礼典】「礼❶」の決まり(を書いた本)。

れいてん[1]【冷点】 皮膚に分布している、冷寒を感じる一定の所。↕温点

れいてん【零点】❶[3] 得点・点数が零であること。「プロの人間としては―だ(=全く取り柄がない)」❷[1]〔温度の〕零度。❸[1]〔数学で〕関数値が零となるような独立変数の値。ゼロ点。「二次関数 x^2-3x+2 の―は1と2」

れいでん[0]【礼電】 お礼の意味で打つ電報。

れいでん[0]【霊殿】 神霊を祭った建物。

れいど[1]【零度】❶温度の基点。「セ氏―・絶対―」❷角の大きさが、「度❷❶」を一つも含まないこと。「―三十分の大きさの角/東経―五〇分」

れいとうォ[0]【冷凍】―する(他サ)〔保存のために〕生鮮食品などを凍らせること。また、氷などを作ること。「―食品[5]・―庫[3]」⇩解凍

れいどうォ[0]ダウ【霊堂】❶霊験あらたかな神仏を祭った建物。❷「おたまや」の意の漢語的表現。

れいにく[0]【冷肉】 牛肉や豚肉などを大きなかたまりの状態で蒸したりゆでたりして、冷やしたもの。薄く切って食べる。コールド ミート[5]。コール ミート。

れいにゅう[0]ニフ【戻入】―する(他サ) 会計上、いったん見積りで支出した金額(の一部)を、精算後再びもどし入れること。〔帳簿には赤で記入する〕

れいねつ[0]【冷熱】 冷房と暖房。「―費[4][3]」

れいねん[0]【例年】―する(他サ)〔毎年そう^である(する)ことに決まっている物事について〕それぞれの年。「今年は―に無く出願者が多い」

れいの[1]【例の】(連体)❶^今(すでに)話題や問題となっていて、話し手・聞き手に了解されている事物・事柄であることを表わす。「あそこに居るのが―人物だ/―^件(計画)はその後進んでいるのか」❷話題になっている事柄が、いつもと変りがないものであることを表わす。「昨日も―通り会議に遅れて来た/今度の仕事も―調子でやってもらいたい」 運用 ❷は、同じことの繰返しで代りばえがしないと、からかいの気持を含意して用いられることがある。例、「今日も例の手柄話ですか」

れいのうォ[0]【隷農】〔封建制の社会において〕農奴の一種であるが、領主への隷属度が低く、地代を産物または貨幣で納めた人たち。

れいば[1]【冷罵】―する(他サ) ばかにしたような態度で口ぎたなく悪口を言うこと。「―を浴びせる」

れいはい[0]【礼拝】―する(他サ)〔キリスト教・イスラム教などで〕神を拝むこと。「―堂[0]」⇩らいはい

れいはい[0]【零敗】―する(自サ)〔試合で〕零点で負けること。スコンク。「―を喫する」

れいばい[0]【冷媒】〔冷蔵庫や冷房装置で〕温度を下げる働きをする物質。⇩フロン ガス

れいばい[0]【霊媒】 生きている人間が、死んだ親族などと話が出来るように、死者の霊魂を乗り移らせて、死者に代わって口をきく媒介者。

れいひつ[0]【麗筆】 整った、きれいな筆跡。また、その筆づかい。「―をふるう」

れいひょうォ[0]ヒャウ【冷評】―する(他サ) ^冷淡(皮肉)な態度で批評すること。また、その批評。「―を浴びる」

れいびょうォ[0]ベウ【霊〈廟】 家の先祖や、崇拝する哲人などの霊を祭った建物。

レイプ[1]―する(他サ)〔rape〕 強姦ゴウカン。

れいふく[0]【礼服】 儀式の時に着る衣服。「略―」↕平服 かぞえ方 一着

れいふじん[3]【令夫人】〔手紙文で〕「(相手・他人の)妻」の敬称。

れいぶん[0]【例文】❶ある事柄を説明するために例としてあげる文(章)。❷契約書に(新しい法律が施行されたのちも)従来通りの決まり文句として書かれている条項。

れいほうォ[0]ハフ【礼法】 礼儀作法。「―にかなう」

れいほうォ[0]ハウ【礼砲】 軍隊の礼式の一つで、敬意を表わすためにうつ空砲。かぞえ方 一発

れいほうォ[0]【霊宝】 ^神社(寺)で一番大事とされる宝物。

れいほうォ[0]【霊峰】 その社会で神聖視される山。「―富士[0]-[1]」

れいぼうォ[0]【礼帽】 礼装の時かぶる帽子。

れいぼうォ[0]バウ【冷房】―する(他サ) 暑熱を避けるために室内の温度を、外の温度よりも低くする^こと(装置)。「―装置[5]・―中」↕暖房

れいぼく[0]【零墨】 わずかな切れはしとして残っている、(古人の)筆跡。「断簡―[0]-[0]」

れいぼく[0]【霊木】 神社などで神聖とされる木。神木。

れいほん[0]【零本】「端本ハホン」の意の漢語的表現。

れいまい[0]【令妹】〔手紙文で〕「(相手・他人の)妹」の敬称。

れいまいり[3]マヰリ【礼参(り)】⇩お礼参り

れいまわり[3]マハリ【礼回(り)・礼〈廻(り)】 何かのお礼のために回って歩くこと。

れいみょうォ[0]メウ【霊妙】―な どうして起こったか不思議で、人間には計り知ることが出来ない様子だ。「―不可思議[0]-[2]」

れいむ[1]【霊夢】 神仏が現われてお告げをする、不思議な夢。

れいめい[0]【令名】「(あなたの)すぐれた存在^だという評判(としての、名前)」の意の尊敬語。「―が高い/―はかねて伺っている」

れいめい[0]【〈黎明】「夜明け」の意の漢語的表現。「新日本の―(=発足期)」

れいめん[1]【冷麺】 冷たく冷やして食べるように作った麺類。〔狭義では、朝鮮料理のそれを言う〕

れいもつ[0]【礼物】 お礼としてさしあげる物。

レイヤード[3][1]〔layered〕 層になっていること。重なっていること。特に重ね着。

れいやく[1][0]【霊薬】 こんなにきく薬があるのかと疑われるほど不思議によくきく薬。

れいようォ[0]ヤウ【〈羚羊】 ウシ科の哺乳類のうち、一般にシカに似て走るのに適した体形を持つ一群の動物の総称。種類が多い。おもにアフリカの草原にすむ。草食性。アンテロープ[4]。〔「かもしか」の異称としても用いられる〕

れいようォ[0]【麗容】 美しく整った姿・形。「富士の―」

れいようしゅォ[3]【冷用酒】 燗カンをせず、^冷たいまま(冷やして)飲むように作られた日本酒。冷酒。

れいらく[0]【零落】―する(自サ) 全盛時をしのばせる何物も無く、とことんまで落ちた生活をすること。

れいり[1]【〈怜悧〉】―な ―に 頭の働きが早く、判断力にすぐれていること。また、その様子。

れいりょう⓪【冷涼】—な ひんやりとした涼しさが感じられる△こと(様子)。「—の候」

れいりょく①【霊力】 霊の持つ不思議な力。

れいれいし・い⑤【麗々しい】(形) はでに飾り立てられていて、いかにももったいぶっている様子だ。「『…御用達』と麗々しく書かれた看板/歯の浮くようなお世辞を麗々しく並べ立てる」 派—さ⑤④

れいろう⓪【〈玲瓏〉】—たる —と ❶〔玉が触れあうときのような〕澄んだ美しい音や声を立てる様子だ。「—とした声」 ❷少しのかげりもなく明るく澄んでいる様子だ。「—たる月影/八面—の〔=どの面から見ても欠点の感じられない〕人」

れいわ⓪【例話】 ある物事の説明のために、実例としてあげる話。

レイン(造語)〔rain=雨〕 雨天用。レーンとも。「—シューズ④〔=雨靴〕・—ハット④〔=雨天用の帽子〕」

レインコート④〔raincoat〕 雨用のコート。レーンコート④とも。

レーキ①〔rake の日本語形〕 鉄製の小形のくまで。地ならしや草を掻(カ)き取る時などに使う。

レーコン①〔racon=**ra**dar bea**con**〕 レーダー用のビーコン。

レーサー①〔racer〕 スピード競走用の自動車・オートバイなど(に乗る競技者)。

レーザー①〔laser←**l**ight **a**mplification by **s**timulated **e**mission of **r**adiation〕 電磁気学的に増幅された特殊な平行光線。非常に強く、超遠距離に届くので宇宙通信などに用いられる。レーザ①。レーザー光線⑤。 **—ディスク**⑤〔laser disk〕 ⇩ディスク **—ビーム**⑤〔laser beam〕 ❶レーザーから発せられる光線。 ❷野球で、外野からの速くて鋭い直線的な送球。 **—プリンター**⑥〔laser printer〕 レーザー光線の照射により画像に応じた静電気のパターンを紙の上に作り出して、それをトナーで定着させる方式の印刷機。コンピューターの出力に用いられ、鮮明な画像が高速で得られる。 **—メス**⑤〔和製洋語 ←laser＋オmes〕 レーザー光線のエネルギーを利用して、切除手術を行なう器具。虫歯や癌(ガン)などの小さい患部を焼いたり破壊したりするのに利用される。

レーシング カー⑤〔racing car〕 スピード競走用の自動車。

レース①〔lace〕 糸を△編んで(かがって)透かし模様を表わした、薄い布。「—のカーテン/—のカーディガン/—編み」

レース①〔race〕 競走・競泳・競漕(キョウソウ)などのスポーツ競技。「対校—・ボート—・オート—・ペナント—」

レーズン①〔raisin〕 干しぶどう。

レーゼドラマ④〔ド Lesedrama〕〔上演を目的とせず〕読むためにだけ書かれた戯曲や脚本。

レーゾン デートル⑤〔フ raison d'être〕 それが存在するだけの価値。存在理由。レゾンデートル④とも。

レーダー①〔radar←**ra**dio **d**etecting **a**nd **r**anging=電波探知機〕 電波を出して遠くの物体に当て、そこから返ってくる電波の方向と所要時間によってその位置・距離を知る装置。

レーティング⓪〔rating〕 ❶△段階(等級)付け。 ❷〔映画や家庭用△コンピューター(テレビ)ゲームのソフトウェアで〕年齢制限の表示。

レート⓪〔rate〕 率。歩合。また、相場。「為替—」

レーベル⓪〔label〕 ❶⇩ラベル ❷曲名・演奏者名・出版元などを記してレコードに張りつける円形の紙。転じて、レコード会社が持つブランド。

レーヨン①〔rayon=光線の意のフランス語に由来〕 人絹(で織ったもの)。

***レール**⓪〔rail〕 列車・電車・戸などの車輪をささえ、走る時の抵抗を少なくするために敷設した細長い鋼材。軌条。軌道。「—を敷く〔=交渉など、物事が順調に進展するようにあらかじめ下準備する意にも用いられる〕/—に乗せる/モノ—・カーテン—」 かぞえ方 一本

レーン①〔lane〕 ❶〔ボウリングで〕目標のピンに向かって設けられている、一定幅の細長い床。 ❷車線。「—を守ろう/バス—③」 かぞえ方 ❶❷とも一本

レーンジャー①〔ranger〕 ❶森林・山地・国立公園などの保護や管理に当たる人。森林警備員。「環境—⑤・フォレスト—⑤」 ❷悪条件のもとで偵察・破壊活動などを行なえるように特別の訓練を受けた兵。特別攻撃隊員。「—部隊⑥」〔❶❷ともレンジャーとも〕

レオタード③〔leotard=フランスの軽業師 Jules Léotard が考案したという〕 バレエ・体操などで着る、からだに密着した上下続きの練習着。 かぞえ方 一着

レガーズ①〔leg guards〕 ホッケー・クリケットのゴールキーパーや、野球の捕手などが防護用に着けるすねあて。

レガート②〔イ legato〕〔楽譜で〕音と音とをなめらかにつなぐように演奏すること。↔スタッカート

レガシー①〔legacy=遺産・遺物〕 ❶よく使われたが、今では時代遅れになっているもの。「—システム⑤」 ❷後の世代に伝わり残る業績や公共財〔=公園や道路など、誰もが享受できる財やサービス〕。「五輪とパラリンピックの—」

レガッタ①②〔regatta〕 ボートなどの競技会。

れき〔暦・歴・〈礫・〈轢〕→【字音語の造語成分】

れきがん②⓪【〈礫岩】 水底に積もった岩石の破片が粘土・砂などと交じって固まった堆積(タイセキ)岩。

れきさつ⓪【〈轢殺】—する(他サ)〔列車・電車・自動車などが〕生き物をひき殺すこと。

****れきし**⓪【歴史】 現在残されている物から知ることの出来る、人間社会の移り変りの過程や、そこに見られる個々の出来事。〔狭義ではその記録を指し、広義では事物の移り変りを指す〕「—あって〔=有史〕以来/本の—/—が△古い(浅い)/東西の—に照らす/—に恥じない/一世紀の—を重ねる/—を振り返る/—の重み/—の流れに逆らう/—上の〔=実在した〕人物/—上の事実/—家⓪・—学③」 **—じだい**④【—時代】 歴史学の研究対象となる文献的資料が残されている時代。 **—てき**⓪【—的】—な —に ❶歴史△に関する(の立場からする)様子だ。「言語の—研究〔=ⓐ昔の、ある時代の言語の研究。ⓑ言語の変遷に関する研究〕」 ❷その物が歴史を物語るほど古いものである様子だ。「—〔=古くからあり、今となっては時代遅れだとも見られる〕存在/—〔=古くから伝わってい(て、由緒のあ)る〕建造物」 ❸歴史上、特筆されるべき価値がある様子だ。「—転換をもたらす/—大事件/—〔=そのものの持つ絶対的価値の多寡は別として、後世の何かを導き出す意味で記念されるべき〕役割」 **—てき かなづかい**⑧【—的仮名遣(い)】 ⇩かなづかい

れきし⓪【〈轢死】—する(自サ) 列車・電車などにひかれて死ぬこと。

れきじつ⓪ ❶【暦日】 こよみ。「山中—無し〔=⇩山中〕」 ❷【歴日】 年月の経過。

れきしょう⓪【暦象】 「太陽・月・星などの天文に関わるさまざまの現象」の意の古風な表現。

れきすう③⓪【暦数】 ❶太陽や月の運行のありさまを測定して、暦に作る法。 ❷自然にめぐってくる運命。「これ天の定むる—なり」 ❸年代の数。「—〔=年数〕すでに三百年」

れ

れきせい[0]【歴世】「歴代」の意の古風な表現。

れきせい[0]【〈瀝青・歴青】⇩ピッチ㊄ **―たん**[0][3]【―炭】⇩黒炭

れきせん[0]【歴戦】何回も戦闘に加わり生き抜いて来たこと。「―の勇士」

れきぜん[0]【歴然】―たる/―と　そこで何があったか、それが何を意味するかが、物証により疑い無く分かる様子だ。「―たる証拠/…の跡が―としている」

れきだい[0]【歴代】その歴史が始まってから現在に至るまで(の間)。「―〔=代々〕の首相/―二位の記録」

れきだん[0]【〈轢断】―する(他サ)〔列車・電車などが〕生き物をひいて、からだをたち切ること。「死後―」

れきちょう[0]【歴朝】代々の△朝廷(天皇)。

れきてい[0]【歴程】通って来た道筋。「天路―[1]-[0]」

れきど[1]【〈礫土】砂利がたくさん交じった土。

れきにん[0]【歴任】―する(他サ)　責任のある役職から同じく責任のある他の役職へと(次つぎに)移ること。「要職を―する」

れきねん[0] ■一【暦年】〔会計年度など、その組織体の都合で定めた一年と違って〕暦の上の一年。一月一日から十二月三十一日まで。「―編集の年鑑」 ■二【歴年】年月を経ること。

れきねんれい[3]【暦年齢】生まれてから今までを、暦でかぞえた年齢。生活年齢。↕精神年齢

れきほう[0]【暦法】天体の運行によって暦を作る方法。〔具体的には何を基準として一年を定め、閏月をどのようにして決めるかなどを指す〕⇩時法

れきほう[0]【歴訪】―する(他サ)　何かの目的を持って、次つぎにいろいろな土地・施設・人をたずねること。

れきほん[0]【暦本】本の形にした暦。

れきゆう[0]【歴遊】―する(自サ)　⇩遊歴

レギュラー〔regular〕■一(造語)❶規則正しい。正規の。「―サイズ[5]・―コース[5]」❷標準的な。「―ポジション」■二[1]〔←regular member〕❶〔スポーツで〕常時、試合に出られる選手。正選手[3]。↕補欠❷ ❷その番組にいつも出演する人。↕ゲスト **―ガソリン**[5]〔regular gasoline〕〔ハイオクタンと比べて〕オクタン価の低いガソリン。自動車の燃料として最も普通に用いられる。

れきらん[0]【歴覧】―する(他サ)　見て回ること。

れきれき[0]【歴々】■一 社会的地位・家柄の高い人びと。知名度の高い人びと。「―のお集まり/財界のお―」■二 ―たる/―と　ありありと見える様子だ。「勝算―たるものがある」

レギンス[1][0]〔leggings=きゃはん〕❶幼児用の細長いズボンで、下端に付けたゴムひもなどを足の裏にかけて止めるようにしたもの。❷伸縮性に富んだ素材で作った、脚にぴったりつく長いパンツ。スパッツ❷。カルソン[0]。〔かぞえ方〕一枚・一本

レクイエム[2][1]〔ラ requiem=神に死者の霊を迎え入れることを願うミサ曲の冒頭の言葉で、「平安」の意〕カトリック教会で行なわれる死者に対するミサ曲。鎮魂曲。

レクチュア[1]〔lecture=講義〕何かのテーマについての解説。レクチャー[1]とも。

レグホン[1]〔Leghorn=イタリアの地名 Livorno の英語形〕ニワトリの一品種。イタリア原産の、代表的な卵用種。「白色―[5]」〔かぞえ方〕一羽

***レクリエーション**[4]〔recreation=回復〕仕事・勉強の疲れをほぐし、あすの活動への活力を導くための休養と娯楽。リクリエーションとも。

レゲエ[0][1]〔reggae〕ジャマイカで、一九六〇年代末に生まれた大衆音楽。ジャマイカの伝統的なダンス音楽に、アメリカのソウルミュージックなどの影響が加わったもの。

れこ[1](代)〔「これ」の倒語〕はっきり言うことが遠慮される者〔例、情婦・めかけなど〕を、それとなく指す俗語。〔小指だけを立てれば女性、親指を立てれば情夫〕

レコーダー[2][0]〔recorder〕❶記録係。❷記録器。「タイムー」❸録音機・録画機。「(ビデオ)テープ―」

レコーディング[0] ―する(他サ)〔recording〕❶記録(すること)。「大会の―係」❷録音(すること)。

***レコード**[2]〔record〕❶その事に関する、それまでの記録。「自己の―を更新する」❷〔競技などで〕最高記録。「―破りの暑さ」❸そこに録音した音をプレーヤーとアンプによって再生することの出来る円盤。「―を掛ける/―コンサート[5]」〔かぞえ方〕❸は一枚 **―プレーヤー**[6]〔record player〕「レコード❸」から音を再生して、拡声装置へ送る機器の総称。〔かぞえ方〕一台 **―ホルダー**[5]〔record holder〕その競技の記録保持者。

レザー[1]〔leather〕❶なめし革。❷レザークロスの略。「―コート[4]」〔かぞえ方〕❶は一枚

レザー[1]〔razor〕西洋かみそり。レーザー[1]とも。〔かぞえ方〕一本

レザー クロス[4]〔leather cloth〕綿布などに塗料を塗って、なめし革に似せたもの。擬革。〔かぞえ方〕一枚

レジ[1]　レジスターの略。❶お金の出し入れや合計金額を自動的に記録する装置を備えた金入れ。金銭登録器。❷〔商店・デパートなどで〕「レジ❶」を備えて会計処理をする場所。また、その係。出納係。「―袋」〔かぞえ方〕❶は一台

レシート[2][0]〔receipt〕領収書。〔狭義では、「レジ❶」で金額を印字した、簡易領収書。例、「領収書が欲しいと言ったら―をよこした」〕〔かぞえ方〕一枚

レシーバー[2][0]〔receiver〕❶〔耳に当てて聞く〕△受話器(受信機)。❷〔テニスなどで〕相手のサーブを受ける人。↕サーバー〔かぞえ方〕❶は一台

レシーブ[2] ―する(他サ)〔receive〕〔テニス・バレーボール・卓球などで〕相手のサーブしたたまを受け返すこと。↕サーブ

レジェンド[1]〔legend〕❶伝説。神話。❷ある分野で偉業を達成した人物。「スキー競技の―」

レジオネラ きん[0]【レジオネラ菌】〔ラ Legionella〕水中や土中にいる細菌の一種。高齢者やからだの衰弱した人の体内に入ると、肺炎の原因になることがある。

レジオン ドヌール[6]〔フ Légion d'honneur〕フランスの最高勲章。

レジスター[2][1]〔register〕⇩レジ

レジスタンス[2][1]〔フ résistance〕権力などに対する抵抗(運動)。〔狭義では、第二次世界大戦中、ドイツ軍の占領下にあったフランス人民がナチス ドイツに対して示した抵抗運動を指す〕

レシタティーブ[4]〔recitative〕〔オペラなどで〕言葉の内容を聞かせることに重点を置いて、あまり旋律を変化させ

れき

[暦]　❶こよみ。「暦法・暦年齢・旧暦・新暦・太陽暦・太陰暦」❷運命。「天の暦数」

[歴]　❶通ってきた道。経過した跡。「歴史・履歴・学歴・教職歴」❷一つひとつ順を追う。次つぎと。「歴代・歴任・歴訪・遍歴・巡歴」❸はっきりしている。「歴然・歴々」

[〈礫]　小石。石ころ。「礫岩・礫土・瓦礫・火山礫・紙礫・砂礫」

[〈轢]　❶車がすれ合って音を出す。きしる。「軋轢」❷車でひく。「轢殺・轢死・轢断」

ず、語るように歌うもの。叙唱。レシタチーブとも。⇩アリア

レシチン[1]〔lecithin〕燐(リン)脂質〔=燐酸分を含む物質〕の一つ。食物では卵黄・牛乳・ダイズなどに含まれ、体内では脳・脊髄(セキズイ)・血液中に存在する。

レジデンス[1]〔residence=住まい〕アパート式の高級住宅の称。〔集合住宅の名称として使われることが多い〕

レシピ[1]〔recipe の文字読み〕料理・飲み物や菓子などの作り方(を書き記したもの)。

レシピエント[2]〔recipient〕角膜・臓器・骨髄などの移植で、ドナーからのそれらの提供を受ける(のを待っている)患者。⇩ドナー

レジ ぶくろ[3]【レジ袋】(商店で)客に(有料で)提供する、買った商品を入れるための袋。

***レジャー**[1]〔leisure〕生活の余暇(を利用してする遊びや娯楽)。「—センター[4]」

レジャー さんぎょう[4]【レジャー産業】レジャーを楽しもうとする人びとに娯楽・遊技施設や、それに伴う交通・宿泊の便などを提供する事業。

レジュメ[0]〔フ résumé〕摘要。大意。レジメとも。〔広義では、それをプリントした物を指す〕

レジリエンス[2]〔resilience〕病気・災害・惨事などの困難な状況から立ち直る能力。回復力。復元力。

レズ[1] レズビアンの略。レスとも。↕ゲイ

レスキュー たい[0]【レスキュー隊】〔rescue=救助〕特別装備を持ち、特別訓練を受けた隊員で編成した救助隊。火災や事故の際に、人命救助などに出動する。

レスト ハウス[4]〔rest house〕〔観光地などにある〕休憩所。休養のための宿泊所。

レストラン[1]〔フ restaurant〕(本格的な)西洋料理店。〔広義では、中華料理店をも含む〕 かぞえ方 一軒

レズビアン[2][3]〔Lesbian (= Lesbos島の民)〕女性の同性愛。また、その傾向にある人。レスビアンとも。略してレズ。⇩ゲイ

レスポンス[3][0][1]〔response〕機械操作や人とのやりとりなどで、ある働きかけに対する反応や応答。略してレス[1]。「ハンドル操作の—が優れている/問合せへの—が素早く返ってくる」

レスラー[1]〔wrestler〕レスリングの選手。「プロ—[3]」

レスリング[1]〔wrestling〕二人の競技者がマットの上で素手で取り組み、相手の両肩を同時にマットにつけた者を勝ちとする競技。

レセプション[2]〔reception〕❶客を公式に歓迎するための(西洋風の)宴会。「宮中で—を催す」 ❷(ホテルの)フロント。受付。

レセプト[2][0]〔ド Rezept (=処方箋(セン))の日本語形〕保険医が、健康保険組合や地方公共団体に請求する時の診療報酬明細書。 かぞえ方 一通・一枚

レター[1]〔letter〕❶手紙。「ラブ—・—ペーパー〔=便箋(ビンセン)〕」 ❷ローマ字の字母の形。「キャピタル—・スモール—」

レタス[1]〔lettuce〕葉を生食する西洋野菜。小形のチシャの一変種。形はキャベツに似る。サラダなどに使う。玉レタス・サラダ菜など。〔キク科〕 かぞえ方 一株・一玉

れたす ことば[4]【れ足す言葉】「難しい漢字が正しく書けれる」「一人で行けれると思う」「これは飲めれる水だ」などの「書けれる」「行けれる」「飲めれる」のように、可能動詞「書ける」「行ける」「飲める」に不要な「れ」を挿入した表現形式。規範を重視する立場からは誤用とされる。

レタッチ[2]〔retouch〕絵画・彫刻・写真・画像データなどへの加筆修正。リタッチ[2]とも。

レタリング[0]〔lettering〕〔広告や印刷物などで〕効果をあげるために、そこに用いる文字を図案化すること。また、その文字。

れつ(列・劣・烈・裂)→【字音語の造語成分】

****れつ**[1]【列】❶甲の次に乙が並び、乙の次に丙が並ぶというように、順に長く並んだもの。「長い—を作って待つ/長蛇の—/二—に並ぶ/—車・行—・横—・縦—」 ❷身分・地位などの上下関係の段階(づけ)。「大臣の—に入る/—次[1]・序—」⇩【造語成分】

れつあく[0]【劣悪】—な〔能力や品質などが〕ひどく劣っていて、お話にならない様子だ。「—な品/—な労働条件」↕優良 派—さ[0]

れつい[1]【劣位】ほかより劣っている△地位(位置)。↕優位

れっか[1]【列火】⇩れんが(連火)

れっか[0]【劣化】—する(自サ)長い時間が経過したり何回も△使用(コピー)したりして、材質本来の良い性能・品質が失われること。「酸性紙に印刷された図書の—/コンクリートの—対策/金属の—現象/国土の—」

れっか[1]【烈火】「燃えさかる火」の意の漢語的表現。「—のごとく〔=かんかんになって〕怒る」

レッカー[1]〔wrecker=解体業者〕故障車や駐車違反車を路上から除去して運ぶ自動車。普通、後部にクレーンを装備する。レッカー車[3]。 かぞえ方 一台

れっき[1][0]【列記】—する(他サ)関係する事柄を省略せず、全部しるすこと。

れっきとした[0]【《歴とした》】(連体)〔「れっき」は「歴」の強調形〕周囲から、その存在がはっきりと認められ、重んじられている様子。「—〔=押しも押されもしない〕家柄/—〔=りっぱな〕証拠/—〔=一人前の〕俳優」

れっきょ[1]【列挙】—する(他サ)関係する事柄を省略せず、一つひとつ並べあげること。「条件を—する」

れっきょう[0]【列強】強国と言われる国ぐに。「世界の—」

れっこう[0]【列侯】同時代人としての多くの大名たち。

れっこう[0]【裂〈肛〉】⇩切れ痔(ジ)

れっこく[0]【列国】同時代に存在する多くの国。

れつざ[1][0]【列座】関係者として、列席すること。「—の面々」

れっし[1]【烈士】節義を貫き通す男子。↕烈女

れつじつ[0]【烈日】強く照りつける夏の太陽(のような激しい勢い)。「秋霜—/—の気迫」

***れっしゃ**[0]【列車】ある区間を運行するために機関車・客車・貨車などの車両を目的に応じて編成したもの。「急行—・貨物—・電車—[4]・不定期—[5]」 かぞえ方 車両は一両・一台。便数は一本

れっしゃ[1]【劣者】力量・才能や将来性などの点において低い評価しか与えられない存在。

れつじゃく[0]【劣弱】—な〔力や質が〕ひどく劣っていて貧弱な様子だ。「—な体力」

れつじょ[1]【烈女】節義を貫き通す女性。↕烈士

れっしょう[0]【裂傷】皮膚などが裂けて出来た傷。

れつじょう[0]【劣情】道徳感に基づいた抑制がきかなくなって現われる本能的な欲望。「—を刺激する」

れっしん[0]【烈震】激震よりは弱いが、強震より強い地震。家が倒れ、山崩れ・がけ崩れが起こり、地面が割れ、人が立っていられない。現在の、震度6弱・震度6強にほぼ相当する。「—に襲われる」⇩震度

れっ・する[0][3]【列する】Ⅰ(自サ)❶列席する。「会議の席に—/式に—」 ❷仲間の一人として入る。「五大国に—」 Ⅱ(他サ)並べる。連ねる。「名を—」列す[0](五)。

レッスン①〔lesson=課(業)〕㊀決まった日に一定時間受ける決まりになっている個人的な指導やけいこ。「ピアノの―」㊁〔語学の教科書などで〕全体を幾つかの課に分けた、その一つ。

れっせい⓪【列世】「代々」の意の古風な表現。「―の天子」

れっせい⓪【列聖】代々の天子。

れっせい⓪【劣性】↔優性 ㊀他よりおとっている性質(のもの)。㊁〔遺伝で〕「潜性(セン)」の旧称。

れっせい⓪【劣勢】―な 他より勢力が劣った状態にある△こと(様子)。「―に立たされる/―をはね返す/―な兵力」↔優勢

れっせき⓪【列席】―する(自サ)〔式・会議などに〕関係者として他の人と一緒に出席すること。「ご―の方がた/―者④③」

れっちゅう⓪【列柱】〔西洋建築で〕玄関の前面に装飾として設けられた柱の列。

レッテル⓪〔オ letter〕瓶や缶などの商品にはりつけて、内容や商標などを示す紙片。ラベル。「―に惹(ヒ)かれる/人に―をはる(=先入観をもって、ある種類のマイナス評価をくだす)」 かぞえ方 一枚

れつでん⓪【列伝】㊀幾人かの個人の伝記を簡潔に書きしるした△歴史書(文学作品)。「剣豪―」㊁古代中国の歴史書編纂(サン)の形式の一つ。人臣の伝記を記述したもの。「史記―①-⓪」⇨本紀

レッド①〔red〕赤い色(のもの)。「―キャベツ・ワイン―」

れつ

【列】㊀ならべる。〔ならんだ状態をかぞえる時にも用いられる。例、「一列の汽車」〕「列車・配列・陳列」㊁ある催しの一員として、参加する。「列席・参列」⇨(本文)れつ【列】

【劣】㊀力が足りない。おとる。「劣性・劣勢・優劣」㊁質が落ちる。いやしい。「劣情・下劣」

【烈】㊀火の勢いが強い。「烈火・烈日」㊁強くはげしい。「烈々・烈震・熱烈・猛烈・強烈・痛烈・苛(カ)烈」㊂りっぱな信念を持ち、それを強く押し通す。「烈士・烈女・壮烈・義烈」㊃勲功。「烈業」

【裂】さく。さける。さけめ。「裂帛(パク)・裂傷・分裂・破裂・亀(キ)裂・四分(ブン)五裂・支離滅裂」

れっとう⓪【列島】㊀幾つかの島が相接して帯状に位置し、一区画をなすもの。「△大(小)スンダ(=インドネシアの主要部分)―・日本―」㊁「日本列島(ニホンレットウ)④(ニッポンレットウ⑤)」の略。「桜前線は―を南から北へと次第に進んで来る」

れっとう⓪【劣等】―な〔程度・等級などが〕基準・平均より劣っている△こと(様子)。「―児③」↔優等 **―かん**③【―感】自分が、なんらかの点で他人より劣っていると思い△込むこと(込んだ時の感情の反応)。↔優越感 **―せい**③【―生】いくら△教えられ(勉強し)ても成績の上がらない生徒。↔優等生

レッドカード④〔red card〕Ⓐサッカーなどで、反則を重ねたりきわめて悪質な反則をしたりした選手に対して、審判が退場を命じる時に示す赤色のカード。Ⓑ(度重なる)違法行為を犯して法的な制裁を受けること。「駐車違反で―を出された」⇨イエローカード

レッドデータブック⑦〔Red Data Book〕絶滅の危機にある野生生物について、生息状況や生態などをまとめた資料集。〔より簡略な、絶滅の危機にある野生生物のリストを「レッドリスト④」と言う〕

レッドパージ④〔red purge〕共産主義(への同調)者を、官庁・企業などから追放したこと。日本では一九五〇年、占領軍の指令で大規模に行なわれた。

れっぱい⓪【列拝】―する(他サ)多くの人が並んで拝礼すること。

れっぱい⓪【劣敗】〔生存競争で〕弱い者・劣っている者が負けて、自然に淘汰(トウ)されること。「優勝―⓪-⓪」

れっぱく⓪【裂帛】帛(キヌ)を引き裂く時の音のように鋭いこと。「―の気合」

れっぱん⓪【列藩】(有力な)幾つかの藩。

れっぷ①【烈婦】「烈女」と称される女性。

れっぷう⓪【烈風】立っていたり歩いていたりすると吹き飛ばされそうな、激しい風。

れつりつ⓪【列立】―する(自サ)多くの△人(もの)が列を作って立つこと。「―拝謁」

れつれつ⓪【烈々】―たる/―と 激しい勢いで対象に向かって△行く(来る)様子だ。「―たる意気」

レディー①〔lady〕㊀貴婦人。淑女。↔ジェントルマン ㊁女性一般。「―ファースト④」

レディーメード④〔ready-made〕〔洋服など〕出来合の品。既製品。↔オーダー メード

れてん⓪【レ点】〔漢文訓読で〕返り点の一つ。下から上へ一字だけ返ることを表わす。例、「不レ得」「読レ書」など。雁点(ガンテン)③。かりがね点④⓪。

レトリック①③〔rhetoric〕㊀修辞△学(法)。㊁詭弁(キベン)(に近い)と言っていいような巧妙な言いまわし。

レトルト⓪②〔オ retort〕フラスコの口を横に倒した形の実験器具。蒸留・乾留用。**―しょくひん**⑤【―食品】〔retort=蒸気殺菌がま、pouch(ed food)=袋詰めの食品〕即席食品の一種。完全調理済みの食品を袋に入れ、蒸気がまの中で加熱・殺菌して密封したもの。食べるときには、袋ごと数分間△湯の中(電子レンジ)で温めてから取り出す。

レトロ①―な〔←レトロスペクティーブ(retrospective)〕懐古趣味的な△こと(様子)。「―ブーム④」

レバー① [一]〔ド Leber〕食品としての、牛・豚・鶏などの肝臓。きも。レバ①とも。「―料理」[二]〔lever=てこ〕機械・器具を手の力で無理なく動かすための握り。

レパートリー②〔repertory〕〔音楽・演芸などで〕出演者がいつでも△演奏(上演)出来るように用意してある得意な△曲目(演題)。〔ある個人がいつでも自信をもって人に対して示すことが出来るように、ふだんから用意してある分野の意にも用いられる〕「―が広い/新たな―として加える」

レビュー [一]①②〔review〕評論。「ブック―(=書評)」[二]①〔フ revue〕ダンス・音楽を主とし、寸劇などをはさんで、場面を次つぎに変えていく、はなやかなショー。

レフ① レフレクター・レフレックスの略。「二眼―」

レファレンス①―する(他サ)〔reference〕参考。参照。**―サービス**⑥〔reference service〕図書館が行なう利用者サービスの一つで、必要とする文献や参考図書についての情報を教えたり検索に協力したりするもの。

レフェリー①〔referee〕〔ボクシング・レスリング・サッカー・ラグビー・バスケットボールなどの〕(主任)審判員。レフリーとも。「―ストップ」⇨ジャッジ

レフティー①〔lefty〕〔スポーツや楽器などで〕左利き。左利きの人(用)。「ゴルフの―クラブ/―ギター⑤」

レフト①↔ライト [一]〔left〕左側。左(手)。[二]㊀〔←米 left field〕〔野球で〕左翼㊂。㊁〔←left fielder〕〔野球で〕左翼手。

レプラ①〔ド Lepra〕⇨ハンセン病

レプリカ②〔イ replica=繰返し〕絵画・彫刻や優勝カップ

などの複製。

レフレクター[3]〔reflector〕❶〔写真・映画をとるのに使う〕銀紙などを張った反射板。❷反射鏡。かぞえ方 ❶は一枚。❷は一面

レフレックス[3]〔reflex=反射〕〔写真機で〕レンズから入った光線を反射鏡でピントグラス[4]に結像させ、それによってピント・構図を決める方式。略してレフ。「―カメラ[7]」

レベル[1][0]〔level〕❶何かについての、その△人（社会）の標準的な程度。水準。「―が高い／―アップ」❷水準器。水平面を定めたり 水平面からの傾きを調べたり する器具。

レポ[1] レポート・レポーターの略。「現地―／秘境を―する／街頭―[5]〔=非合法の政治活動などで、ひそかに街頭で連絡する△こと（人）〕」

レポーター[0][2]〔reporter〕❶報告者。「研究会の―」❷報道機関の取材記者。〔❶❷ともリポーターとも〕

レポート[0][2]―する（他サ）〔report〕❶調査・研究の報告書。❷新聞などの報告記事。❸〔単位認定のために〕学生に出させる小論文。〔❶～❸ともリポートとも〕かぞえ方 ❶❸は一通

レム[1]〔rem←röntgen equivalent inman〕放射線の生体実効線量〔=生体に与える生物学的な作用の大きさ〕の単位で、一ラドのX線が生体に吸収される時と同等の作用を与える線量を表わす。現在は、シーベルトを標準単位とする。

レムすいみん[3]【レム睡眠】〔REM←rapid eye movement〕睡眠中に繰り返される、眠りそのものは深いが、脳波は覚醒カクセイ時と同じような型を示す状態。速い眼球運動を伴い、夢を見ることが多い。

レモネード[3]〔lemonade〕レモンの汁に、砂糖・湯を加えた飲料。レモナード[3]とも。レモン水。

レモン[1][0]【〈檸檬〉】〔lemon〕ミカンに似た常緑高木。小形のラグビーボール状の黄色の実は、水分が多く かおりがよい。果汁は酸味が強くクエン酸・ビタミンCを含む。食用・香料用。〔ミカン科〕「―ティー[2]〔=レモンの薄い輪切りを入れて かおりをつけた紅茶〕」かぞえ方 一株・一本

レモングラス[4]〔lemon grass〕香料や料理に用いるイネ科の多年草。熱帯地方で栽培され、レモンの香りをもつ。

レモンすい[2]【レモン水】レモネード。

レモンスカッシュ[5]〔lemon squash〕レモンの果汁にソーダ水を加えた清涼飲料。

レリーフ[2]〔relief〕⇩浮き彫り❶

れる（助動・下一型）❶その動作・作用を他から受けることを表わす。「いたずらをしてしから―／みんなによく歌われた歌」❷その動作・作用の主体に対する敬意を表わす。「田中さんはもう帰られました／たばこをよく吸われますね」❸△そうすることが可能な（自然にそうなる）状態であることを表わす。「ひとりでうちまで行か―かい／気の毒に思われてならない」〔五段活用・サ変以外の動詞から続く場合は、「られる」を用いる〕 文法 (1)五段・サ変活用動詞の未然形（サ変動詞は「さ」の形に）接続する。(2)❸で、「五段動詞未然形＋れる」の形で可能の意を表わす用法は、現在では一部の人に「行かれる」の形が残っている程度である。また、「わしらにはそのような難しい字はよう読まれん〔=読むことが出来ない〕」などと、実質的には不可能表現として方言でわずかにみられるくらいである。一般に五段動詞の可能表現は「書ける（↑書く）」「飛べる（↑飛ぶ）」「売れる（↑売る）」などのように下一段の可能動詞が用いられる。(3)❶は、一般に「受身」の用法と呼ばれる。この「受身」の用法には、英語などの印欧語にはみられない、以下のような特徴がある。（このことは「られる」についても全く同じである）(a)「旅行中は雨に降られてばかりいた」「親に死なれて、大学を中退した」など、「降る」「死ぬ」といった自動詞を述語とする表現にも受身表現が用いられる。この種の受身表現は、動作・作用（上の例では「（雨が）降る」「（親が）死ぬ」）を受けたほうの人が何らかの意味で、迷惑をこうむったり 被害を受けたりする意を含意するのが一般である。その点からこの種の受身表現は、「迷惑の受身」「被害の受身」などと呼ばれる。(b)子供がいたずらをして父親の眼鏡をこわした、といった状況を父親の立場から表わすのに、(i)「わたしは子供に眼鏡をこわされた」、(ii)「わたしの眼鏡が子供にこわされた」の二通りの表現形式がある。英語で表現したものを直訳すれば、(ii)のようになるであろうが、(i)のほうが伝統的な日本語表現として広く用いられている。これも(a)と同じく、「迷惑の受身」表現であり、迷惑を受けた人を主語にして表わすのが慣例である。「弟は人ごみの中で財布を盗まれた」なども同種の受身表現である。

運用 ❷について。(1)口頭語では、「お＋動詞連用形＋になる」などによる尊敬表現や、「おっしゃる・召し上がる」などの敬語動詞による尊敬表現に比して、敬意が軽いと受け取られる傾向がある。(2)「お着きになられる／おっしゃられる」など、すでに尊敬表現となっているものに「れる」を加えた用法は、本来誤用とされる。

れん（恋・連・廉・〈煉・〈蓮・練・〈憐・錬・〈聯）→【字音語の造語成分】

れん[1]【連】〔競馬・競輪などで〕「連勝（式）」の略。↔単

れん[1] ❶【〈聯】左右の柱や壁面などに相対して掛ける、細長い書画の板。❷【〈聯・連】〔漢詩の〕律詩の八行を二句ずつ四つに分けたそれぞれ。❸【〈聯・連】〔stanzaの訳語〕詩の一くぎり。⇩【造語成分】れん（連）

***れんあい**[0]【恋愛】―する（自サ）特定の相手に対して他の全てを犠牲にしても悔い無いと思い込むような愛情をいだき、常に相手のことを思っては、二人だけでいたい、二人だけの世界を分かち合いたいと願い、それがかなえられたと言っては喜び、ちょっとでも疑念が生じれば不安になるといった状態に身を置くこと。「熱烈な―の末に結ばれた二人／―結婚[5]・―小説[5]・―至上主義[8]」

れんいん[0]【連印】同じ文書に二人以上の人が名前を書いて判を押すこと。

れんか[1]【恋歌】恋愛を歌った和歌。「こいうた」とも。

れんか[1]【廉価】―な たくさん作られたり安く仕入れたりして、商品の値段が安い△こと（様子）。また、安い値段。↔高価

れんが[1]グヮ【連火】漢字の部首名の一つ。「然・熟・照」などの、下部の「灬」の部分。「灬」は「火」の変形。点が横に連なるから。列火。四つ点。

れんが[1]【連歌】何人かの人が同席して、長句〔=五・七・五〕と短句〔=七・七〕を逐次詠み続けていく形式の、変化をたっとぶ一種の文学。多く百韻〔=百句〕を単位とする。

***れんが**[1]グヮ【〈煉瓦】壁や舗装に用いる、赤褐色・直方体の焼き物。粘土に砂などを加えて練り固め、窯で焼く。ブロックはこれを模した物。「―造ヅクり[4]・赤―[3]」かぞえ方 一枚

れんかん[0]クヮン【連関・〈聯関】―する（自サ）互いに切り放すことの出来ない密接な関係があること。また、その関係。関連。

れんき[1]【連記】―する（他サ）↔単記 ❶いくつかの△事（条項）を並べて記すこと。併記。❷候補者の中から二人以上を選んで、その氏名を投票用紙に書くこと。「三名―」

―とうひょう[4]トウヘウ【―投票】候補者の氏名を連記す

れ

る投票。

れんぎ①【連木】〔近畿以西の方言〕すりこぎ。「―で腹を切る〔=やっても、出来るはずは無い意に用いられる〕」

れんきゅう⓪【連丘】幾つも続いているおか。

れんきゅう⓪【連休】〔日曜・祝日などの〕休みの日が続くこと。また、その連続する休日。「飛び石―」

れんぎょう⓪①【連〈翹】春、葉に先立って黄色で四弁の花を開く落葉低木。観賞用。実は漢方薬用。イタチグサ③。〔モクセイ科〕かぞえ方 一株・一本

れんきょく⓪【連曲】独立した幾つかの楽曲を集めて一つの楽曲としたもの。

れんぎん⓪【連吟】―する（他サ）〔謡曲で〕詞章の一部分をシテ・ツレなどが二人以上で声をそろえて歌うこと。〔広義では、二人でする漢詩の吟詠をも指す〕↔独吟

れんきんじゅつ③【錬金術】〔古代ギリシャ・中世ヨーロッパなどで〕銅・鉛などの卑金属を精錬して、金に変化させようとしたり不老長寿の薬を調合したりした昔の化学技術。〔全く何の役にも立たない物から価値のあるものを作り出す意にも用いられる。例、「―〔=巧みにお金を集める才覚〕を心得た政治家」〕

れんく⓪ [一]【連句】俳諧連歌の称。連歌よりは規則がゆるやかで、俗語・漢語を多く用いる。普通、三十六句を単位とする。[二]【〈聯句】漢詩の一体。何人かが集まって、一句ずつ詠んで、全体で一編の長詩とするもの。「和漢―・漢和―」〔古くは「れんぐ」〕

れんげ⓪【〈蓮華】❶ハスの花。「―の上の仏」❷「ちりれんげ・レンゲソウ」の略。**―そう**⓪【―草】畑に作る越年草。春、紅紫色・蝶形の小さな花が咲く。緑肥・牧草用。げんげ。〔マメ科〕かぞえ方 一本

れんけい⓪【連係・連〈繫】―する（自他サ）〔何かをする上で〕相手と密接な関係を持つこと。「―動作⑤・―プレー」

れんけい⓪【連携】―する（自サ）目的を同じくするもの同士が、連絡し協力しあって何かをすること。「―を保つ」

れんけつ⓪【連結・〈聯結】―する（自他サ）結びつけて一続きのものにすること。「五両―」**―き**④③【―器】〔鉄道で〕車両をつなぐ装置。**―けっさん**⑤【―決算】親会社とその系列子会社・関連会社を含めた企業グループ全体を一つの組織体とみなして行なう決算。

れんけつ⓪【廉潔】―な〔官吏などが〕私欲が無く、性行がさっぱりとしていて、少しもやましいところが無い様子だ。「―の士」派 **―さ**⓪

れんこ①【連呼】―する（他サ）同じ語句などを繰り返し何度も△叫（呼）ぶこと。「候補者の名を―する」

れんご⓪【連語】二つ以上の単語が一続きになって、複合した意味を表わすものの称。〔文法上、句、また、文節と言われるものを含み、品詞よりも大きい単位なので、本辞典においては、品詞相当の術語としては一切使用しなかった。例、「已むを得ない／女の子」〕

れんこう⓪【連行】―する（他サ）本人の意志にかかわらず、どこかへ連れて△行く（来る）こと。〔狭義では、警察官が容疑者・犯人などを警察署へ連れて△行く（来る）ことを指す〕

れんこう⓪【連衡】〔この語の「衡」は、横すなわち東西方向の意〕中国の戦国時代〔=前四〇三～前二二一〕に張儀が唱えた秦の対外政策。六か国にそれぞれ西方の強国である秦と同盟を結ばせ、合従の策を破った。⇩がっしょう（合従）

***れんごう**⓪【連合・〈聯合】―する（自他サ）〈だれ・なにト（だれ・なにヲ）―する／なにヲ―する〉別々の人・店・機関・国などが、相互の繁栄のためにまとまって一つになること。「国際―」表記 もとの用字は、「〈聯合」。**―ぐん**③【―軍】二か国以上の軍隊や二つ以上のチームが共通の目的のために連合したもの。**―こく**③【―国】幾つかの国が相互の保全のために連合したもの。〔狭義では、第二次世界大戦時の日本・ドイツ・イタリアなどの枢軸国と戦った国ぐにを指す〕

れんごく⓪【〈煉獄】〔カトリック教会の教義で〕生きているうちに犯した罪のつぐないをしないで死んだ人の霊魂が贖罪を果たすまで、火によって苦しみを受ける場所。

れんこだい③【連子〈鯛】タイの一品種。からだは桜色で、頭は黄色みを帯びている。キダイ⓪。れんこ⓪。かぞえ方 一尾・一匹

れんこん⓪【〈蓮根】ハスの地下茎。食用。「―を掘る／からしー」かぞえ方 一本

れんさ①【連鎖】―する（自サ）鎖のようにつながること。また、つながった鎖。「―店③〔=チェーンストア〕・―倒産」**―きゅうきん**④【―球菌】鎖のように連なった球菌。丹毒・肺炎・中耳炎などの、炎症・化膿性の病気を引き起こす。〔もと、「連鎖状球菌⑥」と言った〕**―はんのう**④【―反応】何かがきっかけとなって、次つぎとその影響が他へ及ぶこと。「―を△引き起こす（広げる・招く・誘発する）」

れんざ①⓪【連座・連〈坐】―する（自サ）他人の犯罪行為に関与△する（して罰せられる）こと。「汚職事件に―して起訴される／―制⓪〔=特に公職選挙法で、選挙運動の総括責任者・出納責任者などが悪質な選挙違反で有罪となった時、候補者の当選を無効とする制度〕」表記 本来の用字は、「連〈坐」。

れんさい⓪【連載】―する（他サ）〔新聞・雑誌などに〕毎号

れん

[恋] こいしく思う。思いしたう。「恋愛・恋々・失恋・邪恋・得恋・悲恋」

[連] [一]❶つらねる。つらなる。〔つながって一まとまりになった食品や装飾品などをかぞえる時にも用いられる。例、「数珠一連」〕「連山・連合・関連・一連」❷引き続いて。続けざまに。「連日・連戦連勝・流連」❸仲間。「連中・常連」❹かかりあいになる。「連座」❺〔ream〕洋紙の全紙千（もと、五百）枚を単位としてかぞえる語。[二]（略）連邦・連合・連盟。「ソ連・国連・労連・経団連」表記 もと、[一]❶と[二]は「〈聯」、[一]❺は「〈嗹」とも書いた。また、[一]❶のくさりの場合は、「〈鏈」とも書く。⇩（本文）れん【連】

[廉] ❶分別があって、わいろなどは取らない。「廉直・清廉・破廉恥」❷値段がやすい。「廉価・廉売・低廉」

[〈煉] ❶〔火でとかして〕ねりかためる。「煉瓦」❷⇩錬

[〈蓮] ハス。「蓮華・蓮根・蓮台・蓮歩・紅蓮・木蓮・睡蓮・白蓮」

[練] ❶何度もねって、質のよいものにする。ねる。「練磨・練習・訓練・熟練・習練」❷ねる。「練炭・練乳」表記 ❷はもと「〈煉」と書いた。

[〈憐] ❶かわいそうに思う。あわれむ。「憐憫・哀憐」❷いじらしく思う。「可憐・愛憐」

[錬] ❶金属を火にとかして質のよいものにする。「錬金術・鍛錬・精錬」❷〔心・からだ・腕前などを〕ねりきたえる。「錬成」

[〈聯] ⇩連[一]❶・[二]　⇩（本文）れん【聯】

続けてその続き物を載せること。「―小説⑤」↔読切り

れんさく⓪【連作】―する(他サ) ❶同じ土地に同じ作物を毎年続けて作ること。「―障害」↔輪作 ❷一人の人が、同じ物事や題についてよんだ、一群の歌や俳句など。❸何人かの作者がリレー式にそれぞれ一部分を受け持って書いた作品。「―小説」

れんさつ⓪【〈憐察】―する(他サ)〔手紙文で〕「相手に同情の気持をもって推察する」意の漢語的表現。「なにとぞご―ください」

れんざん①【連山】幾つも重なるように続いている山やま。

れんし①【連枝】高貴な人の兄弟の称。「将軍のご―」

レンジ①〔range〕火口(ヒグチ)・オーブンなどを取りつけた、金属製の料理器具。「ガス―③・電子―(=⇩電子レンジ)」

れんじ⓪【〈櫺子・連子】〔「櫺」は、格子(コウシ)の意〕窓や欄間の一部などに、一定の間隔を置いて細い木・竹を縦または横に並べて取りつけた作りのもの。「―窓④」 かぞえ方 一台

れんしつ⓪【連失】〔競技で〕続いて起こした失策。

れんじつ⓪【連日】ある期間引き続いて毎日。

レンジャー①〔ranger〕⇩レーンジャー

れんじゃく⓪ ❶【連尺】物を背負う時に使う道具。二枚の板に縄をつないで背に当てるようにした、はしご状のもの。❷【連《索】肩に当たる所を幅広く麻糸を組んで作った荷縄。

れんしゅ①【連取】〔運動競技で〕点数やセットの勝ちを二回以上続けて獲得すること。

れんじゅ①⓪【連珠・〈聯珠】❶玉をつなぎ並べること。また、その玉。❷美しい詩文の形容。また、対句。❸碁盤の目の上に白・黒の碁石を交互に並べ、縦・横・斜めに早く五つつなげた方を勝ちとする勝負事。五目並べ。 表記 もとの用字は、「〈聯珠」。

れんしゅう⓪(シフ)【練習】―する(他サ)〈なにヲ―する〉技術や芸事などが上達するように、同じ事を何度も繰り返して習うこと。「―を△積む(重ねる・怠る)/―帳⓪・―不足」 **―だい**⓪【―台】練習のために使う物や人。「実力が違いすぎて―にもならない」

れんじゅう⓪(ヂユウ)【連中】❶音曲などの一座。「れんちゅう」とも。「長唄(ナガウタ)―」 ❷⇩れんちゅう❶

れんじゅく⓪【練熟】―する(自サ) 練習を重ねた結果、十分に上達したこと。

れんしょ①⓪【連署】―する(他サ) 同じ文書に二人以上の人が署名すること。また、その署名。

れんしょう⓪【連勝】―する(自サ) ❶引き続き勝つこと。「連戦―」↔連敗 ❷〔競馬や競輪で〕一着と二着とを一組として当てること。連。↔単勝

れんじょう⓪(ジヤウ)【恋情】特定の相手にひかれ、一日でも会わずにはいられないと思う気持。恋心。

れんじょう⓪(ジヤウ)【連声】〔複合語・文節の〕あとの要素の最初のア・ヤ・ワ三行の音が、前の要素の末尾の子音m・n・tに接続するときマ・ナ・タ三行の音に変化する現象。例、陰陽道(om + yō →ommyō)・因縁(in + en →innen)・〔狂言で、「きょうは」の意の〕今日は(konnit + wa →konnitta)。

れんじょう⓪【連乗】―する(他サ)〔数学で〕三つ以上の数・式を引き続いて掛け合わせること。「―積③(=連乗して得た数や式)」

***レンズ**①〔lens〕ガラス・水晶などの透き通った物体の片面または両面を、球面にした円板。光を集め、または分散させるためのもの。普通はガラスを磨いて作る。「眼鏡の―/コンタクト―・ズーム―」 かぞえ方 一枚・一本

レンズ シャッター④〔←between-the-lens shutter〕カメラのシャッターの一形式。数枚の薄い金属羽根を中央から開閉して、露光させる。像のひずみが出ず、ストロボなどに同調した発光が容易なのが特長。レンズの交換は困難。⇩フォーカル プレーン シャッター

レンズ まめ③【レンズ豆】実が薄い凸レンズ型で、インド料理やフランス料理によく用いられるマメ科の一年草。ヒラマメとも。

れんせい⓪【錬成・練成】―する(他サ) 心身を鍛えて、りっぱな人間にすること。「―期間⑤」

れんせつ⓪【連接】―する(自他サ) 別になっている物を関連するように結びつけること。また、そういう状態になっていること。

れんせん⓪【連戦】―する(自サ) 引き続き戦うこと。「三―・四―」 **―れんしょう**⓪-⓪【―連勝】―する(自サ) 戦うたびごとに勝ち、一度も負けたことが無いこと。

れんぜん あしげ⑤【連銭〈葦毛】馬の毛色の一つ。葦毛に灰色の斑点(ハンテン)の交じったもの。「―の馬」

れんそう⓪【連奏・〈聯奏】―する(他サ) 二人で△同じ種類(一つ)の楽器を同時に演奏すること。 表記 もとの用字は、「〈聯奏」。

れんそう⓪(サウ)【連装】一つの△砲塔(砲架)に二門以上の大砲が並べて装備してあること。艦砲・高射砲用。

れんそう⓪(サウ)【連想・〈聯想】―する(他サ) ある一つの物事を見聞きしたり考えたりした時、その事になんらかの点で関連する他の物事や考えが思い浮かぶこと。また、その物事や考え。「四という言葉は死を―させる/―ゲーム」 表記 もとの用字は、「〈聯想」。

れんそう⓪(サウ)【〈斂葬】死者を納棺して葬ること。「―の儀(=皇族の葬儀)」

***れんぞく**⓪【連続】―する(自他サ)〈なにニ―する/なにト―する〉△同じ(同類の)物事が続く状態になる(ようにする)こと。「二年―して優勝する/―殺人・―放火事件・不―線」

れんだ①【連打】―する(他サ) 続けざまに打つこと。「顔を―する/ドアを―する/―(=ヒットを連打)されて降板する」

れんたい⓪【連体】〔日本語文法で〕体言に続く用法。「―修飾語」 **―けい**⓪【―形】〔日本語文法で〕活用語の語形の一つ。おもに体言を修飾するときの形。⇩付録「活用語」 **―し**③【―詞】〔日本語文法で〕活用が無く、体言だけを修飾する品詞。例、「あの・いわゆる・ある」など。 **―しゅうしょくご**⓪(シウ)【―修飾語】文の成分の一つで、体言を修飾するもの。例、「私のかばん」「美しい花」「丈夫な体」「この辞書」の「私の」「美しい」「丈夫な」「この」など。

れんたい⓪【連帯】―する(自サ) 二人以上の人が協力・提携して事に当たること。「―を生む/各国が―する/―責任⑤・―保証人⓪・―感③・―意識⑤・―ストライキ⑦」

れんたい⓪【連隊・〈聯隊】陸軍編制上の一つの単位。普通三個大隊から成る。 表記 もとの用字は、「〈聯隊」。

れんだい⓪【〈蓮台】仏像の台座。ハスの花の形に作る。

れんだい⓪【〈輦台】江戸時代、川を渡る旅人を乗せた乗り物。数人でかつぐ。 かぞえ方 一台

レンタ カー③〔rent-a-car=もと、車を賃借りせよの意〕貸し自動車。 かぞえ方 一台

れんだく⓪【連濁】ある条件下の二つの語が連接して複合語を作る時に、下に来る語の第一音節の清音が、濁音になること。例、「あさ + きり →あさぎり/くま + ささ →くまざさ」。

レンタ サイクル④〔和製英語 ←rent + a + cycle〕貸し

自転車。

れんたつ[0]【練達】—な/—する(自サ) 練習の結果、技術や芸事が入神の境地にまで達する△こと(様子)。「—の士/剣道に—する」

レンタル[1]〔rental〕〔機械・自動車などの〕短期間の賃貸し制。「—ルーム[5]・—ビデオ[5]」⇩リース

れんたん[1]【練炭・〈煉炭】石炭・木炭などの粉をこねて固めた燃料。豆炭・たどんなどの総称。〔狭義では、穴あきの煉炭を指す〕「—火鉢[5]」 表記「練」は、代用字。

れんだん[0]【連弾・〈聯弾】—する(他サ) 一台のピアノを二人で同時にひく△こと(二重奏)。「—曲」 表記 もとの用字は、「〈聯弾」。

レンチ[1]〔wrench〕ボルト・ナット・鉄管などをその太さに合わせてねじって回すのに使う工具。「モンキー—[5]〔=⇩モンキー❸〕・めがね—[4]」 かぞえ方 一本

れんち[1]【廉恥】〔「廉」は、分限を知り、利欲の念が無い意〕心が清らかで、恥じるべきことを知っていること。「—心[3]・破—」

れんちゃく[0]【恋着】—する(自サ) 特定の相手を恋する気持を一時(イットキ)たりとも忘れられないこと。

れんちゅう[0]【連中】❶仲間と見なされる人びと。「れんじゅう」とも。〔仲間うちに対しては親しみの気持を、部外者に対しては軽い侮蔑(ブベツ)を含意して用いられることが多い〕「会社の—〔=同僚〕と飲みに行く/とんでもない—〔=やつら〕だ」 ❷⇩れんじゅう❶

れんちゅう[1]【〈簾中】「貴人の妻」の意の古風な表現。「御(ゴ)—(レンジュウ)[2]」

れんちょく[0]【廉直】—な 心がきれいで私欲が無く、曲がった事は少しもしない△こと(様子)。「—の士」

れんてつ[0][1]【錬鉄・練鉄】不純物を取り去り、炭素の含有量を極度に少なくした鉄。さびにくく、普通の温度で加工が出来る。鉄線・くぎなどに使う。

れんど[1]【練度】〔軍隊などで〕訓練を重ねた結果得た熟練の度合。

れんとう[0]【連投】—する(自サ) 〔野球で〕一人の投手が引き続いて二試合以上に投球すること。「三日間の—」

れんとう[0]【連騰】—する(自サ) 株価・物価などが、途中で下落することなく上がり続けること。

れんどう[0]【連動・〈聯動】—する(自サ) 機械のある装置を動かすと、その部分につながっている他の部分も自動的に動くこと。〔タイアップする意にも用いられる〕「—装置[5]」 表記 もとの表記は、「〈聯動」。

レントゲン[0]〔röntgen←W. K. Röntgen=ドイツの物理学者〕❶照射線量の単位で、(X線やガンマ線が)一キログラムの空気に照射して正負それぞれ〇・〇〇〇二五八クーロンのイオンを生ぜしめる線量を表わす〔記号R〕。❷「レントゲン線[0]〔=X線〕(による撮影・写真)」の省略表現。「—を撮る」

れんにゅう[0]【練乳・〈煉乳】牛乳を濃縮したもの。無糖のもの〔=エバミルク[3]〕と加糖のもの〔=コンデンスミルク〕とがある。 表記 もとの表記は、「〈煉乳」。

れんねん[0]【連年】何年間か引き続いて毎年。

れんぱ[1]【連破】—する(他サ) 続けざまに対戦相手を負かすこと。

れんぱ[1]【連覇】—する(自サ) 前回に引き続き優勝すること。「三年—/五つの大会に五—」

れんばい[0]【廉売】—する(他サ) △ふだん(ほかの店)よりも安く売ること。安売り。「—品[0]」

れんぱい[0]【連俳】❶連歌(レンガ)と俳諧(ハイカイ)。❷俳諧の連句。

れんぱい[0]【連敗】—する(自サ) 前回に引き続き負けること。「連戦—[0]-[0]」↕連勝

れんぱく[0]【連泊】—する(自サ) 同じ旅館・ホテルなどに二晩以上続けて宿泊すること。

れんぱつ[0]【連発】—する(自他サ) ❶続いて発生すること。「事故の—」↕散発 ❷続けて放つこと。「ピストルを—する/ヒットを—する/質問を—する/—銃[4][0]」↕単発❷❸

れんばん[0]【連判】—する(自サ) 同じ文書に二人以上の人が並べて(名前を書き)印を押すこと。れんぱん[0]。 **—じょう**[0]【—状】連判した誓約書。 かぞえ方 一通

れんばん[0]【連番】〔宝くじや指定席などで〕続き番号。

れんびん[0]【〈憐愍〉・〈憐憫〉】〔「れんみん」の変化〕かわいそうに思うこと。「—の情を催す」

れんぶ[1]【練武】武術をねりきたえること。

れんぶん[0]【連文】〔漢語の造語法で〕幾つかの意義・用法を持つ字音語の造語成分が、その複合語において同義語として結合したもの。例、「発起」の上下字は共に「はじめる」意であるなど。

れんべい[0]【連〈袂】〔たもとを連ねる意〕何人かの人がそろって同じ△進退(行動)をすること。「—辞職[5]」

れんぺい[0]【練兵】兵隊を訓練すること。「—場(ジョウ)[0]」

れんぼ[1]【恋慕】—する(自サ) 特定の相手を恋い慕うこと。「—の情」

れんぽ[1]【〈蓮歩】〔金製のハスの花の上を美人に歩かせたという中国の故事から〕美人のしなやかな歩み。

れんぽう[0]【連邦・〈聯邦】二つ以上の、対内的には国家に準ずる行政機構を備えた自治体が平等な関係で結合した国家。対外的には、全体として統一的な中央権力組織を持つ。「アラブ首長国—・—制[0]」 表記 もとの用字は、「〈聯邦」。

れんぽう[0]【連峰】幾つも続いている峰。「穂高(ホダカ)—」

れんま[1]【錬磨・練磨】—する(他サ) からだ・精神・技術などを鍛えみがくこと。「武芸を—する/百戦—」

れんめい[0]【連名】二人以上の人が同じ文書に名前を△並べる(並べて書く)こと。「—で声明する」

れんめい[0]【連盟・〈聯盟】共通の目的を達成するために提携し協同することを申し合わせること。また、その組織。同盟。「—に加わる/自動車—」 表記 もとの用字は、「〈聯盟」。

れんめん[0]【連綿】—たる/—と 長く続いて いつまでも切れない様子だ。「皇統—として/—体[0]」

れんや[1]【連夜】ある期間引き続いて毎晩。「連日—」

れんよう[0]【連用】—する(他サ) ❶同じ物を続けて使うこと。「睡眠薬を—する」 ❷〔日本語文法で〕主として用言に続く用法。「—修飾語」 **—けい**[0]【—形】〔日本語文法で〕活用語の語形の一つ。用言を修飾したり 文を一時中止したり するほか、助詞「て」、助動詞「た」などが接続するときの形。動詞では、そのまま名詞形として用いられるものもある。⇩付録「活用表」 **—しゅうしょくご**[0]【—修飾語】文の成分の一つで、用言を修飾するもの。例、「美しく舞う」「きれいに拭きとる」「たいへん古い」の「美しく」「きれいに」「たいへん」など。

****れんらく**[0]【連絡・〈聯絡】—する(自他サ) ❶〈なに・どこニ—する/なに・どこト—する〉△二つの地域の間(違った体系の交通手段)をつなぐこと。「—をつける/特急に—する/—船[0]・—通路・—地下道・本四—〔=本州と四国を結ぶ〕橋」 ❷〈だれニ(なんだト)—する/だれト—する〉関係がある人びとに情報などを知らせること。「…との—が入る/—をとる/—を密にする/—を絶つ/警察に—する/—事項・緊急—」 表記 もとの表記は、「〈聯絡」。 **—もう**[4]【—網】多くの人

れ

に連絡をとるときのためにあらかじめ決めておく伝達の経路。

れんり①【連理】〔理＝木目〕別々の根から生えた二本の木の枝がくっついてしまい、どれがどれだか分からなくなること。〔夫婦・男女の仲の親密な意にも用いられる。例、「比翼の鳥、―の枝」〕

れんりつ⓪【連立・〈聯立】―する（自サ）❶同じ資格を持つ者が二人になること。「二人の候補者が―する」❷それぞれ性質・立場・主張などは違うが、ともかくまとまった組織をつくること。「―内閣⑤・―方程式⑦」 表記 もとの表記は、「〈聯立」。

れんるい⓪【連累】―する（自サ）（何かをたくらんだ）仲間。「―者③」

れんるい⓪①【連類】「仲間・同類」の意の古風な表現。

れんれん⓪【恋々】―たる ―と 特定の相手に対する恋慕の情を思い切れない様子だ。〔すでにやめなければならない客観的情勢にあるのに、魅力のある△ポスト（環境）を、捨て兼ねている意にも用いられる。例、「△政権（会長の地位）に―とする」〕

ろ…ロ

ろ（呂・炉・賂・路・〈魯・露）→【字音語の造語成分】

ろ①【ロ】〔音楽で〕長音階のハ調のシにあたる音名。B音〔＝ドイツではH音〕。

ろ⓪【炉】❶床を四角に切って縁をはめ、灰を入れて火をたき、暖をとったり煮たきしたりする所。いろり。「―を切る〔＝作る〕」❷おもに金属に熱を加えて、溶かしたり化学反応を起こさせたりするために、まわりを耐火物でおおった装置。「溶鉱―・原子―」 かぞえ方 ❷は一基

ろ⓪【〈絽】一定間隔を置きすきまを作るようにして織った絹織物。夏の和服に使う。絽織り⓪。「―の羽織」

ろ⓪【〈櫓】和船をこぐための木製の用具。下部を船尾のへそにはめ、上部を綱で舟床につないで押し引きする。 表記 「〈艪」とも書く。 かぞえ方 一挺・一丁

ろ⓪【〈艫】❶へさき。船首。❷とも。船尾。「舳―相銜む〔＝⇩じくろ〕」

ろあく⓪【露悪】〔普通の人なら隠そうとする〕自分の欠点などを わざと さらけ出すこと。「―趣味④」

ろあし⓪【〈櫓脚】❶櫓の水中につかる部分。❷舟を櫓でこいで行く時、その跡にたつ波のゆらぎ。

ロイドめがね④【ロイド《眼《鏡】〔Lloyd＝人名〕セルロイド製の太い縁をつけた眼鏡。 表記 ⇩付表「眼鏡」

ロイマチス③〔↑ド Rheumatismus〕リウマチの古風な表現。

ロイヤリティー③〔royalty＝王権。王位〕特許権・著作権などの使用料。ロイヤルティー③・ロヤリティーとも。

ロイヤル（造語）〔royal〕⇩ローヤル

ろいろぬり⓪【〈蠟色塗⒭】漆器のしあげ方の一つ。黒みがかった漆を塗り、乾いたあと磨いてつやを△出すこと（出したもの）。ろいろ⓪。

ろう（老・労・弄・〈牢・郎・〈陋・朗・浪・〈狼・廊・楼・漏・〈瘻・糧・〈臘・露・籠・〈聾）→【字音語の造語成分】

ろう①【労】骨を折って何かをすること。また、その△仕事（努力）。「―をいとわず／仲介の―を惜しむ／あっせんの―をとる／―をねぎらう／―働・勤―」⇩【造語成分】

ろう①【〈牢】罪人をとじこめておく所。牢屋。「―に入れる／―獄」⇩【造語成分】

ろう①【廊】❶建物と建物とを結ぶ渡り廊下。❷建物の中の通路。廊下。回廊。「―をめぐらす」

ろう①【楼】高い建物。「―の上／―閣・―門・高―・望―」〔料理屋・旅館などの名前の下につけても用いられる〕⇩【造語成分】

ろう①【〈隴】中国、甘粛省南東部の地方名。「―を得て蜀を望む〔＝⇩望蜀〕」

ろう①【〈蠟】脂肪に似て柔らかく、それを塗るとすべりやすくなるもの。溶けやすく、燃えやすい。木蠟・蜜蠟・パラフィンなど。「…に―をひく／―人形」

ろう①【〈鑞】金属を接合する時に溶かして使う、錫と鉛との合金。「―づけ・ハンダ―・鉛―・錫―」

ろうあ①【〈聾唖〈】耳も聞こえず、物も言えないこと。また、その人。「―者③」

ろうい①【労委】「労働委員会」の略。「中―」

ろうえい⓪【朗詠】―する（他サ）漢詩・和歌などを節をつけてうたうこと。

ろうえい⓪【漏〈洩】―する（自他サ）〔本来の字音はロウセツ。「ろうえい」は類推読み。「セツ」はもれる意、「エイ」はあふれる意〕秘密などが△もれる（をもらす）こと。「機密の―」

ろうえき⓪【労役】骨の折れる肉体労働。〔強制的労働について言うことが多い〕「―に服する」

ろうおう③⓪ ❶【老翁】だれからも老人と認められるほど年をとった男性。❷【老〈媼】だれからも老人と認められるほど年をとった女性。

ろうおう⓪【老〈鶯】「春が過ぎても鳴くウグイス」の意の漢語的表現。

ろうおく⓪【〈陋屋】狭くてむさくるしい家。〔自分の家の謙称としても用いられる〕

ろうおん⓪【労音】「勤労者音楽協議会③-⑦」の略。〔勤労者のための音楽鑑賞団体の一つ〕

ろうか⓪【老化】―する（自サ）年をとるにつれて、精神的・肉体的に若い時のような活力が失われること。「―を防ぐために適度の運動を心がけている／―現象④」

ろうか①【弄火】「（子供の）火遊び」の意の漢語的表現。

ろうか①【弄花】「花合せ❷」の意の古風な表現。

ろうか①【〈狼火】「のろし」の漢語的表現。

*__ろうか__⓪【廊下】建物の中の部屋と部屋をつなぐ（板敷の）通路。「渡り―」 ―とんび④【―〈鳶】自分の仕事をじっくりせずに、用も無いのに廊下をうろうろしている△こと（人）。

ろうかい⓪【老〈獪】―な 〔「獪」は、悪い方面に頭がよく働く意〕経験を積んで悪賢い△こと（様子）。「―な人物」 派 ―さ⓪

ろうがい⓪【老害】企業や政財界の指導者層の高齢化により、現状に即応した態勢がとれなかったり 若い人の活動がはばまれたり する状態。

ろうがい⓪【労〈咳・〈癆痎〈】〔漢方で〕肺結核の称。

ろうかく⓪【楼閣】高くてりっぱな建物。「金殿―」

ろうがっこう③【〈聾学校】耳の聞こえない人たちを教育する学校。〔二〇〇七年以降、特別支援学校に改称〕⇩特別支援教育

ろうかん⓪【〈琅玕〈】△暗い緑色（青みがかった緑色）で半透明の美しい宝石。〔中国では、特に翡翠を指す〕

ろうかん⓪【〈瘻管】△胃（腸）と体外との物の通りをよくするために、手術して入れた管。

ろうかん⓪【〈蠟管】〔発明初期の蓄音機で〕録音に用いた蠟製の円筒。

ろうがん⓪【老眼】年をとって眼球の調節が鈍くなり、近くのものが見えにくく△なること（なった目）。老視。 ―き

…ようオ[0]【―鏡】老眼を調節するためにかける、凸レンズの眼鏡。

ろうオき[1]【〈牢記】―する（他サ）「しっかり覚えておく」意の古風な表現。「―して忘れない」

ろうオぎ[1]【老〈妓】「年をとった芸者」の意の漢語的表現。

ろうオきほうオ[0]【労基法】「労働基準法」の略。

ろうオきゅうオ[0]【老朽】―する（自サ）古くなって使いものにならないこと。〔古くは、人が年をとって役に立たなくなった意にも用いられた〕「―化[0]・―校舎[5]」

ろうオきゅうオ[0]【籠球】⇩バスケットボール

ろうオきょ[1]【籠居】―する（自サ）外へ出ないで、家の中にばかり居ること。

ろうオきょうオ[0]【老境】（悟り切って淡々とした）老人の境地。「―に入る」

ろうオきょく[0]【浪曲】「なにわぶし」の意の漢語的表現。

ろうオぎん[0]【労金】「労働金庫」の略。

ろうオぎん[0]【労銀】労働によって得る賃金。

ろうオぎん[0]【朗吟】―する（自他サ）漢詩・和歌などを声高らかに唱えること。

ろうオく[1]【老〈軀】年をとって思うように動かなくなったからだ。「―を駆って」

ろうオく[1]【労苦】仕事などにからだや精神を酷使すること。「長年の―に報いる/―をいとわず働く」

ろうオくみ[0]【労組】「労働組合」の略。

ろうオげつ[1]【〈臘月】陰暦十二月の異称。しわす。

ろうオけつぞめ[0]【〈臈纈〉染め】染色の一種。蠟と樹脂とを交ぜ合わせたもので布に模様をかき、染料にひたしてから、その蠟を除いて模様の部分を白く残すもの。「ろう染め」とも。

ろうオこ[1]【一】【〈牢乎〉】―たる・―と しっかりしていて、外物によって容易に動かされない様子だ。「―たる決意」【二】【〈牢固】しっかりしていて、丈夫な様子だ。

ろうオご[0]【老後】年をとってからのち（のこと）。「―を迎える心の準備/―の計画」

ろうオこうオ[1]【老公】国政に大きな寄与をした人の隠退後の敬称。「水戸―」

ろうオこうオ[0]【老巧】―な 経験が豊富で、あらゆる点に配慮が行き届いている様子だ。「―な（=抜けめの無い）やり口/―な危な気ないプレー」↔稚拙 派―さ[0]

ろうオこうオ[0]【〈陋巷〉】「狭くてきたない町なか」の意の古風な表現。

ろうオこく[0]【漏刻】水時計（の目盛り）。

ろうオこく[0]【〈鏤刻】―する（他サ）⇩るこく

ろうオごく[0]【〈牢獄】「牢屋」の意の漢語的表現。

ろうオこつ[0]【老骨】年とって力の弱くなった（自分の）からだ。「―にむち打つ」

ろうオこつ[0]【〈鏤骨】⇩るこつ

ろうオさい[0]【老妻】（共どもに苦労をして）年とった自分の妻。

ろうオさい[0]【労災】㊀「労働災害」の略。「―認定」㊁「労働者災害補償保険[3]-[8]」の略。労災保険。「―病院[5]・―法[0]」 **―ほけん**[5]【―保険】労働者の、業務中に発生したけが・病気・死亡に対する保険。

ろ

【呂】 ㊀〔中国や日本の音楽で〕音の調子の名称。「呂律」 ㊁「ロ」の仮借。「風呂・伊呂波・語呂・麻呂・登呂遺跡」

【炉】 ⇩（本文）ろ【炉】

【賂】 便宜や見返りを期待して金品を贈ること。「賄賂」

【路】 ㊀人・乗り物が通るみち。「路上・路線・道路・行路・水路・空路」 ㊁すじみち。道理。「理路」 ㊂大事な地位。「要路・当路」

【〈魯】 【一】おろか。「魯鈍」 【二】（略）もと、ロシア（魯西亜）。

【露】 【一】㊀つゆ。「露命・雨露・甘露」 ㊁おおいが無い。屋根が無い。「露天・露店・露営・露座」 ㊂全形がむきだしになる。「露見・露出・露頭・暴露・吐露」 【二】（略）ロシア（露西亜）。「露都」

ろうオ

【老】 ㊀年をとる（った人）。「老眼・老後・老婆・老爺」 ㊁年とって物事をよく知っていること（人）。「老大家・老練・老獪・長老」 ㊂老人の敬称。「田原老」

【労】 【一】骨折ってつかれる。つかれ。「疲労・過労・心労」 【二】（略）労働者・労働組合。「労農・労災・労協・労使・労連」 ⇩（本文）ろう【労】

【弄】 ㊀もてあそぶ。いじる。いじくる。まさぐる。「弄火・玩弄」 ㊁好き勝手に操る。「弄言・弄舌・翻弄」 ㊂なぐさみものにする。なぶる。「愚弄・嘲弄」 ㊃自然の風物を楽しむ。「弄花・弄月」

【〈牢】 しっかりとしてかたい。「牢記・牢固・堅牢」 ⇩（本文）ろう【牢】

【郎】 ㊀男子の美称。〔狭義では、女性が夫を指す称〕「新郎」 ㊁おとこ（につけて、呼び名を作る）。「野郎・太郎・三郎」 ㊂仕えている人。「郎等・下郎・女郎」

【〈陋】 ㊀（場所や心が）せまい。「陋屋・陋巷・固陋」 ㊁いやしい。みにくい。「陋習・陋劣」

【朗】 ㊀ほがらか。明るい。「朗色・明朗・晴朗」 ㊁声がきれいで澄みとおる。「朗吟・朗唱・朗読」

【浪】 ㊀なみ。「波浪・風浪」 ㊁行くえ定めずさまよう。「浪々・浪人・流浪・放浪」 ㊂節度が無く。「浪費」

【〈狼】 ㊀オオカミ。「虎狼」 ㊁あわてる。うろたえる。「狼狽」 ㊂みだす。ちらかす。「狼藉」

【廊】 ⇩（本文）ろう【廊】

【楼】 遊女屋・料理屋など。「妓楼・酒楼・青楼・登楼」 ⇩（本文）ろう【楼】

【漏】 ㊀もる。もれる。もらす。「漏水・漏電・漏洩・遺漏・疎漏」 ㊁水どけい。「漏刻」

【〈瘻】 炎症などによって、からだの器官の一部に穴があいたもの。「瘻孔・痔瘻」

【糧】 旅行者や軍隊が携帯する食料。「兵糧」 ⇩りょう

【〈臘】 年のくれ。陰暦十二月。「臘月・旧臘」

【露】 あらわす。あきらかにする。「披露」 ⇩ろ

【籠】 ㊀竹などで作った容器。かご。「籠球・灯籠・印籠」 ㊁つつむ。とりこめる。「籠絡」 ㊂とじこもる。こもる。「籠城・籠居・参籠」

【〈聾】 耳が聞こえない（人）。「聾唖・聾学校・聾児・盲聾」

ろ

ろうざいく[3]【〈蠟細工】 蠟を使って細工を△すること(したもの)。

ろうさく[0]【労作】❶苦心して作り上げた作品。「なかなかの―だ」❷―する(自サ) 労働。「―教育」

ろうざん[0]【老残】 老いぼれてどうしようも無い姿を人目にさらしながら生きながらえること。「―の身を横たえる」

ろうし[0]【老子】❶無為・自然の道を説いた、中国古代、周代の思想家。楚ソの国の人。❷老子が書いたという書物の名。

ろうし[1]【老師】 年をとった△先生(坊さん)。

ろうし[0]【老視】「老眼」の医学的な用語。

ろうし[1]❶【労使】 労働者と使用者。「―の代表」❷【労資】 労働者と資本家。「―協調[1]-[0]」

ろうし[0]【〈牢死】―する(自サ) 牢に入っていて死ぬこと。獄死。

ろうし[1]【浪士】❶仕える主君を失った武士。「赤穂アコウ―」❷浪人❶。

ろうじ[1]【〈聾児】「耳の聞こえない子供」の意の漢語的表現。「―教育[4]」

ろうしぐん[3]【《娘子軍】〔本来の字音はヂャウシグン。「ろうしぐん」は類推読み〕⇩じょうしぐん(娘子軍)

ろうじつ[0]【老実】―に ―な 物事に慣れていて、しかも忠実に事をつとめる様子だ。

ろうしゃ[1]【〈聾者】「耳の聞こえない人」の意の漢語的表現。

ろうじゃく[0][1]【老若】 年寄りと若い人。「ろうにゃく」とも。「―を問わず/―男女ダンジョ[5]」

ろうじゃく[0]【老弱】❶年寄りと子供。❷―な 年をとってからだが弱っている様子だ。

ろうしゅ[1]【老手】「老練な手なみ(の人)」の意の漢語的表現。

ろうしゅ[1]【楼主】 その楼の主人。

ろうじゅ[1]【老儒】 学識のすぐれた長老の儒者。〔年老いた儒者の意にも用いられる〕

ろうじゅ[1]【老樹】 年を経た立ち木。老木。

ろうしゅう[0]【老醜】 年をとって心の緊張や節度を失い、何かにつけて見苦しいふるまいが目立つ状態。「―をさらす〔=老いを自覚する自分に対する謙遜ケンソンの言葉としても用いられる〕」

ろうしゅう[0]【〈陋習】 なかなか改められない悪いならわし。「旧来の―」

ろうじゅう[1]【老中】〔江戸幕府で〕将軍に直属して政務を担当した最高責任者。

ろうじゅく[0]【老熟】―する(自サ) 経験を積み、慣れて上手なこと。「―の域に達する」

ろうしゅつ[0]【漏出】―する(自他サ) 中から漏れて出ること。漏らして出すこと。

ろうじょ[1]【老女】❶年をとった女性。「小柄な―」❷武家の侍女のかしら。

ろうしょう[0]【老少】 年寄りと若者。「―を問わず」

―ふじょう[5]、[0]-[0]【―不定】 人間の寿命は天命によって決まっているもので、老人だから先に死ぬとは必ずしも言えないこと。「―は世の習い」

ろうしょう[0]【老松】(見るからに)年を経た松。「おいまつ」とも。

ろうしょう[0]【老将】❶年とった大将。❷経験を積んだりっぱな大将。

ろうしょう[0]【労相】「労働大臣[5]」の別称。

ろうしょう[0]【朗笑】―する(自サ) 何の屈託もなく、ほがらかにわらうこと。

ろうしょう[0]【朗〈誦】・【朗 唱】―する(他サ) 〔詩歌・文章などを〕大きな声を出して読みあげること。

ろうじょう[0]【老嬢】 未婚のままの中年過ぎの女性。

ろうじょう[0]【楼上】 高い建物の△上(二階)。

ろうじょう[0]【籠城】―する(自サ) 敵に囲まれて、城の中にたてこもること。〔何かの理由で、やむを得ず外に出ないでいる意にも用いられる。例、「ふぶきで山小屋に―する」〕

ろうしょく[0]【朗色】 見るからに朗らかな△顔つき(様子)。

ろうしん[0]【老親】 年をとって衰えた親。

＊**ろうじん**[0]【老人】 すでに若さを失った人。身体能力などは衰えを見せるが、思慮・経験に富む点で社会的に重んじられるものとされる。〔元気な人は七十歳を過ぎても老人と目されないことがある。老人福祉法では六十五歳以上が福祉の対象〕「元気な―/―扱い・―病[0]・―クラブ[5]・―福祉施設〔=⇩施設〕・寝たきり―」 **―ご**[0]【―語】 すでに多くの人の常用語彙イゴの中には無いが、高年の人には用いられており、まだ死語・古語の扱いは出来ない語。例、安気アンキ・気散サンじ・湯殿・よしなになど。 **―のひ**[0]-[1]【―の日】 九月十五日。〔二〇〇三年「敬老の日」を九月第三月曜に設定し、それまでの九月十五日を老人の日とした〕 **―ホーム**[5] 高齢者の生活の場と、生活に必要なサービスの場とが一体化されている施設。老人福祉法に基づいて設けられたものとしては、養護老人ホーム[8]・特別養護老人ホーム[12]・軽費老人ホームがある。〔旧称は養老院〕「有料―[9]」

ろうすい[0]【老衰】―する(自サ) ❶年をとって心身が衰えること。❷年をとって、特定されるような病状が認められないのに死ぬこと。

ろうすい[0]【漏水】―する(自サ) 水が漏れること。また、その水。「―箇所[5]・―事故」

ろう・する[3]【労する】❶(自サ) つらい思いをして働く。「労して功なし」❷(他サ) 骨折りをして、疲れさせる。「心身を―」

ろう・する[3]【弄する】(他サ) ❶そうすることが目的であるかのように、時間つぶしに何かをする。「駄弁を―」❷自分の目的を達するために、△フェア(尋常)でない方法を講じる。「△技巧(策・詭弁キベン)を―」 弄す[1](五)。

ろう・する[3]【〈聾する】(他サ) 耳が聞こえないようにする。「耳を―ばかりの爆音」

ろうせい[1]【老生】(代) 〔手紙文などで〕老年の人が自分の謙称として用いる語。

ろうせい[0]【老成】―する(自サ) ❶経験を積んで人間として出来あがること。「―した人物」❷若いのに、言ったりしたりすることが分別くさいこと。「―した考え」

ろうせき[3][4][0]【〈蠟石】 蠟のような感じの、軟らかい石の総称。滑石・凍石〔=純度の高い滑石〕など。石筆・印材用。

ろうぜき[0]【〈狼藉】〔狼オオカミが草を藉シいて寝た跡の様子から〕❶―する(自サ) とりちらかっていて、全く秩序が見られないこと。「落花―[1]-[0]〔=⇩落花〕・杯盤―」❷乱暴な行い。「乱暴―を働く/―者モノ[0]」

ろうせつ[0]【漏〈洩・漏〈泄】―する(自他サ) ⇩ろうえい

ろうそ[1]【労組】「労働組合」の略。

ろうそう[0]【老荘】 老子と荘子。 **【―の学】**[0]-[1] 老子・荘子の説いた、哲学説。無為・自然の道を重んじた。

ろうそう[0]【老僧】 年をとった僧。〔謙称としても用いる〕

ろうそう[0]【〈狼瘡】 おもに顔の皮膚をおかす結核性の皮膚病。

***ろうそく** [3][4]【〈蠟燭〉】 糸などを芯にして、蠟を円柱形に固めたもの。芯に火をつけて、明りとする。「―立て[4][3]」 かぞえ方 一挺・一丁・一本

ろうぞめ [0]【〈蠟染〉め】 ⇩ろうけつぞめ

ろうたい [0]【老体】〔年寄りのからだの意〕「老人」の婉曲表現。「ご―[0]」

ろうだい [0]【老台】(代)〔手紙文で〕年配の相手に対する敬称。〔男性同士で用いる〕

ろうたいか [3]【老大家】 年をとっており、みんなに尊敬される、その道の専門家。「書道の―」

ろうたいこく [3]【老大国】〔本来「老大の国」の意か〕昔は対外的にも国力をふるったが、今はふるわない国。

ろうたく [0]【浪宅】 浪々している間のすまい。

ろうた・ける [4]【〈臈〈長ける〉】(自下一) その道の経験者として、みんなに仰がれる。〔狭義では、女性が美しくて気品がある意にも用いられる〕 表記「〈臈(〈臘)」は、「〈臘」の異体字。

ろうだん [0]【〈壟断〉】―する(他サ) 利益などをひとりじめにすること。〔「孟子」に出てくる語で、きりたっている丘の高所に立ち、市場を観望し安い物を買い占めた故事に基づく〕「利益を―する」

ろうちん [1]【労賃】 労働に対して支払われる賃金。

ろうづけ [0][4][3]【〈鑞付〉け】 鑞で金属を接合△すること(したもの)。鑞接。

ろうでん [0]【漏電】―する(自サ) 絶縁が悪くて、流れてはいけない部分に電流が流れ出ること。火事の原因となる。

ろうと [1]【漏斗】「じょうご」の意の漢語的表現。

ろうとう [0]【郎党】・【郎等】〔「郎 等」の変化〕首領の命令を信奉する人たち。特に、政党の有力者の子分やとりまき。

****ろうどう** [0]【労働】―する(自サ)〔「労」は、任務に服する意〕△収入を得る(何かを生産する)ことを目的として、その人自身のからだを使ったり 頭を働かせたりして活動すること。「重―・肉体―・精神―」 **―いいんかい** [6]【―委員会】 労働組合法の規定により、労働者・使用者・公益の代表それぞれ同数の委員で構成する。 **―うんどう** [5]【―運動】 労働争議の調停などをする機関。労働者が自分たちの労働条件や社会的地位をよくするために、使用者側に対して団結して行なう運動。 **―きじゅんほう** [0]、[0]-[0]【―基準法】 労働者を保護するために、労働条件の最低基準を決めた法律。 **―きょうやく** [5]【―協約】 労働条件などについて、労働組合または労働者団体と使用者(の団体)との間で結ぶ、文書による取り決め。 **―きんこ** [5]【―金庫】 労働組合員のための金融機関。略称、「労金」。 **―くみあい** [5]【―組合】 労働者が、労働条件の維持・改善を目的として組織した組合。 **―さい** [3]【―祭】 ⇩メーデー **―さいがい** [5]【―災害】 労働者の身に業務上起こった負傷・病気・死亡などの事故。通勤途上の災害も含まれる。略称、「労災」。 **―さんけん** [5]【―三権】 労働者の基本権とされる、団結権・団体交渉権・争議権の三つの権利。 **―さんぽう** [5]【―三法】 労働者のための三つの法律。労働組合法・労働関係調整法・労働基準法。 **―しゃ** [3]【―者】 労働により得た賃金で生活していく人。〔狭義では、肉体労働者を指す〕 **―しょう** [3]【―省】 労働者の幸福と職業の確保を図ることをおもな目的とした、国の中央官庁。〔長官は、労働大臣[5]。二〇〇一年「厚生労働省」に吸収〕 **―じょうけん** [5]【―条件】 労働者と使用者の間に結ばれる、賃金・労働時間などの雇用の条件。 **―そうぎ** [5]【―争議】 労働条件などについて、労働者と使用者との間に起こる争い。 **―りょく** [3]【―力】 ❶〔labor power の訳語〕財貨を生産するために使われる、人間の精神的・肉体的な諸能力。 ❷〔戦後、labor force の訳語で〕「労働力❶」を持ち、種々の社会的・経済的活動をしている人(の数)。〔失業者をも含み、統計では「労働力人口[7]」と言う〕「潜在―[7]・農業―[7]」

ろうどう [0]【郎等】〔鎌倉・室町時代に〕主家である武家との間に血縁関係も無く、領地も持たない家来。「ろうとう」とも。「家の子―」 表記「郎党」とも書く。

ろうどく [0]【朗読】―する(他サ)〔鑑賞・紹介などのため〕文学作品や手紙などを、皆に分かるように音読すること。「詩の―/―の時間」

ろうとして [1]【〈牢として〉】(副)〔考え方・習慣などが〕しっかり根づいていて、容易に動かしたり 変えたりすることの出来ない様子。「―抜くべからず」

ろうなぬし [3]【〈牢名主〉】 江戸時代、選ばれて同囚の者たちを取り締まった古参の囚人。

ろうに [1]【老尼】「年とった尼」の意の漢語的表現。

ろうにゃく [0][1]【老若】〔「にゃく」は「若」の呉音〕「ろうじゃく」の古風な表現。「―男女[5]」

ろうにん [0]【浪人・〈牢人〉】―する(自サ)〔浮浪人・失業者の意〕 ❶武家時代、主家を離れ、禄を失った者。浪士。〔失職中の人の意にも用いられる〕 ❷学校を卒業して上級学校に入れず、翌年を期して勉強している者。↔現役

ろうにんぎょう [3]【〈蠟人形〉】 蠟で作った(実物大の)人形。「―館[5]」

ろうぬけ [0][4]【〈牢〈脱〉け】―する(自サ) ⇩ろうやぶり

ろうねん [0]【老年】 人を年齢によって分けた区分の一つ。六十代の中期から特に七十代以上を指す。⇩壮年・青年・少年

ろうのう [0]【老農】 年とった(経験豊かな)農夫。

ろうのう [0]【労農】 労働者と農民。「―ロシア[5]〔=旧ソビエト ロシア〕」

ろうのき [1]【〈蠟の木〉】 植物のハゼの異称。

ろうば [1]【老馬】 年とった馬。「―、道を知る」

ろうば [1]【老婆】 だれの目にも年をとっていると感じられる女性。↔老爺 **―しん** [3]【―心】 不必要なまでに人の事について気をつかい、世話をやくこと。〔古くは、「老婆心切[4]」とも〕 運用「老婆心ながら」の形で、他人に忠告するときに、「余計なことかも知れないが」の意を込めた前置きとして用いられる。

ろうはい [0]【老廃】〔動物の体内で〕古くなって役に立たなくなること。「―物[3]・―成分[5]」

ろうはい [0]【老輩】 年とった人たち。〔老人が自分の謙称にも使う〕

ろうばい [0]【老梅】「年を経た梅の木」の意の漢語的表現。

ろうばい [0]【〈狼狽〉】―する(自サ) 思わぬ出来事などのために、びっくりしあわてること。「―の色を見せる/周章―[0]-[0]」

ろうばい [0]【〈蠟梅〉・〈臘梅〉】 庭に植える落葉低木。二月ごろ、外側が黄色、内側が黒みがかった紫色で香気の高い花を開く。観賞用。からうめ[2][0]。〔ロウバイ科〕 かぞえ方 一株・一本

ろうばん [0][1]【〈牢番〉】 牢屋の番人。

ろうひ [1]【老〈婢〉】「年とった女中」の意の漢語的表現。

ろうひ [0][1]【浪費】―する(他サ)〔お金・物・精力などを〕普通必要とされる以上に使うこと。「時間の―〔=むだづか

い)」—家[0]・—癖(へキ)[3]」

ろうびょう[0]【老病】老衰のために起こる病気。

ろうふ[1]【老夫】❶(長年 苦楽を共にした)年とった自分の夫。❷年とった男性。

ろうふ[1]【老父】年とった自分の父。↕老母

ろうふ[1]【老婦】❶「年をとった女性」の意の漢語的表現。❷年とった自分の妻。

ろうへい[0]【老兵】経験は積んでいるが、年をとり過ぎて戦闘能力に欠ける兵。「—は去るのみ」

ろうほ[1]【老舗】「しにせ」の漢字表記の字音に従って読んだ文字読み。

ろうぼ[1]【老母】年とった自分の母。↕老父

ろうほう[0]【朗報】自分(の関係する人や組織)にとって喜ばしいことだと明るい気持で受け入れることのできる、いい知らせ。「初孫誕生の—至る/—をもたらす」↕悲報

ろうぼく[0]【老木】年を経た立ち木。老樹。

ろうぼく[0]【老僕】(長年主家に仕えて)年とった下男。

ろうまん[1]【浪漫・浪〈曼】⇩ローマン

ろうむ[1]【労務】❶賃金を得るためにする労働。「—提供[4]」❷(会社などで)従業員の職場配置・福利厚生などに関する事務。「—担当の重役/—課[0]・—管理[4]」 —しゃ[3]【—者】契約を結んで、労働する人。(狭義では、日雇い労働者の称)

ろうもう[0]【老〈耄】—する(自サ) 年をとって耄碌(モウロク)したと感じられる状態になること。

ろうもん[0]【楼門】二階造りの門。「朱塗りの—」

ろうや[1]【老〈爺】年とった男性。老翁。↕老婆

ろうや[3]【〈牢屋】罪人を捕らえて、閉じこめておく所。

ろうやくにん[3]【〈牢役人】牢屋で囚人を見張る役人。

ろうやぶり[3]【〈牢破(り)】—する(自サ) ひそかに牢屋から逃げ△だすこと(だした囚人)。牢ぬけ。脱獄。

ろうゆう[0]【老友】自分と共に年をとった友人。

ろうゆう[0]【老雄】かつて英雄と仰がれた時代の事を思い出に生きる老人。「—の末路」

ろうゆう[0]【老優】芸のうまみを感じさせる、年とった俳優。

ろうよう[0]【老幼】年寄りと子供。

ろうらい[1][0]【老来】(副) その状態・傾向が、年をとってから一段と顕著に認められる様子。「—いよいよ壮健」

ろうらく[0]【籠絡】—する(他サ) うまく言いくるめて他人を自分の思う通りにすること。

***ろうりょく**[1]【労力】何かをするのに要する人手。「—を△省く(節約する)/(多くの)—を費やす」

ろうるい[0]【老涙】年をとって涙もろくなった人が、ちょっとした事にも流す涙。[かぞえ方]一滴(テキ)

ろうるい[0]【〈蠟涙】ろうそくが燃えた時、溶けてしたたり落ちる蠟(のかたまったあと)。[かぞえ方]一滴(テキ)

ろうれい[0]【老齢】(無理がきかないほどに)年をとっていること。「—人口・—年金」

ろうれつ[0]【〈陋劣】—な 志が低い上に、自己の利益のためには手段を選ばず、その言行がひんしゅくを買う様子だ。

ろうれん[0]【老練】—な その道での経験を積み、どんなむずかしい事でも巧みに処理してのける様子だ。「—な△医師(漁師)/—な△手つき(言葉づかい)」

ろうれん[0]【労連】「労働組合連盟・労働組合連合・労働組合連絡協議会」などの略。「世界—[4]」

ろうろう[0]【朗々】—たる —と ❶光などが、明るくさえている様子だ。「—たる名月」❷声が大きい上に、語尾がはっきりしている様子だ。「音吐—[1]-[0]」

ろうろう[0]【浪々】—たる —と △職が無くてぶらぶら遊んでいる(職を求めてさまよい歩く)こと。「—の身」

ろうろう[0]【〈朧々】—たる —と 目に映るものがおぼろにかすんでいる様子。「—たる月の光」

ろうわ[0]【朗話】人の心を明るくするようないい話。

ろえ[1]【〈蘆〈薈】植物のロカイ。

ろえい[0]【露営】—する(自サ) 野営。

ロー[1]〔low〕❶(自動車の)低速(用のギヤ)。「—ギヤ[3]」❷低い。「—ネック[3]・—ヒール」

ローカル[1]〔local〕❶中央から遠い、狭い地域(だけ)に関すること。「—線[0]・—ニュース[5]」❷ローカル カラー。❸ローカル△放送(番組)。 **—カラー**[5]〔local color〕その地方らしい感じ。地方色。

ローコスト[3]〔low cost〕安い費用。廉価。「—住宅[6]」 **—キャリア**[6]〔low-cost carrier〕格安航空会社。低価格で航空サービスを提供する会社。略称、エル シー シー(LCC)。↕フルサービス キャリア

ローション[1]〔lotion〕❶多量のアルコール分を含む化粧水。❷〈ヘア ローション[3]の略。

ロージン バッグ[5]〔rosin bag〕松やにの粉を入れた小袋。ロジン バッグ[4]とも。〔球技や競技ですべり止めにする〕

ロース[1]〔roast を耳で聞いたままの形〕牛・豚肉で、あばら骨の上部から腰骨の近くまでの部分。蒸焼きに適し、赤身で柔らかい部分。「—ハム[4]」[かぞえ方]切身は一枚

ローズ[1]〔rose〕⇩ばら・ばら色

ローズ[1][0]〔中国・蘆頭〕きずがついたりよごれたりはんぱになったりして売り物にならない商品。きずもの。「—もの[0]」

ロー スクール[4]〔law school=法科大学院〕司法官や弁護士の養成を目的とする大学院レベルの法律専門の研究教育機関。

ロースター[1]〔roaster〕魚や肉をローストする電気器具。[かぞえ方]一台

ロースト[1]—する(他サ)〔roast〕牛肉や鶏肉(トリニク)などを焼くか蒸焼きに△すること(した料理)。「—ビーフ[5]・—チキン[5]」

ローズマリー[4]〔rosemary〕❶地中海地方原産の「マンネンロウ[3]〔=シソ科の常緑低木〕」。肉料理などに用いたり葉から薄緑色の香油を採ったりする。❷ローズマリー❶の葉。香草として肉やさかなを焼く時に使われる。

ローター[1][0]〔rotor〕❶モーターや発電機の回転部分。回転子。❷ヘリコプターの回転翼。

ローダー[1]〔loader〕❶(石炭などの)積込み機。「スノー—[4]・シャベル—[4]」❷〔コンピューターで〕テープ・カード・ディスクなどの外部記憶媒体に記録されているプログラムを主記憶に読み込む作業をするプログラム。「イニシアル—[6]」

ロータリー[1]〔rotary〕❶機械などの回転式のもの。「—エンジン[6]」❷交通整理のため、市街地の交差点の中央につくった、円形の小高い場所。車はそれに沿って方向を変えたりする。〔❷は米国東北部での特用。英国では traffic circle と言う〕 **—きかんしゃ**[7]【—機関車】前端に排雪用の旋回輪をつけた機関車。 **—クラブ**[6]〔the Rotary Club〕社会奉仕と国際間の親善を目的として、世界各地に作られている社交団体。

ローティーン[3]〔和製英語 ←low + teen〕ティーン エージャーのうち、十三〜十四、五歳の人。つまり、中学程度の年齢層を指す。↕ハイティーン

ローテーション[3]〔rotation=回転〕❶〔野球で〕投手の登板順序。❷〔六人制のバレーボールで〕サーブの権利を得たチームの選手が、一人ずつ位置を移動すること。❸何人かの人を交替で、ある仕事に従事させる際の順序。

ろ

ロード(造語)〔road〕❶道路。道。「―マップ・シルクー・バ―ジンー」❷地方。「―ゲーム」

ロード[1]〔Lord〕イギリスで、侯爵(コウシャク)・伯爵・子爵・男爵、大主教・主教、公爵・侯爵の子息、伯爵の長子の尊称。

ロード ゲーム[4]〔road game〕〔プロ野球で〕フランチャイズ(に準ずる球場)以外の球場で行なう試合。

ロード ショー[3]〔road show=地方興行〕未公開の映画を、上映権を与えられた映画館で(一斉に)上映すること。

ロード マップ[4]〔road map〕❶ドライバーのために作られた道路地図。自動車道路のさまざまな情報が詳しく記載されている。❷〔「ロードマップ❶」から〕製品開発や発表などの進行過程を示した行程表。

ロートル[0]〔中国・老頭児〕年をとって頭の働きなどが鈍くなった人。〔自嘲(ジチョウ)的にも用いられる〕

ロード レース[4]〔road race〕道路の上でする(自転車などの)競技。道路上競走。

ロード ワーク[4]〔road work〕基礎体力を養成するために路上で行なう、ランニング・縄跳びなどのトレーニング法。

ロー ヒール[3]〔low heels の日本語形〕かかとの低い婦人靴。↕ハイ ヒール

ローブ[1]〔フ robe〕❶その長い、ゆったりしたワンピース式の婦人服。「―モンタント[4][6]」❷裁判官などが着る、長くてゆったりした式服。かぞえ方 ❶は一枚。❷は一着

ロープ[1]〔rope〕〔麻や鋼鉄製の〕太い綱。かぞえ方 一本

ローファー[0][1]〔Loafer〕ひもの代わりにベルトの付いた革靴。かかとが低く簡単にはける。商標名。

ロープウエー[5]〔ropeway〕空中に張り渡した鋼鉄製の綱に車体をさげ、客を運ぶ装置。ロープウェー[4]とも。⇩ケーブル カー

ローブ デコルテ[5]〔フ robe décolletée〕背や胸が見えるように襟ぐりを深くした、すその長い、女性用の礼服。主として夜会用。かぞえ方 一着

ローマ[1]〔ラ Roma〕イタリア半島に興った古代ヨーロッパの大帝国およびその首都の名。現在、イタリアの首都。新約聖書などでは、ロマ[1]とも。「―は一日(イチジツ)にして成らず」
表記 「羅馬」は、音訳。

ローマ カトリックきょうかい[9]、[1]-[6]【ローマカトリック教会(ケウクワイ)】キリスト教の一派。十一世紀に現在のギリシャ正教と分裂し、教皇・教皇庁の支配の下に西欧に流布した。カトリック教会。旧教。天主教。ローマ教[0]。

ローマ きょうかい[4]-【ローマ教会(ケウクワイ)】ローマカトリック教会。公教会。天主教会[4]。

ローマ きょうこう[6][4]-【ローマ教皇(ケウクワウ)】ローマカトリック教会の最高の地位(にある人)。単に「教皇」とも。通称は「ローマ法王」。

ローマ じ[3]【ローマ字】❶古代ローマでラテン語を書き表わす文字として成立し、今、欧米各国をはじめ世界の諸国で使っている表音文字。ラテン文字。❷〔↑ローマ字つづり[5]〕ローマ字で日本語をつづる△こと(方法)。

ローマ すうじ[4]【ローマ数字】古代ローマで使った数字。I(一)・V(五)・X(十)・L(五十)・C(百)・D(五百)・M(千)。〔現在でも、時計の文字盤・書物の章番号・同名君主の即位順などに用いられることがある。ローマ数字はアルファベットと起源を異にするが、対応する小文字は小項目の順番や書物における前付けのノンブルなど一部の序数を示すのに用いられる。例、xvi〕

ローマナイズ[4][1]―する(他サ)〔Romanize〕△文字を持たない(ローマ字以外の文字で書かれる)言語をローマ字で書くこと。

ローマ ほうおう[6]-【ローマ法王(ホフワウ)】「ローマ教皇」の通称。

ローマン[1]【浪漫・浪〈曼〉】〔roman〕❶⇩ロマン ❷欧文活字の書体の一つ。横線が細く、縦線が太い。「―体[0]」
表記 「浪漫・浪〈曼〉」は、音訳。 **―しゅぎ**[5]【―主義】ロマン主義[4]。⇩ロマンチシズム **―てき**[0]【―的】―な ―に ⇩ロマンチック **―は**[0]【―派】⇩ロマンチスト

ローマンス[1]〔romance〕⇩ロマンス

ローム[1]〔loam〕火山灰が風化した赤茶色の土。そのままでは耕作に適さない。「関東―[5]」

ローヤル(造語)〔royal〕王(立)。ロイヤルとも。 **―ゼリー**[5]〔royal jelly〕働きバチの特殊な分泌物で、成虫の女王バチおよび女王バチになる幼虫の えさになるもの。不老長寿の薬と言われる。ロイヤル ゼリーとも。 **―ボックス**[5]〔royal box〕劇場・競技場などの貴賓席。ロイヤル ボックスとも。〔広義では、特別席をも指す〕

ローラー[1][0]〔roller〕❶回したりころがしたり して使う円筒形のもの。「―ベアリング[5]」❷〔テニス コートなどで〕地ならしをするための円筒形のものをつけた機械。ロールとも。「―をかける」❸〔謄写印刷などで〕インクをつけてころがす円筒形のもの。ルーラー・ロールとも。かぞえ方 ❶❸は一本。❷は一台 **―カナリア**[5]〔和製洋語 ←roller+ス canaria〕カナリアの一種。きれいなふるえ声で長く鳴き続ける。かぞえ方 一羽 **―さくせん**[5]【―作戦】〔ローラーをかけて、全体を平らにするように〕捜査・調査などを もらしたところが無いように徹底的に行なうやり方。 **―スケート**[6]〔roller-skating の日本語形〕靴に小さな車輪をつけ、コンクリートの地面などを滑る遊び。〔それに使用する靴は、roller skates〕

ろおり[0]【〈絽織〉り】⇩絽

ローリエ[1]〔フ laurier〕月桂樹。ローレル[1]。

ローリング[0]―する(自サ)〔rolling〕❶船や航空機が左右に揺れること。横揺れ。ロール。↕ピッチング ❷水泳中に、からだが左右に揺れること。

ロール[1][0] ❶〔rolled の日本語形〕巻いた物。「―キャベツ[4]」❷―する(自他サ)〔roll〕巻くこと。「髪を―する」❸〔↑ロールパン[0][3]〕渦巻の形のパン。巻きパン。「バター―」❹―する(自サ)⇩ローリング❶「ぐうっと右に―した」❺⇩ローラー❷❸

ロールシャッハ テスト[7]〔Rorschach=人名〕インクのしみなどで作った△模様(図形)を被験者に見せ、何に見えるかの答えにより その人の性格や心理的抑圧などを判断する検査法。

ロールバック[4]〔rollback〕巻き返し。

ロール プレイング[5]〔role playing〕体験的学習法の一つ。実際に場面を作って、さまざまな役割を演じさせ、問題の解決法を習得させる学習法。役割実演法[0]。

ローン[1]〔lawn〕❶芝生。「―テニス」❷寒冷紗(カンレイシャ)(のように加工したもの)。「―ハンカチ[4]」

*__ローン__[1]〔loan〕❶貸付(金)。「まだ十年―が残っている/住宅―[5]」❷信用取引。「長期―[4]」

ローン テニス[4]〔lawn tennis〕芝生のあるコートでする、硬球のテニス。

ろか[1]-【〈濾過〉・〈沪過〉(クワ)】―する(他サ)液体や気体を細かいすきまのある物を通して、その中にある固体のつぶを取り去ること。こすこと。「―装置[3]・無―[2]」 **―せい びょうげんたい**[0]-[0]-【―性病原体(ビヤウ)】⇩ウイルス❶

ろかい[0]【〈蘆薈〉(ロクワイ)】アロエの漢方での呼び名。ロエとも。

ろかい[0][1]【〈櫓櫂〉】❶櫓と櫂。❷船の道具の総称。

ろかく[0]-【〈鹵獲〉(クワク)】―する(他サ)戦いに勝って、敵の軍用品などをぶんどること。

ろかじ①【〈櫓舵〉】❶櫓と舵。❷船の道具の総称。

ろかた⓪【路肩】❶(下がけなどになっている)道路の端。ろけん⓪。「―軟弱につき注意」❷路側帯。

ロカビリー③②〔rockabilly ← **rock'n'roll + hillbilly**〕アメリカで始まった、狂熱的なリズムの音楽(に合わせて踊るダンス)。

ろがん⓪【露岩】土におおわれていたりその上に植物が生えていたりしない、剝き出しのままの岩石。

ろぎょ①【〈魯魚〉】形が似ていてまちがいやすい字の代表とされる「魯」と「魚」の字。「―(烏焉馬)の誤り〔=形のよく似た漢字の誤り〕」

ろぎん⓪【路銀】路用。「―の足しにと餞別をもらう」

ろく〈六・〈肋・緑・録・麓〉→【字音語の造語成分】

ろく②【六】❶五に一を加えた数を表わす基数詞。「四―時中・―銀行・―尺・―面体」❷五の次の自然数を表わす序数詞。「―月・―年生」〔和語では❶❷共に、む(つ)。むっつ。⇩【造語成分】りく(六)〕⇩しち(七)

ろく⓪ [一]【《陸・〈碌》】〔ロクは、字の呉音〕平らで、安定した状態。「―に居る〔=どっかりとすわる〕/―〔=平らな〕屋根」[二]―な ―に〔否定表現と呼応して〕満足だと言える状態からはほど遠いととらえられる様子だ。「―な奴はいない/朝から―に食べていない/―に話を聞いていない/―でもないことばかりだ」 表記 [二]を「〈碌」と書くのは、借字。表記 大字は「《陸」。

ろく①②【〈禄】武士の給与。「―を食む/―米・家―・微―」

ログ①⓪ [一]〔←logarithm〕対数。[二]〔log〕❶丸太。丸木。「―ハウス」❷〔←logbook〕航海日誌⑤〔=その航海中の毎日の出来事を細大漏らさず記録しておく、船長の日誌〕。❸コンピューターの利用状況や通信などの記録。

ログアウト③―する(自サ)〔log out〕コンピューターシステムの使用を停止し、接続を切ること。⇩ログイン

ろくあみだ③【六〈阿《弥〈陀】彼岸に参詣すれば御利益があるという、東京都内の六か所の阿弥陀仏。

ろぐい⓪【〈櫓杭〉】⇩ろべそ

ログイン③―する(自サ)〔log in. log=「ログ[二]」と同源で、機械の使用記録の意〕〔その人が〕そのコンピューターシステムを使うために、暗証記号など必要事項を入力すること。

***ろくおん**⓪【録音】―する(他サ)〈なにニ なにヲ―する〉〔磁気ディスク・磁気テープなどの記録媒体に〕音を記録して、いつでも再生出来るようにすること。また、その音。「―機③」

ろくが⓪【録画】―する(他サ)〔磁気ディスク・磁気テープなどの記録媒体に〕(テレビジョンの)映像を記録すること(したもの)。

ろくがつ④【六月】一年の第六の月。〔副詞的にも用いられ、アクセントは⓪。雅名は、みなづき〕

ろくざい⓪②【〈肋材】船舶の、船底と両舷の骨組をなす肋骨状の構造材。肋骨。

ろくさんせい⓪【六三制】昭和二十二年四月に施行された学制。小学校六か年、中学校三か年の義務教育(と、高等学校三か年、大学四か年の)制度。六三三制⓪。

ろくじ②【六時】〔仏教で〕一日を六分した、勤行の定時。〔晨朝・日中・日没・初夜・中夜・後夜の称〕

ろくじぞう③【六地蔵】〔仏教で〕六道で衆生の苦しみを救うという六種の地蔵。

ろくじっしんほう⓪⑤【六十進法】六十を「基数❷」として採用する命数法(記数法)。「ろくじゅっしんほう」とも。〔広義では、六十倍(分の一)ごとに新しい単位名を付けていく度量衡の体系をも指す。例、一時間(度)=六十分、一分=六十秒〕

ろくじのみょうごう②-⓪【六字の名号】〔浄土宗などで唱える〕南無阿弥陀仏の六字。

ろくしゃく④【六尺】❶一尺の六倍。約一・八メートル。❷身分の高い人のかごをかついだ人。かごかき。❸〔江戸幕府で〕水くみ・走り使いに従事した下男。❹「六尺ふんどし・六尺棒」の略。〔副詞的にも用いられ、アクセントは⓪〕 表記 ❷❸は、「《陸尺」とも書く。 ―ふんどし⑤【―〈褌】六尺を使う、男子の下帯。⇩越中褌 かぞえ方 一本 ―ぼう④【―棒】長さが六尺ある、防御用のカシの木の棒。かぞえ方 一本

ろくしゅ①【六趣】⇩ろくどう

ろくじゅう③【六十】❶十の六倍。❷六十歳。「―の手習い〔=晩学のたとえ〕」 ―よしゅう⑤【―余州】〔六十八か国あったことから〕昔、日本全国の称。

ろくぶ⑥【―六部】日本全国六十六か所の霊場に一部ずつ献納するために書写された法華経(を持って巡礼した僧)。略して「六部」。〔後世は、上記の行脚僧に倣った服装をして、米銭を乞い歩いた俗人をも指した〕

ろくじゅっしんほう⓪⑤【六十進法】⇩ろくじっしんほう

ろくしょう③【緑青】銅の表面に生じる、緑色のさび。緑色の顔料などに用いられる。「―が吹く/―色⓪」

ろくすっぽ⓪【〈碌すっぽ】(副)「ろくに」のくだけた口頭語的表現。「ろくすっぽう⓪」とも。「―返事もしない」⇩ろく[二]

ろく・する③(他サ) [一]【〈勒する】〔=刻む〕」 [二]【録する】記録に明確に書きとどめる。録す②(五)。後世に伝えるべき事柄を記録する。「石に―

ろくせん⓪【六扇】「六曲一双」の異称。「―の屏風」

ろくだいしゅう③【六大州・六大〈洲】アジア州・アフリカ州・北アメリカ州・南アメリカ州・ヨーロッパ州・大洋州。⇩州❷

ろくだか②【〈禄高】武士の給与の額。「―五千石」

ろくでなし⓪【〈碌で無し】なんの役にも立たない、しようのない者。〔侮蔑を含意する〕「この―め」

ろくどう②【六道】〔仏教で〕衆生がそれぞれの業によって、死後いずれかに行くという六つの世界。地獄道・餓鬼道・畜生道・修羅道・人間道・天上道。六趣。「りくどう」とも。 ―せん⓪③【―銭】死者を葬る時、棺に入れる六文の銭。〔俗に、三途の川の渡し銭と言われる〕

ろくに⓪【《陸に・〈碌に】⇩ろく[二]

ろくぬすびと③【〈禄盗人】たいして仕事もやらないのに給料だけはちゃんともらっている勤め人。月給泥棒⑤。〔批判や侮蔑を含意して用いられる〕

ログハウス③〔和製英語 ←log + house〕丸太を組み上げて作った建物。夏涼しく、冬暖かい。

ろくはらみつ④【六波羅蜜】〔大乗仏教で〕菩薩として実際に行なうことを要求される六つの徳目。布施・持戒・忍辱・精進・禅定・智慧。

ろくぶ②【六部】「六十六部」の略。

ろくぶんぎ③【六分儀】〔器械の目盛りの部分が円周の六分の一の弧になっていることからいう〕天球上の二点間の角距離を測る器械。航海者や砂漠を行く人が太陽・星の高度を測り、現在地の緯度・経度を知るのに使う。セクスタント①。

ろくぼく⓪【〈肋木】器械体操の用具の一つ。数本の柱に十数本の棒を横に通したもの。かぞえ方 一台

ろくまい⓪【〈禄米】昔、武士が給料として受けた米。

ろくまく[0]【〈肋膜】❶(人間の)胸膜。❷〔↑肋膜炎[0]〕「胸膜炎」の旧称。

ろくめんたい[0]【六面体】六つの平面で囲まれた立体。

ろくやね[0]【《陸屋根】傾きがほとんど無い屋根。

ろくよう[0]【六曜】吉凶判断の基となる、六つの日。先勝・友引・先負・仏滅・大安・赤口。

ろくろ[0]【〈轆轤〉】❶重い物を引いたり上げ下げしたりする時に使う滑車。❷傘の柄の先の、骨が集まる所に固定して、傘の開閉をする臼形の小さい器具。❸「ろくろがんな・ろくろ台」の略。かぞえ方 ❶❷は一本。❸は一基 **—がんな**[4]【—〈鉋】木地細工などで、軸の端に刃をつけ、軸を回しながら材を丸くえぐり削る工具。ろくろがな[3]。 **—くび**[3]【—首】首が長く伸びたり縮んだりする化け物(の見世物)。〔口頭語形は「ろくろっくび[3]」〕 **—だい**[0]【—台】円形の陶器を作るのに使う、回転する木製の円盤。

ろくろく[0](副) ❷【〈碌々〉】これといった能力も無く、何事も成し得ていない様子。「—として一生を終える」❸「ろくに〔=⇩ろく❸〕」の意の強調表現。「—話もしない/—寝ていない」

ろくろくばん[0]【六六判】〔写真で〕シックス判。

ロケ[1] ロケーションの略。「野外—[4]・海外—[5]」

ロケーション[2][0]〔location=位置(の選定)〕撮影所の外(の野外)で行なわれる撮影。略してロケ。

ロケット[2][1]〔locket〕小形の写真などを入れた、金属製のペンダント。かぞえ方 一本

***ロケット**[2][1]〔rocket=狼煙。火矢〕火薬や燃料を爆発させ、発生した多量のガスを後ろに噴き出し、その反動で、非常に速く空中を飛行させる装置。「月—」かぞえ方 一本 **—だん**[4]【—弾】ロケットの推進力を利用して飛ぶ弾丸。かぞえ方 一発

ロケハン[0]—する(自サ)〔↑location hunting〕ロケーションに適した場所を捜し求めること。

ろけん[0]【露見・露顕】—する(自サ) 秘密や悪事が人に知られること。「旧悪が—する〔=ばれる〕」

ロゴ[1][0]〔logo〕〔ロゴタイプの略〕会社名やブランド名などを図案化したマーク。ロゴ マーク[3]とも。

ろご[1]【露語】ロシア語。

ろこう[0]【露光】—する(自サ) ⇩露出❷

ろこく[1]【露国】ロシア。

ロココ[1][0]〔フ rococo〕十八世紀の中ごろ、フランスで流行した、室内装飾や家具類の装飾の様式。また、そのような美術全般。こみいった曲線模様と、はなやかな色彩を持つ。ロココ式[0]。「—趣味[4]」

ロゴス[1]〔ギ logos=(説明の)言葉〕〔哲学で〕万物を統一する法則。また、それを認識する理性。〔転じて、パトスに対比して、論理の意にも用いられる。⇩パトス〕

ロゴタイプ[3]〔logotype〕会社名・商標などの文字を他の企業体のそれなどとの弁別性が示されるように、個性的にデザインしたもの。意匠文字。略してロゴ。

ろこつ[0]【露骨】—な —に〔普通の人なら抑えて表わさない〕自分の感情や欲望などを隠さずに表現する様子だ。「—にいやな顔をされた/—な態度」派 **—さ**[0]

ロコモティブ シンドローム[9]〔locomotive syndrome〕加齢により運動器官の機能が衰え歩行能力が低下して、介護が必要、あるいはその可能性が高い状態。略してロコモ[1]。運動器症候群[8]。

ろざ[1]【露座・露〈坐】—する(自サ) 屋根の無い所に置かれること。「—〔=雨ざらし〕の大仏」表記 もとの用字は、「露〈坐」。

ろざし[0]【〈絽刺(し)】絽織りのすきまに絹糸でししゅう△することと(したもの)。

ロザリオ[0][2]〔ポ rosario〕〔キリスト教で〕聖母マリアへの祈り(に使うじゅず)。〔口頭語形は、ロザリヨ〕

ろし[1]【〈濾紙・〈沪紙】濾過や抽出に用いる、液体をこす紙。コーヒー フィルターなど。

ろじ[1]【路地・露地】❶茶室への通路。❷家と家との間の狭い通路。「—裏」

ろじ[1]【路次】「道すがら・道中」の意の古風な表現。〔古くは、「ろし」〕

ろじ[1]【露地】屋根などのおおいの無い土地。「—栽培」 **—もの**[0]【—物】〔ハウス栽培ではなく〕直接、陽光や雨を受け、大地で栽培される、野菜や果物。

ロジカル[1] —な —に〔logical〕論理的である様子だ。

ロジスティックス[4][2]〔logistics=戦場での補給。兵站〕企業における、原材料の調達から生産・販売までの物流。また、それらを合理的・効率的に管理すること。

ロジック[1]〔logic〕論理。〔狭義では、論理学を指す〕「好きだから好きだという単純な—」

ろしゅつ[0]【露出】—する(自他サ) ❶△隠して(隠れて)いた内部をむき出しにすること。むき出しになること。「肌をひどく—した(服)」❷写真撮影の際、シャッターを開いて、光線を乾板・フィルムにあてること。露光。「—が不十分だった/—計[0]・—時間[4]」

ろしょう[0]【路床】道路を舗装する時、地面を掘り下げ、地ならししてよくつき固めた地盤。路盤。

ろじょう[0]【路上】❶道路として他と区別された空間。「—に大きく、Uターン禁止と書いてある/—で遊ぶ」❷現にその人が進んでいる道筋。「—で財布を拾う」

ろじょう[0]【露場】〔測候所などで〕気象観測を行なうための屋外の場所。

ろしん[0]【炉心】原子炉の中央にあって、燃料が集まって核分裂し、エネルギーを発生させる部分。

ロス[1]—する(自他サ)〔loss〕むだ。損失。「—が出る」

ロスジェネ[0]「ロスト ジェネレーションⒷ」の略。

ロスト ジェネレーション[6]〔Lost Generation=失われた世代〕Ⓐ第一次世界大戦後の虚無と退廃を生きた一群のアメリカの作家たちの呼称。Ⓑバブル景気崩壊後〔=一九九〇年ごろ〕の約十年間に新卒で就職活動を体験した世代。就職難により多くの非正規雇用を生み出すことになった。略してロスジェネ。氷河期世代。

ロス タイム[3]〔↑loss of time〕⇩タイム

ロストル[1][0]〔オ rooster〕〔だるまストーブなどで〕燃えかすを下に落としてよく燃えるようにする△鉄製(陶器製)の枠。

ロゼ[1]〔フ rosé←vin rosé, rosé=ばら色の〕うす赤色のワイン。

ろせいの ゆめ[1]-[2]【〈盧生の夢】⇩かんたんのゆめ

ろせん[0]【路線】❶そこを通って目的地へ行くように決め

ろく

【六】
⇩(本文)ろく【六】

【〈肋】
あばら。あばらぼね。「肋骨・肋膜・肋間・鶏肋」

【緑】
みどり(の)。「緑青」⇩りょく

【録】
❶書きしるす。「登録・記録・収録・採録」❷書きしるしたもの。文書。「目録・議事録・住所録」❸記録する。「録音・録画」

【麓】
山のすそ。ふもと。「山麓・岳麓」

られている、その交通機関の道筋。「バス―・―変更・―延長」❷その組織・団体などの目指す目標や活動方針。「△民主化(弾力的な)―を打ち出す/平和―」かぞえ方 一本 **―か**②【―価】国税庁が相続税・贈与税などの課税基準にする、主要道路に面した土地の評価額。

ろそくたい⓪【路側帯】道路の端寄りに設けられた帯状の部分。路肩。〔歩道の無い道路では歩行者の通行の用に供せられ、高速道路では故障車の退避用〕

ろだい⓪【露台】バルコニー。

ろちょう①【ロ調】〔音楽で〕ロの音を主音とする音階(による調子)。

ろちょうこつ②【〈顱頂骨】頭蓋骨の上部の側壁を成す、左右一対の平たくて長方形の骨。頭頂骨。

ろちりめん②⓪【〈絽《縮〈緬】織り目に絽のようなすきのある縮緬。

ロッカー①〔locker〕❶〔会社・官庁などで〕かぎのかかる書類保管用の戸棚。❷個人の荷物・衣類などを保管するための、かぎのかかる戸棚。〔縦長のものや箱形に仕切ったものなどがある〕「―ルーム⑤」かぞえ方 ❶❷とも一本

コインロッカー④〔和製英語 ←coin＋locker〕⇩コインロッカー

ろっかく④【六角】六角形の略。「―の時計」 **―けい**③④【―形】〔幾何学で〕六つの頂点を持つ多角形。「ろっかっけい③」とも。 **―ちゅう**④③【―柱】六角形を底面として持つ角柱。多くの黒色鉛筆の、使用前の形など。

ろっかせん③【六歌仙】平安初期の六人の和歌の名人。在原業平・僧正遍昭・喜撰法師・大伴黒主・文屋康秀・小野小町。

ろっかん⓪【〈肋間】肋骨と肋骨の間。 **―しんけいつう**⓪【―神経痛】風邪・打ち身・冷えなどのために胸の下の横のあたりがさしこむように痛む病気。

ろっきょくいっそう⓪―⓪【六曲一双】折りたたむと六つ重ねになる、大きな屏風。六扇。

ロッキングチェア⑥〔rocking chair〕座った人がからだを前後に軽く動かすのに合わせて、緩やかに揺れるように作ってあるいす。揺りいす⓪。

ロック①〔lock=錠〕❶―する(他サ)かぎをかけること。施錠。❷〔ラグビーで〕スクラムの時の第二列。

ロック① ■〔rock=岩〕❶岩石。「―ガーデン④・―ハンマー④」❷オンザロックの略。「ウイスキーを―で飲む」■〔rock=揺する〕❶ロックンロールの略。❷ロックンロールから派生した、グループのバンド演奏主体の音楽。世界的な流行と広がりの中でさまざまな様式が生まれ、若者文化にも多大な影響を与えた。「―ミュージック④・ハード―④」

ろっく①【六区】〔東京都台東区浅草公園七区の中の第六区〕浅草の娯楽街。

ロックアウト④―する(他サ)〔lockout=かぎをかけて、しめ出すこと〕労働争議の際、使用者が工場などを閉鎖して、労働者△に就業させない(をしめ出す)戦術。

ロッククライミング⑤〔rock-climbing〕高山の岩壁をよじ登る△こと(技術)。岩登り。

ロックダウン④〔lockdown=監禁・封鎖〕重大な危機事態に際し、建物や地域、都市全体などを外部から遮断して封鎖すること。

ロックンロール⑤〔rock'n'roll←rock and roll=ゆさぶり動かす〕リズムアンドブルースとカントリーミュージックの影響で生まれた、軽快でテンポのよいリズムを特徴とする音楽。また、それに合わせて熱狂的にからだを揺り動かして踊るダンス。略してロック。〔一九五〇年代に流行〕

ろっこつ⓪【〈肋骨】胸の内臓を囲むように、背骨から前に曲がって出ている骨。十二対ある。あばら(骨)。〔広義では、船体の肋材や、明治・大正時代の陸軍軍服の胸につけた肋骨状の飾りひもをも指す〕かぞえ方 一本

ろっこん①【六根】〔仏教で〕知覚作用のもとになる六つのもの。眼・鼻・耳・舌・身・意の称。 **―しょうじょう**①―⓪【―清浄】六根から起こる欲望を断ち切って清浄になること。〔寒参り・登山などの時に唱える言葉〕

ロッジ①〔lodge〕山小屋(風の簡易ホテル)。かぞえ方 一軒・一棟

ロッシェルえん④【ロッシェル塩】〔La Rochelle=フランスの地名〕「酒石酸水素カリウム⑩」を△炭酸ソーダ(水酸化ナトリウム)で中和して得られた結晶。ピックアップやマイクロホンの重要部品として使われる。

ロット⓪〔lot=一組。一山〕❶同一生産品の一定単位量。宅地の一区画や果物のひと山など。❷くじ(に当たって得るもの)。

ロッド①⓪〔rod〕伸び縮みする西洋式釣りざお。「―アンテナ④」かぞえ方 一本

ろっぱく⓪【六白】九星の一つ。金星に配当し、方位は西北。

ろっぴゃくろくごう⑥【六百六号】⇩サルバルサン

ロープ①〔rope〕ロープの口頭語的表現。

ろっぷ①【六〈腑】〔漢方で〕排泄物の通り道になっている六つの内臓。大腸・小腸・胆(=胆嚢と肝臓か)・胃・三焦・膀胱。〔三焦は何を指すか不詳〕「五臓―」

ろっぽう【六方】❶③東西南北と天地。❷①〔侠客・町奴の意から〕〔歌舞伎で〕主役を演じる俳優が花道の出入りに手足を大きく振る独特の歩き方。「―を△踏む(振る)」

ろっぽう①【六法】六種の代表的な法律。憲法・刑法・民法・商法・刑事訴訟法・民事訴訟法。 **―ぜんしょ**⑤【―全書】六法のほか、それに関連する法規などを収めた本。

ろっぽうたい⓪【六方体】六つの四角形によって囲まれた立体。普通の箱のほかに、さいころ・ひしもちなど。

ろてい⓪【路程】そこから歩いてどれだけ△かかるかという時間(行けるかという距離)。「一日の―」

ろてい⓪【露呈】―する(自他サ)〔見せたくないものや隠れていたものを〕何かの機会に外部の人にさらけ出してしまう(ようになる)こと。「△醜態(弱点)が―する/技術の未熟さを―する」

ロデオ①〔ス rodeo〕カウボーイの競技会で、鞍無しで荒馬を乗りこなしたり 暴れ牛を鎮めたり するもの。

ろてき⓪①【〈蘆荻〉】水辺に茂る代表的な植物としてのアシとオギ。

ろてん⓪【露天】普通は屋内・坑内で行なわれる物事を屋外ですること。「大火に見舞われ、しばらくは―で食事をした/―市②・―商②・―大仏④・―風呂④⓪」 **―ぼり**⓪【―掘(り)】〔地下に穴を掘ることをしないで〕鉱石・石炭などを地表から直接掘り取ること。

ろてん⓪【露店】盛り場や縁日などの道ばたで、物を売ったり 飲み食いさせたり するために設ける簡単な店。「―を広げる」かぞえ方 一軒

ろてん⓪【露点】大気中の水蒸気が冷えて露を結び始める時の温度。「―温度計⓪」

ろとう⓪【路頭】人通りの多い道路の道ばた。「―に迷う〔=生活の手段を失って、暮らしに困る〕」

ろとう⓪【露頭】岩石・鉱脈が地表に現われている所。

ろどん⓪【〈魯鈍】―な 普通の人に比べて知能が劣る△こと

ろ

（状態）。「—な人」

ろなわ⓪【〈櫓縄】 船の床につなぎ、櫓にかける縄。早緒。

ろは①〔漢字「只」をかたかなのロハに分字した隠語〕「無料」の意の口頭語的表現。「—台⓪〔=公園などのベンチ〕」 表記「ロハ」と書くことが多い。

ろば①【〈驢馬】 馬より小さい、灰色の哺乳動物。頭が大きくて耳の長いのが特徴。粗食に耐え、忍耐力が強いので、おもに欧米で農耕・運搬などに使う。ウサギウマ。ドンキー①。〔ウマ科〕 かぞえ方 一匹・一頭

ロハス①【ＬＯＨＡＳ】〔← Lifestyle of Health and Sustainability〕 健康的で環境に配慮した持続可能な社会を目指す生活様式。一九九〇年代後半のアメリカから広がった。

ろばた⓪【炉端】 いろりや暖炉のまわり（の人がすわる所）。炉辺。

ろばん⓪【路盤】 ❶軌道を支える土台となる地盤。❷〔舗装道路で〕路床。「—のゆるみ」

ろばん⓪【露盤】 五重の塔などの最上層の屋根の上にある四角な台。その上に伏鉢・請花・九輪・水煙・竜車・宝珠が載る。

ロビー①〔lobby〕 ホテル・会館などの玄関近くにあって、だれでも自由に出入り出来る休憩・談話用の広間。

ロビイスト③〔lobbyist〕 議会のロビーに押しかけて、政党・議員・官僚などに圧力をかけることを専門にする人。〔米国議会では、政党と院外の利益団体との仲介をする人〕

ろひょう⓪【路標】 みちしるべ。道標。

ろびょうし②【〈櫓拍子】 舟の櫓をこぐ時の調子。〔広義では、その時の掛け声をも指す〕「—そろえて」

ろびらき②【炉開き】〔茶人の家で〕陰暦十月一日に茶の湯の炉を使い始めること。↔炉塞ぎ

ロビング⓪—する（他サ）〔lobbing. lob=山なりにゆるく打つ〕 ❶〔テニスで〕相手の頭上を越えて行くような高い球を打つこと。❷〔卓球で〕相手のコートにゆるく高い球を返すこと。〔❶❷ともロブ①とも〕

ろふさぎ②【炉塞ぎ】〔茶人の家で〕陰暦三月の末日に茶の湯の炉を使うのをやめること。↔炉開き

ロブスター①〔lobster〕 エビの一種。体形はイセエビに似ているが、体長六五センチに及ぶ。ザリガニに似た巨大なハサミをもつ。オマールエビ④。〔レストランではイセエビを含むことがある〕

ろぶつ①⓪【露仏】 屋外に安置された（雨ざらしになっている）仏像。ぬれぼとけ③。

ロフト①⓪〔loft〕 ❶屋根裏部屋。倉庫などの最上階。❷〔ゴルフで〕クラブの打球面の傾斜角度。

ろぶん⓪【露文】 ❶ロシア語で書いた文章。❷「ロシア文学・ロシア文学科」の略。「—コース④」

ろべそ⓪【〈櫓臍】 和船の後部に取りつけ、櫓を支えている小さな突起。ろぐい。

ろへん⓪【炉辺】「ろばた」の意の漢語的表現。「—談話」

ろへん⓪【路辺】 路傍。

ロボ① ロボットの略。「人型—⑤」

ろぼ①【〈鹵簿】〔天子の乗る乗り物の構成・順序の意〕儀仗兵に警護された御召車を中心にした行幸・行啓の行列。

ろほう⓪【露〈鋒】 書道で、漢字の起筆の筆の入り方が分かるように書くこと。⇩蔵鋒

ろぼう⓪【路傍】「道ばた」の意の漢語的表現。路辺。「—に咲く花」 **—のひと**⓪-②【—の人】 たまたま道などで出会ったりしただけで、△何ら関心をいだくことのない（その後もそれ以上の深い結びつきを持たなかった）人。

ロボット①②〔robot=チェコの作家カレル チャペックの造語に基づく〕 電気・磁気を応用したり 歯車と梃を関連作動させたり などして、比較的単純な作業を繰り返し行なうことが出来る装置。〔古くは「人造人間⑤」と称された〕「—で機械を組み立てる／彼は単に—〔=その地位に据えられているだけで実権のない存在〕に過ぎない／—雨量計⓪・—工学⑤・—パイロット⑤」 かぞえ方 一台

ロボトミー②〔lobotomy〕 統合失調症などの治療のために、大脳の前頭葉を切開し、神経繊維を切断する外科手術。人格変化を起こしやすく、現在では行なわれていない。

ロマ①〔Roma〕（多くジプシーと呼ばれてきた）ヨーロッパを中心として世界各地に散在する少数民族。インドヨーロッパ語族インド語派に属するロマニー語を話し、自らをロマ〔=「人間」の意〕と称する。インド西北部を出て後定住しなかったことから、かつて「流浪の民」と言われ、各地で差別と迫害を受けた。「—音楽③」

ロマネスク③〔Romanesque〕 ■十世紀ごろ西ヨーロッパ諸国に起こった、古代ローマの要素に東方趣味を加えた美術・建築上の様式。 ■—な〔フ romanesque〕 △伝奇（空想・小説）的。

ロマン①【《浪漫・《浪〈曼】〔フ roman〕 ❶壮大なスケールの構想とドラマチックな筋立てを経とし、青春の叙情性と深く湛えられた神秘性などを緯として織り成された（長編）物語。「ミステリー—⑥・海洋—⑤」 ❷△厳しい現実（退屈な毎日の生活）に疲れがちな人びとが、潤いや安らぎを与えてくれるものとして求めてやまない世界。また、それを求める心。「古代史の—〔=なぞ〕に挑む／—〔=夢〕をかきたてる／男の—〔=理想〕／—へのいざない」 ローマンとも。

ロマンス①②〔romance=ロマンス語で書かれた物語〕 ❶〔西洋音楽で〕叙情的な旋律を持つ小楽曲につける名。❷自分もあやかりたいくらいな、清純で理想的な恋愛。ローマンス。「—シート⑤〔=（男女）二人掛けの座席〕」 **—グレー**⑥〔和製英語 ←romance＋grey〕（魅力ある）しらがまじりの頭。中年の男性の、 **—ご**⓪【—語】 ラテン系の言語の総称。イタリア語・フランス語・スペイン語・ポルトガル語・ルーマニア語など。

ロマンチシズム⑤〔romanticism〕 古典主義に反抗して自由な空想と感情とを重んじた文芸上の傾向。十八世紀から十九世紀にかけてのヨーロッパで流行した。ローマン主義。

ロマンチスト④〔romanticist の日本語形で、もとロマンチシズムを奉じる人の意〕 ロマンチックな考えを持つ人。空想家⓪。夢想家⓪。ローマン派。

ロマンチック④—な・—に〔romantic=ロマンに描かれる世界のような〕 その人がいつも現実がそうであればいいと思って想像している理想が実現されたかのような感じがする様子だ。ローマン的。「—な雰囲気に引き込まれる」

ロム⓪【ＲＯＭ】〔←Read(-)Only Memory〕〔コンピューターで〕読み出し専用記憶装置⑫、⓪-④。固定記憶装置⑦。〔特別の装置を用いて書き込んだデータを 読み出すことだけが可能で、通常は その記憶内容を変更することが出来ない半導体記憶装置。電源を切っても記憶内容は保持される〕 ⇩ラム（ＲＡＭ）

ろめい⓪【露命】 太陽が出るとすぐ消えてしまう つゆのように、いつまでもつのか あてにならない命。「内職などのわずかな収入で—をつなぐ〔=細ぼそと暮らしていく〕」

ろめん⓪【路面】〔人も歩き自動車も走る〕道路（の表面）。「—電車④」

ロヤリティー②〔royalty〕⇩ロイヤリティー

ろよう⓪【路用】〔徒歩と馬と駕籠ゴカにもっぱら依存した時代の〕旅行の費用。路銀。

ロラン①〔LORAN←long range navigation〕複数の送信局からの電波の到達時間の差を受信機で測定して、位置を知る方法。電波航法援助システム④-④、⓪-④。〔俗に、電波の灯台とも呼ばれる〕

ロリータ コンプレックス⑧〔Lolita complex〕性愛の対象を幼女・少女にのみ求める心理。略してロリコン。〔少女ロリータを愛する中年男を描いた、ナボコフの小説「ロリータ」による〕

ロリコン⓪ ロリータ コンプレックスの略。

ろれつ⓪【呂《律】〔「呂律リョリツ」の変化という〕言葉を発音するための口の開き方や唇の形、舌の位置などを、適切かつスムーズに操作すること。「—が回らない〔=酒に酔ったりなどして、舌がよく動かず、言うことがよく分からない〕」

ろん(論)→【字音語の造語成分】

***ろん**①【論】❶ある事柄について筋道を立てて判断をくだしたり 物事に対する意見を述べたりすること。また、その判断や意見。「—〔=見解〕の分かれる所/—をまたない〔=議論するまでもない〕/—より証拠/—争・世—・人生—・討—」❷一つの学問の中の特定の部分についての組織だった考え。「音韻—・集合—」

ろんがい⓪①グワイ【論外】—な ❶現在の議論に関係が無い△こと(様子)。議論の範囲外。「—の意見」❷ばかげていて、論じる価値が無い△こと(様子)。問題外。「—の沙汰タサ」

ろんかく⓪【論客】⇩ろんきゃく

ろんぎ①【論議】—する(他サ) ❶〔ある問題に関し〕はげしいやりとりの上、より高い相互理解やより具体的な施策を進めること。「—が活発になる/…をめぐる—が盛んだ/—が△出尽くす(盛り上がる・集中する・かみ合わない・むし返される)/大きな—を呼ぶ」❷〔仏教で〕特定の仏教の主旨が那辺ナヘンにあるかを問答によって決着すること。❸〔謡曲で〕ある役と地謡、または二つの役が交互に謡う部分。表記 ❸は普通、「ロンギ」と書く。

ろんきつ⓪【論詰】—する(他サ) 相手の論が誤りであることを鋭く指摘して、その改変を迫ること。「鋭く—する」

ろんきゃく⓪【論客】❶議論することが好きであり、また上手でもある人。❷論説・評論などを書き、世論をリードする人。「往年の—」(「ろんかく」とも)

ろんきゅう⓪—キフ【論及】—する(自サ) 直接本論とは結びつかない関連事項にまで論じ及ぶこと。

ろんきゅう⓪—キウ【論究】—する(他サ) とことんまで論じて、問題の本質を究明すること。

ろんきょ①【論拠】議論や意見のよりどころ。「…の—を強める/—に乏しい/—があいまいだ」

ロング①〔long〕❶空間的に長い。「—スカート⑤」❷時間的に長い。長△時間(期間)。❸ロング ショットの略。↕アップ〔❶❷の対義語は、ショート〕

ロングシュート④〔long shoot〕〔バスケットボールやサッカーなどで〕遠くからゴールにボールを入れること。

ロングショット④〔long shot〕❶〔映画・テレビで〕遠くから撮影すること。↕クローズアップ ❷〔ゴルフで〕長打。

ロングステイ⑤〔和製英語 ←long+stay〕(その土地の文化や住民とふれあう)長期滞在。「外国での—」

ロングセラー④〔long seller〕〔本・楽曲などで〕評判を得て、長期間にわたり売れ続ける△もの(商品)。

ロングトン③〔long ton〕英トン。⇩トン

ロングヒット④〔long hit〕〔野球で〕長打。↕シングル❷

ロングラン③④〔long run〕〔映画・演劇の〕長期興行。

ろんけつ⓪—する(自他サ) ❶【論決】あれこれ論じた上で、どうするかを決めること。また、決まること。❷【論結】筋道を立てて論じた末、結論を出すこと。また、出ること。

ろんご⓪【論語】四書の一つ。孔子の弟子たちが、孔子などの言行を書いた書物。「—読みの—知らず〔=書物に書いてあることを知識として持っているだけで、それを生かして使うことが出来ない、ということ。学者の通弊を指摘した語〕」

ろんこう⓪オ【論功】〔△戦闘(一定の期間)の後〕各人について、手柄の有無を調べること。 **—こうしょう**⑤—カウシヤウ【—行賞】手柄の大小や他との振り合いにより、相応の賞を与えること。

ろんこう⓪—カウ【論考】一つの大きなテーマについて、さまざまの角度から考察をめぐらした論文(の集成)。〔(個人の)論文集の名として用いられることが多い〕表記 書名の場合には、「論〈攷」とも書く。

ろんこう⓪—カウ【論稿】❶論文が雑誌や書籍に載る前の原稿。❷刊行された論文や論説。

ろんこく⓪【論告】—する(他サ)〔裁判で、被告の犯した罪について〕検察官が、自分の意見としてはこのくらいの刑に処することが適当であると述べること。「—求刑⑤」

ろんさく⓪【論策】時事問題などについて自分の意見を述べた文章。

ろんさん⓪【論賛】—する(他サ) 史伝の終りに、その人物について加えた論評。

ろんさん⓪【論〈纂】一つの主題のもとに何人かの論文を集めた論文集。論叢ロンソウ。

ろんし①【論旨】議論の主旨。「—明快①-⓪」

ろんしゃ①【論者】議論をしている、その人。「ろんじゃ①」とも。〔議論しているその人自身で言う場合と、その人を批評家が指す場合とがある〕

ろんしゅう⓪—シフ【論集】(何人かの)論文を集めて一まとまりの書物にしたもの。論文集③。

ろんじゅつ⓪【論述】—する(他サ) 自分の考えを筋道立てて△述べること(述べたもの)。

ろんしょう⓪オ【論証】—する(他サ) それが△確かに事実であった(正当な理由に基づいて行なわれたものである)ことや、普遍妥当で正しいということを、一般の人が納得する証拠を挙げて証明すること。

***ろん・じる**⓪③【論じる】(他上一) ❶〈(だれニ)なにヲ—〉筋道を立てて自分の考えを述べる。「封建制度について—/文学を—/—〔=とやかく言う〕までもない」❷〈だれトなにヲ—〉互いに意見を出し、その相違点について強調したり検討したりする。「立て板に水で—/事の是非を—〔=議論する〕」❸〈なにヲ—〉取り上げて問題とする。「同列に—/一概に論じられない/△同一(同日)に—ことは出来ない/—に足りない」 論ずる⓪③(サ変)。

ろんじん⓪—ヂン【論陣】〔反論を予想して〕手抜かり無く組み立てられた議論・弁論。「堂々たる—を張る」⇩筆陣

ろんせつ⓪【論説】❶〔時事的な問題などについて〕自分の意見を述べること。また、その文章。「—文④⓪」❷〔新聞で〕社説。「—委員⑤」

ろんせん⓪【論戦】—する(自サ) 考えの対立する者がそれぞれ自分の意見を述べ、はなばなしくやりとりすること。「—を展開する/—をいどむ」

***ろんそう**⓪—サウ【論争】—する(自サ)〈(だれと)(なにヲ)—する〉意見の違う者が互いに自分の説を譲ること無く主張△する(し、ついには第三者から見ればどうでもいい事まで議論し合う)こと。「はげしい—が展開される/—が広がる/—を△いどむ(引き起こす)/国字—」

ろんそう⓪【論〈叢】論纂ｻﾝ。〔多く書名として用いられる。また、個人の論文集の名に誤り用いることもある〕

ろんだい⓪【論題】議論・論説・論文の題目。

ろんだん⓪【論断】—する(自サ) 議論して判断を下すこと。

ろんだん⓪【論壇】❶文芸評論家・時事評論家など、評論関係者の社会。言論界。「—の雄」❷講演会・演説会などで、講師が上がる台。演壇。

ろんちょう⓪【論調】議論の組立て方や進め方の調子・傾向。「新聞の—」

ろんてい⓪【論定】—する(自サ) 論じてこれだと決めること。

ろんてき⓪【論敵】論争・論難の相手。

ろんてん③⓪①【論点】議論・論説・論文などの内容の中心になる事柄。また、論争の中心点。「—が移る/…に—が及ぶ/—を△明らかにする(しぼる)/—のすれ違い」

ロンド①❶〔フ ronde〕輪になって踊る踊り(の曲)。輪舞曲。❷〔フ rondeau〕〔器楽曲の形式で〕同じ主題の旋律が何度も繰り返される間に異なる旋律が いろいろ はさまれるもの。回旋曲③。「—形式④」

ろんなん⓪【論難】—する(他サ) 相手の論の誤りや弱点を的確につくこと。「—を加える」

ろんぱ①【論破】—する(他サ) 議論して相手の説を言い負かすこと。

ロンパース①〔rompers〕上着とズボンが続いている幼児用の遊び着。上はそでが無く、ズボンはブルマーの形。 かぞえ方 一枚

ろんばく⓪【論〈駁】—する(他サ) 議論して相手の説の誤りを攻撃すること。反論。

ろんぱん⓪【論判】—する(他サ) あれこれ論じて、どちらの説が正しいかを判断すること。

ろんぴょう⓪【論評】—する(他サ) 事件・議論・論説・論文などの内容にわたって批評すること。「—を加える」

***ろんぶん**⓪【論文】❶ある事柄について、筋道を立てて意見を述べた文章。「—形式の試験」❷その人の研究の結果をまとめた文章。「卒業—・博士—④」

ろんべん⓪【論弁】—する(他サ) 議論して道理を明らかにすること。 表記 「弁」の旧字体は、「〈辯」。

ろん
【論】 ⇩(本文)ろん【論】

ろんぽう⓪【論法】❶論理的に物事を考える方法。「三段—」❷その人一流の議論のしかた・進め方。「春秋の—をもってすれば/彼独特の—で/『真心をもってあたれば人必ずこれに感ず』という—で」

ろんぽう⓪【論〈鋒】〔攻撃・非難など(のため)〕相手に鋭く向けられる議論。「—(=議論の目標)を内閣に向ける/—(=議論の勢い)が鈍る」

***ろんり**①【論理】❶与えられた条件から正しい結論が得られるための考え方の筋道。「—に基づいた記述方式/—の飛躍/—性を欠く」❷現象を合理的・統一的に解釈する上に認められる因果関係。「歴史的発達の—」 運用 ❶は、「…の論理がまかり通る」などの形で、その人(たち)に△しか通用しない(とって好都合な)考え方、という意で用いられることがある。例、「強者の論理がまかり通る世の中だ」

—がく③【—学】正しい判断や認識を得るために、物の考え方のパターンを研究する学問。〔狭義では、形式論理学を指す〕 **—てき**⓪【—的】—に・な 前提とそれから導き出される結論との間に筋道が認められて、納得が行く様子だ。「—な物の考え方」

けいしき—がく⑦【形式—学】⇩形式論理学　**ぼつ—**③【没—】⇩ぼつろんり

わ …… ワ

わ(和・話)→【字音語の造語成分】

わハ【把】(造語)〔字音語〕束ねたものをかぞえる語。「一—・二—・四—・五—①」 かぞえ方 三把「サンバ(サンワ)」、十把「ジッパ」、何把「ナンバ(ナンパ)」

わハ【羽】(造語)〔和語〕鳥をかぞえる語。時に、ウサギ・チョウ・アリをかぞえることもある。「五—①」 かぞえ方 三羽「サンバ(サンワ)」・何羽「ナンバ(ナンワ)」、六羽「ロッパ(ロクワ)」・八羽「ハッパ(ハチワ)」・十羽「ジッパ(ジュウワ)」

わ(接頭)〔雅〕「お前」の意で、親愛の気持を込めて相手に呼びかけることを表わす。「—子・—御前ゴゼ②①(=女性に対して『お前さん』と呼びかける語)・—御料ゴリョウ②(=『わ御前』の江戸時代における称)・—僧①(=貴僧)・—殿ドノ①(=男性で、同等と認められる者に対する呼びかけの語)・—主ヌシ①(=『わ殿』のややぞんざいな言い方)」 表記 「和・我」と書くのは、借字。

わ(終助)〔副助詞「は」からの変化〕❶〔多く女性が用いる〕Ⓐ自分の△主張(判断)などを相手に納得させたり自分で確認したりする気持を表わす。「知らない—/存じません—」Ⓑ感動や驚きの気持を表わす。「まあ、きれいだ—/とてもおいしい—」❷感動したり 驚きあきれたりする気持を表わす。「居る—、居る—、黒山の人だ/電車は込む—台風にあう—で、散々な旅行だった/世の中には変わった奴ヤツがいるもんだ—」 文法 活用語の終止形に接続する。

わ①【和】❶相手の言い分・立場を大幅に認め、譲れるものは譲り合うこと。「人の—(=人と協調的な関係を保つこと)/—を講じる(=相手に大幅に譲歩する形で、戦争を終結させる)/—解・—合・平—・付—雷同」❷二つ(以上)の数を加えた値。「二と三の—は五」↔差 ❸〔昔、中国や朝鮮で〕日本を指して呼んだ言い方。 表記 ❸のもとの用字は、「〈倭」。⇩【造語成分】わ・お

****わ**①【輪・〈環】❶Ⓐひも・針金など線状のものの両端をつないだ時に出来る円形で、へこみ・とんがりや自分自身との交差の全く無いもの。また、そのような形になっているもの。「土星の—/鎖の—/—になって踊る/ゴム—」Ⓑ円形で、中心に軸があり、軸を中心に回るもの。車輪。「車の—」❷共通の主張・心情を持ち、同一行動を取る人たちのつながり。〔つながりが増えることを円周が拡大するものとしてとらえる〕「環境保護運動の—が広がる/反核運動の—を広げる/情報交換の—をつくる/△交歓(ふれあい・友だち)の—が広がる/△感動(共感)の—」〔東京方言は「わっか③⓪」〕 **【—に—を掛ける】**輪を掛けた上にさらに輪を掛ける意で、おおげさな表現をする。**【—を掛ける】**従来見られた特殊な状態・傾向が倍加する。「違法駐車の激増が交通渋滞に輪を掛けた/開発ブームが資源の乱獲に—ことにならねばよいがと心配する声も出ている」

わあ ❶(感) 意外であったり 驚いたりした時に、思わず発する声。「—、大変だ/—、びっくりした」 ❷①(副)—と 〔急に〕大声をあげて泣く様子。また、その声の形容。「火がついたように—っと泣き出す/——泣かれて困った」⇩わっと

ワーカホリック④〔workaholic ← **work** + **alcoholic**〕自分の事を犠牲にして会社や国などのために仕事をしていないと落ち着かない△状況(人)。仕事中毒(者)。

ワーキング(造語)〔working〕(雇用されて)働く。「—マザー⑥・—ビザ⑥」 **—グループ**⑦〔working group〕懸

案事項の解決・処理に当たって、具体的・実務的な作業を行なうために編成されるグループ。作業部会[4]。 **―プア**[6]〔working poor〕 正規雇用者またそれに準ずる資格を得てはいるものの、安い給料しか得られず、貧しい生活しかできない労働者(層)。 **―ホリデー**[6]〔working holiday〕 相互理解と文化交流のために、二国間の協定に基づき、青少年が訪問国で滞在費を補うために働きながら滞在することを認めた制度。日本はオーストラリア・ニュージーランド・カナダ・韓国・フランス・ドイツ・イギリス・アイルランド・デンマーク・台湾・香港などと協定を結んでいる。

ワーク[1]〔work〕 ❶からだや頭を△働かせること(働かせて得たもの)。「チーム―・オーバー―・ライフ―」 ❷ワークブックの略。

ワークシート[4]〔worksheet=集計紙〕 ❶学習用の問題プリント。 ❷〔コンピューターで〕表計算ソフトの作業画面。行と列で区切られたセルと呼ばれる枡目から成り、そこに文字や数値などを入力する。

ワーク シェアリング[4]〔work sharing〕 雇用を確保するために、ひとり当たりの労働時間を短縮して同種の仕事を多くの人で分かち合うこと。ワーク シェア[4]とも。

ワークショップ[4]〔workshop=仕事場〕〔社会の各方面で〕提起された課題についての具体的な方法・処理などに関して、意見を交わしたり 案を作成したり するための集まり。

ワーク ステーション[5]〔work station〕 ネットワークに接続された高性能のコンピューターで、単独でも種々の処理が対話的に行なえるもの。

ワークブック[4]〔workbook〕 (補助教材として学校や家庭で児童・生徒に使わせる)練習問題帳。学習帳。略してワーク。 かぞえ方 一冊

ワークライフ バランス[7]〔work-life balance=仕事と生活の調和〕 出産・育児・介護・趣味・地域活動などの生活全般と労働との調和をはかり、双方を充実させる働き方。特に、それを実現するための、雇用機会均等の拡充、労働時間の短縮、就業形態の多様化、福利厚生の充実などの企業の施策を言う。

ワースト(造語)〔worst=最悪、形容詞 bad, ill の最上級〕 同類の中で、最下位(の幾つか)。「―テン」

ワード(造語)〔word〕 言葉。「―プロセッサー・キー―・クロスーパズル」

ワード プロセッサー[6]〔word processor〕 ⇩プロセッサー

ワードローブ[4]〔wardrobe〕 ❶衣装だんす。 ❷特定の時期に限ってみた、その人の持ち衣装。

ワープ[1]―する(自サ)〔warp=ひずみ・曲がり〕〔SFで、宇宙船が〕宇宙空間のひずみを利用して超高速飛行をすること。〔広義では、(心が)時間・空間を超えて瞬間的に移動する意にも用いられる。例、「本堂に向かって手を合わせ、歌をくちずさむと、心は平安朝に―する」〕

ワープロ[0] ワード プロセッサーの圧縮表現。

ワールド(造語)〔world〕 世界。「―チャンピオン[5]・ミス―」 **―カップ**[5]〔World Cup〕 サッカー・バレーボール・スキー・ラグビーなど、各種スポーツ競技の国際選手権大会。また、その優勝杯。 表記 「W杯」とも書く。 **―シリーズ**[6][5]〔World Series〕〔アメリカで〕プロ野球選手権試合。 **―ワイド ウェブ**[8]〔World Wide Web=世界に張り巡らした蜘蛛(クモ)の巣〕〔インターネットで〕各ホームページ間の相互参照がたやすく行なえる、地球規模のコンピューターネットワーク。略称、ダブリューダブリューダブリュー(WWW)。

わい(〈猥・賄)→【字音語の造語成分】

ワイ[1] ❶【Y・y】 英語アルファベットの第二十五字。「Y字路」 ❷【Y】〔既製の紳士服で〕細身の体型を表わす記号。「―体[0]・―A体[0]」 ❸【y】〔数学で〕 x に次ぐ第二の未知数を表わすために用いる記号。

わい(終助) そのことについて快・不快などの気持をこめて、改めて△受けとめる(思い起こす)ことを表わすやや古風な表現。「大変な事になった―/これで、やっと安心出来る―」 文法 接続は「わ」に準ずる。

ワイエム シーエー[7]【YMCA】〔←Young Men's Christian Association〕 キリスト教(男子)青年会。

わい きょく[0]【〈歪曲】―する(他サ) (わざと)事実とは違った解釈をすること。「事実を―する」

わい く[1]【〈矮軀〉】 「背の低いからだ」の意の古風な表現。

わい ざつ[0]【〈猥雑】―に ―な 無秩序に雑多なものが入りまじっていて、何となくきたならしいという感じを受ける様子だ。「盛り場の―な雰囲気」 派 ―さ[0]

ワイシャツ[0]〔white shirt の日本語形〕 スーツのすぐ下に着る、襟付きで そでの長いシャツ。 表記 「Yシャツ」とも書く。 かぞえ方 一枚

わい しょう[0]【〈矮小(ワイセウ)】―な 丈が低い様子だ。〔規模が小さ過ぎて、問題視されない意にも用いられる〕「―な人/問題を―化する」 派 ―さ[0]

ワイじろ[3]【Y字路】 Yの字形に、三本の道路が一点で交わるもの。三差路(サンサロ)。

わい せい[0]【〈矮性】 生物のからだが、その種の一般的な大きさに成長しない性質。

わい せつ[0]【〈猥褻〉】―な ❶人前でみだらな行為をしたり隠すべき所をわざと出して見せたり するなど、性に関する道義性に反する行為をする様子だ。「―行為[5]・―罪[4]」 ❷そのものが、それを見たり 聞いたり する人に性的興味と興奮を感じさせる様子だ。「―な話/―感[4]」 派 ―さ[0]

ワイダブリュー シーエー[9]【YWCA】〔←Young Women's Christian Association〕 キリスト教女子青年会。

わい だん[0]【〈猥談】 自分の性的関心を誇示すると共に、ことさらに相手の性的関心を挑発するような露骨な話。

ワイド[1] ❶―に ―な〔wide=広い〕 △空間(時間)を大きく占めること。「―な視点から事件を見る/―番組[4]〔=ラジオ・テレビの、長時間番組〕・―ショー[3]〔=時事問題や芸能界の話題など多角的な内容を盛り込んだテレビ番組〕・―テレビ[4]」 ❷ワイド スクリーン・ワイド レンズの略。

ワイド スクリーン[6]〔wide-screen〕〔映画の〕普通より幅が広くうつる映画。また、そのための大型スクリーン。

ワイド レンズ[4]〔和製英語 ←wide-angle+lens〕 標準レンズに比べてより広い視野が写せる広角レンズ[5]。ワイド アングル レンズ[8]とも。

ワイナリー[1]〔winery〕 ワイン醸造所。

ワイパー[1]〔wiper〕 自動車のフロント ガラスなどに取り付けた窓ふき。自動的に左右に動かして雨滴(による汚れ)をふき取り、視界を確保する。 かぞえ方 一本

ワイフ[1]〔wife〕 「妻・女房」の口頭語的表現。〔「妻」の意のやや気取った表現〕 ↔ハズバンド

ワイプ[1]―する(他サ)〔←wipe out〕〔映画・テレビで〕画面を片すみからぬぐうように消して、すぐ次の画面を出していく方法。

わい ほん[0]【〈猥本】 性に関する興味を、ことさらにかきたてるように書いた本。エロ本(ホン)。「わいぼん」とも。

ワイマール けんぽう[6]【ワイマール憲法】〔ド Weimar=地名〕 一九一九年、ドイツ中部のワイマールにおけ

る会議で決まったドイツ共和国憲法の通称。模範的な民主主義の憲法とされた。

ワイヤ[1][0]〔wire=針金〕❶電線。❷楽器の金属線。❸ワイヤロープの略。ワイヤー[1][0]とも。かぞえ方 ❶～❸とも一本・一束

ワイヤレス[1]〔wireless〕電線を使わない△こと(通信)。無線電信。無線電話。「ーマイク[6]」

ワイヤロープ[4]〔wire rope〕⇩鋼索

わいりん[0]【〈矮林】たけの低い木の林。

ワイルド[1]ーな〔wild〕野性的で荒あらしい様子だ。「ーな役柄が似合う俳優」 **ーカード**[5]〔wild card〕❶〔トランプで〕どのカードにも代用できるカード。多く、ジョーカーがその役割を果たす。❷〔コンピューターで〕ある文字・文字列を一括して検索するための特殊文字。「*」「?」など。❸〔スポーツなどで〕主催者側の特別な裁量や措置によって出場が認められる制度。また、それによって選出されたチームや選手。 **ーピッチ**[5]〔wild pitch〕〔野球で〕投手の、打者に対する暴投。

ワイルびょう[0]【ワイル病】〔Weil=人名〕じかに水に触れる職業の人がかかりやすい急性の感染症。黄疸になって、からだじゅうから血が出る。病原菌はおもにネズミが保有し、その尿中に排出される。ワイル氏病[0]。

わいろ[1]【賄賂】決定権を持つ役員などが相手に便宜を与えた謝礼として、私的に受け取る金品。その下。〔公務員がこれを受け取ることは法規上 禁止されている〕「ーを△贈る(握らせる・つかませる)/ーを△受け取る(催促する)」

わいわい[1](副)ーと その場にいる大勢の人が、口ぐちに物を言う様子。「ーと騒ぐ/ー言って遊んでいる」

ワイン[1]〔wine〕ブドウの実をしぼって発酵させた代表的な果実酒。ぶどう酒。「ーカラー・ーグラス・ーセラー・ーリスト・赤ー・白ー・スパークリングー」かぞえ方 一杯：一本・一瓶：一樽

ワインカラー[4]〔wine color〕赤ワインのように濃い赤色。ワインレッド。

ワイングラス[4]〔wineglass〕ワイン用の足の長いグラス。

ワインセラー[4]〔wine cellar〕ワインの貯蔵△室(庫)。ワインの保存に適した温度・湿度を保つ。

ワインドアップ[5]〔windup〕〔野球で〕投手が投球の直前、はずみをつけるために両手を頭上に振り上げたり 腕を大きく回したり すること。

ワインビネガー[4]〔wine vinegar〕ワインから作った食酢。

ワインリスト[4]〔wine list〕〔レストランなどで〕在庫しているワインの銘柄の一覧表。

ワインレッド[4]〔wine red〕ワインカラー。

わえい[0]【和英】〔↑和英辞典[4]〕日本語からそれに相当する英語を引く対訳辞書。

わおん【和音】❶[0]〔各時代・各地方の中国語の音に対して〕日本語として借用した漢字音の称。〔平安時代初期においては、漢音以前 古代朝鮮人を介して伝わったと見られる字音の称。その実質は、いわゆる呉音に近いものと考えられる〕❷[1][0]〔音楽で〕高さを異にする二つ以上の音を同時に響かせた時の一緒になった音。かおん[1]。和弦。

わか【若】■一[1]「若様」の△略(愛称)。「ーのお供をする/牛ー・鬼ー」■二(造語)❶若い△こと(人)。「ー武者・ー夫婦[3]・ー向き・ー葉・年ー」❷〔同じような身分関係の人の中で〕△子(序列が下)の方の。「ー旦那・ー奥様[3]・ー先生[5]」⇩大❸元旦の。「ー水・ー湯」

わか[1]【和花】昨今外国から輸入したものでなく、日本で栽培されて久しい歴史のある花。↔洋花

わか[1]【和歌・〈倭歌】日本固有の歌、の意で、長歌・短歌・旋頭歌・心学歌・教訓歌・記憶歌等の実用性を主としたものから、題歌・写生歌・詠唱歌等文学性の高いものまで種類は多様である。やまとうた。〔狭義では、短歌の特称〕「宮廷ー・女流ー」かぞえ方 一首 **ーどころ**[3]【ー所】平安時代以降、和歌集の勅撰をつかさどった臨時の役所。

わが[1]【我(が)】(連体) わたし(たち)の。「ー世の春/ー意を得たり〔=自分が思っていた通りになった〕/ー事終われり〔=ⓐ自分のすべき事はこれで全部終わった。ⓑもうこれまでだ〕/ー道を行く〔=他者を気にせず自分の信念を最後まで貫く〕/ー子[1]・ー国」表記「〈吾が」とも書く。

わかあゆ[0]【若〈鮎】若い(ぴちぴちした)アユ。〔青少年の溌剌とした元気さや、ぴちぴちした清新さの形容としても用いられる〕

****わか・い**[2]【若い】(形) ❶子供だととらえられる段階は過ぎているが、中年には達していない年代で、肉体的な機能が充実し、気力・活力に満ちているととらえられる状態にある様子だ。また、年齢の点では中年(以上)であっても、気力・活力の点では中年以下の人と変わらない様子だ。「ー力を結集して新党を立ち上げる/ーのに覇気が感じられない青年/年の割には若く見える/読書はーうちにしておくものだ」❷△成立して(発生して)からあまり多くの月日や年数を経ていない様子だ。「設立して間もないー会社/ー国家が誕生する/語用論は言語学の中でもー学問だ/ー枝を挿し木にする」❸〔一続きの数字・番号が〕小さい方に属する様子だ。「番号のー順に並ぶ/ーイニングに得点を重ね、楽勝する」運用 ❶は、「お若いですね」などの形で、年齢相応に年をとっているとは感じさせない中高年の人に対して、半ば畏敬の念、半ば冷やかしの気持を込めて用いることがある。例、「六十を過ぎてトライアスロンとはお若いですね」 **ーしゅ**[2]【ー衆】❶地域社会で祭りなどの世話をする若い人たち。「わかいし[2]」とも。若い者。❷〔商家で〕丁稚より年上の使用人。❸〔各地の方言〕年の若い男子。 **ーつばめ**[2]-[0]【ー〈燕】年上の女性に愛されている若い男性。 **ーもの**[2]【ー者】❶年が△若い(若くて世の中の事を知らない)人。「ーの集まり」❷若い衆❶。「若いもん[2]」とも。

わかい[0]【和解】ーする(自サ) 仲直りして争いをやめること。〔法律では、民事上の紛争について当事者が互いに譲歩して争いをやめる契約を指す〕「ーが成立する/ーに応じる」

わ

［和］■一❶おだやか。のどか。「温和・柔和」❷(音楽などの)調子を合わせる。「和音・和声」❸日本(式の)。「和歌・和紙・和服・和菓子・和漢洋」❹日本語。「和英・漢和」❺適当にまぜ合わせる。「混和・調和」■二(略)大和国。「和州」 表記 ■一❸は、「〈倭」とも書いた。⇩(本文)わ【和】

［話］❶はなしをする。はなす。「話術・会話・対話・電話」❷ものがたり。はなし。「話題・哀話・逸話・神話・民話・童話」❸言語。ことば。「白話・平話・官話」

わい

［〈猥］❶とりちらかす。やたらなことをする。「猥雑」❷みだらな。けがらわしい。「猥談・猥褻・卑猥・淫猥」

［賄］不正な贈り物。まいない。「賄賂・収賄・贈賄」

わかうど②【若〈人〉】「わこうど」の文語形。

わかがえ・る③ガヘル【若返る】(自五)❶もとの△若さ(若い気持)に返る。若くなる。❷△担当者(構成員)が前よりも若い人(たち)に代わる。名若返り⓪「—を図る」

わかがき⓪【若書(き)】〔書画などで〕その人が若い時に書いた作品。

わかき①【若き】〔文語形容詞「若し」の連体形の名詞用法〕若い人。「老いも—も」

わかぎ⓪【若気】⇩わかげ

わかぎ⓪【若木】生えてからあまり年がたっていない木。↔老い木

わかぎみ②【若君】❶年の若い主君。❷主君の子息。

わがく⓪【和学】⇩国学❷

わかくさ②【若草】春になって、生え出た草。表記「〈嫩草」とも書く。

わがくに①【我(が)国】❶わたし(たち)の国。❷日本。

わかげ⓪【若気】❶つい血気にはやって、じっくり考えてから行動するということが出来ない、若い人の気持。「—の至り」❷いかにも若わかしい様子。〔❶❷とも「わかぎ」とも〕

わかさ①【若さ】若くて元気な△こと(程度)。「—にものを言わせる/—を保つ」

わかざかり③【若盛(り)】年が若くて、最も△元気な(美しい)年ごろ。

わかさぎ⓪【〈公魚〉・若〈鷺〉】〔「若鷺ワカサギ」の意〕北日本の近海および淡水湖でとれる小魚。形はアユに似て細長く、全体は薄い銀白色。食用。〔キュウリウオ科〕かぞえ方一尾・一匹

わかさま①【若様】主人筋や身分の高い人の男の子に対する敬称。

わかざり②【輪飾(り)】わらを編んで輪の形にし、下に数本のわらを垂らしたもの。正月の飾り用。

わがし②グヮー【和菓子】日本風の菓子。↔洋菓子

わかしお⓪②シホ【若潮】❶長潮の翌日から干満の差が大きくなって来る△こと(潮)。陰暦十一日・二十六日にあたる。❷(西日本で)元日の朝、海からくんでくる潮水。

わかじに⓪【若死(に)】—する(自サ) はやじに。

わかしゅ②【若衆】❶年の若い者。「—が集まる/—をそろえる/いなせな—」❷江戸時代、元服前の、前髪のある男子。「—歌舞伎カブキ」

わかしゆ③【沸(か)し湯】〔温泉と違って〕△鉱泉(普通の水)を沸かしたふろの湯。

わかしらが③【若白《髪》】まだ若いのに白くなった髪の毛(が交じること)。表記⇩付表「白髪」

***わか・す**⓪(他五)〔「わく」の使役動詞形〕[一]【沸(か)す】❶〈(なにデ)なにヲ—〉水を熱して△湯にする(煮え立たせる)。〔広義では、金属・コールタールなどを強く熱してとかすことをも指す〕「お湯を—/お茶を—〔=お茶をいれるために、湯を沸かす〕/ふろを—」❷〈(なにデ)だれヲ—〉〔観衆・聴衆を〕熱狂的に興奮させる。[二]【湧(か)す・〈涌(か)す】わくようにする。「歴史に興味を—/うじを—」

わかず②⓪【分かず】〔「…を—」の形で〕一般にはどちらか一方に属する(傾向がある)ものについて、そのどちらにも事が及ぶ様子を表わす。「昼夜を—銃撃戦が続く/老若を—愛されるコメディアン」

わかせる⓪【沸(か)せる】〔「沸く」の使役形〕△沸いた(興奮した)状態にさせる。「血を—/ホームランで大観衆を—/憎悪を—/希望を—」

わかぞう⓪ザウ【若造・若蔵】・【若僧】その世界の人間としては未熟な若者。〔軽い侮蔑ブベツを含意する〕「—のくせになかなかやるな」

わかだんな③【若旦那】❶主人の長男の敬称。❷大家タイケの男の子の敬称。

わかち[一]③⓪【分(か)ち】分かつこと。「男女の—無く」表記「別ち」とも書く。[二](造語)動詞「分かつ」の連用形。

—あ・う④アフ【—合う】(他五)ひとりじめしないで、関係者同士が同じように分け前を持つ。「責任を—」

—がき⓪【—書(き)】かな△ばかりで(を主にして)文章を書く時、語と語、または文節と文節との間をあけて書く書き方。分別ブンベツ書法。

—も・つ④【—持つ】(他五)分かち合って持つ。

わか・つ②【分かつ】(他五)❶「分ける」の、やや改まった表現。「明暗を—〔=それによって、明暗の決定的な差が生じるに至った〕一投/急行と鈍行とを—のは、停車駅が多いか少ないかだけだ/成功と失敗を—もの/成否を—」❷いい悪いを考えて決める。「善悪を—〔=判断する〕/工事が夜も日も分かたず続けられる/昼夜を分かたず研究に没頭する」表記「別つ」とも書く。また、「分ける❷」に対応する用法は「《頒つ」とも書く。〔⇩分かち[三]〕

わかづくり③【若作(り)】年よりも若く見えるような化粧や服装をすること。

【〈袂たもとを—】⇩たもと❶

わかづま⓪【若妻】〔結婚して間もない〕年の若い妻。

わがつま①【我(が)《夫》】〔雅〕妻から夫を呼ぶ称。

わかて⓪【若手】若くて働き盛りの人。「—を起用する/—作家④」

わかとう⓪③タウ【若党】❶年の若い、武士の従者。❷若い侍。

わがとう①、①-①タウ【我(が)党】わたし(たち)と志を同じくする仲間。「—の士〔=同志〕」

わかどしより③【若年寄】❶〔江戸幕府で〕将軍に直属して政務をとり、旗本を支配した職。〔年寄、すなわち老中に対する称〕❷俗に、若いのに老人のように元気の無い人の称。

わかとの⓪③【若殿】❶幼年の主君。❷主君のあとつぎ。

わかとのばら⓪③【若殿原】〔雅〕若い侍たち。〔広義では、将来のある若い人たちを指す〕

わかどり②【若鳥】❶成鳥に達していない鳥。ひな鳥。❷【若《鶏》】卵からかえって三か月くらいまでの若いにわとり。また、その肉。

わかな①【若菜】春の初めに生えて、葉を食べる草。〔狭義では、春の七草の総称〕

わかぬ②【分かぬ】〔雅〕区別が十分に出来ない。「あやめも—〔=物の区別がつけられない〕真の闇ヤミ」かぞえ方一株・一本

わが・ねる③【〈綰ねる】(他下一)曲げて輪にする。「三つ編みにした髪を頭の上で—」

わかば①【若葉】生え出て間もない木の葉。「—がもえる/青葉—」

—マーク④ 初心運転者標識の通称。普通自動車免許を取得して一年未満のドライバーが運転する際、車体の前後に付けることを義務付けられている標識。小さな盾形で、黄色と緑とに左右を塗り分けてある。初心者マーク⑤。

わがはい⓪【我(が)輩・〈吾(が)輩】(代)〔男性が自分(たち)のことを指して言った語〕仲間うちなどで、いかにも尊大ぶって自分自身を指して言う語。「何も心配することはない。—に任せておけ」

わかはげ⓪【若〈禿(げ)】まだ若いのに、禿げている△こと(人)。

わがほう①-ハウ【我(が)方】〔相手方に対して〕自分たちの△方(側)。「—の損害」

わかまつ②【若松】❶生えてからあまり年がたっていない松。❷正月の飾りに使う小松。[かぞえ方] 一株・一本

*__わがまま__③【我(が)〈儘〉】(ーな・ーに) 自分の思い通りにならなければ気が済まず、はた迷惑な行動をする様子だ。「ーに育つ/良い意味で一生ーを貫き通すことが出来た珍しい人だ/ーの仕放題/ーを言わせてもらうならば/居候のくせにーが過ぎる/自分のーを人に押しつける」

わがみ①【我(が)身】❶自分のからだ。「ーをつねって人の痛さを知れ」❷自分自身の立場。「あすはーーに照らして/ーに火の粉がふりかかる/ーにはね返ってくる」

わかみず②(ーミヅ)【若水】 縁起を祝って、元日の朝早くくむ水。〔古くは、立春の日にくんだ〕

わかみどり③【若緑】 松の若葉(のような緑色)。

わかみや②【若宮】❶幼い皇子。〔狭義では、親王家のあとつぎになる子を指す〕❷本社の祭神の子を祭った神社。❸新しく祭った神社。新宮(シングウ)。「春日(カスガ)のー」

わかむき⓪【若向(き)】 若い人によく似合うこと。若い人の好みに合うこと。

わかむしゃ⓪【若武者】 (いかにもりりしく感じられる)若い武士・軍人。

わかむらさき④【若紫】❶薄い紫色。❷〔雅〕植物のムラサキの異称。

わかめ①【若〈布〉】 〔「め」は、海藻の汎(ハン)称〕褐藻類の一種。長さ約一メートルで、平たくて羽状に分裂する。食用。〔コンブ科〕[表記] 古くは「若{和布}」と書いた。「{和布}」は、ニギメとも訓(ヨ)んだ。[かぞえ方] 一本

わかめ②⓪①【若芽】 生え出て間もない草木の芽。「ーが放つ新鮮な匂い/みずみずしいー」

わかもの⓪【若者】 (結婚前の)年の若い人(たち)。「ーが寄りつかない/ーを△描き出す(悩ます・支える)/ーに△語りかける(もてはやされる)/ー宿(ヤド)⑤④・ー頭(ガシラ)⑤」

わがもの①【我(が)物】 自分の所有物。「ーと思えば軽し笠(カサ)の雪/彼はその役を完全にーとした(=マスターした)」 ー**がお**⓪(ーガホ)【ー顔】(ーに) まわりに対して遠慮すること無く振るまう様子だ。「ーに振るまう」

わがや①【我(が)家】 自分の△家(家庭)。

わかやか②【若やか】(ーな・ーに) 年が若くて、はなやかな感じのする様子だ。「ーな女性」

わかや・ぐ③【若やぐ】(自五) (今までよりも)若わかしい感じになる。「若やいだ声」

わがやど①【我(が)宿】 わたしの家(の庭)。

わかゆ⓪②【若湯】 正月に、その年初めて沸かすふろ。

わからずや⓪【分(か)らず屋】 自分の思う通りにならないと気が済まず、意味も無く人の言うことに反対する傾向(のある人)。「ーを言う」[表記] 「{没分暁漢}」は、義訓。

わかり【分(か)り】[一]③ 分かること。「ーがいい(=ⓐのみこみがいい。ⓑ理解しやすい)/物ー」[二](造語) 動詞「分かる」の連用形。「ー合える⑤⓪・ーにくい⑤・ーやすい⑤」

**__わか・る__②【分(か)る・《解る・《判る】(自五) ❶〈(だれ)ニ〉なんだトー〉 △未解決(未確認)の事柄について、推理・推論をめぐらしたり 適切な情報を拠(ヨ)りどころにしたり 実際に経験したりして、確信の持てる(客観性のある)判断が下せる状態になる。「子供にもー話/駅へ行く道が分からない/君の話は心情的にはよくー(=理解できる)/うまくやるこつが分かった(=会得できた)/味のー(=よしあしの判別ができる)人/どんなに心配したか分からない(=言葉では表わせないくらいだ)」❷相手の立場や自分の置かれた状況などをよく心得、その場に応じた言動が取れる心配りがある。「せっかくの申し出を断わるなんて、分かっちゃいない/話の分かった人」〔⇩分かり[二]〕[運用] ❶は、「分かった」などの形で、相手の申し出などを了解・了承したことを表わすのに用いられるが、「分かった分かった」と反復して言うと、相手の話をくどいと感じて「十分に了解した、もうそれ以上言う必要はない」の気持を表わすことがある。

*__わかれ__【別(れ)】[一]③ ❶別れること。「ーを告げる/ーを惜しむ/ーの杯/生きー」❷分岐すること。「本山のー」[二](造語) 動詞「わかれる」の連用形。「ー際(ギワ)に/ー話(バナシ)④」 ー**じ**③(ーヂ)【ー路】「別れ道」の意の古風な表現。 ー**じも**③【ー霜】 その年最後の霜。忘れ霜。「八十八夜のー」 ー**みち**③【ー道】❶本道から分かれ出た道。えだ道。❷△道(進む方向)がそこで分かれる所。「人生のー」[表記] ❷は「《岐れ道」とも書く。 ー**め**⓪【分(か)れ目】❶そこを境に別々の領域に分かれるところ。❷別れ道❷。「△勝敗(運命)のー」[表記] 「《岐れ目」とも書く。 ー**わかれ**④【ー別(れ)】 もともと一緒△だった(に居た)者同士が別々になること。離ればなれ。

**__わか・れる__③(自下一) [一]【別れる】〈だれトー/だれニー〉 それまで一緒に居た者が、ある時点から違った場所△に行く(で暮らすようになる)。「△手を振って(再会を期して・涙ながらに)ー/親にー(=△死別(生別)する)/妻とー(=△別居(離婚)する)」[二]【《岐れる】〈なにトー/なにカラー〉 枝分かれする。分岐する。「東北線と奥羽線は福島でー」[三]【分(か)れる】〈だれ・なにトー/だれ・なにカラだれ・なにニー〉 独立した存在として、相互に対立する。「専門がー(=違う)/△意見(解釈)がー(=違ってくる)」〔⇩わかれ[二]〕[運用] 結婚などの祝宴に際しては避けるべき言葉とされる。

わかわかし・い⑤【若々しい】(形) いかにも若いという印象を感じさせる様子だ。「ー情熱/六十歳を過ぎても肌がー」[派] ーさ⑤④

わかん⓪【和〈姦〉】 〔強姦(ゴウカン)と違って〕合意の上で性的関係を結ぶこと。

わかん①【和漢】 日本(語)と中国(語)。「ーの故事」 ー**こんこうぶん**(ーコンカウ)①-③、①-⓪【ー混交文・ー混〈淆〉文】 文語の文体の一つ。和文体(=狭義の和語を主体とする文体)と漢文訓読体(=漢語や漢文訓読に基づく語彙(ゴイ)・語法を多用した文体)とが交じって一体となった、平家物語・太平記などの文体。〔現代日本語の書き言葉の文体は、この流れをくむ〕[表記] 「交」は、代用字。 ー**しょ**⓪④【ー書】〔図書館などの書物の分類で〕横文字で書いてある「洋書」と違って、漢字・かなで書かれた本。「わかんじょ」とも。 ー**やく**②【ー薬】〔西洋医学の薬に対して〕和漢の医学で用いられてきた生薬(ショウヤク)を主とする薬。 ー**よう**(ーヤウ)②、①-①【ー洋】 日本と中国と西洋。「ーにわたっての広い学殖/ー(=和漢洋の学問)に通じる」

わかんむり②【ワ冠】 漢字の部首名の一つ。「写・冠・冥」などの「冖」の部分。片仮名の「ワ」に形が近いので言う。〔「冖」は上から物をおおいかぶせる意〕

わき⓪【沸き】 沸く速さ。「ふろのーが速い」

*__わき__②【脇】❶〔人間のからだの〕胸の側面で、腕のつけねの下側の部分。「ーに書類を抱える」❷衣服の、「脇❶」に当たる部分。「ーを縫う/ー明け②⓪・ー線⓪」❸左右のすぐ近くの所。かたわら。そば。「ーから口を出す」❹△中心(進むべき方向)からはずれた場所。「ーに置く(=放置する)/道のーに寄る/ー見」❺Ⓐ〔能楽で〕仕手(シテ)の相手役。「ー座⓪・ーツレ⓪」Ⓑ〔映画・演劇などで〕わき役。「ーで人気を博した映画/渋いベテランがーを固める」 ↕仕手 ❻〔連歌(レンガ)・俳諧(ハイカイ)の〕第二句。わき句。[表記] ❶❷は、「〈腋」とも書く。❺は普通、「ワキ」と書く。 【ーが甘い】❶〔すもうで〕四つに組んだ時、ひじを自分のからだにつけることをしないため、相手方に有利に組まれたり 押されたり してしまう状

わかまつ —— わき

わ

態だ。❷対人交渉で、自分の側を防備する態勢が整っていず、相手につけ入るすきを与えやすい。

わき①【和気】―たる ―と なごやかでむつまじい雰囲気。「―に満ちた宴(ウタゲ)」 **―あいあい**①-⓪【―〈藹々〉】―と その場になごやかな雰囲気が満ち満ちている様子だ。

わぎ①【和議】❶仲直りの相談。❷債務者が破産の宣告を受けそうな時、その宣告を予防し、債権者も破産の場合よりは有利な解決が得られるよう、債務者と債権者とが結ぶ契約。〔二〇〇〇年制度廃止〕⇩民事再生法

わきあが・る④【湧(き)上(が)る・沸(き)上(が)る】(自五) ❶十分に沸騰する。「湯が―」 ❷〔雲などが〕下から出て来て、上にあがる。❸自然に起こって来て、とめることが出来なくなる。「反対論が―/批判の声が―/―歓声/場内が―〔=観衆・聴衆などが興奮する〕」

わきおこ・る④【湧(き)起(こ)る・沸(き)起(こ)る】(自五) ❶〔雲などが〕下・底の方から表面に現われる。❷興奮・感動などの気持が形に現われる。「スタンドから大きな拍手が沸き起こった/喜びの気持がぐっと沸き起こってきた」

わきが⓪【〈腋〉《臭・〈狐臭〉》】 腋の下から出る汗が常在菌によって分解されて発生する、いやなにおい。

わきかえ・る③【湧(き)返る・沸(き)返る】(自五) ❶煮え立つ。❷極度の△怒り(興奮)のために、自分を抑えることが出来なくなる。❸熱狂して騒ぎ立てる。「―人気」

わきく②③【脇句】 連歌・連句における第二句。基本的に主(ジアル)に当たる人が付ける。発句を受けて作品の方向性を定める重要な役割を果たす。

わきげ⓪【脇毛・〈腋毛〉】 腋の下に生える毛。

わきざし⓪【脇差】❶腰にさす小刀。❷差し添え。 表記 「脇指」とも書く。 かぞえ方 ❶❷とも一本

わきし②③【脇師】〔能楽で〕脇の役をつとめる人。

わきじ⓪【脇士・脇侍】⇩わきだち

わきたけ②⓪【脇丈】 スカートやズボンの、ウエストラインから裾(ソス)までの長さ。

わきだち⓪【脇立(ち)】 本尊像の左右に付き添って立っているもの。夾侍(キョウジ)。脇士(ワキジ)。〔狭義では、阿弥陀(アミダ)の両脇に立つ観音・勢至、釈尊に対する文殊(モンジュ)・普賢(フゲン)などを指す〕

わきた・つ③【湧(き)立つ・沸(き)立つ】(自五) ❶煮え立つ。❷〔雲などが〕急に下から現われる。❸興奮・感激の気持が急に形に現われる。「スタンドが―」

わきづけ⓪【脇付(け)】 手紙のあて名に書き添えて敬意を表わす語。例、「侍史(ジシ)」「玉案下(ギョクアンカ)」「御許(オンモト)に」など。

わきて①【《別(き)て》】(副)〔雅〕わけても。

わき・でる③【湧(き)出る・〈涌(き)出る〉】(自下一) 見えない所にあったものが、何かの拍子に表面に現われる。「清冽(セイレツ)な泉が―/涙が―/虫が―/知恵と勇気が―」 表記 「沸き出る」とも書く。

わきど②⓪【脇戸】 正門の横に設けた、小さな出入口。 表記 「〈腋戸〉」とも書く。

ワギナ①⓪〔ラ vagina〕 膣(チツ)。バギナとも。

わきのした③【〈腋の下〉】 腕のつけねの下側のくぼんだ所。「わき」とも。

わきばさ・む④【脇挟む】(他五) わきの下にはさむ。「本を―」

わきばら⓪【脇腹】❶腹の脇の部分。横腹。「―を下にして横になる/牛の―肉」 ❷本妻でない女性の腹から生まれること。また、その子。めかけばら⓪。

わきまえ⓪③【《弁え》】 わきまえること。「―がつく/善悪の―がない/―を持つ」 表記 「弁」の旧字体は「〈辨〉」。

*__わきま・える__④【《弁える》】(他下一)〈なにヲ―〉〔自分の置かれた立場から言って〕すべき事とすべきでない事とのけじめを心得る。「△限界(時と場所)を―/身の程をわきまえない思い上がり」 表記 「弁」の旧字体は「〈辨〉」。

わきみ③⓪【脇見】―する(自サ) ❶正面に対する注視を怠ること。「―運転④」 ❷本務をおろそかにし、他の事に気を取られること。〔❶❷とも「よこみ」とも〕 表記 「《側見・《傍視》」とも書く。

わきみず⓪【湧(き)水・〈涌(き)水〉】 地下から自然に湧いて出る水。↕たまり水

わきみち⓪【脇道】 本道から分かれて横に入った(遠回りになる)道。「渋滞を避けて―に入る/若い時から―ばかりを歩んできた/話が―にそれる」

わきめ③【脇目】❶わきみ。「―もふらずに〔=一心に〕働く」 ❷よそめ。「―に見るほど楽ではない」

わぎも①【〈吾〉《妹》】〔雅〕わぎもこ。 **―こ**③【―子】〔雅〕昔、男性が妻や恋人・姉妹などを親しんで呼んだ言葉。

わきやく⓪【脇役】〔映画・演劇などで〕主役を助け、筋の進行に必要な役割をつとめる△役(役者)。「―を△演じる(つとめる)/―に徹する〔=表立って華やかな役割はせず、進んで下っ端の仕事を引き受ける〕/名―」 ↕主役 表記 「《傍役》」とも書く。

わぎゅう⓪【和牛】❶日本に野生したウシ。黒または褐色で、やや小形。主として農耕・闘牛用。❷〔輸入肉に対して〕国内産の食用牛肉。 かぞえ方 ❶は一頭・一匹

わきょう⓪①【和協】―する(自サ) 関係者が大きな目標に対して力を合わせること。「――致⓪-⓪、①-⓪」

わぎり⓪③【輪切(り)】 円筒形の物を、切り口が輪の形になるように、横に切ること。また、切ったもの。「大根の―」

わきん⓪【和金】 日本で、最も多く飼育されている金魚。形は原種のフナに似て、からだは細長く、ひれが短い。色は赤・赤白まだらのものが多い。丈夫で飼いやすい。

わく(惑) →【字音語の造語成分】

*__わ・く__⓪(自五) ■一【沸く】❶〈なにデ―〉 水が十分に熱せられ、湯気が立ったり泡が出たりする。「湯が―/ふろが―」 ❷〈なにデ―〉〔観衆・聴衆が〕興奮状態になる。「議論が―/主役の登場に観客が―」 ❸〔東北・中部から近畿・中国の方言〕発酵する。「ぬかみそが―」 ■二【湧く・〈涌く〉】❶〈どこカラどこニ―〉 地下水などが地中から自然に絶えず出て来る。「清らかな水がこんこんと―/降って湧いたような〔=ものが突然現われ出る形容〕」 ❷〈どこ・なにカラ―〉〈どこ・なにニ―〉〔小さな虫などが〕そこに一面に現われる。「うじが―/ふけが―」 ❸〈なにニ―〉 自然に起こった気持が抑えきれなくなる。「△興味(自信・意欲・希望・疑問)が―/実感が湧かない〔=実感を伴わない〕」

*__わく__② ■一【枠】❶その中に何かを入れ、そのものを保護したりそのあり方・行動を規定したりする(方形の)もの。「太線の―の中は記入不要/…という―に縛られる/―を△狭める(設ける・広げる・破る)/派閥の―を超える/予算の―/外―・内―・黒―」 ❷パネル㊃。❸折箱。〔近世の用法〕「二―の刻みたばこを雁首(ガンクビ)の先に詰め込んで」 ■二【枠・〈框〉】 器具のまわりをふちどったり形を安定させたりするための物。「障子の―/額の―/窓―」 ■三【枠・〈籰〉】 木製の糸巻き。糸わく。〔いすの足のように四本の棒を軸で支えた角柱形のものと、二本の棒を軸で支えた平たいものとがある。雅名は、「おだまき」〕

わくがい②【枠外】 定められた範囲・限度の外。「常用漢字の―〔=制限外〕」 ↕枠内

わくぐみ⓪【枠組(み)】❶枠を組んだもの。組んだ枠。「コンクリートの―」 ❷物事の大体の組立て。「計画の―」

わくせい⓪【惑星】 太陽の周囲を公転する大形かつほぼ

球形の天体で、その公転軌道の近くに類似の天体が存在しないもの。太陽から近い順に、水星・金星・地球・火星・木星・土星・天王星・海王星の八つ。〔「遊星」とも言われた。広義では、太陽以外の恒星の周囲を公転する同様の天体をも指す〕⇩冥王星

ワクチン [1]〔ド Vakzin〕病原体から作った抗原の総称。生体に接種または注射して、感染症を予防する。〔狭義では、種痘に使う種を指した〕「生(ナマ)ー」

わくでき [0]【惑溺】ーする(自サ) 人から非難されるような物事に熱を入れ過ぎて、身の破滅を招くこと。「酒色にーする」

わくない [2]【枠内】 定められた範囲・限度の内。「予算のー〔=制限内〕でやりくりする」↕枠外

わくらば [0][3]【《病葉】〔雅〕夏に△黄色く(白っぽく)なって生気を失った木の葉。かぞえ方 一枚

わくらん [0]【惑乱】ーする(他サ) 心が△迷い(迷わされ)、正しい判断が出来なくなること。「人心をーする」

わくわく [1](副)ーと ーする 〔うれしさ・楽しさ・期待(や心配)などで〕心が落ち着かない状態になることを表わす。「三年ぶりに帰国出来るかと思うと、胸がーする」

わくん [0]【和訓・〈倭訓】 漢字の訓が和語であることを強調したもの。〔狭義では、熟字の、和語としてのよみを指す。例、「紅葉」の和訓は、もみじ〕

わけ【分(け)】❶[2]〔すもうなどで〕引分け。❷(造語) ❶全体を二つ(以上)の部分にすること。「組ー・株ー」❷分配すること。「遺産ー・山ー」表記 ❶は、「《別け」とも書く。❸(接頭) のれんを分けて独立した。〔料理屋の名などに使う〕「ー久松[4]」

***わけ** [1]【訳】〔「〈訣(ケツ)」に似ているところから流用された用字〕❶どうしてそう△なる(である)かという事情・理由。「どうして叱(シカ)られるのかーが分からない」❷その言葉が表わす内容。意味。「ーが違う」❸〔「わけだ」などの形で形式名詞的に用いる〕⇩わけがない・わけだ・わけではない・わけにいかない【…するのはーが無い】 格別めんどうなことは無い。「訳は無い・訳無い」とも。

> **わく**
> **[惑]** ❶まどう。まどわす。「惑溺(デキ)・疑惑・誘惑・蠱(コ)惑」❷〔仏教で〕正道のさまたげとなるもの。「惑障・三惑(サンワク)」❸位置が変化する。「惑星」

わけあい [0][3]ーアヒ【訳合(い)】 「訳(ケワ)❶」の強調表現。「こういったーで」

わけあり [0]【訳有り】 意外だと感じられる物事の背後に何か特別な事情がひそんでいること。「あの二人はー〔=恋愛など、特別な関係にある様子〕のようだ／ーの品」

わけい [1][0]【和敬】 穏やかで、慎み深いこと。「ー清寂[0]-[0]、[1]-[0]」

わげい [1]【話芸】 講談・落語や漫才・浪曲など、巧みな話術による大衆演芸。

わけい・る [3][0]【分け入る】(自五) じゃまなものを左右にかきわけて中へはいる。「一面の△草むら(笹原)にー」

わけがない 〔形式名詞「わけ」+格助詞「が」+形容詞「ない」〕ある出来事が成立することを強く打ち消すことを表わす。「あのけちの部長がごちそうしてくれるー」文法 (1)活用語の連体形に接続する。(2)本来は、ある出来事が生じる原因・理由が存在しない、という表現であったものが、原因・理由がないのであるから、その結果も当然成立しない、と強く打ち消す働きを持つようになったと考えられる。また、「はずがない」もほぼ同義に用いられる。

わけがら [0][4]【訳柄】 「訳❶」の強調表現。

わけぎ [2]【分〈葱】〔株分けによってふえる葱(キ)の意〕ネギの変種。葉がひものように細く、全体が小形。食用。〔ヒガンバナ科(旧ユリ科)〕

かぞえ方 一本

わげさ [1][0]【輪〈袈裟〉】 輪のようにして首から胸に下げる、小型の袈裟(ケサ)。

わけしり [0][4]【訳知(り)】 物事の事情を心得ている△こと(人)。〔昔は、情事について理解がある△こと(人)や、通な△こと(人)の意に用いられた〕表記 「分け知り」とも書く。

わけだ 〔形式名詞「わけ」+断定の助動詞「だ」〕❶論理的な因果関係をたどってその結論を述べる意を表わす。「それなら泣くー〔=のも道理だ〕」❷ある出来事を見方を変えて言い換える意を表わす。「幸子さんは父の弟の奥さんだから、叔母にあたるー」❸話し手が、特に聞き手が知らないことを、あたかも確かな根拠があるかのように述べる意を表わす。「実は昨日遠い親戚と名乗る男が尋ねてきたー」❹話し手がすでに知っていたことを、新しく知ったことから得られる結論と一致して、納得した意を表わす。「そうか、それで玄関の鍵が開いていたー」文法 (1)活用語の連体形に接続する。(2)「わけ」には原因・理由といった意味が残っている。たとえば、「次郎が太郎を馬鹿にした。だから、太郎が次郎を殴ったわけだ」という文では、「次郎が太郎を馬鹿にした」ことが「太郎が次郎を殴った」ことの原因・理由となっている。❶から❹へと用法が拡張していくに従って、この本来の意味は希薄化していく。(3)❹の用法は、事前に知っていたことと、❶の用法によって得られた結論が一致したことから生じる納得の意を表わすもので、「はずだ」にも同様の用法が見出される。(4)丁寧な表現は「わけです」。

わけて [1]【《別(け)て】(副) わけても。「ーさびしき秋の暮」

ーも [1](副) 同じような性質・傾向がみられる同種のものの中で、特にそれが顕著に認められる様子。「わきて・わけて」とも。「教えのことばはどれもありがたかったが、ー最後の一言は身にしみた／多くの人びと、ー学生に人気のあった食堂」

わけではない 〔形式名詞「わけ」+断定の助動詞「だ」の連用形+副助詞「は」+形容詞「ない」〕ある出来事が、予想されることとは(部分的に)異なっていることを表わす。「スポーツをして日に焼けているー」文法 (1)活用語の連体形に接続する。(2)大変近い意味に「のではない」があるが、たとえば「昨日は雨が降ったのではなく、晴天に恵まれた」のように、「のではない」はおおよそ出来事そのものが予想に反して成立しないことを表わすのに対して、「その本は書店で買ったわけではなく、友達から安く手に入れた」のように、「わけではない」は出来事そのものは成立したが、その出来事に関わる部分が予想とは異なるということを表わす。

わけどり [0][4]【分(け)取(り)】 分けあって自分のものにすること。「獲物をーにする」

わけにいかない 〔形式名詞「わけ」+格助詞「に」+動詞「行く」の未然形+打消の助動詞「ない」〕❶周囲の状況から、ある行為を行なうことができないことを表わす。「みんなが我慢しているのに、私が泣くー」❷話し手や動作主の判断として、その行為を行なうことができないことを表わす。「そのとき私は黙っているわけにいかなかった」文法 (1)活用語の連体形に接続する。(2)ここに用いられている「いく」は、「うまくいく」「思い通りにいく」などに用いられる〝事態が進展する〟といった意味であると考えられる。

わけへだて [0]【分(け)隔て】ーする(他サ) 相手によって違った△扱い(もてなし)方をすること。「ーなく親切にする」動 分け隔てる[5](他下一) 表記 「《別け隔て」とも書く。

わけまえ [3]ーマヘ【分(け)前】 自分の分けてもらえる分。「ーをあてにする／ーをいただく／ーにあずかる」

わけめ③⓪【分け目】 全体を二つ(以上)に分けた境の所。「髪の—/天下—〔=⇩天下分け目〕の戦い」

わげもの⓪【〈綰げ物】 ⇩まげもの(曲げ物)

わ・ける②【分ける】(他下一) ❶〈なにヲ〉 一つのものにある力を加えて、二つ以上に独立させる。「幾つに—か」 ❷〈(だれニ)なにヲ—/(だれト)なにヲ—〉 全体を割いたうちの幾らかを、当事者に与える。「遺産を子供に—/星を—〔=勝ち数と負け数が等しくなる〕/票を—〔=対立者の得票が同数となる〕」 ❸〈(なにデ)なにヲ—〉 違ったところに目をつけて、幾つかの類にする。「大きさによって—/事を分けて〔=順序立てて分かりやすく〕話す」 ❹〈どこヲ—〉〔じゃまになるものを両側へ寄せて〕進むための道をあける。「草の根を分けても探し出す」 ❺〈なにヲ—〉〔争い・勝負などで〕勝ち負けを決めないで、途中でやめさせる。 表記 「《別ける」とも書く。頒布の意では「〈頒ける」とも書く。

わ・げる②【〈綰げる】(他下一)〔曲げ物を作るために〕ヒノキ・スギなどの薄く削った板を木目の通っている方向に曲げて、円形にする。

わけん⓪【和犬】〔洋犬に対して〕日本固有のイヌ。一般に耳が立ち、尾を巻く。日本犬。例、秋田犬・柴犬(シバイヌ)。

わげん⓪①【和弦】 ⇩和音❷

わこ①【和子・〈吾子】 身分の高い人の子の敬称。「—さま①」

わご①【和語・〈倭語】 日本語。〔狭義では、日本の固有語としての大和言葉を指す。対義語は、外来語およびその内訳としての漢語・洋語など〕

わこう①【〈倭寇〉・和〈寇】 室町時代〔=十四～十六世紀〕に、中国・朝鮮沿岸を荒らしたり 密貿易に従ったりした日本人の海賊の集団。〔中国・朝鮮側からの呼び名〕

わごう⓪(ガフ)【和合】—する(自サ) 互いの欠点を指摘し合ったりなどしないで、うまくやっていくこと。「夫婦—の道」

わこうど②(ワカウド)【《若《人】 少年期から成年期にかかる若い人(たち)。「—の祭典」 表記 ⇩付表「若人」

わこうどうじん①-⓪-①(—クワウ—ヂン)【和光同〈塵】〔自分の知恵や徳の輝きをやわらげ隠して、俗世間にまじる意〕〔仏教で〕仏・菩薩(ボサツ)が衆生(シュジョウ)を救うために本来の姿を隠して、種々の姿になって現われること。

わこく①【和国・〈倭国】 漢代以後、中国から日本を指して言った称。

わごと⓪①【和事】〔歌舞伎(カブキ)で〕いかにも柔弱で頼りなげな色男の恋愛・愛欲模様を見せる、演技および演出。「—師③」 ⇩あらごと・じつごと

わゴム⓪【輪ゴム】〔包み紙などの上からかける〕輪の形にしたゴムひも。「ゴム輪」とも。 かぞえ方 一本

ワゴン①〔wagon=四輪の大型荷馬車〕 ❶〔←米 station wagon〕 貨物兼用の乗用車。車内の後部に荷物を載せられるようにした自動車。 ❷〔料理などを運ぶ〕手押し車。「—サービス」 ❸簡単に動かせる、車つきの商品陳列台。デパートの店頭販売などで使う。 かぞえ方 ❶は一台。❷❸は一台・一本

わごん⓪【和《琴】 雅楽で使う、日本固有の琴。小型で、弦は六本。やまとごと。あずまごと④。 かぞえ方 一面

わこん①【和魂】 日本人固有の精神。 **—かんさい**①-⓪【—漢才】 中国伝来の学問を学びながら、日本固有の精神を失わないこと。 **—ようさい**①-⓪(ヤウ—)【—洋才】 日本人特有の精神と欧米の学問や知識・技術などを融合させたこと。〔「和魂漢才」をもじって明治時代に用いられた語〕

わさ①【輪さ】〔「さ」は接辞〕ひもを輪のように結んだもの。わな❷。

わざ② [一]【業】 能力の範囲でやれること。「容易な—〔=仕事〕でない/並の—とは思われない演技力/人間—・神—」 [二]【技】 ❶人並以上の修練を経て得られる技術・技法。〔狭義では、柔道・剣道などで、演技の型についての分類〕「—をみがく/寝—」 ❷〔柔道で〕勝敗に結びつく決まった型の技術。〔「技あり⓪」二つで、一本となる〕

わさい⓪【和裁】 和服の裁縫。↔洋裁

わざくれ⓪④〔雅〕 ❶たわむれにすること。遊び半分にすること。 ❷どうにでもなれと、ほうり出すこと。

わざごと⓪【業事】 特別な訓練が必要な△動作(物事)。

わざし②【業師】 ❶〔すもうなどで〕わざの上手な人。〔狭義では、すもう・プロレスなどで特殊な技術を発揮する人を指す〕 ❷臨機応変に相手の意表をついた策略を用いる人。〔広義では、かけひきのうまい人をも指す〕

わざと①【《態と】(副) 普通なら△しないで済ませる(するだけの必然性がない)ことを、何らかの意図があってする様子。「—意地悪を言う/—知らん顔をする/—負ける/—間違った情報を流す/—驚いたふりをする」 **—がまし・い**⑥(形)〔当人の意図にかかわりなく〕わざとやったという印象を相手が受ける様子だ。「—演技で人気を得た喜劇俳優」 **—らし・い**⑤(形) やり方が大げさであったり 不自然であったりして、わざとやったと感じられる様子だ。「—おじぎ」 派 —さ④

わさび①【〈山〈葵〉・〈山〈薑〉】 水のきれいな谷間に生える多年草。太い地下茎・葉ともに辛い。香辛料。〔きれいな水の流れる小石の多い所などにも作る〕〔アブラナ科〕「—のきいた〔=強く訴えるところのある〕話/—漬け⓪・—田(ダ)・練(リネ)—③・本—③」 かぞえ方 一本 **—じょうゆ**④(—ジャウ—)【—〈醤油】 しょうゆの中におろしたワサビを交ぜたもの。

わざもの⓪②【業物】 切れ味の鋭い刃物、特に刀。

わざわい⓪(ワザハヒ)【災い】 その人を不幸に陥れる原因となる物事。災難。「口は—のもと/—がふりかかる」 表記 例外=「災い」。「《禍」とも書く。 **【—を転じて福となす】** 普通の意味ではマイナスと考えられる事柄でも、大所高所に立って対処し、それをプラスの方向に持っていく。 **—・する**⓪-⓪(自サ) それが原因になって、悪い結果を招く。「風邪をこじらせたのが災いして半年も寝た/練習時の好調が災いして飛ばし過ぎ、かえって後半乱れた」

***わざわざ**①【《態《々】(副) 普通ならそこまでする必要はないと考えられることを、ある意図をもって行なう様子。「事故の現場を遠くまで—見に行く物好きがいる/こんなひどい雨の中を、—出かけるにも及ぶまい/—遠方から取り寄せる/—遠まわりする/—波風を立てる」 運用 自分側に向けられた相手の行為について、「わざわざ…て△いただき(くださり)」の形で、感謝の意を表わすことがある。例、「わざわざお見舞いを頂戴し、恐縮です」また、「わざわざ…て△いただいたのに(くださったのに)」の形で、陳謝の意を表明するときに用いられることがある。例、「わざわざおいでいただいたのに、あいにく主人が留守で申し訳ございません」

わさん⓪①【和算】〔中国から伝わった数学を基にして〕江戸時代、日本で発達した独特の数学。「—家(カ)⓪」

わさん①【和〈讃】 経文の偈(ゲ)の意味を日本語に訳した韻文。

わさんぼん②【和三盆】 上等の和菓子を作るときに使う三盆白(ジロ)。

わし⓪【〈儂】(代) ⇩わたし・わたくし[二]〔男性の老人または力士などが、「おれ」よりは少し改まった気持で使う〕「—の若いころは…」

わし⓪【〈鷲】 つばさが広い大形の猛鳥。くちばし・つめは鋭くて曲がり、鳥獣を捕らえて食う。イヌワシ・オオワシ・オジロワ

わ

シなどの総称。〔タカ科〕[かぞえ方]一羽

わし①【和紙】日本古来の製法による、手すきの紙。日本紙。↕洋紙 [かぞえ方]一枚：一帖(ジイチジョウ)

わじ①【和字・〈倭字〉】「国字❶」としての かな。〔狭義では、かなづかいの意にも用いられる〕⇩漢字・国字❷

わしき⓪【和式】日本(特有)の様式。日本式。↕洋式

わしつ⓪【和室】畳を敷き、直接すわれるようにした部屋。日本間。↕洋室

わしづかみ⓪③【〈鷲摑〉み】〔ワシが何かを摑んで さらうように〕開いた手の指を全部使って勢いよく摑みとること。

わしばな⓪【〈鷲鼻〉】〔ワシのくちばしのように〕先が下向きにとがった鼻。かぎばな。

わじみ⓪【輪染(み)】輪の形状の染みや滲(ジニ)み。液体が布の上で広がったものや、机に付いた鍋やコップの跡、便器の水たまりの周囲の汚れなど。

わしゃ①【話者】話をする人。話し手。↕聴者

わしゅ①【和酒】日本の昔からの製法によって米から造った酒。日本酒。↕洋酒

わしゅう①(シウ)【和州・〈倭州〉】「大和(ヤマトノ)国」の漢語的表現。今の奈良県全体にあたる。

わしゅう⓪(シウ)【和臭・〈倭臭〉】・(シフ)【和習】日本人が外国語で書いた文に、その語を母語とする人ならば そうは言わないような表現が見られる現象。また、そういう語法や、語の連合。〔狭義では、漢詩文について言う〕

わじゅつ①【話術】〔上手に〕話す技術。話のしかた。「巧みな━に聞きほれる」

わしょ①【和書】❶日本語で書いた本。↕洋書❶❷ ⇩漢籍 ❷和とじの本。↕洋書❸

わしょく⓪【和食】日本風の食事。日本料理。「━がブームになる/━を恋しがる」↕洋食

わしょっき②(シヨクー)【和食器】伝統的な日本料理を盛りつけたりするために用いる食器。↕洋食器

わしん①⓪【和親】(国と国が)正式の国交を結ぶこと。「━協力・━条約」

わじん⓪【和人・〈倭人〉】〔中国人・アイヌ人の側からの呼び名〕日本人。

***わずか**①(ワッカ)【僅(か)】(副)(━に)(━な) ❶数量・程度などがほんの少しで、特に取り上げるまでも無いほどだと判断される様子。「━一秒の差で負けた/━な金のことで争う/ここからは━頂上が見えるだけだ」❷〔「━に」の形で〕事の運・不運や明・暗などを隔てる差がほんの少しである様子。「━勝の差で━に首位を守った/猛追をかわして━に逃げ切った」[表記]「〈纔かに」とも書く。

わずらい(ワヅラヒ)【患(い)・煩(い)】[一]⓪病気などで本来すべき活動が出来ずにいること。「長(の)━・恋━」[二](造語)動詞「患う」の連用形。 **━つ・く**⑤【━付く】(自五)病気になる。やみつく。

わずらい⓪(ワヅラヒ)【煩(い)】処理に困る問題をかかえ、△心を悩ませる(苦労する)こと。「心の━(＝心配)/━の種」

わずら・う③(ワヅラフ)【患う】(自他五)その病気にかかって、少なからぬ期間 闘病生活を送る。「大病を患ったことをきっかけに大好きだった酒とたばこをやめた/糖尿病、心臓障害を患っていた」〔⇩患い[三]〕

わずら・う(ワヅラフ)【煩う】〔「動詞連用形＋━」の形で、接尾語的に〕事態の順調な進行を妨げる要因があって、その対応に苦労する。「将来の進路について△思い(悩み)━/泥道で進み━/案じ━」

***わずらわし・い**⑤(ワヅラハシイ)【煩(わ)しい】(形)❶△処置(処理)がめんどうで不快に感じる様子だ。「━手続きを簡素化する/一円単位の計算が━/難しい漢字を漢和辞典で いちいち探すのは━」❷不快に感じられる点が多く、まともに対応しようという気持になれない様子だ。「現役を引退して、━人間関係から解放された/町の古さや しきたりが━」[派]━さ⑤④

わずらわ・す④(ワヅラハス)【煩(わ)す】(他五)〔「煩う」の使役動詞形〕❶めんどうな事で疲れさせる。「心を━」❷めんどうな事をだれかにさせる。「△警察(他人)の手を━/ご一報を煩わしたい(＝お手数ながら、知らせていただきたい)」 煩わせる⑤(下一)。

わ・する②【和する】[一](自サ)❶相手と、けんかなどしないでやっていく。「夫婦相━/和して同ぜず」❷〔歌ったり大声を出したり する時などに〕他人と調子を合わせる。「和して歌う」❸他人の詩や歌に答えて詩歌を作る。[二](他サ)〔液体などを〕まぜ合わせる。

わすれがた・い⑤【忘(れ)難い】(形)心に深く刻みつけられて忘れることが出来ない様子だ。「━△印象(思い出)」

わすれがたみ④【忘(れ)形見】〔「忘れがたい」の意味と「形見」とのかけことば〕❶その人を長く忘れないための記念の物。❷親の死後に残された子供。

わすれぐさ③[一]【忘(れ)草・〈萱草〉】山野に生える多年草。濃い橙(ダイダイ)色の八重の花が咲く。ヤブカンゾウ③。〔ススキノキ科(旧ユリ科)〕[かぞえ方]一本 [二]【忘(れ)《種》】〔心配や苦労を忘れさせてくれるもの、の意〕「たばこ」の異称。

わすれじも③【忘(れ)霜】〔雅〕⇩別れ霜

わすれっぽ・い⑤【忘れっぽい】(形)(記憶しておくべきことを)忘れやすい傾向がある様子だ。「━人/年をとって忘れっぽくなった」[派]━さ⑤

わすれなぐさ④【忘れな草・〈勿忘〉草】庭に植えるヨーロッパ原産の多年草。春、空色で小さな花を房のようにつける。観賞用。「わするなぐさ」とも。〔ムラサキ科〕[かぞえ方]一本

わすれもの⓪【忘(れ)物】持って△行く(来る)はずの物を、うっかりしてどこかに置いたままにすること。また、その物。「━をする/━が多い」

****わす・れる**⓪【忘れる】(他下一)❶〈なにヲ━〉経験したり覚えたり したことが、記憶から消えて無くなる(ようにする)。「漢字を━/受けた恩を━/いやな事は早く忘れよう/初心を忘れず/忘れられない人」❷〈なにヲ━〉他の事に心を奪われていて、その時どきの最も重要な事柄を意識出来ない状態になる。「肝腎(カンジン)の約束を━/寝食を忘れて研究に没頭する/時間のたつのを━/怒りに我を━/デザインばかり追求して着心地を忘れた服」❸〈(どこニ)なにヲ━〉うっかりして、その時 当然すべき事をやらないままにしてしまう。「電車の網棚に帽子を忘れて来た/△財布(戸締り)を━/ガスを消し━/書き━・言い━」[表記]❸は、「《遺れる」とも書く。

わせ①↕おくて ❶【〈早稲〉】イネのうち 一番早く実るもの。❷【〈早生〉】作物・果物で、早く実るもの。❸〔早熟(な子供)の意として用いられる〕おませ②。

わせい①【和声】複数の和音による調和した響き。「かせい」とも。ハーモニー。

わせい⓪【和製】その物が日本で作られたこと。また、その物。日本製⓪。「━の万年筆」 **━えいご**④【━英語】英語として通用するだろうという推測の下(モト)に日本人が用いた英語らしい単語で、実際には英米人には通用しないもの。例、プッシュ ホン・テーブル スピーチ・ガソリン スタンドなど。〔英語とドイツ語、英語とフランス語のように、異種の外来語を日本人が重ねて作ったものは「和製洋語④」と呼ばれる。例、ナイロン ザイル・ゴム テープなど。片仮名で書く薬の商品名には、複合語ではないが、この種に属するものが多い〕

** * は重要語，⓪ ①… はアクセント記号，品詞の指示の無いものは名詞および いわゆる連語。

ワセリン⓪〔Vaseline=商品名〕石油を蒸留した残りを精製して出来る、△白色(薄い黄色)の油脂。あぶら薬・ポマード・靴墨などに用いる。〔ワゼリンは、ド Vaselin より〕

わせん⓪【和船・〈倭船】日本在来の型の木造船。

わせん①【和戦】❶戦争を△しない(やめる)ことと戦争をする、または続けること。「―両様の構え」❷戦争をやめて正常な国交にもどること。「―条約」

わせん⓪①【話線】話の筋(の続きぐあい)。話の文脈。

わそう⓪【和装】↔洋装 ❶―する(自サ)日本風の服装をすること。和服姿。❷〔製本で〕日本風の装丁。和とじ。

わぞく①【和俗】日本の風俗・習慣。

わた②【《腸】〔魚などの〕はらわた。「魚の―/―ぬき⓪④」

*__わた__②【綿・〈棉】❶非常に古くから繊維をとるために栽培されている一年草または木本性植物。花は黄・白・紅色などの五弁花。果実は熟すと裂けて長い毛におおわれた種子を出す。毛を採ったあとの種子から綿実(メンジツ)油をとる。〔アオイ科〕❷「綿❶」の種の長い毛の繊維をつむいで出来た、白い柔らかな かたまり。〔狭義では、真綿を指す〕「柳の―(=綿毛を持った種)/―のように疲れる(=くたくたに疲れた様子)」 かぞえ方 ❷の売買取扱いの単位は一把(イチワ)

わたあぶら③【綿油】「綿実油(メンジツユ)」の意の和語的表現。

わたあめ②【綿〈飴】わたがし。

わたい⓪【話体】話しことばに特有の、表現形式や表出語。

わだい⓪【話題】その時どきの話の主題となる事柄。「―が△絶えない(尽きない)/―にのぼる/―を△さらう(にぎわす・まく・呼ぶ・変える)/―の豊富な人(=ⓐ知識や経験が豊かで、人の興味をひくような事柄をたくさん知っている人。ⓑ変わった点があって、とかくうわさにのぼる人)/―性⓪」

わだいこ②【和太鼓】日本の太鼓。

わたいれ③④⓪【綿入(れ)】中に綿を入れた、暖かい冬の衣服。⇩あわせ・ひとえ(単) かぞえ方 一枚

わたうち⓪【綿打(ち)】綿弓で綿を打って柔らかくする△こと(人)。

わたがし③②(グワー)【綿菓子】ざらめを溶かして繊維状に吹き出させ、割箸(ワリバシ)などにからみつかせた ふわふわの綿状の菓子。わたあめ。

わだかまり⓪【〈蟠(り)】〔動詞「蟠る」の連用形の名詞用法〕心の中につかえているしこり。「―を持つ/―が深まる/―を△捨てる(ぬぐい去る)/―がとける」

わだかま・る④【〈蟠る】(自五)〔もと、ヘビが輪の形に巻いている意〕ぬぐうことの出来ない何かがしこりとなって残る。「両者の間に―悪感情/△不安(不信感)が―」

わたくし⓪【私】■一❶一個人としてそのことにかかわること。「―の立場を貫く」↔公(オオヤケ)❶ ❷その人個人や、その人の属する組織・党派の利害打算で万事を判断し、扱いに公平・公正を欠くこと。「―の無い△人(政治)/―(=個人・組織・党派の利益)を図る」■二(代)自分自身を指して言う語。〔成人の男性・女性ともに用いる、幾分、改まった言い方〕⇩わたし 運用 ■二で、「われわれ」の意を表わす場合は、「わたくしたち」より「わたくしども」のほうが、謙遜(ケンソン)した言い方になる。

【―とした事が】⇩事❶ **―ごと**⓪【―事】個人的な事柄。「―(=自分に関する事)だが、この間からマイカー通勤をやめることにした/それは―(=個人の秘密)に属しますから、あえて触れません」 **―しょうせつ**⑤(セウー)【―小説】⇩わたくししょうせつ(「小説」の子見出し) **―・する**⓪(他サ)公的なものを、私物(ブッシ)化して△扱う(使う)。「数に物を言わせた与党の暴挙は国会を―ものだ」 **―りつ**④【―立】同音語の「市立」との混同を避けた言い方。〔「市立(シリツ)」は、イチリツと呼ぶ〕「―の学校」

わたぐも⓪【綿雲】「積雲」の俗称。

わたくり④③【綿繰(り)】❶綿花の繊維を種から離すこと。❷〔←綿繰り車(グルマ)⑤〕ローラーの間に綿花をかませて回し、繊維だけをはみ出させ、その種を分離させる器具。

わたげ⓪【綿毛】綿のように柔らかい毛。うぶげ。

わたし⓪【私】(代)自分自身を指して言う語。〔「わたくし」よりはくだけた言い方。未成年者の場合は、(男子の用いる「僕」などに対して)多く女子が用いる〕

わたし【渡(し)】■一⓪❶舟で人や荷物などを川の向こう岸まで運ぶ△こと(所)。また、その舟。❷〔相手に〕物を渡すこと。「庭先―」■二(造語)動詞「渡す」の連用形。 **―せん**③【―銭】渡し舟の料金。 **―ちん**③【―賃】渡し銭。 **―ば**⓪【―場】人などを舟に乗せて、川の向こう岸まで運ぶ所。船渡し。 **―ぶね**④【―舟・―船】「渡し■一❶」に使う舟。とせん。 **―もり**③【―守】渡し舟の船頭。

**__わた・す__【渡す】■一⓪(他五)❶〈どこ・なにニ なにヲ―〉物の上を越して、向こう側に届かせる。「川に橋を―(=またぐようにして掛ける)/綱を―/板を―」❷〈(なにデ)だれ・なにヲ―〉船に乗せて向こう岸に運ぶ。「船で人を―」❸〈(だれカラ)だれニ なにヲ―〉△自分の手から(他人の手を介して)相手の手に収まるようにする。「社長が手ずから給料を―/助教を通して先生に論文を渡してもらう」❹〈(だれカラ)だれニ なにヲ―〉何かを他人に譲る。「家を人手に―/総選挙の結果、政権を野党に―ことになった/売り―・譲り―」■二〔「動詞連用形+―」の形で、接尾語的に〕その動作が行き渡るようにする。ずっと…する。「見―・眺め―」〔⇩渡し■二〕

わだち⓪【〈轍】❶車が通ったあとに残る(両)輪の△跡(間隔)。❷車の輪。「―の音がした」〔❷は❶から転じた、もと誤用に基づく〕 かぞえ方 ❷は一本

わたつみ⓪【〈海神〉・綿津見】〔「わた」は海、「つ」は「の」に当たる文語の助詞、「み」は神の意〕海(を支配する神)。〔「わだつみ⓪」は、後世の変化〕

わたなか⓪【《海中】〔雅〕海の中。海上。

わたぬき⓪④【綿抜(き)】綿入れの綿を抜いたあわせ。

わたのはら③【《海の原】〔雅〕うなばら。おおうみ。

わたぼうし③(ボオー)【綿帽子】真綿を広げて作った、女性のかぶりもの。〔昔は防寒用、今は婚礼用〕

わたぼこり③【綿〈埃】❶綿を打つ時に出るほこり。❷ほこりがたまって綿のようになったもの。

わたまし⓪【〈移〈徙〉・渡《座】〔雅:山口・徳島・長崎・沖縄県首里などの方言〕〔渡座(ワタマシ)は転居の意〕貴人の引越しや、みこしのおでまし。

わたまゆ⓪②【綿繭】真綿をとるための繭。

わたもち⓪④③【《腸持(ち)】〔はらわたがある意〕〔問題にする人物が〕△歴史(伝説)上著名な存在の生きていた時と全く同じ状態にあることを表わす。「―の業平(ナリヒラ)(=まるで業平のようにハンサムだ)」

わたゆき②【綿雪】綿をちぎったような大きな雪。ぼたん雪より少し小さい。

わたゆみ②⓪【綿弓】繰り綿を柔らかくしたりするためにはじいて打つ、弓の形をした道具。「綿打ち弓④」とも。 かぞえ方 一本

わたり①⓪【《辺】〔雅〕あたり。ほとり。「この―に」

わたり【渡(り)】■一⓪❶川・海などの上を通って向こう側に達すること。「鳥の―」❷渡し場。「―に舟(=好都合なことのたとえ)」❸海の上を通って(外国から)運ばれて来た△こと(物)。舶来。「オランダ―⑤・古(コ)―・新―③(=⇩新渡(シントト))」❹渡り歩く△こと(者)。「―の職人」❺渡り板。

わ

【】の中の教科書体は学習用の漢字，〈 は常用漢字外の漢字，《 は常用漢字の音訓以外の よみ。

❻〔話合い・頼み事をするための〕連絡。「—をつける」㊁〔造語〕動詞「渡る」の連用形。 **—あ・う** [4]【—合う】(自五) 刀で斬り合う。〔激しく論戦する意にも用いられる。例、「議会で—」〕 **—ある・く** [5]【—歩く】(自五) 転々と職業・職場を変える。 **—いた** [4]【—板】 通路として、かけ渡す板。[かぞえ方] 一枚 **—がに** [3]【—〈蟹】 ガザミの異称。 **—ぜりふ** [4]【—〔台詞〕】〔歌舞伎で〕一続きのせりふを幾人かで分けて順々に言うと共に、最後に全員が同じ文句を斉唱するもの。 **—ぞめ** [0]【—初(め)】 橋・道などが出来あがった時に、土地の高齢者などが最初に渡って祝う△こと(儀式)。 **—どり** [3]【—鳥】 おもに春と秋に、(海を渡って)すむ所を変える鳥。候鳥。↕留鳥 **—ぼうこう** [4]【—奉公】 仕える主人をたえず変えて奉公すること。 **—もの** [0]【—者】 ❶渡り歩く者。❷他の土地から来て住みついている者。よそ者。 **—ろうか** [4]【—廊下】 二つの建物をつなぐ廊下。

*__わた・る__【渡る・〈亘る】㊀[0](自五) ❶〈(なにデ)どこヲ—/どこニ—〉 そこ(の上)を通って向こう側に達する。「海を—/仏教が渡って来た/鳥が△南(北)へ—/田の面を—風/川を—/道を—/六(=遊撃手)、四(=二塁手)、三(=一塁手)と渡ってダブルプレー/太陽が空を—/危ない橋を—/石橋をたたいて—(=⇩石橋❶)」 ❷〈なにカラなにニ—/なにニ—〉 物事がある期間中、中断せずに引き続く。「十年の長きに—/連日にわたって」 ❸〈なにニ—〉 事がある範囲にまで及ぶ。「詳細に—説明/再三にわたり/△将来(生涯)に—/あらゆる分野に—/△広範(物心両面)に—」 ❹〈どこヲ—〉 世間の人とつきあって暮らしていく。「—世間に鬼は無い/世を—」 ❺〈(だれカラ)だれニ—〉 何かがある人の手から直接に別の人の手に収まる。〔広義では、間に人を介してそうなることをも指す〕「屋敷が人手に—/政権が—」 ❻双方譲らずに、何かをしあう。「四つに—(=すもうで、四つに組む)」 ❼〈だれ・なにニ—〉 すみずみにまで達する。「印刷物が全員に—」㊁〔「動詞連用形+—」の形で、接尾語的に〕その作用・状態が広範囲にわたって行なわれる。「行き—・鳴り—・響き—・明け—・暮れ—・さえ—」㊂[0](自四)〔雅〕「行く・来く・在り」の意の尊敬語。「いづくに渡り候ぞ」〔⇩渡り㊂〕

わだん [0]【和談】 ❶—する(自サ) もめ事などを解決するために当事者同士が話し合うこと。「—が成立する(=話し合った結果、和解することになる)」 ❷漢文で書かれた古典をやさしい言葉で講釈すること。〔多く書名に用いられる〕

わちき [0](代) 江戸時代の遊女語として用いられた、自称の代名詞。〔茨城・愛媛・山口などの方言に残存〕[表記]「《私」とも書く。

わちゅう [1][0]【和衷】 関係者一同が心を合わせること。「—協同して」

わちょう [1]【和朝・〈倭朝】「日本(の朝廷)」の意の漢語的表現。本朝。

わちょう [0]【話調】 人それぞれの話し方の特徴。

わっ(感) △驚いた(驚かす)時に出す叫び声。「—、うれしい/—地震だと言って飛び起きた」

ワックス [1]〔wax〕❶ろう。❷床・家具・自動車などのつやを出したり スキー板がよく滑るように塗ったりする、ろうの一種。

わっしょい [1](感) ❶おみこしなど、重い物を大勢でかつぐ時の声。❷大勢が騒ぐ時に気勢をあげるための掛け声。

ワッセルマン はんのう [7]【ワッセルマン反応】〔Wassermann=人名〕 ドイツのワッセルマンが発見した、梅毒の診断に使う血清反応の一つ。

わっち [0](代) 〔主として関東以西の各地方言〕〔「わたし」の変化〕わたし。〔江戸時代、奴や職人などが使った〕[表記]「《私」とも書く。

ワット [1]〔watt (発音はウォット)の文字読み。↑J.Watt=スコットランドの蒸気機関発明者〕 国際単位系における△仕事率(電力)の単位で、一秒間に一ジュールのエネルギーが消費される時の仕事率を表わす〔記号W〕。〔一ワットは、一ボルトの電圧で一アンペアの電流が流れる時の電力に等しい〕「一〇〇—の電球」 **キロ—** [3]〔kilowatt〕 国際単位系における△仕事率(電力)の単位で、千ワットを表わす〔記号kW〕。 **キロ—じ** [5]【キロ—時】 電力による仕事の単位で、一キロワットの電力で一時間にする仕事(=三六〇〇キロジュール)を表わす〔記号kWh〕。〔電気料金算定の基準〕

わっと [1](副) ❶急に大きな声を出す様子。「後ろから近付いて—驚かす」❷急に激しく泣き出す様子。❸たくさんのものが△一時期(一か所)に集中する様子。「—仕事が来た/特売場に—(ばかりに)押し寄せる」

ワットマンし [4]【ワットマン紙】〔Whatman=製造者名〕 厚くて純白な、上等の図画用紙。

わっぱ [1]【《童】「年端もいかない子供」を指して言う称。軽いののしりの気持を含意して用いることがある。「小—め」

わっぱ [1][0]【輪っぱ】 ❶〔俗に〕輪や輪の形のもの。❷曲げ物の弁当箱。「—飯[3]」

わっぷ [0]【割賦】 代金を月賦などの形で、何回にも分けて払うこと。賦払い。「—販売[4]」[表記]「割っ付」とも書く。

ワッフル [1]〔waffle〕 小麦粉・卵・牛乳・砂糖などを混ぜ合わせた生地を格子模様などをきざんだ二枚の鉄板にはさんで焼いたもの。また、それを二つ折りにして、ジャムやクリームなどを包んだ洋菓子。ワップルとも。

ワッペン [1]〔ド Wappen=紋章〕 ❶〔スポーツ選手などが〕ブレザーの胸・腕などに付ける、紋章風の飾り布。普通、金糸・色糸で縫い取りしてある。❷「ワッペン❶」を模した、小さな印刷物。[かぞえ方] ❶❷とも一枚

わて [0](代) 〔中部・近畿・四国方言〕わたくし。「あて[0]」とも。[表記]「《私」とも書く。

わとう [0]【和陶】 日本式の陶器。↕洋陶

わとう [0]【話頭】〔「頭」は形式的に添えられたもの〕話の中で話題として取り上げられる事柄。「世俗のことには関心が無く、政治や政治家が—に上った事は一度も無い/—が娘の結婚問題に及んだ折」

わどく [0]【和独】〔↑和独辞典[4]〕 日本語からそれに相当するドイツ語を引く対訳辞書。

わとじ [0]【和〈綴(じ)】 日本風の、本の綴じ方。また、その本。↕洋綴じ

わどめ [3][0]【輪止(め)】 ⇩歯止め❷

わな [1] ㊀〔輪+接辞の「な」〕㊁【〈罠】 鳥獣を生けどりにする仕掛け。〔人を陥れる計略の意にも用いられる〕「—に△かかる(かける・陥る)」㊁糸などを輪のように丸くしたもの。「—に通して結ぶ」[表記]「〈羂」とも書く。

わなげ [0][3]【輪投(げ)】 離れた所に立てた棒に、輪を投げ入れる遊び。また、その遊び道具。

わなな・く [3]【〈戦慄〉く】(自五)〔恐怖や興奮などのために〕からだ(の一部)が小刻みに震える。「恐ろしさに—」

わなま [0]【和生】〔↑和生菓子[4]〕 日本風の生菓子。↕洋生

わなわな [1](副)—と—する 恐怖などのためにからだが小刻みに震える様子。

わに [1]【〈鰐】 ❶ワニ科の爬虫類の総称。形はトカゲに似てはるかに大きく、鋭い歯を持つ。熱帯の川・沼にすむ。❷

わ

〔山陰地方、和歌山・高知方言〕エドアブラザメ⑤・ホシザメ②⓪の称。ワニザメ②⓪とも。かぞえ方 ❶❷とも 一匹

わにあし②⓪【〈鰐足】歩く時、足首の向きが斜めになる△こと(人)。〔足の先が外側に開くのを「外わに」、内側になるのを「内わに」と言う〕

わにがわ⓪（ガハ）【〈鰐革】ワニの皮をなめしたもの。ハンドバッグ・がまぐち・ベルトなどに使う。表記 なめさないものは、「〈鰐皮」と書く。

わにぐち⓪②【〈鰐口】❶仏堂・拝殿の前面の軒につるす大きな鈴。中はからで平たくて、下に広い裂け目があり、つるした綱で打ち鳴らす。❷人並はずれて横に広い口をあざけって言う言葉。かぞえ方 ❶は一本

ワニス①⓪〔varnish の変化〕つや出しや各種塗料の保護膜用などに使う、防湿性の天然樹脂塗料。略してニス。

わぬけ③⓪【輪抜(け)】つるした輪を、飛んでくぐり抜ける曲芸。

わのり⓪③【輪乗(り)】〔馬術で〕馬に乗って輪を描くような形に走らせること。

わび⓪②【〈侘(び)・〈侘(び)】〔動詞「侘びる」の連用形の名詞用法〕〔茶道・俳句が理想の境地として求める〕質素で落ち着いた趣。

わび⓪【〈詫(び)】詫びること。また、そのことば。「―を入れる〔＝あやまる〕/お―⓪」

わびい・る③【〈詫(び)入る】(自五) 丁寧に詫びる。

わびごと⓪【〈詫(び)言】詫びる言葉。「―を並べ立てる」

わびし・い③【〈侘しい】(形) ❶△心を慰める(自分を受け入れてくれるあたたかい)ものがなくて、ものさびしく感じられる様子だ。「―冬枯れの景色」❷欲求が満たされず心が晴れない様子だ。「都会の片隅で一人侘しく暮らす」派 ―さ③ ―げ⓪ ―が・る④

わびじょう（ジヤウ）⓪【〈詫(び)状】お詫びの手紙。かぞえ方 一本・一通

わびすけ②【〈侘助】〔豊臣秀吉（トヨトミヒデヨシ）の朝鮮出兵の時、侘助という者が持ち帰ったという〕ツバキの一種。冬、一重の小形の花が咲く。色は、紅・白・桃色など、種類が多い。かぞえ方 一株・一本

わびずまい（ズマヒ）③【〈侘(び)住(ま)い】❶俗世間からのがれて目立たないようにひっそりと住む△こと(家)。〔風雅を求めて隠遁（イントン）生活をする意にも用いられる〕❷「侘しい❷」△生活(家)の様子。「裏長屋の―」

わびつく・す④【〈侘(び)尽(く)す】(自五) 世俗を全く離れ、閑寂の境地に浸り切る。

わびね⓪【〈侘(び)寝】「侘しい❶」思いをして寝ること。

わ・びる【〈侘びる】(自上一) 〔「動詞連用形＋―」の形で、接尾語的に〕❶…しながら、心が慰められないで居る。「住み―〔＝さびしく住む〕」❷長くそうしたが、目あてのものが現われず、続けてそうしたらいいか、思い切ってそうすることをやめるか、迷う心理状態にある。「さがし―・待ち―」

*__わ・びる__⓪【〈詫びる】(他上一) 〈だれニなにヲ―/だれニなんだト―〉申しわけ無かったとあやまる。「御無沙汰（ゴブサタ）を―/不行届きの点を―」

わふう⓪【和風】❶日本在来の様式。日本風⓪。「―建築④・―バー」↔洋風 ❷木の葉を動かす程度の(春の)穏やかな風。❸砂ぼこりが立ち、小枝が動くような風。気象学上では、毎秒五・五メートルから七・九メートルの風。〔風力階級の第四〕

わふく⓪【和服】日本在来の衣服。「―〔＝着物〕姿④」↔洋服

わふつ⓪【和《仏】〔↑和仏辞典④〕日本語からそれに相当するフランス語を引く対訳辞書。

わぶん⓪【和文】❶〔外国語と対比された時の〕日本語の文章。邦文。「―英訳⓪-⓪、④・―タイプ」⇩欧文・漢文 ❷和語を主体として書かれた△文(文章)。

わへい①【和平】国と国との間の紛争状態が終わり、平和を取り戻すこと。「―を講じる/―交渉④」

わへい⓪【話柄】「話題」の意の古風な表現。「好―③〔＝その場の話題に供さるべき、かっこうの事例〕」

わほう（ハフ）⓪①【話法】❶話す技術。「セールスマンの―〔＝話し方〕」❷〔文法で〕他人の言葉を引用する時の言い表わし方。「直接―・間接―」

わぼく⓪【和睦】―する(自サ) 争っていた人や国が仲直りすること。

わほん⓪【和本】和紙に刷り、これを和風にとじて作った本。和書。⇩洋本・唐本（トウホン）

わみょう（ミヤウ）⓪【和名・〈倭名】漢土にある人物について、日本で言う名称。日本名⓪。

わめい⓪【和名】〔国際的なラテン名と違って〕動植物名のうち、それぞれの学問での標準的な日本名。↔学名 ⇩漢名

わめ・く②【《喚く】(自五) 〔言ってもしようのない事を〕大声で叫ぶように言う。「泣いてもわめいても追いつかない」

わや①（―な・―に）〔大阪を中心として南は長崎、北は愛知・岐阜（ギフ）から北陸の方言〕めちゃめちゃだ。「結婚話を―にした」

わやく⓪〔愛知以西の方言〕いたずら。乱暴。「子供が―をして困る」

わやく⓪【和訳】―する(他サ) 〔外国語を〕日本語に訳すこと。「英文―⑤」

わよう（ヤウ）①⓪【和洋】洋の東西にわたること。「広く―の学に通じる」 ―せっちゅう①-⓪【―折衷】和風と洋風との二つの様式を巧みに取り合わせ用いること。

わよう（ヤウ）⓪【和様】日本独特の様式。↔唐様（カラヨウ）

わら①【〈藁】イネ・ムギの茎を干したもの。「溺（オボ）れる者は―をもつかむ〔＝非常な苦境に立たされた者は、どんなに頼りになりそうもないものでも頼りにしたがるものだ〕/あの人は―にもすがりたい気持で、貧しい私の所にまで借金を頼みに来たのだろう/―布団（ブトン）・―屋根⓪③」表記「〈稈」とも書く。かぞえ方 一本・一筋：一束・一把（イチワ）

わらい（ワラヒ）【笑(い)】■⓪ ❶笑うこと。「次から次に大ヒットして―がとまらない/―を浮かべる/豪傑―」❷あざけり。冷笑。「人の―をまねく」⇩おわらい 【―を〈噛（か）み殺す】笑い出しそうになるのを一生懸命こらえる。笑いを殺す。■(造語) 動詞「笑う」の連用形。「―泣き」 ―え③⓪（ヱ）【―絵】❶人を笑わせる絵。❷春画。まくら絵。 ―ぐさ⓪【―草・―《種】〔「草」は、もと「種（グサ）」の意〕笑い話の材料。「とんだお―ですね」〔物笑いの種の意では「笑われ草④」⓪」とも言う〕 ―ごえ（ゴヱ）④【―声】笑う時に発する声。「―が△あがる(絶えない・起きる)/―を△立てる(漏らす)/―に包まれる/△明るい(甲高い・楽しげな・華やいだ)―」 ―こ・ける⑤(自下一) ころげるようにして、ひどく笑う。 ―ごと⓪【―事】〔「―でない」の形で〕事が深刻で真剣に考えなければいけない状態だ、の意を表わす。 ―ころ・げる⑥【―転げる】(自下一) あまりのおかしさに、からだを激しく揺らしたりのけぞったりしながら笑う。わらいこける。 ―さざめ・く⑥(自五) そこに集まっている何人かの人が、そろって愉快そうに大声で笑う。 ―じょうご（ジヤウー）④【―上戸】⇩上戸 ―す・てる⑤【―捨てる】(他下一) △とるに足りない(そうするには及ばない)ものとして、鼻先で笑う態度をとる。 ―とば・す⑤【―飛(ば)す】(他五) まともに応じようとしないで、高笑いで済ませる。 ―のめ・す⑤(他五) 自分にとって都合の悪いことや、相手の恥になるよ

わ

うなことを、事ごとしく取り上げたりせず、笑って済ませてしまう。「こんなことはよくあることだと、仲間のミスを—」 **—ばなし**[4]【—話】❶軽い気持で聞いたり話したりする話。「—として聞いてください」 ❷人を笑わせるような内容の、こっけいで短い話。笑話。 ❸人から冷笑されるような話。 **—もの**[0]【—者・—物】物笑い。「世間の—になる」 物笑いの対象となる存在。「負け犬だと—にされることだけは御免こうむりたい」

***わら・う**[0]【笑う】■(自五) ❶〈なにデ—〉うれしさ・おかしさなどをおさえきれず、目を細めたり口許をゆるめたり時には声を上げたりしてその気持を表わす。「にっこり—/大口をあけて—/顔で笑って、心で泣く/—門には福きたる/ひざが—〔=長時間歩いて坂道を下る時など、ひざががくがくして思うように踏みしめることが出来なくなる〕/山—〔=新芽の出るころの山の様子を言う、美化した表現〕/花—〔=つぼみが開く〕」 ❷〔東京方言〕程度がひどくて、相手にするのもばかばかしいほどだ。「今ごろのこのこ頼みに来るなんて、笑っちゃうな」 ■(他五)〈だれ・なにヲ—〉あざけりの対象にする。「人の失敗を—/笑わば笑え/陰で—/一円を—〔=ばかにする〕者は一円に泣く」 **—べき**[4] あざけって笑うのが当然な。「わろうべき[4]」とも。〔⇩笑い■〕「—〔=こっけいな〕存在」 表記 ■は「〈嗤う」とも書く。

わらうち[2][3][0]【〈藁打(ち)】〔縄などを作る前に〕藁を打って柔らかにすること。

わら・える[0]【笑える】(自下一)〔「笑う」の可能動詞形〕ひどくこっけいであるなどして、笑わずにはいられなくなる。「うれしくてつい笑えてくる/安い外国製品に飛びつく風潮は国内の製造業者にとっては笑えない〔=深刻な〕話だ」 運用 他人の失敗などを、無責任な立場から、侮蔑の気持を込めて用いることがある。例、「あの時の彼のぶざまなかっこうは笑えるな」

わらがみ[2][0]【〈藁紙】 藁の繊維を原料とする、きめのあらい紙。

わらく[0][1]【和楽】—する(自サ) 皆がそろってなごやかに楽しむこと。

わらぐつ[0][2]【〈藁沓〉】〔雪国で履く〕藁を編んで作ったくつ。 表記「〈藁《履」とも書く。 かぞえ方 一足

わらこうひん[3]【〈藁工品】 縄・むしろなど、藁で作られた製品。

わらさ[0] ブリの幼魚。体長六〇センチぐらいのもの。

わらじ[0]【〈草〈鞋〉】 たたいて強度を持たせた藁で足の形に編み、足に結びつけてはく履物。「わらんじ」とも。「長い—をはく〔=昔、ばくち打ちなどが追及をのがれて、長い旅に出る〕/二足の—をはく〔=⇩二足のわらじ〕/—を脱ぐ〔=(ばくち打ちなどが)旅を終えて、ある場所へ身を落ちつける〕」 かぞえ方 一足・一双 **—がけ**[0]【—掛(け)】〔遠くへ出かけたり歩き回ったりする準備として〕わらじをはくこと。わらじばき[0]。「—で出かける」 **—せん**[3][0]【—銭】 わらじを買う(ぐらいの、わずかな)お金。わずかな旅費。

わらしべ[0][2]【〈藁稭〉】 イネの藁の芯。「わらすべ」とも。

わらづと[0]【〈藁苞〉】 中に物を入れるように、藁を束ねたもの。わらづつみ[3]。 かぞえ方 一本・一筋

わらばい[0]【〈藁灰】 藁を燃やして出来た灰。火鉢に入れたり肥料にしたりする。⇩きばい

わらばんし[3]【〈藁半紙】 ❶藁の繊維に、ミツマタ・コウゾの繊維を混ぜて作った、きめのあらい半紙。 ❷ざら紙。 かぞえ方 一枚:一帖

わらび[1]【〈蕨】 日当たりのよい山地に生える多年生のシダ植物。春、先が薄緑色で小粒の握りこぶしの形の若葉を出す。この若葉が食用となり、根茎からはでんぷんをとる。〔コバノイシカグマ科〕 かぞえ方 一本

わらび[2]【〈藁火】 藁を燃やした火。

わらぶき[0]【〈藁葺〉(き)】 屋根を藁で△葺くこと(葺いたもの)。「—の家」

わらふで[2][0]【〈藁筆】 わらしべで作った筆。〔昔、大きな画面に大ざっぱな描写をする時に用いた〕

わらぶとん[3]【〈藁布団・〈藁蒲〉団】 藁を詰めた敷き布団。ベッドで敷き布団の下に敷く。 かぞえ方 一枚

わらべ[1]【童】〔「わらわべ[3][0]」の変化である「わらうべ」の変化〕子供(たち)。わらわ。 **—うた**[3]【—歌】 昔から、それぞれの地方で子供たちの間で歌われてきた歌。

わらや[2][0]【〈藁屋】 藁ぶき屋根の家。

わらわ[1]【〈妾】(代)〔童のような不束者、の意で、女性の謙称〕武家時代、身分のある女性、特に武家の子女の自称。

わらわ[1]【《童】〔雅〕子供。〔「わらわべ[3][0]」とも言う〕「女の—/—女[3][0]〔=女の子〕」

わらわ・せる[0]【笑わせる】(他下一)〔「笑う」の使役形〕こっけいな言動などで、接する人を、笑わずにはいられない状態にさせる。笑わす[0](五)。「冗談を言って大いに人を—」 運用 当人は得意がっているようなことを言っても、第三者的な目からは、とてもそれにふさわしい器量を備えているようには見えないと、からかいや侮蔑を含意して用いることがある。例、「一つとして外国語が出来ないのに外交官になりたいとは笑わせるよ」

わらわやみ[0][3]【〈瘧】〔雅〕おこり。

わらわらと[1](副) 多くのものがあちこちから現われ出る様子。「やじ馬が—集まる」

ワラントさい[4]【ワラント債】〔warrant=新株予約権の意〕 発行会社の新株を、事前に決められた一定の価格で買える権利のついた社債。新株予約権付社債。

わらんべ[2][0]【《童】〔「わらわべ[3][0]」の変化形「わらうべ」の変化〕わらべ。

わり ■[0]【割(り)】〔動詞「割る」の連用形の名詞用法〕 ❶水などを加えて液体の濃度を薄めること。「—のきくしょうゆ/—下・水—・ソーダ—」 ❷〔すもうで〕取組表。「—返し[0]〔=休場者などによる、予定取組表の変更〕」 ❸「割勘」の略。「—でいこう」 ❹〔何らかの観点から見た〕そのものが全体の中で占める程度。割合。「一万人に一人の—で感染する/こんなに—の△いい(悪い)〔=労力に対して利益の△多い(少ない・無い)〕仕事は無い/これっぽっちのもうけでは—に合わない〔=結局損になる〕/—を食う〔=損な立場に立たされる〕」 ❺〔「…(の)—に」の形で〕〔値段と品質、年齢と体力のように、相互関係が認められるものについて〕一方の程度から一般的に予測される他方の程度。割合。「値段の—にまずい料理/がんばっている—に成果が見られない/幼い—にはしっかりしている」 ■【割】(造語) ❶関係するそれぞれのものにゆきわたるように全体を分けること。「部屋—・頭—・均等—」 ❷全体の中で占める割合の単位で、十分の一を表わす。「問題となるのは全体の一—に過ぎない/六—を超す正解率」 ❸「割引」の略。「学—〔=⇩学割〕・早—〔=早く申し込む際の割引〕」

****わりあい**[0]【割合】■❶全体の中における、そのものと他のものとの相対的な多い少ないの程度。「—が高い/—が大きい/大きな—を占める/三人に一人の—」 ⇩割■❹ ❷⇩割■❺「若い—にしっかりしている」 ■(副) ❶予想していた(好ましくない)程度に比べて、実際のところはそれほどでも無いと判断する様子。「電車は—すいていた/彼の部屋は—片付いていた/—平気でいられた」 ❷△ほかのもの(一般の場合)と比べて、その傾向がどちらかというと顕著に

わ

** * は重要語，[0] [1]… はアクセント記号，品詞の指示の無いものは名詞および いわゆる連語。

認められる様子。「―豊かな階層が住んでいる地域／―あたたかな日が続く／ここの桜は―遅咲きの方だ」〔[二]は❶❷とも「わりに・わりあいに」とも〕 ―に⓪(副) ⇩わりあい[二]〔口頭語では「わりあいと⓪」とも〕

*わりあ・てる④【割(り)当てる】(他下一)〈だれニ なにヲ―〉 全体を幾つかに分けて、それぞれに△配る(与える)。「それぞれ役を―／割り当てられた仕事」 名 割り当て⓪「―量④」

わりいし⓪【割(り)石】 建物・道路の基礎などに用いたりするために、石材をさまざまな形や大きさに割ったもの。

わりいん⓪【割(り)印】 二枚(以上)の書類が一続きのものであるという証拠に、両者にまたがらせて印を押すこと。また、その印。割り判。

わりがき⓪【割(り)書(き)】―する(他サ) 本文中の用語・用字の説明として、注などを該当の場所に小さく二行に書き入れること。また、その注。

わりかし⓪【割かし】(副)「わりかた」の一段と口頭語的な表現。「―うまい」

わりかた⓪【割(り)方】(副)「わりに・わりあい(に)」の口頭語的表現。〔俗に、「割かし」とも言う〕

わりかん⓪【割(り)勘】〔←割前勘定⑤〕 何人かで食事などをした場合に、かかった総額を頭割にして各自の支払いとすること。

わりき⓪【割(り)木】 太い木を細かく割って作った、たきぎ。 かぞえ方 一本・一枚：一束

わりき・る③【割(り)切る】(他五) ❶〔割り算で〕その自然数で他の自然数を割った時に余りが零となる。〔多項式の割り算についても言う〕「四は十二を―」 ❷〔他人がどう考えるかなどは気にしないで〕一定の原則を迷い無く通して結論を求める。「割り切った△考え(人)／図式的に―」

わりき・れる④【割(り)切れる】(自下一)〔「割り切る」の可能動詞形〕 ❶〔割り算で〕その自然数を他の自然数で割った時に余りが零となる。〔多項式の割り算についても言う〕「十二は四で―」 ❷〔多く「割り切れない」の形で〕どうしてそのようなことになるのかいくら考えても納得できず、すっきりした気持になれないことを表わす。「意を尽くして説明したつもりだが まだ割り切れないような顔つきをしている／今回の処分には割り切れぬものが残る」

わりきん⓪【割(り)金】 割当てのお金。

わりく⓪③【割(り)句】 川柳に似せた遊び。ある単語を二つに分け、それぞれを五七五形式の上の句の最初と下の句の最後に入れるもの。

わりぐりいし④【割(り)〈栗石〉】〔道路工事・建築などで〕基礎を固める時に使う、石を細かく割ったもの。略して「割栗⓪」。

わりげすい③【割(り)下水】 掘割にした下水道。

わりご⓪【《破子》】 ヒノキの薄い板を曲げて作った容器で中に仕切りのある、折箱のような弁当箱。 表記 「《破籠」とも書く。

わりごえ⓪(ゴエ)【割(り)声】〔珠算で〕割り算をする時に唱える九九〔＝掛け算の九九と同様に、覚えやすくしたもの〕。

わりこみ⓪【割(り)込(み)】 ❶人が並んでいる所へ、押し分けて無理に入り込むこと。「―禁止⓪-⓪」 ❷〔道路交通法で〕交差点付近で停車し(ようとし)ている車の前に出ること。 ❸〔すもうの興行などで〕一つの ますで、連れでない人と見物すること。また、その ます席。

わりこ・む③【割(り)込む】(自五) ❶ルールを無視して△人の列や群れの中へ押し分けて無理に入り込む(まだ話の終わらないところへ わきの人が口を出す)。「行列の間に―／人の話に横から―」 ❷相場が、ある値段よりも下がる。「大台を―」

わりざん②【割(り)算】 ある数を、もう一つの数で割ること。除算。除法。 ↕掛け算

わりした⓪【割(り)下】〔←割り下地③④〕 みりん・砂糖・しょうゆなどで味をつけただし汁。すき焼や鍋(ナベ)料理の煮汁に使う。

わりじょうゆ③(ジャウ)【割(り)〈醬油〉】 しょうゆをだしなどで薄めたもの。

わりぜりふ③【割(り)〈台詞〉】〔歌舞伎(カブキ)で〕二人の役者が、双方に関連のある長い文句を、互いに別の思いの独白として、交互に短く割って述べ、最後に同じ文句を同時に言って終わること。また、そのせりふ。

わりだか⓪【割高】―に ―な 品質・分量の割には、値段が高い様子だ。 ↕割安

わりだ・す③【割(り)出す】(他五) ❶費用や、品物の単価などを計算して出す。「経費を―」 ❷いろいろな材料に基づいて、一応の結論を出す。 名 割り出し⓪「犯人の―」

わりちゅう⓪【割(り)注・割(り)〈註〉】 割書きにした注。

わりつけ⓪【割(り)付(け)】〔印刷物で〕記事の組み方、字の大きさ、図版の位置などを指定すること。レイアウト。「紙面の―」 動 割り付ける④(他下一)

わりな・い③【《理無い》】(形)〔「理(コトワリ)無し」の意から〕理屈では割り切れないことだが、そうならざるを得ない様子だ。「―仲〔＝深く愛し合う仲〕となる」 文法 助動詞「そうだ(様態)」に続くときは「わりなさそうだ」の形になる。

*わりに【割に】[一] ⇩割[二]㊄ [二]⓪(副) ⇩わりあい[二]〔口頭語では「わりと⓪」とも〕

わりばし⓪【割(り)箸】 割れ目がついていて、使う時に割って二本にする、杉や竹などの箸。 かぞえ方 一膳(イチゼン)

わりはん⓪【割(り)判】 わりいん。「わりばん⓪」とも。

*わりびき⓪【割引】 ❶―する(他サ)〈なにヲ―する〉 割り引くこと。分引(ブビキ)。「―になっている／―券④③」 ↕割増し ❷「手形割引」の略。

わりび・く③【割(り)引く】(他五) ❶決まった価格から、ある割合の金額だけ安くする。 ❷手形割引をする。 ❸うちわに見(つも)る。「話を割り引いて聞く」

わりひざ⓪【割(り)膝】 左右の膝を開いたすわり方。

わりふ⓪【割(り)符】 木の札の中央に文字・印を書いて、二つに割ったもの。別々に持ち、あとで合わせてみて証拠とする。符節。わりふだ。 かぞえ方 一枚

わりふだ⓪【割(り)札】 ❶わりふ。 ❷割引の札。割引券。 かぞえ方 ❶❷とも一枚

わりふ・る③【割(り)振る】(他五) 全体を幾つかに分け、それぞれに配分する。「△役(予算)を―」 名 割り振り⓪「時間の―」

わりまえ⓪(マヘ)【割(り)前】 各人に割り当てられた金額・分量。「―を支払う／―をもらう」

わりまし⓪【割(り)増(し)】―する(他サ) 一定の額にある割合を△加えること(加えた額)。「―金⓪」 ↕割引

わりむぎ⓪③【割(り)麦】 ⇩碾(ヒ)き割り[二]❶

わりもど・す④【割(り)戻す】(他五) いったん受け取った金額の中から、ある割合の金額を返す。 名 割り戻し⓪「―金⓪」

わりやす⓪【割安】―に ―な 品質・分量の割には、値段が安い様子だ。 ↕割高

**わ・る⓪【割る】(他五) ❶〈(なにデ)なにヲ―〉 打つ・たたくなど、外部から強い力を加えて、固体を二つ以上の部分に△分ける(分けて元の形をこわす)。「△くるみ(まき・スイカ)を―／リンゴを二つに―／うっかり落として皿を―／額(ヒタイ)を割られる〔＝額に裂傷を負う〕／貝の口を―〔＝こじあける〕／犯人の口を割らせる〔＝白状させる〕／腹を割って〔＝ざっくばら

わ

んに隠すところなく〕話し合う」 ❷〈なにヲ―〉 一まとまりのものの中に無理に入って、分断する。「党を―／行列に割って入る／けんかしている二人の間に割って入る」 ❸〈だれ・なにニなにヲ―／なにデなにヲ―〉 関係するそれぞれのものに(等量に)ゆきわたるように、全体を分ける。「敵の領土を戦勝国の間で―／グループごとに部屋を―〔=割りふる〕／頭数で―」 ❹〈なにヲ―〉 (基準となる)境界線を越えて△圏外に出る(基準以下の程度になる)。「土俵を―〔=すもうで、足が土俵の外に出る〕／球がラインを―〔=球技で、球がコートの外に出る〕／ゴールを―〔=サッカーで、ゴールにボールを蹴ケり込む〕／十秒を―〔=十秒未満の〕成績／△定足数(定員)を―／△大台(採算)を―／手形を―〔=割り引く〕」 ❺〈なにデなにヲ―〉 水などを加えて、その液体の濃度を薄くする。「ウイスキーを△水(炭酸水)で―／割って使う濃縮液」 ❻〈なにデなにヲ―〉 ↔掛ける■一❻ 〔数学で〕 Ⓐある数(量)が、与えられた数(量)△を何個含む(の何倍になる)かを求める。除する。〔多項式の場合にも拡張される〕「六を三で―／七を二で―と△三余り一(三・五)になる」 Ⓑある数(量)を、与えられた個数の等しい部分に分ける。「六グラムを三で―〔=三つの等しい部分に分ける〕と二グラムになる」 表記 ❶の一部の用法は、「《破る」とも書く。

わる ■一 ①【悪】 「悪者」の口頭語的表現。「たいへんな―だ」 ■二 (造語) ❶悪い方面に関して働く。「―知恵・―賢い」 ❷程度がひどい。「―いたずら③・―酔い・―乗り」 ❸(度が過ぎて)好ましくない結果をもたらす。「―遠慮③・―ふざけ」

わるあがき ③【悪《足〈掻(き)〉】―する(自サ) ひどくあせって、結果的にはさらに不利になる事をあれこれ試みること。「この期におよんで―するな」

わるあそび ③【悪遊(び)】 ばくちや女狂いなどの、不健全な遊び。〔子供について言う場合には、黙認するわけにはいかないいたずらの意に用いる〕

****わる・い** ②【悪い】(形) ↔よい・いい ❶その社会において、倫理的にしてはいけないことだとされている様子だ。「物を盗むのは―ことだ／―仲間にそそのかされて悪事を働く／―ことは出来ないものだ／―やつほどよく眠る」 ❷〈(だれニ)―〉 道義や社会通念に反していて、対人関係などに好ましくない影響を及ぼす様子だ。「お世話になったのだからお礼をしないと先方に―／ぼくの言ったことを悪くとらないでくれ／わたしに教えてくれないなんて、あんたも人が―／一時間も待たせて悪かったね」 ❸〈(なにニ)―〉 好ましくない△状況におかれている(結果を招くおそれがある)ととらえられる様子だ。「運の―ことに電車は出たあとだった／△縁起(日)が―／兄弟の仲が―／△後味(歯切れ)が―／深酒はからだに―／機嫌が―／―人に出会った／―ことは言わない、今のうちにやめておけ／彼の意見は正論であるだけに退けることも出来ず、始末に―」 ❹△標準より劣って(基準からはずれて)いる状態だ。「△頭(品ヒン・声・出来デキ)が―／発音が―／安かろう悪かろう」 ❺正常な△機能(状態)を失っている様子だ。「△からだ(エンジン)のぐあいが―／(ひどく)顔色が―／戸のすべりが―／牛乳が悪くなる〔=腐る〕」 派 ―げ ⓪③② ―が・る ③

運用 (1)❷について。(a)自分のために負担をかけたことに対する同等以下の者への感謝の言葉として用いられることがある。例、「△おみやげまでもらって(わざわざ来てもらって)悪い(わ)ね」 (b)「悪い悪い」の形で、多く男性が遠慮のない間柄の相手に、迷惑や負担をかけたことに対する謝罪(の気持を込めた感謝)の言葉として用いられることがある。例、「悪い悪い、すっかり待たせてしまって」 (c)「悪く思うな」などの形で、約束などが果たせなかった際に、それがやむを得ない事情によるものだと弁明するのに用いることがある。例、「悪天候にたたられてどうしようもなかったのだ。悪く思わないでくれよ」
(2)❸について。(a)「悪いようにはしない」などの形で、自分の利益のために相手の△負担になる(名誉にかかわる)ことを依頼する際に、必ずそれに見合った償いをする用意があるという気持を表わすのに用いることがある。例、「今回のプロジェクトに関しては君が責任をとってくれないか。決して悪いようにはしないから」 (b)「悪いことは言わないから」などの形で、相手が好ましい、また、特に問題はないと思っていることを否定するときに言う前置きの言葉として用いることがある。例、「悪いことは言わないから、あの人とはつき合わないほうがいい」

わるがしこ・い ⑤【悪賢い】(形) 自分が得になるようなことには、すぐに知恵がはたらく様子だ。「―部下に裏切られる」 派 ―さ ⑤

わるぎ ⓪【悪気】 人をだましたり 害を与えたり しようとする△考え(気持)。「―の無い人」

わるくすると ①【悪くすると】 〔副詞的に〕そうなりかねないと不安をいだきながら、最悪の場合を想定する様子。「罰金で済めば良いが、―免許を取り消されるかも知れない」

わるくち ②【悪口】 人や事物を取り上げて、わざとその評価をおとしめるようなことを言うこと。また、その言葉。「わるぐち②・あっこう」とも。「陰に回るとすぐ人の―を言う」

わるさ ①【悪さ】 ❶悪い△こと(程度)。「気分の―に耐える／△後味(歯切れ)の―／道路の―ったら無い」 ❷わざと人を困らせたり 人の迷惑になったり するような行為をすること。また、その行為。「―をする」

わるじゃれ ⓪【悪〈洒《落】 度の過ぎたしゃれ。

わるずれ ⓪【悪〈摺(れ)】―する(自サ) 世間慣れがしてずるくなること。「―のした子供だ」 表記 「悪擦れ」とも書く。

わるだくみ ③【悪巧(み)】 悪いことを企てること。また、その企て。

わるだっしゃ ③【悪達者】―に ―な 〔俳優・芸能人などの演技が〕慣れて上手ではあるが、品が感じられない様子だ。

わるぢえ ⓪ヂエ【悪知恵・悪〈智慧〉】 悪い事をよく考えつく頭の働き。「―にたけている／―が発達している奴ヤツだ」 表記 もとの用字は、「悪〈智慧〉」。

ワルツ ①〔waltz〕 三拍子の軽快な舞曲(に合わせて踊るダンス)。円舞曲。「ウィンナー―④」

わるどきょう ③ドキョウ【悪度胸】 悪い事に対する度胸。「―のすわった男」

わるどめ ⓪④【悪止(め)】―する(自サ) しつこく感じるほど、人をひきとめること。「―(を)するな」

わるなれ ⓪【悪慣(れ)】―する(自サ) その仕事に慣れ、緊張が解けて来るにつれて、慎重さが欠け、ぞんざいになること。

わるのり ⓪【悪乗(り)】―する(自サ) 調子に乗って、度を超えた冗談や悪ふざけをすること。

わるば ⓪【悪場】 〔登山で〕あくば。

わるび・れる ④【悪びれる】(自下一) 自分の行為を恥じる気持を言動に表わす。「悪びれた色も無く違法駐車を繰り返している」

わるふざけ ③【悪ふざけ・悪〈巫山戯〉】―する(自サ) 他人の迷惑になったり予期しない不結果を招いたりするほど、ふざけること。「子供っぽい―」 表記 「ふざけ」を「〈巫山戯〉」と書くのは、借字。

わるもの ⓪【悪者】 ❶性質がよくなくて、人に害を与える者。「―を退治する」 ❷悪く思われる方の人。「おれの方だけが、いつも―にされる／―扱い⑤」

わるよい⓪ヨ|ヒ【悪酔(い)】―する(自サ) 頭痛・吐きけがするなど、気分のよくない酔い方。

われ①【我・〈吾〉】━当人自身。「―と思わん者(=自分こそはという自信を持つ人)は名乗り出よ/―を失う/―を取り戻す」【―に返る】❶気絶していた人の意識が戻る。❷夢中になっていた人がふだんの状態に立ち戻る。【―を忘れる】何かをしていて夢中になる。━(代)❶わたくし(たち)。「―は海の子/―こそは/―に利あらず」❷〔各地の方言〕おまえ。

われ⓪【割(れ)】❶「割れる❶」こと。また、割れたもの。「ひび―がする/ガラスの―/仲間―」❷相場が、ある値段を持ちこたえられなくて、それより下がること。「割る㊃」こと。「百円―」 表記 ❶は、「《破れ」とも書く。

われかえ・る③カヘル【割(れ)返る】(自五) 割れて、めちゃめちゃになる。「―ような騒ぎ」

われがちに⓪【我勝ちに】(副) 自分が優位に立ちたいと、互いに他を押しのけて先頭を争う様子。われさきに。「―空席を奪い合う/―駆け出す/―乗りこむ」

われがね⓪【《破(れ)鐘】ひびの入ったつりがね。〔太い濁った声の意にも用いられる。例、「―のような声」〕

われから①【我から】(副)「自分から進んで」の意の古風な表現。

われかんせずえん①-③-①|クワン【我〈不関〉〈焉】わたしには関係が無いよ、といった態度をとる様子を表わす。

われき⓪【和暦】⇩邦暦

われこそは①【我こそは】「自分こそは」と勢いこんで何かを言ったりしたりすることを表わす。

われさきに①⓪【我先に】(副) ⇩われがちに

われしらず①【我知らず】(副)「思わず」の意の改まった表現。「―快哉カイサイを叫んだ」

われと①【我と】(副)〔多く「―我が身を」の形で〕自分自身の存在を強く意識することを表わす。「―(=自分から進んで)我が身を苦しめる/―我が身をふりかえる」

われながら⓪【我〈乍ら】(副) 自分のした事を、客観的に顧みて慨嘆したり 感慨にふけったり する様子。「―あつかましいことをやったものだ/―よくぞがんばったと思う」

われなべ⓪【《破(れ)鍋】ひびの入った鍋。「―に綴トじ蓋タブ〔=どんな人にもふさわしい配偶者はあるものだ〕」

われにもなく①-①【我にも無く】〔副詞的に〕思いもかけない事態に直面するなどして、平常心を失い、自分でも思ってもみなかった行動に出る様子。「―取り乱した/好きな人の前に出ると―赤くなってそっぽを向いてしまうのだ」

われひと①、①-⓪【我人】 自分も他人も。自他。「―ともに」

われぼめ⓪【我褒(め)】 自分で自分をほめること。

われめ⓪【割(れ)目】 割れたために出来た(ような)筋状のすきま。「氷河の―」 表記「《破れ目」とも書く。

われもこう③ワレモ|カウ【〈吾《木香】・【〈吾亦〉紅】 山野に生える多年草。初秋、暗い赤みを帯びた紫色で楕円ダエン形の小さい花穂をつける。根は漢方薬用。〔バラ科〕 かぞえ方 一本

われもの⓪【《破(れ)物・割(れ)物】❶割れた物。❷割れやすい物。例、瀬戸物・ガラス器など。「『―注意』の札を付ける」

われら①【我《等】(代)❶「われわれ」のやや改まった表現。「―わこうどの責務/自由を―に」❷自分および自分と同じような立場にある者。❸〔各地の方言〕おまえら。

***わ・れる**⓪【割れる】(自下一)❶〈なにデ〉―/〈なにニ〉―〔一体で△あった(あるべき)ものが〕△分かれた(割った)状態になる。「ガラスが―(=こわれる)/党が―(=分裂する)/意見が(まっ二つに)―/主張が―/国内世論が―/部署ごとに対応が―(=異なっている)/花びらが三つに―(=先が分かれる)/額イヒタが―(=額に傷がつく)/割れんばかりの(=おおぜいの人の会場を揺るがしどよもすほどの)拍手/―ような大きな声」❷分からなかった事が、分かるようになる。「被害者の身元が―/ホシ(=犯人)が―/すぐに底が―ようなうそをつくものではない」 表記 ❶は、「《破れる」とも書く。

われわれ⓪【我々】(代)❶〔一体感を持っている者として〕わたしたち。「―日本人にとって」❷自分および自分と同じような立場にある者。「庶民の―には縁の無いこと」
文法 ❶❷ともに、聞き手(読み手)を含む場合と含まない場合とがある。前者の例、「我われの問題として一緒に考えよう」。後者の例、「それは我われが決めることで君たちには関係がない」
運用 結婚などの祝宴に際しては避けるべき言葉とされる。

わろ・し①【《悪し】(形ク)「わるい」の文語形。

わん(湾・腕)→【字音語の造語成分】

ワン①〔one〕❶一つ。「―ツースリー」❷一点。「―オール」❸〔野球で〕Ⓐワン ストライク。「スリー―」Ⓑワン ボール。「―ツー」

わん⓪【〈椀・〈碗・〈鋺】❶食べ物を盛る、木や瀬戸物や金属の入れ物。〔狭義では汁物用のものを指す〕「一―の汁/―種ダネ」❷椀に入れた汁物。〔かぞえる時にも用いられる〕 表記 ❶は、木のものは「〈椀」、瀬戸物は「〈碗」とも書き、金属のものは「〈鋺」とも書いた。 かぞえ方 一人の使用分は一客

***わん**①【湾・〈彎】❶海水が陸地に入りこんだ所。入り江。入り海。「東京―・―内」❷川の流れや海岸の曲線を描いている所。「―曲・―入」 表記 ❷の「湾」は、代用字。

ワンオペ⓪〔和製英語 ←one + operation〕〔飲食店などで〕接客から調理・会計までの業務を一人でこなすこと。ワンオペレーションとも。「―育児⑤(=配偶者などの助けがなく、一人だけで子の面倒をみること)」

わんがん⓪【湾岸】 特定の湾に沿った、一帯の陸地。「―道路」

わんきょく⓪【湾曲・〈彎曲】―する(自サ) 弓形に△曲がる(曲がっている)こと。「海岸線が大きく―している/―部④」 表記「湾」は、代用字。

ワンクッション③〔和製英語 ←one + cushion〕 堅い物どうしが直接接触することによって生じる衝撃を和らげるために置く、柔らかな物。【―置く】事がうまく運ぶように、間に一段階置いて、直接的な刺激が及ぶことを避ける。「社長もだいぶ怒っているようだから、ここはワンクッション置いて部長を通してあやまっておこう」

ワンゲル⓪ ワンダーフォーゲルの略。

ワンコイン③〔和製英語 ←one + coin〕 五百円や百円硬貨一枚で△買えること(利用できること)。「―ランチ⑤・―バス⑤」

わんこう⓪オ【湾口】 その湾の出入口。

わんこつ①⓪【腕骨】 手首にある、八つの小さな骨。

わんさ① ━(副)―と ❶人がおおぜい集まって、あたりが騒然とする様子。「―と取り巻く」❷あり余るほどたくさん△ある(集まっている)様子。「―と買物をする/―と金をため込む」(❶❷とも口頭語的表現) ━〔←わんさガール④〕「映画・レビュー━の下っぱ女優」のやや古風な表現。

ワンサイドゲーム⑥〔one-sided game の日本語形〕 片方が圧倒的に優勢な試合。一方的試合。

ワンシーン③〔one scene〕〔映画・演劇などの〕一つの情景。一場面。「心に残る―/―を思い出す」

わんしょう⓪シャウ【腕章】〔おおぜいが集まる会や場所など

で〕目じるしなどのために、腕に巻いてつける布。

ワンステップ④〔one-step〕四分の二拍子の軽快な音楽に合わせて踊るダンス。

ワンストップサービス⑦〔one-stop service〕〔手続きや商品購入などが〕一か所ですべて済ませられるサービス。「自動車保有関係手続きの―」

ワンスモア④、①-①(感)〔once more〕もう一度。

ワンセグ⓪〔←one segment〕携帯電話などのモバイル機器向けの地上デジタル テレビ放送。〔一チャンネル内の十三セグメント〖=周波数帯域〗のうち、通常使われない一セグメントを利用することから言う〕

ワンダーフォーゲル⑤〔ド Wandervogel=渡り鳥〕集団で山野を歩いて旅行する青年運動(の仲間)。

ワンダーランド⑤〔wonderland〕不思議の国。おとぎの国。

ワンタッチ③〔和製英語 ←one + touch〕❶〔バレーボールで〕相手の△サーブ(スパイク)したボールが、一見コートの外に出たように見えても、レシーブ側の選手がさわっていることが確認されて、相手側の得点となること。❷△操作(着脱・調理)がきわめて簡単に行なわれること。

わんだね⓪【〈椀種】〔吸い物で〕主となる具材。

ワンダフル①ーな〔wonderful〕すばらしい様子だ。〔感動詞的に用いられることが多い〕「―を連発しながら妙技に見入る」

ワンタン③【《雲〈呑】〔中国・餛飩〕〔中華料理で〕小麦粉を薄くのばした皮でひき肉を包んだ食品。ゆでて(麺(メン)の入ったスープに入れたり 揚げたり する。

ワンダン①〔one down を耳で聞いたままの形〕〔野球で〕一人アウトになること。一死。ワンダウン③①とも。ワンナウト③。

ワンツーパンチ⑤〔one-two punch〕〔ボクシングで〕左、右と強烈なパンチを続けて加える、効果的な攻撃法。略してワンツー③。

わん

【湾】 ⇩(本文)わん【湾】

【腕】 ❶うで。「腕力・腕章・左腕・前腕・鉄腕・切歯扼腕(セッシヤクワン)」 ❷ぎりょう。うでまえ。「手腕・怪腕・敏腕・辣(ラツ)腕」

わんとう⓪【湾頭】その湾の△ほとり(近く)。

わんにゅう⓪ニュー【湾入・〈彎入】ーする(自サ) 海が弓形を描いて陸地へ入り込むこと。表記「湾」は、代用字。

わんぱく⓪【腕白】ーな/ーに〔独断専行の意の「関白(カンパク)」に基づくという。ワンは「関」の音の一つ。「腕」は当て字〕男の子が、わがままを言ったり いたずらをしたり して手に負えない様子だ。また、そういう子供。「―で手に負えない子/―ぶりを発揮する/―時代⑤・―坊主⑤〖=いたずらな男の子〗」

ワンパターン④③〔和製英語 ←one + pattern〕状況や場面が違っても、行動様式などがいつも決まっており、創意工夫のあとが全く見られないこと。マンネリズム。

ワンピース③〔←one-piece dress〕上下一続きの婦人服。↕ツーピース かぞえ方 一着・一枚・一点

ワンポイント〔one point〕■③❶点数の一点。「―のリードを許す」❷〔シャツ・ソックスなどで〕一か所だけに刺繍(シシュウ)やプリントを置いたデザイン。■(造語)〔和製英語 ←one + point〕ちょっとした。その時だけの。「―アドバイス⑦⑨・―リリーフ⑧・―レッスン⑦」

ワンマン①〔one-man〕❶〔普通二人以上でする仕事を〕一人だけで済ませること。「―ショー③」❷ーな〔上に立つ人が〕他の意見などを聞かず、自分の考えだけで万事を決める△こと(様子)。「―社長」❸〔←ワンマンカー③〕運転手一人のほかに乗務員のいないバス・電車。〔❷は日本での特用〕

わんもり⓪【〈椀盛(り)】和風の汁物料理の一つ。魚・肉・野菜などを大ぶりの椀の中に盛り合わせ、味をつけた汁をそそいだもの。

わんりゅう⓪リュー【湾流】黒潮と共に世界二大暖流の一つ。メキシコ湾からヨーロッパの北西部にかけて流れる。メキシコ湾流。

わんりょく①【腕力】〔人を殴ったり 物を持ったり する〕腕の力。うでぢから。「―では彼にかなわない/―に訴える〖=暴力をふるう〗」 **―ざた**⓪【―沙汰】腕力で事の決着をつけること。なぐりあい。

ワンルームマンション⑥〔和製英語 ←one-room + mansion〕台所とユニット バスのついた一部屋だけのマンション。

わんわん①(副)ーと ❶犬がほえる様子。また、その声の形容。〔「犬」の幼児語としても用いられる〕❷激しく泣く様子。また、その声の形容。

を…ヲ

をオ ■一(格助)❶その動作・作用の及ぶ対象がどういうものであるかについて示す。「友達―殴る/顔―なでる/子供―泣かせる/本―読む/教え―請う/家、貧(ヒン)にして良妻―思う/恩―売る/御託(ゴタク)―並べる/彼―たよりに道―求め続ける/もっと光―/目には目―、歯には歯―/お買物には当店―」❷動作作用の結果として生ずる対象を表わす。「湯―沸かす/家―建てる/穴―掘る」❸移動性の動作の行なわれる場所・周囲の状況を示す。「我が道―行く/道の右側―歩く/山道―登る/階段―おりながら/角―曲がる/舟で川―渡る/雨の中―走る」❹向く方向について示す。「上―向いて歩こう」❺どこが起点となってその動作が行なわれるかについて示す。「毎朝八時に家―出る/それは六時―ちょっと回ったころだった/車―おりる/故国―離れて三年/師の許(モト)―去る」❻移動の通過点を表わす。「彼の家―過ぎる」❼その動作・作用が継続する期間について示す。「一日―日曜大工で過ごす/毎日毎日―猫を相手に暮らす/寝たっきりで五年―送る/今―盛りと咲き乱れる」文法 体言(名詞、またそれに準ずる句)、格助詞「まで」(「〜から…まで」のまとまり)、副助詞「だけ・など」などに接続する。■二(終助)〔雅〕感動の気持をこめて、それを取り上げることを表わす。「なたねの大きさ―おはせし―/ただしこの玉たはやすくえとらじ―」■三(接助)〔雅〕ある事柄を提示して、それに関連のある叙述に結びつけることを表わす。「よくもあらぬ形―〖=姿であるのに〗深き心も知らで/あすは物忌(モノイミ)なる―〖=物忌だから〗門(カド)強くさせよ」

をことてん③⓪【〈乎古《止点・〈乎己《止点】〔漢文訓読のために〕漢字の四すみ・上下などに付けた点や線などの符号。主として助詞・助動詞・活用語尾の補読を示す。〔右上がヲ、そのすぐ下がコトを表わした〕

をしてオ 〔「―…しめる」の形で〕使役の対象を表わす。〔古風な表現〕「人―行かしめる/国民―政権を監視せしめる」

をばオ 〔「ば」は、副助詞「は」の変化〕動作・作用の目標や対象を特に取り出して強調することを表わす。〔古風な表現〕「先輩―さしおいて小生ごとき末輩に仰せつけられます事、

ワンステッ——をば
を

恐縮至極ゴクに存じます／これ一今生コンジョウの名残ナゴリとして…／では失礼一」

をや〔雅〕❶〔格助詞「を」＋副助詞「や」〕その動作・作用の及ぶ対象を特に強調して示す。「目には見えぬものの戸を押し明けて御後ろ一見まゐらせけん／影をば踏まで面ツラ一は踏まぬ（＝影なんか踏まないで、面の方を踏んでみせるぞ）」❷〔終助詞「を」＋終助詞「や」〕感動の気持をこめて文を終止することを表わす。「かれはまた紅の重おもしかりし一／寛平延喜などの御譲位のほどのことなどはいとかしこく忘れず覚え侍ハベる一」❸〔終助詞「を」＋副助詞「や」〕比較的程度の軽い前件と対比して、後件は問題無く成立することを表わす。「善人なほも（ち）て往生を遂ぐ、況イハンヤ悪人一」

ん…ン

ん〔造語〕〔「何ナン」の省略形〕相当以上の数量に言及し、直接指すことがはばかられる場合、数の部分を口の中で何となくあいまいに言う語。「一万円」

ん〔格助詞「の」❶㊃㊅の変化〕くだけた言い方に用いる。また、「のだ」「のです」の口頭語形としても用いられる。「その傘はわたし一だ／さっきから何度も電話していた一です」⇨んだ❶・んで

ん〔打消の助動詞「ぬ」の変化〕…ない。〔文章語では一部の慣用表現にしか用いられず、もっぱら口頭語として用いられる〕「君に分から一はずは無かろう／そんな事をやって、しかられても知ら一ぞ／あすはどこへも出掛け一よ／だから言わ一こっちゃない」

ん〔雅〕〔助動詞「む」の変化〕そのような意志をいだいたりそのように推量したりすることを表わす。「何せ一にか命も惜しから一／相アイ戦は一心も無かりけり」

ん〔感〕「うん」を口ごもって言う時の形。

んこ〔接尾〕❶そのような状態にあることを表わす。「泥一・うそ一」❷小さいもの・つまらないものの意を添えることを表わす。「蟻アリ一」〔❶❷とも口頭語的表現〕

んず〔助動・特殊型〕〔文語の助動詞〕〔「むとす」の圧縮表現「むず」の変化〕❶主体が何かについて想像したり仮定したりすることを表わす。「迎へに人びとまうで来コ一」❷主体の意志を表わす。「思ひもしらでまかりなんずる事の口をしう侍ハベけり／さる所へまからんずるもいみじく侍らず」

文法 接続は助動詞「む」に準ずる。

んだ❶格助詞「の」＋指定・断定の助動詞「だ」の口頭語的な変化。「今から出かける一／彼は何も知らない一から、聞いてもむだだ／かわいかわいと啼ナく一よ」❷②〔感〕〔東北・関東方言〕相手の発言を肯定する気持を表わす。「一、一、おめえの言う通りにまちがいねえ」

んち【ん《家》】〔造語〕「…の家チウ」の意の口頭語的な圧縮表現。「私ワタシ一へおいでよ／おれ一がいい／君一のおとうさん、おっかないか／ぼく一では犬を飼っています」

んで〔「ので」の口頭語形。「なかなかおもしろい一、すっかりおみこしを据えちまった／たくさんございます一」

んとこ〔造語〕「…の所」の意の口頭語的な圧縮表現。「どこ一にするかな／君一が静かでいいよね／ここ一しばらく来ないね」

んとす〔雅〕〔「むとす」の変化〕事態の実現のさし迫っていることの予想や、主体の強い意志の発現が間近であることを表わす。「彼ノカ国の人来コば、皆明きな一／弓矢を取り立てんとすれども、手に力も無くなりて／御衣ゾオンを取り出シイダて着せ一／われら一同、現代語辞典の規範たらんとする抱負を以ツモて、本書を編したり。乞コふ読者、微衷を汲クみ取られんことを」

んぼ〔造語〕〔「ん坊」の短呼〕❶そのような状態にある△人（物）であることを表わす。〔人について用いるものは、軽い侮蔑ブベツを含意することが多い〕「甘え一・おこり一③・立ち一・いやし一・しわ一・けち一・赤一・さくら一」❷そのようにする子供の遊び。「隠れ一」

付録

新明解国語辞典付録

世界の国名一覧

世界全図の中から、日本を除いた独立国・大陸(州)・半島などを取り上げ、政治地理的・歴史的視点から解説を試みた。独立国は、面積の大きさにより、第十位までの順位を特記した。

アイスランド④〔↑アイスランド(Iceland)共和国〕北大西洋、アイスランド島を領土とする国。一九四四年にデンマーク領から独立。非武装国家。首都、レイキャビク(Reykjavík)。[表記]「氷島」と書く。

アイルランド④〔Ireland〕アイルランド島の大部分を占める国。共和制。一九三七年にイギリスからエール共和国として分離独立。一九四九年にイギリス連邦を脱退、国名をアイルランドに改称。首都、ダブリン(Dublin)。旧称、アイレ。[表記]「愛〈蘭〉」は、音訳。

アジア①〔Asia〕六大州の一つ。東半球の北東部を占める世界最大の大陸と、周辺の島じまから成る。東は日本、南はインドネシア、北はシベリア、西はトルコ・アラビア半島にわたる地域で、第二次世界大戦後に独立した新興国が多い。[表記]「亜細亜」は、音訳。

アゼルバイジャン④〔↑アゼルバイジャン(Azerbaidjan)共和国〕西アジア、カフカス地方の南東部と、イランとアルメニアに囲まれた飛び地〔=ナヒチェバン自治共和国〕から成る内陸国。東はカスピ海に臨む。一九九一年十二月にソビエト連邦の解体により独立。首都、バクー(Baku)。

アフガニスタン④〔↑アフガニスタン(Afghanistan)イスラム共和国〕アジア大陸の南部にある内陸国。一九一九年にイギリス保護領から王国として独立。一九七三年に共和制に移行。二〇〇四年にアフガニスタンイスラム国から現国名に改称。首都、カブール(Kabul)。アフガン②。

アフリカ⓪〔Africa〕六大州の一つ。東半球の南西部にある、世界で二番目に大きな大陸。北部に世界最大のサハラ砂漠がある。スエズ地峡を介してアジア大陸に接する。ほとんどがヨーロッパ諸国の植民地であったが、第二次世界大戦後、相次いで独立。[表記]「亜富汗〈斯坦〉」は、音訳。

アメリカ⓪〔America〕[一]〔↑アメリカ合衆国〕北アメリカ大陸の中央部と、アラスカ・ハワイなどを領土とする国。連邦共和制。世界で三番目に大きな国。一七八三年にイギリス植民地から独立。五十州とコロンビア特別区〔=首都ワシントン市(Washington)〕から成る。ニューヨーク市に国連(UN)の本部がある。米国。略称、USA。[表記]「亜米利加」は、音訳。[二]南アメリカ大陸と北アメリカ大陸を合わせた称。[表記]「〈阿弗〉利加」は、音訳。

アラビア⓪〔Arabia〕西アジアに斧(オノ)の刃の形をして突き出た世界最大の半島。[表記]「亜〈剌比亜〉」は、音訳。

アラブしゅちょうこく れんぽう①-⑥【アラブ首長国連邦】〔Arab〕アラビア半島の北東部、ペルシャ湾に面する国。イギリス保護領の七つの首長国が連邦を結成し、一九七一年に独立。首都、アブダビ(Abu Dhabi)。略称、UAE〔↑United Arab Emirates〕。

アルジェリア⓪〔↑アルジェリア(Algeria)民主人民共和国〕アフリカ大陸の北西部、地中海に臨む世界で十番目に大きな国。国土の大部分が砂漠。オスマン帝国領からフランス領を経て、一九六二年に独立。首都、アルジェ(Alger)。

アルゼンチン③〔↑アルゼンチン(Argentine)共和国〕南アメリカ大陸の南東部と、フエゴ島の東部を領土とする、世界で八番目に大きな国。一八一六年にスペイン領から独立。首都、ブエノスアイレス(Buenos Aires)。[表記]「亜〈爾然丁〉」は、音訳。

アルバニア⓪〔↑アルバニア(Albania)共和国〕バルカン半島の南西部にある国。一九一二年にオスマン帝国領から独立。王制を経て一九四六年に人民共和国になり、一九九一年に現国名に改称。首都、ティラナ(Tirana)。

アルメニア⓪〔↑アルメニア(Armenia)共和国〕西アジア、カフカス地方にある内陸国。一九九一年十二月にソビエト連邦の解体により独立。首都、エレバン(Yerevan)。

アンゴラ⓪〔↑アンゴラ(Angola)共和国〕アフリカ大陸の南西部と、コンゴ川の河口近くにある小さな飛び地カビンダから成る国。一九七五年にポルトガル領から独立。一九九二年にアンゴラ人民共和国から現国名に改称。首都、ルアンダ(Luanda)。

アンティグア バーブーダ⑧〔Antigua Barbuda〕カリブ海、小アンティル諸島のアンティグア島とバーブーダ島から成る、小さな国。立憲君主制(英連邦)。一九八一年にイギリス領から独立。首都、アンティグア島のセントジョンズ(Saint John's)。

アンドラ⓪〔↑アンドラ(Andorra)公国〕フランスとスペインとの国境に位置する、小さな内陸国。立憲君主制。一九九三年にフランス・スペインの共同主権下から独立。首都、アンドララベリャ(Andorra la Vella)。

イエメン②〔↑イエメン(Yemen)共和国〕アラビア半島の南部にある国。イエメンアラブ共和国〔=北イエメン〕とイエメン民主人民共和国〔=南イエメン〕とが一九九〇年に統合。首都、サヌア(San'a)。

イギリス⓪〔ポ Inglez〕ヨーロッパ大陸の西方、グレートブリテン島とアイルランド島の北部とを領土とする国。立憲君主制。イングランド・ウェールズ・スコットランドと北アイルランドの四地方から成る。十九世紀には世界陸地の四分の一を支配。首都、ロンドン(London)。正称、グレートブリテンおよび北アイルランド連合王国。海外領にジブラルタル・バミューダ諸島・フォークランド諸島・セントヘレナ島・チャゴス諸島などがある。英国。[表記]「英吉利」は、音訳。

イスラエル③〔↑イスラエル(Israel)国〕西アジア、地中海の東岸に面するユダヤ人の小さな国。南端部は紅海に臨む。共和制。イギリス委任統治領から一九四八年に独立。首都エルサレム(Jerusalem)〔=国際的には未承認〕は、ユダヤ教・キリスト教・イスラム教の聖地。

イタリア⓪〔↑イタリア(イ Italia)共和国〕ヨーロッパの南部、長ぐつ形のイタリア半島とシチリア島・サルデーニャ島から成る国。一九四六年に王制を廃止し、共和制に移行。首都、ローマ(Roma)。イタリー。伊国。[表記]「〈伊太利〉」は、音訳。⇩バチカン・サンマリノ

イラク①〔↑イラク(Iraq)共和国〕西アジア、メソポタミア平原にある国。南東端部のみペルシャ湾に臨む。オスマン帝国領からイギリス委任統治領を経て、一九三二年にイラク王国として独立。一九五八年に王制を廃止し、共和制に移行。首都、バグダッド(Baghdad)。

イラン①〔↑イラン(Iran)イスラム共和国〕西アジア、イラン高原を占める国。南はペルシャ湾に、北はカスピ海に臨む。一九三五年に国名をペルシャからイランに改称。一九七九年に王制を廃止し、イスラム共和国を建設。首都、テヘラン(Teheran)。[表記]「〈伊蘭〉」は、音訳。

インド①〔India〕インド半島の大部分を占める国。連邦共和制。八政府直轄地・二十八州から成る、世界で七番目に大きな国。中部を北回帰線が通る。一九四七年にイギリス領から独立。仏教の発祥地。住民の大多数がヒンドゥー

教徒。首都、デリー (Delhi)。ベンガル湾東部にアンダマン諸島・ニコバル諸島がある。

インドシナ④〔Indochina〕アジア大陸の東南部、ベトナム・ラオス・カンボジア・タイ・ミャンマーから成る地域。狭義には、もとフランス領のベトナム・カンボジア・ラオス三国の称。 表記 「印度支〈那」は、音訳。

インドネシア④〔↑インドネシア (Indonesia) 共和国〕ジャワ・スマトラ・カリマンタンの大部分・スラウェシ・バリ・マルク〔=モルッカ〕などの島とニューギニア島の西半分から成る国。中央部を赤道が通る。一九四九年にオランダ領から独立。首都、ジャワ島のジャカルタ (Djakarta)。

ウガンダ②〔↑ウガンダ (Uganda) 共和国〕アフリカ大陸の東部にある、赤道直下の内陸国。一九六二年にイギリス保護領から独立。首都、カンパラ (Kampala)。

ウクライナ③〔ロ Ukraina〕ヨーロッパ東部、黒海の北岸に臨む国。共和制。一九九一年十二月にソビエト連邦の解体により独立。首都、キエフ (Kiyev)。別名、小ロシア。 表記 「〈烏克〈蘭」は、音訳。

ウズベキスタン④〔↑ウズベキスタン (Uzbekistan) 共和国〕中央アジアの南部にある内陸国〔=カラカルパクスタン自治共和国を含む〕。国土の大半がキジルクーム砂漠。一九九一年十二月にソビエト連邦の解体により独立。首都、タシケント (Tashkent)。旧称、ウズベク。

ウルグアイ③①〔↑ウルグアイ (Uruguay) 東方共和国。東方とはウルグアイ川の東の意〕南アメリカ大陸の南東部にある国。もとスペイン領。一八二八年にブラジル帝国から分離独立。首都、モンテビデオ (Montevideo)。

エクアドル③〔↑エクアドル (ス Ecuador=赤道) 共和国〕南アメリカ大陸の北西部にある、赤道直下の国。一八二二年にスペイン領から独立。首都、キト (Quito)。東太平洋上にガラパゴス諸島がある。

エジプト⓪〔↑エジプト (Egypt) アラブ共和国〕アフリカ大陸の北東端部のナイル川流域から、シナイ半島にまたがる国。国土の大部分が砂漠。オスマン帝国領からイギリス保護領を経て、一九二二年にエジプト王国として独立。一九五三年に共和制に移行。首都、カイロ (Cairo)。ピラミッド・カルナック神殿に象徴される古代文明繁栄の地。北東部にスエズ運河〔=一八六九年に開通。国際運河〕がある。 表記 「〈埃及」は、ラテン語の音訳。

エストニア⓪〔↑エストニア (Estonia) 共和国〕ヨーロッパの東部、バルト海の東岸に臨む国。一九九一年九月にソビエト連邦から分離独立。首都、タリン (Tallinn)。

エスワティニ③〔↑エスワティニ (Eswatini) 王国〕アフリカ大陸の南東部にある、小さな内陸国。立憲君主制。一九六八年にイギリス保護領からスワジランド王国として独立。二〇一八年に国名を現地語形の現国名に改称。首都、ムババネ (Mbabane)。

エチオピア⓪〔↑エチオピア (Ethiopia) 連邦民主共和国〕アフリカの北東部の内陸国。黒人の独立国として最古。一九七四年に帝政を廃止。以降、軍政と社会主義体制を経て、一九九五年に現国名に改称。首都、アディスアベバ (Addis Ababa)。旧称、アビシニア。

エリトリア⓪〔↑エリトリア (Eritrea) 国〕アフリカ大陸の北東部、紅海に面する国。一党制。一八八九年にイタリア保護領になり、一九六二年にエチオピアに併合されたが、一九九三年に分離独立。首都、アスマラ (Asmara)。

エル サルバドル⑤〔↑エルサルバドル (El Salvador) 共和国〕中央アメリカにある国。もとスペイン領。一八四一年に独立。首都、サンサルバドル (San Salvador)。

オーストラリア⑤〔↑オーストラリア (Australia) 連邦〕オーストラリア大陸とタスマニア島を領土とする国。立憲君主制(英連邦)。中部を南回帰線が通る。連邦政府直轄地〔=首都 キャンベラ (Canberra)〕・六州・一準州から成る、世界で六番目に大きな国。一九〇一年にイギリス自治領として独立。豪州。 表記 「〈濠太〈剌利」は、音訳。

オーストリア④〔↑オーストリア (Austria) 共和国〕ドイツの南に接する内陸国。一九五五年に永世中立国になる。首都、ウィーン (Wien)。 表記 「〈墺太利」は、音訳。

オスマン トルコ⑤〔Ottoman Turks〕⇩トルコ

オセアニア⓪〔Oceania〕六大州の一つ。オーストラリア大陸・ニュージーランド・ニューギニア島と太平洋に散在するポリネシア・ミクロネシア・メラネシアの島じまから成る。二十世紀後半に独立した島国が多い。別名、大洋州。

オマーン②〔↑オマーン (Oman) 国〕アラビア半島の南東端部と、ホルムズ海峡に臨む小さな飛び地ムサンダムから成る国。君主制。一九七〇年にイギリス保護領から独立。首都、マスカット (Muscat)。旧称、マスカット オマーン。

オランダ⓪〔↑オランダ(ポ Olanda) 王国〕ヨーロッパの西部、北海に面する国。立憲君主制。十七世紀に海外に発展し、鎖国時代の日本とも通交があった。首都、アムステルダム (Amsterdam)。海外の自治領にカリブ海のキュラソー島・アルバ島などがある。 表記 「和〈蘭」は、音訳。

ガーナ①〔↑ガーナ (Ghana) 共和国〕アフリカ大陸の西部、ギニア湾に臨む国。一九五七年にイギリス領の黄金海岸がガーナとして独立。首都、アクラ (Accra)。

カーボ ベルデ④〔↑カーボベルデ (Cabo Verde) 共和国〕アフリカ大陸の西方、大西洋のベルデ岬諸島から成る国。一九七五年にポルトガル領から独立。首都、サンティアゴ島のプライア (Praia)。

ガイアナ⓪〔↑ガイアナ (Guyana) 共和国。憲法上の正称はガイアナ協同共和国〕南アメリカ大陸の北部にある国。一九六六年にイギリス領ギアナがガイアナとして独立。首都、ジョージタウン (Georgetown)。

カザフスタン③〔↑カザフスタン (Kazakhstan) 共和国〕中央アジアの北部を占める内陸国。世界で九番目に大きな国。国土の大半が砂漠と草原。西はカスピ海に面する。一九九一年十二月にソビエト連邦の解体により独立。首都、アスタナ (Astana)。旧称、カザフ。

カタール②〔↑カタール (Qatar) 国〕アラビア半島、ペルシャ湾に突き出たカタール半島を領土とする、小さな国。首長制。一九七一年にイギリス保護領から独立。首都、ドーハ (Doha)。

カナダ①〔Canada〕北アメリカ大陸の北部と、ニューファンドランド島〔=一九〇七年にイギリス自治領として独立、一九四九年にカナダと合併〕・クイーンエリザベス諸島・バッフィン島・バンクーバー島などを領土とする国。十州・三準州から成る、世界で二番目に大きな国。立憲君主制(英連邦)。一八六七年にイギリス領からカナダ自治領として独立。首都、オタワ (Ottawa)。 表記 「加奈〈陀」は、音訳。

ガボン①〔↑ガボン (Gabon) 共和国〕アフリカ大陸の中部、赤道直下にある国。西はギニア湾に臨む。一九六〇年にフランス領から独立。首都、リーブルビル (Libreville)。

カメルーン③〔↑カメルーン (Cameroon) 共和国〕アフリカ大陸の西部、ギニア湾に面する国。一九六〇年にフランス信託統治領から独立。首都、ヤウンデ (Yaoundé)。

ガンビア①〔↑ガンビア (Gambia) 共和国〕アフリカ大陸の西端部、大西洋に面する小さな国。一九六五年にイギリス領から独立。首都、バンジュール (Banjul)。

カンボジア⓪〔↑カンボジア (Cambodia) 王国〕インドシナ南東部にある国。立憲君主制。一九五三年にフランス保護領から独立。一九七〇年に王制から共和制に移行したが、カンボジア人民共和国と民主カンボジアに分かれて内戦が続き、一九九一年に休戦が成立。一九九三年シアヌーク国王が即位し、現国名に改称。首都、プノンペン(Phnompenh)。**表記**「〈柬埔寨〉」は、音訳。

きたアメリカ[3][4]【北アメリカ】〔America〕六大州の一つ。西半球の北部にある、世界で三番目に大きな大陸。パナマ地峡を介して南アメリカ大陸に接する。北米。

きたマケドニア[0]-[0]【北マケドニア】〔↑北マケドニア(Macedonia)共和国〕バルカン半島南部の内陸国。一九九一年にユーゴスラビアからマケドニア共和国として分離独立。一九九三年、国名を暫定的にマケドニア旧ユーゴスラビア共和国と改称し、二〇一九年に現国名に改称した。首都、スコピエ(Skopje)。

ギニア[1]〔↑ギニア(Guinea)共和国〕アフリカ大陸の西部、大西洋に面する国。一九五八年にフランス領から独立。一九八四年にギニア人民革命共和国から現国名に改称。首都、コナクリ(Conakry)。

ギニア ビサウ[4]〔↑ギニア ビサウ(Guinea-Bissau)共和国〕アフリカ大陸の西端部、大西洋に面する小さな国。一九七三年にポルトガル領から独立。首都、ビサウ市。

キプロス[1]〔↑キプロス(Cyprus)共和国〕地中海の東部にあるキプロス島を領土とする国。オスマン帝国領からイギリス直轄植民地を経て、一九六〇年に独立。首都、ニコシア(Nicosia)。

キューバ[1]〔↑キューバ(Cuba)共和国〕西インド諸島のキューバ島を領土とする国。スペイン領からアメリカ軍政を経て一九〇二年に独立。一九五九年に革命によって社会主義政権を樹立。首都、ハバナ(Havana)。**表記**「〈玖馬〉」は、音訳。

ギリシャ[1]〔↑ギリシャ(ポ Grécia)共和国〕バルカン半島の南端部と、クレタ島・ロードス島・レスボス島などを領土とする国。古代文明の栄えた地。一八二九年にオスマン帝国からギリシャ王国として分離独立。一九七三年に王制を廃止し、共和制に移行。首都アテネ(Athenae)は、近代オリンピック発祥の地。**表記**「希〈臘〉」は、音訳。

キリバス[1]〔↑キリバス(Kiribati)共和国〕中部太平洋の赤道直下にあるギルバート諸島・フェニックス諸島・ライン諸島から成る国。一九七九年にイギリス領から独立。首都、タラワ(Tarawa)。

キルギス[1]〔↑キルギス(Kyrgyz)共和国〕中央アジアの南東部にある内陸国。国土の大部分が山岳地帯。一九九一年十二月にソビエト連邦の解体により独立。首都、ビシュケク(Bishkek)。旧称、キルギスタン。

グアテマラ[0]〔↑グアテマラ(Guatemala)共和国〕中央アメリカの北部にある国。一八二一年にスペイン領から独立。首都、グアテマラシティー。ガテマラ[0]。

クウェート[2][0]〔↑クウェート(Kuwait)国〕アラビア半島の北端部にある、小さな国。首長制。一九六一年にイギリス保護領から独立。首都、クウェート市。

クック しょとう[4]【クック諸島】〔Cook〕南太平洋、クック諸島を領土とする国。立憲君主制(英連邦)。一九六五年にニュージーランド領から独立。首都、ラロトンガ島のアバルア(Avarua)。

グルジア[0]〔Georgia〕⇩ジョージア

グレナダ[0]〔Grenada〕カリブ海、小アンティル諸島のグレナダ島を領土とする、小さな国。立憲君主制(英連邦)。一九七四年にイギリス領から独立。首都、セントジョージズ(Saint George's)。

クロアチア[0]〔↑クロアチア(Croatia)共和国〕バルカン半島の北西部と、その中西部の小さな飛び地を領土とする国。西はアドリア海に臨む。一九九一年にユーゴスラビアから分離独立。首都、ザグレブ(Zagreb)。

ケニア[1]〔↑ケニア(Kenya)共和国〕アフリカ大陸の東部、赤道直下にある国。一九六三年にイギリス領から独立。首都、ナイロビ(Nairobi)。

コートジボワール[6]〔↑コートジボワール(フ Côte d'Ivoire=象牙(ゾウゲ)海岸)共和国〕アフリカ大陸の西部、ギニア湾に臨む国。一九六〇年にフランス領から独立。首都、ヤムスクロ(Yamoussoukro)。

コスタ リカ[3]〔↑コスタリカ(Costa Rica)共和国〕中央アメリカにある国。一八二一年にスペイン領から独立。非武装国家。首都、サンホセ(San José)。

コソボ[1]〔↑コソボ(Kosovo)共和国〕バルカン半島の南西部にある内陸国。二〇〇八年にセルビアから分離独立。首都、プリシュティナ(Pristina)。

コモロ[1]〔↑コモロ(Comoros)連合〕インド洋の西端部にあるコモロ諸島から成る国。連邦共和制。一九七五年にフランス領から独立。首都、モロニ(Moroni)。

コロンビア[2]〔↑コロンビア(Colombia)共和国〕南アメリカ大陸北部の国。一八一九年にスペイン領から独立。首都、ボゴタ(Bogotá)。**表記**「〈哥倫比亜〉」は、音訳。

コンゴ[1]〔Congo〕**一**〔↑コンゴ共和国〕アフリカ大陸の中央部にある国。中部を赤道が通る。一九六〇年にフランス領から独立。一九九一年にコンゴ人民共和国から現国名に改称。首都、ブラザビル(Brazzaville)。**二**〔↑コンゴ民主共和国〕アフリカ大陸の中央部にある国。西端部のみ大西洋に臨む。北部を赤道が通る。一九六〇年にベルギー領から独立。一九七一年に国名をコンゴ民主共和国からザイール共和国に改めたが、一九九七年に、もとの国名にもどした。首都、キンシャサ(Kinshasa)。

サウジ アラビア[4]〔↑サウジアラビア(Saudi Arabia)王国〕アラビア半島の大部分を占める国。君主制。国土のほとんどが砂漠。中央部を北回帰線が通る。首都、リヤド(Riyadh)。イスラム教第一の聖地メッカ〔=カーバ神殿の所在地〕と第二の聖地メディナ〔=ムハンマドの墓の所在地〕がある。略称、サウジ[1]。

サモア[1]〔↑サモア(Samoa)独立国〕南太平洋のサモア諸島のうち、ウポル島とサバイイ島を領土とする国。立憲君主制。一九六二年にニュージーランド信託統治領から独立。一九九七年に西サモアから現国名に改称。首都、ウポル島のアピア(Apia)。

サントメ プリンシペ[6]〔↑サントメプリンシペ(ポ São Tomé e Príncipe)民主共和国〕アフリカ、ギニア湾にあるサントメ島とプリンシペ島から成る、小さな国。一九七五年にポルトガル領から独立。首都、サントメ市。

ザンビア[1]〔↑ザンビア(Zambia)共和国〕アフリカ大陸の南部にある内陸国。一九六四年に、イギリス保護領の北ローデシア(Rhodesia)がザンビアとして独立。首都、ルサカ(Lusaka)。

サン マリノ[3]〔↑サンマリノ(San Marino)共和国〕イタリア半島の中部、アペニン山脈の東麓(トウロク)にある、小さな内陸国。世界最古の共和国で、四世紀から独立を保持している。首都、サンマリノ市。

シエラ レオネ[4]〔↑シエラレオネ(Sierra Leone)共和国〕アフリカ大陸の西部、大西洋に面する国。一九六一年にイギリス領から独立。首都、フリータウン(Freetown)。

ジブチ[1]〔↑ジブチ(Djibouti)共和国〕アフリカ大陸の北東部、紅海の入口に面する小さな国。一九七七年にフラン

ス領アファール イッサ(旧ソマリランド)がジブチとして独立。首都、ジブチ市。

ジャマイカ②〔Jamaica〕西インド諸島のジャマイカ島を領土とする、小さな国。立憲君主制(英連邦)。一九六二年にイギリス領から独立。首都、キングストン(Kingston)。

しょうアジア③―セウ【小アジア】〔Asia Minor〕西アジアに突き出たトルコ共和国の本土を成す半島。東西に長い。

ジョージア①〔Georgia〕西アジア、黒海の東岸に臨む国。共和制。一九九一年十二月にソビエト連邦の解体により独立。日本では、二〇一五年に呼称をロシア語形のグルジアから現国名に変更。首都、トビリシ(Tbilisi)。

シリア①〔←シリア アラブ(Syrian Arab)共和国〕西アジア、地中海の東岸に臨む国。オスマン帝国領からフランス委任統治領を経て、一九四六年に独立。首都、ダマスカス(Damascus)。

シンガポール④〔←シンガポール(Singapore)共和国〕マレー半島の南にあるシンガポール島を領土とする、小さな国。もとイギリス領。一九六五年にマレーシアから分離独立。首都、シンガポール市。表記「新〈嘉坡〉」は、音訳。

ジンバブエ③〔←ジンバブエ(Zinbabwe)共和国〕アフリカ大陸の南部にある内陸国。一九八〇年に、イギリス自治領の南ローデシア(Rhodesia)がジンバブエとして独立。首都、ハラレ(Harare)。

スイス①〔←スイス(フ Suisse)連邦〕ヨーロッパ中部、アルプス山脈の中にある内陸国。連邦共和制。二十州・六準州から成る。一二九一年に建国。一八一五年以後、永世中立国になる。二〇〇二年に国連に加盟。首都、ベルン(Bern)。表記「〈瑞西〉」は、音訳。

スウェーデン②〔←スウェーデン(Sweden)王国〕スカンディナビア半島の東部を占める国。立憲君主制。一五二三年にデンマーク王国の支配を脱して独立。首都、ストックホルム(Stockholm)。表記「〈瑞典〉」は、音訳。

スーダン①〔←スーダン(Sudan)共和国〕アフリカの北東部、ナイル川の中流域を占める国。北東部は紅海に臨む。一九五六年にイギリス・エジプト共同統治領から独立。一九八五年にスーダン民主共和国から現国名に改称。首都、ハルツーム(Khartoum)。表記「〈蘇丹〉」は、音訳。

スペイン②〔←スペイン(Spain)王国〕イベリア半島の大部分と、バレアレス諸島を領土とする国。立憲君主制。かつてはラテンアメリカ・フィリピンなどに広大な植民地を有した。首都、マドリード(Madrid)。海外領にカナリア諸島・アフリカ北西端部のメリリャ・セウタがある。イスパニア。表記「西班牙」は、イスパニアの音訳。

スリナム①〔←スリナム(オ Suriname)共和国〕南アメリカ大陸北部にある国。一九七五年にオランダ領ギアナがスリナムとして独立。首都、パラマリボ(Paramaribo)。

スリランカ③〔←スリランカ(Sri Lanka)民主社会主義共和国〕インド洋、卵形のセイロン(錫蘭)島を領土とする国。一九四八年にイギリス領から独立。一九七二年にセイロンからスリランカ共和国に改称したが、一九七八年、現国名に改称。首都、スリジャヤワルダナプラ コッテ(Sri Jayewardenepura Kotte)。旧称、セイロン。

スロバキア⓪〔←スロバキア(Slovakia)共和国〕ヨーロッパの中部にある内陸国。チェコスロバキア連邦共和国を構成する一国であったが、同国の解体により一九九三年一月に独立。首都、ブラチスラバ(Bratislava)。

スロベニア⓪〔←スロベニア(Slovenia)共和国〕バルカン半島の北西端部にある国。一九九一年にユーゴスラビアから分離独立。首都、リュブリャナ(Ljubljana)。

スワジランド④〔←スワジランド(Swaziland)王国〕⇩エスワティニ

セーシェル①〔←セーシェル(Seychelles)共和国〕インド洋のセーシェル諸島から成る国。一九七六年にイギリス領から独立。首都、マヘ島のビクトリア(Victoria)。

せきどうギニア⑤―ダウ【赤道ギニア】〔←赤道ギニア(Guinea)共和国〕アフリカの西部、ギニア湾のビオコ島と大陸部のリオムニとから成る、小さな国。一九六八年にスペイン領から独立。首都、ビオコ島のマラボ(Malabo)。

セネガル①〔←セネガル(Senegal)共和国〕アフリカ大陸の最西端部、大西洋に面する国。一九六〇年にフランス領から独立。首都、ダカール(Dakar)。

セルビア⓪〔←セルビア(Serbia)共和国〕バルカン半島の中西部を占める内陸国〔=ボイボジナ自治州を含む〕。首都、ベオグラード(Beograd)。表記「塞耳比」は、音訳。⇩ユーゴスラビア・モンテネグロ・コソボ

セント クリストファー ネービス⑩〔Saint Christopher and Nevis〕カリブ海、小アンティル諸島のセントキッツ島とネービス島を領土とする、小さな国。立憲君主制(英連邦)。一九八三年にイギリス領から独立。首都、バセテール(Basseterre)。別名、セント キッツ ネービス⑦。

セントビンセント および グレナディーンしょとう④-①-⑦、④-⓪-⑦―タウ【セントビンセント及びグレナディーン諸島】〔Saint Vincent and the Grenadines〕カリブ海、小アンティル諸島のセントビンセント島とグレナディーン諸島を領土とする、小さな国。立憲君主制(英連邦)。一九七九年にイギリス領から独立。首都、セントビンセント島のキングスタウン(Kingstown)。

セントルシア④〔Saint Lucia〕カリブ海、小アンティル諸島のセントルシア島を領土とする、小さな国。立憲君主制(英連邦)。一九七九年にイギリス領から独立。首都、カストリーズ(Castries)。

ソビエト れんぽう⑤―パウ【ソビエト連邦】〔←ソビエト(Soviet)社会主義共和国連邦〕ヨーロッパ東部・シベリア・中央アジア・カフカス地方などを領土にした大きな国。一九一七年の革命で、ロシア帝国に成立した世界最初の社会主義国。十五の共和国によって構成されていたが、一九九一年十二月に解体。首都、モスクワ(Moskva)。略称、ソ連。連邦の構成国は、アゼルバイジャン・アルメニア・ウクライナ・ウズベク・エストニア・カザフ・キルギス・グルジア・タジク・トルクメン・白ロシア(ベラルーシ)・モルダビア・ラトビア・リトアニア・ロシア〔=解体後のロシア連邦〕。

ソマリア⓪〔←ソマリア(Somalia)連邦共和国〕アフリカ大陸の東端部にある国。一九六〇年に、イギリス領ソマリランドとイタリア信託統治領ソマリランドが、それぞれ独立して統合。一九九一年に北西部が独立を、一九九八年に北東部が自治をそれぞれ一方的に宣言。国内は三分割状態にある。首都、モガディシュ(Mogadishu)。

ソロモン しょとう⑤―タウ【ソロモン諸島】〔Solomon〕南太平洋、ソロモン諸島を領土とする国。立憲君主制(英連邦)。一九七八年にイギリス領から独立。首都、ホニアラ(Honiara)。

タイ①〔←タイ(Thai)王国〕インドシナの中央部とマレー半島の北部を占める国。立憲君主制。首都、バンコク(Bangkok)。旧称、シャム(暹羅)。表記「泰」は、音訳。

だいかん みんこく⑤【大韓民国】朝鮮半島の南半分を占める国。共和制。北は軍事境界線をはさんで朝鮮民主主義人民共和国に接する。首都、ソウル。韓国①。

たいわん③【台湾】中国本土の東南方に位置するさつま芋形の島。中央部を北回帰線が通る。一六八三年から清(シ)の支配下に入ったが、一八九五年より一九四五年まで

日本領。一九四九年に、中国本土で内戦に敗れた国民党政府がこの島に移った。中心都市、台北(タイペイ)。

タジキスタン③〔←タジキスタン (Tadzhikistan) 共和国〕中央アジアの南東部、パミール高原に位置する内陸国〔=ゴルノバダフシャン自治州を含む〕。一九九一年十二月にソビエト連邦の解体により独立。首都、ドゥシャンベ (Dushanbe)。旧称、タジク。

タンザニア⓪〔←タンザニア (Tanzania) 連合共和国〕アフリカ大陸の東部、インド洋に臨む国。大陸部のタンガニーカと、対岸のザンジバル島が一九六四年に統合し、現国名に改称。首都、ドドマ (Dodoma)。〔実質上の首都はダルエスサラーム (Dar es Salaam)〕

チェコ①〔←チェコ (Czech) 共和国〕ヨーロッパの中部にある内陸国。チェコスロバキア連邦共和国を構成する一国であったが、同国の解体により一九九三年一月に独立。首都、プラハ (Praha)。表記「〈捷克」は、音訳。

チェコスロバキア①-③〔Czechoslovakia〕第一次世界大戦後に独立したヨーロッパ中部の内陸国。一九四八年に社会主義国になり、一九九〇年に連邦共和国になったが、一九九二年十二月に解体。首都、プラハ (Praha)。⇩スロバキア・チェコ

チャド①〔←チャド (Chad) 共和国〕アフリカ大陸の北部にある内陸国。国土の大半が砂漠。一九六〇年にフランス領から独立。首都、ンジャメナ (N'Djamena)。

ちゅうおうアジア⑤【中央アジア】アジア大陸の中央部、砂漠と草原が広がる乾燥地域。

ちゅうおうアフリカ⑤【中央アフリカ】〔←中央アフリカ (Central Africa) 共和国〕アフリカ大陸の中央部にある内陸国。一九六〇年にフランス領から独立。首都、バンギ (Bangui)。

ちゅうおうアメリカ⑤【中央アメリカ】北アメリカ大陸南端部の、細長い地域。

ちゅうかじんみんきょうわこく⑩①-⑦【中華人民共和国】アジア大陸東部の、世界で四番目に大きな国。漢民族を主とする多民族国家。一九四九年に成立。四政府直轄市・二十三省・五自治区・二特別行政区から成る。首都、北京(ペキン)。略称、中国。〔狭義には、漢民族のおもな居住地である華北・華中・華南の三地方を中国と言う〕

チュニジア⓪〔←チュニジア (Tunisia) 共和国〕アフリカ大陸の北端部、地中海に臨む国。オスマン帝国領からフランス保護領を経て、一九五六年に王国として独立。翌年に共和制に移行。首都、チュニス (Tunis)。

ちょうせん③【朝鮮】アジア大陸の東部に突き出た半島。一九一〇年に日本に併合されたが、一九四五年に独立。一九四八年に北緯三八度線を境に、南に大韓民国、北に朝鮮民主主義人民共和国が成立。韓半島。

ちょうせんみんしゅしゅぎじんみんきょうわこく③-⑫【朝鮮民主主義人民共和国】朝鮮半島の北半分を占める社会主義国。南は軍事境界線をはさんで大韓民国に接する。首都、ピョンヤン(平壌)。北朝鮮⑤。

チリ①〔←チリ (Chile) 共和国〕南アメリカ大陸の南西部と、フエゴ島の西部を領土とする太平洋岸の国。南北に細長い。一八一八年にスペイン領から独立。首都、サンティアゴ (Santiago)。イースター(ラパヌイ)島・フアンフェルナンデス諸島などがある。表記「〈智利」は、音訳。

ツバル①〔Tuvalu〕南太平洋のエリス諸島から成る、小さな国。立憲君主制(英連邦)。一九七八年にイギリス保護領から独立。首都、フナフティ (Funafuti)。

デンマーク③〔←デンマーク (Denmark) 王国〕ヨーロッパ北部、ユトランド半島とシェラン島・フュン島などを領土とする国。立憲君主制。海外領にグリーンランド〔=世界最大の島〕・フェロー諸島がある。首都、シェラン島のコペンハーゲン (Copenhagen)。表記「丁抹」は、音訳。

ドイツ①〔←ドイツ(ド Deutschland) 連邦共和国〕ヨーロッパの中部にある国。十六州から成る。第二次世界大戦後、西ドイツ〔=ドイツ連邦共和国〕と東ドイツ〔=ドイツ民主共和国〕とに分かれたが、一九九〇年に西ドイツが東ドイツを吸収合併。首都、ベルリン (Berlin)。独国。表記「独逸・独乙」は、音訳。

トーゴ①〔←トーゴ (Togo) 共和国〕アフリカ大陸の西部、ギニア湾に面する小さな国。一九六〇年にフランス信託統治領から独立。首都、ロメ (Lomé)。

ドミニカ⓪②〔Dominica〕一〔←ドミニカ共和国〕西インド諸島のイスパニョーラ島の東半分を占める国。一八六五年にスペイン領から独立。首都、サントドミンゴ (Santo Domingo)。二〔←ドミニカ国〕カリブ海、小アンティル諸島のドミニカ島を領土とする、小さな国。共和制。一九七八年にイギリス領から独立。首都、ロゾー (Roseau)。

トリニダードトバゴ⑦〔←トリニダードトバゴ (Trinidad Tobago) 共和国〕カリブ海の最南東端部にあるトリニダード島とトバゴ島から成る、小さな国。一九六二年にイギリス領から独立。首都、ポートオブスペイン (Port of Spain)。

トルクメニスタン⑤〔Turkmenistan〕中央アジアの南西部にある内陸国。共和制。国土の大部分がカラクム砂漠。西はカスピ海に臨む。一九九一年十二月にソビエト連邦の解体により独立。一九九五年に永世中立国になる。首都、アシガバッド (Ashgabad)。旧称、トルクメン。

トルコ①〔←トルコ(ポ Turco) 共和国〕小アジア半島からバルカン半島の南東端部にまたがる国。一二九九年に建国。一六世紀からオスマン(トルコ)帝国として栄えたが、第一次世界大戦後に滅び、一九二三年に共和国を建設。首都、アンカラ (Ankara)。表記「土耳古」は、音訳。

トンガ①〔←トンガ (Tonga) 王国〕南太平洋、トンガ諸島から成る小さな国。立憲君主制。一九七〇年にイギリス保護領から独立。首都、ヌクアロファ (Nuku'alofa)。

ナイジェリア⓪〔←ナイジェリア (Nigeria) 連邦共和国〕アフリカ大陸の西部、ギニア湾に面する国。一九六〇年にイギリス領から独立。首都、アブジャ (Abuja)。

ナウル①〔←ナウル (Nauru) 共和国〕西太平洋、赤道の南にあるナウル島を領土とする、小さな国。イギリス・オーストラリア・ニュージーランド三国の共同信託統治領から一九六八年に独立。首都、ヤレン (Yaren)。

ナミビア⓪〔←ナミビア (Namibia) 共和国〕アフリカ大陸の南西部にある国。中央部を南回帰線が通る。南アフリカ共和国から一九九〇年に独立。首都、ウィントフック (Windhoek)。旧称、南西アフリカ。

なんきょくたいりく⑤【南極大陸】南極を中心に広がる大陸。大部分が氷雪におおわれ、永住者はいない。南極条約で領土権は凍結されている。

ニウエ①〔Niue〕ニュージーランドの北東方のニウエ島を領土とする小さな国。立憲君主制(英連邦)。一九七四年にニュージーランドから独立。首都、アロフィ (Alofi)。

ニカラグア⓪③〔←ニカラグア (Nicaragua) 共和国〕中央アメリカにある国。一八三八年にスペイン領から独立。首都、マナグア (Managua)。

ニジェール②〔←ニジェール(フ Niger) 共和国〕アフリカ大陸の北部にある内陸国。国土の大半が砂漠。一九六〇年にフランス領から独立。首都、ニアメ (Niamey)。

ニュージーランド[5]〔New Zealand〕南太平洋の南島と北島から成る国。立憲君主制（英連邦）。一九〇七年にイギリス自治領として独立。首都、北島のウェリントン（Wellington）。表記「新西〈蘭〉」の下二字は、音訳。略称、NZ。

ネパール[2]〔←ネパール（Nepal）連邦民主共和国〕インドと中国のチベットとの間にある内陸国。ヒマラヤ山脈の南麓(ナンロク)にあり、エベレスト〔=現地名、サガルマーター〕などの高峰がそびえる。二〇〇八年に王制を廃止、共和制に移行し、ネパールから現国名に改称。首都、カトマンズ（Katmandu）。表記「尼波羅」は、音訳。

ノルウェー[3][1]〔←ノルウェー（Norway）王国〕スカンディナビア半島の西部にある国。南北に細長い。立憲君主制。一九〇五年にスウェーデンから分離独立。首都、オスロ（Oslo）。海外領にスバールバル諸島・ヤンマイエン島がある。表記「諾威」は、音訳。

バーレーン[3]〔←バーレーン（Bahrain）王国〕西アジア、ペルシャ湾にあるバーレーン諸島から成る、小さな国。立憲君主制。一九七一年にイギリス保護領から独立。首都、マナーマ（Manamah）。

ハイチ[1]〔←ハイチ（Haiti）共和国〕西インド諸島のイスパニョーラ島の西半分を占める国。一八〇四年にフランス領から独立。首都、ポルトープランス（Port-au-Prince）。

パキスタン[2]〔←パキスタン（Pakistan）イスラム共和国〕インド半島の北西部、インダス川流域を占める国。一九四七年にイギリス領インドから独立。首都、イスラマバード（Islamabad）。〔もと、インドをはさんで東西二つの領土から成る飛び地国であったが、パキスタン東部は、一九七一年に独立し、バングラデシュになった〕

バチカン[0]〔←バチカン（Vatican）市国〕ローマ教皇の統治する、ローマ市内にある世界最小面積の国。一九二九年にイタリア王国から独立。都市国家。

パナマ[1]〔←パナマ（Panama）共和国〕中央アメリカの南端部にある国。一九〇三年にコロンビアから分離独立。首都、パナマシティー。中央部にパナマ運河〔=一九一四年に開通。国際運河〕がある。表記「〈巴奈〉馬」は、音訳。

バヌアツ[0]〔←バヌアツ（Vanuatu）共和国〕南太平洋、もとイギリス・フランス共同統治領ニューヘブリデズ諸島。一九八〇年にバヌアツとして独立。首都、エファテ島のポートビラ（Port Vila）。

バハマ[1]〔←バハマ（Bahamas）国〕西インド諸島に属するバハマ諸島から成る国。立憲君主制（英連邦）。一九七三年にイギリス領から独立。首都、ニュープロビデンス島のナッソー（Nassau）。

パプア ニューギニア[6][0]〔←パプアニューギニア（Papua New Guinea）独立国〕ニューギニア島の東半分とブーゲンビル島などから成る国。立憲君主制（英連邦）。一九七五年にオーストラリア自治領から独立。首都、ニューギニア島のポートモレスビー（Port Moresby）。

パラオ[1]〔←パラオ（Palau）共和国〕西太平洋、パラオ諸島から成る国。一九九四年にアメリカ信託統治領から独立。首都、マルキョク（Melekeok）。別名、ベラウ[2]。

パラグアイ[1][3]〔←パラグアイ（Paraguay）共和国〕南アメリカ大陸の中央部にある内陸国。一八一一年にスペイン領から独立。首都、アスンシオン（Asunción）。

バルカン[0]〔Balkan〕ヨーロッパ大陸の南東部にある、三角形の半島。表記「〈巴爾〉幹」は、音訳。

バルバドス[3]〔Barbados〕カリブ海、小アンティル諸島のバルバドス島を領土とする、小さな国。立憲君主制（英連邦）。一九六六年にイギリス領から独立。首都、ブリッジタウン（Bridgetown）。

パレスチナ[2][3]〔Palestina〕西アジア、ヨルダン川西岸地区と地中海岸のガザ（Gaza）地区から成る、パレスチナ人のオブザーバー国家。中心都市、ラマラ（Ram Allāh）。

ハンガリー[3][1]〔Hungary〕ヨーロッパ中部、ドナウ川中流域を占める内陸国。共和制。一九一八年にオーストリアハンガリー帝国の解体により独立。一九四六年に王制を廃止。一九四九年にハンガリー人民共和国になったが、二〇一二年にハンガリー共和国から現国名に改称。首都、ブダペスト（Budapest）。表記「洪牙利」は、音訳。

バングラデシュ[5]〔←バングラデシュ（Bangladesh）人民共和国〕インド半島の北東部、ガンジス川の下流域を占める国。中部を北回帰線が通る。一九七一年にパキスタンの支配を脱して独立。首都、ダッカ（Dacca）。

ひがしティモール[5]【東ティモール】〔←東ティモール（Timor）民主共和国〕マレー諸島、ティモール島の東半分と、同島の北西部にある小さな飛び地から成る国。十六世紀以来ポルトガル領、一九七六年にインドネシアが併合を宣言したが、二〇〇二年に独立。首都、ディリ（Dili）。

ビルマ[1]〔オ Birma〕表記「〈緬甸〉」と書いた。「緬」は「ミャン(マー)」の音訳。⇩ミャンマー

フィジー[1]〔←フィジー（Fiji）共和国〕南太平洋のフィジー諸島から成る国。一九七〇年にイギリス領から独立。首都、ビティレブ島のスバ（Suva）。

フィリピン[1]〔←フィリピン（Philippines）共和国〕東南アジア、ルソン（呂宋）島・ミンダナオ島などから成る国。スペイン領からアメリカ領を経て、一九四六年に独立。首都、マニラ（Manila）。比国[1]。表記「比律賓」は、音訳。

フィンランド[1][3]〔←フィンランド（Finland）共和国〕ヨーロッパの北部、バルト海のボスニア湾に面する国。一九一七年にロシア帝国から分離独立。首都、ヘルシンキ（Helsinki）。正式名、スオミ。表記「〈芬蘭〉」は、音訳。

ブータン[1]〔←ブータン（Bhutan）王国〕インドの北東端部と中国のチベットに囲まれた、小さな内陸国。立憲君主制。もとイギリス保護領で、一九四九年からインドの保護国。首都、ティンプー（Thimphu）。

ブラジル[0]〔←ブラジル（ポ Brasil）連邦共和国〕南アメリカ大陸の東部と北部を占める国。連邦政府直轄地〔=首都ブラジリア（Brasilia）〕・二十六州から成る、世界で五番目に大きな国。北部のアマゾン川流域を赤道が通る。一八二二年にポルトガル領からブラジル帝国として独立。一八八九年に帝政を廃止し、共和制に移行。表記「伯〈剌西〈爾〉」は、音訳。

フランス[0]〔←フランス（France）共和国〕ヨーロッパ大陸の西部と、コルス島を領土とする国。首都、パリ（ー）（Paris）。海外領にギアナ・タヒチ島・ニューカレドニア島・レユニオン島などがある。仏国。表記「仏〈蘭西〉」は、音訳。

ブルガリア[0]〔←ブルガリア（Bulgaria）共和国〕バルカン半島の南東部にある国。一九〇八年にオスマン帝国からブルガリア王国として分離独立。一九四六年に王制を廃止し、人民共和国になったが、一九九〇年に現国名に改称。首都、ソフィア（Sofia）。表記「勃牙利」は、音訳。

ブルキナ ファソ[5]〔Burkina Faso〕アフリカ大陸の西部にある内陸国。共和制。一九六〇年にオートボルタ共和国としてフランス領から独立。一九八四年に現国名に改称。首都、ワガドゥグー（Ouagadougou）。

ブルネイ[1][2]〔←ブルネイダルサラーム（Brunei Darussalam）国〕カリマンタン島の北部、南シナ海に面する小さな国。マレーシアが国土を東西に二分している。立憲君主制。一九八四年にイギリス保護領から独立。首都、バンダルス

リブガワン (Bandar Seri Begawan)。

ブルンジ②〔↑ブルンジ (Burundi) 共和国〕アフリカ大陸の中央部にある、小さな内陸国。一九六二年にベルギー信託統治領から王国として独立。一九六六年に共和制に移行。首都、ギテガ (Gitega)。

ベトナム⓪〔↑ベトナム (Vietnam) 社会主義共和国〕インドシナの東部を占める国。首都、ハノイ (Hanoi=河内)。一九四五年にフランス領から独立したが、これを認めないフランスとの間に戦争が起こり、一九五四年に北緯一七度線で、南北両ベトナムに分けられて停戦。その後、北ベトナムが一九六四年から続いたアメリカの軍事介入を排して、一九七六年に全土を統一。表記「越南」とも書く。

ベナン①〔↑ベナン(フ Bénin) 共和国〕アフリカ大陸の西部、ギニア湾に面する国。一九六〇年にダオメー共和国としてフランス領から独立。一九九〇年にベナン人民共和国から現国名に改称。首都、ポルトノボ (Porto Novo)。

ベネズエラ③〔↑ベネズエラ (Venezuela) ボリバル共和国〕南アメリカ大陸の北部にある国。一八一一年にスペイン領から独立。一九九九年にベネズエラ共和国から現国名に改称。首都、カラカス (Caracas)。

ベラルーシ③〔↑ベラルーシ (Belarus) 共和国〕ヨーロッパの東部にある内陸国。西はポーランドに接する。一九九一年九月に、国名を白ロシアから現国名に改称。同年の十二月にソビエト連邦の解体により独立。首都、ミンスク (Minsk)。

ベリーズ①②〔Belize〕中央アメリカの北部にある国。一九八一年にイギリス領ホンジュラスがベリーズとして独立。立憲君主制(英連邦)。首都、ベルモパン (Belmopan)。

ペルー①〔↑ペルー (Peru) 共和国〕南アメリカ大陸の西部にある国。インカ帝国の故地。一八二一年にスペイン領から独立。首都、リマ (Lima)。表記「秘露」は、音訳。

ベルギー③〔↑ベルギー(オ België) 王国〕ドイツの西、フランスの北に接する国。立憲君主制。一八三〇年にオランダから分離独立。首都ブリュッセル (Bruxelles) にNATOとEUの本部がある。

ポーランド①〔↑ポーランド (Poland) 共和国〕ヨーロッパの中部、ドイツとベラルーシとの間にある国。ロシア・プロイセン・オーストリア三国による分割支配を受けた後、一九一八年に共和国として独立。一九五二年にポーランド人民共和国になり、一九八九年に現国名に改称。首都、ワルシャワ (Warszawa)。表記「波〈蘭」は、音訳。

ボスニア ヘルツェゴビナ⓪-④、⑧〔Bosnia and Herzegovina〕バルカン半島の北西部にある国。ボスニアヘルツェゴビナ連邦とスルプスカ共和国から成る。共和制。南端部のみアドリア海に臨むが、港は無い。一九九二年にユーゴスラビアから分離独立。首都、サラエボ (Sarajevo)。

ボツワナ⓪〔↑ボツワナ (Botswana) 共和国〕アフリカ大陸の南部にある内陸国。南部に南回帰線が通る。一九六六年にイギリス保護領のベチュアナランドがボツワナとして独立。首都、ハボローネ (Gaborone)。

ボリビア⓪〔↑ボリビア (Bolivia) 多民族国〕南アメリカ大陸の中央部にある内陸国。共和制。一八二五年にスペイン領から独立。二〇〇九年にボリビア共和国から現国名に改称。首都、ラパス (La Paz)。〔憲法上の首都はスクレ (Sucre)〕

ポルトガル⓪〔↑ポルトガル (Portugal) 共和国〕ヨーロッパの南西端部にある国。十五、六世紀に海外に発展し、一五四三年に日本に火縄銃を伝えた。一九一〇年に革命で王制を廃止、共和制に移行。首都、リスボン (Lisbon)。大西洋上にアゾレス諸島・マデイラ諸島がある。表記「〈葡萄牙〉」は、音訳。

ホンコン①〔中国・香港=Hong Kong〕中国、広東(カントン)省に接する九竜(カオルン)半島と、対岸の香港島から成る、小さな特別行政区。一八四二年以来イギリス直轄植民地であったが、一九九七年七月に中国に返還。

ホンジュラス①③〔↑ホンジュラス (Honduras) 共和国〕中央アメリカにある国。一八二一年にスペイン領から独立。首都、テグシガルパ (Tegucigalpa)。

マーシャル①〔↑マーシャル (Marshall) 諸島共和国〕中部太平洋、マーシャル諸島から成る国。一九八六年にアメリカ信託統治領から独立。首都、マジュロ (Majuro)。

マカオ①〔Macao〕中国、香港(ホンコン)の対岸にある、小さな特別行政区。一五五七年にポルトガルが明(ミン)から居住権を承認され、さらに一八八七年に清(シン)から正式に割譲されたが、一九九九年十二月に中国に返還。表記「〈澳門」と書く。

マケドニア⓪〔↑マケドニア (Macedonia) 旧ユーゴスラビア共和国〕⇩北マケドニア

マダガスカル③〔↑マダガスカル (Madagascar) 共和国〕インド洋の、マダガスカル島を領土とする国。一九六〇年にフランス領から独立。一九九二年にマダガスカル民主共和国から現国名に改称。首都、アンタナナリボ (Antananarivo)。別名、マラガシ。

マラウイ①〔↑マラウイ (Malawi) 共和国〕アフリカの南東部にある内陸国。一九六四年にイギリス領ニアサランドがマラウイとして独立。首都、リロングウェ (Lilongwe)。

マリ①〔↑マリ (Mali) 共和国〕アフリカ大陸の北西部にある内陸国。国土の大半が砂漠。一九六〇年にフランス領スーダンがマリとして独立。首都、バマコ (Bamako)。

マルタ①〔↑マルタ (Malta) 共和国〕地中海の中央部にあるマルタ諸島から成る、小さな国。一九六四年にイギリス領から独立。首都、バレッタ (Valletta)。

マレー①〔Malay〕アジア大陸の南東端部に突き出た、南北に細長い半島。表記「馬来」は、音訳。

マレーシア②〔Malaysia〕東南アジア、もとイギリス領のマラヤ連邦〔=マレー半島南部のイギリス保護領。一九五七年に独立〕・カリマンタン島のサバ・サラワクなどが一九六三年に合併結成した連邦国家。立憲君主制。首都、マレー半島のクアラルンプール (Kuala Lumpur)。

ミクロネシア④〔↑ミクロネシア (Micronesia) 連邦〕西太平洋、カロリン諸島の中のヤップ・チューク(トラック)・ポンペイ・コスラエなどの島じまから成る国。連邦共和制。一九八六年にアメリカ信託統治領から独立。首都、ポンペイ島のパリキール (Palikir)。

みなみ アフリカ④【南アフリカ】〔↑南アフリカ (Africa) 共和国〕アフリカ大陸の南端部にある国。一九一〇年に、イギリス自治領の南アフリカ連邦として独立。一九六一年に現国名に改称。一九九一年にアパルトヘイト政策を廃止。首都、プレトリア (Pretoria)。南ア。

みなみ アメリカ④【南アメリカ】〔America〕六大州の一つ。西半球の南部にある、細長い三角形の、世界で四番目に大きな大陸。十九世紀前半にスペイン・ポルトガルの植民地から独立した国が多い。南米。

みなみ スーダン④【南スーダン】〔↑南スーダン (Sudan) 共和国〕アフリカ大陸の北東部、ナイル川の中流部を占める内陸国。二〇一一年にスーダンから分離独立。首都、ジュバ (Juba)。

ミャンマー①〔↑ミャンマー (Myanmar) 連邦共和国〕インドシナの西部を占める国。一九四八年にイギリス領からビルマ連邦として独立。一九八九年に国名をビルマ連邦社会主義共和国からミャンマー連邦に改めたが、二〇一一年に現国名に改称。首都、ネーピードー (Naypyitaw)〔=二〇〇六年にヤンゴン (Yangon) から遷都〕。

メキシコ⓪〔←メキシコ (Mexico) 合衆国〕 北アメリカ大陸の南部にある国。北部に北回帰線が通る。連邦共和制。古代マヤ文明の繁栄の地。十六世紀以後スペイン領になり、一八二一年に独立。首都、メキシコシティ。表記「墨西〈哥〉」は、音訳。

モーリシャス③①〔←モーリシャス (Mauritius) 共和国〕 インド洋、マスカレン諸島を領土とする国。一九六八年にイギリス領から独立。首都、ポートルイス (Port Louis)。

モーリタニア④〔←モーリタニア (Mauritania) イスラム共和国〕 アフリカ大陸の北西部、大西洋に面する国。国土の大半が砂漠。一九六〇年にフランス領から独立。首都、ヌアクショット (Nouakchott)。

モザンビーク④〔←モザンビーク (Mozambique) 共和国〕 アフリカ大陸の南東部にある国。一九七五年にポルトガル領から独立。一九九〇年にモザンビーク人民共和国から現国名に改称。首都、マプト (Maputo)。

モナコ①〔←モナコ (Monaco) 公国〕 フランスの南東端部に接し、地中海に臨む小さな国。立憲君主制。観光業と国公認の賭博(バク)が盛ん。首都、モナコ市。

モルディブ⓪〔←モルディブ (Maldives) 共和国〕 インド洋のモルディブ諸島から成る国。一九六五年にイギリス保護領から独立。一九六八年に君主制を廃止。首都、マレ (Male)。

モルドバ⓪〔←モルドバ (Moldova) 共和国〕 ヨーロッパの東部にある内陸国。西はルーマニアに接する。一九九一年十二月にソビエト連邦の解体により独立。首都、キシニョフ (Kishinev)。旧称、モルダビア。

モロッコ①②〔←モロッコ (Morocco) 王国〕 アフリカ大陸の北西端部にある国。立憲君主制。一九五六年にフランス・スペインの保護領から独立。首都、ラバト (Rabat)。

モンゴル①〔←モンゴル (Mongol) 国〕 アジア大陸の北東部、モンゴル高原の大部分を占める内陸国。共和制。一六九一年から清(シン)の属領であったが、一九二一年に中華民国から分離独立。一九二四年にモンゴル人民共和国になり、一九九二年に現国名に改称。首都、ウランバートル (Ulan Bator)。

モンテネグロ④〔Montenegro〕 バルカン半島の中西部に位置する国。共和制。西はアドリア海に臨む。二〇〇六年に国家連合セルビアモンテネグロから分離独立。二〇〇七年にモンテネグロ共和国から現国名に改称。首都、ポドゴリツァ (Podgorica)。表記「黒山国」と書いた。

ユーゴスラビア⑤〔←ユーゴスラビア (Yugoslavia) 社会主義連邦共和国〕 バルカン半島西部のセルビア・モンテネグロなど六か国で構成されていた国。一九一八年に南スラブ諸民族最初の統一王国として成立。一九四五年に連邦共和制に移行。一九九一、二年にスロベニア・クロアチア・ボスニア ヘルツェゴビナ・マケドニアの四か国が分離独立。二〇〇三年セルビアモンテネグロと改称したが、二〇〇六年にモンテネグロとセルビアが分離し消滅した。首都、ベオグラード (Beograd)。通称、旧ユーゴスラビア。

ヨーロッパ③〔ポ・オ Europa〕 六大州の一つ。アジアの北西部に連なる大陸と、付近の島じまから成る。ウラル山脈・カスピ海・カフカス山脈・黒海・地中海を介してアジア大陸に接する、世界で五番目に大きな大陸。大小四十余の独立国がある。欧州。表記「欧羅〈巴〉」は、音訳。

ヨルダン①〔←ヨルダン (Jordan) ハシェミット王国〕 西アジアにある国。立憲君主制。南端部のみ紅海に面する。オスマン帝国領からイギリス委任統治領を経て、一九四六年に独立。首都、アンマン (Amman)。

ラオス①〔←ラオス (Laos) 人民民主共和国〕 インドシナの中部にある内陸国。一九五三年にフランス領からラオス王国として独立。一九七五年に王制を廃止し、現国名に改称。首都、ビエンチャン (Vientiane)。表記「老〈撾〉」は、音訳。

ラトビア⓪〔←ラトビア (Latvia) 共和国〕 ヨーロッパの東部、バルト海の東岸に臨む国。一九九一年九月にソビエト連邦から分離独立。首都、リガ (Riga)。

リトアニア⓪〔←リトアニア (Lithuania) 共和国〕 ヨーロッパの東部、バルト海東岸の国。一九九一年九月にソビエト連邦から分離独立。首都、ビリニュス (Vilnius)。

リビア①〔Libya〕 アフリカ大陸の北部、地中海に臨む国。共和制。国土の大部分が砂漠。オスマン帝国領からイタリア領を経て、一九五一年にリビア王国として独立。一九六九年に共和制に移行し、リビアアラブ共和国になったが、二〇一一年に政変により現国名に改称。首都、トリポリ (Tripoli)。

リヒテンシュタイン⑥〔←リヒテンシュタイン (ド Liechtenstein) 公国〕 スイスとオーストリアに囲まれた、小さな内陸国。立憲君主制。一八六七年以後、永世中立国になり、軍隊を廃止。首都、ファドーツ (Vaduz)。

リベリア⓪〔←リベリア (Liberia) 共和国〕 アフリカ大陸の西部にある国。一八二二年にアメリカの解放奴隷が入植し、一八四七年に独立。黒人の独立国としては、エチオピア・ハイチに次いで古い。首都、モンロビア (Monrovia)。

ルーマニア⓪〔Romania〕 バルカン半島の北東部にある国。共和制。一八七八年にオスマン帝国から独立、ルーマニア王国となる。一九四七年に王制を廃止し、人民共和国が成立。一九八九年に現国名に改称。首都、ブカレスト (Bucharest)。表記「羅馬尼亜」は、音訳。

ルクセンブルク⑤〔←ルクセンブルク (Luxembourg) 大公国〕 ドイツ・フランス・ベルギーの間にある、小さな内陸国。立憲君主制。首都、ルクセンブルク市。

ルワンダ②〔←ルワンダ (Rwanda) 共和国〕 アフリカ大陸の中央部にある、小さな内陸国。一九六二年にベルギー信託統治領から独立。首都、キガリ (Kigali)。

レソト①〔←レソト (Lesotho) 王国〕 南アフリカ共和国に囲まれた、小さな内陸国。立憲君主制。一九六六年にイギリス保護領バストランドがレソトとして独立。首都、マセル (Maseru)。

レバノン①〔←レバノン (Lebanon) 共和国〕 西アジア、地中海の東岸に面する、小さな国。一九四四年にフランス委任統治領から独立。首都、ベイルート (Beirut)。

ロシア①〔ロ Rossiya〕 ㊀スラブ系であるロシア人を中心にユーラシア大陸の北部を領土として栄えた帝国。一九一七年に革命により崩壊。首都、ペテルブルグ (ロ Peterburg)〔=現、サンクトペテルブルク〕。露国。㊁⇩ソビエト連邦 表記「露西亜・〈魯西亜〉」は、音訳。

ロシア れんぽう④-パウ【ロシア連邦】 ヨーロッパ東部とシベリア・サハリンなどを領土とする国。連邦共和制。二十一共和国・四自治管区・ユダヤ自治州・カリーニングラード州などを含む、世界最大面積の国。一九九一年十二月にソビエト連邦の解体で、その中核を成すロシア共和国が独立。一九九二年五月に国名をロシア連邦に改称。条約・国連の議席・大使館などは、ソビエト連邦のものを継承。首都、モスクワ (Moskva)。

(二〇二〇年三月現在)

アクセント表示について

一 アクセントとは何か

1. 単語の決まりである下げるところを数字で示す

日本語のアクセント（東京通用アクセント）とは、単語のどこで下げるかに関する決まりである。その下げる位置を本辞典では前から数えた数字で示した。

巻末の「アクセントの型一覧」を下に掲げる。三拍語を例に取ると、これが意味しているのは次のことである。ツバキ①は最初のツの後で下げる、クサキ②は二番目のサの後で下げる、ツボミ③は最後のミの後にことば（ガ、ヲ、カラ、ヒライタなど）が続くときに下げて発音する決まりになっている。それに対して、スミレ⓪は、その中でも、次にことばが続いても、下げずに発音することが決まっていることを表わす（ここで⓪は下げるところがないという意味であって、スの前のゼロ番目で下げる意味ではないことに注意）。

⓪型（スミレ）と③型（ツボミ）は、単語の後に続くことばを下げないか下げるかの違いなので、続くことばがない単独の発音では、事実上同じになる。このことは、⓪型と二拍以上の語末型に当てはまる。

その数字のところで下げなければならないということは、それ以外のところで下げてはいけないことも意味する。たとえばオカシ（お菓子）②は、カからシにかけて下げれば正しい発音になるが、①型としてオからカにかけて下げると人名の「岡氏」に、どこでも下げずに⓪型で発音すると「お貸し」の意味になる。シの後で下げる③型で言うと、それに当たる単語がないので意味不明になる。どれも、意図した「お菓子」の意味が伝わらないので、間違ったアクセントとなってしまう。あるいは、文脈から意味が分かったとしても、標準的なアクセ

【アクセントの型一覧】

拍数＼アクセント	⓪	①	②	③	④	⑤
1	ハ（葉）	キ（木）				
2	エダ（枝）	ミキ（幹）	ハナ（花）			
3	スミレ	ツバキ	クサキ（草木）	ツボミ		
4	カレエダ	タンポポ	ナデシコ	マツカサ	クサカリ	
5	サツマイモ	チューリップ	ゴヨーマツ	ヤマザクラ	カラスムギ	ヤマノイモ

ント(の話し手)ではないことが伝わってしまう。これが、単語について決まっている下げに関する決まりという意味である。

2．単語の決まりではない上げるところは示さない

下げるところと異なり、上げるところは単語について決まっていないので、アクセントとして辞書に示すことはしない。型一覧の表記では、あたかも上げるところまで単語ごとに定まっているように見える。しかし、

(a) スミレ

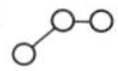

(b) コノスミレガ

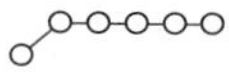

(c) キノーサイタコノスミレオアゲル

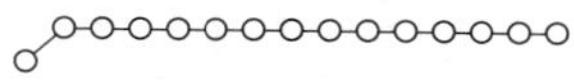

(いずれも一まとまりに発音したもの)

から分かるように、一拍目から二拍目への上げは個別の単語とも文節とも無関係である。これらの一まとまりの中の最初に来た単語に生じているもので、それ以外の位置では同じ単語でもこの上げは出て来ていない。スミレのスからミへの上げは、それを単独で発音したため、つまりスミレが最初に位置しているために現われたもので、スミレという単語にいつも決まって出てくる性質ではない。

さらに、

(d) キノーサイタスミレオアゲル。

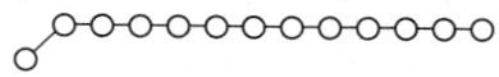

(e) キノーサイタ｜スミレオアゲル。

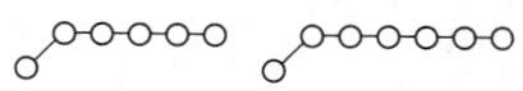

(f) アオイスミレ

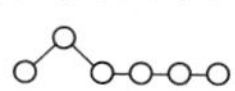

を比べると、最初に一回しか上げがない(d)は全体が一まとまりになっているのに対して、スからミへ上げた(e)は、スミレの前で切れ目を感じ、他でもないスミレの部分が意味的にはっきり打ち出されている。ここから、上げは意味に関係する一種のイントネーションと位置付けられる。文頭はそのイントネーションが最も普通に付与されるところである。単語を単独で発音すると文頭で発音したことになり、そこに上げが与えられるのである。

そして、アオイスミレ(f)などまで含めた、これらすべてのスミレの例に共通しているのは、(a)のような高さの固定した型ではなく、ス、ミ、レ、そしてその直後まで、どこでも下がることがないという性質なのであって、それが[0]型の意味である。

クサキ、ツボミも、上げについては同じことが当てはまる。ツバキ[1](g)だけは上がる位置が一拍目にずれているが、ツの後が単語としての下げによって占められているために起こったもので、コノツバキ(h)になると通常の上げ

(g) ツバキ [1]

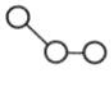

(h) コノツバキ

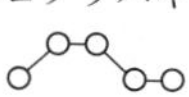

(i)

(j)

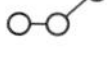

の位置に戻る。いずれの場合も一定しているのは、ツバキ[1]、クサキ[2]、ツボミ[3]の下がる位置だけである。

なお、コーリ[0]、トーリ[3]、ハンシャ[0]、カイシャ[0]など、二拍目がのばす音、はねる音、アイ/オイなどの後半のイという独立性の弱い拍の場合は、(i)のように普通は一拍目から高く発音する。一方、さらに弱いつまる音が二拍目にくるバッタ[0]などでは、(j)のように三拍目から高くするのが一般的である。これらの弱い拍は、その直後で下げることも通常ない。○ー○、○ッ○などに[2]型は欠けている。

3. 文の発音

本辞典を引いて単語のアクセントが分かった後、それらを並べた文をどう発音するか。他に特に意味を浮き立たせたい部分がない場合は、文の最初の単語で上げて、あとは数字の位置で下げ、[0]も含めてそれ以外では下げずにそのまま続けるだけで済む。文中に[0]以外の数字が二つ以上出てきても、(上げずに)その都度下げるだけである。

音声は高いところと低いところの二段で成り立っているものではなく、何度にもわたって下げることができ、聞き取ることも可能である。キレイナ[1]クサキオ[2]ミタ[1]では、(k)のようにキで上げてその後指定の位置で三回下げるだけである。もしもクサキに伝えたいポイントがある場合は、(l)のようにクから次のサにかけて再度上げればよい。

(細かいことを言えば、助詞類のアクセントや活用形のアクセントも必要であるが、他の専書に譲る。)

(k) キレイナクサキオミタ。

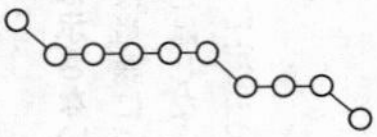

(l) キレイナ|クサキオミタ。

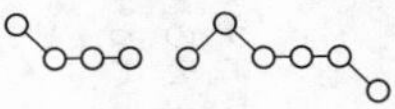

4. 型の種類

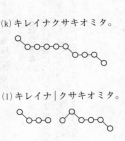

さて、この「アクセントの型一覧」を見ると分かるように、一拍語には二種類、二拍語には三種類、というように、型の数は拍数(n個)よりも一つ([0]型)多い、という関係になっている。新語がどんなに増えようと、すべての単語がn+1の限られた型のどれかに収まっていることになる。その代わり、一つの型にはたくさんの単語が属していることになる。一拍語の[1]型には「絵、木、字、手、目」など、[0]型には「柄、気、痔、血、戸」などがある。

その数は型ごとに均等配分されておらず、単語の長さによってばらつきがある。今見た一拍語は、[1]型の方がかなり多い。二拍語も同様である。三拍語は[0]型、次いで[1]型が多く、四拍語は[0]型、五拍語以上は(複合語になりその規則のために)-[3]型(ヤエザクラ[3]、ヨシノザクラ[4]などをまとめ、うしろから数えて三拍目の後で下がる型としてこう書く)が主流となる。五拍語以上では中央寄りに下げが現れる傾向が顕著で、両端の[1]型と語末型(-[1]型)は稀である。

5. 一つの単語に複数のアクセント

どの単語も一定の型に属するということは、一つの単語が一つのアクセントしか持たないという意味ではない。「型一覧」で[3]型としたツボミは[0]型も持つ。他の例では、「雷」は古くから[4]型と[3]型が併存していたが、近年はそれに[0]型も加わり、計三種類のアクセントが行なわれている。そのどれかが非標準的(非東京的)と見なされることはない。しかし、[1]型と[2]型は存在しない。一定の認められる範囲があり、本辞典はその範囲の型を示すことを目指した(二を参照)。

6. 二単位形と切れ目

「近代五種競技」は、一つの単位で[7]型にも、「近代」と「五種競技」の二つの単位に分かれて[1-3]型にもなる。このような二単位以上の組み合わせは「-」でつないで示す。

中には、意味・表記の切れ目とアクセントの単位とが一致しない例もある。「安土桃山時代」は、「安土・桃山」の「時代」であるにもかかわらず、最後の「時代」はアクセントの面で独立できずに必ず直前の単語と結びつくため、「安土[1]」-「桃山時代[5]」となる。

7. アクセント単位の認定

関連して、アクセント単位について第六版まで(あるいは他のアクセント辞典)の認定を変えた部分がある。「挙国一致[1]」「挙動不審[0]」などとあったのを、(「一致、不審」の中で上げがない場合でも)それぞれ二単位形の[1]-[0]型、[0]-[0]型に改めた。

その判断に際しては、内部の意味構造、前部・後部の各要素の単独のアクセント型、そしてそれらの複合語アクセント規則の適用外となっていることを考慮した。

ただし、「疑心暗鬼」のように、前部は[0]、後部は[1]型の場合、二単位の[0]-[1]型なのか一単位の[4]型なのかは音声上も複合語規則の点からも判断がつかない。ここでは[4]型としたが、項目によっては必ずしも統一が取れていない可能性が残る。しかし、いずれにしても発音そのものは同じである。

8. 複合名詞のアクセント規則

この辞典の見出し語数は8万語に近い。見出し語以外にも多数の項目を含む。人はそのアクセントをすべて暗記しているのであろうか。そうではない。新語を作ることができるので、そもそも単語全体を上げ尽くすことが不可能である。にもかかわらず、実は、いくつかの仕組みがあって、それによりかなりの部分はアクセントが予測できるようになっている。その中で最も大きな働きをしているのが複合名詞アクセント規則である。この世に存在しない「トンセクア辞典」を初めて見ても[6]型一つに決まるのはこの規則による。

その概略を述べる。まず、複合名詞を二分した前部要素と後部要素のどちらかが三拍以上の場合に規則性が現われる(二拍同士は除かれる)。五拍語以上なら問題なく条件を満たす。そしてそのアクセントを支配するのは後部要素である。そのため、前部の長さに左右されないマイナス表記(うしろから数える方式)が便利となる。とらえやすい後部三、四拍で例示する。

後部が三拍の複合名詞は-[3]型になる。後部単独形が[2]型の場合に限り、元の位置を保つ-[2]型になるが、それも-[3]型に進みつつある。

サンショクスミレ[5]、カンツバキ[3]、ウミツボミ[3][以上-[3]]、コーキューハナヤ[6](花屋[2])、キマツシケン[4][5](試験[2][1])

後部が四拍で[0]、[1]、[4]、[3]型の複合名詞は-[4]型になる。[3]型は位置を保つ-[2]型にも。[2]型は元の位置を保ち-[3]型になる。

デンシコクバン[4](黒板[0])、エゾタンポポ[3](蒲公英[1])、アンゼンカミソリ[5](剃刀[3][4])、オーボジョーケン[4](条件[3])[以上-[4]]、コーチョーセンセイ[7](先生[3])[-[2]]、ヤマトナデシコ[5](撫子[2])[-[3]]

二. 東京通用アクセント

1. 変化と変異

本辞典は、これまでの版の流れを承けて、東京語を基礎とする標準的なアクセントを採用するように努めた。しかしながら、一口に東京語と言っても、その実態は単一ではない。当然のことながら、年齢差(世代差)、地域差、個人差がある。現代の情報化社会においては、その事物や事象が生活圏の中にあって子供のころに周りの発音を聞いて身に付けた単語の他に、文字を通して知識として習得して後から自分の頭の中でアクセントを付けたもの、テレビなどのマスコミ放送を通して入り続けているものも膨大な数に上る。語彙の面でそれらが複雑に絡み合う。人の面でも、東京は東京生え抜きの人だけが住むところではなく、その数をはるかに上回る全国各地の人々がその中に住みながらダイナミックに影響を与え合っている大都市である。そのアクセントの変化と変異も大きいであろうことは予測できる。

2．近年の変化とそれに対する採否方針

実際、近年、アクセント体系は変わらないものの、その内部の個々の単語アクセントの変動は大きなものがある。動詞・形容詞は後で取り上げるとしてここでは名詞を見ると、特に若い世代における三拍以上、とりわけ四拍語の[0]型の増加が顕著である。外来語ではそれがことさら目につき、しばしば話題になる。本辞典の第四版から第六版にかけても当時の若い世代のアクセントが採用されているが、その後の若い世代が多用する単語については、そのアクセントも今後の動向を見る上で不可欠と考えて採用するようにした。

それと同時に、三拍以上で語末の後を下げる型（[-1]型）は劣勢になりつつあるが、少数派ではあってもある程度の使用が認められているものはこれを採用した。辞書に記載（認知）されなくなることによって、その忘却がさらに進むことを恐れたためである。

その一方で、すでに過去のものになったと見られる五拍語以上の[1]型のアカトンボやナカセンドーなどまでの採用は見合わせた。

3．複数アクセントの配列順

複数あるアクセントの配列順は、原則として優先順であるが、拮抗している場合も含む。若い世代では逆転している場合もありうる。

三．用言のアクセント

一で述べた体系はすべての単語を含むものなので、用言（動詞と形容詞）のアクセントもその中に納まるが、同時に、用言には名詞とは違う独自の特徴もある。それは型の数が少なく、基本的に二種類に納まるという点である。変化の方向も異なる。

1．動詞

終止形では次のようになっている。基本的に[0]型と[-2]型（うしろから二番目で下がる型）の二つである（ただし、活用形は別）。

売ル[0]　アガル[0]　ハジメル[0]　ブラサガル[0]
取ル[1]　サガル[2]　ナガレル[3]　ココロザス[4]

2．動詞のアクセント認定

第四版から第六版までは「売ルというのは売ルことである」という枠で調べて、前者を終止形、後者を連体形のアクセントと認定し、「[2][0]：[0]」（終止形：連体形）のように表記していた。しかしながら、前者の[2]型は引用の「と」の影響によるものと見て、第七版から終止形も連体形も同じく[0]型と認定し直した（これは形容詞にも当てはまる）。

同様の理由で、「おまけに[4][0]」「かさねて[4][0]」などの接続詞・副詞のアクセント認定も一部変更した。「と」など助詞・助動詞が続く形ではなく、直接用言を修飾する場合を基準に認定し、この例の場合はともに[0]型のみとした。

3．動詞のアクセント変化

動詞のアクセント変化で目立つのは、[0]型から下げのある型（[-2]型）に向かう動きである。話しことばでの使用頻度が低い単語によく見られる変化であるが、複合動詞においては世代差として組織的に起こっている。

古い世代では、前部に立つ要素の単独のアクセントが複合動詞では反転する（[0]は[0]以外に、[0]以外は[0]に）という興味深い現象が見られるが、後の世代では、前部要素とは無関係にすべてが下がる型（[-2]型）になる。その結果、トリダス、トリハジメルは[0]型から[-2]型へと変化している。「取り入れる、取り壊す、取り散らかす」なども同様である。

古　売ル[0]↓ウリダス[3]、ウリハジメル[5]
　　取ル[1]↓トリダス[0]、トリハジメル[0]
現　売ル[0]↓ウリダス[3]、ウリハジメル[5]
　　取ル[1]↓トリダス[3]、トリハジメル[5]

現在は単一化した方が優勢なので、今版では「取り出す」などは[3][0]のように表示した。

4．動詞からの派生名詞

動詞とそれから派生した名詞との間には次の規則が認められる。動詞が[0]型ならその派生名詞も[0]型に、動詞が[0]型以外であればその派生名詞は語末に下げがくる(−[1]型)。

行ク[0]↓行キ[0]、遊ブ[0]↓遊ビ[0]、始メル[0]↓始メ[0]　など。
読ム[1]↓読ミ[2]、走ル[2]↓走リ[3]、喜ブ[3]↓喜ビ[4]　など。

ただし、二の2で述べた変化により、「喜び」は[0]型が増えつつある。

一方で、複合動詞に由来する名詞は、複合名詞のアクセントが何であれ、すべて[0]型になる。相撲の決まり手には、「押し出し、切り返し、寄り切り、うっちゃり〈うちやる」などこの型が多く見られる。

売リ出ス[3]↓売リ出シ[0]、取リ出ス[3][0]↓取リ出シ[0]、
使イ込ム[4]↓使イ込ミ[0]、走リ込ム[4]↓走リ込ミ[0]

5．形容詞

やはり[0]型と−[2]型の二つが基本である。

――　アカイ[0]　カナシイ[0]　ムズカシイ[0]
ヨイ[1]　シロイ[2]　タノシイ[3]　オモシロイ[4]

6．形容詞のアクセント変化

しかし、形容詞の型の区別は失われかけている。それは、アカイ[2]＝シロイ[2]、カナシイ[3]＝タノシイ[3]のように終止形の[0]型が消えて他方に合流する変化で、すでに一部の高年層でも生じ、中年層ではこの区別がほぼなくなっている。一方で、連体形は[0]型で残る傾向があり、そこでは逆にタノシイ[3]などが[0]型になることさえ見られる。あたかも終止形と連体形でアクセントが分裂するかのような様相である。

この変化は、厚イ[0]と熱イ[2]のような同音語で一層進み、終止形ではともに[2]型、連体形ではともに[0]型になって、本来なら「熱イ[2]涙を[1]流す」のつもりが、古い世代には「厚イ[0]涙を[1]流す」と聞こえる発音がアナウンサーの口から発せられることは、今や珍しくない。

四．第八版でのアクセント表示の変更点

第七版から八年あまりが経過したことを踏まえ、基本方針は維持しながらも、特に二-2に関して次の変更を行なった。全体を見直して八十代以上しか使っていないと判断した型は除き、若い世代の新しい型を採用して時代の流れに添う形にした。「鉢植え」[0][4]↓[0]、「喜び」[0][4][3]↓[0]、「生産品」[3]↓[0]、「ハードル」[0][1]↓[0]などである。三-3の動詞でも「殴りつける」[5][2][0]↓[5]などとし、三-6の形容詞も「明るい、冷たい」などを適宜[0]↓[0][3]に変更した。

(アクセントの追加・修正に際しては、一部は東京人に確認をしたが、他は担当者の観察および関連論文ならびに他のアクセント辞典とアクセントを記載した辞典を参考にして判断した。)

上野善道

口語動詞活用表

表中　太字のカタカナ「ア・イ・ウ・エ・オ」は活用語尾の母音を示すものである。使用に当たっては、各行の子音をその上に付けて発音すると具体的な音になる。

種類＼活用の形		(未然形) 助動詞「ない・ぬ」に続いて、否定(打消)表現	(未然形) 助動詞「せる・させる」に続いて、使役表現。「れる・られる」に続いて受身表現	(連用形) 中止法。複合動詞の前項。助詞「て・ながら」、助動詞「ます・た・たい・そうだ(様態)」などに続く	(終止・連体形) 文の終止。体言に続いて連体修飾。助詞「ので・なら」、助動詞「らしい・ようだ・そうだ(伝聞)」などに続く	(仮定形) 助詞「ば」に続いて、仮定の意味を表わす	(命令形) この形自体で、命令表現	(未然形) 助動詞「う・よう」に続いて、意志表現	備考
五段活用		**ア**		**イ**	**ウ**	**エ**	**エ**	**オ**	**語例**、「書く」「示す」「立つ」「死ぬ」「有る」など。 ○「て・た」に続く場合「書いて」「急いで」(イ音便)「切って」「取って」「笑って」(促音便)「死んで」「飛んで」「読んで」(撥音便)となる。以上を**音便形**という。
上一段活用		**イ**		**イ**	**イ**・る	**イ**・れ	**イ**・ろ **イ**・よ	**イ**	**語例**、「着る」「起きる」「落ちる」「見る」「感じる」など。
下一段活用		**エ**		**エ**	**エ**・る	**エ**・れ	**エ**・ろ **エ**・よ	**エ**	**語例**、「植える」「受ける」「捨てる」など。 ○「行ける」「書ける」などの可能動詞には命令形はない。
カ行変格活用		こ		き	くる	くれ	こい こよ	こ	**語例**、「来る」の一語。
サ行変格活用	する	しナイ せズ・ヌ	さ	し	する	すれ	しろ せよ	し	**語例**、基本的には「する」の一語であるが、字音語と複合して用いられることも多く、その際、語によっては「…ずる」となることもある。 ○「愛する」の型は「課する」「解する」「属する」「託する」「適する」「付する」「浴する」「略する」など。 ○「参ずる」の型は「案ずる」「応ずる」「感ずる」「禁ずる」「存ずる」「通ずる」「任ずる」「奉ずる」など。 ○「対決する」の型は「処する」「帯する」「補する」「滅する」「労する」「相談する」「配達する」など。
	愛する	さナイ しナイ せズ・ヌ	さ	し	する す	すれ	せ(よ)	そ し	
	参ずる	じナイ ぜズ・ヌ	ぜ	じ	ずる	ずれ	ぜよ	じ	
	対決する	しナイ せズ・ヌ	さ	し	する す	すれ	しろ せよ	し	

○仮定形は、「書けば」「着れば」「植えれば」など、助詞「ば」を伴った形全体を一つの活用形として扱うほうがよいとする考えもある。

○意志表現の「書こう」「着よう」「植えよう」などは、「動詞未然形＋助動詞(う・よう)」と、分析的にはとらえず、全体を一つの活用形として扱うほうがよいとする考えもある。

口語形容詞・形容動詞活用表

品詞・種類＼活用の形	（未然形）助動詞「う」に続いて推量を表わす	（連用形）文を中止したり、用言に続いたりする。また、助詞「て」に続く	（連用形）助動詞「た」に続く	（終止形）文の終止に用いられる。また、助動詞「らしい・そうだ（伝聞）」などに続く	（連体形）おもに体言に続く。また、助動詞「ようだ」と続く	（仮定形）助詞「ば」に続いて仮定の意味を表わす	（命令形）命令の意味を表わす	備考
形容詞	かろ	く	かっ	い	い	けれ	（かれ）	**語例**、「赤い」「すさまじい」「楽しい」「早い」など。 ○（連用形）「…く」が「ございます」「存じます」に続く場合、ウ音便になることがある（あかい→あこう・たのしい→たのしゅう）。 ○命令形は、文語的な用法である。
形容動詞 ダ型活用	だろ	で（文を中止したり「ある」「ない」に続いたりする） に（用言に続く）	だっ	だ	な	なら		**語例**、「静かだ」「愉快だ」など。 ○敬体はデス型（→助動詞「です」）に活用する。
形容動詞 タルト型活用		と		（たり）	たる		（たれ）	**語例**、「泰然たる」「堂々たる」など。 ○命令形は一般にはほとんど用いない。

○形容詞は、口語の中にも以下の例のように文語の表現に用いられることがある。

「寒**からず**暑**からず**」（未然形）、「若**かり**し日の思い出」「時すでに遅**かり**き」（以上、連用形）、「遅**き**に失する」「望み無**き**に非ず」「耐えがた**き**を耐え」「古**き**良**き**時代」「良**き**につけ悪**しき**につけ」「水は低**き**に就く」（以上、連体形）、「遅**かれ**早**かれ**」「幸多**かれ**と祈る」（以上、命令形）。

口語助動詞活用表

種類	語	(未然形) 助動詞「ない・ぬ」に続く	(未然形) 助動詞「う・よう」に続く	(連用形) 文を中止したり用言に続いたりする	(連用形) 助動詞「た」に続く	(終止形) 文の終止などに用いる	(連体形) おもに体言に続く	(仮定形) 助詞「ば」に続いて仮定の意味を表わす	(命令形) 命令の意味を表わす	活用の型	接続(一)	接続(二)
受身 尊敬 自発 可能	れる	れ		れ		れる	れる	れれ	れよ れろ	動詞下一型	五段・サ変の未然形に	「せる・させる」の未然形に
	られる	られ		られ		られる	られる	られれ	られよ られろ	動詞下一型	右のほかの動詞の未然形に	
使役	せる	せ		せ		せる	せる	せれ	せよ せろ	動詞下一型	五段・サ変の未然形に	「れる・られる」の未然形に
	させる	させ		させ		させる	させる	させれ	させよ させろ	動詞下一型	右のほかの動詞の未然形に	
	しめる	しめ		しめ		しめる	しめる	しめれ	しめよ しめろ	動詞下一型	用言の未然形に〔文語的表現として〕	文語「たり」(断定)・「なり」(断定)の未然形に
丁寧	ます	ませ	ましょ	まし		ます(まする)	ます(まする)	ますれ	まし ませ	動詞サ変型	動詞の連用形に	「れる・られる・せる・させる・たがる」の連用形に
時 完了(過去)	た		たろ			た	た	たら		特殊	用言の連用形に	「れる・られる・せる・させる・ます・らしい・ない・たい・たがる・だ・です・そうだ(様態)・ようだ」の連用形に
時 未来 意志 推量	う					う	(う)			特殊	五段・形・形動の未然形に	「ます・た・ない・たい・たがる・だ・です・そうだ(様態)・ようだ」の未然形に
	よう					よう	(よう)			特殊	右のほかの動詞の未然形に	「れる・られる・せる・させる」の未然形に
推量	らしい			らしく	らしかっ	らしい	らしい	(らしけれ)		形容詞型	名詞や、形動の語幹、動詞・形容詞の終止形に	「そうだ」(様態)の語幹、「れる・られる・せる・させる・た・ぬ・ない・たい・たがる」の終止形に
	まい					まい	(まい)			特殊	五段の終止形および五段以外の未然形・終止形に	「れる・られる・せる・させる・たがる」の未然形・終止形、「ます」の終止形に
	ようだ			ようで ように	ようだっ	ようだ	ような	(ようなら)		形容動詞型	用言の連体形。助詞「の」に	「れる・られる・せる・させる・た・ぬ・ない・たい・たがる」の連体形に
	みたいだ			みたいで みたいに	みたいだっ	みたい(だ)	みたいな	(みたいなら)		形容動詞型	名詞、動詞・形容詞の連体形、形容動詞の語幹	「れる・られる・せる・させる・た・ない・たい・たがる」の連体形に

打消	ぬ ない		なかろ	ず なく	なかっ	ぬ(ん) ない	ぬ(ん) ない	ね なけれ		特殊 形容詞型	動詞の未然形に	「れる・られる・せる・させる・ます・たがる」の未然形に 「れる・られる・せる・させる・たがる」の未然形に
希望	たい たがる	たがら	たかろ たがろ	たく たがり	たかっ たがっ	たい たがる	たい たがる	たけれ たがれ		形容詞型 動詞五段型	動詞の連用形に	「れる・られる・せる・させる」の連用形に 「れる・られる・せる・させる」の連用形に
断定	だ です		だろ でしょ	で	だっ でし	だ です	(な) (です)	(なら)		形容動詞型 特殊	名詞や助詞「の」に、未然形に限っては動詞・形容詞の連体形に	未然形に限っては「れる・られる・せる・させる・たらしい・ぬ・ない・たい・たがる」の連体形に
伝聞	そうだ			そうで		そうだ (そうな)				特殊	用言の終止形に	「れる・られる・せる・させる・た・ぬ・ない・たい・たがる・だ」の終止形に
様態	そうだ		そうだろ	そうで そうに	そうだっ	そうだ	そうな	そうなら		形容動詞型	動詞の連用形、形容詞・形容動詞型の語幹に	「ない・たい」の語幹、「れる・られる・せる・させる」の連用形に
比喩	ようだ みたいだ		ようだろ みたいだろ	ようで ように みたいで みたいに	ようだっ みたいだっ	ようだ みたい(だ)	ような みたいな	ようなら みたいなら		形容動詞型	用言の連体形、助詞「の」、連体詞「この・その・あんな・どんな」などに 名詞、動詞・形容詞の連体形、形容動詞の語幹に	「れる・られる・せる・させる・た・ぬ・ない・たい・たがる」の連体形に 「れる・られる・せる・させる・た・ない・たい・たがる」の連体形に

○可能表現「見られる」「食べられる」「寝られる」などを、近時、口頭語において五段活用動詞の可能動詞「行ける」「知れる」などに倣い、一段活用動詞の一部の動詞について「見れる」「食べれる」「寝れる」などと下一段活用動詞の形で言う向きが多くなってきたが、本辞書では、規範的な形としては認めていない。
○「比喩」の「ようだ(みたいだ)」は、「ように(みたいに)」「ような(みたいな)」の形しか用いられない。
○「だ」の仮定形「なら」は、本書では接続助詞として扱った。
○適当・義務を表わす助動詞「べし」は、口語では「べき」(連体形)・「べきだ」(終止形)・「べきで」(連用形)・「べから(ず)」(未然形)などの形で用いられるのみである。

二十四気

太陽の黄道上の位置(=黄経)によって、一年を二十四(=各十五日)に区分した、中国伝来の陰暦の季節区分。二十四節。二十四節気。節気。

季節	名称	陰暦	陽暦	太陽黄経
春	立春(リッシュン)	正月節	二月四日ごろ	三一五度
	雨水(ウスイ)	正月中	二月一九日ごろ	三三〇度
	啓蟄(ケイチツ)	二月節	三月六日ごろ	三四五度
	春分(シュンブン)	二月中	三月二一日ごろ	〇度
	清明(セイメイ)	三月節	四月五日ごろ	一五度
	穀雨(コクウ)	三月中	四月二〇日ごろ	三〇度
夏	立夏(リッカ)	四月節	五月六日ごろ	四五度
	小満(ショウマン)	四月中	五月二一日ごろ	六〇度
	芒種(ボウシュ)	五月節	六月六日ごろ	七五度
	夏至(ゲシ)	五月中	六月二二日ごろ	九〇度
	小暑(ショウショ)	六月節	七月七日ごろ	一〇五度
	大暑(タイショ)	六月中	七月二三日ごろ	一二〇度
秋	立秋(リッシュウ)	七月節	八月八日ごろ	一三五度
	処暑(ショショ)	七月中	八月二三日ごろ	一五〇度
	白露(ハクロ)	八月節	九月八日ごろ	一六五度
	秋分(シュウブン)	八月中	九月二三日ごろ	一八〇度
	寒露(カンロ)	九月節	一〇月八日ごろ	一九五度
	霜降(ソウコウ)	九月中	一〇月二四日ごろ	二一〇度
冬	立冬(リットウ)	一〇月節	一一月八日ごろ	二二五度
	小雪(ショウセツ)	一〇月中	一一月二三日ごろ	二四〇度
	大雪(タイセツ)	一一月節	一二月八日ごろ	二五五度
	冬至(トウジ)	一一月中	一二月二二日ごろ	二七〇度
	小寒(ショウカン)	一二月節	一月六日ごろ	二八五度
	大寒(ダイカン)	一二月中	一月二〇日ごろ	三〇〇度

計量単位

現在普通には用いられない尺貫法，ヤードポンド法からメートル法を知るために挙げた。

メートル法については，本文を参照されたい。

(一) 長　さ

1寸(スン)	3.0303 cm
1尺(シャク)＝10寸	30.303 cm
1間(ケン)＝ 6尺	1.8182 m
1丈(ジョウ)＝10尺	3.0303 m
1町(チョウ)＝60間	109.09 m
1里(リ)＝36町	3.9273 km
1インチ	2.5400 cm
1フィート＝12インチ	30.480 cm
1ヤード＝3フィート	0.9144 m
1マイル＝1760ヤード	1.6093 km
1海里(カイリ)	1852 m(緯度1分の長さ)

(二) 重　さ

1匁(モンメ)	3.75 g
1斤(キン)＝160匁	600 g
1貫(カン)＝1000匁	3.75 kg
1オンス	28.350 g
1ポンド＝16オンス	0.45359237 kg
1カラット(宝石の重さ)	200 mg

(三) 面　積

1坪(ツボ)〔1歩(ブ)とも〕(＝1平方間)	3.3058 m^2
1畝(セ)＝30坪	99.174 m^2
1反(タン)＝10畝＝300坪	991.74 m^2
1町(チョウ)＝10反	9917.4 m^2(0.99174 ha)
1平方フィート	929.03 cm^2
1平方ヤード	0.8361 m^2
1エーカー＝4840平方ヤード	4046.9 m^2
1平方マイル＝640エーカー	2.5900 km^2

(四) 体　積

1合(ゴウ)	180.39 cm^3
1升(ショウ)＝10合	1.8039 L
1斗(ト)＝10升	18.039 L
1石(コク)＝10斗	180.39 L

1クォート＝1/4ガロン
1ガロン　英:4.54609 L　米:3.7854 L(＝231立方インチ)
1ブッシェル＝8ガロン
1バーレル＝36ガロン(英 ビール)
　　　　＝42ガロン(米 石油)

数字の読み方

漢数字・アラビア数字を用いて書き表わされた数の読み方・唱え方および直後に事物名・助数詞・単位名などが来る時の、数字の読み方を分類して示す。

Ⅰ 一から十までの数

(i) 単独での唱え方・読み方

最も基本となる一から十までの数について、数詞の唱え方と数字を対照表にすると、左記のようになる。

【数詞と数字の対照表】

和語の数詞	漢数字	字音語の数詞	アラビア数字
ひ	一	イチ	1
ふ	二	ニ	2
み	三	サン	3
よ	四	シ	4
い	五	ゴ	5
む	六	ロク	6
な	七	シチ	7
や	八	ハチ	8
ここの	九	キュウ ク	9
とお	十	ジュウ	10

本稿では、和語による読み(=訓読み)は平仮名で、字音語による読み(=音読み)は片仮名で書くことにする。

[A] 和語の数詞…かぞえる時は、「ひい・ふう・みい・よお」などと長呼することが多い。また「い」「な」には、それぞれ「いつ」「なな」という唱え方もある。「ここの」は略されて「ここ・この・こ」ともなる。

[参考]倍数関係にある「ひ・ふ」「み・む」「よ・や」は、それぞれ母音だけが交替した形となっていることが注目される。〔参考文献[1]〕

[B] 字音語の数詞…表に掲げた「九」の字音のうち、「ク」は呉音、「キュウ」は漢音である。参考までに、一から十までの呉音数詞と漢音数詞とを並べて示しておく。

呉音数詞　イチ　ニ　サン　シ　ゴ　ロク　シチ　ハチ　ク　ジュウ

漢音数詞　イツ　ジ　サン　シ　ゴ　リク　シツ　ハツ　キュウ　シュウ

〔なお、二つずつまとめてかぞえる時は、「ニ・シ・ロ・や・と」と唱えることが多い〕

[C] 音読み型と汎用型…数を唱えたり数字を読んだりする時、今日では字音語によることの方が多いので、対照表における「字音語の数詞」欄に示した一から十までの読み方を**「音読み型」**と名付ける。実際には、純粋に字音語だけから成るこの方式よりも、「シ」を和語「よん」で置き換え、「七」の読みに和語「なな」を加え、「九」を漢音「キュウ」で読む、言わば混合方式が広く行なわれている。この方式は汎用性に富んでいるので、本稿ではこれを**「汎用型」**と呼ぶことにする。

[汎用型]　イチ　ニ　サン　よん　ゴ　ロク　なな シチ　ハチ　キュウ　ジュウ

(ii) 造語形(=直後に来る語と一まとまりとなった時の、数字の読み方)

前項(i)の[C]で挙げた音読み型・汎用型の他に、和語だけから成る次の型がある。

[訓読み型]　ひと　ふた　み　よ　いつ　む　なな　や　ここの　と

数字の直後に来る語が和語か字音語か外来語かの種別により、左記の[A][B][C]に分けて読み方を示す。数字の読みを問題にしている今、湯桶(ゆトウ)読み・重箱(ジュウばこ)読みの語は、数字とじかに接する上位成分の所属に従ってそれぞれ和語・字音語の所に分類する。以下も同様。

[A] 数字＋和語

数字の部分の読み方により、三つの型(a)(b)(c)に分類できる。

(a) 訓読み型

〈例〉ひとえ(一重)　ふたえ(二重)　みえ(三重)　よえ(四重)　いつえ(五重)　むえ(六重)　ななえ(七重)　やえ(八重)　ここのえ(九重)　とえ(十重)

〈他の例〉数字の部分は略して、和語の部分だけを記す。

つき(月)…「一箇月の期間」を指す和語。

とせ(年)…年数をかぞえる雅語。

つ(九個までの個数を表わす時の接尾語)…「みつ・よつ・むつ・やつ」は、かぞえる場合 促音化して「みっつ・よっつ・むっつ・やっつ」となる。

か(日)…「ひ(日)」の複数形。数字の読みに語形変化(=母音交替や促音化など)を伴うものが大部分。具体的な語形はⅥ(i)[C]を参照。

(b)汎用型
〈和語の例〉わり(割)…全体の中で占める割合を示す単位(=十分の一)
イチわり　ニわり　サンわり　よんわり　ゴわり　ロクわり
なな(シチ)わり　ハチわり　キュウわり　ジュウわり
〈他の例〉わ(羽)　がた(型)　くみ(組)…学級名
〔一般に今日では、「シチ」よりも「なな」の方が好んで用いられる。以下も同様〕

(c)訓読み型と汎用型の混合
混合の具合は和語ごとに異なるので、主な例について数字の読みが訓読み型に従うか汎用型に従うかを一覧表にして示す。表中「訓」とあるのは訓読み型を、「汎」とあるのは汎用型を指す。「併」は両者が共に用いられることを意味する。〔参考文献[2]〕

一	二	三	四	五	六	七	八	九	十	和語の例
訓	訓	訓	訓	併	訓	訓	訓	併	併	度(たび)
訓	訓	訓	訓	併	訓	訓	訓	汎	訓	柱(はしら)
訓	訓	訓	訓	訓	訓	訓	汎	汎	汎	揃(そろ)い
訓	訓	訓	併	併	併	訓	汎	汎	併	色(いろ)
訓	訓	訓	訓	汎	汎	訓	汎	汎	汎	重(かさ)ね　振(ふ)り
訓	訓	併	併	併	汎	訓	汎	汎	併	皿(さら)　粒(つぶ)　棟(むね)　切(き)れ　組(くみ)(=そろい)　束(たば)　部屋(へや)
訓	訓	併	併	汎	汎	訓	汎	汎	併	坪(つぼ)　箱(はこ)　針(はり)
訓	訓	併	併	汎	汎	訓	汎	汎	汎	桁(けた)　品(しな)　袋(ふくろ)　口(くち)　通(とお)り
訓	訓	併	汎	汎	汎	訓	汎	汎	汎	株(かぶ)　玉(たま)　折(お)り
訓	訓	汎	汎	汎	汎	訓	汎	汎	汎	枠(わく)　場所(ばショ)(相撲用語。湯桶読み)
併	併	汎	汎	汎	汎	訓	汎	汎	汎	試合(しあい)

〔字音語数詞の発音についての註〕
一般に「イチ・ロク・シチ・ハチ・ジュウ」は、「か行・さ行・た行・は行・ぱ行」の音の前で促音化してそれぞれ「イッ・ロッ・シッ・ハッ・ジ(ュ)ッ」となることがある。以下も同様。
〈例〉六組(ロッくみ)　八通り(ハチとおり・ハッとおり)
なお、「ジュウ」(字音仮名遣いでは「ジフ」)が促音化した場合、「ジッ」となるのが本来の形であるが、慣用音として「ジュッ」も許容される。

[B]　数字＋字音語
数字の読み方により、三つの型(a)(b)(c)に分類できる。

(a)音読み型
〈例〉東西に走る都大路(みやこおおじ)の名
イチジョウ(一条)　ニジョウ(二条)　サンジョウ(三条)　シジョウ(四条)　ゴジョウ(五条)　ロクジョウ(六条)　シチジョウ(七条)　ハチジョウ(八条)　クジョウ(九条)　ジュウジョウ(十条)
〈他の例〉月(ガツ)〔Ⅵ(i)[B]を参照〕　分袖(ブそで)　分咲(ブざ)き(「九」まで)　位(イ)(=昔の官位。「八」まで)
〔「位」以外は「九」の読みが呉音「ク」なので、呉音型の例ともなっている〕

(b)汎用型

〈字音語の例〉ホン(本)…細長い物などをかぞえる際の助数詞

イッポン　ニホン　サンボン　よんホン　ゴホン　（ロクホン／ロッポン）

なな(シチ)ホン　（ハチホン／ハッポン）　キュウホン　ジ(ユ)ッポン

〈他の例〉個(コ)　階(カイ)　冊(サツ)　杯(ハイ)　把(ワ)　番地(バンチ)　箇国(カコク)

〔(a)(b)(c)の中では、この(b)に属する字音語が最も多い〕

(c)音読み型・汎用型・訓読み型の混合

混合の具合は字音語ごとに異なるので、主な例について数字の読みが何型に従うかを型名の第一字によって示す。「音」は音読み型、「呉」は呉音型。「併」と記したのは、汎用型と訓読み型が共に用いられるものである。〔参考文献[2]〕

一二三四五六七八九十	字音語の例
汎汎汎訓汎汎音汎呉汎	時(ジ)　里(リ)　段(ダン)〔=段位。ただし一段でなく初段〕
汎汎汎訓汎汎汎汎音汎	人前(ニンまえ)　時限(ジゲン)　年(ネン)
汎汎汎併汎汎汎汎音汎	台(ダイ)　番(バン)　段(ダン)〔=段数〕
汎汎汎併汎汎汎汎汎汎	枚(マイ)　円(エン)　名(メイ)
汎汎汎汎汎汎汎汎音汎	度(ド)　尺(シャク)
併併汎汎汎汎汎汎汎汎	家族(カゾク)　区間(クカン)　種類(シュルイ)
訓訓汎汎汎汎汎汎汎汎	役(ヤク)　瓶(ビン)　缶(カン)〔=外来語に漢字をあてたもの〕
訓訓併併汎汎訓汎汎併	鉢(ハチ)〔→本文参照〕
訓訓訓訓汎汎汎汎汎汎	椀(ワン)　晩(バン)
訓訓訓訓訓訓訓訓汎汎	幕目(マクめ)〔芝居用語。重箱読み〕

〔「四＋字音語」の読み方についての註〕

(ア)「四」を「よ(ん)」とは読まず「シ」と読むもの

〈例〉四季　四球　四国　四半期　四角四面　四捨五入　四分(ブ(ン))音符

(イ)「四」を「シ」とは読まず「よ(ん)」と読むもの

〈例〉四(よ)人　四(よ)畳半　四(よ)字熟語　四(よ(ん))番　四(よん)階　四(よん)着　四(よん)男　四(よん)輪駆動

(ウ)「四」の読み方に「シ」と「よん」の二通りがあって、使い分けられているもの

〈例〉四(シ)条通り　四(シ)十肩　四(シ)等官　四(シ)重奏　四(シ)面楚歌

第四(よん)条　四(よん)十階　四(よん)等星　四(よん)重衝突　第四(よん)面

〔一般に、「シ」の方が古風な読み方で、慣用表現に用いられることが多い〕

(エ)「四」の読み方に「シ」と「よ(ん)」の二通りがあって、どちらでも良いもの

〈例〉四(シ・よ)拍子　四(シ・よん)分の一　四(シ・よ)次元

〔一般に、「シ」の方が「よ(ん)」より古い印象を与える。特に「シジゲン」は、かなり古い読み方〕

〔「九＋字音語」の読み方についての註〕

(ア)「九」を「キュウ」とは読まず「ク」と読むもの

〈例〉九九　九時　九品仏(ホンブツ)　九分九厘　薬九層倍　九郎判官(ホウガン)〔=源義経〕

(イ)「九」を「ク」とは読まず「キュウ」と読むもの

〈例〉九死　九州　九官鳥　三拝九拝　九仞(ジン)の功　九牛の一毛

(ウ)「九」の読み方に「ク」と「キュウ」の二通りがあって、使い分けられているもの

〈例〉九(ク)条通り　九(ク)十九(ク)里浜　九(ク)寸五分〔=短刀〕

第九(キュウ)条　九(キュウ)十九(キュウ)回　九(キュウ)寸五分〔=寸法〕

〔一般に、「ク」の方が古風な読み方で、慣用表現や固有名詞に用いられることが多い〕

(エ)「九」の読み方に「ク」と「キュウ」の二通りがあって、どちらでも良いもの

〈例〉九年　九番　九人前　九次元　三十九度の熱

〈字音語数詞の特例〉

(ア)「六」を漢音「リク」で読む場合

六合 六体 六書 六芸 六義園 六(リッ)国史 六朝時代

(イ)「二」を漢音「ジ」で読む場合

二(ジ)乗(＝二(ニ)乗・自乗) 二(ジ)女(＝次(ジ)女。娘二人の時は「ニジョ」。戸籍の続柄欄には、「次女」ではなく「二女」と記載される。「二男」も同様) 筑紫二郎(つくしジロウ)(＝筑後(チクゴ)川) 二黒(ジコク)(＝九星の一つ) 二(ジ)君(「ニクン」とも)

[参考]「不二(フジ)」もこれに属す。

(ウ)「三」を「サブ」と読む場合(「サブ」は「三」の字音「サム」の変化)

四国三郎(サブロウ)(＝吉野川) 三六(サブロク)、十八(＝九九「三の段」六番目。Ⅶを参照) 三六(サブロク)協定(＝労働基準法第三六(サンジュウロク)条による、時間外労働についての労使協定)

〈「三位」の読み方〉

順位を表わす際に最も普通の読み方は「サンイ」であるが、「正三位(ショウサンミ)・従三位(ジュサンミ)・三位一体」の場合は、連声により「サンミ」と読む。

[参考]「海野十三(うんのジュウザ)・内村鑑三(カンゾウ)」などの人名や「十三(ジュウソウ)」などの地名、「四三(シソウ)の星(＝北斗七星の和名)」などにおける「サ」「ソウ」(字音仮名遣いは「サウ」)は、「サン」の変化した慣用音。「三味線(シャミセン)」の「シャ」もこの系統。

[C] 数字＋外来語

数字の読み方により、二つの型(a)(b)に分類できる。

(a) 汎用型

〈外来語の例〉グラム(＝質量の単位)

イチグラム ニグラム サングラム よんグラム ゴグラム ロクグラム ななグラム(シチ) ハチグラム キュウグラム ジュウグラム

〈他の例〉メートル トン パーセント

(b) 汎用型と訓読み型の混合(極めて少数)

〈外来語の例〉クラス(＝学級)

ひと(イチ)クラス ふた(ニ)クラス サンクラス よんクラス ゴクラス ロッ(ロク)クラス ななクラス ハッ(ハチ)クラス キュウクラス ジ(ュ)ックラス

〈他の例〉パック ケース グループ シーズン

一と二の読み方だけ、汎用型と訓読み型の二通りあるものがほとんど。

〔なお、「缶(カン)」はオランダ語に由来するので本来この[C](b)に分類すべきであるが、便宜上[B](c)に入れてある〕

Ⅱ 十一以上の数

(i) **和語数詞の系列**

主なものだけを記す。大部分は雅語ないしは古語。

二十(はた) 三十(みそ) 四十(よそ) 五十(いそ)・五十(い) 六十(むそ) 七十(ななそ) 八十(やそ) 九十(ここのそ) 百(も) 五百(いお) 八百(やお) 千(ち) 千五百(ちいお) 万(よろず)

〈例〉二十歳(はたち) 二十重(はたえ) 三十一文字(みそひともじ) 五十日(いか) 五十鈴川(いすずがわ) 五百年(いおとせ) 八百屋(やおや) 千尋(ちひろ) 三千年(みちとせ) 八千草(やちぐさ) 万屋(よろずや)

(「そ(十)」「お(百)」は、いずれも単独では用いられない)

[参考]名字の「いからし(五十嵐)」は、「いかたらし(五十日帯)」のt音脱落形が起原。

(ii) **字音語数詞を中心とする系列**

[A] 十の倍数以外の、一の位の唱え方・読み方

原則として、音読み型あるいは汎用型に従う。造語形の場合、直後に来る語が和語・外来語なら汎用型に、字音語ならⅠ(ii)[B]に従って読む。

〈例外〉八百八町(ハッピャクやチョウ) 二十八星天道(ニジュウヤほしテントウ)(＝虫の名)

[B] 十の倍数の唱え方・読み方

ジュウ　ニジュウ　サンジュウ　よんジュウ(シ)　ゴジュウ
ロクジュウ　ななジュウ(シチ)　ハチジュウ　キュウジュウ
〈例外〉二百十日(とおか)　二百二十日(はつか)　一一〇番(ヒャクとおバン)
なお、四十と九十については、Ⅰ(ii)[B]の註を参照。
「ジュウ」の促音化については、Ⅰ(ii)[A]末尾の註を参照。

[C]　百(ヒャク)の倍数の唱え方・読み方
ヒャク　ニヒャク　サンビャク　よんヒャク　ゴヒャク
ロッピャク　ななヒャク　ハッピャク　キュウヒャク
〈例外〉一百(イッピャク)三十六地獄(=八大地獄と百二十八小地獄とを合わせたもの)　四(シ)百四(シ)病　七百結集(シチヒャクケツジュウ)(=七百人による仏典結集)
「ヒャク」は、「ジュウ」と同様に促音化することがある。
〈例〉五十歩百歩(ゴジッポヒャッポ)

[D]　千(セン)の倍数の唱え方・読み方
(イッ)セン　ニセン　サンゼン　よんセン　ゴセン　ロクセン
ななセン(シチセン)　ハッセン　キュウセン
千の位が最上位である時は、改まった形である「一千」より「千」の方が普通。千の位が最上位でない時は「千」より「一千」の方が自然。
〈例〉千五百円　一万一千円

[E]　万(マン)の倍数の唱え方・読み方
万の何倍であるかを表わす数字は、汎用型に従って読む。
イチマン　ニマン　サンマン　よんマン　ゴマン　ロクマン
ななマン(シチマン)　ハチマン　キュウマン
〈例外〉四万十川(シマントがわ)　四(シ)万六千日
[参考]「マン」は「万」の慣用音であるが、漢音「バン」は今日、「数量がきわめて多い」または「すべての」という意味に用いられ、「千の十倍」を意味しない。本文【造語成分】ばん(万)を参照。

[F]　億(オク)の倍数の唱え方・読み方
前項[E]と同様に、汎用型に従って読む。

[G]　兆(チョウ)の倍数の唱え方・読み方
汎用型に従う。「一兆・八兆」は促音化して「イッチョウ・ハッチョウ」と読む。
兆より上の数詞についても同様。本文「大数(タイスウ)㊀」を参照。

Ⅲ　漢数字「〇」とアラビア数字「0」

(i)　単独での読み方
レイ(=漢字「零」の字音)　ゼロ(=外来語音)

(ii)　位取り記数法において、空位を表わす記号として用いられた時
〈例〉三〇一(漢数字)　301(アラビア数字)
[A]　サンビャクイチ…最も普通の読み方
[B]　サンビャクとんで(レイ)イチ…金額や得票数などを読み上げる場合に、十の位が空位であることを強調する読み方
[C]　サンまるイチ…部屋番号や法律の条文番号などの場合に採用されることが多い読み方
[D]　サンゼロ(レイ)イチ…電話番号などで用いられる、一桁区切りの読み方

〈整数の読み方ⅠⅡⅢに対する例外〉
(i)　証券取引の分野では、例えば「一二〇四円、十円安」を「イッセンふたヒャクまるよんエン、とおエンやす」と読み上げる。
(ii)　位取り記数法で表わされた数を一桁ずつ区切って読む時は、原則として汎用型に従うが、「二」と「五」は(語末を除いて)「ニー」「ゴー」と長呼することがある。
〈例〉二・二六(ニーニーロク)(テン)事件　三六(サブロク)協定(Ⅰ(ii)[B]〈字音語数詞の特例〉㋒)　O(オー)-157(イチゴーなな)　D51…デゴイチ(=D51形式蒸気機関車の俗称。Dは動輪が四対あることを、50以上の番号は炭水車付きをそれぞれ表わす)

［参考］

(ア)安売り価格、例えば「二九八円」の数字部分を強調して「ニーキュッパッ」などと言うことがある。

(イ)電話番号や口座番号の類は、単なる数字列という意識しか無いので、数字を一桁ずつ区切って読む。

(ウ)位取り記数法とは無関係で、幾つかの数字を単に並べただけのもの。

〈例〉一六(イチロク)銀行　一八(イチハツ)　二八(ニッパチ)　二八(ニハチ)そば(蕎麦)　三一(サンピン)〔「ピン」は外来語音〕　三三五五(サンサンゴゴ)　三八(サンや)つ広告　四三(シソウ)の星〔I(ii)[B]を参照〕　四六(シロク)判　四六(シロク)のがま(蝦蟇)　五三(ゴサン)の桐(＝紋所の名)　五七五(ゴーシチゴ)　五十日(ごとおび)　六三(ロクサン)制　七三(シチサン)に分ける　七五(シチゴ)調　七五三(シチゴサン)　千三(センみつ)　万一(マンイチ)

〔掛け算の九九に関連した表現については、Ⅶの末尾を参照〕

(エ)アラビア数字導入以前に行なわれていた、漢数字による「位取り記数法」のような記法については、参考文献[3]を参照。

Ⅳ 小数

(i) 普通の読み方

〈例〉一〇二・五〇二(漢数字)　102.502(アラビア数字)
ヒャクニ(ー)テンゴ(ー)レイ(ゼロ)ニ

小数点より上の部分は単独の整数と見なして、一の位は汎用型に、十の位以上はⅡ(ii)[B]以下に従って読み、小数点以下は一桁ずつ区切って汎用型で読む。

(ii) 野球の打率を表わす小数の読み方

〈例〉.3154　三割一分五厘四毛(サンわりイチブゴリンよんモウ)

［参考］「毛」の十分の一は「糸(シ)」。

Ⅴ 人の数・順番

(i) 「数字十人」の読み方

[A] 人数を表わす場合(最も普通の読み方は、括弧を付けずに示す)

ひとり(イチニン)　ふたり(ニニン)　(みたり)サンニン　(よ(っ)たり)よニン　(いつたり)ゴニン
ロクニン　(なな)シチニン　ハチニン　(キュウ)クニン　ジュウニン
ジュウイチニン　ジュウニニン　ジュウサンニン　ジュウよニン
ジュウゴニン　ジュウロクニン　ジュウ(なな)シチニン　ジュウハチニン
ジュウ(キュウ)クニン　ニジュウニン(以下同様)

〔「みたり・よ(っ)たり・いつたり」は雅語。参考文献[4]では「サンニン・よったり・ゴニン」〕

〈「一人」を「イチニン」と読む例〉
一人区(＝定数一の選挙区)　一人会社　一人当千　一人一党　一人一役　上御(かみゴ)一人(＝天皇。昔の尊称)
〔漢文訓読の際は「イチニン」〕

〈「一人」を、「ひとり」とも「イチニン」とも読む例〉
一人前(「イチニンまえ」の方が普通)　一人乗り　斗南(＝天下)の一人　一人一票

〈「二人」を「ニニン」と読む例〉
二人区(＝定数二の選挙区)　二人三脚　二人羽織　同行(ドウギョウ)二人　二人道成寺
〔漢文訓読の際は「ニニン」〕

〈「二人」を、「ふたり」とも「ニニン」とも読む例〉
二人前(「ニニンまえ」の方が普通)　二人乗り　二人組

[B] 人の順番を表わす場合
「一人」「二人」は、この場合「イチニン」「ニニン」と読む。
〈例〉第一人者　(第)一人称(ただし、「第一人〔=話し手自身〕の称」〔すなわち自称〕と解釈した時。次例も同様)　(第)二人称

(ii) **「数字十人目(め)」の読み方**
前項(i)の[A]で括弧を付けずに示した読みに、「め」を加えて読むのが普通。
ひとりめ　ふたりめ　サンニンめ　よニンめ　ゴニンめ(以下略)

(iii) **その他のかぞえ方**
[A] 助数詞「名(メイ)」…「名」の直前に来る数字の読みは、Ⅰ(ii)[B](c)に掲げた表の右から四番目およびⅡ(ii)に従う。
[B] 助数詞「方(かた)」…「(お)ひとかた・(お)ふたかた・(お)サンかた」まで。
[C] 助数詞「氏(シ)」…(敬意を込めて)何人かの名前を(書面で)挙げる時など。
[D] 助数詞「者(シャ)」…そのことに関係のある人・団体・国などをかぞえる際に用いられる。
〈例〉三者面談
[C][D]共に、数字の読みはⅠ(ii)[B](b)とⅡ(ii)に従う。

Ⅵ 日時

(i) **日付の読み方**
[A] 年(ネン)…イチネン　ニネン　サンネン　よネン　ゴネン　ロクネン　シチネン/ななネン　ハチネン　キュウネン/クネン　ジュウネン
十一年以上は、Ⅱ(ii)に従う。「四十」は「よんジュウ」が普通。
〈例〉一九四九年　(イッ)センキュウヒャクよんジュウキュウ(ク)ネン
[B] 月(ガツ)…イチガツ　ニガツ　サンガツ　シガツ　ゴガツ　ロクガツ　シチガツ　ハチガツ　クガツ　ジュウガツ　ジュウイチガツ　ジュウニガツ
〔数字の読みは、すべて呉音。ただし「ガツ」自体は、呉音でなく慣用音〕
[C] 日(か・ニチ)…ついたち(イチジツ)　ふつか　みっか　よっか　いつか　むいか　なのか　ようか　ここのか　とおか　ジュウイチニチ　ジュウニニチ　ジュウサンニチ　ジュウよっか　ジュウゴニチ　ジュウロクニチ　ジュウシチニチ　ジュウハチニチ　ジュウクニチ　ニジュウイチニチ　ニジュウニニチ　ニジュウサンニチ　ニジュウよっか　ニジュウゴニチ　ニジュウロクニチ　ニジュウシチニチ　ニジュウハチニチ　ニジュウクニチ　サンジュウニチ　サンジュウイチニチ
〈例外〉四月一日(イッぴ)付け
〔日付でなく日数をかぞえる場合、「一日」を「イチニチ」と読む以外は右の読み方がそのまま日数にも通用する。これ以外に許容される読みとしては、「ジュウよんニチ・ジュウななニチ・ジュウキュウニチ」がある。二十以上についても同様〕
〈例外〉二、三日(ニサンニチ)　四、五日(シゴニチ)など。

(ii) **時刻の読み方**
[A] 時(ジ)…レイジ　イチジ　ニジ　サンジ　よジ　ゴジ　ロクジ　シチ(なな)ジ　ハチジ　クジ　ジュウジ　ジュウイチジ　ジュウニジ　ジュウサンジ　ジュウよジ　ジュウゴジ　ジュウロクジ　ジュウシチ(なな)ジ　ジュウハチジ　ジュウクジ　ニジュウジ　ニジュウイチジ　ニジュウニジ　ニジュウサンジ　ニジュウよジ
[B] 分(フン)…レイフン　イップン　ニフン　サンプン　よんプン　ゴフン　ロップン　なな(シチ)フン　ハチフン/ハップン　キュウフン　ジ(ュ)ップン
〔十一分以上は、Ⅱ(ii)に従う〕
[C] 秒(ビョウ)…レイビョウ　イチビョウ　ニビョウ　サンビョウ　よんビョウ　ゴビョウ　ロクビョウ　ななビョウ/シチビョウ　ハチビョウ　キュウビョウ　ジュウビョウ

(十一秒以上は、Ⅱ(ⅱ)に従う。[B][C]共に、「四十」は「よんジュウ」)

Ⅶ　掛け算の九九

呉音型を基本とした唱え方の例を示す。呉音の原形から変化しているものについては、促音化したものや語頭子音が(半)濁音化したものも含めて、傍線を施した。

[一の段]

インイチがイチ　インニがニ　インサンがサン　インシがシ　インゴがゴ　インロクがロク　インシチがシチ　インハチがハチ　インクがク

[二の段]

ニイチがニ　ニニンがシ　ニサンがロク　ニシがハチ　ニゴジュウ　ニロクジュウニ　ニシチジュウシ　ニハチジュウロク　ニクジュウハチ

[三の段]

サンイチがサン　サンニがロク　サザンがク　サンシジュウニ　サンゴジュウゴ　サブロクジュウハチ　サンシチニジュウイチ　サンパニジュウシ　サンクニジュウシチ

[四の段]

シイチがシ　シニがハチ　シサンジュウニ　シシジュウロク　シゴニジュウ　シロクニジュウシ　シシチニジュウハチ　シハサンジュウニ　シクサンジュウロク

[五の段]

ゴイチがゴ　ゴニジュウ　ゴサンジュウゴ　ゴシニジュウ　ゴゴニジュウゴ　ゴロクサンジュウ　ゴシチサンジュウゴ　ゴハシジュウ　ゴックシジュウゴ

[六の段]

ロクイチがロク　ロクニジュウニ　ロクサンジュウハチ　ロクシニジュウシ　ロクゴサンジュウ　ロクロクサンジュウロク　ロクシチシジュウニ　ロクハシジュウハチ　ロックゴジュウシ

[七の段]

シチイチがシチ　シチニジュウシ　シチサンニジュウイチ　シチシニジュウハチ　シチゴサンジュウゴ　シチロクシジュウニ　シチシチシジュウク　シチハゴジュウロク　シチクロクジュウサン

[八の段]

ハチイチがハチ　ハチニジュウロク　ハチサンニジュウシ　ハチシサンジュウニ　ハチゴシジュウ　ハチロクシジュウハチ　ハチシチゴジュウロク　ハッパロクジュウシ　ハックシチジュウニ

[九の段]

クイチがク　クニジュウハチ　クサンニジュウシチ　クシサンジュウロク　クゴシジュウゴ　クロクゴジュウシ　クシチロクジュウサン　クハシチジュウニ　ククハチジュウイチ

〈関連表現〉

三五(サンゴ)夜(=十五夜)　四六(シロク)時中(=二十四時間ずっと)　七七日(シチシチニチ)(=四十九日)

[付記]右に示した九九の唱え方では、掛け算の結果すなわち積が九以下の時、口調を整えるために助詞「が」を間に入れる。参考文献[4]に採録された九九では、「が」だけでなく「の」も用いられている。唱えやすさを度外視すれば、「二三が六」でなく「二三は六」とすべき所。

【参考文献】

[1]白鳥庫吉「日本語の系統—特に数詞に就いて—」(一九三六)
[2]『NHK日本語発音アクセント新辞典』(二〇一六)付録2Ⅱ
[3]山田忠雄「漢数字の書法」(一九五六)
[4]ジョアン・ロドリゲス『日本大文典』(原著は一六〇四~八年刊)

山田明雄

送り仮名の付け方

●昭和四八年六月一八日内閣告示第二号「送り仮名の付け方」は、平成二二年一一月三〇日内閣告示第三号の「常用漢字表」改定に伴い、同日、内閣告示第二号によって一部改正された。ここには、改正された部分を含めた全文を示した。

●原文は「本文」のみが横書き。

（三省堂編修所注）

前書き

一　この「送り仮名の付け方」は、法令・公用文書・新聞・雑誌・放送など、一般の社会生活において、「常用漢字表」の音訓によって現代の国語を書き表す場合の送り仮名の付け方のよりどころを示すものである。

二　この「送り仮名の付け方」は、科学・技術・芸術その他の各種専門分野や個々人の表記にまで及ぼそうとするものではない。

三　この「送り仮名の付け方」は、漢字を記号的に用いたり、表に記入したりする場合や、固有名詞を書き表す場合を対象としていない。

「本文」の見方及び使い方

一　この「送り仮名の付け方」の本文の構成は、次のとおりである。

単独の語

1　活用のある語

通則1（活用語尾を送る語に関するもの）

通則2（派生・対応の関係を考慮して、活用語尾の前の部分から送る語に関するもの）

2　活用のない語

通則3（名詞であって、送り仮名を付けない語に関するもの）

通則4（活用のある語から転じた名詞であって、もとの語の送り仮名の付け方によって送る語に関するもの）

通則5（副詞・連体詞・接続詞に関するもの）

複合の語

通則6（単独の語の送り仮名の付け方による語に関するもの）

通則7（慣用に従って送り仮名を付けない語に関するもの）

付表の語

1（送り仮名を付ける語に関するもの）

2（送り仮名を付けない語に関するもの）

二　通則とは、単独の語及び複合の語の別、活用のある語及び活用のない語の別等に応じて考えた送り仮名の付け方に関する基本的な法則をいい、必要に応じ、例外的な事項又は許容的な事項を加えてある。

したがって、各通則には、本則のほか、必要に応じて例外及び許容を設けた。ただし、通則7は、通則6の例外に当たるものであるが、該当する語が多数に上るので、別の通則として立てたものである。

三　この「送り仮名の付け方」で用いた用語の意義は、次のとおりである。

単独の語……………漢字の音又は訓を単独に用いて、漢字一字で書き表す語をいう。

複合の語……………漢字の訓と訓、音と訓などを複合させ、漢字二字以上を用いて書き表す語をいう。

付表の語……………「常用漢字表」の付表に掲げてある語のうち、送り仮名の付け方が問題となる語をいう。

活用のある語………動詞・形容詞・形容動詞をいう。

活用のない語………名詞・副詞・連体詞・接続詞をいう。

本　則………………送り仮名の付け方の基本的な法則と考えられるものをいう。

例　外………………本則には合わないが、慣用として行われていると認められるものであって、本則によらず、これによるものをいう。

許　容………………本則による形とともに、慣用として行われていると認められるものであって、本則以外に、これによってよいものをいう。

四　単独の語及び複合の語を通じて、字音を含む語は、その字音の部分には送り仮名を要しないのであるから、必要のない限り触れていない。

五　各通則において、送り仮名の付け方が許容によることのできる語については、本則又は許容のいずれに従ってもよいが、個々の語に適用するに当たって、許容に従ってよいかどうか判断し難い場合には、本則によるものとする。

本　文

単独の語

1　活用のある語

通則1

本則　活用のある語（通則2を適用する語を除く。）は、活用語尾を送る。

〔例〕憤る　承る　書く　実る　催す
生きる　陥れる　考える　助ける
荒い　潔い　賢い　濃い
主だ

例外　(1)　語幹が「し」で終わる形容詞は、「し」から送る。

〔例〕著しい　惜しい　悔しい　恋しい　珍しい

(2)　活用語尾の前に「か」、「やか」、「らか」を含む形容動詞は、その音節から送る。

〔例〕暖かだ　細かだ　静かだ
穏やかだ　健やかだ　和やかだ
明らかだ　平らかだ　滑らかだ　柔らかだ

(3)　次の語は、次に示すように送る。

明らむ　味わう　哀れむ　慈しむ　教わる　脅かす（おどかす）　脅かす（おびやかす）　関わる　食らう　異なる　逆らう　捕まる　群がる　和らぐ　揺する
明るい　危ない　危うい　大きい　少ない　小さい　冷たい　平たい
新ただ　同じだ　盛んだ　平らだ　懇ろだ　惨めだ
哀れだ　幸いだ　幸せだ　巧みだ

許容　次の語は、（　）の中に示すように、活用語尾の前の音節から送ることができる。

表す（表わす）　著す（著わす）　現れる（現われる）　行う（行なう）　断る（断わる）　賜る（賜わる）

（注意）　語幹と活用語尾との区別がつかない動詞は、例えば、「着る」、「寝る」、「来る」などのように送る。

通則2

本則　活用語尾以外の部分に他の語を含む語は、含まれている語の送り仮名の付け方によって送る。（含まれている語を〔　〕の中に示す。）

〔例〕(1)　動詞の活用形又はそれに準ずるものを含むもの。

動かす〔動く〕　照らす〔照る〕
語らう〔語る〕　計らう〔計る〕　向かう〔向く〕
浮かぶ〔浮く〕
生まれる〔生む〕　押さえる〔押す〕　捕らえる〔捕る〕
勇ましい〔勇む〕　輝かしい〔輝く〕　喜ばしい〔喜ぶ〕
晴れやかだ〔晴れる〕
及ぼす〔及ぶ〕　積もる〔積む〕　聞こえる〔聞く〕
頼もしい〔頼む〕
起こる〔起きる〕　落とす〔落ちる〕
暮らす〔暮れる〕　冷やす〔冷える〕
当たる〔当てる〕　終わる〔終える〕　変わる〔変える〕　集まる〔集める〕　定まる〔定める〕　連なる〔連ねる〕　交わる〔交える〕
混ざる・混じる〔混ぜる〕
恐ろしい〔恐れる〕

(2) 形容詞・形容動詞の語幹を含むもの。
重んずる〔重い〕　若やぐ〔若い〕
怪しむ〔怪しい〕　悲しむ〔悲しい〕　苦しがる〔苦しい〕
確かめる〔確かだ〕
重たい〔重い〕　憎らしい〔憎い〕　古めかしい〔古い〕
細かい〔細かだ〕　柔らかい〔柔らかだ〕
清らかだ〔清い〕　高らかだ〔高い〕　寂しげだ〔寂しい〕

(3) 名詞を含むもの。
汗ばむ〔汗〕　先んずる〔先〕　春めく〔春〕
男らしい〔男〕　後ろめたい〔後ろ〕

許容　読み間違えるおそれのない場合は、活用語尾以外の部分について、次の（　）の中に示すように、送り仮名を省くことができる。
〔例〕　浮かぶ（浮ぶ）　生まれる（生れる）　押さえる（押える）
捕らえる（捕える）
晴れやかだ（晴やかだ）
積もる（積る）　聞こえる（聞える）
起こる（起る）　落とす（落す）　暮らす（暮す）　当たる（当る）　終わる（終る）　変わる（変る）

（注意）　次の語は、それぞれ〔　〕の中に示す語を含むものとは考えず、通則1によるものとする。
明るい〔明ける〕　荒い〔荒れる〕　悔しい〔悔いる〕　恋しい〔恋う〕

2　活用のない語

通則3

本則　名詞（通則4を適用する語を除く。）は、送り仮名を付けない。
〔例〕　月　鳥　花　山
男　女
彼　何

例外　(1) 次の語は、最後の音節を送る。
辺り　哀れ　勢い　幾ら　後ろ　傍ら　幸い　幸せ　全て
互い　便り　半ば　情け　斜め　独り　誉れ　自ら　災い

(2) 数をかぞえる「つ」を含む名詞は、その「つ」を送る。
〔例〕　一つ　二つ　三つ　幾つ

通則4

本則　活用のある語から転じた名詞及び活用のある語に「さ」、「み」、「げ」などの接尾語が付いて名詞になったものは、もとの語の送り仮名の付け方によって送る。
〔例〕　(1) 活用のある語から転じたもの。
動き　仰せ　恐れ　薫り　曇り　調べ　届け　願い　晴れ
当たり　代わり　向かい
狩り　答え　問い　祭り　群れ
憩い　愁い　憂い　香り　極み　初め
近く　遠く

(2) 「さ」、「み」、「げ」などの接尾語が付いたもの。
暑さ　大きさ　正しさ　確かさ
明るみ　重み　憎しみ
惜しげ

例外　次の語は、送り仮名を付けない。
謡　虞　趣　氷　印　頂　帯　畳
卸　煙　恋　志　次　隣　富　恥　話　光　舞
折　係　掛（かかり）　組　肥　並（なみ）　巻　割

（注意）　ここに掲げた「組」は、「花の組」、「赤の組」などのように使った場合の「くみ」であり、例えば、「活字の組みがゆるむ。」などとして使う場合の「くみ」を意味するものではない。「光」、「折」、「係」なども、同様に動詞の意識が残っているような使い方の場合は、この例外に該当しない。したがって、本則を適用して送り仮名を付ける。

許容　読み間違えるおそれのない場合は、次の（　）の中に示すように、送り仮名を省くことができる。

〔例〕曇り(曇)　届け(届)　願い(願)　晴れ(晴)
当たり(当り)　代わり(代り)　向かい(向い)
狩り(狩)　答え(答)　問い(問)　祭り(祭)　群れ(群)
憩い(憩)

通則5

本則　副詞・連体詞・接続詞は、最後の音節を送る。

〔例〕必ず　更に　少し　既に　再び　全く　最も
来る　去る
及び　且つ　但し

例外　(1)　次の語は、次に示すように送る。
明くる　大いに　直ちに　並びに　若しくは

(2)　次の語は、送り仮名を付けない。
又

(3)　次のように、他の語を含む語は、含まれている語の送り仮名の付け方によって送る。(含まれている語を〔 〕の中に示す。)

〔例〕併せて〔併せる〕　至って〔至る〕　恐らく〔恐れる〕
従って〔従う〕　絶えず〔絶える〕　例えば〔例える〕　努めて〔努める〕
辛うじて〔辛い〕　少なくとも〔少ない〕
互いに〔互い〕
必ずしも〔必ず〕

複合の語

通則6

本則　複合の語(通則7を適用する語を除く。)の送り仮名は、その複合の語を書き表す漢字の、それぞれの音訓を用いた単独の語の送り仮名の付け方による。

〔例〕(1)　活用のある語
書き抜く　流れ込む　申し込む　打ち合わせる　向かい合わせる　長引く　若返る　裏切る　旅立つ
聞き苦しい　薄暗い　草深い　心細い　待ち遠しい
軽々しい　若々しい　女々しい
気軽だ　望み薄だ

(2)　活用のない語
石橋　竹馬　山津波　後ろ姿　斜め左　花便り　独り言
卸商　水煙　目印
田植え　封切り　物知り　落書き　雨上がり　墓参り　日当たり　夜明かし　先駆け　巣立ち　手渡し
入り江　飛び火　教え子　合わせ鏡　生き物　落ち葉
預かり金
寒空　深情け
愚か者
行き帰り　伸び縮み　乗り降り　抜け駆け　作り笑い
暮らし向き　売り上げ　取り扱い　乗り換え　引き換え
歩み寄り　申し込み　移り変わり
長生き　早起き　苦し紛れ　大写し
粘り強さ　有り難み　待ち遠しさ
乳飲み子　無理強い　立ち居振る舞い　呼び出し電話
次々　常々
近々　深々
休み休み　行く行く

許容　読み間違えるおそれのない場合は、次の( )の中に示すように、送り仮名を省くことができる。

〔例〕書き抜く(書抜く)　申し込む(申込む)　打ち合わせる(打ち合せる・打合せる)　向かい合わせる(向い合せる)　聞き苦しい(聞苦しい)　待ち遠しい(待遠しい)

田植え（田植） 封切り（封切） 落書き（落書） 雨上がり（雨上り） 日当たり（日当り） 夜明かし（夜明し） 入り江（入江） 飛び火（飛火） 合わせ鏡（合せ鏡） 預かり金（預り金）

抜け駆け（抜駆け） 暮らし向き（暮し向き） 売り上げ（売上げ・売上） 取り扱い（取扱い・取扱） 乗り換え（乗換え・乗換） 引き換え（引換え・引換） 申し込み（申込み・申込）

移り変わり（移り変り）

有り難み（有難み） 待ち遠しさ（待遠しさ）

立ち居振る舞い（立ち居振舞い・立ち居振舞・立居振舞）

呼び出し電話（呼出し電話・呼出電話）

（注意） 「こけら落とし（こけら落し）」、「さび止め」、「洗いざらし」、「打ちひも」のように、前又は後ろの部分を仮名で書く場合は、他の部分については、単独の語の送り仮名の付け方による。

通則7

複合の語のうち、次のような名詞は、慣用に従って、送り仮名を付けない。

〔例〕 (1) 特定の領域の語で、慣用が固定していると認められるもの。

ア 地位・身分・役職等の名。

関取 頭取 取締役 事務取扱

イ 工芸品の名に用いられた「織」、「染」、「塗」等。

《博多》織 《型絵》染 《春慶》塗 《鎌倉》彫 《備前》焼

ウ その他。

書留 気付 切手 消印 小包 振替 切符 踏切

請負 売値 買値 仲買 歩合 両替 割引 組合 手当

倉敷料 作付面積

売上《高》 貸付《金》 借入《金》 繰越《金》 小売《商》 積立《金》 取扱《所》 取扱《注意》 取次《店》 取引《所》 乗換《駅》 乗組《員》 引受《人》 引受《時刻》 引換《券》 《代金》引換 振出《人》 待合《室》 見積《書》 申込《書》

(2) 一般に、慣用が固定していると認められるもの。

奥書 木立 子守 献立 座敷 試合 字引 場合 羽織 葉巻 番組 番付 日付 水引 物置 物語 役割 屋敷 夕立 割合

合図 合間 植木 置物 織物 貸家 敷石 敷地 敷物 立場 建物 並木 巻紙

受付 受取

浮世絵 絵巻物 仕立屋

（注意） (1) 「《博多》織」、「売上《高》」などのようにして掲げたものは、《　》の中を他の漢字で置き換えた場合にも、この通則を適用する。

(2) 通則7を適用する語は、例として挙げたものだけで尽くしてはいない。したがって、慣用が固定していると認められる限り、類推して同類の語にも及ぼすものである。通則7を適用してよいかどうか判断し難い場合には、通則6を適用する。

付表の語

「常用漢字表」の「付表」に掲げてある語のうち、送り仮名の付け方が問題となる次の語は、次のようにする。

1 次の語は、次に示すように送る。

浮つく お巡りさん 差し支える 立ち退く 手伝う 最寄り

なお、次の語は、（　）の中に示すように、送り仮名を省くことができる。

差し支える（差支える） 立ち退く（立退く）

2 次の語は、送り仮名を付けない。

息吹 桟敷 時雨 築山 名残 雪崩 吹雪 迷子 行方

活字の字形と筆写の字形

- 「常用漢字表」（平成二二年一一月三〇日内閣告示第二号）「（付）字体についての解説」より「第２　明朝体と筆写の楷書との関係について」を以下に掲載する。
- この解説では、「常用漢字表」では、個々の漢字の字体（文字の骨組み）を明朝体のうちの一種で例示しているが、筆写の楷書における書き方の習慣を改めようとするものではなく、明朝体の字形と筆写の楷書の字形との間にはいろいろな違い（１および２）があり表現の差と見るべきものであること、場合によっては字体（文字の骨組み）の違いに及ぶこと（３）を示している。
- なお、ここにあげられている事柄について、文化審議会国語分科会報告「常用漢字表の字体・字形に関する指針」（平成二八年二月二九日）として、より詳しい解説が文化庁より発表されている。
- 原文は横書き。

（三省堂編修所注）

１　明朝体に特徴的な表現の仕方があるもの

⑴ 折り方に関する例

衣－衣　去－去　玄－玄

⑵ 点画の組合せ方に関する例

人－人　家－家　北－北

⑶ 「筆押さえ」等に関する例

芝－芝　史－史

入－入　八－八

⑷ 曲直に関する例

子－子　手－手　了－了

⑸ その他

辶・辶－辶　竹－竹　心－心

２　筆写の楷書では、いろいろな書き方があるもの

⑴ 長短に関する例

雨－雨雨　戸－戸戸戸　無－無無

⑵ 方向に関する例

風－風風　比－比比

仰－仰仰　糸－糸糸　礻－礻礻　礻－礻礻

主－主主　言－言言

年－年年年

⑶ つけるか、はなすかに関する例

又－又又　文－文文

月－月月

条－条条　保－保保

(4) はらうか、とめるかに関する例

奥－奥奥　公－公公

角－角角　骨－骨骨

(5) はねるか、とめるかに関する例

切－切切　改－改改

酒－酒酒　陸－陸陸

穴－穴穴

木－木木　来－来来

糸－糸糸　牛－牛牛

環－環環

(6) その他

令－令令　外－外外

女－女女　叱－叱叱

3 筆写の楷書字形と印刷文字字形の違いが、字体の違いに及ぶもの

以下に示す例で、括弧内は印刷文字である明朝体の字形に倣って書いたものであるが、筆写の楷書ではどちらの字形で書いても差し支えない。なお、括弧内の字形の方が、筆写字形としても一般的な場合がある。

(1) 方向に関する例

淫－淫（淫）　恣－恣（恣）

煎－煎（煎）　嘲－嘲（嘲）

溺－溺（溺）　蔽－蔽（蔽）

(2) 点画の簡略化に関する例

葛－葛（葛）　嗅－嗅（嗅）

僅－僅（僅）　餌－餌（餌）

箋－箋（箋）　塡－填（塡）

賭－賭（賭）　頰－頬（頰）

(3) その他

惧－惧（惧）　稽－稽（稽）

詮－詮（詮）　捗－捗（捗）

剝－剥（剝）　喩－喻（喩）

歴史的かなづかい

よく、「歌は世につれ、世は歌につれ」と言われるが、漢字の字体観・かなづかい観もまた時と共に移り行き、変わり行くことを免れない。前者に関しては、戦中、教場で正しいとされていたものが敗戦後政令の布行により一朝にして正しくないもの・好ましくないものとして教育界からシャットアウトされた事実がこれを証する。逆に、昨日まで誤りとされたものが次の日からは大手を振って罷(カマ)り通るようになる。くつがえり易いのは人心ばかりではない。

かなづかい観の変転にも、似たような事実が有る。江戸時代における復古かなづかいの提唱者釈契沖(ケイチュウ)が万葉集代匠記初稿本の折使用した定家かなづかいを、精撰本においては非とし翻然として歴史的かなづかいに従った事実は知らぬ人も無かろう。また、仮名づかいの専書、和字大観抄(次項参照)や揖取魚彦(カトリナビコ)の古言梯が、初刊本と再刊本との間でア行のＯの所属に相違が有り、ヲ から オに改められたことは国語学史上著聞する。指導的地位に在る人の研鑽が社会に与える影響は頗(スコブ)る大きいものと言わねばならぬ。

〈字音かなづかい〉 現代通行の漢和辞典に載せる所の漢字音は、廣韻所載の反切(ハンセツ)〔⇩本文一二八九ページ〕や韻鏡の所説に依拠して演繹(エンエキ)的に定めたもので、漢音・呉音共に わが国で実際に行われたものとは必ずしも合致しないものがまま見られる。本書で施したものと大幅に異なるものとしては、先ず次の一類を挙げることが出来る。

[A] スイ　誰 推 睡 吹 炊 垂 錘 陲 水 衰 遂 悴 粋
酔 萃 翠 邃 帥 出 彗 穂
ズイ　随 髄 瑞 蘂
ツイ　追 槌 鎚 堆 椎 墜 隧 対
ユイ　惟 唯 維 遺
ルイ　類 羸 累 瘰 縲 涙 誄 壘

これらは、釈文雄(モンノウ)が和字大観抄(宝暦四年―一七五四年―成る)において唱え始めてから本居宣長の字音仮字用格・太田方の漢呉音図を経て、それぞれ　スヰ・ズヰ・ツヰ・ユヰ・ルヰ　であるという説が学界を風靡(フウビ)して今日の漢和辞典に至ったものである。しかしながら、さような説は同じく文雄の書いたものでも磨光韻鏡には未だ見えず、同時代の谷川士清(コトスガ)の和訓栞にも見えないことは言うまでもなく、平安・鎌倉・室町各期の字音資料及び江戸時代初期の文献には絶えてその用例が見られない。これらの字音は、韻鏡第五轉・第七轉・第十轉に属し、一概に言えば合口音である。合口音の中でも、

鬼 愧 危 跪 詭 貴 匱 簣 饋 帰 毀 卉 亀 軌 徽
晷 揆 喟
偽 巍

の類は、古くはそれぞれクヰ グヰ であった。これらは、化 花 訛 靴 戈 火 瓜 禾 果 菓 課 和 科 蝌 渦 禍 過 華 譁 寡：瓦 臥 画：回 徊 灰 快 恢 詼 乖 怪 會 繪 塊 悔 誨 隗 槐 瑰 壊 懷：外 が それぞれ クワ・グワ・クワイ・グワイ であるように、もと w の音を含んでいた。しかるに、スイ・ズイ・ツイ・ユイ・ルイ の一群が、もと含んでいた音は、もともと u なのである。w を含む合口音は、変化が起こって今日標準語においては一様に直音となってしまったが、u を含む一群は元来の発音をなお失っていない。〔以上については、満田新造博士遺著「中国音韻史論考」二八三～二八九ページ〈「スヰ」「ツヰ」「ユヰ」「ルヰ」の字音仮字遣は正しからず〉参照〕

次に、故有坂秀世博士によって訂せられたものに次の一類が有る。

[B] ホウ　宝 保 褒 褓 報
ボウ　帽 冒 暴 毛(漢音。本辞典には載せなかった) 髦
モウ　毛 耄

以上、豪(皓・号)韻の唇音に属する諸字は、豪韻一般が　アウ　であるのとは異なり、　オウ　である。漢和辞典がこれらをすべて　アウ　とするのはもとより廣韻の反切によるものであるが、有坂博士に従えば、叙上の諸字が　オウ　とされるのは、古代シナ語において既に　そのように発音され易い傾向が馴致(ジュンチ)されていたものと推せられ、それを直接耳に聞けば当然　オウ　と写したものといわれる。しかるに、反切を信じるのみで実際にシナ音を耳にする機会の無い後代の学者は、反切音を金科玉条とするために、流通音としての　ホウ・ボウ・モウ　との乖離(カイリ)を来したものである。これらと多少事情を異にする面は有るが、

ソウ　艘

ハウ　抱　袍　胞(この一類は、既に一部の漢和辞典では正音の扱いをしているが、反切とは異なる意味で、ここに序(ツイ)でた)

が反切音である　サウ・ホウ　とそれぞれ異なるのも流通音のためとされる。〔以上、「国語音韻史の研究　増補新版」二六三～二八二ページ〈帽子等の假名遣について〉参照〕

[C]　カウ　講

これについては、漢音　カウ　呉音　コウ　という俗説が一般に行われているが、流通音は　いずれも　カウ　である。三巻本色葉字類抄に就いて見るに、仏教語と覚しき

已講　八講　長講　直講　講堂　講説　講筵　講経　講演　講師

すべて　カウ　で熟語の訓(ヨ)みが示され、法華経単字・法華経音・法華経音訓(古写本・版本すべて)・法華経文字声韻音訓篇集・浄土三部経音義のいずれを取ってみても　コウ　を載せるものは無い。かな法華・平家物語の古写本・キリシタン文献もすべて同じく　カウ　である。仏教語なるが故にすべて呉音を用いるものでないことは以上で知るべきである。〈降〉も同じ理由により　ゴウ　とすることは当を得ない。

[D]　仏教語なるが故に合音である呉音を用いる例は、　法(ウ)　の場合に見られる。すなわち、既引　字類抄で　法　を　ハフとしるすのは

苛法(カ畳字法家部)　礼法(レ畳字公卿部)　無法(ム畳字雑部)　憲法(ケ畳字雑部)

骨法(コ畳字雑部)　禁法(キ畳字法家部)　制法(セ畳字法家部)

の諸語だけであり、これらは一様に　法家・公卿・雑　の諸部に属する。しかるに、仏教関係と覚しき次の諸語は　いずれも　ホフ(ウ)と表記する。

如法　法師　法文　法相　法華　法會　法用　法隆寺　法性寺

法務　法印　法眼　法橋　修法　説法

後者に関しては違例が一も見えず、前者に関しては次の例外を見る。

法家(ホフケ)法家部　法条(ホフテウ)同　法令(ホフリヤウ)同　作法(サホウ)公卿部

明法博士(ミヤウホウハカセ)(官職)

すなわち、非仏教語に関しては揺れが見られるのに対し、仏教語に関しては一も違例が無い。その拘束は殊の外厳しかったものと目される。

[E]　方　もまた用法に応じて漢呉両音の訓み分けが有ること、[D]に相似る。前引　字類抄によれば〈四角〉を意味する場合は　ホウ　である。

その例―方銭重出　方磬　方円　方。

方法の場合は　ハウ　であることが多い。その例―医方　方来　巡方　比方　為方　方。

前者には違例が無いのに対し、後者には次の違例が見える。

方薬(ホウヤク)医方部　方略(ホウリヤク)文章部　治方(チホウ)雑部

呉音の結束が固い点では[D]と一般である。池上禎造氏は法華經隨音句(釈日遠撰、寛永二十年刊。成立は元和六年)の

然(レドモ)和国ノ風俗　薬方方円(ノ)時ハ　ホウトヨミ　四方正方ノ時ハ　ハウト用来(キ)レリ

に依拠し、その古例を塵袋(永正五年写、成立は鎌倉時代弘安のころ)及び医方大成論抄(天正十一年識語)に求める。右によれば、方向・方法を意味する時は　ハウ、四角・医術を意味する時は　ホウ　のごとく截然と分かれるもののごとくであるが、医術に関しては字類抄の　医方を除外したためにきれい事になっている。四角の場合は、更科日記のよほうなる石　が著聞し、類例は寛弘・長保の訓点資料にまで溯る。室町期の抄物資料における例は枚挙に遑無い。〔池上禎造〈「方」字の合音用法〉―「島田教授古稀記念国文学論集」三四三～三五四ページ　参照〕

叙上により、本辞典においては　四角　を意味する場合に限って　ホウ　と扱った。〈よほう〉に関しては専論が二つ公にされている。

福島邦道「四方なる石」(国語学第四十六輯)

山田孝雄　四方(俳諧語談　二四九～二五七ページ)

[F]　亀の甲・手の甲(従って、手甲も)・甲羅を　コフ、カブト・甲虫・甲殻・穿山甲　を　カフ　と勘えた。

前者に関しては、福島邦道君の〈遊仙窟の「玳瑁」の訓について〉(訓点語と訓点資料第三十二輯一八三～一八六ページ)に詳論が有る。その趣旨を要約するならば、　カフ　は熟語としても用いられる正音、コフは単語における臨時の音乃至俗音とすべきもののごとくであり、両者の関係は、[B]における、　艘　の場合と酷似する。これらの俗音は、　艘　や　篳篥　の場合、訓とまちがわれることはほとんど無いが、　甲　における　コフ　はその違和感が因となって和名抄以来古辞書においては或は訓に近いものとして受け取られていたのではなかろうか。その間の事情は　疋　における　ヒキ　と撰ぶ所は無いものと思われる。

ただし、　甲＝コフ　の観念は、室町時代の末近くには崩れ始めたものと目される。この語を載せる一部の古本節用集や運歩色葉集が鼈甲　をすべて　ベツカウ(フ)　とするのは、その一証。よって、本辞典ではこの語に限り　ベツカフ　と扱った。〔疋　における　ヒキ　については「近代国語辞書の歩み」二四七～二五九ページ　参照〕

[G]　棒　は　バウ　と勘えた。森田武「イソポ物語」(日本古典文学大系90仮名草子のうち)補注にも説が見える。

[H]　乏　は呉音に　ボフ・ボク　二音有り、漢音に　ハフ　が有るが、本辞典においては統一的に　ボフ　に従った。

[I]　翁　は、通行の漢和辞典の記載　漢音　ヲウ　呉音　ウ　にかかわらず、　オウ　と勘えた。証拠は至って乏しい。廣韻の反切が　烏紅切、名義抄が　於公反　とすること、上字がいずれも影母一等に属することを最大の根拠とし、かたわら、蒙求の古写本中　最古の長承本が　オウ　応反　とすることに基づく(鎌倉時代の古写本は、いずれも　ヲウ。これは、オ・ヲ　のかなづかいが既に乱れたものと考えた)。

[J]　淵　は、通行の漢和辞典一様に　ヱン　とするが、廣韻の反切は烏玄切(名義抄もこれを承ける)。烏は影母に属すること前項に述べたごとくである。よって　エン　と判定した。蒙求古写本のうち長承本・聖語蔵本は　エン、他の鎌倉期写本は　まれに　ヱン　を交じえる。

[K]　轟　は　グワウ　と勘えた。根拠は、廣韻に　平声　呼宏切、去声　呼迸切　とするに基づく(前者には　群車声　と注し、後者には　衆車声也　と注する)。また、間接証明としては、同音とされる　訇　輷　が　クワウ　と訓まれること(前者は　字類抄に、後者は　和玉篇に見える)、及び、これに対応する入声字　劃　が　クワク　とされることなどを挙げれば足りようか。

[L]　釀・孃　は、壤・讓　と同じく　ジヤウ　と勘えた。壤(上声字)・讓(去声字)は通行の漢和辞典においても一致して　ジヤウ　であるが、これに対応する去声の　釀・平声の　孃　に関しては問題が有る。釀は、廣韻において　女亮切、名義抄において　如亮又人羊反としるし既に相違が有る。前者に従えば　ヂヤウ、後者によれば　ジヤウ　が期待される。和漢朗詠集上巻、　夏　更衣　における　宿釀　の附音を、平安・鎌倉・室町各期の古鈔本百余本に就いて見るに、百中

九十九は　ジヤウ　である。流通音は、ジヤウ　と見るべきである。

嬢　は、廣韻において　女良切(新撰字鏡・名義抄は　これを承けて女良反　とする)とする一方、乱也　の場合は　汝陽切　とする。前者に従えば　ヂヤウ、後者によれば　ジヤウ　である。嬢　は元来　母　の意であったが、一方に　ヲウナメ　即ち　娘　に極めて近い用法も存し、為(タメ)に廣韻においても　娘　と通用するとされ、万葉集にも　大嬢　は屢〻　大娘に通う。しかしながら、室町時代の末期という時点を押えてみると、嬢(ハハ)は　ジヤウ、娘(ムスメ)は一般に　ニヤウ(一部にシヤウ・ミヤウ・リヤウ・ラウ)という弁別が確立していた。この区別は更に色葉字類抄二巻本(徳富本節用文字及び花山院本)にまで溯ることが出来る。

[M]　菅　は　カン　と勘えた。拠った室町期の資料は　運歩色葉集の古写三本及び和玉篇・下学集である。〔[L]には　和玉篇を　用いた〕

[N]　室町時代中期以降には　豆　について　豆腐(タウフ)　寮　について　寮舎(リヤウシヤ)のごとき時代かなづかいが見られたが、本辞典の性格上従わなかった。

〈和語のかなづかい〉

[O]　ウズクマル(踞・蹲)「疑問かなづかい」において挙げられた鎌倉期の　ウヅクマル　二例中、霊異記に関するものは小泉道君の研究によって原姿にあらざることが証明され(本邦辞書史論叢　九六九・九七〇・九九二ページ参照)、十巻本字類抄の例は中院家本によって破られる。室町期の古辞書においても大勢は　ウズクマル　であり、ひとり和玉篇中、流布本である所謂第四類本に属する本においては　ウヅクマル　に作るものが多く見られる。降(クダ)って、江戸期の諸版本に至るや漸(ヤウヤ)く　ウヅクマル　が多数を占めることとなった。

[P]　ナメヅル(嘗)　今昔物語集第一冊(日本古典文学大系22)218-6及び補注三八八　参照。

[Q]　ハヅム　言海・大言海によって啓発せられ、日ポ辞書を検してこれを確認した。後、歌舞伎評判記を閲するに及び、名詞　カルハヅミ　を含め、全例中　一も違例が無いことを知った。

[R]　ヒヅミ・ヒヅム(歪)　桃源の史記抄、張儀列傳に　セメヒヅムル(下二段活用)の形が見え、日ポ辞書に四段活用の例が見える。

[S]　ツクエ(机)　通例 語原　ツキスヱ(突据)　を擬して　ヱ　のかなとするが、本辞典では大坪併治氏の研究を尊重して上記に従った。(訓点語の研究　六四～六六ページ　参照)

[T]　タヂタヂ　ソンヂヨ(ソコラ)　タヂログ　と同原である前者は日ポ辞書に検し、後者は語原　ソンヂヤウ(其定)　から推(ス)した。

[U]　スマフ[a]　ムカフ[b]：カゲロフ[c]　終止・連体形による名詞法と考え、ウに従う旧説を排した。歌舞伎評判記亦 a・b を多く　フ　に作る。

[V]　ミヤウガ(茗荷)　常は、本草和名所載の万葉仮名　女加　によって、メガ　の転と説くが、それでは　ミヨウガ　になるであろう。しかるに、ミヤウガ　は、古本節用集では　名荷[a]・茗荷[b]・蘘荷[c]　と用字が移っていることが著しい。よって思うに、a は　女加　の異表記を音読したもの、b はそれに草冠を増画したものではあるまいか。よって本辞典においては開音を採った。蘘　は何故　ミヤウ　の音を持つのであろうか?

[W]　麹　は　カウジ　と勘えた。〔天理図書館善本叢書月報14「古辞書の訓」参照〕

付記　字音かなづかいの中、[I]～[L]は鈴木真喜男君の調査、[M]は故太田晶二郎氏の示教、[R][T]は故對馬友治君の意見による。

山田忠雄

あとがき

成立事情　昭和十八年五月に金田一京助監修による「明解国語辞典」が発刊されたが、昭和四十六年、金田一は故人となった。その後主幹山田忠雄が、それまでの国語辞典とは異なる独自の構想のもと、この辞典を「新明解国語辞典」として編集し、昭和四十七年一月に初版の刊行をみるに至った。

旧著における見坊豪紀の功績は極めて大きい。現代語を主とする今日の小型国語辞典の定型は実に彼の創始する所である。

一方、昭和三十五年十二月旧著から派生した同一共編者名義による姉妹篇「三省堂国語辞典」は、両立のための要件として中学・高校生向きの需要に応えられる事を当初の目的として出発した。

「新明解」第三版・第四版は右の沿革を踏まえ、それぞれの序文にあるように両書の独立を強調する立場から、新たな視点に基づく編集が試みられたものであった。

「新明解」第五版は、編集半ばにして故人となった主幹山田の後を承け、編集者・編集協力者の一員として、本書にかかわってきた柴田武・酒井憲二・山田明雄・倉持保男がその業を引き継いで完成させたものである。

「新明解」第六版も、第五版の編集に携わった柴田武・酒井憲二・山田明雄・倉持保男の四人の手によって編集された。運用欄の新設及び副詞項目などの語釈の再吟味や用例の精選に努めた。

「新明解」第七版は、編集委員会代表柴田が鬼籍に入り、残った酒井憲二・山田明雄・倉持保男に、上野善道・井島正博・笹原宏之が新たに加わり、編集作業を進めた。文法欄を新たに設け、個個の見出し語に関しては、情意・感覚を表わす形容詞を全面的に見直し、改善を試みた。

今回の「新明解」第八版では、編集の途上にて編集委員会代表倉持が不帰の客となり、残る上野善道・山田明雄・井島正博・笹原宏之で編集作業を引き継いで行なった。現代に生きる我われにとって不可欠な語彙に関する情報をより豊富に盛り込むとともに、言語文化の伝統を誤りなく後世に伝え続けようとする基本的な編集方針に変りはなく、加えて今回はアクセントの全面的な見直しを行ない、従来限定的であった語例などについても極力アクセントを付した。また、表記情報のさらなる充実、形式名詞と助辞の複合語「のだ」「ものだ」「ところだ」などの立項と文法的な説明、「かぞえ方」欄の拡充と巻末付録「数字の読み方」の新設など、新たな試みにも努めた。

収載語数　親見出し六四、二〇〇語内外、子見出し（複合語を主体とし、イディオム・諺（コトワザ）の類をも含む）約九、八〇〇語、別枠の字音語の造語成分約二、七〇〇語、世界の主要地名二二二語、計約七七、〇〇〇語。本書に用例として掲げているもので、他書が一見出しの扱いをするものを併（アワ）せると、合計七九、〇〇〇語以上に及ぶ（その中、〔＝〕の内部に語釈を施したものは二、〇〇〇語以上）。そのほか、紙幅縮小のために見出しとしては立てなかった同根の名詞・動詞及び自動詞・他動詞の参照は約一、一〇〇語、接辞「さ・み・げ・がる」を伴うものは約一、八〇〇語にのぼる。

重要語　本書では、重要語として三、四三六語を選定し、そのうち一、〇二二語に最重要語として**を、残る二、四一四語に*を付した。

重要語を選定するに当たり、その基準を次の二点に置いた。

第一に、外界を構成する事物や現象、またその属性、及び人間の精神的・肉体的諸活動や情意などの基本的な概念を表わす語であって、我われが認識・思考・伝達などを営む上で欠かせないものであること。この観点で選定するに際し、語彙の体系的な把握につとめ、基本度の高い語を全領域から偏りなく抽出するよう配慮した。その結果、より包括的な意味を有する上位概念語が積極的に取り上げられ、個個の動植物名・物品名やスポーツの種目名などの細目は、総称的な意味を有する少数が選び出されるに止まり、使用度数にかかわりなくその大部分が省かれる結果となった。

第二に、論理性を重んじる文章、特に、新聞の社説などに代表されるような論説文に頻出する語であって、その語の表わす概念と用法を的確にとらえることが社会生活上すぐれて重要なものであること。この観点から、日常的な口語表現に偏って用いられる語は必ずしも取り上げない場合があった。

なお、日常の言語生活において十分にその意味・用法に習熟していると考えられる、代名詞・連体詞・接続詞・助辞及び一部の副詞は、頻出度にかかわりなく選定対象から外すことを原則とした。待遇表現に用いられる語や数量を表わす語にも同じ方法を適用した。

付　記

一　編集委員会を構成する倉持保男(前代表)・上野善道(代表)・山田明雄・井島正博・笹原宏之の五名は、各人それぞれの観点から原稿に目を通し、補訂などを行なった。

二　編集委員の分担は概ね次の如くである。

Ａ倉持・上野は編集委員会代表として共編者を統括すると共に、主として倉持は語釈の改良に当たり、上野は語釈の改良とアクセント表示に関する修正や解説を行なった。

Ｂ山田はその専門とする領域の視点から改善案に関する提言などを行なった。また、巻末付録「数字の読み方」を執筆した。

Ｃ井島は文法欄所載の事項を選定したり項目執筆に当たったりした。

Ｄ笹原は漢字表記に関する面の任に当たった。

三　編集協力者として下記の五名の助力があった。平井吾門は新規追加項目の執筆及び既存項目の点検に、岡優子・関口祐未は新規追加項目の執筆に、それぞれ協力した。臼田孝からは度量衡・計量単位の用語について、小田亮からは人類学関連の用語について校閲を得た。

四　出版社「三省堂」の武田京・吉村三惠子・荻野真友子・山本康一は、本辞典の出版社側の担当者として、刊行に至るまでの種種の任に当たった。

五　その他本辞典の編集には次の者が協力した。

Ａ芦田芳孝・安部いずみ・岩谷由美・大久保晴彦・荻野哲矢・兼古和昌・北野太一・境田稔信・坂田星子・菅間文乃・高坂佳太・田村豪・中村祐子・松原博英・吉岡幸子・和田徹・渡邉さゆりは校正の任に当たった。

Ｂ岡本有子・加地耕三・髙橋夕香・長坂亮子はデータ編集の任に当たった。

Ｃ三省堂印刷は紙面の組版作業を行なった。

Ｄそのほか多くの人びとから種種の形で校正その他の編集実務に協力を得た。中でも吉岡幸子には編集実務の全般にわたり惜しみない助力を得た。

二〇二〇年六月

編集委員会代表　　上野善道

1972 年 1 月 24 日　初 版 発 行
1974 年 11 月 10 日　第 2 版 発 行
1981 年 2 月 1 日　第 3 版 発 行
1989 年 11 月 10 日　第 4 版 発 行
1997 年 11 月 3 日　第 5 版 発 行
2005 年 1 月 10 日　第 6 版 発 行
2012 年 1 月 10 日　第 7 版 発 行
2020 年 11 月 20 日　第 8 版 発 行
2020 年 11 月 20 日　第 8 版白版発行

新明解国語辞典 第八版 白版

二〇二四年一月一〇日　第三刷発行

編　者　山田忠雄（やまだ　ただお）
倉持保男（くらもち　やすお）
上野善道（うわの　ぜんどう）
山田明雄（やまだ　あきお）
井島正博（いじま　まさひろ）
笹原宏之（ささはら　ひろゆき）

発行者　株式会社　三省堂　代表者　瀧本多加志
印刷者　三省堂印刷株式会社
発行所　株式会社　三省堂
〒一〇二-八三七一
東京都千代田区麴町五丁目七番地二
電話　(〇三)　三二三〇-九四一一
https://www.sanseido.co.jp/
商標登録番号　六三三六八四

〈8 版新明国（白）・1,792 pp.〉

落丁本・乱丁本はお取り替えいたします。

ISBN978-4-385-13079-8

◉アクセントの型の種類は、単語の拍数による。一拍語では二種類の型しかないが、五拍語には六種類の型がある。両者の間には、a＝n＋1（ただし、aはアクセントの型の種類の数、nは拍数）の関係が見られる。

◉アクセントを目で見てわかる形に示した。○↗は、その単語に続くことば（助詞・助動詞など）が上がることを示し、○↘は、同じく下がること、○—は下がらずにそのまま続くことを示す。

◉いずれも表中の単語が最初にくるときのものである。詳しくは解説本文を参照。

◉カタカナは、仮名遣いによる表記ではなく、音（韻）による表記によった。

◉それぞれの例語は、ここに示したアクセント型しか持たないということではない。例えば、クサカリは4型の他に3型もある。

3	4	5
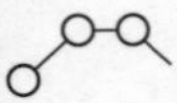 ツボミ		
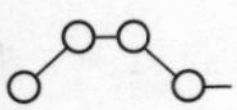 マツカサ	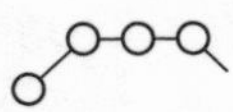 クサカリ	
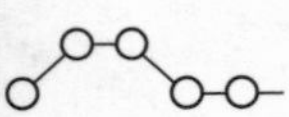 ヤマザクラ	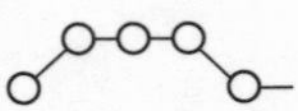 カラスムギ	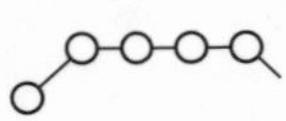 ヤマノイモ